JN203737

総目次

※ ★印は本年版の新収録

第一編 基本法令

第1章 国共済関係

第3章　恩給・旧法令関係

第4章　その他

法令名索引

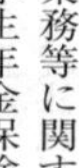
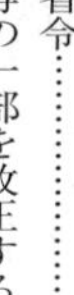
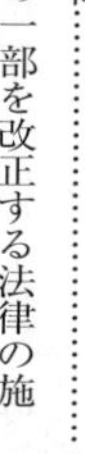
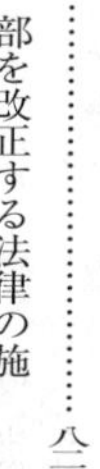

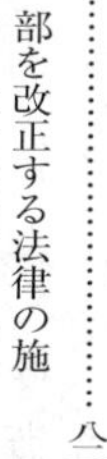
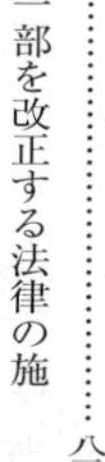
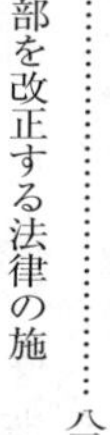

共済小六法

令和7年版

共済組合連盟
［編］

学陽書房

序

約十年越しの懸案であつた公務員新年金制度も、本年十月一日より全面的な実施をみるに至つた。

当連盟は、従来、事務担当者の能率的事務処理に資するため共済関係法令集の編集を行つてきたが、これは、加除式の長を有する反面又その短所も有してい、よりハンデイーな法令集をという要望が広くなされていた。

あたかも、今回の国家公務員共済組合法の全面改正を機として、これが小六法形式のものを発行したいとの学陽書房の企画の申出を受けた。

この申出は、当連盟かねてからの計画とも一致するので、直ちに当連盟業務調査会にその編集等を委ね、いよいよ発行の運びとなつた。

本書の収録法令は、業務調査会において、選ばれた小委員会の充分なる検討により決定されたものであり、必ずや共済関係事務担当者の座右の書となることと思う。

本書の編集に関与された諸氏の御協力に対し、又、本書の発行を行う学陽書房に対し末尾ながら深甚の謝意を表したい。

昭和三十四年十月二十八日

共済組合連盟会長

今井一男

はしがき

——令和七年版発刊にあたって——

「共済小六法」は、昭和三十四年に初版が刊行されて以来、内容の最新、正確さを期するだけでなく、使い易く、かつ、便利な六法を目標として毎年監修をし、実務法令集として本書の企画趣旨に添うよう努力しているところである。

共済組合制度は、昭和六十一年の基礎年金制度の導入を契機として他の社会保険各法との関係が極めて密接となってきているのであるが、それとともに制度の仕組みがますます複雑さを増し、改正を重ねるごとに全体を正確に把握することがなかなか容易でなくなっているのが実情である。

最近では、人口構造の少子高齢化が進む中で、二十一世紀を活力ある長寿社会とし、あわせて社会保障制度を長期的に安定させるため、給付と負担の均衡を図る視点からの諸般の制度改革が行われてきている。

医療保険制度については、平成十八年度において、医療制度を将来にわたり持続可能なものとしていくため、医療制度の適正化の総合的な推進、新たな高齢者医療制度の創設、都道府県単位を軸とした保険者の再編・統合等の措置が講じられ、その後も高額療養費制度の見直し等の措置が講じられているところである。

介護保険制度については、平成十七年度において、予防重視型システムへの転換、施設給付の見直し等の措置が講じられたところである。

年金制度については、平成十六年度において、共済年金の見直しを行い、厚生年金と同一の比率で給付水準の調整を行う方式（マクロ経済スライド方式）を導入するとともに、基礎年金拠出金に対する国庫負担割合、在職中の退職共済年金の支給停止措置の見直し等を行うほか、国家公務員共済組合と地方公務員共済組合の共済年金について、両制度の保険料率を一本にするとともに、両制度間の財政調整の仕組みの導入の措置が講じられたところである。

また、平成二十七年十月から共済年金を廃止し厚生年金保険に一元化するとともに、廃止された共済年金の職域部分に代えて退職等年金給付を創設すること等の措置が講じられたところである。

そこで令和七年版においては、こうした改正法令やその他共済組合制度に関係のある法令等について幅広く収録するとともに、内容の見直しを行うこととした。

本書が、関係者の方々に広く活用され、共済組合制度についての理解を一層深めていただく一助となれば幸いである。

令和六年十二月

（一社）共済組合連盟会長

山　崎　泰　彦

凡　例

【本書の目的】

本書は、共済関係事務を担当する方々のために必要な法令を網ら収録して、日常業務の処理や、会議、出張等にも簡便に携行し役立てられるように編集した。

【収録法令】

常時必要とされる重要法令等九四件を吟味選択した。

【内容現在】

内容は、令和六年一〇月一日現在のものである。

【未施行法令について】

改正法令は原則として令和七年四月一日までの施行のものを収録しているが、令和七年四月二日以後に施行となるものについては、その法令の末尾に事情を説明したうえ、別に掲げた。

【分類】

本書は、基本法令及び関係法令の二編に分類した。

【検索方法】

法令の検索は、「総目次」、「法令名索引」によられたい。

【公布・改正】

各法令の公布年月日及び法令番号は、各法令名の下に示し、以後の改正経過は、国家公務員共済組合法、同施行法、同施行令、同施行規則については逐次列記し、他の法令については、直近の改正年月日及び法令番号のみを示した。これに使用した略称は、次の用例による。

法―法律　　政令―政令　　財務令―財務省令　　厚労令――厚生労働省令

【条文見出】

本書の編集者がつけた条文見出は〔　〕を付して示し、法令自体についている（　）の見出と区別した。

【項番号】
項番号の付されていない法令にあっては、検出の便宜上、編集者においてそれぞれ項番号を付したが、最新の法令形式の2・3等と区別するため、②・③とした。

【参照条文】
国家公務員共済組合法に参照条文等の注を付した。その際用いた略称の主なものは次の用例による。

法――国家公務員共済組合法（昭三三・五・一法一二八）
令――国家公務員共済組合法施行令（昭三三・六・三〇政令二〇七）
規則――国家公務員共済組合法施行規則（昭三三・一〇・一一大蔵令五四）
運用方針――国家公務員共済組合法等の運用方針（昭三四・一〇・一蔵計二九二七）
施行法――国家公務員共済組合法の長期給付に関する施行法（昭三三・五・一法一二九）
旧令特別措置法――旧令による共済組合等からの年金受給者のための特別措置法（昭二五・一二・一二法二五六）
昭五九法七七――健康保険法等の一部を改正する法律（昭五九・八・一四法七七）
昭六〇改正法――国家公務員等共済組合法等の一部を改正する法律（昭六〇・一二・二七法一〇五）
昭六一経過措置政令――国家公務員等共済組合法等の一部を改正する法律の施行に伴う経過措置に関する政令（昭六一・三・二八政令五六）
昭五九厚生省告示一四七（厚生大臣の定める療養）――健康保険法第四十三条第一項及び国民健康保険法第三十六条第一項の規定に基づく厚生大臣の定める療養（昭五九・九・一二厚生省告示一四七）
平八法八二――厚生年金保険法等の一部を改正する法律（平八・六・一四法八二）
平九厚年経過措置政令――厚生年金保険法等の一部を改正する法律の施行に伴う経過措置に関する政令（平九・三・二八政令八五）
平九経過措置政令――厚生年金保険法等の一部を改正する法律の施行に伴う国家公務員共済組合法による長期給付等に関する経過措置に関する政令（平九・三・二八政令八六）
国公法――国家公務員法（昭二二・一〇・二一法一二〇）
防給法――防衛省の職員の給与等に関する法律（昭二七・七・三一法二六六）
防給令――防衛省の職員の給与等に関する法律施行令（昭二七・八・二七政令三六八）
健保法――健康保険法（大一一・四・二二法七〇）
財形法――勤労者財産形成促進法（昭四六・六・一法九二）

国共済財形令――国家公務員共済組合及び国家公務員共済組合連合会が行う国家公務員等の財産形成事業に関する省令（昭五二・一二・一五大蔵令五〇）
地共法――――地方公務員等共済組合法（昭三七・九・八法一五二）
なお、参照条文中の和数字は「条」を、算用数字は「項」を、カッコ付きの算用数字は「号」を示す。
（例）「法二―1(1)・(4)」は「国家公務員共済組合法第二条第一項第一号及び第四号」の意である。

【年版】
本書は年版とし、毎年一回収録法令の改正を加除訂正して、最新の姿で発刊する予定である。

第1編
基本法令

第1章　国共済関係
第2章　他共済関係
第3章　その他

○国家公務員共済組合法

昭三三・五・一
法一二八

〔昭二三法六九を全文改正〕

改正
昭三四・四・二〇法一四八
昭三四・五・一五法一六三
昭三四・五・一五法一六四
昭三五・六・二三法九九
昭三五・六・三〇法一一三
昭三六・六・一法一〇二
昭三六・六・一九法一五二
昭三六・一一・一法一八二
昭三七・四・二八法九二
昭三七・五・一五法一三二
昭三七・九・八法一五二
昭三七・九・一五法一六一
昭三八・三・三一法五九
昭三八・三・三一法六二
昭三八・六・二七法一一四
昭三八・八・一法一六三
昭三九・七・六法一五二
昭三九・七・六法一五三
昭三九・一二・二八法一八五
昭四〇・五・一八法六九
昭四〇・五・一八法七一
昭四〇・六・一法一〇一
昭四〇・六・一法一〇四
昭四一・五・九法六七
昭四一・七・八法一二二
昭四二・七・三一法一〇四
昭四四・八・七法六九
昭四四・一二・六法七八
昭四四・一二・一六法九二
昭四六・五・二九法八二
昭四七・五・一三法三一
昭四八・七・二四法六二
昭四八・八・一〇法六九
昭四八・九・二六法八九
昭四九・六・二五法九四
昭四九・六・二七法一〇〇
昭五〇・六・二一法四二
昭五〇・一一・二〇法七九
昭五一・五・二六法三一
昭五一・六・三法五二
昭五一・六・五法六二
昭五二・六・一法五六
昭五二・六・七法六四
昭五二・一二・一六法八六
昭五三・五・一六法四七
昭五三・五・三一法五八
昭五三・七・五法八七
昭五四・一二・二八法七二
昭五五・五・三一法七四
昭五五・一一・二六法八八
昭五五・一一・二九法九三
昭五五・一二・一〇法一〇八
昭五六・五・三〇法五五
昭五六・六・九法七三
昭五六・六・一一法七八
昭五七・五・一法三七
昭五七・五・二五法五六
昭五七・七・一六法六六
昭五七・八・一七法八〇
昭五八・一二・二法七八
昭五八・一二・三法八二
昭五九・五・二三法三五
昭五九・五・二五法四〇
昭五九・八・一〇法六七
昭五九・八・一〇法七一
昭五九・八・一四法七七
昭五九・一二・二五法八七
昭六〇・五・一法三四
昭六〇・六・七法四九
昭六〇・一二・二一法九七
昭六〇・一二・二七法一〇五
昭六〇・一二・二七法一〇八
昭六一・五・二〇法五二
昭六一・一二・四法九三
昭六一・一二・二二法一〇六
昭六二・九・二五法九六
平元・一二・二二法八七
平元・一二・二七法九三
平二・六・二二法三六
平三・四・一九法三三
平三・四・二六法四五
平三・四・二六法四六
平三・一〇・四法八九
平四・三・三一法七
平六・六・一五法三三
平六・六・二九法五六
平六・一一・一六法九八
平七・三・三一法五一
平七・六・九法一〇七
平八・六・一四法八二
平九・五・九法四八
平九・六・一八法九二
平九・六・二〇法九四
平九・一二・五法一〇九
平九・一二・一〇法一一二
平九・一二・一七法一二四
平一〇・六・一七法一〇九
平一一・五・二八法五六
平一一・七・一六法八七
平一一・七・一六法一〇二
平一一・七・一六法一〇四
平一一・一二・二二法一六〇
平一一・一二・二二法一八九
平一一・一二・二二法一九八
平一一・一二・二二法二一七
平一二・三・三一法一八
平一二・三・三一法二一
平一二・五・一二法五九
平一二・五・三一法九九
平一二・一一・二七法一二五
平一二・一二・六法一四〇
平一二・一二・六法一四一
平一三・七・四法一〇一
平一三・一二・七法一四二
平一三・一二・一二法一五三
平一四・五・一〇法四〇
平一四・五・一〇法四一
平一四・七・三一法九八
平一四・七・三一法一〇〇
平一四・八・二法一〇二
平一四・八・二法一〇三
平一四・一二・二〇法一九一
平一五・四・三〇法三一
平一五・六・四法六二
平一五・七・一六法一一七
平一六・六・二三法一三〇
平一六・六・二三法一三二
平一七・六・二九法七七
平一七・一〇・二一法一〇二
平一八・二・一〇法一
平一八・三・三一法二一
平一八・三・三一法二三
平一八・三・三一法二四
平一八・三・三一法二五
平一八・三・三一法二六
平一八・三・三一法二七
平一八・三・三一法二八
平一八・三・三一法二九
平一八・六・二法五〇
平一八・六・二一法八〇
平一八・六・二一法八三
平一八・一二・二二法一一八
平一九・三・三〇法七
平一九・三・三〇法八
平一九・三・三〇法九
平一九・四・二三法三〇
平一九・五・一六法四二
平一九・五・二五法五八
平一九・七・六法一〇八
平一九・七・六法一〇九
平一九・七・六法一一〇
平二〇・一二・一九法九三
平二〇・一二・二六法九五
平二一・三・三〇法五
平二一・三・三一法一八
平二一・五・一法三六
平二一・五・二九法四一
平二一・七・一法六五
平二一・一一・三〇法九三
平二二・四・二八法二七
平二二・一二・三法六一
平二三・四・二七法二六
平二三・五・二五法五三
平二三・五・二七法五六
平二三・六・二二法七二
平二四・五・八法三〇
平二四・六・二七法四二
平二四・八・二二法六二
平二四・八・二二法六三
平二四・一一・二六法九六
平二六・三・三一法一三
平二六・五・二一法三八
平二六・五・三〇法四二
平二六・六・一一法六四
平二六・六・一三法六七
平二六・六・一三法六九
平二六・六・二五法八三
平二七・五・七法一七
平二七・五・二七法二七
平二七・五・二九法三一
平二七・六・二四法四四
平二七・六・二六法四八
平二七・七・八法五一
平二七・七・一七法五九
平二七・九・一八法七〇
平二八・三・三一法一七
平二八・五・二〇法四四
平二八・一一・二四法八〇
平二八・一一・二八法八七
平二九・三・三一法一四
平二九・六・二法四五
平三〇・六・八法四一
令元・五・二二法九
令二・三・三一法八
令二・三・三一法一四
令二・六・五法四〇
令三・五・一九法三七
令三・六・一一法六六
令四・五・二五法五二
令四・一二・九法九六
令五・五・一九法三一
令五・六・七法四七
令五・六・九法四八
令六・六・一二法四七

目次

第一章　総則

（目的）

第一条　この法律は、国家公務員の病気、負傷、出産、休業、災害、退職、障害若しくは死亡又はその被扶養者の病気、負傷、出産、死亡若しくは災害に関して適切な給付を行うため、相互救済を目的とする共済組合の制度を設け、その行うこれらの給付及び福祉事業に関して必要な事項を定め、もつて国家公務員及びその遺族の生活の安定と福祉の向上に寄与するとともに、公務の能率的運営に資することを目的とする。

2　国及び行政執行法人（独立行政法人通則法（平成十一年法律第百三号）第二条第四項に規定する行政執行法人をいう。以下同じ。）は、前項の共済組合の健全な運営と発達が図られるように、必要な配慮を加えるものとする。

【参照】
●法一二（職員及び施設の提供）
●国公法一〇七（退職年金制度）、一〇八（意見の申出）

（定義）

第二条　この法律において、次の各号に掲げる用語の意義は、それぞれ当該各号に定めるところによる。

一　職員　常時勤務に服することを要する国家公務員（国家公務員法（昭和二十二年法律第百二十号）第七十九条又は第八十二条の規定（他の法令のこれらに相当する規定を含む。）による休職又は停職の処分を受けた者、法令の規定により職務に専念する義務を免除された者その他の常時勤務に服することを要しない国家公務員で政令で定めるものを含むものとし、臨時に使用される者（二月以内の期間を定めて使用される者であつて、当該定めた期間を超えて使用されることが見込まれないものに限る。第百二十四条の三において同じ。）その他の政令で定める者を含まないものとする。）をいう。

二　被扶養者　次に掲げる者（後期高齢者医療の被保険者（高齢者の医療の確保に関する法律（昭和五十七年法律第八十号）第五十条の規定による被保険者をいう。）及び同条各号のいずれかに該当する者で同法第五十一条の規定により後期高齢者医療の被保険者とならないもの（以下「後期高齢者医療の被保険者等」という。）その他健康保険法（大正十一年法律第七十号）第三条第七項ただし書に規定する特別の理由がある者に準じて財務省令で定める者を除く。）で主として組合員（短期給付に関する規定の適用を受けないものを除く。以下この号において同じ。）の収入により生計を維持するものであつて、日本国内に住所を有するもの又は外国において留学をする学生その他の日本国内に住所を有しないが渡航目的その他の事情を考慮して日本国内に生活の基礎があると認められるものとして財務省令で定めるものをいう。

イ　組合員の配偶者、子、父母、孫、祖父母及び兄弟姉妹

ロ　組合員と同一の世帯に属する三親等内の親族でイに掲げる者以外のもの

ハ　組合員の配偶者で届出をしていないが事実上婚姻関係と同様の事情にあるものの父母及び子並びに当該配偶者の死亡後におけるその父母及び子で、組合員と同一の世帯に属するもの

三　遺族　組合員又は組合員であつた者の配偶者、子、

父母、孫及び祖父母で、組合員又は組合員であつた者の死亡の当時（失踪の宣告を受けた組合員であつた者にあつては、行方不明となつた当時。第三項において同じ。）その者によつて生計を維持していたものをいう。

四　退職　職員が死亡以外の事由により職員でなくなること（職員でなくなつた日又はその翌日に再び職員となる場合におけるその職員でなくなることを除く。）をいう。

五　報酬　一般職の職員の給与に関する法律（昭和二十五年法律第九十五号）の適用を受ける職員については、同法の規定に基づく給与のうち期末手当、勤勉手当その他政令で定める給与を除いたもの及び他の法律の規定に基づく給与のうち政令で定めるものとし、その他の職員については、これらに準ずる給与として政令で定めるものをいう。

六　期末手当等　一般職の職員の給与に関する法律の適用を受ける職員については、同法の規定に基づく給与のうち期末手当、勤勉手当その他政令で定める給与（報酬に該当しない給与に限る。）及び他の法律の規定に基づく給与のうち政令で定めるもの（報酬に該当しない給与に限る。）とし、その他の職員については、これらに準ずる給与として政令で定めるものをいう。

七　各省各庁　衆議院、参議院、内閣（環境省を含む。）、各省（環境省を除く。）、裁判所及び会計検査院をいう。

2　前項第二号の規定の適用上主として組合員の収入により生計を維持することの認定及び同項第三号の規定の適用上組合員又は組合員であつた者によつて生計を維持することの認定に関し必要な事項は、政令で定める。

3　第一項第三号の規定の適用については、夫、父母又は祖父母は五十五歳以上の者に、子若しくは孫は十八歳に達する日以後の最初の三月三十一日までの間にあるか、又は二十歳未満で厚生年金保険法（昭和二十九年法律第百十五号）第四十七条第二項に規定する障害等級（以下単に「障害等級」という。）の一級若しくは二級に該当する程度の障害の状態にあり、かつ、まだ配偶者がない者に限るものとし、組合員又は組合員であつた者の死亡の当時胎児であつた子が出生した場合には、その子は、これらの者の死亡の当時その者によつて生計を維持していたものとみなす。

4　この法律において、「配偶者」、「夫」及び「妻」には、婚姻の届出をしていないが、事実上婚姻関係と同様の事情にある者を含むものとする。

［参照］

●法三七（組合員の資格の得喪）、七二3（長期給付の種類等）、一二四の二1（公庫等に転出した継続長期組合員についての特例）、一二五（組合職員の取扱い）、一二六の二1（地方公務員等共済組合法との関係）、法附則六、一二の二
●令二～五の二、四四の四、四五1、四五の二
●規則一五の一三
●運用方針法二関係
●地共法一四二（国の職員の取扱い）
●健保法三
●厚年法二の五

第二章　組合及び連合会

第一節　組合

（設立及び業務）

第三条　各省各庁ごとに、その所属の職員及びその所管する行政執行法人の職員（次項各号に掲げる職員を除く。）をもつて組織する国家公務員共済組合（以下「組合」という。）を設ける。

2　前項に定めるもののほか、次の各号に掲げる各省各庁については、それぞれ当該各号に掲げる職員をもつて組織する組合を設ける。

一　法務省　矯正管区、刑務所、少年刑務所、拘置所、少年院、少年鑑別所及び政令で定める機関に属する職員

二　厚生労働省　国立ハンセン病療養所に属する職員

三　農林水産省　林野庁に属する職員

3　組合は、第五十条第一項各号に掲げる短期給付、長期給付及び第九十八条第一項第一号の二に掲げる福祉事業を行うものとする。

4　組合は、前項に定めるもののほか、高齢者の医療の確保に関する法律第三十六条第一項に規定する前期高齢者納付金等（以下「前期高齢者納付金等」という。）、同法第百十八条第一項の規定による後期高齢者支援金及び後期高齢者関係事務費拠出金並びに同法第百二十四条の五第一項の規定による出産育児関係事務費拠出金（以下「後期高齢者支援金等」という。）、介護保険法（平成九年法律第百二十三号）第百五十条第一項に規定する納付金（以下「介護納付金」という。）、感染症の予防及び感染症の患者に対する医療に関する法律（平成十年法律第百十四号）第三十六条の十四第三項に規定する流行初期医療確保拠出金等（第九十九条第一項において「流行初期医療確保拠出金等」という。）、厚生年金保険法第八十

四条の五第一項に規定する拠出金（以下「厚生年金拠出金」という。）並びに国民年金法（昭和三十四年法律第百四十一号）第九十四条の二第二項に規定する基礎年金拠出金（以下「基礎年金拠出金」という。）の納付並びに第百二条の二に規定する財政調整拠出金の拠出に関する業務を行う。

5　組合は、前二項に定めるもののほか、組合員の福祉の増進に資するため、第五十一条に規定する短期給付及び第九十八条第一項各号（第一号の二を除く。）に掲げる福祉事業を行うことができる。

［参照］

●法二一（設立及び業務）、一二六1（連合会役職員の取扱い）、一二九⑸、法附則三1、一一の三、一四の四、二〇、二〇の二

●令五の三

（法人格）

第四条　組合は、法人とする。

（事務所）

第五条　組合は、各省各庁の長（第八条第一項に規定する各省各庁の長をいう。）の指定する地に主たる事務所を置く。

2　組合は、必要な地に従たる事務所を置くことができる。

［参照］

●規則四、五

（定款）

第六条　組合は、定款をもつて次に掲げる事項を定めなければならない。

一　目的
二　名称
三　事務所の所在地
四　運営審議会に関する事項
五　組合員の範囲に関する事項
六　給付及び掛金に関する事項（第二十四条第一項第八号に掲げる事項を除く。）
七　福祉事業（第九十八条第一項各号に掲げる福祉事業をいう。第五章を除き、以下同じ。）に関する事項
八　資産の管理その他財務に関する事項
九　その他組織及び業務に関する重要事項

2　前項の定款の変更（政令で定める事項に係るものを除く。）は、財務大臣の認可を受けなければ、その効力を生じない。

3　組合は、前項に規定する政令で定める事項に係る定款の変更をしたときは、遅滞なく、これを財務大臣に届け出なければならない。

4　組合は、定款の変更について第二項に規定する認可を受けたとき、又は同項に規定する政令で定める事項に係る定款の変更をしたときは、遅滞なく、これを公告しなければならない。

［参照］

●法九、一〇、二四（定款）、九八1⑺（福祉事業）、一〇〇3（掛金）、一二六の五2（任意継続組合員に対する短期給付等）、一二九⑴、法附則三、一二1・5・6、一四の二、二〇の四

●令六、一一の三、三四～三六、四〇、五一3、令附則六の二の二、六の二の三3

●規則五、六

●運用方針法六関係

（住所）

第七条　組合の住所は、その主たる事務所の所在地にあるものとする。

（管理）

第八条　衆議院議長、参議院議長、最高裁判所長官、内閣総理大臣、各省大臣（環境大臣を除く。）、最高裁判所長官及び会計検査院長（第三条第二項第三号に掲げる職員をもつて組織する組合にあつては、第十二条及び第百二条を除き、林野庁長官とし、以下「各省各庁の長」という。）は、それぞれその各省各庁の所属の職員及び当該各省各庁の所管する行政執行法人の職員をもつて組織する組合を代表し、その業務を執行する。

2　各省各庁の長（以下「組合の代表者」という。）は、組合員（組合の事務に従事する者でその組合に係る各省各庁について設けられた他の組合の組合員であるものを含む。）のうちから、組合の業務の一部に関し一切の裁判上又は裁判外の行為をする権限を有する代理人を選任することができる。

［参照］

●令四五の二3

（運営審議会）

第九条　組合の業務の適正な運営に資するため、各組合に運営審議会を置く。

2　運営審議会は、委員十人以内で組織する。

3　委員は、組合の代表者がその組合の組合員のうちから命ずる。ただし、その組合の事務に従事する者でその組合に係る各省各庁について設けられた他の組合の組合員

であるものがある場合には、組合の代表者は、委員のうち一人をその者のうちから命ずることができる。

4　組合の代表者は、前項の規定により委員を命ずる場合には、組合の業務その他組合員の福祉に関する事項について広い知識を有する者のうちから命ずるものとし、一部の者の利益に偏することのないように、相当の注意を払わなければならない。

【参照】

●法附則三の二、二〇の四

第十条　次に掲げる事項は、運営審議会の議を経なければならない。

一　定款の変更

二　運営規則の作成及び変更

三　毎事業年度の事業計画並びに予算及び決算

四　重要な財産の処分及び重大な債務の負担

2　運営審議会は、前項に定めるもののほか、組合の代表者の諮問に応じて組合の業務に関する重要事項を調査審議し、又は必要と認める事項につき組合の代表者に建議することができる。

【参照】

●法附則一四の四3

（運営規則）

第十一条　組合の代表者は、組合の業務を執行するために必要な事項で財務省令で定めるものについて、運営規則を定めるものとする。

2　組合の代表者は、運営規則を定め、又は変更する場合には、あらかじめ財務大臣に協議しなければならない。

【参照】

●規則三

（職員及び施設の提供）

第十二条　各省各庁の長又は行政執行法人の長は、組合の運営に必要な範囲内において、その所属の職員その他国に使用される者又は行政執行法人に使用される者をして当該組合の業務に従事させることができる。

2　各省各庁の長は、組合の運営に必要な範囲内において、その管理に係る土地、建物その他の施設を無償で当該組合の利用に供することができる。

（組合の事務職員の公務員たる性質）

第十三条　組合に使用され、その事務に従事する者は、刑法（明治四十年法律第四十五号）その他の罰則の適用については、法令により公務に従事する職員とみなす。

【参照】

●刑法二編五章（公務の執行を妨害する罪）、一五五（公文書偽造等）〜一五八（偽造公文書行使等）、一九七（収賄、受託収賄及び事前収賄）〜一九七の五（没収及び追徴）

（秘密保持義務）

第十三条の二　組合の事務に従事している者又は従事していた者は、組合の事業に関して職務上知り得た秘密を漏らし、又は盗用してはならない。

【参照】

●法一二七の二

（事業年度）

第十四条　組合の事業年度は、毎年四月一日に始まり、翌年三月三十一日に終る。

（事業計画及び予算）

第十五条　組合は、毎事業年度、事業計画及び予算を作成し、事業年度開始前に、財務大臣の認可を受けなければならない。

2　組合は、事業計画及び予算の重要な事項で政令で定めるものを変更しようとするときは、そのつど、財務大臣の認可を受けなければならない。

【参照】

●法一二九(1)

●令七

●規則二二〜二四

●運用方針法一五関係、施行規則二三関係、二四関係

（決算）

第十六条　組合は、毎事業年度の決算を翌事業年度の五月三十一日までに完結しなければならない。

2　組合は、毎事業年度、貸借対照表及び損益計算書を作成し、決算完結後一月以内に財務大臣に提出して、その承認を受けなければならない。

3　組合は、前項の承認を受けたときは、遅滞なく、貸借対照表及び損益計算書又はこれらの要旨を官報に公告し、かつ、貸借対照表、損益計算書、附属明細書及び事業状況報告書を各事務所に備えて置き、財務省令で定める期間、一般の閲覧に供しなければならない。

【参照】

●法一二九(1)

●令附則八8

●規則二章二節七款三目（決算）

●運用方針施行規則六八関係～七六関係

（借入金の制限）
第十七条　組合は、借入金をしてはならない。ただし、組合の目的を達成するため必要な場合において、財務大臣の承認を受けたときは、この限りでない。

［参照］
●法一二九(1)
●令七(2)

第十八条　削除

（資金の運用）
第十九条　組合の業務上の余裕金の運用は、政令で定めるところにより、事業の目的及び資金の性質に応じ、安全かつ効率的にしなければならない。

［参照］
●法一二九(2)
●令八、九～九の四
●規則一二～一三の二、八五の六～八五の一一、規則附則7
●運用方針法一九関係

（省令への委任）
第二十条　この節に規定するもののほか、組合の財務その他その運営に関して必要な事項は、財務省令で定める。

［参照］
●規則二章二節
●運用方針施行規則六関係～五九関係

第二節　連合会

（設立及び業務）
第二十一条　組合の事業のうち次項各号に掲げる業務を共同して行うため、全ての組合をもつて組織する国家公務員共済組合連合会（以下「連合会」という。）を設ける。

2　連合会の業務は、次に掲げるものとする。

一　厚生年金保険給付の事業に関する業務（厚生年金拠出金の納付及び厚生年金保険法第八十四条の三に規定する交付金（以下この号において「厚生年金交付金」という。）の受入れ、基礎年金拠出金の納付並びに第百二条の二に規定する財政調整拠出金の拠出（第百二条の三第一項第一号から第三号までに掲げる場合に行われるものに限る。以下この号及び第九十九条第三項において同じ。）及び地方公務員等共済組合法（昭和三十七年法律第百五十二号）第百十六条の二に規定する財政調整拠出金の受入れ（同法第百十六条の三第一項第一号から第三号までに掲げる場合に行われるものに限る。以下この号において同じ。）に関する業務を含む。）のうち次に掲げるもの

イ　厚生年金保険給付の裁定及び支払
ロ　厚生年金拠出金及び基礎年金拠出金の納付並びに第百二条の二に規定する財政調整拠出金の拠出に要する費用その他政令で定める費用の計算
ハ　厚生年金拠出金及び基礎年金拠出金の納付並びに第百二条の二に規定する財政調整拠出金の拠出に充てるべき積立金（以下「厚生年金保険給付積立金」という。）の積立て
ニ　厚生年金保険給付積立金及び厚生年金保険給付の支払上の余裕金の管理及び運用
ホ　厚生年金拠出金の納付及び厚生年金交付金の受入れ
ヘ　基礎年金拠出金の納付
ト　第百二条の二に規定する財政調整拠出金の拠出及び地方公務員等共済組合法第百十六条の二に規定する財政調整拠出金の受入れ
チ　その他財務省令で定める業務

二　退職等年金給付の事業に関する業務（第百二条の二に規定する財政調整拠出金の拠出（第百二条の三第一項第四号に掲げる場合に行われるものに限る。以下この号において同じ。）及び地方公務員等共済組合法第百十六条の二に規定する財政調整拠出金の受入れ（同法第百十六条の三第一項第四号に掲げる場合に行われるものに限る。以下この号において同じ。）を含む。）のうち次に掲げるもの

イ　退職等年金給付の決定及び支払
ロ　退職等年金給付に要する費用（第百二条の二に規定する財政調整拠出金の拠出に要する費用その他政令で定める費用を含む。）の計算
ハ　退職等年金給付（第百二条の二に規定する財政調整拠出金の拠出を含む。）に充てるべき積立金（以下「退職等年金給付積立金」という。）の積立て
ニ　退職等年金給付積立金及び退職等年金給付の支払上の余裕金の管理及び運用
ホ　第百二条の二に規定する財政調整拠出金の拠出及び地方公務員等共済組合法第百十六条の二に規定する財政調整拠出金の受入れ
ヘ　その他財務省令で定める業務

三　福祉事業に関する業務

3　前二項の規定は、組合が自ら前項第三号に掲げる業務を行うことを妨げるものではない。

4　連合会は、第二項に定めるもののほか、国家公務員共

済組合審査会に関する事務を行うものとする。

［参照］
●法一二九(5)、法附則一四の三、一四の四
●令八の二、一〇
●旧令特別措置法八
●規則八五、八五の二、八五の三、八五の五
●財形法一五2

（法人格）
第二十二条 連合会は、法人とする。

（事務所）
第二十三条 連合会は、主たる事務所を東京都に置く。
2 連合会は、必要な地に従たる事務所を設けることができる。

（定款）
第二十四条 連合会は、定款をもつて次に掲げる事項を定めなければならない。
一 目的
二 名称
三 事務所の所在地
四 役員に関する事項
五 運営審議会に関する事項
六 厚生年金保険給付の裁定及び支払に関する事項
七 退職等年金給付の決定及び支払に関する事項
八 第七十五条第一項に規定する付与率及び同条第三項に規定する基準利率、第七十八条第一項に規定する終身年金現価率、第七十九条第一項に規定する有期年金現価率並びに退職等年金給付に係る標準報酬の月額及び標準期末手当等の額と掛金との割合に関する事項
九 第百二条の二に規定する財政調整拠出金に関する事項
十 福祉事業に関する事項
十一 国家公務員共済組合審査会に関する事項
十二 資産の管理その他財務に関する事項
十三 その他組織及び業務に関する重要事項
2 第六条第二項から第四項までの規定は、連合会の定款について準用する。
3 財務大臣は、第一項第八号及び第九号に掲げる事項について、前項の規定により準用する第六条第二項の規定による認可をしようとするときは、あらかじめ、総務大臣に協議しなければならない。

［参照］
●法三五、七五2・4、七八5、七九5、九八1(7)（福祉事業）、一〇〇3（掛金）、一二九(1)
●令六

（登記）
第二十五条 連合会は、政令で定めるところにより、登記しなければならない。
2 前項の規定により登記しなければならない事項は、登記の後でなければ、これをもつて第三者に対抗することができない。

［参照］
●法一三〇
●独立行政法人等登記令

（一般社団法人及び一般財団法人に関する法律の準用）
第二十六条 一般社団法人及び一般財団法人に関する法律（平成十八年法律第四十八号）第七十八条の規定は、連合会について準用する。

（役員）
第二十七条 連合会に、役員として、理事長一人、理事十人以内及び監事三人以内を置く。
2 前項の理事のうち六人以内及び監事のうち二人以内は、組合の事務を行う組合員をもつて充てる。

［参照］
●法附則四

（役員の職務及び権限）
第二十八条 理事長は、連合会を代表し、その業務を執行する。
2 理事は、理事長の定めるところにより、理事長を補佐して連合会の業務を執行し、理事長に事故があるときはその職務を代理し、理事長が欠員のときはその職務を行う。
3 監事は、連合会の業務を監査する。

（役員の任命）
第二十九条 理事長及び監事（第二十七条第二項の規定による監事を除く。）は、財務大臣が任命する。
2 理事（第二十七条第二項の規定による理事を除く。以下第三十二条第三項において同じ。）は、理事長が、財務大臣の認可を受けて任命する。
3 前二項の規定の適用を受けない理事及び監事は、理事長が任命する。

［参照］
●法一二九(1)

（役員の任期）
第三十条 役員の任期は、二年とする。ただし、補欠の役員の任期は、前任者の残任期間とする。
2 役員は、再任されることができる。

〔参照〕
●法附則四

（役員の欠格条項）
第三十一条 次の各号のいずれかに該当する者は、役員となることができない。ただし、第二十七条第二項の規定の適用を妨げない。
一 国務大臣、国会議員、政府職員（非常勤の者を除く。）、独立行政法人（独立行政法人通則法第二条第一項に規定する独立行政法人をいう。以下同じ。）の役職員（非常勤の者を除く。）、国立大学法人等（国立大学法人法（平成十五年法律第百十二号）第二条第一項に規定する国立大学法人及び同条第三項に規定する大学共同利用機関法人をいう。以下同じ。）の役職員（非常勤の者を除く。）、地方公共団体の議会の議員又は地方公共団体の長若しくは常勤職員
二 政党の役員
三 連合会と取引上密接な関係を有する事業者又はその者が法人であるときはその役員（いかなる名称によるかを問わず、これと同等以上の職権又は支配力を有する者を含む。）
四 前号に掲げる事業者の団体の役員（いかなる名称によるかを問わず、これと同等以上の職権又は支配力を有する者を含む。）

（役員の解任）
第三十二条 財務大臣又は理事長は、それぞれその任命に係る役員が前条各号の一に該当するに至つたとき（第二十七条第二項の規定による理事又は監事が組合の事務を行う組合員でなくなつたときを含む。）は、その役員を解任しなければならない。
2 財務大臣又は理事長は、それぞれその任命に係る役員が次の各号の一に該当するとき、その他役員たるに適しないと認めるときは、その役員を解任することができる。
一 心身の故障のため職務の執行に堪えないと認められるとき。
二 職務上の義務違反があるとき。
3 理事長は、前項の規定により理事を解任しようとするときは、財務大臣の認可を受けなければならない。

（役員の兼業禁止）
第三十三条 役員は、営利を目的とする団体の役員となり、又は自ら営利事業に従事してはならない。

（理事長の代表権の制限）
第三十四条 理事長又は理事の代表権に加えた制限は、善意の第三者に対抗することができない。
2 連合会と理事長又は理事との利益が相反する事項については、これらの者は、代表権を有しない。この場合には、監事が連合会を代表する。

（運営審議会）
第三十五条 連合会の業務の適正な運営に資するため、連合会に運営審議会を置く。
2 運営審議会は、委員十六人以内で組織する。
3 委員は、理事長が組合員のうちから任命する。
4 理事長は、前項の規定により委員を任命する場合には、組合及び連合会の業務その他組合員の福祉に関する事項について広い知識を有する者のうちから任命しなければならない。この場合において、委員の半数は、組合員を代表する者でなければならない。
5 次に掲げる事項は、運営審議会の議を経なければならない。
一 定款の変更
二 運営規則の作成及び変更
三 毎事業年度の事業計画並びに予算及び決算
四 重要な財産の処分及び重大な債務の負担
6 運営審議会は、前項に定めるもののほか、理事長の諮問に応じて連合会の業務に関する重要事項を調査審議し、又は必要と認める事項につき理事長に建議することができる。
7 前各項に定めるもののほか、運営審議会の組織及び運営に関し必要な事項は、財務省令で定める。

〔参照〕
●法附則四の二、一四の三9、一四の四3
●規則八五の四、八五の五

（積立金の積立て）
第三十五条の二 連合会は、政令で定めるところにより、厚生年金保険給付積立金として厚生年金保険法第七十九条の二に規定する実施機関積立金を積み立てるとともに、退職等年金給付積立金を積み立てなければならない。

〔参照〕
●法附則一九
●令九、一二3・4

（退職等年金給付積立金の管理運用の方針）
第三十五条の三 連合会は、その管理する退職等年金給付積立金の管理及び運用が長期的な観点から安全かつ効率的に行われるようにするため、管理及び運用の方針（以下この条において「退職等年金給付積立金管理運用方針」という。）を定めなければならない。

2　退職等年金給付積立金管理運用方針においては、次に掲げる事項を定めるものとする。
一　退職等年金給付積立金の管理及び運用の基本的な方針
二　退職等年金給付積立金の管理及び運用に関し遵守すべき事項
三　退職等年金給付積立金の管理及び運用における長期的な観点からの資産の構成に関する事項
四　その他退職等年金給付積立金の管理及び運用に関し必要な事項
3　連合会は、退職等年金給付積立金管理運用方針を定め、又は変更しようとするときは、あらかじめ、財務大臣の承認を得なければならない。
4　財務大臣は、前項の規定による承認をしようとするときは、あらかじめ、総務大臣に協議しなければならない。
5　連合会は、退職等年金給付積立金管理運用方針を定め、又は変更したときは、遅滞なく、これを公表しなければならない。
6　連合会は、退職等年金給付積立金管理運用方針に従って退職等年金給付積立金の管理及び運用を行わなければならない。

［参照］
●令九の二
●規則八五の一四

（退職等年金給付積立金の管理及び運用の状況に関する業務概況書）
第三十五条の四　連合会は、各事業年度の決算完結後、遅滞なく、当該事業年度における退職等年金給付積立金の資産の額、その構成割合、運用収入の額その他の財務省令で定める事項を記載した業務概況書を作成し、財務大臣に提出するとともに、これを公表しなければならない。

［参照］
●規則八五の一四

（政令への委任）
第三十五条の五　前二条に定めるもののほか、退職等年金給付積立金の運用に関し必要な事項は、政令で定める。

［参照］
●令九の三
●規則八五の六～八五の一一

（準用規定）
第三十六条　第七条、第十一条から第十七条まで、第十九条及び第二十条の規定は、連合会について準用する。この場合において、第十一条中「組合の代表者」とあるのは「理事長」と、第十三条中「組合」とあるのは「連合会の役員及び連合会」と、第十三条の二中「組合の事務」とあるのは「連合会の役員若しくは連合会の事務」と、「従事していた」とあるのは「これらの者であった」と、第十六条第二項中「作成し」とあるのは「作成し、これらに監事の意見を記載した書面を添付し」と、同条第三項中「及び事業状況報告書」とあるのは「、事業状況報告書及び監事の意見を記載した書面」と読み替えるものとする。

［参照］
●令一〇
●国共済財形令三～五
●規則八六

第三章　組合員

（組合員の資格の得喪）
第三十七条　職員となった者は、その職員となった日から、その属する各省各庁及び当該各省各庁の所管する行政執行法人の職員をもって組織する組合（第三条第二項各号に掲げる職員については、同項の規定により同項各号の職員をもって組織する組合）の組合員の資格を取得する。
2　組合員は、死亡したとき、又は退職したときは、その翌日から組合員の資格を喪失する。
3　一の組合の組合員が他の組合を組織する職員となったときは、その日から前の組合の組合員の資格を喪失し、後の組合の組合員の資格を取得する。

［参照］
●法二1⑴・⑷（定義）、七二3（長期給付の種類等）、一一九（船員組合員の資格の得喪の特例）、一二四の二（公庫等に転出した継続長期組合員についての特例）、一二五（組合職員の取扱い）、一二六2（連合会役職員の取扱い）、一二六の二1（地方公務員等共済組合法との関係）、一二六の五（任意継続組合員に対する短期給付等）、法附則一二
●規則八七～九五の二
●民法三一（失踪の宣告の効力）
●運用方針三七関係

（組合員期間の計算）
第三十八条　組合員である期間（以下「組合員期間」とい

う。）の計算は、組合員の資格を取得した日の属する月からその資格を喪失した日の属する月の前月までの期間の年月数による。

2　組合員の資格を取得した日の属する月にその資格を喪失したときは、その月を一月として組合員期間を計算する。ただし、その月に、更に組合員の資格を取得したとき、又は厚生年金保険の被保険者（組合員たる厚生年金保険の被保険者を除く。）若しくは国民年金の被保険者（国民年金法第七条第一項第二号に規定する第二号被保険者を除く。）の資格を取得したときは、この限りでない。

3　組合員が引き続き他の組合の組合員の資格を取得したときは、元の組合の組合員期間は、その者が新たに組合員の資格を取得した組合の組合員期間とみなす。

4　組合員がその資格を喪失した後再び元の組合又は他の組合の組合員の資格を取得したときは、前後の組合員期間を合算する。

〔参照〕
●施行法七～一〇、一二、一三、二八、三〇、三一、三七、四一、四二、五三
●平八法八二附則一五
●平九経過措置政令三二

第四章　給付

第一節　通則

（給付の決定及び裁定）

第三十九条　短期給付及び退職等年金給付を受ける権利はその権利を有する者（以下「受給権者」という。）の請求に基づいて組合（退職等年金給付にあつては、連合会。次項、第四十六条第一項、第四十七条、第九十五条及び第百十三条において同じ。）が決定し、厚生年金保険給付を受ける権利は厚生年金保険法第三十三条の規定によりその権利を有する者の請求に基づいて連合会が裁定する。

2　組合は、短期給付又は退職等年金給付の原因である事故が公務又は通勤（国家公務員災害補償法（昭和二十六年法律第百九十一号）第一条の二に規定する通勤をいう。以下同じ。）により生じたものであるかどうかを認定するに当たつては、同法に規定する実施機関その他の公務上の災害又は通勤による災害に対する補償の実施機関の意見を聴かなければならない。

〔参照〕
●法一〇三（審査請求）、一一一1（時効）、一一二（期間計算の特例）
●施行法五五
●令一一
●運用方針法三九関係

（標準報酬）

第四十条　標準報酬の等級及び月額は、組合員の報酬月額に基づき次の区分（第三項又は第四項の規定により標準報酬の区分の改定が行われたときは、改定後の区分）によつて定め、各等級に対応する標準報酬の日額は、その月額の二十二分の一に相当する金額（当該金額に五円未満の端数があるときは、これを切り捨て、五円以上十円未満の端数があるときは、これを十円に切り上げるものとする。）とする。

標準報酬の等級	標準報酬の月額	報酬月額
第一級	八八、〇〇〇円	九三、〇〇〇円未満
第二級	九八、〇〇〇円	九三、〇〇〇円以上 一〇一、〇〇〇円未満
第三級	一〇四、〇〇〇円	一〇一、〇〇〇円以上 一〇七、〇〇〇円未満
第四級	一一〇、〇〇〇円	一〇七、〇〇〇円以上 一一四、〇〇〇円未満
第五級	一一八、〇〇〇円	一一四、〇〇〇円以上 一二二、〇〇〇円未満
第六級	一二六、〇〇〇円	一二二、〇〇〇円以上 一三〇、〇〇〇円未満
第七級	一三四、〇〇〇円	一三〇、〇〇〇円以上 一三八、〇〇〇円未満
第八級	一四二、〇〇〇円	一三八、〇〇〇円以上 一四六、〇〇〇円未満
第九級	一五〇、〇〇〇円	一四六、〇〇〇円以上 一五五、〇〇〇円未満
第一〇級	一六〇、〇〇〇円	一五五、〇〇〇円以上 一六五、〇〇〇円未満

第一一級	一七〇、〇〇〇円	一六五、〇〇〇円以上 一七五、〇〇〇円未満
第一二級	一八〇、〇〇〇円	一七五、〇〇〇円以上 一八五、〇〇〇円未満
第一三級	一九〇、〇〇〇円	一八五、〇〇〇円以上 一九五、〇〇〇円未満
第一四級	二〇〇、〇〇〇円	一九五、〇〇〇円以上 二一〇、〇〇〇円未満
第一五級	二二〇、〇〇〇円	二一〇、〇〇〇円以上 二三〇、〇〇〇円未満
第一六級	二四〇、〇〇〇円	二三〇、〇〇〇円以上 二五〇、〇〇〇円未満
第一七級	二六〇、〇〇〇円	二五〇、〇〇〇円以上 二七〇、〇〇〇円未満
第一八級	二八〇、〇〇〇円	二七〇、〇〇〇円以上 二九〇、〇〇〇円未満
第一九級	三〇〇、〇〇〇円	二九〇、〇〇〇円以上 三一〇、〇〇〇円未満
第二〇級	三二〇、〇〇〇円	三一〇、〇〇〇円以上 三三〇、〇〇〇円未満
第二一級	三四〇、〇〇〇円	三三〇、〇〇〇円以上 三五〇、〇〇〇円未満
第二二級	三六〇、〇〇〇円	三五〇、〇〇〇円以上 三七〇、〇〇〇円未満
第二三級	三八〇、〇〇〇円	三七〇、〇〇〇円以上 三九五、〇〇〇円未満
第二四級	四一〇、〇〇〇円	三九五、〇〇〇円以上 四二五、〇〇〇円未満
第二五級	四四〇、〇〇〇円	四二五、〇〇〇円以上 四五五、〇〇〇円未満
第二六級	四七〇、〇〇〇円	四五五、〇〇〇円以上 四八五、〇〇〇円未満
第二七級	五〇〇、〇〇〇円	四八五、〇〇〇円以上 五一五、〇〇〇円未満
第二八級	五三〇、〇〇〇円	五一五、〇〇〇円以上 五四五、〇〇〇円未満
第二九級	五六〇、〇〇〇円	五四五、〇〇〇円以上 五七五、〇〇〇円未満
第三〇級	五九〇、〇〇〇円	五七五、〇〇〇円以上 六〇五、〇〇〇円未満
第三一級	六二〇、〇〇〇円	六〇五、〇〇〇円以上

2　短期給付等事務（短期給付の額の算定並びに短期給付、介護納付金及び福祉事業に係る掛金及び負担金の徴収をいう。次項及び次条第二項において同じ。）に関する前項の規定の適用については、同項の表は、次のとおりとする。

標準報酬の等級	標準報酬の月額	報酬月額
第一級	五八、〇〇〇円	六三、〇〇〇円未満
第二級	六八、〇〇〇円	六三、〇〇〇円以上 七三、〇〇〇円未満
第三級	七八、〇〇〇円	七三、〇〇〇円以上 八三、〇〇〇円未満
第四級	八八、〇〇〇円	八三、〇〇〇円以上 九三、〇〇〇円未満
第五級	九八、〇〇〇円	九三、〇〇〇円以上 一〇一、〇〇〇円未満
第六級	一〇四、〇〇〇円	一〇一、〇〇〇円以上 一〇七、〇〇〇円未満

第七級	一一〇、〇〇〇円	一〇七、〇〇〇円以上 一一四、〇〇〇円未満
第八級	一一八、〇〇〇円	一一四、〇〇〇円以上 一二二、〇〇〇円未満
第九級	一二六、〇〇〇円	一二二、〇〇〇円以上 一三〇、〇〇〇円未満
第一〇級	一三四、〇〇〇円	一三〇、〇〇〇円以上 一三八、〇〇〇円未満
第一一級	一四二、〇〇〇円	一三八、〇〇〇円以上 一四六、〇〇〇円未満
第一二級	一五〇、〇〇〇円	一四六、〇〇〇円以上 一五五、〇〇〇円未満
第一三級	一六〇、〇〇〇円	一五五、〇〇〇円以上 一六五、〇〇〇円未満
第一四級	一七〇、〇〇〇円	一六五、〇〇〇円以上 一七五、〇〇〇円未満
第一五級	一八〇、〇〇〇円	一七五、〇〇〇円以上 一八五、〇〇〇円未満
第一六級	一九〇、〇〇〇円	一八五、〇〇〇円以上 一九五、〇〇〇円未満
第一七級	二〇〇、〇〇〇円	一九五、〇〇〇円以上 二一〇、〇〇〇円未満
第一八級	二二〇、〇〇〇円	二一〇、〇〇〇円以上 二三〇、〇〇〇円未満
第一九級	二四〇、〇〇〇円	二三〇、〇〇〇円以上 二五〇、〇〇〇円未満
第二〇級	二六〇、〇〇〇円	二五〇、〇〇〇円以上 二七〇、〇〇〇円未満
第二一級	二八〇、〇〇〇円	二七〇、〇〇〇円以上 二九〇、〇〇〇円未満
第二二級	三〇〇、〇〇〇円	二九〇、〇〇〇円以上 三一〇、〇〇〇円未満
第二三級	三二〇、〇〇〇円	三一〇、〇〇〇円以上 三三〇、〇〇〇円未満
第二四級	三四〇、〇〇〇円	三三〇、〇〇〇円以上 三五〇、〇〇〇円未満
第二五級	三六〇、〇〇〇円	三五〇、〇〇〇円以上 三七〇、〇〇〇円未満
第二六級	三八〇、〇〇〇円	三七〇、〇〇〇円以上 三九五、〇〇〇円未満
第二七級	四一〇、〇〇〇円	三九五、〇〇〇円以上 四二五、〇〇〇円未満
第二八級	四四〇、〇〇〇円	四二五、〇〇〇円以上 四五五、〇〇〇円未満
第二九級	四七〇、〇〇〇円	四五五、〇〇〇円以上 四八五、〇〇〇円未満
第三〇級	五〇〇、〇〇〇円	四八五、〇〇〇円以上 五一五、〇〇〇円未満
第三一級	五三〇、〇〇〇円	五一五、〇〇〇円以上 五四五、〇〇〇円未満
第三二級	五六〇、〇〇〇円	五四五、〇〇〇円以上 五七五、〇〇〇円未満
第三三級	五九〇、〇〇〇円	五七五、〇〇〇円以上 六〇五、〇〇〇円未満
第三四級	六二〇、〇〇〇円	六〇五、〇〇〇円以上 六三五、〇〇〇円未満
第三五級	六五〇、〇〇〇円	六三五、〇〇〇円以上 六六五、〇〇〇円未満
第三六級	六八〇、〇〇〇円	六六五、〇〇〇円以上 六九五、〇〇〇円未満

第三七級	七一〇、〇〇〇円	六九五、〇〇〇円以上 七三〇、〇〇〇円未満
第三八級	七五〇、〇〇〇円	七三〇、〇〇〇円以上 七七〇、〇〇〇円未満
第三九級	七九〇、〇〇〇円	七七〇、〇〇〇円以上 八一〇、〇〇〇円未満
第四〇級	八三〇、〇〇〇円	八一〇、〇〇〇円以上 八五五、〇〇〇円未満
第四一級	八八〇、〇〇〇円	八五五、〇〇〇円以上 九〇五、〇〇〇円未満
第四二級	九三〇、〇〇〇円	九〇五、〇〇〇円以上 九五五、〇〇〇円未満
第四三級	九八〇、〇〇〇円	九五五、〇〇〇円以上 一、〇〇五、〇〇〇円未満
第四四級	一、〇三〇、〇〇〇円	一、〇〇五、〇〇〇円以上 一、〇五五、〇〇〇円未満
第四五級	一、〇九〇、〇〇〇円	一、〇五五、〇〇〇円以上 一、一一五、〇〇〇円未満
第四六級	一、一五〇、〇〇〇円	一、一一五、〇〇〇円以上 一、一七五、〇〇〇円未満
第四七級	一、二一〇、〇〇〇円	一、一七五、〇〇〇円以上 一、二三五、〇〇〇円未満
第四八級	一、二七〇、〇〇〇円	一、二三五、〇〇〇円以上 一、二九五、〇〇〇円未満
第四九級	一、三三〇、〇〇〇円	一、二九五、〇〇〇円以上 一、三五五、〇〇〇円未満
第五〇級	一、三九〇、〇〇〇円	一、三五五、〇〇〇円以上

3　短期給付等事務に関する前項の規定により読み替えられた第一項の規定による標準報酬の区分については、健康保険法第四十条第二項の規定による標準報酬月額の等級区分の改定措置その他の事情を勘案して、政令で定めるところにより、前項の規定により読み替えられた第一項の規定による標準報酬の等級の最高等級の上に更に等級を加える改定を行うことができる。ただし、当該改定後の標準報酬の等級のうちの最高等級の標準報酬の月額は、同条の規定による標準報酬月額等級のうちの最高等級の標準報酬月額を超えてはならない。

4　退職等年金給付の額の算定並びに退職等年金給付に係る掛金及び負担金の徴収に関する第一項の規定による標準報酬の区分については、厚生年金保険法第二十条第二項の規定による標準報酬月額の等級区分の改定措置その他の事情を勘案して、政令で定めるところにより、第一項の規定による標準報酬の等級の最高等級の上に更に等級を加える改定を行うことができる。ただし、当該改定後の標準報酬の等級のうちの最高等級の標準報酬の月額は、同条の規定による標準報酬月額等級のうちの最高等級の標準報酬月額を超えてはならない。

5　組合は、毎年七月一日において、現に組合員である者の同日前三月間（同日に継続した組合員であつた期間に限るものとし、かつ、報酬支払の基礎となつた日数が十七日（財務省令で定める者にあつては、十一日。以下この条において同じ。）未満である月があるときは、その月を除く。）に受けた報酬の総額をその期間の月数で除して得た額を報酬月額として、標準報酬を決定する。

6　前項の規定によつて決定された標準報酬は、その年の九月一日から翌年の八月三十一日までの標準報酬とする。

7　第五項の規定は、六月一日から七月一日までの間に組合員の資格を取得した者並びに第十項又は第十二項及び第十三項若しくは第十四項及び第十五項の規定により七月から九月までのいずれかの月から標準報酬を改定され又は改定されるべき組合員については、その年に限り適用しない。

8　組合は、組合員の資格を取得した者があるときは、その資格を取得した日の現在の報酬の額により標準報酬を決定する。この場合において、週その他月以外の一定期間により支給される報酬については、政令で定めるところにより算定した金額をもつて報酬月額とする。

9　前項の規定によつて決定された標準報酬は、組合員の資格を取得した日からその年の八月三十一日（六月一日から十二月三十一日までの間に組合員の資格を取得した者については、翌年の八月三十一日）までの標準報酬とする。

10　組合は、組合員が継続した三月間（各月とも、報酬支払の基礎となつた日数が、十七日以上でなければならない。）に受けた報酬の総額を三で除して得た額が、その者の標準報酬の基礎となつた報酬月額に比べて著しく高低を生じ、財務省令で定める程度に達したときは、その額を報酬月額として、その著しく高低を生じた月の翌月から標準報酬を改定するものとする。

11　前項の規定によつて改定された標準報酬は、その年の八月三十一日（七月から十二月までのいずれかの月から改定されたものについては、翌年の八月三十一日）までの標準報酬とする。

12　組合は、育児休業、介護休業等育児又は家族介護を行う労働者の福祉に関する法律（平成三年法律第七十六号）第二条第一号の規定による育児休業若しくは同法第二十三条第二項の育児休業に関する制度に準ずる措置若しくは同法第二十四条第一項（第二号に係る部分に限る。）の規定により同項第二号に規定する育児休業に関する制度に準じて講ずる措置による休業、国会職員の育児休業等に関する法律（平成三年法律第百八号）第三条第一項の規定による育児休業、国家公務員の育児休業等に関する法律（平成三年法律第百九号）第三条第一項（同法第二十七条第一項及び裁判所職員臨時措置法（昭和二十六年法律第二百九十九号）（第七号に係る部分に限る。）において準用する場合を含む。）の規定による育児休業又は裁判官の育児休業に関する法律（平成三年法律第百十一号）第二条第一項の規定による育児休業（以下「育児休業等」という。）を終了した組合員が、当該育児休業等を終了した日（以下この項及び次項において「育児休業等終了日」という。）において育児休業、介護休業等育児又は家族介護を行う労働者の福祉に関する法律第二条第一号、国会職員の育児休業等に関する法律第三条第一項、国家公務員の育児休業等に関する法律第三条第一項（同法第二十七条第一項及び裁判所職員臨時措置法（第七号に係る部分に限る。）において準用する場合を含む。）又は裁判官の育児休業に関する法律第二条第一項に規定する子（第六十八条の二及び第七十五条の三において「子」という。）であつて、当該育児休業等に係る三歳に満たないものを養育する場合において、組合に申出をしたときは、育児休業等終了日の翌日が属する月以後三月間（育児休業等終了日の翌日において継続して組合員であつた期間に限るものとし、かつ、報酬支払の基礎となつた日数が十七日未満である月があるときは、その月を除く。）に受けた報酬の総額をその期間の月数で除して得た額を報酬月額として、標準報酬を改定するものとする。ただし、育児休業等終了日の翌日に第十四項に規定する産前産後休業を開始している組合員は、この限りでない。

13　前項の規定によつて改定された標準報酬は、育児休業等終了日の翌日から起算して二月を経過した日の属する月の翌月からその年の八月三十一日（七月から十二月までのいずれかの月から改定されたものについては、翌年の八月三十一日）までの標準報酬とする。

14　組合は、産前産後休業（出産の日（出産の日が出産の予定日後であるときは、出産の予定日）以前四十二日（多胎妊娠の場合にあつては、九十八日）から出産の日後五十六日までの間において勤務に服さないこと（妊娠又は出産に関する事由を理由として勤務に服さない場合に限る。）をいう。以下同じ。）を終了した組合員が、当該産前産後休業を終了した日（以下この項及び次項において「産前産後休業終了日」という。）において当該産前産後休業に係る子を養育する場合において、組合に申出をしたときは、産前産後休業終了日の翌日が属する月以後三月間（産前産後休業終了日の翌日において継続して組合員であつた期間に限るものとし、かつ、報酬支払の基礎となつた日数が十七日未満である月があるときは、その月を除く。）に受けた報酬の総額をその期間の月数で除して得た額を報酬月額として、標準報酬を改定するものとする。ただし、産前産後休業終了日の翌日に育児休業等を開始している組合員は、この限りでない。

15　前項の規定によつて改定された標準報酬は、産前産後休業終了日の翌日から起算して二月を経過した日の属する月の翌月からその年の八月三十一日（七月から十二月までのいずれかの月から改定されたものについては、翌年の八月三十一日）までの標準報酬とする。

16　組合員の報酬月額が第五項、第八項、第十二項若しくは第十四項の規定によつて算定することが困難であるとき、又は第五項、第八項、第十項、第十二項若しくは第十四項の規定によつて算定するとすれば著しく不当であるときは、これらの規定にかかわらず、同様の職務に従事する職員の報酬月額その他の事情を考慮して組合の代表者が適当と認めて算定する額をこれらの規定による当該組合員の報酬月額とする。

【参照】
- 法二1(5)、五二
- 令二1(9)、一一の二、四九の二、令附則六の二、六の二の三
- 規則九六の二～九六の五
- 運用方針四〇関係

（標準期末手当等の額の決定）

第四十一条　組合は、組合員が期末手当等を受けた月において、その月に当該組合員が受けた期末手当等の額に基

づき、これに千円未満の端数を生じたときはこれを切り捨てて、その月における標準期末手当等の額を決定する。この場合において、当該標準期末手当等の額が百五十万円を超えるときは、これを百五十万円とする。

2 短期給付等事務に関する前項の規定の適用については、同項後段中「標準期末手当等の額が百五十万円を超えるときは、これを百五十万円」とあるのは、「組合員が受けた期末手当等によりその年度における標準期末手当等の額の累計額が五百七十三万円（前条第三項の規定による標準報酬の区分の改定が行われたときは、政令で定める金額。以下この項において同じ。）を超えることとなる場合には、当該累計額が五百七十三万円となるようその月の標準期末手当等の額を決定し、その年度においてその月の翌月以降に受ける期末手当等の標準期末手当等の額は零」とする。

3 前条第四項の規定による標準報酬の区分の改定が行われた場合における退職等年金給付の額の算定並びに退職等年金給付に係る掛金及び負担金の徴収に関する標準期末手当等の額については、第一項後段中「百五十万円を」とあるのは、「百五十万円（前条第四項の規定による標準報酬の区分の改定が行われたときは、政令で定める金額。以下この項において同じ。）を」とする。

4 前条第十六項の規定は、標準期末手当等の額の算定について準用する。

【参照】
●規則九六の六～九六の八
●運用方針四一関係

（遺族の順位）

第四十二条 給付を受けるべき遺族の順位は、次の各号の順序とする。

一 配偶者及び子
二 父母
三 孫
四 祖父母

2 前項の場合において、父母については養父母、実父母の順とし、祖父母については養父母の養父母、養父母の実父母、実父母の養父母、実父母の実父母の順とする。

3 第一項の規定にかかわらず、父母は配偶者又は子が、孫は配偶者、子又は父母が、祖父母は配偶者、子、父母又は孫が給付を受けるべき権利を有することとなつたときは、それぞれ当該給付を受けることができる遺族としない。

4 先順位者となることができる者が後順位者より後に生じ、又は同順位者となることができる者がその他の同順位者である者より後に生じたときは、その先順位者又は同順位者となることができる者については、前三項の規定は、その生じた日から適用する。

（同順位者が二人以上ある場合の給付）

第四十三条 前条の規定により給付を受けるべき遺族に同順位者が二人以上あるときは、その給付は、その人数によつて等分して支給する。

【参照】
●法九二2

（支払未済の給付の受給者の特例）

第四十四条 受給権者が死亡した場合において、その者が支給を受けることができた給付でその支払を受けなかつたものがあるときは、これをその者の配偶者、子、父母、孫、祖父母、兄弟姉妹又はこれらの者以外の三親等内の親族であつて、その者の死亡の当時その者と生計を共にしていたもの（次条第二項において「親族」という。）に支給する。

2 前項の場合において、死亡した者が公務遺族年金の受給権者である妻であつたときは、その者の死亡の当時その者と生計を共にしていた組合員又は組合員であつた者の子であつて、その者の死亡によつて公務遺族年金の支給の停止が解除されたものは、同項に規定する子とみなす。

3 第一項の規定による給付を受けるべき者の順位は、政令で定める。

4 第一項の規定による給付を受けるべき同順位者が二人以上あるときは、その全額をその一人に支給することができるものとし、この場合において、その一人にした支給は、全員に対してしたものとみなす。

【参照】
●法七五の八
●令一一の二の四
●規則九七

（給付金からの控除）

第四十五条 組合員が第百一条第三項の規定により第百条第一項に規定する掛金等に相当する金額を組合に払い込むべき場合において、その者に支給すべき給付金（家族埋葬料に係る給付金を除く。）があり、かつ、その者が第百一条第三項の規定により払い込まなかつた金額があるときは、当該給付金からこれを控除することができる。

2 組合員が組合員の資格を喪失した場合において、その者又はその者の親族（前条第二項の規定により同条第一項に規定する子とみなされる者を含む。）に支給すべき給付金（埋葬料及び家族埋葬料に係る給付金を除く。）があり、かつ、その者が組合に対して支払うべき金額があるときは、当該給付金からこれを控除する。

[参照]
●令二二

（不正受給者からの費用の徴収等）
第四十六条　偽りその他不正の行為により組合から給付を受けた者がある場合には、組合は、その者から、その給付に要した費用に相当する金額（その給付が療養の給付であるときは、第五十五条第二項又は第三項の規定により支払つた一部負担金（第五十五条の二第一項第一号の措置が採られるときは、当該減額された一部負担金）に相当する額を控除した金額）の全部又は一部を徴収することができる。

2　前項の場合において、第五十五条第一項第三号に掲げる保険医療機関において診療に従事する保険医（第五十八条第一項に規定する保険医をいう。）又は健康保険法第八十八条第一項に規定する主治の医師が組合に提出されるべき診断書に虚偽の記載をしたため、その給付が行われたものであるときは、組合は、その保険医又は主治の医師に対し、給付を受けた者と連帯して前項の規定により徴収すべき金額を納付させることができる。

3　組合は、第五十五条第一項第三号に掲げる保険医療機関若しくは保険薬局又は第五十六条の二第一項に規定する指定訪問看護事業者が偽りその他不正の行為により組合員又は被扶養者の療養に関する費用の支払を受けたときは、当該保険医療機関若しくは保険薬局又は当該指定訪問看護事業者に対し、その支払つた額につき返還させるほか、その返還させる額に百分の四十を乗じて得た額を納付させることができる。

（損害賠償の請求権）
第四十七条　組合は、給付事由（第七十条又は第七十一条の規定による給付に係るものを除く。）が第三者の行為によつて生じた場合には、当該給付事由に対して行つた給付の価額の限度で、受給権者（当該給付事由が組合員の被扶養者について生じた場合には、当該被扶養者を含む。次項において同じ。）が第三者に対して有する損害賠償の請求権を取得する。

2　前項の場合において、受給権者が第三者から同一の事由について損害賠償を受けたときは、組合は、その価額の限度で、給付をしないことができる。

[参照]
●規則九八
●運用方針四七関係

（給付を受ける権利の保護）
第四十八条　この法律に基づく給付を受ける権利は、譲り渡し、担保に供し、又は差し押えることができない。ただし、退職年金若しくは公務遺族年金又は休業手当金を受ける権利を国税滞納処分（その例による処分を含む。）により差し押える場合は、この限りでない。

[参照]
●法附則二〇の九

（公課の禁止）
第四十九条　租税その他の公課は、組合の給付として支給を受ける金品を標準として、課することができない。ただし、退職年金及び公務遺族年金並びに休業手当金については、この限りでない。

第二節　短期給付

第一款　通則

（短期給付の種類等）
第五十条　この法律による短期給付は、次のとおりとする。

一　療養の給付、入院時食事療養費、入院時生活療養費、保険外併用療養費、療養費、訪問看護療養費及び移送費
二　家族療養費、家族訪問看護療養費及び家族移送費
二の二　高額療養費及び高額介護合算療養費
三　出産費
四　家族出産費
五　削除
六　埋葬料
七　家族埋葬料
八　傷病手当金
九　出産手当金
十　休業手当金
十の二　育児休業手当金
十の三　育児休業支援手当金
十の四　介護休業手当金
十の五　育児時短勤務手当金
十一　弔慰金
十二　家族弔慰金
十三　災害見舞金

2　短期給付に関する規定（育児休業手当金、育児休業支援手当金、介護休業手当金及び育児時短勤務手当金に係る部分を除く。以下この条において同じ。）は、後期高齢者医療の被保険者等に該当する組合員には、適用しない。

3 短期給付に関する規定の適用を受ける組合員が前項の規定によりその適用を受けない組合員となつたときは、短期給付に関する規定の適用については、そのなつた日の前日に退職したものとみなす。

4 第二項の規定により短期給付に関する規定の適用を受けない組合員が後期高齢者医療の被保険者等に該当しないこととなつたときは、短期給付に関する規定の適用については、そのなつた日に組合員となつたものとみなす。

［参照］
●法附則一二7
●令二二1、五八
●健保法三〇〇
●防給法二二

（附加給付）

第五十一条 組合は、政令で定めるところにより、前条第一項各号に掲げる給付にあわせて、これに準ずる短期給付を行うことができる。

［参照］
●法附則一四の三1
●令一一の三、二二1
●防給令一七の八の二

（短期給付の給付額の算定の基礎となる標準報酬）

第五十二条 短期給付（前二条に規定する短期給付をいう。以下同じ。）の給付額の算定の基準となるべき第四十条第一項に規定する標準報酬の月額（以下「標準報酬の月額」という。）又は同項に規定する標準報酬の日額（以下「標準報酬の日額」という。）は、給付事由が生じた日（給付事由が退職後に生じた場合には、退職の日）の標準報酬の月額又は標準報酬の日額とする。

［参照］
●令四九の二、五八、令附則六の二の六

（被扶養者に係る届出及び短期給付）

第五十三条 新たに組合員となつた者に被扶養者の要件を備える者がある場合又は組合員について次の各号の一に該当する事実が生じた場合には、その組合員は、財務省令で定める手続により、その旨を組合に届け出なければならない。

一 新たに被扶養者の要件を備える者が生じたこと。

二 被扶養者がその要件を欠くに至つたこと。

2 被扶養者に係る短期給付は、新たに組合員となつた者に被扶養者となるべき者がある場合にはその者が組合員となつた日から、組合員に前項第一号に該当する事実が生じた場合にはその事実が生じた日から、それぞれ行うものとする。ただし、同項（第二号を除く。）の規定による届出がその組合員となつた日又はその事実の生じた日から三十日以内にされない場合には、その届出を受けた日から行うものとする。

［参照］
●法二1(2)、三七（組合員の資格の得喪）、一一二（期間計算の特例）
●規則八七、八八、九五、一一三の四、一一三の五

（組合員の資格の確認に必要な書面の交付等）

第五十三条の二 組合員又はその被扶養者が第五十五条第一項に規定する電子資格確認を受けることができない状況にあるときは、当該組合員は、財務省令で定めるところにより、組合に対し、当該状況にある組合員若しくはその被扶養者の資格に係る情報として財務省令で定める事項を記載した書面の交付又は当該事項の電磁的方法（電子情報処理組織を使用する方法その他の情報通信の技術を利用する方法であつて財務省令で定めるものをいう。以下この条において同じ。）による提供を求めることができる。この場合において、当該組合は、財務省令で定めるところにより、速やかに、当該書面の交付の求めを行つた組合員に対しては当該書面を交付するものとし、当該電磁的方法による提供の求めを行つた組合員に対しては当該事項を電磁的方法により提供するものとする。

2 前項の規定により同項の書面の交付を受け、若しくは電磁的方法により同項の財務省令で定める事項の提供を受けた組合員又はその被扶養者は、当該書面又は当該事項を財務省令で定める方法により表示したものを提示することにより、第五十五条第一項（第五十七条第七項において準用する場合を含む。）、第五十五条の三第一項、第五十五条の四第一項、第五十五条の五第一項又は第五十六条の二第一項（第五十七条の三第三項において準用する場合を含む。）の確認を受けることができる。

第二款 保健給付

（療養の給付）

第五十四条 組合は、組合員の公務によらない病気又は負傷について次に掲げる療養の給付を行う。

一 診察

二 薬剤又は治療材料の支給

三 処置、手術その他の治療

四 居宅における療養上の管理及びその療養に伴う世話その他の看護

五　病院又は診療所への入院及びその療養に伴う世話その他の看護

2　次に掲げる療養に係る給付は、前項の給付に含まれないものとする。

一　食事の提供である療養であつて前項第五号に掲げる療養と併せて行うもの（医療法（昭和二十三年法律第二百五号）第七条第二項第四号に掲げる療養病床への入院及びその療養に伴う世話その他の看護であつて、当該療養を受ける際、六十五歳に達する日の属する月の翌月以後である組合員（以下「特定長期入院組合員」という。）に係るものを除く。以下「食事療養」という。）

二　次に掲げる療養であつて前項第五号に掲げる療養と併せて行うもの（特定長期入院組合員に係るものに限る。以下「生活療養」という。）

イ　食事の提供である療養

ロ　温度、照明及び給水に関する適切な療養環境の形成である療養

三　健康保険法第六十三条第二項第三号に掲げる療養（以下「評価療養」という。）

四　健康保険法第六十三条第二項第四号に掲げる療養（以下「患者申出療養」という。）

五　健康保険法第六十三条第二項第五号に掲げる療養（以下「選定療養」という。）

【参照】

●法六〇（他の法令による療養との調整）

●令一一の三の三1(1)、五八、五九、令附則六の二の六、六の二の七

●運用方針法五四関係

●防給法二二（療養等）

●防給令一七の三、一七の四

（療養の機関及び費用の負担）

第五十五条　組合員は、前条第一項各号に掲げる療養の給付を受けようとするときは、財務省令で定めるところにより、保険医療機関等（次に掲げる医療機関又は薬局をいう。以下同じ。）から、電子資格確認（保険医療機関等から療養を受けようとする者又は第五十六条の二第一項に規定する指定訪問看護事業者から同項に規定する指定訪問看護を受けようとする者が、組合に対し、個人番号カード（行政手続における特定の個人を識別するための番号の利用等に関する法律（平成二十五年法律第二十七号）第二条第七項に規定する個人番号カードをいう。）に記録された利用者証明用電子証明書（電子署名等に係る地方公共団体情報システム機構の認証業務に関する法律（平成十四年法律第百五十三号）第二十二条第一項に規定する利用者証明用電子証明書をいう。）を送信する方法その他の財務省令で定める方法により、組合員又は被扶養者の資格に係る情報（短期給付に係る費用の請求に必要な情報を含む。）の照会を行い、電子情報処理組織を使用する方法その他の情報通信の技術を利用する方法により、組合から回答を受けて当該情報を当該保険医療機関等又は当該指定訪問看護事業者に提供し、当該保険医療機関等又は当該指定訪問看護事業者から組合員又は被扶養者であることの確認を受けることをいう。以下同じ。）その他財務省令で定める方法（以下「電子資格確認等」という。）により、組合員であることの確認を受け、その給付を受けるものとする。

一　組合又は連合会の経営する医療機関又は薬局

二　組合員（地方公務員等共済組合法第三条第一項に規定する地方公務員共済組合（以下「地方の組合」という。）で療養の給付に相当する給付を行うものの組合員及び私立学校教職員共済法（昭和二十八年法律第二百四十五号）の規定による私立学校教職員共済制度の加入者（以下「私学共済制度の加入者」という。）を含む。）に対し療養を行う医療機関又は薬局で組合員の療養について組合が契約しているもの

三　保険医療機関又は保険薬局（健康保険法第六十三条第三項第一号に規定する保険医療機関又は保険薬局をいう。以下同じ。）

2　前項の規定により同項第二号又は第三号に掲げる医療機関又は薬局から療養の給付を受ける者は、その給付を受ける際、次の各号に掲げる場合の区分に応じ、当該給付について健康保険法第七十六条第二項の規定の例により算定した費用の額に当該各号に定める割合を乗じて得た金額を一部負担金として当該医療機関又は薬局に支払うものとする。ただし、前項第二号に掲げる医療機関又は薬局から受ける場合には、組合は、運営規則で定めるところにより、当該一部負担金を減額し、又はその支払を要しないものとすることができる。

一　七十歳に達する日の属する月以前である場合　百分の三十

二　七十歳に達する日の属する月の翌月以後である場合（次号に掲げる場合を除く。）　百分の二十

三　七十歳に達する日の属する月の翌月以後である場合であつて、政令で定めるところにより算定した報酬の額が政令で定める額以上であるとき　百分の三十

3　組合は、運営規則で定めるところにより、第一項第一号に掲げる医療機関又は薬局から療養の給付を受ける者

については、前項の規定の例により算定した金額の範囲内で運営規則で定める金額を一部負担金として支払わせることができる。

4 保険医療機関又は保険薬局は、第二項に規定する一部負担金（次条第一項第一号の措置が採られるときは、当該減額された一部負担金）の支払を受領しなければならないものとし、保険医療機関又は保険薬局が善良な管理者の注意と同一の注意をもつてその支払を受領すべく努めたにもかかわらず、組合員が当該一部負担金の全部又は一部を支払わないときは、組合は、当該保険医療機関又は保険薬局の請求により、当該一部負担金の全部又は一部を支払わなかつた組合員から、これを徴収することができる。

5 組合員が第一項の規定により療養の給付を受けた場合には、組合は、同項第一号の医療機関又は薬局については、その費用から組合員が支払うべき第三項に規定する一部負担金に相当する金額を控除した金額を負担し、第一項第二号又は第三号の医療機関又は薬局については、療養に要する費用から組合員が支払うべき第二項に規定する一部負担金（次条第一項各号の措置が採られるときは、当該措置が採られたものとした場合の一部負担金）に相当する金額を控除した金額を当該医療機関又は薬局に支払うものとする。

6 前項に規定する療養に要する費用の額は、健康保険法第七十六条第二項の規定に基づき厚生労働大臣が定めるところにより算定した金額（当該金額の範囲内において組合が第一項第二号又は第三号の医療機関又は薬局との契約により別段の定めをした場合には、その定めたところにより算定した金額）とする。

7 第二項の規定により一部負担金を支払う場合においては、当該一部負担金の額に五円未満の端数があるときは、これを切り捨て、五円以上十円未満の端数があるときは、これを十円に切り上げるものとする。

［参照］
●法附則八
●令一一の三の二、一一の三の三1(1)、一一の三の五3(2)～(4)、一一の三の六、一一の三の六の三2
●規則九九、一〇一
●運用方針法五五関係
●防給令一七の四1(4)

（一部負担金の額の特例）

第五十五条の二 組合は、災害その他の財務省令で定める特別の事情がある組合員であつて、前条第一項第二号又は第三号に掲げる医療機関又は薬局に同条第二項の規定による一部負担金を支払うことが困難であると認められるものに対し、次の措置を採ることができる。

一 一部負担金を減額すること。
二 一部負担金の支払を免除すること。
三 当該医療機関又は薬局に対する支払に代えて、一部負担金を直接に徴収することとし、その徴収を猶予すること。

2 前項の措置を受けた組合員は、前条第二項の規定にかかわらず、前項第一号の措置を受けた組合員にあつてはその減額された一部負担金を同条第一項第二号又は第三号に掲げる医療機関又は薬局に支払うをもつて足り、前項第二号又は第三号の措置を受けた組合員にあつては一部負担金を当該医療機関又は薬局に支払うことを要しない。

3 前条第七項の規定は、前項の場合における一部負担金の支払について準用する。

［参照］
●令一一の三の三1(1)、一一の三の六1
●規則九九の二の二
●健康保険法施行規則五六の二
●防給令一七の四の二

（入院時食事療養費）

第五十五条の三 組合員（特定長期入院組合員を除く。）が公務によらない病気又は負傷により、財務省令で定めるところにより、第五十五条第一項各号に掲げる医療機関から、電子資格確認等により、組合員であることの確認を受け、第五十四条第一項第五号に掲げる療養の給付と併せて食事療養を受けたときは、その食事療養に要した費用について入院時食事療養費を支給する。

2 入院時食事療養費の額は、当該食事療養について健康保険法第八十五条第二項に規定する厚生労働大臣が定める基準によりされる算定の例により算定した費用の額（その額が現に当該食事療養に要した費用の額を超えるときは、当該現に食事療養に要した費用の額）から同項に規定する食事療養標準負担額（以下「食事療養標準負担額」という。）を控除した金額とする。

3 組合員（特定長期入院組合員を除く。以下この条において同じ。）が第五十五条第一項第一号に掲げる医療機関から食事療養を受けた場合において、組合がその組合員の支払うべき食事療養に要した費用のうち入院時食事療養費として組合員に支給すべき金額の支払を免除したときは、組合員に対し入院時食事療養費を支給したものとみなす。

4 組合員が第五十五条第一項第二号又は第三号に掲げる

医療機関から食事療養を受けた場合には、組合は、その組合員が当該医療機関に支払うべき食事療養に要した費用について入院時食事療養費として組合員に支給すべき金額に相当する金額を、組合員に代わり、当該医療機関に支払うことができる。

5 前項の規定による支払があつたときは、組合員に対し入院時食事療養費を支給したものとみなす。

6 第五十五条第一項各号に掲げる医療機関は、食事療養に要した費用について支払を受ける際に、その支払をした組合員に対し、領収証を交付しなければならない。

[参照]
●法六〇（他の法令による療養との調整）
●令五八、五九、令附則六の二の六、六の二の七
●規則九九、九九の三
●運用方針法五五の三関係

（入院時生活療養費）

第五十五条の四 特定長期入院組合員が公務によらない病気又は負傷により、財務省令で定めるところにより、第五十五条第一項各号に掲げる医療機関から、電子資格確認等により、組合員であることの確認を受け、第五十四条第一項第五号に掲げる療養の給付と併せて生活療養を受けたときは、その生活療養に要した費用について入院時生活療養費を支給する。

2 入院時生活療養費の額は、当該生活療養について健康保険法第八十五条の二第二項に規定する厚生労働大臣が定める基準によりされる算定の例により算定した費用の額（その額が現に当該生活療養に要した費用の額を超えるときは、当該現に生活療養に要した費用の額）から同項に規定する生活療養標準負担額（以下「生活療養標準負担額」という。）を控除した金額とする。

3 前条第三項から第六項までの規定は、入院時生活療養費の支給について準用する。

[参照]
●法六〇
●令五八、五九、令附則六の二の六、六の二の七
●規則九九、九九の四
●運用方針法五五の四関係

（保険外併用療養費）

第五十五条の五 組合員が公務によらない病気又は負傷により、財務省令で定めるところにより、保険医療機関等から、電子資格確認等により、組合員であることの確認を受け、評価療養、患者申出療養又は選定療養を受けたときは、その療養に要した費用について保険外併用療養費を支給する。

2 保険外併用療養費の額は、第一号に掲げる金額（当該療養に食事療養が含まれるときは当該金額及び第二号に掲げる金額との合算額、当該療養に生活療養が含まれるときは当該金額及び第三号に掲げる金額との合算額）とする。

一 当該療養（食事療養及び生活療養を除く。）について健康保険法第八十六条第二項第一号に規定する厚生労働大臣が定めるところによりされる算定の例により算定した費用の額（その額が現に当該療養に要した費用の額を超えるときは、当該現に療養に要した費用の額）から、その額に第五十五条第二項各号に掲げる場合の区分に応じ、同項各号に定める割合を乗じて得た額（療養の給付に係る同項の一部負担金について第五十五条の二第一項各号の措置が採られるときは、当該措置が採られたものとした場合の額）を控除した金額

二 当該食事療養について健康保険法第八十五条第二項に規定する厚生労働大臣が定める基準によりされる算定の例により算定した費用の額（その額が現に当該食事療養に要した費用の額を超えるときは、当該現に食事療養に要した費用の額）から食事療養標準負担額を控除した金額

三 当該生活療養について健康保険法第八十五条の二第二項に規定する厚生労働大臣が定める基準によりされる算定の例により算定した費用の額（その額が現に当該生活療養に要した費用の額を超えるときは、当該現に生活療養に要した費用の額）から生活療養標準負担額を控除した金額

3 第五十五条の三第三項から第六項までの規定は、保険外併用療養費の支給について準用する。

4 第五十五条第七項の規定は、前項において準用する第五十五条の三第四項の場合において、第二項の規定により算定した費用の額（その額が現に療養に要した費用の額を超えるときは、当該現に療養に要した費用の額）から当該療養に要した費用につき保険外併用療養費として支給される金額に相当する金額を控除した金額の支払について準用する。

[参照]
●法六〇（他の法令による療養との調整）
●令五八、五九、令附則六の二の六、六の二の七
●規則九九
●運用方針法五五の五関係

（療養費）

第五十六条 組合は、療養の給付若しくは入院時食事療養

費、入院時生活療養費若しくは保険外併用療養費の支給（以下この項において「療養の給付等」という。）をすることが困難であると認めたとき、又は組合員が保険医療機関等以外の病院、診療所、薬局その他の療養機関から診療、手当若しくは薬剤の支給を受けた場合において、組合がやむを得ないと認めたときは、療養の給付等に代えて、療養費を支給することができる。

2 組合は、組合員が第五十五条第一項第二号又は第三号の医療機関又は薬局から第五十四条第一項各号に掲げる療養を受け、緊急その他やむを得ない事情によりその費用をこれらの医療機関又は薬局に支払つた場合において、組合が必要と認めたときは、療養の給付に代えて、療養費を支給することができる。

3 前二項の規定により支給する療養費の額は、当該療養（食事療養及び生活療養を除く。）について算定した費用の額（その額が現に療養（食事療養又は生活療養を除く。）に要した費用の額を超えるときは、当該現に療養に要した費用の額）からその額に第五十五条第二項各号に掲げる場合の区分に応じ、同項各号に定める割合を乗じて得た額を控除した金額及び当該食事療養又は生活療養について算定した費用の額（その額が現に食事療養又は生活療養に要した費用の額を超えるときは、当該現に食事療養又は生活療養に要した費用の額）から食事療養標準負担額又は生活療養標準負担額を控除した金額の合算額（第一項の規定による場合には、当該合算額の範囲内で組合が定める金額）とする。

4 前項の費用の額の算定に関しては、療養の給付を受けるべき場合には第五十五条第六項の療養に要する費用の額の算定、入院時食事療養費の支給を受けるべき場合には第五十五条の三第二項の食事療養についての費用の額の算定、入院時生活療養費の支給を受けるべき場合には第五十五条の四第二項の生活療養についての費用の額の算定、保険外併用療養費の支給を受けるべき場合には前条第二項の療養についての費用の額の算定の例による。

［参照］
- ●法六〇（他の法令による療養との調整）
- ●令三二、五九、令附則六の二の七
- ●規則一〇二
- ●運用方針法五六関係

（訪問看護療養費）

第五十六条の二 組合員が公務によらない病気又は負傷により、財務省令で定めるところにより、健康保険法第八十八条第一項に規定する指定訪問看護事業者（以下「指定訪問看護事業者」という。）から、電子資格確認等により、組合員であることの確認を受け、同項に規定する指定訪問看護（以下「指定訪問看護」という。）を受けた場合において、組合が必要と認めたときは、その指定訪問看護に要した費用について訪問看護療養費を支給する。

2 訪問看護療養費の額は、当該指定訪問看護について健康保険法第八十八条第四項に規定する厚生労働大臣が定めるところによりされる算定の例により算定した費用の額から、その額に第五十五条第二項各号に掲げる場合の区分に応じ、同項各号に定める割合を乗じて得た額（療養の給付に係る同項の一部負担金について第五十五条の二第一項各号の措置が採られるときは、当該措置が採られたものとした場合の額）を控除した金額とする。

3 組合員が指定訪問看護事業者から指定訪問看護を受けた場合には、組合は、その組合員が当該指定訪問看護事業者に支払うべき当該指定訪問看護に要した費用について訪問看護療養費として組合員に支給すべき金額に相当する金額を、組合員に代わり、当該指定訪問看護事業者に支払うことができる。

4 前項の規定による支払があつたときは、組合員に対し訪問看護療養費を支給したものとみなす。

5 指定訪問看護事業者は、指定訪問看護に要した費用について支払を受ける際に、その支払をした組合員に対し、領収証を交付しなければならない。

6 指定訪問看護は、第五十四条第一項各号に掲げる療養に含まれないものとする。

7 第五十五条第七項の規定は、第三項の場合において、第二項の規定により算定した費用の額から当該指定訪問看護に要した費用につき訪問看護療養費として支給される金額に相当する金額を控除した金額の支払について準用する。

［参照］
- ●法六〇（他の法令による療養との調整）
- ●令一一の三の三1(1)、一一の三の六4、五八、五九、令附則六の二の六、六の二の七
- ●規則一〇二の二
- ●運用方針法五六の二関係

（移送費）

第五十六条の三 組合員が療養の給付（保険外併用療養費に係る療養を含む。）を受けるため病院又は診療所に移送された場合において、組合が必要と認めたときは、その移送に要した費用について移送費を支給する。

2 移送費の額は、健康保険法第九十七条第一項に規定する厚生労働省令で定めるところによりされる算定の例により算定した金額とする。

【参照】
●法六〇（他の法令による療養との調整）
●令五九、令附則六の二の七
●規則一〇三
●健康保険法施行規則八〇（移送費の額）
●運用方針法五六の三関係

（家族療養費）

第五十七条　被扶養者が保険医療機関等から療養を受けたときは、その療養に要した費用について組合員に対し家族療養費を支給する。

2　家族療養費の額は、第一号に掲げる金額（当該療養に食事療養が含まれるときは当該金額及び第二号に掲げる金額の合算額、当該療養に生活療養が含まれるときは当該金額及び第三号に掲げる金額の合算額）とする。

一　当該療養（食事療養及び生活療養を除く。）について算定した費用の額（その額が現に当該療養に要した費用の額を超えるときは、当該現に療養に要した費用の額）に次のイからニまでに掲げる場合の区分に応じ、それぞれイからニまでに定める割合を乗じて得た金額

イ　被扶養者が六歳に達する日以後の最初の三月三十一日の翌日以後であつて七十歳に達する日の属する月以前である場合　百分の七十

ロ　被扶養者が六歳に達する日以後の最初の三月三十一日以前である場合　百分の八十

ハ　被扶養者（ニに規定する被扶養者を除く。）が七十歳に達する日の属する月の翌月以後である場合　百分の八十

ニ　第五十五条第二項第三号に掲げる場合に該当する組合員その他政令で定める組合員の被扶養者が七十歳に達する日の属する月の翌月以後である場合　百分の七十

二　当該食事療養について算定した費用の額（その額が現に当該食事療養に要した費用の額を超えるときは、当該現に食事療養に要した費用の額）から食事療養標準負担額を控除した金額

三　当該生活療養について算定した費用の額（その額が現に当該生活療養に要した費用の額を超えるときは、当該現に生活療養に要した費用の額）から生活療養標準負担額を控除した金額

3　前項第一号の療養についての費用の額の算定に関しては、保険医療機関等から療養（評価療養、患者申出療養及び選定療養を除く。）を受ける場合にあつては第五十五条第六項の療養に要する費用の額の算定、保険医療機関等から評価療養、患者申出療養又は選定療養を受ける場合にあつては第五十五条の五第二項の療養についての費用の額の算定、前項第二号の食事療養についての費用の額の算定に関しては、第五十五条の三第二項の食事療養についての費用の額の算定、前項第三号の生活療養についての費用の額の算定に関しては、第五十五条の四第二項の生活療養についての費用の額の算定の例による。

4　被扶養者が第五十五条第一項第一号に掲げる医療機関又は薬局から療養を受けた場合において、組合がその被扶養者の支払うべき療養に要した費用のうち家族療養費として組合員に支給すべき金額に相当する金額の支払を免除したときは、組合員に対し家族療養費を支給したものとみなす。

5　被扶養者が第五十五条第一項第二号又は第三号に掲げる医療機関又は薬局から療養を受けた場合には、組合は、療養に要した費用のうち家族療養費として組合員に支給すべき金額に相当する金額を、組合員に代わり、これらの医療機関又は薬局に支払うことができる。

6　前項の規定による支払があつたときは、組合員に対し家族療養費を支給したものとみなす。

7　第五十五条第一項、第五十五条の三第六項並びに第五十六条第一項及び第二項の規定は、被扶養者の療養及び家族療養費の支給について準用する。

8　前項において準用する第五十六条第一項又は第二項の規定により支給する家族療養費の額は、第二項の規定の例により算定した金額（同条第一項の規定による場合には、当該金額の範囲内で組合が定める金額）とする。

9　第五十五条第七項の規定は、第五項の場合において、療養につき第三項の規定により算定した費用の額（その額が現に療養に要した費用の額を超えるときは、当該現に療養に要した費用の額）から当該療養に要した費用につき家族療養費として支給される金額に相当する金額を控除した金額の支払について準用する。

【参照】
●法六〇（他の法令による療養との調整）、六五（日雇特例被保険者に係る給付との調整）
●令一一の三の六、三三
●規則一〇五
●運用方針法五七関係

（家族療養費の額の特例）

第五十七条の二　組合は、第五十五条の二第一項に規定する組合員の被扶養者に係る家族療養費の支給について、前条第二項第一号イからニまでに定める割合を、それぞれの割合を超え百分の百以下の範囲内において組合が定めた割合とする措置を採ることができる。

2　組合は、前項に規定する被扶養者に係る前条第五項の規定の適用については、同項中「家族療養費として組合員に支給すべき金額」とあるのは、「当該療養につき算定した費用の額（その額が現に当該療養に要した費用の額を超えるときは、当該現に療養に要した費用の額）」とする。この場合において、組合は、当該支払をした金額から家族療養費として組合員に対し支給すべき金額に相当する金額を控除した金額をその被扶養者に係る組合員から直接に徴収することとし、その徴収を猶予することができる。

【参照】
●法五五の二（一部負担金の額の特例）

（家族訪問看護療養費）
第五十七条の三　被扶養者が指定訪問看護事業者から指定訪問看護を受けた場合において、組合が必要と認めたときは、その指定訪問看護に要した費用について組合員に対し家族訪問看護療養費を支給する。

2　家族訪問看護療養費の額は、当該指定訪問看護について健康保険法第八十八条第四項に規定する厚生労働大臣が定めるところにより算定される算定の例により算定した費用の額に第五十七条第二項第一号イからニまでに掲げる場合の区分に応じ、同号イからニまでに定める割合を乗じて得た金額（家族療養費の支給について前条第一項又は第二項の規定が適用されるときは、当該規定が適用されたものとした場合の金額）とする。

3　第五十六条の二第一項及び第三項から第五項までの規定は、家族訪問看護療養費の支給及び被扶養者の指定訪問看護について準用する。

4　第五十五条第七項の規定は、前項において準用する第五十六条の二第三項の場合において、第二項の規定により算定した費用の額から当該指定訪問看護に要した費用につき家族訪問看護療養費として支給される金額に相当する金額を控除した金額の支払について準用する。

【参照】
●法六〇（他の法令による療養との調整）、六五（日雇特例被保険者に係る給付との調整）
●令一一の三の三1(1)
●規則一〇五の二
●運用方針法五七の三関係
●防給令一七の六1(1)へ

（家族移送費）
第五十七条の四　被扶養者が家族療養費に係る療養を受けるため病院又は診療所に移送された場合において、組合が必要と認めたときは、その移送に要した費用について組合員に対し家族移送費を支給する。

2　第五十六条の三第二項の規定は、家族移送費の支給について準用する。

【参照】
●法六〇（他の法令による療養との調整）、六五（日雇特例被保険者に係る給付との調整）
●規則一〇五の三
●運用方針法五七の四関係

（保険医療機関の療養担当等）
第五十八条　保険医療機関若しくは保険薬局又はこれらにおいて診療若しくは調剤に従事する保険医若しくは保険薬剤師（健康保険法第六十四条に規定する保険医又は保険薬剤師をいう。）は、同法及びこれに基づく命令の規定の例により、組合員及びその被扶養者の療養並びにこれに係る事務を担当し、又は診療若しくは調剤に当たらなければならない。

2　指定訪問看護事業者又は指定訪問看護事業者の当該指定に係る訪問看護事業所（健康保険法第八十九条第一項に規定する訪問看護事業所をいう。第百十七条第二項において同じ。）の看護師その他の従業者は、同法及びこれに基づく命令の規定の例により、組合員及びその被扶養者の指定訪問看護並びにこれに係る事務を担当し、又は指定訪問看護に当たらなければならない。

【参照】
●健康保険法七〇、七二、七三、七八、九〇、九一、九四
●保険医療機関及び保険医療養担当規則（昭三二厚生省令一五）
●保険薬局及び保険薬剤師療養担当規則（昭三二厚生省令一六）
●指定訪問看護の事業の人員及び運営に関する基準（平一二厚生省令八〇）

（組合員が日雇特例被保険者又はその被扶養者となつた場合等の給付）
第五十九条　組合員が資格を喪失し、かつ、健康保険法第三条第二項に規定する日雇特例被保険者又はその被扶養者（次項において「日雇特例被保険者等」という。）となつた場合において、その者が退職した際に療養の給付、入院時食事療養費、入院時生活療養費、保険外併用療養費、療養費、訪問看護療養費、家族療養費若しくは家族訪問看護療養費又は介護保険法の規定による居宅介護サービス費（同法の規定による当該給付のうち療養に相当

する同法第四十一条第一項に規定する指定居宅サービスに係るものに限る。以下この条において同じ。）、特例居宅介護サービス費（同法の規定による当該給付のうち療養に相当する同法第八条第一項に規定する居宅サービス又はこれに相当するサービスに係るものに限る。以下この条において同じ。）、地域密着型介護サービス費（同法の規定による当該給付のうち療養に相当する同法第四十二条の二第一項に規定する指定地域密着型サービスに係るものに限る。以下この条において同じ。）、特例地域密着型介護サービス費（同法の規定による当該給付のうち療養に相当する同法第八条第十四項に規定する地域密着型サービス又はこれに相当するサービスに係るものに限る。以下この条において同じ。）、施設介護サービス費（同法の規定による当該給付のうち療養に相当する同法第四十八条第一項に規定する指定施設サービス等に係るものに限る。以下この条において同じ。）若しくは特例施設介護サービス費（同法の規定による当該給付のうち療養に相当する同法第八条第二十六項に規定する施設サービスに係るものに限る。以下この条において同じ。）若しくは介護予防サービス費（同法の規定による当該給付のうち療養に相当する同法第五十三条第一項に規定する指定介護予防サービスに係るものに限る。以下この条において同じ。）若しくは特例介護予防サービス費（同法の規定による当該給付のうち療養に相当する同法第八条の二第一項に規定する介護予防サービス又はこれに相当するサービスに係るものに限る。以下この条において同じ。）を受けているとき（その者が退職した際にその被扶養者が同法の規定による居宅介護サービス費、特例居宅介護サービス費、地域密着型介護サービス費、特例地域密着型介護サービス費、施設介護サービス費若しくは特例施設介護サービス費又は介護予防サービス費若しくは特例介護予防サービス費を受けているときを含む。）には、当該病気又は負傷及びこれらにより生じた病気について継続して療養の給付、入院時食事療養費、入院時生活療養費、保険外併用療養費、療養費、訪問看護療養費、移送費、家族療養費、家族訪問看護療養費又は家族移送費を支給する。

2　組合員が死亡により資格を喪失し、又は組合員であつた者が死亡により前項の規定の適用を受けることができないこととなつた場合であつて、かつ、当該組合員又は組合員であつた者の被扶養者が日雇特例被保険者等となつた場合において、当該組合員又は組合員であつた者が死亡した際に家族療養費又は家族訪問看護療養費を受けているとき（当該組合員又は組合員であつた者が死亡した際に当該被扶養者が介護保険法の規定による居宅介護サービス費、特例居宅介護サービス費、地域密着型介護サービス費、特例地域密着型介護サービス費、施設介護サービス費若しくは特例施設介護サービス費又は介護予防サービス費若しくは特例介護予防サービス費を受けているときを含む。）には、当該病気又は負傷及びこれらにより生じた病気について、継続して家族療養費、家族訪問看護療養費又は家族移送費を当該組合員であつた者の被扶養者として現に療養を受けている者に支給する。

3　前二項の規定による給付は、次の各号のいずれかに該当するに至つたときは、行わない。

一　当該病気又は負傷について、健康保険法第五章の規定による療養の給付又は入院時食事療養費、入院時生活療養費、保険外併用療養費、療養費、訪問看護療養費、移送費（次項に規定する移送費を除く。）、家族療養費、家族訪問看護療養費若しくは家族移送費（同項に規定する家族移送費を除く。）の支給を受けることができるに至つたとき。

二　その者が、他の組合の組合員（地方の組合でこれらの給付に相当する給付を行うものの組合員、私学共済制度の加入者、健康保険の被保険者（健康保険法第三条第二項に規定する日雇特例被保険者を除く。）及び船員保険の被保険者を含む。第六十一条第二項ただし書、第六十四条ただし書、第六十六条第五項ただし書及び第六十七条第三項ただし書において同じ。）若しくはその被扶養者、国民健康保険の被保険者又は後期高齢者医療の被保険者等となつたとき。

三　組合員の資格を喪失した日から起算して六月を経過したとき。

4　第一項及び第二項の規定による給付は、当該病気又は負傷について、健康保険法第五章の規定による特別療養費（同法第百四十五条第六項において準用する同法第百三十二条の規定により支給される療養費を含む。）又は移送費若しくは家族移送費（当該特別療養費に係る療養を受けるための移送に係る移送費又は家族移送費に限る。）の支給を受けることができる間は、行わない。

【参照】
- ●法附則一〇
- ●令五八、令附則六の二の六
- ●規則一〇四
- ●運用方針法五九関係

（他の法令による療養との調整）

第六十条　他の法令の規定により国又は地方公共団体の負担において療養又は療養費の支給を受けたときは、その受けた限度において、療養の給付又は入院時食事療養費、入院時生活療養費、保険外併用療養費、療養費、訪問看護療養費、移送費、家族療養費、家族訪問看護療養費、家族移送費若しくは高額療養費の支給は、行わない。

2 療養の給付又は入院時食事療養費、入院時生活療養費、保険外併用療養費、療養費、訪問看護療養費、移送費、家族療養費、家族訪問看護療養費若しくは家族移送費の支給は、同一の病気又は負傷に関し、国家公務員災害補償法の規定による通勤による災害に係る療養補償又はこれに相当する補償が行われるときは、行わない。

3 療養の給付又は入院時食事療養費、入院時生活療養費、保険外併用療養費、療養費、訪問看護療養費、家族療養費若しくは家族訪問看護療養費の支給は、同一の病気又は負傷に関し、介護保険法の規定によりそれぞれの給付に相当する給付が行われるときは、行わない。

[参照]
- ●災害救助法
- ●防給法
- ●感染症の予防及び感染症の患者に対する医療に関する法律（平一〇法一一四）
- ●精神保健及び精神障害者福祉に関する法律（昭二五法一二三）

（高額療養費）

第六十条の二 療養の給付につき支払われた第五十五条第二項若しくは第三項に規定する一部負担金（第五十五条の二第一項第一号の措置が採られるときは、当該減額された一部負担金）の額又は療養（食事療養及び生活療養を除く。次項において同じ。）に要した費用の額からその療養に要した費用につき保険外併用療養費、療養費、訪問看護療養費、家族療養費若しくは家族訪問看護療養費として支給される金額に相当する金額を控除した金額（次条第一項において「一部負担金等の額」という。）が著しく高額であるときは、その療養の給付又はその保険外併用療養費、療養費、訪問看護療養費、家族療養費若しくは家族訪問看護療養費の支給を受けた者に対し、高額療養費を支給する。

2 高額療養費の支給要件、支給額その他高額療養費の支給に関し必要な事項は、療養に必要な費用の負担の家計に与える影響及び療養に要した費用の額を考慮して、政令で定める。

[参照]
- ●令一一の三の三～一一の三の六、三四、令附則三四の三、三四の四
- ●規則一〇五の四～一〇五の四の三
- ●防給令一七の六

（高額介護合算療養費）

第六十条の三 一部負担金等の額（前条第一項の高額療養費が支給される場合にあつては、当該支給額に相当する金額を控除した金額）並びに介護保険法第五十一条第一項に規定する介護サービス利用者負担額（同項の高額介護サービス費が支給される場合にあつては、当該支給額に相当する金額を控除した金額）及び同法第六十一条第一項に規定する介護予防サービス利用者負担額（同項の高額介護予防サービス費が支給される場合にあつては、当該支給額に相当する金額を控除した金額）の合計額が著しく高額であるときは、当該一部負担金等の額に係る療養の給付又は保険外併用療養費、療養費、訪問看護療養費、家族療養費若しくは家族訪問看護療養費の支給を受けた者に対し、高額介護合算療養費を支給する。

2 前条第二項の規定は、高額介護合算療養費の支給について準用する。

[参照]
- ●令一一の三の六の二～一一の三の六の四
- ●規則一〇五の一一～一〇五の二〇
- ●防給令一七の六の四

（出産費及び家族出産費）

第六十一条 組合員が出産したときは、出産費として、政令で定める金額を支給する。

2 前項の規定は、組合員の資格を喪失した日の前日まで引き続き一年以上組合員であつた者（以下「一年以上組合員であつた者」という。）が退職後六月以内に出産した場合について準用する。ただし、退職後出産するまでの間に他の組合の組合員の資格を取得したときは、この限りでない。

3 組合員の被扶養者（前項本文の規定の適用を受ける者を除く。）が出産したときは、家族出産費として、政令で定める金額を支給する。

[参照]
- ●法六五（日雇特例被保険者に係る給付との調整）、法附則一〇
- ●令一一の三の七、三五、五八、令附則六の二の六
- ●規則一〇六
- ●運用方針法六一関係、六一～六四関係

第六十二条 削除

（埋葬料及び家族埋葬料）

第六十三条 組合員が公務によらないで死亡したときは、

その死亡の当時被扶養者であつた者で埋葬を行うものに対し、埋葬料として、政令で定める金額を支給する。

2　前項の規定により埋葬料の支給を受けるべき者がない場合には、埋葬を行つた者に対し、同項に規定する金額の範囲内で、埋葬に要した費用に相当する金額を支給する。

3　被扶養者が死亡したときは、家族埋葬料として、政令で定める金額を支給する。

4　埋葬料及び家族埋葬料は、国家公務員災害補償法の規定による通勤による災害に係る葬祭補償又はこれに相当する補償が行われるときは、支給しない。

[参照]
●法六五（日雇特例被保険者に係る給付との調整）
●令一一の三の八、三六、五八、五九、令附則六の二の六、六の二の七
●規則一〇八
●運用方針法六一～六四関係、六三関係

第六十四条　組合員であつた者が退職後三月以内に死亡したときは、前条第一項及び第二項の規定に準じて埋葬料を支給する。ただし、退職後死亡するまでの間に他の組合の組合員の資格を取得したときは、この限りでない。

[参照]
●法附則一〇
●令五八、五九、令附則六の二の六、六の二の七
●運用方針法六一～六四関係

（日雇特例被保険者に係る給付との調整）

第六十五条　家族療養費、家族訪問看護療養費、家族移送費、家族出産費又は家族埋葬料は、同一の病気、負傷、出産又は死亡に関し、健康保険法第五章の規定により療養の給付又は入院時食事療養費、入院時生活療養費、保険外併用療養費、療養費、訪問看護療養費、移送費、出産育児一時金若しくは埋葬料の支給があつた場合には、その限度において、支給しない。

第三款　休業等給付

（傷病手当金）

第六十六条　組合員（第百二十六条の五第二項に規定する任意継続組合員を除く。第五項、次条第一項及び第三項並びに第六十八条から第六十八条の五までにおいて同じ。）が公務によらないで病気にかかり、又は負傷し、療養のため引き続き勤務に服することができない場合には、勤務に服することができなくなつた日以後三日を経過した日から、その後における勤務に服することができない期間、傷病手当金を支給する。

2　傷病手当金の額は、一日につき、傷病手当金の支給を始める日の属する月以前の直近の継続した十二月間の各月の標準報酬の月額（組合員が現に属する組合により定められたものに限る。以下この項において同じ。）の平均額の二十二分の一に相当する金額（当該金額に五円未満の端数があるときは、これを切り捨て、五円以上十円未満の端数があるときは、これを十円に切り上げるものとする。）の三分の二に相当する金額（当該金額に五十銭未満の端数があるときは、これを切り捨て、五十銭以上一円未満の端数があるときは、これを一円に切り上げるものとする。）とする。ただし、同日の属する月以前の直近の継続した期間において標準報酬の月額が定められている月が十二月に満たない場合にあつては、次の各号に掲げる金額のうちいずれか少ない額の三分の二に相当する金額（当該金額に五十銭未満の端数があるときは、これを切り捨て、五十銭以上一円未満の端数があるときは、これを一円に切り上げるものとする。）とする。

一　傷病手当金の支給を始める日の属する月以前の直近の継続した各月の標準報酬の月額の平均額の二十二分の一に相当する金額（当該金額に五円未満の端数があるときは、これを切り捨て、五円以上十円未満の端数があるときは、これを十円に切り上げるものとする。）

二　傷病手当金の支給を始める日の属する年度の前年度の九月三十日における短期給付に関する規定の適用を受ける全ての組合員の同月の標準報酬の月額の平均額を標準報酬の基礎となる報酬月額とみなしたときの標準報酬の月額の二十二分の一に相当する金額（当該金額に五円未満の端数があるときは、これを切り捨て、五円以上十円未満の端数があるときは、これを十円に切り上げるものとする。）

3　前項に規定するもののほか、傷病手当金の額の算定に関して必要な事項は、財務省令で定める。

4　傷病手当金の支給期間は、同一の病気又は負傷及びこれらにより生じた病気（以下「傷病」という。）については、第一項に規定する勤務に服することができなくなつた日以後三日を経過した日（同日において第六十九条第一項の規定により傷病手当金の全部を支給しないときは、その支給を始めた日）から通算して一年六月間（結核性の病気については、三年間）とする。

5　一年以上組合員であつた者が退職した際に傷病手当金を受けている場合には、その者が退職しなかつたとしたならば前項の規定により受けることができる期間、継続してこれを支給する。ただし、その者が他の組合の組合員の資格を取得したときは、この限りでない。

6　傷病手当金は、同一の傷病について厚生年金保険法に

よる障害厚生年金の支給を受けることができるときは、支給しない。ただし、その支給を受けることができる障害厚生年金の額（当該障害厚生年金と同一の給付事由に基づき国民年金法による障害基礎年金の支給を受けることができるときは、当該障害厚生年金の額と当該障害基礎年金の額との合算額）を基準として財務省令で定めるところにより算定した額（以下この項において「障害年金の額」という。）が、第二項の規定により算定される額より少ないときは、当該額から次の各号に掲げる場合の区分に応じて当該各号に定める額を控除した額を支給する。

一　報酬を受けることができない場合であつて、かつ、出産手当金の支給を受けることができない場合　障害年金の額

二　報酬を受けることができない場合であつて、かつ、出産手当金の支給を受けることができる場合　出産手当金の額（当該額が第二項の規定により算定される額を超える場合にあつては、当該額）と障害年金の額のいずれか多い額

三　報酬の全部又は一部を受けることができる場合であつて、かつ、出産手当金の支給を受けることができない場合　当該受けることができる報酬の全部又は一部の額（当該額が第二項の規定により算定される額を超える場合にあつては、当該額）と障害年金の額のいずれか多い額

四　報酬の全部又は一部を受けることができる場合であつて、かつ、出産手当金の支給を受けることができる場合　報酬を受けることができないとしたならば支給されることとなる出産手当金の額（当該額が第二項の規定により算定される額を超える場合にあつては、当該額）と障害年金の額のいずれか多い額

7　傷病手当金は、同一の傷病について厚生年金保険法による障害手当金の支給を受けることとなつたときは、当該障害手当金の支給を受けることとなつた日からその日以後に傷病手当金の支給を受けるとする場合の第二項の規定により算定される額の合計額が当該障害手当金の額に達するに至る日までの間、支給しない。ただし、当該合計額が当該障害手当金の額に達するに至つた日において当該合計額が当該障害手当金の額を超える場合において、報酬の全部若しくは一部又は出産手当金の支給を受けることができるときその他の政令で定めるときは、当該合計額から当該障害手当金の額を控除した額その他の政令で定める額については、この限りでない。

8　第五項の傷病手当金（政令で定める要件に該当する者に支給するものに限る。）は、厚生年金保険法又は国民年金法による老齢を給付事由とする年金である給付その他の退職又は老齢を給付事由とする年金である給付であつて政令で定めるもの（以下この項及び次項において「退職老齢年金給付」という。）の支給を受けることができるときは、支給しない。ただし、その支給を受けることができる退職老齢年金給付の額（当該退職老齢年金給付が二以上あるときは、当該二以上の退職老齢年金給付の額を合算した額）を基準として財務省令で定めるところにより算定した額が、当該退職老齢年金給付の支給を受けることができないとしたならば支給されることとなる傷病手当金の額より少ないときは、当該傷病手当金の額から当該財務省令で定めるところにより算定した額を控除した額を支給する。

9　組合は、前三項の規定による傷病手当金に関する処分に関し必要があると認めるときは、第六項の障害厚生年金若しくは障害基礎年金、第七項の障害手当金又は前項の退職老齢年金給付の支給状況につき、退職老齢年金給付の支払をする者（次項において「年金支給実施機関」という。）に対し、必要な資料の提供を求めることができる。

10　年金支給実施機関（厚生労働大臣を除く。）は、厚生労働大臣の同意を得て、前項の規定による資料の提供の事務を厚生労働大臣に委託することができる。

11　厚生労働大臣は、日本年金機構に、前項の規定により委託を受けた資料の提供に係る事務（当該資料の提供を除く。）を行わせるものとする。

12　厚生年金保険法第百条の十第二項及び第三項の規定は、前項の事務について準用する。この場合において、必要な技術的読替えは、政令で定める。

13　傷病手当金は、次条の規定により出産手当金を支給する場合（第六項又は第七項に該当するときを除く。）には、その期間内は、支給しない。ただし、報酬を受けることができないとしたならば支給されることとなる出産手当金の額が、第二項の規定により算定される額より少ないときは、同項の規定により算定される額から当該出産手当金の額を控除した額を支給する。

14　傷病手当金は、同一の傷病に関し、国家公務員災害補償法の規定による通勤による災害に係る休業補償若しくは傷病補償年金又はこれらに相当する補償（次項において「休業補償等」という。）が行われるときは、支給しない。

15　組合は、前項の規定による傷病手当金に関する処分に関し必要があると認めるときは、休業補償等の支給状況につき、休業補償等の支給を行う者に対し、必要な資料の提供を求めることができる。

［参照］
●法四〇1、六九（報酬との調整）、法附則一一、一二7
●令一一の三の八の二、一一の三の九、一一の四
●規則一〇九～一〇九の四
●運用方針法六六～六八の三関係、六六関係
●防給法二九
●健保法一〇四、一〇八4

（出産手当金）
第六十七条　組合員が出産した場合には、出産の日（出産の日が出産の予定日後であるときは、出産の予定日）以前四十二日（多胎妊娠の場合にあつては、九十八日）から出産の日後五十六日までの間において勤務に服することができなかつた期間、出産手当金を支給する。
2　前条第二項及び第三項の規定は、出産手当金の額の算定について準用する。
3　一年以上組合員であつた者が退職した際に出産手当金を受けているときは、その給付は、第一項に規定する期間内は、引き続き支給する。ただし、その者が他の組合の組合員の資格を取得したときは、この限りでない。

［参照］
●法四〇1、六九（報酬との調整）、法附則一〇
●令附則六の二の六
●規則一一〇～一一〇の二
●運用方針法六六～六八の三関係、六七関係
●健保法一〇四、一〇八4

（休業手当金）
第六十八条　組合員が次の各号の一に掲げる事由により欠勤した場合には、休業手当金として、その期間（第二号から第四号までの各号については、当該各号に掲げる期間内においてその欠勤した期間）一日につき標準報酬の日額の百分の五十に相当する金額を支給する。ただし、傷病手当金又は出産手当金を支給する場合には、その期間内は、この限りでない。
一　被扶養者の病気又は負傷
二　組合員の配偶者の出産　十四日
三　組合員の公務によらない不慮の災害又はその被扶養者に係る不慮の災害　五日
四　組合員の婚姻、配偶者の死亡又は二親等内の血族若しくは一親等の姻族で主として組合員の収入により生計を維持するもの若しくはその他の被扶養者の婚姻若しくは葬祭　七日
五　前各号に掲げるもののほか、運営規則で定める事由　運営規則で定める期間

［参照］
●法四〇1（標準報酬の日額）、六九（報酬との調整）、法附則一二7
●規則一一一
●運用方針法六六～六八の三関係、六八関係

（育児休業手当金）
第六十八条の二　組合員が育児休業等（育児休業、介護休業等育児又は家族介護を行う労働者の福祉に関する法律第二十三条第二項の育児休業に関する制度に準ずる措置及び同法第二十四条第一項（第二号に係る部分に限る。）の規定により同項第二号に規定する育児休業に関する制度に準じて講ずる措置による休業を除く。以下この条及び次条において同じ。）をした場合には、育児休業手当金として、当該育児休業等により勤務に服さなかつた期間で当該育児休業等に係る子が一歳（その子が一歳に達した日後の期間について育児休業等をすることが必要と認められるものとして財務省令で定める場合に該当するときは、一歳六か月（その子が一歳六か月に達した日後の期間について育児休業等をすることが必要と認められるものとして財務省令で定める場合に該当するときは、二歳））に達する日までの期間一日につき標準報酬の日額の百分の五十（当該育児休業等をした期間が百八十日に達するまでの期間については、百分の六十七）に相当する金額を支給する。
2　組合員の養育する子について、当該組合員の配偶者がその子の一歳に達する日以前のいずれかの日において育児休業等（地方公務員の育児休業等に関する法律（平成三年法律第百十号）第二条第一項の規定による育児休業を含む。次条第一項第二号において「配偶者育児休業等」という。）をしている場合における前項の規定の適用については、同項中「係る子が一歳」とあるのは「係る子が一歳二か月」と、「日までの期間」とあるのは「日までの期間（当該期間において当該育児休業等をした期間（一般職の職員の勤務時間、休暇等に関する法律（平成六年法律第三十三号）第十九条の規定による特別休暇（出産に関する特別休暇であつて政令で定めるものに限る。）の期間その他これに準ずる休業であつて政令で定めるものをした期間を含む。）が一年（その子が一歳に達した日後の期間について育児休業等をすることが必要と認められるものとして財務省令で定める場合に該当するときは、一年六月（その子が一歳六か月に達した日後の期間について育児休業等をすることが必要と認められるものとして財務省令で定める場合に該当するときは、二年）。以下この項において同じ。）を超えるときは、一年」とす

る。

3　第一項（前項の規定により読み替えて適用する場合を含む。以下この項において同じ。）の規定により支給すべきこととされる標準報酬の日額の百分の五十（当該育児休業等をした期間が百八十日に達するまでの期間については、百分の六十七）に相当する金額が、雇用保険給付相当額（雇用保険法（昭和四十九年法律第百十六号）第十七条第四項第二号ハに定める額（当該額が同法第十八条の規定により変更された場合には、当該変更された後の額）に相当する額に三十を乗じて得た額の百分の五十（当該育児休業等をした期間が百八十日に達するまでの期間については、百分の六十七）に相当する額を二十二で除して得た額をいう。）を超える場合における第一項の規定の適用については、同項中「標準報酬の日額の百分の五十（当該育児休業等をした期間が百八十日に達するまでの期間については、百分の六十七）」とあるのは、「第三項に規定する雇用保険給付相当額」とする。

4　育児休業手当金は、同一の育児休業等について雇用保険法の規定による育児休業給付の支給を受けることができるときは、支給しない。

【参照】
●法附則一二7、二〇の六1
●令一一の三の一〇
●規則一一一の二
●運用方針法六六～六八の三関係
●平九厚年経過措置政令四五

（育児休業支援手当金）

第六十八条の三　組合員が、対象期間内に育児休業等をした場合において、次の各号に掲げる要件のいずれにも該当するときは、育児休業支援手当金として、対象期間内に当該育児休業等をした日一日につき標準報酬の日額の百分の十三に相当する金額を支給する。

一　対象期間内に育児休業等をした日数が通算して十四日以上であるとき。

二　当該組合員の配偶者が当該育児休業等に係る子について配偶者育児休業等をしたとき（当該配偶者が当該子の出生の日から起算して五十六日を経過する日の翌日までの期間内にした配偶者育児休業等の日数が通算して十四日以上であるときに限る。）。

2　組合員が次の各号のいずれかに該当する場合における前項の規定の適用については、同項中「次の各号に掲げる要件のいずれにも」とあるのは、「第一号に掲げる要件に」とする。

一　配偶者のない者その他財務省令で定める者である場合

二　当該組合員の配偶者が雇用保険法第五条第一項に規定する適用事業に雇用される労働者でない場合

三　当該組合員の配偶者が当該育児休業等に係る子について労働基準法（昭和二十二年法律第四十九号）第六十五条第二項の規定による休業その他これに相当する休業として財務省令で定める休業（第五項各号において「産後休業」という。）をした場合

四　前三号に掲げる場合のほか、当該組合員の配偶者が当該育児休業等に係る子の出生の日から起算して五十六日を経過する日の翌日までの期間内において当該子を養育するための休業をすることができない場合として財務省令で定める場合

3　組合員が育児休業等についてこの条の定めるところにより育児休業支援手当金の支給を受けたことがある場合において、当該組合員が次の各号のいずれかに該当する育児休業等をしたときは、前二項の規定にかかわらず、育児休業支援手当金は、支給しない。

一　同一の子について当該組合員が複数回の育児休業等を取得することについて妥当である場合として財務省令で定める場合に該当しない場合における二回目以後の育児休業等

二　同一の子について当該組合員が五回以上の育児休業等（当該育児休業等を五回以上取得することについてやむを得ない理由がある場合として財務省令で定める場合に該当するものを除く。）をした場合における五回目以後の育児休業等

三　同一の子について当該組合員がした育児休業等ごとに、当該育児休業等を開始した日から当該育児休業等を終了した日までの日数を合算して得た日数が二十八日に達した日後の育児休業等

4　第一項（第二項の規定により読み替えて適用する場合を含む。以下この項において同じ。）の規定により支給すべきこととされる標準報酬の日額の百分の十三に相当する金額が、雇用保険給付相当額（雇用保険法第十七条第四項第二号ハに定める額（当該額が同法第十八条の規定により変更された場合には、当該変更された後の額）に相当する額に三十を乗じて得た額の百分の十三に相当する額を二十二で除して得た額をいう。）を超える場合における第一項の規定の適用については、同項中「標準報酬の日額の百分の十三」とあるのは、「第四項に規定する雇用保険給付相当額」とする。

5　第一項の「対象期間」とは、次の各号に掲げる区分に応じ、当該各号に定める期間とする。

一　組合員が当該育児休業等に係る子について産後休業

をしなかつたとき　その子の出生の日から起算して五十六日を経過する日の翌日までの期間

二　組合員が当該育児休業等に係る子について産後休業をしたとき　次のイからハまでに掲げる場合の区分に応じ、当該イからハまでに定める期間

イ　出産の予定日に当該子が出生した場合　当該出生の日から起算して百十二日を経過する日の翌日までの期間

ロ　出産の予定日前に当該子が出生した場合　当該出生の日から当該出産の予定日から起算して百十二日を経過する日の翌日までの期間

ハ　出産の予定日後に当該子が出生した場合　当該出産の予定日から当該出生の日から起算して百十二日を経過する日の翌日までの期間

6　育児休業支援手当金は、同一の育児休業等について雇用保険法の規定による出生後休業支援給付金の支給を受けることができるときは、支給しない。

（介護休業手当金）

第六十八条の四　組合員が介護のための休業（一般職の職員の勤務時間、休暇等に関する法律（平成六年法律第三十三号）の適用を受ける組合員（同法第二十三条の規定の適用を受ける組合員を除く。）については同法第二十条第一項に規定する介護休暇を、その他の組合員についてはこれに準ずる休業として政令で定めるものをいい、以下この条において「介護休業」という。）により勤務に服することができない場合には、介護休業手当金として、当該介護休業により勤務に服することができない期間一日につき標準報酬の日額の百分の四十に相当する金額を支給する。

2　前項の介護休業手当金の支給期間は、組合員の介護を必要とする者の各々が介護を必要とする一の継続する状態ごとに、介護休業の日数を通算して六十六日を超えないものとする。

3　第六十八条の二第三項の規定は、第一項の場合について準用する。この場合において、同条第三項中「百分の五十（当該育児休業等をした期間が百八十日に達するまでの期間については、百分の六十七）」とあるのは「百分の四十」と、「第十七条第四項第二号ハ」とあるのは「第十七条第四項第二号ロ」と読み替えるものとする。

4　介護休業手当金は、同一の介護休業について雇用保険法の規定による介護休業給付の支給を受けることができるときは、支給しない。

［参照］
- 法附則一一の二、一二7、二〇の六1
- 令一一の三の一一、四五3
- 規則一一一の三
- 運用方針法六六～六八の三関係

（育児時短勤務手当金）

第六十八条の五　組合員が、その二歳に満たない子を養育するため勤務時間を短縮することによる勤務として財務省令で定める勤務（以下この条において「育児時短勤務」という。）をした場合には、支給対象月につき育児時短勤務手当金を支給する。

2　前項の規定にかかわらず、支給対象月における報酬の月額が支給限度額（雇用保険法第六十一条の十二第二項に規定する支給限度額をいう。第四項ただし書において同じ。）以上であるときは、当該支給対象月については、育児時短勤務手当金は、支給しない。

3　この条において「支給対象月」とは、組合員が育児時短勤務を開始した日の属する月から当該育児時短勤務を終了した日の属する月までの期間内にある月（その月の初日から末日まで引き続いて組合員であり、かつ、育児休業手当金又は介護休業手当金の支給を受けることができる休業をしなかつた月に限る。）をいう。

4　育児時短勤務手当金の額は、一支給対象月について、次の各号に掲げる区分に応じ、当該支給対象月に支払われた報酬の額に当該各号に定める率を乗じて得た額とする。ただし、その額に当該報酬の額を加えて得た額が支給限度額を超えるときは、支給限度額から当該報酬の額を減じて得た額とする。

一　当該報酬の額が、育児時短勤務を開始した日の属する月における標準報酬の月額の百分の九十に相当する額未満であるとき　百分の十

二　当該報酬の額が、育児時短勤務を開始した日の属する月における標準報酬の月額の百分の九十に相当する額以上百分の百に相当する額未満であるとき　当該標準報酬の月額に対する当該報酬の額の割合が百分の九十を超える大きさの程度に応じ、百分の十から一定の割合で逓減するように財務省令で定める率

5　前項各号の標準報酬の月額が、雇用保険給付相当額（雇用保険法第十七条第四項第二号ハに定める額（当該額が同法第十八条の規定により変更された場合には、当該変更された後の額）に相当する額に三十を乗じて得た額をいう。）を超える場合における前項の規定の適用については、同項第一号中「標準報酬の月額」とあるのは「次項に規定する雇用保険給付相当額（次号において「雇用保険給付相当額」という。）」と、同項第二号中「標準報酬の月額」とあるのは「雇用保険給付相当額」とする。

6　第一項及び第四項の規定にかかわらず、同項の規定に

より支給対象月における育児時短勤務手当金の額として算定された額が雇用保険法第十七条第四項第一号に掲げる額（当該額が同法第十八条の規定により変更された場合には、当該変更された後の額）の百分の八十に相当する額を超えないときは、当該支給対象月については、育児時短勤務手当金は、支給しない。

7 育児時短勤務手当金は、同一の育児時短勤務について雇用保険法の規定による育児時短就業給付金、高年齢雇用継続基本給付金又は高年齢再就職給付金の支給を受けることができるときは、支給しない。

（報酬との調整）

第六十九条 傷病手当金は、その支給期間に係る報酬の全部又は一部を受ける場合（第六十六条第六項、第七項又は第十三項に該当するときを除く。）には、その受ける金額を基準として政令で定める金額の限度において、その全部又は一部を支給しない。

2 出産手当金、休業手当金、育児休業手当金、育児休業支援手当金又は介護休業手当金は、その支給期間に係る報酬の全部又は一部を受ける場合には、その受ける金額を基準として政令で定める金額の限度において、その全部又は一部を支給しない。

[参照]
●令一一の四
●運用方針法六九関係

第四款 災害給付

（弔慰金及び家族弔慰金）

第七十条 組合員又はその被扶養者が水震火災その他の非常災害により死亡したときは、組合員については標準報酬の月額に相当する金額の弔慰金をその遺族に、被扶養者については当該金額の百分の七十に相当する金額の家族弔慰金を組合員に支給する。

[参照]
●法附則一二7
●規則一一二
●運用方針法七〇関係

（災害見舞金）

第七十一条 組合員が前条に規定する非常災害によりその住居又は家財に損害を受けたときは、災害見舞金として、別表第一に掲げる損害の程度に応じ、同表に定める月数を標準報酬の月額に乗じて得た金額を支給する。

[参照]
●法附則一二7
●令三七
●規則一一三
●運用方針法七一関係

第三節 長期給付

第一款 通則

（長期給付の種類等）

第七十二条 この法律における長期給付は、厚生年金保険給付及び退職等年金給付とする。

2 長期給付に関する規定は、次の各号のいずれかに該当する職員（政令で定める職員を除く。）には適用しない。

一 任命について国会の両院の議決又は同意によることを必要とする職員

二 国会法（昭和二十二年法律第七十九号）第三十九条の規定により国会議員がその職を兼ねることを禁止されていない職にある職員

三 常時勤務に服することを要しない職員で政令で定めるもの

四 臨時に使用される職員その他の政令で定める職員

3 長期給付に関する規定の適用を受ける組合員がその適用を受けない組合員となつたときは、長期給付に関する規定の適用については、そのなつた日の前日に退職したものとみなす。

4 第二項の規定により長期給付に関する規定の適用を受けない組合員がその適用を受ける組合員となつたときは、長期給付に関する規定の適用については、そのなつた日に新たに組合員となつたものとみなす。

[参照]
●令一二

第二款 厚生年金保険給付

（厚生年金保険給付の種類等）

第七十三条 この法律における厚生年金保険給付は、厚生年金保険法第三十二条に規定する次に掲げる保険給付（同法第二条の五第一項第二号に規定する第二号厚生年金被保険者期間に基づくものに限る。）とする。

一 老齢厚生年金

二 障害厚生年金及び障害手当金

三 遺族厚生年金

2 第一節（第三十九条第一項及び第四十五条を除く。）及び次節（第九十六条を除く。）並びに第八章（第百十六条、第百十七条の二、第百二十四条の二から第百二十六条の三まで及び第百二十六条の六から第百二十七条までを除く。）の規定は、厚生年金保険給付については、適用しない。

［参照］
●規則一一四～一一四の三〇

第三款　退職等年金給付

第一目　通則

（退職等年金給付の種類）

第七十四条　この法律による退職等年金給付は、次に掲げる給付とする。

一　退職年金
二　公務障害年金
三　公務遺族年金

（給付算定基礎額）

第七十五条　退職等年金給付の給付事由が生じた日における当該退職等年金給付の額の算定の基礎となるべき額（以下「給付算定基礎額」という。）は、組合員期間の計算の基礎となる各月の掛金の標準となつた標準報酬の月額と標準期末手当等の額に当該各月において適用される付与率を乗じて得た額に当該各月から当該給付事由が生じた日の前日の属する月までの期間に応ずる利子に相当する額を加えた額の総額とする。

2　前項に規定する付与率は、退職等年金給付が組合員であつた者及びその遺族の適当な生活の維持を図ることを目的とする年金制度の一環をなすものであることその他政令で定める事情を勘案して、連合会の定款で定める。

3　第一項に規定する利子は、掛金の払込みがあつた月から退職等年金給付の給付事由が生じた日の前日の属する月までの期間に応じ、当該期間の各月において適用される基準利率を用いて複利の方法により計算する。

4　各年の十月から翌年の九月までの期間の各月において適用される前項に規定する基準利率（以下「基準利率」という。）は、毎年九月三十日までに、国債の利回りを基礎として、退職等年金給付積立金の運用の状況及びその見通しその他政令で定める事情を勘案して、連合会の定款で定める。

5　前各項に定めるもののほか、給付算定基礎額の計算に関し必要な事項は、財務省令で定める。

［参照］
●令一三、一四
●規則一一五～一一五の三、一一五の八、一一五の九
●運用方針法七五関係

（退職等年金給付の支給期間及び支給期月）

第七十五条の二　退職等年金給付は、その給付事由が生じた日の属する月の翌月からその事由のなくなつた日の属する月までの分を支給する。

2　退職等年金給付は、その支給を停止すべき事由が生じたときは、その事由が生じた日の属する月の翌月からその事由がなくなつた日の属する月までの分の支給を停止する。ただし、これらの日が同じ月に属する場合には、支給を停止しない。

3　退職等年金給付の額を改定する事由が生じたときは、その事由が生じた日の属する月の翌月分からその改定した金額を支給する。

4　退職等年金給付は、毎年二月、四月、六月、八月、十月及び十二月において、それぞれの前月までの分を支給する。ただし、その給付を受ける権利が消滅したとき、又はその支給を停止すべき事由が生じたときは、その支給期月にかかわらず、その際、その月までの分を支給する。

（三歳に満たない子を養育する組合員等の給付算定基礎額の計算の特例）

第七十五条の三　三歳に満たない子を養育し、又は養育していた組合員又は組合員であつた者が、組合（組合員であつた者にあつては、連合会）に申出をしたときは、当該子を養育することとなつた日（財務省令で定める事由が生じた場合にあつては、その日）の属する月から次の各号のいずれかに該当するに至つた日の翌日の属する月の前月までの各月のうち、その標準報酬の月額が当該子を養育することとなつた日の属する月の前月（当該月において組合員でない場合にあつては、当該月前一年以内における組合員であつた月のうち直近の月。以下この条において「基準月」という。）の標準報酬の月額（この項の規定により当該子以外の子に係る基準月の標準報酬の月額が標準報酬の月額とみなされている場合にあつては、当該みなされた基準月の標準報酬の月額。以下この項において「従前標準報酬の月額」という。）を下回る月（当該申出が行われた日の属する月前の月にあつては、当該申出が行われた日の属する月の前月までの二年間のうちにあるものに限る。）については、従前標準報酬の月額を当該下回る月の標準報酬の月額とみなして、第七十五条第一項の規定を適用する。

一　当該子が三歳に達したとき。
二　当該組合員若しくは当該組合員であつた者が死亡したとき、又は当該組合員が退職したとき。
三　当該子以外の子についてこの条の規定の適用を受ける場合における当該子以外の子を養育することとなつたときその他これに準ずるものとして財務省令で定めるものが生じたとき。
四　当該子が死亡したときその他当該組合員が当該子を養育しないこととなつたとき。

五　当該組合員が第百条の二第一項の規定の適用を受ける育児休業等を開始したとき。

六　当該組合員が第百条の二の二の規定の適用を受ける産前産後休業を開始したとき。

2　前項の規定による給付算定基礎額の計算その他同項の規定の適用に関し必要な事項は、政令で定める。

3　第一項第六号の規定に該当した組合員（同項の規定により当該子以外の子に係る基準月の標準報酬の月額が基準月の標準報酬の月額とみなされている場合を除く。）に対する同項の規定の適用については、同項中「この項の規定により当該子以外の子に係る基準月の標準報酬の月額が標準報酬の月額とみなされている場合にあつては、当該みなされた基準月の標準報酬の月額」とあるのは、「第六号の規定の適用がなかつたとしたならば、この項の規定により当該子以外の子に係る基準月の標準報酬の月額が標準報酬の月額とみなされる場合にあつては、当該みなされることとなる基準月の標準報酬の月額」とする。

【参照】
●規則一一六の四

（併給の調整）

第七十五条の四　次の各号に掲げる退職等年金給付（第七十九条の二第三項前段、第七十九条の三第二項前段若しくは第三項又は第七十九条の四第一項に規定する一時金を除く。以下この条において同じ。）の受給権者が当該各号に定める場合に該当するときは、その該当する間、当該退職等年金給付は、その支給を停止する。

一　退職年金　公務障害年金を受けることができるとき。

二　公務障害年金　退職年金又は公務遺族年金を受けることができるとき。

三　公務遺族年金　公務障害年金を受けることができるとき。

2　前項の規定によりその支給を停止するものとされた退職等年金給付の受給権者は、同項の規定にかかわらず、その支給の停止の解除を申請することができる。

3　現にその支給が行われている退職等年金給付が第一項の規定によりその支給を停止するものとされた場合において、その支給を停止すべき事由が生じた日の属する月に当該退職等年金給付に係る前項の申請がなされないときは、その支給を停止すべき事由が生じたときにおいて、当該退職等年金給付に係る同項の申請があつたものとみなす。

4　第二項の申請（前項の規定により第二項の申請があつたものとみなされた場合における当該申請を含む。以下この項及び次項において同じ。）があつた場合には、当該申請に係る退職等年金給付については、第一項の規定にかかわらず、同項の規定による支給の停止は行わない。ただし、その者に係る他の退職等年金給付について、第二項の申請があつたとき（次項の規定により当該申請が撤回された場合を除く。）は、この限りでない。

5　第二項の申請は、いつでも、将来に向かつて撤回することができる。

（受給権者の申出による支給停止）

第七十五条の五　退職等年金給付（この法律の他の規定により支給を停止されているものを除く。）は、その受給権者の申出により、その支給を停止する。

2　前項の申出は、いつでも、将来に向かつて撤回することができる。

3　第一項の規定による支給停止の方法その他前二項の規定の適用に関し必要な事項は、政令で定める。

【参照】
●令一五

（年金の支払の調整）

第七十五条の六　退職等年金給付（以下この項において「乙年金」という。）の受給権者が他の退職等年金給付（以下この項において「甲年金」という。）を受ける権利を取得したため乙年金を受ける権利が消滅し、又は同一人に対して乙年金の支給を停止して甲年金を支給すべき場合において、乙年金を受ける権利が消滅し、又は乙年金の支給を停止すべき事由が生じた月の翌月以後の分として、乙年金の支払が行われたときは、その支払われた乙年金は、甲年金の内払とみなす。

2　退職等年金給付の支給を停止すべき事由が生じたにもかかわらず、その停止すべき期間の分として退職等年金給付が支払われたときは、その支払われた退職等年金給付は、その後に支払うべき退職等年金給付の内払とみなすことができる。退職等年金給付を減額して改定すべき事由が生じたにもかかわらず、その事由が生じた月の翌月以後の分として減額しない額の退職等年金給付が支払われた場合における当該退職等年金給付の当該減額すべきであつた部分についても、同様とする。

3　第七十九条の二第三項前段又は第七十九条の三第二項前段若しくは第三項に規定する一時金の支給を受けた者が、公務障害年金の支給を受けるときは、その支払われた一時金は、その後に支払うべき公務障害年金の支給期月ごとの支給額の二分の一に相当する金額の限度において、当該支給期月において支払うべき公務障害年金の内払とみなす。

第七十五条の七　退職等年金給付の受給権者が死亡したためその受ける権利が消滅したにもかかわらず、その死亡の日の属する月の翌月以後の分として当該退職等年金給付の過誤払が行われた場合において、当該過誤払による返還金に係る債権（以下この条において「返還金債権」という。）に係る債務の弁済をすべき者に支払うべき退職等年金給付があるときは、財務省令で定めるところにより、当該退職等年金給付の支払金の金額を当該過誤払による返還金債権の金額に充当することができる。

［参照］
●規則一二三

（死亡の推定）

第七十五条の八　船舶が沈没し、転覆し、滅失し、若しくは行方不明となつた際現にその船舶に乗つていた組合員若しくは組合員であつた者若しくは船舶に乗つていてその船舶の航行中に行方不明となつた組合員若しくは組合員であつた者の生死が三月間分からない場合又はこれらの者の死亡が三月以内に明らかとなり、かつ、その死亡の時期が分からない場合には、公務遺族年金又はその他の退職等年金給付に係る支払未済の給付の支給に関する規定の適用については、その船舶が沈没し、転覆し、滅失し、若しくは行方不明となつた日又はその者が行方不明となつた日に、その者は、死亡したものと推定する。航空機が墜落し、滅失し、若しくは行方不明となつた際現にその航空機に乗つていた組合員若しくは組合員であつた者若しくは航空機に乗つていてその航空機の航行中に行方不明となつた組合員若しくは組合員であつた者の生死が三月間分からない場合又はこれらの者の死亡が三月以内に明らかとなり、かつ、その死亡の時期が分からない場合にも、同様とする。

（年金受給者の書類の提出等）

第七十五条の九　連合会は、退職等年金給付の支給に関し必要な範囲内において、その支給を受ける者に対して、身分関係の異動、支給の停止及び障害の状態に関する書類その他の物件の提出を求めることができる。

2　連合会は、前項の要求をした場合において、正当な理由がなくてこれに応じない者があるときは、その者に対しては、これに応ずるまでの間、退職等年金給付の支払を差し止めることができる。

（政令への委任）

第七十五条の十　この款に定めるもののほか、退職等年金給付の額の計算及びその支給に関し必要な事項は、政令で定める。

［参照］
●令一五の二、一五の二の二

第二目　退職年金

（退職年金の種類）

第七十六条　退職年金は、支給期間を終身とするもの（以下「終身退職年金」という。）及び支給期間を二百四十月とするもの（以下「有期退職年金」という。）とする。

2　有期退職年金の受給権者が連合会に当該有期退職年金の支給期間の短縮の申出をしたときは、当該有期退職年金の支給期間は百二十月とする。

3　前項の申出は、当該有期退職年金の給付事由が生じた日から六月以内に、退職年金の支給の請求と同時に行わなければならない。

（退職年金の受給権者）

第七十七条　一年以上の引き続く組合員期間を有する者が退職した後に六十五歳に達したとき（その者が組合員である場合を除く。）、又は六十五歳に達した日以後に退職したときは、その者に退職年金を支給する。

2　第八十二条第二項の規定により有期退職年金を受ける権利を失つた者が前項に規定する場合に該当するに至つたときは、同条第二項の規定にかかわらず、その者に有期退職年金を支給する。この場合において、当該失つた権利に係る組合員期間は、この項の規定により支給する有期退職年金の額の計算については、組合員期間に含まれないものとするほか、当該有期退職年金の額の計算に関し必要な事項は、政令で定める。

［参照］
●令一五の三

（終身退職年金の額）

第七十八条　終身退職年金の額は、終身退職年金の額の算定の基礎となるべき額（以下「終身退職年金算定基礎額」という。）を、受給権者の年齢に応じた終身年金現価率で除して得た金額とする。

2　終身退職年金の給付事由が生じた日からその年の九月三十日（終身退職年金の給付事由が生じた日が九月一日から十二月三十一日までの間にあるときは、翌年の九月三十日）までの間における終身退職年金算定基礎額は、給付算定基礎額の二分の一に相当する額（組合員期間が十年に満たないときは、当該額に二分の一を乗じて得た額）とする。

3　終身退職年金の給付事由が生じた日の属する年（終身退職年金の給付事由が生じた日が九月一日から十二月三十一日までの間にあるときは、その翌年）以後の各年の十月一日から翌年の九月三十日までの間における終身退職年金算定基礎額は、当該各年の九月三十日における終身退職年金の額に同日において当該終身退職年金の受給権者の年齢に一年を加えた年齢の者に対して適用される終身年金現価率を乗じて得た額とする。

4　第一項及び前項の規定の適用については、終身退職年金の給付事由が生じた日からその日の属する年の九月三十日（終身退職年金の給付事由が生じた日が十月一日から十二月三十一日までの間にあるときは、翌年の九月三十日）までの間においては終身退職年金の給付事由が生じた日の属する年の前年の三月三十一日（終身退職年金の給付事由が生じた日が十月一日から十二月三十一日までの間にあるときは、その年の三月三十一日）における当該終身退職年金の受給権者の年齢に一年を加えた年齢を、終身退職年金の給付事由が生じた日の属する年（終身退職年金の給付事由が生じた日が十月一日から十二月三十一日までの間にあるときは、その翌年）以後の各年の十月一日から翌年の九月三十日までの間においては当該各年の三月三十一日における当該終身退職年金の受給権者の年齢に一年を加えた年齢を、当該受給権者の年齢とする。

5　各年の十月から翌年の九月までの期間において適用される第一項及び第三項に規定する終身年金現価率（第八十四条第一項及び第九十条第一項において「終身年金現価率」という。）は、毎年九月三十日までに、基準利率、死亡率の状況及びその見通しその他政令で定める事情を勘案して終身にわたり一定額の年金額を支給することとした場合の年金額を計算するための率として、連合会の定款で定める。

6　前各項に定めるもののほか、終身退職年金の額の計算に関し必要な事項は、財務省令で定める。

［参照］
●令一六
●規則一一五の四、一一五の五、一一五の八、一一五の九

（有期退職年金の額）

第七十九条　有期退職年金の額は、有期退職年金の額の算定の基礎となるべき額（以下「有期退職年金算定基礎額」という。）を、支給残月数に応じた有期年金現価率で除して得た金額とする。

2　有期退職年金の給付事由が生じた日からその年の九月三十日（有期退職年金の給付事由が生じた日が九月一日から十二月三十一日までの間にあるときは、翌年の九月三十日）までの間における有期退職年金算定基礎額は、給付算定基礎額の二分の一に相当する額（組合員期間が十年に満たないときは、当該額に二分の一を乗じて得た額）とする。

3　有期退職年金の給付事由が生じた日の属する年（有期退職年金の給付事由が生じた日が九月一日から十二月三十一日までの間にあるときは、その翌年）以後の各年の十月一日から翌年の九月三十日までの間における有期退職年金算定基礎額は、当該各年の九月三十日における当該有期退職年金の額にその年の十月一日における当該有期退職年金の支給残月数に相当する月数に対してその年の九月三十日において適用される有期年金現価率を乗じて得た額とする。

4　第一項及び前項に規定する支給残月数（次項において「支給残月数」という。）は、有期退職年金の給付事由が生じた日からその年の九月三十日（有期退職年金の給付事由が生じた日が九月一日から十二月三十一日までの間にあるときは、翌年の九月三十日）までの間においては二百四十月（第七十六条第二項の申出があつた場合は百二十月。以下この項、第七十九条の四第一項第二号及び第八十一条第四項において同じ。）とし、同日以後の各年の十月一日から翌年の九月三十日までの間においては二百四十月から当該給付事由が生じた日の属する月の翌月から当該各年の九月までの月数を控除した月数とする。

5　各年の十月から翌年の九月までの期間において適用される第一項及び第三項に規定する有期年金現価率（第七十九条の四第一項第二号及び第八十一条第四項において「有期年金現価率」という。）は、毎年九月三十日までに、基準利率その他政令で定める事情を勘案して支給残月数の期間において一定額の年金額を支給することとした場合の年金額を計算するための率として、連合会の定款で定める。

6　前各項に定めるもののほか、有期退職年金の額の計算に関し必要な事項は、財務省令で定める。

［参照］
●令一七

（有期退職年金に代わる一時金）

第七十九条の二　有期退職年金の受給権者は、給付事由が生じた日から六月以内に、一時金の支給を連合会に請求することができる。

2　前項の請求は、退職年金の支給の請求と同時に行わなければならない。

3　第一項の請求があつたときは、その請求をした者に給付事由が生じた日における有期退職年金算定基礎額に相当する金額の一時金を支給する。この場合においては、

第七十七条の規定にかかわらず、その者に対する有期退職年金は支給しない。

4　前項の規定による一時金は、有期退職年金とみなしてこの法律の規定（第七十七条、前条及び第八十二条第二項を除く。）を適用する。

（整理退職の場合の一時金）

第七十九条の三　国家公務員退職手当法（昭和二十八年法律第百八十二号）第五条第一項第二号に掲げる者（一年以上の引き続く組合員期間を有する者であつて、六十五歳未満であるものに限る。）は、同号の退職をした日から六月以内に、一時金の支給を連合会に請求することができる。

2　前項の請求があつたときは、その請求をした者に同項に規定する退職をした日における給付算定基礎額の二分の一に相当する金額の一時金を支給する。この場合において、第七十五条第一項中「退職等年金給付の給付事由が生じた日」とあるのは「国家公務員退職手当法（昭和二十八年法律第百八十二号）第五条第一項第二号の退職をした日」と、「当該給付事由が生じた日の」とあるのは「同号の退職をした日の」と、同条第三項中「退職等年金給付の給付事由が生じた日」とあるのは「同項に規定する退職をした日」とする。

3　第一項の請求をした者が、他の退職に係る同項の請求（他の法令の規定で同項の規定に相当するものとして政令で定めるものに基づく請求を含む。）をした者であるときは、前項の規定にかかわらず、その者に同項の規定の例により算定した金額から当該他の退職に関し同項の規定（他の法令の規定で同項の規定に相当するものとして政令で定めるものを含む。）により支給すべき一時金の額に相当する金額として政令で定めるところにより計算した金額を控除した金額の一時金を支給する。

4　前二項の規定による一時金は、有期退職年金とみなしてこの法律の規定（第七十七条、第七十九条及び第八十二条第二項を除く。）を適用する。

5　連合会は、第二項又は第三項の規定による一時金の支給の決定を行うため必要があると認めるときは、当該支給の請求をした者が当該請求に係る退職をした時就いていた職又はこれに相当する職に係る任命権者又はその委任を受けた者に対し、当該退職に関して必要な資料の提供を求めることができる。

6　前各項に定めるもののほか、第二項又は第三項の規定による一時金の支給に関し必要な事項は、政令で定める。

［参照］
●令一八

（遺族に対する一時金）

第七十九条の四　一年以上の引き続く組合員期間を有する者が死亡した場合には、その者の遺族に次の各号に掲げる場合の区分に応じ当該各号に定める金額の一時金を支給する。

一　次号及び第三号に掲げる場合以外の場合　その者が死亡した日における給付算定基礎額（組合員であつた者が死亡した場合において、その者の組合員期間が十年に満たないときは、当該給付算定基礎額に二分の一を乗じて得た額）の二分の一に相当する金額（当該死亡した者が前条第一項の規定による一時金の請求をした者であるときは、当該二分の一に相当する金額から当該請求に基づき支払われるべき一時金の額に相当するものとして政令で定めるところにより計算した金額を控除した金額）

二　その者が退職年金の受給権者である場合（次号に掲げる場合を除く。）　その者が死亡した日における有期退職年金の額に二百四十月から当該有期退職年金の給付事由が生じた日の属する月の翌月からその者が死亡した日の属する月までの月数を控除した月数に応じた有期年金現価率を乗じて得た額に相当する金額

三　その者が退職年金の受給権者であり、かつ、組合員である場合　その者が死亡した日において退職をしたものとした場合における有期退職年金算定基礎額に相当する額として政令で定めるところにより計算した金額

2　前項第一号に規定する給付算定基礎額に係る第七十五条第一項及び第三項の規定の適用については、同条第一項中「退職等年金給付の給付事由が生じた日」とあるのは「一年以上の引き続く組合員期間を有する者が死亡した日」と、「当該給付事由が生じた日の」とあるのは「その者が死亡した日の」と、同条第三項中「退職等年金給付の給付事由が生じた日」とあるのは「その者が死亡した日」とする。

3　第一項の規定により一時金の支給を受ける者が、同項に規定する者の死亡により公務遺族年金を受けることができるときは、当該支給を受ける者の選択により、一時金と公務遺族年金のうち、そのいずれかを支給し、他は支給しない。

4　第一項の規定による一時金は、有期退職年金とみなしてこの法律の規定（第七十七条、第七十九条及び第八十二条第二項を除く。）を適用する。

［参照］

●令一八の二

（支給の繰下げ）

第八十条 退職年金の受給権者であつて当該退職年金を請求していないものは、連合会に当該退職年金の支給の繰下げの申出をすることができる。

2 退職年金の受給権を取得した日から起算して十年を経過した日（以下この項において「十年経過日」という。）後にある者が前項の申出（第四項の規定により前項の申出があつたものとみなされた場合における当該申出を除く。以下この項において同じ。）をしたときは、十年経過日において、前項の申出があつたものとみなす。

3 第一項の申出（次項の規定により第一項の申出があつたものとみなされた場合における当該申出を含む。第五項及び次条第七項において同じ。）をした者に対する退職年金は、第七十五条の二第一項の規定にかかわらず、当該申出のあつた月の翌月から支給するものとする。

4 退職年金の受給権者が、退職年金の受給権を取得した日から起算して五年を経過した日後に当該退職年金を請求し、かつ、当該請求の際に第一項の申出をしないときは、当該請求をした日の五年前の日に同項の申出があつたものとみなす。ただし、その者が退職年金の受給権を取得した日から起算して十五年を経過した日以後にあるときは、この限りでない。

5 第一項の申出があつた場合における第七十五条から前条までの規定の適用については、第七十五条第一項中「退職等年金給付の給付事由が生じた日」とあるのは「第八十条第一項の申出（同条第四項の規定により同条第一項の申出があつたものとみなされた場合における当該申出を含む。以下この条において同じ。）があつた日」と、「給付事由が生じた日の」とあるのは「申出があつた日の」と、同条第三項中「退職等年金給付の給付事由が生じた日」とあるのは「第八十条第一項の申出があつた日」とするほか、必要な技術的読替えは、政令で定める。

6 前各項に定めるもののほか、退職年金の支給の繰下げについて必要な事項は、政令で定める。

［参照］

●令一九

（組合員である間の退職年金の支給の停止等）

第八十一条 終身退職年金の受給権者が組合員であるときは、組合員である間、終身退職年金の支給を停止する。

2 前項の規定により終身退職年金の支給を停止されている者が退職をした場合における当該退職をした日からその年の九月三十日（当該退職をした日が九月一日から十二月三十一日までの間にあるときは、翌年の九月三十日）までの間における終身退職年金算定基礎額は、第七十八条第三項の規定にかかわらず、最後に組合員となつた日（以下この条において「最終資格取得日」という。）の前日における終身退職年金算定基礎額に最終資格取得日の属する月から当該退職をした日の前日の属する月までの期間に応ずる利子に相当する額を加えた額及び当該退職をした日を給付事由が生じた日と、組合員期間から最終資格取得日前の組合員期間を除いた期間を組合員期間とみなして第七十八条第二項の規定の例により計算した額の合計額とする。

3 有期退職年金の受給権者が組合員であるときは、組合員である間、有期退職年金は支給しない。

4 前項の規定により有期退職年金の支給を受けないこととされている者が退職をした場合における当該退職をした日からその年の九月三十日（当該退職をした日が九月一日から十二月三十一日までの間にあるときは、翌年の九月三十日）までの間における有期退職年金算定基礎額は、第七十九条第三項の規定にかかわらず、最終資格取得日の前日における有期退職年金の額に同日における二百四十月から給付事由が生じた日の属する月の翌月から最終資格取得日の属する月までの月数を控除した月数に応じた有期年金現価率を乗じて得た額に最終資格取得日の属する月から当該退職をした日の前日の属する月までの期間に応ずる利子に相当する額を加えた額及び当該退職をした日を給付事由が生じた日と、組合員期間から最終資格取得日前の組合員期間を除いた期間を組合員期間とみなして同条第二項の規定の例により計算した額の合計額とする。

5 前項に規定する退職をした場合における第七十九条から前条までの規定の適用については、第七十九条第四項中「有期退職年金の給付事由が生じた日から」とあるのは「第八十一条第四項に規定する退職をした日（以下この項において「最終退職日」という。）から」と、「有期退職年金の給付事由が生じた日が」とあるのは「最終退職日が」と、「とし、同日」とあるのは「から有期退職年金の給付事由が生じた日の属する月の翌月から最後に組合員となつた日（以下この項において「最終資格取得日」という。）の属する月までの月数を控除した月数とし、最終退職日の属する年の九月三十日（最終退職日が九月一日から十二月三十一日までの間にあるときは、翌年の九月三十日）」と、「とする」とあるのは「に最終資格取得日の属する月の翌月から最終退職日の属する月までの月数を加えた月数とする」とするほか、必要な技術的読替えは、政令で定める。

6　第二項及び第四項に規定する利子は、最終資格取得日の属する月から退職をした日の前日の属する月までの期間に応じ、当該期間の各月において適用される基準利率を用いて複利の方法により計算する。

7　前条第一項の申出をした者に対する第四項の規定の適用については、同項中「給付事由が生じた日の」とあるのは「前条第一項の申出（同条第四項の規定により同条第一項の申出があつたものとみなされた場合における当該申出を含む。）があつた日の」と、「同条第二項」とあるのは「第七十九条第二項」とする。

8　前各項に定めるもののほか、終身退職年金算定基礎額及び有期退職年金算定基礎額の計算に関し必要な事項は、財務省令で定める。

（退職年金の失権）

第八十二条　退職年金を受ける権利は、その受給権者が死亡したときは、消滅する。

2　有期退職年金を受ける権利は、前項に規定する場合のほか、次の各号のいずれかに該当することとなつたときは、消滅する。

一　第七十六条第一項又は第二項に規定する支給期間が終了したとき。

二　第七十九条の二第一項又は第七十九条の三第一項の規定により一時金の支給を請求したとき。

第三目　公務障害年金

（公務障害年金の受給権者）

第八十三条　公務により病気にかかり、又は負傷した者で、その病気又は負傷に係る傷病（以下「公務傷病」という。）について初めて医師又は歯科医師の診療を受けた日（以下「初診日」という。）において組合員であつたものが、当該初診日から起算して一年六月を経過した日（その期間内にその公務傷病が治つたとき、又はその症状が固定し治療の効果が期待できない状態に至つたときは、当該治つた日又は当該状態に至つた日。以下「障害認定日」という。）において、その公務傷病により障害等級に該当する程度の障害の状態にある場合には、その障害の程度に応じて、その者に公務障害年金を支給する。

2　公務により病気にかかり、又は負傷した者で、その公務傷病の初診日において組合員であつた者のうち、障害認定日において障害等級に該当する程度の障害の状態になかつた者が、障害認定日後六十五歳に達する日の前日までの間において、その公務傷病により障害等級に該当する程度の障害の状態になつたときは、その者は、その期間内に前項の公務障害年金の支給を請求することができる。

3　前項の請求があつたときは、第一項の規定にかかわらず、その請求をした者に同項の公務障害年金を支給する。

4　公務により病気にかかり、又は負傷した者で、その公務傷病の初診日において組合員であつた者のうち、その公務傷病（以下この項において「基準公務傷病」という。）以外の公務傷病（以下この項において「その他公務傷病」という。）により障害の状態にある者が、基準公務傷病に係る障害認定日以後六十五歳に達する日の前日までの間において、初めて、基準公務傷病による障害（以下この項において「基準公務障害」という。）とその他公務傷病による障害とを併合して障害等級の一級又は二級に該当する程度の障害の状態になつたとき（基準公務傷病の初診日が、その他公務傷病（その他公務傷病が二以上ある場合は、全てのその他公務傷病）に係る初診日以後であるときに限る。）は、その者に基準公務障害とその他公務傷病による障害とを併合した障害の程度による公務障害年金を支給する。

5　前項の公務障害年金の支給は、第七十五条の二第一項の規定にかかわらず、当該公務障害年金の請求のあつた月の翌月から始めるものとする。

（公務障害年金の額）

第八十四条　公務障害年金の額は、公務障害年金の額の算定の基礎となるべき額（次項において「公務障害年金算定基礎額」という。）を、組合員又は組合員であつた者の公務障害年金の給付事由が生じた日における年齢（その者の年齢が六十四歳に満たないときは、六十四歳）に応じた終身年金現価率で除して得た金額に調整率を乗じて得た金額とする。

2　公務障害年金算定基礎額は、次に掲げる額の合計額とする。

一　給付算定基礎額に五・三三四（障害の程度が障害等級の一級に該当する者にあつては、八・〇〇一）を乗じて得た額を組合員期間の月数で除して得た額に三百を乗じて得た額

二　給付算定基礎額（障害の程度が障害等級の一級に該当する者にあつては、給付算定基礎額に一・二五を乗じて得た額）を組合員期間の月数で除して得た額に組合員期間の月数（組合員期間の月数が三百月以下であるときは、三百月）から三百月を控除した月数を乗じて得た額

3　第一項に規定する者が退職年金の受給権者である場合における前項の規定の適用については、同項各号中「給付算定基礎額」とあるのは、「公務障害年金の給付事由が生じた日におけるその者の終身退職年金算定基礎額（その者の組合員期間が十年に満たないときは、当該終身退

職年金算定基礎額に二を乗じて得た額」に二を乗じて得た額」とする。

4 第一項に規定する組合員又は組合員であつた者の年齢については、第七十八条第四項の規定を準用する。

5 第一項に規定する調整率は、各年度における国民年金法第二十七条に規定する改定率（以下「改定率」という。）を公務障害年金の給付事由が生じた日の属する年度における改定率で除して得た率とする。

6 公務障害年金の額が、その受給権者の公務傷病による障害の程度が次の各号に掲げる障害等級のいずれの区分に属するかに応じ当該各号に定める金額に改定率を乗じて得た金額から厚生年金相当額を控除して得た金額より少ないときは、当該控除して得た金額を当該公務障害年金の額とする。

一 障害等級一級 四百十五万二千六百円
二 障害等級二級 二百五十六万四千八百円
三 障害等級三級 二百三十二万六百円

7 前項に規定する厚生年金相当額は、公務障害年金の受給権者が受ける権利を有する厚生年金保険法による障害厚生年金の額（同法第四十七条第一項ただし書（同法第四十七条の二第二項、第四十七条の三第二項、第五十二条第五項及び第五十四条第三項において準用する場合を含む。以下この項及び第九十条第七項において同じ。）の規定により同法による障害厚生年金を受ける権利を有しないときは同法第四十七条第一項ただし書の規定の適用がないものとして同法の規定の例により算定した額）、同法による老齢厚生年金の額、同法による遺族厚生年金の額（同法第五十八条第一項ただし書の規定により同法による遺族厚生年金を受ける権利を有しないときは同項ただし書の規定の適用がないものとして同法の規定の例により算定した額）、同法による年金たる保険給付に相当するものとして政令で定めるものの額又はその者が二以上のこれらの年金である給付を併せて受けることができる場合におけるこれらの年金である給付の額の合計額のうち最も高い額をいう。

8 前各項に定めるもののほか、公務障害年金の額の計算に関し必要な事項は、財務省令で定める。

【参照】
●令二〇
●規則一一五の二

（障害の程度が変わつた場合の公務障害年金の額の改定）

第八十五条 公務障害年金の受給権者の障害の程度が減退したとき、又は当該障害の程度が増進した場合においてその者の請求があつたときは、その減退し、又は増進した後における障害の程度に応じて、その公務障害年金の額を改定する。

2 公務障害年金（その権利を取得した当時から引き続き障害等級の一級又は二級に該当しない程度の障害の状態にある受給権者に係るものを除く。）の受給権者であつて、後発公務傷病（公務傷病であつて当該公務障害年金の給付事由となつた障害に係る公務傷病の初診日後に初診日があるものをいう。以下この項及び第八十七条第二項ただし書において同じ。）の初診日において組合員であつたものが、当該後発公務傷病により障害（障害等級の一級又は二級に該当しない程度のものに限る。以下この項及び第八十七条第二項ただし書において「その他公務障害」という。）の状態にあり、かつ、当該後発公務傷病に係る障害認定日以後六十五歳に達する日の前日までの間において、当該公務障害年金の給付事由となつた障害とその他公務障害（その他公務障害が二以上ある場合は、全てのその他公務障害を併合した障害）とを併合した障害の程度が当該公務障害年金の給付事由となつた障害の程度より増進した場合においてその期間内にその者の請求があつたときは、その増進した後における障害の程度に応じて、その公務障害年金の額を改定する。

3 第一項の規定は、公務障害年金（障害等級の三級に該当する程度の障害の状態にある場合に限る。）の受給権者（当該公務障害年金の給付事由となつた障害について国民年金法による障害基礎年金が支給されない者に限る。）であつて、かつ、六十五歳以上の者については、適用しない。

（二以上の障害がある場合の取扱い）

第八十六条 公務障害年金（その権利を取得した当時から引き続き障害等級の一級又は二級に該当しない程度の障害の状態にある受給権者に係るものを除く。以下この条において同じ。）の受給権者に対して更に公務障害年金を支給すべき事由が生じたときは、前後の障害を併合した障害の程度を第八十三条に規定する障害の程度として同条の規定を適用する。

2 公務障害年金の受給権者が前項の規定により前後の障害を併合した障害の程度による公務障害年金を受ける権利を取得したときは、従前の公務障害年金を受ける権利は、消滅する。

3 第一項の規定による公務障害年金の額が前項の規定により消滅した公務障害年金の額に満たないときは、第八十四条第一項の規定にかかわらず、従前の公務障害年金の額に相当する額をもつて、第一項の規定による公務障害年金の額とする。

（組合員である間の公務障害年金の支給の停止等）

第八十七条　公務障害年金の受給権者が組合員であるときは、組合員である間、公務障害年金の支給を停止する。

2　公務障害年金の受給権者の障害の程度が障害等級に該当しなくなつたときは、その該当しない間、公務障害年金の支給を停止する。ただし、その支給を停止された公務障害年金（その権利を取得した当時から引き続き障害等級の一級又は二級に該当しない程度の障害の状態にある受給権者に係るものを除く。）の受給権者が後発公務傷病の初診日において組合員であつた場合であつて、当該後発公務傷病によりその他公務障害の状態にあり、かつ、当該後発公務傷病に係る障害認定日以後六十五歳に達する日の前日までの間において、当該公務障害年金の給付事由となつた障害とその他公務障害（その他公務障害が二以上ある場合は、全てのその他公務障害を併合した障害）とを併合した障害の程度が、障害等級の一級又は二級に該当するに至つたときは、この限りでない。

（公務障害年金の失権）

第八十八条　公務障害年金を受ける権利は、第八十六条第二項の規定によつて消滅するほか、公務障害年金の受給権者が次の各号のいずれかに該当するに至つたときは、消滅する。

一　死亡したとき。

二　障害等級に該当する程度の障害の状態にない者が六十五歳に達したとき。ただし、六十五歳に達した日において、障害等級に該当する程度の障害の状態に該当しなくなつた日から起算して障害等級に該当することなく三年を経過していないときを除く。

三　障害等級に該当する程度の障害の状態に該当しなくなつた日から起算して障害等級に該当することなく三年を経過したとき。ただし、三年を経過した日において、当該受給権者が六十五歳未満であるときを除く。

第四目　公務遺族年金

（公務遺族年金の受給権者）

第八十九条　組合員又は組合員であつた者が次の各号のいずれかに該当するときは、その者の遺族に公務遺族年金を支給する。

一　組合員が、公務傷病により死亡したとき（公務により行方不明となり、失踪の宣告を受けたことにより死亡したとみなされたときを含む。）。

二　組合員であつた者が、退職後に、組合員であつた間に初診日がある公務傷病により当該初診日から起算して五年を経過する日前に死亡したとき。

三　障害等級の一級又は二級に該当する障害の状態にある公務障害年金の受給権者が当該公務障害年金の給付事由となつた公務傷病により死亡したとき。

2　一年以上の引き続く組合員期間を有し、かつ、国民年金法第五条第一項に規定する保険料納付済期間、同条第二項に規定する保険料免除期間及び同法附則第九条第一項に規定する合算対象期間を合算した期間が二十五年以上である者が、公務傷病により死亡したときの前項の規定の適用については、同項第二号中「当該初診日から起算して五年を経過する日前に死亡した」とあるのは「死亡した」と、同項第三号中「の一級又は二級に該当する」とあるのは「に該当する」とする。

（公務遺族年金の額）

第九十条　公務遺族年金の額は、公務遺族年金の額の算定の基礎となるべき額（次項において「公務遺族年金算定基礎額」という。）を、組合員又は組合員であつた者の死亡の日における年齢（その者の年齢が六十四歳に満たないときは、六十四歳）に応じた終身年金現価率で除して得た金額に調整率を乗じて得た金額とする。

2　公務遺族年金算定基礎額は、給付算定基礎額に二・二五を乗じて得た額（組合員期間の月数が三百月未満であるときは、当該乗じて得た額を組合員期間の月数で除して得た額に三百を乗じて得た額）とする。

3　第一項に規定する者が退職年金の受給権者である場合における前項の規定の適用については、同項中「給付算定基礎額」とあるのは、「死亡した日におけるその者の終身退職年金算定基礎額（その者の組合員期間が十年に満たないときは、当該終身退職年金算定基礎額に二を乗じて得た額）に二を乗じて得た額」とする。

4　第一項に規定する組合員又は組合員であつた者の年齢については、第七十八条第四項の規定を準用する。

5　第一項に規定する調整率は、各年度における改定率を公務遺族年金の給付事由が生じた日の属する年度における改定率で除して得た率とする。

6　第一項の規定による公務遺族年金の額が百三万八千百円に改定率を乗じて得た金額から厚生年金相当額を控除して得た金額より少ないときは、当該控除して得た金額を当該公務遺族年金の額とする。

7　前項に規定する厚生年金相当額は、公務遺族年金の受給権者が受ける権利を有する厚生年金保険法による遺族厚生年金の額（同法第五十八条第一項ただし書の規定により同法による遺族厚生年金を受ける権利を有しないときは同項ただし書の規定の適用がないものとして同法の規定の例により算定した額）、同法による老齢厚生年金の額、同法による障害厚生年金の額（同法第四十七条第一項ただし書の規定により障害厚生年金を受ける権利を有しないときは同法第四十七条第一項ただし書の規定の適用がないものとして同法の規定の例により算定した額）、同法による年金たる保険給付に相当するものとして政令で定めるものの額又はその者が二以上のこれらの年金である給付を併せて受けることができる場合におけるこれらの年金である給付の額の合計額のうち最も高い額をいう。

8 前各項に定めるもののほか、公務遺族年金の額の計算に関し必要な事項は、財務省令で定める。

［参照］

●令二〇

●規則一一五の一二

（公務遺族年金の支給の停止）

第九十一条 夫、父母又は祖父母に対する公務遺族年金は、その者が六十歳に達するまでは、その支給を停止する。ただし、夫に対する公務遺族年金については、当該組合員又は組合員であつた者の死亡について、夫が国民年金法による遺族基礎年金を受ける権利を有するときは、この限りでない。

2 子に対する公務遺族年金は、配偶者が公務遺族年金を受ける権利を有する間、その支給を停止する。ただし、配偶者に対する公務遺族年金が第七十五条の五第一項、前項本文、次項本文又は次条第一項の規定によりその支給を停止されている間は、この限りでない。

3 配偶者に対する公務遺族年金は、当該組合員又は組合員であつた者の死亡について、配偶者が国民年金法による遺族基礎年金を受ける権利を有しない場合であつて子が当該遺族基礎年金を受ける権利を有するときは、その間、その支給を停止する。ただし、子に対する公務遺族年金が次条第一項の規定によりその支給を停止されている間は、この限りでない。

4 第二項本文の規定により年金の支給を停止した場合においては、その停止している期間、その年金は、配偶者に支給する。

5 第三項本文の規定により年金の支給を停止した場合においては、その停止している期間、その年金は、子に支給する。

第九十二条 公務遺族年金の受給権者が一年以上所在不明である場合には、同順位者があるときは同順位者の申請により、その所在不明である間、当該受給権者の受けるべき公務遺族年金の支給を停止することができる。

2 前項の規定により年金の支給を停止した場合には、その停止している期間、その年金は、同順位者から申請があつたときは同順位者に支給する。

（公務遺族年金の失権）

第九十三条 公務遺族年金の受給権者は、次の各号のいずれかに該当するに至つたときは、その権利を失う。

一 死亡したとき。

二 婚姻をしたとき（届出をしていないが、事実上婚姻関係と同様の事情にある者となつたときを含む。）。

三 直系血族及び直系姻族以外の者の養子（届出をしていないが、事実上養子縁組関係と同様の事情にある者を含む。）となつたとき。

四 死亡した組合員であつた者との親族関係が離縁によつて終了したとき。

五 次のイ又はロに掲げる区分に応じ、当該イ又はロに定める日から起算して五年を経過したとき。

イ 公務遺族年金の受給権を取得した当時三十歳未満である妻が当該公務遺族年金と同一の給付事由に基づく国民年金法による遺族基礎年金の受給権を取得しないとき 当該公務遺族年金の受給権を取得した日

ロ 公務遺族年金と当該公務遺族年金と同一の給付事由に基づく国民年金法による遺族基礎年金の受給権を有する妻が三十歳に到達する日前に当該遺族基礎年金の受給権が消滅したとき 当該遺族基礎年金の受給権が消滅した日

2 公務遺族年金の受給権者である子又は孫は、次の各号のいずれかに該当するに至つたときは、その権利を失う。

一 子又は孫（障害等級の一級又は二級に該当する障害の状態にある子又は孫を除く。）について、十八歳に達した日以後の最初の三月三十一日が終了したとき。

二 障害等級の一級又は二級に該当する障害の状態にある子又は孫（十八歳に達する日以後の最初の三月三十一日までの間にある子又は孫を除く。）について、その事情がなくなつたとき。

三 子又は孫が、二十歳に達したとき。

第四節 給付の制限

（給付の制限）

第九十四条 この法律により給付を受けるべき者が、故意の犯罪行為により、又は故意に、病気、負傷、障害、死亡若しくは災害又はこれらの直接の原因となつた事故を生じさせた場合には、その者には、次項の規定に該当する場合を除き、当該病気、負傷、障害、死亡又は災害に係る給付は、行わない。

2 公務遺族年金である給付又は第四十四条の規定により支給するその他の給付に係る支払未済の給付（以下この項及び第百十一条第五項において「遺族給付」という。）を受けるべき者が組合員、組合員であつた者又は遺族給付を受ける者を故意の犯罪行為により、又は故意に死亡させた場合には、その者には、当該遺族給付は、行わない。組合員又は組合員であつた者の死亡前に、その者の死亡によつて遺族給付を受けるべき者を故意の犯罪行為により、又は故意に死亡させた者についても、同様とする。

3 この法律により給付を受けるべき者が、重大な過失により、若しくは正当な理由がなくて療養に関する指示に従わなかつたことにより、病気、負傷、障害若しくは死亡若しくはこれらの直接の原因となつた事故を生じさせ、その病気若しくは障害の程度を増進させ、若しくはその回復を妨げ、又は故意にその障害の程度を増進させ、若しくはその回復を妨げた場合には、その者には、当該病気、負傷、障害又は死亡に係る給付の全部又は一部を行わず、また、当該障害については、第八十五条第一項の規定による改定を行わず、又はその者の障害の程度が現に該当する障害等級以下の障害等級に該当するものとして同項の規定による公務障害年金の額の改定を行うことができる。

［参照］
●運用方針法九四関係

第九十五条 組合がこの法律に基づく給付の支給に関し必要があると認めてその支給に係る者につき診断を受けるべきことを求めた場合において、正当な理由がなくてこれに応じない者があるときは、その者に係る当該給付は、その全部又は一部を行わないことができる。

第九十六条 第百一条第三項の規定により同条第一項に規定する掛金等に相当する金額を組合に払い込むべき者が、その払い込むべき月の翌月の末日までにその掛金等に相当する金額を組合に納付しない場合には、政令で定めるところにより、その者に係る給付の一部を行わないことができる。

［参照］
●令二一

第九十七条 組合員若しくは組合員であつた者が禁錮以上の刑に処せられたとき、組合員が懲戒処分（国家公務員法第八十二条の規定による減給若しくは戒告又はこれらに相当する処分を除く。）を受けたとき又は組合員（退職した後に再び組合員となつた者に限る。）若しくは組合員であつた者が退職手当支給制限等処分（国家公務員退職手当法第十四条第一項第三号に該当することにより同項の規定による一般の退職手当等（同法第五条の二第二項に規定する一般の退職手当等をいう。以下この項において同じ。）の全部若しくは一部を支給しないこととする処分若しくは同法第十五条第一項第三号に該当することにより同項の規定による一般の退職手当等の額の全部若しくは一部の返納を命ずる処分又はこれらに相当する処分をいう。第四項において同じ。）を受けたときは、政令で定めるところにより、その者には、その組合員期間に係る退職年金又は公務障害年金の全部又は一部を支給しないことができる。

2 公務遺族年金の受給権者が禁錮以上の刑に処せられたときは、政令で定めるところにより、その者には、公務遺族年金の一部を支給しないことができる。

3 禁錮以上の刑に処せられてその刑の執行を受ける者に支給すべきその組合員期間に係る退職年金又は公務障害年金は、その刑の執行を受ける間、その支給を停止する。

4 連合会は、第一項の規定により退職手当支給制限等処分を受けたことを理由として退職年金又は公務障害年金の支給の制限を行うため必要があると認めるときは、国家公務員退職手当法第十一条第二号に規定する退職手当管理機関又はこれに相当する機関に対し、当該退職手当支給制限等処分に関して必要な資料の提供を求めることができる。

［参照］
●令二一の二
●運用方針法九七関係

第五章 福祉事業

（福祉事業）

第九十八条 組合又は連合会の行う福祉事業は、次に掲げる事業とする。

一 組合員及びその被扶養者（以下この条において「組合員等」という。）の健康教育、健康相談及び健康診査並びに健康管理及び疾病の予防に係る組合員等の自助努力についての支援その他の組合員等の健康の保持増進のために必要な事業（次号に掲げるものを除く。）

一の二 高齢者の医療の確保に関する法律第二十条の規定による特定健康診査（次項において単に「特定健康診査」という。）及び同法第二十四条の規定による特定保健指導（第九十九条の三において「特定健康診査等」という。）

二 組合員の保養若しくは宿泊又は教養のための施設の経営

三 組合員の利用に供する財産の取得、管理又は貸付け

四 組合員の貯金の受入れ又はその運用

五 組合員の臨時の支出に対する貸付け

六　組合員の需要する生活必需物資の供給
七　その他組合員の福祉の増進に資する事業で定款で定めるもの
八　前各号に掲げる事業に附帯する事業

2　組合は、前項第一号の規定により組合員等の健康の保持増進のために必要な事業を行うに当たつて必要があると認めるときは、組合員等を使用している事業者等（労働安全衛生法（昭和四十七年法律第五十七号）第二条第三号に規定する事業者その他の法令に基づき健康診断（特定健康診査に相当する項目を実施するものに限る。）を実施する責務を有する者その他財務省令で定める者をいう。以下この条において同じ。）又は使用していた事業者等に対し、財務省令で定めるところにより、同法その他の法令に基づき当該事業者等が保存している当該組合員等に係る健康診断に関する記録の写しその他これに準ずるものとして財務省令で定めるものを提供するよう求めることができる。

3　前項の規定により、労働安全衛生法その他の法令に基づき保存している組合員等に係る健康診断に関する記録の写しの提供を求められた事業者等は、財務省令で定めるところにより、当該記録の写しを提供しなければならない。

4　組合は、第一項第一号及び第一号の二に掲げる事業を行うに当たつては、高齢者の医療の確保に関する法律第十六条第一項に規定する医療保険等関連情報、事業者等から提供を受けた組合員等に係る健康診断に関する記録の写しその他必要な情報を活用し、適切かつ有効に行うものとする。

5　財務大臣は、第一項第一号の規定により組合又は連合会が行う組合員等の健康の保持増進のために必要な事業に関して、その適切かつ有効な実施を図るため、指針の公表、情報の提供その他の必要な支援を行うものとする。

6　前項の指針は、健康増進法（平成十四年法律第百三号）第九条第一項に規定する健康診査等指針と調和が保たれたものでなければならない。

［参照］
●令七(4)
●規則一一九の二～一一九の一四

第六章　費用の負担

（費用負担の原則）

第九十九条　組合の給付に要する費用（前期高齢者納付金等及び後期高齢者支援金等、介護納付金、流行初期医療確保拠出金等並びに基礎年金拠出金の納付に要する費用並びに組合の事務に要する費用を含む。第四項において同じ。）のうち次の各号に規定する費用は、当該各号に定めるところにより、政令で定める職員を単位として、算定するものとする。この場合において、第三号に規定する費用については、少なくとも五年ごとに再計算を行うものとする。

一　短期給付に要する費用（前期高齢者納付金等及び後期高齢者支援金等並びに流行初期医療確保拠出金等の納付に要する費用並びに長期給付（基礎年金拠出金を含む。）及び福祉事業に係る事務以外の事務に要する費用（第五項の規定による国の負担に係るもの並びに第七項及び第八項において読み替えて適用する第五項の規定による行政執行法人の負担に係るものを除く。）を含み、第四項（同項第二号及び第三号を除く。）の規定による国の負担及び次条第一項の出産育児交付金に係るものを除く。次項第一号において同じ。）については、当該事業年度におけるその費用の予想額と当該事業年度における同号の掛金及び負担金の額とが等しくなるようにすること。

二　介護納付金の納付に要する費用については、当該事業年度におけるその費用の額と当該事業年度における次項第二号の掛金及び負担金の額とが等しくなるようにすること。

三　退職等年金給付に要する費用（退職等年金給付に係る組合の事務に要する費用（第五項の規定による国の負担に係るもの並びに第七項及び第八項において読み替えて適用する第五項の規定による行政執行法人の負担に係るものを除く。）を含む。次項第三号において同じ。）については、将来にわたるその費用の予想額の現価に相当する額から将来にわたる同号の掛金及び負担金の予想額の現価に相当する額を控除した額に相当する額として政令で定めるところにより計算した額（第百二条の三第一項第四号において「国の積立基準額」という。）と地方公務員等共済組合法第百十三条第一項第三号に規定する地方の積立基準額（第百二条の三第一項第四号において「地方の積立基準額」という。）との合計額と、退職等年金給付積立金の額と地方退職等年金給付積立金（同法第二十四条の二（同法第三十八条第一項において準用する場合を含む。）に規定する退職等年金給付組合積立金及び同法第三十八条の八の二第一項に規定する退職等年金給付調整積立金をいう。第百二条の三第一項第四号において同じ。）の額との合計額とが、将来にわたつて均衡を保つことができるようにすること。

2　組合の事業に要する費用で次の各号に掲げるものは、当該各号に掲げる割合により、組合員の掛金及び国の負担金をもつて充てる。

一　短期給付に要する費用　掛金百分の五十、国の負担金百分の五十

二　介護納付金の納付に要する費用　掛金百分の五十、国の負担金百分の五十

三　退職等年金給付に要する費用　掛金百分の五十、国の負担金百分の五十

四　福祉事業に要する費用　掛金百分の五十、国の負担金百分の五十

3　厚生年金保険給付に要する費用（厚生年金拠出金及び基礎年金拠出金の納付並びに第百二条の二に規定する財政調整拠出金の拠出に要する費用（次項第三号に掲げる費用のうち同項の規定による国の負担に係るものを除く。）をいい、厚生年金保険給付及びこれに相当するものとして政令で定める年金である給付（厚生年金拠出金及び基礎年金拠出金並びに第百二条の三第一項第一号から第三号までに掲げる場合における第百二条の二に規定する財政調整拠出金を含む。）に係る事務に要する費用（第五項の規定による国の負担に係るもの並びに第七項及び第八項の規定により読み替えて適用する第五項の規定による行政執行法人の負担に係るものを除く。）を含む。）については、厚生年金保険法第八十一条第一項に規定する保険料をもつて充てる。

4　国は、政令で定めるところにより、組合の給付に要する費用のうち次の各号に規定する費用については、当該各号に定める額を負担する。

一　育児休業手当金及び介護休業手当金の支給に要する費用　当該事業年度において支給される育児休業手当金及び介護休業手当金の額に雇用保険法の規定による育児休業給付及び介護休業給付に係る国庫の負担の割合を参酌して政令で定める割合を乗じて得た額

二　育児休業支援手当金及び育児時短勤務手当金の支給に要する費用　当該事業年度において支給される育児休業支援手当金及び育児時短勤務手当金の額

三　基礎年金拠出金の納付に要する費用　当該事業年度において納付される基礎年金拠出金の額の二分の一に相当する額

5　組合の事務（福祉事業に係る事務を除く。）に要する費用については、国は毎年度の予算で定める金額を負担する。

6　専従職員（国家公務員法第百八条の二の職員団体又は行政執行法人の労働関係に関する法律（昭和二十三年法律第二百五十七号）第四条第二項若しくは労働組合法（昭和二十四年法律第百七十四号）第二条の労働組合（以下「職員団体」と総称する。）の事務に専ら従事する職員をいう。以下この条において同じ。）である組合員（行政執行法人の職員である組合員を除く。）に係る第二項に規定する費用については、同項中「国の負担金」とあるのは、「職員団体の負担金」として、同項の規定を適用する。

7　行政執行法人の職員（専従職員を除く。）である組合員に係る第二項及び第五項に規定する費用については、第二項中「国の負担金」とあるのは「行政執行法人の負担金」と、第五項中「国は毎年度の予算で定める」とあるのは「行政執行法人は政令で定めるところにより行政執行法人が負担することとなる」として、これらの規定を適用する。

8　行政執行法人の職員であつて専従職員である組合員に係る第二項及び第五項に規定する費用については、第二項中「国の負担金」とあるのは「職員団体の負担金」と、第五項中「国は毎年度の予算で定める」とあるのは「行政執行法人は政令で定めるところにより行政執行法人が負担することとなる」として、これらの規定を適用する。

【参照】

●法一二二（船員組合員についての負担金の特例）、一二四の二（公庫等に転出した継続長期組合員についての特例）、一二五（組合職員の取扱い）、一四の三、二〇、二〇の二、二〇の五

●施行法五四

●昭六〇改正法附則三一、六四、六五

●令二二～二三、二五の四、四〇、四四の五、四五の二、五〇、令附則七の三、七の三の二

●運用方針法九九関係

（出産育児交付金）

第九十九条の二　出産費及び家族出産費の支給に要する費用（第六十一条第一項（同条第二項において準用する場合を含む。）及び第三項に規定する政令で定める金額に係る部分に限る。）の一部については、政令で定めるところにより、高齢者の医療の確保に関する法律第百二十四条の四第一項の規定により社会保険診療報酬支払基金法（昭和二十三年法律第百二十九号）による社会保険診療報酬支払基金が組合に対して交付する出産育児交付金をもつて充てる。

2　健康保険法第百五十二条の三から第百五十二条の五までの規定並びに高齢者の医療の確保に関する法律第四十一条及び第四十二条の規定は、前項の出産育児交付金に

ついて準用する。この場合において、必要な技術的読替えは、政令で定める。

【参照】
●健康保険法一五二の二

（国の補助）
第九十九条の三　国は、予算の範囲内において、組合の事業に要する費用のうち、特定健康診査等の実施に要する費用の一部を補助することができる。

【参照】
●健康保険法一五四の二

（掛金等）
第百条　掛金等（掛金及び組合員保険料（厚生年金保険法第八十二条第一項の規定により組合員たる厚生年金保険の被保険者が負担する厚生年金保険の保険料をいう。以下同じ。）をいう。以下同じ。）は、組合員の資格を取得した日の属する月にその資格を喪失したときを除き、組合員の資格を取得した日の属する月からその資格を喪失した日の属する月の前月までの各月（介護納付金に係る掛金にあつては、当該各月のうち対象月に限る。）につき、徴収するものとする。

2　組合員の資格を取得した日の属する月にその資格を喪失したときは、その月（介護納付金に係る掛金にあつては、その月が対象月である場合に限る。）の掛金等を徴収する。ただし、第九十九条第二項第三号に規定する掛金（以下「退職等年金分掛金」という。）及び組合員保険料にあつては、その月に、更に組合員の資格を取得したとき、又は厚生年金保険の被保険者（組合員たる厚生年金保険の被保険者を除く。）若しくは国民年金の被保険者（国民年金法第七条第一項第二号に規定する第二号被保険者を除く。）の資格を取得したときは、それぞれその喪失した資格に係るその月の退職等年金分掛金及び組合員保険料は、徴収しない。

3　掛金は、組合員の標準報酬の月額及び標準期末手当等の額を標準として算定するものとし、その標準報酬の月額及び標準期末手当等の額と掛金との割合は、組合（退職等年金分掛金に係るものにあつては、連合会）の定款で定める。

4　退職等年金分掛金に係る前項の割合については、第七十五条第一項に規定する付与率を基礎として、公務障害年金及び公務遺族年金の支給状況その他政令で定める事情を勘案して、千分の七・五を超えない範囲で定めるものとする。

5　第一項及び第二項に規定する対象月とは、当該組合員が介護保険法第九条第二号に規定する被保険者（以下「介護保険第二号被保険者」という。）の資格を有する日を含む月（政令で定めるものを除く。）をいう。

【参照】
●法一二六の五（任意継続組合員に対する短期給付等）、法附則一二、一四の二、一四の三7
●令二四、二五、四〇、令附則七の四
●運用方針法一〇〇関係

（育児休業期間中の掛金等の特例）
第百条の二　育児休業等をしている組合員（次条の規定の適用を受けている組合員及び第百二十六条の五第二項に規定する任意継続組合員を除く。次項において同じ。）が組合に申出をしたときは、前条の規定にかかわらず、次の各号に掲げる場合の区分に応じ、当該各号に定める月の掛金等（その育児休業等の期間が一月以下である者については、標準報酬の月額に係る掛金等に限る。）は、徴収しない。

一　その育児休業等を開始した日の属する月とその育児休業等が終了する日の翌日が属する月とが異なる場合　その育児休業等を開始した日の属する月からその育児休業等が終了する日の翌日が属する月の前月までの月

二　その育児休業等を開始した日の属する月とその育児休業等が終了する日の翌日が属する月とが同一であり、かつ、当該月における育児休業等の日数として財務省令で定めるところにより計算した日数が十四日以上である場合　当該月

2　組合員が連続する二以上の育児休業等をしている場合（これに準ずる場合として財務省令で定める場合を含む。）における前項の規定の適用については、その全部を一の育児休業等とみなす。

【参照】
●法四〇12、法附則一二9
●規則一二〇～一二〇の三

（産前産後休業期間中の掛金等の特例）
第百条の二の二　産前産後休業をしている組合員（第百二十六条の五第二項に規定する任意継続組合員を除く。）が組合に申出をしたときは、第百条の規定にかかわらず、その産前産後休業を開始した日の属する月からその産前産後休業が終了する日の翌日の属する月の前月までの期間に係る掛金等は、徴収しない。

【参照】
●法附則一二9

●規則一二〇の四～一二〇の六
●運用方針法一〇〇の二の二関係

（掛金等の給与からの控除）

第百一条　組合員の給与支給機関は、毎月、報酬その他の給与を支給する際、組合員の給与から掛金等に相当する金額を控除して、これを組合員に代わつて組合に払い込まなければならない。

2　組合員（組合員であつた者を含む。以下この条において同じ。）の給与支給機関は、組合員が組合に対して支払うべき掛金等以外の金額又は前項の規定により控除して払い込まれなかつた掛金等の金額があるときは、報酬その他の給与（国家公務員退職手当法（昭和二十八年法律第百八十二号）に基づく退職手当又はこれに相当する手当を含む。以下この項及び次項において同じ。）を支給する際、組合員の報酬その他の給与からこれらの金額に相当する金額を控除して、これを組合員に代わつて組合に払い込まなければならない。

3　組合員は、報酬その他の給与の全部又は一部の支給を受けないことにより、前二項の規定による掛金等に相当する金額の全部又は一部の控除及び払込みが行われないときは、政令で定めるところにより、その控除が行われるべき毎月の末日までに、その払い込まれるべき掛金等に相当する金額を組合に払い込まなければならない。

4　組合は、掛金等のうち退職等年金分掛金及び組合員保険料については、前三項の規定による払込みがあるごとに、これを連合会に払い込まなければならない。

5　第一項から第三項までの規定により組合に払い込まれた掛金等のうち、徴収を要しないこととなつたものがあるときは、組合（前項の規定により当該掛金等のうち退職等年金分掛金及び組合員保険料が連合会に払い込まれている場合には、連合会）は、財務省令で定めるところにより、当該徴収を要しないこととなつた掛金等を組合員に還付するものとする。

【参照】
●法一一一（時効）
●令二五の二
●規則一二〇の七、一二〇の八

（負担金）

第百二条　各省各庁の長（環境大臣を含む。）、行政執行法人又は職員団体は、それぞれ第九十九条第二項（同条第六項から第八項までの規定により読み替えて適用する場合を含む。）及び第五項（同条第七項及び第八項の規定により読み替えて適用する場合を含む。）並びに厚生年金保険法第八十二条第一項の規定により国、行政執行法人又は職員団体が負担すべき金額（組合員に係るものに限るものとし、第百条の二第一項及び第百条の二の二の規定により徴収しないこととされた掛金等に相当する金額を除く。）を、毎月組合に払い込まなければならない。

2　前項の規定による負担金の支払については、概算払をすることができる。この場合においては、当該事業年度末において、精算するものとする。

3　国は、第九十九条第四項の規定により負担すべき金額を、政令で定めるところにより、組合に払い込まなければならない。

4　組合は、政令で定めるところにより、第九十九条第二項第三号及び第四号に掲げる費用並びに同条第五項（同条第七項及び第八項の規定により読み替えて適用する場合を含む。以下この項において同じ。）の規定により負担することとなる費用（同条第五項の規定により負担することとなる費用にあつては、長期給付（基礎年金拠出金を含む。）に係るものに限る。）並びに厚生年金保険法第八十一条第一項に規定する費用に充てるため国、行政執行法人又は職員団体が負担すべき金額（組合員に係るものに限る。）の全部又は一部を、当該金額の払込みがあるごとに、連合会に払い込まなければならない。

【参照】
●法一一一（時効）
●令二五の三、二五の四、令附則八7

第六章の二　地方公務員共済組合連合会に対する財政調整拠出金

（地方公務員共済組合連合会に対する長期給付に係る財政調整拠出金の拠出）

第百二条の二　連合会は、厚生年金保険給付費（厚生年金拠出金及び基礎年金拠出金の納付に要する費用その他政令で定める費用をいう。次条第一項第一号において同じ。）の負担の水準と地方の組合の地方公務員等共済組合法第百十六条の二に規定する厚生年金保険給付費の負担の水準との均衡及び組合の長期給付と地方の組合の同法第七十四条第一項に規定する長期給付の円滑な実施を図るため、次条第一項各号に掲げる場合に該当するときは、その事業年度において、地方公務員共済組合連合会（同法第三十八条の二第一項に規定する地方公務員共済組合連合会をいう。以下同じ。）への拠出金（以下「財政調整拠出金」という。）の拠出を行うものとする。

［参照］
●令九1

第百二条の三　財政調整拠出金の額は、次の各号に掲げる場合の区分に応じ、当該各号に定める額（当該各号に掲げる場合の二以上に該当するときは、当該二以上の各号に定める額の合計額）とする。

一　当該事業年度における厚生年金保険給付費のうち政令で定めるものの額（以下この号において「国の調整対象費用の額」という。）を当該事業年度における全ての組合員（厚生年金保険給付に関する規定の適用を受ける組合員に限る。以下この号において同じ。）の厚生年金保険法第二十条第一項に規定する標準報酬月額の合計額及び当該組合員の同法第二十四条の四第一項に規定する標準賞与額の合計額の合算額（以下この号において「標準報酬等総額」という。）で除して得た率が、当該事業年度における地方公務員等共済組合法第百十六条の三第一項第一号に規定する地方の調整対象費用の額（以下この号において「地方の調整対象費用の額」という。）を当該事業年度における同項第一号に規定する標準報酬等総額（以下この号において「地方の標準報酬等総額」という。）で除して得た率を下回る場合　当該事業年度における国の調整対象費用の額に一定額を加算して得た額を当該事業年度における標準報酬等総額で除して得た率と当該事業年度における地方の調整対象費用の額から当該一定額を控除して得た額を当該事業年度における地方の標準報酬等総額で除して得た率とが等しくなる場合における当該一定額に相当する額

二　当該事業年度における国の厚生年金保険給付等に係る収入の額が当該事業年度における国の厚生年金保険給付等に係る支出の額を上回り、かつ、当該事業年度における地方の厚生年金保険給付等に係る収入の額（地方公務員等共済組合法第百十六条の三第二項に規定する地方の厚生年金保険給付等に係る収入の額をいう。以下この号及び次号において同じ。）が当該事業年度における地方の厚生年金保険給付等に係る支出の額（同条第三項に規定する地方の厚生年金保険給付等に係る支出の額をいう。以下この号及び次号において同じ。）を下回る場合（次号に掲げる場合を除く。）　当該事業年度における地方の厚生年金保険給付等に係る支出の額から当該事業年度における地方の厚生年金保険給付等に係る収入の額を控除して得た額（当該控除して得た額が、限度額（当該事業年度における国の厚生年金保険給付等に係る収入の額から当該事業年度における国の厚生年金保険給付等に係る支出の額に前号に掲げる場合における同号に定める額を加算した額を控除して得た額をいう。）を超える場合にあつては、当該限度額）

三　当該事業年度における地方の厚生年金保険給付等に係る支出の額に地方公務員等共済組合法第百十六条の三第一項第一号に掲げる場合における同号に定める額を加算した額が地方の厚生年金保険給付等に係る収入の額を上回り、かつ、当該上回る額（以下この号において「地方の不足額」という。）が前事業年度の末日における地方厚生年金保険給付積立金（同法第二十四条（同法第三十八条第一項において準用する場合を含む。）に規定する厚生年金保険給付組合積立金及び同法第三十八条の八第一項に規定する厚生年金保険給付調整積立金をいう。以下この号において同じ。）の額を上回る場合　地方の不足額から前事業年度の末日における地方厚生年金保険給付積立金の額を控除して得た額（当該控除して得た額が、限度額（前事業年度の末日における厚生年金保険給付積立金の額から当該事業年度における国の厚生年金保険給付等に係る支出の額に第一号に掲げる場合における同号に定める額を加算した額を控除し、当該事業年度における国の厚生年金保険給付等に係る収入の額を加算した額をいう。）を超える場合にあつては、当該限度額）

四　当該事業年度の末日における地方退職等年金給付積立金の額が地方の積立基準額を下回り、かつ、退職等年金給付積立金の額が国の積立基準額を上回る場合　地方の積立基準額から地方退職等年金給付積立金の額を控除して得た額の五分の一に相当する額（当該額が当該事業年度の末日における退職等年金給付積立金の額から国の積立基準額（当該国の積立基準額が零を下回る場合には、零とする。）を控除して得た額を超える場合にあつては、当該控除して得た額）

2　前項第二号及び第三号に規定する「国の厚生年金保険給付等に係る収入の額」とは、厚生年金保険法第八十一条第一項に規定する保険料その他の連合会の収入として政令で定めるものの額の合計額に、地方公務員等共済組合法第百十六条の三第一項第一号に掲げる場合における同号に定める額を加算した額をいう。

3　第一項第二号及び第三号に規定する「国の厚生年金保険給付等に係る支出の額」とは、厚生年金拠出金及び基礎年金拠出金の納付その他の連合会の支出として政令で定めるものの額の合計額をいう。

［参照］

●令二六～二八
●規則一一二

（資料の提供）

第百二条の四　連合会は、地方公務員共済組合連合会に対し、財政調整拠出金の額の算定のために必要な資料の提供を求めることができる。

（政令への委任）

第百二条の五　この章に定めるもののほか、財政調整拠出金の拠出に関し必要な事項は、政令で定める。

［参考］
●令二八

第七章　審査請求

（審査請求）

第百三条　組合員の資格若しくは短期給付及び退職等年金給付に関する決定、厚生年金保険法第九十条第二項（第二号及び第三号を除く。）に規定する被保険者の資格若しくは保険給付に関する処分、掛金等その他この法律及び厚生年金保険法による徴収金の徴収、組合員期間の確認又は国民年金法による障害基礎年金に係る障害の程度の診査に関し不服がある者は、文書又は口頭で、国家公務員共済組合審査会（以下「審査会」という。）に審査請求をすることができる。

2　前項の審査請求は、同項に規定する決定、処分、徴収、確認又は診査があつたことを知つた日から三月を経過したときは、することができない。ただし、正当な理由により、この期間内に審査請求をすることができなかつたことを疎明したときは、この限りでない。

3　審査請求は、時効の完成猶予及び更新に関しては、裁判上の請求とみなす。

4　審査会は、行政不服審査法（平成二十六年法律第六十八号）第九条第一項、第三項及び第四項の規定の適用については、同条第一項第二号に掲げる機関とみなす。

［参照］
●令六〇

（審査会の設置及び組織）

第百四条　審査会は、連合会に置く。

2　審査会は、委員九人をもつて組織する。

3　委員は、組合員を代表する者、国を代表する者及び公益を代表する者それぞれ三人とし、財務大臣が委嘱する。

4　委員の任期は、三年とする。ただし、補欠の委員の任期は、前任者の残任期間とする。

5　委員は、再任されることができる。

6　審査会に会長を置く。会長は、審査会において、公益を代表する委員のうちから選挙する。

7　会長は、会務を総理する。会長に事故があるとき、又は会長が欠けたときは、あらかじめその指名する公益を代表する委員がその職務を行う。

（議事）

第百五条　審査会は、組合員を代表する委員、国を代表する委員及び公益を代表する委員各一人以上を含む過半数の委員が出席しなければ、会議を開き、及び議決することができない。

2　審査会の議事は、出席委員の過半数で決する。可否同数のときは、会長の決するところによる。

（組合又は連合会に対する通知等）

第百六条　審査会は、審査請求がされたときは、行政不服審査法第二十四条の規定により当該審査請求を却下する場合を除き、当該審査請求に係る組合（審査請求のうち長期給付に係るものにあつては、連合会）にこれを通知し、かつ、利害関係人に対し参加人として当該審査請求に参加することを求めなければならない。

（政令への委任）

第百七条　この章及び行政不服審査法に定めるもののほか、審査会の委員及び同法第三十四条の規定により事実の陳述を求め、又は鑑定を求めた参考人の旅費その他の手当の支給その他審査会及び審査請求の手続に関し必要な事項は、政令で定める。

［参照］
●令二九～二九の三
●規則一一三

第百八条から第百十条まで　削除

第八章　雑則

（時効）

第百十一条　短期給付を受ける権利はその給付事由が生じた日から二年間、退職等年金給付を受ける権利はその給付事由が生じた日から五年間、退職等年金給付の返還を受ける権利はこれを行使することができる時から五年間行使しないときは、時効によつて消滅する。

2　退職等年金給付の返還を受ける権利の時効については、その援用を要せず、また、その利益を放棄することができないものとする。

3　掛金を徴収し、又はその還付を受ける権利は、これらを行使することができる時から二年間行使しないときは、時効によつて消滅する。

4　前項に規定する権利の時効については、その援用を要せず、また、その利益を放棄することができないものとする。

5　時効期間の満了前六月以内において、次に掲げる者の生死又は所在が不明であるためにその者に係る遺族給付の請求をすることができない場合には、その請求をすることができることとなつた日から六月以内は、当該権利の消滅時効は、完成しないものとする。

一　組合員又は組合員であつた者でその者が死亡した場合に遺族給付を受けるべき者があるもの

二　遺族給付を受ける権利を有する者のうち先順位者又は同順位者

［参照］

●令六〇

●運用方針法一一一関係

（期間計算の特例）

第百十二条　この法律の規定により給付の請求又は給付を受ける権利に係る申出若しくは届出に係る期間を計算する場合において、その請求、申出又は届出が郵便又は民間事業者による信書の送達に関する法律（平成十四年法律第九十九号）第二条第六項に規定する一般信書便事業者若しくは同条第九項に規定する特定信書便事業者による同条第二項に規定する信書便により行われたものであるときは、送付に要した日数は、その期間に算入しない。

［参照］

●施行法五三

（組合員等記号・番号等の利用制限等）

第百十二条の二　財務大臣、組合、連合会、保険医療機関等、指定訪問看護事業者その他の短期給付及び長期給付の事業並びに福祉事業又はこれらの事業に関連する事務の遂行のため組合員等記号・番号等（保険者番号（財務大臣が健康保険法第三条第十一項に規定する保険者番号に準じて定めるものをいう。）及び組合員等記号・番号（組合が組合員又は被扶養者の資格を管理するための記号、番号その他の符号として、組合員又は被扶養者ごとに定めるものをいう。）をいう。以下この条において同じ。）を利用する者として財務省令で定める者（以下この条において「財務大臣等」という。）は、これらの事業又は事務の遂行のため必要がある場合を除き、何人に対しても、その者又はその者以外の者に係る組合員等記号・番号等を告知することを求めてはならない。

2　財務大臣等以外の者は、短期給付及び長期給付の事業並びに福祉事業又はこれらの事業に関連する事務の遂行のため組合員等記号・番号等の利用が特に必要な場合として財務省令で定める場合を除き、何人に対しても、その者又はその者以外の者に係る組合員等記号・番号等を告知することを求めてはならない。

3　何人も、次に掲げる場合を除き、その者が業として行う行為に関し、その者に対し売買、貸借、雇用その他の契約（以下この項において「契約」という。）の申込みをしようとする者若しくは申込みをする者又はその者と契約の締結をした者に対し、当該者又は当該者以外の者に係る組合員等記号・番号等を告知することを求めてはならない。

一　財務大臣等が、第一項に規定する場合に、組合員等記号・番号等を告知することを求めるとき。

二　財務大臣等以外の者が、前項に規定する財務省令で定める場合に、組合員等記号・番号等を告知することを求めるとき。

4　何人も、次に掲げる場合を除き、業として、組合員等記号・番号等の記録されたデータベース（その者以外の者に係る組合員等記号・番号等を含む情報の集合物であつて、それらの情報を電子計算機を用いて検索することができるように体系的に構成したものをいう。）であつて、当該データベースに記録された情報が他に提供されることが予定されているもの（以下この項において「提供データベース」という。）を構成してはならない。

一　財務大臣等が、第一項に規定する場合に、提供データベースを構成するとき。

二　財務大臣等以外の者が、第二項に規定する財務省令で定める場合に、提供データベースを構成するとき。

5　財務大臣は、前二項の規定に違反する行為が行われた場合において、当該行為をした者が更に反復してこれらの規定に違反する行為をするおそれがあると認めるときは、当該行為をした者に対し、当該行為を中止することを勧告し、又は当該行為が中止されることを確保するために必要な措置を講ずることを勧告することができる。

6　財務大臣は、前項の規定による勧告を受けた者がその勧告に従わないときは、その者に対し、期限を定めて、当該勧告に従うべきことを命ずることができる。

［参照］

●規則一二五の二の二

（戸籍書類の無料証明）

第百十三条　市町村長（特別区の区長を含むものとし、地方自治法（昭和二十二年法律第六十七号）第二百五十二条の十九第一項の指定都市にあつては、区長又は総合区長）は、組合又は受給権者に対して、当該市町村の条例で定めるところにより、組合員、組合員であつた者又は受給権者の戸籍に関し、無料で証明を行うことができる。

（資料の提供）

第百十四条　連合会は、年金である給付に関する処分に関し必要があると認めるときは、受給権者に対する厚生年金保険法による年金である保険給付（これに相当する給付として政令で定めるものを含む。）の支給状況につき、厚生労働大臣、地方の組合又は日本私立学校振興・共済事業団に対し、必要な資料の提供を求めることができる。

［参照］
●令三〇

（社会保険診療報酬支払基金等への事務の委託）

第百十四条の二　組合は、次に掲げる事務を社会保険診療報酬支払基金法による社会保険診療報酬支払基金又は国民健康保険法（昭和三十三年法律第百九十二号）第四十五条第五項に規定する国民健康保険団体連合会に委託することができる。

一　第五十条第一項に規定する短期給付のうち財務省令で定めるものの支給に関する事務

二　第五十条第一項に規定する短期給付の支給、第九十八条第一項に規定する福祉事業の実施その他の財務省令で定める事務に係る組合員若しくは組合員であつた者又はこれらの被扶養者（次号において「組合員等」という。）に係る情報の収集又は整理に関する事務

三　第五十条第一項に規定する短期給付の支給、第九十八条第一項に規定する福祉事業の実施その他の財務省令で定める事務に係る組合員等に係る情報の利用又は提供に関する事務

２　組合は、前項の規定により同項第二号又は第三号に掲げる事務を委託する場合は、他の社会保険診療報酬支払基金法第一条に規定する保険者及び法令の規定により医療に関する給付その他の事務を行う者であつて財務省令で定めるものと共同して委託するものとする。

［参照］
●規則一二五の三

（関係者の連携及び協力）

第百十四条の三　国、組合及び保険医療機関等その他の関係者は、電子資格確認の仕組みの導入その他手続における情報通信の技術の利用の推進により、医療保険各法等（高齢者の医療の確保に関する法律第七条第一項に規定する医療保険各法及び高齢者の医療の確保に関する法律をいう。）その他医療に関する給付を定める法令の規定により行われる事務が円滑に実施されるよう、相互に連携を図りながら協力するものとする。

（端数の処理）

第百十五条　長期給付を受ける権利を決定し又は長期給付の額を改定する場合において、その長期給付の額に五十円未満の端数があるときは、これを切り捨て、五十円以上百円未満の端数があるときは、これを百円に切り上げるものとする。

２　前項に定めるもののほか、この法律による給付及び掛金等に係る端数計算については、別段の定めがあるものを除き、国等の債権債務等の金額の端数計算に関する法律（昭和二十五年法律第六十一号）第二条の規定を準用する。

［参照］
●令六〇
●運用方針法一一五関係

（財務大臣の権限）

第百十六条　組合及び連合会の業務の執行は、財務大臣が監督する。

２　組合及び連合会は、財務省令で定めるところにより、毎月末日現在におけるその事業についての報告書を財務大臣に提出しなければならない。

３　財務大臣は、必要があると認めるときは、当該職員に組合又は連合会の業務及び財産の状況を監査させるものとする。

４　財務大臣は、この法律の適正な実施を確保するため必要があると認めるときは、組合又は連合会に対して、その業務に関し、監督上必要な命令をすることができる。

［参照］
●法一二八（罰則）、一二九
●令三一1
●規則一二五、一二五の二、一二六～一二六の五

第百十七条　財務大臣は、組合の療養に関する短期給付についての費用の負担又は支払の適正化を図るため必要があると認めるときは、医師、歯科医師、薬剤師若しくは手当を行つた者若しくはこれらの者を使用する者に対し、その行つた診療、薬剤の支給若しくは手当に関し、報告若しくは診療録、帳簿書類その他の物件の提示を求め、若しくは当該職員をして質問させ、又は当該給付に係る療養を行つた保険医療機関若しくは保険薬局若しくは当該保険医療機関若しくは保険薬局の開設者若しくは

管理者、保険医、保険薬剤師その他の従業者であつた者（以下この項において「開設者であつた者等」という。）から報告若しくは資料の提出を求め、当該保険医療機関若しくは保険薬局の開設者若しくは管理者、保険医、保険薬剤師その他の従業者（開設者であつた者等を含む。）に対し出頭を求め、若しくは当該職員をして関係者に対し質問し、若しくは当該保険医療機関若しくは保険薬局につき設備若しくは診療録その他その業務に関する帳簿書類を検査させることができる。

2 財務大臣は、組合の指定訪問看護に関する短期給付についての費用の負担又は支払の適正化を図るため必要があると認めるときは、指定訪問看護事業者又は指定訪問看護事業者であつた者若しくは当該指定に係る訪問看護事業所の看護師その他の従業者であつた者（以下この項において「指定訪問看護事業者であつた者等」という。）に対し、その行つた訪問看護療養費又は家族訪問看護療養費の支給に関し、報告若しくは帳簿書類の提出若しくは提示を求め、当該指定訪問看護事業者若しくは当該指定に係る訪問看護事業所の看護師その他の従業者（指定訪問看護事業者であつた者等を含む。）に対し出頭を求め、又は当該職員をして関係者に対し質問させ、若しくは当該指定訪問看護事業者の当該指定に係る訪問看護事業所につき帳簿書類その他の物件を検査させることができる。

3 財務大臣は、第百十二条の二第五項及び第六項の規定による措置に関し必要があると認めるときは、その必要と認められる範囲内において、同条第三項若しくは第四項の規定に違反していると認めるに足りる相当の理由がある者に対し、必要な事項に関し報告を求め、又は当該職員をして当該者の事務所若しくは事業所に立ち入つて質問し、若しくは帳簿書類その他の物件を検査させることができる。

4 当該職員は、前三項の規定により質問又は検査をする場合には、その身分を示す証票を携帯し、関係人にこれを提示しなければならない。

5 第一項から第三項までの質問又は検査の権限は、犯罪捜査のために認められたものと解してはならない。

［参照］
●法一三一
●令三一1
●規則一一六の五

（権限の委任）

第百十七条の二 財務大臣は、政令で定めるところにより、この法律による権限の一部を財務局長又は財務支局長に行わせることができる。

［参照］
●令三一

（医療に関する事項等の報告）

第百十八条 組合は、財務省令・厚生労働省令で定めるところにより、この法律に定める医療に関する事項その他この法律の規定による短期給付に関する事項について、厚生労働大臣に報告しなければならない。

［参照］
●健保法二〇一

（船員組合員の資格の得喪の特例）

第百十九条 船員保険の被保険者（以下「船員」という。）である組合員（以下「船員組合員」という。）の船員組合員としての資格の得喪については、船員保険法（昭和十四年法律第七十三号）の定めるところによる。

［参照］
●規則一一七、一一七の二

（船員組合員の療養の特例）

第百二十条 船員組合員が公務又は通勤によらないで病気にかかり、若しくは負傷し、又は船員組合員の被扶養者が病気にかかり、若しくは負傷した場合における療養に関しては、第五十四条から第五十九条まで、第六十条の二及び第六十条の三の規定にかかわらず、船員保険法第五十三条（第四項を除く。）、第五十四条から第六十八条まで、第七十六条から第七十九条まで及び第八十二条から第八十四条までの規定の例による。

［参照］
●規則一一七の三～一一七の五

（船員組合員の療養以外の短期給付の特例）

第百二十一条 前条に定めるもののほか、船員組合員若しくは船員組合員であつた者又はこれらの者の遺族に対する第五十条第一項第三号から第十三号までに掲げる短期給付（その給付事由が通勤によるものを除く。）は、次に掲げるもののうちこれらの者が選択するいずれか一の給付とする。

一 組合員若しくは組合員であつた者又はこれらの者の遺族として受けるべき給付

二 その者が組合員とならなかつたものとした場合に船員若しくは船員であつた者又はこれらの者の遺族として受けるべき船員保険法に規定する給付

〔参照〕
●運用方針法一二一関係

（船員組合員についての負担金の特例）
第百二十二条　国又は行政執行法人は、船員組合員若しくは船員組合員であつた者又はこれらの者の遺族に対する短期給付に要する費用のうち、船員保険法に規定する給付に要する費用に係る部分については、第九十九条第二項の規定にかかわらず、同法第百二十五条第一項の規定による船舶所有者の負担と同一の割合によつて算定した金額を負担する。

第百二十三条　削除

（外国で勤務する組合員についての特例）
第百二十四条　外国で勤務する組合員に対するこの法律の適用については、政令で特例を定めることができる。

〔参照〕
●令三一〜四二
●規則一二八
●国家公務員等の旅費に関する法律三（旅費の支給）、四〇（死亡手当）

（公庫等に転出した継続長期組合員についての特例）
第百二十四条の二　組合員（長期給付に関する規定の適用を受けない者を除く。）が任命権者若しくはその委任を受けた者の要請に応じ、引き続いて沖縄振興開発金融公庫その他特別の法律により設立された法人でその業務が国若しくは地方公共団体の事務若しくは事業と密接な関連を有するもののうち政令で定めるもの（第四項において「公庫等」という。）に使用される者（役員及び常時勤務に服することを要しない者を除く。以下「公庫等職員」という。）となるため退職した場合（政令で定める場合を除く。）又は組合員（長期給付に関する規定の適用を受けない者を除く。）が任命権者若しくはその委任を受けた者の要請に応じ、引き続いて沖縄振興開発金融公庫その他特別の法律により設立された法人でその業務が国の事務若しくは事業と密接な関連を有するもののうち政令で定めるもの（同項において「特定公庫等」という。）の役員（常時勤務に服することを要しない者を除く。以下「特定公庫等役員」という。）となるため退職した場合（政令で定める場合を除く。）には、長期給付に関する規定（第三十九条第二項の規定を除く。）の適用については、別段の定めがあるものを除き、その者の退職は、なかつたものとみなし、その者は、当該公庫等職員又は特定公庫等役員である期間引き続き転出（公庫等職員又は特定公庫等役員となるための退職をいう。以下この条において同じ。）の際に所属していた組合の組合員であるものとする。この場合においては、第四章中「公務」とあるのは「業務」と、第九十九条第二項中「及び国の負担金」とあるのは「、公庫等又は特定公庫等の負担金及び国の負担金」と、同項第三号中「国の負担金」とあるのは「公庫等又は特定公庫等の負担金」と、第百二条第一項中「各省各庁の長（環境大臣を含む。）、行政執行法人又は職員団体」とあり、及び「国、行政執行法人又は職員団体」とあるのは「公庫等又は特定公庫等」と、「それぞれ第九十九条第二項（同条第六項から第八項までの規定により読み替えて適用する場合を含む。）及び第五項（同条第七項及び第八項の規定により読み替えて適用する場合を含む。）並びに厚生年金保険法」と、同条第四項中「第九十九条第二項第三号及び第四号に掲げる費用並びに同条第五項（同条第七項及び第八項の規定により読み替えて適用する場合を含む。以下この項において同じ。）の規定により負担することとなる費用（同条第五項の規定により負担することとなる費用にあつては、長期給付（基礎年金拠出金を含む。）に係るものに限る。）並びに厚生年金保険法」とあるのは「第九十九条第二項第三号に掲げる費用及び厚生年金保険法」と、「国、行政執行法人又は職員団体」とあるのは「公庫等又は特定公庫等」とする。

2　前項前段の規定により引き続き組合員であるとされる者（以下この条において「継続長期組合員」という。）が次の各号のいずれかに該当するに至つたときは、その翌日から、継続長期組合員の資格を喪失する。
一　転出の日から起算して五年を経過したとき。
二　引き続き公庫等職員又は特定公庫等役員として在職しなくなつたとき。
三　死亡したとき。

3　継続長期組合員が公庫等職員として在職し、引き続き他の公庫等職員となつた場合（その者が更に引き続き他の公庫等職員となつた場合を含む。）、継続長期組合員が特定公庫等役員として在職し、引き続き他の特定公庫等役員となつた場合（その者が更に引き続き他の特定公庫等役員となつた場合を含む。）その他の政令で定める場合における前二項の規定の適用については、その者は、公庫等職員又は特定公庫等役員として引き続き在職する間、継続長期組合員であるものとみなす。

4　第一項の規定は、継続長期組合員が公庫等職員として在職し、引き続き再び組合員の資格を取得した後、その者が財務省令で定める期間内に引き続き再び同一の公庫等に公庫等職員として転出をした場合、継続長期組合員等が特定公庫等役員として在職し、引き続き再び組合員の資格を取得した後、その者が財務省令で定める期間内に引き続き再び同一の特定公庫等に特定公庫等役員として転出をした場合その他の政令で定める場合については、適用しない。

5　前各項に定めるもののほか、継続長期組合員に対する長期給付に関する規定の適用に関し必要な事項は、政令で定める。

【参照】
●令四三～四四の四
●規則一二八の二～一二八の四
●運用方針法一二四の二関係

（行政執行法人以外の独立行政法人又は国立大学法人等に常時勤務することを要する者の取扱い）

第百二十四条の三　行政執行法人以外の独立行政法人のうち別表第二に掲げるもの又は国立大学法人等に常時勤務することを要する者（行政執行法人以外の独立行政法人又は国立大学法人等に常時勤務することを要しない者で政令で定めるものを含むものとし、臨時に使用される者その他の政令で定める者を含まないものとする。）は、職員とみなして、この法律の規定を適用する。この場合においては、第三条第一項中「及びその所管する行政執行法人」とあるのは「並びにその所管する行政執行法人、第三十一条第一号に規定する独立行政法人のうち別表第二に掲げるもの及び同号に規定する国立大学法人等」と、同条第二項第二号中「国立ハンセン病療養所」とあるのは「国立ハンセン病療養所並びに独立行政法人国立病院機構及び高度専門医療に関する研究等を行う国立研究開発法人に関する法律（平成二十年法律第九十三号）第三条の二に規定する国立高度専門医療研究センター」と、同項第三号中「林野庁」とあるのは「林野庁及び国立研究開発法人森林研究・整備機構」と、第八条第一項中「及び当該各省各庁の所管する行政執行法人」とあるのは「並びに当該各省各庁の所管する行政執行法人、第三十一条第一号に規定する独立行政法人のうち別表第二に掲げるもの及び同号に規定する国立大学法人等」と、第三十七条第一項中「及び当該各省各庁の所管する行政執行法人」とあるのは「並びに当該各省各庁の所管する行政執行法人、独立行政法人のうち別表第二に掲げるもの及び国立大学法人等」と、第四章中「公務」とあるのは「業務」と、第九十九条第一項第一号及び第三号中「行政執行法人の負担に係るもの」とあるのは「行政執行法人の負担に係るもの（第百二十四条の三の規定により読み替えられた第七項及び第八項において読み替えて適用する第五項の規定による独立行政法人のうち別表第二に掲げるもの及び国立大学法人等の負担に係るものを含む。）」と、同条第六項中「（行政執行法人」とあるのは「（行政執行法人、独立行政法人のうち別表第二に掲げるもの又は国立大学法人等」と、同条第七項及び第八項中「行政執行法人」とあるのは「行政執行法人、独立行政法人のうち別表第二に掲げるもの又は国立大学法人等」と、第百二条第一項及び第四項並びに第百二十二条中「行政執行法人」とあるのは「行政執行法人、独立行政法人のうち別表第二に掲げるもの、国立大学法人等」とするほか、必要な技術的読替えは、政令で定める。

【参照】
●令四四の五

（組合職員の取扱い）

第百二十五条　組合に使用される者であつて職員に準ずるものとして政令で定めるもの（以下「組合職員」という。）は、当該組合を組織する職員とみなして、この法律（第三十九条第二項及び第百二十四条の二を除く。）の規定を適用する。この場合においては、第四章中「公務」とあるのは「業務」と、第九十九条第二項中「国の負担金」とあるのは「組合の負担金」とするほか、必要な技術的読替えは、政令で定める。

【参照】
●令四五
●規則一二九

（連合会役職員の取扱い）

第百二十六条　連合会の役員及び連合会に使用される者であつて、職員に準ずるものとして政令で定めるもの（以下「連合会役職員」という。）をもつて組織する共済組合を設けることができる。

2　前項の規定により共済組合を設けた場合には、連合会役職員は職員と、同項の共済組合は組合とそれぞれみなして、この法律の規定（第三十九条第二項、第六十八条の二から第六十八条の五まで及び第百二十四条の二の規定を除く。）を適用する。この場合において、必要な技術的読替えは、政令で定める。

【参照】
●令四五の二
●規則一三〇

（地方公務員等共済組合法との関係）

第百二十六条の二　組合員が退職し、引き続き地方の組合の組合員のうち地方公務員等共済組合法の長期給付に関する規定の適用を受けるものとなつたときは、長期給付に関する規定の適用については、その退職は、なかつたものとみなす。

2　組合員が地方の組合の組合員となつたときは、当該地方の組合を他の組合と、当該地方の組合の組合員を他の組合の組合員とそれぞれみなして、第三十七条第三項の規定を適用する。

3　組合員又は組合員であつた者が地方の組合の組合員となつたときは、連合会は、政令で定めるところにより、厚生年金保険給付積立金及び退職等年金給付積立金の額のうちその者に係る部分として政令で定めるところにより算定した金額を当該地方の組合（地方公務員等共済組合法第二十七条第一項に規定する全国市町村職員共済組合連合会を組織する地方の組合にあつては、当該全国市町村職員共済組合連合会）に移換しなければならない。

4　前三項に定めるもののほか、組合員又は組合員であつた者が地方の組合の組合員となつた場合におけるこの法律の適用に関し必要な事項は、政令で定める。

【参照】
●令四六、四七
●昭六一経過措置政令三三

第百二十六条の三　地方の組合の組合員であつた組合員に対するこの法律（第六章を除く。）の規定の適用については、その者の当該地方の組合の組合員であつた間組合員であつたものと、地方公務員等共済組合法の規定による給付はこの法律中の相当する規定による給付とみなす。ただし、長期給付に関する規定の適用については、地方公務員等共済組合法の長期給付に関する規定の適用を受けた地方の組合の組合員であつた間に限る。

2　前項に定めるもののほか、地方の組合の組合員であつた組合員に対するこの法律の適用に関し必要な事項は、政令で定める。

【参照】
●令四八、令附則二七

第百二十六条の四　削除

（任意継続組合員に対する短期給付等）

第百二十六条の五　退職の日の前日まで引き続き一年以上組合員であつた者（後期高齢者医療の被保険者等でないものに限る。）は、その退職の日から起算して二十日を経過する日（正当な理由があると組合が認めた場合には、その認めた日）までに、引き続き短期給付を受け、及び福祉事業を利用することを希望する旨を組合に申し出ることができる。この場合において、その申出をした者は、この法律の規定中短期給付及び福祉事業に係る部分の適用については、別段の定めがあるものを除き、引き続き当該組合の組合員であるものとみなす。

2　前項後段の規定により組合員であるものとみなされた者（以下この条において「任意継続組合員」という。）は、組合が、政令で定める基準に従い、その者の短期給付及び福祉事業に係る掛金及び国の負担金（介護保険第二号被保険者の資格を有する任意継続組合員にあつては、介護納付金に係る掛金及び国の負担金を含む。）の合算額を基礎として定款で定める金額（以下この条において「任意継続掛金」という。）を、毎月、政令で定めるところにより、組合に払い込まなければならない。

3　任意継続組合員は、将来の一定期間に係る任意継続掛金を前納することができる。この場合において、前納すべき額は、当該期間の各月の任意継続掛金の合計額から政令で定める額を控除した額とする。

4　任意継続組合員が初めて払い込むべき任意継続掛金をその払込期日までに払い込まなかつたときは、第一項の規定にかかわらず、その者は、任意継続組合員にならなかつたものとみなす。ただし、その払込みの遅延について正当な理由があると組合が認めたときは、この限りでない。

5　任意継続組合員が次の各号のいずれかに該当するに至つたときは、その翌日（第四号又は第六号に該当するに至つたときは、その日）から、その資格を喪失する。

一　任意継続組合員となつた日から起算して二年を経過したとき。
二　死亡したとき。
三　任意継続掛金（初めて払い込むべき任意継続掛金を除く。）をその払込期日までに払い込まなかつたとき（払込みの遅延について正当な理由があると組合が認めたときを除く。）。
四　組合員（地方の組合で短期給付に相当する給付を行うものの組合員、私学共済制度の加入者、健康保険の被保険者（健康保険法第三条第二項に規定する日雇特例被保険者を除く。）及び船員保険の被保険者を含む。）となつたとき。
五　任意継続組合員でなくなることを希望する旨を組合に申し出た場合において、その申出が受理された日の属する月の末日が到来したとき。
六　後期高齢者医療の被保険者等となつたとき。

6　第一項及び前項第五号の申出の手続、任意継続組合員に対する短期給付の支給の特例その他任意継続組合員に関し必要な事項並びに任意継続掛金の前納の手続、前納された任意継続掛金の還付その他任意継続掛金の前納に関し必要な事項は、政令で定める。

[参照]
●法附則一四の二2
●令四九～六一
●規則一三〇の二～一三〇の六、一三二
●運用方針法一二六の五関係

(国家公務員法との関係)

第百二十六条の六 この法律の定めるところにより行われる長期給付の制度は、国家公務員法第二条に規定する一般職に属する職員については、同法第百七条に規定する年金制度とする。

(経過措置)

第百二十六条の七 この法律に基づき政令を制定し、又は改廃する場合においては、政令で、その制定又は改廃に伴い合理的に必要と認められる範囲内において、所要の経過措置を定めることができる。

(省令への委任)

第百二十七条 この法律の実施のための手続その他この法律の執行に関し必要な細則は、財務省令で定める。

第九章 罰則

第百二十七条の二 第十三条の二の規定に違反して秘密を漏らし、又は盗用した者は、一年以下の懲役又は百万円以下の罰金に処する。

第百二十七条の三 第百十二条の二第六項の規定による命令に違反した者は、一年以下の懲役又は五十万円以下の罰金に処する。

第百二十八条 次の各号のいずれかに該当する者は、三十万円以下の罰金に処する。

一 第百十六条第二項又は第三項の規定に違反して、報告をせず、若しくは虚偽の報告をし、又は監査を拒み、妨げ、若しくは忌避した者

二 正当な理由がなく第百十七条第三項の規定による報告をせず、若しくは虚偽の報告をし、又は同項の規定による質問に対して正当な理由がなく答弁せず、若しくは虚偽の答弁をし、若しくは正当な理由がなく同項の規定による検査を拒み、妨げ、若しくは忌避した者

第百二十八条の二 法人(法人でない社団又は財団で代表者又は管理人の定めがあるもの(以下この条において「人格のない社団等」という。)を含む。以下この項において同じ。)の代表者(人格のない社団等の管理人を含む。)又は法人若しくは人の代理人、使用人その他の従業者が、その法人又は人の業務に関して、第百二十七条の三又は前条第二号の違反行為をしたときは、行為者を罰するほか、その法人又は人に対しても、各本条の罰金刑を科する。

2 人格のない社団等について前項の規定の適用がある場合には、その代表者又は管理人がその訴訟行為につき当該人格のない社団等を代表するほか、法人を被告人又は被疑者とする場合の刑事訴訟に関する法律の規定を準用する。

第百二十九条 次の各号のいずれかに該当する場合には、その違反行為をした組合職員、連合会役職員その他組合又は連合会の事務を行う者は、二十万円以下の過料に処する。

一 この法律により財務大臣の認可又は承認を受けなければならない場合において、その認可又は承認を受けなかつたとき。

二 第十九条(第三十六条において準用する場合を含む。)の規定に違反して、組合の業務上の余裕金を運用したとき。

三 第三十五条の三第五項又は第三十五条の四の規定により公表しなければならない場合において、その公表をせず、又は虚偽の公表をしたとき。

四 第百十六条第四項の規定による財務大臣の命令に違反したとき。

五 この法律に規定する業務又は他の法律により組合若しくは連合会が行うものとされた業務以外の業務を行つたとき。

第百三十条 連合会の役員が第二十五条の規定による政令に違反して登記をすることを怠つたときは、二十万円以下の過料に処する。

第百三十一条 医師、歯科医師、薬剤師若しくは手当を行つた者又はこれらの者を使用する者が第百十七条第一項の規定による報告若しくは診療録、帳簿書類その他の物件の提示を命ぜられて正当な理由がなくこれに従わず、又は同項の規定による質問に対して正当な理由がなく答弁せず、若しくは虚偽の答弁をしたときは、十万円以下の過料に処する。

附 則(抄)

(施行期日)

第一条 この法律は、昭和三十三年七月一日から施行する。ただし、附則第三条第三項(同条第四項及び附則第二十条第二項後段において準用する場合を含む。)の規定は、公布の日から、第十九条第二項、第三十八条第三項、第四十一条第二項及び第三項、第四十二条第二項から第四項まで、第四章第三節、第百条第三項並びに附則第二十条第六項の規定は、昭和三十四年一月一日から施行する。

(旧法の効力)

第二条 改正前の国家公務員共済組合法（以下「旧法」という。）中第三章第三節から第五節までの規定その他これらの規定に規定する給付に係る規定（これらの規定に基く命令の規定を含む。）は、昭和三十三年十二月三十一日まで（これらの規定を他の法令において準用し、又は適用する場合については、当分の間）は、なおその効力を有する。

2 前項の規定によりなおその効力を有するものとされた旧法の規定による給付については、この附則に別段の規定があるもののほか、当該旧法の規定に抵触する限度において、本則の規定は、適用しない。

3 第一項の規定によりなおその効力を有するものとされた旧法の規定は、第百二十五条第一項又は第百二十六条第二項の規定により職員とみなされる者についても適用する。

（組合及び連合会の存続）

第三条 旧法第二条の規定により設けられた共済組合（以下この条において「旧組合」という。）又は旧法第六十三条の二の規定により設けられた共済組合連合会（以下この条において「旧連合会」という。）は、昭和三十三年七月一日（以下「施行日」という。）において、それぞれ第三条又は第二十一条の規定により設けられた組合又は連合会となり、同一性をもつて存続するものとする。

2 旧法の規定により定められた旧組合の運営規則及び旧連合会の定款でこの法律の規定に抵触するものは、施行日（前条第一項に規定する給付に係る部分については、昭和三十四年一月一日）からその効力を失うものとする。

3 各省各庁の長は、この法律の施行前に、旧組合の共済組合運営審議会の議を経て、第六条及び第十五条の規定の例により、組合の定款を定め、施行日を含む事業年度のうち同日以後の期間に係る事業計画及び予算を作成し、並びに当該定款、事業計画及び予算につき大蔵大臣の認可を受けるものとする。

4 前項の規定は、連合会について準用する。この場合において、同項中「各省各庁の長」とあるのは「連合会の理事長」と、「旧組合の共済組合運営審議会の議を経て、第六条及び」とあるのは「第二十四条の規定及び第三十六条において準用する」と、「定款を定め」とあるのは「定款を変更し」と読み替えるものとする。

（組合の運営審議会の委員の任命の特例）

第三条の二 組合の運営審議会の委員の任命については、当分の間、第九条第三項本文中「組合員」とあるのは、「組合員又は組合員であつた者（運営審議会の委員であつた者に限る。）」として、同項の規定を適用する。

（連合会の役員の任期の特例）

第四条 この法律に基いて最初に任命された連合会の理事及び監事のうち第二十七条第二項の規定によるものの半数については、理事長の定めるところにより、第三十条第一項の規定にかかわらず、その任期は、一年とする。

（連合会の運営審議会の委員の任命の特例）

第四条の二 連合会の運営審議会の委員の任命については、当分の間、第三十五条第三項中「組合員」とあるのは、「組合員又は組合員であつた者（組合の運営審議会の委員であつた者に限る。）」として、同項の規定を適用する。

（従前の給付等）

第五条 この附則に別段の規定があるもののほか、旧法（附則第二条第一項の規定によりなおその効力を有するものとされた旧法を含む。）の規定に基いてした給付、審査の請求その他の行為又は手続は、この法律中の相当する規定によつてした行為又は手続とみなす。

（被扶養者に関する経過措置）

第六条 施行日の前日において旧法第十八条に規定する被扶養者であつた者で第二条第一項第二号に掲げる被扶養者に該当しないもののうち次の各号の一に該当するものの被扶養者としての資格については、その者が引き続き主として当該組合員又は組合員であつた者の収入により生計を維持している間に限り、同項同号の規定にかかわらず、なお従前の例による。ただし、第一号に該当する者にあつては、当該傷病手当金及びその給付事由である病気又は負傷により生じた病気による傷病手当金以外の給付、第二号に該当する者にあつては、その傷病により生じた病気についての家族療養費以外の給付については、この限りでない。

一 この法律の施行の際現に傷病手当金の支給を受け、かつ、病院又は診療所に収容されている組合員又は組合員であつた者によつて生計を維持している者

二 その病気又は負傷につき、この法律の施行の際現に組合員又は組合員であつた者が家族療養費の支給を受けている者

（一部負担金に関する経過措置）

第七条 この法律の施行の際現に病院又は診療所に収容されている者は、その収容に係る傷病については、第五十五条第二項の規定にかかわらず、健康保険法第四十三条ノ八第一項第二号の規定の例により算定する一部負担金に相当する金額を支払うことを要しない。ただし、その者がこの法律の施行後引き続き当該傷病により病院又は診療所に収容されている間に限る。

第八条 組合は、当分の間、組合員が第五十五条第二項又

は第三項に規定する一部負担金を支払つたことにより生じた余裕財源の範囲内で、当該一部負担金の払戻しその他の措置で財務大臣の定めるものを行うことができる。

（療養費に関する経過措置）

第九条 この法律の施行前に行われた診療又は手当に係る療養費の額については、なお従前の例による。

（資格喪失後の給付に関する経過措置）

第十条 この法律の施行の際現に旧法第三十四条第二項（旧法第五十五条第五項において準用する場合を含む。）、旧法第三十六条第三項若しくは旧法第五十六条第三項の規定により支給されている給付又は施行日前に組合員の資格を喪失し、かつ、施行日以後に出産し、若しくは死亡したときに、旧法第三十五条第二項（旧法第三十六条第二項において準用する場合を含む。）、旧法第三十八条若しくは旧法第五十六条第一項後段の規定が適用されるものとした場合にこれらの規定により支給される給付については、第五十九条第二項（第六十六条第四項において準用する場合を含む。）、第六十一条第二項、第六十二条第二項及び第三項、第六十四条並びに第六十七条第二項及び第四項の規定にかかわらず、なお従前の例による。

2 第五十九条第三項又は第六十二条第三項若しくは第四項の規定は、前項の規定により家族療養費又はほ育手当金を受けている者が死亡した場合についても、適用する。

（傷病手当金の支給に関する経過措置）

第十一条 この法律の施行の際現に旧法第五十五条の規定により傷病手当金の支給を受けている者については、前条第一項に定めるもののほか、第六十六条第三項及び第四項の規定にかかわらず、なお従前の例による。

（介護休業手当金に関する暫定措置）

第十一条の二 第六十八条の四第一項及び第三項の規定の適用については、当分の間、これらの規定中「百分の四十」とあるのは、「百分の六十七」とする。

（令和六年度及び令和七年度の出産育児交付金の特例）

第十一条の三 令和六年度及び令和七年度においては、第九十九条の二第二項において準用する健康保険法第百五十二条の四及び第百五十二条の五中「に同年度」とあるのは、「の二分の一に相当する額に同年度」とする。

（特例退職組合員に対する短期給付等）

第十二条 財務省令で定める要件に該当するものとして財務大臣の認可を受けた組合（以下この条において「特定共済組合」という。）の組合員であつた者で健康保険法等の一部を改正する法律（平成十八年法律第八十三号）第十三条の規定による改正前の国民健康保険法第八条の二第一項に規定する退職被保険者であるべきもののうち当該特定共済組合の定款で定めるものは、財務省令で定めるところにより、当該特定共済組合の組合員として短期給付を受けることを希望する旨を当該特定共済組合に申し出ることができる。ただし、第百二十六条の五第二項に規定する任意継続組合員であるときは、この限りでない。

2 前項本文の規定により申出をした者は、この法律の規定中短期給付に係る部分の適用については、別段の定めがあるものを除き、当該特定共済組合の組合員であるものとみなす。

3 前項の規定により特定共済組合の組合員であるものとみなされた者（以下この条及び附則第十四条の二第二項において「特例退職組合員」という。）は、第一項の申出が受理された日からその資格を取得するものとする。

4 特例退職組合員は、同時に二以上の組合の組合員（地方の組合で短期給付に相当する給付を行うものの組合員、私学共済制度の加入者及び健康保険の被保険者（健康保険法第三条第二項に規定する日雇特例被保険者を除く。）を含む。）となることができない。

5 特例退職組合員の標準報酬の月額は、第四十条の規定にかかわらず、前年（一月から三月までの標準報酬の月額にあつては、前々年）の九月三十日における当該特例退職組合員の属する特定共済組合の短期給付に関する規定の適用を受ける全ての組合員（特例退職組合員を除く。）の標準報酬の月額の平均額の範囲内で定款で定める金額を標準報酬の基礎となる報酬月額とみなしたときの標準報酬の月額とする。

6 特例退職組合員は、当該特定共済組合が、その者の短期給付に係る掛金及び国の負担金（介護保険第二号被保険者の資格を有する特例退職組合員にあつては、介護納付金に係る掛金及び国の負担金を含む。）の合算額を基礎として定款で定める金額を、毎月、政令で定めるところにより、当該特定共済組合に払い込まなければならない。

7 第六十六条、第六十八条から第六十八条の五まで、第七十条及び第七十一条の規定にかかわらず、特例退職組合員については、傷病手当金、休業手当金、育児休業手当金、育児休業支援手当金、介護休業手当金、育児時短勤務手当金、弔慰金及び家族弔慰金並びに災害見舞金は、支給しない。

8 特例退職組合員は、第百二十六条の五第二項に規定する任意継続組合員とみなして同条第三項、第四項並びに第五項第一号及び第三号の規定を適用する。この場合において、同条第四項中「第一項」とあるのは「附則第十二条第一項」と、同条第五項第一号中「任意継続組合員となつた日から起算して二年を経過したとき」とあるのは「健康保険法等の一部を改正する法律（平成十八年法律第八十三号）第十三条の規定による改正前の国民健康保険法第八条の二第一項に規定する退職被保険者であるべき者に該当しなくなつたとき」と読み替えるものとする。

9　第百条の二及び第百条の二の二の規定は、特例退職組合員については、適用しない。

10　特例退職組合員に対する短期給付の支給の特例その他特例退職組合員に関し必要な事項は、政令で定める。

（遺族の範囲の特例）

第十二条の二　退職等年金給付に関する規定の適用については、当分の間、組合員（海上保安官その他職務内容の特殊な職員で財務省令で定める者に限る。）が、その生命又は身体に対する高度の危険が予測される状況の下において犯罪の捜査、被疑者の逮捕、犯罪の制止、天災時における人命の救助その他これらに類する職務で財務省令で定めるものに従事し、そのため公務傷病により死亡した場合において、その死亡した者と生計を共にしていた配偶者、子又は父母（第二条第一項第三号に掲げる者に該当するものを除く。）があるときは、これらの者を同号に規定する遺族とみなす。

2　前項に規定する場合における退職等年金給付に関する規定の適用については、当分の間、第二条第三項中「夫、父母又は祖父母は五十五歳以上の者に、子若しくは孫は」とあるのは「子又は孫は、」と、「二十歳未満で」とあるのは「組合員若しくは組合員であつた者の死亡の当時から引き続き」とし、第九十三条第二項（第三号に係る部分に限る。）の規定は、適用しない。

（支給の繰上げ）

第十三条　当分の間、一年以上の引き続く組合員期間を有する者であり、かつ、退職している者であつて、六十歳以上六十五歳未満であるものは、退職年金の支給を連合会に請求することができる。

2　前項の請求があつたときは、その請求をした者に退職年金を支給する。この場合においては、第七十七条の規定は、適用しない。

3　第一項の請求があつた場合における第七十五条から第七十九条の四までの規定の適用については、第七十五条第一項中「退職等年金給付の給付事由が生じた日」とあるのは「附則第十三条第一項の請求をした日」と、「給付事由が生じた日の」とあるのは「請求をした日の」と、同条第三項中「退職等年金給付の給付事由が生じた日」とあるのは「附則第十三条第一項の請求をした日」とするほか、必要な技術的読替えは、政令で定める。

4　前三項に定めるもののほか、退職年金の支給の繰上げについて必要な事項は、政令で定める。

（日本国籍を有しない者に対する一時金の支給）

第十三条の二　当分の間、組合員期間が一年以上である日本国籍を有しない者であり、かつ、退職している者（第三十九条第一項の規定による退職等年金給付の請求を行つた者を除く。）であつて、当該組合員期間に係る厚生年金保険法附則第二十九条第一項の規定による脱退一時金の支給を請求したものは、一時金の支給を請求することができる。ただし、その者が公務障害年金その他政令で定める給付を受ける権利を有したことがあるときは、この限りでない。

2　前項の請求があつたときは、その請求をした者に一時金を支給する。

3　前項の規定による一時金の額は、退職をした日における給付算定基礎額の二分の一に相当する金額とする。この場合において、第七十五条第一項中「退職等年金給付の給付事由が生じた日における当該退職等年金給付」とあるのは「退職をした日における一時金」と、「当該給付事由が生じた日の」とあるのは「当該退職をした日の」と、同条第三項中「退職等年金給付の給付事由が生じた日」とあるのは「同項に規定する退職をした日」とする。

4　第二項の規定による一時金の支給を受けたときは、その額の算定の基礎となつた組合員であつた期間は退職等年金給付に関する規定の適用について組合員期間でなかつたものとみなし、当該期間に係る給付算定基礎額は零とみなす。

5　第二項の規定による一時金について第四十八条及び第四十九条の規定を適用する場合には、第四十八条中「退職年金」とあるのは「退職年金若しくは一時金」と、第四十九条中「退職年金及び」とあるのは「退職年金及び一時金並びに」とする。

6　第二項の規定による一時金は、第三十九条第一項、第四十四条第一項、第三項及び第四項、第四十六条第一項、第七十五条の九、第百三条、第百六条並びに第百十五条第一項の規定の適用については、退職等年金給付とみなす。

（公務障害年金等に関する暫定措置）

第十四条　第七十九条の三第一項、第八十四条第一項及び第九十条第一項の規定の適用については、当分の間、第七十九条の三第一項中「六十五歳」とあるのは「六十歳」と、第八十四条第一項及び第九十条第一項中「六十四歳」とあるのは「五十九歳」とするほか、必要な技術的読替えその他必要な事項は、政令で定める。

（介護納付金に係る掛金の徴収の特例）

第十四条の二　介護納付金に係る掛金は、第百条第一項及び第二項の規定により徴収するもののほか、組合の定款で定めるところにより、当該組合の組合員が介護保険第二号被保険者の資格を有しない日（当該組合員に介護保険第二号被保険者の資格を有する被扶養者がある日に限る。）を含む月（政令で定めるものを除く。）であつて定款で定めるものにつき、徴収することができる。

２　前項の規定により介護納付金に係る掛金を徴収することとした組合の第百二十六条の五第二項に規定する任意継続組合員及び特例退職組合員に対する同項及び附則第十二条第六項の規定の適用については、第百二十六条の五第二項中「介護保険第二号被保険者の資格を有する任意継続組合員」とあるのは「介護保険第二号被保険者の資格を有する任意継続組合員及び介護保険第二号被保険者の資格を有しない任意継続組合員（介護保険第二号被保険者の資格を有しない任意継続組合員にあつては、介護保険第二号被保険者の資格を有する被扶養者がある者で定款で定めるものに限る。）」と、附則第十二条第六項中「介護保険第二号被保険者の資格を有する特例退職組合員」とあるのは「介護保険第二号被保険者の資格を有する特例退職組合員及び介護保険第二号被保険者の資格を有しない特例退職組合員（介護保険第二号被保険者の資格を有しない特例退職組合員にあつては、介護保険第二号被保険者の資格を有する被扶養者がある者で定款で定めるものに限る。）」とする。

（短期給付に係る財政調整事業）

第十四条の三　連合会は、第二十一条第二項及び第四項に規定する業務のほか、当分の間、政令で定めるところにより、組合の短期給付（第五十一条に規定する短期給付を除く。）の掛金（介護納付金に係るものを含む。）に係る不均衡を調整するための交付金の交付の事業その他組合の短期給付に係る事業のうち共同して行うことが適当と認められる事業として政令で定める事業を行うことができる。

２　連合会が前項の規定により行う交付金の交付の事業に要する費用のうち、財務大臣が定める基準を超える著しい掛金に係る不均衡を調整するための交付金の交付に要する費用として政令で定めるところにより算定した費用は、組合からの連合会に対する特別拠出金をもつて充てるものとする。

３　連合会が第一項の規定により行う事業に要する費用（前項の規定により特別拠出金をもつて充てられる費用を除く。）は、次に掲げる調整拠出金又は預託金の運用収入をもつて充てるものとする。

一　組合からの連合会に対する調整拠出金

二　組合からの連合会に対する預託金の運用収入

４　組合は、政令で定めるところにより、第二項の特別拠出金若しくは前項第一号の調整拠出金を連合会に拠出し、又は短期給付に係る業務上の余裕金のうちから同項第二号の預託金を連合会に預託するものとする。

５　前項の規定により連合会に拠出する特別拠出金の拠出に要する費用は、国、行政執行法人若しくは職員団体、独立行政法人のうち別表第二に掲げるもの若しくは国立大学法人等又は組合若しくは連合会が、政令で定めるところにより、負担するものとする。

６　第九十九条第一項第一号及び第二項第一号の規定の適用については、第三項第一号の調整拠出金は、短期給付に要する費用とみなす。

７　第一項の規定による交付金の交付を受ける組合に係る第九十九条第一項第一号及び第二項第一号並びに第百条第三項の規定の適用については、当該交付金は、掛金とみなす。

８　連合会は、第一項の規定により行う事業に係る経理については、その他の事業に係る経理と区分しなければならない。

９　第三十五条第五項及び第六項の規定は、第一項の規定により行う事業については、適用しない。

10　第二項から前項までに規定するもののほか、第一項の規定により行う事業の実施に関し必要な事項は、政令で定める。

（組合員に係る福祉増進事業）

第十四条の四　組合及び連合会は、第三条第三項から第五項まで並びに第二十一条第二項及び第四項に規定する業務のほか、当分の間、政令で定めるところにより、次に掲げる事業を行うことができる。

一　組合員で勤労者財産形成促進法（昭和四十六年法律第九十二号）第九条第一項の政令で定める要件を満たす者にその持家としての住宅の建設若しくは購入のための資金（当該住宅の用に供する宅地又はこれに係る借地権の取得のための資金を含む。）又はその持家である住宅の改良のための資金を貸し付ける事業

二　前号に掲げる事業のほか、組合員の福祉の増進に資する事業として政令で定める事業

２　組合及び連合会は、前項の規定により行う事業に係る経理については、その他の事業に係る経理と区分しなければならない。

３　第十条並びに第三十五条第五項及び第六項の規定は、第一項の規定により行う事業については、適用しない。

4　前二項に規定するもののほか、第一項の規定により行う事業の実施に関し必要な事項は、政令で定める。

（従前の行為に対する罰則の適用）

第十五条　この法律の施行前にした行為に対する罰則の適用については、なお従前の例による。

（連合会組合の設立に伴う権利義務の承継）

第十六条　第百二十六条第一項の規定による組合（以下「連合会組合」という。）が成立した場合には、その組合員となるべき者を被保険者とする健康保険組合は、連合会組合が成立した日に解散するものとし、その権利義務は、健康保険法第四十条の規定にかかわらず、政令で定めるところにより、連合会組合が承継する。

（組合職員等の健康保険法の被保険者であつた期間に係る給付の取扱）

第十七条　組合職員又は連合会役職員で、施行日（連合会役職員については、連合会組合の成立の日）において第百二十五条第一項又は第百二十六条第二項の規定により組合員となつたものに対する短期給付に関する規定の適用については、その者は、その組合員となつた日前の健康保険の被保険者であつた期間、組合員であつたものとみなし、その組合員となつた日において現に健康保険法による保険給付を受けている場合には、当該保険給付は、この法律に基いて当該保険給付に相当する給付として受けていたものとみなし、その者が組合員となつた組合は、そのなつた日以後に係る給付を支給するものとする。

（組合職員等の厚生年金保険の被保険者であつた期間の取扱）

第十八条　前条に規定する者でその組合員となつた際現に厚生年金保険法による厚生年金保険の被保険者であつたもののその被保険者であつた期間は、この法律の適用については、組合員であつた期間とみなす。

2　前項に規定する者の同項の規定により組合員期間とみなされた期間は、その組合員となつた日以後においては、厚生年金保険の被保険者でなかつたものとみなす。

（厚生保険特別会計からの交付金）

第十九条　政府は、厚生保険特別会計の積立金のうち、前条に規定する者の厚生年金保険の被保険者であつた期間に係る部分を、政令で定めるところにより、施行日（連合会役職員に係る部分については、連合会組合の成立の日）から一年以内に厚生保険特別会計から組合に交付するものとする。

（病床転換支援金等の納付が行われる場合における組合の業務等の特例）

第二十条　高齢者の医療の確保に関する法律附則第二条に規定する政令で定める日までの間、同法附則第七条第一項に規定する病床転換支援金等の納付が同条第二項の規定により行われる場合における第三条第四項及び第九十九条第一項の規定の適用については、第三条第四項中「後期高齢者支援金等」という。）」とあるのは「後期高齢者支援金等」という。）並びに同法附則第七条第一項に規定する病床転換支援金等（以下「病床転換支援金等」という。）」と、第九十九条第一項中「及び後期高齢者支援金等」とあるのは「、後期高齢者支援金等及び病床転換支援金等」とする。

（郵政会社等の役職員の取扱い）

第二十条の二　当分の間、郵政会社等の役員及び郵政会社等に使用される者であつて、職員に準ずるものとして政令で定めるもの（以下「郵政会社等役職員」という。）をもつて組織する共済組合を設ける。

2　前項の「郵政会社等」とは、次に掲げるものをいう。

一　日本郵政株式会社

二　日本郵便株式会社

三　郵政民営化法（平成十七年法律第九十七号）第九十四条に規定する郵便貯金銀行（以下この号において「郵便貯金銀行」という。）及び次に掲げる法人であつてその行う事業の内容、人的構成その他の事情を勘案して財務大臣が定めるもの

イ　郵便貯金銀行の事業の全部又は一部を譲り受けた法人

ロ　郵便貯金銀行との合併後存続する法人又は合併により設立された法人

ハ　会社分割により郵便貯金銀行の事業を承継した法人

ニ　郵便貯金銀行又はイからハまでに掲げる法人（この号の規定により財務大臣が定めたものに限る。）について政令で定める組織の再編成があつた場合における当該組織の再編成後の法人

四　郵政民営化法第百二十六条に規定する郵便保険会社（以下この号において「郵便保険会社」という。）及び次に掲げる法人であつてその行う事業の内容、人的構成その他の事情を勘案して財務大臣が定めるもの

イ　郵便保険会社の事業の全部又は一部を譲り受けた法人

ロ　郵便保険会社との合併後存続する法人又は合併により設立された法人

ハ　会社分割により郵便保険会社の事業を承継した法人

ニ　郵便保険会社又はイからハまでに掲げる法人（この号の規定により財務大臣が定めたものに限る。）に

ついて政令で定める組織の再編成があつた場合における当該組織の再編成後の法人

五　独立行政法人郵便貯金簡易生命保険管理・郵便局ネットワーク支援機構

3　財務大臣は、前項第三号又は第四号の規定による定めをしようとするときは、あらかじめ、厚生労働大臣に協議しなければならない。

4　第一項の規定により共済組合を設けた場合には、郵政会社等役職員は職員と、同項の共済組合は組合と、郵政会社等の業務は公務とそれぞれみなして、この法律（第六十八条の二から第六十八条の五まで及び附則第十四条の四を除く。）の規定を適用する。この場合において、次の表の上欄に掲げる規定中同表の中欄に掲げる字句は、それぞれ同表の下欄に掲げる字句とするほか、必要な技術的読替えは、政令で定める。

第五条第一項	各省各庁の長をいう。）	各省各庁の長をいう。）又は郵政会社等を代表する者（同項に規定する郵政会社等を代表する者をいう。）
第八条第一項	各省各庁の長」という。）	各省各庁の長」という。）又は郵政会社等（附則第二十条の二第二項に規定する郵政会社等をいう。以下附則第十四条の三までにおいて同じ。）が当該郵政会社等を代表する者として財務大臣に届け出た者（以下「郵政会社等を代表する者」という。）
	行政執行法人の職員	行政執行法人の職員又は郵政会社等の所属の職員
第八条第二項	各省各庁の長	各省各庁の長又は郵政会社等を代表する者
第十一条第二項	場合には	場合には、組合の代表者が各省各庁の長であるときは
	協議しなければ	協議しなければならず、組合の代表者が郵政会社等を代表する者であるときは、あらかじめ財務大臣の認可を受けなければ
第三十一条第一号	を除く。）、地方公共団体	を除く。）、郵政会社等の役職員（非常勤の者を除く。）、地方公共団体
第三十七条第一項	行政執行法人	行政執行法人又は郵政会社等
第九十九条第一項第一号及び第三号	行政執行法人の負担に係るもの	行政執行法人の負担に係るもの並びに附則第二十条の二第四項において読み替えて適用する第五項の規定による郵政会社等の負担に係るもの
第九十九条第二項	国	国又は郵政会社等
第九十九条第三項	を除く。）を含む	並びに附則第二十条の二第四項において読み替えて適用する第五項の規定による郵政会社等の負担に係るものを除く。）を含む
第九十九条第五項	負担する	負担し、郵政会社等は政令で定めるところにより郵政会社等が負担することとなる金額を負担する
第百二条第一項及び第四項	行政執行法人	行政執行法人、郵政会社等
第百四条第三項及び第百五条第一項	国	国又は郵政会社等
第百十一条第三項	掛金	掛金若しくはこの法律の規定による負担金若しくは延滞金（附則第二十条の二第一項に規定する日本郵政共済組合に係るものに限る。）

第百二十二条	又は行政執行法人	、行政執行法人又は郵政会社等（附則第二十条の七第一項に規定する適用法人を含む。第百二十六条の五第二項及び附則第十四条の三第五項において同じ。）
第百二十六条の五第二項	国	国又は郵政会社等
第百三十条	役員	役員又は郵政会社等を代表する者
	第二十五条	第二十五条又は附則第二十条の三
附則第十二条第六項	国	国又は郵政会社等
附則第十四条の三第五項	国立大学法人等	国立大学法人等若しくは郵政会社等

（日本郵政共済組合の登記）

第二十条の三　日本郵政共済組合（前条第四項の規定により組合とみなされた同条第一項に規定する郵政会社等役職員をもつて組織する共済組合をいう。以下同じ。）は、政令で定めるところにより、登記しなければならない。

2　前項の規定により登記しなければならない事項は、登記の後でなければ、これをもつて第三者に対抗することができない。

（運営審議会の委員の数の特例等）

第二十条の四　日本郵政共済組合の運営審議会の委員の数は、第九条第二項の規定にかかわらず、定款で定める数とする。

2　第十三条の規定は、日本郵政共済組合に使用され、その事務に従事するものについては、適用しない。

（事務に要する費用の補助）

第二十条の五　国は、予算の範囲内において、日本郵政共済組合に対し、附則第二十条の二第四項の規定により読み替えられた第九十九条第五項に規定する費用の一部を補助することができる。

（組合員の範囲の特例等）

第二十条の六　郵政会社等（附則第二十条の二第二項に規定する郵政会社等をいう。以下同じ。）とそれぞれ業務、資本、人的構成その他について密接な関係を有するものとして政令で定める要件に該当する法人であつて財務大臣の承認を受けたものに使用される者のうち職員に相当する者として政令で定める者は、日本郵政共済組合を組織する郵政会社等役職員とみなして、この法律（第六十八条の二から第六十八条の五まで及び附則第十四条の四を除く。）の規定を適用する。

2　附則第二十条の二第三項の規定は、財務大臣が前項の規定による承認をしようとする場合について準用する。

3　第一項の規定により財務大臣の承認を受けようとする場合の申請の手続その他同項の承認に関し必要な事項は、政令で定める。

（適用法人に対する法律の規定の適用の特例）

第二十条の七　前条第一項の規定によりこの法律の規定を適用するものとされた財務大臣の承認を受けた法人（以下「適用法人」という。）の役職員（非常勤の者を除く。）は、附則第二十条の二第四項の規定により読み替えられた第三十一条の規定の適用については、郵政会社等の役職員とみなす。

2　適用法人の業務は、第四章の規定の適用については、郵政会社等の業務とみなす。

3　適用法人は、第六章（附則第二十条の二第四項の規定により読み替えて適用する場合を含む。）の規定の適用については、郵政会社等とみなす。

（組合員等に対する督促及び延滞金の徴収）

第二十条の八　日本郵政共済組合は、掛金等又は負担金を滞納した組合員又は郵政会社等若しくは適用法人に対し、期限を指定して、掛金等又は負担金の納付を督促しなければならない。

2　前項の規定による督促は、督促状を発してしなければならない。この場合において、督促により指定すべき期限は、督促状を発する日から起算して十日以上を経過した日でなければならない。

3　第一項の規定による督促は、時効の更新の効力を有する。

4　第一項の規定によつて督促したときは、日本郵政共済組合は、掛金等又は負担金の額に、納付期限の翌日から掛金等若しくは負担金の完納又は財産の差押えの日の前日までの期間の日数に応じ、年十四・六パーセント（当該納付期限の翌日から三月を経過する日までの期間については、年七・三パーセント）の割合を乗じて計算した延滞金を徴収する。ただし、掛金等又は負担金の額が千円未満であるとき、又は延滞につきやむを得ない事情があると認められるときは、この限りでない。

5 前項に規定する延滞金の年十四・六パーセントの割合及び年七・三パーセントの割合は、当分の間、同項の規定にかかわらず、各年の延滞税特例基準割合（租税特別措置法（昭和三十二年法律第二十六号）第九十四条第一項に規定する延滞税特例基準割合をいう。以下この項において同じ。）が年七・三パーセントの割合に満たないときは、その年中においては、年十四・六パーセントの割合にあつては当該延滞税特例基準割合に年七・三パーセントの割合を加算した割合とし、年七・三パーセントの割合にあつては当該延滞税特例基準割合に年一パーセントの割合を加算した割合（当該加算した割合が年七・三パーセントの割合を超える場合には、年七・三パーセントの割合）とする。

6 第四項の規定により延滞金を徴収した場合において、掛金等又は負担金の一部について納付があつたときは、その納付の日以後の期間に係る延滞金の計算の基礎となる掛金等又は負担金の額は、その納付のあつた掛金等又は負担金の額を控除した金額による。

7 掛金等又は負担金の額に千円未満の端数があるときは、延滞金は、その端数を切り捨てて計算する。

8 督促状に指定した期限までに掛金等若しくは負担金を完納したとき、又は前四項の規定によつて計算した金額が十円未満のときは、延滞金は、徴収しない。

9 延滞金の金額に十円未満の端数があるときは、その端数は、切り捨てる。

（滞納処分）

第二十条の九 前条第一項の規定による督促を受けた組合員又は郵政会社等若しくは適用法人が、同項の規定により指定された期限までに掛金等又は負担金を完納しないときは、日本郵政共済組合は、国税滞納処分の例によつてこれを処分し、又は組合員若しくは郵政会社等若しくは適用法人の住所若しくは財産がある市町村（特別区を含む。以下この条において同じ。）に対して、その処分を請求することができる。

2 日本郵政共済組合は、前項の規定により国税滞納処分の例により処分しようとするときは、財務大臣の認可を受けなければならない。

3 市町村は、第一項の規定による処分の請求を受けたときは、市町村税の滞納処分の例によつてこれを処分することができる。この場合においては、日本郵政共済組合は、徴収金額の百分の四に相当する金額を当該市町村に交付しなければならない。

（先取特権の順位）

第二十条の十 掛金等、負担金その他この法律の規定による日本郵政共済組合の徴収金の先取特権の順位は、国税及び地方税に次ぐものとする。

（徴収に関する通則）

第二十条の十一 掛金等、負担金その他この法律の規定による日本郵政共済組合の徴収金は、この法律に別段の規定があるものを除き、国税徴収の例により徴収する。

（政令への委任）

第二十条の十二 附則第二十条の二から前条までに規定するもののほか、郵政会社等役職員、郵政会社等、日本郵政共済組合及び適用法人に対するこの法律の規定の適用に関し必要な事項は、政令で定める。

第二十一条～第三十条〔関係法律の一部改正省略〕

附　則（昭三四・四・二〇法一四八）（抄）

（施行期日）

1 この法律は、国税徴収法（昭和三十四年法律第百四十七号）の施行の日（昭三五・一・一）から施行する。

附　則（昭三四・五・一五法一六三）（抄）

改正　昭五七・七・一六法六六

（施行期日）

第一条 この法律は、公布の日から施行する。ただし、次の各号に掲げる改正規定は、当該各号に掲げる日から施行する。

一 第一条中国家公務員共済組合法第七十二条及び第百条第三項の改正規定、同法第百二十六条の次に一条を加える改正規定、同法附則第十三条の改正規定、同条の次に七条を加える改正規定並びに同法附則第十四条及び附則第二十条第一項第一号の改正規定〔中略〕及び附則第四条から第六条までの規定　昭和三十四年十月一日

二 〔略〕

第二条 改正後の国家公務員共済組合法（以下「改正後の法」という。）第六十七条第三項及び第四項、第七十九条第四項、第八十三条第四項中組合員であつた期間が十年以上である者に係る部分、第八十四条第三項、第八十七条第一項、第八十八条第二項及び第三項、第九十九条第二項から第四項まで並びに第百二十五条第一項〔中略〕の規定は、昭和三十四年一月一日から適用する。

（従前の給付の取扱）

第三条 この法律の公布の日前に給付事由の起因となる事実が生じた改正前の国家公務員共済組合法（以下「改正前の法」という。）第六十二条第二項の規定による給付〔中略〕については、なお従前の例による。

2 昭和三十四年一月一日からこの法律の公布の日の前日までの間に改正前の法〔中略〕の規定により支給された給付で、改正後の法第七十九条第四項、第八十四条第三項若しくは第八十七条第一項〔中略〕の規定の適用を受けることとなるものがあるときは、当該給付の支払は、改正後の法〔中略〕の規定によつて支給する給付の内払とみなす。

3 昭和三十四年一月一日からこの法律の公布の日の前日までの

間において給付事由が生じた改正前の法〔中略〕の規定による年金である給付で、改正後の法第八十八条第二項若しくは第三項〔中略〕の規定の適用を受けることとなるものの同日の属する月分までとして支給すべき金額については、これらの規定にかかわらず、なお従前の例による。

（任命について国会の同意を要する職員等に関する経過措置）

第四条　昭和三十四年九月三十日において改正前の施行法第二条第一項第四号に規定する恩給公務員であつた職員で同年十月一日において改正後の法第七十二条第二項の規定に該当するものについては、その者が同日以後引き続き当該職員である間、改正後の施行法第四条の規定は、適用しない。

2　昭和三十四年九月三十日において改正前の施行法第二条第一項第六号に規定する長期組合員であつた職員で同年十月一日において改正後の法第七十二条第二項の規定に該当するものについては、同項の規定にかかわらず、その者が同日以後引き続き当該職員である間、長期給付に関する規定を適用する。

（消防職員に関する経過措置）

第六条　改正前の法附則第二十条第一項第一号の規定による組合員であつた者で同号の改正規定の施行により組合員の資格を喪失したもの（以下この条において「消防職員」という。）は、昭和三十四年十月一日において、当該消防職員が属する地方公共団体の職員が組織する市町村職員共済組合の組合員又は健康保険組合の被保険者となるものとする。

2　前項の規定により市町村職員共済組合の組合員又は健康保険組合の被保険者となつた者に対する市町村職員共済組合法（昭和二十九年法律第二百四号）の保健給付及び休業給付に関する規定又は健康保険法（大正十一年法律第七十号）の規定の適用については、その者は、その改正前の法附則第二十条第一項第一号に掲げる組合（以下この条において「警察共済組合」という。）の組合員であつた期間、市町村職員共済組合の組合員又は健康保険組合の被保険者であつたものとみなし、そのなつた際現に改正前の法による短期給付を受けている場合には、当該給付は、市町村職員共済組合法又は健康保険法のこれに相当する給付として受けていたものとみなし、その者が組合員又は被保険者となつた市町村職員共済組合又は健康保険組合は、そのなつた日以後に係る給付を支給するものとする。

3　第一項の規定により消防職員がその組合員又は被保険者となつた市町村職員共済組合又は健康保険組合は、政令で定めるところにより、その者に係る権利義務を警察共済組合から承継するものとする。

4　消防職員で改正前の法の長期給付に関する規定の適用を受けていたものに対しては、同法附則第二十条第一項第一号の改正規定の施行により組合員の資格を喪失したことによる長期給付は、支給しない。この場合において、警察共済組合は、その者に係る責任準備金に相当する金額を、政令で定めるところにより、その者が属することとなつた市町村職員共済組合（その者が市町村職員共済組合法附則第二十一項後段に規定する市町村又は都に属するときは、当該市町村又は都とする。）に引き継がなければならない。

5　前項前段に規定する者の改正前の法による長期給付の基礎となる組合員である期間は、市町村職員共済組合法に規定する退職給付、障害給付及び遺族給付の基礎となる組合員である期間に通算する。

6　市町村職員共済組合法附則第二十一項後段に規定する市町村又は都は、第四項前段に規定する者の改正前の法による長期給付の基礎となる組合員である期間を、その者に適用される市町村職員共済組合法附則第二十一項後段に規定する長期給付に相当する給付の基礎となる在職期間又はその者に適用される退職年金及び退職一時金に関する条例に規定する退職年金若しくは退職一時金の基礎となる在職期間に通算する措置を講じなければならない。

附　則（昭三四・五・一五法一六四）（抄）

1　この法律は、公布の日から施行する。

附　則（昭三五・六・二三法九九）（抄）

（施行期日）

第一条　この法律は、公布の日から施行する。〔ただし書略〕

附　則（昭三五・六・三〇法一一三）（抄）

（施行期日）

第一条　この法律は、昭和三十五年七月一日から施行する。

（経過規定）

第二条　この法律の施行の際現に総理府及び自治庁の附属機関である機関並びに国家消防本部に附置されている機関で自治省及び消防庁の相当の附属機関となるものの委員（予備委員を含む。以下この条において同じ。）である者は、それぞれ自治省及び消防庁の相当の附属機関の委員となるものとし、この法律の施行の際現に自治庁及び国家消防本部の職員である者は、別に辞令を発せられない限り、同一の勤務条件をもつて自治省の職員となるものとする。

第二十六条　総理府（内閣及び自治省を含む。）に所属する職員（この法律による改正後の国家公務員共済組合法第三条第二項第一号に掲げる職員を除く。）をもつて組織される組合は、政令で定めるところにより、国家消防本部に属していた職員に係る権利義務をこの法律による改正前の国家公務員共済組合法第三条第二項第一号イに掲げる職員をもつて組織する組合から承継するものとする。

附　則（昭三六・六・一法一〇二）（抄）

（施行期日）

1　この法律は、公布の日から施行する。ただし〔中略〕附則第三項の規定は、昭和三十七年一月一日から施行する。

附　則（昭三六・六・一九法一五二）（抄）

最終改正　昭五七・七・一六法六六

（施行期日）

第一条　この法律は、公布の日から施行する。〔ただし書略〕

（給付に関する規定の一般的適用区分）

第二条　改正後の国家公務員共済組合法（以下「改正後の法」という。）第七十六条第二項、第八十七条第二項及び第三項、第八十八条第二項及び第三項、第百二十一条第三項、附則第十三条の二第三項及び別表第三〔中略〕の規定は、この法律の施行の日（以下「施行日」という。）以後に給付事由が生じた給付について適用し、同日前に給付事由が生じた給付については、なお従前の例による。

2　〔略〕

（給付金からの控除等に関する経過措置）

第三条　改正後の法第四十六条第一項及び第九十六条の規定は、施行日以後の組合員期間に係る掛金及び同日以後に給付事由が生じた給付について適用する。

（損害賠償の請求権に関する経過措置）

第四条 改正後の法第四十八条第一項の規定は、第三者の行為により施行日以後に給付事由が生じた場合について適用し、同日前に給付事由が生じた場合については、なお従前の例による。

（出産費等に関する経過措置）

第五条 施行日前に出産した組合員若しくは組合員であつた者又は組合員の被扶養者である配偶者に係る出産費、配偶者出産費又は育児手当金の支給については、なお従前の例による。

（傷病手当金の支給に関する経過措置）

第六条 この法律の施行の際現に改正前の国家公務員共済組合法（以下「改正前の法」という。）第六十六条の規定により傷病手当金の支給を受けている者に対する当該手当金の支給の期間については、なお従前の例による。

（国等の負担金に関する経過措置）

第七条 改正後の法第九十九条第二項の規定は、施行日の属する月分以後の国（同法附則第二十条第三項の場合にあつては、地方公共団体。以下この条において同じ。）の負担金について適用し、同月前の月分の国の負担金については、なお従前の例による。

（公庫等に転出した復帰希望職員についての特例に関する経過措置）

第八条 改正後の法第百二十四条の二の規定は、施行日以後に同条第一項に規定する公庫等職員となるため退職した者について適用する。

（住宅金融公庫の役職員に関する経過措置）

第九条 この法律の施行の際現に住宅金融公庫に在職する者（同公庫に在職することとなつた日の前日において国の職員であつた者に限る。）で住宅金融公庫法の一部を改正する法律（昭和三十一年法律第二十五号）附則第二項の規定により恩給法（大正十二年法律第四十八号）の規定が準用されているものは、恩給に関する法令の規定の適用については、第六項の規定の適用がある場合を除き、施行日の前日において退職したものとみなす。

2 前項の規定に該当する者（以下「公庫職員」という。）が、施行日から六十日以内に、政令で定めるところにより、その者の施行日以後の引き続く公庫職員としての在職期間を、これに引き続き再び組合員の資格を取得したとき（以下「復帰したとき」という。）の改正後の法第三十八条の規定による組合員期間の計算上組合員期間とみなされることを希望する旨を、公庫職員となる前の組合に申し出たときは、その者に係る恩給（次に掲げるものを除く。）は、その申出をした者（以下この条において「復帰希望職員」という。）が引き続き公庫職員として在職する間、その支払を差し止める。

一 その者が恩給に関する法令の規定により遺族として受ける恩給

二 その者が施行日前に支払を受けるべきであつた恩給で同日前にその支払を受けなかつたもの

三 増加恩給、傷病年金及び傷病賜金

3 復帰希望職員が引き続き公庫職員として在職し、引き続き復帰したとき（その後六月以内に退職したときを除く。）は、改正後の法又は改正後の施行法の長期給付に関する規定（改正後の法第六章の規定を除く。）の適用については、その者は、施行日以後の公庫職員であつた期間引き続き組合員であつたものとみなす。

4 前項の規定の適用を受けた者に係る恩給（第二項各号に掲げるものを除く。）を受ける権利は、施行日の前日に消滅したものとみなす。ただし、増加恩給と併給される普通恩給を受ける権利は、同日からその者が復帰した日の前日まで停止したものとする。

5 改正後の法第百二十四条の二第二項ただし書及び第三項から第五項までの規定は、復帰希望職員について準用する。この場合において、同条第四項中「当該復帰希望職員の転出の時」とあるのは、「国家公務員共済組合法等の一部を改正する法律（昭和三十六年法律第百五十二号）の施行の日」と読み替えるものとする。

6 第一項に規定する者のうち、施行日の前日において退職したものとみなした場合に普通恩給を受ける権利を有しないこととなる者は、恩給に関する法令の規定の適用については、その者の引き続く公庫職員としての在職期間中普通恩給についての最短恩給年限に達する日において退職したものとみなし、その者については、前四項の規定を準用する。この場合において、第二項から第四項まで中「施行日」とあり、又は前項中「国家公務員共済組合法等の一部を改正する法律（昭和三十六年法律第百五十二号）の施行の日」とあるのは、「普通恩給についての最短恩給年限に達する日」と読み替えるものとする。

（公団等の役職員に関する経過措置）

第十条 この法律の施行の際現に日本住宅公団、愛知用水公団、農地開発機械公団、日本道路公団、森林開発公団、原子燃料公社、公営企業金融公庫、労働福祉事業団、中小企業信用保険公庫又は首都高速道路公団（以下この項において「公団等」という。）に在職する者（公団等に在職することとなつた日の前日において国の職員であつた者に限る。）で、引き続き公団等に在職し、更に引き続いて恩給法第十九条に規定する公務員（以下「公務員」という。）又は同条に規定する公務員とみなされる者（以下「公務員とみなされる者」という。）となつたものとした場合に、次に掲げる法律の規定により当該公団等の役員又は職員としての在職年月数を公務員又は公務員とみなされる者の在職年月数に通算されることとなるもの（以下「公団等職員」という。）が、施行日から六十日以内に、政令で定めるところにより、その者の施行日以後の引き続く公団等職員としての在職期間を、これに引き続き復帰したときの改正後の法第三十八条の規定による組合員期間の計算上組合員期間とみなされることを希望しない旨を、公団等職員となる前の組合に申し出たときは、改正後の施行法第四十一条第四項の規定は、施行日以後、その者については適用しない。

一 日本住宅公団法（昭和三十年法律第五十三号）第五十九条第三項及び第四項

二 愛知用水公団法（昭和三十年法律第百四十一号）第四十八条第三項及び第四項

三 農地開発機械公団法（昭和三十年法律第百四十二号）第三十七条第三項及び第四項

四 日本道路公団法（昭和三十一年法律第六号）第三十七条第三項及び第四項

五 森林開発公団法（昭和三十一年法律第八十五号）第四十四

条第三項及び第四項

六　原子燃料公社法（昭和三十一年法律第九十四号）第三十七条第一項及び第二項

七　公営企業金融公庫法（昭和三十二年法律第八十三号）第三十九条第三項及び第四項

八　労働福祉事業団法（昭和三十二年法律第百二十六号）第三十五条第三項及び第四項

九　中小企業信用保険公庫法（昭和三十三年法律第九十三号）第二十九条第一項及び第二項

十　首都高速道路公団法（昭和三十四年法律第百三十三号）第四十八条第三項及び第四項並びに同法附則第十二条第一項

十一　雇用促進事業団法（昭和三十六年法律第百十六号）附則第十三条第一項

2　前項の申出をしなかつた公団等職員（以下この条において「復帰希望職員」という。）が引き続き公団等職員として在職し、引き続き復帰したとき（その後六月以内に退職したときを除く。）は、改正後の法又は改正後の施行法の長期給付に関する規定（改正後の法第六章の規定を除く。）の適用については、その者は、施行日以後の公団等職員であつた期間引き続き組合員であつたものとみなす。

3　前項の規定に該当する者に対する改正後の施行法第四十一条第四項の規定の適用については、同項中「当該期間」とあるのは、「当該期間（国家公務員共済組合法等の一部を改正する法律（昭和三十六年法律第百五十二号）の施行の日前の期間に限る。）」とする。

4　前条第五項の規定は、復帰希望職員について準用する。

（その他の公庫等職員に関する経過措置）

第十一条　この法律の施行前に公務員若しくは公務員とみなされる者又は組合員（長期給付に関する規定の適用を受けない者を除く。）であつた者で、任命権者又はその委任を受けた者の要請に応じ、引き続いて改正後の法第百二十四条の二に規定する公庫等職員となり、引き続きこの法律の施行の際現に当該公庫等職員として在職するもの（その在職することとなつた日の前日において国の職員であつた者に限るものとし、公庫職員、公団等職員並びに附則第二十二条に規定する復帰希望役職員及び復帰希望組合員を除く。以下「その他の公庫等職員」という。）が、施行日から六十日以内に、政令で定めるところにより、その者の施行日以後の引き続くその他の公庫等職員としての在職期間を、これに引き続き復帰したときの改正後の法第三十八条の規定による組合員期間の計算上組合員とみなされることを希望する旨をその他の公庫等職員となる前の組合に申し出たときは、その者に係る普通恩給（改正前の国家公務員共済組合法の長期給付に関する施行法（以下「改正前の施行法」という。）第五条第二項ただし書（同法第四十一条第一項又は第四十二条第一項において準用する場合を含む。）の規定の適用を受けた普通恩給を除く。）並びに退職年金、減額退職年金、通算退職年金及び障害年金は、その申出をした者（以下この条において「復帰希望職員」という。）が引き続きその他の公庫等職員として在職する間、その支払を差し止める。

2　附則第九条第三項から第五項までの規定は、復帰希望職員について準用する。この場合において、同条第四項中「恩給（第二項各号に掲げるものを除く。）」とあるのは「附則第十一条第一項に規定する普通恩給並びに退職年金、減額退職年金、通算退職年金及び障害年金」と、「増加恩給と併給される普通恩給」とあるのは「改正前の施行法第六条第一項ただし書（同法第四十一条第一項又は第四十二条第一項において準用する場合を含む。）の規定の適用を受けた退職年金」と読み替えるものとする。

（組合職員の取扱いに関する経過措置）

第十二条　施行日前に組合職員が職員となり、又は職員が組合職員となつた場合における長期給付に関する規定の適用については、なお従前の例による。

（石炭鉱業合理化事業団の復帰希望役職員等の取扱いに関する経過措置）

第二十二条　この法律の施行の際現に改正前の石炭鉱業合理化臨時措置法第五十三条の三第一項に規定する復帰希望役職員、改正前の炭鉱離職者臨時措置法第四十二条第一項に規定する復帰希望組合員又は改正前の医療金融公庫法附則第十項に規定する復帰希望役職員に該当する者に対する国家公務員共済組合法の長期給付に関する規定の適用並びにこれらの者に係る掛金及び負担金については、なお従前の例による。

附　則（昭三六・一一・一法一八二）（抄）

最終改正　昭六〇・一二・二七法一〇五

（施行期日）

第一条　この法律は、公布の日から施行し、この附則に特別の定めがあるものを除き、昭和三十六年四月一日から適用する。

（国家公務員共済組合法の一部改正に伴う経過措置）

第十八条　改正後の国家公務員共済組合法第七十九条の二の規定による通算退職年金は、施行日前の退職に係る退職一時金の基礎となつた組合員期間に基づいては、支給しない。ただし、昭和三十六年四月一日から施行日の前日までの間における退職につき改正前の国家公務員共済組合法第八十条の規定による退職一時金の支給を受けた者で、施行日から六十日以内に、その者に係る改正後の国家公務員共済組合法第八十条第二項第二号に掲げる金額（その額が同項第一号に掲げる金額をこえるときは、同号に掲げる金額）に相当する金額（以下附則第二十二条第二項において「控除額相当額」という。）を組合に返還したものの当該退職一時金の基礎となつた組合員期間については、この限りでない。

第十九条　削除

第二十条　改正後の国家公務員共済組合法第八十条又は第九十三条の規定は、施行日以後の退職又は死亡に係る退職一時金又は遺族一時金について適用し、同日前の退職又は死亡に係る退職一時金又は遺族一時金については、なお従前の例による。

第二十一条　施行日前から引き続き組合員であつて次の各号の一に該当する者について改正後の国家公務員共済組合法第八十条第一項及び第二項の規定を適用する場合において、その者が、退職の日から六十日以内に、退職一時金の額の計算上同条第二項第二号に掲げる金額の控除を受けないことを希望する旨を組合に申し出たときは、同条第一項及び第二項の規定にかかわらず、その者の退職一時金については、同条第三項の規定を適用する。

一　明治四十四年四月一日以前に生まれた者

二　施行日から八年以内に退職する者（その退職の場合に国家公務員共済組合法第七十九条の二の規定による通算退職年金

を受ける権利を有することとなる女子以外の女子を除く。）

第二十二条　改正後の国家公務員共済組合法第八十条の二、第八十条の三又は第九十三条の二の規定の適用については、これらの規定に規定する退職一時金には、施行日前の退職に係る退職一時金（次項の規定により同法第八十条第二項の退職一時金とみなされるものを除く。）を含まないものとする。

2　附則第十八条ただし書に規定する者については、その者が支給を受けた同条ただし書の退職に係る退職一時金を改正後の国家公務員共済組合法第八十条第二項の退職一時金とみなして、同法第八十条の二、第八十条の三及び第九十三条の二の規定を適用する。この場合において、同法第八十条の二第二項中「前に退職した日」とあり、又は同法第九十三条の二第二項中「退職した日」とあるのは、「控除額相当額を組合に返還した日」とする。

附　則（昭三七・四・二八法九二）（抄）

（施行期日）

1　この法律は、公布の日から施行する。

附　則（昭三七・五・一五法一三三）（抄）

改正　昭三九・一二・二八法一八五

（施行期日）

1　この法律は、公布の日から起算して十月をこえない範囲内において〔中略〕政令で定める日〔昭三七・一一・一〕から施行する。〔ただし書略〕

（組合の権利義務の承継）

25　防衛施設庁に所属する職員をもつて組織される国家公務員共済組合は、政令で定めるところにより、従前の建設本部に属していた職員で防衛施設庁に所属することとなつたもの（自衛官を除く。）に係る権利義務をこの法律による改正前の国家公務員共済組合法第三条第二項第一号ロに掲げる職員をもつて組織する国家公務員共済組合から承継するものとする。

附　則（昭三七・九・八法一五二）（抄）

（施行期日）

第一条　この法律は、昭和三十七年十二月一日〔中略〕から施行する。〔ただし書略〕

附　則（昭三七・九・一五法一六一）（抄）

1　この法律は、昭和三十七年十月一日から施行する。

2　この法律による改正後の規定は、この附則に特別の定めがある場合を除き、この法律の施行前にされた行政庁の処分、この法律の施行前にされた申請に係る行政庁の不作為その他この法律の施行前に生じた事項についても適用する。ただし、この法律による改正前の規定によつて生じた効力を妨げない。

3　この法律の施行前に提起された訴願、審査の請求、異議の申立てその他の不服申立て（以下「訴願等」という。）については、この法律の施行後も、なお従前の例による。この法律の施行前にされた訴願等の裁決、決定その他の処分（以下「裁決等」という。）又はこの法律の施行前に提起された訴願等につきこの法律の施行後にされる裁決等にさらに不服がある場合の訴願等についても、同様とする。

4　前項に規定する訴願等で、この法律の施行後は行政不服審査法による不服申立てをすることができることとなる処分に係るものは、同法以外の法律の適用については、行政不服審査法による不服申立てとみなす。

5　第三項の規定によりこの法律の施行後にされる審査の請求、異議の申立てその他の不服申立ての裁決等については、行政不服審査法による不服申立てをすることができない。

6　この法律の施行前にされた行政庁の処分で、この法律による改正前の規定により訴願等をすることができるものとされ、かつ、その提起期間が定められていなかつたものについて、行政不服審査法による不服申立てをすることができる期間は、この法律の施行の日から起算する。

8　この法律の施行前にした行為に対する罰則の適用については、なお従前の例による。

9　前八項に定めるもののほか、この法律の施行に関して必要な経過措置は、政令で定める。

10　この法律及び行政事件訴訟法の施行に伴う関係法律の整理等に関する法律（昭和三十七年法律第百四十号）に同一の法律についての改正規定がある場合においては、当該法律は、この法律によつてまず改正され、次いで行政事件訴訟法の施行に伴う関係法律の整理等に関する法律によつて改正されるものとする。

附　則（昭三八・三・三一法五九）（抄）

（施行期日）

1　この法律中〔中略〕附則第三項の規定は昭和三十八年四月一日から〔中略〕施行する。

附　則（昭三八・三・三一法六二）（抄）

（施行期日）

第一条　この法律は、昭和三十八年四月一日から施行する。〔ただし書略〕

（国家公務員共済組合の療養の給付等に関する経過措置）

第六条　国家公務員共済組合の組合員であつた者又は被扶養者であつた者の傷病であつて、療養の給付又は療養費若しくは家族療養費の支給開始後この法律の施行前に三年を経過したものに関するこれらの給付の支給については、国家公務員共済組合法第五十九条の改正規定にかかわらず、なお従前の例による。

2　この法律の施行前に同一の傷病に関し療養の給付又は療養費若しくは家族療養費の支給開始後三年を経過した国家公務員共済組合の組合員又は被扶養者の当該期間経過後この法律の施行までの期間に係る当該傷病及びこれによつて発した病気に関する療養の給付又は療養費若しくは家族療養費の支給については、なお従前の例による。

附　則（昭三八・八・一法一六三）（抄）

（施行期日）

第一条　この法律は、公布の日から施行する。

附　則（昭三九・七・六法一五二）（抄）

（施行期日）

第一条　この法律は、昭和三十九年十月一日（以下「施行日」という。）から施行する。〔ただし書略〕

附　則（昭三九・七・六法一五三）（抄）

改正　昭五七・七・一六法六六

（施行期日）

第一条　この法律は、昭和三十九年十月一日から施行する。

（国家公務員共済組合法等の一部改正に伴う経過措置）

第二条　第一条の規定による改正後の国家公務員共済組合法（以下附則第五条までにおいて「改正後の法」という。）第七十六条第三項（同法附則第十三条の二第三項において準用する場合を含む。）、第七十八条、第七十九条第三項から第五項まで、第八十五条第四項から第六項まで、附則第十三条の二第四項及び附則第十三条の六第一項の規定は、この法律の施行の日（以下「施行日」という。）以後に給付事由が生じた給付について適用し、同日前に給付事由が生じた給付については、なお従前の例による。

第三条　改正後の法第九十九条第二項（同法第百二十四条の二第四項（第二条の規定による改正後の国家公務員共済組合法等の一部を改正する法律（以下「改正後の法律第百五十二号」という。）附則第九条第五項、第十条第四項及び第十一条第二項において準用する場合を含む。）において準用する場合を含む。）の規定は、施行日の属する月分以後の掛金及び負担金について適用し、同月前の月分の掛金及び負担金については、なお従前の例による。

第四条　改正後の法第百二十四条の二第二項並びに改正後の法律第百五十二号附則第九条第三項（同法附則第十一条第二項において準用する場合を含む。）及び第十条第二項の規定は、これらの規定に規定する復帰希望職員が施行日以後に復帰したとき（改正後の法第百二十四条の二第一項及び改正後の法律第百五十二号附則第九条第二項に規定する復帰したときをいう。以下この条において同じ。）について適用し、当該復帰希望職員が同日前に復帰したときについては、なお従前の例による。

2　施行日において現に改正後の法律第百五十二号附則第二十二条に規定する復帰希望役職員又は復帰希望組合員に該当する者に対する長期給付に関する規定の適用並びにこれらの者に係る掛金及び負担金については、同条の規定にかかわらず、改正後の法第百二十四条の二第一項に規定する復帰希望職員の例による。

第五条　施行日前に第一条の規定による改正前の国家公務員共済組合法（以下「改正前の法」という。）第百二十五条第二項（同法第百二十六条第三項において準用する場合を含む。以下同じ。）の申出を行なつた者で同日まで引き続き組合員であるものについては、同法第百二十五条第二項の規定は、なおその効力を有する。

2　前項に規定する者が、施行日から六十日以内に、改正後の法第三十八条第二項及び第三項の規定を適用することを希望する旨を組合に申し出たときは、前項の規定によりなおその効力を有するものとされた改正前の法第百二十五条第二項の規定にかかわらず、その適用をするものとする。

3　前項の申出を行なつた者で、昭和三十四年一月一日（国家公務員共済組合法の長期給付に関する施行法（昭和三十三年法律第百二十九号。以下「施行法」という。）第四十二条第一項に規定する恩給更新組合員にあつては、昭和三十四年十月一日。以下第五項において同じ。）から施行日の前日までの期間（組合員であつた期間に限る。）内に次に掲げる給付を受けているものに対し改正後の法の規定による退職年金、減額退職年金又は障害年金を支給するときは、その者が当該期間内に受けた当該給付の額（既に控除を受けた額があるときは、その額を控除した額。以下「普通恩給等受給額」という。）に相当する額に達するまで、支給時に際し、その支給時に係る支給額の二分の一に相当する額を控除する。

一　恩給に関する法令の規定による普通恩給（増加恩給と併給される普通恩給を除く。）又はこれに相当する施行法第五十一条の二第一項に規定する退職年金条例の規定による給付（これらの給付を受ける権利につき同法第五条第二項ただし書の申出をしなかつた者の当該申出をしなかつた給付を除く。）

二　施行法第七条第一項第二号に規定する旧法等の規定による退職年金又はこれに相当する施行法第五十一条の二第一項に規定する旧市町村職員共済組合法若しくは共済条例の規定による給付

三　改正前の法若しくは施行法の規定による退職年金若しくは減額退職年金又はこれらに相当する地方公務員等共済組合法（昭和三十七年法律第百五十二号）若しくは地方公務員等共済組合法の長期給付等に関する施行法（昭和三十七年法律第百五十三号）の規定による給付

4　前項に規定する者が死亡したことにより遺族年金を支給するときは、普通恩給等受給額の二分の一に相当する額に達するまで、支給時に際し、その支給時に係る支給額の二分の一に相当する額を控除する。

5　前三項の規定は、施行日において現に改正後の法律第百五十二号附則第十二条の規定の適用を受ける組合員（これに準ずるものとして政令で定める組合員を含む。）について準用する。この場合において、第二項中「改正後の法第三十八条第二項及び第三項の規定を適用すること」とあるのは「改正後の法第三十八条第二項及び第三項の規定を適用すること又は昭和三十四年一月一日前の職員であつた期間（施行法第五条第四項又は第六条第三項の規定により同法第七条第一項第一号又は第二号の期間に該当しないものとみなされる期間を除く。）を改正後の法第三十八条第一項に規定する組合員期間に算入すること」と、「前項の規定によりなおその効力を有するものとされた改正前の法第百二十五条第二項」とあるのは「改正後の法律第百五十二号附則第十二条その他の法令の規定」と、「その適用」とあるのは「その適用又は算入」と読み替えるものとする。

6　第二項（前項において準用する場合を含む。）の申出の手続及び当該申出をした者に対する長期給付に関する規定の適用に関して必要な事項は、政令で定める。

附　則（昭三九・一二・二八法一八五）（抄）

（施行期日）

1　この法律は、公布の日から施行する。

附　則（昭四〇・五・一八法六九）（抄）

（施行期日）

第一条　この法律は、公布の日から起算して九十日をこえない範囲内で政令で定める日から施行する。ただし〔中略〕附則第二十七条〔中略〕の規定は、政令で定める日〔昭四一・六・一四〕から施行する。

附　則（昭四〇・五・一八法七二）（抄）

（施行期日）

第一条　この法律は、公布の日から起算して九十日をこえない範囲内で政令で定める日から施行する。ただし〔中略〕附則第五条から附則第八条までの規定は、政令で定める日〔昭四一・六・一四〕から施行する。

附　則（昭四〇・六・一法一〇一）（抄）

（施行期日）

第一条　この法律は、昭和四十年十月一日から施行する。ただし

〔中略〕附則第四条〔中略〕は、公布の日から施行する。

（国家公務員共済組合法の改正に伴う経過措置）

第八条 附則第四条の規定による改正後の国家公務員共済組合法第九十九条第四項及び第百二十五条（同法第百二十六条第二項において準用する場合を含む。）の規定は、一部施行日の属する月分以後の負担金について適用し、同月前の月分の負担金については、なお従前の例による。

附 則（昭四〇・六・一法一〇四）（抄）

（施行期日等）

第一条 この法律は、公布の日から施行する。〔ただし書略〕

（退職一時金に関する特例）

第二十三条 次の表の上欄に掲げる組合員（農林漁業団体職員共済組合の任意継続組合員を含む。以下この条において同じ。）たる女子で組合員であつた期間が一年以上二十年未満である者が、この法律の公布の日から起算して十三年以内に組合員の資格を喪失したときは、その者に対しては、その者が当該資格を喪失した際、通算退職年金を受ける権利を有することとなる場合又は同表の中欄に掲げる規定の適用を受ける場合を除き、同表の下欄に掲げる規定を適用する。

上欄	中欄	下欄
国家公務員共済組合法（昭和三十三年法律第百二十八号）に基づく共済組合の組合員	通算年金制度を創設するための関係法律の一部を改正する法律（以下この条において「関係整理法」という。）附則第二十一条	国家公務員共済組合法第八十条第三項
私立学校教職員共済組合法（昭和二十八年法律第二百四十五号）に基づく共済組合の組合員	私立学校教職員共済組合法第四十八条の二の規定によりその例によることとされた関係整理法附則第二十一条	私立学校教職員共済組合法第二十五条において準用する国家公務員共済組合法第八十条第三項
公共企業体職員等共済組合法（昭和三十一年法律第百三十四号）に基づく共済組合の組合員	関係整理法附則第三十九条	公共企業体職員等共済組合法第五十四条第五項
農林漁業団体職員共済組合法（昭和三十三年法律第九十九号）に基づく共済組合の組合員	関係整理法附則第四十四条	農林漁業団体職員共済組合法第三十八条第三項
地方公務員等共済組合法（昭和三十七年法律第百五十二号）に基づく共済組合の組合員	地方公務員等共済組合法の長期給付等に関する施行法第二十四条又は第六十三条第七項	地方公務員等共済組合法第八十三条第三項
地方公務員等共済組合法に基づく団体共済組合の組合員	地方公務員等共済組合法の長期給付等に関する施行法第百四十三条の七	地方公務員等共済組合法第二百二条において準用する同法第八十三条第三項

2 昭和三十六年十一月一日以後前項の表の上欄に掲げる組合員の資格を取得した女子で組合員であつた期間が一年以上二十年未満である者が、同日からこの法律の公布の日の前日までの間に当該組合員の資格を喪失したときは、その者に対しても、同項と同様とする。この場合において、同表の下欄に掲げる規定中「退職の日」とあり、「その日」とあり、又は「第一項の規定に該当する事由が生じた日」とあるのは、「厚生年金保険法の一部を改正する法律（昭和四十年法律第百四号）の公布の日」とする。

3 前項の規定により退職一時金を支給する場合において、その者に同項に規定する組合員の資格の喪失につき退職一時金として支給された金額があるときは、当該金額は、同項の規定により支給すべき退職一時金の内払とみなす。

（国家公務員共済組合法の一部改正に伴う経過措置）

第三十四条 前条の規定による改正後の国家公務員共済組合法第七十六条第二項ただし書（同法附則第十三条の二第三項において準用する場合を含む。）、第七十九条の二第三項、第八十八条第二項及び第三項第二号並びに別表第三の規定は、昭和四十年五月一日以後に給付事由が生じた給付について適用し、同日前に給付事由が生じた給付については、なお従前の例による。

附 則（昭四一・五・九法六七）（抄）

最終改正 平一八・三・三一法一二

（施行期日）

第一条 この法律は、昭和四十一年七月一日から施行する。

（国家公務員共済組合法の一部改正に伴う経過措置）

第二十三条 旧法第十三条の規定による第二種障害補償又はこれに相当する補償を支給する事由が生じたことによりこの法律の施行の際現に前条の規定による改正前の国家公務員共済組合法（以下この条において「旧国家公務員共済組合法」という。）第八十六条の規定によりその一部の支給が停止されている公務による障害年金の支給については、同条の規定の改正にかかわらず、なお従前の例による。旧法第十五条の規定による遺族補償又はこれに相当する補償を支給する事由が生じたことによりこの法律の施行の際現に旧国家公務員共済組合法第九十二条の規定によりその一部の支給が停止されている同法第八十八条第一項第一号の規定による遺族年金の支給についても、同様とする。

附 則（昭四一・七・八法一二二）（抄）

（施行期日）

第一条 この法律は、昭和四十一年十月一日から施行する。〔ただし書略〕

附 則（昭四二・七・三一法一〇四）（抄）

（施行期日）

第一条 この法律は、昭和四十二年十月一日から施行する。ただし〔中略〕附則第九条から附則第十三条までの規定は、公布の日から施行する。

（通算年金制度を創設するための関係法律の一部を改正する法律の一部改正に伴う経過措置）

第十二条　昭和三十六年十一月一日前から引き続き新法に基づく共済組合（以下この条において「組合」という。）の組合員であつて、昭和四十一年十一月一日からこの法律の公布の日の前日までの間に退職した者（その退職の場合に新法の規定による通算退職年金を受ける権利を有することとなつた女子以外の女子及び明治四十四年四月一日以前に生まれた者を除く。）については、前条の規定による改正後の通算年金制度を創設するための関係法律の一部を改正する法律附則第二十一条中「退職の日」とあるのは、「昭和四十二年度における旧令による共済組合等からの年金受給者のための特別措置法等の規定による年金の額の改定に関する法律（昭和四十二年法律第百四号）の公布の日」と読み替えて、同条の規定を適用する。

2　前項に規定する者が再び組合の組合員となつて退職した場合において、新法の規定による退職年金又は障害年金を受ける権利を有することとなつたときは、同項の規定にかかわらず、その者は、通算年金制度を創設するための関係法律の一部を改正する法律附則第二十一条に規定する申出をすることができない。

3　第一項の規定の適用により同項に規定する者に新法第八十条第三項の退職一時金を支給する場合において、その者に第一項の退職に係る組合員期間に基づく退職一時金として支給された金額があるときは、当該金額は、同項の規定の適用により支給すべき退職一時金の内払とみなす。

4　第一項の規定の適用により退職一時金の支給を受けた者が、当該退職一時金に係る組合員期間に基づく通算退職年金を受ける権利を有しているときは、当該権利は、この法律の公布の日の前日において消滅する。

附　則（昭四四・八・七法六九）（抄）

（施行期日）

第一条　この法律は、昭和四十四年九月一日から施行する。

（公共企業体職員等共済組合法等の一部改正に伴う経過措置）

第六条　昭和四十四年九月一日前に出産した公共企業体職員等共済組合、国家公務員共済組合又は地方公務員共済組合の組合員若しくは組合員であつた者又は被扶養者に係る公共企業体職員等共済組合法、国家公務員共済組合法又は地方公務員等共済組合法の規定による出産費又は配偶者出産費の額については、なお従前の例による。

附　則（昭四四・一二・六法七八）（抄）

最終改正　平一六・六・二三法一三二

（施行期日等）

第一条　この法律は、公布の日から施行する。〔ただし書略〕

2　次に掲げる規定は、昭和四十四年十一月一日から適用する。

一・二　〔略〕

三　〔前略〕改正後の通算年金制度を創設するための関係法律の一部を改正する法律（昭和三十六年法律第百八十二号）附則〔中略〕第十九条第三項〔中略〕の規定

（国家公務員共済組合法の一部改正に伴う経過措置）

第三十九条　前条の規定による改正後の国家公務員共済組合法第七十六条第二項ただし書（同法附則第十三条の二第三項において準用する場合を含む。）、第七十九条の二第三項第一号、第八十八条第二項及び第三項第二号並びに別表第三の規定は、昭和四十四年十一月一日以後に給付事由が生じた給付について適用し、同日前に給付事由が生じた給付については、なお従前の例による。

（通算年金制度を創設するための関係法律の一部を改正する法律の一部改正に伴う経過措置）

第四十九条　1・2　〔略〕

3　国家公務員共済組合法に基づく共済組合の組合員が昭和四十四年十一月一日前に退職した場合において、附則第三十八条の規定による改正前の国家公務員共済組合法の規定及び前条の規定による改正後の通算年金制度を創設するための関係法律の一部を改正する法律附則第十九条第三項の規定を適用するとしたならば新たに通算退職年金を支給すべきこととなるときは、これらの法律の規定により、昭和四十四年十一月分（同年十一月一日以後六十歳に達する場合には、その達した日の属する月の翌月分）から、その者に通算退職年金を支給する。

4・5　〔略〕

附　則（昭四四・一二・一六法九二）（抄）

（施行期日等）

第一条　この法律は、公布の日から施行する。〔ただし書略〕

2　第二条の規定による改正後の国家公務員共済組合法（次条において「改正後の新法」という。）第百条第三項の規定は昭和四十四年十一月一日から〔中略〕適用する。

（掛金に関する経過措置）

第二条　改正後の新法第百条第三項の規定は、昭和四十四年十一月分以後の掛金について適用し、同年十月分以前の掛金については、なお従前の例による。

附　則（昭四六・五・二九法八二）（抄）

（施行期日）

第一条　この法律は、昭和四十六年十月一日から施行する。ただし、第三条中国家公務員共済組合法第七十六条第二項ただし書、第七十九条の二第三項第一号、第八十八条第二項及び第三項第二号並びに別表第三の改正規定〔中略〕並びに第六条並びに附則第三条及び附則第七条の規定は同年十一月一日から〔中略〕施行する。

（遺族の範囲に関する経過措置）

第二条　第三条の規定による改正後の国家公務員共済組合法（以下「改正後の法」という。）第二条第一項第三号の規定は、施行日以後に給付事由が生じた給付について適用し、同日前に給付事由が生じた給付については、なお従前の例による。

（退職年金等の最低保障額の引上げ等に関する経過措置）

第三条　改正後の法第七十六条第二項ただし書、第七十九条の二第三項第一号、第八十八条第二項及び第三項第二号並びに別表第三の規定〔中略〕は、昭和四十六年十月三十一日以前に給付事由が生じた給付についても、同年十一月分以後適用する。

（掛金に関する経過措置）

第四条　改正後の法第百条第三項の規定は、昭和四十六年十月分以後の掛金について適用し、同年九月分以前の掛金については、なお従前の例による。

2　〔略〕

（通算年金制度を創設するための関係法律の一部を改正する法

律の一部改正に伴う経過措置）

第七条　国家公務員共済組合法に基づく共済組合の組合員が昭和四十六年十一月一日前に退職した場合において、同法の規定及び第六条の規定による改正後の通算年金制度を創設するための関係法律の一部を改正する法律附則第十九条第一項の規定を適用するとしたならば新たに通算退職年金を支給すべきこととなるときは、これらの法律の規定により、昭和四十六年十一月分から、その者に通算退職年金を支給する。

附　則（昭四七・五・一三法三一）（抄）

（施行期日）

第一条　この法律は、公布の日から施行する。

附　則（昭四八・七・二四法六二）（抄）

最終改正　昭六〇・一二・二七法一〇五

（施行期日）

第一条　この法律は、昭和四十八年十月一日から施行する。ただし、次の各号に掲げる規定は、当該各号に掲げる日から施行する。

一　第二条中国家公務員共済組合法第百二十四条の二の改正規定及び附則第六条の規定　この法律の公布の日

二　第二条中国家公務員共済組合法第七十六条第二項ただし書、第七十九条の二第三項第一号、第八十八条第二項及び第三項第二号並びに別表第三の改正規定〔中略〕並びに附則第三条の規定　昭和四十八年十一月一日

（遺族の範囲に関する経過措置）

第二条　第二条の規定による改正後の国家公務員共済組合法（以下「改正後の法」という。）第二条第一項第三号の規定は、この法律の施行の日（以下「施行日」という。）以後に給付事由が生じた給付について適用し、同日前に給付事由が生じた給付については、なお従前の例による。

（退職年金等の最低保障額の引上げ等に関する経過措置）

第三条　改正後の法第七十六条第二項ただし書、第七十九条の二第三項第一号、第八十八条第二項及び第三項第二号並びに別表第三の規定〔中略〕は、昭和四十八年十月三十一日以前に給付事由が生じた給付についても、同年十一月分以後適用する。

2　〔略〕

（遺族年金等に関する経過措置）

第四条　改正後の法第八十八条第一項の規定は、施行日以後に給付事由が生じた給付について適用し、同日前に給付事由が生じた給付については、なお従前の例による。

2　施行日前に給付事由が生じた第二条の規定による改正前の国家公務員共済組合法第二条第一項第三号に規定する遺族に係る給付については、なお従前の例による。

（掛金に関する経過措置）

第五条　改正後の法第百条第三項の規定は、昭和四十八年十月分以後の掛金について適用し、同年九月分以前の掛金については、なお従前の例による。

（公庫等に転出した職員に関する経過措置）

第六条　改正後の法第百二十四条の二の規定は、附則第一条第一号に掲げる日の前日において現に同法第百二十四条の二第一項の規定に該当する公庫等職員として在職する者及び同号に掲げる日以後に同項に規定する転出をした者について適用し、同日前に当該公庫等職員として在職しなくなつた者については、なお従前の例による。

附　則（昭四八・八・一〇法六九）（抄）

（施行期日等）

第一条　この法律は、労働者災害補償保険法の一部を改正する法律（昭和四十八年法律第八十五号）の施行の日〔昭四八・一二・一〕から施行する。〔ただし書略〕

2　〔略〕

（国家公務員共済組合法の一部改正に伴う経過措置）

第八条　前条の規定による改正後の国家公務員共済組合法第百二十条及び第百二十一条の規定は、この法律の施行の日以後に発生した事故に起因する通勤災害又はこれに相当する通勤による災害について適用する。

附　則（昭四八・九・二六法八九）（抄）

（施行期日）

第一条　この法律は、昭和四十八年十月一日から施行する。〔ただし書略〕

附　則（昭四九・六・二五法九四）（抄）

最終改正　昭六〇・一二・二七法一〇五

（施行期日）

第一条　この法律は、昭和四十九年九月一日から施行する。ただし、第二条中国家公務員共済組合法第八十六条の二第二項の改正規定、同法第九十二条に一項を加える改正規定、同法第百二十四条の二第二項の改正規定、同法第百二十六条の四の次に一条を加える改正規定、同法附則第三条の次に一条を加える改正規定、同法附則第十四条の次に一条を加える改正規定並びに附則第六条、附則第十一条及び附則第十二条の規定は、公布の日から施行する。

（長期給付の給付額の算定の基礎となる俸給に関する経過措置）

第二条　第二条の規定による改正後の国家公務員共済組合法（以下「改正後の法」という。）第四十二条第二項の規定は、この法律の施行の日（以下「施行日」という。）前に給付事由が生じた年金たる給付についても、同日の属する月以後の月分として支給すべき給付の算定の基礎となる俸給について適用し、同日の属する月前の月分として支給すべき給付の算定の基礎となる俸給については、なお従前の例による。

2　施行日前に給付事由が生じた年金たる給付の同日の属する月以後の月分として支給すべき給付の算定の基礎となる俸給につき改正後の法第四十二条第二項の規定により算定した俸給の額が第二条の規定による改正前の国家公務員共済組合法（以下「改正前の法」という。）第四十二条第二項の規定により算定した俸給の額より少ないときは、前項の規定にかかわらず、その額を改正後の法第四十二条第二項の規定により算定した俸給とみなす。

3　施行日前に給付事由が生じた一時金たる給付（同日以後に給付事由が生じた返還一時金及び死亡一時金で、同日前に退職した組合員に係るもの（次項において「施行日前退職に係る返還一時金等」という。）を含む。）の算定の基礎となる俸給については、なお従前の例による。

4　第二項の規定は、施行日以後三年以内に給付事由が生じた長期給付（施行日前退職に係る返還一時金等を除く。）の算定の基礎となる俸給について準用する。

（退職年金等の額に関する経過措置）

第三条　改正後の法第七十六条第二項、第七十六条の二、第七十六条の三、第七十八条、第七十九条第三項から第六項まで、第八十二条から第八十二条の三まで、第八十三条第六項、第八十四条、第八十五条第四項から第八項まで、第八十八条から第八十八条の四まで、附則第十三条の二第三項から第五項まで、附則第十三条の三、附則第十三条の四、附則第十三条の六第一項及び第四項並びに附則第十三条の七第一項〔中略〕の規定は、昭和四十八年四月一日から施行日の前日までの間に給付事由が生じた給付についても、昭和四十九年九月分以後適用する。

2　昭和四十八年三月三十一日以前に給付事由が生じた給付については、政令で、前項の規定に準ずる措置を講ずるものとする。

3　改正後の法第七十九条の二第四項の規定は、昭和四十九年八月三十一日以前に給付事由が生じた給付についても、同年九月分以後適用する。

（障害年金と障害補償年金との調整に関する経過措置）

第四条　改正後の法第八十六条第二項の規定は、施行日以後に給付事由が生じた給付について適用し、同日前に給付事由が生じた給付については、なお従前の例による。

（掛金に関する経過措置）

第五条　改正後の法第百条第三項の規定は、昭和四十九年九月分以後の掛金について適用し、同年八月分以前の掛金については、なお従前の例による。

（任意継続組合員に関する経過措置）

第六条　改正後の法第百二十六条の五の規定は、附則第一条ただし書に規定する日以後に組合員の資格を喪失した者について適用する。

第十条　削除

（政令への委任）

第十一条　附則第二条から前条までに定めるもののほか、附則第七条に規定する更新組合員若しくは更新組合員であつた者又はこれらの者の遺族が同条の申出をした場合におけるこれらの者に係る長期給付に関する経過措置その他この法律の施行に伴う長期給付に関する措置等に関して必要な事項は、政令で定める。

附　則（昭四九・六・二七法一〇〇）

この法律は、公布の日から施行する。

附　則（昭五〇・六・二一法四二）（抄）

（施行期日）

第一条　この法律は、昭和五十年十月一日から施行する。ただし、次の各号に掲げる規定は、当該各号に定める日から施行する。

一～三　〔略〕

四　〔前略〕附則〔中略〕第十二条〔中略〕の規定　昭和五十二年四月一日

五　〔略〕

附　則（昭五〇・一一・二〇法七九）（抄）

改正　昭五七・七・一六法六六

（施行期日等）

第一条　この法律は、公布の日から施行する。

2　〔略〕

（障害の程度が変わつた場合の年金額の改定等に関する経過措置）

第二条　第二条の規定による改正後の国家公務員共済組合法（以下「改正後の法」という。）第八十三条第三項及び第八十五条の二の規定は、この法律の施行の日（以下「施行日」という。）以後に障害年金を受ける権利を有する者が国家公務員共済組合法別表第三の上欄に掲げる程度の障害の状態に該当しなくなつた場合について適用する。

（掛金の標準となる俸給に関する経過措置）

第三条　改正後の法第百条第三項の規定は、昭和五十年八月分以後の掛金の標準となる俸給について適用し、同年七月分以前の掛金の標準となる俸給については、なお従前の例による。

（政令への委任）

第八条　附則第二条から前条までに定めるもののほか、附則第四条に規定する更新組合員若しくは更新組合員であつた者又はこれらの者の遺族が同条の申出をした場合におけるこれらの者に係る長期給付に関する経過措置その他この法律の施行に伴う長期給付に関する措置等に関して必要な事項は、政令で定める。

附　則（昭五一・五・二六法三一）（抄）

（施行期日等）

第一条　この法律は、昭和五十二年四月一日から施行する。〔ただし書略〕

2　〔略〕

附　則（昭五一・六・三法五二）（抄）

最終改正　昭六〇・一二・二七法一〇五

（施行期日）

第一条　この法律は、昭和五十一年七月一日から施行する。ただし、次の各号に掲げる規定は、当該各号に掲げる日から施行する。

一　第二条中国家公務員共済組合法附則第三条の二及び附則第十四条の二の改正規定　公布の日

二　第二条中国家公務員共済組合法第七十六条第二項ただし書、第七十六条の二、第七十八条第二項から第四項まで、第七十九条第四項及び第五項、第七十九条の二第三項第一号、第八十二条、第八十二条の二、第八十五条第四項から第八項まで、第八十八条の二第一号、第八十八条の三第一項並びに第八十八条の四第一項及び第二項第二号の改正規定、同条の次に一条を加える改正規定並びに附則第十三条の二第三項、附則第十三条の六第一項及び別表第三の改正規定〔中略〕並びに附則第二条の規定　昭和五十一年八月一日

三　第二条中国家公務員共済組合法目次、第二条、第十九条第二項、第四十一条第一項、第四十三条第一項、第四十五条、第七十二条第一項、第七十四条、第八十一条第一項第二号及び第二項、第八十三条第五項並びに第八十七条第一項及び第二項の改正規定、同条の次に一条を加える改正規定、第八十八条第三号及び第九十二条の見出しの改正規定、同条の次に二条を加える改正規定、第九十三条第一項にただし書を加える改正規定、同条の次に一条を加える改正規定並びに別表第二の二の改正規定〔中略〕並びに附則第三条から附則第五条までの規定　公布の日から起算して一年六月を超えない範囲内において政令で定める日〔昭五一・一〇・一、昭五二・八・一〕

（退職年金等の額に関する経過措置）

第二条　第二条の規定による改正後の国家公務員共済組合法（以下「改正後の法」という。）第七十六条第二項ただし書、第七十六条の二、第七十八条第二項から第四項まで、第七十九条第四項及び第五項、第八十二条、第八十二条の二、第八十五条第四項から第八項まで、第八十八条の二第一号、第八十八条の三第一項、第八十八条の四、第八十八条の五、附則第十三条の二第三項、附則第十三条の六第一項並びに附則第十三条の七第一項の規定〔中略〕は、昭和五十一年七月三十一日以前に給付事由が生じた給付についても、同年八月分以後適用する。

２　改正後の法第七十九条の二第三項第一号の規定は、昭和五十年四月一日から昭和五十一年七月三十一日までの間に給付事由が生じた給付についても、同年八月分以後適用する。

第三条　削除

（他の公的年金制度から遺族年金が支給される場合の経過措置）

第四条　改正後の法第九十二条の二の規定は、附則第一条第三号に定める日の前日において現に第二条の規定による改正前の国家公務員共済組合法の規定による遺族年金を受ける権利を有する者の当該遺族年金については、適用しない。

（通算遺族年金に関する経過措置）

第五条　通算年金制度を創設するための関係法律の一部を改正する法律（昭和三十六年法律第百八十二号）附則第十九条第一項又は第二項に規定する者は、改正後の法第九十二条の三の規定の適用については、改正後の法第七十九条の二第二項第一号に該当するものとみなす。

（掛金の標準となる俸給に関する経過措置）

第六条　改正後の法第百条第三項の規定は、昭和五十一年七月分以後の掛金の標準となる俸給について適用し、同年六月分以前の掛金の標準となる俸給については、なお従前の例による。

（端数処理に関する経過措置）

第七条　改正後の法第百十五条の規定は、この法律の施行の日（以下「施行日」という。）以後に生じた事由に基づいて行う長期給付を受ける権利の決定又は長期給付の額の改定について適用し、施行日前に生じた事由に基づいて行う長期給付を受ける権利の決定又は長期給付の額の改定については、なお従前の例による。

（任意継続組合員に関する経過措置）

第八条　改正後の法第百二十六条の五第一項の規定は、施行日以後に退職した組合員であつた者について適用し、施行日前に退職した組合員であつた者については、なお従前の例による。

（政令への委任）

第十二条　附則第二条から前条までに定めるもののほか、この法律の施行に伴う長期給付に関する措置等に関して必要な事項は、政令で定める。

○昭和四十二年度以後における国家公務員共済組合等からの年金の額の改定に関する法律等の一部を改正する法律〔昭五一・六・三法五二〕の一部の施行期日を定める政令

昭五一・九・三〇
政令二五七

昭和四十二年度以後における国家公務員共済組合等からの年金の額の改定に関する法律等の一部を改正する法律（以下「昭和五十一年法律第五十二号」という。）附則第一条第三号に掲げる規定（国家公務員共済組合法（昭和三十三年法律第百二十八号）第八十一条第二項の改正規定及び昭和五十一年法律第五十二号附則第三条第二項の規定を除く。）の施行期日は、昭和五十一年十月一日とする。

昭五二・六・二六
政令二四四

昭和四十二年度以後における国家公務員共済組合等からの年金の額の改定に関する法律等の一部を改正する法律（以下「昭和五十一年法律第五十二号」という。）附則第一条第三号に掲げる規定中国家公務員共済組合法（昭和三十三年法律第百二十八号）第八十一条第二項の改正規定及び昭和五十一年法律第五十二号附則第三条第二項の規定の施行期日は、昭和五十二年八月一日とする。

附　則（昭五一・六・五法六二）（抄）

（施行期日）

第一条　この法律は、昭和五十一年七月一日から施行する。〔ただし書略〕

附　則（昭五二・六・一法五六）（抄）

（施行期日）

1　この法律は、公布の日から施行する。

附　則（昭五二・六・七法六四）（抄）

（施行期日等）

第一条　この法律は、公布の日から施行する。〔ただし書略〕

2　〔略〕

（掛金の標準となる俸給に関する経過措置）

第二条　第二条の規定による改正後の国家公務員共済組合法（以下「改正後の法」という。）第百条第三項の規定は、昭和五十二年四月分以後の掛金の標準となる俸給について適用し、同年三月分以前の掛金の標準となる俸給については、なお従前の例による。

（公社に転出した復帰希望者に係る特例に関する経過措置）

第三条　改正後の法第百二十四条の三の規定は、この法律の施行の日（以下「施行日」という。）以後に同条第一項に規定する公社職員となるため退職した者（改正後の法附則第十四条の四の規定に該当する者を除く。）について適用する。

（政令への委任）

第七条　附則第二条から前条までに定めるもののほか、この法律の施行に伴う長期給付に関する措置等に関し必要な事項は、政令で定める。

附　則（昭五二・一二・一六法八六）（抄）

（施行期日）

第一条　この法律は、昭和五十三年一月一日から施行する。〔ただし書略〕

（国家公務員共済組合法の一部改正に伴う経過措置）

第五条　この法律の施行の日前に前条の規定による改正前の国家公務員共済組合法第六十六条第三項に規定する支給期間が満了した傷病手当金の支給期間については、なお従前の例による。

附　則（昭五三・五・一六法四七）（抄）

（施行期日）

第一条　この法律は、昭和五十三年十月一日から施行する。ただし、次の各号に掲げる規定は、それぞれ当該各号に掲げる日から施行する。

一 〔前略〕附則第八条から第十条までの規定（進学資金を貸し付ける事業に係る部分を除く。）〔中略〕 公布の日

二 〔略〕

附 則（昭五三・五・三一法五八）（抄）

（施行期日等）

第一条 この法律は、公布の日から施行する。ただし、第二条中国家公務員共済組合法第八十八条の五第一項の改正規定〔中略〕並びに次条〔中略〕の規定は、昭和五十三年六月一日から施行する。

2 〔略〕

（遺族年金に係る加算に関する経過措置）

第二条 第二条の規定による改正後の国家公務員共済組合法（次条において「改正後の法」という。）第八十八条の五第一項の規定は、昭和五十三年五月三十一日以前に給付事由が生じた給付についても、同年六月分以後適用する。

（掛金の標準となる俸給に関する経過措置）

第三条 改正後の法第百条第三項の規定は、昭和五十三年四月分以後の掛金の標準となる俸給について適用し、同年三月分以前の掛金の標準となる俸給については、なお従前の例による。

（政令への委任）

第七条 附則第二条から前条までに定めるもののほか、この法律の施行に伴う長期給付に関する措置等に関し必要な事項は、政令で定める。

附 則（昭五三・七・五法八七）（抄）

（施行期日）

第一条 この法律は、公布の日から施行する。〔ただし書略〕

附 則（昭五四・一二・二八法七二）（抄）

最終改正 昭六〇・一二・二七法一〇五

（施行期日等）

第一条 この法律は、昭和五十五年一月一日から施行する。ただし、次の各号に掲げる規定は、当該各号に定める日から施行する。

一 〔前略〕第二条中国家公務員共済組合法第二十一条第一項第三号及び第八十八条の五第一項の改正規定、同法第九十八条第二項を削る改正規定、同法第百条第三項、第百二条第三項、第百十一条第四項及び第九項並びに附則第三条の二の改正規定、同条を附則第三条の三とし、附則第三条の次に一条を加える改正規定並びに同法附則第十四条の二を削り、附則第十四条の三を附則第十四条の二とする改正規定〔中略〕並びに次項、附則第八条、第九条〔中略〕、第二十二条〔中略〕の規定 公布の日

二 第二条中国家公務員共済組合法第七十七条第二項及び第三項並びに第七十九条第一項、第二項及び第六項の改正規定、同法第七十九条の二第三項から第七項までの改正規定（同条第七項後段を削り、同項を同条第六項とする部分に限る。）、同法第八十九条の改正規定、同法附則第十二条の次に六条を加える改正規定（同法附則第十二条の四から第十二条の六までに係る部分に限る。）並びに同法附則第十三条の九の次に一条を加える改正規定〔中略〕並びに附則第三条の規定 昭和五十五年七月一日

2 次の各号に掲げる規定は、当該各号に定める日から適用する。

一 〔前略〕第二条の規定による改正後の国家公務員共済組合法（以下「改正後の法」という。）第百条第三項の規定〔中略〕並びに附則第九条〔中略〕の規定 昭和五十四年四月一日

二 〔前略〕改正後の法第八十八条の五第一項の規定〔中略〕並びに附則第八条〔中略〕の規定 昭和五十四年六月一日

三 〔略〕

（退職一時金又は障害一時金の支給を受けた者の特例等に関する経過措置）

第二条 改正後の法附則第十二条の三の規定は、この法律の施行の日（以下「施行日」という。）前に給付事由が生じた給付についても、昭和五十五年一月分以後適用する。

2 〔略〕

（退職年金等の支給開始年齢等に関する経過措置）

第三条 改正後の法第七十七条第二項及び第三項、第七十九条第一項、第二項及び第六項、第八十九条並びに附則第十二条の四から第十二条の六まで及び附則第十三条の十〔中略〕の規定は、昭和五十五年七月一日以後に退職年金、遺族年金又は障害年金を受ける権利を有することとなつた者について適用し、同日前に退職年金、遺族年金又は障害年金を受ける権利を有することとなつた者については、なお従前の例による。

（退職年金等の停止に関する経過措置）

第四条 改正後の法第七十七条第四項から第六項までの規定（改正後の法第七十九条第三項において準用する場合を含む。）〔中略〕は、施行日以後に退職年金を受ける権利を有することとなつた者について適用する。

（通算退職年金等に関する経過措置）

第五条 改正後の法第七十九条の二及び第九十一条の三の規定は、施行日以後の退職に係る通算退職年金及び通算遺族年金の額の算定について適用し、施行日前の退職に係る通算退職年金及び通算遺族年金の額の算定については、なお従前の例による。

2 施行日前に給付事由が生じた障害年金を受ける権利の基礎となつた組合員期間は、改正後の法第七十九条の二第三項に規定する組合員期間に該当しないものとする。

3 通算退職年金又は通算遺族年金の額を算定する場合における第二条の規定による改正前の国家公務員共済組合法（以下「改正前の法」という。）第八十条第三項の規定による退職一時金（当該退職一時金とみなされた給付を含む。）の支給を受けた者、障害年金を受ける権利を施行日以後において有する者となつたことにより改正前の法第八十条の二の規定による返還一時金の支給を受けた者又は改正前の法第八十条の三の規定による返還一時金の支給を受けた者に係るこれらの一時金の基礎となつた組合員期間については、なお従前の例による。

（脱退一時金等に関する経過措置）

第六条 改正後の法第八十条の規定による脱退一時金及び改正後の法附則第十二条の七の規定による特例死亡一時金は、施行日前の退職に係る退職一時金の基礎となつた組合員期間については、支給しない。

（退職一時金等に関する経過措置）

第七条 施行日前に給付事由が生じた一時金である長期給付につ

いては、なお従前の例による。

（遺族年金に係る加算に関する経過措置）

第八条 改正後の法第八十八条の五第一項の規定は、昭和五十四年五月三十一日以前に給付事由が生じた給付についても、同年六月分以後適用する。

（掛金の標準となる俸給に関する経過措置）

第九条 改正後の法第百条第三項の規定は、昭和五十四年四月分以後の掛金の標準となる俸給について適用し、同年三月分以前の掛金の標準となる俸給については、なお従前の例による。

（公社等に転出した継続長期組合員についての特例に関する経過措置）

第十条 改正後の法第百二十四条の二の規定は、この法律の施行の際現に改正前の法第百二十四条の三第二項に規定する復帰希望者に該当する者（昭和五十四年四月一日以後に同条第一項に規定する公社職員となるため退職した者に限る。附則第十三条において「特例復帰希望者」という。）及び施行日以後に改正後の法第百二十四条の二第一項に規定する公社職員又は公庫等職員となるため退職した者について適用する。

（公庫等に転出した復帰希望職員に係る特例等に関する経過措置）

第十一条 改正前の法第百二十四条の二第一項に規定する復帰希望職員（以下この条において「復帰希望職員」という。）に該当する者が引き続き同項に規定する公庫等職員（以下この条において「公庫等職員」という。）として在職し、引き続き施行日前に復帰したとき（同項に規定する復帰したときをいう。）又は当該公庫等職員である間に死亡したときにおけるその者に対する長期給付に関する規定の適用については、なお従前の例による。

2 施行日において現に復帰希望職員に該当する者に対する長期給付に関する規定の適用並びにその者に係る掛金及び負担金については、別段の定めがあるものを除き、なお従前の例による。

3 施行日において現に復帰希望職員に該当する者が施行日から六月以内に復帰希望職員でなくなることを希望する旨を組合に申し出た場合には、前項の規定にかかわらず、その者は、その申出をした日に改正前の法第百二十四条の二第五項に規定する引き続き公庫等職員として在職しなくなつたときに該当するものとみなし、同項の規定の例により、掛金及び負担金を返還する。

4 復帰希望職員が施行日から起算して五年を経過する日までの間に引き続き再び組合員の資格を取得しなかつたとき（同日以前に死亡したときを除く。）は、同日において前項の規定による申出があつたものとみなして、同項の規定を準用する。

第十二条 改正前の法第百二十四条の二第二項ただし書及び第三項から第五項までの規定は、国家公務員共済組合法等の一部を改正する法律（昭和三十六年法律第百五十二号。次項において「法律第百五十二号」という。）附則第九条第二項に規定する復帰希望職員については、この法律施行後も、なおその効力を有する。

2 前条第三項及び第四項の規定は、法律第百五十二号附則第九条第二項、第十条第二項若しくは第十一条第一項に規定する復帰希望職員に該当する者又は法律第百五十二号附則第二十二条に規定する復帰希望組合員若しくは復帰希望役職員に該当する者について準用する。

（公社に転出した復帰希望者に係る特例に関する経過措置）

第十三条 改正前の法第百二十四条の三第二項に規定する復帰希望者（次項において「復帰希望者」という。）に該当する者（特例復帰希望者を除く。次項において同じ。）が引き続き同条第一項に規定する公社職員として在職し、引き続き施行日前に組合員の資格を取得したとき又は当該公社職員である間に死亡したときにおけるその者に対する長期給付に関する規定の適用については、なお従前の例による。

2 施行日において現に復帰希望者に該当する者に対する長期給付に関する規定の適用については、なお従前の例による。

（遺族の範囲の特例に関する経過措置）

第十四条 改正後の法附則第十二条の二の規定は、施行日以後に給付事由が生じた給付について適用し、施行日前に給付事由が生じた給付については、なお従前の例による。

（長期給付に要する費用の負担の特例に関する経過措置）

第十五条 改正後の法附則第二十条の二の規定は、長期給付に要する費用で施行日以後に要するものについて適用し、長期給付に要する費用で施行日前に要するものについては、なお従前の例による。

（政令への委任）

第二十二条 附則第二条から前条までに定めるもののほか、長期給付に関する経過措置その他この法律の施行に関し必要な事項は、政令で定める。

附 則（昭五五・五・三一法七四）（抄）

（施行期日等）

第一条 この法律は、公布の日から施行する。ただし、次の各号に掲げる規定は、当該各号に定める日から施行する。

一 〔略〕

二 第二条中国家公務員共済組合法第百二条第一項及び第三項の改正規定並びに附則第三条の規定 昭和五十六年四月一日

三 〔略〕

2 〔前略〕第二条の規定による改正後の国家公務員共済組合法（以下「改正後の法」という。）第百条第三項の規定〔中略〕並びに次条〔中略〕の規定は、昭和五十五年四月一日から適用する。

（掛金の標準となる俸給に関する経過措置）

第二条 改正後の法第百条第三項の規定は、昭和五十五年四月分以後の掛金の標準となる俸給について適用し、同年三月分以前の掛金の標準となる俸給については、なお従前の例による。

（負担金に関する経過措置）

第三条 改正後の法第百二条第一項及び第三項の規定は、昭和五十六年四月分以後の負担金について適用し、同年三月分以前の負担金については、なお従前の例による。

（政令への委任）

第六条 附則第二条から前条までに定めるもののほか、長期給付に関する経過措置その他この法律の施行に関し必要な事項は、政令で定める。

附 則（昭五五・一一・二六法八八）

（施行期日等）

1 この法律は、公布の日から施行する。

2 第一条の規定による改正後の国家公務員共済組合法（以下

「改正後の法」という。）の規定〔中略〕並びに次項及び附則第四項の規定は、昭和五十五年六月一日から適用する。

（退職年金等の額に関する経過措置）

3　改正後の法の規定（改正後の法第七十九条の二第三項第一号の規定を除く。）〔中略〕は、昭和五十五年五月三十一日以前に給付事由が生じた給付についても、同年六月分以後適用する。

4　改正後の法第七十九条の二第三項第一号の規定は、昭和五十四年四月一日から昭和五十五年五月三十一日までの間に給付事由が生じた給付についても、同年六月分以後適用する。

附　則（昭五五・一一・二九法九三）（抄）

（施行期日）

第一条　この法律は、公布の日から施行する。〔ただし書略〕

附　則（昭五五・一二・一〇法一〇八）（抄）

改正　昭五七・七・一六法六六

（施行期日）

第一条　この法律は、公布の日から起算して六月を超えない範囲内において政令で定める日〔昭五六・三・一〕から施行する。

（国家公務員共済組合法の一部改正に伴う経過措置）

第六条　この法律の施行の日前の療養に係る前条の規定による改正前の国家公務員共済組合法第六十条の二の規定に基づく高額療養費の支給については、なお従前の例による。

2　前条の規定による改正後の国家公務員共済組合法第六十六条第五項の規定は、この法律の施行の日以後に障害年金又は障害一時金の支給を受けることとなつたときについて適用し、同日前に障害年金又は障害一時金の支給を受けることとなつたときについては、なお従前の例による。

3　組合員又は組合員であつた者の病気又は負傷及びこれらにより生じた病気であつて、療養の給付又は療養費の支給開始後この法律の施行の日前に三年を経過したものに関する傷病手当金の支給については、なお従前の例による。

附　則（昭五六・五・三〇法五五）（抄）

（施行期日等）

第一条　この法律は、公布の日から施行する。

2　第二条の規定による改正後の国家公務員共済組合法（以下「改正後の法」という。）第八十八条の五第一項、第八十八条の六、第百条第三項及び附則第十三条の七第一項の規定〔中略〕並びに附則第三条第二項の規定は、昭和五十六年四月一日から適用する。

（遺族の範囲に関する経過措置）

第二条　改正後の法第二条の規定は、この法律の施行の日以後に給付事由が生じた給付について適用し、同日前に給付事由が生じた給付については、なお従前の例による。

（遺族年金に係る加算に関する経過措置）

第三条　改正後の法第八十八条の五第一項及び第八十八条の六の規定は、昭和五十六年三月三十一日以前に給付事由が生じた給付についても、同年四月分以後適用する。

2　昭和五十六年四月一日からこの法律の施行の日の前日までの間のいずれかの日において国家公務員共済組合法第八十八条の五の規定による加算が行われている遺族年金（その全額の支給を停止されているものを除く。以下この項において同じ。）を受ける妻が、同日において改正後の法第八十八条の六に規定する政令で定める給付（その全額の支給を停止されている給付を除く。以下この項において「公的年金給付」という。）の支給を受けることができるときは、同条中「同項の規定による加算」とあるのは、「同項の規定により当該遺族年金に加算されるべき額のうち昭和四十二年度以後における国家公務員共済組合等からの年金の額の改定に関する法律等の一部を改正する法律（昭和五十六年法律第五十五号）第二条の規定による改正前の国家公務員共済組合法第八十八条の五の規定により当該遺族年金に加算されるべき額を超える部分に相当する金額の加算」として、同条の規定を適用する。ただし、当該遺族年金又はその者に支給される公的年金給付がその全額の支給を停止されるに至つたときは、この限りでない。

（掛金の標準となる俸給に関する経過措置）

第四条　改正後の法第百条第三項の規定は、昭和五十六年四月分以後の掛金の標準となる俸給について適用し、同年三月分以前の掛金の標準となる俸給については、なお従前の例による。

（政令への委任）

第八条　附則第二条から前条までに定めるもののほか、長期給付に関する経過措置その他この法律の施行に関し必要な事項は、政令で定める。

附　則（昭五六・六・九法七三）（抄）

（施行期日等）

第一条　この法律は、公布の日から施行する。ただし〔中略〕附則〔中略〕第十六条から第三十二条までの規定は、昭和五十七年四月一日から施行する。

2　〔略〕

附　則（昭五六・六・一一法七八）（抄）

（施行期日）

第一条　この法律は、昭和六十年三月三十一日から施行する。〔ただし書略〕

附　則（昭五七・五・一法三七）（抄）

（施行期日）

第一条　この法律は、昭和五十七年十月一日から施行する。〔ただし書略〕

（国家公務員共済組合法の一部改正に伴う経過措置）

第九条　第四条の規定による改正前の国家公務員共済組合法第三条第二項第六号の規定により設けられた組合（以下「アルコール専売共済組合」という。）は、施行日に解散するものとし、その一切の権利及び義務は、同条第一項の規定により通商産業省に属する職員をもつて組織する組合（次項において「通商産業省共済組合」という。）が承継する。

2　通商産業省共済組合は、前項の規定によりアルコール専売共済組合の権利及び義務を承継したときは、その承継した権利に係る資産のうちアルコール専売共済組合の短期給付の事業及び国家公務員共済組合法第九十八条第一号に掲げる事業（以下「短期給付事業等」という。）に係るものの価額から、その承継した義務に係る負債のうちアルコール専売共済組合の短期給付事業等に係るものの金額をそれぞれ差し引いた額につき、大蔵省令で定めるところにより算出した金額を、新専売法第二十九条ノ二第一項のアルコール製造業務に係る機構の事業所（次項において「アルコール関係機構事業所」という。）についての健康保険の保険者（健康保険組合に限る。）に対して支払わなければならない。

3　前項の大蔵省令は、アルコール専売共済組合の短期給付事業等に要する費用についてのその組合員の負担の割合、施行日の前日においてアルコール専売共済組合の組合員であつた者の数に対するこれらの者のうち施行日にアルコール関係機構事業所についての健康保険（健康保険組合を保険者とするものに限る。）の被保険者の資格を取得した者の数の割合その他の事情を勘案して定めるものとする。

4 前項に定めるもののほか、第二項の規定による支払について必要な事項は、大蔵省令で定める。

第十条 アルコール専売共済組合の昭和五十七年四月一日に始まる事業年度は、施行日の前日に終わるものとする。

2 アルコール専売共済組合の昭和五十七年四月一日に始まる事業年度に係る決算並びに財産目録、貸借対照表及び損益計算書については、なお従前の例による。この場合において、国家公務員共済組合法第十六条第一項中「翌事業年度の五月三十一日」とあるのは、「昭和五十七年十一月三十日」とする。

第十一条 施行日の前日において国家公務員共済組合法第百二十四条の二第一項の規定によりアルコール専売共済組合の組合員であるものとされていた者及び同日においてアルコール専売共済組合の組合員であつた者で同日に任命権者又はその委任を受けた者の要請に応じ、引き続いて、同項に規定する公社職員又は公庫等職員となるため退職したものについては、同項中「転出（公社職員又は公庫等職員となるための退職をいう。以下この条において同じ。）の際に所属していた組合」とあるのは「第三条第一項の規定により通商産業省に属する職員をもつて組織する組合」と、同条第二項第一号中「転出」とあるのは「公社職員又は公庫等職員となるための退職」と、同条第四項中「に転出」とあるのは「の公社職員又は公庫等職員となるための退職」とする。

2 施行日の前日において国家公務員共済組合法第百二十六条の五第一項の規定によりアルコール専売共済組合の組合員であるものとみなされていた者及び同日においてアルコール専売共済組合の組合員であつた者で同日に退職し同項の規定による申出をアルコール専売共済組合に行つたものについては、同項中「当該組合」とあるのは、「第三条第一項の規定により通商産業省に属する職員をもつて組織する組合」とする。

3 施行日前に退職し、国家公務員共済組合法第百二十六条の五第一項の規定による申出をアルコール専売共済組合にすることができる者で、施行日前に当該申出をしていないものについては、同項前段中「組合」とあるのは「第三条第一項の規定により通商産業省に属する職員をもつて組織する組合」と、同項後段中「当該組合」とあるのは「当該組合（昭和五十七年九月三十日以前の期間については、アルコール製造事業の新エネルギー総合開発機構への移管のためのアルコール専売法等の一部を改正する法律第四条の規定による改正前の第三条第二項第六号の規定により設けられた組合）」とする。

第十二条 この法律の施行前にした第四条の規定による改正前の国家公務員共済組合法の規定に違反する行為に対する罰則の適用については、なお従前の例による。

（経過措置の政令への委任）

第十三条 附則第三条から前条まで及び附則第十六条に定めるもののほか、この法律の施行に関し必要な経過措置は、政令で定める。

附 則（昭五七・五・二五法五六）（抄）

（施行期日等）

第一条 この法律は、公布の日から施行する。

2 第二条の規定による改正後の国家公務員共済組合法（次条において「改正後の法」という。）第百条第三項の規定は昭和五十七年四月一日から〔中略〕適用する。

（掛金の標準となる俸給に関する経過措置）

第二条 改正後の法第百条第三項の規定は、昭和五十七年四月分以後の掛金の標準となる俸給について適用し、同年三月分以前の掛金の標準となる俸給については、なお従前の例による。

（政令への委任）

第四条 前二条に定めるもののほか、長期給付に関する経過措置その他この法律の施行に関し必要な事項は、政令で定める。

○障害に関する用語の整理に関する法律

昭五七・七・一六
法 六六

（障害に係る従前の給付の呼称等）

第八十一条 この法律の施行前の国家公務員共済組合法その他の法令の規定（これらの法令の改正（従前の改正を含む。）前の規定及び廃止された法令の規定を含む。）により支給事由の生じた廃疾年金、廃疾一時金、廃疾給付及び特例廃疾年金は、この法律の施行後は、それぞれ障害年金、障害一時金、障害給付及び特例障害年金と称する。

2 この法律による改正後の法律の規定中の「障害年金」、「障害一時金」、「障害給付」又は「特例障害年金」には、それぞれ前項の規定により障害年金、障害一時金、障害給付又は特例障害年金と称されるもので当該法律の規定に係るものを含むものとする。

附 則

この法律は、昭和五十七年十月一日から施行する。

附 則（昭五七・八・一七法八〇）（抄）

改正 平一八・六・二一法八三

（施行期日）

第一条 この法律は、公布の日から起算して一年六月を超えない範囲内において政令で定める日〔昭五八・二・一〕から施行する。〔ただし書略〕

（国家公務員共済組合法の一部改正に伴う経過措置）

第二十八条 国家公務員共済組合法の組合員又は被扶養者であつて第二十五条第一項各号のいずれかに該当するものが、施行日前に受けた療養に係る療養費若しくは高額療養費又は家族療養費若しくは家族高額療養費の支給については、なお従前の例による。

2 国家公務員共済組合法第五十五条第一項第三号に掲げる保険医療機関又は保険薬局が施行日前にした偽りその他不正の行為により支払を受けた国家公務員共済組合の組合員又は被扶養者の療養に関する費用の返還については、なお従前の例による。

3 施行日前にした行為に対する国家公務員共済組合法の規定による罰則の適用については、なお従前の例による。

附 則（昭五八・一二・二法七八）

1 この法律（第一条を除く。）は、昭和五十九年七月一日から施行する。

2　この法律の施行の日の前日において法律の規定により置かれている機関等で、この法律の施行の日以後は国家行政組織法又はこの法律による改正後の関係法律の規定に基づく政令（以下「関係政令」という。）の規定により置かれることとなるものに関し必要となる経過措置その他この法律の施行に伴う関係政令の制定又は改廃に関し必要となる経過措置は、政令で定めることができる。

附　則（昭五八・一二・三法八二）（抄）

最終改正　平八・六・一四法八二

（施行期日）

第一条　この法律は、昭和五十九年四月一日から施行する。ただし、次の各号に掲げる規定は、当該各号に定める日から施行する。

一　第一条中国家公務員等共済組合法附則第十三条の十の次に十一条を加える改正規定（同法附則第十三条の十一に係る部分を除く。）　昭和六十年三月三十一日

二　第二条の規定並びに附則第三十五条第二項の規定（中略）　昭和六十年四月一日

三　附則第三条第二項及び第三項の規定　公布の日

（公共企業体職員等共済組合法等の廃止）

第二条　次に掲げる法律は、廃止する。

一　公共企業体職員等共済組合法（昭和三十一年法律第百三十四号）

二　昭和四十年度における公共企業体職員等共済組合法に規定する共済組合が支給する年金の額の改定に関する法律（昭和四十年法律第八十三号）

三　昭和四十二年度以後における公共企業体職員等共済組合法に規定する共済組合が支給する年金の額の改定に関する法律（昭和四十二年法律第百六号）

（組合の存続）

第三条　前条の規定による廃止前の公共企業体職員等共済組合法（以下「旧公企体共済法」という。）第三条第一項の規定により設けられた共済組合（次項を除き、以下「旧組合」という。）は、この法律の施行の日（次項を除き、以下「施行日」という。）において、第一条の規定による改正後の国家公務員等共済組合法（次項を除き、以下「改正後の法」という。）第三条第一項の規定により設けられた国家公務員等共済組合（次項を除き、以下「組合」という。）となり、同一性をもつて存続するものとする。

2　公共企業体（公共企業体職員等共済組合法（以下この項において「公企体共済法」という。）第二条第一項に規定する公共企業体をいう。以下次項までにおいて同じ。）の総裁は、この法律の施行前に、公企体共済法第三条第一項に規定する組合の運営審議会の議を経て、国家公務員共済組合法第六条第一項第七号中「審査会に関する事項」とあるのは「福祉事業に関する事項」として同項並びに同法第十一条第一項及び第十五条第一項の規定の例により、この法律の施行の日以後に係る当該組合の定款及び運営規則を定めるとともに昭和五十九年度の事業計画及び予算を作成し、当該定款、事業計画及び予算につき大蔵大臣の認可を受け、並びに当該運営規則につき大蔵大臣に協議するものとする。この場合においては、公企体共済法第六条及び第七十四条第一項の規定の適用は、ないものとする。

3　大蔵大臣は、前項の規定による認可をする場合には、あらかじめ、次の各号に掲げる公共企業体の区分に応じ、当該各号に定める大臣に協議しなければならない。

一　日本専売公社　大蔵大臣

二　日本国有鉄道　運輸大臣

三　日本電信電話公社　郵政大臣

4　第二項の規定により定められた定款若しくは運営規則又は同項の大蔵大臣の認可を受けた昭和五十九年度の事業計画及び予算は、施行日以後においては、それぞれ改正後の法第六条第一項若しくは第十一条第一項の規定により定められ、又は改正後の法第十五条第一項の大蔵大臣の認可を受けたものとみなす。

5　改正後の法第十六条の規定は、公共企業体の組合（改正後の法第百十六条第五項に規定する公共企業体の組合をいう。以下同じ。）については、昭和五十九年度以後の年度の決算について適用し、旧組合の昭和五十八年度の決算については、なお従前の例による。

（連合会の改称に伴う経過措置）

第四条　国家公務員共済組合連合会は、施行日において、国家公務員等共済組合連合会（以下次条までにおいて「連合会」という。）となるものとする。

2　施行日の前日において国家公務員共済組合連合会の理事長、理事又は監事である者は、別に辞令を用いないで、施行日に改正後の法第二十九条の規定により連合会の理事長、理事又は監事として任命されたものとみなす。

3　前項の規定により任命されたものとみなされる連合会の理事長、理事又は監事の任期は、改正後の法第三十条第一項の規定にかかわらず、施行日におけるその者の国家公務員共済組合連合会の理事長、理事又は監事としての残任期間と同一の期間とする。

（組合の連合会加入に伴う経過措置）

第五条　第一条の規定による改正前の国家公務員共済組合法（以下「改正前の法」という。）第二十一条第一項に規定する政令で指定する組合（以下「連合会非加入組合」という。）に係る改正後の法第二十一条第二項第一号に掲げる業務については、施行日以後、連合会において行うものとする。この場合において、当該連合会非加入組合に係る権利義務の承継に関し必要な事項は、政令で定める。

2　前項の規定により連合会非加入組合が行つていた業務を連合会が行うこととなつたことに伴い連合会が連合会非加入組合の権利を承継する場合における当該承継に係る不動産の取得に対しては、不動産取得税又は土地の取得に対して課する特別土地保有税を課することができない。

3　連合会が第一項の規定により承継し、かつ、引き続き保有する土地で連合会非加入組合が昭和四十四年一月一日前に取得したものに対しては、土地に対して課する特別土地保有税を課することができない。

4　前三項に定めるもののほか、連合会非加入組合が行つていた業務を連合会が行うこととなつたことに伴う経過措置に関し必要な事項は、政令で定める。

（従前の給付等）

第六条　この附則に別段の定めがあるもののほか、旧公企体共済法の規定によつてした給付、審査の請求その他の行為又は手続は、改正後の法又は第三条の規定による改正後の国家公務員等

共済組合法の長期給付に関する施行法（以下「改正後の施行法」という。）の相当する規定によつてした行為又は手続とみなす。

2　施行日前に給付事由が生じた旧公企体共済法の規定による給付については、別段の定めがあるもののほか、なお従前の例による。

（掛金の標準となる俸給等に関する経過措置）

第七条　旧公企体長期組合員（改正後の施行法第五十一条の十一第二号に規定する旧公企体長期組合員をいう。以下同じ。）であつた者が施行日以後において長期組合員となり、かつ、その者の施行日以後における改正後の法に規定する組合員期間（以下単に「組合員期間」という。）が十二月に満たない場合における改正後の法第四十二条第二項の規定の適用については、同項中「掛金の標準となつた俸給の総額」とあるのは、「掛金の標準となつた俸給及び国家公務員及び公共企業体職員に係る共済組合制度の統合等を図るための国家公務員共済組合法等の一部を改正する法律（昭和五十八年法律第八十二号）附則第二条の規定による廃止前の公共企業体職員等共済組合法（昭和三十一年法律第百三十四号）第六十四条第二項に規定する掛金の標準となつた俸給の総額（その総額が第百条第三項に規定する額の十二倍の額を超えるときは、同項に規定する額の十二倍の額）」とする。

（短期給付に関する経過措置）

第八条　旧組合の組合員であつた者に対する改正後の法の短期給付に関する規定の適用については、その者が旧組合の組合員であつた間改正後の法の規定による組合員であつたものと、その者が旧公企体共済法に規定する退職をした日に改正後の法に規定する退職をしたものとみなす。

2　前項に定めるもののほか、旧組合の組合員であつた者に対する改正後の法の短期給付に関する規定の適用に関し必要な事項は、政令で定める。

（給付の制限に関する経過措置）

第九条　改正後の法第九十四条から第九十七条までの規定は、施行日以後に給付事由が生じた給付について適用し、施行日前に給付事由が生じた給付については、なお従前の例による。

2　前項に定めるもののほか、旧組合の組合員であつた者に対する改正後の法第九十四条から第九十七条までの規定の適用に関し必要な事項は、政令で定める。

（公共企業体の組合に係る長期給付に要する費用の計算に関する経過措置）

第十条　公共企業体の組合に係る長期給付に要する費用の計算については、改正後の法第九十九条第一項の規定は、公共企業体の組合が同項第二号に規定する費用の計算を施行日以後最初に行うべき日として大蔵大臣が定める日から適用し、同日前における公共企業体の組合に係る当該費用の計算については、なお従前の例による。

（審査会に関する経過措置）

第十一条　国家公務員共済組合連合会に置かれた国家公務員共済組合審査会は、施行日において、国家公務員等共済組合審査会（以下この条において「審査会」という。）となる。

2　施行日の前日において国家公務員共済組合連合会に置かれた国家公務員共済組合審査会の委員である者は、別に辞令を用いないで、施行日に改正後の法第百四条第三項の規定により審査会の委員として委嘱されたものとみなす。

3　前項の規定により委嘱されたものとみなされる審査会の委員の任期は、改正後の法第百四条第四項の規定にかかわらず、施行日におけるその者の国家公務員共済組合連合会に置かれた国家公務員共済組合審査会の委員としての残任期間と同一の期間とする。

（審査請求に関する経過措置）

第十二条　連合会非加入組合に置かれた国家公務員共済組合審査会に対する改正前の法第百三条の規定に基づく審査請求又は旧組合に置かれた旧公企体共済法第六十七条第一項に規定する審査会（以下この条において「旧組合の審査会」という。）に対する旧公企体共済法第七十条第一項の規定に基づく審査請求で、施行日の前日までに裁決が行われていないもの（次項において「裁決未済事案」という。）については、改正後の法第百三条から第百七条までの規定にかかわらず、なお従前の例により、当該国家公務員共済組合審査会又は旧組合の審査会が裁決を行うものとする。

2　前項の規定によりなお従前の例により連合会非加入組合に置かれた国家公務員共済組合審査会又は旧組合の審査会が引き続き裁決を行うまでの間においては、裁決未済事案については、改正前の法第百三条から第百七条までの規定及び旧公企体共済法第六十七条から第七十一条までの規定は、なおその効力を有するものとする。

（審議会に関する経過措置）

第十三条　国家公務員共済組合審議会は、施行日において、国家公務員等共済組合審議会となる。

2　附則第十一条第二項及び第三項の規定は、国家公務員等共済組合審議会の委員について準用する。この場合において、これらの規定中「第百四条第三項」とあり、及び「第百四条第四項」とあるのは「第百十一条第四項」と、「委嘱」とあるのは「任命」と読み替えるものとする。

（継続長期組合員に関する経過措置）

第十四条　施行日の前日において公社職員である継続長期組合員（改正前の法第百二十四条の二第二項に規定する継続長期組合員のうち同条第一項に規定する公社職員である者をいう。）であつた者に対する改正後の法の長期給付に関する規定の適用については、施行日において、改正後の法の規定によりその者が所属すべき組合の組合員となるものとする。

2　施行日の前日において旧公企体継続長期組合員（旧公企体共済法第八十二条の二第二項に規定する継続長期組合員をいう。以下この項において同じ。）であつた者に対する改正後の法又は地方公務員等共済組合法（昭和三十七年法律第百五十二号）の長期給付に関する規定の適用については、次に定めるところによる。

一　旧公企体継続長期組合員で旧公企体共済法第八十二条の二第一項に規定する国家公務員（地方公務員等共済組合法第百四十二条第一項に規定する国の職員である者を除く。）であつた者は、施行日において、改正後の法の規定によりその者が所属すべき組合の組合員となるものとする。

二　旧公企体継続長期組合員で旧公企体共済法第八十二条の二第一項に規定する地方公務員（地方公務員等共済組合法第百四十二条第一項に規定する国の職員である国家公務員を含

む。）であつた者は、施行日において、同法の規定によりその者が所属すべき組合の組合員となるものとする。ただし、その者が改正後の法第百二十六条の二第一項に規定する政令で定める者に該当するときは、その者は、当該旧公企体継続長期組合員となつた日から引き続き同条第四項において準用する改正後の法第百二十四条の二第二項に規定する継続長期組合員であつたものとする。

三　旧公企体継続長期組合員で旧公企体共済法第八十二条の二第一項に規定する公団等職員であつた者は、当該旧公企体継続長期組合員となつた日から引き続き改正後の法第百二十四条の二第二項に規定する継続長期組合員であつたものとする。

（旧組合の任意継続組合員に関する経過措置）

第十五条　この法律の施行の際旧公企体共済法第八十二条の三第二項に規定する任意継続組合員であつた者については、その者は当該任意継続組合員となつた日から引き続き改正後の法第百二十六条の五第二項に規定する任意継続組合員であつたものとみなして、改正後の法の規定を適用する。

（公共企業体の役員等に関する経過措置）

第十六条　施行日の前日において公共企業体（改正後の法第二条第一項第七号に規定する公共企業体をいう。以下同じ。）の役員であり、施行日以後引き続き役員である者については、その者が役員として引き続き在職する間、改正後の法又は改正後の施行法の長期給付に関する規定の適用を受ける組合員としない。

2　施行日の前日において旧公企体共済法第六十二条第二項ただし書の規定により、年金である給付が支給されていない公共企業体の役員に係る改正後の法の規定による年金である給付については、その者が役員として引き続き在職する間、同項ただし書の規定の例により、支給しない。

3　国家公務員等共済組合連合会の役員である者が改正後の法第百二十六条第二項の規定により改正後の法第二条第一項第一号に規定する職員とみなされる期間に係る改正後の法又は改正後の施行法の長期給付に関する規定の適用については、その者の施行日以後における当該役員としての在職期間に限るものとする。

4　第一項の規定は、附則第四条第二項の規定の適用を受けた者で引き続き国家公務員等共済組合連合会の役員であるものについて準用する。

（公共企業体の復帰希望職員に関する経過措置）

第十七条　施行日の前日において昭和四十二年度以後における公共企業体職員等共済組合法に規定する共済組合が支給する年金の額の改定に関する法律及び公共企業体職員等共済組合法の一部を改正する法律（昭和五十四年法律第七十六号。以下「昭和五十四年法律第七十六号」という。）附則第十一条第一項に規定する復帰希望職員に該当する者に対する長期給付に関する規定の適用並びにその者に係る掛金及び負担金については、同条の規定の例による。

第十八条から第三十三条まで　削除

（施行日前に旧公企体共済法の退職をした者に係る一時金）

第三十四条　施行日前に旧公企体共済法に規定する退職をした者について、旧公企体共済法の規定を適用するとしたならばその者に一時金である長期給付を支給すべきこととなるときは、当該一時金である長期給付については、なお従前の例による。ただし、その者が国家公務員等共済組合法（昭和三十三年法律第百二十八号）の規定による年金である長期給付を受ける権利を有するときは、当該一時金である長期給付は支給しない。

（長期給付に係る経過措置に伴う費用の負担等）

第三十五条　第二条の規定による改正後の国家公務員等共済組合法第九十九条第三項及び附則第二十条の二の規定は、昭和六十年度以後における国又は公共企業体に係る長期給付に要する費用の負担について適用し、同年度前において国又は公共企業体が負担した長期給付に要する費用に係る負担金の額と、同年度以後においてこれらの規定（他の法令においてその例によることとされるこれらの規定を含む。）により国又は公共企業体が負担すべき当該費用に係る負担金の額との調整に関し必要な事項は、政令で定める。

（従前の行為に対する罰則の適用）

第三十六条　この法律の施行前にした行為に対する罰則の適用については、なお従前の例による。

（旧公企体共済法の効力）

第三十七条　旧公企体共済法附則第三十六条の規定は、当分の間、なおその効力を有する。

（政令への委任）

第三十八条　附則第三条から前条までに定めるもののほか、旧公企体共済法の規定による年金を受ける権利を有していた者に対する経過措置その他附則第二条各号に掲げる法律の廃止に伴う経過措置に関し必要な事項並びに改正後の法（第二条の規定による改正後の国家公務員等共済組合法を含む。）、改正後の施行法及びこの法律の施行に関し必要な事項は、政令で定める。

附　則（昭五九・五・二二法三五）（抄）

（施行期日等）

第一条　この法律は、公布の日から施行する。

2　第二条の規定による改正後の国家公務員等共済組合法（次条において「改正後の法」という。）第百条第三項の規定は昭和五十九年四月一日〔中略〕から適用する。

（掛金の標準となる俸給に関する経過措置）

第二条　改正後の法第百条第三項の規定は、昭和五十九年四月分以後の掛金の標準となる俸給について適用し、同年三月分以前の掛金の標準となる俸給については、なお従前の例による。

（政令への委任）

第七条　附則第二条から前条までに定めるもののほか、長期給付に関する経過措置その他この法律の施行に関し必要な事項は、政令で定める。

附　則（昭五九・五・二五法四〇）（抄）

（施行期日）

1　この法律は、昭和六十年三月三十一日から施行する。ただし、附則第九項の規定は、公布の日から施行する。

附　則（昭五九・八・一〇法六七）（抄）

（施行期日）

第一条　この法律は、公布の日から起算して一年を超えない範囲内において政令で定める日（昭六〇・四・一）から施行する。

附　則（昭五九・八・一〇法七一）（抄）

（施行期日）

第一条　この法律は、昭和六十年四月一日から施行する。ただし、附則第十四条第二項の規定は、公布の日から施行する。

（国家公務員等共済組合法の一部改正に伴う経過措置）

第十四条　第二十六条の規定による改正前の国家公務員等共済組合法（以下附則第十六条までにおいて「旧共済法」という。）第三条第一項の規定により設けられた共済組合で旧公社に所属する職員をもつて組織されたもの（以下附則第十七条までにおいて「旧組合」という。）は、施行日において、第二十六条の規定による改正後の国家公務員等共済組合法（以下附則第十七条までにおいて「新共済法」という。）第三条第一項の規定により設けられた会社に所属する職員をもつて組織された共済組合（以下この条及び次条において「新組合」という。）となり、同一性をもつて存続するものとする。

２　旧組合の代表者は、この法律の施行前に、旧共済法第九条に規定する運営審議会の議を経て、旧共済法第六条第一項、第十一条第一項及び第十五条第一項の規定により、施行日以後に係る新組合の定款及び運営規則を定めるとともに新組合の昭和六十年度の事業計画及び予算を作成し、当該定款、事業計画及び予算につき大蔵大臣の認可を受け、並びに当該運営規則につき大蔵大臣に協議するものとする。

３　旧組合の昭和五十九年度の決算については、新共済法第十六条の規定により新組合が行うものとする。

第十五条　新共済法第九十九条、第百二十三条、第百二十五条及び附則第二十条の二の規定は、昭和六十年度以後における新組合の長期給付に要する費用の負担について適用し、同年度前において旧組合の長期給付に要する費用及び国家公務員及び公共企業体職員に係る共済組合制度の統合等を図るための国家公務員共済組合法等の一部を改正する法律（昭和五十八年法律第八十二号。以下この条及び次条において「昭和五十八年法律第八十二号」という。）附則第三条第一項に規定する旧組合の長期給付に要する費用として旧公社が負担すべきであつた負担金の額と、昭和六十年度以後における新組合の長期給付に要する費用として新共済法第九十九条第三項及び附則第二十条の二の規定（他の法令においてその例によることとされるこれらの規定を含む。）により国が負担すべき額との調整に関し必要な事項は、政令で定める。

２　新組合の長期給付のうち昭和五十八年法律第八十二号附則第十八条から第二十九条まで及び第三十四条の規定により支給するものに要する費用に係る昭和五十八年法律第八十二号附則第三十五条第一項の規定の適用については、同項中「公共企業体」とあるのは「日本たばこ産業株式会社」と、「第二条」とあるのは「たばこ事業法等の施行に伴う関係法律の整備等に関する法律（昭和五十九年法律第七十一号）第二十六条」とする。

３　昭和五十八年法律第八十二号附則第三十五条第二項の規定は、新組合の長期給付に要する費用については、適用しない。

第十六条　施行日の前日において昭和五十八年法律第八十二号附則第十六条第一項の規定により旧共済法及び第二十七条の規定による改正前の国家公務員等共済組合法の長期給付に関する施行法の長期給付に関する規定の適用を受ける組合員とされなかつた旧公社の役員であつた者で、施行日に会社の取締役又は監査役となつたものについては、その者が会社の取締役又は監査役として引き続き在職する間、新共済法又は同条の規定による改正後の国家公務員等共済組合法の長期給付に関する施行法の長期給付に関する規定の適用を受ける組合員としない。

２　施行日の前日において昭和五十八年法律第八十二号附則第十六条第二項の規定により年金である給付が支給されていない旧公社の役員に係る新共済法の規定による年金である給付については、その者が会社の取締役又は監査役として引き続き在職する間、同項の規定の例により、支給しない。

第十七条　新共済法附則第十三条の十一の規定は、旧組合の組合員である間の旧公社若しくは旧組合の業務若しくは通勤（同条第一項に規定する通勤をいう。）により病気にかかり、若しくは負傷し、その傷病の結果として障害の状態にある者に係る障害給付又は当該傷病により死亡した者に係る遺族給付に関する規定の適用について準用する。

附　則（昭五九・八・一四法七七）（抄）

（施行期日）

第一条　この法律は、公布の日から起算して三月を超えない範囲内において政令で定める日〔昭五九・一〇・一〕から施行する。ただし、〔中略〕附則第四十六条中国家公務員等共済組合法（昭和三十三年法律第百二十八号）附則第十二条の改正規定〔中略〕は昭和六十年四月一日から〔中略〕施行する。

附　則（昭五九・一二・二五法八七）（抄）

（施行期日）

第一条　この法律は、昭和六十年四月一日から施行する。ただし、附則第九条第二項の規定は、公布の日から施行する。

（国家公務員等共済組合法の一部改正に伴う経過措置）

第九条　第二十六条の規定による改正前の国家公務員等共済組合法（以下「改正前の共済法」という。）第三条第一項の規定により設けられた共済組合で旧公社に所属する職員をもつて組織されたもの（以下「旧組合」という。）は、施行日において、第二十六条の規定による改正後の国家公務員等共済組合法（以下「改正後の共済法」という。）第三条第一項の規定により設けられた会社に所属する職員をもつて組織された共済組合（以下「新組合」という。）となり、同一性をもつて存続するものとする。

２　旧組合の代表者は、この法律の施行前に、改正前の共済法第九条に規定する運営審議会の議を経て、改正前の共済法第六条第一項、第十一条第一項及び第十五条第一項の規定により、施行日以後に係る新組合の定款及び運営規則を定めるとともに新組合の昭和六十年度の事業計画及び予算を作成し、当該定款、事業計画及び予算につき大蔵大臣の認可を受け、並びに当該運営規則につき大蔵大臣に協議するものとする。

３　旧組合の昭和五十九年度の決算については、改正後の共済法第十六条の規定により新組合が行うものとする。

第十条　改正後の共済法第九十九条、第百二十三条、第百二十五条及び附則第二十条の二の規定は、昭和六十年度以後における新組合の長期給付に要する費用の負担について適用し、同年度前において旧組合の長期給付に要する費用及び国家公務員及び公共企業体職員に係る共済組合制度の統合等を図るための国家公務員共済組合法等の一部を改正する法律（昭和五十八年法律第八十二号。以下「昭和五十八年法律第八十二号」という。）附則第三条第一項に規定する旧組合の長期給付に要する費用として旧公社が負担すべきであつた負担金の額と、昭和六十年度以後における新組合の長期給付に要する費用として改正後の共済法第九十九条第三項及び附則第二十条の二の規定（他の法令においてその例によることとされるこれらの規定を含む。）により国が負担すべき額との調整に関し必要な事項は、政令で定める。

2　新組合の長期給付のうち昭和五十八年法律第八十二号附則第十八条から第二十九条まで及び第三十四条の規定により支給するものに要する費用に係る昭和五十八年法律第八十二号附則第三十五条第一項の規定の適用については、同項中「公共企業体」とあるのは「日本電信電話株式会社」と、「第二条」とあるのは「日本電信電話株式会社法及び電気通信事業法の施行に伴う関係法律の整備等に関する法律（昭和五十九年法律第八十七号）第二十六条」とする。

3　昭和五十八年法律第八十二号附則第三十五条第二項の規定は、新組合の長期給付に要する費用については、適用しない。

第十一条　施行日の前日において昭和五十八年法律第八十二号附則第十六条第一項の規定により改正前の共済法及び国家公務員等共済組合法の長期給付に関する施行法（昭和三十三年法律第百二十九号）の長期給付に関する規定の適用を受ける組合員とされなかつた旧公社の役員であつた者で、施行日に会社の取締役又は監査役となつたものについては、その者が会社の取締役又は監査役として引き続き在職する間、改正後の共済法又は国家公務員等共済組合法の長期給付に関する施行法の長期給付に関する規定の適用を受ける組合員としない。

2　施行日の前日において昭和五十八年法律第八十二号附則第十六条第二項の規定により年金である給付が支給されていない旧公社の役員に係る改正後の共済法の規定による年金である給付については、その者が会社の取締役又は監査役として引き続き在職する間、同項の規定の例により、支給しない。

第十二条　改正後の共済法附則第十三条の十一の規定は、旧組合の組合員である間の旧公社若しくは旧組合の業務若しくは通勤（同条第一項に規定する通勤をいう。）により病気にかかり、若しくは負傷し、その傷病の結果として障害の状態にある者に係る障害給付又は当該傷病により死亡した者に係る遺族給付に関する規定の適用について準用する。

第十三条　この法律の施行の際現に旧組合が保有する電信電話債券は、新組合の責任準備金の運用に関する改正後の共済法附則第三条の二第四項の規定の適用については、旧公社の解散後も、資金運用部資金法（昭和二十六年法律第百号）第七条第一項第三号に掲げる債券とみなす。

附　則（昭六〇・五・一法三四）（抄）

最終改正　平一七・五・二五法五〇

（施行期日）

第一条　この法律は、昭和六十一年四月一日（以下「施行日」という。）から施行する。［ただし書略］

（国家公務員等共済組合法の一部改正に伴う経過措置）

第百三十六条　国家公務員等共済組合法附則第十三条の三第二項の規定の適用については、昭和六十年三月三十一日から施行日の前日までの間に船員保険の被保険者となつた者は、当該船員保険の被保険者となつた日において厚生年金保険の被保険者となつたものとみなし、その者が施行日前に船員保険の被保険者の資格を喪失したときは、当該被保険者の資格の喪失は、厚生年金保険の被保険者の資格の喪失とみなす。

附　則（昭六〇・六・七法四九）（抄）

（施行期日等）

第一条　この法律は、公布の日から施行する。

2　第二条の規定による改正後の国家公務員等共済組合法（以下「改正後の法」という。）第百条第三項の規定〔中略〕は、昭和六十年四月一日から適用する。

（掛金の標準となる俸給に関する経過措置）

第二条　改正後の法第百条第三項の規定は、昭和六十年四月分以後の掛金の標準となる俸給について適用し、同年三月分以前の掛金の標準となる俸給については、なお従前の例による。

（政令への委任）

第五条　前三条に定めるもののほか、長期給付に関する経過措置その他この法律の施行に関し必要な事項は、政令で定める。

附　則（昭六〇・一二・二一法九七）（抄）

（施行期日等）

1　この法律は、公布の日から施行する。［ただし書略］

附　則（昭六〇・一二・二七法一〇五）（抄）

最終改正　令二・六・五法四〇

（施行期日）

第一条　この法律は、昭和六十一年四月一日から施行する。

（用語の定義）

第二条　この条から附則第六十六条までにおいて、次の各号に掲げる用語の意義は、それぞれ当該各号に定めるところによる。

一　新共済法　第一条の規定による改正後の国家公務員等共済組合法をいう。

二　旧共済法　第一条の規定による改正前の国家公務員等共済組合法をいう。

三　新施行法　第二条の規定による改正後の国家公務員等共済組合法の長期給付に関する施行法をいう。

四　旧施行法　第二条の規定による改正前の国家公務員等共済組合法の長期給付に関する施行法をいう。

五　退職年金、減額退職年金、通算退職年金、障害年金、遺族年金又は通算遺族年金　それぞれ旧共済法の規定による退職年金、減額退職年金、通算退職年金、障害年金、遺族年金又は通算遺族年金をいい、他の法令の規定によりこれらの年金とみなされたものを含む。

六　旧共済法による年金　退職年金、減額退職年金、通算退職年金、障害年金、遺族年金及び通算遺族年金をいい、他の法令の規定によりこれらの年金とみなされたものを含む。

七　削除

八　退職共済年金、障害共済年金又は遺族共済年金　それぞれ国家公務員共済組合法（昭和三十三年法律第百二十八号。以下附則第六十六条までにおいて「共済法」という。）の規定による退職共済年金、障害共済年金又は遺族共済年金をいう。

九　共済法による年金　退職共済年金、障害共済年金及び遺族共済年金をいう。

十　老齢基礎年金、障害基礎年金又は遺族基礎年金　それぞれ国民年金法等の一部を改正する法律（昭和六十年法律第三十四号。以下附則第六十六条までにおいて「国民年金等改正法」という。）第一条の規定による改正後の国民年金法（昭和三十四年法律第百四十一号。以下附則第六十六条までにおいて「新国民年金法」という。）の規定による老齢基礎年金、障害基礎年金又は遺族基礎年金をいう。

（施行日前に給付事由が生じた給付に関する一般的経過措置）

第三条　別段の定めがあるもののほか、新共済法及び新施行法の規定は、この法律の施行の日（以下「施行日」という。）以後に給付事由が生じた給付について適用し、施行日前に給付事由が生じた給付については、なお従前の例による。

2　施行日前の組合員である間の通勤（国家公務員災害補償法（昭和二十六年法律第百九十一号）第一条の二に規定する通勤をいう。）により病気にかかり、又は負傷し、その病気又は負傷及びこれらにより生じた病気（以下「傷病」という。）により障害の状態にある者又は死亡した者に係る共済法及び国家公務員共済組合法の長期給付に関する施行法（昭和三十三年法律第百二十九号。以下附則第六十六条までにおいて「施行法」という。）の障害共済年金若しくは障害一時金又は遺族共済年金に関する規定の適用については、その者は当該通勤による傷病によらないで障害の状態になり、又は死亡したものとみなす。

（短期給付に関する経過措置）

第四条　施行日前に退職した者に支給される出産費、埋葬料及び家族埋葬料、傷病手当金並びに出産手当金でその給付事由が施行日以後に生じたものの新共済法第六十一条第一項本文、第六十三条第一項本文及び第三項本文、第六十六条第一項及び第二項並びに第六十七条第一項に規定する金額については、これらの規定にかかわらず、なお従前の例による。

2　新共済法第六十六条の規定による傷病手当金の支給を受ける者が障害年金を受ける権利を有する場合又は旧共済法による障害一時金の支給を受けることとなつた場合における当該傷病手当金の支給及び当該傷病手当金と当該障害年金又は障害一時金の額との調整については、新共済法第六十六条第五項及び第六項の規定にかかわらず、旧共済法第六十六条第五項及び第六項の規定の例による。

（施行日前に退職した者に対する共済法の長期給付に関する規定の適用関係）

第五条　共済法及び施行法の退職共済年金に関する規定は、施行日前に退職した者についても、適用する。ただし、その者が退職年金若しくは減額退職年金の受給権者若しくは通算退職年金の受給権者で大正十五年四月一日以前に生まれたもの（施行日において組合員である者及び施行日以後に再び組合員となつた者を除く。）であるとき、又は昭和三十六年四月一日以後に組合員であつた期間を有しない者であるときは、この限りでない。

2　共済法及び施行法の障害共済年金に関する規定は、施行日前に退職した者が、組合員である間の傷病により、施行日以後に共済法第八十一条第二項に規定する障害等級に該当する程度の障害の状態になつた場合についても、適用する。ただし、当該傷病による障害を基礎とする障害年金を受けることができるときは、この限りでない。

3　共済法及び施行法の遺族共済年金に関する規定は、施行日前に退職した者が、施行日以後に死亡した場合についても、適用する。

（旧公企体組合員期間を有する者の取扱い等）

第六条　共済法及び施行法の退職共済年金に関する規定は、旧公企体長期組合員（施行法第四十条第二号に規定する旧公企体長期組合員をいう。以下同じ。）であつた者（移行組合員等（施行法第四十条第三号に規定する移行組合員、施行法第四十三条の規定により当該移行組合員とみなされた者及び施行法第四十四条各号に掲げる者をいう。以下同じ。）を除く。以下同じ。）についても、適用する。この場合においては、前条第一項ただし書の規定を準用する。

2　共済法及び施行法の障害共済年金に関する規定は、旧公企体長期組合員であつた者が旧公企体長期組合員である間の傷病により、施行日以後に共済法第八十一条第二項に規定する障害等級に該当する程度の障害の状態になつた場合についても、適用する。この場合においては、前条第二項ただし書の規定を準用する。

3　共済法及び施行法の遺族共済年金に関する規定は、旧公企体長期組合員であつた者が施行日以後に死亡した場合についても、適用する。

4　前三項の規定により旧公企体長期組合員であつた者に対し共済法及び施行法の規定を適用する場合においては、その者が旧公企体長期組合員であつた間組合員であつたものと、その者の旧公企体組合員期間（施行法第四十条第五号に規定する旧公企体組合員期間をいう。以下同じ。）を組合員期間とみなすほか、施行法第四十五条及び第四十七条の規定の例による。

5　前各項に定めるもののほか、旧公企体長期組合員であつた者又はその遺族に対し共済法及び施行法の規定を適用する場合において必要な技術的読替えその他の旧公企体長期組合員であつた者に対する共済法及び施行法の規定の適用に関し必要な事項は、政令で定める。

（組合員期間の計算に関する経過措置）

第七条　新共済法第三十八条の規定は、施行日以後の期間に係る組合員期間の計算について適用し、施行日前の期間に係る組合員期間の計算については、なお従前の例による。

（標準報酬に関する経過措置）

第八条　組合は、施行日の前日において組合員であり、施行日以後引き続き組合員である者の施行日から昭和六十一年九月三十日までの間における標準報酬（新共済法第四十二条第一項に規定する標準報酬をいう。以下同じ。）の等級及び月額について、その者が昭和六十年六月に受けた新共済法第二条第一項第五号に規定する報酬（その者が同年六月二日から昭和六十一年二月二十八日までの間に組合員の資格を取得した者であるときは、その資格を取得した日の属する月の翌月に受けた当該報酬とし、その者が同年三月一日以後に組合員の資格を取得した者であるときは、その資格を取得した日の現在の当該報酬とする。）の額に基づき、施行日において、新共済法第四十二条第一項、第五項後段及び第九項の規定の例により、決定するものとする。

（施行日前の期間を有する組合員の平均標準報酬月額の計算の特例）

第九条　施行日の前日において組合員であつた者で施行日以後引き続き組合員であるものについて施行日まで引き続く組合員期間に係る平均標準報酬月額（国家公務員共済組合法等の一部を改正する法律（平成十二年法律第二十一号）第二条の規定による改正前の共済法第七十七条第一項に規定する平均標準報酬月額をいう。以下同じ。）を計算する場合においては、その者の施行日前の組合員期間のうち昭和五十六年四月一日以後の期間で施行日まで引き続いているものの各月における旧共済法第百条第二項及び第三項の規定により掛金の標準となつた俸給の額（その者が昭和六十年三月三十一日以前から引き続き組合員であつた者（これに準ずる者として政令で定める者を含む。）であるときは、その額に当該期間における給与に関する法令（給与に関する法令の適用を受けない者にあつては、給与に関する規程。第三項において同じ。）の規定の改正の措置その他の諸事情を勘案して政令で定める額を加えた額）の合計額を当該期間の月数で除して得た額に補正率を乗じて得た額をもつて、その者の当該施行日まで引き続く組合員期間の計算の基礎となる各月における標準報酬の月額とみなす。

2　前項に規定する補正率とは、一般職の職員の給与に関する法律（昭和二十五年法律第九十五号）第六条第一項に規定する行政職俸給表㈠の適用を受ける組合員の俸給に対する新共済法第二条第一項第五号に規定する報酬の標準的な割合を基礎として、施行日前五年間における掛金の標準となつた俸給の額の平均額に対する施行日まで引き続く組合員期間に係る平均標準報酬月額に相当する額の標準的な比率に相当するものとして、組合員期間の年数に応じて政令で定める比率をいう。

3　施行日前に退職した者（旧公企体長期組合員であつた者を含む。以下同じ。）についてその施行日前の退職に係る組合員期間及び旧公企体組合員期間に係る平均標準報酬月額を計算する場合においては、その者の施行日前の退職に係る組合員期間又は旧公企体組合員期間ごとに、施行日の前日においてその者が受ける権利を有していた通算退職年金の額（同日において通算退職年金を受ける権利を有していなかつた者にあつては、その退職時に通算退職年金の給付事由が生じていたとしたならば同日において支給されているべきであつた通算退職年金の額）の算定の基礎となつている俸給（旧共済法第四十二条第二項に規定する俸給又は公企体基礎俸給年額（附則第八十六条の規定による改正前の国家公務員及び公共企業体職員に係る共済組合制度の統合等を図るための国家公務員共済組合法等の一部を改正する法律（昭和五十八年法律第八十二号。以下附則第六十六条までにおいて「改正前の昭和五十八年法律第八十二号」という。）附則第十八条第二項に規定する公企体基礎俸給年額をいう。以下同じ。）を十二で除して得た額をいう。）の額（昭和六十年度において給与に関する法令の規定の改正の措置が講じられた場合において、その者が昭和六十年三月三十一日以前に退職した者（これに準ずる者として政令で定める者を含む。）であるときは、その額を、当該改正の措置その他の諸事情を勘案して政令で定めるところにより改定した額）に、五年換算率及び第一項に規定する補正率を乗じて得た額を、当該退職に係る組合員期間及び旧公企体組合員期間の計算の基礎となる各月における標準報酬の月額とみなす。

4　前項に規定する五年換算率とは、一般職の職員の給与に関する法律第六条第一項に規定する行政職俸給表㈠の適用を受ける組合員の退職前一年間における掛金の標準となつた俸給の額の当該一年間における平均額に対する退職前五年間における掛金の標準となつた俸給の額の当該五年間における平均額の標準的な比率に相当するものとして、組合員期間の年数に応じて政令で定める比率をいう。

5　前各項に定めるもののほか、施行法第七条第一項各号に掲げる期間及び移行組合員等の旧公企体組合員期間に係る平均標準報酬月額の算定の特例その他の施行日前の組合員期間及び旧公企体組合員期間を有する者に係る平均標準報酬月額の算定に関し必要な事項は、政令で定める。

（旧共済法による年金の支給期月等）

第十条　共済法第七十三条第四項の規定は、旧共済法による年金の支給期月についても、適用する。

2　共済法第四十五条及び第七十四条の二から第七十四条の四までの規定は、旧共済法による年金について準用する。

（併給の調整の経過措置）

第十一条　共済法第七十四条第一項に定めるもののほか、共済法による年金の受給権者が旧共済法による年金又は国民年金等改正法附則第八十七条第一項に規定する旧船員保険法による年金たる保険給付（退職共済年金の受給権者にあつては、これらの給付のうち退職又は老齢を給付事由とするものを除く。）の支給を受けることができるときは、その間、当該共済法による年金は、その支給を停止する。

2　次の各号に掲げる旧共済法による年金の受給権者が当該各号に定める場合に該当するときは、その該当する間、当該年金は、その支給を停止する。

一　退職年金、減額退職年金又は通算退職年金　障害共済年金若しくは遺族共済年金又は地方公務員等共済組合法（昭和三十七年法律第百五十二号）（第十一章を除く。以下この項及び第四項において同じ。）による年金である給付若しくは私立学校教職員共済法（昭和二十八年法律第二百四十五号）による年金である給付で共済法による年金に相当するもの（退職を給付事由とする年金である給付を除く。）、国民年金等改正法第三条の規定による改正後の厚生年金保険法（昭和二十九年法律第百十五号。以下附則第六十六条までにおいて「新厚生年金保険法」という。）による年金である保険給付（老齢を給付事由とする年金である保険給付を除く。）若しくは新国民年金法による年金である給付（老齢を給付事由とする年金である給付並びに国民年金等改正法附則第二十五条の規定により支給される障害基礎年金及び国民年金等改正法附則第二十八条の規定により支給される遺族基礎年金を除く。）を受けることができるとき。

二　障害年金　共済法による年金である給付又は地方公務員等共済組合法による年金である給付若しくは私立学校教職員共済法による年金である給付で共済法による年金に相当するもの、新厚生年金保険法による年金である保険給付若しくは新国民年金法による年金である給付（国民年金等改正法附則第二十五条の規定により支給される障害基礎年金及び国民年金等改正法附則第二十八条の規定により支給される遺族基礎年金を除く。次号において同じ。）を受けることができるとき。

三　遺族年金又は通算遺族年金　共済法による年金である給付又は地方公務員等共済組合法による年金である給付若しくは私立学校教職員共済法による年金である給付で共済法による年金に相当するもの、新厚生年金保険法による年金である保険給付若しくは新国民年金法による年金である給付（老齢を給付事由とする年金である給付（その受給権者が六十五歳に達しているものに限る。）を除く。）を受けることができるとき。

3　共済法第七十四条第三項から第六項までの規定は、前二項の場合について準用する。この場合において、同条第四項ただし書中「この法律による年金である給付」とあるのは、「この法律による年金である給付、国家公務員等共済組合法等の一部を改正する法律（昭和六十年法律第百五号）附則第十一条第一項に規定する旧共済法による年金若しくは旧船員保険法による年金たる保険給付」と読み替えるものとする。

4　退職年金、減額退職年金又は通算退職年金は、その受給権者（六十五歳に達している者に限る。）が遺族共済年金又は地方公務員等共済組合法による年金若しくは私立学校教職員共済法による年金で遺族共済年金に相当するもの若しくは新厚生年金保険法による年金である保険給付で死亡を給付事由とするものの支給を受けることができるときは、第二項の規定にかかわらず、当該退職年金、減額退職年金又は通算退職年金の額の二分の一に相当する部分に限り、支給の停止は、行わない。

5　退職共済年金の受給権者が国民年金等改正法附則第三十一条第一項に規定する者であるときは、その者が受ける退職共済年金は、前各項、共済法第七十四条、新国民年金法第二十条その他これらの規定に相当する併給の調整に関する規定であつて政令で定めるものの適用については、退職年金とみなし、退職共済年金でないものとみなす。

6　前項の規定により退職年金とみなされた退職共済年金の受給権者が障害年金を受ける権利を有するときは、その者に有利ないずれか一の給付を行うものとする。

7　障害年金又は遺族年金若しくは通算遺族年金の受給権者が国民年金等改正法附則第三十一条第一項に規定する者であるときは、第二項の規定の適用については、同項第二号及び第三号中「相当するもの」とあるのは、「相当するもの（退職を給付事由とする年金である給付を除く。）」とする。

（組合員期間等に関する経過措置）

第十二条　施行日前における次に掲げる期間は、共済法第七十六条第一項第一号に規定する組合員期間等（以下「組合員期間等」という。）に算入する。

一　国民年金等改正法附則第八条第一項及び第二項の規定により保険料納付済期間又は保険料免除期間とみなされた期間のうち組合員期間（旧公企体組合員期間その他の組合員期間とみなされた期間及び組合員期間に算入することとされた期間を含む。以下同じ。）以外の期間

二　国民年金等改正法附則第八条第五項の規定により合算対象期間に算入することとされた期間のうち組合員期間以外の期間

2　前項の規定により組合員期間等に算入することとされた期間の計算に関し必要な事項その他組合員期間等の計算に関し必要な事項は、政令で定める。

第十三条　削除

（退職共済年金等の支給要件の特例）

第十四条　組合員期間等が二十五年未満である者（共済法附則第十三条第一項及び第十三条の五並びに施行法第八条及び第九条（これらの規定を施行法第二十二条第一項、第二十三条第一項及び第四十八条第一項において準用する場合を含む。）並びに第二十五条の規定の適用を受ける者（以下「特例受給資格を有する者」という。）を除く。以下この条において同じ。）で附則別表第一の上欄に掲げるものの組合員期間の年数が、それぞれ同表の下欄に掲げる年数以上であるときは、共済法第八十八条第一項第四号並びに附則第十二条の八第一項、第二項及び第九項の規定の適用については、その者は、組合員期間等が二十五年以上である者であるものとみなす。

2　組合員期間等が十年未満である者で大正十五年四月二日以後に生まれたものが国民年金等改正法附則第十二条第一項第二号から第七号まで、第十八号及び第十九号のいずれかに該当するときは、共済法第七十六条、附則第十二条の三、第十二条の六の二第一項及び第十三条の十第一項の規定の適用については、その者は、組合員期間等が十年以上である者であるものとみなし、組合員期間等が二十五年未満である者（前項の規定の適用を受ける者を除く。）で同日以後に生まれたものが国民年金等改正法附則第十二条第一項各号（第八号から第十一号まで及び第二十号を除く。）のいずれかに該当するときは、共済法第八十八条第一項第四号の規定の適用については、その者は、組合員期間等が二十五年以上である者であるものとみなす。

3　組合員期間等が二十五年未満である者（第一項の規定の適用を受ける者を除く。）で大正十五年四月一日以前に生まれたものが、旧共済法、旧施行法及び旧通則法（国民年金等改正法附則第二条第一項の規定による廃止前の通算年金通則法（昭和三十六年法律第百八十一号）をいう。次項において同じ。）の規定の例によるとしたならば、退職年金又は通算退職年金の支給を受けるべきこととなるときは、共済法第八十八条第一項第四号の規定の適用については、その者は、組合員期間等が二十五年以上であるものとみなす。

4　組合員期間等が十年以上である者で大正十五年四月一日以前に生まれたものが旧共済法、旧施行法及び旧通則法の規定の例によるとしたならば退職年金又は通算退職年金の支給を受けるべきこととなる場合以外の場合には、共済法第七十六条、附則第十二条の三及び第十三条の十第一項の規定の適用については、その者は、組合員期間等が十年以上である者でないものとみなす。

5　前項に定めるもののほか、大正十五年四月一日以前に生まれた者に係る退職共済年金又は遺族共済年金の支給に関し必要な事項は、政令で定める。

（退職共済年金の額の一般的特例）

第十五条　附則別表第二の第一欄に掲げる者又はその遺族について共済法第七十七条第一項及び第二項（共済法第七十八条の二第四項においてその例による場合を含む。）並びに第八十九条第一項及び第二項並びに共済法附則第十二条の四の二第二項及び第三項（共済法附則第十二条の四の三第一項及び第三項、第十二条の七の二第二項、第十二条の七の三第二項及び第四項並びに第十二条の八第三項においてその例による場合を含む。）の規定を適用する場合においては、同欄に掲げる者の区分に応じ、これらの規定中「千分の五・四八一」とあるのは同表の第二欄に掲げる割合に、「千分の一・〇九六」とあるのは同表の第三欄に掲げる割合に、「千分の〇・五四八」とあるのは同表の第四欄に掲げる割合に、それぞれ読み替えるものとする。

2　附則別表第二の第一欄に掲げる者の遺族について共済法第八十九条第三項及び第九十三条の三の規定を適用する場合（当該遺族が支給を受ける遺族共済年金が共済法第八十八条第一項第四号に該当することにより支給されるものである場合に限

る。）においては、共済法第八十九条第三項及び第九十三条の三中「千分の二・四六六」とあるのは、「千分の二・四六六（その組合員又は組合員であつた者が国家公務員等共済組合法等の一部を改正する法律（昭和六十年法律第百五号）附則別表第二の第一欄に掲げる者であるときは、同欄に掲げる者の区分に応じ、同表の第二欄に掲げる割合の四分の一に相当する割合に同表の第三欄に掲げる割合を加えた割合）」とする。

3　退職年金若しくは減額退職年金又は国民年金等改正法第三条の規定による改正前の厚生年金保険法による老齢年金その他の政令で定める年金の受給権者で昭和二年四月二日から昭和六年四月一日までの間に生まれたものについて共済法第七十七条第一項及び第二項（共済法第七十八条の二第四項においてその例による場合を含む。）並びに共済法附則第十二条の七の二第二項及び第十二条の八第三項においてその例によるものとされた共済法附則第十二条の四の二第二項及び第三項の規定を適用する場合においては、第一項の規定にかかわらず、共済法第七十七条第一項（共済法第七十八条の二第四項においてその例による場合を含む。）並びに共済法附則第十二条の七の二第二項及び第十二条の八第三項においてその例によるものとされた共済法附則第十二条の四の二第二項中「千分の五・四八一」とあるのは「千分の七・三〇八」と、共済法第七十七条第二項（共済法第七十八条の二第四項においてその例による場合を含む。）並びに共済法附則第十二条の七の二第二項及び第十二条の八第三項においてその例によるものとされた共済法附則第十二条の四の二第三項中「千分の一・〇九六」とあるのは「千分の〇・三六五」と、「千分の〇・五四八」とあるのは「千分の〇・一八三」とする。

（退職共済年金の額の経過的加算）

第十六条　退職共済年金（大正十五年四月一日以前に生まれた者又は退職年金若しくは減額退職年金若しくは前条第三項に規定する政令で定める年金の受給権者で昭和六年四月一日以前に生まれたもの（以下この条において「施行日に六十歳以上である者等」という。）に係るもの及び共済法附則第十二条の三の規定による退職共済年金を除く。）の額の算定については、当分の間、第一号に掲げる金額が第二号に掲げる金額を超えるときは、共済法第七十七条第一項及び第七十八条第一項の規定により算定した金額は、これらの規定にかかわらず、これらの規定により算定した金額に、第一号に掲げる金額から第二号に掲げる金額を控除して得た金額を加算した金額とする。

一　千六百二十八円に新国民年金法第二十七条に規定する改定率（以下「改定率」という。）を乗じて得た金額（その金額に五十銭未満の端数があるときは、これを切り捨て、五十銭以上一円未満の端数があるときは、これを一円に切り上げるものとする。）に組合員期間の月数（当該月数が四百八十月を超えるときは、四百八十月）を乗じて得た金額

二　新国民年金法第二十七条本文に規定する老齢基礎年金の額にイに掲げる月数をロに掲げる月数で除して得た割合を乗じて得た金額

イ　組合員期間のうち昭和三十六年四月一日以後の期間に係るもの（二十歳に達した日の属する月前の期間及び六十歳に達した日の属する月以後の期間に係るものその他政令で定める期間に係るものを除く。）の月数

ロ　附則別表第三の上欄に掲げる者の区分に応じ、それぞれ同表の下欄に掲げる月数

2　附則別表第二の第一欄に掲げる者（施行日に六十歳以上である者等を除く。）に対する前項第一号及び共済法附則第十二条の四の二第二項第一号（共済法附則第十二条の四の三第一項及び第三項、第十二条の七の二第二項、第十二条の七の三第二項及び第四項並びに第十二条の八第三項においてその例による場合を含む。次項において同じ。）の規定の適用については、これらの規定中「とする。）」とあるのは、「とする。）に政令で定める率を乗じて得た金額」とする。

3　前項の規定により読み替えられた第一項第一号及び共済法附則第十二条の四の二第二項第一号に規定する政令で定める率は、附則別表第二の第一欄に掲げる者の生年月日に応じて定めるものとし、かつ、千六百二十八円に改定率を乗じて得た金額にその率を乗じて得た金額（その金額に五十銭未満の端数があるときは、これを切り捨て、五十銭以上一円未満の端数があるときは、これを一円に切り上げるものとする。）が三千五十三円に改定率を乗じて得た金額（その金額に五十銭未満の端数があるときは、これを切り捨て、五十銭以上一円未満の端数があるときは、これを一円に切り上げるものとする。）から千六百二十八円に改定率を乗じて得た金額（その金額に五十銭未満の端数があるときは、これを切り捨て、五十銭以上一円未満の端数があるときは、これを一円に切り上げるものとする。）までの間を一定の割合で逓減するように定められるものとする。

4　施行日に六十歳以上である者等に係る共済法第七十六条の規定による退職共済年金の額の算定については、共済法第七十七条第一項及び第七十八条第一項の規定により算定した金額は、これらの規定にかかわらず、これらの規定により算定した金額に、三千五十三円に改定率を乗じて得た金額（その金額に五十銭未満の端数があるときは、これを切り捨て、五十銭以上一円未満の端数があるときは、これを一円に切り上げるものとする。）に組合員期間の月数（当該月数が四百二十月を超えるときは、四百二十月）を乗じて得た金額を加算した金額とする。

5　施行日に六十歳以上である者等に対する共済法附則第十二条の七の二第二項及び第十二条の八第三項においてその例によるものとされた共済法附則第十二条の四の二第二項第一号の規定の適用については、同号中「千六百二十八円」とあるのは、「三千五十三円」とする。

6　特例受給資格を有する者に対する第一項第一号又は第四項の規定の適用については、退職共済年金の額の算定の基礎となる組合員期間の月数が二百四十月未満であるときは、当該組合員期間の月数は、二百四十月であるものとみなす。

7　退職共済年金の支給を受ける者が施行法第二条第十四号に規定する控除期間並びに施行法第七条第一項第五号及び第六号の期間（以下「控除期間等の期間」という。）を有する更新組合員等（施行法第二条第七号に規定する更新組合員及び更新組合員に準ずる者として政令で定める者をいう。以下同じ。）である場合における施行法第十一条第一項の規定の適用については、同項第二号中「除く」とあるのは、「除き、六十五歳に達したとき以後は、国家公務員等共済組合法等の一部を改正する法律（昭和六十年法律第百五号）附則第十六条第一項又は第四項の規定による加算額を除く」とする。

8　退職共済年金の支給を受ける者が追加費用対象期間（施行法

第十三条の二第一項に規定する追加費用対象期間をいう。以下同じ。）を有する更新組合員等である場合における同条の規定の適用については、同項中「並びに第十一条」とあるのは、「、第十一条並びに昭和六十年改正法附則第十六条第一項又は第四項」とする。

9　第一項の規定により退職共済年金の額が算定されている者については、共済法第七十八条の二第四項中「金額に」とあるのは、「金額に国家公務員等共済組合法等の一部を改正する法律（昭和六十年法律第百五号）附則第十六条第一項の規定により加算されることとなる金額を加算した金額に」とする。

（退職共済年金の加給年金額等の特例）

第十七条　退職共済年金又は障害共済年金の受給権者の配偶者が大正十五年四月一日以前に生まれた者である場合においては、共済法第七十八条第一項並びに第八十三条第一項及び第四項並びに国民年金法等の一部を改正する法律（平成二十二年法律第二十七号）附則第二条第三項中「六十五歳未満の配偶者」とあるのは「配偶者」としてこれらの規定を適用し、共済法第七十八条第四項第四号（共済法第八十三条第五項において準用する場合を含む。）の規定は、適用しない。

2　退職共済年金の受給権者が次の各号に掲げる者であるときは、共済法第七十八条第一項の規定による配偶者に係る加給年金額は、同条第二項の規定にかかわらず、同項に定める金額に、当該各号に定める金額に新国民年金法第二十七条の三及び第二十七条の五の規定の適用がないものとして改定した改定率を乗じて得た金額（その金額に五十円未満の端数があるときは、これを切り捨て、五十円以上百円未満の端数があるときは、これを百円に切り上げるものとする。）を加算した額とする。

一　昭和九年四月二日から昭和十五年四月一日までの間に生まれた者　三万三千二百円

二　昭和十五年四月二日から昭和十六年四月一日までの間に生まれた者　六万六千三百円

三　昭和十六年四月二日から昭和十七年四月一日までの間に生まれた者　九万九千五百円

四　昭和十七年四月二日から昭和十八年四月一日までの間に生まれた者　十三万二千六百円

五　昭和十八年四月二日以後に生まれた者　十六万五千八百円

3　退職共済年金の受給権者が前項各号に掲げる者であつて追加費用対象期間を有する更新組合員等である場合における施行法第十三条の二の規定の適用については、同条第一項中「新法第七十八条第一項」とあるのは、「新法第七十八条第一項（同条第二項に定める金額について昭和六十年改正法附則第十七条第二項の規定を適用する場合を含む。）」とする。

（退職共済年金等の額の算定の基礎となる組合員期間の特例）

第十八条　組合員期間が二十年未満である者（特例受給資格を有する者を除く。）又はその遺族に支給する退職共済年金又は遺族共済年金の額を算定する場合においては、昭和四十二年度以後における国家公務員共済組合等からの年金の額の改定に関する法律等の一部を改正する法律（昭和五十四年法律第七十二号。附則第四十五条第三項において「昭和五十四年法律第七十二号」という。）第二条の規定による改正前の国家公務員共済組合法（昭和三十三年法律第百二十八号。附則第六十二条第一項において「昭和五十四年改正前の共済法」という。）第八十条第三項の規定による退職一時金又は昭和四十二年度以後における公共企業体職員等共済組合法に規定する共済組合が支給する年金の額の改定に関する法律及び公共企業体職員等共済組合法の一部を改正する法律（昭和五十四年法律第七十六号）第二条の規定による改正前の公共企業体職員等共済組合法（昭和三十一年法律第百三十四号。附則第六十二条第一項において「昭和五十四年改正前の旧公企体共済法」という。）第五十四条第五項の規定による退職一時金を受けた者のこれらの退職一時金の基礎となつた組合員期間は、当該退職共済年金又は遺族共済年金の額の算定の基礎となる組合員期間には該当しないものとする。この場合においては、共済法附則第十二条の十二第一項及び第十二条の十三の規定にかかわらず、これらの一時金に係る同項に規定する支給額等又は同条に規定する一時金の額に利子に相当する額を加えた額については、返還を要しないものとする。

（退職年金又は減額退職年金の受給権者に係る退職共済年金の額の特例）

第十九条　退職年金又は減額退職年金の受給権者に支給する退職共済年金の額を算定する場合においては、当該退職年金又は減額退職年金の額の算定の基礎となつた組合員期間は、当該退職共済年金の額の算定の基礎となる組合員期間には該当しないものとする。

2　前項の規定にかかわらず、退職年金又は減額退職年金の額の算定の基礎となつている組合員期間の月数と退職共済年金の額の算定の基礎となつている組合員期間の月数とを合算した月数が五百二十八月以上であるときは、共済法附則第十二条の四の二第五項の規定の適用については、その者は、退職共済年金の額の算定の基礎となつている組合員期間が四十四年以上である者であるものとみなす。

3　退職年金又は減額退職年金の受給権者に支給する退職共済年金の額を算定する場合においては、当該退職年金又は減額退職年金の額の算定の基礎となつている組合員期間の月数が四百八十月以上であるときは、共済法附則第十二条の四の二第二項第一号（共済法附則第十二条の四の三第一項及び第三項、第十二条の七の二第二項、第十二条の七の三第二項及び第四項並びに第十二条の八第三項においてその例による場合を含む。以下この項において同じ。）及び第十二条の七の五の規定並びに附則第十六条の規定は適用しないものとし、当該組合員期間の月数が四百八十月未満であり、かつ、その月数と退職共済年金の額の算定の基礎となつている組合員期間の月数とを合算した月数が四百八十月を超えるときは、共済法附則第十二条の四の二第二項第一号並びに第十二条の七の五第一項、第四項及び第五項の規定並びに附則第十六条第一項第一号及び第四項の規定に規定する金額の算定については、四百八十月から当該退職年金又は減額退職年金の額の算定の基礎となつている組合員期間の月数を控除して得た月数をもつて、これらの規定に規定する金額の算定の基礎とする組合員期間の月数とする。

4　退職年金又は減額退職年金の受給権者に支給する退職共済年金については、共済法第七十八条の規定にかかわらず、加給年金額は、加算しない。

（通算退職年金の受給権者に係る退職共済年金の額の特例）

第二十条　施行日前に退職した者で退職年金又は減額退職年金を

受ける権利を有していないものが退職共済年金の支給を受けることとなつたときは、通算退職年金は支給しない。

2　前項の規定により支給しないこととされた通算退職年金の受給権者に支給する退職共済年金の額が、その者が施行日の前日において受ける権利を有していた通算退職年金の額（その者が大正十五年四月一日以前に生まれた者であるときは、当該退職共済年金の給付事由が生じた日の前日において受ける権利を有していた当該通算退職年金の額とし、その者が老齢基礎年金の支給を受けるときは、当該通算退職年金の額から、老齢基礎年金の額のうち組合員期間に係る部分に相当する額として政令で定めるところにより算定した額を控除して得た額とする。）より少ないときは、その額に相当する額をもつて、当該退職共済年金の額とする。

3　前項の規定は、組合員である間に支給される退職共済年金の額の算定については、適用しない。

4　第一項に規定する者で退職共済年金の支給を受けるものが施行日前に二回以上の退職をした者である場合における前各項の規定の適用に関し必要な経過措置は、政令で定める。

（退職年金を受けることができた者等に係る退職共済年金の額の特例）

第二十一条　退職共済年金の受給権者が、施行日の前日において組合員であつた者で施行日以後引き続き組合員であるもののうち、次の各号に掲げる者である場合における当該退職共済年金の額については、共済法第七十七条（共済法第七十八条の二第四項においてその例による場合を含む。）及び第七十八条並びに附則第十二条の四の二第二項及び第三項（共済法附則第十二条の四の三第一項及び第三項、第十二条の七の二第二項並びに第十二条の七の三第二項及び第四項においてその例による場合を含む。）並びに施行法第十一条の規定並びに附則第十五条から前条までの規定により算定した額が当該各号に定める額（その者が老齢基礎年金の支給を受けるときは、当該各号に定める額から当該老齢基礎年金の額のうち組合員期間に係る部分に相当する額として政令で定めるところにより算定した額を控除して得た額）より少ないときは、当該各号に定める額をもつて、当該退職共済年金の額とする。

一　施行日の前日において退職したとしたならば、退職年金を受ける権利を有することができた者　その者が同日において退職したものとみなして、旧共済法及び旧施行法の規定により算定するものとした場合の当該退職年金の額に相当する額

二　施行日の前日において退職年金又は減額退職年金を受ける権利を有していた者　その者が同日において退職したものとみなして、旧共済法第七十八条、第七十九条第三項から第六項まで又は附則第十三条の十六の規定により改定するものとした場合の退職年金又は減額退職年金の当該改定後の額と当該改定前の額との差額に相当する額

2　前項（第二号を除く。以下この項において同じ。）の規定の適用を受ける者のうち追加費用対象期間を有する更新組合員等に対する退職共済年金の額（国民年金法の規定による老齢基礎年金又は障害基礎年金が支給される場合には、これらの年金である給付の額を加えた額とする。）が控除調整下限額（施行法第十三条の二第一項に規定する控除調整下限額をいう。以下同じ。）を超えるときは、退職共済年金の額は、前項の規定にかかわらず、同項の規定により算定した額から、その額（国民年金法の規定による老齢基礎年金が支給される場合には当該老齢基礎年金の額のうち組合員期間に係る部分に相当するものとして政令で定めるところにより算定した額を、同法の規定による障害基礎年金が支給される場合には当該障害基礎年金の額のうち組合員期間に係る部分に相当するものとして政令で定めるところにより算定した額を、それぞれ加えた額とする。次項において「控除前退職共済年金額」という。）を組合員期間の月数で除して得た額の百分の二十七に相当する額に追加費用対象期間の月数を乗じて得た額（次項において「退職共済年金控除額」という。）を控除した金額とする。

3　前項の規定による退職共済年金控除額が控除前退職共済年金額の百分の十に相当する額を超えるときは、当該百分の十に相当する額をもつて退職共済年金控除額とする。

4　前二項の場合において、これらの規定による控除後の退職共済年金の額が控除調整下限額より少ないときは、控除調整下限額をもつて退職共済年金の額とする。

5　国民年金法の規定による老齢基礎年金又は障害基礎年金が支給される場合における前項の規定の適用については、同項中「控除調整下限額」とあるのは、「控除調整下限額から国民年金法の規定による老齢基礎年金又は障害基礎年金の額を控除した額」とする。

6　第一項（第二号を除く。）の規定の適用を受ける者のうち退職共済年金の受給権者（追加費用対象期間を有する更新組合員等である者に限る。）が、遺族共済年金（その者が六十五歳に達しているものに限る。）その他の政令で定める年金である給付の支給を受けることができるときは、退職共済年金の額は、第二項から前項までの規定にかかわらず、当該退職共済年金の額及び当該支給を受けることができる政令で定めるものの額の総額を基礎として、これらの規定に準じて政令で定めるところにより算定した額とする。

7　前各項の規定は、組合員である間に支給される退職共済年金の額の算定については、適用しない。

（退職共済年金の支給停止の特例）

第二十一条の二　共済法附則第十二条の三の規定による退職共済年金（当該退職共済年金に係る共済法附則第十二条の四の二第二項第一号に規定する金額が当該退職共済年金の額の算定の基礎となる組合員期間を基礎として算定した附則第十六条第一項第二号に規定する金額を超えるものに限る。）に係る共済法附則第十二条の四の四並びに第十二条の七の四第二項及び第三項の規定の適用については、当分の間、共済法附則第十二条の四の四中「当該退職共済年金に係る附則第十二条の四の二第二項第一号に規定する金額」とあるのは「当該退職共済年金の額の算定の基礎となる組合員期間を基礎として算定した国家公務員等共済組合法等の一部を改正する法律（昭和六十年法律第百五号）附則第十六条第一項第二号に規定する金額（附則第十二条の七の四第二項において「基礎年金相当部分の額」という。）」と、共済法附則第十二条の七の四第二項中「当該退職共済年金に係る附則第十二条の四の二第二項第一号に規定する金額」とあるのは「基礎年金相当部分の額」と、同条第三項中「当該退職共済年金に係る附則第十二条の四の二第二項第一号に規定する金額」とあるのは「当該退職共済年金の額の算定の基礎となる組合員期間を基礎として算定した国家公務員等共済組合法等

の一部を改正する法律（昭和六十年法律第百五号）附則第十六条第一項第二号に規定する金額」とする。

2　附則第十六条第一項又は第四項の規定により算定した金額が加算された退職共済年金に係る共済法第七十九条第二項及び第八十条第一項の規定の適用については、共済法第七十九条第二項中「相当する部分に」とあるのは「相当する部分並びに国家公務員等共済組合法等の一部を改正する法律（昭和六十年法律第百五号）附則第十六条第一項又は第四項の規定により加算された金額に相当する部分に」と、同項第一号中「加算される金額を」とあるのは「加算される金額並びに国家公務員等共済組合法等の一部を改正する法律附則第十六条第一項又は第四項の規定により加算された金額を」と、共済法第八十条第一項中「加算される金額」とあるのは「加算される金額並びに国家公務員等共済組合法等の一部を改正する法律（昭和六十年法律第百五号）附則第十六条第一項又は第四項の規定により加算された金額」とする。

（退職共済年金の支給の繰下げの経過措置）

第二十一条の三　退職共済年金について、共済法第七十八条の二の規定を適用する場合においては、同条第一項ただし書中「、障害共済年金若しくは遺族共済年金」とあるのは「、障害共済年金若しくは遺族共済年金、国家公務員等共済組合法等の一部を改正する法律（昭和六十年法律第百五号）附則第二条第六号に規定する旧共済法による年金若しくは同条第十号に規定する国民年金等改正法附則第八十七条第一項に規定する旧船員保険法による年金たる保険給付（これらの給付のうち退職又は老齢を給付事由とするものを除く。以下この条において「旧共済法等による年金」という。）」と、「において障害共済年金若しくは遺族共済年金」とあるのは「において障害共済年金若しくは遺族共済年金、旧共済法等による年金」と、同条第二項中「遺族共済年金、」とあるのは「遺族共済年金、旧共済法等による年金」とする。

（施行日前の組合員期間を有する者の退職共済年金の特例）

第二十二条　附則第十九条から前条までに定めるもののほか、施行日前に退職した者に支給する退職共済年金の額の特例、施行日前の組合員期間を有する者に対する共済法第八十条の規定による支給の停止の特例その他の施行日前の組合員期間を有する者に対する共済法の退職共済年金に関する規定の適用に関し必要な経過措置は、政令で定める。

（障害共済年金の支給要件の特例）

第二十三条　共済法第八十一条第三項の規定による障害共済年金は、同一の傷病による障害について障害年金又は国民年金等改正法第一条の規定による改正前の国民年金法（以下附則第六十六条までにおいて「旧国民年金法」という。）による障害年金を受ける権利を有していたことがある者については、同項の規定にかかわらず、支給しない。

（障害年金と障害共済年金とを併給する場合の取扱い等）

第二十四条　共済法第八十二条第四項及び第八十五条第一項の規定は、障害年金で障害基礎年金に相当するものとして政令で定めるものの受給権者に対して更に障害共済年金（その障害の程度が共済法第八十一条第二項に規定する障害等級の一級又は二級に該当する程度の障害の状態にある場合に限る。次項において同じ。）を支給すべき事由が生じた場合について準用する。

2　昭和三十六年四月一日前に給付事由が生じた障害年金で障害基礎年金に相当するものとして政令で定めるものの受給権者に対して更に障害共済年金又は障害基礎年金の給付事由が生じた場合における当該障害年金の額の特例その他障害年金の受給権者に対し更に障害共済年金又は障害基礎年金の給付事由が生じた場合における共済法の障害共済年金に関する規定の適用に関し必要な経過措置は、政令で定める。

（障害一時金に関する経過措置）

第二十五条　新共済法第八十七条の五の規定は、施行日以後に退職した者について適用するものとし、施行日前に退職した者に係る障害一時金については、なお従前の例による。

2　共済法第八十七条の六の規定の適用については、旧共済法による年金は、共済法による年金とみなす。

3　前項の規定により共済法による年金とみなされた障害年金の受給権者について共済法第八十七条の六の規定を適用する場合においては、同条第一号中「障害等級に該当する程度の障害の状態（以下この条」とあるのは「国家公務員等共済組合法等の一部を改正する法律（昭和六十年法律第百五号）第一条の規定による改正前の国家公務員等共済組合法別表第三の上欄に掲げる程度の障害の状態（以下この号」と、「障害共済年金」とあるのは「同法の規定による障害年金（他の法令の規定により当該障害年金とみなされたものを含む。）」とする。

（施行日前の組合員期間を有する者の障害共済年金等の特例）

第二十六条　施行日前における組合員である間の傷病により施行日以後において障害の状態にある者に対する障害共済年金の額の特例、施行日前の組合員期間を有する者に対する共済法第八十七条の二の規定による支給の停止の特例その他の施行日前の組合員期間を有する者に対する共済法の障害共済年金及び障害一時金に関する規定の適用に関し必要な経過措置は、政令で定める。

（遺族共済年金の支給要件の特例）

第二十七条　施行日前に退職した者に対する共済法の遺族共済年金に関する規定の適用については、共済法第八十八条第一項第三号中「障害等級の一級又は二級に該当する障害の状態にある障害共済年金」とあるのは「障害等級の一級若しくは二級に該当する障害の状態にある障害共済年金又は国家公務員等共済組合法等の一部を改正する法律第一条の規定による改正前の国家公務員等共済組合法（次号において「昭和六十年改正前の法」という。）の規定による障害年金（他の法令の規定により当該障害年金とみなされたものを含む。）」と、同項第四号中「退職共済年金」とあるのは「退職共済年金若しくは昭和六十年改正前の法の規定による退職年金、減額退職年金若しくは通算退職年金（他の法令の規定によりこれらの年金とみなされたものを含む。）」とする。

2　前項に定めるもののほか、施行日前に退職した者が施行日以後に死亡した場合における遺族共済年金の支給に関し必要な経過措置は、政令で定める。

（遺族共済年金の加算の特例）

第二十八条　共済法第九十条に規定する遺族共済年金の受給権者が六十五歳以上の妻であつて附則別表第四の上欄に掲げるものであるときは、当該遺族共済年金の額のうち共済法第八十九条第一項第一号イ(1)又はロ(1)に掲げる金額（同条第二項第一号イに掲げる同条第一項第一号の規定の例により算定した金額を含む。）は、これらの規定にかかわらず、これらの規定により算定した金額に第一号に掲げる金額から第二号に掲げる金額を控除して得た金額を加算した金額とする。

一　共済法第九十条に規定する加算額

二　新国民年金法第二十七条本文に規定する老齢基礎年金の額にそれぞれ附則別表第四の下欄に掲げる割合を乗じて得た金額

2　前項の規定によりその額が加算された遺族共済年金の額の算定の基礎となる組合員期間に追加費用対象期間が含まれる場合における施行法第十三条の四の規定の適用については、同条第一項中「並びに第十三条」とあるのは、「、第十三条並びに昭和六十年改正法附則第二十八条第一項」とする。

3　共済法第九十条の規定によりその額が加算された遺族共済年金を受ける妻であつて附則別表第四の上欄に掲げるものが六十五歳に達したときは、その者を第一項の規定に該当する者とみなして当該遺族共済年金の額を改定する。

4　共済法第九十三条第一項の規定は、第一項の規定による加算額について準用する。

5　第一項の規定によりその額が加算された遺族共済年金は、その受給権者である妻が、障害基礎年金若しくは旧国民年金法による障害年金又は国民年金等改正法附則第七十三条第一項の規定によりその額が加算された遺族厚生年金の支給を受けることができるときは、その間、第一項の規定により加算する金額に相当する部分の支給を停止する。

第二十九条　配偶者に支給する遺族共済年金の額は、その配偶者が、組合員又は組合員であつた者の死亡の当時遺族である子と生計を同じくしていた場合であつて、当該組合員又は組合員であつた者の死亡について遺族基礎年金を受ける権利を取得しないとき（新国民年金法第三十七条ただし書の規定に該当したことにより遺族基礎年金を受ける権利を取得しないときを除く。次項において同じ。）は、共済法第八十九条及び第九十条の規定にかかわらず、これらの規定の例により算定した金額に新国民年金法第三十八条及び第三十九条第一項の規定の例により算定した金額を加算した金額とする。

2　子に支給する遺族共済年金の額は、その子が組合員又は組合員であつた者の死亡について遺族基礎年金を受ける権利を取得しないときは、共済法第八十九条の規定にかかわらず、同条の規定の例により算定した金額に新国民年金法第三十八条及び第三十九条の二第一項の規定の例により算定した金額を加算した金額とする。

3　前二項の規定によりその額が加算された遺族共済年金の額の算定の基礎となる組合員期間に追加費用対象期間が含まれる場合における施行法第十三条の四の規定の適用については、同条第一項中「並びに第十三条」とあるのは、「、第十三条並びに昭和六十年改正法附則第二十九条第一項及び第二項」とする。

4　新国民年金法第三十九条第二項及び第三項、第三十九条の二第二項、第四十条、第四十一条第二項及び第四十一条の二の規定は、遺族共済年金のうち第一項又は第二項の加算額に相当する部分について準用する。

5　共済法第九十一条第三項の規定の適用については、当分の間、同項中「配偶者に対する遺族共済年金」とあるのは「配偶者に対する遺族共済年金（国家公務員等共済組合法等の一部を改正する法律附則第二十九条第一項の規定によりその額が加算されたものを除く。）」と、「当該遺族基礎年金」とあるのは「当該遺族基礎年金又は同条第二項の規定によりその額が加算された遺族共済年金」とする。

6　第一項の規定によりその額が加算された遺族共済年金に対する共済法第九十三条第一項（前条第四項において準用する場合を含む。）の規定の適用については、共済法第九十三条第一項中「その受給権者である妻が、四十歳未満であるとき、又は当該組合員若しくは組合員であつた者の死亡について国民年金法による遺族基礎年金の支給を受けることができるとき」とあるのは、「当該遺族共済年金が国家公務員等共済組合法等の一部を改正する法律附則第二十九条第一項の規定によりその額が加算されたものであるとき」とする。

7　第一項又は第二項の規定によりその額が加算された遺族共済年金のうち、これらの規定による加算額に相当する部分は、共済法第七十四条、新国民年金法第二十条その他これらの規定に相当する併給の調整に関する規定で政令で定めるもの及び共済法第九十三条の二第一項第五号の規定の適用については、遺族基礎年金とみなし、遺族共済年金でないものとみなす。

（退職年金の受給権者等に対する遺族共済年金の額の特例）

第三十条　退職年金又は減額退職年金の受給権者（特例退職年金（旧共済法附則第十三条の十五第二項に規定する特例退職年金をいう。以下同じ。）の受給権者及び特例受給資格を有する者を除く。）で組合員期間が二十年未満のものが施行日以後に死亡した場合における共済法第八十九条第一項から第三項までの規定の適用については、同条第一項第一号ロ(2)中「次の(i)又は(ii)に掲げる者の区分に応じ、それぞれ(i)又は(ii)に定める」とあるのは「(i)に定める」と、「組合員期間が二十年以上である者」とあるのは「国家公務員等共済組合法等の一部を改正する法律附則第三十条第一項に規定する退職年金又は減額退職年金の受給権者」とする。

2　退職年金若しくは減額退職年金の受給権者が施行日以後に死亡した場合、施行日の前日において組合員であつた者で施行日以後引き続き組合員である者が組合員である間に死亡した場合又は附則第二十一条第一項の規定によりその額が算定された退職共済年金の受給権者が死亡した場合における遺族共済年金の額については、共済法第八十九条及び第九十条並びに施行法第十三条の規定並びに前二条の規定により算定した額が、これらの者について施行日の前日において遺族年金の給付事由が生じていたとしたならば同日において支給されるべき遺族年金の額（当該遺族が同一の事由により遺族基礎年金の支給を受けるときは、当該遺族年金の額から、当該遺族基礎年金の額のうち組合員期間に係るものとして支給される額に相当する額として政令で定めるところにより算定した額を控除して得た額）より少ないときは、その額をもつて、当該遺族共済年金の額とする。

3　前二項に定めるもののほか、前項に規定する場合における遺族共済年金の額の算定に関し必要な事項は、政令で定める。

（長期給付に要する費用の負担の特例）

第三十一条　国は、政令で定めるところにより、共済法第九十九条第四項の規定によるほか、毎年度、当該事業年度において支払われる長期給付（共済法第七十三条第一項各号に掲げる保険給付を含む。第一号において同じ。）に要する費用のうち、次の各号に掲げる額を負担する。

一　昭和三十六年四月一日前の組合員期間に係る長期給付に要する費用（被用者年金制度の一元化等を図るための厚生年金保険法等の一部を改正する法律（平成二十四年法律第六十三号）第二条の規定による改正前の共済法第九十九条第二項第三号に掲げるもの及び施行法第五十四条の規定により負担することとされたものを除く。）として政令で定める部分に相当する額に、百分の二十の範囲内で政令で定める割合を乗じて得た額

二　国民年金等改正法附則第三十五条第二項第一号に規定する旧国民年金法による老齢年金の額に相当する部分（旧国民年金法第二十七条第一項及び第二項に規定する額に相当する部分を除く。）として政令で定める部分に相当する額の四分の一に相当する額

2　共済法第百二条第三項の規定は、前項の規定により国が負担する金額について準用する。

（船員組合員であつた者に係る組合員期間の計算の特例等）

第三十二条　施行日前の旧船員組合員（旧共済法第百十九条に規定する船員組合員及び改正前の昭和五十八年法律第八十二号附則第二十九条第一項に規定する旧公企体船員組合員であつた者をいう。以下同じ。）であつた期間を有する者又はその遺族に対する共済法及び施行法の長期給付に関する規定並びに附則第十四条から第三十条まで（附則第十六条第一項第二号イを除く。）の規定（以下この条において「共済法の長期給付に関する規定等」という。）の適用については、附則第七条の規定にかかわらず、旧共済法第百十九条の規定により算定した当該旧船員組合員であつた期間（施行日前において組合員でない船員（国民年金等改正法第五条の規定による改正前の船員保険法（昭和十四年法律第七十三号。以下「旧船員保険法」という。）による船員保険の被保険者をいう。以下同じ。）であつた期間（旧共済法第百二十二条の規定又はこれに相当する旧公企体共済法（施行法第四十条第一号に規定する旧公企体共済法をいう。以下同じ。）の規定に該当した者の組合員でない船員であつた期間を除く。）を有する者であるときは、当該組合員でなかつた船員であつた期間を合算した期間）の月数に三分の四を乗じて得た期間の月数をもつて、当該旧船員組合員であつた期間に係る組合員期間の月数とする。ただし、共済法第八十二条第二項に規定する公務等による障害共済年金及び共済法第八十九条第三項に規定する公務等による遺族共済年金の額の算定については、この限りでない。

2　施行日以後平成三年三月三十一日までの間の新船員組合員（共済法第百十九条に規定する船員組合員をいう。以下この条において同じ。）であつた期間を有する者又はその遺族に対する共済法の長期給付に関する規定等の適用については、共済法第三十八条第一項及び第二項の規定にかかわらず、これらの規定により計算した当該新船員組合員であつた期間の月数に五分の六を乗じて得た期間の月数をもつて、当該新船員組合員であつた期間に係る組合員期間の月数とする。この場合においては、前項ただし書の規定を準用する。

3　前二項の規定の適用を受ける旧船員組合員であつた期間又は新船員組合員であつた期間については、共済法第七十四条第二項に規定する退職共済年金の職域加算額、障害共済年金の職域加算額及び遺族共済年金の職域加算額の算定の基礎となる組合員期間とはしない。

4　前三項の規定を適用して算定した障害共済年金又は遺族共済年金（共済法第八十八条第一項第四号に該当することにより支給されるものを除く。以下この項において同じ。）の額が、前三項の規定を適用しないものとして算定した障害共済年金又は遺族共済年金の額より少ないときは、その額をもつて、当該障害共済年金又は遺族共済年金の額とする。

5　前各項に定めるもののほか、第一項若しくは第二項の規定の適用を受ける旧船員組合員であつた期間若しくは新船員組合員であつた期間を有する者又はこれらの者の遺族に対する共済法の長期給付に関する規定等の適用に関し必要な事項は、政令で定める。

（任意継続組合員に関する経過措置）

第三十三条　新共済法第百二十六条の五第五項の規定は、施行日において同条第二項に規定する任意継続組合員である者及び施行日以後に退職した者について適用するものとし、施行日前に当該任意継続組合員の資格を喪失した者については、なお従前の例による。

第三十四条　削除

（退職年金の額の改定）

第三十五条　退職年金（特例退職年金を除く。以下この条、附則第三十八条、第四十六条、第五十二条、第五十三条及び第五十七条において同じ。）については、施行日の属する月分以後、その額を、次に掲げる金額を合算した額に改定する。ただし、その額が施行日の前日における退職年金の最低保障の額を勘案して政令で定める金額より少ないときは、当該政令で定める金額とし、その額が当該退職年金の額の算定の基礎となつている俸給年額（旧共済法第四十二条第二項に規定する俸給年額又は公企体基礎俸給年額に附則別表第五の上欄に掲げる受給権者の区分に応じてそれぞれ同表の下欄に掲げる率（以下「俸給年額改定率」という。）を乗じて得た額をいい、その年金が昭和六十年三月三十一日以前に退職した者（これに準ずる者として政令で定める者を含む。）に係るものである場合には、これらの額に、政令で定める額に当該俸給年額改定率を乗じて得た額を加えた額とする。以下同じ。）の百分の六十八・〇七五に相当する金額を超えるときは当該百分の六十八・〇七五に相当する金額とする。

一　次のイ又はロに掲げる場合の区分に応じ、当該イ又はロに定める金額

イ　当該退職年金の額の算定の基礎となつている組合員期間の年数（一年未満の端数がある場合は、これを切り捨てた年数。以下同じ。）が二十年以下である場合　七十三万二千七百二十円に改定率を乗じて得た金額（その金額に五円未満の端数があるときは、これを切り捨て、五円以上十円未満の端数があるときは、これを十円に切り上げるものとする。）

ロ　当該退職年金の額の算定の基礎となつている組合員期間の年数が二十年を超える場合　イに定める金額に当該退職年金の額の算定の基礎となつている組合員期間のうち二十年を超える年数（当該年数が十五年を超える場合は、十五年）一年につきイに定める金額を二十で除して得た金額（その金額に五十銭未満の端数があるときは、これを切り捨て、五十銭以上一円未満の端数があるときは、これを一

円に切り上げるものとする。）を加えた金額

二　当該退職年金の額の算定の基礎となつている組合員期間の年数（当該年数が四十年を超えるときは、四十年）一年につき俸給年額の百分の〇・九五に相当する金額

2　退職年金で旧共済法第七十八条第二項から第四項までの規定によりその額が改定されたもの又は改正前の昭和五十八年法律第八十二号附則第十八条第七項の規定によりその額が算定されたものについては、前項の規定にかかわらず、施行日の属する月分以後、その額を、旧共済法第七十八条第三項及び第四項の規定に準じて政令で定めるところにより算定した額に改定する。

3　前二項の場合において、これらの規定による改定後の退職年金の額が施行日の前日においてその者が受ける権利を有していた退職年金の額より少ないときは、その額をもつて、これらの規定による改定後の退職年金の額とする。

4　第一項に規定する俸給年額改定率は、共済法第七十二条の三から第七十二条の六までの規定により再評価率の改定の措置が講じられる場合には、当該措置が講じられる月分以後、当該措置に準じて、政令で定めるところにより改定する。

（退職年金の受給権者が再び組合員となつた場合の取扱い）

第三十六条　退職年金の受給権者が六十歳に達した日の属する月の翌月以後の組合員である間において、次の各号に掲げる場合に該当する期間があるときは、その期間については、退職年金の額のうち、当該各号に定める金額に共済法第七十八条の規定及び附則第十七条の規定の例により算定した加給年金額に相当する金額を加えた金額に相当する部分に限り、支給の停止は、行わない。

一　その者の総報酬月額相当額（共済法第七十九条第二項第一号に規定する総報酬月額相当額をいう。次号及び附則第四十四条第一項において同じ。）と当該退職年金の額のうちその算定の基礎となつている組合員期間を基礎として共済法附則第十二条の四の二第二項並びに施行法第十一条の規定並びに附則第九条及び第十五条の規定の例により算定した金額（以下この項において「在職中支給基本額」という。）を十二で除して得た金額（以下この項において「基本月額」という。）との合計額が共済法第七十九条第三項に規定する停止解除調整開始額（以下この項及び附則第四十四条第一項において「停止解除調整開始額」という。）以下である場合　在職中支給基本額に相当する金額

二　その者の総報酬月額相当額と基本月額との合計額が停止解除調整開始額を超え、かつ、次のイからニまでに掲げる場合の区分に応じそれぞれイからニまでに定める金額に十二を乗じて得た金額が在職中支給基本額に満たない場合　在職中支給基本額に相当する金額から、次のイからニまでに掲げる場合の区分に応じ、それぞれイからニまでに定める金額に十二を乗じて得た金額を控除して得た金額

イ　基本月額が停止解除調整開始額以下であり、かつ、その者の総報酬月額相当額が共済法第七十九条第四項に規定する停止解除調整変更額（以下この項及び附則第四十四条第一項において「停止解除調整変更額」という。）以下である場合　その者の総報酬月額相当額と基本月額との合計額から停止解除調整開始額を控除して得た金額の二分の一に相当する金額

ロ　基本月額が停止解除調整開始額以下であり、かつ、その者の総報酬月額相当額が停止解除調整変更額を超える場合　停止解除調整変更額と基本月額との合計額から停止解除調整開始額を控除して得た金額の二分の一に相当する金額にその者の総報酬月額相当額から停止解除調整変更額を控除して得た金額を加えた金額

ハ　基本月額が停止解除調整開始額を超え、かつ、その者の総報酬月額相当額が停止解除調整変更額以下である場合　その者の総報酬月額相当額の二分の一に相当する金額

ニ　基本月額が停止解除調整開始額を超え、かつ、その者の総報酬月額相当額が停止解除調整変更額を超える場合　その者の総報酬月額相当額から停止解除調整変更額の二分の一に相当する金額を控除して得た金額

2　退職年金の受給権者が退職したときは、当該退職年金の額を、当該退職年金の額の算定の基礎となつている組合員期間を基礎として共済法第七十八条、附則第十二条の四の二第二項及び第三項並びに第十三条の九並びに施行法第十一条の規定並びに附則第九条、第十五条及び第十七条の規定の例により算定した額に改定する。

3　前項の場合において、同項の規定による改定後の退職年金の額が改定前の退職年金の額より少ないときは、その額をもつて、同項の規定による改定後の退職年金の額とする。

（減額退職年金の額の改定）

第三十七条　減額退職年金については、施行日の属する月分以後、その額を、当該減額退職年金の施行日の前日における額を当該減額退職年金を支給しなかつたとしたならば支給すべきであつた退職年金の施行日の前日における額で除して得た割合を、当該退職年金を支給していたとしたならば附則第三十五条の規定により改定すべきこととなる当該退職年金の額に乗じて得た額に改定する。

2　附則第三十五条第三項の規定は、前項の規定による減額退職年金の額の改定について準用する。

（減額退職年金の支給開始年齢の特例）

第三十八条　退職年金の受給権者が、施行日から六月を経過する日以後に、減額退職年金の支給を受けることを希望する旨を国家公務員共済組合連合会に申し出た場合において、その者が次の各号に掲げる者であるときは、当該減額退職年金は、当該各号に掲げる年齢に達した日の属する月の翌月以後でその者の希望する月から支給する。

一　昭和五十五年七月一日以後に給付事由が生じた退職年金を受ける権利を有する者（旧共済法附則第十二条の五第二項及び第十三条の十第一項に規定する政令で定める者に該当した者並びに旧公企体共済法附則第十六条の三第二項に規定する政令で定める者に該当した者を除く。以下この項において同じ。）で昭和七年七月二日から昭和九年七月一日までの間に生まれたもの　五十三歳

二　昭和五十五年七月一日以後に給付事由が生じた退職年金を受ける権利を有する者で昭和九年七月二日から昭和十一年七月一日までの間に生まれたもの　五十四歳

三　昭和五十五年七月一日以後に給付事由が生じた退職年金を受ける権利を有する者で昭和十一年七月二日以後に生まれたもの　五十五歳

2　前項第三号に掲げる者（昭和十五年七月一日以前に生まれた者を除く。）に支給する減額退職年金の額は、同項に規定する申出に係る退職年金の額から、その額に、当該退職年金の支給を開始することとされていた年齢と当該減額退職年金の支給を開始する月の前月の末日におけるその者の年齢との差に相当する年数に応じ、保険数理を基礎として政令で定める率を乗じて得た金額を減じた金額とする。

（減額退職年金の受給権者が再び組合員となつた場合の取扱い）

第三十九条　附則第三十六条の規定は、減額退職年金の受給権者が施行日において組合員であるとき、又は施行日以後に再び組合員となつたときについて準用する。この場合においては、同条第一項中「算定した金額」とあるのは「算定した金額（当該減額退職年金の支給が開始されていたものであるときは、その算定した金額から、当該減額退職年金の支給が開始されたときのその者の年齢に応じ、政令で定める金額を控除した金額）」と、同条第二項中「算定した額」とあるのは「算定した額（当該減額退職年金の支給が開始されていたものであるときは、その算定した額から、当該減額退職年金の給付事由となつた退職の理由及び当該減額退職年金の支給が開始されたときのその者の年齢に応じ、政令で定める額を控除した額）」と読み替えるものとする。

（通算退職年金等の額の改定）

第四十条　通算退職年金（特例退職年金を含む。）については、施行日の属する月分以後、その額を、次に掲げる金額の合算額を二百四十で除し、これに当該通算退職年金の額の算定の基礎となつた組合員期間の月数を乗じて得た額に改定する。

一　七十三万二千七百二十円に改定率を乗じて得た金額（その金額に五円未満の端数があるときは、これを切り捨て、五円以上十円未満の端数があるときは、これを十円に切り上げるものとする。）

二　俸給年額の十二分の一の額の千分の九・五に相当する金額に二百四十を乗じて得た金額

2　前項の規定により改定すべき通算退職年金で旧共済法第七十九条の二第五項（改正前の昭和五十八年法律第八十二号附則第二十条第三項の規定によりその例によることとされる場合を含む。）の規定に該当するものについては、旧共済法第七十九条の二第五項の合算額のうちの一の額に係る年金ごとに前項の規定の例により改定した額の合算額をもつて、当該通算退職年金の額とする。

3　特例退職年金で旧共済法附則第十三条の十六第二項の規定によりその額が改定されたものについては、第一項の規定にかかわらず、施行日の属する月分以後、その額を、同条第二項の規定に準じて政令で定めるところにより算定した額に改定する。

（障害年金の特例支給）

第四十一条　施行日の前日において組合員であつた者で施行日以後引き続き組合員であるもの（障害年金の受給権者を除く。）で施行日の前日において退職したとしたならば、同日において障害年金を受ける権利を有することとなるものには、その者が施行日の前日において退職したものとみなして、旧共済法及び旧施行法の障害年金に関する規定の例により、障害年金を支給する。この場合においては、次条から附則第四十四条までの規定を適用する。

2　施行日の前日において組合員であつた者で施行日以後引き続き組合員であるもののうち、障害年金の支給が旧共済法第八十五条第一項の規定により停止されていた者で施行日の前日において退職したとしたならば同日において障害年金の額が改定されることとなるものについては、同日において当該障害年金の額を改定する。

（障害年金の額の改定）

第四十二条　旧共済法第八十一条第一項第一号の規定による障害年金（以下「公務による障害年金」という。）の額については、施行日の属する月分以後、その額を、次に掲げる金額の合算額の百分の七十五（旧共済法別表第三の上欄に掲げる障害の程度（以下「旧共済法の障害等級」という。）の一級に該当する者にあつては百分の百二十五とし、旧共済法の障害等級の二級に該当する者にあつては百分の百とする。）に相当する額に俸給年額の百分の九・五（旧共済法の障害等級の一級に該当する者にあつては百分の二十八・五とし、旧共済法の障害等級の二級に該当する者にあつては百分の十九とする。）に相当する額を加えた金額に改定する。ただし、その額が施行日の前日における障害年金の最低保障の額を勘案して政令で定める金額より少ないときは、当該政令で定める金額とし、その額が俸給年額の百分の九十七・二五に相当する金額を超えるときは、俸給年額の百分の九十七・二五に相当する金額とする。

一　次のイ又はロに掲げる場合の区分に応じ、当該イ又はロに定める金額

イ　当該障害年金の額の算定の基礎となつている組合員期間の年数が二十年以下である場合　七十三万二千七百二十円に改定率を乗じて得た金額（その金額に五円未満の端数があるときは、これを切り捨て、五円以上十円未満の端数があるときは、これを十円に切り上げるものとする。）

ロ　当該障害年金の額の算定の基礎となつている組合員期間の年数が二十年を超える場合　イに定める金額に当該障害年金の額の算定の基礎となつている組合員期間のうち二十年を超える年数（当該年数が十五年を超える場合には、十五年）一年につきイに定める金額を二十で除して得た金額（その金額に五十銭未満の端数があるときは、これを切り捨て、五十銭以上一円未満の端数があるときは、これを一円に切り上げるものとする。）を加えた金額

二　組合員期間の年数（当該年数が、二十年未満であるときは二十年とし、四十年を超えるときは四十年とする。）一年につき俸給年額の百分の〇・九五に相当する金額

2　旧共済法第八十一条第一項第二号の規定による障害年金（改正前の昭和五十八年法律第八十二号附則第二十一条第三項に規定する移行障害年金を含む。以下「公務によらない障害年金」という。）については、施行日の属する月分以後、その額を、次の各号に掲げる場合に応じ、当該各号に掲げる金額の百分の七十五（旧共済法の障害等級の一級に該当する者にあつては百分の百二十五とし、旧共済法の障害等級の二級に該当する者にあつては百分の百とする。）に相当する額に改定する。この場合においては、前項ただし書の規定を準用する。

一　組合員期間の年数が十年以下である場合　七十三万二千七百二十円に改定率を乗じて得た金額（その金額に五円未満の

端数があるときは、これを切り捨て、五円以上十円未満の端数があるときは、これを十円に切り上げるものとする。）に俸給年額の百分の十九に相当する金額を加算して得た金額（次号及び第三号において「障害年金基礎額」という。）

二　組合員期間の年数が十年を超え二十年以下である場合　障害年金基礎額に、組合員期間十年を超える年数一年につき障害年金基礎額の百分の二・五に相当する額を加算して得た金額

三　組合員期間の年数が二十年を超え三十五年以下である場合　組合員期間の年数が二十年であるものとして前号の規定により求めた金額に、二十年を超える年数一年につき障害年金基礎額の百分の五に相当する金額を加算して得た金額

四　組合員期間の年数が三十五年を超える場合　組合員期間の年数が三十五年であるものとして前号の規定により求めた金額に、三十五年を超える年数（当該年数が五年を超えるときは、五年）一年につき俸給年額の百分の〇・九五に相当する金額を加算して得た金額

3　前二項の規定による改定後の障害年金の額が当該障害年金の受給権者が施行日の前日において受ける権利を有していた障害年金の額（前条第一項の規定により算定される額とし、同条第二項の規定により改定された障害年金にあつては同項の規定による改定後の額とする。）より少ないときは、その額をもつて、前二項の規定による改定後の障害年金の額とする。

4　前三項に定めるもののほか、障害年金の基礎となつた障害が二以上ある場合における障害年金の額の改定の特例、旧共済法第八十五条第二項から第八項までの規定によりその額が改定された障害年金の額の改定の特例その他の障害年金の額の改定に関し必要な事項は、政令で定める。

（障害の程度が変わつた場合の年金額の改定等）

第四十三条　障害年金を受ける権利を有する者の障害の程度が減退したとき、又は当該障害の程度が増進した場合においてその者の請求があつたときは、その減退し、又は増進した後において該当する旧共済法の障害等級に応じて、その障害年金の額を改定する。

2　障害年金を受ける権利は、障害年金の受給権者が次の各号のいずれかに該当するに至つたときは、消滅する。

一　死亡したとき。

二　旧共済法の障害等級に該当する程度の障害の状態にない者が六十五歳に達したとき。ただし、六十五歳に達した日において、旧共済法の障害等級に該当する程度の障害の状態に該当しなくなつた日から起算して旧共済法の障害等級に該当することなく三年を経過していないときを除く。

三　旧共済法の障害等級に該当する程度の障害の状態に該当しなくなつた日から起算して旧共済法の障害等級に該当することなく三年を経過したとき。ただし、三年を経過した日において、当該受給権者が六十五歳未満であるときを除く。

（障害年金の受給権者が再び組合員となつた場合の取扱い）

第四十四条　障害年金の受給権者が組合員である間において、次の各号に掲げる場合に該当する期間があるときは、その期間については、障害年金の額のうち、当該各号に定める金額（当該障害年金が旧共済法の障害等級の一級又は二級に該当するときは、当該金額に共済法第八十三条の規定の例により算定した加給年金額に相当する金額を加えた金額）に相当する部分に限り、支給の停止は、行わない。

一　その者の総報酬月額相当額と当該障害年金の額のうちその算定の基礎となつている組合員期間を基礎として共済法第八十二条第一項第一号及び施行法第十二条の規定並びに附則第九条の規定の例により算定した金額（以下この項において「在職中支給基本額」という。）を十二で除して得た金額（以下この項において「基本月額」という。）との合計額が停止解除調整開始額以下である場合　在職中支給基本額に相当する金額

二　その者の総報酬月額相当額と基本月額との合計額が停止解除調整開始額を超え、かつ、次のイからニまでに掲げる場合の区分に応じそれぞれイからニまでに定める金額に十二を乗じて得た金額が在職中支給基本額に満たない場合　在職中支給基本額に相当する金額から、次のイからニまでに掲げる場合の区分に応じ、それぞれイからニまでに定める金額に十二を乗じて得た金額を控除して得た金額

イ　基本月額が停止解除調整開始額以下であり、かつ、その者の総報酬月額相当額が停止解除調整変更額以下である場合　その者の総報酬月額相当額と基本月額との合計額から停止解除調整開始額を控除して得た金額の二分の一に相当する金額

ロ　基本月額が停止解除調整開始額以下であり、かつ、その者の総報酬月額相当額が停止解除調整変更額を超える場合　停止解除調整変更額と基本月額との合計額から停止解除調整開始額を控除して得た金額の二分の一に相当する金額にその者の総報酬月額相当額から停止解除調整変更額を控除して得た金額を加えた金額

ハ　基本月額が停止解除調整開始額を超え、かつ、その者の総報酬月額相当額が停止解除調整変更額以下である場合　その者の総報酬月額相当額の二分の一に相当する金額

ニ　基本月額が停止解除調整開始額を超え、かつ、その者の総報酬月額相当額が停止解除調整変更額を超える場合　その者の総報酬月額相当額から停止解除調整変更額の二分の一に相当する金額を控除して得た金額

2　障害年金の受給権者が退職したときは、旧共済法第八十五条第二項の規定にかかわらず、その額の改定は行わない。

（厚生年金保険の被保険者等である間における支給停止）

第四十五条　退職年金、減額退職年金、通算退職年金又は障害年金の受給権者が共済法第八十条第一項に規定する厚生年金保険の被保険者等（次項において「厚生年金保険の被保険者等」という。）である場合において、その者の同条第一項に規定する総収入月額相当額（以下この条において「総収入月額相当額」という。）とその者に支給されるべきこれらの年金の額に百分の九十を乗じて得た額（当該退職年金、減額退職年金若しくは通算退職年金の受給権者が六十五歳以上であるとき、又は障害年金の受給権者であるときは、更に、百分の五十を乗じて得た額とする。以下この項において「停止対象年金額」という。）を十二で除して得た額（以下この項において「基本月額」という。）との合計額が共済法第八十条第二項に規定する支給停止調整額（以下この項において「支給停止調整額」という。）を超えるときは、当該停止対象年金額のうち、総収入月額相当額

と基本月額との合計額から支給停止調整額を控除して得た額の二分の一に相当する額に十二を乗じて得た金額（以下この項において「支給停止額」という。）に相当する金額の支給を停止する。ただし、支給停止額が当該停止対象年金額を超える場合には、その支給を停止する金額は、当該停止対象年金額に相当する金額を限度とする。

2　国家公務員共済組合連合会は、前項の規定による退職年金、減額退職年金、通算退職年金又は障害年金の支給の停止を行うため必要があると認めるときは、共済法第八十条第二項に規定する年金保険者等に対し、前項の規定による退職年金、減額退職年金、通算退職年金又は障害年金の支給の停止が行われる厚生年金保険の被保険者等の総収入月額相当額に関して必要な資料の提供を求めることができる。

3　前二項に定めるもののほか、第一項の規定による年金の支給の停止に関し必要な経過措置は、政令で定める。

（遺族年金の額の改定）

第四十六条　遺族年金（旧共済法附則第十三条の十八第二項に規定する特例遺族年金を除く。以下この条及び次条において同じ。）については、施行日の属する月分以後、その額を、次の各号に掲げる当該遺族年金の区分に応じ、当該各号に掲げる金額に改定する。

一　公務による遺族年金（旧共済法第八十八条第一号の規定による遺族年金をいう。以下同じ。）　七十三万二千七百二十円に改定率を乗じて得た金額（その金額に五円未満の端数があるときは、これを切り捨て、五円以上十円未満の端数があるときは、これを十円に切り上げるものとする。）に俸給年額の百分の十九に相当する金額を加えた金額（以下この条において「遺族年金基礎額」という。）（組合員期間（当該遺族年金の基礎となつた組合員期間に限る。以下この項において同じ。）が二十年を超えるときは、二十年を超え三十五年に達するまでの期間についてはその超える年数一年につき遺族年金基礎額の百分の五に相当する金額を、三十五年を超える期間についてはその超える年数（当該年数が五年を超えるときは、五年）一年につき俸給年額の百分の〇・九五に相当する金額を加えた金額）

二　旧共済法第八十八条第二号の規定による遺族年金（改正前の昭和五十八年法律第八十二号附則第二十二条第三項第一号及び第二号に掲げる移行遺族年金を含む。）　当該遺族年金に係る組合員であつた者が受ける権利を有していた退職年金（退職年金を受ける権利を有していなかつた者については、減額退職年金若しくは障害年金を支給しなかつたものとした場合において支給すべきであつた退職年金又はその死亡を退職とみなした場合において支給すべきであつた退職年金）の額を附則第三十五条の規定により改定するものとした場合における当該改定後の退職年金の額の百分の五十に相当する金額

三　旧共済法第八十八条第三号の規定による遺族年金（改正前の昭和五十八年法律第八十二号附則第二十二条第三項第三号に掲げる移行遺族年金を含む。）　遺族年金基礎額の百分の二十五に相当する金額（組合員期間が十年を超えるときは、その超える年数一年につき遺族年金基礎額の百分の二・五に相当する額を加えた金額）

四　旧共済法第八十八条第四号の規定による遺族年金　遺族年金基礎額の百分の二十五に相当する金額

2　旧共済法第二条第三項及び第八十八条の三の規定は、前項の規定により遺族年金を改定する場合について、なおその効力を有する。この場合において、旧共済法第二条第三項中「十八歳未満で」とあるのは、「十八歳に達する日以後の最初の三月三十一日までの間にあつて」と読み替えるものとする。

3　第一項の規定による改定後の遺族年金の額（前項の規定によりなおその効力を有することとされた旧共済法第八十八条の三の規定の適用があるときは、同条の規定により加えることとされた金額を加えた額）が、施行日の前日における遺族年金の最低保障の額を勘案して政令で定める金額より少ないときは、当該政令で定める金額を当該遺族年金の額とし、公務による遺族年金の額が、俸給年額の百分の六十八・〇七五に相当する金額を超えるときは、当該百分の六十八・〇七五に相当する金額を当該公務による遺族年金の額とする。

4　旧共済法第八十八条の五、第八十八条の六及び第九十二条の二の規定は、前三項の規定により遺族年金の額を改定する場合について、なおその効力を有する。

5　前項の規定によりなおその効力を有することとされた旧共済法第八十八条の五第一項の規定の適用については、同項第一号中「十二万円」とあるのは「十四万九千七百円に国民年金法（昭和三十四年法律第百四十一号）第二十七条の三及び第二十七条の五の規定の適用がないものとして改定した同法第二十七条本文に規定する改定率を乗じて得た金額（その金額に五十円未満の端数があるときは、これを切り捨て、五十円以上百円未満の端数があるときは、これを百円に切り上げるものとする。）」と、同項第二号中「二十一万円」とあるのは「二十六万二千百円に前号に規定する改定率を乗じて得た金額（その金額に五十円未満の端数があるときは、これを切り捨て、五十円以上百円未満の端数があるときは、これを百円に切り上げるものとする。）」と、同項第三号中「十二万円」とあるのは「十四万九千七百円に第一号に規定する改定率を乗じて得た金額（その金額に五十円未満の端数があるときは、これを切り捨て、五十円以上百円未満の端数があるときは、これを百円に切り上げるものとする。）」と読み替えるものとするほか、第二項及び前項の規定によりなおその効力を有することとされた旧共済法第八十八条の三並びに第八十八条の五、第八十八条の六及び第九十二条の二の規定の適用について必要な技術的読替えその他これらの規定の適用に関し必要な事項は、政令で定める。

6　前各項の規定による改定後の遺族年金の額が施行日の前日においてその者が受ける権利を有していた遺族年金の額より少ないときは、その額をもつて、第一項の規定による改定後の遺族年金の額とする。

7　共済法第八十九条第五項の規定は、遺族年金について準用する。

（遺族年金の失権）

第四十六条の二　旧共済法第九十一条の規定は、遺族年金についてなおその効力を有する。この場合において、同条第五号中「十八歳に達した」とあるのは、「十八歳に達した日以後の最初の三月三十一日が終了した」と読み替えるものとする。

（通算遺族年金等の額の改定）

第四十七条　通算遺族年金（旧共済法附則第十三条の十八第二項

に規定する特例遺族年金を含む。）については、施行日の属する月分以後、その額を、当該通算遺族年金を通算退職年金とみなして附則第四十条の規定によりその額を改定するものとした場合の改定年金額の百分の五十に相当する額に改定する。

（旧船員組合員であつた者に係る旧共済法による年金の額の特例等）

第四十八条　旧船員組合員であつた者に係る旧共済法による年金の額については、施行日以後、その額を、次に掲げる年金の額のうちその者又はその遺族が選択するいずれか一の年金の額とする。

一　組合員期間に係る旧共済法による年金の附則第三十五条から前条までの規定による改定後の額

二　その者が組合員とならなかつたものとした場合に船員であつた者又はその遺族として受けるべき旧船員保険法の規定による年金の額

2　前項の規定による選択は、施行日から六十日を経過する日以前に、組合に申し出ることにより行うものとする。この場合において、同日までに申出がなかつたときは、同項各号に規定する年金のうち、その者が施行日の前日において受ける権利を有していた年金に相当するいずれか一の年金を選択したものとみなす。

3　前二項に定めるもののほか、旧船員組合員であつた者が組合員でない船員であつた期間を有する場合における年金の額の特例その他の旧船員組合員であつた者に係る旧共済法による年金に関し必要な事項は、政令で定める。

（衛視等であつた者の特例）

第四十九条　退職年金の受給権者が衛視等（旧共済法附則第十三条に規定する衛視等をいう。以下この条において同じ。）である場合における附則第三十五条の規定による退職年金の額の改定の特例その他衛視等であつた者に対する同条から前条までの規定の適用に関し必要な事項は、政令で定める。

（離婚等をした場合における特例）

第五十条　退職年金、減額退職年金、通算退職年金又は障害年金の受給権者が共済法第九十三条の五第一項に規定する離婚等をした場合におけるこれらの年金の額の改定その他必要な事項については、同条から共済法第九十三条の十二までの規定に準じて、政令で定める。

第五十一条　削除

（更新組合員等であつた者の退職年金等の額の改定の特例）

第五十二条　退職年金又は減額退職年金の受給権者が組合員期間二十年未満の更新組合員等であつた場合における附則第三十五条第一項又は第三十七条第一項の規定の適用については、附則第三十五条第一項中「次に掲げる金額を合算した額」とあるのは、「組合員期間が二十年であるものとして算定した次に掲げる金額の合算額の二十分の一に相当する金額に当該年金の額の算定の基礎となつている組合員期間の年数を乗じて得た金額」とする。

2　退職年金又は減額退職年金の受給権者が控除期間等の期間を有する更新組合員等であつた者である場合における附則第三十五条第一項又は第三十七条第一項の規定の適用については、附則第三十五条第一項各号に掲げる金額は、同項各号の規定にかかわらず、その金額から、その金額を当該退職年金又は減額退職年金の額の算定の基礎となつた組合員期間の年数で除して得た金額の百分の四十五に相当する金額に控除期間等の期間の年数を乗じて得た額を控除した金額とする。

3　前項の場合において、同項に規定する更新組合員等であつた者の同項に規定する組合員期間の年数が三十五年を超えるときは、同項中「控除期間等の期間の年数」とあるのは、「控除期間等の期間の年数（同項第一号に掲げる金額については当該期間以外の組合員期間と合算して三十五年を超える部分の年数を除き、同項第二号に掲げる金額については当該期間以外の組合員期間と合算して四十年を超える部分の年数を除く。）」とする。

4　退職年金又は減額退職年金を受ける権利を有する更新組合員等であつた者が、施行日以後に七十歳若しくは八十歳又は六十歳に達した場合において、旧施行法第十一条の規定（他の法令においてその例によることとされる同条の規定を含む。以下この条において同じ。）がなおその効力を有していたとしたならば旧施行法第十一条第六項又は第七項の規定により当該退職年金又は減額退職年金の額が改定されるものであり、かつ、その達した日の属する月においてその者が支給を受けている退職年金又は減額退職年金の額が施行日の前日において旧施行法第十一条第六項又は第七項の規定による改定をするものとした場合における当該改定後の退職年金又は減額退職年金の額より少ないときは、その達した日の属する月の翌月分以後、その額を、当該改定後の退職年金又は減額退職年金の額に相当する額に改定する。

（更新組合員等であつた者の退職年金の支給停止の特例）

第五十三条　旧施行法第七条第一項第一号の期間に該当する期間が五年以上である更新組合員等であつた者で四十五歳以上のものが受ける権利を有する退職年金については、旧共済法第七十七条第二項及び旧施行法第十五条第一項の規定にかかわらず、その額に同号の期間の年数を当該年金の額の算定の基礎となつた組合員期間の年数で除して得た割合を乗じて得た金額の百分の五十（その者が五十歳に達した後五十五歳に達するまでの間にあつては百分の七十とし、その者が五十五歳に達した後にあつては百分の百とする。）に相当する部分に限り、支給の停止は行わない。

2　旧施行法第七条第一項第二号から第四号までの期間に該当する期間が六年以上である更新組合員等であつた者が受ける権利を有する退職年金については、旧共済法第七十七条第二項及び旧施行法第十六条の規定にかかわらず、その額に旧施行法第七条第一項第二号から第四号までの期間の年数を当該年金の額の算定の基礎となつた組合員期間の年数で除して得た割合を乗じて得た金額に相当する部分に限り、その者が五十歳に達した日の属する月の翌月分以後、支給の停止は行わない。

3　前二項の規定により支給の停止を行わないこととされた退職年金の額が、その者が施行日の前日において、旧施行法第十五条又は第十六条の規定により現に支給を受けていた退職年金の額より少ないときは、前二項の規定にかかわらず、その現に支給を受けていた額をもつて、これらの規定により支給の停止を行わないこととされる退職年金の額とする。

（更新組合員等であつた者の障害年金の額の改定の特例）

第五十四条　附則第五十二条第四項の規定は、障害年金を受ける権利を有する更新組合員等であつた者が、施行日以後に七十歳若しくは八十歳又は六十歳に達した場合について準用する。この場合においては、同項中「旧施行法第十一条の規定」とあるのは「旧施行法第二十二条の規定」と、「旧施行法第十一条第六項又は第七項」とあるのは「旧施行法第二十二条第五項において準用する旧施行法第十一条第六項又は第七項」と読み替えるものとする。

（更新組合員等であつた者に係る公務による遺族年金の額の改定の特例）

第五十五条　附則第五十二条第四項の規定は、更新組合員等であつた者に係る公務による遺族年金の受給権者が、施行日以後に七十歳若しくは八十歳又は六十歳に達した場合（妻である配偶者、子又は孫が七十歳又は六十歳に達した場合を除く。）について準用する。この場合においては、同項中「旧施行法第十一条の規定」とあるのは「旧施行法第三十一条の規定」と、「旧施行法第十一条第六項又は第七項」とあるのは「旧施行法第三十一条第四項又は第五項」と読み替えるものとする。

2　前項の場合において、遺族年金の受給権者が二人以上あるときは、そのうちの年長者の年齢に応じ、同項において準用する附則第五十二条第四項の規定を適用するものとする。

（更新組合員等であつた者に係る遺族年金の額の改定の特例）

第五十六条　更新組合員等であつた者で増加恩給を受ける権利を有していたものに係る遺族年金の額の改定その他遺族年金の額の改定に関し必要な事項は、政令で定める。

（更新組合員等であつた者の退職年金等の額の自動改定の特例）

第五十七条　更新組合員等であつた者で七十歳以上のものが受ける退職年金、減額退職年金又は障害年金の額の算定の基礎となつた組合員期間のうちに次の各号に掲げる期間があるものに係る附則第三十五条第三項（附則第三十七条第二項において準用する場合を含む。）、第三十六条第三項（附則第三十九条において準用する場合を含む。）又は第四十二条第三項の規定（以下この項において「従前額保障の規定」という。）の適用がある場合における従前額保障の規定による年金の額は、当該年金の額に、次の各号に掲げる期間に応じ、当該各号に定める金額に俸給年額改定率を基準として政令で定める率を乗じて得た金額を加えて得た金額（その加えて得た金額が俸給年額の百分の六十八・〇七五に相当する金額を超えるときは、当該百分の六十八・〇七五に相当する金額）とする。

一　旧施行法第七条第一項第一号の期間で十七年を超えるもののその超える期間　その年数一年につき恩給法の俸給年額（施行日の前日における当該年金の額の算定の基礎となつた旧施行法第二条第一項第十七号に規定する恩給法の俸給年額をいい、改正前の昭和五十八年法律第八十二号附則第二十四条第二項第二号の規定により当該恩給法の俸給年額とみなされたものを含む。）の三百分の二（当該年金の受給権者が八十歳未満であるときは、その超える期間の年数が十三年を超える場合におけるその超える部分の年数については、三百分の一）に相当する金額（当該年金が減額退職年金であるときは、その金額に当該減額退職年金に係る附則第三十七条第一項に規定する割合を乗じて得た金額。次号において同じ。）

二　旧施行法第七条第一項第二号から第六号までの期間で同項第一号の期間と合算して二十年を超えるもののその超える期間　その年数一年につき旧法の俸給年額（施行日の前日における当該年金の額の算定の基礎となつた旧施行法第二条第一項第十八号に規定する旧法の俸給年額をいい、改正前の昭和五十八年法律第八十二号附則第二十四条第二項第二号の規定により当該旧法の俸給年額とみなされたものを含む。）の三百分の二（当該年金の受給権者が八十歳未満であるときは、その超える期間の年数と前号に掲げる期間の年数とを合算した年数が十三年を超える場合におけるその超える部分の年数については、三百分の一）に相当する金額

2　前項の規定は、更新組合員等であつた者に係る遺族年金の受給権者が、七十歳以上である場合又は七十歳未満の妻である配偶者、子若しくは孫である場合において、当該遺族年金の額の算定の基礎となつた組合員期間のうちに前項各号に掲げる期間があるものに係る当該遺族年金の額について準用する。この場合においては、同項第一号中「十七年」とあるのは「二十年」と、「当該年金が減額退職年金であるときは、その金額に当該減額退職年金に係る附則第三十七条第一項に規定する割合を乗じて得た金額」とあるのは「当該年金が公務によらない遺族年金であるときは、その金額の二分の一に相当する金額」と読み替えるものとする。

3　前項の場合において、遺族年金の支給を受ける者が二人以上あるときは、そのうちの年長者の年齢に応じ、同項において準用する第一項の規定を適用するものとする。

（追加費用対象期間を有する更新組合員等に対する退職年金等の額の特例）

第五十七条の二　追加費用対象期間を有する更新組合員等に対する退職年金又は減額退職年金の額（次項において「控除前退職年金等の額」という。）が控除調整下限額を超えるときは、退職年金又は減額退職年金の額は、附則第三十五条第一項若しくは第二項、第三十七条第一項又は第五十二条第一項、第二項若しくは第四項の規定にかかわらず、これらの規定により算定した額から、その額を当該退職年金又は減額退職年金の額の算定の基礎となつている組合員期間の年数で除して得た額の百分の二十七に相当する額に追加費用対象期間の年数を乗じて得た額（次項において「退職年金等控除額」という。）を控除した金額とする。

2　前項の規定による退職年金等控除額が控除前退職年金等の額の百分の十に相当する額を超えるときは、当該百分の十に相当する額をもつて退職年金等控除額とする。

3　前二項の場合において、これらの規定による控除後の退職年金又は減額退職年金の額が控除調整下限額より少ないときは、控除調整下限額をもつて退職年金又は減額退職年金の額とする。

4　追加費用対象期間を有する更新組合員等に対する退職年金又は減額退職年金の額について附則第三十五条第三項（附則第三十七条第二項において準用する場合を含む。）若しくは第三十六条第三項（附則第三十九条において準用する場合を含む。）又は前条第一項の規定を適用する場合において、これらの規定により算定した額が控除調整下限額を超えるときは、退職年金又は減額退職年金の額は、これらの規定にかかわらず、これらの規定により算定した額から、追加費用対象期間に係る部分に相当するものとして政令で定めるところにより算定した額の百分の二十七に相当する額を控除した金額とする。

5　第二項及び第三項の規定は、前項の規定による退職年金又は

減額退職年金の額について準用する。

6　退職年金又は減額退職年金の受給権者（追加費用対象期間を有する更新組合員等である者に限る。）が、退職共済年金その他の政令で定める年金である給付の支給を受けることができるときは、退職年金又は減額退職年金の額は、前各項の規定にかかわらず、当該退職年金又は減額退職年金の額及び当該支給を受けることができる政令で定めるものの額の総額を基礎として、これらの規定に準じて政令で定めるところにより算定した額とする。

7　前各項に定めるもののほか、追加費用対象期間を有する更新組合員等に対する退職年金又は減額退職年金の額の算定に関し必要な事項は、政令で定める。

（追加費用対象期間を有する者に対する障害年金の額の特例）

第五十七条の三　追加費用対象期間を有する者に対する障害年金（公務による障害年金を除く。以下この条において同じ。）の額が控除調整下限額を超えるときは、障害年金の額は、附則第四十二条第二項又は第五十四条の規定にかかわらず、これらの規定により算定した額から、その額を組合員期間の年数で除して得た額の百分の二十七に相当する額に追加費用対象期間の年数を乗じて得た額を控除した金額とする。

2　追加費用対象期間を有する者に対する障害年金の額について附則第四十二条第三項又は第五十七条第一項の規定を適用する場合において、これらの規定により算定した額が控除調整下限額を超えるときは、障害年金の額は、これらの規定にかかわらず、これらの規定により算定した額から、追加費用対象期間に係る部分に相当するものとして政令で定めるところにより算定した額の百分の二十七に相当する額を控除した金額とする。

3　前条第二項、第三項、第六項及び第七項の規定は、前二項の規定による障害年金の額について準用する。

（追加費用対象期間を有する者の遺族に対する遺族年金の額の特例）

第五十七条の四　追加費用対象期間を有する者の遺族に対する遺族年金（公務による遺族年金を除く。以下この条において同じ。）の額が控除調整下限額を超えるときは、遺族年金の額は、附則第四十六条第一項及び第三項の規定にかかわらず、これらの規定により算定した額から、その額を組合員期間の年数で除して得た額の百分の二十七に相当する額に追加費用対象期間の年数を乗じて得た額を控除した金額とする。

2　追加費用対象期間を有する者の遺族に対する遺族年金の額について附則第四十六条第六項又は第五十七条第二項若しくは第三項の規定を適用する場合において、これらの規定により算定した額が控除調整下限額を超えるときは、遺族年金の額は、これらの規定にかかわらず、これらの規定により算定した額から、追加費用対象期間に係る部分に相当するものとして政令で定めるところにより算定した額の百分の二十七に相当する額を控除した金額とする。

3　附則第五十七条の二第二項、第三項、第六項及び第七項の規定は、前二項の規定による遺族年金の額について準用する。

（未帰還者に係る年金の特例）

第五十八条　附則第三十五条から前条までの規定は、旧施行法第四十九条第三項の規定により支給される年金については、適用しない。

（琉球政府等の職員であつた者の退職年金等の額の特例）

第五十九条　旧施行法第五十一条の九第一項に規定する復帰更新組合員であつた者（改正前の昭和五十八年法律第八十二号附則第二十八条第一項に規定する公企体復帰更新組合員であつた者を含む。）に係る旧共済法による年金の額の改定に関する特例その他の施行法第三十三条第六号に規定する琉球政府等の職員であつた者に係るこの附則の規定の適用に関し必要な事項は、政令で定める。

（移行組合員等に関する退職年金等の特例）

第六十条　移行組合員等で旧施行法第五十一条の十三第一項第一号の申出をした者が受ける権利を有する旧共済法による年金のうち当該申出に係るもので施行日の前日において現に支給されていた年金については、附則第三十六条、第三十九条及び第四十四条の規定は、適用しない。

2　前項に規定する年金の受給権者が組合員であるときは、その者は共済法第八十条第一項に規定する厚生年金保険の被保険者等であるものとみなし、その者の同項に規定する所得金額に応じ、附則第四十五条の規定の例により、その額の一部の支給を停止する。

（脱退一時金等に関する経過措置）

第六十一条　施行日前に組合員であつた期間を有する者が施行日以後に六十歳に達したとき、若しくは施行日以後に六十歳に達し、その後に退職したとき、又は施行日以後に六十歳未満で死亡したときにおいて、旧共済法の規定が適用されるとしたならば支給されることとなる脱退一時金又は特例死亡一時金については、なお従前の例による。ただし、その者が退職共済年金若しくは障害共済年金を受ける権利を有するとき、又はその者の遺族が遺族共済年金を受ける権利を有するときは、当該脱退一時金又は特例死亡一時金は、支給しない。

（退職一時金等の返還）

第六十二条　退職年金、減額退職年金若しくは障害年金の受給権者又は遺族年金に係る組合員であつた者がこれらの年金の額の算定の基礎となつている組合員期間につき次の各号に掲げる一時金である給付を受けた者であるときは、これらの年金の受給権者は、当該一時金として支給を受けた額に利子に相当する金額を加えた金額（以下この条において「支給額等」という。）を施行日から一年以内に、一時に又は分割して、国家公務員等共済組合連合会（これらの年金が新共済法第百十一条の三第一項に規定する適用法人の組合から支給されるものであるときは、当該適用法人の組合。以下「連合会等」という。）に返還しなければならない。

一　昭和五十四年改正前の共済法の規定による退職一時金及び返還一時金（これらの一時金とみなされた給付を含む。）

二　昭和五十四年改正前の旧公企体共済法の規定による退職一時金及び返還一時金

2　前項に規定する年金の受給権者は、同項の規定にかかわらず、支給額等に相当する金額をその者が受ける当該年金の額から控除することにより返還する旨を施行日から六十日を経過する日以前に、当該年金を支給する連合会等に申し出ることができる。

3　前項の申出があつた場合における支給額等に相当する金額の返還は、当該年金の支給に際し、この項の規定の適用がないとしたならば支給されることとなる当該年金の支給期月ごとの支給額の二分の一に相当する金額から、支給額等に相当する金額に達するまでの金額を順次に控除することにより行うものとする。この場合においては、その控除後の金額をもつて、当該年金の額とする。

4　第一項に規定する利子は、同項に規定する一時金である給付の支給を受けた日の属する月の翌月から施行日の属する月の前月までの期間に応じ、複利計算の方法によるものとし、その利率は、政令で定める。

5　第一項に規定する一時金である給付を受けた者に係る同項に規定する年金が施行日前に支給されたものである場合における同項の規定の適用については、同項中「支給を受けた額」とあるのは、「支給を受けた額から、その額にこれらの年金の支給を受けた期間の月数（その月数が二百四十月を超えるときは、二百四十月）を二百四十月で除して得た割合を乗じて得た金額を控除した金額」とする。

6　前各項に定めるもののほか、旧共済法による年金の受給権者に係る一時金の返還に関し必要な事項は、政令で定める。

（一時恩給等の返還）

第六十三条　退職年金、減額退職年金若しくは障害年金の受給権者又は遺族年金に係る組合員であつた者が一時恩給（新施行法第二条第八号に規定する一時恩給をいう。以下この条において同じ。）を受けた後その基礎となつた在職年の年数一年を二月に換算した月数内に再び恩給公務員（新施行法第二条第四号に規定する恩給公務員をいう。以下同じ。）となつた更新組合員等又は一時恩給を受けた後再び恩給公務員となることなく当該月数内に更新組合員等となつた者であるときは、これらの年金の受給権者は、それぞれ旧施行法第四条並びに第五条第一項及び第二項本文の規定（これらの規定に相当する旧公企体共済法の規定を含む。）を適用しないものとした場合又は更新組合員等である間恩給公務員であつたものとみなした場合に恩給法（大正十二年法律第四十八号）第六十四条ノ二本文の規定により控除すべきこととなる金額の十五倍に相当する金額を、これらの年金を支給する連合会等に返還しなければならない。

2　前条第二項、第三項、第五項及び第六項の規定は、前項の規定による返還について準用する。

3　前条の規定は、退職年金、減額退職年金若しくは障害年金の受給権者又は遺族年金に係る組合員であつた者がこれらの年金の額の算定の基礎となつている組合員期間につき旧法等（施行法第二条第二号の二に規定する旧法等をいう。）の規定による退職一時金の支給を受けた者である場合について準用する。

（旧共済法による長期給付に要する費用の負担）

第六十四条　旧共済法による年金（施行日以後に支給される旧共済法又は旧公企体共済法の規定による一時金を含む。）の給付に要する費用の負担については、次に定めるところによる。

一　当該費用のうち、組合員であつた期間以外の期間として年金額の計算の基礎となつているものに対応する費用については、施行法第五十四条の規定による費用の負担の例による。

二　当該費用のうち、国民年金等改正法附則第三十五条第二項各号に掲げる費用及び同項に規定する政令で定める費用に相当する費用については、国民年金の管掌者たる政府が負担する。

三　当該費用のうち、公務による障害年金又は公務による遺族年金の給付に要する費用（前二号に規定する費用を除く。）については、共済法第九十九条第二項第三号に掲げる費用の負担の例による。

四　当該費用のうち、附則第三十一条第一項の規定により国が負担する費用に相当するものとして政令で定める費用については、同項の規定の例により、国が負担する。

五　当該費用のうち、前各号に規定するもの以外の費用については、共済法第九十九条第二項第二号に掲げる費用の負担の例による。

（国等が負担する費用の負担の調整に関する経過措置）

第六十五条　昭和六十一年度以後において、国又は日本国有鉄道が、新共済法第九十九条第三項（第一号を除く。）の規定並びに附則第三十一条第一項及び前条第一項の規定による負担をする場合においては、附則第八十六条の規定による改正後の国家公務員及び公共企業体職員に係る共済組合制度の統合等を図るための国家公務員共済組合法等の一部を改正する法律附則第三十五条の規定の適用については、同条中「これらの規定」とあるのは、「国家公務員等共済組合法第九十九条第三項（第一号を除く。）並びに国家公務員等共済組合法等の一部を改正する法律（昭和六十年法律第百五号）附則第三十一条第一項及び第六十四条第一項の規定」と、「公共企業体」とあるのは「日本国有鉄道」とし、たばこ事業法等の施行に伴う関係法律の整備等に関する法律（昭和五十九年法律第七十一号）附則第十五条の規定の適用については、同条第一項中「新共済法第九十九条第三項及び附則第二十条の二」とあるのは「国家公務員等共済組合法第九十九条第三項（第一号を除く。）並びに国家公務員等共済組合法等の一部を改正する法律（昭和六十年法律第百五号）附則第三十一条第一項及び第六十四条第一項」と、同条第三項中「第三十五条第二項」とあるのは「第三十五条」とし、日本電信電話株式会社法及び電気通信事業法の施行に伴う関係法律の整備等に関する法律（昭和五十九年法律第八十七号）附則第十条の規定の適用については、同条第一項中「改正後の共済法第九十九条第三項及び附則第二十条の二」とあるのは「国家公務員等共済組合法第九十九条第三項（第一号を除く。）並びに国家公務員等共済組合法等の一部を改正する法律（昭和六十年法律第百五号）附則第三十一条第一項及び第六十四条第一項」と、同条第三項中「第三十五条第二項」とあるのは「第三十五条」とする。

（政令への委任）

第六十六条　附則第三条から前条までに定めるもののほか、旧共済法による年金の受給権者に対する経過措置並びに共済法、施行法及びこの法律の施行に関し必要な事項は、政令で定める。

（昭和四十二年度以後における国家公務員共済組合等からの年金の額の改定に関する法律等の一部を改正する法律の一部改正に伴う経過措置）

第八十五条　前条の規定による改正前の昭和四十二年度以後における国家公務員共済組合等からの年金の額の改定に関する法律等の一部を改正する法律附則第七条第二項又は第四項の規定によりその例によることとされた同法第二条の規定による改正前の国家公務員共済組合法（以下この条において「昭和五十四年改正前の共済法」という。）の規定による返還一時金又は死亡一時金で、昭和五十四年改正前の共済法の規定による退職一時金の支給を受けた者が施行日以後に六十歳に達したとき若しくは施行日以後に六十歳に達し、その後に退職したとき、又は施行日以後に死亡したときにおいて昭和五十四年改正前の共済法の規定が適用されるとしたならば支給されることとなるものについては、なお従前の例による。ただし、その者が退職共済年金若しくは障害共済年金を受ける権利を有するとき又はその者の遺族が遺族共済年金を受ける権利を有するときは、当該返還一時金又は死亡一時金は支給しない。

（国家公務員及び公共企業体職員に係る共済組合制度の統合等を図るための国家公務員共済組合法等の一部を改正する法律の一部改正に伴う経過措置）

第八十七条　前条の規定による改正前の国家公務員及び公共企業体職員に係る共済組合制度の統合等を図るための国家公務員共済組合法等の一部を改正する法律附則の規定による移行退職年金、移行減額退職年金、移行通算退職年金、移行障害年金、移行遺族年金及び移行通算遺族年金（次項において「移行年金」という。）は、それぞれ第一条の規定による改正前の国家公務員等共済組合法の規定による退職年金、減額退職年金、通算退職年金、障害年金、遺族年金及び通算遺族年金とみなす。

2　別段の定めがあるもののほか、施行日前に給付事由が生じた移行年金については、なお従前の例による。

附則別表第一（附則第十四条関係）

昭和二十七年四月一日以前に生まれた者	二十年
昭和二十七年四月二日から昭和二十八年四月一日までの間に生まれた者	二十一年
昭和二十八年四月二日から昭和二十九年四月一日までの間に生まれた者	二十二年
昭和二十九年四月二日から昭和三十年四月一日までの間に生まれた者	二十三年
昭和三十年四月二日から昭和三十一年四月一日までの間に生まれた者	二十四年

附則別表第二（附則第十五条、附則第十六条関係）

第一欄	第二欄	第三欄	第四欄
昭和二年四月一日以前に生まれた者	千分の七・三〇八	千分の〇・三六五	千分の〇・一八三
昭和二年四月二日から昭和三年四月一日までの間に生まれた者	千分の七・二〇五	千分の〇・四二四	千分の〇・二一二
昭和三年四月二日から昭和四年四月一日までの間に生まれた者	千分の七・一〇三	千分の〇・四八二	千分の〇・二四一
昭和四年四月二日から昭和五年四月一日までの間に生まれた者	千分の七・〇〇一	千分の〇・五三四	千分の〇・二七一
昭和五年四月二日から昭和六年四月一日までの間に生まれた者	千分の六・八九八	千分の〇・五八五	千分の〇・二九二
昭和六年四月二日から昭和七年四月一日までの間に生まれた者	千分の六・八〇四	千分の〇・六二八	千分の〇・三一五
昭和七年四月二日から昭和八年四月一日までの間に生まれた者	千分の六・七〇二	千分の〇・六七二	千分の〇・三三六
昭和八年四月二日から昭和九年四月一日までの間に生まれた者	千分の六・六〇六	千分の〇・七一六	千分の〇・三五八
昭和九年四月二日から昭和十年四月一日までの間に生まれた者	千分の六・五一二	千分の〇・七五三	千分の〇・三八〇
昭和十年四月二日から昭和十一年四月一日までの間に生まれた者	千分の六・四二四	千分の〇・七九七	千分の〇・四〇二
昭和十一年四月二日から昭和十二年四月一日までの間に生まれた者	千分の六・三二八	千分の〇・八二六	千分の〇・四一七
昭和十二年四月二日から昭和十三年四月一日までの間に生まれた者	千分の六・二四一	千分の〇・八六二	千分の〇・四三二
昭和十三年四月二日から昭和十四年四月一日までの間に生まれた者	千分の六・一四六	千分の〇・八九二	千分の〇・四四六
昭和十四年四月二日から昭和十五年四月一日までの間に生まれた者	千分の六・〇五八	千分の〇・九二八	千分の〇・四六八
昭和十五年四月二日から昭和十六年四月一日までの間に生まれた者	千分の五・九七八	千分の〇・九五〇	千分の〇・四七五
昭和十六年四月二日から昭和十七年四月一日までの間に生まれた者	千分の五・八九〇	千分の〇・九七九	千分の〇・四九〇
昭和十七年四月二日から昭和十八年四月一日までの間に生まれた者	千分の五・八〇二	千分の一・〇〇八	千分の〇・五〇五

昭和十八年四月二日から昭和十九年四月一日までの間に生まれた者	千分の五・七二二	千分の一・〇三一	千分の〇・五一九
昭和十九年四月二日から昭和二十年四月一日までの間に生まれた者	千分の五・六四二	千分の一・〇五二	千分の〇・五二六
昭和二十年四月二日から昭和二十一年四月一日までの間に生まれた者	千分の五・五六二	千分の一・〇七五	千分の〇・五四一

附則別表第三（附則第十六条関係）

昭和二年四月一日以前に生まれた者	三百月
昭和二年四月二日から昭和三年四月一日までの間に生まれた者	三百十二月
昭和三年四月二日から昭和四年四月一日までの間に生まれた者	三百二十四月
昭和四年四月二日から昭和五年四月一日までの間に生まれた者	三百三十六月
昭和五年四月二日から昭和六年四月一日までの間に生まれた者	三百四十八月
昭和六年四月二日から昭和七年四月一日までの間に生まれた者	三百六十月
昭和七年四月二日から昭和八年四月一日までの間に生まれた者	三百七十二月
昭和八年四月二日から昭和九年四月一日までの間に生まれた者	三百八十四月
昭和九年四月二日から昭和十年四月一日までの間に生まれた者	三百九十六月
昭和十年四月二日から昭和十一年四月一日までの間に生まれた者	四百八月
昭和十一年四月二日から昭和十二年四月一日までの間に生まれた者	四百二十月
昭和十二年四月二日から昭和十三年四月一日までの間に生まれた者	四百三十二月
昭和十三年四月二日から昭和十四年四月一日までの間に生まれた者	四百四十四月
昭和十四年四月二日から昭和十五年四月一日までの間に生まれた者	四百五十六月
昭和十五年四月二日から昭和十六年四月一日までの間に生まれた者	四百六十八月
昭和十六年四月二日以後に生まれた者	四百八十月

附則別表第四（附則第二十八条関係）

昭和二年四月一日以前に生まれた者	○
昭和二年四月二日から昭和三年四月一日までの間に生まれた者	三百十二分の十二
昭和三年四月二日から昭和四年四月一日までの間に生まれた者	三百二十四分の二十四
昭和四年四月二日から昭和五年四月一日までの間に生まれた者	三百三十六分の三十六
昭和五年四月二日から昭和六年四月一日までの間に生まれた者	三百四十八分の四十八
昭和六年四月二日から昭和七年四月一日までの間に生まれた者	三百六十分の六十
昭和七年四月二日から昭和八年四月一日までの間に生まれた者	三百七十二分の七十二
昭和八年四月二日から昭和九年四月一日までの間に生まれた者	三百八十四分の八十四
昭和九年四月二日から昭和十年四月一日までの間に生まれた者	三百九十六分の九十六
昭和十年四月二日から昭和十一年四月一日までの間に生まれた者	四百八分の百八
昭和十一年四月二日から昭和十二年四月一日までの間に生まれた者	四百二十分の百二十
昭和十二年四月二日から昭和十三年四月一日までの間に生まれた者	四百三十二分の百三十二
昭和十三年四月二日から昭和十四年四月一日までの間に生まれた者	四百四十四分の百四十四
昭和十四年四月二日から昭和十五	四百五十六分の百五十六

年四月一日までの間に生まれた者	
昭和十五年四月二日から昭和十六年四月一日までの間に生まれた者	四百六十八分の百六十八
昭和十六年四月二日から昭和十七年四月一日までの間に生まれた者	四百八十分の百八十
昭和十七年四月二日から昭和十八年四月一日までの間に生まれた者	四百八十分の百九十二
昭和十八年四月二日から昭和十九年四月一日までの間に生まれた者	四百八十分の二百四
昭和十九年四月二日から昭和二十年四月一日までの間に生まれた者	四百八十分の二百十六
昭和二十年四月二日から昭和二十一年四月一日までの間に生まれた者	四百八十分の二百二十八
昭和二十一年四月二日から昭和二十二年四月一日までの間に生まれた者	四百八十分の二百四十
昭和二十二年四月二日から昭和二十三年四月一日までの間に生まれた者	四百八十分の二百五十二
昭和二十三年四月二日から昭和二十四年四月一日までの間に生まれた者	四百八十分の二百六十四
昭和二十四年四月二日から昭和二十五年四月一日までの間に生まれた者	四百八十分の二百七十六
昭和二十五年四月二日から昭和二十六年四月一日までの間に生まれた者	四百八十分の二百八十八
昭和二十六年四月二日から昭和二十七年四月一日までの間に生まれた者	四百八十分の三百
昭和二十七年四月二日から昭和二十八年四月一日までの間に生まれた者	四百八十分の三百十二
昭和二十八年四月二日から昭和二十九年四月一日までの間に生まれた者	四百八十分の三百二十四
昭和二十九年四月二日から昭和三十年四月一日までの間に生まれた者	四百八十分の三百三十六
昭和三十年四月二日から昭和三十一年四月一日までの間に生まれた者	四百八十分の三百四十八

附則別表第五（附則第三十五条、附則第五十七条関係）

昭和五年四月一日以前に生まれた者	一・二二二
昭和五年四月二日から昭和六年四月一日までの間に生まれた者	一・二三三
昭和六年四月二日から昭和七年四月一日までの間に生まれた者	一・二六〇
昭和七年四月二日から昭和八年四月一日までの間に生まれた者	一・二六六
昭和八年四月二日から昭和十年四月一日までの間に生まれた者	一・二六六
昭和十年四月二日から昭和十一年四月一日までの間に生まれた者	一・二七一
昭和十一年四月二日から昭和十二年四月一日までの間に生まれた者	一・二八一
昭和十二年四月二日以後に生まれた者	一・二九一

附　則（昭六〇・一二・二七法一〇八）（抄）

改正　平一六・六・二三法一三〇

（施行期日）

第一条　この法律は、昭和六十一年四月一日から施行する。

附　則（昭六一・五・二〇法五二）（抄）

（施行期日）

1　この法律は、昭和六十一年十月一日から施行する。

附　則（昭六一・一二・四法九三）（抄）

最終改正　平一〇・一〇・一九法一三六

（施行期日）

第一条　この法律は、昭和六十二年四月一日から施行する。ただし、〔中略〕附則第十四条並びに附則第十五条第二項及び第三項の規定は、公布の日から施行する。

（国家公務員等共済組合法等の一部改正に伴う経過措置）

第十四条　改革法第十一条第一項の規定により運輸大臣が指定する法人に使用される者（当該法人の常勤の役員を含み、臨時に使用される者を除く。）のうち第八十九条の規定による改正前の国家公務員等共済組合法（以下附則第十七条までにおいて「改正前の共済法」という。）第二条第一項第一号に規定する職員に相当する者として国鉄共済組合（改正前の共済法附則第十四条の三第二項に規定する国鉄共済組合をいう。次条から附則第十六条の二まで及び附則第十八条において同じ。）の運営規則で定める者は、当該組合を組織する職員とみなして、改正前の共済法の規定を適用する。

２　前項の規定による改正前の共済法の規定の適用に関し必要な事項は、政令で定める。

第十五条　国鉄共済組合は、施行日において、日本鉄道共済組合となり、同一性をもつて存続するものとする。

２　国鉄共済組合の代表者は、この法律の施行前に、改正前の共済法第九条に規定する運営審議会の議を経て、改正前の共済法第六条第一項、第十一条第一項及び第十五条第一項の規定の例により、施行日以後に係る日本鉄道共済組合の定款及び運営規則を定めるとともに日本鉄道共済組合の昭和六十二年度の事業計画及び予算を作成し、当該定款、事業計画及び予算につき大蔵大臣の認可を受け、並びに当該運営規則につき大蔵大臣に協議するものとする。

３　大蔵大臣は、前項の規定による認可をする場合には、あらかじめ、運輸大臣に協議しなければならない。

４　国鉄共済組合の昭和六十一年度の決算については、改正後の共済法第十六条の規定により日本鉄道共済組合が行うものとする。

第十六条　改正後の共済法第九十九条及び第百二十五条の規定並びに第九十七条の規定による改正後の国家公務員等共済組合法等の一部を改正する法律（以下この条及び次条において「改正後の昭和六十年法律第百五号」という。）附則第三十一条及び第六十四条の規定は、昭和六十二年度以後における日本鉄道共済組合の長期給付に要する費用について適用し、同年度前において国鉄共済組合の長期給付に要する費用及び第九十六条の規定による改正前の国家公務員及び公共企業体職員に係る共済組合制度の統合等を図るための国家公務員共済組合法等の一部を改正する法律（次条及び附則第十七条において「改正前の昭和五十八年法律第八十二号」という。）附則第三条第一項に規定する旧組合の長期給付に要する費用として日本国有鉄道が負担すべきであつた負担金の額と、同年度以後における日本鉄道共済組合の長期給付に要する費用として改正後の共済法第九十九条第三項並びに改正後の昭和六十年法律第百五号附則第三十一条第一項及び第六十四条第一項の規定により国が負担すべき額との調整に関し必要な事項は、政令で定める。

２　第九十六条の規定による改正後の国家公務員及び公共企業体職員に係る共済組合制度の統合等を図るための国家公務員等共済組合法等の一部を改正する法律附則第三十五条及び改正後の昭和六十年法律第百五号附則第六十五条の規定は、日本鉄道共済組合の長期給付に要する費用については、適用しない。

第十六条の二　清算事業団は、昭和六十一年度以前において国鉄共済組合の長期給付に要する費用及び改正前の昭和五十八年法律第八十二号附則第三条第一項に規定する旧組合の長期給付に要する費用として日本国有鉄道が政令で定めるところにより負担すべきであつた負担金の額と同年度以前においてこれらの費用として日本国有鉄道が負担した負担金の額との差額に相当する金額（前条第一項の規定による調整の対象となる金額に係るものを除く。）として政令で定める金額に大蔵大臣が定めるところにより算定した当該金額が支払われるまでの間の利子に相当する金額を加えた金額を、大蔵大臣が定めるところにより、日本鉄道共済組合に支払うものとする。

２　清算事業団が前項の規定による支払をする場合における改正後の共済法第九十九条第一項第二号及び附則第二十条第二項並びに改正後の昭和六十年法律第百五号附則第六十四条第一項第五号の規定の適用については、改正後の共済法第九十九条第一項第二号中「掲げるもの」とあるのは「掲げるもの及び日本国有鉄道改革法等施行法（昭和六十一年法律第九十三号）附則第十六条の二第一項の規定により支払われる金額に係るもの」と、「同項第二号」とあるのは「次項第二号」と、改正後の共済法附則第二十条第二項中「負担される金額」とあるのは「負担される金額、日本国有鉄道改革法等施行法附則第十六条の二第一項の規定により支払われる金額」と、改正後の昭和六十年法律第百五号附則第六十四条第一項第五号中「規定するもの」とあるのは「規定するもの及び日本国有鉄道改革法等施行法（昭和六十一年法律第九十三号）附則第十六条の二第一項の規定により支払われる金額に係るもの」とする。

第十七条　施行日の前日において改正前の昭和五十八年法律第八十二号附則第十六条第一項の規定により改正前の共済法及び第九十条の規定による改正前の国家公務員等共済組合法の長期給付に関する施行法の長期給付に関する規定の適用を受ける組合員とされなかつた日本国有鉄道の役員であつた者で、施行日に旅客鉄道会社等（改正後の共済法第二条第一項第八号に規定する旅客鉄道会社等をいう。以下この条において同じ。）の役員となつたものについては、その者が旅客鉄道会社等の役員として引き続き在職する間、改正後の共済法又は改正後の共済施行法の長期給付に関する規定の適用を受ける組合員としない。

２　施行日の前日において改正前の昭和五十八年法律第八十二号附則第十六条第二項の規定により年金である給付が支給されていない日本国有鉄道の役員に係る改正後の共済法の規定による年金である給付については、その者が旅客鉄道会社等の役員として引き続き在職する間、同項の規定の例により、支給しない。

第十八条　この法律の施行の際現に国鉄共済組合が保有する鉄道債券は、日本鉄道共済組合の積立金の運用に関する改正後の共済法附則第三条の二第四項の規定の適用については、資金運用部資金法（昭和二十六年法律第百号）第七条第一項第三号に掲げる債券とみなす。

附　則（昭六一・一二・二二法一〇六）（抄）

（施行期日）

第一条　この法律は、昭和六十二年一月一日から施行する。ただし、次の各号に掲げる規定は、当該各号に定める日から施行する。

一　〔略〕

二　〔前略〕附則〔中略〕第二十四条から第二十九条まで〔中略〕の規定　公布の日から起算して一年六月を超えない範囲内において政令で定める日〔昭六三・四・一〕

附　則（昭六二・九・二五法九六）（抄）

（施行期日）

第一条　この法律は、昭和六十二年十月一日から施行する。ただし、次の各号に掲げる規定は、当該各号に定める日から施行する。

一　〔略〕
二　次に掲げる規定　昭和六十三年一月一日
　イ〜ニ　〔略〕
　ホ　附則〔中略〕第五十五条から第五十七条までの規定
三・四　〔略〕

附　則（平元・一二・二二法八七）（抄）

改正　平五・三・三一法六

（施行期日）

第一条　この法律は、平成二年四月一日から施行する。

（適用）

第五条　当分の間、国家公務員等共済組合法附則第二十条の三の規定の適用については、同条中「以下「負担調整交付金」とあるのは「第三十五条の二第一項及び第九十九条第一項（同項第二号を除く。）において「負担調整交付金」と、「含み、負担調整交付金を除く。）」とあるのは「含み、負担調整交付金から被用者年金制度間の費用負担の調整に関する特別措置法附則第二条第二項に規定する特例調整額を控除して得た額（第二号、附則第三条の二第三項、附則第十四条の十第一項及び附則第二十条第二項において「負担調整交付金」という。）を除く。）」とする。

2　当分の間、国家公務員等共済組合法等の一部を改正する法律（昭和六十年法律第百五号）附則第六十四条第三項の規定の適用については、同項中「規定する額」とあるのは、「規定する額）から同法附則第二条第二項に規定する特例調整額のうち同号に係るものを控除して得た額」とする。

附　則（平元・一二・二七法九三）

最終改正　平八・六・一四法八二

（施行期日等）

第一条　この法律は、公布の日から施行する。ただし、次の各号に掲げる規定は、当該各号に定める日から施行する。

一　第一条中国家公務員等共済組合法第四十二条第一項の表の改正規定、同法附則第六条の次に一条を加える改正規定、同法附則第十四条の二第二項の改正規定及び同法附則第十四条の二第六項を同条第十項とし、同条第三項から第五項までを四項ずつ繰り下げ、同条第二項の次に四項を加える改正規定並びに次条の規定　この法律の公布の日の属する月の翌月の初日

二　第一条中国家公務員等共済組合法第七十三条第四項の改正規定　平成二年二月一日

三　第一条中国家公務員等共済組合法附則第十四条の十を同法附則第十四条の十一とし、同法附則第十四条の九の次に一条を加える改正規定並びに同法附則第二十条第二項及び附則第二十条の二の改正規定、第二条の規定、第三条中国家公務員等共済組合法等の一部を改正する法律附則第三十四条の改正規定、同法附則第五十一条の改正規定（同条第一項の改正規定を除く。）、同法附則第六十四条に一項を加える改正規定及び同法附則第六十五条の改正規定、第四条の規定並びに附則第六条から第八条までの規定　平成二年四月一日

2　次の各号に掲げる規定は、当該各号に定める日から適用する。

一　第一条の規定による改正後の国家公務員等共済組合法（以下「改正後の法」という。）第七十二条の二第一項、第七十八条第二項、第八十二条第一項及び第三項、第八十三条第三項、第八十九条第三項、第九十条、附則第十二条の四第一項並びに附則第十三条の九の規定並びに第三条の規定による改正後の国家公務員等共済組合法等の一部を改正する法律（以下「改正後の昭和六十年改正法」という。）附則第十三条、附則第十六条、附則第十七条第二項、附則第十九条第二項、附則第二十八条第一項、附則第三十五条第一項、附則第四十条第一項、附則第四十二条第一項及び第二項、附則第四十六条第一項及び第五項、附則第五十条第一項、附則第五十一条第一項並びに附則第五十七条第一項の規定　平成元年四月一日

二　改正後の法第七十九条第二項及び第八十七条第二項の規定並びに改正後の昭和六十年改正法附則第三十六条第一項及び附則第四十四条第一項の規定　この法律の施行の日（以下「施行日」という。）の属する月の初日

（標準報酬に関する経過措置）

第二条　施行日の属する月の翌月の初日前に国家公務員等共済組合（以下「組合」という。）の組合員の資格を取得して、同日まで引き続き組合員の資格を有する者（国家公務員等共済組合法（以下「法」という。）第百二十六条の五第二項に規定する任意継続組合員、法附則第十二条第三項に規定する特例退職組合員及び法附則第十三条の三第四項に規定する特例継続組合員を除く。）のうち、施行日の属する月の標準報酬（法第四十二条第一項に規定する標準報酬をいう。以下この条において同じ。）の月額が七万六千円以下であるもの又は四十七万円であるもの（当該標準報酬の月額の基礎となった報酬月額が四十八万五千円未満であるものを除く。）の標準報酬は、当該標準報酬の月額の基礎となった報酬月額を改正後の法第四十二条第一項の規定による標準報酬の基礎となる報酬月額とみなして、組合が改定する。

2　前項の規定により改定された標準報酬は、施行日の属する月の翌月から平成二年九月までの各月の標準報酬とする。

（出産手当金に関する経過措置）

第三条　出産の日が施行日の前四十二日以前の日である組合の組合員及び組合員であった者については、改正後の法第六十七条第一項の規定は、適用しない。

（法による年金である給付の額等に関する経過措置）

第四条　平成元年三月分以前の月分の法による年金である給付の額及び旧共済法による年金（国家公務員等共済組合法等の一部を改正する法律（昭和六十年法律第百五号。以下「昭和六十年改正法」という。）附則第二条第六号に規定する旧共済法による年金をいう。以下同じ。）の額については、なお従前の例による。

2　改正後の法第八十七条の七の規定は、施行日以後に給付事由が生じた法による障害一時金の額について適用し、施行日前に給付事由が生じた法による障害一時金の額については、なお従前の例による。

（日本鉄道共済組合が支給する平成六年九月分までの年金である給付に係る平均標準報酬月額等の改定率に関する経過措置）

第五条　改正後の法附則第十三条の九の規定は、平成元年四月分から平成六年九月分までの月分の日本鉄道共済組合（法第八条第二項に規定する日本鉄道共済組合をいう。以下同じ。）が支給する法による年金である給付については、適用しない。

2　前項の場合において、平成元年四月分から平成六年九月分までの月分の日本鉄道共済組合が支給する法による年金である給付で昭和六十二年十二月以前の組合員期間を有する者の法第七十七条第一項に規定する平均標準報酬月額を計算する場合においては、同項中「各月の掛金の標準となつた標準報酬の月額」とあるのは、「各月の掛金の標準となつた標準報酬の月額にそれぞれ昭和六十年の年平均の物価指数に対する昭和六十三年の年平均の物価指数の比率を基準として政令で定める率を乗じて得た額（昭和六十一年十二月以前の組合員期間があるとき（昭和六十年十二月以前の組合員期間があるときを除く。）はその月額にそれぞれ昭和六十一年の年平均の物価指数に対する昭和六十三年の年平均の物価指数の比率を基準として政令で定める率を乗じて得た額とし、昭和六十二年十二月以前の組合員期間があるとき（昭和六十一年十二月以前の組合員期間があるときを除く。）はその月額にそれぞれ昭和六十二年の年平均の物価指数に対する昭和六十三年の年平均の物価指数の比率を基準として政令で定める率を乗じて得た額とする。）」とする。

3　平成元年四月分から平成六年九月分までの月分の日本鉄道共済組合が支給する旧共済法による年金に対する改正後の昭和六十年改正法附則第五十一条第一項の規定により読み替えられた改正後の昭和六十年改正法附則第三十五条第一項の規定及び改正後の昭和六十年改正法附則第五十七条第一項の規定の適用については、これらの規定中「新共済法附則第十三条の九に規定する政令で定めるところにより区分された期間のうちの最初の期間に係る同条の規定により読み替えられた新共済法第七十七条第一項に規定する政令で定める率」とあるのは、「昭和六十年の年平均の物価指数に対する昭和六十三年の年平均の物価指数の比率を基準として政令で定める率」とする。

（日本鉄道共済組合又は日本たばこ産業共済組合が支給する退職共済年金の支給開始年齢の特例等に関する経過措置）

第六条　改正後の法附則第二十条の二第五項及び第六項並びに第二条の規定による改正後の国家公務員等共済組合法の長期給付に関する施行法第十条第五項の規定は、平成二年四月一日以後に退職した者に係る法による退職共済年金について適用し、同日前に退職した者に係る法による退職共済年金については、なお従前の例による。

（日本鉄道共済組合が支給する旧共済法による年金に係る従前額保障の特例に関する経過措置）

第七条　改正後の昭和六十年改正法附則第五十一条第三項の規定は、平成二年四月分以後の月分の旧共済法による年金の額について適用し、同年三月分以前の月分の旧共済法による年金の額については、なお従前の例による。

（その他の経過措置の政令への委任）

第八条　附則第二条から前条までに定めるもののほか、長期給付に関する経過措置その他この法律の施行に関し必要な事項は、政令で定める。

附　則（平二・六・二二法三六）（抄）

（施行期日等）

1　この法律は、平成二年十月一日から施行する。

（国家公務員等共済組合法の一部改正に伴う経過措置）

5　前項の規定による改正後の国家公務員等共済組合法附則第十二条の九及び附則別表第三の規定は、この法律の施行の日以後に退職した同条第一項に規定する若年定年退職自衛官について適用し、同日前に退職した当該若年定年退職自衛官については、なお従前の例による。

附　則（平三・四・一九法三三）（抄）

（施行期日）

第一条　この法律は、平成三年十月一日から施行する。〔ただし書略〕

附　則（平三・四・二六法四五）（抄）

（施行期日）

第一条　この法律は、公布の日から施行する。ただし〔中略〕附則〔中略〕第七条から第二十四条までの規定は、公布の日から起算して六月を超えない範囲内において政令で定める日〔平三・一〇・一〕から施行する。

附　則（平三・四・二六法四六）（抄）

（施行期日）

第一条　この法律は、公布の日から施行する。ただし〔中略〕附則第十条から第二十四条までの規定は、公布の日から起算して六月を超えない範囲内において政令で定める日〔平三・一〇・一〕から施行する。

附　則（平三・一〇・四法八九）（抄）

（施行期日）

第一条　この法律は、平成四年一月一日から施行する。ただし、次の各号に掲げる規定は、当該各号に定める日から施行する。

一　〔略〕

二　〔前略〕附則第十六条の規定（国家公務員等共済組合法（昭和三十三年法律第百二十八号）附則第九条の次に一条を加える改正規定を除く。）〔中略〕　平成四年四月一日

附　則（平四・三・三一法七）（抄）

（施行期日）

第一条　この法律は、平成四年四月一日から施行する。〔ただし書略〕

（国家公務員等共済組合法の一部改正に伴う経過措置）

第十四条　前条の規定による改正後の国家公務員等共済組合法第六十七条第一項の規定は、出産の日が施行日以後である組合員及び組合員であった者に支給する出産手当金について適用し、出産の日が施行日前である組合員及び組合員であった者に支給する出産手当金については、なお従前の例による。

附　則（平六・六・一五法三三）（抄）

（施行期日）

第一条　この法律は、公布の日から起算して六月を超えない範囲内において政令で定める日〔平六・九・一〕から施行する。

附　則（平六・六・二九法五六）（抄）

最終改正　平九・六・二〇法九四

（施行期日）

第一条　この法律は、平成六年十月一日から施行する。〔ただし書略〕

（国家公務員等共済組合法の一部改正に伴う経過措置）

第四十七条　施行日前に行われた食事の提供、看護又は移送に係る国家公務員等共済組合法の規定による給付については、なお従前の例による。

2　附則第四条第一項に規定する厚生大臣の定める病院又は診療所において、国家公務員共済組合法第五十四条第一項第五号に掲げる療養の給付を受ける組合員又は組合員であった者（老人

保健法の規定による医療を受けることができる者を除き、附則第四条第一項に規定する厚生大臣の定める状態である者に限る。）が、附則第四条第一項に規定する付添看護（附則第四条第一項の規定により承認を受けた病院又は診療所における付添看護に限る。）を受けたときは、同項に規定する厚生省令で定める日までの間、当該付添看護を国家公務員共済組合法第五十六条第一項に規定する療養の給付等とみなして同条の規定を適用する。

3　前項の規定は、国家公務員共済組合法の規定による家族療養費の支給及び被扶養者の療養について準用する。

4　施行日前に入院していた組合員又は組合員であった者であって、被扶養者がいないものに係る施行日前までの傷病手当金及び出産手当金の額については、なお従前の例による。

5　出産の日が施行日前である組合員及び組合員であった者のこの法律による改正前の国家公務員等共済組合法の育児手当金については、なお従前の例による。

附　則（平六・一一・一六法九八）（抄）

最終改正　平一六・六・二三法一三〇

（施行期日等）

第一条　この法律は、公布の日から施行する。ただし、次の各号に掲げる規定は、当該各号に定める日から施行する。

一　第一条中国家公務員等共済組合法第四十二条第一項及び同項の表の改正規定並びに次条及び附則第三条の規定　この法律の公布の日の属する月の翌月の初日

二　第一条中国家公務員等共済組合法第百二十九条及び第百三十条の改正規定並びに附則第十二条の規定　この法律の公布の日から起算して二十日を経過した日

三　第二条の規定（次号に掲げる規定を除く。）、〔中略〕第六条の規定及び第七条中国家公務員等共済組合法等の一部を改正する法律附則第八条第五項の改正規定（「附則第十二条の四第二項」を「附則第十二条の四の二第三項」に改める部分に限る。）並びに附則第四条、第六条第四項、第七条、第十一条及び第十四条の規定　平成七年四月一日

四　第二条中国家公務員共済組合法附則第十二条の八の次に二条を加える改正規定及び附則第九条の規定　平成十年四月一日

2　第一条の規定による改正後の国家公務員等共済組合法第七十二条の二第一項、第七十八条第二項、第八十二条第一項及び第三項、第八十三条第三項、第八十九条第三項、第九十条、附則第十二条の四第一項、附則第十三条第一項並びに附則第十三条の九の規定、〔中略〕第五条の規定による改正後の国家公務員等共済組合法等の一部を改正する法律（以下「改正後の昭和六十年改正法」という。）附則第十六条第一項から第五項まで、附則第十七条第二項、附則第十九条第二項、附則第三十五条第一項、附則第四十条第一項、附則第四十二条第一項及び第二項、附則第四十六条第一項及び第五項、附則第五十条第一項、附則第五十一条並びに附則第五十七条第一項の規定並びに第七条の規定（国家公務員等共済組合法等の一部を改正する法律附則第八条第五項の改正規定（「附則第十二条の四第二項」を「附則第十二条の四の二第三項」に改める部分に限る。）を除く。）による改正後の国家公務員等共済組合法等の一部を改正する法律附則第八条の規定並びに附則第六条第一項から第三項までの規定は、平成六年十月一日から適用する。

（標準報酬に関する経過措置）

第二条　この法律の施行の日（以下「施行日」という。）の属する月の翌月の初日前に国家公務員等共済組合の組合員（以下「組合員」という。）の資格を取得して、同日まで引き続き組合員の資格を有する者（国家公務員等共済組合法（以下「法」という。）第百二十六条の五第二項に規定する任意継続組合員、法附則第十二条第三項に規定する特例退職組合員及び法附則第十三条の三第四項に規定する特例継続組合員を除く。）であって、施行日の属する月の法第四十二条第一項に規定する標準報酬の月額が八万六千円以下であるもの又は五十三万円であるもの（当該標準報酬の月額の基礎となった報酬月額が五十四万五千円未満であるものを除く。）の標準報酬は、当該標準報酬の月額の基礎となった報酬月額を第一条の規定による改正後の法第四十二条第一項に規定する標準報酬の基礎となる報酬月額とみなして、国家公務員等共済組合が改定する。

2　前項の規定により改定された標準報酬は、施行日の属する月の翌月から平成七年九月までの各月の標準報酬とする。

（短期給付の額に関する経過措置）

第三条　第一条の規定による改正後の法第四十二条第一項の規定は、施行日の属する月の翌月の初日以後に給付事由が生じた法による傷病手当金、出産手当金又は休業手当金の額を計算する場合の法第六十六条、第六十七条又は第六十八条に規定する標準報酬の日額について適用し、同日前に給付事由が生じた法による傷病手当金、出産手当金又は休業手当金の額を計算する場合のこれらの規定に規定する標準報酬の日額については、なお従前の例による。

（改正前の退職共済年金の取扱い）

第四条　この法律の施行（附則第一条第三号の規定による施行をいう。次項及び附則第七条において同じ。）の際現に第二条の規定による改正前の法第七十六条第二項の規定による退職共済年金を受ける権利を有する者は、第二条の規定による改正後の法（以下「改正共済法」という。）第七十六条第二項の規定による退職共済年金を受ける権利を有する者とみなす。

2　この法律の施行の際現に第二条の規定による改正前の法附則第十二条の三の規定による退職共済年金を受ける権利を有する者は、改正共済法附則第十二条の三の規定による退職共済年金を受ける権利を有する者とみなす。

（法による年金である給付の額等に関する経過措置）

第五条　平成六年九月分以前の月分の法による年金である給付の額及び旧共済法による年金（国家公務員等共済組合法等の一部を改正する法律（昭和六十年法律第百五号。以下「昭和六十年改正法」という。）附則第二条第六号に規定する旧共済法による年金をいう。以下同じ。）の額については、なお従前の例による。

2　第一条の規定による改正後の法第八十七条の七の規定は、施行日以後に給付事由が生じた法による障害一時金の額について適用し、施行日前に給付事由が生じた法による障害一時金の額については、なお従前の例による。

（退職共済年金の額の算定に関する経過措置）

第六条　昭和九年四月一日以前に生まれた者に対する第一条の規定による改正後の法附則第十二条の四第一項第一号の規定並びに第一条の規定による改正後の法附則第十三条第一項及び第三

条の規定による改正後の国家公務員等共済組合法の長期給付に関する施行法別表において読み替えられた同号の規定の適用については、当分の間、同号中「四百四十四月」とあるのは、「四百四十四月（昭和九年四月一日以前に生まれた者のうち、国家公務員等共済組合法等の一部を改正する法律（昭和六十年法律第百五号）附則第十六条第一項に規定する施行日に六十歳以上である者等に該当する者にあつては四百二十月、同項に規定する施行日に六十歳以上である者等に該当する者以外の者にあつては四百三十二月）」とする。

（組合員である間の退職共済年金等の支給停止の特例に関する経過措置）

第七条　この法律の施行の際現に法による退職共済年金及び障害共済年金並びに旧共済法による退職年金及び障害年金（昭和六十年改正法附則第二条第五号に規定する退職年金及び障害年金をいう。以下この条及び次条第二項において同じ。）を受ける権利を有する者（法による退職共済年金及び旧共済法による退職年金を受ける権利を有する者にあっては、昭和十年四月一日以前に生まれた者に限る。）については、国家公務員共済組合法第七十九条第二項若しくは第八十七条第二項又は昭和六十年改正法附則第三十六条第一項若しくは第四十四条第一項の規定により算定した支給の停止を行わないこととされる金額が、それぞれ第二条の規定による改正前の法第七十九条第二項若しくは第八十七条第二項又は第六条の規定による改正前の昭和六十年改正法附則第三十六条第一項若しくは第四十四条第一項の規定が平成七年四月一日以後も適用されるものとしてこれらの規定により算定した支給の停止を行わないこととされる金額（以下この条において「旧停止解除額」という。）より少ないときは、旧停止解除額に相当する部分に限り、支給の停止は、行わない。

（障害共済年金の支給に関する経過措置）

第八条　施行日前に法による障害共済年金を受ける権利を有していたことがある者（施行日において当該障害共済年金を受ける権利を有する者を除く。）が、当該障害共済年金の給付事由となった傷病により、施行日において国家公務員共済組合法第八十一条第二項に規定する障害等級に該当する程度の障害の状態（以下この条において「障害状態」という。）にあるとき、又は施行日の翌日から六十五歳に達する日の前日までの間において、障害状態に該当するに至ったときは、その者は、施行日（施行日において障害状態にない者にあっては、障害状態に該当するに至ったとき）から六十五歳に達する日の前日までの間に、同条第一項の障害共済年金の支給を請求することができる。

2　施行日前に旧共済法による障害年金を受ける権利を有していたことがある者（施行日において当該旧共済法による障害年金を受ける権利を有する者を除く。）が、当該旧共済法による障害年金の給付事由となった傷病により、施行日において障害状態にあるとき、又は施行日の翌日から六十五歳に達する日の前日までの間において、障害状態に該当するに至ったときは、その者は、施行日（施行日において障害状態にない者にあっては、障害状態に該当するに至ったとき）から六十五歳に達する日の前日までの間に、国家公務員共済組合法第八十一条第一項の障害共済年金の支給を請求することができる。

3　前二項の請求があったときは、国家公務員共済組合法第八十一条第一項の規定にかかわらず、その請求をした者に同項の障害共済年金を支給する。

（雇用保険法による基本手当等との調整に関する経過措置）

第九条　第二条の規定による改正後の国家公務員共済組合法附則第十二条の八の二及び第十二条の八の三の規定は、同法附則第十二条の三又は第十二条の八の規定による退職共済年金（その受給権者が、平成十年四月一日前にその権利を取得したものに限る。）については、適用しない。

（日本鉄道共済組合が支給する平成九年三月分までの年金である給付に係る平均標準報酬月額等の改定率に関する経過措置）

第十条　第一条の規定による改正後の法附則第十三条の九の規定は、平成六年十月分から平成九年三月分までの月分の日本鉄道共済組合（法第八条第二項に規定する日本鉄道共済組合をいう。以下同じ。）が支給する法による年金である給付については、適用しない。

2　前項の場合において、平成六年十月分から平成九年三月分までの月分の日本鉄道共済組合が支給する法による年金である給付で平成四年十二月以前の組合員期間を有する者の法第七十七条第一項に規定する平均標準報酬月額を計算する場合においては、同項中「各月の掛金の標準となつた標準報酬の月額」とあるのは、「各月の掛金の標準となつた標準報酬の月額（その月が昭和六十二年三月以前の期間に属するときは、その月の標準報酬の月額にそれぞれ一・〇五を乗じて得た額とし、同年四月から昭和六十三年三月までの期間に属するときは、その月の標準報酬の月額にそれぞれ一・〇三を乗じて得た額とする。）に、それぞれ昭和六十三年の物価指数（第七十二条の二第一項に規定する物価指数をいう。以下この項において同じ。）に対する平成五年の物価指数の比率を基準として政令で定める率を乗じて得た額（組合員又は組合員であった者のうち昭和六十三年十二月以前の組合員期間を有しない者については、その者の各月の標準報酬の月額に、その者が最初に組合員の資格を取得した日の属する年の物価指数に対する平成五年の物価指数の比率を基準として政令で定める率を乗じて得た額）」とする。

3　平成六年十月分から平成九年三月分までの月分の日本鉄道共済組合が支給する旧共済法による年金に対する改正後の昭和六十年改正法附則第五十一条第一項の規定により読み替えられた改正後の昭和六十年改正法附則第三十五条第一項の規定及び改正後の昭和六十年改正法附則第五十七条第一項の規定の適用については、これらの規定中「一・二二」とあるのは、「一・〇五に昭和六十三年の物価指数に対する平成五年の物価指数の比率を基準として政令で定める率を乗じて得た率」とする。

（脱退一時金に関する経過措置）

第十一条　改正共済法附則第十三条の十の規定は、施行日において日本国内に住所を有しない者（施行日において国民年金の被保険者であった者及び施行日以後国民年金の被保険者となった者を除く。）については、適用しない。

2　施行日から平成七年三月三十一日までの間に、最後に国民年金の被保険者の資格を喪失した日（同日において日本国内に住所を有していた者にあっては、同日後初めて、日本国内に住所を有しなくなった日）がある者（同年四月一日において国民年金の被保険者であった者及び同日以後国民年金の被保険者となった者を除く。）について改正共済法附則第十三条の十第一項の規定を適用する場合においては、同条第一項第三号中「最後に国民年金の被保険者の資格を喪失した日（同日において日本国内に住所を有していた者にあつては、同日後初めて、日本国内に住所を有しなくなつた日）」とあるのは、「平成七年四月一日」とする。

（罰則に関する経過措置）

第十二条　この法律の施行（附則第一条第一項第二号の規定による施行をいう。）前にした行為に対する罰則の適用については、なお従前の例による。

（その他の経過措置の政令への委任）

第十三条　附則第二条から前条までに定めるもののほか、長期給付に関する経過措置その他この法律の施行に関し必要な事項は、政令で定める。

附　則（平七・三・三一法五一）（抄）

（施行期日）

第一条　この法律は、平成七年四月一日から施行する。ただし、附則（中略）第十二条の八の二第一項の改正規定は、平成十年四月一日から施行する。

（育児休業手当金に関する経過措置）

第二条　この法律による改正後の国家公務員等共済組合法第六十八条の二に規定する育児休業手当金は、同条に規定する勤務に服さなかつた期間のうちこの法律の施行の日以後に係る期間について支給する。

附　則（平七・六・九法一〇七）（抄）

（施行期日）

第一条　この法律は、平成七年十月一日から施行する。ただし、（中略）附則（中略）第二十条（中略）の規定は、平成十一年四月一日から施行する。

附　則（平八・六・一四法八二）（抄）

最終改正　令六・四・二四法二〇

（施行期日）

第一条　この法律は、平成九年四月一日から施行する。ただし、附則第三十七条及び第四十七条第一項の規定は、同年一月一日から施行する。

（用語の定義）

第三条　この条から附則第十条まで、附則第十二条、第十三条、第十五条から第十九条まで、第二十一条から第二十七条まで、第二十九条から第三十三条まで、第三十五条、第三十七条、第三十八条、第四十条から第四十三条まで、第四十五条、第四十六条、第四十九条、第五十四条、第五十九条、第六十一条、第六十四条、第六十六条、第六十七条及び第百十九条において、次の各号に掲げる用語の意義は、それぞれ当該各号に定めるところによる。

一　改正後国共済法　第二条の規定による改正後の国家公務員共済組合法をいう。

二　改正後国共済施行法　附則第七十六条の規定による改正後の国家公務員共済組合法の長期給付に関する施行法（昭和三十三年法律第百二十九号）をいう。

三　改正前国共済法　第二条の規定による改正前の国家公務員等共済組合法をいう。

四　改正前国共済施行法　附則第七十六条の規定による改正前の国家公務員等共済組合法の長期給付に関する施行法をいう。

五　旧国共済法　国家公務員等共済組合法等の一部を改正する法律（昭和六十年法律第百五号。以下「昭和六十年国共済改正法」という。）第一条の規定による改正前の国家公務員等共済組合法をいう。

六　昭和六十年国民年金等改正法　国民年金法等の一部を改正する法律（昭和六十年法律第三十四号）をいう。

七　日本たばこ産業共済組合、日本電信電話共済組合又は日本鉄道共済組合　それぞれ改正前国共済法第八条第二項に規定する日本たばこ産業共済組合、日本電信電話共済組合又は日本鉄道共済組合をいう。

八　旧適用法人共済組合員期間　日本たばこ産業共済組合、日本電信電話共済組合及び日本鉄道共済組合（以下「旧適用法人共済組合」という。）の組合員であつた者の当該組合員であつた期間（他の法令の規定により当該組合員であつた期間とみなされた期間及び他の法令の規定により当該組合員であつた期間に合算された期間を含む。）をいう。

（厚生年金保険の被保険者資格の取得の経過措置）

第四条　昭和七年四月二日以後に生まれた者であり、かつ、この法律の施行の日（以下「施行日」という。）の前日において旧適用法人共済組合の組合員であつた者であつて、施行日において旧適用法人（改正前国共済法第二条第一項第七号に規定する適用法人をいう。以下同じ。）又は改正前国共済法第百十一条の六第一項に規定する指定法人の事業所又は事務所のうち厚生年金保険法第六条第一項又は第三項に規定する適用事業所であるものに使用されるもの（施行日に同法第十三条の規定により厚生年金保険の被保険者の資格を取得する者を除く。）は、施行日に、厚生年金保険の被保険者の資格を取得する。

（厚生年金保険の被保険者期間等に関する経過措置）

第五条　旧適用法人共済組合員期間は、厚生年金保険法第二条の五第一項第一号に規定する第一号厚生年金被保険者期間（以下「第一号厚生年金被保険者期間」という。）とみなす。ただし、次に掲げる期間は、この限りでない。

一　改正前国共済法附則第十三条の十の規定による脱退一時金の支給を受けた場合におけるその脱退一時金の計算の基礎となつた期間

二　旧国共済法第八十条第一項の規定による脱退一時金（他の法令の規定により当該脱退一時金とみなされたものを含む。）の支給を受けた場合におけるその脱退一時金の計算の基礎となつた期間

三　国家公務員及び公共企業体職員に係る共済組合制度の統合等を図るための国家公務員共済組合法等の一部を改正する法律（昭和五十八年法律第八十二号）附則第二条の規定による廃止前の公共企業体職員等共済組合法（昭和三十一年法律第百三十四号）第六十一条の三第一項の規定による脱退一時金の支給を受けた場合におけるその脱退一時金の計算の基礎となつた期間

四　昭和六十年国共済改正法附則第六十一条の規定による脱退一時金の支給を受けた場合におけるその脱退一時金の計算の基礎となつた期間

2　前項の規定により第一号厚生年金被保険者期間とみなされた旧適用法人共済組合員期間のうち、昭和六十年国共済改正法の施行の日前の昭和六十年国共済改正法附則第三十二条第一項に

規定する旧船員組合員であつた期間につき厚生年金保険の被保険者期間を計算する場合には、その期間に三分の四を乗じて得た期間をもつて厚生年金保険の被保険者期間とする。

3　第一項の規定により第一号厚生年金被保険者期間とみなされた旧適用法人共済組合員期間のうち、昭和六十年国共済改正法の施行の日以後平成三年三月三十一日までの間の昭和六十年国共済改正法附則第三十二条第二項に規定する新船員組合員であつた期間につき厚生年金保険の被保険者期間を計算する場合には、その期間に五分の六を乗じて得た期間をもつて厚生年金保険の被保険者期間とする。

（厚生年金保険の標準報酬に関する経過措置）

第六条　施行日前の旧適用法人共済組合員期間（昭和六十年国共済改正法附則第三十二条第一項の規定により旧適用法人共済組合員期間に合算された期間を除く。）の各月の改正前国共済法による標準報酬月額（昭和六十一年四月一日前の期間にあつては、昭和六十年国共済改正法附則第九条の規定の例により算定した額とする。）は、それぞれその各月の厚生年金保険法による標準報酬月額とみなす。

（旧適用法人共済組合による従前の処分等）

第七条　この附則に別段の規定があるものを除くほか、次に掲げる処分、手続その他の行為（旧適用法人共済組合員期間を有する者に係る処分、手続その他の行為に限る。）は、厚生年金保険法又はこれに基づく命令中の相当する規定によつてした処分、手続その他の行為とみなす。

一　附則第十五条第一項又は第十六条第一項の規定により適用するものとされた被用者年金制度の一元化等を図るための厚生年金保険法等の一部を改正する法律（平成二十四年法律第六十三号。以下「平成二十四年一元化法」という。）附則第三十七条第一項の規定によりなおその効力を有するものとされた平成二十四年一元化法第二条の規定による改正前の国家公務員共済組合法（以下「平成二十四年一元化法改正前国共済法」という。）又はこれに基づく命令の規定によつてした処分、手続その他の行為

二　改正前国共済法又はこれに基づく命令の規定によつてした処分、手続その他の行為

三　旧国共済法又はこれに基づく命令の規定によつてした処分、手続その他の行為

2　前項の規定により厚生年金保険法に基づく処分とみなされた同項各号に掲げる処分について社会保険審査官及び社会保険審査会法（昭和二十八年法律第二百六号）第三条第一項第一号及び第三号の規定を適用する場合には、同項第一号中「日本年金機構（以下「機構」という。）がした」とあるのは「厚生年金保険法等の一部を改正する法律（平成八年法律第八十二号。以下「平成八年改正法」という。）附則第七条第一項の規定により日本年金機構（以下「機構」という。）がしたものとみなされた」と、「その処分に関する事務を処理した機構の事務所（年金事務所（日本年金機構法（平成十九年法律第百九号）第二十九条に規定する年金事務所をいう。以下この項及び第五条第二項において同じ。）が当該事務を処理した場合にあつては、当該年金事務所がその業務の一部を分掌する従たる事務所（同法第四条第二項に規定する従たる事務所をいう。以下この項及び第五条第二項において同じ。）とし、審査請求人が当該処分につき経由した機構の事務所がある場合にあつては、当該経由した機構の事務所（年金事務所を経由した場合にあつては、当該年金事務所がその業務の一部を分掌する従たる事務所）とする。）の所在地を管轄する地方厚生局」とあるのは「審査請求人の住所地を管轄する地方厚生局」と、同項第三号中「厚生労働大臣がした」とあるのは「平成八年改正法附則第七条第一項の規定により厚生労働大臣がしたものとみなされた」と、「審査請求人が当該処分につき経由した地方厚生局又は機構の事務所（従たる事務所を経由した場合にあつては、その従たる事務所（年金事務所を経由した場合にあつては、当該年金事務所がその業務の一部を分掌する従たる事務所））若しくは」とあるのは「審査請求人の住所地を管轄する地方厚生局又は」とする。

（老齢厚生年金の額の計算の特例）

第八条　施行日の前日において次に掲げる年金たる給付の受給権を有していた者に支給する厚生年金保険法による老齢厚生年金の額については、当該年金たる給付の額の計算の基礎となつた旧適用法人共済組合員期間（第一号に掲げる年金たる給付の受給権を有する者にあつては、当該旧適用法人共済組合員期間に引き続く厚生年金保険の被保険者期間であつて政令で定める要件に該当するものを含む。）は、計算の基礎としない。

一　旧適用法人共済組合が支給する改正前国共済法の規定による退職共済年金（他の法令の規定により当該退職共済年金とみなされたものを含む。）

二　旧適用法人共済組合が支給する旧国共済法の規定による退職年金又は減額退職年金（他の法令の規定によりこれらの年金とみなされたものを含む。）

2　施行日の前日において次の各号のいずれかに該当した者（同日において前項各号のいずれかに該当した者を除く。）に支給する厚生年金保険法による老齢厚生年金の額については、旧適用法人共済組合員期間は計算の基礎としない。ただし、第一号又は第二号に該当した者にあつては、施行日から六十日以内に旧適用法人共済組合員期間を厚生年金保険法による老齢厚生年金の額の計算の基礎とすることを希望する旨を社会保険庁長官に申し出たときは、この限りでない。

一　改正前国共済法附則第十二条の八第二項に規定する者（平成七年六月三十日以前に退職した日本電信電話共済組合の組合員又は平成二年四月一日前に退職した日本たばこ産業共済組合若しくは日本鉄道共済組合の組合員に限る。）

二　改正前国共済法附則第十二条の八第九項に規定する者（日本電信電話共済組合の組合員（施行日の前日以前に退職した者を含む。）又は平成二年四月一日前に退職した日本たばこ産業共済組合若しくは日本鉄道共済組合の組合員に限る。）（前号に掲げる者を除く。）

三　厚生年金保険法附則第八条の規定による老齢厚生年金の受給権を有する者（前二号に掲げる者を除く。）

（障害厚生年金等の支給要件の特例）

第九条　厚生年金保険法第四十七条の二第一項の規定による障害厚生年金は、同一の傷病による障害について改正前国共済法又は旧国共済法による年金たる給付（他の法令の規定によりこれらの年金とみなされたものを含む。以下同じ。）のうち障害を支給事由とするものの受給権を有していたことがある者その他政令で定める者については、同項の規定にかかわらず、支給し

ない。

2　施行日前に改正前国共済法又は旧国共済法による年金たる給付のうち障害を支給事由とするものの受給権を有していたことがある者であつて旧適用法人共済組合員期間を有するもの（施行日において当該給付の受給権を有する者及び当該給付の支給事由となつた傷病について国家公務員等共済組合法等の一部を改正する法律（平成六年法律第九十八号）附則第八条第一項又は第二項の規定により支給される改正前国共済法による障害共済年金の受給権を有する者を除く。）が、当該給付の支給事由となつた傷病により、施行日において厚生年金保険法第四十七条第二項に規定する障害等級（以下この項において単に「障害等級」という。）に該当する程度の障害の状態にあるとき、又は施行日の翌日から六十五歳に達する日の前日までの間において、障害等級に該当する程度の障害の状態に至つたときは、その者は、施行日（施行日において障害等級に該当する程度の障害の状態にない者にあつては、障害等級に該当する程度の障害の状態に至つたとき）から六十五歳に達する日の前日までの間に、同条第一項の障害厚生年金の支給を請求することができる。

3　前項の請求があつたときは、厚生年金保険法第四十七条第一項の規定にかかわらず、その請求をした者に同項の障害厚生年金を支給する。

第十条　疾病にかかり、若しくは負傷した日が施行日前にある傷病又は初診日が施行日前にある傷病による障害（旧適用法人共済組合員期間中の傷病による障害に限る。）について厚生年金保険法第四十七条から第四十七条の三まで及び第五十五条の規定を適用する場合における必要な経過措置は、政令で定める。

（遺族厚生年金の支給要件の特例）

第十一条　附則第十六条第三項の規定により厚生年金保険の実施者たる政府が支給するものとされた年金たる給付（死亡を支給事由とするものを除く。）の受給権者その他の者であつて政令で定めるものが、施行日以後に死亡した場合における厚生年金保険法による遺族厚生年金の支給に関し必要な経過措置は、政令で定める。

2　平成十九年四月一日前に死亡した者（前項の政令で定める者に限る。）の死亡について厚生年金保険法第五十九条第一項の規定を適用する場合においては、同項第一号中「であること」とあるのは、「であるか、又は障害等級の一級若しくは二級に該当する程度の障害の状態にあること」とする。

3　前項の規定により読み替えられた厚生年金保険法第五十九条第一項に規定する遺族である夫、父母又は祖父母の有する同法による遺族厚生年金の受給権は、同法第四十七条第二項に規定する障害等級の一級又は二級に該当する程度の障害の状態にある夫、父母又は祖父母について、その事情がやんだときは、消滅する。ただし、夫、父母又は祖父母が受給権を取得した当時五十五歳以上であつたときを除く。

4　第二項の規定により読み替えられた厚生年金保険法第五十九条第一項に規定する遺族である夫、父母又は祖父母が同法による遺族厚生年金の受給権を取得した当時から引き続き同法第四十七条第二項に規定する障害等級の一級又は二級に該当する程度の障害の状態にある間は、その者については、同法第六十五条の二の規定は適用しない。

（国民年金の被保険者期間の特例に関する経過措置）

第十二条　施行日の前日において他の法令の規定により旧適用法人共済組合の組合員であつた期間に算入するものとされた期間は、昭和六十年国民年金等改正法附則第八条第二項の規定の適用については、平成二十四年一元化法改正前国共済法第三条第一項に規定する国家公務員共済組合の組合員であつた期間とみなす。

（老齢基礎年金等の支給要件の特例）

第十三条　旧適用法人共済組合員期間を有し、かつ、施行日の前日において昭和六十年国民年金等改正法附則第十二条第一項第八号から第十一号までのいずれかに該当した者であつて、施行日において国民年金法（昭和三十四年法律第百四十一号）第二十六条ただし書に該当する者（同法附則第九条第一項の規定により同法第二十六条ただし書に該当しないものとみなされる者及び昭和六十年国民年金等改正法附則第十二条第一項各号のいずれかに該当する者を除く。）は、昭和六十年国民年金等改正法附則第七条第二項、第十二条第一項、第十八条第一項及び第五十七条の規定の適用については、昭和六十年国民年金等改正法附則第十二条第一項第八号から第十一号までのいずれかに該当するものとみなす。

（厚生年金保険事業に要する費用の負担の特例）

第十四条　附則第十六条第三項の規定により厚生年金保険の実施者たる政府が支給するものとされた年金たる給付に要する費用のうち、厚生年金相当給付費用（厚生年金保険法による年金たる保険給付に相当する給付に要する費用として政令で定めるところにより算定した費用をいう。附則第十九条及び第二十条において同じ。）は、厚生年金保険法第二条の四第一項の規定の適用については、同法による保険給付に要する費用とみなし、同法第八十四条の三の規定の適用については同条に規定する政令で定める保険給付に要する費用とみなす。

（平成二十四年一元化法改正前国共済法による給付）

第十五条　旧適用法人共済組合員期間を有する者が次の各号のいずれかに該当する者であるときは、平成二十四年一元化法改正前国共済法中退職共済年金の支給要件に関する規定は、その者について適用する。この場合において、必要な技術的読替えは、政令で定める。

一　改正前国共済法附則第十二条の三又は第十二条の八の規定による退職共済年金の受給権を有している者

二　厚生年金保険法附則第八条の規定による老齢厚生年金の受給権を有している者（前号に掲げる者を除く。）

三　附則第八条第二項第一号又は第二号に掲げる者（前二号に掲げる者を除く。）

2　前項の規定により適用するものとされた平成二十四年一元化法改正前国共済法による年金たる給付（日本たばこ産業共済組合又は日本鉄道共済組合の組合員であつた者に係るものに限る。）については、附則第七十八条による改正前の昭和六十年国共済改正法附則第三十四条の規定は、なおその効力を有する。この場合において、同条第一項中「日本鉄道共済組合（新共済法第八条第二項に規定する日本鉄道共済組合をいう。以下同じ。）又は日本たばこ産業共済組合（新共済法第八条第二項に規定する日本たばこ産業共済組合をいう。以下同じ。）」とあり、及び同条第二項中「日本鉄道共済組合又は日本たばこ産業共済組合」とあるのは、「厚生年金保険の実施者たる政府」と読み替えるものとする。

（改正前国共済法による給付等）

第十六条 旧適用法人共済組合員期間を有する者に係る改正前国共済法による年金たる給付（前条第一項の規定により適用するものとされた平成二十四年一元化法改正前国共済法による年金たる給付を含む。）については、第四項、第五項、第十項、第十一項及び第十三項から第十五項まで並びに次条第一項及び第二項の規定を適用する場合並びに当該給付の費用に関する事項を除き、平成二十四年一元化法改正前国共済法及び改正後国共済施行法の長期給付に関する規定を適用する。この場合において、これらの規定の適用に関し必要な技術的読替えは、政令で定める。

2 旧適用法人共済組合員期間を有する者に係る旧国共済法による年金たる給付については、第六項から第八項まで、第十項、第十一項、第十四項及び第十五項並びに次条第三項の規定を適用する場合並びに当該給付の費用に関する事項を除き、なお従前の例による。

3 前二項に規定する年金たる給付は、厚生年金保険の実施者たる政府が支給する。

4 第一項に規定する年金たる給付のうち障害共済年金については、同項の規定にかかわらず、改正後国共済法第八十四条第二項、第八十五条第一項及び第八十七条第四項ただし書の規定は適用しない。

5 第一項に規定する年金たる給付のうち遺族共済年金については、平成二十四年一元化法附則第三十一条第一項の規定を適用する。

6 第二項に規定する年金たる給付のうち障害年金については、同項の規定にかかわらず、昭和六十年国共済改正法附則第二十四条の規定は適用しない。

7 第二項に規定する年金たる給付のうち遺族年金については、平成二十四年一元化法附則第三十一条第二項の規定を適用する。

8 第二項に規定する年金たる給付については、昭和六十年国共済改正法附則第十一条及び第三十五条から第六十条までの規定その他当該年金たる給付の額の計算及びその支給の停止に関する他の法令の規定であって政令で定めるものを適用する。この場合において、これらの規定の適用に関し必要な技術的読替えは、政令で定める。

9 旧適用法人共済組合が施行日前に支給すべきであった改正前国共済法及び旧国共済法による年金たる給付であって同日においてまだ支給していないものについては、当該給付の費用に関する事項を除き、なお従前の例によるものとし、当該年金たる給付は厚生年金保険の実施者たる政府が支給する。

10 第一項及び第二項に規定する年金たる給付に関し、国民年金法又は厚生年金保険法の支給の停止に関する規定その他の規定であって政令で定めるものを適用する場合におけるこれらの規定の読替えその他必要な事項は、政令で定める。

11 厚生年金保険法第七十八条の十の規定は、第一項及び第二項に規定する年金たる給付の受給権者について準用する。この場合において、必要な読替えは、政令で定める。

12 第三項の規定により厚生年金保険の実施者たる政府が支給するものとされた年金たる給付の受給権者の附則第六条の規定により厚生年金保険法による標準報酬月額とみなされた改正前国共済法による標準報酬月額が厚生年金保険法第七十八条の六第一項及び第二項の規定により改定された場合における第一項及び第六項の規定により適用するものとされた規定（他の法令において、これらの規定を引用し、又はその例による場合を含む。）の適用に関し必要な読替えその他必要な事項は、政令で定める。

13 第一項に規定する年金たる給付のうち退職共済年金（平成二十年四月一日以後の特定期間（厚生年金保険法第七十八条の十四第一項に規定する特定期間をいう。）に係る旧適用法人共済組合員期間をその額の算定の基礎とするものに限る。）の額の算定及び改定その他必要な事項は、政令で定める。

14 第一項及び第二項に規定する年金たる給付は、厚生年金保険法第七十七条第一項、第七十八条第一項、第九十二条第二項、第九十六条第一項、第九十七条第一項及び第百条の二の規定の適用については、これらの規定に規定する年金たる保険給付とみなし、同法第九十条第一項及び第五項、第九十二条第一項並びに第百条第一項の規定の適用については、これらの規定に規定する保険給付とみなす。

15 第一項及び第二項に規定する年金たる給付を受ける権利を有する者は、厚生年金保険法第九十五条、第九十六条第一項、第九十八条第三項及び第四項並びに第百条の二の規定の適用については、これらの規定に規定する受給権者とみなす。

第十七条 前条第一項に規定する年金たる給付（日本たばこ産業共済組合又は日本鉄道共済組合の組合員期間を有する者に係るものに限る。）については、改正前国共済法附則第二十条の二第二項の規定は、なおその効力を有する。この場合において、同項中「日本鉄道共済組合又は日本たばこ産業共済組合が支給する」とあるのは、「厚生年金保険法等の一部を改正する法律（平成八年法律第八十二号）附則第十六条第三項の規定により厚生年金保険の実施者たる政府が支給するものとされた」と読み替えるものとする。

2 旧適用法人共済組合の組合員であった者については、改正前国共済法附則第二十条の二第三項及び第四項の規定はなおその効力を有する。この場合において、同条第三項中「日本鉄道共済組合又は日本たばこ産業共済組合から」とあるのは「厚生年金保険の実施者たる政府から」と、「日本電信電話共済組合（地方）」とあるのは「厚生年金保険法等の一部を改正する法律（平成八年法律第八十二号）附則第三十二条第二項に規定する存続組合のうち日本電信電話共済組合若しくは同法附則第四十八条第一項に規定する指定基金であつて当該指定基金に係る同法附則第三条第八号に規定する旧適用法人共済組合が日本電信電話共済組合であるもの（地方）」と、「前項」とあるのは「同法附則第十七条第一項の規定によりなおその効力を有するものとされた同法第二条の規定による改正前の国家公務員等共済組合法（昭和三十三年法律第百二十八号。次項において「改正前国共済法」という。）附則第二十条の二第二項」と、同条第四項中「前項」とあるのは「厚生年金保険法等の一部を改正する法律附則第十七条第二項の規定によりなおその効力を有するものとされた改正前国共済法附則第二十条の二第三項」と、「第二項」とあるのは「厚生年金保険法等の一部を改正する法律附則第十七条第一項の規定によりなおその効力を有するものとされた改正前国共済法附則第二十条の二第二項」と、「日本鉄道共済組合又は日本たばこ産業共済組合」とあるのは「厚生年金保険の実施者たる政府」と読み替えるものとする。

3 前条第二項に規定する年金たる給付（日本たばこ産業共済組合又は日本鉄道共済組合の組合員期間を有する者に係るものに限る。）については、附則第七十八条の規定による改正前の昭和六十年国共済改正法附則第五十一条の規定は、なおその効力を有する。この場合において、当該年金たる給付の額の改定に伴う必要な措置については、政令で定める。

（旧適用法人共済組合の厚生年金保険への統合に伴う費用負担の特例等）

第十九条 附則第三十二条第二項に規定する存続組合は、附則第十六条第三項の規定により厚生年金保険の実施者たる政府が支給するものとされた年金たる給付に要する費用（厚生年金相当給付費用に限る。）及び附則第五条第一項の規定により厚生年金保険の被保険者であった期間とみなされた旧適用法人共済組合員期間を計算の基礎とする厚生年金保険法による年金たる保険給付に要する費用（当該旧適用法人共済組合員期間のみに基づく部分の額に限る。）に係る積立金に相当する額として、政令で定めるところにより算定した額を厚生年金保険の実施者たる政府に納付するものとする。

第二十条 附則第十六条第三項の規定により厚生年金保険の実施者たる政府が支給するものとされた年金たる給付に要する費用（厚生年金相当給付費用を除く。）及び同条第七項の規定により厚生年金保険の実施者たる政府が支給するものとされた年金たる給付に要する費用については、政令で定めるところにより、毎年度、附則第三十二条第二項に規定する存続組合が納付する。

（旧適用法人共済組合の平成八年度以前の基礎年金拠出金等に関する経過措置）

第二十一条 旧適用法人共済組合の平成八年度以前の年度の国民年金法第九十四条の二第二項に規定する基礎年金拠出金及び昭和六十年国民年金等改正法附則第三十五条第二項の規定により国民年金の管掌者たる政府が交付する費用については、なお従前の例による。

（旧適用法人共済組合の平成八年度に係る決算等に関する経過措置）

第二十二条 旧適用法人共済組合の平成八年度に係る決算並びに財産目録、貸借対照表及び損益計算書については、なお従前の例による。

2 施行日前の期間に係る旧適用法人共済組合の改正前国共済法第百十六条第二項の規定による報告書の提出及び同条第三項の規定による監査については、なお従前の例による。

（国家公務員等共済組合連合会に関する経過措置）

第二十三条 国家公務員等共済組合連合会は、施行日において、国家公務員共済組合連合会となる。

2 施行日の前日において国家公務員等共済組合連合会の理事長、理事又は監事である者は、別に辞令を用いないで、施行日に改正後国共済法第二十九条の規定により国家公務員共済組合連合会の理事長、理事又は監事として任命されたものとみなす。

3 前項の規定により任命されたものとみなされる国家公務員共済組合連合会の理事長、理事又は監事の任期は、改正後国共済法第三十条第一項の規定にかかわらず、施行日におけるその者の国家公務員等共済組合連合会の理事長、理事又は監事としての残任期間と同一の期間とする。

（旧適用法人共済組合の組合員の資格に関する経過措置）

第二十四条 施行日の前日において旧適用法人共済組合の組合員（継続長期組合員（改正前国共済法第百二十四条の二第二項に規定する継続長期組合員をいう。第三項並びに附則第四十条第三項及び第四十三条第一項において同じ。）及び任意継続組合員（改正前国共済法第百二十六条の五第二項に規定する任意継続組合員をいう。第四項及び附則第四十条において同じ。）を除く。）であった者（同日において退職（改正前国共済法第二条第一項第四号に規定する退職をいう。以下同じ。）又は死亡をした者を除く。）は、同日に退職をしたものとみなす。この場合においては、当該退職については、改正前国共済法第七十七条第四項の規定の適用は、ないものとする。

2 前項に規定する者のうち施行日の前々日に六十五歳以上である者については、同項後段の規定にかかわらず、施行日の前日の属する月までの組合員期間（旧適用法人共済組合員期間及び当該組合員期間に他の法令の規定により算入された期間とし、昭和六十年国共済改正法附則第三十二条第一項又は第二項の規定の適用があった場合にはその適用後の当該組合員期間とする。以下「旧適用法人施行日前期間」という。）を計算の基礎として、改正前国共済法による退職共済年金の額を改定する。

3 施行日の前日において旧適用法人共済組合の継続長期組合員であった者（同日において改正前国共済法第百二十四条の二第二項各号のいずれかに該当した者を除く。）は、施行日に、継続長期組合員の資格を喪失する。この場合においては、施行日の前日に退職をしたものとみなすほか、第一項後段の規定を準用する。

4 施行日の前日において旧適用法人共済組合の任意継続組合員であった者（同日において改正前国共済法第百二十六条の五第五項第一号から第三号まで又は第五号のいずれかに該当した者を除く。）は、施行日に、任意継続組合員の資格を喪失する。

（組合員期間の計算に関する経過措置）

第二十五条 旧適用法人共済組合の組合員であった者が引き続き施行日前に旧適用法人共済組合以外の国家公務員等共済組合（以下この条において「連合会組合」という。）の組合員の資格を取得したときは、旧適用法人共済組合の組合員期間は、連合会組合の組合員期間とみなす。

2 旧適用法人共済組合の組合員であった者が、施行日前に、その資格を喪失し、かつ、新たに連合会組合の組合員の資格を取得したときは、旧適用法人共済組合の組合員期間は連合会組合の組合員期間に合算されたものとする。

3 旧適用法人施行日前期間については、改正後国共済法第三十八条第四項の規定にかかわらず、当該旧適用法人施行日前期間を有する者に係る当該旧適用法人施行日前期間以外の組合員期間との合算は、しないものとする。

（従前の給付等に関する経過措置）

第二十六条 施行日前に支給事由が生じた改正前国共済法による給付又は旧国共済法による給付については、この法律及びこれに基づく政令に別段の定めがあるもののほか、なお従前の例による。

2 旧適用法人共済組合がした改正前国共済法第百三条第一項に

規定する決定、徴収、確認又は診査に係る同項の審査請求で施行日の前日までに裁決が行われていないものについては、なお従前の例による。

（国家公務員等共済組合審査会に関する経過措置）

第二十七条　国家公務員等共済組合審査会は、施行日において、国家公務員共済組合審査会となる。

２　施行日の前日において国家公務員等共済組合審査会の委員である者のうち旧適用法人共済組合の組合員を代表する者及び旧適用法人を代表する者（第四項において「旧適用法人組合員代表者等」という。）以外の者は、別に辞令を用いないで、施行日に改正後国共済法第百四条第三項の規定により国家公務員共済組合審査会の委員として委嘱されたものとみなす。

３　前項の規定により委嘱されたものとみなされる国家公務員共済組合審査会の委員の任期は、改正後国共済法第百四条第四項の規定にかかわらず、施行日におけるその者の国家公務員等共済組合審査会の委員としての残任期間と同一の期間とする。

４　施行日の前日において国家公務員等共済組合審査会の委員である者のうち旧適用法人組合員代表者等の任期は、改正前国共済法第百四条第四項の規定にかかわらず、その日に満了する。

（国家公務員等共済組合審議会に関する経過措置）

第二十八条　国家公務員等共済組合審議会は、施行日において、国家公務員共済組合審議会となる。

２　前条第二項から第四項までの規定は、施行日の前日において国家公務員等共済組合審議会の委員である者について準用する。この場合において、これらの規定中「第百四条第三項」とあり、及び「第百四条第四項」とあるのは「第百十一条第四項」と、「委嘱された」とあるのは「任命された」と読み替えるものとする。

（旧適用法人共済組合の掛金の徴収等に関する経過措置）

第二十九条　旧適用法人共済組合に係る掛金、特別掛金、負担金その他改正前国共済法の規定による徴収金の徴収並びに当該掛金、特別掛金及び負担金に係る督促、延滞金の徴収及び滞納処分については、なお従前の例による。当該掛金、特別掛金及び負担金の還付についても、同様とする。

２　この法律の施行の際現に存する改正前国共済法第百十一条の九に規定する先取特権については、なお従前の例による。

（退職一時金等の返還に関する経過措置）

第三十条　旧適用法人施行日前期間を有する者又はその遺族に係る改正後国共済法附則第十二条の十二第一項（改正後国共済施行法第十四条第三項において準用する場合を含む。）若しくは第十二条の十三（改正後国共済施行法第十五条第三項において準用する場合を含む。）、改正後国共済施行法第十四条第一項、第十五条第一項若しくは第四十一条第二項第三号、第三項若しくは第六項又は昭和六十年国共済改正法附則第六十二条第一項（昭和六十年国共済改正法附則第六十三条第三項において準用する場合を含む。）若しくは第六十三条第一項の規定により返還すべきこととされているこれらの規定に規定する金額（以下この条において「返還額」という。）の改正後国共済法附則第十二条の十二若しくは第十二条の十三、改正後国共済施行法第十四条、第十五条若しくは第四十一条第三項から第六項まで又は昭和六十年国共済改正法附則第六十二条第三項から第六項まで（昭和六十年国共済改正法附則第六十三条第二項及び第三項において準用する場合を含む。）の規定による返還については、これらの規定にかかわらず、返還額を一時に又は分割して返還する方法であって、その者が受ける旧適用法人施行日前期間を計算の基礎とする年金たる給付の額を勘案して政令で定めるものにより行うものとする。

２　附則第五条第一項の規定により第一号厚生年金被保険者期間とみなされた旧適用法人共済組合員期間を計算の基礎とする厚生年金保険法による年金たる保険給付の受給権を有することとなった者が前項の規定により返還額を返還した場合におけるその年分の当該厚生年金保険法による年金たる保険給付に係る所得税法（昭和四十年法律第三十三号）第三十五条第二項第一号及び第四項第二号に規定する公的年金等の収入金額については、その年中に支払われた当該厚生年金保険法による年金たる保険給付の額（以下この項において「保険給付支払額」という。）からその年中に返還した返還額（当該返還額に係る附則第十六条第三項の規定により厚生年金保険の実施者たる政府が支給するものとされた年金たる給付又は附則第三十三条第一項に規定する特例年金給付（以下この項において「特例年金給付等」という。）がその年中に支払われた場合には、当該返還額から当該特例年金給付等の額（その額が当該返還額を超えるときは、当該返還額を限度とする。）を控除して得た額とする。以下この項において同じ。）を控除して得た額とする。この場合において、当該返還額が当該保険給付支払額を超えるときは、当該保険給付支払額をもって、当該保険給付支払額から控除する限度額とする。

（平成二十四年一元化法改正前国共済法による長期給付）

第三十一条　附則第十五条第一項の規定にかかわらず、平成二十四年一元化法改正前国共済法中長期給付の支給要件に関する規定は、次に掲げる者についても適用する。この場合において、必要な技術的読替えは、政令で定める。

一　附則第五条第一項の規定により第一号厚生年金被保険者期間とみなされた旧適用法人共済組合員期間（以下「被保険者期間とみなされた組合員期間」という。）以外の旧適用法人施行日前期間を有する者その他旧適用法人施行日前期間を有する者で政令で定めるもの（附則第十五条第一項各号のいずれかに該当する者を除く。）

二　被保険者期間とみなされた組合員期間以外の旧適用法人施行日前期間を有する者が死亡した場合のその者の遺族その他旧適用法人施行日前期間を有する者が死亡した場合のその者の遺族で政令で定めるもの

（存続組合の業務等）

第三十二条　旧適用法人共済組合は、次項各号に掲げる業務を行うため、この法律の施行後も、改正前国共済法第三条第一項に規定する国家公務員等共済組合としてなお存続するものとする。この場合において、同項並びに改正前国共済法第八条第二項及び第百十一条の二の規定は、旧適用法人共済組合については、なおその効力を有するものとし、改正前国共済法第八条第二項中「大蔵大臣」とあるのは、「財務大臣」とする。

２　前項の規定によりなお存続するものとされる旧適用法人共済組合（以下「存続組合」という。）の業務は、次に掲げるものとする。

一　前条の規定により適用するものとされた平成二十四年一元化法改正前国共済法による年金たる長期給付で旧適用法人施

行日前期間を計算の基礎とするものを支給すること。

二　前条の規定により適用するものとされた平成二十四年一元化法改正前国共済法による一時金たる長期給付で旧適用法人施行日前期間を計算の基礎とするもの及び施行日以後に支給事由が生ずることとなるこれに類する一時金たる給付で政令で定めるものを支給すること。

三　改正後国共済施行法第三条に規定する給付のうち年金たる給付で旧適用法人共済組合に係るものを支給すること。

四　旧適用法人共済組合が施行日前に支給すべきであった一時金たる給付であって、施行日においてまだ支給していないものを支給すること。

五　前各号に掲げるもののほか、存続組合に帰属した権利及び義務の行使及び履行のために必要な業務を行うこと。

六　前各号の業務に附帯する業務を行うこと。

3　存続組合は、国家公務員共済組合法第三条第一項に規定する国家公務員共済組合とみなして、同法第四条から第七条まで、第十一条、第十四条、第十五条、第十六条、第十七条、第十九条、第二十条、第四十五条第二項及び第百十六条の規定並びに平成二十四年一元化法改正前国共済法第四十一条、第四十七条第一項、第四十八条、第五十条、第九十五条、第百六条及び第百十四条の規定を適用する。この場合において、国家公務員共済組合法第五条第一項中「各省各庁の長（第八条第一項に規定する各省各庁の長をいう。）」とあるのは「旧適用法人（厚生年金保険法等の一部を改正する法律（平成八年法律第八十二号）附則第四条に規定する旧適用法人をいう。）を代表する者（以下「組合の代表者」という。）」と、同法第六条第一項中「次に掲げる事項」とあるのは「第一号から第三号まで、第六号、第八号及び第九号に掲げる事項」と、同項第六号中「給付及び掛金に関する事項（第二十四条第一項第八号に掲げる事項を除く。）」とあるのは「給付に関する事項」と、同法第十一条第二項中「財務大臣に協議しなければならない」とあるのは「財務大臣の認可を受けなければならない」と、平成二十四年一元化法改正前国共済法第四十一条第一項中「組合（長期給付にあつては、連合会。次項、第四十七条第一項、第四十八条、第九十五条、第百六条、第百十四条及び第百十八条において同じ。）」とあるのは「組合」とする。

4　改正後国共済法第七十五条及び第百十四条の二の規定は、存続組合について準用する。

5　附則第十六条第三項又は第七項の規定により厚生年金保険の実施者たる政府が支給するものとされた年金たる給付については、存続組合は、当該年金たる給付の支給に関する義務を免れる。

6　財務大臣は、存続組合に関して第三項の規定により適用するものとされた改正後国共済法第六条第二項若しくは第十五条の規定による認可又は第三項の規定により適用するものとされた国家公務員共済組合法第十六条第二項の規定による承認をする場合には、あらかじめ、存続組合に係る次の各号に掲げる法人の区分に応じ、当該各号に定める大臣に協議しなければならない。

一　日本たばこ産業株式会社　財務大臣

二　日本電信電話株式会社（日本電信電話株式会社等に関する法律（昭和五十九年法律第八十五号）第一条の二第一項に規定する日本電信電話株式会社をいう。附則第五十四条第一項第一号において同じ。）　総務大臣

三　旅客鉄道会社等　国土交通大臣

7　存続組合は、第二項各号に掲げる業務がすべて終了したときにおいて解散する。

8　前項の規定により存続組合が解散した場合における解散の登記その他解散に伴う必要な措置については、政令で定める。

9　前各項に定めるもののほか、前各項の規定の適用に関し必要な事項は、政令で定める。

（存続組合が支給する長期給付）

第三十三条　存続組合が支給する前条第二項第一号に規定する年金たる長期給付（以下「特例年金給付」という。）及び同項第二号に規定する一時金たる長期給付（以下「特例一時金給付」という。）については、この法律及びこれに基づく政令に別段の定めがあるもののほか、平成二十四年一元化法改正前国共済法、改正後国共済施行法及び昭和六十年国共済改正法附則第三条から第三十二条まで（附則第三十一条を除く。）の長期給付に関する規定（以下この条において「国共済法等の規定」という。）を適用する。

2　特例年金給付の額は、国共済法等の規定に基づき計算した年金たる長期給付の額から、被保険者期間とみなされた組合員期間を計算の基礎とする厚生年金保険法による年金たる保険給付で当該長期給付と同一の支給事由に基づいて支給されるものの額のうち当該被保険者期間とみなされた組合員期間に係る部分に相当するものとして政令で定めるところにより計算した額を控除して得た額とする。

3　特例一時金給付の額は、国共済法等の規定に基づき計算した一時金たる長期給付の額から、被保険者期間とみなされた組合員期間を計算の基礎とする厚生年金保険法による一時金たる保険給付で当該長期給付と同一の支給事由に基づいて支給されるものの額のうち当該被保険者期間とみなされた組合員期間に係る部分に相当するものとして政令で定めるところにより計算した額を控除して得た額とし、存続組合が支給する前条第二項第二号に規定する一時金たる給付で政令で定めるものの額は、特例一時金給付に準じて政令で定めるところにより計算した額とする。

4　特例年金給付の受給権を有する者が、厚生年金保険法による年金たる保険給付（昭和六十年国民年金等改正法附則第八十七条第一項に規定する旧船員保険法による年金たる保険給付を含む。次項において同じ。）、附則第十六条第三項若しくは第七項の規定により厚生年金保険の実施者たる政府が支給するものとされた年金たる給付又は国民年金法による年金たる給付を受けることができるときは、平成二十四年一元化法改正前国共済法第七十四条第一項及び昭和六十年国共済改正法附則第十一条第一項の規定にかかわらず、これらの年金たる給付を受けることができる場合に該当して行われる支給の停止は、行わない。この場合においては、これらの年金たる給付に関し適用される厚生年金保険法第三十八条第一項その他これに相当する併給の調整に関する規定であって政令で定めるものの適用については、特例年金給付は、当該政令で定める規定により支給の停止が行われる年金たる給付に該当しないものとみなす。

5　特例年金給付（平成二十四年一元化法改正前国共済法第七十四条第一項又は昭和六十年国共済改正法附則第十一条第一項の

規定によりその支給が停止されているものを除く。）の受給権を有する者が、当該特例年金給付と併せて次の各号に掲げる年金たる給付を受けることができるときは、当該特例年金給付の額は、第二項の規定にかかわらず、国共済法等の規定に基づき計算した年金たる長期給付の額（平成二十四年一元化法改正前国共済法第七十四条第二項の規定（他の法令においてその例によることとされる場合を含む。）により支給の停止を行わないこととされる額（以下この項において「職域相当額」という。）があるときは、当該職域相当額を控除した額とする。）から、当該特例年金給付と併せて受けることができる当該各号に掲げる年金たる給付の額を控除して得た額に職域相当額を加算した額とする。

一　厚生年金保険法による年金たる保険給付（同法第三十八条第一項その他これに相当する併給の調整に関する規定であって政令で定めるものによりその支給が停止されているもの及び当該特例年金給付と同一の支給事由であって当該支給事由が障害以外のものに基づいて支給されるものを除く。）

二　附則第十六条第三項又は第七項の規定により厚生年金保険の実施者たる政府が支給するものとされた年金たる給付（平成二十四年一元化法改正前国共済法第七十四条第一項その他これに相当する併給の調整に関する規定であって政令で定めるものによりその支給が停止されているもの及び当該特例年金給付と同一の支給事由であって当該支給事由が障害以外のものに基づいて支給されるものを除く。）

三　国民年金法による年金たる給付（同法第二十条第一項その他これに相当する併給の調整に関する規定であって政令で定めるものによりその支給が停止されているもの及び当該特例年金給付と同一の支給事由に基づいて支給されるものを除くものとし、さらに、当該特例年金給付が退職を支給事由とするもの（以下この条において「退職特例年金給付」という。）であるときは障害を給付事由とする年金たる給付（その受給権を有する者が六十五歳に達しているものに限る。）を、当該特例年金給付が死亡を支給事由とするもの（以下この条において「遺族特例年金給付」という。）であるときは老齢及び障害を支給事由とする年金たる給付（これらの受給権を有する者が六十五歳に達しているものに限る。）を除く。）

6　退職特例年金給付及び障害を支給事由とするものについては、平成二十四年一元化法改正前国共済法第七十七条第四項、第七十九条第一項及び第二項、第八十四条第二項、第八十五条第一項、第八十七条第一項、第二項及び第四項ただし書並びに附則第十二条の四の三第三項並びに昭和六十年国共済改正法附則第二十条第三項及び第二十一条第七項の規定は、適用しない。この場合において、これらの年金たる給付の受給権を有する者が施行日以後に国家公務員共済組合の組合員又は地方公務員共済組合の組合員となったときは、平成二十四年一元化法改正前国共済法第八十条又は第八十七条の二の規定を準用する。

7　旧適用法人施行日前期間を有する者については、平成二十四年一元化法改正前国共済法附則第十二条の八の規定は、適用しない。

8　改正前国共済法附則第二十条の二第二項及び第五項（改正前国共済法附則第十二条の七の規定に係る部分に限る。）、改正前国共済施行法第十条第五項並びに附則第七十八条の規定による改正前の昭和六十年国共済改正法附則第三十四条の規定は、存続組合である日本たばこ産業共済組合又は日本鉄道共済組合が支給する特例年金給付（日本たばこ産業共済組合が支給する退職特例年金給付にあっては、平成二年四月一日前に退職した者に係るものを除く。）及び特例一時金給付のうち障害を支給事由とするものについては、なおその効力を有する。

9　改正前国共済法附則第二十条の二第三項及び第四項の規定は、同条第三項に規定する連合会を組織する組合の組合員、日本電信電話共済組合の組合員又は地方の組合の組合員であった者が日本たばこ産業共済組合の組合員又は日本鉄道共済組合の組合員となり、存続組合である日本たばこ産業共済組合又は日本鉄道共済組合から特例年金給付又は特例一時金給付のうち障害を支給事由とするものの支給を受けることとなる場合においては、なおその効力を有する。

10　平成二年四月一日前に退職した者に係る退職特例年金給付で存続組合である日本たばこ産業共済組合が支給するものについて国家公務員共済組合法等の一部を改正する法律（平成十二年法律第二十一号）第二条の規定による改正前の国家公務員共済組合法による平均標準報酬月額を計算する場合においては、同法第七十七条第一項中「以下同じ」とあるのは「附則第十二条の四の二第二項において同じ」と、同条第二項第一号中「平均標準報酬月額」とあるのは「平均標準報酬月額（組合員期間の計算の基礎となる各月の掛金の標準となつた標準報酬の月額（その月が昭和六十二年三月以前の期間に属するときは、その月の標準報酬の月額にそれぞれ一・〇五を乗じて得た額とし、その月が同年四月から昭和六十三年三月までの期間に属するときは、その月の標準報酬の月額にそれぞれ一・〇三を乗じて得た額とする。）を平均した額をいう。次号及び附則第十二条の四の二第三項において同じ。）」とする。

11　平成二年四月一日前に退職した者に係る退職特例年金給付で存続組合である日本たばこ産業共済組合が支給するものの額のうち平成二十四年一元化法改正前国共済法第七十四条第二項に規定する退職共済年金の職域加算額に相当するものについては、平成二十四年一元化法改正前国共済法第七十二条の三から第七十二条の六までの規定は、適用しない。

12　退職特例年金給付又は遺族特例年金給付の受給権を有する者については、政令により、その者の請求によりこれらの年金たる給付の支給に代えて一時金を支給することができる特例を定めることができる。

13　遺族特例年金給付（その受給権者が昭和十七年四月二日以後に生まれた者であるものに限る。）の額の算定及び改定並びにその支給の停止に関し必要な事項は、政令で定める。

14　平成二十四年一元化法改正前国共済法第九十三条の五から第九十三条の十二までの規定は、特例年金給付（遺族特例年金給付を除く。）の受給権者が平成二十四年一元化法改正前国共済法第九十三条の五第一項に規定する離婚等をした場合について準用する。この場合において必要な事項は、政令で定める。

15　前各項に定めるもののほか、存続組合が特例年金給付及び特例一時金給付を支給する場合における平成二十四年一元化法改正前国共済法その他の法令の規定に関する必要な技術的読替えその他前各項の規定に関し必要な事項は、政令で定める。

（退職特例年金給付の繰下げの申出の特例）

第三十三条の二　旧適用法人施行日前期間を有する者が厚生年金保険法第四十四条の三第一項の申出をする場合には、当該申出と同時に前条第一項の規定により適用するものとされた平成二十四年一元化法改正前国共済法第七十八条の二第一項の申出を行わなければならない。

２　旧適用法人施行日前期間を有する者が老齢厚生年金の受給権を取得した日から起算して五年を経過した日後に厚生年金保険法第四十四条の三第一項の申出をしないで当該老齢厚生年金の請求を行った場合（同条第五項の規定により同条第一項の申出があつたものとみなされる場合に限る。）における前条第一項の規定により適用するものとされた平成二十四年一元化法改正前国共済法第七十八条の二の規定の適用に関し必要な事項は、政令で定める。

（存続組合に係る基礎年金拠出金等）

第三十四条　平成九年度における基礎年金拠出金について国民年金法第九十四条の二第二項の規定を適用する場合には、同項中「年金保険者たる共済組合」とあるのは、「年金保険者たる共済組合（厚生年金保険法等の一部を改正する法律（平成八年法律第八十二号）附則第三十二条第二項に規定する存続組合及び同法附則第四十八条第一項に規定する指定基金を含む。）」とする。

２　前項の規定により読み替えられた国民年金法第九十四条の二第二項の規定により基礎年金拠出金を納付するものとされた存続組合又は指定基金が納付する基礎年金拠出金について同法第九十四条の三及び第九十四条の五の規定を適用する場合には、次の表の上欄に掲げる同法の規定中同表の中欄に掲げる字句は、それぞれ同表の下欄に掲げる字句に読み替えるものとする。

第九十四条の三第一項	対する当該年度	対する平成九年三月末日
	当該被用者年金保険者	当該存続組合（厚生年金保険法等の一部を改正する法律（平成八年法律第八十二号）附則第三十二条第二項に規定する存続組合をいう。以下同じ。）又は当該指定基金（同法附則第四十八条第一項に規定する指定基金をいう。以下同じ。）に係る旧適用法人共済組合（同法附則第三条第八号に規定する旧適用法人共済組合をいう。以下同じ。）
	年金保険者たる共済組合にあつては	存続組合又は指定基金にあつては
	当該年金保険者たる共済組合	当該存続組合又は当該指定基金に係る旧適用法人共済組合
	当該共済組合の組合員である	当該存続組合又は当該指定基金に係る旧適用法人共済組合の組合員であつた
	比率	比率に六分の一を乗じて得た率
第九十四条の三第三項及び第九十四条の五	年金保険者たる共済組合	存続組合又は指定基金

３　平成九年度において厚生年金保険の管掌者たる政府が負担する基礎年金拠出金の額は、国民年金法第九十四条の三の規定にかかわらず、同条の規定により算定された額から、第一項の規定により読み替えられた同法第九十四条の二の規定により各存続組合又は各指定基金が納付する基礎年金拠出金の額の合計額を控除して得た額とする。

（審査請求に関する経過措置）

第四十五条　旧適用法人共済組合が改正前国共済法の規定により行った短期給付に係る組合員の資格若しくは給付に関する決定又は掛金の徴収に対する審査請求であって、施行日以後に審査請求が行われたものについては、なお従前の例による。

２　新設健保組合が改正前国共済法の規定により行った旧適用法人共済組合の短期給付に係る組合員の資格若しくは給付に関する決定又は掛金の徴収に対する審査請求については、国家公務員共済組合法第百三条から第百七条までの規定を適用する。この場合において、改正後国共済法第百六条中「組合」とあるのは、「厚生年金保険法等の一部を改正する法律（平成八年法律第八十二号）附則第三十八条第一項に規定する新設健保組合」とする。

（基金の指定等）

第四十七条　財務大臣は、公的年金制度の健全性及び信頼性の確保のための厚生年金保険法等の一部を改正する法律（平成二十五年法律第六十三号。以下「平成二十五年改正法」という。）附則第三条第十一号に規定する存続厚生年金基金（以下「基金」という。）であって、附則第三十二条第二項各号に掲げる業務（以下「特例業務」という。）を適正かつ確実に行うことができると認められるものを、その申請（当該申請が基金の成立前であるときは、当該基金を設立しようとする厚生年金保険法第六条第一項第一号に規定する適用事業所の事業主の申請）により、特例業務を行う者として指定することができる。

２　財務大臣は、前項の規定による指定をしたときは、当該指定を受けた基金の名称、住所及び事務所の所在地を公示しなければならない。

３　第一項の規定による指定を受けた基金は、その名称、住所又は事務所の所在地を変更しようとするときは、あらかじめ、その旨を財務大臣に届け出なければならない。

4　財務大臣は、前項の規定による届出があったときは、当該届出に係る事項を公示しなければならない。

（存続組合又は旧適用法人共済組合の権利及び義務の承継）

第四十八条　財務大臣が前条第一項の規定による指定をしたときは、指定を受けた基金（以下「指定基金」という。）に係る存続組合は、附則第三十二条第七項の規定にかかわらず、その指定の時において解散するものとし、その一切の権利及び義務は、その解散の時において、指定基金が承継する。

2　大蔵大臣が前条第一項の規定による指定を施行日にしたときは、附則第三十二条第一項及び前項の規定にかかわらず、当該指定に係る指定基金に係る旧適用法人共済組合は、施行日において解散するものとし、その一切の権利及び義務（附則第三十八条第一項の規定により新設健保組合が承継することとされるものを除く。）は、施行日において、指定基金が承継する。

3　附則第三十二条第八項の規定は、前二項の解散について準用する。

4　第一項又は第二項の規定により指定基金が存続組合又は旧適用法人共済組合の権利を承継する場合における当該承継に伴う不動産の登記については、財務省令で定めるところにより登記を受けるものに限り、登録免許税を課さない。

5　第一項又は第二項の規定により指定基金が存続組合又は旧適用法人共済組合の権利を承継する場合における当該承継に係る不動産の取得に対しては、不動産取得税又は土地の取得に対して課する特別土地保有税を課することができない。

6　指定基金が第一項又は第二項の規定により存続組合又は旧適用法人共済組合から権利を承継し、かつ、引き続き保有する土地のうち、地方税法第五百九十九条第一項の規定により申告納付すべき日の属する年の一月一日において旧適用法人共済組合が当該土地の取得をした日以後十年を経過したものに対しては、土地に対して課する特別土地保有税を課することができない。

（指定基金の業務）

第四十九条　指定基金は、平成二十五年改正法附則第五条第一項の規定によりなおその効力を有するものとされた平成二十五年改正法第一条の規定による改正前の厚生年金保険法（以下「平成二十五年改正前厚年法」という。）第百三十条に規定する業務のほか、特例業務を行うものとする。この場合においては、指定基金は、附則第二条、第十九条、第二十条及び第三十三条の規定の適用については、当該指定基金に係る存続組合とみなす。

2　指定基金は、当該指定基金の加入員若しくは加入員であった者又はその遺族に対して、特例業務として支給する旧適用法人施行日前期間を計算の基礎とする年金たる長期給付に相当するものを、平成二十五年改正法附則第五条第一項の規定によりなおその効力を有するものとされた平成二十五年改正前厚年法第百三十条に規定する業務（附則第五十五条第二項に規定する障害等年金給付の支給を行う業務を含む。以下この項において同じ。）として支給する場合には、財務大臣の認可を受けて、平成二十五年改正法附則第五条第一項の規定によりなおその効力を有するものとされた平成二十五年改正前厚年法第百三十条に規定する業務として支給する年金たる給付を限度として、当該年金たる給付に相当する年金たる長期給付であって特例業務として支給するものについて、支給しないこととすることができる。

3　国家公務員共済組合法第四十五条第二項並びに平成二十四年一元化法改正前国共済法第四十一条、第四十七条第一項、第四十八条、第五十条、第七十五条、第九十五条、第百六条、第百十四条及び第百十四条の二の規定は、指定基金並びに指定基金が特例業務として支給する年金たる長期給付及び一時金たる給付について準用する。

（業務規程の認可等）

第五十条　指定基金は、特例業務を行うときは、特例業務を実施するために必要な事項で財務省令で定めるものについて業務規程を作成し、財務大臣の認可を受けなければならない。これを変更しようとするときも、同様とする。

2　財務大臣は、前項の認可を受けた業務規程が特例業務の適正かつ確実な実施上不適当となったと認めるときは、その業務規程を変更すべきことを命ずることができる。

3　附則第三十二条第六項の規定は、指定基金に関して財務大臣が第一項の規定による認可をする場合及び前項の規定による命令をする場合について準用する。

4　指定基金は、特例業務に関する経理とその他の経理とを区分して整理しなければならない。

5　指定基金の特例業務に関する財務及び会計については、政令で定めるところによる。

（監督）

第五十一条　財務大臣は、指定基金の役員が、附則第四十七条から前条までの規定若しくはこれらの規定に基づく命令若しくは処分に違反したとき、同条第一項の認可を受けた業務規程に違反する行為をしたとき、又は特例業務に関し著しく不適当な行為をしたときは、指定基金に対して、その役員を解任すべきことを命ずることができる。この場合においては、あらかじめ、厚生労働大臣に協議しなければならない。

2　財務大臣は、特例業務の適正な運営を確保するために必要な限度において、指定基金に対して、必要と認める事項の報告を求め、又は当該職員に、関係者に対して質問させ、若しくはその事務所に立ち入り、特例業務の状況若しくは帳簿書類その他の物件を検査させることができる。

3　前項の規定により立入検査をする職員は、その身分を示す証明書を携帯し、関係者に提示しなければならない。

4　第二項の規定による立入検査の権限は、犯罪捜査のために認められたものと解釈してはならない。

5　財務大臣は、指定基金の行う特例業務の運営に関し必要があると認めるときは、その必要の限度において、指定基金に対して、監督上必要な命令をすることができる。この場合においては、第一項後段の規定を準用する。

（指定の取消し）

第五十二条　財務大臣は、指定基金が合併し、若しくは分割したとき、指定基金が平成二十五年改正法附則第五条第一項の規定によりなおその効力を有するものとされた平成二十五年改正法第二条の規定による改正前の確定給付企業年金法（平成十三年法律第五十号）第百十二条第一項の規定により同項に規定する企業年金基金（以下「企業年金基金」という。）となったとき又は指定基金が解散したときは、附則第四十七条第一項の規定による指定を取り消すものとする。

2　財務大臣は、指定基金が次の各号のいずれかに該当するときは、附則第四十七条第一項の規定による指定を取り消すことができる。
一　指定に関し不正な行為があったとき。
二　附則第四十七条から前条までの規定又はこれらの規定に基づく命令若しくは処分に違反したとき。
三　附則第五十条第一項の認可を受けた業務規程によらないで特例業務を行ったときその他特例業務を適正かつ確実に実施することができないと認められるとき。
3　財務大臣は、前二項の規定により指定を取り消したときは、その旨を公示しなければならない。
4　財務大臣は、指定基金が合併し、若しくは分割したことにより、又は指定基金が平成二十五年改正法附則第五条第一項の規定によりなおその効力を有するものとされた平成二十五年改正法第二条の規定による改正前の確定給付企業年金法第百十二条第一項の規定により企業年金基金となったことにより、附則第四十七条第一項の規定による指定を取り消したときは、合併により設立され、若しくは合併後存続する基金若しくは分割により設立され、若しくは分割後存続する基金又は当該企業年金基金（以下「新基金」という。）を新たに指定するものとする。
5　財務大臣が前項の場合に該当して新基金を指定したときは、当該指定に係る新基金は、財務大臣が同項の場合に該当して指定を取り消した基金の特例業務に関する一切の権利及び義務を承継する。
6　財務大臣が第四項の規定に該当して企業年金基金を新たに指定する場合における附則第四十七条第一項、第四十九条第一項及び第五十五条第一項の規定の適用については、附則第四十七条第一項中「厚生年金基金」とあるのは「厚生年金基金又は企業年金基金」と、附則第四十九条第一項中「厚生年金保険法第百三十条に規定する業務」とあるのは「厚生年金保険法第百三十条に規定する業務又は確定給付企業年金法の規定に基づく企業年金基金の業務」と、附則第五十五条第一項中「指定基金は」とあるのは「指定基金（当該指定基金が厚生年金基金であるものに限る。以下この条、次条、附則第五十七条、第五十九条及び第六十三条において同じ。）は」とする。
7　指定基金が解散したことにより又は第二項各号のいずれかに該当したことにより、附則第四十七条第一項の規定による指定が取り消された場合における当該指定が取り消された基金の特例業務に関する権利及び義務の取扱いその他必要な措置については、別に法律で定める。
8　指定基金が解散したことにより又は第二項各号のいずれかに該当したことにより、附則第四十七条第一項の規定による指定が取り消された場合において、前項の法律に基づく必要な措置がとられるまでの間は、財務大臣が指定する者が、政令で定めるところにより、特例業務に係る財産の管理その他の業務を行うものとする。

（政令への委任）

第五十三条　附則第四十七条から前条までに定めるもののほか、これらの規定による指定又は認可に関する申請の手続その他これらの規定の適用に関し必要な事項は、政令で定める。

（存続組合等に係る費用の負担）

第五十四条　存続組合（指定基金を含む。次項、第三項及び第六項において同じ。）が特例業務として支給する年金たる長期給付及び一時金たる給付に要する費用については、政令で定めるところにより、次の各号に掲げる費用の区分に応じ、当該各号に定める者が負担する。
一　当該費用のうち、旧適用法人共済組合員期間（昭和六十年国共済改正法附則第三十二条第一項又は第二項の規定の適用があった場合には、その適用後の当該旧適用法人共済組合員期間とする。第三項において同じ。）以外の旧適用法人施行日前期間であって当該年金たる長期給付及び一時金たる給付の額の計算の基礎とするものに対応する費用　日本たばこ産業株式会社、日本電信電話株式会社又は旅客鉄道会社等（以下この条において「会社等」という。）
二　当該費用のうち、昭和六十年国共済改正法附則第三十一条第一項の規定により国が負担する費用に相当するものとして政令で定める費用　国
三　当該費用のうち、前二号に掲げるもの以外の費用（改正前国共済法附則第三条の二第三項の規定により積み立てられた積立金及びその運用収入をもって充てられる部分に係る費用を除く。）　会社等（改正前国共済法第百十一条の六第一項に規定する指定法人（以下この条において「旧指定法人」という。）を含む。）
2　附則第十九条の規定により存続組合が納付するものとされる額について改正前国共済法附則第三条の二第三項の規定により積み立てられた積立金及びその運用収入をもって充てる場合において、なお不足する額があるときは、その不足額については、政令で定めるところにより、会社等（旧指定法人を含む。）が負担する。
3　附則第二十条の規定により毎年度存続組合が納付するものとされる費用については、政令で定めるところにより、次の各号に掲げる当該費用の区分に応じ、当該各号に定める者が負担する。
一　当該費用のうち、旧適用法人共済組合員期間以外の旧適用法人施行日前期間であって附則第二十条に規定する年金たる給付の額の計算の基礎とするものに対応する費用　会社等
二　当該費用のうち、昭和六十年国共済改正法附則第三十一条第一項の規定により国が負担する費用に相当するものとして政令で定める費用　国
三　当該費用のうち、前二号に掲げるもの以外の費用（改正前国共済法附則第三条の二第三項の規定により積み立てられた積立金及びその運用収入をもって充てられる部分に係る費用を除く。）　会社等（旧指定法人を含む。）
4　附則第三十二条第二項第三号に規定する年金たる給付について改正後国共済施行法第三条の二第一項の規定により行われる当該年金たる給付の額の改定により増加する費用については、政令で定めるところにより、会社等が負担する。
5　存続組合の事務（指定基金が行う特例業務に係る事務を含む。）に要する費用については、会社等（旧指定法人を含む。）が負担する。
6　国は、前項の規定にかかわらず、予算の範囲内において、存続組合に対し、同項に規定する費用の一部を補助することができる。

（指定基金であって当該指定基金に係る旧適用法人共済組合が日本電信電話共済組合であるものに係る負担金の納付の特例）

第五十四条の二　指定基金であって当該指定基金に係る旧適用法人共済組合が日本電信電話共済組合であるものは、日本電信電話株式会社法及び電気通信事業法の施行に伴う関係法律の整備等に関する法律（昭和五十九年法律第八十七号）附則第十条第一項に規定する旧公社が負担すべきであった負担金の額について、政令で定めるところにより、厚生年金保険の実施者たる政府に納付することができる。

２　前項の規定により厚生年金保険の実施者たる政府に対し納付があったときは、当該納付額に相当する額の厚生年金保険法第八十条第一項及び昭和六十年国民年金等改正法附則第七十九条の規定による国庫の負担があったものとみなす。

（罰則）

第六十二条　附則第五十一条第二項の規定による報告をせず、若しくは虚偽の報告をし、又は同項の規定による質問に対して答弁をせず、若しくは虚偽の答弁をし、若しくは同項の規定による検査を拒み、妨げ、若しくは忌避した者は、三十万円以下の罰金に処する。

第六十三条　指定基金の設立事業所の事業主が、正当な理由がなくて附則第五十六条第二項において準用する平成二十五年改正法附則第五条第一項の規定によりなおその効力を有するものとされた平成二十五年改正前厚年法第百三十九条第四項の規定に違反して、督促状に指定する期限までに掛金を納付しないときは、六月以下の懲役又は二十万円以下の罰金に処する。

２　指定基金の設立事業所以外の適用事業所の事業主が、正当な理由がなくて附則第五十七条第二項において準用する平成二十五年改正法附則第五条第一項の規定によりなおその効力を有するものとされた平成二十五年改正前厚年法第百四十条第六項の規定に違反して、督促状に指定する期限までに徴収金を納付しないときは、六月以下の懲役又は二十万円以下の罰金に処する。

第六十四条　附則第三十二条第三項の規定により適用するものとされた改正後国共済法第百十六条第二項又は第三項の規定に違反して、報告をせず、若しくは虚偽の報告をし、又は監査を拒み、妨げ、若しくは忌避した者は、二十万円以下の罰金に処する。

第六十五条　法人の代表者又は法人若しくは人の代理人、使用人その他の従業者が、その法人又は人の業務に関して、附則第六十二条及び第六十三条の違反行為をしたときは、行為者を罰するほか、その法人又は人に対しても、各本条の罰金刑を科する。

第六十六条　次の各号のいずれかに該当する場合には、その違反行為をした存続組合に使用される者その他存続組合の事務を行う者は、二十万円以下の過料に処する。

一　国家公務員共済組合法により財務大臣の認可又は承認を受けなければならない場合において、その認可又は承認を受けなかったとき。

二　改正後国共済法第十九条の規定に違反して、存続組合の業務上の余裕金を運用したとき。

三　改正後国共済法第百十六条第四項の規定による財務大臣の命令に違反したとき。

四　この法律の規定により存続組合が行うこととされた業務以外の業務を行ったとき。

第六十七条　存続組合の代表者が附則第三十二条第一項の規定によりなおその効力を有することとされた改正前国共済法第百十一条の二の規定による政令に違反して登記することを怠ったときは、二十万円以下の過料に処する。

第六十八条　戸籍法（昭和二十二年法律第二百二十四号）の規定による死亡の届出義務者が、附則第五十五条第三項において準用する厚生年金保険法第九十八条第四項の規定に違反して、届出をしないときは、十万円以下の過料に処する。

（罰則に関する経過措置）

第六十九条　施行日前にした行為及びこの法律の規定によりなお従前の例によることとされる場合における施行日以後にした行為に対する罰則の適用については、なお従前の例による。

（その他の経過措置の政令への委任）

第七十条　この附則に規定するもののほか、この法律の施行に伴い必要な経過措置は、政令で定める。

附　則（平九・五・九法四八）（抄）

（施行期日）

第一条　この法律は、平成十年一月一日から施行する。〔ただし書略〕

（国家公務員共済組合法の一部改正に伴う経過措置）

第四十六条　新共済法の施行日前において旧共済法による組合員であった者に対する前条の規定による改正後の国家公務員共済組合法第五十九条第一項の規定の適用については、同項中「私立学校教職員共済法による給付」とあるのは、「私立学校教職員共済法による給付（日本私立学校振興・共済事業団法（平成九年法律第四十八号）附則第十七条の規定による改正前の私立学校教職員共済組合法（昭和二十八年法律第二百四十五号）による給付を含む。）」とする。

○〔旧〕運輸施設整備事業団法（抄）

平九・六・一三
法　八三

最終改正　平一四・一二・一八法一八〇（廃止）

附　則

（施行期日）

第一条　この法律は、公布の日から施行する。〔ただし書略〕

（事業団に対する厚生年金保険法等の規定の適用）

第十条

３　事業団については、平成八年改正前の共済法第二条第一項第八号に規定する旅客鉄道会社等とみなして、平成八年厚生年金等改正法附則第五十四条第一項から第五項までの規定を適用する。

附　則（平九・六・一八法九二）（抄）

（施行期日）

第一条　この法律〔中略〕は、当該各号に定める日から施行する。

一　〔略〕

二　〔前略〕附則〔中略〕第十二条〔中略〕の改正規定〔中略〕　平成十年四月一日

附　則（平九・六・二〇法九四）（抄）

改正　平一四・八・二法一〇二

（施行期日等）

第一条　この法律は、平成九年九月一日から施行する。〔ただし書略〕

（国家公務員共済組合法の一部改正に伴う経過措置）

第十一条　施行日前に行われた診療、手当又は薬剤の支給に係る国家公務員共済組合法の規定による療養費、家族療養費又は高額療養費の額については、なお従前の例による。

附　則（平九・一二・五法一〇九）（抄）

（施行期日）

第一条　この法律は、公布の日から施行する。

附　則（平九・一二・一〇法一二二）（抄）

（施行期日等）

1　この法律は、公布の日から施行する。ただし、次の各号に掲げる規定は、当該各号に定める日から施行する。

一　〔前略〕附則〔中略〕第十六項から第二十項までの規定　平成十年一月一日

二　〔略〕

○介護保険法施行法（抄）

平九・一二・一七
法　一　二　四

最終改正　平二九・六・二法五二

（国家公務員共済組合法の一部改正に伴う経過措置）

第四十三条　この法律の施行前に旧老健法の規定による老人保健施設療養費の支給を受けていた者に対する国家公務員共済組合法第五十九条第一項及び第二項並びに第八十七条の五第一項の規定の適用については、同法第五十九条第一項中「老人訪問看護療養費又は介護保険法の規定による居宅介護サービス費若しくは居宅支援サービス費（」とあるのは「老人訪問看護療養費若しくは介護保険法施行法（平成九年法律第百二十四号）第二十四条の規定による改正前の老人保健法（以下「旧老健法」という。）の規定による老人保健施設療養費又は介護保険法の規定による居宅介護サービス費若しくは居宅支援サービス費（」と、「老人訪問看護療養費又は介護保険法の規定による居宅介護サービス費若しくは居宅支援サービス費」とあるのは「老人訪問看護療養費若しくは旧老健法の規定による老人保健施設療養費又は介護保険法の規定による居宅介護サービス費若しくは居宅支援サービス費」と、同条第二項中「老人訪問看護療養費」とあるのは「老人訪問看護療養費若しくは旧老健法の規定による老人保健施設療養費」と、同法第八十七条の五第一項中「老人訪問看護療養費」とあるのは「老人訪問看護療養費若しくは旧老健法の規定による老人保健施設療養費」とする。

第四十四条　この法律の施行前に行われた第四十二条の規定による改正前の国家公務員共済組合法附則第九条の二に規定する施設療養に係る同条第一項の規定による療養費の額又は同条第二項の規定による家族療養費の額については、なお従前の例による。

附　則（抄）

この法律は、介護保険法の施行の日〔平一二・四・一〕から施行する。〔ただし書略〕

附　則（平一〇・六・一七法一〇九）（抄）

改正　平一四・八・二法一〇二

（施行期日）

第一条　この法律は、公布の日から施行する。ただし、次の各号に掲げる規定は、当該各号に定める日から施行する。

一　〔前略〕附則〔中略〕第十三条から第二十四条まで〔中略〕の規定　公布の日から起算して三月を超えない範囲内において政令で定める日〔平一〇・八・一〕

二　〔略〕

（国家公務員共済組合法の一部改正に伴う経過措置）

第二十一条　旧健康保険法保険医療機関等が附則第一条第一号に掲げる規定の施行の日前にした偽りその他不正の行為により支払を受けた国家公務員共済組合の組合員又は被扶養者の療養に関する費用の返還については、前条の規定による改正後の国家公務員共済組合法第四十七条第三項の規定にかかわらず、なお従前の例による。

○日本国有鉄道清算事業団の債務等の処理に関する法律（抄）

平一〇・一〇・一九
法　一　三　六

最終改正　令三・三・三一法一七

（日本国有鉄道の役員又は職員であった者等に係る恩給に要する費用の負担）

第七条　附則第十三条の規定による改正前の日本国有鉄道改革法等施行法（昭和六十一年法律第九十三号。以下「改正前施行法」という。）第三十七条の規定により事業団が負担することとされていた費用については、独立行政法人鉄道建設・運輸施設整備支援機構法（平成十四年法律第百八十号。以下「機構法」という。）の施行の日の前日までの間は附則第二条の規定により事業団の土地その他の資産を承継する日本鉄道建設公団（以下「公団」という。）が、機構法の施行の日以後は機構法附則第二条第一項の規定により公団の土地その他の資産を承継する独立行政法人鉄道建設・運輸施設整備支援機構（以下「機構」という。）が、それぞれ負担する。

（日本鉄道共済組合等が支給する年金の給付に要する費用等の負担）

第八条　改正前施行法第三十八条第一項の規定により事業団が負担することとされていた費用については、政令で定めるところにより、機構法の施行の日の前日までの間は公団が、機構法の施行の日以後は機構が、それぞれ負担する。

2　改正前施行法第三十八条第二項の規定により事業団が負担することとされていた費用については、機構法の施行の日の前日までの間は公団が、機構法の施行の日以後は機構が、それぞれ負担する。この場合においては、厚生年金保険法等の一部を改正する法律（平成八年法律第八十二号。以下「平成八年厚生年金等改正法」という。）附則第五十四条第四項中「会社等」とあるのは、「会社等（存続組合である日本鉄道共済組合又は附則第四十八条第一項に規定する指定基金で日本鉄道共済組合に係るものが支給する年金たる給付に係るものについては、独立行政法人鉄道建設・運輸施設整備支援機構法（平成十四年法律第百八十号。以下この項において「機構法」という。）の施行の日の前日までの間は日本鉄道建設公団、機構法の施行の日以後は独立行政法人鉄道建設・運輸施設整備支援機構）」とする。

第九条　改正前施行法第三十八条の二の規定により事業団が負担することとされていた額のうち、昭和六十二年三月三十一日において改正前施行法第八十九条の規定による改正前の国家公務員等共済組合法（昭和三十三年法律第百二十八号）附則第十四条の三第二項の国鉄共済組合の組合員（同法の長期給付に関する規定の適用を受けるものに限る。）であった者であって昭和六十二年四月一日において平成八年厚生年金等改正法第二条の規定による改正前の国家公務員等共済組合法（以下「平成八年改正前の共済法」という。）第八条第二項の日本鉄道共済組合の組合員（改正前施行法第八十九条の規定による改正後の国家公務員等共済組合法の長期給付に関する規定の適用を受けるものに限る。）となった者（同日において承継法人（新幹線鉄道に係る鉄道施設の譲渡等に関する法律（平成三年法律第四十五号）附則第十九条の規定による改正前の日本国有鉄道改革法第十一条第二項の承継法人をいう。以下同じ。）に使用される者（役員を含む。）となった者に限る。）に係る部分に相当するものとして政令で定めるところにより算定した額の二分の一に相当する額については承継法人（機構法附則第三条第一項の規定による解散前の運輸施設整備事業団及び当該承継法人に係る平成八年改正前の共済法第百十一条の六第一項の指定法人を含む。）が、それ以外の額については機構法の施行の日の前日までの間は公団が、機構法の施行の日以後は機構が、それぞれ、政令で定めるところにより負担する。

（国家公務員等共済組合連合会を組織する組合の組合員等となった者に係る年金の給付に要する費用の負担）

第十条　改正前施行法第三十九条の規定により事業団が負担することとされていた費用については、財務大臣及び国土交通大臣が定めるところにより、機構法の施行の日の前日までの間は公団が、機構法の施行の日以後は機構が、それぞれ負担する。

附　則（抄）

（施行期日）

第一条　この法律は、公布の日から起算して一月を超えない範囲内において政令で定める日（平一〇・一〇・二二）から施行する。ただし、第四条及び第三十条の規定は、公布の日から施行する。

○平成十年法律第百三十六号による改正前の日本国有鉄道改革法等施行法（抄）

昭六一・一二・四
法　九　三

最終改正　平二〇・一二・二六法九五

（日本国有鉄道の役員又は職員であった者等に係る恩給に要する費用の負担）

第三十七条　第九十六条の規定による改正後の国家公務員及び公共企業体職員に係る共済組合制度の統合等を図るための国家公務員等共済組合法等の一部を改正する法律（昭和五十八年法律第八十二号）附則第三十七条の規定によりなおその効力を有することとされた同法附則第二条の規定による廃止前の公共企業体職員等共済組合法（昭和三十一年法律第百三十四号）附則第三十六条の規定により日本国有鉄道が負担することとされていたその役員又は職員（旧国鉄法の施行前のこれらに相当する者を含む。）であった者に係る恩給の支払に充てるべき費用については、清算事業団が従前の例により負担する。

（日本鉄道共済組合等が支給する年金の給付に要する費用等の負担に関する特例）

第三十八条　厚生年金保険法等の一部を改正する法律（平成八年法律第八十二号。以下「平成八年厚生年金等改正法」という。）附則第三十二条第二項に規定する存続組合である日本鉄道共済組合（平成八年厚生年金等改正法第二条の規定による改正前の国家公務員等共済組合法（昭和三十三年法律第百二十八号。以下「平成八年改正前の共済法」という。）第八条第二項に規定する日本鉄道共済組合をいう。以下同じ。）又は平成八年厚生年金等改正法附則第四十八条第一項に規定する指定基金で日本鉄道共済組合に係るもの（以下「日本鉄道共済組合等」という。）が支給する年金たる長期給付及び一時金たる給付に要する費用のうち平成八年厚生年金等改正法附則第五十四条第一項第一号の規定により旅客鉄道会社等（平成八年改正前の共済法第二条第一項第八号に規定する旅客鉄道会社等をいう。以下同じ。）が負担することとされる費用又は日本鉄道共済組合等が平成八年厚生年金等改正法附則第二十条の規定により納付するものとされる費用のうち平成八年厚生年金等改正法附則第五十四条第三項第一号の規定により旅客鉄道会社等が負担することとされる費用については、同条第一項第一号又は第三項第一号の規定にかかわらず、政令で定めるところにより、清算事業団が負担する。

2　国家公務員共済組合法の長期給付に関する施行法（昭和三十三年法律第百二十九号）第三条の規定による給付で日本鉄道共済組合等が支給するものに要する費用については、清算事業団が負担する。この場合においては、平成八年厚生年金等改正法附則第五十四条第四項中「会社等」とあるのは、「会社等（存続組合である日本鉄道共済組合又は附則第四十八条第一項に規定する指定基金で日本鉄道共済組合に係るものが支給する年金たる給付に係るものについては、日本国有鉄道清算事業団）」とする。

第三十八条の二　日本鉄道共済組合等が平成八年厚生年金等改正法附則第十九条の規定により納付するものとされる額のうち、平成八年厚生年金等改正法附則第五十四条第二項の規定により旅客鉄道会社等（平成八年改正前の共済法第百十一条の六第一項に規定する指定法人で旅客鉄道会社等に係るものを含む。）が負担することとされる額で昭和六十二年三月三十一日以前の旧適用法人共済組合員期間（平成八年厚生年金等改正法附則第三条第八号に規定する旧適用法人共済組合員期間をいう。）に係る部分に相当するものとして政令で定めるところにより算定した額については、平成八年厚生年金等改正法附則第五十四条第二項の規定にかかわらず、政令で定めるところにより、清算事業団が負担する。

（国家公務員等共済組合連合会を組織する組合の組合員等となった者に係る年金の給付に要する費用の負担に関する特例）

第三十九条　昭和六十一年三月三十一日において日本国有鉄道の職員であった者（同日において地方公務員等共済組合法等の一部を改正する法律（昭和六十年法律第百八号）第一条の規定による改正前の地方公務員等共済組合法（昭和三十七年法律第百五十二号）第百四十三条第四項において準用する同法第百四十

条第二項に規定する継続長期組合員であつた者その他これに準ずる者として大蔵大臣が定める者を除く。）で、昭和六十一年四月一日から平成二年四月一日までの間に、平成八年改正前の共済法附則第三条の二第一項に規定する連合会を組織する組合の組合員又は平成八年改正前の共済法第八条第二項に規定する日本たばこ産業共済組合若しくは日本電信電話共済組合の組合員となつたものに係る国家公務員共済組合法（昭和三十三年法律第百二十八号）の規定による長期給付に要する費用のうち、国家公務員共済組合法の長期給付に関する施行法第五十四条第一項（他の法令によりその例によることとされる場合を含む。）の規定により国が負担することとされる費用又は平成八年厚生年金等改正法附則第五十四条第一項第一号若しくは第三項第一号の規定により日本たばこ産業株式会社若しくは日本電信電話株式会社が負担することとされる費用については、これらの規定にかかわらず、大蔵大臣及び運輸大臣が定めるところにより、清算事業団が負担する。

附　則（平一一・五・二八法五六）（抄）

（施行期日）

第一条　この法律は、平成十一年十月一日から施行する。〔ただし書略〕

附　則（平一一・七・一六法八七）（抄）

改正　平一二・三・三一法一六〇

（施行期日）

第一条　この法律は、平成十二年四月一日から施行する。ただし、次の各号に掲げる規定は、当該各号に定める日から施行する。

一　〔前略〕附則〔中略〕第二百二条の規定　公布の日

二～六　〔略〕

（共済組合に関する経過措置等）

第百五十八条　施行日前に社会保険関係地方事務官又は職業安定関係地方事務官であった者に係る地方公務員等共済組合法又は地方公務員等共済組合法の長期給付等に関する施行法の規定による長期給付（これに相当する給付で政令で定めるものを含む。以下この条において同じ。）のうち、その給付事由が施行日前に生じた長期給付で政令で定めるものに係る地方公務員等共済組合法第三条第一項第一号に規定する地方職員共済組合（以下この条において「地方職員共済組合」という。）の権利義務は、政令で定めるところにより、施行日において国家公務員共済組合法（昭和三十三年法律第百二十八号）第二十一条第一項に規定する国家公務員共済組合連合会（以下この条において「国の連合会」という。）が承継するものとする。施行日前に社会保険関係地方事務官又は職業安定関係地方事務官であった者に係る地方公務員等共済組合法又は地方公務員等共済組合法の長期給付等に関する施行法の規定による長期給付のうち、その給付事由が施行日以後に生ずる長期給付で政令で定めるものに係る地方職員共済組合の権利義務についても、同様とする。

2　地方職員共済組合は、附則第七十一条の規定により相当の地方社会保険事務局又は社会保険事務所の職員となる者及び附則第百二十三条の規定により相当の都道府県労働局の職員となる者並びに前項の規定によりその長期給付に係る地方職員共済組合の権利義務が国の連合会に承継されることとなる者に係る積立金に相当する金額を、政令で定めるところにより、国家公務員共済組合法第三条第二項の規定に基づき同項第四号ロに規定する職員をもって組織する国家公務員共済組合（以下「厚生省社会保険関係共済組合」という。）若しくは同条第一項の規定に基づき労働省の職員をもって組織する国家公務員共済組合（以下この条において「労働省共済組合」という。）又は国の連合会に移換しなければならない。この場合において、地方公務員等共済組合法第百四十三条第三項の規定は、適用しない。

3　施行日の前日において地方公務員等共済組合法第百四十四条の二第一項後段の規定により地方職員共済組合の組合員であるものとみなされていた者（施行日前に退職し、施行日の前日以後同項前段の規定による申出をすることにより同項後段の規定により引き続き地方職員共済組合の組合員であるものとみなされることとなる者を含む。）のうち、退職の日において社会保険関係地方事務官又は職業安定関係地方事務官であった者は、施行日において、当該資格を喪失し、国家公務員共済組合法第百二十六条の五第一項後段の規定によりそれぞれ厚生省社会保険関係共済組合又は労働省共済組合の組合員であるものとみなされる者となるものとする。この場合において、同条第五項第一号及び第一号の二中「任意継続組合員となった」とあるのは、「地方公務員等共済組合法第百四十四条の二第一項後段の規定により地方職員共済組合の組合員であるものとみなされる者となった」とする。

4　施行日前に地方職員共済組合の組合員であって、退職の日において社会保険関係地方事務官又は職業安定関係地方事務官であったものについては、施行日以後は、地方公務員等共済組合法附則第十八条第一項の規定を適用せず、これらの者にあっては、政令で定めるところにより、それぞれ厚生省社会保険関係共済組合又は労働省共済組合の組合員であった者とみなして、国家公務員共済組合法附則第十二条第一項の規定を適用する。

（国家公務員共済組合法の一部改正に伴う経過措置）

第二百二条　この法律の施行前において、厚生省社会保険関係共済組合に係る国家公務員共済組合法第九条第一項に規定する運営審議会を置き、社会保険庁長官は、当該運営審議会の議を経て、同法第六条第一項、第十一条第一項及び第十五条第一項の規定の例により、厚生省社会保険関係共済組合の定款及び運営規則を定めるとともに、平成十二年度の事業計画及び予算を作成し、当該定款、事業計画及び予算につき大蔵大臣の認可を受け、並びに当該運営規則につき大蔵大臣に協議するものとする。この場合において、同法の規定に関し必要な技術的読替えは、政令で定める。

附　則（平一一・七・一六法一〇二）（抄）

（施行期日）

第一条　この法律は、内閣法の一部を改正する法律（平成十一年法律第八十八号）の施行の日〔平一三・一・六〕から施行する。〔ただし書略〕

附　則（平一一・七・一六法一〇四）（抄）

改正　平一二・三・三一法二

（施行期日）

第一条　この法律は、内閣法の一部を改正する法律（平成十一年法律第八十八号）の施行の日〔平一三・一・六〕から施行する。〔ただし書略〕

○中央省庁等改革関係法施行法（抄）

平一一・一二・二二法一六〇

最終改正 平一八・六・七法五三

（郵政公社が設立されるまでの間の総務省共済組合等の設立の特例）

第千三百二十三条 改革関係法等の施行の日以後中央省庁等改革基本法第三十三条第一項に規定する郵政公社が設立されるまでの間、総務省にあっては、第四百二十三条の規定による改正後の国家公務員共済組合法（以下第千三百二十八条までにおいて「改正後国共済法」という。）第三条第一項の規定にかかわらず、次項に定める職員（改正後国共済法第二条第一項第一号に規定する職員をいう。以下第千三百二十五条までにおいて同じ。）を除くその所属の職員をもって組織する国家公務員共済組合（第千三百二十五条、第千三百二十六条及び第千三百二十八条第一項において「総務省共済組合」という。）を設ける。

2 改革関係法等の施行の日以後中央省庁等改革基本法第三十三条第一項に規定する郵政公社が設立されるまでの間、総務省にあっては、改正後国共済法第三条第一項及び第二項の規定にかかわらず、総合通信局、沖縄総合通信事務所及び郵政事業庁並びに政令で定める部局及び機関並びに独立行政法人通信総合研究所に属する職員をもって組織する国家公務員共済組合（次条及び第千三百三十条において「郵政共済組合」という。）を設ける。

（国家公務員共済組合の存続等）

第千三百二十四条 第四百二十三条の規定による改正前の国家公務員共済組合法（以下第千三百二十八条までにおいて「改正前国共済法」という。）第三条第一項の規定により従前の法務省に属する職員をもって組織された組合（次項において「旧法務省共済組合」という。）、従前の外務省に属する職員をもって組織された組合（次項において「旧外務省共済組合」という。）、従前の大蔵省に属する職員をもって組織された組合（次項において「旧大蔵省共済組合」という。）、従前の農林水産省に属する職員をもって組織された組合（次項において「旧農林水産省共済組合」という。）、従前の通商産業省に属する職員をもって組織された組合（次項において「旧通商産業省共済組合」という。）若しくは従前の郵政省に属する職員をもって組織された組合（次項において「旧郵政省共済組合」という。）、同条第二項第一号イの規定により設けられた組合（次項において「旧防衛庁共済組合」という。）、同条第二項第二号の規定により設けられた組合（次項において「旧刑務共済組合」という。）、同条第二項第三号イの規定により設けられた組合（次項において「旧印刷局共済組合」という。）、同号ロの規定により設けられた組合（次項において「旧造幣局共済組合」という。）、同条第二項第四号イの規定により設けられた組合（次項において「旧厚生省第二共済組合」という。）、同号ロの規定により設けられた組合（次項において「旧厚生省社会保険関係共済組合」という。）又は同条第二項第五号の規定により設けられた組合（次項において「旧林野庁共済組合」という。）は、改革関係法等の施行の日において、それぞれ改正後国共済法第三条第一項の規定により法務省に属する職員をもって組織された組合（次項において「法務省共済組合」という。）、外務省に属する職員をもって組織された組合（次項において「外務省共済組合」という。）、財務省に属する職員をもって組織された組合（次項において「財務省共済組合」という。）、農林水産省に属する職員をもって組織された組合（次項において「農林水産省共済組合」という。）、経済産業省に属する職員をもって組織された組合（次項において「経済産業省共済組合」という。）若しくは郵政共済組合、同条第二項第一号の規定により設けられた組合（次項及び次条において「防衛庁共済組合」という。）、改正後国共済法第三条第二項第二号の規定により設けられた組合（次項において「刑務共済組合」という。）、同条第二項第三号イの規定により設けられた組合（次項において「印刷局共済組合」という。）、同号ロの規定により設けられた組合（次項において「造幣局共済組合」という。）、同条第二項第四号イの規定により設けられた組合（次項において「厚生労働省第二共済組合」という。）、同号ロの規定により設けられた組合（次項において「厚生労働省社会保険関係共済組合」という。）又は同条第二項第五号の規定により設けられた組合（次項において「林野庁共済組合」という。）となり、同一性をもって存続するものとする。

2 旧法務省共済組合、旧外務省共済組合、旧大蔵省共済組合、旧農林水産省共済組合、旧通商産業省共済組合、旧郵政省共済組合、旧防衛庁共済組合、旧刑務共済組合、旧印刷局共済組合、旧造幣局共済組合、旧厚生省第二共済組合、旧厚生省社会保険関係共済組合又は旧林野庁共済組合の代表者は、それぞれ、改革関係法等の施行の日前に、改正前国共済法第九条に規定する運営審議会の議を経て、改正前国共済法第六条及び第十一条の規定により、改革関係法等の施行の日以後に係る法務省共済組合、外務省共済組合、財務省共済組合、農林水産省共済組合、経済産業省共済組合、郵政共済組合、防衛庁共済組合、刑務共済組合、印刷局共済組合、造幣局共済組合、厚生労働省第二共済組合、厚生労働省社会保険関係共済組合又は林野庁共済組合となるために必要な定款及び運営規則の変更をし、当該定款につき大蔵大臣の認可を受け、及び当該運営規則につき大蔵大臣に協議するものとする。

（旧国家公務員共済組合の解散等）

第千三百二十五条 改正前国共済法第三条第一項の規定により従前の総理府に属する職員をもって組織された組合（以下この条及び次条第二項において「旧総理府共済組合」という。）、従前の文部省に属する職員をもって組織された組合（以下この条及び次条第二項において「旧文部省共済組合」という。）、従前の厚生省に属する職員をもって組織された組合（以下この条及び次条第二項において「旧厚生省共済組合」という。）、従前の運輸省に属する職員をもって組織された組合（以下この条及び次条第二項において「旧運輸省共済組合」という。）、従前の労働省に属する職員をもって組織された組合（以下この条及び次条第二項において「旧労働省共済組合」という。）若しくは従前の建設省に属する職員をもって組織された組合（以下この条及び次条第二項において「旧建設省共済組合」という。）又は改正前国共済法第三条第二項第一号ロの規定により設けられた組合（以下この条において「旧防衛施設庁共済組合」という。）は、改革関係法等の施行の日に解散するものとし、その一切の権利及び義務は、旧総理府共済組合にあっては改正後国共済法第三条第一項の規定により内閣に属する職員をもって組織された組合（以下この条及び次条において「内閣共済組合」という。）が、旧文部省共済組合にあっては同項の規定により文部科学省に属する職員をもって組織された組合（以下この条、次条及び第千三百二十八条第一項において「文部科学省共済組合」という。）が、旧運輸省共済組合及び旧建設省共済組合にあっては改正後国共済法第三条第一項の規定により国土交通省に属する職員をもって組織された組合（以下この条、次条及び第千三百二十八条第一項において「国土交通省共済組合」という。）が、旧厚生省共済組合及び旧労働省共済組合にあっては改正後国共済法第三条第一項の規定により厚生労働省に属する職員をもって組織された組合（以下この条及び次条において「厚生労働省共済組合」という。）が、旧防衛施設庁共済組合にあっては防衛庁共済組合が、それぞれ承継する。

2　内閣共済組合は、前項の規定により旧総理府共済組合の権利及び義務を承継したときは、その承継した権利に係る資産のうち旧総理府共済組合の短期給付の事業及び福祉事業（改正前国共済法附則第十四条の四第一項の規定により行う事業を含む。以下この項及び次項において同じ。）に係るものの価額から、その承継した義務に係る負債のうち旧総理府共済組合の短期給付の事業及び福祉事業に係るものの価額をそれぞれ差し引いた額につき、財務省令で定めるところにより算出した金額を、総務省共済組合、文部科学省共済組合又は国土交通省共済組合に対して支払わなければならない。

3　前項の財務省令は、旧総理府共済組合の短期給付の事業及び福祉事業に要する費用についてのその組合員の負担の割合、改革関係法等の施行の日の前日において旧総理府共済組合の組合員であった者の数に対するこれらの者のうち改革関係法等の施行の日にそれぞれ内閣共済組合、総務省共済組合、文部科学省共済組合又は国土交通省共済組合の組合員の資格を取得した者の数の割合その他の事情を勘案して定めるものとする。

4　前項に定めるもののほか、第二項の規定による支払について必要な事項は、財務省令で定める。

5　旧総理府共済組合、旧文部省共済組合、旧厚生省共済組合、旧運輸省共済組合、旧労働省共済組合、旧建設省共済組合又は旧防衛施設庁共済組合（次項及び第千三百二十八条において「旧組合」という。）の平成十二年四月一日に始まる事業年度は、改革関係法等の施行の日の前日に終わるものとする。

6　旧組合の平成十二年四月一日に始まる事業年度に係る決算並びに貸借対照表及び損益計算書については、なお従前の例による。この場合において、当該決算の完結の期限は改革関係法等の施行の日から起算して二月を経過する日とし、なお従前の例によることとされる改正前国共済法第十六条第二項に規定する大蔵大臣は、財務大臣とする。

7　第一項の規定により旧総理府共済組合の権利を内閣共済組合が、旧文部省共済組合の権利を文部科学省共済組合が、旧運輸省共済組合及び旧建設省共済組合の権利を国土交通省共済組合が、旧厚生省共済組合及び旧労働省共済組合の権利を厚生労働省共済組合が、旧防衛施設庁共済組合の権利を防衛庁共済組合が、それぞれ承継する場合における当該承継に係る不動産又は自動車の取得に対しては、不動産取得税若しくは土地の取得に対して課する特別土地保有税又は自動車取得税を課することができない。

8　第一項の規定により内閣共済組合、文部科学省共済組合、国土交通省共済組合、厚生労働省共済組合又は防衛庁共済組合が権利を承継し、かつ、引き続き保有する土地のうち、地方税法第五百九十九条第一項の規定により申告納付すべき日の属する年の一月一日において旧総理府共済組合、旧文部省共済組合、旧運輸省共済組合若しくは旧建設省共済組合、旧厚生省共済組合若しくは旧労働省共済組合又は旧防衛施設庁共済組合が当該土地の取得をした日以後十年を経過したものに対しては、土地に対して課する特別土地保有税を課することができない。

（新国家公務員共済組合の事業年度等）

第千三百二十六条　内閣共済組合、総務省共済組合、文部科学省共済組合、厚生労働省共済組合及び国土交通省共済組合の最初の事業年度は、改正後国共済法第十四条の規定にかかわらず、改革関係法等の施行の日に始まり、平成十三年三月三十一日に終わるものとする。

2　旧総理府共済組合の代表者、旧総理府共済組合及び旧文部省共済組合の代表者、旧厚生省共済組合及び旧労働省共済組合の代表者又は旧総理府共済組合、旧運輸省共済組合及び旧建設省共済組合の代表者は、それぞれ、改革関係法等の施行の日前に、改正前国共済法第九条に規定する運営審議会の議を経て、改正前国共済法第六条第一項、第十一条第一項及び第十五条第一項の規定の例により、内閣共済組合及び総務省共済組合、文部科学省共済組合、厚生労働省共済組合又は国土交通省共済組合の定款及び運営規則を定めるとともに、これらの組合の最初の事業年度の事業計画及び予算を作成し、当該定款、事業計画及び予算につき大蔵大臣の認可を受け、並びに当該運営規則につき大蔵大臣に協議するものとする。

（改正前国共済法等の規定によりした処分、手続その他の行為）

第千三百二十七条　改革関係法等の施行の日前に改正前国共済法又はこれに基づく命令の規定によりした処分、手続その他の行為は、別段の定めがあるもののほか、この法律又は改正後国共済法若しくはこれらに基づく命令中の相当規定によりした処分、手続その他の行為とみなす。

（旧国家公務員共済組合の組合員であった者の改正後国共済法の規定の適用）

第千三百二十八条　改革関係法等の施行の日の前日に旧組合の組合員であった者（改革関係法等の施行の日に第千三百二十五条第一項の規定により当該旧組合の権利及び義務を承継した組合又は総務省共済組合、文部科学省共済組合若しくは国土交通省共済組合（以下この条及び次条において「新組合」という。）の組合員の資格を取得した者に限る。以下この条において「更新組合員」という。）はそれぞれ新組合の組合員であった者と、旧組合の組合員であった期間（次に掲げる期間を除く。）はそれぞれ新組合の組合員であった期間とみなす。

一　改正前国共済法附則第十三条の十の規定による脱退一時金の支給を受けた場合におけるその脱退一時金の額の算定の基礎となった期間

二　国家公務員等共済組合法等の一部を改正する法律（昭和六十年法律第百五号。第四号において「昭和六十年国共済改正法」という。）第一条の規定による改正前の国家公務員等共済組合法第八十条第一項の規定による脱退一時金（他の法令の規定により当該脱退一時金とみなされたものを含む。）の

支給を受けた場合におけるその脱退一時金の額の算定の基礎となった期間

三　国家公務員及び公共企業体職員に係る共済組合制度の統合等を図るための国家公務員共済組合法等の一部を改正する法律（昭和五十八年法律第八十二号）附則第二条の規定による廃止前の公共企業体職員等共済組合法（昭和三十一年法律第百三十四号）第六十一条の三第一項の規定による脱退一時金の支給を受けた場合におけるその脱退一時金の額の算定の基礎となった期間

四　昭和六十年国共済改正法附則第六十一条の規定による脱退一時金の支給を受けた場合におけるその脱退一時金の額の算定の基礎となった期間

2　旧組合が改革関係法等の施行の日前に改正前国共済法第四十二条第二項、第五項又は第七項の規定により決定し、又は改定した改革関係法等の施行の日の前日における更新組合員の同条第一項に規定する標準報酬は、当該更新組合員の属する新組合が改正後国共済法第四十二条第二項、第五項又は第七項の規定により決定し、又は改定した同条第一項に規定する標準報酬とみなす。

3　改革関係法等の施行の日前に改正前国共済法第五十三条第一項（第二号を除く。）の規定により更新組合員が旧組合に届け出なければならない事項についてその届出がされていない場合には、改革関係法等の施行の日以後は、改正後国共済法第五十三条第一項の規定により当該更新組合員が新組合に届け出なければならない事項についてその届出がされていないものとみなして、同条の規定を適用する。

4　改革関係法等の施行の際現に旧組合の組合員（改正前国共済法第百二十四条の二第二項に規定する継続長期組合員を除く。）であった者若しくはその被扶養者に対し改正前国共済法第五十九条の規定により支給されている給付（改正前国共済法第百二十条の規定により船員保険法の規定の例によるものとされた給付を含む。）及び改正前国共済法第六十六条第三項又は第六十七条第四項の規定により支給されている給付（改正前国共済法第百二十一条の規定による選択に係る給付を含む。）については、なお従前の例によるものとし、第千三百二十五条第一項の規定により当該旧組合の権利及び義務を承継した組合（次項において「承継組合」という。）が支給する。

5　改革関係法等の施行の日前に旧組合の組合員の資格を喪失し、かつ、改革関係法等の施行の日以後に出産し、又は死亡した場合において、改正前国共済法第六十一条第二項、第六十四条又は第六十七条第二項及び第三項の規定が適用されるものとしたならば、これらの規定により支給される給付（改正前国共済法第百二十一条の規定による選択に係る給付を含む。）を受けることができるときは、これらの給付は、改正前国共済法の規定の例によるものとし、承継組合が当該給付を支給する。

6　改革関係法等の施行の日前に改正前国共済法第百条の二の規定により更新組合員が旧組合にした申出は、改正後国共済法第百条の二の規定により新組合にした申出とみなして、同条の規定を適用する。

7　改革関係法等の施行の日の前日において改正前国共済法第百二十四条の二第一項の規定により旧組合の組合員であるものとされていた者及び同日において旧組合の組合員であった者で同日に任命権者又はその委任を受けた者の要請に応じて引き続き同項に規定する公庫等職員となるため退職したものについては、当該旧組合に相当する組合として政令で定めるものを改正後国共済法第百二十四条の二第一項に規定する転出の際に所属していた組合とみなして、同条の規定を適用する。

8　改革関係法等の施行の日の前日において改正前国共済法第百二十六条の五第一項又は附則第十二条第二項の規定により旧組合の組合員であるものとみなされていた者及び同日において旧組合の組合員であった者で同日に退職し、改正前国共済法第百二十六条の五第一項又は附則第十二条第一項の規定による申出を同日に当該旧組合に行ったものについては、当該旧組合に相当する組合として政令で定めるものを改正後国共済法第百二十六条の五第一項又は附則第十二条第一項の規定による申出に係る組合とみなして、改正後国共済法第百二十六条の五又は附則第十二条の規定を適用する。

9　改革関係法等の施行の日前に退職し、改正前国共済法第百二十六条の五第一項の規定による申出を旧組合にすることができる者で、改革関係法等の施行の日前に当該申出をしていないものについては、当該旧組合に相当する組合として政令で定めるものを改正後国共済法第百二十六条の五第一項の規定による申出に係る組合とみなして、同条の規定を適用する。この場合において、同項中「当該組合」とあるのは、「当該組合（中央省庁等改革関係法施行法（平成十一年法律第百六十号）の施行前の期間については、その者の所属していた同法第千三百二十五条第五項に規定する旧組合とする。）」とする。

10　改正後国共済法附則第十二条第一項に規定する特定共済組合が新組合である場合における当該特定共済組合の改革関係法等の施行の日から平成十四年三月までの同条第五項に規定する特例退職組合員の標準報酬の月額については、同項中「毎年一月一日（一月から三月までの標準報酬の月額にあつては、前年の一月一日）」とあるのは「平成十三年一月六日」と、「合計額」とあるのは「合計額（同年一月から三月までの標準報酬の月額にあつては、前年の一月一日における当該特例退職組合員の属する特定共済組合に係る中央省庁等改革関係法施行法（平成十一年法律第百六十号）第千三百二十五条第五項に規定する旧組合であつて政令で定める組合の短期給付に関する規定の適用を受ける組合員（同法第四百二十三条の規定による改正前のこの条第三項に規定する特例退職組合員を除く。）の標準報酬の月額の合計額）」とする。

（新国家公務員共済組合に係る老人保健法等の規定により納付すべき拠出金の額の特例）

第千三百二十九条　平成十二年度、平成十三年度及び平成十四年度において新組合が老人保健法第五十三条第二項の規定により納付すべき拠出金の額の算定の特例については、政令で定める。

2　前項の規定は、平成十二年度、平成十三年度及び平成十四年度において新組合が国民健康保険法第八十一条の二第二項の規定により納付すべき拠出金及び介護保険法第百五十条第二項の規定により納付すべき納付金について準用する。

（郵政共済組合に係る郵政公社が設立された場合における必要な措置）

第千三百三十条　中央省庁等改革基本法第三十三条第一項に規定する郵政公社が設立された場合における郵政共済組合に係る権

利及び義務の取扱いその他必要な措置については、別に法律で定める。

（政令への委任）

第千三百四十四条　第七十一条から第七十六条まで及び第千三百一条から前条まで並びに中央省庁等改革関係法に定めるもののほか、改革関係法等の施行に関し必要な経過措置（罰則に関する経過措置を含む。）は、政令で定める。

附　則（抄）

（施行期日）

第一条　この法律（中略）は、平成十三年一月六日から施行する。ただし、次の各号に掲げる規定は、当該各号に定める日から施行する。

一　〔前略〕第千三百二十四条第二項、第千三百二十六条第二項〔中略〕の規定　公布の日

附　則（平一一・一二・二二法一八九）（抄）

（施行期日）

第一条　この法律は、平成十三年一月六日から施行する。ただし、附則第七条及び第八条の規定は、同日から起算して六月を超えない範囲内において政令で定める日〔平一三・四・一〕から施行する。

附　則（平一一・一二・二二法一九八）（抄）

（施行期日）

第一条　この法律は、平成十三年一月六日から施行する。ただし、附則第七条の規定は、同日から起算して六月を超えない範囲内において政令で定める日〔平一三・四・一〕から施行する。

附　則（平一一・一二・二二法二一七）（抄）

（施行期日）

第一条　この法律は、平成十三年一月六日から施行する。

附　則（平一二・三・三一法一八）（抄）

改正　平一六・六・二法一〇四

（施行期日）

第一条　この法律は、平成十二年四月一日から施行する。ただし、次の各号に掲げる規定は、それぞれ当該各号に定める日から施行する。

一・二　〔略〕

三　〔前略〕附則〔中略〕第二十九条から第三十一条までの規定　平成十四年四月一日

四～六　〔略〕

附　則（平一二・三・三一法二一）（抄）

最終改正　平一六・六・二三法一三〇

（施行期日等）

第一条　この法律は、平成十二年四月一日から施行する。ただし、次の各号に掲げる規定は、それぞれ当該各号に定める日から施行する。

一　第一条中国家公務員共済組合法第十六条第二項及び第三項並びに第三十六条の改正規定、同法第五十一条第十号の二の次に一号を加える改正規定、同法第六十八条の二の次に一条を加える改正規定並びに同法第六十九条、第九十九条第三項第一号、第百二十五条第二項、第百二十六条第二項及び附則第十二条第七項の改正規定〔中略〕並びに次条、附則第四条〔中略〕の規定　公布の日

二　第一条中国家公務員共済組合法第四十二条第一項の改正規定及び附則第三条の規定　平成十二年十月一日

三　第一条中国家公務員共済組合法第八十条の見出し及び同条第一項並びに第八十七条の二第一項の改正規定、同法附則第十二条の二の次に一条を加える改正規定、同法附則第十二条の三の改正規定、同条の次に一条を加える改正規定、同法附則第十二条の四第一項を削り、同条第二項を同条第一項とし、同条第三項を同条第二項とする改正規定、同法附則第十二条の四の二第一項の改正規定、同法附則第十二条の六の次に見出し及び二条を加える改正規定、同法附則第十二条の八第二項及び第四項、第十二条の八の二第一項及び第四項から第七項まで、第十二条の八の三第一項、第三項及び第五項並びに第十二条の十第一項の改正規定並びに同法附則第十三条第一項の表第九十条の項の次に一項を加え、及び附則第十二条の六第二項及び第三項の項の次に三項を加える改正規定〔中略〕並びに附則第八条の規定　平成十四年四月一日

四　第二条（次号に掲げる規定を除く。）、第四条（国家公務員等共済組合法等の一部を改正する法律附則第九条第一項、第十五条及び附則別表第二の改正規定に限る。）、第六条（前号に掲げる規定を除く。）並びに附則第十条から第十二条まで、第十四条、第十五条〔中略〕の規定　平成十五年四月一日

五　第二条（国家公務員共済組合法第七十九条第二項、第八十条、第八十七条第二項及び第八十七条の二第一項の改正規定に限る。）、第四条（前号に掲げる規定を除く。）及び附則第十三条の規定　平成十六年四月一日

2　第一条の規定による改正後の国家公務員共済組合法（以下「法」という。）第五十一条第十号の三、第六十八条の三、第六十九条、第九十九条第三項第一号、第百二十五条第二項、第百二十六条第二項及び附則第十二条第七項の規定並びに附則第四条及び第十七条の規定による改正後の私立学校教職員共済法（昭和二十八年法律第二百四十五号）第二十五条の規定は、平成十一年四月一日から適用する。

（決算の経過措置）

第二条　第一条の規定による改正後の法第十六条第三項及び第三十六条の規定は、平成十一年四月一日に始まる事業年度に係るこれらの規定に規定する書類から適用する。

（標準報酬の月額に関する経過措置）

第三条　平成十二年十月一日前に国家公務員共済組合の組合員（以下「組合員」という。）の資格を取得して、同日まで引き続き組合員の資格を有する者（法第百二十六条の五第二項に規定する任意継続組合員及び法附則第十二条第三項に規定する特例退職組合員を除く。）のうち、同年七月一日から九月三十日までの間に組合員の資格を取得した者又は法第四十二条第七項の規定により同年八月若しくは九月から標準報酬が改定された者であって、同月の同条第一項に規定する標準報酬の月額が九万二千円であるもの又は五十九万円であるもの（当該標準報酬の月額の基礎となった報酬月額が六十万五千円未満であるものを除く。）の標準報酬は、当該標準報酬の月額の基礎となった報酬月額を第一条の規定による改正後の法第四十二条第一項に規定する標準報酬の月額の基礎となる報酬月額とみなして、国家公務員共済組合が改定する。

2　前項の規定により改定された標準報酬は、平成十二年十月から平成十三年九月までの各月の標準報酬とする。

（介護休業手当金に関する経過措置）

第四条　第一条の規定による改正後の法第六十八条の三に規定する介護休業手当金は、同条に規定する介護休業により勤務に服さなかった期間のうち平成十一年四月一日以後に係る期間について支給する。

（法による年金である給付の額等に関する経過措置）

第五条　平成十二年三月以前の月分の法による年金である給付の額及び国家公務員等共済組合法等の一部を改正する法律（以下「昭和六十年改正法」という。）附則第二条第六号に規定する旧共済法による年金の額については、なお従前の例による。

2　第一条の規定による改正後の法第八十七条の七の規定は、この法律の施行の日（以下「施行日」という。）以後に給付事由が生じた法による障害一時金の額について適用し、施行日前に給付事由が生じた法による障害一時金の額については、なお従前の例による。

（併給の調整の経過措置）

第六条　第一条の規定による改正後の法第七十四条の二第一項及び第二項の規定は、施行日以後に支給の停止の解除の申請があったものについて適用し、施行日前に支給の停止の解除の申請があったものについては、なお従前の例による。

（平成十四年度までの法による年金である給付等の額の算定に関する経過措置）

第七条　平成十二年度から平成十四年度までの各年度における法による年金である給付の額については、第一号に掲げる金額が第二号に掲げる金額に満たないときは、第一条の規定による改正後の法第七十七条第一項及び第二項、第八十二条第一項及び第二項、第八十九条第一項及び第二項並びに附則第十二条の四の二第二項第二号及び第三項の規定（第一条の規定による改正後の法附則第十二条の四の三第一項及び第三項並びに法附則第十二条の七の二第二項、第十二条の七の三第二項及び第四項並びに第十二条の八第三項並びに昭和六十年改正法附則第三十六条第二項においてその例による場合を含む。）による金額は、これらの規定にかかわらず、第二号の規定による金額とする。

一　第一条の規定による改正後の法第七十七条第一項及び第二項、第八十二条第一項及び第二項、第八十九条第一項及び第二項、附則第十二条の四の二第二項第二号及び第三項並びに附則第十三条の九並びに第三条の規定による改正後の昭和六十年改正法附則第十五条及び附則別表第二の規定を適用したとしたならばこれらの規定により算定される金額

二　第一条の規定による改正前の法第七十七条第一項及び第二項、第八十二条第一項及び第二項、第八十九条第一項及び第二項、附則第十二条の四の二第二項第二号及び第三項並びに附則第十三条の九並びに第三条の規定による改正前の昭和六十年改正法附則第十五条及び附則別表第二の規定を適用したとしたならばこれらの規定により算定される金額に一・〇三一を乗じて得た金額

2　前項第二号の規定による金額を算定する場合における平均標準報酬月額を計算する場合においては、第一条の規定による改正前の法附則第十三条の九中「次の表」とあり、及び「附則第十三条の九の表」とあるのは、「国家公務員共済組合法等の一部を改正する法律（平成十二年法律第二十一号）附則別表」とする。

3　前二項に定めるもののほか、平成十二年度から平成十四年度までの各年度における法の長期給付に関する規定等の適用に関し必要な事項は、政令で定める。

（厚生年金保険の被保険者等である間の退職共済年金等の支給の停止の経過措置）

第八条　第一条の規定による改正後の法第八十条及び第八十七条の二並びに第三条の規定による改正後の昭和六十年改正法附則第四十五条の規定は、厚生年金保険の被保険者（国民年金法等の一部を改正する法律（昭和六十年法律第三十四号）附則第五条第十三号に規定する第四種被保険者を除く。附則第十三条において同じ。）又は法第三十八条第二項に規定する私学共済制度の加入者（これらの者が昭和十二年四月一日以前に生まれた者である場合に限る。）である間に支給される法による退職共済年金若しくは障害共済年金又は昭和六十年改正法附則第二条第五号に規定する退職年金、減額退職年金、通算退職年金若しくは障害年金については、適用しない。

（育児休業期間中の組合員に係る負担金等の特例に関する経過措置）

第九条　第一条の規定による改正後の法第百二条の二第三項及び第百二条の規定は、平成十二年四月以後の月分の特別掛金及び国又は職員団体の負担すべき金額について適用し、同月前の月分の特別掛金及び国又は職員団体の負担すべき金額については、なお従前の例による。

（標準報酬の定時決定等に関する経過措置）

第十条　平成十五年四月一日前に第二条の規定による改正前の法第四十二条第二項、第五項又は第七項の規定により決定され、又は改定された同年三月における標準報酬は、同年八月までの各月の標準報酬とする。

（平成十五年度以後における法による年金である給付等の額の算定に関する経過措置）

第十一条　組合員期間の全部又は一部が平成十五年四月一日前である者に支給する法による年金である給付の額については、法第七十七条第一項及び第二項、第八十二条第一項及び第二項、第八十九条第一項から第三項まで並びに附則第十二条の四の二第二項第二号及び第三項の規定（法附則第十二条の四の三第一項及び第三項並びに法附則第十二条の七の二第二項、第十二条の七の三第二項及び第四項並びに第十二条の八第三項並びに昭和六十年改正法附則第三十六条第二項においてその例による場合を含む。）による金額は、これらの規定にかかわらず、次の各号の規定による金額を合算した金額とする。

一　平成十五年四月一日前の組合員期間を基礎として第二条の規定による改正前の法第七十七条第一項及び第二項、第八十二条第一項及び第二項並びに附則第十二条の四の二第二項第二号及び第三項並びに第四条の規定による改正前の昭和六十年改正法附則第十五条及び附則別表第二の規定又は国家公務員共済組合法等の一部を改正する法律（平成十六年法律第百三十号。第三項及び次条において「平成十六年改正法」という。）第五条の規定による改正後の法第八十九条第一項から第三項までの規定を適用したとしたならばこれらの規定により算定される金額

二　平成十五年四月一日以後の組合員期間を基礎として法第七

十二条の二、第七十七条第一項及び第二項、第八十二条第一項及び第二項、第八十九条第一項から第三項まで並びに附則第十二条の四の二第二項第二号及び第三項並びに昭和六十年改正法附則第十五条及び附則別表第二の規定を適用したとしたならばこれらの規定により算定される金額

2　前項第一号の規定による金額を算定する場合における第二条の規定による改正前の法第七十七条第一項に規定する平均標準報酬月額の計算の基礎となる標準報酬の月額については、同項の規定にかかわらず、組合員期間の各月の標準報酬の月額に、法第七十二条の二に規定する再評価率（以下「再評価率」という。）を乗じて得た額とする。

3　第一項第一号の規定による金額を算定する場合においては、第二条の規定による改正前の法第七十七条第一項中「組合員期間の計算」とあるのは「平成十五年四月前の組合員期間（以下「基準日前組合員期間」という。）の計算」と、「組合員期間の月数」とあるのは「基準日前組合員期間の月数」と、同条第二項中「組合員期間の月数」とあるのは「基準日前組合員期間の月数」と、第八十二条第一項中「組合員期間の月数（当該月数が三百月未満であるときは、三百月）」とあるのは「基準日前組合員期間の月数」と、同条第二項中「加えた金額」とあるのは「加えた金額）に、基準日前組合員期間の月数を組合員期間の月数で除して得た割合を乗じて得た金額」と、附則第十二条の四の二第二項第二号及び第三項中「組合員期間の月数」とあるのは「基準日前組合員期間の月数」と、平成十六年改正法第五条の規定による改正後の法第八十九条第一項第一号イ中「平均標準報酬額の千分の五・四八一」とあるのは「平成十五年四月一日前の組合員期間（以下「基準日前組合員期間」という。）に係る第七十二条の二に規定する再評価率を乗じて得た標準報酬の月額を基礎として計算した国家公務員共済組合法等の一部を改正する法律（平成十二年法律第二十一号）第二条の規定による改正前の第七十七条に規定する平均標準報酬月額（以下この条において「再評価率による平均標準報酬月額」という。）の千分の七・一二五」と、「組合員期間の月数（当該月数が三百月未満であるときは、三百月）」とあるのは「基準日前組合員期間の月数」と、「平均標準報酬額の千分の一・〇九六」とあるのは「再評価率による平均標準報酬月額の千分の一・四二五」と、同号ロ中「平均標準報酬額の千分の五・四八一」とあるのは「再評価率による平均標準報酬月額の千分の七・一二五」と、「組合員期間の月数」とあるのは「基準日前組合員期間の月数」と、「平均標準報酬額の千分の一・〇九六」とあるのは「再評価率による平均標準報酬月額の千分の一・四二五」と、「平均標準報酬月額の千分の〇・五四八」とあるのは「再評価率による平均標準報酬月額の千分の〇・七一三」と、同条第三項中「千分の一・〇九六」とあるのは「千分の一・四二五」と、「千分の二・四六六」とあるのは「千分の三・二〇六」とする。

4　第一項第二号の規定による金額を算定する場合においては、法第七十二条の二第一項中「組合員期間の計算」とあるのは「平成十五年四月以後の組合員期間（以下「基準日後組合員期間」という。）の計算」と、「組合員期間の月数」とあるのは「基準日後組合員期間の月数」と、第七十七条第一項及び第二項中「組合員期間の月数」とあるのは「基準日後組合員期間の月数」と、第八十二条第一項中「組合員期間の月数（当該月数が三百月未満であるときは、三百月）」とあるのは「基準日後組合員期間の月数」と、同条第二項中「加えた金額」とあるのは「加えた金額）に、基準日後組合員期間の月数を組合員期間の月数で除して得た割合を乗じて得た金額」と、第八十九条第一項第一号イ中「組合員期間の月数（当該月数が三百月未満であるときは、三百月）」とあるのは「基準日後組合員期間の月数」と、同号ロ中「組合員期間」とあるのは「基準日後組合員期間」と、附則第十二条の四の二第二項第二号及び第三項中「組合員期間の月数」とあるのは「基準日後組合員期間の月数」とする。

第十二条　法による年金である給付の額については、前条の規定により算定した金額が次の各号の規定による金額を合算して得た金額に従前額改定率を乗じて得た金額に満たないときは、同条の規定にかかわらず、当該各号の規定による金額を合算して得た金額に従前額改定率を乗じて得た金額を、同条の規定による金額とする。

一　平成十五年四月一日前の組合員期間を基礎として第一条の規定による改正前の法第七十七条第一項及び第二項、第八十二条第一項及び第二項、附則第十二条の四の二第二項第二号及び第三項並びに附則第十三条の九並びに第三条の規定による改正前の昭和六十年改正法附則第十五条及び附則別表第二の規定又は平成十六年改正法第五条の規定による改正後の法第八十九条第一項から第三項までの規定を適用したとしたならばこれらの規定により算定される金額

二　平成十五年四月一日以後の組合員期間を基礎として法第七十二条の二、第七十七条第一項及び第二項、第八十二条第一項及び第二項、第八十九条第一項から第三項まで、附則第十二条の四の二第二項第二号及び第三項並びに第四条の規定による改正後の昭和六十年改正法附則第十五条及び附則別表第二の規定を適用したとしたならばこれらの規定により算定される金額

2　組合員期間の全部が平成十五年四月一日以後であるときは、法第七十二条の二、第七十七条第一項及び第二項、第八十二条第一項及び第二項、第八十九条第一項から第三項まで並びに附則第十二条の四の二第二項第二号及び第三項の規定（法附則第十二条の四の三第一項及び第三項、第十二条の七の二第二項、第十二条の七の三第二項及び第四項並びに第十二条の八第三項並びに昭和六十年改正法附則第三十六条第二項においてその例による場合を含む。）により算定した金額が、前項第二号の規定の例により算定される金額に従前額改定率を乗じて得た金額に満たないときは、これらの規定にかかわらず、当該金額をこれらの規定に定める金額とする。

3　平成十六年度における前二項の従前額改定率は、一・〇〇一とする。

4　第一項及び第二項の従前額改定率は、毎年度、法第七十二条の四第一項又は第三項（法第七十二条の五第一項に規定する調整期間にあっては、法第七十二条の六第一項又は第四項）の規定の例により改定する。

5　第一項第一号の規定による金額を算定する場合においては、第一条の規定による改正前の法第七十七条第一項中「組合員期間の計算」とあるのは「平成十五年四月前の組合員期間（以下「基準日前組合員期間」という。）の計算」と、「組合員期間の

月数」とあるのは「基準日前組合員期間の月数」と、同条第二項中「組合員期間の月数」とあるのは「基準日前組合員期間の月数」と、第八十二条第一項中「組合員期間の月数（当該月数が三百月未満であるときは、三百月）」とあるのは「基準日前組合員期間の月数」と、同条第二項中「加えた金額）」とあるのは「加えた金額）」に、基準日前組合員期間の月数を組合員期間の月数で除して得た割合を乗じて得た金額」と、附則第十二条の四の二第二項第二号及び第三項中「組合員期間の月数」とあるのは「基準日前組合員期間の月数」と、附則第十三条の九中「次の表」とあるのは「国家公務員共済組合法等の一部を改正する法律（平成十六年法律第百三十号）第十七条の規定による改正後の国家公務員共済組合法等の一部を改正する法律（平成十二年法律第二十一号）附則別表」と、「第七十七条第一項」とあるのは「同法附則第十二条第二項の規定により読み替えられた第七十七条第一項」と、「附則第十三条の九の表」とあるのは「国家公務員共済組合法等の一部を改正する法律（平成十二年法律第二十一号）附則別表」と、平成十六年改正法第五条の規定による改正後の法第八十九条第一項第一号イ中「平均標準報酬額の千分の五・四八一」とあるのは「平成十五年四月一日前の組合員期間（以下「基準日前組合員期間」という。）に係る国家公務員共済組合法等の一部を改正する法律（平成十二年法律第二十一号）附則第十二条第一項の従前額改定率を乗じて得た標準報酬の月額を基礎として計算した同法第二条の規定による改正前の第七十七条に規定する平均標準報酬月額（以下この条において「従前額改定率による平均標準報酬月額」という。）の千分の七・五」と、「組合員期間の月数（当該月数が三百月未満であるときは、三百月）」とあるのは「基準日前組合員期間の月数」と、「平均標準報酬額の千分の一・〇九六」とあるのは「従前額改定率による平均標準報酬月額の千分の一・五」と、同号ロ中「平均標準報酬額の千分の五・四八一」とあるのは「従前額改定率による平均標準報酬月額の千分の七・五」と、「組合員期間の月数」とあるのは「基準日前組合員期間の月数」と、「平均標準報酬額の千分の一・〇九六」とあるのは「従前額改定率による平均標準報酬月額の千分の一・五」と、「平均標準報酬額の千分の〇・五四八」とあるのは「従前額改定率による平均標準報酬月額の千分の〇・七五」と、同条第三項中「千分の一・〇九六」とあるのは「千分の一・五」と、「千分の二・四六六」とあるのは「千分の三・三七五」とする。

6　第一項第二号又は第二項の規定による金額を算定する場合においては、法第七十二条の二中「長期給付」とあるのは「国家公務員共済組合法等の一部を改正する法律（平成十六年法律第百三十号）第十七条の規定による改正後の国家公務員共済組合法等の一部を改正する法律（平成十二年法律第二十一号）附則別表の上欄に掲げる期間に係る組合員期間を有する受給権者の長期給付」と、「組合員期間の計算」とあるのは「平成十五年四月以後の組合員期間（以下「基準日後組合員期間」という。）の計算」と、「別表第二の各号に掲げる受給権者の区分に応じ、それぞれ当該各号に定める金額（以下「再評価率」という。）の月数」とあるのは「その月が属する同表の上欄に掲げる期間の区分に応じてそれぞれ同表の下欄に掲げる率」と、「組合員期間の月数」とあるのは「基準日後組合員期間の月数」と、第七十七条第一項中「千分の五・四八一」とあるのは「千分の五・七六九」と、「組合員期間の月数」とあるのは「基準日後組合員期間の月数」と、同条第二項中「千分の一・〇九六」とあるのは「千分の一・一五四」と、「組合員期間の月数」とあるのは「基準日後組合員期間の月数」と、「千分の〇・五四八」とあるのは「千分の〇・五七七」と、第八十二条第一項中「千分の五・四八一」とあるのは「千分の五・七六九」と、「組合員期間の月数（当該月数が三百月未満であるときは、三百月）」とあるのは「基準日後組合員期間の月数」と、「千分の一・〇九六」とあるのは「千分の一・一五四」と、同条第二項中「百分の十四・六二五」とあるのは「百分の十五・三八五」と、「百分の二十一・九二三」とあるのは「百分の二十三・〇七七」と、「千分の一・〇九六」とあるのは「千分の一・一五四」と、「千分の一・三七」とあるのは「千分の一・四四二」と、「加えた金額）」とあるのは「加えた金額）に、基準日後組合員期間の月数を組合員期間の月数で除して得た割合を乗じて得た金額」と、第八十九条第一項第一号イ中「千分の五・四八一」とあるのは「千分の五・七六九」と、「組合員期間の月数（当該月数が三百月未満であるときは、三百月）」とあるのは「基準日後組合員期間の月数」と、「千分の一・〇九六」とあるのは「千分の一・一五四」と、同号ロ中「千分の五・四八一」とあるのは「千分の五・七六九」と、「組合員期間」とあるのは「基準日後組合員期間」と、「千分の一・〇九六」とあるのは「千分の一・一五四」と、「千分の〇・五四八」とあるのは「千分の〇・五七七」と、附則第十二条の四の二第二項第二号中「千分の五・四八一」とあるのは「千分の五・七六九」と、「組合員期間の月数」とあるのは「基準日後組合員期間の月数」と、同条第三項中「千分の一・〇九六」とあるのは「千分の一・一五四」と、「組合員期間の月数」とあるのは「基準日後組合員期間の月数」と、「千分の〇・五四八」とあるのは「千分の〇・五七七」とする。

7　第四項の規定による従前額改定率の改定の措置は、政令で定める。

8　前各項に定めるもののほか、平成十五年度以後における法の長期給付に関する規定等の適用に関し必要な事項は、政令で定める。

（法による年金である給付の額の改定の特例）

第十二条の二　当該年度の前年度に属する三月三十一日において附則第十一条第一項又は前条第一項若しくは第二項の規定による年金である給付の受給権を有する者について、法第七十二条の三から第七十二条の六までの規定による再評価率の改定により、当該年度において附則第十一条第一項の規定により算定した金額（以下この条において「当該年度額」という。）が、当該年度の前年度に属する三月三十一日においてこれらの規定により算定した金額（以下この条において「前年度額」という。）に満たないこととなるときは、これらの規定にかかわらず、前年度額を当該年度額とする。

2　前項の規定にかかわらず、次の各号に掲げる場合において、法第七十二条の三（法第七十二条の四から第七十二条の六までにおいて適用される場合を除く。）の規定による再評価率の改定により、当該年度額が、前年度額に当該各号に定める率を乗じて得た金額に満たないこととなるときは、当該金額を当該年度額とする。

一　法第七十二条の三第一項に規定する名目手取り賃金変動率（以下「名目手取り賃金変動率」という。）が一を下回り、かつ、同項に規定する物価変動率（以下「物価変動率」という。）が名目手取り賃金変動率を下回る場合　名目手取り賃金変動率

二　物価変動率が一を下回り、かつ、物価変動率が名目手取り賃金変動率を上回る場合　物価変動率

3　第一項の規定にかかわらず、物価変動率が一を下回る場合において、法第七十二条の四（法第七十二条の六において適用される場合を除く。）の規定による再評価率の改定により、当該年度額が、前年度額に物価変動率を乗じて得た金額に満たないこととなるときは、当該金額を当該年度額とする。

4　第一項の規定にかかわらず、次の各号に掲げる場合において、法第七十二条の五（法第七十二条の六において適用される場合を除く。）の規定による再評価率の改定により、当該年度額が前年度額に当該各号に定める率を乗じて得た金額に満たないこととなるときは、当該金額を当該年度額とする。

一　名目手取り賃金変動率が一を下回り、かつ、物価変動率が名目手取り賃金変動率以下となる場合　名目手取り賃金変動率

二　名目手取り賃金変動率が一を下回り、かつ、物価変動率が名目手取り賃金変動率を上回る場合（物価変動率が一を上回る場合を除く。）　物価変動率

5　第一項の規定にかかわらず、物価変動率が一を下回る場合において、法第七十二条の六の規定による再評価率の改定により、当該年度額が、前年度額に物価変動率を乗じて得た金額に満たないこととなるときは、当該金額を当該年度額とする。

（厚生年金保険の被保険者等である間の退職共済年金等の支給の停止の経過措置）

第十三条　第二条の規定による改正後の法第八十条及び第八十七条の二並びに第四条の規定による改正後の昭和六十年改正法附則第四十五条の規定は、平成十六年四月以後の月分として支給される法による退職共済年金若しくは障害共済年金又は昭和六十年改正法附則第二条第五号に規定する退職年金、減額退職年金、通算退職年金若しくは障害年金（これらの年金のうち厚生年金保険の被保険者又は法第三十八条第二項に規定する私学共済制度の加入者（これらの者が昭和十二年四月一日以前に生まれた者である場合に限る。）である間に支給される年金を除く。）について適用し、同月前の月分として支給されるこれらの年金については、なお従前の例による。

（従前の特別掛金）

第十四条　平成十五年四月前の期末手当等に係る特別掛金（第二条による改正前の法第百一条の二第一項に規定する特別掛金をいう。）については、なお従前の例による。

（法による脱退一時金に関する経過措置）

第十五条　組合員期間の全部又は一部が平成十五年四月一日前である者に支給する法による脱退一時金については、法附則第十三条の十第三項の規定による金額は、同項の規定にかかわらず、同日前の組合員期間の各月の標準報酬の月額に一・三を乗じて得た額並びに同日以後の組合員期間の各月の標準報酬の月額及び標準期末手当等の額を合算して得た額を組合員期間の月数で除して得た額に、組合員期間に応じて支給率（同条第四項に規定する支給率をいう。）を乗じて得た金額とする。

（その他の経過措置の政令への委任）

第十六条　この附則に定めるもののほか、この法律の施行に伴い必要な経過措置は、政令で定める。

附則別表（附則第七条、附則第十二条関係）

期間	率
昭和六十二年三月以前	一・二二
昭和六十二年四月から昭和六十三年三月まで	一・一九
昭和六十三年四月から平成元年十一月まで	一・一六
平成元年十二月から平成三年三月まで	一・〇九
平成三年四月から平成四年三月まで	一・〇四
平成四年四月から平成五年三月まで	一・〇一
平成五年四月から平成十二年三月まで	〇・九九
平成十二年四月から平成十七年三月まで	〇・九一七
平成十七年度以後の各年度に属する月	政令で定める率

備考　平成十七年度以後の各年度に属する月の項の政令で定める率は、当該年度の前年度に属する月に係る率を、法第七十二条の三第一項第一号に掲げる率に同項第二号に掲げる率を乗じて得た率で除して得た率を基準として定めるものとする。

附　則（平一二・四・二六法四七）（抄）

（施行期日）

第一条　この法律は、平成十三年三月一日から施行する。〔ただし書略〕

附　則（平一二・五・一二法五九）（抄）

（施行期日）

第一条　この法律は、平成十三年四月一日から施行する。ただし、次の各号に掲げる規定は、当該各号に定める日から施行する。

一・二　〔略〕

三　〔前略〕附則第二十三条中国家公務員共済組合法（昭和三十三年法律第百二十八号）第六十八条の二及び第六十八条の三第一項の改正規定、附則第二十四条の規定〔中略〕　平成十三年一月一日

（国家公務員共済組合法の一部改正に伴う経過措置）

第二十四条　国家公務員共済組合法第六十八条の二に規定する育児休業により勤務に服さなかった期間のうち平成十三年一月一日前に係る期間について支給する育児休業手当金の額については、なお従前の例による。

2　国家公務員共済組合法第六十八条の三第一項に規定する介護休業により勤務に服することができない期間のうち平成十三年一月一日前に係る期間について支給する介護休業手当金の額については、なお従前の例による。

第二十五条　旧受給資格者であって附則第五条の規定により同条に規定する個別延長給付の支給についてなお従前の例によることとされたものに係る附則第二十三条の規定による改正後の国家公務員共済組合法附則第十二条の八の二第一項の規定の適用については、なお従前の例による。

附　則（平一二・五・三一法九九）（抄）

（施行期日）

第一条　この法律は、平成十三年四月一日から施行する。〔ただし書略〕

附　則（平一二・一一・二七法一二五）（抄）

（施行期日）

第一条　この法律は、公布の日から施行する。

附　則（平一二・一二・六法一四〇）（抄）

改正　平一四・八・二法一〇二

（施行期日）

第一条　この法律は、平成十三年一月一日から施行する。ただし、次の各号に掲げる規定は、それぞれ当該各号に定める日から施行する。

一　〔前略〕附則第十九条中国家公務員共済組合法第六十六条の改正規定及び同法第七十四条第二項〔中略〕の改正規定　平成十三年四月一日

二　〔略〕

（国家公務員共済組合法の一部改正に伴う経過措置）

第二十条　施行日前に行われた診療、手当又は薬剤の支給に係る国家公務員共済組合法の規定による高額療養費の支給については、なお従前の例による。

2　前条の規定による改正後の国家公務員共済組合法第百二条の規定は、平成十三年一月以後の月分の国又は職員団体の負担すべき金額について適用し、同月前の月分の国又は職員団体の負担すべき金額については、なお従前の例による。

附　則（平一二・一二・六法一四一）（抄）

（施行期日）

第一条　この法律は、公布の日から起算して六月を超えない範囲内において政令で定める日〔平一三・三・一〕から施行する。〔ただし書略〕

附　則（平一三・七・四法一〇一）（抄）

最終改正　平二〇・四・三〇法二三

（施行期日）

第一条　この法律は、平成十四年四月一日から施行する。

（国家公務員共済組合法の一部改正に伴う経過措置）

第八十七条　前条の規定による改正後の国家公務員共済組合法（以下この条において「新法」という。）第三十八条第二項の規定は、施行日以後の期間に係る組合員期間の計算について適用し、施行日前第三十八条第二項の規定は、施行日以後の期間に係る組合員期間の計算について適用し、施行日前の期間に係る組合員期間の計算については、なお従前の例による。

2　新法第六十六条第六項の規定は、施行日以後に給付事由が生じた傷病手当金の支給について適用し、施行日前に給付事由が生じた傷病手当金の支給については、なお従前の例による。

3　新法第七十四条第一項、第二項及び第四項、第七十四条の二第一項及び第三項、第七十九条第三項、第八十条第一項並びに第八十七条の二第一項の規定は、施行日以後の月分として支給される国家公務員共済組合法による年金である給付について適用し、施行日前の月分として支給される同法による年金である給付については、なお従前の例による。

4　新法第百条第二項の規定は、施行日以後の月分の掛金について適用し、施行日前の月分の掛金については、なお従前の例による。

5　新法附則第十三条の三第二項の規定は、施行日以前に旧農林共済組合の組合員の資格を喪失した場合についても、適用する。

（国家公務員等共済組合法等の一部を改正する法律の一部改正に伴う経過措置）

第九十条　前条の規定による改正後の国家公務員等共済組合法等の一部を改正する法律（以下この条において「新法」という。）附則第十二条第二項及び第四項並びに第四十五条第一項の規定は、施行日以後の月分として支給される旧共済法による年金（新法附則第二条第六号に規定する旧共済法による年金をいう。以下この条において同じ。）について適用し、施行日前の月分として支給される旧共済法による年金については、なお従前の例による。

附　則（平一三・一一・七法一四二）（抄）

（施行期日）

第一条　この法律は、平成十四年四月一日から施行する。〔ただし書略〕

附　則（平一三・一二・一二法一五三）（抄）

（施行期日）

第一条　この法律は、公布の日から起算して六月を超えない範囲内において政令で定める日〔平一四・三・一〕から施行する。

附　則（平一四・五・一〇法四〇）（抄）

（施行期日）

第一条　この法律は、平成十五年四月一日から施行する。〔ただし書略〕

（国家公務員共済組合法の一部改正に伴う経過措置）

第十四条　前条の規定による改正前の国家公務員共済組合法（第三項において「改正前国共済法」という。）第三条第二項第三号ロの規定により設けられた組合（次項及び次条において「旧組合」という。）は、施行日に解散するものとし、その一切の権利及び義務は、国家公務員共済組合法第三条第一項の規定により財務省に属する職員をもって組織された組合（次条において「財務省共済組合」という。）が承継する。

2　旧組合の平成十四年度に係る決算並びに貸借対照表及び損益計算書については、なお従前の例による。

3　施行日前に改正前国共済法又はこれに基づく命令の規定によりした処分、手続その他の行為は、別段の定めがあるもののほか、この法律若しくは前条の規定による改正後の国家公務員共済組合法又はこれらに基づく命令中の相当規定によりした処分、手続その他の行為とみなす。

第十五条　施行日の前日に旧組合の組合員であった者（施行日に財務省共済組合の組合員の資格を取得した者に限る。以下この条において「更新組合員」という。）は財務省共済組合の組合員であった者と、旧組合の組合員であった期間（次に掲げる期間を除く。）は財務省共済組合の組合員であった期間とみなす。

一　国家公務員共済組合法附則第十三条の十の規定による脱退

一時金の支給を受けた場合におけるその脱退一時金の額の算定の基礎となった期間

二　国家公務員等共済組合法等の一部を改正する法律（昭和六十年法律第百五号。第四号において「昭和六十年国共済改正法」という。）第一条の規定による改正前の国家公務員等共済組合法第八十条第一項の規定による脱退一時金（他の法令の規定により当該脱退一時金とみなされたものを含む。）の支給を受けた場合におけるその脱退一時金の額の算定の基礎となった期間

三　国家公務員及び公共企業体職員に係る共済組合制度の統合等を図るための国家公務員共済組合法等の一部を改正する法律（昭和五十八年法律第八十二号）附則第二条の規定による廃止前の公共企業体職員等共済組合法（昭和三十一年法律第百三十四号）第六十一条の三第一項の規定による脱退一時金の支給を受けた場合におけるその脱退一時金の額の算定の基礎となった期間

四　昭和六十年国共済改正法附則第六十一条の規定による脱退一時金の支給を受けた場合におけるその脱退一時金の額の算定の基礎となった期間

2　旧組合が施行日前に国家公務員共済組合法第四十二条第二項、第五項又は第七項の規定により決定し、又は改定した施行日の前日における更新組合員の同条第一項に規定する標準報酬は、当該更新組合員の属する財務省共済組合が同条第二項、第五項又は第七項の規定により決定し、又は改定した同条第一項に規定する標準報酬とみなす。

3　施行日前に国家公務員共済組合法第五十三条第一項（第二号を除く。）の規定により更新組合員が旧組合に届け出なければならない事項についてその届出がされていない場合には、施行日以後は、同項の規定により当該更新組合員が財務省共済組合に届け出なければならない事項についてその届出がされていないものとみなして、同条の規定を適用する。

4　退職の日が施行日前である旧組合の組合員（国家公務員共済組合法第百二十四条の二第二項に規定する継続長期組合員を除く。次項において同じ。）であった者に対し同法第五十九条、第六十六条第三項又は第六十七条（第一項及び第二項を除く。）の規定が適用されるものとしたならば、これらの規定により支給される給付を受けることができるときは、これらの給付は、同法の規定の例によるものとし、財務省共済組合が支給する。

5　施行日前に旧組合の組合員が退職し、かつ、施行日以後に出産し、又は死亡した場合において、国家公務員共済組合法第六十一条第二項、第六十四条又は第六十七条第二項の規定が適用されるものとしたならば、これらの規定により支給される給付を受けることができるときは、これらの給付は、同法の規定の例によるものとし、財務省共済組合が支給する。

6　施行日前に国家公務員共済組合法第百条の二の規定により更新組合員が旧組合にした申出は、同条の規定により財務省共済組合にした申出とみなして、同条の規定を適用する。

7　施行日の前日において国家公務員共済組合法第百二十四条の二第一項の規定により旧組合の組合員であるものとされていた者及び同日において旧組合の組合員であった者で同日に任命権者又はその委任を受けた者の要請に応じて引き続き同項に規定する公庫等職員となるため退職したものについては、財務省共済組合を同項に規定する転出の際に所属していた組合とみなして、同条の規定を適用する。

8　施行日の前日において国家公務員共済組合法第百二十六条の五第一項又は附則第十二条第二項の規定により旧組合の組合員であるものとみなされていた者及び同日において旧組合の組合員であった者で同日に退職し、同法第百二十六条の五第一項又は附則第十二条第一項の規定による申出を同日に旧組合に行ったものについては、財務省共済組合を同法第百二十六条の五第一項又は附則第十二条第一項の規定による申出に係る組合とみなして、同法第百二十六条の五又は附則第十二条の規定を適用する。

9　施行日前に退職し、国家公務員共済組合法第百二十六条の五第一項の規定による申出を旧組合にすることができる者で、施行日前に当該申出をしていないものについては、財務省共済組合を同項の規定による申出に係る組合とみなして、同条の規定を適用する。この場合において、同項中「当該組合」とあるのは、「当該組合（独立行政法人造幣局法（平成十四年法律第四十号）の施行前の期間については、その者の所属していた同法附則第十四条第一項に規定する旧組合とする。）」とする。

第十六条　この法律の施行前にした附則第十三条の規定による改正前の国家公務員共済組合法の規定に違反する行為に対する罰則の適用については、なお従前の例による。

附　則（平一四・五・一〇法四一）（抄）

（施行期日）

第一条　この法律は、平成十五年四月一日から施行する。〔ただし書略〕

（国家公務員共済組合法の一部改正に伴う経過措置）

第十五条　前条の規定による改正前の国家公務員共済組合法（第四項において「改正前国共済法」という。）第三条第二項第三号の規定により設けられた組合（以下この条及び次条において「旧組合」という。）は、施行日に解散するものとし、その一切の権利及び義務は、国家公務員共済組合法第三条第一項の規定により財務省に属する職員をもって組織された組合（第三項及び次条において「財務省共済組合」という。）が承継する。

2　旧組合の平成十四年度に係る決算並びに貸借対照表及び損益計算書については、なお従前の例による。

3　第一項の規定により旧組合の権利を財務省共済組合が承継する場合における当該承継に係る不動産の取得に対しては、不動産取得税を課することができない。

4　施行日前に改正前国共済法又はこれに基づく命令の規定によりした処分、手続その他の行為は、別段の定めがあるもののほか、この法律若しくは前条の規定による改正後の国家公務員共済組合法又はこれらに基づく命令中の相当規定によりした処分、手続その他の行為とみなす。

第十六条　施行日の前日に旧組合の組合員であった者（施行日に財務省共済組合の組合員の資格を取得した者に限る。以下この条において「更新組合員」という。）は財務省共済組合の組合員であった者と、旧組合の組合員であった期間（次に掲げる期間を除く。）は財務省共済組合の組合員であった期間とみなす。

一　国家公務員共済組合法附則第十三条の十の規定による脱退一時金の支給を受けた場合におけるその脱退一時金の額の算

定の基礎となった期間

二　国家公務員等共済組合法等の一部を改正する法律（昭和六十年法律第百五号。第四号において「昭和六十年国共済改正法」という。）第一条の規定による改正前の国家公務員等共済組合法第八十条第一項の規定による脱退一時金（他の法令の規定により当該脱退一時金とみなされたものを含む。）の支給を受けた場合におけるその脱退一時金の額の算定の基礎となった期間

三　国家公務員及び公共企業体職員に係る共済組合制度の統合等を図るための国家公務員共済組合法等の一部を改正する法律（昭和五十八年法律第八十二号）附則第二条の規定による廃止前の公共企業体職員等共済組合法（昭和三十一年法律第百三十四号）第六十一条の三第一項の規定による脱退一時金の支給を受けた場合におけるその脱退一時金の額の算定の基礎となった期間

四　昭和六十年国共済改正法附則第六十一条の規定による脱退一時金の支給を受けた場合におけるその脱退一時金の額の算定の基礎となった期間

2　旧組合が施行日前に国家公務員共済組合法第四十二条第二項、第五項又は第七項の規定により決定し、又は改定した施行日の前日における更新組合員の同条第一項に規定する標準報酬は、当該更新組合員の属する財務省共済組合が同条第二項、第五項又は第七項の規定により決定し、又は改定した同条第一項に規定する標準報酬とみなす。

3　施行日前に国家公務員共済組合法第五十三条第一項（第二号を除く。）の規定により更新組合員が旧組合に届け出なければならない事項についてその届出がされていない場合には、施行日以後は、同項の規定により当該更新組合員が財務省共済組合に届け出なければならない事項についてその届出がされていないものとみなして、同条の規定を適用する。

4　退職の日が施行日前である旧組合の組合員（国家公務員共済組合法第百二十四条の二第二項に規定する継続長期組合員を除く。次項において同じ。）であった者に対し同法第五十九条、第六十六条第三項又は第六十七条（第一項及び第二項を除く。）の規定が適用されるものとしたならば、これらの規定により支給される給付を受けることができるときは、これらの給付は、同法の規定の例によるものとし、財務省共済組合が支給する。

5　施行日前に旧組合の組合員が退職し、かつ、施行日以後に出産し、又は死亡した場合において、国家公務員共済組合法第六十一条第二項、第六十四条又は第六十七条第二項の規定が適用されるものとしたならば、これらの規定により支給される給付を受けることができるときは、これらの給付は、同法の規定の例によるものとし、財務省共済組合が支給する。

6　施行日前に国家公務員共済組合法第百条の二の規定により更新組合員が旧組合にした申出は、同条の規定により財務省共済組合にした申出とみなして、同条の規定を適用する。

7　施行日の前日において国家公務員共済組合法第百二十四条の二第一項の規定により旧組合の組合員であるものとされていた者及び同日において旧組合の組合員であった者で同日に任命権者又はその委任を受けた者の要請に応じて引き続き同項に規定する公庫等職員となるため退職したものについては、財務省共済組合を同項に規定する転出の際に所属していた組合とみなして、同条の規定を適用する。

8　施行日の前日において国家公務員共済組合法第百二十六条の五第一項又は附則第十二条第二項の規定により旧組合の組合員であるものとみなされていた者及び同日において旧組合の組合員であった者で同日に退職し、同法第百二十六条の五第一項又は附則第十二条第一項の規定による申出を同日に旧組合に行ったものについては、財務省共済組合を同法第百二十六条の五第一項又は附則第十二条第一項の規定による申出に係る組合とみなして、同法第百二十六条の五又は附則第十二条の規定を適用する。

9　施行日前に退職し、国家公務員共済組合法第百二十六条の五第一項の規定による申出を旧組合にすることができる者で、施行日前に当該申出をしていないものについては、財務省共済組合を同項の規定による申出に係る組合とみなして、同条の規定を適用する。この場合において、同項中「当該組合」とあるのは、「当該組合（独立行政法人国立印刷局法（平成十四年法律第四十一号）の施行前の期間については、その者の所属していた同法附則第十五条第一項に規定する旧組合とする。）」とする。

第十七条　この法律の施行前にした附則第十四条の規定による改正前の国家公務員共済組合法の規定に違反する行為に対する罰則の適用については、なお従前の例による。

附　則（平一四・七・三一法九八）（抄）

（施行期日）

第一条　この法律は、公社法の施行の日〔平一五・四・一〕から施行する。ただし、次の各号に掲げる規定は、当該各号に定める日から施行する。

一　〔前略〕附則第二十八条第二項〔中略〕の規定　公布の日

二　〔略〕

（国家公務員共済組合法の一部改正に伴う経過措置）

第二十八条　中央省庁等改革関係法施行法（平成十一年法律第百六十号）第千三百二十三条第一項の規定により設けられた国家公務員共済組合（次項において「旧総務省共済組合」という。）又は同条第二項の規定により設けられた国家公務員共済組合（以下この条において「旧郵政共済組合」という。）は、施行日において、それぞれ第百十九条の規定による改正後の国家公務員共済組合法第三条第一項の規定により総務省に属する職員（同法第二条第一項第一号に規定する職員をいう。以下この項及び第三項において同じ。）及びその所管する独立行政法人（独立行政法人通則法第二条第一項に規定する独立行政法人をいう。）の職員をもって組織された国家公務員共済組合（以下この条において「総務省共済組合」という。）又は公社に属する職員をもって組織された国家公務員共済組合（以下この条から附則第三十条までにおいて「日本郵政公社共済組合」という。）となり、同一性をもって存続するものとする。

2　旧総務省共済組合又は旧郵政共済組合の代表者は、それぞれ、施行日前に、国家公務員共済組合法第九条に規定する運営審議会の議を経て、同法第六条及び第十一条の規定により、施行日以後に係る総務省共済組合又は日本郵政公社共済組合となるために必要な定款及び運営規則の変更をし、当該定款につき財務大臣の認可を受け、及び当該運営規則につき財務大臣に協議するものとする。

3　施行日の前日において旧郵政共済組合の組合員であった者（同日において総合通信局、沖縄総合通信事務所若しくは中央省庁等改革関係法施行法第千三百二十三条第二項に規定する政令で定める部局若しくは機関又は独立行政法人通信総合研究所に属する職員であった者に限る。）が、施行日において総務省又はその所管する独立行政法人通信総合研究所に属する職員であるときは、施行日において旧郵政共済組合の組合員の資格を喪失し、総務省共済組合の組合員の資格を取得する。

4　前項の規定により総務省共済組合の組合員の資格を取得した者があるときは、日本郵政公社共済組合は、施行日の前日における旧郵政共済組合の短期給付の事業又は福祉事業（国家公務員共済組合法附則第十四条の四第一項の規定により行う事業を含む。次項において同じ。）に係る資産の価額から負債の価額をそれぞれ差し引いた額につき、財務省令で定めるところにより算出した金額を、総務省共済組合に対して支払わなければならない。

5　前項の財務省令は、旧郵政共済組合の短期給付の事業又は福祉事業に要する費用についてのその組合員の負担の割合、施行日の前日において旧郵政共済組合の組合員であった者の数に対するこれらの者のうち第三項の規定により総務省共済組合の組合員の資格を取得した者（以下この条において「移行組合員」という。）の数の割合その他の事情を勘案して定めるものとする。

6　前項に定めるもののほか、第四項の規定による支払について必要な事項は、財務省令で定める。

7　旧郵政共済組合が施行日前に国家公務員共済組合法第四十二条第二項、第五項又は第七項の規定により決定し、又は改定した施行日の前日における移行組合員の同条第一項に規定する標準報酬は、総務省共済組合が同条第二項、第五項又は第七項の規定により決定し、又は改定した同条第一項に規定する標準報酬とみなす。

8　施行日前に国家公務員共済組合法第五十三条第一項（第二号を除く。）の規定により移行組合員が旧郵政共済組合に届け出なければならない事項についてその届出がされていない場合には、施行日以後は、同項の規定により当該移行組合員が総務省共済組合に届け出なければならない事項についてその届出がされていないものとみなして、同条の規定を適用する。

9　施行日前に国家公務員共済組合法第百条の二の規定により移行組合員が旧郵政共済組合にした申出は、同条の規定により総務省共済組合にした申出とみなして、同条の規定を適用する。

第二十九条　施行日の前日において健康保険組合（事業団の事業所又は事務所を健康保険法（大正十一年法律第七十号）第十七条第一項に規定する設立事業所とする健康保険組合をいう。以下この項において同じ。）の被保険者であった者で、施行日に日本郵政公社共済組合の組合員となった者に係る施行日以後の給付に係る国家公務員共済組合法の短期給付に関する規定及び同法第百二十六条の五第一項の規定の適用については、その者は、施行日前の健康保険組合の被保険者であった間日本郵政公社共済組合の組合員であったものとみなし、その者が施行日前に健康保険法による保険給付を受けていた場合における当該保険給付は、国家公務員共済組合法に基づく当該保険給付に相当する給付とみなす。

2　この法律の施行の際前項に規定する者のうち健康保険法第九十九条第一項の規定による傷病手当金の支給を受けることができた者であって、同一の傷病について国家公務員共済組合法第六十六条第一項の規定による傷病手当金の支給を受けることができるものに係る同条第二項の規定の適用については、当該健康保険法第九十九条第一項の規定による傷病手当金の支給を始めた日を当該国家公務員共済組合法第六十六条第一項の規定による傷病手当金の支給を始めた日とみなす。

3　第一項に規定する者のうち国家公務員共済組合法第六十六条第一項の規定による傷病手当金の支給を受けることができる者であって、当該傷病による障害について厚生年金保険法（昭和二十九年法律第百十五号）による障害厚生年金又は障害手当金の支給を受けることができるものに係る同条第四項又は第五項の規定の適用については、これらの者が引き続き日本郵政公社共済組合の組合員である間は、当該障害厚生年金又は障害手当金を国家公務員共済組合法による障害共済年金又は障害一時金とみなす。

第三十条　施行日の前日において厚生年金基金（事業団の事業所又は事務所を厚生年金保険法第百十七条第三項に規定する設立事業所とする厚生年金基金をいう。以下この項において同じ。）の加入員である厚生年金保険の被保険者であった者で、施行日に日本郵政公社共済組合の組合員となった者（以下この条において「事業団等の役職員であった組合員」という。）のうち、一年以上の引き続く組合員期間（日本郵政公社共済組合の組合員である期間をいう。以下この条において同じ。）を有しない者であり、かつ、施行日前の厚生年金保険の被保険者期間（厚生年金基金の加入員である厚生年金保険の被保険者であった期間に係るものに限る。以下この条において「厚生年金保険期間」という。）と当該厚生年金保険期間に引き続く組合員期間とを合算した期間が一年以上となるものに係る国家公務員共済組合法第七十七条第二項の規定の適用については、その者は、一年以上の引き続く組合員期間を有する者とみなす。

2　事業団等の役職員であった組合員のうち、組合員期間が二十年未満であり、かつ、当該組合員期間と厚生年金保険期間とを合算した期間が二十年以上となるもの（一年以上の引き続く組合員期間を有する者及び前項の規定により一年以上の引き続く組合員期間を有する者とみなされる者に限る。）に係る国家公務員共済組合法第七十七条第二項の規定の適用については、その者は、組合員期間が二十年以上である者とみなす。

3　事業団等の役職員であった組合員のうち、組合員期間が二十年未満であり、かつ、当該組合員期間と厚生年金保険期間とを合算した期間が二十年以上となるものに係る国家公務員共済組合法第八十九条第一項第二号の規定の適用については、その者は、組合員期間が二十年以上である者とみなす。

4　事業団等の役職員であった組合員のうち、厚生年金保険期間及び組合員期間がいずれも二十年未満であり、かつ、これらの期間を合算した期間が二十年以上となるものに係る国家公務員共済組合法による退職共済年金については、その年金額の算定の基礎となる組合員期間が二十年以上であるものとみなして、同法第七十八条の規定を適用する。この場合において、同条第一項中「六十五歳未満の配偶者」とあるのは「配偶者」と、同条第四項中「次の各号」とあるのは「次の各号（第四号を除く。）」とする。

5　前項に規定する者に係る国家公務員共済組合法による遺族共済年金については、その年金額の算定の基礎となる組合員期間が二十年以上であるものとみなして、同法第九十条の規定を適用する。

6　事業団等の役職員であった組合員のうち、組合員期間が一年未満であり、かつ、当該組合員期間と厚生年金保険期間とを合算した期間が一年以上となるものに係る国家公務員共済組合法附則第十二条の三の規定の適用については、その者は、一年以上の組合員期間を有する者とみなす。

7　事業団等の役職員であった組合員のうち、厚生年金保険期間及び組合員期間がいずれも四十四年未満であり、かつ、これらの期間を合算した期間が四十四年以上となるものに係る国家公務員共済組合法附則第十二条の四の三第一項又は第三項の規定の適用については、その者は、組合員期間が四十四年以上である者とみなす。

附　則（平一四・七・三一法一〇〇）（抄）

（施行期日）

第一条　この法律は、民間事業者による信書の送達に関する法律（平成十四年法律第九十九号）の施行の日〔平一五・四・一〕から施行する。

附　則（平一四・八・二法一〇二）（抄）

改正　平一四・一二・一三法一五二

（施行期日）

第一条　この法律は、平成十四年十月一日から施行する。ただし、〔中略〕附則〔中略〕第四十八条、第四十九条第三項〔中略〕の規定は平成十五年四月一日から〔中略〕施行する。

（国家公務員共済組合法の一部改正に伴う経過措置）

第四十九条　この法律（附則第一条ただし書に規定する規定については、当該規定。以下この項において同じ。）の施行の日前に行われた診療、手当又は薬剤の支給に係るこの法律による改正前の国家公務員共済組合法の規定による療養費、家族療養費又は高額療養費の支給については、なお従前の例による。

2　附則第四十七条の規定による改正後の国家公務員共済組合法第六十一条第三項の規定は、出産の日が施行日以後である組合員について適用し、出産の日が施行日前である組合員の附則第四十七条の規定による改正前の同法の配偶者出産費については、なお従前の例による。

3　前条の規定の施行の日前に任意継続組合員（国家公務員共済組合法第百二十六条の五第二項に規定する任意継続組合員をいう。以下この項において同じ。）の資格を取得した者のその任意継続組合員の資格の喪失については、前条の規定による改正後の同法第百二十六条の五第五項の規定にかかわらず、なお従前の例による。

附　則（平一四・八・二法一〇三）（抄）

（施行期日）

第一条　この法律は、公布の日から起算して九月を超えない範囲内において政令で定める日〔平一五・五・一〕から施行する。ただし、〔中略〕附則第八条から第十九条までの規定は、公布の日から起算して二年を超えない範囲内において政令で定める日〔平一六・八・一〕から施行する。

○独立行政法人鉄道建設・運輸施設整備支援機構法（抄）

平一四・一二・一八法一八〇

最終改正　平三〇・六・一法四〇

附　則

（施行期日）

第一条　この法律は、平成十五年十月一日から施行する。〔ただし書略〕

（機構に対する厚生年金保険法等の規定の適用）

第七条　〔略〕

2　機構については、平成八年改正前の共済法第二条第一項第八号に規定する旅客鉄道会社等とみなして、平成八年厚生年金等改正法附則第五十四条第一項から第五項までの規定を適用する。

附　則（平一四・一二・二〇法一九一）（抄）

改正　平一五・七・一六法一一九

（施行期日）

第一条　この法律は、平成十五年十月一日から施行する。ただし、附則第十条から第二十六条までの規定は、同日から起算して九月を超えない範囲内において政令で定める日〔平一六・四・一〕から施行する。

附　則（平一五・四・三〇法三一）（抄）

（施行期日）

第一条　この法律は、平成十五年五月一日から施行する。

（国家公務員共済組合法の一部改正に伴う経過措置）

第二十九条　附則第十一条第一項の規定により高年齢雇用継続基本給付金の支給についてなお従前の例によることとされた者及び同条第二項の規定により高年齢再就職給付金の支給についてなお従前の例によることとされた者に係る前条の規定による改正後の国家公務員共済組合法附則第十二条の八の三の規定の適用については、なお従前の例による。

2　施行日以後に安定した職業に就くことにより雇用保険の被保険者となった旧受給資格者に対する前条の規定による改正後の国家公務員共済組合法附則第十二条の八の三の規定の適用については、同条第五項の規定により読み替えて準用する同条第一項第一号中「雇用保険法」とあるのは「雇用保険法等の一部を改正する法律（平成十五年法律第三十一号）附則第三条の規定によりなお従前の例によることとされた雇用保険法」とする。

附　則（平一五・六・四法六二）（抄）

（施行期日）

1　この法律は、平成十五年十月一日から施行する。ただし、次の各号に掲げる規定は、当該各号に定める日から施行する。

一　〔前略〕附則第五項から第七項までの規定　公布の日から起算して二月を超えない範囲内において政令で定める日〔平一五・六・一五〕

二　〔略〕

附　則（平一五・七・一六法一一七）（抄）

（施行期日）

第一条　この法律は、平成十六年四月一日から施行する。〔ただし書略〕

附　則（平一六・六・二三法一三〇）（抄）

最終改正　平二五・六・二六法六三

（施行期日）

第一条　この法律は、平成十六年十月一日から施行する。ただし、次の各号に掲げる規定は、当該各号に定める日から施行する。

一　第一条中国家公務員共済組合法附則第二十条の三の改正規定　公布の日

二　第二条、〔中略〕附則第九条から第十五条まで〔中略〕の規定　平成十七年四月一日

三　第三条、第十一条及び第十五条の規定　平成十八年四月一日

四　第四条の規定　平成十八年七月一日

五　第五条、〔中略〕第十二条、第十六条、第十九条〔中略〕並びに附則第十六条から第二十一条まで〔中略〕の規定　平成十九年四月一日

六　第六条並びに附則第二十二条及び第二十三条の規定　平成二十年四月一日

（検討）

第二条　第一条の規定による改正後の国家公務員共済組合法（以下「法」という。）第百二条の二に規定する財政調整拠出金については、国家公務員共済組合及び国家公務員共済組合連合会並びに地方公務員等共済組合法（昭和三十七年法律第百五十二号）第三条第一項に規定する地方公務員共済組合、同法第二十七条第一項に規定する全国市町村職員共済組合連合会及び同法第三十八条の二第一項に規定する地方公務員共済組合連合会の長期給付に係る財政状況等を勘案して検討を加え、適宜、適切な見直しを行うものとする。

（法による年金である給付の額等に関する経過措置）

第三条　平成十六年九月以前の月分の法による年金である給付の額及び国家公務員等共済組合法等の一部を改正する法律（以下「昭和六十年改正法」という。）附則第二条第六号に規定する旧共済法による年金の額については、なお従前の例による。

2　第一条の規定による改正後の法第八十七条の七の規定は、この法律の施行の日（以下「施行日」という。）以後に給付事由が生じた法による障害一時金の額について適用し、施行日前に給付事由が生じた法による障害一時金の額については、なお従前の例による。

（法による年金である給付の額の算定に関する経過措置）

第四条　平成二十六年度までの各年度における法による年金である給付については、第一条の規定による改正後の法（第十七条の規定による改正後の国家公務員共済組合法等の一部を改正する法律（以下「平成十二年改正法」という。）の規定により読み替えられた第一条の規定による改正後の法を含む。）又は第九条の規定による改正後の昭和六十年改正法の規定（他の法令において引用し、準用し、又はその例による場合を含む。以下この項において「改正後の国共済法等の規定」という。）により算定した金額が、次項の規定により読み替えられた第一条の規定による改正前の法（第十七条の規定による改正前の平成十二年改正法の規定により読み替えられた第一条の規定による改正前の法を含む。）又は第九条の規定による改正前の昭和六十年改正法の規定（他の法令において引用し、準用し、又はその例による場合を含む。以下この項において「改正前の国共済法等の規定」という。）により算定した金額に満たないときは、改正前の国共済法等の規定はなおその効力を有するものとし、改正後の国共済法等の規定にかかわらず、当該金額を法による年金である給付の金額とする。

2　前項の場合においては、次の表の第一欄に掲げる法律の同表の第二欄に掲げる規定中同表の第三欄に掲げる字句は、それぞれ同表の第四欄に掲げる字句に読み替えるものとするほか、必要な読替えは、政令で定める。

㊟続き⇩次頁

㊟前頁の続き

一 第一条の規定による改正前の法	第七十八条第二項	二十三万千四百円	二十三万千四百円に〇・九八八（第七十二条の二第一項に規定する物価指数が平成十五年（この項の規定による率の改定が行われたときは、直近の当該改定が行われた年の前年）の当該物価指数を下回るに至つた場合においては、その翌年の四月以後、〇・九八八（この項の規定による率の改定が行われたときは、当該改定後の率）にその低下した比率を乗じて得た率を基準として政令で定める率とする。以下同じ。）を乗じて得た金額（その金額に五十円未満の端数があるときは、これを切り捨て、五十円以上百円未満の端数があるときは、これを百円に切り上げるものとする。）
		七万七千百円	七万七千百円に〇・九八八を乗じて得た金額（その金額に五十円未満の端数があるときは、これを切り捨て、五十円以上百円未満の端数があるときは、これを百円に切り上げるものとする。）
	第八十二条第一項後段	六十万三千二百円	六十万三千二百円に〇・九八八を乗じて得た金額（その金額に五十円未満の端数があるときは、これを切り捨て、五十円以上百円未満の端数があるときは、これを百円に切り上げるものとする。）
	第八十二条第三項第一号	四百二十七万六千六百円	四百二十七万六千六百円に〇・九八八を乗じて得た金額（その金額に五十円未満の端数があるときは、これを切り捨て、五十円以上百円未満の端数があるときは、これを百円に切り上げるものとする。）
	第八十二条第三項第二号	二百六十四万千四百円	二百六十四万千四百円に〇・九八八を乗じて得た金額（その金額に五十円未満の端数があるときは、これを切り捨て、五十円以上百円未満の端数があるときは、これを百円に切り上げるものとする。）
	第八十二条第三項第三号	二百三十八万九千九百円	二百三十八万九千九百円に〇・九八八を乗じて得た金額（その金額に五十円未満の端数があるときは、これを切り捨て、五十円以上百円未満の端数があるときは、これを百円に切り上げるものとする。）
	第八十三条第三項	二十三万千四百円	二十三万千四百円に〇・九八八を乗じて得た金額（その金額に五十円未満の端数があるときは、これを切り捨て、五十円以上百円未満の端数があるときは、これを百円に切り上げるものとする。）
	第八十九条第三項	百六万九千百円	百六万九千百円に〇・九八八を乗じて得た金額（その金額に五十円未満の端数があるときは、これを切り捨て、五十円以上百円未満の端数があるときは、これを百円に切り上げるものとする。）

	第九十条	六十万三千二百円	六十万三千二百円に〇・九八八を乗じて得た金額（その金額に五十円未満の端数があるときは、これを切り捨て、五十円以上百円未満の端数があるときは、これを百円に切り上げるものとする。）
	附則第十二条の四の二第二項第一号	乗じて得た金額	乗じて得た金額に〇・九八八を乗じて得た金額
二　第九条の規定による改正前の昭和六十年改正法	附則第十六条第一項第一号	乗じて得た金額	乗じて得た金額に〇・九八八（物価指数が平成十五年（この号の規定による率の改定が行われたときは、直近の当該改定が行われた年の前年）の物価指数を下回るに至つた場合においては、その翌年の四月以後、〇・九八八（この号の規定による率の改定が行われたときは、当該改定後の率）にその低下した比率を乗じて得た率を基準として政令で定める率とする。以下同じ。）を乗じて得た金額
	附則第十六条第四項	乗じて得た金額	乗じて得た金額に〇・九八八を乗じて得た金額
	附則第十七条第二項第一号	三万四千百円	三万四千百円に〇・九八八を乗じて得た金額（その金額に五十円未満の端数があるときは、これを切り捨て、五十円以上百円未満の端数があるときは、これを百円に切り上げるものとする。）
	附則第十七条第二項第二号	六万八千三百円	六万八千三百円に〇・九八八を乗じて得た金額（その金額に五十円未満の端数があるときは、これを切り捨て、五十円以上百円未満の端数があるときは、これを百円に切り上げるものとする。）
	附則第十七条第二項第三号	十万二千五百円	十万二千五百円に〇・九八八を乗じて得た金額（その金額に五十円未満の端数があるときは、これを切り捨て、五十円以上百円未満の端数があるときは、これを百円に切り上げるものとする。）
	附則第十七条第二項第四号	十三万六千六百円	十三万六千六百円に〇・九八八を乗じて得た金額（その金額に五十円未満の端数があるときは、これを切り捨て、五十円以上百円未満の端数があるときは、これを百円に切り上げるものとする。）
	附則第十七条第二項第五号	十七万七百円	十七万七百円に〇・九八八を乗じて得た金額（その金額に五十円未満の端数があるときは、これを切り捨て、五十円以上百円未満の端数があるときは、これを百円に切り上げるものとする。）
三　第十七条の規定による改正前の平成十二年改正法附則第十一条第二項若しくは第三項又は第	第七十七条第一項	乗じて得た金額	乗じて得た金額に〇・九八八（第七十二条の二第一項に規定する物価指数が平成十五年（この項の規定による率の改定が行われたときは、直近の当該改定が行われた年の前年）の当該物価指数を下回るに至つた場合においては、その翌年の四月以後、

十二条第二項若しくは第三項の規定により読み替えられた第一条の規定による改正前の法			〇・九八八（この項の規定による率の改定が行われたときは、当該改定後の率）にその低下した比率を乗じて得た率を基準として政令で定める率とする。以下同じ。）を乗じて得た金額
	第七十七条第二項第一号及び第二号並びに第八十二条第一項第一号及び第二号	乗じて得た金額	乗じて得た金額に〇・九八八を乗じて得た金額
	第八十二条第二項	加えた金額）	加えた金額）に〇・九八八を乗じて得た金額
	第八十九条第一項第一号イ及びロ並びに第二号イ及びロ並びに附則第十二条の四の二第二項第二号並びに第三項第一号及び第二号	乗じて得た金額	乗じて得た金額に〇・九八八を乗じて得た金額

㊟続き⇩次頁

㊟前頁の続き

（平成二十五年度及び平成二十六年度における法による年金である給付の額の算定に関する経過措置の特例）

第四条の二　平成二十五年度及び平成二十六年度の各年度における前条の規定の適用については、同条第一項中「次項の規定」とあるのは「次条の規定により読み替えられた次項の規定」と、同条第二項の表第四欄中「〇・九八八（第七十二条の二第一項に規定する物価指数が平成十五年（この項の規定による率の改定が行われたときは、直近の当該改定が行われた年の前年）の当該物価指数を下回るに至つた場合においては、その翌年の四月以後、〇・九八八（この項の規定による率の改定が行われたときは、当該改定後の率）にその低下した比率」とあるのは「〇・九七八（当該年度の改定率（国民年金法等の一部を改正する法律（平成十六年法律第百四号）第一条の規定による改正後の国民年金法第二十七条に規定する改定率をいう。）の改定の基準となる率に〇・九九〇を乗じて得た率として政令で定める率が一を下回る場合においては、当該年度の四月以後、〇・九七八（この項の規定による率の改定が行われたときは、当該改定後の率）に当該政令で定める率」と、「〇・九八八を」とあるのは「〇・九七八を」と、「〇・九八八（物価指数が平成十五年（この号の規定による率の改定が行われたときは、直近の当該改定が行われた年の前年）の物価指数を下回るに至つた場合においては、その翌年の四月以後、〇・九八八（この号の規定による率の改定が行われたときは、当該改定後の率）にその低下した比率」とあるのは「〇・九七八（当該年度の改定率（国民年金法等の一部を改正する法律（平成十六年法律第百四号）第一条の規定による改正後の国民年金法第二十七条に規定する改定率をいう。）の改定の基準となる率に〇・九九〇を乗じて得た率として政令で定める率が一を下回る場合においては、当該年度の四月以後、〇・九七八（この号の規定による率の改定が行われたときは、当該改定後の率）に当該政令で定める率」とする。

（旧共済法による年金である給付の額の算定に関する経過措置）

第五条　平成二十六年度までの各年度における昭和六十年改正法附則第二条第六号に規定する旧共済法による年金については、第九条の規定による改正後の昭和六十年改正法の規定（他の法令において引用し、準用し、又はその例による場合を含む。以下この項において「改正後の昭和六十年改正法の規定」という。）により算定した金額が、次項の規定により読み替えられた第九条の規定による改正前の昭和六十年改正法又は平成十二年改正法第三条の規定による改正前の昭和六十年改正法の規定（他の法令において引用し、準用し、又はその例による場合を含む。以下この項において「改正前の昭和六十年改正法の規定」という。）により算定した金額に満たないときは、改正前の昭和六十年改正法の規定はなお効力を有するものとし、改正後の昭和六十年改正法の規定にかかわらず、当該金額を同号に規定する旧共済法による年金の金額とする。

2　前項の場合においては、次の表の第一欄に掲げる法律の同表第二欄に掲げる規定中同表の第三欄に掲げる字句は、それぞれ同表の第四欄に掲げる字句に読み替えるものとするほか、必要な読替えは、政令で定める。

㊟続き⇩次頁

㊟前頁の続き

一 第九条の規定による改正前の昭和六十年改正法	附則第三十五条第一項ただし書	相当する金額	相当する金額に〇・九八八（物価指数が平成十五年（この項の規定による率の改定が行われたときは、直近の当該改定が行われた年の前年）の物価指数を下回るに至つた場合においては、その翌年の四月以後、〇・九八八（この項の規定による率の改定が行われたときは、当該改定後の率）にその低下した比率を乗じて得た率を基準として政令で定める率とする。以下同じ。）を乗じて得た金額
	附則第三十五条第一項第一号	加えた金額）	加えた金額）に〇・九八八を乗じて得た金額
	附則第三十五条第一項第二号	相当する金額	相当する金額に〇・九八八を乗じて得た金額
	附則第四十条第一項第一号	七十五万四千三百二十円	七十五万四千三百二十円に〇・九八八を乗じて得た金額（その金額に五十円未満の端数があるときは、これを切り捨て、五十円以上百円未満の端数があるときは、これを百円に切り上げるものとする。）
	附則第四十条第一項第二号	乗じて得た金額	乗じて得た金額に〇・九八八を乗じて得た金額
	附則第四十二条第一項本文	相当する額を	相当する額に〇・九八八を乗じて得た金額を
	附則第四十二条第一項ただし書	相当する金額	相当する金額に〇・九八八を乗じて得た金額
	附則第四十二条第一項第一号	加えた金額）	加えた金額）に〇・九八八を乗じて得た金額
	附則第四十二条第一項第二号	相当する金額	相当する金額に〇・九八八を乗じて得た金額
	附則第四十二条第一項第二号	加算して得た金額	加算して得た金額に〇・九八八を乗じて得た金額
	附則第四十二条第二項第四号	相当する金額	相当する金額に〇・九八八を乗じて得た金額
	附則第四十六条第一項第一号	加えた金額（	加えた金額に〇・九八八を乗じて得た金額（
		百分の〇・九五に相当する金額	百分の〇・九五に相当する金額に〇・九八八を乗じて得た金額
	附則第四十六条第三項	相当する金額	相当する金額に〇・九八八を乗じて得た金額
	附則第四十六条第五項	十五万四千二百円	十五万四千二百円に〇・九八八を乗じて得た金額（その金額に五十円未満の端数があるときは、これを切り捨て、五十円以上百円未満の端数があるときは、これを百円に切り上げるものとする。）
		二十六万九千九百円	二十六万九千九百円に〇・九八八を乗じて得た金額（その金額に五十円未満の端数があるときは、これを切

			り捨て、五十円以上百円未満の端数があるときは、これを百円に切り上げるものとする。）
二　平成十二年改正法第三条の規定による改正前の昭和六十年改正法	附則第三十五条第一項ただし書	相当する金額	相当する金額に〇・九八八（物価指数が平成十五年（この項の規定による率の改定が行われたときは、直近の当該改定が行われた年の前年）の物価指数を下回るに至つた場合においては、その翌年の四月以後、〇・九八八（この項の規定による率の改定が行われたときは、当該改定後の率）にその低下した比率を乗じて得た率を基準として政令で定める率とする。以下同じ。）を乗じて得た金額
	附則第三十五条第一項第二号	相当する金額	相当する金額に〇・九八八を乗じて得た金額
	附則第四十条第一項第二号	乗じて得た金額	乗じて得た金額に〇・九八八を乗じて得た金額
	附則第四十二条第一項本文	相当する額を	相当する額に〇・九八八を乗じて得た金額を
	附則第四十二条第一項ただし書及び第二号並びに第二項第一号及び第四号	相当する金額	相当する金額に〇・九八八を乗じて得た金額
	附則第四十六条第一項第一号	百分の二十に相当する金額	百分の二十に相当する金額に〇・九八八を乗じて得た金額
		百分の一に相当する金額	百分の一に相当する金額に〇・九八八を乗じて得た金額
	附則第四十六条第三項	相当する金額	相当する金額に〇・九八八を乗じて得た金額

注 続き⇩次頁

注 前頁の続き

（平成二十五年度及び平成二十六年度における旧共済法による年金である給付の額の算定に関する経過措置の特例）

第五条の二　平成二十五年度及び平成二十六年度の各年度における前条の規定の適用については、同条第一項中「次項の規定」とあるのは「次条の規定により読み替えられた次項の規定」と、同条第二項の表第四欄中「〇・九八八（物価指数が平成十五年（この項の規定による率の改定が行われたときは、直近の当該改定が行われた年の前年）の物価指数を下回るに至つた場合においては、その翌年の四月以後、〇・九八八（この項の規定による率の改定が行われたときは、当該改定後の率）にその低下した比率」とあるのは「〇・九七八（当該年度の改定率（国民年金法等の一部を改正する法律（平成十六年法律第百四号）第一条の規定による改正後の国民年金法第二十七条に規定する改定率をいう。）の改定の基準となる率に〇・九九〇を乗じて得た率として政令で定める率が一を下回る場合においては、当該年度の四月以後、〇・九七八（この項の規定による率の改定が行われたときは、当該改定後の率）に当該政令で定める率」と、「〇・九八八を」とあるのは「〇・九七八を」とする。

（平成十七年度から平成二十年度までにおける再評価率の改定等に関する経過措置）

第六条　平成十七年度及び平成十八年度における第一条の規定による改正後の法第七十二条の三から第七十二条の六までの規定の適用については、法第七十二条の三第一項第三号に掲げる率を一とみなす。

2　平成十九年度における第一条の規定による改正後の法第七十二条の三第一項第三号の規定の適用については、同号イ中「九月一日」とあるのは、「十月一日」とする。

3　平成二十年度における第一条の規定による改正後の法第七十二条の三第一項第三号の規定の適用については、同号ロ中「九月一日」とあるのは、「十月一日」とする。

（再評価率等の改定等の特例）

第七条　法による年金である給付（政令で定めるものに限る。）その他政令で定める給付の受給権者（以下この条及び次条において「受給権者」という。）のうち、当該年度において第一号に掲げる指数が第二号に掲げる指数以下となる区分（第一条の規定による改正後の法別表第二各号に掲げる受給権者の区分をいう。以下この条及び次条において同じ。）に属するものに適用される再評価率（第一条の規定による改正後の法第七十二条の二に規定する再評価率をいう。以下この項及び次条第一項第一号において同じ。）又は従前額改定率（第十七条の規定による改正後の平成十二年改正法附則第十二条第二項の従前額改定率をいう。以下この項及び次条第一項第一号において同じ。）その他政令で定める率（以下この条及び次条において「再評価率等」という。）の改定又は設定については、平成二十六年度までの間は、第一条の規定による改正後の法第七十二条の五及び第七十二条の六の規定（第十七条の規定による改正後の平成十二年改正法附則第十二条第四項においてその例による場合を含む。以下この条及び次条において同じ。）は、適用しない。

一　第一条の規定による改正後の法第七十七条第一項及び第二項、第八十二条第一項及び第二項、第八十九条第一項及び第二項並びに附則第十二条の四の二第二項第二号及び第三項又は第十七条の規定による改正後の平成十二年改正法附則第十二条第二項の規定により算定した金額（第一条の規定による改正後の法第七十二条の五及び第七十二条の六の規定の適用がないものとして改定し、又は設定した再評価率又は従前額改定率を基礎として算定した金額とする。）の水準を表すものとして政令で定めるところにより計算した指数

二　附則第四条の二の規定により読み替えられた附則第四条の規定によりなおその効力を有するものとされた第十七条の規定による改正前の平成十二年改正法の規定により読み替えられた第一条の規定による改正前の法の規定により算定した金額の水準を表すものとして政令で定めるところにより計算した指数

2　受給権者のうち、当該年度において、前項第一号に掲げる指数が同項第二号に掲げる指数を上回り、かつ、第一条の規定による改正後の法第七十二条の五第四項第一号に規定する調整率（以下この項及び次条第二項において「調整率」という。）が前項第一号に掲げる指数に対する同項第二号に掲げる指数の比率を下回る区分に属するものに適用される再評価率等の改定又は設定に対する法第七十二条の五及び第七十二条の六の規定の適用については、当該比率を調整率とみなす。

（平成二十七年度における再評価率等の改定等の特例）

第七条の二　平成二十七年度において、受給権者のうち、第一号に掲げる指数が第二号に掲げる指数以下となる区分に属するものに適用される再評価率等の改定又は設定については、第一条の規定による改正後の法第七十二条の五及び第七十二条の六の規定は、適用しない。

一　平成二十七年度における第一条の規定による改正後の法第七十七条第一項及び第二項、第八十二条第一項及び第二項、第八十九条第一項及び第二項並びに附則第十二条の四の二第二項第二号及び第三項又は第十七条の規定による改正後の平成十二年改正法附則第十二条第二項の規定により算定した金額（第一条の規定による改正後の法第七十二条の五及び第七十二条の六の規定の適用がないものとして改定し、又は設定した再評価率又は従前額改定率を基礎として算定した金額とする。）の水準を表すものとして政令で定めるところにより計算した指数

二　平成二十六年度における附則第四条の二の規定により読み替えられた附則第四条の規定によりなおその効力を有するものとされた第十七条の規定による改正前の平成十二年改正法の規定により読み替えられた第一条の規定による改正前の法の規定により算定した金額の水準を表すものとして政令で定めるところにより計算した指数

2　受給権者のうち、平成二十七年度において、前項第一号に掲げる指数が同項第二号に掲げる指数を上回り、かつ、調整率が同項第一号に掲げる指数に対する同項第二号に掲げる指数の比率を下回る区分に属するものに適用される再評価率等の改定又は設定に対する法第七十二条の五及び第七十二条の六の規定の適用については、当該比率を調整率とみなす。

（基礎年金拠出金の負担に関する経過措置）

第八条　平成十六年度における第一条の規定による改正後の法第九十九条第三項第二号の規定の適用については、同号中「二分の一」とあるのは、「三分の一」とする。

2　国、独立行政法人造幣局、独立行政法人国立印刷局若しくは独立行政法人国立病院機構又は日本郵政公社は、平成十六年度における国民年金法（昭和三十四年法律第百四十一号）第九十四条の二第二項の規定により納付する基礎年金拠出金の一部に充てるため、前項の規定により読み替えられた第一条の規定による改正後の法第九十九条第三項第二号に定める額のほか、国にあっては五億五千七百二万千円を、独立行政法人造幣局にあっては八十八万九千円を、独立行政法人国立印刷局にあっては三千三百九十三万円を、独立行政法人国立病院機構にあっては三千六十七万七千円を、日本郵政公社にあっては一億八千七百七十四万七千円を、それぞれ負担する。

3　平成十七年度における第一条の規定による改正後の法第九十九条第三項第二号の規定の適用については、同号中「の二分の一に相当する額」とあるのは、「に、三分の一に千分の十一を加えた率を乗じて得た額」とする。

4　国、独立行政法人造幣局、独立行政法人国立印刷局若しくは独立行政法人国立病院機構又は日本郵政公社は、平成十七年度における国民年金法第九十四条の二第二項の規定により納付する基礎年金拠出金の一部に充てるため、前項の規定により読み替えられた第一条の規定による改正後の法第九十九条第三項第二号に定める額のほか、国にあっては二十一億八千四百三十八万二千円を、独立行政法人造幣局にあっては三百四十一万四千円を、独立行政法人国立印刷局にあっては千五百七万四千円を、独立行政法人国立病院機構にあっては一億千七百二十五万二千円を、日本郵政公社にあっては七億八百五十四万二千円を、それぞれ負担する。

5　平成十八年度における第一条の規定による改正後の法第九十九条第三項第二号の規定の適用については、同号中「の二分の一に相当する額」とあるのは、「に、三分の一に千分の二十五を加えた率を乗じて得た額」とする。

6　平成十九年度から特定年度（国民年金法等の一部を改正する法律（平成十六年法律第百四号）附則第十三条第七項に規定する特定年度をいう。附則第八条の三において同じ。）の前年度までの各年度における法第九十九条第三項第二号（法附則第二十条の三第四項の規定により読み替えて適用する場合を含む。附則第八条の三において同じ。）の規定の適用については、同号中「の二分の一に相当する額」とあるのは、「に、三分の一に千分の三十二を加えた率を乗じて得た額」とする。

（平成二十一年度から平成二十五年度までの基礎年金拠出金の負担に関する経過措置の特例）

第八条の二　国又は独立行政法人造幣局、独立行政法人国立印刷局、独立行政法人国立病院機構若しくは独立行政法人郵便貯金・簡易生命保険管理機構は、平成二十一年度から平成二十五年度までの各年度において国民年金法第九十四条の二第二項の規定により納付される基礎年金拠出金の一部に充てるため、当該各年度について、前条第六項の規定により読み替えられた法第九十九条第三項第二号（法附則第二十条の三第四項の規定により読み替えて適用する場合を含む。以下この条において同じ。）に定める額のほか、政令で定めるところにより、法第九十九条第三項第二号に定める額と前条第六項の規定により読み替えられた法第九十九条第三項第二号に定める額との差額に相当する額を負担する。この場合において、当該額のうち国の負担に係るものについては、平成二十一年度にあっては財政運営に必要な財源の確保を図るための公債の発行及び財政投融資特別会計からの繰入れの特例に関する法律（平成二十一年法律第十七号）第三条第一項の規定により、平成二十二年度にあっては平成二十二年度における財政運営のための公債の発行の特例等に関する法律（平成二十二年法律第七号）第三条第一項の規定により、財政投融資特別会計財政融資資金勘定から一般会計に繰り入れられる繰入金を活用して、確保するものとし、平成二十三年度にあっては東日本大震災からの復興のための施策を実施するために必要な財源の確保に関する特別措置法（平成二十三年法律第百十七号）第六十九条第二項の規定により適用する同条第一項の規定により発行する公債の発行による収入金を活用して、確保するものとし、平成二十四年度及び平成二十五年度にあっては財政運営に必要な財源の確保を図るための公債の発行の特例に関する法律（平成二十四年法律第百一号）第四条第一項の規定により発行する公債の発行による収入金を活用して、確保するものとする。

（基礎年金拠出金の負担に要する費用の財源）

第八条の三　特定年度以後の各年度において、法第九十九条第四項第二号の規定により負担する費用のうち前条前段の規定の例により算定した額に相当する費用（国の負担に係るものに限る。）の財源については、社会保障の安定財源の確保等を図る税制の抜本的な改革を行うための消費税法の一部を改正する等の法律（平成二十四年法律第六十八号）の施行により増加する消費税の収入を活用して、確保するものとする。

（育児休業等を終了した際の標準報酬の月額の改定に関する経過措置）

第九条　第二条の規定による改正後の法第四十二条の規定は、平成十七年四月一日以後に終了した同条第九項に規定する育児休業等について適用する。

（育児休業手当金の額に関する経過措置）

第十条　第二条の規定による改正後の法第六十八条の二第二項の規定は、平成十七年四月一日以後に開始された同条第一項に規定する育児休業等に係る育児休業手当金の額の算定について適用し、同日前に開始された当該育児休業等に係る育児休業手当金の額の算定については、なお従前の例による。

（介護休業手当金の額に関する経過措置）

第十一条　第二条の規定による改正後の法第六十八条の三第三項の規定は、平成十七年四月一日以後に開始された同条第一項に規定する介護休業に係る介護休業手当金の額の算定について適用し、同日前に開始された当該介護休業に係る介護休業手当金の額の算定については、なお従前の例による。

（三歳に満たない子を養育する組合員等の標準報酬の月額の特例に関する経過措置）

第十二条　第二条の規定による改正後の法第七十三条の二の規定は、平成十七年四月以後の標準報酬の月額について適用する。

（育児休業等期間中の組合員の特例に関する経過措置）

第十三条　平成十七年四月一日前に第二条の規定による改正前の法第百条の二の規定に基づく申出をした者については、なお従前の例による。

2　平成十七年四月一日前に第二条の規定による改正後の法第四十二条第九項に規定する育児休業等を開始した者（同日前に第二条の規定による改正前の法第百条の二の規定に基づく申出を

した者を除く。）については、その育児休業等を開始した日を平成十七年四月一日とみなして、第二条の規定による改正後の法第百条の二の規定を適用する。

（退職共済年金の額の算定に関する経過措置）

第十四条　第二条の規定による改正後の法附則第十二条の四の二第二項第一号（法附則第十二条の四の三第一項及び第三項、第十二条の七の二第二項並びに第十二条の七の三第二項及び第四項においてその例による場合を含む。）の規定並びに第二条の規定による改正後の法附則第十三条第一項及び第七条の規定による改正後の国家公務員共済組合法の長期給付に関する施行法別表において読み替えられた同号の規定の適用については、当分の間、同号中「四百八十月」とあるのは、「四百八十月（当該退職共済年金の受給権者が昭和四年四月一日以前に生まれた者にあつては四百二十月、昭和四年四月二日から昭和九年四月一日までの間に生まれた者にあつては四百三十二月、昭和九年四月二日から昭和十九年四月一日までの間に生まれた者にあつては四百四十四月、昭和十九年四月二日から昭和二十年四月一日までの間に生まれた者にあつては四百五十六月、昭和二十年四月二日から昭和二十一年四月一日までの間に生まれた者にあつては四百六十八月）」とする。

2　第十条の規定による改正後の昭和六十年改正法附則第十六条第一項第一号及び第十九条第三項の規定の適用については、当分の間、これらの規定中「四百八十月」とあるのは、「四百八十月（当該退職共済年金の受給権者が昭和四年四月一日以前に生まれた者にあつては四百二十月、昭和四年四月二日から昭和九年四月一日までの間に生まれた者にあつては四百三十二月、昭和九年四月二日から昭和十九年四月一日までの間に生まれた者にあつては四百四十四月、昭和十九年四月二日から昭和二十年四月一日までの間に生まれた者にあつては四百五十六月、昭和二十年四月二日から昭和二十一年四月一日までの間に生まれた者にあつては四百六十八月）」とする。

3　第七条の規定による改正後の国家公務員共済組合法の長期給付に関する施行法第十一条第一項の規定の適用については、当分の間、同項中「四十年」とあるのは、「四十年（当該退職共済年金の受給権者が昭和四年四月一日以前に生まれた者にあつては三十五年、昭和四年四月二日から昭和九年四月一日までの間に生まれた者にあつては三十六年、昭和九年四月二日から昭和十九年四月一日までの間に生まれた者にあつては三十七年、昭和十九年四月二日から昭和二十年四月一日までの間に生まれた者にあつては三十八年、昭和二十年四月二日から昭和二十一年四月一日までの間に生まれた者にあつては三十九年）」とする。

（法による脱退一時金の額に関する経過措置）

第十五条　平成十七年四月前の組合員期間のみに係る法による脱退一時金の額については、なお従前の例による。

（法による退職共済年金の支給の繰下げに関する経過措置）

第十六条　第五条の規定による改正後の法第七十八条の二の規定は、平成十九年四月一日前において法第七十六条の規定による退職共済年金の受給権を有する者については、適用しない。

（厚生年金保険の被保険者等である間の退職共済年金等の支給の停止に関する経過措置）

第十七条　第五条の規定による改正後の法第八十条若しくは第八十七条の二又は昭和六十年改正法附則第四十五条の規定は、法による退職共済年金若しくは障害共済年金又は昭和六十年改正法附則第二条第五号に規定する退職年金、減額退職年金、通算退職年金若しくは障害年金のいずれかの受給権者（昭和十二年四月一日以前に生まれた者に限る。）である厚生年金保険の被保険者等（第五条の規定による改正後の法第八十条第一項に規定する厚生年金保険の被保険者等をいう。以下この条において同じ。）が、同項に規定する七十歳以上の使用される者又は特定教職員等であつて、他の厚生年金保険の被保険者等に該当しない者である場合には、適用しない。

（法による遺族共済年金の支給に関する経過措置）

第十八条　平成十九年四月一日前に給付事由の生じた法による遺族共済年金（その受給権者が昭和十七年四月一日以前に生まれたものに限る。）の額の算定及び支給の停止については、なお従前の例による。

2　平成十九年四月一日前において昭和六十年改正法附則第二条第六号に規定する旧共済法による年金（退職を給付事由とするものに限る。）その他これに相当するものとして政令で定めるものの受給権を有する者が平成十九年四月一日以後に法による遺族共済年金の受給権を取得した場合にあつては、当該遺族共済年金の額の算定及び支給の停止については、なお従前の例による。

3　第五条の規定による改正後の法第九十三条の二第一項第五号の規定は、平成十九年四月一日以後に給付事由の生じた法による遺族共済年金について適用する。

（対象となる離婚等）

第十九条　第五条の規定による改正後の法第九十三条の五第一項の規定は、平成十九年四月一日前に離婚等（同項に規定する離婚等をいう。）をした場合（財務省令で定める場合を除く。）については、適用しない。

（当事者への情報提供の特例）

第二十条　第五条の規定による改正後の法第九十三条の五第一項に規定する当事者又はその一方は、附則第一条第五号に掲げる規定の施行の日前においても、法第九十三条の七第一項の規定による請求をすることができる。

（標準報酬の月額等が改定され、又は決定された者に対する長期給付の特例）

第二十一条　第五条の規定による改正後の法第九十三条の九第一項及び第二項の規定により標準報酬の月額及び標準期末手当等の額が改定され、又は決定された者について国民年金法等の一部を改正する法律（昭和六十年法律第三十四号）附則第八条第二項第二号、第十二条第一項第二号及び第四号並びに第十四条第一項第一号の規定を適用する場合においては、同法附則第八条第二項第二号中「含む。」とあるのは「含み、国家公務員共済組合法第九十三条の九第三項の規定により組合員期間であつたものとみなされた期間（以下「離婚時みなし組合員期間」という。）を除く。」と、同法附則第十二条第一項第二号及び第四号中「含む。」とあるのは「含み、附則第八条第二項第二号に掲げる期間にあつては、離婚時みなし組合員期間を除く。」と、同法附則第十四条第一項第一号中「含む。）の月数」とあるのは「含み、附則第八条第二項第二号に掲げる期間にあつては、離婚時みなし組合員期間を除く。）の月数」と読み替えるものとするほか、法による長期給付の額の算定その他政令で定める規定の適用に関し必要な読替えは、政令で定める。

（対象となる特定期間）

第二十二条 第六条の規定による改正後の法第九十三条の十三第一項の規定の適用については、平成二十年四月一日前の期間については、同項に規定する特定期間に算入しない。

（標準報酬の月額等が改定され、及び決定された者に対する長期給付の特例）

第二十三条 第六条の規定による改正後の法第九十三条の十三第二項及び第三項の規定により標準報酬の月額及び標準期末手当等の額が改定され、及び決定された者について国民年金法等の一部を改正する法律附則第十四条第一項第一号の規定を適用する場合においては、同号中「含む。）の月数」とあるのは、「含み、附則第八条第二項第二号に掲げる期間にあつては、国家公務員共済組合法第九十三条の十三第四項の規定により組合員期間であつたものとみなされた期間を除く。）の月数」と読み替えるものとするほか、法による長期給付の額の算定その他政令で定める規定の適用に関し必要な読替えは、政令で定める。

（平成十二年改正法附則別表に規定する率の設定に関する経過措置）

第二十四条 平成十七年度における第十七条の規定による改正後の平成十二年改正法附則別表の備考の規定の適用については、同備考中「当該年度の前年度に属する月に係る率」とあるのは、「〇・九二六」と読み替えるものとする。

（存続組合が支給する特例年金給付の額の算定に関する経過措置）

第二十五条 平成二十六年度までの各年度における存続組合（厚生年金保険法等の一部を改正する法律（以下この項において「平成八年改正法」という。）附則第三十二条第二項に規定する存続組合をいう。）が支給する平成八年改正法附則第三十三条第一項に規定する特例年金給付（以下この項において「特例年金給付」という。）について、第一条の規定による改正後の法又は第九条の規定による改正後の昭和六十年改正法の規定（他の法令において引用し、準用し、又はその例による場合を含む。以下この項において「改正後の国共済法等の規定」という。）により算定した金額が、次項の規定により読み替えられた第一条の規定による改正前の法又は第九条の規定による改正前の昭和六十年改正法の規定（他の法令において引用し、準用し、又はその例による場合を含む。以下この項において「改正前の国共済法等の規定」という。）により算定した金額に満たないときは、改正前の国共済法等の規定はなおその効力を有するものとし、改正後の国共済法等の規定にかかわらず、当該金額を特例年金給付の金額とする。

2 前項の場合においては、次の表の第一欄に掲げる法律の第二欄に掲げる規定中同表の第三欄に掲げる字句は、それぞれ同表の第四欄に掲げる字句に読み替えるものとするほか、必要な読替えは、政令で定める。

㊟続き⇩次頁

㊟前頁の続き

一 第一条の規定による改正前の法	第七十七条第一項	乗じて得た金額	乗じて得た金額に〇・九八八（第七十二条の二第一項に規定する物価指数が平成十五年（この項の規定による率の改定が行われたときは、直近の当該改定が行われた年の前年）の当該物価指数を下回るに至つた場合においては、その翌年の四月以後、〇・九八八（この項の規定による率の改定が行われたときは、当該改定後の率）にその低下した比率を乗じて得た率を基準として政令で定める率とする。以下同じ。）を乗じて得た金額
	第七十七条第二項第一号及び第二号	乗じて得た金額	乗じて得た金額に〇・九八八を乗じて得た金額
	第七十八条第二項	二十三万千四百円	二十三万千四百円に〇・九八八を乗じて得た金額（その金額に五十円未満の端数があるときは、これを切り捨て、五十円以上百円未満の端数があるときは、これを百円に切り上げるものとする。）
		七万七千百円	七万七千百円に〇・九八八を乗じて得た金額（その金額に五十円未満の端数があるときは、これを切り捨て、五十円以上百円未満の端数があるときは、これを百円に切り上げるものとする。）
	第八十二条第一項後段	六十万三千二百円	六十万三千二百円に〇・九八八を乗じて得た金額（その金額に五十円未満の端数があるときは、これを切り捨て、五十円以上百円未満の端数があるときは、これを百円に切り上げるものとする。）
	第八十二条第一項第一号及び第二号	乗じて得た金額	乗じて得た金額に〇・九八八を乗じて得た金額
	第八十二条第二項	加えた金額）	加えた金額）に〇・九八八を乗じて得た金額
	第八十二条第三項第一号	四百二十七万六千六百円	四百二十七万六千六百円に〇・九八八を乗じて得た金額（その金額に五十円未満の端数があるときは、これを切り捨て、五十円以上百円未満の端数があるときは、これを百円に切り上げるものとする。）
	第八十二条第三項第二号	二百六十四万千四百円	二百六十四万千四百円に〇・九八八を乗じて得た金額（その金額に五十円未満の端数があるときは、これを切り捨て、五十円以上百円未満の端数があるときは、これを百円に切り上げるものとする。）
	第八十二条第三項第三号	二百三十八万九千九百円	二百三十八万九千九百円に〇・九八八を乗じて得た金額（その金額に五十円未満の端数があるときは、これを切り捨て、五十円以上百円未満の端数があるときは、これを百円に切り上げるものとする。）
	第八十三条第三項	二十三万千四百円	二十三万千四百円に〇・九八八を乗じて得た金額（その金額に五十円未

			満の端数があるときは、これを切り捨て、五十円以上百円未満の端数があるときは、これを百円に切り上げるものとする。）
	第八十九条第一項第一号イ及びロ並びに第二号イ及びロ並びに第二項	乗じて得た金額	乗じて得た金額に〇・九八八を乗じて得た金額
	第八十九条第三項	百六万九千百円	百六万九千百円に〇・九八八を乗じて得た金額（その金額に五十円未満の端数があるときは、これを切り捨て、五十円以上百円未満の端数があるときは、これを百円に切り上げるものとする。）
	第九十条	六十万三千二百円	六十万三千二百円に〇・九八八を乗じて得た金額（その金額に五十円未満の端数があるときは、これを切り捨て、五十円以上百円未満の端数があるときは、これを百円に切り上げるものとする。）
	附則第十二条の四の二第二項第一号及び第二号並びに第三項第一号及び第二号	乗じて得た金額	乗じて得た金額に〇・九八八を乗じて得た金額
二　第九条の規定による改正前の昭和六十年改正法	附則第十六条第一項第一号	乗じて得た金額	乗じて得た金額に〇・九八八（物価指数が平成十五年（この号の規定による率の改定が行われたときは、直近の当該改定が行われた年の前年）の物価指数を下回るに至つた場合においては、その翌年の四月以後、〇・九八八（この号の規定による率の改定が行われたときは、当該改定後の率）にその低下した比率を乗じて得た率を基準として政令で定める率とする。以下同じ。）を乗じて得た金額
	附則第十六条第四項	乗じて得た金額	乗じて得た金額に〇・九八八を乗じて得た金額
	附則第十七条第二項第一号	三万四千百円	三万四千百円に〇・九八八を乗じて得た金額（その金額に五十円未満の端数があるときは、これを切り捨て、五十円以上百円未満の端数があるときは、これを百円に切り上げるものとする。）
	附則第十七条第二項第二号	六万八千三百円	六万八千三百円に〇・九八八を乗じて得た金額（その金額に五十円未満の端数があるときは、これを切り捨て、五十円以上百円未満の端数があるときは、これを百円に切り上げるものとする。）
	附則第十七条第二項第三号	十万二千五百円	十万二千五百円に〇・九八八を乗じて得た金額（その金額に五十円未満の端数があるときは、これを切り捨て、五十円以上百円未満の端数があるときは、これを百円に切り上げるものとする。）
	附則第十七条第二項第四号	十三万六千六百円	十三万六千六百円に〇・九八八を乗じて得た金額（その金額に五十円未満の端数があるときは、これを切り

			捨て、五十円以上百円未満の端数があるときは、これを百円に切り上げるものとする。）
	附則第十七条第二項第五号	十七万七百円	十七万七百円に〇・九八八を乗じて得た金額（その金額に五十円未満の端数があるときは、これを切り捨て、五十円以上百円未満の端数があるときは、これを百円に切り上げるものとする。）

㊟続き⇩次頁

注 前頁の続き

（平成二十五年度及び平成二十六年度における存続組合が支給する特例年金給付の額の算定に関する経過措置の特例）
第二十五条の二　平成二十五年度及び平成二十六年度の各年度における前条の規定の適用については、同条第一項中「次項の規定」とあるのは「次条の規定により読み替えられた次項の規定」と、同条第二項の表第四欄中「〇・九八八（第七十二条の二第一項に規定する物価指数が平成十五年（この項の規定による率の改定が行われたときは、直近の当該改定が行われた年の前年）の当該物価指数を下回るに至つた場合においては、その翌年の四月以後、〇・九八八（この項の規定による率の改定が行われたときは、当該改定後の率）にその低下した比率）」とあるのは「〇・九七八（当該年度の改定率（国民年金法等の一部を改正する法律（平成十六年法律第百四号）第一条の規定による改正後の国民年金法第二十七条に規定する改定率をいう。）の改定の基準となる率に〇・九九〇を乗じて得た率として政令で定める率が一を下回る場合においては、当該年度の四月以後、〇・九七八（この項の規定による率の改定が行われたときは、当該改定後の率）に当該政令で定める率）」と、「〇・九八八を」とあるのは「〇・九七八を」と、「〇・九八八（物価指数が平成十五年（この号の規定による率の改定が行われたときは、直近の当該改定が行われた年の前年）の物価指数を下回るに至つた場合においては、その翌年の四月以後、〇・九八八（この号の規定による率の改定が行われたときは、当該改定後の率）にその低下した比率）」とあるのは「〇・九七八（当該年度の改定率（国民年金法等の一部を改正する法律（平成十六年法律第百四号）第一条の規定による改正後の国民年金法第二十七条に規定する改定率をいう。）の改定の基準となる率に〇・九九〇を乗じて得た率として政令で定める率が一を下回る場合においては、当該年度の四月以後、〇・九七八（この号の規定による率の改定が行われたときは、当該改定後の率）に当該政令で定める率）」とする。

（その他の経過措置の政令への委任）
第二十六条　この附則に定めるもののほか、この法律の施行に伴い必要な経過措置は、政令で定める。

附　則（平一六・六・二三法一三二）（抄）

（施行期日）
第一条　この法律は、平成十六年十月一日から施行する。ただし、次の各号に掲げる規定は、当該各号に定める日から施行する。
一・二　〔略〕
三　〔前略〕附則〔中略〕第二十八条から第四十五条まで〔中略〕の規定　平成十九年四月一日
四～八　〔略〕

附　則（平一七・六・二九法七七）（抄）

（施行期日）
第一条　この法律は、平成十八年四月一日から施行する。〔ただし書略〕

附　則（平一七・一〇・二一法一〇二）（抄）
最終改正　平二五・六・二六法六三

（施行期日）
第一条　この法律は、郵政民営化法の施行の日（平一九・一〇・一）から施行する。〔ただし書略〕

（国家公務員共済組合法の一部改正に伴う経過措置）
第九十三条　日本郵政公社共済組合（第六十六条の規定による改正前の国家公務員共済組合法（以下「旧国共済法」という。）第三条第一項の規定により旧公社に属する職員（旧国共済法第二条第一項第一号に規定する職員をいう。）をもって組織された国家公務員共済組合をいう。以下この条及び次条において同じ。）は、施行日において、日本郵政共済組合（新国共済法附則第二十条の四第一項に規定する日本郵政共済組合をいう。以下この条及び次条において同じ。）となり、同一性をもって存続するものとする。
2　日本郵政公社共済組合の代表者は、施行日前に、旧国共済法第九条に規定する運営審議会の議を経て、旧国共済法第六条及び第十一条の規定により、施行日以後に係る日本郵政共済組合となるために必要な定款及び運営規則の変更をし、当該定款につき財務大臣の認可を受け、及び当該運営規則につき財務大臣に協議するものとする。
第九十四条　施行日の前日において日本郵政公社共済組合の組合員であった者であって、施行日において日本郵政共済組合の組合員となった者のうち旧国共済法第六十八条の二又は第六十八条の三の規定による育児休業手当金又は介護休業手当金の給付事由の生じた日が施行日前であるものに係るこれらの給付の支給については、新国共済法附則第二十条の三第四項及び第二十条の七第一項の規定にかかわらず、なお従前の例による。
2　施行日の前日において日本郵政公社共済組合の組合員であった者であって、施行日において日本郵政共済組合の組合員となった者のうち雇用保険法の規定による育児休業給付又は介護休業給付を支給すべき事由が生じた日が施行日から同法の規定によるこれらの給付の受給資格を取得するまでの間にあるものに係る新国共済法附則第二十条の三第四項及び第二十条の七第一項の規定の適用については、これらの規定中「第六十八条の二、第六十八条の三及び附則第十四条の四」とあるのは、「附則第十四条の四」とする。
3　施行日の前日において旧国共済法附則第十四条の四第一項の規定により日本郵政公社共済組合が行っている同項第一号に掲げる事業（同日において同号に規定する資金の貸付けを受けている者に係るものに限る。）については、当分の間、国家公務員共済組合法附則第二十条の二第四項及び第二十条の六第一項の規定にかかわらず、日本郵政共済組合が従前の例により行うものとする。

附　則（平一八・二・一〇法一）（抄）

（施行期日）
第一条　この法律は、平成十八年四月一日から施行する。〔ただし書略〕

附　則（平一八・三・三一法二一）（抄）

（施行期日）
第一条　この法律は、平成十八年四月一日から施行する。〔ただし書略〕

附　則（平一八・三・三一法二三）（抄）

（施行期日）
第一条　この法律は、平成十八年四月一日から施行する。〔ただし書略〕

附　則（平一八・三・三一法二四）（抄）

（施行期日）

第一条　この法律は、平成十八年四月一日から施行する。〔ただし書略〕

附　則（平一八・三・三一法二五）（抄）

（施行期日）

第一条　この法律は、平成十八年四月一日から施行する。〔ただし書略〕

附　則（平一八・三・三一法二六）（抄）

（施行期日）

第一条　この法律は、平成十八年四月一日から施行する。〔ただし書略〕

（国家公務員共済組合法の一部改正等）

第二十六条　〔略〕

2　前項の規定による改正後の国家公務員共済組合法第百二十四条の三の規定により同法第二条第一項第一号に規定する職員とみなして同法の規定を適用することとされる独立行政法人水産大学校及び独立行政法人水産総合研究センターの職員のうち、同法第百十九条に規定する船員組合員である者については、船員保険法（昭和十四年法律第七十三号）第十七条の規定にかかわらず、同条の規定による船員保険の被保険者でないものとみなして、労働者災害補償保険法（昭和二十二年法律第五十号）、労働保険の保険料の徴収等に関する法律（昭和四十四年法律第八十四号）及び雇用保険法の規定を適用する。

附　則（平一八・三・三一法二七）（抄）

（施行期日）

第一条　この法律は、平成十八年四月一日から施行する。〔ただし書略〕

附　則（平一八・三・三一法二八）（抄）

（施行期日）

第一条　この法律は、平成十八年四月一日から施行する。〔ただし書略〕

（国家公務員共済組合法の一部改正に伴う船員組合員に係る特例に関する経過措置）

第十八条　国家公務員共済組合法第百十九条に規定する船員組合員のうち独立行政法人航海訓練所又は独立行政法人海技教育機構の職員である者については、当分の間、船員保険法（昭和十四年法律第七十三号）第十七条の規定にかかわらず、同条の規定による船員保険の被保険者でないものとみなして、労働者災害補償保険法（昭和二十二年法律第五十号）、労働保険の保険料の徴収等に関する法律（昭和四十四年法律第八十四号）及び雇用保険法の規定を適用する。

附　則（平一八・三・三一法二九）（抄）

（施行期日）

第一条　この法律は、平成十八年四月一日から施行する。〔ただし書略〕

附　則（平一八・六・二法五〇）（抄）

改正　平二三・六・二四法七四

この法律は、一般社団・財団法人法の施行の日〔平二〇・一二・一〕から施行する。〔ただし書略〕

附　則（平一八・六・二法八〇）（抄）

（施行期日）

第一条　この法律は、平成十九年四月一日から施行する。

附　則（平一八・六・二一法八三）（抄）

最終改正　令二・六・一二法五二

（施行期日）

第一条　この法律は、平成十八年十月一日から施行する。ただし、次の各号に掲げる規定は、それぞれ当該各号に定める日から施行する。

一・二　〔略〕

三　〔前略〕附則〔中略〕第五十六条、第六十二条、第六十三条〔中略〕の規定　平成十九年四月一日

四　〔前略〕附則〔中略〕第五十七条〔中略〕の規定　平成二十年四月一日

五　〔略〕

六　〔前略〕附則〔中略〕第五十八条〔中略〕及び第百三十条の二の規定　平成二十四年四月一日

（国家公務員共済組合法の一部改正に伴う経過措置）

第五十九条　附則第五十五条又は第五十七条の規定の施行の日前に行われた診療、手当若しくは薬剤の支給又は訪問看護に係るこれらの条の規定による改正前の国家公務員共済組合法の規定による短期給付については、なお従前の例による。

第六十条　附則第五十五条の規定による改正後の国家公務員共済組合法第六十一条の規定は、出産の日が施行日以後である組合員及び組合員であった者について適用し、出産の日が施行日前である組合員及び組合員であった者の附則第五十五条の規定による改正前の国家公務員共済組合法の出産費及び家族出産費の支給については、なお従前の例による。

第六十一条　附則第五十五条の規定による改正後の国家公務員共済組合法第六十三条の規定は、死亡の日が施行日以後である組合員及び組合員であった者について適用し、死亡の日が施行日前である組合員及び組合員であった者の附則第五十五条の規定による改正前の国家公務員共済組合法の埋葬料及び家族埋葬料の支給については、なお従前の例による。

第六十二条　附則第五十六条の規定の施行の日の前日において傷病手当金の支給を受けていた者又は受けるべき者（支給事由が生じた際に任意継続組合員であった者を除く。次項において同じ。）に係る同条の規定の施行の日前までの傷病手当金の額については、なお従前の例による。

2　附則第五十六条の規定の施行の日の前日において傷病手当金の支給を受けていた者又は受けるべき者（支給事由が生じた後に任意継続組合員となった者に限る。）に係る傷病手当金の支給については、同条の規定による改正後の国家公務員共済組合法第六十六条第一項の規定にかかわらず、これらの者を同項に規定する組合員とみなして同条の規定を適用する。

3　附則第五十六条の規定の施行の日の前日において傷病手当金の支給を受けていた者又は受けるべき者（支給事由が生じた際に任意継続組合員であった者に限る。）に係る傷病手当金の支給については、なお従前の例による。

第六十三条　附則第五十六条の規定の施行の日の前日において出産手当金の支給を受けていた者又は受けるべき者（支給事由が生じた際に任意継続組合員であった者及び同条の規定による改正前の国家公務員共済組合法第六十七条第二項の規定による出産手当金の支給を受けていた者又は受けるべき者を除く。次項において同じ。）に係る附則第五十六条の規定の施行の日前までの出産手当金の額については、なお従前の例による。

2　附則第五十六条の規定の施行の日の前日において出産手当金

の支給を受けていた者又は受けるべき者（支給事由が生じた後に任意継続組合員となった者に限る。）に係る出産手当金の支給については、同条の規定による改正後の国家公務員共済組合法第六十七条第一項の規定にかかわらず、これらの者を同項に規定する組合員とみなして同条の規定を適用する。

3　附則第五十六条の規定の施行の日の前日において出産手当金の支給を受けていた者又は受けるべき者（支給事由が生じた際に任意継続組合員であった者及び同条の規定による改正前の国家公務員共済組合法第六十七条第二項の規定による出産手当金の支給を受けていた者又は受けるべき者に限る。）に係る出産手当金の支給については、なお従前の例による。

（健康保険法等の一部改正に伴う経過措置）

第百三十条の二　第二十六条の規定の施行の際現に同条の規定による改正前の介護保険法（以下この条において「旧介護保険法」という。）第四十八条第一項第三号の指定を受けている旧介護保険法第八条第二十六項に規定する介護療養型医療施設については、〔中略〕附則第五十八条の規定による改正前の国家公務員共済組合法の規定〔中略〕（これらの規定に基づく命令の規定を含む。）は、令和六年三月三十一日までの間、なおその効力を有する。

2　前項の規定によりなおその効力を有するものとされた旧介護保険法第四十八条第一項第三号の規定により令和六年三月三十一日までに行われた指定介護療養施設サービスに係る保険給付については、同日後も、なお従前の例による。

3　第二十六条の規定の施行の日前にされた旧介護保険法第百七条第一項の指定の申請であって、第二十六条の規定の施行の際、指定をするかどうかの処分がなされていないものについての当該処分については、なお従前の例による。この場合において、同条の規定の施行の日以後に旧介護保険法第八条第二十六項に規定する介護療養型医療施設について旧介護保険法第四十八条第一項第三号の指定があったときは、第一項の介護療養型医療施設とみなして、同項の規定によりなおその効力を有するものとされた規定を適用する。

附　則（平一八・一二・二二法一一八）（抄）

（施行期日）

第一条　この法律は、公布の日から起算して三月を超えない範囲内において政令で定める日（平一九・一・九）から施行する。ただし、附則第三十二条第二項の規定は、公布の日から施行する。

（国家公務員共済組合の存続等）

第三十二条　前条の規定による改正前の国家公務員共済組合法（次項において「旧国共済法」という。）第三条第二項の規定により同項第一号に掲げる職員をもって組織された国家公務員共済組合（次項において「防衛庁共済組合」という。）は、この法律の施行の日において、前条の規定による改正後の国家公務員共済組合法第三条第一項の規定により防衛省に属する職員及びその所管する特定独立行政法人の職員をもって組織する国家公務員共済組合（次項において「防衛省共済組合」という。）となり、同一性をもって存続するものとする。

2　防衛庁共済組合の代表者は、この法律の施行の日前に、旧国共済法第九条に規定する運営審議会の議を経て、旧国共済法第六条及び第十一条の規定により、この法律の施行の日以後に係る防衛省共済組合となるために必要な定款及び運営規則の変更をし、当該定款につき財務大臣の認可を受け、及び当該運営規則につき財務大臣に協議するものとする。

附　則（平一九・三・三〇法七）（抄）

（施行期日）

第一条　この法律は、平成十九年四月一日から施行する。〔ただし書略〕

附　則（平一九・三・三〇法八）（抄）

（施行期日）

第一条　この法律は、平成十九年四月一日から施行する。〔ただし書略〕

附　則（平一九・三・三〇法九）（抄）

（施行期日）

第一条　この法律は、平成十九年四月一日から施行する。〔ただし書略〕

附　則（平一九・四・二三法三〇）（抄）

改正　平一九・七・六法一〇九

（施行期日）

第一条　この法律は、公布の日から施行する。ただし、次の各号に掲げる規定は、当該各号に定める日から施行する。

一　〔略〕

一の二　〔前略〕附則第七十条中国家公務員共済組合法（昭和三十三年法律第百二十八号）附則第十一条の次に一条を加える改正規定並びに同法附則第十二条の八の二第一項及び第五項の改正規定〔中略〕　平成十九年十月一日

二　〔略〕

三　〔前略〕附則〔中略〕第七十一条から第七十三条まで〔中略〕の規定　日本年金機構法の施行の日（平二二・一・一）

（国家公務員共済組合法の一部改正に伴う経過措置）

第七十二条　国家公務員共済組合法附則第十二条の八の二第一項から第三項までの規定は、同法附則第十二条の三、第十二条の六の二又は第十二条の八の規定による退職共済年金の受給権者（附則第四十二条第一項の規定によりなお従前の例によるものとされた平成二十二年改正前船員保険法の規定による求職者等給付のうち平成二十二年改正前船員保険法第三十三条ノ三の規定により平成二十二年改正前船員保険法の規定による失業保険金の支給を受けることができる者に限る。）が平成二十二年改正前船員保険法第三十三条ノ四第一項の規定による求職の申込みをした場合について準用する。この場合において、これらの規定に関し必要な技術的読替えは、政令で定める。

2　前条の規定による改正後の国家公務員共済組合法附則第十二条の八の二第四項及び第五項の規定は、附則第四十二条第一項の規定によりなお従前の例によるものとされた平成二十二年改正前船員保険法の規定による求職者等給付のうち平成二十二年改正前船員保険法第三十三条ノ三の規定により平成二十二年改正前船員保険法の規定による失業保険金の支給を受けることができる者であって平成二十二年改正前船員保険法第三十三条ノ四第一項の規定による求職の申込みをしたもの（前項において準用する国家公務員共済組合法附則第十二条の八の二第一項各号のいずれにも該当するに至っていない者に限る。）が国家公務員共済組合法附則第十二条の三、第十二条の六の二又は第十二条の八の規定による退職共済年金を受ける権利を取得した場合について準用する。この場合において、これらの規定に関し必要な技術的読替えは、政令で定める。

附　則（平一九・五・一六法四二）（抄）

（施行期日）

第一条　この法律は、公布の日から起算して三月を超えない範囲内において政令で定める日〔平一九・八・一〕から施行する。

附　則（平一九・五・二五法五八）（抄）

（施行期日）

第一条　この法律は、平成二十年十月一日から施行する。〔ただし書略〕

附　則（平一九・七・六法一〇八）（抄）

（施行期日）

第一条　この法律は、平成二十年十二月三十一日までの間において政令で定める日〔平二〇・一二・三一〕から施行する。ただし、次の各号に掲げる規定は、当該各号に定める日から施行する。

一・二　〔略〕

三　〔前略〕附則〔中略〕第三十三条から第三十五条まで〔中略〕の規定〔中略〕　公布の日から起算して二年を超えない範囲内において政令で定める日〔平二一・四・一〕

附　則（平一九・七・六法一〇九）（抄）

最終改正　平二五・六・二六法六三

（施行期日）

第一条　この法律は、平成二十二年四月一日までの間において政令で定める日〔平二二・一・一〕から施行する。〔ただし書略〕

（国家公務員共済組合法の一部改正に伴う経過措置）

第三十四条　前条の規定による改正前の国家公務員共済組合法（以下「改正前国共済法」という。）第三条第二項第二号ロの規定により設けられた組合（以下「旧組合」という。）は、施行日に解散するものとし、その一切の権利及び義務（附則第三十七条の規定により同条に規定する新設健保組合が承継することとされるものを除く。）は、前条の規定による改正後の国家公務員共済組合法（以下「改正後国共済法」という。）第三条第一項の規定により厚生労働省に属する職員をもって組織された組合（第三項及び次条において「厚生労働省共済組合」という。）が承継する。

2　旧組合の解散の日の前日を含む事業年度は、その日に終わるものとする。

3　旧組合の解散の日の前日を含む事業年度に係る決算並びに貸借対照表及び損益計算書については、なお従前の例によることとし、厚生労働省共済組合が行うものとする。この場合において、当該決算の完結の期限は、施行日から起算して二月を経過する日とする。

4　施行日前に改正前国共済法又はこれに基づく命令の規定によりした処分、手続その他の行為は、別段の定めがあるもののほか、改正後国共済法又はこれに基づく命令の規定によりした処分、手続その他の行為とみなす。

第三十五条　施行日の前日に旧組合の組合員であった者（施行日に厚生労働省共済組合の組合員の資格を取得した者に限る。以下この条において「更新組合員」という。）は厚生労働省共済組合の組合員であった者と、旧組合の組合員であった期間（次に掲げる期間を除く。）は厚生労働省共済組合の組合員であった期間とみなす。

一　改正前国共済法附則第十三条の十の規定による脱退一時金の支給を受けた場合におけるその脱退一時金の額の算定の基礎となった期間

二　国家公務員等共済組合法等の一部を改正する法律（昭和六十年法律第百五号。第四号において「昭和六十年国共済改正法」という。）第一条の規定による改正前の国家公務員等共済組合法第八十条第一項の規定による脱退一時金（他の法令の規定により当該脱退一時金とみなされたものを含む。）の支給を受けた場合におけるその脱退一時金の額の算定の基礎となった期間

三　国家公務員及び公共企業体職員に係る共済組合制度の統合等を図るための国家公務員共済組合法等の一部を改正する法律（昭和五十八年法律第八十二号）附則第二条の規定による廃止前の公共企業体職員等共済組合法（昭和三十一年法律第百三十四号）第六十一条の三第一項の規定による脱退一時金の支給を受けた場合におけるその脱退一時金の額の算定の基礎となった期間

四　昭和六十年国共済改正法附則第六十一条の規定による脱退一時金の支給を受けた場合におけるその脱退一時金の額の算定の基礎となった期間

2　旧組合が施行日前に改正前国共済法第四十二条第二項、第五項、第七項又は第九項及び第四十二条の二第一項の規定により決定し、又は改定した施行日の前日における更新組合員の改正前国共済法第四十二条第一項及び第四十二条の二第一項に規定する標準報酬及び標準期末手当等の額は、施行日以後は、当該更新組合員の属する厚生労働省共済組合が改正後国共済法第四十二条第二項、第五項、第七項又は第九項及び第四十二条の二第一項の規定により決定し、又は改定した改正後国共済法第四十二条第一項及び第四十二条の二第一項に規定する標準報酬及び標準期末手当等の額とみなす。

3　施行日前に改正前国共済法第五十三条第一項（第二号を除く。）の規定により更新組合員が旧組合に届け出なければならない事項についてその届出がされていない場合には、施行日以後は、同項の規定により当該更新組合員が厚生労働省共済組合に届け出なければならない事項についてその届出がされていないものとみなして、同条の規定を適用する。

4　施行日前に改正前国共済法第七十三条の二第一項又は第百条の二の規定により更新組合員が旧組合にした申出は、これらの規定により厚生労働省共済組合にした申出とみなして、これらの規定を適用する。

（旧組合の短期給付等に係る権利及び義務の承継に関する経過措置）

第三十七条　この法律の施行の際旧組合が有している改正前国共済法による短期給付の事業（高齢者の医療の確保に関する法律（昭和五十七年法律第八十号）第三十六条第一項に規定する前期高齢者納付金等、同法第百十八条第一項に規定する後期高齢者支援金等及び同法附則第七条第一項に規定する病床転換支援金等、国民健康保険法附則第十条第一項に規定する拠出金並びに介護保険法第百五十条第一項に規定する納付金の納付に関する業務を含む。）及び改正前国共済法第九十八条第一項第一号から第二号までに掲げる事業（これらの事業に附帯する事業を含む。）に係る一切の権利及び義務は、前条第一項の規定によ

り設立された健康保険組合（以下「新設健保組合」という。）が承継する。

（旧組合の任意継続組合員に関する経過措置）

第三十八条　施行日前に退職し、改正前国共済法第百二十六条の五第一項の規定による申出を旧組合にすることができた者であって、施行日前に当該申出をしていないものが、その退職の日から起算して二十日を経過する日（正当な理由があると新設健保組合が認めた場合には、その認めた日）までの間に当該申出を新設健保組合に行ったときは、その者は退職の日の翌日から施行日の前日までの間は任意継続組合員（同条第二項に規定する任意継続組合員をいう。以下同じ。）であった者とする。

2　施行日の前日において旧組合の任意継続組合員であった者（前項の規定により任意継続組合員であった者とされた者を含み、同日において改正前国共済法第百二十六条の五第五項第一号から第三号まで、第五号又は第六号のいずれかに該当した者を除く。）は、施行日において新設健保組合の任意継続被保険者（健康保険法第三条第四項に規定する任意継続被保険者をいう。以下同じ。）とする。この場合において、その者の当該任意継続組合員であった期間は、任意継続被保険者であった期間とみなす。

3　施行日の前日において旧組合の組合員（継続長期組合員（改正前国共済法第百二十四条の二第二項に規定する継続長期組合員をいう。以下同じ。）及び任意継続組合員を除く。）であった者であって、同日に退職し、かつ、同日に改正前国共済法第百二十六条の五第一項の規定による申出を旧組合に行ったものは、施行日において新設健保組合の任意継続被保険者になるものとする。

（健康保険法第三条第四項及び第百四条の規定の適用に関する特例）

第三十九条　施行日の前日において旧組合の組合員であった者であって、施行日において健康保険の被保険者となったものに対する健康保険法第三条第四項及び第百四条の規定の適用については、同項及び同条中「共済組合の組合員である被保険者」とあるのは、「共済組合の組合員である被保険者（日本年金機構法（平成十九年法律第百九号）附則第三十四条第一項に規定する旧組合の組合員（継続長期組合員及び任意継続組合員を除く。）である被保険者を除く。）」とする。

（旧組合の組合員で新設健保組合の被保険者となった者に係る給付等に関する経過措置）

第四十条　この法律の施行の際前条に規定する者（旧組合の継続長期組合員又は任意継続組合員であった者を除き、新設健保組合の被保険者となったものに限る。以下この条において同じ。）のうち改正前国共済法第六十六条第一項の規定による傷病手当金の受給権者であった者であって、同一の傷病について健康保険法第九十九条第一項の規定による傷病手当金を受けることができるものに対する同条第二項の規定の適用については、当該改正前国共済法第六十六条第一項の規定による傷病手当金の支給を始めた日を当該健康保険法第九十九条第一項の規定による傷病手当金の支給を始めた日とみなす。

2　前条に規定する者のうち健康保険法第九十九条第一項又は第百四条の規定による傷病手当金の支給を受けることができる者であって、当該傷病による障害について被用者年金制度の一元化等を図るための厚生年金保険法等の一部を改正する法律（平成二十四年法律第六十三号）第二条の規定による改正前の国家公務員共済組合法による障害共済年金又は障害一時金の支給を受けることができるものに対する健康保険法第百八条第二項又は第三項の規定の適用については、これらの者が引き続き新設健保組合の被保険者である間は、当該障害共済年金又は障害一時金を厚生年金保険法による障害厚生年金又は障害手当金とみなす。

3　前二項に定めるもののほか、前条に規定する者に係る改正前国共済法の規定による短期給付について必要な事項は、政令で定める。

第四十一条　施行日前に改正前国共済法第百条の二の規定により旧組合の組合員（施行日において新設健保組合の被保険者となった者に限る。）が旧組合にした申出は、健康保険法第五十九条又は厚生年金保険法第八十一条の二の規定により新設健保組合又は厚生労働大臣にした申出とみなして、これらの規定を適用する。

（旧組合の組合員の資格喪失後の給付に関する経過措置）

第四十二条　この法律の施行の際現に旧組合の組合員（継続長期組合員を除く。次項において同じ。）であった者又はその被扶養者に対し改正前国共済法第五十九条の規定により支給されている給付又は改正前国共済法第六十六条第三項若しくは第六十七条第二項の規定により支給されている給付については、なお従前の例によるものとし、新設健保組合がこれらの給付を支給する。

2　施行日前に旧組合の組合員の資格を喪失し、かつ、施行日以後に出産し、又は死亡した場合において、改正前国共済法第六十一条第二項又は第六十四条の規定が適用されるものとしたならば、これらの規定により支給される給付を受けることができるときは、これらの給付は、改正前国共済法の規定の例によるものとし、新設健保組合が当該給付を支給する。

（審査請求に関する経過措置）

第四十三条　旧組合が改正前国共済法の規定により行った短期給付に係る組合員の資格若しくは給付に関する決定又は掛金の徴収に対する審査請求であって、施行日以後に審査請求が行われたものについては、なお従前の例による。

2　新設健保組合が改正前国共済法の規定により行った旧組合の短期給付に係る組合員の資格若しくは給付に関する決定又は掛金の徴収に対する審査請求については、改正後国共済法第百三条から第百七条までの規定を適用する。この場合において、改正後国共済法第百六条中「組合」とあるのは、「日本年金機構法（平成十九年法律第百九号）附則第三十七条に規定する新設健保組合」とする。

附　則（平一九・七・六法一一〇）（抄）

（施行期日）

第一条　この法律は、平成二十年四月一日から施行する。〔ただし書略〕

附　則（平二〇・一二・一九法九三）（抄）

（施行期日）

第一条　この法律は、平成二十二年四月一日から施行する。〔ただし書略〕

附　則（平二〇・一二・二六法九五）（抄）

（施行期日）

第一条　この法律は、公布の日から起算して六月を超えない範囲内において政令で定める日〔平二一・四・一〕から施行する。〔ただし書略〕

附　則（平二一・三・三〇法五）（抄）

（施行期日）

第一条　この法律は、平成二十一年三月三十一日から施行する。ただし、次の各号に掲げる規定は、当該各号に定める日から施行する。

一　〔略〕

二　〔前略〕附則〔中略〕第九条から第十二条まで〔中略〕の規定　平成二十二年四月一日

（国家公務員共済組合法の一部改正に伴う経過措置）

第十条　前条の規定による改正後の国家公務員共済組合法（以下「新国共済法」という。）第六十八条の二及び附則第十一条の二の規定は、附則第一条第二号に掲げる規定の施行の日以後に開始された新国共済法第六十八条の二第一項に規定する育児休業等に係る育児休業手当金について適用し、同日前に開始された前条の規定による改正前の国家公務員共済組合法（附則第十五条において「旧国共済法」という。）第六十八条の二第一項に規定する育児休業等に係る育児休業手当金については、なお従前の例による。

附　則（平二一・三・三一法一八）（抄）

（施行期日）

第一条　この法律は、平成二十一年四月一日から施行する。ただし、次の各号に掲げる規定は、当該各号に定める日から施行する。

一　〔略〕

二　〔前略〕附則第十六条の規定（国家公務員共済組合法（昭和三十三年法律第百二十八号）別表第三の改正規定中独立行政法人国立国語研究所の項を削る部分に限る。）〔中略〕　平成二十一年十月一日

三　〔略〕

附　則（平二一・五・一法三六）（抄）

改正　平二五・六・二六法六三

（施行期日）

第一条　この法律は、平成二十二年一月一日から施行する。〔ただし書略〕

（適用区分）

第二条　この法律による改正後の〔中略〕国家公務員共済組合法附則第二十条の九第四項及び第五項〔中略〕の規定は、それぞれ、この法律の施行の日以後に納期限又は納付期限の到来する〔中略〕国家公務員共済組合法附則第二十条の四第一項に規定する日本郵政共済組合に払い込むべき掛金及び負担金〔中略〕に係る延滞金について適用し、同日前に納期限又は納付期限の到来する保険料等に係る延滞金については、なお従前の例による。

附　則（平二一・五・二九法四一）（抄）

（施行期日）

第一条　この法律は、公布の日から施行する。〔ただし書略〕

附　則（平二一・七・一法六五）（抄）

（施行期日）

第一条　この法律は、公布の日から起算して一年を超えない範囲内において政令で定める日〔平二二・六・三〇〕から施行する。〔ただし書略〕

（調整規定）

第十二条　施行日が被用者年金制度の一元化等を図るための厚生年金保険法等の一部を改正する法律（平成二十一年法律第　号）の施行の日前である場合には、〔中略〕附則第九条のうち国家公務員共済組合法第五十二条の二第十項の改正規定中「第五十二条の二第十項」とあるのは「第四十二条第九項」と〔中略〕する。

〔表は略〕

附　則（平二一・一一・三〇法九三）（抄）

（施行期日）

第一条　この法律は、平成二十二年六月三十日までの間において政令で定める日〔平二二・六・三〇〕から施行する。〔ただし書略〕

附　則（平二二・四・二八法二七）（抄）

（施行期日）

第一条　この法律は、平成二十三年四月一日から施行する。

（経過措置）

第二条　〔略〕

2　〔略〕

3　施行日において、現に国家公務員共済組合法の規定による障害共済年金の受給権者によって生計を維持しているその者の六十五歳未満の配偶者（婚姻の届出をしていないが事実上婚姻関係と同様の事情にある者を含み、当該受給権者がその権利を取得した日の翌日以後に有するに至った当該配偶者に限る。）がある場合における第三条の規定による改正後の国家公務員共済組合法第八十三条第四項（第六条の規定による改正後の国家公務員等共済組合法等の一部を改正する法律附則第十七条第一項の規定により読み替えて適用する場合を含む。）の規定による障害共済年金の額の改定は、国家公務員共済組合法第七十三条第三項の規定にかかわらず、施行日の属する月から行う。

4～6　〔略〕

附　則（平二二・一二・三法六一）（抄）

（施行期日）

第一条　この法律は、平成二十三年四月一日から施行する。

附　則（平二三・四・二七法二六）（抄）

（施行期日）

第一条　この法律は、平成二十三年十月一日から施行する。〔ただし書略〕

附　則（平二三・五・二五法五三）

この法律は、新非訟事件手続法の施行の日〔平二五・一・一〕から施行する。

附　則（平二三・五・二七法五六）（抄）

（施行期日）

第一条　この法律は、平成二十三年六月一日から施行する。〔ただし書略〕

附　則（平二三・六・二二法七二）（抄）

（施行期日）

第一条　この法律は、平成二十四年四月一日から施行する。〔ただし書略〕

附　則（平二四・五・八法三〇）（抄）

（施行期日）

第一条　この法律は、公布の日から起算して一年を超えない範囲内において政令で定める日〔平二四・一〇・二〕から施行する。〔ただし書略〕

附　則〔平二四・六・二七法四二〕（抄）

（施行期日）

第一条　この法律は、平成二十五年四月一日から施行する。〔ただし書略〕

附　則〔平二四・八・二二法六二〕（抄）

改正　平二八・一二・二六法一一四

（施行期日）

第一条　この法律は、平成二十九年八月一日から施行する。ただし、次の各号に掲げる規定は、当該各号に定める日から施行する。

一・二〔略〕

三〔前略〕第十条中国家公務員共済組合法第九十一条の改正規定、第十二条中国家公務員等共済組合法等の一部を改正する法律（昭和六十年法律第百五号。以下「昭和六十年国共済改正法」という。）附則第二十九条の改正規定、第十四条の規定〔中略〕　社会保障の安定財源の確保等を図る税制の抜本的な改革を行うための消費税法の一部を改正する等の法律（平成二十四年法律第六十八号）の施行の日〔平二六・四・一〕

四〔前略〕第十条中国家公務員共済組合法第四十二条、第四十二条の二第二項、第七十三条の二、第七十八条の二及び第百条の二の改正規定、同条の次に一条を加える改正規定、同法第百二条第一項の改正規定、同法附則第十二条第九項及び第十二条の四の二の改正規定並びに同法附則第十三条の十第一項第四号を削る改正規定〔中略〕並びに附則〔中略〕第二十二条から第三十四条まで〔中略〕の規定　公布の日から起算して二年を超えない範囲内において政令で定める日〔平二六・四・一〕

五〔前略〕第十条中国家公務員共済組合法第二条第一項の改正規定〔中略〕　平成二十八年十月一日

六〔略〕

（国家公務員共済組合法による産前産後休業を終了した際の改定に関する経過措置）

第三十条　第十条の規定による改正後の国家公務員共済組合法第四十二条第十一項及び第十二項の規定は、第四号施行日以後に終了した同条第十一項に規定する産前産後休業（次条及び附則第三十二条において「産前産後休業」という。）について適用する。

（三歳に満たない子を養育する組合員等の標準報酬の月額の特例に関する経過措置）

第三十一条　第四号施行日において、国家公務員共済組合法第七十三条の二の規定の適用を受けている者であって、第十条の規定による改正後の国家公務員共済組合法第百条の二の二の規定の適用を受ける産前産後休業をしているものについては、第四号施行日に産前産後休業を開始したものとみなして、第十条の規定による改正後の国家公務員共済組合法第七十三条の二第一項第六号の規定を適用する。

（国家公務員共済組合法による産前産後休業期間中の組合員の特例に関する経過措置）

第三十二条　第四号施行日前に産前産後休業に相当する休業を開始した者については、第四号施行日をその産前産後休業を開始した日とみなして、第十条の規定による改正後の国家公務員共済組合法第百条の二の二の規定を適用する。

（支給の繰下げに関する経過措置）

第三十三条　第十条の規定による改正後の国家公務員共済組合法第七十八条の二の規定は、第四号施行日の前日において、同条第二項各号のいずれにも該当しない者について適用する。ただし、第四号施行日前に第十条の規定による改正後の国家公務員共済組合法第七十八条の二第二項各号のいずれかに該当する者に対する同条の規定の適用については、同項中「ときは」とあるのは「ときは、次項の規定を適用する場合を除き」と、「同項」とあるのは「前項」と、同条第三項中「当該申出のあった」とあるのは「公的年金制度の財政基盤及び最低保障機能の強化等のための国民年金法等の一部を改正する法律（平成二十四年法律第六十二号）附則第一条第四号に掲げる規定の施行の日の属する」とする。

（特例による退職共済年金の額の算定等の特例の経過措置）

第三十四条　第十条の規定による改正後の国家公務員共済組合法附則第十二条の四の二第六項の規定は、同条第一項に規定する退職共済年金の受給権者（以下この条において「退職共済年金の受給権者」という。）又は退職共済年金の受給権者であった者が、第四号施行日以後に第十条の規定による改正後の国家公務員共済組合法附則第十二条の四の二第六項各号のいずれかに該当する場合について適用する。ただし、第四号施行日において退職共済年金の受給権者であった者であって、組合員でなく、かつ、同項第一号に規定する障害共済年金等を受けることができるものについては、第四号施行日に同項各号のいずれかに該当したものとみなして、同項の規定を適用する。この場合において、同項中「当該各号に規定する日」とあるのは、「公的年金制度の財政基盤及び最低保障機能の強化等のための国民年金法等の一部を改正する法律（平成二十四年法律第六十二号）附則第一条第四号に掲げる規定の施行の日」とする。

附　則〔平二四・八・二二法六三〕（抄）

最終改正　令三・六・一一法六一

（施行期日）

第一条　この法律は、平成二十七年十月一日から施行する。ただし、次の各号に掲げる規定は、それぞれ当該各号に定める日から施行する。

一　次条並びに附則第三条〔中略〕の規定　公布の日

二　附則〔中略〕第百五十九条の二の規定　平成二十五年四月一日

三〔前略〕附則第九十一条中厚生年金保険法等の一部を改正する法律（平成八年法律第八十二号）附則第三十三条第六項の改正規定（「第二十一条第二項」を「第二十一条第七項」に改める部分に限る。）、〔中略〕附則第九十八条中国家公務員等共済組合法等の一部を改正する法律（昭和六十年法律第百五号）附則第十六条、第十七条、第二十一条、第二十八条及び第二十九条の改正規定並びに同法附則第五十七条の次に三条を加える改正規定〔中略〕　公布の日から起算して一年を超えない範囲内において政令で定める日〔平二五・八・一〕

四・五〔略〕

（検討）

第二条　この法律による公務員共済の職域加算額（第二条の規定による改正前の国家公務員共済組合法（次項において「改正前国共済法」という。）第七十四条第二項に規定する退職共済年金の職域加算額、障害共済年金の職域加算額及び遺族共済年金の職域加算額並びに第三条の規定による改正前の地方公務員等共済組合法（以下この項において「改正前地共済法」という。）による年金である給付のうち改正前地共済法第七十六条第二項の規定により支給の停止を行わないこととされているものをいう。）の廃止と同時に新たな公務員制度としての年金の給付の制度を設けることとし、その在り方について、平成二十四年中に検討を行い、その結果に基づいて、別に法律で定めるところにより、必要な措置を講ずるものとする。

2　この法律による私学共済の職域加算額（第四条の規定による改正前の私立学校教職員共済法第二十五条において準用する改正前国共済法第七十四条第二項に規定する退職共済年金の職域加算額、障害共済年金の職域加算額及び遺族共済年金の職域加算額をいう。）の廃止と同時に新たな私立学校教職員共済制度としての年金の給付の制度を設けることとし、その在り方について、平成二十四年中に検討を行い、その結果に基づいて、別に法律で定めるところにより、必要な措置を講ずるものとする。

第三条　削除

（用語の定義）

第四条　この条から附則第八十条までの規定において、次の各号に掲げる用語の意義は、それぞれ当該各号に定めるところによる。

一　改正前厚生年金保険法　第一条の規定による改正前の厚生年金保険法をいう。

二　旧厚生年金保険法　国民年金法等の一部を改正する法律（昭和六十年法律第三十四号。以下附則第七十五条までにおいて「昭和六十年国民年金等改正法」という。）第三条の規定による改正前の厚生年金保険法をいう。

三　改正前国共済法　第二条の規定による改正前の国家公務員共済組合法をいう。

四　改正前国共済施行法　附則第九十七条の規定による改正前の国家公務員共済組合法の長期給付に関する施行法（昭和三十三年法律第百二十九号）をいう。

五　旧国共済法　国家公務員等共済組合法等の一部を改正する法律（昭和六十年法律第百五号。以下附則第四十九条までにおいて「昭和六十年国共済改正法」という。）第一条の規定による改正前の国家公務員等共済組合法をいう。

六　改正前地共済法　第三条の規定による改正前の地方公務員等共済組合法をいう。

七　改正前地共済施行法　附則第百一条の規定による改正前の地方公務員等共済組合法の長期給付等に関する施行法（昭和三十七年法律第百五十三号）をいう。

八　旧地共済法　地方公務員等共済組合法等の一部を改正する法律（昭和六十年法律第百八号。以下附則第七十五条までにおいて「昭和六十年地共済改正法」という。）第一条の規定による改正前の地方公務員等共済組合法をいう。

九　改正前私学共済法　第四条の規定による改正前の私立学校教職員共済法をいう。

十　旧私学共済法　私立学校教職員共済組合法等の一部を改正する法律（昭和六十年法律第百六号。附則第八条第一項において「昭和六十年私学共済改正法」という。）第一条の規定による改正前の私立学校教職員共済組合法をいう。

十一　旧国家公務員共済組合員期間　国家公務員共済組合の組合員であった者のこの法律の施行の日（以下「施行日」という。）前における当該組合員であった期間（改正前国共済法又は他の法令の規定により当該組合員であった期間とみなされた期間及び他の法令の規定により当該組合員であった期間に合算された期間を含む。）をいう。

十二　旧地方公務員共済組合員期間　地方公務員共済組合の組合員であった者の施行日前における当該組合員であった期間（改正前地共済法又は他の法令の規定により当該組合員であった期間とみなされた期間及び他の法令の規定により当該組合員であった期間に合算された期間を含む。）をいう。

十三　旧私立学校教職員共済加入者期間　私立学校教職員共済法の規定による私立学校教職員共済制度の加入者であった者の施行日前における当該加入者であった期間（改正前私学共済法又は他の法令の規定により当該加入者であった期間とみなされた期間を含む。）をいう。

（改正前国共済法等による従前の処分）

第十条　この附則に別段の規定があるものを除くほか、次に掲げる処分、手続その他の行為は、厚生年金保険法又はこれに基づく命令中の相当する規定によってした処分、手続その他の行為とみなす。

一　改正前国共済法、旧国共済法又はこれらに基づく命令の規定によってした処分、手続その他の行為

二　改正前地共済法、旧地共済法又はこれらに基づく命令の規定によってした処分、手続その他の行為

三　改正前私学共済法、旧私学共済法又はこれらに基づく命令の規定によってした処分、手続その他の行為

（障害一時金の支給）

第三十二条　施行日の前日において国家公務員共済組合の組合員であった者（同日において退職又は死亡した者を除く。）で同日において退職をするとしたならば、改正前国共済法による障害一時金を受ける権利を有することとなるものには、その者が同日において退職をしたものとみなして、改正前国共済法第八十七条の五から第八十七条の七までの規定の例により、障害一時金を支給する。ただし、附則第十九条の規定に基づく政令の規定により同一の傷病について障害手当金の支給を受けることができるときは、この限りでない。

2　前項の障害一時金は、国家公務員共済組合連合会が支給する。

（特例による老齢厚生年金の支給開始年齢の特例）

第三十三条　改正前国共済法附則第十二条の七第二項に規定する者に対する厚生年金保険法附則第八条の規定の適用については、改正前国共済法附則別表第二の上欄に掲げる者の区分に応じ、同条第一号中「六十歳」とあるのは、それぞれ同表の中欄に掲げる字句とする。

2　前項の規定による老齢厚生年金は、その受給権者が六十歳未満の厚生年金保険の被保険者である間は、支給を停止する。

3　前二項に定めるもののほか、第一項の規定による老齢厚生年

金に関し、厚生年金保険法の適用その他必要な事項については、改正前国共済法附則第十二条の七及び第十二条の七の二の規定に準じて、政令で定める。

（特例による老齢厚生年金の支給の繰上げ）

第三十四条　改正前国共済法附則第十二条の八第二項に規定する者が改正前国共済法附則別表第二の上欄に掲げる者の区分に応じ同表の下欄に掲げる年齢に達した後同表の中欄に掲げる年齢に達する前に老齢厚生年金を受けることを希望する旨を国家公務員共済組合連合会に申し出たときは、その者に老齢厚生年金を支給する。

2　前項の規定による老齢厚生年金の額は、厚生年金保険法第四十三条の規定にかかわらず、同法附則第九条の二第二項の規定の例により計算した額から、政令で定める額を減じた額とする。

3　厚生年金保険法第四十四条の規定は、第一項の規定による当該老齢厚生年金の受給権者が改正前国共済法附則別表第二の上欄に掲げる者の区分に応じ同表の中欄に掲げる年齢に達するまでの間は、適用しない。

4　第一項の規定による老齢厚生年金の受給権者であった者が六十五歳に達したときに支給する老齢厚生年金の額は、厚生年金保険法第四十三条の規定にかかわらず、同条の規定の例により算定した額から、第二項の規定により減じるべきこととされた額を参酌して政令で定める額を減じた額とする。

5　前各項に定めるもののほか、第一項の規定による老齢厚生年金に関し、厚生年金保険法の適用その他必要な事項については、改正前国共済法附則第十二条の八の規定に準じて、政令で定める。

（衛視等に対する老齢厚生年金等の特例）

第三十五条　旧国家公務員共済組合員期間のうちに特定衛視等であった期間を有する者に対する厚生年金保険法の規定の適用については、同法第四十四条第一項中「老齢厚生年金（その年金額の計算の基礎となる被保険者期間の月数が二百四十以上であるものに限る。）」とあるのは「老齢厚生年金」と、同法第五十八条第一項第四号中「保険料納付済期間と保険料免除期間とを合算した期間が二十五年以上である者に限る。）又は保険料納付済期間と保険料免除期間とを合算した期間が二十五年以上である者」とあるのは「被用者年金制度の一元化等を図るための厚生年金保険法等の一部を改正する法律（平成二十四年法律第六十三号）附則第三十五条第一項に規定する特定衛視等に限る。）又は同項に規定する特定衛視等」と、同法第六十二条第一項中「遺族厚生年金（第五十八条第一項第四号に該当することにより支給されるものであつて、その額の計算の基礎となる被保険者期間の月数が二百四十未満であるものを除く。）」とあるのは「遺族厚生年金」とするほか、必要な読替えは、政令で定める。

2　前項に規定する特定衛視等とは、衛視である国会職員、副看守長、看守部長若しくは看守である法務事務官、海上保安士である海上保安官又は陸曹長、海曹長若しくは空曹長以下の自衛官である国家公務員共済組合の組合員（以下この項及び次項において「衛視等」という。）のうち昭和五十五年一月一日（以下この項において「基準日」という。）前に衛視等であった期間を有する者で次の各号のいずれかに該当するものをいう。

一　基準日前の衛視等であった期間が十五年以上である者

二　次のイからホまでに掲げる者で、これらの者の区分に応じ基準日前の衛視等であった期間の年月数と基準日以後の衛視等であった期間の年月数とを合算した年月数がそれぞれイからホまでに定める年数以上であるもの

イ　基準日前の衛視等であった期間が十二年以上十五年未満である者　十五年

ロ　基準日前の衛視等であった期間が九年以上十二年未満である者　十六年

ハ　基準日前の衛視等であった期間が六年以上九年未満である者　十七年

ニ　基準日前の衛視等であった期間が三年以上六年未満である者　十八年

ホ　基準日前の衛視等であった期間が三年未満である者　十九年

3　改正前地共済法附則第二十八条の四に規定する警察職員（以下この項において「警察職員」という。）であった衛視等に対する前二項の規定の適用については、警察職員であった間衛視等であったものとみなす。

4　国家公務員法の一部を改正する法律（昭和五十六年法律第七十七号。以下この項において「昭和五十六年法律第七十七号」という。）の公布の日において現に国家公務員共済組合の組合員であった者で、その者に係る国家公務員法等の一部を改正する法律（令和三年法律第六十一号）第一条の規定による改正前の国家公務員法（昭和二十二年法律第百二十号。以下この項において「旧国家公務員法」という。）第八十一条の二第一項に規定する定年退職日（昭和五十六年法律第七十七号附則第三条の規定の適用を受ける者にあっては、昭和五十六年法律第七十七号の施行の日。以下この項において「定年退職日」という。）まで引き続いて組合員であったものが、旧国家公務員法第八十一条の二第一項又は昭和五十六年法律第七十七号附則第三条の規定により当該定年退職日に退職をした場合（旧国家公務員法第八十一条の三（昭和五十六年法律第七十七号附則第四条において準用する場合を含む。）の規定により勤務した後退職をした場合及び旧国家公務員法第八十一条の四（昭和五十六年法律第七十七号附則第五条において準用する場合を含む。）の規定により任用された後退職をした場合を含む。次項において「定年等による退職をした場合」という。）において、その者の改正前国共済法第七十六条第一項第一号に規定する組合員期間等（次項において「組合員期間等」という。）が二十五年未満であって、かつ、四十歳に達した日の属する月以後の改正前国共済法第三十八条第一項に規定する組合員期間（次項において「組合員期間」という。）が十五年以上であるときは、厚生年金保険法第五十八条第一項第四号の規定の適用については、その者は、保険料納付済期間と保険料免除期間とを合算した期間が二十五年以上である者であるものとみなす。

5　次に掲げる場合は、定年等による退職をした場合に該当するものとみなして、前項の規定を適用する。ただし、その者の四十歳に達した日の属する月以後の組合員期間のうち附則第三十七条第一項の規定によりなおその効力を有するものとされた改正前国共済法附則第十三条の三第一項又は第二項の規定により長期給付に関する規定の適用を受けることとされる組合員（以下この項において「特例継続組合員」という。）以外の長期給

付に関する規定の適用を受ける組合員としての組合員期間が七年六月未満である場合は、この限りでない。

一　特例継続組合員である者の四十歳に達した日の属する月以後の組合員期間が十五年に達した場合

二　特例継続組合員であった者で引き続き特例継続組合員以外の長期給付に関する規定の適用を受ける組合員となったものが退職をした場合において、その者の四十歳に達した日の属する月以後の組合員期間が十五年以上であり、かつ、その者の組合員期間等が二十五年未満であるとき。

（改正前国共済法による職域加算額の経過措置）

第三十六条　改正前国共済法の退職共済年金のうち改正前国共済法第七十七条第二項各号に定める金額に相当する給付及び改正前国共済法の障害共済年金のうち改正前国共済法第八十二条第一項第二号に掲げる金額に相当する給付の支給要件に関する改正前国共済法及びこの法律（附則第一条各号に掲げる規定を除く。）による改正前のその他の法律の規定（これらの規定に基づく命令の規定を含む。以下この条において「改正前支給要件規定」という。）は、旧国家公務員共済組合員期間を有する者（施行日において改正前国共済法による退職共済年金（改正前国共済法附則第十二条の三又は第十二条の八の規定による退職共済年金を除く。）又は障害共済年金の受給権を有する者を除く。）について、なおその効力を有する。この場合において、改正前支給要件規定の適用に関し必要な読替えその他改正前支給要件規定の適用に関し必要な事項は、政令で定める。

2　前項の規定によりなおその効力を有するものとされた改正前支給要件規定（障害を給付事由とする給付に係るものに限る。）は、その病気又は負傷に係る傷病について初めて医師又は歯科医師の診療を受けた日（以下この項及び第四項並びに附則第三十七条の三において「初診日」という。）が施行日前にある傷病により障害の状態となった場合について適用し、初診日が施行日以後にある傷病により障害の状態となった場合については、適用しない。

3　旧国家公務員共済組合員期間を有する者が施行日以後に死亡した場合において、その者に遺族（第五項の規定によりなおその効力を有するものとされた改正前国共済法第二条第一項第三号に規定する遺族（改正前国共済法附則第十二条の二の規定の適用を受ける場合を含む。）をいう。）があるときは、改正前国共済法の遺族共済年金のうち改正前国共済法第八十九条第一項第一号イ(2)及びロ(2)に掲げる金額に相当する給付の支給要件に関する改正前国共済法及びこの法律（附則第一条各号に掲げる規定を除く。）による改正前のその他の法律の規定（これらの規定に基づく命令の規定を含む。以下この条において「改正前遺族支給要件規定」という。）は、当該遺族について、なおその効力を有する。この場合において、改正前遺族支給要件規定の適用に関し必要な読替えその他改正前遺族支給要件規定の適用に関し必要な事項は、政令で定める。

4　前項の規定によりなおその効力を有するものとされた改正前遺族支給要件規定は、初診日が施行日前にある傷病により死亡した場合及び初診日が施行日以後にある公務によらない傷病により死亡した場合について適用し、初診日が施行日以後にある公務による傷病により死亡した場合については、適用しない。

5　第一項又は第三項の規定によりなおその効力を有するものとされた改正前支給要件規定又は改正前遺族支給要件規定により支給される改正前国共済法による年金である給付（他の法令の規定により当該年金である給付とみなされたものを含む。以下この条、附則第三十七条の二及び第四十六条から第四十八条までにおいて「改正前国共済法による職域加算額」という。）については、第十項及び第十一項の規定を適用する場合並びにこれらの給付の費用に関する規定を除き、改正前国共済法の長期給付に関する改正前国共済法及びこの法律（附則第一条各号に掲げる規定を除く。）による改正前のその他の法律の規定（これらの規定に基づく命令の規定を含む。）は、なおその効力を有する。この場合において、改正前国共済法第四十九条ただし書中「退職共済年金」とあるのは「退職共済年金若しくは遺族共済年金」と、改正前国共済法第五十条ただし書中「退職共済年金及び」とあるのは「退職共済年金及び遺族共済年金並びに」と、改正前国共済法第七十七条第二項第一号中「組合員期間の」とあるのは「被用者年金制度の一元化等を図るための厚生年金保険法等の一部を改正する法律（平成二十四年法律第六十三号）附則第四条第十一号に規定する旧国家公務員共済組合員期間（以下「旧国家公務員共済組合員期間」という。）の」と、同項第二号中「組合員期間の」とあるのは「旧国家公務員共済組合員期間の」と、改正前国共済法第八十二条第一項第二号及び第二項中「組合員期間」とあるのは「旧国家公務員共済組合員期間」と、改正前国共済法第八十九条第一項第一号イ(2)及びロ(2)並びに第三項中「組合員期間」とあるのは「旧国家公務員共済組合員期間」とするほか、改正前国共済法の規定の適用に関し必要な読替えその他改正前国共済法の規定の適用に関し必要な事項は、政令で定める。

6　前項の規定によりなおその効力を有するものとされた改正前国共済法の遺族共済年金（公務によらない死亡を給付事由とし、かつ、その給付事由が令和七年十月一日以後に生じたものに限る。）のうち改正前国共済法第八十九条第一項第一号イ(2)及びロ(2)に掲げる金額に相当する給付の額は、前項の規定にかかわらず、同項の規定により読み替えて適用する同号イ(2)又はロ(2)の規定の例により算定した額に次の表の上欄に掲げる当該給付の給付事由が生じた日の属する期間の区分に応じ同表の下欄に定める割合を乗じて得た金額とする。

令和七年十月一日から令和八年九月三十日まで	三十分の二十九
令和八年十月一日から令和九年九月三十日まで	三十分の二十八
令和九年十月一日から令和十年九月三十日まで	三十分の二十七
令和十年十月一日から令和十一年九月三十日まで	三十分の二十六
令和十一年十月一日から令和十二年九月三十日まで	三十分の二十五

令和十二年十月一日から令和十三年九月三十日まで	三十分の二十四
令和十三年十月一日から令和十四年九月三十日まで	三十分の二十三
令和十四年十月一日から令和十五年九月三十日まで	三十分の二十二
令和十五年十月一日から令和十六年九月三十日まで	三十分の二十一
令和十六年十月一日以降	三十分の二十

7　旧国家公務員共済組合員期間を有する者のうち、一年以上の引き続く旧国家公務員共済組合員期間を有しない者であり、かつ、当該旧国家公務員共済組合員期間と当該期間に引き続く第二号厚生年金被保険者期間（附則第七条第一項の規定により第二号厚生年金被保険者期間とみなされたものを除く。次項において同じ。）とを合算した期間が一年以上となるものに係る改正前国共済法第七十七条第二項の規定の適用については、その者は、一年以上の引き続く組合員期間を有する者とみなす。

8　旧国家公務員共済組合員期間を有する者のうち、旧国家公務員共済組合員期間が二十年未満であり、かつ、当該旧国家公務員共済組合員期間と第二号厚生年金被保険者期間とを合算した期間が二十年以上となるもの（一年以上の引き続く旧国家公務員共済組合員期間を有する者及び前項の規定により一年以上の引き続く旧国家公務員共済組合員期間を有する者とみなされるものに限る。）に係る改正前国共済法第七十七条第二項及び第八十九条第一項第一号ロ(2)の規定の適用については、その者は、組合員期間が二十年以上である者とみなす。

9　改正前国共済法による職域加算額は、国家公務員共済組合連合会が支給する。

10　改正前国共済法による職域加算額については、第五項の規定にかかわらず、改正前国共済法第四十三条、第四十四条、第七十二条の三から第七十二条の六まで、第七十七条第四項、第七十九条、第八十条、第八十七条及び第八十七条の二の規定その他の政令で定める規定は、適用しない。

11　改正前国共済法による職域加算額については、改正後厚生年金保険法第四十三条の二から第四十三条の五まで及び第四十六条の規定その他の政令で定める規定を適用する。この場合において、これらの規定の適用に関し必要な技術的読替えは、政令で定める。

12　改正前国共済法による職域加算額を受ける権利を有する者については、政令により、その者の請求によりこれらの年金である給付の支給に代えて一時金を支給することができる特例を定めることができる。

（改正前国共済法による給付等）

第三十七条　施行日前に給付事由が生じた改正前国共済法による年金である給付（他の法令の規定により当該年金である給付とみなされたものを含む。）及び旧国共済法による年金である給付（他の法令の規定により当該年金である給付とみなされたものを含む。）については、第三項及び第四項並びに附則第三十一条の規定を適用する場合並びにこれらの給付の費用に関する事項を除き、改正前国共済法の長期給付に関する改正前国共済法及びこの法律（附則第一条各号に掲げる規定を除く。）による改正前のその他の法律の規定（これらの規定に基づく命令の規定を含む。）は、なおその効力を有する。この場合において、これらの規定の適用に関し必要な読替えその他これらの規定の適用に関し必要な事項は、政令で定める。

2　前項に規定する給付は、国家公務員共済組合連合会が支給する。

3　第一項に規定する給付については、同項の規定にかかわらず、改正前国共済法第四十三条、第四十四条、第七十二条の三から第七十二条の六まで、第七十七条第四項、第七十九条、第八十条、第八十七条及び第八十七条の二の規定その他の政令で定める規定は、適用しない。

4　第一項に規定する給付については、改正後厚生年金保険法第四十三条の二から第四十三条の五まで及び第四十六条の規定その他の政令で定める規定を適用する。この場合において、これらの規定の適用に関し必要な技術的読替えは、政令で定める。

（併給の調整の経過措置）

第三十七条の二　次の各号に掲げる退職等年金給付（国家公務員の退職給付の給付水準の見直し等のための国家公務員退職手当法等の一部を改正する法律（平成二十四年法律第九十六号）第五条の規定による改正後の国家公務員共済組合法（以下この条及び附則第四十九条の三において「新国共済法」という。）第七十四条に規定する退職等年金給付（新国共済法第七十九条の二第三項前段、第七十九条の三第二項前段若しくは第三項又は第七十九条の四第一項に規定する一時金を除く。）をいう。以下この項において同じ。）の受給権を有する者が当該各号に定める場合に該当するときは、その該当する間、当該退職等年金給付は、その支給を停止する。

一　新国共済法第七十四条第一号に掲げる退職年金　改正前国共済法による職域加算額（障害を給付事由とするものに限る。）又は前条第一項の規定によりなおその効力を有するものとされた改正前国共済法第八十二条第一項第二号に掲げる金額に相当する給付の支給を受けることができるとき。

二　新国共済法第七十四条第二号に掲げる公務障害年金　改正前国共済法による職域加算額又は前条第一項の規定によりなおその効力を有するものとされた改正前国共済法第七十七条第二項各号に定める金額に相当する給付若しくは前条第一項の規定によりなおその効力を有するものとされた改正前国共済法第八十二条第一項第二号若しくは第八十九条第一項第一号イ(2)若しくはロ(2)に掲げる金額に相当する給付（以下この条において「旧職域加算額」という。）の支給を受けることができるとき。

三　新国共済法第七十四条第三号に掲げる公務遺族年金　改正前国共済法による職域加算額又は旧職域加算額の支給を受けることができるとき。

2　次の各号に掲げる年金を受ける権利を有する者が当該各号に定める場合に該当するときは、その該当する間、当該年金は、その支給を停止する。

一　改正前国共済法による職域加算額又は旧職域加算額のうち退職を給付事由とするもの　新国共済法第七十四条に規定す

る公務障害年金又は公務遺族年金を受けることができるとき。

二　改正前国共済法による職域加算額又は旧職域加算額のうち障害を給付事由とするもの　新国共済法第七十四条に規定する退職年金、公務障害年金又は公務遺族年金を受けることができるとき。

三　改正前国共済法による職域加算額又は旧職域加算額のうち死亡を給付事由とするもの　新国共済法第七十四条に規定する公務障害年金又は公務遺族年金を受けることができるとき。

3　新国共済法第七十五条の四第二項から第五項までの規定は、前二項の場合について準用する。この場合において、これらの規定の適用に関し必要な読替えその他必要な事項は、政令で定める。

4　新国共済法第七十五条の六第三項の規定は、新国共済法第七十九条の二第三項前段又は第七十九条の三第二項前段若しくは第三項に規定する一時金の支給を受けた者が、改正前国共済法による職域加算額又は旧職域加算額のうち公務による障害を給付事由とするものの支給を受ける場合について準用する。この場合において、これらの規定の適用に関し必要な読替えその他必要な事項は、政令で定める。

5　新国共済法第七十九条の四第三項の規定は、同条第一項の規定により一時金の支給を受ける者が、同項に規定する者の死亡により改正前国共済法による職域加算額又は旧職域加算額のうち公務による死亡を給付事由とするものの支給を受けることができる場合について準用する。この場合において、これらの規定の適用に関し必要な読替えその他必要な事項は、政令で定める。

（障害共済年金の額の算定の特例）

第三十七条の三　附則第三十七条第一項の規定によりなおその効力を有するものとされた改正前国共済法第八十二条第二項に規定する公務等による障害共済年金及びこれに相当する年金である給付を受ける権利を有する者に対して更に厚生年金保険法の規定による障害厚生年金（初診日が第二号厚生年金被保険者期間（附則第七条第一項の規定により当該期間とみなされた期間を除く。）にあるものに限る。）を支給すべき事由が生じた場合には、同法の規定による障害厚生年金は、同法の規定にかかわらず、支給しない。

（国家公務員共済組合の長期給付に係る掛金の徴収等に関する経過措置）

第三十八条　改正前国共済法の規定による国家公務員共済組合の長期給付に係る掛金、負担金その他徴収金の徴収並びに当該掛金及び負担金に係る督促、延滞金の徴収及び滞納処分については、なお従前の例による。当該掛金及び負担金の還付についても、同様とする。

2　この法律の施行の際現に存する改正前国共済法附則第二十条の十一に規定する先取特権については、なお従前の例による。

（退職一時金の返還に関する経過措置）

第三十九条　次に掲げる一時金である給付を受けた者が、老齢厚生年金又は障害厚生年金（以下この条及び次条第一項において「老齢厚生年金等」という。）の支給を受ける権利を有することとなったときは、当該一時金として支給を受けた額に利子に相当する額を加えた額（次項及び第三項において「支給額等」という。）に相当する額を当該老齢厚生年金等を受ける権利を有することとなった日の属する月の翌月から一年以内に、一時に又は分割して、国家公務員共済組合連合会に返還しなければならない。

一　昭和四十二年度以後における国家公務員共済組合等からの年金の額の改定に関する法律等の一部を改正する法律（昭和五十四年法律第七十二号）第二条の規定による改正前の国家公務員共済組合法第八十条の規定による退職一時金（当該退職一時金とみなされる給付を含む。）

二　昭和四十二年度以後における公共企業体職員等共済組合法に規定する共済組合が支給する年金の額の改定に関する法律及び公共企業体職員等共済組合法の一部を改正する法律（昭和五十四年法律第七十六号）第二条の規定による改正前の公共企業体職員等共済組合法（昭和三十一年法律第百三十四号）第五十四条の規定による退職一時金

2　前項に規定する者は、同項の規定にかかわらず、支給額等に相当する額を当該老齢厚生年金等の額から控除することにより返還する旨を当該老齢厚生年金等を受ける権利を有することとなった日から六十日を経過する日以前に、国家公務員共済組合連合会に申し出ることができる。

3　前項の申出があった場合における支給額等に相当する額の返還は、当該老齢厚生年金等の支給に際し、この項の規定の適用がないとするならば支給されることとなる当該老齢厚生年金等の支給期月ごとの支給額の二分の一に相当する額から、支給額等に相当する額に達するまでの額を順次に控除することにより行うものとする。この場合においては、その控除後の額をもって、当該老齢厚生年金等の額とする。

4　第一項に規定する利子は、同項に規定する一時金の支給を受けた日の属する月の翌月から老齢厚生年金等を受ける権利を有することとなった日の属する月までの期間に応じ、複利計算の方法によるものとし、その利率は、政令で定める。

第四十条　前条第一項に規定する者（退職共済年金又は障害共済年金を受ける権利を有していた者を除く。）の遺族（厚生年金保険法第五十九条第一項に規定する遺族厚生年金を受けることができる遺族をいう。次項及び附則第四十五条において同じ。）が遺族厚生年金の支給を受ける権利を有することとなったときは、前条第一項に規定する者が支給を受けた同項に規定する一時金の額に利子に相当する額を加えた額（同項に規定する者が老齢厚生年金等を受ける権利を有していた場合には、同項に規定する支給額等に相当する額（同項又は同条第三項の規定により既に返還された額を除く。））を当該遺族厚生年金を受ける権利を有することとなった日の属する月の翌月から一年以内に、一時に又は分割して、国家公務員共済組合連合会に返還しなければならない。この場合においては、同条第二項から第四項までの規定を準用する。

2　前条第一項に規定する者（退職共済年金又は障害共済年金を受ける権利を有していた者に限る。）の遺族が遺族厚生年金の支給を受ける権利を有することとなったときは、改正前国共済法附則第十二条の十二第一項に規定する支給額等に相当する額（同項又は同条第三項の規定により既に返還された額を除く。）を当該遺族厚生年金を受ける権利を有することとなった日の属する月の翌月から一年以内に、一時に又は分割して、国家公務員共済組合連合会に返還しなければならない。この場合においては、前条第二項から第四項までの規定を準用する。

（追加費用対象期間を有する者の特例等）

第四十一条　改正前国共済施行法その他の政令で定める法令の規定により国家公務員共済組合の組合員期間に算入するものとされた期間（以下この項及び附則第四十六条から第四十八条までにおいて「追加費用対象期間」という。）を有する者（改正前国共済法による年金である給付（他の法令の規定により当該年金である給付とみなされたものを含む。）及び旧国共済法による年金である給付（他の法令の規定により当該年金である給付とみなされたものを含む。）の受給権を有する者を除く。）については、国共済組合員等期間（第二号厚生年金被保険者期間及び追加費用対象期間をいい、昭和六十年国共済改正法附則第三十二条第一項又は第二項の規定の適用があった場合にはその適用後の期間とする。以下同じ。）を計算の基礎として、厚生年金保険法の規定を適用するとしたならば同法の規定による老齢厚生年金、障害厚生年金又は遺族厚生年金として算定されることとなる額を、それぞれ退職共済年金、障害共済年金又は遺族共済年金として、国家公務員共済組合連合会が支給する。この場合において、同法の規定による老齢厚生年金、障害厚生年金又は遺族厚生年金は、支給しない。

2　前項に定めるもののほか、同項に規定する退職共済年金、障害共済年金又は遺族共済年金について厚生年金保険法の規定を適用する場合における必要な読替えその他必要な事項は、政令で定める。

（障害共済年金が支給される者の特例）

第四十二条　前条第一項の規定により障害共済年金が支給される者又は附則第六十五条第一項の規定により障害共済年金が支給される者に係る国家公務員共済組合法第六十六条の規定の適用については、同条第六項中「による障害厚生年金」とあるのは「による障害厚生年金又は被用者年金制度の一元化等を図るための厚生年金保険法等の一部を改正する法律（平成二十四年法律第六十三号）附則第四十一条第一項の規定による障害共済年金（以下この項及び第九項において「国家公務員障害共済年金」という。）若しくは同法附則第六十五条第一項の規定による障害共済年金（以下この項及び第九項において「地方公務員障害共済年金」という。）」と、「できる障害厚生年金」とあるのは「できる障害厚生年金又は国家公務員障害共済年金若しくは地方公務員障害共済年金」と、「当該障害厚生年金」とあるのは「当該障害厚生年金又は国家公務員障害共済年金若しくは地方公務員障害共済年金」と、同条第九項中「障害厚生年金」とあるのは「障害厚生年金、国家公務員障害共済年金、地方公務員障害共済年金」とする。

（控除期間等の期間を有する者に係る退職共済年金の額の特例）

第四十三条　国共済組合員等期間のうちに改正前国共済施行法第二条第十四号に規定する控除期間並びに改正前国共済施行法第七条第一項第五号及び第六号の期間（以下この条から附則第四十五条までにおいて「控除期間等の期間」という。）を有する者に対する附則第四十一条第一項の規定による退職共済年金の額は、同項の規定にかかわらず、同項の規定により算定した額から次の各号に掲げる者（国共済組合員等期間が二十年以上である者に限る。）の区分に応じ、当該各号に定める額を控除した額とする。

一　国共済組合員等期間が四十年以下の者　退職共済年金の額（厚生年金保険法第四十四条第一項に規定する加給年金額に相当する額を除き、国民年金法の規定による老齢基礎年金が支給される場合には、当該老齢基礎年金の額のうち国共済組合員等期間に係る部分に相当するものとして政令で定めるところにより算定した額を加えた額）を国共済組合員等期間の月数で除して得た額の百分の四十五に相当する額に控除期間等の期間の月数を乗じて得た額

二　控除期間等の期間以外の国共済組合員等期間が四十年を超える者　退職共済年金の額（厚生年金保険法第四十四条第一項に規定する加給年金額に相当する額を除き、六十五歳に達するまでは、同法附則第九条の二第二項第一号（同法附則第九条の三第一項及び第三項（同条第五項においてその例による場合を含む。）並びに国民年金法等の一部を改正する法律（平成六年法律第九十五号。以下この号において「平成六年国民年金等改正法」という。）附則第十九条第二項及び第四項においてその例による場合を含む。次項において同じ。）の規定により算定した額又は平成六年国民年金等改正法附則第二十七条第六項に規定する繰上げ調整額（次項において「繰上げ調整額」という。）に相当する額を除く。）を国共済組合員等期間の月数で除して得た額の百分の四十五に相当する額に控除期間等の期間の月数を乗じて得た額

三　国共済組合員等期間が四十年を超え、かつ、控除期間等の期間以外の国共済組合員等期間が四十年以下の者　次のイ及びロに掲げる額の合算額

イ　控除期間等の期間のうち四十年から控除期間等の期間以外の国共済組合員等期間を除いたものについては、第一号の規定の例により算定した額

ロ　控除期間等の期間のうちイに掲げる期間以外のものについては、前号の規定の例により算定した額

2　前項の規定を適用して算定された厚生年金保険法附則第八条の規定の例による額のうち、同法附則第九条の二第二項第一号に掲げる額又は繰上げ調整額に相当する額が、国共済組合員等期間が二百四十月であるものとして算定した同号に掲げる額又は繰上げ調整額より少ないときは、これらの額をもって当該相当する額とする。

（控除期間等の期間を有する者に係る障害共済年金の額の特例）

第四十四条　国共済組合員等期間が二十五年以上であり、かつ、控除期間等の期間を有する者に対する附則第四十一条第一項の規定による障害共済年金の額は、厚生年金保険法第五十条第一項においてその例によるものとされた同法第四十三条第一項の規定を適用するとしたならば同項の規定により算定されることとなる額から、その額（同法第五十条の二第一項に規定する加給年金額に相当する額を除き、国民年金法の規定による障害基礎年金が支給される場合には当該障害基礎年金の額を加えた額）を国共済組合員等期間の月数で除して得た額の百分の四十五に相当する額に控除期間等の期間の月数（その月数が国共済組合員等期間の月数から三百月を控除した月数を超えるときは、その控除した月数）を乗じて得た額を控除した額とする。

（控除期間等の期間を有する者に係る遺族共済年金の額の特

例）

第四十五条　国共済組合員等期間が二十五年以上であり、かつ、控除期間等の期間を有する者の遺族に対する附則第四十一条第一項の規定による遺族共済年金の額は、当該遺族共済年金の額から、その額（厚生年金保険法第六十二条第一項の規定により加算される額に相当する額を除き、国民年金法の規定による遺族基礎年金が支給される場合には当該遺族基礎年金の額を加えた額）を国共済組合員等期間の月数で除して得た額の百分の四十五に相当する額に控除期間等の期間の月数（その月数が国共済組合員等期間の月数から三百月を控除した月数を超えるときは、その控除した月数）を乗じて得た額を控除した額とする。

（追加費用対象期間を有する者に係る退職共済年金の額の特例）

第四十六条　附則第四十一条第一項の規定による退職共済年金の額（国民年金法の規定による老齢基礎年金若しくは障害基礎年金又は改正前国共済法による職域加算額が支給される場合には、これらの年金たる給付の額を加えた額とする。）が控除調整下限額（二百三十万円に附則第一条第三号に定める日の属する年度以後の各年度の再評価率（厚生年金保険法第四十三条第一項に規定する再評価率をいう。）の改定の基準となる率であって政令で定める率を順次乗じて得た金額をいう。第三項、次条及び附則第四十八条において同じ。）を超えるときは、退職共済年金の額は、附則第四十一条第一項の規定にかかわらず、同項の規定により算定した額（改正前国共済法による職域加算額が支給される場合には、その額を加えた額）から当該算定した額（国民年金法の規定による老齢基礎年金が支給される場合には当該老齢基礎年金の額のうち国共済組合員等期間に係る部分に相当するものとして政令で定めるところにより算定した額を、同法の規定による障害基礎年金が支給される場合には当該障害基礎年金の額のうち国共済組合員等期間に係る部分に相当するものとして政令で定めるところにより算定した額を、それぞれ加えた額とする。次項において「控除前退職共済年金額」という。）を国共済組合員等期間の月数で除して得た額の百分の二十七に相当する額に追加費用対象期間の月数を乗じて得た額（次項において「退職共済年金控除額」という。）を控除した額とする。

２　前項の規定による退職共済年金控除額が控除前退職共済年金額の百分の十に相当する額を超えるときは、当該百分の十に相当する額をもって退職共済年金控除額とする。

３　前二項の場合において、これらの規定による控除後の退職共済年金の額が控除調整下限額より少ないときは、控除調整下限額をもって退職共済年金の額とする。

４　国民年金法の規定による老齢基礎年金又は障害基礎年金が支給される場合における前項の規定の適用については、同項中「控除調整下限額」とあるのは、「控除調整下限額から国民年金法の規定による老齢基礎年金又は障害基礎年金の額を控除した額」とする。

５　附則第四十一条第一項の規定による退職共済年金の受給権者が遺族厚生年金（その者が六十五歳に達しているものに限る。）その他の政令で定める年金たる給付の支給を受けることができるときは、退職共済年金の額は、前各項の規定にかかわらず、当該退職共済年金の額及び当該支給を受けることができる政令で定めるものの額の総額を基礎として、これらの規定に準じて政令で定めるところにより算定した額とする。

６　前各項に定めるもののほか、附則第四十一条第一項の規定による退職共済年金の額の算定に関し必要な事項は、政令で定める。

（追加費用対象期間を有する者に係る障害共済年金の額の特例）

第四十七条　附則第四十一条第一項の規定による障害共済年金の額（国民年金法の規定による障害基礎年金又は改正前国共済法による職域加算額が支給される場合には、これらの年金たる給付の額を加えた額とする。）が控除調整下限額を超えるときは、障害共済年金の額は、同項の規定にかかわらず、同項の規定により算定した額（改正前国共済法による職域加算額が支給される場合には、その額を加えた額。以下この項及び次項において「控除前障害共済年金額」という。）から控除前障害共済年金額を国共済組合員等期間の月数（当該月数が三百月未満であるときは、三百月）で除して得た額の百分の二十七に相当する額に追加費用対象期間の月数を乗じて得た額（次項において「障害共済年金控除額」という。）を控除した額とする。

２　前項の規定による障害共済年金控除額が控除前障害共済年金額の百分の十に相当する額を超えるときは、当該百分の十に相当する額をもって障害共済年金控除額とする。

３　前二項の場合において、これらの規定による控除後の障害共済年金の額が控除調整下限額より少ないときは、控除調整下限額をもって障害共済年金の額とする。

４　国民年金法の規定による障害基礎年金が支給される場合における前項の規定の適用については、同項中「控除調整下限額」とあるのは、「控除調整下限額から国民年金法の規定による障害基礎年金の額を控除した額」とする。

５　前各項に定めるもののほか、附則第四十一条第一項の規定による障害共済年金の額の算定に関し必要な事項は、政令で定める。

（追加費用対象期間を有する者の遺族に係る遺族共済年金の額の特例）

第四十八条　附則第四十一条第一項の規定による遺族共済年金の額（国民年金法の規定による老齢基礎年金、障害基礎年金若しくは遺族基礎年金又は改正前国共済法による職域加算額が支給される場合には、これらの年金たる給付の額を加えた額とする。）が控除調整下限額を超えるときは、遺族共済年金の額は、同項の規定にかかわらず、同項の規定により算定した額（改正前国共済法による職域加算額が支給される場合には、その額を加えた額。以下この項及び次項において「控除前遺族共済年金額」という。）から控除前遺族共済年金額を国共済組合員等期間の月数（厚生年金保険法第五十八条第一項第一号から第三号までの規定を適用するとしたならば支給されることとなる遺族共済年金にあっては、当該月数が三百月未満であるときは、三百月）で除して得た額の百分の二十七に相当する額に追加費用対象期間の月数を乗じて得た額（次項において「遺族共済年金控除額」という。）を控除した額とする。

２　前項の規定による遺族共済年金控除額が控除前遺族共済年金額の百分の十に相当する額を超えるときは、当該百分の十に相当する額をもって遺族共済年金控除額とする。

３　前二項の場合において、これらの規定による控除後の遺族共済年金の額が控除調整下限額より少ないときは、控除調整下限額をもって遺族共済年金の額とする。

4　国民年金法の規定による老齢基礎年金、障害基礎年金又は遺族基礎年金が支給される場合における前項の規定の適用については、同項中「控除調整下限額」とあるのは、「控除調整下限額から国民年金法の規定による老齢基礎年金、障害基礎年金又は遺族基礎年金の額を控除した額」とする。

5　附則第四十一条第一項の規定による遺族共済年金の受給権者が、老齢厚生年金（その者が六十五歳に達しているものに限る。）その他の政令で定める年金たる給付の支給を受けることができるときは、遺族共済年金の額は、前各項の規定にかかわらず、当該遺族共済年金の額及び当該支給を受けることができる政令で定めるものの額の総額を基礎として、これらの規定に準じて政令で定めるところにより算定した額とする。

6　前各項に定めるもののほか、附則第四十一条第一項の規定による遺族共済年金の額の算定に関し必要な事項は、政令で定める。

（費用の負担）

第四十九条　国家公務員共済組合連合会が附則第三十二条、第三十六条、第三十七条及び第四十一条の規定により支給する一時金である給付及び年金である給付に要する費用の負担については、次に定めるところによる。

一　当該費用のうち、国家公務員共済組合の組合員であった期間以外の期間として年金額の計算の基礎となっているものに対応する費用については、国家公務員共済組合法の長期給付に関する施行法第五十四条の規定による費用の負担の例による。

二　当該費用のうち、昭和六十年国民年金等改正法附則第三十五条第二項各号に掲げる費用及び同項に規定する政令で定める費用に相当する費用については、国民年金の管掌者たる政府が負担する。

三　当該費用のうち、改正前国共済法第九十九条第二項第三号に掲げる費用及び昭和六十年国共済改正法附則第六十四条第三号に規定する給付に要する費用（前二号に規定する費用を除く。）については、改正前国共済法第九十九条第二項第三号に掲げる費用の負担の例による。

四　当該費用のうち、昭和六十年国共済改正法附則第三十一条第一項の規定により国が負担する費用に相当するものとして政令で定める費用については、国が負担する。

（国の組合の経過的長期給付積立金の積立て）

第四十九条の二　国家公務員共済組合連合会は、国の組合の経過的長期給付（附則第三十六条第五項又は第三十七条第一項の規定によりなおその効力を有するものとされた改正前国共済法による年金である給付その他の給付であって、改正前国共済法第七十七条第二項各号に定める金額に相当する給付、改正前国共済法第八十二条第一項第二号又は第八十九条第一項第一号イ(2)若しくはロ(2)に掲げる金額に相当する給付その他これらの給付に相当するものとして政令で定める給付をいう。附則第五十条第二項及び第三項並びに第八十六条の二において同じ。）その他政令で定める費用に充てるべき積立金（次条、附則第四十九条の四及び第八十六条の二において「国の組合の経過的長期給付積立金」という。）を積み立てなければならない。

（国の組合の経過的長期給付積立金の管理及び運用）

第四十九条の三　新国共済法第三十五条の三から第三十五条の五までの規定（これらの規定に係る罰則を含む。）は、国の組合の経過的長期給付積立金について準用する。

（国の組合の経過的長期給付積立金の当初額）

第四十九条の四　改正前国共済法第三十五条の二に規定する積立金のうち、その額から附則第二十七条第一項の規定により実施機関積立金として積み立てられたものとみなされた額を控除した額に相当する部分は、政令で定めるところにより、施行日において、国の組合の経過的長期給付積立金として積み立てられたものとみなす。

（地方公務員共済組合連合会に対する経過的長期給付に係る拠出金）

第五十条　国家公務員共済組合連合会は、毎事業年度において、当該事業年度における附則第七十六条第三項に規定する地方の組合の経過的長期給付に係る支出の額が同条第二項に規定する地方の組合の経過的長期給付に係る収入の額を上回り、かつ、当該上回る額（以下この項において「地方の不足額」という。）が前事業年度の末日における同条第一項に規定する地方の組合の経過的長期給付積立金の額（同条第一項に規定する地方の組合の経過的長期給付積立金の額をいう。以下この項において同じ。）を上回る場合には、地方の不足額から前事業年度の末日における地方の組合の経過的長期給付積立金の額を控除して得た額（当該控除して得た額が、限度額（前事業年度の末日における国の組合の経過的長期給付積立金の額から当該事業年度における国の組合の経過的長期給付に係る支出の額を控除し、当該事業年度における国の組合の経過的長期給付に係る収入の額を加算した額をいう。）を超える場合にあっては、当該限度額）を、地方公務員共済組合連合会への拠出金として拠出するものとする。この場合における地方公務員等共済組合法及び被用者年金制度の一元化等を図るための厚生年金保険法等の一部を改正する法律の一部を改正する法律（平成二十四年法律第九十七号）第一条の規定による改正後の地方公務員等共済組合法第百十六条の二及び第百十六条の三の規定の適用については、同条第一項第一号中「下回る場合」とあるのは「下回る場合又は被用者年金制度の一元化等を図るための厚生年金保険法等の一部を改正する法律（平成二十四年法律第六十三号）附則第五十条第一項の規定に基づく拠出金の拠出が行われる場合」と、「相当する額」とあるのは「相当する額に同項の規定に基づく拠出金に相当する額を加算した額」とする。

2　前項に規定する「国の組合の経過的長期給付に係る収入額」とは、国の組合の経過的長期給付に係る国家公務員共済組合連合会の収入として政令で定めるものの額の合計額をいう。

3　第一項に規定する「国の組合の経過的長期給付に係る支出の額」とは、国の組合の経過的長期給付に係る国家公務員共済組合連合会の支出として政令で定めるものの額の合計額をいう。

4　前三項に定めるもののほか、第一項の規定に基づく拠出金の拠出に関し必要な事項は、政令で定める。

（保険料率の特例）

第八十三条　改正後厚生年金保険法第二条の五第一項第二号に規定する第二号厚生年金被保険者の次の表の上欄に掲げる月分の厚生年金保険法による保険料率については、同法第八十一条第四項の規定にかかわらず、それぞれ同表の下欄に定める率とする。

平成二十七年十月から平成二十八年八月までの月分	千分の百七十二・七八
平成二十八年九月から平成二十九年八月までの月分	千分の百七十六・三二
平成二十九年九月から平成三十年八月までの月分	千分の百七十九・八六

（検討）

第八十六条の二　政府は、国の組合の経過的長期給付について、その収支及び国の組合の経過的長期給付積立金の状況に鑑み、必要があると認めるときは、国の組合の経過的長期給付の在り方について検討を行い、その結果に基づいて、所要の措置を講ずるものとする。

附　則（平二四・一一・二六法九六）（抄）

最終改正　平二七・六・三法三四

（施行期日）

第一条　この法律は、平成二十五年一月一日から施行する。ただし、次の各号に掲げる規定は、当該各号に定める日から施行する。

一　〔前略〕附則第七条、第八条〔中略〕の規定　公布の日

二～五　〔略〕

六　第五条の規定並びに附則第六条、第九条、第十条及び第十六条から第二十二条までの規定　平成二十七年十月一日

（厚生年金保険給付積立金の当初額）

第六条　第六条の規定による改正後の被用者年金制度の一元化等を図るための厚生年金保険法等の一部を改正する法律（以下「新一元化法」という。）第二条の規定による改正前の国家公務員共済組合法（附則第十条第三項及び第四項において「一元化法改正前国共済法」という。）第三十五条の二に規定する積立金のうち、その額から新一元化法附則第四十九条の四の規定により新一元化法附則第四十九条の二に規定する国の組合の経過的長期給付積立金として積み立てられたものとみなされる額を控除した額に相当する部分は、政令で定めるところにより、附則第一条第六号に掲げる規定の施行の日（次条、附則第八条及び第十条において「第六号施行日」という。）において、第五条の規定による改正後の国家公務員共済組合法（以下「改正後国共済法」という。）第二十一条第二項第一号ハに規定する厚生年金保険給付積立金として積み立てられたものとみなす。

（退職等年金給付積立金管理運用方針に関する経過措置）

第七条　国家公務員共済組合連合会は、第六号施行日前においても、改正後国共済法第三十五条の三の規定の例により、同条第一項に規定する退職等年金給付積立金管理運用方針を定め、これを公表することができる。

2　前項の規定により定められ、公表された退職等年金給付積立金管理運用方針は、第六号施行日において改正後国共済法第三十五条の三の規定により定められ、公表されたものとみなす。

（国の組合の経過的長期給付積立金管理運用方針に関する経過措置）

第八条　国家公務員共済組合連合会は、第六号施行日前においても、新一元化法附則第四十九条の三において準用する改正後国共済法第三十五条の三の規定の例により、新一元化法附則第四十九条の二に規定する国の組合の経過的長期給付積立金の管理及び運用の方針を定め、これを公表することができる。

3　前項の規定により定められ、公表された管理及び運用の方針は、第六号施行日において新一元化法附則第四十九条の三において準用する改正後国共済法第三十五条の三の規定により定められ、公表されたものとみなす。

（旧国家公務員共済組合員期間を有する者に係る改正後国共済法の規定の適用）

第九条　新一元化法附則第四条第十一号に規定する旧国家公務員共済組合員期間（次条第三項及び第四項において「旧国家公務員共済組合員期間」という。）を有する者に係る改正後国共済法第七十五条第一項、第八十四条第二項各号及び第九十条第二項の規定の適用については、改正後国共済法第七十五条第一項中「組合員期間」とあるのは「国家公務員の退職給付の給付水準の見直し等のための国家公務員退職手当法等の一部を改正する法律（平成二十四年法律第九十六号）附則第一条第六号に掲げる規定の施行の日（以下「第六号施行日」という。）以後の組合員期間」と、改正後国共済法第八十四条第二項各号及び第九十条第二項中「組合員期間」とあるのは「第六号施行日以後の組合員期間」とする。

（公務傷病に係る規定の適用に関する経過措置）

第十条　改正後国共済法の公務障害年金に関する規定は、その病気又は負傷に係る傷病について初めて医師又は歯科医師の診療を受けた日（以下この条において「初診日」という。）が第六号施行日以後にある傷病による障害について適用し、初診日が第六号施行日前にある傷病による障害については、適用しない。

2　改正後国共済法の公務遺族年金に関する規定は、改正後国共済法第八十九条第一項各号における死亡の原因となった改正後国共済法第八十三条第一項に規定する公務傷病（以下この条において「公務傷病」という。）に係る初診日（初診日がない場合にあっては、当該公務傷病の発した日。以下この項において同じ。）が第六号施行日以後にある場合について適用し、初診日が第六号施行日前にある場合については、適用しない。

3　旧国家公務員共済組合員期間を有し、かつ、公務傷病に係る初診日が第六号施行日以後にある者に支給する改正後国共済法第八十四条の規定による公務障害年金の額は、同条の規定にかかわらず、同条の規定により算定した金額と新一元化法附則第三十六条第五項の規定により読み替えて適用する一元化法改正前国共済法第八十二条第一項第二号又は第二項の規定の例により算定した金額のいずれか高い金額とする。この場合において、必要な技術的読替えは、政令で定める。

4　旧国家公務員共済組合員期間を有し、かつ、公務傷病に係る初診日が第六号施行日以後にある者に支給する改正後国共済法第九十条の規定による公務遺族年金の額は、同条の規定にかかわらず、同条の規定により算定した金額と新一元化法附則第三十六条第五項の規定により読み替えて適用する一元化法改正前国共済法第八十九条第一項第一号イ⑵若しくはロ⑵又は第三項の規定の例により算定した金額のいずれか高い金額とする。この場合において、必要な技術的読替えは、政令で定める。

附　則（平二六・三・三一法一三）（抄）

（施行期日）

第一条　この法律は、平成二十六年四月一日から施行する。〔ただし書略〕

（国家公務員共済組合法の一部改正に伴う経過措置）

第七条　前条の規定による改正後の国家公務員共済組合法附則第十一条の二の規定は、施行日以後に開始された国家公務員共済組合法第六十八条の二第一項に規定する育児休業等に係る育児休業手当金について適用し、施行日前に開始された同項に規定する育児休業等に係る育児休業手当金については、なお従前の例による。

附　則（平二六・五・二一法三八）（抄）

（施行期日）

第一条　この法律は、公布の日から起算して一年を超えない範囲内において政令で定める日〔平二七・四・一〕から施行する。〔ただし書略〕

附　則（平二六・五・三〇法四二）（抄）

（施行期日）

第一条　この法律は、公布の日から起算して二年を超えない範囲内において政令で定める日〔平二八・四・一〕から施行する。〔ただし書略〕

（国家公務員共済組合法の一部改正に伴う調整規定）

第三十六条　この法律の施行の日（以下「施行日」という。）が国家公務員の退職給付の給付水準の見直し等のための国家公務員退職手当法等の一部を改正する法律（平成二十四年法律第九十六号）附則第一条第六号に掲げる規定の施行の日前である場合には、前条第一号中「第百十三条」とあるのは、「第百十四条」とする。

附　則（平二六・六・一一法六四）（抄）

（施行期日）

第一条　この法律は、平成二十六年十月一日から施行する。ただし、次の各号に掲げる規定は、当該各号に定める日から施行する。

一　〔略〕

二　〔前略〕第六条から第十二条までの規定〔中略〕及び第十四条の規定並びに附則〔中略〕第十七条の規定　平成二十七年一月一日

三～八　〔略〕

（延滞金の割合の特例等に関する経過措置）

第十七条　次の各号に掲げる規定は、当該各号に定める規定に規定する延滞金（第十五号にあっては、加算金。以下この条において同じ。）のうち平成二十七年一月一日以後の期間に対応するものについて適用し、当該延滞金のうち同日前の期間に対応するものについては、なお従前の例による。

一～六　〔略〕

七　第七条の規定による改正後の国家公務員共済組合法附則第二十条の九第五項　国家公務員共済組合法附則第二十条の九第四項

八～十八　〔略〕

附　則（平二六・六・一三法六七）（抄）

（施行期日）

第一条　この法律は、独立行政法人通則法の一部を改正する法律（平成二十六年法律第六十六号。以下「通則法改正法」という。）の施行の日〔平二七・四・一〕から施行する。〔ただし書略〕

附　則（平二六・六・一三法六九）（抄）

（施行期日）

第一条　この法律は、行政不服審査法（平成二十六年法律第六十八号）の施行の日〔平二八・四・一〕から施行する。

附　則（平二六・六・二五法八三）（抄）

（施行期日）

第一条　この法律は、公布の日又は平成二十六年四月一日のいずれか遅い日から施行する。ただし、次の各号に掲げる規定は、当該各号に定める日から施行する。

一～五　〔略〕

六　〔前略〕附則〔中略〕第四十三条〔中略〕の規定　平成二十八年四月一日までの間において政令で定める日〔平二八・四・一〕

七　〔略〕

附　則（平二七・五・七法一七）（抄）

（施行期日）

第一条　この法律は、平成二十八年四月一日から施行する。〔ただし書略〕

附　則（平二七・五・二七法二七）（抄）

（施行期日）

第一条　この法律は、平成二十八年四月一日から施行する。〔ただし書略〕

附　則（平二七・五・二九法三一）（抄）

（施行期日）

第一条　この法律は、平成三十年四月一日から施行する。ただし、次の各号に掲げる規定は、それぞれ当該各号に定める日から施行する。

一　〔略〕

二　〔前略〕附則〔中略〕第三十三条から第四十四条まで〔中略〕の規定　平成二十八年四月一日

三　〔略〕

（国家公務員共済組合法の一部改正に伴う経過措置）

第三十七条　第二号施行日前に国家公務員共済組合の組合員の資格を取得して、第二号施行日まで引き続きその資格を有する者（平成二十八年四月から標準報酬を改定されるべき者を除く。）のうち、同年三月の標準報酬の月額が百二十一万円であるもの（当該標準報酬の月額の基礎となった報酬月額が百二十三万五千円未満である者を除く。）の標準報酬は、当該標準報酬の月額の基礎となった報酬月額を前条の規定による改正後の国家公務員共済組合法（次条において「改正後国共済法」という。）第四十条第二項の規定により読み替えられた同条第一項の規定による標準報酬の基礎となる報酬月額とみなして、国家公務員共済組合が改定する。

2　前項の規定により改定された標準報酬は、平成二十八年四月から同年八月までの各月の標準報酬とする。

第三十八条　改正後国共済法第四十一条第二項の規定は、第二号施行日の属する月以後の月に国家公務員共済組合の組合員が受けた期末手当等の標準期末手当等の額について適用し、第二号施行日の属する月前の月に当該組合員が受けた期末手当等の標準期末手当等の額については、なお従前の例による。

第三十九条　第二号施行日前において、附則第三十六条の規定による改正前の国家公務員共済組合法による傷病手当金又は出産手当金の支給を受けていた者又は受けるべき者に係る第二号施行日前までの分として支給される当該傷病手当金又は出産手当金の額については、なお従前の例による。

附　則（平二七・六・二四法四四）（抄）

（施行期日）

第一条　この法律は、平成二十八年四月一日から施行する。〔ただし書略〕

附　則（平二七・六・二六法四八）（抄）

（施行期日）

第一条　この法律は、平成二十八年四月一日から施行する。〔ただし書略〕

附　則（平二七・七・八法五二）（抄）

（施行期日）

第一条　この法律は、平成二十八年四月一日から施行する。〔ただし書略〕

附　則（平二七・七・一七法五九）（抄）

（施行期日）

第一条　この法律は、平成二十九年四月一日から施行する。〔ただし書略〕

附　則（平二七・九・一八法七〇）（抄）

（施行期日）

第一条　この法律は、平成二十八年四月一日から施行する。〔ただし書略〕

附　則（平二八・三・三一法一七）（抄）

（施行期日）

第一条　この法律は、平成二十九年一月一日から施行する。ただし、次の各号に掲げる規定は、当該各号に定める日から施行する。

一・二　〔略〕

三　〔前略〕附則第十九条〔中略〕の規定　平成二十八年八月一日

四　〔略〕

（国家公務員共済組合法の一部改正に伴う経過措置）

第二十条　前条の規定による改正後の国家公務員共済組合法附則第十一条の三の規定は、附則第一条第三号に掲げる規定の施行の日以後に開始された前条の規定による改正後の国家公務員共済組合法第六十八条の三第一項に規定する介護休業に係る介護休業手当金について適用し、同日前に開始された前条の規定による改正前の国家公務員共済組合法第六十八条の三第一項に規定する介護休業に係る介護休業手当金については、なお従前の例による。

附　則（平二八・五・二〇法四四）（抄）

（施行期日）

第一条　この法律は、平成二十九年四月一日から施行する。〔ただし書略〕

附　則（平二八・一一・二四法八〇）（抄）

（施行期日等）

第一条　この法律は、公布の日から施行する。ただし、次の各号に掲げる規定は、当該各号に定める日から施行する。

一　〔前略〕附則〔中略〕第六条から第十条までの規定　平成二十九年一月一日

二　〔略〕

2　〔略〕

（国家公務員共済組合法の一部改正に伴う経過措置）

第八条　次項に定めるものを除き、前条の規定による改正後の国家公務員共済組合法第六十八条の三第二項の規定は、第一号施行日以後に開始された同条第一項に規定する介護休業に係る介護休業手当金について適用し、第一号施行日前に開始された前条の規定による改正前の国家公務員共済組合法第六十八条の三第一項に規定する介護休業に係る介護休業手当金については、なお従前の例による。

2　第一号施行日前に前条の規定による改正前の国家公務員共済組合法第六十八条の三第一項に規定する介護休業を開始した者であって、第一号施行日において当該介護休業の開始の日から起算して三月を超えていないものに係る前条の規定による改正後の国家公務員共済組合法第六十八条の三第二項の規定の適用については、同項中「介護休業の日数」とあるのは、「介護休業の日数（一般職の職員の給与に関する法律等の一部を改正する法律（平成二十八年法律第八十号）附則第七条の規定の施行の日前の介護休業の日数を含む。）」とする。

附　則（平二八・一一・二八法八七）（抄）

（施行期日）

第一条　この法律は、平成二十九年四月一日から施行する。〔ただし書略〕

附　則（平二九・三・三一法一四）（抄）

（施行期日）

第一条　この法律は、平成二十九年四月一日から施行する。ただし、次の各号に掲げる規定は、当該各号に定める日から施行する。

一・二　〔略〕

三　〔前略〕附則第十五条〔中略〕の規定　平成二十九年十月一日

四・五　〔略〕

○民法の一部を改正する法律の施行に伴う関係法律の整備等に関する法律（抄）

（平二九・六・二法四五）

（国家公務員共済組合法の一部改正に伴う経過措置）

第百三十二条　施行日前に前条の規定による改正前の国家公務員共済組合法第百三条第三項又は附則第二十条の八第三項に規定する時効の中断の事由が生じた場合におけるその事由の効力については、なお従前の例による。

附　則（抄）

この法律は、民法改正法の施行の日（平三二・四・一）から施行する。〔ただし書略〕

附　則（平三〇・六・八法四一）（抄）

（施行期日）

第一条　この法律は、公布の日から起算して六月を超えない範囲内において政令で定める日から施行する。〔ただし書略〕

附　則（令元・五・二二法九）（抄）

改正　令二・六・一二法五二

（施行期日）

第一条　この法律は、令和二年四月一日から施行する。ただし、次の各号に掲げる規定は、当該各号に定める日から施行する。

一・二　〔略〕

三　〔前略〕附則第八条中国家公務員共済組合法（昭和三十三年法律第百二十八号）第九十八条第二項の改正規定〔中略〕　令和二年十月一日

四　〔前略〕附則第八条の規定（国家公務員共済組合法第二条第一項第二号及び第四十条第三項の改正規定並びに前号に掲げる改正規定を除く。）〔中略〕　公布の日から起算して二年を超えない範囲内において政令で定める日〔令二・一〇・一〕

五・六　〔略〕

附　則（令二・三・三一法八）（抄）

（施行期日）

第一条　この法律は、令和二年四月一日から施行する。ただし、次の各号に掲げる規定は、当該各号に定める日から施行する。

一　〔略〕

二　次に掲げる規定　令和三年一月一日

イ・ロ　〔略〕

ハ　〔前略〕附則〔中略〕第百四十九条の規定

ニ～ヘ　〔略〕

三～十二　〔略〕

附　則（令二・三・三一法一四）（抄）

（施行期日）

第一条　この法律は、令和二年四月一日から施行する。〔ただし書略〕

（国家公務員共済組合法の一部改正に伴う経過措置）

第十六条　前条の規定による改正後の国家公務員共済組合法第六十八条の二の規定は、施行日以後に開始される同条第一項に規定する育児休業等に係る育児休業手当金について適用し、施行日前に開始された前条の規定による改正前の国家公務員共済組合法第六十八条の二第一項に規定する育児休業等に係る育児休業手当金については、なお従前の例による。

附　則（令二・六・五法四〇）（抄）

（施行期日）

第一条　この法律は、令和四年四月一日から施行する。ただし、次の各号に掲げる規定は、当該各号に定める日から施行する。

一　〔前略〕附則第五十五条中被用者年金制度の一元化等を図るための厚生年金保険法等の一部を改正する法律（平成二十四年法律第六十三号。以下「平成二十四年一元化法」という。）附則〔中略〕第三十六条第六項〔中略〕の改正規定〔中略〕　公布の日

二～四　〔略〕

五　〔前略〕第十五条中国家公務員共済組合法第九十九条、第百二条第三項及び第百二十四条の三の改正規定並びに同法附則第二十条の二第四項の改正規定（同項の表第百十一条第二項の項の改正規定を除く。）〔中略〕附則〔中略〕第四十六条〔中略〕の規定、附則第四十九条中厚生年金保険法等の一部を改正する法律（平成八年法律第八十二号。第九号及び附則第四十九条において「平成八年厚生年金等改正法」という。）附則第五十四条の改正規定並びに附則第五十五条中平成二十四年一元化法附則第四十九条第四号の改正規定　令和三年四月一日

六・七　〔略〕

八　〔前略〕第十五条中国家公務員共済組合法第二条第一項第一号、第四十条、第七十二条、第百二条の二及び第百二十五条から第百二十六条の二まで並びに附則第二十条の二第一項及び第二十条の六第一項の改正規定〔中略〕並びに附則第十四条〔中略〕の規定　令和四年十月一日

九　〔前略〕第十六条〔中略〕並びに附則〔中略〕第十八条〔中略〕の規定、附則第四十九条中平成八年厚生年金等改正法附則第三十三条の二の改正規定〔中略〕　令和五年四月一日

十・十一　〔略〕

（検討）

第二条　政府は、この法律の施行後速やかに、この法律による改正後のそれぞれの法律の施行の状況等を勘案し、公的年金制度を長期的に持続可能な制度とする取組を更に進め、社会経済情勢の変化に対応した保障機能を一層強化し、並びに世代間及び世代内の公平性を確保する観点から、公的年金制度及びこれに関連する制度について、持続可能な社会保障制度の確立を図るための改革の推進に関する法律（平成二十五年法律第百十二号）第六条第二項各号に掲げる事項及び公的年金制度の所得再分配機能の強化その他必要な事項（次項及び第四項に定める事項を除く。）について検討を加え、その結果に基づいて必要な措置を講ずるものとする。

２～６　〔略〕

（改正後の国家公務員共済組合法における標準報酬に関する経過措置）

第十四条　附則第一条第八号に掲げる規定の施行の日（以下「第八号施行日」という。）前に国家公務員共済組合の組合員の資格を取得して、第八号施行日まで引き続きその資格を有する者（国家公務員共済組合法第百二十六条の五第二項に規定する任意継続組合員及び令和四年十月から標準報酬を改定されるべき者を除く。）のうち、同年九月の標準報酬の月額が九万八千円であるもの（当該標準報酬の月額の基礎となった報酬月額が九万三千円以上であるものを除く。）の標準報酬は、当該標準報酬の月額の基礎となった報酬月額を第十五条の規定による改正後の国家公務員共済組合法第四十条第一項及び第二項の規定による標準報酬の基礎となる報酬月額とみなして、第八号施行日において改定するものとする。

２　前項の規定により改定された標準報酬は、令和四年十月から令和五年八月までの各月の標準報酬とする。

（改正後の国家公務員共済組合法における退職年金の支給の繰下げに関する経過措置）

第十五条　第十五条の規定による改正後の国家公務員共済組合法第八十条の規定は、施行日の前日において、七十歳に達していない者について適用する。

（改正後の国家公務員共済組合法における時効に関する経過措置）

第十六条　第十五条の規定による改正後の国家公務員共済組合法第百十一条第一項（退職等年金給付の返還を受ける権利に係る部分に限る。）、第二項及び第四項の規定は、施行日以後に生ずる当該権利及び同項に規定する権利について適用する。

（改正後の国家公務員共済組合法における日本国籍を有しない者に対する一時金の支給に関する経過措置）

第十七条　第十五条の規定による改正後の国家公務員共済組合法附則第十三条の二の規定は、施行日前に厚生年金保険法附則第二十九条第一項の規定による脱退一時金の支給を請求した者が、施行日以後に第十五条の規定による改正後の国家公務員共済組合法附則第十三条の二第二項の規定による一時金の支給を請求した場合についても、適用する。

（受給権を取得した日から起算して五年を経過した日後の国家公務員共済組合法による退職年金の請求に関する経過措置）

第十八条　第十六条の規定による改正後の国家公務員共済組合法第八十条の規定は、第九号施行日の前日において、七十一歳に達していない者について適用する。

附　則（令三・五・一九法三七）（抄）

（施行期日）

第一条　この法律は、令和三年九月一日から施行する。ただし、次の各号に掲げる規定は、当該各号に定める日から施行する。

一～六　〔略〕

七　〔前略〕附則〔中略〕第二十五条〔中略〕の規定　公布の日から起算して二年を超えない範囲内において、各規定につき、政令で定める日〔令五・五・一二〕

八～十　〔略〕

附　則（令三・六・一一法六六）（抄）

（施行期日）

第一条　この法律は、令和四年一月一日から施行する。ただし、次の各号に掲げる規定は、当該各号に定める日から施行する。

一・二　〔略〕

三　〔前略〕附則第十三条中国家公務員共済組合法（昭和三十三年法律第百二十八号）第七十五条の三第一項第五号、第百条の二及び第百二条第一項の改正規定、附則第十四条の規定〔中略〕　令和四年十月一日

四・五　〔略〕

六　〔前略〕附則第十三条中国家公務員共済組合法第百十四条の二第二項及び第百十四条の三の改正規定〔中略〕　公布の日から起算して三年を超えない範囲内において政令で定める日〔令六・三・一〕

（国家公務員共済組合法の一部改正に伴う経過措置）

第十四条　前条の規定による改正後の国家公務員共済組合法第百条の二の規定は、第三号施行日以後に開始する国家公務員共済組合法第四十条第十二項に規定する育児休業等について適用し、第三号施行日前に開始した同項に規定する育児休業等については、なお従前の例による。

附　則（令四・五・二五法五二）（抄）

（施行期日）

第一条　この法律は、令和六年四月一日から施行する。〔ただし書略〕

附　則（令四・一二・九法九六）（抄）

（施行期日）

第一条　この法律は、令和六年四月一日から施行する。〔ただし書略〕

附　則（令五・五・一九法三一）（抄）

（施行期日）

第一条　この法律は、令和六年四月一日から施行する。〔ただし書略〕

附　則（令五・六・七法四七）（抄）

（施行期日）

第一条　この法律は、国立健康危機管理研究機構法（令和五年法律第四十六号）の施行の日（令七・四・一）（以下「施行日」という。）から施行する。〔ただし書略〕

（国立国際医療研究センターの役職員から引き続き国立健康危機管理研究機構の役職員となった者についての国家公務員共済組合法の適用に関する経過措置）

第二条　施行日の前日に国立研究開発法人国立国際医療研究センター（以下「国立国際医療研究センター」という。）の役員又は職員として在職する者（同日において国家公務員共済組合法第百二十四条の三の規定により読み替えて適用する同法第三条第一項の規定により厚生労働省に属する同法第二条第一項第一号に規定する職員及びその所管する独立行政法人通則法（平成十一年法律第百三号）第二条第一項に規定する独立行政法人のうち国家公務員共済組合法別表第二に掲げるものの同法第百二十四条の三の規定により同号に規定する職員とみなされる者をもって組織された国家公務員共済組合（以下この項及び第三項において「厚生労働省第二共済組合」という。）の組合員であるものに限る。）が施行日において引き続いて国立健康危機管理研究機構の役員又は職員（同条の規定により同号に規定する職員とみなされるものに相当するものに限る。以下この条において「機構の役職員」という。）となる場合であって、かつ、引き続き施行日以後において機構の役職員である場合には、同法の規定の適用については、当該機構の役職員は、施行日から起算して二十日を経過する日（正当な理由があると厚生労働省第二共済組合が認めた場合には、その認めた日）までに厚生労働省第二共済組合に申出をしたときは、施行日以後引き続く当該機構の役職員である期間厚生労働省第二共済組合を組織する同号に規定する職員に該当するものとする。

2　前項に規定する機構の役職員が同項に規定する期限内に同項の申出を行うことなく死亡した場合には、その申出は、当該期限内に当該機構の役職員の遺族（国家公務員共済組合法第二条第一項第三号に規定する遺族に相当する者に限る。次項において同じ。）がすることができる。

3　施行日の前日において国立国際医療研究センターの役員又は職員として在職する者（同日において厚生労働省第二共済組合の組合員であるものに限る。）が施行日において引き続いて機構の役職員となる場合であって、かつ、当該機構の役職員又はその遺族が第一項に規定する期限内に同項の申出を行わなかった場合には、当該機構の役職員は、国家公務員共済組合法の適用については、施行日の前日に同法第二条第一項第四号に規定する退職をしたものとみなす。

附　則（令五・六・九法四八）（抄）

（施行期日）

第一条　この法律は、公布の日から起算して一年三月を超えない範囲内において政令で定める日〔令六・五・二七〕から施行する。ただし、次の各号に掲げる規定は、当該各号に定める日から施行する。

一　〔略〕

二　〔前略〕第八条から第十二条までの規定〔中略〕　公布の

日から起算して一年六月を超えない範囲内において政令で定める日

三・四〔略〕

附 則（令六・六・一二法四七）（抄）

（施行期日）

第一条 この法律は、令和六年十月一日から施行する。ただし、次の各号に掲げる規定は、当該各号に定める日から施行する。

一～三〔略〕

四 次に掲げる規定 令和七年四月一日

イ～ハ〔略〕

ニ 第七条の規定（次号へに掲げる改正規定を除く。）及び附則第九条の規定

ホ～ツ〔略〕

五・六〔略〕

（国家公務員共済組合法の一部改正に伴う経過措置）

第九条 第七条の規定（附則第一条第五号へに掲げる改正規定を除く。）による改正後の国家公務員共済組合法（以下この条において「新国共済法」という。）第六十八条の三の規定は、第四号施行日以後に新国共済法第六十八条の二第一項に規定する育児休業等を開始する者について適用する。

2 新国共済法第六十八条の五の規定は、第四号施行日以後に同条第一項に規定する育児時短勤務を開始する者について適用する。

別表第一（第七十一条関係）

損害の程度	月数
一 住居及び家財の全部が焼失し、又は滅失したとき。 二 住居及び家財に前号と同程度の損害を受けたとき。	三月
一 住居及び家財の二分の一以上が焼失し、又は滅失したとき。 二 住居及び家財に前号と同程度の損害を受けたとき。 三 住居又は家財の全部が焼失し、又は滅失したとき。 四 住居又は家財に前号と同程度の損害を受けたとき。	二月
一 住居及び家財の三分の一以上が焼失し、又は滅失したとき。 二 住居及び家財に前号と同程度の損害を受けたとき。 三 住居又は家財の二分の一以上が焼失し、又は滅失したとき。 四 住居又は家財に前号と同程度の損害を受けたとき。	一月
一 住居又は家財の三分の一以上が焼失し、又は滅失したとき。 二 住居又は家財に前号と同程度の損害を受けたとき。	〇・五月

別表第二（第百二十四条の三関係）

名称	根拠法
独立行政法人教職員支援機構	独立行政法人教職員支援機構法（平成十二年法律第八十八号）
独立行政法人国立高等専門学校機構	独立行政法人国立高等専門学校機構法（平成十五年法律第百十三号）
独立行政法人大学改革支援・学位授与機構	独立行政法人大学改革支援・学位授与機構法（平成十五年法律第百十四号）
独立行政法人経済産業研究所	独立行政法人経済産業研究所法（平成十一年法律第二百号）
国立研究開発法人産業技術総合研究所	国立研究開発法人産業技術総合研究所法（平成十一年法律第二百三号）
国立研究開発法人情報通信研究機構	国立研究開発法人情報通信研究機構法（平成十一年法律第百六十二号）
独立行政法人酒類総合研究所	独立行政法人酒類総合研究所法（平成十一年法律第百六十四号）
独立行政法人国立特別支援教育総合研究所	独立行政法人国立特別支援教育総合研究所法（平成十一年法律第百六十五号）
独立行政法人大学入試センター	独立行政法人大学入試センター法（平成十一年法律第百六十六号）
独立行政法人国立青少年教育振興機構	独立行政法人国立青少年教育振興機構法（平成十一年法律第百六十七

	号）
独立行政法人国立女性教育会館	独立行政法人国立女性教育会館法（平成十一年法律第百六十八号）
独立行政法人国立科学博物館	独立行政法人国立科学博物館法（平成十一年法律第百七十二号）
国立研究開発法人物質・材料研究機構	国立研究開発法人物質・材料研究機構法（平成十一年法律第百七十三号）
国立研究開発法人防災科学技術研究所	国立研究開発法人防災科学技術研究所法（平成十一年法律第百七十四号）
独立行政法人国立美術館	独立行政法人国立美術館法（平成十一年法律第百七十七号）
独立行政法人国立文化財機構	独立行政法人国立文化財機構法（平成十一年法律第百七十八号）
独立行政法人家畜改良センター	独立行政法人家畜改良センター法（平成十一年法律第百八十五号）
国立研究開発法人農業・食品産業技術総合研究機構	国立研究開発法人農業・食品産業技術総合研究機構法（平成十一年法律第百九十二号）
国立研究開発法人国際農林水産業研究センター	国立研究開発法人国際農林水産業研究センター法（平成十一年法律第百九十七号）
国立研究開発法人森林研究・整備機構	国立研究開発法人森林研究・整備機構法（平成十一年法律第百九十八

	号）
国立研究開発法人水産研究・教育機構	国立研究開発法人水産研究・教育機構法（平成十一年法律第百九十九号）
独立行政法人工業所有権情報・研修館	独立行政法人工業所有権情報・研修館法（平成十一年法律第二百一号）
国立研究開発法人土木研究所	国立研究開発法人土木研究所法（平成十一年法律第二百五号）
国立研究開発法人建築研究所	国立研究開発法人建築研究所法（平成十一年法律第二百六号）
国立研究開発法人海上・港湾・航空技術研究所	国立研究開発法人海上・港湾・航空技術研究所法（平成十一年法律第二百八号）
独立行政法人海技教育機構	独立行政法人海技教育機構法（平成十一年法律第二百十四号）
独立行政法人航空大学校	独立行政法人航空大学校法（平成十一年法律第二百十五号）
国立研究開発法人国立環境研究所	国立研究開発法人国立環境研究所法（平成十一年法律第二百十六号）
独立行政法人自動車技術総合機構	独立行政法人自動車技術総合機構法（平成十一年法律第二百十八号）
国立研究開発法人国立がん研究センター	高度専門医療に関する研究等を行う国立研究開発法人に関する法律（平成二十年法律第九十三号）
国立研究開発法人国立	

循環器病研究センター	
国立研究開発法人国立精神・神経医療研究センター	
国立研究開発法人国立成育医療研究センター	
国立研究開発法人国立長寿医療研究センター	
独立行政法人国立病院機構	独立行政法人国立病院機構法（平成十四年法律第百九十一号）

＊　国家公務員共済組合法は、刑法等の一部を改正する法律の施行に伴う関係法律の整理等に関する法律（令和四年法六八）により一部改正されたが、刑法等一部改正法施行日〔令七・六・一〕から施行となるため、一部改正法の形で掲載した。

○刑法等の一部を改正する法律の施行に伴う関係法律の整理等に関する法律（抄）

令四・六・一七
法　　六　八

（国家公務員共済組合法の一部改正）

第百九十九条　国家公務員共済組合法（昭和三十三年法律第百二十八号）の一部を次のように改正する。

　第九十七条第一項から第三項までの規定中「禁錮」を「拘禁刑」に改める。

　第百二十七条の二及び第百二十七条の三中「懲役」を「拘禁刑」に改める。

附　則（抄）

（施行期日）

1　この法律は、刑法等一部改正法施行日〔令七・六・一〕から施行する。〔ただし書略〕

＊　国家公務員共済組合法は、全世代対応型の持続可能な社会保障制度を構築するための健康保険法等の一部を改正する法律（令和五年法三一）の附則により一部改正されたが、このうち公布の日から起算して四年を超えない範囲内において政令で定める日から施行される部分については、一部改正法の形で掲載した。

○全世代対応型の持続可能な社会保障制度を構築するための健康保険法等の一部を改正する法律（抄）

令五・五・一九
法　　三　一

（国家公務員共済組合法の一部改正）

第二十条　国家公務員共済組合法の一部を次のように改正する。

　第百十四条の二〔中略〕第二項中「及び法令」を「、法令」に改め、「定めるもの」の下に「並びに介護保険法第三条の規定により介護保険を行う市町村及び特別区」を加える。

附　則（抄）

（施行期日）

第一条　この法律は、令和六年四月一日から施行する。ただし、次の各号に掲げる規定は、当該各号に定める日から施行する。

一～五　〔略〕

六　〔前略〕附則第二十条中国家公務員共済組合法（昭和三十三年法律第百二十八号）第百十四条の二第二項の改正規定〔中略〕　公布の日から起算して四年を超えない範囲内において政令で定める日

七　〔略〕

＊　国家公務員共済組合法は、子ども・子育て支援法等の一部を改正する法律（令和六年法四七）により一部改正されたが、このうち令和八年四月一日から施行となる部分については、一部改正法の形で掲載した。

○子ども・子育て支援法等の一部を改正する法律（抄）

令六・六・一二
法　　四　七

（国家公務員共済組合法の一部改正）

第七条　国家公務員共済組合法（昭和三十三年法律第百二十八号）の一部を次のように改正する。

　第三条第四項中「厚生年金保険法」を「子ども・子育て支援法（平成二十四年法律第六十五号）第七十一条の三第一項の規定による子ども・子育て支援納付金（以下「子ども・子育て支援納付金」という。）、厚生年金保険法」に改める。

　第四十条第二項中「介護納付金」の下に「、子ども・子育て支援納付金」を加え、同条第十二項中「第六十八条の二」の下に「、第六十八条の三、第六十八条の五」を加える。

　第九十九条第一項中「並びに基礎年金拠出金」を「、子ども・子育て支援納付金並びに基礎年金拠出金」に、「、第三号」を「、第四号」に改め、〔中略〕同項第三号中「次項第三号」を「次項第四号」に改め、同号を同項第四号とし、同項第二号の次に次の一号を加える。

三　子ども・子育て支援納付金の納付に要する費用については、当該事業年度におけるその費用の額と当該事業年度における次項第三号の掛金及び負担金の額とが等しくなるようにすること。

　第九十九条第二項中第四号を第五号とし、第三号を第四号とし、第二号の次に次の一号を加える。

三　子ども・子育て支援納付金の納付に要する費用　掛金百分の五十、国の負担金百分の五十

　第百条第二項ただし書中「第九十九条第二項第三号」を「第九十九条第二項第四号」に改め、同条第五項を同条第六項とし、同条第四項中「前項」を「第三項」に改め、同項を同条第

五項とし、同条第三項の次に次の一項を加える。

4　子ども・子育て支援納付金に係る前項の割合については、各年度において全ての組合が納付すべき子ども・子育て支援納付金の総額を当該年度における全ての組合の組合員の総報酬額（標準報酬の月額及び標準期末手当等の額の合計額をいう。）の総額の見込額で除した率を基礎として政令で定める率を超えない範囲で定めるものとする。

第百二条第四項中「第九十九条第二項第三号及び第四号」を「第九十九条第二項第四号及び第五号」に改める。

第百二十四条の二第一項中「同項第三号」を「同項第四号」に、「第九十九条第二項第三号及び第四号」を「第九十九条第二項第四号及び第五号」に、「第九十九条第二項第三号に」を「第九十九条第二項第四号に」に改める。

第百二十四条の三中「及び第三号」を「及び第四号」に改める。

第百二十六条の五第二項中「短期給付」の下に「、子ども・子育て支援納付金」を加える。

附則第十二条第六項中「短期給付」の下に「及び子ども・子育て支援納付金」を加え〔中略〕る。

附則第二十条の二第四項〔中略〕の表第九十九条第一項第一号及び第三号の項中「第三号」を「第四号」に改める。

附　則（抄）

（施行期日）

第一条　この法律は、令和六年十月一日から施行する。ただし、次の各号に掲げる規定は、当該各号に定める日から施行する。

一～四　〔略〕

五　次に掲げる規定　令和八年四月一日

イ～ホ　〔略〕

ヘ　第七条中国家公務員共済組合法第三条第四項の改正規定、同法第四十条第二項の改正規定、同法第九十九条第一項の改正規定（同項第一号の改正規定を除く。）、同条第二項の改正規定、同法第百条の改正規定、同法第百二条第四項の改正規定、同法第百二十四条の二第一項の改正規定、同法第百二十四条の三の改正規定、同法第百二十六条の五第二項の改正規定、同法附則第十二条第六項の改正規定及び同法附則第二十条の二第四項の表第九十九条第一項第一号及び第三号の項の改正規定

ト～ネ　〔略〕

六　〔略〕

○国家公務員共済組合法の長期給付に関する施行法

昭三三・五・一
法　一　二　九

改正
昭三四・五・一五法一六三
昭三六・六・一九法一五二
昭三六・一一・一法一八二
昭三七・三・二七法二四
昭三七・五・一〇法一一六
昭三七・九・八法一五三
昭三八・三・三一法六二
昭三八・六・二七法一一四
昭三九・七・六法一五二
昭三九・七・六法一五三
昭三九・七・六法一五四
昭四〇・三・三一法三六
昭四〇・六・一法一〇一
昭四〇・六・一法一〇四
昭四一・七・八法一二二
昭四一・七・八法一二三
昭四二・七・三一法一〇四
昭四三・五・三一法八一
昭四四・一二・六法七八
昭四四・一二・一六法九二
昭四四・一二・一六法九三
昭四五・五・二六法一〇〇
昭四五・五・二六法一〇一
昭四五・五・二九法八二
昭四六・一二・三一法一三〇
昭四七・六・二二法八一
昭四八・七・二四法六二
昭四九・六・二五法九四
昭四九・六・二七法一〇〇
昭五〇・一一・二〇法七九
昭五一・六・三法五二
昭五二・六・七法六四
昭五三・五・三一法五八
昭五四・一二・二八法七二
昭五五・五・三一法七四
昭五五・一一・二六法八八
昭五六・五・三〇法五五
昭五六・六・九法七三
昭五七・五・二五法五六
昭五七・七・一六法六六
昭五八・一二・二法八〇
昭五八・一二・三法八二
昭五九・五・二二法三五
昭五九・八・一〇法七一
昭六〇・五・一法三四
昭六〇・六・七法四九
昭六〇・一二・二七法一〇五
昭六〇・一二・二七法一〇八
昭六一・一二・四法九三
平元・一二・二二法八七
平元・一二・二七法九三
平六・一一・一六法九八
平七・三・三一法五一
平八・六・一四法八二
平一一・七・一六法八七
平一一・七・一六法一〇四
平一一・一二・二二法一六〇
平一三・七・四法一〇一
平一四・五・一〇法四〇
平一四・五・一〇法四一
平一四・七・三一法九八
平一四・一二・二〇法一九一
平一六・六・二三法一三〇
平一七・一〇・二一法一〇二
平二四・八・二二法六二
平二四・八・二二法六三
平二六・四・一八法二二

目次

第一章　総則

（趣旨）

第一条　この法律は、国家公務員共済組合法（昭和三十三年法律第百二十八号）の長期給付に関する規定の施行に伴う経過措置等に関して必要な事項を定めるものとする。

（定義）

第二条　この法律において、次の各号に掲げる用語の意義は、それぞれ当該各号に定めるところによる。

一　新法　被用者年金制度の一元化等を図るための厚生年金保険法等の一部を改正する法律（平成二十四年法律第六十三号）第二条の規定による改正前の国家公務員共済組合法をいう。

二　旧法　新法による改正前の国家公務員共済組合法（昭和二十三年法律第六十九号。新法附則第二条第一項の規定によりなおその効力を有するものとされた場合及び国家公務員及び公共企業体職員に係る共済組合制度の統合等を図るための国家公務員共済組合法等の一部を改正する法律（昭和五十八年法律第八十二号。以下「昭和五十八年改正法」という。）附則第二条の規定による廃止前の公共企業体職員等共済組合法（昭和三十一年法律第百三十四号）による改正前の日本専売公社法（昭和二十三年法律第二百五十五号）、日本国有鉄道法（昭和二十三年法律第二百五十六号）又は日本電信電話公社法（昭和二十七年法律第二百五十号）その他の法律において準用し、又は適用する場合を含む。）をいう。

二の二　旧法等　旧法及びその施行前の政府職員の共済組合に関する法令で長期給付に相当する給付について

定めていたものをいう。

三　職員、組合、連合会、長期給付、組合職員、連合会役職員、衛視等又は警察職員　それぞれ新法第二条第一項第一号、新法第三条第一項、新法第二十一条第一項若しくは第二項、新法第百二十五条、新法第百二十六条第一項、新法附則第十三条第二項又は新法附則第十三条の二に規定する職員、組合、連合会、長期給付、組合職員、連合会役職員、衛視等又は警察職員をいう。

四　恩給公務員　恩給法（大正十二年法律第四十八号）第十九条に規定する公務員及び他の法令により当該公務員とみなされる者をいう。

四の二　警察監獄職員　恩給法第二十三条に規定する警察監獄職員及び他の法令により当該警察監獄職員とみなされる者をいう。

五　旧長期組合員　旧法等の退職給付、障害給付及び遺族給付に関する規定の適用を受ける旧法等の組合員をいう。

六　長期組合員　新法の長期給付に関する規定の適用を受ける組合員をいう。

七　更新組合員　この法律の施行の日（以下「施行日」という。）の前日に職員であつた者で、施行日に長期組合員となり、引き続き長期組合員であるものをいう。

八　恩給、普通恩給、一時恩給、増加恩給、傷病年金又は傷病賜金　それぞれ恩給に関する法令の規定による恩給、普通恩給、一時恩給、増加恩給、傷病年金又は傷病賜金をいう。

九　増加恩給等　増加恩給及びこれと併給される普通恩給をいう。

十　恩給公務員期間　恩給公務員、従前の宮内官の恩給規程による宮内職員、恩給法第八十四条に掲げる法令の規定により恩給、退隠料その他これらに準ずるものを給すべきものとされていた公務員その他法令の規定により恩給を給すべきものとされた公務員として在職した期間（法令の規定により恩給を給すべきものとされた公務員として在職するものとみなされる期間、恩給につき在職年月数に通算される期間及び在職年の計算上恩給公務員としての在職年月数に加えられる期間を含む。）をいう。

十一　在職年　恩給に関する法令にいう在職年をいう。

十二　警察在職年　警察監獄職員の恩給の基礎となるべき在職年の計算の例により計算した在職年をいう。

十三　旧長期組合員期間　旧長期組合員であつた期間及び旧法又は他の法令の規定により旧法の退職給付、障害給付及び遺族給付の基礎となる組合員であつた期間とみなされた期間をいう。

十四　控除期間　旧長期組合員期間のうち旧法第九十五条に規定する控除期間をいう。

（施行日前に給付事由が生じた給付の取扱）

第三条　施行日前に給付事由が生じた旧法の規定による退職給付、障害給付若しくは遺族給付又は旧法第九十条の規定による給付については、この法律に別段の規定があるもののほか、なお従前の例による。

（施行日前に給付事由が生じた年金である給付の額の改定等）

第三条の二　前条に規定する給付のうち年金である給付の額については、年金である恩給の額を改定する措置が講じられる場合には、当該措置が講じられる月分以後、当該措置を参酌して、政令で定めるところにより改定する。

2　前項の規定により行われる年金である給付の額の改定により増加する費用は、政令で定めるところにより、国、独立行政法人造幣局、独立行政法人国立印刷局若しくは独立行政法人国立病院機構（第五十四条第一項において「国等」という。）又は国家公務員共済組合法附則第二十条の三第二項に規定する郵政会社等（第五十四条第一項において「郵政会社等」という。）が負担する。

3　前条に規定する給付のうち年金である給付の支給期月については、新法第七十三条第四項の規定を準用する。

4　新法第七十四条の二、第七十四条の三第二項及び第七十四条の四の規定は、前条に規定する給付のうち年金である給付について準用する。

（組合員の恩給法上の取扱）

第四条　組合員は、恩給公務員に該当する場合においても、恩給に関する法令の規定の適用については、組合員である間、恩給公務員として在職しないものとみなす。

第二章　更新組合員に関する一般的経過措置

（恩給の受給権の取扱）

第五条　更新組合員で施行日の前日に恩給公務員であつたものは、恩給に関する法令の規定の適用については、同日において退職したものとみなす。

2　更新組合員に係る恩給（その者が恩給に関する法令の規定により遺族として受ける恩給及びその者が施行日前に支払を受けるべきであつた恩給で同日前にその支払を受けなかつたものを除く。）を受ける権利は、施行日の前日において消滅するものとする。ただし、次に掲げる権利（第二号に掲げる権利にあつては、これを有する者が施行日から六十日を経過する日以前にその裁定庁に対して同号に規定する普通恩給を受けることを希望しない旨を申し出なかつたものに限る。）は、この限りでない。
一　増加恩給、傷病年金又は傷病賜金を受ける権利
二　施行日の前日に旧長期組合員であつた者の普通恩給を受ける権利

3　前項ただし書の申出がなかつた場合には、その申出をしなかつた者又はその遺族に対して支給する長期給付については、同項第二号に規定する普通恩給の基礎となつた期間（普通恩給を受ける権利を有する者が再び恩給公務員となり、施行日前に再び退職した場合において、普通恩給の改定が行なわれなかつたときにおけるその再び恩給公務員となつた日以後の恩給公務員期間を含む。）は、第七条第一項第一号の期間に該当しないものとみなす。

4　第七条第一項第一号の規定により長期給付の基礎となるべき組合員期間に算入された恩給公務員期間は、施行日以後に給付事由が生ずる恩給の基礎となるべき在職年に算入しない。

（施行日後に恩給受給権を有すべきこととなる者の取扱い）

第五条の二　前条第二項本文の規定を適用しないとしたならば、恩給に関する法令の改正により、更新組合員又はその遺族が新たに普通恩給又は扶助料（恩給法第七十五条第一項第一号に規定する扶助料をいう。）を受ける権利を有することとなる場合には、当該更新組合員は施行日の前日において当該普通恩給を受ける権利を有していたものとみなして、当該普通恩給又は扶助料を受ける権利について前条第二項本文の規定を適用する。

（旧法の退職年金等の受給権の取扱）

第六条　更新組合員に係る旧法の規定による退職年金（その者が施行日前に支払を受けるべきであつた当該退職年金で同日前にその支払を受けなかつたものを除く。）を受ける権利は、施行日の前日において消滅するものとする。ただし、同日に恩給公務員であつた者の当該退職年金を受ける権利（これを有する者が施行日から六十日を経過する日以前に組合に対して当該退職年金を受けることを希望する旨を申し出たものに限る。）については、この限りでない。

2　更新組合員に係る前項ただし書に規定する退職年金及び旧法の規定による障害年金は、その者が更新組合員である間、その支給を停止する。

3　第一項ただし書の申出があつた場合には、その申出をした者又はその遺族に対して支給する長期給付については、同項ただし書に規定する退職年金の基礎となつた期間は、第七条第一項第二号の期間に該当しないものとみなす。

（組合員期間の計算の特例）

第七条　更新組合員の施行日前の次の期間は、新法第三十八条第一項に規定する組合員期間に算入する。ただし、次の期間のうち昭和三十六年四月一日まで引き続く期間以外の期間については、当該期間を組合員期間に算入して二十年に満たない場合は、この限りでない。

一　恩給公務員期間のうち、在職年の計算において除算することとされている恩給公務員期間（恩給法の一部を改正する法律（昭和二十八年法律第百五十五号。以下「法律第百五十五号」という。）附則第四十六条から第四十八条までの規定の適用を受ける者（新法又はこの法律の規定による年金である給付を法律第百五十五号附則第四十六条から第四十八条までに規定する年金である恩給とみなしたならばこれらの規定の適用を受けることとなるべき者を含む。）のその適用に係る期間を除く。）を除いた期間。ただし、その期間のうちに在職年の計算において加算することとされている年月数（法律第百五十五号附則第二十四条第二項又は第三項に規定する加算年のうちこれらの規定により恩給の基礎在職年に算入しないこととされている年月数以外の年月数、同条第四項に規定する加算年の年月数（同条第八項又は同法附則第二十四条の三第三項の規定により同法附則第二十四条第四項第一号又は第三号に規定する加算年の年月数とみなされる年月数を含む。）、同条第九項、第十項又は第十四項の規定により恩給の基礎在職年に算入することとされている加算年の年月数及び同条第十一項又は第十二項の規定により在職期間に加えられることとされている年月数を除く。）があるときはその年月数を加算し、半減することとされている年月数があるときはその年月数を半減した後の期間とする。

二　旧法等の規定による退職年金（国家公務員等共済組合法等の一部を改正する法律（昭和六十年法律第百五号。以下「昭和六十年改正法」という。）第三条の規定による改正前の旧令による共済組合等からの年金受給者のための特別措置法（昭和二十五年法律第二百五十六号）第二十四条の規定により退職年金とみなされた年金を含む。以下同じ。）を受ける権利の基礎となつている旧長期組合員期間

三　前号の期間以外の旧長期組合員期間で施行日の前日まで引き続いているもの

四　前二号の期間以外の旧長期組合員期間

五　職員（国家公務員法（昭和二十二年法律第百二十号）の施行前におけるこれに相当する者、国以外の法人に勤務する者で恩給公務員又は旧長期組合員に該当

するもの及び職員に準ずる者で政令で定めるものを含む。次号及び第九条において同じ。）であつた期間で、施行日の前日まで引き続いているもの又は政令で定める要件に該当するもの（恩給公務員期間及び前三号の期間を除く。）

六　法律第百五十五号附則第四十二条第一項又は第四十三条に規定する外国政府職員又は外国特殊法人職員に係る外国政府又は法人（以下この号において「外国政府等」という。）に勤務していた者（当該外国政府等に昭和二十年八月八日まで引き続き勤務した後引き続いて海外にあつた未帰還者（未帰還者留守家族等援護法（昭和二十八年法律第百六十一号）第二条に規定する未帰還者をいう。第九条第三号及び第四号並びに第三十一条第四項第三号において同じ。）と認められた者を含む。）でその後他に就職することなく政令で定める期間内に職員となり、施行日の前日まで引き続いて職員であつたもの、当該外国政府等に勤務していた者で任命権者又はその委任を受けた者の要請に応じ当該外国政府等又は日本政府がその運営に関与していた法人その他の団体の職員（以下この号において「関与法人等の職員」という。）となるため退職し、当該関与法人等の職員として昭和二十年八月八日まで引き続き勤務し、その後他に就職することなく政令で定める期間内に職員となり、施行日の前日まで引き続いて職員であつたもの及び当該外国政府等に勤務していた者で政令で定めるものの当該外国政府等に勤務していた期間（当該未帰還者と認められた者については、昭和二十年八月八日の属する月の翌月から帰国した日の属する月までの期間で当該未帰還者と認められるものを含む。）でその職員となつた日の前日まで引き続いているもののうち恩給公務員期間及び第二号から前号までの期間を除いた期間

2　前項第二号から第四号までの期間のうちに同項第一号本文の期間と重複する期間があるときは、それぞれその重複する期間を除いた期間を同項第二号から第四号までの期間とする。

3　更新組合員で新法附則第十三条第一項に規定する特定衛視等である者に対する第一項の規定の適用については、同項中「算入する。ただし、次の期間のうち昭和三十六年四月一日まで引き続く期間以外の期間については、当該期間を組合員期間に算入して二十年に満たない場合は、この限りでない」とあるのは、「算入する」と読み替えるものとする。

（恩給公務員であつた更新組合員の特例）

第八条　更新組合員で施行日の前日に恩給公務員であつたもののうち、次の各号のいずれかに該当する者に対する別表の上欄に掲げる新法又はこの法律の規定の適用については、これらの規定中同表の中欄に掲げる字句は、それぞれ同表の下欄に掲げる字句に読み替えるものとする。

一　次のイからハまでに掲げる者で、これらの者の区分に応じ施行日前の在職年の年月数と施行日以後の新法第三十八条第一項に規定する組合員期間の年月数とを合算した年月数がそれぞれイからハまでに掲げる年数以上であるもの

イ　施行日前の在職年が十一年以上である者　十七年

ロ　施行日前の在職年が五年以上十一年未満である者　十八年

ハ　施行日前の在職年が五年未満である者　十九年

二　第五条第二項本文の規定を適用しないとしたならば、普通恩給を受ける権利を有することとなるもの（前号の規定の適用を受ける者を除く。）

（特殊の期間の通算）

第九条　第七条第一項本文の規定を適用して算定した新法第三十八条第一項に規定する組合員期間に次の期間を算入するとしたならば、その期間が二十年以上となる更新組合員に対する別表の上欄に掲げる新法又はこの法律の規定の適用については、これらの規定中同表の中欄に掲げる字句は、それぞれ同表の下欄に掲げる字句に読み替えるものとする。

一　職員であつた期間のうち、恩給公務員期間及び第七条第一項第二号から第五号までの期間を除いた期間

二　旧国民医療法（昭和十七年法律第七十号）に規定する日本医療団に勤務していた者で日本医療団の業務の政府への引継ぎに伴い、引き続いて職員となつたものの日本医療団に勤務していた期間のうち恩給公務員期間を除いた期間

三　旧日本赤十字社令（明治四十三年勅令第二百二十八号）の規定に基づき戦地勤務（法律第百五十五号附則第四十一条の二第一項に規定する戦地勤務をいう。以下この号及び第三十一条第四項において同じ。）に服した日本赤十字社の救護員としての期間（当該日本赤十字社の救護員として昭和二十年八月九日以後戦地勤務に服していた者で、当該戦地勤務に引き続いて海外にあつたものについては、当該戦地勤務に服さなくなつた日の属する月の翌月から帰国した日の属する月までの期間（未帰還者に該当する期間に限る。）を含む。同項において同じ。）のうち恩給公務員期間を除いた期間

四　外国政府等（法律第百五十五号附則第四十二条第一項に規定する外国政府職員に係る外国政府、同法附則

第四十三条に規定する外国特殊法人職員に係る法人及び同法附則第四十三条の二第一項に規定する外国特殊機関職員に係る特殊機関をいう。以下この号において同じ。）に昭和二十年八月八日まで引き続き勤務していた者（当該外国政府等に同日まで引き続き勤務した後引き続いて海外にあつた未帰還者と認められた者を含む。）、当該外国政府等に勤務した後引き続いて職員となつた者で同日まで引き続き勤務していたもの、当該外国政府等に勤務していた者で任命権者又はその委任を受けた者の要請に応じ当該外国政府等又は日本政府がその運営に関与していた法人その他の団体の職員（以下この号において「関与法人等の職員」という。）となるため退職し、当該関与法人等の職員として同日まで引き続き勤務した後職員となつたもの及び当該外国政府等に勤務していた者で政令で定めるものの当該外国政府等に勤務していた期間（当該未帰還者と認められた者については、同日の属する月の翌月から帰国した日の属する月までの期間で当該未帰還者と認められるものを含む。）のうち恩給公務員期間、第七条第一項第六号の期間その他政令で定める期間を除いた期間

五　鉄道事業法（昭和六十一年法律第九十二号）附則第二条の規定による廃止前の地方鉄道法（大正八年法律第五十二号）第十条第一項に規定する地方鉄道会社で政令で定めるものに勤務していた者で当該会社所属の鉄道の買収に際して国に引き継がれ、その後施行日まで引き続き職員であるものの当該会社に勤務していた期間で買収の時まで引き続いているもののうち恩給公務員期間を除いた期間

六　国際電気通信株式会社、日本電信電話工事株式会社又は日本電話設備株式会社に勤務していた者でこれらの会社の買収に際して国に引き継がれ、その後施行日まで引き続き職員であるもののこれらの会社に勤務していた期間で買収の時まで引き続いているもの（昭和十九年四月三十日において旧南洋庁に勤務していた者で、旧南洋庁の電気通信業務が国際電気通信株式会社に引き継がれたことに伴い引き続き当該会社に勤務した後職員となつたものの当該会社に勤務していた期間及びこれらの会社に勤務していた者でその後これらの会社の買収までの間に職員となつたもののこれらの会社に勤務していた期間（昭和二十年八月十五日前の期間で同日まで引き続いていないものを除く。）を含む。）のうち恩給公務員期間を除いた期間

第三章　退職共済年金等に関する経過措置

（恩給公務員期間又は旧長期組合員期間を有する者の退職共済年金の支給開始年齢等の特例）

第十条　次の各号のいずれかに該当する更新組合員（組合員期間（第七条の規定を適用して算定した新法第三十八条第一項に規定する組合員期間をいう。以下同じ。）が二十年以上である者に限る。）が六十歳に達する前に退職（新法第二条第一項第四号に規定する退職をいう。以下同じ。）した場合における新法附則第十二条の三の規定の適用については、同条第一号中「六十歳以上である」とあるのは、「退職している」とする。

一　第七条第一項第一号の期間に該当する期間が五年以上であるもの

二　第七条第一項第二号から第四号までの期間に該当する期間が六年以上であるもの

2　前項に規定する更新組合員に支給する新法附則第十二条の三の規定による退職共済年金は、その者が六十歳（その者が、新法附則第十二条の七第一項又は第二項に規定する者であるときは、それぞれ新法附則別表第一又は新法附則別表第二の上欄に掲げる者の区分に応じ、これらの表の中欄に掲げる年齢。以下この項において同じ。）未満であるときは、六十歳未満である間、その支給を停止する。

3　第一項第一号に規定する更新組合員に支給する新法附則第十二条の三の規定による退職共済年金の額のうち、当該年金の額（新法第七十八条第一項に規定する加給年金額を除く。）に第七条第一項第一号の期間の月数を当該年金の額の算定の基礎となつた組合員期間の月数で除して得た割合を乗じて得た金額については、前項の規定にかかわらず、当該金額のうち、四十五歳に達した日以後五十歳に達するまではその百分の五十に相当する金額、五十歳に達した日以後五十五歳に達するまではその百分の七十に相当する金額、五十五歳に達した日以後はその百分の百に相当する金額をそれぞれ支給する。

4　第一項第二号に規定する更新組合員に支給する新法附則第十二条の三の規定による退職共済年金の額のうち、当該年金の額（新法第七十八条第一項に規定する加給年金額を除く。）に第七条第一項第二号から第四号までの期間の月数を当該年金の額の算定の基礎となつた組合員期間の月数で除して得た割合を乗じて得た金額については、第二項の規定にかかわらず、五十歳に達した日以後、当該金額を支給する。

（控除期間等の期間を有する更新組合員に係る退職共済年金の額の特例）

第十一条　組合員期間のうち控除期間並びに第七条第一項第五号及び第六号の期間（以下第十三条までにおいて

「控除期間等の期間」という。）を有する更新組合員に対する退職共済年金（新法第七十六条、新法附則第十二条の三又は新法附則第十二条の八の規定による退職共済年金をいう。以下同じ。）の額は、新法第七十七条第一項及び第二項、新法附則第十二条の四の二第二項及び第三項（新法附則第十二条の四の三第一項及び第三項、第十二条の七の二第二項、第十二条の七の三第二項及び第四項においてその例による場合を含む。）並びに新法附則第十二条の七の五第一項、第四項及び第五項又は新法附則第十二条の八第三項並びに新法第七十八条の規定にかかわらず、これらの規定により算定した金額から次の各号に掲げる者（組合員期間が二十年以上である者に限る。）の区分に応じ、当該各号に掲げる額を控除した金額とする。

一　組合員期間が四十年以下の者　退職共済年金の額（新法第七十八条第一項に規定する加給年金額を除き、国民年金法（昭和三十四年法律第百四十一号）の規定による老齢基礎年金が支給される場合には、当該老齢基礎年金の額のうち、組合員期間に係る部分に相当するものとして政令で定めるところにより算定した額を加えた額）を組合員期間の月数で除して得た額の百分の四十五に相当する額に控除期間等の期間の月数を乗じて得た額

二　控除期間等の期間以外の組合員期間が四十年を超える者　退職共済年金の額（新法第七十八条第一項に規定する加給年金額を除き、六十五歳に達するまでは、新法附則第十二条の四の二第二項第一号（新法附則第十二条の四の三第一項及び第三項、第十二条の七の二第二項並びに第十二条の七の三第二項及び第四項においてその例による場合を含む。次項において同じ。）の規定により算定した額若しくは新法附則第十二条の七の五第一項に規定する繰上げ調整額又は新法附則第十二条の八第三項においてその例によるものとされた同号に規定する金額に係る同項の規定による減額後の額を除く。）を組合員期間の月数で除して得た額の百分の四十五に相当する額に控除期間等の期間の月数を乗じて得た額

三　組合員期間が四十年を超え、かつ、控除期間等の期間以外の組合員期間が四十年以下の者　次のイ及びロに掲げる額の合算額

イ　控除期間等の期間のうち四十年から控除期間等の期間以外の組合員期間を除いたものについては、第一号の規定の例により算定した額

ロ　控除期間等の期間のうちイに掲げる期間以外のものについては、前号の規定の例により算定した額

2　前項の規定を適用して算定された新法附則第十二条の三又は新法附則第十二条の八の規定による退職共済年金の額のうち、新法附則第十二条の四の二第二項第一号に掲げる金額若しくは新法附則第十二条の七の五第一項に規定する繰上げ調整額又は新法附則第十二条の八第三項においてその例によるものとされた同号に規定する金額に係る同項の規定による減額後の金額に相当する額が、組合員期間が二百四十月であるものとして算定した新法附則第十二条の四の二第二項第一号に掲げる金額若しくは新法附則第十二条の七の五第一項に規定する繰上げ調整額又は新法附則第十二条の八第三項においてその例によるものとされた同号に規定する金額に係る同項の規定による減額後の金額より少ないときは、当該金額をもつて当該相当する額とする。

（控除期間等の期間を有する更新組合員に係る障害共済年金の額の特例）

第十二条　組合員期間が二十五年以上であり、かつ、控除期間等の期間を有する者に対する障害共済年金（新法第八十一条に規定する障害共済年金をいう。以下同じ。）の額は、当該障害共済年金の額から、その額（新法第八十三条第一項に規定する加給年金額を除き、国民年金法の規定による障害基礎年金が支給される場合には当該障害基礎年金の額を加えた額）を組合員期間の月数で除して得た額の百分の四十五に相当する額に控除期間等の期間の月数（その月数が組合員期間の月数から三百月を控除した月数を超えるときは、その控除した月数）を乗じて得た額を控除した額とする。

（控除期間等の期間を有する更新組合員に係る遺族共済年金の額の特例）

第十三条　組合員期間が二十五年以上であり、かつ、控除期間等の期間を有する者の遺族（新法第二条第一項第三号に規定する遺族をいう。以下同じ。）に対する遺族共済年金（新法第八十八条に規定する遺族共済年金をいう。以下同じ。）の額は、当該遺族共済年金の額から、その額（新法第九十条の規定により加算される金額を除き、国民年金法の規定による遺族基礎年金が支給される場合には当該遺族基礎年金の額を加えた額）を組合員期間の月数で除して得た額の百分の四十五に相当する額に控除期間等の期間の月数（その月数が組合員期間の月数から三百月を控除した月数を超えるときは、その控除した月数）を乗じて得た額を控除した額とする。

（追加費用対象期間を有する更新組合員に係る退職共済年金の額の特例）

第十三条の二　第七条第一項各号の期間その他の政令で定める期間（以下この条から第十三条の四までにおいて「追加費用対象期間」という。）を有する更新組合員に対

する退職共済年金の額（国民年金法の規定による老齢基礎年金又は障害基礎年金が支給される場合には、これらの年金である給付の額を加えた額とする。）が控除調整下限額（二百三十万円に被用者年金制度の一元化等を図るための厚生年金保険法等の一部を改正する法律附則第一条第三号に定める日の属する年度以後の各年度の再評価率（厚生年金保険法（昭和二十九年法律第百十五号）第四十三条第一項に規定する再評価率をいう。）の改定の基準となる率であつて政令で定める率を順次乗じて得た金額をいう。第三項、次条及び第十三条の四において同じ。）を超えるときは、退職共済年金の額は、新法第七十七条第一項及び第二項、新法第七十八条第一項、新法第七十八条の二第四項、新法附則第十二条の四の二第二項及び第三項（新法附則第十二条の四の三第一項及び第三項、新法附則第十二条の七の二第二項並びに新法附則第十二条の七の三第二項及び第四項においてその例による場合を含む。）、新法附則第十二条の六の二第四項、新法附則第十二条の六の三第一項、第三項及び第四項、新法附則第十二条の七の五第一項、第四項及び第五項並びに新法附則第十二条の八第三項及び第七項並びに第十一条の規定にかかわらず、これらの規定により算定した額から当該額（国民年金法の規定による老齢基礎年金が支給される場合には当該老齢基礎年金の額のうち組合員期間に係る部分に相当するものとして政令で定めるところにより算定した額を、同法の規定による障害基礎年金が支給される場合には当該障害基礎年金の額のうち組合員期間に係る部分に相当するものとして政令で定めるところにより算定した額を、それぞれ加えた額とする。次項において「控除前退職共済年金額」という。）を組合員期間の月数で除して得た額の百分の二十七に相当する額に追加費用対象期間の月数を乗じて得た額（次項において「退職共済年金控除額」という。）を控除した金額とする。

2　前項の規定による退職共済年金控除額が控除前退職共済年金額の百分の十に相当する額を超えるときは、当該百分の十に相当する額をもつて退職共済年金控除額とする。

3　前二項の場合において、これらの規定による控除後の退職共済年金の額が控除調整下限額より少ないときは、控除調整下限額をもつて退職共済年金の額とする。

4　国民年金法の規定による老齢基礎年金又は障害基礎年金が支給される場合における前項の規定の適用については、同項中「控除調整下限額」とあるのは、「控除調整下限額から国民年金法の規定による老齢基礎年金又は障害基礎年金の額を控除した額」とする。

5　退職共済年金の受給権者（追加費用対象期間を有する更新組合員に限る。）が、遺族共済年金（その者が六十五歳に達しているものに限る。）その他の政令で定める年金である給付の支給を受けることができるときは、退職共済年金の額は、前各項の規定にかかわらず、当該退職共済年金の額及び当該支給を受けることができる政令で定めるものの額の総額を基礎として、これらの規定に準じて政令で定めるところにより算定した額とする。

6　前各項に定めるもののほか、追加費用対象期間を有する更新組合員に対する退職共済年金の額の算定に関し必要な事項は、政令で定める。

（追加費用対象期間を有する者に係る障害共済年金の額の特例）

第十三条の三　追加費用対象期間を有する者に対する障害共済年金（新法第八十二条第二項に規定する公務等による障害共済年金を除く。以下この条において同じ。）の額（国民年金法の規定による障害基礎年金が支給される場合には、当該障害基礎年金の額を加えた額とする。）が控除調整下限額を超えるときは、障害共済年金の額は、新法第八十二条第一項及び新法第八十三条第一項並びに第十二条の規定にかかわらず、これらの規定により算定した額（以下この項及び次項において「控除前障害共済年金額」という。）から控除前障害共済年金額を組合員期間の月数（当該月数が三百月未満であるときは、三百月）で除して得た額の百分の二十七に相当する額に追加費用対象期間の月数を乗じて得た額（次項において「障害共済年金控除額」という。）を控除した金額とする。

2　前項の規定による障害共済年金控除額が控除前障害共済年金額の百分の十に相当する額を超えるときは、当該百分の十に相当する額をもつて障害共済年金控除額とする。

3　前二項の場合において、これらの規定による控除後の障害共済年金の額が控除調整下限額より少ないときは、控除調整下限額をもつて障害共済年金の額とする。

4　国民年金法の規定による障害基礎年金が支給される場合における前項の規定の適用については、同項中「控除調整下限額」とあるのは、「控除調整下限額から国民年金法の規定による障害基礎年金の額を控除した額」とする。

5　前各項に定めるもののほか、追加費用対象期間を有する者に対する障害共済年金の額の算定に関し必要な事項は、政令で定める。

（追加費用対象期間を有する者の遺族に係る遺族共済年金の額の特例）

第十三条の四　追加費用対象期間を有する者の遺族に対す

る遺族共済年金（新法第八十九条第三項に規定する公務等による遺族共済年金を除く。以下この条において同じ。）の額（国民年金法の規定による老齢基礎年金、障害基礎年金又は遺族基礎年金が支給される場合には、これらの年金である給付の額を加えた額とする。）が控除調整下限額を超えるときは、遺族共済年金の額は、新法第八十九条第一項及び第二項並びに新法第九十条並びに第十三条の規定にかかわらず、これらの規定により算定した額（以下この項及び次項において「控除前遺族共済年金額」という。）から控除前遺族共済年金額を組合員期間の月数（新法第八十八条第一項第一号から第三号までのいずれかに該当することにより支給される遺族共済年金にあつては、当該月数が三百月未満であるときは、三百月）で除して得た額の百分の二十七に相当する額に追加費用対象期間の月数を乗じて得た額（次項において「遺族共済年金控除額」という。）を控除した金額とする。

2 前項の規定による遺族共済年金控除額が控除前遺族共済年金額の百分の十に相当する額を超えるときは、当該百分の十に相当する額をもつて遺族共済年金控除額とする。

3 前二項の場合において、これらの規定による控除後の遺族共済年金の額が控除調整下限額より少ないときは、控除調整下限額をもつて遺族共済年金の額とする。

4 国民年金法の規定による老齢基礎年金、障害基礎年金又は遺族基礎年金が支給される場合における前項の規定の適用については、同項中「控除調整下限額」とあるのは、「控除調整下限額から国民年金法の規定による老齢基礎年金、障害基礎年金又は遺族基礎年金の額を控除した額」とする。

5 遺族共済年金の受給権者（追加費用対象期間を有する者の遺族である者に限る。）が、退職共済年金（その者が六十五歳に達しているものに限る。）その他の政令で定める年金である給付の支給を受けることができるときは、遺族共済年金の額は、前各項の規定にかかわらず、当該遺族共済年金の額及び当該支給を受けることができる政令で定めるものの額の総額を基礎として、これらの規定に準じて政令で定めるところにより算定した額とする。

6 前各項に定めるもののほか、追加費用対象期間を有する者の遺族に対する遺族共済年金の額の算定に関し必要な事項は、政令で定める。

（一時恩給又は旧法等の規定による退職一時金の返還）

第十四条 一時恩給を受けた後その基礎となつた在職年の年数一年を二月に換算した月数内に再び恩給公務員となつた更新組合員又は一時恩給を受けた後再び恩給公務員となることなく当該月数内に更新組合員となつた者が、退職共済年金（その額の算定の基礎となる組合員期間が二十年以上であるものに限る。第三項において同じ。）又は障害共済年金を受ける権利を有することとなつたときは、それぞれ第四条並びに第五条第一項及び第二項本文の規定を適用しないものとした場合又は更新組合員である間恩給公務員であつたものとみなした場合に恩給法第六十四条ノ二本文の規定により控除すべきこととなる金額の十五倍に相当する金額（次項において「支給額」という。）を当該退職共済年金又は障害共済年金を受ける権利を有することとなつた日の属する月の翌月から一年以内に、一時に又は分割して、当該一時恩給に係る裁定庁に返還しなければならない。

2 支給額に相当する金額の返還は、連合会に当該金額を支払う方法により行うものとする。この場合においては、新法附則第十二条の十二第二項及び第三項の規定を準用する。

3 旧法等の規定による退職一時金を受けた更新組合員が第一項に規定する退職共済年金又は障害共済年金を受ける権利を有することとなつた場合には、新法附則第十二条の十二の規定を準用する。

第十五条 前条第一項に規定する者の遺族が遺族共済年金を受ける権利を有することとなつたときは、同条第一項に規定する支給額に相当する金額（同項又は同条第二項の規定により既に返還された金額を除く。）を当該遺族共済年金を受ける権利を有することとなつた日の属する月の翌月から一年以内に、一時に又は分割して、当該一時恩給に係る裁定庁に返還しなければならない。

2 前項の支給額に相当する金額の返還は、連合会に当該金額を支払う方法により行うものとする。この場合においては、新法附則第十二条の十二第二項及び第三項の規定を準用する。

3 旧法等の規定による退職一時金を受けた更新組合員の遺族が遺族共済年金を受ける権利を有することとなつた場合には、新法附則第十二条の十三の規定を準用する。

（公務等による障害共済年金に関する規定の適用）

第十六条 新法第四章第三節第三款中新法第八十二条第二項に規定する公務等による障害共済年金に関する部分の規定は、組合員が施行日以後公務により病気にかかり、又は負傷し、当該公務による傷病により障害の状態となつた場合について適用する。

（公務等傷病による死亡者に係る遺族共済年金の規定の適用）

第十七条 新法第四章第三節第四款中新法第八十九条第三項に規定する公務等による遺族共済年金に関する部分の規定は、組合員が施行日以後公務により病気にかかり、又は負傷し、当該公務による傷病により死亡した場合について適用する。

（旧法の規定による障害年金の額の改定の特例）

第十八条 新法第八十四条第一項の規定は、この法律の施行の際旧法第四十二条の規定により障害年金を受ける権利を有する者について準用する。この場合において、新法第八十四条第一項中「障害の程度に応じて」とあるのは、「旧法別表第二の上欄に掲げる障害の程度に応じて」とする。

（旧法の規定による遺族年金の失権に関する経過措置）

第十九条 旧法第四十六条の規定による遺族年金を受ける権利を有する者が養子縁組をした場合における当該遺族年金の失権については、昭和六十年改正法第一条の規定による改正前の国家公務員等共済組合法（昭和三十三年法律第百二十八号。以下「昭和六十年改正前の新法」という。）第九十一条第三号の規定の例による。

第四章 特殊の資格を有する組合員の特例

（退職後に増加恩給等の受給者となる者の特例）

第二十条 更新組合員であつた者が退職した後に増加恩給等を受ける権利を有する者となつたときは、当該更新組合員であつた者は、長期給付に関する規定の適用については、施行日の前日において増加恩給等を受ける権利を有する者であつたものとみなす。

（退職後に増加恩給を受けなくなつた者の特例）

第二十一条 増加恩給を受ける権利を有する更新組合員であつた者が退職した後に当該増加恩給を受ける権利を有しない者となつたときは、当該更新組合員であつた者は、長期給付に関する規定の適用については、施行日の前日において増加恩給を受ける権利を有しない者であつたものとみなす。この場合において、その者がその時までに支給を受けた退職共済年金は、返還することを要しないものとする。

第五章 再就職者に関する経過措置

（恩給公務員又は旧長期組合員であつた者等が施行日以後に長期組合員となつた場合の取扱い）

第二十二条 第二章（第五条第一項及び第二項、第五条の二並びに第六条第一項及び第二項を除く。）、第三章（第十八条及び第十九条を除き、第二号に掲げる者にあつては第七条第一項第六号及び第九条を除く。）及び前章の規定は、次に掲げる者（第四十条第三号に規定する移行組合員及び第五十条第一項各号に掲げる者に該当する者を除く。）について準用する。

一 更新組合員であつた者で再び長期組合員となつたもの

二 恩給公務員期間又は旧長期組合員期間を有する者で施行日以後に長期組合員となつたもの（更新組合員及び前号に掲げる者を除く。）

2 前項の場合において、第五条第三項中「前項ただし書の申出がなかつた場合には、その申出をしなかつた者」とあるのは「普通恩給を受ける権利を有する者で、第二十二条第一項各号に規定する長期組合員となつたもの」と、「同項第二号に規定する普通恩給」とあるのは「当該普通恩給」と、「施行日」とあるのは「第二十二条第一項各号に規定する長期組合員となつた日」と、同条第四項中「施行日」とあるのは「第二十二条第一項各号に規定する長期組合員となつた日」と、第六条第三項中「第一項ただし書の申出があつた場合には、その申出をした者」とあるのは「旧法の規定による退職年金を受ける権利を有する者で第二十二条第一項各号に規定する長期組合員となつたもの」と、「同項ただし書に規定する退職年金」とあるのは「当該退職年金」と、第七条第一項各号列記以外の部分中「施行日前の次の期間」とあるのは「第二十二条第一項各号に掲げる長期組合員となつた日前の次の期間（長期組合員となつた日の属する月を除く。）」と、第八条中「施行日」とあるのは「第二十二条第一項各号に規定する長期組合員となつた日」と、第十四条第一項中「更新組合員である間」とあるのは「施行日から退職の日まで」と読み替え、第一項第二号に掲げる者については、更に、第七条第一項第五号中「施行日」とあるのは、「長期組合員となつた日」と読み替えるものとする。

3 前項に定めるもののほか、第一項各号に掲げる者に対する同項において準用する第八条、第十四条その他のこの法律の規定又は新法の規定の適用について必要な事項は、政令で定める。

4 恩給公務員であつた者で施行日以後に長期組合員となつたものについて、第四条及び第五条の規定を適用しないものとした場合に恩給に係る在職年の年月数に通算されるべき期間があるときは、第七条第一項第一号又は第八条（これらの規定を第一項において準用する場合を含む。）の規定の適用については、その者は、当該期間恩給公務員として在職したものとみなす。

5 第一項第二号に掲げる者に対する第十六条又は第十七条の規定の適用については、これらの規定中「施行日」とあるのは、「第二十二条第一項第二号に規定する長期組合員となつた日」とする。

第六章　恩給更新組合員に関する経過措置

（恩給更新組合員に関する一般的経過措置）

第二十三条　昭和三十四年九月三十日において恩給法の適用を受ける職員であつた者で、同年十月一日に長期組合員となつたもの（以下「恩給更新組合員」という。）については、前条第一項第二号の規定にかかわらず、第二章から前章まで及び第三十二条の規定を準用する。

2　恩給更新組合員についてこの法律の規定を適用し、又は準用する場合において、第二条第七号中「この法律の施行の日」とあるのは、「昭和三十四年十月一日」と読み替えるものとする。

（衛視等であつた期間の計算の特例）

第二十四条　恩給更新組合員の第七条第一項第一号の期間のうち同号中「恩給公務員期間のうち」とあるのは「警察監獄職員の恩給の基礎となるべき期間のうち」と、「半減」とあるのは「半減し、又は十分の七に当たる年月数をもつて計算」として同号の規定を適用して算定した期間は、衛視等であつた期間に算入する。

（衛視等の退職共済年金等の受給資格に関する特例）

第二十五条　衛視等であつた期間が十五年（新法附則第十三条第二項第二号イからホまでに掲げる者については、これらの者の区分に応じ同号イからホまでに掲げる年数）未満である恩給更新組合員で次の各号のいずれかに該当する者に対する別表の上欄に掲げる新法又はこの法律の規定の適用については、これらの規定中同表の中欄に掲げる字句は、それぞれ同表の下欄に掲げる字句に読み替えるものとする。

一　次のイからハまでに掲げる者で、これらの者の区分に応じ昭和三十四年十月一日前の警察在職年の年月数と同日以後の衛視等であつた期間の年月数とを合算した年月数がそれぞれイからハまでに掲げる年数以上であるもの

イ　昭和三十四年十月一日前の警察在職年が八年以上である者　十二年

ロ　昭和三十四年十月一日前の警察在職年が四年以上八年未満である者　十三年

ハ　昭和三十四年十月一日前の警察在職年が四年未満である者　十四年

二　第五条第二項本文の規定を適用しないとしたならば、警察監獄職員の普通恩給を受ける権利を有することとなるもの（前号の規定の適用を受ける者を除く。）

（衛視等の退職共済年金の支給開始年齢等に関する特例）

第二十六条　第七条第一項第一号の期間のうち第二十四条の規定により衛視等であつた期間に算入される期間が四年以上である恩給更新組合員（組合員期間が二十年以上である者に限る。）に対する新法附則第十二条の三の規定の適用については、同条第一号中「六十歳以上である」とあるのは、「退職している」とする。

2　第十条第二項及び第三項の規定は、前項に規定する恩給更新組合員に対して支給する新法附則第十二条の三の規定による退職共済年金の支給について準用する。

（再就職者の取扱い）

第二十七条　第二十四条から前条までの規定は、衛視等であつた期間を有する者で長期組合員となつたもの（恩給更新組合員である者を除く。）について準用する。

第七章　特殊の組合員に関する経過措置

（厚生年金保険の被保険者であつた更新組合員の取扱い）

第二十八条　施行日前に厚生年金保険法による厚生年金保険の被保険者期間を有していた更新組合員（当該更新組合員であつた者で再び組合員となつたものを含む。以下この条において同じ。）で政令で定めるものの当該被保険者であつた期間（その期間の計算については、同法の規定による被保険者期間の計算の例による。）は、この法律の規定の適用については、政令で定めるところにより、旧長期組合員期間に該当するものであつたものとみなす。

2　前項の規定により旧長期組合員期間とみなされた期間は、施行日以後においては、厚生年金保険の被保険者でなかつたものとみなす。

（組合職員及び連合会役職員の取扱い）

第二十九条　組合職員又は連合会役職員である組合員に対する第十六条、第十七条及び第五十四条第一項の規定の適用については、第十六条及び第十七条中「公務」とあるのは「業務」と、第五十四条第一項中「国等又は郵政会社等」とあるのは「組合又は連合会」とする。

2　前項に定めるもののほか、組合職員又は連合会役職員である組合員に対する長期給付に関する規定の適用に関し必要な事項は、政令で定める。

第八章　地方の長期組合員であつた者に関する経過措置等

（地方の長期組合員である職員であつた組合員の取扱い）

第三十条　地方の長期組合員（新法第三十八条第二項ただ

し書に規定する地方の組合の組合員のうち地方公務員等共済組合法（昭和三十七年法律第百五十二号。以下「地方の新法」という。）の長期給付に関する規定の適用を受ける者をいう。以下同じ。）である職員であつた長期組合員に対する長期給付については、その者が地方の長期組合員であつた間、長期組合員であつたものと、地方の新法及び地方公務員等共済組合法の長期給付等に関する施行法（昭和三十七年法律第百五十三号。以下「地方の施行法」という。）の規定による給付は新法及びこの法律中のこれらの規定に相当する規定による給付とみなして、新法及びこの法律の規定を適用する。

2　地方の長期組合員である職員であつた長期組合員（地方の長期組合員となる前に長期組合員であつた者を除く。）についてこの法律の規定を適用する場合において、第十六条及び第十七条中「施行日」とあるのは、「地方の長期組合員となつた日」とする。

3　地方の施行法第三十六条第一項第二号に掲げる者である職員であつた長期組合員に対する長期給付については、前二項に規定するもののほか、その者が同号に掲げる者であつた間、第二十二条第一項第二号に掲げる長期組合員であつたものと、その者に係る恩給又は旧法の規定による退職年金で地方の施行法の規定によつて消滅したものはこの法律中の相当する規定によつて消滅したものとみなして、この法律の規定を適用する。この場合において、第七条第一項各号列記以外の部分中「施行日前の次の期間」とあるのは「地方の施行法第三十六条第一項第二号に掲げる者となつた日前の次の期間（同日の属する月を除く。）」とする。

4　前三項に規定するもののほか、地方の長期組合員である職員であつた長期組合員に対する長期給付に関する規定の適用に関して必要な事項は、政令で定める。

（地方の職員等であつた組合員の取扱い）

第三十一条　地方の職員（地方の新法第二条第一項第一号に規定する職員をいう。以下同じ。）又は地方の職員とみなされる者（職員である者を除く。）（以下「地方の職員等」という。）であつた長期組合員は、地方の職員等であつた間、職員であつたものとみなして、この法律（第四項を除く。）の規定を適用する。この場合においては、政令で定めるところにより、退職年金条例（恩給に相当する給付に関する地方公共団体の条例をいう。以下同じ。）の適用を受ける者又は廃止前の市町村職員共済組合法（昭和二十九年法律第二百四号。以下「旧市町村職員共済組合法」という。）の退職給付、障害給付及び遺族給付に関する規定の適用を受ける者若しくは共済条例（同法附則第二十一項後段に規定する長期給付に相当する給付に関する地方公共団体の条例（退職年金条例を除く。）及び当該給付を行うことを目的とする団体の当該給付に関する規程をいう。以下同じ。）の適用を受ける者であつた地方の職員等は、これらの者であつた間、恩給公務員又は旧長期組合員として在職したものと、当該退職年金条例又は旧市町村職員共済組合法若しくは共済条例の規定はこれに相当する恩給法又は旧法の規定と、当該退職年金条例又は旧市町村職員共済組合法若しくは共済条例の規定による給付はこれに相当する恩給又は旧法の規定による退職給付、障害給付及び遺族給付とみなす。

2　地方の施行法第二条第一項第十号に規定する更新組合員（以下「地方の更新組合員」という。）である地方の職員等であつた長期組合員に対する長期給付については、前項に規定するもののほか、その者が地方の更新組合員であつた間、更新組合員であつたものと、その者が恩給若しくは旧法の規定による退職年金又は退職年金条例、旧市町村職員共済組合法若しくは共済条例の規定による給付を受ける権利につき地方の施行法の規定によつてした申出はこの法律中の相当する規定によつてした申出と、地方の施行法の規定によつて消滅した恩給若しくは旧法の規定による退職年金又は退職年金条例、旧市町村職員共済組合法若しくは共済条例の規定による給付はこの法律中の相当する規定によつて消滅したものとみなして、この法律の規定を適用する。この場合において、第二条第七号中「この法律の施行の日」とあるのは「地方の更新組合員となつた日（地方の更新組合員となる前に更新組合員であつた者にあつては、施行日）」とする。

3　地方の施行法第七条第一項第三号に規定する職員（地方の職員等を除く。以下この項において同じ。）であつた長期組合員に対する第七条第一項第五号若しくは第六号又は第九条第一号の規定の適用については、その者の地方の施行法第七条第一項第三号に規定する職員であつた期間（第七条第一項第五号又は第六号の規定を適用する場合にあつては、政令で定める期間を除いた期間）は、地方の職員等であつた期間に該当するものとし、地方の職員等であつた長期組合員に対する第七条第一項の規定の適用については、その者の地方の施行法第七条第一項第四号又は第五号に規定する期間は、第七条第一項第六号の期間に該当するものとする。

4　地方の更新組合員である地方の職員等であつた長期組合員に第九条（第二十二条第一項又は第二十三条第一項において準用する場合を含む。）の規定を適用する場合においては、その者の次の期間は、第九条各号に掲げる期間に該当するものとする。

一　旧国民医療法に規定する日本医療団に勤務していた

者で日本医療団の業務の地方公共団体への引継ぎに伴い、引き続いて地方の職員等となつたものの日本医療団に勤務していた期間のうち年金条例職員期間（退職年金条例の適用を受ける者として在職した期間（当該期間とみなされる期間、当該期間に通算される期間及び当該退職年金条例の規定による給付の算定の基礎となる年月数の計算上当該期間に加えられる期間を含む。）をいう。以下同じ。）を除いた期間

二　旧日本赤十字社令の規定に基づき戦地勤務に服した日本赤十字社の救護員としての期間のうち恩給公務員期間及び年金条例職員期間を除いた期間

三　外国政府等（法律第百五十五号附則第四十二条第一項に規定する外国政府職員に係る外国政府、法律第百五十五号附則第四十三条に規定する外国特殊法人職員に係る法人及び法律第百五十五号附則第四十三条の二第一項に規定する外国特殊機関職員に係る特殊機関をいう。以下この号において同じ。）に昭和二十年八月八日まで引き続き勤務していた者（当該外国政府等に同日まで引き続き勤務した後引き続いて海外にあつた未帰還者と認められた者を含む。）、当該外国政府等に勤務した後引き続いて地方の職員等となつた者で同日まで引き続き勤務していたもの、当該外国政府等に勤務していた者で任命権者又はその委任を受けた者の要請に応じ当該外国政府等又は日本政府がその運営に関与していた法人その他の団体の職員（以下この号において「関与法人等の職員」という。）となるため退職し、当該関与法人等の職員として同日まで引き続き勤務した後地方の職員等となつたもの及び当該外国政府等に勤務していた者で政令で定めるものの当該外国政府等に勤務していた期間（当該未帰還者と認められた者については、同日の属する月の翌月から帰国した日の属する月までの期間で当該未帰還者と認められるものを含む。）のうち恩給公務員期間、年金条例職員期間、地方の施行法第七条第一項第四号の期間その他政令で定める期間を除いた期間

四　旧国民健康保険法（昭和十三年法律第六十号）に規定する国民健康保険組合又は国民健康保険を行う社団法人（以下この号において「国民健康保険組合等」という。）に勤務していた者で当該国民健康保険組合等の業務の市町村への引継ぎに伴い引き続き地方の職員等となつたものの当該国民健康保険組合等に勤務していた期間（当該地方の職員等となつた日の前日まで引き続く期間に限る。）で地方の施行法第七条第一項第五号の期間を除いた期間

五　法律第百五十五号附則第四十一条の四第一項に規定する旧国際電気通信株式会社の社員としての在職期間のある者に準ずる者で当該会社に勤務した後地方の職員等となつたものの当該会社に勤務していた期間

5　地方の職員等であつた長期組合員（政令で定める者を除く。）で第一号に掲げる給付を受けた第七条第一項第一号の期間若しくは施行日以後の組合員期間（恩給公務員に該当する者であつた期間に限る。）又は第二号に掲げる給付を受けた同項第一号から第四号までの期間若しくは施行日以後の組合員期間を有するものに退職共済年金又は障害共済年金を支給するときは、その受けたこれらの給付の額（既に控除を受けた額があるときは、その額を控除した額とし、次項において「普通恩給等受給額」という。）に相当する額に達するまで、支給時に際し、その支給時に係る支給額の二分の一に相当する額を控除する。

一　普通恩給又はこれに相当する退職年金条例の給付（これらの給付を受ける権利につき第五条第二項ただし書の申出をしなかつた者の当該申出をしなかつた給付を除く。）

二　旧法の退職年金又はこれに相当する旧市町村職員共済組合法若しくは共済条例の給付（これらの給付を受ける権利につき第六条第一項ただし書の申出をした者の当該申出をした給付を除く。）

6　前項に規定する長期組合員又は当該長期組合員であつた者が死亡したことにより遺族共済年金を支給するときは、普通恩給等受給額（前項の規定により既に控除された額があるときは、その額を控除した額）の二分の一に相当する額に達するまで、支給時に際し、その支給時に係る支給額の二分の一に相当する額を控除する。

7　地方の更新組合員である地方の職員等であつた長期組合員の地方の施行法第四十五条第一項に規定する厚生年金保険の被保険者であつた期間の取扱いについては、地方の施行法の規定の例による。

8　前各項に規定するもののほか、地方の職員等であつた長期組合員に対する長期給付に関する規定の適用に関して必要な事項は、政令で定める。

（警察職員であつた長期組合員の取扱い）

第三十二条　警察職員であつた長期組合員に対する長期給付については、その者が警察職員であつた間、衛視等であつたものとみなして、新法及びこの法律の規定を適用する。

2　地方の更新組合員（地方の施行法第三十六条第一項の規定の適用を受ける者を含む。）である警察職員であつた衛視等に対する第六章の規定の適用については、第二十五条第一号中「昭和三十四年十月一日」とあるのは「地

方の更新組合員（地方の施行法第三十六条第一項の規定の適用を受ける者を含む。）となつた日」とする。

（社会保険関係地方事務官又は職業安定関係地方事務官であつた者の長期給付の取扱い）

第三十二条の二　地方分権の推進を図るための関係法律の整備等に関する法律（平成十一年法律第八十七号。以下この条において「地方分権推進整備法」という。）附則第百五十八条第一項の規定によりその長期給付（同項に規定する長期給付をいう。以下この条において同じ。）に係る地方職員共済組合の権利義務が連合会に承継された者のうち、当該長期給付の給付事由が地方分権推進整備法の施行前に生じた者に係る当該長期給付については、別段の定めがあるもののほか、なお従前の例により連合会が支給する。

２　地方分権推進整備法附則第百五十八条第一項の規定によりその長期給付に係る地方職員共済組合の権利義務が連合会に承継された者のうち、当該長期給付の給付事由が地方分権推進整備法の施行後に生ずる者に係る当該長期給付については、別段の定めがあるもののほか、地方の新法（地方公務員等共済組合法等の一部を改正する法律（昭和六十年法律第百八号。以下この項において「昭和六十年法律第百八号」という。）附則第四十二条の規定によりその例によることとされた事項については、昭和六十年法律第百八号による改正前の地方の新法及び昭和六十年法律第百八号による改正前の地方の施行法とし、昭和六十年法律第百八号附則第百三十一条の規定によりその例によることとされた事項については、昭和四十二年度以後における地方公務員等共済組合法の年金の額の改定等に関する法律等の一部を改正する法律（昭和五十四年法律第七十三号）による改正前の地方の新法とする。）の規定の例により連合会が支給する。

３　地方分権推進整備法附則第七十一条の規定により相当の地方社会保険事務局若しくは社会保険事務所の職員となつた者又は地方分権推進整備法附則第百二十三条の規定により相当の都道府県労働局の職員となつた者に係る年金である給付の額の改定に関する法令の制定又は改正が行われた場合においては、前二項の規定により連合会が支給すべき年金である給付の額を改定するものとし、その改定については、政令で特別の定めをするものを除き、当該法令の改正規定の例による。

４　前三項に規定するもののほか、長期給付に関して必要な事項は、政令で定める。

第九章　琉球政府等の職員であつた者に関する経過措置等

（定義）

第三十三条　この章において、次の各号に掲げる用語の意義は、当該各号に定めるところによる。

一　特別措置法　沖縄の復帰に伴う特別措置に関する法律（昭和四十六年法律第百二十九号）をいう。

二　沖縄の共済法　公務員等共済組合法（千九百六十九年立法第百五十四号。以下「公務員等共済法」という。）、公務員等共済組合法の長期給付に関する施行法（千九百六十九年立法第百五十五号。以下「公務員等施行法」という。）、公立学校職員共済組合法（千九百六十八年立法第百四十七号。以下「公立学校職員共済法」という。）及び公立学校職員共済組合法の長期給付に関する施行法（千九百六十八年立法第百四十八号。以下「公立学校職員施行法」という。）をいう。

三　沖縄の組合員　沖縄の共済法の規定に基づく公務員等共済組合又は公立学校職員共済組合の組合員（公務員退職年金法（千九百六十五年立法第百号。以下「年金法」という。）の規定の適用を受ける者を含む。）をいう。

四　復帰更新組合員　特別措置法の施行の日（以下「特別措置法の施行日」という。）の前日に沖縄の組合員であつた者（政令で定める者を除く。）で、特別措置法の施行日に長期組合員となり、引き続き長期組合員であるものをいう。

五　退隠料、増加退隠料又は退隠料等　それぞれ地方の施行法第二条第一項第十二号又は第十四号に規定する退隠料、増加退隠料又は退隠料等をいう。

六　琉球政府等の職員　公務員等共済法第二条第一項第一号に規定する職員及び公立学校職員共済法第二条第一項第二号に規定する職員並びに年金法附則第三条第一項又は第四条第一項に規定する政府等の職員及びこれらの規定に規定する機関に在職していた職員（これらの職員のうち政令で定める者を除く。）をいう。

七　沖縄更新組合員　年金法の施行の日の前日に琉球政府等の職員であつた者で、同法の施行の日以後引き続き琉球政府等の職員であるものをいう。

（特別措置法の施行日前に給付事由が生じた給付等の取扱い）

第三十四条　沖縄の組合員であつた者のうち国家公務員に相当する者として財務大臣が定めるものに係る特別措置法の施行日前に給付事由が生じた沖縄の共済法の規定による長期給付については、別段の定めがあるもののほか、なお従前の例により連合会が支給する。

２　前項に規定する者のうち公務員等共済法第六十六条第二項又は公立学校職員共済法第六十七条第二項の退職一

時金の支給を受けた者（政令で定める者を除く。）その他これに準ずるものとして政令で定める者（前項の規定により通算退職年金の支給を受ける者を除く。）については、政令で定めるところにより、連合会が新法の規定による退職共済年金又は昭和六十年改正前の新法の規定による通算退職年金を支給する。

3 復帰更新組合員であつた者に係る年金である給付の額の改定に関する法令の制定又は改正が行われた場合においては、前二項の規定により連合会が支給すべき年金である給付の額を改定するものとし、その改定については、政令で特別の定めをするものを除き、当該法令の改正規定の例による。

（恩給等の受給権の取扱い）

第三十五条 復帰更新組合員で特別措置法の施行日の前日に恩給公務員であつたものは、恩給に関する法令の規定の適用については、同日において退職したものとみなす。

2 復帰更新組合員に係る恩給（その者が恩給に関する法令の規定により遺族として受ける恩給及びその者が特別措置法の施行日前に支払を受けるべきであつた恩給で特別措置法の施行日前にその支払を受けなかつたものを除く。）又は退職年金条例（元沖縄県県吏員恩給規則の規定による恩給受給権者のための恩給支給に関する特別措置法（千九百六十八年立法第七十八号）を含む。以下この項及び第五十一条において同じ。）の規定による退隠料等（その者が退職年金条例の規定により遺族として受ける退隠料等及びその者が特別措置法の施行日前に支払を受けるべきであつた退隠料等で特別措置法の施行日前にその支払を受けなかつたものを除く。）を受ける権利は、特別措置法の施行日の前日において消滅するものとする。ただし、次に掲げる権利は、この限りでない。

一 増加恩給、増加退隠料、傷病年金又は傷病賜金を受ける権利

二 特別措置法の施行日の前日において現に支給を受けている普通恩給又は退隠料を受ける権利（これを有する者が特別措置法の施行日から六十日を経過する日以前に当該権利の裁定を行つた者に対して、これを消滅させることを希望する旨を申し出なかつたものに限る。）

3 前項第二号の規定による申出をしなかつた者又はその遺族に対して支給する長期給付については、当該申出に係る普通恩給又は退隠料を受ける権利の基礎となつた期間は、第七条第一項第一号の期間に該当しないものとみなす。

（旧法等の規定による退職年金等の受給権の取扱い）

第三十六条 復帰更新組合員に係る旧法等又は旧市町村職員共済組合法若しくは共済条例の規定による退職年金（その者が特別措置法の施行日前に支払を受けるべきであつた当該退職年金で同日前にその支払を受けなかつたものを除く。）を受ける権利は、特別措置法の施行日の前日において消滅するものとする。ただし、当該退職年金を受ける権利を有する者が特別措置法の施行日から六十日を経過する日以前に当該権利の決定を行つた者に対して当該退職年金を受けることを希望する旨を申し出たときは、この限りでない。

2 復帰更新組合員に係る旧法等、旧市町村職員共済組合法若しくは共済条例の規定による障害年金又は旧市町村職員共済組合法若しくは共済条例の規定による通算退職年金は、その者が復帰更新組合員である間、その支給を停止する。ただし、当該障害年金を受ける権利を有する者が特別措置法の施行日から六十日を経過する日以前に当該権利の決定を行つた者に対して当該障害年金を受けることを希望する旨を申し出たときは、この限りでない。

3 第一項ただし書若しくは前項ただし書の規定による申出をした者又はその遺族に対して支給する長期給付については、これらの申出に係る退職年金又は障害年金を受ける権利の基礎となつた期間は、第七条第一項第二号又は第四号の期間に該当しないものとみなす。

（沖縄の組合員であつた長期組合員等の取扱い）

第三十七条 沖縄の組合員であつた長期組合員に対する長期給付については、別段の定めがあるものを除き、その者が沖縄の組合員であつた間、長期組合員であつたものとみなして、新法及びこの法律の規定を適用する。

2 沖縄の組合員であつた長期組合員（沖縄の組合員となる前に長期組合員であつた者を除く。）についてこの法律の規定を適用する場合において、第十六条及び第十七条中「施行日」とあるのは「沖縄の共済法の施行の日」とする。

3 琉球政府等の職員であつた長期組合員は、琉球政府等の職員であつた間、職員であつたものとみなして、この法律の規定を適用する。この場合においては、沖縄の退職年金条例（公務員等施行法第二条第一項第四号に規定する退職年金条例（本土の地方公共団体の条例を除く。）をいう。次項及び第六項において同じ。）の適用を受ける者その他政令で定める者であつた琉球政府等の職員は、これらの者であつた間、恩給公務員として在職したものと、当該沖縄の退職年金条例の規定はこれに相当する恩給法の規定と、当該沖縄の退職年金条例の規定による給付はこれに相当する恩給とみなす。

4 沖縄更新組合員である琉球政府等の職員であつた長期組合員に対する長期給付については、前項に規定するもののほか、その者が沖縄更新組合員であつた間、更新組合員であつたものと、その者が恩給若しくは旧法の規定による退職年金若しくは退職年金条例、旧市町村職員共済組合法若しくは共済条例の規定による給付又は沖縄の退職年金条例の規定による給付を受ける権利につき沖縄の共済法の規定（公務員等施行法第七条（同法第三十九条第一項において準用する場合を含む。）の規定を除く。）によつてした申出はこの法律中の相当する規定によつてした申出と、沖縄の共済法の規定によつて消滅した恩給又は沖縄の退職年金条例の規定による給付はこの法律中の相当する規定によつて消滅したものとみなして、この法律の規定を適用する。この場合において、第二条第七号中「この法律の施行の日」とあるのは、「沖縄更新組合員となつた日（沖縄更新組合員となる前に更新組合員であつた者にあつては、施行日）」とする。

5 沖縄の組合員であつた長期組合員に対する新法及びこの法律の規定の適用については、沖縄の組合員であつた期間のうちに、恩給公務員期間又は旧長期組合員期間と重複する期間があるときはその重複する期間を除いた期間を恩給公務員期間又は旧長期組合員期間とし、施行日以後の組合員期間と重複する期間があるときはその重複する期間を除いた期間を沖縄の組合員であつた期間とする。

6 第三十一条第五項又は第六項の規定は、琉球政府等の職員であつた長期組合員で第一号に掲げる給付を受けた第七条第一項第一号の期間若しくは沖縄の組合員であつた期間（恩給公務員に該当する者であつた期間に限る。）若しくは第二号に掲げる給付を受けた同項第一号から第四号までの期間若しくは沖縄の組合員であつた期間を有するもの又はその遺族に退職共済年金、障害共済年金又は遺族共済年金を支給する場合について準用する。

一 普通恩給又はこれに相当する退職年金条例（沖縄の退職年金条例を含む。）の給付（これらの給付を受ける権利につき第三十五条第二項第二号ただし書の申出をしなかつた者の当該申出をしなかつた給付を除く。）

二 旧法の退職年金若しくは障害年金又はこれらに相当する旧市町村職員共済組合法若しくは共済条例の給付（これらの給付を受ける権利につき前条第一項ただし書又は同条第二項ただし書の申出をした者のこれらの申出をした給付を除く。）

（副看守長等であつた衛視等の取扱い）

第三十八条 琉球政府（これにその事務を引き継がれた機関その他の機関で政令で定めるものを含む。）の副看守長、看守部長又は看守（以下「副看守長等」という。）であつた復帰更新組合員で特別措置法の施行日以後に衛視等となつたものは、副看守長等であつた間、衛視等であつたものとみなして新法及びこの法律の規定を適用する。

2 前項に定めるもののほか、同項に規定する復帰更新組合員に対する新法及びこの法律の長期給付に関する規定の適用について必要な事項は、政令で定める。

（政令への委任）

第三十九条 この章に定めるもののほか、復帰更新組合員その他政令で定める者に係る退職共済年金の受給資格に関する経過措置その他長期給付に関する必要な経過措置等は、政令で定める。

第十章 移行組合員等に関する経過措置等

第一節 移行組合員等に関する一般的経過措置

（定義）

第四十条 この章において、次の各号に掲げる用語の意義は、当該各号に定めるところによる。

一 旧公企体共済法 昭和五十八年改正法附則第二条の規定による廃止前の公共企業体職員等共済組合法をいう。

二 旧公企体長期組合員 旧公企体共済法第三条第一項に規定する共済組合の組合員のうち旧公企体共済法の長期給付に関する規定の適用を受ける者（昭和四十二年度以後における公共企業体職員等共済組合法に規定する共済組合が支給する年金の額の改定に関する法律及び公共企業体職員等共済組合法の一部を改正する法律（昭和五十四年法律第七十六号）による改正前の公共企業体職員等共済組合法第八十二条の二第二項の規定により旧公企体長期組合員であつたものとみなされた者を含む。）をいう。

三 移行組合員 昭和五十八年改正法の施行の日（以下「移行日」という。）の前日に旧公企体長期組合員であつた者で、移行日に長期組合員となり、引き続き長期組合員であるものをいう。

四 移行更新組合員 移行組合員で移行日の前日まで引き続き旧公企体共済法附則第四条第二項に規定する更新組合員であつた者をいう。

五 旧公企体組合員期間 旧公企体長期組合員であつた期間（旧公企体共済法第十五条第一項の規定により計算した期間とし、その期間について旧公企体共済法第七十七条第二項及び第四項の規定並びに旧公企体共済法附則第五条、第六条の二第三項及び第七項、第七条、第十七条の二、第二十四条第一項、第二十五条第一項、第二十六条、第二十六条の四、第二十六条の八第一項から第四項まで、第二十七条並びに第二十七条の二の規定の適用があつたときは、これらの規定の適用がなかつたものとした場合の期間とする。）をいう。

（移行組合員に関する一般的経過措置）

第四十一条 移行組合員に対する新法及びこの法律の長期給付に関する規定の適用については、別段の定めがあるもののほか、その者が旧公企体長期組合員であつた間、長期組合員であつたものとみなす。

2 旧公企体長期組合員であつた期間が引き続いている移行組合員又は当該期間と移行日前における長期組合員であつた期間（前項の規定により長期組合員であつたものとみなされる期間を除く。以下同じ。）が引き続いている移行組合員につき、その引き続いている期間（移行日の前日に引き続いているものに限る。）内における退職又は旧公企体共済法に規定する退職（以下この条において「退職等」という。）がある場合において、次の各号の一に該当する事実があるときは、当該移行組合員に係る当該退職等は、なかつたものとみなす。

一 当該退職等をした者につき当該退職等により長期給付又は旧公企体共済法の規定による長期給付（以下この条において「長期給付等」という。）の給付事由が生じなかつたとき。

二 当該退職等をした者が当該退職等により給付事由が生じた長期給付等（当該退職等の後に給付事由が生じた当該退職等に係る長期給付等を含む。以下この条において同じ。）の支給を受けなかつたとき。

三 当該退職等により給付事由が生じた一時金である長期給付等の支給を既に受けた者が、その支給を受けた額を返還することを希望する旨を当該長期給付等の決定を行つた者に、移行日から六十日を経過する日以前に、申し出たとき。

四 当該退職等により給付事由が生じた年金である長期給付等の支給を既に受けた者が次条第一項の申出を行わなかつたとき。

3 前項第三号の申出をした者が移行日以後において退職共済年金又は障害共済年金を受ける権利を有することとなる場合における同号の返還は、これらの年金の支給に際し、この項の規定の適用がないとしたならば支給されることとなるこれらの年金の額の二分の一に相当する額から、当該申出に係る長期給付等として支給した額に相当する額に利子に相当する額を加えた額（第六項において「支給額等」という。）に達するまでの金額を順次に控除することにより行うものとする。この場合においては、その控除後の金額をもつて、これらの年金の額とする。

4 前項に規定する利子は、第二項第三号の申出に係る長期給付等の支給を受けた日の属する月の翌月から移行日の属する月の前月までの期間に応じ、複利計算の方法によるものとし、その利率は、政令で定める。

5 第二項第三号に規定する長期給付等の支給を既に受けた者が同号の申出をその期限前に行うことなく死亡した場合には、その申出は、その遺族がすることができる。

6 第二項第三号の申出をした者の遺族又は前項の申出をした遺族が遺族共済年金を受ける権利を有することとなる場合における同号の返還は、これらの年金の支給に際し、この項の規定の適用がないとしたならば支給されることとなるこれらの年金の額の二分の一に相当する額から、支給額等のうち第三項の規定による控除が行われなかつた額又は同項の規定により控除されるべき額の二分の一に相当する額に達するまでの金額を順次に控除することにより行うものとする。この場合においては、その控除後の金額をもつて、これらの年金の額とする。

7 第二項に規定する引き続いている期間内における退職等により給付事由が生じた長期給付等の支給を既に受けた者が、同項第三号の申出をしなかつた場合又は次条第一項の申出をした場合における当該退職等に係る組合員期間については、新法第三十八条第三項の規定の適用は、ないものとする。

（新法の規定による年金等の支給を受けた移行組合員の取扱い）

第四十二条 移行組合員が旧公企体組合員期間又は移行日前における長期組合員であつた期間内に昭和六十年改正前の新法若しくは昭和六十年改正法第二条の規定による改正前の国家公務員等共済組合法の長期給付に関する施行法（昭和三十三年法律第百二十九号。以下「昭和六十年改正前の施行法」という。）又は旧公企体共済法の規定による年金（その者が遺族として受けたものを除く。）の支給を既に受けた者であるときは、その者は、移行日から六十日を経過する日以前に、当該年金の決定を行つた者に対し、次の各号に掲げる者の区分に応じ、当該各号に定める申出をすることができる。

一 移行日の前日において現に当該年金の支給を受けていた者 移行日以後においても当該年金について従前の例により支給を受けることを希望する旨の申出

二 前号に掲げる者以外の者 当該支給を受けた年金を返還しない旨の申出

2　前項各号の申出に係る年金の基礎となつた期間及び昭和六十年改正前の新法第七十七条第一項（昭和六十年改正前の新法第七十九条第三項及び第七十九条の二第六項において準用する場合を含む。）若しくは第八十五条第一項の規定又はこれらの規定に相当する旧公企体共済法の規定により当該年金の支給が停止されていた期間については、新法第三十八条第四項の規定にかかわらず、当該申出をした者に係るこれらの期間以外の組合員期間との合算は、しないものとする。

3　移行組合員が旧公企体組合員期間又は移行日前における長期組合員であつた期間内に昭和六十年改正前の新法若しくは昭和六十年改正前の施行法又は旧公企体共済法の規定による年金（その者が遺族として受けたものを除く。以下この条において「移行日前の年金」という。）の支給を既に受けた者である場合において、移行日以後に退職共済年金又は障害共済年金（以下この条において「移行日以後の年金」という。）の支給を受けることとなるときは、当該移行日以後の年金の支給に際し、この項の規定の適用がないとしたならば支給されることとなる当該移行日以後の年金の額の二分の一に相当する額から、その者がこれらの期間内に受けた当該移行日前の年金（第一項各号の申出に係る年金を除く。）の支給額に相当する額に利子に相当する額を加えた額に達するまでの金額を順次に控除するものとする。この場合においては、その控除後の金額をもつて、移行日以後の年金の額とする。

4　前条第四項の規定は前項に規定する利子について、同条第五項の規定は第一項各号の申出について、同条第六項の規定は前項の規定による控除についてそれぞれ準用する。

（旧公企体組合員期間を有する長期組合員の特例）

第四十三条　移行日の前日に長期組合員であつたものとみなされた者（第四十一条第一項の規定により長期組合員であつたものとみなされた者を除く。）であり、移行日以後引き続き長期組合員である者が旧公企体組合員期間を有する者であるときは、その者は移行組合員であるものとみなして、前二条の規定を適用する。

（旧公企体組合員期間を有する者が移行日以後に再就職した場合の取扱い）

第四十四条　第四十一条及び第四十二条（第二号に掲げる者にあつては、第四十一条第一項に限る。）の規定は、次に掲げる者について準用する。

一　移行組合員（前条の規定により移行組合員であるものとみなされた者を含む。）であつた者で再び長期組合員となつたもの

二　旧公企体組合員期間を有する者で移行日以後長期組合員となつたもの（移行組合員及び前号に掲げる者を除く。）

第二節　移行更新組合員等に関する経過措置

（移行組合員に係る恩給等の受給権の取扱い等）

第四十五条　移行組合員に係る恩給又は旧法の規定による退職年金若しくは障害年金を受ける権利は、別段の定めがあるもののほか、なお従前の例による。

2　移行組合員で移行日の前日において普通恩給を受ける権利を有していた者に係る長期給付については、当該普通恩給の基礎となつた期間は、第七条第一項第一号の期間に該当しないものとみなす。

3　移行日以後における恩給に関する法令の改正により、移行組合員又はその遺族が新たに普通恩給又は扶助料（恩給法第七十五条第一項第一号に規定する扶助料をいう。）を受ける権利を有することとなる場合には、当該移行組合員は旧公企体共済法の施行の日の前日において当該普通恩給を受ける権利を有していたものとみなし、当該普通恩給又は扶助料を受ける権利は同日において消滅したものとみなす。

4　移行組合員で移行日の前日において旧法の規定による退職年金を受ける権利を有していた者に係る長期給付については、当該退職年金の基礎となつた期間は、第七条第一項第二号の期間に該当しないものとみなす。

（移行更新組合員に係る普通恩給等の支給の停止）

第四十六条　旧公企体共済法の施行の日の前日に恩給公務員であつた移行更新組合員に係る普通恩給は、その者が移行更新組合員である間、その支給を停止する。

2　移行更新組合員に係る旧法の規定による退職年金及び障害年金は、その者が移行更新組合員である間、その支給を停止する。

（移行更新組合員に係る長期給付の取扱い）

第四十七条　移行更新組合員に係る長期給付については、第四十一条、第四十二条及び前二条に定めるもののほか、移行更新組合員を更新組合員と、旧公企体共済法の施行の日を施行日と、移行更新組合員に係る恩給で旧公企体共済法の規定によつて消滅したもの（他の法令の規定によつて消滅したものとみなされたものを含む。）はこの法律中の相当する規定によつて消滅したものとみなして、第七条、第三章（第十六条及び第十七条を除く。）及び第四章の規定を適用する。

2　前項に定めるもののほか、移行更新組合員に対する第三章及び第四章の規定の適用に関し必要な事項は、政令で定める。

（旧公企体共済法の更新組合員であつた移行組合員等の

（移行組合員の取扱い）

第四十八条　第七条から第九条まで（第三号に掲げる者にあつては、第七条第一項第六号及び第九条を除く。）、第三章（第十六条及び第十七条を除く。）及び第四章の規定は、次に掲げる者について準用する。

一　旧公企体共済法附則第四条第二項に規定する更新組合員であつた者で再び旧公企体長期組合員となつた移行組合員

二　更新組合員又は恩給更新組合員であつた者で旧公企体長期組合員となつた移行組合員（前号に掲げる者を除く。）

三　恩給公務員期間又は旧長期組合員期間を有する者で旧公企体共済法の施行の日以後に旧公企体長期組合員となつた移行組合員（移行更新組合員及び前二号に掲げる者を除く。）

2　前項に定めるもののほか、同項に定める規定を準用する場合における必要な技術的読替えその他同項各号に掲げる者に対する長期給付に関する規定の適用については、第二十二条第一項各号に掲げる者に係る長期給付に準じて、政令で定める。

（旧公企体共済法の更新組合員であつた長期組合員の特例）

第四十九条　前条の規定は、移行日の前日に長期組合員（第四十一条第一項の規定により長期組合員であつたものとみなされた者を除く。）であり、移行日以後引き続き長期組合員である者で旧公企体共済法附則第四条第二項に規定する更新組合員であつたものについて準用する。

（移行更新組合員等が移行日以後に再就職した場合の取扱い）

第五十条　第四十五条から第四十八条まで（第一号に掲げる者にあつては同条を、第二号及び第三号に掲げる者にあつては第四十六条及び第四十七条を除く。）の規定は、次に掲げる者について準用する。

一　移行更新組合員であつた者で再び長期組合員となつたもの

二　第四十八条第一項各号に掲げる者又は前条の規定に該当する者であつた者で再び長期組合員となつたもの

三　旧公企体共済法附則第四条第二項に規定する更新組合員であつた者で移行日以後長期組合員となつたもの（移行組合員及び前条の規定に該当する者並びに前号に掲げる者を除く。）

2　前項の場合において、第四十五条第二項及び第四項中「移行日」とあるのは、「第五十条第一項各号に規定する長期組合員となつた日」と読み替えるものとする。

（旧公企体共済法の復帰更新組合員であつた移行組合員の取扱い）

第五十一条　移行組合員で移行日の前日に旧公企体共済法附則第二十六条の六第一項に規定する復帰更新組合員であつた者に対する前章の規定の適用については、その者は第三十三条第四号に規定する復帰更新組合員であるものと、その者が同条第一号に規定する特別措置法の施行の日の前日において有していた恩給若しくは退職年金条例の規定による退隠料等（同条第五号に規定する退隠料等をいう。）又は旧法等の規定による退職年金を受ける権利で旧公企体共済法の規定によつて消滅したものはこの法律中の相当する規定によつて消滅したものと、旧公企体共済法の規定によつてした申出はこの法律中の相当する規定によつてした申出とみなす。

（政令への委任）

第五十二条　この章に定めるもののほか、旧公企体共済法に規定する復帰更新組合員その他旧公企体長期組合員であつた者に係る長期給付に関する経過措置その他必要な事項は、政令で定める。

第十一章　雑則

（期間計算の方法）

第五十三条　この法律における給付を受ける権利の基礎となる期間の計算は、新法又はこの法律に別段の規定があるもののほか、その初日の属する月から起算し、その最終日の属する月をもつて終わるものとし、二以上の期間を合算する場合において、前の期間の最終日と後の期間の初日とが同一の月に属するときは、後の期間は、その初日の属する月の翌月から起算するものとする。ただし、恩給公務員期間又は旧長期組合員期間の計算は、それぞれ恩給法又は旧法の期間計算の例による。

2　新法第百十二条の規定は、この法律に定める権利に関する申出の期間を計算する場合について準用する。

（経過措置に伴う費用の負担）

第五十四条　第二章から第六章まで及び第二十八条の規定により職員である組合員について生ずる組合の追加費用は、第三項の規定により同項に規定する法人が負担すべき金額を除き、政令で定めるところにより、国等又は郵政公社等が負担する。

2　国家公務員共済組合法附則第十八条第一項の規定により組合職員又は連合会役職員である組合員について生ずる組合又は連合会組合の追加費用は、政令で定めるところにより、組合又は連合会が負担する。

3　日本住宅公団、愛知用水公団、農地開発機械公団、日本道路公団、首都高速道路公団、森林開発公団、原子燃料公社、公営企業金融公庫、中小企業信用保険公庫及び

労働福祉事業団は、政令で定めるところにより、第七条（第二十二条第一項又は第二十三条第一項において準用する場合を含む。）の規定によりこれらの法人に勤務していた期間を組合員期間に算入される者に係る長期給付で当該勤務していた期間に係るものの支払に充てる金額を負担し、これを連合会に払い込むものとする。

（長期給付の決定に関する事務の特例）

第五十五条　連合会による長期給付の決定は、当分の間、政令で定めるところにより、総務大臣の審理を経て行うものとする。

（政令への委任）

第五十六条　この法律に規定するもののほか、長期給付に関する規定の施行に関して必要な事項は、政令で定める。

附　則

（施行期日）

1　この法律は、昭和三十四年一月一日から施行する。

2　第五条第二項ただし書、第六条第一項ただし書、第四十条第一項、第四十二条第二項（第四十八条第二項において準用する場合を含む。）又は第四十九条第五項の申出は、施行日前においても行うことができる。

附　則（昭三四・五・一五法一六三）（抄）

改正　昭五七・七・一六法六六

（施行期日）

第一条　この法律は、公布の日から施行する。ただし、次の各号に掲げる改正規定は、当該各号に掲げる日から施行する。

一　〔前略〕第二条中国家公務員共済組合法の長期給付に関する施行法目次（第八章及び第九章に係る部分に限る。）、第二条、第四条、第十四条、第八章、第四十九条並びに第五十一条の改正規定、同条の次に二条を加える改正規定、同法第五十五条の改正規定（第八章に係る部分に限る。）、同法第五十七条の改正規定、同条の次に一条を加える改正規定〔中略〕及び附則第四条から第六条までの規定　昭和三十四年十月一日

二　第二条中国家公務員共済組合法の長期給付に関する施行法第七条第一項第一号イからニまでの改正規定　昭和三十五年七月一日

第二条　〔前略〕改正後の国家公務員共済組合法の長期給付に関する施行法（以下「改正後の施行法」という。）第七条第一項ただし書、第八条第二項、第十一条第二項、第十二条、第十三条第二項、第二十三条第二項、第二十四条、第二十六条第二項、第三十二条の二、第三十三条、第三十六条第四項、第四十一条、第五十一条第二項中第五十五条第一項に係る部分、第五十一条の三及び第五十五条（第八章に係る部分を除く。）の規定は、昭和三十四年一月一日から適用する。

（従前の給付の取扱）

第三条　〔前略〕昭和三十四年十月一日前に生じた給付事由により改正前の国家公務員共済組合法の長期給付に関する施行法（以下「改正前の施行法」という。）第十四条（同法第四十一条第一項において準用する場合を含む。）の規定の適用を受けている給付については、なお従前の例による。

2　昭和三十四年一月一日からこの法律の公布の日の前日までの間〔中略〕又は改正前の施行法の規定により支給された給付で、〔中略〕改正後の施行法第八条第二項、第十一条第二項、第十二条、第二十三条第二項、第二十六条第二項若しくは第三十二条の二（これらの規定を同法第四十一条第一項において準用する場合を含む。）若しくは同条第三項若しくは第四項の規定の適用を受けることとなるものがあるときは、当該給付の支払は、改正後の法又は改正後の施行法の規定によつて支給する給付の内払とみなす。

3　昭和三十四年一月一日からこの法律の公布の日の前日までの間において給付事由が生じた〔中略〕改正前の施行法の規定による年金である給付で、〔中略〕改正後の施行法第十三条第二項、第二十四条若しくは第三十三条（これらの規定を改正後の施行法第四十一条第一項において準用する場合を含む。）の規定の適用を受けることとなるものの同日の属する月分までとして支給すべき金額については、これらの規定にかかわらず、なお従前の例による。

（任命について国会の同意を要する職員等に関する経過措置）

第四条　昭和三十四年九月三十日において改正前の施行法第二条第一項第四号に規定する恩給公務員であつた職員で同年十月一日において改正後の法第七十二条第二項の規定に該当するものについては、その者が同日以後引き続き当該職員である間、改正後の施行法第四条の規定は、適用しない。

2　昭和三十四年九月三十日において改正前の施行法第二条第一項第六号に規定する長期組合員であつた職員で同年十月一日において改正後の法第七十二条第二項の規定に該当するものについては、同項の規定にかかわらず、その者が同日以後引き続き当該職員である間、長期給付に関する規定を適用する。

（長期給付の継続適用を受けている地方職員に関する経過措置）

第五条　昭和三十四年九月三十日において改正前の施行法第四十七条又は第四十八条の規定による長期組合員である地方職員の取扱については、なお従前の例による。

（重複期間に対する一時金に関する経過措置）

第七条　この法律の公布の日前において改正前の施行法第三十六条第一項第一号の規定に該当する更新組合員に対する改正後の施行法第三十六条第一項第一号の規定の適用については、同項中「施行日から」とあるのは、「国家公務員共済組合法等の一部を改正する法律（昭和三十四年法律第百六十三号）の公布の日から」とする。

（恩給受給権の放棄に関する経過措置）

第八条　昭和三十三年十二月三十一日において恩給公務員でなかつた更新組合員又は当該更新組合員であつた者に対する改正後の施行法第五条第二項ただし書又は第四十条第一項の規定の適用については、これらの規定中「施行日から」とあるのは、「国家公務員共済組合法等の一部を改正する法律（昭和三十四年法律第百六十三号）の公布の日から」とする。

（除算された実在職年の算入に伴う措置）

第九条　更新組合員（改正後の施行法第四十二条第一項に規定する恩給更新組合員を含む。）又は同法第四十一条第一項各号（同法第四十二条第一項において準用する場合を含む。）に掲げる者が昭和三十五年六月三十日以前に退職し、又は死亡した場合において、在職年の計算につき恩給法の一部を改正する法律（昭和二十八年法律第百五十五号。以下「法律第百五十五号」という。）附則第二十四条第一項の規定を適用しないとしたならば、改正前の法若しくは改正前の施行法又は改正後の法若しくは改正後の施行法の規定により、退職年金又は遺族年金を支給すべきこととなるときは、昭和三十五年七月分から、これらの規定により、その者又はその遺族に、退職年金又は遺族年金を支給する。

2　法律第百五十五号附則第二十四条第一項又は同法附則第二十四条の二第一項ただし書若しくは第二項の規定の適用を受けて計算された在職年を基礎とする退職年金、障害年金又は遺族年金を受ける者については、昭和三十五年七月分以後、これらの規定により在職年に算入されなかつた実在職年を通算して、その額を改定する。

3　前二項の規定は、法律第百五十五号附則第二十四条の四第二項各号に掲げる者については、適用しないものとする。

4　第一項の規定により新たに退職年金又は遺族年金の支給を受けることとなる者が、同一の給付事由に係る改正前の法若しくは改正前の施行法又は改正後の法若しくは改正後の施行法の規定による退職一時金、障害一時金又は遺族一時金の支給を受けた者である場合には、当該退職年金又は遺族年金の額は、当該退職一時金、障害一時金又は遺族一時金の額（その一部が組合に返還されているときは、その金額を控除した金額）の十五分の一に相当する金額を控除した金額とする。ただし、当該退職一時金、障害一時金又は遺族一時金の全部が組合に返還された場合は、この限りでない。

5　第一項又は第二項の規定の適用を受ける者について、在職年の計算につき法律第百五十五号附則第二十四条第一項の規定を適用しないとしたならば、改正後の施行法第三十六条第一項に規定する重複期間に該当することとなる期間があるときは、昭和三十五年七月一日において、当該期間を重複期間に算入し、同条の規定の例により算定した金額の一時金を、同条の規定による一時金として、その者に支給する。この場合において、同条又は改正前の施行法第三十六条の規定により既に支給された金額があるときは、当該金額は、その支給すべき金額の内払とみなす。

附　則（昭三六・六・一九法一五二）（抄）

最終改正　昭五七・七・一六法六六

（施行期日）

第一条　この法律は、公布の日から施行する。ただし、国家公務員共済組合法の長期給付に関する施行法第七条第一項第一号及び同法別表の改正規定（同表中廃疾の程度一級に対応する金額の改正規定及び備考五の改正規定を除く。）並びに同法第九条第一号の次に二号を加える改正規定は、昭和三十六年十月一日から、同法別表備考五の改正規定は、昭和三十七年一月一日から施行する。

（給付に関する規定の一般的適用区分）

第二条　（前略）改正後の国家公務員共済組合法の長期給付に関する施行法（以下「改正後の施行法」という。）第二条第一項第五号及び第十三号、第七条第一項第二号及び第五号、第十一条、第十二条、第十三条第二項、第二十三条、第二十四条、第三十一条、第三十二条の二及び第三十三条（これらの規定を改正後の施行法第四十一条第一項又は第四十二条第一項において準用する場合を含む。）、第四十一条の二、第四十五条第二項及び第三項、第四十五条の三第二項、第四十六条第一項、第四十八条並びに別表（障害の程度一級に対応する金額に係る部分に限る。）の規定は、この法律の施行の日（以下「施行日」という。）以後に給付事由が生じた給付について適用し、同日前に給付事由が生じた給付については、なお従前の例による。

2　改正後の施行法第二条第一項第五号及び第七条第一項第二号（同法第四十一条第一項又は第四十二条第一項において準用する場合を含む。）の規定は、前項の規定にかかわらず、施行日前に給付事由が生じた給付についても、昭和四十二年度における旧令による共済組合等からの年金受給者のための特別措置法等の規定による年金の額の改定に関する法律（昭和四十二年法律第百四号）の公布の日の属する月の翌月分以後適用する。

（増加恩給の受給権が消滅した場合に関する経過措置）

第十三条　改正後の施行法第五条第三項（同法第四十一条第一項又は第四十二条第一項において準用する場合を含む。）の規定は、施行日以後に増加恩給を受ける権利を有しないこととなつた者について適用し、同日前に増加恩給を受ける権利を有しないこととなつた者については、なお従前の例による。

（除算された加算年の算入に伴う経過措置）

第十四条　更新組合員又は改正後の施行法第四十一条第一項各号に掲げる者（以下「再就職者」という。）が昭和三十七年九月三十日以前に退職し、又は昭和三十六年九月三十日以前に死亡した場合において、恩給法の一部を改正する法律（昭和二十八年法律第百五十五号。以下「法律第百五十五号」という。）附則第二十四条第四項及び改正後の施行法の規定を適用するとしたならば退職年金又は遺族年金を支給すべきこととなるときは、同法の規定により、昭和三十七年十月分（遺族年金については、昭和三十六年十月分）から、その者又はその遺族に退職年金又は遺族年金を支給する。

2　前項の規定は、法律第百五十五号附則第二十四条の四第二項各号に掲げる者については、適用しない。

3　第一項の規定により新たに退職年金又は遺族年金の支給を受けることとなる者が、同一の給付事由につき一時恩給の支給を受け、又は改正後の施行法第二条第一項第二号の二に規定する旧法等、改正前の法、改正前の施行法、改正後の法若しくは改正後の施行法の規定による退職一時金、障害一時金若しくは遺族一時金（これらに相当する給付を含む。）の支給を受けた者（改正後の法第八十条第一項ただし書の規定の適用を受けた者を含む。）である場合には、当該退職年金又は遺族年金の額は、当該一時恩給又はこれらの一時金の額（同法第八十条第一項の規定の適用を受けた者については、その退職一時金の額の算定の基礎となつた同条第二項第一号に掲げる金額とし、これらの額（以下この項において「支給額等」という。）の一部が組合に返還されているときは、その金額を控除した金額とする。）の十五分の一に相当する金額を控除した金額とする。ただし、支給額等の全部が組合に返還された場合は、この限りでない。

（旧日本医療団職員期間等の算入に伴う経過措置）

第十五条　更新組合員又は再就職者が昭和三十六年九月三十日以前に退職し、又は死亡した場合において、在職年の計算につき次に掲げる規定を適用するとしたならば退職年金又は遺族年金を支給すべきこととなるときは、改正後の施行法の規定により、同年十月分から、その者又はその遺族に退職年金又は遺族年金を支給する。

一　法律第百五十五号附則第四十一条第一項又は第四十二条第一項並びに改正後の施行法第二条第一項第十三号及び第七条第一項第一号

二　改正後の施行法第九条第二号又は第三号

2　前条第二項の規定は前項第一号の場合について、同条第三項の規定は前項の場合について、それぞれ準用する。

3　昭和三十六年九月三十日において現に更新組合員又は再就職者につき改正前の法、改正前の施行法、改正後の法又は改正後の施行法の規定により支給されている退職年金、減額退職年金、障害年金又は遺族年金で、在職年の計算につき法律第百五十五号附則第四十二条第一項第一号又は第二号及び改正後の施行法第二条第一項第十三号の規定を適用するとしたならばこれらの年金の額が増加することとなるものについては、同年十月分以後これらの規定を適用してその額を改定する。

（旧特別調達庁職員であつた期間の取扱い等）

第十六条　改正後の施行法第七条第一項第五号の規定の適用を受ける者の同号の規定の改正により組合員期間に算入されることとなつた期間は、施行日以後は、厚生年金保険の被保険者でなかつたものとみなす。

2　政府は、厚生保険特別会計の年金勘定の積立金のうち、前項に規定する者の厚生年金保険の被保険者であつた期間に係る部分を、政令で定めるところにより、施行日から二年以内に厚生保険特別会計から組合に交付するものとする。

（債務の保証に関する経過措置）

第十八条　改正後の施行法第五十四条の規定は、施行日以後に消滅する権利に係る債務について適用し、同日前に消滅した権利に係る債務については、なお従前の例による。

附　則（昭三六・一一・一法一八二）（抄）

（施行期日）

第一条　この法律は、公布の日から施行し、この附則に特別の定めがあるものを除き、昭和三十六年四月一日から適用する。

（国家公務員共済組合法の長期給付に関する施行法の一部改正に伴う経過措置）

第二十三条　改正後の国家公務員共済組合法の長期給付に関する施行法第十九条又は第三十五条の規定は、施行日以後の退職又は死亡に係る退職一時金又は遺族一時金について適用し、同日前の退職又は死亡に係る退職一時金又は遺族一時金については、なお従前の例による。

附　則（昭三七・三・二七法二四）（抄）

（施行期日）

第一条　この法律は、公布の日から施行する。

附　則（昭三七・五・一〇法一一六）（抄）

改正　昭五七・七・一六法六六

（施行期日）

第一条　この法律は、公布の日から施行する。ただし、附則第四条中施行法第七条、第十五条第二項及び別表の改正規定は、昭和三十七年十月一日から施行する。

（施行法の改正に伴う経過措置）

第六条　改正後の施行法第十五条第二項の規定は、昭和三十七年十月分以後の退職年金について適用し、同年九月分以前の退職年金については、次項に定めるものを除き、なお従前の例による。

2　改正後の施行法第十五条第三項の規定は、この法律の施行前に給付事由が生じた退職年金についても適用する。

3　昭和三十七年九月三十日以前に給付事由が生じた施行法第二十四条に規定する公務による障害年金の同年九月分までの額の算定については、なお従前の例による。

4　前三項に定めるもののほか、施行法の改正に伴う経過措置について必要な事項は、政令で定める。

附　則（昭三七・九・八法一五三）（抄）

1　この法律は、昭和三十七年十二月一日から施行する。

3　この法律による改正後の国家公務員共済組合法の長期給付に関する施行法の規定は、昭和三十七年十二月一日以後に給付事由が生じた国家公務員共済組合法の規定による長期給付について適用し、同日前に給付事由が生じた同法の規定による長期給付については、なお従前の例による。

4　昭和三十七年十一月三十日に国家公務員共済組合法の長期給付に関する規定の適用を受ける同法の組合員であつた者で同年十二月一日において引き続き当該組合員であるものに係る退職年金条例の規定による給付を受ける権利（この法律による改正前の国家公務員共済組合法の長期給付に関する施行法第五十一条第一項又は第五十一条の三の規定の適用により同法第五条第二項ただし書の規定の適用を受けた権利を除く。）又は旧市町村職員共済組合法若しくは共済条例の規定による給付を受ける権利については、国家公務員共済組合法の長期給付に関する施行法第五条第二項（第二号を除く。）中「施行日」とあるのは「昭和三十七年十二月一日」と、同法同条同項第二号中「施行日の前日に旧長期組合員であつた者の普通恩給」とあるのは「普通恩給」と、同法第六条第一項中「施行日」とあるのは「昭和三十七年十二月一日」と、「同日に恩給公務員であつた者の当該退職年金」とあるのは「当該退職年金」と、同法第四十条第一項中「施行日」とあるのは「昭和三十七年十二月一日」として、同法第五条、第六条及び第四十条の規定を適用する。

附　則（昭三八・三・三一法六二）（抄）

（施行期日）

第一条　この法律は、昭和三十八年四月一日から施行する。〔ただし書略〕

附　則（昭三八・六・二七法一一四）（抄）

改正　昭五七・七・一六法六六

（施行期日）

第一条　この法律は、昭和三十八年十月一日から施行する。ただし、〔中略〕第四条中国家公務員共済組合法の長期給付に関する施行法第十五条第三項及び第四項並びに第五十一条の二第五項の改正規定、〔中略〕附則第四条第四項〔中略〕の規定は、公布の日から施行する。

（国家公務員共済組合法の長期給付に関する施行法の改正に伴う経過措置）

第四条　更新組合員（国家公務員共済組合法の長期給付に関する施行法（以下「施行法」という。）第二条第一項第七号に規定する者をいう。以下同じ。）及び再就職者（同法第四十一条第一項各号に掲げる者をいう。以下同じ。）が昭和三十八年九月三十日以前に退職し、又は死亡した場合において、国家公務員共済組合法（昭和三十三年法律第百二十八号。以下「法」という。）第三十八条に規定する組合員期間の計算につき第四条の規定による改正後の施行法（以下「改正後の施行法」という。）第七条、第九条第三号又は第五十一条の二第四項第二号の規定を適用するとしたならば退職年金又は遺族年金を支給すべきこととなるときは、改正後の施行法の規定により、昭和三十八年十月分以後、その者又はその遺族に退職年金又は遺族年金を支給する。

2　前項の場合において、同項の規定により新たに退職年金又は遺族年金の支給を受けることとなる者が、同一の給付事由につき一時恩給の支給を受け、又は施行法第二条第一項第二号の二に規定する旧法等、第四条の規定による改正前の施行法（以下「改正前の施行法」という。）若しくは法の規定による退職一時金、障害一時金若しくは遺族一時金（これらに相当する給付を含む。）の支給を受けた者（法第八十条第一項ただし書の規定の適用を受けた者を含む。）であるときは、当該退職年金又は遺族年金の額は、前項の規定にかかわらず、同項の規定による額から当該一時恩給又はこれらの一時金の額（法第八十条第一項の規定の適用を受けた者については、その退職一時金の額の算定の基礎となつた同条第二項第一号に掲げる金額とし、これらの額（以下この項において「支給額等」という。）の一部が組合に返還されているときは、その金額を控除した金額とする。）の十五分の一に相当する金額を控除した金額とする。ただし、支給額等の全部が組合に返還された場合は、この限りでない。

3　昭和三十八年九月三十日において現に更新組合員又は再就職者につき法又は改正前の施行法の規定により支給されている退職年金、減額退職年金、障害年金又は遺族年金で組合員期間の計算につき改正後の施行法第七条の規定を適用するとしたならばこれらの年金の額が増加することとなるものについては、同年十月分以後、これらの規定を適用してその額を改定する。

4　改正後の施行法第五十一条の二第五項の規定は、昭和三十七年十二月一日からこの法律の公布の日の前日までの間に退職し、又は死亡した更新組合員又は再就職者についても適用する。

5　昭和三十八年九月三十日において現に改正前の施行法別表の備考第六号の規定による金額の加給をされた公務による障害年金（施行法第二条第一項第三号に規定する公務による障害年金をいう。）の支給を受けている者については、同年十月分以後、その額を改正後の施行法第二十四条及び同法別表の備考の規定による年金額に改定する。

附　則（昭三九・七・六法一五二）（抄）

（施行期日）

第一条　この法律は、昭和三十九年十月一日（以下「施行日」という。）から施行する。〔ただし書略〕

附　則（昭三九・七・六法一五三）（抄）

（施行期日）

第一条　この法律は、昭和三十九年十月一日から施行する。

附　則（昭三九・七・六法一五四）（抄）

改正　昭五七・七・一六法六六

（施行期日）

第一条　この法律は、昭和三十九年十月一日から施行する。

（国家公務員共済組合法の長期給付に関する施行法に係る経過措置）

第二条　改正後の国家公務員共済組合法の長期給付に関する施行法（以下「改正後の施行法」という。）第二条第一項第七号（同法第四十一条第一項において準用する場合を含む。）に規定する更新組合員（同法第四十一条第一項各号に掲げる者を含む。以下この条及び次条において「更新組合員等」という。）がこの法律の施行の日（以下「施行日」という。）前に退職し、又は死亡した場合において、恩給法の一部を改正する法律（昭和二十八年法律第百五十五号。以下「法律第百五十五号」という。）附則第二十四条第五項及び第六項並びに改正後の施行法の規定を適用するとしたならば退職年金又は遺族年金を支給すべきこととなるときは、同法の規定により、昭和三十九年十月分から、その者又はその遺族に退職年金又は遺族年金を支給する。

2　前項の規定は、法律第百五十五号附則第二十四条の四第二項各号に掲げる者については、適用しない。

3　第一項の規定により新たに退職年金又は遺族年金の支給を受けることとなる者が、同一の給付事由につき一時恩給の支給を受け、又は改正後の施行法第二条第一項第二号の二に規定する旧法等、国家公務員共済組合法（昭和三十三年法律第百二十八号。以下この条及び次条において「法」という。）若しくは改正前の国家公務員共済組合法の長期給付に関する施行法（以下「改正前の施行法」という。）の規定による退職一時金、障害一時金若しくは遺族一時金（これらに相当する給付を含む。）の支給を受けた者（法第八十条第一項ただし書の規定の適用を受けた者を含む。）である場合には、当該退職年金又は遺族年金の額は、第一項の規定にかかわらず、同項の規定による額から当該一時恩給又はこれらの一時金の額（法第八十条第一項ただし書の規定の適用を受けた者については、その退職一時金の額の算定の基礎となつた同条第二項第一号に掲げる金額とし、これらの額（以下この項において「支給額等」という。）の一部が組合に返還されているときは、その金額を控除した金額とする。）の十五分の一に相当する金額を控除した金額とする。ただし、支給額等の全部が組合に返還された場合は、この限りでない。

第三条　更新組合員等が施行日前に退職し、又は死亡した場合において、その在職年又は組合員期間の計算につき次に掲げる規定を適用するとしたならば退職年金又は遺族年金を支給すべきこととなるときは、改正後の施行法の規定により、昭和三十九年十月分から、その者又はその遺族に退職年金又は遺族年金を支給する。

一　法律第百五十五号附則第四十三条の二及び改正後の施行法の規定

二　改正後の施行法第九条第四号又は第五十一条の二第四項第三号の規定

2　前条第二項の規定は前項第一号の場合について、同条第三項の規定は前項の場合について、それぞれ準用する。

3　施行日の前日において現に法又は改正前の施行法の規定により退職年金、減額退職年金、障害年金又は遺族年金を受ける権利を有する者について、当該年金に係る更新組合員等の組合員期間の計算につき法律第百五十五号附則第四十三条の二及び改正後の施行法の規定を適用するとしたならば当該年金の額が増加することとなるときは、同法の規定により、昭和三十九年十月分から、当該年金の額を改定する。

附　則（昭四〇・三・三一法三六）（抄）

（施行期日）

第一条　この法律は、昭和四十年四月一日から施行する。〔ただし書略〕

（恩給法等の一部改正に伴う経過規定）

第十四条　第六十七条の規定による改正後の恩給法第五十八条ノ四、国会議員互助年金法第十六条及び国家公務員共済組合法の長期給付に関する施行法第十五条の規定は、昭和四十年以後の年の所得による普通恩給又は退職年金の一部の支給の停止について適用し、昭和三十九年以前の年の所得による当該支給の停止については、なお従前の例による。

附　則（昭四〇・六・一法一〇二）（抄）

改正　昭五七・七・一六法六六

（施行期日）

第一条　この法律は、昭和四十年十月一日から施行する。ただし、〔中略〕附則第五条中施行法第七条第一項第五号及び第五十五条第一項の改正規定並びに施行法第四十九条の次に一条を加える改正規定は、公布の日から施行する。

（施行法の改正に伴う経過措置）

第九条　附則第五条の規定による改正後の国家公務員共済組合法の長期給付に関する施行法（以下「改正後の施行法」という。）第二条第一項第七号（同法第四十二条第一項において準用する場合を含む。）に規定する更新組合員（同法第四十一条第一項各号に掲げる者を含む。）がこの法律の施行の日（以下「施行日」という。）前に退職し、又は死亡した場合において、昭和四十年法律第八十二号による改正後の恩給法の一部を改正する法律（昭和二十八年法律第百五十五号。以下「法律第百五十五号」という。）及び改正後の施行法の規定を適用するとしたならば退職年金又は遺族年金を支給すべきこととなるときは、同法の規定により、昭和四十年十月分から、その者若しくはその遺族に退職年金若しくは遺族年金を新たに支給し、又は同月分からその者若しくはその遺族のこれらの年金の額を、これらの法律の規定を適用して算定した額に改定する。

2　前項の規定は、法律第百五十五号附則第二十四条の四第二項各号に掲げる者については、適用しない。

3　第一項の規定の適用を受けることとなる者が、同一の給付事由につき一時恩給の支給を受け、又は改正後の施行法第二条第一項第二号の二に規定する旧法等、国家公務員共済組合法若しくは改正前の国家公務員共済組合法の長期給付に関する施行法の規定による退職一時金、障害一時金若しくは遺族一時金（これらに相当する給付を含む。）の支給を受けた者（国家公務員共済組合法第八十条第一項ただし書の規定の適用を受けた者を含む。）である場合には、当該退職年金又は遺族年金の額は、第一項の規定にかかわらず、政令で定めるところにより、同項の規定による額から当該一時恩給又はこれらの一時金の額（同条第一項ただし書の規定の適用を受けた者については、その退職一時金の額の算定の基礎となつた同条第二項第一号に掲げる金額とし、これらの額（以下この項において「支給額等」という。）の一部が組合に返還されているときは、その金額を控除した金額とする。）の十五分の一に相当する金額に達するまでの金額を控除した金額とする。ただし、支給額等の全部が組合に返還された場合は、この限りでない。

4　改正後の施行法第十五条、第三十三条及び別表の規定は、昭和四十年九月三十日以前に給付事由が生じた退職年金、公務による遺族年金及び公務による障害年金についても、同年十月分以後適用する。

第十条　政府は、厚生年金保険特別会計の積立金のうち、改正後の施行法第四十九条の二の規定により組合員期間に算入されることとなつた厚生年金保険の被保険者であつた期間に係る部分（国家公務員共済組合法等の一部を改正する法律（昭和三十六年法律第百五十二号）附則第十六条第二項の規定により交付された部分を除く。）を、政令で定めるところにより、昭和四十二年度までに厚生年金保険特別会計から組合に交付するものとする。

附　則（昭四〇・六・一法一〇四）（抄）

（施行期日等）

第一条　この法律は、公布の日から施行する。〔ただし書略〕

（国家公務員共済組合法の長期給付に関する施行法の一部改正に伴う経過措置）

第三十六条　前条の規定による改正後の国家公務員共済組合法の長期給付に関する施行法第十三条第二項（同法第四十一条第一項及び第四十二条第一項において準用する場合を含む。）、第三十二条の二（同法第四十一条第一項、第四十二条第一項及び第四十七条の二第二項（同法第四十八条の二において準用する場合を含む。）において準用する場合を含む。）、第三十三条（同法第四十一条第一項及び第四十二条第一項において準用する場合を含む。）及び第四十五条の三第二項（同法第四十八条の二において準用する場合を含む。）の規定は、昭和四十年五月一日以後に給付事由が生じた給付について適用し、同日前に給付事由が生じた給付については、なお従前の例による。

附　則（昭四一・七・八法一二二）（抄）

改正　昭五七・七・一六法六六

（施行期日）

第一条　この法律は、昭和四十一年十月一日から施行する。ただし、第二条中国家公務員共済組合法の長期給付に関する施行法第七条第一項第一号ただし書の改正規定及び附則第五条の規定は、昭和四十二年一月一日から施行する。

（日本赤十字社救護員期間のある者の経過措置）

第四条　第二条の規定による改正後の国家公務員共済組合法の長期給付に関する施行法（以下「改正後の施行法」という。）第二条第一項第七号（同法第四十二条第一項において準用する場合を含む。）に規定する更新組合員（同法第四十一条第一項各号に掲げる者を含む。次条において同じ。）がこの法律の施行の日（以下「施行日」という。）前に退職し、又は死亡した場合において、恩給法等の一部を改正する法律第二条の規定による改正後の恩給法の一部を改正する法律（昭和二十八年法律第百五十五号。以下「改正後の法律第百五十五号」という。）及び改正後の施行法の規定を適用するとしたならば退職年金又は遺族年金を支給すべきこととなるときは、次条の規定の適用を受けることとなる場合を除き、同法及び第一条の規定による改正後の昭和四十年度改定法の規定により、昭和四十一年十月分から、その者若しくはその遺族に退職年金若しくは遺族年金を新たに支給し、又は同月分からその者若しくはその遺族のこれらの年金の額を、これらの法律の規定を適用して算定した額に改定する。

2　前項の規定は、改正後の法律第百五十五号附則第二十四条の四第二項各号に掲げる者については、適用しない。

3　第一項の規定の適用を受けることとなる者が、同一の給付事由につき一時恩給の支給を受け、又は改正後の施行法第二条第一項第二号の二に規定する旧法等、国家公務員共済組合法若しくは第二条の規定による改正前の国家公務員共済組合法の長期給付に関する施行法の規定による退職一時金、障害一時金若しくは遺族一時金（これらに相当する給付を含む。）の支給を受けた者（国家公務員共済組合法第八十条第一項ただし書の規定の適用を受けた者を含む。）である場合には、当該退職年金又は遺族年金の額は、第一項の規定にかかわらず、同項の規定による額から当該一時恩給又はこれらの一時金の額（同条第一項ただし書の規定の適用を受けた者については、その退職一時金の額の算定の基礎となつた同条第二項第一号に掲げる金額とし、これらの額（以下この項において「支給額等」という。）の一部が組合に返還されているときは、その金額を控除した金額とする。）の十五分の一に相当する金額を控除した金額とする。ただし、支給額等の全部が組合に返還された場合は、この限りでない。

（加算年の算入に伴う経過措置）

第五条　前条の規定は、更新組合員が施行日前に退職し、又は死亡した場合において、改正後の法律第百五十五号附則第二十四条第八項及び第二十四条の八並びに改正後の施行法の規定を適用するとしたならば退職年金又は遺族年金を支給すべきこととなるときについて準用する。この場合において、前条第一項中「昭和四十一年十月分」とあるのは、「昭和四十二年一月分」と読み替えるものとする。

（特例による退職年金の額に関する経過措置）

第六条　改正後の施行法第十三条第一項の規定は、給付事由の生じた日（同項の規定の適用を受けるべき更新組合員に係る遺族年金にあつては、当該更新組合員が退職し、又は死亡した日）が施行日以後である場合について適用し、当該給付事由の生じた日が施行日前である場合については、なお従前の例による。

附　則（昭四一・七・八法一二三）（抄）

（施行期日）

第一条　この法律は、公布の日から施行する。ただし、次の各号に掲げる規定は、当該各号に掲げる日から施行する。

一　次に掲げる規定　昭和四十一年十月一日

イ・ロ　〔略〕

ハ　附則〔中略〕第十二条の規定〔国家公務員共済組合法の長期給付に関する施行法の一部改正〕

二・三　〔略〕

附　則（昭四二・七・三一法一〇四）（抄）

改正　昭五七・七・一六法六六

（施行期日）

第一条　この法律は、昭和四十二年十月一日から施行する。ただし、附則第六条中施行法第二十条、第二十七条及び第四十一条第一項の改正規定並びに〔中略〕附則第九条から附則第十三条までの規定は、公布の日から施行する。

（新たに旧軍人の恩給を受けることとなる者に関する経過措置）

第三条　施行法第二条第一項第七号に規定する更新組合員（同法第四十一条第一項各号に掲げる者及び同法第四十二条第一項に規定する恩給更新組合員を含む。次条、附則第九条及び附則第十条において「更新組合員等」という。）がこの法律の施行の日（以下「施行日」という。）前に退職し、又は死亡した場合において、昭和四十二年法律第八十三号第二条の規定による改正後の恩給法の一部を改正する法律（昭和二十八年法律第百五十五号。以下「法律第百五十五号」という。）附則第二十四条の九及び施行法の規定を適用するとしたならば退職年金又は遺族年金を支給すべきこととなるときは、これらの法律の規定により、昭和四十二年十月分から、その者若しくはその遺族に退職年金若しくは遺族年金を新たに支給し、又は同月分からその者若しくはその遺族の退職年金、減額退職年金若しくは遺族年金の額を、これらの法律の規定を適用して算定した額に改定する。

2　前項の規定は、法律第百五十五号附則第二十四条の四第二項各号に掲げる者については、適用しない。

3　第一項の規定により新たに退職年金又は遺族年金の支給を受けることとなる者が、同一の給付事由につき一時恩給の支給を受け、又は施行法第二条第一項第二号の二に規定する旧法等、新法若しくは施行法の規定による退職一時金、障害一時金又は遺族一時金（これらに相当する給付を含む。）の支給を受けた者（新法第八十条第一項ただし書の規定の適用を受けた者を含む。）又はその遺族である場合においては、当該退職年金又は遺族年金の額は、第一項の規定にかかわらず、同項の規定による額から当該一時恩給又はこれらの一時金の額（新法第八十条第一項の規定の適用を受けた者については、その退職一時金の額の算定の基礎となつた同条第二項第一号に掲げる金額とし、これらの額（以下この項において「支給額等」という。）の一部が組合に返還されているときは、その金額を控除した金額）の十五分の一に相当する金額を控除した金額とする。ただし、支給額等の全部が組合に返還された場合は、この限りでない。

（琉球諸島民政府職員期間のある者に関する経過措置）

第四条　前条の規定は、更新組合員等が施行日前に退職し、又は死亡した場合において、昭和四十二年法律第八十三号第三条の規定による改正後の元南西諸島官公署職員等の身分、恩給等の特別措置に関する法律（昭和二十八年法律第百五十六号）第十条の二及び施行法の規定を適用するとしたならば退職年金又は遺族年金を支給すべきこととなるとき、又はその者若しくはその遺族の退職年金、減額退職年金、障害年金若しくは遺族年金の額を改定すべきこととなるときについて準用する。

（恩給公務員期間を有する者等の年金の額の引上げに伴う経過措置）

第八条　附則第六条の規定による改正後の施行法（以下「改正後の施行法」という。）第十三条、第三十二条の二第二項、第三十三条（これらの規定を同法第四十一条第一項又は第四十二条第一項において準用する場合を含む。）及び別表の規定は、昭和四十二年九月三十日以前に給付事由が生じた退職年金、障害年金及び遺族年金についても、同年十月分以後適用する。

2　改正後の施行法第十五条（同法第四十一条第一項又は第四十二条第一項において準用する場合を含む。）の規定は、昭和四十二年九月三十日以前に給付事由の生じた退職年金についても、同年十月分以後適用する。この場合において、退職年金の額は、第四条又は第五条の規定による改定前の退職年金について附則第六条の規定による改正前の施行法第十五条の規定を適用し又は準用した場合の支給額を下らないものとする。

（増加恩給等を受ける権利を有していた者に係る公務による年金の支給等に関する経過措置）

第九条　この法律の公布の日前に退職し、若しくは死亡した更新組合員等（更新組合員等であつた者を含む。次条第八項を除き、以下同じ。）又はその遺族が、改正後の施行法第二十条又は第二十七条（これらの規定を同法第四十一条第一項又は第四十二条第一項において準用する場合を含む。次条第三項及び第四項において同じ。）の規定の適用により、新たに新法第八十一条第一項第一号の規定による障害年金に関する規定又は新法第八十八条第一項第一号の規定による遺族年金に関する規定の適用を受けることとなるとき（次条第三項の規定の適用があるときを除く。）は、この法律の公布の日の属する月の翌月分以後、これらの者に、これらの規定による障害年金若しくは遺族年金を新たに支給し、又は同月分以後これらの者の障害年金若しくは遺族年金の額を新法及び施行法の規定を適用して算定した額に改定する。

2　施行法第四十条第一項又は第二項（これらの規定を同法第四十一条第一項又は第四十二条第一項において準用する場合を含む。次項並びに次条第三項及び第四項において同じ。）の申出があつた更新組合員等で組合員期間が二十年未満のものが、この法律の公布の日前に、公務による傷病（以下「公務傷病」という。）によらないで退職後死亡した場合において、その者の死亡の際新法及び改正後の施行法の規定を適用するとしたならば新法第八十一条第一項第一号の規定による障害年金を支給すべきこととなるときは、その者の遺族を障害年金を受ける権利を有する者の遺族とみなして、同日の属する月の翌月分以後、新法第八十八条第一項第三号又は第四号の規定による遺族年金を新たに支給する。

3　施行法第四十条第一項又は第二項の申出があつた者のうち政令で定めるものの公務による障害年金の額は、新法第八十二条若しくは施行法第二十二条若しくは第二十三条（これらの規定を同法第四十一条第一項又は第四十二条第一項において準用する場合を含む。）の規定により算定した額又は改正後の施行法第二十四条（同法第四十一条第一項又は第四十二条第一項において準用する場合を含む。）に定める額が、同法第二条第一項第八号に規定する傷病年金の額及び新法の規定による退職給付の額を合算した額を基準として政令で定める金額より少ないときは、当該金額とする。

4　附則第三条第三項の規定は、第一項若しくは第二項の規定により新たに障害年金若しくは遺族年金を支給し、又は第一項の規定によりこれらの年金の額を改定する場合について準用する。

第十条　この法律の公布の際、現に増加恩給等（施行法第二条第一項第九号に規定する増加恩給等をいう。以下同じ。）を受ける権利を有する更新組合員等である者は、退職の日（この法律の公布の日前に退職した者にあつては、この法律の公布の日。以下この項において同じ。）から六十日を経過する日以前に、当該増加恩給等を受けることを希望しない旨をその裁定庁に申し出ることができる。この場合には、当該増加恩給等を受ける権利は、その退職の日の前日において消滅したものとみなす。

2　前項に規定する者が同項の申出の期限前に死亡した場合には、同項の申出は、その遺族がすることができる。

3　前二項の規定による申出は、改正後の施行法第二十条及び第二十七条の規定の適用については、同法第四十条第一項又は第二項の規定による申出とみなす。

4　第一項に規定する者（この法律の公布の日前に退職した者を除く。）が組合員である間に死亡した場合においては、その者の遺族でその死亡により増加恩給等に係る扶助料を受けることとなる者は、その死亡の日から六十日を経過する日以前に、当該扶助料を受けることを希望しない旨をその裁定庁に申し出ることができる。この場合においては、当該扶助料を受ける権利は、当該死亡の日において消滅したものとみなし、当該死亡した者は、改正後の施行法第二十七条の規定の適用については、増加恩給等を受ける権利を有していた者で同法第四十条第二項の規定による申出のあつたものに該当するものとみなす。

5　この法律の公布の日前に死亡した更新組合員等の遺族でその死亡により増加恩給等に係る扶助料を受けている者は、同日から六十日を経過する日以前に、当該扶助料を受けることを希望しない旨をその裁定庁に申し出ることができる。この場合においては、当該扶助料を受ける権利は、この法律の公布の日の前日において消滅したものとみなす。

6　公務傷病により死亡した更新組合員等につき前項の申出があつた場合には、この法律の公布の日の属する月の翌月分以後、その者の遺族に、新法第八十八条第一項第一号の規定による遺族年金を新たに支給し、又は同月分以後、その者の遺族年金を新法及び施行法の規定を適用して算定した額に改定する。

7　公務傷病によらないで退職後死亡した更新組合員等につき第五項の申出があつた場合において、その者の死亡の際新法及び改正後の施行法の規定を適用するとしたならば新法第八十一条第一項第一号の規定による障害年金を支給すべきこととなるときは、その者の遺族を障害年金を受ける権利を有する者の遺族とみなして、この法律の公布の日の属する月の翌月分以後、新法第八十八条第一項第二号から第四号までの規定による遺族年金を新たに支給し、又は同月分以後その者の遺族年金をこれらの法律の規定を適用して算定した額に改定する。

8　前条（この法律の公布の際現に更新組合員等である者については、同条第三項）の規定は、第三項又は前二項の規定の適用により、新たに新法第八十一条第一項第一号若しくは第八十八条の規定による障害年金若しくは遺族年金を支給し、又はこれらの年金の額を改定することとなる場合について準用する。

9　施行法第四十条第四項及び第五十四条の規定は、第一項、第二項、第四項又は第五項の規定による申出があつた場合について準用する。

10　第一項、第二項、第四項又は第五項の規定による申出があつた更新組合員等につき公務による障害年金又は遺族年金を支給する場合において、その者が昭和三十四年一月一日（施行法第四十二条第一項に規定する恩給更新組合員については、同年十月一日）以後の更新組合員等であつた期間に係る分として増加恩給の支給を受けていたときは、当該増加恩給の額の総額に相当する額に達するまで、当該障害年金又は遺族年金の支給に際し、その支給時に係る支給額から政令で定める額を控除するものとする。

11　前条及びこの条に規定するもののほか、増加恩給等を受ける権利を有していた更新組合員等に係る長期給付に関する規定の適用に関して必要な事項は、政令で定める。

附　則（昭四三・五・三一法八一）

改正　昭五七・七・一六法六六

（施行期日）

第一条　この法律は、昭和四十三年十月一日から施行する。ただし、第二条中国家公務員共済組合法の長期給付に関する施行法第七条の改正規定及び次条の規定は、昭和四十四年一月一日から施行する。

（外国政府職員期間等のある者に関する経過措置）

第二条　第二条の規定による改正後の国家公務員共済組合法の長期給付に関する施行法（以下「改正後の施行法」という。）第二条第一項第七号に規定する更新組合員（同法第四十一条第一項各号に掲げる者及び同法第四十二条第一項に規定する恩給更新組合員を含む。）が昭和四十四年一月一日前に退職し、又は死亡した場合において、恩給法等の一部を改正する法律（昭和四十三年法律第四十八号）第二条の規定による改正後の恩給法の一部を改正する法律（昭和二十八年法律第百五十五号。以下この条において「改正後の法律第百五十五号」という。）附則第四十二条第一項第三号（同法附則第四十三条において準用する場合を含む。第三項において同じ。）及び改正後の施行法の規定を適用するとしたならば退職年金、減額退職年金、障害年金又は遺族年金の額が増加することとなるときは、昭和四十四年一月分から、その者又はその遺族のこれらの年金の額を、これらの法律の規定を適用して算定した額に改定する。

2　前項の規定は、改正後の法律第百五十五号附則第二十四条の四第二項各号に掲げる者については、適用しない。

3　国家公務員共済組合法の長期給付に関する施行法第七条の改正規定の施行の際、現に同法第二条第一項第八号の普通恩給又は同号の恩給で恩給法（大正十二年法律第四十八号）第七十三条第一項の規定に係るもの（以下この項において「普通恩給等」という。）を受ける権利を有し、かつ、第二条の規定による改正前の国家公務員共済組合法の長期給付に関する施行法（以下この項において「改正前の施行法」という。）第九条第四号の期間（同法第五十一条の二第四項第三号の期間を含む。）で改正後の法律第百五十五号附則第四十二条第一項第三号の規定の適用によりその全部又は一部が当該期間に該当しないこととなるものを有する更新組合員（改正前の施行法第二条第一項第七号に規定する更新組合員（同法第四十一条第一項第一号に掲げる者を含む。）をいう。以下この項において同じ。）若しくは更新組合員であつた者又はこれらの者の遺族のうち、昭和四十三年十二月三十一日において同法第九条第四号（同法第四十一条第一項において準用する場合を含む。以下この項において同じ。）の規定に係る退職年金若しくは減額退職年金又は同法第二十九条（同法第四十一条第一項において準用する場合を含む。）の規定に係る遺族年金（同法第九条第四号の規定に係るものに限る。）を受ける権利を有する者で政令で定めるものその他政令で定める者に係る普通恩給等及び長期給付（国家公務員共済組合法（昭和三十三年法律第百二十八号）第七十二条第一項の長期給付をいう。次項において同じ。）については、これらの者が別段の申出をしないときは、改正後の法律第百五十五号附則第四十二条第一項第三号及び改正後の施行法の規定にかかわらず、恩給法等の一部を改正する法律第二条の規定による改正前の恩給法の一部を改正する法律附則第四十二条第一項第三号（同法附則第四十三条において準用する場合を含む。）及び改正前の施行法の規定の例によるものとする。

4　前項の規定の適用に関して必要な事項及び同項に規定する者が同項の申出をした場合におけるその者に係る退職年金、減額退職年金又は遺族年金を受ける権利についての措置その他長期給付に関する措置等に関して必要な事項は、政令で定める。

（多額所得による退職年金の停止等の経過措置）

第三条　改正後の施行法第十五条（同法第四十一条第一項又は第四十二条第一項において準用する場合を含む。）の規定は、昭和四十三年九月三十日以前に給付事由が生じた退職年金についても、同年十月分以後適用する。この場合において、退職年金の額は、第一条の規定による改正後の昭和四十二年度及び昭和四十三年度における旧令による共済組合等からの年金受給者のための特別措置法等の規定による年金の額の改定に関する法律第四条又は第五条の規定による改定前の退職年金について第二条の規定による改正前の国家公務員共済組合法の長期給付に関する施行法第十五条の規定を適用し又は準用した場合の支給額を下らないものとする。

2　改正後の施行法第三十三条（同法第四十一条第一項又は第四十二条第一項において準用する場合を含む。）及び別表の規定は、昭和四十三年九月三十日以前に給付事由が生じた遺族年金及び障害年金についても、同年十月分以後適用する。

附　則（昭四四・一二・六法七八）（抄）

最終改正　平一六・六・二三法一三二

（施行期日等）

第一条　この法律は、公布の日から施行する。（ただし書略）

（国家公務員共済組合法の長期給付に関する施行法の一部改正に伴う経過措置）

第四十一条　前条の規定による改正後の国家公務員共済組合法の長期給付に関する施行法第十三条第二項（同法第四十一条第一項及び第四十二条第一項において準用する場合を含む。）、第三十二条の二第一項（同法第四十一条第一項、第四十二条第一項及び第四十七条の二第二項（同法第四十八条の二において準用する場合を含む。）において準用する場合を含む。）及び第四十五条の三第二項（同法第四十八条の二において準用する場合を含む。）の規定は、昭和四十四年十一月一日以後に給付事由が生じた給付について適用し、同日前に給付事由が生じた給付については、なお従前の例による。

附　則（昭四四・一二・一六法九二）（抄）

改正　昭五七・七・一六法六六

（施行期日等）

第一条　この法律は、公布の日から施行する。ただし、第三条中国家公務員共済組合法の長期給付に関する施行法の改正規定（同法第十五条第二項及び第三項、第三十三条並びに別表の改正規定を除く。）並びに第五条及び附則第八条から第十二条までの規定は、昭和四十五年四月一日から施行する。

2　〔前略〕第三条の規定による改正後の国家公務員共済組合法の長期給付に関する施行法（以下「改正後の施行法」という。）第十五条第二項及び第三項並びに第三十三条（これらの規定を同法第四十一条第一項又は第四十二条第一項において準用する場合を含む。）並びに別表の規定並びに附則第七条の規定は同年十月一日から適用する。

（多額所得による退職年金の停止等の経過措置）

第三条　改正後の施行法第十五条第二項及び第三項（同法第四十一条第一項又は第四十二条第一項において準用する場合を含む。）の規定は、昭和四十四年九月三十日以前に給付事由が生じた退職年金についても、同年十月分以後適用する。この場合において、その退職年金の支給額は、第一条の規定による改正後の昭和四十二年度、昭和四十三年度及び昭和四十四年度における旧令による共済組合等からの年金受給者のための特別措置法等の規定による年金の額の改定に関する法律第四条の二又は第五条の二の規定による改定前の退職年金について第三条の規定による改正前の国家公務員共済組合法の長期給付に関する施行法（以下「改正前の施行法」という。）第十五条の規定を適用し又は準用した場合の支給額を下らないものとする。

2　改正後の施行法第三十三条（同法第四十一条第一項又は第四十二条第一項において準用する場合を含む。）及び別表の規定は、昭和四十四年九月三十日以前に給付事由が生じた遺族年金及び障害年金についても、同年十月分以後適用する。

（傷病年金を受ける権利を有する者に関する経過措置）

第四条　改正後の施行法第二条第一項第七号に規定する更新組合員（同法第四十一条第一項各号に掲げる者及び同法第四十二条第一項に規定する恩給更新組合員を含む。以下「更新組合員等」という。）が昭和四十四年九月三十日以前に退職した場合において、恩給法等の一部を改正する法律（昭和四十四年法律第九十一号。次項及び附則第六条において「昭和四十四年法律第九十一号」という。）第五条の規定による改正後の恩給法等の一部を改正する法律（昭和四十一年法律第百二十一号）附則第六条及び改正後の施行法の規定を適用するとしたならば退職年金、減額退職年金又は障害年金の額が増加することとなるときは、昭和四十四年十月分からその者のこれらの年金の額を、これらの法律の規定を適用して算定した額に改定する。

2　前項の規定は、昭和四十四年法律第九十一号第二条の規定による改正後の恩給法の一部を改正する法律（昭和二十八年法律第百五十五号。次条において「改正後の法律第百五十五号」という。）附則第二十四条の四第二項各号に掲げる者については、適用しない。

（未帰還更新組合員期間のある者に関する経過措置）

第五条　前条の規定は、更新組合員等が昭和四十四年九月三十日以前に退職し、又は死亡した場合において、改正後の法律第百五十五号附則第三十条及び改正後の施行法の規定を適用するとしたならば退職年金、減額退職年金、障害年金又は遺族年金の額が増加することとなるときについて準用する。この場合において、前条第一項中「その者」とあるのは、「その者又はその遺族」と読み替えるものとする。

（琉球諸島民政府職員期間のある者に関する経過措置）

第六条　更新組合員等が昭和四十四年九月三十日以前に退職し、又は死亡した場合において、昭和四十四年法律第九十一号第三条の規定による改正後の元南西諸島官公署職員等の身分、恩給等の特別措置に関する法律（昭和二十八年法律第百五十六号）第十条の二及び昭和四十四年法律第九十一号附則第十三条第二項並びに改正後の施行法の規定を適用するとしたならば、退職年金若しくは遺族年金を支給すべきこととなるとき、又は退職年金、減額退職年金、障害年金若しくは遺族年金の額が増加することとなるときは、これらの法律の規定により、昭和四十四年十月分から、その者若しくはその遺族に退職年金若しくは遺族年金を新たに支給し、又は同月分からその者若しくはその遺族の退職年金、減額退職年金、障害年金若しくは遺族年金の額を、これらの法律の規定を適用して算定した額に改定する。この場合においては、附則第四条第二項の規定を準用する。

2　前項の規定により新たに退職年金又は遺族年金の支給を受けることとなる者が、同一の給付事由につき一時恩給の支給を受け、又は改正後の施行法第二条第一項第二号の二に規定する旧法等、国家公務員共済組合法（以下「新法」という。）若しくは国家公務員共済組合法の長期給付に関する施行法（以下「施行法」という。）の規定による退職一時金、障害一時金又は遺族一時金（これらに相当する給付を含む。）の支給を受けた者（新法第八十条第一項ただし書の規定の適用を受けた者を含む。）又はその遺族である場合には、当該退職年金又は遺族年金の額は、前項の規定にかかわらず、同項の規定による額から当該一時恩給又はこれらの一時金の額（同条第一項の規定の適用を受けた者については、その退職一時金の額の算定の基礎となつた同条第二項第一号に掲げる金額とし、これらの額（以下この項において「支給額等」という。）の一部が組合に返還されているときは、その金額を控除した金額とする。）の十五分の一に相当する金額を控除した金額とする。ただし、支給額等の全部が組合に返還された場合は、この限りでない。

（増加恩給等を受ける権利を有する更新組合員等に係る普通恩給の受給権に関する経過措置）

第八条　この法律の施行（附則第一条第一項ただし書の規定による施行をいう。附則第十条第一項において同じ。）の際、現に増加恩給を受ける権利を有する更新組合員等に係る当該増加恩給に併給される普通恩給（その者が附則第一条第一項ただし書に規定する日（以下「一部施行日」という。）前に支払を受けるべきであつた当該普通恩給で同日前にその支払を受けなかつたものを除く。）を受ける権利は、一部施行日の前日において消滅するものとする。ただし、当該普通恩給を現に受けている者が一部施行日から六十日以内にその裁定庁に対してこれを受けることを希望する旨の申出をしたときは、この限りでない。

2　前項に規定する者が同項の申出の期限前に死亡した場合には、同項の申出は、その遺族がすることができる。

3　前二項の申出があつた更新組合員等に係る長期給付について

は、第一項に規定する普通恩給の基礎となつた期間（普通恩給を受ける権利を有する者が再び恩給公務員（改正後の施行法第二条第一項第四号に規定する恩給公務員をいう。以下この項において同じ。）となり、昭和三十四年一月一日（同法第四十二条第一項に規定する恩給更新組合員にあつては、同年十月一日。以下「施行法の施行日」という。）前に再び退職した場合において、普通恩給の改定が行なわれなかつたときにおけるその再び恩給公務員となつた日以後の恩給公務員期間（同法第二条第一項第十三号に規定する恩給公務員期間をいう。）を含む。）は、同法第七条第一項第一号の期間に該当しないものとみなす。

4　第一項ただし書の規定の適用を受けることができる者のうち同項の申出をしなかつた者につき退職年金、減額退職年金又は障害年金を支給する場合において、その者が施行法の施行日から一部施行日の前日までの更新組合員等であつた期間に係る分として増加恩給に併給される普通恩給の支給を受けていたときは、当該普通恩給の額の総額に相当する額に達するまで、これらの年金の支給時に際し、その支給時に係る支給額の二分の一に相当する額を控除する。

5　第二項の規定の適用を受けることができる者のうち同項の申出をしなかつた者につき遺族年金を支給する場合において、当該遺族年金に係る更新組合員等が前項の普通恩給の支給を受けていたときは、当該普通恩給の額の総額（同項の規定によりすでに控除された額があるときは、その額を控除した額）の二分の一に相当する額に達するまで、支給時に際し、その支給時に係る支給額の二分の一に相当する額を控除する。

（増加恩給等を受ける権利を放棄した更新組合員等に関する経過措置）

第九条　更新組合員等のうち一部施行日前に改正前の施行法の規定により増加恩給等（施行法第二条第一項第九号に規定する増加恩給等をいう。以下同じ。）を受けることを希望しない旨の申出（当該申出とみなされる申出を含む。以下同じ。）をした者で当該申出がなかつたとしたならば増加恩給等を受ける権利を有することとなるものは、同日において増加恩給を受ける権利を取得するものとする。

2　前項の規定に該当する者には、施行法の施行日から一部施行日の前日までの間につき改正前の施行法の規定により増加恩給等を受けることを希望しない旨の申出をしなかつたとしたならば受けるべきこととなる増加恩給の額に相当する金額を、当該増加恩給等に係る裁定庁が一時に支給する。

（増加恩給等を受ける権利を有する更新組合員等であつた者に関する経過措置）

第十条　この法律の施行の際、現に増加恩給等を受ける権利を有する更新組合員等であつた者に係るこの法律の施行前に給付事由が生じた長期給付については、なお従前の例による。ただし、その者が一部施行日から六十日以内に当該増加恩給に併給される普通恩給を受けないことを希望する旨の申出をその裁定庁にしたときは、この限りでない。

2　附則第八条第二項の規定は、前項の申出について準用する。

3　第一項の申出があつたときは、当該申出に係る更新組合員等であつた者の普通恩給を受ける権利は、一部施行日の前日において消滅するものとする。

4　第一項の申出があつた場合において、当該申出に係る更新組合員等であつた者につき、改正後の施行法（増加恩給を受ける権利を有する者に係る部分に限る。）及び新法の規定を適用するとしたならば、退職年金を支給すべきこととなるとき、又は退職年金、減額退職年金若しくは障害年金の額が増加することとなるときは、これらの法律の規定により、昭和四十五年四月分から、その者に退職年金を新たに支給し、又は同月分からその者の退職年金、減額退職年金若しくは障害年金の額を、これらの法律の規定を適用して算定した額に改定する。

5　前項の規定により改定される年金の額が、一部施行日の前日において同項に規定する者が現に受ける権利を有する退職年金、減額退職年金又は障害年金（増加恩給等を受ける権利を有しないものとした場合に受けることとなる障害年金に限る。）の額に同日において現に受ける権利を有する増加恩給に併給される普通恩給の額を加えた額より少ないときは、その額をこれらの年金の額とする。

6　第四項の規定により新たに退職年金の支給を受けることとなる者が、同一の給付事由につき一時恩給の支給を受け、又は改正後の施行法第二条第一項第二号の二に規定する旧法等、新法若しくは施行法の規定による退職一時金若しくは障害一時金（これらに相当する給付を含む。）の支給を受けた者（新法第八十条第一項ただし書の規定の適用を受けた者を含む。）である場合には、当該退職年金の額は、第四項の規定にかかわらず、同項の規定による額から当該一時恩給又はこれらの一時金の額（同条第一項の規定の適用を受けた者については、その退職一時金の額の算定の基礎となつた同条第二項第一号に掲げる金額とし、これらの額（以下この項において「支給額等」という。）の一部が組合に返還されているときは、その金額を控除した金額とする。）の十五分の一に相当する金額を控除した金額とする。ただし、支給額等の全部が組合に返還された場合は、この限りでない。

7　附則第八条第四項又は第五項の規定は、第一項の申出をした者のうち施行法の施行日から一部施行日の前日までの更新組合員等であつた期間に係る分として増加恩給に併給される普通恩給の支給を受けていた者又はその遺族に退職年金、減額退職年金若しくは障害年金又は遺族年金を支給する場合について準用する。

（増加恩給等を受ける権利を放棄した更新組合員等であつた者に関する経過措置）

第十一条　更新組合員等であつた者のうち改正前の施行法の規定により増加恩給等を受けることを希望しない旨の申出をしたことにより障害年金を受ける権利を有した者については、当該障害年金を受ける権利は、一部施行日の前日において消滅するものとし、その者に改正後の施行法又は新法の規定による退職年金を支給する。

2　附則第九条の規定は、前項の規定に該当する者について準用する。

3　第一項の規定に該当する者の一部施行日前に受けた障害年金の総額が退職の時において同項の退職年金を受ける権利を有する者であつたものとした場合に支給されるべきであつた退職年金の額の総額より多いときは、その者は、その差額に相当する金額を、一部施行日から九十日以内に一時に組合に納入しなければならない。

4　第一項の規定に該当する者のうち施行法の施行日から一部施行日の前日までの更新組合員等であつた期間に係る分として増加恩給に併給される普通恩給の支給を受けていた者又はその遺族に対する退職年金、減額退職年金若しくは障害年金又は遺族年金からの控除については、附則第八条第四項又は第五項の規定の例に準じ政令で定める。

（外国政府等に勤務していた期間の組合員期間への算入に伴う経過措置）

第十二条　更新組合員等が一部施行日前に退職し、又は死亡した場合において、新法第三十八条に規定する組合員期間の計算につき改正後の施行法第七条第一項第六号（同法第四十一条第一項又は第四十二条第一項において準用する場合を含む。）の規定を適用するとしたならば退職年金、減額退職年金、障害年金又は遺族年金の額が増加することとなるときは、昭和四十五年四月分からその者又はその遺族のこれらの年金の額を、改正後の施行法及び新法の規定を適用して算定した額に改定する。

（増加恩給等に係る長期給付に関する措置等についての政令への委任）

第十三条　附則第二条から前条までに定めるもののほか、更新組合員等若しくは更新組合員等であつた者又はこれらの遺族に対する増加恩給等に係る長期給付に関する措置その他この法律の施行に伴う長期給付に関する措置に関して必要な事項は、政令で定める。

附　則（昭四四・一二・一六法九三）（抄）

（施行期日等）

第一条　この法律は、公布の日から施行する。ただし〔中略〕第五条の規定〔中略〕は、昭和四十五年四月一日から施行する。

2　〔略〕

附　則（昭四五・五・二六法一〇〇）（抄）

改正　昭五七・七・一六法六六

（施行期日）

第一条　この法律は、昭和四十五年十月一日から施行する。

（施行法の改正に伴う経過措置）

第二条　第二条の規定による改正後の国家公務員共済組合法の長期給付に関する施行法（次項において「改正後の施行法」という。）第十五条（同法第四十一条第一項又は第四十二条第一項において準用する場合を含む。）の規定は、昭和四十五年九月三十日以前に給付事由が生じた退職年金についても、同年十月分以後適用する。

2　改正後の施行法第三十三条（同法第四十一条第一項又は第四十二条第一項において準用する場合を含む。）及び別表の規定は、昭和四十五年九月三十日以前に給付事由が生じた遺族年金及び障害年金についても、同年十月分以後適用する。

附　則（昭四五・五・二六法一〇一）（抄）

（施行期日）

第一条　この法律は、昭和四十五年十月一日から施行する。

附　則（昭四六・五・二九法八二）（抄）

改正　昭五七・七・一六法六六

（施行期日）

第一条　この法律は、昭和四十六年十月一日から施行する。ただし、〔中略〕第四条中国家公務員共済組合法の長期給付に関する施行法第十三条第二項、第三十二条の三第一項及び第四十五条の三第二項の改正規定〔中略〕並びに附則第三条〔中略〕の規定は同年十一月一日から〔中略〕施行する。

（外国政府職員期間等のある者に関する経過措置）

第五条　この法律の施行の際、現に施行法第二条第一項第八号の普通恩給又は同号の恩給で恩給法（大正十二年法律第四十八号）第七十三条第一項の規定に係るもの（以下この項において「普通恩給等」という。）を受ける権利を有し、かつ、第四条の規定による改正前の施行法（以下この項において「改正前の施行法」という。）第七条第一項第六号の期間（同法第五十一条の二第三項の規定により同号の期間に該当するものとされる期間を含む。）又は第九条第四号若しくは第五号の期間（同法第五十一条の二第四項第三号の期間を含む。）で恩給法等の一部を改正する法律（昭和四十六年法律第八十一号）第二条の規定による改正後の恩給法の一部を改正する法律（昭和二十八年法律第百五十五号。以下この項において「改正後の法律第百五十五号」という。）附則第四十二条から第四十三条の二までの規定の適用によりその全部又は一部が当該期間に該当しないこととなるものを有する更新組合員（施行法第二条第一項第七号に規定する更新組合員（同法第四十一条第一項第一号に掲げる者を含む。）をいう。以下この項において同じ。）若しくは更新組合員であつた者又はこれらの者の遺族のうち、昭和四十六年九月三十日において改正前の施行法第七条第一項第六号又は第九条第四号若しくは第五号（これらの規定を同法第四十一条第一項において準用する場合を含む。以下この項において同じ。）の規定に係る退職年金、減額退職年金若しくは障害年金又は同法第二十九条（同法第四十一条第一項において準用する場合を含む。）の規定に係る遺族年金（同法第七条第一項第六号又は第九条第四号若しくは第五号の規定に係るものに限る。）を受ける権利を有する者で政令で定めるものその他政令で定める者に係る普通恩給等及び長期給付については、これらの者が別段の申出をしないときは、改正後の法律第百五十五号附則第四十二条から第四十三条の二まで及び改正後の施行法の規定にかかわらず、恩給法等の一部を改正する法律第二条の規定による改正前の恩給法の一部を改正する法律附則第四十二条から第四十三条の二まで及び改正前の施行法の規定の例によるものとする。

2　前項の規定の適用に関し必要な事項及び同項に規定する者が同項の申出をした場合におけるその者に係る退職年金、減額退職年金又は遺族年金を受ける権利についての措置その他長期給付に関する措置等に関し必要な事項は、政令で定める。

附　則（昭四六・一二・三一法一三〇）（抄）

（施行期日）

1　この法律は、琉球諸島及び大東諸島に関する日本国とアメリカ合衆国との間の協定の効力発生の日（昭四七・五・一五）から施行する。〔ただし書略〕

附　則（昭四七・六・二二法八一）（抄）

改正　昭五七・七・一六法六六

（施行期日等）

第一条　この法律は、昭和四十七年十月一日から施行する。

2　〔略〕

（旧日本医療団職員期間等のある者に関する経過措置）

第二条　この法律の施行の際、現に国家公務員共済組合法の長期給付に関する施行法（以下「施行法」という。）第二条第一項第八号の普通恩給又は同号の恩給で恩給法（大正十二年法律第四十八号）第七十三条第一項の規定に係るもの（以下この項において「普通恩給等」という。）を受ける権利を有し、かつ、第二条の規定による改正前の施行法（以下この項において「改正前の施行法」という。）第九条第二号又は第三号の期間（同法第五十一条の二第四項第一号又は第二号の期間を含む。）で恩給法等の一部を改正する法律（昭和四十七年法律第八十号）第二条の規定による改正後の恩給法の一部を改正する法律（昭和二十八年法律第百五十五号。以下この項において「改正後の法律第百五十五号」という。）附則第四十一条及び第四十一条の二の規定の適用によりその全部又は一部が当該期間に該当しないこととなるものを有する更新組合員（施行法第二条第一項第七号に規定する更新組合員（同法第四十一条第一項第一号に掲げる者を含む。）をいう。以下この項において同じ。）若しくは更新組合員であつた者（以下「更新組合員等」という。）又はこれらの者の遺族のうち、昭和四十七年九月三十日において改正前の施行法第九条第二号又は第三号（これらの規定を同法第四十一条第一項において準用する場合を含む。以下この項において同じ。）の規定に係る退職年金若しくは減額退職年金又は同法第二十九条（同法第四十一条第一項において準用する場合を含む。）の規定に係る遺族年金（同法第九条第二号又は第三号の規定に係るものに限る。）を受ける権利を有する者で政令で定めるものその他政令で定める者に係る普通恩給等及び長期給付については、これらの者が別段の申出をしないときは、改正後の法律第百五十五号附則第四十一条及び第四十一条の二並びに第二条の規定による改正後の施行法（以下「改正後の施行法」という。）の規定にかかわらず、恩給法等の一部を改正する法律第二条の規定による改正前の恩給法の一部を改正する法律附則第四十一条及び第四十一条の二並びに改正前の施行法の規定の例によるものとする。

2　前項の規定の適用に関し必要な事項及び同項に規定する者が同項の申出をした場合におけるその者に係る退職年金、減額退職年金又は遺族年金を受ける権利についての措置その他長期給付に関する措置等に関し必要な事項は、政令で定める。

附　則（昭四八・七・二四法六二）（抄）

改正　昭五七・七・一六法六六

（施行期日）

第一条　この法律は、昭和四十八年十月一日から施行する。ただし、次の各号に掲げる規定は、当該各号に掲げる日から施行する。

一　〔略〕

二　〔前略〕第三条中国家公務員共済組合法の長期給付に関する施行法第十三条第二項、第三十二条の三第一項及び第四十五条の三第二項の改正規定並びに附則第三条の規定　昭和四十八年十一月一日

（外国特殊機関職員期間等のある者に関する経過措置）

第七条　この法律の施行の際、現に施行法第二条第一項第八号の普通恩給又は同号の恩給で恩給法（大正十二年法律第四十八号）第七十三条第一項の規定に係るもの（以下この項において「普通恩給等」という。）を受ける権利を有し、かつ、第三条の規定による改正前の施行法（以下この項において「改正前の施行法」という。）第九条第五号の期間（同法第五十一条の二第四項第四号の期間を含む。）で恩給法等の一部を改正する法律（昭和四十八年法律第六十号）第二条の規定による改正後の恩給法の一部を改正する法律（昭和二十八年法律第百五十五号。以下この項において「改正後の法律第百五十五号」という。）附則第四十三条の二の規定の適用によりその全部が当該期間に該当しないこととなるものを有する更新組合員（施行法第二条第一項第七号に規定する更新組合員（同法第四十一条第一項第一号に掲げる者を含む。）をいう。以下この項において同じ。）若しくは更新組合員であつた者又はこれらの者の遺族のうち、昭和四十八年九月三十日において改正前の施行法第九条第五号（同法第四十一条第一項において準用する場合を含む。以下この項において同じ。）の規定に係る退職年金若しくは減額退職年金又は同法第二十九条（同法第四十一条第一項において準用する場合を含む。）の規定に係る遺族年金（同法第九条第五号の規定に係るものに限る。）を受ける権利を有する者で政令で定めるものその他政令で定める者に係る普通恩給等及び長期給付については、これらの者が別段の申出をしないときは、改正後の法律第百五十五号附則第四十三条の二及び改正後の施行法の規定にかかわらず、恩給法等の一部を改正する法律第二条の規定による改正前の恩給法の一部を改正する法律附則第四十三条の二及び改正前の施行法の規定の例によるものとする。

2　前項の規定の適用に関し必要な事項及び同項に規定する者が同項の申出をした場合におけるその者に係る退職年金、減額退職年金又は遺族年金を受ける権利についての措置その他長期給付に関する措置等に関し必要な事項は、政令で定める。

附　則（昭四九・六・二五法九四）（抄）

最終改正　昭五七・七・一六法六六

（施行期日）

第一条　この法律は、昭和四十九年九月一日から施行する。〔ただし書略〕

（退職年金等の額に関する経過措置）

第三条　〔前略〕第三条の規定による改正後の国家公務員共済組合法の長期給付に関する施行法（以下「改正後の施行法」という。）第十一条の二、第十二条第二項、第十三条第一項から第三項まで、第十五条第一項、第十六条、第二十二条第一項、第二十三条第一項、第二十五条第一項、第二十六条第二項、第三十一条の二（同法第三十二条第二項において準用する場合を含み、同法第十一条の二及び改正後の法第八十八条の三の規定に係る部分に限る。）、第四十一条第三項、第四十一条の三、第四十五条の二、第四十五条の二の二（同法第四十五条の二の規定に係る部分に限る。）、第四十五条の三第一項から第三項まで、第四十五条の四、第四十五条の五、第四十七条の二第二項並びに第五十一条の三第二項の規定は、昭和四十八年四月一日から施行日の前日までの間に給付事由が生じた給付についても、昭和四十九年九月分以後適用する。

2・3　〔略〕

（外国政府職員期間等のある者に関する経過措置）

第七条　この法律の施行の際、現に国家公務員共済組合法の長期給付に関する施行法（以下「施行法」という。）第二条第一項第八号の普通恩給又は同号の恩給で恩給法（大正十二年法律第四十八号）第七十三条第一項の規定に係るもの（以下この項において「普通恩給等」という。）を受ける権利を有し、かつ、第三条の規定による改正前の施行法（以下「改正前の施行法」という。）第九条第四号の期間（同法第五十一条の二第四項第

三号の期間を含む。）で恩給法等の一部を改正する法律（昭和四十九年法律第九十三号）第二条の規定による改正後の恩給法の一部を改正する法律（昭和二十八年法律第百五十五号。以下この項において「改正後の法律第百五十五号」という。）附則第四十二条の規定の適用によりその全部が当該期間に該当しないこととなるものを有する更新組合員（施行法第二条第一項第七号に規定する更新組合員（同法第四十一条第一項第一号に掲げる者を含む。）をいう。以下この項において同じ。）若しくは更新組合員であつた者又はこれらの者の遺族のうち、昭和四十九年八月三十一日において改正前の施行法第九条第四号（同法第四十一条第一項において準用する場合を含む。以下この項において同じ。）の規定に係る退職年金若しくは減額退職年金又は同法第二十九条（同法第四十一条第一項において準用する場合を含む。）の規定に係る遺族年金（同法第九条第四号の規定に係るものに限る。）を受ける権利を有する者で政令で定めるものその他政令で定める者に係る普通恩給等及び長期給付については、これらの者が別段の申出をしないときは、改正後の法律第百五十五号附則第四十二条及び改正後の施行法の規定にかかわらず、恩給法等の一部を改正する法律第二条の規定による改正前の恩給法の一部を改正する法律附則第四十二条及び改正前の施行法の規定の例によるものとする。

附　則（昭四九・六・二七法一〇〇）

この法律は、公布の日から施行する。

附　則（昭五〇・一一・二〇法七九）（抄）

改正　昭五七・七・一六法六六

（施行期日等）

第一条　この法律は、公布の日から施行する。

2　附則第七条の規定は、昭和五十年八月一日から適用する。

（準公務員期間のある者に関する経過措置）

第四条　昭和五十年八月一日において現に国家公務員共済組合法の長期給付に関する施行法（以下「施行法」という。）第二条第一項第八号の普通恩給又は同号の恩給で恩給法（大正十二年法律第四十八号）第七十三条第一項の規定に係るもの（以下この条において「普通恩給等」という。）を受ける権利を有し、かつ、施行法第九条第一号の期間で恩給法等の一部を改正する法律（昭和五十年法律第七十号）第二条の規定による改正後の恩給法の一部を改正する法律（昭和二十八年法律第百五十五号。以下この条において「改正後の法律第百五十五号」という。）附則第四十四条の二の規定の適用によりその全部が当該期間に該当しないこととなるものを有する更新組合員（施行法第二条第一項第七号に規定する更新組合員（施行法第四十一条第一項第一号に掲げる者を含む。）をいう。以下この条において同じ。）若しくは更新組合員であつた者又はこれらの者の遺族のうち、昭和五十年七月三十一日において施行法第九条第一号（施行法第四十一条第一項において準用する場合を含む。以下この条において同じ。）の規定に係る退職年金若しくは減額退職年金又は施行法第二十九条（施行法第四十一条第一項において準用する場合を含む。）の規定に係る遺族年金（施行法第九条第一号の規定に係るものに限る。）を受ける権利を有する者で政令で定めるものその他政令で定める者に係る普通恩給等及び長期給付については、これらの者が別段の申出をしないときは、改正後の法律第百五十五号附則第四十四条の二及び第三条の規定による改正後の施行法（以下「改正後の施行法」という。）の規定にかかわらず、恩給法等の一部を改正する法律第二条の規定による改正前の恩給法の一部を改正する法律附則第四十四条及び第三条の規定による改正前の施行法の規定の例によるものとする。

（戦務加算等の期間を有する者等に関する経過措置）

第五条　改正後の施行法第十一条第三項から第五項まで及び第七項から第九項まで、第十二条第一項第一号及び第二号、第二十二条第三項、第四項及び第六項、第三十一条第三項から第八項まで、第三十一条の二、第三十二条、第四十五条第三項、第五項及び第七項から第九項まで、第四十五条の二の二、第四十六条第一項、第四十七条の二第一項及び第二項、第四十八条並びに第四十八条の二の規定は、施行日前に給付事由が生じた給付についても、昭和五十年八月分以後適用する。

附　則（昭五一・六・三法五二）（抄）

最終改正　昭五七・七・一六法六六

（施行期日）

第一条　この法律は、昭和五十一年七月一日から施行する。ただし、次の各号に掲げる規定は、当該各号に掲げる日から施行する。

一　〔略〕

二　〔前略〕第三条中国家公務員共済組合法の長期給付に関する施行法第十一条の二第一項、第十三条第二項及び第三十二条の三第一項の改正規定、同条の次に一条を加える改正規定、第四十五条の三第二項、第四十七条の二並びに第四十八条の二の改正規定〔中略〕　昭和五十一年八月一日

三　〔前略〕第三条中国家公務員共済組合法の長期給付に関する施行法目次及び第四十一条第三項の改正規定、第四十一条の三の次に一条を加える改正規定、第四十八条の四の次に一条を加える改正規定〔中略〕　公布の日から起算して一年六月を超えない範囲内において政令で定める日〔昭五一・一〇・一〕

（退職年金等の額に関する経過措置）

第二条　〔前略〕第三条の規定による改正後の国家公務員共済組合法の長期給付に関する施行法（以下「改正後の施行法」という。）第十一条の二第一項、第十三条第二項、第三十二条の三第一項、第三十二条の四、第四十五条の三第二項、第四十七条の二及び第四十八条の二の規定は、昭和五十一年七月三十一日以前に給付事由が生じた給付についても、同年八月分以後適用する。

2　〔略〕

（長期在職者の老齢加算等に関する経過措置）

第九条　改正後の施行法第十一条第二項及び第三項、第二十二条第二項、第三十一条第二項及び第三項並びに第四十五条第二項及び第三項の規定は、施行日前に給付事由が生じた給付についても、昭和五十一年七月分以後適用する。

附　則（昭五二・六・七法六四）（抄）

改正　昭五七・七・一六法六六

（施行期日等）

第一条　この法律は、公布の日から施行する。ただし、第三条中国家公務員共済組合法の長期給付に関する施行法第七条第一項第六号、第九条第三号及び第五十一条の二第四項第五号の改正規定は、昭和五十二年八月一日から施行する。

2　附則第六条の規定は、昭和五十二年四月一日から適用する。

（厚生年金保険の被保険者であつた更新組合員等に関する経過措置）

第五条　改正後の施行法第四十九条の二の規定は、施行日前に給付事由が生じた年金たる長期給付についても、昭和五十二年四月分以後適用する。

附　則（昭五三・五・三一法五八）（抄）

改正　昭五七・七・一六法六六

（施行期日等）

第一条　この法律は、公布の日から施行する。ただし、〔中略〕第三条中国家公務員共済組合法の長期給付に関する施行法の改正規定（同法第三十三条及び別表の改正規定を除く。）〔中略〕及び附則第四条の規定は、昭和五十三年六月一日から施行する。

2　附則第六条の規定は、昭和五十三年四月一日から適用する。

（長期在職者の老齢加算等に関する経過措置）

第四条　第三条の規定による改正後の国家公務員共済組合法の長期給付に関する施行法（次条において「改正後の施行法」という。）第七条第一項第一号、第十一条第二項から第七項まで、第十二条第一項第一号及び第二号、第二十二条第二項から第五項まで、第三十一条第二項から第六項まで、第三十一条の二、第四十五条第二項から第七項まで、第四十五条の二の二、第四十六条第一項、第四十八条並びに第四十八条の二第一項の規定は、昭和五十三年五月三十一日以前に給付事由が生じた給付についても、同年六月分以後適用する。

附　則（昭五四・一二・二八法七二）（抄）

最終改正　昭六〇・一二・二七法一〇五

（施行期日等）

第一条　この法律は、昭和五十五年一月一日から施行する。ただし、次の各号に掲げる規定は、当該各号に定める日から施行する。

一　〔前略〕第三条中国家公務員共済組合法の長期給付に関する施行法第十一条第二項、第四項、第六項及び第七項、第二十二条第二項、第三項及び第五項、第三十一条第二項から第五項まで、第三十三条並びに第四十五条第二項、第六項及び第七項の改正規定並びに同法別表の改正規定（同表の備考四の改正規定を除く。）〔中略〕並びに次項、附則〔中略〕第十六条、第十八条、第十九条、第二十一条〔中略〕の規定　公布の日

二　〔前略〕第三条中国家公務員共済組合法の長期給付に関する施行法別表備考四の改正規定並びに附則第三条の規定　昭和五十五年七月一日

2　次の各号に掲げる規定は、当該各号に定める日から適用する。

一　〔前略〕第三条の規定による改正後の国家公務員共済組合法の長期給付に関する施行法（以下「改正後の施行法」という。）第三十三条及び別表第一の規定〔中略〕並びに附則〔中略〕第十八条及び第十九条の規定　昭和五十四年四月一日

二　〔前略〕改正後の施行法第十一条第二項及び第六項、第二十二条第二項及び第五項、第三十一条第二項及び第四項並びに第四十五条第二項及び第六項の規定並びに附則〔中略〕第十六条第一項の規定　昭和五十四年六月一日

三　〔前略〕改正後の施行法第十一条第四項及び第七項、第二十二条第三項、第三十一条第三項及び第五項並びに第四十五条第七項の規定並びに附則第十六条第二項及び第二十一条の規定　昭和五十四年十月一日

（退職年金等の支給開始年齢等に関する経過措置）

第三条　〔前略〕改正後の施行法別表第一備考四の規定は、昭和五十五年七月一日以後に退職年金、遺族年金又は障害年金を受ける権利を有することとなつた者について適用し、同日前に退職年金、遺族年金又は障害年金を受ける権利を有することとなつた者については、なお従前の例による。

（退職年金等の停止に関する経過措置）

第四条　〔前略〕改正後の施行法第十七条の二（改正後の施行法第四十五条の四において準用する場合を含む。）、第十八条及び第四十五条の五第二項の規定は、施行日以後に退職年金を受ける権利を有することとなつた者について適用する。

（長期在職者の老齢加算等に関する経過措置）

第十六条　改正後の施行法第十一条第二項及び第六項、第二十二条第二項及び第五項、第三十一条第二項及び第四項並びに第四十五条第二項及び第六項の規定は、昭和五十四年五月三十一日以前に給付事由が生じた給付についても、同年六月分以後適用する。

2　改正後の施行法第十一条第四項及び第七項、第二十二条第三項、第三十一条第三項及び第五項並びに第四十五条第七項の規定は、昭和五十四年九月三十日以前に給付事由が生じた給付についても、同年十月分以後適用する。

（退職後に増加恩給を受けなくなつた者の特例に関する経過措置）

第二十条　改正後の施行法第三十九条（改正後の施行法第四十一条第一項及び第四十二条第一項において準用する場合を含む。）の規定は、施行日以後に増加恩給を受ける権利を有しない者となつたときについて適用し、施行日前に増加恩給を受ける権利を有しない者となつたときについては、なお従前の例による。

（代用教員期間等のある者に関する経過措置）

第二十一条　昭和五十四年十月一日において現に施行法第二条第一項第八号の普通恩給又は同号の恩給で恩給法第七十三条第一項の規定に係るもの（以下この条において「普通恩給等」という。）を受ける権利を有し、かつ、施行法第七条第一項第五号の期間又は施行法第九条第一号の期間で恩給法等の一部を改正する法律（昭和五十四年法律第五十四号）第二条の規定による改正後の恩給法の一部を改正する法律（昭和二十八年法律第百五十五号。以下この条において「改正後の法律第百五十五号」という。）附則第四十四条の三の規定の適用によりその全部又は一部がこれらの期間に該当しないこととなるものを有する更新組合員（施行法第二条第一項第七号に規定する更新組合員（施行法第四十一条第一項第一号に掲げる者を含む。）をいう。以下この条において同じ。）若しくは更新組合員であつた者又はこれらの者の遺族のうち、昭和五十四年九月三十日において施行法第七条第一項第五号又は施行法第九条第一号（これらの規定を施行法第四十一条第一項において準用する場合を含む。以下この条において同じ。）の規定に係る退職年金若しくは減額退職年金又は施行法第二十九条（施行法第四十一条第一項に

において準用する場合を含む。）の規定に係る遺族年金（施行法第七条第一項第五号又は施行法第九条第一号の規定に係るものに限る。）を受ける権利を有する者で政令で定めるものその他政令で定める者（以下この条において「代用教員期間等のある者」という。）に係る普通恩給等及び長期給付については、当該代用教員期間等のある者が別段の申出をしないときは、改正後の法律第百五十五号附則第四十四条の三及び改正後の施行法の規定にかかわらず、同年十月一日以後も恩給法等の一部を改正する法律第一条の規定による改正前の恩給法及び第三条の規定による改正前の施行法の規定の例によるものとする。

2　代用教員期間等のある者が前項に規定する別段の申出をしなかつたときは、当該代用教員期間等のある者は、改正後の法律第百五十五号附則第四十四条の三の規定の適用により増額されて支給された普通恩給等の額のうち当該増額された部分に相当する額を、政令で定めるところにより、これを支給した国又は都道府県に返還しなければならない。

附　則（昭五五・五・三一法七四）（抄）

改正　昭五七・七・一六法六六

（施行期日等）

第一条　この法律は、公布の日から施行する。ただし、次の各号に掲げる規定は、当該各号に定める日から施行する。

一　第三条中国家公務員共済組合法の長期給付に関する施行法第九条第六号の改正規定　昭和五十五年十月一日

二・三　〔略〕

2　〔前略〕第三条の規定による改正後の国家公務員共済組合法の長期給付に関する施行法（以下「改正後の施行法」という。）第十三条の二、第二十四条の二第一項、第三十三条、第四十五条の三の二及び別表第一の規定〔中略〕並びに〔中略〕附則第四条及び第五条の規定は、昭和五十五年四月一日から適用する。

附　則（昭五五・一一・二六法八八）（抄）

（施行期日等）

1　この法律は、公布の日から施行する。

2　〔前略〕第二条の規定による改正後の国家公務員共済組合法の長期給付に関する施行法（以下「改正後の施行法」という。）の規定〔中略〕並びに次項〔中略〕の規定は、昭和五十五年六月一日から適用する。

（退職年金等の額に関する経過措置）

3　〔前略〕改正後の施行法の規定は、昭和五十五年五月三十一日以前に給付事由が生じた給付についても、同年六月分以後適用する。

附　則（昭五六・五・三〇法五五）（抄）

改正　昭五七・七・一六法六六

（施行期日等）

第一条　この法律は、公布の日から施行する。

2　〔前略〕第三条の規定による改正後の国家公務員共済組合法の長期給付に関する施行法（以下「改正後の施行法」という。）の規定〔中略〕は、昭和五十六年四月一日から適用する。

（旧特別調達庁の職員期間のある者に関する経過措置）

第七条　昭和五十六年十月一日において現に国家公務員共済組合法の長期給付に関する施行法（以下この条において「施行法」という。）第二条第一項第八号の普通恩給又は同号の恩給で恩給法（大正十二年法律第四十八号）第七十三条第一項の規定に係るもの（以下この条において「普通恩給等」という。）を受ける権利を有し、かつ、施行法第七条第一項第三号若しくは第五号の期間又は施行法第九条第一号の期間で恩給法等の一部を改正する法律（昭和五十六年法律第三十六号）第二条の規定による改正後の恩給法の一部を改正する法律（昭和二十八年法律第百五十五号。以下この条において「改正後の法律第百五十五号」という。）附則第四十一条の五の規定の適用によりその全部又は一部がこれらの期間に該当しないこととなるものを有する更新組合員（施行法第二条第一項第七号に規定する更新組合員（施行法第四十一条第一項第一号に掲げる者を含む。）をいう。以下この条において同じ。）若しくは更新組合員であつた者又はこれらの者の遺族のうち、昭和五十六年九月三十日において施行法第七条第一項第三号若しくは第五号又は施行法第九条第一号（これらの規定を施行法第四十一条第一項において準用する場合を含む。）の規定に係る退職年金、減額退職年金又は遺族年金を受ける権利を有する者で政令で定めるものその他政令で定める者（以下この条において「旧特別調達庁の職員期間のある者」という。）に係る普通恩給等及び長期給付については、当該旧特別調達庁の職員期間のある者が別段の申出をしないときは、改正後の法律第百五十五号附則第四十一条の五の規定及び改正後の施行法の規定にかかわらず、同年十月一日以後も恩給法等の一部を改正する法律第一条の規定による改正前の恩給法及び第三条の規定による改正前の施行法の規定の例によるものとする。

附　則（昭五六・六・九法七三）（抄）

（施行期日等）

第一条　この法律は、公布の日から施行する。ただし〔中略〕附則〔中略〕第十六条から第三十二条までの規定は、昭和五十七年四月一日から施行する。

2　〔略〕

附　則（昭五七・五・二五法五六）（抄）

（施行期日等）

第一条　この法律は、公布の日から施行する。

2　〔前略〕第三条の規定による改正後の国家公務員共済組合法の長期給付に関する施行法（附則第三条において「改正後の施行法」という。）の規定は同年〔昭和五十七年〕五月一日から適用する。

○障害に関する用語の整理に関する法律

昭五七・七・一六
法　六　六

（障害に係る従前の給付の呼称等）

第八十一条　この法律の施行前の国家公務員共済組合法その他の法令の規定（これらの法令の改正（従前の改正を含む。）前の規定及び廃止された法令の規定を含む。）により支給事由の生じた廃疾年金、廃疾一時金、廃疾給付及び特例廃疾年金は、この法律の施行後は、それぞれ障害年金、障害一時金、障害給付及び特例障害年金と称する。

2　この法律による改正後の法律の規定中の「障害年金」、「障害一時金」、「障害給付」又は「特例障害年金」には、それぞれ前項の規定により障害年金、障害一時金、障害給付又は特例障害年金と称されるもので当該法律の規定に係るものを含むものとする。

附 則

この法律は、昭和五十七年十月一日から施行する。

附 則（昭五八・一二・二法八〇）（抄）

（施行期日）

1 この法律は、総務庁設置法（昭和五十八年法律第七十九号）の施行の日〔昭五九・七・一〕から施行する。

（経過措置）

3 この法律の施行の際、現にこの法律による改正前の恩給法（恩給法の一部を改正する法律（昭和二十六年法律第八十七号）附則その他恩給に関する法令を含む。）、統計法、統計報告調整法、国会議員互助年金法及び行政相談委員法（以下「恩給法等」と総称する。）の規定により国の機関がした裁定、指定、承認その他の処分又は通知その他の行為は、この法律による改正後の恩給法等の相当規定に基づいて相当の国の機関がした裁定、指定、承認その他の処分又は通知その他の行為とみなす。

4 この法律の施行の際、現にこの法律による改正前の恩給法等の規定により国の機関に対してされている請求、申請、届出その他の行為は、この法律による改正後の恩給法等の相当規定に基づいて相当の国の機関に対してされている請求、申請、届出その他の行為とみなす。

附 則（昭五八・一二・三法八二）（抄）

（施行期日）

第一条 この法律は、昭和五十九年四月一日から施行する。〔ただし書略〕

附 則（昭五九・五・二二法三五）（抄）

（施行期日等）

第一条 この法律は、公布の日から施行する。

2 〔前略〕第三条の規定による改正後の国家公務員等共済組合法の長期給付に関する施行法（以下「改正後の施行法」という。）の規定は同年〔昭和五十九年〕三月一日から適用する。

附 則（昭五九・八・一〇法七一）（抄）

（施行期日）

第一条 この法律は、昭和六十年四月一日から施行する。〔ただし書略〕

附 則（昭六〇・五・一法三四）（抄）

（施行期日）

第一条 この法律は、昭和六十一年四月一日（以下「施行日」という。）から施行する。〔ただし書略〕

附 則（昭六〇・六・七法四九）（抄）

（施行期日等）

第一条 この法律は、公布の日から施行する。

2 〔前略〕第三条の規定による改正後の国家公務員等共済組合法の長期給付に関する施行法（以下「改正後の施行法」という。）の規定は、昭和六十年四月一日から適用する。

附 則（昭六〇・一二・二七法一〇五）（抄）

最終改正 平二四・八・二二法六三

（施行期日）

第一条 この法律は、昭和六十一年四月一日から施行する。

（退職共済年金の額の経過的加算）

第十六条 1～6 〔略〕

7 退職共済年金の支給を受ける者が施行法第二条第十四号に規定する控除期間並びに施行法第七条第一項第五号及び第六号の期間（以下「控除期間等の期間」という。）を有する更新組合員等（施行法第二条第七号に規定する更新組合員及び更新組合員に準ずる者として政令で定める者をいう。以下同じ。）である場合における施行法第十一条第一項の規定の適用については、同項第二号中「除く」とあるのは、「除き、六十五歳に達したとき以後は、国家公務員等共済組合法等の一部を改正する法律（昭和六十年法律第百五号）附則第十六条第一項又は第四項の規定による加算額を除く」とする。

8 退職共済年金の支給を受ける者が追加費用対象期間（施行法第十三条の二第一項に規定する追加費用対象期間をいう。以下同じ。）を有する更新組合員等である場合における同条の規定の適用については、同項中「並びに第十一条」とあるのは、「、第十一条並びに昭和六十年改正法附則第十六条第一項又は第四項」とする。

9 〔略〕

（厚生年金保険の被保険者等である間における支給停止）

第四十五条 1・2 〔略〕

3 前二項に定めるもののほか、第一項の規定による年金の支給の停止に関し必要な経過措置は、政令で定める。

附 則（昭六〇・一二・二七法一〇八）（抄）

（施行期日）

第一条 この法律は、昭和六十一年四月一日から施行する。

附 則（昭六一・一二・四法九三）（抄）

（施行期日）

第一条 この法律は、昭和六十二年四月一日から施行する。〔ただし書略〕

附 則（平元・一二・二二法八七）（抄）

（施行期日）

第一条 この法律は、平成二年四月一日から施行する。

附 則（平元・一二・二七法九三）（抄）

（施行期日等）

第一条 この法律は、公布の日から施行する。ただし、次の各号に掲げる規定は、当該各号に定める日から施行する。

一・二 〔略〕

三 〔前略〕第二条の規定〔中略〕 平成二年四月一日

2 〔略〕

附 則（平六・一一・一六法九八）（抄）

最終改正 平一六・六・二三法一三〇

（施行期日等）

第一条 この法律は、公布の日から施行する。ただし、次の各号に掲げる規定は、当該各号に定める日から施行する。

一・二 〔略〕

三 〔前略〕第四条の規定〔後略〕 平成七年四月一日

四 〔略〕

2 〔前略〕第三条の規定による改正後の国家公務員等共済組合法の長期給付に関する施行法第十一条第一項及び別表の規定〔中略〕による改正後の国家公務員等共済組合法等の一部を改正する法律（以下「改正後の昭和六十年改正法」という。）附則第十六条第一項から第五項まで、附則第十七条第二項、附則

第十九条第二項、附則第三十五条第一項、附則第四十条第一項、附則第四十二条第一項及び第二項、附則第四十六条第一項及び第五項、附則第五十条第一項、附則第五十一条並びに附則第五十七条第一項の規定並びに第七条の規定（国家公務員等共済組合法等の一部を改正する法律附則第八条第五項の改正規定（「附則第十二条の四第二項」を「附則第十二条の四の二第三項」に改める部分に限る。）を除く。）による改正後の国家公務員等共済組合法等の一部を改正する法律附則第八条の規定並びに附則第六条第一項から第三項までの規定は、平成六年十月一日から適用する。

附　則（平七・三・三一法五一）（抄）

（施行期日）

第一条　この法律は、平成七年四月一日から施行する。〔ただし書略〕

附　則（平八・六・一四法八二）（抄）

最終改正　令二・六・五法四〇

（施行期日）

第一条　この法律は、平成九年四月一日から施行する。〔ただし書略〕

（退職一時金等の返還に関する経過措置）

第三十条　旧適用法人施行日前期間を有する者又はその遺族に係る改正後国共済法附則第十二条の十二第一項（改正後国共済施行法第十四条第三項において準用する場合を含む。）若しくは第十二条の十三（改正後国共済施行法第十五条第三項において準用する場合を含む。）、改正後国共済施行法第十四条第一項、第十五条第一項若しくは第四十一条第二項第三号、第三項若しくは第六項又は昭和六十年国共済改正法附則第六十二条第一項（昭和六十年国共済改正法附則第六十三条第三項において準用する場合を含む。）若しくは第六十三条第一項の規定により返還すべきこととされているこれらの規定に規定する金額（以下この条において「返還額」という。）の改正後国共済法附則第十二条の十二若しくは第十二条の十三、改正後国共済施行法第十四条、第十五条若しくは第四十一条第三項から第六項まで又は昭和六十年国共済改正法附則第六十二条第三項から第六項まで（昭和六十年国共済改正法附則第六十三条第二項及び第三項において準用する場合を含む。）の規定による返還については、これらの規定にかかわらず、返還額を一時に又は分割して返還する方法であって、その者が受ける旧適用法人施行日前期間を計算の基礎とする年金たる給付の額を勘案して政令で定めるものにより行うものとする。

2　附則第五条第一項の規定により第一号厚生年金被保険者期間とみなされた旧適用法人共済組合員期間を計算の基礎とする厚生年金保険法による年金たる保険給付の受給権を有することとなった者が前項の規定により返還額を返還した場合におけるその年分の当該厚生年金保険法による年金たる保険給付に係る所得税法（昭和四十年法律第三十三号）第三十五条第二項第一号及び第四項第二号に規定する公的年金等の収入金額については、その年中に支払われた当該厚生年金保険法による年金たる保険給付の額（以下この項において「保険給付支払額」という。）からその年中に返還した返還額（当該返還額に係る附則第十六条第三項の規定により厚生年金保険の実施者たる政府が支給するものとされた年金たる給付又は附則第三十三条第一項に規定する特例年金給付（以下この項において「特例年金給付等」という。）がその年中に支払われた場合には、当該返還額から当該特例年金給付等の額（その額が当該返還額を超えるときは、当該返還額を限度とする。）を控除して得た額とする。以下この項において同じ。）を控除して得た額とする。この場合において、当該返還額が当該保険給付支払額を超えるときは、当該保険給付支払額をもって、当該保険給付支払額から控除する限度額とする。

（存続組合の業務等）

第三十二条　〔略〕

2　前項の規定によりなお存続するものとされる旧適用法人共済組合（以下「存続組合」という。）の業務は、次に掲げるものとする。

一　前条の規定により適用するものとされた平成二十四年一元化法改正前国共済法による年金たる長期給付で旧適用法人施行日前期間を計算の基礎とするものを支給すること。

二　前条の規定により適用するものとされた平成二十四年一元化法改正前国共済法による一時金たる長期給付で旧適用法人施行日前期間を計算の基礎とするもの及び施行日以後に支給事由が生ずることとなるこれに類する一時金たる給付で政令で定めるものを支給すること。

三　改正後国共済施行法第三条に規定する給付のうち年金たる給付で旧適用法人共済組合に係るものを支給すること。

四　旧適用法人共済組合が施行日前に支給すべきであった一時金たる給付であって、施行日においてまだ支給していないものを支給すること。

五　前各号に掲げるもののほか、存続組合に帰属した権利及び義務の行使及び履行のために必要な業務を行うこと。

六　前各号の業務に附帯する業務を行うこと。

3～9　〔略〕

（存続組合が支給する長期給付）

第三十三条　存続組合が支給する前条第二項第一号に規定する年金たる長期給付（以下「特例年金給付」という。）及び同項第二号に規定する一時金たる長期給付（以下「特例一時金給付」という。）については、この法律及びこれに基づく政令に別段の定めがあるもののほか、平成二十四年一元化法改正前国共済法、改正後国共済施行法及び昭和六十年国共済改正法附則第三条から第三十二条まで（附則第三十一条を除く。）の長期給付に関する規定（以下この条において「国共済法等の規定」という。）を適用する。

2　特例年金給付の額は、国共済法等の規定に基づき計算した年金たる長期給付の額から、被保険者期間とみなされた組合員期間を計算の基礎とする厚生年金保険法による年金たる保険給付で当該長期給付と同一の支給事由に基づいて支給されるものの額のうち当該被保険者期間とみなされた組合員期間に係る部分に相当するものとして政令で定めるところにより計算した額を控除して得た額とする。

3　特例一時金給付の額は、国共済法等の規定に基づき計算した一時金たる長期給付の額から、被保険者期間とみなされた組合員期間を計算の基礎とする厚生年金保険法による一時金たる保険給付で当該長期給付と同一の支給事由に基づいて支給されるものの額のうち当該被保険者期間とみなされた組合員期間に係る部分に相当するものとして政令で定めるところにより計算した額を控除して得た額とし、存続組合が支給する前条第二項第二号に規定する一時金たる給付で政令で定めるものの額は、特例一時金給付に準じて政令で定めるところにより計算した額とする。

4〜7 〔略〕

8 改正前国共済法附則第二十条の二第二項及び第五項（改正前国共済法附則第十二条の七の規定に係る部分に限る。）、改正前国共済施行法第十条第五項並びに附則第七十八条の規定による改正前の昭和六十年国共済改正法附則第三十四条の規定は、存続組合である日本たばこ産業共済組合又は日本鉄道共済組合が支給する特例年金給付（日本たばこ産業共済組合が支給する退職特例年金給付にあっては、平成二年四月一日前に退職した者に係るものを除く。）及び特例一時金給付のうち障害を支給事由とするものについては、なおその効力を有する。

9〜12 〔略〕

13 遺族特例年金給付（その受給権者が昭和十七年四月二日以後に生まれた者であるものに限る。）の額の算定及び改定並びにその支給の停止に関し必要な事項は、政令で定める。

14 平成二十四年一元化法改正前国共済法第九十三条の五から第九十三条の十二までの規定は、特例年金給付（遺族特例年金給付を除く。）の受給権者が平成二十四年一元化法改正前国共済法第九十三条の五第一項に規定する離婚等をした場合について準用する。この場合において必要な事項は、政令で定める。

15 前各項に定めるもののほか、存続組合が特例年金給付及び特例一時金給付を支給する場合における平成二十四年一元化法改正前国共済法その他の法令の規定に関する必要な技術的読替えその他前各項の規定に関し必要な事項は、政令で定める。

（退職特例年金給付の繰下げの申出の特例）

第三十三条の二 旧適用法人施行日前期間を有する者が厚生年金保険法第四十四条の三第一項の申出をする場合には、当該申出と同時に前条第一項の規定により適用するものとされた平成二十四年一元化法改正前国共済法第七十八条の二第一項の申出を行わなければならない。

2 旧適用法人施行日前期間を有する者が老齢厚生年金の受給権を取得した日から起算して五年を経過した日後に厚生年金保険法第四十四条の三第一項の申出をしないで当該老齢厚生年金の請求を行った場合（同条第五項の規定により同条第一項の申出があったものとみなされる場合に限る。）における前条第一項の規定により適用するものとされた平成二十四年一元化法改正前国共済法第七十八条の二の規定の適用に関し必要な事項は、政令で定める。

（存続組合等に係る費用の負担）

第五十四条 1〜3 〔略〕

4 附則第三十二条第二項第三号に規定する年金たる給付について改正後国共済施行法第三条の二第一項の規定により行われる当該年金たる給付の額の改定により増加する費用については、政令で定めるところにより、会社等が負担する。

5・6 〔略〕

附 則（平一一・七・一六法八七）（抄）

（施行期日）

第一条 この法律は、平成十二年四月一日から施行する。〔ただし書略〕

附 則（平一一・七・一六法一〇四）（抄）

（施行期日）

第一条 この法律は、内閣法の一部を改正する法律（平成十一年法律第八十八号）の施行の日から施行する。〔ただし書略〕

附 則（平一一・一二・二二法一六〇）（抄）

（施行期日）

第一条 この法律（中略）は、平成十三年一月六日から施行する。〔ただし書略〕

附 則（平一三・七・四法一〇一）（抄）

（施行期日）

第一条 この法律は、平成十四年四月一日から施行する。

附 則（平一四・五・一〇法四〇）（抄）

（施行期日）

第一条 この法律は、平成十五年四月一日から施行する。〔ただし書略〕

（国家公務員共済組合法の長期給付に関する施行法の一部改正に伴う経過措置）

第十八条 施行日以後の月分の国家公務員共済組合法の長期給付に関する施行法第三条の二第一項に規定する年金である給付に要する費用のうち、当該年金である給付の額について施行日前に行われた改定により増加した費用で従前の造幣局特別会計が引き続き存続するものとした場合において造幣局特別会計において負担すべきこととなるものについては、造幣局が負担する。

附 則（平一四・五・一〇法四一）（抄）

（施行期日）

第一条 この法律は、平成十五年四月一日から施行する。〔ただし書略〕

（国家公務員共済組合法の長期給付に関する施行法の一部改正に伴う経過措置）

第十九条 施行日以後の月分の国家公務員共済組合法の長期給付に関する施行法第三条の二第一項に規定する年金である給付に要する費用のうち、当該年金である給付の額について施行日前に行われた改定により増加した費用で従前の印刷局特別会計が引き続き存続するものとした場合において印刷局特別会計において負担すべきこととなるものについては、印刷局が負担する。

附 則（平一四・七・三一法九八）（抄）

（施行期日）

第一条 この法律は、公社法の施行の日〔平一五・四・一〕から施行する。〔ただし書略〕

（国家公務員共済組合法の長期給付に関する施行法の一部改正に伴う経過措置）

第三十一条 施行日の属する月以後の月分の国家公務員共済組合法の長期給付に関する施行法第三条の二第一項に規定する年金である給付に要する費用のうち、当該年金である給付の額について施行日前に行われた改定により増加した費用で従前の郵政事業特別会計が引き続き存続するものとした場合において郵政事業特別会計において負担すべきこととなるものについては、公社が負担する。

附 則（平一四・一二・二〇法一九一）（抄）

（施行期日）

第一条 この法律は、平成十五年十月一日から施行する。ただし、附則第十条から第二十六条までの規定は、同日から起算して九月を超えない範囲内において政令で定める日〔平一六・四・一〕から施行する。

（国家公務員共済組合法の長期給付に関する施行法の一部改正に伴う経過措置）

第二十六条　前条の規定の施行の日の属する月以後の月分の国家公務員共済組合法の長期給付に関する施行法第三条の二第一項に規定する年金である給付に要する費用のうち、当該年金である給付の額について同日前に行われた改定により増加した費用で従前の国立病院特別会計が引き続き存続するものとした場合において国立病院特別会計において負担すべきこととなるもの（政令で定めるものに限る。）については、機構が負担する。

附　則（平一六・六・二三法一三〇）（抄）

（施行期日）

第一条　この法律は、平成十六年十月一日から施行する。ただし、次の各号に掲げる規定は、当該各号に定める日から施行する。

一　〔略〕

二　〔前略〕第七条〔中略〕の規定　平成十七年四月一日

三～四　〔略〕

五　〔前略〕第八条、〔中略〕第十六条〔中略〕の規定　平成十九年四月一日

六　〔略〕

附　則（平一七・一〇・二一法一〇二）（抄）

最終改正　平二四・八・二二法六三

（施行期日）

第一条　この法律は、郵政民営化法の施行の日〔平一九・一〇・一〕から施行する。〔ただし書略〕

（国家公務員共済組合法の長期給付に関する施行法の一部改正に伴う経過措置）

第九十五条　施行日の属する月以後の月分の国家公務員共済組合法の長期給付に関する施行法第三条の二第一項に規定する年金である給付に要する費用のうち、当該年金である給付の額について施行日前に行われた改定により増加した費用で旧公社が引き続き存続するものとした場合において旧公社において負担すべきこととなるものについては、国家公務員共済組合法附則第二十条の二第二項に規定する郵政会社等が負担する。

附　則（平二四・八・二二法六二）（抄）

改正　平二八・一一・二四法八四

（施行期日）

第一条　この法律は、平成二十九年八月一日から施行する。〔ただし書略〕

附　則（平二四・八・二二法六三）（抄）

（施行期日）

第一条　この法律は、平成二十七年十月一日から施行する。ただし、次の各号に掲げる規定は、それぞれ当該各号に定める日から施行する。

一・二　〔略〕

三　〔前略〕附則第九十六条の規定、附則第九十八条中国家公務員等共済組合法等の一部を改正する法律（昭和六十年法律第百五号）附則第十六条〔中略〕の改正規定〔中略〕　公布の日から起算して一年を超えない範囲内において政令で定める日〔平二五・八・一〕

四・五　〔略〕

附　則（平二六・四・一八法二二）（抄）

（施行期日）

第一条　この法律は、公布の日から起算して六月を超えない範囲内において、政令で定める日〔平二六・五・三〇〕から施行する。〔ただし書略〕

別表（第八条、第九条、第二十五条関係）

新法第七十七条第二項	次の各号に掲げる者の区分に応じ、それぞれ当該各号	第一号
	組合員期間が二十年以上である者	国家公務員共済組合法の長期給付に関する施行法（昭和三十三年法律第百二十九号。以下「施行法」という。）第八条に規定する者若しくは施行法第九条に規定する者（以下「特定更新組合員等」という。）又は施行法第二十五条各号のいずれかに該当する者（以下「特定衛視等」という。）
新法第七十八条第一項	退職共済年金（その年金額の算定の基礎となる組合員期間が二十年以上であるものに限る。）	退職共済年金
	その権利を取得した当時（退職共済年金を受ける権利を取得した当時、当該退職共済年金の額の算定の基礎となる組合員期間が二十年未満であったときは、前条第四項の規定によ	その権利を取得した当時

	り当該退職共済年金の額が改定された場合において当該組合員期間が二十年以上となるに至つた当時。第三項において同じ。）	
新法第七十九条第六項	二十年以上であるもの	二十年以上であるもの及び特定更新組合員等又は特定衛視等に該当して支給されるもの
新法第八十八条第一項第四号	組合員期間等が二十五年以上である者	特定更新組合員等又は特定衛視等
新法第八十九条第一項第一号ロ(2)	次の(i)又は(ii)に掲げる者の区分に応じ、それぞれ(i)又は(ii)に定める	(i)に定める
	組合員期間が二十年以上である者	特定更新組合員等又は特定衛視等
新法第九十条	遺族共済年金（第八十八条第一項第四号に該当することにより支給される遺族共済年金でその額の算定の基礎となる組合員期間が二十年未満であるものを除く。）	遺族共済年金
新法附則第十二条の四の二第二項	当該月数が四百八十月を超えるときは、四百八十月	当該月数が、二百四十月未満であるときは二百四十月とし、四百八
第一号		十月を超えるときは四百八十月とする。
新法附則第十二条の四の二第三項	次の各号に掲げる者の区分に応じ、それぞれ当該各号	第一号
	組合員期間が二十年以上である者	特定更新組合員等又は特定衛視等
新法附則第十二条の四の二第四項	第七十八条第一項	施行法別表において読み替えられた第七十八条第一項
	当時（退職共済年金を受ける権利を取得した当時	当時
	当時（当該請求があつた当時	
新法附則第十二条の四の三第四項	第七十八条第一項	施行法別表において読み替えられた第七十八条第一項
	当時（退職共済年金を受ける権利を取得した当時、当該退職共済年金の額の算定の基礎となる組合員期間が二十年未満であつたときは、前条第四項の規定により当該退職共済年金の額が改定された場合において当該組合員	当時
	期間が二十年以上となるに至つた当時。第三項において同じ。）	
新法附則第十二条の六第一項	算定されているものであつて、かつ、その年金額の算定の基礎となる組合員期間が二十年以上であるもの	算定されているもの
	第七十八条第一項	施行法別表において読み替えられた第七十八条第一項
	当時（退職共済年金を受ける権利を取得した当時	当時
	当時（当該請求があつた当時	
新法附則第十二条の六第二項及び第三項	第七十八条第一項	施行法別表において読み替えられた第七十八条第一項
	当時（退職共済年金を受ける権利を取得した当時、当該退職共済年金の額の算定の基礎となる組合員期間が二十年未満であつたときは、前条第四項の規定により当該退職共済年金の額が改定された場合において当該組合員	当時

	期間が二十年以上となるに至つた当時。第三項において同じ。）	
新法附則第十二条の七第一項及び第二項	組合員期間が二十年以上である者	特定更新組合員等又は特定衛視等
新法附則第十二条の七の三第五項	第七十八条第一項	施行法別表において読み替えられた第七十八条第一項
	当時（退職共済年金を受ける権利を取得した当時	当時
	当時（その年齢に達した当時	
新法附則第十二条の七の五第一項	組合員期間	組合員期間（当該月数が二百四十月未満であるときは、二百四十月）
新法附則第十二条の七の五第四項及び第五項	当該月数が四百八十月を超えるときは、四百八十月	当該月数が、二百四十月未満であるときは二百四十月とし、四百八十月を超えるときは四百八十月とする。
新法附則第十二条の七の五第六項	同条第一項	施行法別表において読み替えられた同条第一項
	当時（退職共済年金を受ける権利を取得した当時、当該退職共済年金の額	当時
	当時（その年齢に達した当時、当該退職共済年金の額（附則第十二条の七の五第一項に規定する繰上げ調整額を除く。）	
新法附則第十二条の七の六第一項	算定されているものであつて、かつ、その年金額の算定の基礎となる組合員期間が二十年以上であるもの	算定されているもの
	第七十八条第一項	施行法別表において読み替えられた第七十八条第一項
	当時（退職共済年金を受ける権利を取得した当時	当時
	当時（当該退職共済年金を受ける権利を取得した当時	
新法附則第十二条の七の六第二項	加算されたものであつて、かつ、その年金額の算定の基礎となる組合員期間が二十年以上であるもの	加算されたもの
	第七十八条第一項	施行法別表において読み替えられた第七十八条第一項
	当時（退職共済年金を受ける権利を取得した当時、当該退職共済年金の額	当時
	当時（当該年齢に達した当時、附則第十二条の三の規定による退職共済年金の額（附則第十二条の七の五第一項に規定する繰上げ調整額を除く。）	
新法附則第十二条の八第一項、第二項及び第九項	組合員期間等が二十五年以上であり、かつ、組合員期間が二十年以上である者	特定更新組合員等又は特定衛視等
第七条第一項	算入する。ただし、次の期間のうち昭和三十六年四月一日まで引き続く期間以外の期間については、当該期間を組合員期間に算入して二十年に満たない場合は、この限りでない	算入する
第十条第一項	更新組合員（組合員期間（第七条の規定を適	第八条に規定する者又は第九条に規定する者

	用して算定した新法第三十八条第一項に規定する組合員期間をいう。以下同じ。）が二十年以上である者に限る。）	
第十一条第一項	次の各号に掲げる者（組合員期間が二十年以上である者に限る。）	次の各号に掲げる者
第十四条第一項	退職共済年金（その額の算定の基礎となる組合員期間が二十年以上であるものに限る。第三項において同じ。）	退職共済年金
第二十六条第一項	恩給更新組合員（組合員期間が二十年以上である者に限る。）	恩給更新組合員

○国家公務員共済組合法施行令

昭三三・六・三〇
政令二〇七

改正
昭三三・一二・一六政令三三一
昭三三・一二・二七政令三五七
昭三四・六・一政令二〇七
昭三四・九・五政令二八七
昭三四・一〇・一政令三一六
昭三五・六・三〇政令一八五
昭三六・六・一九政令二〇一
昭三六・六・一九政令二〇六
昭三六・一一・一四政令三六七
昭三六・一一・二七政令三八七
昭三六・一二・六政令四〇三
昭三六・一二・一九政令四一四
昭三七・四・二六政令一六二
昭三七・四・二七政令一七二
昭三七・四・三〇政令一七七
昭三七・六・二政令二四五
昭三七・六・二五政令二六一
昭三七・七・二七政令三〇七
昭三七・九・八政令三五二
昭三七・九・二八政令三七八
昭三七・九・二九政令三九一
昭三八・五・九政令一五九
昭三八・六・八政令一八九
昭三八・六・一五政令二〇二
昭三八・六・二七政令二二二
昭三八・七・二政令二五一
昭三八・八・二〇政令三〇八
昭三八・八・三〇政令三一五
昭三八・九・二〇政令三三四
昭三九・三・一六政令　二三
昭三九・三・三〇政令　五五
昭三九・五・六政令一四五
昭三九・六・一政令一七二
昭三九・七・六政令二三五
昭三九・九・二政令二九三
昭三九・一〇・三政令三三九
昭四〇・三・二七政令　四八
昭四〇・四・九政令一二二
昭四〇・五・六政令一五二
昭四〇・五・一八政令一六五
昭四〇・六・一政令一八四
昭四〇・六・一政令一八五
昭四〇・七・九政令二四九
昭四〇・八・一九政令二八二
昭四〇・九・三〇政令三一八
昭四〇・一〇・一政令三二八
昭四一・二・一六政令　一七
昭四一・六・二七政令二〇〇
昭四一・七・三〇政令二七三
昭四一・九・二七政令二二四
昭四一・九・二九政令三三〇
昭四一・一二・二六政令三九三
昭四二・八・一政令二三八
昭四二・八・一四政令二五一
昭四二・八・一四政令二五四
昭四二・九・一六政令二九五
昭四二・九・二八政令三〇八
昭四二・九・三〇政令三二一
昭四二・一〇・一九政令三二八
昭四三・六・二五政令二一九
昭四三・九・一九政令二八〇
昭四三・九・三〇政令二八九
昭四三・一二・一三政令三三四
昭四四・四・一政令　七九
昭四四・六・一七政令一六四
昭四四・八・一八政令二二三
昭四四・一二・一六政令二九一
昭四五・三・三〇政令　二九
昭四五・四・一政令　四八
昭四五・六・二九政令二〇〇
昭四五・六・三〇政令二〇七
昭四五・六・三〇政令二〇九
昭四五・九・二一政令二六六
昭四五・九・二八政令二八〇
昭四五・九・二九政令二八六
昭四五・一二・一九政令三三七
昭四五・一二・二八政令三五〇
昭四六・六・二四政令二〇五
昭四六・六・二五政令二一六
昭四六・七・一政令二三九
昭四六・九・二七政令三〇七
昭四七・五・一政令一五二
昭四七・六・一二政令二二一
昭四七・七・二〇政令二八六
昭四七・九・二六政令三四〇
昭四七・九・三〇政令三五二
昭四七・九・三〇政令三六五
昭四八・三・二九政令　三一
昭四八・六・二九政令一七三
昭四八・六・二九政令一七五
昭四八・八・九政令二二九
昭四八・九・二八政令二七七
昭四八・一〇・一政令二八八
昭四八・一〇・一政令二九五
昭四八・一一・二四政令三四四
昭四八・一一・二六政令三四九
昭四九・三・二七政令　六八
昭四九・六・四政令一九六
昭四九・六・一三政令二〇五
昭四九・六・二五政令二二二
昭四九・七・三〇政令二七九
昭四九・七・三一政令二八一
昭四九・七・三一政令二八三
昭四九・八・三一政令二九九
昭五〇・七・二五政令二二八
昭五〇・七・三一政令二四二
昭五〇・八・五政令二四八
昭五〇・一一・二〇政令三三五
昭五一・三・二六政令　三四
昭五一・六・二九政令一七三
昭五一・七・二七政令二〇一
昭五一・八・一四政令二一八
昭五一・九・一八政令二四五
昭五一・九・三〇政令二五八
昭五二・六・七政令一七九
昭五二・六・二四政令二二〇
昭五二・一一・二五政令三一〇
昭五三・三・一〇政令　三一
昭五三・五・三一政令二〇七
昭五三・六・二七政令二六〇
昭五三・七・四政令二七七
昭五三・一一・一四政令三七四
昭五四・三・三〇政令　四八
昭五四・六・二六政令一九八
昭五四・九・一九政令二五〇
昭五四・一〇・一政令二六九
昭五四・一二・二八政令三一三
昭五五・三・三一政令　二九
昭五五・五・二〇政令一二九
昭五五・五・三一政令一四八
昭五五・六・三〇政令一八九
昭五五・九・二九政令二四二
昭五五・九・二九政令二四五
昭五五・一一・二六政令三〇六
昭五五・一一・二九政令三一三
昭五六・二・二一政令　一四
昭五六・四・二一政令一三四
昭五六・五・三〇政令一九六
昭五六・六・一一政令二三一
昭五六・八・三政令二六八
昭五六・九・一一政令二七五
昭五六・九・二九政令二九七
昭五六・一一・一七政令三二一
昭五七・一・七政令　三
昭五七・三・三〇政令　六一
昭五七・五・二五政令一四八
昭五七・七・二政令一八四
昭五七・八・二四政令二三二
昭五七・九・二一政令二五一
昭五七・九・二五政令二六三
昭五八・一・二一政令　六
昭五八・五・二四政令一〇九
昭五九・三・一七政令　三五
昭五九・五・二二政令一五二
昭五九・六・九政令一八二
昭五九・六・二七政令二二〇
昭五九・六・三〇政令二三九
昭五九・九・七政令二六五
昭五九・九・一七政令二六八
昭五九・一一・二政令三二三
昭五九・一二・一一政令三四二
昭六〇・三・五政令　二四
昭六〇・三・八政令　二七
昭六〇・三・一五政令　三一
昭六〇・三・二九政令　四六
昭六〇・六・七政令一六三
昭六〇・六・七政令一六五
昭六〇・六・二八政令二一一
昭六〇・一二・二一政令三一七
昭六〇・一二・二七政令三三二
昭六一・三・二八政令　五五
昭六一・四・三〇政令一三五
昭六一・六・一〇政令二〇八
昭六一・八・一九政令二八二
昭六一・一〇・一四政令三二八
昭六一・一二・二六政令三八五
昭六二・三・二〇政令　五四
昭六二・四・二八政令一三四
昭六二・六・一二政令二一六
昭六二・六・三〇政令二四〇
昭六二・七・一政令二五二
昭六二・一〇・二七政令三五六
昭六二・一一・四政令三六八
昭六三・三・一八政令　三六
昭六三・三・三一政令　六八
昭六三・五・二四政令一六五
昭六三・六・二一政令二〇九
昭六三・七・二二政令二三二
昭六三・九・二四政令二七七
平元・五・三一政令一六一
平元・七・七政令二二〇
平元・九・二二政令二七二
平元・一二・一五政令三二三
平元・一二・二七政令三四五
平二・三・二八政令　五六
平二・三・三〇政令　七五
平二・三・三〇政令　八五
平二・六・二九政令一八七
平二・九・二八政令二九〇
平二・一〇・五政令三〇五
平三・一・二五政令　六
平三・四・二三政令一四五
平三・四・二六政令一四八
平三・六・二八政令二二八
平三・九・三政令二七八
平三・一一・二七政令三四八
平四・三・二七政令　五九
平四・三・三一政令　八〇

平四・六・二六政令二一九
平四・八・一二政令二七八
平四・九・一一政令二九四
平四・九・一七政令二九六
平四・九・二八政令三一四
平五・四・七政令一四三
平六・三・二四政令六五
平六・四・二二政令一三二
平六・六・三〇政令二〇〇
平六・七・二七政令二五一
平六・九・二政令二八二
平六・一一・一六政令三五七
平七・二・一七政令二六
平七・三・二九政令一一五
平七・三・三一政令一四六
平八・五・一七政令一四八
平八・六・二一政令一八二
平八・六・二六政令一九三
平八・八・一二政令二四二
平八・八・三〇政令二五五
平八・九・一九政令二八〇
平八・一一・二七政令三二三
平九・三・二八政令八四
平九・八・一政令二五六
平九・八・二二政令二六五
平九・一二・五政令三四九
平九・一二・一〇政令三五五
平九・一二・一九政令三六六
平九・一二・二五政令三八三
平一〇・三・一八政令四四
平一〇・三・三一政令一〇〇
平一〇・六・二六政令二三九
平一〇・九・一七政令三〇八
平一〇・一〇・二一政令三三六
平一一・五・二八政令一六五
平一一・六・二三政令二〇四
平一一・七・二六政令二三五
平一一・八・六政令二四九
平一一・八・一八政令二五六
平一一・九・三政令二六二
平一一・九・一六政令二六七
平一一・九・二〇政令二七〇
平一一・九・二〇政令二七二
平一一・九・二〇政令二七六
平一一・九・二九政令三〇六
平一二・三・一七政令七三
平一二・三・三一政令一七一
平一二・三・三一政令一八一
平一二・三・三一政令一八二
平一二・六・七政令三〇七
平一二・六・七政令三二六
平一二・六・二三政令三四六
平一二・六・二三政令三六一
平一二・七・一四政令三八〇
平一二・八・三〇政令四一四
平一二・一一・一五政令四七四
平一二・一一・二七政令四九二
平一二・一二・八政令五〇六
平一二・一二・一三政令五〇八
平一二・一二・二七政令五四三
平一三・一・三一政令二一
平一三・三・三〇政令一〇三
平一三・一一・七政令三四六
平一三・一一・一六政令三五二
平一三・一一・二八政令三六六
平一三・一二・七政令三九一
平一四・三・一三政令四三
平一四・六・二八政令二三九
平一四・八・三〇政令二八二
平一四・一〇・二政令三〇三
平一四・一一・二七政令三四八
平一四・一二・一八政令三八一
平一四・一二・一八政令三八三
平一四・一二・一八政令三八五

平一五・一・二九政令一六
平一五・三・二四政令六四
平一五・三・二八政令九三
平一五・三・二八政令九九
平一五・四・九政令二〇五
平一五・六・四政令二四一
平一五・六・二七政令二九二
平一五・六・二七政令二九三
平一五・六・二七政令二九四
平一五・六・二七政令二九五
平一五・六・二七政令二九六
平一五・六・二七政令二九七
平一五・七・二四政令三二二
平一五・七・二四政令三二八
平一五・七・二四政令三二九
平一五・七・三〇政令三四二
平一五・七・三〇政令三四三
平一五・七・三〇政令三四四
平一五・八・六政令三五八
平一五・八・八政令三六四
平一五・八・八政令三六五
平一五・八・八政令三六七
平一五・八・八政令三六八
平一五・八・八政令三六九
平一五・八・八政令三七〇
平一五・八・二九政令三九〇
平一五・九・三政令三九一
平一五・九・三政令三九二
平一五・九・三政令三九三
平一五・九・三政令三九四
平一五・九・一〇政令三九七
平一五・九・一〇政令四〇六
平一五・九・一二政令四一〇
平一五・九・一二政令四一二
平一五・九・一八政令四一六
平一五・九・二五政令四三八
平一五・九・二五政令四三九
平一五・九・二五政令四四〇
平一五・一二・三政令四八三
平一五・一二・五政令四八九
平一五・一二・五政令四九〇
平一五・一二・一〇政令四九三
平一五・一二・一二政令五一六
平一五・一二・二五政令五四三
平一五・一二・二五政令五四六
平一五・一二・二五政令五五三
平一五・一二・二五政令五五五
平一五・一二・二五政令五五六
平一六・一・七政令二
平一六・一・三〇政令一四
平一六・三・五政令三二
平一六・三・一九政令四四
平一六・三・一九政令五〇
平一六・三・二六政令八三
平一六・四・九政令一六〇
平一六・五・二六政令一八一
平一六・六・一六政令二〇〇
平一六・六・二三政令二〇七
平一六・九・二九政令二八六
平一六・九・二九政令二九四
平一六・一一・二五政令三六六
平一六・一二・三政令三八三
平一六・一二・二二政令四〇四
平一六・一二・二八政令四二九
平一七・四・一政令一一八
平一七・五・二政令一七三
平一七・五・二七政令一九〇
平一七・六・一政令二〇三
平一七・六・二四政令二二四
平一七・八・一五政令二七九
平一八・二・一政令一四
平一八・二・二四政令二五
平一八・三・二九政令七三
平一八・三・三一政令一五四

平一八・七・二一政令二四一
平一八・八・一八政令二七七
平一八・八・三〇政令二八六
平一八・九・一五政令二九六
平一八・一二・八政令三七五
平一八・一二・二〇政令三九〇
平一九・一・四政令三
平一九・二・二三政令三一
平一九・三・三〇政令七七
平一九・三・三一政令一一九
平一九・四・二三政令一六一
平一九・七・一三政令二〇七
平一九・七・一三政令二一〇
平一九・七・二〇政令二一六
平一九・七・二〇政令二一九
平一九・八・三政令二二三
平一九・八・三政令二三五
平一九・八・八政令二五二
平一九・九・一四政令二八七
平一九・一一・二政令三二六
平一九・一一・九政令三三三
平一九・一二・二一政令三八四
平一九・一二・二七政令三八八
平二〇・三・三一政令八五
平二〇・三・三一政令一一六
平二〇・三・三一政令一二七
平二〇・五・二一政令一八〇
平二〇・六・二七政令二一〇
平二〇・七・一六政令二二六
平二〇・七・二五政令二三七
平二〇・九・一二政令二八三
平二〇・九・一九政令二九七
平二〇・一一・二一政令三五七
平二〇・一二・五政令三七一
平二一・三・三一政令七六
平二一・三・三一政令一〇二
平二一・四・三〇政令一三五
平二一・五・二二政令一三九
平二一・五・二九政令一四二
平二一・六・一二政令一五五
平二一・八・二八政令二三五
平二一・一一・二〇政令二六五
平二一・一二・二四政令二九六
平二一・一二・二八政令三〇五
平二一・一二・二八政令三一〇
平二二・二・三政令六
平二二・三・二五政令四〇
平二二・三・二六政令四二
平二二・三・三一政令六五
平二二・四・一政令一〇八
平二二・七・二二政令一七〇
平二二・九・八政令一九四
平二三・三・三〇政令五五
平二三・三・三一政令五八
平二三・五・二七政令一五一
平二三・六・一〇政令一六六
平二三・七・一政令二〇五
平二三・七・一五政令二三〇
平二三・八・一〇政令二五七
平二三・一〇・二一政令三二七
平二三・一〇・三一政令三三四
平二三・一二・二六政令四二三
平二四・二・二二政令三八
平二四・三・二二政令五四
平二四・三・二八政令七四
平二四・七・一九政令一七九
平二四・七・二五政令二〇二
平二四・一一・二八政令二八二
平二五・三・八政令五一
平二五・三・一三政令五五
平二五・三・一三政令五七
平二五・三・一五政令六五
平二五・三・二一政令七〇
平二五・三・二七政令八六

平二五・六・一二政令一七四
平二五・七・三一政令二二六
平二五・九・四政令二五六
平二五・九・一三政令二七三
平二五・九・二六政令二八二
平二五・一二・二〇政令三五六
平二五・一二・二六政令三五七
平二五・一二・二六政令三六六
平二六・二・五政令　二三
平二六・二・一三政令　二九
平二六・二・一九政令　三九
平二六・三・二四政令　七三
平二六・三・二八政令　八五
平二六・三・三一政令一二一
平二六・三・三一政令一二九
平二六・五・二九政令一九五
平二六・六・二七政令二三四
平二六・七・二政令二四四
平二六・七・一六政令二六一
平二六・八・六政令二七三
平二六・九・二五政令三一三
平二六・一一・一九政令三六五
平二六・一二・一九政令四〇七
平二七・二・四政令　三五
平二七・三・一八政令　七四
平二七・三・二七政令一〇三
平二七・三・三一政令一三八
平二七・八・二八政令三二一
平二七・九・三〇政令三四四
平二七・一一・二六政令三九二
平二七・一二・二八政令四四四
平二八・一・二二政令　一三
平二八・三・二五政令　七八
平二八・三・三一政令一二九
平二八・三・三一政令一八〇
平二八・四・一五政令一九九
平二八・九・三〇政令三一九
平二八・一一・二八政令三六一
平二八・一二・七政令三七二
平二九・一・二〇政令　四
平二九・三・三一政令　八一
平二九・三・三一政令　九八
平二九・三・三一政令一二九
平二九・七・二八政令二一三
平二九・一〇・二五政令二六四
平三〇・三・二二政令　五五
平三〇・三・三〇政令一一七
平三〇・三・三一政令一二六
平三〇・七・一三政令二一〇
平三〇・九・二一政令二六五
平三一・三・二〇政令　四〇
平三一・四・五政令一四六
令二・三・三一政令一三八
令二・八・一四政令二四七
令三・三・三一政令一〇三
令三・八・四政令二二二
令三・一二・三政令三三一
令四・三・二五政令一一八
令四・三・三〇政令一二八
令四・三・三一政令一七一
令四・六・一六政令二一八
令四・六・二四政令二三八
令四・八・三政令二六五
令四・一一・一一政令三四八
令五・二・一政令　二三
令五・三・三〇政令一一九
令五・一二・二七政令三七九
令六・一・三一政令　二二
令六・三・二五政令　六二
令六・三・二九政令一二九
令六・四・二四政令一七四
令六・五・一七政令一八六
令六・八・三〇政令二六八

内閣は、国家公務員共済組合法（昭和三十三年法律第百二十八号）の規定に基き、この政令を制定する。

目次

第一章　総則

（定義）

第一条　この政令において、「行政執行法人」、「職員」、「被扶養者」、「遺族」、「退職」、「報酬」、「期末手当等」、「組合」、「組合の代表者」、「連合会」、「独立行政法人」、「国立大学法人等」、「受給権者」、「地方の組合」、「私学共済制度の加入者」、「厚生年金保険給付」、「退職等年金給付」、「継続長期組合員」、「任意継続組合員」、「任意継続掛金」、「特定共済組合」、「特例退職組合員」、「郵政会社等」若しくは「日本郵政共済組合」又は「旧法」、「恩給公務員期間」、「在職年」、「旧長期組合員期間」若しくは「恩給更新組合員」とは、それぞれ国家公務員共済組合法（以下「法」という。）第一条第二項、第二条第一項第一号から第六号まで、第三条第一項、第八条第二項、第二十一条第一項、第三十一条第一号、第三十九条第一項、第五十五条第一項第二号、第七十三条第一項、第七十四条、第百二十四条の二第二項、第百二十六条の五第二項、附則第十二条第一項若しくは第三項、附則第二十条の二第二項若しくは附則第二十条の三第一項又は国家公務員共済組合法の長期給付に関する施行法（昭和三十三年法律第百二十九号。以下「施行法」という。）第二条第一号、第十号、第十一号若しくは第十三号若しくは第二十三条第一項に規定する行政執行法人、職員、被扶養者、遺族、退職、報酬、期末手当等、組合、組合の代表者、連合会、独立行政法人、国立大学法人等、受給権者、地方の組合、私学共済制度の加入者、厚生年金保険給付、退職等年金給付、継続長期組合員、任意継続組合員、任意継続掛金、特定共済組合、特例退職組合員、郵政会社等若しくは日本郵政共済組合又は旧法、恩給公務員期間、在職年、旧長期組合員期間若しくは恩給更新組合員をいう。

（職員）

第二条　法第二条第一項第一号に規定する常時勤務に服することを要しない国家公務員で政令で定めるものは、次に掲げる者（二月以内の期間を定めて使用される者であつて財務大臣が定めるものを除く。）とする。ただし、第七号から第九号までに掲げる者にあつては、地方の組合の組合員又は私学共済制度の加入者であるものを除く。

一　国家公務員法（昭和二十二年法律第百二十号）第七十九条又は第八十二条の規定による休職又は停職の処分を受けた者

二　国家公務員法第百八条の六第五項又は行政執行法人の労働関係に関する法律（昭和二十三年法律第二百五十七号）第七条第五項の規定により休職者とされた者

三　国際機関等に派遣される一般職の国家公務員の処遇等に関する法律（昭和四十五年法律第百十七号）第二条第一項の規定により派遣された者

四　国家公務員の育児休業等に関する法律（平成三年法律第百九号）第三条第一項の規定により育児休業をしている者又は同法第十三条第一項に規定する育児短時間勤務職員（同法第二十二条の規定による勤務をしている者を含む。）

四の二　国と民間企業との間の人事交流に関する法律（平成十一年法律第二百二十四号）第八条第二項に規定する交流派遣職員

四の三　法科大学院への裁判官及び検察官その他の一般職の国家公務員の派遣に関する法律（平成十五年法律第四十号）第十一条第一項の規定により派遣された者（地方の組合の組合員となつた者を除く。）

四の四　判事補及び検事の弁護士職務経験に関する法律（平成十六年法律第百二十一号）第二条第七項に規定する弁護士職務従事職員

四の五　国家公務員の自己啓発等休業に関する法律（平成十九年法律第四十五号）第二条第五項に規定する自己啓発等休業をしている者

四の六　国家公務員の配偶者同行休業に関する法律（平成二十五年法律第七十八号）第二条第四項に規定する配偶者同行休業をしている者

五　国家公務員法第二条第三項第十号、第十三号、第十四号又は第十六号に掲げる者で第一号から第四号の二まで又は前二号に掲げる者に準ずるもの

六　国の一般会計又は特別会計の歳出予算の常勤職員給与の目から俸給が支給される者

七　前各号に掲げる者以外の常時勤務に服することを要しない国家公務員のうち、財務大臣の定めるところにより、常勤職員について定められている勤務時間により勤務することを要することとされているもの

八　前各号に掲げる者以外の常時勤務に服することを要しない国家公務員のうち、その一週間の所定勤務時間及び一月間の所定勤務日数が、常勤職員について定められている一週間の勤務時間及び一月間の勤務日数の四分の三以上であるもの

九　前各号に掲げる者以外の常時勤務に服することを要しない国家公務員のうち、次のいずれにも該当するもの

イ　一週間の所定勤務時間が二十時間以上であること。

ロ　報酬月額（最低賃金法（昭和三十四年法律第百三十七号）第四条第三項各号に掲げる賃金に相当するものとして財務省令で定めるものを除く。）について、法第四十条第八項及びこの政令第十一条の二の二の規定の例により算定した額が、八万八千円以上であること。

ハ　学校教育法（昭和二十二年法律第二十六号）第五十条に規定する高等学校の生徒、同法第八十三条に規定する大学の学生その他の財務省令で定める者でないこと。

2　法第二条第一項第一号に規定する臨時に使用される者その他の政令で定める者は、次に掲げる者とする。

一　国家公務員法第六十条第一項の規定により臨時的に任用された者であつて次のイ又はロのいずれかに該当するもの

イ　二月以内の期間を定めて任用された者であつて財務大臣が定めるもの

ロ　地方の組合の組合員又は私学共済制度の加入者であるもの

二　国家公務員の育児休業等に関する法律第七条第一項又は国家公務員の配偶者同行休業に関する法律第七条第一項の規定により臨時的に任用された者であつて次のイ又はロのいずれかに該当するもの

イ　二月以内の期間を定めて任用された者であつて財務大臣が定めるもの

ロ　地方の組合の組合員又は私学共済制度の加入者であるもの

三　国家公務員の育児休業等に関する法律第七条第一項その他財務省令で定める規定により二月以内の期間を定めて採用された者であつて財務大臣が定めるもの

四　国家公務員法第二条第三項第十号、第十三号、第十

四号又は第十六号に掲げる者で前三号に掲げる者に準ずるもの

五　国及び行政執行法人から給与を受けない者

（被扶養者）

第三条　法第二条第一項第二号に規定する主として組合員の収入により生計を維持することの認定に関しては、一般職の職員の給与に関する法律（昭和二十五年法律第九十五号）第十一条第二項に規定する扶養親族に係る扶養の事実の認定の例及び健康保険法（大正十一年法律第七十号）における被扶養者の認定の取扱いを参酌して、財務大臣の定めるところによる。

（遺族）

第四条　法第二条第一項第三号に掲げる組合員又は組合員であつた者の死亡の当時（失踪の宣告を受けた組合員であつた者にあつては、行方不明となつた当時。以下この条において同じ。）その者によつて生計を維持していた者は、当該組合員又は組合員であつた者の死亡の当時その者と生計を共にしていた者のうち財務大臣の定める金額以上の収入を将来にわたつて有すると認められる者以外のものその他これに準ずる者として財務大臣が定める者とする。

（報酬）

第五条　法第二条第一項第五号に規定する一般職の職員の給与に関する法律の規定に基づく給与のうち政令で定めるものは、同法第二十二条の規定に基づく給与のうち期末手当及び勤勉手当に相当するものとする。

２　法第二条第一項第五号に規定する他の法律の規定に基づく給与のうち政令で定めるものは、次に掲げる給与とする。

一　国家公務員の寒冷地手当に関する法律（昭和二十四年法律第二百号）の規定に基づく寒冷地手当

一の二　在外公館の名称及び位置並びに在外公館に勤務する外務公務員の給与に関する法律（昭和二十七年法律第九十三号）の規定に基づく在勤手当（財務大臣が定めるものを除く。）

二　沖縄の復帰に伴う特別措置に関する法律（昭和四十六年法律第百二十九号）の規定に基づく特別の手当

三　国際連合平和維持活動等に対する協力に関する法律（平成四年法律第七十九号）の規定に基づく国際平和協力手当

四　イラクにおける人道復興支援活動及び安全確保支援活動の実施に関する特別措置法（平成十五年法律第百三十七号）の規定に基づくイラク人道復興支援等手当

五　独立行政法人原子力安全基盤機構の解散に関する法律（平成二十五年法律第八十二号）の規定に基づく特別の手当

３　一般職の職員の給与に関する法律の適用を受けないその他の職員について、同法の適用を受ける職員に係る報酬に含まれる給与（以下「一般職員の報酬に含まれる給与」という。）に準ずる給与として法第二条第一項第五号に規定する政令で定めるものは、次の各号に掲げる職員の区分に応じ、当該各号に定める給与のうち一般職員の報酬に含まれる給与に相当するものとして組合の運営規則で定めるものとする。

一　特別職の職員の給与に関する法律（昭和二十四年法律第二百五十二号）第一条第一号から第四十四号までに掲げる特別職の職員　同法第二条の規定に基づく給与

二　特別職の職員の給与に関する法律第一条第七十三号に掲げる特別職の職員　同法第十条の規定に基づく給与

三　国会職員　国会職員法（昭和二十二年法律第八十五号）第二十五条の規定に基づく給与

四　裁判官　裁判官の報酬等に関する法律（昭和二十三年法律第七十五号）第二条、第九条及び第十五条の規定に基づく給与

五　裁判官及び裁判官の秘書官以外の裁判所職員　裁判所職員臨時措置法（昭和二十六年法律第二百九十九号）において準用する一般職の職員の給与に関する法律の規定に基づく給与

六　検察官　検察官の俸給等に関する法律（昭和二十三年法律第七十六号）第一条、第二条及び附則第三条の規定に基づく給与

七　防衛省の職員　防衛省の職員の給与等に関する法律（昭和二十七年法律第二百六十六号）の規定に基づく給与

八　行政執行法人の職員　その受ける給与

４　一般職の職員の給与に関する法律の適用を受けない職員が労働の対償として受ける前項に定める給与以外のもので、一般職員の報酬に含まれる給与に相当するものについては、別に財務大臣が定める。

（期末手当等）

第五条の二　法第二条第一項第六号に規定する一般職の職員の給与に関する法律の規定に基づく給与のうち政令で定めるものは、同法第二十二条の規定に基づく給与のうち期末手当及び勤勉手当に相当するものとする。

２　法第二条第一項第六号に規定する他の法律の規定に基づく給与のうち政令で定めるものは、一般職の任期付研究員の採用、給与及び勤務時間の特例に関する法律（平成九年法律第六十五号）の規定に基づく任期付研究員業

績手当及び一般職の任期付職員の採用及び給与の特例に関する法律（平成十二年法律第百二十五号）の規定に基づく特定任期付職員業績手当とする。

3　一般職の職員の給与に関する法律の適用を受けないその他の職員について、同法の適用を受ける職員に係る期末手当等（以下「一般職員の期末手当等」という。）に準ずる給与として法第二条第一項第六号に規定する政令で定めるものは、その受ける給与で報酬に該当しないもののうち、一般職員の期末手当等に相当するものとして組合の運営規則で定める給与とする。

第二章　組合及び連合会

（法第三条第二項第一号に規定する政令で定める機関）

第五条の三　法第三条第二項第一号に規定する政令で定める機関は、矯正研修所とする。

（定款の変更）

第六条　法第六条第二項に規定する政令で定める事項は、次に掲げる事項とする。

一　事務所の所在地の変更

二　行政組織の変更に伴う組合員の範囲の変更

三　その他財務大臣の指定する事項

（事業計画及び予算の変更）

第七条　法第十五条第二項に規定する事業計画及び予算の重要な事項で政令で定めるものは、次に掲げる事項とする。

一　人件費及び事務費の最高限度額

二　法第十七条ただし書の規定による借入金及び翌事業年度以降にわたる債務の負担の最高限度額

三　組合の経理単位（財務省令で定めるところによりその経理について設けられる区分をいう。）相互間における資金の融通の最高限度額

四　法第九十八条の規定により行う福祉事業の種類、当該福祉事業のための施設の設置及び廃止に関する事項並びに当該福祉事業に要する費用に充てることができる金額の最高限度

五　その他財務大臣の指定する事項

（資金の運用）

第八条　組合の業務上の余裕金は、次に掲げるものに運用するものとする。

一　銀行その他財務大臣の指定する金融機関への預金

二　信託業務を営む金融機関（金融機関の信託業務の兼営等に関する法律（昭和十八年法律第四十三号）第一条第一項の認可を受けた金融機関をいう。次項及び第九条の三第一項第三号において同じ。）への金銭信託で元本補塡の契約があるもの

三　国債、地方債その他財務省令で定める有価証券

2　前項第三号の有価証券は、信託会社（信託業法（平成十六年法律第百五十四号）第三条又は第五十三条第一項の免許を受けたものに限る。第九条の三第一項第三号において同じ。）又は信託業務を営む金融機関への当該有価証券の貸付けを目的とする信託に運用することができる。

3　前二項に規定するもののほか、組合の業務上の余裕金の運用に関し必要な事項は、財務省令で定める。

（連合会の業務として計算をすべき費用）

第八条の二　法第二十一条第二項第一号ロに規定する政令で定める費用は、厚生年金保険給付に係る事務に要する費用とする。

2　法第二十一条第二項第二号ロに規定する政令で定める費用は、退職等年金給付に係る事務に要する費用とする。

（厚生年金保険給付積立金及び退職等年金給付積立金の積立て）

第九条　連合会は、毎事業年度の厚生年金保険給付（厚生年金保険法（昭和二十九年法律第百十五号）第八十四条の五第一項に規定する拠出金（以下「厚生年金拠出金」という。）、国民年金法（昭和三十四年法律第百四十一号）第九十四条の二第二項に規定する基礎年金拠出金（以下「基礎年金拠出金」という。）及び法第百二条の二に規定する財政調整拠出金（法第百二条の三第一項第一号から第三号までに掲げる場合に行われるものに限る。）を含む。次項及び第九条の三第一項において同じ。）に係る経理において損益計算上利益を生じたときは、その額を法第二十一条第二項第一号ハに規定する厚生年金保険給付積立金（以下「厚生年金保険給付積立金」という。）として整理しなければならない。

2　連合会は、毎事業年度の厚生年金保険給付に係る経理において損益計算上損失を生じたときは、厚生年金保険給付積立金を減額して整理するものとする。

3　連合会は、毎事業年度の退職等年金給付（法第百二条の二に規定する財政調整拠出金（法第百二条の三第一項第四号に掲げる場合に行われるものに限る。）を含む。次項及び第九条の三第二項において同じ。）に係る経理において損益計算上利益を生じたときは、その額を法第二十一条第二項第二号ハに規定する退職等年金給付積立金（以下「退職等年金給付積立金」という。）として整理しなければならない。

4　連合会は、毎事業年度の退職等年金給付に係る経理において損益計算上損失を生じたときは、退職等年金給付積立金を減額して整理するものとする。

（退職等年金給付積立金の管理及び運用に関する基本的な指針）

第九条の二　財務大臣は、退職等年金給付積立金の管理及び運用に関し、法第三十五条の三第二項各号に掲げる事項に関する基本的な指針（以下この条において「指針」という。）を定めることができる。

2　財務大臣は、指針を定め、又は変更しようとするときは、あらかじめ、指針の案又はその変更の案を作成し、総務大臣に協議するものとする。

3　財務大臣は、指針を定め、又は変更したときは、速やかに、これを公表するものとする。

4　連合会は、第一項の規定により指針が定められたときは、当該指針に適合するように法第三十五条の三第一項に規定する退職等年金給付積立金管理運用方針を定めなければならない。

5　連合会は、指針が変更されたときその他必要があると認めるときは、法第三十五条の三第一項に規定する退職等年金給付積立金管理運用方針に検討を加え、必要に応じ、これを変更しなければならない。

（厚生年金保険給付積立金等及び退職等年金給付積立金等の管理及び運用）

第九条の三　厚生年金保険給付積立金及び厚生年金保険給付の支払上の余裕金（以下「厚生年金保険給付積立金等」という。）の運用は、次に掲げる方法により行われなければならない。

一　次に掲げる有価証券若しくは有価証券とみなされる権利又はこれらに係る標準物（金融商品取引法（昭和二十三年法律第二十五号）第二条第二十四項第五号に掲げる標準物をいう。第六号イ及び第三項において「標準物」という。）の売買（デリバティブ取引（同条第二十項に規定するデリバティブ取引をいう。第九号において同じ。）に該当するものについては、この号及び第三号に掲げる方法による運用に係る損失の危険の管理を目的として行うものに限る。）

イ　金融商品取引法第二条第一項第一号から第五号まで、第十号から第十三号まで、第十五号、第十八号及び第二十一号に掲げる有価証券並びに同項第十七号に掲げる有価証券（同項第六号から第九号まで、第十四号及び第十六号に掲げる有価証券の性質を有するものを除く。）

ロ　イに掲げる有価証券に表示されるべき権利であつて、金融商品取引法第二条第二項の規定により有価証券とみなされるもの

ハ　金融商品取引法第二条第二項第五号に掲げる権利（投資事業有限責任組合契約に関する法律（平成十年法律第九十号）第三条第一項に規定する投資事業有限責任組合契約（当該投資事業有限責任組合契約において営むことを約する事業において取得し、又は保有する(1)から(4)までに掲げるものについて、当該投資事業有限責任組合契約においてその銘柄を特定しているものを除く。）に基づく権利（同法第二条第二項に規定する有限責任組合員として有するものに限る。）に係るものに限る。以下このハにおいて同じ。）及び金融商品取引法第二条第二項第六号に掲げる権利（同項第五号に掲げる権利に類するものに限る。）であつて、同項の規定により有価証券とみなされるもの

(1)　投資事業有限責任組合契約に関する法律第三条第一項第一号に規定する株式会社の設立に際して発行する株式並びに合同会社及び企業組合の設立に際しての持分

(2)　投資事業有限責任組合契約に関する法律第三条第一項第二号に規定する株式会社の発行する株式及び新株予約権並びに合同会社及び企業組合の持分

(3)　投資事業有限責任組合契約に関する法律第三条第一項第三号に規定する指定有価証券（次に掲げるものに限る。）

(i)　金融商品取引法第二条第一項第六号に掲げる出資証券

(ii)　金融商品取引法第二条第一項第七号に掲げる優先出資証券

(iii)　金融商品取引法第二条第一項第八号に掲げる優先出資証券及び新優先出資引受権を表示する証券

(iv)　金融商品取引法第二条第一項第九号及び(i)から(iii)までに掲げる有価証券並びに(v)に掲げる権利に係る同項第十九号に規定するオプションを表示する証券及び証書

(v)　(i)から(iii)までに掲げる有価証券に表示されるべき権利であつて、金融商品取引法第二条第二項の規定により有価証券とみなされるもの

(4)　投資事業有限責任組合契約に関する法律第三条第一項第十一号に規定する外国法人の発行する株式、新株予約権及び指定有価証券（(3)(i)から(v)までに掲げるものに限る。）並びに外国法人の持分並びにこれらに類似するもの

二　預金又は貯金（年金積立金管理運用独立行政法人法（平成十六年法律第百五号）第二十一条第一項第二号の規定により厚生労働大臣が適当と認めて指定した預金

又は貯金の取扱いを参酌して財務大臣が定めるものに限る。）
三 信託会社又は信託業務を営む金融機関への信託。ただし、運用方法を特定するものにあつては、次に掲げる方法により運用するものに限る。
イ 前二号及び第五号から第九号までに掲げる方法
ロ コール資金の貸付け又は手形の割引
ハ 金融商品取引業者（金融商品取引法第二条第九項に規定する金融商品取引業者をいう。第五号において同じ。）との投資一任契約（同条第八項第十二号ロに規定する契約をいう。）であつて連合会が同号ロに規定する投資判断の全部を一任することを内容とするものの締結
四 組合員（長期給付に関する規定の適用を受けるものに限る。以下この号において同じ。）を被保険者とする生命保険（組合員の所定の時期における生存を保険金の支払事由とするものに限る。）の保険料の払込み
五 第一号の規定により取得した有価証券（金融商品取引法第二条第一項第一号から第五号までに掲げる有価証券及び同項第十七号に掲げる有価証券（同項第六号から第九号まで、第十四号及び第十六号に掲げる有価証券の性質を有するものを除く。）に限る。）の株式会社商工組合中央金庫、株式会社日本政策投資銀行、農林中央金庫、全国を地区とする信用金庫連合会、金融商品取引業者（同法第二十八条第一項に規定する第一種金融商品取引業を行う者（同法第二十九条の四の二第九項に規定する第一種少額電子募集取扱業者を除く。）に限る。）、同法第二条第三十項に規定する証券金融会社及び貸金業法施行令（昭和五十八年政令第百八十一号）第一条の二第三号に掲げる者に対する貸付け
六 次に掲げる権利の取得又は付与（第一号及び第三号に掲げる方法による運用に係る損失の危険の管理を目的として行うものに限る。）
イ 金融商品取引法第二条第十六項に規定する金融商品取引所の定める基準及び方法に従い、当事者の一方の意思表示により当事者間において債券（標準物を含む。）の売買契約を成立させることができる権利
ロ 債券の売買契約において、当事者の一方が受渡日を指定できる権利であつて、一定の期間内に当該権利が行使されない場合には、当該売買契約が解除されるもの（外国で行われる取引に係る売買契約に係るものを除く。）
七 先物外国為替（外国通貨をもつて表示される支払手段であつて、その売買契約に基づく債権の発生、変更又は消滅に係る取引を当該売買契約の契約日後の一定の時期に一定の外国為替相場により実行する取引の対象となるものをいう。）の売買（第一号から第三号までに掲げる方法による運用に係る損失の危険の管理を目的として行うものに限る。）
八 通貨オプション（当事者の一方の意思表示により当事者間において外国通貨をもつて表示される支払手段の売買取引を成立させることができる権利をいい、金融商品取引法第二条第二十一項に規定する市場デリバティブ取引（同項第三号に掲げる取引に係るものに限る。）及び同条第二十三項に規定する外国市場デリバティブ取引（同号に掲げる取引に類似するものに限る。）に係る権利を除く。）の取得又は付与（第一号から第三号までに掲げる方法による運用に係る損失の危険の管理を目的として行うものに限る。）
九 第一号及び前三号に定めるもののほか、デリバティブ取引であつて金融商品取引法第二十八条第八項第三号ロ、第四号ロ及び第五号（同項第三号ロに掲げる取引に類似する取引に係るものに限る。）に掲げる取引のうち、同法第二条第八項第十一号イに規定する有価証券指標（株式に係るものに限る。）に係るものの売買（第一号から第三号までに掲げる方法による運用に係る損失の危険の管理を目的として行うものに限る。）
十 財政融資資金への預託
2 退職等年金給付積立金及び退職等年金給付の支払上の余裕金（以下「退職等年金給付積立金等」という。）の運用は、次に掲げる方法により行われなければならない。
一 前項各号に掲げる方法
二 不動産の取得、譲渡又は貸付け（あらかじめ財務大臣の承認を受けたものに限る。）
三 組合に対する資金の貸付け
四 連合会の経理単位（財務省令で定めるところによりその経理について設けられる区分をいい、第九条第一項に規定する経理を行うものを除く。）に対する資金の貸付け
3 前二項の規定により第一項第一号イ及びロに規定する有価証券又は有価証券とみなされる権利（国債証券、国債証券に表示されるべき権利であつて、金融商品取引法第二条第二項の規定により有価証券とみなされるもの、標準物その他財務省令で定めるものを除く。）を取得する場合には、応募又は買入れの方法により行わなければならない。
4 連合会は、厚生年金保険給付積立金等及び退職等年金給付積立金等を合同して管理及び運用を行うことができる。
5 前各項に規定するもののほか、連合会の厚生年金保険

給付積立金等及び退職等年金給付積立金等の管理及び運用に関し必要な事項は、財務省令で定める。

（厚生年金保険給付積立金等及び退職等年金給付積立金等の管理及び運用に関する契約）

第九条の四　連合会は、厚生年金保険給付積立金等及び退職等年金給付積立金等の管理及び運用に関して、次に掲げる契約を締結するときは、当該契約において、当該契約の相手方が委任を受けて他人のために資産の管理及び運用を行う者であつてその職務に関して一般に認められている専門的な知見に基づき慎重な判断を行うものが同様の状況の下で払う注意に相当する注意を払うとともに、法令及び連合会と締結した契約その他の規程を遵守し、連合会のため忠実にその職務を遂行しなければならない旨の規定を定めなければならない。

一　前条第一項第三号に掲げる信託の契約

二　前条第一項第三号ハに規定する投資一任契約

三　前条第一項第四号に掲げる生命保険の保険料の払込みの契約

（その他の連合会の余裕金の運用）

第九条の五　連合会の業務上の余裕金（第九条の三第一項及び第二項の規定によるものを除く。次項において同じ。）は、同条第一項第一号イ及びロ、同項第二号から第四号まで並びに同条第二項第二号に掲げる方法により運用するものとする。

２　前項に規定するもののほか、連合会の業務上の余裕金の運用に関し必要な事項は、財務省令で定める。

（準用規定）

第十条　第六条及び第七条の規定は、連合会について準用する。この場合において、第六条各号列記以外の部分中「次に掲げる事項」とあるのは、「第一号及び第三号に掲げる事項」と読み替えるものとする。

第三章　給付

（災害補償の実施機関の意見）

第十一条　組合又は連合会は、法第三十九条第二項の規定により同項に規定する公務上の災害又は通勤（国家公務員災害補償法（昭和二十六年法律第百九十一号）第一条の二に規定する通勤をいう。以下この項において同じ。）による災害に対する補償の実施機関の意見を聴こうとするときは、当該実施機関に対し、その災害が公務上の災害又は通勤による災害であるかどうかの認定及びその理由につき文書で意見を求めなければならない。

２　前項に規定する実施機関は、同項の規定により意見を求められたときは、組合又は連合会に対し、文書ですみやかに回答しなければならない。

（退職等年金給付に係る標準報酬の区分の特例）

第十一条の二　法第四十条第四項の規定による改定後の標準報酬の区分については、同条第一項の表中

「

第三十一級	六二〇、〇〇〇円	六〇五、〇〇〇円以上

」

とあるのは、

「

第三十一級	六二〇、〇〇〇円	六〇五、〇〇〇円以上六三五、〇〇〇円未満
第三十二級	六五〇、〇〇〇円	六三五、〇〇〇円以上

」

と読み替えて、法の規定（他の法令において引用する場合を含む。）を適用する。

（組合員の資格取得時における標準報酬の特例）

第十一条の二の二　法第四十条第八項の規定により標準報酬を定める場合において、組合員の資格を取得した日の現在の報酬が日により支給されるものであるときは当該組合員の資格を取得した日の属する月前一月間に同様の職務に従事し、かつ、同様の報酬を受ける者が受けた報酬の額を平均した金額を、当該組合員の資格を取得した日の現在の報酬が週その他日及び月以外の一定期間により支給されるものであるときはその報酬の額をその支給される期間の総日数をもつて除して得た額の三十倍に相当する金額を報酬月額とする。

（退職等年金給付に係る標準期末手当等の額の最高限度額の特例）

第十一条の二の三　法第四十一条第三項の規定により読み替えて適用する同条第一項に規定する政令で定める金額は、百五十万円とする。

（支払未済の給付を受けるべき者の順位）

第十一条の二の四　法第四十四条第三項に規定する同条第一項の規定による給付を受けるべき者の順位は、死亡した者の配偶者、子（死亡した者が公務遺族年金（法第七十四条第三号に規定する公務遺族年金をいう。以下同じ。）の受給権者である夫であつた場合における組合員又は組合員であつた者の子であつてその者の死亡によつて公務遺族年金の支給の停止が解除されたものを含む。）、父母、孫、祖父母、兄弟姉妹及びこれらの者以外の三親等内の親族の順序とする。

（附加給付）

第十一条の三　法第五十一条に規定する短期給付は、組合の定款で定めるところにより行うことができる。

２　前項に規定する短期給付に関する定款の規定が、当該

給付に関し財務大臣が財政制度等審議会の意見を聴いて定める基準に合致しないときは、法第六条第二項の認可をしないものとする。

（一部負担金の割合が百分の三十となる場合）

第十一条の三の二　法第五十五条第二項第三号に規定する政令で定めるところにより算定した報酬の額は療養の給付を受ける月の標準報酬の月額（法第五十二条に規定する標準報酬の月額をいう。以下同じ。）とし、同号に規定する政令で定める額は二十八万円とする。

２　前項の規定は、次の各号のいずれかに該当する者については、適用しない。

一　組合員及びその被扶養者（七十歳に達する日の属する月の翌月以後である場合に該当する者に限る。）について財務省令で定めるところにより算定した収入の額が五百二十万円（当該被扶養者がいない者にあつては、三百八十三万円）に満たない者

二　組合員（その被扶養者（七十歳に達する日の属する月の翌月以後である場合に該当する者に限る。）がいない者であつてその被扶養者であつた者（法第二条第一項第二号に規定する後期高齢者医療の被保険者等となつたため被扶養者でなくなつた者であつて、当該後期高齢者医療の被保険者等となつた日の属する月以後五年を経過する月までの間に限り、同日以後継続して当該後期高齢者医療の被保険者等であるものをいう。以下この号において同じ。）がいるものに限る。）及びその被扶養者であつた者について前号の財務省令で定めるところにより算定した収入の額が五百二十万円に満たない者

（月間の高額療養費の支給要件及び支給額）

第十一条の三の三　高額療養費は、同一の月における次に掲げる金額を合算した金額から次項から第五項までの規定により支給される高額療養費の額を控除した金額（以下この項において「一部負担金等世帯合算額」という。）が高額療養費算定基準額を超える場合に支給するものとし、その額は、一部負担金等世帯合算額から高額療養費算定基準額を控除した金額とする。

一　組合員（法第五十九条第一項の規定により療養の給付又は保険外併用療養費、療養費若しくは訪問看護療養費の支給を受けている者を含む。以下この条、第十一条の三の五、第十一条の三の六及び附則第三十四条の三第八項において同じ。）又はその被扶養者（法第五十九条第一項又は第二項の規定により支給される家族療養費又は家族訪問看護療養費に係る療養を受けている者を含む。以下この条、第十一条の三の五、第十一条の三の六及び附則第三十四条の三において同じ。）が同一の月にそれぞれ一の病院、診療所、薬局その他の療養機関（以下「病院等」という。）から受けた療養（法第五十四条第二項第一号に規定する食事療養（第八項及び第九項において「食事療養」という。）及び同条第二項第二号に規定する生活療養（第八項及び第九項において「生活療養」という。）並びに当該組合員又はその被扶養者が第八項の規定に該当する場合における同項に規定する療養を除く。以下この項から第五項まで、第十一条の三の六第一項、第三項及び第五項並びに第十一条の三の六の二並びに附則第三十四条の三第一項、第二項及び第八項において同じ。）であつて次号に規定する特定給付対象療養以外のものに係る次のイからへまでに掲げる金額（七十歳に達する日の属する月以前の療養に係るものにあつては、二万千円（第十一条の三の五第五項に規定する七十五歳到達時特例対象療養に係るものにあつては、一万五百円）以上のものに限る。）を合算した金額

イ　法第五十五条第二項又は第三項に規定する一部負担金（法第五十五条の二第一項第一号の措置が採られるときは、当該減額された一部負担金）の額（ロに規定する場合における当該一部負担金の額を除く。）

ロ　当該療養が法第五十四条第二項第三号に規定する評価療養、同項第四号に規定する患者申出療養又は同項第五号に規定する選定療養を含む場合における法第五十五条第二項又は第三項に規定する一部負担金（法第五十五条の二第一項第一号の措置が採られるときは、当該減額された一部負担金）の額に法第五十五条の五第二項第一号の規定により算定した費用の額（その額が現に当該療養に要した費用の額を超えるときは、現に当該療養に要した費用の額）から当該療養に要した費用につき保険外併用療養費として支給される金額に相当する金額を控除した金額を加えた金額

ハ　当該療養について算定した費用の額（その額が現に当該療養に要した費用の額を超えるときは、現に当該療養に要した費用の額）から当該療養に要した費用につき療養費として支給される金額に相当する金額を控除した金額

ニ　法第五十六条の二第二項の規定により算定した費用の額からその指定訪問看護（同条第一項に規定する指定訪問看護をいう。へ並びに第十一条の三の六第一項、第四項及び第九項において同じ。）に要した費用につき訪問看護療養費として支給される金額に相当する金額を控除した金額

ホ　当該療養について算定した費用の額（その額が現に当該療養に要した費用の額を超えるときは、現に当該療養に要した費用の額）から当該療養に要した費用につき家族療養費として支給される金額に相当する金額を控除した金額

ヘ　法第五十七条の三第二項の規定により算定した費用の額からその指定訪問看護に要した費用につき家族訪問看護療養費として支給される金額に相当する金額を控除した金額

二　組合員又はその被扶養者が同一の月にそれぞれ一の病院等から受けた特定給付対象療養（原子爆弾被爆者に対する援護に関する法律（平成六年法律第百十七号）による一般疾病医療費（第十一条の三の六第六項及び第八項において「原爆一般疾病医療費」という。）の支給その他財務省令で定める医療に関する給付が行われるべき療養及び当該組合員又はその被扶養者が第九項の規定による組合の認定を受けた場合における同項に規定する療養をいう。以下同じ。）について、当該組合員又はその被扶養者がなお負担すべき額（七十歳に達する日の属する月以前の特定給付対象療養に係るものにあつては、当該特定給付対象療養に係る前号イからへまでに掲げる金額が二万千円（第十一条の三の五第五項に規定する七十五歳到達時特例対象療養に係るものにあつては、一万五百円）以上のものに限る。）を合算した金額

2　組合員の被扶養者が療養（第十一条の三の五第五項に規定する七十五歳到達時特例対象療養であつて、七十歳に達する日の属する月以前のものに限る。）を受けた場合において、当該被扶養者が同一の月にそれぞれ一の病院等から受けた当該療養に係る次に掲げる金額を当該被扶養者ごとにそれぞれ合算した金額が高額療養費算定基準額を超えるときは、当該それぞれ合算した金額から高額療養費算定基準額を控除した金額の合算額を高額療養費として支給する。

一　被扶養者が受けた当該療養（特定給付対象療養を除く。）に係る前項第一号イからへまでに掲げる金額（一万五百円以上のものに限る。）を合算した金額

二　被扶養者が受けた当該療養（特定給付対象療養に限る。）について、当該被扶養者がなお負担すべき額（当該特定給付対象療養に係る前項第一号イからへまでに掲げる金額が一万五百円以上のものに限る。）を合算した金額

3　組合員又はその被扶養者が療養（七十歳に達する日の属する月の翌月以後の療養に限る。第五項において同じ。）を受けた場合において、当該組合員又はその被扶養者が同一の月にそれぞれ一の病院等から受けた当該療養に係る次に掲げる金額を合算した金額から次項又は第五項の規定により支給される高額療養費の額を控除した金額（以下この項及び附則第三十四条の三第二項第一号において「七十歳以上一部負担金等世帯合算額」という。）が高額療養費算定基準額を超えるときは、当該七十歳以上一部負担金等世帯合算額から高額療養費算定基準額を控除した金額を高額療養費として支給する。

一　組合員又はその被扶養者が受けた当該療養（特定給付対象療養を除く。）に係る第一項第一号イからへまでに掲げる金額を合算した金額

二　組合員又はその被扶養者が受けた当該療養（特定給付対象療養に限る。）について、当該組合員又はその被扶養者がなお負担すべき額を合算した金額

4　組合員が第一号に掲げる療養を受けた場合又はその被扶養者が第二号に掲げる療養若しくは第三号に掲げる療養（七十歳に達する日の属する月の翌月以後の療養に限る。）を受けた場合において、当該組合員又はその被扶養者が同一の月にそれぞれ一の病院等から受けた当該療養に係る前項第一号及び第二号に掲げる金額を当該組合員又はその被扶養者ごとにそれぞれ合算した金額から次項の規定により支給される高額療養費の額のうち当該組合員又はその被扶養者に係る金額をそれぞれ控除した金額が高額療養費算定基準額を超えるときは、当該それぞれ控除した金額から高額療養費算定基準額を控除した金額の合算額を高額療養費として支給する。

一　高齢者の医療の確保に関する法律（昭和五十七年法律第八十号）第五十二条第一号に該当し、月の初日以外の日において同法第五十条の規定による被保険者（以下「後期高齢者医療の被保険者」という。）の資格を取得したことにより短期給付に関する規定の適用を受けない組合員となつた者（第三号において「七十五歳到達前組合員」という。）が、同日の前日の属する月（同日以前の期間に限る。第三号において「組合員七十五歳到達月」という。）に受けた療養

二　高齢者の医療の確保に関する法律第五十二条第一号に該当し、月の初日以外の日において後期高齢者医療の被保険者の資格を取得したことにより被扶養者でなくなつた者が、同日の前日の属する月（同日以前の期間に限る。）に受けた療養

三　七十五歳到達前組合員の被扶養者であつた者（当該七十五歳到達前組合員が後期高齢者医療の被保険者の資格を取得したことによりその被扶養者でなくなつた者に限る。）が、当該七十五歳到達前組合員に係る組合員七十五歳到達月に受けた療養

5　組合員（法第五十五条第二項第三号の規定が適用される者である場合を除く。）又はその被扶養者が療養（法第五十四条第一項第一号から第四号までに掲げる療養（同項第五号に掲げる療養と併せて行うものを除く。）に限る。以下「外来療養」という。）を受けた場合において、当該組合員又はその被扶養者が同一の月にそれぞれ一の病院等から受けた当該外来療養に係る第三項第一号及び第二号に掲げる金額を当該組合員又はその被扶養者ごとにそれぞれ合算した金額が高額療養費算定基準額を超えるときは、当該それぞれ合算した金額から高額療養費算定基準額を控除した金額の合算額を高額療養費として支給する。

6　組合員又はその被扶養者が特定給付対象療養（当該組合員又はその被扶養者が次項の規定による組合の認定を受けた場合における同項に規定する特定疾病給付対象療養及び当該組合員又はその被扶養者が第九項の規定による組合の認定を受けた場合における同項に規定する療養を除く。）を受けた場合において、当該組合員又はその被扶養者が同一の月にそれぞれ一の病院等から受けた当該特定給付対象療養に係る第一項第一号イからへまでに掲げる金額が高額療養費算定基準額を超えるときは、当該同号イからへまでに掲げる金額から高額療養費算定基準額を控除した金額を高額療養費として支給する。

7　組合員又はその被扶養者が特定疾病給付対象療養（特定給付対象療養（当該組合員又はその被扶養者が第九項の規定による組合の認定を受けた場合における同項に規定する療養を除く。）のうち、治療方法が確立していない疾病その他の疾病であつて、当該疾病にかかることにより長期にわたり療養を必要とすることとなるものの当該療養に必要な費用の負担を軽減するための医療に関する給付として財務大臣が定めるものが行われるべきものをいう。以下この項及び第十一条の三の五第七項において同じ。）を受けた場合において、当該特定疾病給付対象療養を受けた組合員又はその被扶養者が財務省令で定めるところにより組合の認定を受けたものであり、かつ、当該組合員又はその被扶養者が同一の月にそれぞれ一の病院等から受けた当該特定疾病給付対象療養に係る第一項第一号イからへまでに掲げる金額が高額療養費算定基準額を超えるときは、当該同号イからへまでに掲げる金額から高額療養費算定基準額を控除した金額を高額療養費として支給する。

8　組合員又はその被扶養者が生活保護法（昭和二十五年法律第百四十四号）第六条第一項に規定する被保護者である場合において、当該組合員又はその被扶養者が同一の月にそれぞれ一の病院等から受けた療養（食事療養及び生活療養並びに特定給付対象療養を除く。）に係る第一項第一号イからへまでに掲げる金額が高額療養費算定基準額を超えるときは、当該同号イからへまでに掲げる金額から高額療養費算定基準額を控除した金額を高額療養費として支給する。

9　組合員又はその被扶養者が健康保険法施行令（大正十五年勅令第二百四十三号）第四十一条第九項に規定する厚生労働大臣が定める疾病に係る療養（食事療養及び生活療養を除く。）を受けた場合において、当該療養を受けた組合員又はその被扶養者が財務省令で定めるところにより組合の認定を受けたものであり、かつ、当該組合員又はその被扶養者が同一の月にそれぞれ一の病院等から受けた当該療養に係る第一項第一号イからへまでに掲げる金額が高額療養費算定基準額を超えるときは、当該同号イからへまでに掲げる金額から高額療養費算定基準額を控除した金額を高額療養費として支給する。

（年間の高額療養費の支給要件及び支給額）

第十一条の三の四　高額療養費は、第一号から第六号までに掲げる金額を合算した金額（以下この項において「基準日組合員合算額」という。）、第七号から第十二号までに掲げる金額を合算した金額（以下この項において「基準日被扶養者合算額」という。）又は第十三号から第十八号までに掲げる金額を合算した金額（以下この項において「元被扶養者合算額」という。）のいずれかが高額療養費算定基準額を超える場合に第一号に規定する基準日組合員に支給するものとし、その額は、基準日組合員合算額から高額療養費算定基準額を控除した金額（当該金額が零を下回る場合には、零とする。）に高額療養費按分率（同号に掲げる金額を、基準日組合員合算額で除して得た率をいう。）を乗じて得た金額、基準日被扶養者合算額から高額療養費算定基準額を控除した金額（当該金額が零を下回る場合には、零とする。）に高額療養費按分率（第七号に掲げる金額を、基準日被扶養者合算額で除して得た率をいう。）を乗じて得た金額及び元被扶養者合算額から高額療養費算定基準額を控除した金額（当該金額が零を下回る場合には、零とする。）に高額療養費按分率（第十三号に掲げる金額を、元被扶養者合算額で除して得た率をいう。）を乗じて得た金額の合算額とする。ただし、当該基準日組合員が基準日（計算期間（毎年八月一日から翌年七月三十一日までの期間をいう。以下同じ。）の末日をいう。以下同じ。）において法第五十五条第二項第三号の規定が適用される者である場合は、この限りでない。

一　計算期間（基準日において当該組合の組合員である者（以下この条並びに第十一条の三の六の二第一項、

第二項、第五項及び第七項において「基準日組合員」という。）が当該組合の組合員であつた間に限る。）において、当該基準日組合員が当該組合の組合員（法第五十五条第二項第三号の規定が適用される者である場合を除く。）として受けた外来療養（七十歳に達する日の属する月の翌月以後の外来療養に限る。以下この条において同じ。）（法第五十九条第一項又は第二項の規定による給付に係る外来療養（以下この条において「継続給付に係る外来療養」という。）を含む。）に係る次に掲げる金額の合算額（前条第一項から第五項までの規定により高額療養費が支給される場合にあつては、当該基準日組合員に係る支給額を控除した金額とし、法第五十一条に規定する短期給付として次に掲げる金額に係る負担を軽減するための給付が行われる場合にあつては、当該基準日組合員に係る当該給付に相当する金額を控除した金額とする。）

イ　当該外来療養（特定給付対象療養を除く。）に係る前条第一項第一号イからヘまでに掲げる金額を合算した金額

ロ　当該外来療養（特定給付対象療養に限る。）について、当該外来療養を受けた者がなお負担すべき金額

二　計算期間（基準日組合員が他の組合の組合員であつた間に限る。）において、当該基準日組合員が当該他の組合の組合員（法第五十五条第二項第三号の規定が適用される者である場合を除く。）として受けた外来療養（継続給付に係る外来療養を含む。）に係る前号に規定する合算額

三　計算期間（基準日組合員の被扶養者（基準日において当該組合の組合員の被扶養者である者に限る。以下この条並びに第十一条の三の六の二第一項（同条第三項において準用する場合を含む。）、第三項及び第五項において「基準日被扶養者」という。）が当該組合の組合員であり、かつ、当該基準日組合員が当該基準日被扶養者の被扶養者であつた間に限る。）において、当該基準日組合員が当該組合の組合員の被扶養者（法第五十七条第二項第一号ニの規定が適用される者である場合を除く。）として受けた外来療養（継続給付に係る外来療養を含む。）に係る第一号に規定する合算額

四　計算期間（基準日被扶養者が他の組合の組合員であり、かつ、基準日組合員が当該基準日被扶養者の被扶養者であつた間に限る。）において、当該基準日組合員が当該他の組合の組合員の被扶養者（法第五十七条第二項第一号ニの規定が適用される者である場合を除く。）として受けた外来療養（継続給付に係る外来療養を含む。）に係る第一号に規定する合算額

五　計算期間（基準日組合員が保険者等の被保険者等であつた間に限る。）において、当該基準日組合員が当該保険者等の被保険者等（法第五十五条第二項第三号の規定が適用される者に相当する者である場合を除く。）として受けた外来療養について第一号に規定する合算額に相当する金額として財務省令で定めるところにより算定した金額

六　計算期間（基準日被扶養者が保険者等（高齢者の医療の確保に関する法律に基づく後期高齢者医療広域連合を除く。）の被保険者等（後期高齢者医療の被保険者を除く。）であり、かつ、基準日組合員が当該基準日被扶養者の被扶養者等であつた間に限る。）において、当該基準日組合員が当該保険者等の被保険者等の被扶養者等（法第五十七条第二項第一号ニの規定が適用される者に相当する者である場合を除く。）として受けた外来療養について第一号に規定する合算額に相当する金額として財務省令で定めるところにより算定した金額

七　計算期間（基準日組合員が当該組合の組合員であり、かつ、基準日被扶養者が当該基準日組合員の被扶養者であつた間に限る。）において、当該基準日被扶養者が当該組合の組合員の被扶養者（法第五十七条第二項第一号ニの規定が適用される者である場合を除く。）として受けた外来療養（継続給付に係る外来療養を含む。）に係る第一号に規定する合算額

八　計算期間（基準日組合員が他の組合の組合員であり、かつ、基準日被扶養者が当該基準日組合員の被扶養者であつた間に限る。）において、当該基準日被扶養者が当該他の組合の組合員の被扶養者（法第五十七条第二項第一号ニの規定が適用される者である場合を除く。）として受けた外来療養（継続給付に係る外来療養を含む。）に係る第一号に規定する合算額

九　計算期間（基準日被扶養者が当該組合の組合員であつた間に限る。）において、当該基準日被扶養者が当該組合の組合員（法第五十五条第二項第三号の規定が適用される者である場合を除く。）として受けた外来療養（継続給付に係る外来療養を含む。）に係る第一号に規定する合算額

十　計算期間（基準日被扶養者が他の組合の組合員であつた間に限る。）において、当該基準日被扶養者が当該他の組合の組合員（法第五十五条第二項第三号の規定が適用される者である場合を除く。）として受けた外来療養（継続給付に係る外来療養を含む。）に係る第一号に規定する合算額

十一　計算期間（基準日組合員が保険者等（高齢者の医療の確保に関する法律に基づく後期高齢者医療広域連

合を除く。）の被保険者等（後期高齢者医療の被保険者を除く。）であり、かつ、基準日被扶養者が当該基準日組合員の被扶養者等であつた間に限る。）において、当該基準日被扶養者が当該保険者等の被保険者等の被扶養者等（法第五十七条第二項第一号ニの規定が適用される者に相当する者である場合を除く。）として受けた外来療養について第一号に規定する合算額に相当する金額として財務省令で定めるところにより算定した金額

十二　計算期間（基準日被扶養者が保険者等の被保険者等であつた間に限る。）において、当該基準日被扶養者が当該保険者等の被保険者等（法第五十五条第二項第三号の規定が適用される者に相当する者である場合を除く。）として受けた外来療養について第一号に規定する合算額に相当する金額として財務省令で定めるところにより算定した金額

十三　計算期間（基準日組合員が当該組合の組合員であり、かつ、当該基準日組合員の被扶養者であつた者（基準日被扶養者を除く。）が当該基準日組合員の被扶養者であつた間に限る。）において、当該基準日組合員の被扶養者であつた者（基準日被扶養者を除く。）が当該組合の組合員の被扶養者（法第五十七条第二項第一号ニの規定が適用される者である場合を除く。）として受けた外来療養（継続給付に係る外来療養を含む。）に係る第一号に規定する合算額

十四　計算期間（基準日組合員が他の組合の組合員であり、かつ、当該基準日組合員の被扶養者であつた者（基準日被扶養者を除く。）が当該基準日組合員の被扶養者であつた間に限る。）において、当該基準日組合員の被扶養者であつた者（基準日被扶養者を除く。）が当該他の組合の組合員の被扶養者（法第五十七条第二項第一号ニの規定が適用される者である場合を除く。）として受けた外来療養（継続給付に係る外来療養を含む。）に係る第一号に規定する合算額

十五　計算期間（基準日被扶養者が当該組合の組合員であり、かつ、当該基準日被扶養者の被扶養者であつた者（基準日組合員を除く。）が当該基準日被扶養者の被扶養者であつた間に限る。）において、当該基準日被扶養者の被扶養者であつた者（基準日組合員を除く。）が当該組合の組合員の被扶養者（法第五十七条第二項第一号ニの規定が適用される者である場合を除く。）として受けた外来療養（継続給付に係る外来療養を含む。）に係る第一号に規定する合算額

十六　計算期間（基準日被扶養者が他の組合の組合員であり、かつ、当該基準日被扶養者の被扶養者であつた者（基準日組合員を除く。）が当該基準日被扶養者の被扶養者であつた間に限る。）において、当該基準日被扶養者の被扶養者であつた者（基準日組合員を除く。）が当該他の組合の組合員の被扶養者（法第五十七条第二項第一号ニの規定が適用される者である場合を除く。）として受けた外来療養（継続給付に係る外来療養を含む。）に係る第一号に規定する合算額

十七　計算期間（基準日組合員が保険者等（高齢者の医療の確保に関する法律に基づく後期高齢者医療広域連合を除く。）の被保険者等（後期高齢者医療の被保険者を除く。）であり、かつ、当該基準日組合員の被扶養者等であつた者（基準日被扶養者を除く。）が当該基準日組合員の被扶養者等であつた間に限る。）において、当該基準日組合員の被扶養者等であつた者（基準日被扶養者を除く。）が当該保険者等の被保険者等の被扶養者等（法第五十七条第二項第一号ニの規定が適用される者に相当する者である場合を除く。）として受けた外来療養について第一号に規定する合算額に相当する金額として財務省令で定めるところにより算定した金額

十八　計算期間（基準日被扶養者が保険者等（高齢者の医療の確保に関する法律に基づく後期高齢者医療広域連合を除く。）の被保険者等（後期高齢者医療の被保険者を除く。）であり、かつ、当該基準日被扶養者の被扶養者等であつた者（基準日組合員を除く。）が当該基準日被扶養者の被扶養者等であつた間に限る。）において、当該基準日被扶養者の被扶養者等であつた者（基準日組合員を除く。）が当該保険者等の被保険者等の被扶養者等（法第五十七条第二項第一号ニの規定が適用される者に相当する者である場合を除く。）として受けた外来療養について第一号に規定する合算額に相当する金額として財務省令で定めるところにより算定した金額

2　前項の規定は、計算期間において当該組合の組合員であつた者（基準日被扶養者に限る。）に対する高額療養費の支給について準用する。この場合において、同項中「同号」とあるのは「第三号」と、「（第七号」とあるのは「（第九号」と、「（第十三号」とあるのは「（第十五号」と、同項ただし書中「第五十五条第二項第三号」とあるのは「第五十七条第二項第一号ニ」と読み替えるものとする。

3　第一項の規定は、計算期間において当該組合の組合員であつた者（基準日において他の組合の組合員である者に限る。）に対する高額療養費の支給について準用する。この場合において、次の表の上欄に掲げる規定中同表の中欄に掲げる字句は、それぞれ同表の下欄に掲げる字句

に読み替えるものとする。

第一項	同号に掲げる	第二号に掲げる金額のうち、計算期間（毎年八月一日から翌年七月三十一日までの期間をいう。以下同じ。）（第三項に規定する者が当該組合の組合員であつた間に限る。）において、当該第三項に規定する者が当該組合の組合員（法第五十五条第二項第三号の規定が適用される者である場合を除く。）として受けた第二号に規定する外来療養に係る
	第七号に掲げる	第八号に掲げる金額のうち、計算期間（第三項に規定する者が当該組合の組合員であり、かつ、第三号に規定する基準日被扶養者が当該同項に規定する者の被扶養者であつた間に限る。）において、当該基準日被扶養者が当該組合の組合員の被扶養者（法第五十七条第二項第一号ニの規定が適用される者である場合を除く。）として受けた第八号に規定する外来療養に係る
	第十三号に掲げる	第十四号に掲げる金額のうち、計算期間（第三項に規定する者が当該組合の組合員であり、かつ、当該同項に規定する者の被扶養者であつた者（当該基準日被扶養者を除く。）が当該同項に規定する者の被扶養者であつた間に限る。）において、当該同項に規定する者の被扶養者であつた者（当該基準日被扶養者を除く。）が当該組合の組合員の被扶養者（法第五十七条第二項第一号ニの規定が適用される者である場合を除く。）として受けた第十四号に規定する外来療養に係る
第一項ただし書	（毎年八月一日から翌年七月三十一日までの期間をいう。以下同じ。）の末日	の末日
第一項第一号	おいて当該	おいて他の
	）が当該組合	）が当該他の組合（以下この項において「基準日組合」という。）
第一項第二号	組合の組合員（	基準日組合の組合員（
	他の	基準日組合以外の
第一項第三号	おいて当該組合	おいて基準日組合
	が当該組合	が当該基準日組合
第一項第四号	他の	基準日組合以外の
第一項第七号	当該組合の組合員で	基準日組合の組合員で
	組合の組合員の	基準日組合の組合員の
第一項第八号	他の	基準日組合以外の
第一項第九号	当該組合の組合員で	基準日組合の組合員で
	組合の組合員（	基準日組合の組合員（

第一項第十号	他の	基準日組合以外の
第一項第十三号	当該組合の組合員で	基準日組合の組合員で
	組合の組合員の	基準日組合の組合員の
第一項第十四号	他の	基準日組合以外の
第一項第十五号	当該組合の組合員で	基準日組合の組合員で
	組合の組合員の	基準日組合の組合員の
第一項第十六号	他の	基準日組合以外の

4　第一項の規定は、計算期間において当該組合の組合員であつた者（基準日において他の組合の組合員の被扶養者である者に限る。）に対する高額療養費の支給について準用する。この場合において、次の表の上欄に掲げる規定中同表の中欄に掲げる字句は、それぞれ同表の下欄に掲げる字句に読み替えるものとする。

第一項	同号に掲げる	第四号に掲げる金額のうち、計算期間（毎年八月一日から翌年七月三十一日までの期間をいう。以下同じ。）（第四項に規定する者が当該組合の組合員であり、かつ、第一号に規定する基準日組合員が当該同項に規定する者の被扶養者であつた間に限る。）において、当該基準日組合員が当該組合の組合員の被扶養者（法第五十七条第二項第一号ニの規定が適用される者である場合を除く。）として受けた第四号に規定する外来療養に係る
	第七号に掲げる	第十号に掲げる金額のうち、計算期間（第四項に規定する者が当該組合の組合員であつた間に限る。）において、当該第四項に規定する者が当該組合の組合員（法第五十五条第二項第三号の規定が適用される者である場合を除く。）として受けた第十号に規定する外来療養に係る
	第十三号に掲げる	第十六号に掲げる金額のうち、計算期間（第四項に規定する者が当該組合の組合員であり、かつ、当該同項に規定する者の被扶養者であつた者（当該基準日組合員を除く。）が当該同項に規定する者の被扶養者であつた間に限る。）において、当該同項に規定する者の被扶養者であつた者（当該基準日組合員を除く。）が当該組合の組合員の被扶養者（法第五十七条第二項第一号ニの規定が適用される者である場合を除く。）として受けた第十六号に規定する外来療養に係る
第一項ただし書	（毎年八月一日から翌年七月三十一日までの期間をいう。以下同じ。）の末日	の末日
	第五十五条第二項第三号	第五十七条第二項第一号ニ
第一項第一号	おいて当該	おいて他の

	）が当該組合	）が当該他の組合（以下この項において「基準日組合」という。）
	組合の組合員（	基準日組合の組合員（
第一項第二号	他の	基準日組合以外の
第一項第三号	おいて当該組合	おいて基準日組合
	が当該組合	が当該基準日組合
第一項第四号	他の	基準日組合以外の
第一項第七号	当該組合の組合員で	基準日組合の組合員で
	組合の組合員の	基準日組合の組合員の
第一項第八号	他の	基準日組合以外の
第一項第九号	当該組合の組合員で	基準日組合の組合員で
	組合の組合員（	基準日組合の組合員（
第一項第十号	他の	基準日組合以外の
第一項第十三号	当該組合の組合員で	基準日組合の組合員で
	組合の組合員の	基準日組合の組合員の
第一項第十四号	他の	基準日組合以外の
第一項第十五号	当該組合の組合員で	基準日組合の組合員で
	組合の組合員の	基準日組合の組合員の
第一項第十六号	他の	基準日組合以外の

5　計算期間において当該組合の組合員であつた者（基準日において保険者等（高齢者の医療の確保に関する法律に基づく後期高齢者医療広域連合を除く。）の被保険者等（第九項に規定する国民健康保険の世帯主等であつて組合員又はその被扶養者である者及び後期高齢者医療の被保険者を除く。）である者に限る。以下この項において「基準日被保険者等」という。）に対する高額療養費は、次の表の上欄に掲げる金額のいずれかが高額療養費算定基準額を超える場合に支給するものとし、その額は、同表の中欄に掲げる金額（当該金額が零を下回る場合には、零とする。）にそれぞれ同表の下欄に掲げる率を乗じて得た金額の合算額とする。ただし、当該基準日被保険者等が基準日において法第五十五条第二項第三号の規定が適用される者に相当する者である場合は、この限りでない。

上欄	中欄	下欄
基準日被保険者等を基準日組合員と、基準日被扶養者等（基準日において当該基準日被保険者等の被扶養者等である者をいう。以下この表において同じ。）を基準日被扶養者とそれぞれみなして財務省令で定めるところにより算定した第一項第一号から第六号までに掲げる金額に相当する金額を合算した金額（以下この表において「基準日被保険者等合算額」という。）	基準日被保険者等合算額から高額療養費算定基準額を控除した金額	基準日被保険者等合算額のうち、基準日被保険者等を基準日組合員と、基準日被扶養者等を基準日被扶養者とそれぞれみなして財務省令で定めるところにより算定した第一項第一号に掲げる金額に相当する金額を、基準日被保険者等合算額で除して得た率

基準日被保険者等を基準日組合員と、基準日被扶養者等を基準日被扶養者とそれぞれみなして財務省令で定めるところにより算定した第一項第七号から第十二号までに掲げる金額に相当する金額を合算した金額（以下この表において「基準日被扶養者等合算額」という。）	基準日被扶養者等合算額から高額療養費算定基準額を控除した金額	基準日被扶養者等合算額のうち、基準日被保険者等を基準日組合員と、基準日被扶養者等を基準日被扶養者とそれぞれみなして財務省令で定めるところにより算定した第一項第七号に掲げる金額に相当する金額を、基準日被扶養者等合算額で除して得た率
基準日被保険者等を基準日組合員と、基準日被扶養者等を基準日被扶養者とそれぞれみなして財務省令で定めるところにより算定した第一項第十三号から第十八号までに掲げる金額に相当する金額を合算した金額（以下この表において「元被扶養者合算額」という。）	元被扶養者合算額から高額療養費算定基準額を控除した金額	元被扶養者合算額のうち、基準日被保険者等を基準日組合員と、基準日被扶養者等を基準日被扶養者とそれぞれみなして財務省令で定めるところにより算定した第一項第十三号に掲げる金額に相当する金額を、元被扶養者合算額で除して得た率

6　前項の規定は、計算期間において当該組合の組合員であつた者（基準日において保険者等（高齢者の医療の確保に関する法律に基づく後期高齢者医療広域連合を除く。）の被保険者等（後期高齢者医療の被保険者を除く。）の被扶養者等である者に限る。）に対する高額療養費の支給について準用する。この場合において、同項ただし書中「第五十五条第二項第三号」とあるのは「第五十七条第二項第一号ニ」と、同項の表中「を基準日組合員と、基準日被扶養者等」とあるのは「（基準日において保険者等（高齢者の医療の確保に関する法律に基づく後期高齢者医療広域連合を除く。）の被保険者等（後期高齢者医療の被保険者を除く。）である者をいう。以下この表において同じ。）を基準日組合員と、基準日被扶養者等」と、「第一項第一号に」とあるのは「第一項第三号に」と、「第一項第七号に」とあるのは「第一項第九号に」と、「第一項第十三号に」とあるのは「第一項第十五号に」と読み替えるものとする。

7　計算期間において当該組合の組合員であつた者（基準日において後期高齢者医療の被保険者である者に限る。以下この項において「基準日後期高齢者医療被保険者」という。）に対する高額療養費は、次の表の上欄に掲げる金額のいずれかが高額療養費算定基準額を超える場合に支給するものとし、その額は、同表の中欄に掲げる金額（当該金額が零を下回る場合には、零とする。）にそれぞれ同表の下欄に掲げる率を乗じて得た金額の合算額とする。ただし、当該基準日後期高齢者医療被保険者が基準日において法第五十五条第二項第三号の規定が適用される者に相当する者である場合は、この限りでない。

基準日後期高齢者医療被保険者を基準日組合員と、基準日後期高齢者医療被保険者以外後期高齢者医療被保険者（基準日において当該基準日後期高齢者医療被保険者と同一の世帯に属する当該基準日後期高齢者医療被保険者以外の後期高齢者医療の被保険者をいう。以下この表において同じ。）を基準日被扶養者とそれぞれみなして財務省令で定めるところにより算定した第一項第一号から第六号までに掲げる金額に相当する金額を合算した金額	基準日後期高齢者医療被保険者合算額から高額療養費算定基準額を控除した金額	基準日後期高齢者医療被保険者合算額のうち、基準日後期高齢者医療被保険者を基準日組合員と、基準日後期高齢者医療被保険者以外後期高齢者医療被保険者を基準日被扶養者とそれぞれみなして財務省令で定めるところにより算定した第一項第一号に掲げる金額に相当する金額を、基準日後期高齢者医療被保険者合算額で除して得た率

(以下この表において「基準日後期高齢者医療被保険者合算額」という。)		
基準日後期高齢者医療被保険者を基準日組合員と、基準日後期高齢者医療被保険者以外後期高齢者医療被保険者を基準日被扶養者とそれぞれみなして財務省令で定めるところにより算定した第一項第七号から第十二号までに掲げる金額に相当する金額を合算した金額(以下この表において「基準日後期高齢者医療被保険者以外後期高齢者医療被保険者合算額」という。)	基準日後期高齢者医療被保険者以外後期高齢者医療被保険者合算額から高額療養費算定基準額を控除した金額	基準日後期高齢者医療被保険者以外後期高齢者医療被保険者合算額のうち、基準日後期高齢者医療被保険者を基準日組合員と、基準日後期高齢者医療被保険者以外後期高齢者医療被保険者を基準日被扶養者とそれぞれみなして財務省令で定めるところにより算定した第一項第七号に掲げる金額に相当する金額を、基準日後期高齢者医療被保険者以外後期高齢者医療被保険者合算額で除して得た率
基準日後期高齢者医療被保険者を基準日組合員と、基準日後期高齢者医療被保険者以外後期高齢者医療被保険者を基準日被扶養者とそれぞれみなして財務省令で定めるところにより算定した第一項第十三号から第十八号までに掲げる金額に相当する金額を合算した金額(以下この表において「元被扶養者合算額」という。)	元被扶養者合算額から高額療養費算定基準額を控除した金額	元被扶養者合算額のうち、基準日後期高齢者医療被保険者を基準日組合員と、基準日後期高齢者医療被保険者以外後期高齢者医療被保険者を基準日被扶養者とそれぞれみなして財務省令で定めるところにより算定した第一項第十三号に掲げる金額に相当する金額を、元被扶養者合算額で除して得た率

8　第一項(第二項から第四項までにおいて準用する場合を含む。)、第五項(第六項において準用する場合を含む。)及び第六項において「保険者等」とは、地方の組合、日本私立学校振興・共済事業団、健康保険(健康保険法第三条第二項に規定する日雇特例被保険者(第十一条の三の六の三第五項において「日雇特例被保険者」という。)の保険を除く。)の保険者としての全国健康保険協会、健康保険組合、同法第百二十三条第一項の規定による保険者としての全国健康保険協会、船員保険法(昭和十四年法律第七十三号)の規定により医療に関する給付を行う全国健康保険協会、市町村(特別区を含む。)、国民健康保険組合又は高齢者の医療の確保に関する法律に基づく後期高齢者医療広域連合をいう。

9　第一項(第二項から第四項までにおいて準用する場合を含む。)、第五項(第六項において準用する場合を含む。)及び第六項において「被保険者等」とは、地方の組合の組合員、私学共済制度の加入者、健康保険の被保険者(日雇特例被保険者であつた者(健康保険法施行令第四十一条の二第九項に規定する日雇特例被保険者であつた者をいう。第十一条の三の六の三第五項において同じ。)を含む。)、船員保険の被保険者、国民健康保険の被保険者の属する世帯の世帯主若しくは国民健康保険組合の組合員(以下「国民健康保険の世帯主等」という。)又は後期高齢者医療の被保険者をいう。

10　第一項(第二項から第四項までにおいて準用する場合を含む。)、第五項(第六項において準用する場合を含む。)及び第六項において「被扶養者等」とは、地方公務員等共済組合法(昭和三十七年法律第百五十二号)、私立学校教職員共済法(昭和二十八年法律第二百四十五号)、健康保険法若しくは船員保険法の規定による被扶養者又は国民健康保険の世帯主等と同一の世帯に属する当該国民健康保険の世帯主等以外の国民健康保険の被保険者をいう。

(高額療養費算定基準額)

第十一条の三の五　第十一条の三の三第一項の高額療養費算定基準額は、次の各号に掲げる者の区分に応じ、当該各号に定める金額とする。

一　次号から第五号までに掲げる者以外の者　八万百円と、第十一条の三の三第一項第一号及び第二号に掲げる金額を合算した金額に係る療養につき財務省令で定めるところにより算定した当該療養に要した費用の額（その額が二十六万七千円に満たないときは、二十六万七千円）から二十六万七千円を控除した金額に百分の一を乗じて得た金額（その金額に一円未満の端数がある場合において、その端数金額が五十銭未満であるときは、これを切り捨てた金額とし、その端数金額が五十銭以上であるときは、これを一円に切り上げた金額とする。）との合算額。ただし、当該療養のあつた月以前の十二月以内に既に高額療養費（同条第一項から第四項までの規定によるものに限る。）が支給されている月数が三月以上ある場合（以下この条及び次条第一項において「高額療養費多数回該当の場合」という。）にあつては、四万四千四百円とする。

二　療養のあつた月の標準報酬の月額が八十三万円以上の組合員又はその被扶養者　二十五万二千六百円と、第十一条の三の三第一項第一号及び第二号に掲げる金額を合算した金額に係る療養につき財務省令で定めるところにより算定した当該療養に要した費用の額（その額が八十四万二千円に満たないときは、八十四万二千円）から八十四万二千円を控除した金額に百分の一を乗じて得た金額（その金額に一円未満の端数がある場合において、その端数金額が五十銭未満であるときは、これを切り捨てた金額とし、その端数金額が五十銭以上であるときは、これを一円に切り上げた金額とする。）との合算額。ただし、高額療養費多数回該当の場合にあつては、十四万百円とする。

三　療養のあつた月の標準報酬の月額が五十三万円以上八十三万円未満の組合員又はその被扶養者　十六万七千四百円と、第十一条の三の三第一項第一号及び第二号に掲げる金額を合算した金額に係る療養につき財務省令で定めるところにより算定した当該療養に要した費用の額（その額が五十五万八千円に満たないときは、五十五万八千円）から五十五万八千円を控除した金額に百分の一を乗じて得た金額（その金額に一円未満の端数がある場合において、その端数金額が五十銭未満であるときは、これを切り捨てた金額とし、その端数金額が五十銭以上であるときは、これを一円に切り上げた金額とする。）との合算額。ただし、高額療養費多数回該当の場合にあつては、九万三千円とする。

四　療養のあつた月の標準報酬の月額が二十八万円未満の組合員又はその被扶養者（次号に掲げる者を除く。）　五万七千六百円。ただし、高額療養費多数回該当の場合にあつては、四万四千四百円とする。

五　市町村民税非課税者（療養のあつた月の属する年度（当該療養のあつた月が四月から七月までの場合にあつては、前年度）分の地方税法（昭和二十五年法律第二百二十六号）の規定による市町村民税（同法の規定による特別区民税を含むものとし、同法第三百二十八条の規定によつて課する所得割を除く。第十一条の三の六の三第一項第五号において同じ。）が課されない者（市町村（特別区を含む。同号において同じ。）の条例で定めるところにより当該市町村民税を免除された者を含むものとし、当該市町村民税の賦課期日において同法の施行地に住所を有しない者を除く。）をいう。第三項第五号において同じ。）である組合員若しくはその被扶養者又は当該療養のあつた月において要保護者（生活保護法第六条第二項に規定する要保護者をいう。第三項において同じ。）である者であつて財務省令で定めるものに該当する組合員若しくはその被扶養者（第二号及び第三号に掲げる者を除く。）　三万五千四百円。ただし、高額療養費多数回該当の場合にあつては、二万四千六百円とする。

2　第十一条の三の三第二項の高額療養費算定基準額は、当該被扶養者に係る次の各号に掲げる組合員の区分に応じ、当該各号に定める金額とする。

一　次号から第五号までに掲げる組合員以外の組合員　四万五十円と、第十一条の三の三第二項第一号及び第二号に掲げる金額を合算した金額に係る療養につき財務省令で定めるところにより算定した当該療養に要した費用の額（その額が十三万三千五百円に満たないときは、十三万三千五百円）から十三万三千五百円を控除した金額に百分の一を乗じて得た金額（その金額に一円未満の端数がある場合において、その端数金額が五十銭未満であるときは、これを切り捨てた金額とし、その端数金額が五十銭以上であるときは、これを一円に切り上げた金額とする。）との合算額。ただし、高額療養費多数回該当の場合にあつては、二万二千二百円とする。

二　前項第二号に規定する組合員　十二万六千三百円と、第十一条の三の三第二項第一号及び第二号に掲げる金額を合算した金額に係る療養につき財務省令で定めるところにより算定した当該療養に要した費用の額（その額が四十二万千円に満たないときは、四十二万千円）から四十二万千円を控除した金額に百分の一を乗じて得た金額（その金額に一円未満の端数がある場合において、その端数金額が五十銭未満であるときは、これを切り捨てた金額とし、その端数金額が五十銭以上であるときは、これを一円に切り上げた金額とする。）との合算額。ただし、高額療養費多数回該当の場合にあつては、七万五十円とする。

三　前項第三号に規定する組合員　八万三千七百円と、第十一条の三の三第二項第一号及び第二号に掲げる金額を合算した金額に係る療養につき財務省令で定めるところにより算定した当該療養に要した費用の額（その額が二十七万九千円に満たないときは、二十七万九千円）から二十七万九千円を控除した金額に百分の一を乗じて得た金額（その金額に一円未満の端数がある場合において、その端数金額が五十銭未満であるときは、これを切り捨てた金額とし、その端数金額が五十銭以上であるときは、これを一円に切り上げた金額とする。）との合算額。ただし、高額療養費多数回該当の場合にあつては、四万六千五百円とする。

四　前項第四号に規定する組合員　二万八千八百円。ただし、高額療養費多数回該当の場合にあつては、二万二千二百円とする。

五　前項第五号に規定する組合員　一万七千七百円。ただし、高額療養費多数回該当の場合にあつては、一万二千三百円とする。

3　第十一条の三の三第三項の高額療養費算定基準額は、次の各号に掲げる者の区分に応じ、当該各号に定める金額とする。

一　次号から第六号までに掲げる者以外の者　五万七千六百円。ただし、高額療養費多数回該当の場合にあつては、四万四千四百円とする。

二　法第五十五条第二項第三号の規定が適用される者であつて療養のあつた月の標準報酬の月額が八十三万円以上の組合員又はその被扶養者　二十五万二千六百円と、第十一条の三の三第三項第一号及び第二号に掲げる金額を合算した金額に係る療養につき財務省令で定めるところにより算定した当該療養に要した費用の額（その額が八十四万二千円に満たないときは、八十四万二千円）から八十四万二千円を控除した金額に百分の一を乗じて得た金額（その金額に一円未満の端数がある場合において、その端数金額が五十銭未満であるときは、これを切り捨てた金額とし、その端数金額が五十銭以上であるときは、これを一円に切り上げた金額とする。）との合算額。ただし、高額療養費多数回該当の場合にあつては、十四万百円とする。

三　法第五十五条第二項第三号の規定が適用される者であつて療養のあつた月の標準報酬の月額が五十三万円以上八十三万円未満の組合員又はその被扶養者　十六万七千四百円と、第十一条の三の三第三項第一号及び第二号に掲げる金額を合算した金額に係る療養につき財務省令で定めるところにより算定した当該療養に要した費用の額（その額が五十五万八千円に満たないときは、五十五万八千円）から五十五万八千円を控除した金額に百分の一を乗じて得た金額（その金額に一円未満の端数がある場合において、その端数金額が五十銭未満であるときは、これを切り捨てた金額とし、その端数金額が五十銭以上であるときは、これを一円に切り上げた金額とする。）との合算額。ただし、高額療養費多数回該当の場合にあつては、九万三千円とする。

四　法第五十五条第二項第三号の規定が適用される者であつて療養のあつた月の標準報酬の月額が五十三万円未満の組合員又はその被扶養者　八万百円と、第十一条の三の三第三項第一号及び第二号に掲げる金額を合算した金額に係る療養につき財務省令で定めるところにより算定した当該療養に要した費用の額（その額が二十六万七千円に満たないときは、二十六万七千円）から二十六万七千円を控除した金額に百分の一を乗じて得た金額（その金額に一円未満の端数がある場合において、その端数金額が五十銭未満であるときは、これを切り捨てた金額とし、その端数金額が五十銭以上であるときは、これを一円に切り上げた金額とする。）との合算額。ただし、高額療養費多数回該当の場合にあつては、四万四千四百円とする。

五　市町村民税非課税者である組合員若しくはその被扶養者又は療養のあつた月において要保護者である者であつて財務省令で定めるものに該当する組合員若しくはその被扶養者（前三号又は次号に掲げる者を除く。）　二万四千六百円

六　健康保険法施行令第四十二条第三項第六号に掲げる者（同号に規定する厚生労働省令で定める者又はその被扶養者を除く。）に相当する者又は療養のあつた月において要保護者である者であつて財務省令で定めるものに該当する組合員若しくはその被扶養者（第二号から第四号までに掲げる者を除く。）　一万五千円

4　第十一条の三の三第四項の高額療養費算定基準額は、次の各号に掲げる者の区分に応じ、当該各号に定める金額とする。

一　前項第一号に掲げる者　二万八千八百円。ただし、高額療養費多数回該当の場合にあつては、二万二千二百円とする。

二　前項第二号に掲げる者　十二万六千三百円と、第十一条の三の三第四項に規定する合算した金額に係る療

養につき財務省令で定めるところにより算定した当該療養に要した費用の額（その額が四十二万千円に満たないときは、四十二万千円）から四十二万千円を控除した金額に百分の一を乗じて得た金額（その金額に一円未満の端数がある場合において、その端数金額が五十銭未満であるときは、これを切り捨てた金額とし、その端数金額が五十銭以上であるときは、これを一円に切り上げた金額とする。）との合算額。ただし、高額療養費多数回該当の場合にあつては、七万五十円とする。

三　前項第三号に掲げる者　八万三千七百円と、第十一条の三の三第四項に規定する合算した金額に係る療養につき財務省令で定めるところにより算定した当該療養に要した費用の額（その額が二十七万九千円に満たないときは、二十七万九千円）から二十七万九千円を控除した金額に百分の一を乗じて得た金額（その金額に一円未満の端数がある場合において、その端数金額が五十銭未満であるときは、これを切り捨てた金額とし、その端数金額が五十銭以上であるときは、これを一円に切り上げた金額とする。）との合算額。ただし、高額療養費多数回該当の場合にあつては、四万六千五百円とする。

四　前項第四号に掲げる者　四万五十円と、第十一条の三の三第四項に規定する合算した金額に係る療養につき財務省令で定めるところにより算定した当該療養に要した費用の額（その額が十三万三千五百円に満たないときは、十三万三千五百円）から十三万三千五百円を控除した金額に百分の一を乗じて得た金額（その金額に一円未満の端数がある場合において、その端数金額が五十銭未満であるときは、これを切り捨てた金額とし、その端数金額が五十銭以上であるときは、これを一円に切り上げた金額とする。）との合算額。ただし、高額療養費多数回該当の場合にあつては、二万二千二百円とする。

五　前項第五号に掲げる者　一万二千三百円

六　前項第六号に掲げる者　七千五百円

5　第十一条の三の三第五項の高額療養費算定基準額は、次の各号に掲げる者の区分に応じ、当該各号に定める金額（同条第四項各号に掲げる療養（以下この条及び第十一条の三の六の二第一項第一号において「七十五歳到達時特例対象療養」という。）に係るものにあつては、当該各号に定める金額に二分の一を乗じて得た金額）とする。

一　第三項第一号に掲げる者　一万八千円

二　第三項第五号又は第六号に掲げる者　八千円

6　第十一条の三の三第六項の高額療養費算定基準額は、次の各号に掲げる場合の区分に応じ、当該各号に定める金額とする。

一　次号又は第三号に掲げる場合以外の場合　八万百円（七十五歳到達時特例対象療養に係るものにあつては、四万五十円）と、第十一条の三の三第一項第一号イからへまでに掲げる金額に係る同条第六項に規定する特定給付対象療養につき財務省令で定めるところにより算定した当該特定給付対象療養に要した費用の額（その額が二十六万七千円（七十五歳到達時特例対象療養に係るものにあつては、十三万三千五百円。以下この号において同じ。）に満たないときは、二十六万七千円）から二十六万七千円を控除した金額に百分の一を乗じて得た金額（その金額に一円未満の端数がある場合において、その端数金額が五十銭未満であるときは、これを切り捨てた金額とし、その端数金額が五十銭以上であるときは、これを一円に切り上げた金額とする。）との合算額

二　七十歳に達する日の属する月の翌月以後の前号の特定給付対象療養であつて、入院療養（法第五十四条第一項第五号に掲げる療養（当該療養と併せて行う同項第一号から第三号までに掲げる療養を含む。）をいう。次項及び第八項第二号において同じ。）である場合　五万七千六百円（七十五歳到達時特例対象療養に係るものにあつては、二万八千八百円）

三　七十歳に達する日の属する月の翌月以後の第一号の特定給付対象療養であつて、外来療養である場合　一万八千円（七十五歳到達時特例対象療養に係るものにあつては、九千円）

7　第十一条の三の三第七項の高額療養費算定基準額は、次の各号に掲げる場合の区分に応じ、当該各号に定める金額とする。

一　次号又は第三号に掲げる場合以外の場合　次のイからホまでに掲げる者の区分に応じ、それぞれイからホまでに定める金額

イ　第一項第一号に掲げる者　八万百円（七十五歳到達時特例対象療養に係るものにあつては、四万五十円）と、第十一条の三の三第一項第一号イからへまでに掲げる金額に係る特定疾病給付対象療養につき財務省令で定めるところにより算定した当該特定疾病給付対象療養に要した費用の額（その額が二十六万七千円（七十五歳到達時特例対象療養に係るものにあつては、十三万三千五百円。以下このイにおいて同じ。）に満たないときは、二十六万七千円）から二十六万七千円を控除した金額に百分の一を乗じて

得た金額（その金額に一円未満の端数がある場合において、その端数金額が五十銭未満であるときは、これを切り捨てた金額とし、その端数金額が五十銭以上であるときは、これを一円に切り上げた金額とする。）との合算額。ただし、当該特定疾病給付対象療養（入院療養に限る。）のあつた月以前の十二月以内に既に高額療養費（当該特定疾病給付対象療養（入院療養に限る。）を受けた組合員又はその被扶養者がそれぞれ同一の病院又は診療所から受けた入院療養に係るものであつて、同条第七項の規定によるものに限る。）が支給されている月数が三月以上ある場合（以下この項において「特定疾病給付対象療養高額療養費多数回該当の場合」という。）にあつては、四万四千四百円（七十五歳到達時特例対象療養に係るものにあつては、二万二千二百円）とする。

ロ　第一項第二号に掲げる者　二十五万二千六百円（七十五歳到達時特例対象療養に係るものにあつては、十二万六千三百円）と、第十一条の三の三第一項第一号イからヘまでに掲げる金額に係る特定疾患給付対象療養につき財務省令で定めるところにより算定した当該特定疾病給付対象療養に要した費用の額（その額が八十四万二千円（七十五歳到達時特例対象療養に係るものにあつては、四十二万千円。以下このロにおいて同じ。）に満たないときは、八十四万二千円）から八十四万二千円を控除した金額に百分の一を乗じて得た金額（その金額に一円未満の端数がある場合において、その端数金額が五十銭未満であるときは、これを切り捨てた金額とし、その端数金額が五十銭以上であるときは、これを一円に切り上げた金額とする。）との合算額。ただし、特定疾病給付対象療養高額療養費多数回該当の場合にあつては、十四万百円（七十五歳到達時特例対象療養に係るものにあつては、七万五十円）とする。

ハ　第一項第三号に掲げる者　十六万七千四百円（七十五歳到達時特例対象療養に係るものにあつては、八万三千七百円）と、第十一条の三の三第一項第一号イからヘまでに掲げる金額に係る特定疾病給付対象療養につき財務省令で定めるところにより算定した当該特定疾病給付対象療養に要した費用の額（その額が五十五万八千円（七十五歳到達時特例対象療養に係るものにあつては、二十七万九千円。以下このハにおいて同じ。）に満たないときは、五十五万八千円）から五十五万八千円を控除した金額に百分の一を乗じて得た金額（その金額に一円未満の端数がある場合において、その端数金額が五十銭未満であるときは、これを切り捨てた金額とし、その端数金額が五十銭以上であるときは、これを一円に切り上げた金額とする。）との合算額。ただし、特定疾病給付対象療養高額療養費多数回該当の場合にあつては、九万三千円（七十五歳到達時特例対象療養に係るものにあつては、四万六千五百円）とする。

ニ　第一項第四号に掲げる者　五万七千六百円（七十五歳到達時特例対象療養に係るものにあつては、二万八千八百円）。ただし、特定疾病給付対象療養高額療養費多数回該当の場合にあつては、四万四千四百円（七十五歳到達時特例対象療養に係るものにあつては、二万二千二百円）とする。

ホ　第一項第五号に掲げる者　三万五千四百円（七十五歳到達時特例対象療養に係るものにあつては、一万七千七百円）。ただし、特定疾病給付対象療養高額療養費多数回該当の場合にあつては、二万四千六百円（七十五歳到達時特例対象療養に係るものにあつては、一万二千三百円）とする。

二　七十歳に達する日の属する月の翌月以後の特定疾病給付対象療養であつて、入院療養である場合　次のイからヘまでに掲げる者の区分に応じ、それぞれイからヘまでに定める金額

イ　第三項第一号に掲げる者　五万七千六百円（七十五歳到達時特例対象療養に係るものにあつては、二万八千八百円）。ただし、特定疾病給付対象療養高額療養費多数回該当の場合にあつては、四万四千四百円（七十五歳到達時特例対象療養に係るものにあつては、二万二千二百円）とする。

ロ　第三項第二号に掲げる者　二十五万二千六百円（七十五歳到達時特例対象療養に係るものにあつては、十二万六千三百円）と、第十一条の三の三第一項第一号イからヘまでに掲げる金額に係る特定疾病給付対象療養につき財務省令で定めるところにより算定した当該特定疾病給付対象療養に要した費用の額（その額が八十四万二千円（七十五歳到達時特例対象療養に係るものにあつては、四十二万千円。以下このロにおいて同じ。）に満たないときは、八十四万二千円）から八十四万二千円を控除した金額に百分の一を乗じて得た金額（その金額に一円未満の端数がある場合において、その端数金額が五十銭未満であるときは、これを切り捨てた金額とし、その端数金額が五十銭以上であるときは、これを一円に切り上げた金額とする。）との合算額。ただし、特定疾病給付対象療養高額療養費多数回該当の場合にあつては、十四万百円（七十五歳到達時特例対象療養に

係るものにあつては、七万五十円）とする。

ハ　第三項第三号に掲げる者　十六万七千四百円（七十五歳到達時特例対象療養に係るものにあつては、八万三千七百円）と、第十一条の三の三第一項第一号イからヘまでに掲げる金額に係る特定疾病給付対象療養につき財務省令で定めるところにより算定した当該特定疾病給付対象療養に要した費用の額（その額が五十五万八千円（七十五歳到達時特例対象療養に係るものにあつては、二十七万九千円。以下このハにおいて同じ。）に満たないときは、五十五万八千円）から五十五万八千円を控除した金額に百分の一を乗じて得た金額（その金額に一円未満の端数がある場合において、その端数金額が五十銭未満であるときは、これを切り捨てた金額とし、その端数金額が五十銭以上であるときは、これを一円に切り上げた金額とする。）との合算額。ただし、特定疾病給付対象療養高額療養費多数回該当の場合にあつては、九万三千円（七十五歳到達時特例対象療養に係るものにあつては、四万六千五百円）とする。

ニ　第三項第四号に掲げる者　八万百円（七十五歳到達時特例対象療養に係るものにあつては、四万五十円）と、第十一条の三の三第一項第一号イからヘまでに掲げる金額に係る特定疾病給付対象療養につき財務省令で定めるところにより算定した当該特定疾病給付対象療養に要した費用の額（その額が二十六万七千円（七十五歳到達時特例対象療養に係るものにあつては、十三万三千五百円。以下このニにおいて同じ。）に満たないときは、二十六万七千円）から二十六万七千円を控除した金額に百分の一を乗じて得た金額（その金額に一円未満の端数がある場合において、その端数金額が五十銭未満であるときは、これを切り捨てた金額とし、その端数金額が五十銭以上であるときは、これを一円に切り上げた金額とする。）との合算額。ただし、特定疾病給付対象療養高額療養費多数回該当の場合にあつては、四万四千四百円（七十五歳到達時特例対象療養に係るものにあつては、二万二千二百円）とする。

ホ　第三項第五号に掲げる者　二万四千六百円（七十五歳到達時特例対象療養に係るものにあつては、一万二千三百円）

ヘ　第三項第六号に掲げる者　一万五千円（七十五歳到達時特例対象療養に係るものにあつては、七千五百円）

三　七十歳に達する日の属する月の翌月以後の特定疾病給付対象療養であつて、外来療養である場合　次のイ又はロに掲げる者の区分に応じ、それぞれイ又はロに定める金額（七十五歳到達時特例対象療養に係るものにあつては、それぞれイ又はロに定める金額に二分の一を乗じて得た金額）

イ　第三項第一号に掲げる者　一万八千円

ロ　第三項第五号又は第六号に掲げる者　八千円

8　第十一条の三の三第八項の高額療養費算定基準額は、次の各号に掲げる場合の区分に応じ、当該各号に定める金額（七十五歳到達時特例対象療養に係るものにあつては、当該各号に定める金額に二分の一を乗じて得た金額）とする。

一　次号又は第三号に掲げる場合以外の場合　三万五千四百円

二　七十歳に達する日の属する月の翌月以後の第十一条の三の三第八項に規定する療養であつて、入院療養である場合　一万五千円

三　七十歳に達する日の属する月の翌月以後の第十一条の三の三第八項に規定する療養であつて、外来療養である場合　八千円

9　第十一条の三の三第九項の高額療養費算定基準額は、次の各号に掲げる者の区分に応じ、当該各号に定める金額（七十五歳到達時特例対象療養に係るものにあつては、当該各号に定める金額に二分の一を乗じて得た金額）とする。

一　次号に掲げる者以外の者　一万円

二　第一項第二号又は第三号に掲げる者（七十歳に達する日の属する月の翌月以後に第十一条の三の三第九項に規定する療養を受けた者及び同項に規定する療養のうち健康保険法施行令第四十二条第九項第二号に規定する厚生労働大臣が定める疾病に係る療養を受けた者を除く。）　二万円

10　前条第一項（同条第二項から第四項までにおいて準用する場合を含む。）、第五項（同条第六項において準用する場合を含む。）及び第七項の高額療養費算定基準額は、それぞれ十四万四千円とする。

（その他高額療養費の支給に関する事項）

第十一条の三の六　組合員が同一の月に一の法第五十五条第一項第二号若しくは第三号に掲げる医療機関若しくは薬局（以下この項及び第六項において「第二号医療機関等」という。）又は法第五十六条の二第一項に規定する指定訪問看護事業者（以下この項及び第六項において「指定訪問看護事業者」という。）から療養を受けた場合において、法第五十五条第二項に規定する一部負担金（法第五十五条の二第一項第一号の措置が採られるときは、当該減額された一部負担金）、保険外併用療養費負担額（保

険外併用療養費の支給につき法第五十五条の五第三項において準用する法第五十五条の三第三項又は第四項の規定の適用がある場合における当該保険外併用療養費の支給に係る療養につき算定した費用の額から当該保険外併用療養費の額を控除した金額をいう。以下この条において同じ。）又は訪問看護療養費負担額（訪問看護療養費の支給につき法第五十六条の二第三項の規定の適用がある場合における当該訪問看護療養費の支給に係る指定訪問看護につき算定した費用の額から当該訪問看護療養費の額を控除した金額をいう。以下この項及び第六項において同じ。）の支払が行われなかつたときは、組合は、第十一条の三の三第一項及び第三項から第五項までの規定による高額療養費について、当該一部負担金の額、保険外併用療養費負担額又は訪問看護療養費負担額から次の各号に掲げる場合の区分に応じ、当該各号に定める金額を控除した金額の限度において、当該第二号医療機関等又は指定訪問看護事業者に支払うものとする。

一　第十一条の三の三第一項の規定により高額療養費を支給する場合　次のイからホまでに掲げる者の区分に応じ、それぞれイからホまでに定める金額

イ　前条第一項第一号に掲げる者に該当していることにつき財務省令で定めるところにより組合の認定を受けている者　八万百円と、当該療養につき財務省令で定めるところにより算定した当該療養に要した費用の額（その額が二十六万七千円に満たないときは、二十六万七千円）から二十六万七千円を控除した金額に百分の一を乗じて得た金額（その金額に一円未満の端数がある場合において、その端数金額が五十銭未満であるときは、これを切り捨てた金額とし、その端数金額が五十銭以上であるときは、これを一円に切り上げた金額とする。）との合算額。ただし、高額療養費多数回該当の場合にあつては、四万四千四百円とする。

ロ　前条第一項第二号に掲げる者に該当していることにつき財務省令で定めるところにより組合の認定を受けている者　二十五万二千六百円と、当該療養につき財務省令で定めるところにより算定した当該療養に要した費用の額（その額が八十四万二千円に満たないときは、八十四万二千円）から八十四万二千円を控除した金額に百分の一を乗じて得た金額（その金額に一円未満の端数がある場合において、その端数金額が五十銭未満であるときは、これを切り捨てた金額とし、その端数金額が五十銭以上であるときは、これを一円に切り上げた金額とする。）との合算額。ただし、高額療養費多数回該当の場合にあつては、十四万百円とする。

ハ　前条第一項第三号に掲げる者に該当していることにつき財務省令で定めるところにより組合の認定を受けている者　十六万七千四百円と、当該療養につき財務省令で定めるところにより算定した当該療養に要した費用の額（その額が五十五万八千円に満たないときは、五十五万八千円）から五十五万八千円を控除した金額に百分の一を乗じて得た金額（その金額に一円未満の端数がある場合において、その端数金額が五十銭未満であるときは、これを切り捨てた金額とし、その端数金額が五十銭以上であるときは、これを一円に切り上げた金額とする。）との合算額。ただし、高額療養費多数回該当の場合にあつては、九万三千円とする。

ニ　前条第一項第四号に掲げる者に該当していることにつき財務省令で定めるところにより組合の認定を受けている者　五万七千六百円。ただし、高額療養費多数回該当の場合にあつては、四万四千四百円とする。

ホ　前条第一項第五号に掲げる者に該当していることにつき財務省令で定めるところにより組合の認定を受けている者　三万五千四百円。ただし、高額療養費多数回該当の場合にあつては、二万四千六百円とする。

二　第十一条の三の三第三項の規定により高額療養費を支給する場合　次のイからヘまでに掲げる者の区分に応じ、それぞれイからヘまでに定める金額

イ　ロからヘまでに掲げる者以外の者　五万七千六百円。ただし、高額療養費多数回該当の場合にあつては、四万四千四百円とする。

ロ　前条第三項第二号に掲げる者　二十五万二千六百円と、当該療養につき財務省令で定めるところにより算定した当該療養に要した費用の額（その額が八十四万二千円に満たないときは、八十四万二千円）から八十四万二千円を控除した金額に百分の一を乗じて得た金額（その金額に一円未満の端数がある場合において、その端数金額が五十銭未満であるときは、これを切り捨てた金額とし、その端数金額が五十銭以上であるときは、これを一円に切り上げた金額とする。）との合算額。ただし、高額療養費多数回該当の場合にあつては、十四万百円とする。

ハ　前条第三項第三号に掲げる者に該当していることにつき財務省令で定めるところにより組合の認定を受けている者　十六万七千四百円と、当該療養につき財務省令で定めるところにより算定した当該療養

に要した費用の額（その額が五十五万八千円に満たないときは、五十五万八千円）から五十五万八千円を控除した金額に百分の一を乗じて得た金額（その金額に一円未満の端数がある場合において、その端数金額が五十銭未満であるときは、これを切り捨てた金額とし、その端数金額が五十銭以上であるときは、これを一円に切り上げた金額とする。）との合算額。ただし、高額療養費多数回該当の場合にあつては、九万三千円とする。

ニ　前条第三項第四号に掲げる者に該当していることにつき財務省令で定めるところにより組合の認定を受けている者　八万百円と、当該療養につき財務省令で定めるところにより算定した当該療養に要した費用の額（その額が二十六万七千円に満たないときは、二十六万七千円）から二十六万七千円を控除した金額に百分の一を乗じて得た金額（その金額に一円未満の端数がある場合において、その端数金額が五十銭未満であるときは、これを切り捨てた金額とし、その端数金額が五十銭以上であるときは、これを一円に切り上げた金額とする。）との合算額。ただし、高額療養費多数回該当の場合にあつては、四万四千四百円とする。

ホ　前条第三項第五号に掲げる者に該当していることにつき財務省令で定めるところにより組合の認定を受けている者　二万四千六百円

ヘ　前条第三項第六号に掲げる者に該当していることにつき財務省令で定めるところにより組合の認定を受けている者　一万五千円

三　第十一条の三の三第四項の規定により高額療養費を支給する場合　次のイからへまでに掲げる者の区分に応じ、それぞれイからへまでに定める金額

イ　ロからへまでに掲げる者以外の者　二万八千八百円。ただし、高額療養費多数回該当の場合にあつては、二万二千二百円とする。

ロ　前条第四項第二号に掲げる者　十二万六千三百円と、当該療養につき財務省令で定めるところにより算定した当該療養に要した費用の額（その額が四十二万千円に満たないときは、四十二万千円）から四十二万千円を控除した金額に百分の一を乗じて得た金額（その金額に一円未満の端数がある場合において、その端数金額が五十銭未満であるときは、これを切り捨てた金額とし、その端数金額が五十銭以上であるときは、これを一円に切り上げた金額とする。）との合算額。ただし、高額療養費多数回該当の場合にあつては、七万五十円とする。

ハ　前条第四項第三号に掲げる者に該当していることにつき財務省令で定めるところにより組合の認定を受けている者　八万三千七百円と、当該療養につき財務省令で定めるところにより算定した当該療養に要した費用の額（その額が二十七万九千円に満たないときは、二十七万九千円）から二十七万九千円を控除した金額に百分の一を乗じて得た金額（その金額に一円未満の端数がある場合において、その端数金額が五十銭未満であるときは、これを切り捨てた金額とし、その端数金額が五十銭以上であるときは、これを一円に切り上げた金額とする。）との合算額。ただし、高額療養費多数回該当の場合にあつては、四万六千五百円とする。

ニ　前条第四項第四号に掲げる者に該当していることにつき財務省令で定めるところにより組合の認定を受けている者　四万五十円と、当該療養につき財務省令で定めるところにより算定した当該療養に要した費用の額（その額が十三万三千五百円に満たないときは、十三万三千五百円）から十三万三千五百円を控除した金額に百分の一を乗じて得た金額（その金額に一円未満の端数がある場合において、その端数金額が五十銭未満であるときは、これを切り捨てた金額とし、その端数金額が五十銭以上であるときは、これを一円に切り上げた金額とする。）との合算額。ただし、高額療養費多数回該当の場合にあつては、二万二千二百円とする。

ホ　前条第四項第五号に掲げる者に該当していることにつき財務省令で定めるところにより組合の認定を受けている者　一万二千三百円

ヘ　前条第四項第六号に掲げる者に該当していることにつき財務省令で定めるところにより組合の認定を受けている者　七千五百円

四　第十一条の三の三第五項の規定により高額療養費を支給する場合　次のイ又はロに掲げる者の区分に応じ、それぞれイ又はロに定める金額

イ　ロに掲げる者以外の者　一万八千円

ロ　前条第五項第二号に掲げる者に該当していることにつき財務省令で定めるところにより組合の認定を受けている者　八千円

2　前項の規定による支払があつたときは、その限度において、組合員に対し第十一条の三の三第一項及び第三項から第五項までの規定による高額療養費を支給したものとみなす。

3　組合員が同一の月に一の法第五十五条第一項第一号に掲げる医療機関又は薬局（第八項において「第一号医療

機関等」という。）から療養を受けた場合において、組合がその組合員の支払うべき同条第三項に規定する一部負担金又は保険外併用療養費負担額のうち、これらの金額から第一項各号に掲げる場合の区分に応じ、当該各号に定める金額を控除した金額（以下この項において「控除後の額」という。）の限度において、当該控除後の額に相当する金額の支払を免除したときは、その限度において、組合員に対し第十一条の三の三第一項及び第三項から第五項までの規定による高額療養費を支給したものとみなす。

4　法第五十六条の二第三項及び第四項の規定は、家族訪問看護療養費に係る指定訪問看護についての第十一条の三の三第一項から第五項までの規定による高額療養費の支給（家族訪問看護療養費負担額（家族訪問看護療養費の支給につき法第五十七条の三第三項において準用する法第五十六条の二第三項の規定の適用がある場合における当該家族訪問看護療養費の支給に係る指定訪問看護につき算定した費用の額から当該家族訪問看護療養費の額を控除した金額をいう。）から第一項各号に掲げる場合については当該場合の区分に応じ当該各号に定める金額を、第十一条の三の三第二項の規定により高額療養費を支給する場合であつて前条第二項各号のいずれかに掲げる区分に該当していることにつき財務省令で定めるところにより組合の認定を受けているときについては当該区分に応じ当該各号に定める金額を控除した金額を限度とするものに限る。）について準用する。この場合において、法第五十六条の二第三項中「組合員が」とあるのは、「被扶養者が」と読み替えるものとする。

5　法第五十七条第四項から第六項までの規定は、家族療養費に係る療養についての第十一条の三の三第一項から第五項までの規定による高額療養費の支給（家族療養費負担額（家族療養費の支給につき法第五十七条第四項又は第五項の規定の適用がある場合における当該家族療養費の支給に係る療養につき算定した費用の額から当該家族療養費の額を控除した金額をいう。）から第一項各号に掲げる場合については当該場合の区分に応じ当該各号に定める金額を、第十一条の三の三第二項の規定により高額療養費を支給する場合であつて前条第二項各号のいずれかに掲げる区分に該当していることにつき財務省令で定めるところにより組合の認定を受けているときについては当該区分に応じ当該各号に定める金額を控除した金額を限度とするものに限る。）について準用する。

6　組合員が第二号医療機関等若しくは指定訪問看護事業者から原爆一般疾病医療費の支給その他財務省令で定める医療に関する給付が行われるべき療養を受けた場合、第十一条の三の三第八項の規定に該当する組合員が第二号医療機関等若しくは指定訪問看護事業者から同項に規定する療養を受けた場合又は同条第九項の規定による組合の認定を受けた組合員が第二号医療機関等若しくは指定訪問看護事業者から同項に規定する療養を受けた場合において、法第五十五条第二項に規定する一部負担金（法第五十五条の二第一項第一号の措置が採られるときは、当該減額された一部負担金）、保険外併用療養費負担額又は訪問看護療養費負担額の支払が行われなかつたときは、組合は、当該療養に要した費用のうち第十一条の三の三第六項から第九項までの規定による高額療養費として組合員に支給すべき金額に相当する金額を当該第二号医療機関等又は指定訪問看護事業者に支払うものとする。

7　前項の規定による支払があつたときは、組合員に対し第十一条の三の三第六項から第九項までの規定による高額療養費を支給したものとみなす。

8　組合員が第一号医療機関等から原爆一般疾病医療費の支給その他財務省令で定める医療に関する給付が行われるべき療養を受けた場合、第十一条の三の三第八項の規定に該当する組合員が第一号医療機関等から同項に規定する療養を受けた場合又は同条第九項の規定による組合の認定を受けた組合員が第一号医療機関等から同項に規定する療養を受けた場合において、組合がその組合員の支払うべき法第五十五条第三項に規定する一部負担金又は保険外併用療養費負担額のうち、第十一条の三の三第六項から第九項までの規定による高額療養費として組合員に支給すべき金額に相当する金額の支払を免除したときは、組合員に対しこれらの規定による高額療養費を支給したものとみなす。

9　法第五十六条の二第三項及び第四項の規定は、家族訪問看護療養費に係る指定訪問看護についての第十一条の三の三第六項から第九項までの規定による高額療養費の支給について準用する。この場合において、法第五十六条の二第三項中「組合員が」とあるのは「被扶養者が」と、「指定訪問看護を」とあるのは「原子爆弾被爆者に対する援護に関する法律（平成六年法律第百十七号）による一般疾病医療費の支給その他財務省令で定める医療に関する給付が行われるべき指定訪問看護を」と読み替えるものとする。

10　法第五十七条第四項から第六項までの規定は、家族療養費に係る療養についての第十一条の三の三第六項から第九項までの規定による高額療養費の支給について準用する。この場合において、法第五十七条第四項及び第五項中「療養を」とあるのは「原子爆弾被爆者に対する援護に関する法律（平成六年法律第百十七号）による一般疾病医療費の支給その他財務省令で定める医療に関する給付が行われるべき療養を」と、「療養に」とあるのは「その療養に」と読み替えるものとする。

11 健康保険法施行令第四十三条第九項及び第十項の規定は、第十一条の三の三の規定による高額療養費の支給について準用する。この場合において、同令第四十三条第九項中「第四十一条」とあるのは「国家公務員共済組合法施行令（昭和三十三年政令第二百七号）第十一条の三の三」と、同条第十項中「法第六十三条第一項第五号」とあるのは「国家公務員共済組合法第五十四条第一項第五号」と、「第四十一条」とあるのは「国家公務員共済組合法施行令第十一条の三の三」と読み替えるものとする。

12 組合員が計算期間においてその資格を喪失し、かつ、当該資格を喪失した日以後の当該計算期間において医療保険加入者（高齢者の医療の確保に関する法律第七条第四項に規定する加入者又は後期高齢者医療の被保険者をいう。第十一条の三の六の四第一項において同じ。）とならない場合その他財務省令で定める場合における第十一条の三の四の規定による高額療養費の支給については、当該資格を喪失した日の前日（当該財務省令で定める場合にあつては、財務省令で定める日）を基準日とみなして、同条及び前条第十項の規定を適用する。

13 防衛省の職員の給与等に関する法律第二十二条の規定に基づき国が自衛官（同法第二十二条の二第一項に規定する職員に該当する自衛官を除く。）、自衛官候補生並びに防衛大学校の学生、防衛医科大学校の学生及び陸上自衛隊高等工科学校の生徒（同法第二十二条の規定に基づき退職後において療養の給付又は保険外併用療養費、療養費若しくは訪問看護療養費の支給を受けている者を含む。）である組合員に対して行つた療養の給付又は保険外併用療養費、療養費、訪問看護療養費若しくは高額療養費の支給は、前三条及び前各項の規定の適用については、法の規定による給付とみなす。

14 高額療養費の支給に関する手続に関して必要な事項は、財務省令で定める。

（高額介護合算療養費の支給要件及び支給額）

第十一条の三の六の二 高額介護合算療養費は、次に掲げる金額を合算した金額から七十歳以上介護合算支給総額（次項の七十歳以上介護合算一部負担金等世帯合算額から同項の七十歳以上介護合算算定基準額を控除した金額（当該金額が健康保険法施行令第四十三条の二第一項に規定する支給基準額（以下この条において「支給基準額」という。）以下である場合又は当該七十歳以上介護合算一部負担金等世帯合算額の算定につき次項ただし書に該当する場合には、零とする。）をいう。）を控除した金額（以下この項において「介護合算一部負担金等世帯合算額」という。）が介護合算算定基準額に支給基準額を加えた金額を超える場合に基準日組合員に支給するものとし、その額は、介護合算一部負担金等世帯合算額から介護合算算定基準額を控除した金額に介護合算按分率（第一号に掲げる金額から次項の規定により支給される高額介護合算療養費の額を控除した金額を、介護合算一部負担金等世帯合算額で除して得た率をいう。）を乗じて得た金額とする。ただし、同号から第五号までに掲げる金額を合算した金額又は第六号及び第七号に掲げる金額を合算した金額が零であるときは、この限りでない。

一 計算期間において、基準日組合員又はその被扶養者がそれぞれ当該組合の組合員又はその被扶養者として受けた療養（法第五十九条第一項又は第二項の規定による給付に係る療養（以下この条において「継続給付に係る療養」という。）を含む。）に係る次に掲げる金額の合算額（第十一条の三の三第一項から第五項まで又は第十一条の三の四の規定により高額療養費が支給される場合にあつては、当該支給額を控除した金額とし、法第五十一条に規定する短期給付として次に掲げる金額に係る負担を軽減するための給付が行われる場合にあつては、当該給付に相当する金額を控除した金額とする。）

イ 当該療養（特定給付対象療養を除く。）に係る第十一条の三の三第一項第一号イからへまでに掲げる金額（七十歳に達する日の属する月以前の当該療養に係るものにあつては、同一の月にそれぞれ一の病院等から受けた当該療養について二万千円（七十五歳到達時特例対象療養に係るものにあつては、一万五百円）以上のものに限る。）を合算した金額

ロ 当該療養（特定給付対象療養に限る。）について、当該療養を受けた者がなお負担すべき金額（七十歳に達する日の属する月以前の特定給付対象療養に係るものにあつては、当該特定給付対象療養に係る第十一条の三の三第一項第一号イからへまでに掲げる金額が同一の月にそれぞれ一の病院等から受けた当該特定給付対象療養について二万千円（七十五歳到達時特例対象療養に係るものにあつては、一万五百円）以上のものに限る。）を合算した金額

二 基準日組合員が計算期間における他の組合の組合員であつた間に、当該基準日組合員が受けた療養又はその被扶養者であつた者がその被扶養者であつた間に受けた療養に係る前号に規定する合算額

三　基準日被扶養者が計算期間における当該組合の組合員であつた間に、当該基準日被扶養者が受けた療養（継続給付に係る療養を含む。）又はその被扶養者であつた者がその被扶養者であつた間に受けた療養（継続給付に係る療養を含む。）に係る第一号に規定する合算額

四　基準日被扶養者が計算期間における他の組合の組合員であつた間に、当該基準日被扶養者が受けた療養又はその被扶養者であつた者がその被扶養者であつた間に受けた療養に係る第一号に規定する合算額

五　基準日組合員又は基準日被扶養者が計算期間における被保険者等（第十一条の三の四第九項に規定する被保険者等をいう。以下この号及び第五項において同じ。）であつた間に、当該被保険者等が受けた療養（前各号に規定する療養を除く。）又はその被扶養者等（同条第十項に規定する被扶養者等をいう。以下この号及び第五項において同じ。）であつた者がその被扶養者等であつた間に受けた療養について第一号に規定する合算額に相当する金額として財務省令で定めるところにより算定した金額

六　基準日組合員又は基準日被扶養者が計算期間に受けた居宅サービス等（介護保険法施行令（平成十年政令第四百十二号）第二十二条の二の二第一項に規定する居宅サービス等をいう。次項において同じ。）に係る同条第二項第一号及び第二号に掲げる金額の合算額（同項の規定により高額介護サービス費が支給される場合にあつては、当該支給額を控除した金額とする。）

七　基準日組合員又は基準日被扶養者が計算期間に受けた介護予防サービス等（介護保険法施行令第二十二条の二の二第二項に規定する介護予防サービス等をいう。次項において同じ。）に係る同条第二項第三号及び第四号に掲げる金額の合算額（同令第二十九条の二の二第二項の規定により高額介護予防サービス費が支給される場合にあつては、当該支給額を控除した金額とする。）

2　前項各号に掲げる金額のうち、七十歳に達する日の属する月の翌月以後に受けた療養又は居宅サービス等若しくは介護予防サービス等（以下この項及び第六項において「七十歳以上合算対象サービス」という。）に係る金額に相当する金額として財務省令で定めるところにより算定した金額を合算した金額（以下この項において「七十歳以上介護合算一部負担金等世帯合算額」という。）が七十歳以上介護合算算定基準額に支給基準額を加えた金額を超える場合は、七十歳以上介護合算一部負担金等世帯合算額から七十歳以上介護合算算定基準額を控除した金額に七十歳以上介護合算按分率（七十歳以上合算対象サービスに係る前項第三号に掲げる金額に相当する金額として財務省令で定めるところにより算定した金額を、七十歳以上介護合算一部負担金等世帯合算額で除して得た率をいう。）を乗じて得た金額を高額介護合算療養費として基準日組合員に支給する。ただし、七十歳以上合算対象サービスに係る前項第一号から第五号までに掲げる金額に相当する金額として財務省令で定めるところにより算定した金額を合算した金額又は七十歳以上合算対象サービスに係る同項第六号及び第七号に掲げる金額に相当する金額として財務省令で定めるところにより算定した金額を合算した金額が零であるときは、この限りでない。

3　前二項の規定は、計算期間において当該組合の組合員であつた者（基準日被扶養者に限る。）に対する高額介護合算療養費の支給について準用する。この場合において、第一項中「第一号に掲げる」とあるのは「第三号に掲げる」と、同項ただし書中「同号」とあるのは「第一号」と、前項中「前項第一号に」とあるのは「前項第三号に」と読み替えるものとする。

4　第一項及び第二項の規定は、計算期間において当該組合の組合員であつた者（基準日において他の組合の組合員又はその被扶養者である者に限る。）に対する高額介護合算療養費の支給について準用する。この場合において、第一項中「第一号に掲げる金額」とあるのは「第四項に規定する者が計算期間における当該組合の組合員であつた間に、当該組合の組合員であつた者が受けた療養（第一号に規定する継続給付に係る療養を含む。）又はその被扶養者であつた者がその被扶養者であつた間に受けた療養（同号に規定する継続給付に係る療養を含む。）に係る同号に規定する合算額」と、同項第一号中「基準日組合員」とあるのは「他の組合の組合員（基準日において当該他の組合の組合員である者に限る。以下この項及び次項において「基準日組合員」という。）」と、「組合の」とあるのは「他の組合（以下この項において「基準日組合」という。）の」と、同項第二号中「他の」とあるのは「基準日組合以外の」と、同項第三号中「基準日被扶養者が計算期間」とあるのは「基準日組合の組合員の被扶養者（基準日において基準日組合の組合員の被扶養者である者に限る。以下この項において「基準日被扶養者」という。）が計算期間」と、「組合の」とあるのは「基準日組合の」と、同項第四号中「他の」とあるのは「基準日組合以外の」と、第二項中「七十歳以上合算対象サービスに係る前項第一号に掲げる金額」とあるのは「第四項に規定する者が計算期間における当該組合の組合員であ

つた間に、当該組合の組合員であつた者が受けた療養（七十歳に達する日の属する月の翌月以後に受けた療養（継続給付に係る療養を含む。）に限る。）又はその被扶養者であつた者がその被扶養者であつた間に受けた療養（七十歳に達する日の属する月の翌月以後に受けた療養（継続給付に係る療養を含む。）に限る。）に係る前項第一号に規定する合算額」と読み替えるものとする。

5　計算期間において当該組合の組合員であつた者（基準日において被保険者等（国民健康保険の世帯主等であつて組合員又はその被扶養者である者及び後期高齢者医療の被保険者を除く。）である者又は被扶養者等である者に限る。）に対する高額介護合算療養費は、当該被保険者等である者を基準日組合員と、当該被扶養者等である者を基準日被扶養者とそれぞれみなして財務省令で定めるところにより算定した第一項各号に掲げる金額に相当する金額（以下この項及び次項において「通算対象負担額」という。）を合算した金額から七十歳以上介護合算支給総額（次項の七十歳以上介護合算一部負担金等世帯合算額から同項の七十歳以上介護合算算定基準額を控除した金額（当該金額が支給基準額以下である場合又は当該七十歳以上介護合算一部負担金等世帯合算額の算定につき同項ただし書に該当する場合には、零とする。）をいう。）を控除した金額（以下この項において「介護合算一部負担金等世帯合算額」という。）が介護合算算定基準額に支給基準額を加えた金額を超える場合に支給するものとし、その額は、介護合算一部負担金等世帯合算額から介護合算算定基準額を控除した金額に介護合算按分率（この項に規定する者が計算期間における当該組合の組合員であつた間に、当該組合員が受けた療養（継続給付に係る療養を含む。）又はその被扶養者であつた者がその被扶養者であつた間に受けた療養（継続給付に係る療養を含む。）に係る通算対象負担額から次項の規定により支給される高額介護合算療養費の額を控除した金額を、介護合算一部負担金等世帯合算額で除して得た率をいう。）を乗じて得た金額とする。ただし、第一項第一号から第五号までに係る通算対象負担額を合算した金額又は同項第六号及び第七号に係る通算対象負担額を合算した金額が零であるときは、この限りでない。

6　通算対象負担額のうち、七十歳以上合算対象サービスに係る金額に相当する金額として財務省令で定めるところにより算定した金額（以下この項において「七十歳以上通算対象負担額」という。）を合算した金額（以下この項において「七十歳以上介護合算一部負担金等世帯合算額」という。）が七十歳以上介護合算算定基準額に支給基準額を加えた金額を超える場合は、七十歳以上介護合算一部負担金等世帯合算額から七十歳以上介護合算算定基準額を控除した金額に七十歳以上介護合算按分率（前項に規定する者が計算期間における当該組合の組合員であつた間に、当該組合員であつた者が受けた療養（継続給付に係る療養を含む。）又はその被扶養者であつた者がその被扶養者であつた間に受けた療養（継続給付に係る療養を含む。）に係る七十歳以上通算対象負担額を、七十歳以上介護合算一部負担金等世帯合算額で除して得た率をいう。）を乗じて得た金額を高額介護合算療養費として同項に規定する者に支給する。ただし、第一項第一号から第五号までに係る七十歳以上通算対象負担額を合算した金額又は同項第六号及び第七号に係る七十歳以上通算対象負担額を合算した金額が零であるときは、この限りでない。

7　計算期間において当該組合の組合員であつた者（基準日において後期高齢者医療の被保険者である者に限る。）に対する高額介護合算療養費は、当該後期高齢者医療の被保険者を基準日組合員とみなして財務省令で定めるところにより算定した第一項各号に掲げる金額に相当する金額（以下この項において「通算対象負担額」という。）を合算した金額（以下この項において「介護合算一部負担金等世帯合算額」という。）が介護合算算定基準額に支給基準額を加えた金額を超える場合に支給するものとし、その額は、介護合算一部負担金等世帯合算額から介護合算算定基準額を控除した金額に介護合算按分率（この項に規定する者が計算期間における当該組合の組合員であつた間に、当該組合員であつた者が受けた療養（継続給付に係る療養を含む。）又はその被扶養者であつた者がその被扶養者であつた間に受けた療養（継続給付に係る療養を含む。）に係る通算対象負担額を、介護合算一部負担金等世帯合算額で除して得た率をいう。）を乗じて得た金額とする。ただし、第一項第一号から第五号までに係る通算対象負担額を合算した金額又は同項第六号及び第七号に係る通算対象負担額を合算した金額が零であるときは、この限りでない。

（介護合算算定基準額）

第十一条の三の六の三　前条第一項（同条第三項及び第四項において準用する場合を除く。）の介護合算算定基準額は、次の各号に掲げる者の区分に応じ、当該各号に定める金額とする。

一　次号から第五号までに掲げる者以外の者　六十七万円

二　基準日が属する月の標準報酬の月額が八十三万円以上の組合員　二百十二万円

三　基準日が属する月の標準報酬の月額が五十三万円以

上八十三万円未満の組合員　百四十一万円

四　基準日が属する月の標準報酬の月額が二十八万円未満の組合員（次号に掲げる者を除く。）　六十万円

五　市町村民税非課税者（基準日の属する年度の前年度（次条第一項の規定により前年の八月一日からその年の三月三十一日までのいずれかの日を基準日とみなした場合にあつては、当該基準日とみなした日の属する年度）分の地方税法の規定による市町村民税が課されない者（市町村の条例で定めるところにより当該市町村民税を免除された者を含むものとし、当該市町村民税の賦課期日において同法の施行地に住所を有しない者を除く。）をいう。次項第五号において同じ。）である組合員（第二号及び第三号に掲げる者を除く。）　三十四万円

2　前条第二項（同条第三項及び第四項において準用する場合を除く。）の七十歳以上介護合算算定基準額は、次の各号に掲げる者の区分に応じ、当該各号に定める金額とする。

一　次号から第六号までに掲げる者以外の者　五十六万円

二　基準日において療養の給付を受けることとした場合に法第五十五条第二項第三号の規定が適用される者（次号及び第四号において「第三号適用者」という。）であつて、基準日が属する月の標準報酬の月額が八十三万円以上のもの　二百十二万円

三　第三号適用者であつて、基準日が属する月の標準報酬の月額が五十三万円以上八十三万円未満のもの　百四十一万円

四　第三号適用者であつて、基準日が属する月の標準報酬の月額が五十三万円未満のもの　六十七万円

五　市町村民税非課税者である組合員（前三号又は次号に掲げる者を除く。）　三十一万円

六　健康保険法施行令第四十三条の三第二項第六号に掲げる者に相当する者（第二号から第四号までに掲げる者を除く。）　十九万円

3　第一項の規定は前条第三項において準用する同条第一項の介護合算算定基準額について、前項の規定は同条第三項において準用する同条第二項の七十歳以上介護合算算定基準額について、それぞれ準用する。この場合において、第一項中「前条第一項（同条第三項及び第四項において準用する場合を除く。）」とあるのは「前条第三項において準用する同条第一項」と、「次の各号に掲げる者」とあるのは「同条第三項に規定する当該組合の組合員であつた者について基準日において当該組合員であつた者を扶養する次の各号に掲げる基準日組合員である者」と、前項中「前条第二項（同条第三項及び第四項において準用する場合を除く。）」とあるのは「前条第三項において準用する同条第二項」と、「次の各号に掲げる者」とあるのは「同条第三項に規定する当該組合の組合員であつた者について基準日において当該組合員であつた者を扶養する次の各号に掲げる基準日組合員である者」と読み替えるものとする。

4　第一項の規定は前条第四項において準用する同条第一項の介護合算算定基準額について、第二項の規定は同条第四項において準用する同条第二項の七十歳以上介護合算算定基準額について、それぞれ準用する。この場合において、第一項中「前条第一項（同条第三項及び第四項において準用する場合を除く。）」とあるのは「前条第四項において準用する同条第一項」と、「次の各号に掲げる者」とあるのは「同条第四項に規定する当該組合の組合員であつた者であつて、基準日において他の組合の組合員である者にあつては次の各号に掲げる当該者の区分に応じ、基準日において他の組合の組合員の被扶養者である者にあつては次の各号に掲げる当該組合員である者」と、「当該各号」とあるのは「それぞれ当該各号」と、第二項中「前条第二項（同条第三項及び第四項において準用する場合を除く。）」とあるのは「前条第四項において準用する同条第二項」と、「次の各号に掲げる者」とあるのは「同条第四項に規定する当該組合の組合員であつた者であつて、基準日において他の組合の組合員である者にあつては次の各号に掲げる当該者の区分に応じ、基準日において他の組合の組合員の被扶養者である者にあつては次の各号に掲げる当該組合員である者」と、「当該各号」とあるのは「それぞれ当該各号」と読み替えるものとする。

5　前条第五項の介護合算算定基準額については、次の表の上欄に掲げる者の区分に応じ、それぞれ同表の中欄に掲げる規定を、同条第六項の七十歳以上介護合算算定基準額については、同表の上欄に掲げる者の区分に応じ、それぞれ同表の下欄に掲げる規定を準用する。この場合において、必要な技術的読替えは、財務省令で定める。

上欄	中欄	下欄
基準日において地方の組合の組合員である者又はその被扶養者である者	地方公務員等共済組合法施行令（昭和三十七年政令第三百五十二号）第二十三条の三の七第一項（同条第三項において準用する場合を含む。）	地方公務員等共済組合法施行令第二十三条の三の七第二項（同条第三項において準用する場合を含む。）及び第二十三条の三

	及び第二十三条の三の八第一項	の八第一項
基準日において私学共済制度の加入者である者又はその被扶養者である者	私立学校教職員共済法施行令（昭和二十八年政令第四百二十五号）第六条において準用する第一項（同条において準用する第三項において準用する場合を含む。）及び次条第一項	私立学校教職員共済法施行令第六条において準用する第二項（同条において準用する第三項において準用する場合を含む。）及び次条第一項
基準日において防衛省の職員の給与等に関する法律施行令（昭和二十七年政令第三百六十八号）第十七条の三第一項に規定する自衛官等である者	防衛省の職員の給与等に関する法律施行令第十七条の六の五第一項及び第十七条の六の六第一項	第二項及び次条第一項
基準日において健康保険の被保険者（日雇特例被保険者並びに組合員、地方の組合の組合員及び私学共済制度の加入者を除く。）である者又はその被扶養者である者	健康保険法施行令第四十三条の三第一項（同条第三項において準用する場合を含む。）及び第四十三条の四第一項	健康保険法施行令第四十三条の三第二項（同条第三項において準用する場合を含む。）及び第四十三条の四第一項
基準日において日雇特例被保険者（日雇特例被保険者であつた者を含む。）である者又はその被扶養者である者	健康保険法施行令第四十四条第五項において準用する同令第四十三条の三第一項（同令第四十四条第五項において準用する同令第四十三条の三第三項において準用する場合を含む。）及び第四十四条第七項	健康保険法施行令第四十四条第五項において準用する同令第四十三条の三第二項（同令第四十四条第五項において準用する同令第四十三条の三第三項において準用する場合を含む。）及び第四十四条第七項
基準日において船員保険の被保険者（組合員及び地方の組合の組合員を除く。）である者又はその被扶養者である者	船員保険法施行令（昭和二十八年政令第二百四十号）第十二条第一項（同条第三項において準用する場合を含む。）及び第十三条第一項	船員保険法施行令第十二条第二項（同条第三項において準用する場合を含む。）及び第十三条第一項
基準日において国民健康保険の世帯主等である者又は当該国民健康保険の世帯主等と同一の世帯に属する当該国民健康保険の世帯主等以外の国民健康保険の被保険者である者	国民健康保険法施行令（昭和三十三年政令第三百六十二号）第二十九条の四の三第一項並びに第二十九条の四の四第一項及び第二項	国民健康保険法施行令第二十九条の四の三第三項並びに第二十九条の四の四第一項及び第二項

6　前条第七項の介護合算算定基準額については、高齢者の医療の確保に関する法律施行令（平成十九年政令第三百十八号）第十六条の三第一項及び第十六条の四第一項の規定を準用する。この場合において、必要な技術的読替えは、財務省令で定める。

（その他高額介護合算療養費の支給に関する事項）

第十一条の三の六の四　組合員が計算期間においてその資格を喪失し、かつ、当該資格を喪失した日以後の当該計算期間において医療保険加入者とならない場合その他財務省令で定める場合における高額介護合算療養費の支給については、当該資格を喪失した日の前日（当該財務省令で定める場合にあつては、財務省令で定める日）を基準日とみなして、前二条の規定を適用する。

2　防衛省の職員の給与等に関する法律第二十二条の規定に基づき国が自衛官（同法第二十二条の二第一項に規定する職員に該当する自衛官を除く。）、自衛官候補生並びに防衛大学校の学生、防衛医科大学校の学生及び陸上自衛隊高等工科学校の生徒（同法第二十二条の規定に基づき退職後において療養の給付又は保険外併用療養費、療養費、訪問看護療養費若しくは高額療養費の支給を受けている者を含む。）である組合員に対して行つた療養の給付又は保険外併用療養費、療養費、訪問看護療養費、高額療養費若しくは高額介護合算療養費の支給は、前二条及び前項の規定の適用については、法の規定による給付とみなす。

3　高額介護合算療養費の支給に関する手続に関して必要な事項は、財務省令で定める。

（出産費及び家族出産費の額）

第十一条の三の七　法第六十一条第一項（同条第二項において準用する場合を含む。）及び第三項に規定する政令で定める金額は、四十八万八千円とする。ただし、病院、診療所、助産所その他の者であつて、次の各号に掲げる要件のいずれにも該当するものによる医学的管理の下における出産であると組合が認めたときは、四十八万八千円に、第一号に規定する保険契約に関し組合員又はその被扶養者が追加的に必要となる費用の額を基準として、三万円を超えない範囲内で財務省令で定める金額を加算した金額とする。

一　当該病院、診療所、助産所その他の者による医学的管理の下における出産について、特定出産事故（出産（財務省令で定める基準に該当する出産に限る。）に係る事故（財務省令で定める事由により発生したものを除く。）のうち、出生した者が当該事故により脳性麻痺にかかり、財務省令で定める程度の障害の状態となつたものをいう。次号において同じ。）が発生した場合において、当該出生した者の養育に係る経済的負担の軽減を図るための補償金の支払に要する費用の支出に備えるための保険契約であつて財務省令で定める要件に該当するものが締結されていること。

二　出産に係る医療の安全を確保し、当該医療の質の向上を図るため、財務省令で定めるところにより、特定出産事故に関する情報の収集、整理、分析及び提供の適正かつ確実な実施のための措置を講じていること。

（埋葬料及び家族埋葬料の額）

第十一条の三の八　法第六十三条第一項及び第三項に規定する政令で定める金額は、五万円とする。

（傷病手当金と障害手当金等との併給調整）

第十一条の三の八の二　法第六十六条第七項ただし書に規定する政令で定めるときは次の各号に掲げる場合とし、同項ただし書に規定する政令で定める額は当該各号に掲げる場合の区分に応じ当該各号に定める額とする。

一　報酬を受けることができない場合であつて、かつ、出産手当金の支給を受けることができない場合　傷病手当金合計額（厚生年金保険法による障害手当金の支給を受けることとなつた日以後に傷病手当金の支給を受けるとする場合の法第六十六条第二項の規定により算定される額の合計額が当該障害手当金の額に達するに至る日における当該合計額をいう。以下この条において同じ。）から障害手当金の額を控除した額

二　報酬を受けることができない場合であつて、かつ、出産手当金の支給を受けることができる場合　法第六十六条第二項の規定により算定される額から出産手当金の額（当該額が同項の規定により算定される額を超える場合にあつては、当該額）を控除した額又は傷病手当金合計額から障害手当金の額を控除した額のいずれか少ない額

三　報酬の全部又は一部を受けることができる場合であつて、かつ、出産手当金の支給を受けることができない場合　法第六十六条第二項の規定により算定される額から当該受けることができる報酬の全部若しくは一部の額（当該額が同項の規定により算定される額を超える場合にあつては、当該額）を控除した額又は傷病手当金合計額から障害手当金の額を控除した額のいずれか少ない額

四　報酬の全部又は一部を受けることができる場合であつて、かつ、出産手当金の支給を受けることができる場合　法第六十六条第二項の規定により算定される額から報酬を受けることができないとしたならば支給されることとなる出産手当金の額（当該額が同項の規定により算定される額を超える場合にあつては、当該額）を控除した額又は傷病手当金合計額から障害手当金の額を控除した額のいずれか少ない額

（傷病手当金と退職老齢年金給付との調整）

第十一条の三の九　法第六十六条第八項に規定する政令で定める要件は、健康保険法第百三十五条第一項の規定により傷病手当金の支給を受けることができる日雇特例被保険者（同法第三条第二項に規定する日雇特例被保険者をいい、当該日雇特例被保険者であつた者を含む。）でないこととする。

2　法第六十六条第八項に規定する政令で定める年金である給付は、次に掲げる年金である給付（その全額につき支給を停止されているものを除く。）とする。

一　国民年金法による老齢基礎年金及び同法附則第九条の三第一項の規定による老齢年金並びに国民年金法等の一部を改正する法律（昭和六十年法律第三十四号。以下「昭和六十年国民年金等改正法」という。）第一条の規定による改正前の国民年金法による老齢年金（老齢福祉年金を除く。）及び通算老齢年金

二　厚生年金保険法による老齢厚生年金及び特例老齢年

金並びに昭和六十年国民年金等改正法第三条の規定による改正前の厚生年金保険法（以下「旧厚生年金保険法」という。）による老齢年金、通算老齢年金及び特例老齢年金

三　昭和六十年国民年金等改正法第五条の規定による改正前の船員保険法（以下「旧船員保険法」という。）による老齢年金、通算老齢年金及び特例老齢年金

四　被用者年金制度の一元化等を図るための厚生年金保険法等の一部を改正する法律（平成二十四年法律第六十三号。以下「平成二十四年一元化法」という。）附則第三十六条第五項に規定する改正前国共済法による職域加算額のうち退職を給付事由とするもの及び平成二十四年一元化法附則第三十七条第一項に規定する給付のうち退職を給付事由とするもの

四の二　平成二十四年一元化法附則第四十一条第一項の規定による退職共済年金

五　平成二十四年一元化法附則第六十条第五項に規定する改正前地共済法による職域加算額のうち退職を給付事由とするもの及び平成二十四年一元化法附則第六十一条第一項に規定する給付のうち退職を給付事由とするもの

五の二　平成二十四年一元化法附則第六十五条第一項の規定による退職共済年金

六　平成二十四年一元化法附則第七十八条第三項に規定する給付のうち退職を給付事由とするもの及び平成二十四年一元化法附則第七十九条に規定する給付のうち退職を給付事由とするもの

七　厚生年金保険制度及び農林漁業団体職員共済組合制度の統合を図るための農林漁業団体職員共済組合法等を廃止する等の法律（平成十三年法律第百一号。以下「平成十三年統合法」という。）附則第十六条第三項の規定により厚生年金保険の実施者たる政府が支給するものとされた年金である給付のうち退職を給付事由とするもの

八　厚生年金保険法附則第二十八条に規定する共済組合が支給する年金である給付のうち退職を給付事由とするもの

九　旧令による共済組合等からの年金受給者のための特別措置法（昭和二十五年法律第二百五十六号）の規定により連合会が支給する年金である給付のうち退職を給付事由とするもの

3　法第六十六条第十二項の規定により厚生年金保険法第百条の十第二項及び第三項の規定を準用する場合には、次の表の上欄に掲げる同法の規定中同表の中欄に掲げる字句は、それぞれ同表の下欄に掲げる字句に読み替えるものとする。

第百条の十第二項	機構	日本年金機構（次項において「機構」という。）
	前項各号に掲げる事務の全部又は一部	国家公務員共済組合法第六十六条第十一項に規定する資料の提供に係る事務（以下「資料の提供に係る事務」という。）
	同項各号に掲げる	当該資料の提供に係る
	の全部又は一部を自ら	を自ら
第百条の十第三項	前二項	国家公務員共済組合法第六十六条第十一項及び同条第十二項において準用する前項
	第一項各号に掲げる	資料の提供に係る

（出産に関する特別休暇等）

第十一条の三の十　法第六十八条の二第二項において読み替えて適用する同条第一項に規定する出産に関する特別休暇であつて政令で定めるものは、国家公務員の育児休業等に関する法律第三条第一項の規定による育児休業に係る子の出生の日以後における人事院規則一五―一四（職員の勤務時間、休日及び休暇）第二十二条第一項第六号又は第七号に掲げる場合における休暇とする。

2　法第六十八条の二第二項において読み替えて適用する同条第一項に規定する特別休暇に準ずる休業であつて政令で定めるものは、次の各号に掲げる組合員（一般職の職員の勤務時間、休暇等に関する法律（平成六年法律第三十三号）第十九条の規定の適用を受ける組合員を除く。）の区分に応じ、当該各号に定める休業（法第六十八条の二第一項に規定する育児休業等に係る子の出生の日以後における休業に限る。）とする。

一　裁判官及び裁判官の秘書官以外の裁判所職員である組合員　裁判所職員臨時措置法において準用する一般職の職員の勤務時間、休暇等に関する法律第十九条の規定による特別休暇であつて人事院規則一五―一四（職員の勤務時間、休日及び休暇）第二十二条第一項第

六号又は第七号に掲げる場合における休暇

二　労働基準法（昭和二十二年法律第四十九号）の適用を受ける組合員　同法第六十五条第一項又は第二項の規定による休業

三　前二号に掲げる組合員以外の組合員　前項に定める出産に関する特別休暇に相当する休業として組合の運営規則で定めるもの

（介護のための休業）

第十一条の三の十一　一般職の職員の勤務時間、休暇等に関する法律第二十三条の規定の適用を受ける組合員及び同法の適用を受けない組合員について、同法の適用を受ける組合員（同条の規定の適用を受ける組合員を除く。）に係る同法第二十条第一項に規定する介護休暇（以下この条において「一般組合員の介護休暇」という。）に準ずる休業として法第六十八条の三第一項に規定する政令で定めるものは、次の各号に掲げる組合員の区分に応じ、当該各号に定める休業とする。

一　裁判官である組合員　裁判官の介護休暇に関する法律（平成六年法律第四十五号）第一条に規定する介護休暇

二　裁判官及び裁判官の秘書官以外の裁判所職員である組合員　裁判所職員臨時措置法において準用する一般職の職員の勤務時間、休暇等に関する法律第二十条第一項に規定する介護休暇

三　前二号に掲げる組合員以外の組合員　一般組合員の介護休暇に相当する休業として組合の運営規則で定めるもの

（傷病手当金等と報酬との調整に係る基準額）

第十一条の四　法第六十九条第一項に規定する政令で定める金額は、次に掲げる金額とする。

一　傷病手当金の額が当該傷病手当金を受ける者の受ける報酬の額以下である場合には、当該傷病手当金、出産手当金の額

二　前号の場合以外の場合には、支給を受ける報酬の額

2　法第六十九条第二項に規定する政令で定める金額は、次に掲げる金額とする。

一　出産手当金、休業手当金、育児休業手当金又は介護休業手当金の額が当該給付を受ける者の受ける報酬の額以下である場合には、当該出産手当金、休業手当金、育児休業手当金又は介護休業手当金の額

二　前号の場合以外の場合には、支給を受ける報酬の額

（長期給付の適用範囲の特例）

第十二条　法第七十二条第二項（第三号及び第四号を除く。）に規定する政令で定める職員は、次に掲げる職員とする。

一　法第七十二条第二項第一号に掲げる職員のうち、人事官、検査官、公正取引委員会の委員長及び委員並びに国立国会図書館の館長

二　国務大臣、内閣官房副長官、内閣総理大臣補佐官、副大臣、大臣政務官及び大臣補佐官並びに特派大使、政府代表、全権委員、政府代表又は全権委員の代理並びに特派大使、政府代表又は全権委員の顧問及び随員のうち、国会議員でない者をもつて充てられたもの

2　法第七十二条第二項第三号に規定する常時勤務に服することを要しない職員で政令で定めるものは、第二条第一項第七号に掲げる者（常勤職員について定められている勤務時間以上勤務した日（法令の規定により、勤務を要しないこととされ、又は休暇を与えられた日を含む。）が引き続いて十二月を超えるに至つた者で、その超えるに至つた日以後引き続き当該勤務時間により勤務することを要することとされているものを除く。）、同項第八号に掲げる者又は同項第九号に掲げる者とする。

3　法第七十二条第二項第四号に規定する臨時に使用される職員その他の政令で定める職員は、次に掲げる者とする。

一　国家公務員法第六十条第一項の規定により臨時的に任用された者

二　国家公務員の育児休業等に関する法律第七条第一項又は国家公務員の配偶者同行休業に関する法律第七条第一項の規定により臨時的に任用された者

三　国家公務員法第二条第三項第十号、第十三号、第十四号又は第十六号に掲げる者で前二号に掲げる者に準ずるもの

（付与率を定める際に勘案する事情）

第十三条　法第七十五条第二項に規定する政令で定める事情は、地方公務員等共済組合法による退職等年金給付が地方の組合の組合員であつた者及びその遺族の適当な生活の維持を図ることを目的とする年金制度の一環をなすものであること、法第九十九条第一項第三号の規定により退職等年金給付に要する費用の算定について同号に規定する国の積立基準額（以下「国の積立基準額」という。）と地方公務員等共済組合法第百十三条第一項第三号に規定する地方の積立基準額（以下「地方の積立基準額」という。）との合計額と退職等年金給付積立金の額と地方退職等年金給付積立金（同法第二十四条の二（同法第三十八条第一項において準用する場合を含む。）に規定する退職等年金給付組合積立金及び同法第三十八条の八の二第一項に規定する退職等年金給付調整積立金をいう。以下同じ。）の額との合計額とが将来にわたつて均衡を保つことができるようにすることとされていることとそ

の他財務大臣が定める事情とする。

（基準利率を定める際に勘案する事情）

第十四条　法第七十五条第四項に規定する政令で定める事情は、地方退職等年金給付積立金の運用の状況及びその見通しその他財務大臣が定める事情とする。

（受給権者の申出による支給停止を撤回した場合の終身退職年金算定基礎額及び有期退職年金算定基礎額の計算）

第十五条　法第七十五条の五第二項の規定により退職年金（法第七十四条第一号に規定する退職年金をいう。第二十一条の二及び第四十七条第二項において同じ。）の受給権者が法第七十五条の五第一項の申出を撤回した場合には、当該申出を撤回した日の属する月の翌月の初日における当該受給権者の法第七十八条第一項に規定する終身退職年金算定基礎額は、当該申出による終身退職年金（法第七十六条第一項に規定する終身退職年金をいう。第二十一条の二第一項において同じ。）の支給の停止がなかつたものとして計算した額とし、当該申出を撤回した日の属する月の翌月の初日における当該受給権者の法第七十九条第一項に規定する有期退職年金算定基礎額は、当該申出による有期退職年金（法第七十六条第一項に規定する有期退職年金をいう。第十五条の三及び第十八条の二第二項において同じ。）の支給の停止がなかつたものとして法第七十九条第二項から第四項までの規定を適用して計算した額とする。

（併給の調整の特例）

第十五条の二　公務障害年金（法第七十四条第二号に規定する公務障害年金をいう。以下同じ。）の受給権者に対して更に公務障害年金を支給すべき事由が生じたとき（法第八十六条第一項の規定が適用される場合を除く。）は、法第七十五条の四の規定を準用する。この場合において、同条第一項第二号中「退職年金」とあるのは、「退職年金、公務障害年金」と読み替えるものとする。

2　公務障害年金の受給権者が地方公務員等共済組合法の規定による公務遺族年金を受けることができるときは、法第七十五条の四の規定を準用する。この場合において、同条第一項第二号中「又は公務遺族年金」とあるのは、「、公務遺族年金又は地方公務員等共済組合法の規定による公務遺族年金」と読み替えるものとする。

（公務障害年金算定基礎額の特例）

第十五条の二の二　公務障害年金（法第八十三条第三項の規定により支給するものに限る。）の額に係る公務障害年金算定基礎額（法第八十四条第一項に規定する公務障害年金算定基礎額をいう。次項において同じ。）を同条第二項の規定により計算する場合において、給付算定基礎額（法第七十五条第一項に規定する給付算定基礎額をいう。次項、第四十六条及び第四十八条第三項において同じ。）を法第七十五条の規定により計算するときは、同条第一項中「退職等年金給付の給付事由が生じた日の」とあるのは「第八十三条第一項に規定する障害認定日」と、「給付事由が生じた日の」とあるのは「障害認定日の」と、同条第三項中「退職等年金給付の給付事由が生じた日」とあるのは「第八十三条第一項に規定する障害認定日」とする。

2　公務障害年金（法第八十三条第四項の規定により支給するものに限る。）の額に係る公務障害年金算定基礎額を法第八十四条第二項の規定により計算する場合において、給付算定基礎額を法第七十五条の規定により計算するときは、同条第一項中「退職等年金給付の給付事由が生じた日」とあるのは「第八十三条第四項に規定する基準公務傷病に係る障害認定日」と、「給付事由が生じた日の」とあるのは「障害認定日の」と、同条第三項中「退職等年金給付の給付事由が生じた日」とあるのは「第八十三条第四項に規定する基準公務傷病に係る障害認定日」とする。

（有期退職年金の受給権が消滅した後に再び就職した者に係る有期退職年金）

第十五条の三　法第八十二条第二項の規定により有期退職年金を受ける権利を失つた者に法第七十七条第二項前段の規定により有期退職年金を支給することとなつた場合における当該有期退職年金に関する規定の適用については、法第七十五条第一項中「組合員期間」とあるのは「組合員期間（第七十七条第二項の規定により組合員期間に含まれないものとされた組合員期間を除く。）」と、法第七十五条の三第一項中「第七十五条第一項」とあるのは「国家公務員共済組合法施行令（以下「令」という。）第十五条の三の規定により読み替えられた第七十五条第一項」と、法第七十九条第二項中「給付算定基礎額」とあるのは「令第十五条の三の規定により読み替えられた第七十五条第一項に規定する給付算定基礎額」と、「組合員期間」とあるのは「組合員期間（第七十七条第二項の規定により組合員期間に含まれないものとされた組合員期間を除く。）」と、法第七十九条の四第一項第一号中「給付算定基礎額（」とあるのは「令第十五条の三の規定により読み替えられた第七十五条第一項に規定する給付算定基礎額（」と、「組合員期間」とあるのは「組合員期間（第七十七条第二項の規定により組合員期間に含まれないものとされた組合員期間を除く。）」と、「金額（当該死亡した者が前条第一項の規定による一時金の請求をした者であるときは、当該二分の一に相当する金額から当該請求に基づき支払われるべき一時金の額に相当するものとして政令で定めるところにより計算した金額を控除した金額」とあるのは「金額」と、同条第二項中「第七十五条第一項」とあるのは「令第十五条の三の規定により読み替えられた第七十五条第一項」とする。

（終身年金現価率を定める際に勘案する事情）

第十六条　法第七十八条第五項に規定する政令で定める事情は、地方公務員等共済組合法第七十七条第四項に規定する基準利率（次条及び第四十八条第二項において「地方の基準利率」という。）、同法第八十九条第五項に規定する死亡率の状況及びその見通し、法第九十九条第一項第三号の規定により退職等年金給付に要する費用の算定について国の積立基準額と地方の積立基準額との合計額と退職等年金給付積立金の額と地方退職等年金給付積立金の額との合計額とが将来にわたつて均衡を保つことができるようにすることとされていることその他財務大臣が定める事情とする。

（有期年金現価率を定める際に勘案する事情）

第十七条　法第七十九条第五項に規定する政令で定める事情は、地方の基準利率、法第九十九条第一項第三号の規定により退職等年金給付に要する費用の算定について国の積立基準額と地方の積立基準額との合計額と退職等年金給付積立金の額と地方退職等年金給付積立金の額との合計額とが将来にわたつて均衡を保つことができるようにすることとされていることその他財務大臣が定める事情とする。

（整理退職の場合の一時金に相当する一時金等）

第十八条　法第七十九条の三第三項に規定する同条第一項の規定に相当するものとして政令で定める規定は、地方公務員等共済組合法第九十二条第一項の規定とする。

2　法第七十九条の三第三項に規定する同条第二項の規定に相当するものとして政令で定める規定は、地方公務員等共済組合法第九十二条第二項の規定とする。

3　法第七十九条の三第三項に規定する政令で定めるところにより計算した金額は、同項に規定する他の退職に係る同条第二項の規定により支給すべき一時金（地方公務員等共済組合法第九十二条第一項の請求をした者にあつては、同条第二項の規定により支給すべき一時金）の額に、当該他の退職をした日の前日の属する月の翌月から法第七十九条の三第一項に規定する退職をした日の前日の属する月までの期間に応じ、当該期間の各月において適用される基準利率（法第七十五条第四項に規定する基準利率をいう。以下同じ。）を用いて複利の方法により計算された利子に相当する額を加えた額に相当する金額とする。

4　法第七十九条の三の規定は、国家公務員退職手当法（昭和二十八年法律第百八十二号）の適用を受けない組合員であつて、同法第五条第一項第二号に掲げる者に相当する者（一年以上の引き続く組合員期間を有する者であつて、六十五歳未満であるものに限る。）について準用する。この場合において、法第七十九条の三第一項及び第二項中「の退職」とあるのは、「の退職に相当する退職」と読み替えるものとする。

（遺族に対する一時金に係る給付算定基礎額から控除すべき金額等）

第十八条の二　法第七十九条の四第一項第一号に規定する政令で定めるところにより計算した金額は、同号に規定する死亡した者が法第七十九条の三第二項又は第三項の規定により支給を受けた一時金の額に、同条第一項に規定する退職をした日の前日の属する月の翌月からその者の死亡した日の前日の属する月までの期間に応じ、当該期間の各月において適用される基準利率を用いて複利の方法により計算された利子に相当する額を加えた額に相当する金額とする。

2　法第七十九条の四第一項第三号に規定する政令で定めるところにより計算した金額は、最後に組合員となつた日（以下この項において「最終資格取得日」という。）の前日における有期退職年金の額に二百四十月（法第七十六条第二項の申出をしていた場合には、百二十月）から給付事由が生じた日の属する月の翌月から最終資格取得日の属する月までの月数を控除した月数に応じた有期年金現価率を乗じて得た額に、最終資格取得日の属する月から死亡した日の前日の属する月までの期間に応じ、当該期間の各月において適用される基準利率を用いて複利の方法により計算された利子に相当する額を加えた額及び死亡した日を給付事由が生じた日と、組合員期間から最終資格取得日前の組合員期間を除いた期間を組合員期間とみなして法第七十九条第二項の規定の例により計算した額の合計額とする。

（支給の繰下げの申出があつた場合における法第七十六条等の規定の適用）

第十九条　法第八十条第一項の申出があつた場合における法第七十六条、第七十八条から第七十九条の二まで及び第七十九条の四の規定の適用については、法第七十六条第三項中「前項の申出は、当該有期退職年金の給付事由が生じた日から六月以内に」とあるのは「前項の申出は」と、法第七十八条第二項中「終身退職年金の給付事由が生じた日から」とあるのは「第八十条第一項の申出（同条第四項の規定により同条第一項の申出があつたものとみなされた場合における当該申出を含む。）をした日（以下「繰下げ申出日」という。）から」と、「終身退職年金の給付事由が生じた日が」とあるのは「繰下げ申出日が」と、同条第三項及び第四項中「終身退職年金の給付事由が生じた日」とあり、並びに法第七十九条第二項及び第三項中「有期退職年金の給付事由が生じた日」とあるのは「繰下げ申出日」と、同条第四項中「有期退職年金の給付事由が生じた日」とあるのは「繰下げ申出日」と、「給付事由が生じた日の」とあるのは「繰下げ申出日の」と、第七十九条の二第一項中「有期退職年金の受給権者は、給付事由が生じた日から六月以内に」とあるのは「有期退職年金の受給権者は」と、同条第三項及び法第七十九条の四第一項第二号中「給付事由が生じた日」とあるのは「繰下げ申出日」とする。

（厚生年金保険法による年金たる保険給付に相当する給付）

第二十条 法第八十四条第七項及び第九十条第七項に規定する厚生年金保険法による年金たる保険給付に相当するものとして政令で定めるものは、次に掲げる給付とする。

一　平成二十四年一元化法附則第三十七条第一項に規定する給付のうち平成二十四年一元化法第二条の規定による改正前の法（以下「平成二十四年一元化法改正前の法」という。）による退職共済年金（同項の規定によりなおその効力を有するものとされた平成二十四年一元化法改正前の法（以下この条において「なお効力を有する平成二十四年一元化法改正前の法」という。）第七十四条第二項に規定する退職共済年金の職域加算額、なお効力を有する平成二十四年一元化法改正前の法第七十八条第一項に規定する加給年金額、なお効力を有する平成二十四年一元化法改正前の法第七十八条の二第四項の規定により加算される額、なお効力を有する平成二十四年一元化法改正前の法附則第十二条の四の二第二項第一号に掲げる金額及び同条第三項の規定により加算される金額並びになお効力を有する平成二十四年一元化法改正前の法附則第十二条の六の三第一項に規定する繰上げ調整額及び同条第三項に規定する繰上げ調整追加額並びに平成二十四年一元化法附則第三十七条第一項の規定によりなおその効力を有するものとされた平成二十四年一元化法附則第九十八条の規定（平成二十四年一元化法附則第一条第三号に掲げる改正規定を除く。）による改正前の国家公務員等共済組合法等の一部を改正する法律（昭和六十年法律第百五号。以下この条において「なお効力を有する昭和六十年改正法」という。）附則第十六条第一項及び第四項並びに第十七条第二項の規定により加算される金額を当該退職共済年金の額から除いた額に相当する部分に限る。）、障害共済年金（なお効力を有する平成二十四年一元化法改正前の法第七十四条第二項に規定する障害共済年金の職域加算額及びなお効力を有する平成二十四年一元化法改正前の法第八十三条第一項に規定する加給年金額を当該障害共済年金の額から除いた額に相当する部分に限る。）又は遺族共済年金（なお効力を有する平成二十四年一元化法改正前の法第七十四条第二項に規定する遺族共済年金の職域加算額及びなお効力を有する平成二十四年一元化法改正前の法第九十条の規定により加算される金額並びになお効力を有する昭和六十年改正法附則第二十八条第一項並びに第二十九条第一項及び第二項の規定により加算される金額を当該遺族共済年金の額から除いた額に相当する部分に限る。）

二　平成二十四年一元化法附則第三十七条第一項に規定する給付のうち国家公務員等共済組合法等の一部を改正する法律（昭和六十年法律第百五号。以下「昭和六十年改正法」という。）第一条の規定による改正前の国家公務員等共済組合法（以下「旧国共済法」という。）による退職年金、減額退職年金若しくは通算退職年金（当該これらの年金である給付の額の百十分の十に相当する額及び国民年金法による老齢基礎年金の額に相当するものとして財務省令で定めるところにより計算した額（以下この条において「老齢基礎年金相当額」という。）を当該これらの年金である給付の額から除いた額に相当する部分に限る。）、障害年金（当該障害年金の額（なお効力を有する昭和六十年改正法附則第四十二条第一項ただし書の規定の適用があるときは、平成二十四年一元化法附則第三十七条第一項の規定によりなおその効力を有するものとされた国家公務員共済組合法施行令等の一部を改正する等の政令（平成二十七年政令第三百四十四号）第二条の規定による改正前の国家公務員等共済組合法等の一部を改正する法律の施行に伴う経過措置に関する政令（昭和六十一年政令第五十六号。以下この条において「なお効力を有する昭和六十一年経過措置政令」という。）第四十二条第二項の規定の適用がないものとした場合の同条第一項各号に定める金額。以下この号において同じ。）の百十分の十に相当する額及び国民年金法による障害基礎年金の額に相当するものとして財務省令で定めるところにより計算した額（以下この条において「障害基礎年金相当額」という。）を当該障害年金の額から除いた額に相当する部分に限る。）又は遺族年金若しくは通算遺族年金（当該これらの年金である給付の額（遺族年金にあつては、その額がなお効力を有する昭和六十一年経過措置政令第四十八条第三項の規定によるものであるときは、同項の規定の適用がないものとした場合の同条第一項又は第二項の規定による額）の百十分の十に相当する額及び国民年金法による遺族基礎年金の額に相当するものとして財務省令で定めるところにより計算した額（以下この条において「遺族基礎年金相当額」という。）を当該これらの年金である給付の額から除いた額に相当する部分に限る。）

三　平成二十四年一元化法附則第四十一条第一項の規定による退職共済年金（厚生年金保険法の規定を適用することとしたならば同法第四十四条第一項の規定により加算されることとなる額、同法第四十四条の三第四項の規定により加算されることとなる額、同法附則第九条の二第二項の規定により算定されることとなる額のうち同項第一号に掲げる額、同法附則第十三条の五第一項及び第四項の規定により加算されることとなる額並びに昭和六十年国民年金等改正法附則第五十九条第二項及び第六十条第二項の規定により加算されることとなる額に相当する額を当該退職共済年金の額から除いた額に相当する部分に限る。）、障害共済年金（厚生年金保険法の規定を適用することとしたならば同法第五十条の二第一項の規定により加算されることとなる額に相当する額を当該障害共済年金の額から除いた額に相当する部分に限る。）又は遺族共済年金（厚生年金保険法の規定を適用することとしたならば同法第六十二条第一項の規定により加算されることとなる額並びに昭和六十年国民年金等改正法附則第七十三条第一項並びに第七十四条第一項及び第二項の規定により加算されることとなる額に相当する額を当該遺族共済年金の額から除いた額に相当する部分に限る。）

四　平成二十四年一元化法附則第六十一条第一項に規定する給付のうち平成二十四年一元化法第三条の規定による改正前の地方公務員等共済組合法（以下「平成二十四年一元化法改正前地方共済法」という。）による退職共済年金（平成二十四年一元化法附則第六十一条の二第一項第二号に規定する旧職域加算額（以下この号において「旧職域加算額」という。）のうち退職共済年金に係るものに相当する金額、平成二十四年一元化法附則第六十一条第一項の規定によりなおその効力を有するものとされた平成二十四年一元化法改正前地方共済法（以下この号において「なお効力を有する平成二十四年一元化法改正前地方共済法」という。）第八十条第一項に規定する加給年金額、なお効力を有する平成二十四年一元化法改正前地方共済法第八十条の二第四項の規定により加算される額、なお効力を有する平成二十四年一元化法改正前地方共済法附則第二十条の二第二項第一号及び第三号に掲げる金額並びになお効力を有する平成二十四年一元化法改正前地方共済法附則第二十四条の三第一項に規定する繰上げ調整額及び同条第三項に規定する繰上げ調整追加額並びに平成二十四年一元化法附則第六十一条第一項の規定によりなおその効力を有するものとされた平成二十四年一元化法附則第百二条の規定（平成二十四年一元化法附則第一条第三号に掲げる改正規定を除く。）による改正前の地方公務員等共済組合法等の一部を改正する法律（昭和六十年法律第百八号。以下この条において「なお効力を有する昭和六十年地方の改正法」という。）附則第十六条第一項及び第四項並びに第十七条第二項の規定により加算される額を当該退職共済年金の額から除いた額に相当する部分に限る。）、障害共済年金（旧職域加算額のうち障害共済年金に係るものに相当する金額及びなお効力を有する平成二十四年一元化法改正前地方共済法第八十八条第一項に規定する加給年金額を当該障害共済年金の額から除いた額に相当する部分に限る。）又は遺族共済年金（旧職域加算額のうち遺族共済年金に係るものに相当する金額及びなお効力を有する平成二十四年一元化法改正前地方共済法第九十九条の三の規定により加算される金額並びになお効力を有する昭和六十年地方の改正法附則第二十九条第一項並びに第三十条第一項及び第二項の規定により加算される額を当該遺族共済年金の額から除いた額に相当する部分に限る。）

五　平成二十四年一元化法附則第六十一条第一項に規定する給付のうち地方公務員等共済組合法等の一部を改正する法律（昭和六十年法律第百八号。以下「昭和六十年地方の改正法」という。）第一条の規定による改正前の地方公務員等共済組合法（以下「旧地共済法」という。）による退職年金、減額退職年金若しくは通算退職年金（当該これらの年金である給付の額の百十分の十に相当する額及び老齢基礎年金相当額を当該これらの年金である給付の額から除いた額に相当する部分に限る。）、障害年金（当該障害年金の額（なお効力を有する昭和六十年地方の改正法附則第四十八条第三項の規定を適用する場合（同条第一項の規定により算定した障害年金の額について適用する場合に限る。）は、平成二十四年一元化法附則第六十一条第一項の規定によりなおその効力を有するものとされた地方公務員等共済組合法施行令等の一部を改正する等の政令（平成二十七年政令第三百四十六号）第二条の規定による改正前の地方公務員等共済組合法等の一部を改正する法律の施行に伴う経過措置に関する政令（昭和六十一年政令第五十八号。以下この号において「なお効力を有する昭和六十一年地共済経過措置政令」という。）第四十四条第三項の規定の適用がないものとした場合の同条第二項各号に定める金額。以下この号において同じ。）の百十分の十に相当する額及び障害基礎年金相当額を当該障害年金の額から除いた額に相当する部分に限る。）又は遺族年金若しくは通算遺族年金（当該これらの年金である給付の額（遺族年金にあつては、その額がなお効力を有する昭和六十一年地共済経過措置政令第四十九条第三項の規定によるものであるときは、同項の規定の適用がないものとした場合の同条第一項又は第二項の規定による額）の百十分の十に相当する額及び遺族基礎年金相当額を当該これらの年金である給付の額から除いた額に相当する部分に限る。）

六　平成二十四年一元化法附則第六十五条第一項の規定による退職共済年金（厚生年金保険法の規定を適用することとしたならば同法第四十四条第一項の規定により加算されることとなる額、同法第四十四条の三第四項の規定により加算されることとなる額、同法附則第九条の二第二項の規定により算定されることとなる額のうち同項第一号に掲げる額、同法附則第十三条の五第一項及び第四項の規定により加算されることとなる額並びに昭和六十年国民年金等改正法附則第五十九条第二項及び第六十条第二項の規定により加算されることとなる額に相当する額を当該退職共済年金の額から除いた額に相当する部分に限る。）、障害共済年金（厚生年金保険法の規定を適用することとしたならば同法第五十条の二第一項の規定により加算されることとなる額に相当する額を当該障害共済年金の額から除いた額に相当する部分に限る。）又は遺族共済年金（厚生年金保険法の規定を適用することとしたならば同法第六十二条第一項の規定により加算されることとなる額並びに昭和六十年国民年金等改正法附則第七十三条第一項並びに第七十四条第一項及び第二項の規定により加算されることとなる額に相当する額を当該遺族共済年金の額から除いた額に相当する部分に限る。）

七　平成二十四年一元化法附則第七十九条に規定する給付のうち平成二十四年一元化法第四条の規定による改正前の私立学校教職員共済法（以下「平成二十四年一元化法改正前私学共済法」という。）による退職共済年金（平成二十四年一元化法附則第七十九条の規定によりなおその効力を有するものとされた平成二十四年一元化法改正前私学共済法第二十五条において準用するなお効力を有する平成二十四年一元化法改正前の法（以下この号において「なお効力を有する平成二十四年一元化法改正前準用国共済法」という。）第七十四条第二項に規定する退職共済年金の職域加算額、なお効力を有する平成二十四年一元化法改正前準用国共済法第七十八条第一項に規定する加給年金額、なお効力を有する平成二十四年一元化法改正前準用国共済法第七十八条の二第四項の規定により加算される額、なお効力を有する平成二十四年一元化法改正前準用国共済法附則第十二条の四の二第二項第一号に掲げる金額及び同条第三項の規定により加算される金額並びになお効力を有する平成二十四年一元化法改正前準用国共済法附則第十二条の六の三第一項に規定する繰上げ調整額及び同条第三項に規定する繰上げ調整追加額並びに私立学校教職員共済法第四十八条の二の規定によりその例によることとされるなお効力を有する昭和六十年改正法附則第十六条第一項及び第四項並びに第十七条第二項の規定により加算される金額を当該退職共済年金の額から除いた額に相当する部分に限る。）、障害共済年金（なお効力を有する平成二十四年一元化法改正前準用国共済法第七十四条第二項に規定する障害共済年金の職域加算額及びなお効力を有する平成二十四年一元化法改正前準用国共済法第八十三条第一項に規定する加給年金額を当該障害共済年金の額から除いた額に相当する部分に限る。）又は遺族共済年金（なお効力を有する平成二十四年一元化法改正前準用国共済法第七十四条第二項に規定する遺族共済年金の職域加算額及びなお効力を有する平成二十四年一元化法改正前準用国共済法第九十条の規定により加算される金額並びに私立学校教職員共済法第四十八条の二の規定によりその例によることとされるなお効力を有する昭和六十年改正法附則第二十八条第一項並びに第二十九条第一項及び第二項の規定により加算される金額を当該遺族共済年金の額から除いた額に相当する部分に限る。）

八　平成二十四年一元化法附則第七十九条に規定する給付のうち私立学校教職員共済組合法等の一部を改正する法律（昭和六十年法律第百六号）第一条の規定による改正前の私立学校教職員共済組合法（以下「旧私学共済法」という。）による退職年金、減額退職年金若しくは通算退職年金（当該これらの年金である給付の額の百十分の十に相当する額及び老齢基礎年金相当額を当該これらの年金である給付の額から除いた額に相当する部分に限る。）、障害年金（当該障害年金の額（私立学校教職員共済法第四十八条の二の規定によりその例によることとされるなお効力を有する昭和六十年改正法附則第四十二条第一項ただし書の規定の適用があるときは、私立学校教職員共済法第四十八条の二の規定によりその例によることとされるなお効力を有する昭和六十一年経過措置政令第四十二条第二項の規定の適用がないものとした場合の同条第一項各号に定める金額。以下この号において同じ。）の百十分の十に相当する額及び障害基礎年金相当額を当該障害年金の額から除いた額に相当する部分に限る。）又は遺族年金若しくは通算遺族年金（当該これらの年金である給付の額（遺族年金にあつては、その額が私立学校教職員共済法第四十八条の二の規定によりその例によることとされるなお効力を有する昭和六十一年経過措置政令第四十八条第三項の規定によるものであるときは、同項の規定の適用がないものとした場合の同条第一項又は第二項の規定による額）の百十分の十に相当する額及び遺族基礎年金相当額を当該これらの年金である給付の額から除いた額に相当する部分に限る。）

九　旧厚生年金保険法による老齢年金、通算老齢年金若しくは特例老齢年金（昭和六十年国民年金等改正法附則第七十八条第二項の規定によりなおその効力を有するものとされた旧厚生年金保険法（以下この号において「なお効力を有する旧厚生年金保険法」という。）第四十三条第一項に規定する加給年金額及び老齢基礎年金相当額を当該これらの年金である給付の額から除いた額に相当する部分に限る。）、障害年金（なお効力を有する旧厚生年金保険法第五十条第一項第一号及び第二号に規定する加給年金額並びに障害基礎年金相当額を当該障害年金の額から除いた額に相当する部分に限る。）又は遺族年金、通算遺族年金若しくは特例遺族年金（なお効力を有する旧厚生年金保険法第六十条第一項に規定する加給年金額及び遺族基礎年金相当額を当該これらの年金である給付の額から除いた額に相当する部分に限る。）

十　旧船員保険法による老齢年金、通算老齢年金若しくは特例老齢年金（昭和六十年国民年金等改正法附則第八十七条第三項の規定によりなおその効力を有するものとされた旧船員保険法（以下この号において「なお効力を有する旧船員保険法」という。）第三十六条第一項の規定により加給される金額及び老齢基礎年金相当額を当該これらの年金である給付の額から除いた額に相当する部分に限る。）、障害年金（なお効力を有する旧船員保険法第四十一条の二第一項の規定により加給される金額及び障害基礎年金相当額を当該障害年金の額から除いた額に相当する部分に限る。）又は遺族年金、通算遺族年金若しくは特例遺族年金（なお効力を有する旧船員保険法第五十条の三及び第五十条の三の二の規定により加給される金額並びに遺族基礎年金相当額を当該これらの年金である給付の額から除いた額に相当する部分に限る。）

十一　平成十三年統合法附則第十六条第四項に規定する移行農林共済年金のうち退職共済年金（同条第一項の規定によりなおその効力を有するものとされた平成十三年統合法第一条の規定による廃止前の農林漁業団体職員共済組合法（昭和三十三年法律第九十九号。以下この号において「なお効力を有する廃止前農林共済法」という。）第三十八条第一項に規定する加給年金額、なお効力を有する廃止前農林共済法附則第九条第二項第一号に掲げる額並びになお効力を有する廃止前農林共済法附則第十一条の三第一項に規定する繰上げ調整額及び同条第三項に規定する年齢到達時繰上げ調整追加額並びに平成十三年統合法附則第十六条第一項の規定によりなおその効力を有するものとされた農林漁業団体職員共済組合法の一部を改正する法律（昭和六十年法律第百七号。以下この号において「なお効力を有する廃止前昭和六十年農林共済改正法」という。）附則第十五条第一項及び第四項並びに第十六条第二項の規定により加算される額を当該退職共済年金の額から除いた額に相当する部分に限る。）、障害共済年金（なお効力を有する廃止前農林共済法第四十三条第一項に規定する加給年金額を当該障害共済年金の額から除いた額に相当する部分に限る。）又は遺族共済年金（なお効力を有する廃止前農林共済法第四十八条の規定により加算される額及びなお効力を有する廃止前昭和六十年農林共済改正法附則第二十六条並びに第二十七条第一項及び第二項の規定により加算される額を当該遺族共済年金の額から除いた額に相当する部分に限る。）

十二　平成十三年統合法附則第十六条第六項に規定する移行農林年金のうち退職年金、減額退職年金若しくは通算退職年金（老齢基礎年金相当額を当該これらの年金である給付の額から除いた額に相当する部分に限る。）、障害年金（障害基礎年金相当額を当該障害年金の額から除いた額に相当する部分に限る。）又は遺族年金若しくは通算遺族年金（遺族基礎年金相当額を当該これらの年金である給付の額から除いた額に相当する部分に限る。）

（掛金等を納付しない場合の給付の制限）

第二十一条　組合が第二十五条の二第二項の規定に該当する者に対し同項の通知をした場合において、当該通知に係る金額（以下「未納掛金等」という。）が未納掛金等につき控除の行なわれるべき月の翌月の末日（当該通知に係る同項に規定する組合の指定した日が当該末日後に到来する場合には、当該指定した日。以下「納付期限」という。）までに完納されないときは、納付期限後に支給すべきその者に係る給付金については、法第九十六条の規定により、その額（法第四十五条及び第九十七条の規定の適用後の額をいう。）から財務省令で定める金額を控除した金額のうち、納付期限の翌日から未納掛金等を完納した日の前日までの日数に応じ未納掛金等につき年十四・六パーセントの割合で計算した金額（以下「給付制限額」という。）に達するまでの金額は、支給しない。ただし、次の各号の一に該当する場合又は納付期限までに完納しなかつたことにつきやむを得ない事情があると認められる場合は、この限りでない。

一　未納掛金等につき控除の行なわれるべき月分のその者の掛金等（法第百条第一項に規定する掛金等をいう。以下同じ。）の額が千円未満であるとき。

二　その者の住所若しくは居所が国内にないため、又はその住所及び居所がともに明らかでないため、公示送達の方法によつて当該通知をしたとき。

三　給付制限額が十円未満であるとき。

2　前項本文の場合において、未納掛金等の一部につき納付があつたときは、その納付の日以後の期間に係る給付制限額の計算の基礎となる未納掛金等は、その納付のあつた金額を控除した金額とする。

3　第一項本文の場合において、給付制限額のうちに前回以前の支給に係る給付金で同項本文の規定により支給されなかつたものに対応する金額があるときは、当該金額に相当する部分の給付制限額は、ないものとみなす。

4　給付制限額を計算するに当たり未納掛金等に百円未満の端数があるとき、又は給付制限額に一円未満の端数があるときは、これらの端数は、切り捨てる。

（刑に処せられた場合等の給付の制限）

第二十一条の二　組合員若しくは組合員であつた者が禁錮以上の刑に処せられた場合、組合員が法第九十七条第一項に規定する懲戒処分（以下この条において「懲戒処分」という。）を受けた場合又は組合員（退職した後に再び組合員となつた者に限る。）若しくは組合員であつた者が同項に規定する退職手当支給制限等処分（以下この条において「退職手当支給制限等処分」という。）を受けた場合には、同項の規定により、その者には、その刑に処せられ、又は懲戒処分若しくは退職手当支給制限等処分を受けたとき以後、その組合員期間に係る退職年金（終身退職年金に限る。以下この条において同じ。）又は公務障害年金の額のうち、次の各号に掲げる場合に応じ当該各号に定める割合に相当する金額を支給しない。

一　禁錮以上の刑に処せられた場合　百分の百（公務障害年金にあつては、百分の五十）

二　懲戒処分によつて退職した場合　その引き続く組合員期間の月数が組合員期間の月数のうちに占める割合に百分の百（公務障害年金にあつては、百分の五十）を乗じて得た割合

三　国家公務員法第八十二条の規定による停職又はこれに相当する処分を受けた場合　当該停職の期間の日数（当該日数が三百六十五日を超える場合にあつては、三百六十五日）が三百六十五日のうちに占める割合に百分の五十（公務障害年金にあつては、百分の二十五）を乗じて得た割合

四　退職手当支給制限等処分を受けた場合　当該退職手当支給制限等処分の対象となる国家公務員退職手当法の規定による退職手当又はこれに相当する給付の額の算定の基礎となる職員としての引き続く在職期間に係る組合員期間の月数が組合員期間の月数のうちに占める割合に百分の百（公務障害年金にあつては、百分の五十）を乗じて得た割合

2　公務遺族年金の受給権者が禁錮以上の刑に処せられた場合には、法第九十七条第二項の規定により、その者には、その刑に処せられたとき以後、当該公務遺族年金の額の百分の五十に相当する金額を支給しない。

3　前二項の場合において、これらの規定による給付の制限は、当該給付の制限を開始すべき月から、法第七十五条の四第一項の規定、法第八十一条第一項の規定、法第八十七条の規定又は法第九十一条第一項から第三項まで若しくは第九十二条第一項の規定により退職年金、公務障害年金又は公務遺族年金の支給が停止されている月を除き通算して六十月に達するまでの間に限り、行うものとする。

4　前項に規定する給付の制限を開始すべき月とは、禁錮以上の刑に処せられ若しくは懲戒処分若しくは退職手当支給制限等処分を受けた日又は退職年金、公務障害年金若しくは公務遺族年金の給付事由が生じた日のいずれか遅い日の属する月の翌月をいい、同日において法第七十五条の四第一項の規定、法第八十一条第一項の規定、法第八十七条の規定又は法第九十一条第一項から第三項まで若しくは第九十二条第一項の規定により退職年金、公務障害年金若しくは公務遺族年金の支給が停止されている場合にあつては、その停止すべき事由がなくなつた日の属する月の翌月をいう。

5　第一項第二号に規定する引き続く組合員期間の月数、同項第三号に規定する停職の期間の日数又は同項第四号

に規定する引き続く在職期間に係る組合員期間の月数は、法第九十九条第六項に規定する専従職員である組合員については、その専従職員であつた期間の月数又は日数を控除した月数又は日数による。

6 第一項から第三項までの規定を適用する場合において、同一の組合員期間について第一項又は第二項の規定に定める給付の制限の二以上に該当するときは、その該当する間は、そのうち最も高い割合による給付の制限（給付の制限の割合が同じときは、そのうちいずれか一の給付の制限）を定めている規定の定めるところによる。

7 第一項又は第二項の規定に該当する者に対する給付の制限は、各省各庁の長（法第八条第一項に規定する各省各庁の長をいう。）がこれらの規定に定める割合によることを不適当と認め、かつ、その割合の範囲内で財務大臣と協議して定めた割合を連合会に通知したときは、その割合によるものとする。

8 禁錮以上の刑に処せられてその刑の全部の執行猶予の言渡しを受けた者が、その言渡しを取り消されることなく猶予の期間を経過したときは、その刑に処せられなかつたとしたならば支給を受けるべきであつた退職年金、公務障害年金又は公務遺族年金の額のうち、第一項第一号又は第二項の規定及び第三項の規定により支給されなかつた金額に相当する金額を支給するものとする。

第四章　費用の負担

（給付に要する費用等の算定方法）

第二十二条　組合の短期給付に要する費用に第一号及び第二号に掲げる費用を加え、第三号に掲げるものを除いた費用（次条第一項において「組合の短期給付等に要する費用」という。）は、毎事業年度、前事業年度における法第五十条及び第五十一条に規定する短期給付の種類別の給付額に、当該事業年度における第一号に掲げるものの納付額及び第二号に掲げる費用の額を加えた額から第三号に掲げるものの額を控除した額を基礎として、財務大臣の定める方法により算定するものとする。

一 法第三条第四項に規定する前期高齢者納付金等及び後期高齢者支援金等並びに流行初期医療確保拠出金等の納付に要する費用

二 長期給付（基礎年金拠出金を含む。）及び福祉事業に係る事務以外の事務に要する費用（法第九十九条第五項の規定による国の負担に係るもの並びに同条第七項及び第八項において読み替えて適用する同条第五項の規定による行政執行法人の負担に係るものを除く。）

三 法第九十九条第四項（第二号を除く。）の規定による国の負担に係るもの

2 組合の退職等年金給付に要する費用（退職等年金給付に係る事務に要する費用（法第九十九条第五項の規定による国の負担に係るもの並びに同条第七項及び第八項において読み替えて適用する同条第五項の規定による行政執行法人の負担に係るものを除く。以下この項において「退職等年金給付事務に要する費用」という。）を含む。次項及び次条第三項において同じ。）は、全ての組合の最近の数年間における次に掲げる事項、基準利率の状況及びその見通し並びに退職等年金給付事務に要する費用の額を基礎として、財務大臣の定める方法により算定するものとする。ただし、当該事項によることが適当でないと認められる場合には、財務大臣の定めるところにより、厚生労働省の作成に係る生命表その他の資料におけるこれらの事項に相当する事項その他の適当な事項を基礎とすることができる。

一 組合員のうち退職した者及び公務以外の理由により死亡した者の数の組合員の総数に対する年齢別の割合

二 退職等年金給付を受ける権利を有する者の数に対する退職等年金給付を受ける権利を失つた者の数の退職等年金給付の種類別及び受給者の年齢別の割合

三 組合員の年齢別の標準報酬の月額及び標準期末手当等の額（法第四十一条第一項に規定する標準期末手当等の額をいう。以下同じ。）の平均額の上昇その他の変動の割合

3 国の積立基準額は、将来にわたる退職等年金給付に要する費用の予想額の現価に相当する額から将来にわたる法第九十九条第二項第三号に規定する掛金及び負担金の予想額の現価に相当する額を控除した額に相当する額を基準として、財務大臣が定める方法により算定した額とし、当該算定を行う場合の予想額の現価の計算に用いる予定利率は、連合会が退職等年金給付積立金の運用収益の予測を勘案して財務大臣が定めるところにより合理的に定めた率とする。

4 法第百条第三項に規定する標準報酬の月額及び標準期末手当等の額と掛金との割合は、短期給付に係るものにあつては、第一項の規定により算定した費用の額を同項に規定する前事業年度の各月の初日における組合員の標準報酬の月額の合計額及び当該組合員の標準期末手当等の額の合計額の合算額で除し、これに百分の五十を乗じて算定するものとし、介護納付金（介護保険法（平成九年法律第百二十三号）第百五十条第一項に規定する納付金をいう。以下同じ。）の納付に係るものにあつては、当該事業年度における介護納付金の納付に要する費用の額を前事業年度の各月の初日における介護保険法第九条第二号に規定する被保険者（以下「介護保険第二号被保険

者」という。）の資格を有する組合員の標準報酬の月額の合計額及び当該組合員の標準期末手当等の額の合計額の合算額で除し、これに百分の五十を乗じて算定するものとし、退職等年金給付に係るものにあつては、財務大臣の定める基準に従つて、国の積立基準額と地方の積立基準額との合計額と退職等年金給付積立金の額と地方退職等年金給付積立金の額との合計額とが将来にわたつて均衡を保つことができるように算定するものとする。

（給付に要する費用の算定単位）

第二十二条の二　組合の短期給付等に要する費用は、当該組合を組織する職員（任意継続組合員及び特例退職組合員を含む。）を単位として算定する。ただし、外務省の職員（任意継続組合員及び特例退職組合員を含む。）をもつて組織する組合にあつては、在外公館に勤務する外務公務員である職員（以下「在外組合員」という。）とその他の者とに区分し、防衛省の職員（任意継続組合員及び特例退職組合員を含む。）をもつて組織する組合にあつては、自衛官（防衛省の職員の給与等に関する法律第二十二条の二第一項に規定する職員に該当する自衛官を除く。）、自衛官候補生並びに防衛大学校の学生、防衛医科大学校の学生（防衛省設置法（昭和二十九年法律第百六十四号）第十六条第一項第三号の教育訓練を受けている者を除く。）及び陸上自衛隊高等工科学校の生徒とその他の者とに区分して算定する。

2　組合の介護納付金の納付に要する費用は、当該組合を組織する職員（任意継続組合員及び特例退職組合員を含む。）を単位として算定する。

3　組合の退職等年金給付に要する費用は、全ての組合を組織する職員（継続長期組合員を含む。）を単位として算定する。

（育児休業手当金等に対する国の負担）

第二十二条の三　法第九十九条第四項第一号に掲げる費用のうち同項の規定により国が毎年度において負担すべき金額は、当該事業年度において組合ごとにその組合員に支給される育児休業手当金及び介護休業手当金の額に次項に定める割合を乗じて得た金額の合計額とする。

2　法第九十九条第四項第一号に規定する政令で定める割合は、百分の十二・五とする。

3　法第九十九条第四項第二号に掲げる費用のうち同項の規定により国が毎年度において負担すべき金額は、当該事業年度において納付される基礎年金拠出金の額の二分の一に相当する金額とする。

（組合の事務に要する費用の行政執行法人の負担）

第二十三条　法第九十九条第七項及び第八項において読み替えて適用する同条第五項に規定する政令で定めるところにより行政執行法人が負担することとなる金額は、組合の事務（福祉事業に係る事務を除く。）に要する費用について、行政執行法人の職員である組合員が属する組合が当該事業年度において負担すべき金額として当該組合の予算に計上した額とする。

（出産育児交付金）

第二十三条の二　各年度の法第九十九条の二第一項に規定する出産育児交付金は、当該年度の同項に規定する出産費及び家族出産費の支給に要する費用の一部に充てるものとする。

（出産育児交付金に関する技術的読替え）

第二十三条の三　法第九十九条の二第二項の規定により健康保険法第百五十二条の三から第百五十二条の五までの規定並びに高齢者の医療の確保に関する法律第四十一条及び第四十二条の規定を準用する場合には、次の表の上欄に掲げるこれらの法律の規定中同表の中欄に掲げる字句は、それぞれ同表の下欄に掲げる字句に読み替えるものとする。

健康保険法第百五十二条の三第一項	前条	国家公務員共済組合法第九十九条の二第一項
健康保険法第百五十二条の三第二項	厚生労働省令	財務省令
	各保険者	国家公務員共済組合法第三条第一項に規定する組合（次条及び第百五十二条の五において「組合」という。）
健康保険法第百五十二条の四	当該保険者	当該組合
	出産育児一時金等	国家公務員共済組合法第九十九条の二第一項に規定する出産費及び家族出産費
	厚生労働省令	財務省令

健康保険法第百五十二条の五	当該保険者	当該組合
	出産育児一時金等	国家公務員共済組合法の規定による出産費及び家族出産費
	第百一条	同法第九十九条の二第一項
高齢者の医療の確保に関する法律第四十一条の見出し	保険者	組合
高齢者の医療の確保に関する法律第四十一条	保険者、	国家公務員共済組合法第三条第一項に規定する組合（以下この条及び次条において「組合」という。）、
	保険者及び	組合及び
	保険者の	組合の
	保険者に	組合に
高齢者の医療の確保に関する法律第四十二条第一項及び第二項	各保険者	各組合
高齢者の医療の確保に関する法律第四十二条第三項	保険者	組合

（標準報酬の月額及び標準期末手当等の額と退職等年金分掛金との割合を定める際に勘案する事情）

第二十四条 法第百条第四項に規定する政令で定める事情は、地方公務員等共済組合法第七十七条第一項に規定する付与率、同法における公務障害年金及び公務遺族年金の支給状況、法第九十九条第一項第三号の規定により退職等年金給付に要する費用の算定について国の積立基準額と地方の積立基準額との合計額と退職等年金給付積立金の額と地方退職等年金給付積立金の額との合計額とが将来にわたつて均衡を保つことができるようにすることとされていることその他財務大臣が定める事情とする。

（介護納付金に係る掛金の徴収の対象月から除外する月）

第二十五条 法第百条第五項に規定する政令で定める月は、介護保険第二号被保険者の資格を喪失した日の属する月（介護保険第二号被保険者の資格を取得した日の属する月を除く。）とする。

（掛金等の払込期限）

第二十五条の二 法第百一条第三項の規定により掛金等に相当する金額を組合に払い込むべき期限は、報酬その他の給与の全部又は一部の支給を受けないことにより、同条第一項の規定による控除が行われない場合には、その控除が行われなかつた月の末日とする。

2 法第百一条第三項の規定により掛金等に相当する金額を組合に払い込むべき者が前項に定める日までに当該金額を組合に納付しないときは、組合は、財務省令で定めるところにより、その者に対し当該金額を組合の指定した日までに払い込むべき旨を通知するものとする。

（組合への国の負担金の払込み）

第二十五条の三 国は、予算で定めるところにより、法第九十九条第四項（第二号を除く。）の規定により負担すべき金額を、当該事業年度における育児休業手当金及び介護休業手当金の支給の状況を勘案して組合に払い込むものとする。

2 国は、予算で定めるところにより、法第九十九条第四項（第一号を除く。）の規定により負担すべき金額を、当該事業年度における基礎年金拠出金の納付の状況を勘案して組合に払い込むものとする。

3 前二項の規定により国が組合に払い込んだ金額と法第九十九条第四項各号の規定により当該事業年度において国が負担すべき金額との調整は、当該事業年度の翌々年度までの国の予算によりそれぞれ行うものとする。

（連合会への負担金の払込み）

第二十五条の四 法第百二条第四項の規定により組合が連合会に払い込むべき金額は、次に掲げる金額とする。

一 法第九十九条第二項第三号に掲げる費用及び同条第五項（同条第七項及び第八項の規定により読み替えて適用する場合を含む。以下この号において同じ。）の規定により負担することとなる費用であつて第九条第三項に規定する退職等年金給付に係るもの並びに法第九十九条第三項に規定する厚生年金保険給付に要する費用及び同条第五項の規定により負担することとなる費用であつて第九条第一項に規定する厚生年金保険給付に係るものに充てるため国、行政執行法人若しくは職員団体（法第九十九条第六項に規定する職員団体をいう。以下この条において同じ。）又は派遣先企業（国と民間企業との間の人事交流に関する法律第七条第三項（同法第二十四条第一項において準用する場合を含む。）に規定する派遣先企業をいう。次項において同じ。）、法科大学院設置者（法科大学院への裁判官及び検察官その他の一般職の国家公務員の派遣に関する法律第三条第一項に規定する法科大学院設置者をいう。次号及び次項において同じ。）若しくは受入先弁護士法人等（判事補及び検事の弁護士職務経験に関する法律第二条第七項に規定する受入先弁護士法人等をいう。次項において同じ。）が負担すべき金額

二　法第九十九条第二項第四号に掲げる費用に充てるため国、行政執行法人若しくは職員団体又は法科大学院設置者が負担すべき金額のうち財務大臣の定める金額

2　組合は、法第百二条第四項に規定する国、行政執行法人若しくは職員団体又は派遣先企業、法科大学院設置者若しくは受入先弁護士法人等が負担すべき金額及び前条第二項に規定する金額の払込みがあるごとに、前項各号に掲げる金額及び同条第二項の規定により払い込まれた金額を、直ちに連合会に払い込まなければならない。

第四章の二　地方公務員共済組合連合会に対する財政調整拠出金

（国の調整対象費用の額）

第二十六条　法第百二条の三第一項第一号に規定する政令で定める費用は、当該事業年度における厚生年金保険法第八十四条の六第一項に規定する拠出金算定対象額に同法第二条の五第一項に規定する実施機関である連合会に係る同法第八十四条の六第一項第一号に掲げる率を乗じて得た額に相当する費用とする。

（国の厚生年金保険給付等に係る収入）

第二十七条　法第百二条の三第二項に規定する政令で定める収入は、当該事業年度の厚生年金保険給付（厚生年金拠出金及び基礎年金拠出金を含む。以下この条及び次条において同じ。）に要する費用及び当該厚生年金保険給付の事務に要する費用に係る収入のうち、組合の厚生年金保険給付と地方の組合の厚生年金保険給付の円滑な実施を図るために法第百二条の三第一項第二号及び第三号に規定する国の厚生年金保険給付等に係る収入とすることが適当でないものとして財務大臣が定めるもの以外のものとする。

（国の厚生年金保険給付等に係る支出）

第二十七条の二　法第百二条の三第三項に規定する政令で定める支出は、当該事業年度の厚生年金保険給付に要する費用及び当該厚生年金保険給付の事務に要する費用に係る支出のうち、組合の厚生年金保険給付と地方の組合の厚生年金保険給付の円滑な実施を図るために同条第一項第二号及び第三号に規定する国の厚生年金保険給付等に係る支出とすることが適当でないものとして財務大臣が定めるもの以外のものとする。

（地方公務員共済組合連合会に対する財政調整拠出金の拠出）

第二十八条　連合会は、毎事業年度、当該事業年度における法第百二条の二に規定する財政調整拠出金（以下この条において「財政調整拠出金」という。）の見込額として法第百二条の三第一項（第四号を除く。）の規定の例により算定した額（次項において「国の厚生年金保険給付概算財政調整拠出金の額」という。）を、財務省令の定めるところにより、地方公務員共済組合連合会（地方公務員等共済組合法第三十八条の二第一項に規定する地方公務員共済組合連合会をいう。以下この条において同じ。）に拠出するものとする。

2　連合会は、毎事業年度における国の厚生年金保険給付概算財政調整拠出金の額が法第百二条の三第一項（第四号を除く。）の規定により算定した当該事業年度における連合会が拠出すべき財政調整拠出金の額に満たないときは、その満たない額を翌々事業年度に地方公務員共済組合連合会に拠出するものとする。ただし、当該翌々事業年度において地方公務員等共済組合法施行令第三十条の六第一項の規定により地方公務員共済組合連合会が連合会に拠出することとなる額（以下この項及び次項において「地方の厚生年金保険給付概算財政調整拠出金の額」という。）がある場合にあつては、当該満たない額を地方の厚生年金保険給付概算財政調整拠出金の額に充当し、なお残余があるときは、その残余の額を地方公務員共済組合連合会に拠出するものとする。

3　連合会は、毎事業年度における地方の厚生年金保険給付概算財政調整拠出金の額が地方公務員等共済組合法第百十六条の三第一項（第四号を除く。）の規定により算定した当該事業年度における地方公務員共済組合連合会が拠出すべき財政調整拠出金の額を超えるときは、その超える額を翌々事業年度に地方公務員共済組合連合会に還付するものとする。ただし、当該翌々事業年度において地方の厚生年金保険給付概算財政調整拠出金の額がある場合にあつては、当該超える額を地方の厚生年金保険給付概算財政調整拠出金の額に充当し、なお残余があるときは、その残余の額を地方公務員共済組合連合会に還付するものとする。

4　前三項の規定は、法第百二条の三第一項（第一号から第三号までを除く。）の規定による地方公務員共済組合連合会に対する退職等年金給付に係る拠出金の拠出について準用する。この場合において、第一項中「第四号」とあるのは「第一号から第三号まで」と、「国の厚生年金保険給付概算財政調整拠出金の額」とあるのは「国の退職等年金給付概算財政調整拠出金の額」と、第二項中「国の厚生年金保険給付概算財政調整拠出金の額」とあるのは「国の退職等年金給付概算財政調整拠出金の額」と、「第四号」とあるのは「第一号から第三号まで」と、「第三十条の六第一項」とあるのは「第三十条の六第四項の規定により読み替えられた同条第一項」と、「地方の厚生年金保険給付概算財政調整拠出金の額」とあるのは「地方の退職等年金給付概算財政調整拠出金の額」と、前項中「地方の厚生年金保険給付概算財政調整拠出金の額」とあるのは「地方の退職等年金給付概算財政調整拠出金の額」と、「第四号」とあるのは「第一号から第三号まで」と読み替えるものとする。

5　前三条及び前各項に規定するもののほか、財政調整拠出金の拠出に関し必要な事項は、財務大臣が定める。

第五章　国家公務員共済組合審査会

（審査会の委員に対する報酬）

第二十九条　連合会は、国家公務員共済組合審査会（以下「審査会」という。）の公益を代表する委員に対し、審査会に出席した日数に応じ、一般職の職員の給与に関する法律第二十二条第一項の規定による手当の額を基準として財務省令で定める額の報酬を支給する。

（審査会の委員及び関係人に対する旅費）

第二十九条の二　審査会の委員に対する旅費は、公益を代表する委員については一般職の職員の給与に関する法律別表第一の行政職俸給表㈠の十級の職務にある職員が国家公務員等の旅費に関する法律（昭和二十五年法律第百十四号）の規定により支給を受けるべき額により、その他の委員についてはその者が職員として受けるべき額又はこれに相当する額により、連合会が支給する。

2　行政不服審査法（平成二十六年法律第六十八号）第三十四条の規定により事実の陳述又は鑑定を求められた参考人に対する旅費は、前項の規定により公益を代表する委員に支給する旅費の額の範囲内において、連合会が支給する。

（審査会の書記）

第二十九条の三　審査会に書記を置く。

2　書記は、連合会の事務に従事する者のうちから、連合会の理事長が任命する。

3　書記は、会長の指揮を受けて庶務を整理する。

第五章の二　資料の提供

第三十条　法第百十四条に規定する政令で定める給付は、次に掲げる給付とする。

一　平成二十四年一元化法附則第六十一条第一項に規定する給付及び平成二十四年一元化法附則第六十五条第一項の規定による年金である給付

二　平成二十四年一元化法附則第七十九条に規定する給付

三　厚生年金保険法等の一部を改正する法律（平成八年法律第八十二号）附則第十六条第三項の規定により厚生年金保険の実施者たる政府が支給するものとされた年金である給付

四　平成十三年統合法附則第十六条第三項の規定により厚生年金保険の実施者たる政府が支給するものとされた年金である給付

第六章　権限の委任

第三十一条　次の各号に掲げる財務大臣の権限は、当該各号に規定する従たる事務所又は保険医療機関、保険薬局若しくは指定訪問看護事業者の所在地を管轄する財務局長（当該所在地が福岡財務支局の管轄区域内にある場合にあつては、福岡財務支局長）に委任する。ただし、財務大臣が必要があると認めるときは、自ら行うことを妨げないものとする。

一　法第百十六条第三項の規定による監査で組合又は連合会の従たる事務所に関するもの

二　法第百十七条第一項又は第二項の規定による報告、資料の提出及び出頭の要求並びに質問及び検査で保険医療機関、保険薬局及び指定訪問看護事業者に関するもの

2　前項第一号に掲げる財務大臣の権限で、組合又は連合会の従たる事務所の所轄機関に関するものについては、同項に規定する財務局長のほか、当該所轄機関の所在地を管轄する財務局長（当該所在地が福岡財務支局の管轄区域内にある場合にあつては、福岡財務支局長）も行うことができる。

3　第一項第二号に掲げる財務大臣の権限については、同項に規定する財務局長のほか、同号に規定する保険医療機関、保険薬局又は指定訪問看護事業者に係る療養に関する短期給付についての費用の支払を行うべき組合又は連合会の従たる事務所又はその所轄機関の所在地を管轄する財務局長（当該所在地が福岡財務支局の管轄区域内にある場合にあつては、福岡財務支局長）も行うことが

できる。

第七章　外国で勤務する組合員に係る特例

（療養費の特例）

第三十二条　在外組合員が本邦を出発した時から本邦に到着する時までの期間（以下この章において「本邦外にある期間」という。）内において療養を受ける場合には、組合がその者に支払うべき療養費の額は、法第五十六条第三項及び第四項の規定にかかわらず、その療養に要した費用の額から、その額に百分の三十を乗じて得た額を控除した金額とする。

（家族療養費の特例）

第三十三条　在外組合員が随伴し、又は在勤地に呼び寄せたその親族（在外組合員の配偶者で本邦外において婚姻したもの及び在外組合員の子で本邦外において出生したものを含むものとし、被扶養者であるものに限るものとする。）で次の各号に掲げる者（次条から第三十九条までにおいて「在外被扶養者」という。）が本邦外にある期間内において療養を受ける場合には、組合がその在外組合員に支払うべき家族療養費の額は、法第五十七条第二項、第三項及び第八項の規定にかかわらず、当該各号に掲げる者の区分に応じ当該各号に定める金額とする。

一　配偶者　その療養に要した費用の額に、百分の七十を乗じて得た金額

二　子及び父母　その療養に要した費用の額に百分の五十六を乗じて得た金額

（高額療養費の特例）

第三十四条　在外組合員が本邦外にある期間内において療養を受ける場合における法第六十条の二第一項の高額療養費は、第十一条の三の三から第十一条の三の五までの規定にかかわらず、在外組合員が同一の月にそれぞれ一の病院等（第十一条の三の三第一項第一号に規定する病院等をいう。次項において同じ。）から受けた療養に係る療養に要した費用の額から当該療養に要した費用について療養費として支給される金額に相当する金額を控除した金額（以下この項において「組合員負担額」という。）がその者の在勤手当（第五条第二項第一号の二に掲げる給与をいう。以下この章において同じ。）の月額に組合の定款で定める割合を乗じて得た金額を超える場合に支給するものとし、その額は、当該組合員負担額から当該在勤手当の月額に当該割合を乗じて得た金額を控除した金額とする。

2　在外組合員の在外被扶養者が本邦外にある期間内において療養を受ける場合における法第六十条の二第一項の高額療養費は、第十一条の三の三から第十一条の三の五までの規定にかかわらず、当該在外被扶養者が同一の月にそれぞれ一の病院等から受けた療養に係る療養に要した費用の額から当該療養に要した費用について家族療養費として支給される金額に相当する金額を控除した金額（以下この項において「組合員負担額」という。）がその在外組合員の在勤手当の月額に組合の定款で定める割合を乗じて得た金額を超える場合に支給するものとし、その額は、当該組合員負担額から当該在勤手当の月額に当該割合を乗じて得た金額を控除した金額とする。

3　前二項に定めるもののほか、前二項の高額療養費の支給に関し必要な事項は、第十一条の三の六の規定にかかわらず、組合の定款で定める。

（出産費及び家族出産費の特例）

第三十五条　在外組合員又はその在外被扶養者が本邦外にある期間内において出産した場合における法第六十一条第一項又は第三項の規定による出産費又は家族出産費の額は、第十一条の三の七の規定にかかわらず、組合の定款で定める金額とする。

（家族埋葬料の特例）

第三十六条　在外組合員の在外被扶養者である子が本邦外において死亡した場合における法第六十三条第三項の規定による家族埋葬料の額は、第十一条の三の八の規定にかかわらず、組合の定款で定める金額とする。

（災害見舞金の特例）

第三十七条　在外組合員が本邦外にある家財に損害を受けた場合における法第七十一条の規定による災害見舞金の額は、同条の規定にかかわらず、別表に掲げる損害の程度に応じ、その者の在勤手当の月額に同表に定める割合を乗じて得た金額とする。

2　在外組合員の本邦外にある住居については、法第七十一条の規定は、適用しない。

（対外支払手段による支払）

第三十八条　組合は、在外組合員又はその在外被扶養者が本邦外にある期間内にこれらの者について生じた給付事由に基づく短期給付のうち療養費、家族療養費、高額療養費、移送費、家族移送費、出産費、家族出産費、在外被扶養者である子及び父母についての家族埋葬料並びに災害見舞金の支払は、特別の事情がある場合を除くほか、対外支払手段（外国為替及び外国貿易法（昭和二十四年法律第二百二十八号）第六条第一項第八号に規定する対外支払手段をいう。）によつて行うものとする。

（給付の制限）

第三十九条　在外組合員又はその在外被扶養者が本邦外にある期間内にこれらの者について生じた給付事由に基づく

短期給付のうち前条の規定の適用を受ける給付以外のものは、支給しない。

（掛金の特例）

第四十条 在外組合員に係る法第九十九条第二項第一号及び第四号に規定する掛金は、法第百条第三項の規定にかかわらず、同項の規定により算定する掛金のほかその者の在勤手当を標準として算定する掛金とし、その掛金と在勤手当との割合は、組合の定款で定める。

第四十一条 削除

（区分経理）

第四十二条 組合は、在外組合員に係る組合の収入及び支払については、他の収入及び支払と区分して経理しなければならない。

第八章 公庫等の継続長期組合員に係る特例

（継続長期組合員につき組合員期間の通算を認める公庫等又は特定公庫等の範囲）

第四十三条 法第百二十四条の二第一項に規定する公庫等（以下「公庫等」という。）に係る同項に規定する政令で定める法人は、沖縄振興開発金融公庫のほか、次に掲げる法人とする。

一 小型船舶検査機構

二 日本消防検定協会

三 株式会社日本政策金融公庫（株式会社日本政策金融公庫法（平成十九年法律第五十七号）附則第四十二条第四号の規定による廃止前の国際協力銀行法（平成十一年法律第三十五号）附則第六条第一項の規定により解散した旧日本輸出入銀行及び同法附則第七条第一項の規定により解散した旧海外経済協力基金、国民金融公庫法の一部を改正する法律（平成十一年法律第五十六号）附則第二条の規定により国民生活金融公庫となつた旧国民金融公庫及び同法附則第三条第一項の規定により解散した旧環境衛生金融公庫並びに株式会社日本政策金融公庫法附則第十五条第一項の規定により解散した旧国民生活金融公庫、同法附則第十六条第一項の規定により解散した旧農林漁業金融公庫、同法附則第十七条第一項の規定により解散した旧中小企業金融公庫及び同法附則第十八条第一項の規定により解散した旧国際協力銀行を含む。）

四 削除

五 株式会社日本政策投資銀行（株式会社日本政策投資銀行法（平成十九年法律第八十五号）附則第二十六条の規定による廃止前の日本政策投資銀行法（平成十一年法律第七十三号）附則第六条第一項の規定により解散した旧日本開発銀行及び同法附則第七条第一項の規定により解散した旧北海道東北開発公庫並びに株式会社日本政策投資銀行法附則第十五条第一項の規定により解散した旧日本政策投資銀行を含む。）

六 軽自動車検査協会

七 高圧ガス保安協会

八 独立行政法人農林漁業信用基金（独立行政法人農林漁業信用基金法（平成十四年法律第百二十八号）附則第五条の規定による廃止前の農林漁業信用基金法（昭和六十二年法律第七十九号）附則第三条第一項の規定により解散した旧林業信用基金及び同法附則第七条第三項の規定により解散した旧中央漁業信用基金、農業災害補償法及び農林漁業信用基金法の一部を改正する法律（平成十一年法律第六十九号）附則第三条第四項の規定により解散した旧農業共済基金並びに独立行政法人農林漁業信用基金法附則第三条第一項の規定により解散した旧農林漁業信用基金を含む。）

九 独立行政法人農業技術研究機構法の一部を改正する法律（平成十四年法律第百二十九号）附則第四条第一項の規定により解散した旧生物系特定産業技術研究推進機構（同法附則第八条の規定による廃止前の生物系特定産業技術研究推進機構法（昭和六十一年法律第八十二号）附則第二条第一項の規定により解散した旧農業機械化研究所を含む。）

十 独立行政法人福祉医療機構（独立行政法人福祉医療機構法（平成十四年法律第百六十六号）附則第六条の規定による廃止前の社会福祉・医療事業団法（昭和五十九年法律第七十五号）附則第二条の規定により社会福祉・医療事業団となつた旧社会福祉事業振興会及び同法附則第三条第一項の規定により解散した旧医療金融公庫並びに独立行政法人福祉医療機構法附則第二条第一項の規定により解散した旧社会福祉・医療事業団を含む。）

十一 確定給付企業年金法（平成十三年法律第五十号）に規定する企業年金連合会（国民年金法等の一部を改正する法律（平成十六年法律第百四号）附則第三十九条の規定により企業年金連合会（平成二十五年厚生年金等改正法第一条の規定による改正前の厚生年金保険法により設立されたものをいう。以下この号において「旧企業年金連合会」という。）となつた旧厚生年金基金連合会及び旧企業年金連合会を含む。）

十二 独立行政法人都市再生機構（独立行政法人都市再生機構法（平成十五年法律第百号）附則第十八条の規定による廃止前の都市基盤整備公団法（平成十一年法律第七十六号。以下「旧都市基盤整備公団法」とい

う。）附則第十七条の規定による廃止前の住宅・都市整備公団法（昭和五十六年法律第四十八号。以下「旧住宅・都市整備公団法」という。）附則第六条第一項の規定により解散した旧日本住宅公団及び旧住宅・都市整備公団法附則第七条第一項の規定により解散した旧宅地開発公団、旧都市基盤整備公団法附則第六条第一項の規定により解散した旧住宅・都市整備公団並びに独立行政法人都市再生機構法附則第四条第一項の規定により解散した旧都市基盤整備公団を含む。）

十三　独立行政法人日本スポーツ振興センター（独立行政法人日本スポーツ振興センター法（平成十四年法律第百六十二号）附則第九条の規定による廃止前の日本体育・学校健康センター法（昭和六十年法律第九十二号。以下この号において「旧日本体育・学校健康センター法」という。）附則第十三条の規定による廃止前の日本学校健康会法（昭和五十七年法律第六十三号）附則第六条第一項の規定により解散した旧日本学校給食会、旧日本体育・学校健康センター法附則第六条第一項の規定により解散した旧国立競技場及び旧日本学校健康会並びに独立行政法人日本スポーツ振興センター法附則第四条第一項の規定により解散した旧日本体育・学校健康センターを含む。）

十四　国立研究開発法人新エネルギー・産業技術総合開発機構（石油代替エネルギーの開発及び導入の促進に関する法律等の一部を改正する法律（平成二十一年法律第七十号）第一条の規定による改正前の石油代替エネルギーの開発及び導入の促進に関する法律（昭和五十五年法律第七十一号）附則第七条第一項の規定により解散した旧石炭鉱業合理化事業団、産業技術に関する研究開発体制の整備に関する法律の一部を改正する法律（平成三年法律第六十四号）による改正前の産業技術に関する研究開発体制の整備に関する法律（昭和六十三年法律第三十三号）附則第四条の規定により新エネルギー・産業技術総合開発機構となつた旧新エネルギー総合開発機構、石炭鉱害賠償等臨時措置法の一部を改正する法律（平成八年法律第二十三号）附則第二条第一項の規定により解散した旧石炭鉱害事業団、独立行政法人通則法の一部を改正する法律の施行に伴う関係法律の整備に関する法律（平成二十六年法律第六十七号。以下「平成二十六年独法整備法」という。）第百七十三条の規定による改正前の独立行政法人新エネルギー・産業技術総合開発機構法（平成十四年法律第百四十五号）附則第二条第一項の規定により解散した旧新エネルギー・産業技術総合開発機構及び同法第三条の独立行政法人新エネルギー・産業技術総合開発機構を含む。）

十五　東日本高速道路株式会社（日本道路公団等民営化関係法施行法（平成十六年法律第百二号）第十五条第一項の規定により解散した旧日本道路公団を含む。）

十六　独立行政法人緑資源機構法を廃止する法律（平成二十年法律第八号）附則第二条第一項の規定により解散した旧独立行政法人緑資源機構（農用地開発公団法の一部を改正する法律（昭和六十三年法律第四十四号）附則第二条の規定により農用地整備公団となつた旧農用地開発公団、森林開発公団法の一部を改正する法律（平成十一年法律第七十号）附則第二条の規定により緑資源公団となつた旧森林開発公団及び同法附則第三条第一項の規定により解散した旧農用地整備公団並びに独立行政法人緑資源機構法を廃止する法律による廃止前の独立行政法人緑資源機構法（平成十四年法律第百三十号。以下「旧緑資源機構法」という。）附則第四条第一項の規定により解散した旧緑資源公団を含む。）

十七　国立研究開発法人日本原子力研究開発機構（日本原子力船開発事業団法の一部を改正する法律（昭和五十五年法律第九十二号）附則第二条第一項の規定により日本原子力船研究開発事業団となつた旧日本原子力船開発事業団、日本原子力研究所法の一部を改正する法律（昭和五十九年法律第五十七号）附則第二条第一項の規定により解散した旧日本原子力船研究開発事業団、原子力基本法及び動力炉・核燃料開発事業団法の一部を改正する法律（平成十年法律第六十二号）附則第二条の規定により核燃料サイクル開発機構となつた旧動力炉・核燃料開発事業団、平成二十六年独法整備法第九十七条の規定による改正前の独立行政法人日本原子力研究開発機構法（平成十六年法律第百五十五号）附則第二条第一項の規定により解散した旧日本原子力研究所及び同法附則第三条第一項の規定により解散した旧核燃料サイクル開発機構並びに同法第三条の独立行政法人日本原子力研究開発機構を含む。）

十八　国立研究開発法人科学技術振興機構（新技術開発事業団法の一部を改正する法律（平成元年法律第五十二号）附則第二条の規定により新技術事業団となつた旧新技術開発事業団、平成二十六年独法整備法第八十五条の規定による改正前の独立行政法人科学技術振興機構法（平成十四年法律第百五十八号）附則第六条の規定による廃止前の科学技術振興事業団法（平成八年法律第二十七号）附則第六条第一項の規定により解散した旧日本科学技術情報センター及び同法附則第八条第一項の規定により解散した旧新技術事業団、平成二十六年独法整備法第八十五条の規定による改正前の独立行政法人科学技術振興機構法附則第二条第一項の規定により解散した旧科学技術振興事業団並びに同法第三条の独立行政法人科学技術振興機構を含む。）

十九　独立行政法人労働者健康安全機構（独立行政法人に係る改革を推進するための厚生労働省関係法律の整備等に関する法律（平成二十七年法律第十七号。以下「平成二十七年独法改革厚生労働省関係法整備法」という。）第四条の規定による改正前の独立行政法人労働者健康福祉機構法（平成十四年法律第百七十一号）附則第二条第一項の規定により解散した旧労働福祉事業団及び同法第二条の独立行政法人労働者健康福祉機構を含む。）

二十　国立研究開発法人理化学研究所（平成二十六年独法整備法第八十七条の規定による改正前の独立行政法人理化学研究所法（平成十四年法律第百六十号）附則第二条第一項の規定により解散した旧理化学研究所及び同法第二条の独立行政法人理化学研究所を含む。）

二十一　独立行政法人中小企業基盤整備機構（中小企業総合事業団法及び機械類信用保険法の廃止等に関する法律（平成十四年法律第百四十六号）第一条の規定による廃止前の中小企業総合事業団法（平成十一年法律第十九号）附則第二十四条の規定による廃止前の中小企業事業団法（昭和五十五年法律第五十三号）附則第六条第一項の規定により解散した旧中小企業共済事業団及び同法附則第七条第一項の規定により解散した旧中小企業振興事業団、特定不況産業安定臨時措置法の一部を改正する法律（昭和五十八年法律第五十三号）による改正前の特定不況産業安定臨時措置法（昭和五十三年法律第四十四号）第十三条の特定不況産業信用基金、民間事業者の能力の活用による特定施設の整備の促進に関する臨時措置法（昭和六十一年法律第七十七号）附則第七条第五項の規定により解散した旧特定産業信用基金、産業構造転換円滑化臨時措置法（昭和六十二年法律第二十四号）附則第四条の規定による改正前の民間事業者の能力の活用による特定施設の整備の促進に関する臨時措置法第十四条の産業基盤信用基金、繊維工業構造改善臨時措置法の一部を改正する法律（平成六年法律第二十七号）による改正前の繊維工業構造改善臨時措置法（昭和四十二年法律第八十二号）第二十一条の繊維工業構造改善事業協会、中小企業総合事業団法附則第五条第一項の規定により解散した旧中小企業信用保険公庫、同法附則第六条第一項の規定により解散した旧繊維産業構造改善事業協会及び同法附則第七条第一項の規定により解散した旧中小企業事業団、中小企業総合事業団法及び機械類信用保険法の廃止等に関する法律附則第二条第一項の規定により解散した旧中小企業総合事業団及び同法附則第四条第一項の規定により解散した旧産業基盤整備基金並びに中小企業金融公庫法及び独立行政法人中小企業基盤整備機構法の一部を改正する法律（平成十六年法律第三十五号）附則第三条第一項の規定により解散した旧地域振興整備公団を含む。）

二十二　独立行政法人日本貿易振興機構（独立行政法人日本貿易振興機構法（平成十四年法律第百七十二号）附則第二条第一項の規定により解散した旧日本貿易振興会を含む。）

二十三　独立行政法人労働政策研究・研修機構（日本労働協会法の一部を改正する法律（平成元年法律第三十九号）附則第二条の規定により日本労働研究機構となつた旧日本労働協会及び独立行政法人労働政策研究・研修機構法（平成十四年法律第百六十九号）附則第十条第一項の規定により解散した旧日本労働研究機構を含む。）

二十四　独立行政法人国際観光振興機構（独立行政法人国際観光振興機構法（平成十四年法律第百八十一号）附則第二条第一項の規定により解散した旧国際観光振興会を含む。）

二十五　独立行政法人鉄道建設・運輸施設整備支援機構（特定船舶製造業安定事業協会法の一部を改正する法律（平成元年法律第五十七号）による改正前の特定船舶製造業安定事業協会法（昭和五十三年法律第百三号）第一条の特定船舶製造業安定事業協会、独立行政法人鉄道建設・運輸施設整備支援機構法（平成十四年法律第百八十号）附則第十四条の規定による廃止前の運輸施設整備事業団法（平成九年法律第八十三号）附則第六条第一項の規定により解散した旧船舶整備公団及び同法附則第七条第一項の規定により解散した旧鉄道整備基金、日本国有鉄道清算事業団の債務等の処理に関する法律（平成十年法律第百三十六号）附則第二条の規定により解散した旧日本国有鉄道清算事業団、運輸施設整備事業団法の一部を改正する法律（平成十二年法律第四十七号）附則第三条第一項の規定により解散した旧造船業基盤整備事業協会並びに独立行政法人鉄道建設・運輸施設整備支援機構法附則第二条第一項の規定により解散した旧日本鉄道建設公団及び同法附則第三条第一項の規定により解散した旧運輸施設整備事業団を含む。）

二十六　首都高速道路株式会社（日本道路公団等民営化関係法施行法第十五条第一項の規定により解散した旧

首都高速道路公団を含む。）

二十七　独立行政法人勤労者退職金共済機構（中小企業退職金共済法の一部を改正する法律（昭和五十六年法律第三十八号）附則第五条第一項の規定により解散した旧特定業種退職金共済組合、中小企業退職金共済法の一部を改正する法律（平成九年法律第六十八号）附則第五条第一項の規定により解散した旧中小企業退職金共済事業団及び同法附則第六条第一項の規定により解散した旧特定業種退職金共済組合並びに中小企業退職金共済法の一部を改正する法律（平成十四年法律第百六十四号）附則第二条第一項の規定により解散した旧勤労者退職金共済機構を含む。）

二十八　独立行政法人雇用・能力開発機構法を廃止する法律（平成二十三年法律第二十六号）附則第二条第一項の規定により解散した旧独立行政法人雇用・能力開発機構（同法による廃止前の独立行政法人雇用・能力開発機構法（平成十四年法律第百七十号）附則第六条の規定による廃止前の雇用・能力開発機構法（平成十一年法律第二十号）附則第六条第一項の規定により解散した旧雇用促進事業団及び独立行政法人雇用・能力開発機構法を廃止する法律による廃止前の独立行政法人雇用・能力開発機構法附則第三条第一項の規定により解散した旧雇用・能力開発機構を含む。）

二十九　年金積立金管理運用独立行政法人（年金積立金管理運用独立行政法人法附則第十四条の規定による廃止前の年金福祉事業団の解散及び業務の承継等に関する法律（平成十二年法律第二十号）第一条第一項の規定により解散した旧年金福祉事業団及び年金積立金管理運用独立行政法人法附則第三条第一項の規定により解散した旧年金資金運用基金を含む。）

三十　独立行政法人農畜産業振興機構（独立行政法人農畜産業振興機構法（平成十四年法律第百二十六号）附則第九条の規定による廃止前の農畜産業振興事業団法（平成八年法律第五十三号。以下この号において「旧農畜産業振興事業団法」という。）附則第十五条の規定による廃止前の蚕糸砂糖類価格安定事業団法（昭和五十六年法律第四十四号）附則第六条第一項の規定により解散した旧日本蚕糸事業団及び同法附則第八条第一項の規定により解散した旧糖価安定事業団、旧農畜産業振興事業団法附則第六条第一項の規定により解散した旧畜産振興事業団及び旧農畜産業振興事業団法附則第七条第一項の規定により解散した旧蚕糸砂糖類価格安定事業団並びに独立行政法人農畜産業振興機構法附則第三条第一項の規定により解散した旧農畜産業振興事業団及び同法附則第四条第一項の規定により解散した旧野菜供給安定基金を含む。）

三十一　独立行政法人水資源機構（独立行政法人水資源機構法（平成十四年法律第百八十二号）附則第二条第一項の規定により解散した旧水資源開発公団を含む。）

三十二　阪神高速道路株式会社（日本道路公団等民営化関係法施行法第十五条第一項の規定により解散した旧阪神高速道路公団を含む。）

三十三　郵政民営化法等の施行に伴う関係法律の整備等に関する法律（平成十七年法律第百二号）第二条の規定による廃止前の日本郵政公社法施行法（平成十四年法律第九十八号。第七十五号において「旧公社法施行法」という。）第六条第一項の規定により解散した旧簡易保険福祉事業団（簡易生命保険法の一部を改正する法律（平成二年法律第五十号）附則第二十八条第一項の規定により簡易保険福祉事業団となつた旧簡易保険郵便年金福祉事業団を含む。）

三十四　独立行政法人エネルギー・金属鉱物資源機構（石油公団法及び金属鉱業事業団法の廃止等に関する法律（平成十四年法律第九十三号）附則第二条第一項の規定により解散した旧石油公団及び同法附則第五条第一項の規定により解散した旧金属鉱業事業団並びに安定的なエネルギー需給構造の確立を図るためのエネルギーの使用の合理化等に関する法律等の一部を改正する法律（令和四年法律第四十六号）第三条の規定による改正前の独立行政法人石油天然ガス・金属鉱物資源機構法（平成十四年法律第九十四号）第二条の独立行政法人石油天然ガス・金属鉱物資源機構を含む。）

三十五　国立教育会館の解散に関する法律（平成十一年法律第六十二号）第一項の規定により解散した旧国立教育会館

三十六　社会保障研究所の解散に関する法律（平成八年法律第四十号）第一項の規定により解散した旧社会保障研究所

三十七　独立行政法人環境再生保全機構（公害健康被害補償法の一部を改正する法律（昭和六十二年法律第九十七号）による改正前の公害健康被害補償法（昭和四十八年法律第百十一号）第十三条第二項の公害健康被害補償協会、公害防止事業団法の一部を改正する法律（平成四年法律第三十九号）附則第二条の規定により環境事業団となつた旧公害防止事業団並びに独立行政法人環境再生保全機構法（平成十五年法律第四十三号）附則第三条第一項の規定により解散した旧公害健康被害補償予防協会及び同法附則第四条第一項の規定により解散した旧環境事業団を含む。）

三十八　成田国際空港株式会社（成田国際空港株式会社

法（平成十五年法律第百二十四号）附則第十二条第一項の規定により解散した旧新東京国際空港公団を含む。）

三十九　独立行政法人日本芸術文化振興会（国立劇場法の一部を改正する法律（平成二年法律第六号）附則第二条の規定により日本芸術文化振興会となつた旧国立劇場及び独立行政法人日本芸術文化振興会法（平成十四年法律第百六十三号）附則第二条第一項の規定により解散した旧日本芸術文化振興会を含む。）

四十　独立行政法人空港周辺整備機構（公共用飛行場周辺における航空機騒音による障害の防止等に関する法律の一部を改正する法律（昭和六十年法律第四十七号）附則第四条第一項の規定により解散した旧空港周辺整備機構及び公共用飛行場周辺における航空機騒音による障害の防止等に関する法律の一部を改正する法律（平成十四年法律第百八十四号）附則第二条第一項の規定により解散した旧空港周辺整備機構を含む。）

四十一　独立行政法人日本学術振興会（独立行政法人日本学術振興会法（平成十四年法律第百五十九号）附則第二条第一項の規定により解散した旧日本学術振興会を含む。）

四十二　海上物流の基盤強化のための港湾法等の一部を改正する法律（平成十八年法律第三十八号）第二条の規定による改正前の外貿埠頭公団の解散及び業務の承継に関する法律（昭和五十六年法律第二十八号）第一条の規定により解散した旧京浜外貿埠頭公団及び旧阪神外貿埠頭公団

四十三　削除

四十四　国立研究開発法人宇宙航空研究開発機構（平成二十六年独法整備法第八十八条の規定による改正前の独立行政法人宇宙航空研究開発機構法（平成十四年法律第百六十一号）附則第十条第一項の規定により解散した旧宇宙開発事業団及び同法第三条の独立行政法人宇宙航空研究開発機構を含む。）

四十五　独立行政法人国立重度知的障害者総合施設のぞみの園（独立行政法人国立重度知的障害者総合施設のぞみの園法（平成十四年法律第百六十七号）附則第二条第一項の規定により解散した旧心身障害者福祉協会を含む。）

四十六　日本私立学校振興・共済事業団（日本私立学校振興・共済事業団法（平成九年法律第四十八号）附則第六条第一項の規定により解散した旧日本私学振興財団を含む。）

四十七　独立行政法人農業者年金基金（独立行政法人農業者年金基金法（平成十四年法律第百二十七号）附則第四条第一項の規定により解散した旧農業者年金基金を含む。）

四十八　本州四国連絡高速道路株式会社（日本道路公団等民営化関係法施行法第十五条第一項の規定により解散した旧本州四国連絡橋公団を含む。）

四十九　独立行政法人情報処理推進機構（情報処理の促進に関する法律の一部を改正する法律（平成十四年法律第百四十四号）附則第二条第一項の規定により解散した旧情報処理振興事業協会を含む。）

五十　独立行政法人国民生活センター（独立行政法人国民生活センター法（平成十四年法律第百二十三号）附則第二条第一項の規定により解散した旧国民生活センターを含む。）

五十一　海洋汚染等及び海上災害の防止に関する法律等の一部を改正する法律（平成二十四年法律第八十九号）附則第十条第一項の規定により解散した旧独立行政法人海上災害防止センター（海洋汚染及び海上災害の防止に関する法律の一部を改正する法律（平成十四年法律第百八十五号）附則第二条第一項の規定により解散した旧海上災害防止センターを含む。）

五十二　独立行政法人水産総合研究センター法の一部を改正する法律（平成十四年法律第百三十一号）附則第五条第一項の規定により解散した旧海洋水産資源開発センター

五十三　国立研究開発法人海洋研究開発機構（平成二十六年独法整備法第九十二条の規定による改正前の独立行政法人海洋研究開発機構法（平成十五年法律第九十五号）附則第十条第一項の規定により解散した旧海洋科学技術センター及び同法第三条の独立行政法人海洋研究開発機構を含む。）

五十四　独立行政法人日本万国博覧会記念機構法を廃止する法律（平成二十五年法律第十九号）附則第二条第一項の規定により解散した旧独立行政法人日本万国博覧会記念機構（同法による廃止前の独立行政法人日本万国博覧会記念機構法（平成十四年法律第百二十五号）附則第二条第一項の規定により解散した旧日本万国博覧会記念協会を含む。）

五十五　日本下水道事業団

五十六　独立行政法人国際交流基金（独立行政法人国際交流基金法（平成十四年法律第百三十七号）附則第三条第一項の規定により解散した旧国際交流基金を含む。）

五十七　通商産業省関係の基準・認証制度等の整理及び合理化に関する法律（平成十一年法律第百二十一号。以下この号において「整理合理化法」という。）第一条の規定による改正前の消費生活用製品安全法（昭和四十八年法律第三十一号）により設立された製品安全協会（整理合理化法附則第十条に規定する時までの間におけるものに限る。）

五十八　独立行政法人自動車事故対策機構（独立行政法人自動車事故対策機構法（平成十四年法律第百八十三号）附則第二条第一項の規定により解散した旧自動車事故対策センターを含む。）

五十九　独立行政法人国際協力機構（独立行政法人国際協力機構法（平成十四年法律第百三十六号）附則第二条第一項の規定により解散した旧国際協力事業団を含む。）

六十　自動車安全運転センター

六十一　輸出入・港湾関連情報処理センター株式会社（航空運送貨物の税関手続の特例等に関する法律の一部を改正する法律（平成三年法律第十八号）による改正前の航空運送貨物の税関手続の特例等に関する法律（昭和五十二年法律第五十四号）第六条の航空貨物通関情報処理センター、電子情報処理組織による税関手続の特例等に関する法律の一部を改正する法律（平成十四年法律第百二十四号）附則第二条第一項の規定により解散した旧通関情報処理センター及び電子情報処理組織による税関手続の特例等に関する法律の一部を改正する法律（平成二十年法律第四十六号）附則第十二条第一項の規定により解散した旧独立行政法人通関情報処理センターを含む。）

六十二　独立行政法人通信総合研究所法の一部を改正する法律（平成十四年法律第百三十四号）附則第三条第一項の規定により解散した旧通信・放送機構（通信・放送衛星機構法の一部を改正する法律（平成四年法律第三十四号）による改正前の通信・放送衛星機構法（昭和五十四年法律第四十六号）第一条の通信・放送衛星機構を含む。）

六十三　独立行政法人医薬品医療機器総合機構（医薬品副作用被害救済基金法の一部を改正する法律（昭和六十二年法律第三十二号）による改正前の医薬品副作用被害救済基金法（昭和五十四年法律第五十五号）第一条の医薬品副作用被害救済基金、薬事法及び医薬品副作用被害救済・研究振興基金法の一部を改正する法律（平成五年法律第二十七号）による改正前の医薬品副作用被害救済・研究振興基金法第一条の医薬品副作用被害救済・研究振興基金及び独立行政法人医薬品医療機器総合機構法（平成十四年法律第百九十二号）附則第十三条第一項の規定により解散した旧医薬品副作用被害救済・研究振興調査機構を含む。）

六十四　独立行政法人日本学生支援機構（独立行政法人日本学生支援機構法（平成十五年法律第九十四号）附則第十条第一項の規定により解散した旧日本育英会を含む。）

六十五　放送大学学園法（平成十四年法律第百五十六号）第三条に規定する放送大学学園（同法附則第三条第一項の規定により解散した旧放送大学学園を含む。）

六十六　関西国際空港及び大阪国際空港の一体的かつ効率的な設置及び管理に関する法律（平成二十三年法律第五十四号。以下この号において「設置管理法」という。）附則第十九条の規定による廃止前の関西国際空港株式会社法（昭和五十九年法律第五十三号）により設立された関西国際空港株式会社（設置管理法の施行の日の前日までの間におけるものに限る。）

六十七　危険物保安技術協会

六十八　消防団員等公務災害補償等共済基金

六十九　独立行政法人高齢・障害・求職者雇用支援機構（身体障害者雇用促進法の一部を改正する法律（昭和六十二年法律第四十一号）による改正前の身体障害者雇用促進法（昭和三十五年法律第百二十三号）第四十条の身体障害者雇用促進協会、独立行政法人雇用・能力開発機構法を廃止する法律附則第十三条の規定による改正前の独立行政法人高齢・障害者雇用支援機構法（平成十四年法律第百六十五号）附則第三条第一項の規定により解散した旧日本障害者雇用促進協会及び同法第二条の独立行政法人高齢・障害者雇用支援機構を含む。）

七十　中央労働災害防止協会

七十一　地方公務員災害補償基金

七十二　中央職業能力開発協会

七十三　総合研究開発機構法を廃止する法律（平成十九年法律第百号。以下この号において「廃止法」という。）による廃止前の総合研究開発機構法（昭和四十八年法律第五十一号）により設立された総合研究開発機構（廃止法附則第二条に規定する旧法適用期間が経過する時までの間におけるものに限る。）

七十四　基盤技術研究円滑化法の一部を改正する法律（平成十三年法律第六十号）附則第二条第一項の規定により解散した旧基盤技術研究促進センター

七十五　旧公社法施行法第四十条の規定による改正前の郵便貯金法（昭和二十二年法律第百四十四号）により設立された郵便貯金振興会（旧公社法施行法附則第六条第一項に規定する時までの間におけるものに限る。）

七十六　独立行政法人平和祈念事業特別基金等に関する法律の廃止等に関する法律（平成十八年法律第百十九

号）附則第二条第一項の規定により解散した旧独立行政法人平和祈念事業特別基金（平和祈念事業特別基金等に関する法律の一部を改正する法律（平成十四年法律第百三十三号）附則第二条第一項の規定により解散した旧平和祈念事業特別基金を含む。）

七十七　社会保険診療報酬支払基金

七十八　国民年金基金連合会

七十九　日本中央競馬会

八十　預金保険機構

八十一　日本たばこ産業株式会社

八十二　日本電信電話株式会社（日本電信電話株式会社等に関する法律（昭和五十九年法律第八十五号）第一条の二第一項に規定する日本電信電話株式会社をいう。次項第八十三号において同じ。）

八十三　北海道旅客鉄道株式会社

八十四　旅客鉄道株式会社及び日本貨物鉄道株式会社に関する法律の一部を改正する法律（平成十三年法律第六十一号。以下この号において「平成十三年旅客会社法改正法」という。）による改正前の旅客鉄道株式会社及び日本貨物鉄道株式会社に関する法律（昭和六十一年法律第八十八号）により設立された東日本旅客鉄道株式会社、東海旅客鉄道株式会社及び西日本旅客鉄道株式会社（平成十三年旅客会社法改正法の施行の日の前日までの間におけるこれらのものに限る。）

八十五　四国旅客鉄道株式会社

八十六　旅客鉄道株式会社及び日本貨物鉄道株式会社に関する法律の一部を改正する法律（平成二十七年法律第三十六号。以下「平成二十七年旅客会社法改正法」という。）による改正前の旅客鉄道株式会社及び日本貨物鉄道株式会社に関する法律により設立された九州旅客鉄道株式会社（平成二十七年旅客会社法改正法の施行の日の前日までの間におけるものに限る。）

八十七　日本貨物鉄道株式会社

八十八　東日本電信電話株式会社（日本電信電話株式会社等に関する法律第一条の二第二項に規定する東日本電信電話株式会社をいう。次項第八十八号において同じ。）

八十九　西日本電信電話株式会社（日本電信電話株式会社等に関する法律第一条の二第三項に規定する西日本電信電話株式会社をいう。次項第八十九号において同じ。）

九十　原子力発電環境整備機構

九十一　株式会社産業再生機構

九十二　独立行政法人北方領土問題対策協会

九十三　独立行政法人原子力安全基盤機構の解散に関する法律第一条の規定により解散した旧独立行政法人原子力安全基盤機構

九十四　中間貯蔵・環境安全事業株式会社（日本環境安全事業株式会社法の一部を改正する法律（平成二十六年法律第百二十号）による改正前の日本環境安全事業株式会社法（平成十五年法律第四十四号）第一条第一項の日本環境安全事業株式会社を含む。）

九十五　独立行政法人奄美群島振興開発基金

九十六　国立研究開発法人医薬基盤・健康・栄養研究所（独立行政法人医薬基盤研究所法の一部を改正する法律（平成二十六年法律第三十八号）による改正前の独立行政法人医薬基盤研究所法（平成十六年法律第百三十五号）第二条の独立行政法人医薬基盤研究所を含む。）

九十七　沖縄科学技術大学院大学学園法（平成二十一年法律第七十六号）附則第三条第一項の規定により解散した旧独立行政法人沖縄科学技術研究基盤整備機構

九十八　中日本高速道路株式会社

九十九　西日本高速道路株式会社

百　独立行政法人日本高速道路保有・債務返済機構

百一　独立行政法人地域医療機能推進機構（独立行政法人年金・健康保険福祉施設整理機構法の一部を改正する法律（平成二十三年法律第七十三号）第二条の規定による改正前の独立行政法人年金・健康保険福祉施設整理機構法（平成十七年法律第七十一号）第二条の独立行政法人年金・健康保険福祉施設整理機構を含む。）

百二　日本司法支援センター

百三　独立行政法人住宅金融支援機構（独立行政法人住宅金融支援機構法（平成十七年法律第八十二号）附則第三条第一項の規定により解散した旧住宅金融公庫を含む。）

百四　地方公共団体金融機構（地方交付税法等の一部を改正する法律（平成二十一年法律第十号）第五条の規定による改正前の地方公営企業等金融機構法（平成十九年法律第六十四号。以下「旧地方公営企業等金融機構法」という。）附則第九条第一項の規定により解散した旧公営企業金融公庫及び旧地方公営企業等金融機構法第一条の地方公営企業等金融機構を含む。）

百五　地方競馬全国協会

百六　株式会社商工組合中央金庫

百七　全国健康保険協会

百八　農水産業協同組合貯金保険機構

百九　株式会社産業革新投資機構（産業競争力強化法等の一部を改正する法律（平成三十年法律第二十六号）第二条の規定による改正前の産業競争力強化法（平成二十五年法律第九十八号）第七十六条の株式会社産業

革新機構を含む。）
百十　株式会社地域経済活性化支援機構（株式会社企業再生支援機構法の一部を改正する法律（平成二十五年法律第二号）による改正前の株式会社企業再生支援機構法（平成二十一年法律第六十三号）第一条の株式会社企業再生支援機構を含む。）
百十一　日本年金機構
百十二　漁業経営に関する補償制度の改善のための漁船損害等補償法及び漁業災害補償法の一部を改正する等の法律（平成二十八年法律第三十九号）附則第四条第一項の規定により解散した旧漁船保険中央会
百十三　日本商工会議所
百十四　全国土地改良事業団体連合会
百十五　全国中小企業団体中央会
百十六　全国商工会連合会
百十七　漁業共済組合連合会
百十八　日本銀行
百十九　日本弁理士会
百二十　東京地下鉄株式会社
百二十一　日本アルコール産業株式会社
百二十二　原子力損害賠償・廃炉等支援機構（原子力損害賠償支援機構法の一部を改正する法律（平成二十六年法律第四十号）による改正前の原子力損害賠償支援機構法（平成二十三年法律第九十四号）第一条の原子力損害賠償支援機構を含む。）
百二十三　株式会社東日本大震災事業者再生支援機構
百二十四　株式会社国際協力銀行
百二十五　新関西国際空港株式会社
百二十六　株式会社農林漁業成長産業化支援機構
百二十七　株式会社民間資金等活用事業推進機構
百二十八　株式会社海外需要開拓支援機構
百二十九　地方公共団体情報システム機構
百三十　株式会社海外交通・都市開発事業支援機構
百三十一　広域的運営推進機関
百三十二　国立研究開発法人日本医療研究開発機構
百三十三　株式会社海外通信・放送・郵便事業支援機構
百三十四　国立研究開発法人量子科学技術研究開発機構
百三十五　使用済燃料再処理・廃炉推進機構（脱炭素社会の実現に向けた電気供給体制の確立を図るための電気事業法等の一部を改正する法律（令和五年法律第四十四号）第三条の規定による改正前の原子力発電における使用済燃料の再処理等の実施に関する法律（平成十七年法律第四十八号）第十条の使用済燃料再処理機構を含む。）
百三十六　外国人技能実習機構
百三十七　株式会社日本貿易保険
百三十八　農業共済組合連合会（農業保険法（昭和二十二年法律第百八十五号）第十条第一項に規定する全国連合会に限る。）
百三十九　地方税共同機構
百四十　福島国際研究教育機構
百四十一　株式会社脱炭素化支援機構
百四十二　金融経済教育推進機構
百四十三　脱炭素成長型経済構造移行推進機構

2　法第百二十四条の二第一項に規定する特定公庫等（以下「特定公庫等」という。）に係る同項に規定する政令で定める法人は、沖縄振興開発金融公庫のほか、次に掲げる法人とする。
一　削除
二　地方競馬全国協会
三　自転車競技法及び小型自動車競走法の一部を改正する法律（平成十九年法律第八十二号）附則第三条第一項の規定により解散した旧日本自転車振興会
四　自転車競技法及び小型自動車競走法の一部を改正する法律附則第十条第一項の規定により解散した旧日本小型自動車振興会
五　日本道路公団等民営化関係法施行法第十五条第一項の規定により解散した旧日本道路公団
六　国立研究開発法人日本原子力研究開発機構（平成二十六年独法整備法第九十七条の規定による改正前の独立行政法人日本原子力研究開発機構法附則第二条第一項の規定により解散した旧日本原子力研究所及び同法第三条の独立行政法人日本原子力研究開発機構を含む。）
七　日本道路公団等民営化関係法施行法第十五条第一項の規定により解散した旧首都高速道路公団
八　日本道路公団等民営化関係法施行法第十五条第一項の規定により解散した旧阪神高速道路公団
九　独立行政法人中小企業基盤整備機構（中小企業金融公庫法及び独立行政法人中小企業基盤整備機構法の一部を改正する法律附則第三条第一項の規定により解散した旧地域振興整備公団を含む。）
十　地方公務員災害補償基金
十一　日本道路公団等民営化関係法施行法第十五条第一項の規定により解散した旧本州四国連絡橋公団
十二　預金保険機構
十三　日本下水道事業団
十四　総合研究開発機構法を廃止する法律（以下この号において「廃止法」という。）による廃止前の総合研究開発機構法により設立された総合研究開発機構（廃止法附則第二条に規定する旧法適用期間が経過する時までの間におけるものに限る。）
十五　農水産業協同組合貯金保険機構
十六　独立行政法人通信総合研究所法の一部を改正する法律附則第三条第一項の規定により解散した旧通信・放送機構
十七　独立行政法人医薬品医療機器総合機構（独立行政法人医薬品医療機器総合機構法附則第十三条第一項の規定により解散した旧医薬品副作用被害救済・研究振興調査機構を含む。）
十八　国立研究開発法人新エネルギー・産業技術総合開発機構（平成二十六年独法整備法第百七十三条の規定による改正前の独立行政法人新エネルギー・産業技術総合開発機構法附則第二条第一項の規定により解散した旧新エネルギー・産業技術総合開発機構及び同法第三条の独立行政法人新エネルギー・産業技術総合開発機構を含む。）
十九　日本私立学校振興・共済事業団
二十　株式会社日本政策金融公庫法附則第十五条第一項の規定により解散した旧国民生活金融公庫、同法附則第十六条第一項の規定により解散した旧農林漁業金融公庫、同法附則第十七条第一項の規定により解散した旧中小企業金融公庫及び同法附則第十八条第一項の規定により解散した旧国際協力銀行
二十一　株式会社日本政策投資銀行法附則第十五条第一項の規定により解散した旧日本政策投資銀行
二十二　年金積立金管理運用独立行政法人（年金積立金管理運用独立行政法人法附則第三条第一項の規定により解散した旧年金資金運用基金を含む。）
二十三　銀行等保有株式取得機構
二十四　独立行政法人日本万国博覧会記念機構法を廃止する法律附則第二条第一項の規定により解散した旧独立行政法人日本万国博覧会記念機構
二十五　独立行政法人水資源機構
二十六　独立行政法人農畜産業振興機構
二十七　独立行政法人農業者年金基金
二十八　独立行政法人農林漁業信用基金
二十九　独立行政法人北方領土問題対策協会
三十　独立行政法人日本学術振興会
三十一　国立研究開発法人宇宙航空研究開発機構（平成二十六年独法整備法第八十八条の規定による改正前の独立行政法人宇宙航空研究開発機構法第三条の独立行政法人宇宙航空研究開発機構を含む。）
三十二　独立行政法人日本スポーツ振興センター
三十三　独立行政法人日本芸術文化振興会
三十四　独立行政法人福祉医療機構
三十五　独立行政法人国立重度知的障害者総合施設のぞみの園
三十六　独立行政法人日本貿易振興機構
三十七　独立行政法人国際交流基金
三十八　独立行政法人労働政策研究・研修機構
三十九　独立行政法人緑資源機構法を廃止する法律附則第二条第一項の規定により解散した旧独立行政法人緑資源機構
四十　国立研究開発法人科学技術振興機構（平成二十六年独法整備法第八十五条の規定による改正前の独立行政法人科学技術振興機構法第三条の独立行政法人科学技術振興機構を含む。）
四十一　国立研究開発法人理化学研究所（平成二十六年独法整備法第八十七条の規定による改正前の独立行政法人理化学研究所法第二条の独立行政法人理化学研究所を含む。）
四十二　独立行政法人自動車事故対策機構
四十三　独立行政法人勤労者退職金共済機構
四十四　独立行政法人空港周辺整備機構
四十五　海洋汚染等及び海上災害の防止に関する法律等の一部を改正する法律附則第十条第一項の規定により解散した旧独立行政法人海上災害防止センター
四十六　電子情報処理組織による税関手続の特例等に関する法律の一部を改正する法律（平成二十年法律第四十六号）附則第十二条第一項の規定により解散した旧独立行政法人通関情報処理センター
四十七　独立行政法人平和祈念事業特別基金等に関する法律の廃止等に関する法律附則第二条第一項の規定により解散した旧独立行政法人平和祈念事業特別基金
四十八　独立行政法人国際協力機構
四十九　放送大学学園法第三条に規定する放送大学学園
五十　独立行政法人高齢・障害・求職者雇用支援機構（独立行政法人雇用・能力開発機構法を廃止する法律附則第十三条の規定による改正前の独立行政法人高齢・障害者雇用支援機構法第二条の独立行政法人高齢・障害者雇用支援機構を含む。）
五十一　独立行政法人原子力安全基盤機構の解散に関する法律第一条の規定により解散した旧独立行政法人原子力安全基盤機構
五十二　独立行政法人鉄道建設・運輸施設整備支援機構
五十三　独立行政法人国際観光振興機構
五十四　独立行政法人環境再生保全機構
五十五　独立行政法人雇用・能力開発機構法を廃止する法律附則第二条第一項の規定により解散した旧独立行

政法人雇用・能力開発機構
五十六　独立行政法人労働者健康安全機構（平成二十七年独法改革厚生労働省関係法整備法第四条の規定による改正前の独立行政法人労働者健康福祉機構法第二条の独立行政法人労働者健康福祉機構を含む。）
五十七　独立行政法人情報処理推進機構
五十八　独立行政法人日本学生支援機構
五十九　独立行政法人エネルギー・金属鉱物資源機構（安定的なエネルギー需給構造の確立を図るためのエネルギーの使用の合理化等に関する法律等の一部を改正する法律第三条の規定による改正前の独立行政法人石油天然ガス・金属鉱物資源機構法第二条の独立行政法人石油天然ガス・金属鉱物資源機構を含む。）
六十　国立研究開発法人海洋研究開発機構（平成二十六年独法整備法第九十二条の規定による改正前の独立行政法人海洋研究開発機構法第三条の独立行政法人海洋研究開発機構を含む。）
六十一　独立行政法人都市再生機構
六十二　独立行政法人奄美群島振興開発基金
六十三　国立研究開発法人医薬基盤・健康・栄養研究所（独立行政法人医薬基盤研究所法の一部を改正する法律による改正前の独立行政法人医薬基盤研究所法第二条の独立行政法人医薬基盤研究所を含む。）
六十四　沖縄科学技術大学院大学学園法附則第三条第一項の規定により解散した旧独立行政法人沖縄科学技術研究基盤整備機構
六十五　独立行政法人日本高速道路保有・債務返済機構
六十六　独立行政法人住宅金融支援機構（独立行政法人住宅金融支援機構法附則第三条第一項の規定により解散した旧住宅金融公庫を含む。）
六十七　地方公共団体金融機構（旧地方公営企業等金融機構法附則第九条第一項の規定により解散した旧公営企業金融公庫及び旧地方公営企業等金融機構法第一条の地方公営企業等金融機構を含む。）
六十八　全国健康保険協会
六十九　日本年金機構
七十　漁業経営に関する補償制度の改善のための漁船損害等補償法及び漁業災害補償法の一部を改正する等の法律附則第四条第一項の規定により解散した旧漁船保険中央会
七十一　日本商工会議所
七十二　全国土地改良事業団体連合会
七十三　全国中小企業団体中央会
七十四　全国商工会連合会
七十五　高圧ガス保安協会
七十六　消防団員等公務災害補償等共済基金
七十七　漁業共済組合連合会
七十八　軽自動車検査協会
七十九　小型船舶検査機構
八十　自動車安全運転センター
八十一　危険物保安技術協会
八十二　関西国際空港及び大阪国際空港の一体的かつ効率的な設置及び管理に関する法律（以下この号において「設置管理法」という。）附則第十九条の規定による廃止前の関西国際空港株式会社法により設立された関西国際空港株式会社（設置管理法の施行の日の前日までの間におけるものに限る。）
八十三　日本電信電話株式会社
八十四　北海道旅客鉄道株式会社
八十五　四国旅客鉄道株式会社
八十六　平成二十七年旅客会社法改正法による改正前の旅客鉄道株式会社及び日本貨物鉄道株式会社に関する法律により設立された九州旅客鉄道株式会社（平成二十七年旅客会社法改正法の施行の日の前日までの間におけるものに限る。）
八十七　日本貨物鉄道株式会社
八十八　東日本電信電話株式会社
八十九　西日本電信電話株式会社
九十　原子力発電環境整備機構
九十一　東京地下鉄株式会社
九十二　中間貯蔵・環境安全事業株式会社（日本環境安全事業株式会社法の一部を改正する法律による改正前の日本環境安全事業株式会社法第一条第一項の日本環境安全事業株式会社を含む。）
九十三　成田国際空港株式会社
九十四　東日本高速道路株式会社
九十五　首都高速道路株式会社
九十六　中日本高速道路株式会社
九十七　西日本高速道路株式会社
九十八　阪神高速道路株式会社
九十九　本州四国連絡高速道路株式会社
百　日本アルコール産業株式会社
百一　株式会社日本政策金融公庫
百二　株式会社商工組合中央金庫
百三　株式会社日本政策投資銀行
百四　輸出入・港湾関連情報処理センター株式会社
百五　原子力損害賠償・廃炉等支援機構（原子力損害賠償支援機構法の一部を改正する法律による改正前の原子力損害賠償支援機構法第一条の原子力損害賠償支援機構を含む。）

百六　株式会社国際協力銀行
百七　新関西国際空港株式会社
百八　株式会社産業革新投資機構（産業競争力強化法等の一部を改正する法律第二条の規定による改正前の産業競争力強化法第七十六条の株式会社産業革新機構を含む。）
百九　株式会社農林漁業成長産業化支援機構
百十　株式会社地域経済活性化支援機構
百十一　株式会社民間資金等活用事業推進機構
百十二　株式会社海外需要開拓支援機構
百十三　地方公共団体情報システム機構
百十四　独立行政法人地域医療機能推進機構
百十五　株式会社海外交通・都市開発事業支援機構
百十六　広域的運営推進機関
百十七　国立研究開発法人日本医療研究開発機構
百十八　株式会社海外通信・放送・郵便事業支援機構
百十九　国立研究開発法人量子科学技術研究開発機構
百二十　使用済燃料再処理・廃炉推進機構
百二十一　外国人技能実習機構
百二十二　株式会社日本貿易保険
百二十三　地方税共同機構
百二十四　福島国際研究教育機構
百二十五　株式会社脱炭素化支援機構
百二十六　金融経済教育推進機構
百二十七　脱炭素成長型経済構造移行推進機構

（継続長期組合員についての特例を適用しない場合）

第四十四条　法第百二十四条の二第一項に規定する公庫等職員（以下「公庫等職員」という。）となるため退職した場合に係る同項に規定する政令で定める場合は、公庫等職員が公庫等の要請に応じてその職を退き、引き続いて職員である長期組合員（法の長期給付に関する規定の適用を受ける組合員をいう。以下同じ。）となつた後退職し、引き続いて再び元の公庫等の公庫等職員となつた場合であつて、その者が同項の規定により引き続き組合員であるものとされることを希望しない旨を組合に申し出た場合その他これに準ずる場合として財務省令で定める場合とする。

2　法第百二十四条の二第一項に規定する特定公庫等役員（以下「特定公庫等役員」という。）となるため退職した場合に係る同項に規定する政令で定める場合は、特定公庫等役員が特定公庫等の要請に応じてその職を退き、引き続いて職員である長期組合員となつた後退職し、引き続いて再び元の特定公庫等の特定公庫等役員となつた場合であつて、その者が同項の規定により引き続き組合員であるものとされることを希望しない旨を組合に申し出た場合その他これに準ずる場合として財務省令で定める場合とする。

3　継続長期組合員が法第百二十四条の二第一項に規定する転出（第四十四条の三において「転出」という。）の日以後再び長期組合員となることなく法第百二十四条の二第二項第一号又は第二号に掲げる場合に該当し、その資格を喪失したときは、長期給付に関する規定の適用については、同項第一号又は第二号に掲げる場合に該当するに至つた日に退職したものとみなす。

（継続長期組合員が引き続き他の公庫等職員又は特定公庫等役員となつた場合の特例）

第四十四条の二　法第百二十四条の二第三項に規定する政令で定める場合は、次に掲げる場合とする。
一　継続長期組合員が公庫等職員として在職し、引き続き他の公庫等職員となつた場合（その者が更に引き続き他の公庫等職員となつた場合を含む。）
二　継続長期組合員が特定公庫等役員として在職し、引き続き他の特定公庫等役員となつた場合（その者が更に引き続き他の特定公庫等役員となつた場合を含む。）

（継続長期組合員であつた者が再び同一の公庫等又は特定公庫等に転出をした場合の取扱い）

第四十四条の三　法第百二十四条の二第四項に規定する政令で定める場合は、次に掲げる場合とする。
一　継続長期組合員が公庫等職員として在職し、引き続き再び組合員の資格を取得した後、法第百二十四条の二第四項に規定する財務省令で定める期間内に引き続き再び同一の公庫等に公庫等職員として転出をした場合
二　継続長期組合員が特定公庫等役員として在職し、引き続き再び組合員の資格を取得した後、法第百二十四条の二第四項に規定する財務省令で定める期間内に引き続き再び同一の特定公庫等に特定公庫等役員として転出をした場合

（継続長期組合員の報酬等）

第四十四条の四　継続長期組合員については、その受ける給与のうち一般職員の報酬に含まれる給与に相当するものとして組合の運営規則で定める給与をもつて報酬とし、その受ける給与で報酬に該当しないもののうち一般職員の期末手当等に相当するものとして組合の運営規則で定める給与をもつて期末手当等とする。

第八章の二 行政執行法人以外の独立行政法人又は国立大学法人等に常時勤務することを要する者の取扱い

第四十四条の五 法第百二十四条の三に規定する常時勤務することを要しない者で政令で定めるものは、第二条第一項第一号から第四号まで、第四号の五、第四号の六若しくは第七号から第九号までに掲げる者又は教育公務員特例法（昭和二十四年法律第一号）第二十六条第一項の規定により大学院修学休業をしている者に準ずる者として組合の運営規則で定める者とする。

2 法第百二十四条の三に規定する臨時に使用される者その他の政令で定める者は、第二条第二項第一号から第三号まで若しくは第五号に掲げる者又は女子教職員の出産に際しての補助教職員の確保に関する法律（昭和三十年法律第百二十五号）第三条第一項（同条第三項において準用する場合を含む。）の規定により臨時的に任用された者に準ずる者として組合の運営規則で定める者とする。

3 法第百二十四条の三に規定する行政執行法人以外の独立行政法人のうち法別表第二に掲げるもの又は国立大学法人等に常時勤務することを要する者（第一項に規定する者を含み、前項に規定する者を除く。次項において同じ。）については、その受ける給与のうち一般職員の報酬に含まれる給与に相当するものとして組合の運営規則で定める給与をもつて報酬とし、その受ける給与で報酬に該当しないもののうち一般職員の期末手当等に相当するものとして組合の運営規則で定める給与をもつて期末手当等とする。

4 法第百二十四条の三に規定する行政執行法人以外の独立行政法人のうち法別表第二に掲げるもの又は国立大学法人等に常時勤務することを要する者について法の規定を適用する場合における第十一条、第十二条第二項及び第三項、第二十二条、第二十三条並びに第二十五条の四の規定の適用については、次の表の上欄に掲げる規定中同表の中欄に掲げる字句は、それぞれ同表の下欄に掲げる字句とする。

第十一条第一項	に規定する公務上の災害	に規定する公務上の災害（独立行政法人のうち法別表第二に掲げるもの及び国立大学法人等の業務上の災害を含む。以下この項において同じ。）
第十二条第二項	に掲げる者（常勤職員について定められている勤務時間以上勤務した日（法令の規定により、勤務を要しないこととされ、又は休暇を与えられた日を含む。）が引き続いて十二月を超えるに至つた者で、その超えるに至つた日以後引き続き当該勤務時間により勤務することを要することとされているものを除く。）、同項第八号に掲げる者又は同項第九号に掲げる者	から第九号までに掲げる者に準ずる者として組合の運営規則で定める者
第十二条第三項	次に掲げる者	次に掲げる者に準ずる者として組合の運営規則で定める者
第二十二条第一項及び第二項	行政執行法人の負担に係るもの	行政執行法人の負担に係るもの並びに法第百二十四条の三の規定により読み替えられた法第九十九条第七項及び第八項において読み替えて適用する同条第五項の規定による独立行政法人のうち法別表第二に掲げるもの及び国立大学法人等の負担に係るもの
第二十三条	同条第五項	同条第四項（法第百二十四条の三の規定により読み替えられ

		た法第九十九条第七項及び第八項において読み替えて適用する場合を含む。）
	行政執行法人	行政執行法人、独立行政法人のうち法別表第二に掲げるもの又は国立大学法人等
第二十五条の四	適用する場合	適用する場合並びに法第百二十四条の三の規定により読み替えられた法第九十九条第七項及び第八項の規定により読み替えて適用する場合
	行政執行法人	行政執行法人、独立行政法人のうち法別表第二に掲げるもの、国立大学法人等

第八章の三　組合職員及び連合会役職員の取扱い

（組合職員の取扱い）

第四十五条　法第百二十五条に規定する組合に使用される者であつて職員に準ずるものとして政令で定めるものは、法第二条第一項第一号並びにこの政令第二条第一項及び第二項の規定に準じて組合の運営規則で定める者とする。

2　組合職員（法第百二十五条に規定する組合職員をいう。次項及び第四項において同じ。）については、その受ける給与のうち一般職員の報酬に含まれる給与に相当するものとして組合の運営規則で定める給与をもつて報酬とし、その受ける給与で報酬に該当しないもののうち一般職員の期末手当等に相当するものとして組合の運営規則で定める給与をもつて期末手当等とする。

3　組合職員については、育児休業、介護休業等育児又は家族介護を行う労働者の福祉に関する法律（平成三年法律第七十六号）第二条第二号に規定する介護休業をもつて法第六十八条の三第一項に規定する介護休業とする。

4　組合職員について法の規定を適用する場合における第十二条第二項及び第三項の規定の適用については、次の表の上欄に掲げる規定中同表の中欄に掲げる字句は、それぞれ同表の下欄に掲げる字句とする。

第十二条第二項	に掲げる者（常勤職員について定められている勤務時間以上勤務した日（法令の規定により、勤務を要しないこととされ、又は休暇を与えられた日を含む。）が引き続いて十二月を超えるに至つた者で、その超えるに至つた日以後引き続き当該勤務時間により勤務することを要することとされているものを除く。）、同項第八号に掲げる者又は同項第九号に掲げる者	から第九号までに掲げる者に準ずる者として組合の運営規則で定める者
第十二条第三項	次に掲げる者	次に掲げる者に準ずる者として組合の運営規則で定める者

（連合会役職員の取扱い）

第四十五条の二　法第百二十六条第一項に規定する連合会の役員及び連合会に使用される者であつて、職員に準ずるものとして政令で定めるものは、法第二条第一項第一号並びにこの政令第二条第一項及び第二項の規定に準じて法第百二十六条第一項の規定により設けられた共済組合の運営規則で定める者とする。

2　連合会役職員（法第百二十六条第一項に規定する連合会役職員をいう。次項において同じ。）については、その受ける給与のうち一般職員の報酬に含まれる給与に相当するものとして組合の運営規則で定める給与をもつて報酬とし、その受ける給与で報酬に該当しないもののうち一般職員の期末手当等に相当するものとして組合の運営規則で定める給与をもつて期末手当等とする。

3　連合会役職員について法の規定を適用する場合においては、法第四章中「公務」とあるのは「業務」と読み替えるほか、次の表の上欄に掲げる法の規定中同表の中欄に掲げる字句は、それぞれ同表の下欄に掲げる字句とする。

法第五条第一項	各省各庁の長（第八条第一項に規定する各省各庁の長をいう。）	国家公務員共済組合連合会の理事長（以下第十二条までにおいて「理事長」という。）
法第八条第一項	衆議院議長、参議院議長、内閣総理大臣、各省大臣（環境大臣を除く。）、最高裁判所長官及び会計検査院長（第三条第二項第三号に掲げる職員をもつて組織する組合にあつては、第十二条及び第百二条を除き、林野庁長官とし、以下「各省各庁の長」という。）は、それぞれその各省各庁の所属の職員及び当該各省各庁の所管する行政執行法人の職員	理事長は、第百二十六条第一項に規定する連合会役職員
法第八条第二項	各省各庁の長	理事長
法第十二条第一項	各省各庁の長又は行政執行法人の長	理事長
	その所属の職員その他国に使用される者又は行政執行法人に使用される者	国家公務員共済組合連合会の役員及び国家公務員共済組合連合会に使用される者
法第十二条第二項	各省各庁の長	理事長
法第九十九条第二項	国	連合会
法第九十九条第五項	国	連合会
法第百二条第一項	各省各庁の長（環境大臣を含む。）、行政執行法人	連合会
	国、行政執行法人	連合会
法第百二条第四項	国、行政執行法人	連合会
法第百二十六条の五第二項	国	連合会

4　前項の場合における第十二条第二項及び第三項、第二十一条の二第七項並びに第二十五条の四の規定の適用については、次の表の上欄に掲げる規定中同表の中欄に掲げる字句は、それぞれ同表の下欄に掲げる字句とする。

第十二条第二項	に掲げる者（常勤職員について定められている勤務時間以上勤務した日（法令の規定により、勤務を要しないこととされ、又は休暇を与えられた日を含む。）が引き続いて十二月を超えるに至つた者で、その超えるに至つた日以後引き続き当該勤務時間により勤務することを要することとされているものを除く。）、同項第八号に掲げる者又は同項第九号に掲げる者	から第九号までに掲げる者に準ずる者として組合の運営規則で定める者
第十二条第三項	次に掲げる者	次に掲げる者に準ずる者として組合の運営規則で定める者

第二十一条の二第七項	各省各庁の長（法第八条第一項に規定する各省各庁の長をいう。）	連合会の理事長
第二十五条の四	国、行政執行法人	連合会

第九章　地方公務員共済組合との関係

（組合員が地方の組合の組合員となつた場合の取扱い）

第四十六条　組合員又は組合員であつた者が地方の組合の組合員となつたときは、財務大臣が総務大臣と協議して定める期限までに、連合会は、当該地方の組合の組合員となつたときに給付事由が生じたものとしたならばその者に支払うこととなるべき厚生年金保険給付の額及び当該地方の組合の組合員となつたときから移換までの利子に相当する金額を基礎として財務大臣が総務大臣と協議して定める方法により算定した金額並びに当該地方の組合の組合員となつたときに給付事由が生じたものとしたならばその者の当該地方の組合の組合員となつた日における給付算定基礎額となるべき金額及び当該地方の組合の組合員となつたときから移換までの利子に相当する金額を基礎として財務大臣が総務大臣と協議して定める方法により算定した金額を、法第百二十六条の二第三項に規定する政令で定めるところにより算定した金額として、当該地方の組合（地方公務員等共済組合法第二十七条第一項に規定する全国市町村職員共済組合連合会を組織する地方の組合にあつては、当該全国市町村職員共済組合連合会）に移換するものとする。

第四十七条　組合員又は組合員であつた者が、地方の組合の組合員となり地方公務員等共済組合法第百四十四条の規定によりその者に係る厚生年金保険法による老齢厚生年金（第二号厚生年金被保険者期間（同法第二条の五第一項第二号に規定する第二号厚生年金被保険者期間をいい、平成二十四年一元化法附則第七条第一項の規定により第二号厚生年金被保険者期間とみなされた期間を含む。以下同じ。）を計算の基礎とする部分に限る。以下この項において「第二号老齢厚生年金」という。）又は障害厚生年金（第二号厚生年金被保険者期間を計算の基礎とする部分に限る。以下この項において「第二号障害厚生年金」という。）が厚生年金保険法による老齢厚生年金（第三号厚生年金被保険者期間（同法第二条の五第一項第三号に規定する第三号厚生年金被保険者期間をいい、平成二十四年一元化法附則第七条第一項の規定により第三号厚生年金被保険者期間とみなされた期間を含む。以下同じ。）を計算の基礎とする部分に限る。）又は障害厚生年金（第三号厚生年金被保険者期間を計算の基礎とする部分に限る。）とみなされた場合には、厚生年金保険給付に関する規定の適用については、当該みなされた老齢厚生年金又は障害厚生年金は、第二号老齢厚生年金又は第二号障害厚生年金に該当しないものとみなす。

2　組合員又は組合員であつた者が、地方の組合の組合員となり地方公務員等共済組合法第百四十四条の規定によりその者に係る退職年金又は公務障害年金が同法による退職年金又は公務障害年金とみなされた場合には、退職等年金給付に関する規定の適用については、当該みなされた退職年金又は公務障害年金は、退職年金又は公務障害年金に該当しないものとみなす。

（地方の組合の組合員が組合員となつた場合の取扱い）

第四十八条　地方の組合の組合員又は地方の組合の組合員であつた者が組合員となつたときは、厚生年金保険給付に関する規定の適用については、その者の地方の組合の組合員であつた期間における各月の厚生年金保険法による標準報酬月額（平成二十四年一元化法附則第四条第十二号に掲げる旧地方公務員共済組合員期間（以下この項において「旧地方公務員共済組合員期間」という。）にあつては、平成二十四年一元化法附則第八条第一項の規定により厚生年金保険法による標準報酬月額とみなされた額）及び厚生年金保険法による標準賞与額（旧地方公務員共済組合員期間にあつては、平成二十四年一元化法附則第八条第二項の規定により厚生年金保険法による標準賞与額とみなされた額）をその者の第二号厚生年金被保険者期間における当該各月の厚生年金保険法による標準報酬月額及び標準賞与額とみなす。

2　地方の組合の組合員又は地方の組合の組合員であつた者（地方公務員等共済組合法による退職等年金給付の受給権者を除く。）が組合員となつたときは、退職等年金給付に関する規定の適用については、その者の地方の組合の組合員であつた期間における各月の同法第五十四条の二に規定する標準報酬の月額及び同法第四十四条第一項に規定する標準期末手当等の額並びに同法第七十七条第一項に規定する付与率及び地方の基準利率をその者の組合員期間における当該各月の標準報酬の月額及び標準期末手当等の額並びに法第七十五条第一項に規定する付与率及び基準利率とみなす。

3　地方の組合の組合員又は地方の組合の組合員であつた者（地方公務員等共済組合法による退職等年金給付の受給権者に限る。）が組合員となつたときは、退職等年金給付に関する規定の適用については、その者が組合員となつた日における同法第七十七条第一項に規定する給付算定基礎額をその者の同日における給付算定基礎額とみなす。

4　地方の組合の組合員又は地方の組合の組合員であつた者で、平成二十四年一元化法改正前地方共済法第百条に規定する地方公共団体の長であつた期間（地方公務員等共済組合法の長期給付等に関する施行法（昭和三十七年法律第百五十三号。以下「地方の施行法」という。）の規定により当該期間に算入され、又は当該期間とみなされた期間を含む。）が十二年以上であるもの（平成二十四年一元化法の施行の日前に地方公共団体の長であつた期間を有する者に限る。）が組合員となつたときは、その者に対する厚生年金保険法による老齢厚生年金（法第百二十六条の三第一項の規定により組合員であつた期間とみなされた第三号厚生年金被保険者期間に係るものに限る。）の支給又はその者の遺族に対する厚生年金保険法による遺族厚生年金（同項の規定により組合員であつた期間とみなされた第三号厚生年金被保険者期間に係るものに限る。）の支給については、平成二十四年一元化法附則第六十八条の規定の例による。

5　地方の組合の組合員又は地方の組合の組合員であつた者で、平成二十四年一元化法附則第六十八条第二項から第四項までの規定によりその額が算定される厚生年金保険法による障害厚生年金の受給権者が組合員となつたときは、その者に対する障害厚生年金の支給については、同条第二項から第四項までの規定の例による。

6　地方の組合の組合員又は地方の組合の組合員であつた者が組合員となつたときは、法第九十七条第一項の規定の適用については、その者に対してされた地方公務員等共済組合法第百十一条第一項に規定する懲戒処分又は退職手当支給制限等処分に相当する処分は、法第九十七条第一項に規定する懲戒処分又は退職手当支給制限等処分とみなす。

第十章　任意継続組合員に係る特例

（任意継続組合員となるための申出等の手続）

第四十九条　法第百二十六条の五第一項に規定する申出は、次に掲げる事項を記載した書面を、退職の際に所属していた組合に提出してするものとする。

一　申出をする者の住所及び氏名
二　法第百二十六条の五第一項の規定の適用を受けようとする旨
三　退職した年月日
四　退職時の標準報酬の月額
五　その他財務省令で定める事項

2　法第百二十六条の五第五項第五号に規定する申出は、次に掲げる事項を記載した書面を、前項の申出をした組合に提出してするものとする。

一　申出をする者の住所及び氏名
二　任意継続組合員でなくなることを希望する旨
三　その他財務省令で定める事項

（任意継続組合員の標準報酬の月額及び標準報酬の日額）

第四十九条の二　任意継続組合員の標準報酬の月額は、次の各号に掲げる額のうちいずれか少ない額とし、その額の二十二分の一に相当する金額（当該金額に五円未満の端数があるときは、これを切り捨て、五円以上十円未満の端数があるときは、これを十円に切り上げるものとする。）をもつてその者の標準報酬の日額（法第五十二条に規定する標準報酬の日額をいう。以下同じ。）とする。

一　任意継続組合員の退職時の標準報酬の月額
二　前年（一月から三月までの標準報酬の月額にあつては、前々年）の九月三十日における当該任意継続組合員の属する組合の短期給付に関する規定の適用を受ける全ての組合員の同月の標準報酬の月額の平均額（当該平均額の範囲内において組合の定款で定めた額があるときは、当該定款で定めた額）を法第四十条第一項の規定による標準報酬の基礎となる報酬月額とみなしたときの標準報酬の月額

2　前項の規定にかかわらず、同項第一号に掲げる額が同項第二号に掲げる額を超える任意継続組合員について、当該任意継続組合員の属する組合の定款で定めるところにより、同項第一号に掲げる額（当該組合が同項第二号に掲げる額を超え同項第一号に掲げる額未満の範囲内においてその定款で定めた額があるときは、当該定款で定めた額）を法第四十条第一項の規定による標準報酬の基礎となる報酬月額とみなしたときの標準報酬の月額をその者の標準報酬の月額とし、その額の二十二分の一に相当する金額（当該金額に五円未満の端数があるときは、これを切り捨て、五円以上十円未満の端数があるときは、これを十円に切り上げるものとする。）をもつてその者の標準報酬の日額とすることができる。

（費用の負担の特例）

第五十条　任意継続組合員の存する組合に係る法第九十九条第一項及び第二項の規定の適用については、同条第一項中「職員」とあるのは「職員（第百二十六条の五第二項に規定する任意継続組合員（次項において「任意継続組合員」という。）を含む。）」と、同項第一号中「掛金」とあるのは「掛金（第百二十六条の五第二項に規定する

任意継続掛金（次号及び次項において「任意継続掛金」という。）を含む。）」と、同項第二号中「掛金」とあるのは「掛金（任意継続掛金を含む。）」と、同条第二項中「組合員の掛金」とあるのは「組合員の掛金（任意継続掛金を含む。）」と、同項第一号、第二号及び第四号中「掛金百分の五十、国の負担金百分の五十」とあるのは「掛金百分の五十、国の負担金百分の五十（任意継続組合員に係るものにあつては、任意継続掛金百分の百）」とする。

（任意継続掛金）

第五十一条　任意継続掛金は、任意継続組合員の資格を取得した日の属する月にその資格を喪失したときを除き、任意継続組合員となつた日の属する月からその資格を喪失した日の属する月の前月までの各月（介護納付金に係る任意継続掛金にあつては、当該各月のうち対象月に限る。）につき、徴収するものとする。

2　任意継続組合員の資格を取得した日の属する月にその資格を喪失したときは、その月（介護納付金に係る任意継続掛金にあつては、その月が対象月である場合に限る。）の任意継続掛金を徴収する。

3　任意継続掛金は、任意継続組合員の標準報酬の月額を標準として算定するものとし、その標準報酬の月額と任意継続掛金との割合は、組合の定款で定める。

4　第一項及び第二項に規定する対象月とは、当該任意継続組合員が介護保険第二号被保険者の資格を有する日を含む月（介護保険第二号被保険者の資格を喪失した日の属する月（介護保険第二号被保険者の資格を取得した日の属する月を除く。）を除く。）をいう。

（任意継続掛金の払込み）

第五十二条　任意継続組合員は、初めて払い込むべき任意継続組合員となつた日の属する月の任意継続掛金を、その退職の日から起算して二十日を経過する日（法第百二十六条の五第一項に規定する正当な理由があると組合が認めた場合には、同項に規定する申出があつた日から起算して十日以内で組合が指定する日。次項において「払込期日」という。）までに、組合に払い込まなければならない。

2　任意継続組合員は、前項の場合を除き、任意継続組合員の資格を継続しようとする月の任意継続掛金を、その月の前月の末日（その日が払込期日前であるときは、当該期日）までに、組合に払い込まなければならない。

3　前項の規定により組合に払い込まれた任意継続掛金のうち、徴収を要しないこととなつたものがあるときは、組合は、財務省令で定めるところにより、当該徴収を要しないこととなつた任意継続掛金を任意継続組合員又は任意継続組合員であつた者に還付するものとする。

（任意継続掛金の前納）

第五十三条　法第百二十六条の五第三項の規定による任意継続掛金の前納は、四月から九月まで若しくは十月から翌年三月までの六月間又は四月から翌年三月までの十二月間を単位として行うものとする。ただし、当該六月間又は十二月間において、任意継続組合員の資格を取得した者又はその資格を喪失することが明らかである者については、当該六月間又は十二月間のうち、同条第一項に規定する申出をした日の属する月の翌月以後の期間（二月以上の期間に限る。）又はその資格を喪失する日の属する月の前月までの期間（二月以上の期間に限る。）の任意継続掛金について前納を行うことができるものとする。

第五十四条　法第百二十六条の五第三項の規定により任意継続掛金を前納しようとする任意継続組合員は、当該前納すべき額を、当該前納に係る期間の最初の月の前月の末日までに、組合に払い込まなければならない。

（前納の際の控除額）

第五十五条　法第百二十六条の五第三項に規定する政令で定める額は、前納に係る期間の各月の任意継続掛金の合計額から、その期間の各月の任意継続掛金の額を年四パーセントの利率による複利現価法によつて前納に係る期間の最初の月から当該各月までのそれぞれの期間に応じて割り引いた額の合計額（その額に一円未満の端数がある場合において、その端数金額が五十銭未満であるときは、これを切り捨てた額とし、その端数金額が五十銭以上であるときは、これを一円に切り上げた額とする。）を控除した額とする。

（前納された任意継続掛金の充当）

第五十六条　法第百二十六条の五第三項の規定により任意継続掛金が前納された後、前納に係る期間の経過前において任意継続掛金の額の引上げが行われることとなつた場合においては、前納された任意継続掛金のうち当該任意継続掛金の額の引上げが行われることとなつた後の期間に係るものは、当該期間の各月につき払い込むべき任意継続掛金に、先に到来する月の分から順次充当するものとする。

（前納された任意継続掛金の還付）

第五十七条　法第百二十六条の五第三項の規定により任意継続掛金を前納した後、前納に係る期間の経過前において任意継続組合員がその資格を喪失した場合においては、その者（同条第五項第二号に該当したことによりその資格を喪失した場合においては、その者の相続人）の請求に基づき、前納された任意継続掛金のうち未経過期間に係るものを還付する。

2 前項に規定する未経過期間に係る還付額は、任意継続組合員の資格を喪失したときにおいて当該未経過期間につき任意継続掛金を前納するものとした場合におけるその前納すべき額に相当する額とする。

（任意継続組合員に係る短期給付の特例）

第五十八条 任意継続組合員に係る法第五十二条、第五十四条第一項、第五十五条の三第一項、第五十五条の四第一項、第五十五条の五第一項、第五十六条の二第一項、第五十九条第一項、第六十一条第二項、第六十三条第一項又は第六十四条の規定の適用については、法第五十二条中「（給付事由が退職後に生じた場合には、退職の日）」とあるのは「（給付事由が任意継続組合員の資格を喪失した後に生じた場合には、任意継続組合員の資格を喪失した日の前日）」と、法第五十四条第一項、第五十五条の三第一項、第五十五条の四第一項、第五十五条の五第一項及び第五十六条の二第一項中「公務によらない病気又は負傷」とあるのは「公務によらない病気又は負傷（任意継続組合員となつた後における病気及び負傷を含む。）」と、法第五十九条第一項中「退職した」とあるのは「任意継続組合員の資格を喪失した」と、法第六十一条第二項中「退職後六月以内」とあるのは「任意継続組合員の資格を喪失した日から起算して六月以内」と、「退職後出産する」とあるのは「任意継続組合員の資格喪失後出産する」と、法第六十三条第一項中「公務によらないで死亡した」とあるのは「公務によらない死亡（任意継続組合員となつた後における死亡を含む。）をした」と、法第六十四条中「退職後三月以内」とあるのは「任意継続組合員の資格を喪失した日から起算して三月以内」と、「退職後死亡する」とあるのは「任意継続組合員の資格喪失後死亡する」とする。

第五十九条 任意継続組合員に係る法第五十四条第一項、第五十五条の三第一項、第五十五条の四第一項、第五十五条の五第一項、第五十六条第一項若しくは第二項、第五十六条の二第一項、第五十六条の三第一項、第六十三条第一項若しくは第二項又は第六十四条の規定による給付は、同一の病気、負傷又は死亡に関し、労働基準法、労働者災害補償保険法（昭和二十二年法律第五十号）その他これらに類する法令の規定によりこれらの給付に相当する補償又は給付が行われるときは、行わない。

（任意継続組合員に係る審査請求等）

第六十条 任意継続組合員に係る法第百三条第一項、第百十一条第三項又は第百十五条第二項の規定の適用については、法第百三条第一項及び第百十五条第二項中「掛金等」とあり、並びに法第百十一条第三項中「掛金」とあるのは、「第百二十六条の五第二項に規定する任意継続掛金」とする。

（省令への委任）

第六十一条 第四十九条から前条までに定めるもののほか、法第百二十六条の五の規定の適用に関し必要な事項は、財務省令で定める。

附 則（抄）

（施行期日）

第一条 この政令は、昭和三十三年七月一日から施行する。

（他の政令の廃止）

第二条 次に掲げる政令は、廃止する。

一 共済組合審査会に関する政令（昭和二十三年政令第二百三十五号）

二 在外公館に勤務する外務公務員についての国家公務員共済組合法の特例に関する政令（昭和二十七年政令第二百四号）

（厚生年金保険給付積立金等の運用の特例）

第三条 厚生年金保険給付積立金等の運用については、第九条の三第一項の規定にかかわらず、当分の間、次に掲げる方法により行うことができるものとする。

一 第九条の三第一項各号に掲げる方法

二 不動産（あらかじめ財務大臣の承認を受けたものに限る。）の取得、譲渡又は貸付け

三 組合に対する資金の貸付け

四 連合会の経理単位（財務省令で定めるところによりその経理について設けられる区分をいい、第九条第三項に規定する経理を行うものを除く。）に対する資金の貸付け

（特例退職組合員の標準報酬の日額）

第四条 特例退職組合員の標準報酬の日額は、その者の標準報酬の月額の二十二分の一に相当する金額（当該金額に五円未満の端数があるときは、これを切り捨て、五円以上十円未満の端数があるときは、これを十円に切り上げるものとする。）とする。

（特例退職組合員に係る費用の負担の特例）

第五条 特定共済組合に係る法第九十九条第一項及び第二項の規定の適用については、同条第一項中「職員」とあるのは「職員（第一号に規定する費用については、附則第十二条第三項に規定する特例退職組合員（次項において「特例退職組合員」という。）を含む。）」と、同項第一号中「掛金」とあるのは「掛金（附則第十二条第六項に規定する定款で定める金額（次号及び次項において「特例退職掛金」という。）を含む。）」と、同項第二号中「掛金」とあるのは「掛金（特例退職掛金を含む。）」と、同条第二項中「組合員の掛金」とあるのは「組合員の掛金（特例退職掛金を含む。）」と、同項第一号及び第二号

中「掛金百分の五十、国の負担金百分の五十」とあるのは「掛金百分の五十、国の負担金百分の五十（特例退職組合員に係るものにあつては、特例退職掛金百分の百）」とする。

（特例退職掛金）

第六条　特例退職掛金（法附則第十二条第六項に規定する定款で定める金額をいう。以下同じ。）は、特例退職組合員の資格を取得した日の属する月にその資格を喪失したときを除き、特例退職組合員となつた日の属する月からその資格を喪失した日の属する月の前月までの各月（介護納付金に係る特例退職掛金にあつては、当該各月のうち対象月に限る。）につき、徴収するものとする。

2　特例退職組合員の資格を取得した日の属する月にその資格を喪失したときは、その月（介護納付金に係る特例退職掛金にあつては、その月が対象月である場合に限る。）の特例退職掛金を徴収する。

3　特例退職掛金は、特例退職組合員の標準報酬の月額を標準として算定するものとし、その標準報酬の月額と特例退職掛金との割合は、特定共済組合の定款で定める。

4　第一項及び第二項に規定する対象月とは、当該特例退職組合員が介護保険第二号被保険者の資格を有する日を含む月（介護保険第二号被保険者の資格を喪失した日の属する月（介護保険第二号被保険者の資格を取得した日の属する月を除く。）を除く。）をいう。

（特例退職掛金の払込み）

第六条の二　特例退職組合員は、初めて払い込むべき特例退職組合員となつた日の属する月の特例退職掛金を、法附則第十二条第一項の規定による申出をした日から起算して二十日を経過する日（次項において「払込期日」という。）までに、特定共済組合に払い込まなければならない。

2　特例退職組合員は、前項の場合を除き、各月の特例退職掛金を、その月の前月の末日（その日が払込期日前であるときは、当該払込期日）までに、特定共済組合に払い込まなければならない。

3　前項の規定により特定共済組合に払い込まれた特例退職掛金のうち、徴収を要しないこととなつたものがあるときは、特定共済組合は、財務省令で定めるところにより、当該徴収を要しないこととなつた特例退職掛金を特例退職組合員又は特例退職組合員であつた者に還付するものとする。

（特例退職掛金の前納）

第六条の三　第五十三条から第五十七条までの規定は、特例退職掛金の前納について準用する。この場合において、第五十三条中「同条第一項に規定する申出をした日」とあるのは、「特例退職組合員の資格を取得した日」と読み替えるものとする。

（特例退職組合員に係る短期給付の特例）

第六条の四　特例退職組合員に係る法第五十二条、第五十四条第一項、第五十五条の三第一項、第五十五条の四第一項、第五十五条の五第一項、第五十六条の二第一項、第五十九条第一項、第六十一条第二項、第六十三条第一項、第六十四条又は第六十七条の規定の適用については、法第五十二条中「（給付事由が退職後に生じた場合には、退職の日）」とあるのは「（給付事由が特例退職組合員の資格を喪失した後に生じた場合には、特例退職組合員の資格を喪失した日の前日）」と、法第五十四条第一項、第五十五条の三第一項、第五十五条の四第一項、第五十五条の五第一項及び第五十六条の二第一項中「公務によらない病気又は負傷」とあるのは「公務によらない病気又は負傷（特例退職組合員となつた後における病気及び負傷を含む。）」と、法第五十九条第一項中「退職した」とあるのは「特例退職組合員の資格を喪失した」と、法第六十一条第二項中「退職後六月以内」とあるのは「特例退職組合員の資格を喪失した日から起算して六月以内」と、「退職後出産する」とあるのは「特例退職組合員の資格喪失後出産する」と、法第六十三条第一項中「公務によらないで死亡した」とあるのは「公務によらない死亡（特例退職組合員となつた後における死亡を含む。）をした」と、法第六十四条中「退職後三月以内」とあるのは「特例退職組合員の資格を喪失した日から起算して三月以内」と、「退職後死亡する」とあるのは「特例退職組合員の資格喪失後死亡する」と、法第六十七条第一項中「勤務」とあるのは「労務」と、同条第三項中「退職した」とあるのは「特例退職組合員の資格を喪失した」とする。

第六条の五　特例退職組合員に係る法第五十四条第一項、第五十五条の三第一項、第五十五条の四第一項、第五十五条の五第一項、第五十六条第一項若しくは第二項、第五十六条の二第一項、第五十六条の三第一項、第六十三条第一項若しくは第二項又は第六十四条の規定による給付は、同一の病気、負傷又は死亡に関し、労働基準法、労働者災害補償保険法その他これらに類する法令の規定によりこれらの給付に相当する補償又は給付が行われるときは、行わない。

（特例退職組合員に係る審査請求等）

第六条の六　特例退職組合員に係る法第百三条第一項、第百十一条第三項又は第百十五条第二項の規定の適用については、法第百三条第一項及び第百十五条第二項中「掛金等」とあり、並びに法第百十一条第三項中「掛金」とあるのは、「国家公務員共済組合法施行令附則第六条第一項に規定する特例退職掛金」とする。

（省令への委任）

第六条の七　附則第五条から前条までに定めるもののほか、法附則第十二条の規定の適用に関し必要な事項は、財務省令で定める。

（支給の繰上げの請求があつた場合における法第七十六条等の規定の適用）

第七条　法附則第十三条第一項の請求があつた場合における法第七十六条、第七十八条から第七十九条の二まで及び第七十九条の四の規定の適用については、法第七十六条第三項中「前項の申出は、当該有期退職年金の給付事由が生じた日から六月以内に」とあるのは「前項の申出は」と、法第七十八条第二項中「終身退職年金の給付事由が生じた日から」とあるのは「附則第十三条第一項の請求をした日（以下「繰上げ請求日」という。）から」と、「終身退職年金の給付事由が生じた日が」とあるのは「繰上げ請求日が」と、同条第三項及び第四項中「終身退職年金の給付事由が生じた日」とあり、並びに法第七十九条第二項及び第三項中「有期退職年金の給付事由が生じた日」とあるのは「繰上げ請求日」と、同条第四項中「有期退職年金の給付事由が生じた日」とあるのは「繰上げ請求日」と、「給付事由が生じた日の」とあるのは「繰上げ請求日の」と、法第七十九条の二第一項中「有期退職年金の受給権者は、給付事由が生じた日から六月以内に」とあるのは「有期退職年金の受給権者は」と、同条第三項及び法第七十九条の四第一項第二号中「給付事由が生じた日」とあるのは「繰上げ請求日」とする。

（公務障害年金又は公務遺族年金の額の基礎となる終身年金現価率の年齢の特例）

第七条の二　法第八十四条第一項又は第九十条第一項に規定する組合員又は組合員であつた者が厚生年金保険法附則第八条の二第一項の表の上欄に掲げる者に該当する場合における法附則第十四条の規定の適用については、同条中「五十九歳」とあるのは、「厚生年金保険法附則第八条の二第一項の表の上欄に掲げる者の区分に応じ、それぞれ同表の下欄に掲げる年齢から一年を控除した年齢」とし、その者が昭和三十六年四月二日以後に生まれた者である場合における同条の規定の適用については、同条中「「六十歳」」と、第八十四条第一項及び第九十条第一項中「六十四歳」とあるのは「五十九歳」とあるのは、「、「六十歳」とする。

（介護休業手当金に対する国の負担に関する暫定措置）

第七条の三　法第九十九条第四項第一号（介護休業手当金に係る部分に限る。次条において同じ。）に規定する政令で定める割合は、当分の間、第二十二条の三第二項の規定にかかわらず、同項に定める割合に百分の五十五を乗じて得た率とする。

第七条の三の二　令和六年度から令和八年度までの各年度における法第九十九条第四項第一号に規定する政令で定める割合は、第二十二条の三第二項及び前条の規定にかかわらず、同項に定める割合に百分の十を乗じて得た率とする。

（一時金の請求ができない事由となる受給権を有したことのある給付）

第七条の三の三　法附則第十三条の二第一項ただし書に規定する政令で定める給付は、平成二十四年一元化法附則第三十七条の二第一項第一号に定める場合に該当するときに支給を受けることができる同号に規定する給付とする。

（介護納付金に係る掛金の徴収の特例）

第七条の四　法附則第十四条の二第一項に規定する政令で定める月は、次に掲げる月とする。

一　法第百条第一項又は第二項に規定する対象月

二　組合員の資格を喪失した日の属する月（組合員の資格を取得した日の属する月を除く。）

三　組合員が介護保険第二号被保険者の資格を有する被扶養者を有しないこととなつた日の属する月（当該組合員が介護保険第二号被保険者の資格を有する被扶養者を有することとなつた日の属する月を除く。）

2　法附則第十四条の二第一項の規定により介護納付金に係る掛金を徴収することとした組合の任意継続組合員及び特例退職組合員に対する同項の規定の適用については、同項中「第百条第一項及び第二項」とあるのは「国家公務員共済組合法施行令第五十一条第一項及び第二項又は附則第六条第一項及び第二項」と、「組合員」とあるのは「任意継続組合員又は特例退職組合員」と、「政令で定めるもの」とあるのは「同令第五十一条第一項若しくは第二項若しくは附則第六条第一項若しくは第二項に規定する対象月、任意継続組合員若しくは特例退職組合員の資格を喪失した日の属する月（任意継続組合員又は特例退職組合員の資格を取得した日の属する月を除く。）又は任意継続組合員若しくは特例退職組合員が介護保険第二号被保険者の資格を有する被扶養者を有しないこととなつた日の属する月（当該任意継続組合員又は特例退職組合員が介護保険第二号被保険者の資格を有する被扶養者を有することとなつた日の属する月を除く。）」とする。

3　法附則第十四条の二第一項の規定により介護納付金に係る掛金を徴収することとした場合における第二十二条

第四項の規定の適用については、同項中「資格を有する組合員」とあるのは、「資格を有する組合員及び法附則第十四条の二第一項の規定により介護納付金に係る掛金を徴収することとされる組合員」とする。

4 外務省の職員（任意継続組合員及び特例退職組合員を含む。）をもつて組織する組合において介護保険第二号被保険者の資格を有しない在外組合員から法附則第十四条の二第一項の規定により介護納付金に係る掛金を徴収することとした場合における第二十二条の二第二項の規定の適用については、同項中「算定する」とあるのは、「算定する。ただし、外務省の職員（任意継続組合員及び特例退職組合員を含む。）をもつて組織する組合にあつては、在外組合員とその他の者とに区分して算定する」とする。

（支出費按分率が適用される間の財政調整拠出金の額の特例等）

第七条の五 厚生年金保険法附則第二十三条の規定が適用される間における第二十六条の規定の適用については、同条中「得た」とあるのは、「得た額に、当該拠出金算定対象額に当該実施機関である連合会に係る同法附則第二十三条第一項の規定により読み替えて適用する同法第八十四条の六第一項に規定する支出費按分率を乗じて得た額を加えて得た」とする。

（短期給付に係る財政調整事業）

第八条 法附則第十四条の三第一項の規定により連合会が行う交付金の交付の事業は、その組合の所要掛金率（第二十二条第四項の規定の例により算定した短期給付（法第五十一条に規定する短期給付を除く。以下この項において同じ。）及び介護納付金に係る標準報酬の月額及び標準期末手当等の額と掛金との割合をいう。以下この項及び第三項において同じ。）が全ての組合の平均の所要掛金率を基礎として財務大臣の定める率以上である組合であつて、短期給付及び介護納付金に係る掛金の負担を軽減することが必要であると認められるものに対して行うものとする。

2 連合会は、前項の規定により行う交付金の交付の事業のほか、財務大臣の承認を受けて、組合員又はその被扶養者が受けた療養に関する費用の組合員に対する通知その他の事業で短期給付に係る財政の健全化に資するとともに組合が共同して行うことが適当であると認められるものを行うことができる。

3 法附則第十四条の三第二項に規定する政令で定めるところにより算定した費用は、所要掛金率が財務大臣が定める率を超える組合の第一号に掲げる金額に第二号に掲げる率を乗じて得た金額の二分の一に相当する金額とする。

一 当該事業年度における当該組合の組合員（交流派遣職員（国と民間企業との間の人事交流に関する法律第八条第二項（同法第二十四条第一項において準用する場合を含む。）に規定する交流派遣職員をいう。第六項において同じ。）である組合員、法科大学院派遣職員（法科大学院への裁判官及び検察官その他の一般職の国家公務員の派遣に関する法律第十一条第一項の規定により派遣された者をいう。第六項において同じ。）である組合員（短期給付に関する規定の適用を受けない者に限る。）、弁護士職務従事職員（判事補及び検事の弁護士職務経験に関する法律第二条第七項に規定する弁護士職務従事職員をいう。第六項において同じ。）である組合員、継続長期組合員、任意継続組合員及び特例退職組合員を除く。次項において同じ。）の標準報酬の月額の合計額及び当該組合員の標準期末手当等の額の合計額の合算額

二 当該組合の所要掛金率から当該財務大臣が定める率を控除した率

4 組合は、法附則第十四条の三第二項の規定による交付金の交付に要する費用に充てるため、毎月、連合会に対し、組合員の標準報酬の月額の合計額（組合が標準期末手当等の額を決定した月においては、標準報酬の月額の合計額及び標準期末手当等の額の合計額の合算額とする。）に、当該交付金の交付に要する費用の額を勘案して連合会が定める率を乗じて得た金額に相当する金額を同項の特別拠出金として払い込まなければならない。

5 国、行政執行法人若しくは法第九十九条第六項に規定する職員団体、独立行政法人のうち法別表第二に掲げるもの若しくは国立大学法人等又は組合若しくは連合会（以下この項において「費用負担者」という。）は、毎月、組合に対し、前項の規定により当該組合が連合会に払い込むべき特別拠出金の額に、当該組合に係る同条第二項第一号に掲げる費用に充てるための負担金の合計額に対する当該費用負担者の負担金の割合を乗じて得た金額を払い込まなければならない。

6 組合は、法附則第十四条の三第一項の規定により行う事業に要する費用に充てるため、毎月、連合会に対し、組合員（交流派遣職員である組合員、法科大学院派遣職員である組合員（短期給付に関する規定の適用を受けない者に限る。）、弁護士職務従事職員である組合員及び継続長期組合員を除く。）の標準報酬の月額の合計額（組合が標準期末手当等の額を決定した月においては、標準報酬の月額の合計額及び標準期末手当等の額の合計額の合算額とする。）に、当該費用（同条第二項又は第三項の規

定により特別拠出金又は預託金の運用収入をもつて充てられる費用を除く。）の額を勘案して連合会が定める率を乗じて得た金額に相当する金額を同項第一号の調整拠出金として払い込まなければならない。

7　法第百二条第二項の規定は、前三項の規定による払込みについて準用する。

8　組合は、毎事業年度、その前事業年度の決算につき法第十六条第二項の承認があつた後二月以内に、前事業年度の末日において有する短期給付に係る業務上の余裕金のうち法附則第十四条の三第一項の規定により連合会が行う事業の運営上必要と認める金額を財務大臣の定める基準により連合会に預託しなければならない。

9　連合会は、前項の規定により預託された預託金を第八条第一項から第三項までの規定の例により運用しなければならない。

10　第四項から前項までに定めるもののほか、第一項の事業の対象となる組合に対する交付金の額の算定その他交付金の交付に関し必要な事項、第四項から第六項までの規定による払込みに関し必要な事項並びに前二項の規定による余裕金の預託及びその運用に関し必要な事項は、財務大臣が定める。

（恩給の受給権の取扱に係る旧長期組合員であつた者の範囲）

第九条　施行法第五条第二項第二号に規定する施行日の前日に旧長期組合員であつた者には、同日において旧法第九十四条第二項の規定の適用を受けていた者を含まないものとする。

（職員に準ずる者）

第十条　施行法第七条第一項第五号に規定する職員に準ずる者で政令で定めるものは、次に掲げる者とする。

一　職員（国家公務員法の施行前におけるこれに相当する者を含む。）以外の者として国に使用され、国庫から報酬を受けていた者であつて、次のイ、ロ又はハに掲げる者に該当するもの

イ　昭和二十三年七月一日（同日前から国に使用され、国庫から報酬を受けていた者については、同日まで引き続いて勤務していた期間の初日。ロにおいて同じ。）以後に、常勤職員について定められている勤務時間以上勤務した日（法令の規定により、勤務を要しないこととされ、又は休暇を与えられた日を含むものとし、旧法第一条第三号から第五号までに掲げる者その他財務省令で定める者（以下「駐留軍労働者等」という。）として勤務した日を除く。）が二十二日以上ある月が六月引き続いている期間（ロにおいて「待期期間」という。）を有するに至つた者で、その有するに至つた月の翌月以後引き続き当該勤務時間により勤務することを要することとされていたもの

ロ　昭和二十三年七月一日以後における待期期間を合算した期間が十二月となるに至つた者で、そのなるに至つた月の翌月以後常勤職員について定められている勤務時間により勤務することを要することとされていたもの

ハ　イ又はロに掲げる者に準ずる者で財務省令で定めるもの

二　旧特別調達庁法（昭和二十二年法律第七十八号）に規定する特別調達庁に勤務していた者で職員に相当するもの

2　施行法第七条第一項第五号又は第九条第一号の規定の適用については、前項第一号に掲げる者であつた期間は、駐留軍労働者等として勤務した期間を含まないものとする。

（政令で定める要件に該当する期間）

第十条の二　施行法第七条第一項第五号に規定する政令で定める要件に該当する期間は、外地官署所属職員の身分に関する件（昭和二十一年勅令第二百八十七号）第一項に規定する外地にある官署所属の職員（当該職員に準ずる者として財務省令で定める者を含む。以下この条において「外地官署所属職員」という。）であつた者で、昭和二十年八月十四日まで引き続き外地官署所属職員として勤務し、その後他に就職することなく三年以内に職員となり、昭和三十四年一月一日（恩給更新組合員にあつては、同年十月一日。次条第二項において同じ。）の前日まで引き続いて職員であつたものの当該外地官署所属職員として勤務した期間その他これに準ずる特別の事情があるものとして財務省令で定める期間とする。

（外国政府職員等から職員となるまでの期間等）

第十条の三　施行法第七条第一項第六号に規定する政令で定める期間は、三年とする。

2　施行法第七条第一項第六号に規定する政令で定める者は、外国政府等（同号に規定する外国政府等をいう。以下この項において同じ。）に勤務していた者のうち次の各号に掲げる者とする。

一　当該外国政府等に勤務する者としての職務に起因する負傷又は疾病のため退職した者で、その後他に就職することなく昭和二十三年八月七日（当該外国政府等に昭和二十年八月八日まで引き続き勤務した後引き続いて海外にあつた未帰還者（未帰還者留守家族等援護法（昭和二十八年法律第百六十一号）第二条に規定する未帰還者をいう。次号において同じ。）と認められた

者にあつては、その帰国した日から三年を経過する日の前日）までの間に職員となり、昭和三十四年一月一日の前日まで引き続いて職員であつたもの

二　外国政府等に勤務し、引き続き職員又は施行法第三十一条第一項に規定する地方の職員等となり、更に引き続いて外国政府等に勤務した者（当該外国政府等に昭和二十年八月八日まで引き続き勤務した後引き続いて海外にあつた未帰還者と認められた者を含む。）で、その後他に就職することなく三年以内に職員となり、昭和三十四年一月一日の前日まで引き続いて職員であつたもの

三　外国政府等に勤務し、引き続き職員又は施行法第三十一条第一項に規定する地方の職員等となり、更に引き続いて外国政府等に勤務した者で、その後任命権者又はその委任を受けた者の要請に応じ外国政府等又は日本政府がその運営に関与していた法人その他の団体の職員（以下この号において「関与法人等の職員」という。）となるため退職し、当該関与法人等の職員として昭和二十年八月八日まで引き続き勤務し、その後他に就職することなく三年以内に職員となり、昭和三十四年一月一日の前日まで引き続いて職員であつたもの

（特殊の期間の通算の対象となる者等）

第十一条　施行法第九条第四号に規定する政令で定める者は、外国政府等（同号に規定する外国政府等をいう。以下この条において同じ。）に勤務していた者で、当該外国政府等に勤務する者としての職務に起因する負傷又は疾病のため、当該外国政府等に引き続き昭和二十年八月八日まで在職することができなかつたものとする。

2　施行法第九条第四号に規定する政令で定める期間は、同号に規定する者（前項の規定に該当する者を除く。）の昭和二十年八月八日まで、職員となつた日まで又は同号に規定する関与法人等の職員となつた日まで引き続いていない外国政府等に勤務した期間及び同項の規定に該当する者の外国政府等に勤務する者としての職務に起因する負傷又は疾病以外の理由により当該外国政府等を退職した場合のその退職に係る外国政府等に勤務した期間とする。

（地方鉄道会社の範囲）

第十一条の二　施行法第九条第五号に規定する政令で定める地方鉄道会社は、信濃鉄道株式会社、芸備鉄道株式会社、横荘鉄道株式会社、北九州鉄道株式会社、富士身延鉄道株式会社、白棚鉄道株式会社、新潟臨港開発鉄道株式会社、留萌鉄道株式会社、北海道鉄道株式会社、鶴見鉄道株式会社、富山地方鉄道株式会社、伊那電気鉄道株式会社、三信鉄道株式会社、鳳来寺鉄道株式会社、豊川鉄道株式会社、播丹鉄道株式会社、宇部鉄道株式会社、小野田鉄道株式会社、小倉鉄道株式会社、産業セメント株式会社、胆振縦貫鉄道株式会社、宮城電気鉄道株式会社、南武鉄道株式会社、青梅電気鉄道株式会社、奥多摩電気鉄道株式会社、相模鉄道株式会社、飯山鉄道株式会社、中国鉄道株式会社、西日本鉄道株式会社及び南海鉄道株式会社とする。

第十二条から第十七条まで　削除

（施行日以後の重複期間を有する者の取扱い）

第十八条　昭和三十四年九月三十日において、国家公務員共済組合法等の一部を改正する法律（昭和三十四年法律第百六十三号）第二条の規定による改正前の施行法第四十七条又は第四十八条の規定の適用を受けていた組合員は、施行法第二十三条第一項に規定する恩給更新組合員に該当するものとみなし、その組合員については、同項において準用する施行法第七条第二項に規定する同条第一項第二号から第四号までの期間には、昭和三十四年一月一日以後の組合員期間を含むものとする。

第十九条及び第二十条　削除

（厚生年金保険の被保険者であつた更新組合員の取扱い）

第二十一条　施行法第二十八条第一項に規定する政令で定める者は、国家公務員共済組合法施行令の一部を改正する政令（昭和四十年政令第百八十四号）の施行の日に職員として在職している者で施行法の施行の日（恩給更新組合員にあつては、昭和三十四年十月一日）前に附則第十条第一項各号に掲げる者であつたことのあるもののうち、同令の施行の際現に次の各号に掲げる者に該当する者（第三号又は第四号に掲げる者については、国家公務員共済組合法施行令の一部を改正する政令（昭和四十一年政令第三百三十号）の施行の日から六十日を経過する日以前に、その者又はその遺族が、組合を経由して社会保険庁長官に対して施行法第二十八条第一項の規定の適用を受けることを希望しない旨の申出をした場合に限る。）以外の者とする。

一　旧厚生年金保険法による厚生年金保険の被保険者であつた期間（以下この条において「被保険者期間」という。）が旧厚生年金保険法の規定による老齢年金の受給資格要件たる期間以上である者

二　旧厚生年金保険法の規定による障害年金の受給権を取得している者

三　旧厚生年金保険法第十五条第一項の規定による被保険者となつていた者

四　通算年金制度を創設するための関係法律の一部を改正する法律（昭和三十六年法律第百八十二号）附則第九条第一項又は第二項の規定により脱退手当金を受け

ることができた者

2 前項の規定に該当する者の施行法第七条第一項第五号又は第九条第一号に掲げる期間内の被保険者期間は、施行法第七条第一項第三号の期間で施行法第二条第十四号に規定する控除期間に該当しないものであつたものとみなす。

（恩給等の裁定者等の証明等）

第二十二条 連合会は、長期給付の決定に関して必要がある場合には、組合員又は組合員であつた者に係る恩給（施行法第三十一条第一項後段の規定により恩給とみなされるものを含む。）、同項後段の規定により旧法の規定による退職給付、障害給付及び遺族給付とみなされる給付又は地方公務員等共済組合法若しくは地方の施行法の規定による給付（以下この項において「恩給等」という。）の受給権並びにその基礎となつた在職年、条例在職年（地方の施行法第二条第一項第二十号に規定する条例在職年をいう。）、旧長期組合員期間（地方の施行法第二条第一項第二十一号に規定する旧長期組合員期間をいう。）、地方の組合の組合員であつた期間その他の事項で長期給付の決定に関して必要なものについて、その当該恩給等の裁定又は決定を行つた者（次項において「裁定者等」という。）に対し、証明を求めることができる。

2 裁定者等は、前項の規定により連合会から証明を求められたときは、速やかに回答しなければならない。

（長期給付の決定に関する審理）

第二十三条 連合会は、長期給付の決定の基礎となる組合員期間のうち次に掲げる期間（普通恩給若しくは一時恩給の裁定又は長期給付の決定を受けた期間を除く。）に該当するものに係る長期給付については、施行法第五十五条の規定により、総務大臣の審理を経て決定するものとする。

一 恩給公務員期間のうち、在職年の計算において実在職年数と異なつた在職年の計算を行う期間

二 恩給法（大正十二年法律第四十八号）第九十条第二項の規定により通算されることとされている期間

三 前二号に掲げるもののほか、財務大臣が特に必要と認め、総務大臣と協議して定める期間

（健康保険組合の権利義務の承継）

第二十四条 連合会組合（法附則第十六条に規定する連合会組合をいう。以下同じ。）は、その成立の際、同条の規定により解散した健康保険組合（以下「解散健康保険組合」という。）のすべての権利義務を承継する。この場合において、解散健康保険組合の保険料その他の徴収金で未収のものに係るものがあるときは、連合会組合は、なお従前の例により、当該徴収金を徴収することができる。

2 解散健康保険組合の理事であつた者は、解散の日から三十日以内に、解散の日の前日現在で決算を行わなければならない。この場合において、当該理事であつた者は、大蔵大臣の定める様式により、財産目録、貸借対照表及び附属明細書並びに書類帳簿引継調書を作成しなければならない。

3 解散健康保険組合の理事であつた者は、前項の書類を作成したときは、遅滞なくこれを厚生大臣に提出し、その認定を受けた後、これを連合会の理事長に引き継がなければならない。

4 連合会の理事長は、前項の規定により第二項の書類の引継を受けたときは、その書類の写を添附し、当該権利義務の承継について、大蔵大臣及び厚生大臣に報告しなければならない。

（組合職員及び連合会役職員の取扱い）

第二十五条 組合職員（法第百二十五条に規定する組合職員をいう。）又は連合会役職員（法第百二十六条第一項に規定する連合会役職員をいう。以下この条において同じ。）である組合員に対する施行法の規定の適用については、次に定めるところによる。

一 これらの者のうち旧法の規定に基づく組合又は連合会に使用される者（常時勤務に服することを要しない者及び臨時に使用される者を除く。）でそれぞれ組合又は連合会の運営規則で定めるもの（以下「旧組合職員等」という。）であつた者の旧組合職員等であつた期間（施行法第七条第一項第三号又は第四号の期間に該当するものを除く。）は、同項第五号の期間（旧組合職員等であつた期間（職員であつた期間を含む。）が昭和三十三年七月一日（連合会役職員にあつては、昭和三十六年十月一日）の前日まで引き続いていない場合には、施行法第九条第一号の期間）に該当するものとする。

二 これらの者のうち法附則第十八条第一項に規定する者の厚生年金保険の被保険者であつた期間（その期間の計算については、厚生年金保険法の規定による被保険者期間の計算の例による。）は、施行法第七条第一項第三号の期間で施行法第二条第十四号に規定する控除期間に該当しないものであつたものとみなす。

2 昭和三十六年十月一日前に職員が連合会役職員（旧法の規定に基づく連合会に使用された者（常時勤務に服することを要しない者及び臨時に使用される者を除く。）を含む。）となつた場合における長期給付に関する規定の適用については、国家公務員共済組合法等の一部を改正する法律（昭和三十六年法律第百五十二号）附則第十二条の規定の適用を受ける者の例による。

（厚生保険特別会計からの交付金）

第二十六条　法附則第十九条の規定により厚生保険特別会計から組合に交付すべき金額は、昭和三十三年六月三十日（連合会組合にあつては、その成立の日の前日）における厚生保険特別会計の年金勘定の積立金総額から、その日において厚生年金保険法の規定により年金たる保険給付を受ける権利を有する者が同日以後受けるべき年金額の百分の八十五に相当する額の現価の総額を控除して得た額に、同日において厚生年金保険の被保険者（以下この条において「被保険者」という。）であり、かつ、引き続き組合員となる者の被保険者であつた期間のそれぞれの期間の標準報酬月額に当該期間に係る所定の保険料率をそれぞれ乗じて得た額の総額を同日における被保険者及び同日以前に被保険者であつたすべての者の被保険者であつた期間のそれぞれの期間の標準報酬月額に当該期間に係る所定の保険料率をそれぞれ乗じて得た額の総額で除して得た割合を乗じて算定した金額とする。

2　前項に規定する組合に交付すべき金額の交付の手続については、大蔵大臣が厚生大臣と協議して定める。

（地方の職員等であつた組合員の取扱い）

第二十七条　地方の更新組合員（施行法第三十一条第二項に規定する地方の更新組合員をいう。）であつた者で地方の施行法第三十三条第一項の申出をしたものが組合員となつたときにおける施行法第三十一条の規定の適用については、当該申出に係る旧市町村職員共済組合法又は共済条例の規定による障害年金は、旧法の規定による障害年金に該当しないものとし、当該旧市町村職員共済組合法又は共済条例の規定による障害年金の基礎となつた期間は、旧長期組合員期間に該当しないものとする。

2　施行法第三十一条第四項第三号に規定する政令で定める者は、外国政府等（同号に規定する外国政府等をいう。以下この条において同じ。）に勤務していた者で当該外国政府等に勤務する者としての職務に起因する負傷又は疾病のため、当該外国政府等に引き続き昭和二十年八月八日まで在職することができなかつたものとする。

3　施行法第三十一条第四項第三号に規定する政令で定める期間は、同号に規定する者（前項の規定に該当する者を除く。）の昭和二十年八月八日まで、職員となつた日まで又は同号に規定する関与法人等の職員となつた日まで引き続いていない外国政府等に勤務した期間及び同項の規定に該当する者の外国政府等に勤務する者としての職務に起因する負傷又は疾病以外の理由により当該外国政府等を退職した場合のその退職に係る外国政府等に勤務した期間とする。

4　施行法第三十一条第五項に規定する政令で定める者は、次に掲げる者で、施行法第五条第二項本文（施行法第二十二条第一項において準用する場合を含む。）の規定により退職年金を受ける権利が消滅させられたものとする。ただし、その組合員期間のうち、昭和六十年地方の改正法第二条の規定による改正前の地方の施行法第百五十一条の規定による改正前の施行法（以下「昭和三十七年改正前の施行法」という。）第五十一条第一項又は第五十一条の三の規定により職員であつたものとみなされることとなつていた期間以外の地方公務員であつた期間（昭和三十七年十一月三十日までの期間に限る。）を有する者、昭和三十七年十二月一日前に長期組合員であつた者で退職した後同日以後再び長期組合員となつたもの及び地方公務員等共済組合法の長期給付に関する規定の適用を受けた者を除く。

一　地方自治法施行令の一部を改正する政令（昭和三十二年政令第二十一号）附則第四条、第六条若しくは第十一条又は地方自治法施行令の一部を改正する政令（昭和三十四年政令第百五十四号）附則第四条、第六条若しくは第十一条の規定の適用を受けることができなかつた者のうち、地方自治法（昭和二十二年法律第六十七号）の施行の日前に都道府県の条例に基づく退職年金を受ける権利又は市町村の教育職員として勤務したことにより生じた当該市町村の条例に基づく退職年金を受ける権利を有していた者

二　地方自治法第二百五十二条の十八第一項ただし書（同条第三項において準用する場合を含む。）又は同法附則第七条第一項ただし書の規定により市町村の教育職員としての在職年が恩給法の公務員、都道府県の職員又は市町村の教育職員としての在職年に通算しないこととされている者で、その通算しないこととされている市町村の教育職員として勤務したことにより生じた当該市町村の条例に基づく退職年金を受ける権利を有していたもの。ただし、前号の規定に該当する者を除く。

5　前項各号に規定する者で、その組合員期間のうち、昭和三十七年改正前の施行法第五十一条第一項又は第五十一条の三の規定により職員であつたものとみなされることとなつていた期間以外の地方公務員であつた期間（昭和三十七年十一月三十日までの期間に限る。）を有するもの（昭和三十七年十二月一日前に長期組合員であつた者で退職した後同日以後再び長期組合員となつたもの及び地方公務員等共済組合法の長期給付に関する規定の適用を受けた者を除く。）に施行法第三十一条第五項の規定を適用する場合においては、同項中「その受けたこれらの給付の額」とあるのは、「地方の施行法による改正前の国

家公務員共済組合法の長期給付に関する施行法第五十一条第一項又は第五十一条の三の規定により職員であつたものとみなされることとなつていた期間以外の地方公務員であつた期間に受けたこれらの給付の額」とする。

（復帰更新組合員等から除かれる者の範囲）

第二十七条の二　施行法第三十三条第四号に規定する政令で定める者は、次に掲げる者とする。

一　沖縄の立法院議員（群島議会議員を含む。）であつた者

二　沖縄の中央教育委員会の委員であつた者

2　施行法第三十三条第六号に規定する政令で定める者は、次に掲げる者とする。

一　前項各号に掲げる者

二　常時勤務に服することを要しない者であつた者で財務省令で定めるもの

（退職共済年金等の取扱い）

第二十七条の三　施行法第三十四条第二項に規定する退職一時金の支給を受けた者から除かれる者は、公務員等共済組合法（千九百六十九年立法第百五十四号。以下「公務員等共済法」という。）、公立学校職員共済組合法（千九百六十八年立法第百四十七号。以下「公立学校職員共済法」という。）又は旧公務員退職年金法（千九百六十五年立法第百号。以下「年金法」という。）の規定による返還一時金の支給を受けた者とする。

2　施行法第三十四条第二項に規定する退職一時金の支給を受けた者に準ずるものとして政令で定める者は、次に掲げる者（前項の返還一時金の支給を受けた者を除く。）とする。

一　公務員等共済法第六十六条第一項ただし書、公立学校職員共済法第六十七条第一項ただし書又は年金法第二十八条第一項ただし書の規定の適用を受けた者

二　通算年金制度を創設するための関係立法の一部を改正する立法（千九百七十年立法第五十六号。以下「沖縄の通算年金関係整理法」という。）附則第五条ただし書又は附則第十四条ただし書の規定によりこれらの規定に規定する控除額相当額を琉球政府又は公立学校職員共済法に基づく公立学校職員共済組合に返還した者

3　施行法第三十四条第二項に規定する者については、その者が沖縄の組合員（施行法第三十三条第三号に規定する沖縄の組合員をいう。以下同じ。）であつた間長期組合員であつたものと、同項に規定する退職一時金は昭和四十二年度以後における国家公務員共済組合等からの年金の額の改定に関する法律等の一部を改正する法律（昭和五十四年法律第七十二号）第二条の規定による改正前の法第八十条第二項の退職一時金とみなして、法その他の長期給付に関する法令の規定を適用するとしたならば退職共済年金（施行法第十一条第一項に規定する退職共済年金をいう。以下同じ。）又は昭和六十年改正前の法の規定による通算退職年金を受ける権利を有することとなる場合には、連合会が当該退職共済年金又は昭和六十年改正前の法の規定による通算退職年金を支給する。

（沖縄の組合員であつた長期組合員の取扱い）

第二十七条の四　施行法第三十七条第三項に規定する政令で定める者は、年金法附則第三条第一項若しくは第四条第一項に規定する政府等の職員又はこれらの規定に規定する機関に在職していた職員のうち元南西諸島官公署職員等の身分、恩給等の特別措置に関する法律施行令（昭和二十八年政令第三百二十二号）別表第一に掲げる職員（同表第十七項及び第十八項に掲げる職員を除く。）及びこれに準ずる者として財務省令で定める者とする。

2　沖縄の組合員であつた長期組合員に対する長期給付については、旧長期組合員期間のうち元南西諸島官公署職員等の身分、恩給等の特別措置に関する法律（昭和二十八年法律第百五十六号）第四条の三第一項に規定する改正法施行後の在職期間は、施行法第二条第十四号に規定する控除期間とみなして、施行法の規定を適用する。

3　次の各号に掲げる者であつた長期組合員に対する長期給付については、その者が当該各号に掲げる者であつた間、施行法第二十二条第一項第二号に掲げる長期組合員であつたものと、その者に係る恩給又は沖縄の退職年金条例の規定による給付を受ける権利で沖縄の共済法（施行法第三十三条第二号に規定する沖縄の共済法をいう。以下同じ。）の規定によつて消滅したものは施行法中の相当する規定によつて消滅したものとみなして、施行法の規定を適用する。

一　公務員等共済組合法の長期給付に関する施行法（千九百六十九年立法第百五十五号）第三十九条第一項第二号に掲げる者

二　公立学校職員共済組合法の長期給付に関する施行法（千九百六十八年立法第百四十八号）第二十三条第一項第二号に掲げる者

三　年金法附則第四条第一項の規定に該当した者

4　施行法第三十三条第七号に規定する沖縄更新組合員（前項各号に掲げる者を含む。以下同じ。）である同条第六号に規定する琉球政府等の職員であつた長期組合員に対する施行法第八条第二号及び第十四条第一項の規定の適用については、別段の定めがあるものを除き、同号中「第五条第二項本文」とあるのは「第三十五条第二項本文」と、同項中「第五条第一項及び第二項本文」とあるのは「第三十五条第一項及び第二項本文」とする。

5 施行法第三十七条第五項の規定は、施行法第三十五条第二項第二号の規定による申出をしなかつた者又は施行法第三十六条第一項ただし書若しくは第二項ただし書の規定による申出をした者については、適用しない。

（副看守長等であつた衛視等の取扱い）

第二十七条の五 施行法第三十八条第一項に規定する政令で定める機関は、元南西諸島官公署職員等の身分、恩給等の特別措置に関する法律施行令第二条第一号から第四号までに掲げる機関とする。

2 施行法第三十八条第一項に規定する副看守長等（以下「副看守長等」という。）であつた法附則第十三条第二項に規定する衛視等（以下「衛視等」という。）については、その者が昭和四十一年七月一日前において副看守長等であつた間施行法第二条第四号の二に規定する警察監獄職員であつたものとみなして、施行法の規定を適用する。

3 沖縄更新組合員である副看守長等であつた衛視等に対する施行法第二十五条の規定の適用については、同条第一号中「昭和三十四年十月一日」とあるのは、「昭和四十一年七月一日」とする。

（沖縄の組合員であつた者が特別措置法の施行日以後に組合員となつた場合の取扱い）

第二十七条の六 施行法第三十九条に規定する政令で定める者は、次に掲げる者とする。

一 復帰更新組合員（施行法第三十三条第四号に規定する復帰更新組合員をいう。次号において同じ。）であつた者で再び組合員となつたもの

二 沖縄の組合員であつた者（附則第二十七条の二第一項各号に掲げる者及び沖縄の共済法の規定に基づく共済組合の役員であつた者を除く。）で沖縄の復帰に伴う特別措置に関する法律の施行の日以後に組合員となつたもの（復帰更新組合員及び前号に掲げる者を除く。）

2 施行法第三十五条第二項（第二号を除く。以下この項において同じ。）並びに第三十六条第一項本文、第二項及び第三項の規定は、前項各号に掲げる者について準用する。この場合において、施行法第三十五条第二項並びに第三十六条第一項本文及び第二項中「特別措置法の施行日」とあるのは、「国家公務員共済組合法施行令附則第二十七条の六第一項各号に掲げる組合員となつた日」と読み替えるものとする。

（省令への委任）

第二十七条の七 附則第二十七条の二から前条までに定めるもののほか、施行法第九章の規定の適用に関し必要な事項は、財務省令で定める。

（経過措置に伴う追加費用の負担）

第二十八条 施行法第五十四条第一項の規定により国が毎年度において負担すべき金額は、当分の間、国の当該年度の予算をもつて定める。

2 施行法第五十四条第一項の規定により独立行政法人造幣局、独立行政法人国立印刷局又は独立行政法人国立病院機構が毎年度において負担すべき金額は、当分の間、連合会が当該事業年度においてその予算に当該負担すべき金額として計上した額とする。

3 施行法第五十四条第二項の規定により組合又は連合会が毎事業年度において負担すべき金額は、当分の間、それぞれ組合又は連合会の当該事業年度の予算をもつて定める。

（旧地方公営企業等金融機構法の施行に伴う経過措置）

第二十九条 旧公営企業金融公庫の職員で旧地方公営企業等金融機構法附則第二十六条の規定による廃止前の公営企業金融公庫法（昭和三十二年法律第八十三号）第三十九条の規定の適用を受けていたものに係る施行法の規定の適用については、なお従前の例による。この場合においては、旧地方公営企業等金融機構法附則第九条第一項の規定の適用があるものとする。

（動力炉・核燃料開発事業団法の施行に伴う経過措置）

第三十条 旧原子燃料公社の役員又は職員で原子力基本法及び動力炉・核燃料開発事業団法の一部を改正する法律第二条の規定による改正前の動力炉・核燃料開発事業団法（昭和四十二年法律第七十三号。以下この条において「旧動力炉・核燃料開発事業団法」という。）附則第八条の規定による廃止前の原子燃料公社法（昭和三十一年法律第九十四号）第三十七条の規定の適用を受けていたものに係る施行法の規定の適用については、なお従前の例による。この場合においては、旧動力炉・核燃料開発事業団法附則第三条第一項及び平成二十六年独法整備法第九十七条の規定による改正前の独立行政法人日本原子力研究開発機構法附則第三条第一項の規定の適用があるものとする。

（水資源開発公団法の一部を改正する法律の施行に伴う経過措置）

第三十一条 旧愛知用水公団の役員又は職員で昭和四十三年十月一日前に旧愛知用水公団法（昭和三十年法律第百四十一号）第四十八条の規定の適用を受けていたものに係る施行法の規定の適用については、なお従前の例による。この場合においては、水資源開発公団法の一部を改正する法律（昭和四十三年法律第七十三号）附則第二条第一項及び独立行政法人水資源機構法附則第二条第一項の規定の適用があるものとする。

（農用地開発公団法の施行に伴う経過措置）

第三十二条 旧農地開発機械公団の役員又は職員で森林開発公団法の一部を改正する法律附則第八条の規定による廃止前の農用地整備公団法（昭和四十九年法律第四十三号。以下この条において「旧農用地整備公団法」という。）附則第十六条の規定による廃止前の農地開発機械公団法（昭和三十年法律第百四十二号）第三十七条の規定の適用を受けていたものに係る施行法の規定の適用については、なお従前の例による。この場合においては、旧農用地整備公団法附則第六条第一項、森林開発公団法の一部を改正する法律附則第三条第一項、旧緑資源機構法附則第四条第一項及び独立行政法人緑資源機構法を廃止する法律附則第二条第一項の規定の適用があるものとする。

（旧住宅・都市整備公団法の施行に伴う経過措置）

第三十三条 旧日本住宅公団の役員又は職員で旧住宅・都市整備公団法附則第二十一条第一号の規定による廃止前の日本住宅公団法（昭和三十年法律第五十三号）第五十九条の規定の適用を受けていたものに係る施行法の規定の適用については、なお従前の例による。この場合においては、旧住宅・都市整備公団法附則第六条第一項、旧都市基盤整備公団法附則第六条第一項及び独立行政法人都市再生機構法附則第四条第一項の規定の適用があるものとする。

（中小企業総合事業団法の施行に伴う経過措置）

第三十三条の二 旧中小企業信用保険公庫の職員で中小企業総合事業団法及び機械類信用保険法の廃止等に関する法律第一条の規定による廃止前の中小企業総合事業団法（以下この条において「旧中小企業総合事業団法」という。）附則第二十四条の規定による廃止前の中小企業信用保険公庫法（昭和三十三年法律第九十三号）第二十九条の規定の適用を受けていたものに係る施行法の規定の適用については、なお従前の例による。この場合においては、旧中小企業総合事業団法附則第五条第一項及び中小企業総合事業団法及び機械類信用保険法の廃止等に関する法律附則第二条第一項の規定の適用があるものとする。

（森林開発公団法の一部を改正する法律の施行に伴う経過措置）

第三十三条の三 旧森林開発公団の役員又は職員で森林開発公団法の一部を改正する法律による改正前の森林開発公団法（昭和三十一年法律第八十五号）第四十四条の規定の適用を受けていたものに係る施行法の規定の適用については、なお従前の例による。この場合においては、森林開発公団法の一部を改正する法律附則第二条、旧緑資源機構法附則第四条第一項及び独立行政法人緑資源機構法を廃止する法律附則第二条第一項の規定の適用があるものとする。

（独立行政法人労働者健康福祉機構法の施行に伴う経過措置）

第三十三条の四 旧労働福祉事業団の役員又は職員で平成二十七年独法改革厚生労働省関係法整備法第四条の規定による改正前の独立行政法人労働者健康福祉機構法附則第十条の規定による廃止前の労働福祉事業団法（昭和三十二年法律第百二十六号）第三十五条の規定の適用を受けていたものに係る施行法の規定の適用については、なお従前の例による。この場合においては、平成二十七年独法改革厚生労働省関係法整備法第四条の規定による改正前の独立行政法人労働者健康福祉機構法附則第二条第一項の規定の適用があるものとする。

（日本道路公団等民営化関係法施行法の施行に伴う経過措置）

第三十三条の五 旧日本道路公団の役員又は職員で日本道路公団等民営化関係法施行法第三十七条第一号の規定による廃止前の日本道路公団法（昭和三十一年法律第六号）第三十七条の規定の適用を受けていたもの及び旧首都高速道路公団の役員又は職員で日本道路公団等民営化関係法施行法第三十七条第二号の規定による廃止前の首都高速道路公団法（昭和三十四年法律第百三十三号）第四十八条の規定の適用を受けていたものに係る施行法の規定の適用については、なお従前の例による。この場合においては、日本道路公団等民営化関係法施行法第十五条第一項の規定の適用があるものとする。

（病床転換支援金等の経過措置）

第三十四条 令和八年三月三十一日までの間、第二十二条第一項第一号中「流行初期医療確保拠出金等」とあるのは、「流行初期医療確保拠出金等並びに高齢者の医療の確保に関する法律附則第七条第一項に規定する病床転換支援金等」とする。

（郵便貯金銀行等の組織の再編成）

第三十四条の二 法附則第二十条の二第二項第三号ニ及び第四号ニに規定する政令で定める組織の再編成は、事業の全部若しくは一部の譲渡、合併又は会社分割の行為とする。

第三十四条の二の二 法附則第二十条の二第二項第三号ニに掲げる組織の再編成後の法人（この項の規定により同号ニに掲げる組織の再編成後の法人とみなされる法人を含む。）であつて同号の規定により財務大臣が定めたものが事業の全部若しくは一部の譲渡、合併又は会社分割を行つたときは、当該事業の全部若しくは一部を譲り受けた法人、合併後存続する法人若しくは合併により設立された法人又は会社分割により当該事業を承継した法人を同号ニに掲げる組織の再編成後の法人とみなして同号の規定を適用する。

2　前項の規定は、法附則第二十条の二第二項第四号ニに掲げる組織の再編成後の法人であつて同号の規定により財務大臣が定めたものについて準用する。

（郵政会社等役職員の取扱い）

第三十四条の二の三　法附則第二十条の二第一項に規定する郵政会社等の役員及び郵政会社等に使用される者であつて、職員に準ずるものとして政令で定めるものは、法第二条第一項第一号並びにこの政令第二条第一項及び第二項の規定に準じて日本郵政共済組合の運営規則で定める者とする。

2　郵政会社等役職員（法附則第二十条の二第一項に規定する郵政会社等役職員をいう。次項において同じ。）については、その受ける給与のうち一般職員の報酬に含まれる給与に相当するものとして日本郵政共済組合の運営規則で定める給与をもつて報酬とし、その受ける給与で報酬に該当しないもののうち一般職員の期末手当等に相当するものとして日本郵政共済組合の運営規則で定める給与をもつて期末手当等とする。

3　前二項に定めるもののほか、郵政会社等役職員についてこの政令の規定を適用する場合においては、次の表の上欄に掲げる規定中同表の中欄に掲げる字句は、それぞれ同表の下欄に掲げる字句とする。

第十二条第二項	に掲げる者（常勤職員について定められている勤務時間以上勤務した日（法令の規定により、勤務を要しないこととされ、又は休暇を与えられた日を含む。）が引き続いて十二月を超えるに至つた者で、その超えるに至つた日以後引き続き当該勤務時間により勤務することを要することとされているものを除く。）、同項第八号に掲げる者又は同項第九号に掲げる者	から第九号までに掲げる者に準ずる者として組合の運営規則で定める者
第十二条第三項	次に掲げる者	次に掲げる者に準ずる者として組合の運営規則で定める者
第二十一条の二第七項	各省各庁の長（法第八条第一項に規定する各省各庁の長をいう。）	各省各庁の長（法第八条第一項に規定する各省各庁の長をいう。）又は郵政会社等を代表する者（法附則第二十条の二第四項の規定により読み替えて適用する法第八条第一項に規定する郵政会社等を代表する者をいう。）
第二十三条	に規定する政令	又は法附則第二十条の二第四項において読み替えて適用する法第九十九条第五項に規定する政令
	行政執行法人が	行政執行法人又は郵政会社等が
	組合が	組合又は日本郵政共済組合が
	当該組合	これらの組合
第二十五条の四	行政執行法人	行政執行法人、郵政会社等
附則第八条第五項	国立大学法人等	国立大学法人等若しくは郵政会社等
附則第二十八条第二項	又は独立行政法人国立病院機構	若しくは独立行政法人国立病院機構又は日本郵政株式会社

（適用法人の要件等）

第三十四条の二の四　法附則第二十条の六第一項に規定する政令で定める要件は、同項の承認の際、次の各号のいずれにも該当することとする。

一　新たに設立される法人で郵政会社等と密接な関係を有する業務を行うものと認められること。
二　法附則第二十条の六第一項に規定する承認を受けようとする法人（以下この項において「承認申請法人」という。）が株式会社であるときは当該承認申請法人の発行済株式の総数の三分の二以上に当たる株式が郵政会社等により保有されていると認められること又は承認申請法人が株式会社以外の法人であるときは当該承認申請法人が郵政会社等とこれに準ずる密接な関係にあると認められること。
三　郵政会社等に使用され、かつ、郵政会社等から給与を受ける者（郵政会社等の常勤の役員を含み、臨時に使用される者を除く。）又は適用法人（法附則第二十条の七第一項に規定する適用法人をいう。以下この号及び次条において同じ。）に使用され、かつ、当該適用法人から給与を受ける者（当該適用法人の常勤の役員を含み、臨時に使用される者を除く。）から引き続き承認申請法人に使用され、かつ、当該承認申請法人から給与を受ける者（当該承認申請法人の常勤の役員を含み、臨時に使用される者を除く。以下この号において同じ。）となるものの数が当該承認申請法人に使用され、かつ、当該承認申請法人から給与を受ける者の総数の四分の三以上になると認められること。

2　前項に規定する要件に該当する法人を設立しようとする者で法附則第二十条の六第一項に規定する承認を受けようとするものは、財務省令で定めるところにより、財務省令で定める書類を添えて、財務大臣に申請しなければならない。

（適用法人に使用される者の取扱い）

第三十四条の二の五　法附則第二十条の六第一項に規定する職員に相当する者として政令で定める者は、法第二条第一項第一号並びにこの政令第二条第一項及び第二項の規定に準じて日本郵政共済組合の運営規則で定める者とする。

2　適用法人に使用される者である日本郵政共済組合の組合員については、その受ける給与のうち一般職員の報酬に含まれる給与に相当するものとして日本郵政共済組合の運営規則で定める給与をもつて報酬とし、その受ける給与で報酬に該当しないもののうち一般職員の期末手当等に相当するものとして日本郵政共済組合の運営規則で定める給与をもつて期末手当等とする。

3　適用法人に使用される者である日本郵政共済組合の組合員について法の規定を適用する場合における第十二条第二項及び第三項の規定の適用については、次の表の上欄に掲げる規定中同表の中欄に掲げる字句は、それぞれ同表の下欄に掲げる字句とする。

第十二条第二項	に掲げる者（常勤職員について定められている勤務時間以上勤務した日（法令の規定により、勤務を要しないこととされ、又は休暇を与えられた日を含む。）が引き続いて十二月を超えるに至つた者で、その超えるに至つた日以後引き続き当該勤務時間により勤務することとされているものを除く。）、同項第八号に掲げる者又は同項第九号に掲げる者	から第九号までに掲げる者に準ずる者として組合の運営規則で定める者
第十二条第三項	次に掲げる者	次に掲げる者に準ずる者として組合の運営規則で定める者

（市町村民税経過措置対象組合員に対する高額療養費の支給に関する特例）

第三十四条の三　市町村民税経過措置対象組合員の被扶養者が同一の月にそれぞれ一の病院等から受けた療養に係る高額療養費については、第十一条の三の四第一項中「次項又は第三項」とあるのは、「第三項又は附則第三十四条の三第二項」と読み替えて、同項の規定を適用する。

2　市町村民税経過措置対象組合員の被扶養者が同一の月に一の病院等から療養（七十歳に達する日の属する月の翌月以後の療養に限る。以下この項において同じ。）を受けた場合において、当該市町村民税経過措置対象組合員に対して支給される高額療養費の額は、第十一条の三の四第二項の規定にかかわらず、同項の規定により支給されるべき高額療養費の額に、当該被扶養者ごとに算定した第二号に掲げる金額から第一号に掲げる金額を控除した金額（当該金額が零を下回る場合には、零とする。）を合算した金額を加算した金額とする。
一　七十歳以上一部負担金等世帯合算額から高額療養費

算定基準額を控除した金額（当該金額が零を下回る場合には、零とする。）に、被扶養者按分率（市町村民税経過措置対象組合員の被扶養者が同一の月にそれぞれ一の病院等から受けた療養に係る第十一条の三の四第二項各号に掲げる金額を合算した金額から同条第三項の規定により支給される高額療養費の額を控除した金額（次号において「被扶養者一部負担金等合算額」という。）を七十歳以上一部負担金等世帯合算額で除して得た率をいう。）を乗じて得た金額

二　被扶養者一部負担金等合算額から高額療養費算定基準額を控除した金額

3　第一項の規定により読み替えて適用する第十一条の三の四第一項の高額療養費算定基準額については、第十一条の三の五第一項第一号中「同条第一項又は第二項」とあるのは、「同条第一項若しくは第二項又は附則第三十四条の三第一項の規定により読み替えて適用する前条第一項若しくは附則第三十四条の三第二項」と読み替えて、同項の規定を適用する。

4　第十一条の三の五第二項（第三号及び第四号を除く。）の規定は、第二項第一号の高額療養費算定基準額について準用する。この場合において、同条第二項中「前条第二項の」とあるのは「附則第三十四条の三第二項第一号の」と、同項第一号中「次号から第四号まで」とあるのは「次号」と、同項第二号中「高額療養費多数回該当の場合」とあるのは「当該療養のあつた月以前の十二月以内に既に高額療養費（前条第一項若しくは第二項又は附則第三十四条の三第一項の規定により読み替えて適用する前条第一項若しくは附則第三十四条の三第二項の規定によるものに限る。）が支給されている月数が三月以上ある場合」と読み替えるものとする。

5　第二項第二号の高額療養費算定基準額は、第十一条の三の五第二項第三号に定める金額とする。

6　市町村民税経過措置対象組合員の被扶養者に係る第十一条の三の五第三項の高額療養費算定基準額は、同項の規定にかかわらず、同項第三号に定める金額とする。

7　市町村民税経過措置対象組合員の被扶養者に係る第十一条の三の六第一項及び第二項の規定の適用については、これらの規定中「当該各号ハ」とあるのは、「当該各号ハ」とする。

8　第一項、第二項、第六項及び前項の市町村民税経過措置対象組合員は、組合員のうち、次の各号のいずれかに該当する者とする。

一　その被扶養者が療養を受ける月が平成十八年八月から平成十九年七月までの場合にあつては、地方税法等の一部を改正する法律（平成十七年法律第五号）附則第六条第二項に該当する者

二　その被扶養者が療養を受ける月が平成十九年八月から平成二十年七月までの場合にあつては、地方税法等の一部を改正する法律附則第六条第四項に該当する者

（厚生労働大臣が定める医療に関する給付が行われるべき療養を受けた組合員等に係る高額療養費の支給に関する経過措置）

第三十四条の四　法第五十五条第二項第二号の規定が適用される組合員又は法第五十七条第二項第一号ハの規定が適用される被扶養者のうち、平成二十一年四月から平成三十一年三月までの間に、特定給付対象療養（これらの者に対する医療に関する給付であつて、健康保険法施行令附則第六条第一項に規定する厚生労働大臣が定めるものが行われるべき療養に限る。）を受けたものに係る第十一条の三の三第六項の規定による高額療養費の支給については、同項中「及び当該組合員」とあるのは「、当該組合員」と、「を除く」とあるのは「及び健康保険法施行令（大正十五年勅令第二百四十三号）附則第六条第一項に規定する厚生労働大臣が定める給付が行われるべき療養を除く」と読み替えて、同項の規定を適用する。

第三十五条～第三十八条　（関係政令の一部改正省略）

附　則（昭三三・一二・一六政令三三一）

この政令は、公布の日から施行する。

附　則（昭三三・一二・二七政令三五七）

この政令は、昭和三十四年一月一日から施行する。

附　則（昭三四・六・一政令二〇七）

1　この政令は、公布の日から施行する。

2　次の各号に掲げる規定は、当該各号に掲げる日から適用する。

一　改正後の国家公務員共済組合法施行令（以下「新令」という。）第十一条の四、第十二条、附則第四条の三から第四条の六まで、附則第四条の十から第四条の十二まで並びに附則第七条第七項及び第八項の規定　昭和三十四年一月一日

二　新令第二条及び附則第七条第一項の規定　昭和三十四年五月十五日

3　改正前の国家公務員共済組合法施行令第二条第二項（同令附則第七条第二項において準用する場合を含む。）の規定は、昭和三十四年五月十五日以後は、適用しないものとする。

4　新令附則第四条の八の規定は、昭和三十四年五月十五日以後給付事由が生じた施行法第十九条に規定する退職一時金について適用する。

5　新令第四条の九に規定する者でこの政令の施行前に増加恩給等を受ける権利を有することとなつたものについては、同条中「当該増加恩給等を受ける権利を有することとなつた日」とあるのは、「国家公務員共済組合法施行令の一部を改正する政令（昭和三十四年政令第二百七号）の施行の日」として、同条の規定を適用する。

附　則（昭三四・九・五政令二八七）（抄）

改正　昭三五・六・三〇政令一八五

（施行期日）

1　この政令は、昭和三十四年十月一日から施行する。ただし、第十一条の五の次に一条を加える改正規定、改正後の附則第十五条の次に三条を加える改正規定中附則第十六条に係る部分及び改正後の附則第二十七条第八項の前に三項を加える改正規定は、公布の日から施行する。

（適用区分）

2　改正後の国家公務員共済組合法施行令（以下「新令」という。）第四条の規定は昭和三十四年一月一日から、新令第十一条の六の規定は国家公務員共済組合法等の一部を改正する法律（以下「改正法」という。）の施行の日から、それぞれ適用する。ただし、同日後この政令の公布の日前に既に支給を受けた、又は受けるべきであつた長期給付の額については、同条の規定は、この限りでない。

（普通恩給受給権を放棄した者等に関する経過措置）

3　新令附則第二十七条第五項の規定は、次の各号に掲げる者については、適用しない。

一　この政令の公布の日前に国家公務員共済組合法の長期給付に関する施行法（以下「施行法」という。）第五条第二項の規定により普通恩給（同法第五十一条第一項後段（同法第五十一条の三において準用する場合を含む。）の規定により普通恩給とみなされるものを含む。）を受けることを希望しない旨をその裁定庁に申し出た者

二　この政令の公布の日前に国家公務員共済組合法（以下「法」という。）又は施行法の規定により退職年金を受けることとなつた者

（消防職員に係る警察共済組合の権利義務の承継）

4　改正法附則第六条第三項に規定する市町村職員共済組合又は健康保険組合（以下「市町村職員共済組合等」という。）は、昭和三十四年十月一日において、同条第一項に規定する消防職員（以下「消防職員」という。）に係る法による短期給付及び法第九十八条第一号に掲げる事業で主として消防職員たる組合員の利用に供するものに係る改正法附則第六条第二項に規定する警察共済組合（以下「警察共済組合」という。）のすべての権利義務を承継する。

5　警察共済組合は、昭和三十四年十二月三十一日までに、同年九月三十日現在で、前項に規定する短期給付及び事業について、決算を行わなければならない。この場合において、警察共済組合は、大蔵大臣の定めるところにより、財産目録、貸借対照表及び附属明細書並びに書類帳簿引継調書を作成しなければならない。

6　警察共済組合は、前項の書類を作成したときは、遅滞なく、これを大蔵大臣に提出し、その認定を受けた後、これを市町村職員共済組合等に引き継がなければならない。

7　市町村職員共済組合等は、前項の規定により第五項の書類の引継を受けたときは、その書類の写を添附し、当該権利義務の承継について、自治大臣又は厚生大臣に報告しなければならない。

（消防職員に係る責任準備金に相当する金額の引継）

8　警察共済組合は、改正法附則第六条第四項の規定により、新令附則第八条の規定の例により算定した責任準備金に相当する金額を、昭和三十五年一月三十一日までに、市町村職員共済組合又は市町村若しくは都に引き継がなければならない。

附　則（昭三四・一〇・一政令三一六）

この政令は、公布の日から施行する。

附　則（昭三五・六・三〇政令一八五）

この政令は、自治庁設置法の一部を改正する法律の施行の日（昭和三十五年七月一日）から施行する。

附　則（昭三六・六・一九政令二〇一）（抄）

（施行期日）

1　この政令は、公布の日から施行する。ただし、国家公務員共済組合法施行令附則第十二条の改正規定は、昭和三十六年十月一日から施行する。

（他の政令の廃止）

2　炭鉱離職者援護会等の役職員期間と国家公務員共済組合の組合員期間との通算に関する政令（昭和三十五年政令第二十五号）は、廃止する。

（適用区分）

3　改正後の国家公務員共済組合法施行令（以下「新令」という。）第十二条の二第一項の規定は、昭和三十六年四月一日から適用する。

（傷病手当金と俸給との調整に関する経過措置）

4　国家公務員共済組合法等の一部を改正する法律（昭和三十六年法律第百五十二号。以下「改正法」という。）の施行の際現に同法による改正前の国家公務員共済組合法の規定により傷病手当金の支給を受けている者が同一の傷病によりこの政令の施行の日以後に受ける傷病手当金については、その者が新令第十

一条の四第一号の場合に該当するときにおいても、同号の規定にかかわらず、同条第二号の規定を適用する。

（恩給法施行前の在職年等の取扱いに関する経過措置）

5　この政令の施行の日前に給付事由が生じた給付に係る改正前の国家公務員共済組合法施行令附則第十条に規定する恩給、退隠料その他これらに準ずべきもの及び期間の取扱いについては、なお従前の例による。

（公庫等の在職者の復帰希望職員となるための申出等）

6　新令第四十四条及び第四十五条の規定は、改正法附則第九条第二項に規定する公庫職員及び同法附則第十一条第一項に規定するその他の公庫等職員について、新令第四十五条の規定は、同法附則第十条第一項に規定する公団等職員について、新令第四十六条の規定は、同法附則第十条第一項の申出について、それぞれ準用する。

（厚生保険特別会計からの交付金）

7　新令附則第二十六条の規定は、改正法附則第十六条第二項の規定により厚生保険特別会計から組合に交付すべき金額について準用する。この場合において、新令附則第二十六条第一項中「昭和三十三年六月三十日（連合会組合にあつては、その成立の日の前日）」とあるのは「国家公務員共済組合法等の一部を改正する法律（昭和三十六年法律第百五十二号）の施行の日の前日」と、「同日において厚生年金保険の被保険者（以下この条において「被保険者」という。）であり、かつ、引き続き組合員となる者の被保険者であつた期間」とあるのは「国家公務員共済組合法等の一部を改正する法律による改正後の国家公務員共済組合法の長期給付に関する施行法第七条第一項第五号の規定の適用を受ける者の厚生年金保険の被保険者（以下この条において「被保険者」という。）であつた期間（同号に規定する特別調達庁に勤務する者で職員に相当するものであつた期間に限る。）」と読み替えるものとする。

（中小企業信用保険公庫の共済負担金）

8　中小企業信用保険公庫の共済負担金に係る新令附則第二十九条第二項の規定の適用については、同項中「毎年度」とあるのは、「毎年度（昭和三十六年度以前の共済負担金については、同年度）」とする。

附　則（昭三六・六・一九政令二〇六）（抄）

（施行期日）

第一条　この政令は、公布の日から施行する。ただし（中略）附則第五条から第十条までの規定は、昭和三十六年七月一日から施行する。

附　則（昭三六・一一・一四政令三六七）

この政令は、公布の日から施行する。

附　則（昭三六・一一・二七政令三八七）（抄）

1　この政令は、公布の日から施行する。

附　則（昭三六・一二・六政令四〇三）

この政令は、公布の日から施行する。

附　則（昭三六・一二・一九政令四一四）（抄）

（施行期日）

1　この政令は、公布の日から施行する。ただし（中略）附則第六項の規定は、昭和三十六年十一月二十五日から適用する。

附　則（昭三七・四・二六政令一六二）（抄）

（施行期日）

第一条　この政令は、昭和三十七年四月二十七日から施行する。

附　則（昭三七・四・二七政令一七二）（抄）

（施行期日）

1　この政令は、公布の日から施行する。

附　則（昭三七・四・三〇政令一七七）（抄）

（施行期日）

1　この政令は、公布の日から施行する。

附　則（昭三七・六・一二政令二四五）

この政令は、公布の日から施行する。

附　則（昭三七・六・二五政令二六一）（抄）

（施行期日）

1　この政令は、産炭地域振興事業団法の施行の日（昭和三十七年七月一日）から施行する。

附　則（昭三七・七・二七政令三〇七）

この政令は、農業機械化促進法の一部を改正する法律の施行の日（昭和三十七年八月一日）から施行する。

附　則（昭三七・九・八政令三五二）（抄）

（施行期日）

第一条　この政令は、地方公務員共済組合法の施行の日（昭和三十七年十二月一日。以下「施行日」という。）から施行する。（ただし書略）

（国家公務員共済組合法施行令の一部改正に伴う経過措置）

第八十条　前条の規定による改正後の国家公務員共済組合法施行令の規定は、昭和三十七年十二月一日以後に給付事由が生じた国家公務員共済組合法の規定による長期給付について適用し、同日前に給付事由が生じた同法の規定による長期給付については、なお従前の例による。

附　則（昭三七・九・二八政令三七八）

1　この政令は、昭和三十七年十月一日から施行する。

2　改正後の国家公務員共済組合法施行令（以下「新令」という。）第三十二条又は第三十三条の規定は、この政令の施行の日以後に給付事由が生じた療養費又は家族療養費について適用し、同日前に給付事由が生じた療養費又は家族療養費については、なお従前の例による。

3　新令附則第十条第一項又は第二項の規定の適用を受ける者のうち、この政令の施行の日前において恩給法の一部を改正する法律（昭和二十八年法律第百五十五号）附則第四十三条第一項各号又は第二項に規定する事由が生じたことにより、その適用を受けることとなつたものに対する新令附則第十条第一項又は第二項の規定の適用については、これらの規定中「その該当することとなつた日の属する月の翌月分」とあるのは、「昭和三十七年十月分」とする。

4　新令附則第二十五条第三号の規定は、この政令の施行の日以後に同号の退職をした者について適用する。

附　則（昭三七・九・二九政令三九一）

1　この政令は、行政不服審査法（昭和三十七年法律第百六十号）の施行の日（昭和三十七年十月一日）から施行する。

2　この政令による改正後の規定は、この政令の施行前にされた行政庁の処分その他この政令の施行前に生じた事項についても適用する。ただし、この政令による改正前の規定によつて生じた効力を妨げない。

3　この政令の施行前に提起された訴願、審査の請求、異議の申立てその他の不服申立て（以下「訴願等」という。）については、この政令の施行後も、なお従前の例による。この政令の施行前にされた訴願等の裁決、決定その他の処分（以下「裁決等」という。）又はこの政令の施行前に提起された訴願等につきこの政令の施行後にされる裁決等にさらに不服がある場合の訴願等についても、同様とする。

4　前項に規定する訴願等で、この政令の施行後は行政不服審査法による不服申立てをすることができることとなる処分に係るものは、この政令による改正後の規定の適用については、同法による不服申立てとみなす。

附　則（昭三八・五・九政令一五九）

この政令は、公布の日から施行する。

附　則（昭三八・六・八政令一八九）（抄）

（施行期日）

第一条　この政令は、公布の日から施行する。

附　則（昭三八・六・一五政令二〇二）（抄）

（施行期日）

1　この政令は、法〔石炭鉱害賠償担保等臨時措置法〕の施行の日（昭和三十八年七月一日）から施行する。

附　則（昭三八・六・二七政令二二二）（抄）

1　この政令は、公布の日から施行する。

附　則（昭三八・七・一二政令二五一）（抄）

（施行期日）

第一条　この政令は、公布の日から施行する。〔ただし書略〕

附　則（昭三八・八・二〇政令三〇八）

この政令は、公布の日から施行する。ただし、この政令による改正後の附則第二十七条の規定は、昭和三十七年十二月一日から適用する。

附　則（昭三八・八・三〇政令三一五）

この政令は、公布の日から施行する。

附　則（昭三八・九・二〇政令三三四）（抄）

（施行期日）

1　この政令は、公布の日から施行する。

附　則（昭三九・三・一六政令二三）（抄）

（施行期日）

第一条　この政令は、公布の日から施行する。

附　則（昭三九・三・三〇政令五五）

この政令は、昭和三十九年四月一日から施行する。

附　則（昭三九・五・六政令一四五）（抄）

1　この政令は、金属鉱物探鉱融資事業団法の一部を改正する法律（昭和三十九年法律第七十二号）の施行の日（昭和三十九年五月八日）から施行する。

附　則（昭三九・六・一政令一七二）（抄）

（施行期日）

第一条　この政令は、公布の日から施行する。

附　則（昭三九・七・六政令二三五）

1　この政令は、昭和三十九年十月一日から施行する。ただし、附則第二十条の次に二条を加える改正規定中附則第二十条の三に係る部分及び附則第二十五条に一項を加える改正規定は、公布の日から施行する。

2　改正後の国家公務員共済組合法施行令（以下「新令」という。）第四十八条第三項、附則第二十条及び附則第二十条の二の規定はこの政令の施行の日（以下「施行日」という。）以後に給付事由が生じた給付について、新令附則第二十条の三の規定は前項ただし書に規定する日以後に給付事由が生じた給付についてそれぞれ適用し、これらの日前に給付事由が生じたこれらの給付については、なお従前の例による。

3　国家公務員共済組合法等の一部を改正する法律（昭和三十九年法律第百五十三号。以下「法律第百五十三号」という。）による改正前の国家公務員共済組合法第百二十五条第二項（同法第百二十六条第三項において準用する場合を含む。）の申出をした者（法律第百五十三号附則第五条第二項（同条第五項において準用する場合を含む。附則第八項を除き、以下同じ。）の申出をした者を除く。）については、改正前の国家公務員共済組合法施行令附則第二十五条第一号及び第二号の規定は、なおその効力を有する。

4　新令附則第二十五条第二項の規定は、昭和三十六年十月一日から附則第一項ただし書に規定する日の前日までの間に退職した同条第一項に規定する連合会役職員（以下「連合会役職員」という。）についても、適用する。

5　法律第百五十三号附則第五条第五項に規定する政令で定める組合員は、施行日において現に連合会役職員である者で新令附則第二十五条第二項の規定の適用を受けるものとする。

6　法律第百五十三号附則第五条第二項の申出は、次に掲げる事項を記載した書面に履歴書を添えて、これを組合に提出してするものとする。

一　申出をする者の氏名

二　法律第百五十三号附則第五条第二項の規定の適用を受けようとする旨

三　法律第百五十三号附則第五条第三項（同条第五項において準用する場合を含む。以下同じ。）の規定に該当する者にあつては、同条第三項に規定する期間内に受けた同項各号に掲げる給付に係る明細

7　新令第七条の二第一項に規定する連合会加入組合は、前項の書面の提出があつたときは、これを国家公務員共済組合連合会に送付しなければならない。

8　法律第百五十三号附則第五条第五項において準用する同条第二項の申出をした者（施行日前に国家公務員共済組合法の長期給付に関する施行法（以下「施行法」という。）第五条（同法第四十一条第一項又は第四十二条第一項において準用する場合を含む。）の規定の適用を受けた者を除く。）については、施行法第五条第二項ただし書（同項第二号に掲げる権利に係る部分に限る。）及び第四項（同法第四十一条第一項又は第四十二条第一項において準用する場合を含む。）の規定は、適用しない。

9　前項に規定するもののほか、法律第百五十三号附則第五条第二項の申出をした者に対する長期給付に関する規定の適用に関して必要な事項は、大蔵大臣が定める。

附　則（昭三九・九・二政令二九三）（抄）

1　この政令は、漁業災害補償法の施行の日（昭和三十九年九月三日）から施行する。

附　則（昭三九・一〇・三政令三一九）

この政令は、公布の日から施行する。

附　則（昭四〇・三・二七政令四八）

この政令は、昭和四十年四月一日から施行する。

附　則（昭四〇・四・九政令一二二）（抄）

（施行期日）
第一条　この政令は、公布の日から施行する。

附　則（昭四〇・五・六政令一五二）（抄）

（施行期日）
1　この政令は、石炭鉱害賠償担保等臨時措置法の一部を改正する法律（昭和四十年法律第五十七号）の施行の日（昭和四十年五月十日）から施行する。

附　則（昭四〇・五・一八政令一六五）

この政令は、昭和四十年五月十九日から施行する。

附　則（昭四〇・六・一政令一八四）

1　この政令は、公布の日から施行する。
2　改正後の国家公務員共済組合法施行令（以下「新令」という。）第十一条の八の規定は、この政令の施行の日以後に国家公務員共済組合法第九十六条に規定する事実が生じた場合について適用する。
3　新令第十二条の二第一項の規定は、昭和三十九年九月一日から適用する。
4　新令附則第十条の二、第二十一条の二から第二十一条の四まで及び第二十五条の規定は、この政令の施行の日以後に給付事由の生じた給付について適用し、同日前に給付事由の生じた給付については、なお従前の例による。
5　新令附則第二十五条第一項に規定する組合職員又は連合会役職員である組合員につきこの政令の施行の日以後最初に生じた長期給付の給付事由に基づく給付について、昭和四十年度における旧令による共済組合等からの年金受給者のための特別措置法等の規定による年金の額の改定に関する法律（昭和四十年法律第百一号。以下「法律第百一号」という。）附則第五条の規定による改正前の国家公務員共済組合法の長期給付に関する施行法の規定及び改正前の国家公務員共済組合法施行令附則第二十五条第一項第三号の規定により算定した金額（以下「旧法による給付額」という。）が、法律第百一号附則第五条の規定による改正後の国家公務員共済組合法の長期給付に関する施行法の規定及び新令附則第二十五条第一項第二号から第四号までの規定により算定した金額（以下「新法による給付額」という。）をこえる場合には、旧法による給付額に相当する金額をもつて新法による給付額とみなす。
6　退職一時金の額の算定につき前項の規定の適用を受けた者は、新令附則第二十一条の四に規定する者に含まれないものとする。

附　則（昭四〇・六・一政令一八五）（抄）

（施行期日）
1　この政令は、公布の日から施行する。

附　則（昭四〇・七・九政令二四九）（抄）

（施行期日）
第一条　この政令は、公布の日から施行する。

附　則（昭四〇・八・一九政令二八二）（抄）

（施行期日）
第一条　この政令は、公布の日から施行する。

附　則（昭四〇・九・三〇政令三一八）

この政令は、昭和四十年十月一日から施行する。

附　則（昭四〇・一〇・一政令三二八）（抄）

（施行期日）
1　この政令は、公布の日から施行する。

附　則（昭四一・二・一六政令一七）（抄）

（施行期日）
第一条　この政令は、公布の日から施行する。ただし、附則（中略）第七条から第九条までの規定は、法〔日本蚕糸事業団法〕附則第十五条及び第十六条の規定の施行の日（昭四一・三・三一）から施行する。

附　則（昭四一・六・二七政令二〇〇）（抄）

（施行期日）
第一条　この政令は、公布の日から施行する。〔ただし書略〕

附　則（昭四一・七・三〇政令二七三）（抄）

（施行期日）
第一条　この政令は、公布の日から施行する。〔ただし書略〕

附　則（昭四一・九・二七政令三二四）（抄）

（施行期日）
第一条　この政令は、昭和四十一年十月一日から施行する。

附　則（昭四一・九・二九政令三三〇）

改正　昭五七・九・二五政令二六三

（施行期日）
1　この政令は、公布の日から施行する。ただし、国家公務員共済組合法施行令附則第九条の次に一条を加える改正規定、同令附則第十二条、第二十条第一項及び第二十七条の改正規定並びに附則第四項から第六項まで及び第十一項の規定は、昭和四十一年十月一日から施行する。

（在外組合員に係る療養費の特例に関する経過措置）
2　改正後の国家公務員共済組合法施行令（以下「新令」という。）第三十二条第一項の規定は、この政令の施行の日（以下「施行日」という。）の属する月の初日以後に給付事由の生じた給付について適用し、同日前に給付事由の生じた給付については、なお従前の例による。

（公庫等の範囲の改正に関する経過措置）
3　新令第四十三条の規定は、施行日以後に同条に規定する法人に勤務することとなつた者の同日以後の勤務期間について適用する。

（琉球政府等職員であつた期間の組合員期間への算入に伴う経過措置）
4　国家公務員共済組合法の長期給付に関する施行法（以下「施行法」という。）第二条第一項第七号に規定する更新組合員又は同法第四十一条第一項各号に掲げる者が昭和四十一年十月一日前に退職し、又は死亡した場合において、奄美群島の復帰に伴う琉球政府等の職員の恩給等の特別措置に関する政令（昭和三十年政令第二百九十八号）第二条の二又は地方公務員等共済組合法の長期給付等に関する施行法（昭和三十七年法律第百五十三号）及び地方公務員等共済組合法施行令（昭和三十七年政令第三百五十二号）第五十三条の十四並びに施行法及び新令の規定を適用するとしたならば退職年金又は遺族年金を支給すべきこととなるときは、同法及び新令の規定により、昭和四十一年十月分から、その者若しくはその遺族に退職年金若しくは遺族年金を新たに支給し、又は同月分からその者若しくはその遺族の退職年金、減額退職年金、障害年金若しくは遺族年金の額を、これらの法令の規定を適用して算定した額に改定する。
5　前項の規定は、恩給法の一部を改正する法律（昭和二十八年法律第百五十五号）附則第二十四条の四第二項各号に掲げる者については、適用しない。

6　附則第四項の規定により新たに退職年金又は遺族年金の支給を受けることとなる者が、同一の給付事由につき一時恩給の支給を受け、又は施行法第二条第一項第二号の二に規定する旧法等、国家公務員共済組合法若しくは施行法の規定による退職一時金、障害一時金若しくは遺族一時金（これらに相当する給付を含む。）の支給を受けた者（国家公務員共済組合法第八十条第一項ただし書の規定の適用を受けた者を含む。）である場合には、当該退職年金又は遺族年金の額は、当該一時恩給又はこれらの一時金の額（同法第八十条第一項の規定の適用を受けた者については、その退職一時金の額の算定の基礎となつた同条第二項第一号に掲げる金額とし、これらの額（以下この項において「支給額等」という。）の一部が組合に返還されているときは、その金額を控除した金額とする。）の十五分の一に相当する金額を控除した金額とする。ただし、支給額等の全部が組合に返還された場合は、この限りでない。

（職員に準ずる者の範囲等の改正に伴う経過措置）

7　新令附則第十条の二及び第二十一条の二第一項の規定は、これらの規定に係る給付事由の生じた日（障害給付にあつてはこれを受ける者が退職した日とし、遺族給付にあつてはこれを受ける者に係る組合員が退職し、又は死亡した日とする。）が昭和四十年六月一日以後である場合について適用し、当該給付事由の生じた日が同月一日前である場合については、なお従前の例による。ただし、施行日の前日までに退職一時金又は遺族一時金の支給を受けた者のうち、既に支給を受けた退職一時金又は遺族一時金の額（以下「従前の額」という。）が、これらの規定を適用するとしたならば受けるべきこととなる退職一時金又は遺族一時金の額（以下「改定後の額」という。）より多いこととなる者については、従前の額から改定後の額を控除した額に相当する額を、施行日から六十日以内に返還しないときは、新令附則第二十一条の二第一項の規定は、適用しない。

8　附則第六項の規定は、新令附則第十条の二又は第二十一条の二第一項の規定の適用により新たに退職年金又は遺族年金の支給を受けることとなる者について準用する。

9　施行日前に退職年金、減額退職年金、障害年金又は遺族年金を受ける権利を有する者のうち、新令附則第十条の二又は第二十一条の二第一項の規定の適用を受けることとなる者につきこれらの規定の適用によりこれらの年金の額が改定される場合には、その者（遺族年金を受ける権利を有する者にあつては、組合員であつた者又はその遺族）の施行日前に受けたこれらの年金の額は、改定後の年金として支給する額の内払とみなす。この場合において、改定後の年金額が従前の年金額より少ないときは、その受けた年金の額と支給すべきであつた年金の額との差額に相当する額に達するまで、支給時に際し、その支給時に係る支給額の二分の一に相当する額を控除する。

10　前項前段の規定は、施行日前に退職一時金又は遺族一時金の支給を受けた者が、新令附則第十条の二及び第二十一条の二第一項の規定の適用により受けるべきこととなる退職一時金又は遺族一時金について準用する。

（旧軍人等の在職年の取扱いに関する経過措置）

11　改正前の国家公務員共済組合法施行令附則第十二条の規定は、昭和四十一年十二月三十一日までの間は、なおその効力を有するものとし、同日以前の期間に係る給付については、同日後もなお従前の例によるものとする。

附　則（昭四一・一二・二六政令三九三）（抄）

（施行期日）

1　この政令は、公布の日から施行する。

附　則（昭四二・八・一政令二三八）

この政令は、公布の日から施行する。

附　則（昭四二・八・一四政令二五一）（抄）

（施行期日）

1　この政令は、法（特定繊維工業構造改善臨時措置法）の施行の日（昭和四十二年八月十五日）から施行する。

附　則（昭四二・八・一四政令二五四）（抄）

（施行期日）

第一条　この政令は、公布の日から施行する。ただし、附則第三項（中略）の規定は、法附則第六条、法附則第十三条から第十五条まで、法附則第二十一条及び法附則第二十七条の規定の施行の日（昭和四十二年八月十六日）から施行する。

附　則（昭四二・九・一六政令二九五）（抄）

（施行期日）

第一条　この政令は、公布の日から施行する。ただし、附則第三条から第十三条までの規定は、法附則第一条ただし書の規定による施行の日（昭四二・一〇・一）から施行する。

附　則（昭四二・九・二八政令三〇八）（抄）

（施行期日）

第一条　この政令は、公布の日から施行する。〔ただし書略〕

附　則（昭四二・九・三〇政令三一一）

改正　昭五七・九・二五政令二六三

1　この政令は、昭和四十二年十月一日から施行する。

2　国家公務員共済組合法の長期給付に関する施行法（以下「施行法」という。）第二条第一項第七号に規定する更新組合員（同法第四十一条第一項各号に掲げる者及び同法第四十二条第一項に規定する恩給更新組合員を含む。）がこの政令の施行前に退職し、又は死亡した場合において、奄美群島の復帰に伴う琉球政府等の職員の恩給等の特別措置に関する政令等の一部を改正する政令（昭和四十二年政令第三百十八号）による改正後の奄美群島の復帰に伴う琉球政府等の職員の恩給等の特別措置に関する政令（昭和三十年政令第二百九十八号）又は地方公務員等共済組合法の長期給付等に関する施行法（昭和三十七年法律第百五十三号）及び地方公務員等共済組合法施行令等の一部を改正する政令（昭和四十二年政令第三百二十号）による改正後の地方公務員等共済組合法施行令（昭和三十七年政令第三百五十二号）並びに施行法及びこの政令による改正後の国家公務員共済組合法施行令の規定を適用するとしたならば、その者又はその遺族の退職年金、減額退職年金、障害年金又は遺族年金の額が増加することとなるときは、昭和四十二年十月分から、これらの年金の額をこれらの規定を適用して算定した額に改定する。

附　則（昭四二・一〇・一九政令三三八）（抄）

（施行期日）

第一条　この政令は、公布の日から施行する。

附　則（昭四三・六・二五政令二一九）（抄）

（施行期日）

第一条　この政令は、石炭鉱害賠償担保等臨時措置法の一部を改正する法律（昭和四十三年法律第五十一号。以下「改正法」という。）の施行の日（昭和四十三年七月一日）から施行する。

附　則（昭四三・九・一九政令二八〇）（抄）

（施行期日）

第一条　この政令は、昭和四十三年十月一日から施行する。

附　則（昭四三・九・三〇政令二八九）

この政令は、昭和四十三年十月一日から施行する。

附　則（昭四三・一二・一三政令三三四）

1　この政令は、昭和四十三年十二月十四日から施行する。

2　改正前の第二条第二号の規定は、この政令の施行前において同号の規定の適用を受けていた者に国家公務員共済組合法又は国家公務員共済組合法の長期給付に関する施行法（昭和三十三年法律第百二十九号）の規定を適用する場合については、なおその効力を有する。

附　則（昭四四・四・一政令七九）（抄）

（施行期日）

第一条　この政令は、公布の日から施行する。

附　則（昭四四・六・一七政令一六四）

1　この政令は、昭和四十四年七月一日から施行する。

2　改正後の第三十五条から第三十七条までの規定は、この政令の施行の日以後に給付事由が生じた給付について適用し、同日前に給付事由が生じた給付については、なお従前の例による。

3　改正後の第四十条及び第四十一条第一項の規定は、昭和四十四年七月分以後の掛金について適用し、同年六月分以前の掛金については、なお従前の例による。

附　則（昭四四・八・一八政令二二三）（抄）

（施行期日）

第一条　この政令は、公布の日から施行する。ただし（中略）附則第六条から第十五条までの規定は、昭和四十四年十月一日から施行する。

附　則（昭四四・一二・一六政令二九一）

改正　昭五七・九・二五政令二六三

（施行期日等）

第一条　この政令は、公布の日から施行する。

2　改正後の第十一条の六、附則第二十条及び附則第二十条の二の規定並びに次条から附則第四条までの規定は、昭和四十四年十月一日から適用する。

（奄美群島の区域における琉球政府等職員期間のある者に関する措置）

第二条　国家公務員共済組合法の長期給付に関する施行法（以下「施行法」という。）第二条第一項第七号に規定する更新組合員（同法第四十一条第一項各号に掲げる者及び同法第四十二条第一項に規定する恩給更新組合員を含む。以下「更新組合員等」という。）が昭和四十四年九月三十日以前に退職し、又は死亡した場合において、奄美群島の復帰に伴う琉球政府等の職員の恩給等の特別措置に関する政令の一部を改正する政令（昭和四十四年政令第二百九十号）による改正後の奄美群島の復帰に伴う琉球政府等の職員の恩給等の特別措置に関する政令（昭和三十年政令第二百九十八号。以下この条において「改正後の特別措置に関する政令」という。）第二条の二及び同法の規定を適用するとしたならば退職年金、減額退職年金、障害年金又は遺族年金の額が増加することとなるときは、昭和四十四年十月分からその者又はその遺族のこれらの年金の額を、これらの規定を適用して算定した額に改定する。

2　前項の規定により退職年金、減額退職年金、障害年金又は遺族年金の額を改定されることとなる者が、奄美群島の区域において改正後の特別措置に関する政令第一条に規定する琉球政府等の職員として在職した期間に係る分として普通恩給の支給を受けていた者又はその遺族である場合には、これらの年金の額は、同項の規定による額から当該普通恩給の額の総額の十五分の一（遺族年金にあつては、三十分の一）に相当する金額を控除した金額とする。

3　昭和四十四年十月一日以後に退職した更新組合員等で改正後の特別措置に関する政令第二条の二の規定の適用により施行法第七条第一項第一号の期間として算入される期間（次項において「奄美群島職員期間」という。）を有するものにつき退職年金、減額退職年金又は障害年金を支給する場合において、その者が前項の普通恩給の支給を受けていたときは、当該普通恩給の額の総額に相当する額に達するまで、これらの年金の支給時に際し、その支給時に係る支給額の二分の一に相当する額を控除する。

4　昭和四十四年十月一日以後に死亡した更新組合員等で奄美群島職員期間を有するものの遺族につき遺族年金を支給する場合又は前項の更新組合員等が死亡したことにより遺族年金を支給する場合において、これらの遺族年金に係る更新組合員等が第二項の普通恩給の支給を受けていたときは、当該普通恩給の額の総額（前項の規定によりすでに控除された額があるときは、その額を控除した額）の二分の一に相当する額に達するまで、その支給時に際し、その支給時に係る支給額の二分の一に相当する額を控除する。

（琉球諸島民政府職員期間のある者に係る年金額の特例）

第三条　前条第二項の規定は、昭和四十二年度及び昭和四十三年度における旧令による共済組合等からの年金受給者のための特別措置法等の規定による年金の額の改定に関する法律等の一部を改正する法律（以下「昭和四十四年改正法」という。）附則第六条第一項の規定により新たに退職年金若しくは遺族年金の支給を受けることとなる者又は退職年金、減額退職年金、障害年金若しくは遺族年金の額を改定されることとなる者が、恩給法等の一部を改正する法律（昭和四十四年法律第九十一号。以下「昭和四十四年法律第九十一号」という。）附則第十三条第二項に規定する琉球諸島民政府職員としての在職期間に係る分として普通恩給の支給を受けていた者又はその遺族である場合について、前条第三項の規定は、昭和四十四年十月一日以後に退職した更新組合員等で昭和四十四年法律第九十一号第三条の規定による改正後の元南西諸島官公署職員等の身分、恩給等の特別措置に関する法律（昭和二十八年法律第百五十六号）第十条の二の規定の適用により施行法第七条第一項第一号の期間として算入される期間を有するものにつき退職年金、減額退職年金又は障害年金を支給する場合において、その者が当該普通恩給の支給を受けていたときについて、前条第四項の規定は、同日以後に死亡した更新組合員等で当該期間を有するものの遺族につき遺族年金を支給する場合又は同日以後に退職した更新組合員等で当該期間を有するものが死亡したことにより遺族年金を支給する場合において、これらの遺族年金に係る更新組合員等が当該普通恩給の支給を受けていたときについて、それぞれ準用する。この場合において、同条第二項中「同項」とあるのは「昭和四十四年改正法附則第六条第一項」と、同条第四項中「前項の規定」とあるのは「附則第三条において準用する附則第二条第三項の規定」と読み替えるものとする。

（改定された年金等の支給に関する経過措置）

第四条　附則第二条第一項、昭和四十四年改正法附則第五条において準用する同法附則第四条第一項若しくは同法附則第六条第一項の規定により年金額を改定された退職年金若しくは遺族年金（妻、子又は孫に係るものを除く。以下同じ。）又は同項の規定により新たに支給されることとなる退職年金若しくは遺族年金については、昭和四十四年法律第九十一号附則第十七条第一項又は第二項の規定の例により、これらの年金の額のうち一部の金額の支給を停止する。

附　則（昭四五・三・三〇政令二九）

最終改正　平一一・九・二〇政令二七〇

（施行期日）

第一条　この政令は、昭和四十五年四月一日から施行する。

（増加恩給等を受ける権利を放棄した更新組合員等であつた者に係る退職年金等からの控除）

第二条　昭和四十二年度及び昭和四十三年度における旧令による共済組合等からの年金受給者のための特別措置法等の規定による年金の額の改定に関する法律等の一部を改正する法律（以下「四十四年改正法」という。）附則第十一条第四項の規定による退職年金、減額退職年金又は障害年金からの控除は、同項に規定する普通恩給の額の総額（すでに控除された額があるときは、その額を控除した額とし、次項において「普通恩給受給額」という。）に相当する額に達するまで、これらの年金の支給時に際し、その支給時に係る支給額の二分の一に相当する額を控除することにより行なうものとする。

2　四十四年改正法附則第十一条第四項の規定による遺族年金からの控除は、普通恩給受給額（前項の規定によりすでに控除された額があるときは、その額を控除した額）の二分の一に相当する額に達するまで、支給時に際し、その支給額の二分の一に相当する額を控除することにより行なうものとする。

（増加恩給等を受ける権利を有する更新組合員等に関する経過措置）

第三条　国家公務員共済組合法の長期給付に関する施行法（以下「施行法」という。）第二条第一項第七号に規定する更新組合員（同法第四十一条第一項各号に掲げる者及び同法第四十二条第一項に規定する恩給更新組合員を含む。以下「更新組合員等」という。）で四十四年改正法附則第八条第一項又は第二項の申出があつたものに係る遺族年金については、施行法第三十二条の二の規定は、適用しない。

2　四十四年改正法附則第八条第四項に規定する者のうち同項の普通恩給の支給を受けていた者の遺族（同条第二項の規定の適用を受けることができる者を除く。）に遺族年金を支給する場合には、前条第二項の規定に準じて控除を行なうものとする。この場合において、同項中「前項」とあるのは、「四十四年改正法附則第八条第四項」と読み替えるものとする。

（増加恩給等を受ける権利を放棄した更新組合員等に関する経過措置）

第四条　四十四年改正法附則第十一条第三項の規定は、同法附則第九条第一項の規定に該当する者のうち同項に規定する申出をしたことにより障害年金を受ける権利を有した者について準用する。

2　前項に規定する者に係る同項において準用する四十四年改正法附則第十一条第三項に規定する退職年金の額の総額が同項に規定する障害年金の額の総額より多いときは、組合（国家公務員共済組合法（以下「法」という。）第二十一条第一項に規定する連合会加入組合に係る場合にあつては、国家公務員共済組合連合会。以下同じ。）が、その差額に相当する金額を一時に支給する。

3　四十四年改正法附則第九条第一項の規定に該当する者のうちこの政令の施行の日（以下「施行日」という。）前の更新組合員等であつた期間に係る分として増加恩給に併給される普通恩給の支給を受けていた者又はその遺族に退職年金、減額退職年金若しくは障害年金又は遺族年金を支給する場合には、附則第二条第一項又は第二項の規定に準じて控除を行なうものとする。

（増加恩給等を受ける権利を放棄した更新組合員等であつた者に関する経過措置）

第五条　四十四年改正法附則第十一条第一項の規定により支給されることとなる退職年金の額が、施行日の前日において同項に規定する者が現に受ける権利を有する障害年金の額から同項に規定する申出がなかつたとしたならば同日において受けるべきこととなる増加恩給の額を控除した額より少ないときは、その額をその者の退職年金の額とする。

2　四十四年改正法附則第十一条第一項の規定に該当する者のうち昭和四十二年度以後における国家公務員共済組合等からの年金の額の改定に関する法律（昭和四十二年法律第百四号。以下「四十二年改定法」という。）附則第九条第四項（同法附則第十条第八項において準用する場合を含む。）において準用する同法附則第三条第三項の規定の適用を受けた者に係る年金の額の調整については、同項の規定の例による。

3　四十四年改正法附則第十一条第一項の規定に該当する者に係る同条第三項に規定する退職年金の額の総額が同項に規定する障害年金の額の総額より多いときは、組合が、その差額に相当する金額を一時に支給する。

4　四十四年改正法附則第十一条第一項の規定に該当する者で同項に規定する申出がなかつたものとした場合においても施行法又は法の規定による障害年金を受ける権利を有するものについては、四十四年改正法附則第十一条第一項、同条第三項、第一項及び前項中「退職年金」とあるのは、「退職年金又は障害年金」として、同条及び前三項の規定を適用する。

（増加恩給等を受ける権利を有する更新組合員等の遺族に関する経過措置）

第六条　増加恩給等（施行法第二条第一項第九号に規定する増加恩給等をいう。以下同じ。）を受ける権利を有する更新組合員等であつた者の遺族で施行日の前日において現に当該増加恩給等に係る扶助料を受ける権利を有するものに係る長期給付については、なお従前の例による。ただし、その遺族が施行日から六十日以内に当該扶助料を受けないことを希望する旨の申出をその裁定庁にしたときは、この限りでない。

2　前項の申出があつたときは、当該申出に係る遺族の扶助料を受ける権利は、施行日の前日において消滅するものとする。

3　第一項の申出があつた場合において、当該申出に係る遺族につき、施行法及び法の規定を適用するとしたならば、新たに遺族年金を支給すべきこととなるとき、又は遺族年金の額が増加することとなるときは、これらの法律の規定により、昭和四十五年四月分からその者に遺族年金を新たに支給し、又は同月分からその者の遺族年金の額をこれらの法律の規定を適用して算定した額に改定する。

4　前項の規定により改定される年金の額が、施行日の前日において同項に規定する遺族が現に受ける権利を有する遺族年金の額に同日において現に受ける権利を有する扶助料の額を加えた額より少ないときは、その額をその者の遺族年金の額とする。

5　第一項に規定する更新組合員等であつた者のうち施行日前の更新組合員等であつた期間に係る分として増加恩給に併給される普通恩給の支給を受けていた者の遺族で同項の申出があつたものに遺族年金を支給する場合には、附則第二条第二項の規定に準じて控除を行なうものとする。

6　前条第二項の規定は、第三項の規定により新たに遺族年金を支給する場合について準用する。

7　第二項に規定する扶助料を受ける権利が国民生活金融公庫に担保に供されていたときは、組合は、当該扶助料を受ける権利につき民法（明治二十九年法律第八十九号）の保証債務と同一の債務を負う。

（増加恩給等を受ける権利を放棄した更新組合員等の遺族に関する経過措置）

第七条　四十四年改正法附則第十一条第一項に規定する申出があつた更新組合員等であつた者の遺族（四十二年改定法附則第十条第四項又は第五項の申出をした遺族を含む。）で施行日の前日において現に遺族年金を受ける権利を有するものにつき、施行法及び法の規定を適用するとしたならば遺族年金の額が増加することとなるときは、昭和四十五年四月分から、当該遺族年金の額をこれらの法律の規定を適用して算定した額に改定する。

2　前項に規定する者には、四十四年改正法附則第九条第二項の規定に準じて算定した増加恩給の額の総額に相当する金額を、当該増加恩給に係る裁定庁が一時に支給する。

3　第一項に規定する更新組合員等であつた者のうち施行日前の更新組合員等であつた期間に係る分として増加恩給に併給される普通恩給の支給を受けていた者の遺族に遺族年金を支給する場合には、附則第二条第二項の規定に準じて控除を行なうものとする。

4　附則第四条第一項及び第二項の規定は、第一項に規定する者について準用する。

（地方の更新組合員等であつた組合員に関する措置）

第八条　施行法第五十一条の二第二項に規定する地方の更新組合員（地方公務員等共済組合法の長期給付等に関する施行法（昭和三十七年法律第百五十三号）第五十五条第一項各号に掲げる者を含む。）であつた組合員が昭和四十二年度及び昭和四十三年度における地方公務員等共済組合法の規定による年金の額の改定等に関する法律等の一部を改正する法律（昭和四十四年法律第九十三号）附則第八条第一項又は第十条第一項の規定によつてした申出は、四十四年改正法附則第八条第一項又は第十条第一項の規定によつてした申出とみなして、同法の規定を適用する。

2　四十四年改正法第三条の規定による改正後の施行法（以下「改正後の施行法」という。）第五十一条の二第五項又は第六項の規定は、前項に規定する組合員であつた者のうち四十四年改正法附則第十条第一項の申出があつた者で増加恩給に併給される普通恩給の支給を受けていたもの又はその遺族についても適用する。

（増加恩給に併給される普通恩給等に係る控除のあん分）

第九条　施行法第五十一条の二第五項若しくは第六項、国家公務員共済組合法等の一部を改正する法律（昭和三十九年法律第百五十三号）附則第五条第三項若しくは第四項、四十四年改正法附則第八条第四項若しくは第五項（これらの規定を同法附則第十条第七項において準用する場合を含む。）、附則第二条第一項（附則第四条第三項において準ずるものとされる場合を含む。）、附則第二条第二項（附則第三条第二項、附則第四条第三項、附則第六条第五項又は附則第七条第三項において準ずるものとされる場合を含む。）又は前条第二項の規定を適用する場合において、これらの規定による額をそれぞれ同一の支給時に係る退職年金、減額退職年金、障害年金又は遺族年金の支給額から控除すべきこととなるときは、当該支給額の二分の一に相当する額を当該控除に係るこれらの規定による額によつてあん分した額をもつて、それぞれこれらの規定による控除額とする。

（特例による退職年金の額に関する経過措置）

第十条　改正後の施行法第十三条第三項（同法第四十一条第一項又は第四十二条第一項において準用する場合を含む。）及び同法第四十五条の三第三項（同法第四十八条の三において準用する場合を含む。）並びに改正後の国家公務員共済組合法施行令第四十八条第三項の規定は、施行日前に給付事由が生じた給付についても、昭和四十五年四月分以後適用する。

附　則（昭四五・四・一政令四八）（抄）

（施行期日）

第一条　この政令は、公布の日から施行する。

附　則（昭四五・六・二九政令二〇〇）（抄）

（施行期日）

第一条　この政令は、昭和四十五年七月一日から施行する。

附　則（昭四五・六・三〇政令二〇七）（抄）

（施行期日）

1　この政令は、昭和四十五年七月一日から施行する。

附　則（昭四五・六・三〇政令二〇九）（抄）

（施行期日）

第一条　この政令は、公布の日から施行する。

附　則（昭四五・九・二一政令二六六）（抄）

（施行期日）

第一条　この政令は、昭和四十五年十月一日から施行する。〔ただし書略〕

附　則（昭四五・九・二八政令二八〇）（抄）

（施行期日）

第一条　この政令は、公布の日から施行する。ただし、附則第三条から第九条までの規定は、昭和四十五年十月一日から施行する。

附　則（昭四五・九・二九政令二八六）（抄）

（施行期日）

1　この政令は、昭和四十五年十月一日から施行する。

附　則（昭四五・一二・一九政令三三七）（抄）

（施行期日）

第一条　この政令は、公布の日から施行する。

附　則（昭四五・一二・二八政令三五〇）

この政令は、法の施行の日〔昭四六・一・一六〕から施行する。

附　則（昭四六・六・二四政令二〇五）（抄）

（施行期日）

1　この政令は、公布の日から施行する。

附　則（昭四六・六・二五政令二一六）（抄）

（施行期日）

第一条　この政令は、昭和四十六年七月一日から施行する。

附　則（昭四六・七・二政令二三九）（抄）

（施行期日）

第一条　この政令は、昭和四十六年八月十七日から施行する。

附　則（昭四六・九・二七政令三〇七）

改正　昭五七・九・二五政令二六三

（施行期日）

1　この政令は、昭和四十六年十月一日から施行する。ただし、次項から附則第四項までの規定は、同年十一月一日から施行する。

（一時恩給等の支給を受けた者に係る退職年金等の最低保障額の調整等）

2　昭和四十六年十月三十一日以前に給付事由が生じた国家公務員共済組合法（以下「法」という。）の規定による退職年金、障害年金又は遺族年金（国家公務員共済組合法の長期給付に関する施行法の規定によりこれらの年金とみなされる年金を含む。）を受ける権利を有する者で昭和四十二年度以後における国家公務員共済組合等からの年金の額の改定に関する法律等の一部を改正する法律（以下「改正法」という。）附則第三条第一項の規定の適用を受けるものが、同一の給付事由につき一時恩給若しくは一時金たる長期給付の支給を受けた者又はその遺族である場合におけるこれらの年金の額の調整に関し必要な事項は、これらの年金を受ける権利を有する者で同項の規定の適用を受けないものとの均衡を考慮して、大蔵省令で定める。

3　昭和四十六年十月三十一日以前に給付事由が生じた法の規定による減額退職年金を受ける権利を有する者が、同一の給付事由につき一時恩給又は一時金たる長期給付の支給を受けた者である場合において、退職年金を受ける権利を有するものとしたならば改正法附則第三条第一項の規定の適用を受けることとなるときは、その者の減額退職年金の額は、同年十一月分以後、当該減額退職年金に係る退職年金につき前項の例により算定した額を基礎として法第七十九条の規定により算定した額とする。

4　昭和四十六年十月三十一日以前に給付事由が生じた法の規定による通算退職年金を受ける権利を有する者のうち、改正法第三条の規定による改正前の法（以下「改正前の法」という。）第七十九条の二第四項の規定により算定した額若しくはその合算額又は同条第三項及び第四項の規定により算定した額の合算額をもつて当該年金の額とされた者の当該年金の額は、同年十一月分以後、改正法第三条の規定による改正後の法（以下「改正後の法」という。）第七十九条の二第三項の例により算定した額に、その者の退職の際における改正前の法第七十九条の二第四項の割合を乗じて得た額又はその合算額（同条第三項及び第四項の規定により算定した額の合算額をもつて当該年金の額とされた者については、その乗じて得た額と改正後の法第七十九条の二第三項の規定により算定した額との合算額）とする。

附　則（昭四七・五・一政令一五二）

この政令は、沖縄の復帰に伴う関係法令の改廃に関する法律の施行の日（昭和四十七年五月十五日）から施行する。

附　則（昭四七・六・一二政令二二一）

この政令は、公布の日から施行する。

附　則（昭四七・七・二〇政令二八六）（抄）

（施行期日）

1　この政令は、下水道事業センター法の施行の日（昭和四十七年七月二十二日）から施行する。

附　則（昭四七・九・二六政令三四〇）（抄）

（施行期日）

第一条　この政令は、公布の日から施行する。

附　則（昭四七・九・三〇政令三五二）

この政令は、昭和四十七年十月一日から施行する。

附　則（昭四七・九・三〇政令三六五）

この政令は、産炭地域振興事業団法の一部を改正する法律の施行の日（昭和四十七年十月二日）から施行する。

附　則（昭四八・三・二九政令三一）

1　この政令は、公布の日から施行する。

2　改正後の国家公務員共済組合法施行令附則第五条の規定は、昭和四十八年四月一日以後に開始する事業年度において資金運用部に預託すべき場合について適用し、同日前に終了する事業年度において資金運用部に預託すべき場合については、なお従前の例による。

附　則（昭四八・六・二九政令一七三）

この政令は、日本てん菜振興会の解散に関する法律の施行の日（昭和四十八年七月一日）から施行する。

附　則（昭四八・六・二九政令一七五）

この政令は、金属鉱物探鉱促進事業団法の一部を改正する法律の施行の日（昭和四十八年七月一日）から施行する。

附　則（昭四八・八・九政令二二九）

この政令は、昭和四十八年八月十日から施行する。

附　則（昭四八・九・二八政令二七七）

この政令は、昭和四十八年十月一日から施行する。

附　則（昭四八・一〇・一政令二八八）

この政令は、公布の日から施行する。

附　則（昭四八・一〇・一政令二九五）

最終改正　昭五七・九・二五政令二六三

（施行期日等）

第一条　この政令は、公布の日から施行する。

2　改正後の国家公務員共済組合法施行令（以下「新令」という。）附則第二十七条の七第一項第一号の規定は、昭和四十八年十一月分以後の給付について適用する。

3　新令附則第二十七条の七第一項第二号の規定は、昭和四十八年十月分以後の給付について適用する。

（一時恩給等の支給を受けた者に係る退職年金等の最低保障額の調整等）

第二条 昭和四十八年十月三十一日以前に給付事由が生じた国家公務員共済組合法（以下「法」という。）の規定による退職年金、障害年金又は遺族年金（国家公務員共済組合法の長期給付に関する施行法の規定によりこれらの年金とみなされる年金を含む。）を受ける権利を有する者で昭和四十二年度以後における国家公務員共済組合等からの年金の額の改定に関する法律等の一部を改正する法律（以下「昭和四十八年改正法」という。）附則第三条第一項の規定の適用を受けるものが、一時恩給若しくは一時金たる長期給付の支給を受けた者又はその遺族である場合におけるこれらの年金の額の調整に関し必要な事項は、これらの年金を受ける権利を有する者で同項の規定の適用を受けないものとの均衡を考慮して、大蔵省令で定める。

2 昭和四十八年十月三十一日以前に給付事由が生じた法の規定による減額退職年金を受ける権利を有する者が、一時恩給又は一時金たる長期給付の支給を受けた者である場合において、退職年金を受ける権利を有するものとしたならば昭和四十八年改正法附則第三条第一項の規定の適用を受けることとなるときは、その者の減額退職年金の額は、同年十一月分以後、当該減額退職年金に係る退職年金につき前項の規定の例により算定した額を基礎として法第七十九条の規定により算定した額とする。

3 前二項の規定は、前条第二項の規定の適用に係る年金の額の調整について準用する。

（特例年金等の給付に伴う調整等）

第三条 昭和四十八年改正法附則第四条第三項に規定する政令で定めるものは、昭和四十八年九月三十日において現に組合員である者及び同日前に組合員でなくなつた者とする。

2 前項に規定する者が昭和四十八年改正法の施行の日以後に死亡した場合において、同法附則第四条第三項の規定によりなお効力を有することとされる同法第二条の規定による改正前の法（以下「旧法」という。）第七十条、第八十八条若しくは第九十三条又は第九十三条の二の規定による弔慰金、遺族年金若しくは遺族一時金又は死亡一時金（以下「特例年金等」という。）の支給を受ける権利を有する者があるときは、その者以外の当該死亡した者の遺族に係る法第七十条、第八十八条又は第九十三条の規定による弔慰金、遺族年金又は死亡一時金（以下「新法の年金等」という。）については、次の各号の区分に応じ、当該各号に定めるところによる。

一 特例年金等が旧法第七十条、第八十八条又は第九十三条の二の規定による弔慰金、遺族年金又は死亡一時金である場合　当該新法の年金等は、支給しない。

二 特例年金等が旧法第九十三条の規定による遺族一時金である場合　当該新法の年金等のうち法第八十八条の規定による遺族年金（以下「新法の遺族年金」という。）につき、最初の支給期月に支給すべき当該新法の遺族年金の額が当該遺族一時金の額以上であるときは、その新法の遺族年金の額のうち当該遺族一時金の額に相当する額の支給を停止し、最初の支給期月に支給すべき当該新法の遺族年金の額が当該遺族一時金の額未満であるときは、当該支給期月以後に支給すべき当該新法の遺族年金の額を順次合計して得た額が当該遺族一時金の額に相当する額に達するまで、当該新法の遺族年金の支給は、停止する。

附 則（昭四八・一一・二四政令三四四）

この政令は、船舶安全法の一部を改正する法律の施行の日（昭和四十八年十二月十四日）から施行する。

附 則（昭四八・一一・二六政令三四九）

この政令は、昭和四十八年十一月二十七日から施行する。

附 則（昭四九・三・二七政令六八）（抄）

（施行期日）

1 この政令は、公共用飛行場周辺における航空機騒音による障害の防止等に関する法律の一部を改正する法律（以下「改正法」という。）の施行の日（昭和四十九年三月二十八日）から施行する。

附 則（昭四九・六・四政令一九六）

この政令は、公害健康被害補償法の一部の施行の日（昭和四十九年六月五日）から施行する。

附 則（昭四九・六・一三政令二〇五）（抄）

（施行期日）

第一条 この政令は、公布の日から施行する。ただし、附則第八条から第十八条までの規定は、昭和四十九年六月十五日から施行する。

附 則（昭四九・六・二五政令二二二）（抄）

（施行期日）

第一条 この政令は、公布の日から施行する。ただし、第三十三条及び第三十六条の改正規定並びに次条の規定は、昭和四十九年十月一日から施行する。

（在外組合員に係る家族療養費等の特例に関する経過措置）

第二条 改正後の国家公務員共済組合法施行令第三十三条及び第三十六条の規定は、前条ただし書に規定する日以後に給付事由が生じた給付について適用し、同日前に給付事由が生じた給付については、なお従前の例による。

附 則（昭四九・七・三〇政令二七九）

この政令は、工業再配置・産炭地域振興公団法の一部を改正する法律の施行の日（昭和四十九年八月一日）から施行する。〔ただし書略〕

附 則（昭四九・七・三一政令二八一）（抄）

（施行期日）

第一条 この政令は、漁業近代化資金助成法及び中小漁業融資保証法の一部を改正する法律（昭和四十九年法律第四十八号）の施行の日（昭和四十九年八月一日）から施行する。〔ただし書略〕

附 則（昭四九・七・三一政令二八三）（抄）

（施行期日）

第一条 この政令は、公布の日から施行する。ただし、附則第三条から第十三条までの規定は、昭和四十九年八月一日から施行する。

附 則（昭四九・八・三一政令二九九）

改正　昭五七・九・二五政令二六三

（施行期日）

第一条 この政令は、昭和四十九年九月一日から施行する。

（外地官署等に勤務していた期間の組合員期間への算入に伴う経過措置）

第二条 更新組合員（国家公務員共済組合法の長期給付に関する施行法（以下「施行法」という。）第二条第一項第七号（同法第四十二条第一項において準用する場合を含む。）に規定する更新組合員をいう。）又は同法第四十一条第一項第一号（同法第四十二条第一項において準用する場合を含む。）に掲げる者が昭和四十九年九月一日前に退職し、又は死亡した場合において、改正後の国家公務員共済組合法施行令附則第十条の三の規定及び国家公務員共済組合法又は施行法の規定を適用するとしたならば退職年金、減額退職年金、障害年金又は遺族年金の額が増加することとなるときは、同月分から、その者又はその遺族のこれらの年金の額を、これらの規定を適用して算定した額に改定する。

附　則（昭五〇・七・二五政令二二八）

この政令は、下水道事業センター法の一部を改正する法律の施行の日（昭和五十年八月一日）から施行する。

附　則（昭五〇・七・三一政令二四二）

この政令は、昭和五十年八月一日から施行する。

附　則（昭五〇・八・五政令二四八）（抄）

（施行期日）

第一条　この政令は、公布の日から施行する。

附　則（昭五〇・一一・二〇政令三二五）

（施行期日）

1　この政令は、公布の日から施行する。

（長期在職者の退職年金等の額の改定等に関する経過措置）

2　改正後の第十一条の六、附則第六条の三、附則第七条第一項、附則第七条の二、附則第十二条第二項、附則第二十条、附則第二十条の二第一項、第二項及び第四項、附則第二十一条の二第三項、附則第二十三条の二並びに附則第二十七条の五第三項の規定は、この政令の施行の日前に給付事由が生じた給付についても、昭和五十年八月分以後適用する。

附　則（昭五一・三・二六政令三四）（抄）

（施行期日）

1　この政令は、昭和五十一年四月一日から施行する。

附　則（昭五一・六・二九政令一七三）

改正　昭五七・九・二五政令二六三

（施行期日）

第一条　この政令は、昭和五十一年七月一日から施行する。ただし、次の各号に掲げる規定は、当該各号に掲げる日から施行する。

一　附則第八条の二の改正規定　公布の日

二　第十一条の六の改正規定、第十一条の八の次に一条を加える改正規定、第四十八条第三項、附則第六条の三、附則第七条第一項、附則第七条の二、附則第七条の三、附則第十条第五項、附則第二十条、附則第二十条の二第一項、第二項及び第四項並びに附則第二十七条の七の改正規定（同条第一項第一号の改正規定中国家公務員共済組合法の長期給付に関する施行法（以下「施行法」という。）第三十三条及び別表に係る部分、附則第二十七条の七第三項中「第六号」を「第七号」に改める部分並びに同条に一項を加える改正規定中施行法第三十三条に係る部分を除く。）並びに次条第一項及び附則第五条の規定　昭和五十一年八月一日

（長期在職者の退職年金等の額の改定等に関する経過措置）

第二条　改正後の国家公務員共済組合法施行令（以下「新令」という。）第十一条の六、附則第六条の三、附則第七条第一項、附則第七条の二、附則第二十条並びに附則第二十条の二第一項、第二項及び第四項の規定は、昭和五十一年八月一日前に給付事由が生じた給付についても、同年八月分以後適用する。

2　昭和五十一年七月一日から同月三十一日までの間に給付事由が生じた国家公務員共済組合法の規定による退職年金、減額退職年金及び障害年金（施行法の規定によりこれらの年金たる給付とみなされる給付を含む。）に係る国家公務員共済組合法施行令第十一条の六、附則第六条の三、附則第七条第一項、附則第七条の二、附則第二十条並びに附則第二十条の二第一項、第二項及び第四項の規定の適用については、同令第十一条の六第一項中「又は昭和四十二年度以後における国家公務員共済組合等からの年金の額の改定に関する法律等の一部を改正する法律」とあるのは「、昭和四十二年度以後における国家公務員共済組合等からの年金の額の改定に関する法律等の一部を改正する法律」と、「昭和五十年改正法」という。）附則第七条」とあるのは「昭和五十年改正法」という。）附則第七条又は昭和四十二年度以後における国家公務員共済組合等からの年金の額の改定に関する法律等の一部を改正する法律（昭和五十一年法律第五十二号。以下「昭和五十一年改正法」という。）附則第十一条」と、「又は昭和五十年改正法附則第七条」とあるのは「、昭和五十年改正法附則第七条又は昭和五十一年改正法附則第十一条」と、同条第二項及び第三項中「又は昭和五十年改正法附則第七条」とあるのは「、昭和五十年改正法附則第七条又は昭和五十一年改正法附則第十一条」と、同令附則第六条の三及び附則第七条第一項中「又は昭和五十年改正法附則第七条」とあるのは「、昭和五十年改正法附則第七条又は昭和五十一年改正法附則第十一条」と、「若しくは昭和五十年改正法附則第七条」とあるのは「、昭和五十年改正法附則第七条若しくは昭和五十一年改正法附則第十一条」と、同令附則第七条の二中「又は昭和五十年改正法附則第七条」とあるのは「、昭和五十年改正法附則第七条又は昭和五十一年改正法附則第十一条」と、同令附則第二十条中「若しくは昭和五十年改正法附則第七条」とあるのは「、昭和五十年改正法附則第七条若しくは昭和五十一年改正法附則第十一条」と、「又は昭和五十年改正法附則第七条」とあるのは「、昭和五十年改正法附則第七条又は昭和五十一年改正法附則第十一条」と、同令附則第二十条の二中「又は昭和五十年改正法」とあるのは「又は昭和五十年改正法附則第七条」と、「若しくは昭和五十年改正法」とあるのは「、昭和五十年改正法附則第七条若しくは昭和五十一年改正法附則第十一条」とする。

（任意継続掛金等に関する経過措置）

第三条　新令第十二条第四項の規定は、昭和五十二年度の掛金から適用し、昭和五十一年度までの掛金については、なお従前の例による。

2　昭和五十二年度の掛金に関しては、新令第十二条第四項中「任意継続掛金の標準となつた額」とあるのは、「任意継続掛金の標準となつた額（昭和五十一年四月から六月までの各月の初日に係るものについては、第四十九条第一項第四号に規定する退職時の俸給）」とする。

3　新令第五十一条第二項及び第三項の規定は、昭和五十一年七月分以後の任意継続掛金について適用し、同年六月分以前の任意継続掛金については、なお従前の例による。

4　昭和五十一年七月から昭和五十二年三月までの各月について徴収すべき任意継続掛金に係る新令第五十一条第二項第二号の

規定の適用については、同号中「一月一日」とあるのは、「四月一日」とする。

5　新令第五十二条第一項の規定は、昭和五十一年七月一日以後に任意継続組合員となつた者について適用し、同日前に任意継続組合員となつた者については、なお従前の例による。

6　新令第五十三条第一項の規定は、昭和五十一年七月一日以後に給付事由が生じた給付（同日以前において任意継続組合員の資格を喪失した者に係るものを除く。）について適用し、同日前に給付事由が生じた給付及び同日以後に給付事由が生じた給付で同日以前において任意継続組合員の資格を喪失した者に係るものについては、なお従前の例による。

（公務による遺族年金の額の最低保障の特例の調整に関する経過措置）

第四条　昭和五十一年七月一日から同月三十一日までの間における新令の規定の適用については、新令附則第十七条の二第一号中「昭和五十一年法律第五十一号」とあるのは「恩給法等の一部を改正する法律（昭和五十一年法律第五十一号。以下「昭和五十一年法律第五十一号」という。）」と、「旧令特別措置法の年金」とあるのは「旧令による共済組合等からの年金受給者のための特別措置法（昭和二十五年法律第二百五十六号）の規定により連合会が支給する年金」と、同条第二号中「殉職年金等」とあるのは「昭和四十二年度以後における国家公務員共済組合等からの年金の額の改定に関する法律（昭和四十二年法律第百四号）第二条第一項に規定する殉職年金又は公務傷病遺族年金（次号において「殉職年金等」という。）」とする。

（昭和五十一年七月三十一日以前に給付事由が生じた障害年金の取扱い）

第五条　昭和五十一年七月三十一日以前に給付事由が生じた障害年金に係る昭和四十二年度以後における国家公務員共済組合等からの年金の額の改定に関する法律等の一部を改正する法律（以下「昭和五十一年改正法」という。）附則第二条第一項の規定の適用については、同項中「第八十二条の二」とあるのは、「第八十二条の二（同条第二項第一号中組合員期間が一年未満であり、かつ、公的年金合算期間が一年以上である場合に係る部分を除く。）」とする。

（長期在職者等の遺族年金の最低保障の取扱い）

第六条　昭和五十一年改正法附則第十一条第一項第三号に規定する遺族年金を受ける者が妻である場合における同条の規定の適用については、同項中「その額」とあるのは、「その額（その額につき法第八十八条の五（施行法において準用する場合を含む。以下この条において同じ。）の規定の適用がある場合には、その額から法第八十八条の五の規定により加算されるべき額に相当する額を控除した額）」とする。

（長期在職者等の遺族年金の加算の特例に関する調整）

第七条　昭和五十一年改正法附則第十一条第二項ただし書に規定する政令で定める場合は、次に掲げる場合とする。

一　恩給法（大正十二年法律第四十八号）の規定による扶助料又は施行法第五十一条の二第一項に規定する退職年金条例の規定による遺族年金の支給を受ける場合であつて、恩給法等の一部を改正する法律（昭和五十一年法律第五十一号）附則第十四条第一項若しくは第二項（地方公務員等共済組合法の長期給付等に関する施行法（昭和三十七年法律第百五十三号。以下「地方の施行法」という。）第三条の三第四項の規定によりその例によることとされる場合を含む。）の規定又はこれらの規定に相当する当該退職年金条例の規定により当該年金たる給付に加えることとされている額が加えられる場合

二　旧令による共済組合等からの年金受給者のための特別措置法（昭和二十五年法律第二百五十六号）の規定により国家公務員共済組合連合会が支給する年金のうち、旧法（施行法第二条第一項第二号に規定する旧法をいう。以下同じ。）の規定による遺族年金に相当する年金又は昭和四十二年度以後における国家公務員共済組合等からの年金の額の改定に関する法律（昭和四十二年法律第百四号。以下「年金額改定法」という。）第二条第一項に規定する殉職年金若しくは公務傷病遺族年金（以下「殉職年金等」という。）の支給を受ける場合

三　旧法の規定による遺族年金又は殉職年金等の支給を受ける場合

四　施行法第五十一条の二第一項に規定する旧市町村職員共済組合法又は共済条例の規定による遺族年金の支給を受ける場合であつて、地方の施行法第三条の四の規定によりその例によることとされる年金額改定法第三条の九第五項本文の規定又はこれに相当する当該共済条例の規定により当該年金に加えることとされている額が加えられる場合

附　則（昭五一・七・二七政令二〇一）

この政令は、昭和五十一年八月一日から施行する。

附　則（昭五一・八・一四政令二一八）

この政令は、昭和五十一年九月一日から施行する。

附　則（昭五一・九・一八政令二四五）

この政令は、昭和五十一年十月一日から施行する。

附　則（昭五一・九・三〇政令二五八）

1　この政令は、昭和五十一年十月一日から施行する。

2　改正後の第五十三条の規定は、昭和五十一年七月一日から同年九月三十日までの間に国家公務員共済組合法第百二十六条の五第二項に規定する任意継続組合員の資格を喪失した者についても、適用する。

附　則（昭五二・六・七政令一七九）（抄）

改正　昭五七・九・二五政令二六三

（施行期日）

第一条　この政令は、公布の日から施行する。ただし、附則第十七条の二を附則第十七条の三とし、附則第十七条の次に一条を加える改正規定、附則第十九条の二第一項第一号の改正規定、同項に一号を加える改正規定及び同条第四項に一号を加える改正規定は、昭和五十二年八月一日から施行する。

（長期在職者の退職年金等の額の改定等に関する経過措置）

第二条　改正後の第十一条の六、第十一条の八の二第二項、附則第六条の三、附則第七条第一項、附則第七条の二、附則第二十条、附則第二十七条の四第六項及び第七項並びに附則第二十七条の七第一項第一号及び第六項の規定は、この政令の施行の日前に給付事由が生じた給付についても、昭和五十二年四月分以後適用する。

（長期在職者等の遺族年金の加算の特例に関する調整）

第三条　昭和四十二年度以後における国家公務員共済組合等から

の年金の額の改定に関する法律等の一部を改正する法律附則第六条第二項ただし書（同条第六項において準用する場合を含む。）に規定する政令で定める場合は、次に掲げる場合とする。

一　恩給法（大正十二年法律第四十八号）の規定による扶助料又は国家公務員共済組合法の長期給付に関する施行法（以下「施行法」という。）第五十一条の二第一項に規定する退職年金条例の規定による遺族年金の支給を受ける場合であつて、恩給法等の一部を改正する法律（昭和五十一年法律第五十一号）附則第十四条第一項若しくは第二項（地方公務員等共済組合法の長期給付等に関する施行法（昭和三十七年法律第百五十三号。以下「地方の施行法」という。）第三条の三第四項の規定によりその例によることとされる場合を含む。）の規定又はこれらの規定に相当する当該退職年金条例の規定により当該年金たる給付に加えることとされている額が加えられる場合

二　旧令による共済組合等からの年金受給者のための特別措置法（昭和二十五年法律第二百五十六号）の規定により国家公務員共済組合連合会が支給する年金のうち、旧法（施行法第二条第一項第二号に規定する旧法をいう。以下同じ。）の規定による遺族年金に相当する年金又は昭和四十二年度以後における国家公務員共済組合等からの年金の額の改定に関する法律（昭和四十二年法律第百四号。以下「年金額改定法」という。）第二条第一項に規定する殉職年金若しくは公務傷病遺族年金（以下「殉職年金等」という。）の支給を受ける場合

三　旧法の規定による遺族年金又は殉職年金等の支給を受ける場合

四　施行法第五十一条の二第一項に規定する旧市町村職員共済組合法又は共済条例の規定による遺族年金の支給を受ける場合であつて、地方の施行法第三条の四の規定によりその例によることとされる年金額改定法第三条の十若しくは第三条の十の二において準用する年金額改定法第一条の十第五項前段若しくは第一条の十の二第六項前段の規定又はこれらの規定に相当する当該共済条例の規定により当該年金に加えることとされている額が加えられる場合

附　則（昭五二・六・二四政令二二〇）（抄）

（施行期日）

第一条　この政令は、昭和五十二年七月一日から施行する。

附　則（昭五二・一一・二五政令三一〇）

この政令は、農用地開発公団法の一部を改正する法律の施行の日（昭和五十三年二月一日）から施行する。

附　則（昭五三・三・一〇政令三一）（抄）

（施行期日）

第一条　この政令は、法〔中小企業倒産防止共済法〕の施行の日（昭和五十三年四月一日）から施行する。

附　則（昭五三・五・三一政令二〇七）

改正　昭五七・九・二五政令二六三

（施行期日）

第一条　この政令は、公布の日から施行する。ただし、附則第十二条第二項第一号、附則第十六条の四、附則第十六条の五第三項、附則第二十条の四第三項、附則第二十条の五第一項第一号及び第三項、附則第二十一条の二第三項第一号及び第二号、附則第二十三条の二第三号並びに附則第二十七条の五第三項及び第四項の改正規定並びに次条第二項の規定は、昭和五十三年六月一日から施行する。

（長期在職者の退職年金等の額の改定等に関する経過措置）

第二条　改正後の第十一条の六、第十一条の八の二第二項第四号、第四十六条の三第四項及び第五項、附則第六条の三、附則第七条第一項、附則第七条の二、附則第二十条並びに附則第二十七条の七第一項第一号及び第六項の規定は、この政令の施行の日前に給付事由が生じた給付についても、昭和五十三年四月分以後適用する。

2　改正後の附則第十二条第二項第一号、附則第十六条の四第一項第一号、第三項及び第四項、附則第十六条の五第三項、附則第二十条の四第三項、附則第二十条の五第一項第一号及び第三項、附則第二十一条の二第三項第一号及び第二号、附則第二十三条の二第三号並びに附則第二十七条の五第三項及び第四項の規定は、昭和五十三年六月一日前に給付事由が生じた給付についても、同月分以後適用する。

（長期在職者等の遺族年金の加算の特例に関する調整）

第三条　昭和四十二年度以後における国家公務員共済組合等からの年金の額の改定に関する法律等の一部を改正する法律附則第六条第二項ただし書（同条第七項後段において準用する場合を含む。）に規定する政令で定める場合は、次に掲げる場合とする。

一　恩給法（大正十二年法律第四十八号）の規定による扶助料又は国家公務員共済組合法の長期給付に関する施行法（以下「施行法」という。）第五十一条の二第一項に規定する退職年金条例の規定による遺族年金の支給を受ける場合であつて、恩給法等の一部を改正する法律（昭和五十一年法律第五十一号）附則第十四条第一項若しくは第二項（地方公務員等共済組合法の長期給付等に関する施行法（昭和三十七年法律第百五十三号。以下「地方の施行法」という。）第三条の三第四項の規定によりその例によることとされる場合を含む。）の規定又はこれらの規定に相当する当該退職年金条例の規定により当該年金たる給付に加えることとされている額が加えられる場合

二　旧令による共済組合等からの年金受給者のための特別措置法（昭和二十五年法律第二百五十六号）の規定により国家公務員共済組合連合会が支給する年金のうち、旧法（施行法第二条第一項第二号に規定する旧法をいう。以下同じ。）の規定による遺族年金に相当する年金又は昭和四十二年度以後における国家公務員共済組合等からの年金の額の改定に関する法律（昭和四十二年法律第百四号。以下「年金額改定法」という。）第二条第一項に規定する殉職年金若しくは公務傷病遺族年金（以下「殉職年金等」という。）の支給を受ける場合

三　旧法の規定による遺族年金又は殉職年金等の支給を受ける場合

四　施行法第五十一条の二第一項に規定する旧市町村職員共済組合法又は共済条例の規定による遺族年金の支給を受ける場合であつて、地方の施行法第三条の四の規定によりその例によることとされる年金額改定法第三条の十一若しくは第三条の十一の二において準用する年金額改定法第一条の十一第五

項前段若しくは第一条の十一の二第三項前段の規定又はこれらの規定に相当する当該共済条例の規定により当該年金に加えることとされている額が加えられる場合

附　則（昭五三・六・二七政令二六〇）

この政令は、公布の日から施行〔中略〕する。

附　則（昭五三・七・四政令二七七）

この政令は、公布の日から施行する。

附　則（昭五三・一一・一四政令三七四）

この政令は、公布の日から施行する。

附　則（昭五四・三・三〇政令四八）

1　この政令は、昭和五十四年四月一日から施行する。

2　改正後の第三十五条、第三十六条及び別表第一の規定は、この政令の施行の日以後に給付事由が生じた給付について適用し、同日前に給付事由が生じた給付については、なお従前の例による。

附　則（昭五四・六・二六政令一九八）

この政令は、昭和五十四年七月一日から施行する。

附　則（昭五四・九・一九政令二五〇）

1　この政令は、公布の日から施行する。ただし、附則第十九条の二第一項に一号を加える改正規定及び附則第二十七条の七第三項の改正規定は、昭和五十四年十月一日から施行する。

2　改正後の附則第八条の三の規定は、この政令の施行の日以後に国家公務員共済組合法第九十九条第一項の規定により行う再計算について適用する。

附　則（昭五四・一〇・一政令二六九）

この政令は、公布の日から施行する。

附　則（昭五四・一二・二八政令三一三）（抄）

改正　昭五七・九・二五政令二六三

（施行期日等）

第一条　この政令は、昭和五十五年一月一日から施行する。ただし、第七条第五号、第十一条の八の二第二項第四号、第十三条及び第二十六条の改正規定、附則第八条の二を削り、附則第八条の三を附則第八条の二とする改正規定、附則第十一条の三、第十六条の四第三項及び第四項、第十九条の二第四項第五号並びに第二十七条の七第一項第一号及び第六項の改正規定並びに次項、次条第一項、附則第四条、第五条及び第七条の規定〔中略〕は、公布の日から施行する。

2　次の各号に掲げる規定は、当該各号に定める日から適用する。

一　改正後の国家公務員共済組合法施行令（以下「新令」という。）第十一条の八の二第二項第四号並びに新令附則第二十七条の七第一項第一号及び第六項の規定並びに次条第一項及び附則第七条の規定　昭和五十四年四月一日

二　新令附則第十一条の三及び第十六条の四第三項の規定並びに附則第四条第一項の規定　昭和五十四年六月一日

三　新令附則第十六条の四第四項の規定及び附則第四条第二項の規定　昭和五十四年十月一日

（遺族年金の加算の特例に関する調整等に関する経過措置）

第二条　新令第十一条の八の二第二項第四号の規定は、昭和五十四年三月三十一日以前に給付事由が生じた給付についても、同年四月分以後適用する。

2　新令第十一条の八の二第二項第五号の規定は、この政令の施行の日前に給付事由が生じた給付についても、昭和五十五年一月分以後適用する。

（長期給付に要する費用の算定単位に関する経過措置）

第三条　新令第十二条の二第二項ただし書の規定は、この政令の施行の日以後に国家公務員共済組合法（以下「法」という。）第九十九条第一項の規定により行う再計算について適用する。

（長期在職者の老齢加算等に関する経過措置）

第四条　新令附則第十一条の三及び第十六条の四第三項の規定は、昭和五十四年五月三十一日以前に給付事由が生じた給付についても、同年六月分以後適用する。

2　新令附則第十六条の四第四項の規定は、昭和五十四年九月三十日以前に給付事由が生じた給付についても、同年十月分以後適用する。

（掛金の標準となる俸給の改正に伴う掛金の払込み）

第五条　昭和四十二年度以後における国家公務員共済組合等からの年金の額の改定に関する法律等の一部を改正する法律（昭和五十四年法律第七十二号。以下「改正法」という。）附則第九条の規定の適用により、昭和五十四年四月分から十二月分までに係る掛金のうち追加して支払うべき掛金があるときは、給与支給機関又は組合員（組合員であつた者を含む。）は、法第百一条の規定の例により、当該追加して支払うべき掛金を一括して、速やかに払い込まなければならない。

（地方公務員共済組合との関係に関する経過措置）

第六条　組合員又は組合員であつた者が、地方公務員等共済組合法（昭和三十七年法律第百五十二号。以下この条において「地方の新法」という。）第三条第一項に規定する地方公務員共済組合（次項において「地方の組合」という。）の組合員となり地方の新法の規定による退職年金又は障害年金を受ける権利を有することとなつたときにおける改正前の法の規定による返還一時金に関する規定の適用については、なお従前の例による。

2　地方の組合の組合員であつた者が組合員となつた場合において、その者が昭和四十二年度以後における地方公務員等共済組合法の年金の額の改定等に関する法律等の一部を改正する法律（昭和五十四年法律第七十三号）第二条の規定による改正前の地方の新法第八十三条第二項の退職一時金を受けた者であるときにおける改正法第二条の規定による改正前の法の規定による通算退職年金、返還一時金又は死亡一時金に関する規定の適用については、なお従前の例による。

（長期在職者等の遺族年金の加算の特例に関する調整）

第七条　改正法附則第十八条第二項ただし書（同条第七項後段において準用する場合を含む。）に規定する政令で定める場合は、次に掲げる場合とする。

一　恩給法（大正十二年法律第四十八号）の規定による扶助料又は国家公務員共済組合法の長期給付に関する施行法（以下「施行法」という。）第五十一条の二第一項に規定する退職年金条例の規定による遺族年金の支給を受ける場合であつて、恩給法等の一部を改正する法律（昭和五十一年法律第五十一号）附則第十四条第一項若しくは第二項（地方公務員等共済組合法の長期給付等に関する施行法（昭和三十七年法律第百五十三号。以下「地方の施行法」という。）第三条の三第四項の規定によりその例によることとされる場合を含む。）の規定又はこれらの規定に相当する当該退職年金条例の規定により当該年金たる給付に加えることとされている額が加えら

れる場合

二　旧令による共済組合等からの年金受給者のための特別措置法（昭和二十五年法律第二百五十六号）の規定により国家公務員共済組合連合会が支給する年金のうち、旧法（施行法第二条第一項第二号に規定する旧法をいう。以下同じ。）の規定による遺族年金に相当する年金又は昭和四十二年度以後における国家公務員共済組合等からの年金の額の改定に関する法律（昭和四十二年法律第百四号。以下「年金額改定法」という。）第二条第一項に規定する殉職年金若しくは公務傷病遺族年金（以下「殉職年金等」という。）の支給を受ける場合

三　旧法の規定による遺族年金又は殉職年金等の支給を受ける場合

四　施行法第五十一条の二第一項に規定する旧市町村職員共済組合法又は共済条例の規定による遺族年金の支給を受ける場合であつて、地方の施行法第三条の四の規定によりその例によることとされる年金額改定法第三条の十二若しくは第三条の十二の二において準用する年金額改定法第一条の十二第四項前段若しくは第一条の十二の二第三項前段の規定又はこれらの規定に相当する当該共済条例の規定により当該年金に加えることとされている額が加えられる場合

附　則（昭五五・三・三一政令二九）

（施行期日）

1　この政令は、昭和五十五年四月一日から施行する。

（組合の連合会加入に伴う権利義務の承継に関する経過措置）

2　改正前の国家公務員共済組合法施行令第十条第二号又は附則第六条に規定する組合の次に掲げる事業については、改正後の国家公務員共済組合法施行令附則第六条の規定によりこれらの組合の権利義務を国家公務員共済組合連合会が承継するまでの間は、これらの組合がなお従前の例により行う。

一　この政令の施行の日前に給付事由が生じた長期給付（国家公務員共済組合法第七十二条第一項に規定する長期給付をいう。次号において同じ。）の決定及び支払

二　責任準備金及び長期給付の支払上の余裕金の管理及び運用

（組合の連合会加入に伴う国家公務員共済組合法の適用の特例）

3　前項の場合における国家公務員共済組合法の規定の適用については、同法第四十一条第一項中「連合会加入組合」とあるのは、「連合会加入組合（国家公務員共済組合法施行令の一部を改正する政令（昭和五十五年政令第二十九号）附則第二項に規定する組合を除く。）」とする。

附　則（昭五五・五・二〇政令一二九）

この政令は、オリンピック記念青少年総合センターの解散に関する法律の施行の日（昭和五十五年五月二十一日）から施行する。

附　則（昭五五・五・三一政令一四八）

（施行期日等）

第一条　この政令は、公布の日から施行する。ただし、附則第十九条の二第一項及び第四項並びに附則第二十七条の七第三項の改正規定は、昭和五十五年十月一日から施行する。

2　改正後の国家公務員共済組合法施行令（以下「新令」という。）第十一条の八の二第二項第四号、附則第六条の二並びに附則第二十七条の七第一項第一号及び第六項の規定並びに次条、附則第三条及び附則第五条の規定は、昭和五十五年四月一日から適用する。

（遺族年金の加算の特例に関する調整に関する経過措置）

第二条　新令第十一条の八の二第二項第四号の規定は、昭和五十五年三月三十一日以前に給付事由が生じた給付についても、同年四月分以後適用する。

（掛金の標準となる俸給に関する規定の改正に伴う長期給付に係る俸給の特例に関する経過措置）

第三条　新令附則第六条の二の規定は、昭和五十三年四月一日から昭和五十五年三月三十一日までの間に給付事由が生じた年金たる給付についても、同年四月分以後の月分として支給すべき給付の算定の基礎となる俸給について適用し、同年三月分以前の月分として支給すべき給付の算定の基礎となる俸給については、なお従前の例による。

（掛金の標準となる俸給の改正に伴う掛金の払込み）

第四条　昭和四十二年度以後における国家公務員共済組合等からの年金の額の改定に関する法律等の一部を改正する法律（昭和五十五年法律第七十四号）附則第二条の規定の適用により、昭和五十五年四月分及び五月分に係る掛金のうち追加して支払うべき掛金があるときは、給与支給機関又は組合員（組合員であつた者を含む。）は、国家公務員共済組合法第百一条の規定の例により、当該追加して支払うべき掛金を一括して、速やかに払い込まなければならない。

（沖縄の共済法の規定による退職年金等の最低保障に関する規定の改正に関する経過措置）

第五条　昭和五十五年四月一日から同年九月三十日までの間における新令附則第二十七条の七の規定の適用については、同条第一項第一号中「昭和五十五年改正法」とあるのは、「昭和四十二年度以後における国家公務員共済組合等からの年金の額の改定に関する法律等の一部を改正する法律（昭和五十五年法律第七十四号。第六項において「昭和五十五年改正法」という。）」とする。

附　則（昭五五・六・三〇政令一八九）

（施行期日）

1　この政令は、昭和五十五年七月一日から施行する。

（再退職者に係る減額退職年金の額の改定等に関する経過措置）

2　改正後の国家公務員共済組合法施行令第十一条の六の三、附則第七条第二項並びに附則第二十一条の二第三項第一号及び第二号の規定は、この政令の施行の日以後に退職年金を受ける権利を有することとなつた者の退職年金に係る減額退職年金について適用し、同日前に退職年金を受ける権利を有することとなつた者の退職年金に係る減額退職年金については、なお従前の例による。

附　則（昭五五・九・二九政令二四二）（抄）

（施行期日）

第一条　この政令は、昭和五十五年十月一日から施行する。

附　則（昭五五・九・二九政令二四五）（抄）

（施行期日）

第一条　この政令は、昭和五十五年十月一日から施行する。

附　則（昭五五・一一・二六政令三〇六）（抄）

（施行期日等）

第一条　この政令は、公布の日から施行する。

2　第一条の規定による改正後の国家公務員共済組合法施行令（次条において「新令」という。）の規定〔中略〕は、昭和五十五年六月一日から適用する。

（国家公務員共済組合法施行令の一部改正に伴う経過措置）

第二条　新令附則第六条の六、第七条第一項及び第七条の二の規定は、昭和五十五年五月三十一日以前に給付事由が生じた給付についても、同年六月分以後適用する。

附　則（昭五五・一一・二九政令三一三）

この政令は、公布の日から施行する。

附　則（昭五六・二・二一政令一四）

この政令は、健康保険法等の一部を改正する法律の施行の日（昭和五十六年三月一日）から施行する。ただし、〔中略〕第四条中国家公務員共済組合法施行令第十一条の三の二の次に四条を加える改正規定（同令第十一条の三の三に係る部分を除く。）〔中略〕は、同年四月一日から施行する。

附　則（昭五六・四・二一政令一三四）

この政令は、昭和五十六年五月一日から施行する。

附　則（昭五六・五・三〇政令一九六）

（施行期日等）

第一条　この政令は、公布の日から施行する。ただし、国家公務員共済組合法施行令附則第十九条の二第一項及び第二十七条の七第三項の改正規定は、昭和五十六年十月一日から施行する。

2　改正後の国家公務員共済組合法施行令（以下「新令」という。）第十一条の八の二第二項第四号、第十一条の八の三、第十一条の八の五第二項第四号、第十一条の十第三項から第七項まで並びに附則第二十七条の七第一項第一号及び第六項の規定は、昭和五十六年四月一日から適用する。

（遺族年金の加算の特例に関する調整に関する経過措置）

第二条　新令第十一条の八の二第二項第四号の規定は、昭和五十六年三月三十一日以前に給付事由が生じた給付についても、同年四月分以後適用する。

（給付の制限に関する経過措置）

第三条　新令第十一条の十第三項の規定は、昭和五十六年三月三十一日において改正前の国家公務員共済組合法施行令第十一条の十第一項又は第二項の規定により行われている給付の制限についても、適用する。ただし、国家公務員共済組合法の長期給付に関する施行法第十五条第一項又は第十六条の規定の適用を受けた同年三月分以前の給付について行われた同令第十一条の十第一項又は第二項の規定による給付の制限については、なお従前の例による。

2　前項本文の場合において、昭和五十六年三月分以前の給付について新令第十一条の十第三項の規定を適用したとするならば同年三月において当該給付の制限に係る月数が同項の規定による六十月を超えることとなる者については、当該給付の制限に係る月数は同年三月において当該六十月に達したものとみなして、同項の規定を適用する。

（短期給付に係る財政調整事業に関する特例）

第四条　昭和五十六年度における新令附則第七条の六第三項の規定による余裕金の預託に関しては、同項中「毎事業年度、その前事業年度の決算につき法第十六条第二項の承認があつた後二月以内に」とあるのは、「昭和五十六年七月一日において」として、同項の規定を適用する。

（掛金の標準となる俸給の改正に伴う掛金の払込み）

第五条　昭和四十二年度以後における国家公務員共済組合等からの年金の額の改定に関する法律等の一部を改正する法律（昭和五十六年法律第五十五号）附則第四条の規定の適用により、昭和五十六年四月分及び五月分に係る掛金のうち追加して支払うべき掛金があるときは、給与支給機関又は組合員（組合員であつた者を含む。）は、国家公務員共済組合法第百一条の規定の例により、当該追加して支払うべき掛金を一括して、速やかに払い込まなければならない。

附　則（昭五六・六・一一政令二三一）

この政令は、公布の日から施行する。

附　則（昭五六・八・三政令二六八）（抄）

（施行期日）

第一条　この政令は、昭和五十六年十月一日から施行する。

附　則（昭五六・九・一一政令二七五）（抄）

（施行期日）

第一条　この政令は、公布の日から施行する。ただし、附則第三条から第十五条までの規定は、昭和五十六年十月一日から施行する。

附　則（昭五六・九・二九政令二九七）（抄）

（施行期日）

1　この政令は、中小企業退職金共済法の一部を改正する法律の施行の日（昭和五十六年十月一日）から施行する。

附　則（昭五六・一一・一七政令三二一）

この政令は、外貿埠頭公団の解散及び業務の承継に関する法律の施行の日（昭和五十七年三月三十一日）から施行する。

附　則（昭五七・一・七政令三）（抄）

（施行期日）

第一条　この政令は、昭和四十二年度以後における地方公務員等共済組合法の年金の額の改定等に関する法律等の一部を改正する法律（昭和五十六年法律第七十三号）第四条の規定の施行の日（昭和五十七年四月一日）から施行する。

附　則（昭五七・三・三〇政令六一）

1　この政令は、昭和五十七年四月一日から施行する。

2　改正後の国家公務員共済組合法施行令第三十一条から第三十四条までの規定は、この政令の施行の日以後に給付事由が生じた給付について適用し、同日前に給付事由が生じた給付については、なお従前の例による。

附　則（昭五七・五・二五政令一四八）（抄）

（施行期日等）

第一条　この政令は、公布の日から施行する。

2　第一条の規定による改正後の国家公務員共済組合法施行令第十一条の八の二第二項第四号並びに附則第二十七条の七第一項第一号及び第六項の規定〔中略〕は、昭和五十七年五月一日から適用する。

（遺族年金の加算の特例に関する調整に関する経過措置）

第二条　第一条の規定による改正後の国家公務員共済組合法施行令第十一条の八の二第二項第四号の規定は、昭和五十七年四月三十日以前に給付事由が生じた給付についても、同年五月分以後適用する。

（掛金の標準となる俸給の改正に伴う掛金の払込み）

第三条　昭和四十二年度以後における国家公務員共済組合等からの年金の額の改定に関する法律等の一部を改正する法律（昭和

JN249218

オフィス海 著

ナツメ社

SPIの最新問題を再現・解説!!

本書は、**「SPIに確実に合格するための問題集」**です。

本書は、直近５年間の「SPI調査」の結果をもとにして制作された、きわめて再現性の高いSPI問題集で、次のような特長をもっています。

- **テストセンターとペーパーテストで実際に出題された問題を再現!!**
- **日本初!! 最重要「推論」全ジャンルの最新問題を完全収録!**
- **検査会場で「1分以内」に解く! 超実戦的スピード解法!**
- **試験前1週間の速習で、テストセンターの得点が飛躍的にアップ!!**
- **「言語分野」頻出語句のアンケート調査結果を公開!!**
- **英語検査【ENG】の再現問題を掲載!!**
- **私立文系の学生にもわかりやすい解説と豊富な別解!!**
- **SPI3の新検査「構造的把握力検査」の再現問題を掲載!!**
- **テストセンター形式の模擬テストで自分の合格判定ができる!**
- **きわめて有効な性格検査対策ができる!**

非常に多くのSPI受検者、採用担当経験者のご協力をいただき、SPI能力検査と性格検査に合格するノウハウを集約することができました。本書掲載の問題を目標時間内で解けるようならSPIの対策は万全といえます。

本書によって、あなたが合格されることを心より信じ、願っております。

オフィス海【kai】

テストセンターの問題はクセがあって独特なものが多く、また、年々問題のバリエーションが増えています。最新の問題分野と問題傾向にそっていて、かつ問題数が多い対策本でないと、お金も時間も無駄になってしまいます。しっかりと見極めてからの購入をお勧めします。　（対策本の見分け方は本書6ページ参照）

CONTENTS［目次］

※この分類は、弊社独自の調査・分析によるものです。©オフィス海

2章 言語能力

◐ 頻出語句の習得が最大の攻略ポイント

3章 英語【ENG】

◐ 中学〜高校(大学受験)レベルの語彙力が必要

対策本が合否を分ける

SPIの問題傾向と合った対策本を選ばないと圧倒的に不利です

SPI対策本【良書の選び方】

◉ **SPI（テストセンター）の再現を明言していること**

アンケート、面談などで、SPIの実際の問題を調べた上で**問題傾向を忠実に再現していること**が大切です（実際に受検してから後悔しないように）。

※SPI受検経験者に本の目次と掲載問題を見てもらう、あるいはSPIを受検したら問題を覚えておいて、実際の問題と傾向が一致している対策本を選ぶのも良い方法です。

◉ **問題の種類と数が少ない本、簡単な問題の本は選ばないこと**

問題のバリエーションが豊富で、**問題数が多い本を選ぶことが大切**です。また、簡単な問題を解くだけでは、SPIには歯が立たないことも覚えておきましょう。

※問題の種類が増えて難易度が上がっている最新のSPIは、少ない問題数・簡単な問題での学習では合格は望めません。

◉ **「推論」分野の問題が数多く掲載されていること**

「推論」は、SPIの特色ともいえる最重要・最頻出分野。推論の分野数と問題数が多い本で入念に対策することが合否を分けることになります。

◉ **口コミと内容で購入。匿名の書き込みやレビューはうのみにしないこと**

友人・先輩の推薦や「実名での口コミ」をもとに**内容を確認して購入**することをお勧めします。ネット上の「匿名の書き込み、レビュー」には、宣伝や他書への根拠のない誹謗中傷も見受けられますから、うのみにしないようにしましょう。

【非言語】の問題傾向と対策本の選び方

- 食塩水の濃度問題でも、速度算でも、**SPIのほとんどの問題は公式と計算だけでなく、「知恵」を使わないと解けない**ようになっています。
  →公式と計算だけで解く問題が多い本はお勧めできません。
- **複雑な計算はしなくても解ける問題**がほとんどです。
  →計算が面倒な問題が掲載されている本での学習は時間の無駄が多くなります。

最新の問題分野と問題傾向を正確に再現している、問題数の多い本を選んでください。そうでない対策本を購入すると、就職活動の忙しい時期、たいへんな時間と労力の無駄になってしまいます。もし今、対策本を持っていたら、以下の点に注意して勉強する本を再検討しましょう。

- **内訳・整数・対戦の推論、割合と比、特殊算、仕事算、重複組み合わせ……、**テストセンターでは、**確実にこうした分野が出題**されています。
  →本書のように、「分野・問題数が多い本」での学習をお勧めします。
- **分数にする、計算順序を変える、仮の数を立てる、記号のメモで推理するなど、解答方法やメモの仕方を変えることで速く解ける問題**が出題されます。
  →本書のように、「速く解くコツ」が掲載されている本をお勧めします。
- **図や表にする方法、場合分けして考える方法、公式に当てはめる方法、選択肢から絞り込む方法など、様々な解き方ができる問題**が出題されます。
  →本書のように、ていねいな解説で、豊富な【別解】がある本をお勧めします。

【言語】の問題傾向と対策本の選び方

- **二語の関係、語句の意味、複数の意味**など、言葉の意味と使い分けを問う問題が非常に多く出題されます。特にテストセンターでは、新しい出題語句が年々追加されています。語句問題に関しては**出題語句の意味、用法を「知っているかいないか」で得点に大きな差**が出てしまいます。
  →本書のように、「多くの出題語句」が掲載されている本をお勧めします。

【性格検査】の重要性と対策本の選び方

- **性格検査はたいへん重要**です。採用担当者に届く「SPIの報告書」でも、性格検査の判定結果に大きなスペースが割り当てられており、面接の資料、合否の判定基準として、大いに活用されています。
  自己申告の検査なので、**落ち込んでいるときに予備知識がないまま受けたりすると、意欲や積極性に欠けるマイナス評価になることがあり、非常に危険**です。
  →本書のように、「性格検査の有効な対策」が掲載されている本をお勧めします。

SPIって何?

SPIにはパソコン受検とペーパーテストがある

SPIは日本で最も多く使われている採用テスト

リクルートが提供しているSPIは、年間1万3,000社以上の企業が利用している**日本で最も多く使われている採用テスト**です。

いわゆる就職試験の一種と思われがちですが、**性格検査を含め、面接の資料として利用されることが多い**ことも大きな特徴になっています。

大卒・一般企業人を対象にした検査には、次のような複数の種類があります。**すべて本書で対策できます**。

◆能力検査

非言語検査（論理・数学問題）と言語検査（国語問題）とがあります。

非言語検査 **「推論」「順列・組み合わせ」「確率」「割合と比」「損益算」「集合」「特殊算」**など。

言語検査 **「二語の関係」「語句の意味」「文の並べ替え」**など。

非言語、言語ともに、知識を問うより思考力を問うことを目的としているため、**いわゆる一般常識問題とはまったく違う問題傾向**になっています。

◆性格検査

質問紙法による性格テストです。行動的、意欲的、情緒的、社会関係的な側面から、職務に適応しやすいか、ストレスに弱くないかなどを判定します。

◆英語検査（オプション検査なので受検しない場合が多い）

語彙（ごい）力、文法的な理解、読解力を問うもので、中学～高校（大学受験）レベルの問題が出題されます。この英語検査はない場合もあります。

◆構造的把握力検査（オプション検査なので受検しない場合もある）

2013年から追加されたもので、4つ、または5つの選択肢を読んで、その文章の構造が似ているものを選ぶ検査です。

就職試験に用いられるテストには、企業が独自に作る一般常識などのテストのほかに、専門業者が開発・販売している適性検査がたくさんあります。SPIは、その中で最もメジャーな能力検査です。現在では、SPIのテストセンター形式が主流になっています。

実施時期と実施スタイル

◆実施時期

テストセンターで行われるSPIは、卒業・修了年度に入る直前の3月1日（広報活動解禁日）以降、すぐに実施されることがあります。従って、**企業と接触し始める頃には、本書を一通り終えていること**をお勧めします。

◆実施スタイル

次の４種類があります。**最も多く使われているのがテストセンターで、全体の約７割**を占めており、その比率は年々大きくなっています。

今や、**SPI対策＝テストセンター対策**といえます。

自宅などで性格検査を受検し、能力検査の会場を予約します。能力検査は専用会場または自宅などのパソコンで受検します。

企業のパソコンで受検します。WEBテストと似た問題が出題されます。シェアが非常に低いので対策は不要です。

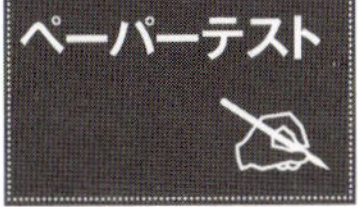

企業が用意した会場で受検します。問題冊子にマークシートで解答する筆記試験です。

自宅などのパソコンで受検します。インターンシップの参加者選考で実施されることもあります。

テストセンター実況中継

テストセンター受検はこのように進む

受検案内メールをもらって会場を予約

❶ 応募している企業から、次のような**【受検案内メール】**が届きます。

> ナツメ　タロウ　様
>
> 先日は、新卒採用セミナーにご参加頂きありがとうございました。こちらのメールは「適性検査」のご案内となります。下記詳細をご確認の上「適性検査」のご予約および受検をお願いいたします。
> 適性検査には性格検査と能力検査があり、ご都合のよい、時間・会場にて受検が可能です。
> 性格検査を事前に自宅などで受検し、その後、能力検査を受検いただく流れとなります。
>
> なおすでに、...

> ◆あなたの企業別受検IDは2***です。
> ◆下記URLから手続きを行ってください。
> http://arorua.net/viva/docs/ae_s****.**********
> ※URLをクリックしても正しく表示されない場合は、URLをコピーし、
> ブラウザのアドレスバーにはりつけてください。
> ◆受検可能期間
> 202*年11月9日0時00分～202*年12月28日23時59分
> 【お問い合わせ先】
> ******
>
> --
>
> ※初めてテストセンターで受検する場合は、受検予約前にテストセンターID取得手続きをする必要があります。テストセンターIDはID取得手続き終了後、メールで届きます。メールをご覧になれる環境で受検予約手続きを行ってください。

❷ メール記載のサイトにアクセスし、**リアル会場/オンライン会場の選択**をして、能力検査を行う会場を予約します。ピーク時は会場が混雑して、希望日時の予約ができないことがあります。**早めに予約しておくことが大切**です。

❸ 自宅や大学のパソコン、あるいはスマートフォンで**性格検査**を受検します。**問題数は約300問**で**検査時間は約35分**です。性格検査が終わると、受検票の発行と「予約完了メール」の送信が行われ、**受検予約が確定**します。

※性格検査受検の締切を過ぎると会場予約が無効となり、その旨を知らせるメールが受検者に届きます。**必ず締切時間までに受検**しましょう。

❹ 予約完了メールの指示に従い、予約日時にリアル会場（テストセンター専用会場）またはオンライン会場（自宅など）で受検します。

最もポピュラーなテストセンターでの受検は、どんなふうに進むのでしょう。SPI受検者の協力を得て、その流れを再現しました。このほか細かい点については、テストセンター受検時の受信メールに必要事項が書かれていますから目を通しておきましょう。

リアル会場またはオンライン会場で受検

- **リアル会場は、専用会場で受検する方法**です。受付を済ませて試験会場に入ると、仕切られたテーブルの上にパソコン、筆記用具、メモ用紙が用意されています。監督者の説明を受けてから検査開始。言語問題から非言語問題へと途切れなく続く**約35分の能力検査**です（英語能力検査20分や構造的把握力検査20分がいっしょに実施される場合もあります）。
- **オンライン会場は、自宅などのパソコンで受検する方法**です。テストセンターのマイページからログインし、監督者と接続して受付をします。本人確認や環境の確認を行ってから、WEBカメラを通じた有人監督のもとで能力検査を受検します。**テスト内容・検査時間などはオンライン会場と同様**です。また、パソコン以外では筆記用具、A4のメモ用紙２枚が使えます。スマホや電卓は使えません。

２社目からは結果を使い回せる

テストセンター受検をすると、次からは前回の結果を送信してすませるか、または、もう一度テストセンターで受検するかを選ぶことができます。ただ、**成績（点数）を自分で知ることはできない**ので、前回の結果が良かったか悪かったかは自分で判断するしかありません。また、**使い回せるのは前回の結果だけ**です。もう一度受検をすると、前回の結果は消えて最新の成績に上書きされます。なお、前回の結果を使い回したのか、新たに受検し直したのかは、企業からはわかりません。

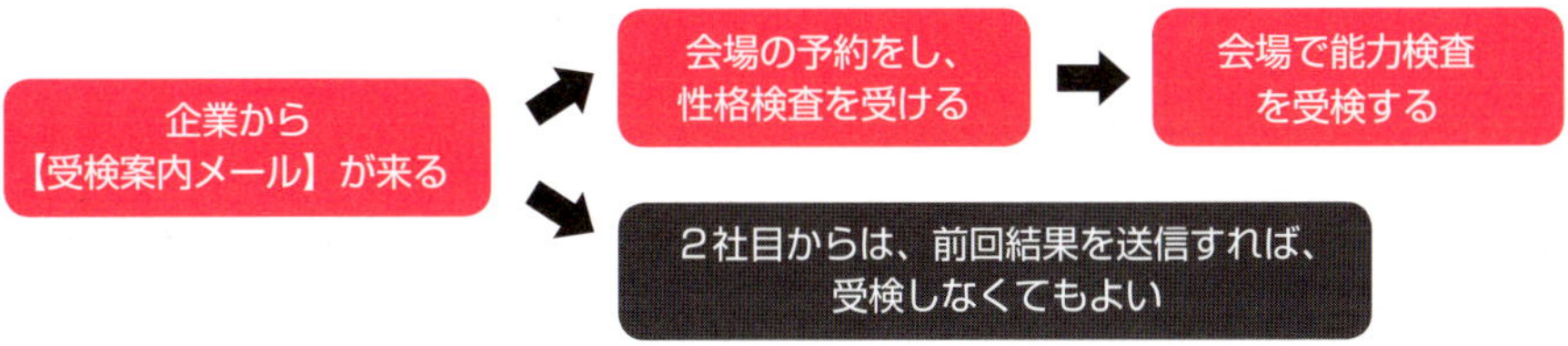

企業から【受検案内メール】が来る
→ 会場の予約をし、性格検査を受ける → 会場で能力検査を受検する
→ ２社目からは、前回結果を送信すれば、受検しなくてもよい

テストセンターの出題画面

テストセンター受検時の注意点と心構え

出題画面の説明

テストセンターの出題画面は次のようになっています。

全体の設問数に対する回答数の割合
時計回りに色が変化する

全体の制限時間に対する経過時間
時計回りに色が変化する

次の説明を読んで、各問いに答えなさい。

この問題は2問組です。

リンゴ、ミカン、カキの3種類の果物がたくさん入った箱がある。

この中から3個を選ぶときの組み合わせの数は何通りあるか。

- A　3通り
- B　5通り
- C　6通り
- D　8通り
- E　10通り
- F　12通り
- G　15通り
- H　21通り
- I　24通り
- J　AからIのいずれでもない

1　2

回答時間

次へ

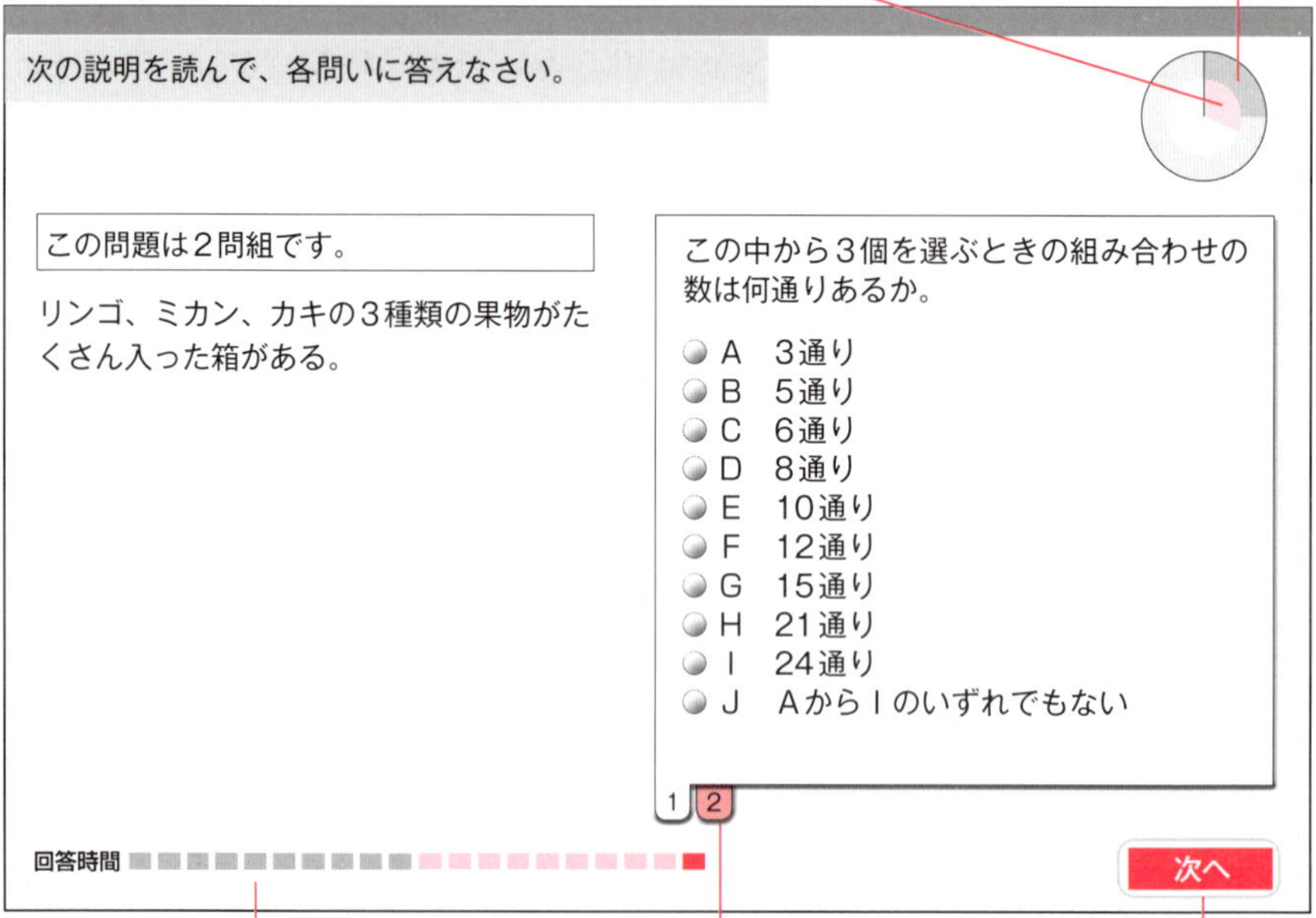

組問題の移動タブ
クリックで組問題の中を移動できる

次の問題にとぶボタン
次の問題に進んだ後は、前の問題には戻れない

1問(組問題では1組)ごとの制限時間
緑→黄色→オレンジ→赤の順に変化し、赤になると未回答でも次の問題にとぶ。
オレンジ表示のうちに回答しましょう

テストセンター受検時の注意点や心構えをまとめました。画面操作については、テストセンターのマイページで回答練習もできるようになっていますから、心配無用です。

問題ごとに制限時間がある

能力検査の出題画面は左の通りです。画面に1問ずつ表示され、組問題の場合は移動タブによって組問題の中を移動できます。

「次へ」ボタンをクリックして次の問題（組問題）に移ってからは、前の問題には戻れません。また、問題ごとの制限時間が過ぎると次の問題に移ってしまいます。当てずっぽうでもいいので、**制限時間内に選択肢を選んでおくことが大切**になります。なお、答えを選択肢から1つだけ選ぶ問題と複数を選んでよい問題があります。本書では、1つだけを選ぶ選択肢には○、複数を選んでよい選択肢には□を付けて区別してあります。

出題画面の右上にある表示を気にしてあせる人が多いようですが、全体の時間経過と回答割合は意識してもどうにもならないため、気にする必要はありません。むしろ、左下にある**問題ごとの制限時間を意識しながら、オレンジ表示のうちに落ち着いてすばやく回答していくことがポイント**になります。

人によって出る問題が違う

テストセンターでは、IRT（Item Response Theory）を使用しているため、**受検者によって出題される問題が違います**。IRTは、ざっくり言うと、受検者のレベルにあわせて問題難易度を変化させるもので、たとえば難易度5の問題に正解したらより難しい6の問題へ、5の問題を間違えたらより簡単な4の問題へ移るということを繰り返して、正解レベルが安定（受検者のレベルを判定）したところで検査を終了するというものです。

受検者それぞれで、出題される問題ジャンル、難易度、問題数までが異なりますが、本書に掲載されている問題が解けるレベルになっておけば、心配する必要はありません。

※本書には、難易度が高い問題がたくさん掲載されています。
本書の問題が初見で時間内に解けるようなら、すでにSPIの対策は不要です。

テストセンターQ&A

これだけ知っておけば安心！

Q 携帯電話で登録しても大丈夫？

テストセンターの登録には、携帯電話は対応していません。スマートフォンは対応しています。また、性格検査の受検および予約は、パソコン、スマートフォンのどちらでも可能です。

Q テストセンターの予約は変更できる？

受検当日の各ターム（検査）**開始１時間前まで**なら、パソコンから予約の変更と取消ができます。開始１時間前を過ぎて、遅刻しそうなら**「テストセンターヘルプデスク」に電話**をして受検可能かどうかの指示を仰いでください。

Q 急な事故などで受検できなくなったら？

列車の事故などで急に受検できなくなった場合には、**「テストセンターヘルプデスク」に電話**をして指示を仰いでください。電話番号は、テストセンター受検予約内容の確認メールに書かれています。ただし、最終日最終タームで遅刻した場合には対処のしようがないので、日程の余裕をみて予約をしておきましょう。

Q いつ頃から勉強を始めるのがいい？

就職試験を行うタイミングは企業によって違いますが、企業との接触を始める頃までには、本書を一通り終えておくことをお勧めします。

テストセンターの場合には受検日がわかっていますから、１日４、５分野を目安にして**受検直前の一週間で集中的に学習する方法も、非常に効果的です**。テストセンターのSPIでは、必ず似たパターンの問題が出題されるはずです。

本番になると、あせってまったく解答できなくなる受検者がいます。**本書の掲載問題を１問１分程度で解けるように**しておきましょう。

あらかじめ知っておいたほうがよいことをQ&Aでまとめました。
なお、テストセンター受検予約内容の確認メールに記載されたURLから、質問と回答が掲載されているページを見ることもできます。また、電話やメールでセンターに質問することもできます。

Q 合格点は決まっている？

SPIでも他の能力検査でも、**合格ラインは企業によってまったく違います**。従って、前回の結果を２社に送信して、一方は合格、他方は不合格となることもあります。当然ながら、応募者の多い企業ほど合格ラインも高くなっているはずですから、人気企業を志望している方は本書による十分な対策が必要です。

Q パソコンの模擬試験を受けておいた方がいい？

テストセンターのマイページでは、テストセンターを練習するためのページが設けられていますから、検査前には必ず練習してください。また、リクナビにも体験版のテストがあります。これらの**無料サービスを利用して、実際のテストセンターなどの画面操作に慣れておくことは大切**です。

ただ、受講料を払ってまで、数十問の問題を受けるだけの模擬試験を受ける必要があるかは、**金額に見合った効果が得られるかという点でたいへん疑問**です。

多くの問題を解いておくという意味で、信頼のおける対策本を併用する方がずっと高い学習効果が得られます。なお、本書以外では、次の本がお勧めできます。

『史上最強 SPI＆テストセンター1700題』（ナツメ社）

人気企業、上場企業に高得点で確実に合格したい受検者のための問題集です!!
SPI再現問題数No.1! 本試験とまったく同じ問題パターンを反復学習することで、SPIが苦手な人でも**解法・解答を条件反射で導き出せる**ようになります!!

『ダントツSPIホントに出る問題集』（ナツメ社）

テストセンター、WEBテスティング、ペーパーテスティング、構造的把握力検査対応。
携帯に便利なコンパクトサイズ。**一問一答のクイズ感覚**で解法手順を楽にインプットできます。電車の中や外出先でもサクサク学習が進みます!!

「構造的把握力検査」とは

SPI3から登場した新傾向の検査

SPI3のオプション検査

2013年1月から始まったSPI3では、「構造的把握力検査(SPI-S)」という、まったく新しい検査が登場しました。

「構造的把握力検査」は、**企業がオプションで選択する検査**です。そのため、必ず受検するというものではなく、人によっては一度も受検しないですむこともあります。実施形式はテストセンターのみで、検査時間は約20分です。

問題概要

非言語（数学）系の問題と、言語（国語）系の問題があります。

本書の４章に再現問題を掲載してあります。

●非言語

SPIの非言語問題で見受けられるような文章題が４つ提示されます。その中で、問題構造が似ている２つを選ぶ形式です。和や差で計算するのか、全体を１として割合を出すのか、比率を計算するのかなど、解法手順や計算方法が似たもの同士を選びます。計算結果まで出す必要はありません。

●言語

５つの文章が提示されます。その中で、文の構造や内容によって、２つのグループと３つのグループに分けたとき、２つのグループに入るものを選ぶ形式です。内容がどんな要素になっているか、前半と後半がどのようなつながりになっているかなどを見分けて、似たもの同士を選びます。

ペーパーテスト早わかり

ペーパーテストの概要と種類

企業の会議室などで受検するマークシート式のテスト

SPI3のペーパーテストは「ペーパーテスティング」といいます。実施比率はSPI全体のうち1割強ですから、就活の最後までペーパーテストを受検しないこともあります。

試験日をあらかじめ通知される場合と、セミナーや説明会で予告なしで実施される場合があり、いずれも企業の会議室などを使って行われます。

また、性格検査がセットになっているものと、性格検査がない能力検査だけのものがあります。

ペーパーテストの検査内容

検査内容には次のようなものがあります。

●能力検査

受検者全員に同じ問題が出題されます。検査時間は非言語が40分、言語が30分です。

非言語▶約30問です。「推論」「割合と比」「料金割引」「損益算」「速度算」「集合」「順列・組み合わせ」「確率」など、テストセンターと同じ分野のほか、「物の流れ」「グラフの領域」など、ペーパーテスティング独自の分野もあります。

言語▶約40問です。「二語の関係」「語句の意味」「長文読解」など。言語分野では、出題語句の意味を覚えておくことがいちばんの対策になります。

●性格検査

検査時間は約40分です。行動的、意欲的、情緒的、社会関係的な側面から、性格特徴、及び、職務や組織への適応力はあるか、ストレスに弱くないかなどを判定します。

英語【ENG】と性格検査

英語【ENG】と性格検査の対策

英語【ENG】

実務的な英語能力を測定する検査です。検査内容は次の通りです。

- **同意語**—同じ意味の単語を選ぶ問題
- **反意語**—反対の意味の単語を選ぶ問題
- **英英辞典**—英文の説明に近い意味の単語を選ぶ問題
- **空欄補充**—（　）内に適切な単語を入れる問題
- **整序問題**—英単語を並べ替えて正しい文にする問題
- **誤文訂正**—誤っている個所を指摘する問題
- **英訳**—和文の意味を表す英文を選ぶ問題
- **長文読解**—英語の長文読解問題

テストセンターではSPI3-UEの名称で、**能力検査とともに約55分（うち英語検査約20分）**で実施されます。ペーパーテストでは30分です。ただし、職場で英語を必要とする採用で使われることが基本なので、広く実施されているわけではありません。

また、本当に英語を重視する企業なら、検査の点数よりTOEICの点数や英検の級数を考慮しますから、就職活動の忙しい時期、**英語【ENG】対策としては本書以外の特別な勉強はお勧めしません**。

性格検査

行動的、意欲的、情緒的、社会関係的な側面から、性格特徴、及び、職務や組織への適応力はあるか、ストレスに弱くないかなどを判定します。

ペーパーテストの性格検査は実施時間が約40分、テストセンター等、他の形式では制限時間が約35分です。テストセンターの場合は、パソコン、あるいはスマートフォンでの事前受検になります（10ページ）。

本書の6章に性格検査の対策を掲載しています。

非言語分野【攻略のポイント】

問題解法のエッセンスをまとめてあります

SPIはとてもうまく作られている能力検査で、公式、計算、暗記事項よりも、「知恵」を使って解かなければならない問題の方が多いのが特徴です。ここでは、分野ごとに「知恵」のエッセンスを紹介しましょう。

どの問題にも共通する解法のコツは次の通りです。

❶ 解法のためのメモは、できるだけシンプルに書く
❷ メモ書きの記号の並びは、左から大きい、重い、速い順と決めておく
❸ 時間がかかるので、図解はなるべくしない
❹ 与えられた条件は、等式や不等式にして考える
❺ 公式や方程式が使える問題は、考え込まずに式で解くほうが速い

◆推論（本書24～79ページ）

言葉で考えると混乱するので、**条件を記号のメモ書きや式にして考えます。**

●推論のメモ書き

どんなに難しそうな問題でも、**提示された条件を整理してメモ書きしていけば、必ず解けます。**諦めないで問題文の条件（上下関係・数の差・合計・最大・最小・平均）を記号や数字でメモする癖をつけてください。メモ書きの記号の並びは、左から大きい、重い、速い順です。例えば、次のように書きます。

・PよりQの方が大きい→ 〔QP〕 〔Q＞P〕
・4人のうちSが3位。Pの次がS→ 〔○PS○〕
・Pの次の次（2つ下・2日後・2つ小さい）がQ→ 〔P○Q〕
・QとRの差が3㎝（3冊差、3日違い）→ 〔Q←3→R〕 〔R←3→Q←3→R〕 〔R○○Q○○R〕
・5人のうちで3位がP。SはPより下の順位→ 〔①②P④ˢ⑤ˢ〕
・Pの隣にR、Sの下にP → 〔S / RPR〕

●**推論の考え方**

①**並べ替え**　条件で結びついた記号の組み合わせを１セットとして、並べ替えながら解いていくことが推論の基本的な解き方になります。例えば、

PS ＋ R○S → RPS

R←2→Q←2→R ＋ Q←1→P ＋ P＞R → QPR

のような感じで推理していきます。また、不要な条件はできるだけ無視します。

②**場合分け**　「Pが１着（2着、3着…）の場合」「Pが赤（青、黒…）の場合」など、場合分けして解くことが有効な問題もあります。

※「赤、青、黒のペンが４本ずつある。ここからPとQが同じ色の組み合わせの２本のペンをもらった」という条件は、

「P赤赤Q赤赤」「P青青Q青青」「P黒黒Q黒黒」

「P赤青Q赤青」「P赤黒Q赤黒」「P青黒Q青黒」

と場合分けできます。しかし、解答を求める過程でＰＱ個別の色が無関係なら、

ＰＱ合わせて「赤（・青・黒）が4本」または「どれかの色2本ずつ」

と考える方が速く解けます。すべてのケースを場合分けしてメモする解き方は、時間の無駄になることもあるので注意してください。

③**仮の数**　濃度や人口密度の推論では、「仮の数」を当てはめて計算します。

本書で、すばやいメモの取り方、問われている答えに直結する推理能力を身に付けてください。

◆順列・組み合わせ、確率（本書80～105ページ）

私立文系には、最難関ジャンル。**順列と組み合わせの公式は必ず暗記します**。円順列、重複順列、重複組み合わせの公式まで覚えておくと解法が楽になります。**「かつ」「または」「少なくとも」**の3パターンの解き方は、必ず習得してください。

◆割合と比（本書106～111ページ）

割合、**%**、**比**は、実社会でも必要な知識で、就職試験で最重要のジャンルです。特に**「25%が50個のとき、全部の数は50÷0.25=200個」**（ちなみに0.25は４分の1、50÷1/4=50×4=200個）**ということは、頭にたたき込んでおきましょう。** これは他分野でも用いる解法手順です。

◆損益算（本書 112 ～ 115 ページ）

原価、利益、定価、売値の出し方さえ覚えておけば、比較的簡単に解けます。難易度が低い分野なので、ここで得点できないようだと合格レベル到達は難しくなります。

◆料金割引（本書 116 ～ 119 ページ）

割引になる境目さえ間違えなければ大丈夫。SPIの中では珍しい、計算が主体の問題になります。問題文の読み間違いに注意しましょう。

◆仕事算（本書 120 ～ 123 ページ）

仕事算、**水槽算**、**分割払い**です。いずれも全体を1と考えて計算します。

◆代金精算（本書 124 ～ 127 ページ）

「個別に計算すること」が最大のコツです。どんなに複雑に書かれている貸し借りでも、**本書の方法なら確実にすばやく解くことができます。**

貸借関係などを図解すると、解答が大幅に遅れますから注意してください。

◆速度算（本書 128 ～ 131 ページ）

速度算の公式のほか、次のことを覚えておきます。

- **平均時速＝全行程の距離÷全行程の所要時間**
- **出会い算では互いの速さの和で近づく**
- **追いつき算では互いの速さの差で近づく**

◆集合（本書 132 ～ 135 ページ）

アンケート調査の人数の重なりなどを問う問題です。2つの集合、または3つの集合で解く問題があり、3つの集合はSPIの中でも難問の部類に入ります。**集合の解法は忘れてしまうことが多いようですから、できなかった問題は本番前に復習しておきましょう。**

◆表の解釈（本書136～145ページ）

簡単な数値に置き換えたり、概数にしたりして、できるだけ素早く計算します。本書掲載の表のパターンはすべて覚えておいてください。

◆特殊算（本書 146 ～ 151 ページ）

鶴亀算、年齢算、過不足算など、方程式で解く問題や数の規則性を使った問題をまとめてあります。**テストセンター、WEB テストのほか、SPI 以外の就職テストでもよく出題される分野**です。

◆情報の読み取り（本書152～155ページ）

文章、資料、表の中の数値、条件と一致する選択肢を選ぶ問題です。**選択肢に該当する部分を資料から素早く見つけることがポイントです。**

▼以下はペーパーテストだけの出題範囲

◆物の流れ（本書 156 ～ 159 ページ）

本書で、基本となる式と図の関係を覚えておけば大丈夫です。

◆グラフの領域（本書 160 ～ 163 ページ）

次の２つのコツで解いていきます。

- **y>a のように、y に開いている不等号の式は境界線より上の領域を表す**
- **領域内の数値を式に当てはめて式が成り立つか否かを判定できる**

本書掲載の式とグラフの領域を覚えておけば、確実に加点できます。

◆条件と領域（本書 164 ～ 167 ページ）

与えられた条件が、図ではどの境界線で表されているかなどを考えます。**条件文の数字が、図の中ではどこにあるかを見極めることで簡単に解けます。**

※選択肢から複数の回答を選べる形式を「チェックボックス」、「推論（すべて選ぶ）」等の分野として区別している本がありますが、分野ではなく選択形式の違いだけです。本書では**複数回答形式の場合、選択肢に□を付けて区別**してあります。

1章 非言語能力

- テストセンターは約35分（言語含む）、問題数は決まっていません。
- ペーパーテスト（Uタイプ）は40分（言語含まず）、30問です。

◎出題頻度

見出し右上のインデックスで、テストセンターとペーパーテスト（U、A）に分けて、○（頻出）、△（出ることがある）、×（出題報告がない）という一般的な**出題頻度の違いを明示**してあります。

テストセンターでは、受検者それぞれで、問題ジャンル、難易度、問題数が異なりますが、本書掲載の問題が解けるレベルになっておけば大丈夫です。

◎時間を意識しながら「メモ書き」で解く練習がポイント

例題──テストセンターで出題される問題から解法手順を学びやすい基本パターンを選んであります。まず、例題の解法をきちんと覚えてください。

練習問題──できるだけ**解法手順やパターンが違う問題をたくさん掲載**しました。「目標時間」は制限時間ではなく、最速で解ける場合の目安です。目標時間内に解く訓練をすることで、実際のSPIに十分に対応できる力を養えるようになっていますから、**目標時間を意識して解く**ようにしてください。

また、テストセンター対策で「練習問題」にチャレンジするときは、**メモ用紙を用意してそこに計算やメモを残しながら解き、組問題の中で計算や推論の結果を使い回す練習**をしましょう。ペーパーテストの出題では、問題の図や表にそのまま書き込んでかまいません。

テストセンター ○　ペーパーテスト ○

1 推論【正誤】

●「～が正しければ…も必ず正しい」という選択肢がある問題パターン。

例題

５個の製品すべてに、１点、または２点の点数をつけた。これについて、次のような３通りの情報があった。

P　１点がついた製品が１個以上ある
Q　２点がついた製品が奇数個ある
R　５個の製品の点数の合計は偶数である

以上の情報は、必ずしもすべてが信頼できるとは限らない。そこで、さまざまな場合を想定して推論がなされた。

1　推論ア、イ、ウのうち正しいものはどれか。ＡからＨの中で１つ選びなさい。

ア　Pが正しければQも必ず正しい
イ　Qが正しければRも必ず正しい
ウ　Rが正しければPも必ず正しい

○ A　アだけ　○ B　イだけ　○ C　ウだけ
○ D　アとイ　○ E　アとウ　○ F　イとウ
○ G　アとイとウ　○ H　正しい推論はない

2　推論カ、キ、クのうち正しいものはどれか。ＡからＨの中で１つ選びなさい。

カ　Pが正しければRも必ず正しい
キ　Qが正しければPも必ず正しい
ク　Rが正しければQも必ず正しい

○ A　カだけ　○ B　キだけ　○ C　クだけ
○ D　カとキ　○ E　カとク　○ F　キとク
○ G　カとキとク　○ H　正しい推論はない

各々の情報から断定できることを判断する

P 1点がついた製品が1個以上ある
つまり、1点の製品は0個ではない。1個〜5個のいずれかである。

Q 2点がついた製品が奇数個ある
つまり、2点の製品は1、3、5個のいずれかである。このとき、1点の製品は4、2、0個で、5個の点数の合計は必ず偶数になる。
→（21111＝6点）（22211＝8点）（22222＝10点）

R 5個の製品の点数の合計は偶数である
5個の点数の合計が偶数なら、1点の製品は偶数個（4、2、0個）になる。
→（21111＝6点）（22211＝8点）（22222＝10点）

1 ア **P→Q**…1点が1個以上（1、2、3、4、5個）のとき、2点は奇数個も偶数個もありえるので、必ず正しいとはいえない。×

イ **Q→R**…2点が奇数個（1、3、5個）なら1点は偶数個（4、2、0個）になるので、5個の点数の合計は必ず偶数になる。○

ウ **R→P**…5個の点数の合計が偶数でも、（22222＝10点）のとき、1点の製品は0個なので、必ず正しいとはいえない。×

正解 B

2 カ **P→R**…1点が1個以上でも、合計点が偶数とは限らない。×

キ **Q→P**…2点が奇数個（1、3、5個）のとき、1点が0個の場合があるので、Pが必ず正しいとはいえない。×

ク **R→Q**…5個の点数の合計が偶数（21111＝6点、22211＝8点、22222＝10点）なら、2点は必ず奇数個となる。○

正解 C

試験場では▶矢印をメモする！

右のように記号をメモして、矢印で正しい方向を書き入れる。それを選択肢と比べていけばすぐに解答できる。

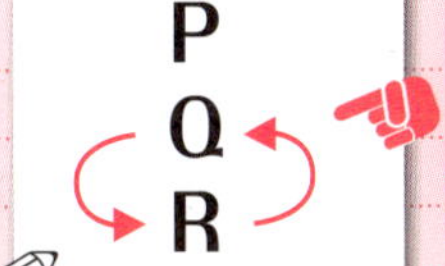

「Qが正しければRも正しい」「Rが正しければQも正しい」の2本の矢印

確認問題 2つのサイコロで「出た目の和が4」が正しければ、「出た目の差が2以下」は？
【正しい・正しいとは限らない】 解答➡次ページ下

▶解答・解説は別冊2ページ

練習問題　推論【正誤】

1 P、Q、Rが、同じ料理を試食して、次のように発言した。

P　この料理にはワインが入っている

Q　この料理には大さじ1杯の日本酒が入っている

R　この料理には少なくともワインと日本酒のどちらかが入っている

以上の発言は、必ずしもすべてが信頼できるとは限らない。そこで、さまざまな場合を想定して推論がなされた。次のうち正しいものを1つ選びなさい。

○ A　Pが正しければQは必ず正しい

○ B　Qが正しければRは必ず正しい

○ C　Rが正しければPは必ず正しい

2 XとYが2回ずつ走り幅跳びをした。これについて次の報告があった。

P　少なくともどちらか1回は、Xの跳んだ距離の方が長かった

Q　1回目と2回目に跳んだ距離の合計はXの方が長かった

R　1回目も2回目もXの跳んだ距離の方が長かった

以上の報告は、必ずしもすべてが信頼できるとは限らない。そこで、さまざまな場合を想定して推論がなされた。次のうち正しいものを1つ選びなさい。

○ A　Pが正しければQは必ず正しい

○ B　Qが正しければRは必ず正しい

○ C　Rが正しければPは必ず正しい

3 Xは、4人きょうだいの末っ子で女性である。このきょうだいについて、P、Q、Rから、次のような3通りの発言があった。

P　末っ子は三女ではない

Q　末っ子には兄が2人いる

R　3番目の年長者は次男である

以上の発言は、必ずしもすべてが信頼できるとは限らない。そこで、さまざまな場合を想定して推論がなされた。次のうち正しいものを1つ選びなさい。

○ A　Pが正しければQは必ず正しい

○ B　Qが正しければRは必ず正しい

○ C　Rが正しければPは必ず正しい

　正解 正しい　和が4になるのは「1と3」か「2と2」だけで、どちらも差は2以下。

4　4組、計12人の予約について、次のような3通りの発言があった。

P　すべての組の人数はばらばらである

Q　1人の組と6人の組がある

R　偶数人の組は2組である

以上の発言は、必ずしもすべてが信頼できるとは限らない。そこで、さまざまな場合を想定して推論がなされた。次のうち正しいものを1つ選びなさい。

○ A　Pが正しければQは必ず正しい

○ B　Qが正しければRは必ず正しい

○ C　Rが正しければPは必ず正しい

5　サッカーチームXとYが試合をし、前半を終えた時点でYが1点リードしていたことがわかっている。また最後まで試合を見た人から次の情報を得た。

P　Xは試合に負けなかった

Q　Xは後半に得点した

R　Yは後半に得点しなかった

以上の情報は、必ずしもすべてが信頼できるとは限らない。そこで、さまざまな場合を想定して推論がなされた。次のうち正しいものを1つ選びなさい。

○ A　Pが正しければQは必ず正しい

○ B　Qが正しければPは必ず正しい

○ C　Rが正しければPは必ず正しい

6　4つのチームW、X、Y、Zが、引き分けのない総当たり戦を行った。これについて、次のような3通りの発言があった。

P　全敗したチームがある

Q　全勝したチームはない

R　勝ち数が同じチームがある

以上の発言は、必ずしもすべてが信頼できるとは限らない。そこで、さまざまな場合を想定して推論がなされた。次のうち正しいものを1つ選びなさい。

○ A　Pが正しければQは必ず正しい

○ B　Qが正しければRは必ず正しい

○ C　Rが正しければPは必ず正しい

2 推論【順序】

● 順位、順番、並び方を問う推論問題。記号や順番をメモしながら解く。

確定した順位をメモする

５人でＫが２位、Ｎが４位のメモ → ○Ｋ○Ｎ○

加えて、ＭはＮより１つ下のとき → ○Ｋ○ＮＭ

例 題 

Ｊ、Ｋ、Ｌ、Ｍ、Ｎの５チームで野球の大会を開いた。昨年と今年の順位について、次のことがわかっている。ただし、同率同位のチームはない。

Ⅰ　Ｊは今年、昨年から３つ順位が下がった

Ⅱ　昨年も今年もＭはＮより１つ下の順位だった

Ⅲ　Ｋの今年の順位は２位だった

1　左から順に１位～５位のチームを並べた。今年の順位として正しいものはどれか。ＡからＤの中で１つ選びなさい。

○ Ａ　ＮＫＭＬＪ　○ Ｂ　ＮＫＭＪＬ　○ Ｃ　ＬＫＮＭＪ　○ Ｄ　ＬＫＮＪＭ

2　最も少ない情報で昨年の順位を確定するには、Ⅰ～Ⅲのほか、次のア、イ、ウのうちどれが加わればよいか。ＡからＨの中で１つ選びなさい。

ア　Ｌは昨年、Ｋよりも上の順位だった

イ　Ｌは昨年、１位ではなかった

ウ　昨年と今年が同じ順位のチームはなかった

○ Ａ　アだけ　○ Ｂ　イだけ　○ Ｃ　ウだけ

○ Ｄ　アとイ　○ Ｅ　アとウ　○ Ｆ　イとウ

○ Ｇ　アとイとウ　○ Ｈ　ア、イ、ウのすべてが加わってもわからない

条件からわかる順位をメモする

1 確定できる条件からメモしていく。

Ⅲ Kの今年の順位は2位だった

今年 ○ K ○○○

Ⅰ Jは昨年から3つ順位が下がった → 今年は4位または5位だとわかる

昨年 J ○○○○ → 今年 ○ K ○ J ○
昨年 ○ J ○○○ → 今年 ○ K ○○ J

Ⅱ 昨年も今年もMはNより1つ下 → NMでワンセットの順位だとわかる

今年 ○ K ○ J ○←ワンセットのNMが入る順位がないので×
今年 ○ K N M J ←NMが3、4位に入る。残るLが1位に確定
今年 L K N M J

正解 C

2 確定できる条件からメモしていく。**1**で今年のJは5位なので、昨年のJは2位に確定できる。また、「Ⅱ 昨年も今年もMはNより1つ下」なので、NMでワンセット。従って、昨年の順位は、次の2パターンとなる。

昨年 ○ J N M ○←LとKは、1位か5位
昨年 ○ J ○ N M←LとKは、1位か3位

メモと選択肢を見比べて、LKが確定できるものが正解。

ア Lは昨年、Kよりも上の順位
Lの1位は確定するが、Kが3位か5位かは確定できない。

イ Lは昨年、1位ではなかった
Kの1位は確定するが、Lが3位か5位かは確定できない。

ウ 昨年と今年が同じ順位のチームはなかった
1より、今年の順位は、

今年 L K N M J …これを昨年の2パターンと比べると、
昨年 ○ J N M ○←NとMが昨年と同じ順位になるので、不適。
昨年 ○ J ○ N M←昨年と今年が同じ順位のチームはないので、Lは3位に確定。残るKは1位に確定。従って、条件ウだけでよい。

昨年 …K J L N M

正解 C

確認問題 A、B、C、Dの4人の順位が、「同着はない」「Bの次がC」「Aは1着でない」とき、「Dは2着でない」は? 【正しい・誤り】 解答➡次ページ下

▶解答・解説は別冊2ページ

練習問題 推論【順序】

7 V、W、X、Y、Zの5チームでレースを行った。同着はなく、次のことがわかっているとき、1位からの順位を左から順に表したものはどれか。

ア　WはZより早くゴールしたが、1位ではない
イ　ZのタイムはWとXのタイムの平均と同じである
ウ　Vは3位である

○ A　YWVZX　　○ B　XWVZY　　○ C　YWVXZ
○ D　YZVXW　　○ E　YWZVX　　○ F　YWZXV
○ G　XYWZV　　○ H　ア、イ、ウだけではわからない

8 P、Q、R、S、Tという5店のレストランに、10点満点で点数をつけた。各店の点数について、次のことがわかっている。同じ点数の店がないとき、Qの点数として可能性があるものをすべて選びなさい。

Ⅰ　Pの点数はSの点数の2倍だった
Ⅱ　Tの点数はRの点数より3点高かった
Ⅲ　5店のうち、最高点は9点、最低点は3点だった

□ A　3点　□ B　4点　□ C　5点　□ D　6点　□ E　7点
□ F　8点　□ G　9点

※複数の記号を選べる形式の問題では、選択肢に□が付いています。

9 あるイベントでP、Q、R、Sの4人がスピーチをした。スピーチの順番について、次のことがわかっている。Qのスピーチは何番目か。可能性があるものをすべて選びなさい。

Ⅰ　QとRは続けてスピーチをしなかった
Ⅱ　PはRの次にスピーチをした
Ⅲ　SはQよりあとにスピーチをした

□ A　1番目　□ B　2番目　□ C　3番目　□ D　4番目

正解 正しい　Bの次がC「BC○○」「○BC○」「○○BC」。Aが1着ではない「BCAD」「BCDA」「DBCA」「DABC」。よってDは2着ではない。（右ページ別解）

10 P、Q、R、Sの４チームで駅伝を行った。最終区間について、次のことがわかっている。

Ⅰ　最終区間では、P、Q、R、Sの順にたすきを渡されてスタートした
Ⅱ　最終区間では、Qが最も遅くて、Rが最も速かった
Ⅲ　同着はなかった

最も少ない情報で４チームの最終順位がわかるためには、Ⅰ～Ⅲのほか、どれが加わればよいか。必要な情報をすべて選びなさい。

- □ A　QはSに抜かれた
- □ B　Sは１つ順位をあげてゴールした
- □ C　Rは１位でゴールした

11 P、Q、R、S、T、Uの６人が徒競走をした。同着はなく、次のことがわかっているとき、Tの順位として可能性があるものをすべて選びなさい。

Ⅰ　Sは３位以内に入った
Ⅱ　PはRの１つ上の順位だった
Ⅲ　QはUより３つ上の順位だった

□ A　１位	□ B　２位	□ C　３位
□ D　４位	□ E　５位	□ F　６位

12 赤、白、青、黄に色分けされた、重さの異なる４個の玉がある。赤玉と白玉の重さの和は青玉の重さに等しく、白玉は黄玉より重い。次の推論の正誤について、必ず正しいものをAからFの中で１つ選びなさい。

ア　赤玉と黄玉の和は白玉より重い
イ　赤玉と黄玉の和は青玉より軽い
ウ　赤玉と白玉と黄玉の和は青玉より重い

○ A　アだけ	○ B　イだけ	○ C　ウだけ
○ D　アとイ	○ E　アとウ	○ F　イとウ

【別解】Dが２着のときは「○D○○」。Bの次がC「○DBC」。このときAが１着なので不適。よってDは２着ではない。

➡次ページに続く

13 V、W、X、Y、Zの5人が徒競走をした。その結果、Vが1位で、1位と最下位の差は18秒だった。また、XとYは4秒差、XとZは4秒差、VとWは12秒差、WとYは6秒差だった。次の推論の正誤について、必ず正しいものをすべて選びなさい。

□ A　Xは2位である　　□ B　YとZは同着である

□ C　Wの次にゴールしたのはXである

14 横一列に7個並んでいるロッカーのボックスの中を検査した。最初に真ん中のボックスを調べた。その後に調べた順番について、次のことがわかっている。ただし、ア、イ、ウを調べた順番は不明である。このとき、最後（4番目）に調べた可能性があるボックスはどれか。当てはまる□を下からすべて選んで✔をつけなさい。なお、調べたボックスはすべて異なる位置のものである。

ア　次に、4つ隣を調べた

イ　次に、1つ隣を調べた

ウ　次に、2つ右を調べた

左			真ん中			右
□	□	□	■	□	□	□

15 W、X、Y、Zの4人が1人1冊以上の本を持ち寄った。本の冊数について、次のことがわかっている。同数はないとき、Zが持ってきた本の数は多い方から何番目か。可能性があるものをすべて選びなさい。

Ⅰ　XはYより1冊多く、Xと4冊以上の差がある人はいない

Ⅱ　XとWの差は、YとZの差よりも大きい

Ⅲ　WとZは5冊の差がある

□ A　1番目　　□ B　2番目　　□ C　3番目　　□ D　4番目

16 P、Q、R、S、T、Uの6人が横一列に並んでいる。並び方について、次のことがわかっている。

Ⅰ　PとQの間には1人いる　　Ⅱ　SとTの間には3人いる

Uが右端の場合、左から3番目の可能性がある人をすべて選びなさい。

□ A　P　　□ B　Q　　□ C　R　　□ D　S　　□ E　T

17 5チームでバトンの受け渡しによるリレーを行った。5チームの最終ランナーは、それぞれP、Q、R、S、Tであった。各人の自分に関する次の発言が正しいとき、Rの最終順位とTがバトンを受けたときの順位の和として考えられるものはどれか。可能性があるものをすべて選びなさい。ただし、バトンを受け取ったときの順位と最終順位が同順位の者はいないものとする。

P　ずっとRの後方を走っていた
Q　他のランナーを3回抜いたが、2回抜かれた
R　Qに1回抜かれたが、Qを1回抜き返した
S　先頭でバトンを渡されたが、転んで一気に最下位になり、そのままゴールした
T　誰にも抜かれなかったが、先頭でゴールしなかった

□ A　3　□ B　4　□ C　5　□ D　6　□ E　7　□ F　8

18 P、Q、R、S、Tという5店は、18時、19時、20時、21時、22時、23時のうち、それぞれ違う時間に閉店する。閉店時間について、次のことがわかっている。

Ⅰ　PとQは、2時間差で閉店する
Ⅱ　RはSより4時間早く閉店する

1　Rの閉店時間は何時か。当てはまるものをすべて選びなさい。

□ A　18時　□ B　19時　□ C　20時
□ D　21時　□ E　22時　□ F　23時

2　QとTが2時間差で閉店する場合、Pの閉店時間は何時か。当てはまるものをすべて選びなさい。

□ A　18時　□ B　19時　□ C　20時
□ D　21時　□ E　22時　□ F　23時

➡次ページに続く

19 P、Q、R、S、Tの靴の大きさについて、次のことがわかっている。

Ⅰ　5人は1cmずつ大きさが異なり、同じ大きさの人はいない
Ⅱ　RとSの差は1cmである
Ⅲ　PとQの差は2cmである

1　靴を大きい順に並べたとき、Tは5人の中で何番目か。可能性がある順番をすべて選びなさい。

- □ A　1番目
- □ B　2番目
- □ C　3番目
- □ D　4番目
- □ E　5番目

2　Pの靴のサイズが25cmでRより大きいとき、Sの靴のサイズとして可能性があるものをすべて選びなさい。

- □ A　20cm
- □ B　21cm
- □ C　22cm
- □ D　23cm
- □ E　24cm
- □ F　25cm
- □ G　26cm
- □ H　27cm
- □ I　28cm

20 P、Q、R、S、Tの5人が5時に待ち合わせをした。このときの状況について、次のことがわかっている。

Ⅰ　QとSの間に2人到着した
Ⅱ　SはTの次に到着した
Ⅲ　5時に間に合ったのは2人だった

1　Pが4時50分に到着した場合、Rは早い順で何番目に到着したか。当てはまるものをすべて選びなさい。

- □ A　1番目
- □ B　2番目
- □ C　3番目
- □ D　4番目
- □ E　5番目

2　Pが5時10分に到着した場合、Rは早い順で何番目に到着したか。当てはまるものをすべて選びなさい。

- □ A　1番目
- □ B　2番目
- □ C　3番目
- □ D　4番目
- □ E　5番目

21 P、Q、R、S、Tの５人は、週に１度ずつジョギングをする。ジョギングをする曜日について、次のことがわかっている。

Ⅰ　Sは水曜日にジョギングをする
Ⅱ　Pの４日後にRがジョギングをする
Ⅲ　５人はそれぞれ、別の曜日にジョギングをする

1 Pの翌日にQがジョギングをするとき、Pが走る可能性のある曜日をすべて選びなさい。

□ A 月　□ B 火　□ C 水　□ D 木　□ E 金　□ F 土　□ G 日

2 Pの２日後にQがジョギングをするとき、Rが走る可能性のある曜日をすべて選びなさい。

□ A 月　□ B 火　□ C 水　□ D 木　□ E 金　□ F 土　□ G 日

22 ある通りには、P、Q、R、S、T、Uの順で６軒の家が並んでいる。このうちの５軒に１つずつ荷物を配達した。このとき、次のことがわかっている。

Ⅰ　１番目に配達した家と２番目に配達した家の間には１軒ある
Ⅱ　２番目に配達した家と３番目に配達した家は隣同士である
Ⅲ　３番目に配達した家と４番目に配達した家の間には１軒ある
Ⅳ　４番目に配達した家と５番目に配達した家は隣同士である

1 １番目にPに配達したとき、配達されなかった可能性がある家をすべて選びなさい。

□ A P　□ B Q　□ C R　□ D S　□ E T　□ F U

2 最後にQに配達したとき、１番目に配達した可能性がある家をすべて選びなさい。

□ A P　□ B Q　□ C R　□ D S　□ E T　□ F U

3 最後にUに配達したとき、配達されなかった可能性がある家をすべて選びなさい。

□ A P　□ B Q　□ C R　□ D S　□ E T　□ F U

➡次ページに続く

23 P、Q、R、S、Tの5人の身長について、次のことがわかっている。

Ⅰ　PはQと2cm差、Sと1cm差である
Ⅱ　QはRと3cm差、Tと1cm差である

1　一番背が高い人が170cmのPであったとき、Tの身長として可能性があるものはどれか。当てはまるものをすべて選びなさい。

□ A　163cm　□ B　164cm　□ C　165cm　□ D　166cm
□ E　167cm　□ F　168cm　□ G　169cm　□ H　170cm

2　一番背が低い人が166cm、一番背が高い人が172cmであったとき、Pの身長として可能性があるものはどれか。当てはまるものをすべて選びなさい。

□ A　165cm　□ B　166cm　□ C　167cm　□ D　168cm
□ E　169cm　□ F　170cm　□ G　171cm　□ H　172cm

24 K、L、M、Nという4つの商品の値段について、次のことがわかっている。

Ⅰ　KとLの差は100円
Ⅱ　KとNの差は50円
Ⅲ　MとNの差は150円

1　KとMの差が200円の場合、一番高い商品はどれか。当てはまるものをすべて選びなさい。

□ A　K　□ B　L　□ C　M　□ D　N

2　Kが1000円の場合、最も少ない情報ですべての商品の値段を明確にするためには、次のア、イ、ウのうち、どれが加わればよいか。AからHの中で1つ選びなさい。

ア　KはNより高い　イ　LはMより安い　ウ　NはMより安い

○ A　アだけ　○ B　イだけ　○ C　ウだけ
○ D　アとイ　○ E　アとウ　○ F　イとウ
○ G　アとイとウ　○ H　ア、イ、ウだけではわからない

25 月曜日から土曜日まで行われるイベントに、P、Q、R、S、T、Uの6人が1日1人ずつゲストとしてやってくる。これについて、次のことがわかっている。

Ⅰ　Pの次の日にQが来る
Ⅱ　Rの次の日にSが来る
Ⅲ　TとUは水曜日には来ない

1 Uは何曜日に来るか。当てはまるものをすべて選びなさい。

□ A　月　□ B　火　□ C　水　□ D　木　□ E　金　□ F　土

2 TとUが土曜日に来ない場合、火曜日に来るのは誰か。当てはまるものをすべて選びなさい。

□ A　P　□ B　Q　□ C　R　□ D　S　□ E　T　□ F　U

26 P、Q、R、S、Tの5軒に品物を配達した。配達した順番について、次のことがわかっている。

Ⅰ　Qには3番目に配達した
Ⅱ　PにはR、Tより先に配達した
Ⅲ　最後に配達された家はTではない

1 次のうち、必ずしも誤りとはいえない推論をすべて選びなさい。

□ A　Pより先にQに配達した
□ B　Tより先にQに配達した
□ C　Sには4番目に配達した

2 最も少ない情報で、配達した順番すべてを確定するためには、次のうちどの情報が加わればよいか。必要な情報を全て選びなさい。

□ A　Tには2番目に配達した
□ B　Rには4番目に配達した
□ C　Sには5番目に配達した

➡次ページに続く

27 P、Q、R、Sの4人がそれぞれ第1、第2、第3、第4のいずれかのレーンを走って100m競走をした。同着はなく、以下のことがわかっている。

Ⅰ Qの順位は第1レーンの走者の順位の2つ下である
Ⅱ Rの隣のレーンの走者は1位であった
Ⅲ Sは第4レーンを走った

第1レーン	第2レーン	第3レーン	第4レーン

1 Rが第1レーンを走ったとき、Sの順位として可能性があるものをすべて選びなさい。

□ A 1位　□ B 2位　□ C 3位　□ D 4位

2 Qが3位のとき、Rの順位として可能性があるものをすべて選びなさい。

□ A 1位　□ B 2位　□ C 3位　□ D 4位

28 P、Q、R、Sの4人が同じ中学校に通っている。4人の学年について、以下のことがわかっている。

Ⅰ PはQよりも上の学年である
Ⅱ RはSよりも上の学年である
Ⅲ PとRは同じ学年ではない

1 次のうち、確実に間違っている推論をすべて選びなさい。

□ A 4人のうち、1年生は2年生より人数が多い
□ B 4人のうち、2年生は最も人数が多い
□ C 4人のうち、3年生は2年生よりも人数が多い

2 最も少ない情報で4人の学年を確定するには、Ⅰ～Ⅲのほか、次のどの情報が加わればよいか。必要な情報をすべて選びなさい。

□ A Pは2年生である
□ B Qは2年生である
□ C Sは1年生である
□ D A、B、Cのどの情報が加わっても確定できない

29 身長も年齢も異なるP、Q、R、Sという４人について、次のことがわかっている。

Ⅰ　PはSよりも身長が高い
Ⅱ　SはRよりも年上で、RはQよりも年上である
Ⅲ　４人の中で、身長が最も高い者が最年少である

1 PがRより年上のとき、身長が最も低い人は誰か。当てはまるものをすべて選びなさい。

□ A　P　□ B　Q　□ C　R　□ D　S

2 身長が最も低い者が最年長のとき、２番目に身長が高い人は誰か。当てはまるものをすべて選びなさい。

□ A　P　□ B　Q　□ C　R　□ D　S

30 P、Q、R、S、Tの５人が、１回ずつくじを引いた。くじは当たり２本とはずれ３本で、当たり・はずれと引いた順番について、次のことがわかっている。

Ⅰ　はずれは連続しない
Ⅱ　最初に当たりを引いたのはPだった
Ⅲ　QはTよりも先に引き、Tははずれだった

1 次のうち、必ずしも誤りとはいえない推論をすべて選びなさい。

□ A　Rは２番目に引いた
□ B　Sははずれだった
□ C　Tは４番目に引いた

2 最も少ない情報で、全員のくじを引いた順番と当たりはずれを確定するには、Ⅰ～Ⅲのほか、次のア、イ、ウのうちどれが加わればよいか。AからHの中で１つ選びなさい。

ア　Qは１番目に引いた　イ　Tは最後に引いた　ウ　Sは５番目に引いた

○ A　アだけ　○ B　イだけ　○ C　ウだけ
○ D　アとイ　○ E　アとウ　○ F　イとウ
○ G　アとイとウ　○ H　ア、イ、ウのすべてが加わってもわからない

1章 推論【順序】

3 推論【内訳】

● 一定のグループ内における各人や各種類の内訳の数を問う推論問題。

条件を等式や不等式にする

リ＋ミ＋モ＝9、リ＞ミ

上のように、問題文の条件や数値を式にして考える。
例外（必ず正しいとはいえない場合）のある選択肢は間違い。

例 題 

リンゴ、ミカン、モモを９個買った。３種類について、次のことがわかっている。

Ⅰ　３種類とも少なくとも１個は買った

Ⅱ　リンゴの数はミカンの数より多い

1　必ず正しいといえる推論はどれか。AからHの中で１つ選びなさい。

ア　モモが２個ならば、ミカンは３個である

イ　モモが４個ならば、ミカンは２個である

ウ　モモが５個ならば、ミカンは１個である

○ A　アだけ　　○ B　イだけ　　○ C　ウだけ

○ D　アとイ　　○ E　アとウ　　○ F　イとウ

○ G　アとイとウ　　○ H　ア、イ、ウのいずれも必ず正しいとはいえない

2　必ず正しいといえる推論はどれか。AからHの中で１つ選びなさい。

カ　リンゴとモモの数が同じなら、ミカンは１個である

キ　ミカンとモモの数が同じなら、リンゴは５個である

ク　モモの数がリンゴの数より多ければ、ミカンは２個である

○ A　カだけ　　○ B　キだけ　　○ C　クだけ

○ D　カとキ　　○ E　カとク　　○ F　キとク

○ G　カとキとク　　○ H　カ、キ、クのいずれも必ず正しいとはいえない

選択肢の数を条件に当てはめて例外を考える

- リンゴ、ミカン、モモの合計は９個 → **リンゴ＋ミカン＋モモ＝9**

Ⅰ　３種類とも１個は買った → **0個はない**

Ⅱ　リンゴの数はミカンの数より多い → **リンゴ＞ミカン**

1　「合計９個」「リンゴ＞ミカン」の条件で、選択肢の例外を考える。

ア　**モモ2**なら、**リンゴ＋ミカン＝9－2＝7**

７個を「リンゴ>ミカン」で分ける→リンゴ6、ミカン１なども成り立つ

イ　**モモ4**なら、**リンゴ＋ミカン＝9－4＝5**

5個を「リンゴ>ミカン」で分ける→リンゴ4、ミカン１も成り立つ

ウ　**モモ5**なら、**リンゴ＋ミカン＝9－5＝4**

４個を「リンゴ>ミカン」で分ける→リンゴ3、ミカン１だけが成り立つ

正解　C

2　以下、リンゴは**リ**、ミカンは**ミ**、モモは**モ**。

カ　**リ＝モ**なら、**ミ**は必ず奇数で１、３、５、７個。３個（ミ＝リ＝モ＝３）以上では「リ>ミ」が成り立たなくなるので、**ミ＝１**だけが成り立つ

キ　**ミ2＝モ2、リ5**以外に、**ミ1＝モ1、リ7**が成り立つ

ク　**モ4>リ3>ミ2**以外に、**モ5>リ3>ミ1**が成り立つ

正解　A

試験場では▶記号と式だけで解いていく方法

右のように、式の下に推論ア、イ、ウの数値をメモして考えていくと間違いはない。数字を当てはめて、例外が成立したら、次の推論に移る。

ただし最速の方法は、解説のように条件を式にして、あとは頭の中だけで選択肢の例外を考えていくことだ。

リ ＞ ミ

リ ＋	ミ ＋	モ ＝ 9	
6	1	2	（1の推論ア）
4	1	4	（1の推論イ）
3	1	5	（1の推論ウ）

確認問題　A、B、Cの３種類の玉が各１個以上、合わせて８個ある。A＞Cのときに、「B＞AならばCは１個」は？　【正しい・誤り】　解答➡次ページ下

▶解答・解説は別冊９ページ

練習問題　推論【内訳】

目標時間 22分

22問

31　男性３人、女性２人からなるＰ、Ｑ、Ｒ、Ｓ、Ｔの日本人５人が、それぞれ京都、北海道、アメリカ、イタリア、フランスの５カ所に旅行した。これについて、次のことがわかっている。

Ⅰ　男性のうち２人が海外旅行をした
Ⅱ　Ｐ、Ｑは国内旅行をした
Ⅲ　Ｒはヨーロッパへ行った

Ｓは女性でフランスへ行ったとき、次の推論のうち、必ず正しいといえるものをすべて選びなさい。

□ Ａ　Ｐは男性である
□ Ｂ　Ｒは男性である
□ Ｃ　Ｔはアメリカへ行った

32　アンケートで、160人の学生にサッカー選手Ｐ、Ｑ、Ｒ、Ｓの４人の中で最も好きな選手１名に投票してもらったところ、次の結果となった。

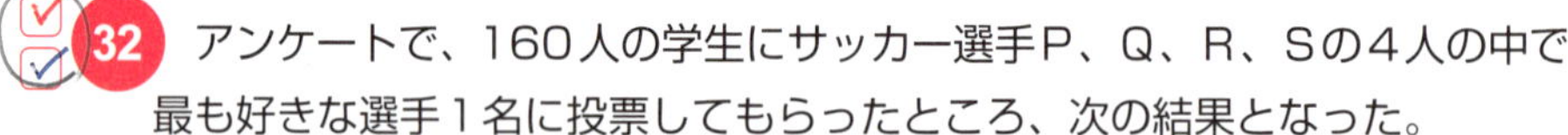

Ⅰ　投票数は、多い順にＰ、Ｑ、Ｒ、Ｓという結果になった
Ⅱ　どの選手にも10票以上入り、無回答はなかった

必ずしも誤りとはいえない推論はどれか。ＡからＨの中で１つ選びなさい。

ア　Ｐ選手への投票数が70票のとき、Ｓ選手への投票数は30票である
イ　Ｑ選手への投票数が60票のとき、Ｒ選手への投票数は29票である
ウ　Ｒ選手への投票数が49票のとき、Ｓ選手への投票数は10票である

○ Ａ　アだけ　　○ Ｂ　イだけ　　○ Ｃ　ウだけ
○ Ｄ　アとイ　　○ Ｅ　アとウ　　○ Ｆ　イとウ
○ Ｇ　アとイとウ　　○ Ｈ　ア、イ、ウのいずれも必ず誤り

正解　正しい　条件を式にすると→「Ａ＋Ｂ＋Ｃ＝８」「Ｂ＞Ａ＞Ｃ」。例外の最小値２をＣに当てはめてみると、「４＋３＋２≠８」となり、成り立たないのでＣは１。

33 赤、白、黄、緑の４種類の玉が合わせて20個ある。これについて、次のことがわかっている。なお、４種類の玉はすべて違う個数で、０個のものはないものとする。

Ⅰ　最初に６個取り出したところ、赤玉以外の２色の玉が３個ずつ取れた
Ⅱ　続けて７個取り出したところ、すべて赤玉だった
Ⅲ　一番多い玉の色は赤、一番少ない玉の色は白だった

必ず正しいといえる推論はどれか。ＡからＨの中で１つ選びなさい。

ア　すべてが奇数個のとき、白玉は１個である
イ　赤玉が10個ならば、白玉は２個である
ウ　白玉は３個以下である

○ Ａ　アだけ　○ Ｂ　イだけ　○ Ｃ　ウだけ
○ Ｄ　アとイ　○ Ｅ　アとウ　○ Ｆ　イとウ
○ Ｇ　アとイとウ　○ Ｈ　ア、イ、ウのいずれも必ず正しいとはいえない

34 ある空港で40人にアンケート調査を行ったところ、フランス語を話せる人は32人、ドイツ語を話せる人は29人、中国語を話せる人は20人、スペイン語を話せる人は18人という結果が出た。ア、イ、ウのうち、必ず正しいといえる推論はどれか。ＡからＨの中で１つ選びなさい。

ア　ドイツ語とスペイン語の２カ国語を話せる人は、少なくとも７人いる
イ　フランス語と中国語とスペイン語の３カ国語を話せる人は、少なくとも１人いる
ウ　フランス語とドイツ語と中国語の３カ国語を話せる人は、少なくとも１人いる

○ Ａ　アだけ　○ Ｂ　イだけ　○ Ｃ　ウだけ
○ Ｄ　アとイ　○ Ｅ　アとウ　○ Ｆ　イとウ
○ Ｇ　アとイとウ　○ Ｈ　ア、イ、ウのいずれも必ず正しいとはいえない

➡次ページに続く

35 1、2、3、4の番号がついた赤玉と、同じく1、2、3、4の番号がついた白玉の合計8個の玉がある。これをよくまぜて、4個ずつ2つの袋PとQに分けた。必ず正しいといえる推論はどれか。AからHの中で1つ選びなさい。

ア　Pに4が入っていないとき、Qの玉の番号の合計は10より大きい
イ　Pの玉の番号の合計が9以下のとき、Pの中には1が2個入っている
ウ　Pの玉の番号の合計が7以下のとき、Qの中には4が2個入っている

○ A　アだけ　○ B　イだけ　○ C　ウだけ
○ D　アとイ　○ E　アとウ　○ F　イとウ
○ G　アとイとウ　○ H　ア、イ、ウのいずれも必ず正しいとはいえない

36 黄色が4本、白、赤がそれぞれ3本ずつ、計10本あるチューリップをP、Q、R、S、Tの5人で1人2本ずつ分けた。PとQの色の組み合わせは同じで、Rは2本とも同じ色だった。Sのチューリップが黄色と白だったとき、Tが持っている2本の色で可能性がある組み合わせはどれか。当てはまるものをすべて選びなさい。

□ A　黄色2本　□ B　白2本　□ C　赤2本
□ D　黄色と白　□ E　黄色と赤　□ F　白と赤

37 参加定員50人ずつのセミナーPとセミナーQを開いたところ、両方とも満席となった。各セミナーの参加者の名簿を名寄せ（同じ人をまとめて集計）すると合計70名で、そのうち女性は42名だった。

1 セミナーPだけに参加した人は何人いたか。

○ A　5人　○ B　10人　○ C　15人
○ D　20人　○ E　30人　○ F　35人

2 女性のうち28人がセミナーPに参加していた。セミナーQだけに参加した男性の数は何人か。

○ A　4人　○ B　5人　○ C　6人
○ D　8人　○ E　10人　○ F　14人

38 P、Q、R、S、T、Uの順番で、6人が弁当を1個ずつ買った。弁当には、和食、洋食、中華の3種類があり、次のことがわかっている。

Ⅰ　Q、R、S、T、Uは、直前の人と同じ種類の弁当は買わなかった

Ⅱ　SとUは異なる種類の弁当を買った

1 Pが和食の場合、洋食は何人か。当てはまるものをすべて選びなさい。

□A　1人　□B　2人　□C　3人　□D　4人　□E　5人

2 RとTが異なる種類の弁当を買った場合、Qと同じ種類の弁当を買ったのは誰か。当てはまるものをすべて選びなさい。

□A　P　□B　R　□C　S　□D　T　□E　U

39 ある公民館では、4月から9月にかけて毎月1回は講演会がある。ある年の講演会について、次のことがわかっている。

Ⅰ　5月には2回講演会があった

Ⅱ　講演会は1か月に3回までしか行われなかった

Ⅲ　講演会は全部で15回あった

12回目の講演会が行われたのは何月か。当てはまるものをすべて選びなさい。

□A　4月　□B　5月　□C　6月

□D　7月　□E　8月　□F　9月

40 P、Q、R、S、Tの5人が喫茶店で、紅茶2杯、コーヒー2杯、ジュース1杯を注文した。PとQは違うもの、またQとRも違うものを注文した。1人が1杯ずつ注文したとき、次の各問いに答えなさい。

1 PとRが違うものを注文したとき、ジュースを注文した可能性のある人をすべて選びなさい。

□A　P　□B　Q　□C　R　□D　S　□E　T

2 Qが紅茶、Tが紅茶以外を注文したとき、ジュースを注文した可能性のある人をすべて選びなさい。

□A　P　□B　Q　□C　R　□D　S　□E　T

➡次ページに続く

41 P、Q、R、Sの4チームが交代で14日間グラウンドを使用した。これについて、次のことがわかっている。Sが10日目～14日目に使用したとき、Pが使用した初日はいつか。当てはまるものをすべて選びなさい。

Ⅰ　Pは連続2日、Qは連続3日、Rは連続4日、Sは連続5日利用した

Ⅱ　同時に使用した団体はなかった

□ A　1日目　□ B　2日目　□ C　3日目　□ D　4日目

□ E　5日目　□ F　6日目　□ G　7日目　□ H　8日目

42 男性3人、女性3人のP、Q、R、S、T、Uがいる。この6人が異性同士でペアになって社交ダンスをする。これについて、次のことがわかっている。

Ⅰ　PとQは異性

Ⅱ　RとSは同性で、どちらもTとペアではない

1 Uとペアになり得るのは誰か。当てはまるものをすべて選びなさい。

□ A　P　□ B　Q　□ C　R　□ D　S　□ E　T

2 Tの性別がわかると、性別がわかる人は誰か。当てはまるものをすべて選びなさい。

□ A　P　□ B　Q　□ C　R　□ D　S　□ E　U

43 P、Q、R、S、T、Uの6人が教室、廊下、階段の3カ所を手分けして掃除した。このとき、次のことがわかっている。

Ⅰ　PとQは同じ場所を掃除した

Ⅱ　Rは1人で1カ所を掃除した

Ⅲ　階段は2人で掃除した

1 次のうち、必ずしも間違いとはいえないものをすべて選びなさい。

□ A　Rは教室を掃除した

□ B　SとTは同じ場所を掃除した

□ C　Uと同じ場所を掃除した人はいない

2 Ⅰ～Ⅲの条件のほかに、少なくともどの条件が加われば、全員の掃除場所が決まるか。必要な条件をすべて選びなさい。

□ A　Rは廊下　□ B　Sは教室　□ C　Tは階段

44 P、Q、R、Sの４人で、抹茶１本、あずき２本、ミルク３本、計６本のアイスを食べた。これについて、次のことがわかっている。

Ⅰ　１人が食べた本数は、１本または２本だった
Ⅱ　１人で同じ種類のアイスを２本食べた人はいなかった
Ⅲ　PとQは少なくとも１本は同じ種類のアイスを食べた
Ⅳ　RとSは同じ種類のアイスを食べなかった

1　Pが少なくともあずき１本を食べたとき、Qが食べた可能性があるものをすべて選びなさい。

□ A　抹茶だけ　　□ B　あずきだけ　　□ C　ミルクだけ
□ D　抹茶とあずき　　□ E　抹茶とミルク　　□ F　あずきとミルク

2　Rが２本食べたとき、Qが食べた可能性があるものをすべて選びなさい。

□ A　抹茶だけ　　□ B　あずきだけ　　□ C　ミルクだけ
□ D　抹茶とあずき　　□ E　抹茶とミルク　　□ F　あずきとミルク

45 P、Q、R、Sのスキーとゴルフの経験について、次のことがわかった。

Ⅰ　Pはスキー経験がある
Ⅱ　Qはどちらか一方だけ経験がある
Ⅲ　Rはどちらも経験があるか、もしくはどちらも経験がない
Ⅳ　スキーの経験があるのは２人である

1　ゴルフ経験がある可能性のある人は誰か。当てはまるものをすべて選びなさい。

□ A　P　　□ B　Q　　□ C　R　　□ D　S

2　Ⅰ～Ⅳの条件に「Ⅴ　ゴルフ経験があるのは１人だけである」という条件を加えたとき、確実にスキーの経験がない人は誰か。当てはまるものをすべて選びなさい。

□ A　P　　□ B　Q　　□ C　R　　□ D　S

１章　推論【内訳】

4 推論【整数】

● カードの数、人数、点数など、数の組み合わせや計算で整数を推理する問題。

情報を整理して計算する

- **合計から決まっている数を引くことを考える**
- **最大、最小、合計、平均、差を考える**
- **2で割ると整数になる数は偶数に決まっている**

例 題 よくでる

1組のトランプから、ハートの1から7の7枚のカードを取り出して、横一列に並べた。カードの数字について、次のことがわかっている。

Ⅰ　左端の1枚目から3枚目までの数字の和は10
Ⅱ　右端の1枚目から3枚目までの数字の和は12

1 右端の数字が5のとき、3の場所として可能性があるのは左から何番目か。当てはまるものをすべて選びなさい。

□ A　1番目　□ B　2番目　□ C　3番目　□ D　4番目
□ E　5番目　□ F　6番目　□ G　7番目

2 右端の数字が左端の数字より1つ大きい数になるように置くとき、2の場所として可能性があるのは左から何番目か。当てはまるものをすべて選びなさい。

□ A　1番目　□ B　2番目　□ C　3番目　□ D　4番目
□ E　5番目　□ F　6番目　□ G　7番目

条件を計算式と簡単な図でメモする

7つの数字の合計は、1＋2＋3＋4＋5＋6＋7=28。

□　□　□　■　□　□　□　←合計28

（左3つ：10　右3つ：12）

左3つの和が10、右3つの和が12なので、残った真ん中の■の数字は、

28−(10＋12)＝6

1　右端が5、真ん中は6なので、

□　□　□　**6**　□　□　**5**　←合計28

（左3つ：10　右3つ：12）

右から2番目□と3番目□の和→　**12－5=7**

1～7の数字で和が7になる組み合わせは、（1＋6）（2＋5）（3＋4）。
しかし、6と5はすでにあるので右から2番目と3番目は（3＋4）に決定。
3の可能性がある位置は、左から数えて5番目と6番目。　**正解** EF

2　真ん中が6で右端が左端より1大きい数になるのは（1＜2）（2＜3）（3＜4）（4＜5）の4通り。左端が4、右端が5になる（4＜5）は、**1**で見た通り、右の3つが（3と4と5）で、4がダブるのであり得ない。（1＜2）は145637**2**でOK。（2＜3）は**2**716543でOK。（3＜4）は、

3　□　□　**6**　□　□　**4**　←合計28

（左3つ：10　右3つ：12）

和が10の左3つは(3＋**2**＋5)、和が12の右3つは(1＋7＋4)に決定。
従って、2の可能性がある位置は、左から1、2、3、7番目。　**正解** ABCG

試験場では▶メモは再利用する

メモはなるべく簡単に書く。また、同じ条件の2問目以降では、同じメモを再利用する。

10　12
○○○ 6 ○○○
3　~~5~~ 4

1章 推論【整数】

確認問題　LとMの価格差150円、LとNの価格差200円、MとNの価格差50円のとき、Mの価格は2番目に高い。【正しい・誤り】 解答➡次ページ下

▶解答・解説は別冊13ページ

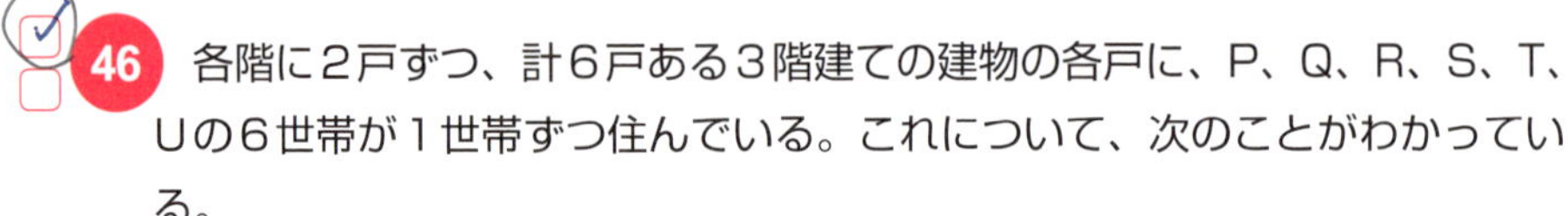

練習問題 推論【整数】

目標時間 40分 39問

46 各階に2戸ずつ、計6戸ある3階建ての建物の各戸に、P、Q、R、S、T、Uの6世帯が1世帯ずつ住んでいる。これについて、次のことがわかっている。

Ⅰ 単身世帯はない
Ⅱ 6世帯の合計人数は17人である
Ⅲ Q、R、Tはいずれも3人世帯である
Ⅳ QとRは1階に住んでいる

2階には何人住んでいるか。当てはまるものをすべて選びなさい。

- □ A 3人
- □ B 4人
- □ C 5人
- □ D 6人
- □ E 7人
- □ F 8人
- □ G 9人
- □ H 10人

47 30個の菓子をX、Y、Zの3人で分けた。分けられた菓子の個数について、次のことがわかっている。

Ⅰ 菓子の数は、多い順にX、Y、Zである
Ⅱ XとYの個数の差は、Zの個数と同じである
Ⅲ YとZの個数の差は3個である

このとき、Y は何個だったか。

- □ A 6個
- □ B 7個
- □ C 8個
- □ D 9個
- □ E 10個
- □ F 11個
- □ G 12個
- □ H 13個

正解 正しい L—150円—M—50円—N、またはN—50円—M—150円—Lとなり、Mは、必ずLとNの間に入る。

48 P、Q、R、Sの4人がペットを飼っている。ペットの数について、次のことがわかっている。

Ⅰ　4人合わせて8匹のペットを飼っている
Ⅱ　Pと同じ数のペットを飼っている人がいる
Ⅲ　Qと同じ数のペットを飼っている人がいる

1 Rが3匹のペットを飼っているとき、Sは何匹のペットを飼っているか。当てはまるものをすべて選びなさい。

□ A　1匹　□ B　2匹　□ C　3匹　□ D　4匹
□ E　5匹

2 Sと同じ数のペットを飼っている人がいるとき、Rは何匹のペットを飼っているか。当てはまるものをすべて選びなさい。

□ A　1匹　□ B　2匹　□ C　3匹　□ D　4匹
□ E　5匹

49 ある大学の学生500人の身長について、以下のことがわかっている。

Ⅰ　身長が160cm以上の男子学生は270人いる
Ⅱ　身長が170cm未満の女子学生は190人いる
Ⅲ　身長が170cm以上の学生は150人いる

1 身長が170cm未満の男子学生は何人いるか。

○ A　105人　○ B　120人　○ C　130人　○ D　135人
○ E　160人　○ F　AからEのいずれでもない

2 身長が170cm以上の男子学生が140人以下ならば、身長が160cm未満の男子学生は最も多くて何人か。

○ A　28人　○ B　29人　○ C　30人　○ D　31人
○ E　90人　○ F　AからEのいずれでもない

➡次ページに続く

50 P、Q、R、S、Tの5人に1から9までの数字を1つずつ書いてもらった。同じ数字を書いた人はいなかった。

1 最も少ない情報でRの数字を確定するには、次のどれがわかればよいか。必要な情報をすべて選びなさい。

□ A　Rの数が最大だった
□ B　Sの数は7だった
□ C　Rの数はTの数より4大きかった
□ D　奇数はPとSだけだった
□ E　AからDのすべての情報が加わっても確定できない

2 **1**のAからDの情報に加えて、次のⅠ、Ⅱの情報も正しいとわかったとき、数字が確定しない人は誰か。当てはまるものをすべて選びなさい。

Ⅰ　Pの数は3番目に大きかった
Ⅱ　Qの数は最小だった

□ A　P　□ B　Q　□ C　R　□ D　S
□ E　T　□ F　5人の数はすべて確定できる

51 1組のトランプからハートの1から9までのカードを取り出して、P、Q、Rの3人に3枚ずつ配った。カードの数について、次のことがわかっている。

Ⅰ　Pのカードの3つの数字の和は20である
Ⅱ　Qには8のカードが配られた
Ⅲ　Rのカードの3つの数字の積は12である

1 Pが必ず持っている数字をすべて選びなさい。

□ A　1　□ B　2　□ C　3　□ D　4　□ E　5
□ F　6　□ G　7　□ H　8　□ I　9

2 Qが8以外に持っている可能性のある数字をすべて選びなさい。

□ A　1　□ B　2　□ C　3　□ D　4　□ E　5
□ F　6　□ G　7　□ H　9

52 A、B、C、Dの４人がゲームをしたところ、各自の得点は－３、－２、－１、０、１、２、３のいずれかになった。これについて、次のことがわかっている。

Ⅰ　同じ得点の人はいない
Ⅱ　AはBより３点高い
Ⅲ　CとDの得点をたすと－１点になる

1 ３点の人がいるとき、Dが取り得る得点はどれか。当てはまるものをすべて選びなさい。

□ A　－３　□ B　－２　□ C　－１　□ D　０
□ E　１　□ F　２　□ G　３

2 CがBより１点高いとき、Dが取り得る得点はどれか。当てはまるものをすべて選びなさい。

□ A　－３　□ B　－２　□ C　－１　□ D　０
□ E　１　□ F　２　□ G　３

53 A、B、C、D、Eの５冊の本を本棚に横一列に並べた。Aの本は300円、BとCの本は各400円、DとEの本は各500円である。

1 左から１番目と３番目の値段の和が800円、３番目と５番目の差が200円であった。このとき、Bの位置として考えられる位置は左から何番目か。当てはまる位置をすべて選びなさい。

□ A　１番目　□ B　２番目　□ C　３番目
□ D　４番目　□ E　５番目

2 左から３番目以外の本の平均が425円、２番目と４番目の平均が400円であった。このとき、Cの位置として考えられる位置は左から何番目か。当てはまる位置をすべて選びなさい。

□ A　１番目　□ B　２番目　□ C　３番目
□ D　４番目　□ E　５番目

➡次ページに続く

54 P、Q、R、Sの４人が、図書館で合わせて12冊の本を借りた。これについて、次のことがわかっている。ただし、１人１冊以上借りたものとする。

Ⅰ　PはQの２倍の冊数の本を借りた
Ⅱ　RはSより多く借りた

1 必ずしも誤りとはいえない推論をすべて選びなさい。

- □ A　PはRと同じ冊数を借りた
- □ B　PはSと同じ冊数を借りた
- □ C　QはRと同じ冊数を借りた

2 最も少ない情報で４人が借りた冊数をすべて確定するには、Ⅰ、Ⅱのほか、次のうちどれが加わればよいか。必要な情報をすべて選びなさい。

- □ A　５冊借りた人がいた
- □ B　QはSより多く借りた
- □ C　同じ冊数を借りた人はいなかった

55 子供がいる４世帯、P、Q、R、Sについて、次のことがわかっている。

Ⅰ　Pの子供の数は４人で、他の３つの世帯よりも多い
Ⅱ　Sの子供の数は他の３つの世帯よりも少ない
Ⅲ　４世帯の子供を合わせると、男子と女子の数は同数である

1 ４世帯の子供を合わせた人数として考えられるのは何人か。当てはまるものをすべて選びなさい。

□ A　8人　□ B　9人　□ C　10人　□ D　11人
□ E　12人　□ F　13人　□ G　14人　□ H　15人

2 Qの子供がすべて女子であるとき、Pの子供のうち女子の人数として考えられるのは何人か。当てはまるものをすべて選びなさい。

□ A　0人　□ B　1人　□ C　2人　□ D　3人
□ E　4人　□ F　5人　□ G　6人　□ H　7人

56 ある町には20店の食品店がある。そのうち10店では果物、15店ではアイス、16店では酒を売っている。

1 20店のうち、果物とアイスの両方を売っている店は少なくとも何店あるか。

○A 0店 ○B 1店 ○C 2店 ○D 3店
○E 4店 ○F 5店 ○G 6店 ○H 7店

2 20店のうち、果物、アイス、酒のすべてを売っている店は少なくとも何店あるか。

○A 0店 ○B 1店 ○C 2店 ○D 3店
○E 4店 ○F 5店 ○G 6店 ○H 7店

57 あるジェットコースターは1両目から5両目までの全5両ある。このジェットコースターの乗車人数について、次のことがわかっている。

Ⅰ 1両に6人まで乗車できる。また、1両につき最低4人は乗車する
Ⅱ 3両目の乗車人数は4両目の乗車人数より多い
Ⅲ 1両目と5両目の乗車人数は同じである

1 23人で乗るとき、乗車人数が確実にわかるのは何両目か。当てはまるものをすべて選びなさい。

□A 1両目 □B 2両目 □C 3両目
□D 4両目 □E 5両目 □F 確実にわかる車両はない

2 28人で乗るとき、乗車人数が確実にわかるのは何両目か。当てはまるものをすべて選びなさい。

□A 1両目 □B 2両目 □C 3両目
□D 4両目 □E 5両目 □F 確実にわかる車両はない

➡次ページに続く

58 ある会社の営業部では、P、Q、R、Sの４人で15件の契約を取ってきた。４人の契約数について、次のことがわかっている。

Ⅰ　Qの２倍の人と1/2の人がいる
Ⅱ　Sの２倍の人と1/2の人がいる

1 Pの契約数は何件か。可能性のあるものをすべて選びなさい。

□ A　１件　□ B　２件　□ C　３件　□ D　４件
□ E　５件　□ F　６件　□ G　７件　□ H　８件

2 Rの契約数がQの２倍であるとき、Sの契約数として考えられるのは何件か。当てはまるものをすべて選びなさい。

□ A　１件　□ B　２件　□ C　３件　□ D　４件
□ E　５件　□ F　６件　□ G　７件　□ H　８件

59 P、Q、R、Sの４人が、１位が２点、２位が１点、３位と４位が０点のゲームを計３回行って合計点を競い合った。これについて、次のことがわかっている。なお、各回において同順位はなかったものとする（合計点においては同順位の場合もある）。

Ⅰ　１回目は、Pが１位だった
Ⅱ　２回目が終わった時点の合計点は、Rが単独で１位だった

1 必ず正しいといえる推論を１つ選びなさい。

○ A　１回目では、Q、Sのどちらかが２位だった
○ B　１回目では、Rが３位だった
○ C　２回目では、Q、Sのどちらかが２位だった

2 ３回目はQが２位だった。３回目が終わった時点で、Rの合計点はいくつか。当てはまるものをすべて選びなさい。

□ A　０点　□ B　１点　□ C　２点　□ D　３点
□ E　４点　□ F　５点

60 旅行ツアーの参加者が30人いた。参加者の年代と人数について、次のことがわかっている。

Ⅰ　20代、30代、40代、50代、60代という5つの年代の参加者がいた
Ⅱ　1人の年代および10人以上の年代はなかった
Ⅲ　40代より20代が多く、20代より60代が多かった
Ⅳ　40代の人数は、50代の人数の2倍だった

1 60代が9人の場合、40代は何人か。当てはまるものをすべて選びなさい。

□A　2人　□B　3人　□C　4人　□D　5人
□E　6人　□F　7人　□G　8人　□H　9人

2 20代が8人以上の場合、30代は何人か。当てはまるものをすべて選びなさい。

□A　2人　□B　3人　□C　4人　□D　5人
□E　6人　□F　7人　□G　8人　□H　9人

61 P、Q、R、Sという4つの水槽に、合計で25匹の金魚が入っている。これについて、次のことがわかっている。

Ⅰ　同じ数の金魚が入っている水槽はない
Ⅱ　どの水槽にも3匹以上入っている
Ⅲ　Pの金魚の数が一番多い
Ⅳ　QはRより2匹多い

1 Pが10匹の場合、Sは何匹か。当てはまるものをすべて選びなさい。

□A　3匹　□B　4匹　□C　5匹　□D　6匹
□E　7匹　□F　8匹　□G　9匹　□H　10匹

2 SよりQが多い場合、Pは何匹か。当てはまるものをすべて選びなさい。

□A　8匹　□B　9匹　□C　10匹　□D　11匹
□E　12匹　□F　13匹　□G　14匹　□H　15匹

➡次ページに続く

62 赤、黄色、白のチューリップを各１本以上、全部で15本買った。これについて、次のことがわかっている。

Ⅰ　赤を５本以上買った
Ⅱ　黄色と白の差は３本だった

1 赤と黄色の本数の差は何本か。当てはまるものをすべて選びなさい。

□ A　0本　□ B　1本　□ C　2本　□ D　3本　□ E　4本　□ F　5本
□ G　6本　□ H　7本　□ I　8本　□ J　9本　□ K　10本

2 赤、白、黄色の順で本数が多い場合、白は何本か。当てはまるものをすべて選びなさい。

□ A　1本　□ B　2本　□ C　3本　□ D　4本　□ E　5本
□ F　6本　□ G　7本　□ H　8本　□ I　9本　□ J　10本

63 15ℓの水が入る水槽に10ℓの水が入っている。この水槽に各人が時間を空けて次の作業を行った。ただし、作業の順序は、次の通りに行われたものとは限らない。

・Pは２ℓの水を出した　・Qは２ℓの水を入れた　・Rは３ℓの水を出した
・Sは１ℓの水を入れた　・Tは１ℓの水を入れた

1 ４人目の作業が終了した時点で、水槽には何ℓの水が残っているか。当てはまるものをすべて選びなさい。

□ A　1ℓ　□ B　2ℓ　□ C　3ℓ　□ D　4ℓ　□ E　5ℓ
□ F　6ℓ　□ G　7ℓ　□ H　8ℓ　□ I　9ℓ　□ J　10ℓ
□ K　11ℓ　□ L　12ℓ　□ M　13ℓ　□ N　14ℓ

√**2** Qが２人目で、Rより後にSが作業を行った。３人目の作業が終了した時点で、水槽には何ℓの水が残っているか。当てはまるものをすべて選びなさい。

□ A　1ℓ　□ B　2ℓ　□ C　3ℓ　□ D　4ℓ　□ E　5ℓ
□ F　6ℓ　□ G　7ℓ　□ H　8ℓ　□ I　9ℓ　□ J　10ℓ
□ K　11ℓ　□ L　12ℓ　□ M　13ℓ　□ N　14ℓ

64 P、Q、R、Sの4人が、20個あるチョコレートのうち何個かを食べた。これについて、次のことがわかっている。

Ⅰ　20個全部は食べ切らずに、残ったチョコレートがあった
Ⅱ　各自が2個以上食べた
Ⅲ　PはQより3個多く食べた
Ⅳ　RはSの2倍の個数を食べた

1 チョコレートが1個だけ残っていた場合、Qは何個食べたか。当てはまるものをすべて選びなさい。

□ A　2個　□ B　3個　□ C　4個　□ D　5個　□ E　6個　□ F　7個

2 6個食べた人がいる場合、最後に残っていた個数は何個か。当てはまるものをすべて選びなさい。

□ A　2個　□ B　3個　□ C　4個　□ D　5個　□ E　6個　□ F　7個

65 あるマンションに入居する100世帯について、次の情報が得られた。

Ⅰ　独居世帯は20世帯である
Ⅱ　高齢者（65歳以上）がいる世帯は35世帯である

1 2人以上の世帯のうち、高齢者がいる世帯は最低で何世帯あるか。

○ A　5世帯　○ B　10世帯　○ C　15世帯　○ D　20世帯
○ E　25世帯　○ F　30世帯　○ G　AからFのいずれでもない

2 2人以上の世帯のうち、高齢者がいない世帯は最低で何世帯あるか。

○ A　25世帯　○ B　30世帯　○ C　35世帯　○ D　40世帯
○ E　45世帯　○ F　50世帯　○ G　AからFのいずれでもない

3 実際には、独居世帯の75%が高齢者がいる世帯だということがわかった。2人以上の世帯のうち、高齢者がいない世帯は何世帯あるか。

○ A　40世帯　○ B　45世帯　○ C　50世帯　○ D　55世帯
○ E　60世帯　○ F　65世帯　○ G　AからFのいずれでもない

5 推論【平均】

● 平均算の考え方を使う推論問題。SPI頻出分野である。

平均算の公式を暗記

●平均×個数＝合計

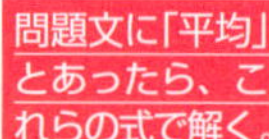

問題文に「平均」とあったら、これらの式で解く。

●合計÷個数＝平均　　**●合計÷平均＝個数**

例題

甲、乙、丙、丁の４社から工事の見積もりをとったところ、次の結果になった。

Ⅰ　４社の見積もり平均額は100万円だった

Ⅱ　甲社と乙社の見積もり平均額は90万円だった

Ⅲ　丁社の見積もり額は丙社よりも20万円安かった

1　必ず正しいといえる推論はどれか。AからHの中で１つ選びなさい。

ア　丙社の見積もり額は、４社のうちで最高である

イ　丁社の見積もり額は、４社のうちで最低ではない

ウ　丙社の見積もり額は、甲社に比べて30万円高い

○ A　アだけ　○ B　イだけ　○ C　ウだけ　○ D　アとイ

○ E　アとウ　○ F　イとウ　○ G　アとイとウ　○ H　正しい推論はない

2　最も少ない情報で４社すべての各見積もり額を確定するには、Ⅰ～Ⅲのほか、次のカ、キ、クのうちどれが加わればよいか。AからHの中で１つ選びなさい。

カ　４社のうち２社は同じ見積もり額である

キ　乙社の見積もり額は、４社のうちで最低である

ク　甲社か乙社の見積もり額は、丁社の８割である

○ A　カだけ　○ B　キだけ　○ C　クだけ　○ D　カとキ

○ E　カとク　○ F　キとク　○ G　カとキとク

○ H　カ、キ、クのすべてがわかっても確定できない

30秒で解ける超解法!!

「平均×個数＝合計」の式を使う

Ⅰ　4社平均が100万円　→ 4社合計は100×4＝400万円

Ⅱ　甲と乙の平均が90万円　→ 甲乙の合計は90×2＝180万円
「甲乙丙丁の合計－甲乙の合計＝丙丁の合計」なので、
丙丁の合計＝400－180＝220万円

Ⅲ　丁は丙より20万円安い　→ 丁＝(220－20)÷2＝100万円
丙＝100＋20＝120万円

まとめると、**甲＋乙＝180万円**
丙＝120万円、丁＝100万円

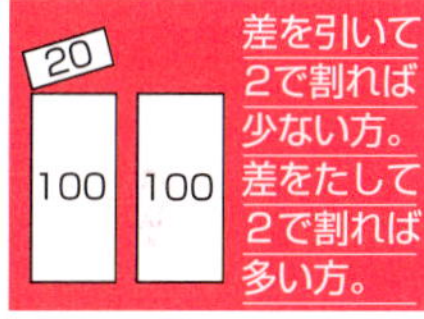
20
100
100
差を引いて2で割れば少ない方。
差をたして2で割れば多い方。

1

ア　丙(120万円)は最高→甲か乙が丙より高い場合があり得る。×

イ　丁(100万円)は最低ではない→甲と乙の平均が90万円なので、甲と乙のどちらかは必ず丁(100万円)よりも低くなる。従って○

ウ　丙は甲に比べて30万円高い→必ずしも確定できない。×

正解　B

2　甲、乙の2社の金額が確定できればよい。

カ　2社は同じ見積もり　→ 2社は甲乙、甲丙、甲丁、乙丙、乙丁がある

キ　乙は最低　→ 甲＞乙が確定

ク　甲か乙は丁の8割　→ 丁(100万円)の8割は80万円。甲＋乙＝180万円なので、甲と乙のどちらかは180－80＝100万円。キ(甲＞乙)と合わせれば、乙が80万円、甲が100万円に確定できる

正解　F

試験場では▶確定した数値のメモで推論していく

与えられた条件から、推論に必要な数値だけメモ(赤字部分は暗算)していく。不要になったメモは消していくと、推論しやすい。

- 4社400　・甲乙90×2で180
- ~~丙丁400－180で220~~
- 丁100　・丙120
- 甲＞乙丁の8割で80

確認問題　クラスの平均点は6点、男子の平均点は4点である。このとき「女子の平均点は8点である」は？【正しい・誤り・どちらともいえない】 解答➡次ページ下

▶解答・解説は別冊 19 ページ

練習問題　推論【平均】

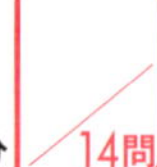

66　50個のリンゴをP、Q、R、S、Tという5人に配った。配られた個数について、次のことがわかっている。

Ⅰ　同じ個数の人はいない
Ⅱ　P、Q、Rの平均は12個である
Ⅲ　PとRは11個差である
Ⅳ　QとS、QとTはそれぞれ3個差である

10個配られた人はだれか。当てはまるものをすべて選びなさい。

□ A　P　□ B　Q　□ C　R　□ D　S　□ E　T

67　P、Q、R、Sの4人が英語と数学のテストを受けた。各テストは100点満点で、4人のうちで同点の者はいなかった。また、4人の英語の得点について、次のことがわかっている。

Ⅰ　Sの得点はQよりも低い
Ⅱ　Pの得点は、RとSの平均に等しい
Ⅲ　Rの得点はQよりも低い

1　英語の得点についての次の推論のうち、必ず正しいといえるものはどれか。当てはまるものをすべて選びなさい。

□ A　Sの得点はPよりも低い
□ B　Pの得点はQよりも低い
□ C　Rの得点はPよりも低い

2　Ⅰ～Ⅲのほか、次のことがわかった。このとき、Pの数学の順位は何位か。

Ⅳ　数学のテストはSの得点が最も低く、Qが2番目に低い
Ⅴ　英語と数学の平均点は、Pが最も低い

○ A　1位　○ B　2位　○ C　3位　○ D　4位

正解 どちらともいえない　男子と女子の人数が同じであれば正しい。しかし、男子10人、女子20人など、男女の人数が違う場合、女子の平均点は8点にはならない。

68　K、L、M、Nの４人が英単語のテストを受けた。このときの得点について、次のことがわかっている。

Ⅰ　LとMの得点は同じ
Ⅱ　KとLの平均は、MとNの平均より５点多い

1　次の推論について、必ず正しいといえるものはどれか。当てはまるものをすべて選びなさい。

□ A　KとNの点差は10点である
□ B　MとNの得点は等しい
□ C　Lの得点はKの得点より低い

2　最も少ない情報で４人の得点を確定するには、Ⅰ、Ⅱのほか、次のうちどれが加わればよいか。当てはまるものをすべて選びなさい。

□ A　Mは30点だった
□ B　LとMの得点の和はNとKの得点の和より低い
□ C　Kの得点はMとNの平均と同じ

69　P、Q、R、S、Tという５店舗に、１点から５点まで、５段階で点数がつけられた。点数について、次のことがわかっている。

Ⅰ　Sを含めた３店舗が同じ点数で、他の２店舗は違う点数である
Ⅱ　５店舗の平均点は3.6点である

✓
1　P、Q、Rの平均が４点のとき、Tの点数として考えられるのは何点か。当てはまるものをすべて選びなさい。

□ A　1点　□ B　2点　□ C　3点　□ D　4点　□ E　5点

2　１店舗だけ１点だったとき、Sの点数として考えられるのは何点か。当てはまるものをすべて選びなさい。

□ A　1点　□ B　2点　□ C　3点　□ D　4点　□ E　5点

➡次ページに続く

□
□ **70** P、Q、Rの３カ所のゴルフ練習場で、１球あたりのボール使用料について、次のことがわかった。

甲　P、Qの２カ所の平日のボール使用料の平均は19.0円である

乙　P、Q、Rの３カ所の平日のボール使用料の平均は20.0円である

丙　P、Q、Rの３カ所とも平日より日曜日の方がボール使用料が高く、３カ所の日曜日のボール使用料の平均は24.0円である

1　１球あたりのボール使用料について、必ず正しいといえる推論はどれか。当てはまるものをすべて選びなさい。

□ A　平日のRのボール使用料は３カ所のうちで最高である

□ B　平日より日曜日の方が３カ所ともそれぞれ４円高い

□ C　平日より日曜日の方が12円以上高い練習場はない

2　PとRの２カ所の平日のボール使用料の平均が19.5円であったとすると、Pの平日のボール使用料はいくらか。

○ A　17円　○ B　18円　○ C　19円　○ D　20円

○ E　AからDのいずれでもない

□
□ **71** P、Q、R、Sの４人の身長について、次のことがわかっている。

Ⅰ　PとSの差は5cm

Ⅱ　PとQの平均は168cm

Ⅲ　RとSの平均は170cm

1　Rの身長が175cmの場合、Qの身長は何cmか。当てはまるものをすべて選びなさい。

□ A 155cm　□ B 156cm　□ C 157cm　□ D 158cm　□ E 159cm

□ F 160cm　□ G 161cm　□ H 162cm　□ I 163cm　□ J 164cm

□ K 165cm　□ L 166cm　□ M 167cm　□ N 168cm　□ O 169cm

□ P 170cm　□ Q 171cm　□ R 172cm　□ S 173cm　□ T 174cm

□ U 175cm　□ V 176cm　□ W 177cm　□ X 178cm　□ Y 179cm

□ Z 180cm

2 最も身長が高い人が180cmの場合、Pの身長は何cmか。当てはまるものをすべて選びなさい。

□ A 155cm　□ B 156cm　□ C 157cm　□ D 158cm　□ E 159cm
□ F 160cm　□ G 161cm　□ H 162cm　□ I 163cm　□ J 164cm
□ K 165cm　□ L 166cm　□ M 167cm　□ N 168cm　□ O 169cm
□ P 170cm　□ Q 171cm　□ R 172cm　□ S 173cm　□ T 174cm
□ U 175cm　□ V 176cm　□ W 177cm　□ X 178cm　□ Y 179cm
□ Z 180cm

72 1問1点、5点満点で、国語、算数、社会の3科目のテストを行った。次の表は得点結果の一部である。

得点 / 科目(人)	0点	1点	2点	3点	4点	5点	平均(点)
国語（20）	0人	1人	3人	(　)	1人	(　)	3.30
算数（15）	2人	0人	4人	6人	2人	1人	2.60
社会（18）	4人	8人	2人	2人	1人	1人	1.50

1 国語で5点満点を取ったのは何人か。

○ A 1人　○ B 2人　○ C 3人　○ D 4人
○ E 5人　○ F AからEのいずれでもない

2 国語と算数、2科目での平均点はいくつか（必要なときは、最後に小数第3位を四捨五入すること）。

○ A 2.85点　○ B 2.90点　○ C 2.95点　○ D 3.00点
○ E 3.10点　○ F AからEのいずれでもない

3 社会の平均点が2.5点になるように、社会を受けた18人に同じ点数を上乗せしたところ、最高点が6点になった。そこで、最高点が5点になるように、上乗せした点数にさらに数値xを掛けて補正を行った。補正後の平均点はいくつになったか（必要なときは、最後に小数第3位を四捨五入すること）。

○ A 2.00点　○ B 2.05点　○ C 2.08点　○ D 2.10点
○ E 2.25点　○ F AからEのいずれでもない

6 推論【対戦】

● 対戦成績や、面識の有無（会ったことがあるかないか）などを問う推論問題。

対戦表と面識表で解く

言葉で考えないで、例題のように表で解くことがコツ。

例 題

P、Q、R、Sの４人が卓球の総当たり戦をした。結果について、次のことがわかっている。なお、引き分けはないものとする。

Ⅰ　PはRだけに負けた
Ⅱ　QはSに勝った

1 必ず正しいといえる推論はどれか。AからHの中で１つ選びなさい。

ア　Sが全敗なら、Rは全勝
イ　Qが１勝２敗なら、Sも１勝２敗
ウ　Rが全勝なら、Qは１勝２敗

○ A　アだけ　○ B　イだけ　○ C　ウだけ
○ D　アとイ　○ E　アとウ　○ F　イとウ
○ G　アとイとウ　○ H　正しい推論はない

2 最も少ない情報ですべての勝敗を確定するには、Ⅰ、Ⅱのほか、次のカ、キ、クのうちどれが加わればよいか。AからHの中で１つ選びなさい。

カ　Rは２勝１敗
キ　Rは１勝２敗
ク　Sは１勝２敗

○ A　カだけ　○ B　キだけ　○ C　クだけ
○ D　カとキ　○ E　カとク　○ F　キとク
○ G　カとキとク　○ H　カ、キ、クのすべてが加わっても確定できない

30秒で解ける超解法!!

対戦表の空欄を確定する条件をさがす

1 総当たり戦で個々の勝敗を問う問題は、言葉で考えても混乱するだけ。とにかく対戦表をメモして、問題文の条件を○×で書き込む。自分から見た勝敗が横に並ぶように作るクセをつけよう。

自分＼相手	P	Q	R	S	
P		○	×	○	←Ⅰ PはRだけに負けた（赤の○×）
Q	×		■	○	←Ⅱ QはSに勝った（黒の○×）
R	○	■		■	
S	×	×	■		

ア Sが全敗なら、Rは全勝 ←■は確定するが、■が確定しない

イ Qが1勝2敗なら、Sも1勝2敗 ←■は確定するが、■が確定しない

ウ Rが全勝なら、Qは1勝2敗 ←■と■が確定する

正解 C

2 同じく、対戦表を見て推論していく。

カ Rは2勝1敗 ←QとSのどちらに勝ったかが不明

キ Rは1勝2敗 ←■と■が確定する
（Rの行が○××、Rの列が×○○）

この問題では、Rの勝敗の確定がポイント。

ク Sは1勝2敗 ←■は確定するが、■が確定しない

正解 B

確認問題 6チームが引き分けのない総当たり戦をした。勝ち数が同じなら同順位とする。2位になるチームの最少の勝ち数はいくつか。 解答➡次ページ下

▶解答・解説は別冊22ページ

練習問題　推論【対戦】

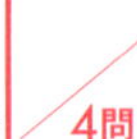

目標時間 4分　4問

73　P、Q、Rの3人がジャンケンをした。1回目は勝負がつかず、2回目は2人が勝った。このとき、次のことがわかっている。なお、3人が同じものを出したか、3人とも違うものを出した場合は勝負がつかないものとする。

Ⅰ　Qは2回ともチョキを出した
Ⅱ　Rは1回だけパーを出した
Ⅲ　2回目にPはチョキを出した

1回目のジャンケンについて、必ずしも誤りとはいえない推論はどれか。AからHの中で1つ選びなさい。

ア　Pはパーを出した
イ　Rはチョキを出した
ウ　Rはパーを出した

○ A　アだけ　　○ B　イだけ　　○ C　ウだけ
○ D　アとイ　　○ E　アとウ　　○ F　イとウ
○ G　アとイとウ　　○ H　必ずしも誤りとはいえない推論はない

74　P、Q、R、S、Tの5氏の面識について、次のことがわかった。

Ⅰ　S氏は3人とだけ会ったことがある
Ⅱ　T氏はP氏とだけ会ったことがある

最も少ない情報で5人全員の面識の有無を確定するには、Ⅰ、Ⅱのほか、次のア、イ、ウのうちどれが加わればよいか。AからHの中で1つ選びなさい。

ア　3人とだけ会ったことがある人物はS氏のほかに1人だけいる
イ　Q氏とR氏は会ったことがある
ウ　P氏とR氏は会ったことがある

○ A　アだけ　　○ B　イだけ　　○ C　ウだけ
○ D　アとイ　　○ E　アとウ　　○ F　イとウ
○ G　アとイとウ　　○ H　ア、イ、ウのすべてが加わっても確定できない

正解　2勝　試合数は6×(6－1)÷2=15(勝ち数15)。2位を最少勝ち数にするため、1位は全勝の5勝。他5チームが2位で、残り10勝を5で割って2勝(3敗)。

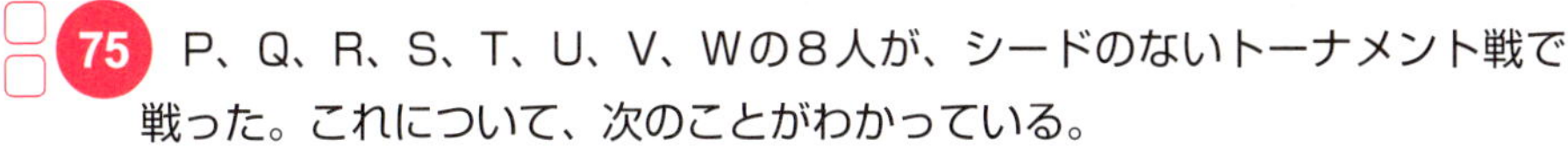

75 P、Q、R、S、T、U、V、Wの8人が、シードのないトーナメント戦で戦った。これについて、次のことがわかっている。

甲　Pは順不同でS、T、Vと戦った
乙　Wは2回戦でR、Tと戦う可能性があった

Wが1回戦で対戦したのは誰か。当てはまるものをすべて選びなさい。

□ A　P　□ B　Q　□ C　R　□ D　S　□ E　T
□ F　U　□ G　V

76 P、Q、R、Sの4人が、ⅠまたはⅡのトーナメント表で戦い、甲と乙の情報を得た。

甲　QはPに負けた
乙　QはRに勝った

表Ⅰ

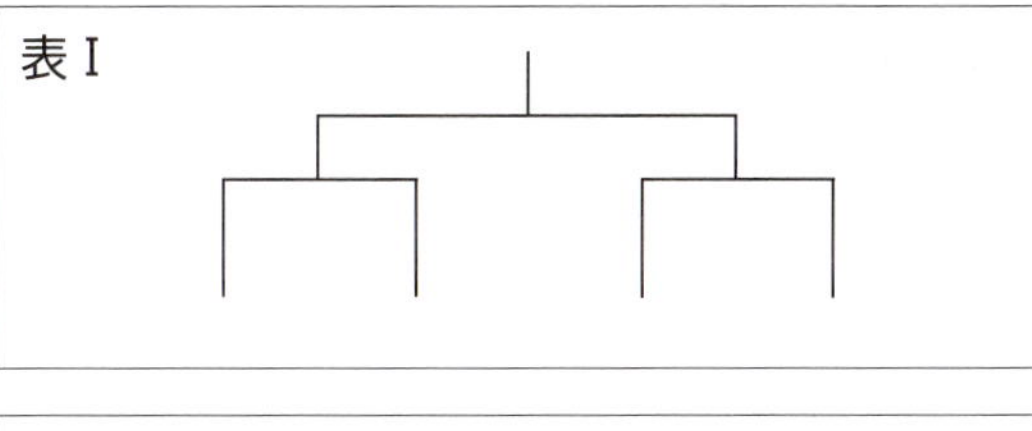

表Ⅱ

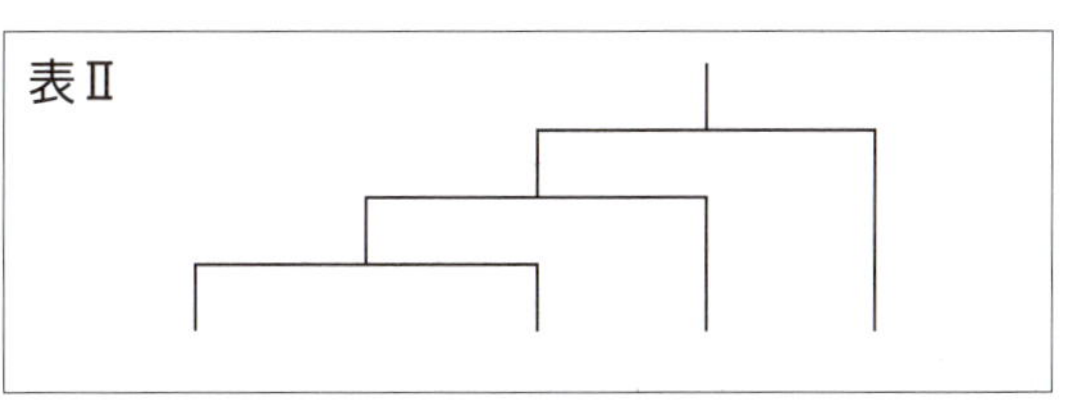

次のア、イ、ウのうち、必ず正しいといえる推論はどれか。AからHの中で1つ選びなさい。

ア　優勝したのはPである
イ　Sは一度しか戦っていない
ウ　トーナメント表Ⅱのとき、Sは2回戦以降に出場する

○ A　アだけ　○ B　イだけ　○ C　ウだけ
○ D　アとイ　○ E　アとウ　○ F　イとウ
○ G　アとイとウ　○ H　正しい推論はない

7 推論【%】

● 食塩水の濃度、人口密度、増加率など、%を用いる推論問題。

これだけは暗記する

● 10%増加は、1.1を掛ける

1年で10%増加する。100の1年後は 100×1.1＝110
100の2年後は 110×1.1＝121

● 食塩水の重さ×濃度＝食塩の重さ

食塩水を100（g）と仮定して考える

● 面積×人口密度＝人口

面積を1（㎢）と仮定して考える

例 題 よくでる

1 【%】ある製品の売上は、前年に比べて毎年10%ずつ増加している。このとき、次の推論について、正しいものをAからCの中で1つ選びなさい。

・この製品の売上は、この3年間で当初よりちょうど30%増加した

○ A 正しい　○ B どちらともいえない　○ C 誤り

2 【濃度】甲、乙、丙の食塩水の濃度を表に示している。食塩水の重さは、甲と丙は同じ、乙は甲の2倍である。次の推論について、正しいものをAからCの中で1つ選びなさい。

	濃度
甲	10%
乙	20%
丙	30%

・含まれている食塩の量は、乙が一番多い

○ A 正しい　○ B どちらともいえない　○ C 誤り

③【人口密度】 甲、乙、丙という３つの町の人口密度（面積１㎢あたりの人口）を次の表に示している。甲と丙の面積は等しく、いずれも乙の半分の大きさである。次の推論について、正しいものをAからCの中で１つ選びなさい。

	人口密度
甲	280
乙	160
丙	330

・人口は乙が一番多い

○ A　正しい　　○ B　どちらともいえない　　○ C　誤り

計算しやすい数を当てはめて暗算する

①【%】 当初を**100**とおくと、

1年後　**100**×1.1=**110**

2年後　**110**×1.1=**121**

3年後　**121**×1.1=**133.1**

と増加していく。3年間では最初より33.1%増加したことになる。

正解　C

②【濃度】 甲と丙の**食塩水の重さ**を**100**、乙の食塩水の重さを**200**とおくとよい。
「**食塩水の重さ**×濃度＝食塩の重さ」で、食塩の重さが一番多いのは乙とわかる。
※10%は0.1または1/10で計算する。

	食塩水	濃度	食塩
甲	**100** ×	10% =	10
乙	**200** ×	20% =	40
丙	**100** ×	30% =	30

正解　A

③【人口密度】 甲と丙の**面積**を**1**、乙の面積を**2**とおくとよい。
「**面積**×人口密度＝人口」で、人口が一番多いのは乙ではなく、丙とわかる。

	面積	人口密度	人口
甲	**1** ×	280 =	280
乙	**2** ×	160 =	320
丙	**1** ×	330 =	330

正解　C

P社は5年間で50%売上が伸びた。これは、5年間で毎年10%ずつ売上が伸びたことになるか？　【 正しい・誤り 】 解答➡次ページ下

▶解答・解説は別冊23ページ

練習問題 推論【%】

77 甲、乙、丙3つの容器に入れた食塩水の濃度を次の表に示している。甲と乙は同じ重さであり、丙は甲の2倍の重さである。次の推論の正誤について、正しいものをAからIの中で1つ選びなさい。

ア　甲と丙の食塩水を混ぜると、乙と同じ濃度になる
イ　甲の食塩水から水を蒸発させて半分の重さにすると、乙と同じ濃度になる

	濃度
甲	10%
乙	20%
丙	30%

○ A　アもイも正しい
○ B　アは正しいがイはどちらともいえない
○ C　アは正しいがイは誤り
○ D　アはどちらともいえないがイは正しい
○ E　アもイもどちらともいえない
○ F　アはどちらともいえないがイは誤り
○ G　アは誤りだがイは正しい
○ H　アは誤りだがイはどちらともいえない
○ I　アもイも誤り

78 P、Q、Rという3つの市の人口密度（人/㎢：面積1㎢あたりの人口）を次の表に示している。P市とR市の面積は等しく、Q市の面積はP市の面積の3分の2である。

	人口密度
P市	310
Q市	330
R市	210

1 次の推論の正誤を答えなさい。
ア　P市の人口はR市の1.5倍より多い
○ A　正しい　○ B　どちらともいえない　○ C　誤り

2 P市とQ市が合併し、新しいS市ができる場合と、P市とR市が合併し、新しいT市ができる場合、次の推論の正誤を答えなさい。

① イ　S市の人口密度は320人/㎢より大きくなる
○ A　正しい　○ B　どちらともいえない　○ C　誤り

② ウ　T市の人口密度は250人/㎢より大きくなる
○ A　正しい　○ B　どちらともいえない　○ C　誤り

正解 誤り　毎年10%増加した場合、最初を100とすると、5年後は約161になり、最初よりも約61%の増加になる。

79 ある物質Kを溶かした赤い水溶液の濃度を次の２つの方法で調べた。

Ⅰ　濃度＝物質の質量÷水の質量×100

Ⅱ　濃度＝物質の質量÷(水の質量＋物質の質量)×100

1 右の表は、Ⅰで調べたときの赤い水溶液X、Y、Zの濃度を示したものである。なお、X、Y、Zの重さは等しいとは限らない。次の推論の正誤について、正しいものをAからIの中で１つ選びなさい。

	濃度
X	10%
Y	10%
Z	20%

ア　Ⅰで調べるとき、XとYを混ぜるとZと同じ濃度になる

イ　Ⅱで調べるとき、XとYを混ぜるとZの２分の１の濃度になる

○ A　アもイも正しい
○ B　アは正しいがイはどちらともいえない
○ C　アは正しいがイは誤り
○ D　アはどちらともいえないがイは正しい
○ E　アもイもどちらともいえない
○ F　アはどちらともいえないがイは誤り
○ G　アは誤りだがイは正しい
○ H　アは誤りだがイはどちらともいえない
○ I　アもイも誤り

2 物質Kを溶かした赤い水溶液Wがある。ここに同じ質量の物質Kを入れてWの中のKの質量が2倍になるようにした。このとき、次の推論の正誤について、正しいものをAからIの中で１つ選びなさい。

カ　Ⅰで調べるとき、濃度は元の水溶液Wの２倍になる。

キ　Ⅱで調べるとき、濃度は元の水溶液Wの２倍になる。

○ A　カもキも正しい
○ B　カは正しいがキはどちらともいえない
○ C　カは正しいがキは誤り
○ D　カはどちらともいえないがキは正しい
○ E　カもキもどちらともいえない
○ F　カはどちらともいえないがキは誤り
○ G　カは誤りだがキは正しい
○ H　カは誤りだがキはどちらともいえない
○ I　カもキも誤り

8 推論【位置関係】

● 建物、部屋、座席などの位置関係や配置を問う推論問題。

位置関係はセットで考える

PとQが隣同士 → **PQ（または QP）**

Pの隣の隣がR → **P○R（または R○P）**

例題　よくでる

A、B、C、D、Eの5人が、カウンターに向かって一列に並んだ6つの席のいずれかに座っている。各自の座り方について、次のことがわかっている。

Ⅰ　Aの隣に空席があった
Ⅱ　BとCの席は隣り合っていた
Ⅲ　両端の席は空席ではなかった

①　②　③　④　⑤　⑥

1　DとEの席が隣り合っていたとき、Aの座った席として可能性があるのは左から何番目か。当てはまるものをすべて選びなさい。

□ A　1番目　□ B　2番目　□ C　3番目
□ D　4番目　□ E　5番目　□ F　6番目

2　Cの隣に空席があったとき、Dの座った席として可能性があるのは左から何番目か。当てはまるものをすべて選びなさい。

□ A　1番目　□ B　2番目　□ C　3番目
□ D　4番目　□ E　5番目　□ F　6番目

決まっている関係はワンセットにしてメモする

Ⅰ　Aの隣に空席○があった → **A○（○A）でワンセット**

Ⅱ　BとCの席は隣り合っていた → **BC（CB）でワンセット**

Ⅲ　両端の席は空席ではなかった → **○は両端に来ない**

1　DとEの席が隣り合っていた → **DE（ED）でワンセット**

隣り合うA○、BC、DEという3つのセットで考える。

両端は空席○ではないので、A○のセットが端に来るときは、必ずAが端で○は内側に来る。→ **A○ BC DE、 BC DE ○A**　など

A○が両端でないときは、A○、○Aのどちらもあり得る。

→ **BC A○ DE、 DE ○A BC**　など

従って、Aの席は2、5番目以外の1、3、4、6番目。

正解 ACDF

2　空席○は1つで、Aの隣に○、BCのCの隣にも○なので、

→ **A○CB　または　BC○A でワンセット ←4とする**

問われているのはDの席で【A○CB】の並びは無関係なので、【4】として4・D・Eの組み合わせを考えればよい。あり得る並び方は次の通り。

DE4　ED4　D4E　E4D　4DE　4ED

従って、Dの席は1、2、5、6番目。

正解 ABEF

試験場では▶ムダなメモは不要

すべての位置ではなく、問われているものの位置がわかればよい。**1**ではAが2番目、5番目に来ないことがわかれば、メモしないで頭の中で1、3、4、6番目と答えを出す。

A ○　　　○ A

→Aは②と⑤以外

確認問題　A地点の南西1㎞に駅がある。A地点で駅を向いて立つと、左1㎞に大学がある。大学は駅から見てどの方角か？ 解答➡次ページ下

▶解答・解説は別冊24ページ

練習問題 推論【位置関係】

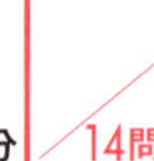

80 東西に延びる60mの通りに、駅を真ん中にして10m間隔で駅と店が並んでいる。P、Q、R、Sという4店について、次のことがわかっている。

Ⅰ　Pは駅からもQからも10m離れている

Ⅱ　RはPからもSからも20m離れている

4店のある場所ではない位置に、Tという店があることがわかった。Tはどこにあるか。当てはまる□を下からすべて選んで✔をつけなさい。

西←　□　□　□　駅　□　□　□　→東

81 赤、緑、青の皿が全部で5枚ある。これらを次の条件で横一列に並べた。

Ⅰ　赤い皿は2枚あり、赤い皿同士は隣り合わない

Ⅱ　青い皿と赤い皿は隣り合わない

このとき青い皿の位置としてあり得るものはどこか。当てはまる□を下からすべて選んで✔をつけなさい。

左←　□　□　□　□　□　→右

82 家から駅までの道に等間隔で商店P、Q、R、S、Tがある。5店の並び方について、次のことがわかっている。

Ⅰ　家から見てQはPより遠い

Ⅱ　駅から見てTはSより近い

Ⅲ　家から見てPの次にRがある

1　Tはどこにあるか。当てはまる□を下からすべて選んで✔をつけなさい。

家←　□　□　□　□　□　→駅

2　QとSの間隔はQとTの間隔より広い。Sはどこにあるか。当てはまる□を下からすべて選んで✔をつけなさい。

家←　□　□　□　□　□　→駅

正解　東　東西南北の図（北が上、東が右）で右の通り。　駅　A　大学は駅の東

83 ３人の男性Ｐ、Ｑ、Ｒと３人の女性Ｓ、Ｔ、Ｕの計６人が、横一列に並んで写真撮影をする。並び方について、次の条件がある。

Ⅰ　ＰはＳよりも西にする
Ⅱ　両端は女性にする
Ⅲ　Ｑの両隣は男性ではない

1　ＱがＴの１つ西になるとき、Ｓはどこになるか。当てはまる□を下からすべて選んで✔をつけなさい。

西←　□　□　□　□　□　□　→東

2　Ｐが、Ｔ・Ｕと隣にならないとき、Ｒはどこになるか。当てはまる□を下からすべて選んで✔をつけなさい。

西←　□　□　□　□　□　□　→東

84 Ａ、Ｂ、Ｃ、Ｄ、Ｅ、Ｆという横幅１ｍの６枚の絵画が、壁に横一列に並んでいる。隣り合う絵画の中心同士の距離は５ｍである。絵の並び方について、次のことがわかっている。なお、距離とは絵画の中心同士の距離を指す。

Ⅰ　ＥはＤより東にある
Ⅱ　ＡとＢの距離は５ｍである
Ⅲ　ＣとＤの距離は10ｍである

1　ＡとＣの距離が５ｍのとき、Ａの位置はどこか。当てはまる□を下からすべて選んで✔をつけなさい。

西←　□　□　□　□　□　□　→東

2　ＡとＣの距離が20ｍのとき、Ｄの位置はどこか。当てはまる□を下からすべて選んで✔をつけなさい。

西←　□　□　□　□　□　□　→東

➡次ページに続く

85 P、Q、R、S、T、U、Vの７人が、アパートの各部屋に１人ずつ住んでいる。アパートは図のような２階建てで、次のことがわかっている。

201	202	203	204
101	102	103	104

Ⅰ　103号室は空き室である
Ⅱ　PはUの隣に住んでいる
Ⅲ　Qの部屋の真下がRの部屋である
Ⅳ　VはUの真上に住んでいる

1　次のうち、必ずしも誤りとはいえない推論はどれか。

ア　Qは202号室に住んでいる
イ　Sは203号室に住んでいる
ウ　Vは202号室に住んでいる

○ A　アだけ　○ B　イだけ　○ C　ウだけ
○ D　アとイ　○ E　アとウ　○ F　イとウ
○ G　アとイとウ　○ H　必ずしも誤りとはいえない推論はない

2　最も少ない情報で７人の住んでいる部屋を確定するためには、ⅠからⅣまでの情報のほかに、次のカ、キ、クのうち、どれが加わればよいか。

カ　Uは空き室の隣に住んでいる
キ　SはVの隣に住んでいる
ク　Tは端の部屋に住んでいる

○ A　カだけ　○ B　キだけ　○ C　クだけ
○ D　カとキ　○ E　カとク　○ F　キとク
○ G　カとキとク　○ H　カ、キ、クのすべてが加わってもわからない

86 カップ7個を横一列に並べてから、そのうちの1個にサイコロを入れて、サイコロといっしょに、カップを次の順番で並びかえた。

左 1 2 3 4 5 6 7 右

Ⅰ　真ん中を2つ隣と入れかえる

Ⅱ　次に右から2つ目を1つ隣と入れかえる

Ⅲ　次に両端を入れかえる

1 最初に真ん中（4）のカップにサイコロが入っていた場合、最後にサイコロが入っているカップの位置はどれか。当てはまるものをすべて選びなさい。

□ A　1　□ B　2　□ C　3　□ D　4
□ E　5　□ F　6　□ G　7

2 最後に左端（1）のカップにサイコロが入っていた場合、最初にサイコロが入っていたカップの位置はどれか。当てはまるものをすべて選びなさい。

□ A　1　□ B　2　□ C　3　□ D　4
□ E　5　□ F　6　□ G　7

87 P、Q、R、S、T、Uの6人が、下のような円いテーブル席①～⑥に座っている。各自の席の位置について、次のことがわかっている。

① ② ③ ④ ⑤ ⑥

Ⅰ　PとQは向かい合わせである

Ⅱ　RとSは隣り合っている

※向かい合わせの席は①と④、②と⑤、③と⑥

1 Sが②の席のとき、Pはどの席か。当てはまるものをすべて選びなさい。

□ A　①　□ B　③　□ C　④　□ D　⑤　□ E　⑥

2 Uが⑥の席のとき、Rはどの席か。当てはまるものをすべて選びなさい。

□ A　①　□ B　②　□ C　③　□ D　④　□ E　⑤

9 順列・組み合わせ【並べ方と選び方】

● 順列・組み合わせはSPI頻出の最重要分野。必ずマスターしておくこと。

順列と組み合わせの違い

順列→順番に並べる ●6人から2人を選んで並べる

$${}_6P_2 = 6\times5 = 30\text{通り}$$

6から下へ2回掛ける

◀順番を決める

組み合わせ→選ぶだけ ●6人から2人を選ぶ

$${}_6C_2 = \frac{6\times5}{2\times1} = 15\text{通り}$$

分子←6から下へ2回掛ける

分母←2から1まで掛ける

◀順番を決めない

例題　よくでる

新聞部の部員は、男子５人と女子３人の８人である。

1 この８人の中から、部長と副部長を１人ずつ選びたい。選び方は何通りあるか。

○ A　14通り　○ B　28通り　○ C　56通り

2 この８人の中から、取材担当を２人選びたい。選び方は何通りあるか。

○ A　14通り　○ B　28通り　○ C　56通り

3 この８人の中から、男子を少なくとも１人は入れて、文化祭の発表係を３人選びたい。選び方は何通りあるか。

○ A　45通り　○ B　55通り　○ C　56通り

順列か組み合わせかを判断して公式を使う

1 8人から2人を区別して選ぶので、順番に並べる順列と考える。

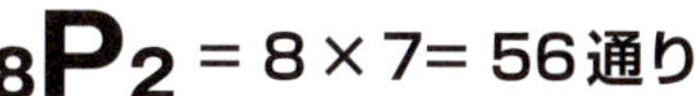

$${}_8P_2 = 8 \times 7 = 56\text{通り}$$

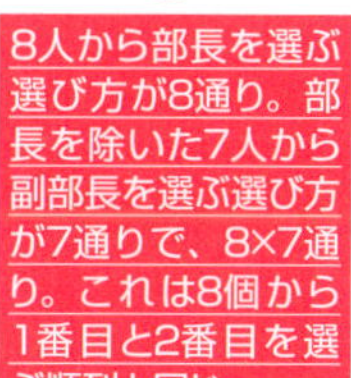

8人から部長を選ぶ選び方が8通り。部長を除いた7人から副部長を選ぶ選び方が7通りで、8×7通り。これは8個から1番目と2番目を選ぶ順列と同じ。

正解　C

2 8人から2人を選ぶ組み合わせ。

$${}_8C_2 = \frac{8 \times 7}{2 \times 1} = 28\text{通り}$$

正解　B

3 「少なくとも」とあったら余事象（男子を１人も選ばない組み合わせ）をすべての場合の数から引くことを考える。ここでは、すべての場合の数は「８人から３人を選ぶ」組み合わせの数。そこから「男子を１人も選ばない」、つまり「３人とも女子」の組み合わせの数を引けばよい。
「８人から３人を選ぶ」組み合わせの数は、

$${}_8C_3 = \frac{8 \times 7 \times 6}{3 \times 2 \times 1} = 56\text{通り}$$

余事象とは、ある事象に対してそれが起こらない事象のこと。例えば、「さいころを振って奇数が出る」の余事象は「偶数の目が出る」こと。

「３人とも女子」の組み合わせは、女子３人から３人を選ぶので、

１通り

「８人から３人を選ぶ」56通りから、「３人とも女子」１通りを引く。

56－１＝55通り

正解　B

試験場では▶手間の少ない計算を心がける

「10個から８個を選ぶ」組み合わせの数は、「10個から選ばない２個を選ぶ」組み合わせの数と同じなので、${}_{10}C_8$ではなく、計算が楽な${}_{10}C_2$で計算する。

$${}_{10}C_8 = {}_{10}C_2 = \frac{10 \times 9}{2 \times 1} = 45$$

$$\frac{10 \times 9 \times 8 \times 7 \times 6 \times 5 \times 4 \times 3}{8 \times 7 \times 6 \times 5 \times 4 \times 3 \times 2 \times 1}$$

男性５人、女性４人がいる。男性３人、女性１人になるように掃除当番を選ぶとき、組み合わせは何通りあるか？ 解答➡次ページ下

▶解答・解説は別冊26ページ

練習問題 順列・組み合わせ【並べ方と選び方】

目標時間 13分 / 13問

88 大人3人、子供4人がいる。ここから大人2人、子供2人を選んでリレーチームを作りたい。このとき走る順番は何通りあるか。

○ A　144通り　○ B　288通り　○ C　432通り　○ D　840通り

89 料理教室には月、水、金のいずれかで週1回、テニススクールには火、水、木、金のいずれかで週2回行きたい。同じ曜日に2つの習い事が重ならないように通う組み合わせは何通りあるか。

○ A　11通り　○ B　12通り　○ C　22通り　○ D　24通り

90 オランダ、フランス、イタリア、スペイン、ドイツの5カ国のうちから3カ国を選んで旅行したい。少なくともオランダかフランスのどちらかを入れる選び方は何通りあるか。

○ A　8通り　○ B　9通り　○ C　10通り　○ D　11通り

91 日本史4問、世界史3問から、4問を選んでテストに出題する。日本史と世界史のどちらも少なくとも1問は選ぶ場合、選び方は何通りあるか。ただし、出題する順番は考えないものとする。

○ A　14通り　○ B　34通り　○ C　35通り　○ D　68通り

92 男性5人、女性4人がいる。

1 少なくとも男性2人と女性1人が含まれるように5人を選びたい。選び方は何通りあるか。

○ A　14通り　○ B　105通り　○ C　120通り　○ D　126通り

2 男女のペアを同時に2組選びたい。選び方は何通りあるか。

○ A　16通り　○ B　60通り　○ C　120通り　○ D　2400通り

正解 40通り　男性5人から3人を選ぶ組み合わせは ${}_5C_3={}_5C_2=(5\times4)\div(2\times1)=10$ 通り。女性4人から1人を選ぶのは4通り。$10\times4=40$ 通り

93 赤玉3個、白玉3個、黒玉3個、計9個の玉がある。ただし、同じ色の3個には区別はないものとする。

1 3個を取り出すとき、3個の色の組み合わせは何通りあるか。

○ A 5通り　○ B 6通り　○ C 10通り　○ D 84通り

2 7個を取り出すとき、7個の色の組み合わせは何通りあるか。

○ A 5通り　○ B 6通り　○ C 18通り　○ D 36通り

94 P、Q、Rの3人で交代制で展示会の受付をする。受付は1人で行い、1時間ごとに必ず別の人に交代するものとする。

1 1日目は5時間受付をする。1回も受付をしない人がいてもよい場合、受付の順番の組み合わせは何通りあるか。

○ A 21通り　○ B 32通り　○ C 48通り　○ D 64通り

2 2日目は4時間受付をする。1人が最低1回は受付をする場合、受付の順番の組み合わせは何通りあるか。

○ A 16通り　○ B 18通り　○ C 24通り　○ D 36通り

95 P氏とQ氏が将棋で対戦し、先に4勝した方がタイトルを獲得する。なお、引き分け（千日手、持将棋）はないものとする。

1 6局目終了までに決着がつく場合、考えられるパターンは何通りあるか。

○ A 10通り　○ B 18通り　○ C 20通り　○ D 30通り

2 7局目に決着がつき、P氏が勝った。考えられるパターンは何通りあるか。

○ A 20通り　○ B 35通り　○ C 40通り　○ D 120通り

3 今までにP氏が3勝、Q氏が1勝している。ここから、今後決着がつくまでのパターンは何通りあるか。

○ A 2通り　○ B 4通り　○ C 6通り　○ D 10通り

確認問題 午前に3人、午後に5人、合計8人の講演者がいる。午前に2人以上、合計で5人の講演を聴く場合、選び方は何通りあるか？ 解答➡次ページ下

テストセンター ○　ペーパーテスト ○

10 順列・組み合わせ【席決め・塗り分け】

● テーブル席の座り方、図形の塗り分けなど、順列の公式を使う問題。

順列の公式で解く

4つの席に3人が座る座り方

$${}_4P_3 = 4 \times 3 \times 2 = 24 \text{通り}$$

1人が座るごとに席が減っていく。
・Aが選べる席は①~④の4席
・Bは(A以外の席)3席
・Cは(AとB以外の席)2席

例題　よくでる

1【席決め】P、Q、R、Sの4人で、①~⑥の番号がついたテーブル席に座りたい。

①
②　⑥
③　⑤
④

1 ①にPが座ったときの座り方は何通りか。

○ A　30通り　○ B　60通り　○ C　120通り

2 ①にPが座り、QとRが向かい合う座り方は何通りか。

○ A　6通り　○ B　12通り　○ C　24通り

2【塗り分け】右の図形を塗り分けたい。ただし、線で隣り合う領域には同じ色が使えないものとする。

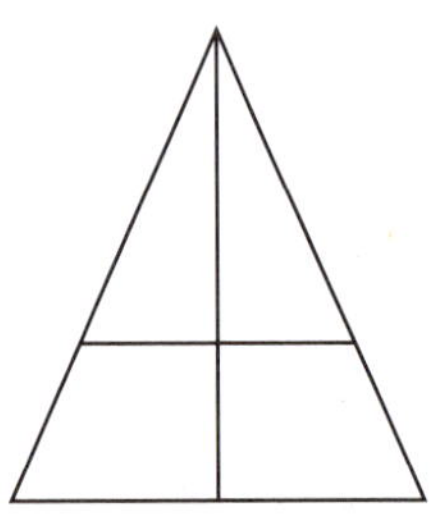

1 2色で塗り分けるとき、色の塗り方は何通りか。

○ A　2通り　○ B　4通り　○ C　6通り

2 3色で塗り分けるとき、色の塗り方は何通りか。ただし、3色のうち使わない色があってもよいものとする。

○ A　18通り　○ B　36通り　○ C　72通り

正解 40通り　午前3人から2人、午後5人から3人…${}_3C_2 \times {}_5C_3$＝30通り。午前3人から3人、午後5人から2人…${}_3C_3 \times {}_5C_2$＝10通り。30＋10=40通り

30秒で解ける超解法!!

場合分けして考える

❶【席決め】

①には、Pが座る
❶
②
⑥
③
⑤
④
①にPが座るので、QとRは④には座れない。Sは座れる。

1 P以外のQ、R、Sの3人が①以外の5席に座る並び方。5席から3人が座る3席を選ぶ順列になる。

$$_5P_3 = 5 \times 4 \times 3 = 60\text{通り}$$

正解 B

2 QとRが向かい合うのは(②と⑥)(⑥と②)(③と⑤)(⑤と③)。この4通りについて、残った席3つからSが座る席を選ぶ選び方が各3通りなので、

$$4 \times 3 = 12\text{通り}$$

正解 B

❷【塗り分け】

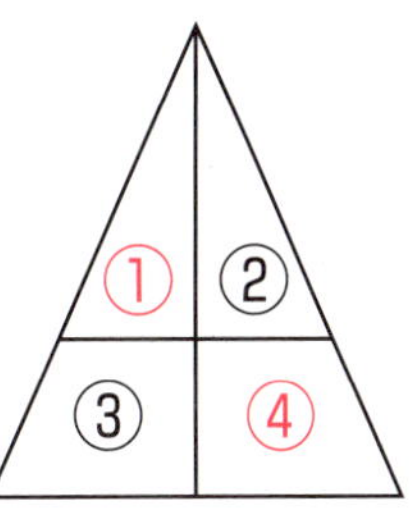

①
②
③
④

1 2色では、(①④)と(②③)を塗り分けるパターンだけ。2色を2カ所に並べる順列なので、

$$_2P_2 = 2 \times 1 = 2\text{通り}$$

正解 A

2 ❶【2色で塗る場合】塗り分けは1と同じパターン。3色から2色を選んで並べる順列と考えて、

$$_3P_2 = 3 \times 2 = 6\text{通り}$$

❷【3色で塗る場合】(①④)、②、③の3カ所に3色、または(②③)、①、④の3カ所に3色を塗る2つの場合なので、3色を3カ所に並べる順列を2倍して、

$$_3P_3 \times 2 = 12\text{通り}$$

【別解】赤青白なら、①④に赤→②青③白か②白③青の2通り。②③に赤→①青④白か①白④青の2通り。2+2=4通りが3色について同様なので4×3=12通り。

❶と❷の場合は同時には起きないので、❶と❷をたし合わせて、

$$6 + 12 = 18\text{通り}$$

正解 A

確認問題 P、Q、R、S、Tの5人を3人と2人のチームに分けたい。Qが3人チームに入る組み合わせは何通りあるか？ 解答➡次ページ下

▶解答・解説は別冊28ページ

練習問題 順列・組み合わせ【席決め・塗り分け】

目標時間 10分 ／10問

96 P、Q、R、S、T、Uの6人で、下図のアまたはイ、どちらかのテーブルにまとまって座りたい。ただし、各テーブルの席には①から⑥までの番号がつけられていて、区別するものとする。

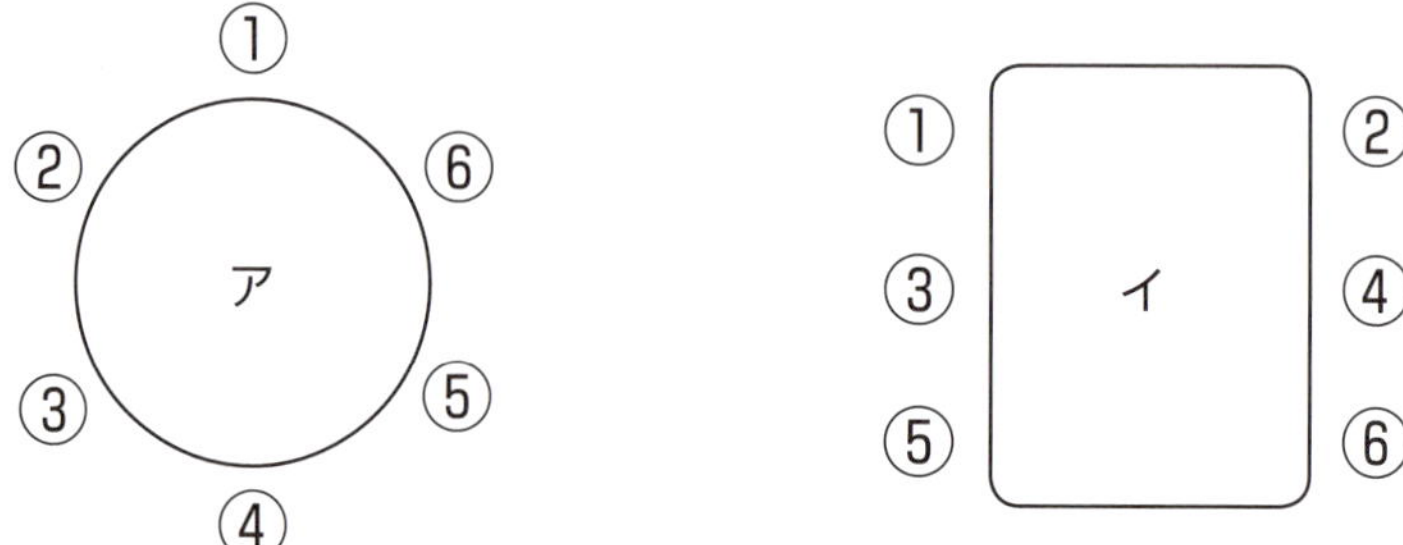

1 アのテーブルで、PとQが隣同士になるように6人が座る座り方は何通りか。

○ A 36通り ○ B 48通り ○ C 144通り ○ D 288通り

2 アのテーブルで、②にPが座った。このときQとRの2人が向かい合うように6人が座る座り方は何通りか。なお、「向かい合う」とは、①と④、②と⑤、③と⑥の位置関係である。

○ A 24通り ○ B 36通り ○ C 72通り ○ D 144通り

3 イのテーブルで、PとQが向かい合うように6人が座る座り方は何通りか。なお、「向かい合う」とは、①と②、③と④、⑤と⑥の位置関係である。

○ A 24通り ○ B 36通り ○ C 72通り ○ D 144通り

4 イのテーブルで、PとQが隣同士にならないように6人が座る座り方は何通りか。

○ A 24通り ○ B 132通り ○ C 264通り ○ D 528通り

正解 6通り 3人チームの1人はQに決定済み。3人チームの残り2人を決めれば、2人チームは自然と決まる。$_4C_2$＝6通り

97 下の図形アと図形イの線で囲まれた領域すべてに色を塗りたい。

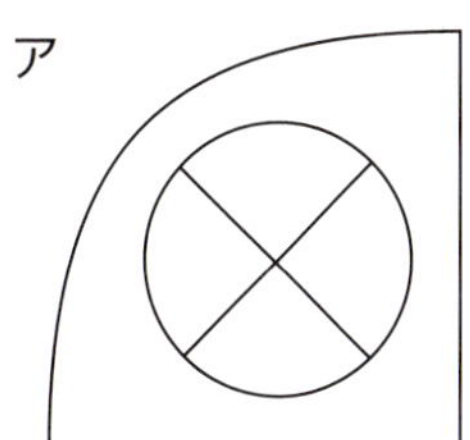

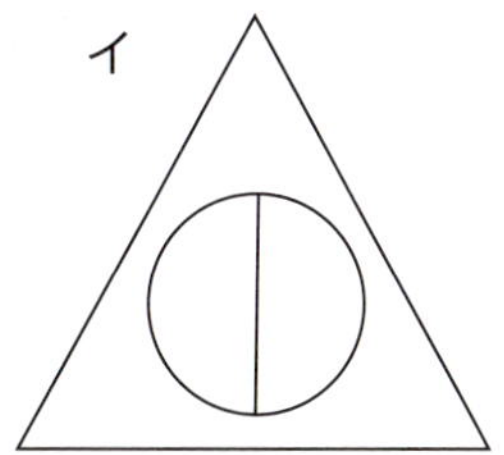

1 図形アに色を塗りたい。赤、青、黄の３色が使えるとき、色の塗り方は何通りか。ただし、線で隣り合う領域には同じ色が使えないものとする。

○ A　３通り　○ B　４通り　○ C　６通り　○ D　12通り

2 図形イに色を塗りたい。赤、青、黄、緑の４色が使えるとき、色の塗り方は何通りか。ただし、線で隣り合う領域には同じ色が使えないものとする。

○ A　４通り　○ B　６通り　○ C　12通り　○ D　24通り

98 男性４人、女性２人が並んで写真を撮ることになった。

1 ６人が横一列になって、女性２人が真ん中に入る並び方は何通りあるか。

○ A　６通り　○ B　24通り　○ C　48通り　○ D　144通り

2 前列３人、後列３人で並び、女性２人を前列にする並び方は何通りあるか。

○ A　６通り　○ B　24通り　○ C　48通り　○ D　144通り

99 V、W、X、Y、Zの５人を縦一列に並ぶ５席に座らせる。

1 Vが前から３番目に入り、Vより前にZがいない並べ方は何通りあるか。

○ A　６通り　○ B　12通り　○ C　24通り　○ D　48通り

2 Yより前にWがいて、Yより後ろにXがいる並べ方は何通りあるか。

○ A　10通り　○ B　14通り　○ C　20通り　○ D　24通り

確認問題 P、Q、R、S、Tの５人を３人と２人のチームに分けたい。SとTが同じチームに入る組み合わせは何通りあるか？ 解答➡次ページ下

11 順列・組み合わせ【カード・コイン・サイコロ】

● カード、コイン、サイコロを使う問題は、SPIの定番。

例題 よくでる

1【カード】0、1、2、3、4のカードが1枚ずつ、計5枚ある。これらから3枚を選び、1列に並べて3けたの数を作る。ただし、0を百の位に使うことはできない。

0	1	2	3	4

1 奇数は何通り作れるか。

○ A 6通り ○ B 9通り ○ C 18通り
○ D 36通り ○ E AからDのいずれでもない

2 320より大きな数は何通り作れるか。

○ A 12通り ○ B 17通り ○ C 18通り
○ D 36通り ○ E AからDのいずれでもない

2【コイン】コインを5回投げたとき、表が2回だけ出るような表裏の出方は何通りあるか。

表 裏

○ A 5通り ○ B 6通り ○ C 10通り
○ D 20通り ○ E AからDのいずれでもない

3【サイコロ】サイコロXとサイコロYを同時に振った。出た目の積が5の倍数になる組み合わせは何通りあるか。ただし、「Xが1でYが6」と「Xが6でYが1」は別の組み合わせとして数えるものとする。

○ A 5通り ○ B 10通り ○ C 11通り
○ D 12通り ○ E AからDのいずれでもない

正解 4通り　SとTが2人チームになる組み合わせは1通り。3人チームになる組み合わせは、残りの3人から1人を選ぶので$_3C_1$＝3通り。1＋3＝4通り

いろいろな解法パターンを覚える

❶【カード】

1 奇数になるのは、一の位が1か3の2通りだけ。
【一の位が1の場合】百の位は（2、3、4）の**3通り**。十の位は（0、2、3、4）の4通りだが、百の位ですでに使ってしまった数字を除くので**3通り**。従って**3×3＝9通り**。これは、一の位で3を使うときも同様なので、

9×2＝18通り 　**正解 C**

2 320より大きな数になるのは、百の位が4か3の場合。
【百の位が4の場合】十の位は（0、1、2、3）の**4通り**。一の位は十の位で使った数を除いた**3通り**。従って、**4×3＝12通り**。
【百の位が3の場合】321、324、340、341、342の**5通り**。

12＋5＝17通り 　**正解 B**

❷【コイン】例えばコインを3回投げて表が2回だけ出る出方は、**1、2、3回のうち表を2回だけ選ぶ組み合わせの数**なので**$_3C_2$通り**（表表裏、表裏表、裏表表）となる。つまり、**コインをn回投げて表（裏）がr回出る出方は、$_nC_r$通り**。同様に、5回投げて表が2回だけ出る出方は、5回のうち2回の「表」を選ぶ組み合わせの数になる。

$$_5C_2 = \frac{5\times4}{2\times1} = 10\text{通り}$$

正解 C

❸【サイコロ】出た目の積が5の倍数になるのは、XかYに5の目が出たとき。「Xが5」のときは「Yが1～6の**6通り**」。「Yが5」のときは「Xが1～6の6通り」だが、ダブっている「5・5」の1通りを除くので、**5通り**。従って、

6＋5＝11通り 　**正解 C**

【別解】積が5の倍数になるのは、少なくとも一方に5が出たとき。すべての組み合わせから、余事象【Xが1～4と6（5以外の5通り）、Yが1～4と6（5以外の5通り）】を引けば求められる。

6×6－5×5＝36－25＝11通り

確認問題　10円、100円、500円のコインがある。どの種類を何枚使ってもよいとき、600円を作る組み合わせは何通りあるか？ 解答➡次ページ下

▶解答・解説は別冊30ページ

練習問題　順列・組み合わせ【カード・コイン・サイコロ】

目標時間 10分　10問

100 1、2、3、4、5、6の数字を使って整数を作りたい。

1 各位の数字が異なる４けたの整数の個数はいくつか。

○ A　15個　○ B　60個　○ C　180個
○ D　360個　○ E　AからDのいずれでもない

2 各位の数字が異なる４けたの５の倍数の個数はいくつか。

○ A　15個　○ B　60個　○ C　180個
○ D　360個　○ E　AからDのいずれでもない

3 末尾が111である6けたの整数の個数はいくつか。ただし、同じ数字を何回使ってもよいものとする。

○ A　6個　○ B　36個　○ C　180個
○ D　216個　○ E　AからDのいずれでもない

101 0、1、2、3、4、5のカードが１枚ずつ、計６枚ある。このうち何枚かを１列に並べて数を作る。ただし、0を一番上の位に使うことはできない。

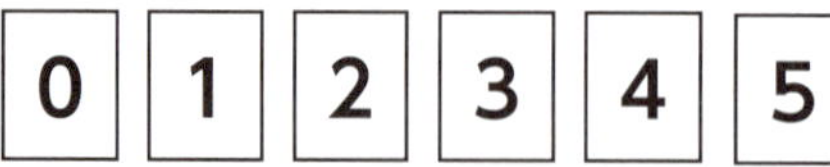

1 0と3がどの位にも入っていない3けたの自然数は何通り作れるか。

○ A　6通り　○ B　12通り　○ C　24通り
○ D　48通り　○ E　AからDのいずれでもない

2 54320より大きな自然数は何通り作れるか。

○ A　300通り　○ B　301通り　○ C　600通り
○ D　601通り　○ E　AからDのいずれでもない

正解 9通り　500円１枚(＋100円１枚or10円10枚)で２通り。100円6枚～100円１枚(＋10円○枚)で6通り。10円60枚で１通り。2＋6＋1=9通り

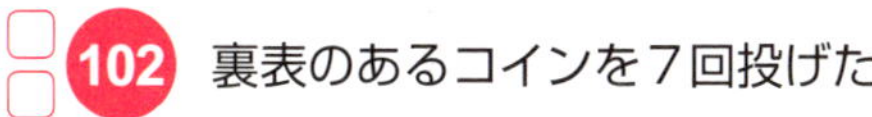

102 裏表のあるコインを７回投げた。

1 表が４回だけ出るような表裏の出方は何通りあるか。

○ A 24通り ○ B 35通り ○ C 70通り
○ D 840通り ○ E AからDのいずれでもない

2 裏が５回以上出るような表裏の出方は何通りあるか。

○ A 21通り ○ B 22通り ○ C 28通り
○ D 29通り ○ E AからDのいずれでもない

103 P、Q、R、Sという４つのサイコロがある。P、Q、R、Sの順に１回ずつ振ったとき、次の各問いに答えなさい。

1 Pがほかの３つのサイコロよりも大きい目、Q、R、Sが同じ目となるような組み合わせは何通りあるか。

○ A 15通り ○ B 28通り ○ C 36通り
○ D 56通り ○ E AからDのいずれでもない

2 P、Q、R、Sの順に小さくなっていくような組み合わせは何通りあるか。

○ A 15通り ○ B 28通り ○ C 36通り
○ D 56通り ○ E AからDのいずれでもない

3 PとQ、RとSがそれぞれ同じ目となる組み合わせは何通りあるか。ただし、すべてのサイコロの目が同じであってもよい。

○ A 15通り ○ B 28通り ○ C 36通り
○ D 56通り ○ E AからDのいずれでもない

テストセンター ○　ペーパーテスト ×

12 順列・組み合わせ【重複・円・応用】

● 頻繁には出ないが、SPIの中で最も難しいパターンのひとつ。

できれば覚えておきたい公式

● 重複順列：n種類からr個を取って並べる → n^r 通り

● 重複組み合わせ：n種類からm個を取り出す →

$_{n+m-1}C_m$ 通り

3種類から5個→ $_{3+5-1}C_5 = {}_7C_5 = {}_7C_2$ 通り

● 円順列：n個を円に並べる → $(n-1)!$ 通り

※SPIの問題は、これらの公式を使わなくても解けるようになっています。

例題

❶【重複順列】1から4までの数字を使って、3けたの整数は何通りできるか。ただし、同じ数字を重複して使ってもよいものとする。

○ A　14通り　○ B　28通り　○ C　64通り

❷【重複組み合わせ】リンゴ、ミカン、カキ、バナナの4種類の果物がたくさん入った箱がある。ここから2個取り出すときの選び方は何通りあるか。

○ A　6通り　○ B　9通り　○ C　10通り

❸【円順列】4人が手をつないで円になる。このときの並び方は何通りあるか。

○ A　6通り　○ B　12通り　○ C　24通り

それぞれの解法パターンを覚えておく

❶【重複順列】百の位の数字は1、2、3、4の4通り。十の位の数字も1、2、3、4の4通り。一の位の数字も1、2、3、4の4通り。つまり、

4×4×4＝64通り

【別解】重複順列の公式を使う。4種類のものから3個を取り出して並べる。

$$n^r = 4^3 = 4\times4\times4 = 64\text{通り}$$

正解 C

❷【重複組み合わせ】リンゴとミカン、リンゴとカキ…などとパターンをすべて書いていては、時間がたりない。場合分けで考えることが大切。

【種類が同じ場合】4通り（リンゴ、ミカン、カキ、バナナの4種類）

【種類が違う場合】4種類から2個を選ぶ組み合わせで、${}_4C_2$=6通り

4＋6=10通り

【別解】重複組み合わせの公式を使う。4種類から2個を取り出す。

$${}_{4+2-1}C_2 = {}_5C_2 = \frac{5\times4}{2\times1} = 10\text{通り}$$

正解 C

❸【円順列】順列では${}_4P_4$＝4! 通り＝4×3×2×1＝24通り。しかし、円形なので、4人をA、B、C、Dとすると、下の4つの並びは同じものと考えられる。

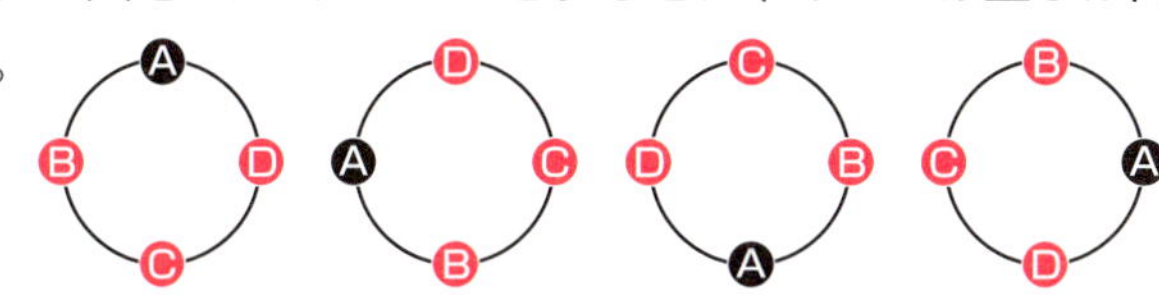

同じものを4回重複して数えているので、順列4!を4で割って、

4!÷4＝(4×3×2×1)÷4＝6通り

※Ⓐを固定して考えて、他の3人ⒷⒸⒹの順列**${}_3P_3$=6通り**と考えてもよい。

【別解】円順列の公式を使う。4人を円に並べる。

(4－1)！＝3×2×1＝6通り

正解 A

黒石と白石がたくさん入った碁石の容器から10個を取り出すとき、組み合わせは何通りあるか？ 解答➡次ページ下

▶解答・解説は別冊31ページ

練習問題　順列・組み合わせ【重複・円・応用】

目標時間 21分　21問

104 リンゴ3個、ミカン3個、カキ2個がある。ただし、リンゴ、ミカン、カキの中で区別はないものとする。

1 ここから4個を取り出したい。選び方は何通りあるか。

○ A　6通り　○ B　7通り　○ C　10通り
○ D　11通り　○ E　12通り　○ F　15通り

2 ここから5個を取り出したい。選び方は何通りあるか。ただし、各種類最低1個は選ぶものとする。

○ A　4通り　○ B　5通り　○ C　6通り
○ D　12通り　○ E　20通り　○ F　24通り

3 全部を横一列に並べたい。並べ方は何通りあるか。

○ A　140通り　○ B　280通り　○ C　560通り
○ D　650通り　○ E　720通り　○ F　800通り

105 10円、20円、80円の3種類の切手がたくさんある。ここから5枚を取り出して切手のセットを作りたい。選び方の組み合わせは何通りあるか。ただし、各種類最低1枚は選ぶものとする。

○ A　6通り　○ B　10通り　○ C　12通り
○ D　14通り　○ E　15通り　○ F　20通り

106 赤、黒、青のボールペンが各色1ダースずつある。ここから4本を選ぶときの色の組み合わせは何通りあるか。

○ A　6通り　○ B　10通り　○ C　12通り
○ D　14通り　○ E　15通り　○ F　20通り

正解 11通り 【黒石10個・白石0個】から【黒石0個・白石10個】までの組み合わせなので0～10個で、11通り。公式→ ${}_{2+10-1}C_{10}={}_{11}C_{10}={}_{11}C_1=11$ 通り

107 赤、白、ピンクのバラが10本ずつある。ここから10本を選んで花束を作りたい。

1 2色で作るとき、10本の色の組み合わせは何通りあるか。

○ A 11通り　○ B 22通り　○ C 24通り
○ D 27通り　○ E 30通り　○ F 33通り

2 3色をそれぞれ少なくとも2本ずつ使うとき、10本の色の組み合わせは何通りあるか。

○ A 6通り　○ B 10通り　○ C 12通り
○ D 15通り　○ E 18通り　○ F 20通り

3 少なくとも赤を3本は入れるとき、10本の色の組み合わせは何通りあるか。

○ A 12通り　○ B 18通り　○ C 20通り
○ D 24通り　○ E 30通り　○ F 36通り

108 大人2人と子供6人が手をつないで、輪になりたい。

1 8人の並び方は全部で何通りあるか。

○ A 6! 通り　○ B 7! 通り　○ C 8! 通り
○ D 9! 通り　○ E 10! 通り　○ F 11! 通り

2 大人2人が向かい合うように、8人で輪になりたい。並び方は何通りあるか。

○ A 360通り　○ B 720通り　○ C 1080通り
○ D 1250通り　○ E 1360通り　○ F 1440通り

3 大人2人が手をつなぐように、8人で輪になりたい。並び方は何通りあるか。

○ A 360通り　○ B 720通り　○ C 1080通り
○ D 1250通り　○ E 1360通り　○ F 1440通り

➡次ページに続く

109 X、Y、Zという３つの箱に６個のミカン全部を入れる場合、入れ方のパターンは何通りあるか。ただし、使わない箱があってもよい。

○ A　14通り　○ B　28通り　○ C　36通り
○ D　44通り　○ E　56通り　○ F　68通り

110 赤皿２枚、白皿２枚、青皿１枚がある。これをA、B、C、D、Eの５つに区切られた陳列棚に１枚ずつ飾りたい。皿の並べ方は何通りあるか。ただし、同色の皿に区別はないものとする。

○ A　10通り　○ B　15通り　○ C　28通り
○ D　30通り　○ E　45通り　○ F　56通り

111 男性３人と女性３人がいる。

1 男女が交互になるように、一列に並びたい。並び方は何通りあるか。

○ A　72通り　○ B　144通り　○ C　154通り
○ D　178通り　○ E　288通り　○ F　312通り

2 男性３人が隣り合うように、一列に並びたい。並び方は何通りあるか。

○ A　72通り　○ B　144通り　○ C　154通り
○ D　178通り　○ E　288通り　○ F　312通り

3 男女が交互になるように、６人で輪になりたい。並び方は何通りあるか。

○ A　2通り　○ B　6通り　○ C　8通り
○ D　10通り　○ E　12通り　○ F　15通り

112 3種類のワインが用意されている試飲会があった。1種類について1人1回、最大3回の試飲ができる。

1 P1人が試飲するとき、ワインの種類の選び方は何通りあるか。ただし、最低1回は試飲するものとする。

○ A 3通り ○ B 6通り ○ C 7通り
○ D 8通り ○ E 9通り ○ F 12通り

2 PとQが2人であわせて4回試飲するとき、PとQが飲むワインの種類の組み合わせは何通りあるか。

○ A 3通り ○ B 7通り ○ C 9通り
○ D 12通り ○ E 15通り ○ F 42通り

113 洋菓子が5種類、和菓子が3種類ある。ここから何個か選んで、1箱に詰め合わせたい。

1 1種類を4個ずつ、合計12個を詰めるときの入れ方は何通りあるか。

○ A 12通り ○ B 14通り ○ C 15通り
○ D 28通り ○ E 30通り ○ F 56通り

2 1種類を同じ数ずつ選ぶようにして、洋菓子と和菓子を8個ずつ、合計16個を詰めるときの入れ方は何通りあるか。

○ A 15通り ○ B 30通り ○ C 45通り
○ D 60通り ○ E 81通り ○ F 90通り

3 洋菓子と和菓子を3個ずつ、合計6個を詰めるときの入れ方は何通りあるか。

○ A 28通り ○ B 56通り ○ C 125通り
○ D 350通り ○ E 700通り ○ F 1400通り

1章 順列・組み合わせ【重複・円・応用】

13 確率の基礎

● 確率は絶対にマスターしておくべき超頻出分野。まず基本問題から。

確率の考え方

● Aの起こる確率＝$\dfrac{\text{Aの起こる場合の数}}{\text{すべての場合の数}}$

● AかつB→Aの確率×Bの確率

サイコロXの目が1、かつサイコロYの目が1の確率は、$\frac{1}{6}\times\frac{1}{6}=\frac{1}{36}$

● AまたはB→Aの確率＋Bの確率

● 少なくともA→1－(Aの起こらない確率)

例題 よくでる

2つのサイコロX、Yを同時に振った。このとき、次の各問いに答えなさい。

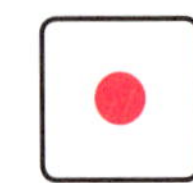

1 【基本】積が4になる確率はどれだけか。

○ A　1/36　○ B　1/18　○ C　1/12　○ D　1/6

2 【かつ】積が偶数になる確率はどれだけか。

○ A　1/12　○ B　1/6　○ C　2/3　○ D　3/4

3 【または】片方だけが3の目である確率はどれだけか。

○ A　1/6　○ B　5/18　○ C　11/36　○ D　1/3

4 【少なくとも】少なくとも1つのサイコロの目が1になる確率はどれだけか。

○ A　1/9　○ B　1/6　○ C　5/18　○ D　11/36

5 積が3の倍数になる確率はどれだけか。

○ A　1/3　○ B　5/9　○ C　2/3　○ D　3/4

かつ(×)、または(+)、少なくともを使い分ける

1 【基本】サイコロの目は1～6の6通り。従って、2つのサイコロの出目は**6×6=36通り**。積が4になるのは、**(1、4)(4、1)(2、2)**の**3通り**。

$$\frac{3}{36}=\frac{1}{12}$$

確率では(1、4)と(4、1)は区別する。(2、2)は1通り。

正解　C

2 【かつ】積が偶数になるのは**(偶数、偶数)(偶数、奇数)(奇数、偶数)**の3つの場合。これを場合分けするより、積が奇数になる**(奇数、奇数)**の場合をすべての場合の確率1から引いた方が早い。**1－奇数かつ奇数**なので、

$$1-\frac{3}{6}\times\frac{3}{6}=1-\frac{1\times1}{2\times2}=\frac{3}{4}$$

正解　D

3 【または】Xが3でYが3なので1/6＋1/6=1/3とやると間違い。片方だけが3には、**(Xが3かつYが3以外)または(Xが3以外かつYが3)**の2通りの場合がある。従って、この2つの場合の確率をたし合わせる。

$$\frac{1}{6}\times\frac{5}{6}+\frac{5}{6}\times\frac{1}{6}=\frac{10}{36}=\frac{5}{18}$$

両方3の場合(3、3)の1/36を含まない。

正解　B

4 【少なくとも】少なくとも1つのサイコロの目が1になるのは**(1、1以外)(1以外、1)(1、1)**の場合だが、これを場合分けするより、両方とも1以外になる場合**(1以外かつ1以外)**をすべての場合の確率1から引いた方が早い。

$$1-\frac{5}{6}\times\frac{5}{6}=1-\frac{25}{36}=\frac{11}{36}$$

両方1の場合(1、1)の1/36を含む。

正解　D

5 XとYの両方が3か6以外なら3の倍数にならないので、

$$1-\frac{4}{6}\times\frac{4}{6}=1-\frac{4}{9}=\frac{5}{9}$$

正解　B

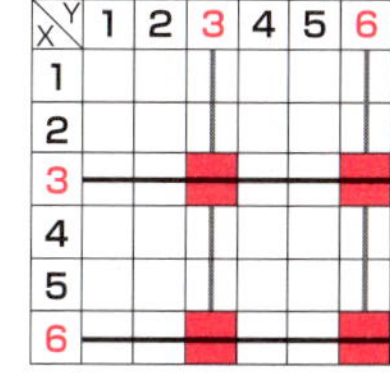

【別解1】Xが3か6、**または**Yが3か6になるのは、**2/6＋2/6**。ダブっている**(3、3)(3、6)(6、3)(6、6)**の4通り**4/36**を引く。

2/6＋2/6－4/36=5/9

【別解2】図より、X3なら**6通り**。X6なら**6通り**。Y3ならX1、2、4、5で**4通り**。Y6でもXは同じく**4通り**。合計**20通り**で**20/36=5/9**。

確認問題　サイコロを3回振った。3回の目の積が5の倍数になる確率はいくつか？

解答➡次ページ下

▶解答・解説は別冊34ページ

練習問題 確率の基礎

目標時間 14分 14問

114 PとQの2人が、大吉が出る確率が1/10、小吉が出る確率が1/5というおみくじを1回ずつ引く。PとQの一方が大吉で、もう一方が小吉を引く確率はどれだけか。

○ A 1/50 ○ B 1/25 ○ C 1/10 ○ D 3/10

115 50円玉が2枚、100円玉が2枚ある。この4枚を同時に投げて、表が出たものの金額の合計が200円になる確率はどれだけか。

○ A 1/16 ○ B 1/8 ○ C 3/16 ○ D 1/4

116 PとQがサイコロを振って出た目の数が大きい方が勝つゲームをする。ただし、同じ数の目が出たら引き分けとする。

1 PがQに勝つ確率はどれだけか。

○ A 1/6 ○ B 5/12 ○ C 1/3 ○ D 1/2

2 Pが3以上の目でQに負ける確率はどれだけか。

○ A 1/6 ○ B 5/12 ○ C 1/3 ○ D 1/2

3 Pが4以上の差でQに勝つ確率はどれだけか。

○ A 1/12 ○ B 1/6 ○ C 5/12 ○ D 1/3

117 甲と乙がジャンケンを3回する。グー、チョキ、パーはそれぞれ1/3の確率とし、同じものを出したとき(アイコ)も1回と数える。

1 甲が1回だけ勝つ確率はどれだけか。

○ A 4/27 ○ B 4/9 ○ C 1/2 ○ D 2/3

2 甲が少なくとも1回は勝つ確率はどれだけか。

○ A 1/6 ○ B 8/27 ○ C 19/27 ○ D 8/9

 正解 91/216 3回の目がすべて5以外なら5の倍数にならない。この確率を1から引く。
1－5/6×5/6×5/6=1－125/216=91/216

118 P、Q、R、S、T、Uの6人が最初にゲームをする2人をくじで決めることにした。6本のくじのうち、2本が当たりくじで、P、Q、R、S、T、Uの順にくじを引く。ただし、一度引いたくじは戻さないものとする。

1 PとSが当たりを引く確率はどれだけか。

○ A 1/36　○ B 1/15　○ C 1/9　○ D 4/9

2 PとRのうちどちらか1人だけが当たりを引く確率はどれだけか。

○ A 1/36　○ B 4/15　○ C 1/2　○ D 8/15

119 赤玉と白玉が5個ずつ入った箱がある。ここから1個ずつ3個を取り出す。

1 3個とも赤玉が出る確率はどれだけか。ただし、1度取り出した玉は箱に戻さないものとする。

○ A 1/36　○ B 1/12　○ C 1/10　○ D 1/6

2 赤・白・赤の順に出る確率はどれだけか。ただし、赤玉であれば箱に戻し、白玉であれば戻さないものとする。

○ A 1/36　○ B 1/12　○ C 1/9　○ D 5/36

120 スペード、ハート、ダイヤ、クラブの4種類のカードが4枚ずつ、計16枚ある。ここから甲と乙が同時に1枚ずつカードを引く。

1 2人ともハートを引く確率はどれだけか。

○ A 1/20　○ B 1/16　○ C 1/8　○ D 1/2

2 2人ともダイヤを引かない確率はどれだけか。

○ A 1/4　○ B 9/16　○ C 5/11　○ D 11/20

3 2人のうち、少なくとも1人がクラブを引く確率はどれだけか。

○ A 1/4　○ B 9/20　○ C 9/16　○ D 11/20

確認問題 1から4までの4枚のカードを横一列に4枚並べるとき、左から2番目が2、左から3番目が3になる確率はどれだけか？ 解答➡次ページ下

14 確率の応用

● 頻出の難問を紹介した。解法パターンを覚えておくとだんぜん有利になる。

例 題

1 12人で、3人部屋、4人部屋、5人部屋の3つの部屋に分かれて泊まることになり、くじで部屋割りを決めることにした。くじは12本あり、1度引いたくじは戻さないものとする。

1 最初にくじを引いた2人が、どちらも4人部屋になる確率はどれだけか。

○ A　1/24　○ B　1/12　○ C　1/11　○ D　1/9

2 最初にくじを引いた3人が、4人部屋1人と5人部屋2人になる確率はどれだけか。

○ A　2/33　○ B　1/11　○ C　1/9　○ D　2/11

2 赤玉が2個、白玉が3個、青玉が5個、計10個の玉が入っている袋から2個を取り出す。ただし、1度取り出した玉は袋に戻さないものとする。

1 赤玉、白玉の順番で取り出す確率はどれだけか。

○ A　3/50　○ B　1/15　○ C　2/15　○ D　8/15

2 同時に2個を取り出すとき、赤玉と白玉を1個ずつ取り出す確率はどれだけか。

○ A　3/50　○ B　1/15　○ C　2/15　○ D　8/15

 正解 1/12　1～4の4枚のうちで2が2番目になる確率は1/4、残り3枚から3が3番目になる確率は1/3。1/4×1/3＝1/12

別解も覚えておくことが大切

❶ **1** 題意の組み合わせの数を「すべての組み合わせの数」で割ればよい。分母になる「すべての組み合わせの数」は12本から2本を引くので**$_{12}C_2$通り**。分子になる「4人部屋(4本)から2本を引く組み合わせの数」は**$_4C_2$通り**。

$$\frac{_4C_2}{_{12}C_2}=\frac{4\cdot3/2\cdot1}{12\cdot11/2\cdot1}=\frac{1}{11}$$

・は掛け算の記号(×)を表す

正解 C

【別解】1人目が4人部屋を引く確率は4/12。2人目が4人部屋を引く確率は分母・分子が1減って3/11。掛け合わせて、4/12×3/11＝1/11。

2 12本から3本を引く組み合わせの数は**$_{12}C_3$通り**(分母)。4人部屋から1本を引くのは**$_4C_1$通り**で、5人部屋から2本を引くのは**$_5C_2$通り**。

$$\frac{_4C_1\times{}_5C_2}{_{12}C_3}=\frac{4\times5\cdot4/2\cdot1}{12\cdot11\cdot10/3\cdot2\cdot1}=\frac{2}{11}$$

正解 D

【別解】「1人目が4人部屋で、2人目、3人目が5人部屋を引く確率」は、4/12×5/11×4/10＝**2/33**。2人目、3人目も同じ確率になるので、**2/33を3倍**する。2/33×3＝2/11。

❷ **1** 1番目に赤玉を取り出し、かつ2番目に白玉を取り出すので、2つの確率を掛け合わせる。2番目は玉の数が9個に減ることに注意。

$$\frac{2}{10}\times\frac{3}{9}=\frac{1}{5}\times\frac{1}{3}=\frac{1}{15}$$

正解 B

2 すべての場合の数は10個から2個を取り出すので**$_{10}C_2$通り**(分母)。赤2個から1個を選ぶのは**$_2C_1$通り**で、白3個から1個を選ぶのは**$_3C_1$通り**。

$$\frac{_2C_1\times{}_3C_1}{_{10}C_2}=\frac{2\times3}{10\cdot9/2\cdot1}=\frac{2}{15}$$

正解 C

【別解】順番に関係なく赤玉と白玉を1個ずつ取り出すことなので、(赤→白)と(白→赤)の場合がある。(赤→白)の場合は**1**の通り1/15。(白→赤)の場合も3/10×2/9で、やはり1/15。これらを合計して2/15。

確認問題 裏表が同じ確率で出るコインを3回投げるとき、表が1回だけ出る確率はどれだけか？ 解答➡次ページ下

▶解答・解説は別冊36ページ

練習問題　確率の応用

目標時間 13分

13問

121 1袋の中に商品PまたはQが1つと、商品XまたはYが1つの合計2個が入っている福袋が100袋ある。すべての福袋に入っている商品の個数を合わせると、P80個、Q20個、X70個、Y30個で計200個になる。この福袋を1袋購入するとき、商品QもYも入っていない確率はどれだけか。

○ A 1/4　○ B 11/25　○ C 14/25　○ D 47/50

122 白い碁石が2個、黒い碁石が4個入っている袋がある。

1 同時に3個を取り出すとき、黒い碁石が3個になる確率はどれだけか。

○ A 1/9　○ B 1/5　○ C 1/4　○ D 1/3

×**2** 同時に3個を取り出すとき、黒い碁石が2個以上になる確率はどれだけか。

○ A 1/5　○ B 1/2　○ C 3/5　○ D 4/5

3 1個を取り出したら、色を確認して袋に戻すことにする。これを3回繰り返したとき、白い碁石が1度だけ出る確率はどれだけか。

○ A 1/9　○ B 4/27　○ C 8/27　○ D 4/9

4 1個を取り出したら、色を確認して袋に戻すことにする。これを4回繰り返したとき、最後の4回目で3度目の黒い碁石が出る確率はどれだけか。

○ A 1/9　○ B 4/27　○ C 8/27　○ D 4/9

123 千円札、二千円札、五千円札、一万円札がそれぞれ2枚ずつ、合計8枚の紙幣が入った袋がある。

1 同時に2枚取り出したとき、合計7000円になる確率はどれだけか。

○ A 1/14　○ B 1/7　○ C 3/14　○ D 2/7

2 同時に3枚取り出したとき、合計20000円になる確率はどれだけか。

○ A 1/28　○ B 1/24　○ C 1/12　○ D 1/8

正解 3/8 【表裏裏】【裏表裏】【裏裏表】の3通りで、3通りそれぞれが1/2×1/2×1/2＝1/8の確率なので、1/8＋1/8＋1/8＝3/8

124 Pが1、3、5、7という4枚のカード、Qが2、4、6という3枚のカードを持っている。

1 2人が自分のカードを1枚ずつ出すとき、Pの方が大きい数字を出す確率はどれだけか。

○ A 1/8　○ B 1/4　○ C 1/2　○ D 2/3

2 2人が自分のカードを2枚ずつ出すとき、互いの出した数字の和が等しくなる確率はどれだけか。

○ A 1/8　○ B 1/3　○ C 2/9　○ D 5/8

125 赤玉と白玉が3：2の比率で入っている抽選器がある。赤玉の20%、白玉の10%には当たりマークがある。1回の抽選で1個玉が出て、そのつど玉は抽選器の中に戻す。これについて、次の質問に答えなさい(必要なときは、最後に小数第1位を四捨五入すること)。

1 1回抽選をしたとき、当たりマークがある赤玉が出る確率はどれだけか。

○ A 6%　○ B 12%　○ C 15%　○ D 20%

2 2回抽選をして2回とも当たりマークがない玉が出る確率はどれだけか。

○ A 3%　○ B 60%　○ C 71%　○ D 84%

126 PとQがジャンケンをする。Pはグーを1/2、チョキを1/4、パーを1/4の確率で出す。Qはグーを1/4、チョキを1/4、パーを1/2の確率で出す。1回のジャンケンで、勝ち、負け、アイコの結果がある。

1 2回ジャンケンしたとき、少なくとも1回はPがグーで勝つ確率はどれだけか。

○ A 7/32　○ B 15/64　○ C 49/64　○ D 25/32

2 2回ジャンケンしたとき、少なくとも1回はPがチョキかパーを出して、勝つかアイコになる確率はどれだけか。

○ A 3/8　○ B 25/64　○ C 39/64　○ D 25/32

1章 確率の応用

15 割合と比

● SPIはもちろん、就職試験全般で最も頻出する分野。速解が求められる。

10%は1/10か0.1で計算

● 60は200の何%かを暗算する計算例

$$60 \div 200 = \frac{60}{200} = \frac{30}{100} = 30\%$$

● 50が25%に相当するときの全体数を暗算する計算例

$$50 \div 0.25 = 50 \div \frac{1}{4} = 50 \times 4 = 200$$

例題

1 【%】ある中学では、全校生徒の60%が甲小学校出身で、その数は300人である。このとき、全校生徒の15%である乙小学校出身者は何人か。

○ A　30人　○ B　45人　○ C　60人　○ D　75人

2 【分数】ある県では、修学旅行の行き先が海外である高校が全体の1/6を占めている。行き先が海外でない高校のうち、1/3は行き先が京都で、その3/4は公立高校である。京都が行き先の公立高校は全体のどれだけか。

○ A　1/24　○ B　1/12　○ C　5/24　○ D　5/12

3 【比】薬品PとQを1：3で混ぜた混合液Xと、2：3で混ぜた混合液Yを同量混ぜて薬品Rを作った。Rに含まれるPの割合はどれだけか。

○ A　32.5%　○ B　33.3%　○ C　40%　○ D　45%

30秒で解ける超解法!!

文章を正確に読み取ることが一番のコツ

❶【%】300人が全体の60%に相当するので、全体は300÷0.6。

全校生徒＝300÷0.6＝3000÷6＝500人

求める乙小学校出身者は、全校生徒500人の15%(=0.15)なので、

500×0.15＝5×15＝75人

【別解】「内積＝外積」で、

甲：乙＝300：乙＝60：15 → 乙×60＝300×15より、

乙＝300×15÷60＝75人

正解 D

❷【分数】行き先が海外でない高校は5/6で、そのうちの1/3が京都で、さらにそのうちの3/4が公立高校なので、これらを掛け合わせる。

$$\frac{5}{6}\times\frac{1}{3}\times\frac{3}{4}=\frac{5}{24}$$

正解 C

❸【比】混合液X… P：Q=1：3 なので、X全体を4とするとPは1/4。(1＋3)

混合液Y… P：Q=2：3 なので、Y全体を5とするとPは2/5。(2＋3)

RはXとYを同量混ぜているので、Rに含まれるPの割合は、

$$\left(\frac{1}{4}+\frac{2}{5}\right)\div 2=\frac{13}{20}\div 2=\frac{13}{40}=0.325$$

正解 A

試験場では▶図解で整理

文章が込み入っていて混乱したときは、サッと図解して問題文を整理すると、落ち着いて解ける。ただし、メモの目的は、数値の関係を明らかにすることだけなので、なるべくシンプルな書き方にすること。

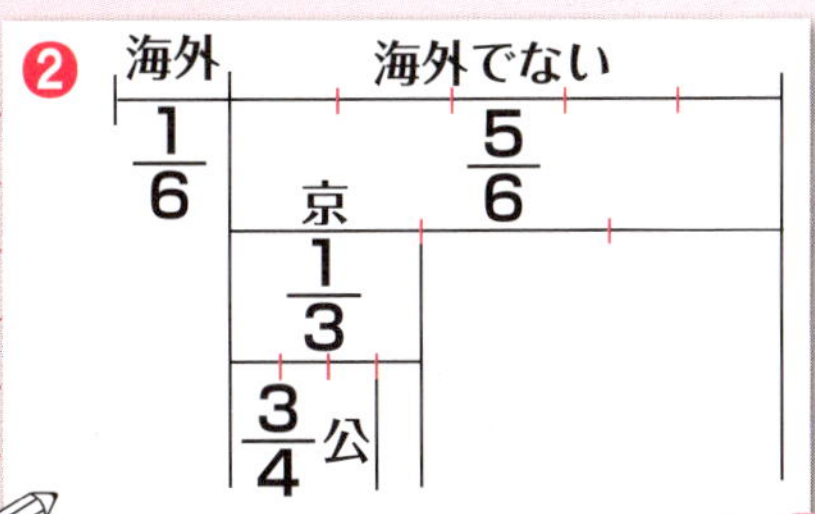

確認問題 次の比を最も簡単な整数の比にせよ。①24：16：40 ②1/4：0.3
解答➡次ページ下

▶解答・解説は別冊38ページ

練習問題 割合と比

127 ある遊園地で入場料金を20%アップしたら入場者数が15%減った。このとき入場料金の売上額は何%増加したか(必要なときは、最後に小数第2位を四捨五入すること)。

○ A 1.0%　○ B 1.5%　○ C 2.0%　○ D 2.5%

128 ある動物園で3連休の客数を調査したところ、連休3日目は2日目の客数の1.2倍で、3日間合計の42%に相当した。1日目の客数は3日間合計の何%か(必要なときは、最後に小数第1位を四捨五入すること)。

○ A 21%　○ B 23%　○ C 25%　○ D 27%

129 サークルXには男性50人、女性35人がいた。新たに20人が入り、女性の割合がX全体の40%になった。新たに入った人のうち、女性の割合は何%だったか(必要なときは、最後に小数第1位を四捨五入すること)。

○ A 20%　○ B 25%　○ C 30%　○ D 35%

130 ある美術館では、先週の土日の合計来場者数が600人だった。今週の土曜日は先週の土曜日の5%減だったが、今週の日曜日は快晴で、先週の日曜日の25%増となり、結局土日の合計では7%増となった。今週の日曜日の来場者は何人だったか。

○ A 80人　○ B 240人　○ C 280人　○ D 300人

131 週末に読書をした。金曜日に全体の4/15を読んだ。土曜日は、残ったうちの2/9を読んだ。日曜日には、73ページ読んで81ページ残った。残りのページは、全体の何割か。

○ A 1.5割　○ B 3割　○ C 3.6割　○ D 4割

正解 ①3：2：5　②5：6

①最大公約数の8で割る。
②小数にそろえると、0.25：0.3＝5：6

132 劇団PはPの倍の人数の劇団Qと合併して劇団Rとなった。劇団Pのときには48%だった男性の割合は、劇団Rになって42%に減った。さらに、5人の男性が劇団をやめたため、男性の割合が40%に減った。合併前の劇団Pの人数は何人だったか。

○ A　40人　○ B　49人　○ C　50人　○ D　83人

133 ある製品に関するアンケート調査を行ったところ、東日本で850人、西日本で650人から回答を得た。回答者のうち、この製品の購入者の割合は、全体で27%、東日本では40%だったが、西日本では何%だったか(必要なときは、最後に小数第1位を四捨五入すること)。

○ A　10%　○ B　22%　○ C　52%　○ D　62%

134 ある会社の従業員数は300人であり、そのうちの60%は正社員である。新規雇用で正社員を今より25人増やした場合、正社員は従業員数の何%になるか(必要なときは、最後に小数第1位を四捨五入すること)。

○ A　63%　○ B　68%　○ C　70%　○ D　74%

135 あるスポーツクラブの利用者数は150人である。利用者の男女比は2:3で、女性の方が多い。また利用者のうち、男性の30%、女性の40%が会員になっている。このとき、会員数は利用者数の何%にあたるか(必要なときは、最後に小数第1位を四捨五入すること)。

○ A　32%　○ B　34%　○ C　36%　○ D　38%

136 ある会社の今年の従業員数は、昨年より35%減って、520人になった。これについて、次の各問いに答えなさい。

1 昨年の従業員数は何人か。

○ A　390人　○ B　702人　○ C　750人　○ D　800人

2 男女別では、女性が昨年より40%減り、男性が昨年より30%減った。今年の女性従業員は何人か。

○ A　220人　○ B　230人　○ C　240人　○ D　400人

➡次ページに続く

137 ある図書館で１週間の利用状況を調べたところ、図書館を利用した人は1450人で、貸出冊数は696冊だった。また、１冊以上本を借りた人の貸出冊数の平均は1.5冊だった。これについて、次の各問いに答えなさい（必要なときは、最後に小数第１位を四捨五入すること）。

1 この１週間に図書館を利用した人のうち、１冊も本を借りなかった人は何%だったか。

○ A　27%　○ B　32%　○ C　64%　○ D　68%

2 次の週についても利用状況を調べたところ、１週間の貸出冊数は25%増加していた。また、１冊以上本を借りた人は600人だった。このとき、１冊以上借りた人の貸出冊数の平均は、前の週に比べて何％増加または減少したか。

○ A　3%増加　○ B　5%増加　○ C　3%減少　○ D　5%減少

138 赤ワインＰと白ワインＱを２：３で混ぜたロゼワインＸと、赤ワインＰと白ワインＲを３：７で混ぜたロゼワインＹがある。これについて、次の各問いに答えなさい(必要なときは、最後に小数第１位を四捨五入すること)。

1 ロゼワインＸとロゼワインＹを２：１で混ぜて、ロゼワインＺを作った。Ｚに含まれる赤ワインＰの割合はどれだけか。

○ A　10%　○ B　27%　○ C　37%　○ D　42%

2 ロゼワインＺの試飲を７人で行うので用意したワインを７等分したが、直前で１人が欠席になったため、ワインを６等分した。６等分した量は７等分した量より１杯あたり20cc多くなった。用意したワインの量はどれだけか。

○ A　420cc　○ B　720cc　○ C　760cc　○ D　840cc

139 ある英文中に含まれる単語の数とアルファベットの数を調べたところ、アルファベットのｓが132字、ｒが150字含まれていた。

1 ｓを含む単語のうち、20%にはｓが２字含まれており、残りの単語にはｓが１字しか含まれていなかった。ｓを含む単語の数はいくつあるか。

○ A　106　○ B　110　○ C　122　○ D　125

2　ｒを含む単語のうち5％にはｒが3字、15％にはｒが2字含まれており、残りの単語にはｒが1字しか含まれていなかった。ｒを含む単語の数はいくつあるか。

○ A　110　　○ B　112　　○ C　120　　○ D　138

140 ある大学ではスポーツ実習として、前期と後期に、卓球、テニス、サッカー、野球の中から1種目ずつを自由に選択する。下表は、ある学科の学生200人の選択状況を示したものの一部である。例えば、前期に野球を選択、後期に卓球を選択した者は11人いることがわかる。

前期＼後期	卓球	テニス	サッカー	野球	合計
卓球	8	17	12	11	48
テニス	15	12	14	(　)	56
サッカー	12	16	12	(　)	50
野球	(　)	(　)	10	(　)	(　)
合計	(　)	(　)	48	45	200

1　前期か後期に少なくとも1度はサッカーを選択した学生は、全体の何％か（必要なときは、最後に小数第1位を四捨五入すること）。

○ A　6％　　○ B　24％　　○ C　38％　　○ D　43％

2　前期に卓球を選んだ学生のうちの30％が後期に野球を選択した。その人数は何人か。

○ A　10人　　○ B　15人　　○ C　17人　　○ D　20人

3　**2**の条件のとき、前後期で少なくとも1度は卓球かテニスを選択した学生は全体の何％か（必要なときは、最後に小数第2位を四捨五入すること）。

○ A　69.5％　　○ B　75.2％　　○ C　79.5％　　○ D　80.5％

テストセンター ○　ペーパーテスト ○

16 損益算

● 原価（仕入れ値）、売値、利益、定価の関係を覚えておけば解ける。

3割引は（1－0.3）

売値＝定価×（1－割引率）

定価1000円の3割引の売値は、1000×0.7＝700円

売値＝原価×（1＋利益率）

原価500円で4割の利益の売値は、500×1.4＝700円
※原価500円×0.4＝利益200円なので、
原価500円＋利益200円＝売値700円

定価1000円		
売値700円＝原価＋利益＝原価×（1＋利益率）		定価の3割引（300円）
原価500円＝売値－利益	利益4割（200円）	利益4割は、原価×0.4。

※定価販売なら、売値＝定価。

例題　よくでる

ある店では、定価の3割引で販売したときに200円の利益が出るように定価を設定してある。

1　600円の定価で品物Pを売ると利益はいくらか。

○ A　180円　○ B　200円　○ C　300円　○ D　380円

2　品物Qを定価の2割引で売ったら350円の利益があった。仕入れ値はいくらか。

○ A　650円　○ B　850円　○ C　1200円　○ D　1500円

30秒で解ける超解法!!

問題文を式に当てはめていけば解ける

1 定価600円で売ると、定価の３割＋200円の利益が出るので、

600 × 0.3 ＋ 200 ＝ 180 ＋ 200 ＝ 380円

【別解】定価600円の３割引の売値は、

売値=600×(1－0.3)＝600×0.7＝420円

420円の売値のとき、200円の利益が出るので、原価（仕入れ値）は、

原価=420－200＝220円

原価220円の品物を定価の600円で売るので、利益は、

利益=600－220＝380円

正解 D

2 定価の３割引のとき利益が200円で、２割引のとき利益が350円なので、定価の１割がその差額となる。

定価の１割=350－200＝150円

150円が定価の１割に相当するので、定価は、

定価＝150÷0.1＝1500円

全体の１割(10%、0.1)がXに相当するときは、**X÷0.1＝全体** SPIの問題解法で最重要の考え方の１つ。

定価1500円の３割引のとき利益が200円なので、原価（仕入れ値）は

原価＝1500×0.7－200＝850円

【別解】定価をx円、原価をy円とおくと、

0.8x－y＝350…①

0.7x－y＝200…②

①－②で、0.1x=150。xは1500円。yは850円。

正解 B

試験場では▶図式化で整理

混乱したら、サッと図式化して問題文を整理すると、落ち着いて解ける。ただし、図式化するだけでも時間を取られるので、なるべく簡単な図でメモするようにしよう。

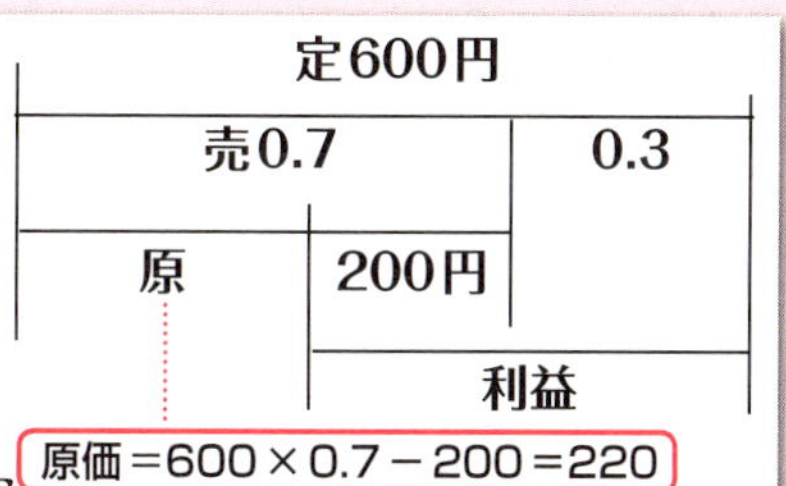

確認問題 原価の４割の利益を見込んで、700円の定価をつけた。原価はいくらか。

解答➡次ページ下

▶解答・解説は別冊41ページ

練習問題 損益算

目標時間 11分 ／11問

141 原価500円の商品が300個ある。100個を1割引、200個を2割引で売ったときに利益を合計125000円にしたい。定価はいくらにすればよいか。

○ A 450円 ○ B 600円 ○ C 1100円 ○ D 1200円

142 コーヒーカップを1個100円で400個仕入れた。このうちの1割が割れたとしても、全体で1割以上の利益が出るようにしたい。1個の定価をいくら以上に設定すればよいか。

○ A 99円 ○ B 110円 ○ C 122円 ○ D 123円

143 1個の原価が400円の品物を150個仕入れ、原価の2割5分の利益を見込んで定価をつけたが80個しか売れなかった。そこで、残りは定価の1割引にして売りつくした。利益は全部でいくらか。

○ A 7500円 ○ B 8500円 ○ C 10500円 ○ D 11500円

144 品物Pと品物Qをそれぞれ10個ずつ仕入れたところ、18000円かかった。品物Pは原価の2割、品物Qは原価の4割の利益を見込んで販売したところ、完売して売上総額が24000円になった。品物Pの定価はいくらか。

○ A 600円 ○ B 720円 ○ C 1000円 ○ D 1680円

145 1個250円で仕入れた品に2割の利益を見込んで定価をつけたが、売れないので、定価の1割引にして売った。1個あたりの利益はいくらか。

○ A 10円 ○ B 20円 ○ C 30円 ○ D 40円

 正解 500円 原価に1.4を掛けたら700円になったので、700円を1.4で割れば原価。
700÷1.4=500円

146 ある店では、定価の１割引で売っても原価の２割の利益が出るように定価を設定している。定価が600円の品物の原価はいくらか。

○ A　450円　○ B　480円　○ C　500円　○ D　540円

147 売値が100円の商品Ｐの仕入れ値が15％上がったために、利益が１割減った。元の仕入れ値はいくらだったか。

○ A　35円　○ B　36円　○ C　40円　○ D　45円

148 ある店では、定価の３割引で販売したときに200円の利益が出るように定価を設定してある。

1 仕入れ値850円の品物Ｐを定価で売ったときの利益はいくらか。

○ A　200円　○ B　350円　○ C　650円　○ D　1050円

2 品物Ｑは、定価の１割引きで売ると560円の利益がある。品物Ｑの定価はいくらか。

○ A　760円　○ B　1060円　○ C　1600円　○ D　1800円

149 仕入れ値350円のＰを40個仕入れて、仕入れ値の３割の利益が出るように定価をつけた。また、仕入れ値280円のＱを80個仕入れて、仕入れ値の４割の利益が出る定価をつけて売った。

1 ＰとＱが全部売れたときの利益はいくらか。

○ A　4760円　○ B　13160円　○ C　31360円　○ D　49560円

2 Ｐは全部売れて、Ｑは20個売れ残った。Ｑ全部の利益が、Ｐ全部の利益以上になるように、売れ残った20個のＱを値下げするとき、Ｑの売値は何円まで値下げできるか。

○ A　154円　○ B　182円　○ C　203円　○ D　238円

17 料金割引

● 人数や時間によって割引率が異なるときの代金や総額を求める問題。

人数×料金×（1−割引率）＝総額

割引される額＝料金×割引率

400円の２割５分引の額→400 × 0.25 ＝ 100円割引
※400 × 1/4 ＝ 100と計算してもよい。

割引後の代金＝代金×（1−割引率）

600円で2割引後の料金→600×0.8 ＝ 480円

例 題　よくでる

ある施設の入場料は１人600円であるが、１つの団体で20人を超えた分については１割引に、100人を超えた分については２割引になる。

1 100人の団体が入場するとき、入場料の総額はいくらか。

○ A　50280円　○ B　50400円　○ C　55200円　○ D　58340円

2 50人が25人ずつ、２つの団体に分かれて入場するときと、50人がまとまって１つの団体で入場するときでは、総額はいくら異なるか。

○ A　1000円　○ B　1100円　○ C　1200円　○ D　1240円

3 団体旅行で、入場料の総額を全員で割って全員が同じ料金を支払うことにした。このとき、１人分の入場料が540円になるのは何人の団体のときか。

○ A　105人　○ B　110人　○ C　115人　○ D　120人

割引になる境界さえ間違えなければ簡単

1 1～20人まで600円。21～100人まで1割引なので、100人では、

20×600＋80×600×0.9＝55200円　　**正解** C

2 25人ずつ2つの団体に分かれて入場するとき、割引の対象になるのは、
(25－20)×2＝10人
50人で入場するとき、割引の対象になるのは、
(50－20)＝30人
その人数の差は、30－10＝20(人)。割引額は1人、600×0.1＝60円で、割引額の差＝総額の差なので、割引額の差だけ計算すればよい。

20×60＝1200円　　**正解** C

3 100人分の総額は**1**の通り、55200円で1人分552円。1人分540円になるのは、より割引の多い100人を超える人数であることがわかる。
100人を超える分の1人分は2割引なので、600×0.8=480円。
入場料金が**600円(540＋60円)、540円、480円(540－60円)**の3種類あり、上下から同じ**60円**違いの540円が平均なので、**600円の人(20人)と480円の人は同数いた**ということになる。従って全員の人数は、

20＋80＋20＝120人

【別解】全員でx人とすると、100人を超える分は、**(x－100)×480円**。
総額は、**55200＋(x－100)×480 ＝ 480x＋7200円**
また設問から、x人の総額は**540x円**
540x＝480x＋7200
540x－480x＝7200
x＝120人　　**正解** D

試験場では▶少しでも速く計算するために

組問題(小問が複数ある問題)では前問の計算結果を使うことも多いので、何を計算したかわかるようにメモしていく。

確認問題　次のうち、どちらの総額が安いか？　①400円の2割5分引で50個を買う　②200円の2割引で100個を買う　解答➡次ページ下

▶解答・解説は別冊43ページ

練習問題　料金割引

150 ある空気清浄機のリース料は１か月１万円が基本料金となっている。ただし、４か月以上リースをすると、４か月目以降のリース料が基本料金の10%引き、また13か月目以降のリース料は基本料金の20%引きになる。18か月リースをすると、リース料金は合計いくらか。

○ A　14.4万円　○ B　15.8万円　○ C　15.9万円　○ D　16.2 万円

151 あるコピー機のリース料は１か月５万円が基本料金となっている。ただし、６か月以上リースをすると、６か月目以降のリース料が基本料金の20%引き、また、１年以上リースをすると、12か月目以降のリース料が基本料金の40%引きになる。 20か月リースをすると、リース料金は合計いくらか。

○ A　74万円　○ B　76万円　○ C　78万円　○ D　80万円

152 ある旅館では２泊以上泊まると料金が１泊目10%、２泊目20%、３泊目25%、４泊目以降30%引きとなる。１泊１人9000円の部屋に１人で７泊したい。「７連泊」する場合と、「２連泊・５連泊」に分ける場合では、料金の差はいくらになるか。

○ A　1200円　○ B　2700円　○ C　3600円　○ D　5400円

153 ある飲食店のメニューは、パスタが880円、ランチプレートが1050円で、どちらも200円をたせば飲み物を、300円をたせばデザートを追加することができる。またクーポンを利用すると、１枚につき飲み物１杯が無料になる。９人の客がそれぞれパスタ、ランチプレートのいずれかを注文し、追加で３人は飲み物だけ、２人はデザートだけ、４人は飲み物とデザートを注文した。クーポン４枚を利用して、合計金額が11510円だったとき、パスタを頼んだのは何人か。

○ A　１人　○ B　２人　○ C　３人　○ D　４人

正解　①　①400円２割５分引50個→400 × 3/4 × 50=300 × 50=15000
②200円２割引100個 →200 × 8/10 × 100=160 × 100=16000

154 1個120円の植木ポットがある。11個目からは1個について1割引に、31個目からは1個について3割引になる。

1 35個買ったときの代金は、全部でいくらか。

○ A　2940円　○ B　3360円　○ C　3780円　○ D　4200円

2 平均購入価格が1個あたり113円になった。このとき、植木ポットを合計で何個買ったか。

○ A　20個　○ B　24個　○ C　30個　○ D　35個

155 ある博物館の入場券はx円である。また、切り離して使用できる20枚つづりの入場回数券を15x円で販売している。ただし、余った回数券の払い戻しはしないものとする。

1 50人で入場したい。最も安くすむ場合の総額はいくらになるか。

○ A　30x円　○ B　35x円　○ C　40x円　○ D　45x円

2 45人で入場する団体Pと、56人で入場する団体Qがある。最も安くすむ場合、PとQの1人あたりの差額はいくらか。

○ A　13/504 × x円　○ B　7/252 × x円
○ C　11/252 × x円　○ D　1/2 × x円

156 ある体育館は、基本使用料が1時間あたり25000円で9時から24時まで使用できる。ただし、使用する時間帯によって割引があり、9時から12時までは20%引き、12時から15時までは15%引き、15時から17時までは10%引きとなっている。

1 13時から4時間使用するとき、使用料はいくらか。

○ A　85000円　○ B　86250円　○ C　87500円　○ D　90000円

2 この体育館を連続して6時間使用したところ使用料は128750円であった。何時から何時まで借りていたか。

○ A　9〜15時　○ B　10〜16時　○ C　11〜17時　○ D　12〜18時

1章 料金割引

テストセンター ○　ペーパーテスト ○

18 仕事算

● 仕事算、水槽算、分割払い問題など、全体を１とする分数の問題をまとめた。

全体を1として分数計算する
１人で５日かかるときの１日あたりの仕事量は $\frac{1}{5}$
$\frac{1}{5}$ $\frac{1}{5}$ $\frac{1}{5}$ $\frac{1}{5}$ $\frac{1}{5}$
すべての仕事量 1 $(\frac{5}{5})$

例題

1 【仕事算】Ｐ１人では８日間、Ｑ１人では１２日間かかる仕事がある。この仕事をＰとＱの２人で３日間行い、残りをＱ１人で行った。この仕事を仕上げるまでに合わせて何日かかったか。

○ A　5日　○ B　7日　○ C　8日　○ D　10日

2 【水槽算】空の水槽を満たすのに、Ｐ管１本では６分、Ｑ管１本では１８分かかる。Ｐ管１本とＱ管２本を使うと、満水までにどのくらいかかるか。

○ A　3分20秒　○ B　3分36秒　○ C　4分30秒　○ D　4分36秒

3 【分割払い】ある商品を分割払いで購入したい。購入時に頭金としていくらか支払い、次からは、購入価格から頭金を引いた残額を４回均等払いで支払う。その際は、分割手数料として残額の1/8が加算され、それを残額に加えた額を４等分して支払うことになる。分割払いの１回分の支払額を購入価格の3/16にするためには、頭金として購入価格のどれだけを支払えばよいか。

○ A　11/16　○ B　1/3　○ C　1/2　○ D　2/3

30秒で解ける超解法!!

最初に各人の1日の仕事量を求める

❶【仕事算】仕事の全体量を1として考える。1日あたりの仕事量は、1人だと8日間かかるPが1/8、1人だと12日間かかるQが1/12である。

2人を合計した1日あたりの仕事量は、$\frac{1}{8}+\frac{1}{12}=\frac{3+2}{24}=\frac{5}{24}$

2人で行った3日間の仕事量は、$\frac{5}{24}\times 3=\frac{5}{8}$

残りの仕事量は、$1-\frac{5}{8}=\frac{3}{8}$

残りの仕事をQ1人で行うのにかかる日数は、$\frac{3}{8}\div\frac{1}{12}=\frac{9}{2}=4.5$日

2人で行った最初の3日間をたして、**3＋4.5＝7.5日間**

8日目に終わるので、かかった日数は、**8日**

正解 C

❷【水槽算】水槽の満水量を1として考える。1分あたりの注水量はP管が1/6、Q管が1/18。P管1本とQ管2本の1分あたりの注水量は、

$\frac{1}{6}+\frac{1}{18}\times 2=\frac{3+2}{18}=\frac{5}{18}$

P管はQ管の3倍の注水量（3本分）なので、全部でQ管5本分とも考えられる。

満水までにかかる時間は、$1\div\frac{5}{18}=\frac{18}{5}=3\frac{3}{5}$分＝**3分36秒**

正解 B

❸【分割払い】購入価格を1として考える。残額をxとすると手数料は$\frac{1}{8}x$。1回の支払額は、（残額＋分割手数料）÷4で、これを購入価格の3/16にしたい。これらを式にまとめる。

$(x+\frac{1}{8}x)\div 4=\frac{3}{16}\rightarrow\frac{8}{8}x+\frac{1}{8}x=\frac{3}{16}\times 4\rightarrow$

$\frac{9}{8}x=\frac{3}{4}\rightarrow x=\frac{3}{4}\div\frac{9}{8}=\frac{3}{4}\times\frac{8}{9}=\frac{2}{3}$

頭金は、購入価格1から残額を引いて、$1-\frac{2}{3}=\frac{1}{3}$

正解 B

確認問題 6万円の品物を分割払いで購入したい。「購入金額＋購入金額に対して5%の利子」を6等分して支払う。1回分の支払いはいくらか。 解答➡次ページ下

▶解答・解説は別冊45ページ

練習問題 仕事算

157 あるデータをパソコンに入力する作業に、XとYの2人では9時間かかる。X1人で3時間作業をしたところ、残りの入力にY1人で18時間かかった。

1 このデータ入力をY1人で行うと、どれくらいかかるか。

○ A 10時間30分　○ B 15時間30分　○ C 18時間30分
○ D 20時間30分　○ E 22時間30分

2 このデータ入力をX1人で行うと、どれくらいかかるか。

○ A 10時間　○ B 12時間　○ C 14時間
○ D 15時間　○ E 16時間

158 ある図書館で1階と2階の書庫に収納する本を整理する作業を行うことになった。

1 1階書庫での作業は、Xが1人で行うと30日かかり、Yが1人で行うと20日かかる。Xが作業を始め、途中からYに交代して作業を進めたところ、Xの作業開始からちょうど25日で完了した。このとき、Xの働いた日数はどれだけか。

○ A 8日　○ B 10日　○ C 12日　○ D 15日　○ E 20日

2 2階書庫での作業は、P、Q、Rの3人で行うと4日かかり、Pが1人で行うと10日かかり、Qが1人で行うと15日かかる。このとき、Rが1人で行うと何日かかるか。

○ A 8日　○ B 10日　○ C 12日　○ D 15日　○ E 20日

 正解 10500円 6万円の5%の利子は、60000 × 0.05=3000円。従って、63000円を6等分した10500円が1回分の支払いとなる。

159 空の水槽を満たすのに、P管では3時間、Q管では5時間かかる。また、満水の水槽から水を流し出して空にするのに、R管では6時間、S管では10時間かかる。

1 空の水槽にP管で1時間注水し、その後、P管とQ管で同時に注水する。このとき、空の水槽を満水にするまでにどれだけかかるか。

○ A　1時間15分　○ B　1時間30分　○ C　2時間
○ D　2時間15分　○ E　2時間20分

2 空の水槽にP管とQ管で注水しながら、同時にR管とS管で排水すると、満水にするまでにどれだけかかるか。

○ A　2時間15分　○ B　2時間30分　○ C　3時間
○ D　3時間15分　○ E　3時間45分

160 ある商品を分割払いで購入したい。購入時に頭金としていくらか支払い、次の支払いからは、購入価格から頭金を引いた残額を11回均等払いで支払う。その際は、購入時の残額の10%の利子がつき、それを残額に加えた額を11等分して支払うことになる。

1 頭金として購入価格の25%を支払うものとすると、分割払いの1回分の支払額は購入金額のどれだけにあたるか。

○ A　1/20　○ B　3/40　○ C　1/11　○ D　1/8　○ E　11/40

2 分割払いの1回分の支払額を購入価格の1/20にするためには、頭金として購入価格のどれだけを支払えばよいか。

○ A　1/8　○ B　1/5　○ C　1/4　○ D　1/3　○ E　1/2

19 代金精算

● 貸し借りや支払いの精算額を計算する問題。SPIでは簡単な部類に入る。

合計額÷人数＝平均額

❶「平均額＝１人分の負担額」を求める

❷ １人が出した金額をプラスマイナスで計算する

❸ 平均額との差額を求める

例 題

PはQに3500円、Rに2000円の借金があり、RはQに1000円の借金がある。ある日、友人の誕生会に行くことになったので、Pが10000円でプレゼントを、Qが2000円で花束を買い、これらの代金はP、Q、Rの３人で同額ずつ負担することにした。

1　３人の貸し借りがすべてなくなるように次の方法で精算する場合、（ a ）はいくらか。

・RがQに（ a ）円を払い、その後で、QがPに（ b ）円を払う。

○ A　1500円　○ B　2000円　○ C　2500円　○ D　3000円
○ E　3500円　○ F　AからEのいずれでもない

2　誕生会の後、３人でタクシーに乗って帰り、その代金をRが支払った。３人の貸し借りがすべてなくなるように次の方法で精算する場合、タクシー代はいくらか。

・PがQに500円を払い、RがQに1000円を払った。

○ A　1000円　○ B　1500円　○ C　2000円　○ D　3000円
○ E　6000円　○ F　AからEのいずれでもない

1人だけに着目して計算することがコツ!

1　3人の貸し借りの状況を図にまとめたりすると、時間がたりなくなるばかりか、混乱するもと。設問で問われた「Rの支払い」にまとをしぼって計算する方法がいちばん確実で速い。

1. 平均額は、(プレゼント代+花束代)を3人で割った額

(10000+2000)÷3=4000円

2. Rが貸し借りで出していた額は、

Pに貸した額 +2000円
Qに借りた額 −1000円
合計 1000円

支払った(貸した)額は+(プラス)、借りた額は−(マイナス)で計算。

3. RがQに払う精算額は、平均額とRが出した額との差額

4000−1000=3000円

正解 D

2　**1**1. での平均額は4000円。**2**でタクシー代を含めたPの負担額は、

−3500−2000+10000+500=5000円

1000円増えたので、1人あたりのタクシー代は1000円。3人なので、タクシー代…**1000×3=3000円**

【別解1】Rは「Pに貸した2000円−Qに借りた1000円=1000円」+「タクシー代x円」+「精算でRがQに払った1000円」を払ったので、

Rの負担額…1000+x+1000=2000+x

RとPの負担額は等しくなるので、2000+x=5000 → **x=3000円**

【別解2】Rの負担額は3人の平均額(各人の負担額)と等しくなる。平均額は、

(プレゼント代+花束代+x)÷3=(12000+x)÷3=4000+x/3

2000+x=4000+x/3 → x=3000円

正解 D

試験場では▶計算のポイント

1　支払った(貸した)金額は+、借金は−で個別に計算する
2　割り勘にする代金を人数で割って1人分の負担額を出す
3　1人分の負担額と個人が支払っている金額との差額が精算額

確認問題　Rに2000円の借金があるPが、Qと折半で9000円のものを買い、これをPQR3人で同額ずつ負担する。精算時にRが払う額は？ 解答➡次ページ下

▶解答・解説は別冊46ページ

練習問題　代金精算

目標時間 6分 / 6問

161 X、Y、Zの3人で食事をした。食事代は12000円だったが、その場でXが10000円、Yが2000円を支払った。その後、喫茶店に入り、ここではコーヒー代900円をZがまとめて支払った。3人が同額ずつ負担するためには、YとZはXにそれぞれいくら支払えばよいか。

○ A　Yは3000円、Zは4400円　○ B　Yは2300円、Zは2400円
○ C　Yは2500円、Zは3500円　○ D　Yは1400円、Zは2400円
○ E　Yは2300円、Zは3400円　○ F　Yは2400円、Zは1300円
○ G　AからFのいずれでもない

162 SとTの2人が、半分ずつお金を出し合って、レストランで友人の送別会を開くことになった。店から出るときに、SはTから10000円を預かって支払いに向かったが、支払いは13000円だったので、Sが3000円を上乗せして支払いを済ませた。この後で、TはSにもともと6000円の借金があったことがわかった。

1 精算のとき、SがTに「あなたから10000円を預かっていたが、もともと6000円貸していたので、4000円をもらったことになる。支払いでは私が3000円出したので、差額の1000円を折半して500円をあなたに払えば精算できるね」と言った。このように精算すると、Sはいくら得をするか、または損をするか？

○ A　500円得をする　○ B　1500円損をする
○ C　2000円損をする　○ D　2500円損をする
○ E　3000円損をする　○ F　AからEのいずれでもない

2 本当はどのように精算をすれば、貸し借りがなくなるか。

○ A　SがTに500円払う　○ B　TがSに500円払う
○ C　TがSに1500円払う　○ D　TがSに2000円払う
○ E　TがSに2500円払う　○ F　AからEのいずれでもない

正解 1000円　9000円を3人で同額負担するので、1人分の負担額は9000÷3=3000円。Rは2000円＋精算額=3000円。従って、精算額は1000円。

163 XがYから5000円を預かって、Yのネクタイを1本買うことになった。Xは3500円の青のネクタイ1本と3000円のグレーのネクタイ1本を買い、Yが選ばなかった方を自分のものにすることにした。もともとYはXから4000円の借りがあった。Yが青のネクタイを選んだとき、これまでの貸し借りもなくなるように精算するには、どのようにすればよいか。

- ○ A　XがYに1500円払う
- ○ B　XがYに2500円払う
- ○ C　XがYに3500円払う
- ○ D　YがXに1500円払う
- ○ E　YがXに2500円払う
- ○ F　YがXに3500円払う
- ○ G　AからFのいずれでもない

164 L、M、Nの3人が同額ずつお金を出し合って友人にプレゼントをすることにした。3人には、もともと次のような貸し借りがあった。LはMに1500円を貸していた。NはMに2000円を貸していた。プレゼントはMが買いに行くことになっていたが、病気で行けなかったため、NがMから10000円を預かって買いに行った。

1 Nが9000円でプレゼントを買ってお釣りは自分でもらった場合、後で全員の貸し借りがなくなるように精算するためには、Nはいくら払えばよいか。

- ○ A　1000円
- ○ B　1500円
- ○ C　2000円
- ○ D　2500円
- ○ E　3000円
- ○ F　AからEのいずれでもない

2 Nがいくらかを上乗せして10000円以上のプレゼントを買ったところ、精算時にはLがMに2000円、Nに1000円を支払うことになった。この場合、プレゼントの値段はいくらだったか。

- ○ A　11500円
- ○ B　12000円
- ○ C　12500円
- ○ D　13000円
- ○ E　13500円
- ○ F　14500円
- ○ G　AからFのいずれでもない

20 速度算

● 平均速度や電車のすれ違いなど、ひねった問題が出ることが多い。

速度×時間＝距離

速度×時間＝距離 → 速度5km/時×2時間＝距離10km
距離÷時間＝速度 → 距離10km÷2時間＝速度5km/時
距離÷速度＝時間 → 距離10km÷速度5km/時＝2時間

例題

1 【平均速度】行きはP地点からQ地点まで3km/時の速さで歩いた後、Q地点で1時間休んだ。帰りはQ地点からP地点まで5km/時の速さで歩いて、往復に全部で5時間かかった。往復の平均時速はいくらか。ただし、休んでいる時間は含めないものとする（必要なときは、最後に小数第2位を四捨五入すること）。

○ A 1.87km/時　○ B 3.0km/時　○ C 3.8km/時
○ D 4.0km/時　○ E 4.2km/時

2 甲は2.7km/時で、乙は3.6km/時で歩くものとする。甲がX地点からY地点まで歩いて42分かかるとき、次の各問いに答えなさい（必要なときは、最後に小数第1位を四捨五入すること）。

1 【出会い】甲がX地点からY地点に向かって、乙がY地点からX地点に向かって同時に歩き始めた。何分後に2人は出会うか。

○ A 12分　○ B 15分　○ C 18分　○ D 20分　○ E 24分

2 【追いつき】甲がX地点から歩き始めた5分後に、乙が甲を追ってX地点を出発した。乙は何分後に甲に追いつくか。

○ A 12分　○ B 15分　○ C 18分　○ D 20分　○ E 24分

平均時速＝全行程の距離÷全行程の所要時間

❶【平均速度】(3＋5)÷2＝4と、速度の和を2で割るのは間違い。PQ間の片道の距離をxkmとおくと、行きにかかった時間はx÷3。帰りはx÷5。往復の所要時間は5時間－休憩1時間＝4時間。これらをまとめると、

$$x \div 3 + x \div 5 = 4$$

$$\frac{x}{3} + \frac{x}{5} = 4 \rightarrow \frac{8x}{15} = 4 \rightarrow 8x = 60$$

$$x = 60 \div 8 = 7.5\text{km}$$

片道距離xが7.5kmなので往復では15km。往復4時間かかっているので、

15÷4＝3.75 → 3.8km/時

正解 C

❷ **1**【出会い】出会い算では、「2人の速度の和」の速度で近づく。

速度の和＝2.7＋3.6＝6.3km/時

距離＝ $2.7 \times \frac{42}{60}$ **＝1.89km**　（2.7km/時の甲が42分かかる距離。）

距離÷速度＝1.89÷6.3＝0.3時間 → 18分

【別解】甲の速度と2人の速度の和を比にすると、**2.7：6.3＝3：7**。
速度**3**×42分＝距離126を速度**7**で近づくわけだから、
126÷**7**＝18。つまり、**18分**で出会う。

正解 C

2【追いつき】追いつき算では、「2人の速度の差」の速度で近づく。

速度の差＝3.6－2.7＝0.9km/時

甲は5分（5/60時間＝1/12時間）で $2.7 \times \frac{1}{12} = \frac{0.9}{4}$ km 進んでいる。

この差を0.9km/時の速度でうめるので、$\frac{0.9}{4} \div 0.9 = \frac{1}{4}$ 時間＝15分。

【別解】比で考えると、**2.7：0.9＝3：1**。甲は5分で**3**×5＝**15**進んでいる。
乙はこの差**15**を**1**の速度でうめるので、**15分**で追いつく。

正解 B

確認問題　1周1kmのコースを4km/時で10分前に出発した相手を12km/時で追いかける。何分後に追いつくか？　解答➡次ページ下

▶解答・解説は別冊47ページ

練習問題　速度算

目標時間 8分　8問

165 4人で駅伝の区間を走った。第1区と第4区はそれぞれ6.5km、第2区は5km、第3区は6kmである。各区間での通過時間は次の通りだった。

	10:15 →	10:37 →	10:52 →	11:15 →	(　　)
スタート	第1区 6.5km	第2区 5km	第3区 6km	第4区 6.5km	ゴール

1 第2区の走者の平均時速はいくらか（必要なときは、最後に小数第2位を四捨五入すること）。

○ A　0.3km/時　○ B　15.0km/時　○ C　18.0km/時
○ D　20.0km/時　○ E　21.0km/時　○ F　AからEのいずれでもない

2 第4区の走者は平均時速19.5km/時で走った。このとき、全区間の平均時速はいくらか（必要なときは、最後に小数第2位を四捨五入すること）。

○ A　16.0km/時　○ B　17.5km/時　○ C　18.0km/時
○ D　18.5km/時　○ E　24.0km/時　○ F　AからEのいずれでもない

166 1周1.5kmの池の周りをPは時速5.4km、Qは時速3.6kmで歩く。今、PとQは池の周りの同じ地点にいて、2人の速度はそれぞれ常に一定とする。

1 池の周りを同時に反対方向に歩き出すと、2人が再び出会うまでにかかる時間は何分か。

○ A　6分　○ B　8分　○ C　10分
○ D　11分　○ E　12分　○ F　AからEのいずれでもない

2 Pが出発してから9分後に、QがPと同じ方向に歩き出すと、Pが最初にQに追いつくのは、Pが歩き出してから何分後か。

○ A　23分　○ B　27分　○ C　30分
○ D　32分　○ E　35分　○ F　AからEのいずれでもない

　正解 5分後　先行者の速度：2人の速度の差＝4：(12－4)＝**1：2**。**1**×10＝10の距離の差を**2**の速度でうめるので10÷2で5分。

167 R駅とS駅の間は50kmである。50km/時で走行する電車XがR駅を10時5分に出発して、RS間の中間地点でS駅を10時15分に出発した電車Yとすれ違った。Yの速度は何km/時か。各電車の速度は常に一定とする。

○ A　45km/時　○ B　50km/時　○ C　55km/時
○ D　60km/時　○ E　75km/時　○ F　AからEのいずれでもない

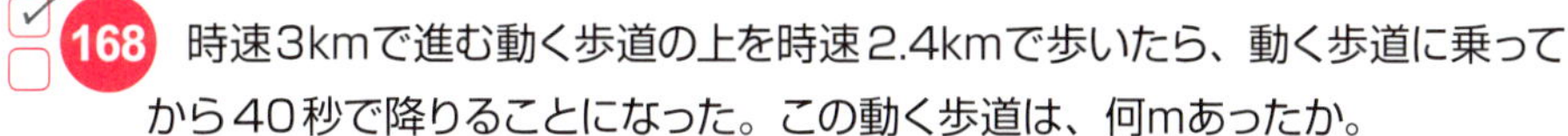

168 時速3kmで進む動く歩道の上を時速2.4kmで歩いたら、動く歩道に乗ってから40秒で降りることになった。この動く歩道は、何mあったか。

○ A　30m　○ B　40m　○ C　50m
○ D　60m　○ E　70m　○ F　AからEのいずれでもない

169 次の表は、PR間を並行に走行する路線の列車甲と列車乙の時刻表である。甲はP駅を出発し、Q駅に停車した後、R駅に着く。乙はR駅を出発し、Q駅に停車した後、P駅に着く。なお、PQ間は50km、QR間は20kmで、列車の速度は常に一定とする。

1 甲と乙がともに48km/時で走行するとき、甲は何時何分にQR間で乙とすれ違うか。

	甲	乙	
P駅発	10:10	12:40	着
	↓	↑	
Q駅着	(　　)	(　　)	発
発	11:15	(　　)	着
	↓	↑	
R駅着	(　　)	11:10	発

○ A　11時20分　○ B　11時25分
○ C　11時28分　○ D　11時30分
○ E　11時35分
○ F　AからEのいずれでもない

2 乙が甲の1.5倍の速度で走行するとき、11時20分にQR間で甲と乙がすれ違った。乙の速度は何km/時か。

○ A　60km/時　○ B　75km/時　○ C　90km/時
○ D　100km/時　○ E　120km/時　○ F　AからEのいずれでもない

1章 速度算

21 集合

● 難問が多い分野だが、解法パターンを覚えておけば確実に得点できるだろう。

3つの円のベン図

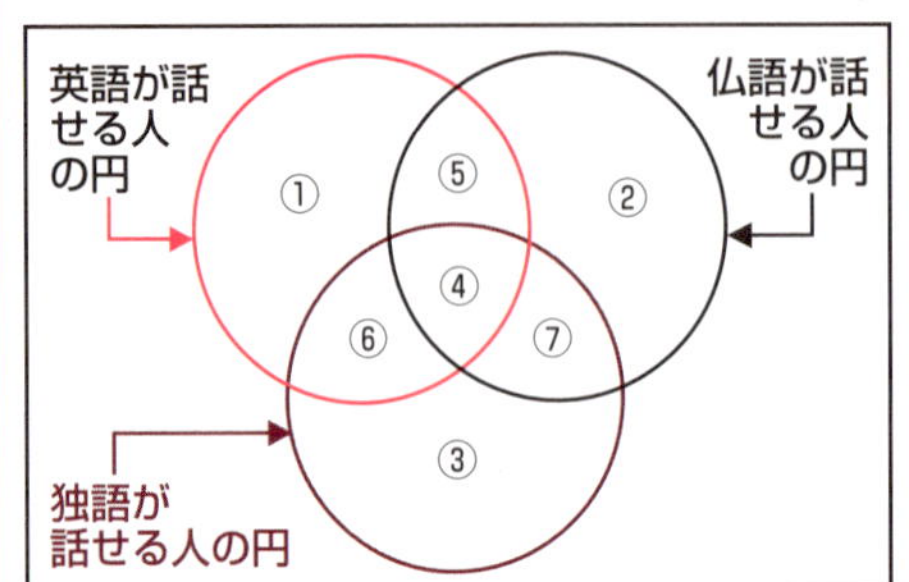

① 英語だけ話せる人
② 仏語（フランス語）だけ話せる人
③ 独語（ドイツ語）だけ話せる人
④ ３カ国語がすべて話せる人
⑤ 英語と仏語だけ話せる人
⑥ 英語と独語だけ話せる人
⑦ 仏語と独語だけ話せる人
④＋⑤ 英語と仏語が話せる人
④＋⑥ 英語と独語が話せる人
④＋⑦ 仏語と独語が話せる人
３つの円の外は、いずれも話せない人

例題

外国人200人にアンケートを行ったところ、英語が話せる人は120人、フランス語が話せる人は40人、ドイツ語が話せる人は60人いた。

1 英語とフランス語の両方が話せる人が25人いた。英語とフランス語のどちらか片方だけ話せる人は何人か。ただし、ドイツ語は関係ないものとする。

○ A 100人　○ B 110人　○ C 115人
○ D 120人　○ E 135人

2 **1**の条件に加えて、ドイツ語だけ話せる人が20人いた。英語、フランス語、ドイツ語のいずれも話せない人は何人か。

○ A 30人　○ B 35人　○ C 40人
○ D 45人　○ E 50人

3 **1**と**2**の条件に加えて、フランス語だけ話せる人は、英語は話せないがフランス語とドイツ語を話せる人の2倍いた。フランス語だけ話せる人は何人か。

○ A 5人　○ B 10人　○ C 15人
○ D 20人　○ E 25人

30秒で解ける超解法!!

ベン図の重なりを間違えないことが大切！

1　英語と仏語の両方が話せる25人は斜線部分。求める「英語と仏語のどちらか片方だけ話せる人」は右図の赤い部分。

英語だけ→ 120 − 25 = 95人

仏語だけ→ 40 − 25 = 15人

合計 → **95 + 15 = 110人**

※120 + 40 − 25 =135人ではない。英語が話せる120人の中にも、仏語が話せる40人の中にも、25人がカウントされているので、25人を2回引くことがポイント。

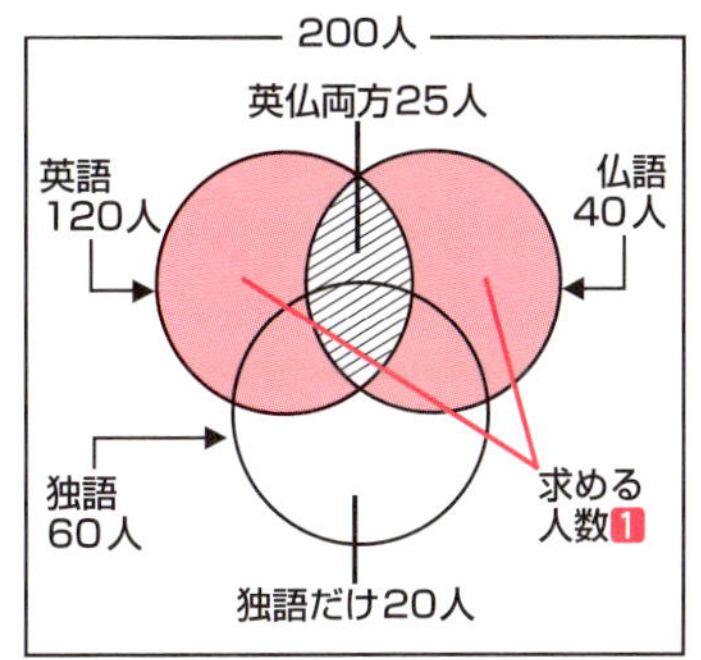

正解　B

2　1で求めた「英語と仏語のどちらか片方だけ話せる110人」+「英仏両方25人」+「独語だけ話せる20人」の合計を、200人から引けば求められる。

200 − (110 + 25 + 20) = 45人

正解　D

3　仏語だけ話せる人と英語は話せないが仏独が話せる人の合計は右図の赤い部分。これは、1で求めた通り15人。

「仏だけ」の人は「仏独だけ」の2倍なので、「仏だけ：仏独だけ = **2：1**」。つまり、全体(2 + 1 =) **3**のうちの**2**が仏語だけの人数。

$$15 \times \frac{2}{3} = 10\text{人}$$

正解　B

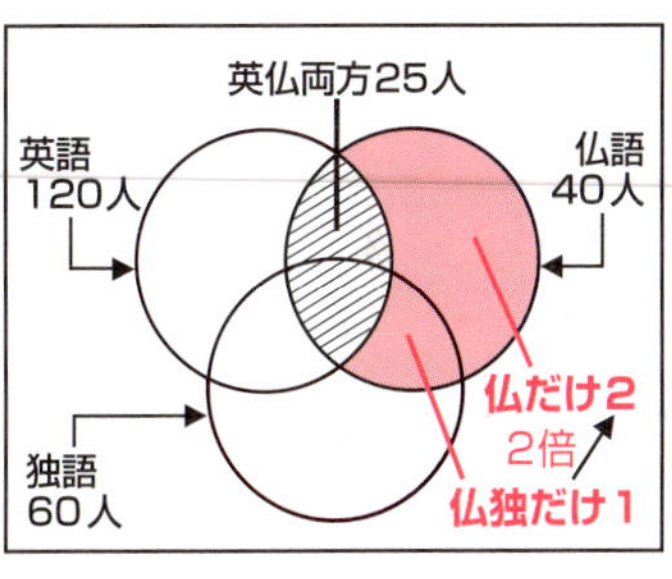

【別解】仏語だけの人数をx人とすれば、x + 1/2 x =15。x =10人

試験場では▶ベン図のメモの注意点

ベン図は、問題を解くうちにゴチャゴチャになることが多いので、書き込めるスペースが残るように、大きな円で書く。また、線の太さや線の向きで、囲みの区別をつけるようにするとよい。

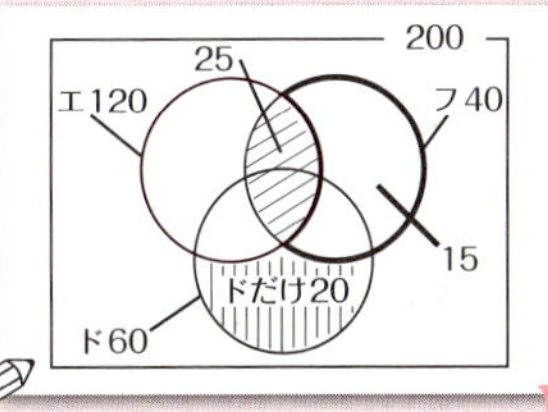

確認問題　硬式テニスの経験者は50%、軟式テニスの経験者は20%、どちらも経験があるのは15%のとき、どちらの経験もないのは何%か？ 解答➡次ページ下

▶解答・解説は別冊48ページ

練習問題 集合

170 ある高校の1年生60人に、通学時における電車とバスの利用状況について調査した。電車を利用する人は27人、バスを利用する人は45人で、電車とバスの両方を利用する人はどちらも利用しない人の3倍だった。電車とバスの両方を利用する人は何人か。

○ A 6人　○ B 8人　○ C 10人　○ D 12人　○ E 18人

171 50人が20問のテストを2回受けた。10問以上正解した人は1回目が42人、2回目が43人だった。1回目も2回目も正解が10問未満だった人が3人だったとき、1回目も2回目も10問以上正解した人は何人か。

○ A 25人　○ B 36人　○ C 38人　○ D 42人　○ E 47人

172 ある家電量販店で来店客240名を対象に、満足度の調査を行った。下表は調査項目と集計結果の一部である。

	満足	不満足
商品	200	40
販売員	185	55
配送員	160	80

(人)

1 販売員にも配送員にも「満足」と答えた人が140人いた。販売員に「満足」で配送員に「不満足」と答えた人は何人か。

○ A 20人　○ B 45人　○ C 65人　○ D 80人　○ E 95人

2 商品に「満足」、販売員に「不満足」と答えた人が30人いた。商品にも販売員にも「不満足」と答えた人は何人か。

○ A 15人　○ B 20人　○ C 25人　○ D 30人　○ E 35人

 正解 45%　硬式と軟式の合計は50＋20=70%。どちらも経験がある15%を除いて70－15=55%。これを全体の100%から引く。100－55=45%

173 会員100人のうち、土曜日の集会の参加者は56人、不参加者は44人である。また、日曜日の集会の参加者は69人、不参加者は31人である。

1 土日の両日とも参加できない人は最も多くて何人か。

○ A 13人 ○ B 31人 ○ C 44人 ○ D 57人 ○ E 75人

2 土曜日は参加できず、日曜日だけ参加できる人が13人のとき、両日とも参加できる人は何人か。

○ A 18人 ○ B 31人 ○ C 43人 ○ D 49人 ○ E 56人

174 社内の50人のうち、P新聞を読む人は28人、Q新聞を読む人は20人、R新聞を読む人は14人で、どれも読まないという人はいなかった。

1 P新聞もQ新聞も読む人は8人だった。R新聞だけ読む人は何人か。

○ A 8人 ○ B 9人 ○ C 10人 ○ D 11人 ○ E 12人

2 **1**の条件に加えて、3紙全部を読む人が1人だけいた。2紙以上を読む人は何人か。

○ A 4人 ○ B 7人 ○ C 10人 ○ D 11人 ○ E 12人

175 150冊の本を分類したところ、心理学に分類できる本が70冊、教育学に分類できる本が40冊、社会学に分類できる本が64冊あった。

1 心理学と教育学の両方に分類できる本が15冊あった。心理学には分類できないが教育学に分類できる本は何冊か。

○ A 5冊 ○ B 10冊 ○ C 25冊 ○ D 40冊 ○ E 55冊

2 **1**の条件に加えて、社会学だけに分類できる本は34冊あった。心理学、教育学、社会学のいずれにも分類できない本は何冊か。

○ A 6冊 ○ B 10冊 ○ C 20冊 ○ D 21冊 ○ E 36冊

3 **1**と**2**の条件に加えて、心理学、教育学、社会学のすべてに分類できる本は、心理学と社会学だけに分類できる本の3倍、教育学と社会学だけに分類できる本の半分であった。すべてに分類できる本は何冊か。

○ A 6冊 ○ B 7冊 ○ C 8冊 ○ D 9冊 ○ E 10冊

22 表の解釈

● 出題される表のバリエーションが非常に多いSPI頻出の難問分野。

いろいろな表の形を覚える

● 本書で表の見方、計算の仕方を覚える
● 基準になる項目と比較する
● できるだけ簡単な計算で手早く解く

例 題 よくでる

飲食店P、Q、Rは、3店で食材の一括仕入れをしている。下表は、タマネギ、ジャガイモ、ニンジン、レタスの4種類について各店の仕入れ量（重量）の割合を示したものの一部である。なお、（　）内はレタスを1としたときの3店合計の仕入れ量の割合を示している。

	タマネギ（2）	ジャガイモ（□）	ニンジン（1.4）	レタス（1）
P店	20%	□	□	30%
Q店	25%	10%	□	□
R店	55%	□	X％	□
合計	100%	100%	100%	100%

1 Q店のジャガイモの仕入れ量は、P店のタマネギの仕入れ量と同じだった。このとき、全店合計のジャガイモの仕入れ量はレタスの何倍か。

○ A 0.25倍　○ B 0.5倍　○ C 2倍　○ D 4倍

2 R店では、Q店と同じ量のレタスを仕入れたが、その量はちょうどR店のニンジンと同じ量になった。このとき、R店のニンジンの仕入れ割合Xは何%か。

○ A 20%　○ B 25%　○ C 30%　○ D 35%

30秒で解ける超解法!!

%をそのままで計算してよい問題も多い

1 全店合計での仕入れ割合の基準はレタスの1なので、レタスに換算して計算することがポイント。レタス1に対してタマネギは2なので、P店のタマネギ20%は、レタスに換算すれば、

20×2＝40%

比率さえわかればよいので、20%を0.2にする必要はない。

になる。このP店のタマネギ40%が、全店合計のジャガイモ仕入れ量のうちのQ店10%と同じ量に相当するので、全店合計のジャガイモ仕入れ量は、

40÷10＝4

レタス1を基準にした4なので、ジャガイモの仕入れ量はレタスの4倍。

正解 D

2 これもレタスに換算して計算する。R店のレタスは、Q店のレタスと同じ量なので、RとQのレタスの%は同じになる。従って、どちらも

(100－30)÷2＝35%

下表より、100－30がQRの合計。Q=Rなので、70÷2=35%

	タマネギ（2）	ジャガイモ（4）	ニンジン（1.4）	レタス（1）
P店	20%	□	□	30%
Q店	25%	10%	□	35%
R店	55%	□	X％	35%
合計	100%	100%	100%	100%

「レタス（1）の**35%**が、ニンジン（1.4）の**X%と同じ量**」なので、

1×35＝1.4×X
X＝35÷1.4＝25%

正解 B

確認問題 次のとき、全体はいくつか？ ①2%が50個のとき。 ②3kgが25%に相当するとき。解答➡次ページ下

▶解答・解説は別冊50ページ

練習問題 表の解釈

目標時間 22分

22問

176 ある有機化合物P、Q、Rは、水素、炭素、酸素、窒素、その他の元素で構成されている。P、Q、Rの1分子中の各元素の原子個数比は下表の通りである。なお、各元素の重量比は、水素を1としたとき、炭素は12、酸素は16、窒素は14であるとする。

	水素	炭素	酸素	窒素	その他	合計
P	62.3%	22.1%	10.8%	3.5%	1.3%	100%
Q	60.9%	24.6%	12.1%	1.6%	0.8%	100%
R	58.9%	25.0%	11.5%	4.0%	0.6%	100%

1 化合物P1分子中に占める水素、炭素、酸素、窒素の各元素のうちで、重量が最大のものはどれか。

○ A 水素　○ B 炭素　○ C 酸素　○ D 窒素
○ E 上の表からは決まらない

2 化合物R1分子中の窒素の原子の個数が、化合物Qのそれの1/2であるとき、化合物R1分子中の炭素の原子の個数は、化合物Qのそれの何倍か（必要なときは、最後に小数第3位を四捨五入すること）。

○ A 0.18倍　○ B 0.20倍　○ C 1.03倍　○ D 2.00倍
○ E AからDのいずれでもない

正解 ①2500個 ②12kg　①50÷0.02=2500個
②3÷0.25=3×4=12kg

□□ **177** 3種類の水溶液X、Y、Zに含まれる薬品a、b、c、dの重量百分率（%）は、下表の通りである。

	薬品a	薬品b	薬品c	薬品d
水溶液X	3.0	1.8	2.5	0.8
水溶液Y	2.0	8.5	1.0	1.8
水溶液Z	1.5	4.2	1.4	1.2

1 ある一定量の水溶液Xに含まれる薬品aの重さが20gのとき、同水溶液に含まれる薬品bの重さは何gか（必要なときは、最後に小数第1位を四捨五入すること）。

○ A 6g ○ B 12g ○ C 16g ○ D 18g
○ E AからDのいずれでもない

2 水溶液XとYを混合してできる新しい水溶液に含まれる薬品dの重量百分率を、水溶液Zのそれと等しくしたい。水溶液XとYを、どのような割合で混ぜればよいか。

○ A 1：2 ○ B 2：3 ○ C 3：2 ○ D 4：3
○ E AからDのいずれでもない

3 水溶液XとYを混合して水溶液Pを作った。水溶液Pに含まれる薬品aは16g、薬品cは10gであったとき、水溶液Xは何g混合したか（必要なときは、最後に小数第1位を四捨五入すること）。

○ A 100g ○ B 200g ○ C 300g ○ D 400g
○ E AからDのいずれでもない

➡次ページに続く

178 混合気体X、Y、Zがそれぞれ封入されている３つの容器がある。各容器に含まれる気体の構成体積比率(%)は、下表の通りである。なお、メタンを１としたときの比重は(　)内の通りとする。

	気体X	気体Y	気体Z
メタン（1.0）	80.0	90.0	84.0
エタン（1.8）	10.0	5.5	6.0
プロパン（2.8）	3.8	3.5	4.8
ブタン（3.6）	2.6	0	2.9
ペンタン（4.5）	2.2	1.0	0.25
その他	1.4	0	2.05
合計	100	100	100

1 気体Xのメタンの重量は56ｇだった。気体Xのエタンの重量はどれだけか（必要があれば、最後に小数第３位を四捨五入すること）。

○ A　0.70ｇ　○ B　1.32ｇ　○ C　5.60ｇ　○ D　12.60ｇ
○ E　AからDのいずれでもない

2 気体Yからメタンを除いたときの重量は72.6ｇだった。気体Yのペンタンの重量はどれだけか（必要があれば、最後に小数第２位を四捨五入すること）。

○ A　4.5ｇ　○ B　9.9ｇ　○ C　13.5ｇ　○ D　32.7ｇ
○ E　AからDのいずれでもない

179 下表は、W、X、Y、Zの４県における年代別の人口割合を百分率(%)で示したものである(2020年調べ)。ただし、最下欄の数字は、各県の人数が全４県の人数に対して占める百分率である。

	W県	X県	Y県	Z県	全４県
① 0～14歳	15	10	15	20	14.5
② 15～39歳	30	30	35	40	□
③ 40～64歳	40	35	30	20	□
④ 65歳以上	15	25	20	20	□
県／全４県 (W+X+Y+Z)	40	20	30	10	100

1 Y県では10年前に比べて、0～14歳の人口が3/4に減り、65歳以上の人口が２倍に増え、そのほかの人口は横ばいだった。10年前の時点で、Y県の人口に対して65歳以上の人口が占める比率は何%であったか（必要があれば、最後に小数第２位を四捨五入すること)。

○ A 5.0%　○ B 10.5%　○ C 12.0%　○ D 15.8%
○ E AからDのいずれでもない

2 右図は2000年、2010年、2020年のX県の各年代別人口の推移を2020年を100とした指数で示したものである。2000年におけるX県の各年代別人口を多い順に並べた結果を、AからJまでの中で選びなさい。ただし、①は0～14歳、②は15～39歳、③は40～64歳、④は65歳以上とする。

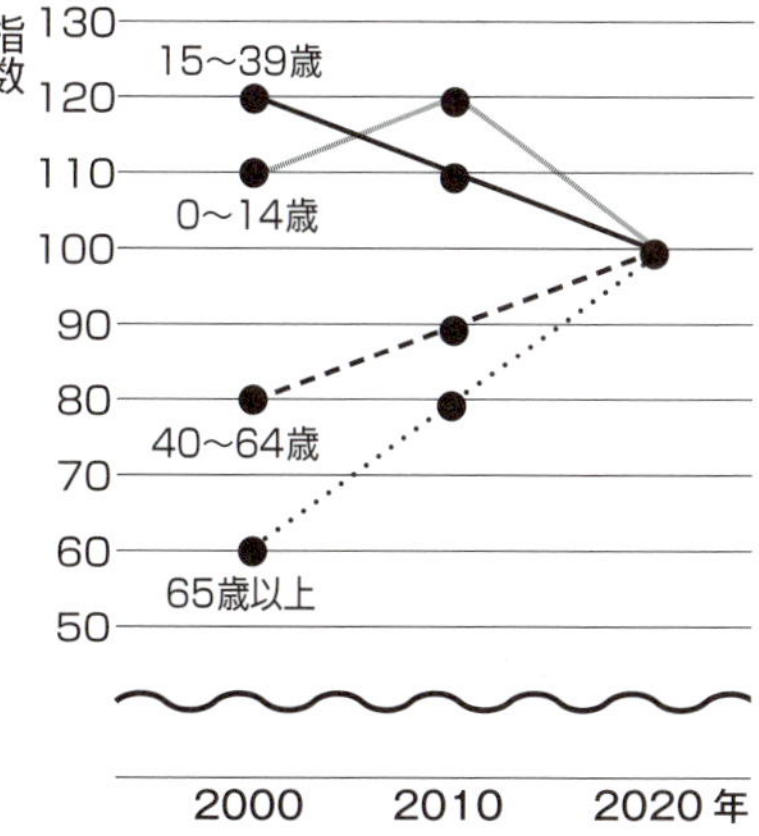

○ A ①、②、③、④
○ B ①、②、④、③
○ C ①、③、②、④
○ D ②、③、④、①　○ E ②、④、③、①

○ F ③、②、①、④　○ G ③、②、④、①
○ H ④、②、③、①　○ I ④、③、②、①
○ J AからＩのいずれでもない

➡次ページに続く

180 ある施設では、毎年２日連続で開催されるイベントがある。表１は、過去３年間のイベントの延べ入場者数とその内訳を示したものである。表２は、イベントで発売された「１日入場券」と「２日入場券」の購入者数を示したものである。なお、「２日入場券」を購入しても２日間とも入場したとは限らないが、入場券を購入して１日も入場しなかった人はいなかったものとする。

【表１】過去３年間の延べ入場者数とその内訳

	一昨年	昨年	今年
延べ入場者数	ア	2800人	3200人
１日目	30%	60%	52%
２日目	70%	40%	48%
計	100%	100%	100%

【表２】入場券の購入者数

	一昨年	昨年	今年
「１日入場券」購入者	500人	イ	1300人
「２日入場券」購入者	800人	1000人	ウ

1 一昨年の２日目の入場者数は、昨年の２日目の入場者数と同じだった。一昨年の延べ入場者数アは何人か。

○ A　1120人　○ B　1600人　○ C　2400人　○ D　5600人
○ E　AからDのいずれでもない

2 昨年の「２日入場券」購入者は、全員２日間とも入場した。昨年の「１日入場券」購入者数イは何人か。

○ A　240人　○ B　360人　○ C　600人　○ D　800人
○ E　AからDのいずれでもない

3 今年の「２日入場券」購入者のうち、90%が２日間とも入場した。今年の「２日入場券」購入者ウは何人か。

○ A　947人　○ B　1000人　○ C　1258人　○ D　1500人
○ E　AからDのいずれでもない

181 ある列車Aは、始発駅のP駅を出発した後、順にQ駅、R駅の2駅に停車して、終点のS駅に到着する。表1は、P駅からQ駅、R駅、S駅までの距離と、乗車駅別にみた各駅での下車人数を示したものである。また、表2は、乗車駅からの距離別の運賃を示している。

【表1】各駅での下車人数

P駅からの距離	乗車／下車	P駅	Q駅	R駅
38km	Q駅	28人	—	—
60km	R駅	18人	20人	—
108km	S駅	32人	15人	23人

【表2】距離別運賃

距離	10kmまで	30kmまで	50kmまで	80kmまで	110kmまで
運賃	140円	400円	600円	800円	1000円

1 Q駅からR駅の間、列車Aに乗っている人は何人か。

○ A　20人　○ B　38人　○ C　70人　○ D　85人
○ E　AからDのいずれでもない

2 S駅で下車した人の乗車運賃の合計はどれだけか。

○ A　46800円　○ B　48400円　○ C　51400円
○ D　57800円　○ E　AからDのいずれでもない

3 列車Aの乗車定員数を100人としたとき、P駅からS駅までの3区間の乗車率（乗車人数÷乗車定員数）の平均はどれだけか（必要なときは、最後に小数第2位を四捨五入すること）。

○ A　45.3%　○ B　70.0%　○ C　77.7%　○ D　136.0%
○ E　AからDのいずれでもない

1章 表の解釈

➡次ページに続く

182 ある学校の３年生は１クラス40人で、P、Q、R、Sの４クラスがあり、各クラスの全員が物理、化学、生物のいずれかの科目を選択して受験している。下表は各科目の受験者数と平均点を表したものの一部である。

【表１】各クラス・各科目別受験者数　１クラスは40人

	Pクラス	Qクラス	Rクラス	Sクラス
物理	8人	16人	10人	11人
化学	20人	12人	（　　）	15人
生物	12人	12人	（ ア ）	14人

【表２】各クラス・各科目別平均点

	Pクラス	Qクラス	Rクラス	Sクラス
物理	72.0点	64.5点	65.0点	64.0点
化学	70.7点	69.5点	70.0点	72.2点
生物	69.5点	70.0点	63.0点	59.5点

1 Pクラスの３科目を合わせた平均点はいくつか（必要なときは、最後に小数第２位を四捨五入すること）。

○ A　70.0点　○ B　70.2点　○ C　70.6点　○ D　70.7点
○ E　AからDのいずれでもない

2 物理の全クラスの平均点はいくつか（必要なときは、最後に小数第２位を四捨五入すること）。

○ A　65.8点　○ B　67.6点　○ C　70.2点　○ D　71.9点
○ E　AからDのいずれでもない

×
3 Rクラスの３科目を合わせた平均点が67.0点のとき、Rクラスの生物の受験者数（ ア ）は何人か。

○ A　8人　○ B　9人　○ C　10人　○ D　11人
○ E　AからDのいずれでもない

183 ある町の４つのスキー場W、X、Y、Zで調査を行い、主に利用した交通手段を１つだけ挙げてもらった。表１は、回答結果にもとづいて、スキー場ごとに利用した交通手段の割合を示したものである。また表２は、スキー場ごとの回答者数が回答者数全体に占める割合を示している。

【表１】利用した交通手段

交通手段＼スキー場	W	X	Y	Z	合計
乗用車	(　　)	50%	20%	20%	34%
バス	30%	20%	30%	60%	(　　)
電車	(　　)	20%	30%	10%	(　　)
その他	10%	10%	20%	10%	13%
合計	100%	100%	100%	100%	100%

【表２】スキー場ごとの回答者数の割合

	W	X	Y	Z	合計
回答者の割合	25%	30%	30%	15%	100%

1 スキー場Xで「電車」と答えた人は、４つのスキー場での回答者数全体の何%か（必要なときは、最後に小数第１位を四捨五入すること）。

○ A　3%　○ B　6%　○ C　9%　○ D　12%

2 スキー場Zで「バス」と答えた人は、スキー場Xで「バス」と答えた人の何倍か（必要なときは、最後に小数第２位を四捨五入すること）。

○ A　0.7倍　○ B　1.1倍　○ C　1.5倍　○ D　1.7倍

3 スキー場Wで「乗用車」と答えた人は、スキー場Wでの回答者数の何%か（必要なときは、最後に小数第１位を四捨五入すること）。

○ A　16%　○ B　24%　○ C　30%　○ D　40%

4 スキー場Yで「その他」と答えた人は84人であった。４つのスキー場での回答者数の合計は何人か。

○ A　420人　○ B　560人　○ C　1400人　○ D　2800人

23 特殊算

● 鶴亀算、年齢算、過不足算、数列など、数の規則性を使った問題をまとめた。

様々な解法を覚えておく

鶴と亀が合計5匹いる。足の数が14本のとき鶴は何羽か。

【鶴亀算での解法】5匹すべてが亀なら足の数は4×5=20本。ところが足の数は14本なので、20－14=6本の差がある。亀1匹を鶴1羽にかえていくと、足の数は4－2=2本ずつ減るので、6÷2=3で、鶴は3羽。

【方程式での解法】合計5匹なので、鶴をx羽、亀を(5－x)匹として式を立てる。

$2x+4(5-x)=14$

これを解いて、$x=3$

例題　よくでる

1 【鶴亀算】80円切手と20円切手を合わせて30枚で、2000円以内におさまるように購入したい。80円切手ができるだけ多くなるようにするには、80円切手を何枚にすればよいか。

○ A　22枚　○ B　23枚　○ C　24枚　○ D　25枚
○ E　26枚　○ F　AからEのいずれでもない

2 【年齢算】現在、母親は30歳で、子供は2歳である。母親の年齢が子供の年齢の3倍になるのは今から何年後か。

○ A　10年後　○ B　11年後　○ C　12年後　○ D　13年後
○ E　14年後　○ F　AからEのいずれでもない

方程式の立て方、解き方は必ず覚えておくこと

❶【鶴亀算】30枚全部が20円切手だとすると、20×30=600円になる。しかし、実際の金額は2000円以内なので、2000－600=1400円余る。20円切手と80円切手の差額は60円なので、20円切手を80円切手と1枚入れかえるごとに、金額は60円増えることになる。従って、
1400÷60＝23.33…枚が80円切手の数。
23.33…枚は24枚ではなくて**23枚**と考えれば、2000円以内におさまる。

【別解1】80円切手を**x枚**とすれば、20円切手は**（30－x）枚**。

$$80x+20(30-x) \leqq 2000$$

これを解いて、$x \leqq 23.33\cdots$枚

$80x+600-20x \leqq 2000$
$80x-20x \leqq 2000-600$
$60x \leqq 1400$
$x \leqq 1400 \div 60=23.33\cdots$

【別解2】80円切手をx枚、20円切手をy枚。

$$80x+20y \leqq 2000$$ ←両辺を20で割ると下の①になる

$$4x+y \leqq 100 \cdots ①$$
$$x+y=30 \cdots ②$$

②をy=30－xとして、①に代入して計算して解く。
$x \leqq 70 \div 3=23.33\cdots$

これを解いて、$x \leqq 23.33\cdots$枚

正解 B

❷【年齢算】母親も子供も、**x年後にはともにx歳だけ年をとる**。
30歳の母親のx年後の年齢（30＋x）が2歳の子供のx年後の年齢（2＋x）の3倍と等しくなるので、これを式にする。

$$30+x=3(2+x)$$

これを解いて、$x=12$

正解 C

確認問題　50円、80円、120円切手が合計で420円分ある。50円切手と120円切手の枚数が同じとき、80円切手は何枚か？ 解答➡次ページ下

▶解答・解説は別冊53ページ

練習問題 特殊算

184 70円の菓子と90円の菓子を買って、1000円以内におさめたい。90円の菓子をできるだけたくさん買って、合計で12個にするとき、90円の菓子はいくつ買えるか。

○ A 4個　○ B 6個　○ C 8個　○ D 9個
○ E 10個　○ F AからEのいずれでもない

185 500円玉、100円玉、50円玉、10円玉を全種類組み合わせて、合計13枚で1450円を作るとき、100円玉は何枚必要か。

○ A 1枚　○ B 2枚　○ C 3枚　○ D 4枚
○ E 5枚　○ F AからEのいずれでもない

186 800円、1200円、1600円、1800円のぬいぐるみがある。これらをちょうど20000円になるように買いたい。1800円のぬいぐるみは6個以上、その他はすべて2個以上は買うとき、全部で最大何個買えるか。

○ A 10個　○ B 12個　○ C 14個　○ D 18個
○ E 20個　○ F AからEのいずれでもない

187 ある製品の原価は6月には1個あたり100円だったが、7月には115円に値上がりした。この2か月間の生産個数は10000個で平均原価は109円だった。6月の生産個数はいくつか。

○ A 2000個　○ B 3000個　○ C 4000個　○ D 6000個
○ E 8000個　○ F AからEのいずれでもない

正解 1枚 420円なので、50円と120円のセット170円は1または2セット。2セットのときに、420－340=80円で割り切れるので、80円切手は1枚。

188 800円、1200円、1600円、1800円の食器を合計10000円分購入したい。1800円の食器だけは2個以上、その他の種類は1個以上買うとき、全部で最大何個の食器が購入できるか。

○ A　5個　○ B　6個　○ C　7個　○ D　8個
○ E　9個　○ F　AからEのいずれでもない

189 父親は現在40歳で、16歳と12歳の子供がいる。子供の年齢の合計が父親の年齢を超えるのは何年後か。

○ A　10年後　○ B　11年後　○ C　12年後　○ D　13年後
○ E　14年後　○ F　AからEのいずれでもない

190 池の周りを歩く1周200mの遊歩道がある。この道にそって、5m間隔で木を植えたい。木は何本必要か。

○ A　38本　○ B　39本　○ C　40本　○ D　41本
○ E　42本　○ F　AからEのいずれでもない

191 X社とY社が合同で社員旅行をしたところ、合わせて75人が参加した。参加した男性と女性の人数について、次のことがわかっている。

Ⅰ　男性と女性の参加者数の差は9人だった
Ⅱ　女性の参加者数はX社がY社より3人多かった

このとき、参加した男性の人数は何人か。

○ A　33人　○ B　35人　○ C　40人　○ D　42人
○ E　45人　○ F　AからEのいずれでもない

➡次ページに続く

192 修学旅行で165人の生徒が、4人部屋、5人部屋、6人部屋の3種類の部屋、合計30室に分かれて泊まった。ただし、どの部屋にも定員ちょうどの人数で泊まったものとする。

1 6人部屋が22室の場合、4人部屋は何室か。

○ A　5室　○ B　6室　○ C　7室　○ D　8室
○ E　9室　○ F　AからEのいずれでもない

2 4人部屋と5人部屋の数が同じ場合、6人部屋は何室か。

○ A　16室　○ B　18室　○ C　20室　○ D　22室
○ E　24室　○ F　AからEのいずれでもない

193 80円、30円、10円、4円の4種類の切手を購入する。

1 全種類の切手をそれぞれ2枚以上購入して、ちょうど400円にしたい。このとき購入できる最大枚数は何枚か。

○ A　11枚　○ B　24枚　○ C　35枚　○ D　46枚
○ E　52枚　○ F　AからEのいずれでもない

2 ちょうど442円にするときの最小枚数は何枚か。ただし、購入しない種類の切手があってもよいものとする。

○ A　8枚　○ B　9枚　○ C　10枚　○ D　11枚
○ E　12枚　○ F　AからEのいずれでもない

194 ジョーカー2枚を含む1組のトランプ54枚から、何枚かのカードを抜き出した。

1 10枚ずつ並べていくと7枚余り、6枚ずつ並べていくと3枚余ったとき、カードは何枚あるか。

○ A 12枚 ○ B 17枚 ○ C 27枚 ○ D 37枚
○ E 47枚 ○ F AからEのいずれでもない

2 何人かにカードを配った。8枚ずつ配ったら4枚余り、10枚ずつ配ったら8枚足りなかった。カードは何枚あるか。

○ A 12枚 ○ B 22枚 ○ C 32枚 ○ D 36枚
○ E 42枚 ○ F AからEのいずれでもない

195 あるコンビニエンスストアのアルバイトの時給には、働き始めてn年後の時給f(n)と、その前の年の時給 f(n−1)との間に、次のような関係がある。

$$f(n)=f(n-1)+10n+20$$（ただし、$n>0$でnは自然数）

1 最初の時給が700円であるとき、このアルバイトの3年後の時給はいくらになるか。

○ A 730円 ○ B 770円 ○ C 810円 ○ D 820円
○ E 840円 ○ F AからEのいずれでもない

2 4年後の時給が900円だった人の最初の時給はいくらであったか。

○ A 650円 ○ B 680円 ○ C 710円 ○ D 720円
○ E 750円 ○ F AからEのいずれでもない

1章 特殊算

24 情報の読み取り

● 長文や表を読み取って、内容が一致する選択肢を選ぶテストセンターの問題。

資料内の数値を精査

資料との照合が決め手

時間をかけないで、手早くチェックとメモで解く。

例 題 よくでる

【日帰りバスツアー／Aコース・大人1名料金】

出発日	昼食付きプラン	昼食なしプラン
土日・振り替え休日：7時出発	10000円	8000円
平日（上記以外の日）：8時出発	9000円	7000円

●子供同伴の家族（合計3名以上）は、子供（12歳未満）の料金のみ20%引きとなる。
●4月29日〜5月5日、8月12日〜8月16日は、各料金1000円増しとなる。
●2月、6月、9月、11月は、各料金1000円引きとなる。
●キャンセル料は、出発日の10日前までは無料、9〜8日前は料金の20%、7〜2日前は料金の30%、前日は40%、当日は100%である。
●2つ以上の割引の対象となる場合、割引率が大きい方が適用される。

1 資料の内容と一致するものは、ア、イ、ウのうちどれか。

ア 3月の土曜日に、家族4名（大人2名、小学1年生1名、小学5年生1名）で昼食付きプランに参加する際、料金の合計は36000円である。
イ 5月1日（金曜日）に、家族3名（大人2名、中学3年生1名）で昼食なしプランに参加する際、料金の合計は21000円である。
ウ 9月の秋分の日（祝日・水曜日）に、大人3名で昼食なしプランに参加する際、料金の合計は21000円である。

○ A アだけ　○ B イだけ　○ C ウだけ　○ D アとイ
○ E アとウ　○ F イとウ

2 資料の内容と一致するものは、ア、イ、ウのうちどれか。

ア 料金が9000円のとき、出発日の7日前にキャンセルすると、キャンセル料は1800円である。

イ 料金が7000円のとき、出発日前日にキャンセルすると、キャンセル料は2800円である。

ウ 2月10日（火曜日）の昼食付きプランを大人2名で頼んだが、9日前にキャンセルしたとき、キャンセル料は3600円である。

○ A アだけ　○ B イだけ　○ C ウだけ　○ D アとイ
○ E アとウ　○ F イとウ

1分で解ける超解法!!

注意事項を見落とさないことが大切

1 割り引きと割り増しの条件を読み取る。

ア 家族割引が適用されて、子供2名が20%引き。3月／土曜／昼食付きで、

10000×2（昼食付き土曜 大人×2名）＋10000×0.8×2（昼食付き土曜 子供×2名）＝36000円→○

イ 家族割引の適用はない。5月1日（1000円増し）／平日／昼食なしで、

(7000＋1000)×3（昼食なし平日1000円増し×3名）＝24000円→21000円ではないので×

土日・振り替え休日ではないので、祝日でも平日料金となる。

ウ 9月(1000円引き)／**平日**／昼食なしで、

(7000－1000)×3（昼食なし平日1000円引き×3名）＝18000円→21000円ではないので×

正解 A

2 キャンセル料金を読み取る。

ア 7日前なので、キャンセル料は30%。9000×0.3＝2700円→×

イ 前日なので、キャンセル料は40%。7000×0.4＝2800円→○

ウ 2月（1000円引き）、平日／昼食付きなので、料金は8000円が2名。9日前のキャンセル料は20%。

8000×2×0.2＝3200円→×

正解 B

▶解答・解説は別冊56ページ

練習問題 情報の読み取り

196 次の資料を用いて、各問いに答えなさい。

【入館料一覧（入館料＝a円）】

	1人あたりの料金（円）
回数券（10枚つづり）	0.7a
夫婦50割引	0.7a
学生割引	0.8a
団体割引	0.75a

●小学生以下は子供料金（0.5a円）。
●学生割引は中学・高校生が対象。
●回数券は、複数人での使用も可。ただし、残余券払い戻しは不可。
●夫婦50割引は、同伴の男女どちらかが50歳以上なら２人に適用。
●団体割引は５人以上で利用の場合、全員に適用。
●各割引は他の割引と併用不可。

1 資料の内容と一致するものは、ア、イ、ウのうちどれか。

ア　高校生５人が一緒に入館する場合、５人分の料金が25%引きになる。
イ　小学生１人と中学生１人、大学生１人が一緒に入館する場合、総額は2.3a円になる。
ウ　48歳の父と51歳の母と小学生１人、中学生１人、大学生１人の家族が一緒に入館する場合、団体割引での入館が最も割安になる。

○ A　アだけ　○ B　イだけ　○ C　ウだけ　○ D　アとイ
○ E　アとウ　○ F　イとウ

2 資料の内容と一致するものは、ア、イ、ウのうちどれか。

ア　中学生10人で入館する場合、料金は30%引きになる。
イ　50歳未満の大人９人で入館する場合、総額6.3a円になる。
ウ　50歳未満の大人８人以上は、回数券を購入した方が割安である。

○ A　アだけ　○ B　イだけ　○ C　ウだけ　○ D　アとイ
○ E　アとウ　○ F　イとウ

197 次の文を読んで、各問いに答えなさい。

日本の輸入金額に占める原油輸入の割合は、2007年度で18.3%、前年度は16.6%を占めている。また、同じ鉱物性燃料である天然ガスの割合も2007年度は4.6%、前年度は4.0%と上位を占めている。

近年では、両者の価格高騰により、輸入金額の増加という形で海外への所得移転が生じている。例えば原油の輸入量は、2007年度には243.1百万kL（キロリットル）で、前年度の243.6百万kLと比べてほぼ横ばいだが、2006年度、2007年度の支払金額では、それぞれ11.4兆円、13.7兆円と拡大しており、1997年度の3.9兆円と比べると激増している。天然ガスも同様で、2006年度は63百万トン、2007年度は68百万トンと微増だが、支払金額はそれぞれ2.7兆円、3.5兆円と拡大している。

（数値は財務省「貿易統計」による）

1 日本が輸入する原油について、文中で述べられていることと一致するものは次のうちどれか。

○ A 2007年度の輸入支払金額は、天然ガスの輸入支払金額の約5倍だった。
○ B 2006年度から2007年度にかけて、輸入量は増加している。
○ C 2006年度の輸入支払金額は、原油より天然ガスの方が多かった。
○ D 2007年度の輸入支払金額は、10年前に比べて10兆円近く増加している。

2 日本が輸入する天然ガスの輸入支払金額は、2006年度から2007年度の間にどう変化したか。

○ A 海外から輸入する鉱物性燃料の中で首位になった。
○ B 約1.3倍に増えた。
○ C 海外から輸入する鉱物性燃料の約30%を占めるようになった。
○ D 原油の輸入支払金額を抜いた。

テストセンター ✕　ペーパーテスト ○

25 物の流れ

● ある経路を通る人や物の流れを式で表していくペーパーテストの問題。

例 題　よくでる

業者Xが出荷する商品のうち比率にしてaが業者Yに納品されるとき、これを次の図で表す。業者X、Yの商品の量をそれぞれX、Yとすると、式 Y＝aX が成り立つ。

X ——a——→ Y

業者Xが出荷する商品のうち比率aと、業者Yが出荷する商品のうち比率bとが、業者Zに納品されるとき、これを次の図で表す。 このとき、式 Z＝aX＋bY が成り立つ。

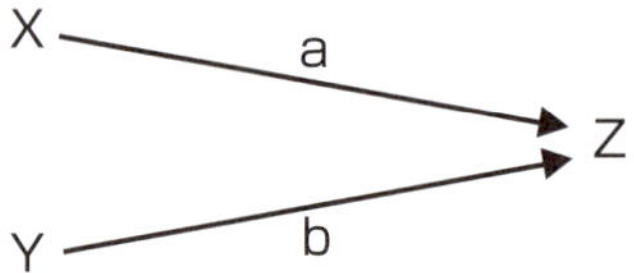

業者Xが出荷する商品のうち比率aが業者Yを経由して、そのうちの比率bが業者Zに納品されるとき、これを次の図で表す。

X ——a——→ Y ——b——→ Z

このとき、式 Z＝bY が成り立つ。また、Z＝b(aX)＝abX とも表される。なお、式については以下のような一般の演算が成り立つものとする。

(a＋b)X＝aX＋bX

c(a＋b)X＝acX＋bcX

1　右の図1を表す式は、次のうちどれか。

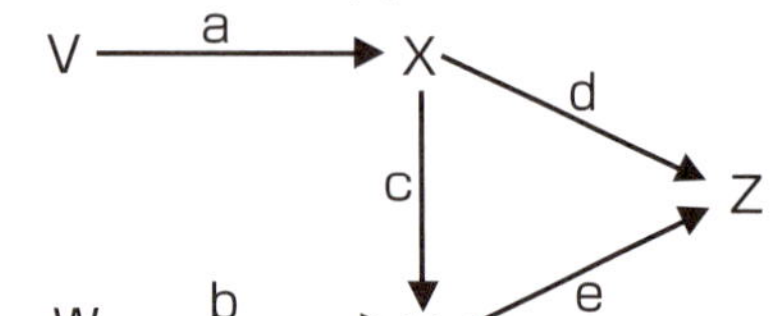

ア　Z＝aV＋bW＋dX＋eY

イ　Z＝dX＋eY

ウ　Z＝adV＋e(bW＋cX)

○ A　アだけ　○ B　イだけ　○ C　ウだけ　○ D　アとイ　○ E　アとウ

○ F　イとウ　○ G　アとイとウ　○ H　ア、イ、ウのいずれでもない

2 図1におけるそれぞれの比率は、次の通りである。

a=0.2　b=0.4　c=0.6　d=0.4　e=0.5

業者Vが出荷する商品の個数は、Wが出荷する商品の2倍である。Xから直接Zに納品される商品の個数は、YからZに納品される商品の個数に対して、どれだけにあたるか（必要なときは、最後に小数第3位を四捨五入すること）。

○ A　0.25　○ B　0.40　○ C　0.50　○ D　0.60　○ E　0.75
○ F　1.00　○ G　1.50　○ H　AからGのいずれでもない

1分で解ける超解法!!

ルール通り式に置き換える簡単な問題パターン

1 終点のZから順番に式に表すと、以下の3つの式ができる。

Z = dX + eY …①

X = aV …②

Y = bW + cX …③

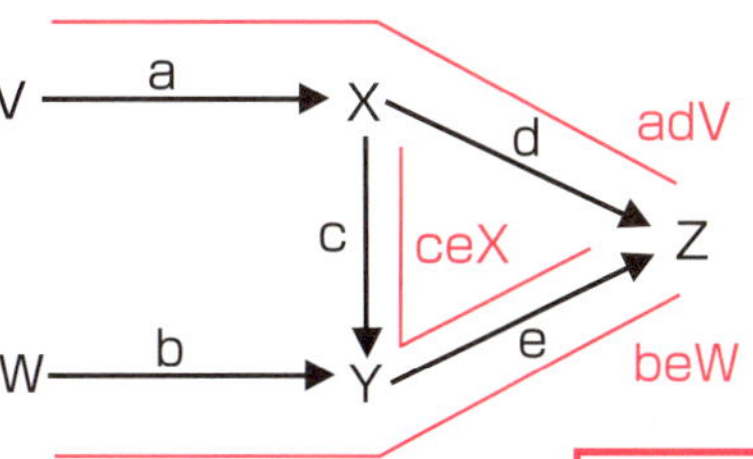

イは式①と同じなので○。
ウは式①に②と③を代入した式なので○。
アはどの式からも導き出せないので×。

正解 F

【別解】アはaVとdXというダブっている経路をたし合わせているので×。イはZを一番近いXとYで表した最もシンプルな式で○。ウは式の経路をたどると、上の赤線の通り、ダブりなくZに集約するので○。

2 Vを200、Wを100として計算。XからZへ200×0.2×0.4=16。YからZへ200×0.2×0.6×0.5＋100×0.4×0.5=32。
従って、16の32に対する割合は、**16÷32=0.5**

正解 C

納得!! ここが飲み込めれば大丈夫

【図P】

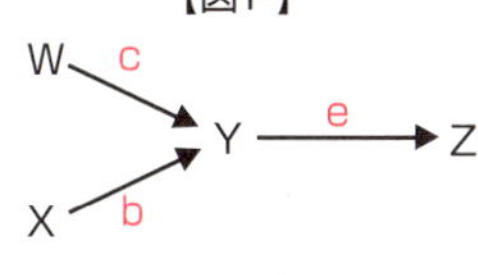

【図P】のceWとbeXのeがダブっていると感じる人が多いが、
Z = eYに、Y = cW + bXを代入すれば、
Z = e(cW + bX)=ecW + ebXになるのでダブりはない。

確認問題 上の【図P】で、c = 0.5、b = 0.4、e = 0.2であるとする。Wに100個、Xに50個あるとき、Zにはいくつ集まることになるか。 解答➡次ページ下

▶解答・解説は別冊57ページ

練習問題　物の流れ

198　ある市における電気の流れを下図に示した。K、L、M、N、P、Qは変電所を、s、t、u、v、wは電気の比率を表す。例えば、図では変電所Kから送電された電気のうち比率sがNに送られることを示している。

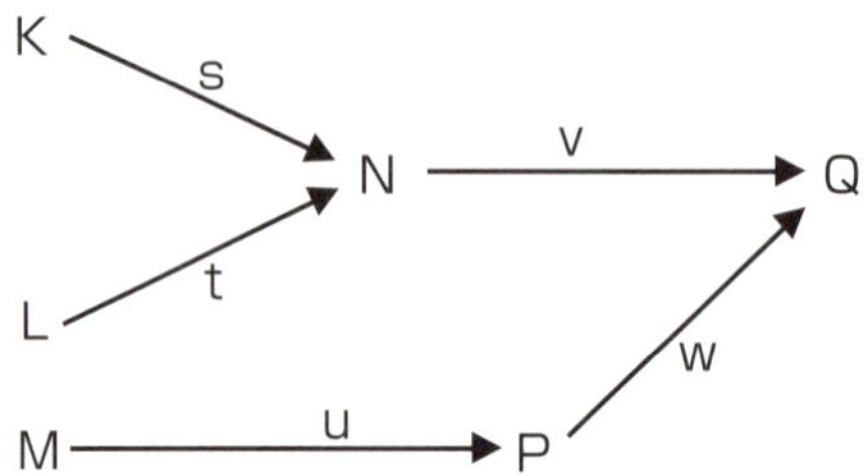

1　図を表す式は、次のうちどれか。

ア　Q = sK + tL + vN + uwM
イ　Q = svK + tvL + uwM
ウ　Q = v(sK + tL) + wP

○ A　アだけ　　○ B　イだけ　　○ C　ウだけ
○ D　アとイ　　○ E　アとウ　　○ F　イとウ
○ G　アとイとウ　　○ H　ア、イ、ウのいずれでもない

2　図におけるそれぞれの比率は、次の通りである。

s=0.6　t=0.9　u=0.5　v=0.7　w=0.4

変電所Kと変電所Mから送電された電気の総量が同じ場合、変電所Kから変電所Qに送られる電気量は、変電所Mから変電所Qに送られる電気量に対して、何%にあたるか（必要なときは、最後に小数第2位を四捨五入すること）。

○ A　47.6%　　○ B　54.0%　　○ C　120.0%
○ D　142.0%　　○ E　210.0%　　○ F　242.9%
○ G　270.0%　　○ H　AからGのいずれでもない

正解　14個　Wからは、100×0.5×0.2=10個。Xからは、50×0.4×0.2=4個。10＋4で14個がZに集まる。

199 ある大会における参加人数の動向を下図に示した。K、L、M、N、P、Q、Rは大会を、a、b、c、d、e、f、gは参加者の比率を表す。例えば、図では大会Kの参加人数のうち比率aが大会Nに出場することを示している。

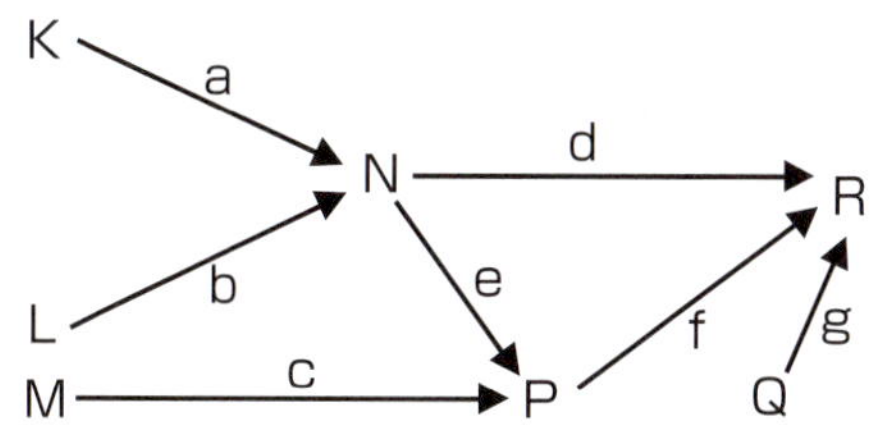

1 図を表す式は、次のうちどれか。

ア　R = d(aK + bL) + f(eN + cM) + gQ
イ　R = adK + bdL + aefK + befL + cfM + gQ
ウ　R = dN + fP + efN + gQ

○ A　アだけ　　○ B　イだけ　　○ C　ウだけ
○ D　アとイ　　○ E　アとウ　　○ F　イとウ
○ G　アとイとウ　　○ H　ア、イ、ウのいずれでもない

図におけるそれぞれの比率は、次の通りである。

a=0.6　b=0.5　c=0.4　d=0.3　e=0.1　f=0.5　g=0.25

2 大会Kに出場した人の何%が大会Rに出場するか（必要なときは、最後に小数第1位を四捨五入すること）。

○ A　3%　　○ B　18%　　○ C　21%
○ D　23%　　○ E　25%　　○ F　48%
○ G　54%　　○ H　AからGのいずれでもない

3 図における大会Kの出場人数は600人、大会Lの出場人数は400人だった。また、大会Nから大会Pに出場した人数は、大会Pから大会Rに出場した人数より10人多かった。大会Mの参加人数は何人か。

○ A　18人　　○ B　28人　　○ C　36人
○ D　46人　　○ E　56人　　○ F　90人
○ G　900人　　○ H　AからGのいずれでもない

26 グラフの領域

● 不等式の条件に当てはまる値や領域を求めるペーパーテストの問題。

グラフの領域の大原則

y>aは上、x>aは右の領域

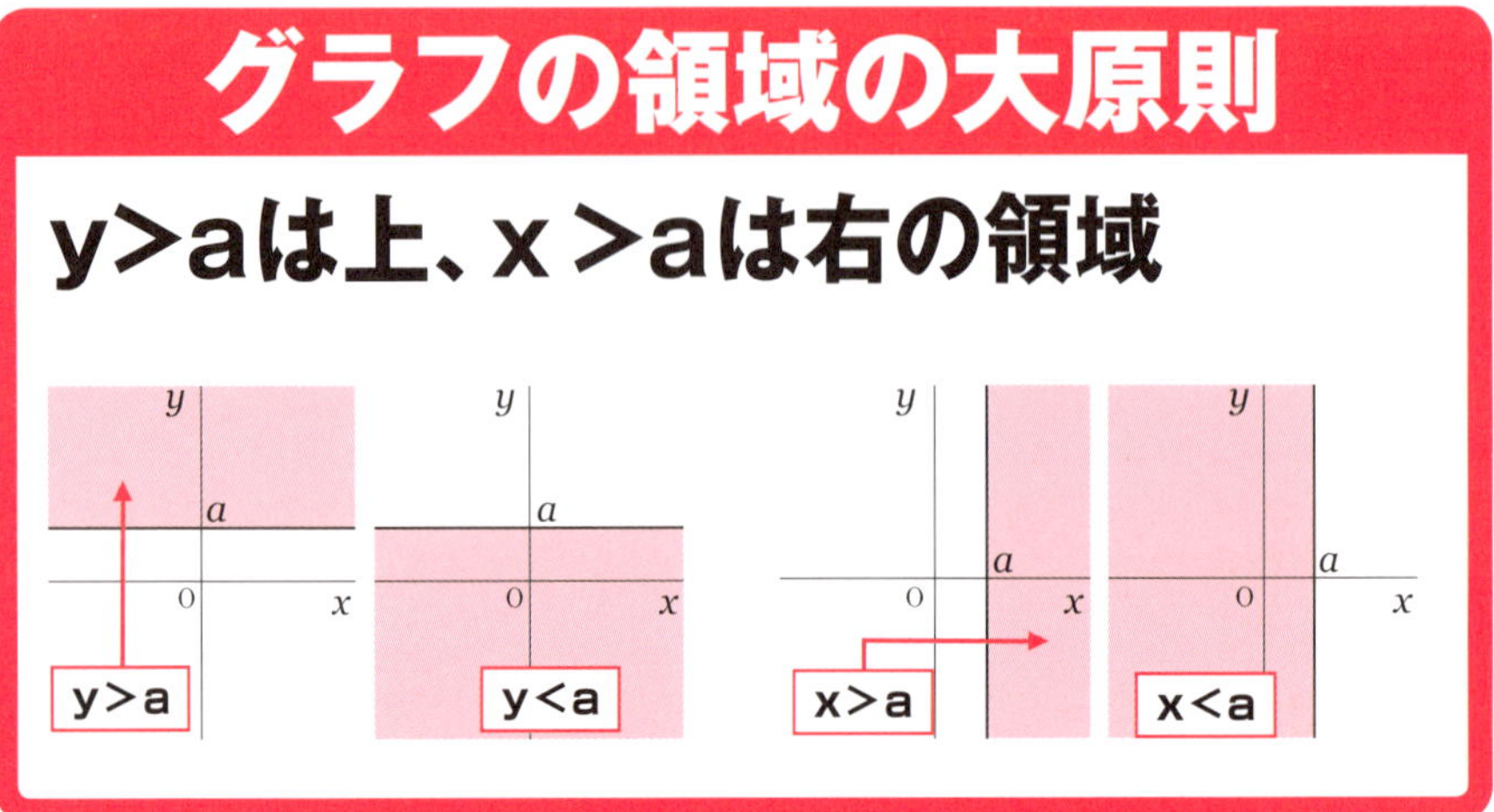

例題 よくでる

次の3つの式によって示される放物線と直線は、下図のように平面を8つの領域に分ける。

ア　$y=x^2$

イ　$y=x+2$

ウ　$y=0$

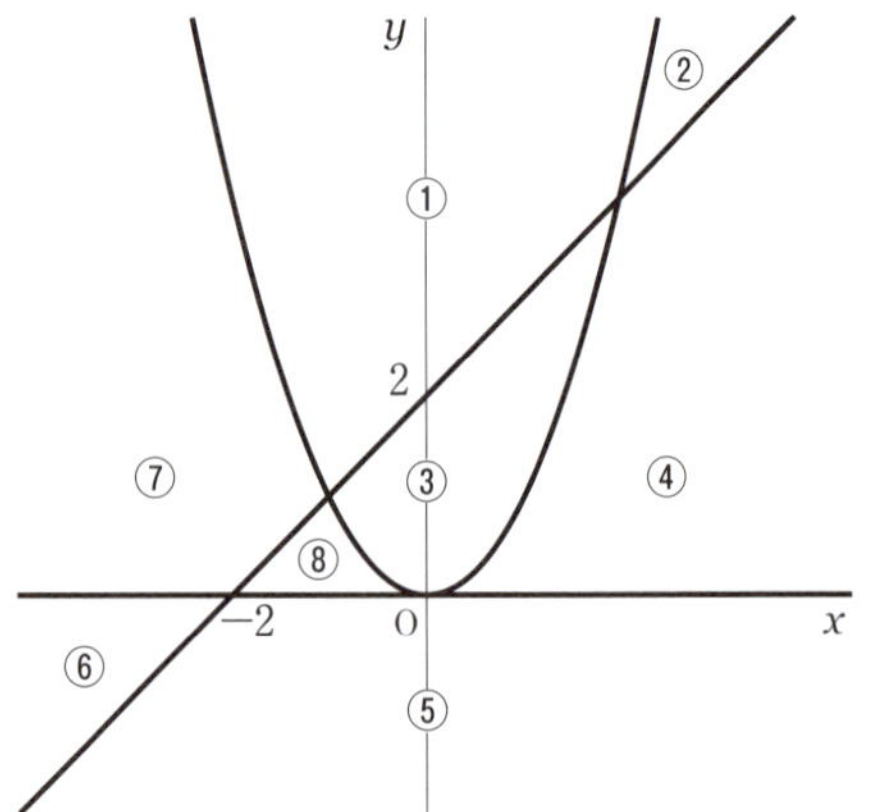

次の2式からなる連立不等式で表される領域はどれか。

カ　$y>x^2$

キ　$y<x+2$

○ A　①のみ　　○ B　②のみ

○ C　③のみ　　○ D　④のみ

○ E　②と⑥と⑦　　○ F　③と④と⑧

○ G　④と⑤と⑧　　○ H　2式で表される領域は存在しない

で解ける超解法!!

$y=x^2$は放物線、y＝x＋2は右上がりの直線

不等号がyに対して開いていれば、
yの値の方が大きいので、上の領域。
不等号がyに対して閉じていれば、
yの値の方が小さいので、下の領域。
・カの **$y>x^2$** は放物線より**上**の領域（①＋③）。
・キの **y＜x＋2** は右上がりの直線より**下**の領域（③＋④＋⑤＋⑧）。
これらの領域が重なる部分は③。

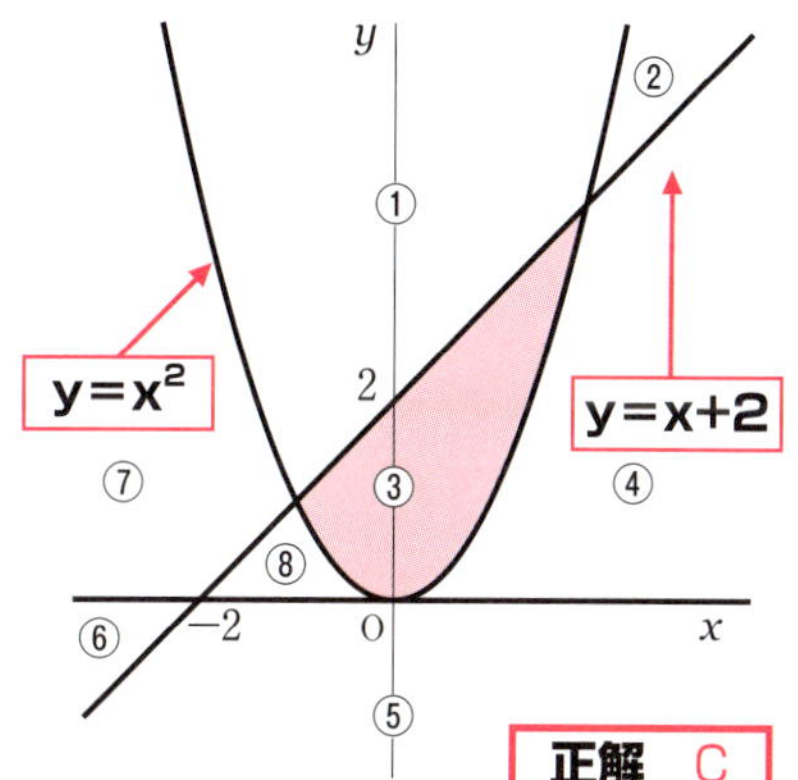

正解　C

【検証】具体的な数字を当てはめることにより検証できる。

カとキの不等式に、③の領域にある数字、例えば、x＝0、y＝1 を当てはめてみると、カは1＞0で成り立ち、キも1＜2で成り立つ。

よって、(0, 1) がある領域（＝③）が正しいとわかる。

納得!! SPIに出題される式とグラフの領域

さっと確認して、下の確認問題をやるだけで、得点アップ！

・yだけの式は横線

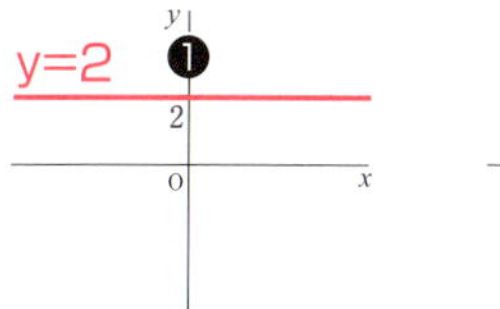

・xだけの式は縦線

x=2
❷

・yとxの式は斜線

❸
y=x+2

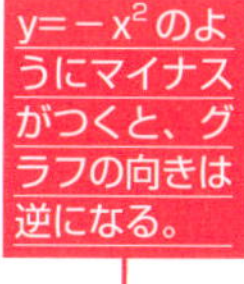

$y=-x^2$のようにマイナスがつくと、グラフの向きは逆になる。

・x^2の式は放物線

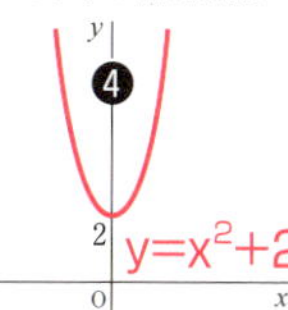

・y^2の式は横放物線

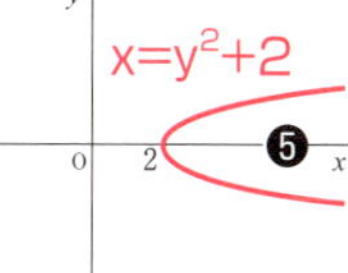

・x^2+y^2は円

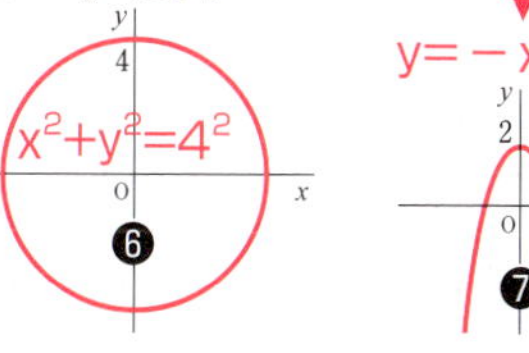

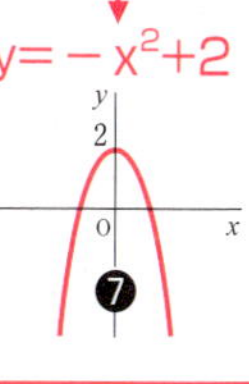

確認問題 上の赤字の7つの式の等号を不等号に置き換えて❶❷❸❹❺❻❼の領域を示すとき、右開きの不等号（<）がつくものを答えなさい。 解答➡次ページ下

▶解答・解説は別冊58ページ

練習問題　グラフの領域

目標時間 4分　4問

200 ア、イ、ウの3式によって示される直線と放物線は、図のように平面を①から⑧まで8つの領域に分ける。

ア　$y=-x^2+4$
イ　$y=-2x+4$
ウ　$y=0$

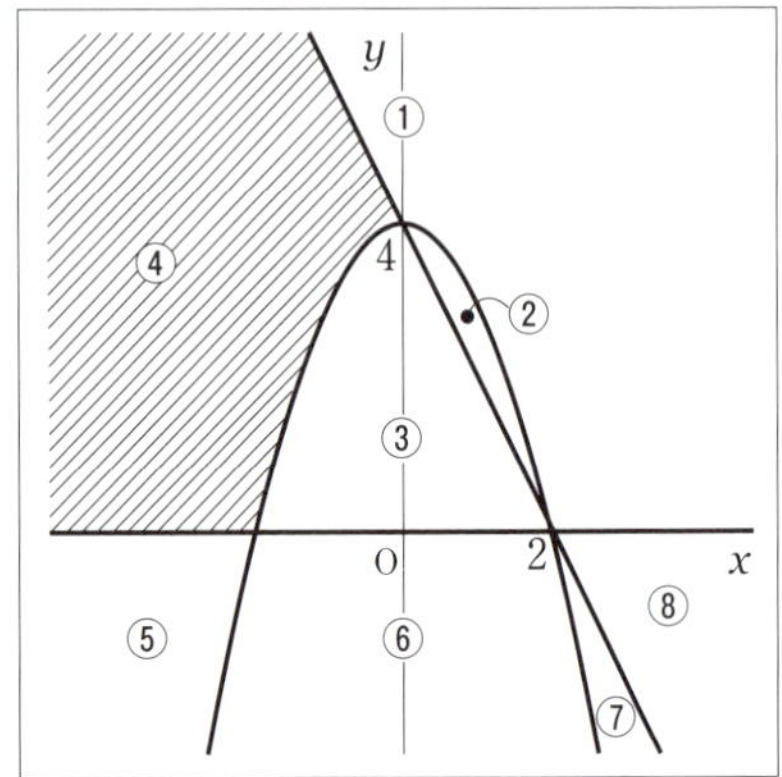

これらの領域は、ア、イ、ウの3式の等号を適宜不等号に置き換えて得られる1組の連立不等式によって示される。ただし、領域とは図中の太い境界線は含まないものとする。

1 ア、イ、ウの式の等号をすべて不等号に置き換えて④の領域（図の斜線部分）を表したときに、右開きの不等号（$<$）がつくのは次のうちどれか。

○ A　アだけ　　○ B　イだけ　　○ C　ウだけ
○ D　アとイ　　○ E　アとウ　　○ F　イとウ
○ G　アとイとウ　　○ H　ア、イ、ウのいずれでもない

2 次の3式からなる連立不等式によって表される領域はどこか。

カ　$y<-x^2+4$
キ　$y>-2x+4$
ク　$y>0$

○ A　①のみ　　○ B　②のみ　　○ C　③のみ
○ D　④のみ　　○ E　②と⑥と⑦　　○ F　③と④と⑧
○ G　④と⑤と⑧　　○ H　3式で表される領域は存在しない
○ I　AからHのいずれでもない

正解 ❻❼　❶から❺はすべて境界線の上または右の領域なので、左開きの不等号(>)になる。

201 ア、イ、ウの3式によって示される直線と円は、図のように平面を①から⑧まで8つの領域に分ける。

ア　$x^2+y^2=9^2$
イ　$y=-x-3$
ウ　$x=0$

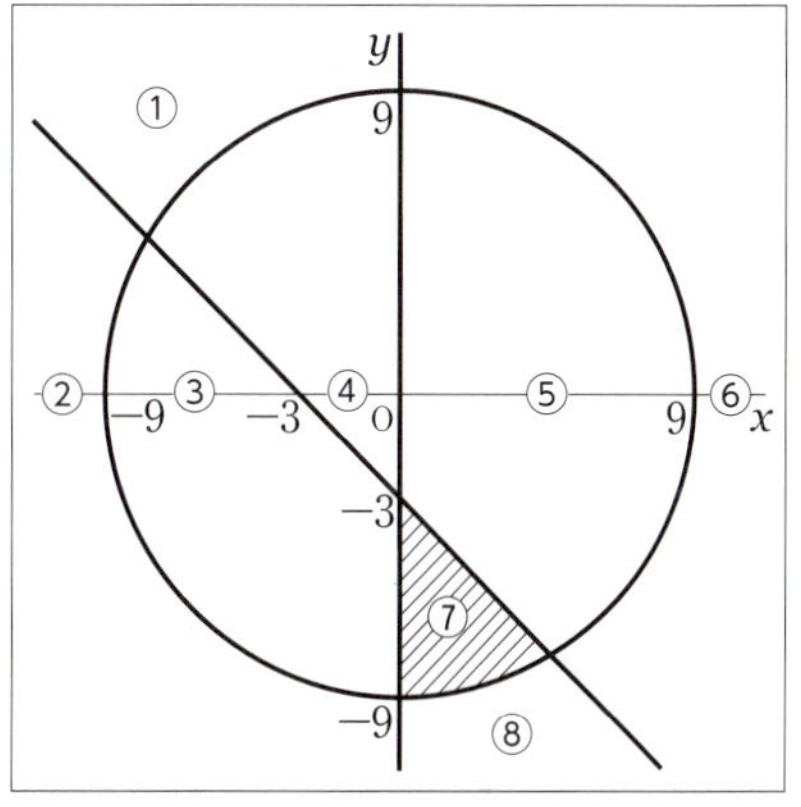

これらの領域は、ア、イ、ウの3式の等号を適宜不等号に置き換えて得られる1組の連立不等式によって示される。ただし、領域とは図中の太い境界線は含まないものとする。

1 ア、イ、ウの式の等号をすべて不等号に置き換えて⑦の領域（図の斜線部分）を表したときに、右開きの不等号（<）がつくのは次のうちどれか。

○ A　アだけ　　○ B　イだけ　　○ C　ウだけ
○ D　アとイ　　○ E　アとウ　　○ F　イとウ
○ G　アとイとウ　　○ H　ア、イ、ウのいずれでもない

2 次の3式からなる連立不等式によって表される領域はどこか。

カ　$x^2+y^2>9^2$
キ　$y>-x-3$
ク　$x<0$

○ A　①のみ　　○ B　②のみ　　○ C　③のみ
○ D　④のみ　　○ E　②と⑥と⑦　　○ F　③と④と⑧
○ G　④と⑤と⑧　　○ H　3式で表される領域は存在しない
○ I　AからHのいずれでもない

27 条件と領域

● グラフ上の点、線、領域が、どの条件を示すかを問うペーパーテストの問題。

境界線を式に変換

数値を読むだけで解答できる

例題　よくでる

ある工場で、原材料XとYを次のような条件で仕入れることにした。

条件a　Xは40kg以上
条件b　Xは80kg以下
条件c　Yの重さはXの50%以上
条件d　Yの重さはXの150%以下
条件e　XとYは合計で140kg以下

Xを横軸、Yを縦軸にとって図示すると、上記の5つの条件を満たす組み合わせは右図の点ア、イ、ウ、エ、オで囲まれた領域で示される。

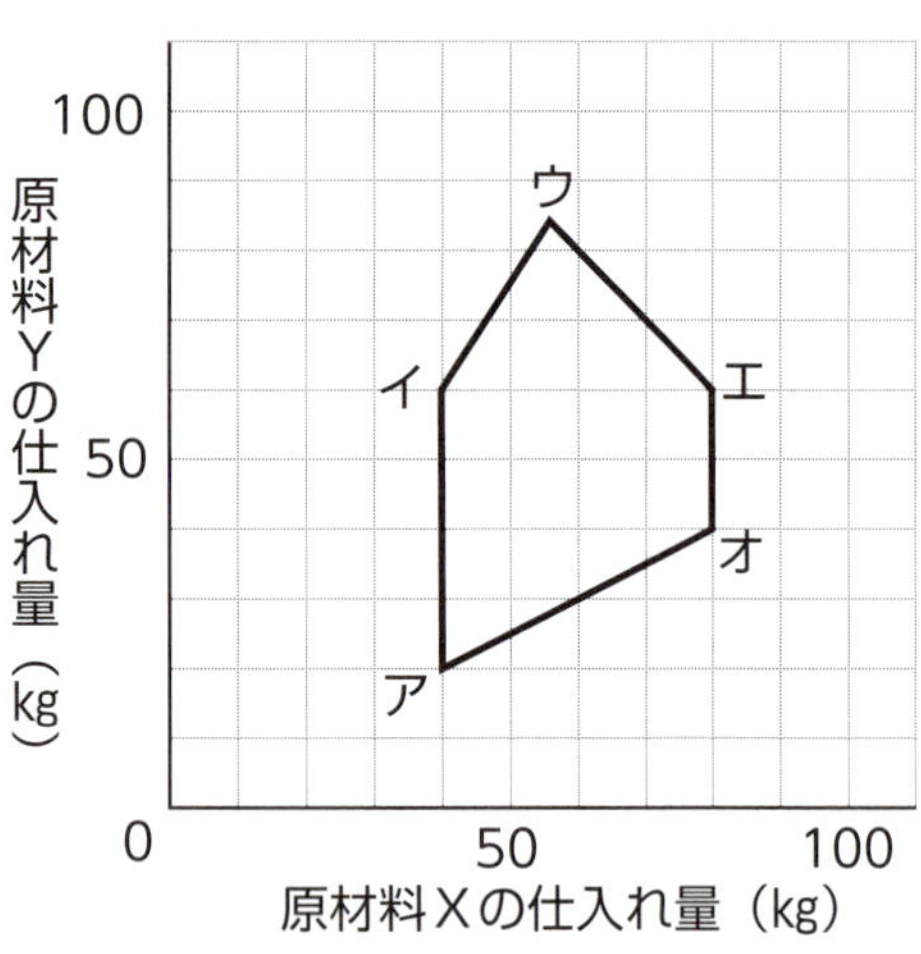

1　この領域において、点アと点オを通る直線で示される境界はどの条件によるものか。

○ A　条件a　○ B　条件b　○ C　条件c　○ D　条件d　○ E　条件e

2　原材料XとYを合計90kg仕入れたい。原材料Xが10kgで1000円、原材料Yが10kgで5000円のとき、条件内で最も安い仕入れ値はいくらになるか。

○ A　9000円　○ B　12000円　○ C　14000円
○ D　21000円　○ E　34000円　○ F　AからEのいずれでもない

数値を読み取るだけで確実に加点できる問題

1　Yの値がXの値の50%なので、条件c。

正解　C

2　XとYの合計が90kgを表す式は、Xが0のときYは90、Yが0のときXは90。つまりX+Y=90で、右の赤線のように点（0,90）と点（90,0）を結ぶ直線となる。
高い価格のYを少なくしたいので、領域内で、かつ赤線上にある点のうち、Yが最も少なくなる点(60,30)を計算すればよい。
Xは**1000円×6=6000円**
Yは**5000円×3=15000円**
合計は、**21000円**。

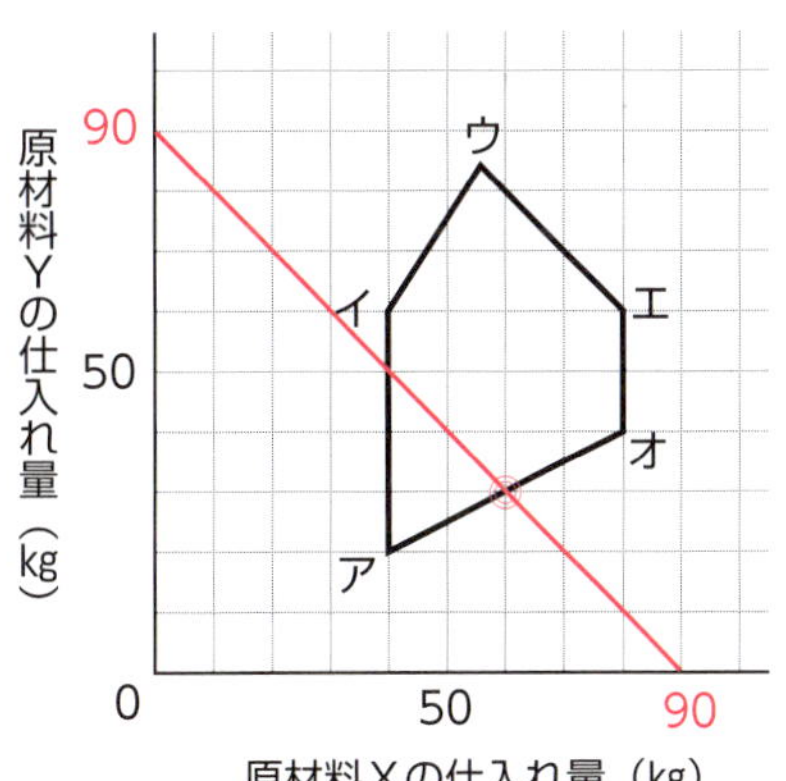

正解　D

【各境界線の表す数式】
【アイ】Xの値が40で、X=40…条件a
【エオ】Xの値が80で、X=80…条件b
【アオ】(X, Y)が(40,20)と(80,40)を通るので、$Y=\frac{1}{2}X$
→Y(20)はX(40)の50%…条件c
【イウ】(X, Y)が(20,30)と(40,60)を通るので、$Y=\frac{3}{2}X$
→Y(30)はX(20)の150%…条件d
【ウエ】(X, Y)が(80,60)と(70,70)を通るので、X+Y=140
→XとYの合計が140kg…条件e

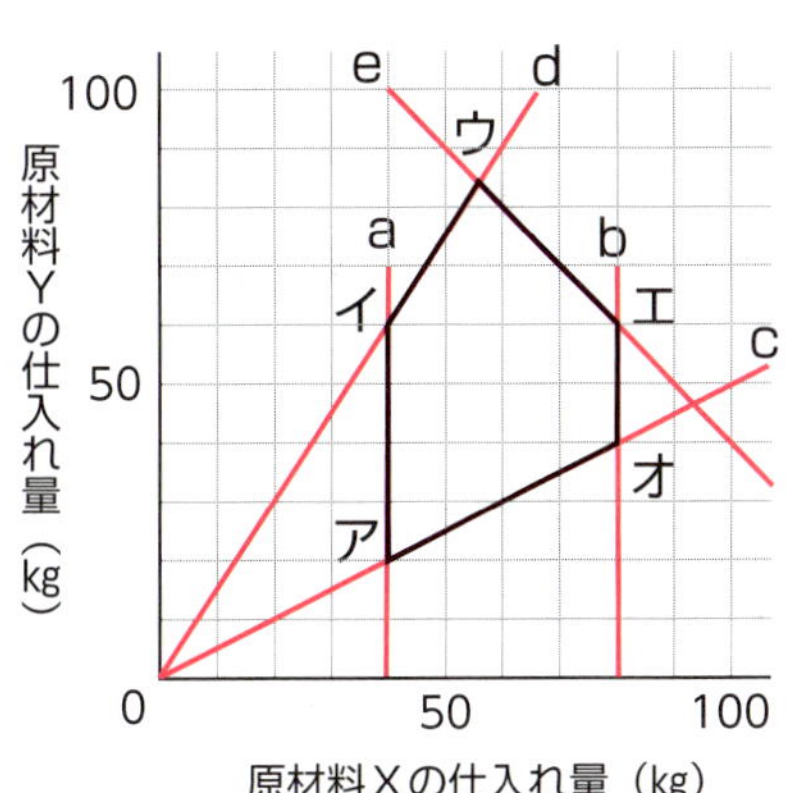

確認問題　左ページの例題の図で、Yは60kg以上という条件が加わると領域はどんな形になるか？　【 三角形・四角形・五角形 】 解答➡次ページ下

▶解答・解説は別冊59ページ

練習問題 条件と領域

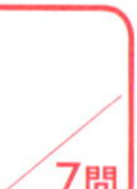

202 あるスポーツクラブでは、ストレッチ、筋力トレーニング、エアロビクスの3種目を、以下に示す条件a〜eを満たすように選択しなければならない。なお、1時間を単位として行う。

a　全部で24時間選択
b　ストレッチは3時間以上選択
c　筋力トレーニングは4時間以上選択
d　エアロビクスは7時間以上選択
e　ストレッチは10時間以下で選択

上の5つの条件を満たす領域を図に示した。

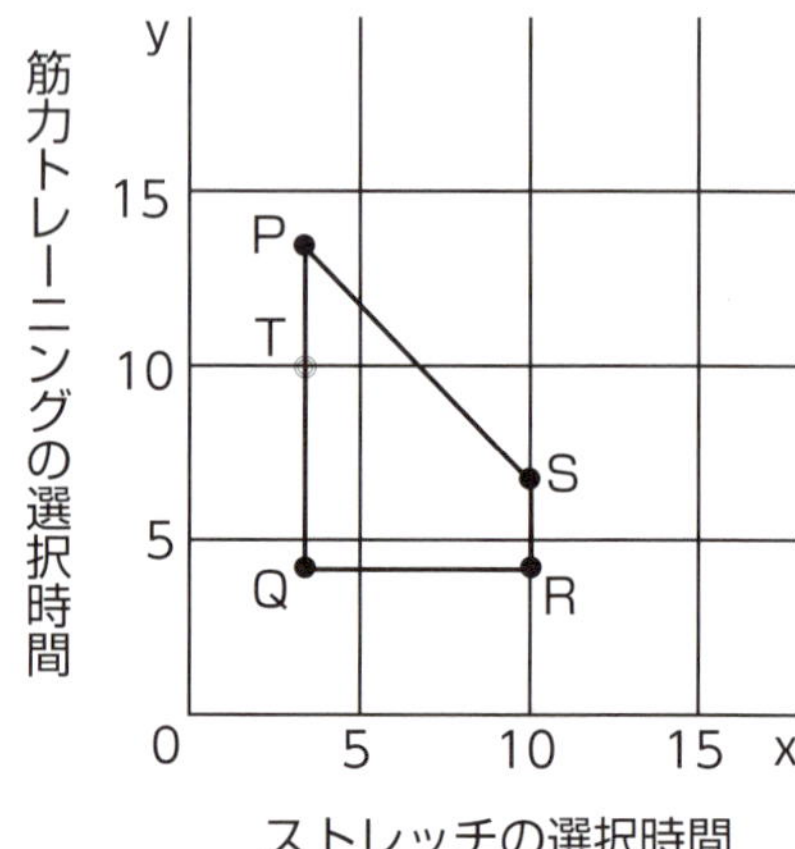

1 点Qと点Rを通る直線で表される境界は、上のどの条件によるものか。

○ A　aのみ　○ B　bのみ　○ C　cのみ　○ D　dのみ　○ E　eのみ
○ F　aとb　○ G　aとc　○ H　aとd　○ I　aとe　○ J　bとc
○ K　AからJのいずれでもない

2 点Pと点Sを通る直線で表される境界は、上のどの条件によるものか。

○ A　aのみ　○ B　bのみ　○ C　cのみ　○ D　dのみ　○ E　eのみ
○ F　aとb　○ G　aとc　○ H　aとd　○ I　aとe　○ J　bとc
○ K　AからJのいずれでもない

3 点P、点Q、点R、点Sのうち、点Tと比べてエアロビクスの選択時間が多くなるのはどの点か。

○ A　点Pのみ　○ B　点Qのみ　○ C　点Rのみ　○ D　点Sのみ
○ E　点Pと点Q　○ F　点Pと点S　○ G　点Qと点R
○ H　点Sと点R　○ I　AからHのいずれでもない

 正解 三角形　Y=60の線の上の領域（つまりY≧60）になる。

203 あるホテルの改築にあたり、和室、洋室、特別室という３つのタイプの客室の数について、次のような条件を定めた。

条件a　全部で40室とする
条件b　和室は５室以上とする
条件c　洋室は15室以下とする
条件d　特別室は15室以上とする
条件e　洋室は３室以上とする

和室の数を横軸、洋室の数を縦軸にとって図示すると、上記の５つの条件を満たす組み合わせは右図の点のようになる。

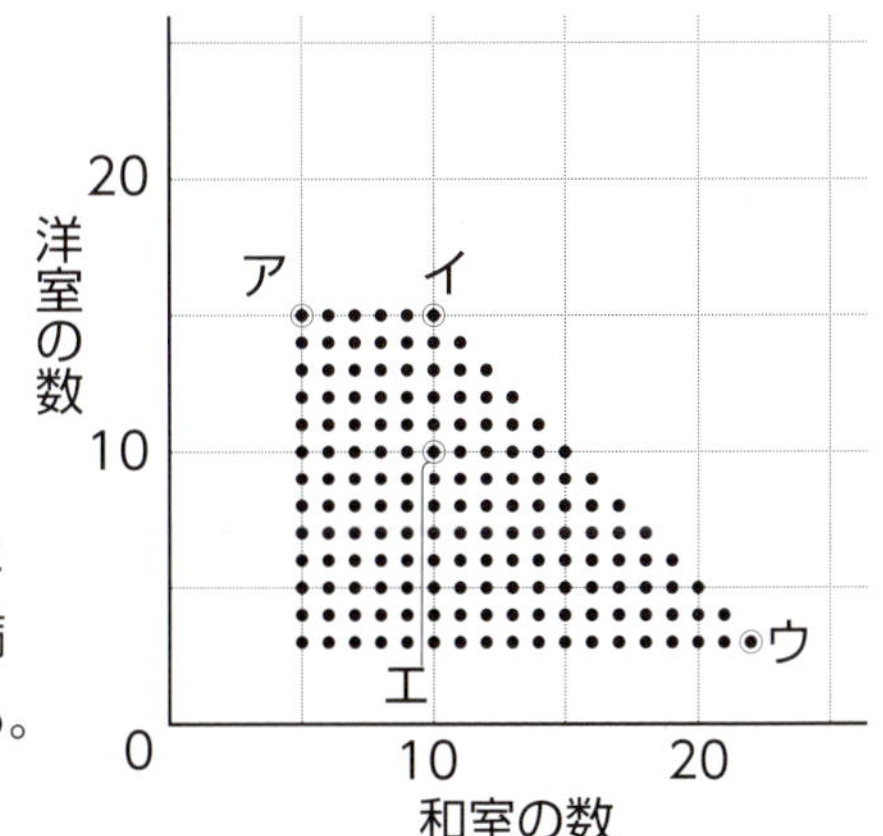

1 点イと点ウを通る直線で表される境界は、上のどの条件によるものか。

○ A　aのみ　○ B　bのみ　○ C　cのみ　○ D　dのみ　○ E　eのみ
○ F　aとb　○ G　aとc　○ H　aとd　○ I　aとe　○ J　bとc
○ K　AからJのいずれでもない

2 点ア、イ、ウのうち、点エの場合と特別室の数が同じになるのはどれか。

○ A　点アのみ　○ B　点イのみ　○ C　点ウのみ
○ D　点アと点イ　○ E　点アと点ウ　○ F　点イと点ウ

3 １室の宿泊料が、和室は１万円、洋室は１万2000円、特別室は２万円のとき、点ア、イ、ウの中で全室の宿泊料の合計金額が最も多くなるのはどれか。

○ A　点アのみ　○ B　点イのみ　○ C　点ウのみ
○ D　点アと点イ　○ E　点アと点ウ　○ F　点イと点ウ

4 条件a～eに加えて、「条件f　和室の数は洋室の数の４倍以下とする」という条件が加わった。黒点の集合は、およそ次のどの図形で示されるか。

○ A　○ B　○ C　○ D

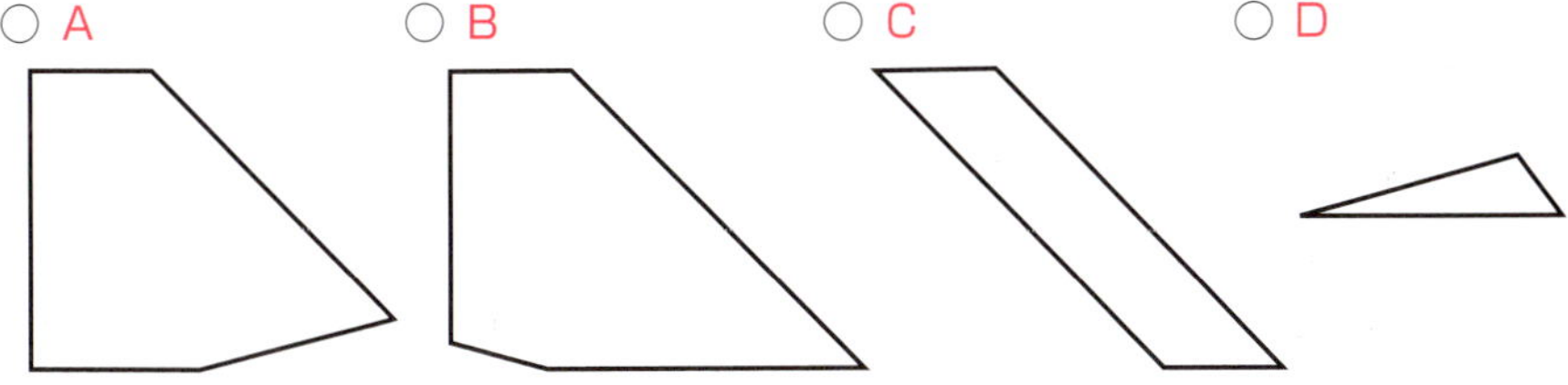

SPIタイプ 推論【命題】

「〜は〜である」という命題同士の関係を問う問題です。SPIの出題報告はありますが、最近ではあまり見かけなくなりました。ただし、他の就職試験ではよく出題されますから、対偶と三段論法だけは覚えておきましょう。

例 題

社内のプロジェクトについて、次のことがわかっている。

Ⅰ　プロジェクトAに参加する人は、プロジェクトBに参加する
Ⅱ　プロジェクトAに参加しない人は、プロジェクトDに参加する
Ⅲ　プロジェクトBに参加する人は、プロジェクトCに参加する

推論ア、イ、ウのうち正しくないものを１つ選びなさい。

ア　プロジェクトAに参加する人は、プロジェクトCに参加する
イ　プロジェクトCに参加しない人は、プロジェクトBに参加しない
ウ　プロジェクトDに参加しない人は、プロジェクトBに参加しない

解法!!

「A→B（AならばBである）」という命題が真のとき、
対偶の「$\overline{B}$→$\overline{A}$（BでなければAでない）」は真。
「A→B（AならばB）」「B→C（BならばC）」という命題が真のとき、
三段論法によって、「A→C（AならばC）」は真。

Ⅰ　Aに参加する人は、Bに参加する「**A→B**」 ▶ 対偶「$\overline{B}$→$\overline{A}$」
Ⅱ　Aに参加しない人は、Dに参加する「**$\overline{A}$→D**」 ▶ 対偶「$\overline{D}$→A」
Ⅲ　Bに参加する人は、Cに参加する「**B→C**」 ▶ 対偶「$\overline{C}$→$\overline{B}$」

同じ記号に注目して、対偶と三段論法で考える。

ア　Aに参加する人は、Cに参加する「**A→C**」←Ⅰ「A→B」と、Ⅲ「B→C」から、三段論法で「A→C」は真。
イ　Cに参加しない人は、Bに参加しない「**$\overline{C}$→$\overline{B}$**」←Ⅲの対偶「$\overline{C}$→$\overline{B}$」。
ウ　Dに参加しない人は、Bに参加しない「**$\overline{D}$→$\overline{B}$**」←Ⅱの対偶「$\overline{D}$→A」と、Ⅰ「A→B」から、三段論法により「$\overline{D}$→B」なので正しくない。

正解 ウ

※「$\overline{A}$」は「エー・バー」、「$\overline{B}$」は「ビー・バー」と読み、「〜でないこと」を表す。

2章 言語能力

- テストセンターは約35分（非言語含む）、問題数は決まっていません。
- ペーパーテスト（Uタイプ）は 30分（非言語含まず）、約40問です。

◎言語能力分野の攻略は出題語句の習得が最重要対策

例題――SPI検査の出題問題から、解法手順を学びやすい基本パターンを選んであります。まず、例題の解法をきちんと覚えておきましょう。

練習問題――アンケート、面談で**出題が確認できた語句**を使った問題を掲載してあります。提示されている「目標時間」内に解く訓練をすることで、本番の検査に十二分に対応できる力を養えるようになっています。**目標時間を意識して解いていく**ようにしましょう。

CHECK――言語能力分野ではSPIの出題語句をとにかく数多くインプットしておくことが一番の攻略法になります。184ページの**「頻出語句200」**、198ページの**「複数の意味50」**を確実に覚えて、得点アップを狙いましょう。

テストセンター ○　ペーパーテスト ○

1 二語の関係

● 設問と同じ関係になるように言葉を選ぶ問題。パターンを覚えておくと有利。

出題パターンと解き方

※㊧と㊨は逆になることがあります。

1. 包含（一部）　♪㊧は㊨の一種（一部）

●牛：動物（牛は動物の一種）●柱：家屋（柱は家屋の一部）

2. 同義語　♪㊧と㊨は同じ意味

●殊勝：健気（殊勝（しゅしょう）と健気（けなげ）は同じ意味）

3. 対義語　♪㊧と㊨は反対の意味や対照的な意味

●創造：模倣（創造と模倣は反対の意味）

4. 役目　♪㊧の役目は㊨（㊧は㊨のためにある）

●定規：計測（定規の役目は計測）

5. 原材料　♪㊧は㊨からできる（㊧の原材料は㊨）

●納豆：大豆（納豆は大豆からできる）

6. 並列（仲間）　♪㊧も㊨も～の一種（仲間）

●昭和：平成（昭和も平成も元号の一種）

7. 一組（セット）　♪㊧と㊨は一緒に使う（ワンセット）

●弓：矢（弓と矢は一緒に使う。弓と矢はワンセット）

8. 目的語と動詞　♪㊧を㊨する

●薬：投与（薬を投与する）●雑誌：発行（雑誌を発行する）

例題　よくでる

最初に示された二語の関係を考えて、同じ関係の対になるよう（　）に当てはまる言葉を選びなさい。

❶ 信用金庫：金融機関

水彩画：（　　）

○ A　油絵
○ B　絵筆
○ C　絵画
○ D　画家
○ E　画材

❷ 症状：発熱

感染症：（　　）

○ A　予防
○ B　病気
○ C　ウイルス
○ D　インフルエンザ
○ E　伝染

設問の二語の関係を文に変換する

❶ ♪信用金庫(㊧)は金融機関(㊨)の一種

信用金庫と金融機関の関係は「信用金庫は金融機関の一種」。これを用いて、「水彩画は～の一種」と心の中で唱えながら、A～Eの選択肢を見ていくことが最速の解き方。当てはまるのは「水彩画は絵画の一種」。

正解　C

❷ ♪発熱(㊨)は症状(㊧)の一種（㊧から㊨なら、**症状の一種が発熱**）

㊨から㊧へ「発熱は症状の一種」と考える。そして「～は感染症の一種」と考えながら、A～Eの選択肢を見ていく。当てはまるのは「インフルエンザは感染症の一種」。

正解　D

試験場では▶メモや記号にしないこと

二語の関係を左ページの♪のような文にして、そのまま頭の中で選択肢を当てはめていく方法が確実＆最速。

触覚は…の一種

▶解答・解説は別冊60ページ

練習問題　二語の関係①

最初に示された二語の関係を考えて、同じ関係の対になるよう（　）に当てはまる言葉を選びなさい。

1 味覚：感覚

平野：（　）

- ○ A　地図
- ○ B　在野
- ○ C　社会
- ○ D　記号
- ○ E　地形

2 酸化：還元

衰亡：（　）

- ○ A　復興
- ○ B　隆盛
- ○ C　全盛
- ○ D　興隆
- ○ E　盛況

3 ドア：ノブ

漢字：（　）

- ○ A　かな
- ○ B　つくり
- ○ C　日本語
- ○ D　行書
- ○ E　文字

4 作家：文壇

裁判官：（　）

- ○ A　司法
- ○ B　法曹界（ほうそう）
- ○ C　検察
- ○ D　法律
- ○ E　役所

5 病院：医療

新聞：（　）

- ○ A　記事
- ○ B　執筆
- ○ C　宣伝
- ○ D　報道
- ○ E　事件

6 先天的：後天的

圧倒的：（　）

- ○ A　互恵的
- ○ B　相対的
- ○ C　比較的
- ○ D　断片的
- ○ E　部分的

7 わな：捕獲

暗室：（　）

- ○ A 印刷
- ○ B 写真
- ○ C 現像
- ○ D カメラ
- ○ E 撮影

8 うす：きね

太鼓：（　）

- ○ A 打撃
- ○ B 祭り
- ○ C 鼓笛
- ○ D 皮
- ○ E ばち

9 寺院：本堂

食事：（　）

- ○ A 食料
- ○ B 栄養
- ○ C 料理
- ○ D 主菜
- ○ E 食卓

10 薬剤：病気

傘：（　）

- ○ A 防水
- ○ B 雨
- ○ C 雨具
- ○ D 長靴
- ○ E 準備

11 傘：柄（え）

船舶：（　）

- ○ A バイク
- ○ B 鉄
- ○ C 船長
- ○ D 甲板
- ○ E 航海

12 米：せんべい

大豆：（　）

- ○ A 豆腐
- ○ B 小豆
- ○ C うどん
- ○ D 豆類
- ○ E 寒天

13 過失：故意

漠然：（　）

- ○ A 判然
- ○ B 泰然
- ○ C 茫然
- ○ D 俄然
- ○ E 必然

14 文楽（ぶんらく）：狂言（きょうげん）

神社：（　）

- ○ A 宗教
- ○ B 神道
- ○ C 神主
- ○ D 寺
- ○ E 境内

▶解答・解説は別冊60ページ

練習問題 二語の関係②

最初に示された二語の関係を考えて、同じ関係のものを選びなさい。

15 貯水：ダム

ア　濾過（ろか）：フィルター
イ　文具：コンパス
ウ　ミシン：縫製（ほうせい）

○ A　アだけ
○ B　イだけ
○ C　ウだけ
○ D　アとイ
○ E　アとウ
○ F　イとウ

16 確執：反目

ア　精通：知悉（ちしつ）
イ　皮相：本質
ウ　帰納：演繹（えんえき）

○ A　アだけ
○ B　イだけ
○ C　ウだけ
○ D　アとイ
○ E　アとウ
○ F　イとウ

17 馬：家畜

ア　牛：酪農
イ　ペット：人間
ウ　鶏：家禽（かきん）

○ A　アだけ
○ B　イだけ
○ C　ウだけ
○ D　アとイ
○ E　アとウ
○ F　イとウ

18 コーヒー：嗜好品（しこうひん）

ア　樹木：果樹
イ　農産物：野菜
ウ　蛋白質（たんぱくしつ）：栄養素

○ A　アだけ
○ B　イだけ
○ C　ウだけ
○ D　アとイ
○ E　アとウ
○ F　イとウ

19 まな板：調理

ア　雪：雨
イ　発電：電力
ウ　ペン：筆記

○ A　アだけ
○ B　イだけ
○ C　ウだけ
○ D　アとイ
○ E　アとウ
○ F　イとウ

20 多弁：寡黙

ア　懸念：心配
イ　原因：理由
ウ　具体：抽象

○ A　アだけ
○ B　イだけ
○ C　ウだけ
○ D　アとイ
○ E　アとウ
○ F　イとウ

21 明白：歴然

ア 夢：うつつ
イ 寄与：貢献
ウ 廉価：安価

○ A アだけ
○ B イだけ
○ C ウだけ
○ D アとイ
○ E アとウ
○ F イとウ

22 刊行物：年鑑

ア 財産：私財
イ 全集：単行本
ウ 出納：収支

○ A アだけ
○ B イだけ
○ C ウだけ
○ D アとイ
○ E アとウ
○ F イとウ

23 温度：高低

ア 貧富：大小
イ 音：強弱
ウ 天候：湿気

○ A アだけ
○ B イだけ
○ C ウだけ
○ D アとイ
○ E アとウ
○ F イとウ

24 番付：大関

ア 昭和：元号
イ 四季：晩秋
ウ 敬称：陛下

○ A アだけ
○ B イだけ
○ C ウだけ
○ D アとイ
○ E アとウ
○ F イとウ

25 紙：はさみ

ア 大工：のこぎり
イ 調理：包丁
ウ 缶詰：缶切り

○ A アだけ
○ B イだけ
○ C ウだけ
○ D アとイ
○ E アとウ
○ F イとウ

26 地方自治体：県

ア 衛星：月
イ 笑顔：表情
ウ 書留：郵便

○ A アだけ
○ B イだけ
○ C ウだけ
○ D アとイ
○ E アとウ
○ F イとウ

27 故人：死者

ア 泰斗：大家（たいか）
イ 起工：竣工（しゅんこう）
ウ 知己：知人

○ A アだけ
○ B イだけ
○ C ウだけ
○ D アとイ
○ E アとウ
○ F イとウ

28 紙：パルプ

ア 絹糸：まゆ
イ 乳製品：バター
ウ きな粉：おから

○ A アだけ
○ B イだけ
○ C ウだけ
○ D アとイ
○ E アとウ
○ F イとウ

➡次ページに続く

29 設計：建築

ア　舞台：振付
イ　作曲：演奏
ウ　劇：脚本

- A　アだけ
- B　イだけ
- C　ウだけ
- D　アとイ
- E　アとウ
- F　イとウ

30 箸：食事

ア　鞍（くら）：乗馬
イ　柵：牧場
ウ　幹：樹木

- A　アだけ
- B　イだけ
- C　ウだけ
- D　アとイ
- E　アとウ
- F　イとウ

31 赤道：緯線

ア　松：常緑樹
イ　天然：人工
ウ　障子：建具

- A　アだけ
- B　イだけ
- C　ウだけ
- D　アとイ
- E　アとウ
- F　イとウ

32 めでる：ほめる

ア　侮（あなど）る：見くびる
イ　くさす：おだてる
ウ　閉口する：困る

- A　アだけ
- B　イだけ
- C　ウだけ
- D　アとイ
- E　アとウ
- F　イとウ

33 夏至：立秋

ア　大安：仏滅
イ　休日：祝日
ウ　動詞：副詞

- A　アだけ
- B　イだけ
- C　ウだけ
- D　アとイ
- E　アとウ
- F　イとウ

34 座視：傍観

ア　退廃：浮沈
イ　鳥瞰（ちょうかん）：俯瞰（ふかん）
ウ　素人（しろうと）：玄人（くろうと）

- A　アだけ
- B　イだけ
- C　ウだけ
- D　アとイ
- E　アとウ
- F　イとウ

35 クレーム：苦情

ア　ブレーキ：停止
イ　リザーブ：予約
ウ　レジ：会計

- A　アだけ
- B　イだけ
- C　ウだけ
- D　アとイ
- E　アとウ
- F　イとウ

36 大雨：洪水

ア　人災：天災
イ　余震：地震
ウ　漏電：火災

- A　アだけ
- B　イだけ
- C　ウだけ
- D　アとイ
- E　アとウ
- F　イとウ

37 求心：遠心

ア 応答：返答
イ 訥弁（とつべん）：能弁
ウ 緊張：弛緩（しかん）

○ A アだけ
○ B イだけ
○ C ウだけ
○ D アとイ
○ E アとウ
○ F イとウ

38 比率：百分率

ア 整数：小数
イ 価格：時価
ウ 演算：割り算

○ A アだけ
○ B イだけ
○ C ウだけ
○ D アとイ
○ E アとウ
○ F イとウ

39 炊事：家事

ア 林業：産業
イ 経緯：経過
ウ 掃除：洗濯

○ A アだけ
○ B イだけ
○ C ウだけ
○ D アとイ
○ E アとウ
○ F イとウ

40 ぐずる：むずかる

ア たじろぐ：ひるむ
イ いそしむ：怠ける
ウ いぶかる：疑う

○ A アだけ
○ B イだけ
○ C ウだけ
○ D アとイ
○ E アとウ
○ F イとウ

41 事件：報道

ア 資本：投入
イ 生産：消費
ウ 疾病（しっぺい）：治療

○ A アだけ
○ B イだけ
○ C ウだけ
○ D アとイ
○ E アとウ
○ F イとウ

42 相対：絶対

ア 分析：総合
イ 稚拙：巧妙
ウ 厚顔：鉄面皮

○ A アだけ
○ B イだけ
○ C ウだけ
○ D アとイ
○ E アとウ
○ F イとウ

43 テレフォンカード：プリペイドカード

ア 器械体操：運動
イ 入学式：春
ウ 冷蔵庫：家電

○ A アだけ
○ B イだけ
○ C ウだけ
○ D アとイ
○ E アとウ
○ F イとウ

44 俳優：演技

ア 飛行機：操縦
イ 医者：治療
ウ 大工：建築

○ A アだけ
○ B イだけ
○ C ウだけ
○ D アとイ
○ E アとウ
○ F イとウ

2 語句の意味

● 下線が引かれた言葉と同じ意味のものを選択肢から選ぶ問題。

例 題

下線部の言葉と、意味が最も合致するものを1つ選びなさい。

❶ 身に余る処遇

○ A　役不足な　○ B　余分な　○ C　応分な
○ D　随分な　○ E　過分な

❷ 概して、高齢者ほど朝が早いものだ

○ A　すべからく　○ B　大して　○ C　おしなべて
○ D　明らかに　○ E　しかして

30秒で解ける超解法!!

❶ 漢字の意味から判断する

「身に余る」は「自分の身に過ぎる（ほど良い）」という意味なので、「過分な（自分の分に過ぎる）」が正解。役不足は「役が軽すぎること」。

正解 E

❷ 文章に当てはめる

下線に当てはめてしっくりくるものは、「おしなべて（だいたいの傾向として）」。「すべからく」は「ぜひとも、当然」。

正解 C

上の例題のように解けることもあるが、語句自体の意味を知らなければ解けないことの方が多い。従って、多くの出題語句を覚えることが最重要。

※語句問題が苦手な人には、『ダントツSPIホントに出る問題集』（ナツメ社）をお勧めします。
他書を圧倒する問題数、語句数で、非言語はもちろん、言語問題の非常に有効な対策ができます。

▶解答・解説は別冊62ページ

練習問題 語句の意味

目標時間 10分 ／29問

問題 下線部の言葉と、意味が最も合致するものを1つ選びなさい。

45 気にしてこだわること

○ A 拘泥　○ B 拘束　○ C 熟慮
○ D 悔悟　○ E 耽溺（たんでき）

46 決断をためらってぐずぐずすること

○ A 不断　○ B 遅延　○ C 逡巡（しゅんじゅん）
○ D 果敢　○ E 悠然

47 初めから続けてその組織に属していること

○ A 古参　○ B 古株　○ C 子飼い
○ D えり抜き　○ E 生え抜き

48 扱い方がぞんざいなこと。丁寧でないこと

○ A 粗悪　○ B 粗漏　○ C 粗製
○ D 粗野　○ E 粗略

49 ためらわずに思い切ってするさま

○ A 果断　○ B 愚直　○ C 短慮
○ D 無謀　○ E 勇猛

➡次ページに続く

50 文章に無駄が多くしまりのないさま

○ A　冗漫　　○ B　散漫　　○ C　蛇足
○ D　漫然　　○ E　放漫

51 大目に見ること

○ A　ひいき　　○ B　目こぼし　　○ C　甘やかし
○ D　大雑把　　○ E　知らん顔

52 他人の批判に批判で言い返すこと

○ A　反駁（ばく）　　○ B　弁駁（ばく）　　○ C　応戦
○ D　反目　　○ E　逆（さか）ねじ

53 ある物をしきりに欲しがること

○ A　嘱望　　○ B　宿願　　○ C　待望
○ D　垂涎（ぜん）　　○ E　貪（どん）欲

54 思わず涙がこぼれた

○ A　おざなりの　　○ B　怪訝な　　○ C　不測の
○ D　不覚の　　○ E　不慮の

55 心で見積もりを立てること

○ A　算段　　○ B　胸算用　　○ C　推定
○ D　皮算用　　○ E　目論見

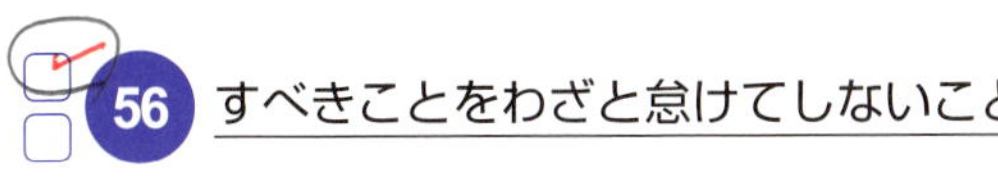

56 すべきことをわざと怠けてしないこと

○ A 横柄　○ B 横着　○ C 専横
○ D 無為　○ E 杜撰（ずさん）

57 たびたびで嫌になること

○ A 飽食　○ B 食傷　○ C 蚕食
○ D 過食　○ E 徒食

58 そうなることが避けられないこと

○ A 必須　○ B 必中　○ C 必至
○ D 逼迫　○ E 必死

59 なりふりかまわず懸命に事にあたっている様子

○ A けなげ　○ B ひたむき　○ C やみくも
○ D おおわらわ　○ E てんてこまい

60 ある物事を行うのに役に立つ

○ A 与る（あずか）　○ B 供する　○ C 充てる
○ D 支える　○ E 資する

61 勝つ見込みはかなり大きい

○ A 目算　○ B 概算　○ C 試算
○ D 打算　○ E 公算

2章 語句の意味

➡次ページに続く

62 祝福、祝賀の言葉を述べる

○ A あげつらう　○ B かしずく　○ C ことほぐ
○ D たまわる　○ E もうしあげる

63 物がゆらゆら揺れる

○ A そよぐ　○ B はためく　○ C たゆたう
○ D ぶれる　○ E ふるえる

64 いかにも利口そうなさま

○ A 物知り顔　○ B さかしげ　○ C 利発
○ D 小利口　○ E 半可通

65 包み隠さないさま

○ A 暴露　○ B 露呈　○ C あけすけ
○ D あか抜け　○ E つつ抜け

66 どうにもならないことを残念がる

○ A 気に病む　○ B 臍(ほぞ)をかむ　○ C 胸を痛める
○ D 手をこまねく　○ E 頭(こうべ)をたれる

67 細かなところまではっきりしているさま

○ A 明らか　○ B 細やか　○ C 際(きわ)やか
○ D あざやか　○ E つまびらか

68 心がいやしい

○ A あくどい　○ B すげない　○ C はかばかしい
○ D さもしい　○ E かいがいしい

69 必ずしも間違いとは言えない

○ A あまつさえ　○ B あながち　○ C いみじくも
○ D さしずめ　○ E はなはだ

70 そのことだけにかかわって、他をおろそかにする

○ A ひたる　○ B かまける　○ C かかりきる
○ D いそしむ　○ E なおざりにする

71 照れくさく気恥ずかしく感じる

○ A はがゆい　○ B おもはゆい　○ C もどかしい
○ D 後ろめたい　○ E ふがいない

72 関心が向くようにそれとなく誘う

○ A 水をさす　○ B 水を向ける　○ C 打診する
○ D 手を回す　○ E 呼び水になる

73 そうするより仕方ない事情

○ A 忌憚(きたん)ない　○ B 如才ない　○ C 抜き差しならない
○ D 滅相もない　○ E 拠ん所ない

CHECK❶ 頻出語句 200

「語句の意味」を中心とする言語能力分野の出題語句200語を公開!!

記号：⇔対義語　＝同義語　　※不許複製・禁無断転載（オフィス海調べ）

▼右欄の意味をもつ語句を □ に入れなさい		解答
□ のある人	物事を正しく判断する力	□ 識見（しきけん）
勝って □ を下げる	胸のつかえ。「□ を下げる」で気を晴らす	□ 溜飲（りゅういん）
2人の証言が □ する	2つ以上の事柄が照合・対応すること	□ 符合（ふごう）
□ の目を向ける	何か裏があるのではないかと疑うこと	□ 猜疑（さいぎ）
□ をなめる	辛いこと、苦しいこと	□ 辛酸（しんさん）
業界の裏側で □ する	人に知られないように策動すること	□ 暗躍（あんやく）
博覧 □ に驚かされる	記憶力が優れていること	□ 強記（きょうき）
派閥の □	ある集団の長となる指導者	□ 領袖（りょうしゅう）
□ の的（まと）	ある物をしきりに欲しがること	□ 垂涎（すいぜん）
□ に値する人物	目をこすってよく見ること	□ 刮目（かつもく）
□ な計画は失敗する	いい加減で大ざっぱなさま	□ 粗雑（そざつ）
□ の評論家	意気込みが鋭いこと	□ 気鋭（きえい）
悪い噂が □ する	世に広まること。広く知れ渡ること	□ 流布（るふ）
師から □ される⇔酷評（こくひょう）	大いにほめること	□ 激賞（げきしょう）
師として □ する	心から尊敬して従うこと	□ 心服（しんぷく）
□ して説明する	意味・趣旨をおし広げて説明すること	□ 敷衍（ふえん）
□ の精神⇔墨守（ぼくしゅ）	自ら進んでことをなすこと	□ 進取（しんしゅ）
□ を述べる	優れた意見	□ 卓見（たっけん）
法案の作成に □ する	企ての仲間に入ること	□ 参画（さんかく）
□ な記録をつける	細部まで念を入れて手落ちのないこと	□ 克明（こくめい）
二党が □ を削る	「□ を削る」で「激しく争う」	□ 鎬（しのぎ）
□ 協議をする	人々が集まって額を寄せ合い相談すること	□ 鳩首（きゅうしゅ）
社会の □	世の人を教え導く人。指導者	□ 木鐸（ぼくたく）
□ にこだわる男	こまごましたこと。つまらないこと	□ 細事（さいじ）
□ にかられる	不正なことにいきどおること	□ 義憤（ぎふん）
□ を打ち破る	古くから伝えられている風習	□ 因習（いんしゅう）
寛仁（かんじん） □	度量の大きいこと。寛仁は「寛大で慈悲深い」	□ 大度（たいど）
□ に否定する	言い終わった直後	□ 言下（げんか）

例	意味	語句
戯曲の □ を話す	あらすじ	□ 梗概（こうがい）
□ を極めた細工	極めて細かいこと。たいへん綿密なこと	□ 精緻（せいち）
□ に書き記す＝詳細	くわしく細かいこと	□ 精細（せいさい）
悪鬼が □ する	悪人などがのさばること。はねまわること	□ 跳梁（ちょうりょう）
契約を □ する	約束されたことなどを実際に行うこと	□ 履行（りこう）
□ としていられない	安らかで静かなさま	□ 安閑（あんかん）
漱石に □ する	ひそかに尊敬し、師と仰ぐこと	□ 私淑（ししゅく）
□ な趣味をもつ⇔低俗	学問・言行などの程度が高く上品なこと	□ 高尚（こうしょう）
士気を □ する	励まして奮い立たせること	□ 鼓舞（こぶ）
□ な受け答え	気がきいていること。「当意 □ 」	□ 即妙（そくみょう）
□ な理想を抱く	気高く尊いさま	□ 崇高（すうこう）
官庁に □ する	役所などに勤めること。官職につくこと	□ 出仕（しゅっし）
□ 心をあおる	偶然の利益や成功を当てにすること	□ 射幸（しゃこう）
汚職が □ している	好ましくないことがはびこること	□ 蔓延（まんえん）
新社屋が □ する	工事が完了して建築物などができあがること	□ 落成（らくせい）
□ ににおわせる	言葉に出さない部分	□ 言外（げんがい）
□ した状態	固まって動かないこと	□ 膠着（こうちゃく）
□ をとる	後で証拠となる言葉	□ 言質（げんち）
□ に供する	広く一般の人が見ること	□ 博覧（はくらん）
実現しようと □ する	考えて実行すること	□ 画策（かくさく）
□ に答える	礼儀正しいこと	□ 慇懃（いんぎん）
□ を確認する	細かい点まで詳しくはっきりしていること	□ 明細（めいさい）
□ の士	物事の本質を見抜く、優れた眼力	□ 慧眼（けいがん）
自らの言動を □ する	自身を反省して考えること	□ 省察（せいさつ）
□ をもらす	なげいて、ため息をつくこと	□ 嘆息（たんそく）
照明に □ を凝らす	工夫をめぐらすこと	□ 意匠（いしょう）
時代の風潮に □ する	相手に調子を合わせること。こびを売ること	□ 迎合（げいごう）
条件を □ した立地	十分に備えていること	□ 具備（ぐび）
師の教えを □ する	心に刻み込むこと	□ 銘記（めいき）
□ の思いで手放す	非常に辛いこと	□ 断腸（だんちょう）
神話に □ して語る	他の物事を借りて言い表す。かこつける	□ 仮託（かたく）
海外に □ する⇔雌伏（しふく）	勢い盛んに活動すること	□ 雄飛（ゆうひ）
□ 前で忙しい	月の最後の日	□ 晦日（みそか）
相手に □ する	相手の事情や心情などをくみとること	□ 斟酌（しんしゃく）
真意を □ する	相手の心中をおしはかること	□ 忖度（そんたく）

世界の平和を□する	心から願うこと。強く希望すること	□ 庶幾(しょき)
勢力が□する	力がほぼ等しくて優劣のないこと	□ 拮抗(きっこう)
□な衣装	思いも寄らないほど風変わりであること	□ 奇抜(きばつ)
部下を□する	監督し励ますこと。指図して元気づけること	□ 督励(とくれい)
□とした態度	俗事にこだわらず、ゆうゆうとしているさま	□ 超然(ちょうぜん)
□な工事	いい加減。手抜き。おざなり	□ 杜撰(ずさん)
□の境地	十分に熟達して豊かな内容をもつ	□ 円熟(えんじゅく)
□した文章	経験を積んで、円熟すること	□ 老成(ろうせい)
□を弄する	道理に合わないこじつけの弁論	□ 詭弁(きべん)
けだし□といえよう	的を射た言葉。本質を突いた言葉	□ 至言(しげん)
□対処する	その場の状況に合っていること	□ 適宜(てきぎ)
□な言い方ですが	さしでがましいこと。出過ぎたこと	□ 僭越(せんえつ)
君の□に任せる	本人の考えで判断、処理すること	□ 裁量(さいりょう)
戦う□を示す	困難に負けない強い気性・意志	□ 気概(きがい)
意見が□された	問題にしないこと。一笑に付すこと	□ 笑殺(しょうさつ)
□な出来事＝希代(きたい)	めったにないこと	□ 希有(けう)
人格を□する	性質や能力を円満に鍛え育てること	□ 陶冶(とうや)
□する間に機会を逃す	決断できずにぐずぐずすること	□ 逡巡(しゅんじゅん)
景気回復の□である	証拠。あかし	□ 証左(しょうさ)
□に振る舞う	気持ちがしっかりしていること	□ 気丈(きじょう)
□政権を取るだろう	いずれ。遅かれ早かれ。近い将来	□ 早晩(そうばん)
座敷に□を呼ぶ	太鼓持ち。客の機嫌をとる男	□ 幇間(ほうかん)
□する＝精通(せいつう)、通暁(つうぎょう)	たいへんよく知っていること	□ 暁通(ぎょうつう)
□な手段	その場しのぎの間に合わせ	□ 姑息(こそく)
□と仕事に励む	こつこつと励むさま。せっせと働く様子	□ 営営(えいえい)
名利に□な人物	欲がなくあっさりしているさま	□ 恬淡(てんたん)
自由□な社風	度量が広く小事にこだわらないさま	□ 闊達(かったつ)
反例をあげて□する	相手の説の誤りを指摘して論じ返すこと	□ 論駁(ろんばく)
□した技術	他よりはるかに優れていること	□ 卓越(たくえつ)
徳性の□を図る	水がしみこむように徐々に教え養うこと	□ 涵養(かんよう)
文化が東へと□する	伝わり広まること	□ 伝播(でんぱ)
□と星が輝く	光り輝くさま	□ 煌煌(こうこう)
情報元を□する	秘密にして隠しておくこと	□ 秘匿(ひとく)
□にふける	必要な程度や身分を越えたぜいたく	□ 奢侈(しゃし)
□にすぎない	必要のない事をあれこれ心配すること	□ 杞憂(きゆう)

□ と意見を述べる	次から次へとよどみなく話すさま	□ 滔滔（とうとう）
□ と続く山並み	うねうねと長く続くさま	□ 蜿蜿（えんえん）
意思の □ を図る	意思や考えが支障なく相手に通じること	□ 疎通（そつう）
思うところを □ する	考え、信念をそのまま遠慮せず言うこと	□ 直言（ちょくげん）
社長に □ する＝具申（ぐしん）	上位の者に意見を申し述べること	□ 進言（しんげん）
文章を □ する	内容をよく考えて十分に理解し味わうこと	□ 咀嚼（そしゃく）
□ とした事実＝歴歴	はっきりとして明白なさま	□ 歴然（れきぜん）
□ の意を表する	つつしんで命令などに従うこと	□ 恭順（きょうじゅん）
計画の □	事柄の根本。おおもと。大づかみの内容	□ 大綱（たいこう）
事業が □ する	物事がうまくいかず、しくじること。失敗	□ 蹉跌（さてつ）
収穫量の □ ＝漸減（ぜんげん）	数量が次第に減ること、減らすこと	□ 逓減（ていげん）
□ 作家	学問や芸術などに優れた女性	□ 閨秀（けいしゅう）
□ を突く＝意外（いがい）	まったく考えてもいないこと	□ 意表（いひょう）
□ が生じる＝不和（ふわ）	仲が悪くなること	□ 軋轢（あつれき）
□ をねぎらう	苦労・努力。ほねおり	□ 労（ろう）
□ を脚注に示す	よりどころとなる文献。引用した資料	□ 典拠（てんきょ）
国の □ にいる＝枢要（すうよう）	物事の中心となる重要な部分	□ 枢軸（すうじく）
美術界の □ ＝大家（たいか）	その道で最も権威のある人	□ 泰斗（たいと）
兄に □ する＝匹敵（ひってき）	同等のものとして並ぶこと。伍すること	□ 比肩（ひけん）
創作に □ する＝没頭（ぼっとう）	集中して取り組むこと	□ 傾注（けいちゅう）
□ 事項	問題になっていながら未解決なこと	□ 懸案（けんあん）
□ 政策	対立する相手をゆるし、仲よくすること	□ 宥和（ゆうわ）
敵から □ する	逃げ出すこと	□ 遁走（とんそう）
人の話を □ に聴く	先入観を持たない、すなおな態度	□ 虚心（きょしん）
□ を制する⇔辺境（へんきょう）	天下の中央。中心の地	□ 中原（ちゅうげん）
定理から □ する⇔帰納（きのう）	一般論から、個別のものを推論、説明すること	□ 演繹（えんえき）
□ を得る	力を認められて厚く待遇されること	□ 知遇（ちぐう）
発言が □ を買った	思わず笑ってしまうこと	□ 失笑（しっしょう）
□ の権威	この分野。この専門の方面	□ 斯界（しかい）
小説を □ する	夢中になって読むこと。読みふけること	□ 耽読（たんどく）
計画を □ と進める	物事が予定通り順調に進むさま	□ 着着（ちゃくちゃく）
事の □ を述べる	物事のくわしい事情	□ 子細（しさい）
□ の事情により	これら。この辺。このたび	□ 這般（しゃはん）
話が □ に入る	面白くなったところ	□ 佳境（かきょう）
□ を通ずる	連絡。気持ちのつながり	□ 気脈（きみゃく）

部下を□させるな	次第につけあがって高慢になること	□ 増長（ぞうちょう）
東西貿易の□	のど。転じて、重要な通路	□ 咽喉（いんこう）
昨年を□する＝回顧	過去をふりかえってみること	□ 回視（かいし）
□できない大問題	見逃すこと。見過ごすこと	□ 看過（かんか）
悪巧みを□する	真相などを見破ること。見抜くこと	□ 看破（かんぱ）
相手の意向を□する	相手の反応を見るために事前に伝えること	□ 打診（だしん）
民主主義を□する	主義・主張などを公然と表すこと	□ 標榜（ひょうぼう）
異民族を□する	受け入れられないとしてしりぞけること	□ 排斥（はいせき）
公私を□する	厳しく区別すること	□ 峻別（しゅんべつ）
手柄を□する	言いふらすこと。言い広めること	□ 吹聴（ふいちょう）
□にして存じません	見聞が狭くて知識をもたないこと	□ 寡聞（かぶん）
人間辛抱が□だ	非常に大事なこと	□ 肝要（かんよう）
文明の□	勢いが衰えたり盛んになったりすること	□ 消長（しょうちょう）
□ない出来映え	見劣り。「□ない」で「見劣りしない」	□ 遜色（そんしょく）
□な例を挙げる	身近でありふれていること	□ 卑近（ひきん）
人気取りに□する	事を成し遂げようと心をくだくこと。苦心	□ 腐心（ふしん）
武器を□に調達する	こっそり。うちわ。内密	□ 内内（ないない）
□の情を抱く	かわいそうに思うこと	□ 憐憫（れんびん）
歌舞伎に□が深い	その分野についての深い知識や優れた技量	□ 造詣（ぞうけい）
あまりの暑さに□する	手に負えなくて困ること	□ 閉口（へいこう）
部下の失敗を□にみる	きびしくとがめず、寛大にすること	□ 大目（おおめ）
□増加する	だんだん。次第に。「漸」は「次第に」	□ 漸次（ぜんじ）
□的な改革⇔急進	だんだん、少しずつ進むこと	□ 漸進（ぜんしん）
オリンピックを□する	招き寄せること	□ 招致（しょうち）
□かまわずに	こまかく詳しいこと。物事の詳しい事情	□ 委細（いさい）
□を養う＝活力（かつりょく）	何かをしようとする元気。優れた才気	□ 英気（えいき）
□の人	人家が集まっている所。ちまた	□ 市井（しせい）
本心を□する	気持ちなどを隠さずすべて打ち明けること	□ 披瀝（ひれき）
正体が□する	隠れていた事が表に出ること	□ 露呈（ろてい）
□を正す	誤った意見、考え。「謬」は「あやまり」	□ 謬見（びゅうけん）
□の出来映え	他より目立って優れていること	□ 出色（しゅっしょく）
□を放つ	普通とは異なっていて目立つ様子	□ 異彩（いさい）
両者の案を□する	それぞれのよい所をとって一つに合わせること	□ 折衷（せっちゅう）
金を□する＝山分け	二等分にすること。半分に分けること	□ 折半（せっぱん）
遺族の心中を□する	思いやりを持って心配すること	□ 推察（すいさつ）

パンデミックを □ する	前もって見通すこと	□ 予見(よけん)
□ の念をもつ	かしこまりうやまうこと	□ 畏敬(いけい)
□ を積む	学問などを深く究めること	□ 研鑽(けんさん)
解散は □ である	そうなることが避けられないこと	□ 必至(ひっし)
上役の □ にふれる	目上の人の怒り	□ 逆鱗(げきりん)
□ した情勢	きびしくさしせまること	□ 緊迫(きんぱく)
□ に恵まれる＝幸甚(こうじん)	思いがけない幸運。偶然に得る幸い	□ 僥倖(ぎょうこう)
□ を切り開く	狭くて通行の困難な道。妨げとなる問題	□ 隘路(あいろ)
□ を開く	うれいを含んだまゆ。心配そうな顔つき	□ 愁眉(しゅうび)
□ の急	眉が焦げるほどの火の接近。切迫した危険	□ 焦眉(しょうび)
部下を □ する	ちらっと見ること	□ 一瞥(いちべつ)
師の □ を受ける	人徳で人を感化してよい方に導くこと	□ 薫陶(くんとう)
ご □ にどうぞ＝任意	制限を受けず自分の思うままであること	□ 随意(ずいい)
□ 的な解釈	自分の思うまま。自分勝手な考え	□ 恣意(しい)
家庭の □ を逃れる	手かせ足かせ。自由を束縛するもの	□ 桎梏(しっこく)
軽妙 □ な文章	俗気がなくさっぱりしていること	□ 洒脱(しゃだつ)
意見が □ される	同質、同等にまとまること。縮むこと	□ 収斂(しゅうれん)
運河を □ する	海底・河床などの土砂を掘削すること	□ 浚渫(しゅんせつ)
□ の事情により	さまざまな事柄	□ 諸般(しょはん)
□ な振る舞い	軽はずみでそそっかしいこと	□ 粗忽(そこつ)
□ が生じる	事柄がくいちがって合わないこと	□ 齟齬(そご)
方針について □ する	話し合って物事を明らかにすること	□ 詮議(せんぎ)
失敗を □ する	一時しのぎにごまかして取り繕うこと	□ 糊塗(こと)
官庁に □ する	公の職務につくこと	□ 奉職(ほうしょく)
敵対勢力を □ する	うまく手なずけてこちらに従わせること	□ 懐柔(かいじゅう)
甘い言葉で □ する	まるめこんで思い通りにあやつること	□ 籠絡(ろうらく)
御無事で何より □	(良い事が)重なること。大変喜ばしいこと	□ 重畳(ちょうじょう)
解決の □ を開く	いとぐち。手がかり	□ 端緒(たんしょ)
先例に □ する	よりどころとすること	□ 依拠(いきょ)
計画が □ する	進行が急にくじけること。「頓」は「急に」	□ 頓挫(とんざ)
□ な形相におびえる	性質や姿が凶悪で荒々しいこと	□ 獰悪(どうあく)
□ を立てる	言動・性格が円満でないこと	□ 角(かど)

3 複数の意味

● 下線部の語句が同じ意味で用いられている文を選ぶ問題。

下線部の意味を見極める

● 明確な意味で言い換えてみる

設問よりも、意味のはっきりした表現で言い換える。

例題

下線部の語が最も近い意味で使われているものを１つ選びなさい。

❶ 期限をきる必要がある

- ○ A　ワインの封をきる
- ○ B　野菜の水気をきる
- ○ C　電話をきる
- ○ D　肩で風をきる
- ○ E　参加人数を100名できる

❷ 自転車で通勤する

- ○ A　あと１時間で到着する
- ○ B　教室で本を読む
- ○ C　薬で腹痛がおさまる
- ○ D　電車の遅延で遅刻する
- ○ E　役員会で検討中だ

意味をはっきり表す言い換え表現を探す

意味のあいまいな言葉で言い換えると、間違えることがあるので注意。

❶ 期限をきる→期限を限定する

「期限をきる」の「きる」は、「限定する」「区切る」などに言い換えることができる。これを選択肢に当てはめていき、【意味】が通れば正解。

A　ワインの封をきる→封を限定する×　【封を開ける】
B　野菜の水気をきる→水気を限定する×　【水気を取り去る】
C　電話をきる→電話を限定する×　【電話を切断する・やめる】
D　肩で風をきる→風を限定する×【肩をそびやかして得意げに歩く】
E　参加人数を100名できる→100名で限定する・区切る○（意味が通る）

「期限をきる」はそこで終わることなので、「終わらせる」「やめる」などと考えると正解に到らない。下線のみを言い換える言葉にすることが大切。

正解　E

❷ 自転車で→自転車という手段で

「自転車で通勤する」の「で」は、「～という手段（道具）で」と言い換えることができる。これを選択肢に当てはめていき、【意味】が通れば正解。

A　あと1時間で到着する→1時間という手段で×　【1時間以内で】
B　教室で本を読む→教室という手段で×　【教室という場所で】
C　薬で腹痛がおさまる→薬という手段（道具）で○（意味が通る）
D　電車の遅延で遅刻する→遅延という手段で×　【遅延が原因で】
E　役員会で検討中だ→役員会という手段で×　【役員会という主体が】

「～によって」という言い換えもできるが、このようなあいまいな言葉ではC（薬によって）にもD（遅延によって）にも当てはまる。はっきり区別ができるよう、意味の明確な語句に言い換えることが大切だ。

正解　C

2章 複数の意味

▶解答・解説は別冊64ページ

練習問題 複数の意味

下線部の語が最も近い意味で使われているものを１つ選びなさい。

74 見てきたところを述べる

- ○ A　今着いたところです
- ○ B　信じるところを貫く
- ○ C　よいところを伸ばす
- ○ D　ところを得る
- ○ E　今のところ大丈夫です

75 どうしたわけか一人も来ない

- ○ A　わけのわからない理屈
- ○ B　弁解するわけではない
- ○ C　わけなくできた
- ○ D　わけのありそうな二人
- ○ E　遅刻したわけを言う

76 仕事にはばをもたせる

- ○ A　はばのある声
- ○ B　道のはばを測る
- ○ C　世間にはばをきかせる
- ○ D　人間にはばができる
- ○ E　値上げはばが大きい

77 仕事の山が見える

- ○ A　山が当たる
- ○ B　山を越す
- ○ C　山がそびえる
- ○ D　山が招く
- ○ E　借金の山

78 先を争う

- ○ A　二軒先の建物
- ○ B　一寸先も見えない
- ○ C　玄関先に置いた
- ○ D　行き着く先が見えない
- ○ E　先に立って働く

79 頭数をそろえる

- ○ A　父は頭が古い
- ○ B　頭からはねつける
- ○ C　釘の頭をたたく
- ○ D　頭割りにしよう
- ○ E　頭打ちになる

80 天地無用のラベル

○ A 天井を見上げる
○ B 天災に見舞われる
○ C 天下に名だたる剣豪
○ D 天国にいる母に贈る
○ E 天寿をまっとうする

81 道を説く

○ A 道をつける
○ B 我が道を行く
○ C 人の道にはずれる
○ D 道を急ぐ
○ E その道の専門家

82 ただ食べてばかりだ

○ A ただでは済まない
○ B ただの紙切れだ
○ C ただ一度のチャンスだ
○ D ただ気になる点がある
○ E ただ時間だけが過ぎる

83 人の上に立つ

○ A すぐに席を立つ
○ B 人の役に立つ
○ C 矢面に立つ
○ D 計画が立つ
○ E 面目が立つ

84 箱の中にしまってある

○ A 雨の中を歩く
○ B ハムを中にはさむ
○ C 心の中はわからない
○ D 5人の中に犯人がいる
○ E 中をとって50円にする

85 お目が高い

○ A 不合格の憂き目を見る
○ B 温かい目で見守る
○ C 時代の変わり目
○ D 絵画を見る目がある
○ E 目が悪いので見えない

86 大臣の椅子をおりる

○ A 舞台の幕がおりる
○ B ドラマの主役をおりる
○ C 飛行機からおりる
○ D 急いで階段をおりる
○ E 保健所の許可がおりる

87 指揮官としての任にあたる

○ A 友人につらくあたる
○ B 元の原稿にあたる
○ C 事件の捜査にあたる
○ D 宝くじにあたる
○ E 南風にあたる

2章 複数の意味

➡次ページに続く

88 ウイルスの侵入を許す

- ○ A 一時帰宅を許す
- ○ B 過ちを許す
- ○ C 予算の許す範囲
- ○ D 気を許すべきではない
- ○ E 最終回に逆転を許す

89 本部に連絡をとる

- ○ A 基本に忠実であれ
- ○ B 本名を名乗る
- ○ C 本人に確かめる
- ○ D 本流から分かれる
- ○ E 本懐をとげる

90 勇気がわく

- ○ A 湯がわく
- ○ B 麹がわく
- ○ C 議論がわく
- ○ D 非難がわく
- ○ E 場内がわく

91 行方不明者の消息を寄せる

- ○ A 知人の家に身を寄せる
- ○ B 故郷に思いを寄せる
- ○ C 額にしわを寄せる
- ○ D 耳に口を寄せる
- ○ E 新聞社に原稿を寄せる

92 母に手紙を出す

- ○ A 顔に喜びを出す
- ○ B 真相を明るみに出す
- ○ C 先方に使いを出す
- ○ D 火事を出す
- ○ E ポケットから鍵を出す

93 例外を認める

- ○ A 弟子の才能を認める
- ○ B 犯行を認める
- ○ C 島の上に人影を認める
- ○ D 入学を認める
- ○ E 自分の失敗を認める

94 生涯を独身で通す

- ○ A 一周を歩き通す
- ○ B 先方に話を通す
- ○ C 客を応接室に通す
- ○ D 予算案を通す
- ○ E 歩行者のみを通す

95 思っていたよりも安くあがる

- ○ A 物の値段があがる
- ○ B ご相談にあがる
- ○ C 雨があがる
- ○ D 成果があがる
- ○ E 客席から歓声があがる

96 牧場に柵をまわす

○ A 蛇口をまわす
○ B 人員をまわす
○ C 連絡をまわす
○ D 裏から手をまわす
○ E 二重にリボンをまわす

97 頭角をあらわす

○ A 哀悼の意をあらわす
○ B 司会者が姿をあらわす
○ C 感情を言葉であらわす
○ D 歴史の本をあらわす
○ E 功績を世にあらわす

98 彼のような人を名人という

○ A 幼名を麟太郎という
○ B 何十万という人が住む
○ C 昔は陸地だったという
○ D 目は口ほどに物をいう
○ E 特技というほどではない

99 映像を電波にのせる

○ A 名を名簿にのせる
○ B 一万の大台にのせる
○ C 彼女を口車にのせる
○ D 足をブレーキにのせる
○ E 販売ルートにのせる

100 果報は寝て待て

○ A 受付に渡して帰る
○ B 紙に書いて覚える
○ C 頭が痛くて休む
○ D 安くておいしい
○ E 見て見ぬ振りをする

101 みんなも行くそうだ

○ A 雪が降りそうだ
○ B この映画は面白そうだ
○ C 彼女は悲しそうだ
○ D 午後は雨になるそうだ
○ E 赤字になりそうだ

102 台風に苦しむ

○ A 酒に酔う
○ B 後輩に頼られる
○ C 実験は失敗に終わった
○ D 週に1回は出張がある
○ E ほうびに百円もらった

103 客席は満員となった

○ A おかしな話だと思う
○ B 東京での開催と決まる
○ C 子供と遊園地に行く
○ D 彼と年齢がいっしょだ
○ E 昔と変わらない町並み

➡次ページに続く

104 学生時代のことが思い出される

- ○ A　ビルが倒れる
- ○ B　吉報が待たれる
- ○ C　先生が話される
- ○ D　子供にも登れる
- ○ E　台風におそわれる

105 失敗を重ねつつ成長してゆく

- ○ A　体に悪いと知りつつやめられない
- ○ B　業績は年初から好転しつつある
- ○ C　テレビを見つつ掃除機をかける
- ○ D　何度も確認しつつ書類に記入する
- ○ E　厚かましいと思いつつ泊めてもらう

106 不注意から失敗してしまった

- ○ A　今日は昼から雨が降るそうだ
- ○ B　太陽光から電気を作り出す
- ○ C　無鉄砲から間違いをしでかす
- ○ D　母から知らせが来た
- ○ E　入り口からお入りください

107 美容にさえ効果がある飲み物

- ○ A　水さえあればなあ
- ○ B　今朝のことさえ忘れた
- ○ C　雪さえ降ってきた
- ○ D　覚悟さえできていれば大丈夫だ
- ○ E　ひらがなさえ書けない

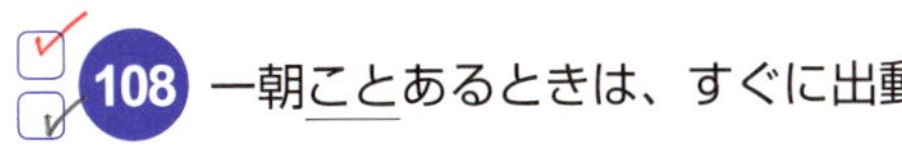

108 一朝ことあるときは、すぐに出動する

- ○ A　あなたのしたことは許せない
- ○ B　彼はことを好む性格だ
- ○ C　私の言うことを聞きなさい
- ○ D　ことを成し遂げる
- ○ E　ことの発端は彼の勘違いだった

109 そうとばかりは言えない

- ○ A　彼は勉強ばかりしている
- ○ B　飛び上がらんばかりに喜んでいた
- ○ C　転んだばかりにビリになってしまった
- ○ D　１万円ばかり貸してほしい
- ○ E　父は今出かけたばかりです

110 部長が来てくれればなお都合がいい

- ○ A　手術前よりもなお悪くなった
- ○ B　昼なお暗い道を行く
- ○ C　過ぎたるはなお及ばざるが如し
- ○ D　試験までなお一週間ある
- ○ E　今もなお美しい

111 雨の降る日はバスで通う

- ○ A　泳ぐのは苦手だ
- ○ B　行くの行かないのともめる
- ○ C　値段が高いのが難点だ
- ○ D　父の洋服を借りる
- ○ E　兄の育てた野菜です

CHECK❷ 複数の意味 50

得点大幅アップ。「複数の意味」の出題語句50語を公開!!

語　句	同じ意味の用例	下線部に共通する意味
□ 勝利の味	味をしめる	体験して知った感じ・うまみ
□ 足の便がよい	ストで足がうばわれる	交通機関。移動に使うもの。
□ 料理の腕が上がる	腕に覚えがある	物事をする能力。技量
□ 手が足りない	手を貸す	労働力。人手
□ 顔に泥を塗る	会社の顔をつぶす	社会的な体面。名誉
□ 口が達者な人	口べた	話す能力。言葉。物言い
□ 自分の腹にしまう	相手の腹を読む	心。胸の内。気持ち
□ 身のほど知らず	身に余る光栄	身分。地位
□ 空寝をする	空とぼける	偽りの。ふりをする
□ 時の流れに乗る	時を見る目がある	時勢。成り行き
□ 季節の変わりめ	紐の結びめ	物の接する箇所
□ ものともしない	ものの数に入らない	取り立てて言うほどのこと
□ 人込みのあいだ	雲のあいだから見える	物と物とに挟まれた部分
□ 人通りが少ない	風の通りが悪い	通行。行ったり来たりすること
□ 火が中まで通る	組織の末端まで通る	まんべんなくゆきわたる
□ 電話が通じる	この道は駅に通じる	つながる。結びつく
□ 英語が通じる	話が通じる	了解される。わかってもらう
□ 税金をおさめる	会費をおさめる	納める：金や物を納入する
□ 評判が落ちる	味が落ちる	物事の程度や段階が下がる
□ 圧力がかかる	迷惑がかかる	働きかけが及ぶ
□ この薬はきく	ブレーキがきく	効く：効果や働きが現れる
□ 暗くなってきた	意味がわかってきた	だんだん〜になる
□ 国交をたつ	消息をたつ	続いていたものを終わらせる

語　句	同じ意味の用例	下線部に共通する意味
□ 解決につとめる	弁明につとめる	努める：努力する
□ 洋服の丈がつまる	先頭との差がつまる	幅や間隔などが短くなる
□ 旅に出る	船が出る	出発する
□ 大きくて場所をとる	難しくて手間をとる	場所や時間などを必要とする
□ 疲れがとれる	成長して角がとれる	好ましくない状態が消え去る
□ 違う議題に流れる	他店へ客が流れる	本来の経路などからそれる
□ のぞむところだ	合格をのぞむ	望む：願う。欲する
□ 爪を長くのばす	ヘチマがつるをのばす	伸ばす：長くなる
□ 珍品が手に入る	耳に入る／目に入る	外から内にやって来る
□ 解決をはかる	便宜をはかる	図る：うまく処理する
□ 感情に走る	極端に走る／悪に走る	ある方向に強く傾く
□ 分母をはらう	垣根をはらう	取り去る。取り除く
□ 後ろに控える	舞台の袖に控える	すぐ近くの場所で待機する
□ 目をあける	封をあける／鍵をあける	開ける：閉じていたものを開く
□ 意地をはる	欲をはる	強く主張する
□ みるまで信じない	じっと手をみる	見る：実際に目で見る
□ 重大な意義をもつ	手に職をもつ	含む。備える
□ 危ない手つき	足下が危ない	不安定である
□ 彼は頭がよい	腕がよい医者	質や能力が優れている
□ 別れがつらい	日本語ができる	気持ち・能力などの対象を示す
□ 電話なり手紙なり	何なりと言いなさい	何かから選ばせる意味を表す
□ 過去は問うまい	失敗は繰り返すまい	打ち消し・否定の意志を表す
□ 品物を棚にあげる	海から網をあげる	低い所から高い所にもっていく
□ 飛ぶように逃げる	夏のように暑い日	同じような、似た状態を示す
□ 今日は穏やかだ	彼はとても立派だ	その状態にあることを示す
□ 病気で休みます	受験の準備で忙しい	～という理由によって
□ 暇なことでしょう	彼女は来るだろう	話し手の推量・想像を表す

4 文の並べ替え

● ５つの短文や、文中の５つの文節（連文節）を正しい順番で並べ替える問題。

例 題

❶【文の並べ替え】アからオを意味が通るように並べ替えたとき、オの次にくる文を選びなさい。

ア　しかし、寿命と住環境の因果関係をリサーチすることは非常に難しい

イ　これを人間で実験するわけにはいかないが、住環境によって寿命に違いがあるかは興味が持てる問題だ

ウ　住環境のほかにも、食事、気候、職業などは、いずれも寿命や健康状態と深く関係する因子と言えるだろう

エ　木の飼育箱で生活するネズミの方が、プラスチックの飼育箱で生活するネズミよりも生存率が高いという実験結果があるそうだ

オ　寿命と因果関係を持つ因子は無数にあるからだ

○ A　ア　○ B　イ　○ C　ウ　○ D　エ　○ E　オが最後の文

❷【文節の並べ替え】AからEの語句を[1]から[5]に入れて文の意味が通るようにしたとき、[4]に当てはまるものを選びなさい。

画家は[1][2][3][4][5]把握することが大切である。

○ A　残したいと願うものだが
○ B　その作品を何年、何十年も先まで
○ C　未来に引き継いでいきたいものを
○ D　昔から変わらずに伝えられてきたものや
○ E　そのためには現在必要なものだけでなく

先頭に来る文を見つける

- 「しかし」「そして」「しかも」などの接続語から始まる文は先頭にこない。
- 「これ(この)」「それ(その)」などの指示語がある文は先頭にこない。

言葉の関連性を手がかりにつなげていく

- 言葉の関連性が高いかどうかを手がかりに文・文節をつなげていく。

❶　アは「しかし」、イは「これを」がある。ウは「住環境のほかにも」とあり、その前に住環境の話題があったはず。オは「あるからだ」と前文の理由を述べている。残ったエが先頭にくることがわかる。

エ　～実験結果があるそうだ
イ　これ（エのネズミの実験）を人間で実験するわけにはいかないが、住環境によって寿命に違いがあるかは興味が持てる問題だ
ア　しかし、寿命と住環境の因果関係をリサーチすることは非常に難しい
オ　寿命と因果関係を持つ因子は無数にあるからだ　←アの難しい理由
最後に残ったウは、オでいう因子の具体例を挙げており、文意が通じる。

上に挙げた順番から、オの次はウ。

正解　C

❷　文節の並べ替えでは、［　］の前の内容を指し示す指示語が先頭になることもある。まず、最初と最後の［　］に選択肢を当てはめてみて、主語と述語の関係を中心に語句がつながるかどうかで判断していく。
画家は［１］…当てはまりそうなのはＢＣＤだが、Ｂの「その作品」が「画家の作品」と読み替えられるので、Ｂに決定。

［５］把握する…当てはまりそうなのは「を」で終わっているＣだけ。

画家は［その作品を何年、何十年も先まで］［２］［３］［４］［未来に引き継いでいきたいものを］把握することが大切である。

ここまでくれば、［２］［３］［４］には、順にＡＥＤが入ることは簡単にわかるだろう。従って、ＢＡＥＤＣの順番。

正解　D

▶解答・解説は別冊66ページ

練習問題　文の並べ替え

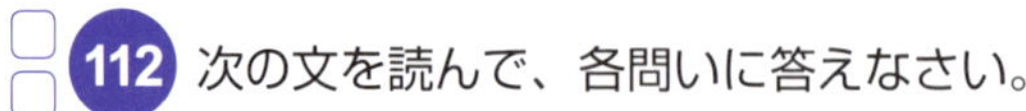

目標時間 10分　/10問

112 次の文を読んで、各問いに答えなさい。

ア　これはある時点を基準にして、過去、現在、未来へとまっすぐ流れていく

イ　一つは、一直線に同じ方向へと流れていく「とき」だ

ウ　繰り返し回って、元に戻ることで永遠を目指す「とき」である

エ　回る時間もある

オ　「とき」には２種類がある

1　アからオを意味が通るように並べ替えたとき、イの次にくる文を選びなさい。

- ○ A　ア
- ○ B　ウ
- ○ C　エ
- ○ D　オ
- ○ E　イが最後の文

2　アからオを意味が通るように並べ替えたとき、アの次にくる文を選びなさい。

- ○ A　イ
- ○ B　ウ
- ○ C　エ
- ○ D　オ
- ○ E　アが最後の文

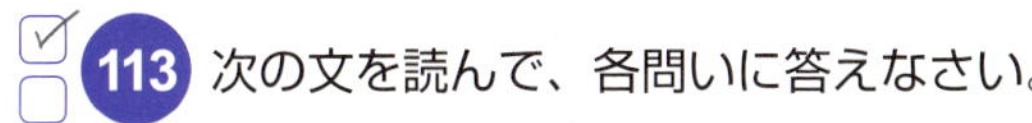

113 次の文を読んで、各問いに答えなさい。

ア　外延の大きい方が内包が小さく、逆に、内包の大きい方は外延が小さいというわけである

イ　また、意味の属性を内包という

ウ　このことを外延が大きいといい、外延が大きい「子供」は「息子」を包摂する

エ　「子供」の内包は「若い＋人間」、息子の内包は「若い＋人間＋男」である

オ　「子供」は「息子」に比べて意味する範囲が広い

1 アからオを意味が通るように並べ替えたとき、ウの次にくる文を選びなさい。

- ○ A　ア
- ○ B　イ
- ○ C　エ
- ○ D　オ
- ○ E　ウが最後の文

2 アからオを意味が通るように並べ替えたとき、オの次にくる文を選びなさい。

- ○ A　ア
- ○ B　イ
- ○ C　ウ
- ○ D　エ
- ○ E　オが最後の文

➡次ページに続く

□□ **114** AからEの語句を[1]から[5]に入れて文の意味が通るようにしたとき、[2]に当てはまるものを選びなさい。

馬は[1][2][3][4][5]距離感を測っている。

○ A　障害物に当たって返ってきた
○ B　自分の出した音が
○ C　耳を正面に向けて
○ D　跳ね返りを聞いて
○ E　障害物を跳び越えるとき

□□ **115** AからEの語句を[1]から[5]に入れて文の意味が通るようにしたとき、[4]に当てはまるものを選びなさい。

かつて景観問題といえば[1][2][3][4][5]景観問題も近年は見られるようになった。

○ A　間の紛争が多かったが
○ B　作品優先の建築家が起こす
○ C　利益優先のディベロッパーと
○ D　住宅地における原色の外壁など
○ E　環境を守ろうとする周辺住民との

□□ **116** AからEの語句を[1]から[5]に入れて文の意味が通るようにしたとき、[2]に当てはまるものを選びなさい。

免疫抑制剤が筑波山の土の中にいた[1][2][3][4][5]医薬品開発の伝統的手法である。

○ A　微生物から
○ B　菌が作り出す
○ C　生まれたように
○ D　有用物質を探すのは
○ E　土中の菌を培養して

117 AからEの語句を[1]から[5]に入れて文の意味が通るようにしたとき、[2]に当てはまるものを選びなさい。

日本の産業で[1][2][3][4][5]なっている。

- ○ A　31 種類のレアメタルの一つと
- ○ B　各元素の化学的性質の類似から
- ○ C　17 種類の希土類元素からなるが
- ○ D　先端技術を支えるレアアースは
- ○ E　レアメタルとして一括され

118 AからEの語句を[1]から[5]に入れて文の意味が通るようにしたとき、[4]に当てはまるものを選びなさい。

積乱雲の内部では[1][2][3][4][5]瞬間的に大きな放電が起こって雷になる。

- ○ A　電気が生まれるが
- ○ B　上昇気流と下降気流が
- ○ C　猛烈な速さで行きかっており
- ○ D　気流がすれ違うときのあられやひょうの衝突や摩擦で
- ○ E　上下に分極した正と負の電気を中和するため

119 AからEの語句を[1]から[5]に入れて文の意味が通るようにしたとき、[3]に当てはまるものを選びなさい。

絵というものが[1][2][3][4][5]時代の常識である。

- ○ A　画家とは多くの場合
- ○ B　実は共同作業の結果で
- ○ C　絵を作る監督だったことは
- ○ D　絵を描く芸術家であるよりも
- ○ E　画家が工房をもつ職人だった

5 空欄補充

● 設問文の中にある空欄に適切な言葉を入れる問題。

ヒントは周辺の語句にある

● 前後の内容から推察する

空欄の直前、直後にある語句がヒントになることが多い。

● 出題語句を覚える

本書に掲載されている出題語句、言い回しを覚えておこう。

例 題　よくでる

❶ 文中の空欄に入る最も適切なものを１つ選びなさい。

情報は細分化されていればいるほど使いやすい。そのほうが、情報を得るときにも、組み合わせるときにも扱いやすい。結果として情報は［　　］し、体系的な「知恵」ではなく、分裂した独立の「知識」のみが存在していくことになる。

○ A　共通化　　○ B　集合化　　○ C　断片化
○ D　統一化　　○ E　独立化　　○ F　二極化

❷ 文中の空欄に入る最も適切なものを１つ選びなさい。

人命救助に［　　］の望みを残す。

○ A　一縷（いちる）　　○ B　一抹（いちまつ）　　○ C　一意
○ D　一応　　○ E　一か八か　　○ F　一期（いちご）

文の内容と適合する選択肢を探す

❶ 文の中に必ずヒントがある。

文全体の流れから、

情報というものは、細分化され、□し、体系的な「知恵」ではなく、分裂した独立の「知識」のみが存在していく

という趣旨を読み取ることができる。

つまり、「情報」は、**細分化され、→□し→分裂した独立の「知識」**になっていくのである。ここから□には、ばらばらになっていくというニュアンスの「断片化」、「独立化」のいずれかが当てはまることがわかる。

さらに、**体系的な「知恵」**と反対の意味をもつ語句であることを考慮すると、「独立化」よりも「C 断片化」がふさわしいことになる。

正解 C

❷ 出題される慣用句や言い回しを覚える。

一縷：１本の糸のように細いもののことで、「ごくわずか、ひとすじ」のものを表すのに用いられる。多くは「**一縷の望み**を残す」「**一縷の希望**をつなぐ」のように「望み」や「希望」などポジティブな語句とセットで用いられる。

一抹：「わずか」という意味。多くは「**一抹の不安**が残る」のように「不安」や「寂しさ」などネガティブな語句とセットで用いられる。

「一縷の不安」、「一抹の望み」などとは言わない。

一意：一つの考え。また、考えが同じであること。

一応：一度。一回。副詞としては「ひととおり」「念のために」。

一か八か：結果はどうなろうと、運を天に任せてやってみること。のるかそるか。多く「**一か八かやってみよう**」「**一か八かの勝負**」のように用いられる。

一期：生まれてから死ぬまで。一生。

以上より、当てはまるものは、「A 一縷」。

正解 A

▶解答・解説は別冊67ページ

練習問題 空欄補充①

目標時間 5分　／5問

問題　文中の空欄に入る最も適切なものを選びなさい。

120　翻訳される言語の表現力が、受容する言語の表現力を圧倒的に上回っている場合、翻訳は成立しないであろう。受容する言語に［　1　］語彙がなければ、それを直接、間接に［　2　］しか手はない。日本語の場合、多くの西洋外来語がそうであった。

	1	2
○ A	関連する	借用する
○ B	関連する	翻訳する
○ C	共通する	借用する
○ D	共通する	翻訳する
○ E	対応する	借用する
○ F	対応する	翻訳する

121　数値表記で空位を表し示す記号は紀元前から複数の文明で見られるが、［　1　］としては７世紀のインドの数学者ブラーマグプタが初めてで、「いかなる数にゼロを乗じても結果は常にゼロである。いかなる数にゼロを加減してもその値に変化はない」とし、これがゼロの［　2　］として広まった。

	1	2
○ A	演算対象	概念
○ B	演算対象	記号
○ C	演算対象	数字
○ D	四則演算	概念
○ E	四則演算	記号
○ F	四則演算	数字

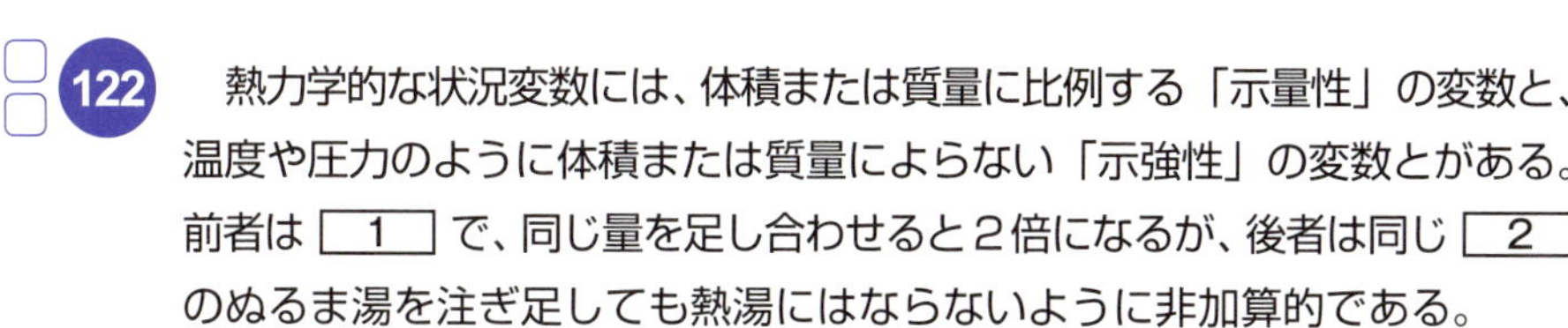

122 熱力学的な状況変数には、体積または質量に比例する「示量性」の変数と、温度や圧力のように体積または質量によらない「示強性」の変数とがある。前者は［ 1 ］で、同じ量を足し合わせると２倍になるが、後者は同じ［ 2 ］のぬるま湯を注ぎ足しても熱湯にはならないように非加算的である。

	1	2
○ A	加算的	量
○ B	加算的	温度
○ C	示強的	量
○ D	示強的	温度
○ E	示量的	量
○ F	示量的	温度

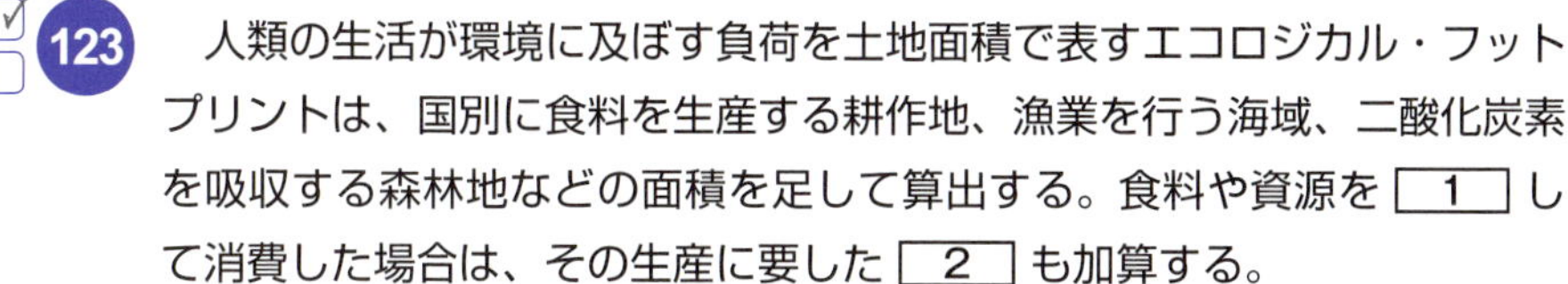

123 人類の生活が環境に及ぼす負荷を土地面積で表すエコロジカル・フットプリントは、国別に食料を生産する耕作地、漁業を行う海域、二酸化炭素を吸収する森林地などの面積を足して算出する。食料や資源を［ 1 ］して消費した場合は、その生産に要した［ 2 ］も加算する。

	1	2
○ A	輸出	費用
○ B	輸出	面積
○ C	輸出	労働力
○ D	輸入	費用
○ E	輸入	面積
○ F	輸入	労働力

124 読書の巧者にとって一冊の本は単に一冊の本であるにとどまらず、他の本との関係の［　　］からなるヴァーチャルな読書空間への入り口であり、中継地としての結節点の一つであり、場合によっては終着点となることもある。

○ A 一端　　○ B 原点　　○ C 網の目
○ D ベース　　○ E モデル　　○ F ポイント

▶解答・解説は別冊68ページ

練習問題　空欄補充②

文中の空欄に入る最も適切なものを選びなさい。

125 会議が □ 進まない

○ A　延延と　○ B　永遠と　○ C　ふとして
○ D　遅遅として　○ E　ようとして

126 彼はこの研究の □ である

○ A　草分け　○ B　しんがり　○ C　筆頭
○ D　皮切り　○ E　口開け

127 複雑な □ を呈する

○ A　活況　○ B　様相　○ C　様態
○ D　形相　○ E　苦言

128 すべての責任を □ に担う

○ A　双肩　○ B　全身　○ C　頭上
○ D　身上　○ E　一端

129 欠点や悪習を □ する

○ A　修正　○ B　修整　○ C　矯正
○ D　改正　○ E　校正

130 相手方と議論の [　　] をする

○ A 応援　○ B 応対　○ C 応答
○ D 応戦　○ E 応酬

131 万感胸に [　　]

○ A つまる　○ B 残る　○ C 迫る
○ D 落ちる　○ E 刺さる

132 頼まれても [　　] 引き受けることはできない

○ A おめおめと　○ B そそくさと　○ C おいそれと
○ D ぬけぬけと　○ E おのずと

133 昔を思って [　　] にふける

○ A 感　○ B 感涙　○ C 感慨
○ D 感性　○ E 感銘

134 様々な [　　] が流れる

○ A 察し　○ B 目星　○ C あて
○ D 憶測　○ E 予測

135 [　　] に投ずる事業を企てる

○ A 時好　○ B 時節　○ C 時機
○ D 時間　○ E 時代

テストセンター △　ペーパーテスト ○

6 長文読解

● 先に設問を確認して、問題文の中で必要な部分だけを読むのがコツ。

先に設問を確認しよう

● 答えは問題文の中にある！

先に設問を読んでから長文の該当箇所を読むと良い。
また、「選択肢の中に長文に見あたらない表現や内容があれば誤答」と考えて選択肢を絞っていくと早い。「本文の文章と選択肢を比べていくこと」が正解への近道となる。

例 題　よくでる

次の文を読んで、各問いに答えなさい。

　ことばはふつう、すべての人間によって話される。だから、ことばを話さない人間はいないという事実は、暗黙の了解になっているので、それをいまさらことばにして言うとおかしい感じがするほどである。そのおかしさは、ことばが空気と同様、万人に共有されており、人間であることの［ 1 ］条件であって、議論の余地のないものと考えられているところに由来している。もしかりに、ことばの話せる能力が特定の数少ない個人に限定されていて、この村でことばの話せるのはあれとあれだというふうにでもなっていたとすれば、そのばあいのことばとは、従来のことばという語で示される通常の意味でのことばとはちがったものになるだろう。そうなれば、ことばを所有する者とそうでない者との差は絶対的となるため、従来の言語学はもちろん、いっさいの社会科学は根本からやりなおさなければならなくなるであろう。たとえば生産手段の所有関係に階級分化の動機を求めるマルクス主義は、今見るような形はとり得ない。

　［ 2 ］、抽象的な「ことばする能力」をあらゆる個人に普遍と仮定するにしても、その普遍能力の具体的実現としての個別の言語は、特定地域や特定階層にむすび

ついているため、決して一様ではない。人間がことばを所有する仕方は、常に社会的に限定されていることを示したのは、最近の社会言語学の功績の一つであるが、全体として見た言語学は、いまだ生物的に共有されることばというわくの外に立つことを望んではいない。とりわけチョムスキーは、普遍的なことばする能力の具現としての文法のありかを、「完全に等質的な言語社会に住む」ところの「理想的に設定された話し手・聞き手」に求めることによって、言語の非社会化のための手続きを完成したのである（『文法理論の諸相』）。

　万人がことばができるという前提は、とりわけ、法律という体系の成立に根拠を与えている。さらに、この同じ根拠から、単一の法体系が支配する社会においては、単一のことばが求められるようになる。こうして、ことばの単一性はひろい意味での法が求めるのであるが、それは終局的には、その法を必要とする国家の求めによって、言語は統一へと操作される。

田中克彦『言語からみた民族と国家』

❶ 空欄[1]に当てはまる最も適切なことばは、次のうちどれか。

○ A　限定　○ B　全体　○ C　前提
○ D　派生　○ E　十分

❷ 空欄[2]に当てはまる接続詞を選びなさい。

○ A　だから　○ B　さらに　○ C　ところが
○ D　つまり　○ E　なぜなら

❸ 下線部の生物的に共有されることばというわくの外にあるものは、次のうちどれか。

○ A　通常の意味でのことば
○ B　普遍能力の具体的実現としての個別の言語
○ C　全体として見た言語学
○ D　普遍的なことばする能力の具現としての文法
○ E　法律という体系

❹ 下線部「非社会化」の言い換えとして最も適切なものは、次のうちどれか。

○ A 個別化　○ B 理想化　○ C 具体化
○ D 共有化　○ E 法体系化

❺ 本文で述べられていることと合致するものは、次のうちどれか。

ア 言語学は全体として言語能力が限定されたものであることを望まない
イ チョムスキーは一様ではない言語を、文法によって非社会化した
ウ 法律を必要とする国家は、言語統一を図る

○ A アだけ　○ B イだけ　○ C ウだけ
○ D アとイ　○ E アとウ　○ F イとウ

1分で解ける超解法!!

❶【空欄補充】

空欄に適切な語句を補充する問題は、SPIで頻出。通常は、**空欄の前にある文章を読み取れば解答できる**。この問題では、1～5行目【ことばはふつう、すべての人間によって話される。だから、ことばを話さない人間はいないという事実は、暗黙の了解になっているので、それをいまさらことばにして言うとおかしい感じがするほどである。そのおかしさは、**ことばが空気と同様、万人に共有されており、人間であることの［ 1 ］条件**であって、議論の余地のないものと考えられている】から導けばよい。空気のように万人に共有されている条件という意味から、**前提条件（ある物事［人間であること］が成り立つためのもとになる条件）**が最適である。

正解 C

❷【接続詞補充】

接続詞を入れる問題は、**接続詞の前と後がどのようなつながりになっているか**を読み取ることで解答できる。

13～15行目【［ 2 ］、抽象的な「ことばする能力」をあらゆる個人に普遍と仮定するにしても、その普遍能力の具体的実現としての個別の言語は、

特定地域や特定階層にむすびついているため、決して一様ではない】とある。【「ことばする能力」をあらゆる個人に普遍と仮定するにしても】は前段の内容（ことばは空気のように万人に共有されている）を言い換えてまとめたもの。それに対して【個別の言語は一様ではない】は、「普遍←→一様でない」という逆接の関係になっているので、「**ところが**」が正解。

正解 C

❸【文意読み取り】

部分的な語句や文章の内容などを問う問題。下線部の、文中における意味を読み取る。

生物的に共有されることばとは、「通常の意味での普遍的能力」であり、そのわくの外にあるものなので、普遍の対立概念である**個別の言語**となる。

正解 B

❹【言い換え】

「非社会化」の前後の文から読み取る。以下の**太字部分**がヒントになる。

17〜21行目【**生物的に共有されることばというわくの外に立つことを望んではいない。とりわけチョムスキーは**、普遍的なことばする能力の具現としての文法のありかを、「完全に等質的な言語社会に住む」ところの「理想的に設定された話し手・聞き手」に求めることによって、**言語の非社会化のための手続きを完成したのである**】から、**チョムスキーは生物的に共有されることばというわくの外ではなく、中にいようとした**ことがわかる。従って、「**共有化**」が最適。

正解 D

❺【本文の内容と合致する選択肢を選ぶ】

文章の主旨、筆者の意見・考えと一致するものを選ぶ頻出問題。一番のポイントは、**文章内に書かれていない内容が含まれる選択肢は誤答**ということにつきる。

ア　言語学は全体として言語能力が限定されたものであることを望まない

イ　チョムスキーは一様ではない言語を、文法によって非社会化した

ウ　法律を必要とする国家は、言語統一を図る

アとイは、非常にもっともらしい文だが、いずれも**本文内に書かれていない内容を含むので誤答**。**ウ**だけが正確に本文と合致する。

正解 C

※長文読解の練習問題は、得点効果がさほど期待できないため割愛させていただきました。

WEB 熟語の成り立ち

熟語の成り立ちとして適する選択肢を選ぶ問題です。SPIのWEBテスティングの頻出問題ですが、複数の受検者から「テストセンターでも出題された」という報告がありました。次表の解法ポイントに注意すれば、確実に得点できます。

選択肢（成り立ち）	熟語の出題例←解説	解法ポイント
似た意味の漢字を重ねる	**純粋**←ともに「まじりけがない」 **露顕**←ともに「あらわれる」 **貴重**←貴(たっと)いと重(おも)い **危険**←危(あぶ)ないと険(けわ)しい	**漢字同士が似たイメージ**ならば、コレ。 漢字の意味や訓読みで判断する。
反対の意味の漢字を重ねる	**早晩**←早いと遅い、早朝と晩 **是非**←正しいと間違っている **雲泥**←天にある雲と地にある泥 **多寡**←多いと少ない	**漢字同士が反対のイメージ**ならば、コレ。 漢字の意味や訓読みで判断する。
主語と述語の関係である	**天授**←天**が**授ける **幸甚**←幸せ**が**甚(はなは)だしい **雲散**←雲**が**散る **波及**←波**が**及ぶ	**前の漢字が主語**の役目。 **前の漢字から後の漢字へ「～が～する」**と読みかえることができれば、コレ。
動詞の後に目的語をおく	**取材**←材（料）**を**取る **徹夜**←夜**を**徹する **着陸**←陸**に**着く **及第**←第**に**及ぶ（試験に受かる）	**前の漢字が動詞**の役目。 **後の漢字から前の漢字へ「～を～する」「～に～する」**と読みかえることができれば、コレ。 ※「～に」の出題もある。
前の漢字が後の漢字を修飾する	**直轄**←直接の管轄 **恩師**←恩のある師 **激賞**←激しく賞(ほ)める **完成**←完全に成る	**前の漢字が形容詞、副詞**の役目。 **前の漢字が後の漢字を修飾（形容、説明）**していれば、コレ。

3章 英語【ENG】

- テストセンターは約20分、問題数は決まっていません。
- ペーパーテスト(ENG)は 30分、40問です。

◎攻略重要度と出題範囲

出題範囲――SPIの英語能力検査ENGには、下のような問題が出ます。出題のレベルは中学～高校（大学受験）レベルです。本書では高校レベルの問題を中心にして、主要な5分野を掲載しています。特に、同意語、反意語、英英辞典は、単語力がそのまま得点に結びつく分野ですから、必ず本書掲載の単語は覚えておくようにします。

・同意語：同じ意味の単語を選ぶ問題
・反意語：反対の意味の単語を選ぶ問題
・英英辞典：英文の説明に近い意味の単語を選ぶ問題
・空欄補充：(　)内に適切な単語を入れる問題
・整序問題：英単語を並べ替えて正しい文にする問題
・誤文訂正：誤っている個所を指摘する問題
・英訳：日本文の意味を表す英文を選ぶ問題
・長文読解：空欄補充や本文と一致する文の選択問題など、英語の長文読解問題

1 同意語

● 意味が近い語句を選ぶ問題。出題報告があった語句を掲載してある。

例 題

最初の単語と最も意味が近い語を、AからEまでの中から1つ選びなさい。

● produce

○ A consume　○ B order　○ C proceed
○ D create　○ E construct

30秒で解ける超解法!!

● produce 生み出す、生産する

A consume（消費する）←反意語
B order（命令する、注文する）
C proceed（続ける、生じる）
D create（創造する、生み出す）←同意語
E construct（組み立てる、建設する）

正解 D

身も蓋（ふた）もない言い方だが、英語の語句問題は、英単語の意味さえ知っていればあっという間に解ける。

逆に、英単語の意味を知らなければいくら考えても解けない。

出題語句を覚えることが一番の対策になるので、少なくとも本書に挙げられている単語（出題報告があった語句）は、覚えておこう。

▶解答・解説は別冊68ページ

練習問題 同意語

目標時間 5分 /16問

問題 最初にあげた各語と最も意味が近い語を、AからEまでの中から1つ選びなさい。

1 comprehend

○ A neglect　○ B understand　○ C approve
○ D arrest　○ E discover

2 earnest

○ A mean　○ B sincere　○ C sacred
○ D virtuous　○ E ethical

3 obvious

○ A independent　○ B numerous　○ C obscene
○ D apparent　○ E uncertain

4 skeptical

○ A evil　○ B seeming　○ C wise
○ D distrustful　○ E cautious

➡次ページに続く

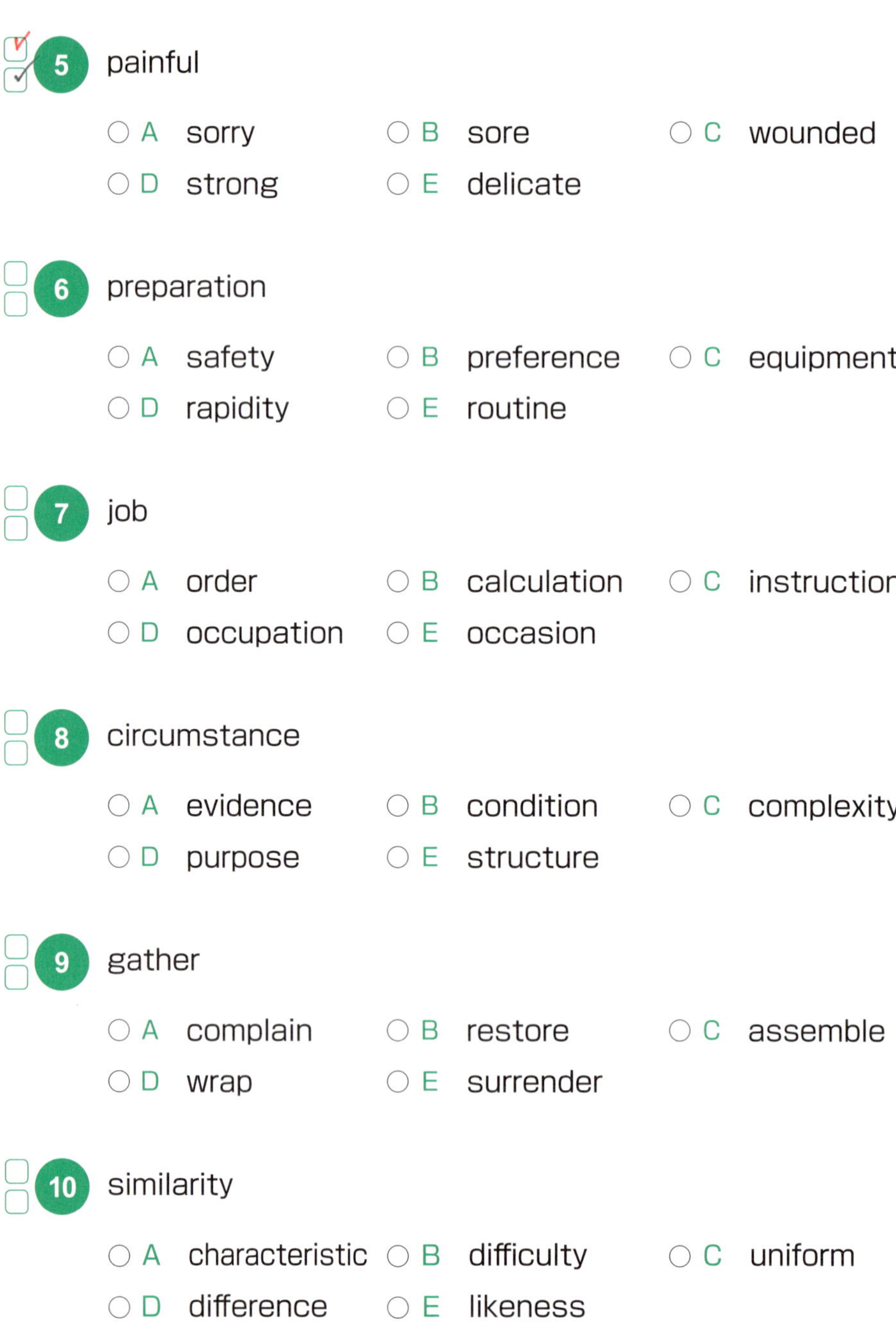

5 painful

- A sorry
- B sore
- C wounded
- D strong
- E delicate

6 preparation

- A safety
- B preference
- C equipment
- D rapidity
- E routine

7 job

- A order
- B calculation
- C instruction
- D occupation
- E occasion

8 circumstance

- A evidence
- B condition
- C complexity
- D purpose
- E structure

9 gather

- A complain
- B restore
- C assemble
- D wrap
- E surrender

10 similarity

- A characteristic
- B difficulty
- C uniform
- D difference
- E likeness

11 pardon

- ○ A forbid
- ○ B excuse
- ○ C accept
- ○ D beg
- ○ E revenge

12 considerate

- ○ A thoughtful
- ○ B rough
- ○ C timid
- ○ D difficult
- ○ E quiet

13 explanation

- ○ A solution
- ○ B conclusion
- ○ C expression
- ○ D translation
- ○ E description

14 costly

- ○ A favorite
- ○ B rude
- ○ C expensive
- ○ D noble
- ○ E faithful

15 ravenous

- ○ A starving
- ○ B dirty
- ○ C specific
- ○ D strict
- ○ E full

16 stalk

- ○ A root
- ○ B leaf
- ○ C stem
- ○ D pistil
- ○ E seed

2 反意語

● 反対の意味の語句を選ぶ問題。出題報告があった語句を掲載してある。

例 題

最初の単語と反対の意味の語を、AからEまでの中から1つ選びなさい。

● income

○ A proceeds　○ B expense　○ C exit
○ D output　○ E expectation

30秒で解ける超解法!!

● income　収入、所得

A proceeds（収益）←同意語
B expense（支出、出費）←反意語
C exit（出口）
D output（生産、出力）
E expectation（期待、予想）

正解　B

同意語と同じく、単語の意味さえ知っていればすぐに解ける。時間に追われて、うっかり同意語を選んだりしないこと。

試験場では▶選択肢を削除して絞り込んでもよい

「収入←→支出」、「抽象←→具体」、「原因←→結果」など、明確な反対語が多い。英語で主な反対語のペアを覚えていればいいが、日本語で反対語を考えてから当てはまらない選択肢を削除しても、かなり候補を絞れるだろう。

文明の反対は、野蛮…

▶解答・解説は別冊70ページ

練習問題 反意語

目標時間 5分 ／16問

問題　最初にあげた各語と反対の意味の語を、AからEまでの中から1つ選びなさい。

17 complicated

○ A complex　○ B difficult　○ C simple
○ D deserted　○ E uneasy

18 gain

○ A decrease　○ B profit　○ C regain
○ D lose　○ E possess

19 respect

○ A worship　○ B despise　○ C punish
○ D destroy　○ E suppress

20 temporary

○ A general　○ B usual　○ C permanent
○ D timely　○ E transient

➡次ページに続く

21 broad

- ○ A small
- ○ B deep
- ○ C large
- ○ D flat
- ○ E narrow

22 arrogance

- ○ A violence
- ○ B modesty
- ○ C innocence
- ○ D wisdom
- ○ E seriousness

23 messy

- ○ A tidy
- ○ B busy
- ○ C dingy
- ○ D flashy
- ○ E fancy

24 praise

- ○ A amaze
- ○ B hurt
- ○ C admire
- ○ D consider
- ○ E blame

25 rough

- ○ A dazzling
- ○ B smooth
- ○ C rigid
- ○ D mandatory
- ○ E straightforward

26 wisdom

- ○ A portion
- ○ B ignorance
- ○ C warning
- ○ D guilt
- ○ E similarity

27 employ

- A solve
- B dismiss
- C deploy
- D combine
- E object

28 consumption

- A waste
- B production
- C customer
- D purchase
- E salary

29 dull

- A boring
- B clockwise
- C sharp
- D familiar
- E fair

30 permit

- A prohibit
- B allow
- C apply
- D correct
- E judge

31 rude

- A peaceful
- B refined
- C impolite
- D careful
- E candid

32 civilized

- A rural
- B urban
- C barbarous
- D ugly
- E sophisticated

CHECK ③ 英語頻出語句

同じ意味の言葉			
□ enemy	敵、かたき	□ foe	敵、かたき
□ biased	偏見を持った	□ prejudiced	偏見を持った
□ amount	総額、量	□ sum	合計、金額
□ profitable	有利な、もうかる	□ lucrative	有利な、もうかる
□ correct	正確な、適切な	□ precise	正確な、精密な
□ achieve	達成する	□ attain	達成する
□ rapid	素早い、迅速な	□ swift	速い、迅速な
□ next	次の、隣の	□ adjacent	隣接する、近くの
□ odd	変な、妙な	□ bizarre	奇怪な、奇妙な
□ mourn	嘆く、悲しむ	□ grieve	深く悲しむ
□ obscure	不明瞭な	□ vague	不明瞭な、曖昧(あいまい)な
□ generous	気前のよい、寛大な	□ liberal	気前のよい、自由な
□ damp	湿った	□ moist	湿った
□ gigantic	巨大な	□ huge	巨大な
□ faith	信頼、信念	□ trust	信頼、信任
□ trifling	ささいな、わずかな	□ trivial	ささいな
□ sly	ずるい	□ cunning	ずるい
□ instant	即時の	□ immdiate	即時の
□ fault	欠点、誤り	□ defect	欠点、不足
□ literature	文学、文献	□ letters	文学、学問、証書
□ example	例、手本	□ instance	例、事例
□ consequence	結果、重要性	□ result	結果、(計算の) 答
□ vary	変える、異なる	□ differ	異なる
□ refuse	拒絶する	□ reject	拒絶する
□ bother	悩ます	□ annoy	悩ます
□ govern	統治する	□ rule	統治する
□ obvious	明白な	□ evident	明白な
□ aware	気づいている	□ conscious	意識している
□ accurate	正確な	□ exact	厳密な、正確な
□ grateful	感謝している	□ thankful	感謝している
□ sound	健全な	□ healthy	健康な、健全な
□ cheap	安い	□ inexpensive	費用のかからない
□ inquire	尋ねる、調査する	□ investigate	調査する

反対の意味の言葉

☐ temporary	一時的な	☐ permanent	永久の
☐ innate	生まれながらの	☐ acquired	後天性の
☐ tense	緊張した	☐ relaxed	くつろいだ
☐ ideal	理想にかなった	☐ actual	現実の
☐ natural	自然の	☐ artificial	人工の
☐ active	積極的な、活発な	☐ passive	消極的な、受け身の
☐ cause	原因	☐ effect	結果
☐ ancient	古代の	☐ modern	現代の
☐ absolute	絶対的な	☐ relative	相対的な
☐ union	結合、合体	☐ division	分割
☐ accept	受け入れる	☐ refuse	拒絶する
☐ concrete	具体的な	☐ abstract	抽象的な
☐ excessive	過度の	☐ moderate	適度な
☐ economy	倹約、経済	☐ luxury	ぜいたく
☐ affirm	肯定する	☐ deny	否定する
☐ collect	集める	☐ scatter	まき散らす
☐ ambiguous	曖昧(あいまい)な	☐ obvious	明らかな
☐ significant	重要な＝important	☐ trivial	ささいな
☐ income	収入、所得	☐ expense	支出、費用
☐ diminish	減らす	☐ increase	増やす
☐ deficit	赤字	☐ surplus	黒字
☐ add	加える	☐ subtract	減じる
☐ poverty	貧乏	☐ wealth	富
☐ urban	都会の	☐ rural	田舎の
☐ progressive	進歩的な	☐ conservative	保守的な
☐ scanty	乏しい	☐ abundant	豊富な
☐ fertile	肥沃な	☐ barren	不毛の
☐ analysis	分析	☐ synthesis	総合
☐ resistance	抵抗	☐ obedience	服従
☐ accidental	偶然の	☐ intentional	故意の
☐ optimistic	楽観的な	☐ pessimistic	悲観的な
☐ negative	否定的な	☐ affirmative	肯定的な
☐ aggressive	攻撃的な	☐ defensive	守備的な

3 英英辞典

● 説明文に最も近い意味の単語を選ぶ問題。出題報告がある語句を掲載した。

例 題

最初にあげた説明文に最も近い意味をもつものを、AからEまでの中から1つ選びなさい。

● the act of running and controlling a business organization

○ A planning
○ B management
○ C trade
○ D supervision
○ E accounting

30秒で解ける超解法!!

● 仕事上の組織を経営（運営）、管理（統制）する行為

A planning（企画）
B management（経営、管理）
C trade（商売、取引、貿易）
D supervision（監督）
E accounting（経理）

正解 B

Dが紛らわしいが、「running（経営、運営）」という言葉があるので、最もふさわしいものはmanagement。**説明文のニュアンスと一致するか、しないか**で絞り込むとよい。

▶解答・解説は別冊 71 ページ

練習問題 英英辞典

目標時間 5分 9問

最初にあげた各説明文に最も近い意味をもつものを、AからEまでの中から1つ選びなさい。

33 the total number of people who live in a particular area, city or country

- ○ A population
- ○ B popularity
- ○ C treasure
- ○ D victim
- ○ E accession

34 a strong desire to have or achieve something

- ○ A instinct
- ○ B phase
- ○ C apex
- ○ D aspiration
- ○ E rampage

35 to carry something from one place to another

- ○ A substitute
- ○ B divide
- ○ C transport
- ○ D adopt
- ○ E operate

➡次ページに続く

36 precedence, especially established by order of importance or urgency

- ○ A incidence
- ○ B priority
- ○ C entity
- ○ D emergency
- ○ E significance

37 to give details about something or describe it so that it can be understood

- ○ A express
- ○ B experiment
- ○ C retrieve
- ○ D explain
- ○ E criticize

38 to judge and form an opinion of the value of something, especially from imperfect data

- ○ A determine
- ○ B pronounce
- ○ C estimate
- ○ D publish
- ○ E exhibit

39 to talk too proudly about your abilities, achievements, or possessions

- A compel
- B boast
- C disclose
- D alleviate
- E amplify

40 a supply of goods available for sale by a trader or storekeeper

- A stock
- B corporation
- C demand
- D proceeds
- E materials

41 to feel sorry for someone because they are in a bad situation

- A pity
- B scorn
- C support
- D apologize
- E regret

テストセンター ○　ペーパーテスト ○

4 空欄補充

● 英熟語、文法などを問う空欄補充問題。出題報告がある語句を掲載した。

例題

文中の（　）に入れる語として最も適切なものを、AからEまでの中から1つ選びなさい。

● 彼女は家族に助けを求めるより仕方なかった。

She had no choice but to turn (　) her family for help.

○ A　on　○ B　off　○ C　to　○ D　out　○ E　up

30秒で解ける超解法!!

turn to A for Bで「**AにBを求める**」という意味。turnは他にも次のような熟語を作る。

A　**turn on** ～（[スイッチ]をつける、[水道、ガス]を出す）

B　**turn off** ～（[スイッチ]を消す、[水道、ガス]を止める）

D　**turn out**（外へ出る、～であることがわかる、～を製造する）

E　**turn up**（姿を現す）

正解　C

中学～大学受験レベルの基本熟語や文法の知識が問われる。これも、考えればわかるという問題ではないので、英語の地力がものをいう。

次のような中学レベルの基本熟語も出題されることがある。

- **No matter what** happens, I will go.（たとえ何が起きようとも、私は行く）
- **Please help yourself to** drinks.（どうぞご自由に飲み物をおとりください）
- I **used to** go fishing.（私は（以前）よく釣りに行ったものだ）
- I **am used to** driving.（私は運転には慣れている）
- I will **take part in** the activity.（私はその活動に参加するつもりだ）

▶解答・解説は別冊 72 ページ

練習問題 空欄補充

文中の（　）に入れる語として最も適切なものを、AからEまでの中から1つ選びなさい。

42 彼は退社時には必ずデスクを片付ける。

He never (　　) to tidy up his desk before he goes home.

- A calls
- B lacks
- C fails
- D remembers
- E misses

43 昨年、台風で一帯のリンゴに大きな被害が出た。

Last year the typhoon (　　) serious damage to the apples in the area.

- A caused
- B ruined
- C hurt
- D gave
- E affected

➡次ページに続く

44 ドナルドは他人に謝るような人ではない。

Donald is the (　　) person to say sorry to others.

- A never
- B least
- C last
- D not
- E impossible

45 2人はとても仲よく暮らしている。

They live together in perfect (　　).

- A disparity
- B harmony
- C fit
- D prejudice
- E mind

46 トルコは地震が多い。

Earthquakes are (　　) in Turkey.

- A often
- B much
- C enough
- D frequent
- E rich

47 私たちは新プロジェクトについて話し合いをしていた。

We were (　　) about the new project.

- ○ A　discussing
- ○ B　talking
- ○ C　told
- ○ D　argue
- ○ E　a negotiation

48 東京であなたにお会いできることを楽しみにしています。

I'm looking forward (　　) you in Tokyo.

- ○ A　to the joy
- ○ B　amusing
- ○ C　seeing
- ○ D　to see
- ○ E　to seeing

49 この著者はいわばアメリカの良心である。

This author is, (　　), the conscience of America.

- ○ A　as is usual
- ○ B　what it is
- ○ C　so as to
- ○ D　so to speak
- ○ E　that is

50 私は門前払いされた。

I had the door (　　) in my face.

- ○ A　locked
- ○ B　closed
- ○ C　slammed
- ○ D　covered
- ○ E　capped

51 出席は任意です。

Attendance is (　　).

- ○ A　forced
- ○ B　required
- ○ C　free
- ○ D　unnecessary
- ○ E　optional

52 彼は何をやらせても長続きしない。

He can't (　　) at anything.

- ○ A　continue
- ○ B　stick
- ○ C　absorb
- ○ D　concentrate
- ○ E　have

53 その布は綿糸で織られている。

The fabric is (　　) from cotton.

- ○ A　composed
- ○ B　produced
- ○ C　embroidered
- ○ D　made
- ○ E　woven

54 無理に笑わないで。

Don't (　　) yourself to smile.

- ○ A　force
- ○ B　worry
- ○ C　push
- ○ D　bring
- ○ E　make

55 私は風邪気味です。

I have a (　　) cold.

- ○ A　light
- ○ B　slight
- ○ C　grave
- ○ D　little
- ○ E　few

テストセンター ○　ペーパーテスト ○

5 長文読解

● 長文の内容を問う問題、または空欄補充問題がほとんど。

設問文から先に読むこと!

長文を全部読む必要はない。設問文から先に読んで、「設問文・選択肢の語句が長文のどこにあるかを探すこと」から始めてほしい。ほとんどの問題は、本文と選択肢の語句か意味が同じなら○、違っていたら×となる。

例 題

次の文を読んで、各問いに答えなさい。

At many Japanese firms, PR* work traditionally has been conducted by the corporate planning, general affairs or personnel affairs departments. However, the number of companies that have separate PR departments is increasing.

In my journalistic experience in seeking interviews with company presidents, there have been quite a few occasions in which officials of corporate general affairs departments have dealt with my requests in the absence of a PR section.

On such occasions, general affairs officials have said they were in charge of dealing with reporters as well as sokaiya corporate racketeers, indicating that the media had been given the same status as gangsters by such firms.

THE DAILY YOMIURI　2003/5/20日付「Top executives must recognize PR role」より作成

＊PR：public relations

※和訳は240ページに掲載

❶ Who has traditionally conducted PR work at many Japanese firms?

○ A The general affairs or other departments.
○ B PR departments.
○ C The president of the company.
○ D Reporters as well as sokaiya corporate racketeers.
○ E The media.

❷ Which of the following is true of the passage?

① When I asked for interviews with company presidents, the general affairs departments often arranged them.
② Reporters have to deal with corporate racketeers.
③ More and more companies are establishing the PR departments.

○ A only① ○ B only② ○ C only③
○ D ①and② ○ E ①and③ ○ F ②and③

問題文の中にある設問文の単語を探す

❶ traditionally, conducted, PR work に注目。本文1～3行目参照。

正解 A

❷ 本文と一致する文を選ぶ。①は5～8行目、③は3～4行目の言い換え。
① 私が社長とのインタビューを申し込むと、しばしば総務部が対応した。
② 記者は総会屋に応対する必要がある。
③ ますます多くの企業が広報部を持つようになってきた。

正解 E

※長文読解の練習問題は、得点効果がさほど期待できないため割愛させていただきました。

例題（238・239ページ）の和訳例

多くの日本企業では、従来、広報活動はその会社の企画部、総務部あるいは人事部によって行われていた。しかしながら、独立した広報部を持つ会社の数が増えてきている。

私がジャーナリストとして会社社長とのインタビューを申し込んできた経験では、広報部がないために、多くの場合、会社の総務部の職員が私の依頼に応じていた。

そのような場合、総務部の職員は、自分たちには総会屋と同様に記者にも応対する責任があると言っていた。つまり、そのような会社にとってメディアは悪漢と同じような存在（身分）だったということだ。

❶多くの日本企業では、従来、広報の業務はだれが行っていたか。

❷次のうち、文章内容に合致するものはどれか。

4章 構造的把握力検査

● 検査時間は約20分。非言語と言語の問題があります。

◎構造的把握力検査は時間との戦い

例題―― SPI 検査の出題問題から、解法手順を学びやすい基本パターンを選んであります。まず、例題の解法をきちんと覚えておきましょう。

練習問題――提示されている「目標時間」は制限時間ではなく、速く解けるレベルの学生が解答に要する時間です。「目標時間」内に解く訓練をすることで、本番の検査に十二分に対応できる力を養えるようになっています。**目標時間を意識して解いていくようにしましょう。**考え込んでしまうと、テストセンターの制限時間内に答えることがたいへん難しくなってしまいます。

1 非言語

● 問題の構造が似ている組み合わせを選ぶ問題。

例 題

ア～エの中から問題の構造が似ている組み合わせを見つけて、A～Fの中で1つ選びなさい。

ア　定価1200円の皿を、4割引で売ったところ、利益が120円あった。この皿の仕入れ値はいくらか。

イ　ある競泳水着のメーカー希望小売価格は、仕入れ値15000円の3割増しである。この競泳水着をメーカー希望小売価格で売ると、利益はいくらか。

ウ　パソコンをメーカー希望小売価格から3割引で売ったところ、その価格は35000円になった。このパソコンのメーカー希望小売価格はいくらか。

エ　ある商品に、仕入れ値の5割の利益を見込んで1個180円の売値をつけた。この商品の仕入れ値はいくらか。

○ A　アとイ　　○ B　アとウ　　○ C　アとエ
○ D　イとウ　　○ E　イとエ　　○ F　ウとエ

1分で解ける超解法!!

最後まで計算する必要はない。メーカー希望小売価格は、定価のこと。

ア　仕入れ値＝売値－利益＝1200×(1－0.4)－120＝600円

イ　利益＝仕入れ値×利益率＝15000×0.3＝4500円

ウ　定価の3割引が売値35000円となる。
　　定価＝売値÷(1－損失率)＝35000÷(1－0.3)＝50000円

エ　仕入れ値＝売値÷(1＋利益率)＝180÷(1＋0.5)＝120円

解き方が最もよく似ているウとエが正解。どちらも売値を(1±損益率)で割っている。

正解　F

▶解答・解説は別冊73ページ

練習問題　非言語

1　ア～エの中から問題の構造が似ている組み合わせを見つけて、A～Fの中で1つ選びなさい。

ア　ある店の商品陳列作業を完了するのに、Aさん1人では1時間、Bさん1人では40分かかる。2人が同時にやると、どれだけの時間で終わるか。

イ　田植えをするのに、1日でAさんは7a、Bさんは4a植えることができる。2人で5日間植えると、どれだけ植えることができるか。

ウ　プールに、AとBの2つの給水管から水を入れると9時間で満水になる。また、Aだけだと12時間で満水になる。Bだけでは、何時間で満水になるか。

エ　$5m^3$の水槽にAとBの2つの給水管から水を入れる。Aは1分間に130ℓ、Bは1分間に120ℓ給水できるとすると、水槽は何分で満水になるか。

○ A　アとイ　　○ B　アとウ　　○ C　アとエ
○ D　イとウ　　○ E　イとエ　　○ F　ウとエ

2　ア～エの中から問題の構造が似ている組み合わせを見つけて、A～Fの中で1つ選びなさい。

ア　42個のキャンディを5個ずつ袋に入れると、5個入りの袋は何袋できるか。

イ　子供に鉛筆を1人に5本ずつ分けると2本余り、6本ずつ分けると4本不足するという。子供は何人いるか。

ウ　52枚のトランプのカードを5人に同じ枚数ずつ、配れるだけ配った。1人あたり何枚になるか。

エ　32枚の折り紙を3枚ずつ分けると、何人で分けられるか。

○ A　アとイ　　○ B　アとウ　　○ C　アとエ
○ D　イとウ　　○ E　イとエ　　○ F　ウとエ

➡次ページに続く

3 ア～エの中から問題の構造が似ている組み合わせを見つけて、A～Fの中で1つ選びなさい。

ア　ある養鶏場の鶏は、黄身が2つの二黄卵を産む確率が1%であるという。ここの鶏が産んだ卵を2個割ったとき、少なくとも1個が二黄卵である確率はいくらか。

イ　赤玉が1個、白玉が2個、青玉が3個入った箱の中から玉を1個取り出し、それを戻さずにもう1個取り出すとき、2個が同じ色である確率はいくらか。

ウ　1個のサイコロを2回振る。2回とも6が出る確率はいくらか。

エ　当たりくじ3本を含む8本のくじの中から、2人が1本ずつ続けてくじを引くとき、2人目の人がはずれる確率はいくらか。

○ A　アとイ　○ B　アとウ　○ C　アとエ
○ D　イとウ　○ E　イとエ　○ F　ウとエ

4 ア～エの中から問題の構造が似ている組み合わせを見つけて、A～Fの中で1つ選びなさい。

ア　弟が生まれたとき、兄は7歳だった。現在、2人の年齢の和は35歳である。弟はいま何歳か。

イ　姉は妹より6歳年上である。姉の年齢が妹の1.3倍になるのは、妹が何歳のときか。

ウ　父と母の年齢の比は4：5で、2人の年齢の和は72歳である。年齢の差は何歳か。

エ　雑誌と文庫本を1冊ずつ購入したときの合計は1710円で、文庫本より雑誌の方が250円高い。文庫本は1冊いくらか。

○ A　アとイ　○ B　アとウ　○ C　アとエ
○ D　イとウ　○ E　イとエ　○ F　ウとエ

5 ア～エの中から問題の構造が似ている組み合わせを見つけて、A～Fの中で１つ選びなさい。

ア　重量比10%の物質Ｐを含む溶液が500gある。この溶液に含まれる物質Ｐの重さは何gか。
イ　濃度12%の食塩水600gに含まれる水の重さは何gか。
ウ　金属Ｑと金属Ｒでできた合金がある。金属Ｑの重さの割合は全体の35%である。この合金50kg中に含まれる金属Ｒの重さは何kgか。
エ　440gの水に60gの食塩を溶かしてできる食塩水の濃度は何%か。

○ A　アとイ　○ B　アとウ　○ C　アとエ
○ D　イとウ　○ E　イとエ　○ F　ウとエ

6 ア～エの中から問題の構造が似ている組み合わせを見つけて、A～Fの中で１つ選びなさい。

ア　筋力トレーニングとして、スクワットを１日目は１回、２日目は２回、３日目は３回…と毎日１回ずつ増やしてやるとき、100日間では全部で何回することになるか。
イ　ミカン75個とリンゴ60個を何人かにそれぞれ同じ数ずつ分けたとき、余りはなかった。何人で分けたか。ただし、10人よりは多いものとする。
ウ　ある警備会社で、警備員Ｐは５日に１度、Ｑは７日に１度当直の日がある。ある日、ＰとＱの２人が当直になった。次に２人が一緒に当直をするのは、何日後か。
エ　縦6cm、横8cmの長方形のタイルを、すべて同じ方向に隙間なく並べて正方形を作るとき、最も小さい正方形の１辺は何cmか。

○ A　アとイ　○ B　アとウ　○ C　アとエ
○ D　イとウ　○ E　イとエ　○ F　ウとエ

➡次ページに続く

7 ア〜エの中から問題の構造が似ている組み合わせを見つけて、A〜Fの中で1つ選びなさい。

ア　赤、青、黄色のボールがたくさん入っている箱の中から4個を取り出すとき、組み合わせは全部で何通りあるか。

イ　下の図のように、南北に4本、東西に5本の道がある。図のP地点からQ地点まで最短距離で行く道順は全部で何通りあるか。

ウ　千円札、五千円札、一万円札が10枚ずつある。この中から3枚を選ぶとき、その合計金額は全部で何通りあり得るか。

エ　異なる3個の漢数字一、二、三から重複を許して4個取って並べる順列の総数は何通りあるか。

○ A　アとイ　○ B　アとウ
○ C　アとエ　○ D　イとウ
○ E　イとエ　○ F　ウとエ

8 ア〜エの中から問題の構造が似ている組み合わせを見つけて、A〜Fの中で1つ選びなさい。

ア　子供5人と大人2人で水族館に行き、入館料を合計4250円支払った。子供料金が1人450円だとすると、大人料金は1人いくらか。

イ　A地点では去年と今年の2年間で猛暑日が114日あったが、今年は去年よりも8日少なかった。去年の猛暑日は何日あったか。

ウ　80円切手と50円切手を合わせて20枚買い、1150円支払った。50円切手は何枚買ったか。

エ　弟は姉より4歳年下で、2人の年齢をたすと30歳である。このとき姉は何歳か。

○ A　アとイ　○ B　アとウ　○ C　アとエ
○ D　イとウ　○ E　イとエ　○ F　ウとエ

2 言語

● 文の前半と後半のつながりや2つの文の関係性の違いによって分類する問題。

例 題　よくでる

ア〜オは、2つのことがらの関係についての記述である。その関係性の違いによって、グループP（2つ）とグループQ（3つ）に分け、Pに分類されるものを答えなさい。

ア　大雪が降り、各地で道路が寸断された。
イ　蒸し暑くなってきたので、そろそろ蚊の出る頃だ。
ウ　タブレット端末の出荷数量が急速に伸びたため、市場は飽和し始めた。
エ　あれだけ練習を重ねてきたのだから、絶対に優勝するはずだ。
オ　近くに大型ショッピングセンターができたため、近隣地域の地価上昇現象が起きている。

○ A　アとイ　○ B　アとウ　○ C　アとエ　○ D　アとオ
○ E　イとウ　○ F　イとエ　○ G　イとオ　○ H　ウとエ
○ I　ウとオ　○ J　エとオ

1分で解ける超解法!!

文の前半は、いずれも原因・根拠を表している。文の後半に着目する。
ア、ウ、オは前半の原因・根拠に対する結果を述べている。それに対して、イ、エは「出る頃だ」「するはずだ」といった原因・根拠にもとづく推測を述べている。従って、Pに分類される2つはイとエ。
分類の基準には、内容の違い、文のつながり方の違い、間違い方の違い、良いか悪いか、要望か不満か、結果か推測か、対処か目的か、数えられるか数えられないかなど、様々なものがある。

正解　F

▶解答・解説は別冊75ページ

練習問題 言語

9 ア～オは、2つの文からなっている。その関係性の違いによって、グループP（2つ）とグループQ（3つ）に分け、Pに分類されるものを答えなさい。

ア　ダイエットに成功した。あこがれだった水着を着ることができる。
イ　明日も晴れそうだ。きれいな夕焼けが見えている。
ウ　道路から大きな音が聞こえた。自動車事故が起きたに違いない。
エ　大雨が降り続いている。川の堤防が決壊しそうだ。
オ　約束の時間に遅れそうだ。電車が大幅に遅れている。

○ A　アとイ　○ B　アとウ　○ C　アとエ　○ D　アとオ　○ E　イとウ
○ F　イとエ　○ G　イとオ　○ H　ウとエ　○ I　ウとオ　○ J　エとオ

10 次の文章を数が表す意味によって、グループP（2つ）とグループQ（3つ）に分け、Pに分類されるものを答えなさい。

ア　彼の引っ越し回数は50回に上る。
イ　24時間営業の店があったので立ち寄った。
ウ　経費を計算したところ69万円だった。
エ　雲が消えると視界は360度に広がっていた。
オ　標高1200mに山小屋がある。

○ A　アとイ　○ B　アとウ　○ C　アとエ　○ D　アとオ　○ E　イとウ
○ F　イとエ　○ G　イとオ　○ H　ウとエ　○ I　ウとオ　○ J　エとオ

11 Yの意見は論理的に間違っている。間違い方によって、グループP（2つ）とグループQ（3つ）に分け、Pに分類されるものを答えなさい。

ア　X「女性の理系進学者はまだまだ少ないそうですね」
　　Y「女性は理系の科目が嫌いな人が多いのですね」
イ　X「長寿者には和食を食べている人が多いそうですね」
　　Y「洋食を食べる人は長生きできないのですね」
ウ　X「花火大会では浴衣を着ている人が多いようです」
　　Y「着物が若い人にも定着してきたのですね」
エ　X「今年は海外旅行より国内旅行に行く人が多いようです」
　　Y「日本の魅力が再確認されたのですね」
オ　X「朝食を食べる子は成績が良い傾向があるようです」
　　Y「規則正しい生活を送らなければ、良い成績はとれないのですね」

○ A　アとイ　○ B　アとウ　○ C　アとエ　○ D　アとオ　○ E　イとウ
○ F　イとエ　○ G　イとオ　○ H　ウとエ　○ I　ウとオ　○ J　エとオ

12 Yの意見は論理的に間違っている。間違い方によって、グループP（2つ）とグループQ（3つ）に分け、Pに分類されるものを答えなさい。

ア　X「Oさんは卓球のテレビゲームが得意です」
　　Y「では、Oさんはきっと卓球が得意に違いない」
イ　X「Pさんは絶対音感の持ち主です」
　　Y「では、Pさんは音楽が得意に違いない」
ウ　X「Qさんの学校の野球部は、去年甲子園で優勝しました」
　　Y「では、Qさんは野球がうまいに違いない」
エ　X「Rさんはプロのサーファーになりました」
　　Y「では、Rさんは水泳がうまいに違いない」
オ　X「Sさんは、三ツ星レストランで働いています」
　　Y「では、Sさんは料理上手に違いない」

○ A　アとイ　○ B　アとウ　○ C　アとエ　○ D　アとオ　○ E　イとウ
○ F　イとエ　○ G　イとオ　○ H　ウとエ　○ I　ウとオ　○ J　エとオ

➡次ページに続く

13 ア～オは、図書館に寄せられた要望である。要望の種類によって、グループP（2つ）とグループQ（3つ）に分け、Pに分類されるものを答えなさい。

ア　すべての蔵書検索ができるパソコンを設置してほしい。
イ　閲覧室西側の窓にブラインドを付けてほしい。
ウ　貸し出し冊数を増やしてほしい。
エ　閲覧室をもっと広げてほしい。
オ　開館時間を１時間延長してほしい。

○ A　アとイ　○ B　アとウ　○ C　アとエ　○ D　アとオ　○ E　イとウ
○ F　イとエ　○ G　イとオ　○ H　ウとエ　○ I　ウとオ　○ J　エとオ

14 ア～オは、情報とそれにもとづく判断を表している。判断の種類によって、グループP（2つ）とグループQ（3つ）に分け、Pに分類されるものを答えなさい。

ア　そのとき空が暗くなってきたので、雨が降ると思った。
イ　夕方は寒くなるという予報だから、コートを持って行こう。
ウ　さきほど事故があったから、電車は遅れるだろう。
エ　帰省ラッシュの時期なので、車ではなくて新幹線を使った。
オ　１日５時間も勉強していたから、合格間違いなしだ。

○ A　アとイ　○ B　アとウ　○ C　アとエ　○ D　アとオ　○ E　イとウ
○ F　イとエ　○ G　イとオ　○ H　ウとエ　○ I　ウとオ　○ J　エとオ

15 ア～オは、社員食堂のアンケートにあった意見である。意見の種類によって、グループP（2つ）とグループQ（3つ）に分け、Pに分類されるものを答えなさい。

ア　他社の社員食堂に比べて値段が高いと思う。
イ　丼物のメニューを増やしてほしい。
ウ　営業時間を午後８時までに延ばしてください。
エ　カロリー表示があるといい。
オ　席が少ないのですぐ満員になってしまうのが困る。

○ A　アとイ　○ B　アとウ　○ C　アとエ　○ D　アとオ　○ E　イとウ
○ F　イとエ　○ G　イとオ　○ H　ウとエ　○ I　ウとオ　○ J　エとオ

5章 模擬テスト

- テストセンターのSPI 3【言語能力検査・非言語能力検査】に準じた模擬テストです。
- 自分で合格レベルが判定できます。

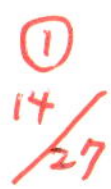

◎能力検査――27問【目標点数20点】／制限時間35分

テストセンターと同じく、言語能力検査と非言語能力検査を続けて解いてください。自己採点で自分の実力がわかります。

20～27点→**A**：【人気企業合格ライン】合格可能性は極めて高いといえます
15～19点→**B**：【一般企業合格ライン】合格可能性は高いといえます
9～14点→**C**：SPIで落とされる可能性があります
0 ～ 8点→**D**：SPIで落とされる可能性がかなりあります

能力検査

月　日

最初に示された二語の関係を考えて、同じ関係のものを選びなさい。

❶ 体重計：はかり

ア　能楽：狂言
イ　長唄：邦楽
ウ　短歌：俳句

- A　アだけ
- B　イだけ
- C　ウだけ
- D　アとイ
- E　アとウ
- F　イとウ

❷ ミキサー：かくはん

ア　カッター：切断
イ　煙突：排気
ウ　ライター：タバコ

- A　アだけ
- B　イだけ
- C　ウだけ
- D　アとイ
- E　アとウ
- F　イとウ

❸ 民事：刑事

ア　和風：古風
イ　洋画：邦画
ウ　異国：隣国

- A　アだけ
- B　イだけ
- C　ウだけ
- D　アとイ
- E　アとウ
- F　イとウ

　回答時間

➡解答・解説は別冊76ページ

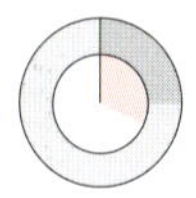

❹ ギター：弦

ア　季語：俳句
イ　短歌：上の句
ウ　語句：詩歌

- A　アだけ
- B　イだけ
- C　ウだけ
- D　アとイ
- E　アとウ
- F　イとウ

❺ 雪：結晶

ア　木枯らし：風
イ　五月雨：雨
ウ　天候：雲

- A　アだけ
- B　イだけ
- C　ウだけ
- D　アとイ
- E　アとウ
- F　イとウ

❻ 星霜：歳月

ア　幹線：支線
イ　逆境：辺境
ウ　晦日（ミソカ）：月末

- A　アだけ
- B　イだけ
- C　ウだけ
- D　アとイ
- E　アとウ
- F　イとウ

➡解答・解説は別冊76ページ

下線部の言葉と、意味が最も合致するものを1つ選びなさい。

❼ ゆっくりと動作を起こすさま

- A やおら
- B おっとり
- C おっつけ
- D そそくさ
- E おずおず

❽ ある方向へと動く勢い。成り行き

- A 筆勢
- B 加勢
- C 権勢
- D 大(タイ)勢
- E 趨(スウ)勢

❾ 路頭に迷う

- A 放浪する
- B 道がわからなくなる
- C 生活に困る
- D 旅先で病気になる
- E 行方不明になる

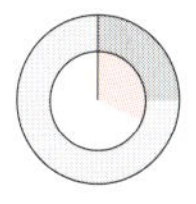

下線部の語が最も近い意味で使われているものを１つ選びなさい。

⑩ 姉は医者になった

- A　彼は東京にいる
- B　激励にかけつける
- C　友人に本を借りた
- D　母に似ている人
- E　水がお湯に変わった

⑪ わが子ながら感心する態度だ

- A　歌いながら踊る
- B　昔ながらの郷土料理
- C　勝手ながら閉店させていただきます
- D　テレビを見ながら食事をする
- E　いつもながらの良い出来映え

⑫ 病気で会社を休む

- A　日本で初の快挙
- B　自分でやってみる
- C　ロープでしばる
- D　雷で停電が起こる
- E　法律で決められている

次へ

➡解答・解説は別冊76ページ

 次の説明を読んで、各問いに答えなさい。

白2個、黒3個、合計5個の碁石を左から順に1列に並べる。

⓭ 色の並びが左端から順に「白黒白黒」となる確率はどれだけか。

- A 1/120
- B 1/60
- C 1/20
- D 1/10
- E 1/5
- F AからEのいずれでもない

⓮ 色の並びに「黒黒黒」が現れる確率はどれだけか。

- A 1/20
- B 3/20
- C 3/10
- D 3/7
- E 3/5
- F AからEのいずれでもない

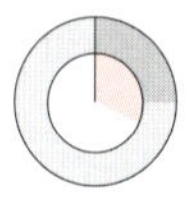

次の説明を読んで、各問いに答えなさい。

T、U、V、W、X、Y、Z の7人の性別について、次のことがわかっている。

Ⅰ　T、V、W、X の4人と Zの性別は異なる
Ⅱ　Uは女性である

⓯　必ず正しいといえる推論はどれか。AからHの中から1つ選びなさい。

ア　Zが男性の場合、男性の人数は2人以下
イ　Zが女性の場合、女性の人数は2人以下
ウ　ZとYが同性の場合、男性と女性の人数の差は2人以下

A　アだけ	B　イだけ	C　ウだけ
D　アとイ	E　アとウ	F　イとウ
G　アとイとウ	H　いずれも必ず正しいとはいえない	

⓰　最も少ない情報で7人の性別を確定するためには、ⅠとⅡの情報のほかに、次のカ、キ、クのうち、どれが加わればよいか。

カ　男性の方が多い
キ　YとUは同性、ZとUは異性
ク　ZとUは同性、VとUは異性

A　カだけ	B　キだけ	C　クだけ
D　カとキ	E　カとク	F　キとク
G　カとキとク	H　すべてが加わっても確定できない	

次へ

➡解答・解説は別冊77〜78ページ

 次の説明を読んで、各問いに答えなさい。

ある会社で若手の社員を対象に貯蓄額の調査をしたところ、表のような結果になった。ただし、男性の人数は本社より支社の方が少なく、女性の人数は本社より支社の方が多いものとする。

〈平均貯蓄額〉　　　　　　　　　（万円）

	全社	本社	支社
男性	90	□	80
女性	80	□	70

次の推論の正誤について、正しいものをAからCの中から1つ選びなさい。

⑰ 支社の男女を合わせた平均貯蓄額は75万円である。

- A 正しい
- B 誤り
- C どちらともいえない

⑱ 本社の男性の平均貯蓄額は100万円である。

- A 正しい
- B 誤り
- C どちらともいえない

⑲ 本社の男女を合わせた平均貯蓄額は90万円と100万円の間にある。

- A 正しい
- B 誤り
- C どちらともいえない

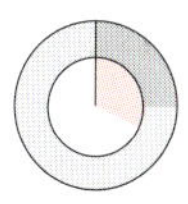

次の説明を読んで、各問いに答えなさい。

ある店では仕入れ値の40%の利益が出るように定価を設定している。また、セール中は商品Xは定価の25%引き、商品Yは定価の20%引きで販売する。

⑳ 商品Xをセール中に18個売ったときの売上が22680円だった。商品Xの仕入れ値はいくらか。

- A 1120円
- B 1200円
- C 1260円
- D 1680円
- E 2800円
- F AからEのいずれでもない

㉑ 商品Yを60個仕入れて、40個をセール中に、残りを定価で売ったとき、利益の合計が19200円だった。商品Yの仕入れ値はいくらか。

- A 1400円
- B 1500円
- C 1600円
- D 1680円
- E 2100円
- F AからEのいずれでもない

➡解答・解説は別冊78ページ

次の説明を読んで、各問いに答えなさい。

モグラたたきゲームをした。モグラは横一列に並んだ5つの穴から、1回ずつ計5回出てきた。モグラをたたけたのは2回目と4回目だけだった。これについて以下のことがわかっている。

Ⅰ　両端の穴から出たモグラはたたけなかった
Ⅱ　2回目のモグラは1回目に出た穴の隣の穴から出てきた
Ⅲ　4回目のモグラは3回目に出た穴の隣の隣の穴から出てきた

㉒　4回目に、モグラはどの穴から出てきたか。当てはまるものをすべて選びなさい。

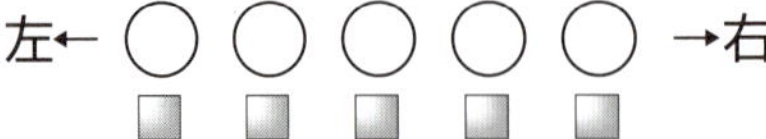

㉓　5回目に、モグラはどの穴から出てきたか。当てはまるものをすべて選びなさい。

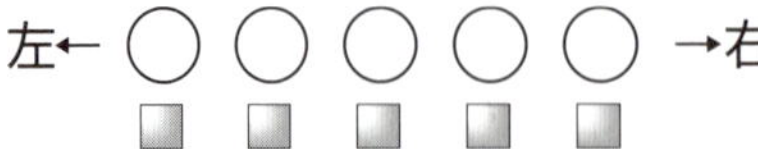

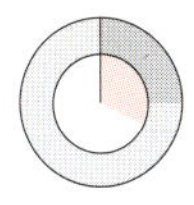

次の説明を読んで、各問いに答えなさい。

P市、Q市、R市という3つの都市を順に巡る旅行をする。必ずどの都市にも泊まり、同じ都市に2泊以上するときは連続して泊まるものとする。また、どのような順序で巡ってもかまわない。

㉔ 4泊する場合、どこにいつ泊まるかの組み合わせは何通りあるか。

- A　6通り
- B　8通り
- C　10通り
- D　12通り
- E　18通り
- F　AからEのいずれでもない

㉕ 最初はP市を訪れることにした。5泊する場合、どこにいつ泊まるかの組み合わせは何通りあるか。

- A　6通り
- B　8通り
- C　10通り
- D　12通り
- E　24通り
- F　AからEのいずれでもない

➡解答・解説は別冊78ページ

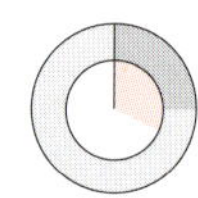

次の説明を読んで、各問いに答えなさい。

社員120人にアンケートを行ったところ、A新聞の購読者は80人、B新聞の購読者は52人、C新聞の購読者は55人いた。また、どれも購読していない者は15人、1紙だけ購読している者は30人いた。

㉖ A新聞、B新聞、C新聞の3紙とも購読している者は何人か。

- A 5人
- B 6人
- C 7人
- D 10人
- E 14人
- F AからEのいずれでもない

㉗ 2紙以上を購読している者の中で、B新聞を購読していない者はA新聞を購読していない者の2倍いた。また、C新聞だけを購読している者は3人だった。A新聞とC新聞の2紙だけを購読している者は何人か。

- A 7人
- B 15人
- C 20人
- D 23人
- E 30人
- F AからEのいずれでもない

6章 性格検査

- テストセンターでは、事前受検で制限時間が約35分です。
- ペーパーテストでは、実施時間が約40分です。
- 約300問の質問にすばやく回答していきます。

◎「性格検査」で不採用になることも

性格検査での極端なマイナス評価は、不採用の原因になることがあります。

検査結果と面接時の評価はワンセットで、おおむね次のような過程を経て合否が決まります。また入社後の人事異動の参考資料としても使われます。

- **検査結果も面接時の評価も良い→問題なく合格**
- **検査結果も面接時の評価も悪い→不合格**
- **検査結果と面接評価のどちらかが悪い→次回面接で質問を変えて人物を再判断**

1 性格検査例題

時間内に、約300問の質問に回答していきますので、考え込む時間はありません。まず、下に挙げた例題をやってみましょう。

例題　よくでる

性格検査は三部構成で、1と2の質問形式があります。
あまり考え込まないで、下の ◎ にチェック✔をしてみましょう。

1

以下の質問は、あなたの日常の行動や考え方にどの程度あてはまりますか。最も近い選択肢を1つ選んでください。

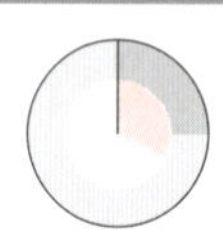

	A	Aに近い	どちらかといえばAに近い	どちらかといえばBに近い	Bに近い	B
1	人見知りするほうだ	◎	◎	◎	◎	人見知りしないほうだ
2	体を動かすのが好きだ	◎	◎	◎	◎	体を動かすのが好きではない
3	あきらめが悪いほうだ	◎	◎	◎	◎	あきらめが早いほうだ
4	考えてから行動する	◎	◎	◎	◎	行動してから考える

2

以下の質問は、あなたの日常の行動や考え方にどの程度あてはまりますか。最も近い選択肢を1つ選んでください。

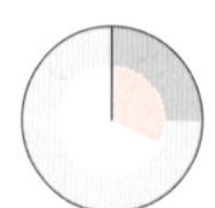

		あてはまらない	どちらかといえばあてはまらない	どちらかといえばあてはまる	あてはまる
1	いろいろなことに挑戦するほうだ	◎	◎	◎	◎
2	人からの評価が気になるほうだ	◎	◎	◎	◎
3	失敗したときに自分の責任だと思う	◎	◎	◎	◎
4	感情が表に出やすいほうだ	◎	◎	◎	◎

解説 マイナス評価の例

1 性格面の行動的側面を測定する質問です。

	A		B
1	人見知りするほうだ	○ ○ ○ ○	人見知りしないほうだ⬅社会的内向性
2	体を動かすのが好きだ	○ ○ ○ ○	体を動かすのが好きではない⬅身体活動性
3	あきらめが悪いほうだ	○ ○ ○ ○	あきらめが早いほうだ⬅持続性
4	考えてから行動する	○ ○ ○ ○	行動してから考える⬅慎重性

1 「人見知りするほうだ」(Aに近い)を選ぶと、**「社会的内向性」が高い**という判定になります。内気で人と接するのが苦手だという**マイナス評価**です。

2 「体を動かすのが好きではない」(Bに近い)を選ぶと**「身体活動性」が低い**という判定になります。動くことが嫌いだという**マイナス評価**です。

3 「あきらめが早いほうだ」(Bに近い)を選ぶと**「持続性」が低い**という判定になります。頑張りが続かないという**マイナス評価**です。

4 「行動してから考える」(Bに近い)を選ぶと**「慎重性」が低い**という判定になります。軽率な行動をとりがちだという**マイナス評価**です。

2 性格面の意欲的側面と情緒的側面を測定する質問です。

1	いろいろなことに挑戦するほうだ⬅活動意欲	○ ○ ○ ○
2	人からの評価が気になるほうだ⬅敏感性	○ ○ ○ ○
3	失敗したときに自分の責任だと思う⬅自責性	○ ○ ○ ○
4	感情が表に出やすいほうだ⬅気分性	○ ○ ○ ○

1 (あてはまらない)を選ぶと、**「活動意欲」が低い**という判定になります。のんびり屋で意欲に欠けるという**マイナス評価**です。

2 (あてはまる)を選ぶと**「敏感性」が高い**という判定になります。心配症で神経質という**マイナス評価**です。採用担当者が特に嫌う判定です。

3 (あてはまる)を選ぶと**「自責性」が高い**という判定になります。悲観的で落ち込みやすいという**マイナス評価**です。採用担当者が特に嫌う判定です。

4 (あてはまる)を選ぶと**「気分性」が高い**という判定になります。気分に左右されがちだという**マイナス評価**です。

2 性格検査対策

SPI3の性格検査は、「行動的側面」「意欲的側面」「情緒的側面」「社会関係的側面」という４つの性格面から測定します。それらの中には、尺度が特に高かったり、特に低かったりすると、マイナス評価となる尺度があります。

したがって、その尺度だけは極端なマイナス評価とならないように気をつける必要があります。それでは、具体的に性格面の尺度と質問例を見ていきましょう。

以下の尺度のうち、**×がついているものがマイナス評価となります**。例えば、一般的には社会的内向性が高い（内向的で交際が狭く深い）とマイナス評価です。×のついていない尺度は、それほど気にする必要はありません。

行動的側面

対人関係、課題への取り組み方など、行動にあらわれやすい性格的な特徴です。

尺　度	その尺度が低い場合の特徴 ⟷ その尺度が高い場合の特徴
社会的内向性	外向的で交際が広く浅い ⟷ 内向的で交際が狭く深い×
質問例	「人前で話すことが苦にならない」「人見知りをするほうだ」
内省性	あまり深くは考えない ⟷ 深く考えることを好む
質問例	「考えるよりやってみるほうだ」「じっくり考える仕事がしたい」
身体活動性	×あまり動かず腰が重い ⟷ フットワークが軽くてすぐ動く
質問例	「体を動かすのは好きではない」「外で動きまわるのが好きだ」
持続性	×見切り、あきらめが早い ⟷ 粘り強く頑張る
質問例	「見切りをつけることが大切だ」「最後まで頑張り抜くほうだ」
慎重性	×思い切りがよく軽率 ⟷ 見通しを立てて慎重
質問例	「思い切りよく決断するほうだ」「事前にしっかり計画を立てる」

意欲的側面

仕事や課題に取り組むときの意欲の高さを測定します。

尺　度	その尺度が低い場合の特徴 ←→ その尺度が高い場合の特徴
達成意欲	現実を受け入れる。無欲 ←→ 目標達成にこだわる。負けず嫌い
質問例	「野心は少ないほうだ」「何事も結果が大切だ」
活動意欲	×のんびり屋で意欲に欠ける ←→ 判断が機敏で意欲的
質問例	「なかなか決断できないほうだ」「すぐに行動に移すほうだ」

情緒的側面

感じ方、気持ちの整理の仕方など、内面的な特徴です。

尺　度	その尺度が低い場合の特徴 ←→ その尺度が高い場合の特徴
敏感性	小さなことは気にしない ←→ 心配性で神経質×
質問例	「人からの評価は気にしない」「細かいことが気になるほうだ」
自責性	楽観的でくよくよしない ←→ 悲観的で落ち込みやすい×
質問例	「何事にも楽観的なほうだ」「何日も悩むことがある」
気分性	感情、気分の起伏が少ない ←→ 気分にムラがある×
質問例	「気分に左右されることが少ない」「感情を表に出すほうだ」
独自性	常識的で周囲と合わせる ←→ 個性的で我が道を行く
質問例	「集団で行動することが好きだ」「常識にとらわれないほうだ」
自信性	和を重視。穏やかで弱気 ←→ 自分重視。自信過剰で強気
質問例	「周囲に合わせることが多い」「自分の意見を通すことが多い」
高揚性	落ち着きがあり感情を出さない ←→ 明るく、自由で調子が良い
質問例	「気が散ることはあまりない」「調子に乗りやすいほうだ」

社会関係的側面

周囲の人との関わり方、人との距離感など、社会関係にあらわれる特徴です。

尺　度	その尺度が低い場合の特徴 ↔ その尺度が高い場合の特徴
従順性	自分の意見を大切にする ↔ 人の意見に従いがち
質問例	「人の意見に従うことは少ない」「人の意見に従うことが多い」
回避性	人との対立も辞さない ↔ 人との対立を避ける
質問例	「意見の違いを明確にすべきだ」「意見の対立は避けるべきだ」
批判性	自分と違う意見を受け入れる ↔ 自分と違う意見を批判する
質問例	「人の間違いは見逃すほうだ」「人の間違いを指摘するほうだ」
自己尊重性	人の意見を気にして動く ↔ 自分の考えを尊重して動く
質問例	「仕事では丁寧な指導を受けたい」「好きなようにやらせてほしい」
懐疑思考性	人を疑いやすい ↔ 人を信じやすい
質問例	「人とすぐ打ち解けるほうだ」「人と打ち解けにくいほうだ」

※SPI3性格検査の判定、評価方法は、公開されていません。本書で挙げたものは、他の性格検査、適性検査の判定基準から類推されるものであることをご了承ください。

性格検査を回答する時の心構え❶

SPIなど、「質問紙法」の性格検査は、**自分が自分をどんな性格と考えているかを回答する検査**です。人が客観的に判断するあなたの性格とは違います。

したがって、受検者のその時の状況やその日の気分によって検査結果がかなり異なってきます。例えば、就活中でエントリーシートや面接で自分が評価される日々が続いているときなどは、普段は人の評価など気にしていないような人でも「人からの評価が気になる」に「あてはまる」と回答してしまうことがあります。自分のミスで失敗して落ち込んでいたら「失敗したときに自分の責任だと思う」に「あてはまる」と回答することも十分ありえます。しかし、そう回答すると、「敏感性」「自責性」が高く、ストレスに弱いというマイナス評価に近づきます。

「正直に回答せよ」という対策本もありますが、正直も程度問題です。自分のそのときどきの気分で何となく回答してはいけません。

●社会常識的に考えて「望ましい」と思えるほうを選ぶ

性格検査の「すべての尺度」で好評価を取ろうと意識しながら回答することは、作為的で不自然な回答になることもありますからお勧めしません。

いちばんの回答のコツは、社会常識的に考えて、企業にとって「望ましい」人物像を思い描きながら回答することです。それは、

- **人と円滑に付き合える**
- **精神的にタフで、活動的に行動する**
- **よく考えて、計画を立ててから実行する**
- **目標や課題、仕事に対して粘り強く取り組む**

といった人物イメージになります。このイメージを持ちながら回答していけば、マイナス判定は受けません。 性格検査で合格が決まるということはありませんが、マイナス判定が不合格の原因になることはあります。**特に「心配性、神経質、悲観的」といった回答傾向は嫌われるので注意してください**。

なお、できるだけ、すべての設問に回答することも大切です。未回答が多いと、考えた上で作為的に回答したとされることもあります。

3 適応性の対策

SPI3の性格検査には、性格面のほかに、「職務適応性」「組織適応性」という会社への適応性を評価する尺度があります。この判定は、性格面の尺度と能力検査の結果から総合的に判断されているものと思われます。

職務適応性

次の14タイプの職務への適応性を判定します。

タイプ	職務の特徴
関係構築	人に働きかけ、多くの人と関係を築く仕事
交渉・折衝	人と折衝することが多い仕事
リーダーシップ	集団をまとめて率いる仕事
チームワーク	周囲と協調、協力する仕事
サポート	人に気を配りサポートする仕事
フットワーク	考え込まずにフットワークよく行動する仕事
スピード対応	素早く判断し、てきぱきと進める仕事
変化対応	予定外のことへの対応が多い仕事
自律的遂行	自分の考え、判断で進める仕事
プレッシャー耐性	課題へのプレッシャーが大きい仕事
着実遂行	粘り強く着実に進める仕事
発想・チャレンジ	前例のないことに取り組む仕事
企画構想	企画、アイデアを生み出す仕事
問題分析	複雑な問題を検討、分析する仕事

組織適応性

次の４タイプの組織風土への適応性を判定します。

創造重視	新しいことに挑戦する創造的な風土
結果重視	成果、結果、自己責任を重視する風土
調和重視	チームプレー、協調を重視する風土
秩序重視	規則、決まり事を重視する風土

性格検査を回答する時の心構え❷

職務適応性と組織適応性は、それぞれのタイプに受検者がどの程度適しているかを１（適応に努力を要する）から５（適応しやすい）までの５段階で判定します。

●職務適応性

この判定は、主に性格面の尺度の組み合わせによって決められます。

例えば「関係構築（人と接することが多い仕事）」に適しているのは、当然ながら外向的で（社会的内向性が低く）、対人関係に敏感ではない（敏感性、自責性が低い）タイプの性格が適していると判定されるわけです。

回答のコツは、自分に合った職務、やりたい仕事で活躍している理想的な自分を思い描きながら回答することです。つまり、動き回ることが嫌いで活動意欲が少ない人でも、フットワークよくテキパキ働いている自分のつもりで選択肢を選んでいけば「スピード対応」への適応があるという結果に導くことがある程度できるわけです。

しかし、企業は適性のない人材がミスマッチで入社してすぐ離職するようなことを避けるためにこそ、この検査を利用しています。また、応募者本人にとっても最初から自分の性格と能力に見合った仕事を志望するほうが、好ましいことは言うまでもないでしょう。したがって、性格検査への対応以前に、**「自分に合わない仕事は選ばないこと」が大切**。そもそも自分の適性がよくわからないという人は、まずやりたい仕事は何かを見つけることが先決になります。

●組織適応性

組織適応性は、企業が自社の風土、社風と合わない人材を避けるための判定です。しかし、「創造」「結果」「調和」「秩序」の４つは、どれも企業にとって非常に大切な要素で、自社が創造重視か結果重視かなど決められないという採用担当者もかなりいます。実際、創造的で結果を重視してチームプレーで進める仕事をするが、規則は厳守という会社もたくさんあります。**この適応性はあまり気にしないで、常識にかなう回答を心がければ十分**です。

●著者プロフィール

オフィス海【Kai】

学習参考書、問題集、辞典、資格試験対策本等の企画執筆を行う企画制作会社。1989年設立。「日本でいちばんわかりやすくて役に立つ教材」の制作に心血を注いでいる。

著書『史上最強 SPI＆テストセンター1700題』『史上最強 一般常識＋時事一問一答問題集』『史上最強の漢検マスター準1級問題集』『史上最強のFP２級AFPテキスト』『史上最強の宅建士テキスト』（ナツメ社）ほか。

――SPIは頭の使いどころが中学受験問題によく似ています。私たちが培ってきた解法ノウハウとテクニックがあなたを合格に導くことを心より願っております。

●調査協力…リクルートメント・リサーチ＆アナライシス［RRA: Recruitment Research &Analysis］
データ収集・アンケート・面談調査を通して、大学生の就職・採用状況調査を行っているリサーチ機関。

小社では、みなさまからの就職活動に関する体験記や情報（SPIをはじめとした適性検査や一般常識テストなど採用テストの出題形式、面接の内容、エントリーシート・履歴書の書式など）を募集しております。次年以降の企画に役立てたいと考えています。下記の住所・アドレスにハガキ、封書、Eメールなどでお寄せください。
有益な情報をお寄せいただいた方には薄謝（図書カード等）を進呈いたします。
なお、お寄せいただいた個人情報を公表することはありません。

〒101-0051
東京都千代田区神田神保町1-52　ナツメ社ビル3F
ナツメ出版企画株式会社　就職情報係
Eメールアドレス　saikyo@natsume.co.jp

本書のお問い合わせは、ナツメ社WEBサイト内の、お問い合わせフォームからご連絡を頂くか、FAXにてお送り下さい。電話でのお問い合わせはお受けしておりません。回答まで７日前後の日にちを頂く場合もあります。
※正誤のお問い合わせ以外の書籍内容に関する解説・受検指導は一切行っておりません。
ナツメ出版企画㈱　FAX03-3291-1305

ナツメ社Webサイト
https://www.natsume.co.jp
書籍の最新情報（正誤情報を含む）はナツメ社Webサイトをご覧ください。

史上最強 SPI＆テストセンター超実戦問題集

著　者　オフィス海
発行者　田村正隆
発行所　株式会社ナツメ社
東京都千代田区神田神保町1-52　ナツメ社ビル1F（〒101-0051）
電話　03(3291)1257（代表）　FAX　03(3291)5761
振替　00130-1-58661
制　作　ナツメ出版企画株式会社
東京都千代田区神田神保町1-52　ナツメ社ビル3F（〒101-0051）
電話　03(3295)3921（代表）
印刷所　図書印刷株式会社

史上最強 SPI&テストセンター超実戦問題集

別冊【解答・解説集】

ナツメ社

1 推論【正誤】 ▶本冊26～27ページ

❶【B】推論の成り立つ方向を→で整理しておく。P→RおよびQ→Rが成り立つ。

※ →は「前が正しければ後ろも正しい」。

❷【C】R（Xが2回とも長い）→Q（合計はXの方が長い）→P（少なくともどちらか1回はXの方が長い）。

※ →に沿う推論は正、逆らう推論は誤。

❸【C】R→P。3番目の年長者が次男となるのは、**女男男女・男女男女**の2パターンで、そのとき**末っ子**は**三女ではなく次女**である。

A　末っ子が三女ではない女女女女や男男男女のパターンで、兄は2人ではないので×。

B　男男女女の例外があるので×。

❹【B】**Q→R**。**1+6**=7、12−7=**5（1、4**または**2、3）**。組み合わせは、**1、1、4、6**または**1、2、3、6**で、**偶数**人の組は2組。

A　1、2、4、5人の例外があるので×。

C　2、3、3、4人の例外があるので×。

❺【A】**P→Q**。Xが試合に負けなかったなら、Xは後半に得点しているはず。

B　Xが後半に得点しても、Xが負けなかったとはいえない。

❻【B】**Q→R**。4チームで総当たりなので、各チーム3試合を行う。全勝（3勝）したチームがない場合には、全**4チーム**が0勝、1勝、2勝（**3パターン**）のいずれかとなり、必ず勝ち数が同じチームが出る。

A　0、1、2、3勝の例外があるので×。

C　1、1、2、2勝の例外があるので×。

※具体例をメモしながら、例外なく成り立つかどうかで判断します。

2 推論【順序】 ▶本冊30～39ページ

❼【A】ア　WはZより早いが1位ではない。

メモ → | 1　W　Z |

イ　ZのタイムはWとXのタイムの平均なので、Zの後ろにXを書きたす。

メモ → | 1　W　Z　X |

ウ　Vは3位なので、Wの後ろにVを書きたす。Wは2位。Yは残った1位に決まる。

メモ → | 1　WVZ　X |

❽【AG】9点から3点の範囲で、Pの点数がSの点数の2倍になる組み合わせは、**（P8・S4）**、**（P6・S3）**の2通りだけ。

Tの点数がRより3点高い組み合わせは、

・**（P8・S4）**のとき、次の2通り。

	9	8	7	6	5	4	3
①	T	P		R		S	Q
②	Q	P		T		S	R

最高点9点、最低点3点の店が必要なので、Qの点数は、①のときは**最低点の3点**、②のときは**最高点の9点**に決まる。

・**（P6・S3）**のとき、次の2通り。

	9	8	7	6	5	4	3
③	Q	T		P	R		S
④	Q		T	P		R	S

最高点9点の店が必要なので、Qの点数は、③④のときは**最高点の9点**に決まる。

9【AC】ワンセットの組み合わせで考える。
Ⅱ　PはRの次にスピーチをした…「**RP**」でワンセット（RとPの間に誰も入らない）
Ⅲ　SはQよりあとにスピーチをした…Q→S（QとSの間に誰かが入る可能性もある）
Ⅰ　QとRは続けてスピーチをしなかった…**QRP**Sの可能性はない
従って、**Q**S**RP**か**RPQ**Sのどちらか。

10【BC】最終区間のスタート時は**PQRS**。「P→Q（最も遅い）」、また「R（最も速い）→S」の順位は逆にならない。
A…Qは、「R→S」に抜かれたので**4位**。Rは1位か2位、Sは2位か3位。Pは1位〜3位。
○○○Q
B…「**R→S**」は最も遅いQを抜いたことになる。**S**は**3位**。Sより速いRは1位か2位。Qは**4位**。Pは1位か2位。○○**SQ**
C…Rが**1位**。2位以下は不明。R○○○
BとCの情報で、**RPSQ**の順に決定する。

11【ABCF】条件を「メモ」する。
Ⅰ　Sは3位以内。
Ⅱ　「**PR**」はワンセット。
Ⅲ　「**Q**○○**U**」Qは1〜3位、Uは4〜6位。
Qの順位で場合分けして考える。
Q1位…Uが4位。2位か3位にSが入るので、連続する**PR**は5、6位→**Q23UPR**
Q2位…Uが5位。連続する**PR**は3、4位。Sが1位→**SQPRUT**
Q3位…Uが6位。Sが1位か2位に入るので、連続する**PR**は4、5位→**12QPRU**
Tの順位は1、2、3、6位のいずれか。

12【F】左から重い順にメモする。

青＝赤＋白（白＞黄）←赤の位置は不明

ア　必ず正しいとはいえない（赤が不明）
イ　青＝赤＋白、白＞黄より、**青＞赤＋黄**
ウ　青＝赤＋白より、**青＜赤＋白＋黄**
イとウは必ず正しい。

13【C】条件をメモする。左端が1位。
①**V――― 18 ―――→最下位**
②　**X― 4 →Y（またはY― 4 →X）**
③　**X― 4 →Z（またはZ― 4 →X）**
④**V― 12 →W**
⑤　　　　　**W― 6 →Y（Y― 6 →W）**
パッと見て、④の**12**秒と⑤の**6**秒をたすと①の**18**秒になることがわかる。従って、
⑥**V― 12 →W― 6 →Y**
また、5位のYがXと4秒差なので、
⑦**V― 12 →W― 2 →X― 4 →Y**
ここで、③より次の2通りが考えられる。
⑧**V→Z→W→X→Y**
⑨**V→W→X→YとZは同着**
⑧⑨より、Aは誤り、Bはどちらともいえない、Cは必ず正しい。

14【☑□☑■□□□】
最初に真ん中□□□■□□□を調べたので、その次に「ア　4つ隣」は調べられない。従って、真ん中の次に調べた（◆）のは、「イ　1つ隣（右または左）」か「ウ　2つ右」。これらを場合分けして、最後のボックス（■）を求める。
①真ん中の次に1つ隣 □□◆■◆□□→
・2つ右□□□■◆□◆→4つ隣■□■■□□□
・4つ隣◆□□■□□◆→2つ右□□■■□□□
②真ん中の次に2つ右 □□□■□◆□→
・1つ隣□□□■◆□◆→4つ隣■□■■□□□
・4つ隣□◆□■□□□→1つ隣■□■■□□□
【別解】もちろん、1経路ずつ考えてもよい。
①イ 1つ右 → ア 4つ隣 → ウ 2つ右
□□□■イ□□ → ア□□■イ□□
→ ア□ウ■イ□□
②イ 1つ左 → ア 4つ隣 → ウ 2つ右

別冊解答・解説 ▼ 推論【正誤】↓推論【順序】

□□イ■□□□ → □□イ■□□ア

→ 2つ右は調べられない

③イ 1つ右 → ウ 2つ右 → ア 4つ隣

□□□■イ□□ → □□□■イ□ウ

→ □□**ア**■イ□ウ

④イ 1つ左 → ウ 2つ右 → ア 4つ隣

□□イ■□□□ → □□イ■ウ□□

→ **ア**□イ■ウ□□

⑤ウ 2つ右 → ア 4つ隣 → イ 1つ右

□□□■□ウ□ → □ア□■□ウ□

→ □ア**イ**■□ウ□

⑥ウ 2つ右 → ア 4つ隣 → イ 1つ左

□□□■□ウ□ → □ア□■□ウ□

→ **イ**ア□■□ウ□

⑦ウ 2つ右 → イ 1つ右 → ア 4つ隣

□□□■□ウ□ → □□□■□ウイ

→ □□**ア**■□ウイ

⑧ウ 2つ右 → イ 1つ左 → ア 4つ隣

□□□■□ウ□ → □□□■イウ□

→ **ア**□□■イウ□

以上、最後に調べたのは**太字**のボックス。

15【D】XはYより1冊多いので、多い順に「XY」。WとZは5冊差なので、4冊以上の差がある人がいないX（とY）はWとZの間に入る。XとWの差は、YとZの差よりも大きいので、次の順番だけが当てはまる。

冊数（仮）　**654321**

順番　　　**W○○XYZ　←Zは4番目**

※**ZXY○○W**は条件Ⅰより**不適**。

Z○XY○W、**Z○○XYW**、**W○XY○Z**などは条件Ⅱより**不適**。

16【C】SとTの間に3人いて、Uが右端なので、次の2パターンに限られる。

①S○○○TU

②T○○○SU

○○○はP○Q（またはQ○P）に決定。

つまり、**左から3番目にはR**が入る。

17【D】Rの最終順位とTのスタート時の（バトンを受けたときの）順位を考える。

・Rの最終順位

S　先頭でバトンを渡されたが、転んで一気に最下位になり、そのままゴールした…Sはバトンを渡されたスタート時は1位で、ゴールは5位。他の4人に1回ずつ抜かれた。

スタートS○○○○→ **ゴール**○○○○**S**

P　ずっとRの後方を走っていた…RはPより先にスタートして、先にゴール…**R＞P**

R　Qに1回抜かれたが、Qを1回抜き返した…RはQより先にスタートして、先にゴール…**R＞Q**

T　誰にも抜かれなかったが、先頭でゴールしなかった…**R＞S・P・Qで、**Tは先頭でゴールしなかったので、**Rは1位**に確定。

・Tのスタート時の順位

Tは、誰にも抜かれず、1位でゴールしなかったので、**途中でも1位にはならない。**

Tが2位▶**ST**○○○（Sのゴールは5位）

←**Tが1位になるので不適。**

Tが3位▶**SRTPQ** または **SRTQP**

←QはTを抜かないままRを抜く必要があるが、TがRを抜いた時点で**Tが1位になるので不適。**

Tが4位▶**SRPTQ** または **SRQTP**

SRPTQ←QはTを抜かないままRを抜く必要があるが、TがRを抜くと**Tが1位になるので不適。**

SRQTP←Qは3回（S・R・P）抜いて、2回（R・TかP）抜かれる。QがPを抜くにはTPが先にQを抜く必要があるが、すると**Qが3回（R・T・P）抜かれることになるので不適。**従って、**Tのスタートは5位に確定。**

以上より、Rの最終順位とTがバトンを受けたときの**順位の和は1＋5＝6**。

【参考】可能性がある順位は以下の通り。
スタートＳＲＰＱＴ … ゴールＲＰＱＴＳ
または … ゴールＲＴＱＰＳ
スタートＳＲＱＰＴ … ゴールＲＱＰＴＳ

18 **1**【AB】Ⅱ　ＲはＳより４時間早く閉店
18—19—20—21—22—23
Ｓが**23時閉店**なら、Ｒは**23－４＝19時閉店**
Ｓが**22時閉店**なら、Ｒは**22－４＝18時閉店**
2【ABEF】Ｐと Ｑが２時間差、ＱとＴも２時間差なので、**ＰとＴは４時間差**となる。
18—19—20—21—22—23
Ｔが**18時閉店**なら、Ｐは**18＋４＝22時閉店**
Ｔが**19時閉店**なら、**Ｐ**は**19＋４＝23時閉店**
Ｔが**22時閉店**なら、Ｐは**22－４＝18時閉店**
Ｔが**23時閉店**なら、Ｐは**23－４＝19時閉店**
Ｐの閉店時間は、**18時、19時、22時、23時**。

19 **1**【BD】
Ⅰ　５人は１cmずつ大きさが異なる
Ⅱ　ＲとＳの差は１cm
Ⅲ　ＰとＱの差は２cm
ＲとＳの差は１cmなので、**ＲＳ**（または**ＳＲ**）は間に誰も入らないワンセットになる。
ＰとＱの差は２cmなので、間に誰か１人だけ入る。ワンセットの**ＲＳ**はＰとＱの間には入らないので、**ＰＴＱ**（または**ＱＴＰ**）でワンセットになる。従って、大きい順に、
ＰＴＱＲＳ　または　**ＲＳＰＴＱ**　となる。
Ｔは2番目か4番目。**ＱＴＰＲＳ**、**ＳＲＱＴＰ**などの並びもありえるがＴの順番は同じ。
2【BCDE】**Ｐ**が**25**cmでＲより大きいので、
ＰＴＱ（または**ＱＴＰ**）＞**ＲＳ**（または**ＳＲ**）
ＰＴＱＲＳ＝**25**　24　23　22　**21**
ＰＴＱＳＲ＝**25**　24　23　**22**　21
ＱＴＰＲＳ＝27　26　**25**　24　**23**
ＱＴＰＳＲ＝27　26　**25**　**24**　23
のいずれかになる。

20 ＳはＴの次で、ＱとＳの間に２人なので、早い順に並べると、
○Ｑ○ＴＳ、**Ｑ○ＴＳ○**、**ＴＳ○○Ｑ**
の３通り。
1【CE】5時に間に合ったのは2人で、4時50分のＰは５時前の１人目か２人目に入るので、
ＰＱＲＴＳ、**ＱＰＴＳＲ**　の2通り。
従って、**Ｒは３番目または５番目**。
2【ABCD】Ｐが５時10分に到着した場合、Ｐは３人目以降となるので、
ＲＱＰＴＳ、**ＱＲＴＳＰ**、**ＴＳＰＲＱ**、**ＴＳＲＰＱ**
従って、**Ｒは１番目、２番目、３番目、４番目**。

21 **1**【ADEG】
Ⅰ　Ｓは水曜日
Ⅱ　Ｐの４日後にＲなので、**Ｐ○○○Ｒ**。
また、Ｐの翌日にＱなので、**ＰＱ○○Ｒ**。
水曜日に **Ｓ** を入れてから、１週間に**ＰＱ○○Ｒ**を当てはめていくと、次の通り。

月	火	水	木	金	土	日
Ｐ	Ｑ	Ｓ	○	Ｒ		
Ｒ		Ｓ	Ｐ	Ｑ	○	○
○	Ｒ	Ｓ		Ｐ	Ｑ	○
Ｑ	○	Ｓ	Ｒ			Ｐ

Ｐは、月、木、金、日曜日。
【別解】**ＰＱ○○Ｒ**に２日分たして、**○○ＰＱ○○Ｒ**と表すと、Ｓの水曜日は○のうちのどこかに当てはまる。求めるのはＰの曜日なので、Ｐの曜日が確定できるように、○に水曜日を当てはめていくと、次の通り。
○　○　**Ｐ**　**Ｑ**　○　○　**Ｒ**　（左の○○は右でもよい）
水　木　**金**
　水　**木**
　　月　火　水
　　日　月　火　水
2【ABDF】Ｐの４日後にＲ、Ｐの２日後にＱなので**Ｐ○Ｑ○Ｒ**。１週間に、**Ｓ**の水曜日と、**Ｐ○Ｑ○Ｒ**を当てはめていくと、次の通り。

別冊解答・解説 ▼ 推論【順序】

月	火	水	木	金	土	日
	P	S	Q	○	R	
R		S	P	○	Q	○
○	R	S		P	○	Q
○	Q	S	R			P

Rは、月、火、木、土曜日。

【別解】Sの水曜日は○のうちのどれかになるので、考えられるパターンは次の4つ。

P ○ Q ○ R ○ ○ （右の○○は左でもよい）
水 木 金 **土**
水 **木**
火 水
月 火 水

22 **1**【BF】条件に従って、1番目のPから順に考えていくと、配達の順序は次の2通り。

P Q R S T U
1 3 2 4 5 × ←×は配達されない家
1 × 2 3 5 4 **QとUが**×

2【DF】5番目のQから順に考えていくと、配達の順序は次の3通り。

P Q R S T U
4 5 3 2 × 1
× 5 4 2 3 1
× 5 4 1 3 2 ←**SとUが**1

3【A】5番目のUから順に考えていくと、配達の順序は次の2通り。

P Q R S T U
× 1 3 2 4 5
× 2 3 1 4 5 ←**Pが**×

23 **1**【EG】一番背の高い**Pが170cm**。

Ⅰ Pは**Qと2cm差**なので、
Qは、**170－2＝168cm**

Ⅱ Qは**Tと1cm差**なので、
Tは、**167cm**か**169cm**。

2【CG】**172－166＝6cm差**を満たす並びを考える。条件にある2cm差、1cm差、3cm差を合計すると**6cm**となる。

Ⅰ **PはQと2cm差、Sと1cm差**である

Ⅱ **QはRと3cm差**、Tと1cm差である

以上の条件より、**SとRが6cm差**と考えられる。172cmから166cmまでをメモして、条件に一番多く登場する**Q**を中央値の169cm、Rを3cm差の166cmにおくと、次の通り。

172 171 170 169 168 167 166
S P T Q T ○ R

S P T Q T ○ R で、SからRまでが6cm差となり、**Pは171cm**となる。

逆に、Rを一番背が高い172cmとすれば、次のように、**Pは167cm**となる。

172 171 170 169 168 167 166
R ○ T Q T P S

24 **1**【ABC】条件に記号が2回ずつ出ているK、M、Nの関係をメモにする。

K← 50円 → N ←150円 →M
K←――――200円――――→M

KNMまたはMNKの順で高いことがわかる。

KNM…LがKより安い場合は**K**が一番高く、LがKより高い場合は**L**が一番高い。

MNK…KとLにかかわらず**M**が一番高い。

【別解】適当な値段を当てはめて考えてもよい。

K＝1000円とする。

Ⅰ KとLの差は100円
→Lは1100円または900円

Ⅱ KとNの差は50円
→Nは1050円または950円

Ⅲ MとNの差は150円
→N1050円→**M1200円**または900円
→N950円→M1100円または**800円**

K1000円とMの差が200円になるのは、Mが**1200円**または**800円**のとき。

M1200円→N1050円、L1100円または900円。K1000円。**M**が一番高い。

M800円→N950円、L1100円または900円。K1000円。

Ｌが1100円のときは**Ｌ**が一番高い。
Ｌが900円のときは**Ｋ**が一番高い。
従って、**Ｋ**、**Ｌ**、**Ｍ**が一番高い可能性がある。

2【D】各条件で確定できる値段をメモする。
ア　Ｋ(1000円)はＮ(950 円または 1050 円)より高い
→**Ｎ 950 円**が確定。Ｎと 150 円差の**Ｍ**は 800円か**1100円**。
イ　Ｌ(900円または1100円)はＭより安い
→**Ｌ 900円**のとき**Ｍ1100円**または1200円。
→Ｌ 1100円のときＭ1200円。
ウ　Ｎ(950円または1050円)はＭより安い
→Ｍは1100円または1200円。(ＮとＭの値段は確定しない)
問題文より、Ｋ1000円。アで**Ｎ950円**が確定する。イが加わると、**Ｍ1100円**、**Ｌ 900円**が確定する。
アとウの条件のみではＮ950円、Ｍ1100円は確定するが、Ｌが確定しない。イとウの条件のみでは何も確定しない。

25 **1**【ABDEF】Ⅰで「ＰＱ」が、Ⅱで「ＲＳ」がそれぞれ**ワンセット**になる。Ⅲより、**水曜日**はＴとＵ以外である。ＴとＵが**水曜日**に来ないように、ＰＱ、ＲＳを月～土曜日にはめ込むと、以下の４パターンとなる。
① 月　火　**水**　木　金　土
② 月　火　**水**　木　金　土
③ 月　火　**水**　木　金　土
④ 月　火　**水**　木　金　土
Ｕは、赤下線以外の曜日なら来ることができるので、**月・火・木・金・土**。

2【ACEF】**1**の①～④で、ＴとＵが土曜日に来ないパターンは③と④。③で火曜日に来るのは、それぞのセットで先に来るＰかＲ。④で**火曜日に来るのはＴかＵ**。

26 **1**【BC】「必ずしも誤りとは言えない推論」とは、成り立つ可能性がある推論のこと。
Ⅰ　Ｑは３番目
Ⅱ　ＰはＲ、Ｔより先
　→Ｐは１番か２番
　Ｒ、Ｔは１番ではない
Ⅲ　最後はＴではない
以上を表にする。

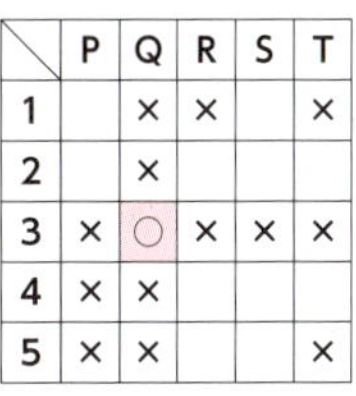

	P	Q	R	S	T
1		×	×		×
2		×			
3	×	○	×	×	×
4	×	×			
5	×	×			×

Ａは必ず誤り、**ＢとＣは可能性あり**。

2【B】条件ABCを点検する。
Ａ　Ｔは2番目…Ｐが1番目でＲとＳは不明。
Ｂ　Ｒは4番目…**Ｔは2番目**。**Ｐは1番目**、最後に残った**Ｓが5番目**。すべて確定できる。
Ｃ　Ｓは5番目…Ｐが1番目でＲとＴは不明。
【別解】下のようにメモしても解ける。

①	②	③	④	⑤
PS	**Q以外**	**Q**	**RST**	**RS**

27 **1**【C】順位だけに注目する。
Ⅱ　Ｒ(第１レーン)の隣の走者が**❶位**
Ⅰ　ＱはＲ(第１レーン)の走者の２つ下
　→Ｒが**❷位**でＱが**❹位**
従って、Ｓは残った**❸位**に決定。

❷	❶	❹	❸
Ｒ	Ｐ	Ｑ	Ｓ
第１レーン	第２レーン	第３レーン	第４レーン

2【BD】これも順位だけに注目する。
Ⅰ　Ｑ(**❸位**)は第１レーンの走者の２つ下 → 第１レーンが**❶位**
Ⅱ　Ｒの隣の走者が**❶位**→Ｒは**❶位**ではない。
　従って、Ｒは残った**❷位**か**❹位**に決定。
【別解】第１レーンの２つ下のＱが**❸位**なので、第１レーンが**❶位**。Ｒの隣のレーンが**❶位**なので、Ｒは第２レーン。Ｓは第４レーン。Ｑは**❸位**で第３レーン。残ったＰが第１レーンで**❶位**。

従って、Rは❷位か❹位。

※別解のように、順位とレーンをいっしょに考えると、解答に時間がかかります。推論は、解答に必要な条件だけで考えるようにしましょう。

㉘ 1【C】場合分けで考える。

Ⅰ　PはQよりも上の学年…P＞Q

Ⅱ　RはSよりも上の学年…R＞S

Ⅲ　PとRは同じ学年ではない

Pが3年の場合…Qは2年か1年。Rは2年。

	3年	2年	1年
①	P	Q R	S
②	P	R	Q S

Pが2年の場合…Sは2年か1年。Rは3年。

	3年	2年	1年
③	R	P S	Q
④	R	P	Q S

表の4パターンなので、Cが間違っている。

2【B】「Qは2年生である」が加われば、4パターンのうちの①に確定できる。

㉙ 条件を整理して考える。

Ⅰ　**身長 P＞S**

Ⅱ　**年齢 S＞R＞Q**

1【CD】PがRより年上なので、年齢は、

年齢 S P＞R＞Q

Qが最年少で最も身長が高くなる。

身長 Q＞P＞S

身長が最も低い可能性があるのは、RとS。

2【ABC】身長は**P＞S**なので、Pは身長が最も低い最年長ではない。年齢は**S＞R＞Q**なので、Sが最年長で身長が最も低い。身長について、これ以外のことは確定できない。従って、2番目に身長が高い可能性があるのは、**P、Q、R**。

㉚ 1【B】当たりを●（赤字）、はずれを×（黒字）とする。

Ⅰ　はずれは連続しない…5本中3本ははずれなので、×●×●×に確定する。

Ⅱ　最初に当たりを引いたのはP…当たりのPは2番目で、「×P×●×」に確定する。

Ⅲ　QはTよりも先に引き、Tははずれ…Tは3番目または5番目に確定する。

Tが3番目…QPT●×←Qが1番目ではずれに確定。

Tが5番目…×P×●T←Qは1、3、4番目のいずれか。

以上より、推論する。

A　Rは2番目に引いた…2番目はPに確定しているので、誤り。

B　Sははずれだった…Sは当たりかはずれかが確定しないので、**必ずしも誤りとはいえない。**

C　Tは4番目に引いた…Tは3番目または5番目に確定しているので、誤り。

2【C】1で確定している以下の2通りで考える。

Tが3番目…QPT●×

Tが5番目…×P×●T

ア　Qは1番目に引いた → QP×●×

QP以外は確定しない。

イ　Tは最後に引いた →×P×●T

PT以外は確定しない。

ウ　Sは5番目に引いた →×P×●S

Sが5番目なので、「**Tが3番目…QPT●×**」のパターンで、QPT●Sに確定できる。残る●にはRが入る。

→ QPTRS

よって、**ウだけ**で全員のくじを引いた順番と当たりはずれを確定できる。

※条件を整理して、メモを取る方法を覚えることが、推論攻略の近道です。

3 推論【内訳】 ▶本冊42〜47ページ

31【BC】Ⅰ〜Ⅲと、「Sが女性で旅行先がフランス」という条件を表にすると、下の空欄以外の部分が確定する。

P	Q	R	S	T
		③男	①女	③男
②国内	②国内	④イ	①フ	⑤ア

①Sは女性でフランス（フ）
②P、Qは国内旅行
③男性2人が海外旅行 →RとTは男性
④Rの旅行先はヨーロッパ →イタリア（イ）
⑤残る海外旅行者Tはアメリカ（ア）

A　Pは男性…残りは男女1人ずつなので、Pは男性とは限らない。

B　Rは男性…**必ず正しい**

C　Tはアメリカ…**必ず正しい**

【別解】男性のうち2人が海外旅行なので、海外は、男性2人と女性1人。Rのヨーロッパはイタリアかフランスだが、フランスへ行ったのは女性のSなので、Rは男性でイタリア。残った男性の海外がTでアメリカに確定する。国内旅行の男女PQは、性別も行き先も確定できない。

男	男	男	女	女
海外	海外	国内	海外	国内
R	T	PQ	S	PQ
イ	ア		フ	

32【F】P＞Q＞R＞Sが成り立てばよい。

ア　160のうち、Pが70で残り90。Sが30で残り60。60を分け合うQかRがSより少なくなるので、成り立たない。

イ　2位のQが60なら、1位のPは最少でも61。残りは160－(60＋61)＝39。Rが29、Sが10などでも**成り立つ**。

ウ　3位のRが49なら、P、Qは、最少で51、50。以上を160から引けば、4位のSが、160－(49＋51＋50)＝10で**成り立つ**。

33【E】4色は最低1個。同じ個数はない。

Ⅰ　赤以外の2色の玉が3個ずつ

→白・黄・緑は、最少でも3個・4個・1個ある。白＋黄＋緑＝8個以上で、赤は12個以下。

Ⅱ　赤は7個以上

Ⅲ　赤が最多で白が最少

ア　すべてが奇数個のとき、最少の白が1個でなければ白3、黄5、緑7、赤9で合計24個になってしまうので**白は必ず1個**である。

イ　赤10、黄5、緑4、白1でも成り立つ。白は2個とはいえない。

ウ　最少の白が3個なら、黄と緑は最低4個と5個。20－(3＋4＋5)＝8(赤8個)で成り立つ。白が4個なら、20－(4＋5＋6)＝5(赤5個)で成り立たない。**白は必ず3個以下**である。

34【E】合計と全体40人との差を考える。

ア　40人のうち、ドイツ語とスペイン語の2カ国語を話せる人は最少でも、

29＋18－40＝7人

少なくとも7人いるという推論は、**必ず正しいといえる**。

イ　40人のうち、フランス語と中国語の2カ国語を話せる人は最少でも、

32＋20－40＝12人

さらにスペイン語も話せる人は、最少でも

12＋18－40＝－10

0以下なので、フランス語と中国語とスペイン語を話せる人が0人の場合もある。少なくとも1人いるという推論は、**必ず正しいとはいえない**。

ウ　40人のうち、まずフランス語とドイツ語の２カ国語を話せる人は最少で、

32＋29－40＝21人

さらに中国語も話せる人は、最少で、

21＋20－40＝1人

少なくとも１人いるという推論は、**必ず正しいといえる**。

35【C】番号の合計で考える。

ア　Qが「１１４４」の場合に合計10となり、10より大きいとはいえない。

イ　Pの合計が９以下でも、１が２個でない「１２２３」「１２３３」のパターンがある。

ウ　Pの合計が7のときは「１１２３」となる。４が入ると最小でも「１１２４」で8。Pが7以下なら、**Qには必ず４が２個入る**。

36【E】PとQの色で場合分けしていると時間がかかる。黄４本、白３本、赤３本の線を引いて、最初にＳの黄と白を消す。

黄４　ＩＩＩ~~Ｉ~~　…残り3本
白３　ＩＩ~~Ｉ~~　…残り2本
赤３　ＩＩＩ　…残り3本

残りは黄３本、白２本、赤３本。条件より、PとQの色の組み合わせは同じなので、PとQは２色が２本ずつとなる（例：Pが黄白ならQも黄白で、黄２本と白２本）。またＲは２本とも同じ色（例：赤２本）なので、結果、P、Q、Rの３人で黄・白・赤を２本ずつ（計6本）分けたことになる。

黄４　ＩＩＩ~~Ｉ~~　…残り1本
白３　ＩＩ~~Ｉ~~　…残り0本
赤３　ＩＩＩ　…残り1本

Tは残った黄色と赤に確定できる。

37 **1**【D】内訳を求める集合問題。参加が100人で名前は70名なので、PとQ両方の参加人数は、参加人数と名前の数の差になる。

100－70＝30人

Pの定員は50人で30人が両方参加なので、Pだけに参加した人は、

50－30＝20人

2【C】**1**同様、Qだけに参加した人は20人。

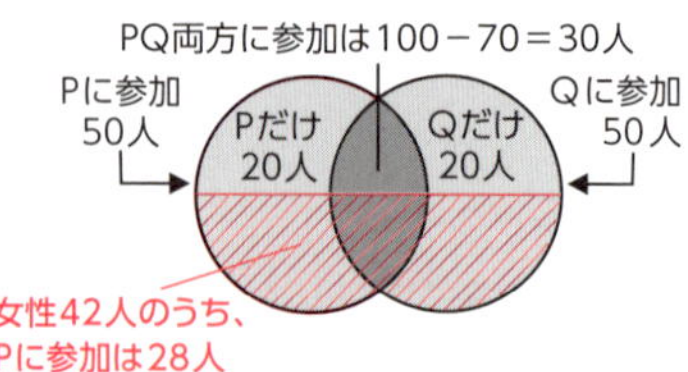

Qだけに参加した女性は、女性42人からセミナーPに参加した女性28人を引いて、

42－28＝14人

Qだけに参加した男性は、Qだけに参加した20人からQだけに参加した女性14人を引いて、

20－14＝6人

38 **1**【AB】P、Q、R、S、T、Uの6人の弁当の種類を、先頭の３人「ＰＱＲ」と後ろの３人「ＳＴＵ」で分けて考える。

Ⅰ　Q、R、S、T、Uは、直前の人と同じ種類の弁当は買わなかった

Ⅱ　SとUは異なる種類の弁当を買った

和食を**和**、洋食を**洋**、中華を**中**とする。

・ＰＱＲの組み合わせ

Pが**和**の場合、次のQ、Rは直前の人と異なる種類を選ぶので、

①**P和→Q洋→R和か中**

②**P和→Q中→R和か洋**

のいずれかになる。つまり、「ＰＱＲ」の**３人で洋は１個か０個**。

・ＳＴＵの組み合わせ

Ⅰより直前の人と同じ種類の弁当は買わないので、SとT、TとUは異なる。ⅡよりSとUは異なるので、結果ＳＴＵは３人とも異なる種類の弁当を１個ずつ（**洋は１個**）買うこと

になる。

例…S和→T洋→U中、S中→T洋→U和
従って、先頭の３人と合計すると、６人全体で**洋を買った人は１人か２人**。

2【CD】1より、ＳＴＵの弁当はすべて異なる。Ｒは、隣のＳ、またＴとも異なるので、結果ＲとＵは同じ弁当になる。Ｑは、隣のＰまたＲ（＝Ｕ）と異なるので、**Ｑと同じ弁当は、ＰＲＵ以外のＳかＴ**。

例…**P和→Q洋か中→R和→S洋→T中→U和**

39【E】４月から９月までの**６か月間で15回**。**５月は２回**に決まっているので、残りは**13回**になる。最後の15回目は必ず9月に来る。9月から考える。
①９月に1回だけ（15回目）なら、残りの４、６、７、８月で合計**12回分**で3回ずつになる。12回目は、必ず８月（12、13、14回目）に来る。

4月	5月	6月	7月	8月	9月
3	2	3	3	3	1

②9月に２回（14、15回目）なら、残りの４、６、７、８月で11回分。８月に最低でも２回分（12、13回目）が来る。

4月	5月	6月	7月	8月	9月
3	2	3	3	2	2

③9月に3回（13、14、15回目）なら、12回目は必ず直前の８月に来る。

4月	5月	6月	7月	8月	9月
3	2	3	3	1	3

従って、**12回目は８月**。

40 1【ABC】条件よりＰ≠Ｑ、Ｑ≠Ｒ、Ｐ≠Ｒ。ＰＱＲの３人で２種類では、例えばＰ紅茶≠Ｑコーヒー≠Ｒ紅茶となって成り立たない。つまり、ＰＱＲの３人で３種類を注文したはずなので、３人のうち１人は必ずジュースになる。従って、**ジュースを注文した可能性があるのはＰＱＲ**。
2【ACE】Ｑが紅茶なので、残った注文は、紅茶１、コーヒー２、ジュース１。

Ｐは**Ｑ（紅茶）と違うコーヒーかジュース**。

Ｒは**Ｑ（紅茶）と違うコーヒーかジュース**。

Ｔは紅茶以外で、コーヒーかジュース。

従って、紅茶はＳに決定する。**ジュースを注文した可能性があるのは、ＰＲＴ**。

41 1【ADEH】14日間のうち、Sが10日目～14日目に使用するので、残りの１日目～9日目で考えればよい。Ｐ２日間・Ｑ３日間・Ｒ４日間の組み合わせは、以下の4パターン。
1 2／3 4 5 6 7 8 9（ＱＲは順不同）
1 2 3／4 5／6 7 8 9
1 2 3 4／5 6／7 8 9
1 2 3 4 5 6 7／8 9（ＱＲは順不同）
Pが使用する初日は、1、4、5、8日目。

42 1【CD】男性３人・女性３人のうち、
Ⅰ　**ＰＱ**は異性…残りは男２人・女２人
Ⅱ　**ＲＳ**は同性…**ＲＳ**は男２人または女２人
従って、**ＴＵ**は**ＲＳ**とは異性になる。また、**ＲＳ**は**Ｔ**とペアではないので、**Ｔ**とペアになるのは、**Ｐ**または**Ｑ**となる。異性を上下に分けると、下の通り。

P　R　S
Q　T　U　←＼＼はペア

▲図の**Ｐ**と**Ｑ**は入れ替え可。
ＵとペアになりうるのはＲとＳ。

2【CDE】1より、**Ｔ**が男性とわかると、**ＲＳは女性、Ｕは男性**に確定する。**Ｐ**と**Ｑ**の性別は確定できない。**Ｔ**が女性の場合でも、確定できる人は同じ。

43 1【AB】６人で3カ所の内訳は**4人/1人/1人、3人/2人/1人、2人/2人/2人**のいずれかだが、「Rは1人で1カ所」「階段は2人」なので、**3人/2人/1人**に確定できる。

教室　R１人またはR以外の３人

廊下　R１人またはR以外の３人

階段　２人

A　階段は２人なので、Rが１人で掃除したのは教室または廊下。

B　SとTが同じ場所を掃除したかどうかはどちらともいえない。

C　Uは必ず誰かと同じ場所を掃除したので間違い。

2【BC】

A　Rは廊下…

教室○○○、廊下R、階段○○

B　Sは教室…

教室○○S、廊下R、階段○○

C　Tは階段…

教室不明、廊下不明、階段T○

PとQは同じ場所を掃除したので、BとCで、**教室PQS、廊下R、階段TU**に確定できる。

44 **1**【CEF】同じ種類のアイスを食べた人はいないので、抹茶(**ま**)は１人で、あずき(**あ**)は２人で、ミルク(**ミ**)は３人で食べたことがわかる。

ま　ああ　ミミミ

Ⅲ　PとQは少なくとも１本は同じ種類のアイスを食べた…**あずき**か**ミルク**

①PとQであずき１本ずつ食べた場合

ま　ああ　ミミミ　←PQがあずき

ここで、「Ⅳ　RとSは同じ種類のアイスを食べなかった」ので、RとSの一方は**抹茶**、もう一方は**ミルク**に確定。

ま　ああ　ミミミ　←RSが抹茶とミルク

残ったミルク２本は、**PとQ**に確定。

以上より、**Qが食べたのは、「F　あずきとミルク」**に確定。

②PとQでミルク１本ずつを食べた場合

ま　ああ　ミミミ　←PQがミルク

Pは少なくともあずき１本を食べたので、

ま　ああ　ミミミ　←Pがあずき

Pは2本食べた。残りは３種類が１本ずつ。

・RとSの2人で３種類…**Qが食べたのは、「C　ミルクだけ」**に確定。

・RとSの2人で２種類…Q1人でミルク2本は食べないので、RとSは「抹茶・ミルク」または「あずき・ミルク」のどちらか。

Qが食べたのは、「E　抹茶とミルク」または「**F　あずきとミルク**」のどちらか。

【別解】考え方は上と同様だが、下のような表をメモして考えてもよい。

	P	Q	R	S
①	あ ミ	あ ミ	ま	ミ
②	ミ あ	ミ あ	ま	ミ
②	ミ あ	ミ ま	あ	ミ

2【CF】**1**より、PとQでミルク１本ずつ、計２本を食べたことは確実なので、

ま　ああ　ミミミ　←PQがミルク

Rが２本（３種類のうち２種類）を食べたので、Ⅳより、Sが食べたのは、Rが食べていない１種類１本だけ。つまり、RとSで３種類のアイスを１本ずつ食べたことになる。

ま　ああ　ミミミ　←RSで３種類１本ずつ

残りはあずき１本。あずきはPかQが食べたことになるので、**Qが食べたのは、「C　ミルクだけ」**または「**F　あずきとミルク**」のどちらか。

45 **1**【ABCD】

○経験あり。×経験なし。△どちらでも可。

① Qにスキー経験がある場合

	スキー2人	ゴルフ
P＝スキー	○	△
Q＝どちらか	○	×
R＝どちらも	×	×
S	×	△

② Qにスキー経験がない場合

・Rにどちらの経験もある場合

	スキー2人	ゴルフ
P＝スキー	○	△
Q＝どちらか	×	○
R＝どちらも	○	○
S	×	△

・Rにどちらの経験もない場合

	スキー2人	ゴルフ
P＝スキー	○	△
Q＝どちらか	×	○
R＝どちらも	×	×
S	○	△

全員にゴルフ経験がある可能性がある。

2【C】

① Qにゴルフ経験がある場合

	スキー2人	ゴルフ1人
P＝スキー	○	×
Q＝どちらか	×	○
R＝どちらも	×	×
S	○	×

② Qにゴルフ経験がない場合

	スキー2人	ゴルフ1人
P＝スキー	○	△
Q＝どちらか	○	×
R＝どちらも	×	×
S	×	△

確実にスキー経験がないのはRだけ。

※できなかった問題は、解説を読んで終わりではなく、いったん時間をおいて、自力で解けるようにしておきましょう。

別冊解答・解説

4 推論【整数】 ▶本冊50～59ページ

46【BCDE】各階(2世帯ずつ)の人数は、

1階…Ⅲ、Ⅳより3人世帯のQとRで6人。

2階…Ⅰより、単身世帯はないので、最少1世帯2人。2世帯なので**最少で4人**

3階…2世帯なので**最少で4人**

2階・3階は、**最多で17－6－4＝7人。**

従って、**2階には4～7人**が住んでいる。

【別解】6世帯で**17人**、Q、R、Tは3人世帯なので、Q、R、Tは合計で**3×3＝9人**。P、S、Uの3世帯合計は**17－9＝8人**で、各世帯2人以上なので、P・S・Uは(**4・2・2**)または(**3・3・2**)。また、QとRが1階なので、2階はP・S・U・T(**3**)のうちの2世帯。2階の人数の組み合わせは(**2・2**)、(**2・3**)、(**2・4**)、(**3・3**)、(**3・4**)で、2階は、4人、5人、6人、7人のいずれかとなる。

47【D】数式で解ける。

ⅠとⅡより、X－Y＝Z → X＝Y＋Z

ⅠとⅢより、Z＝Y－3

X＝Y＋Z＝Y＋(Y－3)＝2Y－3

全部で30個なので、X＋Y＋Z＝30。

これをYだけの式にして、

(2Y－3)＋Y＋(Y－3)＝4Y－6＝30

Y＝(30＋6)÷4＝9個

48 1【AC】4人合わせて8匹なので、Rが3匹のとき、P・Q・Sは合わせて5匹となる。数の組み合わせは、(**2・2・1**)か(**3・1・1**)。

(**2・2・1**)…PとQは同じ数のペットを飼っている人がいるので、**PとQが2匹**で、**Sは1匹**。

(**3・1・1**)…P・Q・Sのうち誰か1人が3匹となるが、**Rも3匹**なので、どの場合でも条件Ⅱ、Ⅲを満たす。**Sは1匹または3匹。**

2【ABCE】4人合わせて8匹なので、数の組み合わせは、次のいずれか。
(2・2・2・2) (3・2・2・1) (3・3・1・1) (4・2・1・1) (5・1・1・1)
P、Q、Sにはそれぞれ同じ数のペットを飼っている人がいるので、**(3・2・2・1)** と **(4・2・1・1)** は不適。
(2・2・2・2) …**Rは2匹。**
(3・3・1・1) …**Rは1匹または3匹。**
(5・1・1・1) …P、Q、Sは1匹。**Rは5匹。**

49 **1**【E】全体、男子、女子別に整理する。
Ⅲ　学生500人のうち170cm以上の学生が150人なので、170cm未満は、
500－150＝350人
Ⅱ　170cm未満350人のうち170cm未満の女子が190人なので、170cm未満の男子は、
350－190＝160人
2【C】男子学生の身長別に整理する。
Ⅰ　160cm以上の男子は270人なので、170cm以上の男子が140人以下なら、
160cm以上170cm未満の男子は、
270－140＝130人以上
1より、**170cm未満の男子**は**160人**。
従って、**160cm未満の男子**は、
160－130＝30人以下
つまり、**最も多くて30人**。
なお、170cm以上の男子が少なくなればなるほど、160cm未満の男子も少なくなる。
例：170cm以上が120人のとき、160cm以上170cm未満は、270－120＝150人。160cm未満は160－150＝10人。

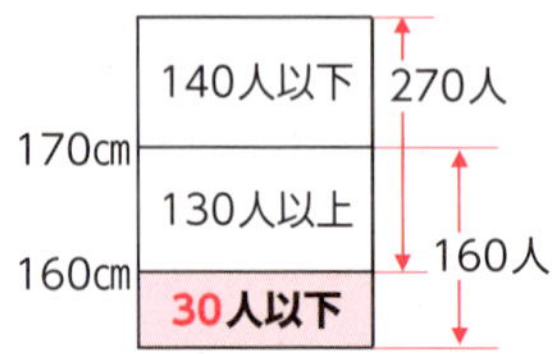

50 **1**【ABD】
A　Rが最大
B　S＝7…AとBより、Rは8か9。
C　R＝T＋4
D　PとSだけが奇数(Q、R、Tは偶数)
…A、B、Dより、R＝8が確定する。
2【F】**1**より、**R＝8、S＝7、T＝8－4＝4**
DとⅠより、Pの数は奇数で3番目に大きい。
DとⅡより、Qの数は偶数で最小。

R	S	P	T	Q
8	7	奇数	4	偶数

Pの奇数は5、Qの偶数は2に確定できる。
従って、5人の数はすべて確定できる。

51 **1**【I】
Ⅰ　Pの3つの数字の和は20
Ⅱ　Qには8のカード
和が20になるPの組み合わせは、
Qの8を除くと、次の2通り。
①**9＋7＋4＝20**
②**9＋6＋5＝20**
Pが必ず持っているのは、9だけ。
2【BCEG】**1**より、Pの組み合わせは次の2通りで、8はQ。数字を消していく。
①**9＋7＋4＝20**
→残りは、**1 2 3 ~~4~~ 5 6 ~~7~~ ~~8~~ ~~9~~**
Rの3つの数字の積は12になるので、
6×2×1＝12
→残りは、**~~1~~ ~~2~~ 3 ~~4~~ 5 ~~6~~ ~~7~~ ~~8~~ ~~9~~**
Qに配られた数字は、**8**と、**残った5と3。**
②**9＋6＋5＝20**
→残りは、**1 2 3 4 ~~5~~ ~~6~~ 7 ~~8~~ ~~9~~**
Rの3つの数字の積は12になるので、
4×3×1＝12
→残りは、**~~1~~ 2 ~~3~~ ~~4~~ ~~5~~ ~~6~~ 7 ~~8~~ ~~9~~**
Qに配られた数字は、**8**と、**残った7と2。**
従って、Qが8以外に持っている可能性のある数字は、**2、3、5、7**。

52 1【ABEF】誰が３点かで場合分けする。
Aが３点…AはBより3点高いので、Bは0点。
Bが３点…AはBより3点高いので、Aが6点となり、不適。
CとDのいずれかが３点…CとDの得点をたすと－1点になるので、もう一方が－4点となり、不適。
従って、**Aが3点、Bが0点**に確定できる。
－3、－2、－1、0、1、2、3
このとき合計－１点になるC・Dが取り得る得点は、次の２通り（順不同）。
(2・－3)または**(1・－2)**
Dの得点はこのいずれかとなる。
2【BDE】CがBより１点高く、AはBより３点高いので、(**A＞C＞B**)…**D**が取り得る得点は、次の４通り。
(3＞1＞0)…－2
(2＞0＞－1)…－1←Bと同じ得点で不適
(1＞－1＞－2)…0
(0＞－2＞－3)…1
従って、**Dの取り得る得点は－2、0、1点**。

53 1【BD】値段の和と差で考える。左から①②③④⑤とする。和が800円になる①・③の組み合わせは(**300円**・500円)か(400円・400円)。差が200円になる③・⑤の組み合わせは(**300円**・500円)のみ。300円は1冊なので、③がAの300円で、①と⑤が500円に決定。**400円のBは②か**④に入る。
2【ACE】③以外の平均額が425円なので、③以外の①②④⑤の合計額は、
425×4＝1700円
5冊の合計額は、
300＋400×2＋500×2＝2100円
③は、**2100－1700＝400円**
平均額400円になる②・④の組み合わせは、(400・400)か(300・500)だが、③が400円なので、(400・400)の組み合わせはありえない。②・④は(300・500)に決定。以上より、400円のCの位置は、②④以外の①③⑤と考えられる。

54 1【AB】1人１冊以上で、４人で12冊。
Ⅰ　PはQの２倍の冊数　→**P＝Q×2**
Ⅱ　RはSより多く借りた　→**R＞S**
Qの冊数で場合分けして考えると次の7通り。
QP　RS → ①**12 81**　②**12 72**　③**12 63**
④**12 54**　⑤**24 51**　⑥**24 42**　⑦**36 21**
Aは⑥、Bは②のときに同じ冊数になるので、必ずしも誤りとはいえない。Cは必ず誤り。
2【AB】1の①～⑦の組み合わせで考える。
A → ④**12 54**　または　⑤**24 51**
B → ⑤**24 51**　または　⑦**36 21**
C → ③④⑤⑦のいずれか
AとBの情報を組み合わせれば、⑤に確定する。

55 1【CE】条件を整理する。
Ⅰ　Pは４人で、他の３つの世帯よりも多い
　→Pは４人、他は１人か２人か３人
Ⅱ　Sは他の３つの世帯よりも少ない
　→Sは１人か２人、QRは２人か３人
Ⅲ　４世帯の子供を合わせると男女同数
　→男女同数なので、合計人数は偶数
Sの子供が１人か２人で、場合分けする。
● Sの子供が１人の場合
　P　Q　R　S…合計人数
①4　3　3　1…11人←奇数なので×
②4　3　2　1…10人←偶数なので○
③4　2　3　1…10人←偶数なので○
④4　2　2　1…　9人←奇数なので×
● Sの子供が２人の場合
⑤4　3　3　2…12人←偶数なので○
子供の合計人数は、10人か12人。
2【ABCD】上の②③⑤で、Qの子供が女子である場合を考える。
P **Q** R S…合計人数（半分が女子の数）

別冊解答・解説 ▼ 推論【整数】

4 **3** 2 1…10人（女子5人）

▲女子5人のうちQ 3人で残り2人

4 **2** 3 1…10人（女子5人）

▲女子5人のうちQ 2人で残り3人

4 **3** 3 2…12人（女子6人）

▲女子6人のうちQ 3人で残り3人

従って、**Pの女子の数は0～3人**。

56 1【F】10店で果物、15店でアイスで、
10＋15＝25店
店の数は全部で20店なので、
果物とアイスの両方を売っている店の数は、
少なくとも、**25－20＝5店**

2【B】1より、果物とアイスの両方を売っている店の数は、少なくとも5店。この5店のうち、酒を売っている店を考える。16店で酒を売っているので、
(果物＋アイス)＋酒＝5＋16＝21店
全部で20店あるので、果物、アイス、酒のすべてを売っている店の数は、
少なくとも、**21－20＝1店**

【参考】例えば、全部で5店、果物4店、アイス3店の場合、4＋3－5＝2店は、必ず果物とアイスの両方を売っていることになる。何店でも同じこと。
下の図表のように覚えておくとよい。

	果物4店	アイス3店	両方売っている
5店	1		
	2		
	3	3	4+3−5=2
	4	2	ダブりは2店
		1	

集合のベン図でかけば、次の通り。

全部で5店

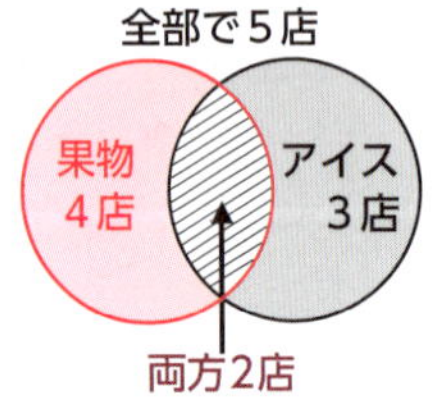

57 1【F】1両4人なら、**4人×5両＝20人**。23人はこれより**3人多い**。1両に最少4人、最多6人なので、**3人を増やす配分**を考えると、次の2通りの組み合わせになる。

①**4、4、5、5、5 …計23人**

②**4、4、4、5、6 …計23人**

Ⅱの3両目＞4両目、Ⅲの1両目＝5両目という条件を満たすよう、①と②の人数を各車両に配置すると下の通りとなる。

	1両目	2両目	3両目	4両目	5両目
①	5	4	5＞	4	5
②	4	4	6＞	5	4
		6	5＞	4	
		5	6＞	4	

以上4つのパターンですべてが同じ人数になる車両はないので、**乗車人数が確実にわかる車両はない**。

2【ACE】1両6人なら、**6人×5両＝30人**。28人はこれより**2人少ない**。1両に最少4人、最多6人なので、**2人を減らす配分**を考えると、次の2通りの組み合わせになる。

①**6、6、6、5、5 …計28人**

②**6、6、6、6、4 …計28人**

Ⅱの3両目＞4両目、Ⅲの1両目＝5両目という条件を満たすように、①と②の人数を各車両に配置すると下の通りとなる。

	1両目	2両目	3両目	4両目	5両目
①	6	5	6＞	5	6
②	6	6	6＞	4	6

以上2つのパターンで同じ人数になる車両は、**1両目、3両目、5両目**で、6人。

58 1【AH】1/2にして整数になる数は偶数なので、2倍の人と1/2の人がいるQとSは偶数で、6件では2倍の12件と合わせて総契約数の15件を超えてしまうので、**QとSは2件と4件**(2人とも2件、2人とも4件は数が合わない)。2件の1/2は**1件**、4件の2倍は

8件で、1+2+4+8＝15件。Pは1件か8件。

2【B】1より、1・2・4・8で、2と4はQとS。Rの契約数はQの2倍なので、Qが4件、Rが8件、Sは2件に確定する。

59 1【C】1回目でPが1位(2点)なので、2回目終了時に単独1位のRは、1、2回目で3点が必要。Rは、1回目が2位で1点、2回目が1位で2点なら3点になる。従って、A、Bは誤り。また、2回目終了時にRが単独1位なので、Pは2回目で0点が確定し、2回目の2位はQかS。よって、Cは正しい。

2【DF】3回目にQが2位だった場合、Rは1位(2点)、または3位以下(0点)。Rは2回目までに3点獲得しているので、3回目が終わった時点での合計点は、5点または3点。

60 1【CE】1人の年代はないので、50代は2人以上。40代は50代の2倍なので、40代の人数は4以上の偶数。60代が9人の場合、40代より20代が多く、20代より60代が多いので、20代は最大8人で40代は7人以下。従って、40代は4人または6人。

2【CF】10人以上の年代はないので、60代は9人、20代は8人。40代(50代の2倍)+50代は6＋3＝9人または4＋2＝6人。計30人なので、残る30代は4人または7人。

61 1【ACE】一番多いPが10匹なので、Q、R、Sは、合計25－10＝15匹で、各3匹以上9匹以下になる。このとき、QがRより2匹多くなる組み合わせは、

(Q、R、S)＝ (7、5、3)、(6、4、5)、(5、3、7)の3通り。 Sは、3、5、7匹。

【別解】Rをx匹(x≧3)とすると、

Qは、x+2(匹)、

Sは、15－x－(x+2)＝13－2x(匹)

x＝3のとき、Q、R、Sは(5、3、7)。

x＝4のとき、Q、R、Sは(6、4、5)。

x＝5のとき、Q、R、Sは(7、5、3)。

x≧6では、Sが3匹より少なくなってしまうので不適。よってSは3、5、7匹。

2【BCEF】ⅣのQ＝R＋2から考える。

(Q、R)＝(5、3)のとき…SはQより少ないので4匹。Pは25－5－3－4＝13匹で、条件を満たす。同様に考えて、

(Q、R)＝(6、4)のとき…Sは5匹または3匹。Pは10匹または12匹で、条件を満たす。

(Q、R)＝(7、5)のとき…Sは4匹または3匹。Pは9匹または10匹で、条件を満たす(Sが6匹の場合は、PがQと同数の7匹になるので不適)。

Qが8匹以上…Rは6匹以上、Pは9匹以上、Sは3匹以上で合計26匹以上となるので不適。

62 1【ADGJ】全部で15本で赤が5本以上、黄＋白は、15－5＝10本以下。黄と白の差が3本なので、組み合わせは、以下の3通り(黄と白は順不同)。ちなみに、差が奇数なら合計は奇数となるので黄＋白＝9、7、5。

黄＋白	赤	赤と黄の差
6＋3＝9	6	0 か 3
5＋2＝7	8	3 か 6
4＋1＝5	10	6 か 9

2【DE】上の表より、赤、白、黄の順で本数が多い場合は以下の2通り。

(赤、白、黄)＝(8、5、2) または (10、4、1)

従って、白は5本または4本。

63 1【GHKL】5人目が作業を終えたときの水量は、10－2＋2－3＋1＋1＝9ℓ。

5人目は、2ℓまたは3ℓの水を出すか、1ℓまたは2ℓの水を入れるかなので、4人目までは、(9＋2＝)11ℓ、(9＋3＝)12ℓ、(9－1＝)8ℓ、(9－2＝)7ℓのいずれか。

2【GJK】順に①②③④⑤として、④⑤に入る組み合わせで場合分けする。条件よりQは②に入り、Rより後にSが来る。

【①Q③PS】…①・③はR・T（順不同）なので、**10－3＋2＋1＝10ℓ**。

【①Q③RS】…①・③はP・T（順不同）なので、**10－2＋2＋1＝11ℓ**。

【①Q③PT】…①・③はR・Sなので、**10－3＋2＋1＝10ℓ**。

【①Q③ST】…①・③はP・R（順不同）なので、**10－2＋2－3＝7ℓ**。

64 **1**【AD】ⅢとⅣを式にすると、
Ⅲ…**P＝Q＋3**
Ⅳ…**R＝2S**
チョコレートが1個だけ残っていた場合、
P＋Q＋R＋S＝20－1＝19
Q＋3＋Q＋2S＋S＝19
2Q＋3S＝19－3＝16
2Q＝16－3S
(16－3S)÷2＝Q
また、各自2個以上なので、上の式より、
S＝2のとき、**Q＝5個**
S＝3のとき、Q＝3.5個で**不適**
S＝4のとき、**Q＝2個**
S≧5のとき、Q≦0.5個で**不適**。
従って、**Qは、2個か5個**。
2【ACD】6個食べた人で場合分けする。
P6個…Q3個で残り11個。Sは2個以上、RはSの2倍なので(S、R)＝(2、4)か(3、6)。残る個数は、**5個または2個**。
Q6個…P9個で残り5個。Sは2個以上、RはSの2倍で、個数が足りないので**不適**。
R6個…S3個で残り11個。Qは2個以上、PはQより3個多いので(Q、P)＝(2、5)か(3、6)。残る個数は、**4個または2個**。
S6個…R12個で残り2個となり、個数が足りないので**不適**。

65 **1**【C】
Ⅰ　独居(1人)世帯は20世帯
Ⅱ　高齢者がいる世帯は35世帯
独居世帯は20世帯なので、2人以上の世帯は100－20＝80世帯。この80世帯で高齢者がいる世帯が最も少なくなるのは、独居20世帯がすべて高齢者がいる世帯だった場合。
35－20＝15世帯

	独居世帯	2人以上の世帯
高齢者がいる世帯	20	**35－20＝15**
高齢者がいない世帯	0	80－15＝65
計	20	80

【別解】「2人以上」かつ「高齢者がいる」世帯をx世帯とすると、「2人以上」または「高齢者がいる」世帯は80＋35－x世帯。これが100世帯を超えることはないので、
80＋35－x≦100 → x≧15
2【E】2人以上の80世帯で、高齢者がいない世帯が最も少なくなるのは、独居20世帯がすべて高齢者がいない世帯だった場合、つまり、高齢者がいる35世帯がすべて2人以上の80世帯に含まれる場合である。従って、
80－35＝45世帯

	独居世帯	2人以上の世帯
高齢者がいる世帯	0	35
高齢者がいない世帯	20	**80－35＝45**
計	20	80

3【E】独居世帯20世帯の75%が高齢者がいる世帯なので、**20×0.75＝15世帯**。高齢者がいる2人以上の世帯は**35－15＝20世帯**。高齢者のいない2人以上の世帯は、
80－20＝60世帯
※整数の推論問題では、合計、最大の数、最小の数、数の差を読み取れば、ほとんどの問題は正解できます。早く解くには、これらの数の何に着目すれば良いかを見抜くことが必要です。

5 推論【平均】

▶本冊62〜65ページ

66 【DE】条件を式にする。

Ⅱ　P、Q、Rの平均は12個

P＋Q＋R＝12×3＝36個

P＋Q＋R＋S＋T＝50個なので、

S＋T＝50－36＝14個

Ⅳ　QとS、QとTはそれぞれ3個差

SとTは6個差または同じ個数だが、Ⅰより、同じ個数はないので**SとTは6個差**に確定。

S＋T＝14個で、6個差になる数なので、**SとTは4個と10個**に確定。よって、**10個配られた人はSかT**。

【参考】「S・T(4個・10個)」とQは3個差なのでQは7個。P＋Q＋R＝36個なので、

P＋7＋R＝36個

P＋R＝36－7＝29個

Ⅲ　PとRは11個差

P＋R＝29個で、11個差になる数なので、PとRは9個と20個に確定。以上より、

S＝4か10、T＝4か10、Q＝7、P＝9か20、R＝9か20。

67 1【B】Ⅰ〜Ⅲの条件からわかる英語の順位を左から得点が高い順にメモすると、

Ⅰ　**Q　S**

Ⅱ　**R P S**　または　**S P R**

Ⅲ　**Q　R**

Ⅰ〜Ⅲより、**Q R P S**　または　**Q S P R**となる。Qより低いSとRの平均がPなので、当然Pの得点はQよりも低くなる。

2【B】1より、

英語…**Q R P S**　または　**Q S P R**

また、Ⅳより、

数学…○○**Q S**

英語…Q R P Sの順番だと、数学最下位のSが平均点で最も低くなるが、Ⅴより、平均点はPが最も低いので、**Q S P R**に決定。

数学…英語でPより低いRが、平均点が最低のPより数学でも低いことはありえないので、数学は**R P Q S**に決定。

68 1【A】条件を式にする。

Ⅰ　L＝M

Ⅱ　(K＋L)÷2＝(M＋N)÷2＋5

この両辺に2を掛けると、

K＋L＝M＋N＋10

L＝Mなので、

K＝N＋10

従って、

A　KとNの点差は10点…**必ず正しい**

B　MとNの得点は等しい…

M＝N（K 20、L 10、M10、N 10）でも、

M≠N（K 15、L 10、M10、N 5）でも、

成り立つので、**どちらともいえない**。

C　Lの得点はKの得点より低い…

K 20、L 30、M30、N 10でも成り立つので、**どちらともいえない**。

2【AC】

A　Ⅰより、M30点ならL 30点だが、KとNは不明。

B　L＋M<N＋Kでも、点数は不明。

C　K＝(M＋N)÷2

K＝N＋10を代入して両辺に2を掛ける。

2(N＋10)＝M＋N

2N＋20＝M＋N

N＝M－20

CにAのM30点、L 30点が加われば、

N＝30－20＝10点

K＝10＋10＝20点

となり、すべてを確定できる。

69 **1**【AC】

Ⅱ　5店舗の平均点は3.6点なので、合計は、

3.6×5＝18点 ←5店の合計点

P、Q、Rの平均が4点なので、合計は、

4×3＝12点 ←P・Q・Rの合計点

[P・Q・R] は、

① **[4・4・4] [5・5・2] [5・4・3]**

残るSとTの合計点は、

18－12＝6点 ←SとTの合計点

[S、T] は、

② **[3、3] [5、1] [1、5] [4、2] [2、4]**

「Sを含めた3店舗が同じ点数」という条件を考えながら、上の①と②の点数の組み合わせを見比べていくと、次のように、Sが3点または5点という2パターンだけが成り立つ。

[S、T]が[3、3]…[P・Q・R]が[5・4・3]

[S、T]が[5、1]…[P・Q・R]が[5・5・2]

従って、**Tは3点か1点**。

【別解】SとTの合計点は6点。Sを含めた3店舗が同じ点数で、P・Q・Rの合計点は12点。

[S、T]＝[1、5] …P・Q・Rのうち1店舗が**12－1×2＝10点**となり、最高点5点を超えるので不適。

[S、T]＝[5、1] … P・Q・Rのうち1店舗が**12－5×2＝2点**となり、条件を満たす。

[S、T]＝[2、4] … P・Q・Rのうち1店舗が**12－2×2＝8点**となり、最高点5点を超えるので不適。

[S、T]＝[4、2] … P・Q・Rのうち1店舗が**12－4×2＝4点**となり、Sと同じ点数の店舗がSを含めて4店舗になるため不適。

[S、T]＝[3、3] … P・Q・Rのうち1店舗が3点。残り2店舗の合計点が**12－3＝9点**となり、一方が5点、もう一方が4点で、条件を満たす。

従って、**Tは3点か1点**。

2【DE】1店舗だけ1点のとき、残り4店舗の合計点は、

18－1＝17点

Ⅰより、残り4店舗のうちSを含む3店舗は同じ点数。**Sの点数を場合分け**して、**残る1店舗の点数**の適否を考える。

・Sが3点以下… 17－3×3＝8点以上

残る1店舗が最高点5点を超えるので不適。

・Sが4点… 17－4×3＝5点

[1・4・4・4・5]で、適。

・Sが5点… 17－5×3＝2点

[1・5・5・5・2]で、適。

以上より、**Sの点数は4点または5点**。

70 **1**【C】条件を式にする。

甲　PとQの合計＝19×2＝38円

乙　PQRの合計＝20×3＝60円

甲と乙より、

R＝60－38＝22円

A　PとQの合計＝38円、R＝22円。

例えばP＝23円、Q＝38－23＝15円なら、Rは最高にならないので、**必ず正しいとはいえない**。

B　PQRの平日平均は20円、日曜日平均は24円で、平均としては4円高いが、3カ所ともそれぞれ4円ずつ高いとは限らないので、**必ず正しいとはいえない**。

C　PQRの平日平均は20円、日曜日平均は24円で、**平均で4円高いので、3カ所合計で、4×3＝12円高い**ことになる。丙より、3カ所とも日曜日の方が高いので、1カ所だけで12円以上高いところがあると、他2カ所での差が0円以下になってしまうため、日曜日が12円以上高い練習場はない。**必ず正しいといえる**。

2【A】**P＋R＝19.5×2＝39円**

R＝22円なので、

P＝39－22＝17円

71 **1**【LV】
Ⅲ　RとSの平均が170cmで、Rが175cmなので、
S…170 × 2 − 175 = 165cm
Ⅰ　PとSの差は5cmなので、
P…160cmまたは170cm
Ⅱ　PとQの平均が168cmなので、
Pが160cmのとき、
Q…168 × 2 − 160 = 176cm
Pが170cmのとき、
Q…168 × 2 − 170 = 166cm
2【BKUZ】誰が180cmかで場合分けする。
Pが180cm…Sは180−5＝175cm、
Qは168×2−180＝156cm、
Rは170×2−175＝165cmで、適。
Qが180cm…Pは168×2−180＝156cm、
Sは156±5で161cmか151cm、
Rは170×2−161＝179cmで、適。
※S151cmはRが170×2−151＝189cmになるので不適。
Rが180cm…Sは170×2−180＝160cm、
Pは160±5で165cmか155cm、
Qは168×2−165＝171cmで、適。
※P155cmはQが168×2−155＝181cmになるので不適。
Sが180cm…Rは170×2−180＝160cm、
Pは180−5＝175cm
Qは168×2−175＝161cmで、適。
Pは、156cm、165cm、175cm、180cm。

72 **1**【E】国語は平均点3.3点で20人なので、国語の総得点は、
3.3 × 20 = 66点
(空欄)となっている3点と5点の合計点は、
66 − 1 − 2 × 3 − 4 = 55点
国語の3点と5点の合計人数は、
20 − 1 − 3 − 1 = 15人
5点の人数をx人とすれば、3点の人数は(15−x)人となり、次の式が成り立つ。
5x + 3(15 − x) = 55
これを解いて、**x＝5人**
2【D】(3.3＋2.6)÷2＝2.95　とするのは、国語と算数の人数が違うので間違い。国語と算数の総得点を国語と算数を合わせた人数(35人)で割ったものが答え。
(3.3 × 20 + 2.6 × 15) ÷ 35
= (66 + 39) ÷ 35 = 3点
【別解】国語の平均点が算数より0.7点高いので、国語と算数を合わせた人数（35）に対する国語の人数(20)の比率($\frac{20}{35}=\frac{4}{7}$)を0.7に掛けて、算数の平均点2.6に上乗せすると、平均が出る。

$$0.7 \times \frac{4}{7} + 2.6 = 0.4 + 2.6 = 3 \text{点}$$

3【C】最高点が6点になったのは、5点の人に1点(18人に1点ずつ)上乗せしたためと考えられる。その最高点6点を5点にするために、全員の点数に数値xを掛けたとあるので、数値xとは6点を5点にする$\frac{5}{6}$に決定できる。従って補正後の平均点は、

$$2.5 \times \frac{5}{6} = 2.0833\cdots \text{点}$$

※問題72は時間内に解くのが厳しい難問。これが解けるようなら、相当の実力の持ち主です。自信を持って！

6 推論【対戦】 ▶本冊68～69ページ

73【D】条件を表にする。

Ⅰ　Qは2回ともチョキを出した

Ⅱ　Rは1回だけパーを出した

Ⅲ　2回目にPはチョキを出した

	1回目・アイコ	2回目・2人勝ち
P	①	チョキ
Q	チョキ	チョキ
R	②	③パー

ア　①がパーなら②がグーで成り立つ。

イ　②がチョキなら①がチョキで成り立つ。

ウ　②がパーだと③はパー以外になり、2回目の2人勝ちが成り立たないので誤り。

74【E】互いに面識があれば○、なければ×で考えると次の表の通り。不明は①②③。

ア　Sのほか3人とだけ面識があるのがQなら①③が○。そこで②が×だとPも3人とだけ面識があることになってしまうので②は○。

	P	Q	R	S	T
P		①×	②○	○	○
Q	①×		③×	○	×
R	②○	③×		○	×
S	○	○	○		×
T	○	×	×	×	

すると今度はRも3人とだけ面識があることになってしまうので成り立たない。同様に3人とだけ面識があるのがRというのも成り立たない。3人とだけ面識があるのがPなら①または②が×で成り立つ。

イ　③が○。①②が不明で、アと組み合わせても確定しない。

ウ　②が○。アと組み合わせると①が×。ここで③が○ではRも3人とだけ面識ができてしまうので×となって、すべてが決定できる。なお、イと組み合わせても①は確定しない。

【別解】下図で黒線が面識があり、赤線×が面識がない。ここからア、イ、ウの推論を当てはめていけば正解が導ける。

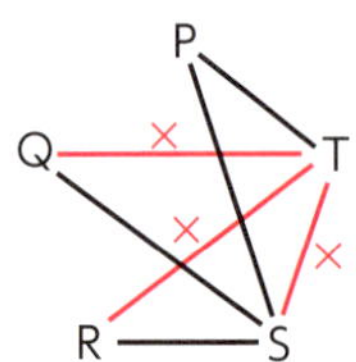

75【BF】トーナメント表を作る。

甲　Pは順不同でS、T、Vと戦った

乙　Wは2回戦でR、Tと戦う可能性があった

乙より、RとTは1回戦で戦ったことがわかる。また甲より、PはWとは戦っていない。よって、トーナメント表は下のようになる。

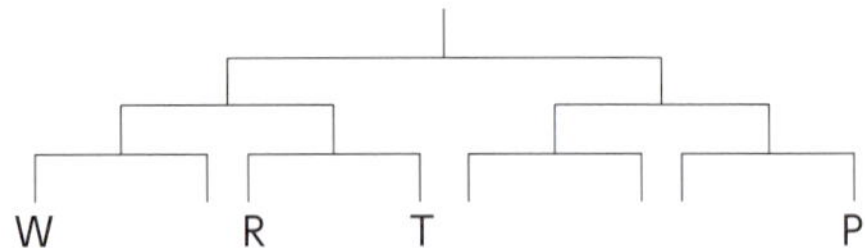

PはS、T、Vと戦ったので、Pは決勝でTと戦い、SとVは表の右半分にいることがわかる。よって、Wと1回戦で戦ったのは残りの**Q、U**と考えられる。

76【B】甲と乙より、QはRに勝ってからPと対戦して負けることになる。

これは表Ⅰでは①の1通り、表Ⅱでは②～⑤の4通りが考えられる。

①

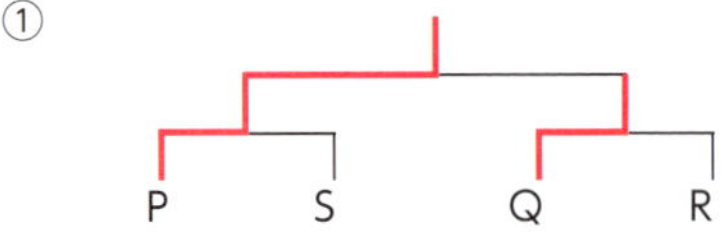

②
Q R P S

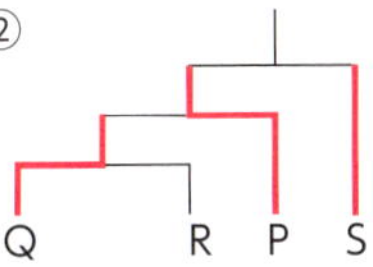

③
Q R S P

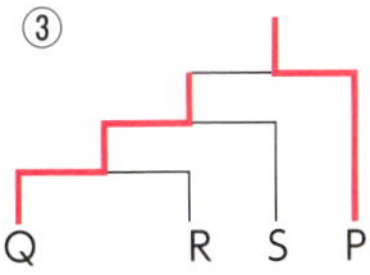

④
Q S R P

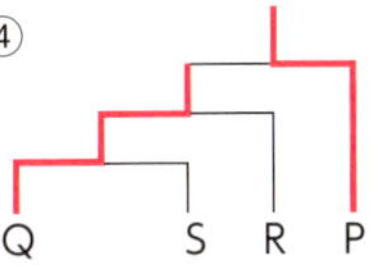

⑤
R S Q P

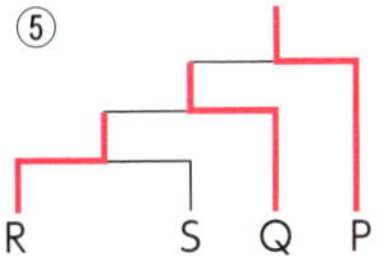

ア　②では、PではなくSが優勝することもあるので、どちらともいえない。
イ　Sはどの場合も1回しか戦っていないので、必ず正しい。
ウ　④と⑤では、Sが2回戦以降出場になっていないので、どちらともいえない。
※対戦問題は、対戦表やトーナメント表をメモして解けるようにしておきましょう。

7 推論【%】 ▶本冊72～73ページ

77【G】ア　丙30%は甲10%の2倍の重さ。仮に丙200g（含有食塩60g）と甲100g（含有食塩10g）を混ぜると、濃度は
70÷300＝0.233…→約23.3%。
→誤り
イ　甲を100g（含有食塩10g）とすれば、半分蒸発させると50g（含有食塩10g）。濃度は、
10÷50＝0.2→20%（乙と同じ）。
→正しい

78 1【C】P市とR市の面積を3㎢とすれば、Q市の面積は(3×2/3＝)2㎢。
それぞれの市の人口は、
P市…310×3＝930人
Q市…330×2＝660人
R市…210×3＝630人
P市の人口**930人**は、R市の人口の1.5倍(630×1.5＝**945人**)より**少ない**。
→アは誤り
2①【C】S市の面積は3+2＝5㎢、
人口は、930+660＝1590人。
人口密度は、1590÷5＝318人/㎢となる。
→イは誤り
②【A】T市の面積は3+3＝6㎢、
人口は、930+630＝1560人。
人口密度は、1560÷6＝260人/㎢となる。
→ウは正しい

79 1【I】水の質量をX50g、Y100g、Z200gとおいてⅠ式に当てはめると、
Ⅰ　濃度＝物質の質量÷水の質量×100
X　**10＝K÷50×100**
Kを出すには下線の式を消せばよいので、両辺に×50÷100する。
K＝10×50÷100＝5g
Y　**10＝K÷100×100**
K＝10g
Z　**20＝K÷200×100**
K＝40g
ア　XもYも10%なので、どう混ぜても10%にしかならない。ちなみにⅠ式でも、
(5＋10)÷(50＋100)×100＝10%となり、Zの20%にはならない。→誤り
イ　X、Y、ZのⅡ式での濃度は、
Ⅱ　濃度＝物質の質量÷（水の質量＋物質の質量）×100
X　**5÷(50＋5)×100＝9.09…%**
Y　**10÷(100＋10)×100＝9.09…%**
Z　**40÷(200＋40)×100＝16.6…%**
X＋YのⅡ式での濃度は、

(5＋10)÷(50＋5＋100＋10)×100
＝15÷165×100＝9.09…%
でZの濃度16.6…%の2分の1の8.3…%
にはならない。→誤り

2【C】Wを1のY同様、水100g、K 10gとすれば、1より、
Ⅰ　濃度10%
Ⅱ　濃度9.09…%
カ　Kを倍の20gにすると、Ⅰより、
20÷100×100＝20%
となり、濃度も倍になる。→正しい
キ　Kを倍の20gにすると、Ⅱより、
20÷(100＋20)×100＝16.6…%
となり、濃度は倍にならない。→誤り

※問題79 1のグラム数は、計算しやすい数値なら何でもかまいません。同じ結果になります。

8 推論【位置関係】 ▶本冊76〜79ページ

80【西← ✔✔□ 駅 □ ✔✔→東】
Ⅰ　Pは駅とQから10m離れているので、
□QP駅□□□ または □□□駅PQ□
Ⅱ　RはPとSから20m離れているので、
□QP駅R□S または S□R駅PQ□
以上より、Tの位置としてあり得るのは、□。

81【左← ✔□ ✔□ ✔→右】
条件より、赤い皿は2枚あり、緑の皿としか隣り合わないので、配置は□緑□緑□になり、皿の並びは下の3パターンとなる。
青緑赤緑赤
赤緑青緑赤
赤緑赤緑青

82 1【家← □ ✔□ ✔✔→駅】
Ⅰ　家から見てQはPより遠いので、
　家　P → Q　駅 …PはQより左
Ⅲ　家から見てPの次にRがあるので、
　PR が一続きのワンセット。
ⅠとⅢより、
　家　PR → Q　駅 …PRはQより左
Ⅱ　駅から見てTはSより近いので、
　家　S → T　駅 …SはTより左
PRがQより左、SがTより左に来るように並べると、以下の6パターンとなる。
① 家 PRQST 駅
② 家 PRSQT 駅
③ 家 PRSTQ 駅
④ 家 SPRQT 駅
⑤ 家 SPRTQ 駅
⑥ 家 STPRQ 駅
従って、**Tは、家から2、4、5番目。**

2【家← ✔□ ✔□□ →駅】
1の並び順のうち、QとSの間隔がQとTの間隔より広いのは③④⑤⑥で、**Sは、家から1、3番目。**

83 1【西← □□□ ✔□ ✔→東】
男性PQRは男、女性STUは女で表す。
Ⅱ　両端は女 …女○○○○女
Ⅲ　Qの両隣は男ではない …女Q女
ⅡとⅢより、
女男男女Q女　または　女Q女男男女
Q(男)はT(女)の1つ西にする …QT
女男男女QT　または　女QT男男女
Ⅰ　P(男)はS(女)よりも西にする …
女男男SQT　または　女QT男男S
以上より、**Sは、西から4、6番目。**

2【西← □ ☑ □ ☑ □ □ →東】

ⅡとⅢより、

女男男女Q女　または　女Q女男男女

Ⅰ　P(男)はS(女)よりも西にするので、

女男男SQ女　女男男女QS　女Q女男男S

PはT・Uと隣にならないので、Pの隣に女性が来る場合はSのみとなり、パターンは、

女男PSQ女　または　女Q女男PS

以上より、**R(男)は西から2、4番目**。

84 **1**【西← □ ☑ □ ☑ ☑ □ →東】

隣り合う絵画の距離は5m。

Ⅱ　AとBの距離は5m…**AB・BA**

同じく、AとCの距離が5m…**AC・CA**

従って、AはBとCに挟まれる。

BAC　または　CAB

Ⅲ　CとDの距離は10m…**C□D・D□C**

Ⅰ　EはDより東にある…**D→E**の順

以上より、次の3パターンが考えられる。

BAC□DE…□はF

D□CAB□…□はEかF

□DECAB…□はF

以上より、**Aは、西から2、4、5番目**。

2【西← □ □ ☑ ☑ □ □ →東】

AとCの距離が20mなので、

20÷5＝4間隔

間に絵が3枚入ると、間隔が4つになる。

A□□□C　または　**C□□□A**

さらに、Ⅰより…**D→E**の順

Ⅱより…**AB・BA**

Ⅲより…**C□D・D□C**

以上を整理しながら、メモしていくと、下の3パターンとなる。

ABD□C□…□はEかF

□A□DEC…□はBかF

CFD□A□…□はBかE

Dは、西から3、4番目。

85 **1**【F】

Ⅰ　103号室は空き室

Ⅱ　PはUの隣…**PU・UP**

Ⅳ　VはUの真上…**PU・UP**は1階。103が空き室なので、**101と102**に確定。

Ⅲ　Qの部屋の真下がR…Q204・R104

201 STV	202 STV	203 ST	204 Q
101 PかU	102 PかU	103 空き室	104 R

選択肢を見ると、

ア　Qは202でなく204なので×。

イ　Sが203はありえるので○。

ウ　Vが202はありえるので○。

2【C】

カ　Uが空き室の隣…102がU、101がP、202がVに確定。S、Tは不明。

キ　SはVの隣…Sは201、202, 203のいずれかに入る。

ク　Tは端の部屋…Tが2階の端の部屋201に確定。**Vは202、Vの下102がU、Pは101。Sが203**となり、すべて確定できる。

86 **1**【ABE】●がサイコロが入っている可能性があるカップとする。

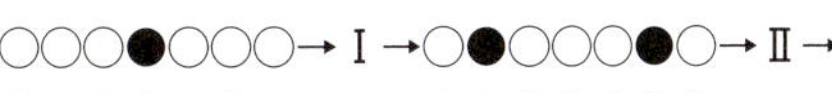

○○○●○○○→Ⅰ→○●○○○●○→Ⅱ→

○●○○●○●→Ⅲ→●●○○●○○

2【DFG】

Ⅲ、Ⅱ、Ⅰの順に位置を考える。

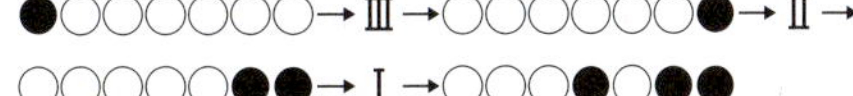

●○○○○○○→Ⅲ→○○○○○○●→Ⅱ→

○○○○○●●→Ⅰ→○○○●○●●

87 **1**【ABCE】Sが②の席のとき、残りは①③④⑤⑥。向かい合わせは、①と④、③と⑥。そのいずれかが、PとQになる。

PとQが①と④(順不同)…RはS②の隣の③、TとUは⑤と⑥(順不同)。

PとQが③と⑥（順不同）…RはS②の隣の①、TとUは④と⑤（順不同）。

以上より、**Pの席は、①③④⑥**。


2【BCD】Uが⑥の席のとき、残りは①②③④⑤。向かい合わせは、①と④、②と⑤。そのいずれかがPとQになる。

PとQが①と④（順不同）…残りは②③⑤。このうち隣り合うものは②と③。これがRとS（順不同）になるので、Rは②または③。

PとQが②と⑤（順不同）…残りは①③④。このうち隣り合うものは③と④なので、同様にRは③または④。

以上より、**Rの席は、②③④**。
※位置関係は、セットになる関係をもとにして、推論していくことが解答の近道です。

9 順列・組み合わせ【並べ方と選び方】

▶本冊82～83ページ

88【C】大人3人から2人を選ぶ組み合わせは、$_3C_2 = {_3C_1} = $ **3通り**
子供4人から2人を選ぶ組み合わせは、
$_4C_2 = \frac{4\times3}{2\times1} = $ **6通り**
選んだ4人の走る順番は、
$_4P_4 = 4! = 4\times3\times2\times1 = 24$ **通り**
これらを掛け合わせればよい。
$3\times6\times24 = 432$ **通り**
※4!（4の階乗）は、4以下の自然数すべてを掛け合わせるということ。

89【B】①料理が月曜日の場合
テニスは火水木金の4日のうち2回なので、
$_4C_2 = \frac{4\times3}{2\times1} = $ **6通り**
②料理が水曜日の場合
テニスは火木金の3日のうち2回なので、
$_3C_2 = {_3C_1} = $ **3通り**
③料理が金曜日の場合
テニスは火水木の3日のうち2回なので、
$_3C_2 = {_3C_1} = $ **3通り**
従って、$6+3+3=12$ **通り**

90【B】5カ国から3カ国を選ぶのは、
$_5C_3 = {_5C_2} = \frac{5\times4}{2\times1} = 10$ **通り**
5カ国からイタリア、スペイン、ドイツの3カ国を選ぶ組み合わせ1通り以外は、少なくともオランダかフランスが含まれる。従って、
$10-1=9$ **通り**
【別解】オランダとフランス両方を入れる組み合わせは、残り3カ国から1カ国を選ぶ**3通り**。オランダだけを入れる組み合わせは、フランスを除く残り3カ国から2カ国を選ぶ**3通り**。フランスだけを入れる組み合わせは、オランダを除く残り3カ国から2カ国を選ぶ**3通り**。従って、$3+3+3=9$ **通り**

91【B】どちらも少なくとも1問選んで4問とするので、すべての組み合わせから、余事象である日本史0問の場合と世界史0問の場合を引く。すべての組み合わせは、
$_7C_4 = {_7C_3} = \frac{7\times6\times5}{3\times2\times1} = 35$ **通り**
日本史0問の組み合わせは、（世界史が3問しかないので）ありえないため0通り。世界史0問の組み合わせは、日本史が4問の場合の**1通り**。
$35-1=34$ **通り**

92 **1**【C】すべての場合の数は、全員の9人から5人を選ぶ組み合わせなので、
$_9C_5 = {_9C_4} = 126$ **通り**
余事象には、男1人女4人の場合と、男5人

の場合（それ以外は必ず男2人、女1人以上は選ばれることになる）がある。男1人女4人は、男5人から1人が選ばれる**5通り**に、女4人全員が選ばれる**1通り**を掛け合わせた**5通り**。男5人は男全員が選ばれる**1通り**。
従って、**126－5－1＝120通り**
2【C】男女2人ずつ選ぶと考える。
男は5人から2人選ぶので、$_5C_2$＝**10通り**
女は4人から2人選ぶので、$_4C_2$＝**6通り**
男2人ABと女2人abの組み合わせは、
2!＝2×1＝2通り（Aa・BbかAb・Ba）。
従って、男女のペアを同時に2組選ぶ組み合わせは、**10×6×2＝120通り**

93 1【C】計9個から3個を取り出すとき、
・3個とも同じ色の場合の3通り
・3個とも違う色の場合の1通り
のほか、**2個が同じ色の場合**がある。
同じ色の2個が例えば赤なら、（赤・赤・白）と（赤・赤・黒）の**2通り**。これが赤白黒の**3通り**あるので、全部で**2×3＝6通り**。これらを合計して、**3＋1＋6＝10通り**
【別解】n種類のものからm個を取り出す重複組み合わせの公式 $_{n+m-1}C_m$ を使って、
$_{3+3-1}C_3$＝$_5C_3$＝$_5C_2$＝**10通り**
2【B】7個を取り出すのは、次の場合。
・3色が［**3個**・2個・2個］の場合は、**3個にする色だけ**を選べばよいので**3通り**。
・3色が［3個・3個・**1個**］の場合は、**1個にする色だけ**を選べばよいので**3通り**。
これらを合計した**6通り**が答え。
【別解】**9個から7個を選ぶことは選ばれない2個を選ぶことと同じ**。2個の選び方は、
（赤・赤）（白・白）（黒・黒）と
（赤・白）（赤・黒）（白・黒）の**6通り**。
※なお、2は3種類3個ずつから7個を取り出します。1種類の個数が取り出す数以上ないので、重複組み合わせでは解けません。

94 1【C】最初の1時間は、3人のうち1人で3通り。2～5時間目までの4時間は、直前の人以外の2人のうち1人で2通りずつ。
よって、**3×2^4＝48通り**
2【B】すべての組み合わせは、
3×2^3＝24通り
このうち、受付を1回もやらない人がいるのは、**(PQPQ)、(QPQP)、(PRPR)、(RPRP)、(QRQR)、(RQRQ)の6通り**なので、これを引いて、**24－6＝18通り**
【別解】受付を2回する1人の選び方は、
$_3C_1$＝**3通り**
1～4時間目のうちその人が受付をする2回は、(1回目、2回目)＝(1、3)、(1、4)、(2、4)の**3通り**。それぞれの場合について、残りの2人のうちどちらが先に受付をするかで**2!＝2通り**。以上より、**3×3×2＝18通り**。

95 1【D】6局目までに決着する場合以外は、7局目で決着がつく場合だけなので、「すべての組み合わせの数」から、「7局目に決着する組み合わせの数」を引けばよい。
すべての組み合わせの数…7局の中からP（Q）が勝つ4局を選べばよい。
$_7C_4$＝$_7C_3$＝**35通り**（Qも同じく**35通り**）
7局目に決着する組み合わせの数…6局目までは必ず3勝3敗なので、1～6局目のうちP（Q）が勝つ3局を選べばよい。
$_6C_3$＝**20通り**（Qも同じく**20通り**）
従って、**35×2－20×2＝30通り**
【別解】6局目までに決着がつくので、対戦数は6局以下となる。場合分けで考える。
4局目で決着…Pが4連勝するパターンと、Qが4連勝するパターンの**2通り**
5局目で決着…5局目でPが勝って4勝する場合は、1～4局の中でPが勝つ3局を選べばよいので、$_4C_3$＝$_4C_1$＝**4通り**。Qが勝つ場合も同じで**4通り**。合計して**8通り**。

6局目で決着…6局目でPが勝って4勝する場合は、1～5局の中でPが勝つ3局を選べばよいので、${}_5C_3={}_5C_2=$**10通り**

Qが勝つ場合も同じで**10通り**。合計して**20通り**。以上を合計して、

2＋8＋20＝30通り

2【A】 **1**の解法より、**20通り**。

3【B】 すでに決定しているPの3勝、Qの1勝を「PPPQ」（順不同）と表す。

5局目以降の勝敗を考えると、

PPPQ | **P** （Pが4勝になり決着）

PPPQ | **QP** （Pが4勝になり決着）

PPPQ | **QQP** （Pが4勝になり決着）

PPPQ | **QQQ** （Qが4勝になり決着）

以上、**4通り**が考えられる。

※本書の問題は、実際のSPIで出題されるパターンばかりです。必ず解けるようにしておきましょう。

10 順列・組み合わせ【席決め・塗り分け】 ▶本冊86～87ページ

96 **1**【D】 隣り合う2席は、①②、②③、③④、④⑤、⑤⑥、⑥①の**6通り**で、PQの座り方はそれぞれに(P・Q)と(Q・P)の**2通り**があるので、**6×2＝12通り**。残りの4席の決め方は、${}_4P_4=4!=4\times3\times2\times1=$**24通り**

掛け合わせて、**12×24＝288通り**

【参考】席を区別しない場合には、PQをワンセットで考えて、円順列で(5－1)！。PとQが2通りで、(5－1)!×2＝48通りとなる。

2【A】 ②にPが座ったときに、向かい合う2席は、①④と③⑥の**2通り**で、それぞれにQRの座り方が(Q・R)(R・Q)の**2通り**あるので、**2×2＝4通り**。残りの3席の決め方は、${}_3P_3=3!=3\times2\times1=$**6通り**。掛け合わせて、**4×6＝24通り**

3【D】 向かい合う2席は、①②、③④、⑤⑥の**3通り**で、PQの座り方はそれぞれに(P・Q)と(Q・P)の**2通り**があるので、**3×2＝6通り**。残りの4席の決め方は、

${}_4P_4=4!=4\times3\times2\times1=$**24通り**

掛け合わせて、**6×24＝144通り**

4【D】 PとQの座り方は全部で、

${}_6P_2=6\times5=$**30通り**

そのうちPとQが隣り合うのは、①③、③⑤、②④、④⑥の**4通り**で、それぞれに(PQ)と(QP)の**2通り**があるので、**4×2＝8通り**

従って、隣り合わない座り方は、

30－8＝22通り

残りの4席の決め方は、${}_4P_4=4!=$**24通り**

掛け合わせて、

22×24＝528通り

97 **1**【C】 領域は5つだが、隣り合った領域に同じ色は使えないので、色が異なる領域は図の①、②、③の3カ所である。

3色で3カ所に塗るので、

${}_3P_3=3!=$**6通り**

【別解】①に赤なら、②③に(青黄)か(黄青)の**2通り**。それが、赤青黄の**3色**について同様なので、

2×3＝6通り

2【D】 **4色**から3色を選んで、図の①、②、③の**3カ所**に塗るので、

${}_4P_3=$**24通り**

【別解】①に赤なら、②③には残った**3色**のうち**2色**を使うので、${}_3P_2=$**6通り**

それが赤青黄緑の**4色**について同様なので、

6×4＝24通り

98 1【C】並び方は下の通り。

○○●●○○　(●が女性)

女性2人は真ん中に固定されているので、残っている男性4人の並び方は、

4! ＝4×3×2×1＝24通り

女性2人の並び方は、**2通り**。

従って、**2×24＝48通り**

2【D】並び方は下の通り。

●●○（前列は女性2人、男性1人）

○○○（後列は男性3人）

前列…男性4人から前列になる1人を選べば、後列の3人は自然と決まる。前列になる男性1人の選び方は、

$_4C_1$＝4通り

前列3人の並び方は、**3! ＝3×2×1＝6通り**

掛け合わせて、

4×6＝24通り

後列…男性3人の並び方は、

3! ＝3×2×1＝6通り

よって、前列、後列3人ずつで、女性2人が前列に入る並び方は、**24×6＝144通り**

99 1【B】Vが前から3番目のとき、Zは前から4番目か5番目になる。前を左、後ろを右、確定していない席を●とする。

①Zが前から4番目の場合…●●VZ●

●にW、X、Yの3人を並べる順列になるので、**3! ＝3×2×1＝6通り**

②Zが前から5番目の場合…●●V●Z

これも、①同様、**6通り**。

従って、**6＋6＝12通り**

2【C】5人の並び方は、

5! ＝5×4×3×2×1＝120通り

W、X、Yの3人の並び方は、

3! ＝3×2×1＝6通り

しかしW、X、Yの並び順は、W→Y→Xの1通りに確定しているので、

120÷6＝20通り

【別解1】W、X、Yの3人の入る場所は、

$_5C_3$＝$_5C_2$＝10通り

並び方はW→Y→Xの**1通り**。

残りの2席にVとZが入るので、**2通り**。

10×1×2＝20通り

【別解2】Wの位置で場合分けする。2つの●は残りのVとZ。

①Wが1番目の場合

WYX●●、WY●●X、W●●YX、

WY●X●、W●Y●X、W●YX●

← **6通り**

②Wが2番目の場合

●WYX●、●WY●X、●W●YX

← **3通り**

③Wが3番目の場合

●●WYX　← **1通り**

合わせて、**6＋3＋1＝10通り**

●●に入るVとZの並び順が(VZ)と(ZV)の2通りあるので、**10×2＝20通り**

【別解3】①●●が隣り合う場合

●●WYX、W●●YX、WY●●X、

WYX●●　← **4通り**

②●と●の間に1人が入る場合

●W●YX、W●Y●X、WY●X●

← **3通り**

③●と●の間に2人が入る場合

●WY●X、W●YX●　← **2通り**

(間にWY、YXが入る2通り)

④●と●の間に3人が入る場合

●WYX●　← **1通り**

4＋3＋2＋1＝10通り

VとZの並び順が、(VZ)と(ZV)の2通りあるので、**10×2＝20通り**

※条件を整理して簡単な計算で解いたり、場合分けして解いたりなど、複数の解法を覚えておくと、いろいろな問題に対応できます。

11 順列・組み合わせ【カード・コイン・サイコロ】▶本冊90～91ページ

100 1【D】すべての数字が異なるので、千の位には1～6の6通り、百の位には千の位の数以外の5通り、十の位には千、百の位以外の4通り、一の位には千、百、十の位以外の3通りで、

6×5×4×3＝360個

結局これは、6個から4個を選んで並べる順列、${}_6P_4$＝**6×5×4×3**と同じ。

2【B】5の倍数なので、一の位が5。従って、千、百、十の3つの位を、5を除く5つの数字から選ぶ順列になる。

${}_5P_3$＝5×4×3＝60個

3【D】末尾が111なので、❶❷❸111の6けたの数。❶には1～6の6通り、❷にも1～6の6通り、❸にも1～6の6通りなので、

6×6×6＝216個

【別解】n種類のものからr個を取って並べる重複順列の公式n^rを使って、

6^3＝6×6×6＝216個

※重複順列は、本書92ページ参照。

101 1【C】0と3を除けば、カードは1、2、4、5の4種類。これで3けたの数を作るので、

${}_4P_3$＝4×3×2＝24通り

2【D】54320より大きな自然数は、5けたでは54321の**1通り**だけで、あとは6けた。6けたの最初の十万の位には1～5の**5通り**。一万の位には0～5の6通りから十万の位に入れた数を除いた**5通り**。同様に千の位には**4通り**、百の位に**3通り**、十の位に**2通り**、一の位に**1通り**。これらを掛け合わせて、

5×5×4×3×2×1＝600通り

これに54321の**1通りをたして601通り**。

102 1【B】コインをn回投げて表がr回出る出方は、${}_nC_r$通り。従って、コインを7回投げて表が4回だけ出る出方は、

${}_7C_4$＝${}_7C_3$＝35通り

2【D】7回のうち裏が5回出る出方は、

${}_7C_5$＝${}_7C_2$＝21通り

7回のうち裏が6回出る出方は、

${}_7C_6$＝${}_7C_1$＝7通り

7回のうち裏が7回出る出方は、**1通り**

たし合わせて、**21＋7＋1＝29通り**

103 1【A】問題文は、1～6の6つの数にP>(QRS)という大小関係を満たす2つの数(つまり異なる数)の組み合わせはいくつあるか、という意味と同じ。従って、

${}_6C_2$ ＝ 15通り

【別解】Pが6→他の数は1～5の5通り。Pが5→他の数は1～4の4通り。Pが4→他の数は1～3の3通り。Pが3→他の数は1と2の2通り。Pが2→他の数は1だけで1通り。従って、

5＋4＋3＋2＋1＝15通り

2【A】1～6の数にP>Q>R>Sという大小関係を満たす4つの数の組み合わせはいくつあるか、という意味と同じ。従って、

${}_6C_4$＝${}_6C_2$＝15通り

3【C】PとQが同じ目になるのは、(1・1)(2・2)(3・3)(4・4)(5・5)(6・6)の**6通り**。PとQが(1・1)の場合、RとSが同じ目になる出方は、(1・1)(2・2)(3・3)(4・4)(5・5)(6・6)の**6通り**。以下、PとQが(2・2)の場合も**6通り**、PとQが(3・3)の場合も**6通り**…。PとQの6通りにそれぞれ、RとSの6通りがあるので、

6×6＝36通り

※問題文の解釈が速解のポイントです。

12 順列・組み合わせ【重複・円・応用】

▶本冊94～97ページ

104 1【C】場合分けで解く。4個のうち、
【3個が同じ場合】(リリリ・ミ)(リリリ・カ)(ミミミ・リ)(ミミミ・カ)の**4通り**。

【2個が同じ場合】(リリ・ミミ)(リリ・カカ)(ミミ・カカ)の**3通り**と、(リリ・ミカ)(ミミ・リカ)(カカ・リミ)の**3通り**。これらをたし合わせて、**4＋3＋3＝10通り**

2【B】どれも最低1個は選ぶので、**5個のうち3個は(リミカ)に確定し、残りは2個。**

【2個が同じ場合】(リリ)(ミミ)の**2通り**。

【2個が違う場合】(リミ)(リカ)(ミカ)の**3通り**(3種類から2種類を選ぶ$_3C_2$通り)。

これらをたし合わせて、**2＋3＝5通り**

3【C】8個を横一列に並べるということは、①～⑧の番号の箱に1個ずつ入れることと同じ。すると、リンゴは、①～⑧の箱から3つを選ぶ選び方なので、$_8C_3$。ミカンはリンゴが入っていない5つの箱から3つを選ぶ選び方なので、$_5C_3＝{}_5C_2$。カキは残った2箱に自然と決まる。

従って、並べ方は、

$$_8C_3 \times {}_5C_2 = \frac{8\times7\times6\times5\times4}{3\times2\times1\times2\times1} = 560\text{通り}$$

105【A】各種類最低1枚は選ぶので、5枚のうち3枚は確定。**3種類から残り2枚を取り出す重複組み合わせ**なので、

$$_{3+2-1}C_2 = {}_4C_2 = \frac{4\times3}{2\times1} = 6\text{通り}$$

【別解】3種類から各種類1枚以上選んで5枚なので、5枚を3種類に仕切ると考える。
○ ○ ○ ▌○ ▌○　←3枚・1枚・1枚
4カ所のすき間のうち2カ所に仕切りを入れるので、$_4C_2$と考えられる。

●n種類のものからm個を取り出す公式
各種類0個以上：$_{n+m-1}C_m$
各種類1個以上：$_{m-1}C_{n-1}$ (ただしm≧n)

106【E】公式 $_{n+m-1}C_m$を使って、

$$_{3+4-1}C_4 = {}_6C_4 = {}_6C_2 = \frac{6\times5}{2\times1} = 15\text{通り}$$

【公式の意味】4個を赤、黒、青の3色で仕分けると考えると、次の図のようになる。

赤　黒　青
○○ ▌○ ▌○　←赤2、黒1、青1

○は取り出す4個を、▌は赤、黒、青に仕分ける仕切りを表す。上図は赤2、黒1、青1に仕分けることを表している。仕切りの位置を次の図のように変えると、4個すべてが赤になる。

赤　黒 青
○○○○ ▌▌　←赤4、黒0、青0

取り出す4個＋仕切りが2個＝合計6個あり、**6個のうち2個を仕切りとして選ぶ**と赤黒青の配分が変わるので、**6個から2個を選ぶ組み合わせの数$_6C_2$**となる。これは、重複組み合わせの公式と同じ式になる。

107 1【D】赤と白の2種類から10本を取り出す重複組み合わせなら、
$_{2+10-1}C_{10} = {}_{11}C_{10} = {}_{11}C_1 = 11$通り
しかし、この11通りには「赤10本」と「白10本」という1色の組み合わせが2通り入っているので、この2通りを除く。
11－2＝9通り
この9通りが、赤と白、赤とピンク、白とピンクの3通りあるので、
9×3＝27通り

【別解】赤と白なら**赤1～9（白9～1）までの9通り**（$_{m-1}C_{n-1}={}_{10-1}C_{2-1}=$**9通り**）。これが赤とピンク、白とピンクのそれぞれにあるので、**9×3＝27通り**

2【D】3色をそれぞれ少なくとも2本ずつ使うので、赤2本、白2本、ピンク2本の計6本は決まっている。3色から残りの4本を選ぶ重複組み合わせになる。

$$_{3+4-1}C_4={}_6C_4={}_6C_2=\frac{6\times5}{2\times1}=15\text{通り}$$

3【F】少なくとも赤3本は決まっているので、3色から残りの7本を選ぶ重複組み合わせになる（赤は4本以上でもよい）。

$$_{3+7-1}C_7={}_9C_7={}_9C_2=\frac{9\times8}{2\times1}=36\text{通り}$$

108 **1**【B】全員で8人の円順列なので、円順列の公式$(n-1)!$を使う。

(8－1)！＝7! 通り

2【B】大人2人が向かい合うので、大人の位置は固定される。残った6カ所に6人の子供が並ぶ順列なので、

$_6P_6=6!=6\times5\times4\times3\times2\times1=720$**通り**

3【F】大人Aと大人Bが手をつなぐので、隣り合う2カ所が確定し、残り6カ所に6人の子供が並ぶ順列で、$_6P_6=720$**通り**。さらに、今度は円で回転しても（A・B）と（B・A）の区別が必要なのでこれが**2通り**。従って、

720×2＝1440通り

109【B】この場合は、3種類から6個を選ぶ重複組み合わせになる。

$$_{3+6-1}C_6={}_8C_6={}_8C_2=\frac{8\times7}{2\times1}=28\text{通り}$$

【公式の意味】6個○○○○○○のミカンを仕切り2個▮▮で、X、Y、Zの3つの箱に仕分けると考えると、次のようになる。

X　　Y　　Z
○○▮○○▮○○　←X2、Y2、Z2

※○はミカン、▮はX、Y、Zを仕切る仕切り。

左下の図はX、Y、Zの3つの箱に2個ずつ入れるパターンだが、仕切りの位置を次のように右端に変えると、Xに6個入っていることになる。

X　　　Y Z
○○○○○○▮▮　←X6、Y0、Z0

ミカンが6個＋仕切りが2個＝合計8個あり、8個のうち2個を仕切りとして選ぶとX、Y、Zへの配分が変わるので、8個から2個を選ぶ組み合わせの数 $_8C_2=28$**通り**になる。これは、重複組み合わせの公式と一致する。

110【D】まず、赤皿2枚を5カ所のうちのどれか2カ所に飾るので、$_5C_2$。次に白皿2枚を空いている3カ所のうちの2カ所に飾るので、$_3C_2={}_3C_1$。青皿は残った1カ所に自然と決まる。並べ方は、

$$_5C_2\times{}_3C_1=\frac{5\times4\times3}{2\times1\times1}=30\text{通り}$$

111 **1**【A】男女の並び方は（男女男女男女）、（女男女男女男）の2通り。このそれぞれに対して男性だけの順列と女性だけの順列があるので、すべてを掛け合わせて、

$2\times{}_3P_3\times{}_3P_3=2\times3\times2\times1\times3\times2\times1=72$**通り**

2【B】男性の位置は（**男男男**女女女）、（女**男男男**女女）、（女女**男男男**女）、（女女女**男男男**）の4通り。この4通りに対して、男性だけの順列と女性だけの順列があるので、

$4\times{}_3P_3\times{}_3P_3=144$**通り**

3【E】回転すると同じなので、男性1人を固定する。他の位置は男女交互に決まっているので、あとは並び方だけ。男性は残り2人で**2!**。女性は3人で**3!**。従って、

2!×3!=2×1×3×2×1=12通り

【別解1】男性だけで円になり、その間に女性が入ると考える。男性の並び方は円順列の公式より、**(3－1)！＝2!＝2通り**

その間に女性が入る入り方は、女性３人を並べる順列で、**3!＝3×2×1＝6通り**
従って、**2×6＝12通り**
【別解2】交互に一列になるのは、1の通り72通り。円の場合、6人各々の位置は回転するため関係ない。従って、
72÷6＝12通り

112 1【C】３種類をA、B、Cとする。
試飲1回のとき3種類から１種類…
$_3C_1$＝**3通り**（A、B、Cの３通り）
試飲2回のとき3種類から２種類…
$_3C_2$＝**3通り**（AB、AC、BCの３通り）
試飲3回のとき３種類
$_3C_3$＝**1通り**（ABCの１通り）
以上を合計して、**3＋3＋1＝7通り**
【別解】A、B、Cそれぞれ試飲するかしないか２通りずつで、**2^3＝8通り**。「すべて試飲しない」１通りを除いて、**7通り**。
2【E】2人で合計４回（４杯）、１人３回（３種類）までの試飲なので、PとQのワインの種類の組み合わせは、以下の3通り。
P1種類とQ3種類…
$_3C_1×_3C_3$＝3×1＝3通り
（AとABC）（BとABC）（CとABC）
P2種類とQ2種類…
$_3C_2×_3C_2$＝3×3＝9通り
（ABとAB）（ABとAC）（ABとBC）
（ACとAB）（ACとAC）（ACとBC）
（BCとAB）（BCとAC）（BCとBC）
P3種類とQ1種類…
$_3C_3×_3C_1$＝1×3＝3通り
（ABCとA）（ABCとB）（ABCとC）
合計　**3+9+3＝15通り**

113 1【F】4個ずつ、合計12個なので、**12÷4＝3種類**を選ぶことになる。8種類から３種類を選ぶ組み合わせの数なので、
$_8C_3$＝56通り
2【C】どの種類も同じ個数にして、洋菓子8個＋和菓子8個にしたいので、可能な組み合わせは次の2通り。
①洋菓子１種類を８個＋和菓子１種類を８個…洋菓子は5種類から１種類、和菓子は3種類から１種類。
5×3＝15通り
②洋菓子2種類を4個ずつ＋和菓子2種類を4個ずつ…洋菓子は5種類から２種類なので$_5C_2$、和菓子は3種類から２種類なので$_3C_2＝_3C_1$
$_5C_2×_3C_1$＝30通り
①と②を合計して、
15＋30＝45通り
3【D】①洋菓子5種類から3個を選ぶ重複組み合わせは、
$_{5+3-1}C_3＝_7C_3$通り
②和菓子3種類から3個を選ぶ重複組み合わせは、
$_{3+3-1}C_3＝_5C_3＝_5C_2$通り
①と②を掛け合わせて、
$_7C_3×_5C_2$＝350通り

※順列・組み合わせは解法を忘れがちな分野です。試験日の直前に復習しておくと効果的です。

13 確率の基礎 ▶本冊100～101ページ

114【B】Pが大吉を引く確率は1/10、Qが小吉を引く確率は1/5なので、
Pが大吉を引き、Qが小吉を引く確率は、

$$\frac{1}{10}\times\frac{1}{5}=\frac{1}{50}$$

Pが小吉を引き、Qが大吉を引く確率も同じく1/50なので、求める確率は、

$$\frac{1}{50}\times2=\frac{1}{25}$$

115【C】金額の合計が200円になる組み合わせは、「①50円玉2枚＋100円玉1枚」、または「②100円玉2枚」の2通り。

①**50円玉2枚＋100円玉1枚が表となる確率**

- 50円玉2枚が表となる確率は、**1/2×1/2**
- 100円玉2枚のうち1枚が表、1枚は裏となる確率はどちらも1/2で、2枚のうちどちらが表となるかで2通りあるので、この確率は、**1/2×1/2×2**

従って、**1/2×1/2×1/2×1/2×2＝1/8**

②**100円玉2枚が表、50円玉2枚が裏となる確率**

1/2×1/2×1/2×1/2＝1/16

以上より、求める確率は、

$$\frac{1}{8}+\frac{1}{16}=\frac{3}{16}$$

【別解】2枚の硬貨を投げて表裏が出る組み合わせは、**表表**、**表裏**、**裏表**、**裏裏**の4通り。50円玉2枚が**表表**となる確率は1通りで**1/4**。100円玉が1枚だけ表となる確率は、**表裏**、**裏表**の2通りなので2/4＝**1/2**。50円玉2枚＋100円玉1枚が表となる確率は、**1/4×1/2＝1/8**。同様に、100円玉2枚が表、50円玉2枚が裏となる確率は、1/4×1/4＝**1/16**。求める確率は、**1/8＋1/16＝3/16**

116 PとQのサイコロの目の出方は、6×6＝**36通り**で、これが**分母**になる。

1【B】**P＞Q**という大小関係が成り立てばよいので、**違う数字2つの組み合わせの数**（順列の数ではない）となる。これは **$_6C_2$＝15通り**。

従って、$\frac{15}{36}=\frac{5}{12}$

【別解1】引き分けになるのは（1と1）～（6と6）まで同じ数同士の6通り。引き分けにならないのは、**36－6＝30通り**。PとQが勝つ確率は等しいので、**Pが勝つのは30通りを2で割った15通り**。

【別解2】P>Qになる組み合わせは、(2>1) (3と1>2) (4>1～3) (5>1～4) (6>1～5) で、
1＋2＋3＋4＋5＝15通り

2【A】Pが3以上を出して負けるのは、
(P対Q)が、(3対4か5か6)…**3通り**
(4対5か6)…**2通り**
(5対6)…**1通り**
の場合なので、**3＋2＋1＝6通り**

従って、$\frac{6}{36}=\frac{1}{6}$

3【A】**Pが4以上の差**で勝つのは、(P対Q)が(5対1)、(6対2)、(6対1)なので、**3通り**。

従って、$\frac{3}{36}=\frac{1}{12}$

117 **1**【B】甲が勝つ確率は1/3（負け1/3、アイコ1/3）。1回だけ勝つには、他の2回は勝たない（勝たない確率は2/3）ので、

$$\frac{1}{3}\times\frac{2}{3}\times\frac{2}{3}=\frac{4}{27}$$

1回目だけ、2回目だけ、3回目だけ勝つ場合があるので、これを3倍して、

$\frac{4}{27}\times 3=\frac{4}{9}$

2【C】 余事象である「甲が３回のうち１回も勝たない確率」を全体の1から引く。勝たない確率は、**負け1/3＋アイコ1/3＝2/3**

３回すべて2/3なので、$\frac{2}{3}\times\frac{2}{3}\times\frac{2}{3}=\frac{8}{27}$

これを全体の1から引いて、$1-\frac{8}{27}=\frac{19}{27}$

118 **1**【B】 くじ引きは引く順番に関係なく、どの人も同じ確率になるので、PとSではなくPとQで考えてよい。Pが当たりを引くのは6本中2本、当たりを引かれた後、Qが当たりを引くのは5本中1本なので、

$\frac{2}{6}\times\frac{1}{5}=\frac{1}{15}$

【別解1】6本から2本を引く組み合わせの数は、**$_6C_2$＝15通り**で、これが分母。2本の当たりくじから2本を引くのは、**$_2C_2$＝1通り**で、これが分子。従って、**1/15**。

【別解2】問題は、○→×→×→○→×→×という順番にくじを引く確率となる。

2/6×4/5×3/4×1/3×2/2×1/1＝1/15

2【D】 6人はすべて同じ確率なので、PRが最初に引くことにする。Pだけが当たりを引いて、Rが当たりを引かない確率は、

$\frac{2}{6}\times\frac{4}{5}=\frac{4}{15}$

Rだけが当たりを引いて、Pが当たりを引かない確率も同じく4/15なので、どちらか１人だけが当たりを引く確率は、

$\frac{4}{15}\times 2=\frac{8}{15}$

【別解1】6本から2本を引く組み合わせの数は、**$_6C_2$＝15通り**でこれが分母。2本の当たりくじから1本を引くのは、**$_2C_1$＝2通り**。4本のはずれくじから1本を引くのは、**$_4C_1$=4通り**。分子はこの2つの積になるので、**2×4＝８通り**。従って、**8/15**。

【別解2】全体の確率から余事象を引く。2人とも当たりを引く確率は、**1**の**1/15**。2人とも外れを引く確率は、**4/6×3/5＝2/5＝6/15**。全体の確率からこの2つを引けば、どちらかが当たりを引く確率になる。従って、

$1-\frac{1}{15}-\frac{6}{15}=\frac{8}{15}$

※6本のくじを１人ずつ順番に引くのも、６人がいっぺんに引くのも同じ。当たりの確率は2/6。

119 **1**【B】 連続３個が赤玉の確率は、

$\frac{5}{10}\times\frac{4}{9}\times\frac{3}{8}=\frac{1}{12}$

2【D】 赤玉なら箱に戻し、白玉なら戻さない。赤・白・赤の順番をそのまま掛け合わせて、

$\frac{5}{10}\times\frac{5}{10}\times\frac{5}{9}=\frac{5}{36}$

120 **1**【A】 同時に引く場合、甲と乙は同じカードを引くことはできない（甲が16枚から引けば、乙は残った15枚から引く）ので、分母は16と15になる。

$\frac{4}{16}\times\frac{3}{15}=\frac{1}{20}$

【別解】16枚から2枚を引くのは、

$_{16}C_2$ ＝120通り。

ハート4枚から2枚を引くのは、

$_4C_2$ ＝6通り。従って、

$\frac{6}{120}=\frac{1}{20}$

2【D】 16枚中、4枚のダイヤ以外は12枚。

$\frac{12}{16}\times\frac{11}{15}=\frac{11}{20}$

3【B】 2人ともクラブ（ある1種類のカード）を引かない確率（**2**で出した11/20）を、1から引いて**9/20**。

※確率はいろいろな解き方ができる分野です。自分が解きやすい方法をマスターしましょう。

14 確率の応用 ▶本冊104〜105ページ

121【C】2商品の組み合わせには、PX、PY、QX、QYの4通りがあるが、このうちQもYも入っていない袋はPXのみ。PXの袋を買う確率は、「PかつX」なので、Pが入っている袋を買う確率**80/100**とXが入っている袋を買う確率**70/100**を掛け合わせる。

$$\frac{80}{100}\times\frac{70}{100}=\frac{14}{25}$$

122 1【B】分母、分子が1ずつ減る。

$$\frac{4}{6}\times\frac{3}{5}\times\frac{2}{4}=\frac{1}{5}$$

【別解】6個から3個を取り出す組み合わせが$_6C_3$＝**20通り**で、これがすべての場合。黒4個から3個を取り出す組み合わせが$_4C_3$＝$_4C_1$＝**4通り**なので、**4/20＝1/5**。

2【D】黒が2個以上とは、黒が2個または3個の場合。黒2個になるのは、(白黒黒)(黒白黒)(黒黒白)の3通り。どれも同じ確率なので、(白黒黒)の確率を3倍する。

$$\frac{2}{6}\times\frac{4}{5}\times\frac{3}{4}\times3=\frac{3}{5}$$

ここに、黒3個の確率(1より)**1/5**をたし合わせた**4/5**が答え。

【別解】1より、**20通りが分母**。黒4個から3個は**4通り**。次に黒2個と白1個の組み合わせは、黒4個から2個の$_4C_2$＝**6通り**と、白2個から1個の$_2C_1$=**2通り**を掛け合わせた**12通り**。**4＋12＝16が分子**で、**16/20＝4/5**。

3【D】白1度になるのは(白黒黒)(黒白黒)(黒黒白)の3通り。どれも同じ確率なので、(白黒黒)の確率を3倍する。石を袋に戻すので、分母、分子の石の数は変わらない。

$$\frac{2}{6}\times\frac{4}{6}\times\frac{4}{6}\times3=\frac{4}{9}$$

4【C】4回目で3度目の黒が出るということは、3回目までに黒が2度出ているということになる。これは(白黒黒)(黒白黒)(黒黒白)の3通りで、3の確率と同じなので**4/9**。最後の4回目に黒が出る確率は、**4/6**なので、これを掛け合わせる。

$$\frac{4}{9}\times\frac{4}{6}=\frac{8}{27}$$

123 1【B】2枚で7000円なので、2000円＋5000円。最初に二千円札を取り出す確率は**8枚中2枚の1/4**。次に五千円札を取り出す確率は**7枚中2枚の2/7**。掛け合わせて**1/4×2/7＝1/14**。これは最初に五千円札、次に二千円札の場合も同じ確率なので、2倍して、**1/14×2＝1/7**。

【別解】8枚から2枚を取り出す組み合わせは$_8C_2$＝**28通り**。二千円札と五千円札の組み合わせは、どちらも2枚から1枚を引くので、$_2C_1$×$_2C_1$＝ **4通り**。従って、**4/28＝1/7**

2【A】20000円になるのは、5000円+5000円+10000円の場合。これは(5千・5千・1万)(5千・1万・5千)(1万・5千・5千)の3通りでどれも同じ確率。(5千・5千・1万)は、**2/8×1/7×2/6=1/84**。これを3倍して、**1/84×3=1/28**

【別解】8枚から3枚を取り出す組み合わせは$_8C_3$＝**56通り**。五千円札2枚と一万円札1枚の組み合わせは、$_2C_2$×$_2C_1$＝ **2通り**。従って、**2/56＝1/28**

124 1【C】すべての組み合わせの数は、$_4C_1$×$_3C_1$=**12通り**…分母

Pの方が大きい数字を選ぶ場合、Pの1、3、5、7にそれぞれ対応（Pが1なら**0**通り、

Pが3ならQが2の1通り…）して、
0＋1＋2＋3＝6通り…分子
従って、**6/12＝1/2**
【別解】場合分けで考える。
Pが1…Qより大きい数になる確率は、**0**。
Pが3（4枚中1枚）…Qの2（3枚中1枚）より大きいので、確率は、**1/4×1/3＝1/12**。
Pが5…Qの2と4より大きいので、確率は、**1/4×2/3＝2/12**。
Pが7…Qの2、4、6より大きいので、確率は、**1/4×3/3＝3/12**。以上を合計して、**0+1/12＋2/12＋3/12＝6/12＝1/2**
2【C】すべての組み合わせの数は、
$_4C_2 \times {}_3C_2$**＝18通り**…分母
Qの2枚の合計は**6か8か10**のいずれか。
Pの2枚の合計も**6か8か10**になるのは、**(1＋5)**、**(1＋7)**、**(3＋5)**、**(3＋7)** の4通りで、それぞれに対してQの1通り（6か8か10）が対応するので、
4×1＝4通り…分子
従って、**4/18＝2/9**
【別解】数字の和が等しくなる(**P＝Q**)の組は、(1＋5＝2＋4)、(**1＋7＝2＋6**)、(**3＋5＝2＋6**)、(**3＋7＝4＋6**)。Pが(**1と5**)を出すのは、1枚目に1か5、2枚目に残った方の1か5を出す確率で、**2/4×1/3＝1/6**。Qが(**2と4**)を出す確率は、**2/3×1/2＝1/3**。(**1＋5＝2＋4**)となる確率は、**1/6×1/3＝1/18**。同じ確率の組が**4パターン**あるので、**1/18×4＝2/9**

125 **1**【B】赤：白＝3：2の比率なので、赤玉は3/5、白玉は2/5入っていることになる。赤玉の当たりは3/5のうち20％なので、
3/5×0.2＝0.12＝12％
2【C】赤玉の当たりは、0.12。
白玉の当たりは、2/5×0.1＝0.04。
よって、当たりの玉の割合は全体の、
0.12＋0.04＝0.16
当たりでない玉の割合は、**1－0.16＝0.84**
2回とも当たりが出ない確率は、
0.84×0.84＝0.7056＝70.56％ → 71％

126 **1**【B】Pがグー（Qがチョキ）を出して勝つ確率は**1/2×1/4＝1/8**
Pがグーで勝たない確率は、**1－1/8＝7/8**
2回ともPがグーで勝たない確率は、
7/8×7/8＝49/64
全体1から引いて、**1－49/64＝15/64**
【別解】少なくとも1回はPがグーで勝つのは、以下の3パターン。
①1回目だけに勝つ → **1/8×7/8＝7/64**
②2回目だけに勝つ → **7/8×1/8＝7/64**
③1回目も2回目も勝つ → **1/8×1/8＝1/64**
以上を合計して、**15/64**
2【C】確率は下表の通り。

P＼Q	グー1/4	チョキ1/4	パー1/2
グー1/2	1/8	1/8	1/4
チョキ1/4	1/16	1/16	1/8
パー1/4	1/16	1/16	1/8

Pがチョキかパーを出して勝つかアイコになる確率は、表の赤字の合計で、
1/16＋1/16＋1/8＋1/8＝**3/8**
それ以外の確率は**5/8**で、これが2回連続で起きる**5/8×5/8＝25/64**を全体1から引く。**1－25/64＝39/64**
【別解】①1回目だけにPがチョキかパーを出して勝つかアイコになる → **3/8×5/8＝15/64**
②2回目だけにPがチョキかパーを出して勝つかアイコになる → **5/8×3/8＝15/64**
③1回目も2回目もPがチョキかパーを出して勝つかアイコになる → **3/8×3/8＝9/64**
以上を合計して、**39/64**
※おめでとう！ SPI最大の難所「確率」が終わりました。本書で必ず合格点が取れるようになります。がんばってください！

別冊解答・解説
▼確率の応用

15 割合と比 ▶本冊108〜111ページ

127【C】仮に以前の料金を1、入場者数を100とおくと、以前の売上は、**1×100=100**。
20%アップした料金は1.2、15%減った入場者数は100−15=85になるので、
値上げ後の売上は、**1.2×85=102**。
100から102に増えたので、**2.0%増加**。

128【B】全体の42%に相当する3日目が、2日目の1.2倍に当たるので、
2日目(%)…42÷1.2=35%
1日目(%)…100−35−42=23%

3日間 100%		
1日目	2日目 3日目÷1.2	3日目 42% 2日目×1.2

129【D】X全体の人数は、20人増えたので、
50+35+20=105人
これに占める女性の割合が40%なので、女性の人数は、**105×0.4=42人**
元の女性は35人だったので、新たに入った女性の人数は、**42−35=7人**
これが新たに入った人20人に占める割合は、
7÷20=0.35 → 35%

130【D】先週日曜の来場者数をx人とおくと、先週土日の合計来場者数が600人なので先週土曜の来場者数は(600−x)人。
先週土曜の5%減である今週土曜は0.95×(600−x)人、先週日曜の25%増である今週日曜は1.25x人、この合計が600人より7%増の642人なので、
0.95(600−x)+1.25x=642
570−0.95x+1.25x=642 → 0.3x=72
x=240
今週日曜は、**240×1.25=300人**

131【B】金曜日に4/15、土曜日は残った11/15のうちの2/9、つまり、
11/15×2/9=22/135
を読んだ。金土の2日間では、全体の**4/15+22/135=58/135**
を読んでいるので、**残りは77/135**。全体のページ数をxページとすると、

$$73+81=\frac{77}{135}x$$

x=270ページ
残りのページは81ページなので、
81÷270=0.3 →3割

132【C】合併後の劇団Rの人数をx人とする。
42%だった男性の人数が、5人減ったために40%になったことを式にする。
0.42x−5=0.4×(x−5)
0.02x=5−2
x=150
R150人はPの3倍の人数なので、Pは、
150÷3=50人
【別解1】Rの人数をx人とすると、Rの男性の人数は0.42x人、また男性5人がやめた後のR'の男性の人数は0.4×(x−5)人。女性の人数は変わらないことに注目して、
Rの女性の人数=R'の女性の人数
x−0.42x=(x−5)−0.4×(x−5)
これを解いて、**x=150人**
R150人はPの3倍なのでPは**150÷3=50人**
【別解2】劇団Pをx人とすると、倍の人数の劇団Qは2x人、合併後の劇団Rは3x人となる。
ここで、Q内での男性の割合をyとして、男性の人数について式を立てると、
Pの男性の人数+Qの男性の人数=Rの男性の人数
0.48x+y×2x=0.42×3x…①

また、5人の男性がやめた後は、
$0.48x + y \times 2x - 5 = 0.4 \times (3x - 5)$ …②
$0.48x + y \times 2x$が共通なので、
①を②の$0.48x + y \times 2x$へ代入して
$0.42 \times 3x - 5 = 0.4 \times (3x - 5)$
これを解いて、**x＝50人**
【別解3】選択肢を当てはめて計算する。
A…Pが40人だとRは120人。120人のうち男性が120×0.42で計算すると50.4人。割り切れないので×。
B…Pが49人だとRは147人。147人のうち男性が147×0.42で計算すると61.74人。割り切れないので×。
C…Pが50人だとQは100人、Rは150人。150人のうち男性が150×0.42で計算すると63人。男性5人を引き145人の40%が男性58人でぴったりなので○。

133 【A】全体の人数は、
850＋650＝1500人
全体1500人の27%である購入者数は、
1500×0.27＝405人
東日本850人の40%である購入者数は、
850×0.4＝340人
従って、西日本の購入者数は、
405－340＝65人
西日本に占める購入者の割合は、
65÷650＝0.1 → 10%

134 【A】正社員の人数は、従業員300人のうちの60%なので、**300×0.6＝180人**。
25人増やすと、**180＋25＝205人**。
また、総従業員数も25人増えて、**325人**。
正社員の割合は、
205÷325＝0.6307… → 63%

135 【C】男女比は**2：3**（＝**40：60**）なので、全体100%のうち、男性**40**%、女性**60**%。会員は、男性の**30%**、女性の**40%**なので、
0.4×0.3+0.6×0.4＝0.36 →36%

136 1【D】今年の従業員**520人**は昨年の**65%**に当たるので、昨年の従業員は、
520÷0.65＝800人
2【C】昨年の女性の人数をx人とすると、40%減った今年の女性は0.6x人。
昨年の男性は(800－x)人で、30%減った今年の男性は0.7×(800－x)人。
女性＋男性＝従業員数なので、
0.6x＋0.7×(800－x)＝520
－0.1x＝520－560
x＝400人
今年の女性は、**0.6×400＝240人**

137 1【D】1冊以上本を借りた人の貸出冊数の平均が1.5冊で、合計696冊なので、1冊以上本を借りた人の人数は、
696÷1.5＝464人
1冊も借りなかった人は
1450－464＝986人
これが1450人に占める割合は、
986÷1450＝0.68 → 68%
2【C】1週間の貸出冊数は、前の週の696冊より25%増加したので、
696×1.25＝870冊
1冊以上本を借りた人が600人なので、1人あたりの平均は、
870÷600＝1.45冊
前の週の1.5冊と比較した減少の割合は、
(1.5−1.45)÷1.5=0.0333… → 3%

138 1【C】XとYを**2：1**で混ぜるので、全体量を**30**とすると、Xは20になる。
その中では、**P：Q ＝ 2：3 ＝ 8：12**。
Yは10で、 その中では、**P：R ＝ 3：7**。
全体量30の中で、Pは**8＋3＝11**を占めるの

別冊解答・解説 ▼割合と比

で、**11÷30＝0.366… → 37%**

【別解】Z（**X**：Y＝**2**：1なので全体は**2**＋1＝3）に含まれるX（**P**：Q＝**2**：3なので全体は**2**＋3＝5）の中のPは、

$$\frac{2}{3}\times\frac{2}{5}=\frac{4}{15}$$

Z（X：**Y**＝2：**1**なので全体は**2**＋1＝3）に含まれるY（**P**：R＝**3**：7なので全体は**3**＋7＝10）の中のPは、

$$\frac{1}{3}\times\frac{3}{10}=\frac{1}{10}$$

従って、Zに含まれるPの合計は、

$$\frac{4}{15}+\frac{1}{10}=\frac{11}{30}=0.366\cdots\rightarrow 37\%$$

2【D】1/6と1/7の差は、

$$\frac{1}{6}-\frac{1}{7}=\frac{7}{42}-\frac{6}{42}=\frac{1}{42}$$

20cc＝1/42なので、全体は、

$$20\div\frac{1}{42}=20\times42=840\text{cc}$$

139 **1**【B】 sを含む単語の数を100%とすると、そのうちの20%に2字、80%に1字のsが含まれている。

sを含む単語の数に対するsの数の割合は、

20%×2＋80%＝120%

120%＝132字なので、

sを含む単語の数＝132÷1.2＝110

2【C】 rを含む単語の数を100%とすると、そのうちの5%に3字、15%に2字、残り80%に1字のrが含まれている。

rを含む単語の数に対するrの数の割合は、

5%×3＋15%×2＋80%＝125%

125%＝150字なので、

rを含む単語の数＝150÷1.25＝120

140 **1**【D】「前期にサッカーを選択した学生48人＋後期にサッカーを選択した学生50人」から、「前期・後期ともにサッカーを選択した学生12人」を引けば人数が出る。

48＋50－12＝86人

割合は、**86÷200＝0.43 → 43%**

2【B】前期に卓球を選んだ**x**人のうちの30%が後期に野球を選んだので、「前期に卓球、後期に野球を選んだ学生」は**0.3x**人。表より、

8＋15＋12＋0.3x＝x

35＝x－0.3x → 0.7x＝35

x＝35÷0.7＝50人

前期＼後期	卓球	テニス	サッカー	野球	合計
卓球	**8**	17	12	11	48
テニス	**15**	12	14	15	56
サッカー	**12**	16	**12**	**t=10**	50
野球	**0.3x**	q=12	**10**	**s=9**	r=46
合計	**x**	p=57	48	45	200

「前期に卓球、後期に野球を選んだ学生」は、

50×0.3＝15人

【別解】「前期に卓球、後期に野球を選んだ学生」をx人とおいてもよい。

8＋15＋12＋x＝x÷0.3

3【C】全体200人から「前後期ともサッカーと野球しか選択していない学生（上表のピンク部分）」を引けば、「前後期で少なくとも1度は卓球かテニスを選択した学生」が求まる。

2より、前期卓球の人数の合計xは50人。

前期テニスの人数の合計pは、

p＝200－(50＋48＋45)＝57人

さらに、

q＝57－(17＋12＋16)＝12人

r＝200－(48＋56＋50)＝46人

s＝46－(15＋12＋10)＝9人

t＝50－(12＋16＋12)＝10人

よって、前後期ともサッカーと野球しか選択していない学生は、**12＋10＋10＋9＝41人**

前後期で少なくとも1度は卓球かテニスを選択した学生の割合は、

(200－41)÷200＝0.795 → 79.5%

※「割合と比」の考え方は、就職試験で最重要。必ず完璧にマスターしておきましょう。

16 損益算 ▶本冊114〜115ページ

141 【C】定価をx円とおく。1割引で100個、2割引で200個売ったときに、売上額が、原価500円×300個＋利益125000円＝275000円になるようにしたいので、

(1−0.1)x×100+(1−0.2)x×200
＝275000

90x＋160x＝275000

250x＝275000

x＝1100円

142 【D】仕入れ値は、

400×100＝40000円

1割の利益が出る売上額は、

40000×1.1＝44000円

400個のうち1割が割れると残りは、

400×0.9＝360個

360個で44000円になればよいので、

44000÷360＝122.2…

従って、123円以上で売ればよい。

ちなみに、この問題では仕入れた数が何個に設定されていても、答えは123円になる。

143 【D】400円の2割5分の利益は、

400×0.25＝100円

定価で売れた80個の利益は、

100×80＝8000円

定価の1割引は、

400×1.25×0.9＝450円で、

利益は、

450−400＝50円

1割引で売った150−80＝70個の利益は、

50×70＝3500円

従って、利益は全部で、

8000＋3500＝11500円

144 【B】Pの原価をp円、Qの原価をq円とすると、10個ずつ仕入れて18000円なので、

10p＋10q＝18000…①

Pを原価の1.2倍、Qを1.4倍で10個ずつ販売して売上総額が24000円なので、

(1.2p＋1.4q)×10＝24000

12p＋14q＝24000…②

①と②を解いて※、p＝600円。原価600円の2割の利益があるPの定価は、

600×1.2＝720円

※連立方程式の解き方には、加減法と代入法があります。加減法では、例えば、

x+y＝3…①

2x+5y＝9…②

①の両辺に2を掛けると、2x＋2y＝6…①'

②から①'を引けば、y＝1と出ます。

$$\begin{array}{rr} & 2x+5y=9 \\ -) & 2x+2y=6 \\ \hline & 3y=3 \end{array}$$

代入法では、①をx＝3−yとして、②のxに代入し、2(3−y)+5y＝9を解きます。

145 【B】250円の2割増しの1割引は、

250×1.2×0.9＝270円

従って、利益は、

270−250＝20円

146 【A】定価600円の1割引である「売値」を求めてから、原価を求める。

定価×(1−割引率)＝売値

600×(1−0.1)＝600×0.9＝540円

原価xの2割の利益が出る売値が540円

原価×(1＋利益率)＝売値

x×(1＋0.2)＝540

x＝540÷1.2＝450円

147【C】元の仕入れ値をx円とすると、元の利益は、(100－x) 円。
15%上がった仕入れ値は1.15x円で、そのときの利益は、(100－1.15x) 円。
これが元の利益から1割減なので、
100－1.15x＝(100－x)×0.9
100－1.15x＝90－0.9x
－1.15x＋0.9x＝90－100
－0.25x＝－10
25x＝1000
x＝40円

148 1【C】仕入れ値850円の品物Pは、定価の3割引で販売したときに200円の利益が出るので、3割引で販売した場合の売値は、
850＋200＝1050円
この売値が定価の3割引なので、定価は、
1050÷(1－0.3)＝1500円
仕入れ値は850円なので、定価で売ったときの利益は、
1500－850＝650円
2【D】定価の1割引で、利益が560円。
定価の3割引で、利益が200円。
つまり、560－200＝360円が、定価の2割分に相当する。
従って、定価は、
360÷0.2＝1800円

149 1【B】Pの利益は、
(350×0.3)×40＝4200円
Qの利益は、
(280×0.4)×80＝8960円
利益合計は、
4200＋8960＝13160円
2【A】Qの定価で売った60個の利益は、
(280×0.4)×60＝6720円
値下げ後のQの売値x円で20個の利益は、
(x－280)×20＝20x－5600円
定価60個の利益6720円と値下げ後の20個の利益20x－5600円の合計が、Pの利益である4200円以上になるようにしたいので、
6720＋20x－5600≧4200
20x≧4200－6720＋5600
20x≧3080
x≧154円
【別解】Qの定価で売った60個の利益は、
(280×0.4)×60＝6720円
Pを定価で全部売った利益は、1より、
4200円
この時点で、QはPよりも、
6720－4200＝2520円
多くの利益を出している。このとき、Qの残り20個での赤字を2520円以下にすれば、定価で売れたものと合わせたQの利益が、Pの利益以上になる。
Q1個あたりの赤字は最大で、
2520÷20＝126円
Qの仕入れ値は280円なので、売値は、
280－126＝154円
※損益算は、原価(仕入れ値)、売値、利益、定価の関係から、解法のパターンを覚えておくことが大切です。

17 料金割引 ▶本冊118～119ページ

150【C】最初の3か月までは、
1×3＝3万円
4～12か月目の９か月間は、
1×0.9×9＝8.1万円
13～18か月目の６か月間は、
1×0.8×6＝4.8万円
合計して、
3＋8.1＋4.8＝15.9万円

151【B】最初の5か月目までは、
5万円×5＝25万円
6～11か月目の6か月間は、
5万円×0.8×6＝24万円
12～20か月目の9か月間は、
5万円×0.6×9＝27万円
合計して、
25＋24＋27＝76万円

152【B】7連泊と2連泊・5連泊の差額は、（5連泊は共通しているので）7連泊の「6泊目以降の２泊分」と「2連泊の１泊目と２泊目」の割引額の差額と考えられる。つまり、「9000円×30%×２」と「9000円×（10%＋20%）」の差になるので、
9000×0.3＝2700円

153【B】飲み物だけ３人、デザートだけ２人、両方４人の追加金額をまとめると、
200×(3＋4)＋300×(2＋4)
＝3200円
クーポン200円４枚の利用分を引くと、
3200－200×4＝2400円
パスタ880円をx人とすると、ランチプレート1050円は(9－x)人。全部の合計は、
880x＋(9－x)×1050＋2400＝11510
170x＝340
x＝2人

154 1【C】1個120円なので、
1～10個目までは、
120×10＝1200円
11～30個目までは1割引なので、
120×0.9×20＝2160円
31～35個目までは3割引なので、
120×0.7×5＝420円
35個買ったときの代金の合計は、
1200＋2160＋420＝3780円
2【B】平均購入価格が120円より安いので11個以上買ったことになる。
仮に30個とすると、代金は、1より、1～10個目までは**1200円**。
11～30個目までは**2160円**なので、合計で、
1200＋2160＝3360円
平均購入価格は、1個あたり
3360÷30＝112円 ＜ 113円
30個より多くなると平均価格は112円を下回るので、平均購入価格が1個あたり113円の場合の個数xは、11以上30未満に確定する。
{1200＋(120×0.9) ×(x－10)}÷x＝113
x＝24個
【別解】仮に、30個以下として、n個買ったと考えると、合計金額は、
120×10＋(120×0.9)×(n－10)＝
108×n＋120 円
このとき平均購入価格が113円なので、合計金額は、113×n円。
これらが等しいので、
108×n＋120＝113×n
5×n＝120
n＝24個

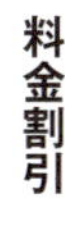

155 入場券の買い方は、余りが出てもよいので回数券のみを買うか、余りが出ないように回数券とバラを組み合わせて買うか、の2通りある。

1【C】20枚つづりの回数券を2つ買えば、40人が**30x円**で入場できる。残り10人は**10x円**なので、**30x＋10x＝40x円**。

20枚つづりの回数券を3つ買うと、総額は15x×3＝45x円で、40x円の方が安い。

2【A】45人は、回数券2つ＋5人分で、**30x＋5x＝35x円**。これは、回数券3つの45x円より安い。1人分は、

$$\frac{35}{45}x=\frac{7}{9}x$$

56人は、回数券2つと16人分では、

30x＋16x＝46x円

ところが、回数券3つ(60人分)を買えば、

15x×3＝45x円

で、回数券3つを買う方が安い。

従って、1人分は、$\frac{45}{56}x$円。

1人あたりの差額は、

$$\frac{45}{56}x-\frac{7}{9}x=\frac{13}{504}x\text{円}$$

156 **1**【C】13〜15時の2時間は15%引きで、

25000×(1－0.15)×2＝42500円

15〜17時の2時間は10%引きで、

25000×(1－0.1)×2＝45000円

42500＋45000＝87500円

2【C】割引をしない使用料は6時間で、

25000×6＝150000円

割引後は128750円なので、割引額は、

150000－128750＝21250円

ここで5%の割引分は、

25000×0.05＝1250円

割引額を5%の割引分で割れば、

21250÷1250＝17

つまり、**5%が17個分**割引されている。

「20%＝5%を4個」「15%＝5%を3個」「10%＝5%を2個」と考えると、9時から17時までは、1時間ずつ順に、

9〜12時…4個、4個、4個

12〜15時…3個、3個、3個

15〜17時…2個、2個

17〜24時…0個

の割引になる。

ここで、**6時間で17個分の割引**になる範囲を探すと、**上の赤字の部分**が見つかる。

従って、**11〜17時**に借りていたことがわかる。

【別解】1時間あたりの使用料は、

9〜12時…25000×0.8＝**20000円**

12〜15時…25000×0.85＝**21250円**

15〜17時…25000×0.9＝**22500円**

6時間で128750円なので、1時間あたりで、

128750÷6＝**21458.333…円**

12〜15時の使用料に最も近くて、15〜17時の使用料との間に入る料金になる。ここから、

9〜12時…1時間使用

12〜15時…3時間使用

15〜17時…2時間使用

という見当をつけて、計算をしてみる。

20000＋21250×3＋22500×2＝128750円

合っているので、**11〜17時**に借りていたことがわかる。

※時間に追われて、個数や値段を読み間違えないようにしましょう。

18 仕事算 ▶本冊122〜123ページ

157 1【E】全体の作業量を1とすれば
9x+9y＝1　←XとYの2人では9時間
3x+18y＝1　←X3時間とY18時間
これを解いて、y＝2/45。1時間で2/45の仕事量のY1人で行うと、

$$1 \div \frac{2}{45} = \frac{45}{2} = 22\frac{1}{2}$$

→ **22時間30分**かかる

【別解】「X3時間＋Y18時間」は、「X3時間＋Y3時間＋**Y15時間**」と同じ仕事量。もともと「X9時間＋Y9時間」かかる作業なので、「X3時間＋Y3時間」の作業量は全体の3/9＝1/3。残り2/3に「**Y15時間**」がかかるので、Yの1時間の作業量は、**2/3÷15＝2/45**

2【D】1の方程式を解くと、**xは1/15**。従って、X1人で行うと、15時間かかる。

【別解】Xの1時間の作業量は、2人の1時間の作業量1/9からYの作業量2/45を引いて、

$$\frac{1}{9} - \frac{2}{45} = \frac{5-2}{45} = \frac{3}{45} = \frac{1}{15}$$

158 1【D】全体の作業量を1とすれば、Xの1日の仕事量は1/30、Yの1日の仕事量は1/20。Xの働いた日数をx日とすると、

$$\frac{1}{30} \times x + \frac{1}{20} \times (25 - x) = 1$$

$$\frac{x}{30} + \frac{25-x}{20} = 1$$

$$\frac{2x+75-3x}{60} = 1$$

$$x = 15$$

2【C】1日の仕事量は、P、Q、Rの3人合わせて1/4、Pだけで1/10、Qだけで1/15。

$$\frac{1}{4} - \frac{1}{10} - \frac{1}{15} = \frac{15}{60} - \frac{6}{60} - \frac{4}{60} = \frac{5}{60} = \frac{1}{12}$$

従って、Rが1人で行うと**12日**かかる。

159 1【D】P管で1時間注水すると、1/3の水がたまるので、残り2/3。これを1時間に1/3注水できるP管と、1時間に1/5注水できるQ管で注水するので、

$$\frac{2}{3} \div \left(\frac{1}{3} + \frac{1}{5}\right) = \frac{2}{3} \times \frac{15}{8} = \frac{5}{4}\text{時間}$$

→ 1時間15分
P管だけの1時間をたして、2時間15分。

2【E】P管とQ管では1時間に1/3＋1/5＝8/15の水がたまる。R管とS管では1時間に1/6＋1/10＝4/15の水が出る。

$$1 \div \left(\frac{8}{15} - \frac{4}{15}\right) = 1 \div \frac{4}{15} = \frac{15}{4}\text{時間}$$

→3時間45分

160 1【B】頭金に25％＝1/4払う。残額は3/4で、利子はその10％（＝1/10）なので3/40。合計を11等分すると、

$$\left(\frac{3}{4} + \frac{3}{40}\right) \div 11 = \frac{33}{40} \div 11 = \frac{3}{40}$$

【別解】残額3/4で、利子が10％つくので、支払額は、3/4×11/10＝33/40。これを11等分すればよい。

2【E】残額をxとすると、利子はx/10、この合計を11等分した額が1/20になる。

$$\left(x + \frac{x}{10}\right) \div 11 = \frac{1}{20}$$

$$\frac{11x}{10} \div 11 = \frac{1}{20}$$

$$\frac{x}{10} = \frac{1}{20}$$

$$x = \frac{1}{2}$$

残額が1/2なので、**頭金として1/2**払う。

※確実に得点したい分野です。ここで挙げたレベルの分数の計算は、必ずできるようにしておきましょう。

19 代金精算 ▶本冊126～127ページ

161 【E】支払総額は、食事代12000円とコーヒー代900円で、**合計12900円**。
これを３人で同額負担するので、１人分は、
12900÷3＝4300円
Yの精算額　4300－2000＝2300円
Zの精算額　4300－900＝3400円

162 1【E】個別に見ていけば簡単な問題。
Sは3000円とTに貸した6000円で、**合計9000円**の出費。Tは10000円支払ったが、6000円借りたので、**合計4000円**の出費。送別会の金額は13000円を2人で分けるので
13000÷2＝6500円。
つまり、**Sは9000－6500＝2500円多く**、逆に**Tは6500－4000＝2500円少なく**支払っていることになる。
正しい精算額はTからSへ2500円。
SがTに500円支払って精算すると、
Sは2500＋500＝3000円の損。
2【E】1より、**TがSに2500円払う**。

163 【E】グレーのネクタイ3000円は精算には関係ないので、計算に入れないこと。
「出た額（支払額、預けた額、貸した額）」と「入った額（預かった額、借りた額）」との差額が精算額になる。
Ｙで考えると、出た額はＸに預けた5000円。入った額は借りていた4000円と青のネクタイ代3500円なので、
5000－4000－3500＝**－2500円**
出た額より入った額が多いので、精算では**ＹがＸに2500円払う**。
【別解】Ｘで考えると、出た額はＹに貸していた4000円とYに買った青のネクタイ代3500円。入った額はYから預かった5000円なので、
4000＋3500－5000＝**2500円**
出た額より入った額が少ないので、精算では**ＸがＹから2500円もらう**。

164 1【C】Nは2000円貸していて、釣りを1000円もらったので、ここまでの支払いは、
2000－1000＝1000円。
プレゼント代9000円を3人で同額負担するので1人あたりは**3000円**。従ってNは、
3000－1000＝2000円
で、2000円支払う。

※ちなみに、LとMは下の通り。
L　3000－1500＝1500円 で1500円払う
M 3000－(－1500－2000+10000)
　＝－3500円 で3500円受け取る

2【E】金額の動きを計算しやすいLの支払い額を出して、それを3倍すればプレゼント代になる。Lの支払いは、元々貸していた1500円と最後に支払う2000円と1000円。全部で、
1500＋2000＋1000＝4500円
3人で同額負担のプレゼント代は、
4500×3＝13500円

※代金精算は、図にしてメモを取る必要はありません。頭が混乱して出題者の思うつぼです。本書のように、個別に計算することが最大のコツ。どんなに複雑に書かれている貸し借りでも、この方法でなら確実に素早く解けます。

20 速度算 ▶本冊130〜131ページ

165 1 【D】第２区の距離は5kmで、かかった時間は、52－37＝15分＝1/4時間。

5÷1/4＝5×4＝20km/時

2 【C】第４区6.5kmを19.5km/時で走ったので、かかった時間は、

6.5÷19.5＝1/3時間＝20分

第3区までに60分かかっているので、第4区の20分をたして、全区間でかかった時間は80分。全長24kmに80/60時間＝4/3時間かかったので、

$$24 \div \frac{4}{3} = 24 \times \frac{3}{4} = 18\text{km/時}$$

166 1【C】池を１周して出会うので、２人が出会うまでに歩く距離の合計は池の１周分の1.5km。２人が近づいていく速度は、2人の速度の合計、**5.4＋3.6＝9km/時**。

1.5÷9＝1.5/9時間＝1/6時間＝10分。

【別解】1.5km＝1500m。2人の速度の合計は、9km/時＝9000m/時。分速に直すと、**9000÷60＝150m/分**。

つまり、1500mを150m/分の速度で近づくので10分かかる。

2【D】Pは、**5400÷60＝90m/分**

Qは、**3600÷60＝60m/分**

速度の差は、**90－60＝30m/分**

9分後のPは、Qより90×9＝810m先にいる。PはQより速いので、さらに池の周囲をぐるりと１周回って、9分後に出発したQに後ろから追いつくことになる。従って、1500－810＝690mの距離を30m/分の速度で縮めることになる。

690÷30＝23分

23分は、Pが出発して9分後からの計算なので、Pが最初にQに追いつくのは、Pが歩き出してから、**23＋9＝32分後**。

167 【E】XがRSの中間地点に到達するのにかかる時間は、25kmを50km/時で走行するので、1/2時間＝30分。Xは10時5分に出発しているので、このとき時刻は10時35分。10時15分に出発したYは、25kmを20分（1/3時間）で走行したので、

25÷1/3＝25×3＝75km/時

168 【D】時速3kmの動く歩道の上を時速2.4kmで歩いたので、移動速度は時速5.4km。

5400÷3600＝1.5m/秒

で、時速5.4kmは秒速1.5m。

この速度で40秒進むとき、進んだ長さは

1.5×40＝60m

【参考】1秒間に1m進むとき、1時間すなわち60×60＝3600秒では3600m＝3.6km進む。**時速3.6km＝秒速1m**を利用して、3.6で割ることで時速から秒速への変換ができる。

時速5.4km → 5.4÷3.6＝秒速1.5m

169 1【B】乙が11：10にR駅を出発して、5分後に甲がQ駅を出発する。最初の5分は乙だけが48km/時で走行して、それから、甲乙が48＋48＝96km/時で近づいていく。5分（＝5/60時間＝1/12時間）で乙は、48×1/12＝4km進んでいる。QR間は20kmなので、残り20－4＝16kmを96km/時で近づく。これにかかる時間は、

16÷96＝1/6時間＝10分

甲が出発して10分後の**11：25にすれ違う**。

2【C】11：20にすれ違うので、走行時間は乙が10分（＝10/60時間）で、5分後に出発する甲が5分（＝5/60時間）。甲の速度をvkm/時と

すると、乙の速度は1.5vで、全長20㎞を走るので、

$$\underbrace{1.5v \times \frac{10}{60}}_{乙} + \underbrace{v \times \frac{5}{60}}_{甲} = 20$$

$$\frac{15v + 5v}{60} = \frac{20v}{60} = \frac{v}{3} = 20$$

v＝60㎞/時

乙は甲の1.5倍の速度なので、

60×1.5＝90㎞/時

※SPIでは分を時間にするとき、分数で考えると早く計算できる問題が多く出されます。小数、分数、比を使い分けて最も簡単な計算を見つけ出す能力も問われているものと思われます。

21 集合 ▶本冊134～135ページ

170【E】電車とバスどちらも利用しない人をx人として、ベン図で表す。

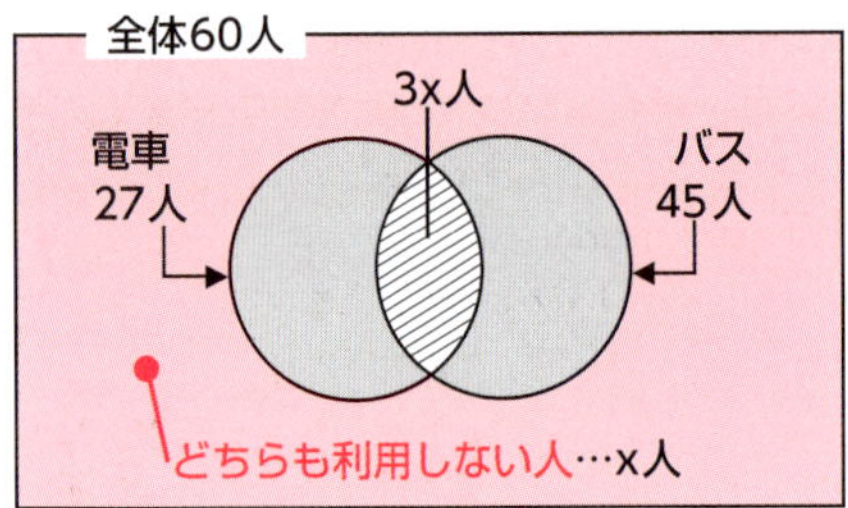

x＝60－(27＋45－3x)

x＝6人

両方利用する人は、**x×3＝18人**

171【C】2回とも正解が10問未満だった人が3人なので、少なくとも1回は10問以上正解した人が、**50－3＝47人**

10問以上の正解者は1回目42人、2回目43人。従って、2回とも10問以上正解した人は、**42＋43－47＝38人**

172 1【B】販売員に満足と答えた人が185人おり、そのうち140人が配送員にも満足と答えた。販売員に満足で配送員に不満足と答えた人の数は、**185－140＝45人**

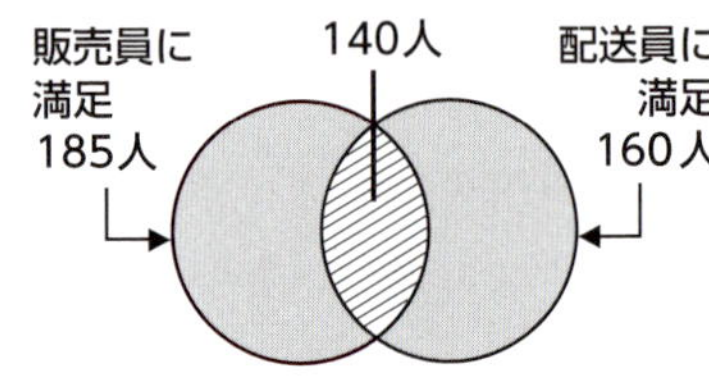

2【C】全体240人のうち、販売員に不満足と答えた人が55人。そのうち30人が商品には満足と答えたので、販売員にも商品にも不満足と答えた人の数は、**55－30＝25人**

【別解】商品に満足と答えた人が200人おり、そのうち30人が販売員には不満足と答えた。商品にも販売員にも満足と答えた人の数は、

200－30＝170人

販売員に満足と答えた人は185人なので、そのうち商品には不満足と答えた人の数は、

185－170＝15人

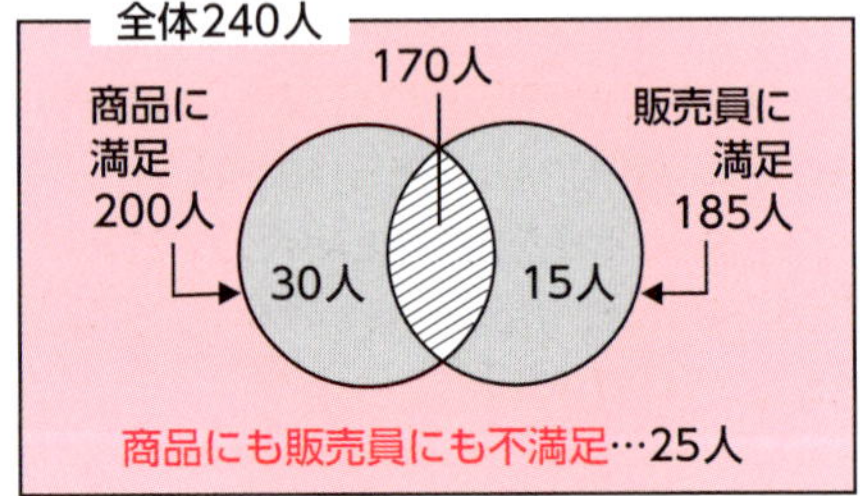

従って、商品か販売員の少なくとも一方に満足と答えた人の数は、

30＋170＋15＝215人

全体で240人なので、商品にも販売員にも不満足と答えた人の数は、

240－215＝25人

173 1【B】土曜日不参加は44人、日曜日不参加は31人なので、両日とも参加できない人は、**最も多くて31人**。

2【E】日曜日の参加者69人のうち、日曜日だけの参加が13人なので、両日参加は、

69－13＝56人

174 1【C】どれも読まない人が0人なので、Rだけを読む人は、全体50人から「PかQを読む人」を引けば求められる。

50－(28＋20－8)＝10人

2【D】2紙以上を読む人とは、ベン図の黒い斜線と赤い斜線をたした部分のこと。

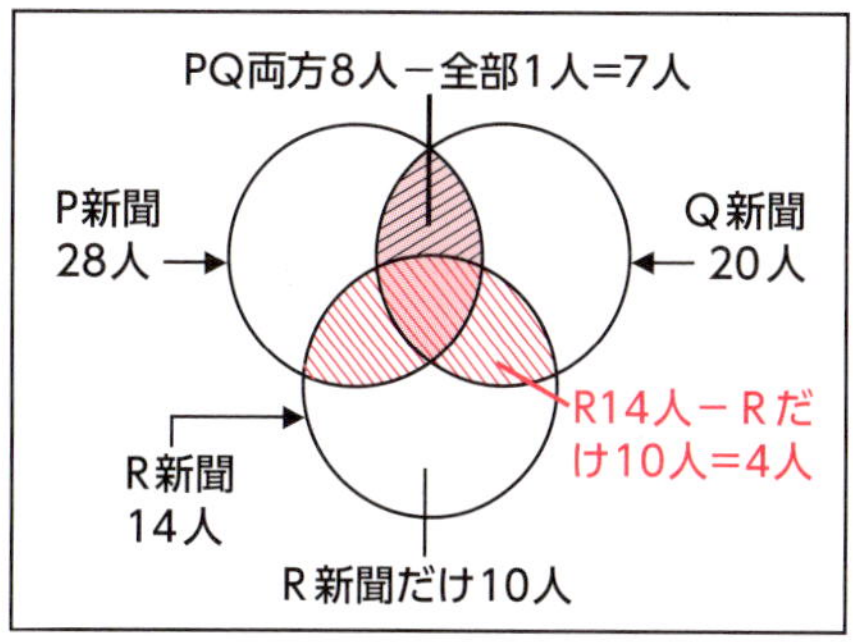

黒い斜線部分は、PQ両方読む8人（■）から中央の3紙全部を読む1人を引いた**7人**。赤い斜線部分は、**R新聞を読む14人**から1で求めた**R新聞だけ読む10人**を引いた**4人**。2紙以上を読む人は、**7＋4＝11人**。

175 1【C】心理学には分類できないが教育学に分類できる本は、教育学に分類できる本40冊から、心理学と教育学の両方に分類できる本15冊を引けば求められる。

40－15＝25冊

2【D】心理学、教育学、社会学のいずれにも分類できない本は、下のベン図の円の外側で、全部の本150冊から3つの円の部分「心理学に分類できる本**70冊**＋心理学には分類できないが教育学に分類できる本**25冊**（1の解答）＋社会学だけに分類できる本**34冊**」を引けば求められる。

150－(70＋25＋34)＝21冊

3【D】すべてに分類できる本はベン図の①。心理学と社会学だけに分類できる本は②。教育学と社会学だけに分類できる本は③。

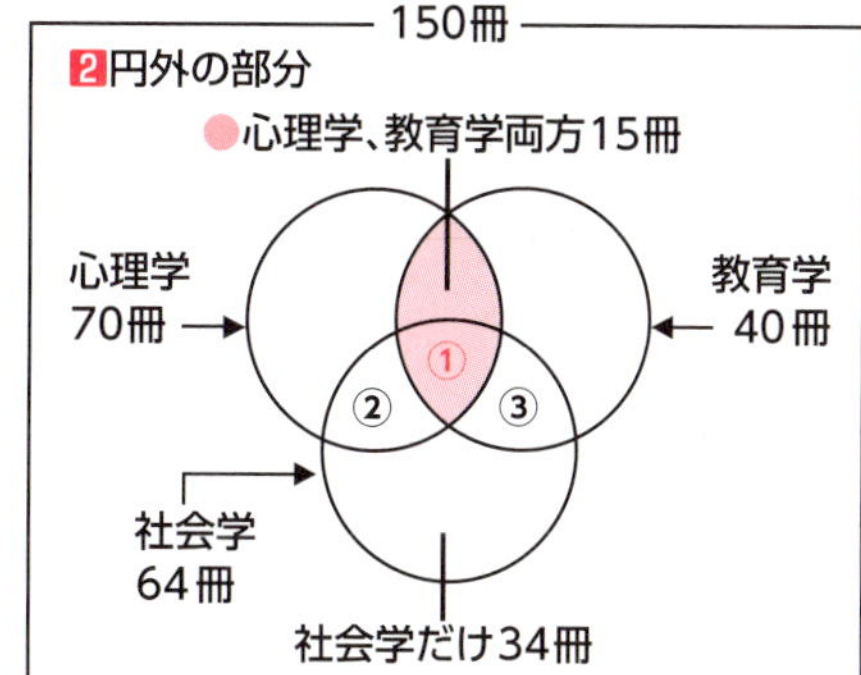

①＋②＋③は、ベン図で社会学64冊から社会学だけ34冊を引いた**30冊**になることに注目。30冊を①：②：③に分けると、

1：1/3：2＝3：1：6。①は全体（**3＋1＋6＝**）**10**のうちの**3**なので、**3/10**。

30冊×3/10＝9冊

※「集合」の難問を再現してあります。以上の問題が時間内に正解できるなら、自信をもって本番に臨むことができるでしょう。

22 表の解釈 ▶本冊138〜145ページ

176 1【B】各元素の重量比に、表にあるPの中のそれぞれの原子個数比（＝構成割合）を掛け合わせればよい。

	水素	炭素	酸素	窒素	その他	合計
P	62.3%	22.1%	10.8%	3.5%	1.3%	100%

重量比×原子個数比を概算すると、
水素　1×62.3→計算不要（小さい）
炭素　12×22.1→220より大
酸素　16×10.8→約160
窒素　14×3.5→計算不要（小さい）
以上より、**重量が最大のものは炭素。**

2【B】4.0%のRの窒素の個数を4個とすると、Qの窒素の個数は8個。8個が1.6%なので、

	炭素	窒素	個数比
Q	24.6%	1.6%	1
R	25.0%	4.0%	1/2

24.6%のQの炭素の個数は、

$$8\times\frac{24.6}{1.6}=8\times\frac{246}{16}=\frac{246}{2}=123個$$

25.0%のRの炭素の個数は25個となり、これを123個で割れば、
25÷123＝0.203… →0.20倍

【別解1】Q、Rの全体の個数をq、rとする。窒素の個数比は1：1/2 ＝ 2：1より、
Q：R＝q×1.6%：r×4.0%＝2：1
内積＝外積より、
1.6q×1＝4r×2
1.6q＝8r
q：r＝8：1.6＝5：1
Q、Rの炭素の比は、
5×24.6：1×25.0＝123：25
＝1：0.203… →0.20倍

【別解2】窒素原子の個数はQが1、Rが1/2なので、Qの窒素1.6%の1/2である0.8%が、Rの窒素4.0%と等しい個数となる。

Q全体×0.8＝R全体×4.0
Q全体＝R全体×4.0÷0.8＝R全体×5
これにより、**Q全体の個数はR全体の個数の5倍**とわかる。ここで、**Q全体の個数を100**とすると、**R全体の個数は20**とおける。次に、炭素の個数を割り出す。
Qの炭素は24.6%。Q全体を100として、
Qの炭素の個数…**100×0.246＝24.6個**
Rの炭素は25.0%。R全体を20として、
Rの炭素の個数…**20×0.25＝5個**
Rの炭素の原子の個数はQの、
5÷24.6＝0.203… →0.20倍

177 1【B】水溶液Xに含まれる薬品aと薬品bの重さの比は、3.0：1.8。
aを20g、bをxgとすると、
3.0：1.8＝20：x　→ x＝12g

2【C】薬品dの重量百分率は、Xが0.8%、Yが1.8%で、Zが1.2%。Xをxg、Yをyg混ぜてZに含まれるdと等しくするので、

0.8x＋1.8y＝1.2（x＋y）
0.6y＝0.4x
3y＝2x

従って、**X：Y＝3：2**となる。
【別解】XとZの濃度の差は0.4。
YとZの濃度の差は0.6で、
0.4：0.6＝2：3
Zとの濃度の差が大きいYの方を少なく混ぜて、Zの濃度にするので、
2：3の逆数比で3：2となる。

3【B】Xをxg、Yをyg混合したとする。
薬品aは16gなので、表の割合より、
0.03x＋0.02y＝16
3x＋2y＝1600…①
薬品cは10gなので、表の割合より、

$$0.025x + 0.01y = 10$$
$$25x + 10y = 10000$$
$$\mathbf{5x + 2y = 2000} \cdots ②$$

加減法によって、②−①でyを消すと、
2x＝400
x＝200g

178 **1**【D】気体Xの構成体積比率は、メタン80.0%、エタン10.0%なので、エタンの体積はメタンの1/8となる。気体Xでメタン56gと同じ体積のエタンの重量は1.8倍で、その1/8をとると、

$$56 \times 1.8 \times \frac{1}{8} = 12.6\text{g}$$

【別解】メタンとエタン(xg)の重量比は、
メタン：エタン＝1.0×80.0：1.8×10.0
＝80：18＝56g：xg
よって、$x = 56 \times \dfrac{18}{80} = 12.6\text{g}$

2【C】気体Yのメタンを除く気体の体積比率を重量比率にする。
エタン →1.8×5.5 ＝ 9.9
プロパン→2.8×3.5 ＝ 9.8
ペンタン→4.5×1.0 ＝ 4.5
合計 → 24.2
メタンを除く重量は72.6gなので、重量比率が4.5/24.2のペンタンの重量は、

$$72.6 \times \frac{4.5}{24.2} = \frac{3 \times 4.5}{1} = 13.5\text{g}$$

179 **1**【B】Y県の2020年の人口を100人とすれば、表の100%を100人として計算できる。
Y県の2020年の0〜14歳は15人。

10年前の0〜14歳は15÷3/4＝20人。

2020年の65歳以上は20人。

10年前の65歳以上は**20÷2＝10人**。

その他は横ばいなので、10年前のY県の人口は、2020年の100人よりも0〜14歳が5人多く、65歳以上が10人少ない、合計**95人**となる。

10年前の65歳以上の人が占める比率は、
10÷95＝0.1052… →10.5%

2【D】X県の2020年の人口(表内)に、2000年の指数を掛ければよい。
①0〜14歳…**10×110＝1100**
②15〜39歳…**30×120＝3600**
③40〜64歳…**35×80＝2800**
④65歳以上…**25×60＝1500**
多い順に「②、③、④、①」。

180 **1**【B】昨年の2日目の入場者数は、
2800×0.4＝1120人
これが、一昨年の延べ入場者数アの70%と等しいので、一昨年の延べ入場者数アは、
1120÷0.7＝1600人

2【D】昨年の「2日入場券」購入者1000人は、全員2日間とも入場したので、延べ入場者数では2000人となる。イは、昨年の延べ入場者数2800人から2000人を引けばよいので、
2800－2000＝800人

3【B】今年の延べ入場者数は3200人、1日入場券での入場者は1300人なので、2日入場券での入場者数は、
3200－1300＝1900人
「2日入場券」購入者数x人のうちの90%は2日間入場したので、1900人のうちの2人に数えられ、10%は1日だけ入場したので1人に数えられる。これを式にすると、
0.9x×2＋0.1x＝1900人
x＝1000人
ウは、1000人。

181 **1**【D】Q駅からR駅の間、列車Aに乗っている人とは、P駅かQ駅から乗車して、R駅かS駅で降りた人のことを指す。これは、「P駅乗車R駅下車の18人＋P駅乗車S駅下車の32人＋Q駅乗車R駅下車の20人＋Q駅乗車S駅

別冊解答・解説 ▼表の解釈

下車の15人」なので、

18+32+20+15＝85人

【別解】P駅で28＋18＋32＝78人乗って、Q駅で28人下りて35人乗ったので85人。

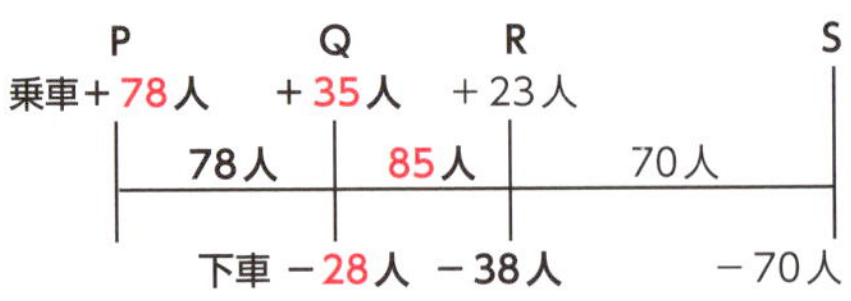

2【D】S駅下車の人は、P、Q、R駅のどの駅から乗車したかで運賃が変わる。

P駅乗車（108km）1000×32＝32000円

Q駅乗車（70km）800×15＝12000円

R駅乗車（48km）600×23＝13800円

合計32000＋12000＋13800＝57800円

3【C】区間別の乗車率は、

PQ間→(28＋18＋32)÷100＝0.78

QR間→(18＋32＋20＋15)÷100＝0.85

RS間→(32＋15＋23)÷100＝0.70

3区間の乗車率の平均なので、

(78＋85＋70)÷3＝77.66… → 77.7%

182 1【C】平均点×人数＝合計点

Pクラスの3科目それぞれの合計点を合算して、40人で割れば求められる。

(72.0×8+70.7×20+69.5×12)÷40=70.6点

2【A】物理を受験した全人数は、

8＋16＋10＋11＝45人

物理の4クラスそれぞれの合計点を合算して、45人で割れば求められる。

(72.0×8＋64.5×16＋65.0×10＋64.0×11)÷45＝65.82… → 65.8点

3【C】Rクラスの3科目を合計した点数は、

67×40＝2680点

ここから、物理10人の合計点を引けば、化学と生物を合わせた合計点になる。

2680－(65×10)＝2030点

化学＋生物の受験者数は、40人から物理10人を引いた30人。生物の受験者数をx人とすると、化学の受験者数は(30－x)人。

化学の合計点＋生物の合計点＝2030点

(30－x)×70＋63x＝2030

x＝10人

183 表1と表2を使い分ける。

【表1】利用した交通手段

スキー場 / 交通手段	W	X	Y	Z	合計
乗用車	(　)	50%	20%	20%	34%
バス	30%	20%	30%	60%	(　)
電車	(　)	20%	30%	10%	(　)
その他	10%	10%	20%	10%	13%
合計	100%	100%	100%	100%	100%

【表2】スキー場ごとの回答者数の割合

	W	X	Y	Z	合計
回答者の割合	25%	30%	30%	15%	100%

1【B】全体の回答者数を100人とすると、表2より、スキー場Xの回答者数は30%なので30人。表1より、スキー場Xの回答者数30人のうち、「電車」と答えた人は20%なので、30×0.2＝6人。全体の回答者100人のうちの6人が、スキー場Xで「電車」と答えたので、

6÷100＝0.06＝6%

2【C】表1では、Z60%はX20%の3倍だが、表2ではZ15%はX30%の1/2なので、

3×1/2＝1.5倍。

【別解】全体の回答者数を100人とすると、表2より、スキー場Zの回答者数は15%なので15人。表1より、スキー場Zの回答者数15人のうち、バスと答えた人は60%なので、15×0.6＝9人。スキー場Xの回答者の割合は30%で30人。30人のうち20%がバスと答えたので、30×0.2＝6人。よって、Zでバスと答えた人は、Xで「バス」と答えた人の、

9÷6＝1.5倍

3【D】全体の回答者数を100人として、乗用車の人数をスキー場ごとに算出する。
X＝100×0.3×0.5＝15人
Y＝100×0.3×0.2＝6人
Z＝100×0.15×0.2＝3人
乗用車合計＝100×0.34＝34人
よって、Wで「乗用車」と答えた人は、
34－(15＋6＋3)＝10人
Wの回答者の割合は25%なので25人。
よって、Wの回答者数に対するWで「乗用車」と答えた人の割合は、
10÷25＝0.4 → 40%

【表1】利用した交通手段

交通手段＼スキー場	W	X	Y	Z	合計
乗用車	(40%)	50%	20%	20%	34%
バス	30%	20%	30%	60%	(　)
電車	(20%)	20%	30%	10%	(　)
その他	10%	10%	20%	10%	13%
合計	100%	100%	100%	100%	100%

4【C】スキー場Yの回答者の割合は全体の30%、そのうち20%が「その他」と答えており、その人数が84人なので、全体の回答者数は、**84÷0.3÷0.2＝1400人**
※いろいろな表の見方を覚えておきましょう。

23 特殊算 ▶本冊148～151ページ

184【C】90円の菓子を12個買うと、90×12＝1080円で、80円オーバーする。この80円分を90円の菓子でなく70円の菓子にかえることで、1個あたり90－70＝20円ずつ減らしていくと考える。
80÷20＝4個
12個のうち4個を70円の菓子にかえれば、1000円ちょうどになるので、**90円の菓子は12－4＝8個**

185【B】13枚で1450円(十の位が5)にするので、10円玉は5枚か10枚。10枚では、残り3枚(500円、100円、50円)で1350円を作ることができないので、**10円玉は5枚**。
10円玉の分を引いて、13－5＝8枚で、
1450－50＝1400円
これを500円玉(1枚か2枚)と100円玉(x枚)と50円玉(y枚)で作る。
・500円玉1枚の場合
1＋x＋y＝8
500＋100x＋50y＝1400
これを解くと、
x＝11、y＝－4で不適。
・500円玉2枚の場合
2＋x＋y＝8
500×2＋100x＋50y＝1400
これを解くと、x＝2、y＝4。
従って、**100円玉(x)は2枚**。

186【C】必ず買うぬいぐるみの代金は、
1800×6＋(800＋1200＋1600)×2
＝18000円
残りは、20000－18000＝2000円
2000円分は、800円と1200円を1個ずつ買えばちょうどになるので、合計は、
6＋3×2＋2＝14個

187【C】6月100円の個数をx個とすると、7月115円の個数は(10000－x)個。平均原価109円で10000個なので、総額は1090000円。これを式にまとめる。
100x＋115 (10000－x)＝1090000

$100x+1150000-115x=1090000$

$100x-115x=1090000-1150000$

$-15x=-60000$

$x=4000$個

188【D】1800円の食器だけは2個以上、その他の種類は1個以上買う。この必要条件での個数は5個で、金額は、

$1800\times2+800+1200+1600=7200$円

10000円分買うので、残りの金額は、

$10000-7200=2800$円

金額の小さい800円を2個と1200円を1個買えば、ちょうど2800円になる。

個数の合計は、

$5+2+1=8$個

189【D】x年後に子供の年齢の和が父親の年齢と等しくなると考える。3人それぞれがx年だけ年をとるので、

$40+x=(16+x)+(12+x)$

$x=12$

12年後に等しくなるので、超えるのは、

$12+1=13$年後

190【C】1周200mの遊歩道に5m間隔で木を植えるので、**$200\div5=40$本**。

円…木の数と間の数が等しい。

一直線…木の数より間の数が1少ない。

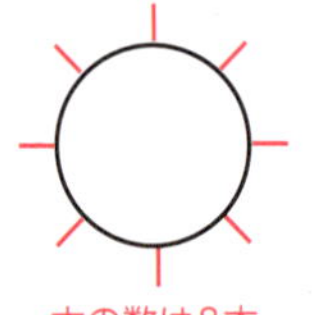

木の数は8本、
間の数も8個。

木の数は8本、
間の数は7個。

191【D】合計75人から男女の差9人を引いて2で割れば、少ない方の数がわかる。

少ない方は、**$(75-9)\div2=33$人**

多い方は、**$33+9=42$人**

女性が42人だとすると、3人少ないY社の女性人数が、$(42-3)\div2=19.5$人となって割り切れないので、女性は33人、**男性が42人**とすれば計算が合う。

192 **1**【C】6人部屋が22室なので、残りは、

$165-6\times22=33$人

これを$30-22=8$室に分ける。4人部屋をx室とすれば、5人部屋は$(8-x)$室。

$4x+5(8-x)=33$

$4x+40-5x=33$

$4x-5x=33-40$

$x=7$室

2【C】4人部屋x室と5人部屋x室とすれば、6人部屋は$(30-2x)$室。式にすると、

$4x+5x+6(30-2x)=165$

$9x+180-12x=165$

$3x=180-165$

$x=5$室

4人部屋と5人部屋が5室ずつで、計10室なので、6人部屋は、

$30-10=20$室

193 **1**【D】80円、30円、10円、4円を最低2枚ずつ買って、一の位が0の400円にするので、4円切手は5の倍数枚で、その他は2枚ずつで$2\times3=6$枚→**計11枚**。

$(80+30+10)\times2+4\times5=260$円

$400-260=140$円

最大枚数にするには、すべて4円切手を買えばよいので、**$140\div4=35$枚**。

$11+35=46$枚

2【B】442円にするためには、4円切手は**最少3枚**で12円分必要。残りは430円で、これを高額切手から順に買えばよい。

$430\div80=5$余り30

つまり、80円5枚と30円1枚。合計して、

3＋5＋1＝9枚

194 1【C】54枚以内で、
・10枚ずつ並べていって7枚余る数は、
7から＋10していって、
17、27、37、47
・6枚ずつ並べていって3枚余る数は、
3から＋6していって、
9、15、21、27、33、39、45、51
従って、**27枚**。
【別解1】10枚ずつ並べると、7枚余るので、10で割り切れる数に3たりない。また、6枚ずつ並べると、3枚余るので、6で割り切れる数に3たりない。**10と6の公倍数30から3を引いた27**が答え。
【別解2】10枚ずつ並べると7枚余るので、一の位は7。6の倍数に3たりないので、一の位が7で、3たすと6の倍数30（または3引くと6の倍数24）になる27が答え。
2【F】過不足算と言われる問題。同じ人数に8枚ずつ配ると4枚余り、10枚ずつ配ると8枚足りないので、全体の差は4＋8＝12枚。このとき、1人に配られる枚数の差は10－8＝2枚。1人2枚差が全体では12枚差なので、
人数は、**12÷2＝6人**
枚数は、**6×8＋4＝52枚**
（6×10－8＝52枚）
【別解1】x人として方程式を立てると、
8x＋4＝10x－8
x＝6人
よってカードは、8×6＋4＝52枚
【別解2】10枚ずつ配ると、ちょうどの枚数に8枚足りないので、10の倍数＋2の数で、12（2人）、22（3人）、32（4人）、42（5人）、52（6人）のどれか。（　）内の人数に8を掛けた数より4大きいのは、52だけ。

195 1【D】n年後の時給f(n)は、その前年の時給f(n－1)がわからないと求められないため、最初の時給であるf(0)から順にf(1)→f(2)→f(3)を計算していく。
最初の時給、f(0)は700円。
f(0)＝700円
f(1)＝f(1－1)＋10×1＋20
＝f(0)＋30＝700＋30＝730
f(2)＝f(2－1)＋10×2＋20
＝f(1)＋40＝730＋40＝770円
f(3)＝f(3－1)＋10×3＋20
＝f(2)＋50＝770＋50＝820円
【別解】昇給分を1年分ずつたしていく。n年後の時給f(n)は、前年の時給f(n－1)に10×年数(n)＋20を加えたものなので、
3年後の時給f(3)は、
f(0)＋(10×1＋20)＋(10×2＋20)＋(10×3＋20)
＝700＋30＋40＋50＝820円
2【D】n年後の時給f(n)は、前年の時給f(n－1)に、10×年数(n)＋20を加えたものなので、4年後の時給f(4)は、
f(0)＋(10×1＋20)＋(10×2＋20)
＋(10×3＋20)＋(10×4＋20)
＝f(0)＋30＋40＋50＋60
＝f(0)＋180
4年後の時給f(4)が900円なので、
f(4)＝f(0)＋180
f(0)=f(4)−180=900−180=720円
【別解】昇給分を1年分ずつ引いていく。
f(0)=f(4)－(10×4+20)－(10×3+20)－(10×2+20)－(10×1+20)
=900−60−50−40−30=720円
※SPIでは特殊算の出題は多くありませんが、年齢算や過不足算などは就職試験の定番問題で、他の業者テストでよく出題されます。

24 情報の読み取り ▶本冊154〜155ページ

196 **1**【D】

ア　5人以上なら団体割引で0.75a円、つまり25%引き。「高校生5人で25%引き」は正しい。○

イ　小学生以下は子供料金0.5a円、学生割引0.8a円は中学・高校生が対象なので、総額は**0.5a＋0.8a＋1a＝2.3a円**。○

この時点で「D アとイ」が正解だとわかる。

ウ　団体割引の場合は0.75a×5＝3.75a円。夫婦割引＋子供料金（小学生）＋学生割引（中学生）＋通常料金（大学生）の場合は、

0.7a×2＋0.5a＋0.8a＋1a＝3.7a円

団体割引は割安ではない。×

2【A】

ア　10枚つづりの回数券を使用すると、1人0.7a円なので30%引き。○

イ　団体割引の場合は0.75a×9＝6.75a円。10枚つづりの回数券を使用すると、総額7a円で残った回数券の払い戻しは不可。どちらも6.3a円にはならない。×

ウ　団体割引で8人は、0.75a×8＝6a円。回数券は0.7a×10＝7a円。×

197 数値を下のようにメモすると検討しやすい。メモにない内容だけ本文を検討。

※本番では、メモは略記（例えば「原油輸入量」→「油入」など）しましょう。

	2006	2007	1997
原油輸入量	243.6	243.1	−
輸入金額に占める原油割合	16.6%	18.3%	−
原油輸入支払金額	11.4兆	13.7兆	3.9兆
天然ガス輸入量	63	68	−
輸入金額に占める天然ガス割合	4.0%	4.6%	−
天然ガス輸入支払金額	2.7兆	3.5兆	−

1【D】質問は「原油」について。

A　2007年度、原油輸入支払金額は13.7兆、天然ガスが3.5兆。3.5兆×5＝17.5兆で原油13.7兆と合わない。×

【別解】13.7兆÷3.5兆＝3.91…

→約4倍なので、約5倍は間違い。×

B　2006年度、原油輸入量は243.6だが、2007年度は243.1で、減少している。×

C　2006年度、原油輸入支払金額は11.4兆、天然ガス2.7兆で、原油の方が多い。×

D　2007年度、原油輸入支払金額は13.7兆。10年前の1997年度は3.9兆なので、10兆円近く増加している。○

2【B】質問は「天然ガス」について。

A　2007年度の天然ガス輸入支払金額は3.5兆、原油は13.7兆。同じ鉱物性燃料の原油の方が多いので、首位ではない。×

B　2006年度2.7兆、2007年度3.5兆より、3.5兆÷2.7兆＝1.29…→約1.3倍 ○

【別解】2.7兆×1.3＝3.51兆

≒3.5兆 ○

C　輸入する鉱物性燃料の総額についての記述はないので、何%かわからない。×

D　2007年度、原油輸入支払金額は13.7兆、天然ガスは3.5兆で、原油の方が多い。×

※読み取るのが面倒なだけで、計算自体は難しいものではありません。本番でも必ず解けるはずですから、あきらめないで丁寧に読み取りましょう。

25 物の流れ ▶本冊158〜159ページ

198 **1**【F】終点Qから式にする。

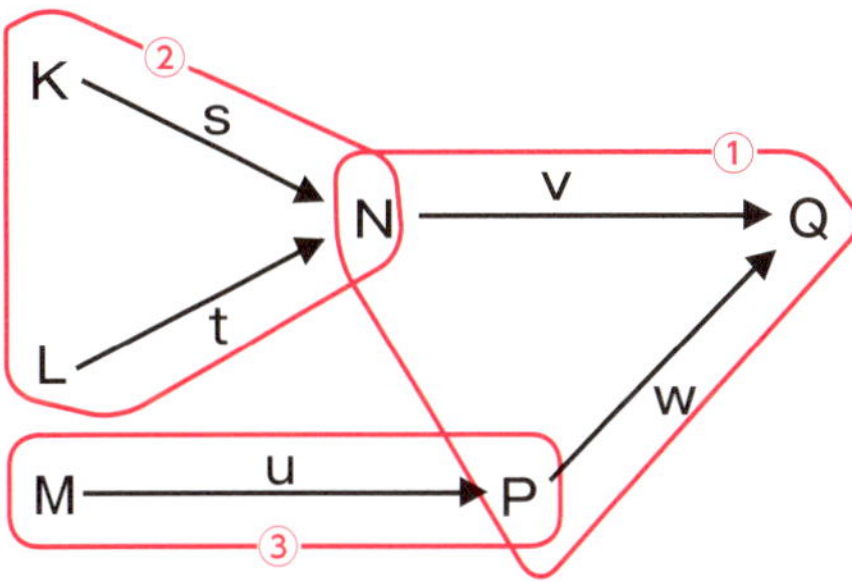

Q＝vN ＋ wP…①
N＝sK ＋ tL…②
P＝uM…③

ア　**Q ＝ sK+tL+vN+uwM** ← sK+tL と vN がダブるので×。Qに至るNはvNで完結しているので、Nの前にある式が入っているのはダブりになる。×

イ　**Q＝svK+tvL+uwM** ←①に②と③を代入した式なので、○

ウ　**Q＝v(sK+tL)+wP** ←①に②を代入した式なので、○

2【E】変電所KとMから送られる電気量をそれぞれ100として計算する。または比率がわかればよいだけなので、0.6×0.7のように比率だけでも計算できる。

KからQ…100×0.6×0.7＝42
MからQ…100×0.5×0.4＝20
42÷20＝2.1→ 210%

199 **1**【D】終点Rから式にする。

R＝dN ＋ fP ＋ gQ…①
N＝aK ＋ bL…②
P＝eN ＋ cM…③

ア　**R＝d(aK+bL)＋f(eN+cM)+gQ**
←①に②と③を代入した式なので、○

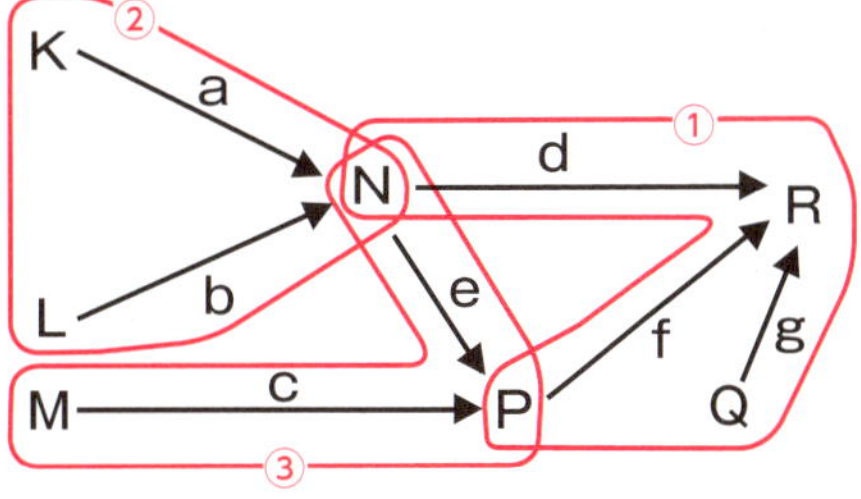

イ　**R＝adK+bdL+aefK+befL+cfM+gQ**
←①に②と③を代入して、さらにNに②を代入した式なので、○

※①に②と③を代入するとR＝d(aK+bL)+f(eN+cM)+gQ＝adK+bdL+efN+cfM+gQ。この式のNに②を代入すれば、R＝adK+bdL+ef(aK+bL)+cfM+gQ。(　)をはずすと、R＝adK+bdL+aefK+befL+cfM+gQでイの式。

ウ　**R＝dN+fP+efN+gQ** ←fPがあるのに、fPと経路がダブるefNがあるので、×

2【C】KからRに行く経路はadとaefの2つ。これをたし合わせるだけ。

ad…0.6×0.3＝0.18
aef…0.6×0.1×0.5＝0.03
0.18+0.03＝0.21→21%

3【F】K＝600人、L＝400人。NからPの人数は**eN＝aeK＋beL**で、
600×0.6×0.1+400×0.5×0.1
＝36+20＝56人
PからRの人数は**fP＝efN＋cfM**で、
56×0.5+cfM＝28+cfM(人)
これが56人より10人少ない46人になる。
28+cfM＝46、cfM＝46－28＝18人
cfは**0.4×0.5＝0.2**。
Mの0.2が18人に当たるので、Mは
18÷0.2＝90人

26 グラフの領域 ▶本冊162〜163ページ

200 **1**【B】④の領域がそれぞれの式で上下どちら側にあるかを検討する。

ア　$y=-x^2+4$ は上に凸の放物線。

アの放物線から見て④の領域は上なので、yに開いた左開きの不等号。

$\mathbf{y>-x^2+4}$

イ　$y=-2x+4$ は右下がりの直線。

イの直線から見て④の領域は下なので、yに閉じた右開きの不等号。

$\mathbf{y<-2x+4}$

ウ　$y=0$ はx軸。

x軸から見て④の領域は上なので、yに開いた左開きの不等号。

$\mathbf{y>0}$

右開きの不等号（<）がつくのはイだけ。

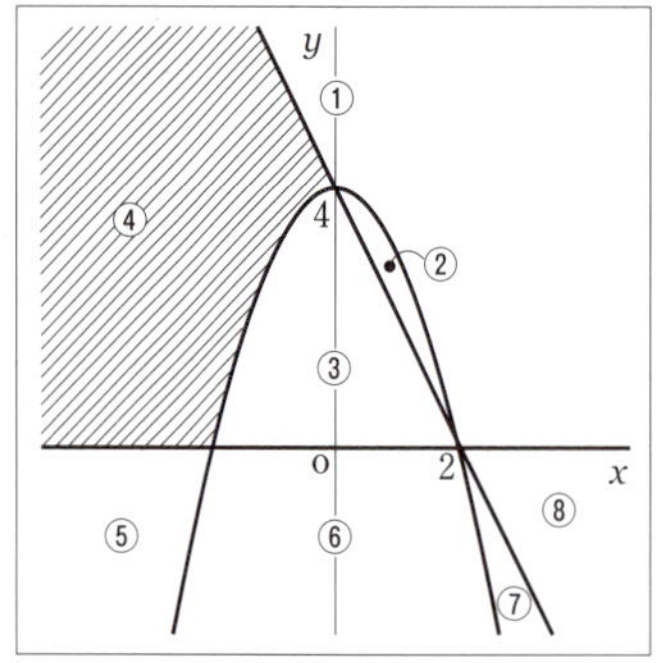

2【B】カ、キ、クの領域を個別に考える。

カ　$y<-x^2+4$ はyに閉じた右開きの不等号なので**上に凸の放物線より下**。

キ　$y>-2x+4$ はyに開いた左開きの不等号なので**右下がりの直線より上**。

ク　$y>0$ はyが0より大きい値の領域で、**x軸より上**。

従って、3つの領域の重なる部分は②。

201 **1**【D】⑦の領域がそれぞれの式のどちら側にあるかを検討する。

ア　$x^2+y^2=9^2$ は円。⑦の領域はその内側で、右開きの不等号。迷ったら、円の内側の(0, 0)をxとyに当てはめれば、$0<9^2$ なので、すぐにわかる。

$\mathbf{x^2+y^2<9^2}$

イ　$y=-x-3$ は右下がりの直線。

⑦の領域は下なので、右開きの不等号。

$\mathbf{y<-x-3}$

ウ　$x=0$ はy軸。

⑦の領域は右なので、左開きの不等号。

$\mathbf{x>0}$

右開きの不等号（<）がつくのはアとイ。

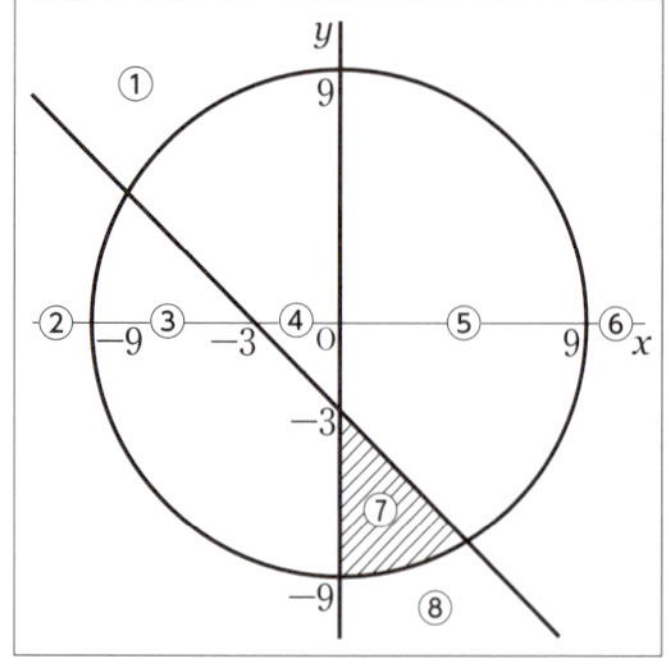

2【A】カ、キ、クの領域を個別に考える。

カ　$x^2+y^2>9^2$ は、左開きなので円の外側。

キ　$y>-x-3$ は左開きなので上。

ク　$x<0$ は右開きなので（xが0より小さい領域なので）、左。

3つの領域の重なる部分は①。

27 条件と領域 ▶本冊166～167ページ

202 1【C】どの直線がどの条件を表しているかは、グラフの数値と条件a～eの数値(時間数)を対応させれば簡単にわかる。直線QRは筋トレの4時間を通っているので、条件cが正解。

2【H】線分PSは、ストレッチ(xとする)と筋トレ(yとする)の合計時間(x＋y)を示している。**xとyの合計時間は、24時間(条件a)からエアロビの7時間(条件d)を除いたもの**で、24－7＝17時間。線分PSは、点(0,17)と(17,0)を結ぶx＋y＝17の式で、条件aと条件dによるもの。右下がりの線分PSが「合計」を表す式だと気がつかないうちは解けないかもしれない。

3【B】エアロビを多くするには、x＋yを少なくすればよい。点Tは条件bの境界上でxが3時間、yが10時間で合計13時間。13時間より少ないのは、直線x＋y＝13より下の領域。グラフ上に、x＋y＝13(点Tを通ってPSと平行な右下がりの直線)をひく。それより下にある点は、Qのみ。

【別解】x＋yが13より少なくなりそうなのは、Q以外ではRだけなので、Rだけ計算する。Rは10＋4＝14なので、×。

203 1【H】イウは「和室＋洋室＝25室」を表している。条件a「全部で40室」と条件d「特別室15室」を合わせれば、「和室＋洋室＝40－15＝25室」となる。

2【A】特別室の部屋数は、40室から「和室＋洋室」を除いた数なので、「和室＋洋室」の数が点エの「10＋10＝20」と同じなら、特別室の数も同じ(20室)になる。点エを通るイウと平行な線上の点は、すべて点エと同じ部屋数なので、点アの「5＋15」が正解。

3【A】40室と決まっているので、料金の高い部屋の数が多いほど、合計金額は高い。
ア、イ、ウの中で、特別室の数が最も多い(つまり和室＋洋室の数が最も少ない)のはア。

4【A】和室は洋室の4倍以下なので、和室20なら、洋室は20÷4＝5以上。条件fは、点(0,0)と点(20,5)を結ぶ右上がりの直線で、領域はその上なので、図形はA。

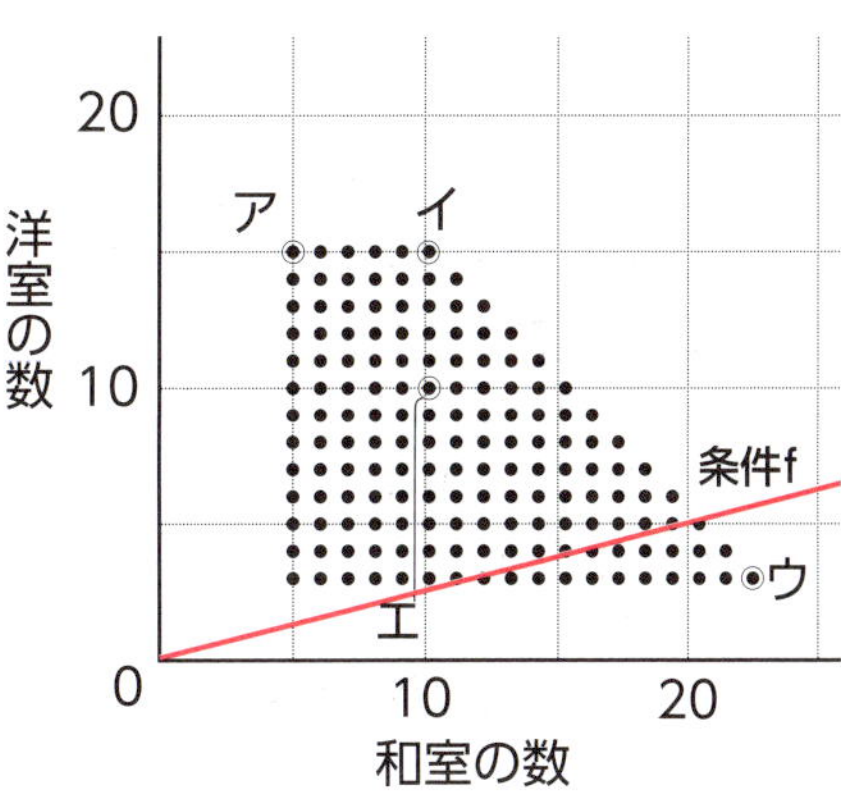

1 二語の関係①

▶本冊172～173ページ

1【E】**味覚は感覚の一種**。同じく、**平野は地形の一種**。在野は民間にあること。

2【D】**酸化と還元は対義語**。**衰亡**(次第に衰え滅びること)**と興隆**(勢いが盛んになって栄えること)**も対義語**。

3【B】㊨から㊧へ、**ノブはドアの一部**。**つくり(漢字の右側の部首)は漢字の一部**。

4【B】包含の関係。**作家や評論家が属する世界は文壇**。同じく**裁判官、検察官、弁護士が属する世界は法曹界**。

5【D】**病院の役目は医療**。**新聞の役目は報道**。

6【C】**先天的**(生まれつき身にそなわっているさま)**と後天的**(生まれてから身にそなわるさま)**は対義語**。**圧倒的と比較的も対義語**。

7【C】**わなの役目は捕獲**(獲物を捕らえること)。**暗室の役目は現像**。ちなみに**カメラの役目は撮影**。

8【E】**うすときねはワンセット**(餅つきの道具)。**太鼓とばちはワンセット**。

9【D】**本堂は寺院の構成要素**。**主菜**(主となる総菜)**は食事の構成要素**。

10【B】役目の変形パターン。**薬剤は病気の時**に使う。同じく、**傘は雨の時**に使う。

11【D】**柄は傘の一部**。**甲板**(船の上部の、平らな床＝デッキ)**は船舶の一部**。

12【A】**せんべいは米から**作る。同じく、**豆腐は大豆から**作る。

13【A】**過失**(不注意などによる過ち)**の対義語は故意**(わざとすること)。同じく、**漠然**(ぼんやり)**の対義語は判然**(はっきり)。

14【D】**文楽も狂言も伝統芸能の一種**。同じく、**神社も寺も宗教建築の一種**。

1 二語の関係②

▶本冊174～177ページ

15【A】**ダム㊨の役目は貯水㊧**(水をたくわえること)。**フィルターの役目は濾過**(液体や気体をこして固形物をのぞくこと)。イの**コンパスは文具の一種**。ウの**ミシン㊧の役目は縫製㊨**(ぬうこと)で、同じく役目の関係だが、左右の並びが逆なので不適。

16【A】**確執**(互いに意見を譲らない争い)**と反目**(仲が悪く、対立すること)**は同義語**の関係。**精通**(詳しく知っていること)**と知悉**(詳しく知り尽くすこと)**も同義語**。イとウは対義語の関係。

17【C】**馬は家畜の一種**。**鶏は家禽**(家畜として飼育される鳥)**の一種**。牛は酪農の一種とはいえないので不適。

18【C】**コーヒー㊧は嗜好品㊨の一種**。同じく、ウ**蛋白質㊧は栄養素㊨の一種**。アとイも包含の関係だが左右の並びが逆。

19【C】役目の関係。**まな板は調理に用いる**。**ペンは筆記に用いる**。

20【C】**多弁**(口数が多いこと)**と寡黙**(口数が少ないこと)**は対義語**。**具体**(知覚、認識される形や内容を備えていること)**と抽象**(事物、表象から側面・性質・共通性をぬきだして把握すること)**は対義語**。アとイは同義語。

21【F】**明白と歴然**(はっきりとして疑う余地のないこと)**は同義語**。イの**寄与**(何かのために役に立つこと)**と貢献**(何かに役立つように尽力すること)**は同義語**。また、ウの**廉価と安**

価(値段が安いこと)も同義語。アの**夢とうつつ**(現実)**は対義語**。

22【A】**年鑑㊨は刊行物㊧の一種**。**私財は財産の一種**。単行本は全集ではなく、単独で刊行される本のこと。**出納と収支は同義語**。

23【B】物事と基準(レベル)の関係。**温度を高低、音を強弱で測定**する。貧富を大小で、天候を湿気で測定するとはいえない。

24【C】**大関㊨は番付㊧の一種**。**陛下**(天皇・皇后・皇太后・太皇太后の敬称)**は敬称の一種**。**昭和㊧が元号㊨の一種**で左右が逆。晩秋は季節だが、四季(春・夏・秋・冬)ではない。

25【C】**紙㊧をはさみ㊨で切る**。同じく、**缶詰㊧を缶切り㊨で切り開ける**。

26【A】**県㊨は地方自治体㊧の一種**。**月㊨は衛星㊧**(惑星の周りを公転する天体)**の一種**。イとウも包含関係だが、左右が逆。**笑顔は表情の1つ**。**書留は郵便の1つ**。

27【E】**故人と死者は同義語**。**泰斗**(その道で最も権威のある人)**と大家は同義語**。また、**知己**(知り合い)**と知人も同義語**。**起工**(工事の開始)**と竣工**(工事の終了＝落成)**は対義語**。

28【A】**紙はパルプから**できる。**絹糸はまゆから**できる。**バターは乳製品の一種**。きな粉とおからはどちらも大豆製品。

29【B】例外パターン。**設計したものを建築する**。同じく、**作曲したものを演奏する**。

30【A】役目の変形パターン。**箸を使って食事**をする。同じく、**鞍を使って乗馬**をする。イとウは包含の関係。

31【E】**赤道**(緯度０度)**は緯線の一種**。**松は常緑樹の一種**。**障子は建具の一種**。イは対義語の関係。

32【E】**めでるとほめる**、**侮る**(見下す)**と見くびる**、**閉口する**(困ること、悩まされること)**と困るは同義語**。イは対義語。

33【E】**夏至も立秋も二十四節気**(太陰太陽暦で、季節を示すために用いる語)**の一種**。同じく、**大安も仏滅も六曜**(太陰太陽暦で、吉凶を定める基準の六つの日、先勝・友引・先負・仏滅・大安・赤口)**の一種**。また、**動詞も副詞も品詞の一種**。

34【B】**座視**(そばで見ていて手出しをしないこと)**と傍観は同義語**。**鳥瞰**(全体を大きく見渡すこと)**と俯瞰も同義語**。ウの**素人と玄人は対義語**。退廃は「乱れて不健全になること」。

35【B】**クレームと苦情は同義語**。同じ関係はイの**リザーブと予約**。アは役目の関係。レジは販売額を計算、記録する機器。

36【C】**大雨が原因で洪水**が起きる。同じく、**漏電が原因で火災**が起きる。

37【F】**求心**(中心に近づこうとすること)**と遠心**(中心から遠ざかろうとすること)**は対義語**。**訥弁**(つかえがちで下手な話し方)**と能弁**(巧みで上手な話し方)、**緊張と弛緩も対義語**。

38【F】**百分率㊨は比率㊧の一種**。同じく**時価は価格の一種**。また、**割り算は演算の一種**。

39【A】**炊事は家事の一種**。**林業は産業の一種**。イは同義語。ウは家事の中の仲間。

40【E】**ぐずる**(子供が機嫌を悪くして泣く)**とむずかるは同義語**。**たじろぐとひるむ**、**いぶかる**(あやしく思う)**と疑うも同義語**。イの**いそしむ**(熱心に励む)**と怠けるは対義語**。

41【E】目的語と動詞。**事件を報道**する。同じく、**資本を投入**する、**疾病を治療**する。イの**生産と消費は対義語**。

42【D】**相対と絶対は対義語**。**分析と総合**、**稚拙と巧妙も対義語**。**厚顔と鉄面皮は同義語**。

43【E】包含関係。**テレフォンカードはプリペイドカードの一種**。**器械体操は運動の一種**。**冷蔵庫は家電の一種**。イは行事と季節。

44【F】**俳優の役目は演技**。**医者の役目は治療**。**大工の役目は建築**。アの飛行機の役目は操縦とはいえない。操縦はパイロットの役目。

※お疲れさまでした。「二語の関係」は、ここに挙げたパターンでかなりの得点が望めます。

2 語句の意味 ▶本冊179～183ページ

45【A】用例：勝負に**拘泥**する

B　拘束→考えや行動の自由を制限すること

C　熟慮→十分にじっくり考えること

D　悔悟→過ちを認めて、後悔すること

E　耽溺→何かに夢中になって溺れること

46【C】逡は「しりごみすること」、巡は「進まないこと」。

A　不断→決断力に乏しいこと。優柔不断

B　遅延→遅れ、長引くこと

D　果敢→思い切って事を行うさま。大胆

E　悠然→ゆったりと落ち着いているさま

47【E】用例：彼は**生え抜き**の社員だ

A　古参→昔からその職や地位にいること

B　古株→集団や立場に古くからいる人

C　子飼い→未熟なときから育て上げること

D　えり抜き→多くの中から選び出すこと

48【E】用例：来客を**粗略**に扱う

A　粗悪→質が悪いこと

B　粗漏→おおざっぱで手落ちがあること

C　粗製→つくり方が粗雑なこと

D　粗野→荒々しくて洗練されていないこと

49【A】用例：**果断**な処置が功を奏した

B　愚直→ばか正直で気が利かないこと

C　短慮→浅い思慮。気みじか

D　無謀→先を考えずに行動すること

E　勇猛→勇ましく、たけだけしいさま

50【A】**冗漫**は「表現に無駄が多いこと」。

B　散漫→まとまりのないさま

C　蛇足→余分なつけたし。無駄なもの

D　漫然→ぼんやりとしていること

E　放漫→しまりがなくいいかげんなこと

51【B】用例：不正を**目こぼし**できない

A　ひいき→気に入った者を特別扱いすること

C　甘やかし→わがままにさせておくこと

D　大雑把→雑で細部にこだわらないこと

E　知らん顔→気付かないふりをする顔

52【E】用例：**逆ねじ**を食わせる

A　反駁→他人に反対して論じ返すこと

B　弁駁→他人の誤りを論じて攻撃すること

C　応戦→相手の攻撃に対して戦うこと

D　反目→仲が悪くにらみ合うこと

53【D】「（欲しくて）涎を垂らす」意から。

A　嘱望→将来に望みをかけること

B　宿願→かねてからの願い

C　待望→待ち望むこと

E　貪欲→非常に欲が深いこと＝強欲

54【D】**不覚**は「思わず知らず、そうなること」。

A　おざなり→間に合わせでいいかげんに物事をすませること

B　怪訝→訳がわからず納得がいかないこと

C　不測→予測できないこと

E　不慮→思いがけないこと。意外

55【B】用例：売上を**胸算用**する

A　算段→何とか方法を考えて都合をつけること。工面

C　推定→おしはかって定めること

D　皮算用→「とらぬ狸の皮算用」の略。まだ実現していないことを当てにしてあれこれ計画を立てること

E　目論見→計画。企て。もくろむこと

56【B】横着、横柄、横暴、横車など、「**横**」には「**勝手、無理矢理**」などの意味がある。

A　横柄→人を見下した、えらそうなさま

C　専横→わがまま勝手に振る舞うこと

D　無為→何もしないでぶらぶらしていること。また、あるがままの様子

E　杜撰→いいかげんで、誤りが多いこと

57【B】**食傷**は「同じ事がたびたび続いてあきること。嫌になること」。

A　飽食→腹いっぱい食べること。食物に不自由しないこと

C　蚕食→蚕が桑の葉を食うように、片っ端から他の領域を侵略すること

D　過食→食べすぎること

E　徒食→働かないで遊び暮らすこと

58【C】用例：解散総選挙は**必至**である

A　必須→必ず用いるべきこと

B　必中→必ず命中すること

D　逼迫→行き詰まって余裕のなくなること

E　必死→必ず死ぬこと。死ぬ覚悟で全力を尽くすこと

59【D】用例：育児に**おおわらわ**だ

A　けなげ→殊勝なさま

B　ひたむき→一つの事に熱中するさま

C　やみくも→むやみやたらに

E　てんてこまい→あわて騒ぐこと

60【E】用例：公益に**資する**

A　与る→物事に関与する。用例：立案に与る。恩恵や分け前を受ける。用例：おほめに与る。ご相伴に与る

B　供する→差し出す。ささげる

C　充てる→充当する。さしむける

D　支える→維持するために力を添える

61【E】**公算**は「確からしさ。見込み」。

A　目算→もくろみ、計画

B　概算→大まかな計算や勘定

C　試算→ためしに行う計算

D　打算→利害や損得を見積もること

62【C】用例：新春を**ことほぐ**

A　あげつらう→欠点や短所などを大げさに言い立てる

B　かしずく→人に仕えて、世話をする

D　たまわる(賜る)→いただく。くださる

E　もうしあげる(申し上げる)→「言う」の謙譲表現

63【C】用例：川面に**たゆたう**小舟

A　そよぐ→風に吹かれて草などがかすかに音をたてて揺れ動く

B　はためく→風に吹かれて、旗などがはたはたと音を立てる

D　ぶれる→正しい位置からずれ動く

E　ふるえる→細かく揺れ動く

64【B】**さかしげ**は「賢そうなさま」。

A　物知り顔→その物事について知っているような様子。わけ知り顔

C　利発→頭が良く賢いこと

D　小利口→目先のことにだけ気が付いて、抜けめがないさま

E　半可通→中途半端な知識しかないのに、そのことに通じているようなふりをすること

65【C】用例：**あけすけ**な言い方

A　暴露→秘密などをあばいて明るみに出すこと。用例：真相を暴露する

B　露呈→隠れていたことが表に出ること

D　あか抜け→洗練されていること

E　つつ抜け→音声や秘密がそのまま他の人にもれてしまうこと

66【B】臍は「へそ」のこと。自分のへそをかもうとしてもかむことができないことから、どうにもならない無念な気持ちをいう。

A　気に病む→非常に気にかけて悩む

C　胸を痛める→ひどく心配する。悩む

D　手をこまねく→何もせず傍観している

E　頭をたれる→へりくだって謙虚になる

67【E】**つまびらか**は「詳しいさま、物事の細かいところまではっきりしているさま」。

A　明らか→明白なさま

B　細やか→緻密なさま。微小なさま

C　際やか→くっきりときわだつさま。用例：雪原に際やかな赤い建物

D　あざやか→鮮やか。はっきり目立つさま

68【D】**さもしい**は「品性が下劣で心がいやしい」。用例：彼はさもしい人間だ

A　あくどい→度を超えていてたちが悪い

B　すげない→思いやりがない

C　はかばかしい→順調に進んでいるさま
E　かいがいしい→きびきびと働くさま
69【B】**あながち**は後ろに打ち消しの語を伴って断定し切れない気持ちを表す。
A　あまつさえ→そのうえに。おまけに
C　いみじくも→適切に。非常にたくみに
D　さしずめ→結局。用法：さしずめ彼が適任だ。今のところ。用法：さしずめ暮らしには困らない。
E　はなはだ→たいへん。非常に
70【B】用例：遊びに**かまける**
A　ひたる→つかる。入りきる
C　かかりきる→一つのことに全力を注ぐ
D　いそしむ→熱心につとめ励む
E　なおざりにする→おろそかにする
71【B】**おもはゆい**（**面映ゆい**）は「顔がまばゆく感じられる」意から「照れくさい。きまりが悪い」。
A　はがゆい→いらだたしい。もどかしい
C　もどかしい→思うようにならず、いらいらする
D　後ろめたい→気がとがめる。やましい
E　ふがいない→意気地がなくて情けない
72【B】**水を向ける**は「霊前に水をたむける。巫女が水を差し向けて霊魂を呼ぶ意」から「自分が聞きたいことに相手の関心が向くようにそれとなく誘うこと」。
A　水をさす→うまくいっている関係や物事の邪魔をする。用例：二人の仲に水をさす
C　打診する→体をたたいて音で診察する。転じて、相手の考えを聞き事前に反応をうかがう
D　手を回す→ひそかに手段をめぐらす
E　呼び水になる→事を起こす誘いになる
73【E】拠ん所（支え、頼りとなるもの、根拠）がないの意から、「そうするより仕方ない」。
A　忌憚ない→遠慮がない
B　如才ない→気がきいていて抜かりない
C　抜き差しならない→刀を抜き差し（抜くことも差すことも）できない意から、動きが取れなくてどうしようもない
D　滅相もない→とんでもない

※試験前には184ページの「頻出語句200」をチェックして、得点アップを目指しましょう。

3 複数の意味 ▶本冊192〜197ページ

74【B】**所見、考え**。下線部が最も近い意味なのはB「信じる**ところ**」。Aは**ちょうどその時点**、Cは**部分、箇所**、Dは**ふさわしい地位、立場**、Eは**段階**。
75【E】**理由**。言い換えて最もぴったりくるのはE「遅刻した**わけ**」。Aは**意味**、Bは**ということ**、Cは**難しさ**、Dは**事情**。
76【D】**余裕、ゆとり**。最も近いのはD「人間に**はば**ができる」。AとEは**高低の隔たり**、Bは**距離**、Cは**はぶり、威勢**。
77【B】「**山**が見える」は「**難所**を乗り切って見通しが立つ」。言い換えて最もぴったりくるのはB「**山**を越す」。Aは**予想、山勘**、CとDは**周囲よりも高く盛り上がった地形**、Eは**数量が多いこと**。
78【E】**先頭**。言い換えられるのはE「**先**に立って」。Aは**遠い方、前方**、Bは**未来、将来**、Cは〜**の前、あたり**、Dは**結果、将来**。
79【D】人数として**数えられる頭**。同じ意味で用いられているのはD「**頭**割り」。Aは**考え方**、Bは**最初**、Cは**上端**、Eは**上限、限度**。
80【A】「天」には「上、空、人為を超えたもの、神、自然、日時、運命」など、さまざまな意味がある。「**天**地無用」は「**上**と下を逆にして

はいけない」という意味なので、上という意のA「天井」が正解。

81【C】道理、道徳。最も近いのはC「人の道」。Aは通行できる道、糸口、Bは自分のやり方、意思、Dは道のり、Eは分野。

82【E】ひたすら、もっぱら。Aは無事、Bは普通、Cはたった、Dはただし。

83【C】ある立場につく。最も近いのはC「矢面(非難などをまともに受ける立場)に立つ」。Aは立って場を離れる、Bは目的にかなう、Dは目標などが定まる、Eは保たれる。

84【C】「箱の中」もC「心の中」も限られた範囲内の内部、内側という意味。Aは雨という状態の最中、Bは二つのものの間、Dはグループや集団の範囲内、Eは中間。

85【D】「お目が高い」で「良いものを見分ける能力(鑑賞眼)をもっている」。同じ意味のものはD「見る目」。Aは体験、Bは態度、Cは箇所、点、Eは視力。

86【B】やめる、しりぞく。同じものはB「主役をおりる」。Aは下に下がる、Cは乗り物から出る、Dはくだる、Eは与えられる。

87【C】担当する、受け持つ。同じものはC「捜査にあたる」。Aは接する、Bは確認する、Dは当選する、Eは受ける。

88【E】相手のしたいようにさせる。同じものはE「逆転を許す」。Aは認める、許可する、Bは過失や失敗などを責めないでおく、とがめないことにする、Cは許容する、ある事を可能にする、Dはゆるめる。

89【D】中心となる。同じ意味はD「本流」。Aは大もと、Bは正式の、Cはほかならぬその、E「本懐」はもとからの望み。

90【D】生じる。最も近いものはD「非難がわく」。Aは沸騰する、Bは発酵する、Cは盛んになる、Eは興奮する。

91【E】提供する、送る。同じものはE「原稿を寄せる」。Aは世話になる、Bはいだく、Cは集める、Dは近づける。

92【C】送り届ける。最も近いものはC「使いを出す」。Aは表す、Bは露出させる、Dは生じさせる、Eは外へ取り出す。

93【D】許す(妥当だと認める意)。同じものはD「入学を認める」。Aは評価する、Bは確認、判断する、Cは目にとめる、Eは正しいとして受け入れる。

94【A】ある状態を最後まで続ける。同じものはA「歩き通す」。Bは伝える、Cは案内する、Dは成り立たせる、Eは通過させる。

95【C】済む、終わる。同じものはC「雨があがる(雨がやむ、終わる)」。Aは高くなる、Bは訪問するの謙譲語、Dは生じる、Eは高く発せられる。

96【E】周囲を取り巻くようにする。同じものはE「リボンをまわす」。Aは回転させる、Bは必要なところに移す、Cは次に送る、Dははたらきが及ぶようにする。

97【B】漢字で「現す」と書き、出現する。同じものはB「姿をあらわす」。AとCは「表す」で表現する、Dは「著す」で書物を書いて出版する、Eは「顕す」で広く世に知らしめる。

98【E】呼ぶ、称する。同じものはE「特技という」。Aは〜という名である、Bは〜に相当する、Cは〜と聞いている、Dは表現する。

99【E】〜によって運ぶ、移送する。同じものはE「販売ルートにのせる」。Aは掲載する、Bは基準以上になる、Cは言葉でだます、Dは上に置く。

100【B】方法を表していて、〜することによって、しながらで言い換えられる。同じものはB「書いて覚える」。Aは〜してから(推移)、Cは〜なので(理由)、Dは〜でしかも(並立)、Eは〜なのに(逆説)。

101【D】「行くとのことだ(伝聞)」と言い換えられる。同じ用法はD「雨になるそうだ」。Aは〜と思う、と予想できる(予測)、BとCは〜

という様子、雰囲気だ(見かけの判断)、Eは~**へと変化するだろう**(状態変化の判断)。

102【A】~**が原因、理由で**。同じものはA「酒**に**酔う」。Bは~**という相手から**、Cは~**という結果に**、Dは~**に対して**、Eは~**として**。

103【B】~**という結果に**と言い換えられる。同じものはB「開催**と**決まる」。Aは~**というふうに**、Cは~**といっしょに**、DとEは~**と比べて**。

104【B】「れる・られる」は**自発・受身・可能・軽い尊敬**を表す助動詞。設問は**自発(自然と~される)**で、B「吉報が待た**れる**」が正解。Aは動詞「倒れる」の一部、Cは軽い尊敬、Dは可能、Eは受身。

105【D】「**しきりに**失敗して成長していく(同じ動作の繰り返し)」。同じものはD「確認し**つつ**書類に記入する」。AとEは~**にもかかわらず**(矛盾)、Bは~**し続けている**(進行中)、Cは~**すると同時に…する**(並行)。

106【C】~**が原因で**。同じ言い換えができるものはC「無鉄砲**から**間違いをしでかす」。

107【C】「(付け加えて)~**までも**」。同じ言い換えができるものはC「雪**さえ**」。AとDは~**だけでも**、BとEは~**だって、すら**。

108【B】「一朝**こと**あるとき」で「ひとたび、何か**事件、変事**が起きたときには」。言い換えて最もぴったりくるのは、B「**こと(事件、変事)**を好む」。Aは**行為、仕業**、Cは**内容**、Dは**仕事、事業**、Eは**出来事**と言い換えられる。

109【A】範囲を限定する~**だけ**。同じものはA「勉強**ばかり**」。Bは**今にも~しそうなほど**、Cは**ために**(原因)、Dは**ほど**(だいたいの分量)。Eは**~したところ**(動作の完了)。

110【A】**もっと**。同じものはA「**なお**悪くなった」。Bは**でさえも**、Cは**あたかも(ちょうど)**、Dは**まだ**、Eは**あいかわらず**。

111【E】「雨**の**降る日」は主格を表していて、「~**が**」で言い換えられる。同じものはE「兄**の**育てた野菜」。AとCは体言と同じ働きの語で、**こと、もの**、Bは並列を意味していて、~**だの、~だの**、Dは連体修飾語で~**が所有する、~のものである**。

4 文の並べ替え ▶本冊202~205ページ

112 1【A】 2【C】

最初がオになることはすぐにわかる。→次は**2種類**の内の**一つ**でイ。→**一直線**と**まっすぐ**というつながりからア。→二つ目の「とき=**時間**」を説明しているエ→ウになる。

オ 「とき」には**2種類**がある

イ **一つは、一直線に**同じ方向へと流れていく「とき」だ

ア これはある時点を基準にして、過去、現在、未来へと**まっすぐ**流れていく

エ **回る時間もある**

ウ 繰り返し**回って**、元に戻ることで永遠を目指す「とき」である

113 1【B】 2【C】

最初の文はエかオだが、エの「内包」という語句はイで初出すると考えられるので、イ→エの順番が成り立つ。従って最初はオ。ウの「このこと」は「意味する範囲が広い」を指していると考えられるので、次がウ。次はアかイ→エだが、アの内容はイ→エをふまえたものなので、イ→エ→アとなる。

オ 「子供」は「息子」に比べて**意味する範囲が広い**

ウ **このこと**を外延が大きいといい、外延が大きい「子供」は「息子」を包摂※する

イ また、意味の属性を**内包という**

エ 「子供」の**内包**は「若い＋人間」、息子の内包は「若い＋人間＋男」である

ア 外延の大きい方が内包が小さく、逆に、内包の大きい方は外延が小さいというわけである

※「包摂」は「一定の範囲の中につつみ込むこと」。例えば、生物という概念は人間という概念を包摂する。

114【C】１はBCEのどれか。5から考えると、D「跳ね返りを聞いて」距離感を測っている、とわかる。B→A→Dの順番は確実なので、正しい順番は、**ECBAD**。

115【D】Aの前は末尾が「との」のEに決定、Eの前はCに決定できるので、最初はC→E→A。D「住宅地における原色の外壁など」は１にも入れることはできるが、常識的に考えてD→Bの順になるので、**CEADB**。

116【C】「土の中にいた」の後はA→C。残った選択肢を修飾関係に従ってつなげればE→B→D。よって、**ACEBD**。「土の中にいた」→「土中の菌を培養して」とするのは不自然。

117【C】「日本の産業で」に続くのはD→C。次にEの理由を説明するのがBであることからB→EがCの次に入る。Aは文末「なっている」の前にくる。よって、**DCBEA**。

118【A】積乱雲の内部では、上昇気流と下降気流が行きかっており、気流がすれ違うときの衝突や摩擦で電気が生まれる。そして上下に分極した電気を中和するため放電が起こる、という全体の流れをつかみたい。**BCDAE**。

119【D】Bが１、Eが５にくる。残りを並び替えるとA→D→C。**BADCE**。

5 空欄補充①

▶本冊208～209ページ

120【E】「受容する言語に［ 1 ］語彙がなければ、それを直接、間接に［ 2 ］しか手はない」をわかりやすく言い換えれば「翻訳先の言語に［ 1 ］語彙がなければ、翻訳元の語彙を直接、間接に［ 2 ］しか手はない」となる。最もぴったり当てはまる語句は１が「**対応する**」、２が「**借用する**」である。

121【A】［ 1 ］は「演算対象」か「四則演算」の二択だが、その後に「いかなる数にゼロを乗じても結果は常にゼロ」とあり、ゼロを「演算する対象」として扱っているので当てはまるのは「**演算対象**」。「ゼロの［ 2 ］として広まった」は、選択肢の概念・記号・数字をそれぞれ入れて読んでみれば、最もぴったりおさまるのは「**概念**」。

122【B】「前者は［ 1 ］で、同じ量を足し合わせると２倍になる」とあるので、１には「**加算的**（ある数量に、別の数量を加えて計算すること）」がぴったり当てはまる。次に「温度や圧力のように体積または質量によらない『示強性』の変数」とあるので、後者＝示強性の変数である［ 2 ］には、「**温度**」が当てはまる。

123【E】「食料や資源を［ 1 ］して消費した」とある。同じ一つの国で［ 1 ］してから消費するので、「**輸入**」が適切。また、「面積を足して算出する」と前述されているので、［ 2 ］に入るものは、「**面積**」だとわかる。

124【C】一冊の本が「［　］からなるヴァーチャルな読書空間」への「入り口」であり、「結節点」の一つであり、「終着点」にもなりえるという文意から考える。［　］が、「一冊の本」ではなく、「読書空間」を構成するものであることがわかれば「**網の目**」だとわかる。

5 空欄補充② ▶本冊210〜211ページ

125【D】会議が**遅遅として**（進行が遅くて）**進まない**が正解。**延延と続く**（非常に長く続く）、**ようとして消息が知れない**（事情などがはっきりしないまま動静がわからない）もよく使われる表現。

126【A】彼はこの研究の**草分け**（最初に土地を開拓して村落を作った者。転じてある分野の先駆者）**である**が正解。**しんがり**（序列・順番の一番後ろ）、**筆頭である**（第１番である）、**〜を皮切りに**（最初に、手始めに）、**口開けの**（最初の）も覚えておこう。

127【B】複雑な**様相を呈する**（状態になる）が正解。**活況を呈する**（盛んになる）、**苦言を呈する**（忠告をする）という表現もあるが、一般に複雑な活況、複雑な苦言とは言わない。

128【A】すべての責任を**双肩に担う**（引き受ける、背負う）が正解。

129【C】欠点や悪習を**矯正する**（悪い点を正すこと）が正解。**改正**は「規則や法令の不備を改めること」、**校正**は「文字や文章の誤りを正す作業」。

130【E】相手方と議論の**応酬をする**（やりとりする、やり返す）が正解。

131【C】**万感胸に迫る**（さまざまな思いが一気に胸にこみ上げてくる）が正解。

132【C】頼まれても**おいそれと**（すぐには、気軽には）引き受けることはできないが正解。

133【C】昔を思って**感慨にふける**（心に深く感じて、しみじみとした気持ちになる）が正解。**感極まる**、**感涙にむせぶ**、**感銘を受ける**もよく使われる表現。

134【D】さまざまな**憶測が流れる**（いい加減な推測が流れる）が正解。**憶測が飛び交う**、**目星をつける**（見当をつける）も慣用表現。

135【A】**時好に投ずる**（時代の好みに合わせた）事業を企てるが正解。

1 同意語 ▶本冊219〜221ページ

1【B】**comprehend** **理解する**

A	neglect	無視する
B	**understand**	**理解する**
C	approve	認める
D	arrest	逮捕する
E	discover	発見する

2【B】**earnest** **真面目（誠実）な**

A	mean	卑劣な
B	**sincere**	**誠実な、正直な**
C	sacred	神聖な
D	virtuous	徳の高い
E	ethical	道徳的な

3【D】**obvious** **明白な**

A	independent	独立した
B	numerous	数多くの
C	obscene	わいせつな
D	**apparent**	**明白な**
E	uncertain	不確かな

4【D】**skeptical** **懐疑的な**

A	evil	邪悪な
B	seeming	うわべの
C	wise	賢い
D	**distrustful**	**疑い深い**
E	cautious	用心深い

5 【B】 **painful** **痛い**
A sorry 悲しい
B **sore** **痛い**
C wounded 負傷した
D strong 強い
E delicate 繊細な

6 【C】 **preparation** **準備**
A safety 安全
B preference 好み
C **equipment** **準備**
D rapidity 敏速
E routine 日課

7 【D】 **job** **仕事**
A order 命令
B calculation 計算
C instruction 指示
D **occupation** **仕事、業務、職業**
E occasion 場合

8 【B】 **circumstance** **状況**
A evidence 証拠
B **condition** **状況**
C complexity 複雑性
D purpose 目的
E structure 構造、体制

9 【C】 **gather** **集める**
A complain 不平を言う
B restore 修復する
C **assemble** **集める**
D wrap 包む
E surrender 引き渡す

10 【E】 **similarity** **類似**
A characteristic 特徴
B difficulty 困難
C uniform 制服
D difference 相違
E **likeness** **類似**

11 【B】 **pardon** **許す**
A forbid 禁じる
B **excuse** **許す**
C accept 受け入れる
D beg 請う
E revenge 復讐する

12 【A】 **considerate** **思いやりのある**
A **thoughtful** **思いやりのある**
B rough 乱暴な
C timid 内気な、気弱な
D difficult 難しい
E quiet 静かな

13 【E】 **explanation** **説明**
A solution 解決策
B conclusion 結論
C expression 表現
D translation 翻訳
E **description** **説明**

14 【C】 **costly** **高価な**
A favorite 大好きな
B rude 乱暴な
C **expensive** **高価な**
D noble 高貴な
E faithful 忠実な

15 【A】 **ravenous** **飢えた**
A **starving** **飢えた**
B dirty 汚い
C specific 明確な
D strict 厳しい
E full 満ちた、満腹の

16 【C】 **stalk** **茎**
A root 根
B leaf 葉
C **stem** **茎**
D pistil めしべ
E seed 種

2 反意語 ▶本冊223〜225ページ

17	【C】 **complicated**	**複雑な、入り組んだ**
A	complex	複合の
B	difficult	難しい
C	**simple**	**単純な**
D	deserted	さびれた
E	uneasy	心配な

18	【D】 **gain**	**利益を得る**
A	decrease	減少する
B	profit	利益を得る
C	regain	取り戻す
D	**lose**	**損をする**
E	possess	所有する

19	【B】 **respect**	**尊敬する**
A	worship	崇拝する
B	**despise**	**軽蔑する**
C	punish	罰する
D	destroy	破壊する
E	suppress	抑圧する

20	【C】 **temporary**	**一時的な**
A	general	一般的な
B	usual	普通の
C	**permanent**	**永久の**
D	timely	時機が良い
E	transient	一時的な

21	【E】 **broad**	**幅が広い**
A	small	小さい
B	deep	深い
C	large	大きい、広い
D	flat	平らな
E	**narrow**	**幅が狭い**

22	【B】 **arrogance**	**横柄、傲慢**
A	violence	乱暴、暴力
B	**modesty**	**謙虚**
C	innocence	無罪、純真
D	wisdom	叡智、知恵
E	seriousness	真面目

23	【A】 **messy**	**乱雑な、汚い**
A	**tidy**	**きちんとした、きれいな**
B	busy	忙しい
C	dingy	薄汚い
D	flashy	派手な
E	fancy	高級な、しゃれた

24	【E】 **praise**	**称賛する**
A	amaze	驚かす
B	hurt	傷つける
C	admire	称賛する
D	consider	熟考する
E	**blame**	**非難する**

25	【B】 **rough**	**粗い**
A	dazzling	まぶしい、まばゆい
B	**smooth**	**なめらかな**
C	rigid	硬直した、厳格な
D	mandatory	強制的な
E	straightforward	まっすぐな、簡単な

26	【B】 **wisdom**	**叡智（えいち）、知恵**
A	portion	部分
B	**ignorance**	**無知**
C	warning	警告
D	guilt	罪
E	similarity	類似

27	【B】 **employ**	**雇う**
A	solve	解決する
B	**dismiss**	**解雇する**
C	deploy	配置する
D	combine	結合する
E	object	反対する

28	【B】 **consumption**	**消費**
A	waste	浪費
B	**production**	**生産**
C	customer	顧客
D	purchase	購入
E	salary	給料

29【C】dull　鈍い
A boring　退屈な
B clockwise　右回りの
C **sharp**　**鋭い**
D familiar　よく知っている
E fair　公正な

30【A】permit　許す
A **prohibit**　**禁止する**
B allow　許す
C apply　適用する
D correct　訂正する
E judge　裁く、判断する

31【B】rude　無作法な
A peaceful　平和な
B **refined**　**洗練された、上品な**
C impolite　無礼な、無作法な
D careful　注意深い
E candid　率直な

32【C】civilized　文明［文化］的な
A rural　田舎の
B urban　都会の
C **barbarous**　**未開の、野蛮な**
D ugly　醜い
E sophisticated　洗練された

3 英英辞典 ▶本冊229～231ページ

33【A】特定の地域、市、国に居住している人の総数
A **population**　**人口**
B popularity　人気
C treasure　宝
D victim　犠牲者
E accession　到達、新規加入

34【D】何かを得たい、または実現したいという強い思い
A instinct　本能
B phase　段階
C apex　頂点
D **aspiration**　**強い願望**
E rampage　凶暴な行動

35【C】ある場所から別の場所へ何かを運ぶこと
A substitute　代用する
B divide　分割する
C **transport**　**輸送する**
D adopt　採用する
E operate　作動する

36【B】特に重要度や緊急性の順番から見て決められた優先権をもつもの
A incidence　発生
B **priority**　**優先事項**
C entity　存在
D emergency　緊急事態
E significance　意味、重要性

37【D】理解できるように何かについて詳しく述べたり言葉で描写したりすること
A express　表現する
B experiment　実験する
C retrieve　回収する
D **explain**　**説明する**
E criticize　批判する

38【C】不完全なデータからであっても、何かの価値についての意見を決めたり、判断したりすること
A determine　決心する
B pronounce　発音する
C **estimate**　**推定する、見積もる**
D publish　出版する
E exhibit　展示する

39【B】能力、業績、所有物について誇らしげに語ること

A	compel	強制する
B	**boast**	**自慢する**
C	disclose	開示する
D	alleviate	緩和する
E	amplify	拡大、増幅する

40【A】業者や店主による、販売のための品物の備蓄

A	**stock**	**在庫品、ストック**
B	corporation	法人
C	demand	需要
D	proceeds	収益、収入、所得
E	materials	物質、原料

41【A】悪い状況にいる人を気の毒に思うこと

A	**pity**	**気の毒に思う**
B	scorn	恥とする、軽蔑する
C	support	支える、味方する
D	apologize	謝る
E	regret	後悔する

4 空欄補充 ▶本冊233～237ページ

42【C】**never fail to do** ～で「必ず～する」＝「～しそこなうことはない」。

43【A】**cause damage to** ～で「～に被害を及ぼす」という意味。Dのgaveと迷うが、give damageとはあまり言わない。

44【C】**the last person to do** ～で「～する人ではない」という意味の成句表現。
「～するような人ではない」＝「～しそうにない」＝「(世界中の人が～するとしても)～する最後の人」と考える。

45【B】**live in harmony** で「仲良く暮らす、調和して生きる」。

46【D】「地震が多い」とは「地震の回数が多い」ということなので、「頻繁な、回数が多い」を表す**frequent**（形容詞）を選ぶ。Aのoftenは「頻繁に」という意味の副詞で、be oftenの形で「頻繁である」ことは表せない。

47【B】前置詞aboutがあるので、他動詞（前置詞不要）のdiscussは不可。

48【E】**look forward to doing**で「～することを楽しみにする」。toの直後が原形ではなく-ingであることに注意。

49【D】**so to speak**で「いわば」。
A as is usualは「いつものように」。
B what it isは「あるがままの状態〔姿〕」。
C so as to は“so as to do ～”の形で「～するために」。
E that isは「すなわち、つまり」。

50【C】門前払いは「訪問者を門の前で追い返すこと」。**slam**は「バタンと閉める」。

51【E】**optional**は「随意の、任意の、好きにしてよい」。

52【B】**stick at** ～で「～を着実にやる、こつこつやる」。

53【E】wovenはweave（織る、編む）の過去分詞。**be woven from** ～で「～で織られている」。

54【A】**force oneself to** ～で「無理に～する」。

55【B】**slight**は「わずかな、程度が軽い」。

1 構造的把握力検査・非言語

▶本冊243〜246ページ

1【C】ア　全仕事量を1分間のA＋Bの仕事量で割る。1分間のA＋Bの仕事量は、

$$\frac{1}{60}+\frac{1}{40}=\frac{5}{120}=\frac{1}{24}$$

全仕事を完了するには、$1\div\frac{1}{24}=24$**分**

イ　面積を求める。2人で1日に植えられる面積は**7＋4＝11a**。5日で**11×5＝55a**。

ウ　満水量を1と考える水槽算の問題。AとBの2管では1時間で1/9、Aだけだと1/12給水できる。Bだけだとx時間で満水と考えると、Bは1時間で1/xの給水。

$$\frac{1}{x}+\frac{1}{12}=\frac{1}{9}\rightarrow x=36\text{時間}$$

エ　満水量を1分間のA＋Bの給水量で割る。満水量は**$5m^3$＝5000ℓ**。1分間のA＋Bの給水量は、**130＋120＝250ℓ**

満水にするには、**5000÷250＝20分**

同じ構造のものは「全仕事量（満水量）を1分間のA＋Bの仕事量（給水量）で割る解き方」のアとエ。

2【C】「何組（何人）に分ける」と決まっている割り算を「等分除」、「何個ずつ分ける」と決まっている割り算を「包含除」という。

ア　「5個ずつ分ける」ことが決まっていて、「何袋できるか」を答える「包含除」。

42÷5＝8袋　余り2個

イ　過不足算。分ける本数を**6－5＝1本**増やすと**過不足の差＝2－(－4)＝6本**の差が出る。過不足の差＝分ける本数の差×人数なので、**6÷1＝6人**

【別解】**5x＋2＝6x－4→x＝6人**

ウ　「5人に分ける」ことが決まっていて、「1人あたり何枚か」を答える「等分除」。

52÷5＝10枚　余り2枚

エ　「3枚ずつ分ける」ことが決まっていて、「何人で分けられるか」を答える「包含除」。

32÷3＝10人　余り2枚

同じ構造なのは包含除のアとエ。

3【E】計算方法が同じものを選ぶ。

ア　一方が二黄卵かどうかは、もう一方の卵には影響しない。1個が二黄卵でない確率は、1－0.01。2個とも二黄卵でない確率は

（1－0.01）×（1－0.01）

少なくとも1個が二黄卵である確率は、

1－（1－0.01）×（1－0.01）

イ　赤は1個なので無関係。2個とも白になる確率は、2/6×1/5。2個とも青になる確率は、3/6×2/5。この和が、2個が同じ色の確率となる。

$$\frac{2}{6}\times\frac{1}{5}+\frac{3}{6}\times\frac{2}{5}=\frac{4}{15}$$

ウ　2回とも6が出る確率は、$\frac{1}{6}\times\frac{1}{6}$

エ　くじ引きの当たりはずれは、どの順番で引いても同じ確率となる。1人目が当たり、2人目がはずれる確率は3/8×5/7。1人目がはずれ、2人目もはずれる確率は5/8×4/7。この和が、2人目がはずれる確率になる。

$$\frac{3}{8}\times\frac{5}{7}+\frac{5}{8}\times\frac{4}{7}=\frac{5}{8}$$

従って、最も似ている構造といえるのは、計算方法が同じイとエ。

4【C】ア　和差算。兄弟の年齢差は7歳、年齢の和は35歳で、**(35－7)÷2＝14歳**

イ　姉の年齢が妹の1.3倍なので、妹の年齢を1とすると、年齢差は0.3と考えられる。年齢差（6歳）は変化しないので、妹の年齢は、**6÷0.3＝20歳**

【別解】妹が10歳とすれば1.3倍の年齢は13歳で年齢差3歳だが、姉と年齢差6歳なので、2倍して妹は20歳、姉は26歳。

ウ　和と比から年齢差を求める問題。

$72\times\frac{5-4}{4+5}=72\times\frac{1}{9}=8$**歳**

エ　和差算。値段の差は250円、和は1710円なので、**(1710－250)÷2＝730円**

従って、同じ構造なのは「大小2つの数の和と差をもとに解を求める問題」であるアとエ。

5【D】ア　Pの重さは、**500×0.1＝50g**

イ　水の重さを求める。水の割合は食塩水のうち1－0.12。**600×(1－0.12)＝528g**

ウ　金属Rの割合は合金50kgのうち、1－0.35。**50×(1－0.35)＝32.5kg**

エ　濃度は、**60÷(440＋60)×100＝12%**

従って、同じ構造なのは「一方（食塩または金属Q）の割合から、もう一方（水または金属R）が全体に占める割合を算出し、その重さを求める問題」であるイとウ。

6【F】ア　求める回数をS回とする。100日分は小さい順に、**S＝1＋2＋…＋99＋100**

大きい順に、**S＝100＋99＋…＋2＋1**

これを合わせると、

2S＝101＋101＋…＋101＋101

＝101×100＝10100

よって、**S＝10100÷2＝5050回**

イ　75と60の公約数は**1、3、5、15**。10人より多いので、**15人**。ミカン5個、リンゴ4個ずつ分けたことになる。

ウ　5と7の最小公倍数を求める。

5×7＝35日後

エ　**6＝2×3**と、**8＝2×2×2**の最小公倍数を求める。**2×2×2×3＝24cm**

従って、同じ構造なのは、「最小公倍数を求める問題」であるウとエ。

7【B】ア　重複組み合わせ。4個のボールを○、3つの色を区別する仕切りを▮で表す。

○▮○○▮○←赤1個、青2個、黄1個

○4個＋▮2本＝6カ所の位置から、▮を置く位置（2カ所）を選ぶ選び方といえる。

${}_6C_2=\frac{6\times5}{2\times1}=15$**通り**

【別解】公式を使って、${}_{3+4-1}C_4={}_6C_4={}_6C_2$

イ　同じものを含む順列の問題。P地点からQ地点までの最短経路は、どのような道順でも「右に3つ、かつ上に4つ」移動しなければならない。つまり、「→、→、→、↑、↑、↑、↑」という記号7個を、1列に並べる順列の数を求めることと同じ。7つの場所から、→が入る場所を3つ選べばよい（↑は残った4つの場所に入る）と考えられる。

${}_7C_3=\frac{7\times6\times5}{3\times2\times1}=35$**通り**

ウ　重複組み合わせ。3枚のお札を○、3種類の額面を区別する仕切りを▮で表す。

○3個＋▮2本＝5カ所の置き場から、▮を置く位置（2本分）を選ぶ選び方なので、

${}_5C_2=\frac{5\times4}{2\times1}=10$**通り**

【別解】公式を使って、${}_{3+3-1}C_3={}_5C_3={}_5C_2$

エ　重複順列の問題。1個目が「一、二、三」の3通り。2個目も3通り、3個目も3通り、4個目も3通りなので、$3^4=81$**通り**

同じ構造なのは、「重複組み合わせ」のアとウ。

8【E】ア　合計から子供の料金を引き大人の人数で割る。

(4250－450×5)÷2＝1000円

イ　去年と今年の猛暑日の和114日に差8日をたして2で割ると、多い方である去年の日数が求められる。

(114＋8)÷2＝61日

ウ　鶴亀算。全部80円切手と仮定して実際の金額との差を取り、2種類の切手の差額で割る。**(80×20－1150)÷(80－50)＝15枚**

方程式では、

80×(20－x)＋50x＝1150

エ　弟と姉の年齢の和30歳に差4歳をたして、2で割ると、年上である姉の年齢が求め

られる。

(30＋4)÷2＝17歳

従って、同じ構造なのは、「2つの和に差をたして、2で割る問題」であるイとエ。

※実際の検査では計算式の答えを出す必要はありません。解き方が共通しているものを見つけたら、すぐに答えていきましょう。

2 構造的把握力検査・言語 ▶本冊248〜250ページ

9【G】ア、ウ、エ…句点（。）を「〜ので」にかえると、そのまま文が成り立つ。
イ、オ…句点を「〜ので」にかえても、そのままでは成り立たない（時系列が逆）。従って、グループP（2つ）はイとオ。

10【G】数えられた結果の数（変化する数）か、すでに定まっている数（変化しない数）かで判断できる。
ア、ウ、エ…0から順に数えられた結果の数。
ア　数えると50回になった。
ウ　数えると69万円になった。
エ　数えると360度になった。
イ、オ…すでにその数に定まっている数。
イ　すでに24時間営業の店。
オ　すでに標高1200ｍにある山小屋。
従って、Pはイとオ。

11【G】ア、ウ、エ…Xの述べている事柄（結果）にはさまざまな理由（原因）が考えられるが、Yは自分の挙げている理由だけがただ一つの理由であるかのように述べている。
イ、オ…Yは、Xが述べている理由とは違う理由（和食→洋食、朝食→規則正しい生活）を挙げている。従って、Pはイとオ。

12【I】「Xの発言」を2つに分類する。
ア、イ、エ…Xは「その人自身の優れた1つの能力」を述べている。Yはそれとは違う能力が優れていると言っている。
ウ、オ…Xは「その人の所属先の優秀さ」を述べている。Yは所属者である個人が優れていると言っている。従って、Pはウとオ。

13【I】ア、イ、エ…図書館の物理的な設備に関する要望。
ウ、オ…図書館の規則に関する要望。従って、Pはウとオ。

14【F】天気や電車の話題という分類はできない。また、文末が過去形か現在形かなども判断の種類とは無関係。
ア、ウ、オ…いずれも情報から推測したことを述べている。
イ、エ…情報から判断して意思決定した行動を述べている。従って、Pはイとエ。

15【D】要望か不満かで分類できる。
イ、ウ、エ…改善の要望。
ア、オ…現状への不満。従って、Pはアとオ。

※構造的把握力検査は、考え込んでいると、すぐ時間が経ってしまいます。誤答率は測定されないので、迷って時間切れになるくらいなら、直感で答えていくほうが良い結果になります。

5章 模擬テスト・能力検査 ▶本冊252～262ページ

◆言語分野

❶【B】体重計ははかりの一種。長唄は邦楽（日本古来の音楽）の一種。能楽（能と狂言を包含する総称）は狂言を含む。短歌も俳句も詩歌の一種。

❷【D】ミキサーの役目はかくはん（攪拌…かきまぜること）。カッターの役目は切断、煙突の役目は排気。ライターの役目は着火。

❸【B】民事と刑事は対義語。同じく洋画と邦画は対義語。和風と古風は様式の一種。異国は隣国を含む。

❹【B】ギターの構成要素が弦。短歌の構成要素が上の句。短歌の上の句は前半の「5・7・5」、下の句は後半の「7・7」を示す言葉。

❺【D】雪（氷の結晶）は結晶に属する。木枯らしは風に属する。五月雨は雨に属する。

❻【C】星霜（年に天を一周する星と毎年降る霜の意から、年月。歳月）と歳月は同じ意味。晦日（月の30番目の日。転じて、月の最後の日）と月末は同じ意味。

❼【A】「やおら」は「ゆっくり、おもむろに」。

B　おっとり→落ち着いていてこせこせしていないさま

C　おっつけ→やがて、そのうちに

D　そそくさ→落ち着かず、せわしないさま

E　おずおず→おそるおそる

❽【E】「時代の趨勢」などと用いる。

A　筆勢→筆や文章の勢い

B　加勢→力を貸して助けること

C　権勢→権力と勢力

D　大勢→物事の一般的な傾向やおおよその状況。世の成り行き

❾【C】「路頭に迷う」とは「生活の手段を失って暮らしに困ること」なのでC。

❿【E】「医者**に**なった」の「**に**」は、変化の結果を表し、～**という結果に**と言い換えられる。同じものはE「お湯に変わった」。Aは～**という場所に**、Bは～**の目的で**、Cは～**という相手から**、Dは～**という基準に対して**と言い換えられる。

⓫【C】設問は～**ではあるが**、～**にもかかわらず**、と言い換えられる。同じものはC。AとDは～**つつ**（動作の並行）、BとEは～**のまま**、～**のとおり**と言い換えられる。

⓬【D】設問は～**という理由によって**と言い換えられる。同じく理由や原因を表すものはD。Aは～**という範囲・期限で**、Bは～**という主体が**、Cは～**という道具・手段で**、Eは～**という基準で**と言い換えられる。

◆非言語分野

⓭【D】左端から順に「白黒白黒」になる確率。

左端が白になる確率は、5個のうち2個ある白がくればよいので、**2/5**。

左から2番目が黒になる確率は、4個のうち3個ある黒がくればよいので、**3/4**。

左から3番目が白になる確率は、3個のうち1個ある白がくればよいので、**1/3**。

左から4番目が黒になる確率は、2個のうち2個ある黒がくればよいので、**2/2**。

すべてかけ合わせて、

$$2/5 \times 3/4 \times 1/3 \times 2/2 = 1/10$$

【別解】白2個、黒3個の並び方は、①②③④⑤の5箇所に白の入る2箇所を求めればよい（残りの3箇所は黒に決まる）ので、$_5C_2=10$ **通り**。10通りのうち、左から順に「白黒白黒黒」となる並びは1通りなので**1/10**。

※ちなみに、左から順にではなく「白黒白黒が現れる確率」なら、「黒白黒白黒」も含まれるので1/5となる。

⑭【C】白2個、黒3個の並び方10通りのうち、黒3個が連続で並ぶのは、「白白**黒黒黒**」「白**黒黒黒**白」「**黒黒黒**白白」の3通りなので、**3/10**。
【別解】黒が3個並ぶのは、次の3通り。
①白白黒黒黒…左から白2個になれば決定。
左端が白になる確率は、2/5。
左から2番目が白になる確率は、1/4。
2/5×1/4＝1/10
②白黒黒黒白…①の確率と同じく、**1/10**
③黒黒黒白白…①の確率と同じく、**1/10**
①②③のいずれかになればよいので、これらの確率をたし合わせて、
1/10＋1/10＋1/10＝3/10

⑮【A】
ア　Zが男性の場合、男性の人数は2人以下…T、V、W、Xの4人とZ（男性）の性別が異なるので、T、V、W、Xの4人は女性。Uも女性なので、女性が7人中5人以上となる。男性は2人以下となり、**必ず正しい**。
イ　Zが女性の場合、女性の人数は2人以下…T、V、W、Xの4人とZ（女性）の性別は異なるので、T、V、W、Xの4人は男性。Uは女性で、Yは不明。女性は2人または3人となり、**必ず正しいとはいえない**。
ウ　ZとYが同性の場合、男性と女性の人数の差は2人以下…仮にZが男性とするとYも男性、T、V、W、XとUが女性で、女性5人、男性2人となる。人数の差は3人となり、**必ず正しいとはいえない**。

⑯【B】
カ　男性の方が多い…同性であるT、V、W、Xの4人は男性に確定。ZとUは女性に確定。Yは不明。
キ　YとUは同性、ZとUは異性…Uは女性なので、Yも女性。ZはUと異性なので、Zは男性。Zと異性であるT、V、W、Xの4人は女性。**すべて確定できる**。
ク　ZとUは同性、VとUは異性…ZとUの2人は女性。Vは女性のUと異性なので、T、V、W、Xは男性。Yは不明。

⑰【C】70万円と80万円の間であることは間違いないが、男女それぞれの人数がわからないので、どちらともいえない。

⑱【B】もし男性の本社と支社の人数が同数なら、本社平均xは、（x＋80）÷2＝90で、ちょうど100万円になる。しかし、男性の人数は本社より支社の方が少ないので、本社平均は100万円より必ず少なくなる。

⑲【C】男性の本社平均は前問の通り**100万円より少ない**。女性の人数は本社より支社の方が多いので、本社平均は**90万円より多い**。これによって「本社の男女を合わせた平均貯蓄額は90万円と100万円の間にある」とすると間違い。**男女それぞれの人数がわからないし、女性の本社平均が100万円以上の場合が考えられる**ので、「どちらともいえない」が正解。
【解説】わかりやすいように、本社女性1人、支社女性99人、全社計100人とすると、全社女性の貯蓄額の合計は、
80×100＝8000万円
支社女性の貯蓄額の合計は、
70×99＝6930万円
本社女性の貯蓄額の合計は、
8000－6930＝1070万円
本社女性は1人なので、1070万円がそのまま平均額になる。さらに、本社の男性と女性の人数がわからないので、どちらともいえない。

⑳【B】18個の売上が22680円なので、1個あたりの売値は、
22680÷18＝1260円
これが定価の25％引きなので、定価は、
1260÷0.75＝1680円
定価は仕入れ値の40％の利益が出るように設定されているので、仕入れ値は、
1680÷1.4＝1200円

㉑【B】商品Yの仕入れ値をy円とすると、定価

はy×1.4円。セール中の売値は、

y×1.4×0.8＝y×1.12円

60個のうち40個をセール中に、残り20個を定価で売ったので、売上の合計は、

y×1.12×40＋y×1.4×20＝y×72.8円

60個分の仕入れ値の合計はy×60円なので、利益の合計は、

y×72.8－y×60＝y×12.8＝19200円

商品Yの仕入れ値yは、

19200÷12.8＝1500円

㉒【□□✔□□】

Ⅱより、1回目と2回目は隣り合うので①②または②①でワンセットになる。

Ⅲより、同様に③○④または④○③。③○④の間の○はセットの①も②も入らないので、③⑤④か④⑤③でワンセットになる。

モグラをたたけたのは2回目と4回目だけで、Ⅰより、両端の穴から出たモグラはたたけなかったので、②と④は両端ではない。従って、①②④⑤③または③⑤④②①に確定できる。

4回目に出てきた穴として考えられるのは、**左から3番目**。

㉓【□✔□✔□】

前問の解説より、

①②④⑤③または③⑤④②①なので、5回目に出てきた穴として考えられるのは、

左から2、4番目

㉔【E】以下、1泊を①、2連泊を②、3連泊を③と表す。3都市に4泊ということは、②①①の3カ所に3都市を並べる順列なので、

$_3P_3$＝3×2×1＝6通り

②の入れ方は、②①①、①②①、①①②という**3通り**があるので、**6×3＝18通り**

㉕【D】最初のPは決まっているので、泊まる順序はPQRかPRQの**2通り**。3連泊が入るとき、③の入れ方が、③①①、①③①、①①③という**3通り**。2連泊が入るとき、①の入れ方が、①②②、②①②、②②①という**3通り**。

全部で、**3＋3＝6通り**

従って、**2×6＝12通り**

【別解】P∧○∧○∧○∧○という4つの間∧のうち、どのタイミングで移動するかで異なるので、組み合わせは**$_4C_2$＝6通り**。これが、PQRとPRQの**2通り**あるので、

6×2＝12通り

㉖【C】1紙以上の購読者は、

120－15＝105人（下図の赤い線の内側）

A、B、C各紙の購読者の合計人数は、

80＋52＋55＝187人

従って、

187－105＝82人

が赤い線の内側でダブっている人数になる。

一方、2紙以上の購読者は、1紙以上の購読者105人から、1紙だけの購読者30人を引いた数なので、**105－30＝75人**

A、B、Cが重なる部分（3紙の購読者z）は、

82－75＝7人

【解説】下図の■の重なり方を見ると、wはAとB、xはAとC、yはBとC、zはAとBとCが重なっている。

A80人で見ると、Aだけ（①）、AとBだけ（w）、AとCだけ（x）、AとBとC（z）の4パターンがある。このうちwはB52人にも、xはC55人にもカウントされているので2重になっている。さらに、zはAにも、Bにも、Cにもカウントされているので3重になっている。つまり、A、B、

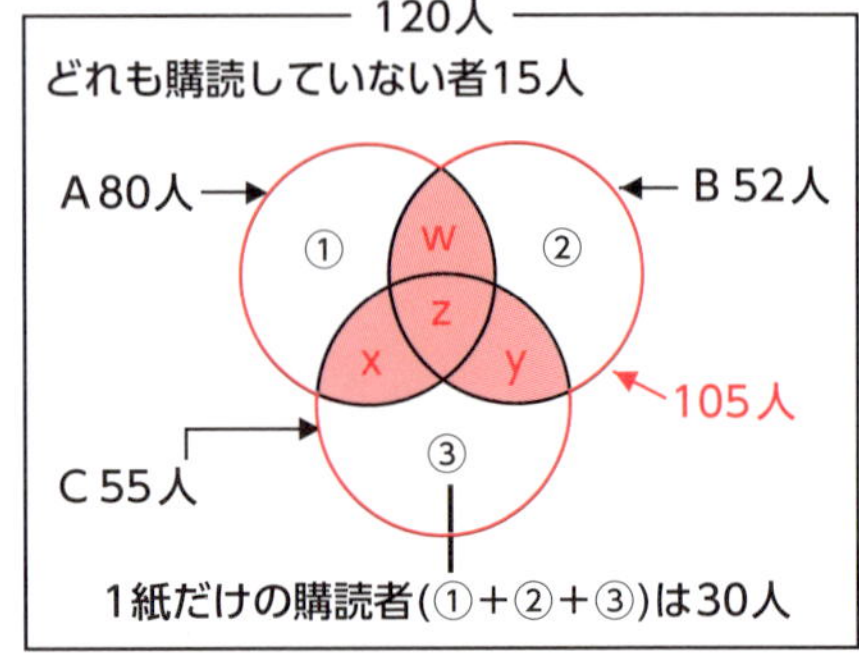

C各紙の購読者の合計187人の内訳は、
①+②+③+2w+2x+2y+3z=187…❶
となる。一方、1紙以上の購読者105人の内訳はダブりがないので、
①+②+③+w+x+y+z=105…❷
❶から❷を引くと、
w+x+y+2z=82…❸
となる。2紙以上の購読者75人の内訳は、ダブりがないので、
w+x+y+z=75…❹
となり、❸から❹を引くと、z=7
となる。ちなみに、以上のことを表に整理すると、次の表のようになる。

【人数の内訳】

	1紙以上 105人	A 80人	B 52人	C 55人
① Aだけ	○	○		
② Bだけ	○		○	
③ Cだけ	○			○
w AとB	○	○	○	
x AとC	○	○		○
y BとC	○		○	○
z ABC	○	○	○	○

表のA+B+C(赤い■)を見ると、
A80+B52+C55=187人の内訳は、
①+②+③+2w+2x+2y+3z
になっていて、前述の❶の式と同じになる。

㉗【E】3紙とも購読している者は7人。また、C新聞だけを購読している者は3人。

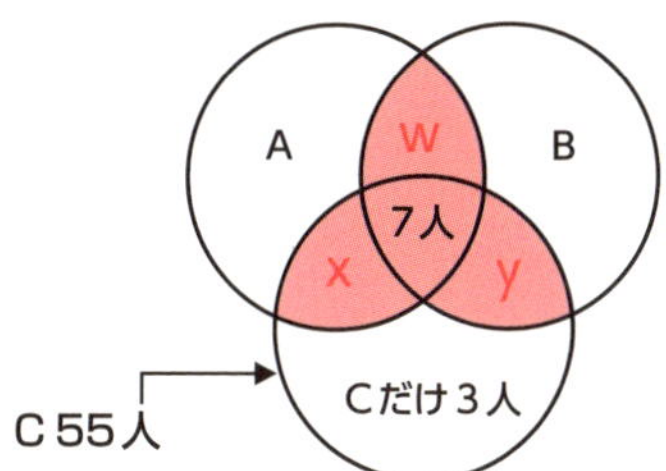

「2紙以上を購読している者(■)の中で、B新聞を購読していない者(x=A新聞とC新聞の2紙だけを購読している者)は、A新聞を購読していない者(y)の2倍」なので、x=2y…❶
C新聞の購読者は55人で、C新聞だけを購読している者は3人なので、
x+y+7=55−3=52
x=52−7−y=45−y…❷
❶に❷を代入すれば、
45−y=2y
y=15、x=30

以上で終了です。お疲れ様でした！

最後に、テスト会場で少しでも高い点数を取る心構えとコツを紹介しておきましょう。

❶ テスト直前に「できなかった問題」を復習します。また、184ページの【頻出語句200】と198ページの【複数の意味50】をチェックします。

❷ テスト会場で問題を読んで、まったく解けそうにないときでも、あせらない！とにかく手だけは動かして、問題文のキーワードと数値をメモします。本書で学んだあなたなら、メモを整理して考えていくうちに、必ず解法の糸口がつかめるはずです！

❸ 正解がわからなくても、全部の選択肢から適当に選んではいけません。制限時間のうちに、ありえない選択肢を消して、候補を絞ってから選びます。これだけで得点は大きく違ってきます。

本書があなたの力となって、
志望企業の内定に導くことができたなら、
これに勝る喜びはありません。
本書をここまでマスターしたあなたなら、
必ず、本番のSPI検査を通過できます！
自信をもって、検査に臨んでください。

別冊【解答・解説集】

五十七年法律第五十六号）附則第二条の規定の適用により、昭和五十七年四月分及び五月分に係る掛金のうち追加して支払うべき掛金があるときは、給与支給機関又は組合員（組合員であつた者を含む。）は、国家公務員共済組合法（昭和三十三年法律第百二十八号）第百一条の規定の例により、当該追加して支払うべき掛金を一括して、速やかに払い込まなければならない。

附 則（昭五七・七・二政令一八四）

この政令は、昭和五十七年七月二十六日から施行する。

附 則（昭五七・八・二四政令二三二）

（施行期日）

第一条 この政令は、昭和五十七年九月一日から施行する。

（経過措置）

第二条 昭和五十七年九月一日から老人保健法（昭和五十七年法律第八十号）附則第一条本文の政令で定める日の前日までの間において七十歳以上の者又は六十五歳以上七十歳未満の者であつて寝たきりの状態その他の障害の状態にあるもののうち主務大臣が定める者が受ける療養に係る健康保険法、船員保険法、国家公務員共済組合法、公共企業体職員等共済組合法、地方公務員等共済組合法若しくは私立学校教職員共済組合法の規定による家族高額療養費又は国民健康保険法の規定による高額療養費の支給についての第一条の規定による改正後の同条各号に掲げる政令の規定又は第二条の規定による改正後の国民健康保険法施行令第二十九条の二第一項の規定の適用（私立学校教職員共済組合法施行令（昭和二十八年政令第四百二十五号）第十条の五において国家公務員共済組合法施行令第十一条の三の三第一項及び第二項の規定を準用する場合を含む。）については、これらの規定中「五万千円」とあるのは、「三万九千円」とする。

2 前項の主務大臣は、健康保険法若しくは船員保険法の規定による家族高額療養費又は国民健康保険法の規定による高額療養費に係る療養を受ける者については厚生大臣、国家公務員共済組合法の規定による家族高額療養費に係る療養を受ける者については大蔵大臣、公共企業体職員等共済組合法の規定による家族高額療養費に係る療養を受ける者については同法第八十四条に規定する主務大臣、地方公務員等共済組合法の規定による家族高額療養費に係る療養を受ける者については自治大臣、私立学校教職員共済組合法の規定による家族高額療養費に係る療養を受ける者については文部大臣とする。

第三条 昭和五十七年九月一日から同年十二月三十一日までの間において前条第一項に規定する者以外の者が受ける療養に係る健康保険法、船員保険法、国家公務員共済組合法、公共企業体職員等共済組合法、地方公務員等共済組合法若しくは私立学校教職員共済組合法の規定による家族高額療養費又は国民健康保険法の規定による高額療養費の支給についての第一条の規定による改正後の同条各号に掲げる政令の規定又は第二条の規定による改正後の国民健康保険法施行令第二十九条の二第一項及び第二項の規定の適用（私立学校教職員共済組合法施行令第十条の五において国家公務員共済組合法施行令第十一条の三の三第一項及び第二項の規定を準用する場合を含む。）については、これらの規定中「五万千円」とあるのは、「四万五千円」とする。

附 則（昭五七・九・二一政令二五一）（抄）

（施行期日）

第一条 この政令は、昭和五十七年十月一日から施行する。

附 則（昭五七・九・二五政令二六三）

この政令は、昭和五十七年十月一日から施行する。

附 則（昭五八・一・二一政令六）（抄）

（施行期日）

第一条 この政令は、老人保健法の施行の日（昭和五十八年二月一日）から施行する。

（国家公務員共済組合法施行令の一部改正に伴う経過措置）

第四条 第十三条の規定による改正後の国家公務員共済組合法施行令第十二条第四項の規定は、昭和五十八年四月一日に始まる事業年度以後の事業年度における国家公務員共済組合法（昭和三十三年法律第百二十八号）第百条第二項に規定する俸給と掛金との割合の算定について適用する。この場合において、同日に始まる事業年度における当該割合の算定については、同令第十二条第四項中「当該事業年度における」とあるのは、「前事業年度及び当該事業年度における」とする。

附 則（昭五八・五・二四政令一〇九）

この政令は、公布の日から施行する。

附 則（昭五九・三・一七政令三五）（抄）

（施行期日）

第一条 この政令は、国家公務員及び公共企業体職員に係る共済組合制度の統合等を図るための国家公務員共済組合法等の一部を改正する法律の施行の日（昭和五十九年四月一日）から施行する。

（郵政省共済組合の連合会加入に伴う経過措置）

第三条 国家公務員及び公共企業体職員に係る共済組合制度の統合等を図るための国家公務員共済組合法等の一部を改正する法律（以下「改正法」という。）附則第五条第一項前段の規定により、郵政省に属する職員をもつて組織する組合（以下この条において「郵政省共済組合」という。）に係る改正法第一条の規定による改正後の国家公務員等共済組合法（昭和三十三年法律第百二十八号。以下「改正後の法」という。）第二十一条第二項第一号に掲げる業務を、改正法の施行の日以後、国家公務員等共済組合連合会（以下この条において「連合会」という。）において行うこととなつたことに伴い、郵政省共済組合の同号に掲げる業務に関する権利義務は、同日において、連合会が承継する。

2 前項の規定により連合会が承継する権利義務の範囲その他承継に関し必要な事項は、郵政省共済組合の代表者と連合会の理事長が大蔵大臣に協議して定める。

3 連合会は、当分の間、連合会の業務の状況を勘案して、連合会の理事長と郵政省共済組合の代表者とが協議して定めるところにより、改正後の法第二十一条第二項第一号に掲げる業務のうち、長期給付の支払に関する業務並びに責任準備金及び長期給付の支払上の余裕金の管理及び運用に関する業務を郵政省共済組合に委任することができる。

4 郵政省共済組合の組合員であつた者について改正法第三条の規定による改正後の国家公務員等共済組合法の長期給付に関する施行法（昭和三十三年法律第百二十九号。以下「改正後の施行法」という。）第五十一条の十二第二項第三号又は第五十一条の十三第一項（これらの規定を改正後の施行法第五十一条の十七第一項において準用する場合を含む。）の規定を適用する場合には、郵政省共済組合が決定した長期給付は、連合会が決定した長期給付とみなす。

5　郵政省共済組合の組合員であつた者について第一条の規定による改正後の国家公務員等共済組合法施行令（以下「新令」という。）附則第十九条の二第二項の規定を適用する場合には、この政令の施行前に郵政省共済組合に返還された同項に規定する支給額等は、連合会に返還されたものとみなす。

（公共企業体の組合員の組合員に係る短期給付に関する規定の適用の特例）

第四条　公共企業体の組合（改正後の法第百十六条第五項に規定する公共企業体の組合をいう。以下同じ。）の組合員に対する改正後の法の短期給付に関する規定の適用については、当分の間、公共企業体（改正後の法第二条第一項第七号に規定する公共企業体をいう。次条第二項において同じ。）の経営する医療機関又は薬局は、当該公共企業体の組合の経営する医療機関又は薬局とみなす。

（旧組合の組合員であつた者等に係る短期給付の特例等）

第五条　旧公企体共済法（改正後の施行法第五十一条の十一第一号に規定する旧公企体共済法をいう。以下同じ。）第三条第一項の規定により設けられた共済組合（第三項において「旧組合」という。）の組合員であつた者で改正法の施行の日前に旧公企体共済法の規定による傷病手当金の支給を受けていた者に対する改正後の法第六十六条の規定の適用については、同条第一項中「日以後三日を経過した日」とあるのは「日」と、同条第三項中「第一項に規定する勤務に服することができなくなつた日以後三日を経過した日（同日において第六十九条の規定により傷病手当金の全部を支給しないときは、その支給を始めた日）」とあるのは「国家公務員等共済組合法の長期給付に関する施行法（昭和三十三年法律第百二十九号）第五十一条の十一第一号に規定する旧公企体共済法の規定による傷病手当金の支給を始めた日」とする。

2　改正法の施行の日の前日において公共企業体の役員であり、改正法の施行の日以後引き続き役員である者のうち、改正後の法第二条第一項第一号に規定する職員に該当しない者に対する改正後の法の短期給付及び福祉事業に関する規定の適用については、同号の規定にかかわらず、その者が引き続き役員である間、同号に規定する職員とみなす。

3　改正法の施行の日の前日において、旧公企体共済法附則第十九条第一項の規定により、旧公企体共済法の長期給付に関する規定の適用を受けない旧組合の組合員であつた者であるものについては、その者が引き続き組合員である間、改正後の法及び改正後の施行法の長期給付に関する規定は適用しない。

（給付の制限に関する経過措置）

第六条　旧公企体組合員期間（改正後の施行法第五十一条の十一第五号に規定する旧公企体組合員期間をいう。）を有する組合員については、新令第十一条の十第四項に定めるもののほか、同条第一項第三号に規定する停職の期間の月数は、その旧公企体組合員期間内の停職の期間の月数を控除した月数による。

（長期給付に要する費用の算定方法及び算定単位に関する経過措置）

第七条　改正法の施行の日以後最初に改正後の法第九十九条第一項後段の規定による再計算が行われるまでの間は、組合の長期給付に要する費用の算定方法及び算定単位については、新令第十二条第二項及び第十二条の二第二項の規定にかかわらず、なお従前の例による。

（資金の運用に関する経過措置）

第八条　新令附則第五条第一項において読み替えられた新令第九条第三項及び新令附則第三条第二項の規定は、昭和五十九年四月一日に始まる事業年度以後の各事業年度において資金運用部に預託して運用すべき金額又は大蔵大臣の指定するものに運用すべき金額について適用する。この場合において、同日に始まる事業年度におけるこれらに運用すべき金額については、同項中「百分の三十四」とあるのは、「百分の三十」とする。

2　昭和六十年四月一日に始まる事業年度以後の各事業年度において改正後の法第三十五条の二又は改正後の法附則第三条の二第四項の規定により資金運用部に預託して運用すべき金額又は大蔵大臣の指定するものに運用すべき金額は、当該事業年度の前事業年度の末日においてこれらに運用している金額が新令附則第五条第一項において読み替えられた新令附則第三条第二項に定められている金額に達するまでの間に限り、同項の規定にかかわらず、同日において現にこれらに運用している金額に、当該前事業年度における同条第一項に規定する責任準備金の現実積立額の増加額に百分の四十の割合を乗じて得た金額に相当する金額を加えた金額とする。ただし、当該金額をこれらに運用することにより連合会又は公共企業体の組合の事業の運営に著しく支障を及ぼすおそれがあると認められるときは、同日において現にこれらに運用している金額に、当該増加額に大蔵大臣の定める割合を乗じて得た金額に相当する金額を加えた金額とする。

附　則（昭五九・五・二二政令一五二）（抄）

（施行期日等）

第一条　この政令は、公布の日から施行する。

2　第一条の規定による改正後の国家公務員等共済組合法施行令第十一条の八の二第二項第四号並びに附則第二十七条の七第一項第一号及び第六項の規定〔中略〕は昭和五十九年三月一日から〔中略〕適用する。

（遺族年金の加算の特例に関する調整に関する経過措置）

第二条　第一条の規定による改正後の国家公務員等共済組合法施行令第十一条の八の二第二項第四号の規定は、昭和五十九年二月二十九日以前に給付事由が生じた給付についても、同年三月分以後適用する。

（掛金の標準となる俸給の改正に伴う掛金の払込み）

第三条　昭和四十二年度以後における国家公務員等共済組合等からの年金の額の改定に関する法律等の一部を改正する法律（昭和五十九年法律第三十五号）附則第二条の規定の適用により、昭和五十九年四月分及び五月分に係る掛金のうち追加して支払うべき掛金があるときは、給与支給機関又は組合員（組合員であつた者を含む。）は、国家公務員等共済組合法（昭和三十三年法律第百二十八号）第百一条の規定の例により、当該追加して支払うべき掛金を一括して、速やかに払い込まなければならない。

附　則（昭五九・六・九政令一八二）（抄）

1　この政令は、昭和五十九年七月一日から施行する。

3　この政令の施行の日前に総理府総務副長官であつた者のうち国会議員でない者をもつて充てられたものに対する国家公務員等共済組合法（昭和三十三年法律第百二十八号）の規定による長期給付については、第二十八条の規定による改正後の国家公務員等共済組合法施行令第十一条の五の規定にかかわらず、なお従前の例による。

附 則（昭五九・六・二七政令二二〇）

この政令は、昭和五十九年七月一日から施行する。

附 則（昭五九・六・三〇政令二三九）（抄）

（施行期日）

第一条 この政令は、公布の日から施行する。ただし、附則第七条の規定は、昭和五十九年七月一日から施行する。

附 則（昭五九・九・七政令二六五）（抄）

1 この政令は、昭和六十年三月三十一日から施行する。

附 則（昭五九・九・七政令二六八）（抄）

改正 平一四・八・三〇政令二八二

（施行期日）

第一条 この政令は、健康保険法等の一部を改正する法律の施行の日（昭和五十九年十月一日）から施行する。

（任意継続被保険者の保険料等の前納に係る経過措置）

第三条 1 〔略〕

2 この政令の施行の日の前日において、国家公務員等共済組合法（昭和三十三年法律第百二十八号）第百二十六条の五第二項（私立学校教職員共済組合法（昭和二十八年法律第二百四十五号）第二十五条第一項において準用する場合を含む。）又は地方公務員等共済組合法（昭和三十七年法律第百五十二号）第百四十四条の二第二項に規定する任意継続組合員の資格を有する者は、この政令による改正後の国家公務員等共済組合法施行令第五十三条本文、地方公務員等共済組合法施行令第四十九条の二本文又は私立学校教職員共済組合法施行令第十条の二十二本文の規定にかかわらず、昭和五十九年十一月から昭和六十年三月までの期間について国家公務員等共済組合法第百二十六条の五第三項（私立学校教職員共済組合法第二十五条第一項において準用する場合を含む。）又は地方公務員等共済組合法第百四十四条の二第三項の規定による任意継続掛金の前納を行うことができる。

附 則（昭五九・一一・二政令三一三）（抄）

（施行期日）

第一条 この政令は、昭和六十年三月三十一日から施行する。ただし、第四十三条第四号及び第五号の改正規定は公布の日から、第十二条第二項及び第四項の改正規定、第十二条の四の次に一条を加える改正規定並びに第十三条、第四十五条第二項、第四十七条の二第二項及び附則第八条の改正規定並びに附則第三条の規定は同年四月一日から施行する。

（特例継続組合員に係る費用の負担の特例に関する経過措置）

第二条 昭和六十年三月三十一日における改正後の国家公務員等共済組合法施行令附則第七条の十第一項の規定の適用については、同項の表中「百分の五十」とあるのは「百分の五十七・五」と、「百分の百」とあるのは「百分の八十五、当該特例継続組合員に係る国の負担金百分の十五」とする。

附 則（昭五九・一二・一一政令三四二）（抄）

（施行期日）

第一条 この政令は、法（社会福祉・医療事業団法）の施行の日（昭和六十年一月一日）から施行する。

附 則（昭六〇・三・五政令二四）（抄）

（施行期日）

第一条 この政令は、昭和六十年四月一日から施行する。

（公共企業体等の組合の組合員に対する国家公務員等共済組合法の短期給付等に関する規定の適用等に関する特例）

第二十一条 公共企業体等の組合（整備法第二十六条の規定による改正後の国家公務員等共済組合法（昭和三十三年法律第百二十八号）第百十六条第五項に規定する公共企業体等の組合をいう。以下同じ。）の組合員及び公共企業体等の組合に対する国家公務員及び公共企業体職員に係る共済組合制度の統合等を図るための国家公務員等共済組合法等の一部を改正する法律の施行に伴う関係政令の整備等に関する政令（昭和五十九年政令第三十五号）附則第四条、第五条第二項及び第八条第二項の規定の適用については、これらの規定中「公共企業体」とあるのは、「公共企業体等」とする。

（旧公社の役員又は職員であつた者等に係る恩給等に要する費用の負担）

第二十二条 旧公社の役員又は職員であつた者（旧公社法施行前のこれに相当する者を含む。）に係る恩給の支払に充てるべき費用の負担に係る国家公務員及び公共企業体職員に係る共済組合制度の統合等を図るための国家公務員共済組合法等の一部を改正する法律（昭和五十八年法律第八十二号）附則第三十七条の規定によりなおその効力を有することとされた同法附則第二条の規定による廃止前の公共企業体職員等共済組合法（昭和三十一年法律第百三十四号）附則第三十六条の規定の適用については、なお従前の例による。この場合においては、会社法附則第十二条第一項の規定の適用があるものとする。

2 国家公務員等共済組合法の長期給付に関する施行法（昭和三十三年法律第百二十九号）第三条の規定による給付に要する費用の負担については、なお従前の例による。この場合においては、会社法附則第十二条第一項の規定の適用があるものとする。

附 則（昭六〇・三・八政令二七）

この政令は、法（日本原子力研究所法の一部を改正する法律）の施行の日（昭和六十年三月三十一日）から施行する。

附 則（昭六〇・三・一五政令三一）（抄）

（施行期日）

第一条 この政令は、昭和六十年四月一日から施行する。

（公共企業体等の組合の組合員に対する国家公務員等共済組合法の短期給付等に関する規定の適用等に関する特例）

第十八条 公共企業体等の組合（日本電信電話株式会社及び電気通信事業法の施行に伴う関係法律の整備等に関する法律第二十六条の規定による改正後の国家公務員等共済組合法（昭和三十三年法律第百二十八号）第百十六条第五項に規定する公共企業体等の組合をいう。以下同じ。）の組合員及び公共企業体等の組合に対する国家公務員及び公共企業体職員に係る共済組合制度の統合等を図るための国家公務員共済組合法等の一部を改正する法律の施行に伴う関係政令の整備等に関する政令（昭和五十九年政令第三十五号）附則第四条、第五条第二項及び第八条第二項の規定の適用については、これらの規定中「公共企業体」とあるのは、「公共企業体等」とする。

（旧公社の役員又は職員であつた者等に係る恩給等に要する費用の負担）

第十九条 旧公社の役員又は職員であつた者（旧公社法施行前のこれに相当する者を含む。）に係る恩給の支払に充てるべき費用の負担に係る国家公務員及び公共企業体職員に係る共済組合制度の統合等を図るための国家公務員共済組合法等の一部を改正する法律（昭和五十八年法律第八十二号）附則第三十七条の規定によりなおその効力を有することとされた同法附則第二条の規定による廃止前の公共企業体職員等共済組合法（昭和三十一年法律第百三十四号）附則第三十六条の規定の適用については、なお従前の例による。この場合においては、会社法附則第四条第一項の適用があるものとする。

2　国家公務員等共済組合法の長期給付に関する施行法（昭和三十三年法律第百二十九号）第三条の規定による給付に要する費用の負担については、なお従前の例による。この場合においては、会社法附則第四条第一項の規定の適用があるものとする。

附　則（昭六〇・三・二九政令四六）

1　この政令は、昭和六十年四月一日から施行する。ただし、第十一条の三の二第六項の改正規定は、公布の日から施行する。

2　この政令による改正後の第十一条の三の二第六項の規定は、昭和六十年一月一日以後に行われた療養に係る高額療養費の支給について適用する。

3　この政令の施行の日前に出産し又は死亡した組合員若しくは組合員であつた者又はその被扶養者に係る国家公務員等共済組合法第六十一条第一項若しくは第三項又は第六十三条第一項若しくは第三項の規定による出産費若しくは配偶者出産費又は埋葬料若しくは家族埋葬料（同法第六十三条第二項又は第六十四条第一項の規定による給付を含む。）の額については、なお従前の例による。

附　則（昭六〇・六・七政令一六三）（抄）

（施行期日）

第一条　この政令は、公布の日から施行する。

附　則（昭六〇・六・七政令一六五）（抄）

（施行期日等）

第一条　この政令は、公布の日から施行し、第一条の規定による改正後の国家公務員等共済組合法施行令の規定（中略）は、昭和六十年四月一日から適用する。

（遺族年金の加算の特例に関する調整に関する経過措置）

第二条　第一条の規定による改正後の国家公務員等共済組合法施行令第十一条の八の二第二項第四号の規定は、昭和六十年三月三十一日以前に給付事由が生じた給付についても、同年四月分以後適用する。

附　則（昭六〇・六・二八政令二一一）

この政令は、公布の日から施行する。

附　則（昭六〇・一二・二一政令三一七）（抄）

（施行期日等）

1　この政令は、公布の日から施行する。ただし、第四十二条の規定は、昭和六十一年一月一日から施行する。

附　則（昭六〇・一二・二七政令三三二）（抄）

1　この政令は、昭和六十一年三月一日から施行する。

附　則（昭六一・三・二八政令五五）（抄）

最終改正　平九・三・二八政令八四

（施行期日）

第一条　この政令は、昭和六十一年四月一日から施行する。

（長期給付に充てるべき積立金の積立て及び運用に関する経過措置）

第二条　第一条の規定による改正後の国家公務員等共済組合法施行令（以下「新施行令」という。）附則第五条第一項の規定により読み替えられた新施行令第九条の規定は、昭和六十一年四月一日に始まる事業年度以後の各事業年度について適用し、同年三月三十一日に終わる事業年度については、なお従前の例による。

2　第一条の規定による改正前の国家公務員等共済組合法施行令（以下「旧施行令」という。）附則第五条第一項の規定により読み替えられた旧施行令附則第三条第二項の規定は、昭和六十一年四月一日に始まる事業年度において資金運用部に預託して運用すべき金額又は大蔵大臣の指定するものに運用すべき金額については、なおその効力を有する。

3　昭和六十二年四月一日に始まる事業年度以後の各事業年度において国家公務員等共済組合法等の一部を改正する法律（昭和六十年法律第百五号。以下「昭和六十年改正法」という。）第一条の規定による改正後の国家公務員等共済組合法（昭和三十三年法律第百二十八号。以下「新共済法」という。）第三十五条の二第二項又は附則第三条の二第四項の規定により資金運用部に預託して運用すべき金額又は大蔵大臣の指定するものに運用すべき金額は、当該事業年度の前事業年度の末日においてこれらに運用している金額が新施行令附則第五条第一項の規定により読み替えられた新施行令第九条第三項に定められている金額（昭和六十二年三月三十一日においてこれらに運用している金額にあつては、旧施行令附則第五条第一項の規定により読み替えられた旧施行令附則第三条第二項に定められている金額）に達するまでの間に限り、新施行令附則第五条第一項の規定により読み替えられた新施行令第九条第三項の規定にかかわらず、当該末日において現にこれらに運用している金額に、当該前事業年度における同条第一項に規定する積立金の増加額に百分の四十の割合を乗じて得た金額に相当する金額を加えた金額とする。ただし、当該金額をこれらに運用することにより国家公務員等共済組合連合会又は新共済法第百十一条の三第一項に規定する適用法人の組合の事業の運営に著しく支障を及ぼすおそれがあると認められるときは、同日において現にこれらに運用している金額に、当該増加額に大蔵大臣の定める割合を乗じて得た金額に相当する金額を加えた金額とする。

（標準報酬の月額と掛金との割合の算定方法に関する経過措置）

第三条　昭和六十一年度の掛金のうち短期給付に係るものに関しては、新施行令第十二条第四項中「標準報酬の月額の合計額」とあるのは、「昭和六十年改正前の法第百条第二項の規定により掛金の標準となつた俸給（任意継続組合員にあつては、国家公務員等共済組合法施行令等の一部を改正する等の政令（昭和六十一年政令第五十五号）第一条の規定による改正前の国家公務員等共済組合法施行令第五十一条第二項の規定により任意継続掛金の標準となつた額）の合計額に大蔵大臣の定める数値を乗じて得た額」とする。

（国等の負担金の調整に関する経過措置）

第四条　旧施行令第十二条の五第一項の規定により国又は日本国有鉄道が国家公務員等共済組合に払い込んだ金額と昭和六十年改正法第一条の規定による改正前の国家公務員等共済組合法（以下「旧共済法」という。）第九十九条第三項の規定により国又は日本国有鉄道が負担すべき金額との調整については、なお従前の例による。

（任意継続組合員に係る特例に関する経過措置）

第五条　新施行令第四十九条第一項の規定は、この政令の施行の日（以下「施行日」という。）以後に退職した者の任意継続組合員（新共済法第百二十六条の五第二項に規定する任意継続組合員をいう。以下この条において同じ。）となるための申出について適用し、施行日前に退職した者の当該申出については、なお従前の例による。

2　施行日前に退職した者に対する新施行令第四十九条の二の規定の適用については、同条第一号中「退職時の標準報酬の月額」とあるのは「退職した日の属する月の掛金の標準となつた俸給の額に大蔵大臣の定める数値を乗じて得た額」と、「当該標準報酬の月額」とあるのは「当該乗じて得た額」とする。

3　昭和六十一年度の任意継続組合員の新共済法第百二十六条の五第二項に規定する標準報酬の月額及び標準報酬の日額に関しては、新施行令第四十九条の二第二号中「標準報酬の月額の合計額」とあるのは、「昭和六十年改正前の法第百条第二項の規定により掛金の標準となつた俸給の額の合計額に大蔵大臣の定める数値を乗じて得た額」とする。

4　新施行令第五十一条及び第五十二条の規定は、昭和六十一年四月分以後の任意継続掛金（新共済法第百二十六条の五第二項に規定する任意継続掛金をいう。以下この条において同じ。）について適用し、同年三月分以前の任意継続掛金については、なお従前の例による。

5　旧共済法第百二十六条の五第三項の規定により前納された任意継続掛金のうち、新施行令第五十一条の規定により払込みを要しないこととなつたものがあるときは、国家公務員等共済組合は、施行日において、当該払込みを要しないこととなつた任意継続掛金を還付する。この場合における還付額は、施行日の前日において当該払込みを要しないこととなつた任意継続掛金を前納するものとした場合における前納すべき額に相当する額とする。

（特例継続組合員に係る特例に関する経過措置）

第六条　新施行令附則第七条の四第一項及び第二項の規定は、施行日以後に退職した者の特例継続組合員（新共済法附則第十三条の三第四項に規定する特例継続組合員をいう。）となるための申出について適用し、施行日前に退職した者の当該申出については、なお従前の例による。

2　施行日前に退職した者に対する国家公務員共済組合法施行令附則第七条の五の規定の適用については、同条中「その者の退職時の標準報酬の月額」とあるのは、「その者の退職した日の属する月の昭和六十年改正前の法第百条第二項の規定により掛金の標準となつた俸給の額に大蔵大臣の定める数値を乗じて得た額」とする。

3　新施行令附則第七条の六及び附則第七条の七の規定は、昭和六十一年四月分以後の特例継続掛金（新共済法附則第十三条の三第四項に規定する特例継続掛金をいう。以下この条において同じ。）について適用し、同年三月分以前の特例継続掛金については、なお従前の例による。

附　則（昭六一・四・三〇政令一三五）

1　この政令は、昭和六十一年五月一日から施行する。

2　この政令の施行の日前に行われた療養に係る高額療養費の支給については、なお従前の例による。

附　則（昭六一・六・一〇政令二〇八）（抄）

（施行期日）

第一条　この政令は、公布の日から施行する。

附　則（昭六一・八・一九政令二八二）

この政令は、昭和六十一年九月一日から施行する。

附　則（昭六一・一〇・一四政令三二八）（抄）

（施行期日）

第一条　この政令は、昭和六十二年一月一日から施行する。

附　則（昭六一・一二・二六政令三八五）

この政令は、昭和六十二年一月一日から施行する。

附　則（昭六二・三・二〇政令五四）（抄）

（施行期日）

第一条　この政令は、昭和六十二年四月一日から施行する。

附　則（昭六二・四・二八政令一三四）

この政令は、昭和六十二年五月一日から施行する。〔ただし書略〕

附　則（昭六二・六・一二政令二一六）（抄）

（施行期日）

第一条　この政令は、公布の日から施行する。〔ただし書略〕

附　則（昭六二・六・三〇政令二四〇）

この政令は、医薬品副作用被害救済基金法の一部を改正する法律の施行の日（昭和六十二年十月一日）から施行する。

附　則（昭六二・七・一政令二五二）（抄）

1　この政令は、公布の日から施行する。

附　則（昭六二・一〇・二七政令三五六）（抄）

（施行期日）

第一条　この政令は、昭和六十三年一月一日から施行する。

附　則（昭六二・一一・四政令三六八）（抄）

（施行期日）

第一条　この政令は、昭和六十三年三月一日から施行する。

附　則（昭六三・三・一八政令三六）

この政令は、昭和六十三年四月一日から施行する。

附　則（昭六三・三・三一政令六八）（抄）

（施行期日）

第一条　この政令は、身体障害者雇用促進法の一部を改正する法律の施行の日（昭和六十三年四月一日）から施行する。

附　則（昭六三・五・二四政令一六五）

この政令は、公布の日から施行する。

附　則（昭六三・六・二一政令二〇九）

この政令は、公布の日から施行する。

附　則（昭六三・七・二二政令二三二）（抄）

（施行期日）

第一条　この政令は、農用地開発公団法の一部を改正する法律（以下「改正法」という。）の施行の日（昭和六十三年七月二十三日）から施行する。

附　則（昭六三・九・二四政令二七七）

この政令は、産業技術に関する研究開発体制の整備に関する法律の施行の日（昭和六十三年十月一日）から施行する。

附　則（平元・五・三一政令一六一）

1　この政令は、平成元年六月一日から施行する。

2　この政令の施行の日前に行われた療養に係る高額療養費の支給については、なお従前の例による。

附　則（平元・七・七政令二二〇）

この政令は、特定船舶製造業安定事業協会法の一部を改正する法律の施行の日（平成元年七月二十日）から施行する。

附　則（平元・九・二二政令二七二）

この政令は、新技術開発事業団法の一部を改正する法律の施行の日（平成元年十月一日）から施行する。

附　則（平元・一二・一五政令三三三）

この政令は、平成二年一月一日から施行する。

附　則（平元・一二・二七政令三四五）（抄）

（施行期日等）

第一条　この政令は、公布の日から施行する。ただし、第一条中国家公務員等共済組合法施行令附則第六条を同令附則第五条の二とし、同条の次に一条を加える改正規定及び同令附則第七条の十の改正規定、第四条の規定並びに附則第三条、第四条及び第七条の規定は、平成二年一月一日から施行する。

2　次の各号に掲げる規定は、当該各号に定める日から適用する。

一　次に掲げる規定　平成元年四月一日

イ　第一条の規定による改正後の国家公務員等共済組合法施行令（以下「改正後の施行令」という。）附則第七条の九の二、第七条の九の三、第十二条及び第二十七条の四第五項の規定

ロ　［略］

ハ　附則第六条の規定

二　次に掲げる規定　平成元年十二月一日

イ　改正後の施行令第十一条の七の二、第十一条の七の四及び第十一条の七の十の規定

ロ　［略］

ハ　次条第一項及び第二項並びに附則第五条の規定

（組合員である間の退職共済年金等の支給停止の特例に関する経過措置）

第二条　平成元年十二月一日から同月三十一日までの間における改正後の施行令第十一条の七の二の規定の適用については、同条中「第十八級」とあるのは、「第二十級」とする。

2　平成元年十二月一日から同月三十一日までの間における改正後の施行令第十一条の七の四及び第十一条の七の十並びに改正後の経過措置政令第三十九条及び第四十三条の規定の適用については、これらの規定中「第三級」とあるのは「第六級」と、「第四級から第六級まで」とあるのは「第七級から第九級まで」と、「第七級から第九級まで」とあるのは「第十級から第十二級まで」と、「第十級から第十二級まで」とあるのは「第十三級から第十五級まで」と、「第十三級及び第十四級」とあるのは「第十六級」と、「第十五級及び第十六級」とあるのは「第十八級及び第十九級」と、「第十七級及び第十八級」とあるのは「第二十級」とする。

3　平成二年一月一日から同年三月三十一日までの間における改正後の施行令第十一条の七の二の規定の適用については、同条中「第十八級」とあるのは、「第十七級」とする。

4　平成二年一月一日から同年三月三十一日までの間における改正後の施行令第十一条の七の四及び第十一条の七の十並びに改正後の経過措置政令第三十九条及び第四十三条の規定の適用については、これらの規定中「第十七級及び第十八級」とあるのは、「第十七級」とする。

（短期給付等に係る標準報酬の区分の特例に関する経過措置）

第三条　平成二年一月一日前に国家公務員等共済組合の組合員の資格を取得して、同日まで引き続き組合員の資格を有する者（国家公務員等共済組合法（以下「法」という。）第百二十六条の五第二項に規定する任意継続組合員及び法附則第十三条の三第四項に規定する特例継続組合員を除く。）のうち、平成元年十二月の標準報酬（法第四十二条第一項に規定する標準報酬をいう。以下この条において同じ。）の月額が四十七万円であるもの（当該標準報酬の月額の基礎となった報酬月額が五十四万五千円未満であるものを除く。）の標準報酬は、当該標準報酬の月額の基礎となった報酬月額を改正後の施行令附則第六条の規定により読み替えられた法第四十二条第一項の規定による標準報酬の基礎となる報酬月額とみなして、国家公務員等共済組合が改定する。

2　前項の規定により改定された標準報酬は、平成二年一月から同年九月までの各月の標準報酬とする。

（特別拠出金の算定に関する経過措置）

第四条　平成元年度における改正後の施行令附則第七条の十第三項の規定の適用については、同項第一号中「当該事業年度」とあるのは、「平成二年一月一日から同年三月三十一日までの期間」とする。

（日本鉄道共済組合が支給する平成六年九月分までの年金である給付に係る平均標準報酬月額等の改定率）

第六条　国家公務員等共済組合法等の一部を改正する法律（平成元年法律第九十三号。以下「平成元年改正法」という。）附則第五条第二項の規定により読み替えられた法第七十七条第一項に規定する昭和六十年の年平均の物価指数に対する昭和六十三年の年平均の物価指数の比率を基準として政令で定める率は、一・〇一四とし、同項に規定する昭和六十一年の年平均の物価指数に対する昭和六十三年の年平均の物価指数の比率を基準として政令で定める率は、一・〇〇八とし、同項に規定する昭和六十二年の年平均の物価指数に対する昭和六十三年の年平均の物価指数の比率を基準として政令で定める率は、一・〇〇七とする。

2　改正後の昭和六十年改正法（平成元年改正法附則第一条第二項第一号に規定する改正後の昭和六十年改正法をいう。以下同じ。）附則第三十五条第一項（平成元年改正法附則第五条第三項及び改正後の昭和六十年改正法附則第五十一条第一項の規定により読み替えて適用される場合に限る。）及び改正後の昭和六十年改正法附則第五十七条第一項（平成元年改正法附則第五条第三項の規定により読み替えて適用される場合に限る。）に規定する昭和六十年の年平均の物価指数に対する昭和六十三年の年平均の物価指数の比率を基準として政令で定める率は、一・〇一四とする。

3　［略］

附　則（平二・三・二八政令五六）

改正　平九・三・二八政令八四

（施行期日）

第一条　この政令は、平成二年四月一日から施行する。

（日本鉄道共済組合又は日本たばこ産業共済組合が支給する退職共済年金等の特例に関する経過措置）

第二条　第一条の規定による改正後の国家公務員等共済組合法施行令附則第八条第二項及び第三項の規定［中略］は、この政令の施行の日（以下「施行日」という。）以後に退職した者に係る国家公務員等共済組合法（以下「法」という。）による退職

共済年金、施行日以後に法第八十一条第二項に規定する障害等級に該当する程度の障害の状態になった者に係る法による障害共済年金又は施行日以後に死亡した者に係る法による遺族共済年金について適用し、施行日前に退職した者に係る法による退職共済年金、施行日前に同項に規定する障害等級に該当する程度の障害の状態になった者に係る法による障害共済年金又は施行日前に死亡した者に係る法による遺族共済年金については、なお従前の例による。

2・3 〔略〕

（日本たばこ産業共済組合の組合員であった者に対する長期給付の特例）

第三条 施行日の前日において日本たばこ産業共済組合（厚生年金保険法等の一部を改正する法律（平成八年法律第八十二号）第二条の規定による改正前の法（以下「平成八年改正前共済法」という。）第八条第二項に規定する日本たばこ産業共済組合をいう。以下同じ。）以外の組合（日本鉄道共済組合（同項に規定する日本鉄道共済組合をいう。以下同じ。）を除く。以下「その他組合」という。）の組合員である者が施行日前において日本たばこ産業共済組合の組合員から引き続き日本たばこ産業共済組合以外の組合の組合員となった者であり、かつ、施行日前の組合員期間が二十年以上である者（当該組合員期間のうち日本たばこ産業共済組合以外の組合の組合員であった期間（日本鉄道共済組合の組合員であった期間を除く。）の月数が日本たばこ産業共済組合の組合員であった期間（日本鉄道共済組合の組合員であった期間を含む。）の月数を超える者に限る。）に対する厚生年金保険法等の一部を改正する法律第二条の規定による改正後の国家公務員共済組合法附則第二十条第一項の規定の適用については、その者が施行日前において日本たばこ産業共済組合の組合員であった間、施行日の前日において所属していたその他組合の組合員であったものとみなす。

2 日本専売公社又は日本たばこ産業株式会社（以下「日本専売公社等」という。）の職員（平成八年改正前共済法第二条第一項第一号に規定する職員をいう。以下同じ。）以外の職員が任命権者又はその委任を受けた者の要請に応じ、施行日前において引き続いて日本専売公社等の職員となり、引き続き日本専売公社等の職員として在職した後、当該日本専売公社等の職員となった日から五年以内に引き続いて再び日本専売公社等の職員以外の職員となった場合におけるその者に対する国家公務員共済組合法附則第二十条第一項の規定の適用については、その者は、当該在職した間、その他組合の組合員であったものとみなす。

3 施行日の前日においてその他組合の組合員である者のうち、昭和六十一年三月三十一日において日本たばこ産業共済組合の組合員であったものに対する国家公務員等共済組合法等の一部を改正する法律の施行に伴う経過措置に関する政令第三十一条第一項の規定の適用については、同項中「共済法附則第二十条第一項」とあるのは、「共済法附則第二十条第一項及び国家公務員等共済組合法施行令等の一部を改正する政令（平成二年政令第五十六号）附則第三条第一項」とする。

附 則（平二・三・三〇政令七五）

改正 平五・三・三一政令八一

（施行期日）

第一条 この政令は、平成二年四月一日から施行する。

（適用）

第二条 当分の間、国家公務員等共済組合法施行令（昭和三十三年政令第二百七号）附則第三十三条の二の規定の適用については、同条中「規定する調整交付金」とあるのは、「規定する調整交付金から同法附則第二条第二項に規定する特例調整額を控除して得た額」とする。

附 則（平二・三・三〇政令八五）

この政令は、公布の日から施行する。

附 則（平二・六・二九政令一八七）

この政令は、公布の日から施行する。

附 則（平二・九・二八政令二九〇）（抄）

（施行期日）

1 この政令は、防衛庁職員給与法の一部を改正する法律の施行の日（平成二年十月一日）から施行する。

附 則（平二・一〇・五政令三〇五）

この政令は、平成三年四月一日から施行する。

附 則（平三・一・二五政令六）（抄）

（施行期日）

第一条 この政令は、平成三年四月一日から施行する。

附 則（平三・四・一二政令一四五）

この政令は、航空運送貨物の税関手続の特例等に関する法律の一部を改正する法律の施行の日（平成三年七月一日）から施行する。

附 則（平三・四・二六政令一四八）

1 この政令は、平成三年五月一日から施行する。

2 この政令の施行の日前に行われた療養に係る高額療養費の支給については、なお従前の例による。

附 則（平三・六・二八政令二二八）（抄）

1 この政令は、産業技術に関する研究開発体制の整備に関する法律の一部を改正する法律（平成三年法律第六十四号）の施行の日（平成三年七月一日）から施行する。

附 則（平三・九・三政令二七八）（抄）

（施行期日）

第一条 この政令は、競馬法及び日本中央競馬会法の一部を改正する法律（以下「改正法」という。）の施行の日（平成三年九月十六日）から施行する。

附 則（平三・一一・二七政令三四八）（抄）

この政令は、平成四年一月一日から施行する。ただし〔中略〕第三条〔中略〕の規定は、平成四年四月一日から施行する。

附 則（平四・三・二七政令五九）

この政令は、平成四年四月一日から施行する。

附 則（平四・三・三一政令八〇）（抄）

（施行期日）

第一条 この政令は、平成四年四月一日から施行する。

第三条 この政令の施行の日前に出産した国家公務員等共済組合〔中略〕の組合員若しくは組合員であった者又は被扶養者に係る国家公務員等共済組合法〔中略〕の規定による出産費又は配偶者出産費の額については、なお従前の例による。

附 則（平四・六・二六政令二一九）

この政令は、公布の日から施行する。

附 則（平四・八・一二政令二七八）（抄）

（施行期日）

第一条　この政令は、公害防止事業団法の一部を改正する法律（平成四年法律第三十九号）の施行の日（平成四年十月一日）から施行する。

附　則（平四・九・一一政令二九四）（抄）

（施行期日）

第一条　この政令は、公布の日から施行する。

附　則（平四・九・一七政令二九六）

1　この政令は、平成四年十月一日から施行する。

2　この政令の施行の日前に国家公務員等共済組合の組合員の資格を取得して、同日まで引き続き組合員の資格を有する者（国家公務員等共済組合法第百二十六条の五第二項に規定する任意継続組合員及び同法附則第十三条の三第四項に規定する特例継続組合員を除く。）のうち、平成四年七月一日から九月三十日までの間に組合員の資格を取得した者又は同法第四十二条第七項の規定により同年八月若しくは九月から標準報酬（同条第一項に規定する標準報酬で同法附則第六条の二第一項の規定の適用を受けるものをいう。以下同じ。）が改定された者であって、同月の標準報酬の月額が七十一万円であるもの（当該標準報酬の月額の基礎となった報酬月額が七十三万円未満であるものを除く。）の標準報酬は、当該標準報酬の月額の基礎となった報酬月額を改正後の国家公務員等共済組合法施行令附則第六条の規定により読み替えられた同法第四十二条第一項の規定による標準報酬の基礎となる報酬月額とみなして、国家公務員等共済組合が改定する。

3　前項の規定により改定された標準報酬は、平成四年十月から平成五年九月までの各月の標準報酬とする。

附　則（平四・九・二八政令三一四）（抄）

（施行期日）

1　この政令は、通信・放送衛星機構法の一部を改正する法律の施行の日（平成四年十月一日）から施行する。

附　則（平五・四・七政令一四三）

1　この政令は、平成五年五月一日から施行する。

2　この政令の施行の日前に行われた療養に係る高額療養費の支給については、なお従前の例による。

附　則（平六・三・二四政令六五）（抄）

（施行期日）

第一条　この政令は、平成六年四月一日から施行する。

附　則（平六・四・二二政令一三二）

この政令は、繊維工業構造改善臨時措置法の一部を改正する法律の施行の日（平成六年四月二十八日）から施行する。

附　則（平六・六・三〇政令二〇〇）（抄）

改正　平一二・六・七政令三〇七

（施行期日）

1　この政令は、公布の日から施行する。

（長期給付に要する費用の算定単位の統合に伴う経過措置）

2　改正後の国家公務員等共済組合法施行令（次項において「新施行令」という。）第十二条の二第二項の規定は、この政令の施行の日以後に国家公務員等共済組合法第九十九条第一項の規定により行う再計算について適用する。

3　前項の規定により新施行令第十二条の二第二項の規定が適用される再計算に基づく標準報酬の月額と掛金との割合が適用される日（以下「適用日」という。）前に任期制自衛官（改正前の国家公務員等共済組合法施行令（以下「旧施行令」という。）第十二条の二第二項に規定する任期制自衛官をいう。以下同じ。）が引き続き非任期制自衛官等（旧施行令第十二条の三第一項に規定する非任期制自衛官等をいう。以下同じ。）となった場合又は非任期制自衛官（旧施行令第十二条の二第二項に規定する非任期制自衛官をいう。以下同じ。）が引き続き任期制自衛官となった場合における掛金の額の調整については、なお従前の例による。

4　適用日前に任期制自衛官であった期間を有する任期制自衛官が適用日以後に引き続き非任期制自衛官等となった場合又は適用日前に非任期制自衛官であった期間を有する非任期制自衛官が適用日以後に引き続き任期制自衛官となった場合（財務省令で定める場合を除く。）には、その者については、その者が適用日の前日に引き続き非任期制自衛官等又は任期制自衛官となったものとみなし、旧施行令第十二条の三の規定の例により、掛金の額を調整する。

附　則（平六・七・二七政令二五一）

この政令は、一般職の職員の勤務時間、休暇等に関する法律の施行の日（平成六年九月一日）から施行する。

附　則（平六・九・二政令二八二）（抄）

（施行期日）

第一条　この政令は、平成六年十月一日から施行する。〔ただし書略〕

（国家公務員等共済組合法施行令の一部改正に伴う経過措置）

第八条　施行日前に行われた療養に係る国家公務員等共済組合法（昭和三十三年法律第百二十八号）の規定による高額療養費の支給については、なお従前の例による。

2　施行日前に出産した組合員若しくは組合員であった者又は組合員の被扶養者に係る国家公務員等共済組合法の規定による出産費又は配偶者出産費の額については、なお従前の例による。

3　第二十七条の規定による改正後の国家公務員等共済組合法施行令第三十一条、第三十三条及び第三十八条の規定は、施行日以後に給付事由の生じた給付について適用し、同日前に給付事由の生じた給付については、なお従前の例による。

附　則（平六・一一・一六政令三五七）（抄）

改正　平九・三・二八政令八四

（施行期日等）

第一条　この政令は、公布の日から施行する。ただし、次の各号に掲げる規定は、当該各号に定める日から施行する。

一　第一条中国家公務員等共済組合法施行令第十一条の二の二、第十一条の七の二、第十一条の七の四、第十一条の七の十、第四十九条の二、附則第六条及び附則第六条の二の改正規定〔中略〕並びに次条の規定　平成六年十二月一日

二　第一条中国家公務員等共済組合法施行令附則第七条の九を附則第七条の八の二とし、同条の次に一条を加える改正規定　平成七年四月一日

2　〔前略〕附則第三条及び第四条の規定は、平成六年十月一日から適用する。

（短期給付の額に関する経過措置）

第二条　第一条の規定による改正後の国家公務員等共済組合法施行令第四十九条の二の規定は、平成六年十二月一日以後に給付事由が生じた国家公務員等共済組合法（昭和三十三年法律第百二十八号）による傷病手当金又は出産手当金の額を計算する場

合の同法第六十六条又は第六十七条に規定する標準報酬の日額について適用し、同日前に給付事由が生じた同法による傷病手当金又は出産手当金の額を計算する場合のこれらの規定に規定する標準報酬の日額については、なお従前の例による。

（日本鉄道共済組合が支給する平成九年三月分までの年金である給付に係る平均標準報酬月額等の改定率）

第三条 国家公務員等共済組合法等の一部を改正する法律（平成六年法律第九十八号。以下「平成六年改正法」という。）附則第十条第二項の規定により読み替えられた国家公務員等共済組合法第七十七条第一項に規定する昭和六十三年の物価指数に対する平成五年の物価指数の比率を基準として政令で定める率は、一・一二二とし、同項に規定する組合員又は組合員であった者が最初に組合員の資格を取得した日の属する年の物価指数に対する平成五年の物価指数の比率を基準として政令で定める率は、当該最初に組合員の資格を取得した日が次の各号に掲げる年のいずれに属するかに応じ、それぞれ当該各号に定める率とする。

一 平成元年 一・〇九七
二 平成二年 一・〇六四
三 平成三年 一・〇三〇
四 平成四年 一・〇一三

2 平成六年改正法第五条の規定による改正後の国家公務員等共済組合法等の一部を改正する法律（昭和六十年法律第百五号。以下「改正後の昭和六十年改正法」という。）附則第三十五条第一項（平成六年改正法附則第十条第三項及び改正後の昭和六十年改正法附則第五十一条第一項の規定により読み替えて適用される場合に限る。）及び改正後の昭和六十年改正法附則第五十七条第一項（平成六年改正法附則第十条第三項の規定により読み替えて適用される場合に限る。）に規定する昭和六十三年の物価指数に対する平成五年の物価指数の比率を基準として政令で定める率は、一・一二二とする。

3 〔略〕

（年金である給付の額に関する経過措置）

第四条 平成六年十月一日前から引き続き国家公務員共済組合法による年金である給付を受ける権利を有する者の同日以後における同法による年金である給付の額（同法第七十八条第一項に規定する加給年金額、同法第八十三条第一項に規定する加給年金額及び同法第九十条の規定により加算する額並びに国家公務員等共済組合法等の一部を改正する法律（昭和六十年法律第百五号。以下「昭和六十年改正法」という。）附則第二十八条第一項の規定により加算する額、昭和六十年改正法附則第二十九条第一項の規定により加算する額及び同条第二項の規定により加算する額（以下この項において「加給年金額等加算額」という。）を除く。）が、平成六年九月三十日における厚生年金保険法等の一部を改正する法律（平成八年法律第八十二号）第二条の規定による改正前の国家公務員等共済組合法（以下「平成八年改正前共済法」という。）による年金である給付の額（同日における平成八年改正前共済法第七十八条第一項に規定する加給年金額、平成八年改正前共済法第八十三条第一項に規定する加給年金額及び平成八年改正前共済法第九十条の規定により加算する額並びに昭和六十年改正法附則第二十八条第一項の規定により加算する額、昭和六十年改正法附則第二十九条第一項の規定により加算する額及び同条第二項の規定により加算する額を除く。以下この項において「平成六年九月三十日における年金額」という。）より少ないときは、当該平成六年九月三十日における年金額をもって、平成六年十月一日以後における国家公務員共済組合法による年金である給付の額（加給年金額等加算額を除く。）とする。

2 平成六年九月三十日において平成八年改正前共済法附則第十二条の三の規定による退職共済年金を受ける権利を有する者であって同年十月一日以後に国家公務員共済組合法第七十六条の規定による退職共済年金を受ける権利を有することとなるもの（以下この項において「受給権者」という。）の同日以後における同条の規定による退職共済年金の額（同法第七十八条第一項に規定する加給年金額を除く。）が、同年九月三十日における平成八年改正前共済法附則第十二条の三の規定による退職共済年金の額（同日における平成八年改正前共済法第七十八条第一項に規定する加給年金額を除く。）から国民年金法等の一部を改正する法律（平成六年法律第九十五号）第一条の規定による改正後の国民年金法（昭和三十四年法律第百四十一号）第二十七条本文に規定する老齢基礎年金の額を基礎として当該受給権者について昭和六十年改正法附則第十六条第一項第二号の規定により算定した金額に相当する額を控除して得た額より少ないときは、当該控除して得た額をもって、平成六年十月一日以後における国家公務員共済組合法第七十六条の規定による退職共済年金の額（同法第七十八条第一項に規定する加給年金額を除く。）とする。

附 則（平七・二・一七政令二六）（抄）

（施行期日）

第一条 この政令は、平成七年七月一日（以下「施行日」という。）から施行する。

附 則（平七・三・二九政令一一五）

この政令は、平成七年四月一日から施行する。

附 則（平七・三・三一政令一四六）（抄）

（施行期日）

第一条 この政令は、平成七年四月一日から施行する。

附 則（平八・五・一七政令一四八）

（施行期日）

1 この政令は、平成八年六月一日から施行する。

（経過措置）

2 この政令の施行の日前に行われた療養に係る高額療養費の支給については、なお従前の例による。

附 則（平八・六・二一政令一八二）（抄）

（施行期日）

第一条 この政令は、公布の日から施行する。〔ただし書略〕

附 則（平八・六・二六政令一九三）

この政令は、公布の日から施行する。

附 則（平八・八・一二政令二四二）（抄）

（施行期日）

第一条 この政令は、平成八年十月一日から施行する。

附 則（平八・八・三〇政令二五五）

この政令は、平成八年十月一日から施行する。

附 則（平八・九・一九政令二八〇）（抄）

（施行期日）

第一条 この政令は、石炭鉱害賠償等臨時措置法の一部を改正する法律（以下「改正法」という。）の施行の日（平成八年十月一日）から施行する。

附　則（平八・一一・二七政令三二三）

この政令は、平成八年十二月一日から施行する。

附　則（平九・三・二八政令八四）（抄）

（施行期日）

第一条　この政令は、平成九年四月一日から施行する。

（長期給付財政調整事業に係る平成八年度の決算等に関する経過措置）

第二条　厚生年金保険法等の一部を改正する法律（平成八年法律第八十二号。以下「平成八年改正法」という。）第二条の規定による改正前の国家公務員等共済組合法（昭和三十三年法律第百二十八号。以下「改正前国共済法」という。）附則第十四条の三第一項に規定する長期給付財政調整事業に係る平成八年度の決算並びに財産目録、貸借対照表及び損益計算書については、なお従前の例による。

附　則（平九・八・一政令二五六）（抄）

（施行期日）

第一条　この政令は、平成九年九月一日から施行する。

附　則（平九・八・二二政令二六五）（抄）

（施行期日）

第一条　この政令は、運輸施設整備事業団法（以下「法」という。）附則第一条ただし書の政令で定める日（平成九年十月一日）から施行する。

附　則（平九・一二・五政令三四九）（抄）

（施行期日）

第一条　この政令は、公布の日から施行する。

附　則（平九・一二・一〇政令三五五）（抄）

（施行期日）

第一条　この政令は、平成十年一月一日から施行する。

附　則（平九・一二・一九政令三六六）

この政令は、平成十年四月一日から施行する。ただし、第十二条の五第二項の改正規定は公布の日から、第五条第一項及び第十二条の五第一項の改正規定は同年一月一日から施行する。

附　則（平九・一二・二五政令三八三）（抄）

（施行期日）

第一条　この政令は、外国為替及び外国貿易管理法の一部を改正する法律の施行の日（平成十年四月一日）から施行する。〔ただし書略〕

附　則（平一〇・三・一八政令四四）（抄）

（施行期日）

第一条　この政令は、中小企業退職金共済法の一部を改正する法律（次条において「改正法」という。）の施行の日（平成十年四月一日）から施行する。

附　則（平一〇・三・三一政令一〇〇）

1　この政令は、公布の日から施行する。

2　改正後の国家公務員共済組合法施行令第十二条の三の規定は、平成十年度以後の年度において国が負担すべき金額について適用する。

附　則（平一〇・六・二六政令二三九）

この政令は、公布の日から施行する。

附　則（平一〇・九・一七政令三〇八）

この政令は、原子力基本法及び動力炉・核燃料開発事業団法の一部を改正する法律の施行の日（平成十年十月一日）から施行する。

○日本国有鉄道清算事業団の債務等の処理に関する法律施行令（抄）

平一〇・一〇・二一
政令三三五

最終改正　令三・三・三一政令一二五

（日本鉄道共済組合等が支給する年金の給付に要する費用等の負担）

第二条　法第八条第一項の規定により独立行政法人鉄道建設・運輸施設整備支援機構（以下「機構」という。）が負担することとされた費用のうち、機構が毎年度において支払うべき額は、厚生年金保険法等の一部を改正する法律（平成八年法律第八十二号。以下この条において「平成八年厚生年金等改正法」という。）附則第三十二条第二項の存続組合である日本鉄道共済組合（平成八年厚生年金等改正法第二条の規定による改正前の国家公務員等共済組合法（昭和三十三年法律第百二十八号。次条第二項において「平成八年改正前の共済法」という。）第八条第二項に規定する日本鉄道共済組合をいう。以下この項において同じ。）又は平成八年厚生年金等改正法附則第四十八条第一項の指定基金で日本鉄道共済組合に係るもの（第四条において「日本鉄道共済組合等」という。）が当該年度においてその予算に当該支払うべき額として計上した額とする。

第三条　法第九条に規定する政令で定めるところにより算定した額の二分の一に相当する額は、次に掲げる額を合算した額とする。

一　日本国有鉄道清算事業団の債務等の処理に関する法律の施行に伴う関係政令の整備に関する政令（平成十年政令第三百三十六号）第七条の規定による改正前の日本国有鉄道改革法等施行法の施行に伴う経過措置等に関する政令（昭和六十二年政令第五十三号。以下「改正前施行法経過措置政令」という。）第十三条の二第一項第一号に掲げる額に、負担配分率を乗じて得た額の二分の一に相当する額

二　法の施行の日から前号に掲げる額がすべて納付されるまでの間の利子（その額は、資金運用部預託金に付する利子の利率を定める政令（昭和六十二年政令第三十二号）第一条第六号に掲げる利率により生ずるものとして計算する。次条第二項第二号において同じ。）に相当する額

2　前項第一号の負担配分率は、法第九条の規定により承継法人（新幹線鉄道に係る鉄道施設の譲渡等に関する法律（平成三年法律第四十五号）附則第十九条の規定による改正前の日本国有鉄道改革法（昭和六十一年法律第八十七号）第十一条第二項の承継法人、独立行政法人鉄道建設・運輸施設整備支援機構法（平成十四年法律第百八十号。以下「機構法」という。）附則第三条第一項の規定による解散前の運輸施設整備事業団及び当該承継法人に係る指定法人（平成八年改正前の共済法第百十一条の六第一項の指定法人をいう。次条第二項第一号において同じ。）をいう。次条において同じ。）が負担することとされた額の算定の基礎となる者（次条第二項第一号において「負担対象職員」という。）に係る年金たる給付又は年金たる保険給付に要する費用に関して改正前施行法経過措置政令第十三条の二第

二項第一号又は第二号の規定の例によりそれぞれ算定した額の総額（次条第二項第一号において「基礎算定額」という。）を、改正前施行法経過措置政令第十三条の二第二項各号に掲げる額を合算した額で除して得た率とする。

第四条　法第九条の規定により承継法人又は機構が負担することとされた額について、各承継法人又は機構が負担する額のうち、各承継法人又は機構が毎年度において支払うべき額は、日本鉄道共済組合等が当該年度においてその予算に当該支払うべき額として計上した額とする。

2　前項の各承継法人が負担する額は、次に掲げる額を合算した額とする。ただし、日本鉄道共済組合等と承継法人との間に別段の合意がある場合には、この限りでない。

一　前条第一項第一号に掲げる額に、昭和六十二年四月一日（指定法人にあっては、その事業の開始日）において当該承継法人（機構法附則第三条第一項の規定による解散前の運輸施設整備事業団にあっては、新幹線鉄道に係る鉄道施設の譲渡等に関する法律第五条第一項の規定による解散前の新幹線鉄道保有機構）に使用される者（役員を含む。）となった負担対象職員（指定法人以外の承継法人にあっては、指定法人の事業の開始日に当該指定法人に使用される者（役員を含む。）となったものを除く。）に係る年金たる給付又は年金たる保険給付に要する費用に関して改正前施行法経過措置政令第十三条の二第二項第一号又は第二号の規定の例によりそれぞれ算定した額の総額を基礎算定額で除して得た率を乗じて得た額

二　法の施行の日から前号に掲げる額がすべて納付されるまでの間の利子に相当する額

附　則（抄）

（施行期日）

第一条　この政令は、法の施行の日（平成十年十月二十二日）から施行する。

○平成十年政令第三百三十五号による改正前の日本国有鉄道改革法等施行法の施行に伴う経過措置等に関する政令（抄）

昭六二・三・二〇
政令五三

最終改正　令三・三・三一政令一三五

（日本鉄道共済組合等が支給する年金等の追加費用等の負担）

第十三条　厚生年金保険法等の一部を改正する法律（平成八年法律第八十二号。以下「平成八年厚生年金等改正法」という。）附則第三十二条第二項に規定する存続組合である日本鉄道共済組合（平成八年厚生年金等改正法第二条の規定による改正前の国家公務員等共済組合法（昭和三十三年法律第百二十八号。以下「平成八年改正前の共済法」という。）第八条第二項に規定する日本鉄道共済組合をいう。以下同じ。）若しくは平成八年厚生年金等改正法附則第四十八条第一項に規定する指定基金で日本鉄道共済組合に係るもの（以下この条及び次条において「日本鉄道共済組合等」という。）が支給する年金たる長期給付及び一時金たる給付に要する費用又は日本鉄道共済組合等が平成八年厚生年金等改正法附則第二十条の規定により納付するものとされる費用のうち、施行法第三十八条第一項の規定により清算事業団が毎年度において負担すべき金額は、厚生年金保険法等の一部を改正する法律の施行に伴う国家公務員共済組合法による長期給付等に関する経過措置に関する政令（平成九年政令第八十六号）第二十七条第一項又は第二十九条第一項の規定にかかわらず、当分の間、清算事業団の当該年度の予算をもつて定める。

第十三条の二　施行法第三十八条の二に規定する政令で定めるところにより算定した額は、次に掲げる額を合算した額とする。

一　平成八年厚生年金等改正法附則第十九条の規定により日本鉄道共済組合等が厚生年金保険の管掌者たる政府に納付すべき金額として厚生大臣が厚生年金保険法等の一部を改正する法律の施行に伴う経過措置に関する政令（平成九年政令第八十五号）第二十八条の規定により定めた金額（次項において「日本鉄道共済組合等納付金」という。）から平成八年厚生年金等改正法の施行の日（次項において「施行日」という。）の前日における日本鉄道共済組合の平成八年改正前の共済法附則第三条の二第三項の規定により積み立てられた積立金（平成八年厚生年金等改正法附則第五十四条第一項第三号及び第三項第三号に掲げる費用等に充てられるものとして大蔵大臣が定める額を除く。）の額を控除して得た額に、費用負担算定対象率を乗じて得た額

二　前号に掲げる額が全て納付されるまでの間の利子（その額は、資金運用部預託金に付する利子の利率を定める政令（昭和六十二年政令第三十二号）第一条第六号に掲げる利率により生ずるものとして計算する。）に相当する額

2　前項第一号の費用負担額算定対象率は、次に掲げる額を合算した額を日本鉄道共済組合等納付金で除して得た率とする。

一　平成八年厚生年金等改正法附則第十六条第三項の規定により厚生年金保険の管掌者たる政府が支給するものとされた年金たる給付であつて退職を支給事由とするもの（日本鉄道共済組合等に係るものに限る。）に係る平成八年厚生年金等改正法附則第三条第八号に規定する旧適用法人共済組合員期間の各月の標準報酬月額（国家公務員等共済組合法等の一部を改正する法律（昭和六十年法律第百五号。第十五条第一項、第十六条及び第十六条の二第一項において「昭和六十年法律第百五号」という。）附則第九条第一項、第三項又は第五項（同項に基づく命令を含む。）の規定が適用される場合にあつては、これらの規定により計算した額とする。次号において同じ。）を基礎として算定した場合における当該年金たる給付に要する費用（厚生年金保険法等の一部を改正する法律の施行に伴う経過措置に関する政令第二十一条第三項に規定する厚生年金保険法（昭和二十九年法律第百十五号）による年金たる保険給付に相当する部分のうち、昭和六十二年三月三十一日以前の平成八年改正法附則第三条第八号に規定する旧適用法人共済組合員期間に係る部分に限る。）の施行日の前日における現価に相当する金額の総額

二　厚生年金保険法による年金たる保険給付（厚生年金保険法等の一部を改正する法律の施行に伴う経過措置に関する政令第十二条に規定する旧適用法人被保険者期間をその額の計算の基礎とするものに限る。）であつて老齢を支給事由とする

もの（日本鉄道共済組合等に係るものに限る。）に係る当該旧適用法人被保険者期間の各月の標準報酬月額を基礎として算定した場合における当該年金たる保険給付に要する費用（昭和六十二年三月三十一日以前の同条に規定する旧適用法人被保険者期間に係る部分に限る。）の施行日の前日における現価に相当する金額の総額

3　厚生年金保険法等の一部を改正する法律の施行に伴う国家公務員共済組合法による長期給付等に関する経過措置に関する政令第二十八条の規定により会社等が払い込むものとされた額のうち、施行法第三十八条の二の規定により清算事業団が毎年度において負担すべき額は、当分の間、清算事業団の当該年度の予算をもつて定める。

附　則（平一〇・一〇・二二政令三三六）（抄）

（施行期日）

第一条　この政令は、日本国有鉄道清算事業団の債務等の処理に関する法律の施行の日（平成十年十月二十二日）から施行する。

附　則（平一一・五・二八政令一六五）（抄）

この政令は、日本電信電話株式会社法の一部を改正する法律の施行の日（平成十一年七月一日）から施行する。〔ただし書略〕

附　則（平一一・六・二三政令二〇四）（抄）

（施行期日）

第一条　この政令は、平成十一年七月一日から施行する。

附　則（平一一・七・二六政令二三五）（抄）

（施行期日）

1　この政令は、司法制度改革審議会設置法の施行の日（平成十一年七月二十七日）から施行する。

附　則（平一一・八・六政令二四九）

この政令は、公布の日から施行する。

附　則（平一一・八・一八政令二五六）（抄）

（施行期日）

第一条　この政令は、都市基盤整備公団法（以下「公団法」という。）の一部の施行の日（平成十一年十月一日）から施行する。

○介護保険法及び介護保険法施行法の施行に伴う関係政令の整備等に関する政令（抄）

平一一・九・三
政令二六二

改正　平一二・六・七政令三〇九

（国家公務員共済組合法施行令の一部改正に伴う経過措置）

第四十一条　平成十二年度における前条の規定による改正後の国家公務員共済組合法施行令第十二条第三項、第十二条の三の二及び附則第七条の十第三項の規定の適用については、同令第十二条第三項中「介護保険法第九条第二号に規定する被保険者（以下「介護保険第二号被保険者」という。）の資格を有する組合員」とあるのは「四十歳以上六十五歳未満の組合員（国内に住所を有する者に限る。）」と、同令第十二条の三の二中「、介護保険第二号被保険者」とあるのは「、介護保険法第九条第二号に規定する被保険者（以下「介護保険第二号被保険者」という。）」と、同令附則第七条の十第三項中「資格を有する組合員」とあるのは「者に限る。）」とする。

2　介護保険法施行法の施行前に旧老健法の規定による老人保健施設療養費の支給を受けていた者に対する前条の規定による改正後の国家公務員共済組合法施行令附則第七条の八第一項の規定により読み替えられた国家公務員共済組合法（昭和三十三年法律第百二十八号）第八十七条の五第一項の規定の適用については、同項中「老人訪問看護療養費の支給」とあるのは、「老人訪問看護療養費の支給若しくは介護保険法施行法（平成九年法律第百二十四号）第二十四条の規定による改正前の老人保健法の規定による老人保健施設療養費の支給」とする。

附　則

この政令は、平成十二年四月一日から施行する。

附　則（平一一・九・一六政令二六七）（抄）

（施行期日）

第一条　この政令は、平成十一年十月一日から施行する。

附　則（平一一・九・二〇政令二七〇）

この政令は、平成十一年十月一日から施行する。

附　則（平一一・九・二〇政令二七二）（抄）

（施行期日）

第一条　この政令は、平成十一年十月一日から施行する。

附　則（平一一・九・二〇政令二七六）（抄）

（施行期日）

第一条　この政令は、雇用・能力開発機構法（以下「法」という。）の一部の施行の日（平成十一年十月一日）から施行する。

附　則（平一一・九・二九政令三〇六）（抄）

（施行期日）

第一条　この政令は、平成十一年十月一日から施行する。

附　則（平一二・三・一七政令七三）（抄）

（施行期日）

1　この政令は、平成十二年三月二十一日から施行する。

附　則（平一二・三・三一政令一七一）

この政令は、農業災害補償法及び農林漁業信用基金法の一部を改正する法律の一部の施行の日（平成十二年四月一日）から施行する。

附　則（平一二・三・三一政令一八一）

1　この政令は、公布の日から施行する。

2　第一条の規定による改正後の国家公務員共済組合法施行令の規定は、平成十一年四月一日から適用する。

附　則（平一二・三・三一政令一八二）（抄）

最終改正　平一六・九・二九政令二八六

（施行期日）

第一条　この政令は、平成十二年四月一日から施行する。ただし、第一条中国家公務員共済組合法施行令附則第六条の改正規定は、同年十月一日から施行する。

（平成十四年度までの障害一時金の額の算定に関する経過措置）

第四条　平成十二年度から平成十四年度までの各年度における国家公務員共済組合法等の一部を改正する法律（以下「平成十二年改正法」という。）第一条の規定による改正後の法（以下この条から附則第九条第一項までにおいて「改正後の法」という。）による障害一時金の額については、第一号に掲げる金額が第二号に掲げる金額に満たないときは、改正後の法第八十七

条の七（第三条の規定による改正後の厚生年金保険法等の一部を改正する法律の施行に伴う国家公務員共済組合法による長期給付等に関する経過措置に関する政令（以下「改正後の平成九年経過措置政令」という。）第十四条第一項第一号においてその例による場合を含む。）の規定による金額は、当該規定にかかわらず、第二号の規定による金額とする。

一　改正後の法第八十七条の七及び附則第十三条の九の規定を適用したとしたならばこれらの規定により算定される金額

二　平成十二年改正法第一条の規定による改正前の法（以下「改正前の法」という。）第八十七条の七及び附則第十三条の九の規定を適用したとしたならばこれらの規定により算定される金額に一・〇三一を乗じて得た金額

2　平成十二年改正法附則第七条第二項の規定は、前項第二号の規定による金額を算定する場合における平均標準報酬月額について準用する。

（平成十四年度までの障害共済年金の支給停止額の算定に関する経過措置）

第五条　平成十二年度から平成十四年度までの各年度における改正後の法第八十七条の四に規定する公務等による障害共済年金の同条の規定により支給を停止する額については、第一号に掲げる金額が第二号に掲げる金額に満たないときは、同条の規定による金額は、同条の規定にかかわらず、同号の規定による金額とする。

一　改正後の法第八十七条の四及び附則第十三条の九の規定を適用したとしたならばこれらの規定により算定される金額

二　改正前の法第八十七条の四及び附則第十三条の九の規定を適用したとしたならばこれらの規定により算定される金額に一・〇三一を乗じて得た金額

2　平成十二年改正法附則第七条第二項の規定は、前項第二号の規定による金額を算定する場合における平均標準報酬月額について準用する。

（平成十四年度までの遺族共済年金の支給停止額の算定に関する経過措置）

第六条　平成十二年度から平成十四年度までの各年度における改正後の法第八十九条第二項に規定する公務等による遺族共済年金の改正後の法第九十三条の三の規定により支給を停止する額については、第一号に掲げる金額が第二号に掲げる金額に満たないときは、同条の規定による金額は、同条の規定にかかわらず、同号の規定による金額とする。

一　改正後の法第九十三条の三及び附則第十三条の九の規定を適用したとしたならばこれらの規定により算定される金額

二　改正前の法第九十三条の三及び附則第十三条の九の規定を適用したとしたならばこれらの規定により算定される金額に一・〇三一を乗じて得た金額

2　平成十二年改正法附則第七条第二項の規定は、前項第二号の規定による金額を算定する場合における平均標準報酬月額について準用する。

○中央省庁等改革のための財務省関係政令等の整備に関する政令（抄）

平一二・六・七
政令三〇七

最終改正　平一二・一一・一七政令四八二

（中央省庁等改革関係法施行法第千三百二十三条第二項に規定する政令で定める部局及び機関）

第百七十七条　中央省庁等改革関係法施行法（平成十一年法律第百六十号）第千三百二十三条第二項に規定する政令で定める部局及び機関は、情報通信政策局、総合通信基盤局及び郵政企画管理局並びに郵政研究所及び情報通信研修所とする。

（中央省庁等改革関係法施行法第千三百二十八条第七項等の規定に規定する政令で定める組合）

第百七十八条　中央省庁等改革関係法施行法第千三百二十八条第七項から第九項までに規定する政令で定める組合は、次の各号に掲げる者の区分に応じ、当該各号に定める組合とする。

一　旧総理府共済組合（中央省庁等改革関係法施行法第千三百二十五条第一項に規定する旧総理府共済組合をいう。以下第百八十条までにおいて同じ。）の組合員であった者（従前の自治省、公正取引委員会、総務庁、北海道開発庁、科学技術庁及び国土庁に属していた者を除く。）　内閣共済組合（同項に規定する内閣共済組合をいう。次条及び第百八十条において同じ。）

二　旧総理府共済組合の組合員であった者（従前の自治省、公正取引委員会及び総務庁に属していた者に限る。）　総務省共済組合（中央省庁等改革関係法施行法第千三百二十三条第一項に規定する総務省共済組合をいう。次条から第百八十一条までにおいて同じ。）

三　旧総理府共済組合の組合員（従前の北海道開発庁及び国土庁に属していた者に限る。）並びに旧運輸省共済組合及び旧建設省共済組合（中央省庁等改革関係法施行法第千三百二十五条第一項に規定する旧運輸省共済組合及び旧建設省共済組合をいう。次条及び第百八十条において同じ。）の組合員であった者　国土交通省共済組合（同項に規定する国土交通省共済組合をいう。次条及び第百八十条において同じ。）

四　旧総理府共済組合の組合員（従前の科学技術庁に属していた者に限る。）及び旧文部省共済組合（中央省庁等改革関係法施行法第千三百二十五条第一項に規定する旧文部省共済組合をいう。次条及び第百八十条において同じ。）の組合員であった者　文部科学省共済組合（同項に規定する文部科学省共済組合をいう。次条及び第百八十条において同じ。）

五　旧厚生省共済組合及び旧労働省共済組合（中央省庁等改革関係法施行法第千三百二十五条第一項に規定する旧厚生省共済組合及び旧労働省共済組合をいう。次条及び第百八十条において同じ。）の組合員であった者　厚生労働省共済組合（同項に規定する厚生労働省共済組合をいう。次条及び第百八十条において同じ。）

六　旧防衛施設庁共済組合（中央省庁等改革関係法施行法第千三百二十五条第一項に規定する旧防衛施設庁共済組合をいう。次条及び第百八十条において同じ。）の組合員であった者　防衛庁共済組合（同法第千三百二十四条第一項に規定する防衛庁共済組合をいう。次条及び第百八十条において同じ。）

（新国家公務員共済組合の任意継続組合員の国家公務員共済組合法施行令の規定の適用）

第百七十九条　この政令の施行の日から平成十四年三月までの次の各号に掲げる任意継続組合員（中央省庁等改革関係法施行法

第四百二十三条の規定による改正後の国家公務員共済組合法（昭和三十三年法律第百二十八号。以下この条、次条及び第百八十四条において「改正後国共済法」という。）第百二十六条の五第二項に規定する任意継続組合員をいう。）の第六十七条の規定による改正後の国家公務員共済組合法施行令第四十九条の二に規定する標準報酬の月額及び標準報酬の日額については、同条第二号中「毎年一月一日（一月から三月までの標準報酬の月額にあつては、前年の一月一日）」とあるのは、「平成十三年一月六日」と、「合計額」とあるのは「合計額（同年一月から三月までの標準報酬の月額にあつては、前年の一月一日における中央省庁等改革のための財務省関係政令等の整備に関する政令（平成十二年政令第三百七号）第七十九条各号に掲げる当該任意継続組合員の区分に応じ、当該各号に定める旧組合（中央省庁等改革関係法施行法（平成十一年法律第百六十号）第千三百二十五条第五項に規定する旧組合をいう。）の短期給付に関する規定の適用を受ける組合員（同法第四百二十三条の規定による改正前の法第百二十六条の五第二項に規定する任意継続組合員を除く。）の標準報酬の月額の合計額）」とする。

一　この政令の施行の日の前日において中央省等党改革関係法施行法第四百二十三条の規定による改正前の国家公務員共済組合法（以下この号及び次条第一号において「改正前国共済法」という。）第百二十六条の五第一項の規定により旧組合（中央省庁等改革関係法施行法第千三百二十五条第五項に規定する旧組合をいう。以下第百八十四条までにおいて同じ。）の組合員であるものとみなされていた者及び同日において旧組合の組合員であった者で同日に退職し、改正前国共済法第百二十六条の五第一項の規定による申出を同日に当該旧組合に行ったもの　当該申出を行った旧組合

二　内閣共済組合又は総務省共済組合に改正後国共済法第百二十六条の五第一項の規定による申出を行った者　旧総理府共済組合

三　文部科学省共済組合に改正後国共済法第百二十六条の五第一項の規定による申出を行った者（従前の科学技術庁に属していた者に限る。）　旧総理府共済組合

四　文部科学省共済組合に改正後国共済法第百二十六条の五第一項の規定による申出を行った者（前号に掲げる者を除く。）　旧文部省共済組合

五　厚生労働省共済組合に改正後国共済法第百二十六条の五第一項の規定による申出を行った者（従前の厚生省に属していた者に限る。）　旧厚生省共済組合

六　厚生労働省共済組合に改正後国共済法第百二十六条の五第一項の規定による申出を行った者（前号に掲げる者を除く。）　旧労働省共済組合

七　国土交通省共済組合に改正後国共済法第百二十六条の五第一項の規定による申出を行った者（従前の北海道開発庁及び国土庁に属していた者に限る。）　旧総理府共済組合

八　国土交通省共済組合に改正後国共済法第百二十六条の五第一項の規定による申出を行った者（従前の運輸省に属していた者に限る。）　旧運輸省共済組合

九　国土交通省共済組合に改正後国共済法第百二十六条の五第一項の規定による申出を行った者（前二号に掲げる者を除く。）　旧建設省共済組合

十　防衛庁共済組合に改正後国共済法第百二十六条の五第一項の規定による申出を行った者（従前の防衛施設庁に属していた者に限る。）　旧防衛施設庁共済組合

（中央省庁等改革関係法施行法第千三百二十八条第十項の規定により読み替えられた改正後国共済法附則第十二条第五項に規定する政令で定める組合）

第百八十条　中央省庁等改革関係法施行法第千三百二十八条第十項の規定により読み替えられた改正後国共済法附則第十二条第五項に規定する政令で定める組合は、次の各号に掲げる特例退職組合員（同条第三項に規定する特例退職組合員をいう。）の区分に応じ、当該各号に定める旧組合とする。

一　この政令の施行の日の前日において改正前国共済法附則第十二条第二項の規定により旧組合の組合員であるものとみなされていた者及び同日において旧組合の組合員であった者で同日に退職し、同条第一項の規定による申出を同日に当該旧組合に行ったもの　当該申出を行った旧組合

二　内閣共済組合又は総務省共済組合に改正後国共済法附則第十二条第一項の規定による申出を行った者　旧総理府共済組合

三　文部科学省共済組合に改正後国共済法附則第十二条第一項の規定による申出を行った者（従前の科学技術庁に属していた者に限る。）　旧総理府共済組合

四　文部科学省共済組合に改正後国共済法附則第十二条第一項の規定による申出を行った者（前号に掲げる者を除く。）　旧文部省共済組合

五　厚生労働省共済組合に改正後国共済法附則第十二条第一項の規定による申出を行った者（従前の厚生省に属していた者に限る。）　旧厚生省共済組合

六　厚生労働省共済組合に改正後国共済法附則第十二条第一項の規定による申出を行った者（前号に掲げる者を除く。）　旧労働省共済組合

七　国土交通省共済組合に改正後国共済法附則第十二条第一項の規定による申出を行った者（従前の北海道開発庁及び国土庁に属していた者に限る。）　旧総理府共済組合

八　国土交通省共済組合に改正後国共済法附則第十二条第一項の規定による申出を行った者（従前の運輸省に属していた者に限る。）　旧運輸省共済組合

九　国土交通省共済組合に改正後国共済法附則第十二条第一項の規定による申出を行った者（前二号に掲げる者を除く。）　旧建設省共済組合

十　防衛庁共済組合に改正後国共済法附則第十二条第一項の規定による申出を行った者（従前の防衛施設庁に属していた者に限る。）　旧防衛施設庁共済組合

（新国家公務員共済組合に係る老人保健法の規定による拠出金の額の算定の特例）

第百八十一条　平成十二年度において新組合（中央省庁等改革関係法施行法第千三百二十八条第一項に規定する新組合をいい、総務省共済組合を除く。以下第百八十三条までにおいて同じ。）が老人保健法（昭和五十七年法律第八十号）第五十三条第二項の規定により納付すべき拠出金の額は、新組合が中央省庁等改革関係法施行法第千三百二十五条第一項の規定により旧組合から承継した同年度の拠出金に係る債務の額とする。

2　平成十三年度の新組合に係る老人保健法第五十三条第一項に

規定する医療費拠出金の額の算定については、同法第五十四条第一項ただし書中「ただし、前々年度の概算医療費拠出金の額」とあるのは「ただし、当該保険者が中央省庁等改革関係法施行法（平成十一年法律第百六十号）第千三百二十五条第一項の規定により権利及び義務を承継した同条第五項に規定する旧組合に係る前々年度の概算医療費拠出金の額」と、「前々年度の確定医療費拠出金の額」とあるのは「当該旧組合に係る前々年度の確定医療費拠出金の額」と「するものとし、前々年度の概算医療費拠出金の額」とあるのは「するものとし、当該旧組合に係る前々年度の概算医療費拠出金の額」とする。

3　平成十四年度の新組合に係る老人保健法第五十三条第一項に規定する医療費拠出金の額の算定については、同法第五十四条第一項ただし書中「ただし、前々年度の概算医療費拠出金の額」とあるのは「ただし、当該保険者が中央省庁等改革関係法施行法（平成十一年法律第百六十号）第千三百二十五条第一項の規定により権利及び義務を承継した同条第五項に規定する旧組合に係る前々年度の概算医療費拠出金として同条第一項の規定による解散前に算定された額（以下この項において「解散前算定額」という。）」と、「前々年度の確定医療費拠出金の額」とあるのは「当該保険者に係る前々年度の確定医療費拠出金の額に当該旧組合に係る前々年度の確定医療費拠出金の額を加えて得た額」と、「するものとし、前々年度の概算医療費拠出金の額」とあるのは「するものとし、当該旧組合に係る解散前算定額」とする。

（新国家公務員共済組合に係る国民健康保険法の規定による拠出金の額の算定の特例）

第百八十二条　平成十二年度において新組合が国民健康保険法（昭和三十三年法律第百九十二号）第八十一条の二第二項の規定により納付すべき拠出金の額は、新組合が中央省庁等改革関係法施行法第千三百二十五条第一項の規定により旧組合から承継した同年度の拠出金に係る債務の額とする。

2　平成十三年度の新組合に係る国民健康保険法第八十一条の二第一項に規定する療養給付費拠出金の額の算定については、同法第八十一条の三第一項ただし書中「ただし、前々年度の概算療養給付費拠出金の額」とあるのは「ただし、当該保険者が中央省庁等改革関係法施行法（平成十一年法律第百六十号）第千三百二十五条第一項の規定により権利及び義務を承継した同条第五項に規定する旧組合に係る前々年度の概算療養給付費拠出金の額」と、「前々年度の確定療養給付費拠出金の額」とあるのは「当該旧組合に係る前々年度の確定療養給付費拠出金の額」と、「するものとし、前々年度の概算療養給付費拠出金の額」とあるのは「するものとし、当該旧組合に係る前々年度の概算療養給付費拠出金の額」とする。

3　平成十四年度の新組合に係る国民健康保険法第八十一条の二第一項に規定する療養給付費拠出金の額の算定については、同法第八十一条の三第一項ただし書中「ただし、前々年度の概算療養給付費拠出金の額」とあるのは「ただし、当該保険者が中央省庁等改革関係法施行法（平成十一年法律第百六十号）第千三百二十五条第一項の規定により権利及び義務を承継した同条第五項に規定する旧組合に係る前々年度の概算療養給付費拠出金として同条第一項の規定による解散前に算定された額（以下この項において「解散前算定額」という。）」と、「前々年度の確定療養給付費拠出金の額」とあるのは「当該保険者に係る前々年度の確定療養給付費拠出金の額に当該旧組合に係る前々年度の確定療養給付費拠出金の額を加えて得た額」と、「するものとし、前々年度の概算療養給付費拠出金の額」とあるのは「するものとし、当該旧組合に係る解散前算定額」とする。

（新国家公務員共済組合に係る介護保険法の規定による納付金の額の算定の特例）

第百八十三条　平成十二年度において新組合が介護保険法（平成九年法律第百二十三号）第百五十条第二項の規定により納付すべき納付金の額は、新組合が中央省庁等改革関係法施行法第千三百二十五条第一項の規定により旧組合から承継した同年度の納付金に係る債務の額とする。

2　平成十四年度の新組合に係る介護保険法第百五十条第一項に規定する介護給付費納付金の額の算定については、同法第百五十一条第一項ただし書中「ただし、前々年度の概算介護給付費納付金の額」とあるのは「ただし、当該保険者が中央省庁等改革関係法施行法（平成十一年法律第百六十号）第千三百二十五条第一項の規定により権利及び義務を承継した同条第五項に規定する旧組合に係る前々年度の概算介護給付費納付金として同条第一項の規定による解散前に算定された額（以下この項において「解散前算定額」という。）」と、「前々年度の確定介護給付費納付金の額」とあるのは「当該保険者に係る前々年度の確定介護給付費納付金の額に当該旧組合に係る前々年度の確定介護給付費納付金の額を加えて得た額」と、「するものとし、前々年度の概算介護給付費納付金の額」とあるのは「するものとし、当該旧組合に係る解散前算定額」とする。

（権利義務の承継等に係る国の職員の提供）

第百八十四条　各省各庁（改正後国共済法第二条第一項第六号に規定する各省各庁をいう。）の長は、旧組合の平成十二年度の決算に係る事務等に関し必要な範囲内において、その所属の職員その他国に使用される者をして、当該旧組合の業務に従事させることができる。

附　則（抄）

（施行期日）

第一条　この政令は、平成十三年一月六日から施行する。〔ただし書略〕

附　則（平一二・六・七政令三三六）

この政令は、平成十三年一月六日から施行する。

附　則（平一二・六・二三政令三四六）（抄）

（施行期日）

第一条　この政令は、平成十三年四月一日から施行する。ただし、附則第五条の改正規定は、公布の日から施行する。

（育児休業手当金及び介護休業手当金に対する国の負担割合に関する経過措置）

第二条　平成十二年度以前の年度に係る国家公務員共済組合法による育児休業手当金及び介護休業手当金に対する国の負担の割合については、なお従前の例による。

附　則（平一二・六・二三政令三六一）（抄）

1　この政令は、平成十三年四月一日から施行する。

附　則（平一二・七・一四政令三八〇）（抄）

（施行期日）

1　この政令は、平成十三年四月一日から施行する。

附　則（平一二・八・三〇政令四一四）（抄）

（施行期日）

第一条　この政令は、特定放射性廃棄物の最終処分に関する法律附則第一条第二号に掲げる規定の施行の日（平成十二年九月一日）から施行する。

附　則（平一二・一一・一五政令四七四）

この政令は、平成十三年三月一日から施行する。

附　則（平一二・一一・二七政令四九二）（抄）

1　この政令は、法〔通商産業省関係の基準・認証制度等の整理及び合理化に関する法律〕の一部の施行の日（平成十二年十二月一日）から施行する。

附　則（平一二・一二・八政令五〇六）

この政令は、国立教育会館の解散に関する法律の施行の日（平成十三年四月一日）から施行する。

附　則（平一二・一二・一三政令五〇八）（抄）

（施行期日）

第一条　この政令は、平成十三年一月一日から施行する。ただし、〔中略〕第九条の規定（国家公務員共済組合法施行令第十一条の三の二、第十二条及び第三十四条の改正規定に係る部分を除く。）〔中略〕は、平成十三年四月一日から施行する。

附　則（平一二・一二・二七政令五四三）（抄）

（施行期日）

1　この政令は、平成十三年四月一日から施行する。ただし、第一条中国家公務員共済組合法施行令第十一条の四、第十二条の二、第六十条、附則第六条の二の八、附則第七条の八及び附則第二十五条の改正規定〔中略〕は、平成十三年一月六日から施行する。

（罰則に関する経過措置）

2　この政令の施行前にした行為に対する罰則の適用については、なお従前の例による。

附　則（平一三・一・三一政令二一）（抄）

（施行期日）

第一条　この政令は、平成十三年四月一日から施行する。

附　則（平一三・三・三〇政令一〇三）（抄）

（施行期日）

第一条　この政令は、平成十三年四月一日から施行する。

（厚生年金保険法等の一部改正に伴う経過措置）

第三条　改正法附則第十一条に規定する旧船保受給資格者であって改正法附則第十二条の規定により同条に規定する失業保険金の支給についてなお従前の例によることとされたものに係る〔中略〕改正法附則第二十三条の規定による改正後の国家公務員共済組合法（昭和三十三年法律第百二十八号）附則第十二条の八の二第四項の規定の適用については、なお従前の例による。

附　則（平一三・一一・七政令三四六）

この政令は、旅客鉄道株式会社及び日本貨物鉄道株式会社に関する法律の一部を改正する法律の施行の日（平成十三年十二月一日）から施行する。

附　則（平一三・一一・一六政令三五二）

この政令は、公布の日から施行する。

附　則（平一三・一一・二八政令三六六）

この政令は、公布の日から施行する。

附　則（平一三・一二・七政令三九一）

この政令は、平成十四年四月一日から施行する。

附　則（平一四・三・一三政令四三）（抄）

（施行期日）

第一条　この政令は、平成十四年四月一日から施行する。

（国家公務員共済組合法施行令の一部改正に伴う経過措置）

第八条　第十二条の規定による改正後の国家公務員共済組合法施行令第十一条の七の十一の規定は、施行日以後に給付事由が生じた障害一時金の支給について適用し、施行日前に給付事由が生じた障害一時金の支給については、なお従前の例による。

附　則（平一四・八・三〇政令二八二）（抄）

（施行期日）

第一条　この政令は、平成十四年十月一日から施行する。

附　則（平一四・一〇・二政令三〇三）（抄）

（施行期日）

第一条　この政令は、平成十五年四月一日から施行する。

附　則（平一四・一一・二七政令三四八）（抄）

（施行期日）

第一条　この政令は、平成十五年四月一日から施行する。

附　則（平一四・一二・一八政令三八一）（抄）

この政令は、平成十五年四月一日から施行する。〔ただし書略〕

附　則（平一四・一二・一八政令三八三）（抄）

この政令は、平成十五年四月一日から施行する。〔ただし書略〕

附　則（平一四・一二・一八政令三八五）（抄）

（施行期日）

第一条　この政令は、平成十五年四月一日から施行する。

附　則（平一五・一・二九政令一六）（抄）

最終改正　平一九・三・三〇政令七七

（施行期日）

第一条　この政令は、平成十五年四月一日から施行する。

（平成十五年度以後における障害共済年金の額の算定に関する経過措置）

第二条　組合員期間の全部又は一部が平成十五年四月前である者に支給する国家公務員共済組合法（以下「法」という。）第八十二条第一項後段に規定する障害共済年金の額については、国家公務員共済組合法等の一部を改正する法律（以下「平成十二年改正法」という。）附則第十一条第一項中「第八十二条第一項」とあるのは「第八十二条第一項（後段を除く。）」と、「金額とする」とあるのは「金額とする。この場合において、第二条の規定による改正前の法第八十二条第一項第一号（同号に規定する平均標準報酬月額は、平成十五年四月前の組合員期間の各月の掛金の標準となった標準報酬の月額に法第七十二条の二に規定する再評価率（以下「再評価率」という。）を乗じて得た額を平均した額とする。）の規定により算定される金額と法第八十二条第一項第一号（同号に規定する平均標準報酬額は、平成十五年四月以後の組合員期間の各月の掛金の標準となった標準報酬の月額と標準期末手当等の額に再評価率を乗じて得た額の総額を、当該平成十五年四月以後の組合員期間の月数で除して得た額とする。）の規定により算定される金額とを合算した金額が国民年金法（昭和三十四年法律第百四十一号）第三十三条第一項に規定する障害基礎年金の額に相当する額に四分の三を乗じて得た金額（その金額に五十円未満の端数があるときは、これを切り捨て、五十円以上百円未満の端数があるときは、これを百円に切り上げるものとする。）より少ないときは、当該金額を当該合算した金額とする」と、平成十二年改正法附則第十二条第一項中「金額とする」とあるのは「金額とする。この場合において、第一条の規定による改正前の法第八十二条第一項第一号（同号に規定する平均標準報酬月額は、平成十五年四月前の組合員期間の各月の掛金の標準となった標準報酬の月額に、国家公務員共済組合法等の一部を改正する法律（平成十二年法律第二十一号）附則別表の上欄に掲げる期間の区分に応じてそれぞれ同表の下欄に定める率（以下「従前額改定再評価率」という。）を乗じて得た額を平均した額とする。）の規定により算定される金額と法第八十二条第一項第一号（同号に規定する平均標準報酬額は、平成十五年四月以後の組合員期間の各月の掛金の標準となった標準報酬の月額と標準期末手当等の額に従前額改定再評価率を乗じて得た額の総額を、当該平成十五年四月以後の組合員期間の月数で除して得た額とする。）の規定により算定される金額とを合算した金額に従前額改定率を乗じて得た金額が国民年金法第三十三条第一項に規定する障害基礎年金の額に相当する額に四分の三を乗じて得た金額（その金額に五十円未満の端数があるときは、これを切り捨て、五十円以上百円未満の端数があるときは、これを百円に切り上げるものとする。）より少ないときは、当該金額を当該従前額改定率を乗じて得た金額とする」と、「第八十二条第一項」とあるのは「第八十二条第一項（後段を除く。）」とする。

（平成十五年度以後における障害一時金の額の算定に関する経過措置）

第三条 組合員期間の全部又は一部が平成十五年四月一日前である者に支給する法による障害一時金の額については、法第八十七条の七（厚生年金保険法等の一部を改正する法律の施行に伴う国家公務員共済組合法による長期給付等に関する経過措置に関する政令（以下「平成九年経過措置政令」という。）第十四条第一項第一号においてその例による場合を含む。）の規定による金額は、法第八十七条の七の規定にかかわらず、次の各号の規定による金額を合算した金額とする。この場合において、平成十二年改正法第二条の規定による改正前の法（以下「改正前の法」という。）第八十七条の七第一号の規定により算定される金額と法第八十七条の七第一号の規定により算定される金額とを合算した金額が国民年金法（昭和三十四年法律第百四十一号）第三十三条第一項に規定する障害基礎年金の額に相当する額に四分の三を乗じて得た金額（その金額に五十円未満の端数があるときは、これを切り捨て、五十円以上百円未満の端数があるときは、これを百円に切り上げるものとする。）より少ないときは、当該金額を当該合算した金額とする。

一 平成十五年四月一日前の組合員期間を基礎として改正前の法第八十七条の七（後段を除く。）の規定を適用したとしたならばこれらの規定により算定される金額

二 平成十五年四月一日以後の組合員期間を基礎として法第八十七条の七（後段を除く。）の規定を適用したとしたならばこれらの規定により算定される金額

2 前項第一号の規定による金額を算定する場合においては、改正前の法第八十七条の七第一号中「平均標準報酬月額」とあるのは「平均標準報酬月額（平成十五年四月前の組合員期間（以下この条において「基準日前組合員期間」という。）の計算の基礎となる各月の掛金の標準となつた標準報酬の月額に、国家公務員共済組合法等の一部を改正する法律（平成十二年法律第二十一号）附則第十一条第二項に規定する再評価率を乗じて得た額を平均した額をいう。次号において同じ。）」と、「組合員期間の月数（当該月数が三百月未満であるときは、三百月）」とあるのは「基準日前組合員期間の月数」と、同条第二号中「組合員期間の月数（当該月数が三百月未満であるときは、三百月）」とあるのは「基準日前組合員期間の月数」とする。

3 第一項第二号の規定による金額を算定する場合においては、法第八十七条の七第一号中「平均標準報酬額」とあるのは「平均標準報酬額（第七十二条の二中「組合員期間」とあるのを「平成十五年四月以後の組合員期間」と読み替えて同条の規定を適用した場合に算定される平均標準報酬額をいう。次号において同じ。）」と、「組合員期間の月数（当該月数が三百月未満であるときは、三百月）」とあるのは「平成十五年四月以後の組合員期間（次号において「基準日後組合員期間」という。）の月数」と、同条第二号中「組合員期間の月数（当該月数が三百月未満であるときは、三百月）」とあるのは「基準日後組合員期間の月数」とする。

第四条 法による障害一時金の額については、前条の規定により算定した金額が次の各号の規定による金額を合算して得た金額に平成十二年改正法附則第十二条第一項に規定する従前額改定率（以下「従前額改定率」という。）を乗じて得た金額に満たないときは、同条の規定にかかわらず、当該乗じて得た金額を、同条の規定による金額とする。この場合において、平成十二年改正法第一条の規定による改正前の法第八十七条の七第一号の規定により算定される金額と法第八十七条の七第一号の規定により算定される金額とを合算した金額に従前額改定率を乗じて得た金額が国民年金法第三十三条第一項に規定する障害基礎年金の額に相当する額に四分の三を乗じて得た金額（その金額に五十円未満の端数があるときは、これを切り捨て、五十円以上百円未満の端数があるときは、これを百円に切り上げるものとする。）より少ないときは、当該金額を当該従前額改定率を乗じて得た金額とする。

一 平成十五年四月一日前の組合員期間を基礎として平成十二年改正法第一条の規定による改正前の法第八十七条の七（後段を除く。）及び附則第十三条の九の規定を適用したとしたならばこれらの規定により算定される金額

二 平成十五年四月一日以後の組合員期間を基礎として法第八十七条の七（後段を除く。）の規定を適用したとしたならばこれらの規定により算定される金額

2 前項第一号の規定による金額を算定する場合においては、平成十二年改正法第一条の規定による改正前の法第八十七条の七第一号中「平均標準報酬月額」とあるのは「平均標準報酬月額（平成十五年四月前の組合員期間（以下この条において「基準日前組合員期間」という。）の計算の基礎となる各月の掛金の標準となつた標準報酬の月額を平均した額をいう。次号及び附則第十三条の九において同じ。）」と、「組合員期間の月数（当該月数が三百月未満であるときは、三百月）」とあるのは「基準日前組合員期間の月数」と、同条第二号中「組合員期間の月数（当該月数が三百月未満であるときは、三百月）」とあるの

は「基準日前組合員期間の月数」と、平成十二年改正法第一条の規定による改正前の法附則第十三条の九中「次の表」とあるのは「国家公務員共済組合法等の一部を改正する法律（平成十二年法律第二十一号）附則別表」と、「第七十七条第一項」とあるのは「国家公務員共済組合法施行令等の一部を改正する政令（平成十五年政令第十六号）附則第四条第二項の規定により読み替えられた第八十七条の七第一号」と、「附則第十三条の九の表」とあるのは「国家公務員共済組合法等の一部を改正する法律（平成十二年法律第二十一号）附則別表」とする。

3　第一項第二号の規定による金額を算定する場合においては、法第八十七条の七中「平均標準報酬額」とあるのは「平均標準報酬額（第七十二条の二中「組合員期間」とあるのを「平成十五年四月以後の組合員期間」と、「別表第二の各号に掲げる受給権者の区分に応じ、それぞれ当該各号」とあるのを「国家公務員共済組合法等の一部を改正する法律（平成十二年法律第二十一号）附則別表の上欄に掲げる期間の区分に応じてそれぞれ同表の下欄」とそれぞれ読み替えて同条の規定を適用した場合に算定される平均標準報酬額をいう。次号において同じ。）」と、「千分の五・四八一」とあるのは「千分の五・七六九」と、「組合員期間の月数（当該月数が三百月未満であるときは、三百月）」とあるのは「平成十五年四月以後の組合員期間（次号において「基準日後組合員期間」という。）の月数」と、同条第二号中「千分の一・〇九六」とあるのは「千分の一・一五四」と、「組合員期間の月数（当該月数が三百月未満であるときは、三百月）」とあるのは「基準日後組合員期間の月数」とする。

（組合員期間の月数が三百月未満である障害共済年金等の額の算定に関する経過措置）

第五条　法による障害共済年金（その額の算定の基礎となる組合員期間の月数が三百月未満であるものに限る。次項において同じ。）について平成十二年改正法附則第十一条第一項第一号及び第二号の規定による金額を算定する場合においては、同条第三項の規定により読み替えて適用する改正前の法第八十二条第一項第一号及び第二号中「相当する金額」とあるのは「相当する金額」に、三百月を組合員期間の月数で除して得た割合を乗じて得た金額」と、平成十二年改正法附則第十一条第四項の規定により読み替えて適用する法第八十二条第一項第一号及び第二号中「相当する金額」とあるのは「相当する金額」に、三百月を組合員期間の月数で除して得た割合を乗じて得た金額」とする。

2　法による障害共済年金について平成十二年改正法附則第十二条第一項第一号及び第二号の規定による金額を算定する場合においては、同条第五項の規定により読み替えて適用する平成十二年改正法第一条の規定による改正前の法第八十二条第一項第一号及び第二号中「相当する金額」とあるのは「相当する金額」に、三百月を組合員期間の月数で除して得た割合を乗じて得た金額」と、平成十二年改正法附則第十二条第六項の規定により読み替えて適用する法第八十二条第一項第一号及び第二号中「相当する金額」とあるのは「相当する金額」に、三百月を組合員期間の月数で除して得た割合を乗じて得た金額」とする。

3　法による遺族共済年金（法第八十八条第一項第四号に該当することにより支給されるものを除くものとし、その額の算定の基礎となる組合員期間の月数が三百月未満であるものに限る。次項において同じ。）について平成十二年改正法附則第十一条第一項第一号及び第二号の規定による金額を算定する場合においては、同条第三項の規定により読み替えて適用する改正前の法第八十九条第一項第一号中「四分の三に相当する金額」とあるのは「四分の三に相当する金額に、三百月を組合員期間の月数で除して得た割合を乗じて得た金額」と、同条第二項中「乗じて得た金額」とあるのは「乗じて得た金額に、三百月を組合員期間の月数で除して得た割合を乗じて得た金額」と、平成十二年改正法附則第十一条第四項の規定により読み替えて適用する法第八十九条第一項第一号中「四分の三に相当する金額」とあるのは「四分の三に相当する金額に、三百月を組合員期間の月数で除して得た割合を乗じて得た金額」とする。

4　法による遺族共済年金について平成十二年改正法附則第十二条第一項第一号及び第二号の規定による金額を算定する場合においては、同条第五項の規定により読み替えて適用する平成十二年改正法第一条の規定による改正前の法第八十九条第一項第一号中「四分の三に相当する金額」とあるのは「四分の三に相当する金額に、三百月を組合員期間の月数で除して得た割合を乗じて得た金額」と、同条第二項中「乗じて得た金額」とあるのは「乗じて得た金額に、三百月を組合員期間の月数で除して得た割合を乗じて得た金額」と、平成十二年改正法附則第十二条第六項の規定により読み替えて適用する法第八十九条第一項第一号中「四分の三に相当する金額」とあるのは「四分の三に相当する金額に、三百月を組合員期間の月数で除して得た割合を乗じて得た金額」とする。

5　法による障害一時金（その額の算定の基礎となる組合員期間の月数が三百月未満であるものに限る。次項において同じ。）について附則第三条第一項第一号及び第二号の規定による金額を算定する場合においては、同条第二項の規定により読み替えて適用する改正前の法第八十七条の七第一号及び第二号中「乗じて得た金額」とあるのは「乗じて得た金額に、三百月を組合員期間の月数で除して得た割合を乗じて得た金額」と、附則第三条第三項の規定により読み替えて適用する法第八十七条の七第一号及び第二号中「乗じて得た金額」とあるのは「乗じて得た金額に、三百月を組合員期間の月数で除して得た割合を乗じて得た金額」とする。

6　法による障害一時金について前条第一項第一号及び第二号の規定による金額を算定する場合においては、同条第二項の規定により読み替えて適用する平成十二年改正法第一条の規定による改正前の法第八十七条の七第一号及び第二号中「乗じて得た金額」とあるのは「乗じて得た金額に、三百月を組合員期間の月数で除して得た割合を乗じて得た金額」と、前条第三項の規定により読み替えて適用する法第八十七条の七第一号及び第二号中「乗じて得た金額」とあるのは「乗じて得た金額に、三百月を組合員期間の月数で除して得た割合を乗じて得た金額」とする。

（平成十五年度以後における障害共済年金の支給停止額の算定に関する経過措置）

第六条　組合員期間の全部又は一部が平成十五年四月一日前である者に支給する改正後の法第八十七条の四に規定する公務等による障害共済年金の同条の規定により支給を停止する額につい

ては、同条の規定による金額は、同条の規定にかかわらず、次の各号の規定による金額を合算した金額とする。

一　平成十五年四月一日前の組合員期間を基礎として改正前の法第八十七条の四の規定を適用したとしたならばこれらの規定により算定される金額

二　平成十五年四月一日以後の組合員期間を基礎として法第八十七条の四の規定を適用したとしたならばこれらの規定により算定される金額

2　前項第一号の規定による金額を算定する場合においては、改正前の法第八十七条の四中「平均標準報酬月額」とあるのは「平均標準報酬月額（平成十五年四月前の組合員期間（以下この条において「基準日前組合員期間」という。）の計算の基礎となる各月の掛金の標準となつた標準報酬の月額に、国家公務員共済組合法等の一部を改正する法律（平成十二年法律第二十一号）附則第十一条第二項に規定する再評価率を乗じて得た額を平均した額をいう。以下この条において同じ。）」と、「政令で定める金額」とあるのは「平均標準報酬月額の千分の〇・三五六二五に相当する金額に三百を乗じて得た金額に相当する金額」と、「相当する金額）（当該障害共済年金の額が第七十二条の二の規定により改定された場合には、当該改定の措置に準じて政令で定めるところにより当該金額を改定した金額）」とあるのは「相当する金額」に、基準日前組合員期間の月数を組合員期間の月数で除して得た割合を乗じて得た金額」とする。

3　第一項第二号の規定による金額を算定する場合においては、法第八十七条の四中「平均標準報酬額」とあるのは「平均標準報酬額（第七十二条の二中「組合員期間」とあるのを「平成十五年四月以後の組合員期間」と読み替えて同条の規定を適用した場合に算定される平均標準報酬額をいう。以下この条において同じ。）」と、「政令で定める金額」とあるのは「平均標準報酬額の千分の〇・二七四に相当する金額に三百を乗じて得た金額に相当する金額」と、「相当する金額」とあるのは「相当する金額」に、平成十五年四月以後の組合員期間の月数を組合員期間の月数で除して得た割合を乗じて得た金額」とする。

第七条　法第八十七条の四に規定する公務等による障害共済年金の同条の規定により支給を停止する額については、前条の規定により算定した金額が次の各号の規定による金額を合算して得た金額に従前額改定率を乗じて得た金額に満たないときは、同条の規定にかかわらず、当該各号の規定による金額を合算して得た金額に従前額改定率を乗じて得た金額を、同条の規定による金額とする。

一　平成十五年四月一日前の組合員期間を基礎として平成十二年改正法第一条の規定による改正前の法第八十七条の四及び附則第十三条の九の規定を適用したとしたならばこれらの規定により算定される金額

二　平成十五年四月一日以後の組合員期間を基礎として法第八十七条の四の規定を適用したとしたならばこれらの規定により算定される金額

2　前項第一号の規定による金額を算定する場合においては、平成十二年改正法第一条の規定による改正前の法第八十七条の四中「平均標準報酬月額」とあるのは「平均標準報酬月額（平成十五年四月前の組合員期間（以下この条において「基準日前組合員期間」という。）の計算の基礎となる各月の掛金の標準となつた標準報酬の月額を平均した額をいう。以下この条及び附則第十三条の九において同じ。）」と、「政令で定める金額」とあるのは「平均標準報酬月額の千分の〇・三七五に相当する金額に三百を乗じて得た金額に相当する金額」と、「相当する金額）（当該障害共済年金の額が第七十二条の二の規定により改定された場合には、当該改定の措置に準じて政令で定めるところにより当該金額を改定した金額）」とあるのは「相当する金額」に、基準日前組合員期間の月数を組合員期間の月数で除して得た割合を乗じて得た金額」と、平成十二年改正法第一条の規定による改正前の法附則第十三条の九中「次の表」とあるのは「国家公務員共済組合法等の一部を改正する法律（平成十二年法律第二十一号）附則別表」と、「第七十七条第一項」とあるのは「国家公務員共済組合法施行令等の一部を改正する政令（平成十五年政令第十六号）附則第七条第二項の規定により読み替えられた第八十七条の四」と、「附則第十三条の九の表」とあるのは「国家公務員共済組合法等の一部を改正する法律（平成十二年法律第二十一号）附則別表」とする。

3　第一項第二号の規定による金額を算定する場合においては、法第八十七条の四中「平均標準報酬額」とあるのは「平均標準報酬額（第七十二条の二中「組合員期間」とあるのを「平成十五年四月以後の組合員期間」と、「別表第二の各号に掲げる受給権者の区分に応じ、それぞれ当該各号」とあるのを「国家公務員共済組合法等の一部を改正する法律（平成十二年法律第二十一号）附則別表の上欄に掲げる期間の区分に応じてそれぞれ同表の下欄」とそれぞれ読み替えて同条の規定を適用した場合に算定される平均標準報酬額をいう。以下この条において同じ。）」と、「百分の十五・三八五」とあるのは「百分の十四・六一五」と、「百分の二十一・九二三」とあるのは「百分の二十三・〇七七」と、「政令で定める金額」とあるのは「平均標準報酬額の千分の〇・二八八五に相当する金額に三百を乗じて得た金額に相当する金額」と、「相当する金額」とあるのは「相当する金額」に、平成十五年四月以後の組合員期間の月数を組合員期間の月数で除して得た割合を乗じて得た金額」とする。

（平成十五年度以後における遺族共済年金の支給停止額の算定に関する経過措置）

第八条　組合員期間の全部又は一部が平成十五年四月一日前である者に支給する法第八十九条第三項に規定する公務等による遺族共済年金の法第九十三条の三の規定により支給を停止する金額については、同条の規定による金額は、同条の規定にかかわらず、次の各号の規定による金額を合算した金額とする。

一　平成十五年四月一日前の組合員期間を基礎として改正前の法第九十三条の三並びに平成十二年改正法第四条の規定による改正前の国家公務員等共済組合法等の一部を改正する法律（昭和六十年法律第百五号。以下「昭和六十年改正法」という。）附則第十五条第二項及び附則別表第二の規定を適用したとしたならばこれらの規定により算定される金額

二　平成十五年四月一日以後の組合員期間を基礎として法第九十三条の三並びに昭和六十年改正法附則第十五条第二項及び附則別表第二の規定を適用したとしたならばこれらの規定により算定される金額

2　前項第一号の規定による金額を算定する場合においては、改正前の法第九十三条の三中「平均標準報酬月額」とあるのは

「平均標準報酬月額（平成十五年四月前の組合員期間（以下この条において「基準日前組合員期間」という。）の計算の基礎となる各月の掛金の標準となつた標準報酬の月額に国家公務員共済組合法等の一部を改正する法律（平成十二年法律第二十一号）附則第十一条第二項に規定する再評価率を乗じて得た額を平均した額をいう。）」と、「相当する金額（当該遺族共済年金の額が第七十二条の二の規定により改定された場合には、当該改定の措置に準じ政令で定めるところにより当該金額を改定した金額）」とあるのは「相当する金額に、基準日前組合員期間の月数を組合員期間の月数で除して得た割合を乗じて得た金額」とする。

3　第一項第二号の規定による金額を算定する場合においては、法第九十三条の三中「平均標準報酬額」とあるのは「平均標準報酬額（第七十二条の二中「組合員期間」とあるのを「平成十五年四月以後の組合員期間」と読み替えて同条の規定を適用した場合に算定される平均標準報酬額をいう。）」と、「相当する金額の」とあるのは「相当する金額に、平成十五年四月以後の組合員期間の月数を組合員期間の月数で除して得た割合を乗じて得た金額の」とする。

第九条　法第八十九条第三項に規定する公務等による遺族共済年金の法第九十三条の三の規定により支給を停止する額については、前条の規定により算定した金額が次の各号の規定による金額を合算して得た金額に従前額改定率を乗じて得た金額に満たないときは、同条の規定にかかわらず、当該各号の規定による金額を合算して得た金額に従前額改定率を乗じて得た金額を、同条の規定による金額とする。

一　平成十五年四月一日前の組合員期間を基礎として平成十二年改正法第一条の規定による改正前の法第九十三条の三及び附則第十三条の九並びに平成十二年改正法第三条の規定による改正前の昭和六十年改正法附則第十五条第二項及び附則別表第二の規定を適用したとしたならばこれらの規定により算定される金額

二　平成十五年四月一日以後の組合員期間を基礎として法第九十三条の三並びに昭和六十年改正法附則第十五条第二項及び附則別表第二の規定を適用したとしたならばこれらの規定により算定される金額

2　前項第一号の規定による金額を算定する場合においては、平成十二年改正法第一条の規定による改正前の法第九十三条の三中「平均標準報酬月額」とあるのは「平均標準報酬月額（平成十五年四月前の組合員期間（以下この条において「基準日前組合員期間」という。）の計算の基礎となる各月の掛金の標準となつた標準報酬の月額を平均した額をいう。附則第十三条の九において同じ。）」と、「相当する金額（当該遺族共済年金の額が第七十二条の二の規定により改定された場合には、当該改定の措置に準じ政令で定めるところにより当該金額を改定した金額）」とあるのは「相当する金額に、基準日前組合員期間の月数を組合員期間の月数で除して得た割合を乗じて得た金額」と、平成十二年改正法第一条の規定による改正前の法附則第十三条の九中「次の表」とあるのは「国家公務員共済組合法等の一部を改正する法律（平成十二年法律第二十一号）附則別表」と、「第七十七条第一項」とあるのは「国家公務員共済組合法施行令等の一部を改正する政令（平成十五年政令第十六号）附則第九条第二項の規定により読み替えられた第九十三条の三」と、「附則第十三条の九の表」とあるのは「国家公務員共済組合法等の一部を改正する法律（平成十二年法律第二十一号）附則別表」とする。

3　第一項第二号の規定による金額を算定する場合においては、法第九十三条の三中「平均標準報酬額」とあるのは「平均標準報酬額（第七十二条の二中「組合員期間」とあるのを「平成十五年四月以後の組合員期間」と、「別表第二の各号に掲げる受給権者の区分に応じ、それぞれ当該各号」とあるのを「国家公務員共済組合法等の一部を改正する法律（平成十二年法律第二十一号）附則別表の上欄に掲げる期間の区分に応じてそれぞれ同表の下欄」とそれぞれ読み替えて同条の規定を適用した場合に算定される平均標準報酬額をいう。）」と、「千分の二・四六六」とあるのは「千分の二・五九六」と、「相当する金額の」とあるのは「相当する金額に、平成十五年四月以後の組合員期間の月数を組合員期間の月数で除して得た割合を乗じて得た金額の」とする。

（国家公務員共済組合法施行令の一部改正に伴う経過措置）

第十条　平成十五年度の法第百条第三項に規定する標準報酬の月額及び標準期末手当等の額と掛金との割合（短期給付（同法第五十二条の二に規定する短期給付をいう。）に係るもの及び介護保険法（平成九年法律第百二十三号）第百五十条第一項に規定する納付金の納付に係るものに限る。）の算定に関しては、第一条の規定による改正後の国家公務員共済組合法施行令第十二条第三項中「における組合員の標準報酬の月額の合計額及び当該組合員の標準期末手当等の額」とあるのは、「における組合員の標準報酬の月額の合計額及び当該組合員の国家公務員共済組合法等の一部を改正する法律（平成十二年法律第二十一号）第二条の規定による改正前の法第百一条の二第二項の規定により特別掛金の標準となつた同項に規定する期末手当等の額（その額に千円未満の端数があるときは、これを切り捨てた額（その額が二百万円を超えるときは、二百万円）とする。以下この項において「標準期末手当等の額」という。）」とする。

（平成十五年四月から平成十六年十二月までの特例退職組合員の標準報酬の月額に関する経過措置）

第十一条　平成十五年四月から同年十二月までの健康保険法等の一部を改正する法律（平成十四年法律第百二号）附則第四十八条の規定による改正後の法附則第十二条第五項に規定する特例退職組合員の標準報酬の月額（次項において「特例退職組合員の標準報酬の月額」という。）に関しては、同条第五項中「標準期末手当等の額」とあるのは、「国家公務員共済組合法等の一部を改正する法律（平成十二年法律第二十一号）第二条の規定による改正前の第百一条の二第二項の規定により特別掛金の算定の標準となつた同項に規定する期末手当等の額（その額に千円未満の端数があるときは、これを切り捨てた額（その額が二百万円を超えるときは、二百万円）とする。）」とする。

2　平成十六年一月から同年十二月までの特例退職組合員の標準報酬の月額に関しては、健康保険法等の一部を改正する法律附則第四十八条の規定による改正後の法附則第十二条第五項中「前年に」とあるのは「前年一月から三月までに」と、「標準期末手当等の額」とあるのは「国家公務員共済組合法等の一部を改正する法律（平成十二年法律第二十一号）第二条の規定による改正前の第百一条の二第二項の規定により特別掛金の算定の標準となつた同項に規定する期末手当等の額（その額に千円未満の端数があるときは、これを切り捨てた額（その額が二百万円を超えるときは、二百万円）とする。）及び同年四月から十二月までにおける当該組合員の標準期末手当等の額」とする。

附　則（平一五・三・二四政令六四）（抄）

（施行期日）
第一条　この政令は、基盤技術研究円滑化法の一部を改正する法律の一部の施行の日（平成十五年四月一日）から施行する。

附　則（平一五・三・二八政令九三）

この政令は、平成十五年四月一日から施行する。

附　則（平一五・三・二八政令九九）

1　この政令は、平成十五年四月一日から施行する。
2　改正後の国家公務員共済組合法施行令第三十一条、第三十三条及び第三十五条の規定は、この政令の施行の日以後に給付事由が生じた給付について適用し、同日前に給付事由が生じた給付については、なお従前の例による。

附　則（平一五・四・九政令二〇五）（抄）

この政令は、株式会社産業再生機構法の施行の日（平成十五年四月十日）から施行する。〔ただし書略〕

附　則（平一五・六・四政令二四一）

この政令は、国家公務員退職手当法等の一部を改正する法律の一部の施行の日（平成十五年六月十五日）から施行する。

附　則（平一五・六・二七政令二九二）（抄）

この政令は、平成十五年十月一日から施行する。〔ただし書略〕

附　則（平一五・六・二七政令二九三）（抄）

（施行期日）
第一条　この政令は、平成十五年十月一日から施行する。〔ただし書略〕

附　則（平一五・六・二七政令二九四）（抄）

（施行期日）
第一条　この政令は、平成十五年十月一日から施行する。〔ただし書略〕

附　則（平一五・六・二七政令二九五）（抄）

（施行期日）
第一条　この政令は、平成十五年十月一日から施行する。〔ただし書略〕

附　則（平一五・六・二七政令二九六）（抄）

（施行期日）
第一条　この政令は、平成十五年十月一日から施行する。〔ただし書略〕

附　則（平一五・六・二七政令二九七）（抄）

この政令は、平成十五年十月一日から施行する。〔ただし書略〕

附　則（平一五・七・二四政令三二二）（抄）

この政令は、平成十五年十月一日から施行する。〔ただし書略〕

附　則（平一五・七・二四政令三二八）（抄）

この政令は、平成十五年十月一日から施行する。〔ただし書略〕

附　則（平一五・七・二四政令三二九）（抄）

（施行期日）
第一条　この政令は、公布の日から施行する。ただし、附則第八条から第四十三条までの規定〔中略〕は、平成十五年十月一日から施行する。

附　則（平一五・七・三〇政令三四二）（抄）

（施行期日）
第一条　この政令は、公布の日から施行する。ただし、附則第五条から第二十三条までの規定は、平成十五年十月一日から施行する。

附　則（平一五・七・三〇政令三四三）（抄）

（施行期日）
第一条　この政令は、公布の日から施行する。ただし、附則第十八条から第三十四条までの規定は、平成十五年十月一日から施行する。

附　則（平一五・七・三〇政令三四四）（抄）

（施行期日）
第一条　この政令は、公布の日から施行する。ただし、附則第四条から第十五条までの規定〔中略〕は、平成十五年十月一日から施行する。

附　則（平一五・八・六政令三五八）（抄）

（施行期日）
第一条　この政令は、公布の日から施行する。ただし、附則第四条から第十四条までの規定は、平成十五年十月一日から施行する。

附　則（平一五・八・八政令三六四）（抄）

（施行期日）
第一条　この政令は、公布の日から施行する。ただし、〔中略〕附則〔中略〕第十四条から第三十一条までの規定は、平成十五年十月一日から施行する。

附　則（平一五・八・八政令三六五）（抄）

（施行期日）
第一条　この政令は、平成十五年十月一日から施行する。

附　則（平一五・八・八政令三六七）（抄）

（施行期日）
第一条　この政令は、公布の日から施行する。ただし、附則第五条から第十四条までの規定は、平成十五年十月一日から施行する。

附　則（平一五・八・八政令三六八）（抄）

（施行期日）
第一条　この政令は、公布の日から施行する。ただし、附則第十四条から第三十八条までの規定は、平成十五年十月一日から施行する。

附　則（平一五・八・八政令三六九）（抄）

（施行期日）
第一条　この政令は、公布の日から施行する。ただし、附則第六条から第二十五条までの規定は、平成十五年十月一日から施行する。

附　則（平一五・八・八政令三七〇）（抄）

（施行期日）
第一条　この政令は、公布の日から施行する。ただし、附則第五条から第十五条までの規定は、平成十五年十月一日から施行する。

附　則（平一五・八・二九政令三九〇）

この政令は、平成十五年十月一日から施行する。

附　則（平一五・九・三政令三九一）（抄）

（施行期日）

第一条　この政令は、平成十五年十月一日から施行する。〔ただし書略〕

附　則（平一五・九・三政令三九二）（抄）

（施行期日）

第一条　この政令は、公布の日から施行する。ただし、附則第七条から第二十二条までの規定は、平成十五年十月一日から施行する。

附　則（平一五・九・三政令三九三）（抄）

（施行期日）

第一条　この政令は、公布の日から施行する。ただし、附則第六条から第二十四条までの規定は、平成十五年十月一日から施行する。

附　則（平一五・九・三政令三九四）（抄）

（施行期日）

第一条　この政令は、公布の日から施行する。ただし、附則第六条から第十七条までの規定は、平成十五年十月一日から施行する。

附　則（平一五・九・一〇政令三九七）（抄）

この政令は、平成十五年十月一日から施行する。〔ただし書略〕

附　則（平一五・九・一〇政令四〇六）（抄）

（施行期日）

第一条　この政令は、公布の日から施行する。ただし、附則第八条から第十七条までの規定は、平成十五年十月一日から施行する。

附　則（平一五・九・一二政令四一〇）

この政令は、公布の日から施行する。ただし、第一章の規定は、平成十五年十月一日から施行する。

附　則（平一五・九・一二政令四一二）

この政令は、公布の日から施行する。ただし、第一章の規定は、平成十五年十月一日から施行する。

附　則（平一五・九・一八政令四一六）（抄）

（施行期日）

第一条　この政令は、公布の日から施行する。ただし、附則第十条から第二十一条までの規定は、平成十五年十月一日から施行する。

附　則（平一五・九・二五政令四三八）（抄）

（施行期日）

第一条　この政令は、公布の日から施行する。ただし、附則第九条及び第十一条から第三十三条までの規定は、平成十五年十月一日から施行する。

附　則（平一五・九・二五政令四三九）（抄）

改正　平三一・三・三〇政令一一九

（施行期日）

第一条　この政令は、公布の日から施行する。

附　則（平一五・九・二五政令四四〇）（抄）

（施行期日）

第一条　この政令は、公布の日から施行する。ただし、附則第五条から第十六条までの規定は、平成十五年十月一日から施行する。

附　則（平一五・一二・三政令四八三）（抄）

（施行期日）

第一条　この政令は、平成十六年四月一日から施行する。

附　則（平一五・一二・五政令四八九）（抄）

（施行期日）

第一条　この政令は、公布の日から施行する。ただし、附則第十八条から第四十一条まで〔中略〕の規定は、平成十六年四月一日から施行する。

附　則（平一五・一二・五政令四九〇）

この政令は、平成十六年四月一日から施行する。

附　則（平一五・一二・一〇政令四九三）（抄）

（施行期日）

第一条　この政令は、平成十六年一月五日から施行する。〔ただし書略〕

附　則（平一五・一二・一二政令五一六）（抄）

（施行期日）

第一条　この政令は、公布の日から施行する。ただし、〔中略〕附則第三十七条から第五十九条までの規定は、法附則第一条ただし書に規定する規定の施行の日（平成十六年四月一日）から施行する。

附　則（平一五・一二・二五政令五四三）（抄）

（施行期日）

第一条　この政令は、公布の日から施行する。

附　則（平一五・一二・二五政令五四六）（抄）

（施行期日）

1　この政令は、法の施行の日（平成十六年四月一日）から施行する。

附　則（平一五・一二・二五政令五五三）（抄）

（施行期日）

第一条　この政令は、法附則第一条第四号に掲げる規定の施行の日（平成十六年二月二十九日）から施行する。〔ただし書略〕

附　則（平一五・一二・二五政令五五五）（抄）

（施行期日）

第一条　この政令は、公布の日から施行する。ただし、附則第九条から第三十六条までの規定については、平成十六年三月一日から施行する。

附　則（平一五・一二・二五政令五五六）（抄）

（施行期日）

第一条　この政令は、公布の日から施行する。ただし、附則第十条から第三十四条までの規定は、平成十六年四月一日から施行する。

附　則（平一六・一・七政令二）（抄）

（施行期日）

第一条　この政令は、公布の日から施行する。ただし、附則〔中略〕第十三条から第二十八条までの規定は、平成十六年四月一日から施行する。

附　則（平一六・一・三〇政令一四）（抄）

（施行期日）

第一条　この政令は、平成十六年四月一日から施行する。〔ただし書略〕

附　則（平一六・三・五政令三二）（抄）

（施行期日）

第一条　この政令は、公布の日から施行する。ただし、附則第十三条から第二十四条までの規定は、平成十六年四月一日から施行する。

附　則（平一六・三・一九政令四四）

この政令は、平成十六年四月一日から施行する。

附　則（平一六・三・一九政令五〇）（抄）

（施行期日）

第一条　この政令は、公布の日から施行する。ただし、附則第九条から第四十四条までの規定は、平成十六年四月一日から施行する。

附　則（平一六・三・二六政令八三）（抄）

（施行期日）

第一条　この政令は、平成十六年四月一日から施行する。〔ただし書略〕

附　則（平一六・四・九政令一六〇）（抄）

（施行期日）

第一条　この政令は、平成十六年七月一日から施行する。〔ただし書略〕

附　則（平一六・五・二六政令一八一）（抄）

この政令は、機構の成立の時から施行する。〔ただし書略〕

附　則（平一六・六・一六政令二〇〇）

1　この政令は、公布の日から施行する。

2　この政令の施行の日（以下「施行日」という。）の前日において国家公務員共済組合法第七十二条第二項第二号の規定により長期給付に関する規定が適用されない職員であって施行日において改正後の国家公務員共済組合法施行令第十一条の五第二号に掲げる職員である者に対する長期給付に関する規定の適用については、その者が施行日以後引き続き同号に掲げる職員である間、改正後の同号の規定にかかわらず、なお従前の例による。

附　則（平一六・六・二三政令二〇七）

この政令は、公布の日から施行する。

附　則（平一六・九・二九政令二八六）（抄）　最終改正　平二七・四・三〇政令二一三

（施行期日）

第一条　この政令は、平成十六年十月一日から施行する。

（平成二十六年四月以後の月分の法による年金である給付の額の算定に関する経過措置についての読替え等）

第二条　平成二十六年四月以後の月分の国家公務員共済組合法（昭和三十三年法律第百二十八号。以下「法」という。）による年金である給付について国家公務員共済組合法等の一部を改正する法律（以下「平成十六年改正法」という。）附則第四条の二の規定により読み替えられた平成十六年改正法附則第四条第一項の規定を適用する場合においては、同条第二項の規定によるほか、次の表の第一欄に掲げる法律の同表の第二欄に掲げる規定中同表の第三欄に掲げる字句は、それぞれ同表の第四欄に掲げる字句に読み替えるものとする。

一　平成十六年改正法第一条の規定による改正前の法	附則第十二条の四の二第二項第一号	四百四十四月	四百八十月	
	附則別表第四各号	平成十年四月以後　〇・九八〇	平成十年四月から平成十七年三月まで	〇・九八〇
			平成十七年四月から平成十八年三月まで	〇・九八七
			平成十八年四月から平成十九年三月まで	〇・九九〇
			平成十九年四月から平成二十一年三月まで	〇・九八八
			平成二十一年四月から平成二十二年三月まで	〇・九七七
			平成二十二年四月から平成二十三年三月まで	〇・九九一
			平成二十三年四月から平成二十四年三月まで	〇・九九八
			平成二十四年四月から平成二十六	一・〇〇一

			年三月まで
			平成二十六年四月から平成二十七年三月まで　〇・九九六
二　平成十六年改正法第七条の規定による改正前の国家公務員共済組合法の長期給付に関する施行法（昭和三十三年法律第百二十九号）	第十一条第一項	三十七年	四十年
三　平成十六年改正法第九条の規定による改正前の国家公務員等共済組合法等の一部を改正する法律（昭和六十年法律第百五号。以下「昭和六十年改正法」という。）	附則第十六条第一項第一号	四百四十四月	四百八十月
	附則第十六条第一項第二号及び第二十八条第一項第二号	新国民年金法第二十七条本文に規定する老齢基礎年金の額（新国民年金法第十六条の二の規定による年金の額の改定の措置が講じられたときは、当該改定後の額）	七十七万二千八百円
	附則第二十八条第一項第一号	加算額（共済法第七十二条の二の規定による年金の額の改定の措置が講じられたときは、当該改定後の額）	加算額
四　国家公務員共済組合法施行令等の一部を改正する政令（平成十六年政令第二百八十六号）第五条の規定による改正前の国家公務員共済組合法施行令等の一部を改正する政令（以下この条において「改正前の平成十五年改正政令」という。）附則第二条の規定により読み替えられた国家公務員共済組合法等の一部を改正する法律（平成十二年法律第二十一号。以下「平成十二年改正法」という。）	附則第十一条第一項及び第十二条第一項	法第八十二条第一項第一号の規定により算定される金額	法第八十二条第一項第一号の規定により算定される金額（平成十三年十二月以前の組合員期間があるときはその金額に〇・九六一を乗じて得た金額とし、平成十四年十二月以前の組合員期間があるとき（平成十三年十二月以前の組合員期間があるときを除く。）はその金額に〇・九七〇を乗じて得た金額とし、平成十六年十二月以前の組合員期間があるとき（平成十四年十二月以前の組合員期間があるときを除く。）はその金額に〇・九七三を乗じて得た金額とし、平成二十一年十二月以前の組合員期間があるとき（平成十六年十二月以前の組合員期間があるときを除く。）はその金額に〇・九七六を乗じて得た金額とし、平成二十二年十二月以前の組合員期間があるとき（平成二十一年十二月以前の組合員期間があるときを除く。）はその金額に〇・九八〇を乗じて得た金額とし、平成二十三年一月以後の組合員期間があるとき（平成二十二年十二月以前の組合員期間がある

			ときを除く。）はその金額に〇・九八三を乗じて得た金額とする。
		六十万三千二百円	五十七万九千七百円

2　平成二十六年四月以後の月分の法による年金である給付について平成十六年改正法附則第四条の二の規定により読み替えられた平成十六年改正法附則第四条第一項の規定を適用する場合において、平成十四年一月以後の組合員期間があるときは、同条第二項（同項の表第三号の項に限る。）の規定にかかわらず、次の表の第一欄に掲げる法律の同表の第二欄に掲げる規定中同表の第三欄に掲げる字句は、それぞれ同表の第四欄に掲げる字句に読み替えるものとする。

平成十六年改正法第十七条の規定による改正前の平成十二年改正法附則第十一条第二項若しくは第三項又は第十二条第二項若しくは第三項の規定により読み替えられた平成十六年改正法第一条の規定による改正前の法	第七十七条第一項並びに第二項第一号及び第二号並びに第八十二条第一項第一号及び第二号	乗じて得た金額	乗じて得た金額（平成十三年十二月以前の組合員期間があるときはその金額に〇・九六一を乗じて得た金額とし、平成十四年十二月以前の組合員期間があるとき（平成十三年十二月以前の組合員期間があるときを除く。）はその金額に〇・九七〇を乗じて得た金額とし、平成十六年十二月以前の組合員期間があるとき（平成十四年十二月以前の組合員期間があるときを除く。）はその金額に〇・九七三を乗じて得た金額とし、平成二十一年十二月以前の組合員期間があるとき（平成十六年十二月以前の組合員期間があるときを除く。）はその金額に〇・九七六を乗じて得た金額とし、平成二十二年十二月以前の組合員期間があるとき（平成二十一年十二月以前の組合員期間があるときを除く。）はその金額に〇・九八〇を乗じて得た金額とし、平成二十三年一月以後の組合員期間があるとき（平成二十二年十二月以前の組合員期間があるときを除く。）はその金額に〇・九八三を乗じて得た金額とする。）
	第八十二条第二項	加えた金額）	加えた金額）（平成十三年十二月以前の組合員期間があるときはその金額に〇・九六一を乗じて得た金額とし、平成十四年十二月以前の組合員期間があるとき（平成十三年十二月以前の組合員期間があるときを除く。）はその金額に〇・九七〇を乗じて得た金額とし、平成十六年十二月以前の組合員期間があるとき（平成十四年十二月以前の組合員期間があるときを除く。）はその金額に〇・九七三を乗じて得た金額と

		し、平成二十一年十二月以前の組合員期間があるとき（平成十六年十二月以前の組合員期間があるときを除く。）はその金額に〇・九七六を乗じて得た金額とし、平成二十二年十二月以前の組合員期間があるとき（平成二十一年十二月以前の組合員期間があるときを除く。）はその金額に〇・九八〇を乗じて得た金額とし、平成二十三年一月以後の組合員期間があるとき（平成二十二年十二月以前の組合員期間があるときを除く。）はその金額に〇・九八三を乗じて得た金額とする。）
第八十九条第一項第一号イ及びロ並びに第二号イ及びロ並びに第二項並びに附則第十二条の四の二第二項第二号並びに第三項第一号及び第二号	乗じて得た金額	乗じて得た金額（平成十三年十二月以前の組合員期間があるときはその金額に〇・九六一を乗じて得た金額とし、平成十四年十二月以前の組合員期間があるとき（平成十三年十二月以前の組合員期間があるときを除く。）はその金額に〇・九七〇を乗じて得た金額とし、平成十六年十二月以前の組合員期間があるとき（平成十四年十二月以前の組合員期間があるときを除く。）はその金額に〇・九七三を乗じて得た金額とし、平成二十一年十二月以前の組合員期間があるとき（平成十六年十二月以前の組合員期間があるときを除く。）はその金額に〇・九七六を乗じて得た金額とし、平成二十二年十二月以前の組合員期間があるとき（平成二十一年十二月以前の組合員期間があるときを除く。）はその金額に〇・九八〇を乗じて得た金額とし、平成二十三年一月以後の組合員期間があるとき（平成二十二年十二月以前の組合員期間があるときを除く。）はその金額に〇・九八三を乗じて得た金額とする。）
附則第十三条の九	国家公務員共済組合法等の一部を改正する法律（平成十二年法律第二十一号）附則別表	国家公務員共済組合法等の一部を改正する法律（平成十六年法律第百三十号）第十七条の規定による改正後の国家公務員共済組合法等の一部を改正する法律（平成十二年法律第二十一号）

3 平成二十六年四月以後の月分の平成十六年改正法附則第四条の二の規定により読み替えられた平成十六年改正法附則第四条第一項の規定を適用する場合における法第八十七条の四に規定する公務等による障害共済年金について同条の規定により支給を停止する金額を算定する場合においては、改正前の平成十五年改正政令附則第六条第二項若しくは第三項又は第七条第二項若しくは第三項の規定により読み替えられた法第八十七条の四中「乗じて得た金額（当該障害共済年金の額が第七十二条の二の規定により改定された場合には、当該改定の措置に準じて政令で定めるところにより当該金額を改定した金額）」とあるのは、「乗じて得た金額（平成十三年十二月以前の組合員期間があるときはその金額に〇・九六一を乗じて得た金額とし、平成十四年十二月以前の組合員期間があるとき（平成十三年十二月以前の組合員期間があるときを除く。）はその金額に〇・九七〇を乗じて得た金額とし、平成十六年十二月以前の組合員期間があるとき（平成十四年十二月以前の組合員期間があるときを除く。）はその金額に〇・九七三を乗じて得た金額とし、平成二十一年十二月以前の組合員期間があるとき（平成十六年十二月以前の組合員期間があるときを除く。）はその金額に〇・九七六を乗じて得た金額とし、平成二十二年十二月以前の組合員期間があるとき（平成二十一年十二月以前の組合員期間があるときを除く。）はその金額に〇・九八〇を乗じて得た金額とし、平成二十三年一月以後の組合員期間があるとき（平成二十二年十二月以前の組合員期間があるときを除く。）はその金額に〇・九八三を乗じて得た金額とする。）」とする。

4 平成二十六年四月以後の月分の平成十六年改正法附則第四条の二の規定により読み替えられた平成十六年改正法附則第四条第一項の規定を適用する場合における法第八十九条第二項に規定する公務等による遺族共済年金について法第九十三条の三の規定により支給を停止する金額を算定する場合においては、改正前の平成十五年改正政令附則第八条第二項若しくは第三項又は第九条第二項若しくは第三項の規定により読み替えられた法第九十三条の三中「乗じて得た金額（当該遺族共済年金の額が第七十二条の二の規定により改定された場合には、当該改定の措置に準じ政令で定めるところにより当該金額を改定した金額）」とあるのは、「乗じて得た金額（平成十三年十二月以前の組合員期間があるときはその金額に〇・九六一を乗じて得た金額とし、平成十四年十二月以前の組合員期間があるとき（平成十三年十二月以前の組合員期間があるときを除く。）はその金額に〇・九七〇を乗じて得た金額とし、平成十六年十二月以前の組合員期間があるとき（平成十四年十二月以前の組合員期間があるときを除く。）はその金額に〇・九七三を乗じて得た金額とし、平成二十一年十二月以前の組合員期間があるとき（平成十六年十二月以前の組合員期間があるときを除く。）はその金額に〇・九七六を乗じて得た金額とし、平成二十二年十二月以前の組合員期間があるとき（平成二十一年十二月以前の組合員期間があるときを除く。）はその金額に〇・九八〇を乗じて得た金額とし、平成二十三年一月以後の組合員期間があるとき（平成二十二年十二月以前の組合員期間があるときを除く。）はその金額に〇・九八三を乗じて得た金額とする。）」とする。

5 平成二十六年四月以後の月分の法による年金である給付について平成十六年改正法附則第四条の二の規定により読み替えられた平成十六年改正法附則第四条第一項の規定を適用する場合における同条第二項の規定により読み替えられた平成十六年改正法第一条の規定による改正前の法第七十八条第二項、平成十六年改正法第九条の規定による改正前の昭和六十年改正法附則第十六条第一項第一号及び平成十六年改正法第十七条の規定による改正前の平成十二年改正法附則第十一条第二項若しくは第三項又は第十二条第二項若しくは第三項の規定により読み替えられた平成十六年改正法第一条の規定による改正前の法第七十七条第一項に規定する当該年度の国民年金法（昭和三十四年法律第百四十一号）第二十七条に規定する改定率の改定の基準となる率に〇・九九〇を乗じて得た率として政令で定める率は〇・九九三とし、これらの規定に規定する当該改定後の率（〇・九六八）に当該政令で定める率を乗じて得た率を基準として政令で定める率は〇・九六一とする。

6 平成十九年四月以降の月分の法による年金である給付（遺族共済年金に限る。）について平成十六年改正法附則第四条第一項の規定を適用する場合においては、同項中「改正後の国共済法等の規定にかかわらず、当該」とあるのは、「次項の規定により読み替えられた第一条の規定による改正前の法第八十九条の規定により算定した金額を基礎として第五条の規定による改正後の法の規定を適用して算定した」とする。この場合において、平成十六年改正法第五条の規定による改正後の法第八十九条第一項第一号イ中「次の(1)に掲げる金額に(2)」とあるのは「国家公務員共済組合法等の一部を改正する法律（平成十六年法律第百三十号）第一条の規定による改正前の法（以下この条において「改正前国共済法」という。）第八十九条第一項第一号イに掲げる金額に同号ロ」と、同号ロ中「次の(1)に掲げる金額に(2)」とあるのは「改正前国共済法第八十九条第一項第二号イに掲げる金額に同号ロ」と、同項第二号ロ中「第七十八条第一項」とあるのは「改正前国共済法第七十八条第一項」と、同条第三項中「を算定する場合における前二項の規定の適用については、第一項第一号イ(2)中「千分の一・〇九六」とあるのは「千分の二・四六六」と、「乗じて得た金額の四分の三に相当する金額」とあるのは「乗じて得た金額」と、同号ロ(2)中「次の(i)又は(ii)に掲げる者の区分に応じ、それぞれ(i)又は(ii)に定める金額の四分の三に相当する金額」とあるのは「(i)に定める金額」と、「組合員期間が二十年以上である者」とあるのは「第三項に規定する公務等による遺族共済年金の受給権者」と、「千分の一・〇九六」とあるのは「千分の二・四六六」と、「月数」とあるのは「月数（当該月数が三百月未満であるときは、三百月）」」とあるのは「の算定については、改正前国共済法第八十九条第一項第一号ロ又は第二号ロに掲げる金額は、これらの規定にかかわらず、同条第二項の規定により算定した金額」と、同条第四項中「第一項第一号に定める金額又は第二項第一号イに掲げる第一項第一号ロの規定の例により算定した」とあるのは「前項の規定により算定した」と、「百三万八千百円に改定率を乗じて得た金額（その金額に五十円未満の端数があるときは、これを切り捨て、五十円以上百円未満の端数があるときは、これを百円に切り上げるものとする。）」とあるのは「改正前国共済法第八十九条第三項の規定による遺族共済年金の額」と、「これらの規定による金額」とあるのは「遺族共済年金の額」とする。

（再評価率等の改定等の特例の対象となる法による年金である給付）

第五条　平成十六年改正法附則第七条第一項の政令で定める法による年金である給付は、法による年金である給付の全部とする。

（再評価率等の改定等の特例の対象となる給付）

第六条　平成十六年改正法附則第七条第一項の政令で定める給付は、次のとおりとする。

一　法による障害一時金

二　旧共済法による年金

（再評価率等の改定等の特例の対象となる率）

第七条　平成十六年改正法附則第七条第一項の政令で定める率は、平成十二年改正法附則第十二条第一項に規定する従前額改定率とする。

（年金額等の水準を表す指数の計算方法）

第八条　各年度における平成十六年改正法附則第七条第一項第一号の政令で定めるところにより計算した指数（以下この項において「指数」という。）は、当該年度の前年度における指数に、当該年度において法第七十二条の三第一項又は第三項（法第七十二条の四第一項の規定が適用される受給権者にあっては、同項又は同条第三項）の規定により再評価率（法第七十二条の二に規定する再評価率をいう。次条第一項において同じ。）を改定する際に基準とされる率を乗じて得た数（その数に小数点以下四位未満の端数があるときは、これを四捨五入する。）とする。ただし、平成十六年度における指数は、〇・九九〇（昭和十二年四月一日以前に生まれた受給権者にあっては、〇・九八六）とする。

2　平成二十六年度における平成十六年改正法附則第七条第一項第二号の政令で定めるところにより計算した指数は、平成二十五年度における指数に〇・九九三を乗じて得た数（その数に小数点以下四位未満の端数があるときは、これを四捨五入する。）とする。

3　前項に規定する平成十六年改正法附則第七条第一項第二号の指数を計算する場合においては、平成十八年度における指数は、〇・九九九九とする。

第八条の二　平成十六年改正法附則第七条の二第一項第一号の政令で定めるところにより計算した指数は、平成二十六年度における前条第一項の規定により得た数に、平成二十七年度において法第七十二条の三第一項又は第三項（法第七十二条の四第一項の規定が適用される受給権者にあっては、同項又は同条第三項）の規定により再評価率を改定する際に基準とされる率を乗じて得た数（その数に小数点以下四位未満の端数があるときは、これを四捨五入する。）とする。

2　平成十六年改正法附則第七条の二第一項第二号の政令で定めるところにより計算した指数は、前条第二項の規定により得た数とする。

（平成二十七年度における従前額改定率の改定の特例）

第八条の三　平成二十七年三月三十一日において附則第二条第一項（同項の表第四号の項に限る。）、第二項（同項の表のうち平成十六年改正法第十七条の規定による改正前の平成十二年改正法附則第十一条第二項若しくは第三項又は第十二条第二項若しくは第三項の規定により読み替えられた平成十六年改正法第一条の規定による改正前の法附則第十三条の九に係る部分を除く。）、第三項又は第四項の規定の適用を受けていた者（平成十三年十二月以前の組合員期間がある者を除く。）に係る平成十七年度における平成十二年改正法附則第十二条第一項及び第二項の従前額改定率は、国家公務員共済組合法による再評価率の改定等に関する政令（平成十七年政令第八十二号）第四条第一項の規定にかかわらず、次の表の上欄に掲げる者の区分に応じて、一・〇三一にそれぞれ同表の下欄に掲げる率を乗じて得た率とする。

平成十四年十二月以前の組合員期間がある者	〇・九七〇
平成十六年十二月以前の組合員期間がある者（平成十四年十二月以前の組合員期間がある者を除く。）	〇・九七三
平成二十一年十二月以前の組合員期間がある者（平成十六年十二月以前の組合員期間がある者を除く。）	〇・九七六
平成二十二年十二月以前の組合員期間がある者（平成二十一年十二月以前の組合員期間がある者を除く。）	〇・九八〇
平成二十三年一月以後の組合員期間がある者（平成二十二年十二月以前の組合員期間がある者を除く。）	〇・九八三

（基礎年金拠出金の負担に関する経過措置）

第八条の四　平成十六年度における第一条の規定による改正後の国家公務員共済組合法施行令第十二条の三第三項の規定の適用については、同項中「二分の一」とあるのは、「三分の一」とする。

2　平成十七年度における第一条の規定による改正後の国家公務員共済組合法施行令第十二条の三第三項の規定の適用については、同項中「の二分の一に相当する額」とあるのは、「に、三分の一に千分の十一を加えた率を乗じて得た額」とする。

3　平成十八年度における第一条の規定による改正後の国家公務員共済組合法施行令第十二条の三第三項の規定の適用については、同項中「の二分の一に相当する額」とあるのは、「に、三分の一に千分の二十五を加えた率を乗じて得た額」とする。

4　平成十九年度から特定年度（国民年金法等の一部を改正する法律（平成十六年法律第百四号）附則第十三条第七項に規定する特定年度をいう。）の前年度までの各年度における第一条の規定による改正後の国家公務員共済組合法施行令第十二条の三第三項及び附則第三十四条の二の三第二項の規定の適用については、これらの規定中「の二分の一に相当する額」とあるのは、「に、三分の一に千分の三十二を加えた率を乗じて得た額」とする。

（平成二十一年度から平成二十五年度までの基礎年金拠出金の負担に関する経過措置の特例）

第八条の五　法第九十九条第三項第二号に掲げる費用のうち平成

十六年改正法附則第八条の二の規定により国又は独立行政法人造幣局、独立行政法人国立印刷局、独立行政法人国立病院機構若しくは独立行政法人郵便貯金・簡易生命保険管理機構が平成二十一年度から平成二十五年度までの各年度において負担すべき金額は、次の各号に掲げる者の区分に応じ、それぞれ当該各号に定める金額とする。

一　国　当該事業年度において納付される平成十六年改正法附則第八条の二に規定する差額に相当する額から次号から第五号までに定める金額の合計額を控除した金額

二　独立行政法人造幣局　当該事業年度において納付される平成十六年改正法附則第八条の二に規定する差額に相当する額に当該事業年度における全ての組合の長期組合員の標準報酬の月額の合計額及び標準期末手当等の額の合計額の合算額（以下この条において「標準報酬総額」という。）に対する独立行政法人造幣局の職員である長期組合員の標準報酬総額の割合を乗じて得た金額

三　独立行政法人国立印刷局　当該事業年度において納付される平成十六年改正法附則第八条の二に規定する差額に相当する額に当該事業年度における全ての組合の長期組合員の標準報酬総額に対する独立行政法人国立印刷局の職員である長期組合員の標準報酬総額の割合を乗じて得た金額

四　独立行政法人国立病院機構　当該事業年度において納付される平成十六年改正法附則第八条の二に規定する差額に相当する額に当該事業年度における全ての組合の長期組合員の標準報酬総額に対する独立行政法人国立病院機構の職員である長期組合員の標準報酬総額の割合を乗じて得た金額

五　独立行政法人郵便貯金・簡易生命保険管理機構　当該事業年度において納付される平成十六年改正法附則第八条の二に規定する差額に相当する額に当該事業年度における全ての組合の長期組合員の標準報酬総額に対する独立行政法人郵便貯金・簡易生命保険管理機構の職員である長期組合員の標準報酬総額の割合を乗じて得た金額

（退職共済年金の支給の繰下げに係る経過措置）

第九条の二　法第七十八条の二第四項及び国家公務員共済組合法施行令第十一条の七の三の二第一項の規定の適用については、当分の間、これらの規定中「取得した日」とあるのは、「取得した日の翌日」とする。

2　組合員である退職共済年金の受給権者が退職し、かつ、組合員となることなくして退職した日から起算して一月を経過した日の属する月が法第七十八条の二第一項の申出をした日の属する月以前である場合における法第七十七条第一項又は第二項の規定により算定した金額は、当分の間、組合員である退職共済年金の受給権者がその退職した日の翌日の属する月の前月までの組合員期間を基礎として算定した金額とする。

（国民年金法等の一部を改正する法律附則第十二条第一項に規定する政令で定める給付）

第十条　国民年金法等の一部を改正する法律附則第十二条第一項に規定する政令で定める給付は、次のとおりとする。

一　法による年金である給付及び障害一時金

二　旧共済法による年金

附　則（平一六・九・二九政令二九四）（抄）

この政令は、平成十六年十月一日から施行する。〔ただし書略〕

附　則（平一六・一一・二五政令三六六）（抄）

（施行期日）

第一条　この政令は、平成十八年四月一日から施行する。〔ただし書略〕

附　則（平一六・一二・三政令三八三）（抄）

（施行期日）

第一条　この政令は、国民年金法等の一部を改正する法律（次条において「平成十六年改正法」という。）附則第一条第二号に掲げる規定の施行の日（平成十七年十月一日）から施行する。

附　則（平一六・一二・二二政令四〇四）（抄）

（施行期日）

1　この政令は、平成十七年四月一日から施行する。

附　則（平一六・一二・二八政令四二九）（抄）

（施行期日）

第一条　この政令は、法の施行の日（平成十六年十二月三十日）から施行する。

附　則（平一七・四・一政令一一八）（抄）

最終改正　平二三・三・三一政令五八

（施行期日）

第一条　この政令は、公布の日から施行する。

（停止解除調整開始額に係る再評価率の改定の基準となる率の特例）

第二条　国家公務員共済組合法（以下「法」という。）による年金である給付の受給権者であって当該年度に六十五歳に達するものに適用される再評価率（法第七十二条の二に規定する再評価率をいう。）の改定について国家公務員共済組合法等の一部を改正する法律（平成十六年法律第百三十号。以下「平成十六年改正法」という。）附則第七条の規定が適用される場合においては、国家公務員共済組合法施行令第十一条の七の三の三の規定にかかわらず、法第七十九条第三項の各年度の再評価率の改定の基準となる率であって政令で定める率は、一（総務省において作成する年平均の全国消費者物価指数（以下この条において「物価指数」という。）が平成十七年（平成十六年改正法附則第四条第二項の規定により読み替えられた平成十六年改正法第一条の規定による改正前の法第七十八条第二項に規定する政令で定める率の改定が行われたときは、直近の当該改定が行われた年の前年）の物価指数を下回るに至った場合においては、その低下した比率）とする。

（平成十六年改正前の規定による退職共済年金の額の算定に関する経過措置）

第三条　第五条の規定による改正後の国家公務員共済組合法施行令等の一部を改正する政令（以下「平成十六年改正政令」という。）附則第二条第一項の規定により読み替えられた平成十六年改正法第一条の規定による改正前の法附則第十二条の四の二第二項第一号（法附則第十二条の四の三第一項及び第三項、第十二条の七の二第二項並びに第十二条の七の三第二項及び第四項においてその例による場合を含む。）の規定並びに平成十六年改正法第一条の規定による改正前の法附則第十三条第一項及び平成十六年改正法第七条の規定による改正前の国家公務員共済組合法の長期給付に関する施行法（昭和三十三年法律第百二十九号）別表において読み替えられた同号の規定の適用については、当分の間、同号中「四百八

十月」とあるのは、「四百八十月（当該退職共済年金の受給権者が昭和四年四月一日以前に生まれた者又は国家公務員等共済組合法等の一部を改正する法律（昭和六十年法律第百五号）附則第十六条第一項に規定する施行日に六十歳以上である者等に該当する者にあつては四百二十月、昭和四年四月二日から昭和九年四月一日までの間に生まれた者（同項に規定する施行日に六十歳以上である者等に該当する者を除く。）にあつては四百三十二月、昭和九年四月二日から昭和十九年四月一日までの間に生まれた者にあつては四百四十四月、昭和十九年四月二日から昭和二十年四月一日までの間に生まれた者にあつては四百五十六月、昭和二十年四月二日から昭和二十一年四月一日までの間に生まれた者にあつては四百六十八月）」とする。

2　第五条の規定による改正後の平成十六年改正政令附則第二条第一項の規定により読み替えられた平成十六年改正法第九条の規定による改正前の国家公務員等共済組合法等の一部を改正する法律（昭和六十年法律第百五号。附則第五条において「昭和六十年改正法」という。）附則第十六条第一項第一号及び第十九条第三項の規定の適用については、当分の間、これらの規定中「四百八十月」とあるのは、「四百八十月（当該退職共済年金の受給権者が昭和四年四月一日以前に生まれた者又は施行日に六十歳以上である者等に該当する者にあつては四百二十月、昭和四年四月二日から昭和九年四月一日までの間に生まれた者（施行日に六十歳以上である者等に該当する者を除く。）にあつては四百三十二月、昭和九年四月二日から昭和十九年四月一日までの間に生まれた者にあつては四百四十四月、昭和十九年四月二日から昭和二十年四月一日までの間に生まれた者にあつては四百五十六月、昭和二十年四月二日から昭和二十一年四月一日までの間に生まれた者にあつては四百六十八月）」とする。

3　第五条の規定による改正後の平成十六年改正政令附則第二条第一項の規定により読み替えられた平成十六年改正法第七条の規定による改正前の国家公務員共済組合法の長期給付に関する施行法第十一条第一項の規定の適用については、当分の間、同項中「四十年」とあるのは、「四十年（当該退職共済年金の受給権者が昭和四年四月一日以前に生まれた者又は国家公務員等共済組合法等の一部を改正する法律（昭和六十年法律第百五号）附則第十六条第一項に規定する施行日に六十歳以上である者等に該当する者にあつては三十五年、昭和四年四月二日から昭和九年四月一日までの間に生まれた者（同項に規定する施行日に六十歳以上である者等に該当する者を除く。）にあつては三十六年、昭和九年四月二日から昭和十九年四月一日までの間に生まれた者にあつては三十七年、昭和十九年四月二日から昭和二十年四月一日までの間に生まれた者にあつては三十八年、昭和二十年四月二日から昭和二十一年四月一日までの間に生まれた者にあつては三十九年）」とする。

（施行日に六十歳以上である者等に対する退職共済年金の額の算定に関する経過措置）

第四条　昭和九年四月一日以前に生まれた者に対する平成十六年改正法附則第十四条の規定の適用については、同条第一項及び第三項中「昭和四年四月一日以前に生まれた者」とあるのは「昭和四年四月一日以前に生まれた者又は国家公務員等共済組合法等の一部を改正する法律（昭和六十年法律第百五号）附則第十六条第一項に規定する施行日に六十歳以上である者等に該当する者」と、「昭和九年四月一日までの間に生まれた者」とあるのは「昭和九年四月一日までの間に生まれた者（同項に規定する施行日に六十歳以上である者等に該当する者を除く。）」と、同条第二項中「昭和四年四月一日以前に生まれた者」とあるのは「昭和四年四月一日以前に生まれた者又は施行日に六十歳以上である者等に該当する者」と、「昭和九年四月一日までの間に生まれた者」とあるのは「昭和九年四月一日までの間に生まれた者（施行日に六十歳以上である者等に該当する者を除く。）」とする。

（平成十六年改正前の規定による存続組合等が支給する特例年金給付の額の算定に関する経過措置）

第五条　第五条の規定による改正後の平成十六年改正政令附則第九条第一項の規定により読み替えられた平成十六年改正法第一条の規定による改正前の法附則第十二条の四の二第二項第一号の規定並びに平成十六年改正法第一条の規定による改正前の法附則第十三条第一項及び平成十六年改正法第七条の規定による改正前の国家公務員共済組合法の長期給付に関する施行法別表において読み替えられた同号の規定、平成十六年改正法第九条の規定による改正前の昭和六十年改正法附則第十六条第一項第一号及び第十九条第三項の規定並びに平成十六年改正法第七条の規定による改正前の国家公務員共済組合法の長期給付に関する施行法第十一条第一項の規定の適用については、附則第三条の規定を準用する。

附　則（平一七・五・二政令一七三）（抄）

（施行期日）

第一条　この政令は、公布の日から施行する。

（国家公務員共済組合法施行令の一部改正に伴う経過措置）

第五条　第四条の規定による改正後の国家公務員共済組合法施行令（次項において「新国共済法施行令」という。）第十一条の三の二第二項の規定は、療養の給付を受ける月が平成十七年九月以後の場合における国家公務員共済組合法第五十五条第二項第三号の報酬の額について適用し、療養の給付を受ける月が同年八月までの場合における同号の報酬の額については、なお従前の例による。

2　新国共済法施行令第十一条の三の三第二項の規定は、被扶養者が療養を受ける月が平成十七年九月以後の場合における同項の収入の額について適用し、被扶養者が療養を受ける月が同年八月までの場合における同項の収入の額については、なお従前の例による。

附　則（平一七・五・二七政令一九〇）（抄）

（施行期日）

第一条　この政令は、公布の日から施行する。ただし、附則第五条から第十三条までの規定は、平成十七年九月一日から施行する。

附　則（平一七・六・一政令二〇三）

この政令は、施行日（平成十七年十月一日）から施行する。

〔ただし書略〕

附　則（平一七・六・二四政令二二四）（抄）

（施行期日）

第一条　この政令は、公布の日から施行する。ただし、附則第七条から第三十八条までの規定は、平成十七年十月一日から施行する。

附　則（平一七・八・一五政令二七九）（抄）

（施行期日）

第一条 この政令は、公布の日から施行する。ただし、附則第五条から第十条までの規定は、平成十七年十月一日から施行する。

附　則（平一八・二・一政令一四）（抄）

（施行期日）

第一条 この政令は、平成十八年四月一日から施行する。

附　則（平一八・二・二四政令二五）

（施行期日）

この政令は、平成十八年四月一日から施行する。

附　則（平一八・三・二九政令七三）（抄）

（施行期日）

1　この政令は、平成十八年四月一日から施行する。

附　則（平一八・三・三一政令一五四）（抄）

（施行期日）

第一条 この政令は、平成十八年四月一日から施行する。〔ただし書略〕

附　則（平一八・七・二一政令二四一）（抄）

最終改正　平二〇・三・三一政令一一六

（施行期日）

第一条 この政令は、公布の日から施行する。

（国家公務員共済組合法施行令の一部改正に伴う経過措置）

第八条 第五条の規定による改正後の国家公務員共済組合法施行令（以下この条において「新令」という。）第十一条の三の二第二項の規定は、療養の給付を受ける月が平成十八年九月以後の場合について適用し、療養の給付を受ける月が同年八月までの場合については、なお従前の例による。

2　新令第十一条の三の三第二項の規定は、同項に規定する被扶養者（以下この条及び次条において「被扶養者」という。）が療養を受ける月が平成十八年九月以後の場合について適用し、被扶養者が療養を受ける月が同年八月までの場合については、なお従前の例による。

第九条 国家公務員共済組合法第五十五条第二項第三号又は第五十七条第二項第一号ニの規定が適用される組合員のうち、次の各号のいずれかに該当する者（以下この条において「特定収入組合員」という。）に係る国家公務員共済組合法施行令（以下この条において「令」という。）第十一条の三の四第二項の高額療養費算定基準額は、令第十一条の三の五第二項の規定にかかわらず、同項第一号に定める金額とする。

一　療養の給付を受ける月又はその被扶養者が療養を受ける月が平成十八年九月から平成十九年八月までの場合における令第十一条の三の二第二項又は第十一条の三の三第二項の収入の額が六百二十一万円未満である者（被扶養者がいない者にあっては、四百八十四万円未満である者）

二　療養の給付を受ける月又はその被扶養者が療養を受ける月が平成十九年九月から平成二十年三月までの場合における令第十一条の三の二第二項又は第十一条の三の三第二項の収入の額が六百二十一万円未満である者（被扶養者がいない者にあっては、四百八十四万円未満である者）

2　特定収入組合員に係る令第十一条の三の四第三項の高額療養費算定基準額は、令第十一条の三の五第三項の規定にかかわらず、同項第一号に定める金額とする。

3　特定収入組合員又はその被扶養者に係る令第十一条の三の六第一項及び第二項の規定の適用については、これらの規定中「当該各号」とあるのは、「第二号イ又は第三号イ」とする。

附　則（平一八・八・一八政令二七七）（抄）

（施行期日）

第一条 この政令は、平成十八年十月一日から施行する。

附　則（平一八・八・三〇政令二八六）（抄）

（施行期日）

第一条 この政令は、平成十八年十月一日から施行する。

（国家公務員共済組合法施行令の一部改正に伴う経過措置）

第十条 施行日前に出産し又は死亡した国家公務員共済組合の組合員若しくは組合員であった者又は被扶養者に係る国家公務員共済組合法（昭和三十三年法律第百二十八号）第六十一条又は第六十三条若しくは第六十四条の規定による出産費若しくは家族出産費又は埋葬料若しくは家族埋葬料の額については、なお従前の例による。

第十一条 施行日前に行われた療養に係る国家公務員共済組合法の規定による高額療養費の支給については、なお従前の例による。

附　則（平一八・九・一五政令二九六）

この政令は、国と民間企業との間の人事交流に関する法律の一部を改正する法律の施行の日（平成十八年九月二十日）から施行する。

附　則（平一八・一二・八政令三七五）（抄）

（施行期日）

第一条 この政令は、平成十九年四月一日から施行する。〔ただし書略〕

附　則（平一八・一二・二〇政令三九〇）（抄）

（施行期日）

第一条 この政令は、平成十九年四月一日から施行する。〔ただし書略〕

（国家公務員共済組合法施行令の一部改正に伴う経過措置）

第六条 施行日前に行われた療養に係る国家公務員共済組合法の規定による高額療養費の支給については、なお従前の例による。

第七条 施行日前に国家公務員共済組合の組合員の資格を取得して、施行日まで引き続き組合員の資格を有する者（国家公務員共済組合法第百二十六条の五第二項に規定する任意継続組合員及び同法附則第十三条の三第四項に規定する特例継続組合員並びに同法第四十二条第七項又は第九項の規定により平成十九年四月から標準報酬（同条第一項に規定する標準報酬をいう。以下この条において同じ。）の月額が改定されるべき者を除く。）のうち、同年三月の標準報酬の月額が九十八万円であるもの（当該標準報酬の月額の基礎となった報酬月額が百万五千円未満であるものを除く。）の標準報酬は、当該標準報酬の月額の基礎となった報酬月額を第五条の規定による改正後の国家公務員共済組合法施行令附則第六条の規定により読み替えられた同法第四十二条第一項の規定による標準報酬の基礎となる報酬月額とみなして、国家公務員共済組合が改定する。

2　前項の規定により改定された標準報酬は、平成十九年四月から同年八月までの各月の標準報酬とする。

附　則（平一九・一・四政令三）（抄）

（施行期日）

第一条 この政令は、防衛庁設置法等の一部を改正する法律の施行の日（平成十九年一月九日）から施行する。

附　則（平一九・二・二三政令三一）（抄）

（施行期日）

第一条　この政令は、平成十九年四月一日から施行する。〔ただし書略〕

附　則（平一九・三・三〇政令七七）（抄）

（施行期日）

第一条　この政令は、平成十九年四月一日から施行する。

（国家公務員共済組合法による年金である給付の額等に関する経過措置）

第二条　平成十九年三月以前の月分の国家公務員共済組合法による年金である給付の額及び国家公務員等共済組合法等の一部を改正する法律（昭和六十年法律第百五号）附則第二条第六号に規定する旧共済法による年金の額については、なお従前の例による。

（退職共済年金等の支給の停止に関する経過措置）

第三条　国家公務員共済組合法等の一部を改正する法律（平成十六年法律第百三十号。以下「平成十六年改正法」という。）附則第十七条の規定は、厚生年金保険法（昭和二十九年法律第百十五号）第六条に規定する適用事業所に使用される七十歳以上の者（同法附則第六条の二の規定により読み替えられた同法第二十七条に規定する七十歳以上の使用される者を除く。）についても適用する。

（標準報酬の月額等が改定され、又は決定された者に対する長期給付の特例の対象である規定の適用に関する読替え）

第四条　平成十六年改正法附則第二十一条に規定する政令で定める規定は、次の表の上欄に掲げる規定とし、これらの規定を適用する場合においては、同欄に掲げる規定中同表の中欄に掲げる字句は、それぞれ同表の下欄に掲げる字句に読み替えるものとする。

国家公務員共済組合法等の一部を改正する法律（平成十二年法律第二十一号。以下「平成十二年改正法」という。）附則第十一条第一項	組合員期間	組合員期間（離婚時みなし組合員期間（法第九十三条の十第二項に規定する離婚時みなし組合員期間（附則第十五条において「離婚時みなし組合員期間」という。）を含む。以下この項及び次条第一項において同じ。）
平成十二年改正法附則第十五条	前の組合員期間	前の組合員期間（離婚時みなし組合員期間を除く。以下この条において同じ。）
国家公務員等共済組合法施行令及び国家公務員等共済組合法等の一部を改正する法律の施行に伴う経過措置に関する政令の一部を改正する政令（平成六年政令第三百五十七号）附則第四条	とする。	とする。ただし、国家公務員共済組合法第九十三条の九第一項及び第二項の規定により標準報酬の月額（同法第四十二条第一項に規定する標準報酬の月額をいう。）及び標準期末手当等の額（同法第四十二条の二第一項において規定する標準期末手当等の額をいう。）の改定又は決定が行われた期間が同日以後の場合における平成六年改正法による改正後の年金である給付については、この限りではない。
国家公務員共済組合法施行令等の一部を改正する政令（平成十六年政令第二百八十六号）附則第九条の二第二項	組合員期間	組合員期間（法第九十三条の十第二項に規定する離婚時みなし組合員期間を含む。）

附　則（平一九・三・三一政令一一九）

この政令は、平成十九年四月一日から施行する。

附　則（平一九・四・二三政令一六一）（抄）

（施行期日）

第一条　この政令は、公布の日から施行する。

（国家公務員共済組合法施行令の一部改正に伴う経過措置）

第二条　第三条の規定による改正後の国家公務員共済組合法施行令附則第七条の九の三の規定は、平成十九年度以後の年度において国等（同令第十二条第一項に規定する国等をいう。）が負担すべき金額について適用する。

附　則（平一九・七・一三政令二〇七）

この政令は、信託法の施行の日〔平一九・九・三〇〕から施行する。

附　則（平一九・七・一三政令二一〇）（抄）

（施行期日）

第一条　この政令は、雇用保険法等の一部を改正する法律附則第一条第一号の二に掲げる規定の施行の日（平成十九年十月一日）から施行する。

附　則（平一九・七・二〇政令二一六）

この政令は、平成十九年八月一日から施行する。

附　則（平一九・七・二〇政令二一九）

この政令は、平成十九年八月一日から施行する。

附　則（平一九・八・三政令二三三）（抄）

（施行期日）

第一条　この政令は、改正法の施行の日〔平一九・九・三〇〕から施行する。〔ただし書略〕

附　則（平一九・八・三政令二三五）（抄）

改正　平一九・九・二〇政令二九二

（施行期日）

第一条　この政令は、平成十九年十月一日から施行する。〔ただし書略〕

（輸出入取引法施行令等の一部改正に伴う経過措置）

第二十条　旧郵便貯金は、第三十条、第三十九条、第四十条、第四十六条、第五十六条、第七十二条及び第七十三条の規定による改正後の次に掲げる政令の規定の適用については、銀行への預金とみなす。

一　〔略〕
二　国家公務員共済組合法施行令第八条第一項第一号及び第九条の三第一項第一号
三～十三　〔略〕

（国家公務員共済組合法施行令の一部改正に伴う経過措置）
第二十五条　平成十九年度において第九十二条の規定による改正後の国家公務員共済組合法施行令等の一部を改正する政令（平成十六年政令第二百八十六号）附則第八条の二第四項の規定により読み替えられた第三十九条の規定による改正後の国家公務員共済組合法施行令附則第三十四条の二の三第二項において読み替えて適用する同令第十二条の三第三項の規定により国が負担すべき金額は、同項第一号に定める金額から第九十二条の規定による改正前の国家公務員共済組合法施行令等の一部を改正する政令附則第八条の二第四項において読み替えて適用する第三十九条の規定による改正前の国家公務員共済組合法施行令（次項において「旧国共済令」という。）第十二条の三第三項第五号に定める金額を控除した金額とする。

2　旧国共済令第十二条の五第五項において準用する同条第一項及び第二項の規定により旧公社が日本郵政公社共済組合（整備法第六十六条の規定による改正前の国家公務員共済組合法（昭和三十三年法律第百二十八号）第三条第一項の規定により旧公社に属する職員（同法第二条第一項第一号に規定する職員をいう。）をもつて組織された国家公務員共済組合をいう。）に払い込んだ金額が、旧公社が負担すべき金額を超えるときは、その超える金額を翌々事業年度までに国家公務員共済組合連合会（旧国共済令第十二条の五第五項において準用する同条第一項の規定により払い込んだ金額にあつては、整備法第六十六条の規定による改正後の国家公務員共済組合法附則第二十条の四第一項に規定する日本郵政共済組合。以下この項において同じ。）が日本郵政株式会社に払い戻すものとし、旧公社が負担すべき金額に満たないときは、その満たない金額を翌々事業年度までに日本郵政株式会社が国家公務員共済組合連合会に払い込むものとする。

附　則（平一九・八・八政令二五二）

この政令は、廃止法の施行の日（平成十九年八月十日）から施行する。

附　則（平一九・九・一四政令二八七）（抄）

この政令は、法附則第一条第二号に掲げる規定の施行の日から施行する。ただし、次の各号に掲げる規定は、当該各号に定める日から施行する。
一　〔略〕
二　〔前略〕第十条〔中略〕の規定　法附則第一条第一号に掲げる規定の施行の日（平一九・一〇・一）

附　則（平一九・一一・二政令三二六）（抄）

（施行期日）
第一条　この政令は、公布の日から施行する。

附　則（平一九・一一・九政令三三三）（抄）

（施行期日）
第一条　この政令は、公布の日から施行する。

附　則（平一九・一二・二一政令三八四）（抄）

（施行期日）
第一条　この政令は、公布の日から施行する。〔ただし書略〕

附　則（平一九・一二・二七政令三八八）

この政令は、競馬法及び日本中央競馬会法の一部を改正する法律の施行の日（平成二十年一月一日）から施行する。

附　則（平二〇・三・三一政令八五）（抄）

（施行期日）
第一条　この政令は、平成二十年四月一日から施行する。

（国家公務員共済組合法による年金である給付の額等に関する経過措置）
第二条　平成二十年三月以前の月分の国家公務員共済組合法による年金である給付の額及び国家公務員等共済組合法等の一部を改正する法律（昭和六十年法律第百五号）附則第二条第六号に規定する旧共済法による年金の額については、なお従前の例による。

（三号分割により標準報酬の月額等が改定され、又は決定された者に対する長期給付の特例の対象である規定の適用に関する読替え）
第三条　国家公務員共済組合法等の一部を改正する法律（平成十六年法律第百三十号）附則第二十三条に規定する政令で定める規定は、国家公務員共済組合法等の一部を改正する法律（平成十二年法律第二十一号）附則第十五条及び国家公務員等共済組合法施行令及び国家公務員等共済組合法等の一部を改正する法律の施行に伴う経過措置に関する政令の一部を改正する政令（平成六年政令第三百五十七号）附則第四条とする。この場合におけるこれらの規定の適用については、同法附則第十五条中「以後の組合員期間」とあるのは「以後の組合員期間（法第九十三条の十三第四項の規定により組合員期間であつたものとみなされた期間を除く。以下この条において同じ。）」と、同令附則第四条中「とする。」とあるのは「とする。ただし、国家公務員共済組合法第九十三条の十三第二項及び第三項の規定により標準報酬の月額（同法第四十二条第一項に規定する標準報酬の月額をいう。）及び標準期末手当等の額（同法第四十二条の二第一項に規定する標準期末手当等の額をいう。）の改定又は決定が行われた場合における平成六年改正法による改正後の年金である給付については、この限りでない。」とする。

附　則（平二〇・三・三一政令一一六）（抄）

最終改正　平三〇・三・二六政令六三

（施行期日）
第一条　この政令は、平成二十年四月一日から施行する。

（国家公務員共済組合法施行令の一部改正に伴う経過措置）
第四十七条　第八条の規定による改正後の国家公務員共済組合法施行令（以下「新国共済令」という。）第十一条の三の二第一項の規定は、療養を受ける日が施行日以後の場合について適用し、療養を受ける日が施行日前の場合については、なお従前の例による。

2　新国共済令第十一条の三の二第二項に規定する組合員及びその被扶養者について、療養の給付又は当該被扶養者が療養を受ける月が平成二十年四月から八月までの場合にあつては、同項中「及びその被扶養者（七十歳に達する日の属する月の翌月以後である場合に該当する者に限る。）」とあるのは「並びにその被扶養者（七十歳に達する日の属する月の翌月以後である場合に該当する者に限る。）及びその被扶養者であつた者（法第二条第一項第二号に規定する後期高齢者医療の被保険者に該当するに至つたため被扶養者でなくなつた者をいう。）」と、「当該被扶養者」とあるのは「当該被扶養者及び当該被扶養者であった者」と読み替えて、同項の規定を適用する。

第四十八条 施行日前に行われた療養に係る国家公務員共済組合法（昭和三十三年法律第百二十八号）の規定による家族療養費及び家族訪問看護療養費の支給については、なお従前の例による。

第四十九条 施行日前に行われた療養に係る国家公務員共済組合法の規定による高額療養費の支給については、なお従前の例による。

第五十条 国家公務員共済組合法施行令第十一条の三の五第二項第二号に掲げる者のうち、次の各号のいずれかに該当するもの（以下この条において「特定収入組合員」という。）に係る同令第十一条の三の四第二項の高額療養費算定基準額は、新国共済令第十一条の三の五第二項の規定にかかわらず、第八条の規定による改正前の国家公務員共済組合法施行令（次項において「旧国共済令」という。）第十一条の三の五第二項第一号に定める金額とする。

一 療養の給付又はその被扶養者（新国共済令第十一条の三の二第二項に規定する被扶養者をいう。以下この号において同じ。）の療養を受ける月が平成二十年四月から八月までの場合における附則第四十七条第二項の規定により読み替えて適用する新国共済令第十一条の三の二第二項の収入の額が六百二十一万円未満である者（被扶養者及び附則第四十七条第二項の規定により読み替えて適用する新国共済令第十一条の三の二第二項に規定する被扶養者であった者がいない者にあっては、四百八十四万円未満である者）

二 次のイ及びロのいずれにも該当する者

イ 新国共済令第十一条の三の二第二項に規定する被扶養者がいない者である組合員であって、被扶養者であった者（国家公務員共済組合法第二条第一項第二号に規定する後期高齢者医療の被保険者に該当するに至ったため被扶養者でなくなった者をいう。以下この号及び附則第五十二条第四項第二号において同じ。）がいるもの

ロ 療養の給付を受ける月が平成二十年九月から十二月までの場合において、その被扶養者であった者について、新国共済令第十一条の三の二第二項に規定する被扶養者とみなして同項の規定を適用した場合の同項の収入の額が五百二十万円未満である者

2 特定収入組合員に係る国家公務員共済組合法施行令第十一条の三の四第三項の高額療養費算定基準額は、新国共済令第十一条の三の五第三項の規定にかかわらず、旧国共済令第十一条の三の五第三項第一号に定める金額とする。

3 特定収入組合員又はその被扶養者に係る新国共済令第十一条の三の六第一項及び第二項の規定の適用については、これらの規定中「当該各号に定める金額」とあるのは、「健康保険法施行令等の一部を改正する政令（平成二十年政令第百十六号）第八条の規定による改正前の同項第二号イ又は第三号イに定める金額」とする。

第五十一条 平成十八年健保法等改正法附則第五十七条の規定による改正後の国家公務員共済組合法（以下この項及び第五項において「新国共済法」という。）第五十五条第二項第二号の規定が適用される組合員又は新国共済法第五十七条第二項第一号ハの規定が適用される被扶養者のうち、平成二十年四月から十二月までの間に、特定給付対象療養（新国共済令第十一条の三の四第一項第二号に規定する特定給付対象療養をいい、附則第三十二条第一項に規定する厚生労働大臣が定める給付が行われるべき療養に限る。）を受けたもの（以下この条において「平成二十年特例措置対象組合員等」という。）に係る国家公務員共済組合法施行令第十一条の三の四第四項の規定による高額療養費の支給については、同項中「を除く」とあるのは、「及び健康保険法施行令等の一部を改正する政令（平成二十年政令第百十六号）附則第三十二条第一項に規定する厚生労働大臣が定める給付が行われるべき療養を除く」と読み替えて、同項の規定を適用する。

2 平成二十年特例措置対象組合員等に係る国家公務員共済組合法施行令第十一条の三の四第二項の高額療養費算定基準額については、新国共済令第十一条の三の五第二項第一号の規定にかかわらず、なお従前の例による。

3 平成二十年特例措置対象組合員等に係る国家公務員共済組合法施行令第十一条の三の四第三項の高額療養費算定基準額については、新国共済令第十一条の三の五第三項第一号の規定にかかわらず、なお従前の例による。

4 国家公務員共済組合法施行令第十一条の三の六第二項の規定により平成二十年特例措置対象組合員等について組合が国家公務員共済組合法第五十五条第一項第三号に掲げる医療機関に支払う額の限度については、新国共済令第十一条の三の六第一項第二号イ及び第三号イの規定にかかわらず、なお従前の例による。

5 国家公務員共済組合法施行令第十一条の三の六第四項の規定により読み替えて準用する国家公務員共済組合法第五十六条の二第三項及び第四項の規定並びに同令第十一条の三の六第五項の規定により読み替えて準用する同法第五十七条第四項から第六項までの規定は、平成二十年特例措置対象組合員等が外来療養（同令第十一条の三の四第三項に規定する外来療養をいう。）を受けた場合において、新国共済法の規定により支払うべき一部負担金等の額（新国共済法第六十条の二第一項に規定する一部負担金等の額をいう。）についての支払が行われなかったときの同令第十一条の三の四第三項の規定による高額療養費の支給について準用する。この場合において、同令第十一条の三の六第四項の規定により読み替えて準用する国家公務員共済組合法第五十六条の二第三項及び同令第十一条の三の六第五項の規定により読み替えて準用する同法第五十七条第五項の規定中「組合員に支給すべき金額に相当する金額を」とあるのは、「当該一部負担金等の額から健康保険法施行令等の一部を改正する政令（平成二十年政令第百十六号）附則第五十一条第三項の規定によりなお従前の例によるものとされた国家公務員共済組合法施行令第十一条の三の四第三項の高額療養費算定基準額（当該外来療養につき算定した費用の額に百分の十を乗じて得た額が当該高額療養費算定基準額を超える場合にあっては、当該乗じて得た額）を控除した額の限度において」と読み替えるものとする。

第五十二条 施行日から平成二十一年七月三十一日までの間に受けた療養に係る国家公務員共済組合法の規定による高額介護合算療養費の支給については、新国共済令第十一条の三の六の二第一項第一号（同条第三項及び第四項において準用する場合を

含む。次項及び第四項において同じ。）中「前年の八月一日からその年の七月三十一日まで」とあるのは、「平成二十年四月一日から平成二十一年七月三十一日まで」と読み替えて、同条から新国共済令第十一条の三の六の四までの規定を適用する。この場合において、次の表の上欄に掲げる新国共済令の規定中同表の中欄に掲げる字句は、それぞれ同表の下欄に掲げる字句とする。

第十一条の三の六の三第一項（同条第三項及び第四項において準用する場合を含む。）	六十七万円	八十九万円
	百二十六万円	百六十八万円
	三十四万円	四十五万円
第十一条の三の六の三第二項（同条第三項及び第四項において準用する場合を含む。）	六十二万円	七十五万円
	六十七万円	八十九万円
	三十一万円	四十一万円
	十九万円	二十五万円
第十一条の三の六の三第五項の表	地方公務員等共済組合法施行令（	健康保険法施行令等の一部を改正する政令（平成二十年政令第百十六号。以下この条において「改正令」という。）附則第五十八条第一項の規定により読み替えられた地方公務員等共済組合法施行令（
	地方公務員等共済組合法施行令第二十三条の三の七第二項	改正令附則第五十八条第一項の規定により読み替えられた地方公務員等共済組合法施行令第二十三条の三の七第二項
	私立学校教職員共済法施行令	私立学校教職員共済法第四十八条の二の規定によりその例によることとされる改正令附則第五十二条第一項の規定により読み替えられた、私立学校教職員共済法施行令
	防衛省の職員の給与等に関する法律施行令第十七条の六の五第一項	改正令附則第六十条第二項の規定により読み替えられた防衛省の職員の給与等に関する法律施行令第十七条の六の五第一項
	第二項及び	改正令附則第五十二条第一項の規定により読み替えられた第二項及び
	健康保険法施行令	改正令附則第三十三条第一項の規定により読み替えられた健康保険法施行令
	船員保険法施行令	改正令附則第四十五条第一項の規定により読み替えられた船員保険法施行令
	国民健康保険法施行令	改正令附則第三十九条第一項の規定により読み替えられた国民健康保険法施行令
第十一条の三の六の三第六項	高齢者の医療の確保に関する法律施行令	改正令附則第三十四条第一項の規定により読み替えられた高齢者の医療の確保に関する法律施行令

2 平成二十年八月一日から平成二十一年七月三十一日までに受けた療養に係る次の各号に掲げる高額介護合算療養費の支給については、当該各号イに掲げる金額が、それぞれ当該各号ロに掲げる金額を超えるときは、前項の規定にかかわらず、新国共済令第十一条の三の六の二第一項第一号中「前年の八月一日からその年の七月三十一日まで」とあるのは、「平成二十年八月一日から平成二十一年七月三十一日まで」と読み替えて、同条から新国共済令第十一条の三の六の四までの規定を適用する。

一 新国共済令第十一条の三の六の二第一項及び第二項（これらの規定を同条第三項及び第四項において準用する場合を含む。）の規定による高額介護合算療養費の支給

イ この項の規定により新国共済令第十一条の三の六の二を読み替えて適用する場合の同条第一項（同条第三項及び第四項において準用する場合を含む。）に規定する介護合算一部負担金等世帯合算額から同条第一項の介護合算算定基準額を控除した金額（当該金額が同項に規定する支給基準額（以下この項において「支給基準額」という。）以下である場合又は当該介護合算一部負担金等世帯合算額の算定につき同条第一項ただし書に該当する場合には、零とする。）及び同項に規定する七十歳以上介護合算支給総額を合算した金額

ロ イ中「この項の」とあるのを「前項の」と読み替えてイを適用する場合のイに掲げる金額

二 新国共済令第十一条の三の六の二第五項及び第六項の規定による高額介護合算療養費の支給

イ この項の規定により新国共済令第十一条の三の六の二を読み替えて適用する場合の同条第五項に規定する介護合算一部負担金等世帯合算額から同項の介護合算算定基準額を控除した金額（当該金額が支給基準額以下である場合又は当該介護合算一部負担金等世帯合算額の算定につき同項ただし書に該当する場合には、零とする。）及び同項に規定する七十歳以上介護合算支給総額を合算した金額

ロ　イ中「この項」とあるのを「前項」と読み替えてイを適用する場合のイに掲げる金額

三　新国共済令第十一条の三の六の二第七項の規定による高額介護合算療養費の支給

イ　この項の規定により新国共済令第十一条の三の六の二を読み替えて適用する場合の同条第七項に規定する介護合算一部負担金等世帯合算額から同項の介護合算算定基準額を控除した金額（当該金額が支給基準額以下である場合又は当該介護合算一部負担金等世帯合算額の算定につき同項ただし書に該当する場合には、零とする。）

ロ　イ中「この項」とあるのを「前項」と読み替えてイを適用する場合のイに掲げる金額

3　前項の場合において、次の表の上欄に掲げる新国共済令の規定中同表の中欄に掲げる字句は、それぞれ同表の下欄に掲げる字句とする。

第十一条の三の六の三第二項第一号（同条第三項及び第四項において準用する場合を含む。）	六十二万円	五十六万円
第十一条の三の六の三第五項の表下欄	地方公務員等共済組合法施行令	健康保険法施行令等の一部を改正する政令（平成二十年政令第百十六号。以下この項において「改正令」という。）附則第五十八条第三項の規定により読み替えられた地方公務員等共済組合法施行令
	私立学校教職員共済法施行令	私立学校教職員共済法第四十八条の二の規定によりその例によることとされる改正令附則第五十二条第三項の規定により読み替えられた、私立学校教職員共済法施行令
	第二項及び	改正令附則第五十二条第三項の規定により読み替えられた第二項及び
	健康保険法施行令	改正令附則第三十三条第三項の規定により読み替えられた健康保険法施行令
	船員保険法施行令	改正令附則第四十五条第三項の規定により読み替えられた船員保険法施行令
	国民健康保険法施行令	改正令附則第三十九条第三項の規定により読み替えられた国民健康保険法施行令

4　新国共済令第十一条の三の六の三第二項第二号に掲げる者のうち、次の各号のいずれにも該当するものに係る新国共済令第十一条の三の六の二第二項（同条第三項及び第四項において準用する場合を含む。）の七十歳以上介護合算算定基準額は、新国共済令第十一条の三の六の三第二項（同条第三項及び第四項において準用する場合を含む。）の規定にかかわらず、同条第二項第一号（同条第三項及び第四項において準用する場合を含む。）に定める金額とする。

一　附則第五十条第一項第二号イに掲げる者

二　基準日とみなされる日（新国共済令第十一条の三の六の四第一項の規定により新国共済令第十一条の三の六の二第一項第一号に規定する基準日とみなされる日をいう。以下この条において同じ。）が平成二十年九月から十二月までの間にある場合であって当該基準日とみなされる日において療養の給付を受けることとしたときに、その被扶養者であった者について、新国共済令第十一条の三の二第二項に規定する被扶養者とみなして同項の規定を適用した場合の同項の収入の額が五百二十万円未満である者

5　基準日とみなされる日が平成二十年九月から十二月までの間にある場合における新国共済令第十一条の三の六の二第六項の七十歳以上介護合算算定基準額については、新国共済令第十一条の三の六の三第五項の表下欄中次の表の上欄に掲げる字句は、それぞれ同表の下欄に掲げる字句に読み替えて、同項の規定を適用する。

第二十三条の三の八第一項	第二十三条の三の八第一項並びに健康保険法施行令等の一部を改正する政令（平成二十年政令第百十六号。以下この項において「改正令」という。）附則第五十八条第四項
）及び次条第一項	）及び次条第一項並びに改正令附則第五十二条第四項
第二項及び次条第一項	第二項及び次条第一項並びに改正令附則第五十二条第四項
第四十三条の四第一項	第四十三条の四第一項並びに改正令附則第三十三条第四項
第四十四条第四項	第四十四条第四項並びに改正令附則第三十三条第四項
第十一条の四第一項	第十一条の四第一項並びに改正令附則第四十五条第四項
及び第二項	及び第二項並びに改正令附則第三十九条第四項

6　基準日とみなされる日が平成二十年九月から十二月までの間にある場合における新国共済令第十一条の三の六の二第七項の介護合算算定基準額については、新国共済令第十一条の三の六

の三第六項中「第十六条の四第一項」とあるのは、「第十六条の四第一項並びに健康保険法施行令等の一部を改正する政令（平成二十年政令第百十六号）附則第三十四条第四項」と読み替えて、同項の規定を適用する。

附　則（平二〇・三・三一政令一一七）（抄）

（施行期日）

第一条　この政令は、平成二十年四月一日から施行する。〔ただし書略〕

附　則（平二〇・五・二一政令一八〇）（抄）

（施行期日）

第一条　この政令は、平成二十年十月一日から施行する。

附　則（平二〇・六・二七政令二一〇）（抄）

（施行期日）

第一条　この政令は、平成二十年十月一日から施行する。〔ただし書略〕

附　則（平二〇・七・一六政令二二六）

この政令は、平成二十年十月一日から施行する。〔ただし書略〕

附　則（平二〇・七・二五政令二三七）（抄）

（施行期日）

第一条　この政令は、平成二十年十月一日から施行する。

附　則（平二〇・九・一二政令二八三）（抄）

（施行期日）

第一条　この政令は、平成二十年十月一日から施行する。〔ただし書略〕

附　則（平二〇・九・一九政令二九七）（抄）

（施行期日）

第一条　この政令は、平成二十年十月一日から施行する。〔ただし書略〕

附　則（平二〇・一一・二一政令三五七）（抄）

（施行期日）

第一条　この政令は、平成二十一年一月一日から施行する。ただし、〔中略〕第五条中国家公務員共済組合法施行令附則第三十四条の三の次に二条を加える改正規定〔中略〕は、同年四月一日から施行する。

（国家公務員共済組合法施行令の一部改正に伴う経過措置）

第十条　第五条の規定による改正後の国家公務員共済組合法施行令（次条及び附則第十二条において「新国共済令」という。）第十一条の三の二第二項及び第十一条の三の四から第十一条の三の六の二までの規定（他の法令において引用する場合を含む。）は、療養を受ける日が施行日以後の場合について適用し、療養を受ける日が施行日前の場合については、なお従前の例による。

第十一条　国家公務員共済組合法第五十五条第二項第二号の規定が適用される組合員又は同法第五十七条第二項第一号ハの規定が適用される被扶養者のうち、平成二十一年一月から三月までの間に、特定給付対象療養（新国共済令第十一条の三の四第一項第二号に規定する特定給付対象療養をいい、健康保険法施行令等の一部を改正する政令（平成二十年政令第百十六号）附則第三十二条第一項に規定する厚生労働大臣が定める給付が行われるべき療養に限る。）を受けたもの（以下この条において「施行日以後平成二十年度特例措置対象組合員等」という。）に係る新国共済令第十一条の三の四第六項の規定による高額療養費の支給については、同項中「を除く」とあるのは、「及び健康保険法施行令等の一部を改正する政令（平成二十年政令第百十六号）附則第三十二条第一項に規定する厚生労働大臣が定める給付が行われるべき療養を除く」と読み替えて、同項の規定を適用する。

2　施行日以後平成二十年度特例措置対象組合員等に係る新国共済令第十一条の三の四第三項の高額療養費算定基準額については、新国共済令第十一条の三の五第三項第一号中「六万二千百円。ただし、高額療養費多数回該当の場合にあつては、四万四千四百円とする。」とあるのは、「四万四千四百円」と読み替えて、同項の規定を適用する。

3　施行日以後平成二十年度特例措置対象組合員等に係る新国共済令第十一条の三の四第四項の高額療養費算定基準額については、新国共済令第十一条の三の五第四項第一号中「三万千五十円。ただし、高額療養費多数回該当の場合にあつては、二万二千二百円とする。」とあるのは、「二万二千二百円」と読み替えて、同項の規定を適用する。

4　施行日以後平成二十年度特例措置対象組合員等に係る新国共済令第十一条の三の四第五項の高額療養費算定基準額については、新国共済令第十一条の三の五第五項第一号中「二万四千六百円」とあるのは、「一万二千円」と読み替えて、同項の規定を適用する。

5　新国共済令第十一条の三の六第二項の規定により施行日以後平成二十年度特例措置対象組合員等について組合が同項に規定する第二号医療機関等に支払う金額の限度については、同条第一項第二号イ中「六万二千百円（七十五歳到達時特例対象療養に係るものにあつては、三万千五十円）。ただし、高額療養費多数回該当の場合にあつては、四万四千四百円（七十五歳到達時特例対象療養に係るものにあつては、二万二千二百円）とする。」とあるのは「四万四千四百円（七十五歳到達時特例対象療養に係るものにあつては、二万二千二百円）」と、同項第三号イ中「二万四千六百円」とあるのは「一万二千円」と読み替えて、同項の規定を適用する。この場合において、同条第二項及び第三項の規定の適用については、同条第二項中「当該各号」とあるのは「当該各号（同項第二号又は第三号の規定を高齢者の医療の確保に関する法律施行令等の一部を改正する政令（平成二十年政令第三百五十七号。次項において「改正令」という。）附則第十一条第五項の規定により読み替えて適用する場合にあつては、前項第一号並びに同条第五項の規定により読み替えられた前項第二号及び第三号）」と、同条第三項中「前項」とあるのは「改正令附則第十一条第五項の規定により読み替えられた前項」とする。

6　新国共済令第十一条の三の六第四項の規定により読み替えて準用する国家公務員共済組合法第五十六条の二第三項及び第四項の規定並びに新国共済令第十一条の三の六第五項の規定により読み替えて準用する同法第五十七条第四項から第六項までの規定は、施行日以後平成二十年度特例措置対象組合員等が外来療養（新国共済令第十一条の三の四第五項に規定する外来療養をいう。）を受けた場合において、同法の規定により支払うべき一部負担金等の額（同法第六十条の二第一項に規定する一部負担金等の額をいう。）についての支払が行われなかったときの新国共済令第十一条の三の四第五項の規定による高額療養費の支給について準用する。この場合において、新国共済令第十一条の三の六第四項の規定により読み替えて準用する同法第五十六条の二第三項の規定及び新国共済令第十一条の三の六第五項の規定により読み替えて準用する同法第五十七条第五項の規定中「組合員に支給すべき金額に相当する金額を」とあるのは、「当該一部負担金等の額から高齢者の医療の確保に関する法律施行令等の一部を改正する政令（平成二十年政令第三百五十七号）附則第十一条第四項の規定による高額療養費算定基準額（当該外来療養につき算定した費用の額に百分の十を乗じて得た額が当該高額療養費算定基準額を超える場合にあつては、当該乗じて得た額）を控除した金額の限度において」と読み替えるものとする。

第十二条　平成二十年四月一日から十二月三十一日までの間に受けた療養を含む療養に係る国家公務員共済組合法の規定による高額介護合算療養費の支給について、健康保険法施行令等の一部を改正する政令（平成二十年政令第百十六号）附則第五十二条第一項の規定を適用する場合における新国共済令第十一条の三の六の二第一項第一号（同条第三項及び第四項において準用する場合を含む。次項において同じ。）の規定の適用については、同号中「までの規定」とあるのは、「までの規定（平成二十年四月一日から十二月三十一日までの間に受けた療養に係るものにあつては、高齢者の医療の確保に関する法律施行令等の一部を改正する政令（平成二十年政令第三百五十七号）第五条の規定による改正前の第十一条の三の四第一項から第三項までの規定（同条第一項の規定を附則第三十四条の三第一項の規定により読み替えて適用する場合にあつては、同項の規定により読み替えられた同令第五条の規定による改正前の第十一条の三の四第一項の規定若しくは同令第五条の規定による改正前の第十一条の三の四第三項の規定又は附則第三十四条の三第二項の規定））」とする。

2　平成二十年八月一日から十二月三十一日までの間に受けた療養を含む療養に係る国家公務員共済組合法の規定による高額介護合算療養費の支給について、健康保険法施行令等の一部を改正する政令（平成二十年政令第百十六号）附則第五十二条第二項の規定を適用する場合における新国共済令第十一条の三の六の二第一項第一号の規定の適用については、同号中「までの規定」とあるのは、「までの規定（平成二十年八月一日から十二月三十一日までの間に受けた療養に係るものにあつては、高齢者の医療の確保に関する法律施行令等の一部を改正する政令（平成二十年政令第三百五十七号）第五条の規定による改正前の第十一条の三の四第一項から第三項までの規定）」とする。

附　則（平二〇・一二・五政令三七一）（抄）

（施行期日）

第一条　この政令は、平成二十一年一月一日から施行する。

（国家公務員共済組合法施行令の一部改正に伴う経過措置）

第四条　施行日前に出産した国家公務員共済組合の組合員若しくは組合員であった者又は被扶養者に係る国家公務員共済組合法第六十一条の規定による出産費又は家族出産費の額については、なお従前の例による。

附　則（平二一・三・三一政令七六）

この政令は、国家公務員退職手当法等の一部を改正する法律の施行の日（平成二十一年四月一日）から施行する。

附　則（平二一・三・三一政令一〇二）（抄）

（施行期日）

第一条　この政令は、平成二十一年四月一日から施行する。ただし、〔中略〕第三条から第十一条までの規定〔中略〕は、同年六月一日から施行する。

附　則（平二一・四・三〇政令一三五）（抄）

（施行期日）

第一条　この政令は、平成二十一年五月一日から施行する。

（国家公務員共済組合法施行令の一部改正に伴う経過措置）

第五条　施行日前に行われた療養に係る国家公務員共済組合法の規定による高額療養費の支給については、なお従前の例による。

附　則（平二一・五・二二政令一三九）

この政令は、公布の日から施行する。

附　則（平二一・五・二九政令一四二）（抄）

（施行期日）

第一条　この政令は、公布の日から施行する。

附　則（平二一・六・一二政令一五五）（抄）

（施行期日）

第一条　この政令は、我が国における産業活動の革新等を図るための産業活力再生特別措置法等の一部を改正する法律の施行の日（平成二十一年六月二十二日）から施行する。

附　則（平二一・八・二八政令二三五）

この政令は、株式会社企業再生支援機構法の施行の日（平成二十一年九月二十八日）から施行する。

附　則（平二一・一一・二〇政令二六五）（抄）

（施行期日）

1　この政令は、防衛省設置法等の一部を改正する法律の施行の日（平成二十二年三月二十六日）から施行する。ただし、〔中略〕第四条〔中略〕の規定は、同年四月一日から施行する。

附　則（平二一・一二・二四政令二九六）（抄）

（施行期日）

第一条　この政令は、平成二十二年一月一日から施行する。〔ただし書略〕

附　則（平二一・一二・二八政令三〇五）

この政令は、平成二十二年四月一日から施行する。

附　則（平二一・一二・二八政令三一〇）（抄）

（施行期日）

第一条　この政令は、法の施行の日（平成二十二年一月一日）から施行する。

附　則（平二二・二・三政令六）（抄）

（施行期日）

1　この政令は、平成二十二年七月一日から施行する。〔ただし書略〕

附　則（平二二・三・二五政令四〇）

この政令は、育児休業、介護休業等育児又は家族介護を行う労働者の福祉に関する法律及び雇用保険法の一部を改正する法律の施行の日（平成二十二年六月三十日）から施行する。

附　則（平二二・三・二六政令四二）

この政令は、平成二十二年四月一日から施行する。

附　則（平二二・三・三一政令六五）（抄）

（施行期日）

第一条　この政令は、平成二十二年四月一日から施行する。

（国家公務員共済組合法施行令の一部改正に伴う経過措置）

第六条 第五条の規定による改正後の国家公務員共済組合法施行令第十一条の三の六第六項の規定は、療養を受ける日が施行日以後の場合について適用し、療養を受ける日が施行日前の場合については、なお従前の例による。

附 則（平二二・四・一政令一〇八）

この政令は、公布の日から施行する。

附 則（平二二・七・二二政令一七〇）（抄）

（施行期日）

第一条 この政令は、公布の日から施行する。

附 則（平二二・九・八政令一九四）

この政令は、平成二十三年四月一日から施行する。

附 則（平二三・三・三〇政令五五）（抄）

（施行期日）

第一条 この政令は、平成二十三年四月一日から施行する。

（国家公務員共済組合法施行令の一部改正に伴う経過措置）

第四条 施行日前に出産した国家公務員共済組合の組合員若しくは組合員であった者又は被扶養者に係る国家公務員共済組合法の規定による出産費又は家族出産費の額については、なお従前の例による。

附 則（平二三・三・三一政令五八）

（施行期日等）

第一条 この政令は、平成二十三年四月一日から施行する。ただし、第四条の規定による改正後の国家公務員共済組合法施行令等の一部を改正する政令（平成十七年政令第百十八号）附則第二条の規定は、平成二十二年度以後の国家公務員共済組合法第七十九条第三項の各年度の再評価率の改定の基準となる率であって政令で定める率について適用する。

（国家公務員共済組合法による年金である給付の額等に関する経過措置）

第二条 平成二十三年三月以前の月分の国家公務員共済組合法による年金である給付の額及び国家公務員等共済組合法等の一部を改正する法律（昭和六十年法律第百五号）附則第二条第六号に規定する旧共済法による年金の額については、なお従前の例による。

附 則（平二三・五・二七政令一五一）（抄）

（施行期日）

第一条 この政令は、平成二十三年六月一日から施行する。〔ただし書略〕

附 則（平二三・六・一〇政令一六六）（抄）

（施行期日）

第一条 この政令は、平成二十三年十月一日から施行する。〔ただし書略〕

附 則（平二三・七・一政令二〇五）

この政令は、石油代替エネルギーの開発及び導入の促進に関する法律等の一部を改正する法律の施行の日（平成二十三年七月七日）から施行する。

附 則（平二三・七・一五政令二二〇）

この政令は、日本国有鉄道清算事業団の債務等の処理に関する法律等の一部を改正する法律の施行の日（平成二十三年八月一日）から施行する。

附 則（平二三・八・一〇政令二五七）（抄）

（施行期日）

第一条 この政令は、公布の日から施行する。

附 則（平二三・一〇・二一政令三二七）（抄）

（施行期日）

第一条 この政令は、平成二十四年四月一日から施行する。

（国家公務員共済組合法施行令の一部改正に伴う経過措置）

第五条 施行日前に行われた療養に係る国家公務員共済組合法の規定による高額療養費の支給については、なお従前の例による。

附 則（平二三・一〇・三一政令三三四）（抄）

この政令は、法の施行の日（平成二十三年十一月一日）から施行する。〔ただし書略〕

附 則（平二三・一二・二六政令四一三）（抄）

（施行期日）

第一条 この政令は、平成二十四年四月一日から施行する。

附 則（平二四・二・二二政令三八）（抄）

（施行期日）

第一条 この政令は、株式会社東日本大震災事業者再生支援機構法の施行の日（平成二十四年二月二十三日）から施行する。

附 則（平二四・三・二二政令五四）（抄）

（施行期日）

第一条 この政令は、法の施行の日（平成二十四年七月一日）から施行する。ただし、次の各号に掲げる規定は、当該各号に定める日から施行する。

一 〔略〕

二 〔前略〕附則第十八条の規定（国家公務員共済組合法施行令（昭和三十三年政令第二百七号）第四十三条第一項に一号を加える改正規定及び同条第二項に一号を加える改正規定に限る。）〔中略〕 法附則第一条第二号に掲げる規定の施行の日（平成二十四年四月一日）

附 則（平二四・三・二八政令七四）

この政令は、公布の日から施行する。

附 則（平二四・七・一九政令一九七）

この政令は、新非訟事件手続法の施行の日（平成二十五年一月一日）から施行する。

附 則（平二四・七・二五政令二〇二）（抄）

（施行期日）

第一条 この政令は、郵政民営化法等の一部を改正する等の法律（以下「平成二十四年改正法」という。）の施行の日（平成二十四年十月一日）から施行する。〔ただし書略〕

附 則（平二四・一一・二八政令二八二）

この政令は、株式会社農林漁業成長産業化支援機構法の施行の日（平成二十四年十二月三日）から施行する。

附 則（平二五・三・八政令五一）（抄）

（施行期日）

1 この政令は、廃止法の施行の日（平成二十五年四月一日）から施行する。

附 則（平二五・三・一三政令五五）（抄）

（施行期日）

第一条 この政令は、平成二十五年四月一日から施行する。〔ただし書略〕

附 則（平二五・三・一三政令五七）（抄）

（施行期日）

第一条　この政令は、平成二十五年四月一日から施行する。

附　則（平二五・三・一五政令六五）（抄）

（施行期日）

1　この政令は、株式会社企業再生支援機構法の一部を改正する法律の施行の日（平成二十五年三月十八日）から施行する。

附　則（平二五・三・二一政令七〇）

この政令は、公布の日から施行する。

附　則（平二五・三・二七政令八六）

この政令は、平成二十五年四月一日から施行する。

附　則（平二五・六・一二政令一七四）

この政令は、平成二十五年十月一日から施行する。

附　則（平二五・七・三一政令二二六）（抄）

（施行期日）

第一条　この政令は、被用者年金制度の一元化等を図るための厚生年金保険法等の一部を改正する法律附則第一条第三号に掲げる規定の施行の日（平成二十五年八月一日）から施行する。

（国家公務員共済組合法による年金である給付の額等に関する経過措置）

第二条　第一条の規定による改正後の国家公務員共済組合法施行令附則第十二条の二から第十二条の二十三まで及び第二十七条の六の二の規定〔中略〕は、この政令の施行の日（以下「施行日」という。）以後の月分として支給される国家公務員共済組合法（昭和三十三年法律第百二十八号）による年金である給付又は国家公務員等共済組合法等の一部を改正する法律（昭和六十年法律第百五号。以下「昭和六十年改正法」という。）附則第二条第六号に規定する旧共済法による年金である給付について適用し、施行日前の月分として支給される国家公務員共済組合法による年金である給付又は同号に規定する旧共済法による年金である給付については、なお従前の例による。

第三条　国家公務員共済組合法による年金である給付又は昭和六十年改正法附則第二条第六号に規定する旧共済法による年金である給付であって、その額の算定の基礎となった組合員期間のうちに追加費用対象期間（国家公務員共済組合法の長期給付に関する施行法（昭和三十三年法律第百二十九号）第十三条の二第一項に規定する追加費用対象期間をいう。次条において同じ。）があるもの（当該国家公務員共済組合法による年金である給付又は同号に規定する旧共済法による年金である給付の受給権者が受給権を有する他の国家公務員共済組合法による年金である給付若しくは同号に規定する旧共済法による年金である給付若しくは地方公務員等共済組合法（昭和三十七年法律第百五十二号）による年金である給付若しくは地方公務員等共済組合法等の一部を改正する法律（昭和六十年法律第百八号）附則第二条第七号に規定する退職年金、減額退職年金、通算退職年金、障害年金、遺族年金若しくは通算遺族年金又は厚生年金保険法（昭和二十九年法律第百十五号）による年金たる保険給付若しくは私立学校教職員共済法（昭和二十八年法律第二百四十五号）による年金である給付を含む。）については、施行日においてその額の改定を行うこととし、当該改定は、国家公務員共済組合法第七十三条第三項（私立学校教職員共済法第二十五条において準用する場合を含む。）若しくは昭和六十年改正法附則第三条第一項の規定によりなお従前の例によることとされた昭和六十年改正法第一条の規定による改正前の国家公務員等共済組合法第七十三条第三項の規定又は地方公務員等共済組合法第七十五条第三項若しくは地方公務員等共済組合法等の一部を改正する法律附則第三条第一項の規定によりなお従前の例によることとされた同法第一条の規定による改正前の地方公務員等共済組合法第七十五条第三項の規定にかかわらず、施行日の属する月から行う。

（追加費用対象期間を有する者に係る退職共済年金等の額の特例）

第四条　第一条の規定による改正後の国家公務員共済組合法施行令附則第十二条の二十一の規定〔中略〕は、厚生年金保険法等の一部を改正する法律（平成八年法律第八十二号）附則第十六条第一項及び第二項に規定する年金たる給付並びに同法附則第三十二条第二項第一号に規定する特例年金給付の受給権者（追加費用対象期間を有する者に限る。）については、施行日から被用者年金制度の一元化等を図るための厚生年金保険法等の一部を改正する法律の施行の日の前日までの間、適用しない。

附　則（平二五・九・四政令二五六）

この政令は、民間資金等の活用による公共施設等の整備等の促進に関する法律の一部を改正する法律の施行の日（平成二十五年九月五日）から施行する。

附　則（平二五・九・一三政令二七三）

この政令は、株式会社海外需要開拓支援機構法の施行の日（平成二十五年九月十八日）から施行する。

附　則（平二五・九・二六政令二八二）

この政令は、平成二十五年十月一日から施行する。

附　則（平二五・一二・二〇政令三五六）

この政令は、自衛隊法等の一部を改正する法律附則第一条第三号に掲げる規定の施行の日（平成二十六年四月一日）から施行する。

附　則（平二五・一二・二六政令三五七）

この政令は、公布の日から施行する。

附　則（平二五・一二・二六政令三六六）

この政令は、平成二十六年四月一日から施行する。

附　則（平二六・二・五政令二三）

この政令は、廃止法の施行の日（平成二十六年四月一日）から施行する。〔ただし書略〕

附　則（平二六・二・一三政令二九）

この政令は、国家公務員の配偶者同行休業に関する法律の施行の日（平成二十六年二月二十一日）から施行する。

附　則（平二六・二・一九政令三九）（抄）

（施行期日）

1　この政令は、法の施行の日（平成二十六年三月一日）から施行する。

附　則（平二六・三・二四政令七三）（抄）

（施行期日）

第一条　この政令は、公的年金制度の健全性及び信頼性の確保のための厚生年金保険法等の一部を改正する法律（以下「平成二十五年改正法」という。）の施行の日（平成二十六年四月一日）から施行する。

附　則（平二六・三・二八政令八五）（抄）

（施行期日）

第一条　この政令は、平成二十六年四月一日から施行する。

（国家公務員共済組合法による年金である給付の額等に関する

経過措置）

第二条　平成二十六年三月以前の月分の国家公務員共済組合法（昭和三十三年法律第百二十八号）による年金である給付の額及び国家公務員等共済組合法等の一部を改正する法律（昭和六十年法律第百五号）附則第二条第六号に規定する旧共済法による年金の額については、なお従前の例による。

（遺族共済年金の支給の停止に関する経過措置）

第三条　公的年金制度の財政基盤及び最低保障機能の強化等のための国民年金法等の一部を改正する法律（以下「改正法」という。）附則第一条第三号に掲げる規定の施行の日の前日において改正法第九条の規定による改正前の国家公務員共済組合法（以下「改正前国共済法」という。）第九十一条第四項の規定により支給が停止されている夫に対する遺族共済年金及び同条第六項の規定により支給されている子に対する遺族共済年金については、改正法第九条の規定による改正後の国家公務員共済組合法第九十一条第二項及び第三項の規定は適用せず、改正前国共済法第九十一条第四項及び第六項の規定は、なおその効力を有する。

2　前項の規定が適用される遺族共済年金の受給権者（国家公務員共済組合法第二条第一項第三号に規定する遺族である夫に限る。）に係る第一条の規定による改正後の国家公務員共済組合法施行令第十一条の十第三項及び第四項の規定の適用については、同条第三項中「第九十二条第一項」とあるのは「第九十二条第一項若しくは国家公務員共済組合法施行令等の一部を改正する政令（平成二十六年政令第八十五号。次項において「改正令」という。）附則第三条第一項の規定によりなおその効力を有するものとされた公的年金制度の財政基盤及び最低保障機能の強化等のための国民年金法等の一部を改正する法律（平成二十四年法律第六十二号。次項において「改正法」という。）第九条の規定による改正前の法第九十一条第四項」と、同条第四項中「第九十二条第一項」とあるのは「第九十二条第一項若しくは改正令附則第三条第一項の規定によりなおその効力を有するものとされた改正法第九条の規定による改正前の法第九十一条第四項」とする。

附　則（平二六・三・三一政令一二一）

この政令は、改正法の施行の日（平成二十六年四月一日）から施行する。

附　則（平二六・三・三一政令一二九）（抄）

（施行期日）

第一条　この政令は、平成二十六年四月一日から施行する。

（国家公務員共済組合法施行令の一部改正に伴う経過措置）

第五条　施行日前に行われた療養に係る国家公務員共済組合法の規定による高額療養費の支給（次項に規定する療養に係るものを除く。）及び高額介護合算療養費の支給については、なお従前の例による。

2　新国共済令第十一条の三の五第六項又は第七項の規定は、平成二十一年五月一日から施行日の前日までに行われた療養であって、旧国共済令附則第三十四条の四第一項の規定により読み替えて適用する旧国共済令第十一条の三の四第六項に規定する特定給付対象療養又は旧国共済令第十一条の三の四第七項に規定する特定疾患給付対象療養に該当するものに係る国家公務員共済組合法の規定による高額療養費の支給についても適用する。

附　則（平二六・五・二九政令一九五）（抄）

（施行期日）

第一条　この政令は、法の施行の日（平成二十六年五月三十日）から施行する。〔ただし書略〕

附　則（平二六・六・二七政令二三四）

この政令は、株式会社海外交通・都市開発事業支援機構法の施行の日（平成二十六年七月十七日）から施行する。

附　則（平二六・七・二政令二四四）

この政令は、電気事業法の一部を改正する法律の施行の日（平成二十七年四月一日）から施行する。

附　則（平二六・七・一六政令二六一）（抄）

（施行期日）

第一条　この政令は、公布の日から施行する。ただし、附則第六条〔中略〕の規定は、平成二十七年四月一日から施行する。

附　則（平二六・八・六政令二七三）（抄）

（施行期日）

1　この政令は、原子力損害賠償支援機構法の一部を改正する法律の施行の日（平成二十六年八月十八日）から施行する。

附　則（平二六・九・二五政令三一三）（抄）

（施行期日）

1　この政令は、平成二十六年十月一日から施行する。ただし、〔中略〕第六条から第十条まで〔中略〕の規定は、同年十二月一日から施行する。

附　則（平二六・一一・一九政令三六五）（抄）

（施行期日）

第一条　この政令は、平成二十七年一月一日から施行する。ただし、〔中略〕第五条中国家公務員共済組合法施行令附則第三十四条の四の改正規定〔中略〕は、公布の日から施行する。

（国家公務員共済組合法施行令の一部改正に伴う経過措置）

第十三条　施行日前に行われた療養に係る国家公務員共済組合法の規定による高額療養費の支給については、なお従前の例による。

第十四条　特定計算期間に行われた療養に係る国家公務員共済組合法の規定による高額介護合算療養費の支給については、新国共済令第十一条の三の六の三第一項第二号中「二百十二万円」とあるのは「百七十六万円」と、同項第三号中「百四十一万円」とあるのは「百三十五万円」と、同項第四号中「六十万円」とあるのは「六十三万円」と読み替えて、新国共済令第十一条の三の六の二から第十一条の三の六の四までの規定を適用する。

2　前項の規定にかかわらず、特定計算期間において国家公務員共済組合法施行令第十一条の三の六の四第一項の規定により同令第十一条の三の六の二第一項第一号に規定する基準日とみなされた日が施行日前の日である場合における特定計算期間に行われた療養に係る国家公務員共済組合法の規定による高額介護合算療養費の支給については、なお従前の例による。

3　平成二十六年七月三十一日以前に行われた療養に係る国家公務員共済組合法の規定による高額介護合算療養費の支給については、なお従前の例による。

第十五条　施行日前の出産に係る国家公務員共済組合法の規定による出産費及び家族出産費の額については、なお従前の例による。

附　則（平二六・一二・一九政令四〇七）（抄）

（施行期日）

1　この政令は、日本環境安全事業株式会社法の一部を改正する法律の施行の日（平成二十六年十二月二十四日）から施行する。

附　則（平二七・二・四政令三五）（抄）

（施行期日）

1　この政令は、平成二十七年四月一日から施行する。〔ただし書略〕

附　則（平二七・三・一八政令七四）（抄）

この政令は、平成二十七年四月一日から施行する。〔ただし書略〕

附　則（平二七・三・二七政令一〇三）

（施行期日）

1　この政令は、平成二十七年四月一日から施行する。

（国家公務員共済組合法による年金である給付の額等に関する経過措置）

2　平成二十七年三月以前の月分の国家公務員共済組合法による年金である給付の額及び国家公務員等共済組合法等の一部を改正する法律（昭和六十年法律第百五号）附則第二条第六号に規定する旧共済法による年金の額については、なお従前の例による。

附　則（平二七・三・三一政令一三八）（抄）

（施行期日）

第一条　この政令は、平成二十七年四月一日から施行する。ただし、次の各号に掲げる規定は、当該各号に定める日から施行する。

一　〔前略〕附則第五条から第十二条までの規定　平成二十七年八月一日

二　〔略〕

附　則（平二七・八・二八政令三一一）

この政令は、株式会社海外通信・放送・郵便事業支援機構法の施行の日（平成二十七年九月四日）から施行する。

附　則（平二七・九・三〇政令三四四）（抄）

（施行期日）

第一条　この政令は、平成二十七年十月一日から施行する。ただし、次条第一項及び第三項の規定は、公布の日から施行する。

（退職等年金給付積立金の管理及び運用に関する基本的な指針に係る経過措置）

第二条　財務大臣は、この政令の施行の日（次項において「施行日」という。）前においても、第一条の規定による改正後の国家公務員共済組合法施行令（次項において「新国共済令」という。）第九条の二の規定の例により、同条第一項に規定する指針（以下この条において「指針」という。）を定め、これを公表することができる。

2　前項の規定により定められ、公表された指針は、施行日において新国共済令第九条の二の規定により定められ、公表されたものとみなす。

3　国家公務員共済組合連合会は、第一項の規定により指針が定められたときは、当該指針に適合するように国家公務員の退職給付の給付水準の見直し等のための国家公務員退職手当法等の一部を改正する法律第五条の規定による改正後の国家公務員共済組合法（昭和三十三年法律第百二十八号）第三十五条の三第一項に規定する退職等年金給付積立金管理運用方針を定めなければならない。

附　則（平二七・一一・二六政令三九二）（抄）

（施行期日）

第一条　この政令は、行政不服審査法の施行の日（平成二十八年四月一日）から施行する。

（経過措置の原則）

第二条　行政庁の処分その他の行為又は不作為についての不服申立てであってこの政令の施行前にされた行政庁の処分その他の行為又はこの政令の施行前にされた申請に係る行政庁の不作為に係るものについては、この附則に特別の定めがある場合を除き、なお従前の例による。

附　則（平二七・一二・二八政令四四四）（抄）

（施行期日）

1　この政令は、旅客鉄道株式会社及び日本貨物鉄道株式会社に関する法律の一部を改正する法律の施行の日（平成二十八年四月一日）から施行する。

附　則（平二八・一・二二政令一三）（抄）

（施行期日）

1　この政令は、平成二十八年四月一日から施行する。〔ただし書略〕

附　則（平二八・三・二五政令七八）（抄）

（施行期日）

第一条　この政令は、平成二十八年四月一日から施行する。〔ただし書略〕

附　則（平二八・三・三一政令一二九）（抄）

（施行期日等）

第一条　この政令は、平成二十八年四月一日から施行する。

2　第一条の規定による改正後の国家公務員共済組合法施行令の規定、第三条の規定による改正後の国家公務員共済組合法等の一部を改正する法律の施行に伴う国家公務員共済組合法による長期給付等に関する経過措置に関する政令第十七条の五の規定並びに第四条の規定による改正後の平成二十七年経過措置政令第八条第一項の表改正前昭和六十年国共済改正法附則第十八条の項及び第三十条の二の規定並びに附則第三条の規定による改正後の私立学校教職員共済法施行令（昭和二十八年政令第四百二十五号）の規定は、平成二十七年十月一日から適用する。

（国家公務員等共済組合法等の一部を改正する法律による年金である給付の額等に関する経過措置）

第二条　平成二十八年三月以前の月分の国家公務員等共済組合法等の一部を改正する法律（昭和六十年法律第百五号）附則第二条第六号に規定する旧共済法による年金及び厚生年金保険法等の一部を改正する法律（平成八年法律第八十二号）附則第三十三条第一項に規定する特例年金給付の額については、なお従前の例による。

附　則（平二八・三・三一政令一八〇）（抄）

（施行期日）

第一条　この政令は、平成二十八年四月一日から施行する。

（国家公務員共済組合法施行令の一部改正に伴う経過措置）

第六条　第九条の規定による改正後の国家公務員共済組合法施行令第四十九条の二の規定は、施行日以後に退職した任意継続組合員の標準報酬の月額及び標準報酬の日額について適用し、施行日前に退職した任意継続組合員の標準報酬の月額及び標準報酬の日額については、なお従前の例による。

附　則（平二八・四・一五政令一九九）

この政令は、刑法等の一部を改正する法律の施行の日（平成二十八年六月一日）から施行する。

附　則（平二八・九・三〇政令三一九）

この政令は、改正法の施行の日（平成二十八年十月一日）から施行する。

附　則（平二八・一一・二八政令三六一）

この政令は、公布の日から施行する。

附　則（平二八・一二・七政令三七二）（抄）

（施行期日）

第一条　この政令は、漁業経営に関する補償制度の改善のための漁船損害等補償法及び漁業災害補償法の一部を改正する等の法律（以下「改正法」という。）の施行の日（平成二十九年四月一日）から施行する。

附　則（平二九・一・二〇政令四）（抄）

この政令は、平成二十九年四月一日から施行する。〔ただし書略〕

附　則（平二九・三・三一政令八一）（抄）

（施行期日等）

1　この政令は、平成二十九年四月一日から施行する。

附　則（平二九・三・三一政令九八）（抄）

（施行期日）

第一条　この政令は、平成二十九年四月一日から施行する。

附　則（平二九・三・三一政令一二九）

この政令は、平成二十九年四月一日から施行する。

附　則（平二九・七・二八政令二一三）（抄）

（施行期日）

第一条　この政令は、平成二十九年八月一日から施行する。

（国家公務員共済組合法施行令の一部改正に伴う経過措置）

第八条　新国共済令第十一条の三の六第十二項に規定する資格を喪失した日が平成二十九年八月一日である場合における同項の規定の適用については、同項中「喪失した日の前日」とあるのは、「喪失した日」とする。

第九条　施行日前に行われた療養に係る国家公務員共済組合法の規定による高額療養費及び高額介護合算療養費の支給については、なお従前の例による。

附　則（平二九・一〇・二五政令二六四）（抄）

この政令は、平成三十年四月一日から施行する。〔ただし書略〕

附　則（平三〇・三・二二政令五五）（抄）

（施行期日）

第一条　この政令は、平成三十年四月一日から施行する。〔ただし書略〕

附　則（平三〇・三・三〇政令一一七）（抄）

（施行期日等）

1　この政令は、平成三十年四月一日から施行し、第一条の規定による改正後の国家公務員共済組合法施行令附則第七条の二の規定は、平成二十七年十月一日から適用する。

（旧共済法による年金の額に関する経過措置）

2　平成三十年三月以前の月分の国家公務員等共済組合法等の一部を改正する法律（昭和六十年法律第百五号）附則第二条第六号に規定する旧共済法による年金の額については、なお従前の例による。

附　則（平三〇・三・三一政令一二六）（抄）

（施行期日）

第一条　この政令は、平成三十一年四月一日から施行する。〔ただし書略〕

附　則（平三〇・七・一三政令二一〇）（抄）

（施行期日）

第一条　この政令は、平成三十年八月一日から施行する。ただし、附則〔中略〕第七条〔中略〕の規定は、公布の日から施行する。

（国家公務員共済組合法施行令の一部改正に伴う経過措置）

第六条　施行日前に行われた療養に係る国家公務員共済組合法の規定による高額療養費及び高額介護合算療養費の支給については、なお従前の例による。

（国家公務員共済組合法施行令の一部改正に伴う準備行為）

第七条　第三条の規定による改正後の国家公務員共済組合法施行令（以下この条及び附則第十八条において「新国共済令」という。）第十一条の三の六第一項第二号ハ及びニ並びに第三号ハ及びニの規定による組合（国家公務員共済組合法第三条第一項に規定する組合をいう。）の認定は、施行日前においても、新国共済令の規定の例によりすることができる。

附　則（平三〇・九・二一政令二六五）（抄）

（施行期日）

1　この政令は、産業競争力強化法等の一部を改正する法律附則第一条第二号に掲げる規定の施行の日（平成三十年九月二十五日）から施行する。

附　則（平三一・三・二〇政令四〇）

この政令は、平成三十一年四月一日から施行する。

附　則（平三一・四・五政令一四六）（抄）

改正　令二・三・三一政令一三八

（施行期日）

第一条　この政令は、平成三十年改正法の施行の日（令和二年四月一日）から施行する。

附　則（令二・三・三一政令一三八）

この政令は、令和二年四月一日から施行する。

附　則（令二・八・一四政令二四七）

（施行期日）

第一条　この政令は、令和二年九月一日から施行する。

（経過措置）

第二条　この政令の施行の日前に国家公務員共済組合の組合員の資格を取得して、同日まで引き続きその資格を有する者（国家公務員共済組合法第百二十六条の五第二項に規定する任意継続組合員を除く。）のうち、令和二年九月の標準報酬（同法第四十条第一項に規定する標準報酬をいう。以下同じ。）の月額が六十二万円であるもの（当該標準報酬の月額の基礎となった報酬月額が六十三万五千円未満であるものを除く。）の標準報酬は、当該標準報酬の月額の基礎となった報酬月額をこの政令による改正後の国家公務員共済組合法施行令第十一条の二の規定により読み替えて適用する同法第四十条第一項の規定による標準報酬の基礎となる報酬月額とみなして、同日において国家公務員共済組合が改定するものとする。

2　前項の規定により改定された標準報酬は、令和二年九月から令和三年八月までの各月の標準報酬とする。

附　則（令三・三・三一政令一〇三）（抄）

（施行期日）

第一条　この政令は、令和三年四月一日から施行する。

（国家公務員共済組合法施行令の一部改正に伴う経過措置）

第二条　第一条の規定による改正前の国家公務員共済組合法施行令（以下この条において「改正前国共済法施行令」という。）第二十五条の三第四項の規定により読み替えて準用する同条第一項及び第二項の規定により独立行政法人造幣局又は独立行政法人国立印刷局が当該職員である組合員が属する組合に払い込んだ金額と年金制度の機能強化のための国民年金法等の一部を改正する法律（次条において「令和二年改正法」という。）第十五条の規定による改正前の国家公務員共済組合法（以下この条において「改正前国共済法」という。）第九十九条第四項各号の規定により独立行政法人造幣局又は独立行政法人国立印刷局が負担すべき金額との調整については、なお従前の例による。

2　改正前国共済法施行令第四十四条の五第四項の規定により読み替えて適用する改正前国共済法施行令第二十五条の三第四項の規定により読み替えて準用する同条第一項及び第二項の規定により独立行政法人国立病院機構が当該職員である組合員が属する組合に払い込んだ金額と第三条の規定による改正前の平成二十七年経過措置政令第百四十九条第一項の規定により読み替えて適用する改正前国共済法第百二十四条の三の規定により読み替えて適用する改正前国共済法第九十九条第四項各号の規定により独立行政法人国立病院機構が負担すべき金額との調整については、なお従前の例による。

3　改正前国共済法施行令附則第三十四条の二の三第三項の規定により独立行政法人郵便貯金簡易生命保険管理・郵便局ネットワーク支援機構（以下この項において「管理・支援機構」という。）が日本郵政共済組合に払い込んだ金額と改正前国共済法附則第二十条の二第四項の規定により読み替えて適用する改正前国共済法第九十九条第四項（第一号を除く。）の規定により管理・支援機構が負担すべき金額との調整については、なお従前の例による。

附　則（令三・八・四政令二二二）（抄）

（施行期日）

1　この政令は、令和四年一月一日から施行する。

（経過措置）

2　この政令の施行の日前の出産に係る〔中略〕国家公務員共済組合法〔中略〕の規定による出産費及び家族出産費の額については、なお従前の例による。

附　則（令三・一二・三政令三三一）

（施行期日）

1　この政令は、令和四年一月一日から施行する。

（経過措置）

2　この政令による改正後の国家公務員共済組合法施行令第四十九条の二第二項の規定は、この政令の施行の日以後に国家公務員共済組合法第三十七条第二項の規定により組合員の資格を喪失した者について適用し、同日前に同項の規定により組合員の資格を喪失した者については、なお従前の例による。

附　則（令四・三・二五政令一一八）（抄）

（施行期日）

第一条　この政令は、令和四年四月一日から施行する。

附　則（令四・三・三〇政令一二八）（抄）

（施行期日）

第一条　この政令は、令和五年四月一日から施行する。

（国家公務員共済組合法施行令及び平成二十七年国共済経過措置政令の一部改正に伴う経過措置）

第三条　旧再任用職員等である組合員であった者（第十一条の規定の適用を受ける者を除く。）に対する第五条の規定による改正前の国家公務員共済組合法施行令第二十一条の二〔中略〕の規定の適用については、なお従前の例による。

附　則（令四・三・三一政令一七一）（抄）

この政令は、令和四年四月一日から施行する。〔ただし書略〕

附　則（令四・六・一六政令二一八）

この政令は、福島復興再生特別措置法の一部を改正する法律の施行の日（令和四年六月十七日）から施行する。

附　則（令四・六・二四政令二三八）（抄）

（施行期日）

1　この政令は、地球温暖化対策の推進に関する法律の一部を改正する法律（令和四年法律第六十号）の施行の日（令和四年七月一日）から施行する。

附　則（令四・八・三政令二六五）（抄）

改正　令六・九・二六政令二九四

（施行期日）

第一条　この政令は、令和四年十月一日から施行する。

（国家公務員共済組合法施行令の一部改正に伴う経過措置）

第二条　国家公務員共済組合法第二条第一項第一号及び第三十七条第一項並びに第一条の規定による改正後の国家公務員共済組合法施行令（以下「新国共済令」という。）第二条第一項（第七号から第九号までに係る部分に限る。）及び第二項（第一号、第二号及び第四号（第一号又は第二号に掲げる者に準ずる場合に限る。）に係る部分に限る。）の規定によりこの政令の施行の日（以下「施行日」という。）において同法第三条第一項に規定する組合（以下この条及び次条において「組合」という。）の組合員の資格を取得した者（同法第二条第一項第七号に掲げる各省各庁（以下「各省各庁」という。）又は独立行政法人通則法（平成十一年法律第百三号）第二条第四項に規定する行政執行法人（以下「行政執行法人」という。）に所属している者に限る。）に係る国家公務員共済組合法第六十一条第二項、第六十六条第五項、第六十七条第三項又は第百二十六条の五第一項の規定の適用については、施行日の前日まで引き続き健康保険の被保険者であった間、当該組合の組合員であったものとみなす。

2　施行日前に組合の組合員の資格を取得して、施行日まで引き続き当該組合員の資格を有する者（各省各庁又は行政執行法人に所属している者に限る。）については、新国共済令第二条第二項（第三号及び第四号（第三号に掲げる者に準ずる場合に限る。）に係る部分に限る。）の規定は、施行日以降引き続き施行日において所属していた各省各庁又は行政執行法人に所属している間は、適用しない。

第三条　当分の間、特定法人以外の行政執行法人に使用される特定四分の三未満短時間勤務者（新国共済令第二条第一項第九号に掲げる者をいう。以下同じ。）については、国家公務員共済組合法第二条第一項第一号及び第三十七条第一項の規定にかかわらず、当該行政執行法人の職員をもって組織する組合の組合員としない。

2　特定法人に該当しなくなった行政執行法人に使用される特定四分の三未満短時間勤務者については、前項の規定は、適用しない。ただし、当該行政執行法人が、次の各号に掲げる場合に応じ、当該各号に定める同意を得て、当該行政執行法人の職員をもって組織する組合に特定四分の三未満短時間勤務者について同項の規定の適用を受ける旨の申出をした場合は、この限りでない。

一　当該行政執行法人に使用される組合員の四分の三以上で組織する労働組合があるとき　当該労働組合の同意

二　前号に規定する労働組合がないとき　イ又はロに掲げる同意

イ　当該行政執行法人に使用される組合員の四分の三以上を代表する者の同意

ロ　当該行政執行法人に使用される組合員の四分の三以上の同意

3　前項ただし書の申出があったときは、当該特定四分の三未満短時間勤務者（組合員の資格を有する者に限る。）は、当該申出が受理された日の翌日に、組合員の資格を喪失する。

4　特定法人（第二項本文の規定により第一項の規定が適用されない特定四分の三未満短時間勤務者を使用する行政執行法人を含む。）以外の行政執行法人は、次の各号に掲げる場合に応じ、当該各号に定める同意を得て、組合に当該行政執行法人に使用される特定四分の三未満短時間勤務者について同項の規定の適用を受けない旨の申出をすることができる。

一　当該行政執行法人に使用される二分の一以上同意対象者（組合員及び特定四分の三未満短時間勤務者をいう。次号において同じ。）の過半数で組織する労働組合があるとき　当該労働組合の同意

二　前号に規定する労働組合がないとき　イ又はロに掲げる同意

イ　当該行政執行法人に使用される二分の一以上同意対象者の過半数を代表する者の同意

ロ　当該行政執行法人に使用される二分の一以上同意対象者の二分の一以上の同意

5　前項の申出があったときは、当該特定四分の三未満短時間勤務者については、当該申出が受理された日以後においては、第一項の規定は、適用しない。この場合において、当該特定四分の三未満短時間勤務者についての国家公務員共済組合法第三十七条第一項の規定の適用については、同項中「その職員となった日」とあるのは、「国家公務員共済組合法施行令及び被用者年金制度の一元化等を図るための厚生年金保険法等の一部を改正する法律の施行及び国家公務員の退職給付の給付水準の見直し等のための国家公務員退職手当法等の一部を改正する法律の一部の施行に伴う国家公務員共済組合法による長期給付等に関する経過措置に関する政令の一部を改正する政令（令和四年政令第二百六十五号）附則第三条第四項の申出が受理された日」とする。

6　第四項の申出をした行政執行法人は、次の各号に掲げる場合に応じ、当該各号に定める同意を得て、組合に当該行政執行法人に使用される特定四分の三未満短時間勤務者について第一項の規定の適用を受ける旨の申出をすることができる。ただし、当該行政執行法人が特定法人に該当する場合は、この限りでない。

一　当該行政執行法人に使用される組合員の四分の三以上で組織する労働組合があるとき　当該労働組合の同意

二　前号に規定する労働組合がないとき　イ又はロに掲げる同意

イ　当該行政執行法人に使用される組合員の四分の三以上を代表する者の同意

ロ　当該行政執行法人に使用される組合員の四分の三以上の同意

7　前項の申出があったときは、当該特定四分の三未満短時間勤務者（組合員の資格を有する者に限る。）は、当該申出が受理された日の翌日に、組合員の資格を喪失する。

8　この条において「特定法人」とは、行政執行法人であって、当該行政執行法人に使用される特定勤務者（七十歳未満の者のうち、国家公務員共済組合法第二条第一項第一号に掲げる職員（前条第二項の規定により新国共済令第二条第二項の規定が適用されない者を含む。）であって、特定四分の三未満短時間勤務者以外のものをいう。）の総数が常時五十人を超えるものをいう。

第四条　附則第二条第一項の規定は、新国共済令第四十四条の五第一項、第四十五条第一項若しくは第四十五条の二第一項又は附則第三十四条の二の三第一項若しくは第三十四条の二の五第一項の規定により新国共済令第二条第一項（第七号から第九号までに係る部分に限る。）の規定に準じて国家公務員共済組合法第三条第一項に規定する組合（同法第百二十六条第二項及び附則第二十条の二第四項の規定により組合とみなされたものを含む。以下「組合」という。）の運営規則で定める者について準用する。この場合において、附則第二条第一項の規定中「規定により」とあるのは、「規定に準ずるものとして組合の運営規則で定める規定により」と読み替えるものとする。

2　附則第二条第二項の規定は、法人等（組合、国家公務員共済組合法第二十一条第一項に規定する連合会、同法第三十一条第一号に規定する国立大学法人等、同法第百二十四条の三に規定する行政執行法人以外の独立行政法人のうち同法別表第二に掲げるもの、同法附則第二十条の二第二項に規定する郵政会社等又は同法附則第二十条の七第一項に規定する適用法人をいう。以下同じ。）の職員であって、施行日前に組合の組合員の資格を取得して、施行日まで引き続き当該組合の組合員の資格を有するものについて準用する。この場合において、附則第二条第二項の規定中「第三号及び第四号（第三号に掲げる者に準ずる場合に限る。）に係る部分に限る。）の」とあるのは「第三号に係る部分に限る。）の規定に準ずるものとして組合の運営規則で定める」と、「所属していた各省各庁又は行政執行法人」とあるのは「所属していた法人等（組合、国家公務員共済組合法第二十一条第一項に規定する連合会、同法第三十一条第一号に規定する国立大学法人等、同法第百二十四条の三に規定する行政執行法人以外の独立行政法人のうち同法別表第二に掲げるもの、同法附則第二十条の二第二項に規定する郵政会社等又は同法附則第二十条の七第一項に規定する適用法人をいう。）」と読み替えるものとする。

3 前条の規定は、法人等に使用される者について準用する。この場合において、同条第一項の規定中「掲げる者」とあるのは「掲げる者に準ずる者として組合の運営規則で定める者」と、同条第八項の規定中「前条第二項」とあるのは「次条第二項の規定により読み替えられた前条第二項」と、「第二条第二項の」とあるのは「第二条第二項の規定に準ずるものとして組合の運営規則で定める」と読み替えるものとする。

附 則（令四・一一・一一政令三四八）

この政令は、改正法附則第一条第二号に掲げる規定の施行の日（令和四年十一月十四日）から施行する。

附 則（令五・二・一政令二三）

（施行期日）

1 この政令は、令和五年四月一日から施行する。

（経過措置）

2 この政令の施行の日前の出産に係る健康保険法及び船員保険法の規定による出産育児一時金及び家族出産育児一時金並びに私立学校教職員共済法、国家公務員共済組合法及び地方公務員等共済組合法の規定による出産費及び家族出産費の額については、なお従前の例による。

附 則（令五・三・三〇政令一一九）（抄）

（施行期日）

第一条 この政令は、令和五年四月一日から施行する。

附 則（令五・一二・二七政令三七九）（抄）

（施行期日）

第一条 この政令は、法附則第一条第二号に掲げる規定の施行の日（令和六年二月十六日）から施行する。

附 則（令六・一・三一政令二二）（抄）

（施行期日）

1 この政令は、金融商品取引法等の一部を改正する法律附則第一条第二号に掲げる規定の施行の日（令和六年二月一日）から施行する。

附 則（令六・三・二五政令六二）

この政令は、令和六年四月一日から施行する。

附 則（令六・三・二九政令一二九）（抄）

（施行期日）

1 この政令は、令和六年四月一日から施行する。

（退職者給付拠出金に関する経過措置）

2 全世代対応型の持続可能な社会保障制度を構築するための健康保険法等の一部を改正する法律附則第五条第三項の規定によりなおその効力を有するものとされた同条第一項に規定する第四条改正前国保法附則第十条第一項の規定により社会保険診療報酬支払基金法（昭和二十三年法律第百二十九号）による社会保険診療報酬支払基金が令和六年度における拠出金（同項に規定する拠出金をいう。）を徴収する間、第一条の規定による改正前の国家公務員共済組合法施行令附則第六条の規定は、なおその効力を有する。この場合において、同条中「間、」とあるのは「間、国家公務員共済組合法施行令及び令和五年度における旧国家公務員等共済組合法による退職年金等の俸給年額改定率の改定に関する政令の一部を改正する政令（令和六年政令第百二十九号）第一条の規定による改正前の」と、「並びに国民健康保険法」とあるのは「並びに全世代対応型の持続可能な社会保障制度を構築するための健康保険法等の一部を改正する法律（令和五年法律第三十一号）第四条の規定による改正前の国民健康保険法」とする。

附 則（令六・四・二四政令一七四）

この政令は、日本電信電話株式会社等に関する法律の一部を改正する法律の施行の日〔令六・四・二五〕から施行する。

附 則（令六・五・一七政令一八六）（抄）

（施行期日）

1 この政令は、公布の日から施行する。

（国家公務員共済組合法施行令の一部改正に伴う経過措置）

2 第二条の規定による改正後の国家公務員共済組合法施行令附則第七条の三の規定は、令和六年度以後の年度において国が負担すべき金額について適用する。

附 則（令六・八・三〇政令二六八）（抄）

（施行期日）

1 この政令は、新たな事業の創出及び産業への投資を促進するための産業競争力強化法等の一部を改正する法律の施行の日（令和六年九月二日）から施行する。

別表（第三十七条関係）

損害の程度	割合
一 家財の全部が焼失し、又は滅失したとき。 二 家財に前号と同程度の損害を受けたとき。	二〇割
一 家財の二分の一以上が焼失し、又は滅失したとき。 二 家財に前号と同程度の損害を受けたとき。	一〇割
一 家財の三分の一以上が焼失し、又は滅失したとき。 二 家財に前号と同程度の損害を受けたとき。	五割

備考 この表において、「家財」とは、本邦外にある家財をいう。

〈参　考〉

○利率等の表示の年利建て移行に関する法律（抄）

昭四五・四・一
法　　一　三

（年当たりの割合の基礎となる日数）

第二十五条　前各条の規定による改正後の法律の規定（他の法令の規定において準用する場合を含む。）に定める延滞税、利子税、還付加算金、延滞金、加算金、過怠金、違約金、割増金、納付金及び延滞利息その他政令で指定するこれらに類するものの額の計算につきこれらの法律の規定その他法令の規定に定める年当たりの割合は、閏年の日を含む期間についても、三百六十五日当たりの割合とする。

附　則（抄）

（施行期日）

第一条　この法律は、公布の日から施行する。

○利率等の表示の年利建て移行に関する政令（抄）

昭四五・四・一
政令　四　八

（利率等の表示の年利建て移行に関する法律第二十五条の規定の適用を受ける延滞金等の指定等）

第二十一条　次に掲げるものは、利率等の表示の年利建て移行に関する法律第二十五条に規定する政令で指定するものとする。

一～六　〔略〕

七　国家公務員共済組合法施行令第十一条の九第一項に規定する給付制限額

八・九　〔略〕

附　則（抄）

（施行期日）

第一条　この政令は、公布の日から施行する。

○令和六年度における旧国家公務員等共済組合法による退職年金等の俸給年額改定率の改定に関する政令

平二八・三・三一
政令一三〇

最終改正　令六・三・二九政令一二九

内閣は、被用者年金制度の一元化等を図るための厚生年金保険法等の一部を改正する法律（平成二十四年法律第六十三号）附則第三十七条第一項の規定によりなおその効力を有するものとされた同法附則第九十八条の規定（同法附則第一条第三号に掲げる改正規定を除く。）による改正前の国家公務員等共済組合法等の一部を改正する法律（昭和六十年法律第百五号）附則第三十五条第四項の規定に基づき、この政令を制定する。

令和六年度における被用者年金制度の一元化等を図るための厚生年金保険法等の一部を改正する法律附則第三十七条第一項の規定によりなおその効力を有するものとされた同法附則第九十八条の規定（同法附則第一条第三号に掲げる改正規定を除く。）による改正前の国家公務員等共済組合法等の一部を改正する法律（昭和六十年法律第百五号。以下「なお効力を有する改正前昭和六十年国共済改正法」という。）附則第三十五条第一項に規定する俸給年額改定率については、なお効力を有する改正前昭和六十年国共済改正法附則別表第五を次のとおり読み替えて、なお効力を有する改正前昭和六十年国共済改正法の規定（他の法令において、引用し、準用し、又はその例による場合を含む。）を適用する。

昭和五年四月一日以前に生まれた者	一・二七三
昭和五年四月二日から昭和六年四月一日までの間に生まれた者	一・二八四
昭和六年四月二日から昭和七年四月一日までの間に生まれた者	一・三一三
昭和七年四月二日から昭和八年四月一日までの間に生まれた者	一・三一九
昭和八年四月二日から昭和十年四月一日までの間に生まれた者	一・三一九
昭和十年四月二日から昭和十一年四月一日までの間に生まれた者	一・三二五
昭和十一年四月二日から昭和十二年四月一日までの間に生まれた者	一・三三五
昭和十二年四月二日から昭和十三年四月一日までの間に生まれた者	一・三四六
昭和十三年四月二日から昭和三十一年四月一日までの間に生まれた者	一・三四七
昭和三十一年四月二日以後に生まれた者	一・三五二

附　則

この政令は、平成二十八年四月一日から施行する。

附　則（平二九・三・三一政令八一）（抄）

（施行期日等）

1　この政令は、平成二十九年四月一日から施行する。

（旧共済法による年金の額に関する経過措置）

3　平成二十九年三月以前の月分の国家公務員等共済組合法等の一部を改正する法律附則第二条第六号に規定する旧共済法による年金の額については、なお従前の例による。

附　則（平三〇・三・三〇政令一一七）（抄）

（施行期日等）

1　この政令は、平成三十年四月一日から施行（中略）する。

（旧共済法による年金の額に関する経過措置）

2　平成三十年三月以前の月分の国家公務員等共済組合法等の一部を改正する法律（昭和六十年法律第百五号）附則第二条第六号に規定する旧共済法による年金の額については、なお従前の例による。

附　則（平三一・三・二九政令一二二）

（施行期日）

1　この政令は、平成三十一年四月一日から施行する。

（旧共済法による年金の額に関する経過措置）

2　平成三十一年三月以前の月分の国家公務員等共済組合法等の一部を改正する法律（昭和六十年法律第百五号）附則第二条第六号に規定する旧共済法による年金の額については、なお従前の例による。

附　則（令二・三・三〇政令一〇三）

（施行期日）

1　この政令は、令和二年四月一日から施行する。

（旧共済法による年金の額に関する経過措置）

2　令和二年三月以前の月分の国家公務員等共済組合法等の一部を改正する法律（昭和六十年法律第百五号）附則第二条第六号に規定する旧共済法による年金の額については、なお従前の例による。

附　則（令三・三・三一政令一〇三）（抄）

（施行期日）

第一条　この政令は、令和三年四月一日から施行する。

（旧共済法による年金の額に関する経過措置）

第五条　令和三年三月以前の月分の国家公務員等共済組合法等の一部を改正する法律（昭和六十年法律第百五号）附則第二条第六号に規定する旧共済法による年金の額については、なお従前の例による。

附　則（令四・三・二五政令一一八）（抄）

（施行期日）

第一条 この政令は、令和四年四月一日から施行する。

（旧共済法による年金の額に関する経過措置）

第四条 令和四年三月以前の月分の国家公務員等共済組合法等の一部を改正する法律（昭和六十年法律第百五号）附則第二条第六号に規定する旧共済法による年金の額については、なお従前の例による。

附　則（令五・三・三〇政令一一九）（抄）

（施行期日）

第一条 この政令は、令和五年四月一日から施行する。

（旧共済法による年金の額に関する経過措置）

第四条 令和五年三月以前の月分の国家公務員等共済組合法等の一部を改正する法律（昭和六十年法律第百五号）附則第二条第六号に規定する旧共済法による年金の額については、なお従前の例による。

附　則（令六・三・二九政令一二九）（抄）

（施行期日）

1 この政令は、令和六年四月一日から施行する。

（旧共済法による年金の額に関する経過措置）

3 令和六年三月以前の月分の国家公務員等共済組合法等の一部を改正する法律（昭和六十年法律第百五号）附則第二条第六号に規定する旧共済法による年金の額については、なお従前の例による。

○国家公務員及び公共企業体職員に係る共済組合制度の統合に伴う国家公務員共済組合法の長期給付の特例に関する政令

昭五九・三・一七
政　令　三　六

最終改正　平一四・三・一三政令四三

内閣は、国家公務員及び公共企業体職員に係る共済組合制度の統合等を図るための国家公務員共済組合法等の一部を改正する法律（昭和五十八年法律第八十二号）の施行に伴い、並びに同法及び関係法律の規定に基づき、この政令を制定する。

（趣旨）

第一条 この政令は、国家公務員及び公共企業体職員に係る共済組合制度の統合等を図るための国家公務員共済組合法等の一部を改正する法律の施行に伴い、移行組合員等に係る国家公務員共済組合法（昭和三十三年法律第百二十八号）及び国家公務員共済組合法の長期給付に関する施行法（昭和三十三年法律第百二十九号）の適用の特例等に関し必要な事項を定めるものとする。

（定義）

第二条 この政令において、次の各号に掲げる用語の意義は、それぞれ当該各号に定めるところによる。

一　新法　国家公務員共済組合法をいう。

二　施行法　国家公務員共済組合法の長期給付に関する施行法をいう。

三　施行令　国家公務員共済組合法施行令（昭和三十三年政令第二百七号）をいう。

四　長期給付　新法第二十一条第二項第一号に規定する長期給付をいう。

五　恩給公務員、長期組合員、恩給公務員期間、昭和六十年改正前の新法、旧公企体共済法、旧公企体長期組合員、移行組合員、移行更新組合員又は旧公企体組合員期間　それぞれ施行法第二条第四号、第六号若しくは第十号、第十九条又は第四十条第一号から第五号までに規定する恩給公務員、長期組合員、恩給公務員期間、昭和六十年改正前の新法、旧公企体共済法、旧公企体長期組合員、移行組合員、移行更新組合員又は旧公企体組合員期間をいう。

（既支給の一時金等を返還する場合の利率）

第三条 施行法第四十一条第四項（施行法第四十二条第四項において準用する場合を含む。）に規定する利率は、年五・五パーセントとする。

（施行法第四十二条第一項の申出をした者に対する特例）

第四条 施行法第四十二条第一項の申出をした者（同条第四項において準用する施行法第四十一条第五項の規定により当該申出をした者にあつては、その者に係る移行組合員（施行法第四十三条の規定により移行組合員とみなされた者を含む。）であつた者。以下同じ。）に対する新法の長期給付に関する規定の適用については、当該申出に係る年金の基礎となつた組合員期間を基礎として行う長期給付と当該組合員期間以外の組合員期間を基礎として行う長期給付との別に応じ、それぞれ適用するものとする。

2　施行法第四十二条第一項第二号の申出をした者が当該申出に係る年金以外の年金（当該申出に係る年金を受けていた長期組合員であつた期間を基礎とするものに限る。）を受ける権利を有する場合において、当該申出に係る年金が昭和六十年改正前の新法第七十七条第一項（昭和六十年改正前の新法第七十九条第三項及び第七十九条の二第六項において準用する場合を含む。）又は第八十五条第一項の規定による支給の停止を受けているときは、当該申出に係る年金以外の年金については、これらの規定又は新法第七十九条第一項若しくは第八十七条第一項の規定による支給の停止は行わない。この場合において、新法第七十七条第四項の規定による年金額の改定は行わない。

3　施行法第四十二条第一項の申出をした者が死亡した場合において、その者の妻が二以上の新法第八十八条第一項第四号の規定による遺族共済年金を受けることとなり、かつ、新法第九十条の規定が施行法第四十二条第一項の申出に係る当該遺族共済年金とその他の当該遺族共済年金のいずれにも適用になるときは、新法第九十条の規定は、同項の申出に係る当該遺族共済年金についてのみ適用し、その他の当該遺族共済年金については、適用しないものとする。

4　施行法第四十二条第一項第一号の申出に係る年金についての積立金（新法第三十五条の二第一項の規定により積み立てるべき積立金をいう。以下この条において同じ。）に相当する金額及び施行法第四十二条第一項第二号の申出に係る年金を受けていた長期組合員であつた期間を基礎とする年金についての積立金に相当する金額については、新法第百二十六条の二第三項の規定により移換すべき金額に該当しないものとする。

（移行日以後に再就職した者の取扱い）

第五条　前二条の規定は、施行法第四十四条各号に掲げる者について準用する。

（移行更新組合員に対する施行令の適用の特例）

第六条　移行更新組合員に対する施行令附則第十条の二、第十条の三第二項及び第十六条の規定の適用については、施行令附則第十条の二中「昭和三十四年一月一日（恩給更新組合員にあつては、同年十月一日。次条第二項において同じ。）」とあり、同項各号中「昭和三十四年一月一日」とあり、及び施行令附則第十六条中「昭和三十四年一月一日（恩給更新組合員にあつては、同年十月一日）」とあるのは、「昭和三十一年七月一日」とする。

（旧公企体更新組合員であつた者等に係る施行法の適用の特例）

第七条　施行法第四十八条第一項第一号に掲げる者に対する同項において準用する同項に定める規定の適用については、旧公企体共済法の施行の日は施行法の施行の日と、その者に係る恩給又は旧法（施行法第二条第二号に規定する旧法をいう。第四号において同じ。）の規定による退職年金で旧公企体共済法の規定によつて消滅したもの（他の法令の規定によつて消滅したものとみなされた恩給を含む。）は施行法の相当する規定によつて消滅したものと、次の各号に掲げる期間は当該各号に定める期間とみなす。

一　旧公企体共済法の施行の日以後における施行法第七条第一項第一号の期間　施行法の施行の日前における同号の期間

二　旧公企体共済法の施行の日以後における施行法第七条第一項第二号から第四号までの期間　施行法の施行の日前における同項第二号から第四号までの期間

三　旧公企体共済法の施行の日以後における施行法第七条第一項第五号に規定する職員であつた期間で長期組合員であつた期間に引き続いているもの（恩給公務員期間、同項第二号から第四号までの期間又は長期組合員であつた期間を除く。）　施行法の施行の日前における同項第五号の期間

四　旧法の規定により旧日本専売公社（日本たばこ産業株式会社法（昭和五十九年法律第六十九号）附則第十二条第一項の規定による解散前の日本専売公社をいう。）、日本国有鉄道又は旧日本電信電話公社（日本電信電話株式会社等に関する法律（昭和五十九年法律第八十五号）附則第四条第一項の規定による解散前の日本電信電話公社をいう。）に設けられた共済組合に使用された者（臨時に使用された者及び常時勤務に服しなかつた者を除く。）であつた期間（旧公企体共済法の施行の日まで引き続いているもの又は施行法第七条第一項第五号の期間に引き続いているものに限る。）　施行法第九条第一号の期間

2　施行法第四十八条第一項第二号に掲げる者に対する同項において準用する同項に定める規定の適用については、次の各号に掲げる期間は、当該各号に定める期間とみなす。

一　施行法の施行の日前における旧公企体組合員期間　同日以後における組合員期間

二　施行法の施行の日以後における施行法第七条第一項第一号の期間　同日前における同号の期間

3　施行法第四十八条第一項第三号に掲げる者に対する同項において準用する同項に定める規定の適用については、その者が長期組合員となつた日を施行法の施行の日とみなす。この場合において、長期組合員となつた日の属する月は、施行法第七条第一項各号の期間に含まれないものとする。

（旧公企体更新組合員であつた移行組合員等に対する施行令の準用等）

第八条　施行令附則第十条から第十九条までの規定は、施行法第四十八条第一項各号に掲げる者に対し、同項において準用する同項に定める規定を適用する場合について準用する。この場合において、施行令附則第十条の二及び第十六条中「昭和三十四年一月一日（恩給更新組合員」とあるのは「昭和三十一年七月一日（施行法第四十八条第一項第二号に掲げる者のうち更新組合員であつたものにあつては昭和三十四年一月一日、同号に掲げる者のうち恩給更新組合員であつたもの」と、施行令附則第十条の三第二項各号中「昭和三十四年一月一日」とあるのは「昭和三十一年七月一日」と読み替えるものとする。

2　施行法第四十八条第一項第三号に掲げる者のうち恩給公務員期間を有するものに対する同項において準用する施行法第八条第一号の規定の適用については、その者は、長期組合員となつた日の前日に恩給公務員であつたものとみなす。この場合においては、施行令附則第二十条後段の規定を準用する。

（移行更新組合員等が再就職した場合の取扱い）

第九条　第六条の規定は施行法第五十条第一項第一号に掲げる者について、前二条の規定は施行法第四十九条の規定に該当する者及び施行法第五十条第一項第二号に掲げる者について、それぞれ準用する。

（地方の組合の組合員であつた長期組合員が施行法第四十二条第一項第一号の申出に相当する申出をした者である場合の取扱い等）

第十条　新法第三十八条第二項ただし書に規定する地方の組合の組合員であつた長期組合員が地方公務員等共済組合法施行令（昭和三十七年政令第三百五十二号）附則第七十一条の三第一項において準用する施行法第四十二条第一項の申出をした者である場合における新法及び施行法並びにこの政令の規定の適用については、当該申出は施行法第四十二条第一項の申出とみなす。

（財務省令への委任）

第十一条　第三条から前条までに定めるもののほか、施行法第四十二条第一項の申出に関する手続その他旧公企体長期組合員であつた長期組合員に対する長期給付の特例に関し必要な事項は、財務省令で定める。

附　則

この政令は、統合法の施行の日（昭和五十九年四月一日）から施行する。

附　則（昭六〇・三・五政令二四）（抄）

（施行期日）

第一条　この政令は、昭和六十年四月一日から施行する。

附　則（昭六〇・三・一五政令三一）（抄）

（施行期日）

第一条　この政令は、昭和六十年四月一日から施行する。

附　則（昭六一・三・二八政令五五）（抄）

（施行期日）

第一条　この政令は、昭和六十一年四月一日から施行する。

附　則（昭六二・三・二〇政令五四）（抄）

（施行期日）

第一条　この政令は、昭和六十二年四月一日から施行する。

附　則（平九・三・二八政令八四）（抄）

（施行期日）

第一条　この政令は、平成九年四月一日から施行する。

附　則（平一一・五・二八政令一六五）（抄）

この政令は、日本電信電話株式会社法の一部を改正する法律の施行の日（平成十一年七月一日）から施行する。〔ただし書略〕

附　則（平一二・六・七政令三〇七）（抄）

（施行期日）

第一条　この政令は、平成十三年一月六日から施行する。〔ただし書略〕

附　則（平一四・三・一三政令四三）（抄）

（施行期日）

第一条　この政令は、平成十四年四月一日から施行する。

○国家公務員等共済組合法等の一部を改正する法律の施行に伴う経過措置に関する政令

昭六一・三・二八
政　令　五　六

最終改正　令三・三・三一政令一〇三

内閣は、国家公務員等共済組合法等の一部を改正する法律（昭和六十年法律第百五号）の規定に基づき、この政令を制定する。

目次

第一章　総則

（趣旨）

第一条　この政令は、国家公務員等共済組合法等の一部を改正する法律（昭和六十年法律第百五号）の施行に伴い、同法の施行の日前の期間を有する者に係る国家公務員共済組合法（昭和三十三年法律第百二十八号）及び国家公務員共済組合法の長期給付に関する施行法（昭和三十三年法律第百二十九号）の適用、退職共済年金等の額の算定、同日前に給付事由が生じた退職年金等の額の改定等に関し必要な経過措置を定めるものとする。

（用語の定義）

第二条　この政令において、次の各号に掲げる用語の意義は、それぞれ当該各号に定めるところによる。

一　共済法　被用者年金制度の一元化等を図るための厚生年金保険法等の一部を改正する法律（平成二十四年法律第六十三号。以下「平成二十四年一元化法」という。）第二条の規定による改正前の国家公務員共済組合法をいう。

二　旧共済法　国家公務員等共済組合法等の一部を改正する法律（昭和六十年法律第百五号。以下「昭和六十年改正法」という。）第一条の規定による改正前の国家公務員等共済組合法をいう。

三　施行法　国家公務員共済組合法の長期給付に関する施行法をいう。

四　旧施行法　昭和六十年改正法第二条の規定による改正前の国家公務員等共済組合法の長期給付に関する施行法をいう。

五　施行令　国家公務員共済組合法施行令（昭和三十三年政令第二百七号）をいう。

六　旧施行令　国家公務員等共済組合法施行令等の一部を改正する等の政令（昭和六十一年政令第五十五号。以下「昭和六十一年政令第五十五号」という。）第一条の規定による改正前の国家公務員等共済組合法施行令をいう。

七　退職共済年金、障害共済年金又は遺族共済年金　それぞれ共済法の規定による退職共済年金、障害共済年金又は遺族共済年金をいう。

八　共済法による年金　退職共済年金、障害共済年金及び遺族共済年金をいう。

九　退職年金、減額退職年金、通算退職年金、障害年金、遺族年金又は通算遺族年金　それぞれ旧共済法の規定による退職年金、減額退職年金、通算退職年金、障害年金、遺族年金又は通算遺族年金をいい、他の法令の規定によりこれらの年金とみなされたものを含む。

十　旧共済法による年金　退職年金、減額退職年金、通算退職年金、障害年金、遺族年金及び通算遺族年金をいい、他の法令の規定によりこれらの年金とみなされたものを含む。

十一　老齢基礎年金、障害基礎年金又は遺族基礎年金　それぞれ国民年金法（昭和三十四年法律第百四十一号）の規定による老齢基礎年金、障害基礎年金又は遺族基礎年金をいう。

十二　組合、連合会、標準報酬の月額又は標準期末手当等の額　それぞれ共済法第三条第一項、第二十一条第一項、第四十二条第一項又は第四十二条の二第一項に規定する組合、連合会、標準報酬の月額又は標準期末手当等の額をいう。

十三　旧公企体共済法、旧公企体長期組合員又は旧公企体組合員期間　それぞれ施行法第四十条第一号、第二号又は第五号に規定する旧公企体共済法、旧公企体長期組合員又は旧公企体組合員期間をいう。

十四　移行組合員等、更新組合員等、公務による障害年金、旧共済法の障害等級、公務によらない障害年金、公務による遺族年金又は衛視等　それぞれ昭和六十年改正法附則第六条第一項、第十六条第七項、第四十二条第一項若しくは第二項、第四十六条第一項第一号又は第四十九条に規定する移行組合員等、更新組合員等、公務による障害年金、旧共済法の障害等級、公務によらない障害年金、公務による遺族年金又は衛視等をいう。

十五　昭和六十年俸給年額　昭和六十年改正法の施行の日（以下「施行日」という。）の前日における旧共済法による年金の額の算定の基礎となつている俸給年額（旧共済法第四十二条第二項に規定する俸給年額をいい、通算退職年金及び通算遺族年金にあつては、同日におけるこれらの年金の額の算定の基礎となつている同項に規定する俸給の十二倍に相当する額とする。）又は公企体基礎俸給年額（昭和六十年改正法附則第八十六条の規定による改正前の国家公務員及び公共企業体職員に係る共済組合制度の統合等を図るための国家公務員共済組合法等の一部を改正する法律（昭和五十八年法律第八十二号。以下「改正前の昭和五十八年法律第八十二号」という。）附則第十八条第三項に規定する公企体基礎俸給年額をいう。以下同じ。）をいう。

第二章　給付の通則に関する経過措置

（施行日前の期間に係る標準報酬の月額の計算）

第三条　昭和六十年改正法附則第九条第一項に規定する政令で定める者は、施行日の前日に組合員（旧共済法の長期給付に関する規定の適用を受けない組合員を除く。以下同じ。）であつた者で施行日以後引き続き組合員であるもの（昭和六十年四月一日以後に組合員となつた者に限る。）のうち、組合員となつた日から施行日の前日までの間に、旧共済法第二条第一項第五号に規定する俸給に係る給与に関する法令（給与に関する法令の適用を受けない者にあつては、給与に関する規程。以下「給与法令」という。）の昭和六十年度における改正後の規定の適用を受けなかつた期間（以下「俸給調整期間」という。）のある者とする。

2　昭和六十年改正法附則第九条第一項に規定する政令で定める額は、昭和六十年度における改正後の給与法令の規定が施行日前の組合員期間（旧公企体組合員期間その他の組合員期間とみなされた期間及び組合員期間に算入することとされた期間を含む。以下同じ。）のうち昭和五十六年四月一日以後の期間で施行日まで引き続いているものの各月において適用されていたとしたならば、その各月において旧共済法第百条第二項及び第三項の規定の例により計算した掛金の標準となるべき俸給の額から、その各月において掛金の標準となつた俸給の額を控除して得た額とする。

3　昭和六十年改正法附則第九条第二項に規定する政令で定める比率は、組合員期間のうち実在職した期間（以下「実在職期間」という。）が別表第一の上欄に掲げる期間のいずれの区分に属するかに応じ、それぞれ同表の下欄に掲げる比率とする。

第四条　昭和六十年改正法附則第九条第三項に規定する政令で定める者は、昭和六十年四月一日から同年六月三十日までの間に退職した者でその期間内に俸給調整期間のあるものとする。

2　昭和六十年改正法附則第九条第三項に規定する政令で定めるところにより改定した額は、昭和六十年俸給年額（施行日の前日において通算退職年金を受ける権利を有していなかつた者にあつては、その退職時に通算退職年金の給付事由が生じていたとしたならば同日において支給されているべきであつた通算退職年金の額の算定の基礎となるべき昭和六十年俸給年額）にその額が別表第二の上欄に掲げる昭和六十年俸給年額のいずれの区分に属するかに応じ同表の中欄に掲げる率を乗じて得た額に、当該区分に応じ同表の下欄に掲げる金額を加えて得た額（その額が五百五十二万円を超えるときは、五百五十二万円）を十二で除して得た額とする。

3　旧共済法による年金の受給権者が次に掲げる者である場合における昭和六十年改正法附則第九条第三項に規定する政令で定めるところにより改定した額は、前項の規定にかかわらず、その者がその退職前一年間において適用を受けた給与法令の規定が旧共済法第二条第一項第五号に規定する俸給に係る昭和六十年度における改正後の規定と同様に改正されていたとしたならば、当該一年間の各月において旧共済法第百条第二項及び第三項の規定の例により計算した掛金の標準となるべき俸給の額を合計した額を十二で除して得た額とする。

一　昭和五十七年四月一日から昭和五十八年三月三十一日までの間に退職（在職中の死亡を含む。以下この項において同じ。）をした者のうち、昭和四十二年度以後における国家公務員等共済組合等からの年金の額の改定に関する法律（昭和四十二年法律第百四号。以下「年金額改定法」という。）第十条の七第一項に規定する昭和五十七年度国の俸給調整適用者及び年金額改定法第十条の八第一項に規定する昭和五十七年度公企体俸給調整適用者以外の者

二　昭和五十八年四月一日から昭和五十九年三月三十一日までの間に退職をした者のうち、年金額改定法第十条の九第一項に規定する昭和五十八年度国の俸給調整適用者及び年金額改定法第十条の十第一項に規定する昭和五十八年度公企体俸給

調整適用者以外の者

三　昭和五十九年四月一日から昭和六十年三月三十一日までの間に退職をした者のうち、昭和五十九年度の組合員であつた期間及び昭和五十八年度の組合員であつた期間（昭和五十九年四月一日に引き続く期間に限る。）内において、旧共済法第二条第一項第五号に規定する俸給に係る一般職の職員の給与に関する法律の一部を改正する法律（昭和六十年法律第九十七号）による改正前の一般職の職員の給与に関する法律（昭和二十五年法律第九十五号）の規定の適用を受けた昭和五十九年度内の期間又は当該俸給に係る給与法令のうち同法以外のものの規定で同年度における改正が同法の改正に準じて行われたものの適用を受けた同年度内の期間及びこれに相当する昭和五十八年度内の期間で財務大臣が定めるものがある者以外の者

四　昭和六十年四月一日から同年六月三十日までの間に退職した者のうち俸給調整期間がある者以外の者

4　昭和六十年改正法附則第九条第四項に規定する政令で定める比率は、組合員期間のうち実在職期間の年数が別表第三の上欄に掲げる期間のいずれの区分に属するかに応じ、それぞれ同表の下欄に掲げる比率とする。

第五条　昭和六十年改正法附則第九条第一項又は第三項の規定により施行日前の組合員期間に係る標準報酬の月額を計算する場合において、その計算した額が四十七万円を超えるときは、四十七万円をもつて、標準報酬の月額とする。

2　旧共済法による年金の受給権者について当該年金の額の算定の基礎となつている組合員期間の各月における標準報酬の月額を計算する場合においては、当該年金の額の算定の基礎となつている俸給年額を十二で除して得た額を昭和六十年改正法附則第九条第三項に規定する俸給の額と、当該年金の額の算定の基礎となつている組合員期間を同項に規定する退職に係る組合員期間とみなす。

第六条　移行組合員等に対する昭和六十年改正法附則第九条第一項の規定及び第三条第二項の規定の適用については、昭和六十年改正法附則第九条第一項中「第百条第二項及び第三項」とあるのは「第百条第二項及び第三項又は旧公企体共済法（施行法第四十条第一号に規定する旧公企体共済法をいう。）第六十四条第二項」と、「除して得た額」とあるのは「除して得た額（その額が四十六万円を超えるときは、四十六万円）」と、第三条第二項中「ものの各月」とあるのは「ものの各月（旧公企体共済法第六十四条第二項の規定により掛金の標準となつた俸給の額が四十六万円を超えていた月を除く。）」とする。

2　昭和六十年改正法附則第九条第一項に規定する施行日前の組合員期間のうち昭和五十六年四月一日以後の期間で施行日に引き続いているものの一部又は全部が共済法第百二十六条の三第一項の規定により組合員であつたものとみなされた地方の組合（共済法第三十八条第二項ただし書に規定する地方の組合をいう。以下同じ。）の組合員であつた期間である場合における昭和六十年改正法附則第九条第一項の規定の適用については、当該期間の各月において地方公務員等共済組合法等の一部を改正する法律（昭和六十年法律第百八号。以下「昭和六十年地方の改正法」という。）第一条の規定による改正前の地方公務員等共済組合法（昭和三十七年法律第百五十二号。以下「昭和六十年改正前の地方共済法」という。）第百十四条第二項及び第三項又は第百四十四条の十一第三項及び第四項の規定により掛金の標準となつた給料の額（地方公務員等共済組合法等の一部を改正する法律の施行に伴う経過措置に関する政令（昭和六十一年政令第五十八号）第三条第二項の規定により加えることとされた額がある場合には、当該給料の額に、当該加えることとされた額を加えた額）をもつて、昭和六十年改正法附則第九条第一項に規定する掛金の標準となつた俸給の額とする。

3　昭和六十年改正法附則第九条の規定により施行日前の組合員期間のうち施行法第七条第一項各号に掲げる期間（旧共済法による年金の額の算定の基礎となつている期間を除く。）で施行法の施行の日（施行法第二条第七号に規定する施行日をいう。以下この項において同じ。）に引き続かないもの（以下この項において「恩給旧法等期間」という。）を有する者に係る平均標準報酬月額（国家公務員共済組合法等の一部を改正する法律（平成十二年法律第二十一号。第六十六条の六第一項において「平成十二年改正法」という。）第二条の規定による改正前の共済法第七十七条第一項に規定する平均標準報酬月額をいう。以下同じ。）を計算する場合においては、次の各号に掲げる場合の区分に応じ、当該各号に定めるところによる。

一　施行法の施行の日から施行日の前日までの間に組合員であつた期間を有しない者について恩給旧法等期間に係る平均標準報酬月額を計算する場合　施行日以後に組合員となつた日の属する月から当該組合員となつた日から起算して一年を経過する日の属する月の前月（月の初日に組合員となつた者については当該一年を経過する日の属する月とし、当該組合員となつた日から起算して一年を経過する日の属する月の前月までの間に退職したとき、又は障害共済年金若しくは遺族共済年金の給付事由が生じたときは、当該退職の日又は当該給付事由が生じた日の属する月とする。）までの間の組合員であつた期間の各月において旧共済法第百条第二項及び第三項の規定がなおその効力を有していたとしたならばこれらの規定により掛金の標準となるべき俸給の額に相当する額の合計額を平均した額を、恩給旧法等期間に係る昭和六十年改正法附則第九条第三項に規定する通算退職年金の額の算定の基礎となつている俸給の額とみなして、同項の規定を適用する。

二　施行法の施行の日から施行日の前日までの間に組合員であつた期間を有する者（当該期間内に退職した者を除く。）について恩給旧法等期間に係る平均標準報酬月額を計算する場合　昭和六十年改正法附則第九条第一項中「当該施行日まで引き続く組合員期間」とあるのは、「当該施行日まで引き続く組合員期間（国家公務員等共済組合法等の一部を改正する法律の施行に伴う経過措置に関する政令（昭和六十一年政令第五十六号）第六条第三項に規定する恩給旧法等期間を含む。）」として、同項の規定を適用する。この場合においては、同条第三項の規定は、適用しない。

三　施行法の施行の日から施行日の前日までの間に組合員であつた期間を有する者（当該期間内に退職した者に限る。）について恩給旧法等期間に係る平均標準報酬月額を計算する場合　昭和六十年改正法附則第九条第三項中「その施行日前の退職」とあるのは「その施行日前の退職（施行法の施行の日（国家公務員等共済組合法等の一部を改正する法律の施行に伴う経過措置に関する政令第六条第三項に規定する施行法の

施行の日をいう。以下この項において同じ。）以後の退職に限る。以下この項において同じ。）」と、「当該退職に係る組合員期間」とあるのは「当該退職に係る組合員期間（施行法の施行の日以後の最初の退職については、同令第六条第三項に規定する恩給旧法等期間を含む。）」として、同項の規定を適用する。

4　昭和六十年改正法附則第九条第一項に規定する施行日前の組合員期間のうち昭和五十六年四月一日以後の期間で施行日に引き続いているものの一部又は全部が旧施行令第二条第一項第一号から第五号までに掲げる者又は同条第二項各号に掲げる者に該当する者であつた期間（財務省令で定める期間を除く。）である場合においては、その期間中その者が常時勤務に服することを要する者であつたものとした場合に当該期間の各月のその者の掛金の標準となるべき俸給の額に相当するものとして運営規則で定める仮定俸給の額を、当該期間の各月のその者の掛金の標準となつた俸給の額とみなして、昭和六十年改正法附則第九条第一項の規定を適用する。

（旧共済法による年金の受給権者の申出により支給停止された年金である給付を支給停止されていないものとみなす法令の規定の範囲）

第七条　昭和六十年改正法附則第十条第二項において準用する共済法第七十四条の二第四項に規定する政令で定める規定は、次に掲げる法令の規定とする。

一　児童扶養手当法（昭和三十六年法律第二百三十八号）第十三条の二第二項第一号ただし書

二　恩給法等の一部を改正する法律（昭和五十一年法律第五十一号）第十四条の二第一項

三　特定障害者に対する特別障害給付金の支給に関する法律（平成十六年法律第百六十六号）第十六条ただし書

四　健康保険法施行令（大正十五年勅令第二百四十三号）第三十八条ただし書（同条第四号に係る部分に限る。）

五　船員保険法施行令（昭和二十八年政令第二百四十号）第五条ただし書（同条第四号に係る部分に限る。）

六　私立学校教職員共済法施行令（昭和二十八年政令第四百二十五号）第六条において準用する施行令第十一条の三の九第二項（同項第四号に係る部分に限る。）及び同令第七条において準用する施行令第十一条の七の四（同条第六号に係る部分に限る。）

七　厚生年金保険法施行令（昭和二十九年政令第百十号）第三条の七ただし書（同条第三号に係る部分に限る。）

八　施行令第十一条の三の九第二項（同項第四号に係る部分に限る。）及び第十一条の七の四（同条第四号に係る部分に限る。）

九　地方公務員等共済組合法施行令（昭和三十七年政令第三百五十二号）第二十三条の六第二項（同項第四号に係る部分に限る。）及び第二十五条の六（同条第四号に係る部分に限る。）

十　国民年金法等の一部を改正する法律の施行に伴う経過措置に関する政令（昭和六十一年政令第五十四号。以下「国民年金等経過措置政令」という。）第二十八条ただし書（同条第四号に係る部分に限る。）

十一　平成十九年十月以後における旧令による共済組合等からの年金受給者のための特別措置法等の規定による年金の額の改定に関する政令（平成十二年政令第二百四十一号）第二条第六項（同項第四号に係る部分に限る。）及び第七項（同項第三号に係る部分に限る。）

十二　平成十九年十月以後における旧私立学校教職員共済組合法の規定による年金等の額の改定に関する政令（平成十二年政令第三百四十一号）第三条第二項（同項第二号に係る部分に限る。）及び第三項（同項第二号に係る部分に限る。）

（併給の調整に関する経過措置）

第八条　昭和六十年改正法附則第十一条第一項の規定により、国民年金法等の一部を改正する法律（昭和六十年法律第三十四号。以下「国民年金等改正法」という。）附則第八十七条第一項に規定する旧船員保険法による年金たる保険給付を受けることができる場合に該当して共済法による年金の支給が停止されるときは、当該支給の停止については、共済法第七十四条第二項の規定の例による。

2　昭和六十年改正法附則第十一条第三項の規定により共済法第七十四条第四項の規定を準用する場合には、施行令第十一条の七の規定を準用する。この場合において、共済法による年金の支給の停止については、同条中「次に掲げる規定」とあるのは「国家公務員等共済組合法等の一部を改正する法律（昭和六十年法律第百五号）附則第十一条第三項の規定により準用する法第七十四条第三項及び第五項の規定並びに次に掲げる規定」と読み替えるものとし、旧共済法による年金の支給の停止については、同条中「次に掲げる規定」とあるのは「同条第三項及び第五項の規定並びに次に掲げる規定」と読み替えるものとする。

3　昭和六十年改正法附則第十一条第五項に規定する政令で定める規定は、次に掲げる規定とする。

一　厚生年金保険法（昭和二十九年法律第百十五号）第三十八条並びに国民年金等改正法附則第十一条第一項から第四項まで及び第五十六条第一項から第三項まで

二　地方公務員等共済組合法第七十六条及び昭和六十年地方の改正法附則第十条第一項から第四項まで

三　私立学校教職員共済法（昭和二十八年法律第二百四十五号）第二十五条において準用する共済法第七十四条及び私立学校教職員共済法第四十八条の二の規定によりその例によることとされる昭和六十年改正法附則第十一条第一項から第四項まで

（組合員期間等に関する経過措置）

第九条　昭和六十年改正法附則第十二条第一項の規定により組合員期間等（共済法第七十六条第一項第一号に規定する組合員期間等をいう。以下同じ。）の計算を行う場合において、同一の月が同時に組合員期間及び昭和六十年改正法附則第十二条第一項の規定により組合員期間等に算入することとされた同項第一号に掲げる期間のうち次に掲げる期間の計算の基礎となつているときは、その月は、組合員期間の計算の基礎とならなかつたものとみなす。

一　国民年金等改正法附則第八条第一項に規定する旧保険料納付済期間又は旧保険料免除期間

二　国民年金等経過措置政令第九条第一号から第二号の二までに掲げる期間

第十条及び第十一条　削除

第三章　退職共済年金等に関する経過措置

（退職共済年金の給付乗率の特例を受ける者に係る年金の種類）

第十二条　昭和六十年改正法附則第十五条第三項に規定する政令で定める年金は、次に掲げる年金とする。

一　国民年金等改正法第三条の規定による改正前の厚生年金保険法（以下「昭和六十年改正前の厚生年金保険法」という。）の規定による老齢年金

二　国民年金等改正法第五条の規定による改正前の船員保険法（昭和十四年法律第七十三号。以下「昭和六十年改正前の船員保険法」という。）の規定による老齢年金

三　昭和六十年改正前の地方共済法（第十一章を除く。）の規定による退職年金（昭和六十年地方の改正法第二条の規定による改正前の地方公務員等共済組合法の長期給付等に関する施行法（昭和三十七年法律第百五十三号）の規定により当該退職年金とみなされたものを含む。）又は減額退職年金のうち、昭和六十年改正前の地方共済法第百四十四条の四第一項に規定する団体組合員であつた者に支給されるもの

四　私立学校教職員共済組合法等の一部を改正する法律（昭和六十年法律第百六号）第一条の規定による改正前の私立学校教職員共済組合法の規定による退職年金又は減額退職年金

五　旧制度農林共済法（厚生年金保険制度及び農林漁業団体職員共済組合制度の統合を図るための農林漁業団体職員共済組合法等を廃止する等の法律（平成十三年法律第百一号。以下「平成十三年統合法」という。）附則第二条第一項第五号に規定する旧制度農林共済法をいう。）の規定による退職年金又は減額退職年金

（退職共済年金の額の経過的加算）

第十三条　昭和六十年改正法附則第十六条第一項第二号イに規定する政令で定める期間は、次に掲げる期間とする。

一　施行日前の期間に係る組合員期間であつて、当該組合員期間の計算の基礎となつている月が、同時に第九条各号に掲げる期間の計算の基礎となつているもの

二　組合員期間のうち、昭和六十年改正法附則別表第三の上欄に掲げる者の次に掲げる期間について先に経過した月の分から順次合算した場合にそれぞれ同表の下欄に定める月数に達するまでの期間に係る組合員期間以外のもの

イ　国民年金法第五条第二項に規定する保険料納付済期間（国民年金等改正法附則第八条第一項に規定する旧保険料納付済期間を含み、同条第四項に規定するものを除く。）

ロ　国民年金法第五条第三項に規定する保険料免除期間（国民年金等改正法附則第八条第一項に規定する旧保険料免除期間を含む。）

ハ　国民年金等改正法附則第八条第三項に規定する同条第二項各号に掲げる期間

2　昭和六十年改正法附則第十六条第二項の規定により読み替えられた同条第一項第一号及び共済法附則第十二条の四の二第二項第一号に規定する政令で定める率は、別表第四の上欄に掲げる者の区分に応じ、それぞれ同表の下欄に定める率とする。

3　施行法第十一条第一項の規定を適用して算定された共済法第七十六条の規定による退職共済年金の額のうち、昭和六十年改正法附則第十六条第一項又は第四項の規定により加算することとされた金額に相当する額が、組合員期間が二百四十月であるものとして算定したこれらの規定により加算することとされた金額より少ないときは、当該金額をもつて当該相当する額とする。

（更新組合員等の範囲）

第十四条　昭和六十年改正法附則第十六条第七項に規定する政令で定める者は、次に掲げる者とする。

一　施行法第二十二条第一項各号に掲げる者

二　施行法第二十三条第一項に規定する恩給更新組合員（前号に掲げる者を除く。）

三　施行法第三十一条第二項に規定する地方の更新組合員であつた者（前二号に掲げる者を除く。）

四　施行法第三十三条第四号に規定する復帰更新組合員（前三号に掲げる者を除く。）

五　施行法第三十三条第七号に規定する沖縄更新組合員であつた者（前各号に掲げる者を除く。）

六　施行法第四十条第四号に規定する移行更新組合員（前各号に掲げる者を除く。）

七　施行法第四十八条第一項各号に掲げる者（第一号から第五号までに掲げる者を除く。）

八　施行法第五十条第一項各号に掲げる者（第一号から第五号までに掲げる者を除く。）

九　旧公企体共済法附則第四条第二項に規定する更新組合員であつた者（前各号に掲げる者を除く。）

（通算退職年金の受給権者に係る退職共済年金の額の特例）

第十五条　昭和六十年改正法附則第二十条第二項に規定する政令で定めるところにより算定した額は、国民年金法第二十七条本文に規定する老齢基礎年金の額に第一号に掲げる月数を第二号に掲げる月数で除して得た割合を乗じて得た額とする。

一　組合員期間のうち昭和三十六年四月一日以後の期間に係るもの（二十歳に達した日の属する月前の期間及び六十歳に達した日の属する月以後の期間に係るもの並びに第十三条第一項各号に掲げる期間に係るものを除く。）の月数

二　昭和六十年改正法附則別表第三の上欄に掲げる者の区分に応じ、それぞれ同表の下欄に掲げる月数

2　大正十五年四月一日以前に生まれた通算退職年金の受給権者が、共済法第七十六条第二項の規定に該当したことにより退職共済年金を受ける権利を取得した者である場合における昭和六十年改正法附則第二十条第二項の規定の適用については、その者が共済法第七十六条第二項の規定による退職共済年金を受ける権利を取得しなかつたとしたならばその退職の日の前日において受ける権利を有していることとなるべき通算退職年金の額を、昭和六十年改正法附則第二十条第二項に規定する当該退職共済年金の給付事由が生じた日の前日において受ける権利を有していた当該通算退職年金の額とする。

（退職年金を受けることができた者等に係る退職共済年金の額の特例）

第十六条　前条第一項の規定は、昭和六十年改正法附則第二十一条第一項に規定する政令で定めるところにより算定した額の算定について準用する。この場合において、前条第一項第一号中「月数」とあるのは、「月数（施行日の前日において退職年金又

は減額退職年金を受ける権利を有していた者にあつては、当該年金の額の算定の基礎となつている期間の月数を除く。）」と読み替えるものとする。

２　共済法第七十九条第六項又は第七項の規定により共済法第七十八条第一項に規定する加給年金額（以下「退職共済年金の加給年金額」という。）の支給が停止される場合における昭和六十年改正法附則第二十条第二項及び第二十一条第一項の規定の適用については、昭和六十年改正法附則第二十条第二項中「退職共済年金の額が」とあるのは「退職共済年金の額（共済法第七十九条第六項又は第七項の規定により共済法第七十八条第一項に規定する加給年金額の支給が停止されるときは、その停止後の額）が」と、昭和六十年改正法附則第二十一条第一項中「算定した額が」とあるのは「算定した額（共済法第七十九条第六項又は第七項の規定により共済法第七十八条第一項に規定する加給年金額の支給が停止されるときは、その停止後の額）が」とする。

３　昭和六十年改正法附則第二十一条第一項の規定の適用を受けた者が、六十歳、七十歳又は八十歳に達した場合においては、その者が施行日の前日において六十歳、七十歳又は八十歳であつたとしたならば同項各号の規定により算定される額をもつて、その者が当該年齢に達した日の属する月の翌月分以後の同項各号に定める額とする。

４　共済法附則第十二条の八第一項又は第二項の規定による退職共済年金の受給権者が、施行日の前日において組合員であつた者で施行日以後引き続き組合員であるもののうち、昭和六十年改正法附則第二十一条第一項各号に掲げる者である場合における当該退職共済年金の額については、共済法附則第十二条の八第三項及び同条第四項において読み替えられた共済法第七十八条第一項の規定により算定した額（共済法第七十九条第六項若しくは第七項又は共済法附則第十二条の八第五項の規定により退職共済年金の加給年金額の支給が停止されるときは、その停止後の額）が、当該各号に定める額から、その額の百分の四に相当する金額に共済法附則第十二条の八第三項に規定する特例支給開始年齢と当該退職共済年金の支給を開始する月の前月の末日におけるその者の年齢との差に相当する年数を乗じて得た金額を減じた金額より少ないときは、当該減じた金額をもつて当該退職共済年金の額とする。

５　前項に規定する退職共済年金の受給権者であつた者が六十五歳に達したときに支給する退職共済年金の額については、共済法附則第十二条の八第七項の規定により算定した額が、前項に規定する退職共済年金の額から昭和六十年改正法附則第二十一条第一項に規定する政令で定めるところにより算定した額を控除して得た額より少ないときは、当該控除して得た額をもつて当該退職共済年金の額とする。

６　前二項の規定によりその額が算定された退職共済年金の額については、昭和六十年改正法附則第二十一条第七項の規定の例による。

７　退職共済年金のうち昭和六十年改正法附則第二十条第二項若しくは第二十一条第一項の規定又は第四項若しくは第五項の規定によりその額が算定されたものに係る共済法第七十四条第二項、第八十条第一項、第九十七条第一項及び第三項並びに附則第十二条の八の二第一項（同条第四項において準用する場合を含む。）及び第五項（同条第七項において準用する場合を含む。）の規定の適用については、これらの規定に規定する退職共済年金の職域加算額又は退職共済年金の加給年金額（共済法第七十九条第六項若しくは第七項又は共済法附則第十二条の八第五項の規定により支給が停止されているものを除く。）は、それぞれ昭和六十年改正法附則第二十条第二項若しくは第二十一条第一項の規定又は第四項若しくは第五項の規定の適用がないものとした場合のその額に、当該退職共済年金の額をこれらの規定の適用がないものとした場合の退職共済年金の額（共済法第七十九条第六項若しくは第七項又は共済法附則第十二条の八第五項の規定により退職共済年金の加給年金額の支給が停止されるときは、その停止後の額）で除して得た割合を乗じて得た額に相当する金額とする。

（施行日前の組合員期間を有する者に係る組合員又は厚生年金保険の被保険者等である間の退職共済年金の支給停止の特例）

第十六条の二　施行日前の組合員期間を有する者に支給する退職共済年金（共済法附則第十二条の六の二第三項の規定によるものに限る。）について昭和六十年改正法附則第二十一条の二第二項の規定を適用する場合においては、同項中「退職共済年金」とあるのは、「退職共済年金（共済法附則第十二条の六の二第三項の規定による退職共済年金（その受給権者が六十五歳に達していないものに限る。）を除く。）」とする。

（施行日前の組合員期間を有する者に係る厚生年金保険の被保険者等である間の退職共済年金の支給の停止）

第十七条　施行日前の組合員期間を有する者に支給される退職共済年金で平成七年七月までの分として支給されるものについて昭和六十年改正法第一条の規定による改正後の国家公務員等共済組合法第八十条第一項の規定を適用する場合においては、同項の規定により支給を停止する金額は、同項の規定にかかわらず、次の各号に掲げる期間の分として支給される年金の区分に応じ、同項の規定により支給を停止すべきこととされた金額に、当該各号に定める割合を乗じて得た金額とする。

一　昭和六十三年八月から平成元年七月までの分として支給される年金　百分の三十

二　平成元年八月から平成二年七月までの分として支給される年金　百分の四十

三　平成二年八月から平成三年七月までの分として支給される年金　百分の五十

四　平成三年八月から平成四年七月までの分として支給される年金　百分の六十

五　平成四年八月から平成五年七月までの分として支給される年金　百分の七十

六　平成五年八月から平成六年七月までの分として支給される年金　百分の八十

七　平成六年八月から平成七年七月までの分として支給される年金　百分の九十

２　施行日前の組合員期間を有する者（昭和六十年改正法附則第十六条第一項に規定する施行日に六十歳以上である者等に限る。）が六十五歳に達した日以後に支給する退職共済年金（平成十六年三月までの分として支給されるものに限る。）について共済法第八十条第一項の規定を適用する場合においては、同項中「加給年金額」とあるのは、「加給年金額並びに老齢基礎年金に相当する金額として国家公務員等共済組合法等の一部を改正する法律（昭和六十年法律第百五号）附則第十六条第一項第二号の規定に準じて財務省令で定めるところにより算定した額」とする。

3　施行日前の組合員期間を有する者（昭和六十年改正法附則第二十条第二項若しくは第二十一条第一項の規定又は第十六条第五項の規定によりその額が算定された退職共済年金の受給権者に限る。）に支給する退職共済年金（平成十六年四月以後の分として支給されるものに限る。）について昭和六十年改正法附則第二十一条の二第二項の規定により読み替えられた共済法第八十条第一項の規定を適用する場合においては、同項中「附則第十六条第一項又は第四項の規定により加算された」とあるのは、「附則第二十条第二項若しくは第二十一条第一項の規定又は国家公務員等共済組合法等の一部を改正する法律の施行に伴う経過措置に関する政令（昭和六十一年政令第五十六号）第十六条第五項の規定の適用がないものとした場合に同法附則第十六条第一項又は第四項の規定により加算されることとなる」とする。

（退職共済年金の加給年金額の特例）

第十八条　昭和六十年改正法附則第十七条第一項の規定は、退職共済年金の受給権者が大正十五年四月一日以前に生まれた者である場合（その者の配偶者が同日以前に生まれた者である場合を除く。）について準用する。

（障害共済年金の支給要件に関する経過措置）

第十九条　施行日前の組合員期間を有する者で施行日前における病気又は負傷及びこれらにより生じた病気（以下「傷病」という。）により障害の状態にあるものについて昭和六十年改正法第一条の規定による改正後の国家公務員等共済組合法第八十一条第一項の規定を適用する場合においては、同項中「又は負傷した者」とあるのは「若しくは負傷した者」と、「又は負傷に係る」とあるのは「若しくは負傷に係る」と、「又は歯科医師」とあるのは「若しくは歯科医師」と、「組合員であつたもの」とあるのは「組合員であつたもの（当該初診日が国家公務員等共済組合法等の一部を改正する法律（昭和六十年法律第百五号。以下この条において「昭和六十年改正法」という。）の施行の日以後にある場合に限る。）又は昭和六十年改正法の施行の日前における組合員であつた間に病気にかかり、若しくは負傷した者（その者が公務によらないで病気にかかり、又は負傷した者である場合には、昭和六十年改正法第一条の規定による改正前の国家公務員等共済組合法（以下この条において「昭和六十年改正前の共済法」という。）第八十一条第一項第二号に規定する組合員期間が一年以上となつた日後に病気にかかり、又は負傷した者に限る。）」と、「当該初診日」とあるのは「その病気又は負傷に係る傷病の初診日」とする。

2　施行日前の組合員期間を有する者で施行日前の組合員である間における公務による傷病により障害の状態にあるものについて共済法第八十一条第三項の規定を適用する場合においては、同項中「病気にかかり、又は負傷した者で、その病気又は負傷に係る傷病の初診日において組合員であつたもの」とあるのは「組合員である間において公務により病気にかかり、又は負傷した者」と、「障害認定日において」とあるのは「昭和六十年改正前の共済法第八十一条第一項第一号（同条第二項において読み替えて適用される場合を含む。）に規定する退職の時（その者が昭和六十年改正法の施行の日前に退職をしなかつた者である場合において、昭和五十九年十月一日前に初診日がある傷病により障害の状態にあるときは昭和六十年改正法の施行の日の前日とし、昭和五十九年十月一日以後に初診日がある傷病により障害の状態にあるときは障害認定日に相当する日とする。）において」と、「障害認定日後六十五歳に達する日の前日」とあるのは「当該退職の時後六十五歳に達する日の前日又は当該退職の時から五年を経過する日のうちいずれか遅い日」とする。

3　前項の場合において、共済法第八十一条第二項に規定する障害等級に該当する程度の障害の状態になつた時又は同条第三項の規定による請求の時が、前項の規定により読み替えて適用される同条第三項に規定するいずれか遅い日後であるときであつても、連合会が共済法第百四条第一項の規定により置かれる国家公務員共済組合審査会の議に付することを適当と認め、かつ、当該国家公務員共済組合審査会においてその障害が公務による傷病によるものであることが顕著であると議決したときは、そのときから共済法第八十一条第三項の規定による障害共済年金の給付事由が生じたものとみなす。

4　施行日前の組合員期間を有する者で施行日前の組合員である間における公務によらない傷病により障害の状態にあるものについて共済法第八十一条第三項の規定を適用する場合においては、同項中「病気にかかり、又は負傷した者で、その病気又は負傷に係る傷病の初診日において組合員であつたもの」とあるのは「昭和六十年改正前の共済法第八十一条第一項第二号に規定する組合員期間が一年以上となつた日後組合員である間に公務によらないで病気にかかり、又は負傷した者（昭和五十一年十月一日前にその病気又は負傷に係る傷病について療養の給付又は療養費の支給を受けたことがある者にあつては、組合員となつて一年以上経過した後に公務によらないで病気にかかり、又は負傷した場合に限る。）」と、「障害認定日において」とあるのは「同号（同条第二項において読み替えて適用される場合を含む。）に規定する退職の時（その者が昭和六十年改正法の施行の日前に退職をしなかつた者である場合において、昭和五十九年十月一日前に初診日がある傷病により障害の状態にあるときは昭和六十年改正法の施行の日の前日とし、昭和五十九年十月一日以後に初診日がある傷病により障害の状態にあるときは障害認定日に相当する日とする。）において」と、「障害認定日後六十五歳に達する日の前日」とあるのは「当該退職の時後六十五歳に達する日の前日又は当該退職の時から五年を経過する日のうちいずれか遅い日」とする。

5　第二項又は前項に規定する者に支給する障害共済年金の額について共済法第八十二条第四項の規定を適用する場合においては、第二項又は前項において読み替えられた共済法第八十一条第三項に規定する退職の時を共済法第八十二条第四項に規定する障害認定日とみなす。

6　施行日前の組合員期間を有する者で施行日前の組合員である間における傷病により障害の状態にあるものについて共済法第八十一条第五項の規定を適用する場合においては、同項中「組合員であつたもの」とあるのは、「組合員であつたもの（その者が公務によらないで病気にかかり、又は負傷した者である場合には、昭和六十年改正前の共済法第八十一条第一項第二号に規定する組合員期間が一年以上となつた日後に病気にかかり、又は負傷した者（昭和五十一年十月一日前にその病気又は負傷に係る傷病について療養の給付又は療養費の支給を受けたことがある者にあつては、組合員となつて一年以上経過した後に公務によらないで病気にかかり、又は負傷した場合に限る。）に限る。）」とする。

（障害年金と障害共済年金とを併給する場合の取扱い等）

第二十条　昭和六十年改正法附則第二十四条第一項に規定する政令で定める障害年金は、昭和三十六年四月一日以後に給付事由が生じた障害年金（その権利を取得した当時から引き続き旧共済法の障害等級の一級又は二級に該当しない程度の障害の状態にある受給権者に係るものを除く。）とする。

2　昭和六十年改正法附則第二十四条第二項に規定する政令で定める障害年金は、昭和三十六年四月一日前に給付事由が生じた障害年金（その権利を取得した当時から引き続き旧共済法の障害等級の一級又は二級に該当しない程度の障害の状態にある受給権者に係るものを除く。）とする。

3　前二項に規定する障害年金の受給権者に対して更に障害共済年金（その障害の程度が共済法第八十一条第二項に規定する障害等級の一級又は二級に該当する程度の障害の状態にある場合に限る。）又は障害基礎年金の給付事由が生じた場合においては、前後の障害を併合した障害の程度に応じ、昭和六十年改正法附則第四十三条第一項の規定の例により、当該障害年金の額を改定する。

4　前項の場合において、第二項に規定する障害年金の受給権者に支給すべき障害共済年金の額は、第一号に掲げる額が第二号に掲げる額を超えるときは、共済法第八十二条の規定にかかわらず、同条の規定により算定した障害共済年金の額に第一号に掲げる額から第二号に掲げる額を控除して得た額を加算した金額とする。

一　昭和六十年改正法附則第二十四条第一項の規定の適用があるものとした場合において、前後の障害を併合した障害の程度に応じ算定されることとなる障害共済年金（次項において「併合障害共済年金」という。）の額

二　その者が支給を受ける障害基礎年金と同一の給付事由に基づき支給される障害共済年金の額

5　前項の規定により加算する金額が加算された障害共済年金については、当該加算額のうち、第一号に掲げる金額は共済法第八十二条第一項第一号に掲げる金額の一部であるものと、第二号に掲げる金額は同項第二号に掲げる金額の一部であるものとそれぞれみなして、共済法、施行令及びこの政令の規定を適用する。

一　併合障害共済年金に係る共済法第八十二条第一項第一号に掲げる金額から障害基礎年金と同一の給付事由に基づき支給される障害共済年金に係る前項の規定を適用しないものとして算定されるべき同号に掲げる金額を控除した金額に相当する金額

二　前号に掲げる金額以外の金額

（施行日前の傷病による障害に係る障害共済年金の額の特例）

第二十一条　施行日前の組合員期間を有する者で施行日前の組合員である間の傷病により施行日以後において障害の状態にあるもの（公務によらないで病気にかかり、又は負傷した者である場合には、旧共済法第八十一条第一項第二号に規定する組合員期間が一年以上となつた日後に病気にかかり、又は負傷した者に限る。）に係る共済法第八十一条第一項の規定による障害共済年金の額については、共済法第八十二条から第八十六条までの規定により算定した額（共済法第八十七条第三項において準用する共済法第七十九条第六項の規定により共済法第八十三条第一項に規定する加給年金額（以下「障害共済年金の加給年金額」という。）の支給が停止されるときは、その停止後の額）が、当該傷病による障害について施行日の前日において障害年金の給付事由が生じていたとしたならば同日において支給されるべき障害年金の額（当該障害共済年金と同一の給付事由に基づき障害基礎年金が支給されるときは、当該障害年金の額から当該障害基礎年金の額（当該障害基礎年金が国民年金法第三十三条の二第一項又は第三十四条第四項の規定により、組合員であつた期間以外の期間に係る障害と併合した障害の程度に応じ支給されるものであるときは、これらの規定の適用がないものとした場合の額）を控除して得た額）に相当する額より少ないときは、当該支給されるべき障害年金の額に相当する額をもつて、当該障害共済年金の額とする。

2　前項の規定によりその額が算定された障害共済年金の額については、昭和六十年改正法附則第二十一条第七項の規定の例による。

3　障害共済年金のうち第一項の規定によりその額が算定されたものに係る共済法第七十四条第二項、第八十七条の二第一項並びに第九十七条第一項及び第三項の規定の適用については、これらの規定に規定する障害共済年金の職域加算額又は障害共済年金の加給年金額（共済法第八十七条第三項において準用する共済法第七十九条第三項の規定により支給が停止されているものを除く。）は、それぞれ第一項の障害共済年金の額を同項の規定の適用がないものとした場合のその額に、当該障害共済年金の額（共済法第八十七条第三項において準用する共済法第七十九条第六項の規定により障害共済年金の加給年金額の支給が停止されるときは、その停止後の額）で除して得た割合を乗じて得た額に相当する金額とする。

4　第一項の規定の適用を受けた者が、六十歳、七十歳又は八十歳に達した場合においては、その者が施行日の前日において六十歳、七十歳又は八十歳であつたとしたならば同項の規定により算定される額をもつて、その者が当該年齢に達した日の属する月の翌月分以後の同項に規定する額とする。

（施行日前の組合員期間を有する者のうち厚生年金保険の被保険者等である間の障害共済年金の支給の停止）

第二十二条　第十七条第一項の規定は、施行日前の組合員期間を有する者に支給される障害共済年金で平成七年七月までの分として支給されるものについて昭和六十年改正法第一条の規定による改正後の国家公務員等共済組合法第八十七条の二第一項の規定を適用する場合について準用する。

（通勤による障害共済年金及び遺族共済年金の額に関する経過措置）

第二十三条　昭和六十年改正法附則第三条第二項の場合において、施行日前の組合員である間の通勤（国家公務員災害補償法（昭和二十六年法律第百九十一号）第一条の二に規定する通勤をいう。以下同じ。）による傷病により障害の状態にある者又は死亡した者に支給する障害共済年金又は遺族共済年金のう

ち、同一の事由に関し、国家公務員災害補償法の規定による通勤による災害に係る傷病補償年金若しくは障害補償年金若しくはこれらに相当する補償又は遺族補償年金若しくはこれに相当する補償が支給されることとなつた者に係るものの額は、その額が、昭和六十年改正法附則第三条第二項の規定の適用がなかつたとしたならば、当該障害又は死亡について支給されるべき公務等による障害共済年金（共済法第八十二条第二項に規定する公務等による障害共済年金をいう。以下同じ。）又は公務等による遺族共済年金（共済法第八十九条第三項に規定する公務等による遺族共済年金をいう。以下同じ。）の額を超えるときは、当該公務等による障害共済年金又は当該公務等による遺族共済年金の額に相当する額とする。

（遺族共済年金の支給要件の特例）

第二十四条　昭和六十年改正法附則第十四条第四項の規定により組合員期間等が二十五年以上である者でないものとみなされた者が死亡した場合における遺族共済年金に係る共済法第八十八条第一項第四号の規定の適用については、その者は、組合員期間等が二十五年以上である者でないものとみなす。

（遺族共済年金の加算の特例に係る併給の調整）

第二十五条　昭和六十年改正法附則第二十九条第七項に規定する政令で定める規定は、昭和六十年改正法附則第十一条第一項から第四項までの規定及び第八条第三項各号に掲げる規定とする。

（退職年金の受給権者等に対する遺族共済年金の額の特例）

第二十六条　昭和六十年改正法附則第三十条第二項に規定する政令で定めるところにより算定した額は、次の各号に掲げる遺族共済年金の区分に応じ、それぞれ当該各号に定める額とする。

一　共済法第八十八条第一項第一号から第三号までのいずれかに該当することにより支給される遺族共済年金　遺族基礎年金の額

二　共済法第八十八条第一項第四号に該当することにより支給される遺族共済年金　遺族基礎年金の額にイに掲げる月数をロに掲げる月数で除して得た割合を乗じて得た額

イ　当該遺族共済年金の額の算定の基礎となつている組合員期間の月数

ロ　当該遺族共済年金の額の算定の基礎となつている組合員期間の月数と当該遺族共済年金と同一の給付事由に基づいて支給される地方公務員等共済組合法による年金である給付、私立学校教職員共済法による年金である給付、平成十三年統合法附則第十六条第三項の規定により厚生年金保険の管掌者たる政府が支給するものとされた年金である給付若しくは特例遺族農林年金（平成十三年統合法附則第二十五条第三項の規定により同項に規定する存続組合が支給するものとされた同条第四項第十二号に掲げる特例遺族農林年金をいう。）又は厚生年金保険法による遺族厚生年金の額の算定の基礎となつている期間の月数とを合算した月数

2　共済法第八十九条第一項第二号に規定する退職共済年金等の受給権を有する六十五歳に達している配偶者について昭和六十年改正法附則第三十条第二項の規定を適用する場合においては、同項中「共済法第八十九条及び第九十条並びに施行法第十三条の規定並びに前二条」とあるのは「共済法第八十九条第一項第一号」と、「算定した額が」とあるのは「算定した額（施行法第十三条の規定の適用がある場合にあつては当該額から同条の規定により控除することとされる額を控除した額とし、附則第二十八条第一項の規定の適用がある場合にあつては当該額に同項の規定により加算することとされる額を加算した額とする。）が」と、「当該遺族共済年金の」とあるのは「同号の規定により算定した」とする。

3　共済法第九十三条の規定により共済法第九十条の規定による加算額の支給が停止される場合又は昭和六十年改正法附則第二十八条第四項において準用する共済法第九十三条第一項の規定若しくは昭和六十年改正法附則第二十八条第五項の規定により同条第一項の規定による加算額の支給が停止される場合における昭和六十年改正法附則第三十条第二項の規定の適用については、同項中「算定した額が」とあるのは、「算定した額（共済法第九十三条の規定により共済法第九十条の規定による加算額の支給が停止されるとき、又は附則第二十八条第四項において準用する共済法第九十三条第一項の規定若しくは附則第二十八条第五項の規定により同条第一項の規定による加算額の支給が停止されるときは、その停止後の額）が」とする。

4　昭和六十年改正法附則第三十条第二項の規定の適用によりその額が算定された遺族共済年金の受給権者が、六十歳、七十歳又は八十歳に達した場合においては、その者が施行日の前日において六十歳、七十歳又は八十歳であつたものとしたならば旧共済法及び旧施行法の規定並びに年金額改定法の規定により算定される額をもつて、その者が当該年齢に達した日の属する月の翌月分以後の同項に規定する額とする。

5　更新組合員等であつた者で旧施行法第三十二条の二各号（旧施行法第四十一条第一項、第四十二条第一項及び第五十一条の二十一第一項（旧施行法第五十一条の二十二及び第五十一条の二十三第一項において準用する場合を含む。）において準用する場合並びに旧施行法第四十七条の三（旧施行法第四十八条の四において準用する場合を含む。）の規定によりその例によることとされる場合を含む。）に掲げる場合に該当するものに係る遺族共済年金の額について昭和六十年改正法附則第三十条第二項の規定を適用する場合においては、同項中「支給されるべき遺族年金の額」とあるのは「支給されるべき遺族年金の額から旧施行法第三十二条の二（旧施行法第四十一条第一項、第四十二条第一項及び第五十一条の二十一第一項（旧施行法第五十一条の二十二及び第五十一条の二十三第一項において準用する場合を含む。）において準用する場合並びに旧施行法第四十七条の三（旧施行法第四十八条の四において準用する場合を含む。）の規定によりその例によることとされる場合を含む。）の規定の適用がないものとした場合の当該遺族年金の額を控除した額に相当する金額に、これらの者について平成十二年四月一日において当該遺族年金の給付事由が生じていたとしたならば同日において支給されるべき当該遺族年金の額」と、「控除して得た額）」とあるのは「控除して得た額）を加えた額」とする。

6　遺族共済年金のうち昭和六十年改正法附則第三十条第二項の規定によりその額が算定されたものに係る共済法第七十四条第二項及び第九十七条第二項の規定の適用については、これらの規定に規定する遺族共済年金の職域加算額は、昭和六十年改正法附則第三十条第二項の規定の適用がないものとした場合のその額に、当該遺族共済年金の額を同項の規定の適用がないもの

とした場合の遺族共済年金の額（共済法第九十三条の規定により共済法第九十条の規定による加算額の支給が停止されるとき、又は昭和六十年改正法附則第二十八条第四項において準用する共済法第九十三条第一項の規定若しくは昭和六十年改正法附則第二十八条第五項の規定により同条第一項の規定による加算額の支給が停止されるときは、その停止後の額）で除して得た割合を乗じて得た額に相当する金額とする。

7　遺族共済年金の受給権者が厚生年金保険法第六十二条第一項の規定によりその額が加算された遺族厚生年金の支給を受けることができる場合における昭和六十年改正法附則第三十条第二項に規定する施行日の前日において支給されるべき遺族年金の額の算定については、当該遺族厚生年金の支給を受ける場合は、旧共済法第八十八条の五第一項ただし書に規定する政令で定める場合に該当するものとみなす。

（端数処理に関する経過措置）

第二十七条　昭和六十年改正法附則第二十八条第一項の規定が適用される間における共済法第百十五条第一項の規定の適用については、同項中「又は第九十条」とあるのは、「若しくは第九十条又は国家公務員等共済組合法等の一部を改正する法律（昭和六十年法律第百五号）附則第二十八条第一項」とする。

第四章　船員組合員等の退職共済年金等に関する経過措置

（船員組合員に関する経過措置）

第二十八条　施行日前の旧船員組合員（昭和六十年改正法附則第三十二条第一項に規定する旧船員組合員をいう。以下同じ。）であつた期間を有する者（旧共済法第百二十二条の規定又はこれに相当する旧公企体共済法の規定に該当した者を除く。）に対する昭和六十年改正法附則第十六条第一項第二号イの規定の適用については、その者が組合員でない船員（昭和六十年改正法附則第三十二条第一項に規定する船員をいう。以下同じ。）であつた間、組合員であつたものとみなす。

2　昭和六十年改正法附則第三十二条第一項本文又は第二項前段の規定により障害共済年金、障害一時金又は遺族共済年金（共済法第八十八条第一項第四号に該当することにより支給される遺族共済年金を除く。）の額を算定する場合には、共済法第八十二条第一項第二号、第八十七条の七第二号又は第八十九条第一項第一号イ(2)に掲げる額は、これらの規定にかかわらず、これらの規定中組合員期間の月数が三百月未満であるときは当該月数を三百月とする部分の規定の適用がないものとして算定した額とする。

（旧公企体長期組合員であつた者の取扱い）

第二十九条　旧公企体長期組合員であつた者（移行組合員等を除く。以下同じ。）に対する昭和六十年改正法附則第六条第四項の規定の適用については、同項の規定によりその例によることとされる施行法第四十七条第一項中「移行更新組合員」とあるのは、「旧公企体長期組合員であつた者のうち旧公企体共済法附則第四条第二項に規定する更新組合員であつた者」とする。

2　旧公企体組合員期間を有する者の旧公企体組合員期間についての第九条の規定の適用については、同条中「組合員期間及び」とあるのは「旧公企体組合員期間及び旧公企体組合員期間以外の組合員期間又は」と、「第九条第一号から第二号の二まで」とあるのは「第九条第一号から第五号まで」とする。

3　旧公企体長期組合員であつた者で旧公企体長期組合員であつた間における業務によらない傷病により障害の状態にあるものについて共済法第八十一条第三項の規定を適用する場合においては、同項中「病気にかかり、又は負傷した者で、その病気又は負傷に係る傷病の初診日において組合員であつたもの」とあるのは「旧公企体共済法（国家公務員共済組合法の長期給付に関する施行法（昭和三十三年法律第百二十九号）第四十条第一号に規定する旧公企体共済法をいう。）第五十五条第一項に規定する組合員期間が二年となつた後に業務によらないで病気にかかり、又は負傷した者（昭和五十一年十月一日前にその病気又は負傷に係る傷病について療養の給付又は療養費の支給を受けたことがある者にあつては、組合員となつて二年以上経過した後に業務によらないで病気にかかり、又は負傷した場合に限る。）」と、「障害認定日において」とあるのは「同項に規定する退職の時において」と、「障害認定日後六十五歳に達する日の前日」とあるのは「当該退職の時後六十五歳に達する日の前日又は当該退職の時から五年を経過する日のうちいずれか遅い日」とする。

（旧公企体長期組合員であつた間の業務等による障害に係る年金の特例等）

第三十条　旧公企体長期組合員であつた間に旧公企体共済法第二条第一項に規定する公共企業体又は旧公企体共済法第三条第一項に規定する組合の業務又は通勤により病気にかかり、又は負傷し、その傷病により障害の状態にある者に対する共済法及び施行法の障害共済年金又は障害一時金に関する規定の適用については、その者のその障害はないものとみなす。

2　旧公企体長期組合員であつた間に旧公企体共済法第二条第一項に規定する公共企業体又は旧公企体共済法第三条第一項に規定する組合の業務又は通勤により病気にかかり、又は負傷し、その傷病により死亡した者に係る共済法及び施行法の遺族共済年金に関する規定の適用については、その者は、その傷病によらないで死亡したものとみなす。

3　前二項の規定は、施行日前の旧国鉄共済組合（日本国有鉄道改革法等施行法（昭和六十一年法律第九十三号）第八十九条の規定による改正前の国家公務員等共済組合法附則第十四条の三第二項に規定する国鉄共済組合をいう。以下この項及び次条第一項において同じ。）、旧専売共済組合（たばこ事業法等の施行に伴う関係法律の整備等に関する法律（昭和五十九年法律第七十一号）第二十六条の規定による改正前の国家公務員等共済組合法第三条第一項の規定により設けられた共済組合で同法第二条第一項第七号イに規定する日本専売公社（以下この項において「旧日本専売公社」という。）に所属する職員をもつて組織されたものをいう。以下この項において同じ。）又は旧日本電信電話公社共済組合（日本電信電話株式会社法及び電気通信事業法の施行に伴う関係法律の整備等に関する法律（昭和五十九年法律第八十七号）第二十六条の規定による改正前の国家公務員等共済組合法第三条第一項の規定により設けられた共済組合で同法第二条第一項第七号ロに規定する日本電信電話公社（以下この項において「旧日本電信電話公社」という。）に所属する職員をもつて組織されたものをいう。以下この項において同じ。）の組合員であつた間に、日本国有鉄道若しくは旧国鉄共済組合、旧日本専売公社若しくは旧専売共済組合又は旧日本電信電話公社若しくは旧日本電信電話公社共済組合の業務又は通勤により病気にかかり、又は負傷し、その傷病により障害の状態にある者又は死亡した者に係る共済法及び施行法の障害共済年金若しくは障害一時金又は遺族共済年金に関する規定の適用について準用する。

（旧国鉄共済組合の組合員であつた者に対する共済法による年金の特例）

第三十一条　施行日の前日において旧国鉄共済組合以外の組合の組合員である者が施行日前において旧国鉄共済組合の組合員から引き続き旧国鉄共済組合以外の組合の組合員となつた者であり、かつ、施行日前の組合員期間が二十年以上である者（当該組合員期間のうち旧国鉄共済組合以外の組合の組合員であつた期間（日本たばこ産業共済組合（厚生年金保険法等の一部を改正する法律（平成八年法律第八十二号）第二条の規定による改正前の国家公務員等共済組合法（以下この条において「平成八年改正前共済法」という。）第八条第二項に規定する日本たばこ産業共済組合をいう。以下この条において同じ。）の組合員であつた期間を除く。）の月数が旧国鉄共済組合の組合員であつた期間（日本たばこ産業共済組合の組合員であつた期間を含む。）の月数を超える者に限る。）に対する共済法附則第二十条第一項の規定の適用については、その者が施行日前において旧国鉄共済組合の組合員であつた間、施行日の前日において所属していた組合の組合員であつたものとみなす。

２　日本国有鉄道の職員（平成八年改正前共済法第二条第一項第一号に規定する職員をいう。以下この項において同じ。）以外の職員が任命権者又はその委任を受けた者の要請に応じ、施行日前において引き続いて日本国有鉄道の職員となり、引き続き日本国有鉄道又は旅客鉄道会社等（平成八年改正前共済法第二条第一項第八号に規定する旅客鉄道会社等をいう。以下この項において同じ。）の職員として在職した後、当該日本国有鉄道の職員となつた日から五年以内に引き続いて再び日本国有鉄道及び旅客鉄道会社等の職員以外の職員となつた場合におけるその者に対する共済法附則第二十条第一項の規定の適用については、その者は、当該在職した間、日本鉄道共済組合（平成八年改正前共済法第八条第二項に規定する日本鉄道共済組合をいう。）以外の組合（日本たばこ産業共済組合を除く。）の組合員であつたものとみなす。

第三十二条　削除

（地方公務員等共済組合法との関係に関する経過措置）

第三十三条　共済法第百二十六条の二及び第百二十六条の三の規定は、施行日の前日において旧共済法による年金（通算退職年金（大正十五年四月二日以後に生まれた者に係るものに限る。）、遺族年金及び通算遺族年金を除く。）又は昭和六十年改正前の地方共済法による年金である給付（当該年金である給付とみなされたものを含み、昭和六十年改正前の地方共済法の規定による通算退職年金（大正十五年四月二日以後に生まれた者に係るものに限る。）、遺族年金及び通算遺族年金を除く。）を受ける権利を有していた者については、適用しない。

２　前項に規定する者のうち組合員若しくは組合員であつた者又は地方の組合の組合員若しくは地方の組合の組合員であつた者が地方の組合の組合員又は組合員となつた場合においては、旧共済法第百二十六条の二及び第百二十六条の三の規定並びに旧施行令第四十六条の二から第四十八条の二までの規定の例による。

３　第一項に規定する者に対する第十二条の規定の適用については、同条第三号中「減額退職年金のうち、昭和六十年改正前の地方共済法第百四十四条の四第一項に規定する団体組合員であつた者に支給されるもの」とあるのは、「減額退職年金」とする。

第五章　退職年金等に関する経過措置

（退職年金の額の最低保障）

第三十四条　昭和六十年改正法附則第三十五条第一項ただし書に規定する施行日の前日における退職年金の最低保障の額を勘案して政令で定める金額は、百五万三千二百円に国民年金法第二十七条に規定する改定率（以下「改定率」という。）を乗じて得た金額（その金額に五十円未満の端数があるときは、これを切り捨て、五十円以上百円未満の端数があるときは、これを百円に切り上げるものとする。）とする。

（昭和六十年三月三十一日以前に退職した者に準ずる者）

第三十五条　昭和六十年改正法附則第三十五条第一項ただし書に規定する政令で定める者は、次に掲げる者とする。

一　昭和六十年三月三十一日以前に組合員又は旧公企体長期組合員である間に死亡した者

二　俸給調整期間内に退職（在職中の死亡を含む。）をした者

（俸給年額に加える額）

第三十六条　昭和六十年改正法附則第三十五条第一項ただし書に規定する俸給年額に加える額として政令で定める額（以下「改定増加額」という。）は、昭和六十年俸給年額に〇・〇五一を乗じて得た額に二千四百円を加えて得た額（昭和六十年俸給年額が百二十万円未満であるときは、昭和六十年俸給年額に〇・〇五三を乗じて得た額）とする。この場合において、当該加えて得た額が二十七万七千二百円を超えるときは、二十七万七千二百円をもつて改定増加額とする。

２　旧共済法による年金の受給権者が第四条第三項各号に掲げる者である場合における改定増加額は、前項の規定にかかわらず、その者がその退職前一年間において適用を受けた給与法令の規定が旧共済法第二条第一項第五号に規定する俸給に係る昭和六十年度における改正後の規定と同様に改正されていたとしたならば、当該一年間の各月において旧共済法第百条第二項及び第三項の規定の例により計算した掛金の標準となるべき俸給の額を合計した額から現に掛金の標準となつた俸給の額を合計した額（その者が第四条第三項第一号に掲げる者である場合には、昭和六十年俸給年額）を控除した額（その額が二十七万七千二百円を超えるときは、二十七万七千二百円）とする。

３　前二項の場合において、昭和六十年俸給年額に改定増加額を加えた額が五百五十二万円を超えるときは、これらの規定にかかわらず、五百五十二万円から昭和六十年俸給年額を控除した額をもつて改定増加額とする。

第三十七条　削除

（施行日前に再退職した者に係る退職年金の額の改定）

第三十八条　昭和六十年改正法附則第三十五条第二項に規定する政令で定めるところにより算定した額は、次の各号に掲げる退職年金の区分に応じ、それぞれ当該各号に定める額とする。

一　再任改定（旧共済法第七十八条第二項から第四項までの規定による退職年金の額の改定及び改正前の昭和五十八年法律第八十二号附則第十八条第七項の規定により算定された退職年金に係る旧公企体共済法第五十条の二の規定による旧公企体退職年金（改正前の昭和五十八年法律第八十二号附則第十八条第二項に規定する旧公企体退職年金をいう。）の額の改定をいう。以下同じ。）が行われた退職年金で旧共済法第七十八条第二項から第四項までの規定の適用があつたもの　次のイからハまでに掲げる金額を合算した額

イ　再任改定前の組合員期間及び再任改定前の俸給年額（再任改定前の退職年金の額の算定の基礎となつた昭和六十年俸給年額に昭和六十年改正法附則別表第五の上欄に掲げる受給権者の区分に応じてそれぞれ同表の下欄に掲げる率（以下「俸給年額改定率」という。）を乗じて得た額をいい、当該再任改定前の退職年金が昭和六十年三月三十一日以前又は俸給調整期間内に給付事由が生じたものである場合には、当該昭和六十年俸給年額に改定増加額を加えた額に俸給年額改定率を乗じて得た額とする。以下同じ。）を当該退職年金に係る組合員期間及び俸給年額とみなして、昭和六十年改正法附則第三十五条第一項本文の規定により算定した額

ロ　再任改定後の組合員期間の年数（当該年数が三十五年を超えるときは、三十五年）から再任改定前の組合員期間の年数（当該年数が三十五年を超えるときは、三十五年）を控除した年数一年につき、昭和六十年改正法附則第三十五条第一項第一号イに定める金額を二十で除して得た金額（その金額に五十銭未満の端数があるときは、これを切り捨て、五十銭以上一円未満の端数があるときは、これを一円に切り上げるものとする。）

ハ　再任改定後の組合員期間の年数（当該年数が四十年を超えるときは、四十年）から再任改定前の組合員期間の年数（当該年数が四十年を超えるときは、四十年）を控除した年数一年につき再退職に係る俸給年額（再退職に係る昭和六十年俸給年額に俸給年額改定率を乗じて得た額をいい、当該再任改定後の退職年金が昭和六十年三月三十一日以前又は俸給調整期間内に再退職した者に係るものである場合には、当該再退職に係る昭和六十年俸給年額に改定増加額を加えた額に俸給年額改定率を乗じて得た額とする。）の百分の〇・九五に相当する額

二　再任改定が行われた退職年金で昭和六十一年政令第五十五号第二条の規定による改正前の国家公務員及び公共企業体職員に係る共済組合制度の統合に伴う国家公務員等共済組合法の長期給付の特例等に関する政令（昭和五十九年政令第三十六号。以下「改正前の特例政令」という。）第十七条第一項又は第二十二条第一項の規定の適用があつたもの（次号に掲げるものを除く。）　再任改定後の組合員期間及び再退職に係る公企体基礎俸給年額（改正前の特例政令第十七条第一項に規定する再退職に係る公企体基礎俸給年額をいい、その額は、当該再退職に係る公企体基礎俸給年額に係る昭和六十年俸給年額に改定増加額を加えた額に俸給年額改定率を乗じて得た額とする。以下この条において同じ。）を当該退職年金に係る組合員期間及び俸給年額とみなして、昭和六十年改正法附則第三十五条第一項本文の規定により算定した額

三　再任改定が行われた退職年金で改正前の特例政令第十七条第二項から第四項まで（これらの規定を改正前の特例政令第二十二条第三項において準用する場合を含む。）の規定の適用があつたもの　次のイからハまでに掲げる金額を合算した額

イ　再任改定前の組合員期間及び再任改定前の俸給年額を当該退職年金に係る組合員期間及び俸給年額とみなして、昭和六十年改正法附則第三十五条第一項本文の規定により算定した額

ロ　再任改定後の組合員期間の年数（当該年数が三十五年を超えるときは、三十五年）から再任改定前の組合員期間の年数（当該年数が三十五年を超えるときは、三十五年）を控除した年数一年につき、昭和六十年改正法附則第三十五条第一項第一号イに定める金額を二十で除して得た金額（その金額に五十銭未満の端数があるときは、これを切り捨て、五十銭以上一円未満の端数があるときは、これを一円に切り上げるものとする。）

ハ　再任改定後の組合員期間の年数（当該年数が四十年を超えるときは、四十年）から再任改定前の組合員期間の年数（当該年数が四十年を超えるときは、四十年）を控除した年数一年につき再退職に係る公企体基礎俸給年額の百分の〇・九五に相当する金額

2　前項の規定により算定した退職年金の額が、百五万三千二百円に改定率を乗じて得た金額（その金額に五十円未満の端数があるときは、これを切り捨て、五十円以上百円未満の端数があるときは、これを百円に切り上げるものとする。）より少ないときは、その額を当該退職年金の額とし、その額が再任改定前の俸給年額（同項第二号に掲げる退職年金にあつては、再退職に係る公企体基礎俸給年額）の百分の六十八・〇七五に相当する金額を超えるときは、同項の規定にかかわらず、当該百分の六十八・〇七五に相当する金額をもつて、昭和六十年改正法附則第三十五条第二項の規定による改定後の退職年金の額とする。

第三十九条　削除

（昭和十五年七月二日以後に生まれた者に係る減額率）

第四十条　昭和六十年改正法附則第三十八条第二項に規定する政令で定める率は、六十歳と減額退職年金の支給を開始する月の前月の末日におけるその者の年齢との差に相当する年数の別表第五の上欄に掲げる区分に応じ、それぞれ同表の下欄に掲げる率とする。

（組合員である間の減額退職年金の支給停止の特例等）

第四十一条　昭和六十年改正法附則第三十九条後段の規定により読み替えて準用される昭和六十年改正法附則第三十六条第一項に規定する政令で定める金額は、当該減額退職年金の額の算定の基礎となつた組合員期間を基礎として共済法附則第十二条の四の二第二項、施行法第十一条並びに昭和六十年改正法附則第九条及び第十五条の規定並びに第五条第二項の規定の例により算定した額に、当該減額退職年金の受給権者の次の各号に掲げる区分に応じ、当該各号に定める率を乗じて得た金額とする。

一　次に掲げる減額退職年金の受給権者　〇・〇四に当該減額退職年金を支給しなかつたとしたならば支給すべきであつた退職年金の支給を開始することとされていた年齢と当該減額

退職年金の支給が開始された月の前月の末日におけるその者の年齢との差に相当する年数を乗じて得た率
イ　昭和五十五年七月一日前に給付事由が生じた退職年金に係る減額退職年金
ロ　昭和五十五年七月一日以後に給付事由が生じた退職年金に係る減額退職年金で昭和十五年七月一日以前に生まれた者が支給を受けるもの
ハ　昭和五十五年七月一日以後に給付事由が生じた退職年金に係る減額退職年金で旧共済法附則第十二条の五第二項若しくは第十三条の十第一項又は旧公企体共済法附則第十六条の三第二項の規定に規定する政令で定める者に該当した者が支給を受けるもの（ロに掲げる減額退職年金を除く。）
二　前号に掲げる者以外の減額退職年金の受給権者　六十歳と当該減額退職年金の支給が開始された月の前月の末日におけるその者の年齢との差に相当する年数の別表第五の上欄に掲げる区分に応じ、それぞれ同表の下欄に掲げる率
2　昭和六十年改正法附則第三十九条後段の規定により読み替えて準用される昭和六十年改正法附則第三十六条第二項に規定する政令で定める額は、当該減額退職年金の額の算定の基礎となつた組合員期間を基礎として共済法附則第十二条の四の二第二項又は第三項、施行法第十一条並びに昭和六十年改正法附則第九条及び第十五条の規定並びに第五条第二項の規定の例により算定した額に、当該減額退職年金の受給権者の前項各号に掲げる区分に応じ、当該各号に定める率を乗じて得た額とする。

（障害年金の額の最低保障）
第四十二条　昭和六十年改正法附則第四十二条第一項ただし書に規定する政令で定める金額は、公務による障害年金の次の各号に掲げる区分に応じ、それぞれ当該各号に定める金額に改定率を乗じて得た金額（その金額に五十円未満の端数があるときは、これを切り捨て、五十円以上百円未満の端数があるときは、これを百円に切り上げるものとする。）とする。
一　旧共済法の障害等級の一級に該当する者が支給を受けるもの　五百十二万八千九百円
二　旧共済法の障害等級の二級に該当する者が支給を受けるもの　三百三十四万五千八百円
三　旧共済法の障害等級の三級に該当する者が支給を受けるもの　二百三十二万七百円
2　前項の場合において、公務による障害年金の受給権者に次の各号に掲げる者で受給権者の退職の当時から引き続き主としてその者の収入により生計を維持するものがあるときは、同項各号に掲げる金額に、次の各号に掲げる者の区分に応じ、それぞれ当該各号に定める金額に改定率であつて国民年金法第二十七条の三及び第二十七条の五の規定の適用がないものとして改定したもの（第四十八条第三項において「賃金変動等改定率」という。）を乗じて得た金額（その金額に五十円未満の端数があるときは、これを切り捨て、五十円以上百円未満の端数があるときは、これを百円に切り上げるものとする。）を加えて得た金額をもつて同項各号に定める金額とする。
一　当該受給権者の妻である配偶者（届出をしていないが、事実上婚姻関係と同様の事情にある者を含む。以下同じ。）　二十万二千百円
二　当該受給権者の子及び孫（十八歳に達する日以後の最初の三月三十一日までの間にあつてまだ配偶者がない者又は当該受給権者の退職の当時から引き続き旧共済法の障害等級に該当する程度の障害の状態にある者に限る。）並びに当該受給権者の夫である配偶者、父母及び祖父母（六十歳（当該公務による障害年金が昭和五十五年七月一日前に給付事由が生じたものである場合には、五十五歳）以上である者又は受給権者の退職の当時から引き続き旧共済法の障害等級に該当する程度の障害の状態にある者に限る。）　一人につき一万四千四百円（そのうち二人までについては、一人につき六万五千円（前号に掲げる者がない場合にあつては、そのうち一人に限り十三万七千百円））
3　前項の場合において、受給権者の退職後生まれた子でその生まれた当時から引き続き主として当該受給権者の収入により生計を維持し、かつ、同項第二号の要件を満たすものがあるときは、その子は同号に規定する子に該当するものとみなして、同項の規定を適用する。
4　昭和六十年改正法附則第四十二条第二項において準用する同条第一項ただし書に規定する政令で定める金額は、公務によらない障害年金の次の各号に掲げる区分に応じ、それぞれ当該各号に定める金額に改定率を乗じて得た金額（その金額に五十円未満の端数があるときは、これを切り捨て、五十円以上百円未満の端数があるときは、これを百円に切り上げるものとする。）とする。
一　旧共済法の障害等級の一級に該当する者が支給を受けるもの　百二十八万八千五百円
二　旧共済法の障害等級の二級に該当する者が支給を受けるもの　百五万三千二百円
三　旧共済法の障害等級の三級に該当する者が支給を受けるもの　七十八万九百円

（その他障害に係る障害年金の額の改定の特例）
第四十三条　共済法第八十四条第二項及び第八十七条第四項ただし書の規定は、障害年金（その権利を取得した当時から引き続き旧共済法の障害等級の一級又は二級に該当しない程度の障害の状態にある受給権者に係るものを除く。）の受給権者であつて、次に掲げるものについて準用する。この場合において、共済法第八十四条第二項中「障害共済年金」とあるのは「障害年金」と、共済法第八十七条第四項ただし書中「障害共済年金」とあるのは「障害年金」と、「引き続き障害等級」とあるのは「引き続き障害等級（国家公務員等共済組合法等の一部を改正する法律（昭和六十年法律第百五号）附則第四十二条第一項に規定する旧共済法の障害等級をいう。以下この項において同じ。）」と読み替えるものとする。
一　その他障害（共済法第八十四条第二項に規定するその他障害をいう。次号において同じ。）に係る傷病の初診日（その日が施行日前のものに限る。）において、国民年金の被保険者であつた者（当該初診日前における国民年金の被保険者期間を有する者であつて、当該初診日において日本国内に住所を有し、かつ、六十歳以上六十五歳未満であつたものを含む。）、組合員であつた者、厚生年金保険の被保険者若しくは船員保険の被保険者（旧船員保険法第十九条ノ三の規定による被保険者を除く。）であつた者又は他の法律に基づく共済組合の組合員（昭和六十年農林共済改正法（平成十三年統合

法附則第二条第一項第四号に規定する昭和六十年農林共済改正法をいう。）附則第三条第一項に規定する任意継続組合員を含む。）であつた者

二　その他障害に係る傷病の初診日（その日が施行日以後のものに限る。）において、国民年金の被保険者であつた者又は日本国内に住所を有し、かつ、六十歳以上六十五歳未満であつた者

（退職年金等の受給権者が厚生年金の被保険者等である間における支給の停止に関する経過措置）

第四十四条　第十七条第一項の規定は、平成七年七月までの分として支給される退職年金、減額退職年金、通算退職年金又は障害年金の受給権者に対し昭和六十年改正法附則第四十五条第一項の規定を適用する場合について準用する。

（遺族年金の額の最低保障）

第四十五条　昭和六十年改正法附則第四十六条第三項に規定する施行日の前日における遺族年金の最低保障の額を勘案して政令で定める金額は、七十八万九百円に改定率を乗じて得た金額（その金額に五十円未満の端数があるときは、これを切り捨て、五十円以上百円未満の端数があるときは、これを百円に切り上げるものとする。）（当該遺族年金が同条第二項の規定によりなおその効力を有することとされ次条第一項の規定において読み替えられた旧共済法第八十八条の三の規定の適用を受けるものである場合には、当該金額に、同条の規定により加えることとされている金額を加えた金額）とする。

（遺族年金の加算額等に関する旧共済法第八十八条の三の規定等の読替え等）

第四十六条　昭和六十年改正法附則第四十六条第二項及び第四項の規定によりなおその効力を有することとされた旧共済法第八十八条の三、第八十八条の五、第八十八条の六及び第九十二条の二の規定の適用については、次の表の上欄に掲げる旧共済法の規定中同表の中欄に掲げる字句は、それぞれ同表の下欄に掲げる字句に読み替えるものとする。

旧共済法第八十八条の三第一項	前二条	国家公務員等共済組合法等の一部を改正する法律（昭和六十年法律第百五号。以下この項及び次項において「昭和六十年改正法」という。）附則第四十六条第一項
	これらの規定	同項の規定
	当該遺族年金の額	同項の規定による改定後の当該遺族年金の額
	遺族である子	遺族である子（昭和六十年改正法第一条の規定による改正前の国家公務員等共済組合法別表第三（以下この項及び次項において「旧障害等級表」という。）の上欄に掲げる程度の障害の状態にある子（十八歳に達する日以後の最初の三月三十一日までの間にある子を除く。）については、旧障害等級表の上欄の一級又は二級に該当する者で二十歳未満のものに限る。次号において同じ。）
	四千八百円	七万四千九百円に国民年金法第二十七条に規定する改定率であつて同法第二十七条の三及び第二十七条の五の規定の適用がないものとして改定したもの（以下この項において「賃金変動等改定率」という。）を乗じて得た金額（その金額に五十円未満の端数があるときは、これを切り捨て、五十円以上百円未満の端数があるときは、これを百円に切り上げるものとする。）
	二万四千円	二十二万四千七百円に賃金変動等改定率を乗じて得た金額（その金額に五十円未満の端数があるときは、これを切り捨て、五十円以上百円未満の端数があるときは、これを百円に切り上げるものとする。）
旧共済法第八十八条の三第二項	第九十一条各号の一に該当するに至つたとき	昭和六十年改正法附則第四十六条の二の規定によりなおその効力を有することとされた第九十一条各号の一に該当するに至つたとき、旧障害等級表の上欄の一級若しくは二級に該当する障害の状態にある子（十八歳に達する日以後の最初の三月三十一日までの間にある子を除く。）についてその事情がなくなつたとき、又は旧障害等級表の上欄の一級若しくは二級に該当する障害の状態にある子が二十歳に達したとき
旧共済法第八十八条の五第一項	第八十八条から前条まで	国家公務員等共済組合法等の一部を改正する法律附則第四十六条第一項から第三項まで
	当該遺族年金の額	同法附則第四十六条第一項から第三項までの規定による改定後の遺族年金の額
旧共済法第八十八条の五第二項	第八十八条の規定による	国家公務員等共済組合法等の一部を改正する法律附則第四十六条第一項各号に掲げる

旧共済法第八十八条の六	旧通則法第三条に規定する公的年金各法に基づく年金たる給付その他の年金たる給付のうち、老齢、退職又は障害を支給事由とする給付であつて政令で定めるもの	厚生年金保険法等の一部を改正する法律（平成八年法律第八十二号）第二条の規定による改正後の国家公務員共済組合法第七十九条第六項に規定する退職共済年金若しくは障害共済年金又は同項に規定する退職、老齢若しくは障害を給付事由とする給付であつて政令で定めるもの
旧共済法第九十二条の二第一項	組合員期間が一年以上十年未満である者が公務傷病によらないで組合員である間に死亡した場合	国家公務員等共済組合法等の一部を改正する法律（以下この条において「昭和六十年改正法」という。）附則第四十六条第一項第三号に掲げる遺族年金（昭和五十一年十月一日前に給付事由が生じたものを除く。次項において同じ。）が、組合員期間が一年以上十年未満である者に係るものである場合
	第八十八条第二号の規定による	同条第一項第二号に掲げる
	同条第三号の規定による	同項第三号に掲げる
	第八十八条の二から第八十八条の五まで	同条第三項の規定並びに同条第二項及び第四項の規定によりなおその効力を有することとされた第八十八条の三及び第八十八条の五
	俸給年額の百分の一	遺族年金基礎額（昭和六十年改正法附則第四十六条第一項に規定する遺族年金基礎額をいう。次項において同じ。）の百分の二・五
旧共済法第九十二条の二第二項	組合員期間が一年以上十年未満である者が公務傷病によらないで組合員である間に死亡した場合又は組合員期間が一年以上十年未満である者で公務によらない障害年金を受ける権利を有するものが公務傷病によらないで死亡した場合	昭和六十年改正法附則第四十六条第一項第三号に掲げる遺族年金が、組合員期間が一年以上十年未満である者に係るものである場合（その者が昭和六十年改正法附則第四十二条第一項に規定する公務による障害年金を受ける権利を有していた者であつた場合を除く。）
	第八十八条第三号の規定による	昭和六十年改正法附則第四十六条第一項第三号に掲げる
	政令で定めるところにより連合会に申し出たとき	昭和六十年改正法附則第六十二条第一項に規定する連合会等に申し出た者であるとき
	第八十八条の二から第八十八条の五まで	昭和六十年改正法附則第四十六条第三項の規定並びに同条第二項及び第四項の規定によりなおその効力を有することとされた第八十八条の三及び第八十八条の五
	俸給年額の百分の一	遺族年金基礎額の百分の二・五

2　旧施行令第十一条の八の二及び第十一条の八の四第一項の規定は、昭和六十年改正法附則第四十六条第四項の規定によりなおその効力を有することとされた旧共済法第八十八条の五及び第九十二条の二の規定を適用する場合について、なおその効力を有する。この場合においては、次の表の上欄に掲げる旧施行令の規定中同表の中欄に掲げる字句は、それぞれ同表の下欄に掲げる字句に読み替えるものとする。

旧施行令第十一条の八の二第一項	法第八十八条第一号の規定による	国家公務員等共済組合法等の一部を改正する法律（昭和六十年法律第百五号。以下「昭和六十年改正法」という。）附則第四十六条第一項第一号に掲げる
	法第八十八条の五第一項ただし書	同条第四項の規定によりなおその効力を有することとされた昭和六十年改正法第一条の規定による改正前の法（以下「改正前の法」という。）第八十八条の五第一項た

		だし書
	施行法第五十一条の二第一項	昭和六十年改正法第二条の規定による改正前の施行法（以下「改正前の施行法」という。）第五十一条の二第一項
旧施行令第十一条の八の二第二項	法第八十八条の五第一項ただし書（施行法第三十二条の四、第四十七条の二第三項及び第四十八条の二第三項において準用する場合を含む。）	昭和六十年改正法附則第四十六条第四項の規定によりなおその効力を有することとされた改正前の法第八十八条の五第一項ただし書
	施行法第五十一条の二第一項	改正前の施行法第五十一条の二第一項
	）の規定	）の規定、昭和六十一年度における旧令による共済組合等からの年金受給者のための特別措置法等の規定による年金の額の改定に関する政令（昭和六十一年政令第二百四十七号）第三条第一項において準用する同令第一条第五項（同条第十項において準用する場合を含む。）の規定その他昭和六十二年度以後の各年度におけるこれに類する政令の規定で昭和六十年改正法第三条の規定による改正後の施行法第三条の二第一項の規定に基づき定められたもの
旧施行令第十一条の八の四第一項	法第九十二条の二第一項	昭和六十年改正法附則第四十六条第四項の規定によりなおその効力を有することとされた改正前の法第九十二条の二第一項
	厚生年金保険法	国民年金法等の一部を改正する法律（昭和六十年法律第三十四号。次号において「国民年金等改正法」という。）第三条の規定による改正前の厚生年金保険法
	船員保険法	国民年金等改正法第五条の規定による改正前の船員保険法
	私学共済法第二十五条第一項	私立学校教職員共済組合法等の一部を改正する法律（昭和六十年法律第百六号）第一条の規定による改正前の私学共済法（以下この号において「改正前の私学共済法」という。）第二十五条第一項
	法第八十八条第二号	改正前の法第八十八条第二号
	私学共済法の規定	改正前の私学共済法の規定
	私立学校教職員共済組合法等の一部を改正する法律	私立学校教職員共済組合法等の一部を改正する法律第二条の規定による改正前の私立学校教職員共済組合法等の一部を改正する法律
	施行法	改正前の施行法
	農林漁業団体職員共済組合法	旧制度農林共済法（厚生年金保険制度及び農林漁業団体職員共済組合制度の統合を図るための農林漁業団体職員共済組合法等を廃止する等の法律（平成十三年法律第百一号）附則第二条第一項第五号に規定する旧制度農林共済法をいう。）
	地方の新法第百四十四条の三第二項	地方公務員等共済組合法等の一部を改正する法律（昭和六十年法律第百八号）第一条の規定による改正前の地方の新法（以下この号において「改正前の地方の新法」という。）第百四十四条の三第二項
	地方の新法第九十三条第二号	改正前の地方の新法第九十三条第二号
	地方の新法第九章の二	改正前の地方の新法第九章の二

（扶養加給額の調整）

第四十七条 昭和六十年改正法附則第四十六条第二項の規定によりなおその効力を有することとされ前条第一項の規定において読み替えられた旧共済法第八十八条の三の規定により加えることとされている額（以下「扶養加給額」という。）が加えられた遺族年金は、その受給権者が当該遺族年金に係る組合員又は組合員であつた者の死亡について昭和六十年改正前の厚生年金保険法又は昭和六十年改正前の船員保険法の規定による遺族年金の支給を受けることができるときは、その間、扶養加給額に相当する金額の支給を停止する。

（公務による遺族年金の最低保障の額の特例）

第四十八条　公務による遺族年金の昭和六十年改正法附則第四十六条の規定による改定後の額が百八十一万九千円に改定率を乗じて得た金額（その金額に五十円未満の端数があるときは、これを切り捨て、五十円以上百円未満の端数があるときは、これを百円に切り上げるものとする。）より少ないときは、当該金額をもつて、同条第一項から第五項までの規定による改定後の公務による遺族年金の額とする。

2　前項の場合において、公務による遺族年金の受給権者が当該公務による遺族年金に係る組合員又は組合員であつた者の死亡について恩給法（大正十二年法律第四十八号）による扶助料その他の年金たる給付の支給を受ける場合であつて旧施行令附則第十七条の二各号に掲げる場合に該当するときは、その該当する間、前項中「百八十一万九千円」とあるのは、「百六十九万五千八百円」として同項の規定を適用する。

3　公務による遺族年金の受給権者にその者の収入により生計を維持する遺族で遺族年金の支給を受けるべき要件に該当するもの（以下この項において「扶養遺族」という。）がある場合における第一項の規定の適用については、同項に定める金額は、当該金額（前項の規定の適用を受ける場合には、同項の規定を適用した場合の額）に、扶養遺族一人につき一万四千四百円（そのうち二人までについては、一人につき六万五千円）に賃金変動等改定率を乗じて得た金額（その金額に五十円未満の端数があるときは、これを切り捨て、五十円以上百円未満の端数があるときは、これを百円に切り上げるものとする。）を加えた金額とする。

（傷病補償年金等との調整のための障害年金等の支給停止額）

第四十八条の二　公務による障害年金について、昭和六十年改正法附則第三条第一項の規定によりなお従前の例によることとされる場合における旧共済法第八十六条第一項の規定により支給を停止する金額は、当該公務による障害年金の算定の基礎となつた俸給年額に、同項各号に掲げる者の区分に応じ当該各号に定める割合に〇・九五を乗じて得た率を乗じて得た金額とする。

2　公務によらない障害年金について、昭和六十年改正法附則第三条第一項の規定によりなお従前の例によることとされる場合における旧共済法第八十六条の二第一項の規定により支給を停止する金額は、当該公務によらない障害年金の算定の基礎となつた俸給年額に、同項各号に掲げる者の区分に応じ当該各号に定める割合に〇・九五を乗じて得た率を乗じて得た金額とする。

3　公務による遺族年金について、昭和六十年改正法附則第三条第一項の規定によりなお従前の例によることとされる場合における旧共済法第九十二条第一項の規定により支給を停止する金額は、当該公務による遺族年金の算定の基礎となつた俸給年額の百分の十九に相当する金額とする。

第六章　旧船員組合員等の退職年金等に関する経過措置

（旧船員組合員であつた者に係る旧共済法による年金の額の特例等）

第四十九条　旧船員組合員であつた者が施行日前において、組合員でない船員であつた期間（旧共済法第百二十二条の規定又はこれに相当する旧公企体共済法の規定に該当した者の組合員でない船員であつた期間を除く。以下この項において同じ。）又は船員でない組合員であつた期間を有していた場合における旧共済法による年金の額については、施行日以後、その額を、次の各号に掲げる年金の額のうちその者又はその遺族が選択するいずれか一の年金の額とする。

一　昭和六十年改正法附則第四十八条第一項第一号に掲げる年金の額（昭和六十年改正法附則第三十五条第三項（附則第三十七条第二項において準用する場合を含む。）、第三十六条第三項（附則第三十九条において準用する場合を含む。）、第四十二条第三項又は第四十六条第六項の規定（以下この項において「従前額保障の規定」という。）の適用があるときは、従前額保障の規定の適用がないものとした場合の額）と当該旧船員組合員であつた者の施行日前における組合員でない船員であつた期間に係る昭和六十年改正前の船員保険法の規定による年金の額とを合算した額

二　昭和六十年改正法附則第四十八条第一項第二号に掲げる年金の額と当該旧船員組合員であつた者の組合員期間のうち施行日前における船員であつた期間を除いた期間に係る昭和六十年改正法附則第三十五条から第四十七条まで（従前額保障の規定を除く。）の規定により算定した額とを合算した額

2　昭和六十年改正法附則第四十八条第二項の規定は、前項の規定による選択を行う場合について準用する。

3　第一項の場合において、昭和六十年改正法附則第三十五条第一項ただし書、第四十二条第二項において準用する同条第一項ただし書及び第四十六条第三項の規定は第一項第一号に掲げる場合における同号に定める額について準用し、これらの規定に相当する昭和六十年改正前の船員保険法の規定は同項第二号に掲げる場合における同号に定める額について準用する。

4　第一項及び前項の場合において、これらの規定により算定した年金の額が、その者が施行日の前日において受ける権利を有していた旧共済法第百二十一条の規定により算定された年金の額より少ないときは、その額をもつて第一項及び前項の規定により算定した年金の額とする。この場合において、昭和六十年改正法附則第五十七条の規定の適用については、同条第一項中「又は第四十二条第三項」とあるのは、「若しくは第四十二条第三項又は国家公務員等共済組合法等の一部を改正する法律の施行に伴う経過措置に関する政令第四十九条第四項前段」とする。

5　昭和六十年改正法附則第四十八条第一項の規定及び前各項の規定は、旧船員組合員であつた者が公務による障害年金若しくは通勤による傷病に係る障害年金の支給を受けている場合又は旧船員組合員であつた者の遺族が公務による遺族年金若しくは通勤による死亡に係る遺族年金の支給を受けている場合については、適用しない。

（衛視等であつた者に係る退職年金の額の改定の特例）

第五十条　退職年金の受給権者が衛視等であつた者でその衛視等であつた期間（旧共済法附則第十三条の九に規定する警察職員であつた期間その他の衛視等であつた期間とみなされた期間及

び衛視等であった期間に算入することとされた期間を含む。以下同じ。）が十五年（旧共済法附則第十三条の二第一項第二号イからホまでに掲げる者については、これらの者の区分に応じ同号イからホまでに掲げる年数）以上である場合において、昭和六十年改正法附則第三十五条第一項の規定により算定した額が、次の各号に掲げるその者の区分に応じ、当該各号に定める額より少ないときは、その額（その額が衛視等の俸給年額（施行日の前日におけるその者に係る旧共済法附則第十三条の二第二項に規定する衛視等の俸給年額に俸給年額改定率を乗じて得た額をいい、その者が昭和六十年三月三十一日以前又は俸給調整期間内に、衛視等以外の組合員となった者、退職した者又は衛視等である間に死亡した者である場合には、施行日の前日における旧共済法による年金の額の算定の基礎となっていた衛視等の俸給年額に、当該衛視等の俸給年額を昭和六十年俸給年額とみなした場合の改定増加額を加えた額に俸給年額改定率を乗じて得た額とする。以下同じ。）の百分の六十八・〇七五に相当する金額を超えるときは、当該百分の六十八・〇七五に相当する金額）をもって同項の規定による改定後の退職年金の額とする。

一　衛視等であった期間が十五年の者　七十三万二千七百二十円に改定率を乗じて得た金額（その金額に五円未満の端数があるときは、これを切り捨て、五円以上十円未満の端数があるときは、これを十円に切り上げるものとする。）に衛視等の俸給年額の百分の十九に相当する額を加えた額（次号において「衛視等の退職年金基礎額」という。）の百分の八十七・五に相当する額

二　衛視等であった期間が十五年を超え三十五年以下の者　衛視等であった期間が十五年であるものとして前号の規定により求めた金額に、十五年を超える年数一年につき衛視等の退職年金基礎額の百分の五に相当する額（昭和五十五年一月一日前の衛視等であった期間が旧共済法附則別表第一の上欄に掲げる年数である者の同表の中欄に掲げる期間については、衛視等の退職年金基礎額に同表の下欄(ロ)に掲げる割合を乗じて得た額）を加算して得た額

三　衛視等であった期間が三十五年を超える者　衛視等であった期間が三十五年であるものとして前号の規定により求めた金額に、三十五年を超える年数（当該年数が五年を超えるときは、五年）一年につき衛視等の俸給年額の百分の〇・九五に相当する額を加算して得た額

（退職年金の受給権者である衛視等であった者が再び組合員となった場合の取扱い）

第五十一条　前条の規定を適用して算定した退職年金又は当該退職年金に係る減額退職年金を受ける衛視等であった者が再び衛視等となった場合における昭和六十年改正法附則第三十六条第一項及び第二項（昭和六十年改正法附則第三十九条において準用する場合を含む。以下この項において同じ。）の規定及び第四十一条の規定の適用については、昭和六十年改正法附則第三十六条第一項及び第二項中「組合員期間」とあるのは「国家公務員等共済組合法等の一部を改正する法律の施行に伴う経過措置に関する政令第五十条に規定する衛視等であった期間」と、第四十一条中「組合員期間」とあるのは「第五十条に規定する衛視等であった期間」とする。

2　前項の規定は、同項の規定を適用した場合の退職年金又は減額退職年金の額が同項の規定を適用しないものとした場合の退職年金の額より少ないときは、適用しない。

（衛視等であった者に係る障害年金の額の改定の特例）

第五十二条　障害年金の受給権者が衛視等であった者で、その衛視等であった期間が十五年（旧共済法附則第十三条の二第一項第二号イからホまでに掲げる者については、これらの者の区分に応じ同号イからホまでに掲げる年数）以上である場合における昭和六十年改正法附則第四十二条第一項及び第二項の規定の適用については、次の表の上欄に掲げるこれらの規定中同表の中欄に掲げる字句は、それぞれ同表の下欄に掲げる字句に読み替えるものとする。

上欄	中欄	下欄
昭和六十年改正法附則第四十二条第一項	俸給年額の百分の九・五	国家公務員等共済組合法等の一部を改正する法律の施行に伴う経過措置に関する政令（以下この条において「経過措置政令」という。）第五十条に規定する衛視等の俸給年額（以下この条において「俸給年額」という。）の百分の九・五
	組合員期間	経過措置政令第五十条に規定する衛視等であった期間
	二十年	十五年（旧共済法附則第十三条の二第一項第二号イからホまでに掲げる者については、これらの者の区分に応じ同号イからホまでに掲げる年数）
	十五年	二十年（同号イからホまでに掲げる者については、三十五年からこれらの者の区分に応じ同号イからホまでに掲げる年数を控除した年数）
	イに定める金額を二十で除して得た金額	イに定める金額を二十で除して得た金額（昭和五十五年一月一日前の経過措置政令第五十条に規定する衛視等であった期間（以下この項及び次項において「基準日前の衛視等であった期間」という。）が旧共済法附則別表第二の上欄に掲げる年数である者の同表の中欄に掲げる期間については、イに定める金額を二十で除して得た金額に同表の下欄(ロ)に掲げる割合を乗じて得た金額）
	百分の〇・九五に相当する金額	百分の〇・九五に相当する金額（基準日前の衛視等であった期間が旧共済法附則別表第二の上欄に掲げる年数である者の同表の中欄

に掲げる期間については、俸給年額に同表の下欄(ハ)に掲げる割合を乗じて得た金額に〇・九五を乗じて得た金額）に、その俸給年額の百分の四・七五（同号ロに掲げる者については百分の三・八とし、同号ハに掲げる者については百分の二・八五とし、同号ニに掲げる者については百分の一・九とし、同号ホに掲げる者については百分の〇・九五とする。）に相当する金額を加えた金額

昭和六十年改正法附則第四十二条第二項	組合員期間	経過措置政令第五十条に規定する衛視等であつた期間
	二十年	十五年
	百分の五に相当する金額	百分の五に相当する金額（基準日前の衛視等であつた期間が旧共済法附則別表第一の上欄に掲げる年数である者の同表の中欄に掲げる期間については、障害年金基礎額に同表の下欄(ロ)に掲げる割合を乗じて得た金額）

2 前項の規定は、同項の規定を適用した場合の障害年金の額が同項の規定を適用しないものとした場合の障害年金の額より少ないときは、適用しない。

（衛視等であつた者に係る遺族年金の額の改定の特例）

第五十三条 衛視等であつた者に係る遺族年金が衛視等であつた期間が十五年（旧共済法附則第十三条の二第一項第二号イからホまでに掲げる者については、これらの者の区分に応じ同号イからホまでに掲げる年数）以上の者に係るものである場合における昭和六十年改正法附則第四十六条第一項の規定の適用については、同項中「俸給年額の百分の十九」とあるのは「国家公務員等共済組合法等の一部を改正する法律の施行に伴う経過措置に関する政令（以下この項において「経過措置政令」という。）第五十条に規定する衛視等の俸給年額（以下この条において「俸給年額」という。）の百分の十九」と、「組合員期間」とあるのは「経過措置政令第五十条に規定する衛視等であつた期間」と、「二十年」とあるのは「十五年（旧共済法附則第十三条の二第一項第二号イからホまでに掲げる者については、これらの者の区分に応じ同号イからホまでに掲げる年数）」と、「百分の五に相当する金額」とあるのは「百分の五に相当する金額（昭和五十五年一月一日前の経過措置政令第五十条に規定する衛視等であつた期間が旧共済法附則別表第二の上欄に掲げる年数である者の同表の中欄に掲げる期間については、遺族年金基礎額に同表の下欄(ニ)に掲げる割合を乗じて得た金額）」とする。

2 前項の規定は、同項の規定を適用した場合の遺族年金の額が同項の規定を適用しないものとした場合の遺族年金の額より少ないときは、適用しない。

（控除期間等の期間を有する更新組合員等に係る障害年金の額の改定の特例）

第五十四条 控除期間等の期間（昭和六十年改正法附則第十六条第七項に規定する控除期間等の期間をいう。以下同じ。）を有する更新組合員等であつた者で二十年を超える組合員期間を有するものに支給する公務による障害年金の額を改定する場合においては、昭和六十年改正法附則第四十二条第一項の規定による改定後の額は、同項の規定にかかわらず、同項の規定により算定した額から、次の各号に掲げる者の区分に応じ、当該各号に定める額を控除した額とする。

一 組合員期間が三十五年以下の者 昭和六十年改正法附則第四十二条第一項の規定により算定した障害年金の額を組合員期間の年数で除して得た額の百分の四十五に相当する額に控除期間等の期間の年数（その年数が組合員期間の年数から二十年を控除した年数を超えるときは、その控除した年数）を乗じて得た額

二 控除期間等の期間以外の組合員期間が三十五年を超える者 昭和六十年改正法附則第四十二条第一項の規定により算定した障害年金の額のうち俸給年額に基づいて算定された部分の額を組合員期間の年数で除して得た額の百分の四十五に相当する額に控除期間等の期間の年数（控除期間等の期間以外の組合員期間と合算して四十年を超える部分の年数を除く。）を乗じて得た額

三 組合員期間が三十五年を超え、かつ、控除期間等の期間以外の組合員期間が三十五年以下の者 次に掲げる額の合算額

イ 控除期間等の期間のうち三十五年から控除期間等の期間以外の組合員期間を控除した期間に相当する期間については、第一号の規定の例により算定した額

ロ 控除期間等の期間のうちイに掲げる期間以外の期間については、前号の規定の例により算定した額

2 前項の規定は、控除期間等の期間を有する更新組合員等であつた者で十年を超える組合員期間を有するものに支給する公務によらない障害年金の額を改定する場合について準用する。この場合において、同項中「第四十二条第一項」とあるのは「第四十二条第二項」と、「二十年」とあるのは「十年」と読み替えるものとする。

（控除期間等の期間を有する更新組合員等に係る遺族年金の額の改定の特例）

第五十五条 控除期間等の期間を有する更新組合員等であつた者で二十年を超える組合員期間を有するものに係る公務による遺族年金の額を改定する場合においては、昭和六十年改正法附則第四十六条第一項第一号の規定による改定後の額は、同号の規定にかかわらず、同号の規定により算定した額から、当該遺族年金に係る更新組合員等であつた者の次の各号に掲げる区分に応じ、当該各号に定める額を控除した額とする。

一 組合員期間が三十五年以下の者 昭和六十年改正法附則第四十六条第一項第一号の規定により算定した遺族年金の額を組合員期間の年数で除して得た額の百分の四十五に相当する額に控除期間等の期間の年数（その年数が組合員期間の年数から二十年を控除した年数を超えるときは、当該控除した年数）を乗じて得た額

二 控除期間等の期間以外の組合員期間が三十五年を超える者

昭和六十年改正法附則第四十六条第一項第一号の規定により算定した遺族年金の額のうち俸給年額に基づいて算定された部分の額を組合員期間の年数で除して得た額の百分の四十五に相当する額に控除期間等の期間の年数（控除期間等の期間以外の組合員期間と合算して四十年を超える部分の年数を除く。）を乗じて得た額

三　組合員期間が三十五年を超え、かつ、控除期間等の期間以外の組合員期間が三十五年以下の者　次に掲げる額の合算額

イ　控除期間等の期間のうち三十五年から控除期間等の期間以外の組合員期間を控除した期間に相当する期間については、第一号の規定の例により算定した額

ロ　控除期間等の期間のうちイに掲げる期間以外の期間については、前号の規定の例により算定した額

2　控除期間等の期間を有する更新組合員等であつた者に係る昭和六十年改正法附則第四十六条第一項第三号に掲げる遺族年金の額を改定する場合においては、同号の規定による改定後の額は、同号の規定にかかわらず、同号の規定により算定した額から、その額を組合員期間の年数で除して得た額の百分の四十五に相当する額に控除期間等の期間の年数（その年数が組合員期間の年数から十年を控除した年数を超えるときは、当該控除した年数）を乗じて得た額を控除した額とする。

（増加恩給の受給権者であつた者等に係る遺族年金の額の改定の特例）

第五十六条　更新組合員等であつた者に係る遺族年金で旧施行法第三十二条の二（旧施行法第四十一条第一項、第四十二条第一項及び第五十一条の二十一第一項（旧施行法第五十一条の二十二及び第五十一条の二十三第一項において準用する場合を含む。）において準用する場合並びに旧施行法第四十七条の三（旧施行法第四十八条の四において準用する場合を含む。）の規定によりその例によることとされる場合を含む。以下この項において同じ。）の規定によりその額が算定されたものの昭和六十年改正法附則第四十六条第一項から第五項まで又は第五十五条の規定による改定後の額は、これらの規定により算定した額に、施行日の前日における当該遺族年金の額から旧施行法第三十二条の二の規定の適用がないものとした場合の当該遺族年金の額を控除した額に相当する金額を加えた額とする。

（更新組合員等であつた者で七十歳以上のものが受ける退職年金等の額の改定の特例）

第五十六条の二　昭和六十年改正法附則第五十七条第一項に規定する政令で定める率は、同項に規定する俸給年額改定率から一を控除して得た率とする。

第五十七条　昭和六十年三月三十一日以前に退職した者及び第三十五条第二号に掲げる者のうち更新組合員等であつた者で七十歳以上のものが受ける退職年金、減額退職年金又は障害年金の額の算定の基礎となつた組合員期間のうちに昭和六十年改正法附則第五十七条第一項各号に掲げる期間があるものの昭和六十年改正法附則第三十五条、第三十七条又は第四十二条の規定による改定後の年金の額が、施行日の前日における当該年金の額に、昭和六十年改正法附則第五十七条第一項各号に掲げる期間に応じ、当該各号に定める金額に俸給年額改定率を一・〇二七に乗じて得た率から一を控除して得た率を乗じて得た金額を加えて得た金額（その加えて得た金額が、昭和六十年俸給年額に改定増加額を加えた額に俸給年額改定率を乗じて得た額の百分の六十八・〇七五（当該年金が障害年金であるときは、百分の九十七・二五）に相当する金額を超えるときは、当該相当する金額。次項において同じ。）に相当する額より少ないときは、昭和六十一年四月分以後、当該年金の額を、当該加えて得た金額に相当する額に改定する。

2　昭和六十年三月三十一日以前に退職した者及び第三十五条各号に掲げる者のうち更新組合員等であつた者に係る遺族年金の受給権者が七十歳以上である場合又は七十歳未満の妻である配偶者、子若しくは孫である場合において、当該遺族年金の額の算定の基礎となつた組合員期間のうちに昭和六十年改正法附則第五十七条第二項において読み替えて準用される同条第一項各号に掲げる期間があるものの昭和六十年改正法附則第四十六条の規定による改定後の年金の額が、施行日の前日における当該年金の額に、昭和六十年改正法附則第五十七条第二項において読み替えて準用される同条第一項各号に掲げる期間に応じ、当該各号に定める金額に俸給年額改定率を一・〇二七に乗じて得た率から一を控除して得た率を乗じて得た金額を加えて得た金額に相当する額より少ないときは、昭和六十一年四月分以後、当該年金の額を、当該加えて得た金額に相当する額に改定する。

3　前項の場合において、遺族年金の支給を受ける者が二人以上あるときは、そのうちの年長者の年齢に応じ、同項の規定を適用する。

（退職後に増加恩給等の受給権者となる者等に関する特例）

第五十八条　更新組合員等であつた者（昭和六十年改正法附則第五条第一項ただし書（昭和六十年改正法附則第六条第一項において準用する場合を含む。）に規定する者に限る。次項において同じ。）が施行日以後に増加恩給等（施行法第二条第九号に規定する増加恩給等をいう。以下この項において同じ。）を受ける権利を有する者となつたときは、その者は、施行日の前日において、増加恩給等を受ける権利を有する者となつたものとみなして旧共済法、旧施行法及び改正前の特例政令並びに昭和六十年改正法附則第三十五条から第六十三条までの規定の例による。

2　増加恩給（施行法第二条第八号に規定する増加恩給をいう。以下この項において同じ。）を受ける権利を有する更新組合員等であつた者が施行日以後に増加恩給を受ける権利を有しない者となつたときは、その者は、施行日の前日において、増加恩給を受ける権利を有しない者となつたものとみなして旧共済法、旧施行法及び改正前の特例政令並びに昭和六十年改正法附則第三十五条から第六十三条までの規定の例による。

（更新組合員等であつた衛視等に係る退職年金の額の改定の特例）

第五十九条　更新組合員等であつた衛視等でその衛視等であつた期間が十五年未満である者に係る退職年金の昭和六十年改正法附則第三十五条第一項の規定により算定した額が第五十条第一号に定める額を十五で除して得た額に衛視等であつた期間の年数を乗じて得た額より少ないときは、その額をもつて同項の規定による改定後の当該退職年金の額とする。

（沖縄の組合員であつた者に係る通算退職年金の額の改定の特例）

第六十条　通算退職年金（沖縄の復帰に伴う特別措置に関する法

律（昭和四十六年法律第百二十九号）の施行の日前の退職に係るものを除く。）の受給権者が、昭和四十五年四月一日において現に沖縄の組合員（施行法第三十三条第三号に規定する沖縄の組合員をいう。以下この条において同じ。）であり、かつ、昭和三十六年四月一日から昭和四十五年三月三十一日までの間、引き続き沖縄の共済法の施行地に住所を有していたものである場合における同年四月一日に引き続く沖縄の組合員であつた期間に係る通算退職年金の昭和六十年改正法附則第四十条第一項の規定による改定後の額は、同項の規定により算定した額と国民年金法施行令等の一部を改正する等の政令（昭和六十一年政令第五十三号）第五条の規定による改正前の沖縄の復帰に伴う厚生省関係法令の適用の特別措置等に関する政令（昭和四十七年政令第百八号）第五十二条第一項第二号に掲げる額とを合算した額に相当する額とする。

（旧施行法第五十一条の十三第一項の申出をした者に係る遺族年金の額の改定の特例）

第六十一条　遺族年金を受ける者が旧施行法第五十一条の十三第一項の申出をした者の妻である場合において、その妻が二以上の遺族年金の支給を受けているときは、昭和六十年改正法附則第四十六条第四項の規定によりなおその効力を有することとされた旧共済法第八十八条の五の規定の適用については、改正前の特例政令第七条第四項の規定の例による。

2　遺族年金を受ける者が旧施行法第五十一条の十三第一項の申出をした者の遺族である場合において、その遺族が同一の事由により、二以上の遺族年金又は遺族年金と通算遺族年金との支給を受けているときは、昭和六十年改正法附則第四十六条第四項の規定によりなおその効力を有することとされ第四十六条第一項の規定において読み替えられた旧共済法第九十二条の二の規定の適用については、同条第一項中「他の公的年金制度から同条第一項第二号」とあるのは「同条第一項第二号に掲げる遺族年金又は他の公的年金制度から同号」と、同条第二項中「他の公的年金制度」とあるのは「通算遺族年金又は他の公的年金制度」と、「当該通算遺族年金」とあるのは「通算遺族年金又は当該通算遺族年金」とする。

（移行遺族年金に係る寡婦加算の調整等）

第六十二条　遺族年金が移行遺族年金（改正前の昭和五十八年法律第八十二号附則第二十二条第三項に規定する移行遺族年金をいう。以下同じ。）である場合における昭和六十年改正法附則第四十六条第四項の規定によりなおその効力を有することとされ第四十六条第一項の規定において読み替えられた旧共済法第八十八条の五第一項ただし書に規定する政令で定める場合は、第四十六条第二項の規定によりなおその効力を有することとされた旧施行令第十一条の八の二第二項の規定にかかわらず、同項各号に掲げる場合及び次に掲げる場合とする。

一　旧共済法、旧施行法、昭和六十年改正前の地方共済法（第九章の二及び第十一章を除く。）、昭和六十年地方の改正法第二条の規定による改正前の地方公務員等共済組合法の長期給付等に関する施行法（第十一章の三及び第十三章を除く。）又は沖縄の共済法の規定による遺族年金（前条第一項の規定によりその例によることとされる改正前の特例政令第七条第四項の規定により旧共済法第八十八条の五の規定を適用しないこととされたもの及びその額が昭和六十年改正法附則第四十六条第四項の規定によりなおその効力を有することとされた旧共済法第九十二条の二又は昭和六十年地方の改正法附則第五十七条第一項の規定によりなおその効力を有することとされた昭和六十年改正前の地方共済法第九十七条の二の規定により算定されたものを除く。）の支給を受ける場合

二　他の移行遺族年金で大蔵省令で定めるものの支給を受ける場合

2　遺族年金が移行遺族年金である場合における昭和六十年改正法附則第四十六条第四項の規定によりなおその効力を有することとされ第四十六条第一項の規定において読み替えられた旧共済法第九十二条の二の規定の適用については、同条第一項及び第二項の規定中「他の公的年金制度」とあるのは、「一の公的年金制度」とする。

3　遺族年金が移行遺族年金である場合における昭和六十年改正法附則第四十六条第四項の規定によりなおその効力を有することとされ第四十六条第一項の規定において読み替えられた旧共済法第九十二条の二第一項に規定する政令で定める年金は、第四十六条第二項の規定によりなおその効力を有することとされた旧施行令第十一条の八の四第一項の規定にかかわらず、同項各号に掲げる年金及び次に掲げる年金とする。

一　昭和六十年改正法附則第四十六条第一項第二号に掲げる遺族年金（障害年金を受ける権利を有していた者に係るもの及びその額が第五十六条の規定により算定されたものを除く。）

二　昭和六十年改正前の地方共済法第九十三条第二号の規定による遺族年金（昭和六十年改正前の地方共済法第百四十四条の三第二項の規定により読み替えられた同号の規定によるもの及び昭和六十年改正前の地方共済法（第九章の二を除く。）の規定による障害年金を受ける権利を有していた者に係るものを除く。）又は昭和六十年地方の改正法第二条の規定による改正前の地方公務員等共済組合法の長期給付等に関する施行法第三十六条（同法第五十五条第一項において準用する場合を含む。）、第八十一条（同法第八十六条において準用する場合を含む。）、第百二条（同法第百六条において準用する場合を含む。）若しくは第百十八条（同法第百二十一条において準用する場合を含む。）の規定による遺族年金（これらの遺族年金のうち、その額が地方公務員等共済組合法等の一部を改正する法律の施行に伴う経過措置に関する政令第六十条の規定により算定されたものを除く。）

（昭和四十七年三月三十一日以前に退職した者が七十歳に到達した場合等における年金額の改定の特例）

第六十三条　昭和四十七年三月三十一日以前に退職（組合員である間の死亡を含む。）をした者に係る旧共済法による年金（当該年金の基礎となつている実在職期間が最短年金年限（退職年金を受ける最短年金年限をいうものとし、組合員である間に死亡したことを給付事由とした遺族年金にあつては、十年とする。）以上であるものに限る。）の受給権者（遺族年金を受ける妻、子又は孫を除く。）が施行日以後に七十歳に達した場合において、その者が施行日の前日において七十歳に達したものとみなして年金額改定法第四条の六第四項（年金額改定法第五条の六第三項及び第六条第三項において準用する場合を含む。）において準用する年金額改定法第一条の六第三項の規定及び改正前の特例政令第十六条第八項の規定を適用するとしたならば

同日において支給を受けることができた当該年金の額が改定されるものであるときは、当該年金の額を、その七十歳に達した日の属する月の翌月分以後、施行日の前日においてこれらの規定による改定の措置が講じられたとしたならば、その七十歳に達した日において支給を受けることができた額に改定する。

（脱退一時金等の額に係る利率）

第六十四条　昭和六十年改正法附則第六十一条の規定によりなお従前の例により支給される脱退一時金及び特例死亡一時金の額の算定については、旧施行令第十一条の七及び附則第六条の五中「五・五パーセント」とあるのは、「三・五パーセント（退職した日の属する月の翌月から平成十三年三月までの期間については年五・五パーセント、同年四月から平成十七年三月までの期間については年四パーセント、同年四月から平成十八年三月までの期間については年一・六パーセント、同年四月から平成十九年三月までの期間については年二・三パーセント、同年四月から平成二十年三月までの期間については年二・六パーセント、同年四月から平成二十一年三月までの期間については年三パーセント、同年四月から平成二十二年三月までの期間については年三・二パーセント、同年四月から平成二十三年三月までの期間については年一・八パーセント、同年四月から平成二十四年三月までの期間については年一・九パーセント、同年四月から平成二十五年三月までの期間については年二パーセント、同年四月から平成二十六年三月までの期間については年二・二パーセント、同年四月から平成二十七年三月までの期間については年二・六パーセント、同年四月から平成二十八年三月までの期間については年一・七パーセント、同年四月から平成二十九年三月までの期間については年二パーセント、同年四月から平成三十年三月までの期間については年二・四パーセント、同年四月から平成三十一年三月までの期間については年二・八パーセント、同年四月から令和二年三月までの期間については年三・一パーセント、同年四月から令和五年三月までの期間については年一・七パーセント、同年四月から令和七年三月までの期間については年一・六パーセント、同年四月から令和八年三月までの期間については年一・七パーセント、同年四月から令和九年三月までの期間については年二パーセント、同年四月から令和十一年三月までの期間については年二・一パーセント）」とする。

（返還すべき退職一時金の額に係る利率等）

第六十五条　昭和六十年改正法附則第六十三条第四項（昭和六十年改正法附則第六十三条第三項において準用する場合を含む。）に規定する利率は、年五・五パーセントとする。

2　昭和六十年改正法附則第六十二条第一項（昭和六十年改正法附則第六十三条第三項において準用する場合を含む。）又は第六十三条第一項の規定により返還すべき金額が千円未満であるときは、これらの規定にかかわらず、これらの規定による返還は要しないものとする。

3　昭和六十年改正法附則第六十二条第二項（昭和六十年改正法附則第六十三条第二項及び第三項において準用する場合を含む。）の規定による申出があつた場合において、当該申出に係る旧共済法による年金の昭和六十年改正法附則第六十二条第三項（昭和六十年改正法附則第六十三条第二項及び第三項において準用する場合を含む。以下この項において同じ。）の規定による控除後の支給期月ごとの支給額が当該年金の施行日の直前の支給期月の支給額（当該支給期月ごとの支給額が平成二年四月以後の支給期月に係るものであるときは、施行日の直前の支給期月の支給額の三分の二に相当する金額）より少ないものであり、かつ、その申出の際に従前の支給額が支給されることを希望する旨の申出があつたときは、昭和六十年改正法附則第六十二条第三項の規定の適用については、同項中「支給額の二分の一に相当する金額」とあるのは、「支給額から当該年金の施行日の直前の支給期月の支給額（当該支給期月ごとの支給額が平成二年四月以後の支給期月に係るものであるときは、施行日の直前の支給期月の支給額の三分の二に相当する金額）を控除した額に相当する金額」とする。

4　前項の規定は、同項の規定による申出をした者が支給を受ける退職年金、減額退職年金又は通算退職年金について昭和六十年改正法附則第十一条第四項の規定が適用されるときは、そのとき以後、適用しない。

5　昭和六十年改正法附則第六十二条第二項（昭和六十年改正法附則第六十三条第二項及び第三項において準用する場合を含む。）の規定による申出をした者（第三項の規定による申出をした者を含む。）又はその遺族が共済法による年金の支給を受ける権利を有することとなつた場合における共済法附則第十二条の十二第一項（施行法第十四条第三項において準用する場合を含む。）及び第十二条の十三（施行法第十五条第三項において準用する場合を含む。）並びに施行法第十四条第一項及び第十五条第一項の規定の適用については、共済法附則第十二条の十二第一項中「加えた額」とあるのは「加えた額（当該一時金に係る国家公務員等共済組合法等の一部を改正する法律（昭和六十年法律第百五号。次条において「昭和六十年改正法」という。）附則第六十二条第一項に規定する支給額等について同項又は同条第三項の規定により既に返還した額がある場合には、当該加えた額から当該返還した額を控除した残額）」と、共済法附則第十二条の十三中「退職共済年金等」とあるのは「昭和六十年改正法附則第二条第五号に規定する退職年金、減額退職年金又は障害年金」と、「同項に規定する支給額等」とあるのは「昭和六十年改正法附則第六十二条第一項に規定する支給額等」と、施行法第十四条第一項中「相当する金額」とあるのは「相当する金額（当該金額について国家公務員等共済組合法等の一部を改正する法律（昭和六十年法律第百五号）附則第六十三条第一項又は同条第二項において準用する同法附則第六十二条第三項の規定により既に返還した金額がある場合には、当該十五倍に相当する金額から当該返還した金額を控除した金額）」とする。

（返還一時金等の額に係る利率）

第六十六条　昭和六十年改正法附則第八十五条の規定によりなお従前の例により支給される返還一時金及び死亡一時金の額の算定については、国家公務員共済組合法施行令の一部を改正する政令（昭和五十四年政令第三百十三号）による改正前の施行令第十一条の七中「五・五パーセント」とあるのは、「三・五パーセント（退職した日の属する月の翌月から平成十三年三月までの期間については年五・五パーセント、同年四月から平成十七年三月までの期間については年四パーセント、同年四月から平成十八年三月までの期間については年一・六パーセント、同年四月から平成十九年三月までの期間については年二・三パーセント、同年四月から平成二十年三月までの期間については年二・六パーセント、同年四月から平成二十一年三月までの期間については年三パーセント、同年四月から平成二十二年三月までの期間については年三・二パーセント、同年四月から平成二十三年三月までの期間については年一・八パーセント、同年四月から平成二十四年三月までの期間については年一・九パーセント、同年四月から平成二十五年三月までの期間については年二・二パーセント、同年四月から平成二十六年三月までの期間については年二・二パーセント、同年四月から平成二十七年三月までの期間については年二・六パーセント、同年四月から平成二十八年三月までの期間については年一・七パーセント、同年四月から平成二十九年三月までの期間については年二パーセント、同年四月から平成三十年三月までの期間については年二・四パーセント、同年四月から平成三十一年三月までの期間については年二・八パーセント、同年四月から令和二年三月までの期間については三・一パーセント、同年四月から令和五年三月までの期間については年一・七パーセント、同年四月から令和七年三月までの期間については年一・六パーセント、同年四月から令和八年三月までの期間については年一・七パーセント、同年四月から令和九年三月までの期間については年二パーセント、同年四月から令和十一年三月までの期間については年二・一パーセント)」とする。

第六章の二 離婚等をした場合における特例に関する経過措置

第一節 離婚等をした場合における平均標準報酬月額の計算の特例

(施行日前の組合員期間に係る標準報酬の月額の改定又は決定)

第六十六条の二 組合(組合員であつた者又はその配偶者であつた者にあつては、連合会。以下この章において同じ。)は、標準報酬改定請求(共済法第九十三条の五第二項に規定する標準報酬改定請求をいう。次項において同じ。)があつた場合において、第一号改定者(共済法第九十三条の五第一項に規定する第一号改定者をいう。以下この節において同じ。)が施行日の前日において組合員であつて、施行日以後も引き続き組合員であり、かつ、対象期間(同項に規定する対象期間をいう。以下この章において同じ。)が施行日前から引き続いているものであるときは、共済法第九十三条の九第一項の規定にかかわらず、施行日前までの組合員期間の各月ごとに、次の各号に掲げる者の区分に応じ、その者の標準報酬の月額をそれぞれ当該各号に定める額に改定し、又は決定することができる。

一 第一号改定者 昭和六十年改正法附則第九条第一項及び第三項の規定により計算した施行日前の第一号改定者の組合員期間に係る各月の標準報酬の月額とみなされた額に当該組合員期間の月数を乗じて得た額から次号本文に定める額に施行日前までの組合員期間であつて、かつ、対象期間である期間(以下この節において「施行日前分割対象期間」という。)の月数を乗じて得た額を控除した額を、当該組合員期間の月数で除して得た額

二 第二号改定者(共済法第九十三条の五第一項に規定する第二号改定者をいう。以下この節において同じ。) 施行日前分割対象期間を第二号改定者の組合員期間とみなして昭和六十年改正法附則第九条第一項及び第三項の規定の例により計算した施行日前分割対象期間に係る各月の標準報酬の月額とみなされた額に改定割合(共済法第九十三条の九第一項第一号に規定する改定割合をいう。以下この章において同じ。)を乗じて得た額。ただし、第二号改定者が施行日前の組合員期間を有する者であるときは、当該乗じて得た額に施行日前分割対象期間の月数を乗じて得た額と昭和六十年改正法附則第九条第一項及び第三項の規定により計算した第二号改定者の施行日前の組合員期間に係る各月の標準報酬の月額とみなされた額に当該第二号改定者の施行日前の組合員期間の月数を乗じて得た額との合算額を、当該組合員期間の月数で除して得た額とする。

2 組合は、標準報酬改定請求があつた場合において、第一号改定者が施行日前に退職し、かつ、対象期間が施行日前から引き続いているものであるときは、共済法第九十三条の九第一項の規定にかかわらず、施行日前までの組合員期間の各月ごとに、次の各号に掲げる者の区分に応じ、その者の標準報酬の月額をそれぞれ当該各号に定める額に改定し、又は決定することができる。

一 第一号改定者 昭和六十年改正法附則第九条第三項の規定により計算した施行日前の第一号改定者の組合員期間に係る各月の標準報酬の月額とみなされた額に当該組合員期間の月数を乗じて得た額から次号本文に定める額に施行日前分割対象期間の月数を乗じて得た額を控除した額を、当該組合員期間の月数で除して得た額

二 第二号改定者 施行日前分割対象期間を第二号改定者の組合員期間とみなして昭和六十年改正法附則第九条第三項の規定の例により計算した施行日前分割対象期間に係る各月の標準報酬の月額とみなされた額に改定割合を乗じて得た額。ただし、第二号改定者が施行日前の組合員期間を有する者であるときは、当該乗じて得た額に施行日前分割対象期間の月数を乗じて得た額と昭和六十年改正法附則第九条第一項及び第三項の規定により計算した第二号改定者の施行日前の組合員期間に係る各月の標準報酬の月額とみなされた額に当該第二号改定者の施行日前の組合員期間の月数を乗じて得た額との合算額を、当該組合員期間の月数で除して得た額とする。

(標準報酬の月額等が改定され、又は決定された者に対する長期給付の支給要件等の特例)

第六十六条の三 共済法第九十三条の九第一項及び第二項の規定により標準報酬の月額及び標準期末手当等の額が改定され、又は決定された者(前条の規定により施行日前分割対象期間に係る標準報酬の月額が改定され、又は決定された者を含む。次項において同じ。)に対する長期給付について、昭和六十年改正法の規定を適用する場合においては、次の表の上欄に掲げる昭和六十年改正法の規定中同表の中欄に掲げる字句は、それぞれ同表の下欄に掲げる字句に読み替えるものとする。

附則第九条第一項	組合員期間に	組合員期間(離婚時みなし組合員期間(共済法第九十三条の十第二項に規定する離婚時みなし組合員

		期間をいう。附則第十五条第一項及び附則第二十九条第一項において同じ。）を除く。以下この条、附則第十二条第一項、附則第十四条第一項、附則第十六条第一項、附則第十八条第四項及び第六項、附則第十九条第一項から第三項まで、附則第二十条第二項、附則第二十一条第一項、附則第二十一条の二第一項並びに附則第三十条第一項及び第二項において同じ。）に
附則第二十条第二項	退職共済年金の額が	退職共済年金の額（共済法第九十三条の十第一項の規定により当該退職共済年金の額の改定が行われたときは、当該改定後の額）が
	通算退職年金の額とし	通算退職年金の額（国家公務員等共済組合法等の一部を改正する法律の施行に伴う経過措置に関する政令（昭和六十一年政令第五十六号。以下「昭和六十一年経過措置令」という。）第六十六条の六第一項の規定により当該通算退職年金の額の改定が行われたときは、当該改定後の額。以下この項において同じ。）とし
附則第二十一条第一項	算定した額が	算定した額（共済法第九十三条の十第一項の規定により当該退職共済年金の額が改定されたときは、当該改定後の額）が
	当該退職年金の額に	当該退職年金の額（共済法第九十三条の十第一項の規定により第一号改定者（共済法第九十三条の五第一項に規定する第一号改定者をいう。以下この項において同じ。）の退職共済年金の額の改定が行われたときは、当該第一号改定者にあつては、当該退職年金の額から当該退職共済年金の当該改定前の額と当該改定後の額の差額に相当する額を控除した額）に
	当該改定後の額	当該改定後の額（共済法第九十三条の十第一項の規定により第一号改定者の退職共済年金の額の改定が行われたときは、当該第一号改定者にあつては、当該改定後の退職年金又は減額退職年金の額から当該退職共済年金の当該改定前の額と当該改定後の額の差額に相当する額を控除した額）
附則第二十九条第一項	、組合員又は組合員であつた者	、組合員又は組合員であつた者（離婚時みなし組合員期間を有する者を含む。以下この項及び次項において同じ。）

2　共済法第九十三条の九第一項及び第二項の規定により標準報酬の月額及び標準期末手当等の額が改定され、又は決定された者に対する長期給付についてこの政令の規定を適用する場合においては、次の表の上欄に掲げる規定中同表の中欄に掲げる字句は、それぞれ同表の下欄に掲げる字句に読み替えるものとする。

第三条第二項	続いているもの	続いているもの（離婚時みなし組合員期間（共済法第九十三条の十第二項に規定する離婚時みなし組合員期間をいう。以下同じ。）を除く。）
第三条第三項	組合員期間	組合員期間（離婚時みなし組合員期間を除く。次条第四項、第五条第一項及び第二項、第六条第二項から第四項まで、第十三条第一項及び第三項、第十五条第一項、第十九条第一項、第二項、第四項及び第六項、第二十一条第一項並びに第二十八条第二項において同じ。）
第六条第三項第二号及び第三号	含む	含み、離婚時みなし組合員期間を除く
第十九条第一項、第四項及び第六項	組合員期間が	組合員期間（離婚時みなし組合員期間を除く。）が

第二節　退職年金等の受給権者が離婚等をした場合における特例

（退職年金等の受給権者が離婚等をした場合における換算標準報酬の月額等）

第六十六条の四　退職年金、減額退職年金、通算退職年金又は障害年金（以下この節において「退職年金等」という。）の受給権者である第一号換算標準報酬改定者（組合員又は組合員であつた者であつて、次条第一項第一号の規定により換算標準報酬の月額が改定されるものをいう。以下この節において同じ。）又は第二号換算標準報酬改定者（第一号換算標準報酬改定者の配偶者であつた者であつて、同項第二号の規定により換算標準報酬の月額が改定され、又は決定されるものをいう。以下この節において同じ。）は離婚等（共済法第九十三条の五第一項に規定する離婚等をいう。）をした場合であつて共済法第九十三条の五第一項各号のいずれかに該当するときは、組合に対し、当該離婚等について対象期間に係る組合員期間（当該退職年金等の額の算定の基礎となる部分に限るものとし、以下この節において「分割対象期間」という。）の換算標準報酬の月額の改定又は決定を請求することができる。ただし、当該離婚等をしたときから二年を経過したときその他の財務省令で定める場合に該当するときは、この限りでない。

2　前項の換算標準報酬の月額は、退職年金等の額の算定の基礎となつている俸給年額を十二で除して得た額について、分割対象期間に係る組合員期間を昭和六十年改正法附則第九条第三項に規定する退職に係る組合員期間とみなして同項の規定の例により計算した額とする。

3　第一項の規定による換算標準報酬の月額（前項に規定する換算標準報酬の月額をいう。以下この節において同じ。）の改定又は決定の請求については、共済法第九十三条の五第二項及び第三項並びに第九十三条の六から第九十三条の八までの規定を準用する。この場合において、換算標準報酬の月額は、標準報酬の月額とみなす。

（換算標準報酬の月額の改定又は決定）

第六十六条の五　組合は、換算標準報酬の月額の改定又は決定の請求（以下この節において「換算標準報酬改定請求」という。）があつた場合において、第一号換算標準報酬改定者が換算標準報酬の月額を有する分割対象期間の各月ごとに、次の各号に掲げる者の区分に応じ、その者の換算標準報酬の月額をそれぞれ当該各号に定める額に改定し、又は決定することができる。

一　第一号換算標準報酬改定者　第一号換算標準報酬改定者の改定前の換算標準報酬の月額に一から改定割合を控除して得た率を乗じて得た額

二　第二号換算標準報酬改定者　第二号換算標準報酬改定者の改定前の換算標準報酬の月額（換算標準報酬の月額を有しない月にあつては、零）に、第一号換算標準報酬改定者の改定前の換算標準報酬の月額に改定割合を乗じて得た額を加えて得た額

2　前項の場合において、分割対象期間のうち第一号換算標準報酬改定者の組合員期間であつて第二号換算標準報酬改定者の組合員期間でない期間については、第二号換算標準報酬改定者の組合員期間であつたものとみなす。

3　第一項の規定により改定され、又は決定された換算標準報酬の月額は、当該換算標準報酬改定請求のあつた日から将来に向かつてのみその効力を有する。

（退職年金等の額の改定）

第六十六条の六　退職年金等の受給権者について、前条第一項の規定により換算標準報酬の月額の改定又は決定が行われたときは、昭和六十年改正法附則第三十五条、第三十七条、第四十条及び第四十二条の規定にかかわらず、換算標準報酬改定請求のあつた日の属する月の翌月から、次の各号に掲げる者の区分に応じ、当該各号に定めるところにより算定した額に当該退職年金等の額を改定する。

一　第一号換算標準報酬改定者　昭和六十年改正法附則第三十五条、第三十七条、第四十条及び第四十二条の規定により算定した額から、第一号換算標準報酬改定者の改定前の換算標準報酬の月額に改定割合を乗じて得た額及び分割対象期間をそれぞれ平均標準報酬月額及び組合員期間とみなして平成十二年改正法附則第十一条第三項又は第十二条第五項の規定により読み替えられた共済法第七十七条第一項及び第二項、第八十二条第一項及び第二項又は附則第十二条の四の二第二項及び第三項の規定の例により算定した額を控除した額

二　第二号換算標準報酬改定者　昭和六十年改正法附則第三十五条、第三十七条、第四十条及び第四十二条の規定により算定した額と、第一号換算標準報酬改定者の改定前の換算標準報酬の月額に改定割合を乗じて得た額及び分割対象期間をそれぞれ平均標準報酬月額及び組合員期間とみなして平成十二年改正法附則第十一条第三項又は第十二条第五項の規定により読み替えられた共済法第七十七条第一項及び第二項、第八十二条第一項及び第二項又は附則第十二条の四の二第二項及び第三項（共済法附則第十二条の四の三第一項及び第三項、第十二条の七の二第二項、第十二条の七の三第二項及び第四項並びに第十二条の八第三項並びに昭和六十年改正法附則第三十六条第二項においてその例による場合を含む。）の規定の例により算定した額を合算した額

2　第一号換算標準報酬改定者が退職年金等の受給権者であつて、かつ、第二号換算標準報酬改定者が退職年金等の受給権者でない場合においては、第二号換算標準報酬改定者については、前条第一項第二号の規定により改定又は決定した換算標準報酬の月額を共済法第九十三条の九第一項第二号に規定する第一号改定者の改定前の標準報酬の月額に改定割合を乗じて得た額とみなして、同条から共済法第九十三条の十一までの規定を適用する。

3　第二号換算標準報酬改定者が退職年金等の受給権者であつて、かつ、第一号換算標準報酬改定者が退職年金等の受給権者でない場合においては、第二号換算標準報酬改定者については、共済法第九十三条の九第一項第一号に規定する第一号改定者の改定前の標準報酬の月額を第一項第二号に規定する第一号改定者の改定前の換算標準報酬の月額とみなして、同号の規定を適用する。

（換算標準報酬の月額が改定され、又は決定された者に対する旧共済法による長期給付の特例）

第六十六条の七　第六十六条の五第一項の規定により換算標準報酬の月額が改定され、又は決定された者に対して昭和六十年改正法附則第四十八条第一項の規定を適用する場合においては、同項中「組合員期間」とあるのは「組合員期間（離婚時みなし組合員期間（共済法第九十三条の十第二項に規定する離婚時みなし組合員期間をいう。）を除く。）」と、「改定後の額」とあるのは「改定後の額（国家公務員等共済組合法等の一部を改正する法律の施行に伴う経過措置に関する政令（昭和六十一年政令第五十六号。以下「昭和六十一年経過措置令」という。）第六十六条の六第一項の規定により当該改定後の年金額の改定が行われたときは、同項の規定による改定後の額）」と、「年金の額」とあるのは「年金の額（昭和六十一年経過措置令第六十六条の六第一項の規定により当該改定後の年金の額の改定が行われたときは、同項の規定による改定後の額）」とする。

（退職年金等の受給権者に係る対象期間標準報酬総額の算定）

第六十六条の八　退職年金等の受給権者の対象期間標準報酬総額（共済法第九十三条の六第一項に規定する対象期間標準報酬総額をいう。）を算定する場合においては、同項の規定にかかわらず、施行令第十一条の八の二十三の規定を準用する。この場合において、同条中「標準報酬の月額に一・三」とあるのは、「標準報酬の月額及び換算標準報酬の月額（国家公務員等共済組合法等の一部を改正する法律の施行に伴う経過措置に関する政令（昭和六十一年政令第五十六号）第六十六条の四第二項に規定する換算標準報酬の月額をいう。）に一・三」と読み替えるものとする。

第三節　離婚等により三号分割をした場合における特例

（三号分割により標準報酬の月額等が改定され、又は決定された者に対する長期給付の支給要件等の特例）

第六十六条の九　共済法第九十三条の十三第二項及び第三項の規定により標準報酬の月額及び標準期末手当等の額が改定され、又は決定された者に対する長期給付について、昭和六十年改正法の規定を適用する場合においては、次の表の上欄に掲げる昭和六十年改正法の規定中同表の中欄に掲げる字句は、それぞれ同表の下欄に掲げる字句に読み替えるものとする。

附則第十六条第一項	組合員期間	組合員期間（共済法第九十三条の十三第四項の規定により組合員期間であつたものとみなされた期間を除く。）
附則第二十一条第一項	算定した額が	算定した額（共済法第九十三条の十四第一項の規定により当該退職共済年金の額が改定されたときは、当該改定後の額）が
	当該退職年金の額に	当該退職年金の額（共済法第九十三条の十四第一項の規定により特定組合員（共済法第九十三条の十三第一項に規定する特定組合員をいう。以下この項において同じ。）の退職共済年金の額の改定が行われたときは、当該特定組合員にあつては、当該退職年金の額から当該退職共済年金の当該改定前の額と当該改定後の額の差額に相当する額を控除した額）に
	当該改定後の額	当該改定後の額（共済法第九十三条の十四第一項の規定により特定組合員の退職共済年金の額の改定が行われたときは、当該特定組合員にあつては、当該改定後の退職年金又は減額退職年金の額から当該退職共済年金の当該改定前の額と当該改定後の額の差額に相当する額を控除した額）
附則第二十九条第一項	、組合員又は組合員であつた者	、組合員又は組合員であつた者（共済法第九十三条の十三第四項の規定により組合員期間であつたものとみなされた期間を有する者を含む。以下この項及び次項において同じ。）

第七章　費用の負担等に関する経過措置

（共済法による長期給付に要する費用のうち昭和三十六年四月一日前の組合員期間に係る部分等）

第六十七条　昭和六十年改正法附則第三十一条第一項第一号に規定する政令で定める部分は、第三項各号に掲げる給付の区分に応じ、それぞれ当該年度において当該給付として支給した額の総額に、当該年度における当該給付に係る公経済負担対象額算定率を乗じて得た額（一円未満の端数があるときは、これを四捨五入して得た額）を合算した額に相当する額とする。

2　前項の公経済負担対象額算定率は、次項第一号から第四号まで及び第六号に掲げる給付に係るものにあつては、当該年度の九月三十日における当該給付（その全額につき支給を停止されているものを除く。）の受給権者に係る額のうち公経済負担の対象となる部分の額の合算額を当該給付の総額で除して得た率とし、同項第五号に掲げる給付に係るものにあつては、当該年度の十月一日前一年間に支給された当該給付の額のうち公経済負担の対象となる部分の額の合算額を当該期間に支給された当該給付の総額で除して得た率とする。

3　前項の公経済負担の対象となる部分の額は、次の各号に掲げる給付の区分に応じ、それぞれ当該各号に定める額とする。

一　厚生年金保険法第四十二条の規定による老齢厚生年金（第三号に掲げるものを除く。）　当該老齢厚生年金（第二号厚生年金被保険者（同法第二条の五第一項第二号に規定する第二号厚生年金被保険者をいう。以下同じ。）である間に支給されるものを除く。）の額の算定の基礎となつている第二号厚生年金被保険者期間（同項第二号に規定する第二号厚生年金被保険者期間をいう。以下同じ。）を基礎として同法附則第九条の二第二項の規定の例により算定した額（当該老齢厚生年金の受給権者の配偶者であつて、六十五歳以上である者を計算の基礎とする加給年金額が加算されている場合には、当該加給年金額に相当する額を控除して得た額）に、公経済負担対象期間率を乗じて得た額に相当する額

二　厚生年金保険法附則第八条の規定による老齢厚生年金　当該老齢厚生年金（第二号厚生年金被保険者である間に支給されるものを除く。）の額（当該老齢厚生年金の受給権者の配偶者であつて、六十五歳以上である者を計算の基礎とする加給年金額が加算されている場合には、当該加給年金額に相当する額を控除して得た額）に、公経済負担対象期間率を乗じて得た額に相当する額

三　平成二十四年一元化法附則第三十四条第一項の規定による老齢厚生年金（当該老齢厚生年金の受給権者が六十五歳に達したとき以後に支給する老齢厚生年金を含む。）　当該老齢厚生年金（第二号厚生年金被保険者である間に支給されるものを除く。）の額（六十五歳に達したとき以後に支給する老

齢厚生年金にあつては、同条第二項の規定の例により算定するものとした場合の額）（当該老齢厚生年金の受給権者の配偶者であつて、六十五歳以上である者を計算の基礎とする加給年金額が加算されている場合には、当該加給年金額に相当する額を控除して得た額）に、公経済負担対象期間率を乗じて得た額に相当する額

四　厚生年金保険法による障害厚生年金　当該障害厚生年金の額（当該障害厚生年金の受給権者の配偶者であつて、六十五歳以上である者を計算の基礎とする加給年金額が加算されている場合には、当該加給年金額に相当する額を控除して得た額）に、公経済負担対象期間率を乗じて得た額に相当する額

五　厚生年金保険法による障害手当金　当該障害手当金の額に、公経済負担対象期間率を乗じて得た額に相当する額

六　厚生年金保険法による遺族厚生年金　当該遺族厚生年金の額（当該遺族厚生年金が国民年金等経過措置政令第五十八条第三項第十二号に規定する遺族厚生年金であつて、同号に規定する配偶者に支給されるものである場合には、国民年金等経過措置政令第五十六条第三項第四号ニに規定する老齢基礎年金の加算額に相当する額を控除して得た額）に、公経済負担対象期間率を乗じて得た額に相当する額

4　前項各号に規定する公経済負担対象期間率は、それぞれ当該給付の額の算定の基礎となつた第二号厚生年金被保険者期間の月数に対する昭和三十六年四月一日前の当該第二号厚生年金被保険者期間の月数の比率をいう。

5　昭和六十年改正法附則第三十一条第一項第一号に規定する政令で定める割合は、百分の十五・八五とする。

第六十七条の二　組合が支給する厚生年金保険法による保険給付のうち二以上の種別の被保険者であつた期間を有する者に係る障害厚生年金若しくは障害手当金又は遺族厚生年金（同法第五十八条第一項第四号に該当することにより支給されるものを除く。）の支給に要する費用について昭和六十年改正法附則第三十一条第一項第一号に規定する昭和三十六年四月一日前の組合員期間に係る長期給付（共済法第七十三条第一項各号に掲げる保険給付を含む。以下この条において同じ。）に要する費用に相当するものとして政令で定める部分に相当する額を計算する場合には、当該長期給付の額の計算の基礎となつた第一号厚生年金被保険者期間（厚生年金保険法第二条の五第一項第一号に規定する第一号厚生年金被保険者期間をいう。）及び第四号厚生年金被保険者期間（厚生年金保険法第二条の五第一項第四号に規定する第四号厚生年金被保険者期間をいう。）を、当該長期給付の額の計算の基礎となつた第二号厚生年金被保険者期間とみなして、昭和六十年改正法附則第三十一条第一項（第一号に係る部分に限る。）及び前条第一項から第四項までの規定を適用する。

（退職共済年金の額のうち旧国民年金法による老齢年金の額に相当する部分）

第六十八条　昭和六十年改正法附則第三十一条第一項第二号に規定する政令で定める部分は、当該年度において支給した退職共済年金（国民年金等改正法附則第三十一条第一項に規定する者のうち六十五歳以上の者に係るものに限る。）の額の総額に、当該年度における当該退職共済年金に係る老齢年金加算額相当率を乗じて得た額（一円未満の端数があるときは、これを四捨五入して得た額）に相当する額とする。

2　前項の老齢年金加算額相当率は、当該年度の九月三十日における同項に規定する退職共済年金（その全額につき支給を停止されているものを除く。）の受給権者に係る当該退職共済年金の額のうち、老齢年金加算額に相当する部分の額の合算額を当該退職共済年金の額の総額で除して得た率とする。

3　前項の老齢年金加算額に相当する部分の額は、第一項に規定する退職共済年金のうち、その受給権者が別表第六の上欄に掲げる者であつて、その者の昭和三十六年四月一日以後の組合員期間の年数が二十五年未満であり、かつ、同欄に掲げる者の区分に応じ、同表の下欄に掲げる期間以上であるものに係るものについて、当該退職共済年金の額のうち当該組合員期間を国民年金等改正法附則第三十二条第二項の規定により読み替えられてなおその効力を有するものとされた国民年金等改正法第一条の規定による改正前の国民年金法第七十七条第一項第一号に規定する被保険者期間とみなして同号の規定の例により算定した額とする。

（長期給付に要する費用に対する国の負担）

第六十八条の二　昭和六十年改正法附則第三十一条第一項第一号に掲げる額のうち同項の規定により国が毎年度において負担すべき金額は、当該年度における同号の規定による負担すべき金額とする。

2　前項の規定は、昭和六十年改正法附則第三十一条第一項第二号に掲げる額のうち同項の規定により国が毎年度において負担すべき金額について準用する。

（国の負担する費用の組合等への払込み）

第六十九条　国は、予算で定めるところにより、昭和六十年改正法附則第三十一条第一項（他の法令によりその例によることとされる場合を含む。次項において同じ。）の規定により負担すべき金額を、当該事業年度における長期給付の支払状況を勘案して組合に払い込むものとする。

2　前項の規定により国が組合に払い込んだ金額と昭和六十年改正法附則第三十一条第一項の規定により国が負担すべき金額との調整は、当該事業年度の翌々年度までの国の予算により行うものとする。

3　組合は、第一項に規定する金額の払込みがあるごとに、当該金額を直ちに連合会に払い込まなければならない。

（旧共済法による長期給付に要する費用のうち昭和三十六年四月一日前の組合員期間に係る部分）

第七十条　昭和六十年改正法附則第六十四条第四号に規定する政令で定める費用のうち同号の規定によりその例によることとされる昭和六十年改正法附則第三十一条第一項第一号に規定する政令で定める部分に相当する費用は、第三項各号に掲げる給付の区分に応じ、それぞれ当該年度において当該給付として支給した額の総額に、当該年度における当該給付に係る公経済負担対象額算定率を乗じて得た額（一円未満の端数があるときは、これを四捨五入して得た額）を合算した額に相当する額とする。

2　前項の公経済負担対象額算定率は、次項第一号から第八号までに掲げる給付に係るものにあつては、当該年度の九月三十日における当該給付（その全額につき支給を停止されているものを除く。）の受給権者に係る額のうち公経済負担の対象となる部分の額の合算額を当該給付の総額で除して得た率とし、同項

第九号に掲げる給付に係るものにあつては、当該年度の十月一日前一年間に支給された当該給付の額のうち公経済負担の対象となる部分の額の合算額を当該期間に支給された当該給付の総額で除して得た率とする。

3　前項の公経済負担の対象となる部分の額は、次の各号に掲げる給付の区分に応じ、それぞれ当該各号に定める額とする。

一　退職年金（特例退職年金（旧共済法附則第十三条の十五第二項に規定する特例退職年金をいう。次号において同じ。）を除く。）　当該退職年金（昭和六十年改正法附則第三十六条第一項の規定により支給の停止が行われないこととされたものを除く。）の額（当該退職年金が更新組合員等であつた者に係るものである場合には、その額から、その額のうち施行法第五十四条の規定（他の法令においてその例によることとされる場合を含む。）により、国等（施行法第三条の二に規定する国等をいう。）、組合、連合会又は施行法第五十四条第三項に規定する法人が負担すべき金額の算定の基礎となつている組合員期間（以下この項において「追加費用対象期間」という。）に係る部分の額に相当する額を控除した額）から国民年金等経過措置政令第五十八条第三項第一号ハに掲げる額を同号ハに規定する退職年金の受給権者の人数で除して得た額を控除した額に、公経済負担対象期間率を乗じて得た額に相当する額

二　特例退職年金　当該特例退職年金（昭和六十年改正法附則第三十六条第一項の規定により支給の停止が行われないこととされたものを除く。）の額（当該特例退職年金が更新組合員等であつた者に係るものである場合には、その額から、その額のうち追加費用対象期間に係る部分の額に相当する額を控除した額）に、公経済負担対象期間率を乗じて得た額に相当する額

三　減額退職年金　当該減額退職年金（昭和六十年改正法附則第三十九条において準用する昭和六十年改正法附則第三十六条第一項の規定により支給の停止が行われないこととされたものを除く。）の額（当該減額退職年金が更新組合員等であつた者に係るものである場合には、その額から、その額のうち追加費用対象期間に係る部分の額に相当する額を控除した額）から国民年金等経過措置政令第五十八条第三項第二号ロに掲げる額を同号ロに規定する減額退職年金の受給権者の人数で除して得た額を控除した額に、公経済負担対象期間率を乗じて得た額に相当する額

四　通算退職年金　当該通算退職年金の額（当該通算退職年金が更新組合員等であつた者に係るものである場合には、その額から、その額のうち追加費用対象期間に係る部分の額に相当する額を控除した額）に、公経済負担対象期間率を乗じて得た額に相当する額

五　障害年金（公務による障害年金を除く。以下この号において同じ。）　次のイ又はロに掲げる障害年金の区分に応じ、それぞれイ又はロに定める額

イ　昭和三十六年四月一日以後に給付事由が生じた障害年金で旧共済法による障害等級の一級又は二級に該当する者に支給されるもの　当該障害年金の額（当該障害年金が更新組合員等であつた者に係るものである場合には、その額から、その額のうち追加費用対象期間に係る部分の額に相当する額を控除した額）から国民年金法第三十三条第一項に規定する障害基礎年金の額（旧共済法による障害等級の一級に該当する者に支給される障害年金にあつては、同条第二項に規定する障害基礎年金の額）に相当する額並びに国民年金等経過措置政令第五十八条第三項第四号ロ及びハに掲げる額を同号ハに規定する障害年金の受給権者の人数で除して得た額に相当する額の合算額を控除した額に、公経済負担対象期間率を乗じて得た額に相当する額

ロ　イに掲げる障害年金以外の障害年金　当該障害年金の額（当該障害年金が更新組合員等であつた者に係るものである場合には、その額から、その額のうち追加費用対象期間に係る部分の額に相当する額を控除した額）に、公経済負担対象期間率を乗じて得た額に相当する額

六　遺族年金（公務による遺族年金及び特例遺族年金（旧共済法附則第十三条の十八第二項に規定する特例遺族年金をいう。次号において同じ。）を除く。以下この号において同じ。）　次のイからホまでに掲げる遺族年金の区分に応じ、それぞれイからホまでに定める額

イ　昭和三十六年四月一日以後に給付事由が生じた遺族年金で、遺族である妻に支給されるもの（二十歳未満の遺族である子がいる場合の当該遺族年金に限る。）　当該遺族年金の額（当該遺族年金が更新組合員等であつた者に係るものである場合には、その額から、その額のうち追加費用対象期間に係る部分の額に相当する額を控除した額）から国民年金法第三十八条に規定する遺族基礎年金の額に相当する額及び扶養加給額に相当する額の合算額を控除した額に、公経済負担対象期間率を乗じて得た額に相当する額

ロ　昭和三十六年四月一日以後に給付事由が生じた遺族年金で二十歳未満の遺族である子に支給されるもの（当該遺族年金の受給権者である二十歳未満の遺族である子が他にいない場合の当該遺族年金に限る。）　当該遺族年金の額（当該遺族年金が更新組合員等であつた者に係るものである場合には、その額から、その額のうち追加費用対象期間に係る部分の額に相当する額を控除した額）から国民年金法第三十八条に規定する遺族基礎年金の額に相当する額を控除した額に、公経済負担対象期間率を乗じて得た額に相当する額

ハ　昭和三十六年四月一日以後に給付事由が生じた遺族年金で二十歳未満の遺族である子に支給されるもの（ロに掲げる遺族年金を除く。）　当該遺族年金の額（当該遺族年金が更新組合員等であつた者に係るものである場合には、その額から、その額のうち追加費用対象期間に係る部分の額に相当する額を控除した額）から国民年金法第三十八条に規定する遺族基礎年金の額に相当する額及び扶養加給額に相当する額の合算額を控除した額に、公経済負担対象期間率を乗じて得た額に相当する額

ニ　昭和三十六年四月一日以後に給付事由が生じた遺族年金のうち、国民年金等経過措置政令第五十八条第三項第五号ニに規定する遺族年金で同号ニに規定する配偶者に支給されるもの（イに掲げる遺族年金を除く。）　当該遺族年金の額（当該遺族年金が更新組合員等であつた者に係るものである場合には、その額から、その額のうち追加費用対象期間に係る部分の額に相当する額を控除した額）から国民

年金等経過措置政令第五十六条第三項第四号ニに規定する老齢基礎年金の加算額に相当する額を控除した額に、公経済負担対象期間率を乗じて得た額に相当する額

ホ　イからニまでに掲げる遺族年金以外の遺族年金　当該遺族年金の額（当該遺族年金が更新組合員等であつた者に係るものである場合には、その額から、その額のうち追加費用対象期間に係る部分の額に相当する額を控除した額）に、公経済負担対象期間率を乗じて得た額に相当する額

七　特例遺族年金　当該特例遺族年金の額（当該特例遺族年金が更新組合員等であつた者に係るものである場合には、その額から、その額のうち追加費用対象期間に係る部分の額に相当する額を控除した額）に、公経済負担対象期間率を乗じて得た額に相当する額

八　通算遺族年金　当該通算遺族年金の額（当該通算遺族年金が更新組合員等であつた者に係るものである場合には、その額から、その額のうち追加費用対象期間に係る部分の額に相当する額を控除した額）に、公経済負担対象期間率を乗じて得た額に相当する額

九　昭和六十年改正法附則第六十一条の規定によりなお従前の例により支給される脱退一時金その他の一時金である給付（共済法の規定による障害一時金及び脱退一時金を除く。）その額（当該一時金が更新組合員等であつた者に係るものである場合には、その額から、その額のうち追加費用対象期間に係る部分の額に相当する額を控除した額）に、公経済負担対象期間率を乗じて得た額に相当する額

4　第六十七条第四項の規定は、前項各号に規定する公経済負担対象期間率について準用する。

（退職年金等の額のうち旧国民年金法による老齢年金の額に相当する部分）

第七十一条　昭和六十年改正法附則第六十四条第四号に規定する政令で定める費用のうち同号の規定によりその例によることとされる昭和六十年改正法附則第三十一条第一項第二号に規定する政令で定める部分に相当する費用は、退職年金、減額退職年金又は通算退職年金（これらの年金のうち、その受給権者が六十五歳以上であるものに限る。以下この条において同じ。）の区分に応じ、それぞれ当該年度において当該年金として支給した額の総額に、当該年度における当該年金に係る老齢年金加算額相当率を乗じて得た額（一円未満の端数があるときは、これを四捨五入して得た額）を合算した額に相当する額とする。

2　前項の老齢年金加算額相当率は、退職年金、減額退職年金又は通算退職年金の区分に応じ、それぞれ当該年度の九月三十日におけるこれらの年金（その全額につき支給を停止されているものを除く。）の受給権者に係る当該年金の額のうち老齢年金加算額に相当する部分の額の合算額を当該年金の額の総額で除して得た率とする。

3　前項の老齢年金加算額に相当する部分の額は、退職年金、減額退職年金又は通算退職年金の区分に応じ、当該年金のうち、その受給権者が別表第六の上欄に掲げる者であつて、その者の昭和三十六年四月一日以後の組合員期間の年数が二十五年未満であり、かつ、同欄に掲げる者の区分に応じ同表の下欄に掲げる期間以上であるものに係るものについて、当該年金の額のうち当該組合員期間を国民年金等改正法附則第三十二条第二項の規定により読み替えられてなおその効力を有するものとされた国民年金等改正法第一条の規定による改正前の国民年金法第七十七条第一項第一号に規定する被保険者期間とみなして同号の規定の例により算定した額とする。

（掛金の徴収に関する経過措置）

第七十二条　昭和六十年改正法第一条の規定による改正後の国家公務員等共済組合法第百条の規定は、昭和六十一年四月分以後の掛金の徴収について適用し、同年三月分以前の掛金の徴収については、なお従前の例による。

（任意継続組合員に係る給付に関する経過措置）

第七十三条　施行日以前に任意継続組合員の資格を喪失した者に支給される出産費、埋葬料及び家族埋葬料、傷病手当金並びに出産手当金でその給付事由が施行日以後に生じたものの昭和六十年改正法第一条の規定による改正後の国家公務員等共済組合法第六十一条第一項本文、第六十三条第一項本文及び第三項本文、第六十六条第一項及び第二項並びに第六十七条第一項に規定する金額については、これらの規定にかかわらず、なお従前の例による。

（経過措置に関する財務省令への委任）

第七十四条　第三条から前条までに定めるもののほか、昭和六十年改正法附則第六十二条第二項の申出に関する手続その他昭和六十年改正法の施行に伴う経過措置に関し必要な事項は、財務省令で定める。

附　則

この政令は、昭和六十一年四月一日から施行する。

附　則（昭六一・六・二八政令二四七）（抄）

（施行期日）

第一条　この政令は、昭和六十一年七月一日から施行する。

附　則（昭六二・三・二〇政令五四）（抄）

（施行期日）

第一条　この政令は、昭和六十二年四月一日から施行する。

附　則（昭六二・六・五政令一九七）（抄）

（施行期日）

第一条　この政令は、公布の日から施行する。

附　則（昭六三・六・一四政令一八七）（抄）

（施行期日）

第一条　この政令は、公布の日から施行する。

附　則（平元・七・七政令二一四）（抄）

（施行期日）

第一条　この政令は、公布の日から施行する。

附　則（平元・一二・二二政令三三六）（抄）

（施行期日等）

第一条　この政令は、公布の日から施行する。（ただし書略）

2　次の各号に掲げる規定は、それぞれ当該各号に定める日から適用する。

一　第一条の規定による改正後の国民年金法施行令第五条の二の規定、第四条の規定による改正後の国民年金法等の一部を改正する法律の施行に伴う経過措置に関する政令（以下「改正後の経過措置政令」という。）第四十六条第二項、第五十条から第五十二条まで、第五十六条第三項、第五十八条第三項、第七十二条、第七十三条、第七十五条、第八十八条第四項、第九十三条、第九十四条、第百条第三項、第百二条第三項、第百八条、第百九条、第百十六条及び第百十七条の規定

定、第五条の規定による改正後の母子及び寡婦福祉法施行令第六条の規定並びに第六条の規定並びに附則第六条から第九条までの規定　平成元年四月一日

二　〔略〕

附　則（平元・一二・二七政令三四五）（抄）

（施行期日等）

第一条　この政令は、公布の日から施行する。〔ただし書略〕

２　次の各号に掲げる規定は、当該各号に定める日から適用する。

一　次に掲げる規定　平成元年四月一日

イ　〔略〕

ロ　第二条の規定による改正後の国家公務員等共済組合法等の一部を改正する法律の施行に伴う経過措置に関する政令（以下「改正後の経過措置政令」という。）第二条、第十条、第十三条、第十四条、第三十四条、第三十七条、第三十八条、第四十二条第一項、第二項及び第四項、第四十五条から第四十八条まで、第五十条、第五十二条第一項、第五十四条第一項、第五十七条第一項、第二項及び第四項、第六十一条第二項、第六十二条、第六十四条並びに別表第四の規定

ハ　附則第六条の規定

二　次に掲げる規定　平成元年十二月一日

イ　〔略〕

ロ　改正後の経過措置政令第十六条第二項から第七項まで、第十七条第二項、第二十一条第一項（国民年金法（昭和三十四年法律第百四十一号）第三十四条第四項に係る部分を除く。）及び第三項、第二十二条、第二十六条第二項から第五項まで、第三十九条、第四十三条、第四十四条並びに第五十一条第一項の規定

ハ　次条第一項及び第二項並びに附則第五条の規定

（組合員である間の退職共済年金等の支給停止の特例に関する経過措置）

第二条　１　〔略〕

２　平成元年十二月一日から同月三十一日までの間における改正後の施行令第十一条の七の四及び第十一条の七の十並びに改正後の経過措置政令第三十九条及び第四十三条の規定の適用については、これらの規定中「第三級」とあるのは「第六級」と、「第四級から第六級まで」とあるのは「第七級から第九級まで」と、「第七級から第九級まで」とあるのは「第十級から第十二級まで」と、「第十級から第十二級まで」とあるのは「第十三級から第十五級まで」と、「第十三級及び第十四級」とあるのは「第十六級及び第十七級」と、「第十五級及び第十六級」とあるのは「第十八級及び第十九級」と、「第十七級及び第十八級」とあるのは「第二十級」とする。

３　平成二年一月一日から同年三月三十一日までの間における改正後の施行令第十一条の七の二の規定の適用については、同条中「第十八級」とあるのは、「第十七級」とする。

４　平成二年一月一日から同年三月三十一日までの間における改正後の施行令第十一条の七の四及び第十一条の七の十並びに改正後の経過措置政令第三十九条及び第四十三条の規定の適用については、これらの規定中「第十七級及び第十八級」とあるのは、「第十七級」とする。

（法による年金の額等に関する経過措置）

第五条　改正後の経過措置政令第十六条第二項、第四項及び第七項、第十七条第二項、第二十一条第一項（国民年金法第三十四条第四項に係る部分を除く。）及び第三項並びに第二十六条第二項及び第四項の規定は、平成元年十二月分以後の月分の法による年金の額について適用し、同年十一月分以前の月分の当該年金の額については、なお従前の例による。

（日本鉄道共済組合が支給する平成六年九月分までの年金である給付に係る平均標準報酬月額等の改定率）

第六条　１・２　〔略〕

３　平成元年四月分から平成六年九月分までの月分の日本鉄道共済組合（法第八条第二項に規定する日本鉄道共済組合をいう。）が支給する旧共済法による年金（改正後の経過措置政令第二条第十号に規定する旧共済法による年金をいう。）に対する改正後の経過措置政令第五十七条の規定の適用については、同条第一項及び第二項中「百分の七・八」とあるのは「百分の四・一」と、同条第四項中「百分の五」とあるのは「百分の一・四」とする。

附　則（平二・三・二八政令五六）（抄）

改正　平九・三・二八政令八四

（施行期日）

第一条　この政令は、平成二年四月一日から施行する。

（日本鉄道共済組合又は日本たばこ産業共済組合が支給する退職共済年金等の特例に関する経過措置）

第二条　〔前略〕第四条の規定による改正後の国家公務員等共済組合法等の一部を改正する法律の施行に伴う経過措置に関する政令（以下「改正後の経過措置政令」という。）第三十一条及び第三十二条の規定は、この政令の施行の日（以下「施行日」という。）以後に退職した者に係る国家公務員等共済組合法（以下「法」という。）による退職共済年金、施行日以後に法第八十一条第二項に規定する障害等級に該当する程度の障害の状態になった者に係る法による障害共済年金又は施行日以後に死亡した者に係る法による遺族共済年金について適用し、施行日前に退職した者に係る法による退職共済年金、施行日前に同項に規定する障害等級に該当する程度の障害の状態になった者に係る法による障害共済年金又は施行日前に死亡した者に係る法による遺族共済年金については、なお従前の例による。

２　改正後の経過措置政令第三十一条の規定は、施行日以後に給付事由が生じた法による障害一時金の額について適用し、施行日前に給付事由が生じた法による障害一時金の額については、なお従前の例による。

３　改正後の経過措置政令第五十七条の規定は、平成二年四月分以後の月分の同条に規定する退職年金、減額退職年金、障害年金又は遺族年金（以下「旧共済法による年金」という。）の額について適用し、同年三月分以前の月分の旧共済法による年金の額については、なお従前の例による。

（日本たばこ産業共済組合の組合員であった者に対する長期給付の特例）

第三条　施行日の前日において日本たばこ産業共済組合（厚生年金保険法等の一部を改正する法律（平成八年法律第八十二号）第二条の規定による改正前の法（以下「平成八年改正前共済法」という。）第八条第二項に規定する日本たばこ産業共済組合をいう。以下同じ。）以外の組合（日本鉄道共済組合（同項

に規定する日本鉄道共済組合をいう。以下同じ。）を除く。以下「その他組合」という。）の組合員である者が施行日前において日本たばこ産業共済組合の組合員から引き続き日本たばこ産業共済組合以外の組合の組合員となった者であり、かつ、施行日前の組合員期間が二十年以上である者（当該組合員期間のうち日本たばこ産業共済組合以外の組合の組合員であった期間（日本鉄道共済組合の組合員であった期間を除く。）の月数が日本たばこ産業共済組合の組合員であった期間（日本鉄道共済組合の組合員であった期間を含む。）の月数を超える者に限る。）に対する厚生年金保険法等の一部を改正する法律第二条の規定による改正後の国家公務員共済組合法附則第二十条第一項の規定の適用については、その者が施行日前において日本たばこ産業共済組合の組合員であった間、施行日の前日において所属していたその他組合の組合員であったものとみなす。

2　日本専売公社又は日本たばこ産業株式会社（以下「日本専売公社等」という。）の職員（平成八年改正前共済法第二条第一項第一号に規定する職員をいう。以下同じ。）以外の職員が任命権者又はその委任を受けた者の要請に応じ、施行日前において引き続いて日本専売公社等の職員となり、引き続き日本専売公社等の職員として在職した後、当該日本専売公社等の職員となった日から五年以内に引き続いて再び日本専売公社等の職員以外の職員となった場合におけるその者に対する国家公務員共済組合法附則第二十条第一項の規定の適用については、その者は、当該在職した間、その他組合の組合員であったものとみなす。

3　施行日の前日においてその他組合の組合員である者のうち、昭和六十一年三月三十一日において日本たばこ産業共済組合の組合員であったものに対する国家公務員等共済組合法等の一部を改正する法律の施行に伴う経過措置に関する政令第三十一条第一項の規定の適用については、同項中「共済法附則第二十条第一項」とあるのは、「共済法附則第二十条第一項及び国家公務員等共済組合法施行令等の一部を改正する政令（平成二年政令第五十六号）附則第三条第一項」とする。

附　則（平二・七・六政令二〇五）（抄）

（施行期日）

第一条　この政令は、公布の日から施行する。

附　則（平六・六・三〇政令二〇〇）（抄）

（施行期日）

1　この政令は、公布の日から施行する。

附　則（平六・一一・一六政令三五七）（抄）

改正　平九・三・二八政令八四

（施行期日等）

第一条　この政令は、公布の日から施行する。ただし、次の各号に掲げる規定は、当該各号に定める日から施行する。

一　〔前略〕第二条中国家公務員等共済組合法等の一部を改正する法律の施行に伴う経過措置に関する政令第三十九条及び第四十三条の改正規定並びに次条の規定　平成六年十二月一日

二　〔略〕

2　第二条の規定による改正後の国家公務員等共済組合法等の一部を改正する法律の施行に伴う経過措置に関する政令（以下「改正後の経過措置政令」という。）第三十四条、第三十八条、第四十二条第一項、第二項及び第四項、第四十五条、第四十六条第一項、第四十八条、第五十条、第五十二条第一項、第五十七条第一項、第二項及び第四項並びに第六十四条の規定並びに附則第三条及び第四条の規定は、平成六年十月一日から適用する。

（日本鉄道共済組合が支給する平成九年三月分までの年金である給付に係る平均標準報酬月額等の改定率）

第三条　1・2　〔略〕

3　平成六年十月分から平成九年三月分までの月分の日本鉄道共済組合（国家公務員等共済組合法第八条第二項に規定する日本鉄道共済組合をいう。）が支給する旧共済法による年金（改正後の経過措置政令第二条第十号に規定する旧共済法による年金をいう。）に対する改正後の経過措置政令第五十七条の規定の適用については、同条第一項中「百分の二十五・三」とあるのは「百分の二十一」と、「一・二二」とあるのは「一・一七八」と、同条第二項中「百分の二十五・三」とあるのは「百分の二十一」と、同条第四項中「百分の二十二」とあるのは「百分の十七・八」とする

附　則（平七・三・二九政令一一五）

この政令は、平成七年四月一日から施行する。

附　則（平七・三・二九政令一一六）（抄）

1　この政令は、平成七年四月一日から施行する。

3　前項の規定による改正後の国家公務員等共済組合法等の一部を改正する法律の施行に伴う経過措置に関する政令第五十七条の規定は、平成七年四月分以後の月分の同条に規定する退職年金、減額退職年金、障害年金又は遺族年金の額について適用し、同年三月分以前の月分のこれらの年金の額については、なお従前の例による。

附　則（平九・三・二八政令八四）（抄）

（施行期日）

第一条　この政令は、平成九年四月一日から施行する。

附　則（平九・一二・一〇政令三五五）（抄）

（施行期日）

第一条　この政令は、平成十年一月一日から施行する。

附　則（平一二・三・三一政令一八二）（抄）

最終改正　平一六・九・二九政令二八六

（施行期日）

第一条　この政令は、平成十二年四月一日から施行する。〔ただし書略〕

（増加恩給の受給権者であった者等に係る遺族共済年金の額の改定の特例に関する経過措置）

第二条　第二条の規定による改正後の国家公務員等共済組合法等の一部を改正する法律の施行に伴う経過措置に関する政令第二十六条第四項の規定は、平成十二年四月分以後の月分の国家公務員共済組合法（昭和三十三年法律第百二十八号。以下「法」という。）による遺族共済年金の額について適用し、平成十二年三月分以前の月分の法による遺族共済年金の額については、なお従前の例による。

（平成十二年度以後における旧共済法による年金の額の算定に関する経過措置）

第七条　平成十二年度以後の各年度における旧共済法による年金（昭和六十年改正法附則第二条第六号に規定する旧共済法による年金をいう。）の額については、第一号に掲げる金額が第二

号に掲げる金額に満たないときは、昭和六十年改正法附則第三十五条第一項（国家公務員等共済組合法等の一部を改正する法律の施行に伴う経過措置に関する政令（以下この条から附則第九条までにおいて「昭和六十一年経過措置政令」という。）第四十九条第三項において準用する場合を含む。）、第四十条第一項第二号（同条第二項においてその例による場合を含む。）、第四十二条第一項（同条第二項（昭和六十一年経過措置政令第四十九条第三項において準用する場合を含む。）において準用する場合を含む。）及び第二項並びに第四十六条第一項及び第三項（昭和六十一年経過措置政令第四十九条第三項において準用する場合を含む。）並びに第五十七条第一項（同条第二項において準用する場合を含む。）（いずれも昭和六十一年経過措置政令第五十八条においてその例による場合を含む。）並びに昭和六十一年経過措置政令第三十八条、第五十条並びに第五十七条第一項及び第二項の規定（俸給年額又は衛視等の俸給年額に基づいて算定される部分に限る。）による金額は、これらの規定にかかわらず、第二号の規定による金額とする。

一　昭和六十年改正法附則第三十五条第一項、第四十条第一項第二号、第四十二条第一項及び第二項並びに第四十六条第一項及び第三項並びに第五十七条第一項の規定並びに昭和六十一年経過措置政令第三十八条、第五十条並びに第五十七条第一項及び第二項の規定（俸給年額又は衛視等の俸給年額に基づいて算定される部分に限る。）を適用したとしたならばこれらの規定により算定される金額

二　平成十二年改正法第三条の規定による改正前の昭和六十年改正法（以下この条から附則第九条第一項までにおいて「改正前の昭和六十年改正法」という。）附則第三十五条第一項、第四十条第一項第二号、第四十二条第一項及び第二項並びに第四十六条第一項及び第三項並びに第五十七条第一項の規定並びに第二条の規定による改正前の国家公務員等共済組合法等の一部を改正する法律の施行に伴う経過措置に関する政令第三十八条、第五十条並びに第五十七条第一項及び第二項の規定（俸給年額又は衛視等の俸給年額に基づいて算定される部分に限る。）を適用したとしたならばこれらの規定により算定される金額に平成十二年改正法附則第十二条第一項に規定する従前額改定率（次条第一項第二号において「従前額改定率」という。）を乗じて得た金額

（平成十二年度以後における障害年金等の支給停止額の算定に関する経過措置）

第八条　平成十二年度以後の各年度における公務による障害年金、公務によらない障害年金又は公務による遺族年金（それぞれ昭和六十一年経過措置政令第二条第十四号に規定する公務による障害年金、公務によらない障害年金又は公務による遺族年金をいう。）の昭和六十一年経過措置政令第四十八条の二の規定により支給を停止する額については、第一号に掲げる金額が第二号に掲げる金額に満たないときは、同条の規定による金額は、同条の規定にかかわらず、同号の規定による金額とする。

一　昭和六十一年経過措置政令第四十八条の二の規定を適用したとしたならば同条の規定により算定される金額

二　改正前の昭和六十年改正法附則第三条第一項の規定によりなお従前の例によることとされる場合における旧共済法（改正前の昭和六十年改正法附則第二条第二号に規定する旧共済法をいう。以下同じ。）第八十六条第一項、第八十六条の二第一項又は第九十二条第一項の規定を適用したとしたならばこれらの規定により算定される金額に従前額改定率を乗じて得た金額

2　前項第二号の規定による金額を算定する場合における旧共済法第八十六条第一項、第八十六条の二第一項又は第九十二条第一項に規定する俸給年額は、改正前の昭和六十年改正法附則第三十五条第一項ただし書に規定する俸給年額とする。

（平成十二年度以後における退職年金の受給権者の在職中支給基本額等の算定に関する経過措置）

第九条　平成十二年改正法附則第七条第一項及び第二項の規定は、平成十二年度から平成十五年度までの各年度における改正後の昭和六十年改正法附則第三十六条第一項第一号（改正後の昭和六十年改正法附則第三十九条において読み替えて準用する場合を含む。）及び第四十四条第一項第一号、改正後の昭和六十一年経過措置政令第四十一条並びに改正後の平成九年経過措置政令第十三条第一項においてその例によることとされる改正後の法第七十七条第一項及び第二項、第八十二条第一項第一号、第八十九条第一項第一号（同号ロを除く。）及び第二号（同号ロを除く。）並びに附則第十二条の四の二第二項第二号の規定による金額を算定する場合について準用する。

2　平成十二年改正法附則第十一条第一項（第二号を除く。）から第三項まで並びに第十二条第一項（第二号を除く。）及び第三項から第五項までの規定は、平成十六年度以後の各年度における昭和六十年改正法附則第三十六条第一項第一号（昭和六十年改正法附則第三十九条において読み替えて準用する場合を含む。）及び第四十四条第一項第一号、改正後の昭和六十一年経過措置政令第四十一条並びに改正後の平成九年経過措置政令第十三条第一項においてその例によることとされる法第七十七条第一項及び第二項、第八十二条第一項第一号、第八十九条第一項第一号（同号ロを除く。）及び第二号（同号ロを除く。）並びに附則第十二条の四の二第二項第二号の規定による金額を算定する場合について準用する。

附　則（平一二・六・七政令三〇七）（抄）

（施行期日）

第一条　この政令は、平成十三年一月六日から施行する。〔ただし書略〕

附　則（平一二・一二・二七政令五四三）（抄）

（施行期日）

1　この政令は、平成十三年四月一日から施行する。〔ただし書略〕

附　則（平一三・一二・七政令三九一）

この政令は、平成十四年四月一日から施行する。

附　則（平一四・三・一三政令四三）（抄）

（施行期日）

第一条　この政令は、平成十四年四月一日から施行する。

附　則（平一四・一二・一八政令三八一）（抄）

この政令は、平成十五年四月一日から施行する。〔ただし書略〕

附　則（平一四・一二・一八政令三八三）（抄）

この政令は、平成十五年四月一日から施行する。〔ただし書略〕

附　則（平一四・一二・一八政令三八五）（抄）

（施行期日）
第一条　この政令は、平成十五年四月一日から施行する。

附　則（平一五・一・二九政令一六）（抄）

最終改正　平一九・三・三〇政令七七

（施行期日）
第一条　この政令は、平成十五年四月一日から施行する。

（退職共済年金等の額の一般的特例に関する経過措置）
第十二条　平成十二年改正法附則第十二条第一項第二号の規定による金額を算定する場合及び附則第九条第一項第二号の規定による金額を算定する場合においては、平成十二年改正法第四条の規定による改正後の昭和六十年改正法附則第十五条第一項中「共済法第七十七条第一項」とあるのは「国家公務員共済組合法等の一部を改正する法律（平成十二年法律第二十一号。次項において「平成十二年改正法」という。）附則第十二条第六項の規定により読み替えられた共済法第七十二条の二、第七十七条第一項」と、「千分の五・四八一」とあるのは「千分の五・七六九」と、「千分の一・〇九六」とあるのは「千分の一・一五四」と、「千分の〇・五四八」とあるのは「千分の〇・五七七」と、同条第二項中「共済法第八十九条第三項及び第九十三条の三の規定」とあるのは「共済法第八十九条第三項の規定により読み替えられた同条第一項及び国家公務員共済組合法施行令等の一部を改正する政令（平成十五年政令第十六号）附則第九条第三項の規定により読み替えられた共済法第九十三条の三の規定」と、「共済法第八十九条第三項及び第九十三条の三中」とあるのは「共済法第八十九条第三項の規定により読み替えられた同条第一項中「千分の二・四六六」とあるのは「千分の二・五九六（その組合員又は組合員であつた者が国家公務員等共済組合法等の一部を改正する法律（昭和六十年法律第百五号）附則別表第二の第一欄に掲げる者であるときは、同欄に掲げる者の区分に応じ、同表の第二欄に掲げる割合の四分の一に相当する割合に同表の第三欄に掲げる割合を加えた割合）」と、「組合員期間の月数（当該月数が三百月未満であるときは、三百月）」とあるのは「基準日後組合員期間の月数」と、同令附則第九条第三項の規定により読み替えられた共済法第九十三条の三中」と、「千分の二・四六六」とあるのは「千分の二・五九六」と、平成十二年改正法第四条の規定による改正後の昭和六十年改正法附則別表第二中「千分の七・三〇八」とあるのは「千分の七・六九二」と、「千分の〇・三六五」とあるのは「千分の〇・三八五」と、「千分の〇・一八三」とあるのは「千分の〇・一九二」と、「千分の七・二〇五」とあるのは「千分の七・五八五」と、「千分の〇・四二四」とあるのは「千分の〇・四四六」と、「千分の〇・二一二」とあるのは「千分の〇・二二三」と、「千分の七・一〇三」とあるのは「千分の七・四七七」と、「千分の〇・四八二」とあるのは「千分の〇・五〇八」と、「千分の〇・二四二」とあるのは「千分の〇・二五四」と、「千分の七・〇〇一」とあるのは「千分の七・三六九」と、「千分の〇・五三四」とあるのは「千分の〇・五六二」と、「千分の〇・二七一」とあるのは「千分の〇・二八五」と、「千分の六・八九八」とあるのは「千分の七・二六二」と、「千分の〇・五八五」とあるのは「千分の〇・六一五」と、「千分の〇・二九二」とあるのは「千分の〇・三〇八」と、「千分の六・八〇四」とあるのは「千分の七・一六二」と、「千分の〇・六二八」とあるのは「千分の〇・六六二」と、「千分の〇・三一五」とあるのは「千分の〇・三三一」と、「千分の六・七〇二」とあるのは「千分の七・〇五四」と、「千分の〇・六七二」とあるのは「千分の〇・七〇八」と、「千分の〇・三三六」とあるのは「千分の〇・三五四」と、「千分の六・六〇六」とあるのは「千分の六・九五四」と、「千分の〇・七一六」とあるのは「千分の〇・七五四」と、「千分の〇・三五八」とあるのは「千分の〇・三七七」と、「千分の六・五一二」とあるのは「千分の六・八五四」と、「千分の〇・七五三」とあるのは「千分の〇・七九二」と、「千分の〇・三八〇」とあるのは「千分の〇・四〇〇」と、「千分の六・四二四」とあるのは「千分の六・七六二」と、「千分の〇・七九七」とあるのは「千分の〇・八三八」と、「千分の〇・四〇二」とあるのは「千分の〇・四二三」と、「千分の六・三二八」とあるのは「千分の六・六六二」と、「千分の〇・八二六」とあるのは「千分の〇・八六九」と、「千分の〇・四一七」とあるのは「千分の〇・四三八」と、「千分の六・二四一」とあるのは「千分の六・五六九」と、「千分の〇・八六二」とあるのは「千分の〇・九〇八」と、「千分の〇・四三二」とあるのは「千分の〇・四五四」と、「千分の六・一四六」とあるのは「千分の六・四六九」と、「千分の〇・八九二」とあるのは「千分の〇・九三八」と、「千分の〇・四四六」とあるのは「千分の〇・四六九」と、「千分の六・〇五八」とあるのは「千分の六・三七七」と、「千分の〇・九二八」とあるのは「千分の〇・九七七」と、「千分の〇・四六八」とあるのは「千分の〇・四九二」と、「千分の五・九七八」とあるのは「千分の六・二九二」と、「千分の〇・九五〇」とあるのは「千分の一・〇〇〇」と、「千分の〇・四七五」とあるのは「千分の〇・五〇〇」と、「千分の五・八九〇」とあるのは「千分の六・二〇〇」と、「千分の〇・九七九」とあるのは「千分の一・〇三一」と、「千分の〇・四九〇」とあるのは「千分の〇・五一五」と、「千分の五・八〇二」とあるのは「千分の六・一〇八」と、「千分の一・〇〇八」とあるのは「千分の一・〇六二」と、「千分の〇・五〇五」とあるのは「千分の〇・五三一」と、「千分の五・七二二」とあるのは「千分の六・〇二三」と、「千分の一・〇三一」とあるのは「千分の一・〇八五」と、「千分の〇・五一九」とあるのは「千分の〇・五四六」と、「千分の五・六四二」とあるのは「千分の五・九三八」と、「千分の一・〇五二」とあるのは「千分の一・一〇八」と、「千分の〇・五二六」とあるのは「千分の〇・五五四」と、「千分の五・五六二」とあるのは「千分の五・八五四」と、「千分の一・〇七五」とあるのは「千分の一・一三一」と、「千分の〇・五四一」とあるのは「千分の〇・五六九」とする。

附　則（平一五・一二・一二政令五一六）（抄）

（施行期日）
第一条　この政令は、公布の日から施行する。ただし、〔中略〕附則第三十七条から第五十九条までの規定は、法附則第一条ただし書に規定する規定の施行の日（平成十六年四月一日）から施行する。

附　則（平一六・三・一九政令四四）

この政令は、平成十六年四月一日から施行する。

附　則（平一六・九・二九政令二八六）（抄）

最終改正　平二六・三・二八政令八五

（施行期日）

第一条　この政令は、平成十六年十月一日から施行する。

（平成二十六年四月以後の月分の旧共済法による年金の額の算定に関する経過措置についての読替え等）

第三条　平成二十六年四月以後の月分の旧共済法による年金（昭和六十年改正法附則第二条第六号に規定する旧共済法による年金をいう。以下同じ。）について平成十六年改正法附則第五条の二の規定により読み替えられた平成十六年改正法附則第五条第一項の規定を適用する場合においては、同条第二項の規定によるほか、次の表の第一欄に掲げる政令の同表の第二欄に掲げる規定中同表の第三欄に掲げる字句は、それぞれ同表の第四欄に掲げる字句に読み替えるものとする。

一　第二条の規定による改正前の国家公務員等共済組合法等の一部を改正する法律の施行に伴う経過措置に関する政令（次項において「改正前の昭和六十一年経過措置政令」という。）	第三十四条	百八万四千六百円	百四万二千三百円
	第三十八条第一項第一号ロ	三万七千七百十六円	三万七千七百十六円に〇・九六一を乗じて得た金額
	第三十八条第一項第一号ハ	相当する額	相当する額に〇・九六一を乗じて得た額
	第三十八条第一項第三号ロ	三万七千七百十六円	三万七千七百十六円に〇・九六一を乗じて得た金額
	第三十八条第一項第三号ハ	相当する金額	相当する金額に〇・九六一を乗じて得た金額
	第三十八条第二項	百八万四千六百円	百四万二千三百円
		相当する金額	相当する金額に〇・九六一を乗じて得た金額
	第四十二条第一項第一号	五百二十八万千九百円	五百七万五千九百円
	第四十二条第一項第二号	三百四十四万五千六百円	三百三十一万千二百円
	第四十二条第一項第三号	二百三十八万九千九百円	二百二十九万六千七百円
	第四十二条第二項第一号	二十万八千百円	二十万円
	第四十二条第二項第二号	一万四千八百円	一万四千二百円
		六万六千九百円	六万四千三百円
		十四万千二百円	十三万五千七百円
	第四十二条第四項第一号	百三十二万六千九百円	百二十七万五千二百円
	第四十二条第四項第二号	百八万四千六百円	百四万二千三百円
	第四十二条第四項第三号及び第四十五条	八十万四千二百円	七十七万三千八百円
	第四十六条第一項	七万七千百円	七万四千百円
		二十三万千四百円	二十二万二千四百円
	第四十八条第一項	百八十七万三千三百円	百八十万二千二百円
	第四十八条第二項	百八十七万三千三百円	百八十万二千二百円
		百七十四万六千四百円	百六十七万八千三百円
	第四十八条第三項	一万四千八百円	一万四千二百円
		六万六千九百円	六万四千三百円
	第五十条各号列記以外の部分	相当する金額	相当する金額に〇・九六一を乗じて得た金額

分		
第五十条第一号	加えた額	加えた額に〇・九六一を乗じて得た額
第五十条第三号	相当する額	相当する額に〇・九六一を乗じて得た額
第五十七条第一項	乗じて得た率	乗じて得た率に、〇・九六一を乗じて得た率
	に相当する金額	に相当する金額から老齢加算改定額（昭和六十年改正法附則第五十七条第一項各号に掲げる期間に応じ、当該各号に定める金額に、昭和六十年改正法附則別表第五の上欄に掲げる受給権者の区分に応じてそれぞれ同表の下欄に掲げる率に一・〇二七を乗じて得た率に〇・〇三九を乗じて得た率を乗じて得た金額）を控除した金額
	当該相当する金額	当該控除した金額
第五十七条第二項	乗じて得た率	乗じて得た率に、〇・九六一を乗じて得た率
第六十条	掲げる額	掲げる額に〇・九六一を乗じて得た額

二　第四条の規定による改正前の国家公務員共済組合法施行令等の一部を改正する政令（以下この条及び次条において「改正前の平成十二年改正政令」という。）第二条の規定による改正前の国家公務員等共済組合法等の一部を改正する法律の施行に伴う経過措置に関する政令

第三十八条第一項第一号ハ	相当する額	相当する額に〇・九六一を乗じて得た額
第三十八条第一項第三号ハ及び第二項並びに第五十条各号列記以外の部分	相当する金額	相当する金額に〇・九六一を乗じて得た金額
第五十条第一号及び第三号	相当する額	相当する額に〇・九六一を乗じて得た額
第五十七条第一項	に相当する金額	に相当する金額から老齢加算改定額（昭和六十年改正法附則第五十七条第一項各号に掲げる期間に応じ、当該各号に定める金額に、一・〇二七に一・二二を乗じて得た率に〇・〇三九を乗じて得た率を乗じて得た金額をいう。）を控除した金額
	当該相当する金額	当該控除した金額

2　平成二十六年四月以後の月分の平成十六年改正法附則第五条の二の規定により読み替えられた平成十六年改正法附則第五条第一項の規定を適用する場合における昭和六十年改正法附則第四十二条第一項に規定する公務による障害年金、昭和六十年改正法附則第四十二条第二項に規定する公務によらない障害年金又は昭和六十年改正法附則第四十六条第一項第一号に規定する公務による遺族年金について改正前の昭和六十一年経過措置政令第四十八条の二の規定により支給を停止する金額を算定する場合においては、改正前の平成十二年改正政令附則第八条第一項第一号中「算定される金額」とあるのは、「算定される金額に〇・九六一を乗じて得た金額」とする。

3　平成二十六年四月以後の月分の平成十六年改正法附則第五条の二の規定により読み替えられた平成十六年改正法附則第五条第一項の規定を適用する場合における昭和六十年改正法附則第四十二条第一項に規定する公務による障害年金、昭和六十年改正法附則第四十二条第二項に規定する公務によらない障害年金又は昭和六十年改正法附則第四十六条第一項第一号に規定する公務による遺族年金について改正前の平成十二年改正政令附則第八条第一項第二号の規定により支給を停止する金額を算定する場合においては、同号中「算定される金額」とあるのは、

「算定される金額に〇・九六一を乗じて得た金額」とする。

4 平成二十六年四月以後の月分の旧共済法による年金について平成十六年改正法附則第五条の二の規定により読み替えられた平成十六年改正法附則第五条第一項の規定を適用する場合における同条第二項の規定により読み替えられた平成十六年改正法第九条の規定による改正前の昭和六十年改正法附則第三十五条第一項ただし書及び平成十二年改正法第三条の規定による改正前の昭和六十年改正法附則第三十五条第一項ただし書に規定する当該年度の国民年金法第二十七条に規定する改定率の改定の基準となる率に〇・九九〇を乗じて得た率として政令で定める率は〇・九九三とし、これらの規定に規定する当該改定後の率（〇・九六八）に当該政令で定める率を乗じて得た率を基準として政令で定める率は〇・九六一とする。

（更新組合員等であった者で七十歳以上のものが受ける退職年金等の額の改定の特例）

第四条 平成二十六年四月以後の月分の旧共済法による年金について平成十六年改正法附則第五条の二の規定により読み替えられた平成十六年改正法附則第五条第一項の規定を適用する場合における平成十六年改正法第九条の規定による改正前の昭和六十年改正法（以下この項において「平成十六年改正前の昭和六十年改正法」という。）附則第五十七条第一項（同条第二項において準用する場合を含む。以下この項において同じ。）の規定により読み替えられた平成十六年改正前の昭和六十年改正法附則第五十条第三項に規定する政令で定める率は、平成十六年改正前の昭和六十年改正法附則別表第五の上欄に掲げる受給権者の区分に応じてそれぞれ同表の下欄に掲げる率に〇・九六一を乗じて得た率からそれぞれ一を控除して得た率とする。この場合において、平成十六年改正前の昭和六十年改正法附則第五十七条第一項の規定により読み替えられた平成十六年改正前の昭和六十年改正法附則第五十条第三項中「相当する金額を」とあるのは「相当する金額から老齢加算改定額（附則第五十七条第一項各号に掲げる期間に応じ、当該各号に定める金額に、平成十六年改正前の昭和六十年改正法附則別表第五の上欄に掲げる受給権者の区分に応じてそれぞれ同表の下欄に掲げる率に〇・〇三九を乗じて得た率を乗じて得た金額をいう。）を控除した金額を」と、「相当する金額）」とあるのは「相当する金額から老齢加算改定額を控除した金額）」とする。

2 平成二十六年四月以後の月分の旧共済法による年金について平成十六年改正法附則第五条の二の規定により読み替えられた平成十六年改正法附則第五条第一項の規定を適用する場合における改正前の平成十二年改正政令附則第七条第二号の規定による金額を算定する場合において、平成十二年改正法第三条の規定による改正前の昭和六十年改正法（以下この項において「平成十二年改正前の昭和六十年改正法」という。）附則第五十七条第一項（同条第二項において準用する場合を含む。以下この項において同じ。）の規定により読み替えられた平成十二年改正前の昭和六十年改正法附則第五十条第三項に規定する政令で定める率は、百分の十七・二とする。この場合において、平成十二年改正前の昭和六十年改正法附則第五十七条第一項の規定により読み替えられた平成十二年改正前の昭和六十年改正法附則第五十条第三項中「相当する金額を」とあるのは「相当する金額から老齢加算改定額（附則第五十七条第一項各号に掲げる期間に応じ、当該各号に定める金額に、一・二二に〇・〇三九を乗じて得た率を乗じて得た金額をいう。）を控除した金額を」と、「相当する金額）」とあるのは「相当する金額から老齢加算改定額を控除した金額）」とする。

附　則（平一七・四・一政令一一八）（抄）

（施行期日）

第一条 この政令は、公布の日から施行する。

附　則（平一九・三・三〇政令七七）（抄）

（施行期日）

第一条 この政令は、平成十九年四月一日から施行する。

附　則（平一九・八・三政令二三五）（抄）

（施行期日）

第一条 この政令は、平成十九年十月一日から施行する。〔ただし書略〕

（国家公務員等共済組合法等の一部を改正する法律の施行に伴う経過措置に関する政令の一部改正に伴う経過措置）

第三十四条 平成十九年度において第六十八条の規定による改正後の国家公務員等共済組合法等の一部を改正する法律の施行に伴う経過措置に関する政令第六十八条の二第一項の規定により国が負担すべき金額は、同項第一号に定める金額から第六十八条の規定による改正前の国家公務員等共済組合法等の一部を改正する法律の施行に伴う経過措置に関する政令（次項において「旧昭和六十一年経過令」という。）第六十八条の二第一項第五号に定める金額を控除した金額とする。

2 旧昭和六十一年経過令第六十九条第五項の規定により旧公社が日本郵政公社共済組合に払い込んだ金額が、旧公社が負担すべき金額を超えるときは、その超える金額を翌々事業年度までに国家公務員共済組合連合会が日本郵政株式会社に払い戻すものとし、旧公社が負担すべき金額に満たないときは、その満たない金額を翌々事業年度までに日本郵政株式会社が国家公務員共済組合連合会に払い込むものとする。

附　則（平一九・一一・二政令三三六）（抄）

（施行期日）

第一条 この政令は、公布の日から施行する。

附　則（平一九・一一・九政令三三三）（抄）

（施行期日）

第一条 この政令は、公布の日から施行する。

附　則（平二〇・三・三一政令八五）（抄）

（施行期日）

第一条 この政令は、平成二十年四月一日から施行する。

附　則（平二一・一二・二四政令二九六）（抄）

（施行期日）

第一条 この政令は、平成二十二年一月一日から施行する。〔ただし書略〕

附　則（平二二・三・二六政令四二）

この政令は、平成二十二年四月一日から施行する。

附　則（平二五・三・二七政令八六）

この政令は、平成二十五年四月一日から施行する。

附　則（平二五・七・三一政令二二六）（抄）

（施行期日）

第一条 この政令は、被用者年金制度の一元化等を図るための厚生年金保険法等の一部を改正する法律附則第一条第三号に掲げる規定の施行の日（平成二十五年八月一日）から施行する。

（国家公務員共済組合法による年金である給付の額等に関する経過措置）

第二条 〔前略〕第二条の規定による改正後の国家公務員等共済組合法等の一部を改正する法律の施行に伴う経過措置に関する政令第十六条の三から第十六条の八まで、第二十一条の二、第二十一条の三、第二十六条の二から第二十六条の八まで及び第五十七条の二から第五十七条の二十一までの規定は、この政令の施行の日（以下「施行日」という。）以後の月分として支給される国家公務員共済組合法（昭和三十三年法律第百二十八号）による年金である給付又は国家公務員等共済組合法等の一部を改正する法律（昭和六十年法律第百五号。以下「昭和六十年改正法」という。）附則第二条第六号に規定する旧共済法による年金である給付について適用し、施行日前の月分として支給される国家公務員共済組合法による年金である給付又は同号に規定する旧共済法による年金である給付については、なお従前の例による。

第三条 国家公務員共済組合法による年金である給付又は昭和六十年改正法附則第二条第六号に規定する旧共済法による年金である給付であって、その額の算定の基礎となった組合員期間のうちに追加費用対象期間（国家公務員共済組合法の長期給付に関する施行法（昭和三十三年法律第百二十九号）第十三条の二第一項に規定する追加費用対象期間をいう。次条において同じ。）があるもの（当該国家公務員共済組合法による年金である給付又は同号に規定する旧共済法による年金である給付の受給権者が受給権を有する他の国家公務員共済組合法による年金である給付若しくは同号に規定する旧共済法による年金である給付若しくは地方公務員等共済組合法（昭和三十七年法律第百五十二号）による年金である給付若しくは地方公務員等共済組合法等の一部を改正する法律（昭和六十年法律第百八号）附則第二条第七号に規定する退職年金、減額退職年金、通算退職年金、障害年金、遺族年金若しくは通算遺族年金又は厚生年金保険法（昭和二十九年法律第百十五号）による年金たる保険給付若しくは私立学校教職員共済法（昭和二十八年法律第二百四十五号）による年金である給付を含む。）については、施行日においてその額の改定を行うこととし、当該改定は、国家公務員共済組合法第七十三条第三項（私立学校教職員共済法第二十五条において準用する場合を含む。）若しくは昭和六十年改正法附則第三条第一項の規定によりなお従前の例によることとされた昭和六十年改正法第一条の規定による改正前の国家公務員等共済組合法第七十三条第三項の規定又は地方公務員等共済組合法第七十五条第三項若しくは地方公務員等共済組合法等の一部を改正する法律附則第三条第一項の規定によりなお従前の例によることとされた同法第一条の規定による改正前の地方公務員等共済組合法第七十五条第三項の規定にかかわらず、施行日の属する月から行う。

（追加費用対象期間を有する者に係る退職共済年金等の額の特例）

第四条 〔前略〕第二条の規定による改正後の国家公務員等共済組合法等の一部を改正する法律の施行に伴う経過措置に関する政令第二十一条の二及び第二十六条の二の規定は、厚生年金保険法等の一部を改正する法律（平成八年法律第八十二号）附則第十六条第一項及び第二項に規定する年金たる給付並びに同法附則第三十二条第二項第一号に規定する特例年金給付の受給権者（追加費用対象期間を有する者に限る。）については、施行日から被用者年金制度の一元化等を図るための厚生年金保険法等の一部を改正する法律の施行の日の前日までの間、適用しない。

附 則（平二六・九・二五政令三一三）（抄）

（施行期日）

1 この政令は、平成二十六年十月一日から施行する。ただし、〔中略〕第十四条〔中略〕の規定は、同年十二月一日から施行する。

附 則（平二七・三・一八政令七四）（抄）

この政令は、平成二十七年四月一日から施行する。〔ただし書略〕

附 則（平二七・三・二七政令一〇三）

（施行期日）

1 この政令は、平成二十七年四月一日から施行する。

（国家公務員共済組合法による年金である給付の額等に関する経過措置）

2 平成二十七年三月以前の月分の国家公務員共済組合法による年金である給付の額及び国家公務員等共済組合法等の一部を改正する法律（昭和六十年法律第百五号）附則第二条第六号に規定する旧共済法による年金の額については、なお従前の例による。

附 則（平二七・九・三〇政令三四四）（抄）

（施行期日）

第一条 この政令は、平成二十七年十月一日から施行する。〔ただし書略〕

（平成二十七年度における国家公務員共済組合法による長期給付に要する費用のうち昭和三十六年四月一日前の組合員期間に係る部分の経過措置）

第三条 平成二十七年度における第二条の規定による改正後の国家公務員等共済組合法等の一部を改正する法律の施行に伴う経過措置に関する政令第六十七条第二項の規定の適用については、同項中「から第四号まで及び第六号に掲げる給付に係るものにあっては、当該年度の九月三十日における当該給付（その全額につき支給を停止されているものを除く。）の受給権者に係る額のうち公経済負担の対象となる部分の額の合算額を当該給付の総額で除して得た率とし、同項第五号に掲げる給付に係るものにあっては、当該年度の十月一日前一年間に支給された当該給付の額のうち公経済負担の対象となる部分の額の合算額を当該期間に支給された当該給付の総額で除して得た」とあるのは、「に掲げる給付に係るものにあっては国家公務員共済組合法施行令等の一部を改正する等の政令（平成二十七年政令第三百四十四号）第二条の規定による改正前の第六十七条第三項第一号に掲げる給付について同条第二項の規定の例により算定した率、次項第二号に掲げる給付に係るものにあっては同条第三項第二号に掲げる給付について同条第二項の規定の例により算定した率、次項第三号に掲げる給付に係るものにあっては同条第三項第三号に掲げる給付について同条第二項の規定の例により算定した率、次項第四号に掲げる給付に係るものにあっては同条第三項第四号に掲げる給付について同条第二項の規定の例により算定した率、次項第五号に掲げる給付に係るものにあっては同条第三項第五号に掲げる給付について同条第二項の規定の例により算定した率、次項第六号に掲げる給付に係るものにあつては同条第三項第六号に掲げる給付について同条第二項の規定の例により算定した」とする。

附　則（平三一・三・二〇政令四〇）

この政令は、平成三十一年四月一日から施行する。

附　則（令二・四・一五政令一四四）

この政令は、公布の日から施行し、令和二年四月一日から適用する。

附　則（令三・三・三一政令一〇三）（抄）

（施行期日）

第一条　この政令は、令和三年四月一日から施行する。

（国家公務員共済組合法等の一部を改正する法律の施行に伴う経過措置に関する政令の一部改正に伴う経過措置）

第三条　第二条の規定による改正前の国家公務員共済組合法等の一部を改正する法律の施行に伴う経過措置に関する政令（次条において「改正前昭和六十一年経過措置政令」という。）第六十九条第四項の規定により読み替えて準用する同条第一項の規定により独立行政法人造幣局、独立行政法人国立印刷局、独立行政法人国立病院機構又は独立行政法人郵便貯金簡易生命保険管理・郵便局ネットワーク支援機構（以下この条及び次条において「独立行政法人造幣局等」という。）が当該職員である組合員が属する組合に払い込んだ金額と令和二年改正法附則第四十六条の規定による改正前の国家公務員等共済組合法等の一部を改正する法律（昭和六十年法律第百五号。次条において「改正前昭和六十年改正法」という。）附則第三十一条第一項の規定により独立行政法人造幣局等が負損すべき金額との調整については、なお従前の例による。

別表第一（第三条関係）

期間	比率
五年以下	一・二五五
五年を超え六年以下	一・二四六
六年を超え七年以下	一・二二六
七年を超え八年以下	一・二〇六
八年を超え九年以下	一・一八三
九年を超え十年以下	一・一六二
十年を超え十一年以下	一・一四三
十一年を超え十二年以下	一・一二三
十二年を超え十三年以下	一・一〇四
十三年を超え十四年以下	一・〇八六
十四年を超え十五年以下	一・〇六八
十五年を超え十六年以下	一・〇五一
十六年を超え十七年以下	一・〇三五
十七年を超え十八年以下	一・〇一九
十八年を超え十九年以下	一・〇〇三
十九年を超え二十年以下	〇・九八八
二十年を超え二十一年以下	〇・九七四
二十一年を超え二十二年以下	〇・九六〇
二十二年を超え二十三年以下	〇・九四七
二十三年を超え二十四年以下	〇・九三四
二十四年を超え二十五年以下	〇・九二二
二十五年を超え二十六年以下	〇・九一二
二十六年を超え二十七年以下	〇・九〇三
二十七年を超え二十八年以下	〇・八九四
二十八年を超え二十九年以下	〇・八八七
二十九年を超え三十年以下	〇・八八一
三十年を超え三十一年以下	〇・八七五
三十一年を超え三十二年以下	〇・八七〇
三十二年を超え三十三年以下	〇・八六五
三十三年を超え三十四年以下	〇・八六二
三十四年を超えるもの	〇・八六〇

別表第二（第四条関係）

昭和六十年俸給年額	率	金額
百二十万円未満	一・〇五三	〇円
百二十万円以上五百三十八万八千二百三十六円未満	一・〇五一	二千四百円
五百三十八万八千二百三十六円以上	一・〇〇〇	二十七万七千二百円

別表第三（第四条関係）

期間	比率
一年以下	一・〇〇〇
一年を超え二年以下	〇・九八八
二年を超え三年以下	〇・九六七
三年を超え四年以下	〇・九五〇
四年を超え五年以下	〇・九三六
五年を超え六年以下	〇・九二六
六年を超え七年以下	〇・九一八
七年を超え八年以下	〇・九一三
八年を超え九年以下	〇・九一〇
九年を超え十年以下	〇・九〇九
十年を超え十一年以下	〇・九〇九
十一年を超え十二年以下	〇・九一一
十二年を超え十三年以下	〇・九一三
十三年を超え十四年以下	〇・九一六
十四年を超え十五年以下	〇・九一八
十五年を超え十六年以下	〇・九二一
十六年を超え十七年以下	〇・九二三
十七年を超え十八年以下	〇・九二四
十八年を超え十九年以下	〇・九二五
十九年を超え二十年以下	〇・九二六
二十年を超え二十一年以下	〇・九二七
二十一年を超え二十二年以下	〇・九二八
二十二年を超え二十三年以下	〇・九三〇
二十三年を超え二十四年以下	〇・九三二
二十四年を超え二十五年以下	〇・九三五
二十五年を超え二十六年以下	〇・九三八
二十六年を超え二十七年以下	〇・九四一
二十七年を超え二十八年以下	〇・九四四
二十八年を超え二十九年以下	〇・九四七
二十九年を超え三十年以下	〇・九五〇
三十年を超え三十一年以下	〇・九五三
三十一年を超え三十二年以下	〇・九五六
三十二年を超え三十三年以下	〇・九六〇
三十三年を超え三十四年以下	〇・九六四
三十四年を超えるもの	〇・九七〇

別表第四（第十三条関係）

昭和二年四月一日以前に生まれた者	一・八七五
昭和二年四月二日から昭和三年四月一日までの間に生まれた者	一・八一七
昭和三年四月二日から昭和四年四月一日までの間に生まれた者	一・七六一
昭和四年四月二日から昭和五年四月一日までの間に生まれた者	一・七〇七

昭和五年四月二日から昭和六年四月一日までの間に生まれた者	一・六五四
昭和六年四月二日から昭和七年四月一日までの間に生まれた者	一・六〇三
昭和七年四月二日から昭和八年四月一日までの間に生まれた者	一・五五三
昭和八年四月二日から昭和九年四月一日までの間に生まれた者	一・五〇五
昭和九年四月二日から昭和十年四月一日までの間に生まれた者	一・四五八
昭和十年四月二日から昭和十一年四月一日までの間に生まれた者	一・四一三
昭和十一年四月二日から昭和十二年四月一日までの間に生まれた者	一・三六九
昭和十二年四月二日から昭和十三年四月一日までの間に生まれた者	一・三二七
昭和十三年四月二日から昭和十四年四月一日までの間に生まれた者	一・二八六
昭和十四年四月二日から昭和十五年四月一日までの間に生まれた者	一・二四六
昭和十五年四月二日から昭和十六年四月一日までの間に生まれた者	一・二〇八
昭和十六年四月二日から昭和十七年四月一日までの間に生まれた者	一・一七〇
昭和十七年四月二日から昭和十八年四月一日までの間に生まれた者	一・一三四
昭和十八年四月二日から昭和十九年四月一日までの間に生まれた者	一・〇九九
昭和十九年四月二日から昭和二十年四月一日までの間に生まれた者	一・〇六五
昭和二十年四月二日から昭和二十一年四月一日までの間に生まれた者	一・〇三二

別表第五（第四十条及び第四十一条関係）

年数	率
一年	〇・〇八五
二年	〇・一六〇
三年	〇・二三〇
四年	〇・二九〇
五年	〇・三五〇

別表第六（第六十八条及び第七十一条関係）

明治三十九年四月二日から明治四十四年四月一日までの間に生まれた者	五年
明治四十四年四月二日から大正五年四月一日までの間に生まれた者	十年
大正五年四月二日から大正六年四月一日までの間に生まれた者	十一年
大正六年四月二日から大正七年四月一日までの間に生まれた者	十二年
大正七年四月二日から大正八年四月一日までの間に生まれた者	十三年
大正八年四月二日から大正九年四月一日までの間に生まれた者	十四年
大正九年四月二日から大正十年四月一日までの間に生まれた者	十五年
大正十年四月二日から大正十一年四月一日までの間に生まれた者	十六年
大正十一年四月二日から大正十二年四月一日までの間に生まれた者	十七年
大正十二年四月二日から大正十三年四月一日までの間に生まれた者	十八年
大正十三年四月二日から大正十四年四月一日までの間に生まれた者	十九年

大正十四年四月二日から大正十五年四月一日までの間に生まれた者	二十年
大正十五年四月二日から昭和二年四月一日までの間に生まれた者	二十一年
昭和二年四月二日から昭和三年四月一日までの間に生まれた者	二十二年
昭和三年四月二日から昭和四年四月一日までの間に生まれた者	二十三年
昭和四年四月二日から昭和五年四月一日までの間に生まれた者	二十四年

○厚生年金保険法等の一部を改正する法律の施行に伴う経過措置に関する政令（抄）

平九・三・二八
政令八五

最終改正 令六・三・二九政令一二七

（施行日前において旧適用法人職員となった連合会組合の組合員であった者の資格に関する経過措置）

第四十三条 旧適用法人共済組合以外の改正前国共済法第三条第一項に規定する組合（以下「連合会組合」という。）の組合員（改正前国共済法の長期給付に関する規定の適用を受けないものを除く。以下この条及び次条において同じ。）であった者が当該組合員であった時に任命権者又はその委任を受けた者の要請に応じ、施行日前において引き続いて旧適用法人に使用される者（役員及び常時勤務に服することを要しない者を除く。以下「旧適用法人職員」という。）となった場合（初めて旧適用法人職員となった場合その他これに準ずるものとして大蔵大臣の定める場合に限る。）であって、かつ、引き続き施行日以後において当該旧適用法人職員である場合には、改正後国共済法の長期給付に関する規定の適用については、その者は、施行日から起算して六十日を経過する日までに申出をしたときは、施行日以後引き続く当該旧適用法人職員である期間その者の当該旧適用法人職員となる直前に所属していた連合会組合の組合員であるものとする。この場合において、その者の旧適用法人共済組合の組合員期間は、連合会組合の組合員期間とみなす。

2 前項の場合において、改正後国共済法第百二十四条の二第二項から第五項まで並びに平成九年改正政令第二条の規定による改正後の国家公務員共済組合法施行令第四十四条第二項及び第四十四条の二の規定は、前項の規定により連合会組合の組合員であるものとされた者について準用する。この場合において、改正後国共済法第百二十四条の二第二項第一号中「転出の日」とあるのは「厚生年金保険法等の一部を改正する法律（平成八年法律第八十二号）の施行の日」と、同項第二号中「公庫等職員」とあるのは「旧適用法人職員（厚生年金保険法等の一部を改正する法律の施行に伴う経過措置に関する政令（平成九年政令第八十五号。以下「平成九年厚生年金保険等経過措置政令」という。）第四十三条第一項に規定する旧適用法人職員をいう。以下この条において同じ。）」と、同条第三項中「が公庫等職員」とあるのは「が旧適用法人職員」と、「前二項」とあるのは「平成九年厚生年金保険等経過措置政令第四十三条第一項及び同条第二項の規定により読み替えられた前項」と、同条第四項中「公庫等職員」とあるのは「旧適用法人職員」と、同令第四十四条第二項中「法第百二十四条の二第一項に規定する転出の日」とあるのは「厚生年金保険法等の一部を改正する法律の施行に伴う経過措置に関する政令（平成九年政令第八十五号）第四十三条第一項に規定する旧適用法人職員となつた日」と、「同条第二項第一号又は第二号」とあるのは「同条第二項の規定により読み替えられた法第百二十四条の二第二項第一号又は第二号」と読み替えるものとする。

3 連合会組合の組合員であった者が当該組合員であった時に任命権者又はその委任を受けた者の要請に応じ、施行日前において引き続いて旧適用法人職員となった場合（初めて旧適用法人職員となった場合その他これに準ずるものとして大蔵大臣の定める場合に限る。）であって、かつ、引き続き旧適用法人職員として在職した後、引き続いて再び施行日に当該連合会組合の組合員となった場合におけるその者の旧適用法人共済組合の組合員期間は、施行日から起算して六十日を経過する日までにその者が申出をしたときは、連合会組合の組合員期間とみなす。

4 第一項又は前項に規定する者がこれらの規定に規定する申出をその期限前に行うことなく死亡した場合には、その申出は、その者の遺族がすることができる。

（施行日前において連合会組合の組合員となった旧適用法人共済組合の組合員であった者の資格に関する経過措置）

第四十四条 旧適用法人共済組合の組合員であった者が当該組合

員であった時に任命権者又はその委任を受けた者の要請に応じ、施行日前において引き続いて連合会組合の組合員となった場合（初めて連合会組合の組合員となった場合その他これに準ずるものとして大蔵大臣の定める場合に限る。）であって、かつ、引き続き施行日の前日において連合会組合の組合員であった場合には、改正前国共済法の長期給付に関する規定の適用については、その者は、施行日から起算して六十日を経過する日までに申出をしたときは、施行日の前日において、当該連合会組合の組合員の資格を喪失し、かつ、当該旧適用法人共済組合の組合員の資格を取得したものとみなす。この場合において、その者が施行日において引き続き改正後国共済法第二条第一項第一号に規定する職員である場合には、その者は、施行日において、当該連合会組合の組合員の資格を取得する。

2　前条第四項の規定は、前項に規定する者について準用する。

（育児休業手当金に関する経過措置）

第四十五条　施行日前に改正前国共済法第六十八条の二に規定する育児休業を終了した同条本文に規定する組合員のうち、施行日の前日までに旧適用法人共済組合の組合員（改正前国共済法第百二十四条の二第二項に規定する継続長期組合員を含み、改正前国共済法第百二十六条の五第二項に規定する任意継続組合員を除く。）となり、かつ、施行日において平成八年改正法附則第三十八条第一項に規定する新設健保組合の被保険者となったものに対する改正後国共済法第六十八条の二ただし書の規定による育児休業手当金の支給については、当該旧適用法人共済組合の組合員及び新設健保組合の被保険者（健康保険法（大正十一年法律第七十号）第二十条の規定による被保険者を除く。）を改正後国共済法第六十八条の二ただし書に規定する組合員とみなして、同条ただし書の規定を適用する。

附　則

この政令は、平成九年四月一日から施行する。

○厚生年金保険法等の一部を改正する法律の施行に伴う国家公務員共済組合法による長期給付等に関する経過措置に関する政令

平九・三・二八
政令八六

最終改正　令六・四・二四政令一七四

内閣は、厚生年金保険法等の一部を改正する法律（平成八年法律第八十二号）の施行に伴い、及び同法の規定に基づき、この政令を制定する。

目次

第一章　総則

（趣旨）

第一条　この政令は、厚生年金保険法等の一部を改正する法律の施行に伴い、存続組合等が支給する被用者年金制度の一元化等を図るための厚生年金保険法等の一部を改正する法律（平成二十四年法律第六十三号。以下「平成二十四年一元化法」という。）附則第三十七条第一項の規定によりなおその効力を有するものとされた平成二十四年一元化法第二条の規定による改正前の国家公務員共済組合法（昭和三十三年法律第百二十八号。以下「平成二十四年一元化法改正前国共済法」という。）による長期給付の支給要件、当該長期給付の額の算定、存続組合等に係る費用の負担等に関し必要な経過措置を定めるものとする。

（用語の定義）

第二条　この政令において、次の各号に掲げる用語の意義は、それぞれ当該各号に定めるところによる。

一　改正後国共済法、改正後国共済施行法、改正前国共済法、改正前国共済施行法、旧国共済法、昭和六十年国共済改正法、昭和六十年国民年金等改正法、日本たばこ産業共済組合、日本電信電話共済組合、日本鉄道共済組合又は旧適用法人共済組合　それぞれ厚生年金保険法等の一部を改正する法律（以下「平成八年改正法」という。）附則第三条各号に規定する改正後国共済法、改正後国共済施行法、改正前国共済法、改正前国共済施行法、旧国共済法、昭和六十年国共済改正法、昭和六十年国民年金等改正法、日本たばこ産業共済組合、日本電信電話共済組合、日本鉄道共済組合又は旧適用法人共済組合をいう。

二　旧適用法人施行日前期間、被保険者期間とみなされた組合員期間、存続組合、特例年金給付、特例一時金給付又は指定基金　それぞれ平成八年改正法附則第二十四条第二項、第三十一条第一号、第三十二条第二項、第三十三条第一項又は第四十八条第一項に規定する旧適用法人施行日前期間、被保険者期間とみなされた組合員期間、存続組合、特例年金給付、特例一時金給付又は指定基金をいう。

三　退職特例年金給付、障害特例年金給付又は遺族特例年金給付　それぞれ特例年金給付のうち、退職を支給事由とするもの、障害を支給事由とするもの又は死亡を支給事由とするものをいう。

第二章　退職一時金等の返還に関する経過措置

（厚生年金保険の実施者たる政府が支給するものとされた年金たる給付の受給権を有する者に係る退職一時金等の返還に関する経過措置）

第三条　平成八年改正法附則第十六条第三項の規定により厚生年金保険の実施者たる政府が支給するものとされた年金たる給付（平成八年改正法附則第十五条第一項第二号及び第三号に掲げる者に係る同項の規定により適用するものとされた平成二十四年一元化法第二条の規定による改正前の国家公務員共済組合法によるものを除く。以下この条において同じ。）の受給権を有する者で、平成八年改正法の施行の日（以下「施行日」という。）前に改正前国共済法附則第十二条の十二第二項（改正前国共済法附則第十二条の十三後段（改正前国共済施行法第十五条第三項において準用する場合を含む。）並びに改正前国共済施行法第十四条第二項後段及び第三項並びに第十五条第二項後段において準用する場合を含む。以下この条において同じ。）の規定による申出をしなかったもの（施行日の前日において改正前国共済法附則第十二条の十二第二項に規定する六十日を経過する日が到来しているものに限る。）に係る改正前国共済法附則第十二条の十二第一項（改正前国共済施行法第十四条第三項において準用する場合を含む。）若しくは第十二条の十三（改正前国共済施行法第十五条第三項において準用する場合を含む。）又は改正前国共済施行法第十四条第一項若しくは第十五条第一項の規定により返還すべきこととされているこれらの規定に規定する金額の返還については、なお従前の例による。

2　平成八年改正法附則第十六条第三項の規定により厚生年金保険の実施者たる政府が支給するものとされた年金たる給付の受給権を有する者で、施行日前に改正前国共済法附則第十二条の十二第二項、改正前国共済施行法第四十一条第二項第三号若しくは第五項又は昭和六十年国共済改正法附則第六十二条第二項（昭和六十年国共済改正法附則第六十三条第二項及び第三項において準用する場合を含む。）の規定による申出をしたものについては、改正前国共済法附則第十二条の十二第三項（改正前国共済法附則第十二条の十三後段（改正前国共済施行法第十五条第三項において準用する場合を含む。）並びに改正前国共済施行法第十四条第二項後段及び第三項並びに第十五条第二項後段において準用する場合を含む。）、改正前国共済施行法第四十一条第三項若しくは第六項又は昭和六十年国共済改正法附則第六十二条第三項（昭和六十年国共済改正法附則第六十三条第二項及び第三項において準用する場合を含む。）若しくは厚生年金保険法施行令等の一部を改正する等の政令（平成九年政令第八十四号。以下「平成九年改正政令」という。）第二十七条の規定による改正前の国家公務員等共済組合法等の一部を改正する法律の施行に伴う経過措置に関する政令（昭和六十一年政令第五十六号。以下「改正前国共済経過措置政令」という。）第六十五条の規定が施行日以後においても適用されるとしたならばこれらの規定に規定する年金たる給付の施行日以後の支給期月ごとにこれらの規定により控除されることとなる金額に相当する金額を、財務省令で定めるところにより、これらの規定に規定する年金たる給付の受給権を有する者で旧適用法人共済組合の組合員であった者が施行日前に最後に所属していた旧適用法人共済組合に係る存続組合又は指定基金に返還しなければならない。

3　平成八年改正法附則第十六条第三項の規定により厚生年金保険の実施者たる政府が支給するものとされた年金たる給付の受給権を有する者で、施行日前に改正前国共済法附則第十二条の十二第二項の規定による申出をしなかったもの（施行日の前日において同項に規定する六十日を経過する日が到来しているものを除く。）については、施行日の前日において同項の規定による申出をしたものとみなして、前項の規定を適用する。

（施行日以後において退職特例年金給付等の受給権を有することとなる者等に係る退職一時金の返還に関する経過措置）

第四条　改正前国共済法附則第十二条の十二第一項各号に掲げる一時金である給付を受けた者が、施行日以後において退職特例年金給付若しくは障害特例年金給付又は平成八年改正法附則第十六条第三項の規定により厚生年金保険の実施者たる政府が支給するものとされた年金たる給付（平成八年改正法附則第十五条第一項第二号及び第三号に掲げる者に係る同項の規定により適用するものとされた平成二十四年一元化法第二条の規定による改正前の国家公務員共済組合法によるものに限る。）（以下第六条までにおいて「退職特例年金給付等」という。）の受給権を有することとなったときは、当該一時金として支給を受けた額に利子に相当する額を加えた額（以下この条において「支給一時金額等」という。）に相当する金額を、当該退職特例年金給付等の受給権を有することとなった日の属する月の翌月から一年（当該退職特例年金給付等の額の二分の一に相当する額が当該支給一時金額等に満たない者にあっては、一年に財務省令で定める期間を加えた期間）以内に、一時に又は分割して、当該退職特例年金給付等の受給権を有する者が施行日前に最後に所属していた旧適用法人共済組合に係る存続組合又は指定基金に返還しなければならない。

2　前項に規定する利子は、同項に規定する一時金の支給を受けた日の属する月の翌月から退職特例年金給付等の受給権を有することとなった日の属する月までの期間に応じ、年三・五パーセント（当該一時金の支給を受けた日の属する月の翌月から平成十三年三月までの期間については年五・五パーセント、同年四月から平成十七年三月までの期間については年四パーセント、同年四月から平成十八年三月までの期間については年一・六パーセント、同年四月から平成十九年三月までの期間については年二・三パーセント、同年四月から平成二十年三月までの期間については年二・六パーセント、同年四月から平成二十一年三月までの期間については年三パーセント、同年四月から平成二十二年三月までの期間については年三・二パーセント、同年四月から平成二十三年三月までの期間については年一・八パーセント、同年四月から平成二十四年三月までの期間については年一・九パーセント、同年四月から平成二十五年三月までの期間については年二パーセント、同年四月から平成二十六年三月までの

月までの期間については年二・二パーセント、同年四月から平成二十七年三月までの期間については年二・六パーセント、同年四月から平成二十八年三月までの期間については年一・七パーセント、同年四月から平成二十九年三月までの期間については年二パーセント、同年四月から平成三十年三月までの期間については年二・四パーセント、同年四月から平成三十一年三月までの期間については年二・八パーセント、同年四月から令和二年三月までの期間については年三・一パーセント、同年四月から令和五年三月までの期間については年一・七パーセント、同年四月から令和七年三月までの期間については年一・六パーセント、同年四月から令和八年三月までの期間については年一・七パーセント、同年四月から令和九年三月までの期間については年二パーセント、同年四月から令和十一年三月までの期間については年二・一パーセント）の利率で複利計算の方法によるものとする。

3 第一項に規定する者の遺族が施行日以後において遺族特例年金給付の受給権を有することとなったときは、同項に規定する者が支給を受けた同項に規定する一時金の額に利子に相当する額を加えた額（同項に規定する者が退職特例年金給付等又は平成八年改正法附則第十六条第三項の規定により厚生年金保険の実施者たる政府が支給するものとされた年金たる給付（平成八年改正法附則第十五条第一項第二号及び第三号に掲げる者に同項の規定により適用するものとされた平成二十四年一元化法第二条の規定による改正前の国家公務員共済組合法によるものを除く。）の受給権を有していた場合には、支給一時金額等又は改正前国共済法附則第十二条の十二第一項に規定する支給額等若しくは昭和六十年国共済改正法附則第六十二条第一項に規定する支給額等に相当する金額（前条若しくは第一項又は改正前国共済法附則第十二条の十二第一項若しくは第三項若しくは昭和六十年国共済改正法附則第六十二条第一項若しくは第三項の規定により既に返還された金額がある場合には、当該相当する金額から当該返還された金額を控除した金額とする。以下この項において「要返還支給一時金額等」という。）を、当該遺族特例年金給付の受給権を有することとなった日の属する月の翌月から一年（当該遺族特例年金給付の額の二分の一に相当する額が当該要返還支給一時金額等に満たない遺族にあっては、一年に財務省令で定める期間を加えた期間）以内に、一時に又は分割して、当該第一項に規定する者が施行日前に最後に所属していた旧適用法人共済組合に係る存続組合又は指定基金に返還しなければならない。

4 第二項の規定は、前項に規定する利子について準用する。

5 第一項又は第三項の規定による返還すべき金額が千円未満であるときは、これらの規定にかかわらず、これらの規定による返還は要しないものとする。

6 第一項、第二項及び前項の規定は、改正前国共済法附則第十二条の十二第一項各号に掲げる一時金である給付を受けた者が施行日以後において被保険者期間とみなされた組合員期間を計算の基礎とする厚生年金保険法（昭和二十九年法律第百十五号）による老齢厚生年金又は障害厚生年金の受給権を有することとなった場合（第一項の規定の適用を受ける場合を除く。）について準用する。

7 第三項から第五項までの規定は、第一項又は前項に規定する者の遺族が施行日以後において被保険者期間とみなされた組合員期間を計算の基礎とする厚生年金保険法による遺族厚生年金の受給権を有することとなった場合（第三項の規定の適用を受ける場合を除く。）について準用する。

8 存続組合又は指定基金は、前二項の規定の適用を受けることとなった者に対する厚生年金保険法による年金たる保険給付の支給状況につき、厚生労働大臣に対し、必要な資料の提供を求めることができる。

（施行日以後において退職特例年金給付等の受給権を有することとなる者等に係る一時恩給等の返還に関する経過措置）

第五条 改正前国共済施行法第十四条第一項に規定する者が、施行日以後において退職特例年金給付等（障害特例年金給付以外の給付にあっては、その額の計算の基礎となる旧適用法人施行日前期間が二十年以上であるもの又は特例受給資格を有する者に係るものに限る。以下この条において同じ。）の受給権を有することとなったときは、平成二十四年一元化法附則第三十七条第一項の規定によりなおその効力を有するものとされた平成二十四年一元化法附則第九十七条の規定による改正前の国家公務員共済組合法の長期給付に関する施行法（昭和三十三年法律第百二十九号。以下「平成二十四年一元化法改正前施行法」という。）第十四条第一項に規定する支給額を、当該退職特例年金給付等の受給権を有することとなった日の属する月の翌月から一年（当該退職特例年金給付等の額の二分の一に相当する額が当該支給額に満たない者にあっては、一年に財務省令で定める期間を加えた期間）以内に、一時に又は分割して、当該退職特例年金給付等の受給権を有する者が施行日前に最後に所属していた旧適用法人共済組合に係る存続組合又は指定基金に返還しなければならない。

2 前条第一項及び第二項の規定は、旧法等（改正前国共済施行法第二条第二号の二に規定する旧法等をいう。第四項において同じ。）の規定による退職一時金を受けた更新組合員等（平成二十四年一元化法附則第三十七条第一項の規定によりなおその効力を有するものとされた平成二十四年一元化法附則第九十八条の規定（平成二十四年一元化法附則第一条第三号に掲げる改正規定を除く。）による改正前の昭和六十年国共済改正法（以下「平成二十四年一元化法改正前昭和六十年改正法」という。）附則第十六条第七項に規定する更新組合員等をいう。以下同じ。）が施行日以後において退職特例年金給付等の受給権を有することとなった場合について準用する。

3 第一項に規定する者の遺族が施行日以後において遺族特例年金給付の受給権を有することとなったときは、平成二十四年一元化法改正前施行法第十四条第一項に規定する支給額に相当する金額（第三条若しくは第一項又は改正前国共済施行法第十四条第一項若しくは第二項、昭和六十年国共済改正法附則第六十三条第一項若しくは同条第二項において準用する昭和六十年国共済改正法附則第六十二条第三項の規定により既に返還された金額がある場合には、当該相当する金額から当該返還された金額を控除した金額とする。以下この項において「要返還支給額」という。）を、当該遺族特例年金給付の受給権を有することとなった日の属する月の翌月から一年（当該遺族特例年金給付の額の二分の一に相当する額が当該要返還支給額に満たない遺族にあっては、一年に財務省令で定める期間を加えた期間）以内に、当該第一項に規定する者が施行日前に最後に所属した旧適用法人共済組合に係る存続組合又は指定基金に返還しなければならない。

4 前条第三項及び第四項の規定は、旧法等の規定による退職一時金を受けた更新組合員等の遺族が施行日以後において遺族特例年金給付の受給権を有することとなった場合について準用する。

5 第一項に規定する特例受給資格を有する者は、平成二十四年一元化法第二条の規定による改正前の国家公務員共済組合法附則第十三条第一項及び第十三条の五並びに平成二十四年一元化法附則第九十七条の規定による改正前の国家公務員共済組合法の長期給付に関する施行法第八条及び第九条（これらの規定を平成二十四年一元化法附則第九十七条の規定による改正前の国家公務員共済組合法の長期給付に関する施行法第二十二条第一項、第二十三条第一項及び第四十八条第一項において準用する場合を含む。）並びに第二十五条（平成二十四年一元化法附則第九十七条の規定による改正前の国家公務員共済組合法の長期給付に関する施行法第二十七条において準用する場合を含む。）の規定の適用を受ける者をいう。

6 前条第五項の規定は、第一項の規定、第二項において準用する同条第一項の規定、第三項の規定又は第四項において準用する同条第三項の規定による返還すべき金額が千円未満である場合について準用する。

（施行日以後において退職特例年金給付等の受給権を有することとなる移行組合員等に係る一時金の返還に関する経過措置）

第六条 改正前国共済施行法第四十一条第二項第三号の申出をした者が施行日以後において退職特例年金給付等の受給権を有することとなった場合における同号の返還は、同条第三項に規定する支給額等を、当該退職特例年金給付等の受給権を有することとなった日の属する月の翌月から一年（当該退職特例年金給付等の額の二分の一に相当する額が当該支給額等に満たない者にあっては、一年に財務省令で定める期間を加えた期間）以内に、一時に又は分割して、当該退職特例年金給付等の受給権を有する者が施行日前に最後に所属していた旧適用法人共済組合に係る存続組合又は指定基金に返還することにより行うものとする。

2 前項に規定する者の遺族が施行日以後において遺族特例年金給付の受給権を有することとなった場合における改正前国共済施行法第四十一条第二項第三号の返還は、同条第三項に規定する支給額等に相当する金額（第三条第二項若しくは前項又は改正前国共済施行法第四十一条第三項の規定により既に返還された金額がある場合には、当該相当する金額から当該返還された金額を控除した金額とする。）の二分の一に相当する金額（以下この項において「要返還支給額等」という。）を、当該遺族特例年金給付の受給権を有することとなった日の属する月の翌月から一年（当該遺族特例年金給付の額の二分の一に相当する額が当該要返還支給額等に満たない遺族にあっては、一年に財務省令で定める期間を加えた期間）以内に、一時に又は分割して、当該前項に規定する者が施行日前に最後に所属していた旧適用法人共済組合に係る存続組合又は指定基金に返還することにより行うものとする。

3 第一項の規定は、改正前国共済施行法第四十一条第二項第三号の申出をした者が施行日以後において被保険者期間とみなされた組合員期間を計算の基礎とする厚生年金保険法による老齢厚生年金又は障害厚生年金の受給権を有することとなった場合（第一項の規定の適用を受ける場合を除く。）について準用する。

4 第二項の規定は、第一項又は前項に規定する者の遺族が施行日以後において被保険者期間とみなされた組合員期間を計算の基礎とする厚生年金保険法による遺族厚生年金の受給権を有することとなった場合（第二項の規定の適用を受ける場合を除く。）について準用する。

5 第四条第八項の規定は、前二項の規定の適用を受けることとなった者について準用する。

第三章 平成二十四年一元化法改正前国共済法による長期給付の支給要件に関する経過措置

（平成二十四年一元化法改正前国共済法中長期給付の支給要件に関する規定の適用者の範囲）

第七条 平成八年改正法附則第三十一条第一号に規定する政令で定める者は、平成二十四年一元化法改正前国共済法中退職共済年金の支給要件に関する規定については第一号に掲げる者とし、平成二十四年一元化法第二条の規定による改正前の国家公務員共済組合法中障害共済年金及び障害一時金の支給要件に関する規定については第二号に掲げる者とする。

一 被保険者期間とみなされた組合員期間以外の旧適用法人施行日前期間を有しない者であって、次に掲げる者のいずれかに該当するもの

イ 日本電信電話共済組合の組合員であった期間を有する者

ロ 日本たばこ産業共済組合の組合員であった者で平成二年三月三十一日以前に退職したもの

ハ 日本鉄道共済組合の組合員であった者で平成二年三月三十一日以前に退職したもの（改正前国共済法附則第十二条の七第二項の規定の適用を受ける者に限る。）

ニ 第五条第五項に規定する特例受給資格を有する者（被保険者期間とみなされた組合員期間が二十年未満であるものに限る。）

ホ イからニまでに掲げる者に類する者として財務省令で定めるもの

二 被保険者期間とみなされた組合員期間以外の旧適用法人施行日前期間を有しない者であって、旧適用法人施行日前期間内に初診日（改正前国共済法第八十一条第一項に規定する初診日をいう。以下同じ。）がある傷病により施行日以後において平成二十四年一元化法第二条の規定による改正前の国家公務員共済組合法第八十一条第二項に規定する障害等級に該当する程度の障害の状態又は平成二十四年一元化法第二条の規定による改正前の国家公務員共済組合法第八十七条の五第一項に規定する政令で定める程度の障害の状態になった者で、次に掲げる者のいずれかに該当するもの

イ 前号イに掲げる者

ロ 厚生年金保険法第四十七条第一項ただし書（同法第四十七条の二第二項及び第四十七条の三第二項並びに第五十五条第二項において準用する場合を含む。）の規定に該当し

たことにより当該傷病について障害厚生年金又は障害手当金を受ける権利を取得しない者

ハ イ又はロに掲げる者に類する者として財務省令で定めるもの

2 平成八年改正法附則第三十一条第二号に規定する政令で定める者は、被保険者期間とみなされた組合員期間以外の旧適用法人施行日前期間を有しない者が死亡した場合のその者の遺族であって、次に掲げる者のいずれかに該当するものとする。

一 前項第一号イ又は二に掲げる者が死亡した場合のその者の遺族

二 旧適用法人共済組合の組合員であった者が、旧適用法人施行日前期間内に初診日がある傷病により施行日以後において当該初診日から起算して五年を経過する日前に死亡した場合のその者の遺族（厚生年金保険法第五十八条第一項ただし書の規定に該当したことにより遺族厚生年金を受ける権利を取得しない場合に限る。）

三 旧国共済法の障害等級の三級に該当する障害の状態にある旧国共済法による障害年金の受給権を有する者が死亡した場合のその者の遺族

四 前三号に掲げる者に類する者として財務省令で定めるもの

（平成二十四年一元化法改正前国共済法中長期給付の支給要件に関する規定の技術的読替え）

第八条 平成八年改正法附則第三十一条の規定により適用するものとされた平成二十四年一元化法改正前国共済法中長期給付の支給要件に関する規定の適用については、これらの規定のうち次の表の上欄に掲げる規定中同表の中欄に掲げる字句は、それぞれ同表の下欄に掲げる字句に読み替えるものとする。

第七十六条第一項	組合員期間を	旧適用法人施行日前期間（厚生年金保険法等の一部を改正する法律（平成八年法律第八十二号。以下「平成八年改正法」という。）附則第二十四条第二項に規定する旧適用法人施行日前期間をいう。以下同じ。）を
	次の各号のいずれか	第一号
第七十六条第一項第一号	組合員期間等（組合員期間、組合員期間以外の	旧適用法人施行日前期間等（旧適用法人施行日前期間、旧適用法人施行日前期間以外の
	附則第七条第一項	附則第九条第一項
	二十五年以上である者が、退職した後に組合員となることなくして	十年以上である者が
	退職したとき	旧適用法人施行日前期間等が十年以上である者となつたとき
第八十一条第一項	負傷した者	負傷した者（旧適用法人施行日前期間を有する者に限る。以下この条及び第八十七条の五第一項において同じ。）
	組合員であつたもの	平成八年改正法第二条の規定による改正前の国家公務員等共済組合法（昭和三十三年法律第百二十八号。第八十八条第一項第二号において「改正前国共済法」という。）第三条第一項に規定する組合の組合員であつたもの（以下この条及び第八十七条の五第一項において「組合員であつたもの」という。）
	において、	（その日が平成八年改正法の施行の日（以下「施行日」という。）以後のものに限る。以下この条において同じ。）において、
第八十七条の五第一項	公務	公務（平成八年改正法附則第四条に規定する旧適用法人の業務を含む。）
	が退職した場合において、その退職の日（	（施行日の前日において、
	又は介護保険法の規定による居宅介護サービス費、特例居宅介護サービス費、施設介護サービス費、特例施設介護サービス費、介護予防サービス費若しくは特例介護予防サービス費の支	又は介護保険法施行法（平成九年法律第百二十四号）第二十四条の規定による改正前の老人保健法の規定による老人保健施設療養費の支給の開始後五年を経過しない旧適用法人共済組合（平成八年改正法附則第三条第八号に規定する旧適用法人共済組合をいう。以下同じ。）の組合員であつたものに限る。）が、施行日以後において、平成八年改正法附則第四十三条第一項の規定によりなお従前の例によるものとされた第五十九条第一項若しくは老人保健法の規定により継続してこれらの給付又は健康保険法の規定によりこれらの給付に相当するもの（施行日の前日に

	給の開始後五年を経過しない組合員がその資格を喪失した後継続してこれらの給付を受けている場合においては、これらの給付	おいて旧適用法人共済組合が支給していたものに係る傷病と同一の傷病について平成八年改正法附則第三十八条第一項に規定する新設健保組合が支給するもの（平成八年改正法附則第四十三条第一項の規定によりなお従前の例によるものとされた第五十九条第一項の規定により継続して受けているものを除く。）に限る。）を引き続き受けている場合においては、これらの給付（当該新設健保組合が支給するものである場合には、当該給付と同一の傷病について旧適用法人共済組合が支給した給付又は老人保健法の規定による給付）
	。次条において同じ	（次条において「症状固定日」という
第八十七条の六	退職の日	症状固定日
第八十八条第一項	組合員又は組合員であつた者が	旧適用法人施行日前期間を有する者が施行日以後において
第八十八条第一項第一号	組合員（失踪の宣告を受けた組合員であつた者で、行方不明となつた当時組合員であつた者を含む。）が、死亡したとき	行方不明となつた当時旧適用法人共済組合の組合員であつた者が失踪の宣告を受けたとき
第八十八条第一項第二号	組合員であつた者が、退職後に、組合員であつた間	改正前国共済法第三条第一項に規定する組合の組合員であつた者が、当該組合の組合員であつた間
第八十八条第一項第三号	障害共済年金	障害共済年金（平成八年改正法附則第十六条第三項の規定により厚生年金保険の実施者たる政府が支給するものとされたもの又は平成八年改正法附則第三十二条第二項若しくは第四十九条第一項の規定により存続組合（平成八年改正法附則第三十二条第二項に規定する存続組合をいう。以下同じ。）若しくは指定基金（平成八年改正法附則第四十八条第一項に規定する指定基金をいう。以下同じ。）が支給するものとされたものに限る。）
第八十八条第一項第四号	退職共済年金の受給権者	退職共済年金（平成八年改正法附則第十六条第三項の規定により厚生年金保険の実施者たる政府が支給するものとされたもの又は平成八年改正法附則第三十二条第二項若しくは第四十九条第一項の規定により存続組合若しくは指定基金が支給するものとされたものに限る。）の受給権者（旧適用法人施行日前期間等が二十五年以上である者に限る。）
	組合員期間等	旧適用法人施行日前期間等
第八十八条第二項	組合員又は組合員であつた者	旧適用法人施行日前期間を有する者
附則第十二条の二の二第一項	組合員期間等が二十五年	旧適用法人施行日前期間等が十年
	組合員期間を	旧適用法人施行日前期間を
	連合会	存続組合又は指定基金
附則第十二条の三第二号	組合員期間	旧適用法人施行日前期間
附則第十二条の三第三号	組合員期間等が二十五年	旧適用法人施行日前期間等が十年
附則第十二条の六の二第一項	連合会	存続組合又は指定基金
附則第十二条の七第二項	組合員期間	旧適用法人施行日前期間
	退職した者	平成八年改正法附則第三条第七号に規定する日本電信電話共済組合の組合員であつた者で平成七年六

		月三十日以前に退職した者又は同号に規定する日本たばこ産業共済組合若しくは日本鉄道共済組合の組合員であつた者で平成二年三月三十一日以前に退職した者
附則第十三条の十第一項	組合員期間が	旧適用法人施行日前期間が
	組合員期間等	旧適用法人施行日前期間等

第四章　存続組合に関する経過措置

（国家公務員共済組合法による一時金たる長期給付に類する一時金たる給付）

第九条　平成八年改正法附則第三十二条第二項第二号に規定する政令で定める一時金たる給付は、次に掲げる一時金たる給付とする。

一　国家公務員及び公共企業体職員に係る共済組合制度の統合等を図るための国家公務員共済組合法等の一部を改正する法律（昭和五十八年法律第八十二号）附則第三十四条の規定によりなお従前の例によるものとされた同条に規定する一時金である長期給付

二　平成二十四年一元化法改正前昭和六十年改正法附則第六十一条の規定によりなお従前の例によるものとされた同条に規定する脱退一時金及び特例死亡一時金

三　平成二十四年一元化法改正前昭和六十年改正法附則第八十五条の規定によりなお従前の例によるものとされた同条に規定する返還一時金及び死亡一時金

（存続組合に関する平成二十四年一元化法改正前国共済法の規定の技術的読替え）

第十条　平成八年改正法附則第三十二条第三項の規定により適用するものとされた平成二十四年一元化法改正前国共済法第四十六条第二項の規定の適用については、同項中「組合員が組合員の資格を喪失した場合において、その者」とあるのは「旧適用法人施行日前期間（厚生年金保険法等の一部を改正する法律（平成八年法律第八十二号）附則第二十四条第二項に規定する旧適用法人施行日前期間をいう。）を有する者」と、「その者が」とあるのは「当該旧適用法人施行日前期間を有する者が」とする。

2　平成八年改正法附則第三十二条第四項において平成二十四年一元化法改正前国共済法第百十四条の二の規定を準用する場合においては、同条中「厚生年金保険法」とあるのは「連合会が支給する年金である給付、他の存続組合（厚生年金保険法等の一部を改正する法律（平成八年法律第八十二号）附則第三十二条第二項に規定する存続組合をいう。）が支給する年金たる長期給付、同法附則第四十八条第一項に規定する指定基金が支給する年金たる給付、厚生年金保険の実施者たる政府が支給する年金たる長期給付、厚生年金保険法」と、「厚生労働大臣」とあるのは「連合会、当該他の存続組合、当該指定基金、厚生労働大臣」と読み替えるものとする。

（存続組合に関する平成二十七年改正前国共済令の規定の技術的読替え等）

第十一条　平成八年改正法附則第三十二条第三項の規定により平成二十四年一元化法改正前国共済法第三条第一項に規定する国家公務員共済組合とみなされた存続組合には、平成二十四年一元化法附則第三十七条第一項の規定によりなおその効力を有するものとされた国家公務員共済組合法施行令等の一部を改正する等の政令（平成二十七年政令第三百四十四号。以下「平成二十七年国共済整備政令」という。）第一条の規定による改正前の国家公務員共済組合法施行令（昭和三十三年政令第二百七号。以下「平成二十七年改正前国共済令」という。）第七条及び第十一条の規定を適用する。この場合において、同条第一項中「に規定する公務上の災害」とあるのは、「に規定する公務上の災害（厚生年金保険法等の一部を改正する法律（平成八年法律第八十二号）附則第四条に規定する旧適用法人の業務上の災害を含む。以下この項において同じ。）」とする。

2　平成二十七年改正前国共済令第八条、第九条の二、第九条の三及び附則第二十二条の規定は、存続組合について準用する。この場合において、同条第一項中「組合員又は組合員であつた者」とあるのは、「旧適用法人施行日前期間（厚生年金保険法等の一部を改正する法律（平成八年法律第八十二号）附則第二十四条第二項に規定する旧適用法人施行日前期間をいう。）を有する者」と読み替えるものとする。

第五章　存続組合が支給する平成二十四年一元化法改正前国共済法による長期給付に関する経過措置

（存続組合が支給する特例年金給付及び特例一時金給付に関する国共済法等の規定の技術的読替え等）

第十二条　平成八年改正法附則第三十三条第一項の規定により適用するものとされた同項に規定する国共済法等の規定の適用については、第八条に定めるもののほか、これらの規定のうち次の表の第一欄に掲げる法律の同表の第二欄に掲げる規定中同表の第三欄に掲げる字句は、それぞれ同表の第四欄に掲げる字句とする。

平成二十四年一元化法改正前国共済法	第二条第一項第三号	組合員又は組合員であつた者の配偶者	旧適用法人施行日前期間（厚生年金保険法等の一部を改正する法律（平成八年法律第八十二号。以下「平成八年改正法」という。）附則第二十四条第二項に規定する旧適用法人施行日前期間をいう。以下同じ。）を有する者の配偶者

	組合員又は組合員であった者の死亡	旧適用法人施行日前期間を有する者の死亡
	組合員であった者に	旧適用法人施行日前期間を有する者に
第二条第三項	組合員若しくは組合員であった者	旧適用法人施行日前期間を有する者
	第八十一条第二項に規定する障害等級	障害等級（厚生年金保険法（昭和二十九年法律第百十五号）第四十七条第二項に規定する障害等級をいう。以下同じ。）
	組合員又は組合員であった者	旧適用法人施行日前期間を有する者
第四十一条第二項	公務又は	公務（平成八年改正法附則第四条に規定する旧適用法人の業務を含む。）又は
第四十五条第一項	あるときは、前二条の規定に準じて、これを	あるときは、
	遺族（弔慰金又は遺族共済年金については、これらの給付に係る組合員であった者の他の遺族）に支給し、支給すべき遺族がないときは、当該死亡した者の相続人に支給する	配偶者、子、父母、孫、祖父母若しくは兄弟姉妹又はこれらの者以外の三親等内の親族であって、その者の死亡の当時その者と生計を同じくしていたものは、自己の名で、その未支給の給付の支給を請求することができる
第七十二条の二	平均標準報酬額	平均標準報酬月額
	組合員期間の計算	旧適用法人施行日前期間の計算
	と標準期末手当等の額に、別表第二の各号に掲げる受給権者の区分に応じ、それぞれ当該各号に定める率	に、厚生年金保険法第四十三条第一項に規定する再評価率
	の総額を、当該組合員期間の月数で除して得た額	を平均した額
第七十四条第二項	私立学校教職員共済法	この法律による年金である給付（連合会が支給するものに限る。）、私立学校教職員共済法
第七十四条の五	組合員若しくは組合員であった者	旧適用法人施行日前期間を有する者
第七十七条第一項	平均標準報酬額	平均標準報酬月額
	千分の五・四八一	千分の七・一二五
	組合員期間	旧適用法人施行日前期間
第七十七条第二項	組合員期間を	旧適用法人施行日前期間を
第七十七条第二項第一号	組合員期間	旧適用法人施行日前期間
	平均標準報酬額の千分の一・〇九六	平均標準報酬月額の千分の一・四二五
第七十七条第二項第二号	組合員期間	旧適用法人施行日前期間
	平均標準報酬額の千分の〇・五四八	平均標準報酬月額の千分の〇・七一三
第七十八条第一項	組合員期間	旧適用法人施行日前期間

第七十八条の二第二項	申出を	申出（厚生年金保険法等の一部を改正する法律の施行に伴う国家公務員共済組合法による長期給付等に関する経過措置に関する政令（平成九年政令第八十六号。以下「平成九年経過措置政令」という。）第十二条第三項の規定により前項の申出があつたものとみなされた場合における当該申出を除く。以下この項において同じ。）を
	同項	前項
第七十八条の二第二項第一号及び第二号	五年を経過した日	十年を経過した日
第七十八条の二第三項	申出を	申出（平成九年経過措置政令第十二条第三項の規定により第一項の申出があつたものとみなされた場合における当該申出を含む。次項において同じ。）を
第七十八条の二第四項及び第七十九条第六項	組合員期間	旧適用法人施行日前期間
第七十九条第七項	又は厚生年金保険法	、厚生年金保険法
	老齢厚生年金	老齢厚生年金又は第七十八条第一項の規定により加給年金額が加算された退職共済年金（連合会が支給するものに限る。）
	、第七十八条第一項	、同項
第八十二条第一項第一号	平均標準報酬額の千分の五・四八一	平均標準報酬月額の千分の七・一二五
	組合員期間	旧適用法人施行日前期間
第八十二条第一項第二号	平均標準報酬額の千分の一・〇九六	平均標準報酬月額の千分の一・四二五
	組合員期間	旧適用法人施行日前期間
第八十二条第二項	平均標準報酬額	平均標準報酬月額
	百分の十四・六一五	百分の十九
	百分の二十一・九二三	百分の二十八・五
	組合員期間	旧適用法人施行日前期間
	千分の一・〇九六	千分の一・四二五
	千分の一・三七	千分の一・七八一
第八十二条第四項	組合員期間	旧適用法人施行日前期間
第八十四条第一項	の障害の程度が減退した	について、その障害の程度を診査し、その程度が従前の障害等級以外の障害等級に該当すると認める
	請求	請求（その者の障害の程度が増進したことが明らかである場合として財務省令で定める場合を除き、当該障害共済年金の受給権を取得した日又は当該診査を受け

		た日から起算して一年を経過した日後の請求に限る。）
	減退し、又は増進した後における障害の程度	障害の程度
第八十七条の四	平均標準報酬額	平均標準報酬月額
	百分の十四・六一五	百分の十九
	百分の二十一・九二三	百分の二十八・五
第八十七条の七第一号	平均標準報酬額の千分の五・四八一	平均標準報酬月額の千分の七・一二五
	組合員期間	旧適用法人施行日前期間
第八十七条の七第二号	平均標準報酬額の千分の一・〇九六	平均標準報酬月額の千分の一・四二五
	組合員期間	旧適用法人施行日前期間
第八十九条第一項第一号イ	平均標準報酬額の千分の五・四八一	平均標準報酬月額の千分の七・一二五
	組合員期間	旧適用法人施行日前期間
	平均標準報酬額の千分の一・〇九六	平均標準報酬月額の千分の一・四二五
第八十九条第一項第一号ロ	平均標準報酬額の千分の五・四八一	平均標準報酬月額の千分の七・一二五
	組合員期間	旧適用法人施行日前期間
	平均標準報酬額の千分の一・〇九六	平均標準報酬月額の千分の一・四二五
	平均標準報酬額の千分の〇・五四八	平均標準報酬月額の千分の〇・七一三
第八十九条第三項	組合員が、公務等傷病により組合員である間又は退職した後に	旧適用法人施行日前期間を有する者が、旧適用法人施行日前期間内に初診日のある公務等傷病により
	平均標準報酬額の千分の二・四六六	平均標準報酬月額の千分の三・二〇六
	組合員期間	旧適用法人施行日前期間
第九十条	組合員期間	旧適用法人施行日前期間
第九十一条第三項	組合員又は組合員であつた者	旧適用法人施行日前期間を有する者
第九十三条第一項	組合員若しくは組合員であつた者	旧適用法人施行日前期間を有する者
第九十三条第二項	遺族厚生年金	遺族厚生年金又は第九十条の規定によりその額が加算された遺族共済年金（連合会が支給するものに限る。）
第九十三条の二第一項第四号	組合員であつた者	旧適用法人施行日前期間を有する者
第九十三条の三	平均標準報酬額の千分の二・四六六	平均標準報酬月額の千分の三・二〇六
第九十三条の四	厚生労働大臣	連合会、厚生労働大臣
	連合会	存続組合（平成八年改正法附則第三十二条第二項に規定する存続組合をいう。）

第九十四条第二項	組合員、組合員であつた者	旧適用法人施行日前期間を有する者
	組合員又は組合員であつた者	
第九十七条第一項	組合員若しくは組合員であつた者が	旧適用法人施行日前期間を有する者が
	組合員が	旧適用法人施行日前期間内に
	組合員（退職した後に再び組合員となつた者に限る。）若しくは組合員であつた者が退職手当支給制限等処分	旧適用法人施行日前期間中の行為に関する退職手当支給制限等処分
	組合員期間	旧適用法人施行日前期間
第九十七条第三項及び第百三条第一項	組合員期間	旧適用法人施行日前期間
第百十一条第一項	この法律に基く給付を受ける権利は、その給付事由が生じた日から、短期給付については二年間、長期給付については	短期給付を受ける権利はその給付事由が生じた日から二年間、退職等年金給付を受ける権利はその給付事由が生じた日から五年間、退職等年金給付の返還を受ける権利はこれを行使することができる時から
第百十一条第二項	掛金を徴収し、又はその還付を受ける権利は、二年間行わないときは、時効によつて消滅する	退職等年金給付の返還を受ける権利の時効については、その援用を要せず、また、その利益を放棄することができないものとする
第百十一条第三項第一号	組合員又は組合員であつた者	旧適用法人施行日前期間を有する者
第百十三条第一項	組合員期間等のうち組合員期間	旧適用法人施行日前期間等（平成九年経過措置政令第八条の規定により読み替えて適用される第七十六条第一項第一号に規定する旧適用法人施行日前期間等をいう。）のうち旧適用法人施行日前期間（平成八年改正法附則第三十一条第一項に規定する被保険者期間とみなされた組合員期間を除く。）
第百十三条第四項	当該組合員期間以外の期間が私学共済制度の加入者であつた期間であるときは、日本私立学校振興・共済事業団	当該旧適用法人施行日前期間以外の期間がこの法律に基づく組合の組合員又は私学共済制度の加入者であつた期間であるときは、連合会又は日本私立学校振興・共済事業団
	又は私立学校教職員共済法	、この法律又は私立学校教職員共済法
第百十三条第五項	組合員期間	旧適用法人施行日前期間
第百十五条第一項	五十円	五十銭
	百円	一円
附則第十二条の四の二第一項	受給権者が、組合員でなく、かつ	受給権者が
附則第十二条の四の二第二項第一号	組合員期間	旧適用法人施行日前期間
附則第十二	平均標準報酬額	平均標準報酬月額

条の四の二第二項第二号	の千分の五・四八一	の千分の七・一二五
	組合員期間	旧適用法人施行日前期間
附則第十二条の四の二第三項	組合員期間を	旧適用法人施行日前期間を
附則第十二条の四の二第三項第一号	組合員期間	旧適用法人施行日前期間
	平均標準報酬額の千分の一・〇九六	平均標準報酬月額の千分の一・四二五
附則第十二条の四の二第三項第二号	組合員期間	旧適用法人施行日前期間
	平均標準報酬額の千分の〇・五四八	平均標準報酬月額の千分の〇・七一三
附則第十二条の四の二第五項	組合員期間	旧適用法人施行日前期間
附則第十二条の四の三第一項	当時、組合員でなく、かつ、その者の組合員期間	当時、その者の旧適用法人施行日前期間
附則第十二条の四の四	退職共済年金（その受給権者が組合員であるものを除く。）	退職共済年金
附則第十二条の六第一項	組合員期間	旧適用法人施行日前期間
附則第十二条の六の三第一項	当時、組合員でなく、かつ	当時
	組合員期間	旧適用法人施行日前期間
附則第十二条の六の三第三項及び第五項	組合員期間	旧適用法人施行日前期間
附則第十二条の七の四第二項	受給権者が、組合員でなく、かつ、	受給権者が
附則第十二条の七の五第一項及び第四項並びに第十二条の七の六	組合員期間	旧適用法人施行日前期間
附則第十三条の十第三項	組合員期間の計算	旧適用法人施行日前期間の計算
	と標準期末手当等の額の総額を、当該組合員期間の月数で除して得た金額	を平均した金額
附則第十三条の十第四項	最終月（最後に組合員の資格を喪失した日の属する月の前月をいう。以下この項において同じ。）の属する年の前年十月における、標準報酬の月額及び標準期末手当等の額の合計額に対する掛金の割合（長期給付に係るものに限り、最終月が一月から八月までに属する場合は前々年十月における当該割合とする。）に次の表の上欄に定める組合員期間の区分に応じ同表の下欄に定める数を乗じて得た率とし、その率に小数点以下一位未満の端数があるときは、これを四捨五入	次の表の上欄に掲げるその者の旧適用法人施行日前期間に応じて、それぞれ同表の下欄に定める率と

六	〇・五

		一二	一・〇
		一八	一・五
		二四	二・〇
		三〇	二・五
		三六	三・〇
	附則第十三条の十第五項及び第二十条第一項	組合員期間	旧適用法人施行日前期間
平成二十四年一元化法改正前施行法	第五条第四項	組合員期間	旧適用法人共済組合員期間（厚生年金保険法等の一部を改正する法律（平成八年法律第八十二号。以下「平成八年改正法」という。）附則第三条第八号に規定する旧適用法人共済組合員期間をいう。以下同じ。）
	第七条第一項	次の期間は、新法第三十八条第一項に規定する組合員期間	次の期間（第四十二条第一項各号の申出に係る年金である給付の計算の基礎となつた期間

			を除く。以下この項において同じ。）は、旧適用法人共済組合員期間
		組合員期間に算入して	旧適用法人共済組合員期間に算入して
	第七条第三項	組合員期間	旧適用法人共済組合員期間
	第八条第一号及び第九条	新法第三十八条第一項に規定する組合員期間	旧適用法人共済組合員期間
	第十条第一項	組合員期間（第七条の規定を適用して算定した新法第三十八条第一項に規定する組合員期間	旧適用法人施行日前期間（平成八年改正法附則第二十四条第二項に規定する旧適用法人施行日前期間
		が六十歳に達する前に退職（新法第二条第一項第四号に規定する退職をいう。以下同じ。）した場合における新法附則第十二条の三の規定の適用については、同条第一号中「六十歳以上	に対する新法附則第十二条の三の規定の適用については、同条中「次の各号のいずれにも」とあるのは、「第二号及び第三号に」

		である」とあるのは、「退職している」	
	第十条第三項及び第四項並びに第十一条から第十三条まで	組合員期間	旧適用法人施行日前期間
	第十三条の二第一項	組合員期間	旧適用法人施行日前期間
		それぞれ加えた額	それぞれ加えた額とし、厚生年金保険法等の一部を改正する法律（平成八年法律第八十二号）附則第三十二条第一項の規定によりなお存続するものとされた日本鉄道共済組合（次条第一項及び第十三条の四第一項において「日本鉄道共済組合」という。）から新法第七十八条第一項に規定する加給年金額が支給される場合には、当該加給年金額に相当する額を除いた額

第十三条の三第一項	から控除前障害共済年金額	から控除前障害共済年金額（日本鉄道共済組合から新法第八十三条第一項に規定する加給年金額が支給される場合には、当該加給年金額に相当する額を除いた額とする。）
	組合員期間	旧適用法人施行日前期間
第十三条の四第一項	から控除前遺族共済年金額	から控除前遺族共済年金額（日本鉄道共済組合から新法第九十条の規定により国民年金法第三十八条に規定する遺族基礎年金の額に相当する金額に四分の三を乗じて得た金額が支給される場合には、当該得た金額に相当する金額を除いた額とする。）
	組合員期間	旧適用法人施行日前期間
第十四条第一項	組合員期間	旧適用法人施行日前期間
第十六条及び第十七条	組合員	旧適用法人施行日前期間を有する者
第二十条及び第二十一条	更新組合員であつた者が退職した後に	更新組合員であつた者（旧適用法人施行日前期間を有する者に限る。）が
第二十六条第一項	組合員期間	旧適用法人施行日前期間
	同条第一号中「六十歳以上である」とあるのは、「退職している」	同条中「次の各号のいずれにも」とあるのは、「第二号及び第三号に」
第二十八条第一項	組合員と	旧適用法人施行日前期間を有する者と
第二十九条	組合員	組合員であつた者（旧適用法人施行日前期間を有する者に限る。）
第三十一条第五項	組合員期間	旧適用法人施行日前期間
第三十四条第二項	前項に規定する者	沖縄の組合員であつた者のうち平成八年改正法附則第四条に規定する旧適用法人の職員に相当する者として財務大臣が定めるもの
	連合会	平成八年改正法附則第三十二条第二項に規定する存続組合である日本電信電話共済組合
第三十七条第五項	の組合員期間	の旧適用法人施行日前期間

平成二十四年一元化法改正前昭和六十年改正法

附則第三条第二項	組合員	厚生年金保険法等の一部を改正する法律（平成八年法律第八十二号。以下「平成八年改正法」という。）第二条の規定による改正前の国家公務員等共済組合法（昭和三十三年法律第百二十八号）第三条第一項に規定する組合の組合員（以下「改正前共済法の組合員」という。）
附則第五条第一項及び第二項	組合員	改正前共済法の組合員

附則第七条	組合員期間の計算について適用	旧適用法人施行日前期間（平成八年改正法附則第二十四条第二項に規定する旧適用法人施行日前期間をいう。以下同じ。）の計算について適用
	組合員期間の計算については	旧適用法人施行日前期間の計算については
附則第九条第一項	組合員で	改正前共済法の組合員で
	組合員期間	旧適用法人施行日前期間
附則第九条第二項及び第四項	組合員期間	旧適用法人施行日前期間
附則第十二条第一項	共済法第七十六条第一項第一号に規定する組合員期間等（以下「組合員期間等	厚生年金保険法等の一部を改正する法律の施行に伴う国家公務員共済組合法による長期給付等に関する経過措置に関する政令（平成九年政令第八十六号）第八条の規定により読み替えて適用される共済法第七十六条第一項第一号に規定する旧適用法人施行日前期間等（以下「旧適用法人施行日前期間等
附則第十二条第一項第一号及び第二号	組合員期間	旧適用法人施行日前期間
附則第十二条第二項	組合員期間等	旧適用法人施行日前期間等
附則第十四条第一項	組合員期間等	旧適用法人施行日前期間等
	組合員期間の	旧適用法人施行日前期間の
	第七十六条、第八十八条第一項第四号、附則第十二条の三、第十二条の六の二第一項、第十二条の八第一項、第二項及び第九項並びに第十三条の十第一項	第八十八条第一項第四号及び附則第十二条の八第二項
附則第十四条第二項	組合員期間等が二十五年未満	旧適用法人施行日前期間等が十年未満である者で大正十五年四月二日以後に生まれたものが国民年金等改正法附則第十二条第一項第二号から第七号まで、第十八号及び第十九号のいずれかに該当するときは、共済法第七十六条、附則第十二条の三及び第十二条の六の二第一項の規定の適用については、その者は、旧適用法人施行日前期間等が十年以上である者であるものとみなし、旧適用法人施行日前期間等が二十五年未満
	大正十五年四月二日	同日
	第十一号まで	第十一号まで及び第二十号
	第七十六条、第八十八条第一項第四号、附則第十二条の三、第十二条の六の二第一項及び第十	第八十八条第一項第四号

	三条の十第一項	
	、組合員期間等	、旧適用法人施行日前期間等
附則第十四条第三項	組合員期間等	旧適用法人施行日前期間等
	第七十六条、第八十八条第一項第四号、附則第十二条の三及び第十三条の十第一項	第八十八条第一項第四号
附則第十四条第四項	組合員期間等が二十五年	旧適用法人施行日前期間等が十年
	、附則第十二条の三及び第十三条の十第一項	及び附則第十二条の三
	みなす	みなす。この場合において、旧共済法第七十九条の二第二項第一号中「二十五年」とあるのは、「十年」とする
附則第十四条第五項	前項	第三項
	係る退職共済年金又は	係る
附則第十五条第一項	附則別表第二	国家公務員共済組合法等の一部を改正する法律第四条の規定による改正前の附則別表第二
	千分の五・四八一	千分の七・一二五
	千分の一・〇九六	千分の一・四二五
	千分の〇・五四八	千分の〇・七一三
附則第十五条第二項	附則別表第二の第一欄に掲げる者の遺族	国家公務員共済組合法等の一部を改正する法律第四条の規定による改正前の附則別表第二の第一欄に掲げる者の遺族
	千分の二・四六六	千分の三・二〇六
	その組合員又は組合員であつた者が	その旧適用法人施行日前期間を有する者が国家公務員共済組合法等の一部を改正する法律（平成十二年法律第二十一号）第四条の規定による改
		正前の
附則第十五条第三項	千分の五・四八一	千分の七・一二五
	千分の七・三〇八	千分の九・五〇〇
	千分の一・〇九六	千分の一・四二五
	千分の〇・三六五	千分の〇・四七五
	千分の〇・五四八	千分の〇・七一三
	千分の〇・一八三	千分の〇・二三八
附則第十六条第一項第一号及び第二号イ、第四項並びに第六項、第十八条、第十九条第一項から第三項まで並びに第二十条第二項	組合員期間	旧適用法人施行日前期間
附則第二十一条第一項	組合員で	改正前共済法の組合員で

	組合員期間	旧適用法人施行日前期間
附則第二十一条第二項	組合員期間	旧適用法人施行日前期間
附則第二十一条の二第一項及び第二十二条	組合員期間	旧適用法人施行日前期間
附則第二十五条第一項	退職した者	退職した旧適用法人施行日前期間を有する者
附則第二十六条	組合員で	改正前共済法の組合員で
	組合員期間	旧適用法人施行日前期間
附則第二十八条第二項	組合員期間	旧適用法人施行日前期間
	、「、第十三条並びに昭和六十年改正法附則第二十八条第一項」	「、第十三条並びに昭和六十年改正法附則第二十八条第一項」と、「から控除前遺族共済年金額」とあるのは「から控除前遺族共済年金額（厚生年金保険法等の一部を改正する法律（平成八年法律第八十二号）附則第三十二条第一項の規定によりなお存続するものとされた日本鉄道共済組合から昭和六十年改正法附則第二十八条第一項に規定する同項第一号に掲げる金額から同項第二号に掲げる金額を控除して得た金額が支給される場合には、当該得た金額に相当する金額を除いた額とする。）」
附則第二十八条第五項	又は国民年金等改正法	、国民年金等改正法
	遺族厚生年金	遺族厚生年金又は第一項の規定によりその額が加算された遺族共済年金（国家公務員共済組合連合会が支給するものに限る。）
	、第一項	、同項
附則第二十九条第一項及び第二項	組合員又は組合員であつた者	旧適用法人施行日前期間を有する者
附則第二十九条第三項	組合員期間	旧適用法人施行日前期間
	、「、第十三条並びに昭和六十年改正法附則第二十九条第一項及び第二項」	「、第十三条並びに昭和六十年改正法附則第二十九条第一項及び第二項」と、「から控除前遺族共済年金額」とあるのは「から控除前遺族共済年金額（厚生年金保険法等の一部を改正する法律（平成八年法律第八十二号）附則第三十二条第一項の規定によりなお存続するものとされた日本鉄道共済組合から昭和六十年改正法附則第二十九条第一項又は第二項の規定により国民年金法第三十八条及び第三十九条第一項又は第三十九条の二第一項の規定の例により算定した金額が支給される場合には、当該算定した金額に相当する金額を除いた額とす

		る。）」
附則第二十九条第六項	、共済法第九十三条第一項	、厚生年金保険法等の一部を改正する法律の施行に伴う国家公務員共済組合法による長期給付等に関する経過措置に関する政令第十二条第一項の規定により読み替えて適用される共済法第九十三条第一項
	組合員若しくは組合員であつた者	旧適用法人施行日前期間を有する者
附則第三十条第一項	組合員期間	旧適用法人施行日前期間
附則第三十条第二項	、施行日の前日において組合員であつた者で施行日以後引き続き組合員である者が組合員である間に死亡した場合又は	又は
	組合員期間	旧適用法人施行日前期間
附則第三十二条第一項から第三項まで	組合員期間	旧適用法人施行日前期間

2　平成八年改正法附則第三十三条第一項の規定により適用するものとされた同項に規定する国共済法等の規定を適用する場合には、平成二十七年改正前国共済令、平成二十四年一元化法附則第三十七条第一項の規定によりなおその効力を有するものとされた平成二十七年国共済整備政令第二条の規定による改正前の国家公務員等共済組合法等の一部を改正する法律の施行に伴う経過措置に関する政令（以下「平成二十七年改正前昭和六十一年経過措置政令」という。）及び被用者年金制度の一元化等を図るための厚生年金保険法等の一部を改正する法律の施行及び国家公務員の退職給付の給付水準の見直し等のための国家公務員退職手当法等の一部を改正する法律の一部の施行に伴う国家公務員共済組合法による長期給付等に関する経過措置に関する政令（平成二十七年政令第三百四十五号。以下「平成二十七年国共済経過措置政令」という。）の長期給付に関する規定を適用する。この場合において、次の表の第一欄に掲げる政令の同表の第二欄に掲げる規定中同表の第三欄に掲げる字句は、それぞれ同表の第四欄に掲げる字句とする。

平成二十七年改正前国共済令	第四条	法第二条第一項第三号に掲げる組合員又は組合員であつた者	旧適用法人施行日前期間（厚生年金保険法等の一部を改正する法律（平成八年法律第八十二号。以下「平成八年改正法」という。）附則第二十四条第二項に規定する旧適用法人施行日前期間をいう。以下同じ。）を有する者
		組合員であつた者に	旧適用法人施行日前期間を有する者に
		当該組合員又は組合員であつた者	当該旧適用法人施行日前期間を有する者
	第十一条の七の三の二第一項	組合員期間	旧適用法人施行日前期間
		受給権取得月前組合員期間	受給権取得月前旧適用法人施行日前期間
		の申出	に規定する支給繰下げの申出（厚生年金保険法等の一部を改正する法律の施行に伴う国家公務員共済組合法による長期給付等に関する経過措置に関する政令（平成九年政令第八十六号）第十二条第三項の規定により法第七十八条の二第一項の申出があつたものとみなされた場合における当該申出を含む。第四項において同

		じ。）
	六十月	百二十月
第十一条の七の三の二第二項	五年	十年
	次の各号のいずれかに該当する場合にあつては当該各号	第二号に該当する場合にあつては同号
第十一条の七の三の二第二項第二号	被保険者等	被保険者等又は組合員若しくは地方の組合の組合員
第十一条の七の三の二第三項	五年	十年
第十一条の八	組合員	旧適用法人施行日前期間を有する者
第十一条の十第六項	組合員期間	旧適用法人施行日前期間
第十一条の十第七項	各省各庁の長（法第八条第一項に規定する各省各庁の長をいう。）	会社等（平成八年改正法附則第五十四条第一項第一号に規定する会社等をいう。）を代表する者
	連合会	存続組合（平成八年改正法附則第三十二条第二項に規定する存続組合をいう。）
第四十八条第一項	組合員と	旧適用法人共済組合（平成八年改正法附則第三条第八号に規定する旧適用法人共済組合をいう。以下同じ。）の組合員と
	組合員期間	旧適用法人施行日前期間
第四十八条第二項	組合員と	旧適用法人共済組合の組合員と
	その者	その者（旧適用法人施行日前期間を有する者に限る。）
附則第六条の二の十第一項	組合員期間	旧適用法人施行日前期間
	千分の五	千分の四
附則第六条の二の十第二項	組合員期間	旧適用法人施行日前期間
附則第六条の二の十三第一項	組合員期間	旧適用法人施行日前期間
	千分の五	千分の四
附則第六条の二の十三第二項第一号	組合員期間	旧適用法人施行日前期間
附則第六条の二の十三第二項第二号	組合員期間	旧適用法人施行日前期間
	千分の五	千分の四
附則第六条の二の十三第四項、第六条の二の十四、第六条の三の五及び第十二条	組合員期間	旧適用法人施行日前期間
附則第十八条	組合員は	旧適用法人施行日前期間を有する者は
	組合員について	旧適用法人施行日前期間を有する者について
	組合員期間	旧適用法人施行日前期間
附則第二十五条第一項	組合員	組合員であつた者（旧適用法人施行日前期間を有する

			者に限る。）
	附則第二十七条第一項	組合員と	平成八年改正法第二条の規定による改正前の国家公務員等共済組合法（昭和三十三年法律第百二十八号）第三条第一項に規定する組合の組合員（附則第二十七条の六第一項において「改正前共済法の組合員」という。）と
	附則第二十七条第四項及び第五項	組合員期間	旧適用法人施行日前期間
	附則第二十七条の三第三項	連合会	平成八年改正法附則第三十二条第二項に規定する存続組合である日本電信電話共済組合
	附則第二十七条の四第五項	組合員期間	旧適用法人施行日前期間
	附則第二十七条の六第一項	組合員となつたもの	改正前共済法の組合員となつたもの（旧適用法人施行日前期間を有する
			者に限る。）
	附則第二十七条の六第二項	組合員	改正前共済法の組合員
平成二十七年改正前昭和六十一年経過措置政令	第三条第一項	組合員（	厚生年金保険法等の一部を改正する法律（平成八年法律第八十二号。以下「平成八年改正法」という。）第二条の規定による改正前の国家公務員等共済組合法（昭和三十三年法律第百二十八号）第三条第一項に規定する組合の組合員（以下「改正前共済法の組合員」という。）（
		組合員を	改正前共済法の組合員を
		組合員で	改正前共済法の組合員で
		組合員と	改正前共済法の組合員と
	第三条第二項	組合員期間（旧公企体組合員期間その他の組合員期間とみなされた期間及び組合員期間に算入することとされた期間を含む。以下同じ。）	旧適用法人施行日前期間（平成八年改正法附則第二十四条第二項に規定する旧適用法人施行日前期間をいう。以下同じ。）
	第三条第三項	組合員期間	旧適用法人施行日前期間
	第四条第三項第三号	組合員	改正前共済法の組合員
	第四条第四項及び第五条	組合員期間	旧適用法人施行日前期間
	第六条第二項	組合員期間	旧適用法人施行日前期間
		共済法第百二十六条の三第一項	平成八年改正法第二条の規定による改正前の国家公務員等共済組合法第百二十六条の三第一項
	第六条第三項	組合員期間	旧適用法人施行日前期間
	第六条第三項第一号	組合員	改正前共済法の組合員

第六条第三項第二号及び第三号	組合員で	改正前共済法の組合員で
第九条	組合員期間等（共済法第七十六条第一項第一号に規定する組合員期間等	旧適用法人施行日前期間等（厚生年金保険法等の一部を改正する法律の施行に伴う国家公務員共済組合法による長期給付等に関する経過措置に関する政令（平成九年政令第八十六号）第八条の規定により読み替えて適用される共済法第七十六条第一項第一号に規定する旧適用法人施行日前期間等
	組合員期間及び	旧適用法人施行日前期間及び
	組合員期間等に	旧適用法人施行日前期間等に
	組合員期間の	旧適用法人施行日前期間の
第十三条第一項及び第三項並びに第十五条第一項第一号	組合員期間	旧適用法人施行日前期間
第十九条第一項	組合員期間を	旧適用法人施行日前期間を
第十九条第二項	組合員期間	旧適用法人施行日前期間
	組合員である	改正前共済法の組合員である
第十九条第三項	連合会	存続組合（平成八年改正法附則第三十二条第二項に規定する存続組合をいう。）
第十九条第四項	組合員期間を	旧適用法人施行日前期間を
	組合員である	改正前共済法の組合員である
	組合員と	改正前共済法の組合員と
第十九条第六項	組合員期間を	旧適用法人施行日前期間を
	組合員である	改正前共済法の組合員である
	組合員と	改正前共済法の組合員と
	組合員であったもの（	改正前共済法の組合員であったもの（
第二十一条第一項	組合員期間を	旧適用法人施行日前期間を
	組合員である	改正前共済法の組合員である
	組合員であった期間	旧適用法人施行日前期間
第二十三条	組合員	改正前共済法の組合員
第二十四条	昭和六十年改正法附則第十四条第四項の規定により組合員期間等が二十五年以上である者でないものとみなされた者が死亡した場合における遺族共済年金に係る	旧適用法人施行日前期間等が二十五年以上である者で大正十五年四月一日以前に生まれたものが旧共済法、旧施行法及び国民年金等改正法附則第二条第一項の規定による廃止前の通算年金通則法（昭和三十六年法律第百八十一号）の規定の例によるとしたならば退職年金又は通算退職

			年金の支給を受けるべきこととなる場合以外の場合には、
	第二十六条第一項第二号イ	組合員期間	旧適用法人施行日前期間
	第二十六条第一項第二号ロ	組合員期間	旧適用法人施行日前期間
		管掌者	実施者
		若しくは特例遺族農林年金（平成十三年統合法附則第二十五条第三項の規定により同項に規定する存続組合が支給するものとされた同条第四項第十二号に掲げる特例遺族農林年金をいう。）又は	若しくは
		なつている期間	なつている期間（平成八年改正法附則第三十一条第一号に規定する被保険者期間とみなされた組合員期間を除く。）
		月数とを	月数又は当該遺族共済年金と同一の給付事由に基づいて支給されていた特例遺族農林年金（厚生年金保険制度及び農林漁業団体職員共済組合制度の統合を図るための農林漁業団体職員共済組合法等を廃止する等の法律の一部を改正する法律（平成三十年法律第三十一号）による改正前の平成十三年統合法附則第二十五条第三項の規定により同項に規定する存続組合が支給するものとされた同条第四項第十二号に掲げる特例遺族農林年金をいう。）の額の算定の基礎となつていた期間の月数とを
	第二十八条第二項及び第二十九条第二項	組合員期間	旧適用法人施行日前期間
	第二十九条第三項	組合員と	改正前共済法の組合員と
	第三十一条第一項	組合員期間	旧適用法人施行日前期間
平成二十七年国共済経過措置政令	第五十四条	組合員期間（なお効力を有する改正前国共済法第三十八条第一項に規定する組合員期間	旧適用法人施行日前期間（改正後平成八年改正法附則第二十四条第二項に規定する旧適用法人施行日前期間
	第五十六条	なお効力を有する改正前国共済施行法第十三条の二第一項に規定する組合員期間	厚生年金保険法等の一部を改正する法律の施行に伴う国家公務員共済組合法による長期給付等に関する経過措置に関する政令（平成九年政令第八十六号）第十二条第一項の規定により読み替えられた改正後平成八年改正法附則第三十三条第一項の規定により適用するものとされたなお効力を有する改正前国共済施行法第十三条の二第一項に規定する旧適用法人施行日前期間

	同項に規定する組合員期間	同項に規定する旧適用法人施行日前期間
第五十六条第一号、第六十二条及び第六十五条	組合員期間	旧適用法人施行日前期間
第七十一条第一項	組合員若しくは組合員であった者	旧適用法人施行日前期間を有する者
第七十二条	組合員期間	旧適用法人施行日前期間
第七十六条	なお効力を有する改正前昭和六十年国共済改正法附則第二十一条第二項に規定する組合員期間	改正後平成九年国共済経過措置政令第十二条第一項の規定により読み替えられた改正後平成八年改正法附則第三十三条第一項の規定により適用するものとされた改正前昭和六十年国共済改正法附則第二十一条第二項に規定する旧適用法人施行日前期間
	同項に規定する組合員期間	同項に規定する旧適用法人施行日前期間
第七十六条第一号、第八十二条第一項、第八十三条、第八十四条第一項及び第八十八条	組合員期間	旧適用法人施行日前期間

3　第一項の規定により読み替えられた平成二十四年一元化法改正前国共済法第七十八条の二第一項の規定により退職特例年金給付の支給繰下げの申出をすることができる者が、その受給権を取得した日から起算して五年を経過した日後に当該退職特例年金給付を請求し、かつ、当該請求の際に同項の申出をしないときは、当該請求をした日の五年前の日に同項の申出があったものとみなす。ただし、その者が次の各号のいずれかに該当する場合は、この限りでない。

一　当該退職特例年金給付の受給権を取得した日から起算して十五年を経過した日以後にあるとき。

二　当該請求をした日の五年前の日以前に第一項の規定により読み替えられた平成二十四年一元化法改正前国共済法第七十八条の二第一項に規定する他の年金である給付の受給権者であったとき。

4　存続組合が支給する特例年金給付の額については、年金額算定規定（第一項の規定により読み替えて適用する平成二十四年一元化法改正前国共済法第七十二条の二、第七十七条第一項及び第二項、第八十二条第一項（後段を除く。）及び第二項、第八十九条第一項第一号及び第三項、附則第十二条の四の二第二項第二号及び第三項（平成二十四年一元化法改正前国共済法附則第十二条の四の三第一項及び第三項、第十二条の七の二第二項、第十二条の七の三第二項及び第四項並びに第十二条の八第三項並びに平成二十四年一元化法改正前昭和六十年改正法附則第三十六条第二項においてその例による場合を含む。）並びに平成二十四年一元化法改正前昭和六十年改正法附則第十五条及び附則別表第二の規定をいう。以下同じ。）により算定した金額が旧適用法人施行日前期間を基礎として国家公務員共済組合法等の一部を改正する法律（平成十二年法律第二十一号。以下「平成十二年改正法」という。）第一条の規定による改正前の国家公務員共済組合法第七十七条第一項及び第二項、第八十二条第一項（後段を除く。）及び第二項、第八十九条第一項及び第二項、附則第十二条の四の二第二項第二号及び第三項並びに附則第十三条の九並びに平成十二年改正法第三条の規定による改正前の昭和六十年国共済改正法附則第十五条及び附則別表第二の規定を適用したとしたならばこれらの規定により算定される金額に平成二十七年国共済経過措置政令第十九条第一項の規定により読み替えて適用する平成十二年改正法附則第十二条第一項に規定する従前額改定率（以下「従前額改定率」という。）を乗じて得た金額に満たないときは、年金額算定規定にかかわらず、当該金額を、当該年金額算定規定による金額とする。この場合において、平成十二年改正法第一条の規定による改正前の国家公務員共済組合法第八十二条第一項第一号及び附則第十三条の九の規定により算定される金額に従前額改定率を乗じて得た金額が国民年金法（昭和三十四年法律第百四十一号）第三十三条第一項に規定する障害基礎年金の額に相当する額に四分の三を乗じて得た金額（その金額に五十円未満の端数があるときは、これを切り捨て、五十円以上百円未満の端数があるときは、これを百円に切り上げるものとする。）より少ないときは、当該金額を当該従前額改定率を乗じて得た金額とする。

5　存続組合が支給する特例一時金給付のうち平成二十四年一元化法第二条の規定による改正前の国家公務員共済組合法による障害一時金の額については、第一項の規定により読み替えて適用する平成二十四年一元化法改正前国共済法第八十七条の七（後段を除く。）の規定により算定した金額が旧適用法人施行日前期間を基礎として平成十二年改正法第一条の規定による改正前の国家公務員共済組合法第八十七条の七（後段を除く。）及び附則第十三条の九の規定を適用したとしたならばこれらの規定により算定される金額に従前額改定率を乗じて得た金額に満たないときは、同法第八十七条の七の規定にかかわらず、当該金額を、同条の規定による金額とする。この場合において、同条及び同法附則第十三条の九の規定により算定される金額に従前額改定率を乗じて得た金額が国民年金法第三十三条第一項に規定する障害基礎年金の額に相当する額に四分の三を乗じて得た金額（その金額に五十円未満の端数があるときは、これを切り捨て、五十円以上百円未満の端数があるときは、これを百円に切り上げるものとする。）より少ないときは、当該金額を当該従前額改定率を乗じて得た金額とする。

6　存続組合が支給する特例年金給付のうち平成二十四年一元化法改正前国共済法第八十七条の四に規定する公務等による障害共済年金の同条の規定により支給を停止する額については、第一項の規定により読み替えられた同条の規定により算定した金額が旧適用法人施行日前期間を基礎として平成十二年改正法第一条の規定による改正前の国家公務員共済組合法第八十七条の四及び附則第十三条の九の規定を適用したとしたならばこれらの規定により算定される金額に従前額改定率を乗じて得た金額に満たないときは、同法第八十七条の四の規定にかかわらず、当該金額を、同条の規定による金額とする。

7　存続組合が支給する特例年金給付のうち平成二十四年一元化法改正前国共済法第八十九条第三項に規定する公務等による遺族共済年金の平成二十四年一元化法改正前国共済法第九十三条の三の規定により支給を停止する額については、第一項の規定により読み替えられた同条の規定により算定した金額が旧適用法人施行日前期間を基礎として平成十二年改正法第一条の規定による改正前の国家公務員共済組合法第九十三条の三及び附則第十三条の九の規定を適用したとしたならばこれらの規定により算定される金額に従前額改定率を乗じて得た金額に満たないときは、同法第九十三条の三の規定にかかわらず、当該金額を、同条の規定による金額とする。

8　第四項から前項までの規定による金額を算定する場合における平均標準報酬月額（平成十二年改正法第二条の規定による改正前の国家公務員共済組合法第七十七条第一項に規定する平均標準報酬月額をいう。以下同じ。）を計算する場合においては、平成十二年改正法第一条の規定による改正前の国家公務員共済組合法附則第十三条の九中「次の表」とあり、及び「附則第十三条の九の表」とあるのは、「国家公務員共済組合法等の一部を改正する法律（平成十二年法律第二十一号）附則別表」とする。

9　遺族特例年金給付の受給権を有する者に係る平成八年改正法附則第三十三条第一項の規定の適用については、同項中「平成二十四年一元化法改正前国共済法」とあるのは、「平成二十四年一元化法改正前国共済法（第八十九条第一項第二号及び第二項を除く。）」とする。この場合において、平成二十四年一元化法改正前国共済法第八十九条第一項の規定を適用するときは、同項中「遺族共済年金（次項の規定が適用される場合を除く。）の額」とあるのは「遺族共済年金の額」と、「金額とする。ただし、遺族共済年金の受給権者が当該遺族共済年金と同一の給付事由に基づく国民年金法による遺族基礎年金の支給を受けるときは、第一号に定める金額」とあるのは「金額」とする。

10　被保険者期間とみなされた組合員期間を計算の基礎とする厚生年金保険法による老齢厚生年金の額の算定について沖縄の復帰に伴う厚生省関係法令の適用の特別措置等に関する政令（昭和四十七年政令第百八号）第五十二条の規定の適用がある場合には、第二項の規定にかかわらず、存続組合が支給する退職特例年金給付の額の算定については、平成二十七年改正前国共済令附則第二十七条の四第五項の規定は、適用しない。

（存続組合が支給する特例年金給付に係る控除額等）

第十三条　平成八年改正法附則第三十三条第二項に規定する政令で定めるところにより計算した額は、次の各号に掲げる場合の区分に応じ、当該各号に定める額とする。

一　存続組合が支給する特例年金給付が平成二十四年一元化法第二条の規定による改正前の国家公務員共済組合法第七十六条の規定による退職共済年金である場合　被保険者期間とみなされた組合員期間及び当該被保険者期間とみなされた組合員期間に係る平均標準報酬月額を計算の基礎として前条第一項の規定により読み替えて適用する平成二十四年一元化法改正前国共済法（以下この項及び次条第一項において「読替え後の国共済法」という。）第七十七条第一項の規定の例により計算した額

二　存続組合が支給する特例年金給付が平成二十四年一元化法第二条の規定による改正前の国家公務員共済組合法附則第十二条の二の二第三項の規定による退職共済年金である場合　被保険者期間とみなされた組合員期間及び当該被保険者期間とみなされた組合員期間に係る平均標準報酬月額を計算の基礎として同条第四項の規定の例により計算した額から当該被保険者期間とみなされた組合員期間及び当該被保険者期間とみなされた組合員期間に係る平均標準報酬月額を基礎として計算した退職共済年金の職域加算額（同条第七項の規定により読み替えて適用する平成二十四年一元化法改正前国共済法第七十四条第二項に規定する退職共済年金の職域加算額をいう。）を控除した額

三　存続組合が支給する特例年金給付が平成二十四年一元化法第二条の規定による改正前の国家公務員共済組合法附則第十二条の三の規定による退職共済年金であり、かつ、その額が読替え後の国共済法第七十七条の規定により計算されるものである場合　被保険者期間とみなされた組合員期間及び当該被保険者期間とみなされた組合員期間に係る平均標準報酬月額を計算の基礎として同条第一項の規定の例により計算した額

四　存続組合が支給する特例年金給付が平成二十四年一元化法第二条の規定による改正前の国家公務員共済組合法附則第十二条の三の規定による退職共済年金（次に掲げるいずれかの者に支給されるものに限る。）であり、かつ、当該特例年金給付と同一の支給事由に基づいて支給される被保険者期間とみなされた組合員期間を計算の基礎とする厚生年金保険法による老齢厚生年金についてその額が同法第四十三条第一項及び附則第九条の規定により計算されるものである場合　被保険者期間とみなされた組合員期間及び当該被保険者期間とみなされた組合員期間に係る平均標準報酬月額を計算の基礎として読替え後の国共済法第七十七条第一項の規定の例により計算した額

イ　昭和十六年四月二日以後に生まれた者で平成二十四年一元化法改正前国共済法附則第十二条の七第二項の規定の適用を受けるもの

ロ　旧適用法人施行日前期間が四十四年以上である者

五　存続組合が支給する特例年金給付が平成二十四年一元化法

第二条の規定による改正前の国家公務員共済組合法附則第十二条の三の規定による退職共済年金であり、かつ、その額が読替え後の国共済法附則第十二条の七の五第一項の規定により計算されるものである場合　被保険者期間とみなされた組合員期間及び当該被保険者期間とみなされた組合員期間に係る平均標準報酬月額を計算の基礎として同項の規定の例により計算した額から当該被保険者期間とみなされた組合員期間及び当該被保険者期間とみなされた組合員期間に係る平均標準報酬月額を計算の基礎として読替え後の国共済法第七十七条第二項の規定の例により計算した額を控除した額

六　存続組合が支給する特例年金給付が平成二十四年一元化法第二条の規定による改正前の国家公務員共済組合法附則第十二条の三の規定による退職共済年金であり、かつ、前三号に掲げるもの以外のものである場合　被保険者期間とみなされた組合員期間及び当該被保険者期間とみなされた組合員期間に係る平均標準報酬月額を計算の基礎として読替え後の国共済法附則第十二条の四の二第二項の規定の例により計算した額

七　存続組合が支給する特例年金給付が平成二十四年一元化法第二条の規定による改正前の国家公務員共済組合法附則第十二条の六の二第三項の規定による退職共済年金であり、かつ、その額が平成二十四年一元化法第二条の規定による改正前の国家公務員共済組合法附則第十二条の六の三第一項の規定により計算されるものである場合　被保険者期間とみなされた組合員期間及び当該被保険者期間とみなされた組合員期間に係る平均標準報酬月額を計算の基礎として同項の規定の例により計算した額から当該被保険者期間とみなされた組合員期間及び当該被保険者期間とみなされた組合員期間に係る平均標準報酬月額を基礎として計算した退職共済年金の職域加算額（平成二十四年一元化法第二条の規定による改正前の国家公務員共済組合法附則第十二条の六の二第八項の規定により読み替えて適用する平成二十四年一元化法改正前国共済法第七十四条第二項に規定する退職共済年金の職域加算額をいう。次号において同じ。）を控除した額

八　存続組合が支給する特例年金給付が平成二十四年一元化法第二条の規定による改正前の国家公務員共済組合法附則第十二条の六の二第三項の規定による退職共済年金であり、かつ、前号に掲げるもの以外のものである場合　被保険者期間とみなされた組合員期間及び当該被保険者期間とみなされた組合員期間に係る平均標準報酬月額を計算の基礎として同条第四項の規定の例により計算した額から当該被保険者期間とみなされた組合員期間及び当該被保険者期間とみなされた組合員期間に係る平均標準報酬月額を基礎として計算した退職共済年金の職域加算額を控除した額

九　存続組合が支給する特例年金給付が平成二十四年一元化法第二条の規定による改正前の国家公務員共済組合法第八十八条第一項第一号から第三号までのいずれかに該当することにより支給する遺族共済年金である場合　被保険者期間とみなされた組合員期間及び当該被保険者期間とみなされた組合員期間に係る平均標準報酬月額を計算の基礎として読替え後の国共済法第八十九条第一項第一号イ(1)の規定の例により計算した額

十　存続組合が支給する特例年金給付が平成二十四年一元化法第二条の規定による改正前の国家公務員共済組合法第八十八条第一項第四号に該当することにより支給する遺族共済年金である場合　被保険者期間とみなされた組合員期間及び当該被保険者期間とみなされた組合員期間に係る平均標準報酬月額を計算の基礎として読替え後の国共済法第八十九条第一項第一号ロ(1)の規定の例により計算した額

2　前項第一号又は第五号から第七号までに定める額を算出する場合において、旧適用法人施行日前期間の月数が四百四十四月を超えるときは、四百四十四月から被保険者期間とみなされた組合員期間以外の旧適用法人施行日前期間に係る月数を控除した月数をもって、被保険者期間とみなされた組合員期間に係る月数とする。

3　第一項第六号の場合において、前条第一項の規定により読み替えて適用する平成二十四年一元化法改正前昭和六十年改正法附則第二十一条の二第一項の規定の適用については、同項中「当該退職共済年金の額の算定の基礎となる旧適用法人施行日前期間」とあるのは、「当該退職共済年金の額の算定の基礎となる旧適用法人施行日前期間（厚生年金保険法等の一部を改正する法律（平成八年法律第八十二号）附則第五条第一項の規定により厚生年金保険の被保険者期間とみなされた組合員期間（厚生年金保険法等の一部を改正する法律の施行に伴う国家公務員共済組合法による長期給付等に関する経過措置に関する政令（平成九年政令第八十六号）第十三条第二項の規定の適用があつたときは、同項の規定の適用後の組合員期間とする。）を除く。）」とする。

4　前三項の規定は、特例年金給付の受給権を有する者が、被保険者期間とみなされた組合員期間を計算の基礎とする厚生年金保険法による年金たる保険給付で当該特例年金給付と同一の支給事由に基づいて支給されるものの受給権を有しない場合には、適用しない。

5　前条第三項及び第七項の規定は、第一項各号に定める額について準用する。

（存続組合が支給する特例一時金給付に係る控除額等）

第十四条　平成八年改正法附則第三十三条第三項に規定する政令で定めるところにより計算した額は、次の各号に掲げる場合の区分に応じ、当該各号に定める額とする。

一　存続組合が支給する特例一時金給付が平成二十四年一元化法第二条の規定による改正前の国家公務員共済組合法による障害一時金である場合　被保険者期間とみなされた組合員期間及び当該被保険者期間とみなされた組合員期間に係る平均標準報酬月額を計算の基礎として読替え後の国共済法第八十七条の七（第二号を除く。）の規定の例により計算した額

二　存続組合が支給する特例一時金給付が平成二十四年一元化法第二条の規定による改正前の国家公務員共済組合法による脱退一時金である場合　被保険者期間とみなされた組合員期間及び当該被保険者期間とみなされた組合員期間に係る平均標準報酬月額を計算の基礎として読替え後の国共済法附則第十三条の十第三項の規定の例により計算した額

2　前項第一号の規定は、平成二十四年一元化法第二条の規定による改正前の国家公務員共済組合法による障害一時金の受給権を有する者が、被保険者期間とみなされた組合員期間を計算の基礎とする厚生年金保険法による障害手当金の受給権を有しな

い場合には、適用しない。

3　存続組合が支給する第九条各号に掲げる一時金たる給付の額は、次項の規定を適用する場合を除き、なお従前の例による。この場合において、国家公務員及び公共企業体職員に係る共済組合制度の統合等を図るための国家公務員共済組合法等の一部を改正する法律の施行に伴う関係政令の整備等に関する政令（昭和五十九年政令第三十五号）附則第二条の規定による廃止前の公共企業体職員等共済組合法施行令（昭和四十五年政令第三十一号）第一条の四の八及び第一条の十一の二中「五・五パーセント」とあるのは「三・五パーセント（退職した日の属する月の翌月から平成十三年三月までの期間については年五・五パーセント、同年四月から平成十七年三月までの期間については年四パーセント、同年四月から平成十八年三月までの期間については年一・六パーセント、同年四月から平成十九年三月までの期間については年二・三パーセント、同年四月から平成二十年三月までの期間については年二・六パーセント、同年四月から平成二十一年三月までの期間については年三パーセント、同年四月から平成二十二年三月までの期間については年三・二パーセント、同年四月から平成二十三年三月までの期間については年一・八パーセント、同年四月から平成二十四年三月までの期間については年一・九パーセント、同年四月から平成二十五年三月までの期間については年二パーセント、同年四月から平成二十六年三月までの期間については年二・二パーセント、同年四月から平成二十七年三月までの期間については年二・六パーセント、同年四月から平成二十八年三月までの期間については年一・七パーセント、同年四月から平成二十九年三月までの期間については年二パーセント、同年四月から平成三十年三月までの期間については年二・四パーセント、同年四月から平成三十一年三月までの期間については年二・八パーセント、同年四月から令和二年三月までの期間については年三・一パーセント、同年四月から令和五年三月までの期間については年一・七パーセント、同年四月から令和七年三月までの期間については年一・六パーセント、同年四月から令和八年三月までの期間については年一・七パーセント、同年四月から令和九年三月までの期間については年二パーセント、同年四月から令和十一年三月までの期間については年二・一パーセント）」と、昭和四十二年度以後における公共企業体職員等共済組合法に規定する共済組合が支給する年金の額の改定に関する法律及び公共企業体職員等共済組合法の一部を改正する法律（昭和五十四年法律第七十六号）第二条の規定による改正前の公共企業体職員等共済組合法（昭和三十一年法律第百三十四号）第六十一条の三第三項（同法第六十一条の五第二項において準用する場合を含む。）中「五分五厘」とあるのは「三分五厘（退職した日の属する月の翌月から平成十三年三月までの期間については年五分五厘、同年四月から平成十七年三月までの期間については年四分、同年四月から平成十八年三月までの期間については年一分六厘、同年四月から平成十九年三月までの期間については年二分三厘、同年四月から平成二十年三月までの期間については年二分六厘、同年四月から平成二十一年三月までの期間については年三分、同年四月から平成二十二年三月までの期間については年三分二厘、同年四月から平成二十三年三月までの期間については年一分八厘、同年四月から平成二十四年三月までの期間については年一分九厘、同年四月から平成二十五年三月までの期間については年二分、同年四月から平成二十六年三月までの期間については年二分二厘、同年四月から平成二十七年三月までの期間については年二分六厘、同年四月から平成二十八年三月までの期間については年一分七厘、同年四月から平成二十九年三月までの期間については年二分、同年四月から平成三十年三月までの期間については年二分四厘、同年四月から平成三十一年三月までの期間については年二分八厘、同年四月から令和二年三月までの期間については年三分一厘、同年四月から令和五年三月までの期間については年一分七厘、同年四月から令和七年三月までの期間については年一分六厘、同年四月から令和八年三月までの期間については年一分七厘、同年四月から令和九年三月までの期間については年二分、同年四月から令和十一年三月までの期間については年二分一厘）」と読み替えるものとする。

4　存続組合が支給する国家公務員及び公共企業体職員に係る共済組合制度の統合等を図るための国家公務員共済組合法等の一部を改正する法律附則第三十四条の規定によりなお従前の例によるものとされた同法附則第二条の規定による廃止前の公共企業体職員等共済組合法第六十一条の三に規定する脱退一時金又は昭和六十年国共済改正法附則第六十一条の規定によりなお従前の例によるものとされた同条に規定する脱退一時金の額は、これらの一時金の額から被保険者期間とみなされた組合員期間及び当該被保険者期間とみなされた組合員期間に係る平均標準報酬月額を計算の基礎として昭和六十年国民年金等改正法第三条の規定による改正前の厚生年金保険法第七十条の規定の例により計算した額を控除した額とする。

5　第十二条第四項及び第七項の規定は、第一項各号に定める額について準用する。

（併給調整に関する規定の範囲）

第十五条　平成八年改正法附則第三十三条第四項に規定する政令で定める規定は、次に掲げる規定とする。

一　昭和六十年国民年金等改正法附則第五十六条第二項

二　平成二十四年一元化法改正前国共済法第七十四条第一項及び平成二十四年一元化法改正前昭和六十年改正法附則第十一条第二項（平成八年改正法附則第十六条第三項又は第七項の規定により厚生年金保険の実施者たる政府が支給するものとされた年金たる給付を受けることができる場合に適用されるものに限る。）

三　国民年金法第二十条第一項及び昭和六十年国民年金等改正法附則第十一条第三項

2　平成八年改正法附則第三十三条第五項第一号に規定する政令で定める規定は、前項第一号に掲げる規定とする。

3　平成八年改正法附則第三十三条第五項第二号に規定する政令で定める規定は、平成二十四年一元化法改正前昭和六十年改正法附則第十一条第二項の規定とする。

4　平成八年改正法附則第三十三条第五項第三号に規定する政令で定める規定は、昭和六十年国民年金等改正法附則第十一条第三項の規定とする。

（存続組合が支給する特例年金給付の受給権を有する者が組合員又は地方の組合の組合員である間の特例年金給付の支給の停止）

第十六条　平成八年改正法附則第三十三条第六項の規定により平

成二十四年一元化法改正前国共済法第八十条又は第八十七条の二の規定が準用される場合においては、平成二十七年改正前国共済令第十一条の七の五の規定を準用するものとする。この場合においては、同条第一項第一号中「法第八十条第一項に規定する厚生年金保険の被保険者等」とあるのは「組合員又は地方の組合の組合員」と、同号イ中「厚生年金保険の被保険者（法第八十条第一項に規定する厚生年金保険の被保険者をいう。以下この条、第十一条の八の十二及び第十一条の八の十七において同じ。）若しくは厚生年金保険法附則第六条の二の規定により読み替えられた同法第二十七条に規定する七十歳以上の使用される者（以下この条において「七十歳以上の使用される者」という。）又は私立学校教職員共済法の規定による私立学校教職員共済制度の加入者で長期給付に相当する給付に関する規定の適用を受けるもの（以下この条において「私学長期給付適用者」という。）若しくは同法第二十五条の三第一項に規定する特定教職員等（以下この条において「特定教職員等」という。）」とあるのは「組合員又は地方の組合の組合員」と、「厚生年金保険の被保険者の厚生年金保険法第二十条に規定する標準報酬月額若しくは七十歳以上の使用される者の同法第四十六条第二項において準用する同法第二十条に規定する標準報酬月額又は私学長期給付適用者の標準給与の月額（私立学校教職員共済法第二十二条第一項に規定する標準給与の月額をいい、長期給付に係るものに限る。イにおいて同じ。）若しくは特定教職員等の私立学校教職員共済法第三十九条の規定の適用がないとしたならば求められることとなる標準給与の月額」とあるのは「組合員の標準報酬の月額又は地方の組合の組合員の被用者年金制度の一元化等を図るための厚生年金保険法等の一部を改正する法律（平成二十四年法律第六十三号。以下「平成二十四年一元化法」という。）附則第六十一条第一項の規定によりなおその効力を有するものとされた平成二十四年一元化法第三条の規定による改正前の地方公務員等共済組合法（以下「平成二十四年一元化法改正前地共済法」という。）第四十四条第二項に規定する各月の掛金の標準となつた給料の額に政令で定める数値を乗じて得た額」と、同項第二号中「掲げる額」とあるのは「掲げる額及び地方の組合の組合員又は地方の組合の組合員であつた者の平成二十四年一元化法改正前地共済法第四十四条第二項に規定する掛金の標準となつた期末手当等の額に相当する額」と、同号イ中「組合員であつた者」とあるのは「組合員又は組合員であつた者」と、同号ロ中「厚生年金保険の被保険者又は」とあるのは「法第八十条第一項に規定する」と、「第二十四条の三第一項」とあるのは「第二十四条の四第一項」と、同号ハ中「七十歳以上の使用される者又は七十歳以上の使用される者であつた者の厚生年金保険法」とあるのは「厚生年金保険法附則第六条の二の規定により読み替えられた同法第二十七条に規定する七十歳以上の使用される者であつた者の同法」と、「第二十四条の三第一項」とあるのは「第二十四条の四第一項」と、同号ニ中「私学長期給付適用者又は私学長期給付適用者であつた者」とあるのは「私立学校教職員共済法の規定による私立学校教職員共済制度の加入者で平成二十四年一元化法附則第七十九条の規定によりなおその効力を有するものとされた平成二十四年一元化法第四条の規定による改正前の私立学校教職員共済法（以下「平成二十四年一元化法改正前私学共済法」という。）による長期給付に相当する給付に関する規定の適用を受けるものであつた者」と、「私立学校教職員共済法」とあるのは「平成二十四年一元化法改正前私学共済法」と、同号ホ中「特定教職員等又は特定教職員等であつた者の私立学校教職員共済法」とあるのは「平成二十四年一元化法改正前私学共済法第二十五条の三第一項に規定する特定教職員等であつた者の平成二十四年一元化法改正前私学共済法」と、同条第三項中「同項第一号イ中「厚生年金保険法附則第六条の二の規定により読み替えられた同法第二十七条に規定する七十歳以上の使用される者（以下この条において「七十歳以上の使用される者」という。）」」とあるのは「厚生年金保険法第六条に規定する適用事業所に使用される七十歳以上の者（同法附則第六条の二の規定により読み替えられた同法第二十七条に規定する七十歳以上の使用される者を除く。イにおいて同じ。）であつて七十歳に満たないとしたならば厚生年金保険の被保険者であるもの」と、「七十歳以上の使用される者の同法第四十六条第二項において準用する同法第二十条に規定する」とあるのは「同法第六条に規定する適用事業所に使用される七十歳以上の者であつて七十歳に満たないとしたならば厚生年金保険の被保険者であるものに対し同法第二十条の規定を適用するとしたならば求められることとなる」と、同項第二号ハ中「七十歳以上の使用される者又は七十歳以上の使用される者であつた者の厚生年金保険法第四十六条第二項において準用する同法第二十四条の三第一項に規定する」とあるのは「厚生年金保険法第六条に規定する適用事業所に使用されていた当時七十歳以上の者であつた者（同法附則第六条の二の規定により読み替えられた同法第二十七条に規定する七十歳以上の使用される者又は七十歳以上の使用される者であつた者を除く。）であつて七十歳に満たないとしたならば厚生年金保険の被保険者であるもの又は七十歳に満たないとしたならば厚生年金保険の被保険者であつたものに対し同法第二十四条の三第一項の規定を適用するとしたならば求められることとなる」とあるのは「同項第二号ハ中「厚生年金保険法附則第六条の二の規定により読み替えられた同法第二十七条に規定する七十歳以上の使用される者であつた者の同法第四十六条第二項において準用する同法第二十四条の四第一項に規定する」とあるのは「厚生年金保険法第六条に規定する適用事業所に使用されていた当時七十歳以上の者であつた者（同法附則第六条の二の規定により読み替えられた同法第二十七条に規定する七十歳以上の使用される者であつた者を除く。）であつて、七十歳に満たないとしたならば厚生年金保険の被保険者であつたものに対し同法第二十四条の四第一項の規定を適用するとしたならば求められることとなる」と読み替えるものとする。

（存続組合である日本鉄道共済組合又は日本たばこ産業共済組合が支給する長期給付に関する改正前国共済法の規定の技術的読替え等）

第十七条　平成八年改正法附則第三十三条第九項の規定によりなおその効力を有するものとされた改正前国共済法附則第二十条の二第三項及び第四項の規定の適用については、同条第三項中「、日本鉄道共済組合又は日本たばこ産業共済組合」とあるのは「、厚生年金保険法等の一部を改正する法律（平成八年法律第八十二号。以下「平成八年改正法」という。）附則第三十二条第二項に規定する存続組合（以下「存続組合」という。）である日本鉄道共済組合又は日本たばこ産業共済組合」と、「又は日本電信電話共済組合」とあるのは「又は存続組合である日本電信電話共済組合」と、「前項」とあるのは「平成八年改正法附則第三十三条第八項の規定によりなおその効力を有するものとされた平成八年改正法第二条の規定による改正前の国家公務員等共済組合法（昭和三十三年法律第百二十八号。以下「改正前国共済法」という。）附則第二十条の二第二項」と、同条第四項中「前項」とあるのは「平成八年改正法附則第三十三条第九項の規定によりなおその効力を有するものとされた改正前国共済法附則第二十条の二第三項」と、「第二項」とあるのは「平成八年改正法附則第三十三条第八項の規定によりなおその効力を有するものとされた改正前国共済法附則第二十条の二第二項」と、「日本鉄道共済組合又は日本たばこ産業共済組合」とあるのは「存続組合である日本鉄道共済組合又は日本たばこ産業共済組合」とする。

2 平成九年改正政令第二条の規定による改正前の国家公務員等共済組合法施行令附則第八条第一項及び第二項の規定は、平成八年改正法附則第三十三条第九項の規定により改正前国共済法附則第二十条の二第三項及び第四項の規定がなおその効力を有するものとされた場合においては、なおその効力を有する。この場合において、同令附則第八条第一項中「法附則第二十条の二第四項」とあるのは「厚生年金保険法等の一部を改正する法律（平成八年法律第八十二号。以下「平成八年改正法」という。）附則第三十三条第九項の規定によりなおその効力を有するものとされた平成八年改正法第二条の規定による改正前の国家公務員等共済組合法（昭和三十三年法律第百二十八号。以下「改正前国共済法」という。）附則第二十条の二第四項」と、「日本鉄道共済組合又は日本たばこ産業共済組合（法第八条第二項に規定する日本たばこ産業共済組合をいう。以下この条において同じ。）」とあるのは「平成八年改正法附則第三十二条第二項に規定する存続組合である日本鉄道共済組合又は日本たばこ産業共済組合（以下「存続組合である日本鉄道共済組合等」という。）」と、「日本鉄道共済組合又は日本たばこ産業共済組合が」とあるのは「存続組合である日本鉄道共済組合等が」と、「法附則第二十条の二第三項」とあるのは「平成八年改正法附則第三十三条第九項の規定によりなおその効力を有するものとされた改正前国共済法附則第二十条の二第三項」とする。

3 改正前国共済経過措置政令第三十二条の規定は、存続組合である日本鉄道共済組合又は日本たばこ産業共済組合が支給する障害特例年金給付については、なおその効力を有する。

（遺族厚生年金等の受給権を有する者の退職特例年金給付の額）

第十七条の二 退職特例年金給付の受給権を有する六十五歳に達している配偶者（第十七条の四第一項の規定が適用される者を除く。）が厚生年金保険法による遺族厚生年金又は年金たる給付であって財務省令で定めるものの受給権を有する場合（これらの年金たる給付と同一の支給事由に基づく国民年金法による遺族基礎年金の支給を受ける場合を除く。）における退職特例年金給付の額については、平成八年改正法附則第三十三条第二項及び第五項並びに平成二十四年一元化法改正前国共済法第九十一条の二の規定は適用せず、当該額は、次の各号に掲げる区分に応じ、それぞれ当該各号に定める額に、平成八年改正法附則第三十三条第五項に規定する職域相当額（以下「職域相当額」という。）があるときは当該職域相当額を、平成二十四年一元化法改正前国共済法第七十八条第一項に規定する加給年金額（以下「退職共済年金の加給年金額」という。）があるときは当該退職共済年金の加給年金額を、それぞれ加算した額とする。

一 当該退職特例年金給付の受給権を有する者の厚生年金保険法による老齢厚生年金の額（当該老齢厚生年金の額の算定の基礎となる厚生年金保険の被保険者であった期間の全部又は一部が公的年金制度の健全性及び信頼性の確保のための厚生年金保険法等の一部を改正する法律（平成二十五年法律第六十三号。以下「平成二十五年厚生年金等改正法」という。）附則第三条第十二号に規定する厚生年金基金の加入員であった期間であるときは、平成二十五年厚生年金等改正法附則第八十六条第一項の規定によりなおその効力を有するものとされた平成二十五年厚生年金等改正法第一条の規定による改正前の厚生年金保険法第四十四条の二第一項の規定の適用がないものとして算定した老齢厚生年金の額）その他退職を給付事由とする年金たる給付であって財務省令で定める額の合計額から財務省令で定める額を控除して得た額（以下この条、第十七条の三、第十七条の三の二及び第十七条の四において「老齢厚生年金等合計額」という。）及び退職特例年金給付の受給権を有する者の平成八年改正法附則第三十三条第二項の規定を適用するとしたならば求められることとなる額（職域相当額があるときは当該職域相当額を、退職共済年金の加給年金額があるときは当該退職共済年金の加給年金額を、それぞれ控除して得た額とし、以下この条、第十七条の二の三、第十七条の四及び第十七条の四の二において「仮定退職特例年金給付額」という。）の合算額が、老齢厚生年金等合計額の二分の一に相当する額、仮定退職特例年金給付額の二分の一に相当する額及び厚生年金保険法第六十条第一項第一号の規定その他死亡を給付事由とする年金たる給付に係る規定であって財務省令で定めるものの例により計算した額の合計額（以下この条、第十七条の二の三、第十七条の三、第十七条の四及び第十七条の四の二において「遺族給付額」という。）の三分の二に相当する額の合算額以上であるとき 次のイ又はロに掲げる区分に応じ、それぞれイ又はロに定める額

イ 老齢厚生年金等合計額が老齢厚生年金等合計額の二分の一に相当する額及び遺族給付額の三分の二に相当する額の合算額以上であるとき 仮定退職特例年金給付額に相当する額

ロ 老齢厚生年金等合計額が老齢厚生年金等合計額の二分の一に相当する額及び遺族給付額の三分の二に相当する額の合算額に満たないとき 次の(1)又は(2)に掲げる区分に応じ、それぞれ(1)又は(2)に定める額

(1) 遺族給付額が老齢厚生年金等合計額の二分の一に相当する額及び遺族給付額の三分の二に相当する額の合算額以上であるとき 老齢厚生年金等合計額に仮定退職特例年金給付額を加えて得た額から遺族給付額を控除して得た額に相当する額

(2) 遺族給付額が老齢厚生年金等合計額の二分の一に相当する額及び遺族給付額の三分の二に相当する額の合算額

に満たないとき　老齢厚生年金等合計額の二分の一に相当する額に仮定退職特例年金給付額を加えて得た額から遺族給付額の三分の二に相当する額を控除して得た額に相当する額

二　当該退職特例年金給付の受給権を有する者の老齢厚生年金等合計額及び仮定退職特例年金給付額の合算額が、老齢厚生年金等合計額の二分の一に相当する額、仮定退職特例年金給付額の二分の一に相当する額及び遺族給付額の三分の二に相当する額の合算額に満たないとき　次のイ又はロに掲げる区分に応じ、それぞれイ又はロに定める額

イ　遺族給付額が、老齢厚生年金等合計額の二分の一に相当する額、仮定退職特例年金給付額の二分の一に相当する額及び遺族給付額の三分の二に相当する額の合算額以上であるとき　零

ロ　遺族給付額が、老齢厚生年金等合計額の二分の一に相当する額、仮定退職特例年金給付額の二分の一に相当する額及び遺族給付額の三分の二に相当する額の合算額に満たないとき　次の(1)又は(2)に掲げる区分に応じ、それぞれ(1)又は(2)に定める額

(1)　遺族給付額が老齢厚生年金等合計額の二分の一に相当する額及び遺族給付額の三分の二に相当する額の合算額以上であるとき　老齢厚生年金等合計額の二分の一に相当する額に仮定退職特例年金給付額の二分の一に相当する額を加えて得た額から遺族給付額の三分の一に相当する額を控除して得た額に相当する額

(2)　遺族給付額が老齢厚生年金等合計額の二分の一に相当する額及び遺族給付額の三分の二に相当する額の合算額に満たないとき　仮定退職特例年金給付額の二分の一に相当する額

2　退職特例年金給付の受給権を有する六十五歳に達している配偶者以外の者（第十七条の四第二項の規定が適用される者を除く。）が厚生年金保険法による遺族厚生年金又は年金たる給付であって財務省令で定めるものの受給権を有する場合（これらの年金たる給付と同一の支給事由に基づく国民年金法による遺族基礎年金の支給を受ける場合を除く。）における退職特例年金給付の額については、平成八年改正法附則第三十三条第二項及び第五項並びに平成二十四年一元化法改正前国共済法第九十一条の二の規定は適用せず、当該額は、次の各号に掲げる区分に応じ、それぞれ当該各号に定める額に、職域相当額があるときは当該職域相当額を、退職共済年金の加給年金額があるときは当該退職共済年金の加給年金額を、それぞれ加算した額とする。

一　当該退職特例年金給付の受給権を有する者の老齢厚生年金等合計額及び仮定退職特例年金給付額の合算額が遺族給付額以上であるとき　次のイ又はロに掲げる区分に応じ、それぞれイ又はロに定める額

イ　老齢厚生年金等合計額が遺族給付額以上であるとき　仮定退職特例年金給付額に相当する額

ロ　老齢厚生年金等合計額が遺族給付額に満たないとき　老齢厚生年金等合計額に仮定退職特例年金給付額を加えて得た額から遺族給付額を控除して得た額に相当する額

二　当該退職特例年金給付の受給権を有する者の老齢厚生年金等合計額及び仮定退職特例年金給付額の合算額が遺族給付額に満たないとき　零

第十七条の二の二　前条第一項第一号に規定する死亡を給付事由とする年金たる給付のいずれかについて平成二十四年一元化法改正前施行法第十三条の四（平成二十四年一元化法改正前施行法第二十二条第一項（平成二十四年一元化法改正前施行法第二十三条第一項において準用する場合を含む。）、第二十三条第一項及び第四十八条第一項（平成二十四年一元化法改正前施行法第四十九条及び第五十条第一項において準用する場合を含む。）において準用する場合を含む。以下同じ。）第一項若しくは第二項、平成二十四年一元化法附則第四十八条第一項若しくは第二項若しくは平成二十七年国共済経過措置政令第八十四条第一項若しくは第二項若しくは第百三十八条第一項（同条第六項において準用する場合を含む。）又は平成二十四年一元化法附則第六十一条第一項の規定によりなおその効力を有するものとされた平成二十四年一元化法附則第百一条の規定による改正前の地方公務員等共済組合法の長期給付等に関する施行法（昭和三十七年法律第百五十三号。以下この条及び第十七条の三の二において「平成二十四年一元化法改正前地共済施行法」という。）第二十七条の二第一項若しくは第二項（これらの規定を平成二十四年一元化法改正前地共済施行法第三十六条第一項において準用する場合を含む。）、平成二十四年一元化法附則第七十二条第一項若しくは第二項若しくは被用者年金制度の一元化等を図るための厚生年金保険法等の一部を改正する法律及び地方公務員等共済組合法及び被用者年金制度の一元化等を図るための厚生年金保険法等の一部を改正する法律の一部を改正する法律の施行に伴う地方公務員等共済組合法による長期給付等に関する経過措置に関する政令（平成二十七年政令第三百四十七号。以下「平成二十七年地共済経過措置政令」という。）第八十四条第一項若しくは第二項若しくは第百四十一条第一項（同条第六項において準用する場合を含む。）の規定（以下「遺族共済年金額控除規定」という。）が適用される場合における前条の規定の適用については、遺族共済年金額控除規定適用後の額を同条の遺族給付額とみなす。

第十七条の二の三　退職特例年金給付の算定の基礎となった旧適用法人施行日前期間のうちに追加費用対象期間があり、かつ、次の各号に掲げる場合の区分に応じ、当該各号に定める額が控除調整下限額（平成二十四年一元化法改正前施行法第十三条の二（平成二十四年一元化法改正前施行法第二十二条第一項（平成二十四年一元化法改正前施行法第二十三条第一項において準用する場合を含む。）、第二十三条第一項及び第四十八条第一項（平成二十四年一元化法改正前施行法第四十九条及び第五十条第一項において準用する場合を含む。）において準用する場合を含む。以下同じ。）第一項に規定する控除調整下限額から、国民年金法の規定による老齢基礎年金、障害基礎年金又は遺族基礎年金が支給される場合には当該老齢基礎年金、障害基礎年金又は遺族基礎年金の額を控除した額をいう。以下同じ。）を下回る場合における第十七条の二の規定の適用については、平成二十四年一元化法改正前施行法第十三条の二第一項若しくは第二項又は平成二十四年一元化法改正前昭和六十年改正法附則第二十一条第二項若しくは第三項の規定の適用がないとしたならば求められることとなる額から平成八年改正法附則第三十三条第二項に規定する政令で定める額を控除した額（職域相当額

があるときは当該職域相当額を、退職共済年金の加給年金額があるときは当該退職共済年金の加給年金額を、それぞれ控除して得た額とし、以下「控除前仮定退職特例年金給付額」という。）を第十七条の二の仮定退職特例年金給付額とみなし、同条第一項第一号に規定する死亡を給付事由とする年金たる給付のいずれかが遺族共済年金額控除規定の適用を受ける場合には、遺族共済年金額控除規定を適用しないとしたならば求められることとなる額を同条の遺族給付額とみなす。

一　平成二十四年一元化法附則第三十七条第一項に規定する給付のうち遺族共済年金若しくは平成二十四年一元化法附則第四十一条第一項の規定により連合会が支給する年金（以下「平成二十四年一元化法附則第四十一条年金」という。）である給付のうち遺族共済年金、平成二十四年一元化法附則第六十一条第一項に規定する給付のうち遺族共済年金若しくは平成二十四年一元化法附則第六十五条第一項の規定により地方公務員共済組合（平成二十四年一元化法附則第五十六条第二項に規定する地方公務員共済組合をいう。）が支給する年金（以下「平成二十四年一元化法附則第六十五条年金」という。）である給付のうち遺族共済年金又は厚生年金保険法による年金たる保険給付（第二号厚生年金被保険者期間（同法第二条の五第一項第二号に規定する第二号厚生年金被保険者期間をいう。）に基づく同法による年金たる保険給付（以下「第二号厚生年金」という。）又は第三号厚生年金被保険者期間（同法第二条の五第一項第三号に規定する第三号厚生年金被保険者期間をいう。）に基づく同法による年金たる保険給付（以下「第三号厚生年金」という。）に限る。）のうち遺族厚生年金（以下「遺族共済年金等」と総称する。）の受給権者が平成二十四年一元化法改正前国共済法第九十一条の二、平成二十四年一元化法附則第六十一条第一項の規定によりなおその効力を有するものとされた平成二十四年一元化法第三条の規定による改正前の地方公務員等共済組合法（昭和三十七年法律第百五十二号。以下「平成二十四年一元化法改正前地共済法」という。）第九十九条の四の二又は厚生年金保険法第六十四条の二の規定の適用を受ける場合（次号に掲げる場合を除く。）　平成二十七年国共済経過措置政令第百三十八条第一項に規定する控除前退職共済年金等の額と同項に規定する控除前遺族共済年金等の額とのうちいずれか多い額に第十七条の二の規定により算定される額（以下「控除前退職特例年金給付額」という。）を加えた額

二　遺族共済年金等（当該遺族共済年金等の額が平成二十四年一元化法改正前国共済法第八十九条第二項、平成二十四年一元化法改正前地共済法第九十九条の二第二項若しくは平成二十四年一元化法改正前厚年法（平成二十四年一元化法附則第十二条第二項の規定によりなおその効力を有するものとされた平成二十四年一元化法第一条の規定による改正前の厚生年金保険法をいい、被用者年金制度の一元化等を図るための厚生年金保険法等の一部を改正する法律の施行に伴う厚生年金保険の保険給付等に関する経過措置に関する政令（平成二十七年政令第三百四十三号）第二十一条第一項の規定により読み替えられた規定にあっては、同項の規定による読替え後のものとする。以下同じ。）第六十条第二項又は平成二十七年国共済経過措置政令第百三十八条第六項の規定により読み替えられた同条第一項若しくは第二項の規定により算定される場合に限る。）の受給権者が平成二十四年一元化法改正前国共済法第九十一条の二、平成二十四年一元化法改正前地共済法第九十九条の四の二又は厚生年金保険法第六十四条の二の規定の適用を受ける場合　平成二十七年国共済経過措置政令第百三十八条第六項において準用する同条第一項に規定する控除前退職共済年金等の額及び同条第六項において準用する同条第一項に規定する控除前遺族共済年金等支給額の合計額に控除前退職特例年金給付額を加えた額

三　前二号に掲げる場合以外の場合　控除前退職特例年金給付額及び平成二十七年国共済経過措置政令第五十九条第四項に規定する年金額控除規定（この条、第十七条の三の三及び第十七条の四の二（以下「特例年金給付額控除規定」と総称する。）を除く。）の適用前の平成二十七年国共済経過措置政令第五十八条の規定により読み替えられた平成二十四年一元化法改正前施行法第十三条の二第一項に規定する併給年金（退職特例年金給付を除く。）の額の合計額

2　前項各号に掲げる場合の区分に応じ、当該各号に定める額が控除調整下限額を超えるときは、退職特例年金給付の額は、次に掲げる金額のうちいずれか少ない額とする。

一　控除前退職特例年金給付額

二　平成二十七年国共済経過措置政令第百三十八条第十二項に規定する退職共済年金額算定規定により算定した額から当該算定した額（国民年金法の規定による老齢基礎年金又は障害基礎年金が支給される場合には、平成二十七年国共済経過措置政令第五十六条に規定する乗じて得た額を加えた額とし、平成八年改正法附則第三十二条第一項の規定によりなお存続するものとされた日本鉄道共済組合から平成二十四年一元化法改正前国共済法第七十八条第一項（同条第二項に定める金額について平成二十四年一元化法改正前昭和六十年改正法附則第十七条第二項の規定を適用する場合を含む。）に規定する加給年金額が支給される場合には、当該加給年金額に相当する額を除いた額とする。以下この号において「控除前退職共済年金の額」という。）を旧適用法人施行日前期間の月数で除して得た額の百分の二十七に相当する額に追加費用対象期間の月数を乗じて得た額又は控除前退職共済年金の額の百分の十に相当する額のいずれか少ない額と平成八年改正法附則第三十三条第二項に規定する政令で定める額との合計額を控除した額（職域相当額があるときは当該職域相当額を、退職共済年金の加給年金額があるときは当該退職共済年金の加給年金額を、それぞれ控除して得た額とする。）を第十七条の二の仮定退職特例年金給付額とみなして算定される額

3　前項第二号に定める額が同項第一号に定める額より少ない場合であり、かつ、次の各号に掲げる場合に該当するときは、前項の規定にかかわらず、当該各号に定める額を退職特例年金給付の額とする。

一　第一項第一号の場合において、遺族共済年金等が遺族共済年金額控除規定の適用を受けず、かつ、前項第二号の規定により算定された退職特例年金給付の額（以下「控除後退職特例年金給付額」という。）に平成二十七年国共済経過措置政令第百三十八条第二項に規定する控除後退職共済年金等の額と同項に規定する控除後遺族共済年金等の額とのうちいずれか多い額を加えた額（以下この号において「控除後年金総

額」という。）が控除調整下限額を下回るとき　控除後退職特例年金給付額に控除調整下限額と控除後年金総額の差額に相当する額を加えた額

二　第一項第二号の場合において、遺族共済年金等が遺族共済年金額控除規定の適用を受けず、かつ、控除後退職特例年金給付額に平成二十七年国共済経過措置政令第百三十八条第六項において準用する同条第二項に規定する控除後退職共済年金等の額及び同条第六項において準用する同条第二項に規定する控除後遺族共済年金等支給額の合計額を加えた額（以下この号において「控除後年金総額」という。）が控除調整下限額を下回るとき　控除後退職特例年金給付額に控除調整下限額と控除後年金総額の差額に相当する額を加えた額

三　第一項第三号の場合において、遺族共済年金等が遺族共済年金額控除規定の適用を受けず、かつ、控除後退職特例年金給付額及び平成二十七年国共済経過措置政令第五十九条第四項に規定する年金額控除規定（特例年金給付額控除規定を除く。）の適用後の平成二十七年国共済経過措置政令第五十八条の規定により読み替えられた平成二十四年一元化法改正前施行法第十三条の二第一項に規定する併給年金（退職特例年金給付を除く。）の額の合計額（以下この号において「控除後年金総額」という。）が控除調整下限額を下回るとき　控除後退職特例年金給付額に控除調整下限額と控除後年金総額の差額に相当する額を加えた額

四　第一項第一号の場合において、遺族共済年金等が遺族共済年金額控除規定の適用を受け、かつ、控除後退職特例年金給付額に平成二十七年国共済経過措置政令第百三十八条第二項に規定する控除後退職共済年金等の額と同項に規定する控除後遺族共済年金等の額とのうちいずれか多い額を加えた額（以下この号において「控除後年金総額」という。）が控除調整下限額を下回るとき　控除後退職特例年金給付の額に、控除調整下限額と控除後年金総額との差額に調整率（控除前年金総額から控除後年金総額を控除して得た額に対する控除前退職特例年金給付額から控除後退職特例年金給付額を控除して得た額の割合をいう。次号及び第六号において同じ。）を乗じて得た額を加えた額

五　第一項第二号の場合において、遺族共済年金等が遺族共済年金額控除規定の適用を受け、かつ、控除後退職特例年金給付の額に平成二十七年国共済経過措置政令第百三十八条第六項において準用する同条第二項に規定する控除後退職共済年金等の額及び同条第六項において準用する同条第二項に規定する控除後遺族共済年金等支給額の合計額を加えた額（以下この号において「控除後年金総額」という。）が控除調整下限額を下回るとき　控除後退職特例年金給付の額に、控除調整下限額と控除後年金総額との差額に調整率を乗じて得た額を加えた額

六　第一項第三号の場合において、遺族共済年金等が遺族共済年金額控除規定の適用を受け、かつ、控除後退職特例年金給付の額及び平成二十七年国共済経過措置政令第五十九条第四項に規定する年金額控除規定（特例年金給付額控除規定を除く。）の適用後の併給年金（退職特例年金給付を除く。）の額の合計額（以下この号において「控除後年金総額」という。）が控除調整下限額を下回るとき　控除後退職特例年金給付の額に、控除調整下限額と控除後年金総額との差額に調整率を乗じて得た額を加えた額

（遺族厚生年金等の受給権を有する者の遺族特例年金給付の額）

第十七条の三　遺族特例年金給付の受給権を有する六十五歳に達している配偶者（第十七条の四第一項の規定が適用される者を除く。）が被保険者期間とみなされた組合員期間を計算の基礎とする厚生年金保険法による遺族厚生年金の受給権を有する場合（当該遺族厚生年金と同一の支給事由に基づく国民年金法による遺族基礎年金の支給を受ける場合を除く。）における遺族特例年金給付の額については、平成八年改正法附則第三十三条第二項及び第五項並びに平成二十四年一元化法改正前国共済法第九十一条の二の規定は適用せず、当該額は、次の各号に掲げる区分に応じ、それぞれ当該各号に定める額に、職域相当額があるときは、当該職域相当額を加算した額とする。

一　当該遺族特例年金給付の受給権を有する者の老齢厚生年金等合計額が、老齢厚生年金等合計額の二分の一に相当する額、遺族給付額の三分の二に相当する額及び遺族特例年金給付の受給権を有する者の平成八年改正法附則第三十三条第二項の規定を適用するとしたならば求められることとなる額（職域相当額があるときは、当該職域相当額を控除して得た額とし、以下この条及び第十七条の三の三から第十七条の四の二までにおいて「仮定遺族特例年金給付額」という。）の三分の二に相当する額の合算額以上であるとき　零

二　当該遺族特例年金給付の受給権を有する者の老齢厚生年金等合計額が、老齢厚生年金等合計額の二分の一に相当する額、遺族給付額の三分の二に相当する額及び仮定遺族特例年金給付額の三分の二に相当する額の合算額に満たないとき　次のイ又はロに掲げる区分に応じ、それぞれイ又はロに定める額

イ　遺族給付額及び仮定遺族特例年金給付額の合算額が、老齢厚生年金等合計額の二分の一に相当する額、遺族給付額の三分の二に相当する額及び仮定遺族特例年金給付額の三分の二に相当する額の合算額以上であるとき　次の(1)又は(2)に掲げる区分に応じ、それぞれ(1)又は(2)に定める額

(1)　老齢厚生年金等合計額が老齢厚生年金等合計額の二分の一に相当する額及び遺族給付額の三分の二に相当する額の合算額以上であるとき　遺族給付額に仮定遺族特例年金給付額を加えて得た額から老齢厚生年金等合計額を控除して得た額に相当する額

(2)　老齢厚生年金等合計額が老齢厚生年金等合計額の二分の一に相当する額及び遺族給付額の三分の二に相当する額の合算額に満たないとき　次の(i)又は(ii)に掲げる区分に応じ、それぞれ(i)又は(ii)に定める額

(i)　遺族給付額が老齢厚生年金等合計額の二分の一に相当する額及び遺族給付額の三分の二に相当する額の合算額以上であるとき　仮定遺族特例年金給付額に相当する額

(ii)　遺族給付額が老齢厚生年金等合計額の二分の一に相当する額及び遺族給付額の三分の二に相当する額の合算額に満たないとき　遺族給付額の三分の一に相当する額に仮定遺族特例年金給付額を加えて得た額から老齢厚生年金等合計額の二分の一に相当する額を控除し

て得た額に相当する額

ロ　遺族給付額及び仮定遺族特例年金給付額の合算額が、老齢厚生年金等合計額の二分の一に相当する額、遺族給付額の三分の二に相当する額及び仮定遺族特例年金給付額の三分の二に相当する額の合算額に満たないとき　次の(1)又は(2)に掲げる区分に応じ、それぞれ(1)又は(2)に定める額

(1)　老齢厚生年金等合計額が老齢厚生年金等合計額の二分の一に相当する額及び遺族給付額の三分の二に相当する額の合算額以上であるとき　遺族給付額の三分の二に相当する額に仮定遺族特例年金給付額の三分の二に相当する額を加えて得た額から老齢厚生年金等合計額の二分の一に相当する額を控除して得た額に相当する額

(2)　老齢厚生年金等合計額が老齢厚生年金等合計額の二分の一に相当する額及び遺族給付額の三分の二に相当する額の合算額に満たないとき　仮定遺族特例年金給付額の三分の二に相当する額

2　遺族特例年金給付の受給権を有する六十五歳に達している配偶者以外の者（第十七条の四第二項の規定が適用される者を除く。）が被保険者期間とみなされた組合員期間を計算の基礎とする厚生年金保険法による遺族厚生年金の受給権を有する場合（当該遺族厚生年金と同一の支給事由に基づく国民年金法による遺族基礎年金の支給を受ける場合を除く。）における遺族特例年金給付の額については、平成八年改正法附則第三十三条第二項及び第五項並びに平成二十四年一元化法改正前国共済法第九十一条の二の規定は適用せず、当該額は、次の各号に掲げる区分に応じ、それぞれ当該各号に定める額に、職域相当額があるときは、当該職域相当額を加算した額とする。

一　当該遺族特例年金給付の受給権を有する者の老齢厚生年金等合計額が遺族給付額及び仮定遺族特例年金給付額の合算額以上であるとき　零

二　当該遺族特例年金給付の受給権を有する者の老齢厚生年金等合計額が遺族給付額及び仮定遺族特例年金給付額の合算額に満たないとき　次のイ又はロに掲げる区分に応じ、それぞれイ又はロに定める額

イ　老齢厚生年金等合計額が遺族給付額以上であるとき　遺族給付額に仮定遺族特例年金給付額を加えて得た額から老齢厚生年金等合計額を控除して得た額に相当する額

ロ　老齢厚生年金等合計額が遺族給付額に満たないとき　仮定遺族特例年金給付額に相当する額

第十七条の三の二　第十七条の二第一項第一号に規定する退職を給付事由とする年金たる給付のいずれかについて、平成二十四年一元化法改正前施行法第十三条の二第一項若しくは第二項、平成二十四年一元化法改正前昭和六十年改正法附則第二十一条第二項若しくは第三項、平成二十四年一元化法附則第四十六条第一項若しくは第二項、平成二十七年国共済経過措置政令第百三十八条第一項（同条第六項において準用する場合を含む。）若しくは平成二十七年改正前国共済令附則第二十七条の四第五項又は平成二十四年一元化法改正前地共済施行法第十三条の二第一項若しくは第二項（これらの規定を平成二十四年一元化法改正前地共済施行法第三十六条第一項において準用する場合を含む。）、平成二十四年一元化法附則第六十一条第一項の規定によりなおその効力を有するものとされた平成二十四年一元化法附則第百二条の規定（平成二十四年一元化法附則第一条第三号に掲げる改正規定を除く。）による改正前の地方公務員等共済組合法等の一部を改正する法律（昭和六十年法律第百八号。以下「平成二十四年一元化法改正前昭和六十年地共済改正法」という。）附則第二十一条第二項若しくは第三項、平成二十四年一元化法附則第七十条第一項若しくは第二項、平成二十七年地共済経過措置政令第百四十一条第一項（同条第六項において準用する場合を含む。）若しくは平成二十四年一元化法附則第六十一条第一項の規定によりなおその効力を有するものとされた地方公務員等共済組合法施行令等の一部を改正する等の政令（平成二十七年政令第三百四十六号）第一条の規定による改正前の地方公務員等共済組合法施行令附則第七十二条の三第二項の規定（以下「退職共済年金額控除規定」という。）が適用される場合における前条の規定の適用については、退職共済年金額控除規定適用後の額を同条の老齢厚生年金等合計額とみなす。

第十七条の三の三　遺族特例年金給付の算定の基礎となった旧適用法人施行日前期間のうちに追加費用対象期間があり、かつ、次の各号に掲げる場合の区分に応じ、当該各号に定める額が控除調整下限額を下回る場合における第十七条の三の規定の適用については、平成二十四年一元化法改正前施行法第十三条の四第一項若しくは第二項又は平成二十四年一元化法改正前昭和六十年改正法附則第二十一条第二項若しくは第三項の規定の適用がないとしたならば求められることとなる額から平成八年改正法附則第三十三条第二項に規定する政令で定める額を控除した額（職域相当額があるときは、当該職域相当額を控除して得た額とし、以下「控除前仮定遺族特例年金給付額」という。）を第十七条の三の仮定遺族特例年金給付額とみなし、第十七条の二第一項第一号に規定する退職を給付事由とする年金たる給付のいずれかが退職共済年金額控除規定の適用を受ける場合には、退職共済年金額控除規定を適用しないとしたならば求められることとなる額を第十七条の三の老齢厚生年金等合計額とみなす。

一　平成二十四年一元化法附則第三十七条第一項に規定する給付のうち退職共済年金若しくは平成二十四年一元化法附則第四十一条年金のうち退職共済年金、平成二十四年一元化法附則第六十一条第一項に規定する給付のうち退職共済年金若しくは平成二十四年一元化法附則第六十五条年金のうち退職共済年金又は厚生年金保険法による年金たる保険給付（第二号厚生年金又は第三号厚生年金に限る。）のうち老齢厚生年金（次号において「退職共済年金等」と総称する。）の受給権者が平成二十四年一元化法改正前国共済法第九十一条の二、平成二十四年一元化法改正前地共済法第九十九条の四の二又は厚生年金保険法第六十四条の二の規定の適用を受ける場合（次号に掲げる場合を除く。）　平成二十七年国共済経過措置政令第百三十八条第一項に規定する控除前退職共済年金等の額と同項に規定する控除前遺族共済年金等の額とのうちいずれか多い額に第十七条の三の規定により算定される額（以下「控除前遺族特例年金給付額」という。）を加えた額

二　退職共済年金等の受給権者が平成二十四年一元化法改正前国共済法第九十一条の二、平成二十四年一元化法改正前地共済法第九十九条の四の二又は厚生年金保険法第六十四条の二の規定の適用を受ける場合（当該退職共済年金等と併せて受

けることができる遺族共済年金等の額が平成二十四年一元化法改正前国共済法第八十九条の二第二項、平成二十四年一元化法改正前地共済法第九十九条の二第二項又は平成二十四年一元化法改正前厚年法第六十条第二項の規定により算定される場合に限る。）　平成二十七年国共済経過措置政令第百三十八条第六項において準用する同条第一項に規定する控除前退職共済年金等の額及び同条第六項において準用する同条第一項に規定する控除前遺族共済年金等支給額の合計額に控除前遺族特例年金給付額を加えた額

三　前二号に掲げる場合以外の場合　控除前遺族特例年金給付額及び平成二十七年国共済経過措置政令第六十八条第三項に規定する年金額控除規定（特例年金給付額控除規定を除く。）の適用前の平成二十七年国共済経過措置政令第六十七条の規定により読み替えられた平成二十四年一元化法改正前施行法第十三条の四第一項に規定する併給年金（遺族特例年金給付を除く。）の額の合計額

2　前項各号に掲げる場合の区分に応じ、当該各号に定める額が控除調整下限額を超えるときは、遺族特例年金給付の額は、次に掲げる金額のうちいずれか少ない額とする。

一　控除前遺族特例年金給付額

二　平成二十四年一元化法改正前国共済法第八十九条第一項第一号並びに平成二十四年一元化法改正前昭和六十年改正法附則第二十八条第一項並びに第二十九条第一項及び第二項の規定の例により算定した額（平成八年改正法附則第三十二条第一項の規定によりなお存続するものとされた日本鉄道共済組合から昭和六十年改正法附則第二十八条第一項並びに第二十九条第一項及び第二項の規定の例により算定した額が支給される場合には、当該算定した額に相当する額を除いた額とする。）から当該算定した額を旧適用法人施行日前期間の月数で除して得た額の百分の二十七に相当する額に追加費用対象期間の月数を乗じて得た額又は当該算定した額の百分の十に相当する額のいずれか少ない額と平成八年改正法附則第三十三条第二項に規定する政令で定める額との合計額を控除した額（職域相当額があるときは、当該職域相当額を控除して得た額とする。）を第十七条の三の仮定遺族特例年金給付額とみなして算定される額

3　前項第二号に定める額が同項第一号に定める額より少ない場合であり、かつ、次の各号に掲げる場合に該当するときは、前項の規定にかかわらず、当該各号に定める額を遺族特例年金給付の額とする。

一　第一項第一号の場合において、退職共済年金等が退職共済年金額控除規定の適用を受けず、かつ、前項第二号の規定により算定された遺族特例年金給付の額（以下「控除後遺族特例年金給付額」という。）に平成二十七年国共済経過措置政令第百三十八条第二項に規定する控除後退職共済年金等の額と同項に規定する控除後遺族共済年金等の額とのうちいずれか多い額を加えた額（以下この号において「控除後年金総額」という。）が控除調整下限額を下回るとき　控除後遺族特例年金給付額に控除調整下限額と控除後年金総額の差額に相当する額を加えた額

二　第一項第二号の場合において、平成二十七年国共済経過措置政令第百三十八条第十項に規定する改正前国共済法による退職共済年金等が退職共済年金額控除規定の適用を受けず、かつ、控除後遺族特例年金給付額に同条第六項において準用する同条第二項に規定する控除後退職共済年金等の額及び同条第六項において準用する同条第二項に規定する控除後遺族共済年金等支給額の合計額を加えた額（以下この号において「控除後年金総額」という。）が控除調整下限額を下回るとき　控除後遺族特例年金給付額に控除調整下限額と控除後年金総額の差額に相当する額を加えた額

三　第一項第三号の場合において、退職共済年金等が退職共済年金額控除規定の適用を受けず、かつ、控除後遺族特例年金給付額及び平成二十七年国共済経過措置政令第六十八条第三項に規定する年金額控除規定（特例年金給付額控除規定を除く。）の適用後の平成二十七年国共済経過措置政令第六十七条の規定により読み替えられた平成二十四年一元化法改正前施行法第十三条の四第一項に規定する併給年金（遺族特例年金給付を除く。）の額の合計額（以下この号において「控除後年金総額」という。）が控除調整下限額を下回るとき　控除後遺族特例年金給付額に控除調整下限額と控除後年金総額の差額に相当する額を加えた額

四　第一項第一号の場合において、退職共済年金等が退職共済年金額控除規定の適用を受け、かつ、控除後遺族特例年金給付の額に平成二十七年国共済経過措置政令第百三十八条第二項に規定する控除後退職共済年金等の額と同項に規定する控除後遺族共済年金等の額とのうちいずれか多い額を加えた額（以下この号において「控除後年金総額」という。）が控除調整下限額を下回るとき　控除後遺族特例年金給付の額に、控除調整下限額と控除後年金総額との差額に調整率（控除前年金総額から控除後年金総額を控除して得た額に対する控除前遺族特例年金給付額から控除後遺族特例年金給付額を控除して得た額の割合をいう。次号及び第六号において同じ。）を乗じて得た額を加えた額

五　第一項第二号の場合において、退職共済年金等が退職共済年金額控除規定の適用を受け、かつ、控除後遺族特例年金給付の額に平成二十七年国共済経過措置政令第百三十八条第六項において準用する同条第二項に規定する控除後退職共済年金等の額及び同条第六項において準用する同条第二項に規定する控除後遺族共済年金等支給額の合計額を加えた額（以下この号において「控除後年金総額」という。）が控除調整下限額を下回るとき　控除後遺族特例年金給付の額に、控除調整下限額と控除後年金総額との差額に調整率を乗じて得た額を加えた額

六　第一項第三号の場合において、退職共済年金等が退職共済年金額控除規定の適用を受け、かつ、控除後退職特例年金給付の額及び平成二十七年国共済経過措置政令第六十八条第三項に規定する年金額控除規定（特例年金給付額控除規定を除く。）の適用後の併給年金（退職特例年金給付を除く。）の額の合計額（以下この号において「控除後年金総額」という。）が控除調整下限額を下回るとき　控除後遺族特例年金給付の額に、控除調整下限額と控除後年金総額との差額に調整率を乗じて得た額を加えた額

（遺族厚生年金等の受給権を有する者の特例年金給付の額等）

第十七条の四　遺族特例年金給付の受給権を有する六十五歳に達している配偶者が退職特例年金給付及び被保険者期間とみなさ

れた組合員期間を計算の基礎とする厚生年金保険法による遺族厚生年金の受給権を有する場合（当該遺族厚生年金と同一の支給事由に基づく国民年金法による遺族基礎年金の支給を受ける場合を除く。）における特例年金給付の額については、平成八年改正法附則第三十三条第二項及び第五項並びに平成二十四年一元化法改正前国共済法第九十一条の二の規定は適用せず、当該額は、次の各号に掲げる区分に応じ、それぞれ当該各号に定める額に、職域相当額があるときは当該職域相当額を、退職共済年金の加給年金額があるときは当該退職共済年金の加給年金額を、それぞれ加算した額とする。

一　当該特例年金給付の受給権を有する者の老齢厚生年金等合計額及び仮定退職特例年金給付額の合算額が、老齢厚生年金等合計額の二分の一に相当する額、仮定退職特例年金給付額の二分の一に相当する額、遺族給付額の三分の二に相当する額及び仮定遺族特例年金給付額の三分の二に相当する額の合算額以上であるとき　次のイ又はロに掲げる区分に応じ、それぞれイ又はロに定める額

イ　老齢厚生年金等合計額が老齢厚生年金等合計額の二分の一に相当する額及び遺族給付額の三分の二に相当する額の合算額以上であるとき　仮定退職特例年金給付額に相当する額

ロ　老齢厚生年金等合計額が老齢厚生年金等合計額の二分の一に相当する額及び遺族給付額の三分の二に相当する額の合算額に満たないとき　次の(1)又は(2)に掲げる区分に応じ、それぞれ(1)又は(2)に定める額

(1)　遺族給付額が老齢厚生年金等合計額の二分の一に相当する額及び遺族給付額の三分の二に相当する額の合算額以上であるとき　老齢厚生年金等合計額に仮定退職特例年金給付額を加えて得た額から遺族給付額を控除して得た額に相当する額

(2)　遺族給付額が老齢厚生年金等合計額の二分の一に相当する額及び遺族給付額の三分の二に相当する額の合算額に満たないとき　老齢厚生年金等合計額の二分の一に相当する額に仮定退職特例年金給付額を加えて得た額から遺族給付額の三分の二に相当する額を控除して得た額に相当する額

二　当該特例年金給付の受給権を有する者の老齢厚生年金等合計額及び仮定退職特例年金給付額の合算額が、老齢厚生年金等合計額の二分の一に相当する額、仮定退職特例年金給付額の二分の一に相当する額、遺族給付額の三分の二に相当する額及び仮定遺族特例年金給付額の三分の二に相当する額の合算額に満たないとき　次のイ又はロに掲げる区分に応じ、それぞれイ又はロに定める額

イ　遺族給付額及び仮定遺族特例年金給付額の合算額が、老齢厚生年金等合計額の二分の一に相当する額、仮定退職特例年金給付額の二分の一に相当する額、遺族給付額の三分の二に相当する額及び仮定遺族特例年金給付額の三分の二に相当する額の合算額以上であるとき　次の(1)又は(2)に掲げる区分に応じ、それぞれ(1)又は(2)に定める額

(1)　老齢厚生年金等合計額が老齢厚生年金等合計額の二分の一に相当する額及び遺族給付額の三分の二に相当する額の合算額以上であるとき　遺族給付額に仮定遺族特例年金給付額を加えて得た額から老齢厚生年金等合計額を控除して得た額に相当する額

(2)　老齢厚生年金等合計額が老齢厚生年金等合計額の二分の一に相当する額及び遺族給付額の三分の二に相当する額の合算額に満たないとき　次の(i)又は(ii)に掲げる区分に応じ、それぞれ(i)又は(ii)に定める額

(i)　遺族給付額が老齢厚生年金等合計額の二分の一に相当する額及び遺族給付額の三分の二に相当する額の合算額以上であるとき　仮定遺族特例年金給付額に相当する額

(ii)　遺族給付額が老齢厚生年金等合計額の二分の一に相当する額及び遺族給付額の三分の二に相当する額の合算額に満たないとき　遺族給付額の三分の一に相当する額に仮定遺族特例年金給付額を加えて得た額から老齢厚生年金等合計額の二分の一に相当する額を控除して得た額に相当する額

ロ　遺族給付額及び仮定遺族特例年金給付額の合算額が、老齢厚生年金等合計額の二分の一に相当する額、仮定退職特例年金給付額の二分の一に相当する額、遺族給付額の三分の二に相当する額及び仮定遺族特例年金給付額の三分の二に相当する額の合算額に満たないとき　次の(1)又は(2)に掲げる区分に応じ、それぞれ(1)又は(2)に定める額

(1)　老齢厚生年金等合計額が老齢厚生年金等合計額の二分の一に相当する額及び遺族給付額の三分の二に相当する額の合算額以上であるとき　仮定退職特例年金給付額の二分の一に相当する額に遺族給付額の三分の二に相当する額及び仮定遺族特例年金給付額の三分の二に相当する額を加えて得た額から老齢厚生年金等合計額の二分の一に相当する額を控除して得た額に相当する額

(2)　老齢厚生年金等合計額が老齢厚生年金等合計額の二分の一に相当する額及び遺族給付額の三分の二に相当する額の合算額に満たないとき　次の(i)又は(ii)に掲げる区分に応じ、それぞれ(i)又は(ii)に定める額

(i)　遺族給付額が老齢厚生年金等合計額の二分の一に相当する額及び遺族給付額の三分の二に相当する額の合算額以上であるとき　老齢厚生年金等合計額の二分の一に相当する額に仮定退職特例年金給付額の二分の一に相当する額及び仮定遺族特例年金給付額の三分の二に相当する額を加えて得た額から遺族給付額の三分の一に相当する額を控除して得た額に相当する額

(ii)　遺族給付額が老齢厚生年金等合計額の二分の一に相当する額及び遺族給付額の三分の二に相当する額の合算額に満たないとき　仮定退職特例年金給付額の二分の一に相当する額に仮定遺族特例年金給付額の三分の二に相当する額を加えて得た額に相当する額

2　遺族特例年金給付の受給権を有する六十五歳に達している配偶者以外の者が退職特例年金給付及び被保険者期間とみなされた組合員期間を計算の基礎とする厚生年金保険法による遺族厚生年金の受給権を有する場合（当該遺族厚生年金と同一の支給事由に基づく国民年金法による遺族基礎年金の支給を受ける場合を除く。）における特例年金給付の額については、平成八年改正法附則第三十三条第二項及び第五項並びに平成二十四年一元化法改正前国共済法第九十一条の二の規定は適用せず、当該

額は、次の各号に掲げる区分に応じ、それぞれ当該各号に定める額に、職域相当額があるときは当該職域相当額を、退職共済年金の加給年金額があるときは当該退職共済年金の加給年金額を、それぞれ加算した額とする。

一　当該特例年金給付の受給権を有する者の老齢厚生年金等合計額及び仮定退職特例年金給付額の合算額が遺族給付額及び仮定遺族特例年金給付額の合算額以上であるとき　次のイ又はロに掲げる区分に応じ、それぞれイ又はロに定める額

イ　老齢厚生年金等合計額が遺族給付額以上であるとき　仮定退職特例年金給付額に相当する額

ロ　老齢厚生年金等合計額が遺族給付額に満たないとき　老齢厚生年金等合計額に仮定退職特例年金給付額を加えて得た額から遺族給付額を控除して得た額に相当する額

二　当該特例年金給付の受給権を有する者の老齢厚生年金等合計額及び仮定退職特例年金給付額の合算額が遺族給付額及び仮定遺族特例年金給付額の合算額に満たないとき　次のイ又はロに掲げる区分に応じ、それぞれイ又はロに定める額

イ　老齢厚生年金等合計額が遺族給付額以上であるとき　遺族給付額に仮定遺族特例年金給付額を加えて得た額から老齢厚生年金等合計額を控除して得た額に相当する額

ロ　老齢厚生年金等合計額が遺族給付額に満たないとき　仮定遺族特例年金給付額に相当する額

3　第一項に規定する場合において、退職特例年金給付の額は、同項各号に定める額又は仮定退職特例年金給付額に相当する額のいずれか少ない額とする。この場合において、当該退職特例年金給付の額が同項各号に定める額に満たないときは、その差額に相当する額を遺族特例年金給付の額とする。

4　前項の規定は、第二項に規定する場合について準用する。

5　第一項及び第二項の場合において、これらの規定により加算する職域相当額は、次の各号（同項の規定が適用される者にあっては、第三号を除く。）に掲げる額のうちいずれか多い額とする。この場合において、当該額と第一号に掲げる額との差額に相当する額を遺族特例年金給付に係る職域相当額とし、第一号に掲げる額を退職特例年金給付に係る職域相当額とする。

一　仮定退職特例年金給付額に係る職域相当額に相当する額

二　仮定遺族特例年金給付額に係る職域相当額に相当する額

三　仮定退職特例年金給付額に係る職域相当額の二分の一に相当する額及び仮定遺族特例年金給付額に係る職域相当額の三分の二に相当する額の合算額に相当する額

第十七条の四の二　退職特例年金給付又は遺族特例年金給付の算定の基礎となった旧適用法人施行日前期間のうちに追加費用対象期間があり、かつ、次の各号に掲げる場合の区分に応じ、当該各号に定める額が控除調整下限額を下回る場合における前条の規定の適用については、退職特例年金給付の算定の基礎となった旧適用法人施行日前期間のうちに追加費用対象期間がある場合には、第十七条の二の三第一項に規定する控除前仮定退職特例年金給付額を前条の仮定退職特例年金給付額とみなし、遺族特例年金給付の算定の基礎となった旧適用法人施行日前期間のうちに追加費用対象期間がある場合には、第十七条の三の三第一項に規定する控除前仮定遺族特例年金給付額を前条の仮定遺族特例年金給付額とみなす。

一　当該受給権者が受ける遺族給付額に平成二十七年国共済経過措置政令第五十八条の規定により読み替えられた平成二十四年一元化法改正前施行法第十三条の二第一項に規定する併給年金が含まれる場合において、当該遺族給付額について、平成二十四年一元化法改正前国共済法第九十一条の二、平成二十四年一元化法改正前地共済法第九十九条の四の二又は厚生年金保険法第六十四条の二の規定が適用される場合（次号に掲げる場合を除く。）　平成二十七年国共済経過措置政令第百三十八条第一項に規定する控除前退職共済年金等の額と同項に規定する控除前遺族共済年金等の額とのうちいずれか多い額に控除前特例年金給付額（退職特例年金給付の算定の基礎となった旧適用法人施行日前期間のうちに追加費用対象期間がある場合には第十七条の二の三第一項に規定する控除前仮定退職特例年金給付額を前条の仮定退職特例年金給付額とみなし、遺族特例年金給付の算定の基礎となった旧適用法人施行日前期間のうちに追加費用対象期間がある場合には第十七条の三の三第一項に規定する控除前遺族特例年金給付額を前条の仮定遺族特例年金給付額とみなして算定される特例年金給付の額をいう。以下「控除前特例年金給付額」という。）を加えた額

二　当該受給権者が受ける遺族給付額に平成二十七年国共済経過措置政令第五十八条の規定により読み替えられた平成二十四年一元化法改正前施行法第十三条の二第一項に規定する併給年金が含まれる場合において、当該遺族給付額が平成二十四年一元化法改正前国共済法第八十九条第二項、平成二十四年一元化法改正前地共済法第九十九条の二第二項又は平成二十四年一元化法改正前厚年法第六十条第二項の規定により算定され、かつ、平成二十四年一元化法改正前国共済法第九十一条の二、平成二十四年一元化法改正前地共済法第九十九条の四の二又は厚生年金保険法第六十四条の二の規定が適用される場合　平成二十七年国共済経過措置政令第百三十八条第六項において準用する同条第一項に規定する控除前退職共済年金等の額及び同条第六項において準用する同条第一項に規定する控除前遺族共済年金等支給額の合計額に控除前特例年金給付額を加えた額

三　前二号に掲げる場合以外の場合　控除前特例年金給付額、平成二十七年国共済経過措置政令第五十九条第四項に規定する年金額控除規定（特例年金給付額控除規定を除く。）の適用前の平成二十七年国共済経過措置政令第五十八条の規定により読み替えられた平成二十四年一元化法改正前施行法第十三条の二第一項に規定する併給年金（退職特例年金給付を除く。）の額及び平成二十七年国共済経過措置政令第六十八条第三項に規定する年金額控除規定（特例年金給付額控除規定を除く。）の適用前の平成二十七年国共済経過措置政令第六十七条の規定により読み替えられた平成二十四年一元化法改正前施行法第十三条の四第一項に規定する併給年金（遺族特例年金給付を除く。）の額の合計額

2　前項各号に掲げる場合の区分に応じ、当該各号に定める額が控除調整下限額を超えるときは、退職特例年金給付の額及び遺族特例年金給付の額は、退職特例年金給付の算定の基礎となった旧適用法人施行日前期間のうちに追加費用対象期間がある場合には、平成二十四年一元化法改正前施行法第十三条の二第一項若しくは第二項又は平成二十四年一元化法改正前昭和六十年改正法附則第二十一条第二項若しくは第三項の規定の適用後の

額（職域相当額があるときは当該職域相当額を、退職共済年金の加給年金額があるときは当該退職共済年金の加給年金額を、それぞれ控除して得た額とし、以下「控除後仮定退職特例年金給付額」という。）を前条の仮定退職特例年金給付と、平成二十四年一元化法改正前施行法第十三条の四第一項若しくは第二項又は平成二十七年改正前昭和六十一年経過措置政令第二十六条第一項若しくは第二項の規定の適用後の額（職域相当額があるときは、当該職域相当額を控除して得た額とする。）を前条の仮定遺族特例年金給付とそれぞれみなして算定される額とする。

3 前項の場合において、次の各号に掲げる場合の区分に応じ、当該各号に定める額が控除調整下限額を下回るときは、同項の規定にかかわらず、同項の規定により算定された退職特例年金給付の額と遺族特例年金給付の額との合計額（以下この項及び次項において「控除後特例年金給付額」という。）に控除調整下限額と次の各号に定める額の差額に相当する額を加えた額をもって特例年金給付の額とする。

一 第一項第一号の場合 控除後特例年金給付額に平成二十七年国共済経過措置政令第百三十八条第二項に規定する控除後退職共済年金等の額と同項に規定する控除後遺族共済年金等の額とのうちいずれか多い額を加えた額

二 第一項第二号の場合 控除後特例年金給付額に平成二十七年国共済経過措置政令第百三十八条第六項において準用する同条第二項に規定する控除後退職共済年金等の額及び同条第六項において準用する同条第二項に規定する控除後遺族共済年金等支給額の合計額を加えた額

三 第一項第三号の場合 控除後特例年金給付額、平成二十七年国共済経過措置政令第五十九条第四項に規定する年金額控除規定（特例年金給付額控除規定を除く。）の適用後の平成二十七年国共済経過措置政令第五十八条の規定により読み替えられた平成二十四年一元化法改正前施行法第十三条の二第一項に規定する併給年金（退職特例年金給付を除く。）の額及び平成二十七年国共済経過措置政令第六十八条第三項に規定する年金額控除規定（特例年金給付額控除規定を除く。）の適用後の平成二十七年国共済経過措置政令第六十七条の規定により読み替えられた平成二十四年一元化法改正前施行法第十三条の四第一項に規定する併給年金（遺族特例年金給付を除く。）の額の合計額

4 前項各号に定める額が控除調整下限額を下回る場合には、退職特例年金給付の額は、次の各号に掲げる場合の区分に応じ、当該各号に定める額とし、遺族特例年金給付の額は、控除後特例年金給付額から当該各号に定める額を控除した額とする。

一 退職特例年金給付の算定の基礎となった旧適用法人施行日前期間のうちに追加費用対象期間がある場合であり、かつ、遺族特例年金給付の算定の基礎となった旧適用法人施行日前期間のうちに追加費用対象期間がない場合 控除後仮定退職特例年金給付額（職域相当額があるときは当該職域相当額を、退職共済年金の加給年金額があるときは当該退職共済年金の加給年金額を、それぞれ加算して得た額とする。）と控除後特例年金給付額とのうちいずれか少ない額

二 退職特例年金給付の算定の基礎となった旧適用法人施行日前期間のうちに追加費用対象期間がない場合であり、かつ、遺族特例年金給付の算定の基礎となった旧適用法人施行日前期間のうちに追加費用対象期間がある場合 控除前仮定退職特例年金給付額（職域相当額があるときは、当該職域相当額を加算して得た額とする。）と控除後特例年金給付額とのうちいずれか少ない額

三 退職特例年金給付及び遺族特例年金給付のいずれも算定の基礎となった旧適用法人施行日前期間のうちに追加費用対象期間がある場合 第二項の規定により算定された退職特例年金給付額に控除調整下限額から前項各号に定める額を控除した額に調整率を乗じて得た額に相当する額を加えた額

5 前項第三号の調整率は、次の各号に掲げる場合の区分に応じ、当該各号に定める割合をいう。

一 第三項第一号に掲げるとき 第一項第一号に定める額から第三項第一号に定める額を控除した額に対する第一項の規定の例により算定される退職特例年金給付の額から第三項の規定の例により算定される退職特例年金給付の額を控除して得た額の割合

二 第三項第二号に掲げるとき 第一項第二号に定める額から第三項第二号に定める額を控除した額に対する第一項の規定の例により算定される退職特例年金給付の額から第三項の規定の例により算定される退職特例年金給付の額を控除して得た額の割合

三 第三項第三号に掲げるとき 第一項第三号に定める額から第三項第三号に定める額を控除した額に対する第一項の規定の例により算定される退職特例年金給付の額から第三項の規定の例により算定される退職特例年金給付の額を控除して得た額の割合

（離婚等をした場合における特例に関する国共済法等の規定の技術的読替え）

第十七条の五 旧適用法人施行日前期間を有する者が離婚等（平成二十四年一元化法改正前国共済法第九十三条の五第一項に規定する離婚等をいう。）をした場合について、平成八年改正法附則第三十三条第十四項の規定により平成二十四年一元化法改正前国共済法第九十三条の五から第九十三条の十二までの規定（平成二十四年一元化法改正前国共済法第九十三条の五第一項ただし書並びに第一号及び第二号、第二項並びに第三項、第九十三条の六から第九十三条の八まで並びに第九十三条の九第二項の規定を除く。）を準用する場合には、次の表の上欄に掲げる平成二十四年一元化法改正前国共済法の規定中同表の中欄に掲げる字句は、それぞれ同表の下欄に掲げる字句に読み替えるものとする。

第九十三条の五第一項	組合員又は組合員であつた者	旧適用法人共済組合員期間（厚生年金保険法等の一部を改正する法律（平成八年法律第八十二号。以下「平成八年改正法」という。）附則第三条第八号に規定する旧適用法人共済組合員期間をいう。）を有する者
第九十三条の九第一項第一号及び	厚生年金保険法第七十八条の六第一項第一号の規定により標準報酬月額（同法第二十条第一項に規定	

	第二項第一号の規定により標準報酬の月額及び標準期末手当等の額	する標準報酬月額をいう。以下同じ。）
	同条第一項第二号及び第二項第二号の規定により標準報酬の月額及び標準期末手当等の額	同法第七十八条の六第一項第二号の規定により標準報酬月額
	次の各号のいずれかに該当するときは、組合（組合員であつた者又はその配偶者であつた者にあつては、連合会。以下この款において	同法第七十八条の二第一項の規定による標準報酬の改定又は決定の請求をしたときは、当該請求をしたときに、存続組合（平成八年改正法附則第三十二条第二項に規定する存続組合をいう。以下同じ。）又は指定基金（平成八年改正法附則第四十八条第一項に規定する指定基金をいう。以下
	組合員期間の標準報酬の月額及び標準期末手当等の額	旧適用法人施行日前期間（平成八年改正法附則第二十四条第二項に規定する旧適用法人施行日前期間をいう。以下同じ。）の標準報酬の月額
	標準報酬の月額及び標準期末手当等の額を	標準報酬の月額を
	を請求することができる	の請求（以下「標準報酬改定請求」という。）があつたものとみなす
第九十三条の九第一項	組合は	存続組合又は指定基金は
	あつた	あつたものとみなされる
	組合員期間	旧適用法人施行日前期間
	第一号改定者の改定前の標準報酬の月額（第七十三条の二第一項の規定により同項に規定する従前標準報酬の月額が当該月の標準報酬の月額とみなされた月にあつては、従前標準報酬の月額。次号において同じ。）に一	厚生年金保険法第七十八条の六第一項第一号に定める額（旧適用法人施行日前期間に係るものに限る。）
	から改定割合（按分割合を基礎として財務省令で定めるところにより算定した率をいう。以下同じ。）を控除して得た率を乗じて得た額	
	第二号改定者の改定前の標準報酬の月額（標準報酬の月額を有しない月にあつては、零）に、第一号改定者の改定前の標準報酬の月額に改定割合を乗じて得た額を加えて得た額	厚生年金保険法第七十八条の六第一項第二号に定める額（旧適用法人施行日前期間に係るものに限る。）
第九十三条の九第三項	前二項	第一項
	組合員期間	旧適用法人施行日前期間

第九十三条の九第四項	第一項及び第二項	第一項
	標準報酬の月額及び標準期末手当等の額	標準報酬の月額
	あつた	あつたものとみなされる
第九十三条の十第一項及び第二項本文	前条第一項及び第二項	前条第一項
	標準報酬の月額及び標準期末手当等の額	標準報酬の月額
	組合員期間	旧適用法人施行日前期間
	あつた	あつたものとみなされる
第九十三条の十第二項ただし書	組合員期間の	旧適用法人施行日前期間の
	組合員期間で	旧適用法人施行日前期間で
	離婚時みなし組合員期間	離婚時みなし旧適用法人施行日前期間
第九十三条の十一	第九十三条の九第一項及び第二項	第九十三条の九第一項
	標準報酬の月額及び標準期末手当等の額	標準報酬の月額
	組合員期間（	旧適用法人施行日前期間（
	離婚時みなし組合員期間	離婚時みなし旧適用法人施行日前期間
	組合員であつた者（	旧適用法人施行日前期間を有する者（

2　前項の規定により読み替えられた平成二十四年一元化法改正前国共済法第九十三条の五から第九十三条の十二までの規定を準用する場合における平成二十七年改正前国共済令の規定の適用については、次の表の上欄に掲げる平成二十七年改正前国共済令の規定中同表の中欄に掲げる字句は、それぞれ同表の下欄に掲げる字句に読み替えるものとする。

第十一条の八の二十第一号	組合員期間	旧適用法人施行日前期間（厚生年金保険法等の一部を改正する法律（平成八年法律第八十二号）附則第二十四条第二項に規定する旧適用法人施行日前期間をいう。以下同じ。）
第十一条の八の二十第二号	離婚時みなし組合員期間（法第九十三条の十第二項に規定する離婚時みなし組合員期間	離婚時みなし旧適用法人施行日前期間（厚生年金保険法等の一部を改正する法律の施行に伴う国家公務員共済組合法による長期給付等に関する経過措置に関する政令（平成九年政令第八十六号。以下「平成九年経過措置令」という。）第十七条の五第一項の規定により読み替えられた法第九十三条の十第二項に規定する離婚時みなし旧適用法人施行日前期間
第十一条の八の二十一の表法第二条第一項第三号の項	組合員であつた者（	旧適用法人施行日前期間を有する者（
	離婚時みなし組合員期間（第九十三条の十第二項に規定する離婚時みなし組合員期間	離婚時みなし旧適用法人施行日前期間（平成九年経過措置令第十七条の五第一項の規定により読み替えられた法第九十三条の十第二項に規定する離婚時みなし旧適用法人施行日前期間
第十一条の八の二十一の表法第七十六条第一項の項	組合員期間（	旧適用法人施行日前期間（
	離婚時みなし組合員期間	離婚時みなし旧適用法人施行日前期間
第十一条の八の二十一の表法第八十五条第五項の項	組合員期間	旧適用法人施行日前期間
第十一条の八の二十一の表第十二	組合員期間（	旧適用法人施行日前期間（

条第二項第一号の項	離婚時みなし組合員期間	離婚時みなし旧適用法人施行日前期間
第十一条の八の二十一の表第四十六条の項	組合員であつた者（離婚時みなし組合員期間	旧適用法人施行日前期間を有する者（離婚時みなし旧適用法人施行日前期間
第十一条の八の二十二	組合員期間	旧適用法人施行日前期間
第十一条の八の二十四	第九十三条の九第一項及び第二項	第九十三条の九第一項
	標準報酬の月額及び標準期末手当等の額	標準報酬の月額
附則第二十七条の七の表第七条第一項の項	組合員期間（離婚時みなし組合員期間（新法第九十三条の十第二項に規定する離婚時みなし組合員期間	旧適用法人施行日前期間を有する者（離婚時みなし旧適用法人施行日前期間（厚生年金保険法等の一部を改正する法律の施行に伴う国家公務員共済組合法による長期給付等に関する経過措置に関する政令（平成九年政令第八十六号）第十七条の五第一項の規定により読み替えられた新法第九十三条の十第二項に規定する離婚時みなし旧適用法人施行日前期間
附則第二十七条の七の表第十一条、第十四条第一項及び第二十六条の項	組合員期間（離婚時みなし組合員期間	旧適用法人施行日前期間（離婚時みなし旧適用法人施行日前期間

3　前二項の規定により読み替えられた平成二十四年一元化法改正前国共済法及び平成二十七年改正前国共済令の規定を適用する場合におけるこの政令の規定の適用については、次の表の上欄に掲げる規定中同表の中欄に掲げる字句は、それぞれ同表の下欄に掲げる字句に読み替えるものとする。

第五条第一項	旧適用法人施行日前期間	旧適用法人施行日前期間（離婚時みなし旧適用法人施行日前期間（第十七条の五第一項の規定により読み替えられた国家公務員共済組合法第九十三条の十第二項に規定する離婚時みなし旧適用法人施行日前期間をいう。）を除く。）
第八条の表第七十六条第一項第一号の項	（旧適用法人施行日前期間	（旧適用法人施行日前期間（離婚時みなし旧適用法人施行日前期間（厚生年金保険法等の一部を改正する法律の施行に伴う国家公務員共済組合法による長期給付等に関する経過措置に関する政令（平成九年政令第八十六号。以下「平成九年経過措置令」という。）第十七条の五第一項の規定により読み替えられた第九十三条の十第二項に規定する離婚時みなし旧適用法人施行日前期間をいう。以下同じ。）を除く。以下この条、第九十条、附則第十二条の四の二第五項、附則第十二条の四の三第一項、附則第十二条の六第一項、附則第十二条の六の三第一項、第三項及び第五項、附則第十二条の七第二項、附則第十二条の七の五第一項及び第四項、附則第十二条の七の六第一項及び第二項、附則第十二条の八第一項及び第二項、附則第十三条の五並びに附則第十三条の十第三項及び第四項において同じ。）
第十二条第一項の表平成二十四年一元化法改正前国共済法の項に係る部分のうち第二条第一項第三号の部分	有する者の配偶者	有する者（第八十八条第一項第四号に該当する者にあつては離婚時みなし旧適用法人施行日前期間（厚生年金保険法等の一部を改正する法律の施行に伴う国家公務員共済組合法による長期給付等に関する経過措置に関する政令（平成九年政令第八十六号。以下「平成九年経過措置令」という。）第十七条の五第一項の規定により読み替えられた第九十三条の十第二項に規定する離婚時みなし旧適用法人施行日前期間をいう。以下同じ。）を有する者を含む。以下この条、第四十五条第一項、第七十四条の五、第九十一条第三項、第九十三条第一項、第九十三条の二第一項第四号、第九十四条第二項、第九十七条第一項及び第百十一条第三項第一号において同じ。）の配偶者

第十二条第一項の表平成二十四年一元化法改正前国共済法の項に係る部分のうち第七十八条第一項及び第七十九条第六項の部分並びに第九十条の部分	旧適用法人施行日前期間	旧適用法人施行日前期間（離婚時みなし旧適用法人施行日前期間を除く。）

（存続組合が支給する特例年金給付の受給権を有する者に係る厚生年金保険法等の規定の適用）

第十七条の六　存続組合が支給する特例年金給付については、厚生年金保険法第四十三条の二から第四十三条の五まで、附則第十七条の四第五項本文、附則別表第二及び別表の規定を適用する。この場合においては、平成二十七年国共済経過措置政令第十八条第一項の規定を準用する。

2　前項の規定により同項に規定する厚生年金保険法の規定を適用する場合には、厚生年金保険法施行令（昭和二十九年政令第百十号）第三条の四及び第三条の四の二並びに国民年金法による改定率の改定等に関する政令（平成十七年政令第九十二号）第四条第一項及び第三項、第六条、別表第一並びに別表第三の規定を適用する。この場合においては、平成二十七年国共済経過措置政令第十八条第二項の規定を準用する。

（退職特例年金給付の繰下げの申出の特例）

第十七条の七　平成八年改正法附則第三十三条の二第二項に規定する場合における平成八年改正法附則第三十三条第一項の規定により適用するものとされた平成二十四年一元化法改正前国共済法第七十八条の二の規定の適用については、厚生年金保険法第四十四条の三第五項の規定により同条第一項の申出があったものとみなされた日において、退職特例年金給付に係る第十二条第一項の規定による読替え後の平成二十四年一元化法改正前国共済法第七十八条の二第一項の申出があったものとみなす。

第六章　指定基金に関する経過措置

（基金の申請の手続）

第十八条　平成八年改正法附則第四十七条第一項の規定による指定を受けようとする平成二十五年厚生年金等改正法附則第三条第十一号に規定する存続厚生年金基金又は平成八年改正法附則第五十二条第六項の規定により読み替えられた平成八年改正法附則第四十七条第一項の規定による指定を受けようとする企業年金基金（以下「基金」と総称する。）は、財務省令で定めるところにより、名称、住所及び事務所の所在地その他の財務省令で定める事項を記載した申請書を財務大臣に提出しなければならない。

（適用事業所の事業主の申請の手続）

第十九条　平成八年改正法附則第四十七条第一項に規定する特例業務（以下「特例業務」という。）を行う基金について同項の規定による指定を受けようとする事業主（当該基金を設立しようとする厚生年金保険法第六条第一項第一号に規定する適用事業所の事業主に限る。）は、財務省令で定めるところにより、名称及び住所、指定を受けようとする基金の名称、住所及び事務所の所在地その他の財務省令で定める事項を記載した申請書を財務大臣に提出しなければならない。

（存続組合又は旧適用法人共済組合の解散に伴う措置）

第二十条　平成八年改正法附則第四十八条第一項の規定により存続組合が解散したときは、当該解散した存続組合の代表者であった者は、当該解散の日の前日の属する事業年度（次項において「最終事業年度」という。）に係る決算を当該解散の日から起算して二月以内に完結しなければならない。

2　前項に規定する存続組合の代表者であった者は、財務大臣の定めるところにより、最終事業年度に係る財産目録、貸借対照表及び損益計算書（以下この条において「財務諸表」という。）並びに書類帳簿引継書を作成し、同項の決算完結後一月以内にこれらの書類を財務大臣に提出し、その承認を受けなければならない。

3　平成八年改正法附則第四十八条第二項の規定により旧適用法人共済組合が解散したときは、当該解散した旧適用法人共済組合の代表者であった者は、書類帳簿引継書を作成し、平成八年度に係る財務諸表とともに当該書類帳簿引継書を大蔵大臣に提出し、その承認を受けなければならない。

4　平成八年改正法附則第三十二条第六項の規定は、財務大臣が前二項の規定による承認をする場合について準用する。

5　第一項に規定する存続組合の代表者であった者又は第三項に規定する旧適用法人共済組合の代表者であった者は、第二項の規定による承認を受けたとき、又は第三項及び平成八年改正法附則第二十二条第一項の規定によりなお従前の例によるものとされた改正前国共済法第十六条第二項の規定による承認を受けたときは、遅滞なく、その承認を受けた財務諸表及び書類帳簿引継書を指定基金に引き継がなければならない。

6　指定基金の理事長は、前項の規定により財務諸表及び書類帳簿引継書の引継ぎを受けたときは、その書類の写しを添えて、その旨を財務大臣に報告しなければならない。

第二十一条　平成八年改正法附則第四十八条第一項又は第二項の規定により存続組合又は旧適用法人共済組合が解散したときは、財務大臣は、遅滞なく、その解散の登記を登記所に嘱託しなければならない。

2　登記官は、前項の規定による嘱託に係る解散の登記をしたときは、その登記用紙を閉鎖しなければならない。

（指定基金が特例業務として支給する年金たる長期給付を支給しないこととすることの認可の申請の手続）

第二十二条　平成八年改正法附則第四十九条第二項の規定による認可を受けようとする指定基金は、次に掲げる事項を明らかにして、財務大臣に申請しなければならない。

一　平成二十五年厚生年金等改正法附則第五条第一項の規定によりなおその効力を有するものとされた平成二十五年厚生年金等改正法第一条の規定による改正前の厚生年金保険法第百三十条に規定する業務（平成八年改正法附則第五十五条第二項に規定する障害等年金給付の支給を行う業務を含む。）として支給する年金たる給付のうち、特例業務として支給する

旧適用法人施行日前期間を計算の基礎とする年金たる長期給付に相当するものの内容

二　特例業務として支給する年金たる長期給付のうち、平成八年改正法附則第四十九条第二項の規定により支給しないこととする年金たる長期給付の内容

三　その他財務省令で定める事項

（指定基金の特例業務に関する平成二十四年一元化法改正前国共済法の規定の技術的読替え）

第二十三条　平成八年改正法附則第四十九条第三項において平成二十四年一元化法改正前国共済法第四十六条第二項及び第百十四条の二の規定を準用する場合においては、同項中「組合員が組合員の資格を喪失した場合において、その者」とあるのは「旧適用法人施行日前期間（厚生年金保険法等の一部を改正する法律（平成八年法律第八十二号）附則第二十四条第二項に規定する旧適用法人施行日前期間をいう。）を有する者」と、「その者が」とあるのは「当該旧適用法人施行日前期間を有する者が」と、同条中「厚生年金保険法」とあるのは「連合会が支給する年金である給付、厚生年金保険法等の一部を改正する法律附則第三十二条第二項に規定する存続組合が支給する年金たる長期給付、他の指定基金（同法附則第四十八条第一項に規定する指定基金をいう。）が支給する年金たる長期給付、厚生年金保険の実施者たる政府が支給する年金たる給付、厚生年金保険法」と、「厚生労働大臣」とあるのは「連合会、当該存続組合、当該他の指定基金、厚生労働大臣」と読み替えるものとする。

（指定基金の特例業務に関する平成二十七年改正前国共済令の規定の技術的読替え）

第二十四条　平成二十七年改正前国共済令第十一条及び附則第二十二条の規定は、指定基金及び指定基金が特例業務として支給する年金たる長期給付について準用する。この場合において、平成二十七年改正前国共済令第十一条第一項中「に規定する公務上の災害」とあるのは「に規定する公務上の災害（厚生年金保険法等の一部を改正する法律（平成八年法律第八十二号。以下「平成八年改正法」という。）附則第四条に規定する旧適用法人の業務上の災害を含む。以下この項において同じ。）」と、平成二十七年改正前国共済令附則第二十二条第一項中「組合員又は組合員であつた者」とあるのは「旧適用法人施行日前期間（平成八年改正法附則第二十四条第二項に規定する旧適用法人施行日前期間をいう。）を有する者」と読み替えるものとする。

（指定基金の特例業務に関する財務及び会計）

第二十五条　指定基金は、毎事業年度、特例業務に係る事業計画及び予算を作成し、事業年度開始前に、財務大臣の認可を受けなければならない。ただし、特例業務の開始の初年度の当該事業計画及び予算については、平成八年改正法附則第四十七条第一項の規定による指定の申請をする基金（当該申請が基金の成立前であるときは、当該基金を設立しようとする厚生年金保険法第六条第一項第一号に規定する適用事業所の事業主）が作成し、財務大臣の認可を受けなければならない。

2　平成二十四年一元化法改正前国共済法第十五条第二項及び平成二十七年改正前国共済令第七条の規定は前項の事業計画及び予算について、平成二十四年一元化法改正前国共済法第十六条第一項及び第二項、第十七条並びに第十九条並びに平成二十七年改正前国共済令第八条、第九条の二及び第九条の三の規定は指定基金の特例業務について、それぞれ準用する。

3　平成八年改正法附則第三十二条第六項の規定は、財務大臣が第一項の規定及び前項において準用する平成二十四年一元化法改正前国共済法第十五条第二項の規定による認可並びに前項において準用する同法第十六条第二項の規定による承認をする場合について準用する。

4　前三項に規定するもののほか、指定基金の特例業務に関する財務及び会計に関して必要な事項は、財務省令で定める。

（特例業務を行う指定基金に関する前章の規定の技術的読替え）

第二十六条　平成八年改正法附則第四十九条第一項の規定により特例業務を行う指定基金が存続組合とみなされた場合における前章の規定の適用については、第十二条第一項の表平成二十四年一元化法改正前施行法の項中「日本電信電話共済組合」とあるのは「日本電信電話共済組合又は平成八年改正法附則第四十八条第一項に規定する指定基金であつて当該指定基金に係る平成八年改正法附則第三条第八号に規定する旧適用法人共済組合が日本電信電話共済組合であるもの」と、同条第二項の表平成二十七年改正前国共済令の項中「存続組合をいう。）」とあるのは「存続組合をいう。）又は指定基金（平成八年改正法附則第四十八条第一項に規定する指定基金をいう。）」と、「日本電信電話共済組合」とあるのは「日本電信電話共済組合又は平成八年改正法附則第四十八条第一項に規定する指定基金であつて当該指定基金に係る平成八年改正法附則第三条第八号に規定する旧適用法人共済組合が日本電信電話共済組合であるもの」と、同表平成二十七年改正前昭和六十一年経過措置政令の項中「存続組合をいう。）」とあるのは「存続組合をいう。）又は指定基金（平成八年改正法附則第四十八条第一項に規定する指定基金をいう。）」と、同条第三項から第六項まで及び第八項、第十三条第一項各号並びに第十四条第一項各号、第三項及び第四項中「存続組合」とあるのは「存続組合又は指定基金」と、第十七条第一項中「又は日本たばこ産業共済組合」と、」とあるのは「若しくは日本たばこ産業共済組合又は平成八年改正法附則第四十八条第一項に規定する指定基金（以下「指定基金」という。）であつて当該指定基金に係る平成八年改正法附則第三条第八号に規定する旧適用法人共済組合（以下「旧適用法人共済組合」という。）が日本鉄道共済組合若しくは日本たばこ産業共済組合であるもの」と、」と、「日本電信電話共済組合」と、」とあるのは「日本電信電話共済組合若しくは指定基金であつて当該指定基金に係る旧適用法人共済組合が日本電信電話共済組合であるもの」と、」と、「又は日本たばこ産業共済組合」とする」とあるのは「若しくは日本たばこ産業共済組合又は指定基金であつて当該指定基金に係る旧適用法人共済組合が日本鉄道共済組合若しくは日本たばこ産業共済組合であるもの」とする」と、同条第二項中「又は日本たばこ産業共済組合（以下」とあるのは「若しくは日本たばこ産業共済組合又は平成八年改正法附則第四十八条第一項に規定する指定基金であつて当該指定基金に係る平成八年改正法附則第三条第八号に規定する旧適用法人共済組合が日本鉄道共済組合若しくは日本たばこ産業共済組合であるもの（以下」と、同条第三項中「又は日本たばこ産業共済組合」とあるのは「若しくは日本たばこ産業

共済組合又は指定基金であって当該指定基金に係る旧適用法人共済組合が日本鉄道共済組合若しくは日本たばこ産業共済組合であるもの」とする。

第七章 存続組合又は指定基金に係る費用の負担に関する経過措置

（存続組合又は指定基金に係る費用の負担）

第二十七条 平成八年改正法附則第五十四条第一項第一号に掲げる費用について同項（同号に係る部分に限る。）の規定により日本たばこ産業株式会社、日本電信電話株式会社等に関する法律（昭和五十九年法律第八十五号）第一条の二第一項に規定する日本電信電話株式会社又は改正前国共済法第二条第一項第八号に規定する旅客鉄道会社等（以下「会社等」という。）が当該年度において負担すべき金額は、存続組合又は指定基金が当該年度においてその予算に当該負担すべき金額として計上した額とする。

2 平成八年改正法附則第五十四条第一項第二号に規定する政令で定める費用は、第四項各号に掲げる給付の区分に応じ、それぞれ当該年度において当該給付として支給した額の総額に、当該年度における当該給付に係る公経済負担対象額算定率を乗じて得た額（一円未満の端数があるときは、これを四捨五入して得た額）を合算した額に百分の十五・八五を乗じて得た額に相当する費用とする。

3 前項の公経済負担対象額算定率は、次項第一号から第四号まで及び第六号に掲げる給付に係るものにあっては、当該年度の九月三十日における当該給付（その全額につき支給を停止されているものを除く。）の受給権者に係る額のうち公経済負担の対象となる部分の額の合算額を当該給付の総額で除して得た率とし、同項第五号、第七号及び第八号に掲げる給付に係るものにあっては、当該年度の十月一日前一年間に支給された当該給付の額のうち公経済負担の対象となる部分の額の合算額を当該期間に支給された当該給付の総額で除して得た率とする。

4 前項の公経済負担の対象となる部分の額は、次の各号に掲げる給付の区分に応じ、それぞれ当該各号に定める額とする。

一 特例年金給付のうち退職共済年金で、その額が平成八年改正法附則第三十三条第二項の規定により計算されるもの 当該退職共済年金の額（次のイ又はロに掲げる場合に該当するときは、その額からイ又はロに定める額を控除した額）に、公経済負担対象期間率を乗じて得た額に相当する額

イ 当該退職共済年金が更新組合員等であった者に係るものである場合 当該退職共済年金の額のうち、平成八年改正法附則第五十四条第一項（同項第一号に係る部分に限る。）の規定により、会社等が負担すべき金額の計算の基礎となっている旧適用法人共済組合員期間（同号に規定する旧適用法人共済組合員期間をいう。）以外の旧適用法人施行日前期間（以下「追加費用対象期間」という。）に係る部分の額に相当する額

ロ 当該退職共済年金の受給権者の配偶者であって六十五歳以上である者を計算の基礎とする退職共済年金の加給年金額が支給されている場合 当該退職共済年金の加給年金額に相当する額

二 特例年金給付のうち平成二十四年一元化法第二条の規定による改正前の国家公務員共済組合法第七十六条の規定による退職共済年金で、その額が平成八年改正法附則第三十三条第五項の規定により計算されるもの 当該退職共済年金の額の計算の基礎となった旧適用法人施行日前期間及び当該旧適用法人施行日前期間に係る平均標準報酬月額を計算の基礎として平成二十四年一元化法改正前国共済法附則第十二条の四の二第二項又は第三項の規定の例により計算した額（次のイからハまでに掲げる場合に該当するときは、その額からイからハまでに定める額を控除した額）から当該退職共済年金と併せて受けることができる平成八年改正法附則第三十三条第五項に規定する年金たる給付の額に追加費用対象外期間率（当該給付の額の計算の基礎となった旧適用法人施行日前期間の月数から追加費用対象期間の月数を控除した月数を当該旧適用法人施行日前期間の月数で除して得た率をいう。以下この号において同じ。）を乗じて得た額を控除した額（次のハに掲げる場合に該当するときは、その額にハに定める額を加えた額）に、公経済負担対象期間率を乗じて得た額に相当する額

イ 当該退職共済年金が更新組合員等であった者に係るものである場合 当該退職共済年金の額の計算の基礎となった旧適用法人施行日前期間及び当該旧適用法人施行日前期間に係る平均標準報酬月額を計算の基礎として平成二十四年一元化法改正前国共済法附則第十二条の四の二第二項又は第三項の規定の例により計算した額のうち、追加費用対象期間に係る部分の額に相当する額

ロ 当該退職共済年金の受給権者の配偶者であって六十五歳以上である者を計算の基礎とする退職共済年金の加給年金額が支給されている場合 当該退職共済年金の加給年金額に相当する額

ハ 当該退職共済年金の額に職域相当額がある場合 当該職域相当額に追加費用対象外期間率を乗じて得た額に相当する額

三 特例年金給付のうち平成二十四年一元化法第二条の規定による改正前の国家公務員共済組合法附則第十二条の三の規定による退職共済年金で、その額が平成八年改正法附則第三十三条第五項の規定により計算されるもの 当該退職共済年金の額（次のイ又はロに掲げる場合に該当するときは、その額からイ又はロに定める額を控除した額）に、公経済負担対象期間率を乗じて得た額に相当する額

イ 当該退職共済年金が更新組合員等であった者に係るものである場合 当該退職共済年金の額のうち、追加費用対象期間に係る部分の額に相当する額

ロ 当該退職共済年金の受給権者の配偶者であって六十五歳以上である者を計算の基礎とする退職共済年金の加給年金額が支給されている場合 当該退職共済年金の加給年金額に相当する額

四 特例年金給付のうち障害共済年金（平成二十四年一元化法第二条の規定による改正前の国家公務員共済組合法第九十九条第二項第三号に規定する公務等による障害共済年金に相当するものを除く。） 当該障害共済年金の額（次のイ又はロに掲げる場合に該当するときは、その額からイ又はロに定め

る額を控除した額）に、公経済負担対象期間率を乗じて得た額に相当する額

イ　当該障害共済年金が更新組合員等であった者に係るものである場合　当該障害共済年金の額のうち、追加費用対象期間に係る部分の額に相当する額

ロ　当該障害共済年金の受給権者の配偶者であって六十五歳以上である者を計算の基礎とする障害共済年金の加給年金額（平成二十四年一元化法改正前国共済法第八十三条第一項に規定する加給年金額をいう。）が支給されている場合　当該障害共済年金の加給年金額に相当する額

五　特例一時金給付のうち第十四条第一項第一号に規定する障害一時金　当該障害一時金の額（当該障害一時金が更新組合員等であった者に係るものである場合は、当該障害一時金の額のうち追加費用対象期間に係る部分以外の部分の額に相当する額）に、公経済負担対象期間率を乗じて得た額に相当する額

六　特例年金給付のうち遺族共済年金（平成二十四年一元化法第二条の規定による改正前の国家公務員共済組合法第九十九条第二項第三号に規定する公務等による遺族共済年金に相当するものを除く。）　当該遺族共済年金の額（当該遺族共済年金が更新組合員等であった者に係るものである場合は、当該遺族共済年金の額のうち追加費用対象期間に係る部分以外の部分の額に相当する額）に、公経済負担対象期間率を乗じて得た額に相当する額

七　存続組合又は指定基金が支給する第十四条第四項に規定する脱退一時金　当該脱退一時金の額（当該脱退一時金が更新組合員等であった者に係るものである場合は、当該脱退一時金の額のうち追加費用対象期間に係る部分以外の部分の額に相当する額）に、公経済負担対象期間率を乗じて得た額に相当する額

八　存続組合又は指定基金が支給する第九条各号に掲げる一時金たる給付（前号に掲げるものを除く。）　当該一時金たる給付の額（当該一時金たる給付が更新組合員等であった者に係るものである場合は、当該一時金たる給付の額のうち追加費用対象期間に係る部分以外の部分の額に相当する額）に、公経済負担対象期間率を乗じて得た額に相当する額

5　前項各号に規定する公経済負担対象期間率は、それぞれ当該給付の額の計算の基礎となった旧適用法人施行日前期間の月数から追加費用対象期間の月数を控除した月数に対する昭和三十六年四月一日前の旧適用法人施行日前期間の月数から追加費用対象期間の月数を控除した月数の比率をいう。

6　平成八年改正法附則第五十四条第一項第二号に掲げる費用について同項（同号に掲げる部分に限る。）の規定により国が平成九年度において負担すべき費用の額を計算する場合における第二項及び第三項の規定の適用については、第二項中「当該年度において当該給付として支給した額の総額に、当該年度における当該給付」とあるのは「平成九年四月分以後の月分の当該給付として支給した額の総額に同項各号に掲げる給付」と、「合算した額」とあるのは「合算した額に百分の十五・八五を乗じて得た額と、改正前国共済経過措置政令第六十七条第三項各号及び第七十条第三項各号に掲げる給付の区分に応じ、それぞれ平成九年二月分及び三月分の月分の改正前国共済法による給付及び旧国共済法による給付として支給した額の総額に改正前国共済経過措置政令第六十七条第三項各号及び第七十条第三項各号に掲げる給付に係る経過的公経済負担対象額算定率を乗じて得た額（一円未満の端数があるときは、これを四捨五入して得た額）を合算した額」と、「乗じて得た額に」とあるのは「乗じて得た額との合計額に、改正前国共済経過措置政令第六十八条第一項に規定する退職共済年金又は改正前国共済経過措置政令第七十一条第一項に規定する退職年金、減額退職年金若しくは通算退職年金（以下この条において「退職共済年金等」という。）の区分に応じ、それぞれ平成九年二月分及び三月分の月分の退職共済年金等として支給した額の総額に当該年金に係る経過的老齢年金加算額相当率を乗じて得た額（一円未満の端数があるときは、これを四捨五入して得た額）の四分の一に相当する額を合算した額を加えた額に」と、第三項中「一年間」とあるのは「六月間」とする。

7　前項の規定により読み替えて適用される第二項に規定する経過的公経済負担対象額算定率は、改正前国共済法による給付については第一号に掲げる率とし、旧国共済法による給付については第二号に掲げる率とする。

一　改正前国共済経過措置政令第六十七条第二項中「当該年度の九月三十日」とあるのは「平成九年三月三十一日」と、「当該年度の十月一日」とあるのは「平成九年四月一日」として、改正前国共済法による給付について同条第二項から第四項までの規定の例により計算された同条第二項に規定する公経済負担対象額算定率に相当する率

二　改正前国共済経過措置政令第七十条第二項中「当該年度の九月三十日」とあるのは「平成九年三月三十一日」と、「当該年度の十月一日」とあるのは「平成九年四月一日」として、旧国共済法による給付について同条第二項から第四項までの規定の例により計算された同条第二項に規定する公経済負担対象額算定率に相当する率

8　第六項の規定により読み替えて適用される第二項に規定する経過的老齢年金加算額相当率は、退職共済年金等のうち、退職共済年金については第一号に掲げる率とし、退職年金、減額退職年金及び通算退職年金については第二号に掲げる率とする。

一　改正前国共済経過措置政令第六十八条第二項中「当該年度の九月三十日」とあるのは、「平成九年三月三十一日」として、退職共済年金について同条第二項及び第三項の規定の例により計算された同条第二項に規定する老齢年金加算額相当率に相当する率

二　改正前国共済経過措置政令第七十一条第二項中「当該年度の九月三十日」とあるのは、「平成九年三月三十一日」として、退職年金、減額退職年金及び通算退職年金について同条第二項及び第三項の規定の例により計算された同条第二項に規定する老齢年金加算額相当率に相当する率

9　国は、予算で定めるところにより、第二項及び第六項に規定する費用について平成八年改正法附則第五十四条第一項（同項第二号に係る部分に限る。）の規定により負担すべき金額を、当該年度における存続組合又は指定基金が特例業務として支給する年金たる長期給付並びに一時金たる長期給付及び一時金たる給付の支払状況を勘案して当該存続組合又は指定基金に払い込むものとする。

10　前項の規定により国が存続組合又は指定基金に払い込んだ金

額と平成八年改正法附則第五十四条第一項（同項第二号に係る部分に限る。）の規定により国が負担すべき金額との調整は、当該年度の翌々年度までの国の予算により行うものとする。

11　平成八年改正法附則第五十四条第一項第三号に掲げる費用について同項（同号に係る部分に限る。）の規定により会社等（同号に規定する旧指定法人（以下「旧指定法人」という。）を含む。）が当該年度において負担すべき金額は、存続組合又は指定基金が当該年度においてその予算に当該負担すべき金額として計上した額とする。

第二十八条　平成八年改正法附則第十九条の規定により存続組合又は指定基金が納付するものとされた額について改正前国共済法附則第三条の二第三項の規定により積み立てられた積立金及びその運用収入をもって充てる場合において、なお不足する額があるときは、会社等（旧指定法人を含む。）は、当該年度において当該会社等が負担すべき不足額として当該存続組合又は指定基金が当該年度においてその予算に計上した額を、当該存続組合又は指定基金に払い込むものとする。

第二十九条　平成八年改正法附則第五十四条第三項第一号に掲げる費用について同項（同号に係る部分に限る。）の規定により会社等が当該年度において負担すべき金額は、平成八年改正法附則第二十条の規定により当該年度において存続組合又は指定基金が納付するものとされた費用の額のうち追加費用対象期間を計算の基礎とする厚生年金保険の実施者たる政府が支給するものとされた年金たる給付に要する費用の額として、それぞれ当該存続組合又は指定基金が当該年度においてその予算に当該負担すべき金額として計上した額とする。

2　平成八年改正法附則第五十四条第三項第二号に規定する政令で定める費用は、次の各号に掲げる額を合算した額に相当する費用とする。

一　平成八年改正法附則第十六条第三項の規定により厚生年金保険の実施者たる政府が支給するものとされた年金たる給付について、国家公務員等共済組合法等の一部を改正する法律の施行に伴う経過措置に関する政令第六十七条第一項から第四項まで及び第七十条の規定の例により計算された額の総額から当該年金たる給付について平成九年改正政令第五十九条の規定による改正後の国民年金法等の一部を改正する法律の施行に伴う経過措置に関する政令（昭和六十一年政令第五十四号）第百条の規定の例により計算された額の総額を控除した額に百分の十五・八五を乗じて得た額

二　平成八年改正法附則第十六条第七項の規定により厚生年金保険の実施者たる政府が支給するものとされた年金たる給付について国家公務員等共済組合法等の一部を改正する法律の施行に伴う経過措置に関する政令第六十七条第一項から第四項まで及び第七十条の規定の例により計算された額に百分の十五・八五を乗じて得た額

三　平成八年改正法附則第十六条第七項の規定により厚生年金保険の実施者たる政府が支給するものとされた年金たる給付について平成九年改正政令第二十七条の規定による改正後の国家公務員等共済組合法等の一部を改正する法律の施行に伴う経過措置に関する政令第六十八条及び第七十一条の規定の例により計算された額の四分の一に相当する額

3　前項に規定する費用については、予算で定めるところにより、国は、平成八年改正法附則第五十四条第三項（同項第二号に係る部分に限る。）の規定により負担すべき金額を、存続組合又は指定基金に払い込むものとする。

4　前項の規定により国が存続組合又は指定基金に払い込んだ金額と平成八年改正法附則第五十四条第三項（同項第二号に係る部分に限る。）の規定により国が負担すべき金額との調整は、当該年度の翌々年度までの国の予算により行うものとする。

5　平成八年改正法附則第五十四条第三項第三号に掲げる費用について同項（同号に係る部分に限る。）の規定により会社等（旧指定法人を含む。）が当該年度において負担すべき金額は、存続組合又は指定基金が当該年度においてその予算に当該負担すべき金額として計上した額とする。

6　存続組合又は指定基金は、厚生労働大臣に対し、当該存続組合又は指定基金が平成八年改正法附則第二十条の規定により毎年度納付するものとされる費用について平成八年改正法附則第五十四条第三項各号に掲げる費用の額の計算のために必要な資料の提供を求めることができる。

（存続組合である日本電信電話共済組合等に係る国の負担金の額の調整）

第三十条　国が、平成九年度以後において、平成八年改正法附則第五十四条第一項（同項第二号に係る部分に限る。）及び第三項（同項第二号に係る部分に限る。）並びに第三十一条において準用する国家公務員共済組合法第九十九条第四項（第一号を除く。）の規定により存続組合である日本電信電話共済組合又は指定基金であって当該指定基金に係る旧適用法人共済組合が日本電信電話共済組合であるものに対して負担する金額は、第二十七条第二項又は第六項及び前条第二項並びに第三十一条において準用する同法第九十九条第四項（第一号を除く。）の規定により算定した金額から調整対象額の全部又は一部を控除した金額とすることができる。この場合において、第二十七条第九項及び前条第三項並びに第三十一条において準用する同法第百二条第三項の規定の適用については、第二十七条第九項中「負担すべき金額」とあるのは「負担すべき金額（第三十条第一項の規定による控除が行われた場合には、当該控除後の金額）」と、前条第三項中「負担すべき金額」とあるのは「負担すべき金額（次条第一項の規定による控除が行われた場合には、当該控除後の金額）」と、第三十一条において準用する同法第百二条第三項中「負担すべき金額」とあるのは「負担すべき金額（厚生年金保険法等の一部を改正する法律の施行に伴う国家公務員共済組合法による長期給付等に関する経過措置に関する政令（平成九年政令第八十六号）第三十条第一項の規定による控除が行われた場合には、当該控除後の金額）」とする。

2　前項に規定する調整対象額とは、施行日の前日における国家公務員及び公共企業体職員に係る共済組合制度の統合等を図るための国家公務員共済組合法等の一部を改正する法律附則第三十五条の規定等に基づき行う負担金の額の調整等に関する政令（昭和六十一年政令第六十八号）第二条第二項に規定する調整対象額で旧適用法人共済組合のうち日本電信電話共済組合に係るものの金額（平成八年度以前において同条第一項の規定による控除が行われた場合には、当該控除後の金額）に、財務大臣の定めるところにより算定した前項の規定による控除が行われるまでの間の利子に相当する金額を加えた金額の合計額をいう。

（指定基金であって当該指定基金に係る旧適用法人共済組合が

（日本電信電話共済組合であるものに係る負担金の納付の特例）

第三十条の二　指定基金であって当該指定基金に係る旧適用法人共済組合が日本電信電話共済組合であるものの平成八年改正法附則第五十四条の二第一項の規定により厚生年金保険の実施者たる政府に納付する額は、施行日の前日における国家公務員及び公共企業体職員に係る共済組合制度の統合等を図るための国家公務員共済組合法等の一部を改正する法律附則第三十五条の規定等に基づき行う負担金の額の調整等に関する政令第二条第二項に規定する調整対象額で旧適用法人共済組合のうち日本電信電話共済組合に係るものの金額（同条第一項若しくは前条第一項の規定による控除又は平成八年改正法附則第五十四条の二第一項の規定による納付が行われた場合には、当該控除額又は納付額を控除した金額）に、財務大臣の定めるところにより算定したこの項の規定による納付が行われるまでの間の利子に相当する金額を加えた金額の合計額の全部又は一部に相当する金額とする。

（存続組合又は指定基金が納付するものとされた基礎年金拠出金に関する経過措置）

第三十一条　国家公務員共済組合法第九十九条第四項（第一号を除く。）及び第百二条第三項並びに国家公務員共済組合法施行令第二十五条の三第二項及び第三項の規定は、平成八年改正法附則第三十四条第一項及び第二項の規定により基礎年金拠出金を納付するものとされた存続組合又は指定基金について準用する。この場合において、国家公務員共済組合法第九十九条第四項中「次の各号」とあるのは「第二号」と、「当該各号」とあるのは「同号」と読み替えるものとする。

第八章　旧適用法人施行日前期間を有する者で施行日以後に国家公務員共済組合の組合員となるもの等に関する経過措置

（旧適用法人施行日前期間を有する者が施行日以後に国家公務員共済組合の組合員となる場合の取扱い）

第三十二条　旧適用法人施行日前期間を有する者が、施行日以後に国家公務員共済組合の組合員となる場合において国家公務員共済組合連合会が支給する長期給付に関する次の表の第一欄に掲げる法令の規定の適用については、同表の第一欄に掲げる法令の同表の第二欄に掲げる規定中同表の第三欄に掲げる字句は、それぞれ同表の第四欄に掲げる字句とする。

平成二十四年一元化法改正前国共済法	第七十四条第二項	私立学校教職員共済法	この法律による年金である給付（厚生年金保険法等の一部を改正する法律（平成八年法律第八十二号。以下「平成八年改正法」という。）附則第十六条第三項若しくは第七項の規定により厚生年金保険の実施者たる政府が支給するものとされたもの又は平成八年改正法附則第三十二条第二項若しくは第四十九条第一項の規定により存続組合（平成八年改正法附則第三十二条第二項に規定する存続組合をいう。以下同じ。）若しくは指定基金（平成八年改正法附則第四十八条第一項に規定する指定基金をいう。以下同じ。）が支給するものとされたものに限る。）、私立学校教職員共済法
	第七十七条第四項	退職共済年金の受給権者	退職共済年金（平成八年改正法附則第十六条第三項の規定により厚生年金保険の実施者たる政府が支給するものとされたもの及び平成八年改正法附則第三十二条第二項又は第四十九条第一項の規定により存続組合又は指定基金が支給するものとされたものを除く。）の受給権者
	第七十九条第七項	又は厚生年金保険法	、厚生年金保険法
		老齢厚生年金	老齢厚生年金又は前条第一項の規定により加給年金額が加算された退職共済年金（平成八年改正法附則第十六条第三項の規定により厚生年金保険の実施者たる政

			府が支給するものとされたものに限る。）
	第八十四条第二項及び第八十五条第一項	係るもの	係るもの並びに平成八年改正法附則第十六条第三項の規定により厚生年金保険の実施者たる政府が支給するものとされたもの及び平成八年改正法附則第三十二条第二項又は第四十九条第一項の規定により存続組合又は指定基金が支給するものとされたもの
	第八十八条第一項第三号	障害共済年金	障害共済年金（平成八年改正法附則第十六条第三項の規定により厚生年金保険の実施者たる政府が支給するものとされたもの及び平成八年改正法附則第三十二条第二項又は第四十九条第一項の規定により存続組合又は指定基金が支給するものとされたものを除く。）
	第百十三条第一項	以外の期間が	以外の期間が平成八年改正法附則第二十四条第二項に規定する旧適用法人施行日前期間（平成八年改正法附則第三十一条第一号に規定する被保険者期間とみなされた組合員期間を除く。）又は
		日本私立学校振興・共済事業団	存続組合若しくは指定基金又は日本私立学校振興・共済事業団
	第百十三条第四項	又は私立学校教職員共済法	、この法律又は私立学校教職員共済法
	第百十四条の二	厚生年金保険法	存続組合が支給する年金たる長期給付、指定基金が支給する年金たる長期給付、厚生年金保険の実施者たる政府が支給する年金たる給付、厚生年金保険法
		厚生労働大臣	存続組合、指定基金、厚生労働大臣
平成二十四年一元化法改正前施行法	第七条第一項	次の期間は	次の期間（旧適用法人施行日前期間（厚生年金保険法等の一部を改正する法律（平成八年法律第八十二号）附則第二十四条第二項に規定する旧適用法人施行日前期間をいう。）を除く。以下この項において同じ。）は
平成二十七年改正前昭和六十一年経過措置政令	第二十六条第一項第二号ロ	組合員期間	組合員期間に旧適用法人施行日前期間（厚生年金保険法等の一部を改正する法律（平成八年法律第八十二号。以下「平成八年改正法」という。）附則第二十四条第二項に規定する旧適用法人施行日前期間をいう。）を加えた期間
		なつている期間	なつている期間（平成八年改正法附則第三十一条第一号に規定する被保険者期間とみなされた組合員期間を除く。）

（存続組合又は指定基金が支給する特例年金給付に係る地方公務員等共済組合法等の規定の技術的読替え）

第三十三条　存続組合又は指定基金が支給する特例年金給付に係る次の表の第一欄に掲げる法律の規定の適用については、同表の第一欄に掲げる法律の同表の第二欄に掲げる規定中同表の第三欄に掲げる字句は、それぞれ同表の第四欄に掲げる字句とする。

平成二十四年一元化法改正前地共済法	第八十一条第五項	老齢厚生年金	老齢厚生年金又は国家公務員共済組合法第七十八条第一項の規定により同項に規定する加給年金額が加算された退職共済年金（厚生年金保険法等の一部を改正する法律（平成八年法律第八十二号。以下この項及び第百四十四条の二十五の二において「平成八年改正法」という。）附則第三十二条第二項又は第四十九条第一項の規定により平成八年改正法附則第三十二条第二項に規定する存続組合又は平成八年改正法附則第四十八条第一項に規定する指定基金が支給するものとされたものに限る。）
	第九十九条の六第二項	遺族厚生年金	遺族厚生年金又は国家公務員共済組合法第九十条の規定によりその金額が加算された遺族共済年金（平成八年改正法附則第三十二条第二項又は第四十九条第一項の規定により平成八年改正法附則第三十二条第二項に規定する存続組合又は平成八年改正法附則第四十八条第一項に規定する指定基金が支給するものとされたものに限る。）
	第百四十四条の二十五の二	国の組合	国の組合（平成八年改正法附則第四十八条第一項に規定する指定基金を含む。）
平成二十四年一元化法附則第七十九条の規定によりなおその効力を有するものとされた平成二十四年一元化法第四条の規定による改正前の私立学校教職員共済法（昭和二十八年法律第二百四十五号）	第二十五条の表第七十四条第一号の項	他の法律に基づく共済組合が支給する年金である給付	他の法律に基づく共済組合が支給する年金である給付（厚生年金保険法等の一部を改正する法律（平成八年法律第八十二号）附則第四十八条第一項に規定する指定基金が同法附則第四十七条第一項に規定する特例業務として支給する年金たる長期給付を含む。以下この条及び次条において同じ。）
	第四十七条の二	他の法律に基づく共済組合が支給する年金である給付	他の法律に基づく共済組合が支給する年金である給付（厚生年金保険法等の一部を改正する法律（平成八年法律第八十二号。以下この条において「平成八年改正法」という。）附則第四十八条第一項に規定する指定基金が平成八年改正法附則第四十七条第一項に規定する特例業務として支給する年金たる長期給付を含む。）
		当該他の法律に基づく共済組合	当該他の法律に基づく共済組合（平成八年改正法附則

			第四十八条第一項に規定する指定基金を含む。）
平成二十四年一元化法附則第六十一条第一項の規定によりなおその効力を有するものとされた平成二十四年一元化法附則第百二条の規定（平成二十四年一元化法附則第一条第三号に掲げる改正規定を除く。）による改正前の地方公務員等共済組合法等の一部を改正する法律（昭和六十年法律第百八号）	附則第二十九条第五項	遺族厚生年金	遺族厚生年金又は国家公務員等共済組合法等の一部を改正する法律（昭和六十年法律第百五号）附則第二十八条第一項の規定によりその額が加算された遺族共済年金（厚生年金保険法等の一部を改正する法律（平成八年法律第八十二号。以下この項において「平成八年改正法」という。）附則第三十二条第二項又は第四十九条第一項の規定により平成八年改正法附則第三十二条第二項に規定する存続組合又は平成八年改正法附則第四十八条第一項に規定する指定基金が支給するものとされたものに限る。）
私立学校教職員共済法第四十八条の二の規定によりその例によるものとされた平成二十四年一元化法改正前昭和六十年改正法	附則第十一条第二項第一号	地方公務員等共済組合法（昭和三十七年法律第百五十二号）（第十一章を除く。以下この項及び第四項において同じ。）による年金	他の法律に基づく共済組合が支給する年金（厚生年金保険法等の一部を改正する法律（平成八年法律第八十二号。以下この号において「平成八年改正法」という。）附則第四十八条第一項に規定する指定基金が平成八年改正法附則第四十七条第一項に規定する特例業務として支給する年金たる長期給付を含む。以下この項及び第四項において同じ。）
	附則第十一条第二項第二号及び第三号並びに第四項	地方公務員等共済組合法による	他の法律に基づく共済組合が支給する

（経過措置に関する財務省令への委任）

第三十四条　第三条から前条までに定めるもののほか、平成八年改正法の施行に伴う経過措置に関し必要な事項は、財務省令で定める。

附　則

この政令は、平成九年四月一日から施行する。

附　則（平九・一二・一〇政令三五五）（抄）

（施行期日）

第一条　この政令は、平成十年一月一日から施行する。

附　則（平一一・九・三政令二六二）

この政令は、平成十二年四月一日から施行する。

附　則（平一二・三・三一政令一八一）（抄）

1　この政令は、公布の日から施行する。

附　則（平一二・三・三一政令一八二）（抄）

最終改正　平一六・九・二九政令二八六

（施行期日）

第一条　この政令は、平成十二年四月一日から施行する。〔ただし書略〕

（平成十二年度以後における退職年金の受給権者の在職中支給基本額等の算定に関する経過措置）

第九条　平成十二年改正法附則第七条第一項及び第二項の規定は、平成十二年度から平成十五年度までの各年度における改正後の昭和六十年改正法附則第三十六条第一項第一号（改正後の昭和六十年改正法附則第三十九条において読み替えて準用する場合を含む。）及び第四十四条第一項第一号、改正後の昭和六十一年経過措置政令第四十一条並びに改正後の平成九年経過措置政令第十三条第一項においてその例によることとされる改正後の法第七十七条第一項及び第二項、第八十二条第一項第一号、第八十九条第一項第一号（同号ロを除く。）及び第二号（同号ロを除く。）並びに附則第十二条の四の二第二項第二号の規定による金額を算定する場合について準用する。

2　平成十二年改正法附則第十一条第一項（第二号を除く。）から第三項まで並びに第十二条第一項（第二号を除く。）及び第三項から第五項までの規定は、平成十六年度以後の各年度における昭和六十年改正法附則第三十六条第一項第一号（昭和六十年改正法附則第三十九条において読み替えて準用する場合を含む。）及び第四十四条第一項第一号、改正後の昭和六十一年経過措置政令第四十一条並びに改正後の平成九年経過措置政令第十三条第一項においてその例によることとされる法第七十七条第一項及び第二項、第八十二条第一項第一号、第八十九条第一項第一号（同号ロを除く。）及び第二号（同号ロを除く。）並びに附則第十二条の四の二第二項第二号の規定による金額を算定する場合について準用する。

附　則（平一二・六・七政令三〇七）（抄）

（施行期日）

第一条　この政令は、平成十三年一月六日から施行する。〔ただし書略〕

附　則（平一二・六・七政令三二六）

この政令は、平成十三年一月六日から施行する。

附　則（平一二・六・二三政令三四六）（抄）

（施行期日）

第一条　この政令は、平成十三年四月一日から施行する。〔ただし書略〕

附　則（平一二・一二・二七政令五四三）（抄）

（施行期日）

1　この政令は、平成十三年四月一日から施行する。ただし、〔中略〕第三条中厚生年金保険法等の一部を改正する法律の施行に伴う国家公務員共済組合法による長期給付等に関する経過措置に関する政令第十二条第一項の表及び第三十二条の表の改正規定〔中略〕は、平成十三年一月六日から施行する。

附　則（平一三・一〇・一七政令三三二）（抄）

（施行期日）

第一条　この政令は、平成十四年四月一日から施行する。

附　則（平一三・一二・七政令三九一）

この政令は、平成十四年四月一日から施行する。

附　則（平一四・三・一三政令四三）（抄）

（施行期日）

第一条　この政令は、平成十四年四月一日から施行する。

附　則（平一四・一二・一八政令三八五）（抄）

（施行期日）

第一条　この政令は、平成十五年四月一日から施行する。

附　則（平一五・一・二九政令一六）（抄）

（施行期日）

第一条　この政令は、平成十五年四月一日から施行する。

附　則（平一六・三・一九政令四四）

この政令は、平成十六年四月一日から施行する。

附　則（平一六・九・二九政令二八六）（抄）

最終改正　平二六・三・二八政令八五

（施行期日）

第一条　この政令は、平成十六年十月一日から施行する。

（存続組合が支給する特例年金給付等の額の改定）

第九条　平成二十六年四月以後の月分の存続組合（厚生年金保険法等の一部を改正する法律（平成八年法律第八十二号。以下この項において「平成八年改正法」という。）附則第三十二条第二項に規定する存続組合をいう。）が支給する平成八年改正法附則第三十三条第一項に規定する特例年金給付（以下「特例年金給付」という。）の額を算定する場合における国共済法等の規定（同項に規定する国共済法等の規定をいう。）による年金たる長期給付について平成十六年改正法附則第二十五条の二の規定により読み替えられた平成十六年改正法附則第二十五条第一項の規定を適用する場合においては、同条第二項の規定によるほか、次の表の第一欄に掲げる法律の同表の第二欄に掲げる規定中同表の第三欄に掲げる字句は、それぞれ同表の第四欄に掲げる字句に読み替えて、同表の第一欄に掲げる法令の規定（他の法令において引用し、準用し、又はその例による場合を含む。）を適用する。

㊟続き⇩次頁

㊟前頁の続き

一 平成十六年改正法第一条の規定による改正前の法	附則第十二条の四の二第二項第一号	四百四十四月	四百八十月
	附則別表第四各号	平成十年四月以後　○・九八○	平成十年四月から平成十七年三月まで　○・九八○
			平成十七年四月から平成十八年三月まで　○・九八七
			平成十八年四月から平成十九年三月まで　○・九九○
			平成十九年四月から平成二十一年三月まで　○・九八八
			平成二十一年四月から平成二十二年三月まで　○・九七七
			平成二十二年四月から平成二十三年三月まで　○・九九一
			平成二十三年四月から平成二十四年三月まで　○・九九八
			平成二十四年四月から平成二十六年三月まで　一・○○一
			平成二十六年四月から平成二十七年三月まで　○・九九六
二 平成十六年改正法第七条の規定による改正前の国家公務員共済組合法の長期給付に関する施行法	第十一条第一項	三十七年	四十年
三 平成十六年改正法第九条の規定による改正前の昭和六十年改正法	附則第十六条第一項第一号	四百四十四月	四百八十月
	附則第十六条第一項第二号及び第三十八条第一項第二号	新国民年金法第二十七条本文に規定する老齢基礎年金の額（新国民年金法第十六条の二の規定による年金の額の改定の措置が講じられたときは、当該改定後の額）	七十七万二千八百円
	第二十八条第一項第一号	加算額（共済法第七十二条の二の規定による年金の額の改定の措置が講じられたときは、当該改定後の額）	加算額

2　平成二十六年四月以後の月分の存続組合が支給する特例年金給付の額について平成十六年改正法附則第二十五条の二の規定により読み替えられた平成十六年改正法附則第二十五条第一項の規定を適用する場合における第三条の規定による改正前の厚生年金保険法等の一部を改正する法律の施行に伴う国家公務員共済組合法による長期給付等に関する経過措置に関する政令（以下この条において「改正前の平成九年経過措置政令」という。）第十二条第三項の規定を適用する場合においては、同項中「乗じて得た金額」とあるのは「乗じて得た金額に〇・九六一を乗じて得た金額」と、「六十万三千二百円」とあるのは「五十七万九千七百円」とする。

3　平成二十六年四月以後の月分の存続組合が支給する特例年金給付の額について平成十六年改正法附則第二十五条の二の規定により読み替えられた平成十六年改正法附則第二十五条第一項の規定を適用する場合において、存続組合が支給する特例年金給付のうち法第八十七条の四に規定する公務等による障害共済年金について改正前の平成九年経過措置政令第十二条第一項の規定により読み替えられた法第八十七条の四の規定により支給を停止する金額は、当該公務等による障害共済年金の算定の基礎となった同条の平均標準報酬月額に十二を乗じて得た金額の百分の十九（その受給権者の同条の公務等傷病による障害の程度が同条の障害等級の一級に該当する場合にあっては、百分の二十八・五）に相当する金額に〇・九六一を乗じて得た金額とする。

4　平成二十六年四月以後の月分の存続組合が支給する特例年金給付の額について平成十六年改正法附則第二十五条の二の規定により読み替えられた平成十六年改正法附則第二十五条第一項の規定を適用する場合において、存続組合が支給する特例年金給付のうち法第八十七条の四に規定する公務等による障害共済年金について改正前の平成九年経過措置政令第十二条第一項の規定により読み替えられた法第八十七条の四の規定により支給を停止する金額を改正前の平成九年経過措置政令第十二条第五項の規定により算定する場合においては、同項中「乗じて得た金額」とあるのは、「乗じて得た金額に〇・九六一を乗じて得た金額」とする。

5　平成二十六年四月以後の月分の存続組合が支給する特例年金給付の額について平成十六年改正法附則第二十五条の二の規定により読み替えられた平成十六年改正法附則第二十五条第一項の規定を適用する場合において、存続組合が支給する特例年金給付のうち法第八十九条第二項に規定する公務等による遺族共済年金について改正前の平成九年経過措置政令第十二条第一項の規定により読み替えられた法第九十三条の三の規定により支給を停止する金額は、当該公務等による遺族共済年金の算定の基礎となった同条の平均標準報酬月額の千分の三・二〇六に相当する金額に三百を乗じて得た金額に〇・九六一を乗じて得た金額とする。

6　平成二十六年四月以後の月分の存続組合が支給する特例年金給付の額について平成十六年改正法附則第二十五条の二の規定により読み替えられた平成十六年改正法附則第二十五条第一項の規定を適用する場合において、存続組合が支給する特例年金給付のうち法第八十九条第二項に規定する公務等による遺族共済年金について改正前の平成九年経過措置政令第十二条第一項の規定により読み替えられた法第九十三条の三の規定により支給を停止する金額を改正前の平成九年経過措置政令第十二条第六項の規定により算定する場合においては、同項中「乗じて得た金額」とあるのは、「乗じて得た金額に〇・九六一を乗じて得た金額」とする。

7　平成二十六年四月以後の月分の存続組合が支給する特例年金給付の額について平成十六年改正法附則第二十五条の二の規定により読み替えられた平成十六年改正法附則第二十五条第一項の規定を適用する場合における同条第二項の規定により読み替えられた平成十六年改正法第一条の規定による改正前の法第七十七条第一項及び平成十六年改正法第九条の規定による改正前の昭和六十年改正法附則第十六条第一項第一号に規定する当該年度の国民年金法第二十七条に規定する改定率の改定の基準となる率に〇・九九〇を乗じて得た率として政令で定める率は〇・九九三とし、これらの規定に規定する当該改定後の率（〇・九六八）に当該政令で定める率を乗じて得た率を基準として政令で定める率は〇・九六一とする。

8　平成十九年四月以降の月分の存続組合が支給する特例年金給付（遺族特例年金給付に限る。）の額について平成十六年改正法附則第二十五条第一項の規定を適用する場合においては、同項中「改正後の国共済法等の規定にかかわらず、当該」とあるのは、「次項の規定により読み替えられた第一条の規定による改正前の法第八十九条の規定により算定した金額を基礎として第五条の規定による改正後の法の規定を適用して算定した」とする。この場合において、平成十六年改正法第五条の規定による改正後の法第八十九条第一項第一号イ中「次の(1)に掲げる金額に(2)」とあるのは「国家公務員共済組合法等の一部を改正する法律（平成十六年法律第百三十号）第一条の規定による改正前の法（以下この条において「改正前国共済法」という。）第八十九条第一項第一号イに掲げる金額に同号ロ」と、同号ロ中「次の(1)に掲げる金額に(2)」とあるのは「改正前国共済法第八十九条第一項第二号イに掲げる金額に同号ロ」と、同項第二号ロ中「第七十八条第一項」とあるのは「改正前国共済法第七十八条第一項」と、同条第三項中「を算定する場合における前二項の規定の適用については、第一項第一号イ(2)中「千分の一・〇九六」とあるのは「千分の一・四六六」と、「乗じて得た金額の四分の三に相当する金額」とあるのは「乗じて得た金額」と、同号ロ(2)中「次の(i)又は(ii)に掲げる者の区分に応じ、それぞれ(i)又は(ii)に定める金額の四分の三に相当する金額」とあるのは「(i)に定める金額」と、「組合員期間が二十年以上である者」とあるのは「第三項に規定する公務等による遺族共済年金の受給権者」と、「千分の一・〇九六」とあるのは「千分の二・四六六」と、「月数」とあるのは「月数（当該月数が三百月未満であるときは、三百月）」とあるのは「の算定については、改正前国共済法第八十九条第一項第一号ロ又は第二号ロに掲げる金額は、これらの規定にかかわらず、同条第二項の規定により算定した金額」と、同条第四項中「第一項第一号に定める金額又は第二項第一号イに掲げる第一項第一号ロの規定の例により算定した」とあるのは「前項の規定により算定した」と、「百三万八千百円に改定率を乗じて得た金額（その金額に五十円未満の端数があるときは、これを切り捨て、五十円以上百円未満の端数があるときは、これを百円に切り上げるものとする。）」とあるのは「改正前国共済法第八十九条第三項の規定による遺族共済年金の額」と、「これらの規定による金額」とあるのは「遺族共済年金の額」とする。

附　則（平一七・四・一政令一一八）（抄）

（施行期日）

第一条　この政令は、公布の日から施行する。

附　則（平一八・三・二九政令七六）

この政令は、平成十八年四月一日から施行する。

附　則（平一八・三・三一政令一五四）（抄）

（施行期日）

第一条　この政令は、平成十八年四月一日から施行する。〔ただし書略〕

附　則（平一九・三・三〇政令七七）（抄）

（施行期日）

第一条　この政令は、平成十九年四月一日から施行する。

附　則（平一九・八・三政令二三五）（抄）

（施行期日）

第一条　この政令は、平成十九年十月一日から施行する。〔ただし書略〕

附　則（平二一・三・三一政令七六）

この政令は、国家公務員退職手当法等の一部を改正する法律の施行の日（平成二十一年四月一日）から施行する。

附　則（平二一・一二・二八政令三一〇）（抄）

（施行期日）

第一条　この政令は、法の施行の日（平成二十二年一月一日）から施行する。

附　則（平二二・三・二六政令四二）

この政令は、平成二十二年四月一日から施行する。

附　則（平二五・三・二七政令八六）

この政令は、平成二十五年四月一日から施行する。

附　則（平二五・七・三一政令二二六）（抄）

（施行期日）

第一条　この政令は、被用者年金制度の一元化等を図るための厚生年金保険法等の一部を改正する法律附則第一条第三号に掲げる規定の施行の日（平成二十五年八月一日）から施行する。

附　則（平二五・七・三一政令二二七）（抄）

（施行期日）

1　この政令は、被用者年金制度の一元化等を図るための厚生年金保険法等の一部を改正する法律附則第一条第三号に掲げる規定の施行の日（平成二十五年八月一日）から施行する。

附　則（平二六・三・二四政令七三）（抄）

（施行期日）

第一条　この政令は、公的年金制度の健全性及び信頼性の確保のための厚生年金保険法等の一部を改正する法律（以下「平成二十五年改正法」という。）の施行の日（平成二十六年四月一日）から施行する

附　則（平二七・三・二七政令一〇三）

（施行期日）

1　この政令は、平成二十七年四月一日から施行する。

（国家公務員共済組合法による年金である給付の額等に関する経過措置）

2　平成二十七年三月以前の月分の国家公務員共済組合法による年金である給付の額及び国家公務員等共済組合法等の一部を改正する法律（昭和六十年法律第百五号）附則第二条第六号に規定する旧共済法による年金の額については、なお従前の例による。

附　則（平二七・九・三〇政令三四四）（抄）

（施行期日）

第一条　この政令は、平成二十七年十月一日から施行する。〔ただし書略〕

（特例年金給付の端数処理に関する経過措置）

第四条　第三条の規定による改正後の厚生年金保険法等の一部を改正する法律の施行に伴う国家公務員共済組合法による長期給付等に関する経過措置に関する政令第十二条第一項の規定により読み替えられた被用者年金制度の一元化等を図るための厚生年金保険法等の一部を改正する法律附則第三十七条第一項の規定によりなおその効力を有するものとされた同法第二条の規定による改正前の国家公務員共済組合法第百十五条第一項の規定は、平成二十八年四月以後の月分の年金の支払額について適用する。

附　則（平二八・三・三一政令一二九）（抄）

（施行期日等）

第一条　この政令は、平成二十八年四月一日から施行する。

2　〔前略〕第三条の規定による改正後の厚生年金保険法等の一部を改正する法律の施行に伴う国家公務員共済組合法による長期給付等に関する経過措置に関する政令第十七条の五の規定〔中略〕は、平成二十七年十月一日から適用する。

（国家公務員等共済組合法等の一部を改正する法律による年金である給付の額等に関する経過措置）

第二条　平成二十八年三月以前の月分の国家公務員等共済組合法等の一部を改正する法律（昭和六十年法律第百五号）附則第二条第六号に規定する旧共済法による年金及び厚生年金保険法等の一部を改正する法律（平成八年法律第八十二号）附則第三十三条第一項に規定する特例年金給付の額については、なお従前の例による。

附　則（平二九・七・二八政令二一四）（抄）

（施行期日等）

第一条　この政令は、平成二十九年八月一日から施行する。〔ただし書略〕

附　則（平三一・四・五政令一四六）（抄）

改正　令二・三・三一政令一三八

（施行期日等）

第一条　この政令は、平成三十年改正法の施行の日（令和二年四月一日）から施行する。

附　則（令二・四・一五政令一四四）

この政令は、公布の日から施行し、令和二年四月一日から適用する。

附　則（令四・三・二五政令一一八）（抄）

（施行期日）

第一条　この政令は、令和四年四月一日から施行する。

（平成八年改正法による退職特例年金給付の支給の繰下げ等に関する経過措置）

第二条　第二条の規定による改正後の平成九年経過措置政令第十二条第一項の規定により読み替えられた平成八年改正法附則第三十三条第一項の規定により適用するものとされた平成二十四年一元化法第二条の規定による改正前の国家公務員共済組合法

（以下「一元化前国共済法」という。）第七十八条の二第二項の規定は、この政令の施行の日（以下「施行日」という。）の前日において、旧適用法人施行日前期間（平成八年改正法附則第三条第八号に掲げる旧適用法人施行日前期間をいう。以下同じ。）を有する者に係る平成八年改正法附則第三十三条第五項第三号に規定する退職特例年金給付の受給権を取得した日から起算して五年を経過していない者について適用する。

2　第二条の規定による改正後の平成九年経過措置政令第十二条第二項の規定により読み替えられた国家公務員共済組合法施行令等の一部を改正する等の政令（平成二十七年政令第三百四十四号）第一条の規定による改正前の国家公務員共済組合法施行令（以下「一元化前国共済令」という。）第十一条の七の三の二第一項から第三項までの規定は、施行日の前日において、旧適用法人施行日前期間を有する者に係る平成八年改正法附則第三十三条第五項第三号に規定する退職特例年金給付の受給権を取得した日から起算して五年を経過していない者について適用する。

3　第二条の規定による改正後の平成九年経過措置政令第十二条第二項の規定により読み替えられた一元化前国共済令附則第六条の二の十及び第六条の二の十三の規定は、施行日の前日において、六十歳に達していない者について適用する。

4　第二条の規定による改正後の平成九年経過措置政令第十二条第一項の規定により読み替えられた平成八年改正法附則第三十三条第一項の規定により適用するものとされた一元化前国共済法第百十一条第一項（退職特例年金給付の返還を受ける権利に係る部分に限る。）及び第二項の規定は、施行日以後に生ずる当該権利について適用する。

附　則（令五・三・三〇政令一一九）（抄

（施行期日）

第一条　この政令は、令和五年四月一日から施行する。

（受給権を取得した日から起算して五年を経過した日後の平成八年改正法による退職特例年金給付の請求に関する経過措置）

第二条　第二条の規定による改正後の平成九年経過措置政令第十二条第三項の規定は、この政令の施行の日の前日において、平成八年改正法附則第三十三条第五項第三号に規定する退職特例年金給付の受給権を取得した日から起算して六年を経過していない者について適用する。

附　則（令六・四・二四政令一七四）

この政令は、日本電信電話株式会社等に関する法律の一部を改正する法律の施行の日〔令六・四・二五〕から施行する。

○被用者年金制度の一元化等を図るための厚生年金保険法等の一部を改正する法律の施行及び国家公務員の退職給付の給付水準の見直し等のための国家公務員退職手当法等の一部を改正する法律の一部の施行に伴う国家公務員共済組合法による長期給付等に関する経過措置に関する政令

平二七・九・三〇
政令三四五

最終改正 令六・三・二九政令一二七

内閣は、被用者年金制度の一元化等を図るための厚生年金保険法等の一部を改正する法律（平成二十四年法律第六十三号）の施行及び国家公務員の退職給付の給付水準の見直し等のための国家公務員退職手当法等の一部を改正する法律（平成二十四年法律第九十六号）の一部の施行に伴い、並びにこれらの法律及び関係法律の規定に基づき、この政令を制定する。

目次

第一章 総則

（趣旨）

第一条 この政令は、被用者年金制度の一元化等を図るための厚生年金保険法等の一部を改正する法律（以下「平成二十四年一元化法」という。）の施行及び国家公務員の退職給付の給付水準の見直し等のための国家公務員退職手当法等の一部を改正する法律（以下「退職給付水準見直し法」という。）の一部の施行に伴い、国家公務員共済組合連合会（以下「連合会」という。）が支給する平成二十四年一元化法の施行の日（以下「施行日」という。）前の期間を有する者に係る国家公務員共済組合法（昭和三十三年法律第百二十八号）による長期給付の支給要件、当該長期給付の額の算定、当該長期給付に係る費用の負担等に関し必要な経過措置を定めるものとする。

（用語の定義）

第二条 この政令において、次の各号に掲げる用語の意義は、それぞれ当該各号に定めるところによる。

一 改正前厚生年金保険法、旧厚生年金保険法、昭和六十年国民年金等改正法、改正前国共済法、改正前国共済施行法、旧国共済法、昭和六十年国共済改正法、改正前地共済法、改正前地共済施行法、旧地共済法、昭和六十年地共済改正法、改正前私学共済法、旧国家公務員共済組合員期間又は改正後厚生年金保険法 それぞれ平成二十四年一元化法附則第四条第一号から第九号まで若しくは第十一号又は第七条第一項に規定する改正前厚生年金保険法、旧厚生年金保険法、昭和六十年国民年金等改正法、改正前国共済法、改正前国共済施行法、旧国共済法、昭和六十年国共済改正法、改正前地共済法、改正前地共済施行法、旧地共済法、昭和六十年地共済改正法、改正前私学共済法、旧国家公務員共済組合員期間又は改正後厚生年金保険法をいう。

二 第一号厚生年金被保険者、第一号厚生年金被保険者期間、第二号厚生年金被保険者、第二号厚生年金被保険者期間、第三号厚生年金被保険者、第三号厚生年金被保険者期間、第四号厚生年金被保険者又は第四号厚生年金被保険者期間 それぞれ改正後厚生年金保険法第二条の五第一項各号に規定する第一号厚生年金被保険者、第一号厚生年金被保険者期間、第二号厚生年金被保険者、第二号厚生年金被保険者期間、第三号厚生年金被保険者、第三号厚生年金被保険者期間、第四号厚生年金被保険者又は第四号厚生年金被保険者期間をいう。

三 なお効力を有する改正前国共済法 平成二十四年一元化法附則第三十七条第一項の規定によりなおその効力を有するものとされた改正前国共済法をいう。

四 改正後国共済法 退職給付水準見直し法第五条の規定による改正後の国家公務員共済組合法をいう。

五 なお効力を有する改正前国共済施行法 平成二十四年一元化法附則第三十七条第一項の規定によりなおその効力を有す

るものとされた改正前国共済施行法をいう。

六　なお効力を有する改正前昭和六十年国共済改正法　平成二十四年一元化法附則第三十七条第一項の規定によりなおその効力を有するものとされた改正前昭和六十年国共済改正法（平成二十四年一元化法附則第九十八条の規定（平成二十四年一元化法附則第一条第三号に掲げる改正規定を除く。）による改正前の昭和六十年国共済改正法をいう。以下同じ。）をいう。

七　改正前国共済令　国家公務員共済組合法施行令等の一部を改正する等の政令（平成二十七年政令第三百四十四号。以下「平成二十七年国共済整備政令」という。）第一条の規定による改正前の国家公務員共済組合法施行令（昭和三十三年政令第二百七号）をいう。

八　なお効力を有する改正前国共済令　平成二十四年一元化法附則第三十七条第一項の規定によりなおその効力を有するものとされた改正前国共済令をいう。

九　改正後国共済令　平成二十七年国共済整備政令第一条の規定による改正後の国家公務員共済組合法施行令をいう。

第二章　給付の通則に関する経過措置

（改正後国共済法における報酬又は期末手当等に関する特例）

第三条　当分の間、改正後厚生年金保険法第三条第一項第三号に掲げる報酬若しくは同項第四号に掲げる賞与又は健康保険法（大正十一年法律第七十号）第三条第五項に規定する報酬若しくは同条第六項に規定する賞与のうちその全部又は一部が通貨以外のもので支払われる報酬又は賞与に相当するものとして財務大臣が定めるものは、改正後国共済法第二条第一項第五号に規定する報酬又は同項第六号に規定する期末手当等とみなす。

（改正後国共済法における標準報酬に関する経過措置）

第四条　平成二十八年八月までの各月の標準報酬の月額は、施行日前に改正前国共済法第四十二条第二項、第五項、第七項、第九項、第十一項又は第十三項の規定により定められ、又は改定された平成二十七年九月における標準報酬の月額とする。

（年金の支払の調整に係る経過措置）

第五条　次に掲げる年金である給付（以下この条において「乙年金」という。）の受給権者が第二号から第四号までに掲げる年金である給付のうち乙年金以外のもの（以下この条において「甲年金」という。）の受給権を取得したため乙年金の受給権が消滅し、又は同一人に対して乙年金の支給を停止して甲年金を支給すべき場合において、乙年金の受給権が消滅し、又は乙年金の支給を停止すべき事由が生じた月の翌月以後の分として、乙年金の支払が行われたときは、その支払われた乙年金は、甲年金の内払とみなす。

一　改正後厚生年金保険法による年金である保険給付（連合会が支給するものに限る。）

二　平成二十四年一元化法附則第三十六条第五項に規定する改正前国共済法による職域加算額（以下「改正前国共済法による職域加算額」という。）

三　平成二十四年一元化法附則第三十七条第一項に規定する給付

四　平成二十四年一元化法附則第四十一条第一項の規定により連合会が支給する年金である給付（以下「平成二十四年一元化法附則第四十一条年金」という。）

2　乙年金の受給権者が死亡したためその受給権が消滅したにもかかわらず、その死亡の日の属する月の翌月以後の分として乙年金の過誤払が行われた場合において、当該過誤払による返還金に係る債権（以下この項において「返還金債権」という。）に係る債務の弁済をすべき者に支払うべき甲年金があるときは、財務省令で定めるところにより、甲年金の支払金の金額を当該過誤払による返還金債権の金額に充当することができる。

3　甲年金及び乙年金がいずれも第一項第二号に掲げる年金である給付又はいずれも同項第三号に掲げる年金である給付であるときは、前二項の規定は、適用しない。

4　第一項に規定する内払又は第二項の規定による充当に係る額の計算に関し必要な事項は、財務省令で定める。

第三章　退職共済年金等に関する経過措置

第一節　施行日以後に支給する退職共済年金等の特例

（平成二十四年一元化法附則第三十六条第一項に規定する改正前支給要件規定に関する改正前国共済法等の規定の読替え）

第六条　平成二十四年一元化法附則第三十六条第一項の規定によりなおその効力を有するものとされた改正前国共済法、改正前国共済施行法及び改正前昭和六十年国共済改正法の規定の適用については、次の表の上欄に掲げる規定中同表の中欄に掲げる字句は、それぞれ同表の下欄に掲げる字句とする。

改正前国共済法第七十六条第一項	退職共済年金	旧職域加算退職給付（被用者年金制度の一元化等を図るための厚生年金保険法等の一部を改正する法律（平成二十四年法律第六十三号。以下「平成二十四年一元化法」という。）附則第三十六条第五項に規定する改正前国共済法による職域加算額のうち退職を給付事由とするものをいう。以下同じ。）
改正前国共済法第七十六条第二項	退職共済年金	旧職域加算退職給付
改正前国共済法第八十一条第一項	障害共済年金	旧職域加算障害給付（平成二十四年一元化法附則第三十六条第五項に規定する改正前国共済法による職域加算額のうち障害を給付事由とするものをいう。以下同じ。）
	支給する	支給する。ただし、当該傷病に係る初診日の前日において、当該初診日の属する月の前々月までに国民年金の被保険者期間があり、かつ、当該被保険者期間に係る保険料納付済期間（国民年金法第五条

		第二項に規定する保険料納付済期間をいう。以下同じ。）と保険料免除期間（同条第三項に規定する保険料免除期間をいう。以下同じ。）とを合算した期間が当該被保険者期間の三分の二に満たないとき（当該初診日の前日において当該初診日の属する月の前々月までの一年間のうちに当該保険料納付済期間及び当該保険料免除期間以外の国民年金の被保険者期間がないときを除く。）は、この限りでない
改正前国共済法第八十一条第二項	障害の程度に応じて重度のものから一級、二級及び三級とし、各級の障害の状態は、政令で定める	平成二十四年一元化法第一条の規定による改正後の厚生年金保険法第四十七条第二項に定めるところによる
改正前国共済法第八十一条第三項	障害共済年金	旧職域加算障害給付
改正前国共済法第八十一条第四項及び第五項	障害共済年金	旧職域加算障害給付
	支給する	支給する。ただし、当該傷病に係る初診日の前日において、当該初診日の属する月の前々月までに国民年金の被保険者期間があり、かつ、当該被保険者期間に係る保険料納付済期間と保険料免除期間とを合算した期間が当該被保険者期間の三分の二に満たないとき（当該初診日の前日において当該初診日の属する月の前々月までの一年間のうちに当該保険料納付済期間及び当該保険料免除期間以外の国民年金の被保険者期間がないときを除く。）は、この限りでない
改正前国共済法第八十一条第六項	障害共済年金	旧職域加算障害給付
改正前国共済法附則第十二条の二の二第一項及び第三項、第十二条の三、第十二条の六の二第一項及び第三項並びに第十二条の八第二項	退職共済年金	旧職域加算退職給付
改正前国共済施行法第二条第一号	国家公務員共済組合法	被用者年金制度の一元化等を図るための厚生年金保険法等の一部を改正する法律（平成二十四年法律第六十三号）附則第三十六条第一項の規定によりなおその効力を有するものとされた同法第二条の規定による改正前の国家公務員共済組合法
改正前昭和六十年国共済改正法附則第二条第八号	国家公務員共済組合法（昭和三十三年法律第百二十八号。以下附則第六十六条までにおいて「共済法」という	共済法（被用者年金制度の一元化等を図るための厚生年金保険法等の一部を改正する法律（平成二十四年法律第六十三号）附則第三十六条第一項の規定によりなおその効力を有するものとされた同法第二条の規定による改正前の国家公務員共済組合法（昭和三十三年法律第百二十八号）をいう。以下同じ
改正前昭和六十年国共済改正法附則第九条第一項	の共済法	の国家公務員共済組合法
改正前昭和六十年国共済改正法附則第十四条第一項	及び第十三条の五並びに	並びに
	第七十六条、第八十八条第一項第四号、附則第十二条の三、第十二条の六の二第一項、第十二条の八第一項、第二項及び	附則第十二条の八第二項

	第九項並びに第十三条の十第一項	
改正前昭和六十年国共済改正法附則第十四条第二項	二十五年	十年
	者（前項の規定の適用を受ける者を除く。）で	者で
	附則第十二条第一項各号（第八号から第十一号までを除く。）	附則第十二条第一項第二号から第七号まで、第十八号及び第十九号
	第八十八条第一項第四号、附則第十二条の三、第十二条の六の二第一項及び第十三条の十第一項	附則第十二条の三及び第十二条の六の二第一項
改正前昭和六十年国共済改正法附則第十四条第四項	二十五年	十年
	、附則第十二条の三及び第十三条の十第一項	及び附則第十二条の三
	みなす	みなす。この場合において、旧共済法第七十九条の二第二項第一号中「二十五年」とあるのは、「十年」とする

（平成二十四年一元化法附則第三十六条第三項に規定する改正前遺族支給要件規定に関する改正前国共済法等の規定の読替え）

第七条 平成二十四年一元化法附則第三十六条第三項の規定によりなおその効力を有するものとされた改正前国共済法、改正前国共済施行法及び改正前昭和六十年国共済改正法の規定の適用については、次の表の上欄に掲げる規定中同表の中欄に掲げる字句は、それぞれ同表の下欄に掲げる字句とする。

改正前国共済法第八十八条第一項	遺族共済年金	旧職域加算遺族給付（被用者年金制度の一元化等を図るための厚生年金保険法等の一部を改正する法律（平成二十四年法律第六十三号。以下「平成二十四年一元化法」という。）附則第三十六条第五項に規定する改正前国共済法による職域加算額（以下この項において「改正前国共済法による職域加算額」という。）のうち死亡を給付事由とするものをいう。以下同じ。）
	支給する	支給する。ただし、第一号又は第二号に該当する場合にあつては、死亡した者につき、当該者が死亡した日の前日において、当該死亡した日の属する月の前々月までに国民年金の被保険者期間があり、かつ、当該被保険者期間に係る保険料納付済期間（国民年金法第五条第二項に規定する保険料納付済期間をいう。）と保険料免除期間（同条第三項に規定する保険料免除期間をいう。）とを合算した期間が当該被保険者期間の三分の二に満たないときは、この限りでない
改正前国共済法第八十八条第一項第三号	障害共済年金	旧職域加算障害給付（改正前国共済法による職域加算額のうち障害を給付事由とするものをいう。）又は平成二十四年一元化法附則第三十七条第一項に規定する給付（障害を給付事由とするものに限る。）
改正前国共済法第八十八条第一項第四号	退職共済年金	旧職域加算退職給付（改正前国共済法による職域加算額のうち退職を給付事由とするものをいう。）又は平成二十四年一元化法附則第三十七条第一項に規定する給付（退職を給付事由とするものに限る。）
改正前国共済法第八十八条第二項	遺族共済年金	旧職域加算遺族給付
改正前国共済施行法第二条第一号	国家公務員共済組合法をいう	被用者年金制度の一元化等を図るための厚生年金保険法等の一部を改正する法律（平成二十四年法律第六十三号）附則第三十六条第一項又は第三項の規定によりなおその効力を有するものとされた同法

		第二条の規定による改正前の国家公務員共済組合法をいい、被用者年金制度の一元化等を図るための厚生年金保険法等の一部を改正する法律の施行及び国家公務員の退職給付の給付水準の見直し等のための国家公務員退職手当法等の一部を改正する法律の一部の施行に伴う国家公務員共済組合法による長期給付等に関する経過措置に関する政令（平成二十七年政令第三百四十五号）第六条又は第七条第一項の規定により読み替えられた規定にあつては、これらの規定による読替え後のものとする
改正前昭和六十年国共済改正法附則第二条第八号	国家公務員共済組合法（昭和三十三年法律第百二十八号。以下附則第六十六条までにおいて「共済法」という	共済法（被用者年金制度の一元化等を図るための厚生年金保険法等の一部を改正する法律（平成二十四年法律第六十三号。以下この号及び附則第十四条第五項において「平成二十四年一元化法」という。）附則第三十六条第一項又は第三項の規定によりなおその効力を有するものとされた平成二十四年一元化法第二条の規定による改正前の国家公務員共済組合法（昭和三十三年法律第百二十八号）をいい、被用者年金制度の一元化等を図るための厚生年金保険法等の一部を改正する法律の施行及び国家公務員の退職給付の給付水準の見直し等のための国家公務員退職手当法等の一部を改正する法律の一部の施行に伴う国家公務員共済組合法による長期給付等に関する経過措置に関する政令（平成二十七年政令第三百四十五号）第六条又は第七条第一項の規定により読み替えられた規定にあつては、これらの規定による読替え後のものとする。以下同じ
改正前昭和六十年国共済改正法附則第九条第一項	の共済法	の国家公務員共済組合法
改正前昭和六十年国共済改正法附則第十四条第二項	第十一号まで	第十一号まで及び第二十号
改正前昭和六十年国共済改正法附則第十四条第五項	前項	第三項
	退職共済年金又は遺族共済年金	平成二十四年一元化法附則第三十六条第五項に規定する改正前国共済法による職域加算額のうち死亡を給付事由とするもの

2　令和八年四月一日前に死亡した者の死亡について前項の規定により読み替えられた平成二十四年一元化法附則第三十六条第三項の規定によりなおその効力を有するものとされた改正前国共済法第八十八条第一項ただし書の規定を適用する場合には、同項ただし書中「満たないとき」とあるのは、「満たないとき（当該死亡した日の前日において当該死亡した日の属する月の前々月までの一年間（当該死亡した日において国民年金の被保険者でなかつた者については、当該死亡した日の属する月の前々月以前における直近の国民年金の被保険者期間に係る月までの一年間）のうちに当該保険料納付済期間及び当該保険料免除期間以外の国民年金の被保険者期間がないときを除く。）」とする。ただし、当該死亡に係る者が当該死亡した日において六十五歳以上であるときは、この限りでない。

3　平成二十四年一元化法附則第三十六条第三項の規定によりなおその効力を有するものとされた平成二十七年国共済整備政令第二条の規定による改正前の昭和六十一年国共済経過措置政令（国家公務員等共済組合法等の一部を改正する法律の施行に伴う経過措置に関する政令（昭和六十一年政令第五十六号）をいう。第十五条第二項及び第百三十九条において同じ。）第二十四条の規定の適用については、同条中「昭和六十年改正法附則第十四条第四項の規定により組合員期間等が二十五年以上である者でないものとみなされた者が死亡した場合における遺族共済年金に係る」とあるのは、「組合員期間等が二十五年以上である者で大正十五年四月一日以前に生まれたものが旧共済法、旧施行法及び国民年金等改正法附則第二条第一項の規定による廃止前の通算年金通則法（昭和三十六年法律第百八十一号）の規定の例によるとしたならば退職年金又は通算退職年金の支給を受けるべきこととなる場合以外の場合には、」とする。

（平成二十四年一元化法附則第三十六条第五項に規定する改正前国共済法による職域加算額に係る改正前国共済法等の規定の読替え）

第八条　平成二十四年一元化法附則第三十六条第五項の規定によりなおその効力を有するものとされた改正前国共済法、改正前国共済施行法及び改正前昭和六十年国共済改正法の適用については、同項の規定によるほか、次の表の上欄に掲げる規定中同表の中欄に掲げる字句は、それぞれ同表の下欄に掲げる字句とする。

改正前国共済法第二条第三項	子又は孫は、	夫、父母又は祖父母は五十五歳以上の者に、子又は孫は
	あつてまだ配偶者がな	あるか、又は二十歳未満で障害等級（被用者年金制度の一元化等を

	い者又は組合員若しくは組合員であつた者の死亡の当時から引き続き第八十一条第二項に規定する障害等級	図るための厚生年金保険法等の一部を改正する法律（平成二十四年法律第六十三号。以下「平成二十四年一元化法」という。）第一条の規定による改正後の厚生年金保険法（昭和二十九年法律第百十五号。以下「改正後厚生年金保険法」という。）第四十七条第二項に規定する障害等級をいう。以下同じ。）
	ある	あり、かつ、まだ配偶者がない
改正前国共済法第四十五条第一項	あるときは、前二条の規定に準じて、これを	あるときは、
	遺族（弔慰金又は遺族共済年金については、これらの給付に係る組合員であつた者の他の遺族）に支給し、支給すべき遺族がないときは、当該死亡した者の相続人に支給する	配偶者、子、父母、孫、祖父母若しくは兄弟姉妹又はこれらの者以外の三親等内の親族であつて、その者の死亡の当時その者と生計を同じくしていたものは、自己の名で、その未支給の給付の支給を請求することができる
改正前国共済法第四十六条第二項	その遺族若しくは相続人	その者の配偶者、子、父母、孫、祖父母若しくは兄弟姉妹若しくはこれらの者以外の三親等内の親族であつて、その者の死亡の当時その者と生計を同じくしていたもの
平成二十四年一元化法附則第三十六条第五項の規定により読み替えられた改正前国共済法第四十九条ただし書	退職共済年金	旧職域加算退職給付（平成二十四年一元化法附則第三十六条第五項に規定する改正前国共済法による職域加算額のうち退職を給付事由とするものをいう。以下同じ。）
	遺族共済年金	旧職域加算遺族給付（同項に規定する改正前国共済法による職域加算額のうち死亡を給付事由とするものをいう。以下同じ。）
平成二十四年一元化法附則第三十六条第五項の規定により読み替えられた改正前国共済法第五十条ただし書	退職共済年金	旧職域加算退職給付
	遺族共済年金	旧職域加算遺族給付
改正前国共済法第七十二条第一項	退職共済年金	旧職域加算退職給付
	障害共済年金	旧職域加算障害給付（平成二十四年一元化法附則第三十六条第五項に規定する改正前国共済法による
		職域加算額のうち障害を給付事由とするものをいう。以下同じ。）
	遺族共済年金	旧職域加算遺族給付
改正前国共済法第七十二条の二	、組合員期間	、旧国共済施行日前期間（平成二十四年一元化法附則第四条第十一号に規定する旧国家公務員共済組合員期間と平成二十四年一元化法附則第四十一条第一項に規定する追加費用対象期間（以下「追加費用対象期間」という。）を合算した期間をいう。以下同じ。）
	別表第二の各号に掲げる受給権者の区分に応じ、それぞれ当該各号に定める率	改正後厚生年金保険法第四十三条第一項に規定する再評価率
	当該組合員期間	当該旧国共済施行日前期間
改正前国共済法第七十四条第一項	退職共済年金	旧職域加算退職給付
	障害共済年金	旧職域加算障害給付
	遺族共済年金	旧職域加算遺族給付

改正前国共済法第七十四条第二項	退職共済年金の額のうち第七十七条第二項の規定により加算する金額（以下「退職共済年金の職域加算額」という。）に相当する金額	旧職域加算退職給付
	障害共済年金の額のうち第八十二条第一項第二号に掲げる金額（同条第二項又は第八十五条第二項（同条第三項において準用する場合を含む。）の規定により算定する金額（当該障害共済年金の額が第八十二条第三項の規定により算定されたものであるときは、同項各号に掲げる金額のうち政令で定める金額）を含む。以下「障害共済年金の職域加算額」という。）に相当する金額	旧職域加算障害給付
	遺族共済年金の額のうち第八十九条第一項第一号イ(2)若しくは同号ロ(2)に掲げる金額（同条第三項の規定により読み替えられたこれらの規定に掲げる金額（当該遺族共済年金の額が同条第四項の規定により算定されたものであるときは、同項に定める金額のうち政令で定める金額）を含む。以下「遺族共済年金の職域加算額」という。）に相当する金額	旧職域加算遺族給付
改正前国共済法第七十七条第二項	退職共済年金	旧職域加算退職給付
	前項の規定にかかわらず、同項の規定により算定した金額に次の	次の
	金額を加算した金額	金額
改正前国共済法第七十七条第二項各号	月数	月数と追加費用対象期間の月数を合算した月数
改正前国共済法第七十	退職共済年金	旧職域加算退職給付

七条第三項	がその権利を取得した日の翌日の属する月	の平成二十七年十月一日
改正前国共済法第七十八条の二第一項	退職共済年金	旧職域加算退職給付
	若しくは遺族共済年金	、遺族共済年金、旧職域加算障害給付若しくは旧職域加算遺族給付
改正前国共済法第七十八条の二第二項	申出を	申出（被用者年金制度の一元化等を図るための厚生年金保険法等の一部を改正する法律の施行及び国家公務員の退職給付の給付水準の見直し等のための国家公務員退職手当法等の一部を改正する法律の一部の施行に伴う国家公務員共済組合法による長期給付等に関する経過措置に関する政令（平成二十七年政令第三百四十五号。以下「平成二十七年経過措置政令」という。）第八条第三項の規定により前項の申出があつたものとみなされた場合における当該申出を除く。以下この項において同じ。）を
	同項	前項
	退職共済年金	旧職域加算退職給付
	五年を経過した日	十年を経過した日
改正前国共済法第七十八条の二第三項	申出を	申出（平成二十七年経過措置政令第八条第三項の規定により第一項の申出があつたものとみなされた場合における当該申出を含む。次項において同じ。）を
	退職共済年金	旧職域加算退職給付
改正前国共済法第七十八条の二第四項	退職共済年金の額	旧職域加算退職給付の額
	第七十七条第一項及び第二項並びに前条	第七十七条第二項
	これら	同項
	退職共済年金の受給権を取得した日の属する月の前月までの組合員期間	旧国共済施行日前期間
	第七十七条第一項及び第二項の	同項の
	並びに次条第二項の規定の例により算定したその支給の停止を行わないものとされた金額又は第八十条第一項の規定の例により支給を停止するものとされた金額を勘案して	を勘案して
改正前国共済法第八十条の二	退職共済年金	旧職域加算退職給付
改正前国共済法第八十二条第一項	障害共済年金の額	旧職域加算障害給付の額
	第一号に掲げる金額に第二号に掲げる金額を加算した金額とする。この場合において、障害共済年金の給付事由となつた障害について国民年金法	第二号

	による障害基礎年金が支給されない者に支給する障害共済年金については、第一号に掲げる金額が同法第三十三条第一項に規定する障害基礎年金の額に相当する額に四分の三を乗じて得た金額（その金額に五十円未満の端数があるときは、これを切り捨て、五十円以上百円未満の端数があるときは、これを百円に切り上げるものとする。）より少ないときは、当該金額を同号	

改正前国共済法第八十二条第一項第二号	月数（	月数と追加費用対象期間の月数を合算した月数（
改正前国共済法第八十二条第二項	障害共済年金の	旧職域加算障害給付の
	障害共済年金（	旧職域加算障害給付（
	公務等による障害共済年金	公務等による旧職域加算障害給付
	月数が	月数と追加費用対象期間の月数を合算した月数が
改正前国共済法第八十二条第三項	公務等による障害共済年金	公務等による旧職域加算障害給付
	障害共済年金を	旧職域加算障害給付を
	五十円	五十銭
	百円	一円
	とする。）	とする。）から厚生年金相当額（公務等による旧職域加算障害給付の受給権者が受ける権利を有する改正後厚生年金保険法による障害厚生年金の額（改正後厚生年金保険法第四十七条第一項ただし書

		（改正後厚生年金保険法第四十七条の二第二項、第四十七条の三第二項、第五十二条第五項及び第五十四条第三項において準用する場合を含む。以下この項及び第八十九条第四項において同じ。）の規定により改正後厚生年金保険法による障害厚生年金を受ける権利を有しないときは、改正後厚生年金保険法第四十七条第一項ただし書の規定の適用がないものとして改正後厚生年金保険法の規定の例により算定した額）、改正後厚生年金保険法による老齢厚生年金の額、改正後厚生年金保険法による遺族厚生年金の額（改正後厚生年金保険法第五十八条第一項ただし書の規定により改正後厚生年金保険法による遺族厚生年金を受ける権利を有しないときは、同項ただし書の規定の適用がないものとして改正後厚生年金保険法の規定の例により算定した額）若しくは改正後厚生年金保険法による年金たる保険給付に相当する給付として国家公務員共済組合法施行令等の一部を改正する等の政令（平成二十七年政令第三百四十四号）第一条の規定による改正後の国家公務員共済組合法施行令（昭和三十三年政令第二百七号。第八十九条第四項において「改正後国共済令」という。）第二十条各号に掲げる給付の額又はその者が二以上のこれらの年金である給付を併せて受

		けることができる場合におけるこれらの年金である給付の額の合計額のうち最も高い額をいう。）を控除して得た金額
	障害共済年金の	旧職域加算障害給付の
改正前国共済法第八十二条第四項	障害共済年金	旧職域加算障害給付
	とする	とし、これらの日が平成二十七年九月三十日以後にあるときは同日とする
改正前国共済法第八十四条第一項	障害共済年金の受給権者の障害の程度が減退した	旧職域加算障害給付の受給権者について、その障害の程度を診査し、その程度が従前の障害等級以外の障害等級に該当すると認める
	請求	請求（その者の障害の程度が増進したことが明らかである場合として財務省令で定める場合を除き、当該旧職域加算障害給付の受給権を取得した日又は当該診査を受けた日から起算して一年を経過した日後の請求に限る。）
	減退し、又は増進した後における障害の程度	障害の程度
	障害共済年金の額	旧職域加算障害給付の額
改正前国共済法第八十四条第二項及び第三項並びに第八十五条第一項	障害共済年金	旧職域加算障害給付
改正前国共済法第八十五条第二項	公務等による障害共済年金	公務等による旧職域加算障害給付
	公務等によらない障害共済年金	公務等によらない旧職域加算障害給付
	障害共済年金のうち	旧職域加算障害給付のうち
	障害共済年金をいう	旧職域加算障害給付をいう
	障害共済年金の額	旧職域加算障害給付の額
改正前国共済法第八十五条第三項	障害共済年金の	旧職域加算障害給付の
	公務等による障害共済年金	公務等による旧職域加算障害給付
	公務等によらない障害共済年金	公務等によらない旧職域加算障害給付
改正前国共済法第八十五条第四項から第六項まで、第八十六条及び第八十七条の三	障害共済年金	旧職域加算障害給付
改正前国共済法第八十七条の四	公務等による障害共済年金	公務等による旧職域加算障害給付
	算定される障害共済年金	算定される旧職域加算障害給付
改正前国共済法第八十九条第一項各号列記以外の部分及び同項第一号	遺族共済年金	旧職域加算遺族給付
改正前国共済法第八十九条第一項第一号イ	(1)に掲げる金額に(2)に掲げる金額を加算して得た	(2)に掲げる

改正前国共済法第八十九条第一項第一号イ(2)	月数（	月数と追加費用対象期間の月数を合算した月数（
改正前国共済法第八十九条第一項第一号ロ	(1)に掲げる金額に(2)に掲げる金額を加算した	(2)に掲げる
改正前国共済法第八十九条第一項第一号ロ(2)(i)	が二十年	、追加費用対象期間及び第二号厚生年金被保険者期間（改正後厚生年金保険法第二条の五第一項第二号に規定する第二号厚生年金被保険者期間をいう。以下同じ。）（平成二十四年一元化法附則第七条第一項の規定により当該期間とみなされた期間を除く。(ii)において同じ。）を合算した期間が二十年
	月数	月数と追加費用対象期間の月数を合算した月数
改正前国共済法第八十九条第一項第一号ロ(2)(ii)	が二十年	、追加費用対象期間及び第二号厚生年金被保険者期間を合算した期間が二十年
	月数	月数と追加費用対象期間の月数を合算した月数
改正前国共済法第八十九条第一項第二号	退職共済年金その他の退職又は老齢を給付事由とする年金である給付であつて政令で定めるもの（以下この条、次条及び第九十一条の二において「退職共済年金等」という。）のいずれか	旧職域加算退職給付
	が遺族共済年金	が旧職域加算遺族給付
改正前国共済法第八十九条第一項第二号イ(1)	退職共済年金	旧職域加算退職給付
改正前国共済法第八十九条第一項第二号イ(2)	金額から政令で定める額を控除した金額	金額
	金額に当該政令で定める額を加算した額	金額
改正前国共済法第八十九条第一項第二号ロ	遺族共済年金	旧職域加算遺族給付
	退職共済年金等の額の合計額（第七十八条第一項の規定又は他の法令の規定で同項の規定に相当するものとして政令で定めるものにより加給年金額が加算された退職共済年金等にあつては、これらの規定を適用しない額とする。以下同じ。）に相当する額から政令で定める額を控除した額	旧職域加算退職給付に相当する額
改正前国共済法第八十九条第三項	遺族共済年金（	旧職域加算遺族給付（
	額に政令で定める額を加算した額	額

	公務等による遺族共済年金	公務等による旧職域加算遺族給付
	前二項	第一項
	第一項第一号イ(2)	同項第一号イ(2)
	が二十年	、追加費用対象期間及び第二号厚生年金被保険者期間（改正後厚生年金保険法第二条の五第一項第二号に規定する第二号厚生年金被保険者期間をいう。以下同じ。）（平成二十四年一元化法附則第七条第一項の規定により当該期間とみなされた期間を除く。(ii)において同じ。）を合算した期間が二十年
	月数」	合算した月数」
	月数（	合算した月数（
改正前国共済法第八十九条第四項	遺族共済年金が公務等による遺族共済年金	旧職域加算遺族給付が公務等による旧職域加算遺族給付
	五十円	五十銭
	百円	一円
	とする。）	とする。）から厚生年金相当額（公務等による旧職域加算遺族給付の受給権者が受ける権利を有する改正後厚生年金保険法による遺族厚生年金の額（改正後厚生年金保険法第五十八条第一項ただし書の規定により改正後厚生年金保険法による遺族厚生年金を受ける権利を有しないときは、同項ただし書の規定の適用がないものとして改正後厚生年金保険法の規定の例により算定した額）、改正後厚生年金保険法による老齢厚生年金の額、改正後厚生年金保険法による障害厚生年金の額（改正後厚生年金保険法第四十七条第一項ただし書の規定により障害厚生年金を受ける権利を有しないときは、同項ただし書の規定の適用がないものとして改正後厚生年金保険法の規定の例により算定した額）若しくは改正後厚生年金保険法による年金たる保険給付に相当する給付として改正後国共済令第二十条各号に掲げる給付の額又はその者が二以上のこれらの年金である給付を併せて受けることができる場合におけるこれらの年金である給付の額の合計額のうち最も高い額をいう。）を控除して得た金額
改正前国共済法第八十九条第六項	前各項	第一項、第三項及び第四項
	遺族共済年金	旧職域加算遺族給付
改正前国共済法第八十九条の二第一項	遺族共済年金	旧職域加算遺族給付
	退職共済年金等のいずれか	旧職域加算退職給付
	とき、又は同条第二項第一号ロに掲げる金額が同号イに定める金額を上回るときは、それぞれ	ときは、
	金額又は同条第二項第二号に定める金額	金額
改正前国共済法第八十九条の二第三項	遺族共済年金が公務等による遺族共済年金	旧職域加算遺族給付が公務等による旧職域加算遺族給付
	前二項	第一項
	第一項中	同項中
	遺族共済年金（」とあるのは「遺族共済年金	旧職域加算遺族給付（」とあるのは「旧職域加算遺族給付

	と、前項中「前条第一項第二号」とあるのは「前条第三項の規定の適用後の同条第一項第二号」と、「遺族共済年金は」とあるのは「遺族共済年金（同条第四項の規定の適用があるものを含む。）は」と、「前条第一項第一号」とあるのは「前条第三項の規定の適用後の同条第一項第一号」と、「算定される金額」とあるのは「算定される金額（同条第四項の規定の適用があつ	とする
	たときは、同項の規定の適用後の金額とする。）」と、「同条第一項第二号イ」とあるのは「同条第三項の規定の適用後の同条第一項第二号イ」と、「掲げる金額」とあるのは「掲げる金額（同条第四項の規定の適用があつたときは、同項の規定の適用後の金額とする。）」とする	
改正前国共済法第九十一条の二第一項	遺族共済年金	旧職域加算遺族給付
	退職共済年金等のいずれか	旧職域加算退職給付
	退職共済年金	旧職域加算退職給付の額
	金等の額の合計額から政令で定める額を控除して得た金額（以下この項において「支給停止額」という。）	
	支給停止額	当該旧職域加算退職給付の額
	から政令で定める額を控除して得た金額を超える	を超える
	から当該政令で定める額を控除して得た金額に相当する金額を限度	を限度
改正前国共済法第九十一条の二第三項	前二項	第一項
	遺族共済年金	旧職域加算遺族給付
改正前国共済法第九十三条の二第一項	遺族共済年金	旧職域加算遺族給付

改正前国共済法第九十三条の二第二項	遺族共済年金	旧職域加算遺族給付
	二　障害等級の一級又は二級に該当する障害の状態にある子又は孫（十八歳に達する日以後の最初の三月三十一日までの間にある子又は孫を除く。）について、その事情がなくなつたとき。	二　障害等級の一級又は二級に該当する障害の状態にある子又は孫（十八歳に達する日以後の最初の三月三十一日までの間にある子又は孫を除く。）について、その事情がなくなつたとき。 三　子又は孫が、二十歳に達したとき。
改正前国共済法第九十三条の三	公務等による遺族共済年金	公務等による旧職域加算遺族給付
改正前国共済法第九十三条の四	遺族共済年金	旧職域加算遺族給付

改正前国共済法第九十三条の五第一項本文	第九十三条の九第一項第一号及び第二項第一号の規定により標準報酬の月額及び標準期末手当等の額	改正後厚生年金保険法第七十八条の六第一項第一号及び第二項第一号の規定により標準報酬（改正後厚生年金保険法第二十八条に規定する標準報酬をいう。以下この条、第九十三条の十三第一項及び第九十三条の十六第一項において同じ。）
	同条第一項第二号	改正後厚生年金保険法第七十八条の六第一項第二号
	標準報酬の月額及び標準期末手当等の額が改定され、	標準報酬が改定され、
	次の各号のいずれかに該当するときは	改正後厚生年金保険法第七十八条の二第一項の規定による標準報酬の改定又は決定の請求をしたときは、当該請求をしたときに
	組合員期間	旧国共済施行日前期間
	を請求することができる	の請求（以下「標準報酬改定請求」という。）があつたものとみなす
改正前国共済法第九十三条の九第一項	あつた	あつたものとみなされる
	組合員期間	旧国共済施行日前期間

改正前国共済法第九十三条の九第一項第一号	第一号改定者の改定前の標準報酬の月額（第七十三条の二第一項の規定により同項に規定する従前標準報酬の月額が当該月の標準報酬の月額とみなされた月にあつては、従前標準報酬の月額。次号において同じ。）に一から改定割合（按分割合を基礎として財務省令で定めるところにより算定した率をいう。以下同じ。）を控除して得た率を乗じて得た額	改正後厚生年金保険法第七十八条の六第一項第一号に定める額（第二号厚生年金被保険者期間に係るものに限る。）
改正前国共	第二号改定	改正後厚生年金保険法第七十八条

済法第九十三条の九第一項第二号	者の改定前の標準報酬の月額（標準報酬の月額を有しない月にあつては、零）に、第一号改定者の改定前の標準報酬の月額に改定割合を乗じて得た額を加えて得た額	の六第一項第二号に定める額（第二号厚生年金被保険者期間に係るものに限る。）
改正前国共済法第九十三条の九第二項	あつた	あつたものとみなされる
	組合員期間	旧国共済施行日前期間
改正前国共済法第九十三条の九第二項第一号	第一号改定者の改定前の標準期末手当等の額に一から改定割合を控除して得た率を乗じて得た額	改正後厚生年金保険法第七十八条の六第二項第一号に定める額（第二号厚生年金被保険者期間に係るものに限る。）
改正前国共済法第九十	第二号改定者の改定前	改正後厚生年金保険法第七十八条の六第二項第二号に定める額（第

三条の九第二項第二号	の標準期末手当等の額（標準期末手当等の額を有しない月にあつては、零）に、第一号改定者の改定前の標準期末手当等の額に改定割合を乗じて得た額を加えて得た額	二号厚生年金被保険者期間に係るものに限る。）
改正前国共済法第九十三条の九第三項	組合員期間	旧国共済施行日前期間
改正前国共済法第九十三条の九第四項	あつた	あつたものとみなされる
改正前国共済法第九十三条の十第一項	退職共済年金	旧職域加算退職給付
	組合員期間	旧国共済施行日前期間
	あつた	あつたものとみなされる

改正前国共済法第九十三条の十第二項	障害共済年金	旧職域加算障害給付
	組合員期間に	旧国共済施行日前期間に
	のあつた	のあつたものとみなされる
	組合員期間の	旧国共済施行日前期間の
	組合員期間で	旧国共済施行日前期間で
改正前国共済法第九十三条の十三第一項	定めるときは、組合	定めるときであつて、改正後厚生年金保険法第七十八条の十四第一項の規定による標準報酬の改定又は決定の請求をしたときは、組合
	組合員期間	旧国共済施行日前期間
	この条	この条及び第九十三条の十六
	を請求することができる	の請求があつたものとみなす
改正前国共済法第九十三条の十三第一項ただし書	をした	があつたものとみなされる
	障害共済年金	旧職域加算障害給付
改正前国共済法第九十	あつた	あつたものとみなされる

三条の十三第二項	組合員期間	旧国共済施行日前期間
	当該特定組合員の標準報酬の月額（第七十三条の二第一項の規定により同項に規定する従前標準報酬の月額が当該月の標準報酬の月額とみなされた月にあつては、従前標準報酬の月額）に二分の一を乗じて得た額	改正後厚生年金保険法第七十八条の十四第二項に定める額（第二号厚生年金被保険者期間に係るものに限る。）
改正前国共済法第九十三条の十三第三項	あつた	あつたものとみなされる
	組合員期間	旧国共済施行日前期間
	当該特定組合員の標準期末手当等の額に二分の一を乗じて得た額	改正後厚生年金保険法第七十八条の十四第三項に定める額（第二号厚生年金被保険者期間に係るものに限る。）
改正前国共済法第九十三条の十三第四項	組合員期間	旧国共済施行日前期間
改正前国共済法第九十三条の十三第五項	あつた	あつたものとみなされる
改正前国共済法第九十三条の十四第一項	退職共済年金	旧職域加算退職給付
	あつた	あつたものとみなされる
改正前国共済法第九十三条の十四第二項	障害共済年金	旧職域加算障害給付
改正前国共済法第九十三条の十六第一項	第九十三条の五第一項の規定による標準報酬の月額及び標準期末手当等の額	改正後厚生年金保険法第七十八条の二第一項の規定による標準報酬
	第九十三条の十三第一項	特定期間に係る旧国共済施行日前期間の標準報酬の月額及び標準期末手当等の額の改定及び決定
改正前国共済法第九十三条の十六第一項ただし書	障害共済年金	旧職域加算障害給付
改正前国共済法第九十三条の十六第二項	第九十三条の六第一項の対象期間標準報酬総額の基礎となる当該特定期間に係る組合員期間の標準報酬の月額（第七十三条の二第一項の規定により同項に規定する従前標準報酬の月額が当該月の標準報酬の月額とみなされた月にあつては、従前標準報酬の月額）及び標準期末手当等の額並びに第九十三条の九第一項	第九十三条の九第一項
	組合員期間の改定前	旧国共済施行日前期間の改定前

改正前国共済法第九十四条第二項	遺族共済年金	旧職域加算遺族給付
改正前国共済法第九十四条第三項	障害共済年金	旧職域加算障害給付
改正前国共済法第九十七条第一項	組合員期間	旧国共済施行日前期間
	退職共済年金の額のうち退職共済年金の職域加算額又は障害共済年金の額のうち障害共済年金の職域加算額に相当する金額	旧職域加算退職給付又は旧職域加算障害給付の額
改正前国共済法第九十七条第二項	遺族共済年金の受給権者	旧職域加算遺族給付の受給権者
	遺族共済年金の額のうち遺族共済年金の職域加算額に相当する金額	旧職域加算遺族給付の額
改正前国共済法第九十七条第三項	組合員期間	旧国共済施行日前期間
	退職共済年金の額のうち退職共済年金の職域加算額又は障害共済年金の額のうち障害共済年金の職域加算額に相当する金額	旧職域加算退職給付又は旧職域加算障害給付の額
改正前国共済法第九十七条第四項	退職共済年金	旧職域加算退職給付
	障害共済年金	旧職域加算障害給付
改正前国共済法第百十三条第一項及び第五項	退職共済年金	旧職域加算退職給付
	遺族共済年金	旧職域加算遺族給付
改正前国共済法第百十五条第一項	五十円	五十銭
	百円	一円
改正前国共済法第百二十四条の二第一項	政令で定めるもの（第四項	国家公務員共済組合法施行令第四十三条第一項に規定するもの（第四項
	）に使用される	）（他の法令の規定により国家公務員共済組合法第百二十四条の二第一項に規定する公庫等とみなされた法人を含む。第四項において同じ。）に使用される
	公庫等職員」という	公庫等職員」という。）（他の法令の規定により同項に規定する公庫等職員とみなされた者を含む。以下同じ
	政令で定めるもの（同項	同令第四十三条第二項に規定するもの（第四項
	「業務」と、第九十九条第二項中「及び国の負担金」とあるのは「、公庫等又は特定公庫等の負担金及び国の負担金」と、同項第二号及び第三号中「国の負担金」とあるのは「公庫等又は特定公庫等の負担金」と、第百二条第一	、「業務」

項中「各省各庁の長（環境大臣を含む。）、行政執行法人又は職員団体」とあり、及び「国、行政執行法人又は職員団体」とあるのは「公庫等又は特定公庫等」と、「第九十九条第二項（同条第五項から第七項までの規定により読み替えて適用する場合を含む。）」とあるのは「第九十九条第二項」と、同条第四項中「職員団体」とあるのは「公庫等若しくは特定公庫等」

改正前国共済法第百二十四条の三	別表第三に掲げるもの又は国立大学法人等に	国家公務員共済組合法別表第二に掲げるもの又は国立大学法人等に
	別表第三に掲げるもの及び同号	国家公務員共済組合法別表第二に掲げるもの及び同号
	国立研究開発法人森林総合研究所	国立研究開発法人森林研究・整備機構
	別表第三に掲げるもの及び国立大学法人等」	国家公務員共済組合法別表第二に掲げるもの及び国立大学法人等」
	と、第九十九条第一項第一号及び第三号中「行政執行法人の負担に係るもの」とあるのは「行政執行法人の負担に係るもの（第百二十四条の三の規定により読み替えられた第	とする

六項及び第七項において読み替えて適用する第四項の規定による独立行政法人のうち別表第三に掲げるもの及び国立大学法人等の負担に係るものを含む。）」と、同条第三項中「若しくは独立行政法人国立印刷局」とあるのは「、独立行政法人国立印刷局若しくは独立行政法人国立病院機構」と、同条第五項から第七項までの規定中「行政執行法人」とあるのは「行政執行法人、独立行政法

		人のうち別表第三に掲げるもの又は国立大学法人等」と、第百二条第一項及び第四項並びに第百二十二条中「行政執行法人」とあるのは「行政執行法人、独立行政法人のうち別表第三に掲げるもの、国立大学法人等」とする
改正前国共済法附則第十二条の二第二項	前項	平成二十七年経過措置政令第六条の規定により読み替えられた平成二十四年一元化法附則第三十六条第一項の規定によりなおその効力を有するものとされた前項
	又は第九条の二の二第一項	若しくは第九条の二の二第一項又は改正後厚生年金保険法附則第七条の三第一項
改正前国共済法附則第十二条の二第四項	前項	平成二十七年経過措置政令第六条の規定により読み替えられた平成二十四年一元化法附則第三十六条第一項の規定によりなおその効力を有するものとされた前項
	退職共済年金	旧職域加算退職給付
	第七十七条第一項及び第二項	第七十七条第二項
	これら	同項
改正前国共済法附則第十二条の五	退職共済年金	旧職域加算退職給付
改正前国共済法附則第十二条の六の二第二項	前項	平成二十四年一元化法附則第三十六条第一項の規定によりなおその効力を有するものとされた前項
	又は第九条の二の二第一項	若しくは第九条の二の二第一項又は改正後厚生年金保険法附則第十三条の四第一項
改正前国共済法附則第十二条の六の二第四項	前項	平成二十七年経過措置政令第六条の規定により読み替えられた平成二十四年一元化法附則第三十六条第一項の規定によりなおその効力を有するものとされた前項
	退職共済年金	旧職域加算退職給付
	第七十七条第一項及び第二項	第七十七条第二項
	これら	同項
改正前国共済法附則第十二条の八第三項	第一項又は前項	平成二十七年経過措置政令第六条の規定により読み替えられた平成二十四年一元化法附則第三十六条第一項の規定によりなおその効力を有するものとされた前項
	退職共済年金	旧職域加算退職給付
	附則第十二条の四の二第二項又は第三項	附則第十二条の四の二第三項
改正前国共済法附則第十二条の八第六項前段	、第十二条の七の四及び第十二条の七の六第一項の規定	の規定
	第一項又は第二項	第二項
改正前国共済法附則第十二条の八第七項	第一項又は第二項の規定	第二項の規定
	退職共済年金	旧職域加算退職給付
	第七十七条	第七十七条第二項

	第一項又は第二項	
	これら	同項
	附則第十二条の四の二第二項第二号に掲げる金額又は当該金額と同条第三項の規定により加算する金額との合算額	附則第十二条の四の二第三項の規定による金額
改正前国共済法附則第十二条の八の四及び第十二条の十第一項	退職共済年金	旧職域加算退職給付
改正前国共済法附則第十三条の三第一項	係る国家公務員法	係る国家公務員法等の一部を改正する法律（令和三年法律第六十一号）第一条の規定による改正前の国家公務員法（以下この項において「旧国家公務員法」という。）
	、国家公務員法	、旧国家公務員法
	（国家公務員法	（旧国家公務員法

	及び国家公務員法	及び旧国家公務員法
	退職共済年金	旧職域加算退職給付
改正前国共済法附則第十三条の三第二項及び第六項第二号	退職共済年金	旧職域加算退職給付
改正前国共済法附則第十三条の九第一項	第七十二条の三から第七十二条の六まで	適用する改正後厚生年金保険法（平成二十四年一元化法附則第三十六条第十一項の規定により適用するものとされた改正後厚生年金保険法をいい、平成二十七年経過措置政令第十二条第一項の規定により読み替えられた規定にあつては、同項の規定による読替え後のものとする。以下同じ。）第四十三条の二から第四十三条の五まで
改正前国共済法附則第十三条の九第二項	次の各号に掲げる	名目手取り賃金変動率が一を下回る
	第七十二条の三（第七十二条の四から第七十二条の六まで	適用する改正後厚生年金保険法第四十三条の二（適用する改正後厚生年金保険法第四十三条の三から第四十三条の五まで

	当該各号に定める率	名目手取り賃金変動率
	とする。 一　名目手取り賃金変動率が一を下回り、かつ、物価変動率が名目手取り賃金変動率を下回る場合　名目手取り賃金変動率 二　物価変動率が一を下回り、かつ、物価変動率が名目手取り賃金変動率を上回る場合　物価変動率	とする。
改正前国共済法附則第十三条の九第三項	物価変動率が	物価変動率（物価変動率が名目手取り賃金変動率を上回るときは、名目手取り賃金変動率。以下この項及び第五項において同じ。）が

	第七十二条の四（第七十二条の六	適用する改正後厚生年金保険法第四十三条の三（適用する改正後厚生年金保険法第四十三条の五
改正前国共済法附則第十三条の九第四項	次の各号に掲げる	名目手取り賃金変動率が一を下回る
	第七十二条の五（第七十二条の六	適用する改正後厚生年金保険法第四十三条の四（適用する改正後厚生年金保険法第四十三条の五
	当該各号に定める率	名目手取り賃金変動率
	とする。 一　名目手取り賃金変動率が一を下回り、かつ、物価変動率が名目手取り賃金変動率以下となる場合　名目手取り賃金変動率 二　名目手取り賃金変動率が一を下回り、かつ、物価変動率が名目手取り賃金変動率を上回る場合（物価変動率が一を上回る場合を除く。）　物価変動率	とする。
改正前国共済法附則第十三条の九第五項	第七十二条の六	適用する改正後厚生年金保険法第四十三条の五
改正前国共済法附則第十三条の九の三	退職共済年金	旧職域加算退職給付
改正前国共済法附則第十三条の九の四	、第十二条の四の二第二項第一号、第十二条の四の三第一項及び第十三条の十第一項の規定	の規定
改正前国共済施行法第二条第一号	国家公務員共済組合法	被用者年金制度の一元化等を図るための厚生年金保険法等の一部を改正する法律（平成二十四年法律第六十三号）附則第三十六条第一項、第三項又は第五項の規定によりなおその効力を有するものとされた同法第二条の規定による改正前の国家公務員共済組合法をいい、被用者年金制度の一元化等を図るための厚生年金保険法等の一部を改正する法律の施行及び国家公務員の退職給付の給付水準の見直し等のための国家公務員退職手当法等の一部を改正する法律の一部の施行に伴う国家公務員共済組合法による長期給付等に関する経過措置に関する政令（平成二十七年政令第三百四十五号）第六条、第七条第一項又は第八条第一項の規定により読み替えられた規定にあつては、これらの規定による読替え後のものとする
	をいう	
改正前昭和六十年国共済改正法附則第二条第八号	国家公務員共済組合法（昭和三十三年法律第百二十八号。以下附則第六十六条までにおいて「共済法」という	共済法（被用者年金制度の一元化等を図るための厚生年金保険法等の一部を改正する法律（平成二十四年法律第六十三号。以下「平成二十四年一元化法」という。）附則第三十六条第一項、第三項又は第五項の規定によりなおその効力を有するものとされた平成二十四年一元化法第二条の規定による改正前の国家公務員共済組合法（昭和三十三年法律第百二十八号）をいい、被用者年金制度の一元化等を図るための厚生年金保険法等の一部を改正する法律の施行及び国

		家公務員の退職給付の給付水準の見直し等のための国家公務員退職手当法等の一部を改正する法律の一部の施行に伴う国家公務員共済組合法による長期給付等に関する経過措置に関する政令（平成二十七年政令第三百四十五号）第六条、第七条第一項又は第八条第一項の規定により読み替えられた規定にあつては、これらの規定による読替え後のものとする。以下同じ
改正前昭和六十年国共済改正法附則第九条第一項	の共済法	の国家公務員共済組合法
改正前昭和六十年国共済改正法附則第十五条第一項	規定中「千分の五・四八一」とあるのは同表の第二欄に掲げる割合に、	規定中
改正前昭和六十年国共済改正法附則第十五条第二項	遺族共済年金	旧職域加算遺族給付（平成二十四年一元化法附則第三十六条第五項に規定する改正前国共済法による職域加算額（附則第十八条及び第三十二条第一項において「改正前国共済法による職域加算額」という。）のうち死亡を給付事由とするものをいう。以下同じ。）
改正前昭和六十年国共済改正法附則第十五条第三項	共済法第七十七条第一項（共済法第七十八条の二第四項においてその例による場合を含む。）並びに共済法附則第十二条の七の二第二項及び第十二条の八第三項においてその例によるものとされた共済法附則第十二条の四の二第二項中「千分の五・四八一」とあるのは「千分の七・三〇八」と、共済法	共済法
改正前昭和六十年国共済改正法附則第十八条	支給する退職共済年金	支給する旧職域加算退職給付（改正前国共済法による職域加算額のうち退職を給付事由とするものをいう。以下同じ。）
	遺族共済年金	旧職域加算遺族給付
	当該退職共済年金	当該旧職域加算退職給付
	組合員期間には	旧国共済施行日前期間（平成二十四年一元化法附則第四条第十一号に規定する旧国家公務員共済組合員期間と平成二十四年一元化法附則第四十一条第一項に規定する追加費用対象期間を合算した期間をいう。以下同じ。）には
改正前昭和六十年国共済改正法附則第十九条第一項	退職共済年金	旧職域加算退職給付
	組合員期間には	旧国共済施行日前期間には
改正前昭和六十年国共済改正法附則第三十二条第一項	組合員期間	旧国共済施行日前期間
改正前昭和六十年国共済改正法附則第三十二条第一項ただし書	公務等による障害共済年金	公務等による旧職域加算障害給付
	公務等による遺族共済年金	公務等による旧職域加算遺族給付
改正前昭和	組合員期間	旧国共済施行日前期間

六十年国共済改正法附則第三十二条第二項		
改正前昭和六十年国共済改正法附則第三十二条第三項	退職共済年金の職域加算額	旧職域加算退職給付
	障害共済年金の職域加算額	旧職域加算障害給付
	遺族共済年金の職域加算額	旧職域加算遺族給付
	組合員期間	旧国共済施行日前期間

2　平成二十四年一元化法附則第三十六条第五項の規定によりなおその効力を有するものとされた改正前国共済令の規定の適用については、次の表の上欄に掲げる改正前国共済令の規定中同表の中欄に掲げる字句は、それぞれ同表の下欄に掲げる字句とする。

第一条	国家公務員共済組合法（以下「法」という	法（被用者年金制度の一元化等を図るための厚生年金保険法等の一部を改正する法律（平成二十四年法律第六十三号。以下「平成二十四年一元化法」という。）附則第三十六条第一項、第三項又は第五項の規定によりなおその効力を有するものとされた平成二十四年一元化法第二条の規定による改正前の国家公務員共済組合法をいい、被用者年金制度の一元化等を図るための厚生年金保険法等の一部を改正する法律の施行及び国家公務員の退職給付の給付水準の見直し等のための国家公務員退職手当法等の一部を改正する法律の一部の施行に伴う国家公務員共済組合法による長期給付等に関する経過措置に関する政令（平成二十七年政令第三百四十五号。以下「平成二十七年経過措置政令」という。）第六条、第七条第一項又は第八条第一項の規定により読み替えられた規定にあつては、これらの規定による読替え後のものとする。以下同じ
	国家公務員共済組合法の長期給付に関する施行法（昭和三十三年法律第百二十九号。以下「施行法」という	施行法（平成二十四年一元化法附則第三十六条第五項の規定によりなおその効力を有するものとされた平成二十四年一元化法附則第九十七条の規定による改正前の国家公務員共済組合法の長期給付に関する施行法（昭和三十三年法律第百二十九号）をいう。以下同じ
第十一条の七の三の二第一項	、退職共済年金	、旧職域加算退職給付（法第七十六条第一項に規定する旧職域加算退職給付をいう。以下同じ。）
	の組合員期間	の旧国共済施行日前期間（平成二十四年一元化法附則第四条第十一号に規定する旧国家公務員共済組合員期間と平成二十四年一元化法附則第四十一条第一項に規定する追加費用対象期間を合算した期間をいう。以下同じ。）
	基礎として法第七十七条第一項の規定により算定した金額に次項の規定により算定した平均支給率を乗じて得た金額（昭和六十年改正法附則第十六条第一項の規定が適用される場合にあつては、当該乗じて得た金額に受給権取得月前組合員期間を基礎として同項の規定の例により算定した金額を加算した金額）と	基礎として
	おいて退職	おいて旧職域加算退職給付

	共済年金	
	の申出	に規定する支給繰下げの申出（平成二十七年経過措置政令第八条第三項の規定により法第七十八条の二第一項の申出があつたものとみなされた場合における当該申出を含む。第四項において同じ。）
	六十月	百二十月
第十一条の七の三の二第三項	五年	十年
	退職共済年金	旧職域加算退職給付
	が前項第一号に該当する	に当該者が組合員である
	が同号に該当しない	に当該者が組合員でない
第十一条の七の三の二第四項	退職共済年金の受給権者	旧職域加算退職給付の受給権者
	第七十七条第二項の規定により加算する金額」	旧職域加算退職給付」
	第七十七条	旧職域加算退職給付（当該職域加
	第二項の規定により加算する金額に当該金額に	算退職給付に被用者年金制度の一元化等を図るための厚生年金保険法等の一部を改正する法律の施行及び国家公務員の退職給付の給付水準の見直し等のための国家公務員退職手当法等の一部を改正する法律の一部の施行に伴う国家公務員共済組合法による長期給付等に関する経過措置に関する政令（平成二十七年政令第三百四十五号）第八条第二項の規定により読み替えられた平成二十四年一元化法附則第三十六条第五項の規定によりなおその効力を有するものとされた国家公務員共済組合法等の一部を改正する等の政令（平成二十七年政令第三百四十四号）第一条の規定による改正前の
	」と、第十一条の十第一項中「退職共済年金の職域加算額（法第七十四条第二項	をいう。以下同じ。）」と、第十一条の十第一項中「旧職域加算退職給付
	退職共済年金の職域加算額（第十一条の七の三の二第四項の規定により読み替	旧職域加算退職給付（当該旧職域加算退職給付に第十一条の七の三の二第三項の規定により算定した平均支給率を乗じて得た金額に同条第一項に規定する増額率を乗じて得た金額を加算した金額とする。以下同じ。）
	えて適用する法第七十四条第二項	
第十一条の七の八第一項	障害共済年金	旧職域加算障害給付（法第八十一条第一項に規定する旧職域加算障害給付をいう。以下同じ。）
第十一条の七の八第二項	障害共済年金の	旧職域加算障害給付の
	障害共済年金（	旧職域加算障害給付（
	併合障害共済年金	併合旧職域加算障害給付
第十一条の七の八第三項	加算された障害共済年金	加算された旧職域加算障害給付
	第一号に掲げる金額は法第八十二条第一項第一号に掲げる金額の一部であるものと、第二号	第二号
	同項第二号	法第八十二条第一項第二号
	それぞれみなして	みなして

第十一条の七の八第三項第一号	併合障害共済年金	併合旧職域加算障害給付
	支給される障害共済年金	支給される旧職域加算障害給付
第十一条の七の九	障害共済年金	旧職域加算障害給付
第十一条の八の十三第一項	又は第二項の規定	の規定
	遺族共済年金は	旧職域加算遺族給付（法第八十八条第一項に規定する旧職域加算遺族給付をいう。以下同じ。）は
	遺族共済年金の	旧職域加算遺族給付の
	退職共済年金等のいずれか	旧職域加算退職給付
第十一条の八の十四第一項	遺族共済年金	旧職域加算遺族給付
	退職共済年金等のいずれか	旧職域加算退職給付
第十一条の八の十四第二項	又は第二項の規定	の規定

	遺族共済年金	旧職域加算遺族給付
第十一条の八の二十	退職共済年金	旧職域加算退職給付
第十一条の八の二十一の表法第八十五条第五項の項、第十一条の八の二十六、第十一条の八の二十七第一項の表法第八十五条第五項及び第十一条の八の二十九	障害共済年金	旧職域加算障害給付
第十一条の十第一項	退職共済年金の職域加算額又は障害共済年金の職域加算額（法第七十四条第二項に規定する障害共済年金の職域加算額をいう。以下同	旧職域加算退職給付又は旧職域加算障害給付

	じ。）に相当する金額	
第十一条の十第一項第二号	月数（国家公務員法第八十一条の四第一項の規定により採用された職員又はこれに相当する職員（以下この号及び第四号において「再任用職員等」という。）である組合員（職員でなくなつたことにより当該職員が退職手当（国家公務員退職手当法（昭和二十八年法律第百八十二号）の規定による退職手当をいう。以下この号及び第	月数

	四号において同じ。）又はこれに相当する給付の支給を受けることができる場合における当該職員でなくなつた日又はその翌日に再任用職員等となつた組合員を除く。）が退職手当又はこれに相当する給付の額の算定の基礎となる職員としての引き続く在職期間中の行為に関する懲戒処分によつて退職した場合にあつては、当該引き続く在職期間に係る組合員期間の月数と当該再任用職員等としての在職期間に係る組合員期間の月数とを合算した月数）	
	退職共済年金の職域加算額又は障害共済年金の職域加算額に相当する金額	旧職域加算退職給付又は旧職域加算障害給付
第十一条の十第一項第三号	退職共済年金の職域加算額又は障害共済年金の職域加算額に相当する金額	旧職域加算退職給付又は旧職域加算障害給付
第十一条の十第一項第四号	退職手当又は	国家公務員退職手当法（昭和二十八年法律第百八十二号）の規定による退職手当又は
	月数（当該職員である組合員が当該引き続く在職期間の末日以後に再任用職員等である組合員となつた場合にあつては、当該引き続く在職期間に係る組合員期間の月数と当該再任用職員等としての在職期間に係る組合員期間の月数とを合算した月数）	月数
	退職共済年金の職域加算額又は障害共済年金の職域加算額に相当する金額	旧職域加算退職給付又は旧職域加算障害給付
第十一条の十第二項	遺族共済年金の受給権者	旧職域加算遺族給付の受給権者
	遺族共済年金の職域加算額（	旧職域加算遺族給付（
	又は第二項第二号の規定	の規定

	遺族共済年金の額	旧職域加算遺族給付の額
	同条第一項第二号	同号
	退職共済年金又は地方公務員等共済組合法による退職共済年金	旧職域加算退職給付
	遺族共済年金の職域加算額に相当する	旧職域加算遺族給付の
	退職共済年金の職域加算額に相当する金額の二分の一に相当する金額又は地方退職共済年金の職域加算額に相当する	旧職域加算退職給付の
第十一条の十第三項	、法第七十九条第一項若しくは附則第十二条	又は法第九十一条第一項から第三項まで

	の七の四第一項の規定、法第八十七条第一項若しくは第四項の規定又は法第九十一条第一項から第三項まで若しくは第九十二条第一項	
	退職共済年金の職域加算額、障害共済年金の職域加算額又は遺族共済年金の職域加算額に相当する金額	旧職域加算退職給付、旧職域加算障害給付又は旧職域加算遺族給付
第十一条の十第四項	退職共済年金、障害共済年金若しくは遺族共済年金	旧職域加算退職給付、旧職域加算障害給付又は旧職域加算遺族給付
	、法第七十九条第一項若しくは附則第十二条	若しくは

	の七の四第一項若しくは	
	、法第八十七条第一項若しくは第四項の規定又は法第九十一条第一項から第三項まで若しくは第九十二条第一項	又は法第九十一条第一項から第三項まで
	退職共済年金の職域加算額、障害共済年金の職域加算額又は遺族共済年金の職域加算額に相当する金額	旧職域加算退職給付、旧職域加算障害給付又は旧職域加算遺族給付
第十一条の十第五項	同号及び	同項第三号に規定する停職の期間の月数又は
	月数若しくは再任用職員等としての在職期間に係る組合員期間の月	

	数又は同項第三号に規定する停職の期間の月数	月数
附則第六条の二の十第一項及び第六条の二の十三第一項	組合員期間	組合員期間のうち旧国共済施行日前期間
	法第七十七条第一項及び第二項	法第七十七条第二項
	千分の五	千分の四
附則第六条の二の十三第二項第一号	組合員期間	組合員期間のうち旧国共済施行日前期間
附則第六条の二の十三第二項第二号	組合員期間	組合員期間のうち旧国共済施行日前期間
	千分の五	千分の四
附則第六条の二の十三第四項	組合員期間	組合員期間のうち旧国共済施行日前期間

3　第一項の規定により読み替えられた改正前国共済法第七十八条の二第一項の規定により旧職域加算退職給付（改正前国共済法による職域加算額のうち退職を給付事由とするものをいう。以下この項及び次条において同じ。）の支給繰下げの申出をすることができる者が、その受給権を取得した日から起算して五年を経過した日後に当該旧職域加算退職給付を請求し、かつ、当該請求の際に第一項の規定により読み替えられた改正前国共済法第七十八条の二第一項の申出をしないときは、当該請求をした日の五年前の日に同項の申出があったものとみなす。ただし、その者が次の各号のいずれかに該当する場合は、この限りでない。

一　当該旧職域加算退職給付の受給権を取得した日から起算して十五年を経過した日以後にあるとき。

二　当該請求をした日の五年前の日以前に第一項の規定により読み替えられた改正前国共済法第七十八条の二第一項に規定する他の年金である給付の受給権者であったとき。

（併給の調整に関する経過措置）

第九条　次の各号に掲げる年金に係る前条第一項の規定により読み替えられた平成二十四年一元化法附則第三十六条第五項の規定によりなおその効力を有するものとされた改正前国共済法第七十四条第一項及び第二項の規定の適用については、当該各号に掲げる年金は、当該各号に定める年金であるものとみなし、当該各号に掲げる年金でないものとみなす。

一　老齢厚生年金（第二号厚生年金被保険者期間に基づくものに限る。）　旧職域加算退職給付

二　老齢厚生年金（第三号厚生年金被保険者期間に基づくものに限る。）　地方公務員等共済組合法（昭和三十七年法律第百五十二号）による年金である給付（旧職域加算退職給付に相当するものに限る。）

三　障害厚生年金（第二号厚生年金被保険者期間を有する者に係るものに限る。）　旧職域加算障害給付（改正前国共済法による職域加算額のうち障害を給付事由とするものをいう。次号において同じ。）

四　障害厚生年金（第三号厚生年金被保険者期間を有する者に係るものに限る。）　地方公務員等共済組合法による年金である給付（旧職域加算障害給付に相当するものに限る。）

五　遺族厚生年金（第二号厚生年金被保険者期間を有する者の遺族に係るものに限る。）　旧職域加算遺族給付（改正前国共済法による職域加算額のうち死亡を給付事由とするものをいう。次号において同じ。）

六　遺族厚生年金（第三号厚生年金被保険者期間を有する者の遺族に係るものに限る。）　地方公務員等共済組合法による年金である給付（旧職域加算遺族給付に相当するものに限る。）

第十条　厚生年金保険法（昭和二十九年法律第百十五号）第五十八条第一項第四号に該当することにより支給される遺族厚生年金の受給権者が、当該遺族厚生年金と同一の給付事由に基づく改正前国共済法による職域加算額（平成二十四年一元化法附則第三十六条第三項の規定によりなおその効力を有するものとされた改正前国共済法第八十八条第一項第一号から第三号までのいずれかに該当することにより支給されるものに限る。）を受けることができるときは、その該当する間、当該改正前国共済法による職域加算額は、その支給を停止する。

2　平成二十四年一元化法附則第三十六条第五項の規定によりなおその効力を有するものとされた改正前国共済法第七十四条第三項から第六項までの規定は、前項の場合について準用する。

（改正前国共済法による職域加算額について適用しない改正前国共済法等の規定）

第十一条　平成二十四年一元化法附則第三十六条第十項に規定する政令で定める規定は、同条第五項の規定によりなおその効力を有するものとされた改正前国共済法第四十三条、第四十四条、第六十六条第四項及び第七項から第十項まで、第七十二条の三から第七十二条の六まで、第七十七条第一項及び第四項、第七十八条、第七十九条、第八十条、第八十二条第一項第一号、第八十三条、第八十七条、第八十七条の二、第八十九条第一項第一号イ(1)及びロ(1)、第二項並びに第五項、第八十九条の二第二項、第九十条、第九十一条、第九十一条の二第一項、第九十二条、第九十三条、第九十三条の五第一項ただし書並びに第一号及び第二号、第二項並びに第三項、第九十三条の六から第九十三条の八まで、第九十三条の十六第三項から第五項まで、第百三条から第百七条まで並びに第百十一条並びに附則第十二条の二の二第五項から第七項まで、第十二条の四から第十二条の四の四まで、第十二条の六、第十二条の六の二第五項から第九項まで、第十二条の六の三、第十二条の七の二から第十二条の七の六まで、第十二条の八第六項後段、第十二条の八の二、第十二条の八の三、第十二条の十二及び第十二条の十三並

びに平成二十四年一元化法附則第三十六条第五項の規定によりなおその効力を有するものとされた平成二十七年国共済整備政令第十五条の規定による廃止前の国家公務員共済組合法による再評価率の改定等に関する政令（平成十七年政令第八十二号）の規定とする。

（改正前国共済法による職域加算額について適用する改正後厚生年金保険法等の規定等）

第十二条　平成二十四年一元化法附則第三十六条第十一項に規定する政令で定める規定は、改正後厚生年金保険法第四十三条の二から第四十三条の五まで、第四十六条、第五十四条第二項、第五十九条第二項、第六十条第二項、第六十一条第一項、第六十五条の二から第六十八条まで、第百条の二第一項、第三項及び第四項、附則第十七条の四第五項本文、附則別表第二並びに別表の規定並びに厚生年金保険法第九十二条第一項から第三項までの規定とし、これらの規定を平成二十四年一元化法附則第三十六条第十一項の規定により適用する場合には、次の表の上欄に掲げる規定中同表の中欄に掲げる字句は、それぞれ同表の下欄に掲げる字句とする。

改正後厚生年金保険法第四十三条の二第一項	再評価率	なお効力を有する改正前国共済法（被用者年金制度の一元化等を図るための厚生年金保険法等の一部を改正する法律（平成二十四年法律第六十三号。以下「平成二十四年一元化法」という。）附則第三十六条第一項、第三項又は第五項の規定によりなおその効力を有するものとされた平成二十四年一元化法第二条の規定による改正前の国家公務員共済組合法（昭和三十三年法律第百二十八号）をいい、被用者年金制度の一元化等を図るための厚生年金保険法等の一部を改正する法律の施行及び国家公務員の退職給付の給付水準の見直し等のための国家公務員退職手当法等の一部を改正する法律の一部の施行に伴う国家公務員共済組合法による長期給付等に関する経過措置に関する政令（平成二十七年政令第三百四十五号。以下「平成二十七年経過措置政令」という。）第六条、第七条第一項又は第八条第一項の規定により読み替えられた規定にあつては、これらの規定による読替え後のものとする。以下同じ。）第七十二条の二に規定する再評価率
	保険給付	平成二十四年一元化法附則第三十六条第五項に規定する改正前国共済法による職域加算額（以下「改正前国共済法による職域加算額」という。）
改正後厚生年金保険法第四十三条の二第二項第一号	当該年度	前年度の標準報酬（当該年度
	標準報酬（以下「前年度の標準報酬」という	なお効力を有する改正前国共済法第四十二条第一項に規定する標準報酬の月額（以下「標準報酬の月額」という。）となお効力を有する改正前国共済法第四十二条の二第一項に規定する標準期末手当等の額（以下「標準期末手当等の額」という。）をいう。以下同じ
改正後厚生年金保険法第四十三条の二第二項第二号	標準報酬（	標準報酬の月額と標準期末手当等の額（
改正後厚生年金保険法第四十三条の二第三項	標準報酬	標準報酬の月額と標準期末手当等の額
改正後厚生年金保険法第四十三条の三第一項	受給権者	改正前国共済法による職域加算額の受給権者
改正後厚生年金保険法第四十三条の四第三項及び第四十三条の五第三項	標準報酬	標準報酬の月額と標準期末手当等の額
改正後厚生年金保険法第四十六条第一項	老齢厚生年金の受給権者	なお効力を有する改正前国共済法第七十六条第一項又は附則第十二条の二の二第三項、第十二条の六の二第三項若しくは第十二条の八第二項の規定による旧職域加算退職給付（以下「旧職域加算退職給付」という。）の受給権者
	被保険者	国家公務員共済組合法による長期給付に関する規定の適用を受ける国家公務員共済組合の組合員
	日（厚生労働省令で定	ときは、当該組合員である間、当該旧職域加算退職給付

める日を除く。）、国会議員若しくは地方公共団体の議会の議員（前月以前の月に属する日から引き続き当該国会議員又は地方公共団体の議会の議員である者に限る。）である日又は七十歳以上の使用される者（前月以前の月に属する日から引き続き当該適用事業所において第二十七条の厚生労働省令で定める要件に該当する者　に　限　る。）である日が属する月において、その者の標準報酬

月額とその月以前の一年間の標準賞与額の総額を十二で除して得た額とを合算して得た額（国会議員又は地方公共団体の議会の議員については、その者の標準報酬月額に相当する額として政令で定める額とその月以前の一年間の標準賞与額及び標準賞与額に相当する額として政令で定める額の総額を十二で除して得た額とを合算して得た額とし、七十歳以上の使用される者（国会議員又は地

方公共団体の議会の議員を除く。次項において同じ。）については、その者の標準報酬月額に相当する額とその月以前の一年間の標準賞与額及び標準賞与額に相当する額の総額を十二で除して得た額とを合算して得た額とする。以下「総報酬月額相当額」という。）及び老齢厚生年金の額（第四十四条第一項に規定する加給年金額及び第四十四条の三第四項に規定する加算額を除く。以下

	この項において同じ。）を十二で除して得た額（以下この項において「基本月額」という。）との合計額が支給停止調整額を超えるときは、その月の分の当該老齢厚生年金について、総報酬月額相当額と基本月額との合計額から支給停止調整額を控除して得た額の二分の一に相当する額に十二を乗じて得た額（以下この項において「支給停止基準額」という。）に相当する部分の支給を停止する。ただし、支給停止基準額が老齢厚生年金の額以上であるときは、老齢厚生年金の全部（同条第四項に規定する加算額を除く。）	
改正後厚生年金保険法第四十六条第五項	老齢厚生年金の全部又は一部	旧職域加算退職給付
改正後厚生年金保険法第五十四条第二項	障害厚生年金は	なお効力を有する改正前国共済法第八十一条第一項に規定する旧職域加算障害給付（以下「旧職域加算障害給付」という。）は
	該当しなくなつた	該当しなくなつたとき、又は国家公務員共済組合法による長期給付に関する規定の適用を受ける国家公務員共済組合の組合員である
	該当しない間	該当しない間又は当該組合員である間
改正後厚生年金保険法第五十四条第二項ただし書	障害厚生年金	旧職域加算障害給付
	被保険者	当該組合員
改正後厚生年金保険法第五十九条第二項	前項	なお効力を有する改正前国共済法第二条第一項第三号及び第三項
	遺族厚生年金の	なお効力を有する改正前国共済法第八十八条第一項に規定する旧職域加算遺族給付（以下「旧職域加算遺族給付」という。）の
	遺族厚生年金を	旧職域加算遺族給付を
改正後厚生年金保険法第六十条第二項	遺族厚生年金	旧職域加算遺族給付
	前項第一号	なお効力を有する改正前国共済法第八十九条第一項第一号、第三項及び第四項
改正後厚生年金保険法第六十一条第一項	遺族厚生年金	旧職域加算遺族給付
改正後厚生年金保険法第六十五条の二	遺族厚生年金	旧職域加算遺族給付
	被保険者	国家公務員共済組合の組合員
改正後厚生年金保険法第六十六条第一項	遺族厚生年金	旧職域加算遺族給付

改正後厚生年金保険法第六十六条第二項	遺族厚生年金	旧職域加算遺族給付
	被保険者	国家公務員共済組合の組合員
改正後厚生年金保険法第六十七条第一項及び第六十八条	遺族厚生年金	旧職域加算遺族給付
厚生年金保険法第九十二条第一項	保険料その他この法律	なお効力を有する改正前国共済法の規定による掛金その他なお効力を有する改正前国共済法
	保険給付	改正前国共済法による職域加算額
	支払期月	支給期月
	支払う	支給する
	第三十六条第三項本文	なお効力を有する改正前国共済法第七十三条第四項本文
厚生年金保険法第九十二条第二項	保険料その他この法律	なお効力を有する改正前国共済法の規定による掛金その他なお効力を有する改正前国共済法
	保険給付	改正前国共済法による職域加算額
厚生年金保険法第九十二条第三項	年金たる保険給付	改正前国共済法による職域加算額

改正後厚生年金保険法第百条の二第一項	実施機関の業務の実施	改正前国共済法による職域加算額の支給
改正後厚生年金保険法附則第十七条の四第五項	旧国家公務員共済組合員期間（被用者年金制度の一元化等を図るための厚生年金保険法等の一部を改正する法律（平成二十四年法律第六十三号。以下「平成二十四年一元化法」という。）附則第四条第十一号に規定する旧国家公務員共済組合員期間をいう。以下この項及び附則第十七条の九第四項において同じ。）の平均標準報酬月額	旧国共済施行日前期間（平成二十四年一元化法附則第四条第十一号に規定する旧国家公務員共済組合員期間と平成二十四年一元化法附則第四十一条第一項に規定する追加費用対象期間を合算した期間をいう。）の国家公務員共済組合法等の一部を改正する法律（平成十二年法律第二十一号。以下「平成十二年国共済改正法」という。）第二条の規定による改正前の国家公務員共済組合法第七十七条第一項に規定する平均標準報酬月額
	となる標準報酬月額	となる標準報酬の月額
	第一項並びに平成十二年改正法附則第二十条第一項第一号及び改正前の第四十三条第一項	同項及び平成二十七年経過措置政令第十三条第一項の規定により読み替えて適用する平成十二年国共済改正法附則第十一条第二項
	当該旧国家公務員共済組合員期間	当該旧国共済施行日前期間
	標準報酬月額に、	標準報酬の月額に、
改正後厚生年金保険法別表	被保険者	国家公務員共済組合の組合員

2　平成二十四年一元化法附則第三十六条第十一項の規定により前項に規定する改正後厚生年金保険法の規定を適用する場合には、被用者年金制度の一元化等を図るための厚生年金保険法等の一部を改正する法律の施行に伴う厚生労働省関係政令等の整備に関する政令（平成二十七年政令第三百四十二号）第一条の規定による改正後の厚生年金保険法施行令（昭和二十九年政令第百十号。以下「改正後厚年令」という。）第三条の四、第三条の四の二及び第三条の六から第三条の七まで並びに国民年金法による改定率の改定等に関する政令（平成十七年政令第九十

二号。以下「再評価令」という。）第四条第一項及び第三項、第六条、別表第一並びに別表第三の規定を適用する。この場合において、次の表の上欄に掲げる規定中同表の中欄に掲げる字句は、それぞれ同表の下欄に掲げる字句とする。

改正後厚年令第三条の四第一項	法第四十三条の二第一項第二号イ	適用する改正後厚生年金保険法（被用者年金制度の一元化等を図るための厚生年金保険法等の一部を改正する法律（平成二十四年法律第六十三号）附則第三十六条第十一項の規定により適用するものとされた同法第一条の規定による改正後の法をいい、被用者年金制度の一元化等を図るための厚生年金保険法等の一部を改正する法律の施行及び国家公務員の退職給付の給付水準の見直し等のための国家公務員退職手当法等の一部を改正する法律の一部の施行に伴う国家公務員共済組合法による長期給付等に関する経過措置に関する政令（平成二十七年政令第三百四十五号）第十二条第一項の規定により読み替えられた規定にあつては、同項の規定による読替え後のものとする。次条において同じ。）第四十三条の二第一項第二号イ
厚年令第三条の四の二	法第四十三条の四第一項第一号	適用する改正後厚生年金保険法第四十三条の四第一項第一号
再評価令第四条第一項	厚生年金保険法第四十三条第一項	被用者年金制度の一元化等を図るための厚生年金保険法等の一部を改正する法律の施行及び国家公務員の退職給付の給付水準の見直し等のための国家公務員退職手当法等の一部を改正する法律の一部の施行に伴う国家公務員共済組合法による長期給付等に関する経過措置に関する政令（平成二十七年政令第三百四十五号。以下「平成二十七年経過措置政令」という。）第八条第一項の規定により読み替えられた被用者年金制度の一元化等を図るための厚生年金保険法等の一部を改正する法律（平成二十四年法律第六十三号。以下「平成二十四年一元化法」という。）附則第三十六条第五項の規定によりなおその効力を有するものとされた平成二十四年一元化法第二条の規定による改正前の国家公務員共済組合法（昭和三十三年法律第百二十八号）第七十二条の二
	同法別表	適用する改正後厚生年金保険法（平成二十四年一元化法附則第三十六条第十一項の規定により適用するものとされた平成二十四年一元化法第一条の規定による改正後の法をいい、平成二十七年経過措置政令第十二条第一項の規定により読み替えられた規定にあっては、同項の規定による読替え後のものとする。以下同じ。）別表
	同法の	適用する改正後厚生年金保険法の
再評価令第四条第三項	厚生年金保険法附則第十七条の四第三項から第七項まで	適用する改正後厚生年金保険法附則第十七条の四第五項
	同法	適用する改正後厚生年金保険法
再評価令第六条第一項	国民年金法等の一部を改正する法律（平成十二年法律第十八号。以下	平成二十七年経過措置政令第十三条第一項の規定により読み替えて適用する国家公務員共済組合法等の一部を改正する法律（平成十二年法律第二十一号。次項において
	附則第二十一条第一項及び第二項	附則第十二条第一項及び第二項
再評価令第六条第二項	附則別表第一	附則別表
	定めるとおり	定めるとおり（昭和六十年九月以前の期間にあっては、一・二二）
再評価令別表第一	被保険者	国家公務員共済組合の組合員

（改正前国共済法による職域加算額に係る平成六年改正法等の規定の読替え）

第十三条　改正前国共済法による職域加算額に係る国家公務員等共済組合法等の一部を改正する法律（平成六年法律第九十八号。以下「平成六年改正法」という。）附則第八条並びに国家公務員共済組合法等の一部を改正する法律（平成十二年法律第二十一号。以下「平成十二年改正法」という。）附則第十一条、第十二条第一項、第二項、第五項、第六項及び第八項並びに第十二条の二並びに附則別表の規定の適用については、次の表の上欄に掲げる規定中同表の中欄に掲げる字句は、それぞれ同表の下欄に掲げる字句とする。

平成六年改正法附則第八条第一項	国家公務員共済組合法	なお効力を有する改正前国共済法（被用者年金制度の一元化等を図るための厚生年金保険法等の一部を改正する法律（平成二十四年法律第六十三号）附則第三十六条第一項の規定によりなおその効力を有するものとされた同法第二条の規定による改正前の国家公務員共済組合法をいい、被用者年金制度の一元化等を図るための厚生年金保険法等の一部を改正する法律の施行及び国家公務員の退職給付の給付水準の見直し等のための国家公務員退職手当法等の一部を改正する法律の一部の施行に伴う国家公務員共済組合法による長期給付等に関する経過措置に関する政令（平成二十七年政令第三百四十五号）第六条の規定により読み替えられた規定にあっては、同条の規定による読替え後のものとする。次項及び第三項において同じ。）
	の障害共済年金	の旧職域加算障害給付
平成六年改正法附則第八条第二項及び第三項	国家公務員共済組合法	なお効力を有する改正前国共済法
	障害共済年金	旧職域加算障害給付
平成十二年改正法附則第十一条第一項	法による年金である給付の額	被用者年金制度の一元化等を図るための厚生年金保険法等の一部を改正する法律（平成二十四年法律第六十三号。以下「平成二十四年一元化法」という。）附則第三十六条第五項に規定する改正前国共済法による職域加算額（以下「改正前国共済法による職域加算額」という。）
	、法第七十七条第一項及び第二項	、なお効力を有する改正前国共済法（平成二十四年一元化法附則第三十六条第一項、第三項又は第五項の規定によりなおその効力を有するものとされた平成二十四年一元化法第二条の規定による改正前の法をいい、被用者年金制度の一元化等を図るための厚生年金保険法等の一部を改正する法律の施行及び国家公務員の退職給付の給付水準の見直し等のための国家公務員退職手当法等の一部を改正する法律の一部の施行に伴う国家公務員共済組合法の長期給付等に関する経過措置に関する政令（平成二十七年政令第三百四十五号。以下「平成二十七年経過措置政令」という。）第六条、第七条第一項又は第八条第一項の規定により読み替えられた規定にあっては、これらの規定による読替え後のものとする。以下同じ。）第七十七条第二項
	から第三項まで	及び第三項
	附則第十二条の四の二第二項第二号及び第三項の規定（法附則第十二条の四の三第一項及び第三項並びに法附則第十二条の七の二第二項、第十二条の七の三第二項及び第四項並びに第十二条の八第三項	附則第十二条の八第三項
	昭和六十年改正法附則第三十六条第二項においてその例による場合を含む。）	平成二十四年一元化法附則第三十六条第五項の規定によりなおその効力を有するものとされた平成二十四年一元化法附則第九十八条の規定（平成二十四年一元化法附則第一条第三号に掲げる改正規定を除く。）による改正前の昭和六十年改正法（以下「なお効力を有する改正前昭和六十年改正法」という。）附則第三十六条第二項の規定

平成十二年改正法附則第十一条第一項第一号	組合員期間	旧国共済施行日前期間（平成二十四年一元化法附則第四条第十一号に規定する旧国家公務員共済組合員期間と平成二十四年一元化法附則第四十一条第一項に規定する追加費用対象期間を合算した期間をいう。以下同じ。）
	第七十七条第一項及び第二項	第七十七条第二項
平成十二年改正法附則第十一条第一項第二号	組合員期間	旧国共済施行日前期間
	として法	としてなお効力を有する改正前国共済法
	第七十七条第一項及び第二項	第七十七条第二項
	から第三項まで並びに附則第十二条の四の二第二項第二号及び第三項	及び第三項
	昭和六十年改正法	なお効力を有する改正前昭和六十年改正法
平成十二年改正法附則第十一条第二項	、法	、なお効力を有する改正前国共済法
平成十二年改正法附則第十一条第三項	第七十二条の二	被用者年金制度の一元化等を図るための厚生年金保険法等の一部を改正する法律の施行及び国家公務員の退職給付の給付水準の見直し等のための国家公務員退職手当法等の一部を改正する法律の一部の施行に伴う国家公務員共済組合法による長期給付等に関する経過措置に関する政令（平成二十七年政令第三百四十五号）第八条第一項の規定により読み替えられた被用者年金制度の一元化等を図るための厚生年金保険法等の一部を改正する法律（平成二十四年法律第六十三号）附則第三十六条第五項の規定によりなおその効力を有するものとされた同法第二条の規定による改正前の第七十二条の二
平成十二年改正法附則第十一条第四項	法第七十二条の二第一項	なお効力を有する改正前国共済法第七十二条の二
	組合員期間の計算	は、」とあるのは「は、基準日後組合員期間（平成十五年四月以後の組合員期間の」と、「」の
	平成十五年四月以後の組合員期間（以下「基準日後組合員期間」という。）の計算	）をいう。以下同じ。）の
	、「組合員期間	、「旧国共済施行日前期間
	第七十七条第一項及び第二項中「組合員期間の	第七十七条第二項中「被用者年金制度の一元化等を図るための厚生年金保険法等の一部を改正する法律（平成二十四年法律第六十三号）附則第四条第十一号に規定する旧国家公務員共済組合員期間（以下「旧国家公務員共済組合員期間」という。）の月数と追加費用対象期間の月数を合算した
	第八十二条第一項中「組合員期間の	「旧国家公務員共済組合員期間の月数と追加費用対象期間の月数を合算した月数」とあるのは「基準日後組合員期間の月数」と、第八十二条第一項中「旧国家公務員共済組合員期間の月数と追加費用対象期間の月数を合算した
	月数を組合員期間	月数を旧国共済施行日前期間
	第八十九条第一項第一号イ中「組合員期間の	第八十九条第一項第一号イ中「旧国家公務員共済組合員期間の月数と追加費用対象期間の月数を合算した
	同号ロ中	同号ロ中「旧国家公務員共済組合

	「組合員期間	員期間の月数と追加費用対象期間の月数を合算した月数
	」と、附則第十二条の四の二第二項第二号及び第三項中「組合員期間の月数」とあるのは「基準日後組合員期間の月数	の月数
平成十二年改正法附則第十二条第一項	法による年金である給付の額	改正前国共済法による職域加算額
	従前額改定率を乗じて得た金額に	従前額改定率（国民年金法等の一部を改正する法律（平成十二年法律第十八号）附則第二十一条第一項及び第二項に規定する従前額改定率をいう。以下同じ。）を乗じて得た金額に
平成十二年改正法附則第十二条第一項第一号	組合員期間	旧国共済施行日前期間
	第七十七条第一項及び第二項	第七十七条第二項
平成十二年改正法附則第十二条第一項第二号	組合員期間	旧国共済施行日前期間
	として法	としてなお効力を有する改正前国共済法
	第七十七条第一項及び第二項	第七十七条第二項
	から第三項まで、附則第十二条の四の二第二項第二号及び第三項並びに第四条の規定による改正後の昭和六十年改正法	及び第三項並びになお効力を有する改正前昭和六十年改正法
平成十二年改正法附則第十二条第二項	組合員期間	旧国共済施行日前期間
	、法	、なお効力を有する改正前国共済法
	第七十七条第一項及び第二項	第七十七条第二項
	から第三項まで	及び第三項
	附則第十二条の四の二第二項第二号及び第三項の規定	附則第十二条の八第三項
	（法附則第十二条の四の三第一項及び第三項、第十二条の七の二第二項、第十二条の七の三第二項及び第四項並びに第十二条の八第三項	
	昭和六十年改正法	なお効力を有する改正前昭和六十年改正法
	においてその例による場合を含む。）により	の規定により
平成十二年改正法附則第十二条第五項	係る	係る被用者年金制度の一元化等を図るための厚生年金保険法等の一部を改正する法律の施行及び国家公務員の退職給付の給付水準の見直し等のための国家公務員退職手当法等の一部を改正する法律の一部の施行に伴う国家公務員共済組合法による長期給付等に関する経過措置に関する政令（平成二十七年政令第三百四十五号）第十三条第一項の規定により読み替えて適用する

	同法第二条	国家公務員共済組合法等の一部を改正する法律（平成十二年法律第二十一号）第二条
平成十二年改正法附則第十二条第六項	、法	、なお効力を有する改正前国共済法
	組合員期間の計算	は、」とあるのは「は、基準日後組合員期間（平成十五年四月以後の」と、「）の
	平成十五年四月以後の組合員期間（以下「基準日後組合員期間」という。）の計算	）をいう。以下同じ。）の
	別表第二の各号に掲げる受給権者の区分に応じ、それぞれ当該各号に定める金額（以下「再評価率」という。）の月数	改正後厚生年金保険法第四十三条第一項に規定する再評価率（以下「再評価率」という。）

	掲げる率」と、「組合員期間	掲げる率」と、「旧国共済施行日前期間
	第七十七条第一項中「千分の五・四八一」とあるのは「千分の五・七六九」と、「組合員期間の月数」とあるのは「基準日後組合員期間の月数」と、同条第二項中「千分の一・〇九六」とあるのは「千分の一・一五四」と、「組合員期間の	第七十七条第二項中「千分の一・〇九六」とあるのは「千分の一・一五四」と、「被用者年金制度の一元化等を図るための厚生年金保険法等の一部を改正する法律（平成二十四年法律第六十三号）附則第四条第十一号に規定する旧国家公務員共済組合員期間（以下「旧国家公務員共済組合員期間」という。）の月数と追加費用対象期間の月数を合算した
	第八十二条第一項中「千分の五・四八一」とあるのは「千分の五・七六	「旧国家公務員共済組合員期間の月数と追加費用対象期間の月数を合算した月数」とあるのは「基準日後組合員期間の月数」と、第八十二条第一項中

	九」と、「組合員期間の月数（当該月数が三百月未満であるときは、三百月）」とあるのは「基準日後組合員期間の月数」と、	
	千分の一・一五四」と、同条第二項	千分の一・一五四」と、「旧国家公務員共済組合員期間の月数と追加費用対象期間の月数を合算した月数（当該月数が三百月未満であるときは、三百月）」とあるのは「基準日後組合員期間の月数」と、同条第二項
	月数を組合員期間	月数を旧国共済施行日前期間
	第八十九条第一項第一号イ中「千分の五・四八一」とあるのは「千分の五・七六九」と、「組合員期間の月数（当該月数	第八十九条第一項第一号イ中

	が三百月未満であるときは、三百月）」とあるのは「基準日後組合員期間の月数」と、	
	同号ロ中「千分の五・四八一」とあるのは「千分の五・七六九」と、「組合員期間	「旧国家公務員共済組合員期間の月数と追加費用対象期間の月数を合算した月数（当該月数が三百月未満であるときは、三百月）」とあるのは「基準日後組合員期間の月数」と、同号ロ中「千分の一・〇九六」とあるのは「千分の一・一五四」と、「旧国家公務員共済組合員期間の月数と追加費用対象期間の月数を合算した月数
	基準日後組合員期間」と、「千分の一・〇九六」とあるのは「千分の一・一五四」と	基準日後組合員期間の月数」と
	と、附則第十二条の四の二第二項第二号中「千分の五・四八	とする

	一」とあるのは「千分の五・七六九」と、「組合員期間の月数」とあるのは「基準日後組合員期間の月数」と、同条第三項中「千分の一・〇九六」とあるのは「千分の一・一五四」と、「組合員期間の月数」とあるのは「基準日後組合員期間の月数」と、「千分の〇・五四八」とあるのは「千分の〇・五七七」とする	
平成十二年改正法附則第十二条の二第一項	年金である給付	改正前国共済法による職域加算額
	法第七十二条の三から	適用する改正後厚生年金保険法（平成二十四年一元化法附則第三

	第七十二条の六まで	十六条第十一項の規定により適用するものとされた平成二十四年一元化法第一条の規定による改正後の厚生年金保険法（昭和二十九年法律第百十五号）をいい、平成二十七年経過措置政令第十二条第一項の規定により読み替えられた規定にあっては、同項の規定による読替え後のものとする。以下同じ。）第四十三条の二から第四十三条の五まで
平成十二年改正法附則第十二条の二第二項	次の各号に掲げる	適用する改正後厚生年金保険法第四十三条の二第一項に規定する名目手取り賃金変動率（以下「名目手取り賃金変動率」という。）が一を下回る
	法第七十二条の三（法第七十二条の四から第七十二条の六まで	同条（適用する改正後厚生年金保険法第四十三条の三から第四十三条の五まで
	当該各号に定める率	名目手取り賃金変動率
	とする。 一　法第七十二条の三第一項に規定する名目手取り賃金	とする。

	変動率（以下「名目手取り賃金変動率」という。）が一を下回り、かつ、同項に規定する物価変動率（以下「物価変動率」という。）が名目手取り賃金変動率を下回る場合 名目手取り賃金変動率 二 物価変動率が一を下回り、かつ、物価変動率が名目手取り賃金変動率を上回る場合 物価変動率	
平成十二年改正法附則第十二条の二第三項	物価変動率が	適用する改正後厚生年金保険法第四十三条の二第一項に規定する物価変動率（当該物価変動率が名目手取り賃金変動率を上回るときは、名目手取り賃金変動率。以下この項及び第五項において「物価変動率」という。）が
	法第七十二条の四（法第七十二条の六	適用する改正後厚生年金保険法第四十三条の三（適用する改正後厚生年金保険法第四十三条の五
平成十二年改正法附則第十二条の二第四項	次の各号に掲げる	名目手取り賃金変動率が一を下回る
	法第七十二条の五（法第七十二条の六	適用する改正後厚生年金保険法第四十三条の四（適用する改正後厚生年金保険法第四十三条の五
	当該各号に定める率	名目手取り賃金変動率
	とする。 一 名目手取り賃金変動率が一を下回り、かつ、物価変動率が名目手取り賃金変動率以下となる場合 名目手取り賃金変動率 二 名目手取り賃金変動率が一を下回り、かつ、物価変動率が名目手取り賃金変動率を上回る場合（物価変動率が一を上回る場合を除く。） 物価変動率	とする。
平成十二年改正法附則第十二条の二第五項	法第七十二条の六	適用する改正後厚生年金保険法第四十三条の五
平成十二年改正法附則別表備考	法第七十二条の三第一項第一号	適用する改正後厚生年金保険法第四十三条の二第一項第一号

2 改正前国共済法による職域加算額に係る国家公務員共済組合法施行令等の一部を改正する政令（平成十五年政令第十六号。以下「平成十五年改正政令」という。）附則第五条第一項から第四項まで及び第六条から第九条までの規定の適用については、次の表の上欄に掲げる平成十五年改正政令の規定中同表の

中欄に掲げる字句は、それぞれ同表の下欄に掲げる字句とする。

附則第五条第一項	法による障害共済年金（	被用者年金制度の一元化等を図るための厚生年金保険法等の一部を改正する法律（平成二十四年法律第六十三号。以下「平成二十四年一元化法」という。）附則第三十六条第五項に規定する改正前国共済法による職域加算額（第三項において「改正前国共済法による職域加算額」という。）のうち障害を給付事由とするもの（以下「旧職域加算障害給付」といい、
	ついて平成十二年改正法	ついて被用者年金制度の一元化等を図るための厚生年金保険法等の一部を改正する法律の施行及び国家公務員の退職給付の給付水準の見直し等のための国家公務員退職手当法等の一部を改正する法律の一部の施行に伴う国家公務員共済組合法による長期給付等に関する経過措置に関する政令（平成二十七年政令第三百四十五号。以下「平成二十七年経過措置政令」という。）第十三条第一項の規定により読み替えて適用する平成十二年改正法
	、平成十二年改正法	、平成二十七年経過措置政令第十三条第一項の規定により読み替えて適用する平成十二年改正法
	適用する法	適用するなお効力を有する改正前国共済法（平成二十四年一元化法附則第三十六条第一項、第三項又は第五項の規定によりなおその効力を有するものとされた平成二十四年一元化法第二条の規定による改正前の国家公務員共済組合法をいい、平成二十七年経過措置政令第六条、第七条第一項又は第八条第一項の規定により読み替えられた規定にあっては、これらの規定による読替え後のものとする。以下同じ。）
附則第五条第二項	法による障害共済年金について	旧職域加算障害給付について平成二十七年経過措置政令第十三条第一項の規定により読み替えて適用する
	、平成十二年改正法	、平成二十七年経過措置政令第十三条第一項の規定により読み替えて適用する平成十二年改正法
	適用する法	適用するなお効力を有する改正前国共済法
附則第五条第三項	法による遺族共済年金（法	改正前国共済法による職域加算額のうち死亡を給付事由とするもの（以下「旧職域加算遺族給付」といい、なお効力を有する改正前国共済法
	平成十二年改正法	平成二十七年経過措置政令第十三条第一項の規定により読み替えて適用する平成十二年改正法
	適用する法	適用するなお効力を有する改正前国共済法
附則第五条第四項	法による遺族共済年金について	旧職域加算遺族給付について平成二十七年経過措置政令第十三条第一項の規定により読み替えて適用する
	、平成十二年改正法	、平成二十七年経過措置政令第十三条第一項の規定により読み替えて適用する平成十二年改正法
	適用する法	適用するなお効力を有する改正前国共済法
附則第六条第一項	改正後の法	なお効力を有する改正前国共済法
附則第六条第一項第二号	として法	としてなお効力を有する改正前国共済法
附則第六条第三項	、法	、なお効力を有する改正前国共済法
附則第七条第一項	法第八十七条の四に	なお効力を有する改正前国共済法第八十七条の四に
	公務等による障害共済年金	公務等による旧職域加算障害給付
附則第七条第一項第二号	として法	としてなお効力を有する改正前国共済法

附則第七条第三項	、法	、なお効力を有する改正前国共済法
	組合員期間	旧国共済施行日前期間
	別表第二の各号に掲げる受給権者の区分に応じ、それぞれ当該各号	改正後厚生年金保険法第四十三条第一項に規定する再評価率
	国家公務員共済組合法等の一部を改正する法律	被用者年金制度の一元化等を図るための厚生年金保険法等の一部を改正する法律の施行及び国家公務員の退職給付の給付水準の見直し等のための国家公務員退職手当法等の一部を改正する法律の一部の施行に伴う国家公務員共済組合法による長期給付等に関する経過措置に関する政令（平成二十七年政令第三百四十五号）第十三条第一項の規定により読み替えて適用する国家公務員共済組合法等の一部を改正する法律
	下欄	下欄に掲げる率
附則第八条第一項	支給する法	支給するなお効力を有する改正前国共済法
	公務等による遺族共済年金の法	公務等による旧職域加算遺族給付のなお効力を有する改正前国共済法
附則第八条第一項第二号	として法	としてなお効力を有する改正前国共済法
附則第八条第三項	、法	、なお効力を有する改正前国共済法
附則第九条第一項	法第八十九条第三項	なお効力を有する改正前国共済法第八十九条第三項
	公務等による遺族共済年金の法	公務等による旧職域加算遺族給付のなお効力を有する改正前国共済法
附則第九条第一項第二号	として法	としてなお効力を有する改正前国共済法
附則第九条第三項	、法	、なお効力を有する改正前国共済法
	組合員期間	旧国共済施行日前期間
	別表第二の各号に掲げる受給権者の区分に応じ、それぞれ当該各号	改正後厚生年金保険法第四十三条第一項に規定する再評価率
	国家公務員共済組合法等の一部を改正する法律	被用者年金制度の一元化等を図るための厚生年金保険法等の一部を改正する法律の施行及び国家公務員の退職給付の給付水準の見直し等のための国家公務員退職手当法等の一部を改正する法律の一部の施行に伴う国家公務員共済組合法による長期給付等に関する経過措置に関する政令（平成二十七年政令第三百四十五号）第十三条第一項の規定により読み替えて適用する国家公務員共済組合法等の一部を改正する法律
	下欄	下欄に掲げる率

（改正前国共済法による職域加算額の受給権を有する者に係る改正後国共済法等の規定の適用）

第十四条 改正前国共済法による職域加算額の受給権を有する者については、国家公務員共済組合法第六十六条第六項及び第九項から第十二項まで、第百三条、第百六条並びに第百七条、改正後国共済法第百四条及び第百五条並びに平成二十四年一元化法附則第三十九条及び第四十条第一項の規定を適用する。この場合において、次の表の上欄に掲げる規定中同表の中欄に掲げる字句は、それぞれ同表の下欄に掲げる字句とする。

国家公務員共済組合法第六十六条第六項	による障害厚生年金	による障害厚生年金及び旧職域加算障害給付（被用者年金制度の一元化等を図るための厚生年金保険法等の一部を改正する法律（平成二十四年法律第六十三号。以下「平成二十四年一元化法」という。）附則第三十六条第五項に規定する改正前国共済法による職域加算額のうち障害を給付事由とするものをいう。以下この項及び第九項において同じ。）
国家公務員	障害厚生年	障害厚生年金及び旧職域加算障害

共済組合法第六十六条第六項ただし書	金	給付
国家公務員共済組合法第六十六条第九項	前三項	第六項
	第六項	同項
	若しくは	、旧職域加算障害給付又は
	、第七項の障害手当金又は前項の退職老齢年金給付の支給状況につき、退職老齢年金給付	の支給状況につき、これらの年金である給付
国家公務員共済組合法第百三条第一項	短期給付及び退職等年金給付に関する決定、厚生年金保険法第九十条第二項（第二号及び第三号を除く。）に規定する被保険者の資格若しくは保険給付に関する処	平成二十四年一元化法附則第三十六条第五項に規定する改正前国共済法による職域加算額に関する決定、掛金
	分、掛金等その他この法律及び厚生年金保険法による徴収金	
平成二十四年一元化法附則第三十九条第一項	）の	）及び被用者年金制度の一元化等を図るための厚生年金保険法等の一部を改正する法律の施行及び国家公務員の退職給付の給付水準の見直し等のための国家公務員退職手当法等の一部を改正する法律の一部の施行に伴う国家公務員共済組合法による長期給付等に関する経過措置に関する政令（平成二十七年政令第三百四十五号。以下この項及び次条第一項において「平成二十七年経過措置政令」という。）第六条の規定により読み替えられた附則第三十六条第一項の規定によりなおその効力を有するものとされた改正前国共済法第七十六条第一項に規定する旧職域加算退職給付又は平成二十七年経過措置政令第六条の規定により読み替えられた附則第三十六条第一項の規定によりなおその効力を有するものとされた改正前国共済法第八十一条第一項に規定する旧職域加算障害給付（以下この条及び次条第一項において「旧職域加算退職給付等」という。）の
	当該老齢厚	当該老齢厚生年金等及び旧職域加
	生年金等	算退職給付等
平成二十四年一元化法附則第三十九条第二項から第四項まで	老齢厚生年金等	老齢厚生年金等及び旧職域加算退職給付等
平成二十四年一元化法附則第四十条第一項	厚生年金保険法第五十九条第一項に規定する遺族厚生年金を受けることができる	平成二十七年経過措置政令第八条第一項の規定により読み替えられた附則第三十六条第五項の規定によりなおその効力を有するものとされた改正前国共済法第二条第一項第三号に規定する
	遺族厚生年金の	遺族厚生年金及び平成二十七年経過措置政令第七条第一項の規定により読み替えられた附則第三十六条第三項の規定によりなおその効力を有するものとされた改正前国共済法第八十八条第一項に規定する旧職域加算遺族給付（以下この条において「旧職域加算遺族給付」という。）の
	老齢厚生年金等	老齢厚生年金等及び旧職域加算退職給付等
	当該遺族厚生年金	当該遺族厚生年金及び旧職域加算遺族給付
平成二十四	遺族厚生年	遺族厚生年金及び旧職域加算遺族

年一元化法附則第四十条第二項	金	給付

2 前項の規定により同項に規定する国家公務員共済組合法第六十六条第十二項の規定を適用する場合には、国家公務員共済組合法施行令第十一条の三の九第三項の規定を適用する。

3 第一項の規定にかかわらず、改正前国共済法による職域加算額（退職又は障害を給付事由とするものに限る。以下この項において同じ。）の算定の基礎となる期間が二十年未満である者に支給する当該改正前国共済法による職域加算額の額の算定については、平成二十四年一元化法附則第三十六条第五項の規定によりなおその効力を有するものとされた改正前昭和六十年国共済改正法附則第十八条の規定を準用する。この場合において、同条中「組合員期間が」とあるのは「被用者年金制度の一元化等を図るための厚生年金保険法等の一部を改正する法律（平成二十四年法律第六十三号）附則第三十六条第五項に規定する改正前国共済法による職域加算額（退職又は障害を給付事由とするものに限る。以下同じ。）の額の算定の基礎となる組合員期間が」と、「又はその遺族に支給する退職共済年金又は遺族共済年金の額」とあるのは「に支給する改正前国共済法による職域加算額」と、「当該退職共済年金又は遺族共済年金の額」とあるのは「当該改正前国共済法による職域加算額」と読み替えるものとする。

第二節 施行日前に給付事由が生じた退職共済年金等の特例

第一款 施行日前に給付事由が生じた退職共済年金等に係る改正前国共済法等の規定の適用

（施行日前に給付事由が生じた改正前国共済法による年金である給付に係る改正前国共済法等の規定の読替え）

第十五条 平成二十四年一元化法附則第三十七条第一項に規定する改正前国共済法による年金である給付に係るなお効力を有する改正前国共済法及びなお効力を有する改正前昭和六十年国共済改正法の規定の適用については、次の表の上欄に掲げる規定中同表の中欄に掲げる字句は、それぞれ同表の下欄に掲げる字句とする。

なお効力を有する改正前国共済法第二条第三項	第八十一条第二項に規定する障害等級	障害等級（被用者年金制度の一元化等を図るための厚生年金保険法等の一部を改正する法律（平成二十四年法律第六十三号。以下「平成二十四年一元化法」という。）第一条の規定による改正後の厚生年金保険法（昭和二十九年法律第百十五号。以下「改正後厚生年金保険法」という。）第四十七条第二項に規定する障害等級をいう。以下同じ。）
なお効力を有する改正前国共済法第四十四条	前条	第八十八条第一項
	受けるべき遺族に同順位者	受けることができる遺族
なお効力を有する改正前国共済法第四十五条第一項	あるときは、前二条の規定に準じて、これを	あるときは、
	遺族（弔慰金又は遺族共済年金については、これらの給付に係る組合員であつた者の他の遺族）に支給し、支給すべき遺族がないときは、当該死亡した者の相続人に支給する	配偶者、子、父母、孫、祖父母若しくは兄弟姉妹又はこれらの者以外の三親等内の親族であつて、その者の死亡の当時その者と生計を同じくしていたものは、自己の名で、その未支給の給付の支給を請求することができる
なお効力を有する改正前国共済法第四十六条第二項	その遺族若しくは相続人	その者の配偶者、子、父母、孫、祖父母若しくは兄弟姉妹若しくはこれらの者以外の三親等内の親族であつて、その者の死亡の当時その者と生計を同じくしていたもの
なお効力を有する改正前国共済法第四十九条ただし書	年金である給付	年金である給付（国家公務員共済組合法の長期給付に関する施行法（昭和三十三年法律第百二十九号）第二条第十号に規定する恩給公務員期間を有する者に係るものに限る。）
なお効力を有する改正前国共済法第七十二条の二	別表第二の各号に掲げる受給権者の区分に応じ、それぞれ当該各号に定める率	改正後厚生年金保険法第四十三条第一項に規定する再評価率
なお効力を有する改正前国共済法第八十四条第一項	の障害の程度が減退した	について、その障害の程度を診査し、その程度が従前の障害等級以外の障害等級に該当すると認める
	請求	請求（その者の障害の程度が増進

		したことが明らかである場合として財務省令で定める場合を除き、当該障害共済年金の受給権を取得した日又は当該診査を受けた日から起算して一年を経過した日後の請求に限る。）
	減退し、又は増進した後における障害の程度	障害の程度
なお効力を有する改正前国共済法第八十九条第五項	第四十三条	前条第一項
	受けるべき	受けることができる
	に同順位者が二人	が二人
なお効力を有する改正前国共済法第八十九条の二第二項	第七十七条第四項	適用する改正後厚生年金保険法（平成二十四年一元化法附則第三十七条第四項の規定により適用するものとされた改正後厚生年金保険法をいい、被用者年金制度の一元化等を図るための厚生年金保険法等の一部を改正する法律の施行及び国家公務員の退職給付の給付水準の見直し等のための国家公務員退職手当法等の一部を改正する法律の一部の施行に伴う国家公務員共済組合法による長期給付等に関する経過措置に関する政令（平成二十七年政令第三百四十五号。以下「平成二十七年経過措置政令」という。）第十八条第一項の規定により読み替えられた規定にあつては、同項の規定による読替え後のものとする。以下同じ。）第四十三条第三項
なお効力を有する改正前国共済法第九十三条の十第一項	前条第一項及び第二項の規定により標準報酬の月額及び標準期末手当等の額	改正後厚生年金保険法第七十八条の六第一項及び第二項の規定により標準報酬（改正後厚生年金保険法第二十八条に規定する標準報酬をいい、旧国共済施行日前期間（平成二十四年一元化法附則第四条第十一号に規定する旧国家公務員共済組合員期間と平成二十四年一元化法附則第四十一条第一項に規定する追加費用対象期間とを合算した期間をいう。以下同じ。）に係るものに限る。以下同じ。）
	、対象期間に係る組合員期間	、対象期間（改正後厚生年金保険法第七十八条の二第一項に規定する対象期間をいう。以下この条において同じ。）に係る旧国共済施行日前期間
	組合員期間（	旧国共済施行日前期間（
	標準報酬の月額及び標準期末手当等の額を	標準報酬をそれぞれ標準報酬の月額及び標準期末手当等の額とみなした額を
	当該標準報酬改定請求	当該標準報酬の改定又は決定の請求
なお効力を有する改正前国共済法第九十三条の十第二項	前条第一項及び第二項の規定により当該障害共済年金	当該障害共済年金
	組合員期間に係る標準報酬の月額及び標準期末手当等の額が	旧国共済施行日前期間に係る標準報酬が改正後厚生年金保険法第七十八条の六第一項及び第二項の規定により
	標準報酬の月額及び標準期末手当等の額を	標準報酬をそれぞれ標準報酬の月額及び標準期末手当等の額とみなした額を
	当該標準報酬改定請求	当該標準報酬の改定又は決定の請求
なお効力を有する改正前国共済法第九十三条の十第二項ただし書	同条第三項の規定により組合員期間であつたものとみなされた期間（以下「離婚時みなし組合員期間」という	離婚時みなし組合員期間（改正後厚生年金保険法第七十八条の七に規定する離婚時みなし被保険者期間（旧国共済施行日前期間に係るものに限る。）をいう。以下同じ
なお効力を	第九十三条	改正後厚生年金保険法第七十八条

有する改正前国共済法第九十三条の十一の表以外の部分	の九第一項及び第二項の規定により標準報酬の月額及び標準期末手当等の額	の六第一項及び第二項の規定により標準報酬
	この法律	この法律及び適用する改正後厚生年金保険法第四十六条（平成二十七年経過措置政令第三十七条第一項の規定により読み替えられた平成二十四年一元化法附則第十七条第一項において準用する平成二十四年一元化法附則第十四条第一項の規定により読み替えて適用する場合を含む。）の規定
なお効力を有する改正前国共済法第九十三条の十一の表第七十九条第二項第一号の項上欄	第七十九条第二項第一号	適用する改正後厚生年金保険法第四十六条（平成二十七年経過措置政令第三十七条第一項の規定により読み替えられた平成二十四年一元化法附則第十七条第一項において準用する平成二十四年一元化法附則第十四条第一項の規定により読み替えて適用する場合を含む。）
なお効力を有する改正前国共済法第九十三条の十一の表第七十九条第二項第一号の項中欄	標準期末手当等の額	の標準賞与額
なお効力を有する改正前国共済法第九十三条の十一の表第七十九条第二項第一号の項下欄	標準期末手当等の額（第九十三条の九第二項の規定による改定前の標準期末手当等の額とし、同項の規定により決定された標準期末手当等の額	の標準賞与額（第七十八条の六第二項の規定による改定前の標準賞与額とし、同項の規定により決定された標準賞与額
なお効力を有する改正前国共済法第九十三条の十四第一項	前条第二項及び第三項の規定により標準報酬の月額及び標準期末手当等の額	改正後厚生年金保険法第七十八条の十四第二項及び第三項の規定により標準報酬
	標準報酬の月額及び標準期末手当等の額を	標準報酬をそれぞれ標準報酬の月額及び標準期末手当等の額とみなした額を
	前条第一項	当該標準報酬の改定又は決定
なお効力を有する改正前国共済法第九十三条の十四第二項	前条第二項及び第三項の規定により標準報酬の月額及び標準期末手当等の額の決定	改正後厚生年金保険法第七十八条の十四第二項及び第三項の規定により標準報酬の改定又は決定
なお効力を有する改正前国共済法第九十三条の十五の表以外の部分	第九十三条の十三第二項及び第三項の規定により標準報酬の月額及び標準期末手当等の額	改正後厚生年金保険法第七十八条の十四第二項及び第三項の規定により標準報酬
	この法律	この法律及び適用する改正後厚生年金保険法第四十六条（平成二十七年経過措置政令第三十七条第一項の規定により読み替えられた平成二十四年一元化法附則第十七条第一項において準用する平成二十四年一元化法附則第十四条第一項の規定により読み替えて適用する場合を含む。）の規定
なお効力を有する改正前国共済法第九十三条の十五の表第七十八条第一項の項	第九十三条の十三第四項の規定により組合員期間であつたものとみなされた期間（	改正後厚生年金保険法第七十八条の十五に規定する被扶養配偶者みなし被保険者期間（第九十三条の十第一項に規定する旧国共済施行日前期間に係るものに限る。）
なお効力を有する改正	第七十九条第二項第一	適用する改正後厚生年金保険法第四十六条（平成二十七年経過措置

前国共済法第九十三条の十五の表第七十九条第二項第一号の項上欄	号	政令第三十七条第一項の規定により読み替えられた平成二十四年一元化法附則第十七条第一項において準用する平成二十四年一元化法附則第十四条第一項の規定により読み替えて適用する場合を含む。）
なお効力を有する改正前国共済法第九十三条の十五の表第七十九条第二項第一号の項中欄	標準期末手当等の額	の標準賞与額
なお効力を有する改正前国共済法第九十三条の十五の表第七十九条第二項第一号の項下欄	標準期末手当等の額（第九十三条の十三第三項の規定による改定前の標準期末手当等の額とし、同項の規定により決定された標準期末手当等の額	の標準賞与額（第七十八条の十四第三項の規定による改定前の標準賞与額とし、同項の規定により決定された標準賞与額
なお効力を有する改正前国共済法第百十四条の二	第七十九条第六項（第八十七条第三項	適用する改正後厚生年金保険法第四十六条第六項（適用する改正後厚生年金保険法第五十四条第三項
	又は第七十九条第六項	又は適用する改正後厚生年金保険法第四十六条第六項
なお効力を有する改正前国共済法第百十五条第一項	五十円	五十銭
	百円	一円
なお効力を有する改正前国共済法附則第十二条の四の三第三項	組合員期間	平成二十四年一元化法附則第四十一条第一項に規定する国共済組合員等期間
	第七十七条第四項	適用する改正後厚生年金保険法第四十三条第三項
	とする	とする。この場合において、同条第二項各号及び第三項各号中「組合員期間」とあるのは、「旧国共済施行日前期間」とする
なお効力を有する改正前国共済法附則第十二条の六の二第六項	当該年齢に達した日の翌日の属する月の前月までの組合員期間	旧国共済施行日前期間
なお効力を有する改正前国共済法附則第十二条の六の二第七項	六十五歳に達した日の翌日の属する月の前月までの組合員期間	旧国共済施行日前期間
なお効力を有する改正前国共済法附則第十二条の六の三第三項	となる組合員期間	となる旧国共済施行日前期間
	当該年齢に達した日の翌日の属する月前の組合員期間	当該年齢に達した日の翌日の属する月前の旧国共済施行日前期間
	組合員期間を	旧国共済施行日前期間を
なお効力を有する改正前国共済法附則第十二条の六の三第四項	第七十七条第四項	適用する改正後厚生年金保険法第四十三条第三項
	組合員期間	旧国共済施行日前期間
なお効力を有する改正前国共済法附則第十二条の七の五第一項及び第四項	組合員期間	旧国共済施行日前期間
なお効力を有する改正前国共済法附則第十二条の七の五第五項	第七十七条第四項	適用する改正後厚生年金保険法第四十三条第三項
	組合員期間	旧国共済施行日前期間

なお効力を有する改正前国共済法附則第十二条の八の二第二項第二号	第七十九条第一項及び第二項	適用する改正後厚生年金保険法附則第十一条（平成二十七年経過措置政令第三十八条第一項の規定により読み替えられた平成二十四年一元化法附則第十七条第二項において準用する平成二十四年一元化法附則第十五条第一項の規定により読み替えて適用する場合を含む。）又は第十一条の二
なお効力を有する改正前国共済法附則第十三条の九第一項	第七十二条の三から第七十二条の六まで	適用する改正後厚生年金保険法第四十三条の二から第四十三条の五まで
なお効力を有する改正前国共済法附則第十三条の九第二項	次の各号に掲げる	名目手取り賃金変動率が一を下回る
	第七十二条の三（第七十二条の四から第七十二条の六まで	適用する改正後厚生年金保険法第四十三条の二（適用する改正後厚生年金保険法第四十三条の三から第四十三条の五まで
	当該各号に定める率	名目手取り賃金変動率
	とする。 一　名目手取り賃金変動率が一を下回り、かつ、物価変動率が名目手取り賃金変動率を下回る場合　名目手取り賃金変動率 二　物価変動率が一を下回り、かつ、物価変動率が名目手取り賃金変動率を上回る場合　物価変動率	とする。
なお効力を有する改正前国共済法附則第十三条の九第三項	物価変動率が	物価変動率（物価変動率が名目手取り賃金変動率を上回るときは、名目手取り賃金変動率。以下この項及び第五項において同じ。）が
	第七十二条の四（第七十二条の六	適用する改正後厚生年金保険法第四十三条の三（適用する改正後厚生年金保険法第四十三条の五
なお効力を有する改正前国共済法附則第十三条の九第四項	次の各号に掲げる	名目手取り賃金変動率が一を下回る
	第七十二条の五（第七十二条の六	適用する改正後厚生年金保険法第四十三条の四（適用する改正後厚生年金保険法第四十三条の五
	当該各号に定める率	名目手取り賃金変動率
	とする。 一　名目手取り賃金変動率が一を下回り、かつ、物価変動率が名目手取り賃金変動率以下となる場合　名目手取り賃金変動率 二　名目手取り賃金変動率が一を下回り、かつ、物価変動率が名目手取り賃金変動率を上回る場合（物	とする。

	価変動率が一を上回る場合を除く。）物価変動率	
なお効力を有する改正前国共済法附則第十三条の九第五項	第七十二条の六	適用する改正後厚生年金保険法第四十三条の五
なお効力を有する改正前国共済法附則第十三条の九の二	第九十三条の九第一項及び第二項の規定により標準報酬の月額及び標準期末手当等の額	改正後厚生年金保険法第七十八条の六第一項及び第二項の規定により標準報酬
なお効力を有する改正前国共済法附則第十三条の九の三	、特定期間	、特定期間（改正後厚生年金保険法第七十八条の十四第一項に規定する特定期間をいう。以下この項において同じ。）
なお効力を有する改正前国共済法附則第十三条の九の四	第九十三条の十三第二項及び第三項の規定により標準報酬の月額及び標準期末手当等の額	改正後厚生年金保険法第七十八条の十四第二項及び第三項の規定により標準報酬
	被扶養配偶者みなし組合員期間	改正後厚生年金保険法第七十八条の十五に規定する被扶養配偶者みなし被保険者期間（旧国共済施行日前期間に係るものに限る。）
なお効力を有する改正前国共済法附則第十三条の九の五	特定期間	特定期間（改正後厚生年金保険法第七十八条の十四第一項に規定する特定期間をいう。）
	第九十三条の十三第二項及び第三項の規定による標準報酬の月額及び標準期末手当等の額	改正後厚生年金保険法第七十八条の十四第二項及び第三項の規定による標準報酬
なお効力を有する改正前昭和六十年国共済改正法附則第二条第八号	国家公務員共済組合法（昭和三十三年法律第百二十八号。以下附則第六十六条までにおいて「共済法」という	共済法（被用者年金制度の一元化等を図るための厚生年金保険法等の一部を改正する法律（平成二十四年法律第六十三号。以下「平成二十四年一元化法」という。）附則第三十七条第一項の規定によりなおその効力を有するものとされた平成二十四年一元化法第二条の規定による改正前の国家公務員共済組合法（昭和三十三年法律第百二十八号）をいい、被用者年金制度の一元化等を図るための厚生年金保険法等の一部を改正する法律の施行及び国家公務員の退職給付の給付水準の見直し等のための国家公務員退職手当法等の一部を改正する法律の一部の施行に伴う国家公務員共済組合法による長期給付等に関する経過措置に関する政令（平成二十七年政令第三百四十五号。以下「平成二十七年経過措置政令」という。）第十五条第一項の規定により読み替えられた規定にあつては、同項の規定による読替え後のものとする。以下附則第六十六条までにおいて同じ
なお効力を有する改正前昭和六十年国共済改正法附則第三条第二項	国家公務員共済組合法の長期給付に関する施行法	平成二十四年一元化法附則第三十七条第一項の規定によりなおその効力を有するものとされた平成二十四年一元化法附則第九十七条の規定による改正前の国家公務員共済組合法の長期給付に関する施行法
なお効力を有する改正前昭和六十年国共済改正法附則第五条第二項	共済法第八十一条第二項	平成二十四年一元化法第一条の規定による改正後の厚生年金保険法（昭和二十九年法律第百十五号。以下「改正後厚生年金保険法」という。）第四十七条第二項
なお効力を有する改正前昭和六十年国共済改正法附則第六条第二項	共済法第八十一条第二項	改正後厚生年金保険法第四十七条第二項

なお効力を有する改正前昭和六十年国共済改正法附則第九条第一項	の共済法	の国家公務員共済組合法
なお効力を有する改正前昭和六十年国共済改正法附則第二十一条の二第二項	共済法第七十九条第二項及び第八十条第一項	平成二十七年経過措置政令第十八条第一項の規定により読み替えられた平成二十四年一元化法附則第三十七条第四項の規定により適用するものとされた改正後厚生年金保険法第四十六条第一項（平成二十七年経過措置政令第三十七条第一項の規定により読み替えられた平成二十四年一元化法附則第十七条第一項において準用する平成二十四年一元化法附則第十四条第一項の規定により読み替えて適用する場合を含む。）
	共済法第七十九条第二項中「相当する部分に」とあるのは「相当する部分並びに国家公務員等共済組合法等の一部を改正する法律（昭和六十年法律第百五号）附則第十六条第一項又は第四項の規定により加算された金額に相当する部分に」と、同項第一号中「加算される金額を」とあるのは「加算される金額並びに国家公務員等共済組合法等の一部を改正する法律附則第十六条第一項又は第四項の規定により加算された金額を」と、共済法第八十条第一項	平成二十七年経過措置政令第十八条第一項の規定により読み替えられた平成二十四年一元化法附則第三十七条第四項の規定により適用するものとされた改正後厚生年金保険法第四十六条第一項
	加算される金額」	加算額を除く。以下」
	加算される金額並びに	加算額並びに平成二十四年一元化法附則第三十七条第一項の規定によりなおその効力を有するものとされた平成二十四年一元化法附則第九十八条の規定（平成二十四年一元化法附則第一条第三号に掲げる改正規定を除く。）による改正前の
	」とする	（以下「経過的加算額」という。）を除く。以下」と、「加算額を除く。」とあるのは「加算額及び経過的加算額を除く。」とする
なお効力を有する改正前昭和六十年国共済改正法附則第二十二条	共済法第八十条	平成二十七年経過措置政令第十八条第一項の規定により読み替えられた平成二十四年一元化法附則第三十七条第四項の規定により適用するものとされた改正後厚生年金保険法第四十六条（平成二十七年経過措置政令第三十七条第一項の規定により読み替えられた平成二十四年一元化法附則第十七条第一項において準用する平成二十四年一元化法附則第十四条第一項の規定により読み替えて適用する場合を含む。）
なお効力を有する改正前昭和六十年国共済改正法附則第二十四条第一項	共済法第八十一条第二項	改正後厚生年金保険法第四十七条第二項
なお効力を	特例、施行	特例

有する改正前昭和六十年国共済改正法附則第二十六条	日前の組合員期間を有する者に対する共済法第八十七条の二の規定による支給の停止の特例	
なお効力を有する改正前昭和六十年国共済改正法附則第三十五条第四項	共済法第七十二条の三から第七十二条の六まで	改正後厚生年金保険法第四十三条の二から第四十三条の五まで
	再評価率	改正後厚生年金保険法第四十三条第一項に規定する再評価率
なお効力を有する改正前昭和六十年国共済改正法附則第五十条	共済法第九十三条の五第一項	改正後厚生年金保険法第七十八条の二第一項
	同条から共済法	共済法第九十三条の十から

2　平成二十四年一元化法附則第三十七条第一項に規定する改正前国共済法による年金である給付に係るなお効力を有する改正前国共済令及びなお効力を有する改正前昭和六十一年国共済経過措置政令（同項の規定によりなおその効力を有するものとされた平成二十七年国共済整備政令第二条の規定による改正前の昭和六十一年国共済経過措置政令をいう。以下同じ。）の規定の適用については、次の表の上欄に掲げる規定中同表の中欄に掲げる字句は、それぞれ同表の下欄に掲げる字句とする。

なお効力を有する改正前国共済令第一条	国家公務員共済組合法（以下「法」という	法（被用者年金制度の一元化等を図るための厚生年金保険法等の一部を改正する法律（平成二十四年法律第六十三号。以下「平成二十四年一元化法」という。）附則第三十七条第一項の規定によりなおその効力を有するものとされた平成二十四年一元化法による改正前の国家公務員共済組合法をいい、被用者年金制度の一元化等を図るための厚生年金保険法等の一部を改正する法律の施行及び国家公務員の退職給付の給付水準の見直し等のための国家公務員退職手当法等の一部を改正する法律の一部の施行に伴う国家公務員共済組合法による長期給付等に関する経過措置に関する政令（平成二十七年政令第三百四十五号。以下「平成二十七年経過措置政令」という。）第十五条第一項の規定により読み替えられた規定にあつては、同項の規定による読替え後のものとする。以下同じ
	国家公務員共済組合法の長期給付に関する施行法（昭和三十三年法律第百二十九号。以下「施行法」という	施行法（平成二十四年一元化法附則第三十七条第一項の規定によりなおその効力を有するものとされた平成二十四年一元化法附則第九十七条の規定による改正前の国家公務員共済組合法の長期給付に関する施行法（昭和三十三年法律第百二十九号）をいう。以下同じ
なお効力を有する改正前国共済令第十一条の七の二第一号	法第七十九条第六項（法第八十七条第三項	適用する改正後厚生年金保険法（平成二十四年一元化法附則第三十七条第四項の規定により適用するものとされた改正後厚生年金保険法（平成二十四年一元化法附則第七条第一項に規定する改正後厚生年金保険法をいう。以下同じ。）をいい、平成二十七年経過措置政令第十八条第一項の規定により読み替えられた規定にあつては、同項の規定による読替え後のものとする。以下同じ。）第四十六条第六項（適用する改正後厚生年金保険法第五十四条第三項
なお効力を有する改正前国共済令第十一条の八の十五第一号	第四十三条第三項	第四十三条第二項及び第三項
なお効力を有する改正前国共済令第十一条の八の十五第二号	地方公務員等共済組合法第七十九条第三項	被用者年金制度の一元化等を図るための厚生年金保険法等の一部を改正する法律及び地方公務員等共済組合法及び被用者年金制度の一元化等を図るための厚生年金保険法等の一部を改正する法律の施行に伴う地方公務員等共済組合法による長期給付等に関する経過措置に関する政令（平成二十七年政令第三百四十七号）第十七条第一項の規定によ

		り読み替えられた平成二十四年一元化法附則第六十一条第四項の規定により適用するものとされた改正後厚生年金保険法第四十三条第三項
なお効力を有する改正前国共済令第十一条の八の十五第三号	第二十五条において準用する法第七十七条第四項	第四十八条の二の規定によりその例によることとされる適用する改正後厚生年金保険法第四十三条第三項
なお効力を有する改正前国共済令第十一条の八の十五第四号	廃止前農林共済法第三十七条第三項	厚生年金保険制度及び農林漁業団体職員共済組合制度の統合を図るための農林漁業団体職員共済組合法等を廃止する等の法律の施行に伴う移行農林共済年金等に関する経過措置に関する政令（平成十四年政令第四十四号）第十四条第一項の規定により読み替えられた廃止前農林共済法第三十七条第二項及び第三項
なお効力を有する改正前国共済令第十一条の八の二十	法第九十三条の五第二項	改正後厚生年金保険法第七十八条第二項
なお効力を有する改正前国共済令第十一条の八の二十第一号	法第九十三条の九第一項及び第二項の規定により標準報酬の月額及び標準期末手当等の額	改正後厚生年金保険法第七十八条の六第一項及び第二項の規定により標準報酬（改正後厚生年金保険法第二十八条に規定する標準報酬をいい、旧国共済施行日前期間（平成二十四年一元化法附則第四条第十一号に規定する旧国家公務員共済組合員期間と平成二十四年一元化法附則第四十一条第一項に規定する追加費用対象期間とを合算した期間をいう。以下同じ。）に係るものに限る。以下同じ。）
	組合員期間	旧国共済施行日前期間
なお効力を有する改正前国共済令第十一条の八の二十第二号	の組合員期間	の旧国共済施行日前期間
	法第九十三条の十第二項に規定する離婚時みなし組合員期間	改正後厚生年金保険法第七十八条の七に規定する離婚時みなし被保険者期間（旧国共済施行日前期間に係るものに限る。）
なお効力を有する改正前国共済令第十一条の八の二十第三号	法第七十七条第四項	適用する改正後厚生年金保険法第四十三条第三項
	の組合員期間	の旧国共済施行日前期間
なお効力を有する改正前国共済令第十一条の八の二十第四号から第六号まで	の組合員期間	の旧国共済施行日前期間
なお効力を有する改正前国共済令第十一条の八の二十第七号	法第七十七条第四項	適用する改正後厚生年金保険法第四十三条第三項
	の組合員期間	の旧国共済施行日前期間
なお効力を有する改正前国共済令第十一条の八の二十第八号及び第九号	の組合員期間	の旧国共済施行日前期間
なお効力を有する改正前国共済令第十一条の八の二十第十号	法第七十七条第四項	適用する改正後厚生年金保険法第四十三条第三項
	の組合員期間	の旧国共済施行日前期間
なお効力を有する改正前国共済令第十一条の八の二十第十一号から第十三号まで	の組合員期間	の旧国共済施行日前期間
なお効力を有する改正前国共済令第十一条の	法第七十七条第四項	適用する改正後厚生年金保険法第四十三条第三項
	の組合員期間	の旧国共済施行日前期間

八の二十第十四号	間	
なお効力を有する改正前国共済令第十一条の八の二十第十五号	の組合員期間	の旧国共済施行日前期間
なお効力を有する改正前国共済令第十一条の八の二十第十六号	法第七十七条第四項	適用する改正後厚生年金保険法第四十三条第三項
	の組合員期間	の旧国共済施行日前期間
なお効力を有する改正前国共済令第十一条の八の二十第十七号	の組合員期間	の旧国共済施行日前期間
なお効力を有する改正前国共済令第十一条の八の二十第十八号	法第七十七条第四項	適用する改正後厚生年金保険法第四十三条第三項
	の組合員期間	の旧国共済施行日前期間
なお効力を有する改正前国共済令第十一条の八の二十第十九号	法第七十七条第四項	適用する改正後厚生年金保険法第四十三条第三項
なお効力を有する改正前国共済令第十一条の八の二十第二十号	法第七十七条第四項	適用する改正後厚生年金保険法第四十三条第三項
	の組合員期間	の旧国共済施行日前期間
なお効力を有する改正前国共済令第十一条の八の二十第二十一号	の組合員期間	の旧国共済施行日前期間
	法第七十七条第四項	適用する改正後厚生年金保険法第四十三条第三項
なお効力を有する改正前国共済令第十一条の八の二十一の表法第二条第一項第三号の項	第七十四条の五、第九十一条第三項	第七十四条の五
	、第百十一条第三項第一号並びに	並びに
なお効力を有する改正前国共済令第十一条の八の二十一の表法第八十五条第五項の項	第九十三条の九第一項及び第二項	改正後厚生年金保険法第七十八条の六第一項
	標準報酬の月額及び標準期末手当等の額	標準報酬（第九十三条の十第一項に規定する標準報酬をいう。）
	第九十三条の五第一項	改正後厚生年金保険法第七十八条の二第一項
なお効力を有する改正前国共済令第十一条の八の二十六	特定組合員（	特定組合員（平成二十四年一元化法第二条の規定による改正前の
	前条第一項	第七十八条の六第一項
	同条第二項	第七十八条の十四第二項
	標準報酬改定請求	標準報酬の改定又は決定の請求
	同条第三項」とあるのは「同条第四項」と、「期間（以下「離婚時みなし組合員期間」という	離婚時みなし組合員期間（改正後厚生年金保険法第七十八条の七に規定する離婚時みなし被保険者期間（旧国共済施行日前期間に係るものに限る。）をいう。以下同じ
	「期間」	「改正後厚生年金保険法第七十八条の十五に規定する被扶養配偶者みなし被保険者期間（旧国共済施行日前期間に係るものに限る。）」
なお効力を有する改正前国共済令第十一条の	第九十三条の十三第四項の規定により組合員	改正後厚生年金保険法第七十八条の十五に規定する被扶養配偶者みなし被保険者期間（旧国共済施行日前期間を除く。）

八の二十七の表法第二条第一項第三号の項	期間であつたものとみなされた期間	
	第七十四条の五、第九十一条第三項	第七十四条の五
	、第百十一条第三項第一号並びに	並びに
なお効力を有する改正前国共済令第十一条の八の二十七の表法第八十五条第五項の項	第九十三条の十三第二項	改正後厚生年金保険法第七十八条の十四第二項
	標準報酬の月額及び標準期末手当等の額	標準報酬（第九十三条の十第一項に規定する標準報酬をいう。）
	同条第一項	改正後厚生年金保険法第七十八条の十四第一項
なお効力を有する改正前国共済令第十一条の十第一項第二号	月数（国家公務員法第八十一条の四第一項の規定により採用された職員又はこれに相当する職員（以下この号及び第四号において「再任用職員等」という。）である組合員（職員でなくなつたことにより当該職員が退職手当（国家公務員退職手当法（昭和二十八年法律第百八十二号）の規定による退職手当をいう。以下この号及び第四号において同じ。）又はこれに相当する給付の支給を受けることができる場合における当該職員でなくなつた日又はその翌日に再任用職員等となつた組合員を除く。）が退職手当又はこれに相当する給付の額の算定の基礎となる職員としての引き続く在職期間中の行為に関する懲戒処分によつて退職した場合にあつては、当該引き続く在職期間に係る組合員期間の月数と当該再任用職員等としての在職期間に係る組合員期間の月数とを合算した月数）	月数
なお効力を有する改正前国共済令	退職手当又は	国家公務員退職手当法（昭和二十八年法律第百八十二号）の規定による退職手当又は

第十一条の十第一項第四号	月数（当該職員である組合員が当該引き続く在職期間の末日以後に再任用職員等である組合員となつた場合にあつては、当該引き続く在職期間に係る組合員期間の月数と当該再任用職員等としての在職期間に係る組合員期間の月数とを合算した月数）	月数
なお効力を有する改正前国共済令第十一条第三項	法第七十九条第一項若しくは附則第十二条の七の四第一項	附則第十二条の七の四第一項若しくは適用する改正後厚生年金保険法第四十六条第一項（平成二十七年経過措置政令第三十七条第一項の規定により読み替えられた平成二十四年一元化法附則第十七条第一項において準用する平成二十四年一元化法附則第十四条第一項の規定により読み替えて適用する場合を含む。）

	法第八十七条第一項若しくは第四項	適用する改正後厚生年金保険法第五十四条第二項
	法第九十一条第一項から第三項まで若しくは第九十二条第一項	適用する改正後厚生年金保険法第六十五条の二、第六十六条、第六十七条第一項若しくは第六十八条第一項
なお効力を有する改正前国共済令第十一条第四項	、法第七十九条第一項若しくは附則第十二条の七の四第一項	若しくは附則第十二条の七の四第一項、適用する改正後厚生年金保険法第四十六条第一項（平成二十七年経過措置政令第三十七条第一項の規定により読み替えられた平成二十四年一元化法附則第十七条第一項において準用する平成二十四年一元化法附則第十四条第一項の規定により読み替えて適用する場合を含む。）
	法第八十七条第一項若しくは第四項	適用する改正後厚生年金保険法第五十四条第二項
	法第九十一条第一項から第三項まで若しくは第九十二条第一項	適用する改正後厚生年金保険法第六十五条の二、第六十六条、第六十七条第一項若しくは第六十八条第一項

なお効力を有する改正前国共済令第十一条の十第五項	同号及び	同項第三号に規定する停職の期間の月数又は
	月数若しくは再任用職員等としての在職期間に係る組合員期間の月数又は同項第三号に規定する停職の期間の月数	月数
なお効力を有する改正前国共済令附則第六条の四第一項	法第七十七条第四項	適用する改正後厚生年金保険法第四十三条第三項
なお効力を有する改正前国共済令附則第二十七条の七の表以外の部分	法第九十三条の九第一項及び第二項の規定により標準報酬の月額及び標準期末手当等の額	改正後厚生年金保険法第七十八条の六第一項及び第二項の規定により標準報酬
なお効力を有する改正前国共済令附則第二十	新法	被用者年金制度の一元化等を図るための厚生年金保険法等の一部を改正する法律の施行及び国家公務員の退職給付の給付水準の見直し

七条の七の表第七条第一項の項		等のための国家公務員退職手当法等の一部を改正する法律の一部の施行に伴う国家公務員共済組合法による長期給付等に関する経過措置に関する政令（平成二十七年政令第三百四十五号）第十五条第一項の規定により読み替えられた被用者年金制度の一元化等を図るための厚生年金保険法等の一部を改正する法律（平成二十四年法律第六十三号）附則第三十七条第一項の規定によりなおその効力を有するものとされた新法
なお効力を有する改正前国共済令附則第二十七条の八	三号分割標準報酬改定請求	改正後厚生年金保険法第七十八条の十四第一項に規定する請求（以下「三号分割標準報酬改定請求」という。）
なお効力を有する改正前国共済令附則第二十七条の八第一号	法第九十三条の十三第二項及び第三項の規定により標準報酬の月額及び標準期末手当等の額	改正後厚生年金保険法第七十八条の十四第二項及び第三項の規定により標準報酬
	組合員期間	旧国共済施行日前期間
なお効力を有する改正前国共済令附則第二十七条の八第二号	組合員期間	旧国共済施行日前期間
なお効力を有する改正前国共済令附則第二十七条の八第三号	法第七十七条第四項	適用する改正後厚生年金保険法第四十三条第三項
	組合員期間	旧国共済施行日前期間
なお効力を有する改正前国共済令附則第二十七条の八第四号から第六号まで	組合員期間	旧国共済施行日前期間
なお効力を有する改正前国共済令附則第二十七条の八第七号	法第七十七条第四項	適用する改正後厚生年金保険法第四十三条第三項
	組合員期間	旧国共済施行日前期間
なお効力を有する改正前国共済令附則第二十七条の八第八号	組合員期間	旧国共済施行日前期間
なお効力を有する改正前国共済令附則第二十七条の八第九号	の組合員期間	の旧国共済施行日前期間
	法第九十三条の十三第四項の規定により組合員期間であつたものとみなされた期間	改正後厚生年金保険法第七十八条の十五に規定する被扶養配偶者みなし被保険者期間（旧国共済施行日前期間に係るものに限る。）
なお効力を有する改正前国共済令附則第二十七条の八第十号	法第七十七条第四項	適用する改正後厚生年金保険法第四十三条第三項
	の組合員期間	の旧国共済施行日前期間
なお効力を有する改正前国共済令附則第二十七条の八第十一号から第十三号まで	組合員期間	旧国共済施行日前期間
なお効力を有する改正前国共済令附則第二十七条の八第十四号	法第七十七条第四項	適用する改正後厚生年金保険法第四十三条第三項
	組合員期間	旧国共済施行日前期間
なお効力を有する改正	組合員期間	旧国共済施行日前期間

前国共済令附則第二十七条の八第十五号		
なお効力を有する改正前国共済令附則第二十七条の八第十六号	法第七十七条第四項	適用する改正後厚生年金保険法第四十三条第三項
	組合員期間	旧国共済施行日前期間
なお効力を有する改正前国共済令附則第二十七条の八第十七号	の組合員期間	の旧国共済施行日前期間
なお効力を有する改正前国共済令附則第二十七条の八第十八号	法第七十七条第四項	適用する改正後厚生年金保険法第四十三条第三項
	の組合員期間	の旧国共済施行日前期間
なお効力を有する改正前国共済令附則第二十七条の八第十九号	の組合員期間	の旧国共済施行日前期間
	法第七十七条第四項	適用する改正後厚生年金保険法第四十三条第三項
なお効力を有する改正前国共済令附則第二十七条の八第二十号	法第七十七条第四項	適用する改正後厚生年金保険法第四十三条第三項
	の組合員期間	の旧国共済施行日前期間
なお効力を有する改正前国共済令附則第二十七条の八第二十一号	の組合員期間	の旧国共済施行日前期間
	法第七十七条第四項	適用する改正後厚生年金保険法第四十三条第三項
なお効力を有する改正前昭和六十一年国共済経過措置政令第二条第一号	国家公務員共済組合法をいう	被用者年金制度の一元化等を図るための厚生年金保険法等の一部を改正する法律（平成二十四年法律第六十三号。以下「平成二十四年法律一元化法」という。）附則第三十七条第一項の規定によりなおその効力を有するものとされた平成二十四年一元化法第二条の規定による改正前の国家公務員共済組合法をいい、被用者年金制度の一元化等を図るための厚生年金保険法等の一部を改正する法律の施行及び国家公務員の退職給付の給付水準の見直し等のための国家公務員退職手当法等の一部を改正する法律の一部の施行に伴う国家公務員共済組合法による長期給付等に関する経過措置に関する政令（平成二十七年政令第三百四十五号。以下「平成二十七年経過措置政令」という。）第十五条第一項の規定により読み替えられた規定にあつては、同項の規定による読替え後のものとする
なお効力を有する改正前昭和六十一年国共済経過措置政令第二条第二号	国家公務員等共済組合法等の一部を改正する法律（昭和六十年法律第百五号。以下「昭和六十年改正法」という	昭和六十年改正法（平成二十四年一元化法附則第三十七条第一項の規定によりなおその効力を有するものとされた平成二十四年一元化法附則第九十八条の規定（平成二十四年一元化法附則第一条第三号に掲げる改正規定を除く。）による改正前の国家公務員等共済組合法等の一部を改正する法律（昭和六十年法律第百五号）をいい、平成二十七年経過措置政令第十五条第一項の規定により読み替えられた規定にあつては、同項の規定による読替え後のものとする。以下同じ
なお効力を有する改正前昭和六十一年国共済経過措置政令第二条第三号	国家公務員共済組合法の長期給付に関する施行法	平成二十四年一元化法附則第三十七条第一項の規定によりなおその効力を有するものとされた平成二十四年一元化法附則第九十七条の規定による改正前の国家公務員共済組合法の長期給付に関する施行法
なお効力を有する改正前昭和六十一年国共済経過措置政令第二条第五号	国家公務員共済組合法施行令（昭和三十三年政令第二百七号）をいう	平成二十四年一元化法附則第三十七条第一項の規定によりなおその効力を有するものとされた国家公務員共済組合法施行令等の一部を改正する等の政令（平成二十七年政令第三百四十四号）第一条の規定による改正前の国家公務員共済組合法施行令（昭和三十三年政令第二百七号）をいい、平成二十七

		年経過措置政令第十五条第二項の規定により読み替えられた規定にあつては、同項の規定による読替え後のものとする
なお効力を有する改正前昭和六十一年国共済経過措置政令第六条第二項	において	において平成二十四年一元化法附則第六十一条第一項の規定によりなおその効力を有するものとされた平成二十四年一元化法附則第百二条の規定（平成二十四年一元化法附則第一条第三号に掲げる改正規定を除く。）による改正前の
	額（	額（平成二十四年一元化法附則第六十一条第一項の規定によりなおその効力を有するものとされた地方公務員等共済組合法施行令等の一部を改正する等の政令（平成二十七年政令第三百四十六号）第二条の規定による改正前の
なお効力を有する改正前昭和六十一年国共済経過措置政令第七条第一号	第十三条の二第二項第一号ただし書	第十三条の二第二項第一号ただし書及び第三項
なお効力を有する改正前昭和六十一年国共済経過措置政令第十六条第二項	共済法第七十九条第六項又は第七項の規定により共済法第七十八条第一項に規定する加給年金額（	適用する改正後厚生年金保険法（平成二十四年一元化法附則第三十七条第四項の規定により適用するものとされた平成二十四年一元化法第一条の規定による改正後の厚生年金保険法（以下「改正後厚生年金保険法」という。）をいい、平成二十七年経過措置政令第十八条第一項の規定により読み替えられた規定にあつては、同項の規定による読替え後のものとする。以下同じ。）第四十六条第六項又は平成二十七年経過措置政令第二十四条の規定により共済法第七十八条第一項に規定する加給年金額（
	退職共済年金の額（共済法第七十九条第六項又は第七項	退職共済年金の額（平成二十七年経過措置政令第十八条第一項の規定により読み替えられた平成二十四年一元化法附則第三十七条第四項の規定により適用するものとされた平成二十四年一元化法第一条の規定による改正後の厚生年金保険法（以下「改正後厚生年金保険法」という。）第四十六条第六項又は平成二十七年経過措置政令第二十四条
	算定した額（共済法第七十九条第六項又は第七項	算定した額（平成二十七年経過措置政令第十八条第一項の規定により読み替えられた平成二十四年一元化法附則第三十七条第四項の規定により適用するものとされた改正後厚生年金保険法第四十六条第六項又は平成二十七年経過措置政令第二十四条
なお効力を有する改正前昭和六十一年国共済経過措置政令第十六条第四項及び第七項	共済法第七十九条第六項若しくは第七項	適用する改正後厚生年金保険法第四十六条第六項若しくは平成二十七年経過措置政令第二十四条
なお効力を有する改正前昭和六十一年国共済経過措置政令第十七条第三項	共済法第八十条第一項	適用する改正後厚生年金保険法第四十六条第一項（平成二十七年経過措置政令第三十七条第一項の規定により読み替えられた平成二十四年一元化法附則第十七条第一項において準用する平成二十四年一元化法附則第十四条第一項の規定により読み替えて適用する場合を含む。）
	同項	適用する改正後厚生年金保険法第四十六条第一項
	国家公務員等共済組合法等の一部を改正する法律の施行に伴う経過措置に関する政令	平成二十四年一元化法附則第三十七条第一項の規定によりなおその効力を有するものとされた国家公務員共済組合法施行令等の一部を改正する等の政令（平成二十七年政令第三百四十四号）第二条の規定による改正前の国家公務員等共済組合法等の一部を改正する法律の施行に伴う経過措置に関する政令
	同法	平成二十四年一元化法附則第三十七条第一項の規定によりなおその効力を有するものとされた平成二十四年一元化法附則第九十八条の規定（平成二十四年一元化法附則

		第一条第三号に掲げる改正規定を除く。）による改正前の国家公務員等共済組合法等の一部を改正する法律（昭和六十年法律第百五号）
なお効力を有する改正前昭和六十一年国共済経過措置政令第二十一条第一項	共済法第八十七条第三項	適用する改正後厚生年金保険法第五十四条第三項
	共済法第七十九条第六項	適用する改正後厚生年金保険法第四十六条第六項
なお効力を有する改正前昭和六十一年国共済経過措置政令第二十一条第三項	、第八十七条の二第一項並びに	並びに
	共済法第八十七条第三項	適用する改正後厚生年金保険法第五十四条第三項
	共済法第七十九条第六項	適用する改正後厚生年金保険法第四十六条第六項
なお効力を有する改正前昭和六十一年国共済経過措置政令第二十六条第一項第二号ロ	管掌者	実施者
	若しくは特例遺族農林年金（平成十三年統合法附則第二十五条第三項の規定により同項に規定する存続組合が支給するものとされた同条第四項第十二号に掲げる特例遺族農林年金をいう。）又は	若しくは
	月数とを	月数又は当該遺族共済年金と同一の給付事由に基づいて支給されていた特例遺族農林年金（厚生年金保険制度及び農林漁業団体職員共済組合制度の統合を図るための農林漁業団体職員共済組合法等を廃止する等の法律の一部を改正する法律（平成三十年法律第三十一号）による改正前の平成十三年統合法附則第二十五条第三項の規定により同項に規定する存続組合が支給するものとされた同条第四項第十二号に掲げる特例遺族農林年金をいう。）の額の算定の基礎となつていた期間の月数とを
なお効力を有する改正前昭和六十一年国共済経過措置政令第四十六条第一項の表旧共済法第八十八条の六の項	厚生年金保険法等の一部を改正する法律（平成八年法律第八十二号）第二条の規定による改正後の国家公務員共済組合法第七十九条第六項	被用者年金制度の一元化等を図るための厚生年金保険法等の一部を改正する法律の施行及び国家公務員の退職給付の給付水準の見直し等のための国家公務員退職手当法等の一部を改正する法律の一部の施行に伴う国家公務員共済組合法による長期給付等に関する経過措置に関する政令（平成二十七年政令第三百四十五号）第十八条第一項の規定により読み替えられた被用者年金制度の一元化等を図るための厚生年金保険法等の一部を改正する法律（平成二十四年法律第六十三号）附則第三十七条第四項の規定により適用するものとされた同法第一条の規定による改正後の厚生年金保険法（昭和二十九年法律第百十五号）第四十六条第六項
	退職共済年金若しくは障害共済年金又は同項に規定する退職、老齢若しくは障害を給付事由	老齢厚生年金、障害厚生年金、国民年金法による障害基礎年金その他の年金たる給付のうち、老齢若しくは退職又は障害を支給事由
なお効力を有する改正前昭和六十一年国共済経過措置政令第六十六条の三第一項の表以外の部分	共済法第九十三条の九第一項及び第二項の規定により標準報酬の月額及び標準期末手当等の額	改正後厚生年金保険法第七十八条の六第一項及び第二項の規定により標準報酬（改正後厚生年金保険法第二十八条に規定する標準報酬をいう。以下同じ。）

	（前条の規定により施行日前分割対象期間に係る標準報酬の月額が改定され、又は決定された者を含む。次項において同じ。）に対する	に対する
なお効力を有する改正前昭和六十一年国共済経過措置政令第六十六条の三第一項の表附則第二十条第二項の項	通算退職年金の額（	通算退職年金の額（平成二十七年経過措置政令第十五条第二項の規定により読み替えられた平成二十四年一元化法附則第三十七条第一項の規定によりなおその効力を有するものとされた国家公務員共済組合法等の一部を改正する等の政令（平成二十七年政令第三百四十四号）第二条の規定による改正前の
なお効力を有する改正前昭和六十一年国共済経過措置政令第六十六条の三第一項の表附則第二十一条第一項の項	共済法第九十三条の五第一項	改正後厚生年金保険法第七十八条の二第一項
なお効力を有する改正前昭和六十一年国共済経過措置政令第六十六条の三第二項の表以外の部分	共済法第九十三条の九第一項及び第二項の規定により標準報酬の月額及び標準期末手当等の額	改正後厚生年金保険法第七十八条の六第一項及び第二項の規定により標準報酬
なお効力を有する改正前昭和六十一年国共済経過措置政令第六十六条の六第一項	退職年金等の受給権者	退職年金等（退職年金、減額退職年金、通算退職年金又は障害年金をいう。以下同じ。）の受給権者
	前条第一項の規定により換算標準報酬の月額	改正後厚生年金保険法第七十八条の六第一項の規定により標準報酬月額（厚生年金保険法第二十条第一項に規定する標準報酬月額をいう。以下同じ。）
	換算標準報酬改定請求	改正後厚生年金保険法第七十八条の二第二項に規定する標準報酬改定請求
なお効力を有する改正前昭和六十一年国共済経過措置政令第六十六条の六第一項第一号	一　第一号換算標準報酬改定者	一　第一号改定者（改正後厚生年金保険法第七十八条の二第一項に規定する第一号改定者をいう。以下同じ。）
	第一号換算標準報酬改定者の	第一号改定者の
	換算標準報酬の月額	標準報酬月額
	改定割合	改定割合（改正後厚生年金保険法第七十八条の六第一項第一号に規定する改定割合をいう。以下同じ。）
	分割対象期間	分割対象期間（対象期間（改正後厚生年金保険法第七十八条の二第一項に規定する対象期間をいう。）に係る組合員期間をいい、退職年金等の額の算定の基礎となる部分に限る。次号において同じ。）
	みなして	みなして平成二十七年経過措置政令第十九条第一項の規定により読み替えて適用する
なお効力を有する改正前昭和六十一年国共済経過措置政令第六十六条の六第一項第二号	第二号換算標準報酬改定者	第二号改定者（改正後厚生年金保険法第七十八条の二第一項に規定する第二号改定者をいう。以下同じ。）
	第一号換算標準報酬改定者	第一号改定者
	換算標準報酬の月額	標準報酬月額

	みなして	みなして平成二十七年経過措置政令第十九条第一項の規定により読み替えて適用する
なお効力を有する改正前昭和六十一年国共済経過措置政令第六十六条の六第三項	第二号換算標準報酬改定者	第二号改定者
	第一号換算標準報酬改定者が	第一号改定者が
	共済法第九十三条の九第一項第一号に規定する第一号改定者の改定前の標準報酬の月額を第一項第二号に規定する第一号換算標準報酬改定者の改定前の換算標準報酬の月額とみなして、同号	第一項第二号
なお効力を有する改正前昭和六十一年国共済経過措置政令第六十六条の七	第六十六条の五第一項の規定により換算標準報酬の月額	改正後厚生年金保険法第七十八条の六第一項の規定により標準報酬月額
	改定後の額（	改定後の額（平成二十七年経過措置政令第十五条第二項の規定により読み替えられた平成二十四年一元化法附則第三十七条第一項の規定によりなおその効力を有するものとされた国家公務員共済組合法施行令等の一部を改正する等の政令（平成二十七年政令第三百四十四号）第二条の規定による改正前の
	昭和六十一年経過措置令	なお効力を有する改正前昭和六十一年経過措置政令
なお効力を有する改正前昭和六十一年国共済経過措置政令第六十六条の九の表以外の部分	共済法第九十三条の十三第二項及び第三項の規定により標準報酬の月額及び標準期末手当等の額	改正後厚生年金保険法第七十八条の十四第二項及び第三項の規定により標準報酬
なお効力を有する改正前昭和六十一年国共済経過措置政令第六十六条の九の表附則第十六条第一項の項	共済法第九十三条の十三第四項の規定により組合員期間であつたものとみなされた期間	改正後厚生年金保険法第七十八条の十五に規定する被扶養配偶者みなし被保険者期間（旧国共済施行日前期間（平成二十四年一元化法附則第四条第十一号に規定する旧国家公務員共済組合員期間と平成二十四年一元化法附則第四十一条第一項に規定する追加費用対象期間とを合算した期間をいう。）に係るものに限る。以下「被扶養配偶者みなし組合員期間」という。）
なお効力を有する改正前昭和六十一年国共済経過措置政令第六十六条の九の表附則第二十一条第一項の項	共済法第九十三条の十三第一項に規定する特定組合員	組合員又は組合員であつた者
なお効力を有する改正前昭和六十一年国共済経過措置政令第六十六条の九の表附則第二十九条第一項の項	共済法第九十三条の十三第四項の規定により組合員期間であつたものとみなされた期間	被扶養配偶者みなし組合員期間

3　平成二十四年一元化法附則第三十七条第一項に規定する給付のうち障害共済年金についてなお効力を有する改正前国共済法その他の法令の規定を適用する場合には、改正前国共済法第八十一条第二項に規定する障害等級の一級、二級又は三級は、それぞれ第一項の規定により読み替えられたなお効力を有する改正前国共済法第二条第三項に規定する障害等級の一級、二級又は三級とみなす。

（端数処理に関する経過措置）

第十六条　前条第一項の規定により読み替えられたなお効力を有する改正前国共済法第百十五条第一項の規定は、平成二十八年四月以後の月分の年金の支払額について適用する。

２　前項の規定は、なお効力を有する改正前昭和六十年国共済改正法附則第三条第一項の規定にかかわらず、旧国共済法による年金である給付について準用する。

（施行日前に給付事由が生じた改正前国共済法による給付について適用しない改正前国共済法等の規定）

第十七条　平成二十四年一元化法附則第三十七条第三項に規定する政令で定める規定は、次に掲げる規定とする。

一　なお効力を有する改正前国共済法第四十三条、第七十二条の三から第七十二条の六まで、第七十七条第四項、第七十九条、第八十条、第八十七条、第八十七条の二、第九十一条、第九十二条、第九十三条の五から第九十三条の九まで、第九十三条の十三、第九十三条の十六、第百三条から第百七条まで及び第百十一条並びに附則第十二条の四の四及び第十二条の八の三の規定

二　なお効力を有する改正前昭和六十年国共済改正法附則第三条第一項の規定によりなお従前の例によることとされた旧国共済法第四十三条の規定

三　なお効力を有する改正前昭和六十年国共済改正法附則第三十六条第一項、第三十九条後段、第四十四条第一項及び第四十五条の規定

四　平成二十四年一元化法附則第三十七条第一項の規定によりなおその効力を有するものとされた平成二十四年一元化法附則第九十一条の規定による改正前の厚生年金保険法等の一部を改正する法律（平成八年法律第八十二号）の規定

五　なお効力を有する改正前国共済令附則第十二条の二から第十二条の二十三まで及び第二十七条の六の二の規定

六　なお効力を有する改正前昭和六十一年国共済経過措置政令第十六条の三から第十六条の八まで、第二十一条の二、第二十一条の三、第二十六条の二から第二十六条の八まで、第五十七条の二から第五十七条の二十一まで、第六十六条の二、第六十六条の四、第六十六条の五、第六十六条の六第二項及び第六十六条の八の規定

七　平成二十四年一元化法附則第三十七条第一項の規定によりなおその効力を有するものとされた平成二十七年国共済整備政令第三条の規定による改正前の厚生年金保険法等の一部を改正する法律の施行に伴う国家公務員共済組合法による長期給付等に関する経過措置に関する政令（平成九年政令第八十六号）の規定

八　平成二十四年一元化法附則第三十七条第一項の規定によりなおその効力を有するものとされた平成二十七年国共済整備政令第十五条の規定による廃止前の国家公務員共済組合法による再評価率の改定等に関する政令の規定

（施行日前に給付事由が生じた改正前国共済法による年金である給付について適用する改正後厚生年金保険法等の規定等）

第十八条　平成二十四年一元化法附則第三十七条第一項に規定する改正前国共済法による年金である給付に係る同条第四項に規定する政令で定める規定は、改正後厚生年金保険法第四十三条第三項、第四十三条の二から第四十三条の五まで、第四十六条、第五十四条第二項及び第三項、第六十五条の二から第六十八条まで、第百条の二第一項、第三項及び第四項、附則第十条の二、第十一条第一項、第十一条の二第一項、第二項及び第四項、第十一条の四第一項及び第三項、第十一条の六第一項及び第六項から第八項まで、第十三条の五第六項、第十三条の六第一項、第四項及び第六項から第八項まで並びに第十七条の四第五項本文、附則別表第二並びに別表の規定、厚生年金保険法第九十二条第一項及び第二項の規定並びに平成二十四年一元化法附則第九十条の規定による改正後の国民年金法等の一部を改正する法律（平成六年法律第九十五号。以下「改正後平成六年国民年金等改正法」という。）附則第二十一条第一項及び第三項（これらの規定を改正後平成六年国民年金等改正法附則第二十二条及び第二十七条第十八項において読み替えて準用する場合を含む。）、第二十四条第四項及び第六項並びに第二十六条第一項、第三項、第五項から第十一項まで及び第十四項の規定とし、これらの規定を平成二十四年一元化法附則第三十七条第四項の規定により適用する場合には、次の表の上欄に掲げる規定中同表の中欄に掲げる字句は、それぞれ同表の下欄に掲げる字句とする。

改正後厚生年金保険法第四十三条第三項	被保険者である受給権者	被保険者である被用者年金制度の一元化等を図るための厚生年金保険法等の一部を改正する法律（平成二十四年法律第六十三号。以下「平成二十四年一元化法」という。）附則第三十七条第一項に規定する給付のうち退職共済年金の受給権者（平成二十四年一元化法附則第五条の規定により被保険者の資格を取得したものに限る。）
	被保険者であつた期間	旧国共済施行日前期間（平成二十四年一元化法附則第四条第十一号に規定する旧国家公務員共済組合員期間と平成二十四年一元化法附則第四十一条第一項に規定する追加費用対象期間とを合算した期間をいう。以下同じ。）
	老齢厚生年金	平成二十四年一元化法附則第三十七条第一項に規定する給付のうち退職共済年金
	とするものとし、資格を喪失した日（第十四条第二号から第四号までのいずれかに該当するに至つた日にあつて	として、当該退職共済年金

	は、その日）から起算して一月を経過した日の属する月から、年金	
改正後厚生年金保険法第四十三条の二第一項	再評価率	なお効力を有する改正前国共済法（平成二十四年一元化法附則第三十七条第一項の規定によりなおその効力を有するものとされた改正前国共済法（平成二十四年一元化法第二条の規定による改正前の国家公務員共済組合法（昭和三十三年法律第百二十八号）をいう。以下同じ。）をいい、被用者年金制度の一元化等を図るための厚生年金保険法等の一部を改正する法律の施行及び国家公務員の退職給付の給付水準の見直し等のための国家公務員退職手当法等の一部を改正する法律の一部の施行に伴う国家公務員共済組合法による長期給付等に関する経過措置に関する政令（平成二十七年政令第三百四十五号。以下「平成二十七年経過措置政令」という。）第十五条第一項の規定により読み替えられた規定にあつては、同項の規定による読替え後のものとする。以下同じ。）第七十二条の二に規定する再評価率
	保険給付	平成二十四年一元化法附則第三十七条第一項に規定する給付
改正後厚生年金保険法第四十三条の二第二項第一号	当該年度	前年度の標準報酬（当該年度
	標準報酬（以下「前年度の標準報酬」という	なお効力を有する改正前国共済法第四十二条第一項に規定する標準報酬の月額（以下「標準報酬の月額」という。）となお効力を有する改正前国共済法第四十二条の二第一項に規定する標準期末手当等の額（以下「標準期末手当等の額」という。）をいう。以下同じ
改正後厚生年金保険法第四十三条の二第二項第二号	標準報酬（	標準報酬の月額と標準期末手当等の額（
改正後厚生年金保険法第四十三条の二第三項	標準報酬	標準報酬の月額と標準期末手当等の額
改正後厚生年金保険法第四十三条の三第一項	受給権者	平成二十四年一元化法附則第三十七条第一項に規定する給付の受給権者
改正後厚生年金保険法第四十三条の四第三項及び第四十三条の五第三項	標準報酬	標準報酬の月額と標準期末手当等の額
改正後厚生年金保険法第四十六条第一項	老齢厚生年金	平成二十四年一元化法附則第三十七条第一項に規定する給付のうち改正前国共済法第七十六条の規定による退職共済年金
	第四十四条第一項に規定する加給年金額及び第四十四条の三第四項に規定する	なお効力を有する改正前国共済法第七十七条第二項各号に定める金額、なお効力を有する改正前国共済法第七十八条第一項に規定する加給年金額及びなお効力を有する改正前国共済法第七十八条の二第四項の規定による
	同条第四項に規定する	なお効力を有する改正前国共済法第七十七条第二項各号に定める金額及びなお効力を有する改正前国共済法第七十八条の二第四項の規定による
改正後厚生年金保険法第四十六条第五項	老齢厚生年金	平成二十四年一元化法附則第三十七条第一項に規定する給付のうち改正前国共済法第七十六条の規定による退職共済年金
	第三十六条第二項	なお効力を有する改正前国共済法第七十三条第二項
改正後厚生年金保険法第四十六条第六項	第四十四条第一項	なお効力を有する改正前国共済法第七十八条第一項
	老齢厚生年金については、同項	平成二十四年一元化法附則第三十七条第一項に規定する給付のうち改正前国共済法第七十六条の規定

		による退職共済年金については、なお効力を有する改正前国共済法第七十八条第一項
改正後厚生年金保険法第五十四条第二項	障害厚生年金	平成二十四年一元化法附則第三十七条第一項に規定する給付のうち障害共済年金
	被保険者	組合員
改正後厚生年金保険法第五十四条第三項	障害厚生年金について、第四十七条第一項ただし書の規定は、前項ただし書の場合	平成二十四年一元化法附則第三十七条第一項に規定する給付のうち障害共済年金
改正後厚生年金保険法第六十五条の二	祖父母	祖父母（第四十七条第二項に規定する障害等級の一級又は二級に該当する障害の状態にある夫、父母又は祖父母を除く。以下この条において同じ。）
	遺族厚生年金	平成二十四年一元化法附則第三十七条第一項に規定する給付のうち遺族共済年金
	被保険者	国家公務員共済組合の組合員
改正後厚生年金保険法第六十六条第一項	遺族厚生年金	平成二十四年一元化法附則第三十七条第一項に規定する給付のうち遺族共済年金
改正後厚生年金保険法第六十六条第二項	遺族厚生年金	平成二十四年一元化法附則第三十七条第一項に規定する給付のうち遺族共済年金
	被保険者	国家公務員共済組合の組合員
改正後厚生年金保険法第六十七条第一項及び第六十八条	遺族厚生年金	平成二十四年一元化法附則第三十七条第一項に規定する給付のうち遺族共済年金
厚生年金保険法第九十二条第一項	保険料その他この法律	なお効力を有する改正前国共済法の規定による掛金その他なお効力を有する改正前国共済法
	保険給付を	平成二十四年一元化法附則第三十七条第一項に規定する給付を
	支払期月	支給期月
	支払う	支給する
	保険給付の支給	同項に規定する給付の支給
	第三十六条第三項本文	なお効力を有する改正前国共済法第七十三条第四項本文
	保険給付の返還	平成二十四年一元化法附則第三十七条第一項に規定する給付の返還
厚生年金保険法第九十二条第二項	保険料その他この法律	なお効力を有する改正前国共済法の規定による掛金その他なお効力を有する改正前国共済法
	保険給付	平成二十四年一元化法附則第三十七条第一項に規定する給付
改正後厚生年金保険法第百条の二第一項	相互に、被保険者の資格に関する事項、標準報酬に関する事項、受給権者に対する保険給付の支給状況その他実施機関の業務の実施状況	平成二十四年一元化法附則第三十七条第一項に規定する給付の支給の停止を行うため、相互に、標準報酬に関する事項及び受給権者に対する同項に規定する給付の支給状況
改正後厚生年金保険法第百条の二第三項及び第四項	実施機関	国家公務員共済組合連合会
	年金たる保険給付に関する処分に関し	平成二十四年一元化法附則第三十七条第一項に規定する給付の支給の停止を行うため
改正後厚生年金保険法附則第十条の二	附則第八条の規定による老齢厚生年金	平成二十四年一元化法附則第三十七条第一項に規定する給付のうち改正前国共済法附則第十二条の三の規定による退職共済年金
改正後厚生年金保険法附則第十一条第一項	附則第八条の規定による老齢厚生年金（第四十三条第一	平成二十四年一元化法附則第三十七条第一項に規定する給付のうち改正前国共済法附則第十二条の三の規定による退職共済年金（なお効力を有する改正前国共済法第七

	項及び附則第九条	十七条第一項及び第二項並びに附則第十二条の四
	限る。次項において同じ	限る
	老齢厚生年金の額を	退職共済年金の額（なお効力を有する改正前国共済法第七十七条第二項各号に定める金額を除く。以下この項において同じ。）を
	当該老齢厚生年金	当該退職共済年金
改正後厚生年金保険法附則第十一条第一項ただし書	老齢厚生年金の額	退職共済年金の額
	老齢厚生年金の全部	退職共済年金の全部（なお効力を有する改正前国共済法第七十七条第二項各号に定める金額を除く。）
改正後厚生年金保険法附則第十一条の二第一項	附則第八条の規定による老齢厚生年金（附則第九条及び第九条の二第一項から第三項まで又は第九条の三	平成二十四年一元化法附則第三十七条第一項に規定する給付のうち改正前国共済法附則第十二条の三の規定による退職共済年金（なお効力を有する改正前国共済法附則第十二条の四及び第十二条の四の二第一項から第四項まで又は第十二条の四の三
	障害者・長	障害者・長期加入者の退職共済年

	期加入者の老齢厚生年金	金
	当該老齢厚生年金	当該退職共済年金
	附則第九条の二第二項第二号	なお効力を有する改正前国共済法附則第十二条の四の二第二項第二号
	附則第九条の二第二項第一号	なお効力を有する改正前国共済法附則第十二条の四の二第二項第一号
	附則第九条の三第二項若しくは第四項（同条第五項においてその例による場合を含む。）	なお効力を有する改正前国共済法附則第十二条の四の三第二項若しくは第四項
	第四十四条第一項	なお効力を有する改正前国共済法第七十八条第一項
改正後厚生年金保険法附則第十一条の二第二項	障害者・長期加入者の老齢厚生年金	障害者・長期加入者の退職共済年金
	当該老齢厚生年金	当該退職共済年金

改正後厚生年金保険法附則第十一条の二第二項ただし書	老齢厚生年金の額	退職共済年金の額
	老齢厚生年金の全部	退職共済年金の全部（なお効力を有する改正前国共済法附則第十二条の四の二第三項各号に定める金額を除く。）
改正後厚生年金保険法附則第十一条の二第四項	附則第九条の二第二項第一号に規定する額並びに前項において読み替えられた第一項に規定する基金に加入しなかつた場合の報酬比例部分の額	なお効力を有する改正前国共済法附則第十二条の四の二第二項第一号に規定する額
改正後厚生年金保険法附則第十一条の四第一項	障害者・長期加入者の老齢厚生年金	障害者・長期加入者の退職共済年金
	老齢厚生年金に係る附則第九条の二第二項第一号	退職共済年金に係るなお効力を有する改正前国共済法附則第十二条の四の二第二項第一号
改正後厚生年金保険法	附則第九条の二第二項	なお効力を有する改正前国共済法附則第十二条の四の二第二項第一

附則第十一条の四第三項	第一号に規定する額並びに前項に規定する同条第二項第二号に規定する額及び同項第一号	号
改正後厚生年金保険法附則第十一条の六第一項	附則第八条	平成二十四年一元化法附則第三十七条第一項に規定する給付のうち改正前国共済法附則第十二条の三
	老齢厚生年金（第四十三条第一項、附則第九条の二第一項から第三項まで又は附則第九条の三及び附則第九条	退職共済年金（なお効力を有する改正前国共済法第七十七条第一項及び第二項、附則第十二条の四の二第一項から第四項まで又は附則第十二条の四の三並びに附則第十二条の四
	当該老齢厚生年金	当該退職共済年金
改正後厚生年金保険法附則第十一条の六第一項ただし書	老齢厚生年金の額	退職共済年金の額
	老齢厚生年金の全部	退職共済年金の全部（なお効力を有する改正前国共済法第七十七条第二項各号及び附則第十二条の四の二第三項各号に定める金額を除く。）
改正後厚生年金保険法附則第十一条の六第六項	附則第八条	平成二十四年一元化法附則第三十七条第一項に規定する給付のうち改正前国共済法附則第十二条の三
	老齢厚生年金	退職共済年金
改正後厚生年金保険法附則第十一条の六第七項	前各項	第一項
	調整額、坑内員・船員の調整額及び基礎年金を受給する坑内員・船員の調整額	調整額
改正後厚生年金保険法附則第十一条の六第八項	前各項	第一項及び前二項
	附則第八条	平成二十四年一元化法附則第三十七条第一項に規定する給付のうち改正前国共済法附則第十二条の三
	老齢厚生年金	退職共済年金
改正後厚生年金保険法附則第十三条の五第六項	老齢厚生年金（附則第八条の二第三項に規定する者であることにより繰上げ調整額が加算されているものを除く。次項及び第八項において同じ。）	平成二十四年一元化法附則第三十七条第一項に規定する給付のうち退職共済年金
改正後厚生年金保険法附則第十三条の六第一項	附則第十三条の四第三項の規定による老齢厚生年金	平成二十四年一元化法附則第三十七条第一項に規定する給付のうち改正前国共済法附則第十二条の六の二第三項の規定による退職共済年金（なお効力を有する改正前国共済法第七十七条第一項及び第二項の規定によりその額が計算されるものに限る。以下この条において同じ。）
	老齢厚生年金の額（第四十四条第一項	退職共済年金の額（なお効力を有する改正前国共済法第七十七条第二項各号に定める金額から政令で定める額を減じた額及びなお効力を有する改正前国共済法第七十八条第一項
	当該老齢厚生年金	当該退職共済年金
改正後厚生年金保険法附則第十三条の六第一項ただし書	老齢厚生年金の額	退職共済年金の額
	老齢厚生年金の全部	退職共済年金の全部（なお効力を有する改正前国共済法第七十七条第二項各号に定める金額から政令

		で定める額を除く。）
改正後厚生年金保険法附則第十三条の六第四項	附則第十三条の四第三項	平成二十四年一元化法附則第三十七条第一項に規定する給付のうち改正前国共済法附則第十二条の六の二第三項
	老齢厚生年金	退職共済年金
	、第一項及び第二項	、第一項
	第一項及び第二項の規定を	同項の規定を
	これら	同項
	第四十四条第一項	なお効力を有する改正前国共済法第七十七条第二項各号に定める金額から政令で定める額を減じた額及びなお効力を有する改正前国共済法第七十八条第一項
	全部	全部（なお効力を有する改正前国共済法第七十七条第二項各号に定める金額から政令で定める額を減じた額を除く。）
改正後厚生年金保険法附則第十三条の六第六項	附則第十三条の四第三項	平成二十四年一元化法附則第三十七条第一項に規定する給付のうち改正前国共済法附則第十二条の六の二第三項
項	老齢厚生年金	退職共済年金
	前二項	第四項
改正後厚生年金保険法附則第十三条の六第八項	第四項から前項まで	第四項及び前二項
	附則第十三条の四第三項	平成二十四年一元化法附則第三十七条第一項に規定する給付のうち改正前国共済法附則第十二条の六の二第三項
	老齢厚生年金	退職共済年金
改正後厚生年金保険法附則第十七条の四第五項本文	旧国家公務員共済組合員期間（被用者年金制度の一元化等を図るための厚生年金保険法等の一部を改正する法律（平成二十四年法律第六十三号。以下「平成二十四年一元化法」という。）附則第四条第十一号に規定する旧国家公務員共済組合員期間をいう。以下この項及び附則第十七条の九第四項において同じ。）の平均標準報酬月額	旧国共済施行日前期間の国家公務員共済組合法等の一部を改正する法律（平成十二年法律第二十一号。以下「平成十二年国共済改正法」という。）第二条の規定による改正前の国家公務員共済組合法第七十七条第一項に規定する平均標準報酬月額
	となる標準報酬月額	となる標準報酬の月額
	第一項並びに平成十二年改正法附則第二十条第一項第一号及び改正前の第四十三条第一項	同項及び平成二十七年経過措置政令第十九条第一項の規定により読み替えて適用する平成十二年国共済改正法附則第十一条第二項
	当該旧国家公務員共済組合員期間	当該旧国共済施行日前期間
	標準報酬月額に、	標準報酬の月額に、
改正後厚生年金保険法別表	被保険者	国家公務員共済組合の組合員

改正後平成六年国民年金等改正法附則第二十一条第一項	厚生年金保険法附則第八条の規定による老齢厚生年金（附則第十八条、第十九条第一項から第五項まで、第二十条第一項から第五項まで又は前条第一項から第五項まで及び同法附則第九条の規定によりその額が計算されているもの	被用者年金制度の一元化等を図るための厚生年金保険法等の一部を改正する法律（平成二十四年法律第六十三号。以下「平成二十四年一元化法」という。）附則第三十七条第一項に規定する給付のうち平成二十四年一元化法第二条の規定による改正前の国家公務員共済組合法（昭和三十三年法律第百二十八号。以下「改正前国共済法」という。）附則第十二条の三の規定による退職共済年金（平成二十四年一元化法附則第三十七条第一項の規定によりなおその効力を有するものとされた改正前国共済法（以下「なお効力を有する改正前国共済法」という。）附則第十二条の四並びに第十二条の七の二第一項及び第二項又は第十二条の七の三第一項及び第二項若しくは第四項の規定によりその額が計算されるもののうち当該額がなお効力を有する改正前国共済法附則第十二条の四の二第二項及び第三項（なお効力を有する改正前国共済法附則第十二条の七の二第二項又は第十二条の七の三第二項若しくは第四項においてその例による場合を含む。）の規定により計算した額を含むもの
	日（同法	日（適用する改正後厚生年金保険法（平成二十四年一元化法附則第三十七条第四項の規定により適用するものとされた平成二十四年一元化法第一条の規定による改正後の厚生年金保険法をいい、被用者年金制度の一元化等を図るための厚生年金保険法等の一部を改正する法律の施行及び国家公務員の退職給付の給付水準の見直し等のための国家公務員退職手当法等の一部を改正する法律の一部の施行に伴う国家公務員共済組合法による長期給付等に関する経過措置に関する政令（平成二十七年政令第三百四十五号。以下「平成二十七年経過措置政令」という。）第十八条第一項の規定により読み替えられた規定にあっては、同項の規定による読替え後のものとする。以下同じ。）
	総報酬月額相当額（同法	総報酬月額相当額（適用する改正後厚生年金保険法
	老齢厚生年金の額	退職共済年金の額
	附則第十八条第三項、第十九条第三項若しくは第五項、第二十条第三項若しくは第五項又は前条第三項若しくは第五項において準用する同法第四十四条第一項	なお効力を有する改正前国共済法附則第十二条の七の二第二項又は第十二条の七の三第二項若しくは第四項においてその例によるものとされたなお効力を有する改正前国共済法附則第十二条の四の二第三項各号に定める金額（以下この項において「職域加算額」という。）及びなお効力を有する改正前国共済法附則第十二条の七の二第三項又は第十二条の七の三第三項の規定により読み替えて適用するなお効力を有する改正前国共済法第七十八条第一項
	が同法	が適用する改正後厚生年金保険法
	当該老齢厚生年金	当該退職共済年金
	老齢厚生年金の全部	退職共済年金の全部（職域加算額を除く。）
改正後平成六年国民年金等改正法附則第二十一条第三項	前二項	第一項
	厚生年金保険法附則第八条	平成二十四年一元化法附則第三十七条第一項に規定する給付のうち改正前国共済法附則第十二条の三
	老齢厚生年金	退職共済年金
	同法第三十六条第二項	なお効力を有する改正前国共済法第七十三条第二項
改正後平成六年国民年金等改正法附則第二十四条第四項	厚生年金保険法附則第八条の規定による老齢厚生年金（前項各号のいずれかに該当する	平成二十四年一元化法附則第三十七条第一項に規定する給付のうち改正前国共済法附則第十二条の三の規定による退職共済年金（なお効力を有する改正前国共済法附則第十二条の七の四第二項各号のいずれかに該当するもの並びに改正後厚生年金保険法

	もの及び同法	
	障害者・長期加入者の老齢厚生年金（その受給権者が附則第二十二条	障害者・長期加入者の退職共済年金（その受給権者がなお効力を有する改正前国共済法附則第十二条の七の三第八項
	当該老齢厚生年金	当該退職共済年金
	厚生年金保険法附則第九条の二第二項第二号	なお効力を有する改正前国共済法附則第十二条の四の二第二項第二号
	附則第十八条第三項、第十九条第三項若しくは第五項、第二十条第三項若しくは第五項若しくは第二十条の二第三項若しくは第五項又は同法附則第九条の二第三項若しくは第九条	なお効力を有する改正前国共済法第七十八条第一項

	の三第二項若しくは第四項（同条第五項においてその例による場合を含む。）において準用する同法第四十四条第一項	
	同法附則第九条の二第二項第一号	なお効力を有する改正前国共済法附則第十二条の四の二第二項第一号
	全部	全部（なお効力を有する改正前国共済法附則第十二条の四の二第三項各号に定める金額を除く。）
改正後平成六年国民年金等改正法附則第二十四条第六項	前三項	なお効力を有する改正前国共済法附則第十二条の七の四第二項の規定及び第四項
	厚生年金保険法附則第八条	平成二十四年一元化法附則第三十七条第一項に規定する給付のうち改正前国共済法附則第十二条の三
	老齢厚生年金	退職共済年金
	同法第三十六条第二項	なお効力を有する改正前国共済法第七十三条第二項

改正後平成六年国民年金等改正法附則第二十六条第一項	厚生年金保険法附則第八条	改正前国共済法附則第十二条の三
	老齢厚生年金（附則第十八条、第十九条第一項から第五項まで、第二十条第一項から第五項まで又は第二十条の二第一項から第五項まで及び同法附則第九条の規定によりその額が計算されている	退職共済年金（なお効力を有する改正前国共済法附則第十二条の四並びに第十二条の七の二第一項及び第二項又は第十二条の七の三第一項及び第二項若しくは第四項の規定によりその額が計算されるもののうち当該額がなお効力を有する改正前国共済法附則第十二条の四の二第二項及び第三項（なお効力を有する改正前国共済法附則第十二条の七の二第二項又は第十二条の七の三第二項若しくは第四項においてその例による場合を含む。）の規定により計算した額を含む
	当該老齢厚生年金	当該退職共済年金
改正後平成六年国民年金等改正法附則第二十六条第一項ただし書	老齢厚生年金の額（附則第十八条第三項、第十九条第三項若しくは第五項、第二十条第三項若しくは第五項若しくは第二十条の二第三項若しくは	退職共済年金の額（なお効力を有する改正前国共済法附則第十二条の七の二第二項又は第十二条の七の三第二項若しくは第四項においてその例によるものとされたなお効力を有する改正前国共済法附則第十二条の四の二第三項各号に定める金額（以下この条において「職域加算額」という。）及びなお

	第五項又は第二十条の二第三項若しくは第五項において準用する厚生年金保険法第四十四条第一項	効力を有する改正前国共済法附則第十二条の七の二第三項又は第十二条の七の三第三項の規定により読み替えて適用するなお効力を有する改正前国共済法第七十八条第一項
	老齢厚生年金の全部	退職共済年金の全部（職域加算額を除く。第三項において同じ。）
改正後平成六年国民年金等改正法附則第二十六条第三項	老齢厚生年金	退職共済年金
	前二項	同項
	第一項各号に掲げる	同項各号に掲げる
	厚生年金保険法附則第九条の二第二項第一号	なお効力を有する改正前国共済法附則第十二条の四の二第二項第一号
	加給年金額	職域加算額及び加給年金額
改正後平成六年国民年金等改正法附則第二十六条第五項	老齢厚生年金	退職共済年金
	前各項	同項及び第三項
改正後平成六年国民年金等改正法附則第二十六条第七項	から第四項まで	、第三項
	老齢厚生年金	退職共済年金
	厚生年金保険法第三十六条第二項	なお効力を有する改正前国共済法第七十三条第二項
改正後平成六年国民年金等改正法附則第二十六条第八項	前各項	第一項、第三項及び前三項
	老齢厚生年金	退職共済年金
改正後平成六年国民年金等改正法附則第二十六条第九項	厚生年金保険法	適用する改正後厚生年金保険法
	障害者・長期加入者の老齢厚生年金	障害者・長期加入者の退職共済年金
	同法	適用する改正後厚生年金保険法
	前各項	第一項、第三項及び第五項から前項まで
改正後平成六年国民年金等改正法附則第二十六条第十項	次条第六項に規定する繰上げ調整額が加算された老齢厚生年金	なお効力を有する改正前国共済法附則第十二条の七の五第一項に規定する繰上げ調整額が加算された退職共済年金
	厚生年金保険法	適用する改正後厚生年金保険法
	第一項、第二項	第一項
改正後平成六年国民年金等改正法附則第二十六条第十一項	改正後の厚生年金保険法附則第八条	改正前国共済法附則第十二条の三
	老齢厚生年金	退職共済年金
改正後平成六年国民年金等改正法附則第二十六条第十四項	厚生年金保険法附則第十一条の六及び前各項	適用する改正後厚生年金保険法附則第十一条の六及び前各項（第二項、第四項及び前二項を除く。）
	改正後の厚生年金保険法附則第八条	改正前国共済法附則第十二条の三
	老齢厚生年金	退職共済年金

2　平成二十四年一元化法附則第三十七条第四項の規定により前項に規定する法律の規定を適用する場合には、改正後厚年令第三条の四、第三条の四の二、第三条の六、第三条の六の二、第七条、第八条の二、第八条の二の二及び第八条の二の五、厚生年金保険法施行令第三条の七並びに再評価令第四条第一項及び第三項、第五条、第六条、別表第一並びに別表第三の規定を適用する。この場合において、次の表の上欄に掲げる規定中同表

の中欄に掲げる字句は、それぞれ同表の下欄に掲げる字句とする。

改正後厚年令第三条の四第一項	法第四十三条の二第一項第二号イ	適用する改正後厚生年金保険法（被用者年金制度の一元化等を図るための厚生年金保険法等の一部を改正する法律（平成二十四年法律第六十三号）附則第三十七条第四項の規定により適用するものとされた同法第一条の規定による改正後の法をいい、被用者年金制度の一元化等を図るための厚生年金保険法等の一部を改正する法律の施行及び国家公務員の退職給付の給付水準の見直し等のための国家公務員退職手当法等の一部を改正する法律の一部の施行に伴う国家公務員共済組合法による長期給付等に関する経過措置に関する政令（平成二十七年政令第三百四十五号）第十八条第一項の規定により読み替えられた規定にあつては、同項の規定による読替え後のものとする。以下同じ。）第四十三条の二第一項第二号イ
改正後厚年令第三条の四の二	法第四十三条の四第一項第一号	適用する改正後厚生年金保険法第四十三条の四第一項第一号
改正後厚年令第三条の六（見出しを含む。）	法第四十六条第一項	適用する改正後厚生年金保険法第四十六条第一項
改正後厚年令第三条の六の二	法第四十六条第二項	適用する改正後厚生年金保険法第四十六条第二項
厚生年金保険法施行令第三条の七	法第四十六条第六項	適用する改正後厚生年金保険法第四十六条第六項
	法第五十四条第三項	適用する改正後厚生年金保険法第五十四条第三項
再評価令第四条第一項	厚生年金保険法第四十三条第一項	被用者年金制度の一元化等を図るための厚生年金保険法等の一部を改正する法律の施行及び国家公務員の退職給付の給付水準の見直し等のための国家公務員退職手当法等の一部を改正する法律の一部の施行に伴う国家公務員共済組合法による長期給付等に関する経過措置に関する政令（平成二十七年政令第三百四十五号。以下「平成二十七年経過措置政令」という。）第十五条第一項の規定により読み替えられた被用者年金制度の一元化等を図るための厚生年金保険法等の一部を改正する法律（平成二十四年法律第六十三号。以下「平成二十四年一元化法」という。）附則第三十七条第一項の規定によりなおその効力を有するものとされた平成二十四年一元化法第二条の規定による改正前の国家公務員共済組合法（昭和三十三年法律第百二十八号）第七十二条の二
	同法別表	適用する改正後厚生年金保険法（平成二十四年一元化法附則第三十七条第四項の規定により適用するものとされた平成二十四年一元化法第一条の規定による改正後の厚生年金保険法をいい、平成二十七年経過措置政令第十八条第一項の規定により読み替えられた規定にあつては、同項の規定による読替え後のものとする。以下同じ。）別表
	同法の	適用する改正後厚生年金保険法又は適用厚年法（平成二十四年一元化法附則第三十七条第四項の規定により適用するものとされた厚生年金保険法をいい、平成二十七年経過措置政令第十八条第一項の規定により読み替えられた規定にあつては、同項の規定による読替え後のものとする。）の
再評価令第四条第三項	厚生年金保険法附則第十七条の四第三項から第七項まで	適用する改正後厚生年金保険法附則第十七条の四第五項
再評価令第五条	厚生年金保険法第四十六条第一項	適用する改正後厚生年金保険法第四十六条第一項（平成二十七年経過措置政令第三十七条第一項の規定により読み替えられた平成二十四年一元化法附則第十七条第一項において準用する平成二十四年一元化法附則第十四条第一項の規定により読み替えて適用する場合を

		含む。）
	同条第三項本文	適用する改正後厚生年金保険法第四十六条第三項本文
	同法	適用する改正後厚生年金保険法
再評価令第六条第一項	国民年金法等の一部を改正する法律（平成十二年法律第十八号。以下	平成二十七年経過措置政令第十九条第一項の規定により読み替えて適用する国家公務員共済組合法等の一部を改正する法律（平成十二年法律第二十一号。次項において
	附則第二十一条第一項	附則第十二条第一項
再評価令第六条第二項	附則別表第一	附則別表
	定めるとおり	定めるとおり（昭和六十年九月以前の期間にあっては、一・二二）
再評価令別表第一	被保険者	国家公務員共済組合の組合員

（施行日前に給付事由が生じた改正前国共済法による給付に係る改正後平成八年改正法等の規定の読替え）

第十九条　平成二十四年一元化法附則第三十七条第一項に規定する改正前国共済法による年金である給付に係る平成二十四年一元化法附則第九十一条の規定による改正後の厚生年金保険法等の一部を改正する法律（平成八年法律第八十二号。以下「改正後平成八年改正法」という。）附則第十六条第一項及び第三十三条第一項並びに平成十二年改正法附則第十一条、第十二条第一項、第二項、第五項、第六項及び第八項並びに附則第十二条の二並びに附則別表の規定の適用については、次の表の上欄に掲げる規定中同表の中欄に掲げる字句は、それぞれ同表の下欄に掲げる字句とする。

改正後平成八年改正法附則第十六条第一項	改正後国共済施行法	平成二十四年一元化法附則第三十七条第一項の規定によりなおその効力を有するものとされた平成二十四年一元化法附則第九十七条の規定による改正前の国家公務員共済組合法の長期給付に関する施行法（以下「平成二十四年一元化法改正前施行法」という。）
改正後平成八年改正法附則第三十三条第一項	改正後国共済施行法	平成二十四年一元化法改正前施行法
	昭和六十年国共済改正法	平成二十四年一元化法附則第三十七条第一項の規定によりなおその効力を有するものとされた平成二十四年一元化法附則第九十八条の規定（平成二十四年一元化法附則第一条第三号に掲げる改正規定を除く。）による改正前の昭和六十年国共済改正法
平成十二年改正法附則第十一条第一項各号列記以外の部分	法による年金である給付	被用者年金制度の一元化等を図るための厚生年金保険法等の一部を改正する法律（平成二十四年法律第六十三号。以下「平成二十四年一元化法」という。）附則第三十七条第一項に規定する改正前国共済法による年金である給付
	、法	、なお効力を有する改正前国共済法（同項の規定によりなおその効力を有するものとされた平成二十四年一元化法第二条の規定による改正前の法をいい、被用者年金制度の一元化等を図るための厚生年金保険法等の一部を改正する法律の施行及び国家公務員の退職給付の給付水準の見直し等のための国家公務員退職手当法等の一部を改正する法律の一部の施行に伴う国家公務員共済組合法による長期給付等に関する経過措置に関する政令（平成二十七年政令第三百四十五号。以下「平成二十七年経過措置政令」という。）第十五条第一項の規定により読み替えられた規定にあっては、同項の規定による読替え後のものとする。以下同じ。）
	（法	（なお効力を有する改正前国共済法
	並びに法	並びになお効力を有する改正前国共済法
	昭和六十年改正法	平成二十四年一元化法附則第三十七条第一項の規定によりなおその効力を有するものとされた平成二十四年一元化法附則第九十八条の規定（平成二十四年一元化法附則第一条第三号に掲げる改正規定を除く。）による改正前の昭和六十年国共済改正法（以下「なお効力を有する改正前昭和六十年国共済改正

		法」という。）
平成十二年改正法附則第十一条第一項第二号	として法	としてなお効力を有する改正前国共済法
	昭和六十年改正法	なお効力を有する改正前昭和六十年国共済改正法
平成十二年改正法附則第十一条第二項	、法	、なお効力を有する改正前国共済法
平成十二年改正法附則第十一条第三項	第七十二条の二	被用者年金制度の一元化等を図るための厚生年金保険法等の一部を改正する法律の施行及び国家公務員の退職給付の給付水準の見直し等のための国家公務員退職手当法等の一部を改正する法律の一部の施行に伴う国家公務員共済組合法の長期給付等に関する経過措置に関する政令（平成二十七年政令第三百四十五号）第十五条第一項の規定により読み替えて適用するものとされた被用者年金制度の一元化等を図るための厚生年金保険法等の一部を改正する法律（平成二十四年法律第六十三号）第二条の規定による改正前の第七十二条の二
平成十二年改正法附則第十一条第四項	、法	、なお効力を有する改正前国共済法

平成十二年改正法附則第十二条第一項各号列記以外の部分	法による年金である給付	平成二十四年一元化法附則第三十七条第一項に規定する改正前国共済法による年金である給付
	従前額改定率を乗じて得た金額に	従前額改定率（国民年金法等の一部を改正する法律（平成十二年法律第十八号）附則第二十一条第一項及び第二項に規定する従前額改定率をいう。以下同じ。）を乗じて得た金額に
平成十二年改正法附則第十二条第一項第二号	として法	としてなお効力を有する改正前国共済法
	第四条の規定による改正後の昭和六十年改正法	なお効力を有する改正前昭和六十年国共済改正法
平成十二年改正法附則第十二条第二項	、法	、なお効力を有する改正前国共済法
	（法	（なお効力を有する改正前国共済法
	昭和六十年改正法	なお効力を有する改正前昭和六十年国共済改正法
平成十二年改正法附則第十二条第五項	係る	係る被用者年金制度の一元化等を図るための厚生年金保険法等の一部を改正する法律の施行及び国家公務員の退職給付の給付水準の見直し等のための国家公務員退職手

		当法等の一部を改正する法律の一部の施行に伴う国家公務員共済組合法による長期給付等に関する経過措置に関する政令（平成二十七年政令第三百四十五号）第十九条第一項の規定により読み替えて適用する
平成十二年改正法附則第十二条第六項	法第七十二条の二	なお効力を有する改正前国共済法第七十二条の二
	別表第二の各号に掲げる受給権者の区分に応じ、それぞれ当該各号に定める金額（以下「再評価率」という。）の月数	改正後厚生年金保険法第四十三条第一項に規定する再評価率（以下「再評価率」という。）
平成十二年改正法附則第十二条の二第一項	法第七十二条の三から第七十二条の六まで	適用する改正後厚生年金保険法（平成二十四年一元化法附則第三十七条第四項の規定により適用するものとされた平成二十四年一元化法第一条の規定による改正後の厚生年金保険法（昭和二十九年法律第百十五号）をいい、平成二十七年経過措置政令第十八条第一項の規定により読み替えられた規定にあっては、同項の規定による読替え後のものとする。以下同

		じ。）第四十三条の二から第四十三条の五まで
平成十二年改正法附則第十二条の二第二項	次の各号に掲げる	適用する改正後厚生年金保険法第四十三条の二第一項に規定する名目手取り賃金変動率（以下「名目手取り賃金変動率」という。）が一を下回る
	法第七十二条の三（法第七十二条の四から第七十二条の六まで	同条（適用する改正後厚生年金保険法第四十三条の三から第四十三条の五まで
	当該各号に定める率	名目手取り賃金変動率
	とする。 一　法第七十二条の三第一項に規定する名目手取り賃金変動率（以下「名目手取り賃金変動率」という。）が一を下回り、かつ、同項に規定する物価変動率（以下「物価変動率」という。）が名目手取り賃金変動率を下回る場合　名目手取り賃金変動率 二　物価変動率が一を下回り、かつ、物価変動率が名目手取り賃金変動率を上回る場合　物価変動率	とする。
平成十二年改正法附則第十二条の二第三項	物価変動率が	適用する改正後厚生年金保険法第四十三条の二第一項に規定する物価変動率（当該物価変動率が名目手取り賃金変動率を上回るときは、名目手取り賃金変動率。以下この項及び第五項において「物価変動率」という。）が
	法第七十二条の四（法第七十二条の六	適用する改正後厚生年金保険法第四十三条の三（適用する改正後厚生年金保険法第四十三条の五
平成十二年改正法附則第十二条の二第四項	次の各号に掲げる	名目手取り賃金変動率が一を下回る
	法第七十二条の五（法第七十二条の六	適用する改正後厚生年金保険法第四十三条の四（適用する改正後厚生年金保険法第四十三条の五
	当該各号に定める率	名目手取り賃金変動率
	とする。 一　名目手取り賃金変動率が一を下回り、かつ、物価変動率が名目手取り賃金変動率以下となる場合　名目手取り賃金変動率 二　名目手取り賃金変動率が一を下回り、かつ、物価変動	とする。

	率が名目手取り賃金変動率を上回る場合（物価変動率が一を上回る場合を除く。）	物価変動率
平成十二年改正法附則第十二条の二第五項	法第七十二条の六	適用する改正後厚生年金保険法第四十三条の五
平成十二年改正法附則別表備考	法第七十二条の三第一項第一号	適用する改正後厚生年金保険法第四十三条の二第一項第一号

2　平成二十四年一元化法附則第三十七条第一項に規定する改正前国共済法による年金である給付に係る平成十五年改正政令附則第二条、第五条第一項から第四項まで、第六条から第九条まで及び第十二条の規定の適用については、次の表の上欄に掲げる平成十五年改正政令の規定中同表の中欄に掲げる字句は、それぞれ同表の下欄に掲げる字句とする。

附則第二条	国家公務員共済組合法（以下「法」という	法（被用者年金制度の一元化等を図るための厚生年金保険法等の一部を改正する法律（平成二十四年法律第六十三号。以下「平成二十四年一元化法」という。）附則第三十七条第一項の規定によりなおその効力を有するものとされた平成二十四年一元化法第二条の規定による改正前の国家公務員共済組合法（以下「改正前国共済法」という。）をいい、被用者年金制度の一元化等を図るための厚生年金保険法等の一部を改正する法律の施行及び国家公務員の退職給付の給付水準の見直し等のための国家公務員退職手当法等の一部を改正する法律の一部の施行に伴う国家公務員共済組合法による長期給付等に関する経過措置に関する政令（平成二十七年政令第三百四十五号。以下「平成二十七年経過措置政令」という。）第十五条第一項の規定により読み替えられた規定にあっては、同項の規定による読替え後のものとする。以下同じ
	ついては、	ついては、平成二十七年経過措置政令第十九条第一項の規定により読み替えて適用する
附則第五条第一項	法による	平成二十四年一元化法附則第三十七条第一項に規定する給付のうち
	同じ	「法による障害共済年金」という
	改正前の法	平成十二年改正法第二条の規定による改正前の国家公務員共済組合法（以下「改正前の法」という。）
附則第五条第三項	法による	平成二十四年一元化法附則第三十七条第一項に規定する給付のうち
	（法	（平成二十四年一元化法第二条の規定による改正前の法
	同じ	「法による遺族共済年金」という
附則第六条第一項	改正後の法	法
附則第七条第三項及び第九条第三項	別表第二の各号に掲げる受給権者の区分に応じ、それぞれ当該各号	改正後厚生年金保険法第四十三条第一項に規定する再評価率
	国家公務員共済組合法等の一部を改正する法律	被用者年金制度の一元化等を図るための厚生年金保険法等の一部を改正する法律の施行及び国家公務員の退職給付の給付水準の見直し等のための国家公務員退職手当法等の一部を改正する法律の一部の施行に伴う国家公務員共済組合法による長期給付等に関する経過措置に関する政令（平成二十七年政令第三百四十五号）第十九条第一項の規定により読み替えて適用する国家公務員共済組合法等の一部を改正する法律
	下欄	下欄に掲げる率
附則第十二条	平成十二年改正法第四条の規定による改正後	平成二十四年一元化法附則第三十七条第一項の規定によりなおその効力を有するものとされた平成二十四年一元化法附則第九十八条の

規定（平成二十四年一元化法附則第一条第三号に掲げる改正規定を除く。）による改正前

（旧適用法人共済組合員期間を有する者に係る改正前国共済法による年金である給付に関する経過措置）

第二十条　改正後平成八年改正法附則第十六条第一項及び第二項に規定する年金たる給付並びに改正後平成八年改正法附則第三十三条第一項に規定する特例年金給付については、平成二十四年一元化法附則第三十七条第二項及び第四十九条の規定は、適用しない。

（施行日前に給付事由が生じた改正前国共済法による年金である給付について適用する改正後国共済法の規定の読替え）

第二十一条　平成二十四年一元化法附則第三十七条第一項に規定する改正前国共済法による年金である給付については、国家公務員共済組合法第百三条、第百六条及び第百七条並びに改正後国共済法第百四条及び第百五条の規定を適用する。この場合において、国家公務員共済組合法第百三条第一項中「短期給付及び退職等年金給付に関する決定、厚生年金保険法第九十条第二項（第二号及び第三号を除く。）に規定する被保険者の資格若しくは保険給付に関する処分、掛金等その他この法律及び厚生年金保険法による徴収金」とあるのは、「被用者年金制度の一元化等を図るための厚生年金保険法等の一部を改正する法律（平成二十四年法律第六十三号）附則第三十七条第一項に規定する給付に関する決定、掛金」とする。

第二十二条　削除

（厚生年金保険の被保険者である退職共済年金の受給権者に係る特例）

第二十三条　第十八条第一項の規定により読み替えられた平成二十四年一元化法附則第三十七条第四項の規定により適用するものとされた改正後厚生年金保険法第四十三条第三項の規定によりその額が改定された平成二十四年一元化法附則第三十七条第一項に規定する給付のうち退職共済年金（他の法令の規定により当該退職共済年金とみなされたものを含み、なお効力を有する改正前国共済法第七十八条第一項の規定により加給年金額が加算されたものを除く。）の受給権者が老齢厚生年金の受給権を有する場合には、なお効力を有する改正前国共済法第七十八条の規定は、適用しない。

（改正前国共済法による退職共済年金の加給年金額の支給の停止の特例）

第二十四条　平成二十四年一元化法附則第三十七条第一項に規定する給付のうち改正前国共済法第七十六条の規定による退職共済年金（なお効力を有する改正前国共済法第七十八条第一項の規定により加給年金額が加算されたものに限る。）については、当該退職共済年金の受給権者が国民年金法（昭和三十四年法律第百四十一号）第三十三条の二第一項の規定により加算が行われた障害基礎年金又は改正後厚生年金保険法第四十四条第一項の規定により同項に規定する加給年金額が加算された老齢厚生年金の支給を受けることができるときは、その間、なお効力を有する改正前国共済法第七十八条第一項の規定により加算する金額に相当する部分の支給を停止する。

（改正前国共済法による退職共済年金の支給の繰下げに関する経過措置）

第二十五条　施行日において平成二十四年一元化法附則第三十七条第一項に規定する給付のうち退職共済年金（施行日においてそのなお効力を有する改正前国共済法第七十八条の二第一項の規定による申出を行っていないものに限る。）の受給権を有する者が、改正前厚生年金保険法による老齢厚生年金（施行日においてその改正後厚生年金保険法第四十四条の三第一項の規定による申出を行っていないものに限る。）又は平成二十四年一元化法附則第七十九条に規定する給付のうち退職共済年金（施行日においてその平成二十四年一元化法附則第七十九条の規定によりなおその効力を有するものとされた改正前私学共済法第二十五条において準用するなお効力を有する改正前国共済法（以下「なお効力を有する改正前準用国共済法」という。）第七十八条の二第一項の規定による申出を行っていないものに限る。）の受給権を有する場合において、施行日以後になお効力を有する改正前国共済法第七十八条の二第一項の規定による申出を行うときは、当該老齢厚生年金に係る改正後厚生年金保険法第四十四条の三第一項又はなお効力を有する改正前準用国共済法第七十八条の二第一項の規定による申出と同時に行わなければならない。

2　施行日において改正前厚生年金保険法による老齢厚生年金又は平成二十四年一元化法附則第七十九条に規定する給付のうち退職共済年金の支給を受ける者が、施行日以後において平成二十四年一元化法附則第三十七条第一項に規定する給付のうち退職共済年金（そのなお効力を有する改正前国共済法第七十八条の二第一項に規定する一年を経過した日が施行日前にあり、かつ、施行日において同項の規定による申出を行っていないものに限る。）に係るなお効力を有する改正前国共済法第七十八条の二第一項の規定による申出を行った場合には、当該申出は、施行日の前日に行われたものとみなす。

3　施行日において改正前厚生年金保険法による老齢厚生年金又は平成二十四年一元化法附則第七十九条に規定する給付のうち退職共済年金の支給を受ける者が、施行日の前日において平成二十四年一元化法附則第三十七条第一項に規定する給付のうち退職共済年金（そのなお効力を有する改正前国共済法第七十八条の二第一項に規定する一年を経過した日が施行日以後にあるものに限る。）の受給権を有するときは、平成二十四年一元化法附則第三十七条第一項の規定にかかわらず、なお効力を有する改正前国共済法第七十八条の二の規定は、適用しない。

（改正前国共済法による障害一時金に関する経過措置）

第二十六条　施行日前に給付事由が生じた改正前国共済法第八十七条の五第一項の規定による障害一時金（施行日の前日においてまだ支給されていないものに限る。）の支給については、なお従前の例による。

（施行日以後の離婚等により改正後厚生年金保険法による標準報酬月額等の改定又は決定が行われる場合の加給年金額の加算に関する特例）

第二十七条　施行日の前日において平成二十四年一元化法附則第十一条第一項第一号及び第三号に掲げる年金たる給付の受給権を有していた者（当該年金たる給付の額の計算の基礎となる期間の月数を合算した月数が二百四十月に満たない者であって、改正後厚生年金保険法による年金たる保険給付の受給権を有しない者に限る。）について改正後厚生年金保険法第七十八条の

六第一項及び第二項の規定により標準報酬（改正後厚生年金保険法第二十八条に規定する標準報酬をいう。）の改定又は決定が行われた場合におけるなお効力を有する改正前国共済法第七十八条第一項の規定の適用については、同項中「その年金額の算定の基礎となる組合員期間が二十年以上」とあるのは「合算組合員期間（被用者年金制度の一元化等を図るための厚生年金保険法等の一部を改正する法律（平成二十四年法律第六十三号。以下「平成二十四年一元化法」という。）附則第四条第十一号に規定する旧国家公務員共済組合員期間及び平成二十四年一元化法附則第四十一条第一項に規定する追加費用対象期間並びに平成二十四年一元化法附則第四条第十三号に規定する旧私立学校教職員共済加入者期間を合算した期間をいう。以下この項において同じ。）が二十年以上」と、「前条第四項の規定により当該退職共済年金の額が改定された場合」とあるのは「平成二十四年一元化法第一条の規定による改正後の厚生年金保険法第七十八条の六第一項及び第二項の規定により標準報酬（同法第二十八条に規定する標準報酬をいう。）の改定又は決定が行われた場合」と、「当該組合員期間」とあるのは「当該合算組合員期間」とする。

2　前項の規定は、平成二十四年一元化法附則第三十七条第一項に規定する給付のうち退職共済年金の額の計算の基礎となる組合員期間の月数が平成二十四年一元化法附則第十一条第一項第三号に掲げる年金たる給付の額の計算の基礎となる加入者期間の月数を超えない場合には、適用しない。

（改正前国共済法による脱退一時金に関する経過措置）

第二十八条　施行日の前日において日本国内に住所を有しない者の旧国家公務員共済組合員期間に基づく改正前国共済法附則第十三条の十の規定による脱退一時金については、なお従前の例による。ただし、その者が施行日以後に国民年金の被保険者となった場合又は日本国内に住所を有した場合は、この限りでない。

（改正前国共済法による職域加算額に係る平成二十四年一元化法附則第百二十二条の規定の適用に関する経過措置）

第二十九条　平成二十四年一元化法附則第三十七条第一項に規定する給付（国家公務員共済組合法の長期給付に関する施行法（昭和三十三年法律第百二十九号）第二条第十号に規定する恩給公務員期間を有する者に係るものに限る。）の受給権を有する者に対し施行日以後に改正前国共済法による職域加算額（退職を給付事由とするものに限る。以下この条において同じ。）を支給する場合には、改正前国共済法による職域加算額を同項に規定する給付とみなして、平成二十四年一元化法附則第百二十二条の規定を適用する。

（改正前国共済法による退職共済年金等及び改正後厚生年金保険法による老齢厚生年金等の受給権者に係る退職一時金の返還に関する特例）

第三十条　平成二十四年一元化法附則第三十九条の規定は、平成二十四年一元化法附則第三十七条第一項に規定する給付（退職又は障害を給付事由とするものに限る。）の受給権者（なお効力を有する改正前国共済法附則第十二条の十二の規定の適用を受ける者に限る。）については、適用しない。

（老齢厚生年金等の算定の基礎となる被保険者期間の特例）

第三十条の二　国共済組合員等期間（平成二十四年一元化法附則第四十一条第一項に規定する国共済組合員等期間をいう。以下同じ。）が二十年未満である者又はその遺族（改正後厚生年金保険法第五十九条第一項に規定する遺族をいう。）に支給する老齢厚生年金又は遺族厚生年金の額を算定する場合においては、なお効力を有する改正前昭和六十年国共済改正法附則第十八条の規定を準用する。この場合において、同条中「共済法附則第十二条の十二第一項及び第十二条の十三」とあるのは、「被用者年金制度の一元化等を図るための厚生年金保険法等の一部を改正する法律（平成二十四年法律第六十三号）附則第三十九条第一項及び第四十条」と読み替えるものとする。

（退職共済年金の支給の停止に関する特例）

第三十一条　平成二十四年一元化法附則第三十七条第一項に規定する給付の受給権者（昭和二十年十月二日以後に生まれた者に限る。）が、施行日の前日において国家公務員共済組合の組合員、地方公務員共済組合の組合員又は私立学校教職員共済法（昭和二十八年法律第二百四十五号）の規定による私立学校教職員共済制度の加入者であった者である場合には、施行日の属する月の前月以前の月に属する日から引き続き厚生年金保険の被保険者資格を有する者であるものとみなして、施行日の属する月において第四十一条第一項に規定する支給停止に関する規定を適用する。この場合において、当該規定の適用については、当該受給権者が施行日に平成二十四年一元化法附則第五条の規定により厚生年金保険の被保険者の資格を取得する者である場合を除き、施行日に厚生年金保険の被保険者の資格を取得し、かつ、施行日に当該被保険者の資格を喪失したものとみなす。

2　昭和二十年十月一日以前に生まれた者であり、かつ、厚生年金保険法第二十七条に規定する七十歳以上の使用される者（施行日前から引き続き国家公務員共済組合の組合員、地方公務員共済組合の組合員又は私立学校教職員共済法の規定による私立学校教職員共済制度の加入者である者に限る。）については、施行日の属する月の前月以前の月に属する日から引き続き同一の厚生年金保険法第六条第一項又は第三項に規定する適用事業所において同法第二十七条の厚生労働省令で定める要件に該当する者であるものとみなして、施行日の属する月において適用する改正後厚生年金保険法（平成二十四年一元化法附則第三十七条第四項の規定により適用するものとされた改正後厚生年金保険法をいい、第十八条第一項の規定により読み替えられた規定にあっては、同項の規定による読替え後のものとする。以下第四十五条までにおいて同じ。）第四十六条第一項の規定を適用する。

（平成二十四年一元化法附則第十三条第二項の規定の準用に関する読替え等）

第三十二条　平成二十四年一元化法附則第三十七条第一項に規定する給付のうち改正前国共済法附則第十二条の三の規定による退職共済年金について平成二十四年一元化法附則第十七条第二項において平成二十四年一元化法附則第十三条第二項の規定を準用する場合には、次の表の上欄に掲げる同条の規定中同表の中欄に掲げる字句は、それぞれ同表の下欄に掲げる字句に読み替えるものとする。

第二項	改正前厚生年金保険法	附則第三十七条第一項に規定する給付のうち改正前国共済法附則第

附則第八条の規定による老齢厚生年金	十二条の三の規定による退職共済年金
と厚生年金保険法	と附則第三十七条第四項の規定により適用するものとされた被用者年金制度の一元化等を図るための厚生年金保険法等の一部を改正する法律の施行及び国家公務員の退職給付の給付水準の見直し等のための国家公務員退職手当法等の一部を改正する法律の一部の施行に伴う国家公務員共済組合法による長期給付等に関する経過措置に関する政令（平成二十七年政令第三百四十五号）第十八条第一項の規定により読み替えられた厚生年金保険法
）との合計額	）から附則第三十七条第一項の規定によりなおその効力を有するものとされた改正前国共済法第八十条第一項の規定の適用があるものとした場合に支給を停止するものとされる部分に相当する額を控除した額との合計額
と基本月額	と当該控除した額

第三十三条　平成二十四年一元化法附則第三十七条第一項に規定する給付のうち改正前国共済法附則第十二条の三の規定による退職共済年金（なお効力を有する改正前国共済法附則第十二条の四の二第二項又は第三項（なお効力を有する改正前国共済法附則第十二条の四の三第一項の規定によりその例による場合を含む。）の規定によりその額が算定されたもの（以下「障害者・長期加入者の退職共済年金」という。）に限る。）の受給権者（次項及び第四十三条第一項に規定する者を除く。）について前条の規定により読み替えられた平成二十四年一元化法附則第十七条第二項において準用する平成二十四年一元化法附則第十三条第二項の規定を適用する場合における同項の規定の読替えについては、被用者年金制度の一元化等を図るための厚生年金保険法等の一部を改正する法律の施行に伴う厚生年金保険の保険給付等に関する経過措置に関する政令（平成二十七年政令第三百四十三号。以下「平成二十七年厚年経過措置政令」という。）第三十五条第一項の規定の例による。

2　平成二十四年一元化法附則第三十七条第一項に規定する給付のうち改正前国共済法附則第十二条の三の規定による退職共済年金（なお効力を有する改正前国共済法第七十七条第一項及び第二項並びに附則第十二条の四の規定によりその額が計算されているもの並びに障害者・長期加入者の退職共済年金に限る。）の受給権者（第四十三条第一項に規定する者を除き、その者が雇用保険法（昭和四十九年法律第百十六号）の規定による高年齢雇用継続基本給付金（以下「高年齢雇用継続基本給付金」という。）又は高年齢再就職給付金（以下「高年齢再就職給付金」という。）の支給を受けることができる場合に限る。）について前条の規定により読み替えられた平成二十四年一元化法附則第十七条第二項において準用する平成二十四年一元化法附則第十三条第二項の規定を適用する場合における同項の規定の読替えについては、平成二十七年厚年経過措置政令第三十五条第四項の規定の例による。

第三十四条　前条第一項に規定する受給権者（施行日前から引き続き厚生年金保険の被保険者若しくは私立学校教職員共済法の規定による私立学校教職員共済制度の加入者又は国会議員若しくは地方公共団体の議会の議員であるもの（以下「継続被保険者等」という。）に限り、同項の規定により読み替えられた第三十二条の規定により読み替えられた平成二十四年一元化法附則第十七条第二項において準用する平成二十四年一元化法附則第十三条第二項の規定の適用を受ける者を除く。）について適用する改正後厚生年金保険法附則第十一条の二第一項及び第二項の規定を適用する場合には、同条第一項の規定にかかわらず、同項に規定する基本支給停止額に相当する部分の支給を停止せず、同条第二項に規定する支給停止基準額は、当該基本支給停止額を含めないものとして計算した額とする。

2　前条第二項に規定する受給権者（障害者・長期加入者の退職共済年金の受給権者であって、継続被保険者等に限り、同項の規定により読み替えられた第三十二条の規定により読み替えられた平成二十四年一元化法附則第十七条第二項において準用する平成二十四年一元化法附則第十三条第二項の規定の適用を受ける者を除く。）について適用する改正後厚生年金保険法附則第十一条の六第一項の規定を適用する場合には、適用する改正後厚生年金保険法附則第十一条の二の規定を適用した場合における同条第一項の規定にかかわらず、同項に規定する基本支給停止額に相当する部分の支給を停止せず、同条第二項に規定する支給停止基準額は、当該基本支給停止額を含めないものとして計算した額とする。

第三十五条　平成二十四年一元化法附則第三十七条第一項に規定する給付のうち改正前国共済法附則第十二条の六の二第三項の規定による退職共済年金の受給権者（その者が六十五歳に達していないものに限り、次項及び第四十五条第一項に規定する者を除く。）については、第三十二条の規定により読み替えられた平成二十四年一元化法附則第十七条第二項において準用する平成二十四年一元化法附則第十三条第二項の規定を準用する。この場合における同項の規定の読替えについては、平成二十七年厚年経過措置政令第三十七条第一項の規定の例による。

2　平成二十四年一元化法附則第三十七条第一項に規定する給付のうち改正前国共済法附則第十二条の六の二第三項の規定による退職共済年金の受給権者（第四十五条第一項に規定する者を除き、その者が高年齢雇用継続基本給付金又は高年齢再就職給付金の支給を受けることができる場合に限る。）については、第三十二条の規定により読み替えられた平成二十四年一元化法附則第十七条第二項において準用する平成二十四年一元化法附則第十三条第二項の規定を準用する。この場合における同項の規定の読替えについては、平成二十七年厚年経過措置政令第三十七条第二項の規定の例による。

第三十六条　平成二十四年一元化法附則第三十七条第一項に規定する給付のうち改正前国共済法附則第十二条の三の規定による退職共済年金（なお効力を有する改正前国共済法附則第十二条の四、第十二条の七の二及び第十二条の七の三第一項から第五項までの規定によりその額が計算されているもの並びに障害者・長期加入者の退職共済年金（その受給権者が同条第一項に該当する者であるものに限る。以下この条において同じ。）に限る。）の受給権者（次項から第四項まで及び第四十七条第一項に規定する者を除く。）について第三十二条の規定により読み替えられた平成二十四年一元化法附則第十七条第二項において準用する平成二十四年一元化法附則第十三条第二項の規定を適用する場合における同項の規定の読替えについては、平成二十七年厚年経過措置政令第三十八条第一項の規定の例による。

2　平成二十四年一元化法附則第三十七条第一項に規定する給付のうち改正前国共済法附則第十二条の三の規定による退職共済年金（なお効力を有する改正前国共済法附則第十二条の七の四第二項各号のいずれかに該当するもの及び障害者・長期加入者の退職共済年金に限る。）の受給権者（国民年金法による老齢基礎年金の支給を受けることができる者に限り、第四項及び第四十七条第一項に規定する者を除く。）について第三十二条の規定により読み替えられた平成二十四年一元化法附則第十七条第二項において準用する平成二十四年一元化法附則第十三条第二項の規定を適用する場合における同項の規定の読替えについては、平成二十七年厚年経過措置政令第三十八条第二項の規定の例による。

3　平成二十四年一元化法附則第三十七条第一項に規定する給付のうち改正前国共済法附則第十二条の三の規定による退職共済年金（なお効力を有する改正前国共済法附則第十二条の四、第十二条の七の二及び第十二条の七の三第一項から第五項までの規定によりその額が計算されているもの並びに障害者・長期加入者の退職共済年金に限る。）の受給権者（次項及び第四十七条第一項に規定する者を除き、その者が高年齢雇用継続基本給付金又は高年齢再就職給付金の支給を受けることができる場合に限る。）について第三十二条の規定により読み替えられた平成二十四年一元化法附則第十七条第二項において準用する平成二十四年一元化法附則第十三条第二項の規定を適用する場合における同項の規定の読替えについては、平成二十七年厚年経過措置政令第三十八条第三項の規定の例による。

4　平成二十四年一元化法附則第三十七条第一項に規定する給付のうち改正前国共済法附則第十二条の三の規定による退職共済年金（なお効力を有する改正前国共済法附則第十二条の四、第十二条の七の二及び第十二条の七の三第一項から第五項までの規定によりその額が計算されているもの並びに障害者・長期加入者の退職共済年金に限る。）の受給権者（国民年金法による老齢基礎年金の支給を受けることができる者に限り、第四十七条第一項に規定する者を除き、その者が高年齢雇用継続基本給付金又は高年齢再就職給付金の支給を受けることができる場合に限る。）について第三十二条の規定により読み替えられた平成二十四年一元化法附則第十七条第二項において準用する平成二十四年一元化法附則第十三条第二項の規定を適用する場合における同項の規定の読替えについては、平成二十七年厚年経過措置政令第三十八条第四項の規定の例による。

（併給年金の支給を受ける場合における改正前国共済法による退職共済年金等の支給の停止に関する特例）

第三十七条　平成二十四年一元化法附則第三十七条第一項に規定する給付のうち改正前国共済法第七十六条の規定による退職共済年金について平成二十四年一元化法附則第十七条第一項において平成二十四年一元化法附則第十四条の規定を準用する場合には、次の表の上欄に掲げる同条の規定中同表の中欄に掲げる字句は、それぞれ同表の下欄に掲げる字句に読み替えるものとする。

第一項	厚生年金保険法による老齢厚生年金	附則第三十七条第一項に規定する給付のうち改正前国共済法第七十六条の規定による退職共済年金
	改正前国共済法の規定による退職共済年金その他の退職	厚生年金保険法による老齢厚生年金その他の老齢又は退職
	改正後厚生年金保険法第四十六条第一項及び	適用する改正後厚生年金保険法（附則第三十七条第四項の規定により適用するものとされた改正後厚生年金保険法をいい、被用者年金制度の一元化等を図るための厚生年金保険法等の一部を改正する法律の施行及び国家公務員の退職給付の給付水準の見直し等のための国家公務員退職手当法等の一部を改正する法律の一部の施行に伴う国家公務員共済組合法による長期給付等に関する経過措置に関する政令（平成二十七年政令第三百四十五号）第十八条第一項の規定により読み替えられた規定にあっては、同項の規定による読替え後のものとする。以下この項及び次項において同じ。）第四十六条第一項及び
	は、改正後厚生年金保険法	は、適用する改正後厚生年金保険法
	「老齢厚生年金の額（第四十四条第一項に規定する加給年金額及び第四十四条の三第四	「退職共済年金の額（なお効力を有する改正前国共済法第七十七条第二項各号に定める金額、なお効力を有する改正前国共済法第七十八条第一項に規定する加給年金額及びなお効力を有する改正前国共済法第七十八条の二第四項の規定による加算額

	項に規定する加算額	
	老齢厚生年金等の額の合計額（当該老齢厚生年金の額と被用者年金制度の一元化等を図るための厚生年金保険法等の一部を改正する法律（平成二十四年法律第六十三号）附則第十四条第一項の政令で定める年金たる給付の額との合計額をいい、第四十四条第一項の規定又は他の法令の規定で同項の規定に相当するものとして政令で定めるものに規定する加給年金額及び第四十四条の三第四項（公的年金制度の健全性及び信頼性の確保のための厚生年金保険法等の一部を改正する法律（平成二十五年法律第六十三号）附則第八十七条の規定により読み替えて適用する場合を含む。以下この項において同じ。）	退職共済年金の額と他の年金との合計額（当該退職共済年金の額と平成二十七年経過措置政令第三十七条第一項の規定により読み替えられた平成二十四年一元化法附則第十七条第一項において準用する平成二十四年一元化法附則第十四条第一項の政令で定める年金たる給付の額との合計額をいい、なお効力を有する改正前国共済法第七十七条第二項各号に定める金額、なお効力を有する改正前国共済法第七十八条第一項の規定又は他の法令の規定で同項の規定に相当するものとして政令で定めるものに規定する加給年金額及びなお効力を有する改正前国共済法第七十八条の二第四項
	当該老齢厚生年金の額（第四十四条第一項に規定する加給年金額及び第四十四条の三第四項に規定する加算額を除く。以下この項において同じ	当該退職共済年金の額（なお効力を有する改正前国共済法第七十八条第一項に規定する加給年金額及びなお効力を有する改正前国共済法第七十八条の二第四項の規定による加算額を除く
第二項	改正後厚生年金保険法	適用する改正後厚生年金保険法
	老齢厚生年金	退職共済年金

2　連合会が、前項の規定により読み替えられた平成二十四年一元化法附則第十七条第一項において準用する平成二十四年一元化法附則第十四条第一項の規定により読み替えて適用する適用する改正後厚生年金保険法第四十六条の規定により同条第一項に規定する退職共済年金等の支給の停止を行う場合には、適用する改正後厚生年金保険法第百条の二第一項、第三項及び第四項の規定を準用する。

3　第一項の規定により読み替えられた平成二十四年一元化法附則第十七条第一項において準用する平成二十四年一元化法附則第十四条第一項の規定により読み替えて適用する適用する改正後厚生年金保険法第四十六条第一項に規定する標準報酬月額又は標準賞与額に相当する額として政令で定める額は、改正後厚生年金令第三条の六に定める額とする。

4　第一項の規定により読み替えられた平成二十四年一元化法附則第十七条第一項において準用する平成二十四年一元化法附則第十四条第一項に規定する政令で定める年金たる給付は、次に掲げる給付とする。

一　改正後厚生年金保険法による老齢厚生年金

二　旧厚生年金保険法による老齢年金及び通算老齢年金

三　昭和六十年国民年金等改正法第五条の規定による改正前の船員保険法（昭和十四年法律第七十三号。以下「旧船員保険法」という。）による老齢年金及び通算老齢年金

四　平成二十七年厚年経過措置政令第四十条第一項第二号、第三号及び第五号から第九号までに掲げる給付

5　第一項の規定により読み替えられた平成二十四年一元化法附則第十七条第一項において準用する平成二十四年一元化法附則

第十四条第一項（第四十条第一項において準用する場合を含む。次項及び第三十九条において同じ。）の規定により読み替えて適用する改正後厚生年金保険法第四十六条第一項に規定するなお効力を有する改正前国共済法第七十八条第一項の規定に相当するものとして政令で定めるものは、次に掲げる規定とする。

一　厚生年金保険法第四十四条第一項

二　平成二十四年一元化法附則第六十一条第一項の規定によりなおその効力を有するものとされた改正前地共済法（以下「なお効力を有する改正前地共済法」という。）第八十条第一項

三　なお効力を有する改正前準用国共済法第七十八条第一項

四　厚生年金保険制度及び農林漁業団体職員共済組合制度の統合を図るための農林漁業団体職員共済組合法等を廃止する等の法律（平成十三年法律第百一号。以下この号及び次項第一号において「平成十三年統合法」という。）附則第十六条第一項の規定によりなおその効力を有するものとされた平成十三年統合法附則第二条第一項第一号に規定する廃止前農林共済法第三十八条第一項

6　第一項の規定により読み替えられた平成二十四年一元化法附則第十七条第一項において準用する平成二十四年一元化法附則第十四条第一項の規定により読み替えて適用する適用する改正後厚生年金保険法第四十六条第一項に規定するなお効力を有する改正前国共済法第七十八条の二第四項の規定に相当するものとして政令で定めるものは、次に掲げる規定とする。

一　改正後厚生年金保険法第四十四条の三第四項（平成十三年統合法附則第十六条第十三項において準用する場合を含む。）

二　なお効力を有する改正前地共済法第八十条の二第四項

三　なお効力を有する改正前準用国共済法第七十八条の二第四項

7　平成二十四年一元化法附則第三十七条第一項に規定する給付のうち改正前国共済法第七十六条の規定による退職共済年金については、平成二十四年一元化法附則第十七条第一項において準用する改正後厚生年金保険法第四十六条及び平成二十四年一元化法附則第十三条の規定は、適用しない。

第三十八条　平成二十四年一元化法附則第三十七条第一項に規定する給付のうち改正前国共済法附則第十二条の三の規定による退職共済年金について平成二十四年一元化法附則第十七条第二項において平成二十四年一元化法附則第十五条の規定を準用する場合には、次の表の上欄に掲げる同条の規定中同表の中欄に掲げる字句は、それぞれ同表の下欄に掲げる字句に読み替えるものとする。

第一項	厚生年金保険法附則第八条の規定による老齢厚生年金	附則第三十七条第一項に規定する給付のうち改正前国共済法附則第十二条の三の規定による退職共済年金（同項の規定によりなおその効力を有するものとされた改正前国共済法第七十七条第一項及び第二項並びに附則第十二条の四の規定によりその額が計算されているものに限る。）
	改正前国共済法の規定による退職共済年金その他の	改正後厚生年金保険法の規定による老齢厚生年金その他の老齢又は
	厚生年金保険法附則第十一条	適用厚年法（附則第三十七条第四項の規定により適用するものとされた改正後厚生年金保険法をいい、被用者年金制度の一元化等を図るための厚生年金保険法等の一部を改正する法律の施行及び国家公務員の退職給付の給付水準の見直し等のための国家公務員退職手当法等の一部を改正する法律の一部の施行に伴う国家公務員共済組合法による長期給付等に関する経過措置に関する政令（平成二十七年政令第三百四十五号）第十八条第一項の規定により読み替えられた規定にあっては、同項の規定による読替え後のものとする。以下この条において同じ。）附則第十一条第一項
同条第一項	と老齢厚生年金の額	の額（なお効力を有する改正前国共済法第七十七条第二項各号に定める金額を除く。以下この項において同じ
同項	と老齢厚生年金等の額の合計額（附則第八条の規定による老齢厚生年金の額と被用者年金制度の一元化等を図るための厚生年金保険法等の一部を改正する法律（平成二十四年法律第六十三号）附則第十五条第一	の合計額（平成二十四年一元化法附則第三十七条第一項に規定する給付のうち改正前国共済法附則第十二条の三の規定による退職共済年金の額（なお効力を有する改正前国共済法第七十七条第二項各号に定める金額を除く。以下この項において同じ。）と平成二十七年経過措置政令第三十八条第一項の規定により読み替えられた平成二十四年一元化法附則第十七条第二項において準用する平成二十四年一元化法附則第十五条第一項の政令で定める年金たる給付の額との合計額をいう

	項の政令で定める年金たる給付の額との合計額をいう。）	
	当該老齢厚生年金	当該退職共済年金
第二項	厚生年金保険法	適用厚年法
	当該老齢厚生年金	当該退職共済年金
第三項	国家公務員共済組合の組合員、地方公務員共済組合の組合員若しくは	厚生年金保険法第二十七条に規定する被保険者（昭和六十年国民年金等改正法附則第五条第十三号に規定する第四種被保険者を除く。）、
	厚生年金保険法附則第十一条	適用厚年法附則第十一条第一項

2　連合会が、前項の規定により読み替えられた平成二十四年一元化法附則第十七条第二項において準用する平成二十四年一元化法附則第十五条第一項の規定により読み替えて適用する適用する改正後厚生年金保険法附則第十一条の規定により同条第一項に規定する退職共済年金の支給の停止を行う場合には、適用する改正後厚生年金保険法第百条の二第一項、第三項及び第四項の規定を準用する。

3　第一項の規定により読み替えられた平成二十四年一元化法附則第十七条第二項において準用する平成二十四年一元化法附則第十五条第一項に規定する政令で定める年金たる給付は、次に掲げる給付とする。

一　改正後厚生年金保険法附則第八条の規定による老齢厚生年金

二　旧厚生年金保険法による老齢年金及び通算老齢年金

三　旧船員保険法による老齢年金及び通算老齢年金

四　平成二十七年厚年経過措置政令第四十八条第二号、第三号及び第五号から第九号までに掲げる給付

4　平成二十四年一元化法附則第三十七条第一項に規定する給付のうち改正前国共済法附則第十二条の三の規定による退職共済年金については、平成二十四年一元化法附則第十七条第二項において準用する改正後厚生年金保険法附則第十一条の規定は、適用しない。

（準用する平成二十四年一元化法附則第十四条第二項の規定の適用範囲）

第三十九条　第三十七条第一項の規定により読み替えられた平成二十四年一元化法附則第十七条第一項において準用する平成二十四年一元化法附則第十四条第二項の規定は、第三十七条第一項の規定により読み替えられた平成二十四年一元化法附則第十七条第一項において準用する平成二十四年一元化法附則第十四条第一項に規定する受給権者が次に掲げる者である場合に限り、適用する。

一　厚生年金保険の被保険者（第二号厚生年金被保険者に限る。）であって、施行日前から引き続き国家公務員共済組合の組合員であるもの（以下「継続第二号厚生年金被保険者」という。）

二　国家公務員共済組合の組合員たる改正後厚生年金保険法第二十七条に規定する七十歳以上の使用される者

（退職共済年金の受給権者であって改正後厚生年金保険法附則第十三条の四第三項の規定による老齢厚生年金等の受給権者であるものに係る退職共済年金の支給停止に関する特例）

第四十条　平成二十四年一元化法附則第三十七条第一項に規定する給付のうち改正前国共済法第七十六条の規定による退職共済年金の受給権者であって改正後厚生年金保険法による老齢厚生年金、旧船員保険法による老齢年金、旧厚生年金保険法による老齢年金及び通算老齢年金並びに平成二十七年厚年経過措置政令第四十五条第一項第二号、第三号及び第五号から第九号までに掲げる給付の受給権者（昭和二十五年十月二日以後に生まれた者であって、六十五歳に達しているものに限る。）であるものについては、第三十七条第一項の規定により読み替えられた平成二十四年一元化法附則第十七条第一項において準用する平成二十四年一元化法附則第十四条第一項の規定を準用する。

2　前項の場合において、第三十七条第一項の規定により読み替えられた平成二十四年一元化法附則第十七条第一項において準用する平成二十四年一元化法附則第十四条第二項の規定は、前項に規定する受給権者（平成二十七年厚年経過措置政令第四十五条第一項第二号及び第八号に掲げる年金たる給付の受給権者を除く。）が継続第二号厚生年金被保険者である場合について準用する。

（準用する平成二十四年一元化法附則第十五条第二項に規定する政令で定める規定）

第四十一条　第三十八条第一項の規定により読み替えられた平成二十四年一元化法附則第十七条第二項において準用する平成二十四年一元化法附則第十五条第二項（第四十三条第二項（同条第三項の規定によりその例によることとされる場合を含む。）、第四十五条第二項（同条第三項の規定によりその例によることとされる場合を含む。）及び第四十七条第二項（同条第三項の規定によりその例によることとされる場合を含む。）において準用する場合を含む。次項において同じ。）に規定する政令で定める規定は、適用する改正後厚生年金保険法第四十六条第一項並びに附則第十一条第一項、第十一条の二第一項、第二項及び第四項、第十一条の六第一項及び第六項から第八項まで並びに第十三条の六第一項、第四項、第六項及び第八項並びに適用する改正後平成六年国民年金等改正法（平成二十四年一元化法附則第三十七条第四項の規定により適用するものとされた改正後平成六年国民年金等改正法をいい、第十八条第一項の規定により読み替えられた規定にあっては、同項の規定による読替え

後のものとする。以下第四十七条までにおいて同じ。）附則第二十一条第一項及び第三項（これらの規定を適用する改正後平成六年国民年金等改正法附則第二十二条において読み替えて準用する場合を含む。）、第二十四条第四項並びに第二十六条第一項、第三項、第五項から第十一項まで及び第十四項とする。

2　第三十八条第一項の規定により読み替えられた平成二十四年一元化法附則第十七条第二項において準用する平成二十四年一元化法附則第十五条第二項に規定する調整前特例支給停止額は、平成二十七年厚年経過措置政令第四十九条第二項の規定の例により算定した額とする。

（準用する平成二十四年一元化法附則第十五条第二項の規定の適用範囲）

第四十二条　第三十八条第一項の規定により読み替えられた平成二十四年一元化法附則第十七条第二項において準用する平成二十四年一元化法附則第十五条第二項の規定は、第三十八条第一項の規定により読み替えられた平成二十四年一元化法附則第十七条第二項において準用する平成二十四年一元化法附則第十五条第一項に規定する受給権者が継続第二号厚生年金被保険者である場合に限り、適用する。

（改正前国共済法附則第十二条の三の規定による退職共済年金の受給権者であって老齢厚生年金等の受給権者であるものに係る退職共済年金の適用する改正後厚生年金保険法の規定による支給停止に関する特例）

第四十三条　平成二十四年一元化法附則第三十七条第一項に規定する給付のうち改正前国共済法附則第十二条の三の規定による退職共済年金の受給権者であって、第三十八条第三項に規定する年金たる給付の受給権者（昭和二十五年十月二日から昭和三十年十月一日までの間に生まれた者に限る。）であるものについて同条第一項の規定により読み替えられた平成二十四年一元化法附則第十七条第二項において準用する平成二十四年一元化法附則第十五条第一項の規定により読み替えて適用する適用する改正後厚生年金保険法附則第十一条第一項並びに適用する改正後厚生年金保険法附則第十一条の二第一項、第二項及び第四項並びに第十一条の六第一項及び第六項から第八項までの規定を適用する場合におけるこれらの規定の読替えについては、平成二十七年厚年経過措置政令第五十一条第一項の規定の例による。

2　第三十八条第一項の規定により読み替えられた平成二十四年一元化法附則第十七条第二項において準用する平成二十四年一元化法附則第十五条第二項の規定は、前項の場合（同項に規定する受給権者が継続第二号厚生年金被保険者である場合に限る。）について準用する。この場合における必要な規定の読替えについては、平成二十七年厚年経過措置政令第五十一条第二項の規定の例による。

3　第一項に規定する受給権者（継続被保険者等に限る。）について適用する改正後厚生年金保険法附則第十一条の二第一項から第四項まで並びに第十一条の六第一項及び第六項から第八項までの規定を適用する場合には、前二項の規定の例による。この場合における必要な規定の読替えについては、平成二十七年厚年経過措置政令第五十一条第三項の規定の例による。

4　平成二十四年一元化法附則第三十七条第一項に規定する給付のうち改正前国共済法附則第十二条の三の規定による退職共済年金の受給権者であって、第三十八条第三項に規定する年金たる給付（第四十五条第四項において「特例による老齢厚生年金」という。）の受給権者（昭和三十年十月二日以後に生まれた者に限る。）であるものについては、第一項の規定を準用する。この場合における必要な規定の読替えについては、平成二十七年厚年経過措置政令第五十一条第四項の規定の例による。

第四十四条　前条第一項に規定する受給権者（継続被保険者等であって、障害者・長期加入者の退職共済年金の受給権者であるものに限る。次項において同じ。）について前条第一項の規定により読み替えられた適用する改正後厚生年金保険法附則第十一条の二第一項及び第二項の規定を適用する場合（前条第二項において準用する第三十八条第一項の規定により読み替えられた平成二十四年一元化法附則第十七条第二項において準用する平成二十四年一元化法附則第十五条第二項の規定により退職共済年金の支給が停止される場合を除く。）には、前条第一項の規定により読み替えられた適用する改正後厚生年金保険法附則第十一条の二第一項の規定にかかわらず、同項に規定する基本支給停止額に相当する部分の支給を停止せず、前条第一項の規定により読み替えられた適用する改正後厚生年金保険法附則第十一条の二第二項に規定する支給停止基準額は、当該基本支給停止額を含まないものとして算定した額とする。

2　前条第一項に規定する受給権者について同項の規定により読み替えられた適用する改正後厚生年金保険法附則第十一条の六第一項の規定を適用する場合（前条第二項において準用する第三十八条第一項の規定により読み替えられた平成二十四年一元化法附則第十七条第二項において準用する平成二十四年一元化法附則第十五条第二項の規定により老齢厚生年金の支給が停止される場合を除く。）には、前条第一項の規定により読み替えられた適用する改正後厚生年金保険法附則第十一条の二第一項、第二項及び第四項の規定を適用した場合における前条第一項の規定により読み替えられた適用する改正後厚生年金保険法附則第十一条の二第一項の規定にかかわらず、同項に規定する基本支給停止額に相当する部分の支給を停止せず、前条第一項の規定により読み替えられた適用する改正後厚生年金保険法附則第十一条の二第二項に規定する支給停止基準額は、当該基本支給停止額を含まないものとして算定した額とする。

（改正前国共済法附則第十二条の六の二第三項の規定による退職共済年金の受給権者であって老齢厚生年金等の受給権者であるものに係る退職共済年金の支給停止に関する特例）

第四十五条　平成二十四年一元化法附則第三十七条第一項に規定する給付のうち改正前国共済法附則第十二条の六の二第三項の規定による退職共済年金の受給権者であって第三十八条第三項に規定する年金たる給付の受給権者（昭和二十五年十月二日から昭和三十年十月一日までの間に生まれた者に限る。）であるものについて適用する改正後厚生年金保険法附則第十三条の六（第三項を除く。）の規定を適用する場合における同条の規定の読替えについては、平成二十七年厚年経過措置政令第五十三条第一項の規定の例による。

2　第三十八条第一項の規定により読み替えられた平成二十四年一元化法附則第十七条第二項において準用する平成二十四年一元化法附則第十五条第二項の規定は、前項の場合（同項に規定する受給権者が継続第二号厚生年金被保険者である場合に限る。）について準用する。この場合において、前項の規定により読み替えられた適用する改正後厚生年金保険法附則第十三条の六の規定を適用する場合における第三十八条第一項の規定により読み替えられた平成二十四年一元化法附則第十七条第二項において準用する平成二十四年一元化法附則第十五条第二項の規定の読替えについては、平成二十七年厚年経過措置政令第五十三条第二項の規定の例による。

3　第一項に規定する受給権者（継続被保険者等に限る。）について適用する改正後厚生年金保険法附則第十三条の六（第三項を除く。）の規定を適用する場合には、前二項の規定の例による。

4　平成二十四年一元化法附則第三十七条第一項に規定する給付のうち改正前国共済法附則第十二条の六の二第三項の規定による退職共済年金の受給権者であって、第三十八条第三項に規定する年金たる給付（特例による老齢厚生年金に限る。）の受給権者（昭和三十年十月二日以後に生まれた者であって、六十五歳に達していないものに限る。）であるものについては、第一項の規定を準用する。この場合における必要な規定の読替えについては、平成二十七年厚年経過措置政令第五十三条第一項の規定の例による。

第四十六条　前条第一項に規定する受給権者（継続被保険者等であって、なお効力を有する改正前国共済法附則第十二条の六の三第一項に規定する繰上げ調整額が加算された退職共済年金の受給権者であるものに限る。）については、なお効力を有する改正前国共済法附則第十二条の六の三第六項の規定は、適用しない。

（改正前国共済法附則第十二条の三の規定による退職共済年金の受給権者であって老齢厚生年金等の受給権者であるものに係る退職共済年金の適用する改正後平成六年国民年金等改正法の規定による支給停止に関する特例）

第四十七条　平成二十四年一元化法附則第三十七条第一項に規定する給付のうち改正前国共済法附則第十二条の三の規定による退職共済年金の受給権者であって、第三十八条第三項に規定する年金たる給付の受給権者（昭和二十五年十月二日から昭和三十年十月一日までの間に生まれた者に限る。）であるものについて適用する改正後平成六年国民年金等改正法附則第二十一条第一項及び第三項（これらの規定を適用する改正後平成六年国民年金等改正法附則第二十二条において読み替えて準用する場合を含む。）、第二十四条第四項並びに第二十六条第一項、第三項、第五項から第十一項まで及び第十四項の規定を適用する場合におけるこれらの規定の読替えについては、平成二十七年厚年経過措置政令第五十五条第一項の規定の例による。

2　第三十八条第一項の規定により読み替えられた平成二十四年一元化法附則第十七条第二項において準用する平成二十四年一元化法附則第十五条第二項の規定は、前項の場合について準用する。この場合における必要な規定の読替えについては、平成二十七年厚年経過措置政令第五十五条第二項の規定の例による。

3　第一項に規定する受給権者（継続被保険者等に限る。）について適用する改正後平成六年国民年金等改正法附則第二十一条第一項及び第三項（これらの規定を適用する改正後平成六年国民年金等改正法附則第二十二条において読み替えて準用する場合を含む。）、第二十四条第四項並びに第二十六条第一項、第三項、第五項から第十一項まで及び第十四項の規定を適用する場合には、前二項の規定の例による。

（旧国共済法による給付について適用する改正後厚生年金保険法等の規定）

第四十八条　旧国共済法による年金である給付に係る平成二十四年一元化法附則第三十七条第四項に規定する政令で定める規定は、改正後厚生年金保険法第四十六条第一項及び第三項から第五項まで並びに改正後平成六年国民年金等改正法附則第二十一条第一項及び第三項の規定とする。

（旧国共済法による年金である給付の支給の停止に係る改正後厚生年金保険法等の規定の読替え等）

第四十九条　旧国共済法による退職年金又は通算退職年金の受給権者（六十五歳以上である者に限る。）が施行日以後に国家公務員共済組合の組合員である場合又は施行日以後に国家公務員共済組合の組合員となった場合において、平成二十四年一元化法附則第三十七条第四項の規定により改正後厚生年金保険法第四十六条第一項及び第三項から第五項までの規定を適用するときは、次の表の上欄に掲げる同条の規定中同表の中欄に掲げる字句は、それぞれ同表の下欄に掲げる字句とする。

第一項	老齢厚生年金の受給権者	国家公務員共済組合法等の一部を改正する法律（昭和六十年法律第百五号。以下この項において「昭和六十年国共済改正法」という。）第一条の規定による改正前の国家公務員共済組合法（昭和三十三年法律第百二十八号。以下この項及び第五項において「旧国共済法」という。）による退職年金又は通算退職年金の受給権者（六十五歳以上である者に限る。）
	被保険者（	第二号厚生年金被保険者（
	、国会議員若しくは地方公共団体の議会の議員（前月以前の月に属する日から引き続き当該国会議員又は地方公共団体の議会の議員である者に限る。）である日又は	又は
	当該適用事業所において第二十七	国家公務員共済組合の組合員である

	条の厚生労働省令で定める要件に該当する	
	老齢厚生年金の額（第四十四条第一項に規定する加給年金額及び第四十四条の三第四項に規定する加算額を除く。以下この項において同じ）	当該退職年金又は通算退職年金の額のうちその算定の基礎となつている国家公務員共済組合の組合員であつた期間を基礎として被用者年金制度の一元化等を図るための厚生年金保険法等の一部を改正する法律（平成二十四年法律第六十三号。以下この項において「平成二十四年一元化法」という。）附則第三十七条第一項の規定によりなおその効力を有するものとされた平成二十四年一元化法第二条の規定による改正前の国家公務員共済組合法（以下この項において「なお効力を有する改正前国共済法」という。）附則第十二条の四の二第二項及び第三項の規定、平成二十四年一元化法附則第三十七条第一項の規定によりなおその効力を有するものとされた平成二十四年一元化法附則第九十七条の規定による改正前の国家公務員共済組合法の長期給付に関する施行法（昭和三十三年法律第百二十九号。以下この項において「なお効力を有する改正前国共済施行法」という。）第十一条の規定並びに平成二十四年一元化法附則第三十七条第一項の規定によりなおその効力を有するものとされた平成二十四年一元化法附則第九十八条の規定（平成二十四年一元化法附則第一条第三号に掲げる改正規定を除く。）による改正前の昭和六十年国共済改正法（以下この項において「なお効力を有する改正前昭和六十年国共済改正法」という。）附則第九条及び第十五条の規定の例により算定した額（なお効力を有する改正前国共済法附則第十二条の四の二第三項各号に定める金額に相当する額を除く。以下この項において「在職中支給基本額」という
	当該老齢厚生年金	当該退職年金又は通算退職年金
第一項ただし書	老齢厚生年金の額	在職中支給基本額
	老齢厚生年金の全部（同条第四項に規定する加算額	旧国共済法による退職年金又は通算退職年金の全部（当該退職年金の算定の基礎となつている組合員期間を基礎としてなお効力を有する改正前国共済法附則第十二条の四の二第二項及び第三項の規定、なお効力を有する改正前国共済施行法第十一条の規定並びになお効力を有する改正前昭和六十年国共済改正法附則第九条及び第十五条の規定の例により算定した額（なお効力を有する改正前国共済法附則第十二条の四の二第三項各号に定める金額に相当する額に限る。）
第五項	老齢厚生年金	旧国共済法による退職年金又は通算退職年金
	第三十六条第二項	旧国共済法第七十三条第二項

２　前項の規定は、旧国共済法による減額退職年金の受給権者（六十五歳以上である者に限る。）が施行日に国家公務員共済組合の組合員である場合又は施行日以後に国家公務員共済組合の組合員となつた場合において、平成二十四年一元化法附則第三十七条第四項の規定により改正後厚生年金保険法第四十六条第一項及び第三項から第五項までの規定を適用するときについて準用する。この場合において、前項の表第一項の項中「相当する額を除く。」とあるのは「相当する額を除く。）から、当該減額退職年金の給付事由となつた退職の理由及び当該減額退職年金の支給が開始されたときのその者の年齢に応じ政令で定める額を控除して得た額（」と、同表第一項ただし書の項中「額に限る。）」とあるのは「額に限る。）から、当該減額退職年金の給付事由となつた退職の理由及び当該減額退職年金の支給が開始されたときのその者の年齢に応じ同項各号に定める額に相当する額から減ずる額として政令で定める額を控除して得た額」と読み替えるものとする。

３　旧国共済法による退職年金、減額退職年金又は通算退職年金の受給権者（六十五歳以上である者に限る。）が施行日に第一号厚生年金被保険者、第四号厚生年金被保険者若しくは七十歳以上就労者等（国会議員若しくは地方公共団体の議会の議員又は改正後厚生年金保険法第二十七条に規定する七十歳以上の使用される者（国家公務員共済組合の組合員を除く。）をいう。以下この項において同じ。）である場合又は施行日以後に第一号厚生年金被保険者、第四号厚生年金被保険者若しくは七十歳以上就労者等となつた場合において、平成二十四年一元化法附則第三十七条第四項の規定により改正後厚生年金保険法第四十六条第一項及び第三項から第五項までの規定を適用するときは、次の表の上欄に掲げる同条の規定中同表の中欄に掲げる字句は、それぞれ同表の下欄に掲げる字句とする。

上欄	中欄	下欄
第一項	老齢厚生年金の受給権者	国家公務員等共済組合法等の一部を改正する法律（昭和六十年法律第百五号）第一条の規定による改正前の国家公務員共済組合法（昭和三十三年法律第百二十八号。第五項において「旧国共済法」という。）による退職年金、減額退職年金又は通算退職年金の受給権者（六十五歳以上である者に限る。）
	被保険者	第一号厚生年金被保険者若しくは第四号厚生年金被保険者
	該当する者に限る	該当する者に限り、国家公務員共済組合の組合員を除く
	老齢厚生年金の額（第四十四条第一項に規定する加給年金額及び第四十四条の三第四項に規定する加算額を除く。以下この項において同じ	当該退職年金、減額退職年金又は通算退職年金の額に百分の四十五を乗じて得た額（以下この項において「停止対象年金額」という
	当該老齢厚生年金	当該退職年金、減額退職年金又は通算退職年金
第一項ただし書	老齢厚生年金の額	当該停止対象年金額
	老齢厚生年金の全部（同条第四項に規定する加算額を除く。）	停止対象年金額に相当する額
第五項	老齢厚生年金	旧国共済法による退職年金、減額退職年金又は通算退職年金
	第三十六条第二項	旧国共済法第七十三条第二項

4　旧国共済法による退職年金の受給権者（六十歳以上六十五歳未満である者に限る。）が施行日において第二号厚生年金被保険者である場合又は施行日以後に第二号厚生年金被保険者となった場合において、当該退職年金について改正後平成六年国民年金等改正法附則第二十一条第一項及び第三項の規定を適用するときは、次の表の上欄に掲げる同条の規定中同表の中欄に掲げる字句は、それぞれ同表の下欄に掲げる字句とする。

上欄	中欄	下欄
第一項	厚生年金保険法附則第八条の規定による老齢厚生年金（附則第十八条、第十九条第一項から第五項まで、第二十条第一項から第五項まで又は前条第一項から第五項まで及び同法附則第九条の規定によりその額が計算されているものに限る。）の受給権者	国家公務員等共済組合法等の一部を改正する法律（昭和六十年法律第百五号。以下この項において「昭和六十年国共済改正法」という。）第一条の規定による改正前の国家公務員共済組合法（昭和三十三年法律第百二十八号。以下この項及び第三項において「旧国共済法」という。）による退職年金の受給権者（六十歳以上六十五歳未満である者に限る。）
	厚生年金保険の被保険者	第二号厚生年金被保険者
	である日（同法	である日（被用者年金制度の一元化等を図るための厚生年金保険法等の一部を改正する法律（平成二十四年法律第六十三号。以下この項において「平成二十四年一元化法」という。）第一条の規定による改正後の厚生年金保険法（以下この項において「改正後厚生年金保険法」という。）
	又は国会議員若しくは地方公共団体の議会の議員（前月以前の月に属する日から	が属する月

	ら引き続き当該国会議員又は地方公共団体の議会の議員である者に限る。）である日（附則第二十四条第三項及び第四項において「被保険者等である日」という。）が属する月	
	総報酬月額相当額（同法	総報酬月額相当額（改正後厚生年金保険法
	老齢厚生年金の額（附則第十八条第三項、第十九条第三項若しくは第五項、第二十条第三項若しくは第五項又は前条第三項若しくは第五項において準用する	当該退職年金の額のうちその算定の基礎となっている国家公務員共済組合の組合員であった期間を基礎として平成二十四年一元化法附則第三十七条第一項の規定によりなおその効力を有するものとされた平成二十四年一元化法第二条の規定による改正前の国家公務員共済組合法（以下この項において「なお効力を有する改正前国共済法」という。）附則第十二条の四の二第二項及び第三項の規定、平成二十四年一元化法附則第三十七条第一項の規定によりなおその効

	同法第四十四条第一項に規定する加給年金額を除く。以下この項において同じ	力を有するものとされた平成二十四年一元化法附則第九十七条の規定による改正前の国家公務員共済組合法の長期給付に関する施行法（昭和三十三年法律第百二十九号。以下この項において「なお効力を有する改正前国共済施行法」という。）第十三条の規定並びに平成二十四年一元化法附則第三十七条第一項の規定によりなおその効力を有するものとされた平成二十四年一元化法附則第九十八条の規定（平成二十四年一元化法附則第一条第三号に掲げる改正規定を除く。）による改正前の昭和六十年国共済改正法（以下この項において「なお効力を有する改正前昭和六十年国共済改正法」という。）附則第九条及び第十五条の規定の例により算定した額（なお効力を有する改正前国共済法附則第十二条の四の二第三項各号に定める金額に相当する額を除く。以下この項において「在職中支給基本額」という
	同法第四十六条第三項	改正後厚生年金保険法附則第十一条第二項
	当該老齢厚生年金	当該退職年金
第一項ただし書	老齢厚生年金の額	在職中支給基本額

	老齢厚生年金の全部	旧国共済法による退職年金の全部（当該退職年金の額のうちその算定の基礎となっている組合員期間を基礎としてなお効力を有する改正前国共済法附則第十二条の四の二第二項及び第三項の規定、なお効力を有する改正前国共済施行法第十一条の規定並びになお効力を有する改正前昭和六十年国共済改正法附則第九条及び第十五条の規定の例により算定した額（なお効力を有する改正前国共済法附則第十二条の四の二第三項各号に定める金額に相当する額に限る。）を除く。）
第三項	前二項	第一項
	厚生年金保険法附則第八条の規定による老齢厚生年金	旧国共済法による退職年金
	同法第三十六条第二項	旧国共済法第七十三条第二項

５　前項の規定は、旧国共済法による減額退職年金の受給権者（六十歳以上六十五歳未満である者に限る。）が施行日において第二号厚生年金被保険者である場合又は施行日以後に再び第二号厚生年金被保険者となった場合において、改正後平成六年国民年金等改正法附則第二十一条第一項及び第三項の規定を適用するときについて準用する。この場合において、前項の表第一項の項中「相当する額を除く。」とあるのは「相当する額を除く。）から、当該減額退職年金の給付事由となった退職の理由

及び当該減額退職年金の支給が開始されたときのその者の年齢に応じ政令で定める額を控除して得た額（」と、同表第一項ただし書の項中「額に限る。）」とあるのは「額に限る。）から、当該減額退職年金の給付事由となった退職の理由及び当該減額退職年金の支給が開始されたときのその者の年齢に応じ同項各号に定める額に相当する額から減ずる額として政令で定める額を控除して得た額」と読み替えるものとする。

6　旧国共済法による退職年金又は減額退職年金の受給権者（六十歳以上六十五歳未満である者に限る。）が施行日において第一号厚生年金被保険者、第四号厚生年金被保険者若しくは国会議員等（国会議員又は地方公共団体の議会の議員をいう。以下この項において同じ。）である場合又は施行日以後に第一号厚生年金被保険者、第四号厚生年金被保険者若しくは国会議員等となった場合において、当該退職年金、減額退職年金又は通算退職年金について改正後平成六年国民年金等改正法附則第二十一条第一項及び第三項の規定を適用するときは、次の表の上欄に掲げる同条の規定中同表の中欄に掲げる字句は、それぞれ同表の下欄に掲げる字句とする。

第一項	厚生年金保険法附則第八条の規定による老齢厚生年金（附則第十八条、第十九条第一項から第五項まで、第二十条第一項から第五項まで又は前条第一項から第五項まで及び同法附則第九条の規定によりその額が計算されているものに限る。）の受給権者	国家公務員等共済組合法等の一部を改正する法律（昭和六十年法律第百五号）第一条の規定による改正前の国家公務員共済組合法（昭和三十三年法律第百二十八号。第三項において「旧国共済法」という。）による退職年金又は減額退職年金の受給権者（六十歳以上六十五歳未満である者に限る。）
	厚生年金保険の被保険者	第一号厚生年金被保険者若しくは第四号厚生年金被保険者
	である日（同法	である日（被用者年金制度の一元化等を図るための厚生年金保険法等の一部を改正する法律（平成二十四年法律第六十三号）第一条の規定による改正後の厚生年金保険法（以下この項において「改正後厚生年金保険法」という。）
	総報酬月額相当額（同法	総報酬月額相当額（改正後厚生年金保険法
	老齢厚生年金の額（附則第十八条第三項、第十九条第三項若しくは第五項、第二十条第三項若しくは第五項又は前条第三項若しくは第五項において準用する同法第四十四条第一項に規定する加給年金額を除く。以下この項において同じ	当該退職年金又は減額退職年金の額に百分の九十を乗じて得た額（以下この項において「停止対象年金額」という
	同法第四十六条第三項	改正後厚生年金保険法附則第十一条第二項
	当該老齢厚生年金	当該退職年金又は減額退職年金
第一項ただし書	老齢厚生年金の額	当該停止対象年金額
	老齢厚生年金の全部	停止対象年金額
第三項	前二項	第一項
	厚生年金保険法附則第八条の規定による老齢厚生年金	旧国共済法による退職年金又は減額退職年金
	同法第三十六条第二項	旧国共済法第七十三条第二項

（第二号厚生年金被保険者又は第三号厚生年金被保険者である

間の減額退職年金の支給の停止の特例）

第五十条　前条第二項において読み替えて準用する同条第一項の規定により読み替えられた平成二十四年一元化法附則第三十七条第四項の規定により適用するものとされた改正後厚生年金保険法第四十六条第一項及び前条第五項において読み替えて準用する同条第四項の規定により読み替えられた平成二十四年一元化法附則第三十七条第四項の規定により適用するものとされた改正後平成六年国民年金等改正法附則第二十一条第一項に規定する減額退職年金の給付事由となった退職の理由及び当該減額退職年金の支給が開始されたときのその者の年齢に応じ政令で定める額は、旧国共済法による減額退職年金の額の算定の基礎となっている組合員期間を基礎としてなお効力を有する改正前国共済法附則第十二条の四の二第二項及び第三項の規定、なお効力を有する改正前国共済施行法第十一条の規定並びになお効力を有する改正前昭和六十年国共済改正法附則第九条及び第十五条の規定の例により算定した額（同項各号に定める金額に相当する金額を除く。）に、当該減額退職年金の受給権者の次の各号に掲げる区分に応じ、当該各号に定める率を乗じて得た額とする。

一　次に掲げる旧国共済法による減額退職年金の受給権者　〇・〇四に当該減額退職年金を支給しなかったとしたならば支給すべきであった旧国共済法による退職年金の支給を開始することとされていた年齢と当該減額退職年金の支給が開始された月の前月の末日におけるその者の年齢との差に相当する年数を乗じて得た率

イ　昭和五十五年七月一日前に給付事由が生じた旧国共済法による退職年金に係る旧国共済法による減額退職年金

ロ　昭和五十五年七月一日以後に給付事由が生じた旧国共済法による退職年金に係る旧国共済法による減額退職年金で昭和十五年七月一日以前に生まれた者が支給を受けるもの

ハ　昭和五十五年七月一日以後に給付事由が生じた旧国共済法による退職年金に係る旧国共済法による減額退職年金で旧国共済法附則第十二条の五第二項に規定する政令で定める者又は旧国共済法附則第十三条の十に規定する政令で定める者に該当した者が支給を受けるもの（ロに掲げる旧国共済法による減額退職年金を除く。）

二　前号に掲げる者以外の旧国共済法による減額退職年金の受給権者　六十歳と当該減額退職年金の支給が開始された月の前月の末日におけるその者の年齢との差に相当する年数のなお効力を有する改正前昭和六十一年国共済経過措置政令別表第五の上欄に掲げる区分に応じ、それぞれ同表の下欄に掲げる率

2　前条第二項において読み替えて準用する同条第一項の規定により読み替えられた平成二十四年一元化法附則第三十七条第四項の規定により適用するものとされた改正後厚生年金保険法第四十六条第一項及び前条第五項において読み替えて準用する同条第四項の規定により読み替えられた平成二十四年一元化法附則第三十七条第四項の規定により適用するものとされた改正後平成六年国民年金等改正法附則第二十一条第一項に規定する減額退職年金の給付事由となった退職の理由及び当該減額退職年金の支給が開始されたときのその者の年齢に応じなお効力を有する改正前国共済法附則第十二条の四の二第三項各号に定める額に相当する額から減ずる額として政令で定める額は、旧国共済法による減額退職年金の額の算定の基礎となっている組合員期間を基礎としてなお効力を有する改正前国共済法附則第十二条の四の二第二項及び第三項の規定、なお効力を有する改正前国共済施行法第十一条の規定並びになお効力を有する改正前昭和六十年国共済改正法附則第九条及び第十五条の規定の例により算定した額（同項各号に定める金額に相当する金額に限る。）に、当該減額退職年金の受給権者の前項各号に掲げる区分に応じ、当該各号に定める率を乗じて得た額とする。

（退職共済年金等の職域加算額の支給の停止の特例）

第五十一条　平成二十四年一元化法附則第三十七条第一項に規定する給付のうち退職共済年金又は障害共済年金の受給権者が国家公務員共済組合の組合員（国家公務員共済組合法による長期給付に関する規定の適用を受ける者に限る。以下この条において同じ。）である場合には、当該組合員である間、当該退職共済年金又は障害共済年金のうち、なお効力を有する改正前国共済法第七十四条第二項に規定する退職共済年金の職域加算額又は障害共済年金の職域加算額の支給を停止する。

2　旧国共済法による退職年金又は通算退職年金の受給権者が国家公務員共済組合の組合員である場合には、当該組合員である間、当該退職年金又は通算退職年金の額のうち、その算定の基礎となっている組合員期間を基礎としてなお効力を有する改正前国共済法附則第十二条の四の二第二項及び第三項の規定、なお効力を有する改正前国共済施行法第十一条の規定並びになお効力を有する改正前昭和六十年国共済改正法附則第九条及び第十五条の規定の例により算定した額（同項各号に定める金額に相当する金額に限る。）の支給を停止する。

3　旧国共済法による減額退職年金の受給権者が国家公務員共済組合の組合員である場合には、当該組合員である間、当該減額退職年金の額のうち、その算定の基礎となっている組合員期間を基礎としてなお効力を有する改正前国共済法附則第十二条の四の二第二項及び第三項の規定、なお効力を有する改正前国共済施行法第十一条の規定並びになお効力を有する改正前昭和六十年国共済改正法附則第九条及び第十五条の規定の例により算定した額（同項各号に定める金額に相当する金額に限る。）から、前条第二項に規定する額を控除して得た額の支給を停止する。

4　旧国共済法による障害年金の受給権者が国家公務員共済組合の組合員である場合には、当該組合員である間、当該障害年金の額のうち、その算定の基礎となっている組合員期間を基礎としてなお効力を有する改正前国共済法第八十二条の規定、なお効力を有する改正前国共済施行法第十二条の規定及びなお効力を有する改正前昭和六十年国共済改正法附則第九条の規定の例により算定した額（なお効力を有する改正前国共済法第八十二条第一項第二号に掲げる金額（同条第二項又は第八十五条第二項（同条第三項において準用する場合を含む。）の規定により算定するものを含む。）又はなお効力を有する改正前国共済法第八十二条第三項各号に掲げる金額のうちなお効力を有する改正前国共済令第十一条の六第一項に定める金額に相当する金額に限る。）の支給を停止する。

（併給年金の支給を受ける場合における旧国共済法による退職年金等の支給の停止に関する特例）

第五十二条　第三十七条の規定は、旧国共済法による退職年金、

減額退職年金又は通算退職年金の受給権者（六十五歳以上である者に限る。）について準用する。

第五十三条　第三十八条の規定は、旧国共済法による退職年金又は減額退職年金の受給権者（六十歳以上六十五歳未満である者に限る。）について準用する。

第二款　施行日前に給付事由が生じた退職共済年金等の額の特例

（追加費用対象期間）

第五十四条　なお効力を有する改正前国共済施行法第十三条の二（なお効力を有する改正前国共済施行法第二十二条第一項（なお効力を有する改正前国共済施行法第二十三条第一項において準用する場合を含む。）、第二十三条第一項及び第四十八条第一項（なお効力を有する改正前国共済施行法第四十九条及び第五十条第一項において準用する場合を含む。）において準用する場合を含む。以下同じ。）第一項に規定する政令で定める期間は、なお効力を有する改正前国共済施行法第七条第一項各号の期間であって法令の規定により組合員期間（なお効力を有する改正前国共済法第三十八条第一項に規定する組合員期間をいう。以下同じ。）に算入するものとされた期間とする。

（控除調整下限額に係る再評価率の改定の基準となる率等）

第五十五条　なお効力を有する改正前国共済施行法第十三条の二第一項に規定する各年度の再評価率の改定の基準となる率であって政令で定める率（以下この条において「改定基準率」という。）は、当該年度における物価変動率（改正後厚生年金保険法第四十三条の二第一項に規定する物価変動率をいう。以下この条及び第百二十条において同じ。）とする。ただし、物価変動率が名目手取り賃金変動率（改正後厚生年金保険法第四十三条の二第一項に規定する名目手取り賃金変動率をいう。以下この条及び第百二十条において同じ。）を上回るときは、名目手取り賃金変動率とする。

2　前項の規定にかかわらず、調整期間（改正後厚生年金保険法第三十四条第一項に規定する調整期間をいう。第百二十条第二項において同じ。）における改定基準率は、当該年度における基準年度以後算出率（厚生年金保険法第四十三条の五第一項に規定する基準年度以後算出率をいう。第百二十条第二項において同じ。）とする。ただし、物価変動率又は名目手取り賃金変動率が一を下回る場合は、物価変動率（物価変動率が名目手取り賃金変動率を上回るときは、名目手取り賃金変動率）とする。

3　なお効力を有する改正前国共済施行法第十三条の二第一項に規定する控除調整下限額（第五十九条及び第六十八条において「控除調整下限額」という。）に五十円未満の端数があるときは、これを切り捨て、五十円以上百円未満の端数があるときは、これを百円に切り上げるものとする。

（改正前国共済法による退職共済年金の額に加算する老齢基礎年金及び障害基礎年金の額）

第五十六条　国民年金法の規定による老齢基礎年金の額のうちなお効力を有する改正前国共済施行法第十三条の二第一項に規定する組合員期間に係る部分に相当するものとして政令で定めるところにより算定した額及び国民年金法の規定による障害基礎年金の額のうち同項に規定する組合員期間に係る部分に相当するものとして政令で定めるところにより算定した額は、同法第二十七条本文に規定する老齢基礎年金の額に第一号に掲げる月数を第二号に掲げる月数で除して得た割合を乗じて得た額とする。

一　組合員期間のうち昭和三十六年四月一日以後の期間に係るもの（二十歳に達した日の属する月前の期間、六十歳に達した日の属する月以後の期間及びなお効力を有する改正前昭和六十一年国共済経過措置政令第十三条第一項各号に掲げる期間に係るものを除く。）の月数

二　なお効力を有する改正前昭和六十年国共済改正法附則別表第三の上欄に掲げる者の区分に応じ、それぞれ同表の下欄に掲げる月数

（改正前国共済法による退職共済年金の受給権者が支給を受けることができる年金である給付）

第五十七条　なお効力を有する改正前国共済施行法第十三条の二第五項に規定する政令で定める年金である給付は、次に掲げる年金である給付であって、公務（改正後平成八年改正法附則第四条に規定する旧適用法人の業務を含む。）による障害又は死亡を支給事由とするもの以外のものとする。

一　改正前国共済法による職域加算額

二　平成二十四年一元化法附則第三十七条第一項に規定する改正前国共済法による年金である給付

三　平成二十四年一元化法附則第四十一条年金

四　旧国共済法による年金である給付

五　改正前地共済法による職域加算額（平成二十四年一元化法附則第六十条第五項に規定する改正前地共済法による職域加算額をいう。以下同じ。）

六　平成二十四年一元化法附則第六十一条第一項に規定する改正前地共済法による年金である給付（地方公務員等共済組合法の一部を改正する法律（平成二十三年法律第五十六号。以下「平成二十三年地共済改正法」という。）附則第二十三条第一項第一号及び第二号に規定する年金である給付を除く。）

七　平成二十四年一元化法附則第六十五条第一項の規定により地方公務員共済組合（平成二十四年一元化法附則第五十六条第二項に規定する地方公務員共済組合をいう。）が支給する年金である給付（以下「平成二十四年一元化法附則第六十五条年金」という。）

八　平成二十四年一元化法附則第百二条の規定（平成二十四年一元化法附則第一条第三号に掲げる改正規定を除く。）による改正前の昭和六十年地共済改正法（以下「改正前昭和六十年地共済改正法」という。）附則第二条第七号に規定する退職年金、減額退職年金、通算退職年金、障害年金、遺族年金又は通算遺族年金

九　改正後厚生年金保険法による年金たる保険給付（第二号厚生年金被保険者期間に基づく改正後厚生年金保険法による保険給付（以下「第二号厚生年金」という。）又は第三号厚生年金被保険者期間に基づく改正後厚生年金保険法による保険給付（以下「第三号厚生年金」という。）に限る。）

（併給年金の支給を受けることができる場合における改正前国共済法による退職共済年金の額の特例）

第五十八条　平成二十四年一元化法附則第三十七条第一項に規定する給付のうち退職共済年金の受給権者（なお効力を有する改正前国共済法第九十一条の二若しくはなお効力を有する改正前

地共済法第九十九条の四の二の規定の適用を受ける者又は改正後厚生年金保険法第六十四条の二の規定の適用を受ける者（平成二十四年一元化法附則第四十一条年金、平成二十四年一元化法附則第六十五条年金、第二号厚生年金又は第三号厚生年金の受給権者に限る。）を除く。）が前条に規定する年金である給付の支給を併せて受けることができる場合におけるなお効力を有する改正前国共済施行法第十三条の二の規定の適用については、次の表の上欄に掲げる同条の規定中同表の中欄に掲げる字句は、それぞれ同表の下欄に掲げる字句とする。

第一項	とする。）	とする。）と併給年金（第五項に規定する政令で定める年金である給付をいう。第三項において同じ。）の額との合計額
第三項	の退職共済年金の額	の退職共済年金の額と併給年金の額との合計額
	、控除調整下限額	、当該控除後の退職共済年金の額に控除調整下限額と当該合計額との差額に相当する額を加えた額

第五十九条　前条の規定により読み替えられたなお効力を有する改正前国共済施行法第十三条の二第一項の規定及びなお効力を有する改正前国共済施行法第十三条の二第二項の規定による控除が行われる場合（当該控除に係る前条の規定により読み替えられたなお効力を有する改正前国共済施行法第十三条の二第一項に規定する併給年金（以下この項において「併給年金」という。）のいずれかが控除対象年金である場合に限る。）であって、前条の規定により読み替えられたなお効力を有する改正前国共済施行法第十三条の二第一項の規定及びなお効力を有する改正前国共済施行法第十三条の二第二項の規定による控除後の平成二十四年一元化法附則第三十七条第一項に規定する給付のうち退職共済年金の額（以下この項において「控除後退職共済年金額」という。）と年金額控除規定の適用後の併給年金の額との合計額（以下この項において「控除後年金総額」という。）が控除調整下限額より少ないときは、前条の規定により読み替えられたなお効力を有する改正前国共済施行法第十三条の二第三項の規定にかかわらず、控除後退職共済年金額に、控除調整下限額と控除後年金総額との差額に調整率（前条の規定により読み替えられたなお効力を有する改正前国共済施行法第十三条の二第一項の規定又はなお効力を有する改正前国共済施行法第十三条の二第二項の規定による控除前の平成二十四年一元化法附則第三十七条第一項に規定する給付のうち退職共済年金の額と当該年金額控除規定の適用前の併給年金の額との合計額から控除後年金総額を控除して得た額に対する前条の規定により読み替えられたなお効力を有する改正前国共済施行法第十三条の二第一項に規定する退職共済年金控除額の割合をいう。）を乗じて得た額に相当する額を加えた額をもって改正前国共済法による退職共済年金の額とする。

2　国民年金法の規定による老齢基礎年金又は障害基礎年金が支給される場合における前項の規定の適用については、同項中「より少ない」とあるのは「から国民年金法の規定による老齢基礎年金又は障害基礎年金の額を控除した額より少ない」と、「控除調整下限額と」とあるのは「控除調整下限額から国民年金法の規定による老齢基礎年金又は障害基礎年金の額を控除した額と」とする。

3　第一項に規定する「控除対象年金」とは、平成二十四年一元化法附則第三十七条第一項に規定する改正前国共済法による年金である給付、平成二十四年一元化法附則第四十一条年金（改正前国共済法による職域加算額が支給される場合には、当該職域加算額を含む。）若しくは旧国共済法による年金である給付又は平成二十四年一元化法附則第六十一条第一項に規定する改正前地共済法による年金である給付、平成二十四年一元化法附則第六十五条年金（改正前地共済法による職域加算額が支給される場合には、当該職域加算額を含む。）若しくは改正前昭和六十年地共済改正法附則第二条第七号に規定する退職年金、減額退職年金、通算退職年金、障害年金、遺族年金若しくは通算遺族年金であって当該年金の額の算定の基礎となった組合員期間、国共済組合員等期間若しくは旧適用法人施行日前期間（改正後平成八年改正法附則第二十四条第二項に規定する旧適用法人施行日前期間をいう。）又は地方の組合員期間（なお効力を有する改正前地共済法第四十条第一項に規定する組合員期間をいう。）若しくは地共済組合員等期間（平成二十四年一元化法附則第六十五条第一項に規定する地共済組合員等期間をいう。）のうちに追加費用対象期間（なお効力を有する改正前国共済施行法第十三条の二第一項に規定する追加費用対象期間、平成二十四年一元化法附則第四十一条第一項に規定する追加費用対象期間、平成二十四年一元化法附則第六十一条第一項の規定によりなおその効力を有するものとされた平成二十四年一元化法附則第百一条の規定による改正前の地方公務員等共済組合法の長期給付等に関する施行法（昭和三十七年法律第百五十三号。以下「なお効力を有する改正前地共済施行法」という。）第十三条の二（なお効力を有する改正前地共済施行法第三十六条第一項において準用する場合を含む。以下同じ。）第一項に規定する追加費用対象期間又は被用者年金制度の一元化等を図るための厚生年金保険法等の一部を改正する法律及び地方公務員等共済組合法及び被用者年金制度の一元化等を図るための厚生年金保険法等の一部を改正する法律の一部を改正する法律の施行に伴う地方公務員等共済組合法による長期給付等に関する経過措置に関する政令（平成二十七年政令第三百四十七号。次項第九号において「平成二十七年地共済経過措置政令」という。）第五十三条に規定する追加費用対象期間をいう。以下同じ。）があるものをいう。

4　第一項に規定する「年金額控除規定」とは、次に掲げる規定をいう。

一　なお効力を有する改正前国共済施行法第十三条の四（なお効力を有する改正前国共済施行法第二十二条第一項（なお効力を有する改正前国共済施行法第二十三条第一項において準用する場合を含む。）、第二十三条第一項及び第四十八条第一項（なお効力を有する改正前国共済施行法第四十九条及び第五十条第一項において準用する場合を含む。）において準用する場合を含む。以下同じ。）第一項又は第二項

二　なお効力を有する改正前昭和六十年国共済改正法附則第五十七条の二第一項、第二項（なお効力を有する改正前昭和六

十年国共済改正法附則第五十七条の二第五項及び第五十七条の四第三項において準用する場合を含む。）若しくは第四項又は第五十七条の四第一項若しくは第二項

三　平成二十四年一元化法附則第四十八条第一項又は第二項

四　第八十四条第一項又は第二項

五　平成二十七年国共済整備政令第三条の規定による改正後の厚生年金保険法等の一部を改正する法律の施行に伴う国家公務員共済組合法による長期給付等に関する経過措置に関する政令（平成九年政令第八十六号。以下「改正後平成九年国共済経過措置政令」という。）第十七条の二の三、第十七条の三の三又は第十七条の四の二

六　なお効力を有する改正前地共済施行法第二十七条の二（なお効力を有する改正前地共済施行法第三十六条第一項において準用する場合を含む。以下同じ。）第一項又は第二項

七　平成二十四年一元化法附則第六十一条第一項の規定によりなおその効力を有するものとされた改正前昭和六十年地共済改正法（以下「なお効力を有する改正前昭和六十年地共済改正法」という。）附則第九十八条の二第一項、第二項（同条第五項及びなお効力を有する改正前昭和六十年地共済改正法附則第九十八条の四第三項において準用する場合を含む。）若しくは第四項又は第九十八条の四第一項若しくは第二項

八　平成二十四年一元化法附則第七十二条第一項又は第二項

九　平成二十七年地共済経過措置政令第八十四条第一項又は第二項

第六十条　第五十八条の規定により読み替えられたなお効力を有する改正前国共済施行法第十三条の二第一項に規定する併給年金（旧国共済職域加算遺族給付（改正前国共済法による職域加算額のうち死亡を支給事由とするものをいう。以下同じ。）、平成二十四年一元化法附則第三十七条第一項に規定する給付のうち遺族共済年金、平成二十四年一元化法附則第四十一条年金のうち遺族共済年金（以下「平成二十四年一元化法附則第四十一条遺族共済年金」という。）並びに旧国共済法の規定による遺族年金及び通算遺族年金、旧地共済職域加算遺族給付（改正前地共済法による職域加算額のうち死亡を支給事由とするものをいう。以下同じ。）、平成二十四年一元化法附則第六十一条第一項に規定する給付のうち遺族共済年金、平成二十四年一元化法附則第六十五条年金のうち遺族共済年金（以下「平成二十四年一元化法附則第六十五条遺族共済年金」という。）並びに旧地共済法の規定による遺族年金及び通算遺族年金並びに改正後厚生年金保険法による年金たる保険給付（第二号厚生年金又は第三号厚生年金に限る。）のうち遺族厚生年金に限る。以下この条において同じ。）についてなお効力を有する改正前国共済法第九十三条、なお効力を有する改正前昭和六十年国共済改正法附則第二十八条第四項若しくは第五項、なお効力を有する改正前昭和六十年国共済改正法附則第三条第一項の規定によりなお従前の例によることとされた旧国共済法第四十四条、同項の規定によりなお従前の例によることとされた旧国共済法第九十二条の三第三項において準用する旧厚生年金保険法第六十条第三項若しくはなお効力を有する改正前昭和六十一年国共済経過措置政令第四十七条、なお効力を有する改正前地共済法第九十九条の六、なお効力を有する改正前昭和六十年地共済改正法附則第二十九条第四項若しくは第五項、なお効力を有する改正前昭和六十年地共済改正法附則第三条第一項の規定によりなお従前の例によることとされた旧地共済法第四十六条、同項の規定によりなお従前の例によることとされた旧地共済法第九十八条第三項において準用する旧厚生年金保険法第六十条第三項若しくは平成二十四年一元化法附則第六十一条第一項の規定によりなおその効力を有するものとされた地方公務員等共済組合法施行令等の一部を改正する等の政令（平成二十七年政令第三百四十六号）第二条の規定による改正前の地方公務員等共済組合法等の一部を改正する法律の施行に伴う経過措置に関する政令（昭和六十一年政令第五十八号。第九十四条第二項第九号において「なお効力を有する改正前昭和六十一年地共済経過措置政令」という。）第四十六条第三項又は改正後厚生年金保険法第六十条第二項若しくは第六十五条若しくは昭和六十年国民年金等改正法附則第七十三条第一項若しくは第二項の規定（以下「遺族支給特例規定」と総称する。）が適用される場合には、遺族支給特例規定を適用した後に当該併給年金として支給を受けることとなる額を当該併給年金の額とみなして、第五十八条の規定により読み替えられたなお効力を有する改正前国共済施行法第十三条の二の規定及び前条の規定を適用する。

（加給年金額に相当する額の支給が停止されている場合における改正前国共済法による退職共済年金の額の特例）

第六十一条　なお効力を有する改正前国共済法第七十八条第一項の規定により同項に規定する加給年金額が加算された平成二十四年一元化法附則第三十七条第一項に規定する給付のうち退職共済年金について第十八条第一項の規定により読み替えられた平成二十四年一元化法附則第三十七条第四項の規定により適用するものとされた改正後厚生年金保険法第四十六条第六項の規定により当該加給年金額に相当する部分の支給が停止される場合におけるなお効力を有する改正前国共済施行法第十三条の二の規定及び第五十九条の規定の適用については、次の表の上欄に掲げる規定中同表の中欄に掲げる字句は、それぞれ同表の下欄に掲げる字句とする。

なお効力を有する改正前国共済施行法第十三条の二第一項	の額（	の額から新法第七十八条第一項に規定する加給年金額（第三項において「加給年金額」という。）を控除して得た額（
なお効力を有する改正前国共済施行法第十三条の二第三項	が控除調整下限額	から加給年金額に相当する額を控除した額が控除調整下限額
	をもつて	に当該相当する額を加えた額をもつて
第五十九条第一項	が控除調整下限額	から加給年金額（改正前国共済法第七十八条第一項に規定する加給年金額をいう。）に相当する額を控除した額が控除調整下限額
	をもって	に当該相当する額を加えた額をも

		って

2　平成二十四年一元化法附則第三十七条第一項に規定する給付のうち退職共済年金の支給を受ける者が前項に規定する場合に該当することとなったとき、又は該当しないこととなったときは、当該退職共済年金の額を改定する。

（追加費用対象期間を有する者で控除期間等の期間を有するものに係る改正前国共済法による退職共済年金の額の特例）

第六十二条　控除期間等の期間（なお効力を有する改正前国共済施行法第十一条第一項に規定する控除期間等の期間をいう。第六十五条及び第七十二条において同じ。）を有する者（組合員期間が二十年以上である者及び改正前国共済施行法第八条又は第九条の規定の適用を受ける者に限る。）に対するなお効力を有する改正前国共済施行法第十三条の二の規定の適用については、同条第一項中「月数を」とあるのは、「月数から同条第一項に規定する控除期間等の期間の月数を控除した月数を」とする。

（加給年金額に相当する額の支給が停止されている場合における改正前国共済法による障害共済年金の額の特例）

第六十三条　なお効力を有する改正前国共済法第八十三条第一項の規定により同項に規定する加給年金額が加算された平成二十四年一元化法附則第三十七条第一項に規定する給付のうち障害共済年金についてなお効力を有する改正前国共済法第八十三条第一項の規定によりその者について加算が行われている配偶者が平成二十四年一元化法附則第三十七条第一項に規定する給付のうち退職共済年金（その年金額の算定の基礎となる組合員期間が二十年以上であるものに限るものとし、その全額につき支給を停止されているものを除く。）若しくは同項に規定する給付のうち障害共済年金（その全額につき支給を停止されているものを除く。）又はなお効力を有する改正前国共済令第十一条の七の四各号に掲げる年金である給付の支給を受けることができる場合におけるなお効力を有する改正前国共済施行法第十三条の三（なお効力を有する改正前国共済施行法第二十二条第一項（なお効力を有する改正前国共済施行法第二十三条第一項において準用する場合を含む。）、第二十三条第一項及び第四十八条第一項（なお効力を有する改正前国共済施行法第四十九条及び第五十条第一項において準用する場合を含む。以下同じ。）において準用する場合を含む。）の規定の適用については、次の表の上欄に掲げるなお効力を有する改正前国共済施行法第十三条の三の規定中同表の中欄に掲げる字句は、それぞれ同表の下欄に掲げる字句とする。

第一項	）の	）の額から新法第八十三条第一項に規定する加給年金額（第三項において「加給年金額」という。）を控除して得た
第三項	が控除調整下限額	から加給年金額に相当する額を控除した額が控除調整下限額
	をもつて	に当該相当する額を加えた額をもつて

2　平成二十四年一元化法附則第三十七条第一項に規定する給付のうち障害共済年金の支給を受ける者が前項に規定する場合に該当することとなったとき、又は該当しないこととなったときは、当該障害共済年金の額を改定する。

（障害を併合しない場合における改正前国共済法による障害共済年金の額の特例）

第六十四条　なお効力を有する改正前国共済令第十一条の七の八第一項の規定により障害基礎年金の給付事由となった障害とその他の障害とが併合しないものとされる場合におけるなお効力を有する改正前国共済施行法第十三条の三の規定の適用については、同条第一項中「並びに第十二条」とあるのは、「、第十二条並びに被用者年金制度の一元化等を図るための厚生年金保険法等の一部を改正する法律附則第三十七条第一項の規定によりなおその効力を有するものとされた国家公務員共済組合法施行令等の一部を改正する等の政令（平成二十七年政令第三百四十四号）第一条の規定による改正前の国家公務員共済組合法施行令（昭和三十三年政令第二百七号）第十一条の七の八第二項」とする。

（追加費用対象期間を有する者で控除期間等の期間を有するものに係る改正前国共済法による障害共済年金の額の特例）

第六十五条　控除期間等の期間を有する者（組合員期間が二十五年以上である者に限る。）に対するなお効力を有する改正前国共済施行法第十三条の三の規定の適用については、同条第一項中「月数を」とあるのは、「月数から第十一条第一項に規定する控除期間等の期間の月数（その月数が組合員期間の月数から三百月を控除した月数を超えるときは、その控除した月数）を控除した月数を」とする。

（改正前国共済法による遺族共済年金の受給権者が支給を受けることができる年金である給付）

第六十六条　なお効力を有する改正前国共済施行法第十三条の四第五項に規定する政令で定める年金である給付は、次に掲げる年金である給付とする。

一　改正前国共済法による職域加算額
二　平成二十四年一元化法附則第三十七条第一項に規定する改正前国共済法による年金である給付
三　平成二十四年一元化法附則第四十一条年金
四　旧国共済法による年金である給付
五　改正前地共済法による職域加算額
六　平成二十四年一元化法附則第六十一条第一項に規定する改正前地共済法による年金である給付（平成二十三年地共済改正法附則第二十三条第一項第一号及び第二号に規定する年金である給付を除く。）
七　平成二十四年一元化法附則第六十五条年金
八　改正前昭和六十年地共済改正法附則第二条第七号に規定する退職年金、減額退職年金又は通算退職年金
九　改正後厚生年金保険法による年金たる保険給付（第二号厚生年金又は第三号厚生年金に限る。）

（併給年金の支給を受けることができる場合における改正前国共済法による遺族共済年金の額の特例）

第六十七条　平成二十四年一元化法附則第三十七条第一項に規定する給付のうち遺族共済年金の受給権者（なお効力を有する改正前国共済法第九十一条の二の規定の適用を受ける者を除

く。）が前条に規定する年金である給付の支給を併せて受けることができる場合におけるなお効力を有する改正前国共済施行法第十三条の四の規定の適用については、次の表の上欄に掲げる同条の規定中同表の中欄に掲げる字句は、それぞれ同表の下欄に掲げる字句とする。

第一項	とする。）	とする。）と併給年金（第五項に規定する政令で定める年金である給付をいう。第三項において同じ。）の額との合計額
第三項	の遺族共済年金の額	の遺族共済年金の額と併給年金の額との合計額
	、控除調整下限額	、当該控除後の遺族共済年金の額に控除調整下限額と当該合計額との差額に相当する額を加えた額

第六十八条 前条の規定により読み替えられたなお効力を有する改正前国共済施行法第十三条の四第一項の規定及びなお効力を有する改正前国共済施行法第十三条の四第二項の規定による控除が行われる場合（当該控除に係る前条の規定により読み替えられたなお効力を有する改正前国共済施行法第十三条の四第一項に規定する併給年金（以下この項において「併給年金」という。）のいずれかが第五十九条第三項に規定する控除対象年金である場合に限る。）であって、前条の規定により読み替えられたなお効力を有する改正前国共済施行法第十三条の四第一項の規定及びなお効力を有する改正前国共済施行法第十三条の四第二項の規定による控除後の平成二十四年一元化法附則第三十七条第一項に規定する給付のうち遺族共済年金の額（以下この項において「控除後遺族共済年金額」という。）と年金額控除規定の適用後の併給年金の額との合計額（以下この項において「控除後年金総額」という。）が控除調整下限額より少ないときは、前条の規定により読み替えられたなお効力を有する改正前国共済施行法第十三条の四第三項の規定にかかわらず、控除後遺族共済年金額に、控除調整下限額と控除後年金総額との差額に調整率（前条の規定により読み替えられたなお効力を有する改正前国共済施行法第十三条の四第一項に規定する控除前遺族共済年金額と当該年金額控除規定の適用前の併給年金の額との合計額から控除後年金総額を控除して得た額に対する同項に規定する遺族共済年金控除額の割合をいう。）を乗じて得た額に相当する額を加えた額をもって平成二十四年一元化法附則第三十七条第一項に規定する給付のうち遺族共済年金の額とする。

2 国民年金法の規定による老齢基礎年金、障害基礎年金又は遺族基礎年金が支給される場合における前項の規定の適用については、同項中「より少ない」とあるのは「から国民年金法の規定による老齢基礎年金、障害基礎年金又は遺族基礎年金の額を控除した額より少ない」と、「控除調整下限額と」とあるのは「控除調整下限額から国民年金法の規定による老齢基礎年金、障害基礎年金又は遺族基礎年金の額を控除した額と」とする。

3 第一項に規定する「年金額控除規定」とは、次に掲げる規定をいう。

一 なお効力を有する改正前国共済施行法第十三条の二第一項又は第二項

二 平成二十四年一元化法附則第四十六条第一項又は第二項

三 なお効力を有する改正前昭和六十年国共済改正法附則第十一条第二項若しくは第三項又は第五十七条の二第一項、第二項（同条第五項において準用する場合を含む。）若しくは第四項

四 改正後平成九年国共済経過措置政令第十七条の二の三、第十七条の三の三又は第十七条の四の二

五 なお効力を有する改正前地共済施行法第十三条の二第一項又は第二項

六 平成二十四年一元化法附則第七十二条第一項又は第二項

七 なお効力を有する改正前昭和六十年地共済改正法附則第二十一条第二項若しくは第三項又は第九十八条の二第一項、第二項（同条第五項において準用する場合を含む。）若しくは第四項

第六十九条 第六十七条の規定により読み替えられたなお効力を有する改正前国共済施行法第十三条の四第一項に規定する併給年金（旧国共済職域加算退職給付（改正前国共済法による職域加算額のうち退職を支給事由とするものをいう。以下同じ。）、平成二十四年一元化法附則第三十七条第一項に規定する給付のうち退職共済年金、平成二十四年一元化法附則第四十一条年金のうち退職共済年金（以下「平成二十四年一元化法附則第四十一条退職共済年金」という。）、旧地共済職域加算退職給付（改正前地共済法による職域加算額のうち退職を支給事由とするものをいう。以下同じ。）、平成二十四年一元化法附則第六十一条第一項に規定する給付のうち退職共済年金、平成二十四年一元化法附則第六十五条年金のうち退職共済年金（以下「平成二十四年一元化法附則第六十五条退職共済年金」という。）及び改正後厚生年金保険法による年金たる保険給付（第二号厚生年金又は第三号厚生年金に限る。）のうち老齢厚生年金に限る。以下この条において同じ。）について第十八条第一項の規定により読み替えられた平成二十四年一元化法附則第三十七条第四項の規定により適用するものとされた改正後厚生年金保険法第四十六条第六項の規定が適用される場合には、同項の規定を適用した後に当該併給年金として支給を受けることとなる額を当該併給年金の額とみなして、第六十七条の規定により読み替えられたなお効力を有する改正前国共済施行法第十三条の四の規定及び前条の規定を適用する。

（同順位者が二人以上ある場合における改正前国共済法による遺族共済年金の額の特例）

第七十条 なお効力を有する改正前国共済施行法第十三条の四に規定する遺族共済年金についてなお効力を有する改正前国共済法第四十四条の規定が適用される場合における当該遺族共済年金の額は、なお効力を有する改正前国共済施行法第十三条の四の規定にかかわらず、受給権者である遺族ごとに同条第一項から第三項までの規定を適用することとしたならば算定されることとなる平成二十四年一元化法附則第三十七条第一項に規定する給付のうち遺族共済年金の額に相当する金額を、それぞれ当該遺族の人数で除して得た金額の合計額とする。この場合において、次の表の上欄に掲げるなお効力を有する改正前国共済施行法第十三条の四の規定中同表の中欄に掲げる字句は、それぞれ同表の下欄に掲げる字句とする。

第一項	）の額	）の額を受給権者である遺族の人数で除して得た金額
第三項	の遺族共済年金の額	の遺族共済年金の額を受給権者である遺族の人数で除して得た金額
	をもつて	に当該遺族の人数を乗じて得た額をもつて

2　前項に規定する場合において、受給権者である遺族の人数に増減を生じたときは、平成二十四年一元化法附則第三十七条第一項に規定する給付のうち遺族共済年金の額を改定する。

（妻に対する加算額に相当する額の支給が停止されている場合における改正前国共済法による遺族共済年金の額の特例）

第七十一条　なお効力を有する改正前国共済法第九十条又はなお効力を有する改正前昭和六十年国共済改正法附則第二十八条第一項の規定により加算額（これらの規定により加算する金額をいう。）が加算された平成二十四年一元化法附則第三十七条第一項に規定する給付のうち遺族共済年金について、その受給権者である妻が、四十歳未満である場合、組合員若しくは組合員であった者の死亡について国民年金法の規定による遺族基礎年金の支給を受けることができる場合、改正後厚生年金保険法第六十二条第一項の規定によりその金額が加算された遺族厚生年金の支給を受けることができる場合若しくはなお効力を有する改正前昭和六十年国共済改正法附則第二十九条第一項の規定によりその額が加算された平成二十四年一元化法附則第三十七条第一項に規定する給付のうち遺族共済年金の支給を受けることができる場合又は国民年金法の規定による障害基礎年金、旧国民年金法（昭和六十年国民年金等改正法第一条の規定による改正前の国民年金法をいう。以下同じ。）の規定による障害年金若しくは昭和六十年国民年金等改正法附則第七十三条第一項の規定によりその額が加算された遺族厚生年金の支給を受けることができる場合におけるなお効力を有する改正前国共済施行法第十三条の四の規定及び第六十八条の規定の適用については、次の表の上欄に掲げる規定中同表の中欄に掲げる字句は、それぞれ同表の下欄に掲げる字句とする。

なお効力を有する改正前国共済施行法第十三条の四第一項	）の	）の額から被用者年金制度の一元化等を図るための厚生年金保険法等の一部を改正する法律の施行及び国家公務員の退職給付の給付水準の見直し等のための国家公務員退職手当法等の一部を改正する法律の一部の施行に伴う国家公務員共済組合法による長期給付等に関する経過措置に関する政令（平成二十七年政令第三百四十五号）第七十一条第一項に規定する加算額（第三項において「加算額」という。）を控除して得た
なお効力を有する改正前国共済施行法第十三条の四第三項	が控除調整下限額	から加算額に相当する額を控除した額が控除調整下限額
	をもつて	に当該相当する額を加えた額をもつて
第六十八条第一項	が控除調整下限額	から第七十一条第一項に規定する加算額に相当する額を控除した額が控除調整下限額
	をもって	に当該相当する額を加えた額をもって

2　平成二十四年一元化法附則第三十七条第一項に規定する給付のうち遺族共済年金の支給を受ける者が前項に規定する場合に該当することとなったとき、又は該当しないこととなったときは、当該遺族共済年金の額を改定する。

（追加費用対象期間を有する者で控除期間等の期間を有するものに係る改正前国共済法による遺族共済年金の額の特例）

第七十二条　控除期間等の期間を有する者（組合員期間が二十五年以上である者に限る。）の遺族に対するなお効力を有する改正前国共済施行法第十三条の四の規定の適用については、同条第一項中「月数を」とあるのは、「月数から第十一条第一項に規定する控除期間等の期間の月数（その月数が組合員期間の月数から三百月を控除した月数を超えるときは、その控除した月数）を控除した月数を」とする。

（なお効力を有する改正前昭和六十年国共済改正法等の規定により退職共済年金及び遺族共済年金の支給を併せて受ける場合における年金の額の特例）

第七十三条　なお効力を有する改正前昭和六十年国共済改正法附則第十一条第五項の規定により退職年金とみなされた平成二十四年一元化法附則第三十七条第一項に規定する給付のうち退職共済年金又はなお効力を有する改正前昭和六十年地共済改正法附則第十条第五項の規定により旧地共済法の規定による退職年金とみなされた平成二十四年一元化法附則第六十一条第一項に規定する給付のうち退職共済年金の受給権者がなお効力を有する改正前昭和六十年国共済改正法附則第十一条第四項、なお効力を有する改正前昭和六十年地共済改正法附則第十条第四項又は昭和六十年国民年金等改正法附則第五十六条第六項の規定により平成二十四年一元化法附則第三十七条第一項に規定する給付のうち遺族共済年金、平成二十四年一元化法附則第六十一条第一項に規定する給付のうち遺族共済年金又は改正後厚生年金保険法による年金たる保険給付（第二号厚生年金又は第三号厚生年金に限る。）のうち遺族厚生年金の支給を併せて受けることができる場合における第五十八条の規定により読み替えられたなお効力を有する改正前国共済施行法第十三条の二及び第六十七条の規定により読み替えられたなお効力を有する改正前国共済施行法第十三条の四の規定並びに第五十九条及び第六十八条の規定の適用については、次の表の上欄に掲げる規定中同表の中欄に掲げる字句は、それぞれ同表の下欄に掲げる字句とする。

第五十八条の規定により読み替えられたなお効力を有する改正前国共済施行法第十三条の二第一項	の額（	の額の二分の一に相当する額（
	）の額	）の額（昭和六十年改正法第一条の規定による改正前の新法（以下「昭和六十年改正前の新法」という。）の規定による退職年金、減額退職年金若しくは通算退職年金又は地方公務員等共済組合法等の一部を改正する法律（昭和六十年法律第百八号）第一条の規定による改正前の地方公務員等共済組合法（昭和三十七年法律第百五十二号。以下「昭和六十年改正前の地共済法」という。）の規定による退職年金、減額退職年金若しくは通算退職年金にあつては、その額の二分の一に相当する額とする。第三項において同じ。）
	平成二十四年法律第六十三号	平成二十四年法律第六十三号。以下「平成二十四年一元化法」という。
第五十八条の規定により読み替えられたなお効力を有する改正前国共済施行法第十三条の二第三項	と併給年金	の二分の一に相当する額と併給年金
	相当する	相当する額に二を乗じて得た
第六十七条	額との	額（改正前国共済法による職域加

の規定により読み替えられたなお効力を有する改正前国共済施行法第十三条の四第一項		算額（平成二十四年一元化法附則第三十六条第五項に規定する改正前国共済法による職域加算額をいう。）のうち退職を支給事由とするもの、平成二十四年一元化法附則第三十七条第一項に規定する給付のうち退職共済年金、平成二十四年一元化法附則第四十一条第一項の規定により連合会が支給する年金である給付のうち退職共済年金若しくは昭和六十年改正前の新法の規定による退職年金、減額退職年金若しくは通算退職年金又は改正前地共済法による職域加算額（平成二十四年一元化法附則第六十条第五項に規定する改正前地共済法による職域加算額をいう。）のうち退職を支給事由とするもの、平成二十四年一元化法附則第六十一条第一項に規定する給付のうち退職共済年金、平成二十四年一元化法附則第六十五条第一項の規定により地方公務員共済組合（平成二十四年一元化法附則第五十六条第二項に規定する地方公務員共済組合をいう。）が支給する年金である給付のうち退職共済年金若しくは昭和六十年改正前の地共済法の規定による退職年金、減額退職年金若しくは通算退職年金にあつては、その額の二分の一に相当する額とする。第三項において同じ。）との
第五十九条	という。）	という。）の二分の一に相当する

第一項	と	額と
	適用後の併給年金の額	適用後の併給年金の額（旧国共済法の規定による退職年金、減額退職年金若しくは通算退職年金又は旧地共済法の規定による退職年金、減額退職年金若しくは通算退職年金にあつては、その額の二分の一に相当する額とする。以下この項において同じ。）
	控除後年金総額を	控除後退職共済年金額と年金額控除規定の適用後の併給年金の額との合計額を
	相当する	相当する額に二を乗じて得た
第六十八条第一項	適用後の併給年金の額	適用後の併給年金の額（改正前国共済法による職域加算額のうち退職を支給事由とするもの、平成二十四年一元化法附則第三十七条第一項に規定する給付のうち退職共済年金、平成二十四年一元化法附則第四十一条年金のうち退職共済年金若しくは旧国共済法の規定による退職年金、減額退職年金若しくは通算退職年金又は改正前地共済法による職域加算額のうち退職を支給事由とするもの、平成二十四年一元化法附則第六十一条第一項に規定する給付のうち退職共済年金、平成二十四年一元化法附則第六十五条年金のうち退職共済年金若しくは旧地共済法の規定による退職年金、減額退職年金若しく

		は通算退職年金にあっては、その額の二分の一に相当する額とする。以下この項において同じ。）
	控除後年金総額を	控除後遺族共済年金額と年金額控除規定の適用後の併給年金の額との合計額を

第七十四条　なお効力を有する改正前平成十六年国共済改正法（平成二十四年一元化法附則第三十七条第一項の規定によりなおその効力を有するものとされた改正前平成十六年国共済改正法（平成二十四年一元化法附則第九十九条の規定による改正前の国家公務員共済組合法等の一部を改正する法律（平成十六年法律第百三十号）をいう。以下同じ。）をいう。以下同じ。）附則第十八条第一項又は第二項の規定によりなお従前の例によることとされた改正前平成十六年国共済改正法第五条の規定による改正前の国家公務員共済組合法第八十九条の規定により遺族共済年金の額が算定される場合におけるなお効力を有する改正前国共済施行法第十三条の四の規定の適用については、同条第一項中「新法第八十九条第一項及び第二項並びに新法」とあるのは、「国家公務員共済組合法等の一部を改正する法律（平成十六年法律第百三十号）附則第十八条第一項又は第二項の規定によりなお従前の例によることとされた同法第五条の規定による改正前の新法第八十九条及び」とする。

２　なお効力を有する改正前平成十六年国共済改正法附則第十八条第一項若しくは第二項の規定によりなお従前の例によることとされた改正前平成十六年国共済改正法第五条の規定による改正前の国家公務員共済組合法第七十四条の二の規定、地方公務員等共済組合法等の一部を改正する法律（平成十六年法律第百三十二号。以下「平成十六年地共済改正法」という。）附則第十七条第一項若しくは第二項の規定によりなお従前の例によることとされた平成十六年地共済改正法第四条の規定による改正前の地方公務員等共済組合法第七十六条の二の規定又は国民年金法等の一部を改正する法律（平成十六年法律第百四号。以下「平成十六年国民年金法等改正法」という。）附則第四十四条第一項若しくは第二項の規定によりなお従前の例によることとされた平成十六年国民年金法等改正法第十二条の規定による改正前の厚生年金保険法第三十八条の二の規定により旧国共済職域加算退職給付、平成二十四年一元化法附則第三十七条第一項に規定する給付のうち退職共済年金若しくは平成二十四年一元化法附則第四十一条退職共済年金、旧地共済職域加算退職給付、平成二十四年一元化法附則第六十一条第一項に規定する給付のうち退職共済年金若しくは平成二十四年一元化法附則第六十五条退職共済年金又は改正後厚生年金保険法による年金たる保険給付（第二号厚生年金又は第三号厚生年金に限る。以下この項において同じ。）のうち老齢厚生年金の受給権者が旧国共済職域加算遺族給付、平成二十四年一元化法附則第三十七条第一項に規定する給付のうち遺族共済年金若しくは平成二十四年一元化法附則第四十一条遺族共済年金、旧地共済職域加算遺族給付、平成二十四年一元化法附則第六十一条第一項に規定する給付のうち遺族共済年金若しくは平成二十四年一元化法附則第六十五条遺族共済年金又は改正後厚生年金保険法による年金たる保険給付のうち遺族厚生年金の支給を併せて受けることができる場合における第五十八条の規定により読み替えられたなお効力を有する改正前国共済施行法第十三条の二及び第六十七条の規定により読み替えられたなお効力を有する改正前国共済施行法第十三条の四の規定並びに第五十九条及び第六十八条の規定の適用については、次の表の上欄に掲げる規定中同表の中欄に掲げる字句は、それぞれ同表の下欄に掲げる字句とする。

第五十八条の規定により読み替えられたなお効力を有する改正前国共済施行法第十三条の二第一項	の額（	の額の二分の一に相当する額（
	）の額	）の額（改正前国共済法による職域加算額（被用者年金制度の一元化等を図るための厚生年金保険法等の一部を改正する法律（平成二十四年法律第六十三号。以下「平成二十四年一元化法」という。）附則第三十六条第五項に規定する改正前国共済法による職域加算額をいう。）のうち死亡を支給事由とするもの、平成二十四年一元化法附則第三十七条第一項に規定する給付のうち遺族共済年金若しくは平成二十四年一元化法附則第四十一条第一項の規定により連合会が支給する年金である給付（以下「平成二十四年一元化法附則第四十一条年金」という。）のうち遺族共済年金、改正前地共済法による職域加算額（平成二十四年一元化法附則第六十条第五項に規定する改正前地共済法による職域加算額をいう。）のうち死亡を支給事由とするもの、平成二十四年一元化法附則第六十一条第一項に規定する給付のうち遺族共済年金若しくは平成二十四年一元化法附則第六十五条第一項の規定により地方公務員共済組合（平成二十四年一元化法附則第五十六条第二項に規定する地方公務員共済組合をいう。）が支給する年金である給付（以下「平成二十四年一元化法附則第六十五条年金」という。）のうち遺族共済年金又は平成二十四年一元化法第一条の規定による改正後の厚生年金保険法（以下「改正後厚生年金保険法」という。）による年金たる保険給付（第二号厚生年金被保険者期間（改正後厚生年金保険法第二条の五第一項第二号に規定する第二号厚生年金被保険者期間をいう。）に基づく改正後厚生年金保険法による保険給

		付（以下「第二号厚生年金」という。）又は第三号厚生年金被保険者期間（改正後厚生年金保険法第二条の五第一項第三号に規定する第三号厚生年金被保険者期間をいう。）に基づく改正後厚生年金保険法による保険給付（以下「第三号厚生年金」という。）に限る。）のうち遺族厚生年金にあつては、その額の三分の二に相当する額とし、昭和六十年改正前の新法の規定による退職年金、減額退職年金若しくは通算退職年金、地方公務員等共済組合法等の一部を改正する法律（昭和六十年法律第百八号）第一条の規定による改正前の地方公務員等共済組合法（以下「昭和六十年改正前の地共済法」という。）の規定による退職年金、減額退職年金若しくは通算退職年金又は改正後厚生年金保険法による年金たる保険給付（第二号厚生年金又は第三号厚生年金に限る。）のうち老齢厚生年金にあつては、その額の二分の一に相当する額とする。第三項において同じ。）
	被用者年金制度の一元化等を図るための厚生年金保険法等の一部を改正する法律（平成二十四年法律第六十三号）	平成二十四年一元化法
第五十八条の規定により読み替えられたなお効力を有する改正前国共済施行法第十三条の二第三項	と併給年金	の二分の一に相当する額と併給年金
	相当する	相当する額に二を乗じて得た
第六十七条の規定により読み替えられたなお効力を有する改正前国共済施行法第十三条の四第一項	の額（	の額の三分の二に相当する額（
	額との	額（改正前国共済法による職域加算額のうち退職を支給事由とするもの、平成二十四年一元化法附則第三十七条第一項に規定する給付のうち退職共済年金、平成二十四年一元化法附則第四十一条年金のうち退職共済年金若しくは昭和六十年改正前の新法の規定による退職年金、減額退職年金若しくは通算退職年金、改正前地共済法による職域加算額のうち退職を支給事由とするもの、平成二十四年一元化法附則第六十一条第一項に規定する給付のうち退職共済年金、平成二十四年一元化法附則第六十五条年金のうち退職共済年金若しくは昭和六十年改正前の地共済法の規定による退職年金、減額退職年金若しくは通算退職年金又は改正後厚生年金保険法による年金たる保険給付（第二号厚生年金又は第三号厚生年金に限る。）のうち老齢厚生年金にあつては、その額の二分の一に相当する額とする。第三項において同じ。）との
	新法第八十九条第一項及び第二項並びに新法	国家公務員共済組合法等の一部を改正する法律（平成十六年法律第百三十号）附則第十八条第一項又は第二項の規定によりなお従前の例によることとされた同法第五条の規定による改正前の新法第八十九条及び
第六十七条の規定により読み替えられたなお効力を有する改正前国共済施行法第十三条の四第三項	と併給年金	の三分の二に相当する額と併給年金
	相当する	相当する額に二分の三を乗じて得た
第五十九条第一項	という。）と	という。）の二分の一に相当する額と
	適用後の併給年金の額	適用後の併給年金の額（改正前国共済法による職域加算額のうち死亡を支給事由とするもの、平成二十四年一元化法附則第三十七条第一項に規定する給付のうち遺族共済年金若しくは平成二十四年一元化法附則第四十一条年金のうち遺

		族共済年金、改正前地共済法による職域加算額のうち死亡を支給事由とするもの、平成二十四年一元化法附則第六十一条第一項に規定する給付のうち遺族共済年金若しくは平成二十四年一元化法附則第六十五条年金のうち遺族共済年金又は改正後厚生年金保険法による年金たる保険給付（第二号厚生年金又は第三号厚生年金に限る。）のうち遺族厚生年金にあっては、その額の三分の二に相当する額とし、旧国共済法の規定による退職年金、減額退職年金若しくは通算退職年金、旧地共済法の規定による退職年金、減額退職年金若しくは通算退職年金又は改正後厚生年金保険法による年金たる保険給付（第二号厚生年金又は第三号厚生年金に限る。）のうち老齢厚生年金にあっては、その額の二分の一に相当する額とする。以下この項において同じ。）
	控除後年金総額を	控除後退職共済年金額と年金額控除規定の適用後の併給年金の額との合計額を
	相当する	相当する額に二を乗じて得た
第六十八条第一項	という。）と	という。）の三分の二に相当する額と
	適用後の併給年金の額	適用後の併給年金の額（改正前国共済法による職域加算額のうち退職を支給事由とするもの、平成二十四年一元化法附則第三十七条第一項に規定する給付のうち退職共済年金、平成二十四年一元化法附則第四十一条年金のうち退職共済年金若しくは旧国共済法の規定による退職年金、減額退職年金若しくは通算退職年金、改正前地共済法による職域加算額のうち退職を支給事由とするもの、平成二十四年一元化法附則第六十一条第一項に規定する給付のうち退職共済年金、平成二十四年一元化法附則第六十五条年金のうち退職共済年金若しくは旧地共済法の規定による退職年金、減額退職年金若しくは通算退職年金又は改正後厚生年金保険法による年金たる保険給付（第二号厚生年金又は第三号厚生年金に限る。）のうち老齢厚生年金にあっては、その額の二分の一に相当する額とする。以下この項において同じ。）
	控除後年金総額を	控除後遺族共済年金額と年金額控除規定の適用後の併給年金の額との合計額を
	相当する	相当する額に二分の三を乗じて得た

（沖縄の組合員であった長期組合員に係る改正前国共済法による退職共済年金の額の特例）

第七十五条　なお効力を有する改正前国共済令附則第二十七条の四第五項に規定する者であって追加費用対象期間を有するものに対するなお効力を有する改正前国共済施行法第十三条の二の規定の適用については、同条第一項中「並びに第十一条」とあるのは、「、第十一条並びに国家公務員共済組合法施行令等の一部を改正する等の政令（平成二十七年政令第三百四十四号）第一条の規定による改正前の国家公務員共済組合法施行令（昭和三十三年政令第二百七号）附則第二十七条の四第五項」とする。

（退職年金を受けることができた者等に係る退職共済年金の額に加算する老齢基礎年金及び障害基礎年金の額）

第七十六条　国民年金法の規定による老齢基礎年金の額のうちなお効力を有する改正前昭和六十年国共済改正法附則第二十一条第二項に規定する組合員期間に係る部分に相当するものとして政令で定めるところにより算定した額及び国民年金法の規定による障害基礎年金の額のうち同項に規定する組合員期間に係る部分に相当するものとして政令で定めるところにより算定した額は、同法第二十七条本文に規定する老齢基礎年金の額に第一号に掲げる月数を第二号に掲げる月数で除して得た割合を乗じて得た額とする。

一　組合員期間のうち昭和三十六年四月一日以後の期間に係るもの（二十歳に達した日の属する月前の期間、六十歳に達した日の属する月以後の期間及びなお効力を有する改正前昭和六十一年国共済経過措置政令第十三条第一項各号に掲げる期間に係るものを除く。）の月数

二　なお効力を有する改正前昭和六十年国共済改正法附則別表第三の上欄に掲げる者の区分に応じ、それぞれ同表の下欄に掲げる月数

（退職年金を受けることができた者等に係る退職共済年金の受給権者が支給を受けることができる年金である給付）

第七十七条　なお効力を有する改正前昭和六十年国共済改正法附則第二十一条第六項に規定する政令で定める年金である給付は、次に掲げる年金である給付であって、公務（改正後平成八年改正法附則第四条に規定する旧適用法人の業務を含む。）による障害又は死亡を支給事由とするもの以外のものとする。

一　改正前国共済法による職域加算額

二　平成二十四年一元化法附則第三十七条第一項に規定する改

正前国共済法による年金である給付

三　平成二十四年一元化法附則第四十一条年金

四　旧国共済法による年金である給付

五　改正前地共済法による職域加算額

六　平成二十四年一元化法附則第六十一条第一項に規定する改正前地共済法による年金である給付（平成二十三年地共済改正法附則第二十三条第一項第一号及び第二号に規定する年金である給付を除く。）

七　平成二十四年一元化法附則第六十五条年金

八　改正前昭和六十年地共済改正法附則第二条第七号に規定する退職年金、減額退職年金、通算退職年金、障害年金、遺族年金又は通算遺族年金

九　改正後厚生年金保険法による年金たる保険給付（第二号厚生年金又は第三号厚生年金に限る。）

（併給年金の支給を受けることができる場合における退職年金を受けることができた者等に係る退職共済年金の額の特例）

第七十八条　平成二十四年一元化法附則第三十七条第一項に規定する給付のうち退職共済年金の受給権者（なお効力を有する改正前国共済法第九十一条の二若しくはなお効力を有する改正前地共済法第九十九条の四の二の規定の適用を受ける者又は改正後厚生年金保険法第六十四条の二の規定の適用を受ける者（平成二十四年一元化法附則第四十一条年金、第二号厚生年金又は第三号厚生年金の受給権者に限る。）を除く。）が前条に規定する年金である給付の支給を併せて受けることができる場合におけるなお効力を有する改正前昭和六十年国共済改正法附則第二十一条の規定の適用については、次の表の上欄に掲げる同条の規定中同表の中欄に掲げる字句は、それぞれ同表の下欄に掲げる字句とする。

第二項	とする。）	とする。）と併給年金（第六項に規定する政令で定める年金である給付をいう。第四項において同じ。）の額との合計額
第四項	が控除調整下限額	と併給年金の額との合計額が控除調整下限額
	、控除調整下限額	、当該控除後の退職共済年金の額に控除調整下限額と当該合計額との差額に相当する額を加えた額

第七十九条　前条の規定により読み替えられたなお効力を有する改正前昭和六十年国共済改正法附則第二十一条第二項の規定及びなお効力を有する改正前昭和六十年国共済改正法附則第二十一条第三項の規定による控除が行われる場合（当該控除に係る前条の規定により読み替えられたなお効力を有する改正前昭和六十年国共済改正法附則第二十一条第二項に規定する併給年金（以下この項において「併給年金」という。）のいずれかが第五十九条第三項に規定する控除対象年金である場合に限る。）であって、前条の規定により読み替えられたなお効力を有する改正前昭和六十年国共済改正法附則第二十一条第二項の規定及びなお効力を有する改正前昭和六十年国共済改正法附則第二十一条第三項の規定による控除後の平成二十四年一元化法附則第三十七条第一項に規定する給付のうち退職共済年金の額（以下この項において「控除後退職共済年金額」という。）と第五十九条第四項に規定する年金額控除規定の適用後の併給年金の額との合計額（以下この項において「控除後年金総額」という。）が前条の規定により読み替えられたなお効力を有する改正前昭和六十年国共済改正法附則第二十一条第二項に規定する控除調整下限額（以下第百八条までにおいて「控除調整下限額」という。）より少ないときは、前条の規定により読み替えられたなお効力を有する改正前昭和六十年国共済改正法附則第二十一条第四項の規定にかかわらず、控除後退職共済年金額に、控除調整下限額と控除後年金総額との差額に調整率（前条の規定により読み替えられたなお効力を有する改正前昭和六十年国共済改正法附則第二十一条第二項の規定又はなお効力を有する改正前昭和六十年国共済改正法附則第二十一条第三項の規定による控除前の改正前国共済法による退職共済年金の額と第五十九条第四項に規定する年金額控除規定の適用前の併給年金の額との合計額から控除後年金総額を控除して得た額に対する前条の規定により読み替えられたなお効力を有する改正前昭和六十年国共済改正法附則第二十一条第二項に規定する退職共済年金控除額の割合をいう。）を乗じて得た額に相当する額を加えた額をもって改正前国共済法による退職共済年金の額とする。

2　国民年金法の規定による老齢基礎年金又は障害基礎年金が支給される場合における前項の規定の適用については、同項中「より少ない」とあるのは「から国民年金法の規定による老齢基礎年金又は障害基礎年金の額を控除した額より少ない」と、「控除調整下限額と」とあるのは「控除調整下限額から国民年金法の規定による老齢基礎年金又は障害基礎年金の額を控除した額と」とする。

第八十条　第七十八条の規定により読み替えられたなお効力を有する改正前昭和六十年国共済改正法附則第二十一条第二項に規定する併給年金（旧国共済職域加算遺族給付、平成二十四年一元化法附則第三十七条第一項に規定する給付のうち遺族共済年金、平成二十四年一元化法附則第四十一条遺族共済年金並びに旧国共済法の規定による遺族年金及び通算遺族年金、旧地共済職域加算遺族給付、平成二十四年一元化法附則第六十一条第一項に規定する給付のうち遺族共済年金、平成二十四年一元化法附則第六十五条遺族共済年金並びに旧地共済法の規定による遺族年金及び通算遺族年金並びに改正後厚生年金保険法による年金たる保険給付（第二号厚生年金又は第三号厚生年金に限る。）のうち遺族厚生年金に限る。以下この条において同じ。）について遺族支給特例規定が適用される場合には、遺族支給特例規定を適用した後に当該併給年金として支給を受けることとなる額を当該併給年金の額とみなして、第七十八条の規定により読み替えられたなお効力を有する改正前昭和六十年国共済改正法附則第二十一条の規定及び前条の規定を適用する。

（退職年金を受けることができた者等のうち追加費用対象期間を有する者で控除期間等の期間を有するものに係る退職共済年金の額の特例）

第八十一条　控除期間等の期間（なお効力を有する改正前昭和六十年国共済改正法附則第十六条第七項に規定する控除期間等の期間をいう。第八十三条から第百十二条までにおいて同じ。）を有する者に対するなお効力を有する改正前昭和六十年国共済

改正法附則第二十一条の規定の適用については、同条第二項中「月数を」とあるのは、「月数から控除期間等の期間の月数を控除した月数を」とする。

（障害共済年金のみなし従前額の特例）

第八十二条　なお効力を有する改正前昭和六十一年国共済経過措置政令第二十一条第一項又は第四項の規定の適用を受ける者のうち追加費用対象期間を有する者に対する障害共済年金（公務等による障害共済年金（なお効力を有する改正前国共済法第八十二条第二項に規定する公務等による障害共済年金をいう。第百十五条第二項及び第百四十一条第一号において同じ。）を除く。以下この条において同じ。）の額（国民年金法の規定による障害基礎年金が支給される場合には、当該障害基礎年金の額を加えた額とする。）が控除調整下限額を超えるときは、平成二十四年一元化法附則第三十七条第一項に規定する給付のうち障害共済年金の額は、なお効力を有する改正前昭和六十一年国共済経過措置政令第二十一条第一項及び第四項の規定にかかわらず、これらの規定により算定した額（以下この項及び次項において「控除前障害共済年金額」という。）から控除前障害共済年金額を組合員期間の月数（当該月数が三百月未満であるときは、三百月）で除して得た額の百分の二十七に相当する額に追加費用対象期間の月数を乗じて得た額（次項において「障害共済年金控除額」という。）を控除した金額とする。

２　前項の規定による障害共済年金控除額が控除前障害共済年金額の百分の十に相当する額を超えるときは、当該百分の十に相当する額をもって障害共済年金控除額とする。

３　前二項の場合において、これらの規定による控除後の障害共済年金の額が控除調整下限額より少ないときは、控除調整下限額をもって障害共済年金の額とする。

４　国民年金法の規定による障害基礎年金が支給される場合における前項の規定の適用については、同項中「が控除調整下限額」とあるのは「が控除調整下限額から国民年金法の規定による障害基礎年金の額を控除した額」と、「控除調整下限額を」とあるのは「当該控除した額を」とする。

（退職年金を受けることができた者等のうち追加費用対象期間を有する者で控除期間等の期間を有するものに係る障害共済年金の額の特例）

第八十三条　控除期間等の期間を有する者に対する前条の規定の適用については、同条第一項中「月数を」とあるのは、「月数から控除期間等の期間の月数（その月数が組合員期間の月数から百二十月（旧国共済法第八十二条第二項の規定によりその額が算定される障害共済年金については、二百四十月）を控除した月数を超えるときは、その控除した月数）を控除した月数を」とする。

（遺族共済年金のみなし従前額の特例）

第八十四条　なお効力を有する改正前昭和六十年国共済改正法附則第三十条第二項又はなお効力を有する改正前昭和六十一年国共済経過措置政令第二十六条第四項の規定の適用を受ける者のうち追加費用対象期間を有する者の遺族に対する遺族共済年金（公務等による遺族共済年金（なお効力を有する改正前国共済法第八十九条第三項に規定する公務等による遺族共済年金をいう。第百四十一条第一号において同じ。）を除く。以下この条において同じ。）の額（国民年金法の規定による老齢基礎年金、障害基礎年金又は遺族基礎年金が支給される場合には、これらの年金である給付の額をそれぞれ加えた額とする。）が控除調整下限額を超えるときは、平成二十四年一元化法附則第三十七条第一項に規定する給付のうち遺族共済年金の額は、なお効力を有する改正前昭和六十年国共済改正法附則第三十条第二項及びなお効力を有する改正前昭和六十一年国共済経過措置政令第二十六条第四項の規定にかかわらず、これらの規定により算定した額（以下この項及び次項において「控除前遺族共済年金額」という。）から控除前遺族共済年金額を組合員期間の月数（なお効力を有する改正前国共済法第八十八条第一項第一号から第三号までのいずれかに該当することにより支給される遺族共済年金にあっては、当該月数が三百月未満であるときは、三百月）で除して得た額の百分の二十七に相当する額に追加費用対象期間の月数を乗じて得た額（次項において「遺族共済年金控除額」という。）を控除した金額とする。

２　前項の規定による遺族共済年金控除額が控除前遺族共済年金額の百分の十に相当する額を超えるときは、当該百分の十に相当する額をもって遺族共済年金控除額とする。

３　前二項の場合において、これらの規定による控除後の遺族共済年金の額が控除調整下限額より少ないときは、控除調整下限額をもって遺族共済年金の額とする。

４　国民年金法の規定による老齢基礎年金、障害基礎年金又は遺族基礎年金が支給される場合における前項の規定の適用については、同項中「が控除調整下限額」とあるのは「が控除調整下限額から国民年金法の規定による老齢基礎年金、障害基礎年金又は遺族基礎年金の額を控除した額」と、「控除調整下限額を」とあるのは「当該控除した額を」とする。

５　平成二十四年一元化法附則第三十七条第一項に規定する給付のうち遺族共済年金の受給権者（なお効力を有する改正前国共済法第九十一条の二の規定の適用を受ける者を除く。）が改正前国共済法による職域加算額、平成二十四年一元化法附則第三十七条第一項に規定する改正前国共済法による年金である給付、平成二十四年一元化法附則第四十一条年金若しくは旧国共済法による年金である給付、改正前地共済法による職域加算額、平成二十四年一元化法附則第六十一条第一項に規定する改正前地共済法による年金である給付（平成二十三年地共済改正法附則第二十三条第一項第一号及び第二号に規定する年金である給付を除く。）、平成二十四年一元化法附則第六十五条年金若しくは旧地共済法の規定による退職年金、減額退職年金若しくは通算退職年金又は改正後厚生年金保険法による年金たる保険給付（第二号厚生年金又は第三号厚生年金に限る。）の支給を併せて受けることができる場合における第一項及び第三項の規定の適用については、次の表の上欄に掲げる規定中同表の中欄に掲げる字句は、それぞれ同表の下欄に掲げる字句とする。

第一項	とする。）	とする。）と併給年金（第五項に規定する年金である給付をいう。第三項において同じ。）の額との合計額
第三項	の遺族共済年金の額	の遺族共済年金の額と併給年金の額との合計額

、控除調整下限額	、当該控除後の遺族共済年金の額に控除調整下限額と当該合計額との差額に相当する額を加えた額

第八十五条　前条第五項の規定により読み替えられた同条第一項の規定及び前条第二項の規定による控除が行われる場合（当該控除に係る同条第五項の規定により読み替えられた同条第一項に規定する併給年金（以下この項において「併給年金」という。）のいずれかが第五十九条第三項に規定する控除対象年金である場合に限る。）であつて、前条第五項の規定により読み替えられた同条第一項の規定及び前条第二項の規定による控除後の平成二十四年一元化法附則第三十七条第一項に規定する給付のうち遺族共済年金の額（以下この項において「控除後遺族共済年金額」という。）と第六十八条第三項に規定する年金額控除規定の適用後の併給年金の額との合計額（以下この項において「控除後年金総額」という。）が控除調整下限額より少ないときは、前条第五項の規定により読み替えられた同条第三項の規定にかかわらず、控除後遺族共済年金額に、控除調整下限額と控除後年金総額との差額に調整率（前条第五項の規定により読み替えられた同条第一項に規定する控除前遺族共済年金額と第六十八条第三項に規定する年金額控除規定の適用前の併給年金の額との合計額から控除後年金総額を控除して得た額に対する前条第五項の規定より読み替えられた同条第一項に規定する遺族共済年金控除額の割合をいう。）を乗じて得た額に相当する額を加えた額をもつて平成二十四年一元化法附則第三十七条第一項に規定する給付のうち遺族共済年金の額とする。

2　国民年金法の規定による老齢基礎年金、障害基礎年金又は遺族基礎年金が支給される場合における前項の規定の適用については、同項中「より少ない」とあるのは「から国民年金法の規定による老齢基礎年金、障害基礎年金又は遺族基礎年金の額を控除した額より少ない」と、「、控除調整下限額」とあるのは「、控除調整下限額から同法の規定による老齢基礎年金、障害基礎年金又は遺族基礎年金の額を控除した額」とする。

第八十六条　第八十四条第五項の規定により読み替えられた同条第一項に規定する併給年金（旧国共済職域加算退職給付、平成二十四年一元化法附則第三十七条第一項に規定する給付のうち退職共済年金、平成二十四年一元化法附則第四十一条退職共済年金、旧地共済職域加算退職給付、平成二十四年一元化法附則第六十一条第一項に規定する給付のうち退職共済年金、平成二十四年一元化法附則第六十五条退職共済年金及び改正後厚生年金保険法による年金たる保険給付（第二号厚生年金又は第三号厚生年金に限る。）のうち老齢厚生年金に限る。以下この条において同じ。）について第十八条第一項の規定により読み替えられた平成二十四年一元化法附則第三十七条第四項の規定により適用するものとされた改正後厚生年金保険法第四十六条第六項の規定が適用される場合には、同項の規定を適用した後に当該併給年金として支給を受けることとなる額を当該併給年金の額とみなして、第八十四条第五項の規定により読み替えられた同条第一項及び第三項の規定並びに前条の規定を適用する。

（同順位者が二人以上ある場合におけるみなし従前額の特例の適用を受ける遺族共済年金の額の特例）

第八十七条　第八十四条第一項に規定する遺族共済年金についてなお効力を有する改正前国共済法第四十四条の規定が適用される場合における当該遺族共済年金の額は、第八十四条の規定にかかわらず、受給権者である遺族ごとに同条第一項から第三項までの規定を適用することとしたならば算定されることとなる遺族共済年金の額に相当する金額を、それぞれ当該遺族の人数で除して得た金額の合計額とする。この場合において、次の表の上欄に掲げる同条の規定中同表の中欄に掲げる字句は、それぞれ同表の下欄に掲げる字句とする。

第一項	）の額	）の額を受給権者である遺族の人数で除して得た金額
第三項	控除後の遺族共済年金の額	控除後の遺族共済年金の額を受給権者である遺族の人数で除して得た金額
	をもつて	に当該遺族の人数を乗じて得た額をもつて

2　前項に規定する場合において、受給権者である遺族の人数に増減を生じたときは、平成二十四年一元化法附則第三十七条第一項に規定する給付のうち遺族共済年金の額を改定する。

（追加費用対象期間を有する者で控除期間等の期間を有するものに係るみなし従前額の特例の適用を受ける遺族共済年金の額の特例）

第八十八条　控除期間等の期間を有する者（組合員期間が二百四十月を超えるものに限る。）の遺族に対する第八十四条の規定の適用については、同条第一項中「月数を」とあるのは、「月数から控除期間等の期間の月数を控除した月数を」とする。

（改正前昭和六十年国共済改正法の規定により退職年金とみなされた退職共済年金及び遺族共済年金の支給を併せて受ける場合等における年金の額の特例）

第八十九条　なお効力を有する改正前昭和六十年国共済改正法附則第十一条第五項の規定により退職年金とみなされた平成二十四年一元化法附則第三十七条第一項に規定する給付のうち退職共済年金又はなお効力を有する改正前昭和六十年地共済改正法附則第十条第五項の規定により旧地共済法の規定による退職年金とみなされた平成二十四年一元化法附則第六十一条第一項に規定する給付のうち退職共済年金の受給権者がなお効力を有する改正前昭和六十年国共済改正法附則第十一条第四項、なお効力を有する改正前昭和六十年地共済改正法附則第十条第四項又は昭和六十年国民年金等改正法附則第五十六条第六項の規定により旧国共済職域加算遺族給付、平成二十四年一元化法附則第三十七条第一項に規定する給付のうち遺族共済年金若しくは平成二十四年一元化法附則第四十一条遺族共済年金、旧地共済職域加算遺族給付、平成二十四年一元化法附則第六十一条第一項に規定する給付のうち遺族共済年金若しくは平成二十四年一元化法附則第六十五条遺族共済年金又は改正後厚生年金保険法による年金たる保険給付（第二号厚生年金又は第三号厚生年金に限る。）のうち遺族厚生年金の支給を併せて受けることができる場合における第七十八条の規定により読み替えられたなお効力を有する改正前昭和六十年国共済改正法附則第二十一条の規定並びに第七十九条の規定、第八十四条第五項の規定により読み替えられた同条第一項及び第三項の規定並びに第八十五条の規定の適用については、次の表の上欄に掲げる規定中同表の中欄に掲げる字句は、それぞれ同表の下欄に掲げる字句とする。

第七十八条の規定により読み替えられたなお効力を有する改正前昭和六十年国共済改正法附則第二十一条第二項	退職共済年金の額（	退職共済年金の額の二分の一に相当する額（
	）の額	）の額（旧共済法の規定による退職年金又は減額退職年金若しくは通算退職年金、地方公務員等共済組合法等の一部を改正する法律（昭和六十年法律第百八号）第一条の規定による改正前の地方公務員等共済組合法の規定による退職年金、減額退職年金若しくは通算退職年金にあつては、その額の二分の一に相当する額とする。第四項において同じ。）
第七十八条の規定により読み替えられたなお効力を有する改正前昭和六十年国共済改正法附則第二十一条第四項	と併給年金	の二分の一に相当する額と併給年金
	相当する	相当する額に二を乗じて得た
第七十九条第一項	という。）と	という。）の二分の一に相当する額と
	適用後の併給年金の額	適用後の併給年金の額（旧国共済法の規定による退職年金、減額退職年金若しくは通算退職年金又は旧地共済法の規定による退職年金、減額退職年金若しくは通算退職年金にあつては、その額の二分の一に相当する額とする。以下この項において同じ。）
	控除後年金総額を	控除後退職共済年金額と年金額控除規定の適用後の併給年金の額との合計額を
	相当する	相当する額に二を乗じて得た
第八十四条第五項の規定により読み替えられた同条第一項	額との	額（旧国共済職域加算退職給付、平成二十四年一元化法附則第三十七条第一項に規定する給付のうち退職共済年金、平成二十四年一元化法附則第四十一条退職共済年金若しくは旧国共済法の規定による退職年金、減額退職年金若しくは通算退職年金又は旧地共済職域加算退職給付、平成二十四年一元化法附則第六十一条第一項に規定する給付のうち退職共済年金、平成二十四年一元化法附則第六十五条退職共済年金若しくは旧地共済法の規定による退職年金、減額退職年金若しくは通算退職年金にあつては、その額の二分の一に相当する額とする。第三項において同じ。）との
第八十五条第一項	適用後の併給年金の額	適用後の併給年金の額（旧国共済職域加算退職給付、平成二十四年一元化法附則第三十七条第一項に規定する給付のうち退職共済年金、平成二十四年一元化法附則第四十一条退職共済年金若しくは旧国共済法の規定による退職年金減額退職年金若しくは通算退職年金又は旧地共済職域加算退職給付、平成二十四年一元化法附則第六十一条第一項に規定する給付のうち退職共済年金、平成二十四年一元化法附則第六十五条退職共済年金若しくは旧地共済法の規定による退職年金、減額退職年金若しくは通算退職年金にあつては、その額の二分の一に相当する額とする。以下この項において同じ。）
	控除後年金総額を	控除後遺族共済年金額と年金額控除規定の適用後の併給年金の額との合計額を

第九十条　なお効力を有する改正前平成十六年国共済改正法附則第十八条第一項若しくは第二項の規定によりなお従前の例によることとされた改正前平成十六年国共済改正法第五条の規定による改正前の国家公務員共済組合法第七十四条の二の規定、平成十六年地共済改正法附則第十七条第一項若しくは第二項の規定によりなお従前の例によることとされた平成十六年地共済改正法第四条の規定による改正前の地方公務員等共済組合法第七十六条の二の規定又は平成十六年国民年金法等改正法附則第四十四条第一項若しくは第二項の規定によりなお従前の例によることとされた平成十六年国民年金法等改正法第十二条の規定による改正前の厚生年金保険法第三十八条の二の規定により旧国共済職域加算退職給付、平成二十四年一元化法附則第三十七条第一項に規定する給付のうち退職共済年金若しくは平成二十四年一元化法附則第四十一条退職共済年金、旧地共済職域加算退職給付、平成二十四年一元化法附則第六十一条第一項に規定する給付のうち退職共済年金若しくは平成二十四年一元化法附則

第六十五条退職共済年金又は改正後厚生年金保険法による年金たる保険給付（第二号厚生年金又は第三号厚生年金に限る。以下この項において同じ。）のうち老齢厚生年金の受給権者が旧国共済職域加算遺族給付、平成二十四年一元化法附則第三十七条第一項に規定する給付のうち遺族共済年金若しくは平成二十四年一元化法附則第四十一条遺族共済年金、旧地共済職域加算遺族給付、平成二十四年一元化法附則第六十一条第一項に規定する給付のうち遺族共済年金若しくは平成二十四年一元化法附則第六十五条遺族共済年金又は改正後厚生年金保険法による年金たる保険給付のうち遺族厚生年金の支給を併せて受けることができる場合における第七十八条の規定により読み替えられたなお効力を有する改正前昭和六十年国共済改正法附則第二十一条の規定並びに第七十九条の規定、第八十四条第五項の規定により読み替えられた同条第一項から第三項までの規定及び第八十五条の規定の適用については、次の表の上欄に掲げる規定中同表の中欄に掲げる字句は、それぞれ同表の下欄に掲げる字句とする。

第七十八条の規定により読み替えられたなお効力を有する改正前昭和六十年国共済改正法附則第二十一条第二項	退職共済年金の額（ ）の額	退職共済年金の額の二分の一に相当する額（ ）の額（改正前国共済法による職域加算額（被用者年金制度の一元化等を図るための厚生年金保険法等の一部を改正する法律（平成二十四年法律第六十三号。以下「平成二十四年一元化法」という。）附則第三十六条第五項に規定する改正前国共済法による職域加算額をいう。）のうち死亡を支給事由とするもの、平成二十四年一元化法附則第三十七条第一項に規定する給付のうち遺族共済年金若しくは平成二十四年一元化法附則第四十一条第一項の規定により国家公務員共済組合連合会が支給する年金である給付のうち遺族共済年金、改正前地共済法による職域加算額（平成二十四年一元化法附則第六十条第五項に規定する改正前地共済法による職域加算額をいう。）のうち死亡を支給事由とするもの、平成二十四年一元化法附則第六十一条第一項に規定する給付のうち遺族共済年金若しくは平成二十四年一元化法附則第六十五条第一項の規定により地方公務員共済組合（平成二十四年一元化法附則第五十六条第二項に規定する地方公務員共済組合をいう。）が支給する年金である給付のうち遺族共済年金又は平成二十四年一元化法第一条の規定による改正後の厚生年金保険法（以下「改正後厚生年金保険法」という。）による年金たる保険給付（第二号厚生年金被保険者期間（改正後厚生年金保険法第二条の五第一項第二号に規定する第二号厚生年金被保険者期間をいう。）に基づく改正後厚生年金保険法による保険給付（以下「第二号厚生年金」という。）又は第三号厚生年金被保険者期間（改正後厚生年金保険法第二条の五第一項第三号に規定する第三号厚生年金被保険者期間をいう。）に基づく改正後厚生年金保険法による保険給付（以下「第三号厚生年金」という。）に限る。）のうち遺族厚生年金にあつては、その額の三分の二に相当する額とし、退職年金、減額退職年金若しくは通算退職年金、地方公務員等共済組合法等の一部を改正する法律（昭和六十年法律第百八号）第一条の規定による改正前の地方公務員等共済組合法の規定による退職年金、減額退職年金若しくは通算退職年金又は改正後厚生年金保険法による年金たる保険給付（第二号厚生年金又は第三号厚生年金に限る。）のうち老齢厚生年金にあつては、その額の二分の一に相当する額とする。第四項において同じ。）
第七十八条の規定により読み替えられたなお効力を有する改正前昭和六十年国共済改正法附則第二十一条第四項	と併給年金 相当する	の二分の一に相当する額と併給年金 相当する額に二を乗じて得た
第七十九条第一項	という。）と 適用後の併給年金の額	という。）の二分の一に相当する額と 適用後の併給年金の額（旧国共済職域加算遺族給付、平成二十四年一元化法附則第三十七条第一項に規定する給付のうち遺族共済年金若しくは平成二十四年一元化法附

		則第四十一条遺族共済年金、旧地共済職域加算遺族給付、平成二十四年一元化法附則第六十一条第一項に規定する給付のうち遺族共済年金若しくは平成二十四年一元化法附則第六十五条遺族共済年金又は改正後厚生年金保険法による年金たる保険給付（第二号厚生年金又は第三号厚生年金に限る。）のうち遺族厚生年金にあっては、その額の三分の二に相当する額とし、旧国共済法の規定による退職年金、減額退職年金若しくは通算退職年金、旧地共済法の規定による退職年金、減額退職年金若しくは通算退職年金又は改正後厚生年金保険法による年金たる保険給付（第二号厚生年金又は第三号厚生年金に限る。）のうち老齢厚生年金にあっては、その額の二分の一に相当する額とする。以下この項において同じ。）
第八十四条第五項の規定により読み替えられた同条第一項	控除後年金総額を	控除後退職共済年金額と年金額控除規定の適用後の併給年金の額との合計額を
	相当する	相当する額に二を乗じて得た
	の額（	の額の三分の二に相当する額（
	）の額	）の額（旧国共済職域加算退職給付、平成二十四年一元化法附則第三十七条第一項に規定する給付のうち退職共済年金、平成二十四年一元化法附則第四十一条退職共済年金若しくは旧国共済法の規定による退職年金、減額退職年金若しくは通算退職年金、旧地共済職域加算退職給付、平成二十四年一元化法附則第六十一条第一項に規定する給付のうち退職共済年金、平成二十四年一元化法附則第六十五条退職共済年金若しくは改正前昭和六十年地共済改正法附則第二条第七号に規定する退職年金、減額退職年金若しくは通算退職年金又は改正後厚生年金保険法による年金たる保険給付（第二号厚生年金又は第三号厚生年金に限る。）のうち老齢厚生年金にあっては、その額の二分の一に相当する額とする。第三項において同じ。）
第八十四条第五項の規定により読み替えられた同条第三項	と併給年金	の三分の二に相当する額と併給年金
	相当する	相当する額に二分の三を乗じて得た
第八十五条第一項	という。）と	という。）に三分の二を乗じて得た額と
	適用後の併給年金の額	適用後の併給年金の額（旧国共済職域加算退職給付、平成二十四年一元化法附則第三十七条第一項に規定する給付のうち退職共済年金、平成二十四年一元化法附則第四十一条退職共済年金若しくは旧国共済法の規定による退職年金、減額退職年金、旧地共済職域加算退職給付、平成二十四年一元化法附則第六十一条第一項に規定する給付のうち退職共済年金、平成二十四年一元化法附則第六十五条退職共済年金若しくは旧地共済法の規定による退職年金、減額退職年金若しくは通算退職年金又は改正後厚生年金保険法による年金たる保険給付（第二号厚生年金又は第三号厚生年金に限る。）のうち老齢厚生年金にあっては、その額の二分の一に相当する額とする。以下この項において同じ。）
	控除後年金総額を	控除後遺族共済年金額と年金額控除規定の適用後の併給年金の額との合計額を
	相当する	相当する額に二分の三を乗じて得た

（退職年金又は減額退職年金の額のうち追加費用対象期間に係る部分に相当する額）

第九十一条 なお効力を有する改正前昭和六十年国共済改正法附則第五十七条の二第四項に規定する政令で定めるところにより算定した額は、なお効力を有する改正前昭和六十年国共済改正法附則第三十五条第三項（なお効力を有する改正前昭和六十年国共済改正法附則第三十七条第二項において準用する場合を含む。）、第三十六条第三項（なお効力を有する改正前昭和六十年国共済改正法附則第三十九条において準用する場合を含む。）又は第五十七条第一項の規定により算定した退職年金又は減額退職年金の額を、その額の算定の基礎となっている組合員期間の年数で除して得た額に追加費用対象期間の年数（控除期間等の期間を有する者にあっては、控除期間等の期間の年数を控除した年数）を乗じて得た額とする。

（退職年金又は減額退職年金の受給権者が支給を受けることができる年金である給付）

第九十二条　なお効力を有する改正前昭和六十年国共済改正法附則第五十七条の二第六項（なお効力を有する改正前昭和六十年国共済改正法附則第五十七条の三第三項において準用する場合を含む。）に規定する政令で定める年金である給付は、次に掲げる年金である給付であって、公務（改正後平成八年改正法附則第四条に規定する旧適用法人の業務を含む。）による障害又は死亡を支給事由とするもの以外のものとする。

一　改正前国共済法による職域加算額

二　平成二十四年一元化法附則第三十七条第一項に規定する改正前国共済法による年金である給付

三　平成二十四年一元化法附則第四十一条年金

四　旧国共済法による年金である給付

五　改正前地共済法による職域加算額

六　平成二十四年一元化法附則第六十一条第一項に規定する改正前地共済法による年金である給付（平成二十三年地共済改正法附則第二十三条第一項第一号及び第二号に規定する年金である給付を除く。）

七　平成二十四年一元化法附則第六十五条年金

八　改正前昭和六十年地共済改正法附則第二条第七号に規定する退職年金、減額退職年金、通算退職年金、障害年金、遺族年金又は通算遺族年金

九　改正後厚生年金保険法による年金たる保険給付（第二号厚生年金又は第三号厚生年金に限る。）

（併給年金の支給を受けることができる場合における退職年金又は減額退職年金の額の特例）

第九十三条　退職年金又は減額退職年金の受給権者が前条に規定する年金である給付の支給を併せて受けることができる場合におけるなお効力を有する改正前昭和六十年国共済改正法附則第五十七条の二の規定の適用については、次の表の上欄に掲げる同条の規定中同表の中欄に掲げる字句は、それぞれ同表の下欄に掲げる字句とする。

第一項	が控除調整下限額	と併給年金（第六項に規定する政令で定める年金である給付をいう。第三項（第五項において準用する場合を含む。）及び第四項において同じ。）の額との合計額が控除調整下限額
第三項（第五項において準用する場合を含む。）	が控除調整下限額	と併給年金の額との合計額が控除調整下限額
	、控除調整下限額	、当該控除後の退職年金又は減額退職年金の額に控除調整下限額と当該合計額との差額に相当する額を加えた額
第四項	が控除調整下限額	と併給年金の額との合計額が控除調整下限額

第九十四条　前条の規定により読み替えられたなお効力を有する改正前昭和六十年国共済改正法附則第五十七条の二第一項の規定及びなお効力を有する改正前昭和六十年国共済改正法附則第五十七条の二第二項の規定又は前条の規定により読み替えられたなお効力を有する改正前昭和六十年国共済改正法附則第五十七条の二第四項の規定及びなお効力を有する改正前昭和六十年国共済改正法附則第五十七条の二第五項において準用する同条第二項の規定（以下この項において「退職年金額等控除規定」と総称する。）による控除が行われる場合（当該控除に係る前条の規定により読み替えられたなお効力を有する改正前昭和六十年国共済改正法附則第五十七条の二第一項に規定する併給年金（以下この項において「併給年金」という。）のいずれかが第五十九条第三項に規定する控除対象年金である場合に限る。）であって、退職年金額等控除規定による控除後の退職年金又は減額退職年金の額（以下この項において「控除後退職年金額」という。）と年金額控除規定の適用後の併給年金の額との合計額（以下この項において「控除後年金総額」という。）が控除調整下限額より少ないときは、前条の規定により読み替えられたなお効力を有する改正前昭和六十年国共済改正法附則第五十七条の二第三項（なお効力を有する改正前昭和六十年国共済改正法附則第五十七条の二第五項において準用する場合を含む。）の規定にかかわらず、控除後退職年金額に、控除調整下限額と控除後年金総額との差額に調整率（前条の規定により読み替えられたなお効力を有する改正前昭和六十年国共済改正法附則第五十七条の二第一項に規定する控除前退職年金等の額と当該年金額控除規定の適用前の併給年金の額との合計額から控除後年金総額を控除して得た額に対する退職年金額等控除規定による退職年金又は減額退職年金の控除額の割合をいう。）を乗じて得た額に相当する額を加えた額をもって退職年金又は減額退職年金の額とする。

2　前項に規定する「年金額控除規定」とは、次に掲げる規定をいう。

一　なお効力を有する改正前国共済施行法第十三条の二第一項若しくは第二項又は第十三条の四第一項若しくは第二項

二　なお効力を有する改正前昭和六十年国共済改正法附則第二十一条第二項若しくは第三項、第五十七条の二第一項、第二項（同条第五項及びなお効力を有する改正前昭和六十年国共済改正法附則第五十七条の四第三項において準用する場合を含む。）若しくは第四項又は第五十七条の四第一項若しくは第二項

三　平成二十四年一元化法附則第四十六条第一項若しくは第二項又は第四十八条第一項若しくは第二項

四　第八十四条第一項又は第二項

五　改正後平成九年国共済経過措置政令第十七条の二の三、第十七条の三の三又は第十七条の四の二

六　なお効力を有する改正前地共済施行法第十三条の二第一項若しくは第二項又は第二十七条の二第一項若しくは第二項

七　なお効力を有する改正前昭和六十年地共済改正法附則第二十一条第二項若しくは第三項、第九十八条の二第一項、第二項（同条第五項及びなお効力を有する改正前昭和六十年地共

済改正法附則第九十八条の四第三項において準用する場合を含む。）若しくは第四項又は第九十八条の四第一項若しくは第二項

八　平成二十四年一元化法附則第七十二条第一項若しくは第二項又は第七十四条第一項若しくは第二項

九　なお効力を有する改正前昭和六十一年地共済経過措置政令第三十一条の二第一項又は第二項

第九十五条　第九十三条の規定により読み替えられたなお効力を有する改正前昭和六十年国共済改正法附則第五十七条の二第一項に規定する併給年金（旧国共済職域加算遺族給付、平成二十四年一元化法附則第三十七条第一項に規定する給付のうち遺族共済年金、平成二十四年一元化法附則第四十一条遺族共済年金並びに旧国共済法の規定による遺族年金及び通算遺族年金、旧地共済職域加算遺族給付、平成二十四年一元化法附則第六十一条第一項に規定する給付のうち遺族共済年金、平成二十四年一元化法附則第六十五条遺族共済年金並びに旧地共済法の規定による遺族年金及び通算遺族年金並びに改正後厚生年金保険法による年金たる保険給付（第二号厚生年金又は第三号厚生年金に限る。）のうち遺族厚生年金に限る。以下この条において同じ。）について遺族支給特例規定が適用される場合には、遺族支給特例規定を適用した後に当該併給年金として支給を受けることとなる額を当該併給年金の額とみなして、第九十三条の規定により読み替えられたなお効力を有する改正前昭和六十年国共済改正法附則第五十七条の二及び前条の規定を適用する。

（追加費用対象期間を有する者で控除期間等の期間を有するものに係る退職年金又は減額退職年金の額の特例）

第九十六条　控除期間等の期間を有する者に対するなお効力を有する改正前昭和六十年国共済改正法附則第五十七条の二の規定の適用については、同条第一項中「年数を」とあるのは、「年数から控除期間等の期間の年数（組合員期間の年数が四十年を超えるときは、控除期間等の期間からその超える年数を控除した年数）を控除した年数を」とする。

（追加費用対象期間を有する者に係る減額退職年金の額の特例）

第九十七条　なお効力を有する改正前昭和六十年国共済改正法附則第三十八条第二項の規定によりその額が算定される減額退職年金に係るなお効力を有する改正前昭和六十年国共済改正法附則第五十七条の二の規定の適用については、同条第一項中「第三十七条第一項」とあるのは、「第三十七条第一項、第三十八条第二項」とする。

（障害年金の額のうち追加費用対象期間に係る部分に相当する額）

第九十八条　なお効力を有する改正前昭和六十年国共済改正法附則第五十七条の三第二項に規定する政令で定めるところにより算定した額は、なお効力を有する改正前昭和六十年国共済改正法附則第四十二条第三項又は第五十七条第一項の規定により算定した障害年金の額を組合員期間の年数（当該年数が十年未満であるときは、十年）で除して得た額に追加費用対象期間の年数（控除期間等の期間があるときは、追加費用対象期間の年数から控除期間等の期間の年数（その年数が組合員期間の年数から十年（旧国共済法第八十二条第二項の規定によりその額が算定される障害年金については、二十年）を控除した年数を超えるときは、その控除した年数）を控除した年数）を乗じて得た額とする。

（追加費用対象期間を有する者に係る障害年金の算定の基礎となる組合員期間の特例）

第九十九条　なお効力を有する改正前昭和六十年国共済改正法附則第四十二条第二項第一号に掲げる場合におけるなお効力を有する改正前昭和六十年国共済改正法附則第五十七条の三第一項の規定の適用については、同項中「組合員期間の年数」とあるのは、「十」とする。

（併給年金の支給を受けることができる場合における障害年金の額の特例）

第百条　障害年金の受給権者が第九十二条に規定する年金である給付の支給を併せて受けることができる場合におけるなお効力を有する改正前昭和六十年国共済改正法附則第五十七条の三及び同条第三項において準用するなお効力を有する改正前昭和六十年国共済改正法附則第五十七条の二の規定の適用については、次の表の上欄に掲げるなお効力を有する改正前昭和六十年国共済改正法の規定中同表の中欄に掲げる字句は、それぞれ同表の下欄に掲げる字句とする。

附則第五十七条の三第一項	）の額	）の額と第三項において準用する前条第六項に規定する政令で定める年金である給付（次項において「併給年金」という。）の額との合計額
附則第五十七条の三第二項	算定した額が	算定した額と併給年金の額との合計額が
附則第五十七条の三第三項において準用する附則第五十七条の二第三項	の退職年金又は減額退職年金の額	の障害年金の額と被用者年金制度の一元化等を図るための厚生年金保険法等の一部を改正する法律の施行及び国家公務員の退職給付の給付水準の見直し等のための国家公務員退職手当法等の一部を改正する法律の一部の施行に伴う国家公務員共済組合法による長期給付等に関する経過措置に関する政令（平成二十七年政令第三百四十五号）第百条の規定により読み替えられた次条第一項に規定する併給年金の額との合計額
	、控除調整下限額	、当該控除後の障害年金の額に控除調整下限額と当該合計額との差額に相当する額を加えた額

第百一条　前条の規定により読み替えられたなお効力を有する改正前昭和六十年国共済改正法附則第五十七条の三第一項及びなお効力を有する改正前昭和六十年国共済改正法附則第五十七条の三第三項において準用するなお効力を有する改正前昭和六十年国共済改正法附則第五十七条の二第二項又は前条の規定によ

り読み替えられたなお効力を有する改正前昭和六十年国共済改正法附則第五十七条の三第二項及びなお効力を有する改正前昭和六十年国共済改正法附則第五十七条の三第三項において準用するなお効力を有する改正前昭和六十年国共済改正法附則第五十七条の二第二項の規定（以下この条において「障害年金額控除規定」と総称する。）による控除が行われる場合（当該控除に係る前条の規定により読み替えられたなお効力を有する改正前昭和六十年国共済改正法附則第五十七条の三第一項に規定する併給年金（以下この条において「併給年金」という。）のいずれかが第五十九条第三項に規定する控除対象年金である場合に限る。）であって、障害年金額控除規定による控除後の障害年金の額（以下この条において「控除後障害年金額」という。）と第五十九条第四項に規定する年金額控除規定の適用後の併給年金の額との合計額（以下この条において「控除後年金総額」という。）が控除調整下限額より少ないときは、前条の規定により読み替えられたなお効力を有する改正前昭和六十年国共済改正法附則第五十七条の三第三項において準用するなお効力を有する改正前昭和六十年国共済改正法附則第五十七条の二第三項の規定にかかわらず、控除後障害年金額に、控除調整下限額と控除後年金総額との差額に調整率（前条の規定により読み替えられたなお効力を有する改正前昭和六十年国共済改正法附則第五十七条の三第一項に規定する障害年金の額と当該年金額控除規定の適用前の併給年金の額との合計額から控除後年金総額を控除して得た額に対する障害年金額控除規定による障害年金の控除額の割合をいう。）を乗じて得た額に相当する額を加えた額をもって障害年金の額とする。

第百二条　第百条の規定により読み替えられたなお効力を有する改正前昭和六十年国共済改正法附則第五十七条の三第三項において準用するなお効力を有する改正前昭和六十年国共済改正法附則第五十七条の二第三項に規定する併給年金（旧国共済職域加算遺族給付、平成二十四年一元化法附則第三十七条第一項に規定する給付のうち遺族共済年金、平成二十四年一元化法附則第四十一条遺族共済年金並びに旧国共済法の規定による遺族年金及び通算遺族年金、旧地共済職域加算遺族給付、平成二十四年一元化法附則第六十一条第一項に規定する給付のうち遺族共済年金、平成二十四年一元化法附則第六十五条遺族共済年金並びに旧地共済法の規定による遺族年金及び通算遺族年金並びに改正後厚生年金保険法による年金たる保険給付（第二号厚生年金又は第三号厚生年金に限る。）のうち遺族厚生年金に限る。以下この条において同じ。）について遺族支給特例規定が適用される場合には、遺族支給特例規定を適用した後に当該併給年金として支給を受けることとなる額を当該併給年金の額とみなして、第百条の規定により読み替えられたなお効力を有する改正前昭和六十年国共済改正法附則第五十七条の三及び前条の規定を適用する。

（追加費用対象期間を有する者で控除期間等の期間を有するものに係る障害年金の額の特例）

第百三条　控除期間等の期間を有する者に対するなお効力を有する改正前昭和六十年国共済改正法附則第五十七条の三の規定の適用については、同条第一項中「年数を」とあるのは、「年数から控除期間等の期間の年数（その年数が組合員期間の年数から十年を控除した年数を超えるとき（組合員期間の年数が四十年を超える場合を除く。）はその控除した年数とし、組合員期間の年数が四十年を超えるときは控除期間等の期間からその超える年数を控除した年数（当該年数が三十年を超える場合には、三十年）とする。）を控除した年数を」とする。

（遺族年金の額のうち追加費用対象期間に係る部分に相当する額）

第百四条　なお効力を有する改正前昭和六十年国共済改正法附則第五十七条の四第二項に規定する政令で定めるところにより算定した額は、なお効力を有する改正前昭和六十年国共済改正法附則第四十六条第六項又は第五十七条第二項若しくは第三項の規定により算定した遺族年金の額を組合員期間の年数（当該年数が十年未満であるときは、十年）で除して得た額に追加費用対象期間の年数（組合員期間が二十年以上の場合であって控除期間等の期間があるときは、追加費用対象期間の年数から控除期間等の期間の年数を控除した年数）を乗じて得た額とする。

（追加費用対象期間を有する者に係る遺族年金の算定の基礎となる組合員期間の特例）

第百五条　なお効力を有する改正前昭和六十年国共済改正法附則第四十六条第一項第三号に掲げる遺族年金（その額の算定の基礎となった組合員期間の年数が十年以下であるものに限る。）の支給を受ける場合におけるなお効力を有する改正前昭和六十年国共済改正法附則第五十七条の四第一項の規定の適用については、同項中「組合員期間の年数」とあるのは、「十」とする。

（遺族年金の受給権者が支給を受けることができる年金である給付）

第百六条　なお効力を有する改正前昭和六十年国共済改正法附則第五十七条の四第三項において準用するなお効力を有する改正前昭和六十年国共済改正法附則第五十七条の二第六項に規定する政令で定める年金である給付は、次に掲げる年金である給付であって、公務（改正後平成八年改正法附則第四条に規定する旧適用法人の業務を含む。）による障害又は死亡を支給事由とするもの以外のものとする。

一　改正前国共済法による職域加算額
二　平成二十四年一元化法附則第三十七条第一項に規定する改正前国共済法による年金である給付
三　平成二十四年一元化法附則第四十一条年金
四　旧国共済法による年金である給付
五　改正前地共済法による職域加算額
六　平成二十四年一元化法附則第六十一条第一項に規定する改正前地共済法による年金である給付（平成二十三年地共済改正法附則第二十三条第一項第一号及び第二号に規定する年金である給付を除く。）
七　平成二十四年一元化法附則第六十五条年金
八　改正前昭和六十年地共済改正法附則第二条第七号に規定する退職年金、減額退職年金、通算退職年金、障害年金、遺族年金又は通算遺族年金
九　改正後厚生年金保険法による年金たる保険給付（第二号厚生年金又は第三号厚生年金に限る。）

（併給年金の支給を受けることができる場合における遺族年金の額の特例）

第百七条　遺族年金の受給権者が前条に規定する年金である給付の支給を併せて受けることができる場合におけるなお効力を有

する改正前昭和六十年国共済改正法附則第五十七条の四の規定及び同条第三項において準用するなお効力を有する改正前昭和六十年国共済改正法附則第五十七条の二の規定の適用については、次の表の上欄に掲げるなお効力を有する改正前昭和六十年国共済改正法の規定中同表の中欄に掲げる字句は、それぞれ同表の下欄に掲げる字句とする。

附則第五十七条の四第一項	）の額	）の額と第三項において準用する附則第五十七条の二第六項に規定する政令で定める年金である給付（次項において「併給年金」という。）の額との合計額
附則第五十七条の四第二項	算定した額が	算定した額と併給年金の額との合計額が
附則第五十七条の四第三項において準用する附則第五十七条の二第三項	の退職年金又は減額退職年金の額	の遺族年金の額と被用者年金制度の一元化等を図るための厚生年金保険法等の一部を改正する法律の施行及び国家公務員の退職給付の給付水準の見直し等のための国家公務員退職手当法等の一部を改正する法律の一部の施行に伴う国家公務員共済組合法による長期給付等に関する経過措置に関する政令（平成二十七年政令第三百四十五号）第百七条の規定により読み替えられた附則第五十七条の四第一項に規定する併給年金の額との合計額
	、控除調整下限額	、当該控除後の遺族年金の額に控除調整下限額と当該合計額との差額に相当する額を加えた額

第百八条 前条の規定により読み替えられたなお効力を有する改正前昭和六十年国共済改正法附則第五十七条の四第一項及びなお効力を有する改正前昭和六十年国共済改正法附則第五十七条の四第三項において準用するなお効力を有する改正前昭和六十年国共済改正法附則第五十七条の二第二項の規定又は前条の規定により読み替えられたなお効力を有する改正前昭和六十年国共済改正法附則第五十七条の四第二項及びなお効力を有する改正前昭和六十年国共済改正法附則第五十七条の四第三項において準用するなお効力を有する改正前昭和六十年国共済改正法附則第五十七条の二第二項の規定（以下この項において「遺族年金額控除規定」と総称する。）による控除が行われる場合（当該控除に係る前条の規定により読み替えられたなお効力を有する改正前昭和六十年国共済改正法附則第五十七条の四第一項に規定する併給年金（以下この項において「併給年金」という。）のいずれかが第五十九条第三項に規定する控除対象年金である場合に限る。）であって、遺族年金額控除規定による控除後の遺族年金の額（以下この項において「控除後遺族年金額」という。）と年金額控除規定の適用後の併給年金の額との合計額（以下この項において「控除後年金総額」という。）が控除調整下限額より少ないときは、前条の規定により読み替えられたなお効力を有する改正前昭和六十年国共済改正法附則第五十七条の四第三項において準用するなお効力を有する改正前昭和六十年国共済改正法附則第五十七条の二第三項の規定にかかわらず、控除後遺族年金額に、控除調整下限額と控除後年金総額との差額に調整率（前条の規定により読み替えられたなお効力を有する改正前昭和六十年国共済改正法附則第五十七条の四第一項に規定する遺族年金の額と当該年金額控除規定の適用前の併給年金の額との合計額から控除後年金総額を控除して得た額に対する遺族年金額控除規定による遺族年金の控除額の割合をいう。）を乗じて得た額に相当する額を加えた額をもって遺族年金の額とする。

2 前項に規定する「年金額控除規定」とは、次に掲げる規定をいう。

一 なお効力を有する改正前国共済施行法第十三条の二第一項又は第二項

二 なお効力を有する改正前昭和六十年国共済改正法附則第二十一条第二項若しくは第三項、第五十七条の二第一項、第二項（同条第五項及びなお効力を有する改正前昭和六十年国共済改正法附則第五十七条の四第三項において準用する場合を含む。）若しくは第四項又は第五十七条の四第一項若しくは第二項

三 平成二十四年一元化法附則第四十六条第一項又は第二項

四 改正後平成九年国共済経過措置政令第十七条の二の三、第十七条の三の三又は第十七条の四の二

五 なお効力を有する改正前地共済施行法第十三条の二第一項又は第二項

六 なお効力を有する改正前昭和六十年地共済改正法附則第二十一条第二項若しくは第三項、第九十八条の二第一項、第二項（同条第五項及びなお効力を有する改正前昭和六十年地共済改正法附則第九十八条の四第三項において準用する場合を含む。）若しくは第四項又は第九十八条の四第一項若しくは第二項

七 平成二十四年一元化法附則第七十二条第一項又は第二項

（遺族年金と併せて支給を受けることができる退職共済年金の額の特例）

第百九条 第百七条の規定により読み替えられたなお効力を有する改正前昭和六十年国共済改正法附則第五十七条の四第三項において準用するなお効力を有する改正前昭和六十年国共済改正法附則第五十七条の二第三項に規定する併給年金（旧国共済職域加算退職給付、平成二十四年一元化法附則第三十七条第一項に規定する給付のうち退職共済年金及び平成二十四年一元化法附則第四十一条退職共済年金、旧地共済職域加算退職給付、平成二十四年一元化法附則第六十一条第一項に規定する給付のうち退職共済年金及び平成二十四年一元化法附則第六十五条退職共済年金並びに改正後厚生年金保険法による年金たる保険給付（第二号厚生年金又は第三号厚生年金に限る。）のうち老齢厚生年金に限る。以下この条において同じ。）について第十八条第一項の規定により読み替えられた平成二十四年一元化法附則第三十七条第四項の規定により適用するものとされた改正後厚生年金保険法第四十六条第六項の規定が適用される場合には、同

項の規定を適用した後に当該併給年金として支給を受けることとなる額を当該併給年金の額とみなして、第百七条の規定により読み替えられたなお効力を有する改正前昭和六十年国共済改正法附則第五十七条の四及び前条の規定を適用する。

（同順位者が二人以上ある場合における遺族年金の額の特例）

第百十条　なお効力を有する改正前昭和六十年国共済改正法附則第五十七条の四第一項に規定する遺族年金についてなお効力を有する改正前昭和六十年国共済改正法附則第三条第一項の規定によりなお従前の例によることとされた旧国共済法第四十四条の規定が適用される場合における当該遺族年金の額は、なお効力を有する改正前昭和六十年国共済改正法附則第五十七条の四の規定にかかわらず、受給権者である遺族ごとに同条第一項及び第二項並びに同条第三項において準用するなお効力を有する改正前昭和六十年国共済改正法附則第五十七条の二第三項の規定を適用するとしたならば算定されることとなる遺族年金の額に相当する金額を、それぞれ当該遺族の人数で除して得た金額の合計額とする。この場合において、次の表の上欄に掲げるなお効力を有する改正前昭和六十年国共済改正法の規定中同表の中欄に掲げる字句は、それぞれ同表の下欄に掲げる字句とする。

附則第五十七条の四第一項	）の額	）の額を受給権者である遺族の人数で除して得た金額
附則第五十七条の四第三項において準用する附則第五十七条の二第三項	の額が	を受給権者である遺族の人数で除して得た金額が
	をもつて	に当該遺族の人数を乗じて得た額をもつて
	とする	に相当する額とする

2　前項に規定する場合において、受給権者である遺族の人数に増減を生じたときは、遺族年金の額を改定する。

（扶養加給額に相当する額の支給が停止されている場合における遺族年金の額の特例）

第百十一条　なお効力を有する改正前昭和六十一年国共済経過措置政令第四十六条第一項の規定により読み替えられたなお効力を有する改正前昭和六十年国共済改正法附則第四十六条第二項の規定によりなおその効力を有するものとされた旧国共済法第八十八条の三の規定により加えることとされた扶養加給額（なお効力を有する改正前昭和六十一年国共済経過措置政令第四十七条に規定する扶養加給額をいう。）が加算された遺族年金についてその受給権者が当該遺族年金に係る組合員又は組合員であった者の死亡について旧厚生年金保険法、旧船員保険法又は旧地共済法の規定による遺族年金の支給を受けることができる場合におけるなお効力を有する改正前昭和六十年国共済改正法附則第五十七条の四第三項において準用するなお効力を有する改正前昭和六十年国共済改正法附則第五十七条の二の規定及びなお効力を有する改正前昭和六十年国共済改正法附則第五十七条の四の規定並びに第百八条の規定の適用については、次の表の上欄に掲げる規定中同表の中欄に掲げる字句は、それぞれ同表の下欄に掲げる字句とする。

なお効力を有する改正前昭和六十年国共済改正法附則第五十七条の四第三項において準用するなお効力を有する改正前昭和六十年国共済改正法附則第五十七条の二第三項	が控除調整下限額	から被用者年金制度の一元化等を図るための厚生年金保険法等の一部を改正する法律（平成二十四年法律第六十三号）附則第三十七条第一項の規定によりなおその効力を有するものとされた国家公務員共済組合法施行令等の一部を改正する等の政令（平成二十七年政令第三百四十四号）第二条の規定による改正前の国家公務員等共済組合法等の一部を改正する法律の施行に伴う経過措置に関する政令（昭和六十一年政令第五十六号。以下「なお効力を有する改正前昭和六十一年国共済経過措置政令」という。）第四十七条に規定する扶養加給額に相当する額を控除した額が控除調整下限額
	をもつて	に当該扶養加給額に相当する額を加えた額をもつて
なお効力を有する改正前昭和六十年国共済改正法附則第五十七条の四第一項	）の額	）の額からなお効力を有する改正前昭和六十一年国共済経過措置政令第四十七条に規定する扶養加給額を控除して得た額
第百八条第一項	という。）が	という。）からなお効力を有する改正前昭和六十一年国共済経過措置政令第四十七条に規定する扶養加給額に相当する額を控除した額が
	をもって	に当該扶養加給額に相当する額を加えた額をもって

2　遺族年金の支給を受ける者が前項に規定する場合に該当することとなったとき、又は該当しないこととなったときは、当該遺族年金の額を改定する。

（追加費用対象期間を有する者で控除期間等の期間を有するものに係る遺族年金の額の特例）

第百十二条　控除期間等の期間を有する者の遺族に対するなお効力を有する改正前昭和六十年国共済改正法附則第五十七条の四の規定の適用については、同条第一項中「年数を」とあるのは、「年数から控除期間等の期間の年数（組合員期間の年数が四十年を超えるときは、控除期間等の期間からその超える年数を控除した年数）を控除した年数を」とする。

（なお効力を有する改正前昭和六十年国共済改正法の規定により退職年金、減額退職年金又は通算退職年金及び遺族共済年金の支給を併せて受ける場合における年金の額の特例）

第百十三条　旧国共済法の規定による退職年金、減額退職年金若しくは通算退職年金又は旧地共済法の規定による退職年金、減額退職年金若しくは通算退職年金の受給権者がなお効力を有する改正前昭和六十年国共済改正法附則第十一条第四項、なお効力を有する改正前昭和六十年地共済改正法附則第十条第四項又は昭和六十年国民年金等改正法附則第五十六条第六項の規定により平成二十四年一元化法附則第三十七条第一項に規定する給付のうち遺族共済年金、平成二十四年一元化法附則第六十一条第一項に規定する給付のうち遺族共済年金又は改正後厚生年金保険法による年金たる保険給付（第二号厚生年金又は第三号厚生年金に限る。）のうち遺族厚生年金の支給を併せて受けることができる場合における第六十七条の規定により読み替えられたなお効力を有する改正前国共済施行法第十三条の四の規定、第九十三条の規定により読み替えられたなお効力を有する改正前昭和六十年国共済改正法附則第五十七条の二の規定、第百三十一条の規定により読み替えられた平成二十四年一元化法附則第四十八条の規定並びに第六十八条の規定、第八十四条第五項の規定により読み替えられた同条第一項及び第三項の規定、第八十五条の規定、第九十四条の規定並びに第百三十二条の規定の適用については、次の表の上欄に掲げる規定中同表の中欄に掲げる字句は、それぞれ同表の下欄に掲げる字句とする。

第六十七条の規定により読み替えられたなお効力を有する改正前国共済施行法第十三条の四第一項	額との	額（改正前国共済法による職域加算額（被用者年金制度の一元化等を図るための厚生年金保険法等の一部を改正する法律（平成二十四年法律第六十三号。以下この項において「平成二十四年一元化法」という。）附則第三十六条第五項に規定する改正前国共済法による職域加算額をいう。）のうち退職を支給事由とするもの、平成二十四年一元化法附則第三十七条第一項に規定する給付のうち退職共済年金、平成二十四年一元化法附則第四十一条第一項の規定により国家公務員共済組合連合会が支給する年金である給付のうち退職共済年金若しくは昭和六十年改正法第一条の規定による改正前の国家公務員等共済組合法の規定による退職年金、減額退職年金若しくは通算退職年金又は改正前地共済法による職域加算額（平成二十四年一元化法附則第六十条第五項に規定する改正前地共済法による職域加算額をいう。）のうち退職を支給事由とするもの、平成二十四年一元化法附則第六十一条第一項に規定する給付のうち退職共済年金、平成二十四年一元化法附則第六十五条第一項の規定により地方公務員共済組合（平成二十四年一元化法附則第五十六条第二項に規定する地方公務員共済組合をいう。）が支給する年金である給付のうち退職共済年金若しくは地方公務員等共済組合法等の一部を改正する法律（昭和六十年法律第百八号）第一条の規定による改正前の地方公務員等共済組合法の規定による退職年金、減額退職年金若しくは通算退職年金にあつては、その額の二分の一に相当する額とする。第三項において同じ。）との
第九十三条の規定により読み替えられたなお効力を有する改正前昭和六十年国共済改正法附則第五十七条の二第一項	いう。）と	という。）の二分の一に相当する額と
	）の額	）の額（改正前国共済法による職域加算額（被用者年金制度の一元化等を図るための厚生年金保険法等の一部を改正する法律（平成二十四年法律第六十三号。以下「平成二十四年一元化法」という。）附則第三十六条第五項に規定する改正前国共済法による職域加算額をいう。）のうち退職を支給事由とするもの、平成二十四年一元化法附則第三十七条第一項に規定する給付のうち退職共済年金、平成二十四年一元化法附則第四十一条第一項の規定により国家公務員共済組合連合会が支給する年金である給付のうち退職共済年金若しくは第一条の規定による改正前の国家公務員等共済組合法の規定による退職年金、減額退職年金若しくは通算退職年金又は改正前地共済法による職域加算額（平成二十四年一元化法附則第六十条第五項に規定する改正前地共済法による職域加算額をいう。）のうち退職を支給事由とするもの、平成二十四年一元化法附則第六十一条第一項に規定する給付のうち退職共済年金、平成二十四年一元化法附則第六十五条第一項の規定により地方公務員共済組合（平成二十四年一元化法附則第五十六条第二項に規定する地方公務員共済組合をい

		う。）が支給する年金である給付のうち退職共済年金若しくは地方公務員等共済組合法等の一部を改正する法律（昭和六十年法律第百八号）第一条の規定による改正前の地方公務員等共済組合法の規定による退職年金、減額退職年金若しくは通算退職年金にあつては、その額の二分の一に相当する額とする。第三項及び第四項において同じ。）
第九十三条の規定により読み替えられたなお効力を有する改正前昭和六十年国共済改正法附則第五十七条の二第三項	と併給年金	の二分の一に相当する額と併給年金
	相当する	相当する額に二を乗じて得た
第九十三条の規定により読み替えられたなお効力を有する改正前昭和六十年国共済改正法附則第五十七条の二第四項	と併給年金	の二分の一に相当する額と併給年金
第百三十一条の規定により読み替えられた平成二十四年一元化法附則第四十八条第一項	）の額	）の額（改正前国共済法による職域加算額のうち退職を支給事由とするもの、附則第三十七条第一項に規定する給付のうち退職共済年金、附則第四十一条第一項の規定により国家公務員共済組合連合会が支給する年金である給付のうち退職共済年金若しくは旧国共済法の規定による退職年金、減額退職年金若しくは通算退職年金又は改正前地共済法による職域加算額（附則第六十条第五項に規定する改正前地共済法による職域加算額をいう。）のうち退職を支給事由とするもの、附則第六十一条第一項に規定する給付のうち退職共済年金、附則第六十五条第一項の規定により地方公務員共済組合（附則第五十六条第二項に規定する地方公務員共済組合をいう。）が支給する年金である給付のうち退職共済年金若しくは旧地共済法の規定による退職年金、減額退職年金若しくは通算退職年金にあつては、その額の二分の一に相当する額とする。第三項において同じ。）
第六十八条第一項	適用後の併給年金の額	適用後の併給年金の額（改正前国共済法による職域加算額のうち退職を支給事由とするもの、平成二十四年一元化法附則第三十七条第一項に規定する給付のうち退職共済年金、平成二十四年一元化法附則第四十一条年金のうち退職共済年金若しくは旧国共済法の規定による退職年金、減額退職年金若しくは通算退職年金又は改正前地共済法による職域加算額のうち退職を支給事由とするもの、平成二十四年一元化法附則第六十一条第一項に規定する給付のうち退職共済年金、平成二十四年一元化法附則第六十五条年金のうち退職共済年金若しくは旧地共済法の規定による退職年金、減額退職年金若しくは通算退職年金にあつては、その額の二分の一に相当する額とする。以下この項において同じ。）
	控除後年金総額を	控除後遺族共済年金額と年金額控除規定の適用後の併給年金の額との合計額を
第八十四条第五項の規定により読み替えられた同条第一項	額との	額（旧国共済職域加算退職給付、平成二十四年一元化法附則第三十七条第一項に規定する給付のうち退職共済年金、平成二十四年一元化法附則第四十一条退職共済年金若しくは旧国共済法の規定による退職年金、減額退職年金若しくは通算退職年金又は旧地共済職域加算退職給付、平成二十四年一元化法附則第六十一条第一項に規定する給付のうち退職共済年金、平成二十四年一元化法附則第六十五条退職共済年金若しくは旧地共済法の規定による退職年金、減額退職年金若しくは通算退職年金にあつては、その額の二分の一に相当す

		る額とする。第三項において同じ。）との
第八十五条第一項	適用後の併給年金の額	適用後の併給年金の額（旧国共済職域加算退職給付、平成二十四年一元化法附則第三十七条第一項に規定する給付のうち退職共済年金、平成二十四年一元化法附則第四十一条退職共済年金若しくは旧国共済法の規定による退職年金、減額退職年金若しくは通算退職年金又は旧地共済職域加算退職給付、平成二十四年一元化法附則第六十一条第一項に規定する給付のうち退職共済年金、平成二十四年一元化法附則第六十五条退職共済年金若しくは旧地共済法の規定による退職年金、減額退職年金若しくは通算退職年金にあっては、その額の二分の一に相当する額とする。以下この項において同じ。）
	控除後年金総額を	控除後遺族共済年金額と年金額控除規定の適用後の併給年金の額との合計額を
第九十四条	という。）と	という。）の二分の一に相当する額と
	適用後の併給年金の額	適用後の併給年金の額（旧国共済職域加算退職給付、平成二十四年一元化法附則第三十七条第一項に規定する給付のうち退職共済年金、平成二十四年一元化法附則第四十一条退職共済年金若しくは旧国共済法の規定による退職年金、減額退職年金若しくは通算退職年金又は旧地共済職域加算退職給付、平成二十四年一元化法附則第六十一条第一項に規定する給付のうち退職共済年金、平成二十四年一元化法附則第六十五条退職共済年金若しくは旧地共済法の規定による退職年金、減額退職年金若しくは通算退職年金にあっては、その額の二分の一に相当する額とする。以下この項において同じ。）
	控除後年金総額を	控除後退職年金額と年金額控除規定の適用後の併給年金の額との合計額を
第百三十二条第一項	相当する	相当する額に二を乗じて得た
	適用後の併給年金の額	適用後の併給年金の額（旧国共済職域加算退職給付、平成二十四年一元化法附則第三十七条第一項に規定する給付のうち退職共済年金、平成二十四年一元化法附則第四十一条退職共済年金若しくは旧国共済法の規定による退職年金、減額退職年金若しくは通算退職年金又は旧地共済職域加算退職給付、平成二十四年一元化法附則第六十一条第一項に規定する給付のうち退職共済年金、平成二十四年一元化法附則第六十五条退職共済年金若しくは旧地共済法の規定による退職年金、減額退職年金若しくは通算退職年金にあっては、その額の二分の一に相当する額とする。以下この項において同じ。）
	控除後年金総額を	控除後遺族共済年金額と年金額控除規定の適用後の併給年金の額との合計額を

第三節　退職等年金給付に係る併給の調整の特例等

（退職等年金給付の受給権者が改正前国共済法による職域加算額等の支給を受けることができる場合の併給の調整に関する経過措置）

第百十四条　平成二十四年一元化法附則第三十七条の二第三項の規定において改正後国共済法第七十五条の四第二項から第五項までの規定を準用する場合には、次の表の上欄に掲げる同条の規定中同表の中欄に掲げる字句は、それぞれ同表の下欄に掲げる字句と読み替えるものとする。

第二項	前項	被用者年金制度の一元化等を図るための厚生年金保険法等の一部を改正する法律（平成二十四年法律第六十三号。次項及び第四項において「平成二十四年一元化法」という。）附則第三十七条の二第一項又は第二項
	退職等年金給付	退職等年金給付又は同項各号に掲げる年金（次項及び第四項において「退職等年金給付等」という。）
第三項	同項	同条第一項又は第二項
	退職等年金給付が第一項	退職等年金給付等が平成二十四年一元化法附則第三十七条の二第一項又は第二項

	当該退職等年金給付	当該退職等年金給付等
第四項	退職等年金給付	退職等年金給付等
	第一項	平成二十四年一元化法附則第三十七条の二第一項又は第二項
	同項	同条第一項又は第二項

2　平成二十四年一元化法附則第三十七条の二第四項の規定において改正後国共済法第七十五条の六第三項の規定を準用する場合には、同項中「、公務障害年金」とあるのは「、公務障害職域加算額等（被用者年金制度の一元化等を図るための厚生年金保険法等の一部を改正する法律（平成二十四年法律第六十三号）附則第三十六条第五項に規定する改正前国共済法による職域加算額又は同法附則第三十七条の二第一項第二号に規定する旧職域加算額のうち公務による障害を給付事由とするものをいう。以下この項において同じ。）」と、「支払うべき公務障害年金」とあるのは「支払うべき公務障害職域加算額等」と読み替えるものとする。

3　平成二十四年一元化法附則第三十七条の二第五項の規定において改正後国共済法第七十九条の四第三項の規定を準用する場合には、同項中「公務遺族年金を」とあるのは「公務死亡職域加算額等（被用者年金制度の一元化等を図るための厚生年金保険法等の一部を改正する法律（平成二十四年法律第六十三号）附則第三十六条第五項に規定する改正前国共済法による職域加算額又は同法附則第三十七条の二第一項第二号に規定する旧職域加算額のうち公務による死亡を給付事由とするものをいう。以下この項において同じ。）を」と、「公務遺族年金の」とあるのは「公務死亡職域加算額等の」と読み替えるものとする。

（公務等による障害共済年金に係る障害と公務によらない障害厚生年金に係る障害を併合した場合に支給する障害共済年金の額の特例）

第百十五条　平成二十四年一元化法附則第三十七条の三に規定する場合におけるなお効力を有する改正前国共済法第八十二条第一項及び第八十五条の規定の適用については、次の表の上欄に掲げるなお効力を有する改正前国共済法の規定中同表の中欄に掲げる字句は、それぞれ同表の下欄に掲げる字句とする。

第八十二条第一項第一号	組合員期間	被用者年金制度の一元化等を図るための厚生年金保険法等の一部を改正する法律（平成二十四年法律第六十三号。以下「平成二十四年一元化法」という。）附則第四条第十一号に規定する旧国家公務員共済組合員期間（以下「旧国家公務員共済組合員期間」という。）、平成二十四年一元化法附則第四十一条第一項に規定する追加費用対象期間（以下「追加費用対象期間」という。）及び厚生年金保険法第二条の五第一項第二号に規定する第二号厚生年金被保険者期間（同法第四十七条第一項に規定する障害認定日の属する月後における被保険者期間及び平成二十四年一元化法附則第七条第一項の規定により当該期間とみなされた期間を除く。以下同じ。）を合算した期間
第八十二条第一項第二号	組合員期間	旧国家公務員共済組合員期間、追加費用対象期間及び第二号厚生年金被保険者期間を合算した期間
第八十五条第一項	障害共済年金を	厚生年金保険法の規定による障害厚生年金（初診日が第二号厚生年金被保険者期間にあるものに限り、その権利を取得した当時から引き続き障害等級の一級又は二級に該当しない程度の障害の状態にある受給権者に係るものを除く。次項において同じ。）を
第八十五条第二項	公務等によらない障害共済年金（障害共済年金のうち、公務等による障害共済年金以外の障害共済年金をいう。以下同じ。）	厚生年金保険法の規定による障害厚生年金
	場合又は公務等によらない障害共済年金の受給権者に対して更に公務等による障害共済年金を支給すべき事由が生じた場合	場合
第八十五条第二項第二	算定した	旧国家公務員共済組合員期間と追加費用対象期間とを合算した期間

号		を基礎として算定した

２　公務等による障害共済年金及びこれに相当する年金である給付を受ける権利を有する者（その給付事由となった障害について国民年金法による障害基礎年金が支給されない者を除く。）に対して更に厚生年金保険法による障害厚生年金（初診日が第一号厚生年金被保険者期間又は第四号厚生年金被保険者期間にあるものに限り、その給付事由となった障害について国民年金法による障害基礎年金が支給されない者を除く。）を支給すべき事由が生じたときは、なお効力を有する改正前国共済法第八十六条第一項の規定により当該障害共済年金の額を改定する。

（退職一時金を返還する場合の利子の利率等）

第百十六条　平成二十四年一元化法附則第三十九条第四項（平成二十四年一元化法附則第四十条第一項後段及び第二項後段において準用する場合を含む。）に規定する利率は、次の表の上欄に掲げる期間に応じ、それぞれ同表の下欄に掲げる率とする。

期間	率
平成二十四年一元化法附則第三十九条第一項に規定する一時金の支給を受けた日の属する月の翌月から平成十三年三月まで	年五・五パーセント
平成十三年四月から平成十七年三月まで	年四パーセント
平成十七年四月から平成十八年三月まで	年一・六パーセント
平成十八年四月から平成十九年三月まで	年二・三パーセント
平成十九年四月から平成二十年三月まで	年二・六パーセント
平成二十年四月から平成二十一年三月まで	年三パーセント
平成二十一年四月から平成二十二年三月まで	年三・二パーセント
平成二十二年四月から平成二十三年三月まで	年一・八パーセント
平成二十三年四月から平成二十四年三月まで	年一・九パーセント
平成二十四年四月から平成二十五年三月まで	年二パーセント
平成二十五年四月から平成二十六年三月まで	年二・二パーセント
平成二十六年四月から平成二十七年三月まで	年二・六パーセント
平成二十七年四月から平成二十八年三月まで	年一・七パーセント
平成二十八年四月から平成二十九年三月まで	年二パーセント
平成二十九年四月から平成三十年三月まで	年二・四パーセント
平成三十年四月から平成三十一年三月まで	年二・八パーセント
平成三十一年四月から令和二年三月まで	年三・一パーセント
令和二年四月から令和五年三月まで	年一・七パーセント
令和五年四月から令和七年三月まで	年一・六パーセント
令和七年四月から令和八年三月まで	年一・七パーセント
令和八年四月から令和九年三月まで	年二パーセント
令和九年四月から令和十一年三月まで	年二・一パーセント

２　平成二十四年一元化法附則第三十九条第一項又は第四十条第一項前段若しくは第二項前段の規定により返還すべき金額が千円未満であるときは、これらの規定にかかわらず、これらの規定による返還は要しない。

第四節　平成二十四年一元化法附則第四十一条の規定による退職共済年金等の特例

（追加費用対象期間の算入に関する法令の規定）

第百十七条　平成二十四年一元化法附則第四十一条第一項に規定する政令で定める法令の規定は、なお効力を有する改正前国共済施行法及びこれに基づき又はこれを実施するための命令の規定でなお効力を有する改正前国共済施行法第十三条の二に規定する追加費用対象期間の組合員期間への算入に関するものとする。

（国共済組合員等期間を算定の基礎とする退職共済年金等に係る厚生年金保険法の規定の適用）

第百十八条　平成二十四年一元化法附則第四十一条第一項に規定する退職共済年金、障害共済年金又は遺族共済年金の支給については、同項に規定する国共済組合員等期間又は退職共済年金、障害共済年金若しくは遺族共済年金を、それぞれ厚生年金保険法による第二号厚生年金被保険者期間又は老齢厚生年金、障害厚生年金若しくは遺族厚生年金とみなして、同法その他の法令の規定を適用する。

（控除期間等の期間を有する者で国民年金法による老齢基礎年金が支給されるものに係る退職共済年金の額の特例）

第百十九条　国民年金法の規定による老齢基礎年金の額のうち、

平成二十四年一元化法附則第四十三条第一項第一号に規定する国共済組合員等期間に係る部分に相当するものとして政令で定めるところにより算定した額は、国民年金法第二十七条本文に規定する老齢基礎年金の額に第一号に掲げる月数を第二号に掲げる月数で除して得た割合を乗じて得た額とする。

一　国共済組合員等期間のうち昭和三十六年四月一日以後の期間に係るもの（二十歳に達した日の属する月前の期間、六十歳に達した日の属する月以後の期間及びなお効力を有する改正前昭和六十一年国共済経過措置政令第十三条第一項各号に掲げる期間に係るものを除く。）の月数

二　なお効力を有する改正前昭和六十年国共済改正法附則別表第三の上欄に掲げる者の区分に応じ、それぞれ同表の下欄に掲げる月数

（控除調整下限額に係る再評価率の改定の基準となる率等）

第百二十条　平成二十四年一元化法附則第四十六条第一項に規定する各年度の再評価率の改定の基準となる率であって政令で定める率（次項において「改定基準率」という。）は、当該年度における物価変動率とする。ただし、物価変動率が名目手取り賃金変動率を上回るときは、名目手取り賃金変動率とする。

2　前項の規定にかかわらず、調整期間における改定基準率は、当該年度における基準年度以後算出率とする。ただし、物価変動率又は名目手取り賃金変動率が一を下回る場合は、物価変動率（物価変動率が名目手取り賃金変動率を上回るときは、名目手取り賃金変動率）とする。

3　平成二十四年一元化法附則第四十六条第一項に規定する控除調整下限額（以下「控除調整下限額」という。）に五十円未満の端数があるときは、これを切り捨て、五十円以上百円未満の端数があるときは、これを百円に切り上げるものとする。

（平成二十四年一元化法附則第四十一条退職共済年金の額に加算する老齢基礎年金及び障害基礎年金の額）

第百二十一条　国民年金法の規定による老齢基礎年金の額のうち平成二十四年一元化法附則第四十六条第一項に規定する国共済組合員等期間に係る部分に相当するものとして政令で定めるところにより算定した額及び国民年金法の規定による障害基礎年金の額のうち同項に規定する国共済組合員等期間に係る部分に相当するものとして政令で定めるところにより算定した額は、同法第二十七条本文に規定する老齢基礎年金の額に第一号に掲げる月数を第二号に掲げる月数で除して得た割合を乗じて得た額とする。

一　国共済組合員等期間のうち昭和三十六年四月一日以後の期間に係るもの（二十歳に達した日の属する月前の期間、六十歳に達した日の属する月以後の期間及びなお効力を有する改正前昭和六十一年国共済経過措置政令第十三条第一項各号に掲げる期間に係るものを除く。）の月数

二　なお効力を有する改正前昭和六十年国共済改正法附則別表第三の上欄に掲げる者の区分に応じ、それぞれ同表の下欄に掲げる月数

（平成二十四年一元化法附則第四十一条退職共済年金の受給権者が支給を受けることができる年金である給付）

第百二十二条　平成二十四年一元化法附則第四十六条第五項に規定する政令で定める年金である給付は、次に掲げる年金である給付であって、公務（改正後平成八年改正法附則第四条に規定する旧適用法人の業務を含む。）による障害又は死亡を支給事由とするもの以外のものとする。

一　改正前国共済法による職域加算額

二　平成二十四年一元化法附則第三十七条第一項に規定する改正前国共済法による年金である給付

三　平成二十四年一元化法附則第四十一条年金

四　旧国共済法による年金である給付

五　改正前地共済法による職域加算額

六　平成二十四年一元化法附則第六十一条第一項に規定する改正前地共済法による年金である給付（平成二十三年地共済改正法附則第二十三条第一項第一号及び第二号に規定する年金である給付を除く。）

七　平成二十四年一元化法附則第六十五条年金

八　改正前昭和六十年地共済改正法附則第二条第七号に規定する退職年金、減額退職年金、通算退職年金、障害年金、遺族年金又は通算遺族年金

九　改正後厚生年金保険法による年金たる保険給付（第二号厚生年金又は第三号厚生年金に限る。）

（併給年金の支給を受けることができる場合における平成二十四年一元化法附則第四十一条退職共済年金の額の特例）

第百二十三条　平成二十四年一元化法附則第四十一条退職共済年金の受給権者（なお効力を有する改正前国共済法第九十一条の二若しくはなお効力を有する改正前地共済法第九十九条の四の二の規定の適用を受ける者又は改正後厚生年金保険法第六十四条の二の規定の適用を受ける者（平成二十四年一元化法附則第四十一条年金、平成二十四年一元化法附則第六十五条年金、第二号厚生年金又は第三号厚生年金の受給権者に限る。）を除く。）が前条に規定する年金である給付の支給を併せて受けることができる場合における平成二十四年一元化法附則第四十六条の規定の適用については、次の表の上欄に掲げる同条の規定中同表の中欄に掲げる字句は、それぞれ同表の下欄に掲げる字句とする。

第二項	若しくは障害基礎年金又は改正前国共済法による職域加算額	又は障害基礎年金
	とする。	とする。）と併給年金（第五項に規定する政令で定める年金である給付をいう。第三項において同じ。）の額との合計額
	、附則第四十一条第一項	、附則第四十一条第一項及び第四十三条
	同項	これら
第三項	が控除調整下限額	と併給年金の額との合計額が控除調整下限額

	、控除調整下限額	、当該控除後の退職共済年金の額に控除調整下限額と当該合計額との差額に相当する額を加えた額

第百二十四条　前条の規定により読み替えられた平成二十四年一元化法附則第四十六条第一項の規定及び平成二十四年一元化法附則第四十六条第二項の規定による控除が行われる場合（当該控除に係る前条の規定により読み替えられた平成二十四年一元化法附則第四十六条第一項に規定する併給年金（以下この項において「併給年金」という。）のいずれかが第五十九条第三項に規定する控除対象年金である場合に限る。）であって、前条の規定により読み替えられた平成二十四年一元化法附則第四十六条第一項の規定及び平成二十四年一元化法附則第四十六条第二項の規定による控除後の平成二十四年一元化法附則第四十一条退職共済年金の額（以下この項において「控除後退職共済年金額」という。）と第五十九条第四項に規定する年金額控除規定の適用後の併給年金の額との合計額（以下この項において「控除後年金総額」という。）が控除調整下限額より少ないときは、前条の規定により読み替えられた平成二十四年一元化法附則第四十六条第三項の規定にかかわらず、控除後退職共済年金額に、控除調整下限額と控除後年金総額との差額に調整率（前条の規定により読み替えられた平成二十四年一元化法附則第四十六条第一項の規定又は平成二十四年一元化法附則第四十六条第二項の規定による控除前の平成二十四年一元化法附則第四十一条退職共済年金の額と第五十九条第四項に規定する年金額控除規定の適用前の併給年金の額との合計額から控除後年金総額を控除して得た額に対する平成二十四年一元化法附則第四十六条第一項に規定する退職共済年金控除額の割合をいう。）を乗じて得た額に相当する額を加えた額をもって平成二十四年一元化法附則第四十一条退職共済年金の額とする。

２　国民年金法の規定による老齢基礎年金又は障害基礎年金が支給される場合における前項の規定の適用については、同項中「より少ない」とあるのは「から国民年金法の規定による老齢基礎年金又は障害基礎年金の額を控除した額より少ない」と、「控除調整下限額と」とあるのは「控除調整下限額から国民年金法の規定による老齢基礎年金又は障害基礎年金の額を控除した額と」とする。

第百二十五条　第百二十三条の規定により読み替えられた平成二十四年一元化法附則第四十六条第一項に規定する併給年金（旧国共済職域加算遺族給付、平成二十四年一元化法附則第三十七条第一項に規定する給付のうち遺族共済年金、平成二十四年一元化法附則第四十一条遺族共済年金並びに旧国共済法の規定による遺族年金及び通算遺族年金、旧地共済職域加算遺族給付、平成二十四年一元化法附則第六十一条第一項に規定する給付のうち遺族共済年金、平成二十四年一元化法附則第六十五条遺族共済年金並びに旧地共済法の規定による遺族年金及び通算遺族年金並びに改正後厚生年金保険法による年金たる保険給付（第二号厚生年金又は第三号厚生年金に限る。）のうち遺族厚生年金に限る。以下この条において同じ。）について遺族支給特例規定が適用される場合には、遺族支給特例規定を適用した後に当該併給年金として支給を受けることとなる額を当該併給年金の額とみなして、第百二十三条の規定により読み替えられた平成二十四年一元化法附則第四十六条及び前条の規定を適用する。

（加給年金額に相当する額の支給が停止されている場合における平成二十四年一元化法附則第四十一条退職共済年金の額の特例）

第百二十六条　厚生年金保険法の規定を適用するとしたならば同法第四十四条第一項の規定により同項に規定する加給年金額が加算されることとなる場合における平成二十四年一元化法附則第四十一条退職共済年金について第十八条第一項の規定により読み替えられた平成二十四年一元化法附則第三十七条第四項の規定により適用するものとされた改正後厚生年金保険法第四十六条第六項の規定により当該加給年金額に相当する部分の支給が停止されることとなる場合における平成二十四年一元化法附則第四十六条の規定及び第百二十四条の規定の適用については、次の表の上欄に掲げる規定中同表の中欄に掲げる字句は、それぞれ同表の下欄に掲げる字句とする。

平成二十四年一元化法附則第四十六条第一項	の額（	の額から改正後厚生年金保険法の規定を適用するとしたならば改正後厚生年金保険法第四十四条第一項の規定により加算されることとなる額（第三項において「加給年金額相当額」という。）を控除して得た額（
	、附則第四十一条第一項	、附則第四十一条第一項及び第四十三条
	同項	これら
平成二十四年一元化法附則第四十六条第三項	が控除調整下限額	から加給年金額相当額を控除した額が控除調整下限額
	をもって	に当該加給年金額相当額を加えた額をもって
第百二十四条第一項	という。）が	という。）から加給年金額相当額（改正後厚生年金保険法の規定を適用するとしたならば改正後厚生年金保険法第四十四条第一項の規定により加算されることとなる額をいう。）を控除した額が
	をもって	に当該加給年金額相当額を加えた額をもって

２　平成二十四年一元化法附則第四十一条退職共済年金の支給を受ける者が前項に規定する場合に該当することとなったとき、又は該当しないこととなったときは、当該平成二十四年一元化法附則第四十一条退職共済年金の額を改定する。

（追加費用対象期間を有する者で控除期間等の期間を有するものに係る平成二十四年一元化法附則第四十一条退職共済年金の額の特例）

第百二十七条　控除期間等の期間（平成二十四年一元化法附則第四十三条第一項に規定する控除期間等の期間をいう。以下同じ。）を有する者（国共済組合員等期間が二十年以上である者に限る。）に対する平成二十四年一元化法附則第四十六条の規定の適用については、同条第一項中「、附則第四十一条第一項」とあるのは「、附則第四十一条第一項及び第四十三条」と、「同項」とあるのは「これら」と、「月数を」とあるのは「月数から附則第四十三条第一項に規定する控除期間等の期間の月数を控除した月数を」とする。

（加給年金額に相当する額の支給が停止されている場合における平成二十四年一元化法附則第四十一条障害共済年金の額の特例）

第百二十八条　改正後厚生年金保険法の規定を適用するとしたならば改正後厚生年金保険法第五十条の二第一項の規定により同項に規定する加給年金額が加算されることとなる場合における平成二十四年一元化法附則第四十一条年金のうち障害共済年金について改正後厚生年金保険法の規定を適用するとしたならば同項の規定によりその者について加算が行われることとなる配偶者が老齢厚生年金（その年金額の算定の基礎となる被保険者期間の月数が二百四十以上であるものに限る。）、障害厚生年金若しくは国民年金法による障害基礎年金又は厚生年金保険法施行令第三条の七各号に掲げる年金である給付の支給を受けることができる場合における平成二十四年一元化法附則第四十七条の規定の適用については、次の表の上欄に掲げる同条の規定中同表の中欄に掲げる字句は、それぞれ同表の下欄に掲げる字句とする。

第一項	障害共済年金の額（	障害共済年金の額から改正後厚生年金保険法の規定を適用するとしたならば改正後厚生年金保険法第五十条の二第一項の規定により加算されることとなる額（第三項において「加給年金額相当額」という。）を控除して得た額（
	は、同項	は、附則第四十一条第一項及び第四十四条
	同項の規定により	これらの規定により
第三項	が控除調整下限額	から加給年金額相当額を控除した額が控除調整下限額
	をもって	に当該加給年金額相当額を加えた額をもって

2　平成二十四年一元化法附則第四十一条年金のうち障害共済年金の支給を受ける者が前項に規定する場合に該当することとなったとき、又は該当しないこととなったときは、当該障害共済年金の額を改定する。

（追加費用対象期間を有する者で控除期間等の期間を有するものに係る平成二十四年一元化法附則第四十一条障害共済年金の額の特例）

第百二十九条　控除期間等の期間を有する者（国共済組合員等期間が二十五年以上である者に限る。）に対する平成二十四年一元化法附則第四十七条の規定の適用については、同条第一項中「は、同項」とあるのは「は、同項及び附則第四十四条」と、「同項の規定により」とあるのは「これらの規定により」と、「月数を」とあるのは「月数から附則第四十三条第一項に規定する控除期間等の期間の月数（その月数が国共済組合員等期間の月数から三百月を控除した月数を超えるときは、その控除した月数）を控除した月数を」とする。

（平成二十四年一元化法附則第四十一条遺族共済年金の受給権者が支給を受けることができる年金である給付）

第百三十条　平成二十四年一元化法附則第四十八条第五項に規定する政令で定める年金である給付は、次に掲げる年金である給付とする。

一　改正前国共済法による職域加算額

二　平成二十四年一元化法附則第三十七条第一項に規定する改正前国共済法による年金である給付

三　平成二十四年一元化法附則第四十一条年金

四　旧国共済法による年金である給付

五　改正前地共済法による職域加算額

六　平成二十四年一元化法附則第六十一条第一項に規定する改正前地共済法による年金である給付（平成二十三年地共済改正法附則第二十三条第一項第一号及び第二号に規定する年金である給付を除く。）

七　平成二十四年一元化法附則第六十五条年金

八　改正前昭和六十年地共済改正法附則第二条第七号に規定する退職年金、減額退職年金又は通算退職年金

九　改正後厚生年金保険法による年金たる保険給付（第二号厚生年金又は第三号厚生年金に限る。）

（併給年金の支給を受けることができる場合における平成二十四年一元化法附則第四十一条遺族共済年金の額の特例）

第百三十一条　平成二十四年一元化法附則第四十一条遺族共済年金の受給権者（改正後厚生年金保険法第六十四条の二の規定の適用を受ける者を除く。）が前条に規定する年金である給付の支給を併せて受けることができる場合における平成二十四年一元化法附則第四十八条の規定の適用については、次の表の上欄に掲げる同条の規定中同表の中欄に掲げる字句は、それぞれ同表の下欄に掲げる字句とする。

第一項	若しくは遺族基礎年金又は改正前国共済法による職域加算額	又は遺族基礎年金
	とする。）	とする。）と併給年金（第五項に規定する政令で定める年金である

		給付をいう。第三項において同じ。）の額との合計額
	は、同項	は、附則第四十一条第一項及び第四十五条
	同項の規定により	これらの規定により
第三項	が控除調整下限額	と併給年金の額との合計額が控除調整下限額
	、控除調整下限額	、当該控除後の遺族共済年金の額に控除調整下限額と当該合計額との差額に相当する額を加えた額

第百三十二条　前条の規定により読み替えられた平成二十四年一元化法附則第四十八条第一項の規定及び平成二十四年一元化法附則第四十八条第二項の規定による控除が行われる場合（当該控除に係る前条の規定により読み替えられた平成二十四年一元化法附則第四十八条第一項に規定する併給年金（以下この項において「併給年金」という。）のいずれかが第五十九条第三項に規定する控除対象年金である場合に限る。）であって、前条の規定により読み替えられた平成二十四年一元化法附則第四十八条第一項の規定及び平成二十四年一元化法附則第四十八条第二項の規定による控除後の平成二十四年一元化法附則第四十一条遺族共済年金の額（以下この項において「控除後遺族共済年金額」という。）と第六十八条第三項に規定する年金額控除規定の適用後の併給年金の額との合計額（以下この項において「控除後年金総額」という。）が控除調整下限額より少ないときは、前条の規定により読み替えられた平成二十四年一元化法附則第四十八条第三項の規定にかかわらず、控除後遺族共済年金額に、控除調整下限額と控除後年金総額との差額に調整率（前条の規定により読み替えられた平成二十四年一元化法附則第四十八条第一項に規定する控除前遺族共済年金額と第六十八条第三項に規定する年金額控除規定の適用前の併給年金の額との合計額から控除後年金総額を控除して得た額に対する前条の規定により読み替えられた平成二十四年一元化法附則第四十八条第一項に規定する遺族共済年金控除額の割合をいう。）を乗じて得た額に相当する額を加えた額をもって平成二十四年一元化法附則第四十一条遺族共済年金の額とする。

2　国民年金法の規定による老齢基礎年金、障害基礎年金又は遺族基礎年金が支給される場合における前項の規定の適用については、同項中「より少ない」とあるのは「から国民年金法の規定による老齢基礎年金、障害基礎年金又は遺族基礎年金の額を控除した額より少ない」と、「控除調整下限額と」とあるのは「控除調整下限額から国民年金法の規定による老齢基礎年金、障害基礎年金又は遺族基礎年金の額を控除した額と」とする。

第百三十三条　第百三十一条の規定により読み替えられた平成二十四年一元化法附則第四十八条第一項に規定する併給年金（旧国共済職域加算退職給付、平成二十四年一元化法附則第三十七条第一項に規定する給付のうち退職共済年金、平成二十四年一元化法附則第四十一条退職共済年金、旧地共済職域加算退職給付、平成二十四年一元化法附則第六十一条第一項に規定する給付のうち退職共済年金、平成二十四年一元化法附則第六十五条退職共済年金及び改正後厚生年金保険法による年金たる保険給付（第二号厚生年金又は第三号厚生年金に限る。）のうち老齢厚生年金に限る。以下この条において同じ。）について第十八条第一項の規定により読み替えられた平成二十四年一元化法附則第三十七条第四項の規定により適用するものとされた改正後厚生年金保険法第四十六条第六項の規定が適用される場合には、同項の規定を適用した後に当該併給年金として支給を受けることとなる額を当該併給年金の額とみなして、第百三十一条の規定により読み替えられた平成二十四年一元化法附則第四十八条及び前条の規定を適用する。

（妻に対する加算額に相当する額の支給が停止されている場合における平成二十四年一元化法附則第四十一条遺族共済年金の額の特例）

第百三十四条　改正後厚生年金保険法の規定を適用するとしたならば改正後厚生年金保険法第六十二条第一項又は昭和六十年国民年金等改正法附則第七十三条第一項の規定により加算が行われることとなる場合における平成二十四年一元化法附則第四十一条遺族共済年金について、その受給権者である妻が、組合員若しくは組合員であった者の死亡について国民年金法の規定による遺族基礎年金の支給を受けることができる場合、改正後厚生年金保険法第六十二条第一項の規定によりその金額が加算された遺族厚生年金の支給を受けることができる場合又は国民年金法の規定による障害基礎年金若しくは旧国民年金法の規定による障害年金若しくは昭和六十年国民年金等改正法附則第七十三条第一項の規定によりその額が加算された遺族厚生年金の支給を受けることができる場合における平成二十四年一元化法附則第四十八条の規定及び第百三十二条の規定の適用については、次の表の上欄に掲げる規定中同表の中欄に掲げる字句は、それぞれ同表の下欄に掲げる字句とする。

平成二十四年一元化法附則第四十八条第一項	の額（	の額から被用者年金制度の一元化等を図るための厚生年金保険法等の一部を改正する法律の施行及び国家公務員の退職給付の給付水準の見直し等のための国家公務員退職手当法等の一部を改正する法律の一部の施行に伴う国家公務員共済組合法による長期給付等に関する経過措置に関する政令（平成二十七年政令第三百四十五号）第百三十四条第一項に規定する規定により加算されることとなる額（第三項において「加算額相当額」という。）を控除して得た額（
	は、同項	は、附則第四十一条第一項及び第四十五条
	同項の規定により	これらの規定により

平成二十四年一元化法附則第四十八条第三項	が控除調整下限額	から加算額相当額を控除した額が控除調整下限額
	をもって	に当該加算額相当額を加えた額をもって
第百三十二条第一項	が控除調整下限額	から第百三十四条第一項に規定する規定により加算されることとなる額（以下この項において「加算額相当額」という。）を控除した額が控除調整下限額
	をもって	に当該加算額相当額を加えた額をもって

2　平成二十四年一元化法附則第四十一条遺族共済年金の支給を受ける者が前項に規定する場合に該当することとなったとき、又は該当しないこととなったときは、当該平成二十四年一元化法附則第四十一条遺族共済年金の額を改定する。

（追加費用対象期間を有する者で控除期間等の期間を有するものに係る平成二十四年一元化法附則第四十一条遺族共済年金の額の特例）

第百三十五条　控除期間等の期間を有する者（国共済組合員等期間が二十五年以上である者に限る。）の遺族に対する平成二十四年一元化法附則第四十八条の規定の適用については、同条第一項中「は、同項」とあるのは「は、同項及び附則第四十五条」と、「同項の規定により」とあるのは「これらの規定により」と、「月数を」とあるのは「月数から附則第四十三条第一項に規定する控除期間等の期間の月数（その月数が国共済組合員等期間の月数から三百月を控除した月数を超えるときは、その控除した月数）を控除した月数を」とする。

（昭和六十年国民年金等改正法等の規定により退職共済年金及び遺族共済年金の支給を併せて受ける場合における年金の額の特例）

第百三十六条　なお効力を有する改正前昭和六十年国共済改正法附則第十一条第五項の規定により退職年金とみなされた平成二十四年一元化法附則第三十七条第一項に規定する給付のうち退職共済年金、なお効力を有する改正前昭和六十年地共済改正法附則第十条第五項の規定により旧地共済法の規定による退職年金とみなされた平成二十四年一元化法附則第六十一条第一項に規定する給付のうち退職共済年金又は改正後厚生年金保険法の規定を適用するとしたならば昭和六十年国民年金等改正法附則第六十三条第一項の規定が適用されることとなる場合における平成二十四年一元化法附則第四十一条退職共済年金の受給権者がなお効力を有する改正前昭和六十年国共済改正法附則第十一条第四項、なお効力を有する改正前昭和六十年地共済改正法附則第十条第四項又は昭和六十年国民年金等改正法附則第五十六条第六項の規定により平成二十四年一元化法附則第三十七条第一項に規定する給付のうち遺族共済年金、平成二十四年一元化法附則第六十一条第一項に規定する給付のうち遺族共済年金、平成二十四年一元化法附則第四十一条遺族共済年金又は改正後厚生年金保険法による年金たる保険給付（第二号厚生年金又は第三号厚生年金に限る。）のうち遺族厚生年金の支給を併せて受けることができる場合における第百二十三条の規定により読み替えられた平成二十四年一元化法附則第四十六条及び第百三十一条の規定により読み替えられた平成二十四年一元化法附則第四十八条の規定並びに第百二十四条及び第百三十二条の規定の適用については、次の表の上欄に掲げる規定中同表の中欄に掲げる字句は、それぞれ同表の下欄に掲げる字句とする。

第百二十三条の規定により読み替えられた平成二十四年一元化法附則第四十六条第一項	の額（	の額の二分の一に相当する額（
	）の額	）の額（改正前国共済法による職域加算額のうち退職を支給事由とするもの、旧国共済法の規定による退職年金、減額退職年金若しくは通算退職年金又は旧地共済法の規定による退職年金、減額退職年金若しくは通算退職年金にあっては、その額の二分の一に相当する額とする。第三項において同じ。）
第百二十三条の規定により読み替えられた平成二十四年一元化法附則第四十六条第三項	と併給年金	の二分の一に相当する額と併給年金
	相当する	相当する額に二を乗じて得た
第百三十一条の規定により読み替えられた平成二十四年一元化法附則第四十八条第一項	）の額	）の額（改正前国共済法による職域加算額のうち退職を支給事由とするもの、附則第三十七条第一項に規定する給付のうち退職共済年金、附則第四十一条第一項の規定により国家公務員共済組合連合会が支給する年金である給付のうち退職共済年金若しくは旧国共済法の規定による退職年金、減額退職年金若しくは通算退職年金又は改正前地共済法による職域加算額（附則第六十条第五項に規定する改正前地共済法による職域加算額をいう。）のうち退職を支給事由とするもの、附則第六十一条第一項に規定する給付のうち退職共済年金、附則第六十五条第一項の規定により地方公務員共済組合（附則第五十六条第二項に規定する地方公務員共済組合をいう。）が支給する年金である給付のうち退職共済年金若しくは旧地共済法の規

		定による退職年金、減額退職年金若しくは通算退職年金にあっては、その額の二分の一に相当する額とする。第三項において同じ。）
第百二十四条第一項	という。）と	という。）の二分の一に相当する額と
	適用後の併給年金の額	適用後の併給年金の額（旧国共済職域加算退職給付、旧国共済法の規定による退職年金、減額退職年金若しくは通算退職年金又は旧地共済法の規定による退職年金、減額退職年金若しくは通算退職年金にあっては、その額の二分の一に相当する額とする。以下この項において同じ。）
	控除後年金総額を	控除後退職共済年金額と年金額控除規定の適用後の併給年金の額との合計額を
	相当する	相当する額に二を乗じて得た
第百三十二条第一項	適用後の併給年金の額	適用後の併給年金の額（旧国共済職域加算退職給付、平成二十四年一元化法附則第三十七条第一項に規定する給付のうち退職共済年金、平成二十四年一元化法附則第四十一条退職共済年金若しくは旧国共済法の規定による退職年金、減額退職年金若しくは通算退職年金又は旧地共済職域加算退職給付、平成二十四年一元化法附則第六十一条第一項に規定する給付のうち退職共済年金、平成二十四年一元化法附則第六十五条退職共済年金若しくは旧地共済法の規定による退職年金、減額退職年金若しくは通算退職年金にあっては、その額の二分の一に相当する額とする。以下この項において同じ。）
	控除後年金総額を	控除後遺族共済年金額と年金額控除規定の適用後の併給年金の額との合計額を

第百三十七条　なお効力を有する改正前平成十六年国共済改正法附則第十八条第一項若しくは第二項の規定によりなお従前の例によることとされた改正前平成十六年国共済改正法第五条の規定による改正前の国家公務員共済組合法第七十四条の二の規定、平成十六年地共済改正法附則第十七条第一項若しくは第二項の規定によりなお従前の例によることとされた平成十六年地共済改正法第四条の規定による改正前の地方公務員等共済組合法第七十六条の二の規定又は平成十六年国民年金法等改正法附則第四十四条第一項若しくは第二項の規定によりなお従前の例によることとされた平成十六年国民年金法等改正法第十二条の規定による改正前の厚生年金保険法第三十八条の二の規定により旧国共済職域加算退職給付、平成二十四年一元化法附則第三十七条第一項に規定する給付のうち退職共済年金若しくは平成二十四年一元化法附則第四十一条退職共済年金、旧地共済職域加算退職給付、平成二十四年一元化法附則第六十一条第一項に規定する給付のうち退職共済年金若しくは平成二十四年一元化法附則第六十五条退職共済年金又は改正後厚生年金保険法による年金たる保険給付（第二号厚生年金又は第三号厚生年金に限る。以下この項において同じ。）のうち老齢厚生年金の受給権者が旧国共済職域加算遺族給付、平成二十四年一元化法附則第三十七条第一項に規定する給付のうち遺族共済年金若しくは平成二十四年一元化法附則第四十一条遺族共済年金、旧地共済職域加算遺族給付、平成二十四年一元化法附則第六十一条第一項に規定する給付のうち遺族共済年金若しくは平成二十四年一元化法附則第六十五条遺族共済年金又は改正後厚生年金保険法による年金たる保険給付のうち遺族厚生年金の支給を併せて受けることができる場合における第百二十三条の規定により読み替えられた平成二十四年一元化法附則第四十六条及び第百三十一条の規定により読み替えられた平成二十四年一元化法附則第四十八条の規定並びに第百二十四条及び第百三十二条の規定の適用については、次の表の上欄に掲げる規定中同表の中欄に掲げる字句は、それぞれ同表の下欄に掲げる字句とする。

第百二十三条の規定により読み替えられた平成二十四年一元化法附則第四十六条第一項	の額（	の額の二分の一に相当する額（
	）の額	）の額（改正前国共済法による職域加算額のうち死亡を支給事由とするもの、附則第三十七条第一項に規定する給付のうち遺族共済年金若しくは附則第四十一条第一項の規定により国家公務員共済組合連合会が支給する年金である給付のうち遺族共済年金、改正前地共済法による職域加算額（附則第六十条第五項に規定する改正前地共済法による職域加算額をいう。）のうち死亡を支給事由とするもの、附則第六十一条第一項に規定する給付のうち遺族共済年金若しくは附則第六十五条第一項の規定により地方公務員共済組合（附則第五十六条第二項に規定する地方公務員共済組合をいう。）が支給する年金である給付のうち遺族共済年金又は改正後厚生年金保険法による年金たる保険給付（第二号厚生年金被保険者期間に基づく改

		正後厚生年金保険法による保険給付又は第三号厚生年金被保険者期間に基づく改正後厚生年金保険法による保険給付に限る。）のうち遺族厚生年金にあっては、その額の三分の二に相当する額とし、改正前国共済法による職域加算額のうち退職を支給事由とするもの、旧国共済法の規定による退職年金、減額退職年金若しくは通算退職年金又は旧地共済法の規定による退職年金、減額退職年金若しくは通算退職年金にあっては、その額の二分の一に相当する額とする。第三項において同じ。）
第百二十三条の規定により読み替えられた平成二十四年一元化法附則第四十六条第三項	と併給年金	の二分の一に相当する額と併給年金
	相当する	相当する額に二を乗じて得た
第百三十一条の規定により読み替えられた平成二十四年一元化法附則第四十八条第一項	の額（	の額の三分の二に相当する額（
	）の額	）の額（改正前国共済法による職域加算額のうち死亡を支給事由とするものにあっては、その額の三分の二に相当する額とし、改正前国共済法による職域加算額のうち退職を支給事由とするもの、附則第三十七条第一項に規定する給付のうち退職共済年金、附則第四十一条第一項の規定により国家公務員共済組合連合会が支給する年金である給付のうち退職共済年金若しくは旧国共済法の規定による退職年金、減額退職年金若しくは通算退職年金、改正前地共済法による職域加算額（附則第六十条第五項に規定する改正前地共済法による職域加算額をいう。）のうち退職を支給事由とするもの、附則第六十一条第一項に規定する給付のうち退職共済年金、附則第六十五条第一項の規定により地方公務員共済組合（附則第五十六条第二項に規定する地方公務員共済組合をいう。）が支給する年金である給付のうち退職共済年金若しくは旧地共済法の規定による退職年金、減額退職年金若しくは通算退職年金又は改正後厚生年金保険法による年金たる保険給付（第二号厚生年金被保険者期間に基づく改正後厚生年金保険法による保険給付又は第三号厚生年金被保険者期間に基づく改正後厚生年金保険法による保険給付に限る。）のうち老齢厚生年金にあっては、その額の二分の一に相当する額とする。第三項において同じ。）
附則第四十一条及び第四十五条	国民年金法等の一部を改正する法律（平成十六年法律第百四号）附則第四十四条第一項又は第二項の規定によりなお従前の例によることとされた同法第十二条の規定による改正前の厚生年金保険法第六十条及び第六十一条	
第百三十一条の規定により読み替えられた平成二十四年一元化法附則第四十八条第三項	と併給年金	の三分の二に相当する額と併給年金
	相当する	相当する額に二分の三を乗じて得た
第百二十四条第一項	という。）と	という。）の二分の一に相当する額と
	適用後の併給年金の額	適用後の併給年金の額（旧国共済職域加算遺族給付、平成二十四年一元化法附則第三十七条第一項に規定する給付のうち遺族共済年金若しくは平成二十四年一元化法附則第四十一条遺族共済年金、旧地共済職域加算遺族給付、平成二十四年一元化法附則第六十一条第一項に規定する給付のうち遺族共済年金若しくは平成二十四年一元化法附則第六十五条遺族共済年金又は改正後厚生年金保険法による年金たる保険給付（第二号厚生年金又は第三号厚生年金に限る。）のうち遺族厚生年金にあっては、その額の三分の二に相当する額とし、旧国共済職域加算退職給付、旧国共済法の規定による退職年金、減額退職年金若しくは通算退職年金又は旧地共済法の規定によ

		る退職年金、減額退職年金若しくは通算退職年金にあっては、その額の二分の一に相当する額とする。以下この項において同じ。）
	控除後年金総額を	控除後退職共済年金額と年金額控除規定の適用後の併給年金の額との合計額を
	相当する	相当する額に二を乗じて得た
第百三十二条第一項	という。）と	という。）の三分の二に相当する額と
	適用後の併給年金の額	適用後の併給年金の額（旧国共済職域加算遺族給付にあっては、その額の三分の二に相当する額とし、旧国共済職域加算退職給付、平成二十四年一元化法附則第三十七条第一項に規定する給付のうち退職共済年金、平成二十四年一元化法附則第四十一条退職共済年金若しくは旧国共済法の規定による退職年金、減額退職年金若しくは通算退職年金、旧地共済職域加算退職給付、平成二十四年一元化法附則第六十一条第一項に規定する給付のうち退職共済年金、平成二十四年一元化法附則第六十五条退職共済年金若しくは旧地共済法の規定による退職年金、減額退職年金若しくは通算退職年金又は改正後厚生年金保険法による年金たる保険給付（第二号厚生年金に限る。）のうち老齢厚生年金にあっては、その額の二分の一に相当する額とする。以下この項において同じ。）
	控除後年金総額を	控除後遺族共済年金額と年金額控除規定の適用後の併給年金の額との合計額を
	相当する	相当する額に二分の三を乗じて得た

第五節　退職共済年金等及び遺族共済年金等の支給を併せて受ける場合における年金の額の特例

第百三十八条　改正前国共済法による退職共済年金等及び改正前国共済法による遺族共済年金等（なお効力を有する改正前国共済法第八十九条第二項又はなお効力を有する改正前厚生年金保険法（平成二十四年一元化法附則第十二条第二項の規定によりなおその効力を有するものとされた改正前厚生年金保険法をいい、平成二十七年厚年経過措置政令第二十一条第一項の規定により読み替えられた規定にあっては、同項の規定による読替え後のものとする。以下同じ。）第六十条第二項の規定によりその額が算定されるものを除く。）の受給権者（なお効力を有する改正前地共済法第九十九条の四の二又は改正後厚生年金保険法第六十四条の二の規定の適用を受ける者に限る。）について、これらの年金である給付のいずれかが第五十九条第三項に規定する控除対象年金であり、かつ、控除前退職共済年金等の額（退職共済年金額算定規定により算定した額（平成二十四年一元化法附則第三十七条第一項に規定する給付のうち退職共済年金の受給権を有しない者については、零とする。）及び老齢厚生年金額算定規定により算定した額（第二号厚生年金のうち老齢厚生年金及び平成二十四年一元化法附則第四十一条退職共済年金の受給権のいずれも有しない者については、零とする。）の合計額をいい、改正前国共済法による職域加算額が支給される者については、その額を加えた額とし、退職特例年金給付（改正後平成九年国共済経過措置政令第二条第一項第三号に掲げる退職特例年金給付をいう。次項において同じ。）の受給権を有する者については、老齢厚生年金相当額を加えた額とする。次項において同じ。）と控除前遺族共済年金等の額（遺族共済年金額算定規定により算定した額（平成二十四年一元化法附則第三十七条第一項に規定する給付のうち遺族共済年金の受給権を有しない者については、零とする。）又は遺族厚生年金額算定規定により算定した額（第二号遺族厚生年金及び平成二十四年一元化法附則第四十一条遺族共済年金の受給権のいずれも有しない者については、零とする。）をいい、改正前国共済法による職域加算額が支給される者については、その額を加えた額とし、遺族特例年金給付（改正後平成九年国共済経過措置政令第二条第一項第三号に掲げる遺族特例年金給付をいう。次項において同じ。）の受給権を有する者については、改正後平成九年国共済経過措置政令第十三条第一項第九号又は第十号の規定により算定した額を基礎として財務大臣が定める額を加えた額とする。次項において同じ。）とのうちいずれか多い額が控除前控除調整下限額を超えるときは、平成二十四年一元化法附則第三十七条第一項に規定する給付のうち退職共済年金、平成二十四年一元化法附則第四十一条退職共済年金、同項に規定する給付のうち遺族共済年金、第二号遺族厚生年金及び平成二十四年一元化法附則第四十一条遺族共済年金の額は、次の各号に掲げる年金である給付の区分に応じ、当該各号に定める額とする。

一　平成二十四年一元化法附則第三十七条第一項に規定する給付のうち退職共済年金　次のイ又はロに掲げる場合の区分に応じ、当該イ又はロに定める額

イ　当該退職共済年金が第五十九条第三項に規定する控除対象年金でない場合　退職共済年金額算定規定により算定した額

ロ　当該退職共済年金が第五十九条第三項に規定する控除対象年金である場合　退職共済年金額算定規定により算定した額から当該算定した額（国民年金法の規定による老齢基礎年金又は障害基礎年金が支給される場合には、第五十六条に規定する乗じて得た額を加えた額とする。以下このロにおいて「控除前退職共済年金額」という。）を組合員期

間の月数で除して得た額の百分の二十七に相当する額に追加費用対象期間の月数を乗じて得た額又は控除前退職共済年金額の百分の十に相当する額のいずれか少ない額を控除した額

二　平成二十四年一元化法附則第四十一条退職共済年金　老齢厚生年金額算定規定により算定した額から当該算定した額（国民年金法の規定による老齢基礎年金又は障害基礎年金が支給される場合には第百二十一条に規定する乗じて得た額を、改正前国共済法による職域加算額が支給される場合にはその額を、それぞれ加えた額とする。以下この号において「控除前退職共済年金額」という。）を国共済組合員等期間の月数で除して得た額の百分の二十七に相当する額に追加費用対象期間の月数を乗じて得た額又は控除前退職共済年金額の百分の十に相当する額のいずれか少ない額を控除した額

三　平成二十四年一元化法附則第三十七条第一項に規定する給付のうち遺族共済年金　次のイ又はロに掲げる場合の区分に応じ、当該イ又はロに定める額

イ　当該遺族共済年金が第五十九条第三項に規定する控除対象年金でない場合　第一号に定める額又は前号に定める額を基礎として遺族共済年金額算定規定により算定した額

ロ　当該遺族共済年金が第五十九条第三項に規定する控除対象年金である場合　第一号に定める額又は前号に定める額となお効力を有する改正前国共済法第八十九条第一項第一号の規定の例により算定した額から当該算定した額を組合員期間の月数（改正前国共済法第八十八条第一項第一号から第三号までのいずれかに該当することにより支給される遺族共済年金にあっては、当該月数が三百月未満であるときは、三百月）で除して得た額の百分の二十七に相当する額に追加費用対象期間の月数を乗じて得た額又は当該算定した額の百分の十に相当する額のいずれか少ない額を控除した額とを基礎として遺族共済年金額算定規定の例により算定した額

四　第二号遺族厚生年金　第一号に定める額又は第二号に定める額を基礎として遺族厚生年金額算定規定により算定した額

五　平成二十四年一元化法附則第四十一条遺族共済年金　第一号に定める額又は第二号に定める額と改正後厚生年金保険法第六十条第一項第一号の規定の例により算定した額から当該算定した額（改正前国共済法による職域加算額が支給される場合には、その額を加えた額）を国共済組合員等期間の月数（厚生年金保険法第五十八条第一項第一号から第三号までのいずれかに該当することにより支給される平成二十四年一元化法附則第四十一条遺族共済年金にあっては、当該月数が三百月未満であるときは、三百月）で除して得た額の百分の二十七に相当する額に追加費用対象期間の月数を乗じて得た額又は当該算定した額の百分の十に相当する額のいずれか少ない額を控除した額を基礎として遺族厚生年金額算定規定の例により算定した額

2　前項の場合において、控除後退職共済年金等の額（同項第一号に定める額、第二号厚生年金のうち老齢厚生年金について老齢厚生年金額算定規定により算定した額（第二号厚生年金のうち老齢厚生年金の受給権を有しない者については、零とする。）及び同項第二号に定める額の合計額をいい、改正前国共済法による職域加算額が支給される者については、その額を加えた額とし、退職特例年金給付が支給される者については、老齢厚生年金相当額を加えた額とする。以下この項において同じ。）と控除後遺族共済年金等の額（前項第三号に定める額、同項第四号に定める額又は同項第五号に定める額をいい、改正前国共済法による職域加算額が支給される者については、その額を加えた額とし、遺族特例年金給付の受給権を有する者については、控除後遺族厚生年金相当額を加えた額とする。以下この項において同じ。）のいずれもが控除調整下限額より少ないときは、前項の規定にかかわらず、平成二十四年一元化法附則第三十七条第一項に規定する給付のうち退職共済年金、平成二十四年一元化法附則第四十一条退職共済年金、同項に規定する給付のうち遺族共済年金、第二号遺族厚生年金及び平成二十四年一元化法附則第四十一条遺族共済年金の額は、次の各号に掲げる場合の区分に応じ、当該各号に定める額とする。

一　控除前退職共済年金等の額が控除前控除調整下限額を超え、かつ、控除前遺族共済年金等の額が控除前控除調整下限額以下である場合　次のイからホまでに掲げる年金である給付の区分に応じ、当該イからホまでに定める額

イ　平成二十四年一元化法附則第三十七条第一項に規定する給付のうち退職共済年金　控除後控除調整下限額（第二号厚生年金のうち老齢厚生年金（以下この項において「第二号老齢厚生年金」という。）の受給権を有する場合には当該第二号老齢厚生年金の額を、退職特例年金給付が支給される場合には老齢厚生年金相当額を、それぞれ控除した額）

ロ　平成二十四年一元化法附則第四十一条退職共済年金　控除後控除調整下限額（退職特例年金給付が支給される場合には、老齢厚生年金相当額を控除した額）

ハ　平成二十四年一元化法附則第三十七条第一項に規定する給付のうち遺族共済年金　前項第三号に定める額に、控除後控除調整下限額から控除後退職共済年金等の額を控除して得た額を基礎として遺族共済年金額算定規定に定める遺族共済年金の額の算定方法を勘案して財務大臣が定めるところにより算定した額を加えた額

ニ　第二号遺族厚生年金　控除後控除調整下限額を基礎として遺族厚生年金額算定規定により算定した額

ホ　平成二十四年一元化法附則第四十一条遺族共済年金　前項第五号に定める額に、控除後控除調整下限額から控除後退職共済年金等の額を控除して得た額を基礎として遺族厚生年金額算定規定に定める遺族厚生年金の額の算定方法を勘案して財務大臣が定めるところにより算定した額を加えた額

二　控除前退職共済年金等の額が控除前控除調整下限額以下であり、かつ、控除前遺族共済年金等の額が控除前控除調整下限額を超える場合　次のイからホまでに掲げる年金である給付の区分に応じ、当該イからホまでに定める額

イ　平成二十四年一元化法附則第三十七条第一項に規定する給付のうち退職共済年金　前項第一号に定める額に、控除後控除調整下限額から控除後遺族共済年金等の額を控除して得た額を基礎として遺族共済年金額算定規定に定める遺族共済年金の額又は遺族厚生年金額算定規定に定める遺族厚生年金の額の算定方法を勘案して財務大臣が定めるとこ

ろにより算定した額を加えた額

ロ　平成二十四年一元化法附則第四十一条退職共済年金　前項第二号に定める額に、控除後控除調整下限額から控除後遺族共済年金等の額を控除して得た額を基礎として遺族共済年金額算定規定に定める遺族共済年金の額又は遺族厚生年金額算定規定に定める遺族厚生年金の額の算定方法を勘案して財務大臣が定めるところにより算定した額を加えた額

ハ　平成二十四年一元化法附則第三十七条第一項に規定する給付のうち遺族共済年金　控除後控除調整下限額（遺族特例年金給付が支給される場合には、控除後遺族厚生年金相当額に控除後控除調整下限額から控除後遺族共済年金等の額を控除して得た額を基礎として遺族共済年金額算定規定に定める遺族共済年金の額の算定方法を勘案して財務大臣が定めるところにより算定した額を加えた額を除いた額。ニ及びホにおいて同じ。）

ニ　第二号遺族厚生年金　控除後控除調整下限額

ホ　平成二十四年一元化法附則第四十一条遺族共済年金　控除後控除調整下限額

三　控除前退職共済年金等の額及び控除前遺族共済年金等の額がともに控除前控除調整下限額を超えている場合であって、控除後退職共済年金等の額が控除後遺族共済年金等の額を超える場合　次のイからホまでに掲げる年金である給付の区分に応じ、当該イからホまでに定める額

イ　平成二十四年一元化法附則第三十七条第一項に規定する給付のうち退職共済年金　控除後控除調整下限額（第二号老齢厚生年金の受給権を有する場合には当該老齢厚生年金の額を、退職特例年金給付が支給される場合には老齢厚生年金相当額を、それぞれ控除した額）

ロ　平成二十四年一元化法附則第四十一条退職共済年金　控除後控除調整下限額（退職特例年金給付が支給される場合には、老齢厚生年金相当額を控除した額）

ハ　平成二十四年一元化法附則第三十七条第一項に規定する給付のうち遺族共済年金　前項第三号に定める額に、控除後控除調整下限額から控除後退職共済年金等の額を控除して得た額を基礎として遺族共済年金額算定規定に定める遺族共済年金の額の算定方法を勘案して財務大臣が定めるところにより算定した額を加えた額

ニ　第二号遺族厚生年金　控除後控除調整下限額を基礎として遺族厚生年金額算定規定により算定した額

ホ　平成二十四年一元化法附則第四十一条遺族共済年金　前項第五号に定める額に、控除後控除調整下限額から控除後退職共済年金等の額を控除して得た額を基礎として遺族厚生年金額算定規定に定める遺族厚生年金の額の算定方法を勘案して財務大臣が定めるところにより算定した額を加えた額

四　控除前退職共済年金等の額及び控除前遺族共済年金等の額がともに控除前控除調整下限額を超えている場合であって、控除後退職共済年金等の額が控除後遺族共済年金等の額以下である場合　次のイからホまでに掲げる年金である給付の区分に応じ、当該イからホまでに定める額

イ　平成二十四年一元化法附則第三十七条第一項に規定する給付のうち退職共済年金　前項第一号に定める額に、控除後控除調整下限額から控除後遺族共済年金等の額を控除して得た額を基礎として遺族共済年金額算定規定に定める遺族共済年金の額又は遺族厚生年金額算定規定に定める遺族厚生年金の額の算定方法を勘案して財務大臣が定めるところにより算定した額を加えた額

ロ　平成二十四年一元化法附則第四十一条退職共済年金　前項第二号に定める額に、控除後控除調整下限額から控除後遺族共済年金等の額を控除して得た額を基礎として遺族共済年金額算定規定に定める遺族共済年金の額又は遺族厚生年金額算定規定に定める遺族厚生年金の額の算定方法を勘案して財務大臣が定めるところにより算定した額を加えた額

ハ　平成二十四年一元化法附則第三十七条第一項に規定する給付のうち遺族共済年金　控除後控除調整下限額（遺族特例年金給付が支給される場合には、控除後遺族厚生年金相当額に控除後控除調整下限額から控除後遺族共済年金等の額を控除して得た額を基礎として遺族共済年金の額の算定方法を勘案して財務大臣が定めるところにより算定した額を加えた額を除いた額。ニ及びホにおいて同じ。）

ニ　第二号遺族厚生年金　控除後控除調整下限額

ホ　平成二十四年一元化法附則第四十一条遺族共済年金　控除後控除調整下限額

３　前二項の規定により算定された平成二十四年一元化法附則第三十七条第一項に規定する給付のうち遺族共済年金、第二号遺族厚生年金又は平成二十四年一元化法附則第四十一条遺族共済年金（以下この条において「遺族共済年金等」という。）の支給を受ける者がなお効力を有する改正前国共済法第九十三条の二第一項第二号から第五号まで又は改正後厚生年金保険法第六十三条第一項第二号から第五号までのいずれかに該当することにより当該遺族共済年金等を受ける権利を失ったときは、当該遺族共済年金等と併せて支給されていた平成二十四年一元化法附則第三十七条第一項に規定する給付のうち退職共済年金の額又は平成二十四年一元化法附則第四十一条退職共済年金の額を改定する。

４　控除期間等の期間を有する者（組合員期間又は国共済組合員等期間が二十年以上である者に限る。）に対する前三項の規定の適用については、第一項第一号ロ中「月数を」とあるのは「月数からなお効力を有する改正前国共済施行法第十一条第一項に規定する控除期間等の期間の月数を控除した月数を」と、同項第二号中「月数を」とあるのは「月数から平成二十四年一元化法附則第四十三条第一項に規定する控除期間等の期間の月数を控除した月数を」とし、控除期間等の期間を有する者（改正前国共済施行法第八条又は第九条の規定の適用を受ける者に限る。）に対する前三項の規定の適用については、第一項第一号ロ中「月数を」とあるのは、「月数からなお効力を有する改正前国共済施行法第十一条第一項に規定する控除期間等の期間の月数を控除した月数を」とする。

５　控除期間等の期間を有する者（組合員期間又は国共済組合員等期間が二十五年以上である者に限る。）の遺族に対する第一項から第三項までの規定の適用については、第一項第三号ロ中「月数を」とあるのは「月数からなお効力を有する改正前国共済施行法第十一条第一項に規定する控除期間等の期間の月数

(その月数が組合員期間の月数から三百月を控除した月数を超えるときは、その控除した月数)を控除した月数を」と、同項第五号中「月数を」とあるのは「月数から平成二十四年一元化法附則第四十三条第一項に規定する控除期間等の期間の月数(その月数が国共済組合員等期間の月数から三百月を控除した月数を超えるときは、その控除した月数)を控除した月数を」とする。

6 前各項の規定は、改正前国共済法による退職共済年金等及び改正前国共済法による遺族共済年金等(なお効力を有する改正前国共済法第八十九条第二項又はなお効力を有する改正前厚生年金保険法第六十条第二項の規定によりその額が算定されるものに限る。)の受給権者について準用する。この場合において、次の表の上欄に掲げる規定中同表の中欄に掲げる字句は、それぞれ同表の下欄に掲げる字句に読み替えるものとする。

第一項	次項において同じ。)と控除前遺族共済年金等の額	この項及び次項において同じ。)と控除前遺族共済年金等支給額
	(平成二十四年一元化法附則第三十七条第一項に規定する給付のうち遺族共済年金の受給権を有しない者については、零とする。)又は	から控除前退職共済年金等の額になお効力を有する改正前国共済法第八十九条第二項第二号ロに掲げる比率を乗じて得た額を控除して得た額(平成二十四年一元化法附則第三十七条第一項に規定する給付のうち遺族共済年金の受給権を有しない者又は当該控除して得た額が零を下回る場合については、零とする。)及び
	(第二号遺族厚生年金及び平成二十四年一元化法附則第四十一条遺族共済年金の受給権のいずれも有しない者については、零とする。)	から控除前退職共済年金等の額になお効力を有する改正前厚生年金保険法第六十条第二項第二号ロに掲げる比率を乗じて得た額を控除して得た額(第二号遺族厚生年金及び平成二十四年一元化法附則第四十一条遺族共済年金の受給権のいずれも有しない者又は当該控除して得た額が零を下回る場合については、零とする。)の合計額
	うちいずれか多い額	合計額
第二項	控除後遺族共済年金等の額(前項第三号に定める額、同項第四号に定める額又は同項第五号に定める額をいい、改正前国共済法による職域加算額が支給される者については、その額を加えた額とし、遺族特例年金給付の受給権を有する者については、控除後遺族厚生年金相当額を加えた額とする。以下この項において同じ。)のいずれも	控除後遺族共済年金等支給額(前項第三号に定める額から控除後退職共済年金等の額になお効力を有する改正前国共済法第八十九条第二項第二号ロに掲げる比率を乗じて得た額を控除して得た額(平成二十四年一元化法附則第三十七条第一項に規定する給付のうち遺族共済年金の受給権を有しない場合又は当該控除して得た額が零を下回る場合には、零とする。)、前項第四号に定める額から控除後退職共済年金等の額になお効力を有する改正前厚生年金保険法第六十条第二項第二号ロに掲げる比率を乗じて得た額を控除して得た額(第二号遺族厚生年金の受給権を有しない場合又は当該控除して得た額が零を下回る場合には、零とする。)及び前項第五号に定める額から控除後退職共済年金等の額に同条第二項第二号ロに掲げる比率を乗じて得た額を控除して得た額(平成二十四年一元化法附則第四十一条遺族共済年金の受給権を有しない場合又は当該控除して得た額が零を下回る場合には、零とする。)との合計額をいい、改正前国共済法による職域加算額が支給される者については、その額を加えた額とし、遺族特例年金給付の受給権を有する者については、控除後遺族厚生年金相当額を加えた額とする。以下この条において同じ。)との合計額
第二項第一号	控除前遺族共済年金等の額が控除前控除調整下限額以下である	控除前遺族共済年金等支給額が零となる
第二項第二号	控除前遺族共済年金等の額	控除前退職共済年金等の額と控除前遺族共済年金等支給額との合計額
第二項第二号ハ	控除後控除調整下限額(遺族特例年金給付が支給される場合には、控除後遺族	前項第三号に定める額に、控除後控除調整下限額から控除後退職共済年金等の額と控除後遺族共済年金等支給額との合計額を控除して得た額を基礎として遺族共済年金額算定規定に定める遺族共済年金の額の算定方法を勘案して財務大

	厚生年金相当額に控除後控除調整下限額から控除後遺族共済年金等の額を控除して得た額を基礎として遺族共済年金額算定規定に定める遺族共済年金の額の算定方法を勘案して財務大臣が定めるところにより算定した額を加えた額を除いた額。ニ及びホにおいて同じ。）	臣が定めるところにより算定した額を加えた額
第二項第二号ニ	控除後控除調整下限額	前項第四号に定める額に、控除後控除調整下限額から控除後退職共済年金等の額と控除後遺族共済年金等支給額との合計額を控除して得た額を基礎として遺族厚生年金額算定規定に定める遺族厚生年金の額の算定方法を勘案して財務大臣が定めるところにより算定した額を加えた額

第二項第二号ホ	控除後控除調整下限額	前項第五号に定める額に、控除後控除調整下限額から控除後退職共済年金等の額と控除後遺族共済年金等支給額との合計額を控除して得た額を基礎として遺族厚生年金額算定規定に定める遺族厚生年金の額の算定方法を勘案して財務大臣が定めるところにより算定した額を加えた額
第二項第三号	及び控除前遺族共済年金等の額がともに控除前控除調整下限額	が控除前控除調整下限額を超え、かつ、控除前遺族共済年金等支給額が零
	控除後退職共済年金等の額が控除後遺族共済年金等の額を超える	控除後遺族共済年金等支給額が零となる
第二項第四号	及び控除前遺族共済年金等の額がともに控除前控除調整下限額	が控除前控除調整下限額を超え、かつ、控除前遺族共済年金等支給額が零
	控除後退職共済年金等の額が控除後遺族共済	

	年金等の額以下である	控除後遺族共済年金等支給額が零を超える
第二項第四号イ及びロ	控除後遺族共済年金等の額	控除後退職共済年金等の額と控除後遺族共済年金等支給額との合計額
第二項第四号ハ	控除後控除調整下限額（遺族特例年金給付が支給される場合には、控除後遺族厚生年金相当額に控除後控除調整下限額から控除後遺族共済年金等の額を控除して得た額を基礎として遺族共済年金の額の算定方法を勘案して財務大臣が定めるところにより算定した額を加えた額を除いた額。ニ及びホにおいて同じ。）	前項第三号に定める額に、控除後控除調整下限額から控除後退職共済年金等の額と控除後遺族共済年金等支給額との合計額を控除して得た額を基礎として遺族共済年金額算定規定に定める遺族共済年金の額の算定方法を勘案して財務大臣が定めるところにより算定した額を加えた額

第二項第四号ニ	控除後控除調整下限額	前項第四号に定める額に、控除後控除調整下限額から控除後退職共済年金等の額と控除後遺族共済年金等支給額との合計額を控除して得た額を基礎として遺族厚生年金額算定規定に定める遺族厚生年金の額の算定方法を勘案して財務大臣が定めるところにより算定した額を加えた額
第二項第四号ホ	控除後控除調整下限額	前項第五号に定める額に、控除後控除調整下限額から控除後退職共済年金等の額と控除後遺族共済年金等支給額との合計額を控除して得た額を基礎として遺族厚生年金額算定規定に定める遺族厚生年金の額の算定方法を勘案して財務大臣が定めるところにより算定した額を加えた額

7　平成二十四年一元化法附則第三十七条第一項に規定する給付のうち退職共済年金又は平成二十四年一元化法附則第四十一条退職共済年金及び平成二十四年一元化法附則第六十一条第一項に規定する給付のうち遺族共済年金、第三号厚生年金のうち遺族厚生年金又は平成二十四年一元化法附則第六十五条遺族共済年金の受給権者（なお効力を有する改正前地共済法第九十九条の四の二又は改正後厚生年金保険法第六十四条の二の規定の適用を受ける者に限る。）に対する平成二十四年一元化法附則第三十七条第一項に規定する給付のうち退職共済年金又は平成二十四年一元化法附則第四十一条退職共済年金の額は、平成二十四年一元化法附則第六十一条第一項に規定する給付のうち遺族共済年金を平成二十四年一元化法附則第三十七条第一項に規定する給付のうち遺族共済年金と、第三号厚生年金のうち遺族厚生年金を第二号遺族厚生年金と、平成二十四年一元化法附則第六十五条遺族共済年金を平成二十四年一元化法附則第四十一条遺族共済年金とそれぞれみなして前各項の規定を適用した場合に算定される額とする。

8　平成二十四年一元化法附則第六十一条第一項に規定する給付のうち退職共済年金、第三号厚生年金のうち老齢厚生年金又は平成二十四年一元化法附則第六十五条退職共済年金及び平成二十四年一元化法附則第三十七条第一項に規定する給付のうち遺族共済年金、第二号遺族厚生年金又は平成二十四年一元化法附則第四十一条遺族共済年金の受給権者（なお効力を有する改正前国共済法第九十一条の二又は改正後厚生年金保険法第六十四条の二の規定の適用を受ける者に限る。）に対する平成二十四年一元化法附則第三十七条第一項に規定する給付のうち遺族共済年金、第二号遺族厚生年金又は平成二十四年一元化法附則第四十一条遺族共済年金の額は、平成二十四年一元化法附則第六十一条第一項に規定する給付のうち退職共済年金を平成二十四年一元化法附則第三十七条第一項に規定する給付のうち退職共済年金と、平成二十四年一元化法附則第六十五条退職共済年金を平成二十四年一元化法附則第四十一条退職共済年金とそれぞれみなして第一項から第六項までの規定を適用した場合に算定される額とする。

9　改正前国共済法第七十八条第一項の規定により同項に規定する加給年金額が加算された平成二十四年一元化法附則第三十七条第一項に規定する給付のうち退職共済年金又は厚生年金保険法の規定を適用するとしたならば同法第四十四条第一項の規定により同項に規定する加給年金額が加算されることとなる場合における平成二十四年一元化法附則第四十一条退職共済年金について第一項（第六項において準用する場合を含む。）の規定を適用する場合における平成二十四年一元化法附則第三十七条第一項に規定する給付のうち退職共済年金の額の算定その他前各項の規定の適用について必要な事項は、財務省令で定める。

10　第一項（第六項において準用する場合を含む。）及び第六項に規定する「改正前国共済法による退職共済年金等」とは、なお効力を有する改正前国共済法第八十九条第一項第二号に規定する退職共済年金等をいう。

11　第一項（第六項において準用する場合を含む。）及び第六項に規定する「改正前国共済法による遺族共済年金等」とは、平成二十四年一元化法附則第三十七条第一項に規定する給付のうち遺族共済年金又は平成二十四年一元化法附則第四十一条遺族共済年金若しくは第二号遺族厚生年金をいう。

12　第一項（第六項において準用する場合を含む。）に規定する「退職共済年金額算定規定」とは、なお効力を有する改正前国共済法第七十七条第一項及び第二項、第七十八条第一項及び第二項並びに第七十八条の二第四項並びに附則第十二条の六の二第四項及び第十二条の八第七項、なお効力を有する改正前国共済施行法第十一条、なお効力を有する改正前昭和六十年国共済改正法附則第十六条第一項及び第四項並びに第十七条第二項並びになお効力を有する改正前国共済令附則第二十七条の四第五項の規定をいう。

13　第一項及び第二項（これらの規定を第六項において準用する場合を含む。）に規定する「老齢厚生年金額算定規定」とは、改正後厚生年金保険法第四十三条第一項及び第四十四条の三第四項並びに附則第七条の三第四項及び第十三条の四第四項、厚生年金保険法第四十四条第一項及び第二項並びに昭和六十年国民年金等改正法附則第五十九条第二項及び第六十条第二項の規定をいう。

14　第一項及び第二項（これらの規定を第六項において準用する場合を含む。）に規定する「老齢厚生年金相当額」とは、みなし組合員期間に係る平均標準報酬月額を基礎として第十二項に規定する退職共済年金額算定規定の例により算定した額（改正後平成八年改正法附則第三十三条第五項に規定する職域相当額があるときは、当該職域相当額を控除して得た額とする。）をいう。

15　第一項及び第二項に規定する「遺族共済年金額算定規定」とは、なお効力を有する改正前国共済法第八十九条第一項、なお効力を有する改正前国共済施行法第十三条並びになお効力を有する改正前昭和六十年国共済改正法附則第二十八条第一項並びに第二十九条第一項及び第二項の規定をいい、第六項において準用する第一項及び第二項に規定する「遺族共済年金額算定規定」とは、なお効力を有する改正前国共済法第八十九条第二項、なお効力を有する改正前国共済施行法第十三条並びになお効力を有する改正前昭和六十年国共済改正法附則第二十八条第一項並びに第二十九条第一項及び第二項の規定をいう。

16　第一項及び第二項に規定する「遺族厚生年金額算定規定」とは、改正後厚生年金保険法第六十条第一項並びに昭和六十年国民年金等改正法附則第七十三条第一項並びに第七十四条第一項及び第二項の規定をいい、第六項において準用する第一項及び第二項に規定する「遺族厚生年金額算定規定」とは、なお効力を有する改正前厚生年金保険法第六十条第二項並びに昭和六十年国民年金等改正法附則第七十三条第一項並びに第七十四条第一項及び第二項の規定をいう。

17　第一項から第三項まで（これらの規定を第六項において準用する場合を含む。）、第七項、第八項及び第十一項に規定する「第二号遺族厚生年金」とは、第二号厚生年金のうち遺族厚生年金をいう。

18　第一項及び第二項（これらの規定を第六項において準用する場合を含む。）に規定する「控除前控除調整下限額」とは、控除調整下限額から、特例年金給付の受給権を有する場合には改正後平成九年国共済経過措置政令第十七条の二の三第一項に規定する控除前退職特例年金給付額、改正後平成九年国共済経過措置政令第十七条の三の三第一項に規定する控除前遺族特例年金給付額又は改正後平成九年国共済経過措置政令第十七条の四の二第一項第一号に規定する控除前特例年金給付額を、国民年金法の規定による老齢基礎年金、障害基礎年金又は遺族基礎年金が支給される場合には当該老齢基礎年金、障害基礎年金又は遺族基礎年金の額を、それぞれ控除した額をいう。

19　第二項（第六項において準用する場合を含む。）に規定する「控除後遺族厚生年金相当額」とは、みなし組合員期間に係る平均標準報酬月額を基礎として第一項第三号ロの例により算定される額（改正後平成八年改正法附則第三十三条第五項に規定する職域相当額があるときは、当該職域相当額を控除した額）を基礎として財務大臣が定める額をいう。

20　第二項（第六項において準用する場合を含む。）に規定する「控除後控除調整下限額」とは、控除調整下限額から、特例年金給付の受給権を有する場合には改正後平成九年国共済経過措置政令第十七条の二の三第三項第一号に規定する控除後退職特例年金給付額、改正後平成九年国共済経過措置政令第十七条の三の三第三項第一号に規定する控除後遺族特例年金給付額又は改正後平成九年国共済経過措置政令第十七条の四の二第三項に規定する控除後特例年金給付額を、国民年金法の規定による老齢基礎年金、障害基礎年金又は遺族基礎年金が支給される場合には当該老齢基礎年金、障害基礎年金又は遺族基礎年金の額を、それぞれ控除した額をいう。

21　第十四項及び第十九項に規定する「みなし組合員期間」とは、改正後平成八年改正法附則第三十一条第一号に規定する被保険者期間とみなされた組合員期間をいう。

第六節　費用の負担等に関する経過措置

（平成二十四年一元化法附則第三十二条、第三十六条、第三十七条及び第四十一条の規定による一時金である給付及び年金である給付等に要する費用）

第百三十九条　平成二十四年一元化法附則第四十九条第四号に規定する政令で定める費用は、平成二十七年国共済整備政令第二条の規定による改正前の昭和六十一年国共済経過措置政令第六十七条、第六十八条、第七十条及び第七十一条の規定の例により算定した額を合算した額とする。

2　平成二十四年一元化法附則第四十九条第四号の規定により国が毎年度において負担すべき金額及びその組合（国家公務員共済組合法第三条に規定する組合をいう。第百五十一条において同じ。）又は連合会への払込みについては、昭和六十一年国共済経過措置政令第六十八条の二及び第六十九条の規定を準用する。

第百四十条　平成二十四年一元化法附則第三十二条、第三十六条、第三十七条及び第四十一条の規定による一時金である給付及び年金である給付に係る連合会の事務に要する費用の負担については、改正後国共済法第九十九条第五項（同条第七項及び第八項の規定により読み替えて適用する場合を含む。以下この項、次項及び第百四十二条において同じ。）の規定を準用する。この場合において、改正後国共済法第九十九条第五項中「組合」とあるのは「連合会」と、「福祉事業に係る事務を除く」とあるのは「被用者年金制度の一元化等を図るための厚生年金保険法等の一部を改正する法律（平成二十四年法律第六十三号）附則第三十二条、第三十六条、第三十七条及び第四十一条の規定による一時金である給付及び年金である給付に係るものに限る」と読み替えるものとする。

2　前項において読み替えて準用する改正後国共済法第九十九条第五項の規定により国、行政執行法人（独立行政法人通則法（平成十一年法律第百三号）第二条第四項に規定する行政執行法人をいう。以下同じ。）又は職員団体（改正後国共済法第九十九条第六項に規定する職員団体をいう。）が負担すべき金額の払込みについては、改正後国共済法第百二条の規定を準用する。

（国の組合の経過的長期給付に相当する給付）

第百四十一条　平成二十四年一元化法附則第四十九条の二に規定する政令で定める給付は、次の各号に掲げる給付とする。

一　平成二十四年一元化法附則第三十七条第一項に規定する給付のうち公務等による障害共済年金及び公務等による遺族共済年金

二　旧国共済法による年金である給付のうち旧国共済法第八十一条第二項に規定する公務による障害年金及び旧国共済法第八十八条第一号の規定による公務による遺族年金

三　旧国共済法による年金である給付（前号に掲げる給付及び旧国共済法第百二十一条第一項第二号の規定によりその額が算定された給付を除く。）の額の百十分の十に相当する給付

四　昭和四十二年度以後における国家公務員共済組合等からの年金の額の改定に関する法律等の一部を改正する法律（昭和五十四年法律第七十二号）附則第七条の規定によりなお従前の例により支給される退職一時金並びに昭和六十年国共済改正法附則第六十一条の規定によりなお従前の例により支給される脱退一時金及び特例死亡一時金並びに昭和六十年国共済改正法附則第八十五条の規定によりなお従前の例により支給される返還一時金及び死亡一時金の額の百十分の十に相当する給付

五　平成二十四年一元化法附則第三十二条第一項の規定による障害一時金のうち同項においてその例によることとされる改正前国共済法第八十七条の七第二号の規定の例により算定し

た額の百分の二百に相当する給付

六　改正前国共済施行法第三条の規定による給付

（国の組合の経過的長期給付積立金を充てるべき費用）

第百四十二条　平成二十四年一元化法附則第四十九条の二に規定する政令で定める費用は、同条に規定する国の組合の経過的長期給付（以下「国の組合の経過的長期給付」という。）に係る事務に要する費用（第百四十条第一項において読み替えて準用する改正後国共済法第九十九条第五項の規定による国及び行政執行法人の負担に係るものを除く。）とする。

（国の組合の経過的長期給付積立金の積立て）

第百四十三条　改正後国共済令第九条第三項及び第四項の規定は、平成二十四年一元化法附則第四十九条の二に規定する国の組合の経過的長期給付積立金（以下「国の組合の経過的長期給付積立金」という。）の積立てについて準用する。

（国の組合の経過的長期給付積立金の管理及び運用に関する基本的な指針）

第百四十四条　改正後国共済令第九条の二の規定は、国の組合の経過的長期給付積立金の管理及び運用について準用する。

（国の組合の経過的長期給付積立金等の管理及び運用）

第百四十五条　国家公務員共済組合法施行令第九条の三第二項から第五項まで及び第九条の四の規定は、国の組合の経過的長期給付積立金及び国の組合の経過的長期給付の支払上の余裕金（以下「国の組合の経過的長期給付積立金等」という。）の管理及び運用について準用する。この場合において、次の表の上欄に掲げる同令第九条の三の規定中同表の中欄に掲げる字句は、それぞれ同表の下欄に掲げる字句に読み替えるものとする。

第二項第四号	連合会をいい、第九条第一項に規定する経理を行うものを除く	連合会の他をいう
第四項	及び退職等年金給付積立金等	、退職等年金給付積立金等及び国の組合の経過的長期給付積立金等（被用者年金制度の一元化等を図るための厚生年金保険法等の一部を改正する法律の施行及び国家公務員の退職給付の給付水準の見直し等のための国家公務員退職手当法等の一部を改正する法律の一部の施行に伴う国家公務員共済組合法による長期給付等に関する経過措置に関する政令（平成二十七年政令第三百四十五号）第百四十五条に規定する国の組合の経過的長期給付積立金等をいう。以下同じ。）
第五項	厚生年金保険給付積立金等及び退職等年金給付積立金等	国の組合の経過的長期給付積立金等

（国の組合の経過的長期給付に係る収入）

第百四十六条　平成二十四年一元化法附則第五十条第二項に規定する政令で定める連合会の収入は、当該事業年度の国の組合の経過的長期給付に要する費用及び当該国の組合の経過的長期給付の事務に要する費用に係る収入のうち、国の組合の経過的長期給付と平成二十四年一元化法附則第七十五条の二第一項に規定する地方の組合の経過的長期給付（以下「地方の組合の経過的長期給付」という。）の円滑な実施を図るために平成二十四年一元化法附則第五十条第一項に規定する国の組合の経過的長期給付に係る収入とすることが適当でないものとして財務大臣が定めるもの以外のものとする。

（国の組合の経過的長期給付に係る支出）

第百四十七条　平成二十四年一元化法附則第五十条第三項に規定する政令で定める連合会の支出は、当該事業年度の国の組合の経過的長期給付に要する費用及び当該国の組合の経過的長期給付の事務に要する費用に係る支出のうち、国の組合の経過的長期給付と地方の組合の経過的長期給付の円滑な実施を図るために同条第一項に規定する国の組合の経過的長期給付に係る支出とすることが適当でないものとして財務大臣が定めるもの以外のものとする。

（地方公務員共済組合連合会に対する拠出金の拠出）

第百四十八条　改正後国共済令第二十八条第一項から第三項まで及び第五項の規定は、連合会が、平成二十四年一元化法附則第五十条第一項の規定に基づく拠出金を地方公務員共済組合連合会（地方公務員等共済組合法第三十八条の二第一項に規定する地方公務員共済組合連合会をいう。）に拠出する場合について準用する。

（国家公務員共済組合法等の規定の適用に関する経過措置）

第百四十九条　当分の間、平成二十四年一元化法附則第九十七条の規定による改正後の国家公務員共済組合法の長期給付に関する施行法第三条の二第二項の規定の適用については、同項中「附則第二十条の三第二項」とあるのは、「附則第二十条の二第二項」とする。

（社会保険関係地方事務官又は職業安定関係地方事務官であった者に係る平成二十四年一元化法附則第六十条第九項、第六十一条第二項及び第六十五条第一項の規定の適用に関する特例）

第百四十九条の二　地方分権の推進を図るための関係法律の整備等に関する法律（平成十一年法律第八十七号）附則第百五十八条第一項の規定により同項に規定する長期給付に係る地方職員共済組合の権利義務が国家公務員共済組合連合会に承継された者に係る平成二十四年一元化法附則第六十条第九項、第六十一条第二項及び第六十五条第一項の規定の適用については、これらの規定中「組合が」とあるのは、「国家公務員共済組合連合会が」とする。

第四章　退職等年金給付に関する経過措置

（改正後国共済法による退職年金の支給要件に関する経過措置）

第百五十条　当分の間、改正後国共済法第七十七条第一項の規定の適用については、同項中「組合員期間」とあるのは、「組合員期間（平成二十七年十月一日に引き続かない被用者年金制度の一元化等を図るための厚生年金保険法等の一部を改正する法律（平成二十四年法律第六十三号）附則第四条第十一号に規定する旧国家公務員共済組合員期間を除く。）」とする。

（退職等年金給付に関する規定を適用しない者等に関する経過措置）

第百五十一条　当分の間、改正後国共済法の退職等年金給付に関する規定は、組合の組合員のうち平成二十四年一元化法附則第百六条の規定による改正後の社会保障協定の実施に伴う厚生年金保険法等の特例等に関する法律（平成十九年法律第百四号）第二十四条第一項の規定により厚生年金保険の被保険者としない者については、適用しない。

2　平成二十七年国共済整備政令第五条の規定による改正後の社会保障協定の実施に伴う国家公務員共済組合法等の特例に関する政令（平成二十年政令第三十七号）第二条第三項の規定は、改正後国共済法の退職等年金給付に関する規定の適用について準用する。

（厚生年金保険給付積立金の当初額の積立て）

第百五十二条　連合会は、施行日において、改正後国共済法第二十一条第二項第一号ハに規定する厚生年金保険給付積立金の当初額の見込額として、退職給付水準見直し法附則第六条の規定により算定した額を、財務大臣の定めるところにより、厚生年金保険給付積立金として積み立てるものとする。

2　前項の規定により施行日において連合会が積み立てた厚生年金保険給付積立金の当初額の見込額が、当該当初額に満たない場合又は超える場合の取扱いその他厚生年金保険給付積立金の当初額の積立てに関し必要な事項は、財務省令で定める。

（公務傷病に係る初診日が施行日以後にある場合の公務障害年金の額の特例）

第百五十三条　退職給付水準見直し法附則第十条第三項の規定に基づき改正後国共済法第八十四条の規定による公務障害年金の額を算定する場合における同条の規定の適用については、同条第一項中「とする」とあるのは、「とする。ただし、当該額が被用者年金制度の一元化等を図るための厚生年金保険法等の一部を改正する法律（平成二十四年法律第六十三号）附則第四条第十一号に規定する旧国家公務員共済組合員期間と同法附則第四十一条第一項に規定する追加費用対象期間とを合算した期間を基礎として同法附則第三十六条第五項の規定によりなおその効力を有するものとされた同法第二条による改正前の第八十二条第一項第二号又は第二項の規定の例により算定した額よりも少ないときは、当該額を公務障害年金の額として支給する」とする。

（公務傷病に係る初診日が施行日以後にある場合の公務遺族年金の額の特例）

第百五十四条　退職給付水準見直し法附則第十条第四項の規定に基づき改正後国共済法第九十条の規定による公務遺族年金の額を算定する場合における同条の規定の適用については、同条第一項中「とする」とあるのは、「とする。ただし、当該額が被用者年金制度の一元化等を図るための厚生年金保険法等の一部を改正する法律（平成二十四年法律第六十三号）附則第四条第十一号に規定する旧国家公務員共済組合員期間と同法附則第四十一条第一項に規定する追加費用対象期間とを合算した期間を基礎として同法附則第三十六条第五項の規定によりなおその効力を有するものとされた同法第二条による改正前の第八十九条第一項第一号イ(2)若しくはロ(2)又は第三項の規定の例により算定した額よりも少ないときは、当該額を公務遺族年金の額として支給する」とする。

（改正前国共済法による職域加算額のうち公務等によるもの及び改正後厚生年金保険法による障害厚生年金等の支給を受ける場合における労働者災害補償保険法の適用に関する経過措置）

第百五十五条　改正前国共済法による職域加算額（第八条第一項の規定により読み替えられた平成二十四年一元化法附則第三十六条第五項の規定によりなおその効力を有するものとされた改正前国共済法第八十二条第二項に規定する公務等による旧職域加算障害給付又は第八条第一項の規定により読み替えられた平成二十四年一元化法附則第三十六条第五項の規定によりなおその効力を有するものとされた改正前国共済法第八十九条第三項に規定する公務等による旧職域加算遺族給付に係るものに限る。）の受給権者が同一の支給事由により改正後厚生年金保険法による障害厚生年金若しくは遺族厚生年金又は平成二十四年一元化法附則第四十一条年金のうち障害共済年金若しくは遺族共済年金の支給を受けるときは、当分の間、平成二十四年一元化法附則第百十五条の規定による改正後の労働者災害補償保険法（昭和二十二年法律第五十号）別表第一第一号及び第二号の規定は、適用しない。

第五章　その他の経過措置

第百五十六条　前三章に定めるもののほか、平成二十四年一元化法及び退職給付水準見直し法の実施のための手続その他これらの法律の施行に伴う経過措置（財務省の所掌に属するものに限る。）に関し必要な事項は、財務省令で定める。

附　則

（施行期日）

第一条　この政令は、平成二十七年十月一日から施行する。ただし、次条第一項及び第三項の規定は、公布の日から施行する。

（国の組合の経過的長期給付積立金の管理及び運用に関する基本的な指針に係る経過措置）

第二条　財務大臣は、この政令の施行の日前においても、第百四十四条において準用する改正後国共済令第九条の二の規定の例により、同条第一項に規定する指針（以下この条において「指針」という。）を定め、これを公表することができる。

2　前項の規定により定められ、公表された指針は、この政令の施行の日において第百四十四条において準用する改正後国共済令第九条の二の規定により定められ、公表されたものとみなす。

3　連合会は、第一項の規定により指針が定められたときは、当該指針に適合するように平成二十四年一元化法附則第四十九条の三において準用する改正後国共済法第三十五条の三第一項の規定による国の組合の経過的長期給付積立金管理運用方針を定めなければならない。

附　則（平二八・三・三一政令一二九）（抄）

（施行期日）

第一条　この政令は、平成二十八年四月一日から施行する。

２　［前略］第四条の規定による改正後の平成二十七年経過措置政令第八条第一項の表改正前昭和六十年国共済改正法附則第十八条の項及び第三十条の二の規定［中略］は、平成二十七年十月一日から適用する。

（国家公務員等共済組合法等の一部を改正する法律による年金である給付の額等に関する経過措置）

第二条　平成二十八年三月以前の月分の国家公務員等共済組合法等の一部を改正する法律（昭和六十年法律第百五号）附則第二条第六号に規定する旧共済法による年金及び厚生年金保険法等の一部を改正する法律（平成八年法律第八十二号）附則第三十三条第一項に規定する特例年金給付の額については、なお従前の例による。

附　則（平二八・三・三一政令一八〇）（抄）

（施行期日）

第一条　この政令は、平成二十八年四月一日から施行する。

附　則（平二八・一二・二六政令三九六）

この政令は、平成二十九年四月一日から施行する。

附　則（平二九・三・三一政令八一）

（施行期日等）

１　この政令は、平成二十九年四月一日から施行する。

２　第二条の規定による改正後の平成二十七年経過措置政令第八条第一項及び第十三条第一項の規定は、平成二十七年十月一日から適用する。

（旧共済法による年金の額に関する経過措置）

３　平成二十九年三月以前の月分の国家公務員等共済組合法等の一部を改正する法律附則第二条第六号に規定する旧共済法による年金の額については、なお従前の例による。

附　則（平二九・七・二八政令二〇四）（抄）

（施行期日）

第一条　この政令は、平成二十九年八月一日から施行する。［ただし書略］

附　則（平三〇・一・二四政令八）（抄）

（施行期日等）

第一条　この政令は、公布の日から施行する。

２　［前略］第四条の規定による改正後の被用者年金制度の一元化等を図るための厚生年金保険法等の一部を改正する法律の施行及び国家公務員の退職給付の給付水準の見直し等のための国家公務員退職手当法等の一部を改正する法律の一部の施行に伴う国家公務員共済組合法による長期給付等に関する経過措置に関する政令第百四十九条の二の規定は、平成二十七年十月一日から適用する。

（経過措置）

第二条　この政令の施行の際現に、国家公務員等共済組合法等の一部を改正する法律（昭和六十年法律第百五号）第一条の規定による改正前の国家公務員等共済組合法（昭和三十三年法律第百二十八号）による退職年金若しくは減額退職年金、地方公務員等共済組合法等の一部を改正する法律（昭和六十年法律第百八号）第一条の規定による改正前の地方公務員等共済組合法（昭和三十七年法律第百五十二号）による退職年金若しくは減額退職年金、私立学校教職員共済組合法等の一部を改正する法律（昭和六十年法律第百六号）第一条の規定による改正前の私立学校教職員共済組合法（昭和二十八年法律第二百四十五号）による退職年金若しくは減額退職年金又は厚生年金保険制度及び農林漁業団体職員共済組合制度の統合を図るための農林漁業団体職員共済組合法等を廃止する等の法律（平成十三年法律第百一号）附則第十六条第六項に規定する移行農林年金のうち退職年金若しくは減額退職年金（次項において「退職年金等」という。）の受給権を有する者であって、被用者年金制度の一元化等を図るための厚生年金保険法等の一部を改正する法律（以下この条において「平成二十四年一元化法」という。）第一条の規定による改正前の厚生年金保険法（以下この項において「改正前厚生年金保険法」という。）による老齢厚生年金の受給権者であるもののうち、次の各号のいずれにも該当する者が、この政令の施行の日（以下この条において「施行日」という。）以後に平成二十四年一元化法附則第十二条第二項の規定によりなおその効力を有するものとされた改正前厚生年金保険法第四十四条の三第一項の申出をしたときは、施行日の前日において、同項の申出があったものとみなす。

一　当該老齢厚生年金の受給権を取得した日から起算して五年を経過した日が施行日以後にある者

二　当該老齢厚生年金の請求をしていない者

三　改正前厚生年金保険法第四十四条の三第一項の申出をしていない者

２　この政令の施行の際現に、退職年金等の受給権を有する者であって、平成二十四年一元化法第一条の規定による改正後の厚生年金保険法（以下この項において「改正後厚生年金保険法」という。）による老齢厚生年金の受給権者であるもののうち、次の各号のいずれにも該当する者が、施行日以後に厚生年金保険法施行令第三条の十三の二第一項の規定により読み替えられた改正後厚生年金保険法第七十八条の二十八の規定により読み替えられた改正後厚生年金保険法第四十四条の三第一項の申出をしたときは、施行日の前日において、同項の申出があったものとみなす。

一　当該老齢厚生年金の受給権を取得した日から起算して一年を経過した日が施行日前にある者

二　当該老齢厚生年金の請求をしていない者

三　改正後厚生年金保険法第四十四条の三第一項の申出をしていない者

附　則（平三〇・三・二八政令七三）

この政令は、平成三十年四月一日から施行する。

〇民法の一部を改正する法律及び民法の一部を改正する法律の施行に伴う関係法律の整備等に関する法律の施行に伴う関係政令の整備に関する政令（抄）

平三〇・六・六
政令一八三

改正　令元・六・二八政令四四

（平成二十七年国共済経過措置政令の一部改正に伴う経過措置）

第二十条　施行日前に平成二十四年一元化法附則第三十六条第五項に規定する改正前国共済法による職域加算額を受ける権利（当該権利に基づき支払期月ごとに同項に規定する改正前国共済法による職域加算額の支給を受ける権利を含む。）が生じた場合におけるこれらの権利の消滅時効の期間については、前条の規定による改正後の平成二十七年国共済経過措置政令第十二条第一項の規定により読み替えられた平成二十四年一元化法附則第三十六条第十一項の規定により適用するものとされた新厚生年金保険法第九十二条第一項の規定にかかわらず、なお従前の例による。

２　施行日前に平成二十四年一元化法附則第三十七条第一項に規定する給付を受ける権利（当該権利に基づき支払期月ごとに同項に規定する給付の支給を受ける権利を含む。）が生じた場合におけるこれらの権利の消滅時効の期間については、前条の規定による改正後の平成二十七年国共済経過措置政令第十八条第一項の規定により読み替えられた平成二十四年一元化法附則第三十七条第四項の規定により適用するものとされた新厚生年金保険法第九十二条第一項の規定にかかわらず、なお従前の例による。

附　則

この政令は、民法の一部を改正する法律の施行の日（令和二年四月一日）から施行する。

附　則（平三一・三・二〇政令四〇）

この政令は、平成三十一年四月一日から施行する。

附　則（平三一・四・五政令一四六）（抄）

改正　令二・三・三一政令一三八

（施行期日）

第一条　この政令は、平成三十年改正法の施行の日（令和二年四月一日）から施行する。

附　則（令二・三・三〇政令一〇一）（抄）

（施行期日）

第一条　この政令は、令和二年四月一日から施行する。

附　則（令二・四・一五政令一四四）

この政令は、公布の日から施行し、令和二年四月一日から適用する。

附　則（令二・一〇・三〇政令三一八）（抄）

（施行期日）

１　この政令は、令和三年三月一日から施行する。

附　則（令三・三・三一政令一〇三）（抄）

（施行期日）

第一条　この政令は、令和三年四月一日から施行する。

（平成二十七年経過措置政令の一部改正に伴う経過措置）

第四条　第三条の規定による改正前の平成二十七年経過措置政令第百三十九条第二項の規定により準用する改正前昭和六十一年経過措置政令第六十九条第四項の規定により読み替えて準用する同条第一項の規定により独立行政法人造幣局等が当該職員である組合員が属する組合に払い込んだ金額と改正前昭和六十年改正法附則第三十一条第一項の規定により独立行政法人造幣局等が負担すべき金額との調整については、なお従前の例による。

附　則（令三・八・六政令二二九）（抄）

（施行期日）

第一条　この政令は、令和四年四月一日から施行する。ただし、次の各号に掲げる規定は、当該各号に定める日から施行する。

一　〔略〕

二　〔前略〕第三十七条〔中略〕の規定　令和四年十月一日

三・四　〔略〕

（改正後の平成二十七年国共済経過措置政令における時効に関する経過措置）

第二十一条　第三十六条の規定による改正後の平成二十七年国共済経過措置政令第十二条第一項の規定により読み替えられた厚生年金保険法第九十二条第一項（改正前国共済法による職域加算額の返還を受ける権利に係る部分に限る。）及び第二項の規定は、施行日以後に生ずる当該権利及び同項に規定する権利について適用する。

２　第三十六条の規定による改正後の平成二十七年国共済経過措置政令第十八条第一項の規定により読み替えられた厚生年金保険法第九十二条第一項（平成二十四年一元化法附則第三十七条第一項に規定する給付の返還を受ける権利に係る部分に限る。）及び第二項の規定は、施行日以後に生ずる当該権利及び同項に規定する権利について適用する。

附　則（令四・三・二五政令一一八）（抄）

（施行期日）

第一条　この政令は、令和四年四月一日から施行する。

（平成二十四年一元化法による旧職域加算退職給付の支給の繰下げ等に関する経過措置）

第三条　第三条の規定による改正後の平成二十七年経過措置政令第八条第一項の規定により読み替えられた平成二十四年一元化法附則第三十六条第五項の規定によりなおその効力を有するものとされた一元化前国共済法第七十八条の二第二項の規定は、施行日の前日において、旧国家公務員共済組合員期間（平成二十四年一元化法附則第四条第十一号に掲げる旧国家公務員共済組合員期間をいう。以下同じ。）を有する者に係る平成二十四年一元化法附則第三十六条第五項に規定する改正前国共済法による職域加算額のうち退職を給付事由とするもの（以下「旧職域加算退職給付」という。）の受給権を取得した日から起算して五年を経過していない者について適用する。

２　第三条の規定による改正後の平成二十七年経過措置政令第八条第二項の規定により読み替えられた平成二十四年一元化法附則第三十六条第五項の規定によりなおその効力を有するものとされた一元化前国共済令第十一条の七の三の二第一項から第三項までの規定は、施行日の前日において、旧国家公務員共済組合員期間を有する者に係る旧職域加算退職給付の受給権を取得した日から起算して五年を経過していない者について適用する。

３　第三条の規定による改正後の平成二十七年経過措置政令第十八条第一項の規定により読み替えられた平成二十四年一元化法附則第三十六条第五項の規定によりなおその効力を有するものとされた一元化前国共済令附則第六条の二の十及び第六条の二の十三の規定は、施行日の前日において、六十歳に達していない者について適用する。

附　則（令四・三・三〇政令一二八）（抄）

（施行期日）

第一条　この政令は、令和五年四月一日から施行する。

（国家公務員共済組合法施行令及び平成二十七年国共済経過措置政令の一部改正に伴う経過措置）

第三条　旧再任用職員等である組合員であった者（第十一条の規定の適用を受ける者を除く。）に対する〔中略〕第十条の規定による改正前の平成二十七年国共済経過措置政令第八条第二項及び第十五条第二項の規定の適用については、なお従前の例による。

附　則（令四・八・三政令二六五）（抄）

（施行期日）

第一条　この政令は、令和四年十月一日から施行する。

附　則（令五・三・三〇政令一一七）（抄）

（施行期日）

第一条　この政令は、令和五年四月一日から施行する。

附　則（令五・三・三〇政令一一九）（抄）

（施行期日）

第一条　この政令は、令和五年四月一日から施行する。

（受給権を取得した日から起算して五年を経過した日後の平成二十四年一元化法による改正前国共済法による職域加算額のうち退職を給付事由とするものの請求に関する経過措置）

第三条　第三条の規定による改正後の平成二十七年経過措置政令第八条第三項の規定は、この政令の施行の日の前日において、平成二十四年一元化法附則第三十六条第五項に規定する改正前国共済法による職域加算額のうち退職を給付事由とするものの受給権を取得した日から起算して六年を経過していない者について適用する。

附　則（令六・三・二九政令一二七）（抄）

（施行期日）

第一条　この政令は、令和六年四月一日から施行する。

○国家公務員法等の一部を改正する法律及び国会職員法及び国家公務員退職手当法の一部を改正する法律の施行に伴う関係政令の整備等及び経過措置に関する政令（抄）

令四・三・三〇
政令一二八

第二章　経過措置

（暫定再任用職員等である組合員又は組合員であった者に対する国家公務員共済組合法施行令の適用に関する経過措置）

第十一条　国家公務員法等の一部を改正する法律（以下「改正法」という。）附則第四条第一項若しくは第二項の規定により採用された職員（国家公務員共済組合法（昭和三十三年法律第百二十八号）第二条第一項第一号に規定する職員をいう。以下この条において同じ。）又はこれに相当する職員（次項において「暫定再任用職員等」という。）である組合員（国家公務員共済組合の組合員をいう。以下この条及び附則第三条において同じ。）又は組合員であった者に対する国家公務員共済組合法施行令第二十一条の二の規定の適用については、同条第一項第二号中「月数が」とあるのは「月数（国家公務員法等の一部を改正する法律（令和三年法律第六十一号）附則第四条第一項若しくは第二項の規定により採用された職員又はこれに相当する職員（以下この号及び第四号において「暫定再任用職員等」という。）である組合員（職員でなくなつたことにより当該職員が退職手当（国家公務員退職手当法の規定による退職手当をいう。以下この号及び第四号において同じ。）又はこれに相当する給付の支給を受けることができる場合における当該職員でなくなつた日又はその翌日に当該暫定再任用職員等となつた組合員を除く。）が退職手当又はこれに相当する給付の額の算定の基礎となる職員としての引き続く在職期間中の行為に関する懲戒処分によつて退職した場合にあつては、当該引き続く在職期間に係る組合員期間の月数と暫定再任用職員等としての在職期間に係る組合員期間の月数とを合算した月数）が」と、同項第四号中「国家公務員退職手当法の規定による退職手当又は」とあるのは「退職手当又は」と、「月数が」とあるのは「月数（当該職員である組合員が当該引き続く在職期間の末日以後に暫定再任用職員等である組合員となつた場合にあつては、当該引き続く在職期間に係る組合員期間の月数と暫定再任用職員等としての在職期間に係る組合員期間の月数とを合算した月数）が」と、同条第五項中「同項第三号に規定する停職の期間の日数又は」とあるのは「同号及び」と、「月数は」とあるのは「月数若しくは暫定再任用職員等としての在職期間に係る組合員期間の月数又は同項第三号に規定する停職の期間の日数は」とする。

2　前項の場合において、暫定再任用職員等である組合員又は組合員であった者が改正法第一条の規定による改正前の国家公務員法（昭和二十二年法律第百二十号）第八十一条の四第一項の規定により採用された職員又はこれに相当する職員（附則第三条において「旧再任用職員等」という。）である組合員であった者に該当するときは、前項中「令和三年法律第六十一号」とあるのは「令和三年法律第六十一号。以下この号において「令和三年国家公務員法等改正法」という。」と、「翌日に」とあるのは「翌日に令和三年国家公務員法等改正法第一条の規定による改正前の国家公務員法第八十一条の四第一項の規定により採用された職員又はこれに相当する職員（以下この号及び第四号において「旧再任用職員等」という。）となり、当該旧再任用職員等でなくなつた日又はその翌日に」と、「と暫定再任用職員等としての在職期間に係る組合員期間の月数及び暫定再任用職員等」と、「月数とを」とあるのは「月数を」と、「以後に」とあるのは「以後に旧再任用職員等である組合員及び」と、「月数若しくは」とあるのは「月数、旧再任用職員等としての在職期間に係る組合員期間の月数若しくは」とする。

附　則（抄）

（施行期日）

第一条　この政令は、令和五年四月一日から施行する。

○社会保障協定の実施に伴う厚生年金保険法等の特例等に関する法律（抄）

平一九・六・二七
法一〇四

最終改正　令三・五・一九法三七

目次

第一章　総則

（趣旨）

第一条　この法律は、社会保障協定を実施するため、我が国及び我が国以外の締約国の双方において就労する者等に関する医療保険制度及び年金制度について、健康保険法（大正十一年法律第七十号）、船員保険法（昭和十四年法律第七十三号）、国民健康保険法（昭和三十三年法律第百九十二号）、高齢者の医療の確保に関する法律（昭和五十七年法律第八十号）、国民年金法（昭和三十四年法律第百四十一号）、厚生年金保険法（昭和二十九年法律第百十五号）、国家公務員共済組合法（昭和三十三年法律第百二十八号）、地方公務員等共済組合法（昭和三十七年法律第百五十二号）及び私立学校教職員共済法（昭和二十八年法律第二百四十五号）の特例その他必要な事項を定めるものとする。

（定義）

第二条　この法律において、次の各号に掲げる用語の意義は、それぞれ当該各号の定めるところによる。

一　社会保障協定　我が国と我が国以外の締約国との間の社会

保障に関する条約その他の国際約束であって、次に掲げる事項の一以上について定めるものをいう。

イ 医療保険制度に係る我が国の法令及び相手国法令の重複適用の回避に関する事項

ロ 年金制度に係る我が国の法令及び相手国法令の重複適用の回避に関する事項

ハ 我が国及び相手国の年金制度における給付を受ける資格を得るために必要とされる期間の通算並びに当該通算により支給することとされる給付の額の計算に関する事項

二 相手国 一の社会保障協定における我が国以外の締約国をいう。

三 相手国法令 一の社会保障協定に規定する相手国の法令をいう。

四 日本国実施機関等又は相手国実施機関等 それぞれ一の社会保障協定に規定する日本国の実施機関若しくは保険者又は相手国の実施機関若しくは保険者をいう。

五 相手国期間 相手国年金（年金制度に係る相手国法令の規定により支給される年金たる給付その他の給付をいう。第六十一条において同じ。）の支給を受ける資格を得るために相手国法令上必要とされる期間の計算の基礎となる期間として当該相手国との社会保障協定に規定する相手国の期間をいう。

第二章 健康保険法関係

第三条 健康保険の適用事業所に使用される者（健康保険法第三条第八項に規定する日雇労働者（次項において「日雇労働者」という。）を除く。）であって次の各号のいずれかに掲げるものは、同条第一項の規定にかかわらず、健康保険の被保険者としない。

一 日本国の領域内において就労する者であって、前条第一号イに掲げる事項について定める社会保障協定の規定（以下「医療保険制度適用調整規定」という。）により相手国法令の規定の適用を受けるもの（第三号及び第四号に掲げる者を除き、政令で定める社会保障協定に係る場合にあっては、政令で定める者に限る。）

二 相手国の領域内において就労する者であって、医療保険制度適用調整規定により相手国法令の規定の適用を受けるもの（次号及び第四号に掲げる者を除く。）

三 日本国の領域内及び相手国の領域内において同時に就労する者であって、医療保険制度適用調整規定により相手国法令の規定の適用を受けるもの（次号に掲げる者を除き、政令で定める社会保障協定に係る場合にあっては、政令で定める者に限る。）

四 次条第一項の規定により船員保険の被保険者としないこととされた者、第四十五条の規定により国家公務員共済組合法の規定（長期給付に関する規定を除く。）を適用しないこととされた者、第四十九条の規定により地方公務員等共済組合法の規定（長期給付に関する規定を除く。）を適用しないこととされた者又は第五十四条第一項の規定により私立学校教職員共済法の短期給付に関する規定を適用しないこととされた者

2 健康保険の適用事業所に使用される日雇労働者のうち、医療保険制度適用調整規定により相手国法令の規定の適用を受ける者（政令で定める社会保障協定に係る場合にあっては、政令で定める者に限る。）は、健康保険法第三条第二項の規定にかかわらず、同項に規定する日雇特例被保険者（第五条第一項第三号において「日雇特例被保険者」という。）としない。

3 第一項に規定する者の健康保険の被保険者の資格の取得及び喪失に関し必要な事項は、政令で定める。

第三章 船員保険法関係

第四条 船員法（昭和二十二年法律第百号）第一条に規定する船員として船舶所有者（船員保険法第三条に規定する場合にあっては、同条の規定により船舶所有者とされる者）に使用される者であって次の各号のいずれかに掲げるものは、船員保険法第二条第一項の規定にかかわらず、船員保険の被保険者としない。

一 日本国籍を有する船舶又は相手国の国籍を有する船舶その他政令で定める船舶において就労する者であって、医療保険制度適用調整規定により相手国法令の規定の適用を受けるもの（次号に掲げる者を除き、政令で定める社会保障協定に係る場合にあっては、政令で定める者に限る。）

二 第四十五条の規定により国家公務員共済組合法の規定（長期給付に関する規定を除く。）を適用しないこととされた者又は第四十九条の規定により地方公務員等共済組合法の規定（長期給付に関する規定を除く。）を適用しないこととされた者

2 前項に規定する者の船員保険の被保険者の資格の取得及び喪失に関し必要な事項は、政令で定める。

第四章 国民健康保険法関係

第五条 都道府県の区域内に住所を有する者であって次の各号のいずれかに掲げるものは、国民健康保険法第五条又は第十九条第一項の規定にかかわらず、国民健康保険の被保険者としない。

一 日本国の領域内において就労する者であって、医療保険制度適用調整規定により相手国法令の規定の適用を受けるもの（第三号に掲げる者を除き、政令で定める社会保障協定に係る場合にあっては、政令で定める者に限る。）

二 相手国の領域内において就労する者であって、医療保険制度適用調整規定により相手国法令の規定の適用を受けるもの（次号に掲げる者を除く。）

三 第三条第一項の規定により健康保険の被保険者としないこととされた者、同条第二項の規定により日雇特例被保険者としないこととされた者、前条第一項の規定により船員保険の被保険者としないこととされた者、次条第一項の規定により後期高齢者医療の被保険者としないこととされた者、第四十五条の規定により国家公務員共済組合法の規定（長期給付に関する規定を除く。）を適用しないこととされた者、第四十九条の規定により地方公務員等共済組合法の規定（長期給付に関する規定を除く。）を適用しないこととされた者又は第五十四条第一項の規定により私立学校教職員共済法の短期給付に関する規定を適用しないこととされた者

四 第一号又は前号のいずれかに該当する者の配偶者（婚姻の届出をしていないが、事実上婚姻関係と同様の事情にある者

を含む。以下同じ。）又は子であって政令で定めるもの
2　前項に規定する者の国民健康保険の被保険者の資格の取得及び喪失に関し必要な事項は、政令で定める。

第五章　高齢者の医療の確保に関する法律関係

第六条　高齢者の医療の確保に関する法律第五十条に規定する者であって次の各号のいずれかに掲げるものは、同条の規定にかかわらず、後期高齢者医療の被保険者としない。
一　日本国の領域内において就労する者であって、医療保険制度適用調整規定により相手国法令の規定の適用を受けるもの（政令で定める社会保障協定に係る場合にあっては、政令で定める者に限る。）
二　相手国の領域内において就労する者であって、医療保険制度適用調整規定により相手国法令の規定の適用を受けるもの
三　第一号に該当する者の配偶者又は子であって政令で定めるもの
2　前項に規定する者の後期高齢者医療の被保険者の資格の取得及び喪失に関し必要な事項は、政令で定める。

第六章　国民年金法関係

第一節　被保険者の資格に関する特例

（被保険者の資格の特例）
第七条　日本国内に住所を有する者であって次の各号のいずれかに掲げるものは、国民年金法第七条第一項の規定にかかわらず、国民年金の被保険者としない。
一　日本国の領域内において就労する者であって、第二条第一号ロに掲げる事項について定める社会保障協定の規定（以下「年金制度適用調整規定」という。）により相手国法令の規定の適用を受けるもの（第三号及び第四号に掲げる者を除く。）
二　相手国の領域内において就労する者であって、年金制度適用調整規定により相手国法令の規定の適用を受けるもの（次号及び第四号に掲げる者を除く。）
三　日本国籍を有する船舶又は相手国の国籍を有する船舶その他政令で定める船舶において就労する者であって、年金制度適用調整規定により相手国法令の規定の適用を受けるもの（次号に掲げる者を除く。）
四　第二十四条第一項の規定により厚生年金保険の被保険者としないこととされた者
五　第一号又は前号のいずれかに該当する者の配偶者又は子であって、主として第一号又は前号のいずれかに該当する者の収入により生計を維持するものその他政令で定めるもの（政令で定める社会保障協定に係る場合を除き、政令で定めるものを除く。）
2　前項第五号の規定の適用上、主として同項第一号又は第四号のいずれかに該当する者の収入により生計を維持することの認定に関し必要な事項は、政令で定める。
3　前項の認定については、行政手続法（平成五年法律第八十八号）第三章（第十二条及び第十四条を除く。）の規定は、適用しない。
4　第一項に規定する者の国民年金の被保険者の資格の取得及び喪失に関し必要な事項は、政令で定める。

（国民年金の任意加入被保険者の特例）
第八条　相手国の国民（当該相手国に係る社会保障協定に規定する国民をいう。次項において同じ。）その他政令で定める者（政令で定める社会保障協定に係るものに限る。）であって、当該相手国の領域内に通常居住する二十歳以上六十五歳未満のもののうち、その者の国民年金法第五条第一項に規定する保険料納付済期間（以下「保険料納付済期間」という。）の月数及び他の法令の規定により保険料納付済期間とみなされた期間であって政令で定めるものの月数並びに同条第四項に規定する保険料四分の三免除期間の月数、同条第五項に規定する保険料半額免除期間の月数及び同条第六項に規定する保険料四分の一免除期間の月数を合算した月数が当該政令で定める社会保障協定に定める数として政令で定めるもの以上であるものは、同法附則第五条の規定の適用については、同条第一項第三号に該当する者とみなす。
2　前項の規定により国民年金法附則第五条第一項第三号に該当する者とみなされたものは、同条第五項の規定によって国民年金の被保険者の資格を喪失するほか、同条第八項の規定にかかわらず、次の各号のいずれかに該当するに至った日の翌日（その事実があった日に更に国民年金の被保険者の資格を取得したときは、その日）に国民年金の被保険者の資格を喪失する。
一　日本国内に住所を有するに至ったとき。
二　当該相手国の領域内に通常居住しなくなったとき。
三　当該相手国の国民その他政令で定める者でなくなったとき。
四　国民年金法第七条第一項第三号に規定する被扶養配偶者となったとき（六十歳未満であるときに限る。）。
五　国民年金の保険料を滞納し、その後、国民年金の保険料を納付することなく二年間が経過したとき。
3　第一項の規定により国民年金法附則第五条第一項第三号に該当する者とみなされたものであった期間については、同法附則第九条第一項に規定する合算対象期間（第十条第一項において「合算対象期間」という。）としない。

（国民年金の任意加入の制限）
第九条　国民年金法附則第五条第一項の規定は、日本国の領域内において就労する者であって、第七条第一項第一号又は第四号のいずれかに該当するもの（政令で定める社会保障協定に係るものに限り、政令で定めるものを除く。）については、適用しない。ただし、同法附則第五条第一項第二号に該当する者については、この限りでない。

第二節　給付等に関する特例

第一款　給付等の支給要件等に関する特例

（相手国期間を有する者に係る老齢基礎年金等の支給要件等の特例）
第十条　相手国期間（政令で定める社会保障協定に係るものを除く。以下この項において同じ。）を有し、かつ、老齢基礎年金又は遺族基礎年金の支給要件に関する規定であって政令で定めるもの（以下この項において「支給要件規定」という。）に規定する老齢基礎年金又は遺族基礎年金の受給資格要件たる期間を満たさない者（第十二条の規定を適用しない場合であっても国民年金法第三十七条（第一号及び第二号に係る部分に限る。）に規定する遺族基礎年金の支給要件に該当する者を除

く。）について、当該支給要件規定を適用する場合においては、その者の相手国期間であつて政令で定めるものを合算対象期間その他の政令で定める期間に算入する。

2 相手国期間を有する老齢厚生年金の受給権者（国民年金法等の一部を改正する法律（昭和六十年法律第三十四号。以下「昭和六十年国民年金等改正法」という。）附則第十四条第一項第一号に該当しない者に限る。）の配偶者について、次の各号に掲げる国民年金法による給付又は給付に加算する額に相当する部分（以下「老齢基礎年金の振替加算等」という。）に関し、それぞれ当該各号の規定を適用する場合においては、同項第一号の規定にかかわらず、同号中「その額」とあるのは「（相手国期間（社会保障協定の実施に伴う厚生年金保険法等の特例等に関する法律第二条第五号に掲げる相手国期間をいう。）であつて政令で定めるものの月数と当該老齢厚生年金の額」と、「」の月数」とあるのは「」の月数とを合算した月数」とする。

一 昭和六十年国民年金等改正法附則第十四条第一項の規定により老齢基礎年金に加算する額に相当する部分

二 昭和六十年国民年金等改正法附則第十四条第二項の規定により老齢基礎年金に加算する額に相当する部分

三 昭和六十年国民年金等改正法附則第十五条第一項の規定による老齢基礎年金

四 昭和六十年国民年金等改正法附則第十五条第二項の規定による老齢基礎年金

五 昭和六十年国民年金等改正法附則第十八条第二項の規定により老齢基礎年金に加算する額に相当する部分

六 昭和六十年国民年金等改正法附則第十八条第三項の規定により老齢基礎年金に加算する額に相当する部分

3 相手国期間を有する者であつて、その者の相手国期間であつて政令で定めるものを厚生年金保険の被保険者期間に算入することにより昭和六十年国民年金等改正法附則第十二条第一項第四号から第七号までのいずれかに該当するに至るものに対する昭和六十年国民年金等改正法附則第六十一条第一項の規定（昭和六十年国民年金等改正法附則第十四条第一項に係る部分に限る。）の適用については、その者は、昭和六十年国民年金等改正法附則第十二条第一項第四号から第七号までのいずれかに該当するものとみなす。

4 六十五歳に達した日の属する月以後の相手国期間を有する者（同日以後の国民年金の被保険者期間を有する者を除く。）について、昭和六十年国民年金等改正法附則第十八条第一項の規定を適用する場合においては、同項中「同日以後の国民年金の被保険者期間」とあるのは「同日の属する月以後の相手国期間（社会保障協定の実施に伴う厚生年金保険法等の特例等に関する法律第二条第五号に掲げる相手国期間をいう。）」と、「同法」とあるのは「国民年金法」とする。

（相手国期間を有する者に係る障害基礎年金の支給要件等の特例）

第十一条 相手国期間（政令で定める社会保障協定に係るものを除く。以下この項、次項及び第十九条第一項において同じ。）を有する者が、その者の疾病又は負傷及びこれらに起因する疾病（以下「傷病」という。）による障害について国民年金法第三十条第一項ただし書（同法第三十条の二第二項、第三十条の三第二項、第三十四条第五項及び第三十六条第三項において準用する場合を含む。以下この項において同じ。）に該当するときは、同法第三十条第一項ただし書の規定の適用については、その者の相手国期間であつて政令で定めるものを保険料納付済期間である国民年金の被保険者期間とみなす。ただし、その者が、当該傷病につき初めて医師又は歯科医師の診療を受けた日（以下「初診日」という。）から起算して一年六月を経過した日（その期間内にその傷病が治った日（その症状が固定し治療の効果が期待できない状態に至った日を含む。第二十九条第一項において同じ。）があるときは、その日とし、以下「障害認定日」という。）において保険料納付済期間（昭和六十年国民年金等改正法附則第八条第一項及び第九項の規定により保険料納付済期間又は保険料納付済期間である国民年金の被保険者期間とみなされたものを含む。次項、次条第二項、第十五条第二項第一号イ、第十六条第二項第一号イ、第十九条第一項、第二十条第一項及び附則第四条において同じ。）又は国民年金法第五条第二項に規定する保険料免除期間（同法第九十条の三第一項の規定により納付することを要しないものとされた保険料に係るものを除く。以下「保険料免除期間」という。）を有しないときは、この限りでない。

2 相手国期間中に初診日のある傷病（政令で定める社会保障協定に係る場合にあっては、これに相当するものとして政令で定めるものとする。次項及び第十九条第一項第二号において「相手国期間中に初診日のある傷病」という。）による障害を有する者であって、当該障害に係る障害認定日において保険料納付済期間又は保険料免除期間を有するものは、国民年金法第三十条第一項、第三十条の二第一項又は第三十条の三第一項の規定の適用については、当該初診日において同法第三十条第一項第一号に該当した者とみなす。ただし、その者が、当該障害を支給事由とする年金たる給付であって政令で定めるものの受給権を有する場合については、この限りでない。

3 相手国期間中に初診日のある傷病による障害を有する者は、国民年金法第三十四条第四項又は第三十六条第二項ただし書の規定の適用については、当該傷病に係る初診日において同法第三十条第一項第一号に該当した者とみなす。

（相手国期間を有する者に係る遺族基礎年金の支給要件の特例）

第十二条 相手国期間（政令で定める社会保障協定に係るものを除く。以下この条及び第二十条第一項において同じ。）及び保険料納付済期間（昭和六十年国民年金等改正法附則第八条第一項及び第九項の規定により保険料納付済期間又は保険料納付済期間である国民年金の被保険者期間とみなされたものを含む。）又は保険料免除期間を有する者（第十条第一項の規定を適用しない場合であっても同項に規定する支給要件規定に規定する遺族基礎年金の支給要件に該当する者を除く。）が、その者の死亡について国民年金法第三十七条ただし書に該当するときは、同条ただし書の規定の適用については、その者の相手国期間であって政令で定めるものを保険料納付済期間である国民年金の被保険者期間とみなす。

2 相手国期間及び保険料納付済期間又は保険料免除期間を有する者が相手国期間中に死亡した者（政令で定める社会保障協定に係る場合にあっては、これに相当する者として政令で定める者とする。第二十条第一項第三号において「相手国期間中に死亡した者」という。）である場合は、国民年金法第三十七条の規定の適用については、同条第一号に該当するものとみなす。ただし、その者の死亡を支給事由とする年金たる給付であって政令で定めるものの支給を受けることができる者があるときは、この限りでない。

第二款　給付等の額の計算等に関する特例

（老齢基礎年金の振替加算等の額の計算の特例）

第十三条　次の各号に掲げる者に支給する老齢基礎年金の振替加算等の額は、昭和六十年国民年金等改正法附則第十四条第一項の規定にかかわらず、それぞれ当該各号に定める額（その者が当該各号のうち二以上に該当するものであるときは、当該各号に定める額のうち最も高いもの）とする。

一　老齢厚生年金の受給権者（第十条第二項の規定により昭和六十年国民年金等改正法附則第十四条第一項第一号に該当するに至った者に限る。次項第一号において同じ。）の配偶者　同条第一項の規定による老齢基礎年金の振替加算等の額に期間比率を乗じて得た額

二　第十条第三項の規定により昭和六十年国民年金等改正法附則第十二条第一項第四号から第七号までのいずれかに該当する者とみなされたもの（以下この号及び次項第二号において「中高齢特例該当者」という。）の配偶者　昭和六十年国民年金等改正法附則第十四条第一項の規定による老齢基礎年金の振替加算等の額に期間比率を乗じて得た額（当該中高齢特例該当者が昭和六十年国民年金等改正法附則第十二条第一項第四号から第七号までのうち二以上に該当するものであるときは、同項第四号から第七号までの一に該当するものとしてそれぞれ計算した額のうち最も高いもの）

三　この法律の規定により支給する障害厚生年金（次項第三号において「特例による障害厚生年金」という。）の受給権者（昭和六十年国民年金等改正法附則第十四条第一項第二号に該当する者に限る。次項第三号において同じ。）の配偶者　同条第一項の規定による老齢基礎年金の振替加算等の額に按分率を乗じて得た額

2　次の各号に掲げる前項各号の期間比率又は按分率は、それぞれ次の各号に定める率とする。

一　前項第一号の期間比率　老齢厚生年金の受給権者の当該老齢厚生年金の額の計算の基礎となる厚生年金保険の被保険者であった期間の月数を合算した月数を、二百四十で除して得た率

二　前項第二号の期間比率　中高齢特例該当者の老齢厚生年金の額の計算の基礎となる厚生年金保険の被保険者期間であって政令で定めるものの月数を、当該中高齢特例該当者に係る昭和六十年国民年金等改正法附則第十二条第一項第四号から第七号までに規定する老齢厚生年金の受給資格要件たる期間であって政令で定めるものの月数で除して得た率

三　前項第三号の按分率　次のイ又はロに掲げる場合の区分に応じ、当該イ又はロに定める率

イ　我が国の公的年金に関する法律（国民年金法及び厚生年金保険法をいう。第六十条第一項、第六十六条及び附則第二十一条において同じ。）の被保険者（以下「公的年金被保険者」という。）であることが理論的に可能な期間に基づく按分率により給付の額を計算するものとされた政令で定める社会保障協定の場合　(1)に掲げる期間の月数を、(1)及び(2)に掲げる期間の月数（(2)に掲げる期間の月数が零である場合にあっては、(1)及び(3)に掲げる期間の月数）を合算した月数で除して得た率

(1)　特例による障害厚生年金の受給権者の厚生年金保険の被保険者であった期間であって政令で定めるものを合算したもの

(2)　昭和三十六年四月一日以後の期間（(1)に掲げる期間並びに二十歳に達した日の属する月の前月までの期間、六十歳に達した日の属する月以後の期間及び当該特例による障害厚生年金の支給事由となった障害に係る障害認定日（二以上の障害を支給事由とする特例による障害厚生年金にあっては、厚生年金保険法第五十一条の規定の例による障害認定日）の属する月後の期間を除く。）

(3)　当該特例による障害厚生年金の受給権者の相手国期間であって政令で定めるもの

ロ　公的年金被保険者であった期間と相手国期間とを合算した期間に基づく按分率により給付の額を計算するものとされた政令で定める社会保障協定の場合　イ(1)に掲げる期間の月数を、当該月数と特例による障害厚生年金の受給権者の相手国期間であって政令で定めるものの月数とを合算した月数で除して得た率

3　第一項の場合において、老齢基礎年金の振替加算等の受給権者に対して更に老齢基礎年金の振替加算等（以下この項において「新老齢基礎年金の振替加算等」という。）を支給すべき事由が生じた場合であって、当該新老齢基礎年金の振替加算等の額が従前の老齢基礎年金の振替加算等の額より低いときは、当該新老齢基礎年金の振替加算等の額は、第一項の規定にかかわらず、従前の老齢基礎年金の振替加算等の額に相当する額とする。

4　第一項の規定の適用を受けようとする者（同項第二号に掲げる者を除く。）の配偶者の厚生年金保険の被保険者であった期間のうち、厚生年金保険法第二条の五第一項第二号に規定する第二号厚生年金被保険者期間（以下「第二号厚生年金被保険者期間」という。）については国家公務員共済組合連合会の確認を、同項第三号に規定する第三号厚生年金被保険者期間（以下「第三号厚生年金被保険者期間」という。）については地方公務員共済組合の確認を、同項第四号に規定する第四号厚生年金被保険者期間（以下「第四号厚生年金被保険者期間」という。）については日本私立学校振興・共済事業団の確認を受けたところによる。

（老齢基礎年金の振替加算等の支給停止等の特例）

第十四条　この法律の規定により支給する老齢又は障害を支給事由とする年金たる給付であって政令で定めるものの受給権を有する者に係る老齢基礎年金の振替加算等の支給の停止及び支給の調整に関し必要な事項は、政令で定める。

（障害基礎年金の額の計算の特例）

第十五条　第十一条第一項又は第二項の規定により支給する障害基礎年金（以下この条において「特例による障害基礎年金」という。）の額は、国民年金法第三十三条第一項及び第二項の規定にかかわらず、これらの規定による額に按分率を乗じて得た額とする。

2　前項の按分率は、次の各号に掲げる場合の区分に応じ、当該

各号に定める率とする。

一　第十三条第二項第三号イに掲げる場合　イに掲げる期間の月数を、イ及びロに掲げる期間の月数（ロに掲げる期間の月数が零である場合にあっては、イ及びハに掲げる期間の月数）を合算した月数で除して得た率

イ　特例による障害基礎年金の受給権者の保険料納付済期間であって政令で定めるものとその者の保険料免除期間であって政令で定めるものとを合算したもの

ロ　昭和三十六年四月一日以後の期間（イに掲げる期間並びに二十歳に達した日の属する月の前月までの期間、六十歳に達した日の属する月以後の期間及び当該特例による障害基礎年金の支給事由となった障害に係る障害認定日（国民年金法第三十条の三第一項の規定による障害基礎年金については同項に規定する基準傷病に係る障害認定日とし、同法第三十一条第一項の規定による障害基礎年金については併合されたそれぞれの障害に係る障害認定日（同法第三十条の三第一項に規定する障害については、同項に規定する基準傷病に係る障害認定日とする。）のうちいずれか遅い日とする。）の属する月後の期間を除く。）

ハ　当該特例による障害基礎年金の受給権者の相手国期間であって政令で定めるもの

二　第十三条第二項第三号ロに掲げる場合　前号イに掲げる期間の月数を、当該月数と特例による障害基礎年金の受給権者の相手国期間であって政令で定めるものの月数とを合算した月数で除して得た率

3　前二項の規定は、特例による障害基礎年金に係る国民年金法第三十三条の二第一項の規定により加算する額に相当する部分（以下この条において「障害基礎年金の加算」という。）の額について準用する。

4　第一項の規定による障害基礎年金の額は、その額が国民年金法第三十一条第二項の規定によりその受給権が消滅した障害基礎年金（障害基礎年金の加算を除く。以下この項において同じ。）の額より低いときは、第一項の規定にかかわらず、従前の障害基礎年金の額に相当する額とする。

5　第三項において準用する第一項の規定による障害基礎年金の加算の額は、その額が国民年金法第三十一条第二項の規定によりその受給権が消滅した障害基礎年金に係る障害基礎年金の加算の額より低いときは、第三項において準用する第一項の規定にかかわらず、従前の障害基礎年金の加算の額に相当する額とする。

6　前項の場合において、国民年金法第三十三条の二第三項の規定により障害基礎年金の加算の額を改定するときは、前項中「加算の額より低いとき」とあるのは「加算の額を同法第三十三条の二第三項の規定の例により改定した額より低いとき」と、「従前の障害基礎年金の加算の額」とあるのは「当該改定した額」とする。

（遺族基礎年金の額の計算の特例）

第十六条　第十条第一項又は第十二条の規定により支給する遺族基礎年金及び同項の規定により支給する老齢基礎年金の受給権者が死亡したことによりその者の遺族に支給する遺族基礎年金（以下この条及び第二十二条において「特例による遺族基礎年金」という。）の額は、国民年金法第三十八条及び第三十九条の二第一項の規定にかかわらず、これらの規定による額に按分率を乗じて得た額とする。

2　前項の按分率は、次の各号に掲げる場合の区分に応じ、当該各号に定める率とする。

一　第十三条第二項第三号イに掲げる場合　イに掲げる期間の月数を、イ及びロに掲げる期間の月数（ロに掲げる期間の月数が零である場合にあっては、イ及びハに掲げる期間の月数）を合算した月数で除して得た率

イ　特例による遺族基礎年金の支給事由となった死亡に係る者の保険料納付済期間とその者の保険料免除期間とを合算したもの

ロ　昭和三十六年四月一日から当該特例による遺族基礎年金の支給事由となった死亡に係る者の死亡した日の翌日の属する月の前月までの期間（イに掲げる期間並びに二十歳に達した日の属する月の前月までの期間及び六十歳に達した日の属する月以後の期間を除く。）

ハ　当該特例による遺族基礎年金の支給事由となった死亡に係る者の相手国期間であって政令で定めるもの

二　第十三条第二項第三号ロに掲げる場合　前号イに掲げる期間の月数を、当該月数と特例による遺族基礎年金の支給事由となった死亡に係る者の相手国期間であって政令で定めるものの月数とを合算した月数で除して得た率

3　前二項の規定は、特例による遺族基礎年金に国民年金法第三十九条第一項の規定により加算する額に相当する部分の額について準用する。

4　第一項の規定による遺族基礎年金（当該遺族基礎年金の支給事由となった死亡に係る者の妻に支給されるものに限る。）の額は、当該妻が当該遺族基礎年金の支給を受けることができることにより、遺族厚生年金に加算する額であって政令で定めるものに相当する部分（以下この項において「遺族厚生年金の中高齢寡婦加算等」という。）の支給が停止されている場合において、当該遺族基礎年金の額が当該遺族厚生年金の中高齢寡婦加算等の額より低いときは、第一項の規定にかかわらず、当該遺族厚生年金の中高齢寡婦加算等の額に相当する額とする。

第十七条　削除

第三節　発効日前の障害又は死亡等に係る給付等に関する特例

（発効日において六十五歳を超える者の老齢基礎年金等の支給に関する特例）

第十八条　社会保障協定の効力発生の日（二以上の相手国期間を有する者にあっては、それぞれの相手国期間に係る社会保障協定に応じ当該社会保障協定の効力発生の日をいうものとする。以下「発効日」という。）において、六十五歳を超える者であって第十条第一項の規定により老齢基礎年金を受ける権利を取得したものに対する国民年金法第二十八条の規定の適用については、同条第一項中「六十六歳に達する」とあるのは「その受給権を取得した日から起算して一年を経過した日（以下この条において「一年経過日」という。）」と、「六十五歳に達した」とあるのは「当該老齢基礎年金の受給権を取得した」と、「六十六歳に達した日」とあるのは「一年経過日」と、同条第二項中「六十六歳に達した日」とあるのは「一年経過日」と、「七十五歳に達する日」とあるのは「老齢基礎年金の受給権を取得した日から起算して十年を経過した日（次号において「十年経

過日」という。）」と、「七十五歳に達した日」とあるのは「十年経過日」と、同条第五項中「七十歳に達した日」とあるのは「その受給権を取得した日から起算して五年を経過した日」と、「八十歳に達した日」とあるのは「当該老齢基礎年金の受給権を取得した日から起算して十五年を経過した日」とする。

2　次の各号に掲げる者に対する当該各号に定める規定の適用については、これらの規定中「六十五歳に達した日において」とあるのは「社会保障協定（社会保障協定の実施に伴う厚生年金保険法等の特例等に関する法律第二条第一号に規定する社会保障協定をいう。以下この項において同じ。）の効力発生の日（二以上の相手国期間（同条第五号に規定する相手国期間をいう。以下この項において同じ。）を有する者にあつては、それぞれの相手国期間に係る社会保障協定に応じ当該社会保障協定の効力発生の日をいう。）において」と、「当該六十五歳」とあるのは「その者が六十五歳」とする。

一　前項に規定する者　昭和六十年国民年金等改正法附則第十四条第一項

二　発効日において、相手国期間を有し、かつ、六十五歳を超える者であつて老齢基礎年金の受給権を有しないもの　昭和六十年国民年金等改正法附則第十五条第一項

（発効日前の障害認定日において障害の状態にある者の障害基礎年金の支給に関する特例）

第十九条　障害認定日が発効日前にある傷病に係る初診日において、相手国期間を有する者であつて次の各号のいずれかに該当したものが、当該障害認定日において、当該傷病により国民年金法第三十条第二項に規定する障害等級に該当する程度の障害の状態にあり、かつ、保険料納付済期間又は保険料免除期間を有するときは、その者に、同条第一項の障害基礎年金を支給する。ただし、その者が、当該障害につき、第十一条第一項、同法第三十条第一項ただし書並びに昭和六十年国民年金等改正法附則第二十条第一項及び第二十一条の規定を参酌して政令で定める受給資格要件に該当しない場合は、この限りでない。

一　国民年金法第三十条第一項各号のいずれかに該当した者であること。

二　当該傷病が相手国期間中に初診日のある傷病である者であること。

2　第十五条第一項、第二項及び第四項の規定は前項の規定により支給する障害基礎年金の額について、同条第三項、第五項及び第六項の規定は当該障害基礎年金に国民年金法第三十三条の二第一項の規定により加算する額について、それぞれ準用する。

3　前二項の規定は、同一の傷病による障害を支給事由とする年金たる給付であつて政令で定めるものの受給権を有する者については、適用しない。

4　第一項の規定による障害基礎年金の支給は、発効日の属する月の翌月から始めるものとする。

（発効日前の死亡に係る遺族基礎年金の支給に関する特例）

第二十条　国民年金の被保険者又は被保険者であつた者であつて、相手国期間及び保険料納付済期間又は保険料免除期間を有するものが、発効日前に死亡した場合であつて、当該死亡した日において次の各号のいずれかに該当したときは、その者の配偶者（当該死亡した日が公的年金制度の財政基盤及び最低保障機能の強化等のための国民年金法等の一部を改正する法律（平成二十四年法律第六十二号）附則第一条第三号に掲げる規定の施行の日前にある場合にあつては、妻に限る。以下この項において同じ。）又は子に、国民年金法第三十七条の遺族基礎年金を支給する。ただし、その者（第一号から第三号までのいずれかに該当する者に限る。）が第十二条第一項、同法第三十七条ただし書並びに昭和六十年国民年金等改正法附則第二十条第二項及び第二十一条の規定を参酌して政令で定める受給資格要件を満たさない場合又は当該配偶者若しくは子が当該死亡した日から発効日までの間において国民年金法第四十条に規定する遺族基礎年金の受給権の消滅事由を参酌して政令で定める事由に該当した場合については、この限りでない。

一　国民年金の被保険者であるとき。

二　国民年金の被保険者であつた者であつて、日本国内に住所を有し、かつ、六十歳以上六十五歳未満であるものであるとき。

三　国民年金の被保険者であつた者であつて、相手国期間中に死亡した者であるとき。

四　第十条第一項、国民年金法第三十七条第三号及び第四号並びに同法附則第九条並びに昭和六十年国民年金等改正法附則第十二条の規定を参酌して政令で定める受給資格要件を満たす者であるとき。

2　国民年金法第十八条の三、第十八条の四及び第三十七条の二の規定は、前項の場合について準用する。

3　第十六条の規定は、第一項の規定により支給する遺族基礎年金の額について準用する。

4　前三項の規定は、同一の死亡を支給事由とする年金たる給付であつて政令で定めるものの支給を受けることができる者がある場合については、適用しない。

5　第一項の規定による遺族基礎年金の支給は、発効日の属する月の翌月から始めるものとする。

第四節　二以上の相手国期間を有する者に係る給付等に関する特例

（二以上の相手国期間を有する者に係る国民年金法による給付等の支給要件等に関する特例）

第二十一条　国民年金法による給付等（同法による給付又は給付に加算する額に相当する部分をいう。次条及び附則第八条において同じ。）の支給要件又は加算の要件に関する規定に規定する受給資格要件を満たさない者が二以上の相手国期間を有しているときは、一の社会保障協定ごとに当該社会保障協定に係る一の相手国期間のみを有しているものとして前二節の規定をそれぞれ適用する。

（二以上の相手国期間を有する者に係る国民年金法による給付等の額）

第二十二条　前二節の規定により支給する国民年金法による給付等の額は、当該国民年金法による給付等の受給権者（特例による遺族基礎年金又はこれに国民年金法第三十九条第一項の規定により加算する額に相当する部分にあつては、当該特例による遺族基礎年金又は当該加算する額に相当する部分の支給事由となつた死亡に係る者）が二以上の相手国期間（前二節の規定を適用するものとした場合に当該国民年金法による給付等の支給要件又は加算の要件に関する規定に規定する受給資格要件を満たすこととなるものに限る。以下この条において同じ。）を有

しているときは、当該国民年金法による給付等の種類に応じ、一の社会保障協定ごとに当該社会保障協定に係る一の相手国期間のみを有しているものとしてそれぞれ計算した額のうち最も高い額とする。

第五節　不服申立てに関する特例

第二十三条　第十三条第四項の場合において、第二号厚生年金被保険者期間、第三号厚生年金被保険者期間及び第四号厚生年金被保険者期間に係る同項の規定による確認の処分についての不服を、当該期間に基づく老齢基礎年金の振替加算等に関する処分の不服の理由とすることができない。

第七章　厚生年金保険法関係

第一節　被保険者の資格に関する特例

（被保険者の資格の特例）

第二十四条　厚生年金保険の適用事業所に使用される者であって次の各号のいずれかに掲げるものは、厚生年金保険法第九条の規定にかかわらず、厚生年金保険の被保険者としない。

一　日本国の領域内において就労する者であって、年金制度適用調整規定により相手国法令の規定の適用を受けるもの（第三号及び第四号に掲げる者を除く。）

二　相手国の領域内において就労する者であって、年金制度適用調整規定により相手国法令の規定の適用を受けるもの（次号及び第四号に掲げる者を除く。）

三　日本国の領域内及び相手国の領域内において同時に就労する者であって、年金制度適用調整規定により相手国法令の規定の適用を受けるもの（次号に掲げる者を除く。）

四　日本国籍を有する船舶又は相手国の国籍を有する船舶その他政令で定める船舶において就労する者であって、年金制度適用調整規定により相手国法令の規定の適用を受けるもの

2　前項に規定する者の厚生年金保険の被保険者の資格の取得及び喪失に関し必要な事項は、政令で定める

（厚生年金保険の加入の特例）

第二十五条　前条第一項第二号に該当する者（政令で定める社会保障協定に係るものに限る。）であって政令で定めるものは、同項の規定にかかわらず、政令で定めるところにより、厚生年金保険法第二条の五第一項に規定する実施機関（以下この条において「実施機関」という。）に申し出て、厚生年金保険の被保険者となることができる。

2　前項の申出をした者は、その申出が受理されたときは、その日に、被保険者の資格を取得する。ただし、前条第一項第二号に該当することとなった日から一月以内に前項の申出をした者は、その該当するに至った日に、被保険者の資格を取得する。

3　第一項の規定による被保険者は、いつでも、当該実施機関に申し出て、被保険者の資格を喪失することができる。

4　第一項の規定による被保険者は、次の各号のいずれかに該当するに至った日の翌日（その事実があった日に更に被保険者の資格を取得したとき、又は厚生年金保険法第十四条第五号に該当するに至ったときは、その日）に、被保険者の資格を喪失する。

一　厚生年金保険法第十四条第一号、第四号又は第五号に該当するに至ったとき。

二　その事業所に使用されなくなったとき。

三　厚生年金保険法第八条第一項の認可があったとき。

四　前項の申出が受理されたとき。

五　前条第一項第二号に該当しなくなったとき。

（厚生年金保険の任意単独加入の制限）

第二十六条　厚生年金保険法第十条の規定は、日本国の領域内において就労する者であって、第二十四条第一項第一号に該当するもの（政令で定める社会保障協定に係るものに限り、政令で定めるものを除く。）については、適用しない。

第二節　保険給付等に関する特例

第一款　保険給付等の支給要件等に関する特例

（相手国期間を有する者に係る老齢厚生年金等の支給要件等の特例）

第二十七条　相手国期間（政令で定める社会保障協定に係るものを除く。以下この項において同じ。）及び厚生年金保険の被保険者期間を有し、かつ、厚生年金保険法による保険給付、同法による保険給付に加算する額に相当する部分又は同法による脱退一時金（以下「厚生年金保険法による保険給付等」という。）のうち次に掲げるものの支給要件又は加算の要件に関する規定であって政令で定めるもの（以下この条において「支給要件等に関する規定」という。）に規定する厚生年金保険法による保険給付等の受給資格要件たる期間を満たさない者について、当該支給要件等に関する規定を適用する場合においては、その者の相手国期間であって政令で定めるものを厚生年金保険の被保険者期間その他の政令で定める期間に算入する。

一　老齢厚生年金

二　遺族厚生年金

三　特例老齢年金

四　特例遺族年金

五　厚生年金保険法第四十四条第一項（同法及び他の法令において準用する場合を含む。）の規定により老齢厚生年金に加算する加給年金額に相当する部分（以下「老齢厚生年金の加給」という。）

六　厚生年金保険法第六十二条第一項の規定により遺族厚生年金に加算する額に相当する部分（以下「遺族厚生年金の中高齢寡婦加算」という。）

七　昭和六十年国民年金等改正法附則第七十三条第一項の規定により遺族厚生年金に加算する額に相当する部分（以下「遺族厚生年金の経過的寡婦加算」という。）

八　脱退一時金

（相手国期間を有する者に係る障害厚生年金の支給要件等の特例）

第二十八条　相手国期間（政令で定める社会保障協定に係るものを除く。以下この項、次項及び第三十八条第一項において同じ。）を有する者が、その者の傷病による障害について厚生年金保険法第四十七条第一項ただし書（同法第四十七条の二第二項、第四十七条の三第二項、第五十二条第五項及び第五十四条第三項において準用する場合を含む。以下この項において同じ。）に該当するときは、同法第四十七条第一項ただし書の規定の適用については、その者の相手国期間であって政令で定めるものを保険料納付済期間である国民年金の被保険者期間とみなす。ただし、その者が、当該障害に係る障害認定日において厚生年金保険の被保険者期間を有しないときは、この限りでな

い。

2　相手国期間中に初診日のある傷病（政令で定める社会保障協定に係る場合にあっては、これに相当するものとして政令で定めるものとする。以下この章（次条第二項、第三十六条及び第三十九条第一項第二号を除く。）において「相手国期間中に初診日のある傷病」という。）による障害を有する者であって、当該障害に係る障害認定日において厚生年金保険の被保険者期間を有するものは、厚生年金保険法第四十七条第一項、第四十七条の二第一項又は第四十七条の三第一項の規定の適用については、当該初診日において厚生年金保険の被保険者であったものとみなす。ただし、その者が、当該障害を支給事由とする年金たる給付であって政令で定めるものの受給権を有する場合については、この限りでない。

3　相手国期間中に初診日のある傷病による障害を有する者は、厚生年金保険法第五十二条第四項又は第五十四条第二項ただし書の規定の適用については、当該初診日において厚生年金保険の被保険者であったものとみなす。

（相手国期間を有する者に係る障害手当金の支給要件の特例）

第二十九条　相手国期間（政令で定める社会保障協定に係るものを除く。以下この条及び第三十九条第一項において同じ。）を有する者（その者の傷病に係る初診日から起算して五年を経過する日までの間におけるその傷病が治った日（以下「障害程度を認定すべき日」という。）において厚生年金保険法第五十六条各号のいずれかに該当する者その他の政令で定める者を除く。）が、その者の傷病による障害について同法第五十五条第二項において準用する同法第四十七条第一項ただし書に該当するときは、同項ただし書の規定の適用については、その者の相手国期間であって政令で定めるものを保険料納付済期間である国民年金の被保険者期間とみなす。ただし、その者が、当該障害に係る障害認定日において厚生年金保険の被保険者期間を有しないときは、この限りでない。

2　相手国期間中に初診日のある傷病（政令で定める社会保障協定に係る場合にあっては、これに相当するものとして政令で定めるものとする。第三十六条及び第三十九条第一項第二号において「相手国期間中に初診日のある傷病」という。）による障害を有する者（当該障害に係る障害程度を認定すべき日において厚生年金保険法第五十六条各号のいずれかに該当する者その他の政令で定める者を除く。）は、同法第五十五条第一項の規定の適用については、当該初診日において厚生年金保険の被保険者であったものとみなす。ただし、その者が、当該障害に係る障害認定日において厚生年金保険の被保険者期間を有しないときは、この限りでない。

（相手国期間を有する者に係る遺族厚生年金の支給要件の特例）

第三十条　相手国期間（政令で定める社会保障協定に係るものを除く。以下この条及び第四十条第一項において同じ。）及び厚生年金保険の被保険者期間を有する者が、その者の死亡について厚生年金保険法第五十八条第一項ただし書に該当するときは、同項ただし書の規定の適用については、その者の相手国期間であって政令で定めるものを保険料納付済期間である国民年金の被保険者期間とみなす。

2　相手国期間及び厚生年金保険の被保険者期間を有する者が、相手国期間中に死亡した者（政令で定める社会保障協定に係る場合にあっては、これに相当する者として政令で定める者とする。第三十七条及び第四十条第一項第二号において「相手国期間中に死亡した者」という。）である場合は、厚生年金保険法第五十八条の規定の適用については、同条第一項第一号に該当するものとみなす。ただし、その者の死亡を支給事由とする年金たる給付であって政令で定めるものの支給を受けることができる者があるときは、この限りでない。

3　相手国期間及び厚生年金保険の被保険者期間を有する者が、相手国期間中に初診日のある傷病により当該傷病に係る初診日から起算して五年を経過する日前に死亡した場合（その者が厚生年金保険法第五十八条第一項第一号又は第二号に該当する場合及び前項本文に規定する場合を除く。）は、同条の規定の適用については、同号に該当するものとみなす。この場合においては、同項ただし書の規定を準用する。

第二款　保険給付等の額の計算等に関する特例

（老齢厚生年金の加給等の額の計算の特例）

第三十一条　第二十七条の規定により支給する厚生年金保険法による保険給付等のうち次に掲げるものの額は、当該厚生年金保険法による保険給付等の額に関する規定であって政令で定めるものにかかわらず、当該規定による厚生年金保険法による保険給付等の額（脱退一時金にあっては、当該脱退一時金の受給権者の厚生年金保険の被保険者期間の月数が六であるものとして計算した額）に期間比率を乗じて得た額（第一号から第三号までに掲げる厚生年金保険法による保険給付等にあっては、同条に規定する加算の要件に関する規定であって政令で定めるもののうち二以上に該当するときは、一の加算の要件に関する規定に該当するものとしてそれぞれ計算した額のうち最も高いもの）とする。

一　老齢厚生年金の加給
二　遺族厚生年金の中高齢寡婦加算
三　遺族厚生年金の経過的寡婦加算
四　脱退一時金

2　前項の期間比率は、同項各号に掲げる厚生年金保険法による保険給付等の受給権者又は当該厚生年金保険法による保険給付等の支給事由となった死亡に係る者の厚生年金保険の被保険者期間であって政令で定めるものの月数を合算した月数を、当該厚生年金保険法による保険給付等の受給資格要件又は加算の資格要件たる期間であって政令で定めるものの月数で除して得た率とする。

3　第二十七条の規定により支給する老齢厚生年金の加給の額については、当該老齢厚生年金の加給の受給権を有する者がその権利を取得した月以後における厚生年金保険の被保険者であった期間は、その計算の基礎としない。

4　厚生年金保険の被保険者であって、第二十七条の規定により支給する老齢厚生年金の加給の受給権を有する者が、その厚生年金保険の被保険者の資格を喪失し、かつ、厚生年金保険の被保険者となることなくして、厚生年金保険の被保険者の資格を喪失した日から起算して一月を経過したときは、前項の規定にかかわらず、その厚生年金保険の被保険者の資格を喪失した月前における厚生年金保険の被保険者であった期間を当該老齢厚生年金の加給の額の計算の基礎とするものとし、その厚生年金保険の被保険者の資格を喪失した日（厚生年金保険法第十四条第二号から第四号までのいずれかに該当するに至った日にあっては、その日）から起算して一月を経過した日の属する月から、当該老齢厚生年金の加給の額を改定する。

5　厚生年金保険法附則第十三条の四第三項の規定による老齢厚生年金の受給権を有し、かつ、同条第七項の規定により読み替えられた同法第四十四条第一項の規定及び第二十七条の規定により支給する老齢厚生年金の加給の受給権を有する者が六十五歳に達したときは、第三項の規定にかかわらず、その者の六十五歳に達した日の属する月前における厚生年金保険の被保険者であった期間を当該老齢厚生年金の加給の額の計算の基礎とするものとし、六十五歳に達した日の属する月の翌月から、当該老齢厚生年金の加給の額を改定する。

（障害厚生年金等の額の計算の特例）

第三十二条　第二十八条第一項又は第二項の規定により支給する障害厚生年金（以下この条及び次条第一項において「特例による障害厚生年金」という。）の厚生年金保険法第五十条第一項及び第二項の規定による額は、これらの規定にかかわらず、これらの規定による額に按分率を乗じて得た額とする。ただし、特例による障害厚生年金の受給権者の厚生年金保険の被保険者であった期間であって政令で定めるものの月数を合算した月数が三百以上である場合は、この限りでない。

2　前項の按分率は、次の各号に掲げる場合の区分に応じ、当該各号に定める率とする。

一　公的年金被保険者であることが理論的に可能な期間に基づく按分率により給付の額を計算するものとされた政令で定める社会保障協定の場合　イに掲げる期間の月数を、イ及びロに掲げる期間の月数（ロに掲げる期間の月数が零である場合にあっては、イ及びハに掲げる期間の月数）を合算した月数（当該合算した月数が三百を超えるときは、三百）で除して得た率

イ　特例による障害厚生年金の受給権者の厚生年金保険の被保険者であった期間であって政令で定めるものを合算したもの

ロ　昭和三十六年四月一日以後の期間（イに掲げる期間並びに二十歳に達した日の属する月の前月までの期間、六十歳に達した日の属する月以後の期間及び当該特例による障害厚生年金の支給事由となった障害に係る障害認定日（二以上の障害を支給事由とする障害厚生年金にあっては、厚生年金保険法第五十一条の規定の例による障害認定日）の属する月後の期間を除く。）

ハ　当該特例による障害厚生年金の受給権者の相手国期間であって政令で定めるもの

二　公的年金被保険者であった期間と相手国期間とを合算した期間に基づく按分率により給付の額を計算するものとされた政令で定める社会保障協定の場合　前号イに掲げる期間の月数を、当該月数と特例による障害厚生年金の受給権者の相手国期間であって政令で定めるものの月数とを合算した月数（当該合算した月数が三百を超えるときは、三百）で除して得た率

三　前号に規定する按分率を厚生年金保険法第五十条第一項後段に規定する額の計算の基礎となる被保険者期間の月数を勘案して修正した按分率により給付の額を計算するものとされた政令で定める社会保障協定の場合　イ及びロに掲げる月数を合算した月数を三百で除して得た率

イ　第一号イに掲げる期間の月数

ロ　三百からイに掲げる月数を控除して得た月数に、イに掲げる月数を当該月数と特例による障害厚生年金の受給権者の相手国期間であって政令で定めるものの月数とを合算した月数で除して得た率を乗じて得た月数

3　特例による障害厚生年金の厚生年金保険法第五十条第三項の規定による額は、同項の規定にかかわらず、同項の規定による額に按分率を乗じて得た額とする。

4　特例による障害厚生年金に係る厚生年金保険法第五十条の二第一項の規定により加算する加給年金額に相当する部分（第六項において「障害厚生年金の配偶者加給」という。）の額は、同条第二項の規定にかかわらず、同項の規定による額に按分率を乗じて得た額とする。

5　前二項の按分率は、次の各号に掲げる場合の区分に応じ、当該各号に定める率とする。

一　第二項第一号に掲げる場合　同号イに掲げる期間の月数を、同号イ及びロに掲げる期間の月数（同号ロに掲げる期間の月数が零である場合にあっては、同号イ及びハに掲げる期間の月数）を合算した月数で除して得た率

二　第二項第二号又は第三号に掲げる場合　同項第一号イに掲げる期間の月数を、当該月数と特例による障害厚生年金の受給権者の相手国期間であって政令で定めるものの月数とを合算した月数で除して得た率

6　特例による障害厚生年金に係る障害厚生年金の配偶者加給の額は、その額が厚生年金保険法第四十八条第二項の規定によりその受給権が消滅した障害厚生年金に係る障害厚生年金の配偶者加給の額より低いときは、第四項の規定にかかわらず、従前の障害厚生年金に係る障害厚生年金の配偶者加給の額に相当する額とする。

7　第一項及び第二項の規定は第二十九条の規定により支給する障害手当金の厚生年金保険法第五十七条本文の規定による額について、第三項及び第五項の規定は当該障害手当金の同条ただし書の規定による額について、それぞれ準用する。

8　第一項若しくは第三項（これらの規定を前項において準用する場合を含む。）又は第四項の規定の適用を受けようとする者の厚生年金保険の被保険者であった期間のうち、厚生年金保険法第二条の五第一項第一号に規定する第一号厚生年金被保険者期間（以下「第一号厚生年金被保険者期間」という。）については厚生労働大臣の確認を、第二号厚生年金被保険者期間については国家公務員共済組合連合会の確認を、第三号厚生年金被保険者期間については地方公務員共済組合の確認を、第四号厚生年金被保険者期間については日本私立学校振興・共済事業団の確認を受けたところによる。

（遺族厚生年金の額の計算の特例）

第三十三条　第三十条の規定により支給する遺族厚生年金及び特例による障害厚生年金の受給権者が死亡したことによりその者の遺族に支給する遺族厚生年金（以下この条及び第四十三条において「特例による遺族厚生年金」という。）の厚生年金保険法第六十条第一項第一号及び第二号イ並びに第二項の規定による額は、これらの規定にかかわらず、これらの規定による額に、按分率を乗じて得た額とする。ただし、特例による遺族厚

生年金の支給事由となった死亡に係る者の厚生年金保険の被保険者であった期間であって政令で定めるものの月数を合算した月数が三百以上である場合は、この限りでない。

2　前項の按分率は、次の各号に掲げる場合の区分に応じ、当該各号に定める率とする。

一　前条第二項第一号に掲げる場合　イに掲げる期間の月数を、イ及びロに掲げる期間の月数（ロに掲げる期間の月数が零である場合にあっては、イ及びハに掲げる期間の月数）を合算した月数（当該合算した月数が三百を超えるときは、三百）で除して得た率

イ　特例による遺族厚生年金の支給事由となった死亡に係る者の厚生年金保険の被保険者であった期間であって政令で定めるものを合算したもの

ロ　昭和三十六年四月一日から当該特例による遺族厚生年金の支給事由となった死亡に係る者の死亡した日の翌日の属する月の前月までの期間（イに掲げる期間並びに二十歳に達した日の属する月の前月までの期間及び六十歳に達した日の属する月以後の期間を除く。）

ハ　当該特例による遺族厚生年金の支給事由となった死亡に係る者の相手国期間であって政令で定めるもの

二　前条第二項第二号に掲げる場合　前号イに掲げる期間の月数を、当該月数と特例による遺族厚生年金の支給事由となった死亡に係る者の相手国期間であって政令で定めるものの月数とを合算した月数（当該合算した月数が三百を超えるときは、三百）で除して得た率

三　前号に規定する按分率を厚生年金保険法第六十条第一項第一号ただし書に規定する額の計算の基礎となる被保険者期間の月数を勘案して修正した按分率により給付の額を計算するものとされた政令で定める社会保障協定の場合　イ及びロに掲げる月数を合算した月数を三百で除して得た率

イ　第一号イに掲げる期間の月数

ロ　三百からイに掲げる月数を控除して得た月数に、イに掲げる月数を当該月数と特例による遺族厚生年金の支給事由となった死亡に係る者の相手国期間であって政令で定めるものの月数とを合算した月数で除して得た率を乗じて得た月数

3　特例による遺族厚生年金に加算する遺族厚生年金の中高齢寡婦加算又は遺族厚生年金の経過的寡婦加算の額は、厚生年金保険法第六十二条第一項又は昭和六十年国民年金等改正法附則第七十三条第一項の規定にかかわらず、これらの規定により加算する額に按分率を乗じて得た額とする。

4　前項の按分率は、次の各号に掲げる場合の区分に応じ、当該各号に定める率とする。

一　第二項第一号に掲げる場合　同号イに掲げる期間の月数を、同号イ及びロに掲げる期間の月数（同号ロに掲げる期間の月数が零である場合にあっては、同号イ及びハに掲げる期間の月数）を合算した月数で除して得た率

二　第二項第二号又は第三号に掲げる場合　同項第一号イに掲げる期間の月数を、当該月数と特例による遺族厚生年金の支給事由となった死亡に係る者の相手国期間であって政令で定めるものの月数とを合算した月数で除して得た率

5　第十六条の規定は昭和六十年国民年金等改正法附則第七十四条第一項の規定により特例による遺族厚生年金に加算する額について、第十六条第一項及び第二項の規定は昭和六十年国民年金等改正法附則第七十四条第二項の規定により特例による遺族厚生年金に加算する額について、それぞれ準用する。

6　前条第八項の規定は、第一項又は第三項の場合について準用する。

（老齢厚生年金の加給等の支給停止の特例）

第三十四条　老齢厚生年金又は障害厚生年金の受給権者の配偶者がこの法律の規定により支給する老齢又は障害を支給事由とする年金たる給付であって政令で定めるものを受けることができる場合における当該配偶者について加算する額に相当する部分の支給の停止に関し必要な事項は、政令で定める。

第三節　二以上の種別の被保険者であった期間を有する者の特例

（二以上の種別の被保険者であった期間を有する者に係る障害厚生年金の特例）

第三十五条　相手国期間中に初診日のある傷病による障害を有する者であって、当該障害に係る障害認定日において第一号厚生年金被保険者期間、第二号厚生年金被保険者期間、第三号厚生年金被保険者期間又は第四号厚生年金被保険者期間のうち二以上の被保険者の種別（厚生年金保険法第二条の五第一項第一号に規定する第一号厚生年金被保険者、同項第二号に規定する第二号厚生年金被保険者、同項第三号に規定する第三号厚生年金被保険者又は同項第四号に規定する第四号厚生年金被保険者のいずれであるかの区別をいう。以下同じ。）の被保険者であった期間を有する者（以下「二以上の種別の被保険者であった期間を有する者」という。）であるものに第二十八条第二項の規定により支給する障害厚生年金に関する事務は、政令で定めるところにより、当該障害に係る障害認定日その他の政令で定める日における被保険者の種別に応じて、同法第二条の五第一項各号に定める者が行う。

（二以上の種別の被保険者であった期間を有する者に係る障害手当金の特例）

第三十六条　相手国期間中に初診日のある傷病による障害を有する者であって、当該障害に係る障害認定日において二以上の種別の被保険者であった期間を有する者であるものに第二十九条第二項の規定により支給する障害手当金に関する事務は、政令で定めるところにより、当該障害に係る障害認定日その他の政令で定める日における被保険者の種別に応じて、厚生年金保険法第二条の五第一項各号に定める者が行う。

（二以上の種別の被保険者であった期間を有する者に係る遺族厚生年金の特例）

第三十七条　相手国期間中に初診日のある傷病により当該傷病に係る初診日から起算して五年を経過する日前に死亡した者又は相手国期間中に死亡した者であって、当該死亡した日において二以上の種別の被保険者であった期間を有する者であるものの遺族に第三十条第二項及び第三項の規定により支給する遺族厚生年金に関する事務は、政令で定めるところにより、当該死亡した日その他の政令で定める日における被保険者の種別に応じて、厚生年金保険法第二条の五第一項各号に定める者が行う。

第四節　発効日前の障害又は死亡に係る保険給付等に関する特例

（発効日前の障害認定日において障害の状態にある者の障害厚

（障害厚生年金の支給に関する特例）

第三十八条　障害認定日が発効日前にある傷病に係る初診日において、相手国期間を有する者であつて次の各号のいずれかに該当したものが、当該障害認定日において、当該傷病により厚生年金保険法第四十七条第二項に規定する障害等級に該当する程度の障害の状態にあり、かつ、厚生年金保険の被保険者期間を有するときは、その者に、同条第一項の障害厚生年金を支給する。ただし、その者が、当該障害につき、第二十八条第一項、同法第四十七条第一項ただし書並びに昭和六十年国民年金等改正法附則第六十四条第一項及び第六十五条の規定を参酌して政令で定める受給資格要件を満たさない場合は、この限りでない。

一　厚生年金保険の被保険者であること。

二　当該傷病が相手国期間中に初診日のある傷病である者であること。

2　第三十二条第一項、第二項及び第八項の規定は前項の規定により支給する障害厚生年金の厚生年金保険法第五十条第一項又は第二項の規定による額について、第三十二条第三項、第五項及び第八項の規定は前項の規定により支給する障害厚生年金の同法第五十条第三項の規定による額について、第三十二条第四項から第六項まで及び第八項の規定は前項の規定により支給する障害厚生年金に同法第五十条の二第一項の規定により加算する額について、それぞれ準用する。

3　前二項の規定は、同一の障害を支給事由とする年金たる給付であつて政令で定めるものの受給権を有する者については、適用しない。

4　第一項の規定による障害厚生年金の支給は、発効日の属する月の翌月から始めるものとする。

（発効日前の障害程度を認定すべき日において障害の状態にある者の障害手当金の支給に関する特例）

第三十九条　障害程度を認定すべき日が発効日前にある傷病に係る初診日において、相手国期間を有する者（障害程度を認定すべき日において厚生年金保険法第五十六条各号のいずれかに該当する者その他の政令で定める者を除く。）であつて次の各号のいずれかに該当したものが、当該障害程度を認定すべき日において当該傷病により同法第五十五条第一項の政令で定める程度の障害の状態にあり、かつ、当該障害に係る障害認定日において厚生年金保険の被保険者期間を有するときは、その者に、同項の障害手当金を支給する。ただし、その者が、当該障害につき、第二十九条第一項、同法第五十五条第二項において準用する同法第四十七条第一項ただし書並びに昭和六十年国民年金等改正法附則第六十四条第一項及び第六十五条の規定を参酌して政令で定める受給資格要件を満たさない場合は、この限りでない。

一　厚生年金保険の被保険者であること。

二　当該傷病が相手国期間中に初診日のある傷病である者であること。

2　第三十二条第一項、第二項及び第八項の規定は前項の規定により支給する障害手当金の厚生年金保険法第五十七条本文の規定による額について、第三十二条第三項、第五項及び第八項の規定は前項の規定により支給する障害手当金の同法第五十七条ただし書の規定による額について、それぞれ準用する。

（発効日前の死亡に係る遺族厚生年金の支給に関する特例）

第四十条　厚生年金保険の被保険者又は被保険者であつた者であつて相手国期間を有するものが、発効日前に死亡した場合であつて、当該死亡した日において次の各号のいずれかに該当したときは、その者の遺族に、厚生年金保険法第五十八条第一項の遺族厚生年金を支給する。ただし、当該厚生年金保険の被保険者又は被保険者であつた者（第一号から第三号までのいずれかに該当する者に限る。）が第三十条第一項、同法第五十八条第一項ただし書並びに昭和六十年国民年金等改正法附則第六十四条第二項及び第六十五条の規定を参酌して政令で定める受給資格要件を満たさない場合又は当該遺族が当該死亡した日から発効日までの間において厚生年金保険法第六十三条に規定する遺族厚生年金の受給権の消滅事由を参酌して政令で定める事由に該当した場合については、この限りでない。

一　厚生年金保険の被保険者（失踪の宣告を受けた厚生年金保険の被保険者であつた者であつて、行方不明となつた当時厚生年金保険の被保険者であつたものを含む。）であるとき。

二　厚生年金保険の被保険者であつた者であつて、相手国期間中に死亡した者であるとき（前号に該当するときを除く。）。

三　厚生年金保険の被保険者であつた者であつて、厚生年金保険の被保険者であつた間に初診日のある傷病又は相手国期間中に初診日のある傷病により死亡し、かつ、これらの傷病に係る初診日から起算して五年を経過していないものであるとき（前二号に該当するときを除く。）。

四　第二十七条、厚生年金保険法第五十八条第一項第四号及び同法附則第十四条並びに昭和六十年国民年金等改正法附則第五十七条の規定を参酌して政令で定める受給資格要件を満たす者であるとき。

2　厚生年金保険法第五十九条及び第五十九条の二並びに昭和六十年国民年金等改正法附則第七十二条第二項の規定は、前項の場合について準用する。

3　第一項の場合において、死亡した厚生年金保険の被保険者又は被保険者であつた者が同項第一号から第三号までのいずれかに該当し、かつ、同項第四号にも該当するときは、その遺族が遺族厚生年金の請求をしたときに別段の申出をした場合を除き、同項第一号から第三号までのいずれかのみに該当し、同項第四号には該当しないものとみなす。

4　第一項第一号から第三号までのいずれかに該当することにより支給する遺族厚生年金は厚生年金保険法第五十八条第一項第一号から第三号までのいずれかに該当することにより支給する遺族厚生年金と、第一項第四号に該当することにより支給する遺族厚生年金は同条第一項第四号に該当することにより支給する遺族厚生年金とみなす。

5　第一項の規定により支給する遺族厚生年金の額について、厚生年金保険法第六十二条第一項の規定を適用する場合においては、同項中「その権利を取得した当時」とあるのは、「当該遺族厚生年金の支給事由となつた死亡に係る死亡の日において」とする。

6　第一項の規定により支給する遺族厚生年金の額について、昭和六十年国民年金等改正法附則第七十三条第一項の規定を適用する場合においては、同項中「妻であつた者に限る」とあるのは、「妻であつた者であつて、当該厚生年金保険の被保険者又は被保険者であつた者の死亡の当時四十歳（当該死亡日が平成十九年四月一日前にある場合にあつては、三十五歳）以上であつたものに限る」とする。

7　第二十七条（第六号及び第七号に係る部分に限る。）の規定は、第一項第四号に該当することにより遺族厚生年金の支給を受けることができる者であつて、厚生年金保険法第六十二条第一項の遺族厚生年金の中高齢寡婦加算に係る加算の要件又は昭和六十年国民年金等改正法附則第七十三条第一項の遺族厚生年金の経過的寡婦加算に係る加算の要件たる期間を満たさないものについて準用する。

8　次の各号に掲げる額については、それぞれ当該各号に定める規定を準用する。

一　第一項第一号から第三号までのいずれかに該当することにより支給する遺族厚生年金の厚生年金保険法第六十条の規定による額　第三十三条第一項、第二項及び第六項

二　第一項第一号から第三号までのいずれかに該当することにより支給する遺族厚生年金に加算する遺族厚生年金の中高齢寡婦加算又は遺族厚生年金の経過的寡婦加算の額　第三十三条第三項、第四項及び第六項

三　第一項第四号に該当することにより支給する遺族厚生年金に加算する遺族厚生年金の中高齢寡婦加算又は遺族厚生年金の経過的寡婦加算の額　第三十一条第一項及び第二項

四　第一項の規定により支給する遺族厚生年金に昭和六十年国民年金等改正法附則第七十四条第一項の規定により加算する額に相当する部分の額　第十六条

五　第一項の規定により支給する遺族厚生年金に昭和六十年国民年金等改正法附則第七十四条第二項の規定により加算する額に相当する部分の額　第十六条第一項及び第二項

9　前各項の規定は、同一の死亡を支給事由とする年金たる給付であつて政令で定めるものの支給を受けることができる者がある場合については、適用しない。

10　第一項の規定による遺族厚生年金の支給は、発効日の属する月の翌月から始めるものとする。

（発効日前の障害又は死亡に係る二以上の種別の被保険者であつた期間を有する者の障害厚生年金等の特例）

第四十一条　第三十五条の規定は第三十八条第一項の規定により支給する障害厚生年金について、第三十六条の規定は第三十九条第一項の規定により支給する障害手当金について、第三十七条の規定は前条第一項の規定により支給する遺族厚生年金について、それぞれ準用する。

第五節　二以上の相手国期間を有する者に係る保険給付等に関する特例

（二以上の相手国期間を有する者に係る厚生年金保険法による保険給付等の支給要件等に関する特例）

第四十二条　厚生年金保険法による保険給付等の支給要件又は加算の要件に関する規定に規定する受給資格要件を満たさない者が二以上の相手国期間を有しているときは、一の社会保障協定ごとに当該社会保障協定に係る一の相手国期間のみを有しているものとして前三節の規定をそれぞれ適用する。

（二以上の相手国期間を有する者に係る厚生年金保険法による保険給付等の額）

第四十三条　前三節の規定により支給する厚生年金保険法による保険給付等の額は、当該厚生年金保険法による保険給付等の受給権者（特例による遺族厚生年金又はこれに加算する遺族厚生年金の中高齢寡婦加算若しくは遺族厚生年金の経過的寡婦加算にあつては、当該特例による遺族厚生年金又は当該遺族厚生年金の中高齢寡婦加算若しくは遺族厚生年金の経過的寡婦加算の支給事由となつた死亡に係る者）が二以上の相手国期間（前三節の規定を適用するものとした場合に当該厚生年金保険法による保険給付等の支給要件又は加算の要件に関する規定に規定する受給資格要件を満たすこととなるものに限る。以下この条において同じ。）を有しているときは、当該厚生年金保険法による保険給付等の種類に応じ、一の社会保障協定ごとに当該社会保障協定に係る一の相手国期間のみを有しているものとしてそれぞれ計算した額のうち最も高い額とする。

第六節　不服申立てに関する特例

第四十四条　第三十二条第八項（第三十三条第六項（第四十条第八項において準用する場合を含む。）、第三十八条第二項及び第三十九条第二項において準用する場合を含む。以下この条において同じ。）の場合において、第二号厚生年金被保険者期間、第三号厚生年金被保険者期間及び第四号厚生年金被保険者期間に係る第三十二条第八項の規定による確認の処分についての不服を、当該期間に基づく厚生年金保険法による保険給付等に関する処分の不服の理由とすることができない。

第八章　国家公務員共済組合法関係

第一節　国家公務員共済組合法の適用範囲に関する特例

第四十五条　国家公務員共済組合法（以下「国共済法」という。）の規定（長期給付に関する規定を除く。）は、国共済法第二条第一項第一号に規定する職員（国共済法第百二十四条の三、第百二十五条及び第百二十六条第二項の規定により当該職員とみなされる者並びに国共済法附則第二十条の二第四項の規定により当該職員とみなされる同条第一項に規定する郵政会社等役職員（国共済法附則第二十条の六第一項の規定により当該役職員とみなされる者を含む。）を含む。）のうち、医療保険制度適用調整規定により相手国法令の規定の適用を受ける者（政令で定める社会保障協定に係る場合にあつては、政令で定める者に限る。）には、適用しない。

第二節　審査請求に関する特例等

（国共済法の規定による審査請求の特例）

第四十六条　第十三条第四項又は第三十二条第八項（第三十三条第六項（第四十条第八項において準用する場合を含む。）、第三十八条第二項及び第三十九条第二項において準用する場合を含む。）の規定による確認（第二号厚生年金被保険者期間に係るものに限る。）に関する処分について不服がある者は、国共済法の定めるところにより、国家公務員共済組合審査会に対して審査請求をすることができる。

（国共済法の規定による審査請求の手続の特例）

第四十七条　国共済法第百三条第一項の規定による審査請求は、同項の規定によるほか、相手国法令（政令で定めるものに限る。）の規定により同種の請求を受理することとされている相手国実施機関等を経由してすることができる。

2　前項の場合における国共済法第百三条第二項の規定による審査請求の期間の計算については、その経由した相手国実施機関等に審査請求書を提出し、又は行政不服審査法（平成二十六年

法律第六十八号）第十九条第二項及び第四項に規定する事項を口頭で陳述した時に審査請求があったものとみなす。

3 前二項の規定は、発効日前に行われた国共済法の規定による処分に対する国共済法第百三条第一項の規定による審査請求については、適用しない。

（財務大臣の権限）

第四十八条 財務大臣は、社会保障協定及びこの法律の適正な実施を確保するため必要があると認めるときは、国家公務員共済組合又は国家公務員共済組合連合会に対して、その業務に関し、監督上必要な命令をすることができる。

第十一章 雑則

（国民年金法又は厚生年金保険法の規定による審査請求等の手続の特例）

第五十八条 次に掲げる規定による審査請求又は再審査請求は、社会保険審査官及び社会保険審査会法（昭和二十八年法律第二百六号）第五条第二項（同法第三十二条第四項において準用する場合を含む。）の規定によるほか、相手国法令（政令で定める社会保障協定に係るものを除き、政令で定めるものに限る。次条において同じ。）の規定により同種の請求を受理することとされている相手国実施機関等を経由してすることができる。

一 国民年金法第百一条第一項
二 国民年金法附則第九条の三の二第五項
三 厚生年金保険法第九十条第一項
四 厚生年金保険法第九十一条第一項
五 厚生年金保険法附則第二十九条第六項

2 前項の場合における社会保険審査官及び社会保険審査会法第四条若しくは第三十二条第二項の規定による審査請求の期間又は同条第一項の規定による再審査請求の期間の計算については、その経由した相手国実施機関等に審査請求書若しくは再審査請求書を提出し、又は口頭で陳述した時に、審査請求又は再審査請求があったものとみなす。

3 前二項の規定は、発効日前に行われた国民年金法又は厚生年金保険法による処分に対する第一項各号に掲げる規定による審査請求又は再審査請求については、適用しない。

（相手国法令による申請等）

第五十九条 相手国法令において相手国実施機関等に対して行うこととされている申請又は申告（以下この項において「相手国法令による申請等」という。）を行おうとする者は、当該相手国法令による申請等に係る文書を日本国実施機関等（厚生労働大臣、日本年金機構（以下「機構」という。）、国家公務員共済組合連合会、全国市町村職員共済組合連合会又は共済組合等（法律によって組織された共済組合又は日本私立学校振興・共済事業団をいい、国家公務員共済組合又は全国市町村職員共済組合連合会を組織する共済組合を除く。）に限る。）に提出することができる。この場合において、当該日本国実施機関等が当該文書を受理したときは、遅滞なく、当該文書を当該相手国実施機関等に送付するものとする。

2 相手国法令において相手国実施機関等に申し立てることとされている不服申立てを行おうとする者は、社会保険審査官若しくは社会保険審査会、国家公務員共済組合審査会、地方公務員共済組合審査会又は日本私立学校振興・共済事業団の共済審査会（以下この項において「審査機関」という。）にその旨の文書を提出することができる。この場合において、当該審査機関が当該文書を受理したときは、遅滞なく、当該文書を相手国実施機関等に送付するものとする。

（情報の提供等）

第六十条 日本国実施機関等又は社会保険審査官若しくは社会保険審査会（以下この条において「日本側保有機関」という。）は、公的年金に関する法律並びに医療保険各法（高齢者の医療の確保に関する法律第七条第一項に規定する医療保険各法をいう。）及び高齢者の医療の確保に関する法律（以下この項において「日本側適用法令」という。）の被保険者若しくは被保険者であった者、組合員若しくは組合員であった者、加入者若しくは加入者であった者又は公的年金に関する法律による給付の受給権者に関する情報であってこの法律、日本側適用法令その他関係法令の実施のために自らが保有するもの（以下この条において「保有情報」という。）を、保有情報の本人又はその遺族の権利義務に係る社会保障協定の規定の実施に必要な限度において、社会保障協定に規定する相手国の権限のある当局又は相手国実施機関等（以下この条において「相手国側保有機関」という。）に対して提供することができる。

2 日本側保有機関は、前項の場合のほか、相手国側保有機関（政令で定める社会保障協定に係るものに限る。）からの要請に基づいて、当該社会保障協定に係る相手国法令の規定の実施のために必要と認められる場合であって、保有情報の本人若しくはその遺族の利益になるとき、又は保有情報の本人若しくはその遺族の同意が得られるときに限り、当該保有情報を、当該相手国側保有機関に対して提供することができる。

3 前二項の規定により日本側保有機関が相手国側保有機関に提供した保有情報の本人又はその遺族（政令で定める社会保障協定に係るものに限る。）は、日本側保有機関の長に対し、個人情報の保護に関する法律（平成十五年法律第五十七号）の規定によるほか、当該保有情報の内容又は相手国側保有機関への提供の目的について、書面によりその開示を請求することができる。

4 日本側保有機関の長は、前項の開示の請求があったときは、当該開示の請求をした者に対し、書面により当該開示の請求に係る情報について開示をしなければならない。

5 日本側保有機関は、相手国側保有機関から提供を受けた情報であって個人に関するものについて、個人情報の保護に関する法律の規定によるほか、同法における個人に関する情報の保護の措置に準じて、個人に関する情報の安全の確保その他の必要な措置を講じなければならない。

（戸籍事項の無料証明）

第六十一条 市町村長（特別区の区長を含むものとし、地方自治法（昭和二十二年法律第六十七号）第二百五十二条の十九第一項の指定都市にあっては、区長とする。）は、相手国年金の受給権者（政令で定める社会保障協定に係るものに限る。以下この条において同じ。）に対して、当該市町村の条例で定めるところにより、相手国法令（政令で定める社会保障協定に係るものに限る。以下この条において同じ。）の適用を受ける者、相手国法令の適用を受けたことがある者又は相手国年金の受給権者であって日本国の国籍を有するものの戸籍に関し、無料で証明を行うことができる。

（機構への厚生労働大臣の権限に係る事務の委任）

第六十二条　次に掲げる厚生労働大臣の権限に係る事務は、機構に行わせるものとする。

一　第七条第二項の規定による認定

二　第二十五条第一項及び第三項の規定による申出の受理

三　第四十条第三項の規定による申出の受理

四　前三号に掲げるもののほか、厚生労働省令で定める権限

2　厚生年金保険法第百条の四第三項、第四項、第六項及び第七項の規定は、前項各号に掲げる権限について準用する。この場合において、必要な技術的読替えは、政令で定める。

（機構への事務の委託）

第六十三条　厚生労働大臣は、機構に、次に掲げる事務を行わせるものとする。

一　介護保険法（平成九年法律第百二十三号）第二百三条その他の厚生労働省令で定める法律の規定による求めに応じたこの法律の実施に関し厚生労働大臣が保有する情報の提供に係る事務（当該情報の提供及び厚生労働省令で定める事務を除く。）

二　前号に掲げるもののほか、厚生労働省令で定める事務

2　厚生年金保険法第百条の十第二項及び第三項の規定は、前項各号に掲げる事務について準用する。この場合において、必要な技術的読替えは、政令で定める。

（経過措置）

第六十四条　この法律に基づき政令を制定し、又は改廃する場合においては、政令で、その制定又は改廃に伴い合理的に必要と判断される範囲内において、所要の経過措置を定めることができる。

（実施命令）

第六十五条　この法律に特別の規定があるものを除くほか、社会保障協定及びこの法律の実施のための手続その他その執行について必要な細則は、内閣府令・総務省令・文部科学省令、総務省令、財務省令、文部科学省令又は厚生労働省令で定める。

（政令への委任）

第六十六条　前各条に規定するもののほか、公的年金に関する法律による年金たる給付の支給要件、加算の要件及び額の計算並びにその支給の停止及び支給の調整に関する規定を適用する場合における必要な技術的読替えその他の社会保障協定及びこの法律の実施に関し必要な事項は、政令で定める。

附　則（抄）

（施行期日）

第一条　この法律は、平成二十年三月三十一日までの間において政令で定める日（平二〇・三・一）から施行する。ただし、〔中略〕第五章の規定は健康保険法等の一部を改正する法律（平成十八年法律第八十三号）附則第一条第四号に掲げる規定の施行の日（平二〇・四・一）から施行する。

（国民健康保険の被保険者等に関する経過措置）

第二条　この法律の施行の日（次条第一項及び附則第十七条において「施行日」という。）から健康保険法等の一部を改正する法律（平成十八年法律第八十三号）附則第一条第四号に掲げる規定の施行の日の前日までの間における第一条、第五条第一項第三号及び第百二条第一項の規定の適用については、第一条中「高齢者の医療の確保に関する法律（昭和五十七年法律第八十号）、国民年金法」とあるのは「国民年金法」と、同号中「しないこととされた者、次条第一項の規定により後期高齢者医療の被保険者としないこととされた者」とあるのは「しないこととされた者」と、同項中「並びに医療保険各法（高齢者の医療の確保に関する法律第七条第一項に規定する医療保険各法をいう。）及び高齢者の医療の確保に関する法律」とあるのは「及び医療保険各法（老人保健法（昭和五十七年法律第八十号）第六条第一項に規定する医療保険各法をいう。）」とする。

（労働者災害補償保険法等の適用に関する経過措置）

第三条　施行日から雇用保険法等の一部を改正する法律（平成十九年法律第三十号）附則第一条第三号に掲げる規定の施行の日の前日までの間における第四条第一項の規定の適用については、同項中「第三条」とあるのは「第十条」と、「第二条第一項」とあるのは「第十七条」とする。

2　前項の規定により読み替えられた第四条第一項の規定により船員保険の被保険者としないこととされた者については、雇用保険法等の一部を改正する法律附則第一条第三号に掲げる規定の施行の日の前日までの間は、船員法第十章、労働者災害補償保険法（昭和二十二年法律第五十号）及び雇用保険法（昭和四十九年法律第百十六号）の規定は、適用しない。

（初診日が昭和六十一年四月一日前にある傷病による障害等に係る障害基礎年金の支給に関する経過措置）

第四条　疾病にかかり、若しくは負傷した日が昭和六十一年四月一日前にある傷病又は初診日が同日前にある傷病による障害（相手国期間（政令で定める社会保障協定に係るものを除く。）及び保険料納付済期間又は保険料免除期間を有する者に係るものに限る。）に係るこの法律及び他の法令による障害基礎年金の支給要件又は額に関する規定の適用に関し必要な事項は、政令で定める。

（昭和六十一年四月一日において六十歳以上である者の死亡に係る遺族基礎年金の支給に関する経過措置）

第五条　相手国期間（政令で定める社会保障協定に係るものを除く。）及び国民年金の被保険者期間又は被用者年金制度の一元化等を図るための厚生年金保険法等の一部を改正する法律（平成二十四年法律第六十三号）附則第八十七条の規定による改正前の国民年金法第五条第一項に規定する被用者年金各法の被保険者、組合員又は加入者であった期間を有し、かつ、大正十五年四月一日以前に生まれた者であって政令で定めるものが発効日前に死亡した場合におけるこの法律及び他の法令による遺族基礎年金の支給要件又は額に関する規定の適用に関し必要な事項は、政令で定める。

（旧国民年金法による通算老齢年金等の支給要件等の特例）

第六条　第十条第一項の規定は、昭和六十年国民年金等改正法附則第三十一条第一項の規定によりなおその効力を有するものとされた昭和六十年国民年金等改正法第一条の規定による改正前の国民年金法（次条及び附則第八条において「旧国民年金法」という。）による通算老齢年金について準用する。

第七条　旧国民年金法による障害年金（当該障害年金の受給権者に対して更に障害基礎年金を支給すべき事由が生じたことにより昭和六十年国民年金等改正法附則第二十六条第一項の規定が適用されるものを除く。）を受けることができる者であって、国民年金法第三十四条第四項及び第三十六条第二項ただし書に規定するその他障害が相手国期間（政令で定める社会保障協定

に係るものを除く。）中に初診日のある傷病（政令で定める社会保障協定に係る場合にあっては、これに相当するものとして政令で定めるものとする。）によるものは、これらの規定の適用については、障害基礎年金の受給権者であって、当該初診日において同法第三十条第一項第一号に該当する者であったものとみなす。

（二以上の相手国期間を有する者に係る国民年金法による給付等に関する特例）

第八条　第六章第四節の規定は、附則第四条から前条までの規定により支給する国民年金法による給付等及び旧国民年金法による給付について準用する。

（初診日が昭和六十一年四月一日前にある傷病による障害等に係る障害厚生年金等の支給に関する経過措置）

第九条　疾病にかかり、若しくは負傷した日が昭和六十一年四月一日前にある傷病又は初診日が同日前にある傷病による障害（相手国期間（政令で定める社会保障協定に係るものを除く。）及び厚生年金保険の被保険者期間を有する者に係るものに限る。）に係るこの法律及び他の法令による障害厚生年金又は障害手当金の支給要件又は額に関する規定の適用に関し必要な事項は、政令で定める。

（昭和六十一年四月一日前の死亡等に係る遺族厚生年金の支給に関する経過措置）

第十条　相手国期間（政令で定める社会保障協定に係るものを除く。）及び厚生年金保険の被保険者期間を有する者が昭和六十一年四月一日前に死亡した場合又は同日前に発した傷病により当該傷病に係る初診日から起算して五年を経過する日前に死亡した者その他の政令で定める者が発効日前に死亡した場合における遺族厚生年金の支給要件又は額に関する規定の適用に関し必要な事項は、政令で定める。

（旧厚生年金保険法による保険給付の支給要件等の特例）

第十一条　第二十七条の規定は、昭和六十年国民年金等改正法第三条の規定による改正前の厚生年金保険法（以下「旧厚生年金保険法」という。）による次に掲げる保険給付について準用する。

一　昭和六十年国民年金等改正法附則第六十三条第一項の規定によりなおその効力を有するものとされた旧厚生年金保険法による老齢年金（次項において「旧厚生年金保険法による老齢年金」という。）

二　昭和六十年国民年金等改正法附則第六十三条第一項の規定によりなおその効力を有するものとされた旧厚生年金保険法による通算老齢年金

三　昭和六十年国民年金等改正法附則第六十三条第一項の規定によりなおその効力を有するものとされた旧厚生年金保険法による特例老齢年金

四　昭和六十年国民年金等改正法附則第七十五条の規定によりなおその効力を有するものとされた旧厚生年金保険法による脱退手当金（次項において「旧厚生年金保険法による脱退手当金」という。）

2　前項の規定により支給する旧厚生年金保険法による老齢年金（旧厚生年金保険法第三十四条第一項第一号に掲げる額に相当する部分又は旧厚生年金保険法第四十三条第一項の規定により加算する加給年金額に相当する部分に限る。）の額及び旧厚生年金保険法による脱退手当金の額は、第三十一条第一項及び第二項の規定を参酌して政令で定めるところによる。

第十二条　旧厚生年金保険法による障害年金（その権利を取得した当時から引き続き旧厚生年金保険法別表第一に定める一級又は二級に該当しない程度の障害の状態にある受給権者に係るものを除く。）を受けることができる者であって、厚生年金保険法第五十二条第四項及び第五十四条第二項ただし書に規定するその他障害が相手国期間（政令で定める社会保障協定に係るものを除く。）中に初診日のある傷病（政令で定める社会保障協定に係る場合にあっては、これに相当するものとして政令で定めるものとする。）によるものは、これらの規定の適用については、障害厚生年金の受給権者であって、当該初診日において厚生年金保険の被保険者であったものとみなす。

（二以上の相手国期間を有する者に係る厚生年金保険法による保険給付等に関する特例）

第十三条　第七章第五節の規定は、附則第九条から前条までの規定により支給する厚生年金保険法による保険給付等及び旧厚生年金保険法による保険給付について準用する。

（旧船員保険法による老齢年金等の支給要件等の特例）

第十四条　相手国期間（政令で定める社会保障協定に係るものを除く。以下この項において同じ。）及び昭和六十年国民年金等改正法第五条の規定による改正前の船員保険法（以下「旧船員保険法」という。）による船員保険の被保険者であった期間を有し、かつ、旧船員保険法又は昭和六十年国民年金等改正法附則第百七条の規定による改正前の船員保険法の一部を改正する法律（昭和四十年法律第百五号。以下この項において「旧船員保険一部改正法」という。）による保険給付のうち次に掲げるものの支給要件に関する規定であって政令で定めるもの（以下この項において「支給要件規定」という。）に規定する当該保険給付の受給資格要件たる期間を満たさない者について、当該支給要件規定を適用する場合においては、その者の相手国期間であって政令で定めるものを、旧船員保険法による船員保険の被保険者であった期間その他の政令で定める期間に算入する。

一　昭和六十年国民年金等改正法附則第八十六条第一項の規定によりなおその効力を有するものとされた旧船員保険法による老齢年金（次項において「旧船員保険法による老齢年金」という。）

二　昭和六十年国民年金等改正法附則第八十六条第一項の規定によりなおその効力を有するものとされた旧船員保険法による通算老齢年金

三　昭和六十年国民年金等改正法附則第八十六条第一項の規定によりなおその効力を有するものとされた旧船員保険一部改正法による特例老齢年金

四　昭和六十年国民年金等改正法附則第八十六条第六項の規定によりなおその効力を有するものとされた旧船員保険法による脱退手当金（次項において「旧船員保険法による脱退手当金」という。）

2　前項の規定により支給する旧船員保険法による老齢年金（旧船員保険法第三十五条第一号に規定する額に相当する部分又は旧船員保険法第三十六条第一項の規定により加給する額に相当する部分に限る。）の額及び旧船員保険法による脱退手当金の額は、第三十一条第一項及び第二項の規定を参酌して政令で定めるところによる。

第十五条　旧船員保険法による障害年金のうち職務外の事由によるもの（その権利を取得した当時から引き続き旧船員保険法別表第四の下欄に定める一級又は二級に該当しない程度の障害の状態にある受給権者に係るものを除く。）を受けることができる者であって、厚生年金保険法第五十二条第四項及び第五十四条第二項ただし書に規定するその他障害が相手国期間（政令で定める社会保障協定に係るものを除く。）中に初診日のある傷病（政令で定める社会保障協定に係る場合にあっては、これに相当するものとして政令で定めるものとする。）によるものは、これらの規定の適用については、障害厚生年金の受給権者であって、当該初診日において厚生年金保険の被保険者であったものとみなす。

（二以上の相手国期間を有する者に係る旧船員保険法による保険給付に関する特例）

第十六条　第七章第五節の規定は、前二条の規定により支給する旧船員保険法による保険給付について準用する。

（郵政民営化法等の施行に伴う関係法律の整備等に関する法律による国家公務員共済組合法の一部改正に伴う経過措置）

第十七条　施行日が郵政民営化法等の施行に伴う関係法律の整備等に関する法律（平成十七年法律第百二号）第六十六条の規定の施行の日前である場合には、同条の規定の施行の日の前日までの間における第四十一条第一項の規定の適用については、同項中「当該職員とみなされる者並びに国共済法附則第二十条の三第四項の規定により当該職員とみなされる同条第一項に規定する郵政会社等役職員（国共済法附則第二十条の七第一項の規定により当該役職員とみなされる者を含む。）」とあるのは、「当該職員とみなされる者」とする。

第十八条　削除

（他の法律の廃止）

第十九条　次に掲げる法律は、廃止する。

一　社会保障に関する日本国とドイツ連邦共和国との間の協定の実施に伴う厚生年金保険法等の特例等に関する法律（平成十年法律第七十七号）

二　社会保障に関する日本国とグレート・ブリテン及び北部アイルランド連合王国との間の協定の実施に伴う厚生年金保険法等の特例等に関する法律（平成十二年法律第八十三号）

三　社会保障に関する日本国とアメリカ合衆国との間の協定の実施に伴う厚生年金保険法等の特例等に関する法律（平成十六年法律第百二十六号）

四　社会保障に関する日本国と大韓民国との間の協定の実施に伴う厚生年金保険法等の特例等に関する法律（平成十六年法律第百二十七号）

五　社会保障に関する日本国政府とフランス共和国政府との間の協定の実施に伴う厚生年金保険法等の特例等に関する法律

六　社会保障に関する日本国とベルギー王国との間の協定の実施に伴う厚生年金保険法等の特例等に関する法律

七　社会保障に関する日本国とカナダとの間の協定の実施に伴う厚生年金保険法等の特例等に関する法律（平成十八年法律第七十二号）

（前条の規定による法律の廃止に伴う経過措置）

第二十条　前条の規定による廃止前の同条各号に掲げる法律又はこれらに基づく命令の規定によりした処分、手続その他の行為は、この法律又はこれに基づく命令の相当する規定によりした処分、手続その他の行為とみなす。

第二十一条　附則第十九条の規定による廃止前の同条第一号、第三号及び第五号から第七号までに掲げる法律の規定により支給する公的年金に関する法律による給付及び当該給付に加算する額に相当する部分（以下この条において「公的年金に関する法律による給付等」という。）は、この法律中の相当する規定により支給する公的年金に関する法律による給付等とみなして、この法律の規定を適用する。

（その他の経過措置の政令への委任）

第二十二条　この附則に規定するもののほか、この法律の施行に伴い必要な経過措置は、政令で定める。

附　則（平一九・七・六法一〇九）（抄）

（施行期日）

第一条　この法律は、平成二十二年四月一日までの間において政令で定める日〔平二二・一・一〕から施行する。〔ただし書略〕

附　則（平一九・七・六法一一〇）（抄）

（施行期日）

第一条　この法律は、平成二十年四月一日から施行する。〔ただし書略〕

附　則（平二三・五・二七法五六）（抄）

（施行期日）

第一条　この法律は、平成二十三年六月一日から施行する。〔ただし書略〕

附　則（平二四・八・二二法六二）（抄）

最終改正　平二八・一二・二六法一一四

（施行期日）

第一条　この法律は、平成二十九年八月一日から施行する。ただし、次の各号に掲げる規定は、当該各号に定める日から施行する。

一～三　〔略〕

四　〔前略〕第二十四条中協定実施特例法第八条第三項の改正規定（「附則第七条第一項」を「附則第九条第一項」に改める部分を除く。）及び協定実施特例法第十八条第一項の改正規定、〔中略〕附則〔中略〕第四十二条、第四十三条、第四十四条〔中略〕の規定　公布の日から起算して二年を超えない範囲内において政令で定める日〔平二六・四・一〕

五・六　〔略〕

（支給の繰下げに関する経過措置）

第四十四条　第二十四条の規定による改正後の協定実施特例法第十八条第一項の規定は、第四号施行日の前日において、同項の規定により読み替えられた国民年金法第二十八条第二項各号のいずれにも該当しない者について適用する。ただし、第四号施行日前に第二十四条の規定による改正後の協定実施特例法第十八条第一項の規定により読み替えられた国民年金法第二十八条第二項各号のいずれかに該当する者に対する第二十四条の規定による改正後の協定実施特例法第十八条の規定の適用については、同条第一項中「経過した」と、「七十歳」とあるのは「経過した」と、「ときは」とあるのは「ときは、次項の規定を適用する場合を除き」と、「同項」とあるのは「前項」と、「七十歳」と、「日」とする」とあるのは「日」と、同条第三項中「当該申出のあつた日」とあるのは「公的年金制度の財政基盤及び最低保障機能の強化等のための国民年金法等の一部を改正する法律（平成二十四年法律第六十二号）附則第一条第四号に掲げる規定の施行の日」とする」とする。

附　則（平二四・八・二二法六三）（抄）

最終改正　平二七・三・三一法九

（施行期日）

第一条　この法律は、平成二十七年十月一日から施行する。ただし、次の各号に掲げる規定は、それぞれ当該各号に定める日から施行する。

一・二　〔略〕

三　〔前略〕附則第百五条〔中略〕の規定　公布の日から起算して一年を超えない範囲内において政令で定める日〔平二五・八・一〕

四・五　〔略〕

附　則（平二五・六・二六法六三）（抄）

（施行期日）

第一条　この法律は、公布の日から起算して一年を超えない範囲内において政令で定める日〔平二六・四・一〕から施行する。〔ただし書略〕

附　則（平二六・六・一三法六九）（抄）

（施行期日）

第一条　この法律は、行政不服審査法（平成二十六年法律第六十八号）の施行の日〔平二八・四・一〕から施行する。

附　則（平二七・五・二九法三一）（抄）

（施行期日）

第一条　この法律は、平成三十年四月一日から施行する。〔ただし書略〕

附　則（令二・六・五法四〇）（抄）

（施行期日）

第一条　この法律は、令和四年四月一日から施行する。ただし、次の各号に掲げる規定は、当該各号に定める日から施行する。

一〜八　〔略〕

九　〔前略〕附則〔中略〕第五十二条及び第五十四条の規定
　令和五年四月一日

十・十一　〔略〕

（協定実施特例法による支給の繰下げに関する経過措置）

第五十三条　附則第五十一条の規定による改正後の協定実施特例法第十八条第一項の規定は、施行日の前日において、老齢基礎年金の受給権を取得した日から起算して五年を経過していない者について適用する。

（受給権を取得した日から起算して五年を経過した日後の協定実施特例法による老齢基礎年金の請求に関する経過措置）

第五十四条　附則第五十二条の規定による改正後の協定実施特例法第十八条第一項の規定は、第九号施行日の前日において、老齢基礎年金の受給権を取得した日から起算して六年を経過していない者について適用する。

附　則（令三・五・一九法三七）（抄）

（施行期日）

第一条　この法律は、令和三年九月一日から施行する。ただし、次の各号に掲げる規定は、当該各号に定める日から施行する。

一〜三　〔略〕

四　〔前略〕附則〔中略〕第五十条〔中略〕の規定　公布の日から起算して一年を超えない範囲内において、各規定につき、政令で定める日〔令四・四・一〕

五〜十　〔略〕

○社会保障協定の実施に伴う国家公務員共済組合法等の特例に関する政令

平二〇・二・二九
政令　三七

最終改正　平二九・七・二八政令二一四

内閣は、社会保障協定の実施に伴う厚生年金保険法等の特例等に関する法律（平成十九年法律第百四号）の施行に伴い、及び同法の規定に基づき、この政令を制定する。

（趣旨）

第一条　この政令は、社会保障協定の実施に伴う厚生年金保険法等の特例等に関する法律の施行に伴い、我が国及び我が国以外の締約国の双方において就労する者等に係る国家公務員共済組合法（昭和三十三年法律第百二十八号）の特例に関し必要な事項を定めるものとする。

（国家公務員共済組合法の適用範囲に関する特例）

第二条　社会保障協定の実施に伴う厚生年金保険法等の特例等に関する法律（以下「法」という。）第四十五条に規定する政令で定める社会保障協定は、社会保障に関する日本国とアメリカ合衆国との間の協定（次項において「合衆国協定」という。）とする。

2　法第四十五条に規定する政令で定める者は、当該者並びにその配偶者（婚姻の届出をしていないが、事実上婚姻関係と同様の事情にある者を含む。）及び子の全てが、日本国の領域内において受ける療養に要する費用の支出に備えるための適切な保険契約を締結していることにつき合衆国協定第一条1(f)に規定するアメリカ合衆国の実施機関により証明がされた者とする。

3　国家公務員共済組合法の短期給付に関する規定の適用については、前項に定める者が同項に定める者に該当しないこととなつたときは、そのなつた日に職員（同法第二条第一項第一号に規定する職員をいう。次項において同じ。）となつたものとみなし、同法の短期給付に関する規定の適用を受ける者が前項に定める者に該当することとなつたときは、そのなつた日の前日に退職（同条第一項第四号に規定する退職をいう。）をしたものとみなす。

4　法第四十五条の規定により国家公務員共済組合法の規定（同法の短期給付に関する規定の適用を受ける者にあつては、同法の長期給付に関する規定に限る。以下この項において同じ。）の適用を受けない者が相手国法令の規定の適用を受ける者に該当しないこととなつたときは、同法の規定の適用については、そのなつた日に職員となつたものとみなす。

（審査請求を相手国実施機関等を経由してすることができないこととされる社会保障協定）

第三条　法第四十七条第一項に規定する政令で定める社会保障協定は、社会保障協定の実施に伴う厚生年金保険法等の特例等に関する政令（平成十九年政令第三百四十七号）第八十九条各号に掲げるものとする。

（審査請求を相手国実施機関等を経由してすることができることとされる相手国法令）

第四条　法第四十七条第一項に規定する政令で定める相手国法令は、社会保障協定の実施に伴う厚生年金保険法等の特例等に関する政令第九十条各号に掲げるものとする。

附　則

（施行期日）

第一条　この政令は、法の施行の日（平成二十年三月一日）から施行する。

（日本国及びドイツ連邦共和国の両国において就労する者等に係る国家公務員共済組合法等の特例に関する政令等の廃止）

第二条　次に掲げる政令は、廃止する。

一　日本国及びドイツ連邦共和国の両国において就労する者等に係る国家公務員共済組合法等の特例に関する政令（平成十年政令第四百十一号）

二　日本国及びグレート・ブリテン及び北部アイルランド連合王国の両国において就労する者に係る国家公務員共済組合法の特例に関する政令（平成十二年政令第四百五十八号）

三　日本国及び大韓民国の両国において就労する者に係る国家公務員共済組合法の特例に関する政令（平成十六年政令第四百十三号）

四　日本国及びアメリカ合衆国の両国において就労する者等に係る国家公務員共済組合法等の特例に関する政令（平成十七年政令第三百四号）

五　日本国及びベルギー王国の両国において就労する者等に係る国家公務員共済組合法等の特例に関する政令（平成十八年政令第三百九十八号）

六　日本国及びフランス共和国の両国において就労する者等に係る国家公務員共済組合法等の特例に関する政令（平成十八年政令第四百一号）

附　則（平二〇・一一・二八政令三六二）

この政令は、次の各号に掲げる規定ごとに、それぞれ当該各号に定める日から施行する。

一　目次の改正規定、第二条の改正規定（第八号に係る部分を除く。）、第四条の改正規定（同条の表一の項中「国民年金等特例政令」を「厚生年金等特例政令」に改める部分を除く。）、第五条の次に一条を加える改正規定、第八条に一号を加える改正規定、第十条の次に一条を加える改正規定、第四十条に三号を加える改正規定（第六号に係る部分に限る。）、第六章中第四十一条の前に一条を加える改正規定、第四十五条の次に一条を加える改正規定及び第五十条第一項の改正規定（同項の表第四条の表の一の項の項中「国民年金等特例政令」を「厚生年金等特例政令」に改める部分を除く。）　社会保障に関する日本国とオーストラリアとの間の協定の効力発生の日〔平二一・一・一〕

二　第二条第八号の改正規定、第四条の改正規定（同条の表一の項中「国民年金等特例政令」を「厚生年金等特例政令」に改める部分に限る。）、第十五条の改正規定、第十八条に二号を加える改正規定（第三号に係る部分に限る。）、第十九条及び第二十三条の改正規定（オランダ協定（社会保障に関する日本国とオランダ王国との間の協定をいう。以下この号において同じ。）に係る部分に限る。）、第二十四条の改正規定、第二十六条の改正規定（オランダ協定に係る部分に限る。）、第三十条（見出しを含む。）、第三十一条第一項から第三項まで及び第三十二条の改正規定、第三十四条の改正規定（チェコ協定（社会保障に関する日本国とチェコ共和国との間の協定をいう。以下この号及び次号において同じ。）に係る部分を除く。）、第三十七条（見出しを含む。）及び第三十八条の改正規定、第四十条に三号を加える改正規定（第七号に係る部分に限る。）、第四十一条の改正規定、第四十四条第二項の改正規定（チェコ協定に係る部分を除く。）、第四十六条第一項の表三の項の改正規定並びに第五十条第一項の改正規定（同項の表第四条の表の一の項中「国民年金等特例政令」を「厚生年金等特例政令」に改める部分に限る。）　オランダ協定の効力発生の日〔平二一・三・一〕

三　前二号に掲げる規定以外の規定　チェコ協定の効力発生の日〔平二一・六・一〕

附　則（平二一・九・一政令一九一）（抄）

この政令は、次の各号に掲げる規定ごとに、それぞれ当該各号に定める日から施行する。

一　〔前略〕第二条中社会保障協定の実施に伴う国家公務員共済組合法等の特例に関する政令第二条の改正規定、同令第十八条に二号を加える改正規定（同条第五号に係る部分に限る。）及び同令第四十条に二号を加える改正規定（同条第九号に係る部分に限る。）〔中略〕　社会保障に関する日本国とスペインとの間の協定の効力発生の日〔平二二・一二・一〕

二　前号に掲げる規定以外の規定　社会保障に関する日本国政府とアイルランド政府との間の協定の効力発生の日〔平二二・一二・一〕

附　則（平二三・一一・二八政令三五九）（抄）

改正　平二五・一二・一三政令三四五

この政令は、次の各号に掲げる規定ごとに、それぞれ当該各号に定める日から施行する。

一　〔前略〕第二条中社会保障協定の実施に伴う国家公務員共済組合法等の特例に関する政令第二条の改正規定、同令第十六条に一号を加える改正規定、同令第二十二条の次に二条を加える改正規定、同令第三十四条の改正規定及び同令第四十条に二号を加える改正規定（同条第十一号に係る部分に限る。）〔中略〕　社会保障に関する日本国とブラジル連邦共和国との間の協定の効力発生の日〔平二四・三・一〕

二　前号に掲げる規定以外の規定　社会保障に関する日本国とスイス連邦との間の協定の効力発生の日〔平二四・三・一〕

附　則（平二五・一二・一三政令三四五）（抄）

（施行期日）

1　この政令は、次の各号に掲げる規定ごとに、それぞれ当該各号に定める日から施行する。

一　〔前略〕第二条中社会保障協定の実施に伴う国家公務員共済組合法等の特例に関する政令第二条及び第五条の二の改正規定、同令第八条に一号を加える改正規定、同令第十八条に一号を加える改正規定、同令第十九条、第二十二条、第二十三条、第二十六条及び第三十四条第三項の改正規定、同令第四十条に二号を加える改正規定（同条第十三号に係る部分に限る。）並びに同令第四十条の二並びに第四十四条第二項第二号及び第四号イの改正規定〔中略〕並びに第五条の規定〔中略〕　社会保障に関する日本国とハンガリーとの間の協定の効力発生の日〔平二六・一・一〕

二　〔略〕

附　則（平二七・九・三〇政令三四四）（抄）

（施行期日）

第一条　この政令は、平成二十七年十月一日から施行する。〔ただし書略〕

附　則（平二九・七・二八政令二一四）（抄）

（施行期日）

第一条　この政令は、平成二十九年八月一日から施行する。〔ただし書略〕

○社会保障協定の実施に伴う厚生年金保険法等の特例等に関する政令

平一九・一一・三〇
政令三四七

最終改正　令五・一〇・二五政令三〇八

内閣は、社会保障協定の実施に伴う厚生年金保険法等の特例等に関する法律（平成十九年法律第百四号）の施行に伴い、及び同法の規定に基づき、この政令を制定する。

目次

第一章　総則

（趣旨）

第一条　この政令は、社会保障協定の実施に伴う厚生年金保険法等の特例等に関する法律（以下「法」という。）の施行に伴い、我が国及び我が国以外の締約国の双方において就労する者等に係る健康保険法（大正十一年法律第七十号）、船員保険法（昭和十四年法律第七十三号）、国民健康保険法（昭和三十三年法律第百九十二号）、高齢者の医療の確保に関する法律（昭和五十七年法律第八十号）、国民年金法（昭和三十四年法律第百四十一号）及び厚生年金保険法（昭和二十九年法律第百十五号）の特例等に関し必要な事項を定めるものとする。

（定義）

第二条　この政令において、次の各号に掲げる用語の意義は、それぞれ当該各号の定めるところによる。

一　昭和六十年国民年金等改正法　国民年金法等の一部を改正する法律（昭和六十年法律第三十四号）をいう。

二　平成六年国民年金等改正法　国民年金法等の一部を改正する法律（平成六年法律第九十五号）をいう。

三　旧国民年金法　昭和六十年国民年金等改正法第一条の規定による改正前の国民年金法をいう。

四　旧厚生年金保険法　昭和六十年国民年金等改正法第三条の規定による改正前の厚生年金保険法をいう。

五　旧船員保険法　昭和六十年国民年金等改正法第五条の規定による改正前の船員保険法をいう。

六　旧交渉法　昭和六十年国民年金等改正法附則第二条第一項の規定による廃止前の厚生年金保険及び船員保険交渉法（昭和二十九年法律第百十七号）をいう。

七　国共済施行法　国家公務員共済組合法の長期給付に関する施行法（昭和三十三年法律第百二十九号）をいう。

八　地共済施行法　地方公務員等共済組合法の長期給付等に関する施行法（昭和三十七年法律第百五十三号）をいう。

八の二　平成二十四年一元化法改正前国共済法　被用者年金制度の一元化等を図るための厚生年金保険法等の一部を改正する法律（平成二十四年法律第六十三号。以下「平成二十四年一元化法」という。）第二条の規定による改正前の国家公務員共済組合法（昭和三十三年法律第百二十八号）をいう。

八の三　なお効力を有する平成二十四年一元化法改正前国共済法　平成二十四年一元化法附則第

三十七条第一項の規定によりなおその効力を有するものとされた平成二十四年一元化法改正前国共済法をいう。

八の四　平成二十四年一元化法改正前地共済法　平成二十四年一元化法第三条の規定による改正前の地方公務員等共済組合法（昭和三十七年法律第百五十二号）をいう。

八の五　なお効力を有する平成二十四年一元化法改正前地共済法　平成二十四年一元化法附則第六十一条第一項の規定によりなおその効力を有するものとされた平成二十四年一元化法改正前地共済法をいう。

八の六　なお効力を有する平成二十四年一元化法改正前私学共済法　平成二十四年一元化法附則第七十九条の規定によりなおその効力を有するものとされた平成二十四年一元化法第四条の規定による改正前の私立学校教職員共済法（昭和二十八年法律第二百四十五号）をいう。

八の七　例による平成二十四年一元化法改正前国共済法　私立学校教職員共済法第四十八条の二の規定によりその例によることとされる平成二十四年一元化法附則第三十七条第一項の規定によりなおその効力を有するものとされた平成二十四年一元化法改正前国共済法をいう。

八の八　平成二十四年一元化法改正前共済年金各法　平成二十四年一元化法改正前国共済法、平成二十四年一元化法改正前地共済法及び平成二十四年一元化法第四条の規定による改正前の私立学校教職員共済法をいう。

九　旧国共済法　国家公務員等共済組合法等の一部を改正する法律（昭和六十年法律第百五号。以下「昭和六十年国共済改正法」という。）第一条の規定による改正前の国家公務員等共済組合法をいう。

十　旧地共済法　地方公務員等共済組合法等の一部を改正する法律（昭和六十年法律第百八号。以下「昭和六十年地共済改正法」という。）第一条の規定による改正前の地方公務員等共済組合法をいう。

十一　旧私学共済法　私立学校教職員共済組合法等の一部を改正する法律（昭和六十年法律第百六号）第一条の規定による改正前の私立学校教職員共済組合法をいう。

十二　旧公企体共済法　国家公務員及び公共企業体職員に係る共済組合制度の統合等を図るための国家公務員共済組合法等の一部を改正する法律（昭和五十八年法律第八十二号）附則第二条の規定による廃止前の公共企業体職員等共済組合法（昭和三十一年法律第百三十四号）をいう。

十三　平成十三年統合法　厚生年金保険制度及び農林漁業団体職員共済組合制度の統合を図るための農林漁業団体職員共済組合法等を廃止する等の法律（平成十三年法律第百一号）をいう。

十四　旧農林共済法　平成十三年統合法附則第二条第一項第一号に規定する旧農林共済法をいう。

十五　昭和六十年農林共済改正法　平成十三年統合法附則第二条第一項第四号に規定する昭和六十年農林共済改正法をいう。

十六　昭和六十一年経過措置政令　国民年金法等の一部を改正する法律の施行に伴う経過措置に関する政令（昭和六十一年政令第五十四号）をいう。

十七　平成九年経過措置政令　厚生年金保険法等の一部を改正する法律の施行に伴う経過措置に関する政令（平成九年政令第八十五号）をいう。

十八　平成十四年経過措置政令　厚生年金保険制度及び農林漁業団体職員共済組合制度の統合を図るための農林漁業団体職員共済組合法等を廃止する等の法律の施行に伴う移行農林共済年金等に関する経過措置に関する政令（平成十四年政令第四十四号）をいう。

十八の二　平成二十七年経過措置政令　被用者年金制度の一元化等を図るための厚生年金保険法等の一部を改正する法律の施行に伴う厚生年金保険の保険給付等に関する経過措置に関する政令（平成二十七年政令第三百四十三号）をいう。

十九　配偶者　法第五条第一項第四号に規定する配偶者をいう。

二十　保険料納付済期間　国民年金法第五条第一項に規定する保険料納付済期間（昭和六十年国民年金等改正法附則第八条第一項及び第九項の規定により保険料納付済期間又は保険料納付済期間である国民年金の被保険者期間とみなされたものを含む。）をいう。

二十一　保険料免除期間　国民年金法第五条第二項に規定する保険料免除期間（昭和六十年国民年金等改正法附則第八条第一項の規定により国民年金の保険料免除期間とみなされたものを含み、国民年金法第九十条の三第一項の規定により納付することを要しないものとされた保険料に係るものを除く。）をいう。

二十一の二　第一号厚生年金被保険者　厚生年金保険法第二条の五第一項第一号に規定する第一号厚生年金被保険者をいう。

二十一の三　第二号厚生年金被保険者　厚生年金保険法第二条の五第一項第二号に規定する第二号厚生年金被保険者をいう。

二十一の四　第三号厚生年金被保険者　厚生年金保険法第二条の五第一項第三号に規定する第三号厚生年金被保険者をいう。

二十一の五　第四号厚生年金被保険者　厚生年金保険法第二条の五第一項第四号に規定する第四号厚生年金被保険者をいう。

二十一の六　第一号厚生年金被保険者期間　厚生年金保険法第二条の五第一項第一号に規定する第一号厚生年金被保険者期間をいう。

二十一の七　第二号厚生年金被保険者期間　厚生年金保険法第二条の五第一項第二号に規定する第二号厚生年金被保険者期間をいう。

二十一の八　第三号厚生年金被保険者期間　厚生年金保険法第二条の五第一項第三号に規定する第三号厚生年金被保険者期間をいう。

二十一の九　第四号厚生年金被保険者期間　厚生年金保険法第二条の五第一項第四号に規定する第四号厚生年金被保険者期間をいう。

二十一の十　各号の厚生年金被保険者期間　第一号厚生年金被保険者期間、第二号厚生年金被保険者期間、第三号厚生年金被保険者期間又は第四号厚生年金被保険者期間をいう。

二十二　合算対象期間　国民年金法附則第九条第一項に規定する合算対象期間をいう。

二十三　第三種被保険者　昭和六十年国民年金等改正法附則第五条第十二号に規定する第三種被保険者をいう。

二十四　第四種被保険者　旧厚生年金保険法第三条第一項第七号に規定する第四種被保険者をいう。

二十五　船員任意継続被保険者　昭和六十年国民年金等改正法附則第五条第十四号に規定する船員任意継続被保険者をいう。

二十六　通算対象期間　昭和六十年国民年金等改正法附則第五条第十五号に規定する通算対象期間をいう。

二十七　老齢基礎年金の振替加算等　法第十条第二項に規定する老齢基礎年金の振替加算等をいう。

二十八　傷病、初診日又は障害認定日　それぞれ法第十一条第一項に規定する傷病、初診日又は障害認定日をいう。

二十九　厚生年金保険法による保険給付等、老齢厚生年金の加給、遺族厚生年金の中高齢寡婦加算又は遺族厚生年金の経過的寡婦加算　それぞれ法第二十七条に規定する厚生年金保険法による保険給付等、老齢厚生年金の加給、遺族厚生年金の中高齢寡婦加算又は遺族厚生年金の経過的寡婦加算をいう。

三十　障害厚生年金の配偶者加給　法第三十二条第四項に規定する障害厚生年金の配偶者加給（その支給が停止されているものを除く。）をいう。

三十一　老齢給付の配偶者加給　次のイからリまでに掲げる規定により、それぞれイからリまでに定める年金たる給付の受給権者の配偶者について加算し、又は加給する額に相当する部分（その支給が停止されているものを除く。）をいう。

イ　厚生年金保険法第四十四条第一項　老齢厚生年金

ロ　昭和六十年国民年金等改正法附則第七十八条第二項の規定によりなおその効力を有するものとされた旧厚生年金保険法第四十三条第一項　旧厚生年金保険法による老齢年金

ハ　昭和六十年国民年金等改正法附則第八十七条第六項の規定によりなおその効力を有するものとされた旧船員保険法第三十六条第一項　旧船員保険法による老齢年金

ニ　なお効力を有する平成二十四年一元化法改正前国共済法第七十八条第一項　平成二十四年一元化法改正前国共済年金（平成二十四年一元化法附則第三十七条第一項に規定する改正前国共済法による年金である給付をいう。以下同じ。）のうち退職共済年金

ホ　なお効力を有する平成二十四年一元化法改正前地共済法第八十条第一項　平成二十四年一元化法改正前地共済年金（平成二十四年一元化法附則第六十一条第一項に規定する改正前地共済法による年金である給付をいう。以下同じ。）のうち退職共済年金

ヘ　なお効力を有する平成二十四年一元化法改正前私学共済法第二十五条において準用する例による平成二十四年一元化法改正前国共済法第七十八条第一項　平成二十四年一元化法改正前私学共済年金（平成二十四年一元化法附則第七十九条に規定する改正前私学共済法による年金である給付をいう。以下同じ。）のうち退職共済年金

ト　平成二十四年一元化法附則第四十一条第一項（厚生年金保険法の規定を適用するとしたならば同法の規定により老齢厚生年金の額として算定されることとなる額が同法第四十四条第一項の規定により同項に規定する加給年金額を加算された額となる者（チ並びに第三十六条第四項第五号及び第六号において「老齢厚生年金加給対象者」という。）について適用される場合に限る。）　平成二十四年一元化法附則第四十一条第一項の規定による退職共済年金

チ　平成二十四年一元化法附則第六十五条第一項（老齢厚生年金加給対象者について適用される場合に限る。）　同項の規定による退職共済年金

リ　平成十三年統合法附則第十六条第一項の規定によりなおその効力を有するものとされた廃止前農林共済法（平成十三年統合法附則第二条第一項第一号に規定する廃止前農林共済法をいう。以下同じ。）第三十八条第一項　移行退職共済年金（平成十三年統合法附則第十六条第四項に規定する移行農林共済年金（以下「移行農林共済年金」という。）のうち平成十三年統合法附則第二条第二項第一号に規定する退職共済年金をいう。以下同じ。）

三十二　障害給付の配偶者加給　次のイからリまでに掲げる規定により、それぞれイからリまでに定める年金たる給付の受給権者の配偶者について加算する額に相当する部分（その支給が停止されているものを除く。）をいう。

イ　厚生年金保険法第五十条の二第一項　障害厚生年金

ロ　昭和六十年国民年金等改正法附則第七十八条第二項の規定によりなおその効力を有するものとされた旧厚生年金保険法第五十条第一項　旧厚生年金保険法による障害年金

ハ　昭和六十年国民年金等改正法附則第八十七条第六項の規定によりなおその効力を有するものとされた旧船員保険法第四十一条ノ二第一項　旧船員保険法による障害年金

ニ　なお効力を有する平成二十四年一元化法改正前国共済法第八十三条第一項　平成二十四年一元化法改正前国共済年金のうち障害共済年金

ホ　なお効力を有する平成二十四年一元化法改正前地共済法第八十八条第一項　平成二十四年一元化法改正前地共済年金のうち障害共済年金

ヘ　なお効力を有する平成二十四年一元化法改正前私学共済法第二十五条において準用する例による平成二十四年一元化法改正前国共済法第八十三条第一項　平成二十四年一元化法改正前私学共済年金のうち障害共済年金

ト　平成二十四年一元化法附則第四十一条第一項（厚生年金保険法の規定を適用するとしたならば同法の規定により障害厚生年金の額として算定されることとなる額が同法第五十条の二第一項の規定により同項に規定する加給年金額を加算された額となる者（チ並びに第三十六条第四項第十二号及び第十三号において「障害厚生年金加給対象者」という。）について適用される場合に限る。）　平成二十四年一元化法附則第四十一条第一項の規定による障害共済年金

チ　平成二十四年一元化法附則第六十五条第一項（障害厚生年金加給対象者について適用される場合に限る。）　同項の規定による障害共済年金
リ　平成十三年統合法附則第十六条第一項の規定によりなおその効力を有するものとされた廃止前農林共済法第四十三条第一項　移行障害共済年金（移行農林共済年金のうち平成十三年統合法附則第二条第二項第二号に規定する障害共済年金をいう。以下同じ。）

三十三　旧適用法人共済組合員期間　厚生年金保険法等の一部を改正する法律（平成八年法律第八十二号）附則第三条第八号に規定する旧適用法人共済組合員期間をいう。

三十四　旧適用法人被保険者期間　平成九年経過措置政令第十二条に規定する旧適用法人被保険者期間をいう。

三十五　旧農林共済組合　平成十三年統合法附則第二条第一項第七号に規定する旧農林共済組合をいう。

三十六　旧農林共済組合員期間　平成十三年統合法附則第二条第一項第七号に規定する旧農林共済組合員期間をいう。

三十七　旧農林共済被保険者期間　平成十四年経過措置政令第五条に規定する旧農林共済被保険者期間をいう。

三十八　旧国家公務員共済組合員期間　平成二十四年一元化法附則第四条第十一号に規定する旧国家公務員共済組合員期間をいう。

三十九　旧地方公務員共済組合員期間　平成二十四年一元化法附則第四条第十二号に規定する旧地方公務員共済組合員期間をいう。

三十九の二　旧私立学校教職員共済加入者期間　平成二十四年一元化法附則第四条第十三号に規定する旧私立学校教職員共済加入者期間をいう。

三十九の三　旧国家公務員共済被保険者期間　平成二十七年経過措置政令第二条第六十号に規定する旧国家公務員共済被保険者期間をいう。

三十九の四　旧地方公務員共済被保険者期間　平成二十七年経過措置政令第二条第六十一号に規定する旧地方公務員共済被保険者期間をいう。

三十九の五　旧私立学校教職員共済被保険者期間　平成二十七年経過措置政令第二条第六十二号に規定する旧私立学校教職員共済被保険者期間をいう。

四十　特定相手国船員期間　次のイからハまでに掲げる社会保障協定に係る相手国期間のうち、それぞれ当該イからハまでに定める期間をいう。
イ　ベルギー協定　ベルギー王国の国籍を有する船舶において就労した期間としてベルギー実施機関が確認した期間
ロ　フランス協定　フランス共和国の国籍を有する船舶において就労した期間としてフランス実施機関が確認した期間
ハ　スペイン協定　スペインの国籍を有する船舶において就労した期間としてスペイン実施機関が確認した期間

四十一　特定相手国坑内員期間　次のイからニまでに掲げる社会保障協定に係る相手国期間のうち、それぞれ当該イからニまでに定める期間をいう。
イ　ドイツ協定　ドイツ保険料納付期間のうち坑内の作業に従事した期間としてドイツ保険者が確認した期間
ロ　ベルギー協定　坑内の作業に従事した期間としてベルギー実施機関が確認した期間
ハ　フランス協定　坑内の作業に従事した期間としてフランス実施機関が確認した期間
ニ　スペイン協定　坑内の作業に従事した期間としてスペイン実施機関が確認した期間

四十二　ドイツ協定、ドイツ保険者又はドイツ保険料納付期間　それぞれ社会保障に関する日本国とドイツ連邦共和国との間の協定、ドイツ協定第二条(1)(b)に規定する年金保険制度の運営に責任を有する保険機関及びその連合組織又はドイツ協定に係る相手国期間のうち保険料を納付した期間（保険料を納付したとみなされる期間を含む。）としてドイツ保険者が確認した期間をいう。

四十三　連合王国協定又は連合王国の領域　それぞれ社会保障に関する日本国とグレート・ブリテン及び北部アイルランド連合王国との間の協定又はグレート・ブリテン及び北部アイルランド連合王国の領域（マン島、ジャージー島及びガーンジー（ガーンジー、オールダニー、ハーム及びジェソウの諸島をいう。）を含む。）をいう。

四十四　韓国協定　社会保障に関する日本国と大韓民国との間の協定をいう。

四十五　合衆国協定、合衆国実施機関、合衆国納付条件又は合衆国特例初診日　それぞれ社会保障に関する日本国とアメリカ合衆国との間の協定、合衆国協定第一条1(f)に規定するアメリカ合衆国の実施機関、合衆国協定第六条3(a)に規定する条件又は合衆国納付条件に該当する初診日をいう。

四十六　ベルギー協定又はベルギー実施機関　それぞれ社会保障に関する日本国とベルギー王国との間の協定又はベルギー協定第一条1(e)に規定するベルギー王国の実施機関をいう。

四十七　フランス協定、フランス実施機関又はフランス特定保険期間　それぞれ社会保障に関する日本国政府とフランス共和国政府との間の協定、フランス協定第一条1(g)に規定するフランス共和国の実施機関又はフランス協定第十三条3の規定に基づきフランス実施機関が証明した保険期間をいう。

四十八　カナダ協定又はカナダ実施機関　それぞれ社会保障に関する日本国とカナダとの間の協定又はカナダ協定第二条1(e)に規定するカナダの実施機関をいう。

四十九　オーストラリア協定又はオーストラリア実施機関　それぞれ社会保障に関する日本国とオーストラリアとの間の協定又はオーストラリア協定第一条1(e)に規定するオーストラリアの実施機関をいう。

五十　オランダ協定又はオランダ実施機関　それぞれ社会保障に関する日本国とオランダ王国との間の協定又はオランダ協定第一条1(f)に規定するオランダ王国の実施機関をいう。

五十一　チェコ協定又はチェコ実施機関　それぞれ社会保障に関する日本国とチェコ共和国との

間の協定又はチェコ協定第一条1(d)に規定するチェコ共和国の実施機関をいう。
五十二　スペイン協定又はスペイン実施機関　それぞれ社会保障に関する日本国とスペインとの間の協定又はスペイン協定第一条1(d)に規定するスペインの実施機関をいう。
五十三　アイルランド協定又はアイルランド実施機関　それぞれ社会保障に関する日本国政府とアイルランド政府との間の協定又はアイルランド協定第一条1(e)に規定するアイルランドの実施機関をいう。
五十四　ブラジル協定又はブラジル実施機関　それぞれ社会保障に関する日本国とブラジル連邦共和国との間の協定又はブラジル協定第一条1(f)に規定するブラジル連邦共和国の実施機関をいう。
五十五　スイス協定又はスイス実施機関　それぞれ社会保障に関する日本国とスイス連邦との間の協定又はスイス協定第一条1(e)に規定するスイス連邦の実施機関をいう。
五十六　ハンガリー協定又はハンガリー実施機関　それぞれ社会保障に関する日本国とハンガリーとの間の協定又はハンガリー協定第一条1(e)に規定するハンガリーの実施機関をいう。
五十七　インド協定又はインド実施機関　それぞれ社会保障に関する日本国とインド共和国との間の協定又はインド協定第一条1(e)に規定するインド共和国の実施機関をいう。
五十八　ルクセンブルク協定又はルクセンブルク実施機関　それぞれ社会保障に関する日本国とルクセンブルク大公国との間の協定又はルクセンブルク協定第一条1(e)に規定するルクセンブルク大公国の実施機関をいう。
五十九　フィリピン協定又はフィリピン実施機関　それぞれ社会保障に関する日本国とフィリピン共和国との間の協定又はフィリピン協定第一条1(f)に規定するフィリピン共和国の実施機関をいう。
六十　スロバキア協定又はスロバキア実施機関　それぞれ社会保障に関する日本国とスロバキア共和国との間の協定又はスロバキア協定第一条1(e)に規定するスロバキア共和国の実施機関をいう。
六十一　中国協定　社会保障に関する日本国政府と中華人民共和国政府との間の協定をいう。
六十二　フィンランド協定、フィンランド実施機関又はフィンランド特定保険期間　それぞれ社会保障に関する日本国とフィンランド共和国との間の協定、フィンランド協定第一条1(f)に規定するフィンランド共和国の実施機関又はフィンランド協定第十五条1の規定に基づきフィンランド実施機関が証明した保険期間をいう。
六十三　スウェーデン協定又はスウェーデン実施機関　それぞれ社会保障に関する日本国とスウェーデン王国との間の協定又はスウェーデン協定第一条1(e)に規定するスウェーデン王国の実施機関をいう。
六十四　イタリア協定又はイタリア実施機関　それぞれ社会保障に関する日本国とイタリア共和国との間の協定又はイタリア協定第一条1(d)に規定するイタリア共和国の実施機関をいう。

第二章　健康保険法の特例に関する事項

（政令で定める社会保障協定に係る場合における健康保険の被保険者としない者）

第三条　法第三条第一項第一号及び第三号並びに第二項に規定する政令で定める社会保障協定は、合衆国協定とする。

2　法第三条第一項第一号及び第三号並びに第二項に規定する政令で定める者は、当該者並びにその配偶者及び子のすべてが日本国の領域内において受ける療養に要する費用の支出に備えるための適切な保険契約を締結していることにつき合衆国実施機関により証明がされた者とする。

（健康保険の被保険者の資格の取得及び喪失に関する事項）

第四条　法第三条第一項の規定により健康保険の被保険者としないこととされた者が同項各号のいずれにも該当しない者となるに至ったときは、その日に健康保険の被保険者の資格を取得する。

2　健康保険の被保険者が法第三条第一項各号のいずれかに該当するに至ったときは、その翌日に健康保険の被保険者の資格を喪失する。

3　健康保険の被保険者であって、発効日（法第十八条第一項に規定する発効日をいう。以下同じ。）において法第三条第一項の規定により健康保険の被保険者としないこととされたものは、前項の規定にかかわらず、発効日に健康保険の被保険者の資格を喪失する。

第三章　船員保険法の特例に関する事項

（法第四条第一項第一号に規定する政令で定める船舶）

第五条　法第四条第一項第一号に規定する政令で定める船舶は、合衆国協定第二条2(b)に掲げるアメリカ合衆国の法令によるアメリカ合衆国の船舶（アメリカ合衆国の国籍を有する船舶を除く。）とする。

（政令で定める社会保障協定に係る場合における船員保険の被保険者としない者）

第六条　法第四条第一項第一号に規定する政令で定める社会保障協定は、合衆国協定とする。

2　法第四条第一項第一号に規定する政令で定める者は、当該者並びにその配偶者及び子のすべてが日本国の領域内において受ける療養に要する費用の支出に備えるための適切な保険契約を締結していることにつき合衆国実施機関により証明がされた者とする。

（船員保険の被保険者の資格の取得及び喪失に関する事項）

第七条　法第四条第一項の規定により船員保険の被保険者としないこととされた者が同項各号のいずれにも該当しない者となるに至ったときは、その日に船員保険の被保険者の資格を取得する。

2　船員保険の被保険者が法第四条第一項各号のいずれかに該当するに至ったときは、その翌日に船員保険の被保険者の資格を喪失する。

3　船員保険の被保険者であって、発効日において法第四条第一項の規定により船員保険の被保険者としないこととされたものは、前項の規定にかかわらず、発効日に船員保険の被保険者の資格を喪失する。

第四章　国民健康保険法の特例に関する事項

（政令で定める社会保障協定に係る場合における国民健康保険の被保険者としない者）

第八条　法第五条第一項第一号に規定する政令で定める社会保障協定は、合衆国協定とする。

2　法第五条第一項第一号に規定する政令で定める者は、当該者並びにその配偶者及び子のすべてが日本国の領域内において受ける療養に要する費用の支出に備えるための適切な保険契約を締結していることにつき合衆国実施機関により証明がされた者とする。

（国民健康保険の被保険者としない配偶者又は子）

第九条　法第五条第一項第四号に規定する政令で定める配偶者又は子は、次に掲げる者とする。ただし、オランダ協定第一条1(d)に規定するオランダ王国の法令、チェコ協定第一条1(b)に規定するチェコ共和国の法令又はハンガリー協定第一条1(c)に規定するハンガリーの法令の規定の適用により法第五条第一項第一号又は第三号のいずれかに該当する者の配偶者又は子（ハンガリー協定に係る場合にあっては、ハンガリー協定第十一条1(b)に規定する医療保険の給付（現物給付）に関するハンガリーの法令の規定の適用を受けない者に限る。）及び国民健康保険の被保険者となることを希望し、国民健康保険法第九条第一項（同法第二十二条において準用する場合を含む。）の規定による国民健康保険の被保険者の資格の取得の届出をすることとなる者を除く。

一　出入国管理及び難民認定法（昭和二十六年政令第三百十九号）別表第一の四の表の家族滞在の在留資格をもって在留する者

二　前号に掲げる者以外の者であって、主として法第五条第一項第一号又は第三号のいずれかに該当する者の収入により生計を維持するもの

2　前項第二号に規定する主として生計を維持することの認定は、健康保険法における被扶養者の認定の取扱いを勘案して厚生労働大臣の定めるところにより、市町村若しくは特別区又は国民健康保険組合が行う。

（国民健康保険の被保険者の資格の取得及び喪失に関する事項）

第十条　法第五条第一項の規定により国民健康保険の被保険者としないこととされた者が同項各号のいずれにも該当しない者となるに至ったときは、その日に国民健康保険の被保険者の資格を取得する。

2　国民健康保険の被保険者が法第五条第一項各号のいずれかに該当するに至ったときは、その翌日に国民健康保険の被保険者の資格を喪失する。

3　国民健康保険の被保険者であって、発効日において法第五条第一項の規定により国民健康保険の被保険者としないこととされたものは、前項の規定にかかわらず、発効日に国民健康保険の被保険者の資格を喪失する。

第五章　高齢者の医療の確保に関する法律の特例に関する事項

（後期高齢者医療の被保険者としない配偶者又は子）

第十条の二　法第六条第一項第三号に規定する政令で定める配偶者又は子は、次に掲げる者とする。ただし、オランダ協定第一条1(d)に規定するオランダ王国の法令、チェコ協定第一条1(b)に規定するチェコ共和国の法令又はハンガリー協定第一条1(c)に規定するハンガリーの法令の規定の適用により同項第一号に該当する者の配偶者又は子（ハンガリー協定に係る場合にあっては、ハンガリー協定第十一条1(b)に規定する医療保険の給付（現物給付）に関するハンガリーの法令の規定の適用を受けない者に限る。）及び後期高齢者医療の被保険者となることを希望し、高齢者の医療の確保に関する法律第五十四条第一項の規定による後期高齢者医療の被保険者の資格の取得の届出をすることとなる者を除く。

一　出入国管理及び難民認定法別表第一の四の表の家族滞在の在留資格をもって在留する者

二　前号に掲げる者以外の者であって、主として法第六条第一項第一号に該当する者の収入により生計を維持するもの

2　前項第二号に規定する主として生計を維持することの認定は、健康保険法における被扶養者の認定の取扱いを勘案して厚生労働大臣の定めるところにより、後期高齢者医療広域連合が行う。

（後期高齢者医療の被保険者の資格の取得及び喪失に関する事項）

第十条の三　法第六条第一項の規定により後期高齢者医療の被保険者としないこととされた者が同項各号のいずれにも該当しない者となるに至ったときは、その日に後期高齢者医療の被保険者の資格を取得する。

2　後期高齢者医療の被保険者が法第六条第一項各号のいずれかに該当するに至ったときは、その翌日に後期高齢者医療の被保険者の資格を喪失する。

3　後期高齢者医療の被保険者であって、発効日において法第六条第一項の規定により後期高齢者医療の被保険者としないこととされたものは、前項の規定にかかわらず、発効日に後期高齢者医療の被保険者の資格を喪失する。

第六章　国民年金法の特例に関する事項

第一節　被保険者の資格に関する事項

（国民年金の被保険者としない配偶者又は子等）

第十一条　法第七条第一項第五号に規定するその他政令で定めるものは、第九条第一項第一号に掲げる者とする。

2　法第七条第一項第五号に規定する配偶者又は子から除かれる政令で定めるものは、国民年金の被保険者となることを希望し、国民年金法第十二条第一項の規定による国民年金の被保険者の資格の取得の届出をすることとなる者とする。

（法第七条第一項第五号に規定する政令で定める社会保障協定）

第十二条　法第七条第一項第五号に規定する政令で定める社会保障協定は、次のとおりとする。

一　連合王国協定

二　オランダ協定

（生計を維持することの認定）

第十三条　国民年金法施行令（昭和三十四年政令第百八十四号）第四条の規定は、法第七条第一項第五号に規定する主として生計を維持することの認定について準用する。

（国民年金の被保険者の資格の取得及び喪失に関する事項）

第十四条　法第七条第一項の規定により国民年金の被保険者としないこととされた者（国民年金法第七条第一項各号のいずれかに該当する者に限る。）が法第七条第一項各号のいずれにも該当しない者となるに至ったときは、その日に国民年金の被保険者の資格を取得する。

2　国民年金法第七条第一項の規定による国民年金の被保険者（日本国内に住所を有する二十歳以上六十歳未満の者に限る。）が法第七条第一項各号のいずれかに該当する者となるに至ったときは、その翌日に国民年金の被保険者の資格を喪失する。

3　国民年金法第七条第一項の規定による国民年金の被保険者（日本国内に住所を有する二十歳以上六十歳未満の者に限る。）であって、発効日において法第七条第一項の規定により国民年金の被保険者としないこととされたものは、前項の規定にかかわらず、発効日に国民年金の被保険者の資格を喪失する。

（法第八条第一項及び第二項第三号に規定する政令で定める者）

第十五条　法第八条第一項及び第二項第三号に規定する政令で定める者は、ドイツ協定第三条(b)に規定する難民とする。

（法第八条第一項に規定する政令で定める社会保障協定）

第十六条　法第八条第一項に規定する政令で定める社会保障協定は、ドイツ協定とする。

（法第八条第一項に規定する政令で定める期間）

第十七条　法第八条第一項に規定する政令で定める期間は、昭和六十年国民年金等改正法附則第八条第九項の規定により保険料納付済期間である国民年金の被保険者期間とみなされた期間とする。

（法第八条第一項に規定する政令で定める数）

第十八条　法第八条第一項に規定する社会保障協定に定める数として政令で定めるものは、六十とする。

（法第九条に規定する政令で定める社会保障協定）

第十九条　法第九条に規定する政令で定める社会保障協定は、連合王国協定とする。

（法第九条に規定する政令で定める者）

第二十条　法第九条に規定する政令で定める者は、次に掲げる者以外の者とする。

一　連合王国の領域内に事業所を有する事業主に使用され、当該事業主により五年を超えないと見込まれる期間日本国の領域内において就労するために派遣された者であって、当該就労のために日本国に滞在を開始した日から引き続き就労するために日本国に滞在し、かつ、同日から起算して五年を経過していないもの

二　連合王国の領域内において自営業者（独立して自ら事業を営む者をいう。以下この号において同じ。）として就労し、五年を超えないと見込まれる期間日本国の領域内において自営業者として就労する者であって、当該就労のために日本国に滞在を開始した日から引き続き就労するために日本国に滞在し、かつ、同日から起算して五年を経過していないもの

第二節　給付等に関する事項

第一款　給付等の支給要件等に関する事項

（法第十条第一項に規定する政令で定める規定等）

第二十一条　オーストラリア協定以外の社会保障協定に係る相手国期間について法第十条第一項の規定を適用する場合において、同項に規定する政令で定める規定は、次の表の第一欄に掲げる規定とし、同欄に掲げる規定を適用する場合における同項の合算対象期間その他の期間であって政令で定めるものは、それぞれ同表の第二欄に掲げる期間とし、同表の第一欄に掲げる規定を適用する場合における同項に規定する政令で定める相手国期間は、それぞれ同表の第三欄に掲げる期間（それぞれ同表の第一欄に掲げる規定に規定する老齢基礎年金又は遺族基礎年金の受給資格要件たる期間の計算の基礎となっている月に係るものを除くものとし、同表の第二欄に掲げる期間（同表の二の項の第二欄に掲げる第四号厚生年金被保険者期間及び同表の六の項の第二欄に掲げる期間を除く。）に算入することとされる特定相手国船員期間及び同表の一の項から六の項までの第二欄に掲げる合算対象期間又は第一号厚生年金被保険者期間に算入することとされる特定相手国坑内員期間については、昭和六十一年三月以前の期間に係るものにあってはこれらの期間に三分の四を、同年四月から平成三年三月までの期間に係るものにあってはこれらの期間に五分の六を乗じて得た期間とする。）とする。

	第一欄	第二欄	第三欄
一	国民年金法附則第九条第一項又は昭和六十年国民年金等改正法附則第十二条第一項第一号、第十五条第一項第一号若しくは第十八条第一項第一号	合算対象期間	昭和十五年六月（第二十二条各号に掲げる社会保障協定に係る場合にあっては、昭和十七年六月とする。以下この表において同じ。）以後の相手国期間
二	昭和六十年国民年金等改正法附則第十二条第一項第二号（昭和六十年国民年金等改正法附則第十五条第一項第二号又は第十八条第一項第二号に	第一号厚生年金被保険者期間	昭和十五年六月以後の相手国期間（ドイツ協定に係る場合にあっては、ドイツ保険料納付済期間とする。以下この表において同じ。）

	おいて適用する場合を含む。）	第二号厚生年金被保険者期間	昭和三十四年一月以後の相手国期間
		第三号厚生年金被保険者期間	昭和三十七年十二月以後の相手国期間
		第四号厚生年金被保険者期間	昭和二十九年一月以後の相手国期間
三	昭和六十年国民年金等改正法附則第十二条第一項第三号（昭和六十年国民年金等改正法附則第十五条第一項第二号又は第十八条第一項第二号において適用する場合を含む。）	第一号厚生年金被保険者期間	昭和十五年六月以後の相手国期間
四	昭和六十年国民年金等改正法附則第十二条第一項第四号（昭和六十年国民年金等改正法附則第十五条第一項第二号又は第十八条第一項第二号において適用する場合を含む。）	四十歳（女子については、三十五歳）に達した月以後の厚生年金保険の被保険者期間（第一号厚生年金被保険者期間に係るものに限る。）	昭和十五年六月以後の相手国期間（四十歳（女子については、三十五歳）に達した月以後の期間に限る。）
五	昭和六十年国民年金等改正法附則第十二条第一項第五号（昭和六十年国民年金等改正法附則第十五条第一項第二号又は第十八条第一項第二号において適用する場合を含む。）	三十五歳に達した月以後の第三種被保険者又は船員任意継続被保険者としての厚生年金保険の被保険者期間	昭和十五年六月以後の特定相手国船員期間又は特定相手国坑内員期間（三十五歳に達した月以後の期間に限る。）
六	昭和六十年国民年金等改正法附則第十二条第一項第六号（昭和六十年国民年金等改正法附則第十五条第一項第二号又は第十八条第一項第二号において適用する場合を含む。）	継続した十五年間における旧厚生年金保険法附則第四条第二項の規定により旧厚生年金保険法第三条第一項第五号に規定する第三種被保険者であった期間とみなされた期間に基づく厚生年金保険の被保険者期間	継続した十五年間における昭和十五年六月から昭和二十九年四月までの特定相手国坑内員期間
		継続した十五年間における旧厚生年金保険法第三条第一項第五号に規定する第三種被保険者であった期間に基づく厚生年金保険の被保険者期間	継続した十五年間における昭和二十九年五月以後の特定相手国坑内員期間
七	昭和六十年国民年金等改正法附則第十二条第一項第八号（平成二十四年一元化法附則第三十五条第四項に規定する者に係る部分に限る。）	四十歳に達した日の属する月以後の国家公務員共済組合の組合員期間	昭和三十四年一月以後の相手国期間（四十歳に達した日の属する月以後の期間に限る。）
八	昭和六十年国民年金等改正法附則第十二条第一項第十号において適用する国共済施行法第八条第一号（国共済施行法第二十二条第一項、第二十三条第一項及び第四十八条第一項において準用する場合を含む。）	国家公務員共済組合の組合員期間	昭和三十四年一月以後の相手国期間
九	昭和六十年国民年金等改正法附則第十二条第一項第十二号（平成二十四年一元化法附則第五十九条第五項に規定する者に係る部分に限る。）	四十歳に達した日の属する月以後の地方公務員共済組合の組合員期間	昭和三十七年十二月以後の相手国期間（四十歳に達した日の属する月以後の期間に限る。）
十	昭和六十年国民年金等改正法附則第十二条第一項第十四号	地方公務員共済組合の組合員期間	昭和三十七年十二月以後の相手国期間

2　オーストラリア協定に係る相手国期間について法第十条第一項の規定を適用する場合においては、同項に規定する政令で定める規定は、次の表の第一欄に掲げる規定とし、同欄に掲げる規定を適用する場合における同項の合算対象期間その他の期間であって政令で定めるものは、それぞれ同表の第二欄に掲げる期間とし、同表の第一欄に掲げる規定を適用する場合における同項に規定する政令で定める相手国期間は、それぞれ同表の第三欄に掲げる期間（それぞれ同表の第一欄に掲げる規定に規定する老齢基礎年金の受給資格要件たる期間の計算の基礎となっている月に係るものを除くものとする。）とする。

	第一欄	第二欄	第三欄
一	国民年金法附則第九条第一項（同法第三十七条（第三号及び第四号に限る。）の規定の適用に係る部分を除く。）又は昭和六十年国民年金等改正法附則第十五条第一項第一号若しくは第十八条第一項第一号	合算対象期間	昭和十七年六月以後の相手国期間
二	昭和六十年国民年金等改正法附則第十二条第一項（国民年金法第三十七条（第三号及び第四号に限る。）の規定の適用に係る部分を除き、同項第二号（昭和六十年国民年金等改正法附則第十五条第一項第二号又は第十八条第一項第二号において適用する場合を含む。）に係る部分に限る。）	第一号厚生年金被保険者期間	昭和十七年六月以後の相手国期間
		第二号厚生年金被保険者期間	昭和三十四年一月以後の相手国期間
		第三号厚生年金被保険者期間	昭和三十七年十二月以後の相手国期間
		第四号厚生年金被保険者期間	昭和二十九年一月以後の相手国期間
三	昭和六十年国民年金等改正法附則第十二条第一項（国民年金法第三十七条（第三号及び第四号に限る。）の規定の適用に係る部分を除き、同項第三号（昭和六十年国民年金等改正法附則第十五条第一項第二号又は第十八条第一項第二号において適用する場合を含む。）に係る部分に限る。）	第一号厚生年金被保険者期間	昭和十七年六月以後の相手国期間
四	昭和六十年国民年金等改正法附則第十二条第一項（国民年金法第三十七条（第三号及び第四号に限る。）の規定の適用に係る部分を除き、同項第四号（昭和六十年国民年金等改正法附則第十五条第一項第二号又は第十八条第一項第二号において適用する場合を含む。）に係る部分に限る。）	四十歳（女子については、三十五歳）に達した月以後の厚生年金保険の被保険者期間（第一号厚生年金被保険者期間に係るものに限る。）	昭和十七年六月以後の相手国期間（四十歳（女子については、三十五歳）に達した月以後の期間に限る。）

（法第十条第二項の規定により読み替えられた昭和六十年国民年金等改正法附則第十四条第一項第一号に規定する政令で定める相手国期間）

第二十二条　法第十条第二項の規定により読み替えられた昭和六十年国民年金等改正法附則第十四条第一項第一号に規定する政令で定める相手国期間は、昭和十五年六月（次に掲げる社会保障協定に係る場合にあっては、昭和十七年六月とする。）以後の相手国期間（ドイツ協定に係る場合にあっては、ドイツ保険料納付期間とし、法第十条第二項に規定する老齢厚生年金の受給権者がその権利を取得した月以後（当該老齢厚生年金が厚生年金保険法第四十三条第二項の規定によりその額の改定が行われたものである場合にあっては当該改定に係る同項に規定する基準日の属する月以後、同条第三項の規定によりその額の改定が行われたものである場合にあっては同項に規定する被保険者である受給権者がその被保険者の資格を喪失した月以後、同法附則第七条の三第五項又は第十三条の四第六項の規定によりその額の改定が行われたものである場合にあっては同法附則第七条の三第五項又は第十三条の四第六項に規定する受給権者が六十五歳に達した日の属する月以後、同条第五項の規定によりその額の改定が行われたものである場合にあっては同項に規定する受給権者が同法附則第八条の二各項の表の下欄に掲げる年齢に達した日の属する月以後）におけるもの（第二十四条及び第五十六条において「厚生年金保険の算入対象外相手国期間」という。）を除く。）（当該老齢厚生年金の額の計算の基礎となる厚生年金保険の被保険者期間の計算の基礎となっている月に係るものを除くものとし、特定相手国船員期間又は特定相手国坑内員期間については、昭和六十一年三月以前の期間に係るものにあってはこれらの期間に三分の四を、同年四月から平成三年三月までの期間に係るものにあってはこれらの期間に五分の六を乗じて得た期間とする。）とする。

一 ドイツ協定
二 合衆国協定
三 カナダ協定
四 オーストラリア協定
五 オランダ協定
六 チェコ協定
七 アイルランド協定
八 ブラジル協定
九 スイス協定
十 ハンガリー協定
十一 インド協定
十二 ルクセンブルク協定
十三 フィリピン協定
十四 スロバキア協定
十五 フィンランド協定
十六 スウェーデン協定

（二以上の種別の被保険者であった期間を有する者に係る法第十条第二項の規定の適用の特例）

第二十三条 法第十条第二項に規定する老齢厚生年金の受給権者であって二以上の種別の被保険者であった期間を有する者（法第三十五条に規定する二以上の種別の被保険者であった期間を有する者をいう。以下同じ。）であるものについて、同項の規定を適用する場合においては、同項中「その額」とあるのは「その額の計算の基礎となる附則第八条第二項各号のいずれか」と、「をいう。」であって政令で定めるものの月数と当該老齢厚生年金の額」とあるのは「をいい、社会保障協定の実施に伴う厚生年金保険法等の特例等に関する政令（平成十九年政令第三百四十七号）第二十二条に規定するものに限る。）の月数と附則第八条第二項各号」と、「月数とを」とあるのは「月数を合算した月数とを」とする。

（法第十条第三項に規定する政令で定める相手国期間）

第二十四条 法第十条第三項に規定する政令で定める相手国期間は、次の表の第一欄に掲げる場合に応じ、それぞれ同表の第二欄に掲げる期間（それぞれ同表の第一欄に規定する厚生年金保険の被保険者期間の計算の基礎となっている月に係るもの及び厚生年金保険の算入対象外相手国期間を除くものとし、特定相手国船員期間又は特定相手国坑内員期間については、昭和六十一年三月以前の期間に係るものにあってはこれらの期間に三分の四を、同年四月から平成三年三月までの期間に係るものにあってはこれらの期間に五分の六を乗じて得た期間とする。）とする。

	第一欄	第二欄
一	昭和六十年国民年金等改正法附則第十二条第一項第四号に規定する四十歳（女子については、三十五歳）に達した月以後の厚生年金保険の被保険者期間（第一号厚生年金被保険者期間に係るものに限る。）に算入する場合	昭和十五年六月（第二十二条各号に掲げる社会保障協定に係る場合にあっては、昭和十七年六月とする。以下この表において同じ。）以後の相手国期間（ドイツ協定に係る場合にあっては、ドイツ保険料納付期間とし、四十歳（女子については、三十五歳）に達した月以後の期間に限る。）
二	昭和六十年国民年金等改正法附則第十二条第一項第五号に規定する三十五歳に達した月以後の第三種被保険者又は船員任意継続被保険者としての厚生年金保険の被保険者期間に算入する場合	昭和十五年六月以後の特定相手国船員期間又は特定相手国坑内員期間（三十五歳に達した月以後の期間に限る。）
三	昭和六十年国民年金等改正法附則第十二条第一項第六号に規定する継続した十五年間における旧厚生年金保険法附則第四条第二項の規定により旧厚生年金保険法第三条第一項第五号に規定する第三種被保険者であった期間とみなされた期間に基づく厚生年金保険の被保険者期間に算入する場合	継続した十五年間における昭和十五年六月から昭和二十九年四月までの特定相手国坑内員期間
四	昭和六十年国民年金等改正法附則第十二条第一項第六号に規定する継続した十五年間における旧厚生年金保険法第三条第一項第五号に規定する第三種被保険者であった期間に基づく厚生年金保険の被保険者期間に算入する場合	継続した十五年間における昭和二十九年五月以後の特定相手国坑内員期間

（法第十一条第一項に規定する政令で定める社会保障協定）

第二十四条の二 法第十一条第一項に規定する政令で定める社会保障協定は、次のとおりとする。

一 オーストラリア協定

二　ハンガリー協定

（法第十一条第一項及び第十二条第一項に規定する政令で定める相手国期間）

第二十五条　法第十一条第一項及び第十二条第一項に規定する政令で定める相手国期間は、昭和十五年六月（第二十二条各号に掲げる社会保障協定に係る場合にあっては、昭和十七年六月とする。）以後の相手国期間（ドイツ協定に係る場合にあっては、ドイツ保険料納付期間とし、保険料納付済期間又は保険料免除期間（国民年金法第九十条の三第一項の規定により納付することを要しないものとされた保険料に係るものを除く。）の計算の基礎となっている月に係るものを除く。）とする。

（法第十一条第二項に規定する政令で定める社会保障協定等）

第二十六条　法第十一条第二項に規定する政令で定める社会保障協定は、次の表の第一欄に掲げる社会保障協定とし、同欄に掲げる社会保障協定に係る場合における同項に規定する相手国期間中に初診日のある傷病に相当するものとして政令で定めるものは、それぞれ同表の第二欄に掲げる傷病とする。

	第一欄	第二欄
一	ドイツ協定	ドイツ保険料納付期間中に初診日のある傷病
二	合衆国協定	国民年金の被保険者でない間に合衆国特例初診日のある傷病
三	フランス協定	フランス特定保険期間中に初診日のある傷病
四	フィンランド協定	フィンランド特定保険期間中に初診日のある傷病

（法第十一条第二項ただし書に規定する政令で定める年金たる給付）

第二十七条　法第十一条第二項ただし書に規定する政令で定める年金たる給付は、障害基礎年金（国民年金法第三十条の四の規定によるものを除く。）とする。

（法第十二条第一項に規定する政令で定める社会保障協定）

第二十七条の二　法第十二条第一項に規定する政令で定める社会保障協定は、オーストラリア協定とする。

（法第十二条第二項に規定する政令で定める社会保障協定等）

第二十八条　法第十二条第二項に規定する政令で定める社会保障協定は、次の表の第一欄に掲げる社会保障協定とし、同欄に掲げる社会保障協定に係る場合における同項に規定する相手国期間中に死亡した者に相当する者として政令で定める者は、それぞれ同表の第二欄に掲げる者とする。

	第一欄	第二欄
一	ドイツ協定	ドイツ保険料納付期間中に死亡した者
二	合衆国協定	国民年金の被保険者でない間の合衆国納付条件に該当する日に死亡した者
三	フランス協定	フランス特定保険期間中に死亡した者
四	フィンランド協定	フィンランド特定保険期間中に死亡した者

（法第十二条第二項ただし書に規定する政令で定める年金たる給付）

第二十九条　法第十二条第二項ただし書に規定する政令で定める年金たる給付は、遺族基礎年金とする。

第二款　給付等の額の計算等に関する事項

（老齢基礎年金の振替加算等の額の計算の特例に関する経過措置）

第三十条　平成二十四年一元化法附則第二十一条に規定する者の配偶者が法第十条第二項の規定により老齢基礎年金の振替加算等の受給権を有することとなるときは、法第十三条第一項第一号の期間比率は、同条第二項第一号の規定にかかわらず、当該平成二十四年一元化法附則第二十一条に規定する者の老齢厚生年金の額の計算の基礎となる厚生年金保険の被保険者期間（旧国家公務員共済組合員期間（他の法令の規定により当該旧国家公務員共済組合員期間に算入された期間を含む。）、旧地方公務員共済組合員期間（他の法令の規定により当該旧地方公務員共済組合員期間に算入された期間を含む。）又は旧私立学校教職員共済加入者期間と当該老齢厚生年金の額の計算の基礎となる厚生年金保険の被保険者期間とを合算して得た厚生年金保険の被保険者期間とする。）の月数を、二百四十で除して得た率とする。

（法第十三条第二項第二号に規定する政令で定める厚生年金保険の被保険者期間等）

第三十一条　法第十三条第二項第二号に規定する政令で定める厚生年金保険の被保険者期間及び同号に規定する政令で定める老齢厚生年金の受給資格要件たる期間は、次の表の第一欄に掲げる場合に応じ、それぞれ同表の第二欄に掲げる期間及び同表の第三欄に掲げる期間とする。

	第一欄	第二欄	第三欄
一	昭和六十年国民年金等改正法	四十歳（女子については、三	昭和六十年国民年金等改正

	附則第十二条第一項第四号の規定を適用する場合	十五歳）に達した月以後の厚生年金保険の被保険者期間	法附則別表第三の上欄に掲げる者の区分に応じ、それぞれ同表の下欄に掲げる期間
二	昭和六十年国民年金等改正法附則第十二条第一項第五号の規定を適用する場合	三十五歳に達した月以後の第三種被保険者又は船員任意継続被保険者としての厚生年金保険の被保険者期間（第一号厚生年金被保険者期間に係るものに限る。）	昭和六十年国民年金等改正法附則別表第三の上欄に掲げる者の区分に応じ、それぞれ同表の下欄に掲げる期間
三	昭和六十年国民年金等改正法附則第十二条第一項第六号の規定を適用する場合	継続した十五年間における旧厚生年金保険法附則第四条第二項の規定により旧厚生年金保険法第三条第一項第五号に規定する第三種被保険者であった期間とみなされた期間に基づく厚生年金保険の被保険者期間又は継続した十五年間における当該第三種被保険者であった期間とみなされた期間と当該第三種被保険者であった期間とに基づく厚生年金保険の被保険者期間	十六年

（法第十三条第二項第三号イに規定する政令で定める社会保障協定）

第三十二条 法第十三条第二項第三号イに規定する政令で定める社会保障協定は、次のとおりとする。

一 合衆国協定
二 カナダ協定
三 ブラジル協定
四 インド協定
五 フィリピン協定

（法第十三条第二項第三号イ(1)に規定する政令で定める厚生年金保険の被保険者であった期間等）

第三十三条 法第十三条第二項第三号イ(1)に規定する政令で定める厚生年金保険の被保険者であった期間は、同条第一項第三号に規定する特例による障害厚生年金の支給事由となった障害に係る障害認定日（同条第二項第三号イ(2)に規定する障害認定日をいう。）の属する月までの次に掲げる期間とし、同条第二項第三号イ(3)に規定する政令で定める相手国期間は、前条各号に掲げる社会保障協定に係るもののうち、昭和十七年六月から当該障害認定日の属する月までの相手国期間（次に掲げる期間の計算の基礎となっている月に係るものを除く。）とする。

一 第一号厚生年金被保険者期間（当該第一号厚生年金被保険者期間につき厚生年金保険若しくは船員保険の保険料又は旧農林共済組合の掛金を徴収する権利が時効によって消滅した場合（厚生年金保険法第七十五条ただし書に該当するとき、旧厚生年金保険法第七十五条第一項ただし書に該当するとき、旧船員保険法第五十一条ノ二ただし書に該当するとき、及び旧農林共済法第十八条第五項ただし書に該当するときを除く。）における当該保険料に係る厚生年金保険の被保険者期間を除く。第百三条第三項、第百六条第三項第二号、第百十条第三項第二号、第百十六条（同条の表を除く。）、第百十七条第一項及び第三項、第百二十条第一項及び第三項第一号、第百二十五条第一項並びに第百三十条第一項において同じ。）
二 第二号厚生年金被保険者期間
三 第三号厚生年金被保険者期間
四 第四号厚生年金被保険者期間

（法第十三条第二項第三号ロに規定する政令で定める社会保障協定）

第三十四条 法第十三条第二項第三号ロに規定する政令で定める社会保障協定は、次のとおりとする。

一 ドイツ協定
二 ベルギー協定
三 フランス協定
四 オーストラリア協定
五 オランダ協定
六 チェコ協定
七 スペイン協定
八 アイルランド協定
九 スイス協定
十 ハンガリー協定
十一 ルクセンブルク協定
十二 スロバキア協定
十三 フィンランド協定
十四 スウェーデン協定

（法第十三条第二項第三号ロに規定する政令で定める相手国期間）

第三十五条　法第十三条第二項第三号ロに規定する政令で定める相手国期間は、前条各号（第四号及び第十号を除く。）に掲げる社会保障協定に係るもののうち、昭和十五年六月（ドイツ協定、オランダ協定、チェコ協定、アイルランド協定、スイス協定、ルクセンブルク協定、スロバキア協定、フィンランド協定又はスウェーデン協定に係る場合にあっては、昭和十七年六月とする。）から同項第三号イ(2)に規定する障害認定日の属する月までの相手国期間（ドイツ協定に係る場合にあっては、ドイツ保険料納付期間とする。）とする。

（法第十四条に規定する政令で定める老齢基礎年金の振替加算等の支給停止等の特例等）

第三十六条　法第十四条に規定する政令で定める年金たる給付は、次のとおりとする。

一　次に掲げる年金たる給付

イ　老齢厚生年金（第二十二条に規定する相手国期間の月数と当該老齢厚生年金の額の計算の基礎となる厚生年金保険の被保険者期間の月数（当該老齢厚生年金の受給権者が二以上の種別の被保険者であった期間を有する者である場合にあっては、その者の二以上の被保険者の種別（法第三十五条に規定する被保険者の種別をいう。以下同じ。）に係る被保険者であった期間に係る被保険者期間を合算し、厚生年金保険法第七十八条の二十二に規定する一の期間（以下「一の期間」という。）のみを有するものとみなした場合における当該被保険者期間の月数とする。以下この条において同じ。）とを合算した月数が二百四十以上であるものに限る。）

ロ　次に掲げる退職共済年金

(1)　平成二十四年一元化法改正前国共済年金のうち退職共済年金（平成二十四年一元化法附則第三十七条第一項の規定によりなおその効力を有するものとされた被用者年金制度の一元化等を図るための厚生年金保険法等の一部を改正する法律の施行に伴う厚生労働省関係政令等の整備に関する政令（平成二十七年政令第三百四十二号）第九条の規定による改正前のこの政令（以下「平成二十七年整備政令改正前協定実施特例政令」という。）第二十三条の表二の項の第二欄に規定する相手国期間の月数と当該退職共済年金の年金額の算定の基礎となる旧国家公務員共済組合員期間の月数とを合算した月数が二百四十以上であるものに限る。）

(2)　平成二十四年一元化法改正前地共済年金のうち退職共済年金（平成二十四年一元化法附則第六十一条第一項の規定によりなおその効力を有するものとされた平成二十七年整備政令改正前協定実施特例政令第二十三条の表三の項の第二欄に規定する相手国期間の月数と当該退職共済年金の年金額の算定の基礎となる旧地方公務員共済組合員期間の月数とを合算した月数が二百四十以上であるものに限る。）

(3)　平成二十四年一元化法改正前私学共済年金のうち退職共済年金（平成二十四年一元化法附則第七十九条の規定によりなおその効力を有するものとされた平成二十七年整備政令改正前協定実施特例政令第二十三条の表四の項の第二欄に規定する相手国期間の月数と当該退職共済年金の年金額の算定の基礎となる旧私立学校教職員共済加入者期間の月数とを合算した月数が二百四十以上であるものに限る。）

ハ　次に掲げる平成二十四年一元化法による退職共済年金

(1)　平成二十四年一元化法附則第四十一条第一項の規定による退職共済年金（平成二十四年一元化法附則第三十七条第一項の規定によりなおその効力を有するものとされた平成二十七年整備政令改正前協定実施特例政令第二十三条の表二の項の第二欄に規定する相手国期間の月数と当該退職共済年金の年金額の計算の基礎となる平成二十四年一元化法附則第四十一条第一項に規定する国共済組合員等期間の月数（当該退職共済年金の受給権者が二以上の種別の被保険者であった期間を有する者である場合にあっては、その者の当該国共済組合員等期間の月数と老齢厚生年金の額の計算の基礎となる被保険者期間の月数とを合算した月数）とを合算した月数が二百四十以上であるものに限る。）

(2)　平成二十四年一元化法附則第六十五条第一項の規定による退職共済年金（平成二十四年一元化法附則第六十一条第一項の規定によりなおその効力を有するものとされた平成二十七年整備政令改正前協定実施特例政令第二十三条の表三の項の第二欄に規定する相手国期間の月数と当該退職共済年金の年金額の計算の基礎となる平成二十四年一元化法附則第六十五条第一項に規定する地共済組合員等期間の月数（当該退職共済年金の受給権者が二以上の種別の被保険者であった期間を有する者である場合にあっては、その者の当該地共済組合員等期間の月数と老齢厚生年金の額の計算の基礎となる被保険者期間の月数とを合算した月数）とを合算した月数が二百四十以上であるものに限る。）

ニ　移行退職共済年金（昭和三十四年一月以後のドイツ保険料納付期間（当該移行退職共済年金の受給権者がその権利を取得した日の翌日の属する月以後（当該移行退職共済年金が平成十四年経過措置政令第十四条第一項の規定により読み替えられた廃止前農林共済法第三十七条第二項の規定によりその額の改定が行われたものである場合にあっては当該改定に係る同項に規定する基準日の属する月以後、同条第三項の規定によりその額の改定が行われたものである場合にあっては当該移行退職共済年金の受給権者が厚生年金保険の被保険者の資格を喪失した月以後）におけるもの及び当該移行退職共済年金の額の計算の基礎となっている月に係るものを除く。）の月数と当該移行退職共済年金の額の計算の基礎となる旧農林共済組合員期間の月数とを合算した月数が二百四十以上であるものに限る。）

二　老齢厚生年金（昭和六十年国民年金等改正法附則第五十七条の規定により昭和六十年国民年金等改正法附則第十二条第一項第四号から第六号までのいずれかに該当する者に対し支給されるものに限る。）

三　次に掲げる昭和六十一年経過措置政令第二十六条各号に掲げる退職共済年金

イ　平成二十四年一元化法改正前国共済年金のうち退職共済年金（次に掲げる規定（これらの規定を国共済施行法第二十二条第一項、第二十三条第一項及び第四十八条第一項において準用する場合を含む。）により読み替えられた平成二十四年一元化法改正前国共済法によるものに限る。）

(1)　国共済施行法第八条第一号

(2)　国共済施行法第九条

ロ　平成二十四年一元化法改正前地共済年金のうち退職共済年金（次に掲げる規定の適用を受けることにより支給されるものに限る。）

(1)　地共済施行法第八条第一項

(2)　地共済施行法第八条第二項又は第十条第一項から第三項まで（これらの規定を地共済施行法第三十六条第一項において準用する場合を含む。）

ハ　平成二十四年一元化法改正前私学共済年金のうち退職共済年金（私立学校教職員共済組合法等の一部を改正する法律（昭和三十六年法律第百四十号）附則第十項（同法附則第十八項において準用する場合を含む。）の規定により読み替えられた平成二十四年一元化法第四条の規定による改正前の私立学校教職員共済法第二十五条において準用する平成二十四年一元化法改正前国共済法によるものに限る。）

四　障害基礎年金（法第十五条第四項（法第十九条第二項において準用する場合を含む。以下この号において同じ。）の規定が適用される場合においては、法第十五条第四項に規定する従前の障害基礎年金の額に相当する額が同条第一項（法第十九条第二項において準用する場合を含む。）の規定により計算されたものに限る。）

五　障害厚生年金（その額（厚生年金保険法第五十条第四項の規定が適用される場合であって、同項に規定する従前の障害厚生年金の額に相当する額が法の規定により支給されるものであるときは、当該従前の障害厚生年金の額に相当する額）が、法第三十二条第一項（法第三十八条第二項において準用する場合を含む。）の規定により計算されたもの又は法第三十二条第三項（法第三十八条第二項において準用する場合を含む。）の規定により計算されたものに限る。）

六　平成二十四年一元化法改正前国共済年金のうち障害共済年金（その額（なお効力を有する平成二十四年一元化法改正前国共済法第八十五条第五項の規定が適用される場合であって、同項に規定する従前の障害共済年金の額に相当する額が平成二十四年一元化法附則第三十七条第一項の規定によりなおその効力を有するものとされた平成二十四年一元化法附則第百六条の規定による改正前の法（以下「平成二十四年一元化法改正前協定実施特例法」という。）の規定により支給されるものであるときは、当該従前の障害共済年金の額に相当する額）が、平成二十四年一元化法附則第三十七条第一項の規定によりなおその効力を有するものとされた平成二十四年一元化法改正前協定実施特例法第四十七条第一項（平成二十四年一元化法附則第三十七条第一項の規定によりなおその効力を有するものとされた平成二十四年一元化法改正前協定実施特例法第五十条第二項において準用する場合を含む。）の規定により計算されたもの又は平成二十四年一元化法附則第三十七条第一項の規定によりなおその効力を有するものとされた平成二十四年一元化法改正前協定実施特例法第四十七条第三項（平成二十四年一元化法附則第三十七条第一項の規定によりなおその効力を有するものとされた平成二十四年一元化法改正前協定実施特例法第五十条第二項において準用する場合を含む。）の規定により計算されたものに限る。）

六の二　平成二十四年一元化法附則第四十一条第一項の規定による障害共済年金（その額（厚生年金保険法第五十条第四項の規定が適用される場合であって、同項に規定する従前の障害厚生年金の額に相当する額が法の規定により支給される厚生年金保険法の規定による障害厚生年金として算定されることとなる額であるものであるときは、当該従前の障害厚生年金の額に相当する額として算定されることとなる額）が、法第三十二条第一項（法第三十八条第二項において準用する場合を含む。）の規定により計算された厚生年金保険法の規定による障害厚生年金として算定されることとなる額であるもの又は法第三十二条第三項（法第三十八条第二項において準用する場合を含む。）の規定により計算された厚生年金保険法の規定による障害厚生年金として算定されることとなる額であるものに限る。）

七　平成二十四年一元化法改正前地共済年金のうち障害共済年金（その額（なお効力を有する平成二十四年一元化法改正前地共済法第九十条第六項の規定が適用される場合であって、同項に規定する従前の障害共済年金の額に相当する額が平成二十四年一元化法改正前協定実施特例法の規定により支給されるものであるときは、当該従前の障害共済年金の額に相当する額）が、平成二十四年一元化法附則第六十一条第一項の規定によりなおその効力を有するものとされた平成二十四年一元化法改正前協定実施特例法第六十四条第一項（平成二十四年一元化法附則第六十一条第一項の規定によりなおその効力を有するものとされた平成二十四年一元化法改正前協定実施特例法第六十七条第二項において準用する場合を含む。）の規定により計算されたもの又は平成二十四年一元化法附則第六十一条第一項の規定によりなおその効力を有するものとされた平成二十四年一元化法改正前協定実施特例法第六十四条第三項（平成二十四年一元化法附則第六十一条第一項の規定によりなおその効力を有するものとされた平成二十四年一元化法改正前協定実施特例法第六十七条第二項において準用する場合を含む。）の規定により計算されたものに限る。）

七の二　平成二十四年一元化法附則第六十五条第一項の規定による障害共済年金（その額（厚生年金保険法第五十条第四項の規定が適用される場合であって、同項に規定する従前の障害厚生年金の額に相当する額が法の規定により支給される厚生年金保険法の規定による障害厚生年金として算定されることとなる額であるものであるときは、当該従前の障害厚生年金の額に相当する額として算定されることとなる額）が、法第三十二条第一項（法第三十八条第二項において準用する場合を含む。）の規定により計算された厚生年金保険法の規定による障害厚生年金として算定されることとなる額であるもの又は法第三十二条第三項（法第三十八条第二項において準用する場合を含む。）の規定により計算された厚生年金保険法の規定による障害厚生年金として算定されることとなる額であるものに限る。）

八　平成二十四年一元化法改正前私学共済年金のうち障害共済年金（その額（なお効力を有する

平成二十四年一元化法改正前私学共済法第二十五条において準用する例による平成二十四年一元化法改正前国共済法第八十五条第五項の規定が適用される場合であって、同項に規定する従前の障害共済年金の額に相当する額が平成二十四年一元化法附則第七十九条の規定によりなおその効力を有するものとされた平成二十四年一元化法改正前協定実施特例法の規定により支給されるものであるときは、当該従前の障害共済年金の額に相当する額）が、平成二十四年一元化法附則第七十九条の規定によりなおその効力を有するものとされた平成二十四年一元化法改正前協定実施特例法第八十二条第一項（平成二十四年一元化法附則第七十九条の規定によりなおその効力を有するものとされた平成二十四年一元化法改正前協定実施特例法第八十五条第二項において準用する場合を含む。）の規定により計算されたもの又は平成二十四年一元化法附則第七十九条の規定によりなおその効力を有するものとされた平成二十四年一元化法改正前協定実施特例法第八十二条第三項（平成二十四年一元化法附則第七十九条の規定によりなおその効力を有するものとされた平成二十四年一元化法改正前協定実施特例法第八十五条第二項において準用する場合を含む。）の規定により計算されたものに限る。）

九　移行障害共済年金（その額が、平成十三年統合法附則第十六条第一項の規定によりなおその効力を有するものとされた平成十三年統合法附則第七十六条の規定による改正前の社会保障に関する日本国とドイツ連邦共和国との間の協定の実施に伴う厚生年金保険法等の特例等に関する法律（平成十年法律第七十七号）第六十三条第一項（同法附則第三十三条第二項において準用する場合を含む。）の規定により計算されたもの又は同法第六十三条第二項（同法附則第三十三条第二項において準用する場合を含む。）の規定により計算されたものに限る。）

2　前項第一号に掲げる年金たる給付の受給権者の配偶者であって老齢基礎年金の振替加算等（その支給が停止されているものを除く。以下この条において同じ。）の受給権を有するものが次に掲げる年金たる給付の受給権を有することにより、同号に掲げる年金たる給付の受給権者が老齢基礎年金の振替加算等の受給権を有することとなるとき（当該受給権者の老齢基礎年金の振替加算等の額が当該配偶者の老齢基礎年金の振替加算等の額より低いとき、その他厚生労働省令で定める場合に限る。）は、その間、当該受給権者の老齢基礎年金の振替加算等の支給を停止する。

一　老齢厚生年金

二　平成二十四年一元化法改正前国共済年金のうち退職共済年金、平成二十四年一元化法改正前地共済年金のうち退職共済年金又は平成二十四年一元化法改正前私学共済年金のうち退職共済年金

三　平成二十四年一元化法附則第四十一条第一項の規定による退職共済年金又は平成二十四年一元化法附則第六十五条第一項の規定による退職共済年金

四　移行退職共済年金

3　第一項第二号及び第三号に掲げる年金たる給付であって法の規定により支給するものについては昭和六十年国民年金等改正法附則第十四条第一項ただし書、第十五条第一項ただし書並びに第十八条第二項ただし書及び第三項ただし書の規定は適用せず、第一項第四号から第九号までに掲げる年金たる給付については昭和六十年国民年金等改正法附則第十六条の規定は適用しない。ただし、老齢基礎年金の振替加算等の受給権者の配偶者が同時に老齢基礎年金の振替加算等を受けることができるとき（当該受給権者の老齢基礎年金の振替加算等の額が当該配偶者の老齢基礎年金の振替加算等の額より低いとき、その他厚生労働省令で定める場合に限る。）は、この限りでない。

4　第一項各号に掲げる年金たる給付であって法の規定により支給するものの受給権者であって法の規定により支給する老齢基礎年金の振替加算等の受給権を有するものが、同時に法の規定により支給する次に掲げる加給年金額に相当する部分（その支給が停止されているものを除く。以下この項において同じ。）を受けることができるとき（当該老齢基礎年金の振替加算等の額が当該加給年金額に相当する部分の額より低いとき、その他厚生労働省令で定める場合に限る。）は、その間、当該老齢基礎年金の振替加算等の支給を停止する。

一　厚生年金保険法第四十四条第一項の規定により老齢厚生年金の受給権者の配偶者について加算する加給年金額に相当する部分

二　なお効力を有する平成二十四年一元化法改正前国共済法第七十八条第一項の規定により平成二十四年一元化法改正前国共済年金のうち退職共済年金の受給権者の配偶者について加算する加給年金額に相当する部分

三　なお効力を有する平成二十四年一元化法改正前地共済法第八十条第一項の規定により平成二十四年一元化法改正前地共済年金のうち退職共済年金の受給権者の配偶者について加算する加給年金額に相当する部分

四　なお効力を有する平成二十四年一元化法改正前私学共済法第二十五条において準用する例による平成二十四年一元化法改正前国共済法第七十八条第一項の規定により平成二十四年一元化法改正前私学共済年金のうち退職共済年金の受給権者の配偶者について加算する加給年金額に相当する部分

五　平成二十四年一元化法附則第四十一条第一項の規定（老齢厚生年金加給対象者について適用される場合に限る。）による退職共済年金のうち当該老齢厚生年金加給対象者について厚生年金保険法の規定を適用するとしたならば同法の規定により老齢厚生年金の額として算定されることとなる額に同法第四十四条第一項の規定により加算することとなる加給年金額に相当する部分

六　平成二十四年一元化法附則第六十五条第一項の規定（老齢厚生年金加給対象者について適用される場合に限る。）による退職共済年金のうち当該老齢厚生年金加給対象者について厚生年金保険法の規定を適用するとしたならば同法の規定により老齢厚生年金の額として算定されることとなる額に同法第四十四条第一項の規定により加算することとなる加給年金額に相当する部分

七　平成十三年統合法附則第十六条第一項の規定によりなおその効力を有するものとされた廃止前農林共済法第三十八条第一項の規定により移行退職共済年金の受給権者の配偶者について加

算する加給年金額に相当する部分

八　厚生年金保険法第五十条の二第一項の規定により障害厚生年金の受給権者の配偶者について加算する加給年金額に相当する部分

九　なお効力を有する平成二十四年一元化法改正前国共済法第八十三条第一項の規定により平成二十四年一元化法改正前国共済年金のうち障害共済年金の受給権者の配偶者について加算する加給年金額に相当する部分

十　なお効力を有する平成二十四年一元化法改正前地共済法第八十八条第一項の規定により平成二十四年一元化法改正前地共済年金のうち障害共済年金の受給権者の配偶者について加算する加給年金額に相当する部分

十一　なお効力を有する平成二十四年一元化法改正前私学共済法第二十五条において準用する例による平成二十四年一元化法改正前国共済法第八十三条第一項の規定により平成二十四年一元化法改正前私学共済年金のうち障害共済年金の受給権者の配偶者について加算する加給年金額に相当する部分

十二　平成二十四年一元化法附則第四十一条第一項の規定（障害厚生年金加給対象者について適用される場合に限る。）による障害共済年金のうち当該障害厚生年金加給対象者について厚生年金保険法の規定を適用するとしたならば同法の規定により障害厚生年金の額として算定されることとなる額に同法第五十条の二第一項の規定により加算することとなる加給年金額に相当する部分

十三　平成二十四年一元化法附則第六十五条第一項の規定（障害厚生年金加給対象者について適用される場合に限る。）による障害共済年金のうち当該障害厚生年金加給対象者について厚生年金保険法の規定を適用するとしたならば同法の規定により障害厚生年金の額として算定されることとなる額に同法第五十条の二第一項の規定により加算することとなる加給年金額に相当する部分

十四　平成十三年統合法附則第十六条第一項の規定によりなおその効力を有するものとされた廃止前農林共済法第四十三条第一項の規定により移行障害共済年金の受給権者の配偶者について加算する加給年金額に相当する部分

第三十六条の二　平成二十四年一元化法附則第二十一条に規定する者（老齢基礎年金の振替加算等の受給権を有する者に限る。）の配偶者が法第十条第二項の規定により老齢基礎年金の振替加算等の受給権を有することとなるときは、当該平成二十四年一元化法附則第二十一条に規定する者に係る老齢基礎年金の振替加算等については、当該平成二十四年一元化法附則第二十一条に規定する者に係る老齢厚生年金を前条第一項第一号イに掲げる年金たる給付とみなして、同条の規定を適用する。

（法第十五条第二項第一号イに規定する政令で定める保険料納付済期間等）

第三十七条　法第十五条第二項第一号イ（同条第三項（法第十九条第二項において準用する場合を含む。）及び法第十九条第二項において準用する場合を含む。）に規定する政令で定める保険料納付済期間及び保険料免除期間は、それぞれ法第十一条第一項若しくは第二項又は第十九条第一項の規定により支給する障害基礎年金の支給事由となった障害に係る障害認定日（国民年金法第三十条の三第一項の規定による障害基礎年金については同項に規定する基準傷病に係る障害認定日とし、同法第三十一条第一項の規定による障害基礎年金については併合されたそれぞれの障害に係る障害認定日（同法第三十条の三第一項に規定する障害については、同項に規定する基準傷病に係る障害認定日とする。）のうちいずれか遅い日とする。次項及び次条において同じ。）の属する月までの保険料納付済期間及び保険料免除期間とする。

2　法第十五条第二項第一号ハ（同条第三項（法第十九条第二項において準用する場合を含む。）及び法第十九条第二項において準用する場合を含む。）に規定する政令で定める相手国期間は、第三十二条各号に掲げる社会保障協定に係るもののうち、昭和十七年六月から障害認定日の属する月までの相手国期間（保険料納付済期間の計算の基礎となっている月に係るものを除く。）とする。

（法第十五条第二項第二号に規定する政令で定める相手国期間）

第三十八条　法第十五条第二項第二号（同条第三項（法第十九条第二項において準用する場合を含む。）及び法第十九条第二項において準用する場合を含む。）に規定する政令で定める相手国期間は、第三十四条各号（第四号及び第十号を除く。）に掲げる社会保障協定に係るもののうち、昭和十五年六月（ドイツ協定、オランダ協定、チェコ協定、アイルランド協定、スイス協定、ルクセンブルク協定、スロバキア協定、フィンランド協定又はスウェーデン協定に係る場合にあっては、昭和十七年六月とする。）から法第十一条第一項若しくは第二項又は第十九条第一項の規定により支給する障害基礎年金の支給事由となった障害に係る障害認定日の属する月までの相手国期間（ドイツ協定に係る場合にあっては、ドイツ保険料納付期間とする。）とする。

（法第十六条第二項第一号ハに規定する政令で定める相手国期間）

第三十九条　法第十六条第二項第一号ハ（同条第三項（法第二十条第三項、第三十三条第五項及び第四十条第八項第四号において準用する場合を含む。）、法第二十条第三項、第三十三条第五項並びに第四十条第八項第四号及び第五号において準用する場合を含む。）に規定する政令で定める相手国期間は、第三十二条各号に掲げる社会保障協定に係るもののうち、昭和十七年六月から法第十六条第一項（同条第三項（法第二十条第三項、第三十三条第五項及び第四十条第八項第四号において準用する場合を含む。）、法第二十条第三項、第三十三条第五項並びに第四十条第八項第四号及び第五号において準用する場合を含む。）の遺族基礎年金の支給事由となった死亡に係る者の死亡した日の翌日の属する月の前月までの相手国期間（保険料納付済期間の計算の基礎となっている月に係るものを除く。）とする。

（法第十六条第二項第二号に規定する政令で定める相手国期間）

第四十条　法第十六条第二項第二号（同条第三項（法第二十条第三項、第三十三条第五項及び第四十条第八項第四号において準用する場合を含む。）、法第二十条第三項、第三十三条第五項並びに第四十条第八項第四号及び第五号において準用する場合を含む。）に規定する政令で定める相手

国期間は、第三十四条各号に掲げる社会保障協定に係るもののうち、昭和十五年六月（ドイツ協定、オーストラリア協定、オランダ協定、チェコ協定、アイルランド協定、スイス協定、ハンガリー協定、ルクセンブルク協定、スロバキア協定、フィンランド協定又はスウェーデン協定に係る場合にあっては、昭和十七年六月とする。）以後の相手国期間（ドイツ協定に係る場合にあっては、ドイツ保険料納付期間とする。）とする。

（法第十六条第四項に規定する政令で定める加算する額）

第四十一条　法第十六条第四項（法第二十条第三項、第三十三条第五項及び第四十条第八項第四号において準用する場合を含む。）に規定する政令で定める加算する額は、法第二十七条の規定により支給する遺族厚生年金に加算する遺族厚生年金の中高齢寡婦加算又は遺族厚生年金の経過的寡婦加算の額とする。

第三節　発効日前の障害又は死亡に係る給付等に関する事項

（法第十九条第一項ただし書に規定する政令で定める受給資格要件）

第四十二条　法第十九条第一項ただし書に規定する政令で定める受給資格要件は、国民年金法第三十条第一項ただし書に該当しないこととする。

2　法第十一条第一項、昭和六十年国民年金等改正法附則第八条第九項から第十一項まで、第二十条第一項及び第二十一条並びに昭和六十一年経過措置政令第二十八条の二の規定は、前項の規定により国民年金法第三十条第一項ただし書の規定を適用する場合に準用する。この場合において、法第十一条第一項並びに昭和六十年国民年金等改正法附則第八条第九項、第二十条第一項及び第二十一条中「準用する場合」とあるのは、「準用する場合並びに社会保障協定の実施に伴う厚生年金保険法等の特例等に関する政令第四十二条第一項において適用する場合」と読み替えるものとする。

（法第十九条第三項に規定する政令で定める年金たる給付）

第四十三条　法第十九条第三項に規定する政令で定める年金たる給付は、次のとおりとする。

一　障害基礎年金（国民年金法第三十条の四の規定により支給するものを除く。）

二　旧国民年金法による障害年金

三　障害厚生年金（法第三十八条第一項の規定により支給するものを除く。）

四　旧厚生年金保険法による障害年金

五　旧船員保険法による障害年金

六　次に掲げる年金たる給付

イ　平成二十四年一元化法改正前国共済年金のうち障害共済年金

ロ　平成二十四年一元化法改正前地共済年金のうち障害共済年金

ハ　平成二十四年一元化法改正前私学共済年金のうち障害共済年金

ニ　移行障害共済年金

六の二　平成二十四年一元化法附則第四十一条第一項の規定による障害共済年金又は平成二十四年一元化法附則第六十五条第一項の規定による障害共済年金（厚生年金保険法の規定を適用するとしたならば法第三十八条第一項の規定により支給する厚生年金保険法の規定による障害厚生年金として算定されることとなる額を当該障害共済年金の額として支給する場合を除く。）

七　旧国共済法による障害年金及び昭和六十年国共済改正法第二条の規定による改正前の国共済施行法による年金たる給付であって障害を支給事由とするもの

八　旧地共済法による障害年金及び昭和六十年地共済改正法第二条の規定による改正前の地共済施行法による年金たる給付であって障害を支給事由とするもの

九　旧私学共済法による障害年金

十　平成十三年統合法附則第十六条第六項に規定する移行農林年金のうち障害年金

（法第二十条第一項ただし書に規定する政令で定める受給資格要件）

第四十四条　法第二十条第一項ただし書に規定する政令で定める受給資格要件は、国民年金法第三十七条ただし書に該当しないこととする。この場合において、同条ただし書中「第一号又は第二号」とあるのは、「社会保障協定の実施に伴う厚生年金保険法等の特例等に関する法律（平成十九年法律第百四号）第二十条第一項第一号から第三号までのいずれか」とする。

2　法第十二条第一項、昭和六十年国民年金等改正法附則第八条第九項から第十一項まで、第二十条第二項及び第二十一条並びに昭和六十一年経過措置政令第四十三条の二の規定は、前項の規定により国民年金法第三十七条ただし書の規定を適用する場合に準用する。この場合において、法第十二条第一項中「国民年金法第三十七条ただし書」とあるのは「社会保障協定の実施に伴う厚生年金保険法等の特例等に関する政令第四十四条第一項の規定により読み替えられた国民年金法第三十七条ただし書」と、「同条ただし書の」とあるのは「当該」と、昭和六十年国民年金等改正法附則第八条第九項及び第二十一条中「第三十七条ただし書」とあるのは「社会保障協定の実施に伴う厚生年金保険法等の特例等に関する政令第四十四条第一項の規定により読み替えられた同法第三十七条ただし書」と、昭和六十年国民年金等改正法附則第二十条第二項中「国民年金法第三十七条ただし書」とあるのは「社会保障協定の実施に伴う厚生年金保険法等の特例等に関する政令第四十四条第一項の規定により読み替えられた国民年金法第三十七条ただし書」と、「同条ただし書」とあるのは「当該規定」と読み替えるものとする。

（法第二十条第一項ただし書に規定する政令で定める事由）

第四十五条　法第二十条第一項ただし書に規定する政令で定める事由は、次の各号に掲げる遺族の区分に応じ、それぞれ当該各号に定めるとおりとする。

一　配偶者　国民年金法第四十条第一項各号のいずれかに該当するに至ったとき、又は同法第三十九条第一項に規定する子が一人であるときはその子が、同項に規定する子が二人以上であるときは同時に若しくは時を異にしてその全ての子が、同条第三項各号のいずれかに該当するに至ったとき。

二　子　国民年金法第四十条第一項各号又は第三項各号のいずれかに該当するに至ったとき。

（法第二十条第一項第四号に規定する政令で定める受給資格要件）

第四十六条　法第二十条第一項第四号に規定する政令で定める受給資格要件は、保険料納付済期間と保険料免除期間とを合算した期間が二十五年以上であることとする。

2　法第十条第一項、国民年金法附則第九条並びに昭和六十年国民年金等改正法附則第八条（第九項、第十項及び第十二項を除く。）及び第十二条の規定は、前項の規定を適用する場合に準用する。この場合において、国民年金法附則第九条第一項中「限る。）」とあるのは「限る。）及び社会保障協定の実施に伴う厚生年金保険法等の特例等に関する政令（平成十九年政令第三百四十七号）第四十六条第一項」と、昭和六十年国民年金等改正法附則第八条第二項中「附則第九条第一項」とあるのは「附則第九条第一項（社会保障協定の実施に伴う厚生年金保険法等の特例等に関する政令（以下この項及び附則第十二条第一項において「特例政令」という。）第四十六条第二項において準用する場合を含む。以下この条において同じ。）」と、「第九条の二の二第一項」とあるのは「第九条の二の二第一項並びに特例政令第四十六条第一項」と、昭和六十年国民年金等改正法附則第十二条第一項中「満たない者」とあるのは「満たない者（同法附則第九条第一項（特例政令第四十六条第二項において準用する場合を含む。）の規定により保険料納付済期間と保険料免除期間とを合算した期間が二十五年以上であるものとみなされる者を除く。）」と、「限る。」とあるのは「限る。）及び特例政令第四十六条第一項」と読み替えるものとする。

（法第二十条第四項に規定する政令で定める年金たる給付）

第四十七条　法第二十条第四項に規定する政令で定める年金たる給付は、次のとおりとする。

一　遺族基礎年金（昭和六十年国民年金等改正法附則第二十八条第一項の規定によるものを除く。）

二　旧国民年金法による遺児年金

三　遺族厚生年金（法第四十条第一項の規定により支給するものを除く。）

四　旧厚生年金保険法による遺族年金、通算遺族年金及び特例遺族年金

五　旧厚生年金保険法附則第十六条第一項の規定により従前の遺族年金、寡婦年金、鰥夫年金又は遺児年金の例によって支給する保険給付

六　旧船員保険法による遺族年金及び通算遺族年金

七　昭和六十年国民年金等改正法附則第百十一条の規定による改正前の厚生年金保険法等の一部を改正する法律（昭和五十一年法律第六十三号）附則第十八条の規定による特例遺族年金

八　船員保険法の一部を改正する法律（昭和三十七年法律第五十八号）附則第三項の規定により従前の寡婦年金、鰥夫年金又は遺児年金の例によって支給する保険給付

九　次に掲げる年金たる給付

イ　平成二十四年一元化法改正前国共済年金のうち遺族共済年金

ロ　平成二十四年一元化法改正前地共済年金のうち遺族共済年金

ハ　平成二十四年一元化法改正前私学共済年金のうち遺族共済年金

ニ　移行農林共済年金のうち遺族共済年金

九の二　平成二十四年一元化法附則第四十一条第一項の規定による遺族共済年金又は平成二十四年一元化法附則第六十五条第一項の規定による遺族共済年金（厚生年金保険法の規定を適用するとしたならば法第四十条第一項の規定により支給する厚生年金保険法の規定による遺族厚生年金として算定されることとなる額を当該遺族共済年金の額として支給する場合を除く。）

十　旧国共済法による遺族年金及び通算遺族年金並びに昭和六十年国共済改正法第二条の規定による改正前の国共済施行法による年金たる給付であって死亡を支給事由とするもの

十一　旧地共済法による遺族年金及び通算遺族年金並びに昭和六十年地共済改正法第二条の規定による改正前の地共済施行法による年金たる給付であって死亡を支給事由とするもの

十二　旧私学共済法による遺族年金及び通算遺族年金

十三　平成十三年統合法附則第十六条第六項に規定する移行農林年金のうち遺族年金及び通算遺族年金

第七章　厚生年金保険法の特例に関する事項

第一節　被保険者の資格に関する事項

（法第二十四条第一項第四号に規定する政令で定める船舶）

第四十八条　法第二十四条第一項第四号に規定する政令で定める船舶は、第五条に規定する船舶とする。

（厚生年金保険の被保険者の資格の取得及び喪失に関する事項）

第四十九条　法第二十四条第一項の規定により厚生年金保険の被保険者としないこととされた者が同項各号のいずれにも該当しない者となるに至ったときは、その日に厚生年金保険の被保険者の資格を取得する。

2　厚生年金保険法第九条の規定による厚生年金保険の被保険者が法第二十四条第一項各号のいずれかに該当する者となるに至ったときは、その翌日（同項各号のいずれかに該当するに至った日に更に法第二十五条第一項の規定により被保険者の資格を取得したときは、その日）に厚生年金保険の被保険者の資格を喪失する。

3　厚生年金保険法第九条の規定による厚生年金保険の被保険者であって、発効日において法第二十四条第一項の規定により厚生年金保険の被保険者としないこととされたものは、前項の規定にかかわらず、発効日に厚生年金保険の被保険者の資格を喪失する。

（法第二十五条第一項に規定する政令で定める社会保障協定）

第五十条　法第二十五条第一項に規定する政令で定める社会保障協定は、次のとおりとする。

一　ドイツ協定

二　連合王国協定

三　韓国協定

四　合衆国協定

五　ベルギー協定

六　フランス協定

七　カナダ協定

八　オーストラリア協定
九　オランダ協定
十　チェコ協定
十一　スペイン協定
十二　アイルランド協定
十三　ブラジル協定
十四　スイス協定
十五　ハンガリー協定
十六　インド協定
十七　ルクセンブルク協定
十八　フィリピン協定
十九　スロバキア協定
二十　中国協定
二十一　フィンランド協定
二十二　スウェーデン協定
二十三　イタリア協定

（法第二十五条第一項に規定する政令で定める者）

第五十一条　法第二十五条第一項に規定する政令で定める者は、厚生年金保険の適用事業所の事業主に使用され、かつ、前条各号に掲げる社会保障協定に係る相手国の領域内において就労する者であって、当該社会保障協定に係る相手国法令の規定の適用を受けるもの（厚生労働省令で定める者を除く。）とする。

（法第二十五条第一項の規定により厚生年金保険の被保険者となろうとする者が申し出る実施機関）

第五十二条　法第二十五条第一項の規定により厚生年金保険の被保険者となろうとする者は、その者が同項の規定により第一号厚生年金被保険者となる場合には厚生年金保険法第二条の五第一項第一号に定める者に、第二号厚生年金被保険者となる場合には同項第二号に定める者に、第三号厚生年金被保険者となる場合には同項第三号に定める者に、第四号厚生年金被保険者となる場合には同項第四号に定める者に申し出るものとする。

（資格の得喪の確認）

第五十三条　法第二十五条第二項から第四項までの規定による被保険者の資格の取得及び喪失については、厚生年金保険法第十八条の規定による厚生労働大臣の確認は要しないものとする。ただし、法第二十五条第四項第一号（厚生年金保険法第十四条第一号に該当するに至ったときを除く。）、第二号又は第五号に該当することにより被保険者の資格を喪失する場合は、この限りでない。

（法第二十六条に規定する政令で定める社会保障協定）

第五十四条　法第二十六条に規定する政令で定める社会保障協定は、連合王国協定とする。

（法第二十六条に規定する政令で定める者）

第五十五条　法第二十六条に規定する政令で定める者は、連合王国の領域内に事業所を有する事業主に使用され、当該事業主により五年を超えないと見込まれる期間日本国の領域内において就労するために派遣された者であって、当該就労のために日本国に滞在を開始した日から引き続き就労するために日本国に滞在し、かつ、同日から起算して五年を経過していないもの以外の者とする。

第二節　保険給付等に関する事項

第一款　保険給付等の支給要件等に関する事項

（法第二十七条に規定する政令で定める規定等）

第五十六条　オーストラリア協定以外の社会保障協定に係る相手国期間について法第二十七条（法第四十条第七項において準用する場合を含む。以下この項において同じ。）の規定を適用する場合においては、法第二十七条に規定する政令で定める規定は、次の表の第一欄に掲げる厚生年金保険法による保険給付等の区分に応じ、それぞれ同表の第二欄に掲げる規定とし、同欄に掲げる規定を適用する場合における同条に規定する厚生年金保険の被保険者期間その他の政令で定める期間は、それぞれ同表の第三欄に掲げる期間とし、同条に規定する政令で定める相手国期間は、それぞれ同表の第四欄に掲げる期間（それぞれ同表の第二欄に掲げる規定に規定する厚生年金保険法による保険給付等の受給資格要件又は加算の資格要件たる期間の計算の基礎となっている月に係るもの及び老齢厚生年金の加給について同表の二の項の第二欄に掲げる規定を適用する場合における厚生年金保険の算入対象外相手国期間を除くものとし、第一号厚生年金被保険者期間（継続した十五年間における旧厚生年金保険法附則第四条第二項の規定により旧厚生年金保険法第三条第一項第五号に規定する第三種被保険者であった期間とみなされた期間に基づくもの及び継続した十五年間における同号に規定する第三種被保険者であった期間に基づくものを除く。）、第二号厚生年金被保険者期間（同表の第三欄に掲げる国家公務員共済組合の組合員期間を含む。）、第三号厚生年金被保険者期間（同表の第三欄に掲げる地方公務員共済組合の組合員期間を含む。）又は合算対象期間に算入することとされる特定相手国船員期間及び第一号厚生年金被保険者期間又は合算対象期間に算入することとされる特定相手国坑内員期間については、昭和六十一年三月以前の期間に係るものにあってはこれらの期間に三分の四を、同年四月から平成三年三月までの期間に係るものにあってはこれらの期間に五分の六を乗じて得た期間とする。）とする。

	第一欄	第二欄	第三欄	第四欄
一	老齢厚生年金、遺族厚生年金、特例老齢年金又は特例遺族年金	厚生年金保険法附則第八条第二号、第二十八条の三第一項第	第一号厚生年金被保険者期間	昭和十五年六月（第二十二条各号に掲げる社会保障協定に係る場合

金

二号若しくは第三号若しくは第二十八条の四第一項又は昭和六十年国民年金等改正法附則第五十七条において適用する昭和六十年国民年金等改正法附則第十二条第一項第三号		にあっては、昭和十七年六月とする。以下この表において同じ。）以後の相手国期間（ドイツ協定に係る場合にあっては、ドイツ保険料納付期間とする。）
厚生年金保険法附則第十四条第一項（平成六年国民年金等改正法附則第二十九条の規定により読み替えて適用する場合を含む。）又は昭和六十年国民年金等改正法附則第五十七条において適用する昭和六十年国民年金等改正法附則第十二条第一項第一号	合算対象期間	昭和十五年六月以後の相手国期間
昭和六十年国民年金等改正法附則第五十七条において適用する昭和六十年国民年金等改正法附則第十二条第一項第二号	第一号厚生年金被保険者期間	昭和十五年六月以後の相手国期間（ドイツ協定に係る場合にあっては、ドイツ保険料納付期間とする。以下この表において同じ。）
	第二号厚生年金被保険者期間	昭和三十四年一月以後の相手国期間
	第三号厚生年金被保険者期間	昭和三十七年十二月以後の相手国期間
	第四号厚生年金被保険者期間	昭和二十九年一月以後の相手国期間
昭和六十年国民年金等改正法附則第五十七条において適用する昭和六十年国民年金等改正法附則第十二条第一項第四号	四十歳（女子については、三十五歳）に達した月以後の厚生年金保険の被保険者期間（第一号厚生年金被保険者期間に係るものに限る。）	昭和十五年六月以後の相手国期間（四十歳（女子については、三十五歳）に達した月以後の期間に限る。）
昭和六十年国民年金等改正法附則第五十七条において適用する昭和六十年国民年金等改正法附則第十二条第一項第五号	三十五歳に達した月以後の第三種被保険者又は船員任意継続被保険者としての厚生年金保険の被保険者期間	昭和十五年六月以後の特定相手国船員期間又は特定相手国坑内員期間（三十五歳に達した月以後の期間に限る。）
昭和六十年国民年金等改正法附則第五十七条において適用する昭和六十年国民年金等改正法附則第十二条第一項第六号	継続した十五年間における旧厚生年金保険法附則第四条第二項の規定により旧厚生年金保険法第三条第一項第五号に規定する第三種被保険者であった期間とみなされた期間に基づく厚生年金保険の被保険者期間	継続した十五年間における昭和十五年六月から昭和二十九年四月までの特定相手国坑内員期間
	継続した十五年間における旧厚生年金保険法第三条第一項第	継続した十五年間における昭和二十九年五月以後の特定相手国坑内

		五号に規定する第三種被保険者であった期間に基づく厚生年金保険の被保険者期間	員期間
	昭和六十年国民年金等改正法附則第五十七条において適用する昭和六十年国民年金等改正法附則第十二条第一項第八号（平成二十四年一元化法附則第三十五条第四項に規定する者に係る部分に限る。）	四十歳に達した日の属する月以後の国家公務員共済組合の組合員期間	昭和三十四年一月以後の相手国期間（四十歳に達した日の属する月以後の期間に限る。）
	昭和六十年国民年金等改正法附則第五十七条において適用する昭和六十年国民年金等改正法附則第十二条第一項第十号において適用する国共済施行法第八条第一号（国共済施行法第二十二条第一項、第二十三条第一項及び第四十八条第一項において準用する場合を含む。）	国家公務員共済組合の組合員期間	昭和三十四年一月以後の相手国期間
	昭和六十年国民年金等改正法附則第五十七条において適用す	四十歳に達した日の属する月以後の地方公務員共済組合の組	昭和三十七年十二月以後の相手国期間（四十歳に達した日の属する

		る昭和六十年国民年金等改正法附則第十二条第一項第十二号（平成二十四年一元化法附則第五十九条第五項に規定する者に係る部分に限る。）	合員期間	月以後の期間に限る。）
		昭和六十年国民年金等改正法附則第五十七条において適用する昭和六十年国民年金等改正法附則第十二条第一項第十四号において適用する地共済施行法第八条第一項又は第二項（地共済施行法第三十六条第一項において準用する場合を含む。）	地方公務員共済組合の組合員期間	昭和三十七年十二月以後の相手国期間
二	老齢厚生年金の加給、遺族厚生年金の中高齢寡婦加算又は遺族厚生年金の経過的寡婦加算	厚生年金保険法第四十四条第一項（同法及び他の法令において準用する場合を含む。）又は厚生年金保険法第六十二条第一項（昭和六十年国民年金等改正法附則第七十三条第一項において適用する場合を含む。）	厚生年金保険の被保険者期間（法第二十七条に規定する者が二以上の種別の被保険者であった期間を有する者である場合にあっては、その者の二以上の被保険者の種別に係る被保険者であった期間に係る被保険者期間を合算し、一の期間のみを有するものとみなした場合における当	昭和十五年六月以後の相手国期間

		該被保険者期間とする。）	
	昭和六十年国民年金等改正法附則第六十一条第一項において適用する昭和六十年国民年金等改正法附則第十二条第一項第四号	四十歳（女子については、三十五歳）に達した月以後の厚生年金保険の被保険者期間（第一号厚生年金被保険者期間に係るものに限る。）	昭和十五年六月以後の相手国期間（四十歳（女子については、三十五歳）に達した月以後の期間に限る。）
	昭和六十年国民年金等改正法附則第六十一条第一項において適用する昭和六十年国民年金等改正法附則第十二条第一項第五号	三十五歳に達した月以後の第三種被保険者又は船員任意継続被保険者としての厚生年金保険の被保険者期間	昭和十五年六月以後の特定相手国船員期間又は特定相手国坑内員期間（三十五歳に達した月以後の期間に限る。）
	昭和六十年国民年金等改正法附則第六十一条第一項において適用する昭和六十年国民年金等改正法附則第十二条第一項第六号	継続した十五年間における旧厚生年金保険法附則第四条第二項の規定により旧厚生年金保険法第三条第一項第五号に規定する第三種被保険者であった期間とみなされた期間に基づく厚生年金保険の被保険者期間	継続した十五年間における昭和十五年六月から昭和二十九年四月までの特定相手国坑内員期間
		継続した十五年間における旧厚生年金保険法第三条第一項第五号に規定する第三	継続した十五年間における昭和二十九年五月以後の特定相手国坑内員期間

			種被保険者であった期間に基づく厚生年金保険の被保険者期間	
三	脱退一時金	厚生年金保険法附則第二十九条第一項	厚生年金保険の被保険者期間（法第二十七条に規定する者が二以上の種別の被保険者であった期間を有する者である場合にあっては、その者の二以上の被保険者の種別に係る被保険者であった期間に係る被保険者期間を合算し、一の期間のみを有するものとみなした場合における当該被保険者期間とする。）	昭和十七年六月以後のドイツ保険料納付期間

2　オーストラリア協定に係る相手国期間について法第二十七条の規定を適用する場合において、同条に規定する政令で定める規定は、次の表の第一欄に掲げる厚生年金保険法による保険給付等の区分に応じ、それぞれ同表の第二欄に掲げる規定とし、同欄に掲げる規定を適用する場合における同条に規定する厚生年金保険の被保険者期間その他の政令で定める期間は、それぞれ同表の第三欄に掲げる期間とし、同条に規定する政令で定める相手国期間は、それぞれ同表の第四欄に掲げる期間（それぞれ同表の第二欄に掲げる規定に規定する厚生年金保険法による保険給付等の受給資格要件又は加算の資格要件たる期間の計算の基礎となっている月に係るもの及び老齢厚生年金の加給について同表の二の項の第二欄に掲げる規定を適用する場合における厚生年金保険の算入対象外相手国期間を除くものとする。）とする。

	第一欄	第二欄	第三欄	第四欄
一	老齢厚生年金又は特	厚生年金保険法附則	第一号厚生年金被保	昭和十七年六月以後の

例老齢年金	第八条第二号、第二十八条の三第一項第二号若しくは第三号又は昭和六十年国民年金等改正法附則第五十七条において適用する昭和六十年国民年金等改正法附則第十二条第一項第三号	険者期間	相手国期間
	厚生年金保険法附則第十四条第一項（平成六年国民年金等改正法附則第二十九条の規定により読み替えて適用する場合を含む。）	合算対象期間	昭和十七年六月以後の相手国期間
	昭和六十年国民年金等改正法附則第五十七条において適用する昭和六十年国民年金等改正法附則第十二条第一項第二号	第一号厚生年金被保険者期間	昭和十七年六月以後の相手国期間
		第二号厚生年金被保険者期間	昭和三十四年一月以後の相手国期間
		第三号厚生年金被保険者期間	昭和三十七年十二月以後の相手国期間
		第四号厚生年金被保険者期間	昭和二十九年一月以後の相手国期間
	昭和六十年国民年金等改正法附則第五十七条において適用する昭和六十年国民年金等改正法附則第十二条第一項第四号	四十歳（女子については、三十五歳）に達した月以後の厚生年金保険の被保険者期間（第一号厚生年金被保険者期間に係るものに限る。）	昭和十七年六月以後の相手国期間（四十歳（女子については、三十五歳）に達した月以後の期間に限る。）

二	老齢厚生年金の加給	厚生年金保険法第四十四条第一項（同法及び他の法令において準用する場合を含む。）	厚生年金保険の被保険者期間（法第二十七条に規定する者が二以上の種別の被保険者であった期間を有する者である場合にあっては、その者の二以上の被保険者の種別に係る被保険者であった期間に係る被保険者期間を合算し、一の期間のみを有するものとみなした場合における当該被保険者期間とする。）	昭和十七年六月以後の相手国期間
		昭和六十年国民年金等改正法附則第六十一条第一項において適用する昭和六十年国民年金等改正法附則第十二条第一項第四号	四十歳（女子については、三十五歳）に達した月以後の厚生年金保険の被保険者期間（第一号厚生年金被保険者期間に係るものに限る。）	昭和十七年六月以後の相手国期間（四十歳（女子については、三十五歳）に達した月以後の期間に限る。）

（法第二十七条において適用する老齢厚生年金の加給の要件に関する規定の経過措置に関する特例）

第五十七条　法第二十七条の規定の適用を受けようとする者については、厚生年金保険法附則第十六条又は平成六年国民年金等改正法附則第三十条第二項若しくは第三項の規定を適用する。この場合において、厚生年金保険法附則第十六条第一項中「その年金額の計算の基礎となる被保険者期間の月数が二百四十以上」とあるのは「その年金額の計算の基礎となる被保険者期間の月数と相手国期間（第四十四条第一項の規定を適用する場合に社会保障協定の実施に伴う厚生年金保険法等の特例等に関する法律（平成十九年法律第百四号）第二十七条の規定により厚生年金保険の被保険者期間に算入される相手国期間をいい、社会保障協定の実施に伴う厚生年金保険法等の特例等に関する政令第二条第四十二号に規定するドイツ協定に係る場合にあっては、同号に規定するドイツ保険料納付期間とする。以下この条において同じ。）の月数とを合算した月数が二百四十以上」と、同条第二項及び第三項中「その年金額の計算の基礎となる被保険者期間の月数が二百四十以上」とあるのは「その年金額の計算の基礎となる被保険者期間の月数と相手国期間の月数とを合算した月数が二百四十以上」と、平成六年国民年金等改正法附則第三十条第二項中「その年金額の計算の基礎となる被保険者期間の月数が二百四十以上」とあるのは「その年金額の計算の基礎となる被保険者期間の月数と相手国期間（同法第四十四条第一項の規定を適用する場合に社会保障協定の実施に伴う厚生年金保険法等の特例等に関する法律（平成十九年法律第百四号）第二十七条の規定により厚生年金保険の被保険者期間に算入される相手国期間をいい、社会保障協定の実施に伴う厚生年金保険法等の特例等に関する政令第二条第四十二号に規定するドイツ協定に係る場合にあっては、同号に規定するドイツ保険料納付期間とする。次項において同じ。）の月数とを合算した月数が二百四十以上」と、「、同法」とあるのは「、厚生年金保険法」と、同条第三項中「その年金額の計算の基礎となる被保険者期間の月数が二百四十以上」とあるのは「その年金額の計算の基礎となる被保険者期間の月数と相手国期間の月数とを合算した月数が二百四十以上」とする。

2　法第二十七条において、厚生年金保険法附則第七条の三第六項、第九条の二第三項、第九条の四第三項若しくは第五項（同条第六項においてその例による場合を含む。）、第十三条の四第七項若しくは第十六条（平成六年国民年金等改正法附則第三十条第一項又は前項の規定により読み替えられた場合を含む。）又は平成六年国民年金等改正法附則第十八条第三項、第十九条第三項若しくは第五項、第二十条第三項若しくは第五項、第二十七条第十五項若しくは第十六項若しくは第三十条第二項若しくは第三項（同条第二項又は第三項の規定が前項の規定により読み替えられた場合を含む。）の規定により読み替えられた厚生年金保険法第四十四条の規定を適用する場合においては、同条第一項中「月数が二百四十未満」とあるのは「月数と相手国期間（社会保障協定の実施に伴う厚生年金保険法等の特例等に関する法律（平成十九年法律第百四号）第二十七条の規定により厚生年金保険の被保険者期間に算入される相手国期間をいい、社会保障協定の実施に伴う厚生年金保険法等の特例等に関する政令第二条第四十二号に規定するドイツ協定に係る場合にあっては、同号に規定するドイツ保険料納付期間とする。）の月数とを合算した月数が二百四十未満」と、「当該月数」とあり、及び「当該被保険者期間の月数」とあるのは「当該合算した月数」とする。

（法第二十八条第一項に規定する政令で定める社会保障協定）

第五十七条の二　法第二十八条第一項に規定する政令で定める社会保障協定は、第二十四条の二各号に掲げる社会保障協定とする。

（法第二十八条第一項、第二十九条第一項及び第三十条第一項に規定する政令で定める相手国期間）

第五十八条　法第二十八条第一項、第二十九条第一項及び第三十条第一項に規定する政令で定める相手国期間は、第二十五条に規定する相手国期間とする。

（法第二十八条第二項に規定する政令で定める社会保障協定等）

第五十九条　法第二十八条第二項に規定する政令で定める社会保障協定は、次の表の第一欄に掲げる社会保障協定とし、同欄に掲げる社会保障協定に係る場合における同項に規定する相手国期間中に初診日のある傷病に相当するものとして政令で定めるものは、それぞれ同表の第二欄に掲げる傷病とする。

	第一欄	第二欄
一	ドイツ協定	ドイツ保険料納付期間中に初診日のある傷病
二	合衆国協定	厚生年金保険の被保険者でない間に合衆国特例初診日のある傷病
三	フランス協定	フランス特定保険期間中に初診日のある傷病
四	フィンランド協定	フィンランド特定保険期間中に初診日のある傷病

（法第二十八条第二項ただし書に規定する政令で定める年金たる給付）

第六十条　法第二十八条第二項ただし書に規定する政令で定める年金たる給付は、次のとおりとする。

一　障害基礎年金（国民年金法第三十条の四及び法第十一条第二項の規定により支給するものを除く。）

二　障害厚生年金

三　平成二十四年一元化法附則第四十一条第一項の規定による障害共済年金又は平成二十四年一元化法附則第六十五条第一項の規定による障害共済年金

（法第二十九条第一項に規定する政令で定める社会保障協定）

第六十一条　法第二十九条第一項に規定する政令で定める社会保障協定は、次に掲げる社会保障協定以外の社会保障協定とする。

一　ベルギー協定

二　フランス協定

三　オランダ協定
四　チェコ協定
五　スペイン協定
六　アイルランド協定
七　ブラジル協定
八　スイス協定
九　インド協定
十　ルクセンブルク協定
十一　フィリピン協定
十二　スロバキア協定
十三　フィンランド協定
十四　スウェーデン協定

（法第二十九条第一項に規定する政令で定める者）

第六十二条　法第二十九条第一項に規定する政令で定める者は、次に掲げる者とする。

一　厚生年金保険法第五十六条各号のいずれかに該当する者（法の規定により同条各号のいずれかに該当することとなる者を含み、昭和六十年国民年金等改正法附則第八十七条第二項の規定により厚生年金保険の実施者たる政府が支給するものとされた年金たる保険給付の受給権者を除く。）

二　旧厚生年金保険法による年金たる保険給付（昭和六十年国民年金等改正法附則第八十七条第二項の規定により厚生年金保険の実施者たる政府が支給するものとされた年金たる保険給付を含む。）の受給権者（法の規定により当該年金たる保険給付の受給権を有することとなる者を含む。）

三　次に掲げる給付（法第二十九条第一項の規定により支給する障害手当金と同一の傷病による障害を支給事由とするものに限る。）の受給権者又は受給権を有していたことがある者

イ　厚生年金保険法による障害手当金

ロ　平成二十四年一元化法改正前共済年金各法による障害一時金

（法第二十九条第二項に規定する政令で定める社会保障協定等）

第六十三条　法第二十九条第二項に規定する政令で定める社会保障協定は、次の表の第一欄に掲げる社会保障協定とし、同欄に掲げる社会保障協定に係る場合における同項に規定する相手国期間中に初診日のある傷病に相当するものとして政令で定めるものは、それぞれ同表の第二欄に掲げる傷病とする。

	第一欄	第二欄
一	フランス協定	フランス特定保険期間中に初診日のある傷病
二	フィンランド協定	フィンランド特定保険期間中に初診日のある傷病

（法第二十九条第二項に規定する政令で定める者）

第六十四条　法第二十九条第二項に規定する政令で定める者は、第六十二条第一号及び第二号に掲げる者のほか、次に掲げる給付（法第二十九条第二項の規定により支給する障害手当金と同一の傷病による障害を支給事由とするものに限る。）の受給権者又は受給権を有していたことがある者とする。

一　厚生年金保険法による障害手当金

二　平成二十四年一元化法改正前共済年金各法による障害一時金

（法第三十条第一項に規定する政令で定める社会保障協定）

第六十四条の二　法第三十条第一項に規定する政令で定める社会保障協定は、第二十七条の二に規定する社会保障協定とする。

（法第三十条第二項に規定する政令で定める社会保障協定等）

第六十五条　法第三十条第二項に規定する政令で定める社会保障協定は、次の表の第一欄に掲げる社会保障協定とし、同欄に掲げる社会保障協定に係る場合における同項に規定する相手国期間中に死亡した者に相当する者として政令で定める者は、それぞれ同表の第二欄に掲げる者とする。

	第一欄	第二欄
一	ドイツ協定	ドイツ保険料納付期間中に死亡した者
二	合衆国協定	厚生年金保険の被保険者でない間の合衆国納付条件に該当する日に死亡した者
三	フランス協定	フランス特定保険期間中に死亡した者
四	フィンランド協定	フィンランド特定保険期間中に死亡した者

（法第三十条第二項ただし書に規定する政令で定める年金たる給付）

第六十六条　法第三十条第二項ただし書（同条第三項において準用する場合を含む。）に規定する政令で定める年金たる給付は、次のとおりとする。

一　遺族基礎年金（法第十二条第二項の規定により支給するものを除く。）

二　遺族厚生年金

三　平成二十四年一元化法附則第四十一条第一項の規定による遺族共済年金又は平成二十四年一元化法附則第六十五条第一項の規定による遺族共済年金

第二款　保険給付等の額の計算等に関する事項

（法第三十一条第一項に規定する政令で定める額に関する規定）

第六十七条　法第三十一条第一項（法第四十条第八項第三号において準用する場合を含む。）に規定する政令で定める額に関する規定は、次の各号に掲げる厚生年金保険法による保険給付等の区分に応じ、それぞれ当該各号に定める規定とする。

一　老齢厚生年金の加給（次号に掲げるものを除く。）　厚生年金保険法第四十四条第二項

二　老齢厚生年金の加給（昭和六十年国民年金等改正法附則第六十条第二項の規定により加算された加給年金額に相当する部分に限る。）　同項

三　遺族厚生年金の中高齢寡婦加算　厚生年金保険法第六十二条第一項

四　遺族厚生年金の経過的寡婦加算　昭和六十年国民年金等改正法附則第七十三条第一項

五　脱退一時金　厚生年金保険法附則第二十九条第三項

（法第三十一条第二項に規定する政令で定める厚生年金保険の被保険者期間等）

第六十八条　法第三十一条第二項（法第四十条第八項第三号において準用する場合を含む。以下この条において同じ。）に規定する政令で定める厚生年金保険の被保険者期間及び法第三十一条第二項に規定する政令で定める厚生年金保険法による保険給付等の受給資格要件又は加算の資格要件たる期間は、次の表の第一欄に掲げる厚生年金保険法による保険給付等の区分に応じ、それぞれ同表の第二欄に掲げる期間及び同表の第三欄に掲げる期間とする。

	第一欄	第二欄	第三欄
一	老齢厚生年金の加給	老齢厚生年金の額の計算の基礎となる各号の厚生年金被保険者期間（昭和六十年国民年金等改正法附則第六十一条第一項において適用する昭和六十年国民年金等改正法附則第十二条第一項第四号から第六号までのいずれかに該当することにより支給されるものにあっては、それぞれこれらの規定に規定する厚生年金保険の被保険者期間（第一号厚生年金被保険者期間に係るものに限る。））	二百四十（昭和六十年国民年金等改正法附則第六十一条第一項において適用する昭和六十年国民年金等改正法附則第十二条第一項第四号又は第五号に該当することにより支給されるものにあっては、昭和六十年国民年金等改正法附則別表第三の上欄に掲げる者の区分に応じ、それぞれ同表の下欄に掲げる年数に十二を乗じて得た月数とし、同項第六号の規定に該当することにより支給されるものにあっては百九十二とする。）
二	遺族厚生年金の中高齢寡婦加算又は遺族厚生年金の経過的寡婦加算	遺族厚生年金の額の計算の基礎となる各号の厚生年金被保険者期間（昭和六十年国民年金等改正法附則第六十一条第一項において適用する昭和六十年国民年金等改正法附則第十二条第一項第四号から第六号までのいずれかに該当することにより支給されるものにあっては、それぞれこれらの規定に規定する厚生年金保険の被保険者期間（第一号厚生年金被保険者期間に係るものに限る。））	
三	脱退一時金	各号の厚生年金被保険者期間	六

第六十八条の二　平成二十四年一元化法附則第二十一条に規定する者が、法第二十七条の規定により老齢厚生年金の加給の受給権を有することとなるときは、前条の規定にかかわらず、法第三十一条第二項に規定する政令で定める厚生年金保険の被保険者期間は、当該平成二十四年一元化法附則第二十一条に規定する者の老齢厚生年金の額の計算の基礎となる厚生年金保険の被保険者期間並びに旧国家公務員共済組合員期間（他の法令の規定により当該旧国家公務員共済組合員期間に算入された期間を含む。）、旧地方公務員共済組合員期間（他の法令の規定により当該旧地方公務員共済組合員期間に算入された期間を含む。）及び旧私立学校教職員共済加入者期間とする。

（法第三十二条第一項ただし書に規定する政令で定める厚生年金保険の被保険者であった期間等）

第六十九条　法第三十二条第一項ただし書及び第二項第一号イ（これらの規定を法第三十八条第二項において準用する場合を含む。）に規定する政令で定める厚生年金保険の被保険者であった期間は、法第二十八条第一項若しくは第二項又は法第三十八条第一項の規定により支給する障害厚生年金の支給事由となった障害に係る障害認定日（二以上の障害を支給事由とする障害厚生年金にあっては、厚生年金保険法第五十一条の規定の例による障害認定日）の属する月までの第三十三条各号に掲げる期間とする。

2　法第三十二条第七項において準用する同条第一項ただし書及び第二項第一号イに規定する政令で定める厚生年金保険の被保険者であった期間は、法第二十九条の規定により支給する障害手当

金の支給事由となった障害に係る障害認定日の属する月までの第三十三条各号に掲げる期間とする。

（法第三十二条第二項第一号に規定する政令で定める社会保障協定）

第七十条　法第三十二条第二項第一号（法第三十八条第二項において準用する場合を含む。）に規定する政令で定める社会保障協定は、第三十二条各号に掲げる社会保障協定とする。

（法第三十二条第二項第一号ハに規定する政令で定める相手国期間）

第七十一条　法第三十二条第二項第一号ハ（法第三十八条第二項において準用する場合を含む。）に規定する政令で定める相手国期間は、第三十二条各号に掲げる社会保障協定に係るもののうち、昭和十七年六月から法第二十八条第一項若しくは第二項又は第三十八条第一項の規定により支給する障害厚生年金の支給事由となった障害に係る障害認定日（二以上の障害を支給事由とする障害厚生年金にあっては、厚生年金保険法第五十一条の規定の例による障害認定日）の属する月までの相手国期間（第三十三条各号に掲げる期間の計算の基礎となっている月に係るものを除く。）とする。

（法第三十二条第二項第二号に規定する政令で定める社会保障協定）

第七十二条　法第三十二条第二項第二号（同条第七項、法第三十八条第二項及び第三十九条第二項において準用する場合を含む。）に規定する政令で定める社会保障協定は、次のとおりとする。

一　ベルギー協定
二　フランス協定
三　オランダ協定
四　チェコ協定
五　スペイン協定
六　アイルランド協定
七　スイス協定
八　ハンガリー協定
九　ルクセンブルク協定
十　スロバキア協定
十一　フィンランド協定
十二　スウェーデン協定

（法第三十二条第二項第二号及び第三号ロ並びに第五項第二号に規定する政令で定める相手国期間）

第七十三条　法第三十二条第二項第二号（法第三十八条第二項において準用する場合を含む。）に規定する政令で定める相手国期間は、前条各号（第八号を除く。）に掲げる社会保障協定に係るもののうち、昭和十五年六月（オランダ協定、チェコ協定、アイルランド協定、スイス協定、ルクセンブルク協定、スロバキア協定、フィンランド協定又はスウェーデン協定に係る場合にあっては、昭和十七年六月とする。）から法第二十八条第一項若しくは第二項又は第三十八条第一項の規定により支給する障害厚生年金の支給事由となった障害に係る障害認定日（二以上の障害を支給事由とする障害厚生年金にあっては、厚生年金保険法第五十一条の規定の例による障害認定日）の属する月までの相手国期間とする。

2　法第三十二条第二項第三号ロ（法第三十八条第二項において準用する場合を含む。）に規定する政令で定める相手国期間は、昭和十七年六月から前項に規定する障害認定日の属する月までのドイツ保険料納付期間とする。

3　法第三十二条第五項第二号（法第三十八条第二項において準用する場合を含む。）に規定する政令で定める相手国期間は、前条各号（第八号を除く。）に掲げる社会保障協定又は次条に規定する社会保障協定に係るもののうち、昭和十五年六月（ドイツ協定、オランダ協定、チェコ協定、アイルランド協定、スイス協定、ルクセンブルク協定、スロバキア協定、フィンランド協定又はスウェーデン協定に係る場合にあっては、昭和十七年六月とする。）から第一項に規定する障害認定日の属する月までの相手国期間（ドイツ協定に係る場合にあっては、ドイツ保険料納付期間とする。）とする。

4　法第三十二条第七項において準用する同条第二項第二号及び第五項第二号に規定する政令で定める相手国期間は、前条各号（第八号を除く。）に掲げる社会保障協定に係るもののうち、昭和十五年六月（オランダ協定、チェコ協定、アイルランド協定、スイス協定、ルクセンブルク協定、スロバキア協定、フィンランド協定又はスウェーデン協定に係る場合にあっては、昭和十七年六月とする。）から法第二十九条の規定により支給する障害手当金の支給事由となった障害に係る障害認定日の属する月までの相手国期間とする。

（法第三十二条第二項第三号に規定する政令で定める社会保障協定）

第七十四条　法第三十二条第二項第三号（法第三十八条第二項において準用する場合を含む。）に規定する政令で定める社会保障協定は、ドイツ協定とする。

（法第三十二条第七項及び第三十九条第二項において準用する法第三十二条第二項第一号に規定する政令で定める社会保障協定）

第七十四条の二　法第三十二条第七項及び第三十九条第二項において準用する法第三十二条第二項第一号に規定する政令で定める社会保障協定は、次のとおりとする。

一　ブラジル協定
二　インド協定
三　フィリピン協定

（法第三十二条第七項において準用する同条第二項第一号ハに規定する政令で定める相手国期間）

第七十四条の三　法第三十二条第七項において準用する同条第二項第一号ハに規定する政令で定める相手国期間は、前条各号に掲げる社会保障協定に係るもののうち、昭和十七年六月から法第二十九条の規定により支給する障害手当金の支給事由となった障害に係る障害認定日の属する月までの相手国期間（第三十三条各号に掲げる期間の計算の基礎となっている月に係るものを除く。）とする。

（法第三十三条第一項ただし書及び第二項第一号イに規定する政令で定める厚生年金保険の被保険者であった期間）

第七十五条　法第三十三条第一項ただし書及び第二項第一号イ（これらの規定を法第四十条第八項第一号において準用する場合を含む。）に規定する政令で定める厚生年金保険の被保険者であった期間は、第三十三条各号に掲げる期間とする。

（法第三十三条第二項第一号ハに規定する政令で定める相手国期間）

第七十六条　法第三十三条第二項第一号ハ（法第四十条第八項第一号において準用する場合を含む。）に規定する政令で定める相手国期間は、第三十二条各号に掲げる社会保障協定に係るもののうち、昭和十七年六月から法第三十三条第一項（法第四十条第八項第一号において準用する場合を含む。）の遺族厚生年金の支給事由となった死亡に係る者の死亡した日の翌日の属する月の前月までの相手国期間（第三十三条各号に掲げる期間の計算の基礎となっている月に係るものを除く。）とする。

（法第三十三条第二項第二号及び第三号ロ並びに第四項第二号に規定する政令で定める相手国期間）

第七十七条　法第三十三条第二項第二号（法第四十条第八項第一号において準用する場合を含む。）に規定する政令で定める相手国期間は、第七十二条各号に掲げる社会保障協定に係るもののうち、昭和十五年六月（オランダ協定、チェコ協定、アイルランド協定、スイス協定、ハンガリー協定、ルクセンブルク協定、スロバキア協定、フィンランド協定又はスウェーデン協定に係る場合にあっては、昭和十七年六月とする。）以後の相手国期間とする。

2　法第三十三条第二項第三号ロ（法第四十条第八項第一号において準用する場合を含む。）に規定する政令で定める相手国期間は、昭和十七年六月以後のドイツ保険料納付期間とする。

3　法第三十三条第四項第二号（法第四十条第八項第二号において準用する場合を含む。）に規定する政令で定める相手国期間は、第七十二条各号に掲げる社会保障協定又は次条に規定する社会保障協定に係るもののうち、昭和十五年六月（ドイツ協定、オランダ協定、チェコ協定、アイルランド協定、スイス協定、ハンガリー協定、ルクセンブルク協定、スロバキア協定、フィンランド協定又はスウェーデン協定に係る場合にあっては、昭和十七年六月とする。）以後の相手国期間（ドイツ協定に係る場合にあっては、ドイツ保険料納付期間とする。）とする。

（法第三十三条第二項第三号に規定する政令で定める社会保障協定）

第七十八条　法第三十三条第二項第三号（法第四十条第八項第一号において準用する場合を含む。）に規定する政令で定める社会保障協定は、ドイツ協定とする。

（老齢厚生年金の加給等の支給停止の特例）

第七十九条　法第三十四条に規定する政令で定める年金たる給付は、第三十六条第一項各号に掲げる年金たる給付、旧厚生年金保険法による老齢年金及び旧船員保険法による老齢年金とする。

2　老齢厚生年金の加給（老齢厚生年金の受給権者の配偶者について加算する額に相当する部分に限るものとし、その支給が停止されているものを除く。以下この条において同じ。）又は障害厚生年金の配偶者加給の受給権者の配偶者が、同時に第三十六条第一項第一号に掲げる年金たる給付の受給権者であって老齢給付の配偶者加給を受けることができるとき（当該受給権者の老齢厚生年金の加給又は障害厚生年金の配偶者加給の額が当該配偶者の老齢給付の配偶者加給の額より低いとき、その他厚生労働省令で定める場合に限る。）は、その間、当該受給権者の老齢厚生年金の加給又は障害厚生年金の配偶者加給の支給を停止する。

3　第一項に規定する年金たる給付（第三十六条第一項第一号に掲げる年金たる給付を除く。）であって法の規定により支給するものについては、厚生年金保険法第四十六条第六項（同法第五十四条第三項において準用する場合を含む。）の規定は、適用しない。ただし、老齢厚生年金の加給又は障害厚生年金の配偶者加給の受給権者の配偶者が同時に老齢給付の配偶者加給又は障害給付の配偶者加給を受けることができるとき（当該受給権者の老齢厚生年金の加給又は障害厚生年金の配偶者加給の額が当該配偶者の老齢給付の配偶者加給又は障害給付の配偶者加給の額より低いとき、その他厚生労働省令で定める場合に限る。）は、この限りでない。

4　第一項に規定する年金たる給付の受給権者の配偶者であって法の規定により支給する老齢厚生年金の加給又は障害厚生年金の配偶者加給の受給権を有するものが、同時に法の規定により支給する老齢基礎年金の振替加算等を受けることができるとき（当該老齢厚生年金の加給又は障害厚生年金の配偶者加給の額が当該老齢基礎年金の振替加算等の額より低いとき、その他厚生労働省令で定める場合に限る。）は、その間、当該老齢厚生年金の加給又は障害厚生年金の配偶者加給の支給を停止する。

第七十九条の二　老齢厚生年金の加給又は障害厚生年金の配偶者加給の受給権者の配偶者（平成二十四年一元化法附則第二十一条に規定する者に限る。）が、法第二十七条の規定により老齢厚生年金の加給の受給権を有することとなるときは、当該受給権者に係る老齢厚生年金の加給については、当該配偶者に係る老齢厚生年金を第三十六条第一項第一号イに掲げる年金たる給付とみなして、前条の規定を適用する。

第三節　二以上の種別の被保険者であった期間を有する者に関する事項

（法第三十五条に規定する障害厚生年金に関する事務を行う実施機関等）

第七十九条の三　法第三十五条に規定する政令で定める日は、次の各号に掲げる二以上の種別の被保険者であった期間を有する者の区分に応じて、当該各号に定める日とする。

一　障害厚生年金の支給事由となった障害に係る傷病の初診日において、当該傷病以外の傷病による障害を支給事由とする障害厚生年金（以下この号において「先の障害厚生年金」という。）の受給権を有する者　先の障害厚生年金の支給事由となった障害に係る傷病の初診日

二　障害厚生年金の支給事由となった障害に係る障害認定日において厚生年金保険の被保険者である者（前号に掲げる者を除く。）　当該障害認定日

三　前二号に掲げる者以外の者　障害厚生年金の支給事由となった障害に係る障害認定日前の直近の厚生年金保険の被保険者の資格を喪失した日の前日

2　法第三十五条に規定する障害厚生年金に関する事務は、次の各号に掲げる同条に規定する政令で定める日における被保険者の種別に応じて、当該各号に定める者が行う。

一　第一号厚生年金被保険者　厚生年金保険法第二条の五第一項第一号に定める者

二　第二号厚生年金被保険者　厚生年金保険法第二条の五第一項第二号に定める者

三　第三号厚生年金被保険者　厚生年金保険法第二条の五第一項第三号に定める者

四　第四号厚生年金被保険者　厚生年金保険法第二条の五第一項第四号に定める者

（法第三十六条に規定する障害手当金に関する事務を行う実施機関）

第七十九条の四　法第三十六条に規定する政令で定める日は、次の各号に掲げる二以上の種別の被保険者であった期間を有する者の区分に応じて、当該各号に定める日とする。

一　障害手当金の支給事由となった障害に係る傷病の初診日において、当該傷病以外の傷病による障害を支給事由とする障害手当金（以下この号において「先の障害手当金」という。）の受給権を有する者　先の障害手当金の支給事由となった障害に係る傷病の初診日

二　障害手当金の支給事由となった障害に係る障害認定日において厚生年金保険の被保険者である者（前号に掲げる者を除く。）　当該障害認定日

三　前二号に掲げる者以外の者　障害手当金の支給事由となった障害に係る障害認定日前の直近の厚生年金保険の被保険者の資格を喪失した日の前日

2　法第三十六条に規定する障害手当金に関する事務は、次の各号に掲げる同条に規定する政令で定める日における被保険者の種別に応じて、当該各号に定める者が行う。

一　第一号厚生年金被保険者　厚生年金保険法第二条の五第一項第一号に定める者

二　第二号厚生年金被保険者　厚生年金保険法第二条の五第一項第二号に定める者

三　第三号厚生年金被保険者　厚生年金保険法第二条の五第一項第三号に定める者

四　第四号厚生年金被保険者　厚生年金保険法第二条の五第一項第四号に定める者

（法第三十七条に規定する遺族厚生年金に関する事務を行う実施機関）

第七十九条の五　法第三十七条に規定する政令で定める日は、次の各号に掲げる二以上の種別の被保険者であった期間を有する者の区分に応じて、当該各号に定める日とする。

一　相手国期間中に初診日のある傷病により当該初診日から起算して五年を経過する日前に死亡した者であって、当該死亡した日において厚生年金保険の被保険者である者　当該死亡した日

二　前号に掲げる者以外の者　死亡した日前の直近の厚生年金保険の被保険者の資格を喪失した日の前日

2　法第三十七条に規定する遺族厚生年金に関する事務は、次の各号に掲げる同条に規定する政令で定める日における被保険者の種別に応じて、当該各号に定める者が行う。

一　第一号厚生年金被保険者　厚生年金保険法第二条の五第一項第一号に定める者

二　第二号厚生年金被保険者　厚生年金保険法第二条の五第一項第二号に定める者

三　第三号厚生年金被保険者　厚生年金保険法第二条の五第一項第三号に定める者

四　第四号厚生年金被保険者　厚生年金保険法第二条の五第一項第四号に定める者

第四節　発効日前の障害又は死亡に係る保険給付等に関する事項

（法第三十八条第一項ただし書に規定する政令で定める受給資格要件）

第八十条　法第三十八条第一項ただし書に規定する政令で定める受給資格要件は、厚生年金保険法第四十七条第一項ただし書に該当しないこととする。

2　法第二十八条第一項、昭和六十年国民年金等改正法附則第四十八条第六項及び第七項、第六十四条第一項並びに第六十五条並びに昭和六十一年経過措置政令第七十七条の二の規定は、前項の規定により厚生年金保険法第四十七条第一項ただし書の規定を適用する場合に準用する。この場合において、法第二十八条第一項並びに昭和六十年国民年金等改正法附則第四十八条第六項、第六十四条第一項及び第六十五条中「準用する場合」とあるのは、「準用する場合並びに社会保障協定の実施に伴う厚生年金保険法等の特例等に関する政令第八十条第一項において適用する場合」と読み替えるものとする。

（法第三十八条第三項に規定する政令で定める年金たる給付）

第八十一条　法第三十八条第三項に規定する政令で定める年金たる給付は、次のとおりとする。

一　障害基礎年金（国民年金法第三十条の四及び法第十九条第一項の規定により支給するものを除く。）

二　旧国民年金法による障害年金

三　障害厚生年金

四　旧厚生年金保険法による障害年金

五　旧船員保険法による障害年金

六　次に掲げる年金たる給付

イ　平成二十四年一元化法改正前国共済年金のうち障害共済年金

ロ　平成二十四年一元化法改正前地共済年金のうち障害共済年金

ハ　平成二十四年一元化法改正前私学共済年金のうち障害共済年金

ニ　移行障害共済年金

六の二　平成二十四年一元化法附則第四十一条第一項の規定による障害共済年金又は平成二十四年一元化法附則第六十五条第一項の規定による障害共済年金

七　旧国共済法による障害年金及び昭和六十年国共済改正法第二条の規定による改正前の国共済法による年金たる給付であって障害を支給事由とするもの

八　旧地共済法による障害年金及び昭和六十年地共済改正法第二条の規定による改正前の地共済法による年金たる給付であって障害を支給事由とするもの

九　旧私学共済法による障害年金

十　平成十三年統合法附則第十六条第六項に規定する移行農林年金のうち障害年金

（法第三十九条第一項に規定する政令で定める者）

第八十二条　法第三十九条第一項に規定する政令で定める者は、次に掲げる者とする。

一　厚生年金保険法第五十六条各号のいずれかに該当する者（法の規定により同条各号のいずれ

かに該当することとなる者を含み、昭和六十年国民年金等改正法附則第八十七条第二項の規定により厚生年金保険の実施者たる政府が支給するものとされた年金たる保険給付の受給権者を除く。）

二　旧厚生年金保険法による年金たる保険給付（昭和六十年国民年金等改正法附則第八十七条第二項の規定により厚生年金保険の実施者たる政府が支給するものとされた年金たる保険給付を含む。）の受給権者（法の規定により当該年金たる保険給付の受給権を有することとなる者を含む。）

三　次に掲げる給付（法第三十九条第一項の規定により支給する障害手当金と同一の傷病による障害を支給事由とするものに限る。）の受給権者又は受給権を有していたことがある者

イ　厚生年金保険法による障害手当金

ロ　平成二十四年一元化法改正前共済年金各法による障害一時金（旧農林共済法による障害一時金を含む。）

ハ　旧厚生年金保険法による障害手当金

ニ　旧船員保険法による障害手当金

ホ　旧国共済法による障害一時金及び昭和六十年国共済改正法第二条の規定による改正前の国共済施行法による障害一時金

ヘ　旧地共済法による障害一時金及び昭和六十年地共済改正法第二条の規定による改正前の地共済施行法による障害一時金

ト　旧私学共済法による障害一時金

チ　旧制度農林共済法（平成十三年統合法附則第二条第一項第五号に規定する旧制度農林共済法をいう。）による障害一時金

（法第三十九条第一項ただし書に規定する政令で定める受給資格要件）

第八十三条　法第三十九条第一項ただし書に規定する政令で定める受給資格要件は、厚生年金保険法第五十五条第二項において準用する同法第四十七条第一項ただし書に該当しないこととする。

2　法第二十九条第一項、昭和六十年国民年金等改正法附則第四十八条第六項及び第七項、第六十四条第一項並びに第六十五条並びに昭和六十一年経過措置政令第七十七条の二の規定は、前項の規定により厚生年金保険法第五十五条第二項において準用する同法第四十七条第一項ただし書の規定を適用する場合に準用する。この場合において、法第二十九条第一項中「第四十七条第一項ただし書」とあるのは「第四十七条第一項ただし書（社会保障協定の実施に伴う厚生年金保険法等の特例等に関する政令第八十三条第一項において適用する場合を含む。）」と、「同項ただし書の」とあるのは「当該」と、昭和六十年国民年金等改正法附則第四十八条第六項、第六十四条第一項及び第六十五条中「準用する場合」とあるのは「準用する場合並びに社会保障協定の実施に伴う厚生年金保険法等の特例等に関する政令第八十三条第一項において適用する場合」と読み替えるものとする。

（法第三十九条第二項において準用する法第三十二条第一項ただし書及び第二項第一号イに規定する政令で定める厚生年金保険の被保険者であった期間等）

第八十四条　法第三十九条第二項において準用する法第三十二条第一項イに規定する政令で定める厚生年金保険の被保険者であった期間は、当該障害手当金の支給事由となった障害に係る障害認定日の属する月までの第三十三条各号に掲げる期間とする。

2　法第三十九条第二項において準用する法第三十二条第二項第一号ハに規定する政令で定める相手国期間は、第七十四条の二各号に掲げる社会保障協定に係るもののうち、昭和十七年六月から前項に規定する障害認定日の属する月までの相手国期間（第三十三条各号に掲げる期間の計算の基礎となっている月に係るものを除く。）とする。

3　法第三十九条第二項において準用する法第三十二条第二項第二号及び第五項第二号に規定する政令で定める相手国期間は、第七十二条各号（第八号を除く。）に掲げる社会保障協定に係るもののうち、昭和十五年六月（オランダ協定、チェコ協定、アイルランド協定、スイス協定、ルクセンブルク協定、スロバキア協定、フィンランド協定又はスウェーデン協定に係る場合にあっては、昭和十七年六月とする。）から第一項に規定する障害認定日の属する月までの相手国期間とする。

（法第四十条第一項ただし書に規定する政令で定める受給資格要件）

第八十五条　法第四十条第一項ただし書に規定する政令で定める受給資格要件は、厚生年金保険法第五十八条第一項ただし書に該当しないこととする。この場合において、同項ただし書中「第一号又は第二号」とあるのは、「社会保障協定の実施に伴う厚生年金保険法等の特例等に関する法律（平成十九年法律第百四号）第四十条第一項第一号から第三号までのいずれか」とする。

2　法第三十条第一項、昭和六十年国民年金等改正法附則第四十八条第六項及び第七項、第六十四条第二項並びに第六十五条並びに昭和六十一年経過措置政令第八十七条の二の規定は、前項の規定により厚生年金保険法第五十八条第一項ただし書の規定を適用する場合に準用する。この場合において、法第三十条第一項中「厚生年金保険法第五十八条第一項ただし書」とあるのは「社会保障協定の実施に伴う厚生年金保険法等の特例等に関する政令第八十五条第一項の規定により読み替えられた厚生年金保険法第五十八条第一項ただし書」と、「同項ただし書」とあるのは「社会保障協定の実施に伴う厚生年金保険法等の特例等に関する政令第八十五条第一項の規定により読み替えられた同法第五十八条第一項ただし書」と、昭和六十年国民年金等改正法附則第六十四条第二項中「厚生年金保険法第五十八条第一項ただし書」とあるのは「当該規定」と、「同項ただし書」とあるのは「当該規定」と、昭和六十年国民年金等改正法附則第六十五条中「第五十八条第一項ただし書の規定」とあるのは「社会保障協定の実施に伴う厚生年金保険法等の特例等に関する政令第八十五条第一項の規定により読み替えられた同法第五十八条第一項ただし書の規定」と、「同法第五十八条第一項ただし書」とあるのは「同令第八十五条第一項の規定により読み替えられた同法第五十八条第一項ただし書」と読み替えるものとする。

（法第四十条第一項ただし書に規定する政令で定める事由）

第八十六条　法第四十条第一項ただし書に規定する政令で定める事由は、次の各号に掲げる遺族の区分に応じ、それぞれ当該各号に定めるとおりとする。

一　配偶者　厚生年金保険法第六十三条第一項各号（厚生年金保険の被保険者又は被保険者であった者であって相手国期間を有するものが死亡した日が平成十九年四月一日前にある場合にあっては、国民年金法等の一部を改正する法律（平成十六年法律第百四号。第九十八条において「平成十六年国民年金等改正法」という。）第十二条の規定による改正前の同項各号）のいずれかに該当するに至ったとき。

二　子　厚生年金保険法第六十三条第一項各号又は第二項各号のいずれかに該当するに至ったとき。

三　父母又は祖父母　厚生年金保険法第六十三条第一項各号のいずれかに該当するに至ったとき、又は同条第三項に規定する胎児であった子が出生したとき。

四　孫　厚生年金保険法第六十三条第一項各号若しくは第二項各号のいずれかに該当するに至ったとき、又は同条第三項に規定する胎児であった子が出生したとき。

2　法第四十条第二項において準用する昭和六十年国民年金等改正法附則第七十二条第二項の規定により読み替えられた厚生年金保険法第五十九条第一項第一号に該当する遺族に係る法第四十条第一項ただし書に規定する政令で定める事由は、前項に規定するもののほか、厚生年金保険法第四十七条第二項に規定する障害等級の一級又は二級に該当する障害の状態にある当該遺族について、その事情がやんだとき（法第四十条第一項本文に規定する者の死亡した日において当該遺族が五十五歳以上であったときを除く。）とする。

（法第四十条第一項第四号に規定する政令で定める受給資格要件）

第八十七条　法第四十条第一項第四号に規定する政令で定める受給資格要件は、保険料納付済期間と保険料免除期間とを合算した期間が二十五年以上であることとする。

2　法第二十七条、厚生年金保険法附則第十四条並びに昭和六十年国民年金等改正法附則第四十八条（第四項及び第六項を除く。）及び第五十七条の規定は、前項の規定を適用する場合に準用する。この場合において、厚生年金保険法附則第十四条第一項中「附則第二十八条の四第一項」とあるのは「附則第二十八条の四第一項並びに社会保障協定の実施に伴う厚生年金保険法等の特例等に関する政令（平成十九年政令第三百四十七号）第八十七条第一項」と、昭和六十年国民年金等改正法附則第四十八条第二項中「附則第十四条第一項」とあるのは「附則第十四条第一項（社会保障協定の実施に伴う厚生年金保険法等の特例等に関する政令（以下この項及び附則第五十七条において「特例政令」という。）第八十七条第二項において準用する場合を含む。以下この条において同じ。）」と、「の規定の適用」とあるのは「並びに特例政令第八十七条第一項の規定の適用」と、昭和六十年国民年金等改正法附則第五十七条中「附則第二十八条の四第一項」とあるのは「附則第二十八条の四第一項並びに特例政令第八十七条第一項」と読み替えるものとする。

（法第四十条第九項に規定する政令で定める年金たる給付）

第八十八条　法第四十条第九項に規定する政令で定める年金たる給付は、第四十七条第二号、第四号から第八号まで及び第十号から第十三号までに掲げるもののほか、次のとおりとする。

一　遺族基礎年金（昭和六十年国民年金等改正法附則第二十八条第一項及び法第二十条第一項の規定により支給するものを除く。）

二　遺族厚生年金

三　次に掲げる年金たる給付

イ　平成二十四年一元化法改正前国共済年金のうち遺族共済年金

ロ　平成二十四年一元化法改正前地共済年金のうち遺族共済年金

ハ　平成二十四年一元化法改正前私学共済年金のうち遺族共済年金

ニ　移行農林共済年金のうち遺族共済年金

四　平成二十四年一元化法附則第四十一条第一項の規定による遺族共済年金又は平成二十四年一元化法附則第六十五条第一項の規定による遺族共済年金

第八章　雑則

（法第五十八条第一項に規定する政令で定める社会保障協定）

第八十九条　法第五十八条第一項に規定する政令で定める社会保障協定は、次のとおりとする。

一　連合王国協定

二　韓国協定

三　中国協定

（法第五十八条第一項に規定する政令で定める相手国法令）

第九十条　法第五十八条第一項に規定する政令で定める相手国法令は、次のとおりとする。

一　ドイツ協定第二条(1)(b)に規定する年金保険制度に係るドイツ連邦共和国の法令

二　合衆国協定第一条1(d)に規定するアメリカ合衆国の法令

三　ベルギー協定第一条1(c)に規定するベルギー王国の法令

四　フランス協定第一条1(e)に規定するフランス共和国の法令

五　カナダ協定第二条1(c)に規定するカナダの法令

六　オーストラリア協定第一条1(c)に規定するオーストラリアの法令

七　オランダ協定第一条1(d)に規定するオランダ王国の法令

八　チェコ協定第一条1(b)に規定するチェコ共和国の法令

九　スペイン協定第一条1(b)に規定するスペインの法令

十　アイルランド協定第一条1(c)に規定するアイルランドの法令

十一　ブラジル協定第一条1(d)に規定するブラジル連邦共和国の法令

十二　スイス協定第一条1(c)に規定するスイス連邦の法令

十三　ハンガリー協定第一条1(c)に規定するハンガリーの法令

十四　インド協定第一条1(c)に規定するインド共和国の法令

十五　ルクセンブルク協定第一条1(c)に規定するルクセンブルク大公国の法令
十六　フィリピン協定第一条1(d)に規定するフィリピン共和国の法令
十七　スロバキア協定第一条1(c)に規定するスロバキア共和国の法令
十八　フィンランド協定第一条1(d)に規定するフィンランド共和国の法令
十九　スウェーデン協定第一条1(c)に規定するスウェーデン王国の法令
二十　イタリア協定第一条1(b)に規定するイタリア共和国の法令

（法第六十条第二項に規定する政令で定める社会保障協定）

第九十一条　法第六十条第二項に規定する政令で定める社会保障協定は、次のとおりとする。
一　ドイツ協定
二　スペイン協定
三　アイルランド協定
四　ブラジル協定
五　ハンガリー協定
六　ルクセンブルク協定
七　スロバキア協定
八　フィンランド協定
九　スウェーデン協定

（法第六十条第三項に規定する政令で定める社会保障協定）

第九十二条　法第六十条第三項に規定する政令で定める社会保障協定は、次のとおりとする。
一　ドイツ協定
二　スイス協定
三　ハンガリー協定

（法第六十一条に規定する受給権者及び相手国法令に係る政令で定める社会保障協定）

第九十三条　法第六十一条に規定する受給権者及び相手国法令に係る政令で定める社会保障協定は、次のとおりとする。
一　ドイツ協定
二　合衆国協定
三　ベルギー協定
四　フランス協定
五　カナダ協定
六　オーストラリア協定
七　オランダ協定
八　チェコ協定
九　スペイン協定
十　アイルランド協定
十一　ブラジル協定
十二　スイス協定
十三　ハンガリー協定
十四　インド協定
十五　ルクセンブルク協定
十六　フィリピン協定
十七　スロバキア協定
十八　フィンランド協定
十九　スウェーデン協定
二十　イタリア協定

（日本年金機構への厚生労働大臣の権限に係る事務の委任に関する厚生年金保険法の規定の技術的読替え）

第九十四条　法第六十二条第二項の規定により厚生年金保険法第百条の四第三項、第四項、第六項及び第七項の規定を準用する場合には、次の表の上欄に掲げる同条の規定中同表の中欄に掲げる字句は、それぞれ同表の下欄に掲げる字句に読み替えるものとする。

第三項	前項の規定による求めがあった場合において必要があると認めるとき、又は機構	日本年金機構（以下「機構」という。）
	第一項各号	社会保障協定の実施に伴う厚生年金保険法等の特例等に関する法律（以下「協定実施特例法」という。）第六十二条第一項各号
	若しくは一部	又は一部
	若しくは不適当	又は不適当
第四項	、前項	、協定実施特例法第六十二条第二項において準用する前項
	第一項各号	同条第一項各号
	又は前項	又は同条第二項において準用する前項

	するとき（次項に規定する場合を除く。）	するとき
第六項	、第三項	、協定実施特例法第六十二条第二項において準用する第三項
	第一項各号	同条第一項各号
第七項	又は第三項	又は同条第二項において準用する第三項
	前各項	協定実施特例法第六十二条第一項並びに同条第二項において準用する第三項、第四項及び前項
	第一項各号	同条第一項各号

（日本年金機構への事務の委託に関する厚生年金保険法の規定の技術的読替え）

第九十五条　法第六十三条第二項の規定により厚生年金保険法第百条の十第二項及び第三項の規定を準用する場合には、同条第二項中「機構」とあるのは「日本年金機構（次項において「機構」という。）」と、「前項各号」とあるのは「社会保障協定の実施に伴う厚生年金保険法等の特例等に関する法律（同項において「協定実施特例法」という。）第六十三条第一項各号」と、同条第三項中「前二項」とあるのは「協定実施特例法第六十三条第一項及び同条第二項において準用する前項」と、「第一項各号」とあるのは「同条第一項各号」と読み替えるものとする。

（事務の処理に関する特例）

第九十六条　次の表の第一欄に掲げる規定により同表の第二欄に掲げる相手国実施機関等に提出された申請又は申告に係る国民年金法施行令第一条の二各号に掲げる事務は、同条の規定にかかわらず、厚生労働大臣が行う。

	第一欄	第二欄
一	ドイツ協定第十七条(1)	ドイツ保険者
二	合衆国協定第十二条1	合衆国実施機関
三	ベルギー協定第二十九条1	ベルギー実施機関
四	フランス協定第十八条	フランス実施機関
五	カナダ協定第十三条1	カナダ実施機関
六	オーストラリア協定第二十条1	オーストラリア実施機関
七	オランダ協定第二十六条1	オランダ実施機関
八	チェコ協定第二十三条1	チェコ実施機関
九	スペイン協定第二十八条1	スペイン実施機関
十	アイルランド協定第二十一条1	アイルランド実施機関
十一	ブラジル協定第二十二条1	ブラジル実施機関
十二	スイス協定第二十四条1	スイス実施機関
十三	ハンガリー協定第二十六条1	ハンガリー実施機関
十四	インド協定第二十三条1	インド実施機関
十五	ルクセンブルク協定第二十六条1	ルクセンブルク実施機関
十六	フィリピン協定第二十一条1	フィリピン実施機関
十七	スロバキア協定第二十五条1	スロバキア実施機関
十八	フィンランド協定第二十三条1	フィンランド実施機関
十九	スウェーデン協定第二十三条1	スウェーデン実施機関
二十	イタリア協定第十八条1	イタリア実施機関

第九章 経過的特例に関する事項

第一節 国民年金の被保険者の資格に関する事項

（昭和三十年四月一日以前に生まれた者に係る国民年金の任意加入被保険者の特例）

第九十七条 法第八条第一項に規定する相手国の国民又は第十五条に規定する難民であって、相手国（第十六条に規定する社会保障協定に係るものに限る。）の領域内に通常居住する六十五歳以上七十歳未満の者（昭和三十年四月一日以前に生まれた者に限る。）のうち、その者の保険料納付済期間の月数並びに国民年金法第五条第四項に規定する保険料四分の三免除期間（次条第一項において「保険料四分の三免除期間」という。）の月数、同法第五条第五項に規定する保険料半額免除期間（次条第一項において「保険料半額免除期間」という。）の月数及び同法第五条第六項に規定する保険料四分の一免除期間（次条第一項において「保険料四分の一免除期間」という。）の月数を合算した月数が第十八条に規定する数以上であるものは、平成六年国民年金等改正法附則第十一条の規定の適用については、同条第一項第二号に該当する者とみなす。

2 前項の規定により平成六年国民年金等改正法附則第十一条第一項第二号に該当する者とみなされたものは、同条第六項の規定によって国民年金の被保険者の資格を喪失するほか、同条第八項の規定にかかわらず、法第八条第二項第一号から第三号まで又は第五号のいずれかに該当するに至った日の翌日（その事実があった日に更に国民年金の被保険者の資格を取得したときは、その日）に国民年金の被保険者の資格を喪失する。

（昭和三十年四月二日から昭和四十年四月一日までの間に生まれた者に係る国民年金の任意加入被保険者の特例）

第九十八条 法第八条第一項に規定する相手国の国民又は第十五条に規定する難民であって、相手国（第十六条に規定する社会保障協定に係るものに限る。）の領域内に通常居住する六十五歳以上七十歳未満の者（昭和三十年四月二日から昭和四十年四月一日までの間に生まれた者に限る。）のうち、その者の保険料納付済期間の月数並びに保険料四分の三免除期間の月数、保険料半額免除期間の月数及び保険料四分の一免除期間の月数を合算した月数が第十八条に規定する数以上であるものは、平成十六年国民年金等改正法附則第二十三条の規定の適用については、同条第一項第二号に該当する者とみなす。

2 前項の規定により平成十六年国民年金等改正法附則第二十三条第一項第二号に該当する者とみなされたものは、同条第六項の規定によって国民年金の被保険者の資格を喪失するほか、同条第八項の規定にかかわらず、法第八条第二項第一号から第三号まで又は第五号のいずれかに該当するに至った日の翌日（その事実があった日に更に国民年金の被保険者の資格を取得したときは、その日）に国民年金の被保険者の資格を喪失する。

第二節 国民年金の給付に関する事項

（不整合期間を有する者の障害基礎年金等に係る特例に関する規定等の適用）

第九十九条 公的年金制度の健全性及び信頼性の確保のための厚生年金保険法等の一部を改正する法律（平成二十五年法律第六十三号）附則第一条第二号に掲げる規定の施行の日以後に国民年金法第十四条の規定により記録した事項の訂正がなされたことにより同法附則第九条の四の二第一項に規定する不整合期間となった期間を有する者であって、同日において当該不整合期間となった期間が保険料納付済期間であるものとして法の規定により支給する障害基礎年金又は障害厚生年金、平成二十四年一元化法改正前国共済年金のうち障害共済年金、平成二十四年一元化法改正前地共済年金のうち障害共済年金、平成二十四年一元化法改正前私学共済年金若しくは移行障害共済年金を受けているもの（これらの給付の全部につき支給が停止されている者を含む。）について、同条から国民年金法附則第九条の四の六までの規定を適用する場合においては、次の表の上欄に掲げる同法の規定中同表の中欄に掲げる字句は、それぞれ同表の下欄に掲げる字句とする。

附則第九条の四の二第二項	時効消滅不整合期間（	時効消滅不整合期間（附則第九条の四の六第一項の規定を適用する場合においては、同条第三項ただし書に規定する期間を除く。
附則第九条の四の六第三項	適用しない	適用しない。ただし、社会保障協定の実施に伴う厚生年金保険法等の特例等に関する法律（平成十九年法律第百四号）の規定により支給する障害基礎年金又は厚生年金保険法による障害厚生年金、被用者年金制度の一元化等を図るための厚生年金保険法等の一部を改正する法律（平成二十四年法律第六十三号。以下この項において「平成二十四年一元化法」という。）附則第三十七条第一項に規定する改正前国共済法による年金である給付のうち障害共済年金、平成二十四年一元化法附則第六十一条第一項に規定する改正前地共済法による年金である給付のうち障害共済年金若しくは平成二十四年一元化法附則第七十九条に規定する改正前私学共済法による年金である給付のうち障害共済年金若しくは移行障害共済年金（厚生年金保険制度及び農林漁業団体職

		員共済組合制度の統合を図るための農林漁業団体職員共済組合法等を廃止する等の法律（平成十三年法律第百一号）附則第十六条第四項に規定する移行農林共済年金のうち障害共済年金をいう。）を受けている者（これらの給付の全部につき支給が停止されている者を含む。）の当該届出に係る期間については、この限りでない

（老齢基礎年金の額の加算等に関する特例）

第百条　大正十五年四月二日から昭和二十一年四月一日までの間に生まれた者であって、発効日（発効日が国民年金法等の一部を改正する法律（平成二十二年法律第二十七号）の施行の日（以下この条において「平成二十二年改正法施行日」という。）より後の日である社会保障協定に係るものに限る。以下この条において同じ。）において法第十条第一項の規定により老齢基礎年金を受ける権利を取得したものについては、発効日を平成二十二年改正法施行日とみなして、国民年金法等の一部を改正する法律の施行に伴う関係政令の整備及び経過措置に関する政令（平成二十二年政令第百九十四号）第七条、第九条及び第十条の規定を適用する。この場合において、次の表の上欄に掲げる同令の規定中同表の中欄に掲げる字句は、それぞれ同表の下欄に掲げる字句とする。

第七条第一項	国民年金法等の一部を改正する法律（平成二十二年法律第二十七号）の施行の日（以下「施行日」という。）	社会保障協定（社会保障協定の実施に伴う厚生年金保険法等の特例等に関する法律（平成十九年法律第百四号）第二条第一号に規定する社会保障協定をいう。以下この項において同じ。）の効力発生の日（二以上の相手国期間（同条第五号に規定する相手国期間をいう。以下この項において同じ。）を有する者にあっては、それぞれの相手国期間に係る社会保障協定に応じ当該社会保障協定の効力発生の日。以下この条において「発効日」という。）
第七条第一項第一号	施行日	発効日
第七条第二項	施行日において	発効日において
	国民年金法等の一部を改正する法律（平成二十二年法律第二十七号）の施行の日（以下この条において「施行日」という。）	社会保障協定（社会保障協定の実施に伴う厚生年金保険法等の特例等に関する法律（平成十九年法律第百四号）第二条第一号に規定する社会保障協定をいう。以下この条において同じ。）の効力発生の日（二以上の相手国期間（同法第二条第五号に規定する相手国期間をいう。以下この条において同じ。）を有する者にあっては、それぞれの相手国期間に係る社会保障協定に応じ当該社会保障協定の効力発生の日。以下この条において「発効日」という。）
第七条第三項	施行日	発効日
第十条	協定実施特例政令の	協定実施特例政令（第百条を除く。）の

2　大正十五年四月二日から昭和二十一年四月一日までの間に生まれた者であって、発効日において相手国期間を有し、かつ、老齢基礎年金の受給権を有しないものについては、発効日を平成二十二年改正法施行日とみなして、国民年金法等の一部を改正する法律の施行に伴う関係政令の整備及び経過措置に関する政令第八条から第十条までの規定を適用する。この場合において、次の表の上欄に掲げる同令の規定中同表の中欄に掲げる字句は、それぞれ同表の下欄に掲げる字句とする。

第八条第一項	六十五歳に達した日において	社会保障協定（社会保障協定の実施に伴う厚生年金保険法等の特例等に関する法律（平成十九年法律第百四号）第二条第一号に規定する社会保障協定をいう。以下この条において同じ。）の効力発生の日（二以上の相手国期間（同法第二条第五号に規定する相手国期間をいう。以下この条において同じ。）を有する者にあっては、それぞれの相手国期間に係る社会保障協定に応じ当該社会保障協定の効力発生の日。以下この条において「発効日」という。）において
	施行日	発効日
第八条第四項	施行日において	発効日において

	国民年金法等の一部を改正する法律（平成二十二年法律第二十七号）の施行の日（以下この条において「施行日」という。）	社会保障協定（社会保障協定の実施に伴う厚生年金保険法等の特例等に関する法律（平成十九年法律第百四号）第二条第一号に規定する社会保障協定をいう。以下この条において同じ。）の効力発生の日（二以上の相手国期間（同法第二条第五号に規定する相手国期間をいう。以下この条において同じ。）を有する者にあつては、それぞれの相手国期間に係る社会保障協定に応じ当該社会保障協定の効力発生の日。以下この条において「発効日」という。
第八条第五項	施行日	発効日
第十条	協定実施特例政令の	協定実施特例政令（第百条を除く。）の

（法附則第四条に規定する政令で定める社会保障協定）

第百一条　法附則第四条に規定する政令で定める社会保障協定は、第二十四条の二各号に掲げる社会保障協定とする。

（初診日が昭和六十一年四月一日前にある傷病による障害等に係る法第十一条第一項の規定の適用）

第百二条　相手国期間及び保険料納付済期間又は保険料免除期間を有する者が、初診日が昭和五十九年十月一日から昭和六十一年三月三十一日までの間にある傷病による次の表の第一欄に掲げる障害について、同表の第二欄に掲げる昭和六十一年経過措置政令の規定により読み替えられた国民年金法第三十条第一項ただし書（同法第三十条の二第二項において準用する場合に限る。）に該当するときは、法第十一条第一項の規定の適用については、同項中「を保険料納付済期間である国民年金の被保険者期間」とあるのは、「（昭和六十年国民年金等改正法附則第二条第一項の規定による廃止前の通算年金通則法（昭和三十六年法律第百八十一号。以下この項において「旧通則法」という。）第四条第一項第二号に掲げる期間とみなす場合にあっては、昭和十五年六月（社会保障協定の実施に伴う厚生年金保険法等の特例等に関する政令第二十二条各号に掲げる社会保障協定に係る場合にあっては、昭和十七年六月とする。）以後の相手国期間（同令第二条第四十二号に規定するドイツ協定に係る場合にあっては、同号に規定するドイツ保険料納付期間とし、旧通則法第四条第一項各号に掲げる期間の計算の基礎となっている月に係るものを除く。））を保険料納付済期間である国民年金の被保険者期間又は旧通則法第四条第一項第二号に掲げる期間」とする。

	第一欄	第二欄
一	国民年金の被保険者であった間に初診日がある傷病による障害	第二十九条第二項
二	厚生年金保険の被保険者であった間（昭和四十年五月一日前における第四種被保険者であった間を除く。）に発した傷病及び船員保険の被保険者（旧船員保険法による船員保険の被保険者をいい、旧船員保険法第十九条ノ三の規定による被保険者を除く。以下同じ。）であった間（昭和四十年五月一日前における旧船員保険法第二十条の規定による被保険者であった間を除く。）に発した傷病による障害	第二十九条第四項
三	法律によって組織された共済組合（以下「共済組合」という。）の組合員（昭和六十年農林共済改正法附則第三条第一項に規定する任意継続組合員を含む。）であった間に発した傷病による障害	第二十九条第五項

2　相手国期間及び保険料納付済期間又は保険料免除期間を有する者が、初診日が昭和五十一年十月一日から昭和五十九年九月三十日までの間にある傷病による障害（当該初診日において国民年金の被保険者であった者又は当該初診日において国民年金の被保険者でなく、かつ、六十五歳未満であった者に係るものに限る。）について、昭和六十一年経過措置政令第三十一条第一項の規定により読み替えられた国民年金法第三十条第一項ただし書に該当するときは、法第十一条第一項の規定の適用については、同項中「相手国期間であって政令で定めるものを保険料納付済期間である国民年金の被保険者期間」とあるのは「昭和十五年六月（社会保障協定の実施に伴う厚生年金保険法等の特例等に関する政令第二十二条各号に掲げる社会保障協定に係る場合にあって は、昭和十七年六月とする。）以後の相手国期間（同令第二条第四十二号に規定するドイツ協定に係る場合にあっては、同号に規定するドイツ保険料納付期間とし、昭和六十年国民年金等改正法附則第二条第一項の規定による廃止前の通算年金通則法（昭和三十六年法律第百八十一号。以下この項において「旧通則法」という。）第四条第一項各号に掲げる期間の計算の基礎となって

いる月に係るものを除く。）を旧通則法第四条第一項第二号に掲げる期間」とする。

3　相手国期間及び保険料納付済期間又は保険料免除期間を有する者が、昭和五十九年九月三十日までの間に発した傷病による次の表の第一欄に掲げる障害であって、同表の第二欄に掲げる傷病によるものについて、同表の第三欄に掲げる昭和六十一年経過措置政令の規定により読み替えられた国民年金法第三十条第一項ただし書に該当するときは、法第十一条第一項の規定の適用については、同項中「相手国期間であって政令で定めるものを保険料納付済期間である国民年金の被保険者期間」とあるのはそれぞれ同表の第四欄に掲げる字句とする。

第一欄	第二欄	第三欄	第四欄
一　厚生年金保険の被保険者であった間（昭和四十年五月一日前における第四種被保険者であった間を除く。）に発した傷病による障害	初診日が昭和五十一年十月一日前にある傷病	第三十二条第一項	昭和十七年六月以後の相手国期間（社会保障協定の実施に伴う厚生年金保険法等の特例等に関する政令第二条第四十二号に規定するドイツ協定に係る場合にあっては、同号に規定するドイツ保険料納付期間とし、第一号厚生年金被保険者期間（厚生年金保険法第二条の五第一項第一号に規定する第一号厚生年金被保険者期間をいい、昭和六十年国民年金等改正法附則第四十七条第一項、厚生年金保険法等の一部を改正する法律（平成八年法律第八十二号）附則第五条第一項及び厚生年金保険制度及び農林漁業団体職員共済組合制度の統合を図るための農林漁業団体職員共済組合法等を廃止する等の法律（平成十三年法律第百一号）附則第六条の規定により同号に規定する第一号厚生年金被保険者期間とみなされた期間に係るものを除く。以下この項において同じ。）の計算の基礎となっている月に係るもの及び特定相手国船員期間（同令第二条第四十号に規定する特定相手国船員期間をいう。）を除く。）を第一号厚生年金被保険者期間
	初診日が昭和五十一年十月一日から昭和五十九年九月三十日までの間にある傷病	第三十二条第一項	昭和十五年六月（社会保障協定の実施に伴う厚生年金保険法等の特例等に関する政令第二十二条各号に掲げる社会保障協定に係る場合にあっては、昭和十七年六月とする。）以後の相手国期間（同令第二条第四十二号に規定するドイツ協定に係る場合にあっては、同号に規定するドイツ保険料納付期間とし、昭和六十年国民年金等改正法附則第二条第一項の規定による廃止前の通算

				年金通則法（昭和三十六年法律第百八十一号。以下この項において「旧通則法」という。）第四条第一項各号に掲げる期間の計算の基礎となっている月に係るものを除く。）を旧通則法第四条第一項第二号に掲げる期間
二	船員保険の被保険者であった間（昭和四十年五月一日前における旧船員保険法第二十条の規定による被保険者であった間を除く。）に発した傷病による障害	初診日が昭和五十一年十月一日前にある傷病	第三十三条第一項	昭和十五年六月以後の特定相手国船員期間（社会保障協定の実施に伴う厚生年金保険法等の特例等に関する政令第二条第四十号に規定する特定相手国船員期間をいい、昭和六十年国民年金等改正法第五条の規定による改正前の船員保険法による船員保険の被保険者であった期間（以下この項において「船員保険の被保険者であった期間」という。）の計算の基礎となっている月に係るものを除く。）を船員保険の被保険者であった期間
		初診日が昭和五十一年十月一日から昭和五十九年九月三十日までの間にある傷病	第三十三条第一項	昭和十五年六月（社会保障協定の実施に伴う厚生年金保険法等の特例等に関する政令第二十二条各号に掲げる社会保障協定に係る場合にあっては、昭和十七年六月とする。）以後の相手国期間（同令第二条第四十二号に規定するドイツ協定に係る場合にあっては、同号に規定するドイツ保険料納付期間とし、昭和六十年国民年金等改正法附則第二条第一項の規定による廃止前の通算年金通則法（昭和三十六年法律第百八十一号。以下この項において「旧通則法」という。）第四条第一項各号に掲げる期間の計算の基礎となっている月に係るものを除く。）を旧通則法第四条第一項第二号に掲げる期間
三	国家公務員共済組合の組合員であった間に発した傷病（昭和六十一年経過措置政令第三十八条第一項に規定する傷病を除く。）による障害	初診日が昭和五十九年九月三十日以前にあり、かつ、昭和五十一年十月一日以後に発した傷病	第三十四条第二項	
四	地方公務員共済組合の組合員（地方公務員等共済組合法附則第四条に規定する旧市町村職員共済組合の組合員及び昭和四十二年度以後における地方公務員等共済組合法の年金の額の改定等に関する法律等の一部を改正する法律（昭和五十六年法律第七十三号）による改正前の地方公務員等共済組合法第百七十四条第一項の規定に基づく地方団体関係団体職員共済組合の組合員を含む。次条第三項、第百六条第二項第五号並びに第百十条第二項第五号及び第三項第五号において同じ。）であった間に発	初診日が昭和五十九年九月三十日以前にあり、かつ、昭和五十一年十月一日以後に発した傷病	第三十五条第二項	

	した傷病による障害			
五	私立学校教職員共済組合の組合員であった間に発した傷病による障害	初診日が昭和五十九年九月三十日以前にあり、かつ、昭和五十一年十月一日以後に発した傷病	第三十六条第二項	
六	旧農林共済組合員期間中に発した傷病による障害	昭和三十九年九月三十日前に発した傷病	第三十七条第二項	昭和三十四年一月以後の相手国期間（社会保障協定の実施に伴う厚生年金保険法等の特例等に関する政令第二条第四十二号に規定するドイツ協定に係る場合にあっては、同号に規定するドイツ保険料納付期間とし、旧農林共済組合員期間（厚生年金保険制度及び農林漁業団体職員共済組合制度の統合を図るための農林漁業団体職員共済組合法等を廃止する等の法律（平成十三年法律第百一号）附則第二条第一項第七号に規定する旧農林共済組合員期間をいう。以下この項において同じ。）の計算の基礎となっている月に係るものを除く。）を旧農林共済組合員期間
		昭和五十一年十月一日から昭和五十九年九月三十日までの間に発した傷病	第三十七条第二項	昭和十五年六月（社会保障協定の実施に伴う厚生年金保険法等の特例等に関する政令第二十二条各号に掲げる社会保障協定に係る場合にあっては、昭和十七年六月とする。）以後の相手国期間（同令第二条第四十二号に規定するドイツ協定に係る場合にあっては、同号に規定するドイツ保険料納付期間とし、昭和六十年国民年金等改正法附則第二条第一項の規定による廃止前の通算年金通則法（昭和三十六年法律第百八十一号。以下この項において「旧通則法」という。）第四条第一項各号に掲げる期間の計算の基礎となっている月に係るものを除く。）を旧通則法第四条第一項第二号に掲げる期間
七	旧公企体共済法第三条第一項の規定により設けられた共済組合の組合員であった間に発した傷病による障害	昭和五十一年十月一日から昭和五十九年三月三十一日までの間に発した傷病（同日以前に退職した者に係るものに限る。）	第三十八条第二項	

（初診日が昭和六十一年四月一日前にある傷病による障害等に係る法第十一条第二項の規定の適用）

第百三条　法第十一条第二項に規定する相手国期間中に初診日のある傷病による障害（当該傷病に係る初診日が昭和六十一年四月一日前である者であって、保険料納付済期間又は保険料免除期間を有する者に係るものに限る。）について、同項の規定を適用する場合においては、同項中「相手国期間中に初診日のある傷病（政令で定める社会保障協定に係る場合にあっては、これに相当するものとして政令で定めるものとする。次項及び第十九条第一項第二号において「相手国期間中に初診日のある傷病」という。）」とあるのは「昭和十五年六月（社会保障協定の実施に伴う厚生年金保険法等の特例等に関する政令第二十二条各号に掲げる社会保障協定に係る場合にあっては、昭和十七年六月とする。）以後の相手国期間中に発した傷病（政令で定めるものとする。）」と、「障害認定日において」とあるのは「障害認定日又は昭和六十一年三月三十一日のうちいずれか遅い日の属する月までに」と、「国民年金法第三十条第一項、第三十条の二第一項又は第三十条の三第一項」とあるのは「国民年金法等の一部を改正する法律の施行に伴う経過措置に関する政令（昭和六十一年政令第五十四号）第二十九条第一項の規定により読み替えられた国民年金法第三十条の二第一項」と、「当該初診日において同法第三十条第一項第一号に該当した者」とあるのは「厚生年金保険の被保険者であった間（昭和四十年五月一日前における昭和六十年国民年金等改正法第三条の規定による改正前の厚生年金保険法第三条第一項第七号に規定する第四種被保険者であった間を除く。）、船員保険の被保険者（昭和六十年国民年金等改正法第五条の規定による改正前の船員保険法（以下この項において「旧船員保険法」という。）第十九条ノ三の規定による被保険者を除く。）であった間（同日前における旧船員保険法第二十条の規定による被保険者であった間を除く。）又は法律によって組織された共済組合の組合員（昭和六十年農林共済改正法（厚生年金保険制度及び農林漁業団体職員共済組合制度の統合を図るための農林漁業団体職員共済組合法等を廃止する等の法律（平成十三年法律第百一号）附則第二条第一項第四号に規定する昭和六十年農林共済改正法をいう。）附則第三条第一項に規定する任意継続組合員を含む。）であった間に疾病にかかり、又は負傷した者」とする。

2　前項の規定により読み替えられた法第十一条第二項に規定する政令で定める社会保障協定は、次の表の第一欄に掲げる社会保障協定とし、同欄に掲げる社会保障協定に係る場合における当該規定に規定する相手国期間中に発した傷病に相当するものとして政令で定めるものは、それぞれ同表の第二欄に掲げる傷病とする。

	第一欄	第二欄
一	ドイツ協定	ドイツ保険料納付期間中に発した傷病
二	合衆国協定	厚生年金保険の被保険者、国家公務員共済組合の組合員、地方公務員共済組合の組合員、私立学校教職員共済組合の組合員、旧農林共済組合の組合員、旧公企体共済法第三条第一項の規定により設けられた共済組合の組合員又は国民年金の被保険者でない間に発した傷病（当該傷病の発した日を初診日とみなして合衆国協定第六条３(a)の規定を適用した場合にその日が合衆国納付条件に該当するものに限る。）
三	フランス協定	フランス特定保険期間中に発した傷病
四	フィンランド協定	フィンランド特定保険期間中に発した傷病

3　第一項に規定する障害であって、次の表の第一欄に掲げるものについては、当該障害をそれぞれ同表の第二欄に掲げる障害とみなして同表の第三欄に掲げる規定を適用する。

	第一欄	第二欄	第三欄
一	昭和十七年六月以後の相手国期間中に発した傷病（前項の表の第一欄に掲げる社会保障協定に係る場合にあっては、同表の第二欄に掲げる傷病とする。）による障害（当該障害に係る障害認定日又は昭和六十一年三月三十一日のうちいずれか遅い日の属する月までに国民年金の保険料納付済期間又は保険料免除期間を有する者に係るものに限るものとし、二の項から八の項までの第一欄に掲げる障害を除く。）	厚生年金保険の被保険者であった間（昭和四十年五月一日前における第四種被保険者であった間を除く。）に発した傷病による障害	前条第一項及び第三項並びに昭和六十一年経過措置政令第二十九条第四項及び第三十二条
二	昭和十七年六月以後の相手国期間中に発した傷病（前項の表（二の項を除く。）の第一欄に掲げる社会保障協定に係る場合にあっては同表の第二欄に掲げる傷病と、同表の二の項の第一欄に掲げる社会保障	厚生年金保険の被保険者であった間（昭和四十年五月一日前における第四種被保険者であった間を除く。）に発した傷病による障害	

	協定に係る場合にあっては厚生年金保険の被保険者でない間に発した傷病（当該傷病の発した日を初診日とみなして合衆国協定第六条3(a)の規定を適用した場合にその日が合衆国納付条件に該当するものに限る。）とする。）による障害（当該障害に係る障害認定日又は昭和六十一年三月三十一日のうちいずれか遅い日の属する月までに厚生年金保険の被保険者期間を有する者に係るものに限るものとし、三の項から八の項までの第一欄に掲げる障害を除く。）		
三	昭和十五年六月以後の特定相手国船員期間中に発した傷病による障害（当該障害に係る障害認定日又は昭和六十一年三月三十一日のうちいずれか遅い日の属する月までに船員保険の被保険者であった期間（当該船員保険の被保険者であった期間につき船員保険の保険料を徴収する権利が時効によって消滅した場合（旧船員保険法第五十一条ノ二ただし書に該当するときを除く。）における当該保険料に係る船員保険の被保険者であった期間を除く。第百六条第三項第三号、第百九条第二号イ、第百十条第三項第三号、第百十	船員保険の被保険者であった間（昭和四十年五月一日前における旧船員保険法第二十条の規定による被保険者であった間を除く。）に発した傷病による障害	前条第一項及び第三項並びに昭和六十一年経過措置政令第二十九条第四項及び第三十三条
	七条第三項の表の二の項、第百二十条第三項第二号及び第百二十九条第一項第二号イにおいて同じ。）を有する者に係るものに限る。）		
四	昭和三十四年一月以後の相手国期間中に発した傷病（前項の表（二の項を除く。）の第一欄に掲げる社会保障協定に係る場合にあっては同表の第二欄に掲げる傷病と、同表の二の項の第一欄に掲げる社会保障協定に係る場合にあっては国家公務員共済組合の組合員でない間に発した傷病（当該傷病の発した日を初診日とみなして合衆国協定第六条3(a)の規定を適用した場合にその日が合衆国納付条件に該当するものに限る。）とする。）による障害（当該障害につき平成二十四年一元化法改正前国共済法第八十一条第一項の規定による障害共済年金が支給されるものとした場合に障害の程度を認定すべき日又は昭和六十一年三月三十一日のうちいずれか遅い日の属する月までに旧国家公務員共済組合員期間を有する者に係るものに限るものとし、八の項の第一欄に掲げる障害を除く。）	国家公務員共済組合の組合員であった間に発した傷病（昭和六十一年経過措置政令第三十八条第一項に規定する傷病を除く。）による障害	前条第三項及び昭和六十一年経過措置政令第三十四条
五	昭和三十七年十二月以後の相	地方公務員共済組合の組合員	前条第三項及び昭和六十一

	手国期間中に発した傷病（前項の表（二の項を除く。）の第一欄に掲げる社会保障協定に係る場合にあっては同表の第二欄に掲げる傷病と、同表の二の項の第一欄に掲げる社会保障協定に係る場合にあっては地方公務員共済組合の組合員でない間に発した傷病（当該傷病の発した日を初診日とみなして合衆国協定第六条3(a)の規定を適用した場合にその日が合衆国納付条件に該当するものに限る。）とする。）による障害（当該障害につき平成二十四年一元化法改正前地共済法第八十四条第一項の規定による障害共済年金が支給されるものとした場合に障害の程度を認定すべき日又は昭和六十一年三月三十一日のうちいずれか遅い日の属する月までに旧地方公務員共済組合員期間を有する者に係るものに限る。）	であった間に発した傷病による障害	年経過措置政令第三十五条
六	昭和二十九年一月以後の相手国期間中に発した傷病（前項の表（二の項を除く。）の第一欄に掲げる社会保障協定に係る場合にあっては同表の第二欄に掲げる傷病と、同表の二の項の第一欄に掲げる社会保障協定に係る場合にあっては私立学校教職員共済組合の組	私立学校教職員共済組合の組合員であった間に発した傷病による障害	前条第三項及び昭和六十一年経過措置政令第三十六条

	合員でない間に発した傷病（当該傷病の発した日を初診日とみなして合衆国協定第六条3(a)の規定を適用した場合にその日が合衆国納付条件に該当するものに限る。）とする。）による障害（当該障害につき日本私立学校振興・共済事業団法（平成九年法律第四十八号）附則第十七条の規定による改正前の私立学校教職員共済組合法第二十五条において準用する平成二十四年一元化法改正前国共済法第八十一条第一項の規定による障害共済年金が支給されるものとした場合に障害の程度を認定すべき日又は昭和六十一年三月三十一日のうちいずれか遅い日の属する月までに旧私立学校教職員共済加入者期間を有する者に係るものに限る。）		
七	昭和三十四年一月以後の相手国期間中に発した傷病（前項の表（二の項を除く。）の第一欄に掲げる社会保障協定に係る場合にあっては同表の第二欄に掲げる傷病と、同表の二の項の第一欄に掲げる社会保障協定に係る場合にあっては旧農林共済組合員期間でない間に発した傷病（当該傷病の発した日を初診日とみなして合衆国協定第六条3(a)の規定	旧農林共済組合員期間中に発した傷病による障害	前条第三項及び昭和六十一年経過措置政令第三十七条

	を適用した場合にその日が合衆国納付条件に該当するものに限る。）とする。）による障害（当該障害につき旧農林共済法第三十九条第一項の規定による障害共済年金が支給されるものとした場合に障害の程度を認定すべき日又は昭和六十一年三月三十一日のうちいずれか遅い日の属する月までに旧農林共済組合員期間（当該旧農林共済組合員期間につき旧農林共済組合の掛金を徴収する権利が時効によって消滅した場合（旧農林共済法第十八条第五項ただし書に該当する場合を除く。）における当該掛金に係る旧農林共済組合員期間を除く。第百六条第三項第七号及び第百十条第三項第七号において同じ。）を有する者に係るものに限る。）		
八	昭和三十一年七月以後の相手国期間中に発した傷病（前項の表（二の項を除く。）の第一欄に掲げる社会保障協定に係る場合にあっては同表の第二欄に掲げる傷病と、同表の二の項の第一欄に掲げる社会保障協定に係る場合にあっては旧公企体共済法第三条第一項の規定により設けられた共済組合の組合員でない間に発した傷病（当該傷病の発した日を初診日とみなして合衆国協定第六条3(a)の規定を適用した場合にその日が合衆国納付条件に該当するものに限る。）とする。）による障害（当該障害につき平成二十四年一元化法改正前国共済法第八十一条第一項の規定による障害共済年金が支給されるものとした場合に障害の程度を認定すべき日又は昭和五十九年三月三十一日のうちいずれか遅い日の属する月までに旧公企体共済法第三条第一項の規定により設けられた共済組合の組合員期間を有する者（同日以前に退職した者に限る。）に係るものに限る。）	旧公企体共済法第三条第一項の規定により設けられた共済組合の組合員であった間に発した傷病による障害	前条第三項及び昭和六十一年経過措置政令第三十八条
九	四の項から七の項までの第一欄に掲げる障害	共済組合の組合員（昭和六十年農林共済改正法附則第三条第一項に規定する任意継続組合員を含む。）であった間に発した傷病による障害	前条第一項及び昭和六十一年経過措置政令第二十九条第五項

（前二条の規定による障害基礎年金に係る法第十五条第二項第一号イに規定する政令で定める保険料納付済期間及び同号ハに規定する政令で定める相手国期間等）

第百四条　第三十七条第一項の規定にかかわらず、前二条（第百六条第五項において準用する場合を除く。）の規定により支給する障害基礎年金に係る法第十五条第二項第一号イ（同条第三項において準用する場合を含む。）に規定する政令で定める保険料納付済期間及び保険料免除期間は、それぞれ当該障害基礎年金の支給事由となった障害に係る障害認定日又は昭和六十一年三月三十一日のうちいずれか遅い日の属する月までの保険料納付済期間及び保険料免除期間とする。

2　前項に規定する障害基礎年金について、法第十五条第二項第一号ロ（同条第三項において準用する場合を含む。）の規定を適用する場合においては、同号ロ中「障害認定日（国民年金法第三十条の三第一項の規定による障害基礎年金については同項に規定する基準傷病に係る障害認定日とし、同法第三十一条第一項の規定による障害基礎年金については併合されたそれぞれの障害に係る障害認定日（同法第三十条の三第一項に規定する障害については、同項に規定する基準傷病に係る障害認定日とする。）のうちいずれか遅い日とする。）」とあるのは、「障害認定日又は昭和六十一年三月三十一日のうちいずれか遅い日」とする。

3　第三十七条第二項の規定にかかわらず、第一項に規定する障害基礎年金に係る法第十五条第二項第一号ハ（同条第三項において準用する場合を含む。）に規定する政令で定める相手国期間は、第三十二条各号に掲げる社会保障協定に係るもののうち、昭和十七年六月から第一項に規定する遅い日の属する月までの相手国期間（保険料納付済期間の計算の基礎となっている月に係るものを除く。）とする。

（第百二条及び第百三条の規定による障害基礎年金に係る法第十五条第二項第二号に規定する政令で定める相手国期間）

第百五条　第三十八条の規定にかかわらず、前条第一項に規定する障害基礎年金に係る法第十五条第二項第二号（同条第三項において準用する場合を含む。）に規定する政令で定める相手国期間は、第三十四条各号（第四号及び第十号を除く。）に掲げる社会保障協定に係るもののうち、昭和十五年六月（ドイツ協定、オランダ協定、チェコ協定、アイルランド協定、スイス協定、ルクセンブルク協定、スロバキア協定、フィンランド協定又はスウェーデン協定に係る場合にあっては、昭和十七年六月とする。）から前条第一項に規定する遅い日の属する月までの相手国期間（ドイツ協定に係る場合にあっては、ドイツ保険料納付期間とする。）とする。

（初診日が昭和六十一年四月一日前にある傷病による障害に係る法第十九条第一項の規定の適用）

第百六条　初診日が昭和六十一年四月一日前にある傷病による障害（相手国期間及び保険料納付済期間又は保険料免除期間を有する者に係るものに限る。）について、法第十九条第一項の規定を適用する場合においては、同項中「者であって次の各号のいずれかに該当したもの」とあるのは「経過的特例に係る日本制度発症者又は経過的特例に係る相手国制度発症者」と、「当該障害認定日」とあるのは「当該傷病による障害につき国民年金法第三十条の二第一項の規定を適用するものとした場合に同項の障害認定日を国民年金法等の一部を改正する法律の施行に伴う経過措置に関する政令（昭和六十一年政令第五十四号）の規定（社会保障協定の実施に伴う厚生年金保険法等の特例等に関する政令第百三条第三項においてみなして適用する場合を含む。）により読み替えることとした場合の当該読替え後の障害認定日」とし、「国民年金法第三十条第二項」とあるのは「同法第三十条第二項」とする。

2　前項の規定により読み替えられた法第十九条第一項に規定する経過的特例に係る日本制度発症者は、次の各号のいずれかに該当する者とする。

一　当該初診日（昭和五十一年十月一日前である場合を除く。以下この号において同じ。）において国民年金の被保険者であった者又は当該初診日において国民年金の被保険者でなく、かつ、六十五歳未満であった者

二　厚生年金保険の被保険者であった間（昭和四十年五月一日前における第四種被保険者であった間を除く。）に発した傷病による障害を有する者

三　船員保険の被保険者であった間（昭和四十年五月一日前における旧船員保険法第二十条の規定による被保険者であった間を除く。）に発した傷病による障害を有する者（第二十二条各号に掲げる社会保障協定に係る場合にあっては、当該傷病に係る初診日が昭和五十一年十月一日前にある者を除く。）

四　昭和五十一年十月一日以後の国家公務員共済組合の組合員であった間に発した傷病による障害を有する者

五　昭和五十一年十月一日以後の地方公務員共済組合の組合員であった間に発した傷病による障害を有する者

六　昭和五十一年十月一日以後の私立学校教職員共済組合の組合員であった間に発した傷病による障害を有する者

七　昭和三十九年九月三十日前又は昭和五十一年十月一日以後の旧農林共済組合員期間中に発した傷病による障害を有する者

八　昭和五十一年十月一日以後の旧公企体共済法第三条第一項の規定により設けられた共済組合の組合員であった間に発した傷病による障害を有する者

3　第一項の規定により読み替えられた法第十九条第一項に規定する経過的特例に係る相手国制度発症者は、次の各号のいずれかに該当する者とする。

一　昭和十七年六月以後の相手国期間中に発した傷病（第百三条第三項の表の一の項の第一欄に規定する相手国期間中に発した傷病をいう。）による障害を有する者（当該障害に係る障害認定日（当該障害につき国民年金法第三十条の二第一項の規定を適用するものとした場合に同項の障害認定日を昭和六十一年経過措置政令の規定（第百三条第三項においてみなして適用する場合を含む。）により読み替えることとした場合の当該読替え後の障害認定日をいう。次号及び第三号並びに次条において同じ。）において国民年金の保険料納付済期間又は保険料免除期間を有する者に限るものとし、次号から第八号までのいずれかに該当する者を除く。）

二　昭和十七年六月以後の相手国期間中に発した傷病（第百三条第三項の表の二の項の第一欄に規定する相手国期間中に発した傷病をいう。）による障害を有する者（当該障害に係る障害認定日において第一号厚生年金被保険者期間を有する者に限るものとし、次号から第八号までのいずれかに該当する者を除く。）

三　昭和十五年六月以後の特定相手国船員期間中に発した傷病による障害を有する者（当該障害に係る障害認定日において船員保険の被保険者であった期間を有する者に限る。）

四　昭和三十四年一月以後の相手国期間中に発した傷病（第百三条第三項の表の四の項の第一欄に規定する相手国期間中に発した傷病をいう。）による障害を有する者（当該障害につき平成二十四年一元化法改正前国共済法第八十一条第一項の規定による障害共済年金が支給されるものとした場合に障害の程度を認定すべき日において旧国家公務員共済組合員期間を有する者に

限るものとし、第八号に該当する者を除く。）

五　昭和三十七年十二月以後の相手国期間中に発した傷病（第百三条第三項の表の五の項の第一欄に規定する相手国期間中に発した傷病をいう。）による障害を有する者（当該障害につき平成二十四年一元化法改正前地共済法第八十四条第一項の規定による障害共済年金が支給されるものとした場合に障害の程度を認定すべき日において旧地方公務員共済組合員期間を有する者に限る。）

六　昭和二十九年一月以後の相手国期間中に発した傷病（第百三条第三項の表の六の項の第一欄に規定する相手国期間中に発した傷病をいう。）による障害を有する者（当該障害につき日本私立学校振興・共済事業団法附則第十七条の規定による改正前の私立学校教職員共済組合法第二十五条において準用する平成二十四年一元化法改正前国共済法第八十一条第一項の規定による障害共済年金が支給されるものとした場合に障害の程度を認定すべき日において旧私立学校教職員共済加入者期間を有する者に限る。）

七　昭和三十四年一月以後の相手国期間中に発した傷病（第百三条第三項の表の七の項の第一欄に規定する相手国期間中に発した傷病をいう。）による障害を有する者（当該障害につき旧農林共済法第三十九条第一項の規定による障害共済年金が支給されるものとした場合に障害の程度を認定すべき日において旧農林共済組合員期間を有する者に限る。）

八　昭和三十一年七月以後の相手国期間中に発した傷病（第百三条第三項の表の八の項の第一欄に規定する相手国期間中に発した傷病をいう。）による障害を有する者（当該障害につき平成二十四年一元化法改正前国共済法第八十一条第一項の規定による障害共済年金が支給されるものとした場合に障害の程度を認定すべき日において旧公企体共済法第三条第一項の規定により設けられた共済組合の組合員期間を有する者（昭和五十九年三月三十一日以前に退職した者に限る。）に限る。）

4　第一項の場合において、第四十二条第一項の規定を適用するときは、同項中「第三十条第一項ただし書」とあるのは「第三十条第一項ただし書（初診日が昭和六十一年四月一日前にある傷病による障害につき同法第三十条の二第一項の規定を適用するものとした場合に同条第二項において準用する同法第三十条第一項ただし書を昭和六十一年経過措置政令の規定（第百三条第三項においてみなして適用する場合を含む。）により読み替えることとした場合の当該読替え後の同法第三十条第一項ただし書をいう。次項において同じ。）」と、同条第二項中「第四十二条第一項」とあるのは「第百六条第四項の規定により読み替えられた同令第四十二条第一項」とする。

5　第百二条の規定は、前項の規定により読み替えられた第四十二条第一項の規定を適用する場合に準用する。この場合において、第百二条第一項中「同法第三十条の二第二項において準用する」とあるのは「第百六条第四項の規定により読み替えられた第四十二条第一項の規定を適用する」と、「法第十一条第一項」とあるのは「第百六条第四項の規定により読み替えられた第四十二条第二項において準用する法第十一条第一項」と、同条第二項中「法第十一条第一項」とあるのは「第百六条第四項の規定により読み替えられた第四十二条第二項において準用する法第十一条第一項」と、同条第三項中「法第十一条第一項」とあるのは「第百六条第四項の規定により読み替えられた第四十二条第二項において準用する法第十一条第一項」と、同項の表の一の項の第一欄中「障害」とあるのは「障害（第百六条第三項第一号又は第二号に該当する者に係る障害を含む。）」と、同表の二の項の第一欄中「障害」とあるのは「障害（第百六条第三項第三号に該当する者に係る障害を含む。）」と、同表の三の項の第一欄中「障害」とあるのは「障害（第百六条第三項第四号に該当する者に係る障害を含む。）」と、同表の四の項の第一欄中「障害」とあるのは「障害（第百六条第三項第五号に該当する者に係る障害を含む。）」と、同表の五の項の第一欄中「障害」とあるのは「障害（第百六条第三項第六号に該当する者に係る障害を含む。）」と、同表の六の項の第一欄中「障害」とあるのは「障害（第百六条第三項第七号に該当する者に係る障害を含む。）」と、同表の七の項の第一欄中「障害」とあるのは「障害（第百六条第三項第八号に該当する者に係る障害を含む。）」と読み替えるものとする。

（初診日が昭和六十一年四月一日前の場合等における発効日前の障害基礎年金に係る法第十九条第二項において準用する法第十五条第二項第一号イに規定する政令で定める保険料納付済期間及び同号ハに規定する政令で定める相手国期間等）

第百七条　第三十七条第一項の規定にかかわらず、疾病にかかり、若しくは負傷した日が昭和六十一年四月一日前にある傷病又は初診日が昭和六十一年四月一日前にある傷病による障害に係る法第十九条第一項の規定による障害基礎年金に係る同条第二項において準用する法第十五条第二項第一号イ（法第十九条第二項において準用する法第十五条第三項において準用する場合を含む。）に規定する政令で定める保険料納付済期間及び保険料免除期間は、それぞれ当該障害に係る障害認定日の属する月までの保険料納付済期間及び保険料免除期間とする。

2　前項に規定する障害基礎年金について、法第十九条第二項において準用する法第十五条第二項第一号ロ（法第十九条第二項において準用する法第十五条第三項において準用する場合を含む。）の規定を適用する場合においては、同号ロ中「障害認定日（国民年金法第三十条の三第一項の規定による障害基礎年金については同項に規定する基準傷病に係る障害認定日とし、同法第三十一条第一項の規定による障害基礎年金については併合されたそれぞれの障害に係る障害認定日（同法第三十条の三第一項に規定する障害については、同項に規定する基準傷病に係る障害認定日とする。）のうちいずれか遅い日とする。）」とあるのは、「障害認定日」とする。

3　第三十七条第二項の規定にかかわらず、第一項に規定する障害基礎年金に係る法第十九条第二項において準用する法第十五条第二項第一号ハ（法第十九条第二項において準用する法第十五条第三項において準用する場合を含む。）に規定する政令で定める相手国期間は、第三十二条各号に掲げる社会保障協定に係るもののうち、昭和十七年六月から第一項に規定する障害認定日の属する月までの相手国期間（保険料納付済期間の計算の基礎となっている月に係るものを除く。）とする。

（初診日が昭和六十一年四月一日前の場合等における発効日前の障害基礎年金に係る法第十九条第二項等において準用する法第十五条第二項第二号に規定する政令で定める相手国期間）

第百八条　第三十八条の規定にかかわらず、前条第一項に規定する障害基礎年金に係る法第十九条第二項において準用する法第十五条第二項第二号（法第十九条第二項において準用する法第十五条第三項において準用する場合を含む。）に規定する政令で定める相手国期間は、第三十四条各号（第四号及び第十号を除く。）に掲げる社会保障協定に係るもののうち、昭和十五年六月（ドイツ協定、オランダ協定、チェコ協定、アイルランド協定、スイス協定、ルクセンブルク協定、スロバキア協定、フィンランド協定又はスウェーデン協定に係る場合にあっては、昭和十七年六月とする。）から前条第一項に規定する障害認定日の属する月までの相手国期間（ドイツ協定に係る場合にあっては、ドイツ保険料納付期間とする。）とする。

（法附則第五条に規定する政令で定める社会保障協定）

第百八条の二　法附則第五条に規定する政令で定める社会保障協定は、第二十七条の二に規定する社会保障協定とする。

（法附則第五条に規定する政令で定める者）

第百九条　法附則第五条に規定する政令で定める者は、次のとおりとする。

一　昭和六十一年四月一日前に死亡した者

二　次に掲げる者（昭和六十一年四月一日前の相手国期間中に死亡した者（第二十八条の表（二の項を除く。）の第一欄に掲げる社会保障協定に係る場合にあっては、同表の第二欄に掲げる者とし、同表の二の項の第一欄に掲げる社会保障協定に係る場合にあっては、死亡した日が合衆国納付条件に該当する者とする。）を除く。）

イ　厚生年金保険の被保険者の資格を喪失した後、当該資格を喪失した日から起算して二年を経過する日前に、厚生年金保険の被保険者であった間に発した傷病又は相手国期間中に発した傷病（第百十七条第二項の表の第一欄に掲げる社会保障協定に係る場合にあっては同表の第二欄に掲げる傷病とし、船員保険の被保険者であった期間を有する者に係る特定相手国船員期間中に発した傷病を除く。ロ及びハにおいて同じ。）により、昭和二十三年八月一日から昭和二十九年四月三十日までの間に死亡した者

ロ　厚生年金保険の被保険者の資格を喪失した後、厚生年金保険の被保険者であった間（昭和四十年五月一日前における第四種被保険者であった間を除く。ハにおいて同じ。）に発した傷病又は相手国期間中に発した傷病に係る初診日から起算して三年を経過する日前に、その傷病により、昭和二十九年五月一日から昭和五十二年七月三十一日までの間に死亡した者

ハ　厚生年金保険の被保険者の資格を喪失した後、厚生年金保険の被保険者であった間に発した傷病又は相手国期間中に発した傷病（これらの傷病の発した日が昭和六十一年四月一日前であるものに限る。）に係る初診日から起算して五年を経過する日前に、当該傷病により、昭和五十二年八月一日以後に死亡した者

ニ　船員保険の被保険者の資格を喪失した後、当該資格を喪失した日から起算して二年を経過する日前に、船員保険の被保険者であった間に発した傷病又は特定相手国船員期間中に発した傷病により、昭和二十三年九月一日から昭和二十九年四月三十日までの間に死亡した者（ベルギー協定、フランス協定又はスペイン協定に係るものに限る。）

ホ　船員保険の被保険者の資格を喪失した後、船員保険の被保険者であった間に発した傷病又は特定相手国船員期間中に発した傷病につき旧船員保険法第二十八条の規定による療養の給付を受けた日から起算して三年を経過する日前に、当該傷病により、昭和二十九年五月一日から昭和四十年四月三十日までの間に死亡した者（ベルギー協定、フランス協定又はスペイン協定に係るものに限る。）

ヘ　船員保険の被保険者の資格を喪失した後、船員保険の被保険者であった間に発した傷病又は特定相手国船員期間中に発した傷病に係る初診日から起算して三年を経過する日前に、当該傷病により、昭和四十年五月一日から昭和五十一年九月三十日までの間に死亡した者（ベルギー協定、フランス協定又はスペイン協定に係るものに限る。）

ト　船員保険の被保険者の資格を喪失した後、船員保険の被保険者であった間に発した傷病又は特定相手国船員期間中に発した傷病に係る初診日から起算して三年を経過する日前に、当該傷病により、昭和五十一年十月一日から昭和五十二年七月三十一日までの間に死亡した者

チ　船員保険の被保険者の資格（昭和六十年国民年金等改正法附則第四十二条第一項の規定により厚生年金保険の被保険者の資格を取得した者にあっては、当該厚生年金保険の被保険者の資格）を喪失した後、船員保険の被保険者であった間に発した傷病又は特定相手国船員期間中に発した傷病（当該傷病の発した日が昭和六十一年四月一日前であるものに限る。）に係る初診日から起算して五年を経過する日前に、当該傷病により、昭和五十二年八月一日以後に死亡した者

リ　厚生年金保険の被保険者又は共済組合の組合員（昭和六十年農林共済改正法附則第三条第一項に規定する任意継続組合員を含む。以下この号において同じ。）若しくは加入者の資格を喪失した後に、厚生年金保険の被保険者若しくは共済組合の組合員若しくは加入者であった間に初診日のある傷病（当該初診日が昭和六十一年四月一日以後であるものに限る。）又は相手国期間中に初診日のある傷病（当該初診日が同月一日以後であるものに限り、第五十九条の表（二の項を除く。）の第一欄に掲げる社会保障協定に係る場合にあっては同表の第二欄に掲げる傷病と、同表の二の項の第一欄に掲げる社会保障協定に係る場合にあっては厚生年金保険の被保険者又は共済組合の組合員若しくは加入者でない間に合衆国特例初診日のある傷病とする。）により、当該初診日から起算して五年を経過する日前に死亡した者

（昭和六十一年四月一日前に死亡した者に係る法第二十条第一項の規定の適用）

第百十条　前条第一号に規定する者（相手国期間及び国民年金の被保険者期間又は厚生年金保険の被保険者であった期間を有するものに限る。）について、法第二十条第一項の規定を適用する場合においては、同項中「次の各号のいずれかに該当したとき」とあるのは「経過的特例に係る日本制度死亡者若しくは経過的特例に係る相手国制度死亡者であったとき、又は第四号に該当したとき」と、「第一号から第三号までのいずれかに該当する者」とあるのは「経過的特例に係る日本制度死亡者又は経過的特例に係る相手国制度死亡者」とする。

2　前項の規定により読み替えられた法第二十条第一項に規定する経過的特例に係る日本制度死亡者は、次の各号のいずれかに該当する者とする。

一　昭和五十一年十月一日以後に、国民年金の被保険者であった間に死亡した者又は国民年金の被保険者でなく、かつ、六十五歳未満であった間に死亡した者

二　昭和二十三年八月一日以後に、厚生年金保険の被保険者であった間（昭和四十年五月一日前における第四種被保険者であった間を除く。）に死亡した者

三　昭和二十三年九月一日（第二十二条各号に掲げる社会保障協定に係る場合にあっては、昭和五十一年十月一日）以後に、船員保険の被保険者であった間に死亡した者

四　国家公務員共済組合の組合員であった間に死亡した者

五　地方公務員共済組合の組合員であった間に死亡した者

六　昭和三十七年一月一日以後に、私立学校教職員共済組合の組合員であった間に死亡した者

七　旧農林共済組合員期間中に死亡した者

八　昭和三十六年四月二十五日以後に、旧公企体共済法第三条第一項の規定により設けられた共済組合の組合員であった間に死亡した者

3　第一項の規定により読み替えられた法第二十条第一項に規定する経過的特例に係る相手国制度死亡者は、次の各号のいずれかに該当する者とする。

一　国民年金の保険料納付済期間又は保険料免除期間を有する者であって、昭和二十三年八月一日以後の相手国期間中に死亡したもの（第二十八条の表（二の項を除く。）の第一欄に掲げる社会保障協定に係る場合にあっては同表の第二欄に掲げる者と、同表の二の項の第一欄に掲げる社会保障協定に係る場合にあっては厚生年金保険の被保険者、国家公務員共済組合の組合員、地方公務員共済組合の組合員、私立学校教職員共済組合の組合員、旧農林共済組合の組合員、旧公企体共済法第三条第一項の規定により設けられた共済組合の組合員又は国民年金の被保険者でない間の合衆国納付条件に該当する日に死亡した者とし、次号から第八号までのいずれかに該当する者を除く。）

二　第一号厚生年金被保険者期間を有する者であって、昭和二十三年八月一日以後の相手国期間中に死亡したもの（第二十八条の表（二の項を除く。）の第一欄に掲げる社会保障協定に係る場合にあっては同表の第二欄に掲げる者と、同表の二の項の第一欄に掲げる社会保障協定に係る場合にあっては厚生年金保険の被保険者でない間の合衆国納付条件に該当する日に死亡した者とし、次号及び第七号に該当する者を除く。）

三　船員保険の被保険者であった期間を有する者であって、昭和二十三年九月一日以後の特定相手国船員期間中に死亡したもの

四　旧国家公務員共済組合員期間を有する者であって、昭和三十四年一月一日以後の相手国期間中に死亡したもの（第二十八条の表（二の項を除く。）の第一欄に掲げる社会保障協定に係る場合にあっては同表の第二欄に掲げる者と、同表の二の項の第一欄に掲げる社会保障協定に係る場合にあっては国家公務員共済組合の組合員でない間の合衆国納付条件に該当する日に死亡した者とし、第八号に該当する者を除く。）

五　旧地方公務員共済組合員期間を有する者であって、昭和三十七年十二月一日以後の相手国期間中に死亡したもの（第二十八条の表（二の項を除く。）の第一欄に掲げる社会保障協定に係る場合にあっては同表の第二欄に掲げる者と、同表の二の項の第一欄に掲げる社会保障協定に係る場合にあっては地方公務員共済組合の組合員でない間の合衆国納付条件に該当する日に死亡した者とする。）

六　旧私立学校教職員共済加入者期間を有する者であって、昭和三十七年一月一日以後の相手国期間中に死亡したもの（第二十八条の表（二の項を除く。）の第一欄に掲げる社会保障協定に係る場合にあっては同表の第二欄に掲げる者と、同表の二の項の第一欄に掲げる社会保障協定に係る場合にあっては私立学校教職員共済組合の組合員でない間の合衆国納付条件に該当する日に死亡した者とする。）

七　旧農林共済組合員期間を有する者であって、昭和三十四年一月一日以後の相手国期間中に死亡したもの（第二十八条の表（二の項を除く。）の第一欄に掲げる社会保障協定に係る場合にあっては同表の第二欄に掲げる者と、同表の二の項の第一欄に掲げる社会保障協定に係る場合にあっては旧農林共済組合員期間でない間の合衆国納付条件に該当する日に死亡した者とする。）

八　旧公企体共済法第三条第一項の規定により設けられた共済組合の組合員期間を有する者であって、昭和三十六年四月二十五日から昭和五十九年三月三十一日までの相手国期間中に死亡したもの（第二十八条の表（二の項を除く。）の第一欄に掲げる社会保障協定に係る場合にあっては同表の第二欄に掲げる者と、同表の二の項の第一欄に掲げる社会保障協定に係る場合にあっては旧公企体共済法第三条第一項の規定により設けられた共済組合の組合員でない間の合衆国納付条件に該当する日に死亡した者とする。）

4　第一項の場合において、第四十四条第一項の規定を適用するときは、同項の規定により読み替えられた国民年金法第三十七条ただし書は、次の表の一の項の第一欄に掲げる者にあっては同表の第三欄に掲げる字句とし、同表の二の項から八の項までの第一欄に掲げる者にあってはそれぞれ同表の第二欄に掲げる者の区分に応じ、同表の第三欄に掲げる字句とし、第四十四条第二項において読み替えて準用する法第十二条第一項の規定については、同項中「相手国期間であって政令で定めるものを保険料納付済期間である国民年金の被保険者期間」とあるのは、同表の一の項の第一欄に掲げる者にあっては同表の第四欄のように読み替え、同表の二の項から八の項までの第一欄に掲げる者にあってはそれぞれ同表の第二欄に掲げる者の区分に応じ、同表の第四欄のように読み替えるものとする。

	第一欄	第二欄	第三欄	第四欄
一	第二項第一号に掲げ		ただし、国民年金法	昭和十五年六月（同令

	る者		等の一部を改正する法律（昭和六十年法律第三十四号）第一条の規定による改正前の第四十二条第一項第一号ハに該当しないときは、この限りでない。	第二十二条各号に掲げる社会保障協定に係る場合にあっては、昭和十七年六月とする。）以後の相手国期間（同令第二条第四十二号に規定するドイツ協定に係る場合にあっては、同号に規定するドイツ保険料納付期間とし、昭和六十年国民年金等改正法附則第二条第一項の規定による廃止前の通算年金通則法（昭和三十六年法律第百八十一号。以下この項において「旧通則法」という。）第四条第一項各号に掲げる期間の計算の基礎となっている月に係るものを除く。）を旧通則法第四条第一項第二号に掲げる期間
二	第二項第二号又は前項第一号若しくは第二号に掲げる者	死亡した日が昭和二十三年八月一日から昭和五十一年九月三十日までの間にある者	ただし、第一号厚生年金被保険者期間（厚生年金保険法第二条の五第一項第一号に規定する第一号厚生年金被保険者期間をいい、国民年金法等の一部を改正する法律（昭和六十年法律第三十四号）附則第四十七条第一項、厚生年金保険法等の一部を改正する法律（平成八年法律第八十二号）附則第五条第一項及び厚生年金保険制度及び農林漁業団体職員共済組合制度の統合を図るための農林漁業団体職員共済組合法等を廃止する等の法律（平成十三年法律第百一号）附則第六条の規定により同号に規定する第一号厚生年金被保険者期間とみなされた期間に係るものを除く。）が六月未満であるときは、この限りでない。	昭和十七年六月以後の相手国期間（同令第二条第四十二号に規定するドイツ協定に係る場合にあっては、同号に規定するドイツ保険料納付期間とし、第一号厚生年金被保険者期間（厚生年金保険法第二条の五第一項第一号に規定する第一号厚生年金被保険者期間をいい、昭和六十年国民年金等改正法附則第四十七条第一項、厚生年金保険法等の一部を改正する法律（平成八年法律第八十二号）附則第五条第一項及び厚生年金保険制度及び農林漁業団体職員共済組合制度の統合を図るための農林漁業団体職員共済組合法等を廃止する等の法律（平成十三年法律第百一号）附則第六条の規定により同号に規定する第一号厚生年金被保険者期間とみなされた期間に係るものを除く。以下この項において同じ。）の計算の基礎となっている月に係るもの及び特定相手国船員期間（同令第二条第四十号に規定する特定相手国船員期間をいう。）を除く。）を第一号厚生年金被保険者期間
		死亡した日が昭和五十一年十月一日から昭和六十一年三月三十一日までの間にある者	ただし、国民年金法等の一部を改正する法律（昭和六十年法律第三十四号）附則第二条第一項の規定	昭和十五年六月（同令第二十二条各号に掲げる社会保障協定に係る場合にあっては、昭和十七年六月とする。）以

			による廃止前の通算年金通則法（昭和三十六年法律第百八十一号）第四条第一項各号に掲げる期間を合算した期間が六月未満であるときは、この限りでない。	後の相手国期間（同令第二条第四十二号に規定するドイツ協定に係る場合にあっては、同号に規定するドイツ保険料納付期間とし、昭和六十年国民年金等改正法附則第二条第一項の規定による廃止前の通算年金通則法（昭和三十六年法律第百八十一号。以下この項において「旧通則法」という。）第四条第一項各号に掲げる期間の計算の基礎となっている月に係るものを除く。）を旧通則法第四条第一項第二号に掲げる期間
三	第二項第三号又は前項第三号に掲げる者	死亡した日が昭和二十三年九月一日から昭和五十一年九月三十日までの間にある者	ただし、国民年金法等の一部を改正する法律（昭和六十年法律第三十四号）第五条の規定による改正前の船員保険法（昭和十四年法律第七十三号）による船員保険の被保険者であった期間が六月未満であるときは、この限りでない。	昭和十五年六月以後の特定相手国船員期間（同令第二条第四十号に規定する特定相手国船員期間をいい、昭和六十年国民年金等改正法第五条の規定による改正前の船員保険法による船員保険の被保険者であった期間（以下この項において「船員保険の被保険者であった期間」という。）の計算の基礎となっている月に係るものを除く。）を船員保険の被保険者であった期間
		死亡した日が昭和五十一年十月一日から昭和六十一年三月三十一日までの間にある者	ただし、国民年金法等の一部を改正する法律（昭和六十年法律第三十四号）附則第二条第一項の規定による廃止前の通算年金通則法（昭和三十六年法律第百八十一号）第四条第一項各号に掲げる期間を合算した期間が六月未満であるときは、この限りでない。	昭和十五年六月（同令第二十二条各号に掲げる社会保障協定に係る場合にあっては、昭和十七年六月とする。）以後の相手国期間（同令第二条第四十二号に規定するドイツ協定に係る場合にあっては、同号に規定するドイツ保険料納付期間とし、昭和六十年国民年金等改正法附則第二条第一項の規定による廃止前の通算年金通則法（昭和三十六年法律第百八十一号。以下この項において「旧通則法」という。）第四条第一項各号に掲げる期間の計算の基礎となっている月に係るものを除く。）を旧通則法第四条第一項第二号に掲げる期間
四	第二項第四号又は前項第四号に掲げる者	死亡した日が昭和三十四年一月一日から昭和四十八年九月三十日までの間にある者	ただし、旧国家公務員共済組合員期間（被用者年金制度の一元化等を図るための厚生年金保険法等の一部を改正する法律（平成二十四年法	昭和三十四年一月以後の相手国期間（同令第二条第四十二号に規定するドイツ協定に係る場合にあっては、同号に規定するドイツ保険料納付期間とし、旧国

死亡した日が昭和四十八年十月一日から昭和五十一年九月三十日までの間にある者

律第六十三号）附則第四条第十一号に規定する旧国家公務員共済組合員期間をいい、国家公務員及び公共企業体職員に係る共済組合制度の統合等を図るための国家公務員共済組合法等の一部を改正する法律（昭和五十八年法律第八十二号）附則第二条の規定による廃止前の公共企業体職員等共済組合法（昭和三十一年法律第百三十四号）第三条第一項の規定により設けられた共済組合の組合員であつた期間を除く。）が十年未満であるときは、この限りでない。

ただし、旧国家公務員共済組合員期間（被用者年金制度の一元化等を図るための厚生年金保険法等の一部を改正する法律（平成二十四年法律第六十三号）附則第四条第十一号に規定する旧国家公務員共済組合員期間をい

家公務員共済組合員期間（被用者年金制度の一元化等を図るための厚生年金保険法等の一部を改正する法律（平成二十四年法律第六十三号）附則第四条第十一号に規定する旧国家公務員共済組合員期間をいい、国家公務員及び公共企業体職員に係る共済組合制度の統合等を図るための国家公務員共済組合法等の一部を改正する法律（昭和五十八年法律第八十二号）附則第二条の規定による廃止前の公共企業体職員等共済組合法（昭和三十一年法律第百三十四号）第三条第一項の規定により設けられた共済組合の組合員であつた期間を除く。以下この項において同じ。）の計算の基礎となつている月に係るものを除く。）を旧国家公務員共済組合員期間

死亡した日が昭和五十一年十月一日から昭和六十一年三月三十一日までの間にある者

い、国家公務員及び公共企業体職員に係る共済組合制度の統合等を図るための国家公務員共済組合法等の一部を改正する法律（昭和五十八年法律第八十二号）附則第二条の規定による廃止前の公共企業体職員等共済組合法（昭和三十一年法律第百三十四号）第三条第一項の規定により設けられた共済組合の組合員であつた期間を除く。）が一年未満であるときは、この限りでない。

ただし、国民年金法等の一部を改正する法律（昭和六十年法律第三十四号）附則第二条第一項の規定による廃止前の通算年金通則法（昭和三十六年法律第百八十一号）第四条第一項各号に掲げる期間を合算した期間が一年未満であるときは、この限りでない。

昭和十五年六月（同令第二十二条各号に掲げる社会保障協定に係る場合にあつては、昭和十七年六月とする。）以後の相手国期間（同令第二条第四十二号に規定するドイツ協定に係る場合にあつては、同号に規定するドイツ保険料納付期間とし、昭和六十年国民年金等改正法附則第二条第一項の規定による廃止前の通算年金通則法（昭和

	三十六年法律第百八十一号。以下この項において「旧通則法」という。）第四条第一項各号に掲げる期間の計算の基礎となっている月に係るものを除く。）を旧通則法第四条第一項第二号に掲げる期間
五	
第二項第五号又は前項第五号に掲げる者	
死亡した日が昭和三十七年十二月一日から昭和四十八年九月三十日までの間にある者	
ただし、旧地方公務員共済組合員期間（被用者年金制度の一元化等を図るための厚生年金保険法等の一部を改正する法律（平成二十四年法律第六十三号）附則第四条第十二号に規定する旧地方公務員共済組合員期間をいい、地方公務員等共済組合法附則第四条に規定する旧市町村職員共済組合の組合員及び昭和四十二年度以後における地方公務員等共済組合法の年金の額の改定等に関する法律等の一部を改正する法律（昭和五十六年法律第七十三号）による改正前の地方公務員等共済組合法第百七	
昭和三十七年十二月以後の相手国期間（同令第二条第四十二号に規定するドイツ協定に係る場合にあっては、同号に規定するドイツ保険料納付期間とし、旧地方公務員共済組合員期間（被用者年金制度の一元化等を図るための厚生年金保険法等の一部を改正する法律（平成二十四年法律第六十三号）附則第四条第十二号に規定する旧地方公務員共済組合員期間をいい、地方公務員等共済組合法附則第四条に規定する旧市町村職員共済組合の組合員及び昭和四十二年度以後における地方公務員等共済組合法の年金の額の改定等に関する法律等の一部を改正す	

死亡した日が昭和四十八年十月一日から昭和五十一年九月三十日までの間にある者	
ただし、旧地方公務員共済組合員期間（被用者年金制度の一元化等を図るための厚生年金保険法等の一部を改正する法律（平成二十四年法律第六十三号）附則第四条第十二号に規定する旧地方公務員共済組合員期間をいい、地方公務員等共済組合法附則第四条に規定する旧市町村職員共済組合の組合員及び昭和四十二年度以後における地方公務員等共済組合法の年金の額の改定等に関する法律等の一部を改正する法律（昭和五十六年法律第七十三号）による改正前の地方公務員等共済組合法第百七十四条第一項の規定に基づく地方団体関	十四条第一項の規定に基づく地方団体関係団体職員共済組合の組合員であった期間を含む。）が十年未満であるときは、この限りでない。
る法律（昭和五十六年法律第七十三号）による改正前の地方公務員等共済組合法第百七十四条第一項の規定に基づく地方団体関係団体職員共済組合の組合員であった期間を含む。以下この項において同じ。）の計算の基礎となっている月に係るものを除く。）を旧地方公務員共済組合員期間	

			係団体職員共済組合の組合員であつた期間を含む。）が一年未満であるときは、この限りでない。	
		死亡した日が昭和五十一年十月一日から昭和六十一年三月三十一日までの間にある者	ただし、国民年金法等の一部を改正する法律（昭和六十年法律第三十四号）附則第二条第一項の規定による廃止前の通算年金通則法（昭和三十六年法律第百八十一号）第四条第一項各号に掲げる期間を合算した期間が一年未満であるときは、この限りでない。	昭和十五年六月（同令第二十二条各号に掲げる社会保障協定に係る場合にあっては、昭和十七年六月とする。）以後の相手国期間（同令第二条第四十二号に規定するドイツ協定に係る場合にあっては、同号に規定するドイツ保険料納付期間とし、昭和六十年国民年金等改正法附則第二条第一項の規定による廃止前の通算年金通則法（昭和三十六年法律第百八十一号。以下この項において「旧通則法」という。）第四条第一項各号に掲げる期間の計算の基礎となっている月に係るものを除く。）を旧通則法第四条第一項第二号に掲げる期間
六	第二項第六号又は前項第六号に掲げる者	死亡した日が昭和三十七年一月一日から昭和四十八年九月三十日までの間にある者	ただし、旧私立学校教職員共済加入者期間（被用者年金制度の一元化等を図るための厚生年金保険法等の一部を改正する法律（平成二十四年法律第六十三号）附則第四条第十三号に規定する旧私立学校教職員共済加入者期間をいう。）が十年未満であるときは、この限りでない。	昭和二十九年一月以後の相手国期間（同令第二条第四十二号に規定するドイツ協定に係る場合にあっては、同号に規定するドイツ保険料納付期間とし、旧私立学校教職員共済加入者期間（被用者年金制度の一元化等を図るための厚生年金保険法等の一部を改正する法律（平成二十四年法律第六十三号）附則第四条第十三号に規定する旧私立学校教職員共済加入者期間をいう。以下この項において同じ。）の計算の基礎となっている月に係るものを除く。）を旧私立学校教職員共済加入者期間
		死亡した日が昭和四十八年十月一日から昭和五十一年九月三十日までの間にある者	ただし、旧私立学校教職員共済加入者期間（被用者年金制度の一元化等を図るための厚生年金保険法等の一部を改正する法律（平成二十四年法律第六十三号）附則第四条第十三号に規定する旧私立学校教職員共済加入者期間をいう。）が一年未満であるときは、この限りでない。	
		死亡した日が昭和五十一年十月一日から昭和六十一年三月三十一日までの間にある者	ただし、国民年金法等の一部を改正する法律（昭和六十年法律第三十四号）附則第二条第一項の規定による廃止前の通算年金通則法（昭和三十六年法律第百八十一号）第四条第一項	昭和十五年六月（同令第二十二条各号に掲げる社会保障協定に係る場合にあっては、昭和十七年六月とする。）以後の相手国期間（同令第二条第四十二号に規定するドイツ協定に係る場合にあっては、同

			各号に掲げる期間を合算した期間が一年未満であるときは、この限りでない。	号に規定するドイツ保険料納付期間とし、昭和六十年国民年金等改正法附則第二条第一項の規定による廃止前の通算年金通則法（昭和三十六年法律第百八十一号。以下この項において「旧通則法」という。）第四条第一項各号に掲げる期間の計算の基礎となっている月に係るものを除く。）を旧通則法第四条第一項第二号に掲げる期間
七	第二項第七号又は前項第七号に掲げる者	死亡した日が昭和三十四年一月一日から昭和四十八年九月三十日までの間にある者	ただし、旧農林共済組合員期間（厚生年金保険制度及び農林漁業団体職員共済組合制度の統合を図るための農林漁業団体職員共済組合法等を廃止する等の法律（平成十三年法律第百一号）附則第二条第一項第七号に規定する旧農林共済組合員期間をいう。）が十年未満であるときは、この限りでない。	昭和三十四年一月以後の相手国期間（同令第二条第四十二号に規定するドイツ協定に係る場合にあっては、同号に規定するドイツ保険料納付期間とし、旧農林共済組合員期間（厚生年金保険制度及び農林漁業団体職員共済組合制度の統合を図るための農林漁業団体職員共済組合法等を廃止する等の法律（平成十三年法律第百一号）附則第二条第一項第七号に規定する旧農林共済組合員期間をいう。以下この項において同じ。）の計算の基礎となっている月に係るものを除く。）を旧農林共済組合員期間
		死亡した日が昭和四十八年十月一日から昭和五十一年九月三十日までの間にある者	ただし、旧農林共済組合員期間（厚生年金保険制度及び農林漁業団体職員共済組合制度の統合を図るための農林漁業団体職員共済組合法等を廃止する等の法律（平成十三年法律第百一号）附則第二条第一項第七号に規定する旧農林共済組合員期間をいう。）が一年未満であるときは、この限りでない。	
		死亡した日が昭和五十一年十月一日から昭和六十一年三月三十一日までの間にある者	ただし、国民年金法等の一部を改正する法律（昭和六十年法律第三十四号）附則第二条第一項の規定による廃止前の通算年金通則法（昭和三十六年法律第百八十一号）第四条第一項各号に掲げる期間を合算した期間が一年未満であるときは、この限りでない。	昭和十五年六月（同令第二十二条各号に掲げる社会保障協定に係る場合にあっては、昭和十七年六月とする。）以後の相手国期間（同令第二条第四十二号に規定するドイツ協定に係る場合にあっては、同号に規定するドイツ保険料納付期間とし、昭和六十年国民年金等改正法附則第二条第一項の規定による廃止前の通算年金通則法（昭和三十六年法律第百八十一号。以下この項において「旧通則法」という。）第四条第一項各号に掲げる期間の計算の

				基礎となっている月に係るものを除く。）を旧通則法第四条第一項第二号に掲げる期間
八	第二項第八号又は前項第八号に掲げる者	死亡した日が昭和三十六年四月二十五日から昭和四十八年九月三十日までの間にある者	ただし、国家公務員及び公共企業体職員に係る共済組合制度の統合等を図るための国家公務員共済組合法等の一部を改正する法律（昭和五十八年法律第八十二号）附則第二条の規定による廃止前の公共企業体職員等共済組合法（昭和三十一年法律第百三十四号）第三条第一項の規定により設けられた共済組合の組合員であった期間が十年未満であるときは、この限りでない。	昭和三十四年一月以後の相手国期間（同令第二条第四十二号に規定するドイツ協定に係る場合にあっては、同号に規定するドイツ保険料納付期間とし、国家公務員及び公共企業体職員に係る共済組合制度の統合等を図るための国家公務員共済組合法等の一部を改正する法律（昭和五十八年法律第八十二号）附則第二条の規定による廃止前の公共企業体職員等共済組合法（昭和三十一年法律第百三十四号。以下この項において「旧公企体共済法」という。）第三条第一項の規定により設けられた共済組合の組合員であった期間の計算の基礎となっている月に係るものを除く。）を旧公企体共済法第三条第一項の規定により設けられた共済組合の組合員であった期間
		死亡した日が昭和四十八年十月一日から昭和五十一年九月三十日までの間にある者	ただし、国家公務員及び公共企業体職員に係る共済組合制度の統合等を図るための国家公務員共済組合法等の一部を改正する法律（昭和五十八年法律第八十二号）附則第二条の規定による廃止前の公共企業体職員等共済組合法（昭和三十一年法律第百三十四号）第三条第一項の規定により設けられた共済組合の組合員であった期間が一年未満であるときは、この限りでない。	
		死亡した日が昭和五十一年十月一日から昭和五十九年三月三十一日までの間にある者	ただし、国民年金法等の一部を改正する法律（昭和六十年法律第三十四号）附則第二条第一項の規定による廃止前の通算年金通則法（昭和三十六年法律第百八十一号）第四条第一項各号に掲げる期間を合算した期間が一年未満であるときは、この限りでない。	昭和十五年六月（同令第二十二条各号に掲げる社会保障協定に係る場合にあっては、昭和十七年六月とする。）以後の相手国期間（同令第二条第四十二号に規定するドイツ協定に係る場合にあっては、同号に規定するドイツ保険料納付期間とし、昭和六十年国民年金等改正法附則第二条第一項の規定による廃止前の通算年金通則法（昭和三十六年法律第百八十一号。以下この項において「旧通則法」という。）第四条第一項各号に掲げる期間の計算の基礎となっている月に係るものを除く。）を旧通則法第四条第一項第二号に掲げる期間

（第百九条第二号に規定する者に係る法第二十条第一項の規定の適用）

第百十一条 第百九条第二号に規定する者（大正十五年四月一日以前に生まれた者であって、相手国期間及び国民年金の被保険者期間又は厚生年金保険の被保険者であった期間を有するものに限る。）について、法第二十条第一項の規定を適用する場合において、昭和六十一年四月一日前に死亡した者にあっては当該死亡した日において前条第一項の規定により読み替えられた法第二十条第一項に規定する経過的特例に係る日本制度死亡者と、同月一日以後に死亡した者にあっては当該死亡した日において同項第一号に該当した者とみなす。

2 前項の場合において、昭和六十一年四月一日前に死亡した者について前条第四項の規定を適用するときは、第百九条第二号イからハまでに掲げる者にあっては同項の表の二の項の第一欄に掲げる者と、同号ニからチまでに掲げる者にあっては同表の三の項の第一欄に掲げる者とみなす。

（昭和六十一年三月までの厚生年金保険の被保険者であった期間のみを有する者に係る法第二十条第一項の規定の適用）

第百十二条 昭和六十一年三月までの厚生年金保険の被保険者であった期間のみを有する者が死亡した場合においては、法第二十条第一項の規定の適用については、同項中「又は被保険者であった者であって」とあるのは、「又は被保険者であった者（昭和六十一年四月一日前に、厚生年金保険の被保険者であった者、船員保険の被保険者（昭和六十年国民年金等改正法第五条の規定による改正前の船員保険法第十九条ノ三の規定による被保険者を除く。）であった者及び共済組合の組合員（昭和六十年農林共済改正法（厚生年金保険制度及び農林漁業団体職員共済組合制度の統合を図るための農林漁業団体職員共済組合法等を廃止する等の法律（平成十三年法律第百一号）附則第二条第一項第四号に規定する昭和六十年農林共済改正法をいう。）附則第三条第一項に規定する任意継続組合員を含む。）であった者を含む。以下この項において同じ。）であって」とする。

（法附則第六条において準用する法第十条第一項に規定する政令で定める規定等）

第百十三条 法附則第六条において準用する法第十条第一項に規定する政令で定める規定は、次の表の第一欄に掲げる規定とし、同欄に掲げる規定を適用する場合における法附則第六条において準用する同項に規定する合算対象期間その他の期間であって政令で定めるものは、それぞれ同表の第二欄に掲げる期間とし、同表の第一欄に掲げる規定を適用する場合における同条において準用する同項に規定する政令で定める相手国期間は、それぞれ同表の第三欄に掲げる期間（それぞれ同表の第一欄に掲げる規定に規定する旧国民年金法による通算老齢年金の受給資格要件たる期間の計算の基礎となっている月に係るものを除くものとし、同表の第二欄に掲げる期間（私立学校教職員共済組合の組合員であった期間に係る通算対象期間を除く。）に算入することとされる特定相手国船員期間又は同表の一の項、二の項及び四の項の第二欄に掲げる通算対象期間若しくは同表の三の項の第二欄に掲げる通算対象期間（厚生年金保険の被保険者期間に係るものに限る。）に算入することとされる特定相手国坑内員期間については、昭和六十一年三月以前の期間に係るものにあってはこれらの期間に三分の四を、同年四月から平成三年三月までの期間に係るものにあってはこれらの期間に五分の六を乗じて得た期間とする。）とする。

	第一欄	第二欄	第三欄
一	旧国民年金法第二十九条の三第一号	通算対象期間	昭和十五年六月（第二十二条各号に掲げる社会保障協定に係る場合にあっては、昭和十七年六月とする。）以後の相手国期間
二	旧国民年金法第二十九条の三第二号	通算対象期間	昭和十五年六月（第二十二条各号に掲げる社会保障協定に係る場合にあっては、昭和十七年六月とする。）以後の相手国期間（ドイツ協定に係る場合にあっては、ドイツ保険料納付期間とする。）
三	旧国民年金法第二十九条の三第三号	通算対象期間（厚生年金保険の被保険者期間に係るものに限る。）	昭和十七年六月以後の相手国期間（ドイツ協定に係る場合にあっては、ドイツ保険料納付期間とし、特定相手国船員期間を除く。）
		通算対象期間（船員保険の被保険者であった期間に係るものに限る。）	昭和十五年六月以後の特定相手国船員期間
		通算対象期間（国家公務員共済組合の組合員期間に係るものに限る。）	昭和三十四年一月以後の相手国期間（ドイツ協定に係る場合にあっては、ドイツ保険料納付期間とする。）
		通算対象期間（地方公務員共	昭和三十七年十二月以後の

		済組合の組合員期間に係るものに限る。）	相手国期間（ドイツ協定に係る場合にあっては、ドイツ保険料納付期間とする。）
		通算対象期間（私立学校教職員共済組合の組合員であった期間に係るものに限る。）	昭和二十九年一月以後の相手国期間（ドイツ協定に係る場合にあっては、ドイツ保険料納付期間とする。）
四	旧国民年金法第七十七条の二第一項	通算対象期間	昭和三十六年四月以後の相手国期間（明治四十四年四月一日以前に生まれた者にあっては、昭和十五年六月（第二十二条各号に掲げる社会保障協定に係る場合にあっては、昭和十七年六月とする。）以後の相手国期間）

（法附則第七条に規定する相手国期間から除かれるものに係る政令で定める社会保障協定）

第百十三条の二 法附則第七条に規定する相手国期間から除かれるものに係る政令で定める社会保障協定は、第二十四条の二各号に掲げる社会保障協定とする。

（法附則第七条に規定する場合に係る政令で定める社会保障協定等）

第百十四条 法附則第七条に規定する場合に係る政令で定める社会保障協定は、次の表の第一欄に掲げる社会保障協定とし、当該場合における同条に規定する相手国期間中に初診日のある傷病に相当するものとして政令で定めるものは、それぞれ同表の第二欄に掲げる傷病とする。

	第一欄	第二欄
一	ドイツ協定	ドイツ保険料納付期間中に初診日のある傷病
二	合衆国協定	初診日が合衆国納付条件に該当する傷病
三	フランス協定	フランス特定保険期間中に初診日のある傷病
四	フィンランド協定	フィンランド特定保険期間中に初診日のある傷病

（その他障害に係る旧国民年金法による障害年金の支給停止に関する特例）

第百十五条 法附則第七条の規定により、障害基礎年金の受給権者であって、その他障害に係る傷病の初診日において国民年金法第三十条第一項第一号に該当する者であったものとみなされたものについて、同法第三十六条第二項ただし書の規定を適用する場合においては、同項ただし書中「障害等級」とあるのは、「国民年金法等の一部を改正する法律（昭和六十年法律第三十四号）第一条の規定による改正前のこの法律別表に定める障害の等級」とする。

第三節 厚生年金保険の保険給付に関する事項

（法附則第九条に規定する政令で定める社会保障協定）

第百十五条の二 法附則第九条に規定する政令で定める社会保障協定は、第二十四条の二各号に掲げる社会保障協定とする。

（初診日が昭和六十一年四月一日前にある傷病による障害に係る法第二十八条第一項の規定の適用）

第百十六条 相手国期間及び厚生年金保険の被保険者期間を有する者が、初診日が昭和六十一年四月一日前にある傷病による次の表の第一欄に掲げる障害であって、同表の第二欄に掲げる傷病によるものについて、同表の第三欄に掲げる規定により読み替えられた厚生年金保険法第四十七条第一項ただし書（同法第四十七条の二第二項において準用する場合に限る。）に該当するときは、法第二十八条第一項の規定の適用については、同項中「相手国期間であって政令で定めるものを保険料納付済期間である国民年金の被保険者期間」とあるのは、それぞれ同表の第四欄に掲げる字句とする。

	第一欄	第二欄	第三欄	第四欄
一	厚生年金保険の被保険者であった間（昭和四十年五月一日前における第四種被保険者であった間を除く。）に発した傷病による障害	初診日が昭和五十一年十月一日前にある傷病	昭和六十一年経過措置政令第八十条第一項	昭和十七年六月以後の相手国期間（社会保障協定の実施に伴う厚生年金保険法等の特例等に関する政令第二条第四十二号に規定するドイツ協定に係る場合にあっては、同号に規定するドイツ保険料納付期間とし、第一号厚生

		年金被保険者期間（厚生年金保険法第二条の五第一項第一号に規定する第一号厚生年金被保険者期間をいい、昭和六十年国民年金等改正法附則第四十七条第一項、厚生年金保険法等の一部を改正する法律（平成八年法律第八十二号）附則第五条第一項及び厚生年金保険制度及び農林漁業団体職員共済組合制度の統合を図るための農林漁業団体職員共済組合法等を廃止する等の法律（平成十三年法律第百一号）附則第六条の規定により同号に規定する第一号厚生年金被保険者期間とみなされた期間に係るものを除く。以下この項において同じ。）の計算の基礎となっている月に係るもの及び特定相手国船員期間（同令第二条第四十号に規定する特定相手国船員期間をいう。）を除く。）を第一号厚生年金被保険者期間
初診日が昭和五十一年十月一日から昭和	昭和六十一年経過措置政令第八十条第一	昭和十五年六月（社会保障協定の実施に伴う

五十九年九月三十日までの間にある傷病	項	厚生年金保険法等の特例等に関する政令第二十二条各号に掲げる社会保障協定に係る場合にあっては、昭和十七年六月とする。）以後の相手国期間（同令第二条第四十二号に規定するドイツ協定に係る場合にあっては、同号に規定するドイツ保険料納付期間とし、昭和六十年国民年金等改正法附則第二条第一項の規定による廃止前の通算年金通則法（昭和三十六年法律第百八十一号。以下この項において「旧通則法」という。）第四条第一項各号に掲げる期間の計算の基礎となっている月に係るものを除く。）を旧通則法第四条第一項第二号に掲げる期間
初診日が昭和五十九年十月一日から昭和六十一年三月三十一日までの間にある傷病	昭和六十一年経過措置政令第七十八条第二項	昭和十五年六月（社会保障協定の実施に伴う厚生年金保険法等の特例等に関する政令第二十二条各号に掲げる社会保障協定に係る場合にあっては、昭和十七年六月とする。）以後の相手国期間（同令第二

				条第四十二号に規定するドイツ協定に係る場合にあっては、同号に規定するドイツ保険料納付期間とし、国民年金の被保険者期間とみなす場合にあっては保険料納付済期間（昭和六十年国民年金等改正法附則第八条第一項及び第九項の規定により保険料納付済期間又は保険料納付済期間である国民年金の被保険者期間とみなされたものを含む。）又は保険料免除期間（昭和六十年国民年金等改正法附則第八条第一項の規定により保険料免除期間とみなされたものを含む。）の計算の基礎となっている月に係るものを除き、昭和六十年国民年金等改正法附則第二条第一項の規定による廃止前の通算年金通則法（昭和三十六年法律第百八十一号。以下この項において「旧通則法」という。）第四条第一項第二号に掲げる期間とみなす場合にあっては同項各号に掲げる期間の計算の基礎となっている月に係るものを除く。）を保険料納付済期間である国民年金の被保険者期間又は旧通則法第四条第一項第二号に掲げる期間
二	船員保険の被保険者（旧船員保険法第十五条第一項に規定する組合員たる被保険者（以下「船員組合員」という。）を除く。）であった間（船員組合員となる前の船員保険の被保険者であった間（旧交渉法第十九条第一項に規定する者の船員組合員となる前の船員保険の被保険者であった間を除く。）及び昭和四十年五月一日前における旧船員保険法第二十条の規定による被保険者であった間を除く。）に発した傷病による障害	初診日が昭和五十一年十月一日前にある傷病	昭和六十一年経過措置政令第八十一条第一項	昭和十五年六月以後の特定相手国船員期間（社会保障協定の実施に伴う厚生年金保険法等の特例等に関する政令第二条第四十号に規定する特定相手国船員期間をいい、昭和六十年国民年金等改正法第五条の規定による改正前の船員保険法による船員保険の被保険者であった期間（以下この項において「船員保険の被保険者であった期間」という。）の計算の基礎となっている月に係るものを除く。）を船員保険の被保険者であった期間
		初診日が昭和五十一年十月一日から昭和五十九年九月三十日までの間にある傷病	昭和六十一年経過措置政令第八十一条第一項	昭和十五年六月（社会保障協定の実施に伴う厚生年金保険法等の特例等に関する政令第二十二条各号に掲げる社会保障協定に係る場合にあっては、昭和十七

	初診日が昭和五十九年十月一日から昭和六十一年三月三十一日までの間にある傷病
	昭和六十一年経過措置政令第七十八条第二項
年六月とする。）以後の相手国期間（同令第二条第四十二号に規定するドイツ協定に係る場合にあっては、同号に規定するドイツ保険料納付期間とし、昭和六十年国民年金等改正法附則第二条第一項の規定による廃止前の通算年金通則法（昭和三十六年法律第百八十一号。以下この項において「旧通則法」という。）第四条第一項各号に掲げる期間の計算の基礎となっている月に係るものを除く。）を旧通則法第四条第一項第二号に掲げる期間	昭和十五年六月（社会保障協定の実施に伴う厚生年金保険法等の特例等に関する政令第二十二条各号に掲げる社会保障協定に係る場合にあっては、昭和十七年六月とする。）以後の相手国期間（同令第二条第四十二号に規定するドイツ協定に係る場合にあっては、同号に規定するドイツ保険料納付期間とし、国民年

金の被保険者期間とみなす場合にあっては保険料納付済期間（昭和六十年国民年金等改正法附則第八条第一項及び第九項の規定により保険料納付済期間又は保険料納付済期間である国民年金の被保険者期間とみなされたものを含む。）又は保険料免除期間（昭和六十年国民年金等改正法附則第八条第一項の規定により保険料免除期間とみなされたものを含む。）の計算の基礎となっている月に係るものを除き、昭和六十年国民年金等改正法附則第二条第一項の規定による廃止前の通算年金通則法（昭和三十六年法律第百八十一号。以下この項において「旧通則法」という。）第四条第一項第二号に掲げる期間とみなす場合にあっては同項各号に掲げる期間の計算の基礎となっている月に係るものを除く。）を保険料納付済期間である国民年金の被保険者期間又は旧通則法第四条第一項第

				二号に掲げる期間
三	旧適用法人被保険者期間中に発した傷病による障害	昭和五十一年十月一日から昭和六十一年三月三十一日までの間に発した傷病	平成九年経過措置政令第十三条第二項	昭和十五年六月（社会保障協定の実施に伴う厚生年金保険法等の特例等に関する政令第二十二条各号に掲げる社会保障協定に係る場合にあっては、昭和十七年六月とする。）以後の相手国期間（同令第二条第四十二号に規定するドイツ協定に係る場合にあっては、同号に規定するドイツ保険料納付期間とし、昭和六十年国民年金等改正法附則第二条第一項の規定による廃止前の通算年金通則法（昭和三十六年法律第百八十一号。以下この項において「旧通則法」という。）第四条第一項各号に掲げる期間の計算の基礎となっている月に係るものを除く。）を旧通則法第四条第一項第二号に掲げる期間
四	旧農林共済被保険者期間中に発した傷病による障害	昭和三十九年九月三十日前に発した傷病	平成十四年経過措置政令第六条第二項	昭和三十四年一月以後の相手国期間（社会保障協定の実施に伴う厚生年金保険法等の特例等に関する政令第二条第四十二号に規定するドイツ協定に係る場合にあっては、同号に規定するドイツ保険料納付期間とし、旧農林共済組合員期間（厚生年金保険制度及び農林漁業団体職員共済組合制度の統合を図るための農林漁業団体職員共済組合法等を廃止する等の法律（平成十三年法律第百一号）附則第二条第一項第七号に規定する旧農林共済組合員期間をいう。以下この項において同じ。）の計算の基礎となっている月に係るものを除く。）を旧農林共済組合員期間
		昭和五十一年十月一日から昭和六十一年三月三十一日までの間に発した傷病	平成十四年経過措置政令第六条第二項	昭和十五年六月（社会保障協定の実施に伴う厚生年金保険法等の特例等に関する政令第二十二条各号に掲げる社会保障協定に係る場合にあっては、昭和十七年六月とする。）以後の相手国期間（同令第二条第四十二号に規定するドイツ協定に係る場合にあっては、同号に規定するドイツ保険料

				納付期間とし、昭和六十年国民年金等改正法附則第二条第一項の規定による廃止前の通算年金通則法（昭和三十六年法律第百八十一号。以下この項において「旧通則法」という。）第四条第一項各号に掲げる期間の計算の基礎となっている月に係るものを除く。）を旧通則法第四条第一項第二号に掲げる期間
五	旧国家公務員共済組合員期間中に発した傷病による障害	昭和五十一年十月一日から昭和六十一年三月三十一日までの間に発した傷病	平成二十七年経過措置政令第六十一条第四項	昭和十五年六月（社会保障協定の実施に伴う厚生年金保険法等の特例等に関する政令第二十二条各号に掲げる社会保障協定に係る場合にあっては、昭和十七年六月とする。）以後の相手国期間（同令第二条第四十二号に規定するドイツ協定に係る場合にあっては、同号に規定するドイツ保険料納付期間とし、昭和六十年国民年金等改正法附則第二条第一項の規定による廃止前の通算年金通則法（昭和三十六年法律第百八十一号。以下この項において「旧通則法」という。）第四条第一項各号に掲げる期間の計算の基礎となっている月に係るものを除く。）を旧通則法第四条第一項第二号に掲げる期間
六	旧地方公務員共済組合員期間（地方公務員等共済組合法附則第四条に規定する旧市町村職員共済組合の組合員及び昭和四十二年度以後における地方公務員等共済組合法の年金の額の改定等に関する法律等の一部を改正する法律（昭和五十六年法律第七十三号）による改正前の地方公務員等共済組合法第百七十四条第一項の規定に基づく地方団体関係団体職員共済組合の組合員であった期間を含む。）中に発した傷病による障害	昭和五十一年十月一日から昭和六十一年三月三十一日までの間に発した傷病	平成二十七年経過措置政令第六十一条第四項	昭和十五年六月（社会保障協定の実施に伴う厚生年金保険法等の特例等に関する政令第二十二条各号に掲げる社会保障協定に係る場合にあっては、昭和十七年六月とする。）以後の相手国期間（同令第二条第四十二号に規定するドイツ協定に係る場合にあっては、同号に規定するドイツ保険料納付期間とし、昭和六十年国民年金等改正法附則第二条第一項の規定による廃止前の通算年金通則法（昭和三十六年法律第百八十一号。以下この項において「旧通則法」という。）第四条第一項各号に掲げる期間の計算の基礎となっている月に係るものを除く。）を旧通則法第四条第一項第二号に掲げる期間

七	旧私立学校教職員共済加入者期間中に発した傷病による障害	昭和五十一年十月一日から昭和六十一年三月三十一日までの間に発した傷病	平成二十七年経過措置政令第六十一条第四項	昭和十五年六月（社会保障協定の実施に伴う厚生年金保険法等の特例等に関する政令第二十二条各号に掲げる社会保障協定に係る場合にあっては、昭和十七年六月とする。）以後の相手国期間（同令第二条第四十二号に規定するドイツ協定に係る場合にあっては、同号に規定するドイツ保険料納付期間とし、昭和六十年国民年金等改正法附則第二条第一項の規定による廃止前の通算年金通則法（昭和三十六年法律第百八十一号。以下この項において「旧通則法」という。）第四条第一項各号に掲げる期間の計算の基礎となっている月に係るものを除く。）を旧通則法第四条第一項第二号に掲げる期間

（初診日が昭和六十一年四月一日前にある傷病による障害に係る法第二十八条第二項の規定の適用）

第百十七条 法第二十八条第二項に規定する相手国期間中に初診日のある傷病による障害（当該傷病に係る初診日が昭和六十一年四月一日前である者であって、厚生年金保険の被保険者期間を有する者に係るものに限る。）について、同項の規定を適用する場合においては、同項中「相手国期間中に初診日のある傷病（政令で定める社会保障協定に係る場合にあっては、これに相当するものとして政令で定めるものとする。以下この章（次条第二項、第三十六条及び第三十九条第一項第二号を除く。）において「相手国期間中に初診日のある傷病」という。）」とあるのは「昭和十五年六月（社会保障協定の実施に伴う厚生年金保険法等の特例等に関する政令第二十二条各号に掲げる社会保障協定に係る場合にあっては、昭和十七年六月とする。）以後の相手国期間（同令第二条第四十二号に規定するドイツ協定に係る場合にあっては、同号に規定するドイツ保険料納付期間とする。）中に発した傷病（政令で定める社会保障協定に係る場合にあっては、これに相当するものとして政令で定めるものとする。）」と、「障害認定日において」とあるのは「障害認定日又は昭和六十一年三月三十一日のうちいずれか遅い日の属する月までに」と、「厚生年金保険法第四十七条第一項、第四十七条の二第一項又は第四十七条の三第一項」とあるのは「国民年金法等の一部を改正する法律の施行に伴う経過措置に関する政令（昭和六十一年政令第五十四号）第七十八条第一項の規定により読み替えられた厚生年金保険法第四十七条の二第一項」と、「当該初診日において厚生年金保険の被保険者であったもの」とあるのは「厚生年金保険の被保険者（船員保険の被保険者（昭和六十年国民年金等改正法第五条の規定による改正前の船員保険法（以下この項において「旧船員保険法」という。）第十五条第一項に規定する被保険者（以下この項において「船員組合員」という。）及び旧船員保険法第十九条ノ三の規定による被保険者を除く。以下この項において同じ。）を含む。）であった間（昭和四十年五月一日前における昭和六十年国民年金等改正法第三条の規定による改正前の厚生年金保険法第三条第一項第七号に規定する第四種被保険者であった間並びに船員組合員となる前の船員保険の被保険者であった間（昭和六十年国民年金等改正法附則第二条第一項の規定による廃止前の厚生年金保険及び船員保険交渉法（昭和二十九年法律第百十七号）第十九条第一項に規定する者の船員組合員となる前の船員保険の被保険者であった間を除く。）及び同日前における旧船員保険法第二十条の規定による被保険者であった間を除く。）に疾病にかかり、又は負傷した者」とする。

2 前項の規定により読み替えられた法第二十八条第二項に規定する政令で定める社会保障協定は、次の表の第一欄に掲げる社会保障協定とし、同欄に掲げる社会保障協定に係る場合における当該規定に規定する相手国期間中に発した傷病に相当するものとして政令で定めるものは、それぞれ同表の第二欄に掲げる傷病とする。

	第一欄	第二欄
一	ドイツ協定	ドイツ保険料納付期間中に発した傷病
二	合衆国協定	厚生年金保険の被保険者でない間に発した傷病（当該傷病の発した日を初診日とみなして合衆国協定第六条3(a)の規定を適用した場合にその日が合衆国納付条件に該当するものに

		限る。）
三	フランス協定	フランス特定保険期間中に発した傷病
四	フィンランド協定	フィンランド特定保険期間中に発した傷病

3　第一項に規定する障害であって、次の表の第一欄に掲げるものについては、当該障害をそれぞれ同表の第二欄に掲げる障害とみなして同表の第三欄に掲げる規定を適用する。

	第一欄	第二欄	第三欄
一	昭和十七年六月以後の相手国期間中に発した傷病（前項の表の第一欄に掲げる社会保障協定に係る場合にあっては、同表の第二欄に掲げる傷病とする。）による障害（当該障害に係る障害認定日又は昭和六十一年三月三十一日のうちいずれか遅い日の属する月までに厚生年金保険の被保険者期間を有する者に係るものに限るものとし、二の項の第一欄に掲げる障害を除く。）	厚生年金保険の被保険者であった間（昭和四十年五月一日前における第四種被保険者であった間を除く。）に発した傷病による障害	前条並びに昭和六十一年経過措置政令第七十八条第二項及び第八十条
二	昭和十五年六月以後の特定相手国船員期間中に発した傷病による障害（当該障害に係る障害認定日又は昭和六十一年三月三十一日のうちいずれか遅い日の属する月までに船員保険の被保険者であった期間を有する者に係るものに限る。）	船員保険の被保険者（船員組合員を除く。）であった間（船員組合員となる前の船員保険の被保険者であった間（旧交渉法第十九条第一項に規定する者の船員組合員となる前の船員保険の被保険者であった間を除く。）及び昭和四十年五月一日前における旧船員保険法第二十条の規定による被保	前条並びに昭和六十一年経過措置政令第七十八条第二項及び第八十一条

		険者であった間を除く。）に発した傷病による障害

（前二条の規定による障害厚生年金に係る法第三十二条第一項ただし書及び第二項第一号イに規定する政令で定める厚生年金保険の被保険者であった期間並びに同号ハに規定する政令で定める相手国期間等）

第百十八条　第六十九条第一項の規定にかかわらず、前二条（第百二十条第五項において準用する場合を除く。）の規定により支給する障害厚生年金に係る法第三十二条第一項ただし書及び第二項第一号イに規定する政令で定める厚生年金保険の被保険者であった期間は、当該障害厚生年金の支給事由となった障害に係る障害認定日又は昭和六十一年三月三十一日のうちいずれか遅い日の属する月までの第三十三条各号に掲げる期間とする。

2　前項に規定する障害厚生年金について、法第三十二条第二項第一号ロの規定を適用する場合においては、同号ロ中「障害認定日（二以上の障害を支給事由とする障害厚生年金にあっては、厚生年金保険法第五十一条の規定の例による障害認定日）」とあるのは、「障害認定日又は昭和六十一年三月三十一日のうちいずれか遅い日」とする。

3　第七十一条の規定にかかわらず、第一項に規定する障害厚生年金に係る法第三十二条第二項第一号ハに規定する政令で定める相手国期間は、第三十二条各号に掲げる社会保障協定に係るもののうち、昭和十七年六月から第一項に規定する遅い日の属する月までの相手国期間（第三十三条各号に掲げる期間の計算の基礎となっている月に係るものを除く。）とする。

（**第百十六条及び第百十七条の規定による障害厚生年金に係る法第三十二条第二項第二号及び第三号ロ並びに第五項第二号に規定する政令で定める相手国期間**）

第百十九条　第七十三条第一項の規定にかかわらず、前条第一項に規定する障害厚生年金に係る法第三十二条第二項第二号に規定する政令で定める相手国期間は、第七十二条各号（第八号を除く。）に掲げる社会保障協定に係るもののうち、昭和十五年六月（オランダ協定、チェコ協定、アイルランド協定、スイス協定、ルクセンブルク協定、スロバキア協定、フィンランド協定又はスウェーデン協定に係る場合にあっては、昭和十七年六月とする。）から前条第一項に規定する遅い日の属する月までの相手国期間とする。

2　第七十三条第二項の規定にかかわらず、前条第一項に規定する障害厚生年金に係る法第三十二条第二項第三号ロに規定する政令で定める相手国期間は、昭和十七年六月から前条第一項に規定する遅い日の属する月までのドイツ保険料納付期間とする。

3　第七十三条第三項の規定にかかわらず、前条第一項に規定する障害厚生年金に係る法第三十二条第五項第二号に規定する政令で定める相手国期間は、第七十二条各号（第八号を除く。）に掲げる社会保障協定又は第七十四条に規定する社会保障協定に係るもののうち、昭和十五年六月（ドイツ協定、オランダ協定、チェコ協定、アイルランド協定、スイス協定、ルクセンブルク協定、スロバキア協定、フィンランド協定又はスウェーデン協定に係る場合にあっては、昭和十七年六月とする。）から前条第一項に規定する遅い日の属する月までの相手国期間（ドイツ協定に係る場合にあっては、ドイツ保険料納付期間とする。）とする。

（初診日が昭和六十一年四月一日前にある傷病による障害に係る法第三十八条第一項の規定の適用）

第百二十条　初診日が昭和六十一年四月一日前にある傷病による障害（相手国期間及び厚生年金保険の被保険者期間を有する者に係るものに限る。）について、法第三十八条第一項の規定を適用する場合においては、同項中「者であって次の各号のいずれかに該当したもの」とあるのは「経過的特例に係る厚生年金保険制度発症者又は経過的特例に係る厚生年金保険関係相手国制度発症者」と、「当該障害認定日」とあるのは「当該傷病による障害につき厚生年金保険法第四十七条の二第一項の規定を適用するものとした場合に同項の障害認定日を国民年金法等の一部を改正する法律の施行に伴う経過措置に関する政令（昭和六十一年政令第五十四号）の規定（社会保障協定の実施に伴う厚生年金保険法等の特例等に関する政令第百十七条第三項においてみなして適用する場合を含む。）により読み替えることとした場合の当該読替え後の障害認定日」と、「厚生年金保険の被保険者期間」とあるのは「厚生年金保険の被保険者期間（同令第百二十条第二項第二号又は第三項第二号に掲げる者にあっては、船員保険の被保険者であった期間）」と、「同条第一項」とあるのは「同法第四十七条第一項」とする。

2　前項の規定により読み替えられた法第三十八条第一項に規定する経過的特例に係る厚生年金保険制度発症者は、次の各号のいずれかに該当する者とする。

一　厚生年金保険の被保険者であった間（昭和四十年五月一日前における第四種被保険者であった間を除く。）に発した傷病による障害を有する者

二　船員保険の被保険者（船員組合員を除く。以下この号において同じ。）であった間（船員組合員となる前の船員保険の被保険者であった間（旧交渉法第十九条第一項に規定する者の船員組合員となる前の船員保険の被保険者であった間を除く。）及び昭和四十年五月一日前における旧船員保険法第二十条の規定による被保険者であった間を除く。）に発した傷病による障害を有する者（第二十二条各号に掲げる社会保障協定に係る場合にあっては、当該傷病に係る初診日が昭和五十一年十月一日前にある者を除く。）

三　昭和五十一年十月一日以後の旧適用法人被保険者期間中に発した傷病による障害を有する者（同一の傷病による障害につき平成九年経過措置政令第十一条各号のいずれかに該当する者を除く。）

四　昭和三十九年九月三十日前又は昭和五十一年十月一日以後の旧農林共済被保険者期間中に発した傷病による障害を有する者

五　昭和五十一年十月一日以後の旧国家公務員共済被保険者期間中に発した傷病による障害を有する者

六　昭和五十一年十月一日以後の旧地方公務員共済被保険者期間（地方公務員等共済組合法附則第四条に規定する旧市町村職員共済組合の組合員及び昭和四十二年度以後における地方公務員等共済組合法の年金の額の改定等に関する法律等の一部を改正する法律（昭和五十六年法律第七十三号）による改正前の地方公務員等共済組合法第七十四条第一項の規定に基づく地方団体関係団体職員共済組合の組合員であった期間を含む。）中に発した傷病による障害を有する者

七　昭和五十一年十月一日以後の旧私立学校教職員共済被保険者期間中に発した傷病による障害を有する者

3　第一項の規定により読み替えられた法第三十八条第一項に規定する経過的特例に係る厚生年金保険関係相手国制度発症者は、次の各号のいずれかに該当する者とする。

一　昭和十七年六月以後の相手国期間中に発した傷病（第百十七条第三項の表の一の項の第一欄に規定する相手国期間中に発した傷病をいう。）による障害を有する者（当該障害に係る障害認定日（当該障害につき厚生年金保険法第四十七条の二第一項の規定を適用するものとした場合に同項の障害認定日を昭和六十一年経過措置政令の規定（第百十七条第三項においてみなして適用する場合を含む。）により読み替えることとした場合の当該読替え後の障害認定日をいう。次号及び第百二十二条において同じ。）において厚生年金保険の被保険者期間を有する者に限るものとし、同号に該当する者を除く。）

二　昭和十五年六月以後の特定相手国船員期間中に発した傷病による障害を有する者（当該障害に係る障害認定日において船員保険の被保険者であった期間を有する者に限る。）

4　第一項の場合において、第八十条第一項の規定を適用するときは、同項中「第四十七条第一項ただし書」とあるのは「第四十七条第一項ただし書（初診日が昭和六十一年四月一日前にある傷病による障害につき同法第四十七条の二第一項の規定を適用するものとした場合に同条第二項において準用する同法第四十七条第一項ただし書を昭和六十一年経過措置政令の規定（第百十七条第三項においてみなして適用する場合を含む。）、平成九年経過措置政令の規定、平成十四年経過措置政令の規定又は平成二十七年経過措置政令の規定により読み替えることとした場合のこれらの規定による読替え後の同法第四十七条第一項ただし書をいう。次項において同じ。）」と、同条第二項中「第八十条第一項」とあるのは「第百二十条第四項の規定により読み替えられた同令第八十条第一項」とする。

5　第百十六条の規定は、前項の規定により読み替えられた第八十条第一項の規定を適用する場合に準用する。この場合において、第百十六条中「同法第四十七条の二第二項において準用する」とあるのは「第百二十条第四項の規定により読み替えられた第八十条第一項の規定を適用する」と、「法第二十八条第一項」とあるのは「第百二十条第四項の規定により読み替えられた第八十条第二項において準用する法第二十八条第一項」と、同条の表の一の項の第一欄中「障害」とあるのは「障害（第百二十条第三項第一号に該当する者に係る障害を含む。）」と、同表の二の項の第一欄中「障害」とあるのは「障害（第百二十条第三項第二号に該当する者に係る障害を含む。）」と読み替えるものとする。

（初診日が昭和六十一年四月一日前にある傷病による障害に係る法第三十八条第一項の規定によ

る障害厚生年金の額についての厚生年金保険法第五十一条の適用）

第百二十一条　初診日が昭和六十一年四月一日前にある傷病による障害に係る法第三十八条第一項の規定により支給する障害厚生年金の額については、厚生年金保険法第五十一条の規定を適用する。この場合において、同条中「となつた障害に係る障害認定日」とあるのは、「となつた障害に係る障害認定日（当該障害につき第四十七条の二第一項の規定を適用するものとした場合に同項の障害認定日を国民年金法等の一部を改正する法律の施行に伴う経過措置に関する政令（昭和六十一年政令第五十四号）の規定（社会保障協定の実施に伴う厚生年金保険法等の特例等に関する政令第百十七条第三項においてみなして適用する場合を含む。）により読み替えることとした場合の当該読替え後の障害認定日をいう。以下この条において同じ。）」とする。

（初診日が昭和六十一年四月一日前の場合における発効日前の障害厚生年金に係る法第三十八条第二項において準用する法第三十二条第一項ただし書及び第二項第一号イに規定する政令で定める厚生年金保険の被保険者であった期間等）

第百二十二条　第六十九条第一項の規定にかかわらず、初診日が昭和六十一年四月一日前にある傷病による障害に係る法第三十八条第一項の規定による障害厚生年金に係る同条第二項において準用する法第三十二条第一項ただし書及び第二項第一号イに規定する政令で定める厚生年金保険の被保険者であった期間は、当該障害に係る障害認定日の属する月までの第三十三条各号に掲げる期間とする。

２　前項に規定する障害厚生年金について、法第三十二条第二項第一号ロの規定を適用する場合においては、同号ロ中「障害認定日（二以上の障害を支給事由とする障害厚生年金にあっては、厚生年金保険法第五十一条の規定の例による障害認定日）」とあるのは、「障害認定日」とする。

３　第七十一条の規定にかかわらず、第一項に規定する障害厚生年金に係る法第三十八条第二項において準用する法第三十二条第二項第一号ハに規定する政令で定める相手国期間は、第三十三条各号に掲げる社会保障協定に係るもののうち、昭和十七年六月から第一項に規定する障害認定日の属する月までの相手国期間（第三十三条各号に掲げる期間の計算の基礎となっている月に係るものを除く。）とする。

（初診日が昭和六十一年四月一日前の場合における発効日前の障害厚生年金に係る法第三十八条第二項において準用する法第三十二条第二項第二号及び第三号ロ並びに第五項第二号に規定する政令で定める相手国期間）

第百二十三条　第七十三条第一項の規定にかかわらず、前条第一項に規定する障害厚生年金に係る法第三十八条第二項において準用する法第三十二条第二項第二号に規定する政令で定める相手国期間は、第七十二条各号（第八号を除く。）に掲げる社会保障協定に係るもののうち、昭和十五年六月（オランダ協定、チェコ協定、アイルランド協定、スイス協定、ルクセンブルク協定、スロバキア協定、フィンランド協定又はスウェーデン協定に係る場合にあっては、昭和十七年六月とする。）から前条第一項に規定する障害認定日の属する月までの相手国期間とする。

２　第七十三条第二項の規定にかかわらず、前条第一項に規定する障害厚生年金に係る法第三十八条第二項において準用する法第三十二条第二項第三号ロに規定する政令で定める相手国期間は、昭和十七年六月から前条第一項に規定する障害認定日の属する月までのドイツ保険料納付期間とする。

３　第七十三条第三項の規定にかかわらず、前条第一項に規定する障害厚生年金に係る法第三十八条第二項において準用する法第三十二条第五項第二号に規定する政令で定める相手国期間は、第七十二条各号（第八号を除く。）に掲げる社会保障協定又は第七十四条に規定する社会保障協定に係るもののうち、昭和十五年六月（ドイツ協定、オランダ協定、チェコ協定、アイルランド協定、スイス協定、ルクセンブルク協定、スロバキア協定、フィンランド協定又はスウェーデン協定に係る場合にあっては、昭和十七年六月とする。）から前条第一項に規定する障害認定日の属する月までの相手国期間（ドイツ協定に係る場合にあっては、ドイツ保険料納付期間とする。）とする。

（初診日が昭和六十一年四月一日以後の旧適用法人被保険者期間中にある傷病による障害等に係る法第三十八条第一項の規定の適用）

第百二十四条　昭和六十一年四月一日以後の旧適用法人被保険者期間中に初診日のある傷病による障害を有する者（同一の傷病による障害につき平成九年経過措置政令第十一条各号のいずれかに該当する者を除く。）は、法第三十八条第一項の規定の適用については、当該初診日において同項第一号に該当した者とみなす。

２　昭和六十一年四月一日以後の旧農林共済被保険者期間中に初診日のある傷病による障害を有する者は、法第三十八条第一項の規定の適用については、当該初診日において同項第一号に該当した者とみなす。

３　昭和六十一年四月一日以後の旧国家公務員共済被保険者期間、旧地方公務員共済被保険者期間又は旧私立学校教職員共済被保険者期間中に初診日のある傷病による障害を有する者は、法第三十八条第一項の規定の適用については、当該初診日において同項第一号に該当した者とみなす。

（初診日が昭和六十一年四月一日前にある傷病による障害に係る法第三十九条第一項の規定の適用）

第百二十五条　初診日が昭和六十一年四月一日前にある傷病による障害（相手国期間及び厚生年金保険の被保険者期間を有する者に係るものに限る。）であって、次の表の第一欄に掲げるものについて、法第三十九条第一項の規定を適用する場合においては、同項中「有する者」とあるのは「有する経過的特例に係る厚生年金保険制度発症者又は経過的特例に係る厚生年金保険関係相手国制度発症者」と、「（障害程度を認定すべき日」とあるのは、同表の一の項、二の項及び四の項から七の項までの第一欄に掲げる障害を有する者にあってはそれぞれ同表の第二欄の区分に応じ、同表の第三欄に掲げる字句とし、同表の三の項の第一欄に掲げる障害を有する者にあっては同表の第三欄に掲げる字句とし、「除く。」であって次の各号のいずれかに該当したもの」とあるのは「除く。」」と、「当該障害程度を認定すべき日」とあるのは「当該経過した日」と、「厚生年金保険の被保険者期間」とあるのは「厚生年金保険の被保険者期間（社会保障協定の実施に伴う厚生年金保険法等の特例等に関する政令第百二十条第二項第二号及び第三項第二号に掲げる者にあっては、船員保険の被保険者であった期間」と、「同項」とあるのは「同法第五十五条第一項」とする。

	第一欄	第二欄	第三欄
一	厚生年金保険の被保険者であった間（昭和四十年五月一日前における第四種被保険者であった間を除く。）に発した傷病による障害及び第百二十条第三項第一号に該当する者に係る障害	初診日（健康保険の被保険者である厚生年金保険の被保険者であった者については、初めて健康保険の療養の給付を受けた日とし、以下この欄において「初診日等」という。）が昭和十七年十月一日前にある傷病	（その傷病に係る初診日（健康保険の被保険者である厚生年金保険の被保険者であった者については、当該傷病につき初めて健康保険の療養の給付を受けた日）から起算して一年を経過した日
		初診日等が昭和十七年十月一日から昭和二十六年十月三十一日までの間にある傷病及び初診日等が昭和二十六年十一月一日から昭和二十七年四月三十日までの間にある傷病であって昭和二十二年九月一日前に発したもの	（その傷病に係る初診日（健康保険の被保険者である厚生年金保険の被保険者であった者については、当該傷病につき初めて健康保険の療養の給付を受けた日）から起算して二年を経過した日
		初診日（健康保険の療養の給付を受けた者については、初めて健康保険の療養の給付を受けた日）が昭和二十六年十一月一日以後であり、かつ、初診日が昭和四十九年八月一日前にある傷病（当該傷病が当該初診日から起算して三年を経過するまでの間に治った場合に限り、初診日が昭和二十七年五月一日前にある傷病であって昭和二十二年九月一日前に発したものを除く。）	（その傷病に係る初診日（当該傷病につき健康保険の療養の給付を受けた者については、初めて健康保険の療養の給付を受けた日）から起算して三年を経過した日
		初診日が昭和四十九年八月一日から昭和六十一年三月三十一日までの間にある傷病（当該傷病が当該初診日から起算して五年を経過するまでの間に治った場合に限る。）	（その傷病に係る初診日から起算して五年を経過した日
二	船員保険の被保険者（船員組合員を除く。）であった間（船員組合員となる前の船員保険の被保険者であった間（旧交渉法第十九条第一項に規定する者の船員組合員となる前の船員保険の被保険者であった間を除く。）及び昭和四十年五月一日前における旧船員保険法第二十条の規定による被保険者であった間を除く。）に発した傷病による障害及び第百二十条第三項第二号に該当する者に係る障害	昭和二十年法律第二十四号による改正前の船員保険法第二十八条第三項に規定する者であって昭和二十年四月一日前に船員保険の被保険者の資格を喪失したものの当該資格を喪失する前に発した傷病	（船員保険の被保険者の資格喪失の日から起算して九月を経過した日
		傷病につき初めて旧船員保険法第二十八条の規定による療養の給付（以下この欄において「療養の給付」という。）を受けた日（以下この欄において「療養の給付開始日」という。）が昭和十八年十月一日前にある傷病	（昭和六十年国民年金等改正法第五条の規定による改正前の船員保険法第二十八条の規定による療養の給付を受けた日から起算して六月を経過した日
		療養の給付開始日が昭和十八年十月一日から昭和十九年六月三十日までの間にある傷病	（昭和六十年国民年金等改正法第五条の規定による改正前の船員保険法第二十八条の規定による療養の給付を受けた日から起算して九月を経過した日
		療養の給付開始日が昭和十九	（昭和六十年国民年金等改

		年七月一日から昭和二十六年十月三十一日までの間にある傷病	正法第五条の規定による改正前の船員保険法第二十八条の規定による療養の給付を受けた日から起算して二年を経過した日
		療養の給付開始日が昭和二十六年十一月一日から昭和三十七年四月三十日までの間にある傷病	（昭和六十年国民年金等改正法第五条の規定による改正前の船員保険法第二十八条の規定による療養の給付を受けた日から起算して三年を経過した日
		療養の給付開始日等（療養の給付を受けない場合には、初診日とする。以下この欄において同じ。）が昭和三十七年五月一日以後であり、かつ、初診日が昭和四十九年八月一日前にある傷病（当該傷病が当該療養の給付開始日等から起算して三年を経過するまでの間に治った場合に限る。）	（昭和六十年国民年金等改正法第五条の規定による改正前の船員保険法第二十八条の規定による療養の給付を受けた日（当該療養の給付を受けない場合にあっては、初診日）から起算して三年を経過した日
		初診日が昭和四十九年八月一日から昭和六十一年三月三十一日までの間にある傷病（当該傷病が当該初診日から起算して五年を経過するまでの間に治った場合に限る。）	（当該初診日から起算して五年を経過した日
三	旧適用法人被保険者期間中に発した傷病による障害		（当該初診日から起算して五年を経過した日
四	旧農林共済被保険者期間中に発した傷病による障害	昭和三十九年九月三十日前に発した傷病（当該傷病が当該傷病に係る初診日から起算して五年を経過するまでの間に治った場合に限る。）	（当該初診日から起算して五年を経過した日
		昭和五十一年十月一日から昭和六十一年三月三十一日までの間に発した傷病（当該傷病が当該傷病に係る初診日から起算して五年を経過するまでの間に治った場合に限る。）	（当該初診日から起算して五年を経過した日
五	旧国家公務員共済被保険者期間中に発した傷病による障害	昭和五十一年十月一日から昭和六十一年三月三十一日までの間に発した傷病（当該傷病が当該傷病に係る初診日から起算して五年を経過するまでの間に治った場合に限る。）	（当該初診日から起算して五年を経過した日
六	旧地方公務員共済被保険者期間中に発した傷病による障害	昭和五十一年十月一日から昭和六十一年三月三十一日までの間に発した傷病（当該傷病が当該傷病に係る初診日から起算して五年を経過するまでの間に治った場合に限る。）	（当該初診日から起算して五年を経過した日
七	旧私立学校教職員共済被保険者期間中に発した傷病による障害	昭和五十一年十月一日から昭和六十一年三月三十一日までの間に発した傷病（当該傷病が当該傷病に係る初診日から起算して五年を経過するまでの間に治った場合に限る。）	（当該初診日から起算して五年を経過した日

2　前項の規定により読み替えられた法第三十九条第一項の経過的特例に係る厚生年金保険制度発症者及び経過的特例に係る厚生年金保険関係相手国制度発症者は、それぞれ第百二十条第二項及

び第三項に規定する者とする。

3　第一項の場合において、第八十三条第一項の規定を適用する場合においては、同項中「第四十七条第一項ただし書」とあるのは「第四十七条第一項ただし書（初診日が昭和六十一年四月一日前にある傷病による障害につき同法第四十七条の二第一項の規定を適用するものとした場合に同条第二項において準用する同法第四十七条第一項ただし書を昭和六十一年経過措置政令の規定（第百十七条第三項においてみなして適用する場合を含む。）、平成九年経過措置政令の規定、平成十四年経過措置政令の規定又は平成二十七年経過措置政令の規定により読み替えることとした場合のこれらの規定による読替え後の同法第四十七条第一項ただし書をいう。次項において同じ。）」と、同条第二項中「第八十三条第一項」とあるのは「第百二十五条第三項の規定により読み替えられた同令第八十三条第一項」とする。

4　第百十六条の規定は、前項の規定により読み替えられた第八十三条第一項の規定を適用する場合に準用する。この場合において、第百十六条中「同法第四十七条の二第二項において準用する」とあるのは「第百二十五条第三項の規定により読み替えられた第八十三条第一項の規定を適用する」と、「法第二十八条第一項」とあるのは「第百二十五条第三項の規定により読み替えられた第八十三条第二項において準用する法第二十九条第一項」と、同条の表の一の項の第一欄中「障害」とあるのは「障害（第百二十条第三項第一号に該当する者に係る障害を含む。）」と、同表の二の項の第一欄中「障害」とあるのは「障害（第百二十条第三項第二号に該当する者に係る障害を含む。）」と読み替えるものとする。

（初診日が昭和六十一年四月一日前にある傷病による障害に係る法第三十九条第一項の規定による障害手当金の額についての厚生年金保険法第五十一条の準用）

第百二十六条　初診日が昭和六十一年四月一日前にある傷病による障害に係る法第三十九条第一項の規定により支給する障害手当金の額については、厚生年金保険法第五十一条の規定を準用する。この場合において、同条中「第五十条第一項に定める障害厚生年金の額」とあるのは「社会保障協定の実施に伴う厚生年金保険法等の特例等に関する法律（平成十九年法律第百四号）第三十九条第一項の規定による障害手当金の額」と、「障害厚生年金の支給事由となつた障害に係る障害認定日（第四十七条の三第一項の規定による障害厚生年金については同項に規定する基準傷病に係る障害認定日とし、第四十八条第一項の規定による障害厚生年金については併合されたそれぞれの障害に係る障害認定日（第四十七条の三第一項に規定する障害については、同項に規定する基準障害に係る障害認定日）のうちいずれか遅い日とする。）」とあるのは「障害手当金の支給事由となつた障害に係る障害認定日（当該障害につき第四十七条の二第一項の規定を適用するものとした場合に同項の障害認定日を国民年金法等の一部を改正する法律の施行に伴う経過措置に関する政令（昭和六十一年政令第五十四号）の規定により読み替えることとした場合の当該読替え後の障害認定日をいう。）」と読み替えるものとする。

（初診日が昭和六十一年四月一日前の場合における発効日前の障害手当金に係る法第三十九条第二項において準用する法第三十二条第一項ただし書及び第二項第一号イに規定する政令で定める被用者年金被保険者等であった期間等）

第百二十七条　第八十四条第一項の規定にかかわらず、前条に規定する障害手当金に係る法第三十九条第二項において準用する法第三十二条第一項ただし書及び第二項第一号イに規定する政令で定める厚生年金保険の被保険者であった期間は、当該障害手当金の支給事由となった障害に係る障害認定日（当該障害につき厚生年金保険法第四十七条の二第一項の規定を適用するものとした場合に同項の障害認定日を昭和六十一年経過措置政令の規定（第百十七条第三項においてみなして適用する場合を含む。）により読み替えることとした場合の当該読替え後の障害認定日をいう。）の属する月までの第三十三条各号に掲げる期間とする。

2　第八十四条第二項の規定にかかわらず、前条に規定する障害手当金に係る法第三十九条第二項において準用する法第三十二条第二項第一号ハに規定する政令で定める相手国期間は、第七十四条の二各号に掲げる社会保障協定に係るもののうち、昭和十七年六月から前項に規定する障害認定日の属する月までの相手国期間（第三十三条各号に掲げる期間の計算の基礎となっている月に係るものを除く。）とする。

3　第八十四条第三項の規定にかかわらず、前条に規定する障害手当金に係る法第三十九条第二項において準用する法第三十二条第二項第二号及び第五項第二号に規定する政令で定める相手国期間は、第七十二条各号（第八号を除く。）に掲げる社会保障協定に係るもののうち、昭和十五年六月（オランダ協定、チェコ協定、アイルランド協定、スイス協定、ルクセンブルク協定、スロバキア協定、フィンランド協定又はスウェーデン協定に係る場合にあっては、昭和十七年六月とする。）から第一項に規定する障害認定日の属する月までの相手国期間とする。

（初診日が昭和六十一年四月一日以後の旧適用法人被保険者期間中にある傷病による障害等に係る法第三十九条第一項の規定の適用）

第百二十八条　昭和六十一年四月一日以後の旧適用法人被保険者期間中に初診日のある傷病による障害を有する者は、法第三十九条第一項の規定の適用については、当該初診日において同項第一号に該当した者とみなす。

2　昭和六十一年四月一日以後の旧農林共済被保険者期間中に初診日のある傷病による障害を有する者は、法第三十九条第一項の規定の適用については、当該初診日において同項第一号に該当した者とみなす。

3　昭和六十一年四月一日以後の旧国家公務員共済被保険者期間、旧地方公務員共済被保険者期間又は旧私立学校教職員共済被保険者期間中に初診日のある傷病による障害を有する者は、法第三十九条第一項の規定の適用については、当該初診日において同項第一号に該当した者とみなす。

（法附則第十条に規定する政令で定める社会保障協定）

第百二十八条の二　法附則第十条に規定する政令で定める社会保障協定は、第二十七条の二に規定する社会保障協定とする。

（法附則第十条に規定する政令で定める者等）

第百二十九条　法附則第十条に規定する政令で定める者は、次に掲げる者とする。

一　昭和六十一年四月一日前に初診日がある傷病により死亡した者
二　次に掲げる者（第百九条第二号に規定する相手国期間中に死亡した者を除く。）
イ　厚生年金保険の被保険者の資格を喪失した後、当該資格を喪失した日から起算して二年を経過する日前に、厚生年金保険の被保険者であった間に発した傷病又は相手国期間中に発した傷病（第百十七条第三項の表の一の項の第一欄に規定する相手国期間中に発した傷病をいい、船員保険の被保険者であった期間を有する者に係る特定相手国船員期間中に発した傷病を除く。ロ及びハにおいて同じ。）により、昭和二十三年八月一日から昭和二十九年四月三十日までの間に死亡した者
ロ　厚生年金保険の被保険者の資格を喪失した後、厚生年金保険の被保険者であった間（昭和四十年五月一日前における第四種被保険者であった間を除く。ハにおいて同じ。）に発した傷病又は相手国期間中に発した傷病に係る初診日から起算して三年を経過する日前に、当該傷病により、昭和二十九年五月一日から昭和五十二年七月三十一日までの間に死亡した者
ハ　厚生年金保険の被保険者の資格を喪失した後、厚生年金保険の被保険者であった間に発した傷病又は相手国期間中に発した傷病（これらの傷病の発した日が昭和六十一年四月一日前であるものに限る。）に係る初診日から起算して五年を経過する日前に、当該傷病により、昭和五十二年八月一日以後に死亡した者
ニ　船員保険の被保険者の資格を喪失した後、当該資格を喪失した日から起算して二年を経過する日前に、船員保険の被保険者であった間（船員組合員となる前の船員保険の被保険者であった間を除く。）に発した傷病又は特定相手国船員期間中に発した傷病により、昭和二十三年九月一日から昭和二十九年四月三十日までの間に死亡した者（ベルギー協定、フランス協定又はスペイン協定に係るものに限る。）
ホ　船員保険の被保険者の資格を喪失した後、船員保険の被保険者であった間（船員組合員となる前の船員保険の被保険者であった間（旧交渉法第十九条第一項に規定する者の船員組合員となる前の船員保険の被保険者であった間を除く。）を除く。ヘからチまでにおいて同じ。）に発した傷病又は特定相手国船員期間中に発した傷病につき旧船員保険法第二十八条の規定による療養の給付を受けた日から起算して三年を経過する日前に、当該傷病により、昭和二十九年五月一日から昭和四十年四月三十日までの間に死亡した者（ベルギー協定、フランス協定又はスペイン協定に係るものに限る。）
ヘ　船員保険の被保険者の資格を喪失した後、船員保険の被保険者であった間に発した傷病又は特定相手国船員期間中に発した傷病に係る初診日から起算して三年を経過する日前に、当該傷病により、昭和四十年五月一日から昭和五十一年九月三十日までの間に死亡した者（ベルギー協定、フランス協定又はスペイン協定に係るものに限る。）
ト　船員保険の被保険者の資格を喪失した後、船員保険の被保険者であった間に発した傷病又は特定相手国船員期間中に発した傷病に係る初診日から起算して三年を経過する日前に、当該傷病により、昭和五十一年十月一日から昭和五十二年七月三十一日までの間に死亡した者
チ　船員保険の被保険者の資格（昭和六十年国民年金等改正法附則第四十二条第一項の規定により厚生年金保険の被保険者の資格を取得した者にあっては、当該厚生年金保険の被保険者の資格）を喪失した後、船員保険の被保険者であった間に発した傷病又は特定相手国船員期間中に発した傷病（これらの傷病の発した日が昭和六十一年四月一日前であるものに限る。）に係る初診日から起算して五年を経過する日前に、当該傷病により、昭和五十二年八月一日以後に死亡した者
リ　平成九年経過措置政令第十七条第一項第一号及び第二号に掲げる者（初診日が昭和六十一年四月一日以後にある傷病により死亡した者に限る。）
ヌ　平成十四年経過措置政令第九条第一項第一号に掲げる者（初診日が昭和六十一年四月一日以後にある傷病により死亡した者に限る。）
ル　平成二十七年経過措置政令第六十四条第一項第一号から第三号までに掲げる者（初診日が昭和六十一年四月一日以後にある傷病により死亡した者に限る。）

2　前項第一号に掲げる者（発効日前に死亡した者に限る。）については、法第四十条第一項第三号の規定は次項において同号に該当したものとみなす場合を除き、適用しない。

3　第一項第二号に掲げる者が発効日前に死亡したときは、法第四十条第一項の規定の適用については、厚生年金保険の被保険者であった者が死亡した場合であって、当該死亡した日において同項第三号に該当したものとみなす。

4　第一項第二号に規定する者が、昭和六十一年四月一日前に死亡した場合においては、次条第三項の規定の適用については、第一項第二号イからハまでに掲げる者にあっては第百十条第四項の表の二の項の第一欄に掲げる者と、第一項第二号ニからチまでに掲げる者にあっては同表の三の項の第一欄に掲げる者とみなす。

（昭和六十一年四月一日前に死亡した者等に係る法第四十条第一項の規定の適用）

第百三十条　昭和六十一年三月までの第一号厚生年金被保険者期間を有する者が死亡した場合においては、法第四十条第一項の規定の適用については、同項中「又は被保険者であった者であって」とあるのは、「又は被保険者であった者（昭和六十一年四月一日前に船員保険の被保険者（昭和六十年国民年金等改正法第五条の規定による改正前の船員保険法第十五条第一項に規定する組合員たる被保険者及び同法第十九条ノ三の規定による被保険者を除く。）であった者を含む。以下この項において同じ。）であって」とする。

2　相手国期間を有する者が、昭和六十一年四月一日前（第二十二条各号に掲げる社会保障協定に係る場合にあっては、昭和五十一年十月一日から昭和六十一年三月三十一日まで）の船員保険の被保険者（船員組合員を除く。）であった間に死亡した場合においては、法第四十条第一項の規定の適用については、厚生年金保険の被保険者であって、当該死亡した日において同項第一号に該当したものとみなす。

3　昭和六十一年四月一日前に死亡した者であって、第百十条第四項の表の二の項又は三の項の第一欄に掲げるもの（船員組合員を除く。）について、第八十五条第一項の規定を適用する場合に

おいては、同項の規定により読み替えられた厚生年金保険法第五十八条第一項ただし書は、それぞれ同表の二の項又は三の項の第二欄に掲げる者の区分に応じ、同表の第三欄に掲げる字句とし、第八十五条第二項において読み替えて準用する法第三十条第一項の規定については、同項中「相手国期間であって政令で定めるものを保険料納付済期間である国民年金の被保険者期間」とあるのは、それぞれ同表の二の項又は三の項の第二欄に掲げる者の区分に応じ、同表の第四欄のように読み替えるものとする。

（旧適用法人被保険者期間中に死亡した者等に係る法第四十条第一項の規定の適用）

第百三十一条　旧適用法人共済組合員期間を有する者が死亡した場合においては、法第四十条第一項の規定の適用については、同項中「又は被保険者であった者であって」とあるのは、「又は被保険者であった者（厚生年金保険法等の一部を改正する法律（平成八年法律第八十二号）附則第五条第一項の規定により第一号厚生年金被保険者期間とみなされた旧適用法人共済組合（同法附則第三条第八号に規定する旧適用法人共済組合をいう。）の組合員期間を有する者を含む。以下この項において同じ。）であって」とする。

2　相手国期間を有する者が、旧適用法人被保険者期間中に死亡した場合においては、法第四十条第一項の規定の適用については、厚生年金保険の被保険者であって、当該死亡した日において同項第一号に該当したものとみなす。

3　昭和六十一年四月一日前の旧適用法人被保険者期間中に死亡した者であって、第百十条第四項の表の四の項、五の項又は八の項の第一欄に掲げるものについて、第八十五条第一項の規定を適用する場合においては、同項の規定により読み替えられた厚生年金保険法第五十八条第一項ただし書は、それぞれ同表の四の項、五の項又は八の項の第二欄に掲げる者の区分に応じ、同表の第三欄に掲げる字句とし、第八十五条第二項において読み替えて準用する法第三十条第一項の規定については、同項中「相手国期間であって政令で定めるものを保険料納付済期間である国民年金の被保険者期間」とあるのは、それぞれ同表の四の項、五の項又は八の項の第二欄に掲げる者の区分に応じ、同表の第四欄のように読み替えるものとする。

4　旧農林共済組合員期間を有する者が死亡した場合においては、法第四十条第一項の規定の適用については、同項中「又は被保険者であった者であって」とあるのは、「又は被保険者であった者（厚生年金保険制度及び農林漁業団体職員共済組合制度の統合を図るための農林漁業団体職員共済組合法等を廃止する等の法律（平成十三年法律第百一号）附則第六条の規定により第一号厚生年金被保険者期間とみなされた旧農林共済組合（同法附則第二条第一項第七号に規定する旧農林共済組合をいう。）の組合員期間を有する者を含む。以下この項において同じ。）であって」とする。

5　相手国期間を有する者が、旧農林共済被保険者期間中に死亡した場合においては、法第四十条第一項の規定の適用については、厚生年金保険の被保険者であって、当該死亡した日において同項第一号に該当したものとみなす。

6　昭和六十一年四月一日前の旧農林共済被保険者期間中に死亡した者であって、第百十条第四項の表の七の項の第一欄に掲げるものについて、第八十五条第一項の規定を適用する場合においては、同項の規定により読み替えられた厚生年金保険法第五十八条第一項ただし書は、それぞれ同表の七の項の第二欄に掲げる者の区分に応じ、同表の第三欄に掲げる字句とし、第八十五条第二項において読み替えて準用する法第三十条第一項の規定については、同項中「相手国期間であって政令で定めるものを保険料納付済期間である国民年金の被保険者期間」とあるのは、それぞれ同表の七の項の第二欄に掲げる者の区分に応じ、同表の第四欄のように読み替えるものとする。

7　旧国家公務員共済組合員期間、旧地方公務員共済組合員期間又は旧私立学校教職員共済加入者期間を有する者が死亡した場合においては、法第四十条第一項の規定の適用については、同項中「又は被保険者であった者であって」とあるのは、「又は被保険者であった者（被用者年金制度の一元化等を図るための厚生年金保険法等の一部を改正する法律（平成二十四年法律第六十三号）附則第七条第一項の規定により第二号厚生年金被保険者期間とみなされた同法附則第四条第十号に規定する旧国家公務員共済組合員期間、第三号厚生年金被保険者期間とみなされた同条第十二号に規定する旧地方公務員共済組合員期間又は第四号厚生年金被保険者期間とみなされた同条第十三号に規定する旧私立学校教職員共済加入者期間を有する者を含む。以下この項において同じ。）であって」とする。

8　相手国期間を有する者が、旧国家公務員共済被保険者期間、旧地方公務員共済被保険者期間又は旧私立学校教職員共済被保険者期間中に死亡した場合においては、法第四十条第一項の規定の適用については、厚生年金保険の被保険者であって、当該死亡した日において同項第一号に該当したものとみなす。

9　昭和六十一年四月一日前の旧国家公務員共済被保険者期間、旧地方公務員共済被保険者期間又は旧私立学校教職員共済被保険者期間中に死亡した者であって、第百十条第四項の表の四の項から六の項までの第一欄に掲げるものについて、第八十五条第一項の規定を適用する場合においては、同項の規定により読み替えられた厚生年金保険法第五十八条第一項ただし書は、それぞれ同表の四の項から六の項までの第二欄に掲げる者の区分に応じ、同表の第三欄に掲げる字句とし、第八十五条第二項において読み替えて準用する法第三十条第一項の規定については、同項中「相手国期間であって政令で定めるものを保険料納付済期間である国民年金の被保険者期間」とあるのは、それぞれ同表の四の項から六の項までの第二欄に掲げる者の区分に応じ、同表の第四欄のように読み替えるものとする。

（法附則第十一条第一項において準用する法第二十七条に規定する政令で定める規定等）

第百三十二条　法附則第十一条第一項において準用する法第二十七条に規定する政令で定める規定は、次の表の第一欄に掲げる旧厚生年金保険法による保険給付の区分に応じ、それぞれ同表の第二欄に掲げる規定とし、同欄に掲げる規定を適用する場合における同項において準用する同条に規定する厚生年金保険の被保険者期間その他の政令で定める期間は、それぞれ同表の第三欄に掲げる期間とし、同項において準用する同条に規定する政令で定める相手国期間は、それぞれ同表の第四欄に掲げる期間（それぞれ同表の第二欄に掲げる規定に規定する旧厚生年金保険法による保険給付の受給資格要件たる期間の計算の基礎となっている月に係るものを除くものとし、同表の第三欄に掲げる通算対象期間（私立学校教職員共済組合の組合員であった期間に係るものを除く。）に算入することとされる特定相手国船員期間又は特定相手国坑内員期間（同欄に掲げる国家公務員共済組合の組合員期間、地方公務員共済組合の組合員期間及び私立学校教職員共済組合の組合員であった期間に係る通算対象期間に算入することとされるものを除く。）については、昭和六十一年三月以前の期間に係るものにあってはこれらの期間に三分の四を、同年四月から平成三年三月までの期間に係るものにあってはこれらの期間に五分の六を乗じて得た期間とする。）とする。

	第一欄	第二欄	第三欄	第四欄
一	昭和六十年国民年金等改正法附則第六十三条第一項の規定によりなおその効力を有するものとされた旧厚生年金保険法による老齢年金	昭和六十年国民年金等改正法附則第六十三条第一項の規定によりなおその効力を有するものとされた旧厚生年金保険法第四十二条第一項第一号	厚生年金保険の被保険者期間	昭和十七年六月以後の相手国期間（ドイツ協定に係る場合にあっては、ドイツ保険料納付期間とし、特定相手国船員期間を除く。）
		昭和六十年国民年金等改正法附則第六十三条第一項の規定によりなおその効力を有するものとされた旧厚生年金保険法第四十二条第一項第二号	四十歳（女子については、三十五歳）に達した月以後の厚生年金保険の被保険者期間	昭和十七年六月以後の相手国期間（ドイツ協定に係る場合にあっては、ドイツ保険料納付期間とし、四十歳（女子については、三十五歳）に達した月以後の期間に限り、特定相手国船員期間を除く。）
		昭和六十年国民年金等改正法附則第六十三条第一項の規定によりなおその効力を有するものとされた旧厚生年金保険法第四十二条第一項第三号	三十五歳に達した月以後の第三種被保険者（旧厚生年金保険法第三条第一項第五号に規定する者に限る。）としての厚生年金保険の被保険者期間	昭和十七年六月以後の特定相手国坑内員期間（三十五歳に達した月以後の期間に限る。）
		昭和六十年国民年金等改正法附則第六十三条第一項の規定によりなおその効力を有するものとされた旧交渉法第二条第一項	船員保険の被保険者であった期間	昭和十五年六月以後の特定相手国船員期間
二	昭和六十年国民年金等改正法附則第六十三条第一項の規定によりなおその効力を有するものとされた旧厚生年金保険法による通算老齢年金	昭和六十年国民年金等改正法附則第六十三条第一項の規定によりなおその効力を有するものとされた旧厚生年金保険法第四十六条の三（各号列記以外の部分に限る。）	厚生年金保険の被保険者期間	昭和十七年六月以後の相手国期間（ドイツ協定に係る場合にあっては、ドイツ保険料納付期間とし、特定相手国船員期間を除く。）
		昭和六十年国民年金等改正法附則第六十三条第一項の規定によりなおその効力を有するものとされた旧厚生年金保険法第四十六条の三第一号イ	通算対象期間	昭和十五年六月（第二十二条各号に掲げる社会保障協定に係る場合にあっては、昭和十七年六月とする。）以後の相手国期間
		昭和六十年国民年金等改正法附則第六十三条第一項の規定によりなおその効力を	国民年金以外の公的年金制度に係る通算対象期間	昭和十五年六月（第二十二条各号に掲げる社会保障協定に係る場合にあっては、昭和十七

有するものとされた旧厚生年金保険法第四十六条の三第一号ロ		年六月とする。）以後の相手国期間（ドイツ協定に係る場合にあっては、ドイツ保険料納付期間とする。）
昭和六十年国民年金等改正法附則第六十三条第一項の規定によりなおその効力を有するものとされた旧厚生年金保険法第四十六条の三第一号ハ	通算対象期間（船員保険の被保険者であった期間に係るものに限る。）	昭和十五年六月以後の特定相手国船員期間
	通算対象期間（国家公務員共済組合の組合員期間に係るものに限る。）	昭和三十四年一月以後の相手国期間（ドイツ協定に係る場合にあっては、ドイツ保険料納付期間とする。）
	通算対象期間（地方公務員共済組合の組合員期間に係るものに限る。）	昭和三十七年十二月以後の相手国期間（ドイツ協定に係る場合にあっては、ドイツ保険料納付期間とする。）
	通算対象期間（私立学校教職員共済組合の組合員であった期間に係るものに限る。）	昭和二十九年一月以後の相手国期間（ドイツ協定に係る場合にあっては、ドイツ保険料納付期間とする。）
昭和六十年国民年金等改正法附則第六十三条第一項の規定によりなおその効力を有するものとされた昭和六十年国民年金	通算対象期間	昭和三十六年四月以後の相手国期間（明治四十四年四月一日以前に生まれた者にあっては、昭和十五年六月（第二十二条各号に掲

		等改正法附則第百三十八条の規定による改正前の通算年金制度を創設するための関係法律の一部を改正する法律（昭和三十六年法律第百八十二号。以下「旧昭和三十六年通算整理法」という。）附則第七条		げる社会保障協定に係る場合にあっては、昭和十七年六月とする。）以後の相手国期間）
		昭和六十年国民年金等改正法附則第六十三条第一項の規定によりなおその効力を有するものとされた旧昭和三十六年通算整理法附則第八条	厚生年金保険の被保険者期間	昭和三十六年四月以後の相手国期間（ドイツ協定に係る場合にあってはドイツ保険料納付期間とし、明治四十四年四月一日以前に生まれた者にあっては昭和十七年六月以後の相手国期間とし、特定相手国船員期間を除く。）
三	昭和六十年国民年金等改正法附則第六十三条第一項の規定によりなおその効力を有するものとされた旧厚生年金保険法による特例老齢年金	昭和六十年国民年金等改正法附則第六十三条第一項の規定によりなおその効力を有するものとされた旧厚生年金保険法附則第二十八条の三第一項	厚生年金保険の被保険者期間	昭和十七年六月以後の相手国期間（ドイツ協定に係る場合にあっては、ドイツ保険料納付期間とし、特定相手国船員期間を除く。）
			船員保険の被保険者であった期間	昭和十五年六月以後の特定相手国船員期間
四	昭和六十年国民年金等改正法附則第七十	昭和六十年国民年金等改正法附則第七十	厚生年金保険の被保険者期間	昭和十七年六月以後のドイツ保険料納付期間

五条の規定によりなおその効力を有するものとされた旧厚生年金保険法による脱退手当金	五条の規定によりなおその効力を有するものとされた旧厚生年金保険法第六十九条		

2　前項の表の一の項の第二欄に掲げる旧交渉法第二条第一項の規定の適用については、昭和十五年六月以後の特定相手国船員期間を有する者を、船員保険の被保険者又は船員保険の被保険者であった者とみなす。

（旧厚生年金保険法による保険給付の額の計算の特例）

第百三十三条　次の各号に掲げる法附則第十一条第二項に規定する旧厚生年金保険法による老齢年金（以下「旧厚生年金保険法による老齢年金」という。）及び旧厚生年金保険法による脱退手当金（以下「旧厚生年金保険法による脱退手当金」という。）の額は、当該各号に定める規定にかかわらず、それぞれ当該規定による額（旧厚生年金保険法による脱退手当金にあっては、当該旧厚生年金保険法による脱退手当金の受給権者の厚生年金保険の被保険者期間の月数が六十であるものとして計算した額）に期間比率を乗じて得た額（第一号又は第二号に掲げるものについては、前条第一項の表の一の項の第二欄に掲げる旧厚生年金保険法第四十二条第一項第一号から第三号までの規定のうち二以上に該当するときは、一の規定に該当するものとしてそれぞれ計算した額のうち最も高いもの）とする。

一　旧厚生年金保険法による老齢年金（旧厚生年金保険法第三十四条第一項第一号に掲げる額に相当する部分に限る。）　昭和六十年国民年金等改正法附則第七十八条第二項の規定によりなおその効力を有するものとされた旧厚生年金保険法第三十四条第一項第一号

二　旧厚生年金保険法による老齢年金（旧厚生年金保険法第四十三条第一項の規定により加算する加給年金額に相当する部分に限る。）　昭和六十年国民年金等改正法附則第七十八条第二項の規定によりなおその効力を有するものとされた旧厚生年金保険法第三十四条第五項

三　旧厚生年金保険法による脱退手当金　昭和六十年国民年金等改正法附則第七十五条の規定によりなおその効力を有するものとされた旧厚生年金保険法第七十条

2　前項の期間比率は、同項第一号又は第三号に定める規定による額の計算の基礎となっている厚生年金保険の被保険者期間（昭和六十年国民年金等改正法附則第六十三条第一項の規定によりなおその効力を有するものとされた旧厚生年金保険法第四十二条第一項第二号に該当することにより支給するものにあっては四十歳（女子については、三十五歳）に達した月前に係るものを除くものとし、同項第三号に該当することにより支給するものにあっては三十五歳に達した月前に係るものを除く。）の月数を、二百四十（同項第二号又は第三号に該当することにより支給されるものにあっては百八十とし、旧厚生年金保険法による脱退手当金にあっては六十とする。）で除して得た率とする。

（旧厚生年金保険法による老齢年金の配偶者加給等の支給停止の特例）

第百三十四条　旧厚生年金保険法による老齢年金又は障害年金の受給権者の配偶者が法の規定により支給する第七十九条第一項に規定する年金たる給付（第三十六条第一項第一号に掲げる年金たる給付を除く。）を受けることができる場合においては、昭和六十年国民年金等改正法附則第七十八条第二項の規定によりなおその効力を有するものとされた旧厚生年金保険法第四十六条第四項又は第五項（これらの規定を昭和六十年国民年金等改正法附則第七十八条第三項において準用する場合を含む。）の規定にかかわらず、当該配偶者について旧厚生年金保険法第三十四条第五項に基づき計算する加給年金額に相当する部分（その支給が停止されているものを除く。以下この条において「旧厚生年金保険法による老齢年金の配偶者加給等」という。）の支給の停止は、行わない。ただし、当該配偶者が同時に老齢給付の配偶者加給又は障害給付の配偶者加給を受けることができるとき（当該受給権者の旧厚生年金保険法による老齢年金の配偶者加給等の額が当該配偶者の老齢給付の配偶者加給又は障害給付の配偶者加給の額より低いとき、その他厚生労働省令で定める場合に限る。）は、この限りでない。

2　法の規定により支給する旧厚生年金保険法による老齢年金の配偶者加給等の受給権者の配偶者が同時に法の規定により支給する第三十六条第一項第一号に掲げる年金たる給付の受給権者であって老齢給付の配偶者加給を受けることができるとき（当該受給権者の旧厚生年金保険法による老齢年金の配偶者加給等の額が当該配偶者の老齢給付の配偶者加給の額より低いとき、その他厚生労働省令で定める場合に限る。）は、その間、当該受給権者の旧厚生年金保険法による老齢年金の配偶者加給等の支給を停止する。

（法附則第十二条に規定する相手国期間から除かれるものに係る政令で定める社会保障協定）

第百三十四条の二　法附則第十二条に規定する相手国期間から除かれるものに係る政令で定める社会保障協定は、第二十四条の二各号に掲げる社会保障協定とする。

（法附則第十二条に規定する場合に係る政令で定める社会保障協定等）

第百三十五条　法附則第十二条に規定する場合に係る政令で定める社会保障協定は、第百十四条の表の第一欄に掲げる社会保障協定とし、当該場合における法附則第十二条に規定する相手国期間中に初診日のある傷病に相当するものとして政令で定めるものは、それぞれ同表の第二欄に掲げる傷病とする。

（その他障害に係る旧厚生年金保険法による障害年金の支給停止に関する特例）

第百三十六条　法附則第十二条の規定により、障害厚生年金の受給権者であって、その他障害に係る傷病の初診日において厚生年金保険の被保険者であったものとみなされた者について、厚生年金保険法第五十四条第二項ただし書の規定を適用する場合においては、同項ただし書中「障害等級」とあるのは、「国民年金法等の一部を改正する法律（昭和六十年法律第三十四号）第三条の規定による改正前のこの法律別表第一に定める障害の等級」とする。

第四節　旧船員保険の保険給付に関する事項

（法附則第十四条第一項に規定する政令で定める規定等）

第百三十七条　法附則第十四条第一項に規定する政令で定める規定は、次の表の第一欄に掲げる旧船員保険法又は同項に規定する旧船員保険一部改正法（以下この項において「旧船員保険一部改正法」という。）による保険給付の区分に応じ、それぞれ同表の第二欄に掲げる規定とし、同欄に掲げる規定を適用する場合における同項に規定する政令で定める期間は、それぞれ同表の第三欄に掲げる期間とし、同項に規定する政令で定める相手国期間は、それぞれ同表の第四欄に掲げる期間（それぞれ同表の第二欄に掲げる規定に規定する旧船員保険法又は旧船員保険一部改正法による保険給付の受給資格要件たる期間の計算の基礎となっている月に係るものを除くものとし、同表の第三欄に掲げる期間（船員保険の被保険者であった期間及び私立学校教職員共済組合の組合員であった期間に係る通算対象期間を除く。）に算入することとされる特定相手国船員期間又は特定相手国坑内員期間（同欄に掲げる国家公務員共済組合の組合員期間、地方公務員共済組合の組合員期間及び私立学校教職員共済組合の組合員であった期間に係る通算対象期間に算入することとされるものを除く。）については、昭和六十一年三月以前の期間に係るものにあってはこれらの期間に三分の四を、同年四月から平成三年三月までの期間に係るものにあってはこれらの期間に五分の六を乗じて得た期間とする。）とする。

	第一欄	第二欄	第三欄	第四欄
一	昭和六十年国民年金等改正法附則第八十六条第一項の規定によりなおその効力を有するものとされた旧船員保険法による老齢年金	昭和六十年国民年金等改正法附則第八十六条第一項の規定によりなおその効力を有するものとされた旧船員保険法第三十四条第一項第一号	船員保険の被保険者であった期間	昭和十五年六月以後の特定相手国船員期間
		昭和六十年国民年金等改正法附則第八十六条第一項の規定によりなおその効力を有するものとされた旧船員保険法第三十四条第一項第三号	三十五歳以後における船員保険の被保険者であった期間	昭和十五年六月以後の特定相手国船員期間（三十五歳に達した月以後の期間に限る。）
		昭和六十年国民年金等改正法附則第八十六条第一項の規定によりなおその効力を有するものとされた旧交渉法第三条第一項	厚生年金保険の第四種被保険者以外の被保険者であった期間	昭和十七年六月以後の相手国期間（ドイツ協定に係る場合にあっては、ドイツ保険料納付期間とし、特定相手国船員期間を除く。）
二	昭和六十年国民年金等改正法附則第八十六条第一項の規定によりなおその効力を有するものとされた旧船員保険法による通算老齢年金	昭和六十年国民年金等改正法附則第八十六条第一項の規定によりなおその効力を有するものとされた旧船員保険法第三十九条ノ二（各号列記以外の部分に限る。）	船員保険の被保険者であった期間	昭和十五年六月以後の特定相手国船員期間
		昭和六十年国民年金等改正法附則第八十六条第一項の規定によりなおその効力を有するものとされた旧船員保険法第三十九条ノ二第一号イ	通算対象期間	昭和十五年六月（第二十二条各号に掲げる社会保障協定に係る場合にあっては、昭和十七年六月とする。）以後の相手国期間
		昭和六十年国民年金等改正法附則第八十六条第一項の規定によりなおその効力を有するものとされた旧船員保険法第三十九条ノ二第一号ロ	国民年金以外の公的年金制度に係る通算対象期間	昭和十五年六月（第二十二条各号に掲げる社会保障協定に係る場合にあっては、昭和十七年六月とする。）以後の相手国期間（ドイツ協定に係る場合にあっては、ドイツ保険料納付期間とする。）
		昭和六十年国民年金	通算対象期間（厚生	昭和十七年六月以後の

等改正法附則第八十六条第一項の規定によりなおその効力を有するものとされた旧船員保険法第三十九条ノ二第一号ハ	年金保険の被保険者期間に係るものに限る。）	相手国期間（ドイツ協定に係る場合にあっては、ドイツ保険料納付期間とし、特定相手国船員期間を除く。）
	通算対象期間（国家公務員共済組合の組合員期間に係るものに限る。）	昭和三十四年一月以後の相手国期間（ドイツ協定に係る場合にあっては、ドイツ保険料納付期間とする。）
	通算対象期間（地方公務員共済組合の組合員期間に係るものに限る。）	昭和三十七年十二月以後の相手国期間（ドイツ協定に係る場合にあっては、ドイツ保険料納付期間とする。）
	通算対象期間（私立学校教職員共済組合の組合員であった期間に係るものに限る。）	昭和二十九年一月以後の相手国期間（ドイツ協定に係る場合にあっては、ドイツ保険料納付期間とする。）
昭和六十年国民年金等改正法附則第八十六条第一項の規定によりなおその効力を有するものとされた旧昭和三十六年通算整理法附則第十三条	通算対象期間	昭和三十六年四月以後の相手国期間（明治四十四年四月一日以前に生まれた者にあっては、昭和十五年六月（第二十二条各号に掲げる社会保障協定に係る場合にあっては、昭和十七年六月とする。）以後の相手国期間）

三　昭和六十年国民年金等改正法附則第八十六条第一項の規定によりなおその効力を有するものとされた旧船員保険一部改正法による特例老齢年金		
昭和六十年国民年金等改正法附則第八十六条第一項の規定によりなおその効力を有するものとされた旧昭和三十六年通算整理法附則第十四条	船員保険の被保険者期間	昭和三十六年四月以後の特定相手国船員期間（明治四十四年四月一日以前に生まれた者にあっては、昭和十五年六月以後の特定相手国船員期間）
昭和六十年国民年金等改正法附則第八十六条第一項の規定によりなおその効力を有するものとされた旧船員保険一部改正法附則第十七条第一項（各号列記以外の部分に限る。）	船員保険の被保険者であった期間	昭和十五年六月以後の特定相手国船員期間
昭和六十年国民年金等改正法附則第八十六条第一項の規定によりなおその効力を有するものとされた旧船員保険一部改正法附則第十七条第一項第一号イ	船員保険の被保険者であった期間	
昭和六十年国民年金等改正法附則第八十六条第一項の規定によりなおその効力を有するものとされた旧船員保険一部改正法附則第十七条第一項第一号ロ	船員保険の被保険者であった期間	
	厚生年金保険の被保険者期間	昭和十七年六月以後の相手国期間（ドイツ協定に係る場合にあっては、ドイツ保険料納付期間とし、特定相手国

船員期間を除く。）

２　前項の表の一の項の第二欄に掲げる旧交渉法第三条第一項の規定の適用については、昭和十七年六月以後の相手国期間（ドイツ協定に係る場合にあっては、ドイツ保険料納付期間とし、特定相手国船員期間を除く。）を有する者を、厚生年金保険の被保険者又は厚生年金保険の被保険者であった者とみなす。

（旧船員保険法による老齢年金の額の計算の特例）

第百三十八条　次の各号に掲げる法附則第十四条第二項に規定する旧船員保険法による老齢年金（以下「旧船員保険法による老齢年金」という。）の額は、当該各号に定める規定にかかわらず、それぞれ当該規定による額に期間比率を乗じて得た額（前条第一項の表の一の項の第二欄に掲げる旧船員保険法第三十四条第一項第一号及び第三号のいずれにも該当するときは、一の規定に該当するものとしてそれぞれ計算した額のうち最も高いもの）とする。

一　旧船員保険法による老齢年金（旧船員保険法第三十五条第一号に掲げる額に相当する部分に限る。）　昭和六十年国民年金等改正法附則第八十七条第三項の規定によりなおその効力を有するものとされた旧船員保険法第三十五条第一号

二　旧船員保険法による老齢年金（旧船員保険法第三十六条第一項の規定により加算する加給金の額に相当する部分に限る。）　昭和六十年国民年金等改正法附則第八十七条第三項の規定によりなおその効力を有するものとされた旧船員保険法第三十六条第一項

２　前項の期間比率は、同項第一号に定める規定による額の計算の基礎となっている船員保険の被保険者であった期間（昭和六十年国民年金等改正法附則第八十六条第一項の規定によりなおその効力を有するものとされた旧船員保険法第三十四条第一項第三号に該当することにより支給するものにあっては、三十五歳に達した月前に係るものを除く。）の月数を、百八十で除して得た率とする。

（旧船員保険法による老齢年金の配偶者加給等の支給停止の特例）

第百三十九条　旧船員保険法による老齢年金又は障害年金の受給権者の配偶者が法の規定により支給する第七十九条第一項に規定する年金たる給付（第三十六条第一項第一号に掲げる年金たる給付を除く。）を受けることができる場合においては、昭和六十年国民年金等改正法附則第八十七条第三項の規定によりなおその効力を有するものとされた旧船員保険法第三十八条第四項又は第五項（これらの規定を昭和六十年国民年金等改正法附則第八十七条第三項の規定によりなおその効力を有するものとされた旧船員保険法第四十四条ノ三第四項において準用する場合を含む。）の規定にかかわらず、当該配偶者について旧船員保険法第三十六条第一項又は第四十一条ノ二第一項の規定に基づき加給すべき額に相当する部分（その支給が停止されているものを除く。以下この条において「旧船員保険法による老齢年金の配偶者加給等」という。）の支給の停止は、行わない。ただし、当該配偶者が同時に老齢給付の配偶者加給又は障害給付の配偶者加給を受けることができるとき（当該受給権者の旧船員保険法による老齢年金の配偶者加給等の額が当該配偶者の老齢給付の配偶者加給又は障害給付の配偶者加給の額より低いとき、その他厚生労働省令で定める場合に限る。）は、この限りでない。

２　法の規定により支給する旧船員保険法による老齢年金の配偶者加給等の受給権者の配偶者が同時に法の規定により支給する第三十六条第一項第一号に掲げる年金たる給付の受給権者であって老齢給付の配偶者加給を受けることができるとき（当該受給権者の旧船員保険法による老齢年金の配偶者加給等の額が当該配偶者の老齢給付の配偶者加給の額より低いとき、その他厚生労働省令で定める場合に限る。）は、その間、当該受給権者の旧船員保険法による老齢年金の配偶者加給等の支給を停止する。

（法附則第十五条に規定する相手国期間から除かれるものに係る政令で定める社会保障協定）

第百三十九条の二　法附則第十五条に規定する相手国期間から除かれるものに係る政令で定める社会保障協定は、第二十四条の二各号に掲げる社会保障協定とする。

（法附則第十五条に規定する場合に係る政令で定める社会保障協定等）

第百四十条　法附則第十五条に規定する場合に係る政令で定める社会保障協定は、第百十四条の表の第一欄に掲げる社会保障協定とし、当該場合における法附則第十五条に規定する相手国期間中に初診日のある傷病に相当するものとして政令で定める傷病は、それぞれ同表の第二欄に掲げる傷病とする。

（その他障害に係る旧船員保険法による障害年金の支給停止に関する経過措置）

第百四十一条　法附則第十五条の規定により、障害厚生年金の受給権者であって、その他障害に係る傷病の初診日において厚生年金保険の被保険者であったものとみなされた者について、厚生年金保険法第五十四条第二項ただし書の規定を適用する場合においては、同項ただし書中「障害等級」とあるのは、「国民年金法等の一部を改正する法律（昭和六十年法律第三十四号）第五条の規定による改正前の船員保険法別表第四の下欄に定める障害の等級」とする。

附　則（抄）

（施行期日）

第一条　この政令は、法の施行の日から施行する。

（日本国及びドイツ連邦共和国の両国において就労する者等に係る国民年金法及び厚生年金保険法の特例等に関する政令等の廃止）

第三条　次に掲げる政令は、廃止する。

一　日本国及びドイツ連邦共和国の両国において就労する者等に係る国民年金法及び厚生年金保険法の特例等に関する政令（平成十年政令第三百四十四号）

二　日本国及びグレート・ブリテン及び北部アイルランド連合王国の両国において就労する者等に係る国民年金法及び厚生年金保険法の特例に関する政令（平成十二年政令第四百五十四号）

三　日本国及び大韓民国の両国において就労する者等に係る国民年金法及び厚生年金保険法の特例に関する政令（平成十六年政令第三百四十号）

四　日本国及びアメリカ合衆国の両国において就労する者等に係る健康保険法、船員保険法、国

民健康保険法、国民年金法及び厚生年金保険法の特例に関する政令（平成十七年政令第二百五十一号）

五　日本国及びベルギー王国の両国において就労する者等に係る健康保険法、国民健康保険法、国民年金法及び厚生年金保険法の特例等に関する政令（平成十八年政令第三百三十三号）

六　日本国及びフランス共和国の両国において就労する者等に係る健康保険法、船員保険法、国民健康保険法、国民年金法及び厚生年金保険法の特例に関する政令（平成十八年政令第三百三十四号）

（移行退職共済年金又は移行障害共済年金に係る経過措置）

第四条　移行退職共済年金又は移行障害共済年金であって、平成十三年統合法附則第十六条第一項の規定によりなおその効力を有するものとされた平成十三年統合法附則第七十六条の規定による改正前の社会保障に関する日本国とドイツ連邦共和国との間の協定の実施に伴う厚生年金保険法等の特例等に関する法律の規定により支給するものは、法の相当する規定により支給する給付とみなして、法及びこの政令の規定を適用する。

附　則（平二〇・一〇・二九政令三三一）（抄）

（施行期日）

1　この政令は、次の各号に掲げる規定ごとに、それぞれ当該各号に定める日から施行する。

一　第百条第二項及び第百一条第二項の改正規定、第百十四条の見出しの改正規定、第百二十三条の見出しの改正規定並びに第八十九条（見出しを含む。）の改正規定　公布の日

二　目次の改正規定（「第八十九条」を「第八十八条の二」に改める部分及び「第百二条」を「第百一条の二」に、「第百十六条」を「第百十五条の二」に改める部分に限る。）、第二条に三号を加える改正規定（同条第四十八号に係る部分に限る。）、第九章第二節中第百二条の前に一条を加える改正規定、第百五条の改正規定（「第三十四条各号」の下に「（第四号を除く。）」を加える部分に限る。）、第百八条の改正規定（「第三十四条各号」の下に「（第四号を除く。）」を加える部分に限る。）、同条の次に一条を加える改正規定、第百十三条の次に一条を加える改正規定、第九章第三節中第百十六条の前に一条を加える改正規定、第百二十八条の次に一条を加える改正規定、第百三十四条の次に一条を加える改正規定、第百三十九条の次に一条を加える改正規定、第九十五条に三号を加える改正規定（同条第六号に係る部分に限る。）、第九十七条に三号を加える改正規定（同条第六号に係る部分に限る。）、第九十八条の表に次のように加える改正規定（同表六の項に係る部分に限る。）、第七章中第八十九条の前に一条を加える改正規定、第九十一条の次に一条を加える改正規定、第九十二条の次に一条を加える改正規定、第五十六条の改正規定、同条に一項を加える改正規定、第五十七条の次に一条を加える改正規定、第六十四条の次に一条を加える改正規定、第二十一条第一項に三号を加える改正規定（同項第四号に係る部分に限る。）、第二十二条の改正規定、同条に一項を加える改正規定、第二十四条の次に一条を加える改正規定、第二十七条の次に一条を加える改正規定、第三十四条に三号を加える改正規定（同条第四号に係る部分に限る。）、第三十五条の改正規定（「前条各号」の下に「（第四号を除く。）」を加える部分に限る。）、第三十八条の改正規定（「第三十四条各号」の下に「（第四号を除く。）」を加える部分に限る。）及び第四十条の改正規定（オーストラリア協定に係る部分に限る。）　オーストラリア協定の効力発生の日〔平二一・一・一〕

三　題名の改正規定、目次の改正規定（前号に掲げる改正規定を除く。）、第一条の改正規定、第二条に三号を加える改正規定（同条第四十九号に係る部分に限る。）、第九条第一項の改正規定、同項にただし書を加える改正規定（チェコ協定第一条1(b)に規定するチェコ共和国の法令に係る部分を除く。）、第百二条及び第百三条第一項の改正規定、第百五条の改正規定（「昭和十五年六月（ドイツ協定」の下に「、オランダ協定又はチェコ協定」を加える部分（オランダ協定に係る部分に限る。）に限る。）、第百六条第一項の改正規定、第百八条の改正規定（「昭和十五年六月（ドイツ協定」の下に「、オランダ協定又はチェコ協定」を加える部分（オランダ協定に係る部分に限る。）に限る。）、第百十六条の表及び第百十七条第一項の改正規定、第百十九条第一項の改正規定（オランダ協定に係る部分に限る。）、同条第三項の改正規定（オランダ協定に係る部分に限る。）、第百二十条第一項及び第百二十一条の改正規定、第百二十三条第一項の改正規定（オランダ協定に係る部分に限る。）、第百二十五条第一項の改正規定、第百二十七条第二項の改正規定（オランダ協定に係る部分に限る。）、第九章を第十章とする改正規定、第九十五条に三号を加える改正規定（同条第七号に係る部分に限る。）、第九十七条に三号を加える改正規定（同条第七号に係る部分に限る。）、第九十八条の表に次のように加える改正規定（同表七の項に係る部分に限る。）、第八章を第九章とする改正規定、第七章を第八章とする改正規定、第五十七条の改正規定、第六十一条に二号を加える改正規定（同条第三号に係る部分に限る。）、第七十二条に二号を加える改正規定（同条第三号に係る部分に限る。）、第七十三条第一項の改正規定（オランダ協定に係る部分に限る。）、同条第三項の改正規定（オランダ協定に係る部分に限る。）、第七十七条第一項の改正規定（オランダ協定に係る部分に限る。）、同条第三項の改正規定（オランダ協定に係る部分に限る。）、第八十四条第二項の改正規定（オランダ協定に係る部分に限る。）、第八十五条第二項及び第八十七条第二項の改正規定、第六章を第七章とする改正規定、第十二条の改正規定、同条に各号を加える改正規定、第二十一条第一項に三号を加える改正規定（同項第五号に係る部分に限る。）、第三十四条に三号を加える改正規定（同条第五号に係る部分に限る。）、第三十五条の改正規定（「昭和十五年六月（ドイツ協定」の下に「、オランダ協定又はチェコ協定」を加える部分（オランダ協定に係る部分に限る。）に限る。）、第三十八条の改正規定（「昭和十五年六月（ドイツ協定」の下に「、オランダ協定又はチェコ協定」を加える部分（オランダ協定に係る部分に限る。）に限る。）、第四十条の改正規定（オランダ協定に係る部分に限る。）、第四十二条第二項、第四十四条第二項及び第四十六条第二項の改正規定、第五章を第六章とする改正規定並びに第四章の次に一章を加える改正規定〔中略〕　オランダ協定の効力発生の日〔平二一・三・一〕

四　前三号に掲げる規定以外の規定　チェコ協定の効力発生の日〔平二一・六・一〕

附　則（平二一・一二・二八政令三一〇）（抄）

（施行期日）

第一条　この政令は、法の施行の日（平成二十二年一月一日）から施行する。

附　則（平二二・九・一政令一九一）（抄）

この政令は、次の各号に掲げる規定ごとに、それぞれ当該各号に定める日から施行する。

一　第一条中社会保障協定の実施に伴う厚生年金保険法等の特例等に関する政令第二条第四十号及び第四十一号の改正規定、同条に二号を加える改正規定（同条第五十一号に係る部分に限る。）、同令第三十四条に二号を加える改正規定（同条第七号に係る部分に限る。）、同令第六十一条に二号を加える改正規定（同条第五号に係る部分に限る。）、同令第七十二条に二号を加える改正規定（同条第五号に係る部分に限る。）、同令第九十五条に二号を加える改正規定（同条第九号に係る部分に限る。）、同令第九十六条（見出しを含む。）の改正規定（同条第三号に係る部分を除く。）、同条の次に一条を加える改正規定、同令第九十七条に二号を加える改正規定（同条第九号に係る部分に限る。）、同令第九十八条の表に次のように加える改正規定（同表九の項に係る部分に限る。）、同令第百九条第二号の改正規定並びに同令第百二十九条第一項第二号の改正規定〔中略〕　社会保障に関する日本国とスペインとの間の協定の効力発生の日〔平二二・一二・一〕

二　前号に掲げる規定以外の規定　社会保障に関する日本国政府とアイルランド政府との間の協定の効力発生の日〔平二二・一二・一〕

附　則（平二三・一一・二八政令三五九）（抄）

改正　平二五・一二・一三政令三四五

この政令は、次の各号に掲げる規定ごとに、それぞれ当該各号に定める日から施行する。

一　第一条中社会保障協定の実施に伴う厚生年金保険法等の特例等に関する政令第二条第四十三号の改正規定、同条に二号を加える改正規定（同条第五十三号に係る部分に限る。）、同令第二十一条第一項に二号を加える改正規定（同項第八号に係る部分に限る。）、同令第三十二条に一号を加える改正規定、同令第四十九条第二項の改正規定、同令第五十条の改正規定（同条第十四号に係る部分を除く。）、同令第五十一条の改正規定、同令第六十一条に二号を加える改正規定（同条第七号に係る部分に限る。）、同令第七十四条の次に二条を加える改正規定、同令第八十四条の改正規定（「又はアイルランド協定」を「、アイルランド協定又はスイス協定」に改める部分を除く。）、同令第九十四条第二号の改正規定、同令第九十五条に二号を加える改正規定（同条第十一号に係る部分に限る。）、同令第九十六条に一号を加える改正規定、同令第九十七条に二号を加える改正規定（同条第十一号に係る部分に限る。）、同令第九十八条の表に次のように加える改正規定（同表十一の項に係る部分に限る。）及び同令第百二十七条の改正規定（「又はアイルランド協定」を「、アイルランド協定又はスイス協定」に改める部分を除く。）〔中略〕　社会保障に関する日本国とブラジル連邦共和国との間の協定の効力発生の日〔平二四・三・一〕

二　前号に掲げる規定以外の規定　社会保障に関する日本国とスイス連邦との間の協定の効力発生の日〔平二四・三・一〕

附　則（平二五・六・二八政令二一〇）（抄）

（施行期日）

1　この政令は、公的年金制度の健全性及び信頼性の確保のための厚生年金保険法等の一部を改正する法律附則第一条第二号に掲げる規定の施行の日（平成二十五年七月一日）から施行する。〔ただし書略〕

附　則（平二五・一二・一三政令三四五）（抄）

（施行期日）

1　この政令は、次の各号に掲げる規定ごとに、それぞれ当該各号に定める日から施行する。

一　第一条中社会保障協定の実施に伴う厚生年金保険法等の特例等に関する政令第二条に二号を加える改正規定（同条第五十五号に係る部分に限る。）、同令第九条第一項ただし書及び第十条の二第一項ただし書の改正規定、同令第二十一条第一項に二号を加える改正規定（同項第十号に係る部分に限る。）、同令第二十四条の二の改正規定、同令第三十四条に一号を加える改正規定、同令第三十五条、第三十八条及び第四十条の改正規定、同令第五十条に二号を加える改正規定（同条第十五号に係る部分に限る。）、同令第五十七条の二の改正規定、同令第七十二条に一号を加える改正規定、同令第七十三条第一項、第三項及び第四項、第七十七条第一項及び第三項、第八十四条第三項並びに第八十八条の二及び第九十二条の二の改正規定、同令第九十五条に二号を加える改正規定（同条第十三号に係る部分に限る。）、同令第九十六条に一号を加える改正規定、同令第九十七条に二号を加える改正規定（同条第十三号に係る部分に限る。）、同令第九十八条の表に次のように加える改正規定（同表十三の項に係る部分に限る。）、同令第百一条の三の改正規定、同条を同令第百一条の四とし、同令第百一条の二の次に一条を加える改正規定並びに同令第百五条、第百八条、第百十三条の二及び第百十五条の二、第百十九条第一項及び第三項、第百二十三条第一項及び第三項、第百二十七条第三項並びに第百三十四条の二及び第百三十九条の二の改正規定〔中略〕並びに第五条の規定〔中略〕　社会保障に関する日本国とハンガリーとの間の協定の効力発生の日〔平二六・一・一〕

二　前号に掲げる規定以外の規定　社会保障に関する日本国とインド共和国との間の協定の効力発生の日〔平二八・一〇・一〕

附　則（平二六・一・一六政令九）（抄）

（施行期日）

1　この政令は、平成二十六年四月一日から施行する。

附　則（平二六・三・二四政令七三）（抄）

（施行期日）

第一条　この政令は、公的年金制度の健全性及び信頼性の確保のための厚生年金保険法等の一部を改正する法律（以下「平成二十五年改正法」という。）の施行の日（平成二十六年四月一日）から施行する。

附　則（平二七・九・三〇政令三四二）（抄）

（施行期日）

第一条　この政令は、平成二十七年十月一日から施行する。

附　則（平二九・五・八政令一四四）

この政令は、社会保障に関する日本国とルクセンブルク大公国との間の協定の効力発生の日〔平二九・八・一〕から施行する。

附　則（平二九・七・二八政令二一四）（抄）

（施行期日）

第一条　この政令は、平成二十九年八月一日から施行する。〔ただし書略〕

附　則（平三〇・五・七政令一六四）

この政令は、社会保障に関する日本国とフィリピン共和国との間の協定の効力発生の日〔平三〇・八・一〕から施行する。

附　則（平三一・二・一五政令二五）

この政令は、社会保障に関する日本国とスロバキア共和国との間の協定の効力発生の日〔平三一・七・一〕から施行する。ただし、第二条に二号を加える改正規定（同条第六十一号に係る部分に限る。）、第五十条に二号を加える改正規定（同条第二十号に係る部分に限る。）及び第八十九条に一号を加える改正規定は、社会保障に関する日本国政府と中華人民共和国政府との間の協定の効力発生の日〔令元・九・一〕から施行する。

附　則（平三一・四・五政令一四六）（抄）

改正　令二・三・三一政令一三八

（施行期日）

第一条　この政令は、平成三十年改正法の施行の日（令和二年四月一日）から施行する。

附　則（令三・八・六政令二二九）（抄）

（施行期日）

第一条　この政令は、令和四年四月一日から施行する。〔ただし書略〕

附　則（令三・一〇・二九政令三〇四）

この政令は、社会保障に関する日本国とフィンランド共和国との間の協定の効力発生の日〔令四・二・一〕から施行する。

附　則（令四・一・二六政令二三）

この政令は、社会保障に関する日本国とスウェーデン王国との間の協定の効力発生の日〔令四・六・一〕から施行する。

附　則（令五・一〇・二五政令三〇八）

この政令は、社会保障に関する日本国とイタリア共和国との間の協定の効力発生の日〔令六・四・一〕から施行する。

○国家公務員共済組合法施行規則

昭三三・一〇・一
大蔵令五四

改正
昭三四・三・二大蔵令一二
昭三四・五・一四大蔵令三七
昭三四・一〇・一大蔵令六八
昭三五・一二・二八大蔵令六七
昭三六・六・一九大蔵令四〇
昭三六・一一・一大蔵令七〇
昭三七・一〇・九大蔵令五八
昭三八・六・一七大蔵令三六
昭三九・一〇・一大蔵令六八
昭四〇・六・一大蔵令四〇
昭四一・四・一大蔵令二四
昭四一・四・一大蔵令二五
昭四一・一一・一〇大蔵令六五
昭四二・三・二五大蔵令九
昭四二・八・三一大蔵令五六
昭四三・一一・一九大蔵令五六
昭四四・三・二七大蔵令一〇
昭四四・九・一大蔵令四八
昭四四・一〇・一大蔵令五三
昭四五・三・三一大蔵令一一
昭四五・九・三〇大蔵令六七
昭四六・三・三〇大蔵令一〇
昭四六・一〇・三〇大蔵令七五
昭四七・三・二九大蔵令一一
昭四七・五・一五大蔵令四八
昭四七・九・三〇大蔵令七二
昭四八・七・二四大蔵令四一
昭四八・一〇・一大蔵令四六
昭四八・一〇・二二大蔵令五二
昭四八・一二・二一大蔵令六四
昭四八・一二・二七大蔵令六七
昭四九・六・二五大蔵令三九
昭四九・八・三一大蔵令四九
昭五〇・九・二九大蔵令三五
昭五〇・一一・二〇大蔵令四六
昭五一・七・一九大蔵令二〇
昭五一・一一・二九大蔵令三三
昭五二・八・二〇大蔵令三六
昭五三・九・八大蔵令五三
昭五五・三・一一大蔵令八
昭五五・七・三大蔵令三二
昭五五・九・二九大蔵令三八
昭五六・三・二〇大蔵令三
昭五六・三・二八大蔵令四
昭五六・六・二〇大蔵令三五
昭五六・七・二三大蔵令四一
昭五七・六・二大蔵令三三
昭五七・九・二五大蔵令五一
昭五八・二・一大蔵令一
昭五九・三・一七大蔵令三
昭五九・三・三〇大蔵・文部・厚生・農林水産・自治令一
昭五九・九・二一大蔵令三六
昭五九・九・二九大蔵令四二
昭五九・一二・三大蔵令四五
昭六〇・三・五大蔵令七
昭六〇・三・三〇大蔵令一一
昭六〇・一二・二一大蔵令六〇
昭六一・三・三一大蔵令八
昭六一・四・三〇大蔵令一九
昭六二・三・二七大蔵令一二
昭六二・六・二七大蔵令三四
昭六二・一〇・一大蔵令五二
昭六三・一二・一五大蔵令四六
平元・四・六大蔵令四三
平元・一二・二七大蔵令七七
平二・三・二八大蔵令七
平三・三・二五大蔵令九
平五・七・一五大蔵令七二
平六・八・三一大蔵令八二
平六・九・三〇大蔵令一〇一
平六・一一・一六大蔵令一〇九
平七・三・二九大蔵令一七
平七・三・三一大蔵令二七
平七・六・二九大蔵令四四
平七・七・三一大蔵令五四
平八・三・二九大蔵令一六
平八・六・二八大蔵令三七
平九・三・二八大蔵令二〇
平九・八・二八大蔵令六七
平一〇・三・三一大蔵令四二
平一一・三・三一大蔵令二九
平一一・八・六大蔵令七七
平一二・二・二八大蔵令六
平一二・三・一七大蔵令一三
平一二・三・三一大蔵令四四
平一二・三・三一大蔵令四五
平一二・八・二一大蔵令六九
平一二・一二・四大蔵令八五
平一二・一二・二八大蔵令九三
平一三・三・二三大蔵令一七
平一三・三・三〇財務令二四
平一四・三・二九財務令一八
平一四・九・三〇財務令五二
平一五・一・三一財務令一
平一五・二・二八財務令六
平一五・三・三一財務令二五
平一五・五・一財務令五六
平一五・六・一三財務令六一
平一五・一二・二五財務令一一〇
平一六・三・三一財務令二三
平一六・三・三一財務令二四
平一六・六・三〇財務令四九
平一六・九・三〇財務令六三
平一六・一二・二八財務令八〇
平一七・三・三一財務令二五
平一八・三・三一財務令一五
平一八・九・一五財務令五六
平一八・九・二八財務令六〇
平一八・九・二九財務令六一
平一九・一・四財務令一
平一九・三・二九財務令一〇
平一九・三・三〇財務令一一
平一九・九・一四財務令四八
平一九・九・一四財務令四九
平一九・九・二一財務令五二
平一九・九・二八財務令五七
平二〇・三・三一財務令一六
平二〇・三・三一財務令一八
平二〇・九・三〇財務令六一
平二〇・一二・一財務令七六
平二〇・一二・二二財務令八四
平二〇・一二・二二財務令八五
平二〇・一二・二五財務令八七
平二一・一・二三財務令三
平二一・三・三一財務令一三
平二一・四・三〇財務令三五
平二一・八・二〇財務令五九
平二一・一二・二八財務令七四
平二一・一二・二八財務令七六
平二三・三・三一財務令二四
平二二・四・三〇財務令三七
平二三・六・二九財務令四三
平二三・三・一八財務令四
平二三・三・二八財務令七
平二三・三・二九財務令八
平二三・五・三一財務令二六
平二三・九・八財務令六二
平二四・一・三一財務令一
平二四・三・二八財務令一七
平二五・三・二七財務令一八
平二五・三・二九財務令一三
平二六・三・二八財務令一七
平二六・五・二九財務令四五
平二六・九・二五財務令七七
平二六・一二・二二財務令九八
平二七・三・三一財務令一七
平二七・三・三一財務令一八
平二七・六・二四財務令五九
平二七・九・三〇財務令七三
平二七・一〇・一六財務令八一
平二八・三・四財務令七
平二八・三・三一財務令一三
平二八・九・一二財務令六五
平二八・一二・二八財務令八五
平二九・二・二八財務令二
平二九・三・三一財務令九
平二九・五・一九財務令四〇
平二九・五・二九財務令四三
平二九・七・三一財務令五二
平二九・一一・九財務令五九
平三〇・三・二財務令三
平三〇・六・二九財務令四六
平三〇・七・三〇財務令五八
平三〇・一二・二八財務令七一
平三一・三・二九財務令三
令元・五・七財務令一
令元・五・一五財務令二
令元・六・二四財務令七
令元・八・三〇財務令二〇
令元・九・六財務令二五
令元・一一・一財務令三〇
令元・一二・一三財務令三八
令二・六・一二財務令四八
令二・九・三〇財務令六六
令二・一〇・二六財務令六七
令二・一二・一一財務令七八
令二・一二・二五財務令九二
令三・一・二九財務令二
令三・八・三一財務令六二
令三・一二・二八財務令八四
令四・三・三一財務令七
令四・三・三一財務令八
令四・六・二四財務令四三
令四・八・三財務令四五
令四・九・三〇財務令四九
令五・三・三〇財務令四
令五・九・二九財務令五三
令六・二・二八財務令五
令六・三・二九財務令一一
令六・四・三〇財務令四〇
令六・五・二七財務令四二

国家公務員共済組合法の規定に基き、及び同法を実施するため、国家公務員共済組合法施行規則を次のように定める。

目次

第一章　総則

（趣旨）

第一条　この省令は、国家公務員共済組合及び国家公務員共済組合連合会の財務その他の運営に関し必要な事項を定めるとともに、国家公務員共済組合法（昭和三十三年法律第百二十八号。以下「法」という。）及び国家公務員共済組合法の長期給付に関する施行法（昭和三十三年法律第百二十九号。以下「施行法」という。）の実施のための手続その他法及び施行法の執行に関して必要な細則を定めるものとする。

（定義）

第二条　この省令において、「行政執行法人」、「職員」、「被扶養者」、「遺族」、「退職」、「報酬」、「期末手当等」、「組合」、「組合の代表者」、「運営規則」、「事業計画」、「予算」、「連合会」、「独立行政法人」、「国立大学法人等」、「組合員」、「組合員期間」、「短期給付」、「地方の組合」、「長期給付」、「厚生年金保険給付」、「退職等年金給付」、「福祉事業」、「組合員等記号・番号等」、「組合員等記号・番号」、「社会保険診療報酬支払基金」、「船員組合員」、「公庫等」、「公庫等職員」、「特定公庫等」、「特定公庫等役員」、「継続長期組合員」、「組合職員」、「連合会役職員」、「任意継続組合員」若しくは「任意継続掛金」、「恩給公務員期間」又は「在外組合員」とは、それぞれ法第一条第二項、第二条第一項第一号から第六号まで、第三条第一項、第八条第二項、第十一条、第十五条、第二十一条、第三十一条第一号、第三十七条、第三十八条、第五十二条、第五十五条第一項第二号、第七十二条第一項、第七十三条第一項、第七十四条、第九十八条、第百十二条の二第一項、第百十四条の二第一項、第百十九条、第百二十四条の二第一項若しくは第二項、第百二十五条、第百二十六条第一項若しくは第百二十六条の五第二項、施行法第二条第十号又は国家公務員共済組合法施行令（昭和三十三年政令第二百七号。以下「令」という。）第二十二条の二第一項に規定する行政執行法人、職員、被扶養者、遺族、退職、報酬、期末手当等、組合、組合の代表者、運営規則、事業計画、予算、連合会、独立行政法人、国立大学法人等、組合員、組合員期間、短期給付、地方の組合、長期給付、厚生年金保険給付、退職等年金給付、福祉事業、組合員等記号・番号等、組合員等記号・番号、社会保険診療報酬支払基金、船員組合員、公庫等、公庫等職員、特定公庫等、特定公庫等役員、継続長期組合員、組合職員、連合会役職員、任意継続組合員若しくは任意継続掛金、恩給公務員期間又は在外組合員をいう。

（令第二条第一項第九号ロの財務省令で定めるもの）

第二条の二　令第二条第一項第九号ロの財務省令で定めるものは、健康保険法（大正十一年法律第七十号）第三条第一項第九号ロに規定する最低賃金法（昭和三十四年法律第百三十七号）第四条第三項各号に掲げる賃金に相当するものとして厚生労働省令で定めるものとする。

（令第二条第一項第九号ハの財務省令で定める者）

第二条の三　令第二条第一項第九号ハの財務省令で定める者は、健康保険法第三条第一項第九号ハに規定する厚生労働省令で定める者とする。

（令第二条第二項第三号の財務省令で定める規定）

第二条の四　令第二条第二項第三号の財務省令で定める規定は、次に掲げる規定とする。

一　人事院規則八―一二（職員の任免）第四十二条第二項

二　一般職の任期付研究員の採用、給与及び勤務時間の特例に関する法律（平成九年法律第六十五号）第三条第一項

三　国と民間企業との間の人事交流に関する法律（平成十一年法律第二百二十四号）第十九条第一項

四　一般職の任期付職員の採用及び給与の特例に関する法律（平成十二年法律第百二十五号）第三条第一項又は第二項

五　科学技術・イノベーション創出の活性化に関する法律（平成二十年法律第六十三号）第十四条第一項（同条第二項の規定により任期を定める場合に限る。）

六　国家公務員の配偶者同行休業に関する法律（平成二十五年法律第七十八号）第七条第一項第一号

七　国家公務員法等の一部を改正する法律（令和三年法律第六十一号）附則第四条第一項又は第二項

（被扶養者）

第二条の五　法第二条第一項第二号に規定する健康保険法第三条第七項ただし書に規定する特別の理由がある者に準じて財務省令で定める者は、次に掲げる者とする。

一　日本の国籍を有しない者であつて、出入国管理及び難民認定法（昭和二十六年政令第三百十九号。以下「入管法」という。）第七条第一項第二号の規定に基づく入管法別表第一の五の表の下欄に掲げる活動として法務大臣が定める活動のうち、本邦に相当期間滞在して、病院若しくは診療所に入院し疾病若しくは傷害について医療を受ける活動又は当該入院の前後に当該疾病若しくは傷害について継続して医療を受ける活動を行うもの及びこれらの活動を行う者の日常生活上の世話をする活動を行うもの

二　日本の国籍を有しない者であつて、入管法第七条第一項第二号の規定に基づく入管法別表第一の五の表の下欄に掲げる活動として法務大臣が定める活動のうち、本邦において一年を超えない期間滞在し、観光、保養その他これらに類似する活動を行うもの

2　法第二条第一項第二号に規定する日本国内に生活の基礎があると認められるものとして財務省令で定めるものは、次に掲げる者とする。

一　外国において留学をする学生

二　外国に赴任する組合員に同行する者

三　観光、保養又はボランティア活動その他就労以外の目的で一時的に海外に渡航する者

四　組合員が外国に赴任している間に当該組合員との身分関係が生じた者であつて、第二号に掲げる者と同等と認められるもの

五　前各号に掲げる者のほか、渡航目的その他の事情を考慮して日本国内に生活の基礎があると認められる者

第二章　組合

第一節　運営規則

（運営規則）

第三条　組合は、法第十一条第一項の規定により、次の各号に掲げる事項を運営規則で定めなければならない。

一　組合の事業を執行する権限の委任に関する事項

二　医療機関又は薬局との契約に関する事項

三　削除

四　給付の請求、決定及び支払に関する事項

五　福祉事業の運営に関する事項

六　法第十三条に規定する組合に使用され、その事務に従事する者及び組合職員の範囲に関する事項

七　法令又は定款の規定により運営規則で定めることとされている事項

八　前各号に掲げるもののほか、組合の業務の執行に関して必要な事項

第二節　財務

第一款　通則

（会計組織）

第四条　組合の経理は、本部（法第五条第一項に規定する主たる事務所をいう。以下同じ。）、支部（同条第二項に規定する従たる事務所をいう。以下同じ。）及び所属所（本部又は支部の所轄機関をいう。以下同じ。）の別に従つて設ける会計単位並びに組合の行う事業の種類ごとに

設ける経理単位に区分して行うものとする。

（会計単位）

第五条　前条の会計単位は、本部会計、支部会計及び所属所会計とする。

2　本部会計は、本部及び本部に属する所属所（第四項の規定により所属所会計の設けられる所属所（以下「単位所属所」という。）を除く。）の経理を行い、本部、支部及び本部に属する単位所属所の経理を統轄する会計とする。

3　支部会計は、支部及び支部に属する単位所属所以外の所属所の経理を行い、支部及び支部に属する単位所属所の経理を統轄する会計とする。

4　所属所会計は、組合の代表者が特に必要があると認める場合において設けるものとし、所属所の経理を行う会計とする。

（経理単位）

第六条　第四条の経理単位は、次の各号に掲げる経理単位とし、各経理単位においては、当該各号に規定する取引を経理するものとする。

一　短期経理　短期給付及びこれに準ずる給付並びに高齢者の医療の確保に関する法律（昭和五十七年法律第八十号）第三十六条第一項に規定する前期高齢者納付金等並びに同法第百十八条第一項の規定による後期高齢者支援金及び後期高齢者関係事務費拠出金並びに同法第百二十四条の五第一項の規定による出産育児関係事務費拠出金（以下「後期高齢者支援金等」という。）、介護保険法（平成九年法律第百二十三号）第百五十条第一項に規定する納付金（以下「介護納付金」という。）、感染症の予防及び感染症の患者に対する医療に関する法律（平成十年法律第百十四号）第三十六条の十四第三項に規定する流行初期医療確保拠出金等並びに法附則第十四条の三第二項の特別拠出金及び同条第三項第一号の調整拠出金に関する取引（組合の資産、負債及び基本金の増減及び異動の原因となる一切の事実をいい、会計単位間及び経理単位間におけるものを含む。以下同じ。）

二　厚生年金保険経理　厚生年金保険給付及びこれに準ずる給付並びに厚生年金保険法（昭和二十九年法律第百十五号）第八十四条の五第一項に規定する拠出金、国民年金法（昭和三十四年法律第百四十一号）第九十四条の二第二項に規定する基礎年金拠出金及び法第百二条の二に規定する財政調整拠出金（法第百二条の三第一項第一号から第三号までに掲げる場合に行われるものに限る。）に関する取引

二の二　退職等年金経理　退職等年金給付及び法第百二条の二に規定する財政調整拠出金（法第百二条の三第一項第四号に掲げる場合に行われるものに限る。）に関する取引

三　業務経理　法第九十九条第五項に規定する組合の事務に関する取引

四　保健経理　法第九十八条第一項第一号に規定する組合員及びその被扶養者の健康教育、健康相談、健康診査その他の健康の保持増進のための必要な事業、同項第一号の二に規定する特定健康診査等並びに同項第二号に規定する組合員の保養及び教養に資する施設の経営に関する取引（医療施設及び宿泊施設に係るものを除く。）

五　医療経理　法第九十八条第一項第一号に規定する組合員及びその被扶養者の健康教育、健康相談、健康診査その他の健康の保持増進のための必要な事業のうち医療施設の経営に関する取引

六　宿泊経理　法第九十八条第一項第二号に規定する組合員の利用に供する宿泊施設の経営に関する取引

七　住宅経理　法第九十八条第一項第三号に規定する組合員の利用に供する住宅の取得、管理又は貸付けに関する取引

八　貯金経理　法第九十八条第一項第四号に規定する組合員の貯金の受入又はその運用に関する取引

九　貸付経理　法第九十八条第一項第五号に規定する組合員の臨時の支出に対する貸付けに関する取引

十　物資経理　法第九十八条第一項第六号に規定する組合員の需要する生活必需物資の供給に関する取引

2　法第九十八条第一項第七号に規定する事業に係る取引の経理は、前項の規定にかかわらず、財務大臣が定める経理単位（以下「指定経理」という。）により行うものとする。ただし、財務大臣は、前項各号に掲げる経理単位において当該事業に係る取引の経理を合わせて行うことが適当と認める場合においては、当該経理単位においてその取引の経理を行わせることができる。

（業務経理又は福祉経理の財源）

第七条　法第九十九条第一項第一号に規定する事務に要する費用に充てるべき金額は、短期経理から業務経理に繰り入れなければならない。

2　保健経理、医療経理、宿泊経理、住宅経理、貯金経理、貸付経理、物資経理及び指定経理（以下「福祉経理」と総称する。）に属する経理単位の財源は、福祉経理に属する他の経理単位の前事業年度における剰余金に相当する金額の範囲内において、財務大臣の承認を受けて当該他の経理単位から繰り入れられる金額を財源とすることができる。

3　法第九十九条に規定する福祉事業に要する費用に充てるべき掛金及び国、行政執行法人、法科大学院への裁判官及び検察官その他の一般職の国家公務員の派遣に関する法律（平成十五年法律第四十号）第三条第一項に規定する法科大学院設置者（以下「法科大学院設置者」という。）、法第九十九条第六項に規定する職員団体（以下「職員団体」という。）又は法附則第二十条の二第一項に規定する郵政会社等（以下「郵政会社等」という。）の負担金は、保健経理に受け入れたのち、これを福祉経理に属する他の経理単位に繰り入れることができる。

（管理責任）

第八条　組合の代表者、会計単位の長（本部、支部及び単位所属所の長をいう。以下同じ。）、第二十条に規定する出納職員及び第二十五条に規定する契約担当者並びにこれらの者の補助者は、組合の行う事業の経理について、善良な管理者の注意を払わなければならない。

第二款　資産管理

（資産の価額）

第九条　組合の資産の価額は、取得価額によるものとし、取得価額が不明のものは、見積価額によるものとする。ただし、第六十五条及び第六十七条に規定する場合には、それぞれ当該規定の定めるところによる。

2　売渡を目的として取得した不動産で、割賦で代金を収納し、その完納後において、当該財産を引き渡すことを契約したものの価額は、前項の規定にかかわらず、その取得価額から取得価額に対してその売渡価額に対する収納金額の割合を乗じて得た金額を控除して得た金額とする。

（資産の保管）

第十条　組合の資産の保管は、次の各号に定めるところにより行わなければならない。

一　現金、預金通帳又は信託証書、預り証書その他これらに準ずる証書は、厳重な鍵のかかる容器に保管しなければならない。

二　国債、地方債、特別の法律により法人の発行する債券、貸付信託又は証券投資信託の受益証券その他の有価証券（以下「有価証券」という。）は、銀行、信託会社（信託業法（平成十六年法律第百五十四号）第三条又は第五十三条第一項の免許を受けたものに限る。第八十五条の七第一項において同じ。）、信託業務を営む金融機関（金融機関の信託業務の兼営等に関する法律（昭和十八年法律第四十三号）第一条第一項の認可を受けた金融機関をいう。第八十五条の七第一項において同じ。）若しくは金融商品取引法（昭和二十三年法律第二十五号）第二条第八項に規定する金融商品取引業を行う者に保護預けをし、社債、株式等の振替に関する法律（平成十三年法律第七十五号）に規定する振替口座簿への記載若しくは記録をし、又は日本銀行その他の登録機関に登録をしなければならない。

三　前各号に掲げる動産以外の動産は、その取扱責任者を明らかにして保管し、かつ、当該動産のうち福祉経理に属するものについては、損害保険に付しておかなければならない。

四　不動産は、登記をし、かつ、土地については常時その境界を明らかにし、土地以外の不動産については損害保険に付しておかなければならない。

2　組合は、第七十四条の規定により災害補てん引当金を計上した場合には、前項第三号及び第四号の規定による損害保険に付さないことができる。

（資金の集中）

第十一条　支部又は単位所属所の長は、余裕金のうち、当該支部又は単位所属所の行う事業に必要な当座の支払資金を除いたものを、すべて経理単位ごとに統轄する会計単位の長に送金しなければならない。

（資金の運用）

第十二条　令第八条第一項第一号に規定する財務大臣の指定する金融機関は、臨時金利調整法（昭和二十二年法律第百八十一号）第一条第一項に規定する金融機関（銀行を除く。）とする。

2　令第八条第一項の規定により業務上の余裕金を同項第一号に掲げるものに運用する場合には、余裕金のうち、当座の支払資金については、同号に規定する金融機関への短期の預金とし、その他の資金にあつては、長期の銀行預金とするものとする。

3　令第八条第一項第三号に規定する財務省令で定める有価証券は、次に掲げるものとする。

一　特別の法律により法人の発行する債券

二　資産の流動化に関する法律（平成十年法律第百五号）に規定する特定社債券（当該特定社債に係る特定資産が連合会の譲渡する信託受益権であるものに限る。）

三　社債券（担保付社債券その他確実と認められるものに限る。）

四　公社債投資信託（投資信託及び投資法人に関する法律（昭和二十六年法律第百九十八号）第二条第四項に規定する証券投資信託のうち、その信託財産を公社債に対する投資として運用することを目的とするもので、株式又は出資に対する投資として運用しないものをいう。以下同じ。）の受益証券

五　貸付信託の受益証券

六　外国の政府、地方公共団体、特別の法律により設立された法人又は国際機関が発行する債券（元本が本邦通貨で支払われるものに限る。）

（経理単位の余裕金）

第十三条　各経理単位（厚生年金保険経理及び退職等年金経理を除く。）の余裕金は、予算の定めるところにより他の経理単位に貸し付けることができる。

（貯金経理の資産の構成）

第十三条の二　組合が保有する貯金経理の資産のうち、次の各号に掲げる資産の価額は、常時、第一号にあつては同号に掲げる額以上、第二号及び第三号にあつては当該各号に掲げる額以内でなければならない。

一　現金、当座預金、普通預金、通知預金又は定期預金（預入期間が一年未満のものに限る。）　前月末日において当該組合が寄託を受けている貯金のうち普通貯金（預入及び払もどしについて特別の条件を附けないものをいう。）の残高に百分の四を乗じて得た額と同日において当該組合が寄託を受けている積立貯金（一定のすえ置期間を定め、一定の金額をその期間内に毎月預入するものをいう。）、定額貯金（一定のすえ置期間を定め、分割払いもどしをしない条件で一定の金額を一時に預入するものをいう。）及び定期貯金（一定の預入期間を定め、その期間内には払いもどしをしない条件で一定の金額を一時に預入するものをいう。）の残高に百分の一を乗じて得た額との合計額

二　公社債投資信託　前月末日において当該組合が寄託を受けている貯金（保険料相当額として預入されたものを除く。以下次号において同じ。）の残高に百分の五を乗じて得た額

三　固定資産　前月末日において当該組合が寄託を受けている貯金の残高に百分の二を乗じて得た額

2　前項各号に掲げる資産の構成額が当該資産の価格の変動その他当該組合の意思に基づかない理由により、同項に規定する額と異なることとなつた場合には、当該組合は、同項の規定にかかわらず、その異なることとなつた額によることができる。この場合において、当該組合は、同項の趣旨に従つて、漸次、その額を改めなければならない。

（債権の放棄等）

第十四条　組合の債権は、その全部若しくは一部を放棄し、又はその効力を変更することができない。ただし、債権を行使するため必要とする費用がその債権の額をこえるとき、債権の効力の変更が明らかに組合に有利であるとき、その他やむを得ない理由がある場合において財務大臣の承認を受けたときは、この限りでない。

（資産の交換等の制限）

第十五条　組合の資産は、この省令で定めるもののほか、これを交換し、適正な対価なくして譲渡し、若しくは貸し付け、担保に供し、又は支払手段として用いてはならない。ただし、組合の目的を達成するため必要な場合において財務大臣の承認を受けたときは、この限りでない。

第三款　出納職員

（出納役）

第十六条　会計単位の長は、その所属の職員又は組合職員のうちから出納役を任命し、取引の命令に関する事務をつかさどらせるものとする。

2　組合の代表者は、必要があると認める場合には、会計単位の長をして、経理単位ごとに出納役を任命させることができる。

（出納主任）

第十七条　会計単位の長は、その所属の職員又は組合職員のうちから出納主任を任命し、出納役の命ずるところにより取引の遂行、資産の保管及び帳簿その他の証ひよう書類の保存に関する事務をつかさどらせるものとする。

2　組合の代表者は、必要があると認める場合には、会計単位の長をして、経理単位ごとに出納主任を任命させることができる。

（代理出納役等）

第十八条　会計単位の長は、必要があると認める場合には、出納役若しくは出納主任の事務の全部を代理する代理出納役若しくは代理出納主任又はその事務の一部を分掌する分任出納役若しくは分任出納主任を任命することができる。

（出納員）

第十八条の二　会計単位の長は、単位所属所以外の所属所において、特に必要があると認める場合には、その所属の職員又は組合職員のうちから出納員を任命し、出納役の命令するところによる取引の遂行、資産の保管及び帳簿その他の証ひよう書類の保存に関する事務をつかさどらせるものとする。

2　組合の代表者は、必要があると認める場合には、会計単位の長をして、経理単位ごとに出納員を任命させることができる。

（官職等を指定する方法による出納職員の任命）

第十八条の三　会計単位の長は、第十六条から前条までにおいて、その所属の職員又は組合職員について官職又は役職を指定することにより、その官職又は役職にある者を出納役（代理出納役及び分任出納役を含む。以下同じ。）又は出納主任（代理出納主任、分任出納主任及び出

納員を含む。以下同じ。）とすることができる。この場合においては、会計単位の長は、あらかじめ組合の代表者に協議しなければならない。

（出納職員の兼任の禁止等）

第十九条 出納役と出納主任とは兼任することはできない。ただし、組合の代表者が特別の必要があると認める場合には、この限りでない。

（出納職員の任免報告）

第二十条 会計単位の長は、出納役及び出納主任（以下「出納職員」という。）を任免した場合には、組合の代表者に報告しなければならない。ただし、第十八条の三の規定を適用している場合には、この限りでない。

2 前項本文の規定により会計単位の長が組合の代表者に報告する場合において、統轄する会計単位の長があるときは、当該会計単位の長を経由して行うものとする。

（出納職員の事故報告）

第二十一条 会計単位の長は、出納職員がその保管する資産又は第五十七条に規定する帳簿を亡失したときは、遅滞なく、その事実を調査し、次に掲げる事項を明らかにしてこれを組合の代表者に報告するとともに、本省支部及び本庁支部以外の支部及び単位所属所にあつては、当該報告書の写しを当該支部又は単位所属所の所在地の所轄財務局長（当該所在地が、福岡財務支局の管轄に属するときは福岡財務支局長。第三項において「関係財務局長等」という。）に報告しなければならない。

一 事故物件

二 事故の日時及び場所

三 事故の具体的事項

四 平素における事故物件の管理状況

五 被害物件に係る直接担当者及びその直接監督責任者

六 損害に対する賠償責任者

七 警察又は検察当局に対する連絡状況及びこれらの機関の執つた処置

八 事故の発生に対して執つた具体的善後措置

九 事故の発生にかんがみ制度上及び運営上の欠陥並びにこれらの改善に関する具体的意見

十 前各号に掲げるもののほか、必要な事項

2 組合の代表者は、前項の規定による報告を受けた場合には、当該事故に関する自己の所見及び処置した事項とともに、遅滞なく、これを財務大臣に報告しなければならない。

3 関係財務局長等は、第一項の規定による報告書の写の提出を受けた場合には、当該事故に関する自己の所見とともに、遅滞なく、これを財務大臣に提出しなければならない。

4 前条第二項の規定は、第一項の規定による報告について準用する。

第四款 事業計画及び予算

（事業計画及び予算の認可）

第二十二条 組合の代表者は、毎事業年度、経理単位ごとに、事業計画及び予算を作成し、これを前事業年度の二月末日までに財務大臣に提出しなければならない。

（事業計画の内容）

第二十三条 事業計画には、次の各号に掲げる事項を明らかにしなければならない。

一 組合員の数、標準報酬の月額（法第五十二条に規定する標準報酬の月額をいう。以下同じ。）、標準期末手当等の額（法第四十一条第一項に規定する標準期末手当等の額をいう。以下同じ。）並びに被扶養者及び国民年金法第七条第一項第三号に規定する被扶養配偶者の数

二 組合に使用される者の数、支部及び所属所の現況並びに当該事業年度に予定される異動

三 短期経理における給付並びに法第百条第三項に規定する標準報酬の月額及び標準期末手当等の額と掛金（短期給付及び介護納付金に係るものに限る。）との割合の前々事業年度の実績並びに前事業年度及び当該事業年度の推計並びに当該事業年度の資金計画

四 業務経理における当該事業年度の資金計画

五 保健経理における事業の種類、施設の現況、当該事業年度における施設の設置及び廃止に関する事項、施設の利用状況及び利用料金並びに当該事業年度の資金計画

六 宿泊経理における施設の種類及び現況、当該事業年度における施設の設置及び廃止に関する事項、施設の利用状況及び利用料金並びに当該事業年度の資金計画

七 医療経理における施設の現況、当該事業年度における施設の設置及び廃止に関する事項、施設の利用状況及び利用料金並びに当該事業年度の資金計画

八 住宅経理における施設の現況、当該事業年度における施設の設置及び廃止に関する事項、施設の利用状況及び利用料金並びに当該事業年度の資金計画

九 貯金経理における貯金の種類、貯金の現況、貯金の支払利率、当該事業年度の資金計画及び資産の構成割合

十 貸付経理における貸付金の種類、貸付金の現況、貸付金の利率及び当該事業年度の資金計画

十一 物資経理における事業の種類、施設の現況、当該事業年度における施設の設置及び廃止に関する事項、販売計画、仕入原価に対する平均利潤率、資金の回転

率並びに当該事業年度の資金計画

十二　前各号に掲げるもののほか、財務大臣の定める事項

（予算の内容）

第二十四条　予算は、予算総則、予定損益計算書及び予定貸借対照表に区分して作成するものとする。

2　予算総則には、次に掲げる事項を明らかにしなければならない。

一　人件費及び事務費の最高限度額

二　法第十七条ただし書の規定による借入金及び翌事業年度以降にわたる債務の負担の最高限度額

三　組合の経理単位相互間における資金の融通の最高限度額

四　第七条第一項の規定により業務経理へ繰り入れられる金額及び短期経理から業務経理に繰り入れる金額の最高限度額

五　福祉事業に要する費用に充てることができる金額の各福祉経理ごとの最高限度額

六　不動産の取得に要する金額の最高限度額及び不動産を譲渡する場合における譲渡金額の最低限度額

七　前各号に掲げるもののほか、財務大臣の指定する事項

3　予定損益計算書には、前々事業年度における実績を基礎とし、前事業年度及び当該事業年度における推計を表示しなければならない。

4　予定貸借対照表には、前々事業年度末日における貸借対照表を基礎とし、前事業年度末日及び当該事業年度末日における推計を表示しなければならない。

第五款　契約

（契約担当者）

第二十五条　契約は、組合の代表者又はその委任を受けた者（以下「契約担当者」という。）でなければ、これをすることができない。

（一般競争契約）

第二十六条　契約担当者は売買、賃貸借、請負その他の契約をする場合には、あらかじめ契約をしようとする事項の予定価格を定め、競争入札に付する事項、競争執行の場所及び日時、入札保証金に関する事項、競争に参加する者に必要な資格に関する事項並びに契約条項を示す場所等を公告して申込みをさせることにより競争に付さなければならない。

（一般競争等に付さなくてもよい場合）

第二十六条の二　契約の性質又は目的により競争に加わるべき者が少数で前条の競争に付する必要がない場合及び前条の競争に付することが不利と認められる場合においては、指名競争に付するものとする。

2　契約の性質又は目的が競争を許さない場合、緊急の必要により競争に付することができない場合及び競争に付することが、不利と認められる場合においては、随意契約によるものとする。

（指名競争）

第二十六条の三　第二十六条の規定にかかわらず、次に掲げる場合は、指名競争に付することができる。

一　予定価格が五百万円を超えない工事又は製造をさせるとき。

二　予定価格が三百万円を超えない財産を買入れるとき。

三　予定賃借料の年額又は総額が百六十万円を超えない物件を借入れるとき。

四　予定価格が百万円を超えない財産を売払うとき。

五　予定賃貸料の年額又は総額が五十万円を超えない物件を貸付けるとき。

六　工事又は製造の請負、財産の売買及び物件の貸借以外の契約でその予定価格が二百万円を超えないものをするとき。

2　指名競争に付そうとするときは、あらかじめ契約をしようとする事項の予定価格を定め、財務大臣が別に定める指名基準にしたがつてなるべく十人以上の入札者を指名しなければならない。

3　随意契約によることができる場合においては、指名競争に付することを妨げない。

（随意契約）

第二十七条　第二十六条の規定にかかわらず、次に掲げる場合は、随意契約によることができる。

一　予定価格が二百五十万円を超えない工事又は製造をさせるとき。

二　予定価格が百六十万円を超えない財産を買入れるとき。

三　予定賃借料の年額又は総額が八十万円を超えない物件を借入れるとき。

四　予定価格が五十万円を超えない財産を売払うとき。

五　予定賃貸料の年額又は総額が三十万円を超えない物件を貸付けるとき。

六　工事又は製造の請負、財産の売買及び物件の貸借以外の契約でその予定価格が百万円を超えないものをするとき。

七　運送又は保管をさせるとき。

八　国、地方公共団体及び他の組合並びにこれらに準ずる団体として財務大臣が指定する団体との間で契約をするとき。

九　外国で契約をするとき。
十　物資経理において商品の売買を行うとき。
十一　競争に付しても入札者がないとき、若しくは再度の入札に付しても落札者がないとき又は落札者が契約を結ばないとき。

2　前項第十一号の規定により随意契約による場合は、最初競争に付するときに定めた次の各号に掲げる条件を変更することができない。
一　競争に付しても入札者がないとき又は再度の入札に付しても落札者がないとき　契約保証金及び履行期限を除くほか予定価格その他の条件
二　落札者が契約を結ばないとき　落札金額の範囲内で履行期限を除くほかの条件

3　随意契約によろうとする場合には、あらかじめ、契約をしようとする事項の予定価格を定め、なるべく二人以上から見積書を徴さなければならない。

（長期継続契約ができるもの）

第二十七条の二　契約担当者は、翌年度以降にわたり、次に掲げる電気、ガス若しくは水又は電気通信役務について、その供給又は提供を受ける契約を締結することができる。この場合においては、各年度におけるこれらの経費の予算の範囲内においてその供給又は提供を受けなければならない。
一　電気事業法（昭和三十九年法律第百七十号）第二条第一項第十七号に規定する電気事業者が供給する電気
二　ガス事業法（昭和二十九年法律第五十一号）第二条第十二項に規定するガス事業者が供給するガス
三　水道法（昭和三十二年法律第百七十七号）第三条第五項に規定する水道事業者又は工業用水道事業法（昭和三十三年法律第八十四号）第二条第五項に規定する工業用水道事業者が供給する水
四　電気通信事業法（昭和五十九年法律第八十六号）第二条第五号に規定する電気通信事業者が提供する電気通信役務

2　契約担当者は、前項に定めるもののほか、組合の代表者が財務大臣の承認を受けたときは、翌年度以降にわたる役務の供給又は提供を受ける契約を締結することができる。この場合においては、同項後段の規定を準用する。

（入札保証金）

第二十七条の三　契約担当者は、競争に付そうとする場合においては、その競争に加わろうとする者をして、その者の見積る契約金額の百分の五以上の保証金を納めさせなければならない。ただし、競争に参加しようとする者が保険会社との間に組合を被保険者とする入札保証保険契約を結んだときは、その全部又は一部を納めさせないことができる。

2　前項の保証金の納付は、次に掲げる担保の提供をもつて代えることができる。
一　国債
二　政府の保証のある債券
三　銀行、株式会社商工組合中央金庫、農林中央金庫又は全国を地区とする信用金庫連合会の発行する債券
四　銀行が振り出し又は支払保証した小切手
五　その他確実と認められる担保で別に財務大臣の定めるもの

3　契約担当者は、落札者が契約を結ばないときは、入札保証金は組合に帰属する旨を第二十六条に規定する公告において又は第二十六条の三の規定により指名する際その指名の通知において明らかにしなければならない。

（契約書の作成）

第二十八条　契約担当者は、競争により落札者を決定したとき、又は随意契約の相手方を決定したときは、契約書を作成するものとし、その契約書には契約の目的、契約金額、履行期限及び契約保証金に関する事項のほか、次に掲げる事項を記載しなければならない。ただし、契約の性質又は目的により該当のない事項についてはこの限りでない。
一　契約履行の場所
二　契約代金の支払又は受領の時期及び方法
三　監督及び検査
四　履行の遅滞その他債務の不履行の場合における遅延利息、違約金その他の損害金、履行の追完、代金の減額及び契約の解除
五　危険負担
六　契約に関する紛争の解決方法
七　その他必要な事項

2　前項の規定により契約書を作成する場合においては、契約担当者は、契約の相手方とともに契約書に記名押印しなければならない。

（契約書の作成を省略することができる場合）

第二十八条の二　前条の規定にかかわらず、次の各号に掲げる場合には契約書の作成を省略することができる。
一　指名競争又は随意契約で、契約金額が百五十万円（外国で契約をするときは、二百万円）を超えない契約をするとき。
二　せり売りに付するとき。
三　物品を売り払う場合において、買受人が代金を即納してその物品を引き取るとき。
四　第一号及び前号に規定する場合のほか随意契約によ

る場合において、組合の代表者が契約書を作成する必要がないと認めるとき。

2　前項の規定により契約書の作成を省略する場合においても、特に軽微な契約を除き、契約の適正な履行を確保するため請書その他これに準ずる書面を徴するものとする。

（契約保証金）

第二十九条　契約担当者は、組合と契約を結ぶ者をして契約金額の百分の十以上の契約保証金を納めさせなければならない。ただし、指名競争契約及び随意契約による場合のほか、次の各号に定める場合には、その全部又は一部を納めさせないことができる。

一　せり売りに付するとき。

二　契約の相手方が保険会社との間に組合を被保険者とする履行保証保険契約を結んだとき。

三　契約の相手方から委託を受けた保険会社と工事履行保証契約を結んだとき。

2　第二十七条の三第二項の規定は、契約担当者が契約保証金の納付に代えて担保を提供させる場合に準用する。

3　契約担当者は、契約保証金を納付した者がその契約上の義務を履行しないときは、契約保証金は組合に帰属する旨を第二十八条に規定する契約書において明らかにしなければならない。

（手付金）

第二十九条の二　契約担当者は、土地、建物その他の不動産の買入れ又は借入れに際し、慣習上手付金を交付する必要があるときは、その交付によつて契約を有利にすることができ、かつ、その交付した金額を契約金額の一部に充当することができる場合に限り、手付金を交付することができる。

（部分払）

第三十条　契約担当者は契約により、工事若しくは製造その他についての請負契約に係る既済部分又は物件の買入契約に係る既納部分に対し、その完済前又は完納前に代価の一部を支払うことができるものとし、その支払金額は工事又は製造その他についての請負契約にあつてはその既済部分に対する代価の十分の九、物件の買入契約にあつてはその既納部分に対する代価をこえることができない。ただし、性質上可分の工事又は製造その他についての請負契約に係る完済部分にあつては、その代価の全額までを支払うことができる。

（財産の貸付け）

第三十一条　契約担当者は、財産を貸し付ける場合には、賃貸料を前納させなければならない。ただし、国、地方公共団体若しくは他の組合に対し貸し付ける場合又は賃貸期間が六月以上にわたる場合には、定期に納付させる契約をすることができる。

（代金の完納）

第三十二条　契約担当者は、財産を売り払う場合には、その引渡しのときまで又は移転の登記若しくは登録のときまでに、その代金を完納させなければならない。ただし、組合員に対して宅地又は建物の譲渡をする場合その他財務大臣の定める場合であつて、組合の代表者の定めるところにより担保を提供させ、かつ、利息を付して宅地又は建物等の代金の割賦弁済の特約をするときは、この限りでない。

第六款　出納

（取引命令）

第三十三条　取引は、すべて、出納役の命ずるところにより出納主任が行うものとする。ただし、出納役の不在その他の事故のある場合において、法令の定めるところにより収入又は支払をしなければならないとき、その他緊急やむを得ない理由があるときは、出納役の命令によらないで収入又は支払をすることができる。

2　出納主任は、前項ただし書の規定により収入又は支払をしたときは、その理由を明らかにし、遅滞なく出納役の承認を受けなければならない。

3　出納員は、組合の代表者があらかじめ指示した事項については、第一項の規定にかかわらず、出納役の命令によらないで取引を行うことができる。

4　出納員は、前項の規定による取引をしたときは、会計単位の長の定める期間ごとに、一括して出納役の承認を受けなければならない。

（各経理単位間における取引命令の制限）

第三十四条　各経理単位間における取引の命令は、本部の出納役でなければ行うことができない。ただし、次の各号に掲げる場合には、この限りでない。

一　組合職員に係る掛金等（法第百条第一項に規定する掛金等をいう。以下同じ。）及び組合の負担金の支払

二　短期経理の医療経理に対する診療費の支払

三　福祉経理に係る施設を利用した場合（物資経理に係る商品を購入した場合を含む。）において他の経理単位が負担する代価の支払

四　他の経理単位に属する収入金又は支払金を収入又は支出した場合において、その決済のためにする受払

五　前各号に掲げるもののほか、組合の代表者が財務大臣の承認を受けた事項

（現金の払いもどしの制限）

第三十五条　出納役は、預金を現金によつて払いもどすことを命ずることができない。ただし、次条第二項に規定

する預金口座相互間に資金を異動する場合、第四十七条及び第四十八条第一項の規定による支払をする場合、第十一条若しくは第五十一条の規定による送金をする場合には、この限りでない。

（取引金融機関の指定等）

第三十六条 組合の代表者は、会計単位ごとに、かつ、経理単位ごとに、取引金融機関を指定しなければならない。

2 会計単位の長は、取引金融機関に自己名義の預金口座を設けなければならない。ただし、組合の代表者が特に必要と認める場合には、会計単位の長の名義に代え出納員の名義とすることができる。

3 第二十条の規定は、会計単位の長及び出納員が前項の規定により預金口座を設け、又はこれを廃止した場合について準用する。

（登録印鑑）

第三十七条 取引金融機関に登録する登録印鑑は、会計単位の長の印鑑と出納主任の印鑑との組合せ式としなければならない。ただし、前条第二項ただし書の場合には、この限りでない。

2 会計単位の長の印は、出納役が保管しなければならない。

（当座借越契約の禁止）

第三十八条 会計単位の長及び出納員は、取引金融機関と当座借越契約をすることができない。

（先日付小切手の振出の禁止）

第三十九条 会計単位の長及び出納員は、先日付の小切手を振り出すことができない。

（手形等による取引の制限）

第四十条 会計単位の長及び出納員は、手形その他の商業証券（小切手を除く。）をもつて取引をし、又は取引に関して電子記録債権法（平成十九年法律第百二号）第二条第一項に規定する電子記録の請求をしてはならない。ただし、やむを得ない理由がある場合において、他人が振り出した手形その他の商業証券を担保として受領するとき又は同項に規定する電子記録債権（会計単位の長及び出納員が同法第二十条第一項に規定する電子記録債務者として記録されているものを除く。）を担保とするときは、この限りでない。

（出納の締切）

第四十一条 会計単位の長は、毎日の出納締切時刻を定めておかなければならない。

2 出納主任は、出納締切時刻後すみやかに帳簿と現金（小切手その他現金に準ずるものを含む。以下第四十三条までにおいて同じ。）の在高とを照合し、現金を取引金融機関に預入しなければならない。ただし、やむを得ない理由により出納締切時刻後に収納した現金及び第四十五条第一項ただし書の規定による支払をするために保有する現金については、この限りでない。

（収納手続）

第四十二条 出納主任は、現金を収納した場合（第四十七条の二の規定により受領の委託をした場合を除く。）には、当該取引に係る伝票に領収日付及び職名を記載し、領収証書を相手方に交付しなければならない。

（収納金の預入）

第四十三条 出納主任は、その収納した現金を取引金融機関に預入することとし、直ちにこれを支払にあててはならない。ただし、組合の現金自動預払機により第四十五条第一項第九号に規定する貯金の払いもどしをするときは、この限りでない。

（支払手続）

第四十四条 出納主任は、支払をする場合には、必ず領収証書を徴し、当該取引に係る伝票に支払日付及び職名を記載しなければならない。ただし、第四十八条第一項の規定による支払の場合にあつては、領収証書を徴しないことができる。

（支払の方法）

第四十五条 出納主任は、支払をしようとする場合には、支払を受ける者を受取人とする小切手を振出して交付しなければならない。ただし、次の各号に掲げる場合には、小切手による支払に代え、現金をもつて支払をすることができる。

一 出納主任の属する本部、支部又は単位所属所の所在地に当座取引を有する取引金融機関がないとき。

二 組合員以外の者に対し支払をしようとする場合において、受取人が小切手による受領を拒んだとき。

三 常用の雑費の支払で一件の取引金額が五万円を超えないとき。

四 旅費の支払をするとき。

五 組合に使用されている者に対して給与の支払をするとき。

六 短期経理において、法第五十条、第五十一条及び附則第八条の規定に基づく給付の支払をするとき。

七 保健経理、医療経理、宿泊経理又は物資経理において、日常消費する物件を購入するとき。

八 保健経理において、厚生費の支払をするとき。

九 貯金経理において、組合員に貯金の払戻しをするとき。

十 貸付経理において、組合の代表者が財務大臣と協議して定める額以下の貸付金の支払をするとき。

十一　掛金等を還付するとき。
十二　前各号に掲げる場合を除くほか、組合の代表者が財務大臣の承認を受けたとき。

2　出納主任は、前項ただし書の規定により現金をもつて支払をするため預金の払戻しを受けようとするときは、同項第一号に掲げる場合を除き、自己を受取人とする小切手を振り出すものとする。

（小切手事務の取扱）

第四十六条　小切手帳は、経理単位ごとに、かつ、取引金融機関ごとに、常時各一冊を使用するものとする。

2　小切手帳の保管及び小切手の作成は、出納主任又はその指定する補助者でなければ行うことができない。

3　小切手は、出納役が印を押した当該取引に係る伝票に基かなければ振り出すことができない。

4　小切手の券面金額は、所定の金額記載欄にアラビア数字で表示しなければならない。この場合において、その表示は、印影を刻み込むことができる印字機を用いてしなければならない。

5　小切手の振出年月日の記入及び押印は、当該小切手を受取人に交付するときにしなければならない。

（給付金等の支払の委託）

第四十七条　会計単位の長は、給付金及び組合員に対する貸付金の支払を取引金融機関に委託することが適当であると認める場合には、組合の代表者の承認を受けて、取引金融機関に給付金及び組合員に対する貸付金の支払を委託することができる。

（収入金の受領委託）

第四十七条の二　会計単位の長は、収入金の受領を取引金融機関に委託することが適当であると認めた場合には、組合の代表者の承認を受けて、取引金融機関に収入金の受領の委託をすることができる。

（隔地払等）

第四十八条　出納主任は、次の各号のいずれかに該当するときは、第四十五条の規定にかかわらず、必要な資金を取引金融機関に交付して又は預金口座からの必要な資金の払出しを当該預金口座を設けている取引金融機関に行わせて、当該必要な資金を交付した取引金融機関又は当該必要な資金の払出しを行わせた取引金融機関に支払をさせることができる。

一　隔地者に対して支払をする場合
二　前号に掲げる場合を除き、預金への振込み又は口座振替の方法により支払をする場合

2　出納主任は、前項の規定により必要な資金を取引金融機関に交付した場合又は預金口座からの必要な資金の払出しを取引金融機関に行わせた場合には、その旨を支払を受ける者に通知しなければならない。ただし、口座振替の方法によつて行つた場合は、この限りでない。

3　第一項の規定により必要な資金を取引金融機関に交付した場合又は預金口座からの必要な資金の払出しを取引金融機関に行わせた場合には、交付手続又は払出し手続が完了した日に支払がなされたものとして当該取引を整理するものとする。

（前金払）

第四十九条　会計単位の長は、次の各号に掲げる経費を除くほか、前金払をすることができない。

一　削除
二　外国から購入する機械、図書、標本又は実験用材料の代価（購入契約に係る機械、図書、標本又は実験用材料を当該契約の相手方が外国から直接購入しなければならない場合におけるこれらの物の代価を含む。）
三　定期刊行物の代価及び日本放送協会に対し支払う受信料
四　土地、家屋その他の財産の賃借料及び保険料
五　運賃
六　研究又は調査の受託者に支払う経費
七　諸謝金
八　助成金及び交付金
九　電話、電気、ガス及び水道の引込工事費及び料金
十　公共工事の前払金保証事業に関する法律（昭和二十七年法律第百八十四号）第二条第四項に規定する保証事業会社により同条第二項に規定する前払金の保証された工事の代価
十一　官公署に対し支払う経費
十二　前各号に掲げるもののほか、組合の代表者が財務大臣の承認を受けた経費

2　前項第十号に掲げる経費について同項の規定により、前金払をする場合における当該前金払の金額の当該経費に対する割合は、当該請負代価の十分の四以内とする。

（概算払）

第五十条　会計単位の長は、次の各号に掲げる経費を除くほか、概算払をすることができない。

一　旅費
二　組合職員に係る組合の負担金
三　社会保険診療報酬支払基金に対し支払う委託金及び診療報酬
四　契約医療機関に対し支払う療養費
五　前条第一項第八号及び第十一号に掲げる経費
六　法第七十一条に規定する災害見舞金
七　前各号に掲げるもののほか、組合の代表者が財務大臣の承認を受けた経費

（資金の回送）
第五十一条　支部又は単位所属所の長は、支払資金に不足を生じたときは、直ちに、統轄する会計単位の長に対し、資金の送金を求めるものとする。

第七款　経理
第一目　通則

（経理の原則）
第五十二条　組合は、この省令に定めるものを除くほか、取引を正規の簿記の原則に従つて整然かつ明りように、整理して記録しなければならない。

（勘定区分）
第五十三条　各経理単位においては、資産勘定、負債勘定、純資産勘定、利益勘定及び損失勘定を設け、取引の整理を行うものとする。

（預り金処理）
第五十四条　隔地者に対する支払で、受取人の所在不明その他の理由により返送されたもの又は振り出した小切手でその振出年月日から一年を経過し、なお取引金融機関に提示のないものは、預り金として処理しなければならない。

（払もどし及びもどし入）
第五十五条　事業年度内の受入に係るもので過誤納となつたものの払もどし金は、当該事業年度の受入勘定科目から払い出し、事業年度内の支払に係るもので過誤払となつたもののもどし入金は、当該事業年度の払出勘定科目にもどし入れるものとする。

第二目　伝票、帳簿及び出納計算表

（伝票）
第五十六条　取引は、すべて、伝票によつて処理しなければならない。ただし、単位所属所以外の所属所においては、伝票に代え日記帳に記入して、処理することができる。

2　伝票は、収入伝票、支払伝票及び振替伝票とする。

（帳簿の種類）
第五十七条　各会計単位においては、経理単位ごとに、元帳及び補助簿を備え、すべての取引を記入しなければならない。

2　元帳は、総勘定元帳、本部元帳、支部総勘定元帳、支部元帳及び所属所元帳とし、補助簿は、本部元帳補助簿、支部元帳補助簿及び所属所元帳補助簿とし、それぞれ勘定科目ごとに口座を設けなければならない。

（帳簿の記入）
第五十八条　本部元帳、支部元帳及び所属所元帳並びにこれらの補助簿の記入は、伝票又は日記帳に基いて行い、総勘定元帳及び支部総勘定元帳の記入は、決算整理に関するものを除くほか、第六十条第一項の規定により提出される出納計算表に基いて行うものとする。

2　本部元帳、支部元帳及び所属所元帳の記入は、伝票に基く場合は取引のつど、日記帳に基く場合は会計単位の長の定める時期に行い、総勘定元帳及び支部総勘定元帳の記入は、毎月末日において行うものとする。

（照合の責任）
第五十九条　出納主任は、前条に規定する元帳及び補助簿の記入について責任を負わなければならない。

2　出納主任は、毎月末日、元帳の口座の金額について関係帳簿と照合し、記入の正確を確認しなければならない。

（出納計算表の提出）
第六十条　出納主任は、毎月末日において、元帳（総勘定元帳を除く。）を締め切り、経理単位ごとに出納計算表を作成し、出納役の証明を受けた後、単位所属所にあつては翌月五日までに、支部及び本部にあつては翌月十五日までに、これを統轄する会計単位の長に提出しなければならない。

2　本部の出納主任は、前項の規定により提出を受けた出納計算表に基づき、毎月末日において総勘定元帳を締め切り、経理単位ごとに組合の出納計算表を作成し、本部の出納役の証明を受けた後、翌月二十五日までに、これを組合の代表者に提出しなければならない。

第三目　決算

（決算精算表の提出）
第六十一条　出納主任は、毎事業年度末日において、決算整理をし、元帳（総勘定元帳を除く。）及び補助簿を締め切り、経理単位ごとに決算精算表及び決算附属明細表を作成し、出納役の証明を受けた後、単位所属所にあつては翌事業年度四月十五日までに、支部及び本部にあつては翌事業年度四月二十五日までに、これを統轄する会計単位の長に提出しなければならない。

2　本部の出納主任は、前項の規定により提出を受けた決算精算表及び決算附属明細表に基づき、毎事業年度末日において、決算整理をし、総勘定元帳を締め切り、経理単位ごとに組合の決算精算表を作成し、本部の出納役の証明を受けた後、翌事業年度の五月二十日までに、これを組合の代表者に提出しなければならない。

3　組合の代表者は、前項の規定により提出を受けた組合の決算精算表を、翌事業年度の五月三十一日までに、財務大臣に提出しなければならない。

（財務諸表の提出）
第六十二条　法第十六条第二項に規定する貸借対照表及び損益計算書の作成は、経理単位ごとに行うものとし、その提出にあたつては、同条第三項の附属明細書及び事業状況報告書並びに第百二十六条の四第二項第一号の監査（本部に係るものに限る。）に関する監査報告書を添付するものとする。

２　前項の附属明細書には、次に掲げる事項を記載しなければならない。

一　組合が議決権の過半数を実質的に所有している会社又は当該組合及び当該会社若しくは当該会社が他の会社の議決権の過半数を実質的に所有している場合における当該他の会社（以下この項及び次項において「子会社」という。）又は組合（当該組合が子会社を有する場合には、当該子会社を含む。）が議決権の百分の二十以上百分の五十以下を実質的に所有し、かつ、組合が人事、資金、技術及び取引等の関係を通じて財務及び営業の方針に対して重要な影響を与えることができる会社（以下この項及び次項において「関連会社」という。）の株式を所有している場合における当該子会社又は当該関連会社の名称、一株当たりの額、当該事業年度末日及び前事業年度末日における所有株数、取得価格、貸借対照表計上額、当該事業年度におけるそれぞれの増減その他の組合が所有する子会社及び関連会社の株式に係る明細

二　組合が他の団体等に対して出資を行つた場合における当該団体等の名称、一株又は一口当たりの額、当該事業年度末日及び前事業年度末日における所有株数又は所有口数、取得価格、貸借対照表計上額、当該事業年度におけるそれぞれの増減その他の出資に係る明細

三　子会社及び関連会社に対する債権及び債務の明細

四　当該事業年度に受け入れた国の補助金その他これに準ずるもの（以下この号及び次項において「国庫補助金等」という。）の名称、当該国庫補助金等に係る国の会計区分、当該国庫補助金等と貸借対照表及び損益計算書における関連科目との関係その他の国庫補助金等に係る明細

五　組合に使用される者の給与費の明細

六　組合の業務の一部又は当該業務に関連する事業を行う公益法人その他の団体で、組合が出資、人事、資金、技術及び取引等の関係を通じて財務及び事業の方針決定を支配し、又はそれらに対して重要な影響を与えることができるもの（次項において「関連公益法人等」という。）の基本財産に対する拠出その他の組合の業務の性質上重要と認められるものの明細

七　前各号に掲げるもののほか、財務大臣の定める事項

３　第一項の事業状況報告書には、次に掲げる事項を記載しなければならない。

一　業務の内容、各事務所の所在地、沿革、設立に係る根拠法の名称、主務大臣、当該事業年度における組合に使用される者の定数及びその増減その他の組合の概要

二　当該事業年度及び前事業年度までにおける組合の業務の実施状況（借入金及び国庫補助金等による資金調達の状況を含む。）

三　子会社及び関連会社並びに関連公益法人等に関するものとして次に掲げる事項

イ　子会社及び関連会社並びに関連公益法人等の概況（組合との関係を示す系統図を含む。）

ロ　子会社及び関連会社の名称、事務所の所在地、資本金の額、事業内容、役員数、代表者の氏名、従業員数、組合の持株比率及び組合との関係

ハ　関連公益法人等の名称、事務所の所在地、基本財産の額、事業内容、役員数、代表者の氏名、職員数及び組合との関係

四　組合が対処すべき課題

第六十二条の二　法第十六条第三項に規定する財務省令で定める期間は、五年とする。

（財務諸表等の閲覧期間）

（前期損益修正益及び前期損益修正損の処理）

第六十三条　前事業年度以前の事業年度に属すべき収入金又は支払金は、毎事業年度の前期損益修正益又は前期損益修正損として処理しなければならない。

（たな卸）

第六十四条　出納主任は、毎事業年度末日において、実地についてたな卸資産のたな卸を行い、それに基いて、たな卸表を作成しなければならない。

２　前項の規定により出納主任がたな卸をする場合には、会計単位の長があらかじめその所属の職員又は組合職員のうちから指定する者がこれに立会し、その者が確認の証としてたな卸表に記名するものとする。

（たな卸資産の評価）

第六十五条　たな卸資産を評価する場合には、次の各号に掲げる価額によるものとする。ただし、第五号又は第六号の規定による価額による場合には、あらかじめ、会計単位の長の承認を受けなければならない。

一　他から購入したものは、買入原価（購入に際し手数料、運賃又はこれらに準ずる経費を支払つた場合において、買入原価にこれを加算すべきときは、その加算すべき額を含む。）

二　当該組合の生産に係るものは、その製造原価

三　当該組合の生産に係る半製品は、原材料の価額に支払済工賃を加算した金額

四 前三号に掲げる価額によるべき場合において、買入原価、製造原価又は原材料の価額に、二以上の単価があり、そのいずれによるべきかが明らかでないときは、前三号の規定にかかわらず、当該事業年度における最終の買入原価、製造原価又は原材料の価額。ただし、これらの価額以外の価額によることについて、組合の代表者の承認を受けた場合には、この限りでない。

五 買入原価、製造原価又は原材料の価額が明らかでないものは、見積価額

六 破損、きず、たなざらし、型くずれ、陳腐化等のため通常の価額で販売できないもの又は通常の方法で使用に堪えないものは、処分のできる価額

（たな卸資産の減価）

第六十六条 たな卸資産を評価する場合において、破損、腐敗、欠減等を生じやすい種類のたな卸資産で、個々に破損、腐敗、欠減等の有無を確かめることが困難なものについて破損、腐敗、欠減等のあることが推定されるときは、前条の規定にかかわらず、同条第一号から第五号までの規定により評価した価額から、当該価額に薬品、医療原材料及び飲食料品については十分の三以下、その他の資産については十分の二以下の範囲内において組合の代表者が当該たな卸資産の種類ごとに定める割合を乗じて得た金額を減額することができる。

（資産の再評価）

第六十七条 当座資産として取得した有価証券について、時価と帳簿価額とに著しい差異がある場合には、当該事業年度末日において再評価し、帳簿価額を適正に修正しなければならない。

2 福祉経理の資産について、時価と帳簿価額とに著しい差異がある場合において、当該事業年度末日又は財務大臣の指定する時に再評価しようとするときは、当該再評価の方法について、あらかじめ、財務大臣の承認を受けなければならない。

（有形固定資産の減価償却）

第六十八条 土地以外の有形固定資産（第九条第二項に規定する不動産を除く。以下「有形固定資産」という。）は、毎事業年度末日において、資産の種類ごとに、定額法（当該減価償却資産の取得価額にその償却費が毎事業年度同一となるように当該資産の耐用年数に応じた償却率を乗じて計算した金額を各事業年度の償却限度額として償却する方法をいう。）により減価償却をしなければならない。

2 当該事業年度の前事業年度までの各事業年度において した償却の額の累計額と当該減価償却資産につき計算した当該事業年度の償却限度額に相当する金額との合計額が当該減価償却資産の取得価額から一円を控除した金額に相当する金額を超える場合には、前項の規定にかかわらず、当該償却限度額に相当する金額からその超える部分の金額を控除した金額をもつて当該事業年度の償却限度額とする。

3 第一項の規定により減価償却をする場合における耐用年数及び償却率は、減価償却資産の耐用年数等に関する省令（昭和四十年大蔵省令第十五号）の別表に定めるところによる。ただし、通常の使用度を超える使用のためその損耗が著しい有形固定資産について、組合の代表者が必要があると認める場合には、同表に掲げる耐用年数（以下「法定耐用年数」という。）を短縮することができる。

4 法定耐用年数の全部又は一部を経過した有形固定資産を取得し、その将来の残存耐用年数を見積る場合において、その将来の残存耐用年数を見積ることが困難なときは、法定耐用年数の全部を経過したものについては、当該法定耐用年数の十分の二に相当する年数を、法定耐用年数の一部を経過したものについては、当該法定耐用年数から経過年数を控除した年数に、経過年数の十分の二に相当する年数を加算した年数を法定耐用年数とみなし、償却額を計算するものとする。この場合において、一年未満の端数を生じたときは、これを切り捨てるものとする。

5 有形固定資産を増築し、改築し、修繕しその他改良を加えた場合において、組合の代表者が必要があると認めるときは、前二項の規定による耐用年数を延長することができる。

6 事業年度の中途において取得した有形固定資産の当該事業年度における償却額は、前五項の規定により計算した償却額に、経過月数を十二で除して得た割合を乗じて得た金額とする。

7 前条第二項の規定により有形固定資産を再評価した場合には、その再評価後の価額を取得価額と、残存耐用年数を法定耐用年数とみなし、前六項の規定により償却額を計算するものとする。

8 有形固定資産の減価償却額は、直接法により処理しなければならない。

（無形固定資産の償却）

第六十九条 無形固定資産は、毎事業年度末日において、その取得価額を基礎とし、期間の定めのあるものについてはその期間、期間の定めのないものについては十年以内で組合の代表者が定める期間により、均分して償却しなければならない。

２　事業年度の中途において取得した無形固定資産の当該事業年度における償却額は、前項の規定により計算した償却額に、経過月数を十二で除して得た割合を乗じて得た金額とする。

３　第六十七条第二項の規定により無形固定資産を再評価した場合には、その再評価後の価額を取得価額とみなし、前二項の規定により償却額を計算するものとする。

４　無形固定資産の減価償却額は、直接法により処理しなければならない。

（借入不動産の増築費等の償却）

第七十条　借入不動産の増築、改築、修繕その他改良に要した費用のうち、当該不動産の通常の維持又は管理に必要と認められる金額を超える額（以下この条において「増築費等」という。）については、毎事業年度末日において、増築費等を基礎とし、賃借期間の定めのあるものについてはその期間、賃借期間の定めのないものについては十年以内で組合の代表者が定める期間により、均分して償却しなければならない。

２　事業年度の中途において取得した借入不動産の増築費等の当該事業年度における償却額は、前項の規定により計算した償却額に、経過月数を十二で除して得た割合を乗じて得た金額とする。

３　借入不動産の増築費等の減価償却額は、直接法により処理しなければならない。

（特別償却）

第七十一条　固定資産が陳腐化、不適応化その他災害等の理由により著しくその価値を減じた場合において、組合の代表者が必要があると認めるときは、前三条の規定による償却の基礎となる価額の全部又は一部を減額することができる。

（創業費及び開発費の償却）

第七十二条　繰延費用として処理した創業費及び開発費は、毎事業年度末日において、五年以内で組合の代表者が定める期間により均分額以上の償却をしなければならない。

２　事業年度の中途において繰延費用として処理した創業費及び開発費の当該事業年度における償却額は、前項の規定により計算した償却額に、経過月数を十二で除して得た割合を乗じて得た金額とする。

３　創業費及び開発費の償却額は、直接法により処理しなければならない。

（退職給与引当金）

第七十三条　組合に使用される者に対して退職給与を支払う規定がある場合には、毎事業年度末日において、当該規定に基く所要の金額を退職給与引当金として計上しなければならない。

（災害補てん引当金）

第七十四条　有形固定資産について、災害その他の事故による将来の損害に対する準備をしようとする場合には、毎事業年度末日において、所要の金額を災害補てん引当金として計上することができる。

第七十五条　削除

（貸倒引当金）

第七十六条　福祉経理（貯金経理及び指定経理のうち財務大臣が定めるものを除く。）においては、毎事業年度末日において、貸付金、売掛金その他事業に係る未収金の総額の百分の二以内で財務大臣が定める金額に達するまでの金額を貸倒引当金として計上することができる。

（特別修繕引当金）

第七十七条　福祉経理においては、事業に使用されている施設について翌事業年度以降に大規模の修繕をすることが予定される場合には、毎事業年度末日において、所要の金額を特別修繕引当金として計上することができる。

（支払準備金）

第七十八条　短期経理においては、毎事業年度末日において、当該事業年度における短期給付の請求額の総額の十二分の二に相当する金額を支払準備金として積み立て、翌事業年度末日まで据え置かなければならない。

（再評価積立金）

第七十九条　第六十七条第二項の規定による再評価により生じた利益金は、再評価積立金として積み立てなければならない。

２　前項の再評価積立金は、翌事業年度以降において再評価により損失を生じた場合及び財務大臣の承認を受けた場合を除くほか、とりくずすことができない。

（建設積立金等）

第八十条　福祉経理において、一定の金額を積み立てて施設の新設、増設又は改良を行うとする場合には、毎事業年度末日において、当該金額を建設積立金又は改良積立金として積み立てることができる。

（別途積立金）

第八十一条　組合は、当該組合以外の者から受けた補助金若しくは寄附金（現金以外の資産による寄附を含む。）、法第九十九条に規定する福祉事業に要する費用に充てるべき掛金及び国、行政執行法人、法科大学院設置者、職員団体若しくは郵政会社等の負担金又は第七条第二項に規定する繰入金（第三項において「補助金等」という。）をもつて固定資産を取得した場合には、当該事業年度末日において、当該固定資産の価額に相当する金額を別途積立金として積み立てなければならない。

２　前項の別途積立金は、財務大臣の承認を受けて、取り崩すことができる。

３　補助金等により取得した固定資産が組合の財産的基礎を構成しない償却財産であつて、その減価に対応すべき収益の獲得が予定されない場合は、財務大臣の承認を受けて第一項の規定を適用しないことができる。この場合において、当該補助金等に相当する額は負債勘定に計上し、毎事業年度末日において、減価償却額に相当する額を取り崩し、収益として処理するものとする。

（貸付資金積立金）

第八十一条の二　貸付経理においては、毎事業年度末日において、貸付事業の資金に充てるため、当該事業年度の利益金を、当該事業年度以前三事業年度末日における平均貸付残高の百分の十に相当する金額（前事業年度以前の積立金をもつて積み立てられた貸付資金積立金がある場合には、当該百分の十に相当する金額が当該積立金の額を超える額）に達するまで貸付資金積立金として積み立てなければならない。

（欠損金補てん積立金）

第八十二条　短期経理及び福祉経理（貸付経理を除く。以下この条において同じ。）においては、毎事業年度末日において、将来の欠損金の補てんに充てるため、当該事業年度の利益金を、次の各号に掲げる金額（前事業年度以前の積立金をもつて積み立てられた欠損金補てん積立金がある場合には、次の各号に掲げる金額が当該積立金の額を超える額）に達するまで欠損金補てん積立金として積み立てなければならない。

一　短期経理については、当該事業年度以前三事業年度における短期給付の平均請求額の百分の十に相当する金額

二　貯金経理については組合員の貯金額、その他の福祉経理については借入金の額及び固定資産の価額（借入資金によつて取得した固定資産の価額を除く。）のそれぞれ百分の五以上に相当する金額の範囲内において組合の代表者が定める額

第八十三条　削除

（利益剰余金及び欠損金の処分）

第八十四条　毎事業年度における決算上の利益剰余金は、翌事業年度に繰り越すものとする。

２　毎事業年度の欠損金は、前年度積立金を取り崩して補てんし、なお欠損金がある場合には、欠損金補てん積立金（貸付経理については、貸付資金積立金）を取り崩して補てんするものとする。

３　前項の規定により欠損金を補てんしてもなお欠損金がある場合には、その決算上の欠損金は、翌事業年度に繰り越すものとする。

第三章　連合会

（準用規定）

第八十五条　第三条の規定は、連合会について準用する。この場合において、同条中「法第十一条第一項」とあるのは「法第三十六条において準用する法第十一条第一項」と、「法第十三条」とあるのは「法第三十六条において準用する法第十三条」と、「組合職員」とあるのは「連合会役職員」と、それぞれ読み替えるものとする。

２　連合会の行う事業（旧令による共済組合等からの年金受給者のための特別措置法（昭和二十五年法律第二百五十六号）第八条及び附則第三項の規定による連合会の業務を含む。）の財務については、前章第二節の規定を準用する。この場合において、同節中「組合の代表者」とあるのは「連合会の理事長」と読み替えるほか、次の表の上欄に掲げる同節の規定中同表の中欄に掲げる字句は、それぞれ同表の下欄に掲げる字句に読み替えるものとする。

第四条	第五条第一項	第二十三条第一項
第六条第一項第二号	限る。）	限る。）の拠出並びに厚生年金保険法第八十四条の三に規定する交付金、国民年金法等の一部を改正する法律（昭和六十年法律第三十四号）附則第三十五条第二項に規定する交付金及び地方公務員等共済組合法（昭和三十七年法律第百五十二号）第百十六条の二に規定する財政調整拠出金（同法第百十六条の三第一項第一号から第三号までに掲げる場合に行われるものに限る。）の受入れ
第六条第一項第二号の二	限る。）	限る。）の拠出並びに地方公務員等共済組合法第百十六条の二に規定する財政調整拠出金（同法第百十六条の三第一項第四号に掲げる場合に行われるものに限る。）の受入れ

第七条第一項	第九十九条第一項第一号	第九十九条第三項
	、短期経理から	厚生年金保険経理から、同条第一項第三号に規定する事務に要する費用に充てるべき金額は退職等年金経理から、それぞれ
第七条第二項	属する経理単位	属する経理単位並びに旧令による共済組合等からの年金受給者のための特別措置法（昭和二十五年法律第二百五十六号）附則第三項の規定による連合会の業務に関する取引を経理する経理単位
	前事業年度における剰余金に相当する金額の範囲内	前事業年度における剰余金に相当する金額又は当該事業年度において明らかに剰余金に相当する金額として見込まれる金額の範囲内
第二十三条第一号	組合員の数	組合員の数、厚生年金保険法第二条の五第一項第二号に規定する第二号厚生年金被保険者の数
	以下同じ。）、	以下同じ。）、厚生年金保険法第二十条第一項に規定する標準報酬月額、
	以下同じ。）並びに	以下同じ。）、厚生年金保険法第二十四条の四第一項に規定する標準賞与額並びに
第二十三条第二号	組合に使用される者	連合会の役員及び連合会に使用される者
第二十四条第二項第二号	第十七条ただし書	第三十六条において準用する法第十七条ただし書
第二十四条第二項第四号	第七条第一項	第八十五条第二項の規定により読み替えられた第七条第一項
	及び短期経理から業務経理に繰り入れるもの	並びに厚生年金保険経理及び退職等年金経理から業務経理に繰り入れるそれぞれの
第二十四条第二項第六号	最低限度額	最低限度額（法第三十六条において準用する法第十九条の規定による業務上の余裕金の運用として行う不動産の取得及び譲渡に係るものを除く。）
第四十五条第一項第五号	組合に使用されている者	連合会の役員及び連合会に使用されている者
第六十条第一項	翌月五日	翌月五日（病院施設に係る単位所属所にあつては、翌月十五日）
第六十一条第一項	四月十五日	四月十五日（病院施設に係る単位所属所にあつては、翌事業年度四月二十五日）
第六十二条第一項	第十六条第二項	第三十六条において読み替えて準用する法第十六条第二項
	同条第三項の附属明細書及び事業状況報告書並びに第百二十六条の四第二項第一号の監査（本部に係るものに限る。）に関する監査報告書	第三十六条において読み替えて準用する法第十六条第三項の附属明細書及び事業状況報告書
第六十二条	組合に使用さ	連合会の役員及び連合会に

第二項第五号	れる者	使用される者
第六十二条第三項第一号	組合に使用される者	連合会の役員及び連合会に使用される者
	増減	増減並びに役員の氏名、役職、任期及び経歴
第六十二条の二	第十六条第三項	第三十六条において読み替えて準用する法第十六条第三項
第六十七条第二項	福祉経理の資産	厚生年金保険経理の資産、退職等年金経理の資産又は福祉経理の資産
第七十三条	組合に使用される者	連合会の役員及び連合会に使用される者
第八十一条第一項	第九十九条に規定する福祉事業に要する費用に充てるべき掛金及び国、行政執行法人、法科大学院設置者、職員団体若しくは郵政会社等の負担金	第百二条第四項の規定により払い込まれた金額のうち福祉事業に係る金額

３　前項において準用する第六条第一項第三号に規定する業務経理においては、同項第二号に規定する取引の事務に要する費用と同項第二号の二に規定する取引の事務に要する費用とに区分して管理しなければならない。ただし、これらの取引の事務に要する費用のうち共通する費用については、連合会は、財務大臣の承認を受けて定める基準に従つて区分して管理するものとする。

４　第二項において準用する第二十二条の規定により事業計画を作成する場合には、同項の規定により読み替えて準用する第二十三条各号に掲げる事項のほか、次の各号に掲げる事項を明らかにしなければならない。

一　厚生年金保険経理における給付の前々事業年度の実績並びに前事業年度及び当該事業年度の推計並びに当該事業年度の資金計画

二　退職等年金経理における給付並びに退職等年金給付に係る標準報酬の月額及び標準期末手当等の額と掛金との割合の前々事業年度の実績並びに前事業年度及び当該事業年度の推計並びに当該事業年度の資金計画

（連合会の業務）

第八十五条の二　法第二十一条第二項第一号チに規定する財務省令で定める業務は、厚生年金保険給付に関する調査及び統計に関する業務とする。

２　法第二十一条第二項第二号ヘに規定する財務省令で定める業務は、退職等年金給付に関する調査及び統計に関する業務とする。

（退職等年金給付に要する費用を計算したときの財務大臣への報告）

第八十五条の三　連合会は、法第二十一条第二項第二号ロの計算をしたときは、財務大臣の定める様式に基づき、財務大臣に報告しなければならない。

（運営審議会）

第八十五条の四　法第三十五条第一項に規定する運営審議会（以下「運営審議会」という。）の組合員を代表する者である委員及び組合員を代表する者以外の者である委員は、それぞれ八人以内とする。

２　委員の任期は、二年とする。ただし、補欠の委員の任期は、前任者の残任期間とする。

（運営審議会の会議）

第八十五条の五　運営審議会は、連合会の理事長が招集する。

２　連合会の理事長は、七人以上の委員が審議すべき事項を示して運営審議会の招集を請求したときは、運営審議会を招集しなければならない。

３　運営審議会に議長を置く。議長は、組合員を代表する者以外の者である委員のうちから、委員が選挙する。

４　議長は、運営審議会の議事を整理する。議長に事故があるとき、又は議長が欠けたときは、あらかじめ議長が指名する委員がその職務を行う。

５　運営審議会は、前条第一項に掲げる委員が、それぞれ半数以上出席しなければ議事を開くことができない。

（厚生年金保険経理及び退職等年金経理における損益計算上の整理）

第八十五条の六　連合会の厚生年金保険経理においては、損益計算上利益を生じたときは、その額を法第二十一条第二項第一号ハに規定する厚生年金保険給付積立金（以下この項において「厚生年金保険給付積立金」という。）として、損益計算上損失を生じたときは、その額を厚生年金保険給付積立金から減額して、それぞれ整理しなければならない。

２　前項の規定は、連合会の退職等年金経理について準用する。この場合において、同項中「法第二十一条第二項第一号ハ」とあるのは「法第二十一条第二項第二号ハ」と、「厚生年金保険給付積立金」とあるのは「退職等年金給付積立金」と読み替えるものとする。

（組合貸付債権の信託）

第八十五条の七　連合会は、資産の流動化に関する法律第二条第三項に規定する特定目的会社を用いて資産の流動化を行うため、令第九条の三第二項第三号及び附則第三条第三号の貸付けに係る債権を信託会社又は信託業務を営む金融機関へ信託することができる。

２　連合会は、前項の規定によりその貸付債権を信託するときは、当該信託の受託者から当該貸付債権に係る元利金の回収その他回収に関する業務の全部を受託しなければならない。

（組合への貸付けに係る利率）

第八十五条の八　令第九条の三第二項第三号及び附則第三条第三号の規定により連合会が組合に資金の貸付けを行う場合（組合の貸付経理又は物資経理に資金の貸付けを行う場合（物資経理においては、固定資産の取得を目的とした資金の貸付け以外の貸付けを行う場合に限る。）を除く。）においては、当該貸付金に係る利率については、長期給付の事業に係る財政の安定に配慮しつつ、財政融資資金法（昭和二十六年法律第百号）第十条第一項の規定に基づき財政融資資金を貸し付ける場合の利率を参酌して財務大臣が別に定める利率による。

２　令第九条の三第二項第三号の規定により連合会が組合の貸付経理又は物資経理に資金の貸付けを行う場合（物資経理においては、固定資産の取得を目的とした資金の貸付け以外の貸付けを行う場合に限る。）においては、当該貸付金に係る利率については、退職等年金給付の事業に係る財政の安定に配慮しつつ、当該貸付けを行う日の属する年度の四月一日において適用される法第七十五条第三項に規定する基準利率を下回らない範囲内で、財務大臣が別に定める利率による。

３　令附則第三条第三号の規定により連合会が組合の貸付経理又は物資経理に資金の貸付けを行う場合（物資経理においては、固定資産の取得を目的とした資金の貸付け以外の貸付けを行う場合に限る。）においては、当該貸付金に係る利率については、年四パーセントを下回らない範囲内で、財務大臣が別に定める利率による。

（資金の貸付けに係る利率）

第八十五条の九　令第九条の三第二項第四号に掲げる方法により退職等年金給付積立金等（同項に規定する退職等年金給付積立金等をいう。以下同じ。）の運用を行う場合における同号に規定する資金の貸付けに係る利率については、退職等年金給付の事業に係る財政の安定に配慮しつつ、財政融資資金法第十条第一項の規定に基づき財政融資資金を貸し付ける場合の利率を参酌して財務大臣が定める利率とする。

２　前項の規定は、令附則第三条第四号に掲げる方法により厚生年金保険給付積立金等（令第九条の三第一項に規定する厚生年金保険給付積立金等をいう。以下同じ。）の運用を行う場合における同号に規定する資金の貸付けに係る利率について準用する。

（応募又は買入れの方法により取得する有価証券から除かれる有価証券の範囲）

第八十五条の十　令第九条の三第三項に規定する財務省令で定める有価証券は、資産の流動化に関する法律に規定する特定社債券（当該特定社債券に係る特定資産が連合会の譲渡する信託受益権であるものに限る。）とする。

（合同運用における利益又は損失の経理間の按（あん）分）

第八十五条の十一　令第九条の三第四項の規定により、厚生年金保険給付積立金等及び退職等年金給付積立金等を合同して管理及び運用を行つた場合に利益を生じたときは、次の各号に掲げる経理に帰属する額は、それぞれ当該各号に定める額とする。

一　厚生年金保険経理　当該利益の額に当該事業年度において合同して管理及び運用を行つた厚生年金保険給付積立金等の額を当該額と当該事業年度において合同して管理及び運用を行つた退職等年金給付積立金等の額との合算額で除して得た率を乗じて得た額（一円未満の端数があるときは、これを四捨五入して得た額）

二　退職等年金経理　当該利益の額から前号に定める額を控除して得た額

２　令第九条の三第四項の規定により、厚生年金保険給付積立金等及び退職等年金給付積立金等を合同して管理及び運用を行つた場合に損失が生じたときは、次の各号に掲げる経理に帰属する額は、それぞれ当該各号に定める額とする。

一　厚生年金保険経理　当該損失の額に前項第一号の率を乗じて得た額（一円未満の端数があるときは、これを四捨五入して得た額）

二　退職等年金経理　当該損失の額から前号に定める額を控除して得た額

３　前二項に定めるもののほか、厚生年金保険給付積立金等及び退職等年金給付積立金等を合同して管理及び運用を行つた場合の利益又は損失に関し必要な事項は、財務大臣が定める。

（厚生年金保険法第七十九条の八第一項に規定する財務省令で定める事項）

第八十五条の十二 厚生年金保険法第七十九条の八第一項に規定する財務省令で定める業務概況書に記載すべき事項は、次の各号に掲げる事項とする。

一 当該事業年度における管理積立金（厚生年金保険法第七十九条の六第一項に規定する管理積立金のうち連合会が管理するものをいう。以下この条及び次条において同じ。）の資産の額

二 当該事業年度における管理積立金の資産の構成割合

三 当該事業年度における管理積立金の運用収入の額

四 厚生年金保険法第七十九条の三第三項ただし書の規定による運用の状況

五 厚生年金保険法第七十九条の六第二項第三号に規定する管理積立金の管理及び運用における長期的な観点からの資産の構成に関する事項

六 管理積立金の運用利回り

七 管理積立金の運用に関するリスク管理の状況

八 運用手法別の運用の状況（連合会が令第九条の三第一項第三号本文、同号ハ及び同項第四号に規定する方法で運用する場合にあつては、当該運用に関する契約の相手方の選定及び管理の状況等を含む。）

九 連合会における株式に係る議決権の行使に関する状況等

十 連合会の役員（監事を除く。）及び職員の職務の執行が法令等に適合するための体制その他連合会の業務の適正を確保するための体制に関する事項

十一 その他管理積立金の管理及び運用に関する重要事項

（厚生年金保険法第七十九条の八第二項に規定する財務省令で定める事項）

第八十五条の十三 厚生年金保険法第七十九条の八第二項に規定する財務省令で定める事項は、次の各号に掲げる事項とする。

一 管理積立金の運用の状況及び当該運用の状況が年金財政に与える影響

二 厚生年金保険法第七十九条の三第三項ただし書の規定による運用の状況

三 厚生年金保険法第七十九条の四第一項に規定する積立金基本指針及び同法第七十九条の六第一項に規定する管理運用の方針に定める事項の遵守の状況（前二号に掲げるものを除く。）

四 その他管理積立金の管理及び運用に関する重要事項

（法第三十五条の四に規定する財務省令で定める事項）

第八十五条の十四 法第三十五条の四に規定する財務省令で定める業務概況書に記載すべき事項は、次の各号に掲げる事項とする。

一 当該事業年度における法第二十一条第二項第一号ハに規定する退職等年金給付積立金（以下「退職等年金給付積立金」という。）の資産の額

二 当該事業年度における退職等年金給付積立金の資産の構成割合

三 当該事業年度における退職等年金給付積立金の運用収入の額

四 法第三十五条の三第二項第三号に規定する退職等年金給付積立金の管理及び運用における長期的な観点からの資産の構成に関する事項

五 退職等年金給付積立金の運用利回り

六 退職等年金給付積立金の運用に関するリスク管理の状況

七 運用手法別の運用の状況（連合会が令第九条の三第一項第三号本文、同号ハ及び同項第四号に規定する方法で運用する場合にあつては、当該運用に関する契約の相手方の選定及び管理の状況等を含む。）

八 連合会における株式に係る議決権の行使に関する状況等

九 連合会の役員（監事を除く。）及び職員の職務の執行が法令等に適合するための体制その他連合会の業務の適正を確保するための体制に関する事項

十 その他退職等年金給付積立金の管理及び運用に関する重要事項

（短期財調経理等の特例）

第八十六条 法附則第十四条の三第一項の規定により連合会が行うことができる事業の経理単位は短期財調経理とし、その財務については、次項に定めるもののほか、別に財務大臣の定めるところによることができる。

2 短期財調経理の前事業年度における剰余金に相当する金額又は当該事業年度において明らかに剰余金に相当する金額として見込まれる金額は、財務大臣の承認を受けて連合会の保健経理に繰り入れることができる。

3 前項の規定による繰入れが行われた場合における保健経理の財源については、第七条第二項に定めるもののほか、当該繰り入れられた金額を財源とすることができる。

第四章 組合員

（組合員原票）

第八十七条 組合は、組合員ごとに、組合員原票を備え、組合員の資格の得喪の年月日、住所、所属機関の名称、行政手続における特定の個人を識別するための番号の利

用等に関する法律（平成二十五年法律第二十七号。以下「番号利用法」という。）第二条第五項に規定する個人番号（以下「個人番号」という。）、被扶養者、標準報酬の月額、標準期末手当等の額その他所要の事項を記載して整理しなければならない。

2　組合は、第二号厚生年金被保険者（厚生年金保険法第二条の五第一項第二号に規定する第二号厚生年金被保険者をいう。以下同じ。）又は同法附則第四条の三第一項の規定による被保険者（以下「第二号厚生年金被保険者等」という。）については、前項の組合員原票に、当該第二号厚生年金被保険者等の資格の取得及び喪失の年月日、同法第二十条第一項に規定する標準報酬月額（以下「厚生年金保険の標準報酬月額」という。）及び同法第二十四条の四第一項に規定する標準賞与額（以下「厚生年金保険の標準賞与額」という。）、当該厚生年金保険の標準賞与額の決定の基礎となつた賞与（同法第三条第一項第四号に規定する賞与をいう。第八十七条の四において同じ。）の支払年月、基礎年金番号（国民年金法第十四条に規定する基礎年金番号をいう。以下同じ。）並びに第二号厚生年金被保険者等の種別その他所要の事項を併せて記載して整理しなければならない。ただし、これらの事項と前項に規定する事項のうち共通する事項については、一の記載をもつて足りるものとする。

3　組合は、第一項の組合員原票に被用者年金制度の一元化等を図るための厚生年金保険法等の一部を改正する法律（平成二十四年法律第六十三号。以下「平成二十四年一元化法」という。）附則第七条第一項の規定により第二号厚生年金被保険者とみなされた期間に係る前項の規定により組合員原票に記載することとされた事項と併せて記載して整理しなければならない。

4　組合は、長期組合員（法の長期給付に関する規定の適用を受ける組合員をいう。以下同じ。）が他の組合の長期組合員又は地方の長期組合員（地方公務員等共済組合法（昭和三十七年法律第百五十二号）第七十四条に規定する退職等年金給付に関する規定の適用を受ける地方の組合の組合員をいう。第八十七条の二の二第七項及び第八十七条の三第四項において同じ。）となつたときは、当該長期組合員に係る組合員原票を当該他の組合又は地方の組合に送付し、その写しを保管しなければならない。ただし、その送付にあたつては、個人番号の記載を省略するものとする。

（短期組合員となつた者の資格取得届等）

第八十七条の二　短期組合員（法の長期給付に関する規定の適用を受けない組合員をいう。以下同じ。）となつた者は、その日から五日以内に、その氏名（片仮名で振り仮名を付するものとする。）、生年月日、性別、住所、個人番号及び短期組合員となつた日を記載した短期組合員資格取得届を組合に提出しなければならない。

2　短期組合員は、短期組合員の氏名、住所又は個人番号に変更があつたときは、遅滞なく、当該変更に関する書類を組合に提出しなければならない。

3　短期組合員が退職し、又は死亡した場合には、当該短期組合員であつた者（死亡した場合には当該短期組合員であつた者の遺族又は相続人）は、次に掲げる事項を記載した退職届又は死亡届を組合に提出しなければならない。

一　短期組合員であつた者の氏名、生年月日及び住所

二　退職当時又は死亡当時の所属機関の名称

三　短期組合員の資格を喪失した年月日

（長期組合員となつた者の資格取得届等）

第八十七条の二の二　長期組合員となつた者は、その日から五日以内に、その氏名（片仮名で振り仮名を付するものとする。）、生年月日、性別、住所、就職年月日、個人番号及び基礎年金番号を記載した長期組合員資格取得届を組合に提出しなければならない。この場合において、長期組合員となつた者に被扶養配偶者（当該長期組合員の配偶者として国民年金法第七条第一項第三号に該当するものをいう。第三項において同じ。）があるときは、当該長期組合員となつた者は、当該被扶養配偶者の氏名、生年月日、住所及び基礎年金番号を長期組合員資格取得届に記載しなければならない。

2　恩給法（大正十二年法律第四十八号）又は旧法（施行法第二条第二号に規定する旧法をいう。）が適用され若しくは準用され、組合員期間に通算することとされている期間を有する者であつて初めて長期組合員となつた者は、前項の規定にかかわらず、その氏名、生年月日、住所及び就職年月日並びに当該期間並びに当該期間に係る就職年月日及び退職年月日を記載した前歴報告書を、任命権者が証明した履歴書その他の必要な書類と併せて組合に提出しなければならない。

3　長期組合員は、次の各号のいずれかに該当することとなつたときは、遅滞なく、当該変更に関する書類を組合に提出しなければならない。

一　長期組合員の氏名、住所又は個人番号に変更があつたとき

二　長期組合員について被扶養配偶者が生じたとき又は被扶養配偶者がその要件を欠くに至つたとき

三　長期組合員の被扶養配偶者の氏名に変更があつたとき

4　長期組合員が退職し、又は死亡した場合には、当該長

期組合員であつた者（死亡した場合には当該長期組合員であつた者の遺族又は相続人）は、次に掲げる事項を記載した退職届又は死亡届を組合に提出しなければならない。

一 長期組合員であつた者の氏名、生年月日及び住所

二 退職当時又は死亡当時の所属機関の名称

三 長期組合員の資格を取得した年月日（退職又は死亡に際し、厚生年金保険給付又は退職等年金給付の請求を行わない場合に限る。）及び喪失した年月日

四 その他必要な事項

5 前項の退職届又は死亡届を提出する場合には、次に掲げる事項を組合が証明した書類（以下「組合員期間等証明書」という。）を併せて提出しなければならない。

一 長期組合員期間及び第二号厚生年金被保険者等である期間

二 令第二十一条の二第一項各号のいずれか又は第二項の規定に該当するときには、その旨

三 その他必要な事項

6 第三項及び第四項の規定は、長期組合員であつた者について準用する。この場合において、第三項中「次の各号のいずれか」とあるのは「第一号」と、「組合」とあるのは「連合会」と、第四項中「退職し、又は死亡した場合には、当該長期組合員であつた者（死亡した場合には当該長期組合員であつた者の遺族又は相続人）」とあるのは「死亡した場合には、当該長期組合員であつた者の遺族又は相続人」と、「事項を」とあるのは「事項及び死亡年月日を」と、「退職届又は死亡届」とあるのは「死亡届」と、「組合」とあるのは「連合会」と、「ならない」とあるのは「ならない。ただし、当該長期組合員であつた者の死亡に際し、当該長期組合員であつた者に係る長期給付の請求を行うことができるときは、この限りでない」と読み替えるものとする。

7 地方の長期組合員若しくは地方の長期組合員であつた者で長期組合員となつたもの又は厚生年金保険法第七十八条の六第三項の規定により同法第二条の五第一項第三号に規定する第三号厚生年金被保険者（以下「第三号厚生年金被保険者」という。）であつたものとみなされた期間を有する者（同号に規定する第三号厚生年金被保険者期間（以下「第三号厚生年金被保険者期間」という。）を有する者を除く。）若しくは同法第七十八条の十四第四項の規定により特定期間に係る第三号厚生年金被保険者期間であつたものとみなされた期間を有する者（第三号厚生年金被保険者期間を有する者を除く。）で長期組合員となつたもの若しくは平成二十四年一元化法第三条の規定による改正前の地方公務員等共済組合法（以下この項において「改正前の地共済法」という。）第百七条の四第二項に規定する離婚時みなし組合員期間を有する者（改正前の地共済法第四十条第一項に規定する組合員期間を有する者を除く。）若しくは改正前の地共済法第百七条の七第四項の規定により組合員期間であつたものとみなされた期間を有する者（改正前の地共済法第四十条第一項に規定する組合員期間を有する者を除く。）で長期組合員となつたものは、そのなつた際、次に掲げる事項を記載した前歴報告書を組合に提出しなければならない。

一 長期組合員の氏名、生年月日、住所及び基礎年金番号

二 地方の長期組合員であつた時の所属機関の名称並びに就職年月日及び退職年月日

三 その他必要な事項

8 組合は、第一項から第五項まで及び前項の規定による書類の提出を受けた場合には、当該書類の確認を行つた後、遅滞なく、当該書類を連合会に提出しなければならない。

9 第一項から前項までの規定による組合及び連合会への書類の提出は、電磁的記録（情報通信技術を活用した行政の推進等に関する法律（平成十四年法律第百五十一号。以下「情報通信技術活用法」という。）第三条第七号に規定する電磁的記録をいう。以下同じ。）により行うことができる。

（第二号厚生年金被保険者の資格取得届等）

第八十七条の二の三 長期組合員となつた者（七十歳以上の者を除く。）が前条第一項に規定する長期組合員資格取得届の届出を行つた場合には、第二号厚生年金被保険者の資格取得の届出があつたものとみなす。

2 第二号厚生年金被保険者が前条第三項第一号の書類の提出を行つた場合には、第二号厚生年金被保険者に係る同様の届出があつたものとみなす。

3 前条第四項の規定により提出された退職届又は死亡届が第二号厚生年金被保険者に係るものであるときは、当該第二号厚生年金被保険者の資格喪失の届出があつたものとみなす。ただし、当該第二号厚生年金被保険者が厚生年金保険法第十四条第五号に該当するに至つたときは、この限りでない。

4 第二号厚生年金被保険者が厚生年金保険法第十四条第五号に該当することにより第二号厚生年金被保険者の資格を喪失した場合には、当該第二号厚生年金被保険者であつた者は、次の各号に掲げる事項を組合が証明した書類を連合会に提出しなければならない。

一 当該第二号厚生年金被保険者であつた者の氏名、生年月日及び住所

二　当該第二号厚生年金被保険者であつた者の個人番号又は基礎年金番号
三　資格喪失時の所属機関の名称
四　第二号厚生年金被保険者の資格を喪失した年月日
五　その他必要な事項

（高齢任意加入被保険者の資格取得の申出等）

第八十七条の二の四　厚生年金保険法附則第四条の三第一項の規定による被保険者（第二号厚生年金被保険者に限る。以下「高齢任意加入被保険者」という。以下同じ。）の資格取得の申出、届出その他の行為については、厚生年金保険法施行規則（昭和二十九年厚生省令第三十七号）第五条の二及び第五条の三（同規則第五条の二第一項第二号、第三号、第六号及び第七号、第二項第二号、第四号及び第七号、第三項並びに第四項並びに第五条の三第一項第二号及び第三号並びに第二項を除く。）に定めるところによるものとする。この場合において、次の表の上欄に掲げる同規則の規定中同表の中欄に掲げる字句は、それぞれ同表の下欄に掲げる字句とする。

第五条の二第一項各号列記以外の部分	第一号厚生年金被保険者	第二号厚生年金被保険者（法第二条の五第一項第二号に規定する第二号厚生年金被保険者をいう。次条第一項において同じ。）
	機構	組合（国家公務員共済組合法（昭和三十三年法律第百二十八号）第三条第一項に規定する組合をいう。次条第一項において同じ。）
第五条の二第一項第一号の二	又は	及び
第五条の二第一項第五号	事業所	所属機関
	名称、所在地及び事業の種類又は船舶所有者（第一号厚生年金被保険者に係るものに限る。以下同じ。）の氏名及び住所（船舶所有者が法人であるときは、名称及び主たる事務所の所在地（仮住所があるときは、仮住所地）とする。以下同じ。）	名称
第五条の二第二項第一号	（厚生労働大臣	若しくは謄本（国家公務員共済組合連合会
第五条の二第二項第三号	共済組合の	第一号厚生年金被保険者期間（厚生年金保険法第二条の五第一項第一号に規定する第一号厚生年金被保険者である期間をいう。以下同じ。）を有する者にあつては厚生労働大臣が、共済組合の
	、当該共済組合	当該共済組合
	国民年金法施行規則	それぞれ国民年金法施行規則
第五条の三第一項各号列記以外の部分	第一号厚生年金被保険者	第二号厚生年金被保険者
	機構	組合
第五条の三第一項第五号	事業所	所属機関
	名称及び所在地又は船舶所有者の氏名及び住所	名称

2　高齢任意加入被保険者が第八十七条の二の二第三項第一号の書類の提出を行つた場合は、高齢任意加入被保険

者に係る同様の届出があつたものとみなす。

3 第八十七条の二の二第八項の規定は、第一項の申出、届出その他の行為について準用する。

（組合員長期原票）

第八十七条の三 連合会は、長期組合員（長期組合員であつた者を含む。）ごとに、組合員長期原票を備え、第八十七条の二の二第一項から第七項まで、第八十七条の二の三第三項及び第八十七条の二の四第一項の規定により提出を受けた届出又は書類（第八十七条の二の二第九項の規定により提出された電磁的記録を含む。）並びに第九十六条の二の六第三項、第九十六条の四第一項、第九十六条の六の三第三項、第九十六条の八第一項、第百二十条第三項及び第百二十条の四第四項の規定により通知を受けた事項により、組合員期間及び第二号厚生年金被保険者等であつた期間に関する事項、標準報酬の月額及び標準期末手当等の額並びに厚生年金保険の標準報酬月額及び厚生年金保険の標準賞与額その他の長期給付の裁定又は決定に関し必要な事項を記載して整理しなければならない。

2 連合会は、前項の組合員長期原票に平成二十四年一元化法附則第七条第一項の規定により第二号厚生年金被保険者とみなされた期間に係る前項の規定により組合員長期原票に記載することとされた事項を併せて記載して整理しなければならない。

3 連合会は、第八十七条の二の二第七項の規定により前歴報告書の提出を受けたときは、組合員長期原票、地方公務員等共済組合法施行規程（昭和三十七年総理府・文部省・自治省令第一号）第九十条第一項に規定する組合員期間等証明書（以下「組合員原票等」という。）並びに退職又は障害を給付事由とする年金である給付の決定に関し必要な書類（これらの年金である給付を受ける権利を有する者に係るものに限る。以下この条において「年金決定関係書類」という。）を当該前歴報告書を提出した者に係る組合員原票等及び年金決定関係書類を保管している地方の組合に対し、当該組合員原票等及び年金決定関係書類の送付を求めなければならない。

4 連合会は、長期組合員が地方の長期組合員となつたときは、その者に係る組合員長期原票（第八十七条の二の二第五項の規定により組合員期間等証明書が提出されている場合には組合員長期原票及び当該組合員期間等証明書）及び年金決定関係書類を当該地方の長期組合員の属する地方の組合に送付し、その写しを保管しなければならない。

5 第三項の規定による地方の組合から連合会への組合員長期原票等及び年金決定関係書類の送付並びに前項の規定による連合会から地方の組合への書類の送付は、前二項の規定にかかわらず、電磁的記録により行うことができる。

（厚生年金保険法による被保険者に関する原簿）

第八十七条の四 第二号厚生年金被保険者等（第二号厚生年金被保険者等であつた者を含む。以下この条において同じ。）について、厚生年金保険法第二十八条の規定を適用する場合においては、第八十七条に規定する組合員原票及び前条に規定する組合員長期原票を同法第二十八条に規定する原簿とみなす。この場合において、同条に規定する主務省令で定める事項は、前条第一項に規定する長期給付の裁定又は決定に関し必要な事項のうち、第二号厚生年金被保険者等の種別及び厚生年金保険の標準賞与額の決定の基礎となつた賞与の支払年月とする。

（被扶養者等の申告）

第八十八条 組合員となつた者に被扶養者の要件を備える者がある場合又は組合員について被扶養者がその要件を備える者が生じた場合若しくは被扶養者の要件を欠くに至つた場合には、その組合員は、当該事実が生じた日から五日以内に、次に掲げる事項（第四号に掲げる事項にあつては、組合員となつた者に被扶養者の要件を備える者がある場合又は組合員について被扶養者の要件を備える者が生じた場合に限る。）を記載した被扶養者等申告書を組合に提出しなければならない。

一 組合員の氏名（片仮名で振り仮名を付するものとする。）及び住所並びに組合員証の組合員等記号・番号又は個人番号

二 被扶養者の要件を備える者又は被扶養者の要件を欠くに至つた者の氏名（片仮名で振り仮名を付するものとする。）、性別、生年月日、職業、年間所得推計額、住所及び個人番号並びにその者と組合員との続柄

三 被扶養者の要件を備えるに至つた年月日又は被扶養者の要件を欠くに至つた年月日及びその理由

四 被扶養者の要件を備える者が第二条の五第二項各号のいずれかに該当する場合にあつては、その旨

五 その他必要な事項

2 組合員は、他の組合の組合員となつたときは、前項の規定にかかわらず、その日から五日以内に、次に掲げる事項（第二号及び第三号に掲げる事項にあつては、組合員となつた者に被扶養者の要件を備える者がある場合に限る。）を記載した被扶養者等申告書を当該他の組合に提出しなければならない。

一 組合員の氏名（片仮名で振り仮名を付するものとする。）、生年月日、性別、住所、個人番号及び当該他の

組合の組合員となつた日
二 被扶養者の要件を備える者の氏名、性別、生年月日、職業、年間所得推計額、住所及び個人番号並びにその者と組合員との続柄
三 被扶養者の要件を備える者が第二条の五第二項各号のいずれかに該当する場合にあつては、その旨
四 その他必要な事項

（組合による組合員情報等の登録）

第八十八条の二 組合は、法第百十四条の二第一項の規定により同項第二号又は第三号に掲げる事務を委託する場合は、令第四十九条第一項の規定による届出若しくは第八十七条の二第一項若しくは第八十七条の二の二第一項の規定による届出又は前条第二項の規定による申告を受けた日から五日以内に、当該届出又は申告に係る組合員の資格に係る情報を、電磁的方法（電子情報処理組織を使用する方法その他の情報通信の技術を利用する方法をいう。以下同じ。）により、社会保険診療報酬支払基金又は国民健康保険法（昭和三十三年法律第百九十二号）第四十五条第五項に規定する国民健康保険団体連合会（第百二十五条の二の二第一項第五号において「国民健康保険団体連合会」という。）に提供するものとする。

2 前項の規定は、前条第一項又は第二項の規定による申告を受けた場合において準用する。この場合において、同項中「令第四十九条第一項の規定による届出若しくは第八十七条の二第一項若しくは第八十七条の二の二第一項の規定による届出又は前条第二項の規定による申告」とあるのは「前条第一項又は第二項の規定による申告」と、「当該届出又は申告に係る組合員」とあるのは「当該申告に係る被扶養者」と読み替えるものとする。

（組合員証の交付）

第八十九条 組合は、組合員の資格を取得した者（法第二条第一項第二号に規定する後期高齢者医療の被保険者等（以下「後期高齢者医療の被保険者等」という。）であつた者で引き続き短期給付に関する規定の適用を受ける組合員となつたもの、継続長期組合員であつた者で引き続き組合員の資格を取得したもの又は国と民間企業との間の人事交流に関する法律第八条第二項（同法第二十四条第一項において準用する場合を含む。）に規定する交流派遣職員（以下「交流派遣職員」という。）、法科大学院への裁判官及び検察官その他の一般職の国家公務員の派遣に関する法律第十四条第一項に規定する私立大学派遣検察官等（以下「私立大学派遣検察官等」という。）若しくは法科大学院への裁判官及び検察官その他の一般職の国家公務員の派遣に関する法律施行令（平成十五年政令第五百四十六号）第八条第一項に規定する私立大学等複数校派遣検察官等（以下「私立大学等複数校派遣検察官等」という。）、判事補及び検事の弁護士職務経験に関する法律（平成十六年法律第百二十一号）第二条第七項に規定する弁護士職務従事職員（以下「弁護士職務従事職員」という。）、令和三年東京オリンピック競技大会・東京パラリンピック競技大会特別措置法（平成二十七年法律第三十三号）第十七条第七項に規定する派遣職員（以下「オリンピック・パラリンピック派遣職員」という。）、平成三十一年ラグビーワールドカップ大会特別措置法（平成二十七年法律第三十四号）第四条第七項に規定する派遣職員（以下「ラグビー派遣職員」という。）、福島復興再生特別措置法（平成二十四年法律第二十五号）第四十八条の三第七項に規定する派遣職員（以下「福島相双復興推進機構派遣職員」という。）、同法第八十九条の三第七項に規定する派遣職員（以下「イノベーション・コースト機構派遣職員」という。）、令和七年に開催される国際博覧会の準備及び運営のために必要な特別措置に関する法律（平成三十一年法律第十八号）第二十五条第七項に規定する派遣職員（以下「国際博覧会派遣職員」という。）若しくは令和九年に開催される国際園芸博覧会の準備及び運営のために必要な特別措置に関する法律（令和四年法律第十五号）第十五条第七項に規定する派遣職員（以下「園芸博覧会派遣職員」という。）であつた者で引き続き短期給付に関する規定の適用を受ける組合員となつたものを含む。）に対しては、遅滞なく、別紙様式第十一号による組合員証を作成し、交付しなければならない。

（組合員証の記載事項の訂正）

第九十条 組合員は、組合員証の記載事項に変更があつたときは、遅滞なく、当該変更に関する申告書を、組合員証及びその事実を証する書類と併せて組合に提出しなければならない。

2 組合は、前項の規定による組合員証の提出があつたときは、遅滞なく、その記載事項を訂正して、その組合員に返付しなければならない。

（組合員証の亡失等）

第九十一条 組合員は、組合員証を亡失し、又は著しく損傷したときは、遅滞なく、次に掲げる事項を記載した組合員証等再交付申請書を、亡失の場合を除き組合員証と併せて組合に提出しなければならない。

一 組合員の氏名及び住所並びに組合員証の組合員等記号・番号又は個人番号
二 再交付の申請を行う理由
三 その他必要な事項

2 組合は、前項の申請書の提出を受けたときは、新たな

組合員証を交付するものとする。

3　組合員は、組合員証の再交付を受けた後において、亡失した組合員証を発見したときは、遅滞なく、これを組合に返納しなければならない。

（組合員証の検認等）

第九十二条　組合は、財務大臣の定めるところにより、組合員証の検認又は更新をしなければならない。

2　組合員は、検認、更新又は記載事項の訂正のため、組合員証の提出を求められたときは、遅滞なく、これを組合に提出しなければならない。

3　組合は、前項の規定により組合員証の提出を受けたときは、遅滞なく、これを検認し、更新し、又は記載事項を訂正して、その者に交付しなければならない。

4　第一項の規定により検認又は更新を行つた場合において、その検認又は更新を受けない組合員証は、無効とする。

（組合員証の返納）

第九十三条　組合員は、その資格を喪失したとき（後期高齢者医療の被保険者等となつたとき、継続長期組合員の資格を取得したとき又は交流派遣職員、私立大学派遣検察官等若しくは私立大学等複数校派遣検察官等、弁護士職務従事職員、オリンピック・パラリンピック派遣職員、ラグビー派遣職員、福島相双復興推進機構派遣職員、イノベーション・コースト機構派遣職員、国際博覧会派遣職員若しくは園芸博覧会派遣職員となつたときを含む。）は、遅滞なく、組合員証を組合に返納しなければならない。

2　前項の資格喪失の原因が死亡である場合又は同項の規定により組合員証を返納すべき者が死亡した場合には、埋葬料の支給を受けるべき者は、その請求の際、組合員証を組合に返納しなければならない。

（組合員証整理簿）

第九十四条　組合は、組合員証整理簿を備え、組合員証の交付、検認、更新、返納その他所要の事項を記載整理しなければならない。

（組合員被扶養者証）

第九十五条　組合は、第八十八条第一項又は第二項の申告書（組合員について被扶養者がその要件を欠くに至つた場合における申告書を除く。）の提出があつたときは、遅滞なく、別紙様式第十五号による組合員被扶養者証を作成し、組合員に交付しなければならない。

2　前項の規定により組合員被扶養者証の交付を受けた組合員は、次の各号のいずれかに該当することとなつたときは、遅滞なく、組合員被扶養者証を返納しなければならない。

一　組合員の資格を喪失したとき。

二　組合員が後期高齢者医療の被保険者等又は交流派遣職員、私立大学派遣検察官等若しくは私立大学等複数校派遣検察官等、弁護士職務従事職員、オリンピック・パラリンピック派遣職員、ラグビー派遣職員、福島相双復興推進機構派遣職員、イノベーション・コースト機構派遣職員、国際博覧会派遣職員若しくは園芸博覧会派遣職員となつたとき。

三　組合員が継続長期組合員の資格を取得したとき。

四　被扶養者がその要件を欠くに至つたとき。

3　第九十条から前条までの規定（第九十三条第一項の規定を除く。）は、組合員被扶養者証について準用する。この場合において、第九十二条第一項中「しなければならない」とあるのは「しなければならない。この場合においては、組合は、財務大臣の定めるところにより、組合員被扶養者証の交付を行つた組合員に対し、毎年、被扶養者の要件の確認を行うものとする」と、前条中「組合員証整理簿」とあるのは「組合員被扶養者証整理簿」と読み替えるものとする。

（高齢受給者証の交付等）

第九十五条の二　組合は、組合員が法第五十五条第二項第二号若しくは第三号に掲げる場合に該当することとなるとき又はその被扶養者が法第五十七条第二項第一号ハ若しくはニに掲げる場合に該当することとなるときには、遅滞なく、別紙様式第十五号の三による高齢受給者証を作成し、組合員に対して交付しなければならない。ただし、組合員証に一部負担金の割合又は百分の百から法第五十七条第二項第一号ハ若しくはニに定める割合を控除して得た割合及び高齢受給者証を兼ねる旨を明記した場合は、この限りでない。

2　前項の規定により高齢受給者証の交付を受けた組合員は、次の各号のいずれかに該当することとなつたときは、遅滞なく、高齢受給者証を返納しなければならない。

一　組合員の資格を喪失したとき。

二　組合員が後期高齢者医療の被保険者等又は交流派遣職員、私立大学派遣検察官等若しくは私立大学等複数校派遣検察官等、弁護士職務従事職員、オリンピック・パラリンピック派遣職員、ラグビー派遣職員、福島相双復興推進機構派遣職員、イノベーション・コースト機構派遣職員、国際博覧会派遣職員若しくは園芸博覧会派遣職員となつたとき。

三　組合員が継続長期組合員の資格を取得したとき。

四　法第五十七条第二項第一号ハ又はニに掲げる場合に該当する被扶養者が被扶養者の要件を欠くに至つたと

き。

五　高齢受給者証に記載されている一部負担金の割合が変更されるとき。

六　高齢受給者証の有効期限に至つたとき。

3　第九十条から第九十四条までの規定（第九十三条第一項の規定を除く。）は、高齢受給者証について準用する。この場合において、第九十三条第二項中「前項の資格喪失の」とあるのは「第九十五条の二第二項第一号の資格喪失又は同項第四号の要件を欠くに至つた」と、「埋葬料」とあるのは「埋葬料又は家族埋葬料」と、第九十四条中「組合員証整理簿」とあるのは「高齢受給者証整理簿」と読み替えるものとする。

第五章　給付

第一節　通則

（提出書類の省略）

第九十六条　二以上の給付（厚生年金保険給付を除く。）を同時に請求する者は、これらの給付の請求の際併せて提出すべき書類が同一であるときは、この省令に定めるところによるほか、組合（退職等年金給付にあつては、連合会）の運営規則で定めるところにより、一の提出書類によりこれらの給付を請求することができる。

（標準報酬の決定等）

第九十六条の二　組合は、次に掲げる事項を記載した標準報酬定時決定基礎届の提出を当該組合員の給与支給機関より受け、標準報酬を決定するものとする。

一　組合員の氏名、生年月日、性別及び長期組合員番号

二　法第四十条第五項に規定する報酬の総額

三　その他必要な事項

2　組合は、組合員の資格を取得した者があるときは、次に掲げる事項を記載した標準報酬新規・転入基礎届の提出を当該組合員の給与支給機関より受け、標準報酬を決定するものとする。

一　組合員の氏名、生年月日、性別及び長期組合員番号

二　組合員の資格を取得した年月日及び報酬の総額

三　その他必要な事項

3　組合は、法第四十条第十項の規定により組合員の標準報酬を改定するときは、次に掲げる事項を記載した標準報酬随時改定基礎届の提出を当該組合員の給与支給機関より受け、標準報酬を改定するものとする。

一　組合員の氏名、生年月日、性別及び長期組合員番号

二　改定前における標準報酬の月額及び等級

三　法第四十条第十項に規定する報酬の総額

四　標準報酬の月額を改定する理由及び年月日

五　その他必要な事項

4　組合は、法第四十条第十二項の規定による標準報酬の改定を希望する旨の申出並びに人事担当者による育児休業等（同項に規定する育児休業等をいう。以下同じ。）に係る子の氏名及び生年月日並びに当該育児休業等の承認期間を証明する証拠書類の提出が組合員からあり標準報酬を改定するときは、次に掲げる事項を記載した標準報酬育児休業等終了時改定基礎届の提出を当該組合員の給与支給機関より受け、標準報酬を改定するものとする。

一　組合員の氏名、生年月日、性別及び長期組合員番号

二　改定前における標準報酬の月額及び等級

三　法第四十条第十二項に規定する報酬の総額

四　標準報酬の月額を改定する年月日

五　その他必要な事項

5　組合は、法第四十条第十四項の規定による標準報酬の改定を希望する旨の申出並びに人事担当者による産前産後休業（同項に規定する産前産後休業をいう。以下同じ。）に係る子の氏名及び生年月日並びに当該産前産後休業の取得期間を証する書類の提出が組合員からあり標準報酬を改定するときは、次に掲げる事項を記載した標準報酬産前産後休業終了時改定基礎届の提出を当該組合員の給与支給機関より受け、標準報酬を改定するものとする。

一　組合員の氏名、生年月日及び長期組合員番号

二　改定前における標準報酬の月額及び等級

三　法第四十条第十四項に規定する報酬の総額

四　標準報酬の月額を改定する年月日

五　その他必要な事項

6　組合は、継続長期組合員を使用する事業主が、健康保険法第四十九条第一項の規定による標準報酬の決定又は改定に係る通知を受けたときは、当該事業主より当該通知に係る書類の写しの提出を受け、当該写しに記載された標準報酬（同項に規定する標準報酬をいう。第八項から第十五項まで並びに第九十六条の六において同じ。）のうち同法第四十条第一項に規定する標準報酬月額を参酌して当該継続長期組合員の標準報酬を決定し又は改定するものとする。

7　組合員が法科大学院への裁判官及び検察官その他の一般職の国家公務員の派遣に関する法律第四条第三項又は同法第十一条第一項の規定により派遣された同法第二条第二項に規定する検察官等である場合における第一項から第五項までの規定の適用については、第一項中「給与支給機関」とあるのは「各給与支給機関」と、同項第二号中「報酬」とあるのは「報酬（法科大学院への裁判官及び検察官その他の一般職の国家公務員の派遣に関する法律第八条第二項（法科大学院への裁判官及び検察官そ

の他の一般職の国家公務員の派遣に関する法律施行令第八条第四項において準用する場合を含む。）又は同法第十四条第四項（同令第八条第五項において準用する場合を含む。）の規定による読替え後の法第二条第一項第五号に規定する報酬をいう。次項第二号、第三項第三号及び第四項第三号において同じ。）の各給与支給機関ごと」と、第二項から第五項までの規定中「給与支給機関」とあるのは「各給与支給機関」と、「総額」とあるのは「各給与支給機関ごとの総額」とする。

8　組合は、交流派遣職員である組合員を使用する派遣先企業（国と民間企業との間の人事交流に関する法律第七条第三項（同法第二十四条第一項において準用する場合を含む。）に規定する派遣先企業をいう。以下同じ。）が、健康保険法第四十九条第一項の規定による標準報酬の決定又は改定に係る通知を受けたときは、当該派遣先企業より当該通知に係る書類の写しの提出を受け、当該写しに記載された標準報酬のうち同法第四十条第一項に規定する標準報酬月額を参酌して当該交流派遣職員である組合員の標準報酬を決定し又は改定するものとする。

9　組合は、弁護士職務従事職員である組合員を使用する受入先弁護士法人等（判事補及び検事の弁護士職務経験に関する法律第二条第七項に規定する受入先弁護士法人等をいう。以下同じ。）が、健康保険法第四十九条第一項の規定による標準報酬の決定又は改定に係る通知を受けたときは、当該受入先弁護士法人等より当該通知に係る書類の写しの提出を受け、当該写しに記載された標準報酬のうち同法第四十条第一項に規定する標準報酬月額を参酌して当該弁護士職務従事職員である組合員の標準報酬を決定し又は改定するものとする。

10　組合は、オリンピック・パラリンピック派遣職員である組合員を使用する令和三年東京オリンピック競技大会・東京パラリンピック競技大会特別措置法第八条第一項に規定する組織委員会（以下「オリンピック・パラリンピック組織委員会」という。）が、健康保険法第四十九条第一項の規定による標準報酬の決定又は改定に係る通知を受けたときは、当該オリンピック・パラリンピック組織委員会より当該通知に係る書類の写しの提出を受け、当該写しに記載された標準報酬のうち同法第四十条第一項に規定する標準報酬月額を参酌して当該オリンピック・パラリンピック派遣職員である組合員の標準報酬を決定し又は改定するものとする。

11　組合は、ラグビー派遣職員である組合員を使用する平成三十一年ラグビーワールドカップ大会特別措置法第二条に規定する組織委員会（以下「ラグビー組織委員会」という。）が、健康保険法第四十九条第一項の規定による標準報酬の決定又は改定に係る通知を受けたときは、当該ラグビー組織委員会より当該通知に係る書類の写しの提出を受け、当該写しに記載された標準報酬のうち同法第四十条第一項に規定する標準報酬月額を参酌して当該ラグビー派遣職員である組合員の標準報酬を決定し又は改定するものとする。

12　組合は、福島相双復興推進機構派遣職員である組合員を使用する福島復興再生特別措置法第四十八条の二第一項に規定する公益社団法人福島相双復興推進機構（以下「福島相双復興推進機構」という。）が、健康保険法第四十九条第一項の規定による標準報酬の決定又は改定に係る通知を受けたときは、当該福島相双復興推進機構より当該通知に係る書類の写しの提出を受け、当該写しに記載された標準報酬のうち同法第四十条第一項に規定する標準報酬月額を参酌して当該福島相双復興推進機構派遣職員である組合員の標準報酬を決定し又は改定するものとする。

13　組合は、イノベーション・コースト機構派遣職員である組合員を使用する福島復興再生特別措置法第八十九条の二第一項に規定する公益財団法人福島イノベーション・コースト構想推進機構（以下「イノベーション・コースト機構」という。）が、健康保険法第四十九条第一項の規定による標準報酬の決定又は改定に係る通知を受けたときは、当該イノベーション・コースト機構より当該通知に係る書類の写しの提出を受け、当該写しに記載された標準報酬のうち同法第四十条第一項に規定する標準報酬月額を参酌して当該イノベーション・コースト機構派遣職員である組合員の標準報酬を決定し又は改定するものとする。

14　組合は、国際博覧会派遣職員である組合員を使用する令和七年に開催される国際博覧会の準備及び運営のために必要な特別措置に関する法律第十四条第一項の規定により指定された博覧会協会（以下「国際博覧会協会」という。）が、健康保険法第四十九条第一項の規定による標準報酬の決定又は改定に係る通知を受けたときは、当該国際博覧会協会より当該通知に係る書類の写しの提出を受け、当該写しに記載された標準報酬のうち同法第四十条第一項に規定する標準報酬月額を参酌して当該国際博覧会派遣職員である組合員の標準報酬を決定し又は改定するものとする。

15　組合は、園芸博覧会派遣職員である組合員を使用する令和九年に開催される国際園芸博覧会の準備及び運営のために必要な特別措置に関する法律第二条第一項の規定により指定された博覧会協会（以下「園芸博覧会協会」という。）が、健康保険法第四十九条第一項の規定による標準報酬の決定又は改定に係る通知を受けたときは、当該園芸博覧会協会より当該通知に係る書類の写しの提出を受け、当該写しに記載された標準報酬のうち同法第四十条第一項に規定する標準報酬月額を参酌して当該園芸博覧会派遣職員である組合員の標準報酬を決定し又は改定するものとする。

（第二号厚生年金被保険者等である組合員の標準報酬月額の決定等）

第九十六条の二の二　第二号厚生年金被保険者等である組合員について、厚生年金保険法第二十一条から第二十三条の三までの規定により当該組合員の厚生年金保険の標準報酬月額を決定し又は改定するときは、当該厚生年金保険の標準報酬月額の決定又は改定は、法第四十条第五項、第八項、第十項、第十二項又は第十四項の規定による当該組合員の標準報酬の決定又は改定（同条第二項に規定する短期給付等事務に関する標準報酬の月額の決定又は改定を除く。）と同時に行うものとする。

2　前項の規定により厚生年金保険法第二十一条から第二十三条の三までの規定による厚生年金保険の標準報酬月額を決定し又は改定する場合においては、前条第一項から第五項まで（同条第七項の規定によりこれらの規定を読み替えて適用する場合を含む。）の規定による標準報酬の決定又は改定に係る基礎届を厚生年金保険の標準報酬月額の決定又は改定に係る基礎届とみなす。

3　第二号厚生年金被保険者等である組合員が継続長期組合員又は交流派遣職員、弁護士職務従事職員、オリンピック・パラリンピック派遣職員、ラグビー派遣職員、福島相双復興推進機構派遣職員、イノベーション・コースト機構派遣職員、国際博覧会派遣職員若しくは園芸博覧会派遣職員である組合員となつた場合における前条第六項及び第八項から第十五項までの規定の適用については、これらの規定中「標準報酬を決定」とあるのは、「標準報酬及び厚生年金保険法第二十一条第一項に規定する標準報酬月額を決定」とする。

（第二号厚生年金被保険者等が育児休業等を終了した際の標準報酬月額の改定に係る申出）

第九十六条の二の三　第九十六条の二第四項の規定は、第二号厚生年金被保険者等が、厚生年金保険法第二十三条の二第一項の規定による厚生年金保険の標準報酬月額の改定を希望する旨の申出について準用する。この場合において、第九十六条の二第四項中「法第四十条第十二項」とあるのは「厚生年金保険法第二十三条の二第一項」と、「標準報酬の改定」とあるのは「標準報酬月額の改定」と、「標準報酬を」とあるのは「標準報酬月額を」と、「標準報酬の月額」とあるのは「標準報酬月額」と読み替えるものとする。

2　第九十六条の二第五項の規定は、第二号厚生年金被保険者等が、厚生年金保険法第二十三条の三第一項の規定による厚生年金保険の標準報酬月額の改定を希望する旨の申出について準用する。この場合において、第九十六条の二第五項中「法第四十条第十四項」とあるのは「厚生年金保険法第二十三条の三第一項」と、「標準報酬の改定」とあるのは「標準報酬月額の改定」と、「標準報酬を」とあるのは「標準報酬月額を」と、「標準報酬の月額」とあるのは「標準報酬月額」と読み替えるものとする。

（第二号厚生年金被保険者等が育児休業等を終了した際の標準報酬月額の改定に係る申出の特例）

第九十六条の二の四　第二号厚生年金被保険者等が法第四十条第十二項の規定による標準報酬の改定を希望する旨の申出をした場合には、併せて同一の事由により厚生年金保険法第二十三条の二の規定による厚生年金保険の標準報酬月額の改定を希望する旨の申出をしたものとみなす。

2　前項の規定は、第二号厚生年金被保険者等が法第四十条第十四項の規定による標準報酬の改定を希望する旨の申出と同一の事由により厚生年金保険法第二十三条の三の規定による厚生年金保険の標準報酬月額の改定を希望する旨の申出をしようとする場合について準用する。

（七十歳以上の使用される者の要件）

第九十六条の二の五　七十歳以上の長期組合員については、厚生年金保険法第二十七条に規定する七十歳以上の使用される者（以下「七十歳以上の使用される者」という。）とみなす。

（七十歳以上の使用される者に係る標準報酬月額に相当する額の決定等）

第九十六条の二の六　七十歳以上の長期組合員について、法第四十条第五項、第八項、第十項、第十二項又は第十四項の規定による当該長期組合員の標準報酬の決定又は改定（同条第二項に規定する短期給付等事務に関する標準報酬の月額の決定又は改定を除く。）が行われたときは、決定又は改定された額を厚生年金保険法第四十六条第二項に規定する標準報酬月額に相当する額（以下「七十歳以上被用者の標準報酬月額」という。）とする。

2　前項の規定により七十歳以上被用者の標準報酬月額を決定し又は改定する場合においては、第九十六条の二第一項から第五項まで（同条第七項の規定によりこれらの規定を読み替えて適用する場合を含む。以下この項において同じ。）の規定による標準報酬の決定又は改定に係る基礎届を七十歳以上被用者の標準報酬月額の決定又は改定に係る基礎届とみなす。

3 組合は、第一項の規定により七十歳以上被用者の標準報酬月額を決定し又は改定したときは、当該七十歳以上の使用される者ごとに、その七十歳以上被用者の標準報酬月額及び当該七十歳以上被用者の標準報酬月額の基礎となつた報酬月額を連合会に通知しなければならない。

（標準報酬の組合員への通知等）

第九十六条の三 組合は、法第四十条第五項、第八項、第十項、第十二項又は第十四項の規定により組合員の標準報酬を決定し又は改定したとき、及び厚生年金保険法第二十一条第一項、第二十二条第一項、第二十三条第一項、第二十三条の二又は第二十三条の三の規定により第二号厚生年金被保険者等である組合員の厚生年金保険の標準報酬月額を決定し又は改定したときは、その旨を当該組合員に通知しなければならない。この場合において、当該組合員が継続長期組合員又は交流派遣職員、私立大学派遣検察官等若しくは私立大学等複数校派遣検察官等、弁護士職務従事職員、オリンピック・パラリンピック派遣職員、ラグビー派遣職員、福島相双復興推進機構派遣職員、イノベーション・コースト機構派遣職員、国際博覧会派遣職員若しくは園芸博覧会派遣職員である組合員であるときは、当該決定し又は改定した標準報酬及び厚生年金保険の標準報酬月額を当該組合員を使用する公庫等若しくは特定公庫等又は派遣先企業、法科大学院設置者、受入先弁護士法人等、オリンピック・パラリンピック組織委員会、ラグビー組織委員会、福島相双復興推進機構、イノベーション・コースト機構、国際博覧会協会若しくは園芸博覧会協会に通知しなければならない。

2 前項前段の規定にかかわらず、給与支給機関が標準報酬及び厚生年金保険の標準報酬月額の決定又は改定を通知したときは、組合が同項前段の通知をしたものとみなす。

3 組合は、第一項前段の規定にかかわらず、組合員の標準報酬及び厚生年金保険の標準報酬月額を閲覧に供することをもつて同項前段の通知に代えることができる。

（標準報酬の連合会への通知等）

第九十六条の四 組合は、法第四十条第五項、第八項、第十項、第十二項又は第十四項の規定により長期組合員の標準報酬を決定し又は改定したとき、及び厚生年金保険法第二十一条第一項、第二十二条第一項、第二十三条第一項、第二十三条の二又は第二十三条の三の規定により第二号厚生年金被保険者等である長期組合員の厚生年金保険の標準報酬月額を決定し又は改定したときは、当該長期組合員ごとに、その標準報酬及び当該厚生年金保険の標準報酬月額並びに当該標準報酬及び当該厚生年金保険の標準報酬月額の基礎となつた報酬月額を連合会に通知しなければならない。

2 連合会は、前項の通知を受けたときは、長期組合員ごとに長期組合員番号を付し、当該長期組合員番号並びに当該標準報酬及び当該厚生年金保険の標準報酬月額を同項の通知をした組合に通知しなければならない。

（法第四十条第五項の財務省令で定める者）

第九十六条の四の二 法第四十条第五項の財務省令で定める者は、令第二条第一項第九号に規定する者とする。

（標準報酬の改定の程度）

第九十六条の五 法第四十条第十項に規定する財務省令で定める程度は、組合員の標準報酬の等級と当該組合員に係る同項の規定により算定した額に相当する標準報酬の等級との間に二等級以上の差が生じた状態に係る程度とする。

（標準期末手当等の額の決定）

第九十六条の六 組合は、次に掲げる事項を記載した標準期末手当等の額決定基礎届の提出を当該組合員の給与支給機関より受け、標準期末手当等の額を決定するものとする。

一 組合員の氏名、生年月日、性別及び長期組合員番号
二 期末手当等の額及び支払年月
三 その他必要な事項

2 組合は、継続長期組合員を使用する事業主が、健康保険法第四十九条第一項の規定による標準報酬の決定又は改定に係る通知を受けたときは、当該事業主より当該通知に係る書類の写しの提出を受け、当該写しに記載された標準報酬のうち標準賞与額（同法第四十五条第一項の規定により決定される標準賞与額をいう。第四項から第十一項までにおいて同じ。）を参酌して当該継続長期組合員の標準期末手当等の額を決定するものとする。

3 組合員が法科大学院への裁判官及び検察官その他の一般職の国家公務員の派遣に関する法律第四条第三項又は同法第十一条第一項の規定により派遣された同法第二条第二項に規定する検察官等である場合における第一項の規定の適用については、同項中「給与支給機関」とあるのは「各給与支給機関」と、同項第二号中「期末手当等」とあるのは「期末手当等（法科大学院への裁判官及び検察官その他の一般職の国家公務員の派遣に関する法律第八条第二項（法科大学院への裁判官及び検察官その他の一般職の国家公務員の派遣に関する法律施行令第八条第四項において準用する場合を含む。）又は同法第十四条第四項（同令第八条第五項において準用する場合を含む。）の規定による読替え後の法第二条第一項第六号に規

定する期末手当等をいう。）の各給与支給機関ごと」とする。

4　組合は、交流派遣職員である組合員を使用する派遣先企業が、健康保険法第四十九条第一項の規定による標準報酬の決定又は改定に係る通知を受けたときは、当該派遣先企業より当該通知に係る書類の写しの提出を受け、当該写しに記載された標準報酬のうち標準賞与額を参酌して当該交流派遣職員である組合員の標準期末手当等の額を決定するものとする。

5　組合は、弁護士職務従事職員である組合員を使用する受入先弁護士法人等が、健康保険法第四十九条第一項の規定による標準報酬の決定又は改定に係る通知を受けたときは、当該受入先弁護士法人等より当該通知に係る書類の写しの提出を受け、当該写しに記載された標準報酬のうち標準賞与額を参酌して当該弁護士職務従事職員である組合員の標準期末手当等の額を決定するものとする。

6　組合は、オリンピック・パラリンピック派遣職員である組合員を使用するオリンピック・パラリンピック組織委員会が、健康保険法第四十九条第一項の規定による標準報酬の決定又は改定に係る通知を受けたときは、当該オリンピック・パラリンピック組織委員会より当該通知に係る書類の写しの提出を受け、当該写しに記載された標準報酬のうち標準賞与額を参酌して当該オリンピック・パラリンピック派遣職員である組合員の標準期末手当等の額を決定するものとする。

7　組合は、ラグビー派遣職員である組合員を使用するラグビー組織委員会が、健康保険法第四十九条第一項の規定による標準報酬の決定又は改定に係る通知を受けたときは、当該ラグビー組織委員会より当該通知に係る書類の写しの提出を受け、当該写しに記載された標準報酬のうち標準賞与額を参酌して当該ラグビー派遣職員である組合員の標準期末手当等の額を決定するものとする。

8　組合は、福島相双復興推進機構派遣職員である組合員を使用する福島相双復興推進機構が、健康保険法第四十九条第一項の規定による標準報酬の決定又は改定に係る通知を受けたときは、当該福島相双復興推進機構より当該通知に係る書類の写しの提出を受け、当該写しに記載された標準報酬のうち標準賞与額を参酌して当該福島相双復興推進機構派遣職員である組合員の標準期末手当等の額を決定するものとする。

9　組合は、イノベーション・コースト機構派遣職員である組合員を使用するイノベーション・コースト機構が、健康保険法第四十九条第一項の規定による標準報酬の決定又は改定に係る通知を受けたときは、当該イノベーション・コースト機構より当該通知に係る書類の写しの提出を受け、当該写しに記載された標準報酬のうち標準賞与額を参酌して当該イノベーション・コースト機構派遣職員である組合員の標準期末手当等の額を決定するものとする。

10　組合は、国際博覧会派遣職員である組合員を使用する国際博覧会協会が、健康保険法第四十九条第一項の規定による標準報酬の決定又は改定に係る通知を受けたときは、当該国際博覧会協会より当該通知に係る書類の写しの提出を受け、当該写しに記載された標準報酬のうち標準賞与額を参酌して当該国際博覧会派遣職員である組合員の標準期末手当等の額を決定するものとする。

11　組合は、園芸博覧会派遣職員である組合員を使用する園芸博覧会協会が、健康保険法第四十九条第一項の規定による標準報酬の決定又は改定に係る通知を受けたときは、当該園芸博覧会協会より当該通知に係る書類の写しの提出を受け、当該写しに記載された標準報酬のうち標準賞与額を参酌して当該園芸博覧会派遣職員である組合員の標準期末手当等の額を決定するものとする。

（第二号厚生年金被保険者等である組合員の標準賞与額の決定等）

第九十六条の六の二　第二号厚生年金被保険者等である組合員について、厚生年金保険法第二十四条の四の規定により当該組合員の厚生年金保険の標準賞与額を決定するときは、当該厚生年金保険の標準賞与額の決定は、法第四十一条の規定による当該組合員の標準期末手当等の額の決定と同時に行うものとする。

2　前項の規定により厚生年金保険法第二十四条の四の規定による厚生年金保険の標準賞与額を決定する場合においては、前条第一項（同条第三項の規定によりこれらの規定を読み替えて適用する場合を含む。）の規定による標準期末手当等の額の決定に係る基礎届を厚生年金保険の標準賞与額の決定に係る基礎届とみなす。

3　第二号厚生年金被保険者等である組合員が継続長期組合員又は交流派遣職員、弁護士職務従事職員、オリンピック・パラリンピック派遣職員、ラグビー派遣職員、福島相双復興推進機構派遣職員、イノベーション・コースト機構派遣職員、国際博覧会派遣職員若しくは園芸博覧会派遣職員である組合員となつた場合における前条第二項及び第四項から第十一項までの規定の適用については、これらの規定中「標準期末手当等の額を」とあるのは、「標準期末手当等の額及び厚生年金保険法第二十四条の四第一項に規定する標準賞与額を」とする。

（七十歳以上の使用される者に係る標準賞与額に相当する額の決定等）

第九十六条の六の三 七十歳以上の長期組合員について、法第四十一条の規定による当該長期組合員の標準期末手当等の額の決定が行われたときは、当該決定された額を厚生年金保険法第四十六条第二項に規定する標準賞与額に相当する額（以下「七十歳以上被用者の標準賞与額」という。）とする。

2 前項の規定により七十歳以上被用者の標準賞与額を決定し又は改定する場合においては、第九十六条の六第一項（同条第三項の規定によりこれらの規定を読み替えて適用する場合を含む。以下この項において同じ。）の規定による標準期末手当等の額の決定に係る基礎届を七十歳以上被用者の標準賞与額の決定に係る基礎届とみなす。

3 組合は、第一項の規定により七十歳以上被用者の標準賞与額を決定し又は改定したときは、当該七十歳以上の使用される者ごとに、その七十歳以上被用者の標準賞与額及び当該標準賞与額の基礎となつた期末手当等の額を当該決定した月を単位として連合会に通知しなければならない。

（標準期末手当等の額の組合員への通知等）

第九十六条の七 組合は、法第四十一条第一項（同条第二項又は第三項の規定により読み替えて適用する場合を含む。次条において同じ。）の規定により組合員の標準期末手当等の額を決定したとき、及び厚生年金保険法第二十四条の四の規定により第二号厚生年金被保険者等である組合員の厚生年金保険の標準賞与額を決定したときは、その旨を当該組合員に通知しなければならない。この場合において、当該組合員が継続長期組合員又は交流派遣職員、私立大学派遣検察官等若しくは私立大学等複数校派遣検察官等、弁護士職務従事職員、オリンピック・パラリンピック派遣職員、ラグビー派遣職員、福島相双復興推進機構派遣職員、イノベーション・コースト機構派遣職員、国際博覧会派遣職員若しくは園芸博覧会派遣職員である組合員であるときは、当該決定した標準期末手当等の額及び厚生年金保険の標準賞与額を当該組合員を使用する公庫等若しくは特定公庫等又は派遣先企業、法科大学院設置者、受入先弁護士法人等、オリンピック・パラリンピック組織委員会、ラグビー組織委員会、福島相双復興推進機構、イノベーション・コースト機構、国際博覧会協会若しくは園芸博覧会協会に通知しなければならない。

2 前項前段の規定にかかわらず、給与支給機関が標準期末手当等の額及び厚生年金保険の標準賞与額の決定を通知したときは、組合が同項前段の通知をしたものとみなす。

3 組合は、第一項前段の規定にかかわらず、組合員の標準期末手当等の額及び厚生年金保険の標準賞与額を閲覧に供することをもつて同項前段の通知に代えることができる。

（標準期末手当等の額の連合会への通知等）

第九十六条の八 組合は、法第四十一条第一項の規定により長期組合員の標準期末手当等の額を決定したとき、及び厚生年金保険法第二十四条の四の規定により第二号厚生年金被保険者等である長期組合員の厚生年金保険の標準賞与額を決定したときは、当該長期組合員ごとに、その標準期末手当等の額及び厚生年金保険の標準賞与額並びに当該標準期末手当等の額及び当該厚生年金保険の標準賞与額の基礎となつた期末手当等の額を当該決定をした月を単位として連合会に通知しなければならない。

2 連合会は、前項の通知を受けたときは、当該長期組合員に係る長期組合員番号並びに当該標準期末手当等の額及び当該厚生年金保険の標準賞与額を同項の通知をした組合に通知しなければならない。

（支払未済の給付）

第九十七条 法第四十四条第一項の規定により給付の支給を受けようとする者は、次に掲げる事項（第一号の二に掲げる事項にあつては、退職等年金給付の支給を受けようとする者に限る。）を記載した請求書を組合（当該給付が退職等年金給付である場合には、連合会）に提出しなければならない。

一 請求者の氏名、生年月日及び住所並びに請求者と死亡した者との続柄

一の二 請求者の個人番号

二 死亡した者の氏名及び生年月日

二の二 死亡した者の組合員証の組合員等記号及び番号（当該給付が退職等年金給付である場合には、基礎年金番号）

三 死亡した者の死亡の年月日

四 次のイ又はロに掲げる者の区分に応じ、当該イ又はロに定める事項

イ 支給を受けようとする預金口座として公的給付の支給等の迅速かつ確実な実施のための預貯金口座の登録等に関する法律（令和三年法律第三十八号）第三条第一項、第四条第一項及び第五条第二項の規定による登録に係る預金口座（以下「公金受取口座」という。）を利用しようとする者 支給を受けようとする預金口座として公金受取口座を利用する旨（当該給付が退職等年金給付である場合には、払渡金融機関の名称及び公金受取口座の口座番号並びに支給を受けようとする預金口座として公金受取口座を利用する旨）

ロ　イに掲げる者以外の者　払渡金融機関の名称及び預金口座の口座番号

五　その他必要な事項

2　前項の請求書を提出する場合には、次に掲げる書類を併せて提出しなければならない。

一　死亡した受給権者（法第三十九条第一項に規定する受給権者をいう。以下同じ。）と請求者との身分関係を明らかにすることができる市町村長（特別区の区長を含むものとし、地方自治法（昭和二十二年法律第六十七号）第二百五十二条の十九第一項の指定都市にあつては、区長又は総合区長とする。以下同じ。）による証明書、戸籍抄本、戸籍謄本、除籍抄本、除籍謄本又は不動産登記規則（平成十七年法務省令第十八号）第二百四十七条第五項の規定により交付を受けた同条第一項に規定する法定相続情報一覧図の写し（以下「法定相続情報一覧図の写し」という。）

二　死亡した受給権者の死亡の当時その者と生計を同じくしていたことを証する書類

三　預金口座の口座番号についての当該払渡金融機関の証明書、預金通帳の写しその他の預金口座の口座番号を明らかにすることができる書類

四　その他必要な書類

3　第一項の請求書を提出する者が、同時に厚生年金保険法第三十七条第一項の規定による未支給の保険給付の請求をするときは、前項の規定にかかわらず、同項の規定により当該請求書と併せて提出しなければならないこととされた書類のうち当該保険給付に係る請求書に添えたものについては、第一項の請求書に併せて提出することを要しないものとする。

（第三者の行為による損害の届出）

第九十八条　給付事由が第三者の行為によつて生じた場合においては、給付の支給を受けようとする者は、次に掲げる事項を記載した損害賠償申告書を組合（厚生年金保険給付又は退職等年金給付を請求する場合にあつては、連合会）に提出しなければならない。

一　組合員の氏名及び住所並びに組合員証の組合員等記号・番号（厚生年金保険給付又は退職等年金給付を請求する場合にあつては、基礎年金番号）又は個人番号

二　被害者の氏名及び被害者と組合員との続柄

三　加害者の氏名及び住所並びに加害者から受けた損害賠償の内容

四　被害が発生した年月日並びに被害の状況及びその見積額

五　その他必要な事項

（掛金等を納付しない場合の給付制限についての控除金額）

第九十八条の二　令第二十一条第一項に規定する財務省令で定める金額は、百円とする。

第二節　短期給付

（療養の給付等）

第九十九条　法第五十五条第一項に規定する組合員又は被扶養者の資格に係る情報（短期給付に係る費用の請求に必要な情報を含む。次項において同じ。）の照会を行う方法として財務省令で定める方法は、利用者証明用電子証明書（電子署名等に係る地方公共団体情報システム機構の認証業務に関する法律（平成十四年法律第百五十三号）第二十二条第一項に規定する利用者証明用電子証明書をいう。）を送信する方法とする。

2　法第五十五条第一項に規定する組合員であることの確認を受ける方法として財務省令で定める方法は、次の各号に掲げる方法とする。

一　組合員証を提出する方法

二　処方箋を提出する方法（法第五十五条第一項各号に掲げる薬局から療養を受けようとする場合に限る。）

三　保険医療機関等（法第五十五条第一項各号に掲げる医療機関又は薬局をいう。以下同じ。）又は指定訪問看護事業者（法第五十六条の二第一項に規定する指定訪問看護事業者をいう。以下同じ。）が、過去に取得した療養又は指定訪問看護（法第五十六条の二第一項に規定する指定訪問看護をいう。以下同じ。）を受けようとする者の組合員の資格に係る情報を用いて、組合に対し、電磁的方法により、あらかじめ照会を行い、組合から回答を受けて取得した直近の当該情報を確認する方法（当該者が当該保険医療機関等から療養（居宅における療養上の管理及びその療養に伴う世話その他の看護又は居宅における薬学的管理及び指導に限る。）を受けようとする場合又は当該指定訪問看護事業者から指定訪問看護を受けようとする場合であつて、当該保険医療機関等又は指定訪問看護事業者から電子資格確認（法第五十五条第一項に規定する電子資格確認をいう。以下同じ。）による確認を受けてから継続的な療養又は指定訪問看護を受けている場合に限る。）

3　法第五十五条第二項第二号又は第三号の規定の適用を受ける組合員が、保険医療機関等に組合員証又は処方箋を提出する方法により組合員であることの確認を受けるときは、組合員証又は処方箋に高齢受給者証を添えて提出するものとする。ただし、当該保険医療機関等において、当該組合員が法第五十五条第二項第二号又は第三号の規定の適用を受けることの確認を行うことができると

きは、この限りでない。

4　第一項から前項までの規定（第二項第三号を除く。）は、保険医療機関等から入院時食事療養費に係る療養、入院時生活療養費に係る療養又は保険外併用療養費に係る療養を受ける場合について準用する。

（一部負担金の割合が百分の二十となる財務省令で定めるところにより算定した収入の額等）

第九十九条の二　令第十一条の三の二第二項第一号に規定する財務省令で定めるところにより算定した収入の額は、同項各号に規定する組合員が療養を受ける日の属する年の前年（当該療養を受ける日の属する月が一月から八月までの場合にあつては、前々年）における当該組合員及び同項第一号に規定する被扶養者又は同項第二号に規定する被扶養者であつた者（第三項において「被扶養者であつた者」という。）に係る所得税法（昭和四十年法律第三十三号）第三十六条第一項に規定する各種所得の金額の計算上収入金額とすべき金額又は総収入金額に算入すべき金額を合算した額から退職所得の金額（同法第三十条第二項に規定する退職所得の金額をいう。）の計算上収入金額とすべき金額を控除した額とする。

2　令第十一条の三の二第二項の規定の適用を受けようとする組合員は、次に掲げる事項を記載した基準収入額適用申請書を、当該事実を証明する証拠書類と併せて組合に提出しなければならない。

一　組合員の氏名、生年月日及び住所並びに組合員証の組合員等記号・番号又は個人番号

二　組合員の収入の状況

三　被扶養者の氏名及び生年月日又は個人番号

四　被扶養者の収入の状況

五　その他必要な事項

3　令第十一条の三の二第二項第二号に該当することにより同項の規定の適用を受ける組合員（同項第一号に該当する者を除く。）は、その被扶養者であつた者が法第二条第一項第二号に規定する後期高齢者医療の被保険者等でなくなつたときは、遅滞なく、次に掲げる事項を記載した後期高齢者医療の被保険者等の資格喪失等申出書を、当該事実を証明する証拠書類と併せて組合に提出しなければならない。

一　組合員の氏名、生年月日及び住所並びに組合員証の組合員等記号・番号又は個人番号

二　被扶養者の氏名及び生年月日又は個人番号並びに後期高齢者医療の被保険者等でなくなつた年月日及びその理由

三　その他必要な事項

（一部負担金の額の特例に係る特別の事情）

第九十九条の二の二　法第五十五条の二第一項に規定する財務省令で定める特別の事情は、健康保険法第七十五条の二第一項に規定する厚生労働省令で定める特別の事情とする。

（食事療養標準負担額減額に関する特例）

第九十九条の三　組合は、組合員が第百五条の九第五項の規定により限度額適用証（同条第二項に規定する限度額適用証をいう。次項第三号並びに次条第一項及び第二項第三号において同じ。）を医療機関に提出しなければならない場合において、提出しないことにより減額がされない食事療養標準負担額（法第五十五条の三第二項に規定する食事療養標準負担額をいう。以下この条並びに第百五条の七第二項及び第三項において同じ。）を支払つた場合で、組合がその提出しないことがやむを得ないものと認めたときは、その食事療養（法第五十四条第二項第一号に規定する食事療養をいう。第百五条の五の二第七項並びに第百五条の六第三号及び第五号において同じ。）について支払つた食事療養標準負担額から食事療養標準負担額の減額があつたとすれば支払うべきであつた食事療養標準負担額を控除した額に相当する額を入院時食事療養費又は保険外併用療養費として組合員に支給することができる。

2　前項の規定による支給を受けようとする組合員は、次に掲げる事項を記載した入院時食事療養費等差額申請書を、当該医療機関に支払つた食事療養標準負担額の額及び食事療養標準負担額の減額の認定に関する事実を証明する証拠書類と併せて組合に提出しなければならない。

一　組合員の氏名、生年月日及び住所並びに組合員証の組合員等記号・番号又は個人番号

二　食事療養を受けた者の氏名及び生年月日

三　入院期間、支払つた標準負担額の合計額及び限度額適用証を提出できなかつた理由

四　次のイ又はロに掲げる者の区分に応じ、当該イ又はロに定める事項

イ　支給を受けようとする預金口座として公金受取口座を利用しようとする者　支給を受けようとする預金口座として公金受取口座を利用する旨

ロ　イに掲げる者以外の者　払渡金融機関の名称及び預金口座の口座番号

五　その他必要な事項

（生活療養標準負担額減額に関する特例）

第九十九条の四　組合は、組合員が第百五条の九第五項の規定により限度額適用証を医療機関に提出しなければならない場合において、提出しないことにより減額がされない生活療養標準負担額（法第五十五条の四第二項に規

定する生活療養標準負担額をいう。以下この条並びに第百五条の七第二項及び第三項において同じ。）を支払つた場合で、組合がその提出しないことがやむを得ないものと認めたときは、その生活療養（法第五十四条第二項第二号に規定する生活療養をいう。第百五条の五の二第七項並びに第百五条の六第三号及び第五号において同じ。）について支払つた生活療養標準負担額から生活療養標準負担額の減額があつたとすれば支払うべきであつた生活療養標準負担額を控除した額に相当する額を入院時生活療養費又は保険外併用療養費として組合員に支給することができる。

2　前項の規定による支給を受けようとする組合員は、次に掲げる事項を記載した入院時生活療養費等差額申請書を、当該医療機関に支払つた生活療養標準負担額の額及び生活療養標準負担額の減額の認定に関する事実を証明する証拠書類と併せて組合に提出しなければならない。

一　組合員の氏名、生年月日及び住所並びに組合員証の組合員等記号・番号又は個人番号

二　生活療養を受けた者の氏名及び生年月日

三　入院期間、支払つた生活療養標準負担額の合計額及び限度額適用証を提出できなかつた理由

四　次のイ又はロに掲げる者の区分に応じ、当該イ又はロに定める事項

イ　支給を受けようとする預金口座として公金受取口座を利用しようとする者　支給を受けようとする預金口座として公金受取口座を利用する旨

ロ　イに掲げる者以外の者　払渡金融機関の名称及び預金口座の口座番号

五　その他必要な事項

第百条　削除

（薬剤の支給）

第百一条　法第五十五条第一項各号に掲げる薬局から薬剤の支給を受けようとする者は、同項各号に掲げる医療機関において診療に従事する保険医又は医師若しくは歯科医師から処方箋の交付を受けた上、これを当該薬局に提出しなければならない。

（療養費）

第百二条　法第五十六条の規定により療養費の支給を受けようとする者は、次に掲げる事項を記載した療養費請求書を、同条に規定する医療機関若しくは薬局又はその他の療養機関が作成する第三号に掲げる事項を証明する証拠書類と併せて組合に提出しなければならない。

一　組合員の氏名、生年月日及び住所並びに組合員証の組合員等記号・番号又は個人番号

二　組合員証を使用しなかつた理由

三　傷病名及び療養に要した費用の額

四　医療機関若しくは薬局又はその他の療養機関の名称及びその住所

五　請求金額並びに次のイ又はロに掲げる者の区分に応じ、当該イ又はロに定める事項

イ　支給を受けようとする預金口座として公金受取口座を利用しようとする者　支給を受けようとする預金口座として公金受取口座を利用する旨

ロ　イに掲げる者以外の者　払渡金融機関の名称及び預金口座の口座番号

六　その他必要な事項

2　海外において受けた診療、薬剤の支給又は手当（第二号において「海外療養」という。）について療養費の支給を受けようとする者は、前項の療養費請求書を、次に掲げる書類と併せて組合に提出しなければならない。

一　旅券、航空券その他の海外に渡航した事実が確認できる書類の写し

二　組合が海外療養の内容について当該海外療養を担当した者に照会することに関する当該海外療養を受けた者の同意書

（訪問看護療養費）

第百二条の二　指定訪問看護事業者から訪問看護療養費に係る指定訪問看護を受けようとする者は、電子資格確認によることができないときは、組合員証を当該指定訪問看護事業者に提出するものとする。

2　法第五十五条第二項第二号又は第三号の規定の適用を受ける組合員が、指定訪問看護事業者に組合員証を提出する方法により組合員であることの確認を受けるときは、組合員証に高齢受給者証を添えて提出するものとする。ただし、当該指定訪問看護事業者において、当該組合員が法第五十五条第二項第二号又は第三号の規定の適用を受けることの確認を行うことができるときは、この限りでない。

（移送費）

第百三条　法第五十六条の三第一項に規定する移送費の支給を受けようとする者は、次に掲げる事項を記載した移送費請求書を、第二号及び第三号に掲げる移送に要した費用の額についての証拠書類と併せて組合に提出しなければならない。

一　組合員の氏名、生年月日及び住所並びに組合員証の組合員等記号・番号又は個人番号

二　移送の方法及び経路並びに移送に要した費用の額

三　付添人の氏名、住所及び当該付添人に係る移送に要した費用の額（付添があつた場合に限る。）

四　移送を必要とする理由についての医師又は歯科医師

の証明

五 次のイ又はロに掲げる者の区分に応じ、当該イ又はロに定める事項

イ 支給を受けようとする預金口座として公金受取口座を利用しようとする者 支給を受けようとする預金口座として公金受取口座を利用する旨

ロ イに掲げる者以外の者 払渡金融機関の名称及び預金口座の口座番号

六 その他必要な事項

（特別療養証明書）

第百四条 法第五十九条第一項の規定により組合員の資格を喪失した後療養の給付、入院時食事療養費、入院時生活療養費、保険外併用療養費、療養費、訪問看護療養費又は移送費の支給を受けようとする者は、その資格を喪失した後、遅滞なく、次に掲げる事項を記載した特別療養証明書交付申請書を、健康保険法第百二十六条第一項の規定による日雇特例被保険者手帳又はその写しと併せて組合に提出しなければならない。

一 組合員であつた者の氏名、生年月日及び住所又は個人番号

二 組合員の資格を喪失した年月日

三 前号に掲げる日の前日において受けていた給付に係る傷病名

四 その他必要な事項

2 組合は、前項の規定による申請書の提出があつたときは、遅滞なく、別紙様式第二十四号の二による特別療養証明書を作成し、その者に交付しなければならない。この場合において、組合は、特別療養給付管理台帳を備え、所要の事項を記載して整理するものとする。

3 組合員の資格を喪失した後療養の給付、入院時食事療養費、入院時生活療養費、保険外併用療養費、訪問看護療養費又は移送費の支給を受ける者は、その支給を受けることができなくなつたとき、又は受けなくなつたときは、遅滞なく、特別療養証明書を組合に返納しなければならない。

4 第九十条、第九十一条、第九十三条第二項、第九十四条、第九十九条第二項、第九十九条の三及び第百二条の二第一項の規定は、法第五十九条第一項の規定の適用を受ける者について準用する。この場合において、第九十三条第二項中「前項の資格喪失の原因が死亡である場合又は同項」とあるのは「第百四条第三項」と、「受けるべき者」とあるのは「受けるべき者（その者がない場合には埋葬を行つた者）」と、第九十四条中「組合員証整理簿」とあるのは「特別療養証明書整理簿」と、第九十九条第二項第一号中「組合員証」とあるのは「特別療養証明書」と、同項第三号中「組合員の」とあるのは「法第五十九条第一項の規定の適用を受ける者の」と、第百二条の二第一項中「組合員証」とあるのは「特別療養証明書」とする。

（家族療養費）

第百五条 第九十九条、第九十九条の三及び第百一条の規定は、被扶養者が保険医療機関等から療養を受ける場合について準用する。この場合において、第九十九条第二項第一号中「組合員証」とあるのは「組合員被扶養者証」と、同項第三号中「組合員の」とあるのは「被扶養者の」と、同条第三項中「法第五十五条第二項第二号又は第三号」とあるのは「法第五十七条第二項第一号ハ又はニ」と、「組合員が」とあるのは「被扶養者が」と、「組合員証」とあるのは「組合員被扶養者証」と、「組合員で」とあるのは「被扶養者で」と読み替えるものとする。

2 第百二条及び前条の規定は、家族療養費について準用する。この場合において、第百二条第一項中「法第五十六条」とあるのは「法第五十七条第七項において準用する法第五十六条」と、「を記載した療養費請求書」とあるのは「並びに療養を受けた被扶養者の氏名及び生年月日又は個人番号並びに被扶養者と組合員との続柄を記載した家族療養費請求書」と、同項第一号及び第二号中「組合員証」とあるのは「組合員被扶養者証」と、同条第二項中「療養費請求書」とあるのは「家族療養費請求書」と、前条第一項中「法第五十九条第一項」とあるのは「法第五十九条第一項又は第二項」と、「資格を喪失した後」とあるのは「退職又は死亡後」と、同条第三項中「資格を喪失した後」とあるのは「退職又は死亡後」と、同条第四項中「法第五十九条第一項」とあるのは「法第五十九条第一項又は第二項」と、「第百四条第三項」とあるのは「第百五条第二項において読み替えて準用する第百四条第三項」と読み替えるものとする。

（家族訪問看護療養費）

第百五条の二 第百二条の二及び第百四条の規定は、家族訪問看護療養費について準用する。この場合において、第百二条の二第一項中「組合員証」とあるのは「組合員被扶養者証」と、同条第二項中「法第五十五条第二項第二号又は第三号」とあるのは「法第五十七条第二項第一号ハ又はニ」と、「組合員が」とあるのは「被扶養者が」と、「組合員証」とあるのは「組合員被扶養者証」と、「組合員で」とあるのは「被扶養者で」と、第百四条第一項中「法第五十九条第一項」とあるのは「法第五十九条第一項又は第二項」と、「資格を喪失した後」とあるのは「退職又は死亡後」と、同条第三項中「資格を喪失した後」とあるのは「退職又は死亡後」と、同条第四項中

「法第五十九条第一項」とあるのは「法第五十九条第一項又は第二項」と、「第百四条第三項」とあるのは「第百五条の二において読み替えて準用する第百四条第三項」と読み替えるものとする。

（家族移送費）

第百五条の三　第百三条の規定は、家族移送費について準用する。この場合において、同条中「を記載した移送費請求書」とあるのは「並びに移送を受けた被扶養者の氏名及び生年月日又は個人番号並びに被扶養者と組合員との続柄を記載した家族移送費請求書」と、同条第一号中「組合員証」とあるのは「組合員被扶養者証」と読み替えるものとする。

（月間の高額療養費の決定の請求）

第百五条の四　法第六十条の二第一項の規定により高額療養費（令第十一条の三の三の規定により支給される高額療養費に限る。以下この条において同じ。）の支給を受けようとする者は、次に掲げる事項を記載した高額療養費請求書（その者が令第十一条の三の五第一項第五号又は第三項第五号若しくは第六号に掲げる者のいずれかに該当するときは、当該請求書及びその該当することを証明する書類）を組合に提出しなければならない。

一　組合員の氏名、生年月日及び住所並びに組合員証の組合員等記号・番号又は個人番号

二　当該療養を受けた期間

三　当該療養のあつた月以前十二月間における高額療養費の支給状況

四　請求金額並びに次のイ又はロに掲げる者の区分に応じ、当該イ又はロに定める事項

イ　支給を受けようとする預金口座として公金受取口座を利用しようとする者　支給を受けようとする預金口座として公金受取口座を利用する旨

ロ　イに掲げる者以外の者　払渡金融機関の名称及び預金口座の口座番号

五　その他必要な事項

（年間の高額療養費の決定の請求等）

第百五条の四の二　法第六十条の二第一項の規定により支給される高額療養費（令第十一条の三の四第一項の規定により支給される高額療養費に限る。以下この条において同じ。）の支給を受けようとする基準日組合員（同項第一号に規定する基準日組合員をいう。以下同じ。）（以下この条において「申請者」という。）は、次に掲げる事項を記載した申請書を組合に提出しなければならない。

一　組合員証の組合員等記号・番号又は個人番号

二　計算期間（令第十一条の三の四第一項に規定する計算期間をいう。以下第百五条の五の四及び第百五条の五の七を除き同じ。）の始期及び終期

三　申請者及び基準日被扶養者（令第十一条の三の四第一項第三号に規定する基準日被扶養者をいう。以下同じ。）の氏名及び生年月日

四　申請者が計算期間における当該組合の組合員であつた間に、高額療養費に係る外来療養（令第十一条の三の四第一項第一号に規定する外来療養をいう。以下同じ。）を受けた者の氏名及びその年月

五　申請者及び基準日被扶養者が、計算期間において、それぞれ加入していた医療保険者（高齢者の医療の確保に関する法律第七条第二項に規定する保険者及び同法第四十八条に規定する後期高齢者医療広域連合をいう。以下同じ。）の名称及びその加入期間

六　次のイ又はロに掲げる者の区分に応じ、当該イ又はロに定める事項

イ　支給を受けようとする預金口座として公金受取口座を利用しようとする者　支給を受けようとする預金口座として公金受取口座を利用する旨

ロ　イに掲げる者以外の者　払渡金融機関の名称及び預金口座の口座番号

2　前項の申請書を提出する場合には、次に掲げる書類を併せて提出しなければならない。ただし、第一号に掲げる証明書は、記載すべき金額が零である場合は、前項の申請書にその旨を記載して、提出を省略することができる。

一　令第十一条の三の四第一項第二号から第六号まで、第八号から第十二号まで及び第十四号から第十八号までに掲げる金額に関する証明書（同項第三号、第九号又は第十五号に掲げる金額に関する証明書について、組合が不要と認める場合における当該証明書を除く。）

二　基準日における申請者の所得区分を証する書類

3　第一項の規定による申請書の提出を受けた組合は、次に掲げる事項を、前項第一号の証明書を交付した者又は番号利用法第二十二条第一項の規定により当該証明書と同一の内容を含む利用特定個人情報（番号利用法第十九条第八号に規定する利用特定個人情報をいう。以下同じ。）を提供した者に対し、遅滞なく通知しなければならない。

一　当該申請者に適用される令第十一条の三の四第一項に規定する基準日組合員合算額、基準日被扶養者合算額及び元被扶養者合算額

二　その他高額療養費の支給に必要な事項

4　精算対象者（計算期間の途中で死亡した被扶養者その他これに準ずる者をいう。以下この項において同じ。）が死亡した日その他これに準ずる日において、当該精算対

象者を扶養する組合員は、当該精算対象者に係る高額療養費の金額の算定の申請を行うことができる。この場合においては、当該申請を行う者を第一項の申請者とみなして、同項及び第二項の規定を適用する。

5　前項の申請があつた場合においては、第三項中「通知しなければならない」とあるのは、「通知しなければならない。ただし、精算対象者（計算期間の途中で死亡した被扶養者その他これに準ずる者をいう。）に対する証明書を交付した者及び当該証明書と同一の内容を含む利用特定個人情報を提供した者以外の者に対する通知は省略することができる」と読み替えて、同項の規定を適用する。

（年間の高額療養費の支給及び証明書の交付の申請等）

第百五条の四の三　法第六十条の二第一項の規定により高額療養費（令第十一条の三の四第二項から第七項までの規定により支給される高額療養費に限る。以下この条において同じ。）の支給を受けようとする者（令第十一条の三の四第二項から第七項までに規定する組合員であつた者をいう。以下この条において「申請者」という。）は、次に掲げる事項を記載した申請書を組合に提出しなければならない。ただし、第三項第四号に掲げる金額が零である場合にあつては、この限りでない。

一　組合員証の組合員等記号・番号又は個人番号

二　計算期間の始期及び終期

三　基準日に加入する医療保険者の名称

四　申請者及び計算期間においてその被扶養者であつた者の氏名及び生年月日

五　申請者が計算期間における当該組合の組合員であつた間に、高額療養費に係る外来療養を受けた者の氏名及びその年月

六　次のイ又はロに掲げる者の区分に応じ、当該イ又はロに定める事項

イ　支給を受けようとする預金口座として公金受取口座を利用しようとする者　支給を受けようとする預金口座として公金受取口座を利用する旨

ロ　イに掲げる者以外の者　払渡金融機関の名称及び預金口座の口座番号

2　前項の申請書を提出する場合には、基準日における申請者の所得区分を証する書類を併せて提出しなければならない。

3　組合は、第一項の規定による申請書の提出を受けたときは、次に掲げる事項を記載した証明書を申請者に交付しなければならない。ただし、前条第二項第一号に規定する場合又は第六項に規定する場合に該当するときは、この限りでない。

一　組合員証の組合員等記号・番号

二　申請者が計算期間において当該組合の組合員であつた期間

三　申請者の氏名及び生年月日

四　令第十一条の三の四第一項第三号、第九号若しくは第十五号に掲げる金額、計算期間（申請者が当該組合の組合員であつた間に限る。）において、当該申請者が当該組合の組合員（法第五十五条第二項第三号の規定が適用される者である場合を除く。）として受けた外来療養に係る令第十一条の三の四第一項第一号に規定する合算額又は計算期間（申請者が当該組合の組合員であり、かつ、当該申請者の被扶養者であつた者が当該申請者の被扶養者であつた間に限る。）において、当該申請者の被扶養者であつた者が当該組合の組合員の被扶養者（法第五十七条第二項第一号ニの規定が適用される者である場合を除く。）として受けた外来療養に係る令第十一条の三の四第一項第一号に規定する合算額

五　証明書を交付する者の名称及び所在地

六　その他必要な事項

4　第一項の規定による申請書の提出を受けた組合は、当該申請に係る基準日の翌日から二年以内に同項第三号に掲げる医療保険者から高額療養費の支給に必要な事項の通知が行われない場合において、申請者等に対して当該申請に関する確認を行つたときは、当該申請書は提出されなかつたものとみなすことができる。

5　組合は、精算対象者（計算期間の途中で死亡した者その他これに準ずる者をいう。以下この項において同じ。）に係る高額療養費の金額の算定に必要な第三項の証明書の交付申請を、当該組合の組合員であつた者（当該精算対象者を除く。）から受けたときは、当該証明書を交付しなければならない。

6　第一項の申請書は、同項第三号に掲げる医療保険者を経由して提出することができる。この場合において、当該医療保険者を経由して当該申請書の提出を受けた組合は、当該医療保険者に対し、番号利用法第二十二条第一項の規定により第三項第一号、第二号及び第四号から第六号までに掲げる事項に関する内容を含む利用特定個人情報を提供しなければならない。

（特定給付対象療養）

第百五条の五　令第十一条の三の三第一項第二号に規定する財務省令で定める医療に関する給付は、健康保険法施行令（大正十五年勅令第二百四十三号）第四十一条第一項第二号に規定する厚生労働省令で定める医療に関する給付とする。

（特定疾病給付対象療養の認定）

第百五条の五の二　令第十一条の三の三第七項の規定によ

る組合の認定（以下この条において単に「認定」という。）を受けようとする者（その者が被扶養者であるときは、その者を扶養する組合員）は、次の各号に掲げる事項を、同項に規定する財務大臣が定める医療に関する給付の実施機関（以下この条において単に「実施機関」という。）を経由して、組合に申し出なければならない。
一　組合員証の組合員等記号・番号又は個人番号
二　組合員の氏名
三　認定を受けようとする者の氏名及び生年月日
四　認定を受けようとする者が受けるべき令第十一条の三の三第七項に規定する財務大臣が定める医療に関する給付の名称
2　前項の申出については、認定を受けようとする者（その者が被扶養者であるときは、その者を扶養する組合員）が令第十一条の三の五第一項第五号又は第三項第五号若しくは第六号のいずれかに該当するときは、その旨を証する書類を提出しなければならない。
3　組合は、第一項の申出に基づき認定を行つたときは、実施機関を経由して、認定を受けた者（その者が被扶養者であるときは、その者を扶養する組合員）に対し当該者が該当する令第十一条の三の五第一項各号又は第三項各号に掲げる者の区分（第五項及び第六項において「所得区分」という。）を通知しなければならない。
4　認定を受けた者（その者が被扶養者であるときは、その者を扶養する組合員）は、次の各号のいずれかに該当するに至つたときは、遅滞なく、実施機関を経由して、その旨を組合に申し出なければならない。この場合において、第二号に該当するに至つたことによる申出については、第二項の規定を準用する。
一　令第十一条の三の五第一項第五号又は第三項第五号若しくは第六号のいずれかに該当していた者が、当該いずれかに該当しないこととなつたとき。
二　令第十一条の三の五第一項第五号又は第三項第五号若しくは第六号のいずれかに該当することとなつたとき。
三　認定を受けた者が令第十一条の三の三第七項に規定する財務大臣が定める医療に関する給付を受けないこととなつたとき。
5　組合は、認定を受けた者（その者が被扶養者であるときは、その者を扶養する組合員）が該当する所得区分に変更が生じたときは、遅滞なく、実施機関を経由して、当該者に対し変更後の所得区分を通知しなければならない。
6　認定を受けた者は、令第十一条の三の三第一項第一号に規定する病院等から特定疾病給付対象療養（同条第七項に規定する特定疾病給付対象療養をいう。次項及び第百五条の六において同じ。）を受けようとするときは、第三項又は前項の規定により通知された所得区分を当該病院等に申し出なければならない。
7　認定を受けた者（令第十一条の三の五第三項第一号から第四号までに掲げる者及び第百五条の七の二第一項の組合の認定又は第百五条の九第一項の申請書の提出に基づく組合の認定を受けている者を除く。）が特定疾病給付対象療養を受けた場合において、同一の月に同一の保険医療機関等又は指定訪問看護事業者から療養（食事療養及び生活療養並びに令第十一条の三の三第一項第一号に規定する組合員又はその被扶養者が同条第八項の規定に該当する場合における同項に規定する療養を除く。第百五条の七の二第五項及び第百五条の九第五項において同じ。）を受けたときの令第十一条の三の六第一項又は第三項から第五項までの規定の適用については、当該認定を受けた者は、第百五条の七の二第一項の組合の認定又は第百五条の九第一項の申請書の提出に基づく組合の認定を受けているものとみなす。

（特定疾病に係る療養の認定）

第百五条の五の三　令第十一条の三の三第九項の規定による組合の認定（以下この条において単に「認定」という。）を受けようとする者（その者が被扶養者であるときは、その者を扶養する組合員）は、次の各号に掲げる事項を記載した書類を組合に提出しなければならない。
一　組合員証の組合員等記号・番号又は個人番号
二　認定を受けようとする者の氏名及び生年月日
三　認定を受けようとする者のかかつた健康保険法施行令第四十一条第九項に規定する疾病の名称
2　前項の書類を提出する場合には、認定を受けようとする者が同項第三号に掲げる疾病にかかつたことに関する医師又は歯科医師の意見書その他当該疾病にかかつたことを証明する書類を併せて提出しなければならない。
3　組合は、第一項の書類の提出に基づき認定を行つたときは、認定を受けた者（その者が被扶養者であるときは、その者を扶養する組合員）に対して別紙様式第二十一号の二による特定疾病療養受療証を交付しなければならない。
4　認定を受け、保険医療機関等から健康保険法施行令第四十一条第九項に規定する療養を受けようとする者が、第九十九条第二項（第三号を除く。）に規定する方法により組合員であることの確認を受けるとき（第百五条第一項の規定により読み替えて準用する第九十九条第二項（第三号を除く。）に規定する方法により被扶養者であることの確認を受けるときを含む。）は、特定疾病療養受療証を当該保険医療機関等に提出しなければならない。ただし、緊急その他やむを得ない事情により、提出できない場合には、この限りでない。

5 前項ただし書の場合においては、その事情がなくなつた後遅滞なく特定疾病療養受療証を当該保険医療機関等に提出しなければならない。

6 第九十条から第九十四条までの規定は、特定疾病療養受療証について準用する。

7 第一項から前項までの規定は、法第五十九条第一項又は第二項の規定の適用を受ける者について準用する。この場合において、第一項中「被扶養者」とあるのは「法第五十九条第一項の規定の適用を受ける組合員であつた者が退職した際に被扶養者であつた者」と、「その者を扶養する組合員」とあるのは「退職した際にその者を扶養していた組合員であつた者」と、同項第一号中「組合員証」とあるのは「特別療養証明書」と、第三項中「被扶養者」とあるのは「法第五十九条第一項の規定の適用を受ける組合員であつた者が退職した際に被扶養者であつた者」と、「その者を扶養する組合員」とあるのは「退職した際にその者を扶養していた組合員であつた者」と読み替えるものとする。

（令第十一条の三の四第一項第五号、第六号、第十一号、第十二号、第十七号及び第十八号の財務省令で定めるところにより算定した金額）

第百五条の五の四 令第十一条の三の四第一項第五号の財務省令で定めるところにより算定した金額は、計算期間（同号に規定する計算期間をいう。）において、基準日組合員が該当する次の表の上欄に掲げる期間の区分に応じ、当該期間に当該基準日組合員が受けた外来療養に係る同表の下欄に掲げる金額とする。

上欄	下欄
地方の組合の組合員であつた期間	地方公務員等共済組合法施行令（昭和三十七年政令第三百五十二号）第二十三条の三の三第一項第一号に規定する合算額
私立学校教職員共済法（昭和二十八年法律第二百四十五号）の規定による私立学校教職員共済制度の加入者であつた期間	私立学校教職員共済法施行令（昭和二十八年政令第四百二十五号）第六条において準用する令第十一条の三の四第一項第一号に規定する合算額
健康保険法の被保険者（日雇特例被保険者（健康保険法施行令第四十一条の二第九項に規定する日雇特例被保険者をいう。以下同じ。）、組合員、地方の組合の組合員及び私立学校教職員共済法の規定による私立学校教職員共済制度の加入者である者を除く。以下同じ。）であつた期間	健康保険法施行令第四十一条の二第一項第一号に規定する合算額
日雇特例被保険者であつた期間	健康保険法施行令第四十四条第二項において準用する同令第四十一条の二第一項第一号に規定する合算額
船員保険の被保険者（組合員及び地方の組合の組合員を除く。以下同じ。）であつた期間	船員保険法施行令（昭和二十八年政令第二百四十号）第八条の二第一項第一号に規定する合算額
令第十一条の三の四第九項に規定する国民健康保険の世帯主等（以下「国民健康保険の世帯主等」という。）であつた期間（同条第一項に規定する基準日（以下「基準日」という。）において、国民健康保険の被保険者でない場合（基準日において当該者と同一の世帯に属する全ての国民健康保険の被保険者が国民健康保険法施行令（昭和三十三年政令第三百六十二号）第二十九条の四の四第一項に掲げる場合に該当する場合を除く。）にあつては、計算期間（令第十一条の三の四第一項に規定する計算期間をいう。）における基準日まで継続して国民健康保険の世帯主等であつた期間を除く。）	国民健康保険法施行令第二十九条の二の二第一項第一号に規定する合算額

高齢者の医療の確保に関する法律の規定による被保険者であつた期間	高齢者の医療の確保に関する法律施行令（平成十九年政令第三百十八号）第十四条の二第一項第一号に規定する合算額

2　令第十一条の三の四第一項第六号の財務省令で定めるところにより算定した金額は、計算期間（同号に規定する計算期間をいう。）において、基準日被扶養者が該当する前項の表の上欄に掲げる期間の区分に応じ、当該期間に基準日組合員が受けた外来療養に係る同表の下欄に掲げる金額とする。

3　令第十一条の三の四第一項第十一号の財務省令で定めるところにより算定した金額は、計算期間（同号に規定する計算期間をいう。）において、基準日組合員が該当する第一項の表の上欄に掲げる期間の区分に応じ、当該期間に基準日被扶養者が受けた外来療養に係る同表の下欄に掲げる金額とする。

4　令第十一条の三の四第一項第十二号の財務省令で定めるところにより算定した金額は、計算期間（同号に規定する計算期間をいう。）において、基準日被扶養者が該当する第一項の表の上欄に掲げる期間の区分に応じ、当該期間に当該基準日被扶養者が受けた外来療養に係る同表の下欄に掲げる金額とする。

5　令第十一条の三の四第一項第十七号の財務省令で定めるところにより算定した金額は、計算期間（同号に規定する計算期間をいう。）において、基準日組合員が該当する第一項の表の上欄に掲げる期間の区分に応じ、当該期間に当該基準日組合員の被扶養者等（同条第十項に規定する被扶養者等をいう。次項及び第百五条の十三において同じ。）であつた者（基準日被扶養者を除く。）が受けた外来療養に係る同表の下欄に掲げる金額とする。

6　令第十一条の三の四第一項第十八号の財務省令で定めるところにより算定した金額は、計算期間（同号に規定する計算期間をいう。）において、基準日被扶養者が該当する第一項の表の上欄に掲げる期間の区分に応じ、当該期間に当該基準日被扶養者の被扶養者等であつた者（基準日組合員を除く。）が受けた外来療養に係る同表の下欄に掲げる金額とする。

（令第十一条の三の四第五項の財務省令で定めるところにより算定した金額）

第百五条の五の五　令第十一条の三の四第五項の財務省令で定めるところにより算定した金額は、組合員であつた者が基準日において該当する次の表の上欄に掲げる者の区分に応じ、それぞれ同表の下欄に掲げる金額とする。

地方の組合の組合員	地方公務員等共済組合法施行令第二十三条の三の三第一項各号に掲げる金額
私立学校教職員共済法の規定による私立学校教職員共済制度の加入者	私立学校教職員共済法施行令第六条において準用する令第十一条の三の四第一項各号に掲げる金額
健康保険法の被保険者	健康保険法施行令第四十一条の二第一項各号に掲げる額
日雇特例被保険者	健康保険法施行令第四十四条第二項において準用する同令第四十一条の二第一項各号に掲げる額
船員保険の被保険者	船員保険法施行令第八条の二第一項各号に掲げる額
国民健康保険の世帯主等（国民健康保険の被保険者である者に限り、国民健康保険法施行令第二十九条の四の四第一項に掲げる場合に該当する者を除く。）	国民健康保険法施行令第二十九条の二の二第一項各号に掲げる額

（令第十一条の三の四第六項において準用する同条第五項の財務省令で定めるところにより算定した金額）

第百五条の五の六　令第十一条の三の四第六項において準用する同条第五項の財務省令で定めるところにより算定した金額は、組合員であつた者が基準日において該当する次の表の上欄に掲げる者の区分に応じ、それぞれ同表の下欄に掲げる金額とする。

地方の組合の組合員の被扶養者	地方公務員等共済組合法施行令第二十三条の三の三第二項において準用する同条第一項各号に掲げる金額
私立学校教職員共済法の規定による私立学校教職員共済制度の加入者の被扶養者	私立学校教職員共済法施行令第六条において準用する令第十一条の三の四第二項

	において準用する同条第一項各号に掲げる金額
健康保険法の被保険者の被扶養者	健康保険法施行令第四十一条の二第二項において準用する同条第一項各号に掲げる額
日雇特例被保険者の被扶養者	健康保険法施行令第四十四条第二項において準用する同令第四十一条の二第二項において準用する同条第一項各号に掲げる額
船員保険の被保険者の被扶養者	船員保険法施行令第八条の二第二項において準用する同条第一項各号に掲げる額
国民健康保険の世帯主等の世帯員（国民健康保険法施行令第二十九条の二の二第一項第三号に規定する世帯員をいう。）	国民健康保険法施行令第二十九条の二の二第二項において準用する同条第一項各号に掲げる額

（令第十一条の三の四第七項の財務省令で定めるところにより算定した金額）

第百五条の五の七　令第十一条の三の四第七項の財務省令で定めるところにより算定した金額は、次に掲げる金額とする。

一　高齢者の医療の確保に関する法律施行令第十四条の二第一項各号に掲げる額

二　計算期間（基準日後期高齢者医療被保険者（令第十一条の三の四第七項に規定する基準日後期高齢者医療被保険者をいう。以下この条において同じ。）が組合等（高齢者の医療の確保に関する法律施行令第十四条の二第五項に規定する組合等をいう。以下この条において同じ。）の組合員等（同令第十四条の二第六項に規定する組合員等をいう。以下この条において同じ。）であり、かつ、当該基準日後期高齢者医療被保険者の被扶養者等（同令第十四条の二第七項に規定する被扶養者等をいう。以下この条において同じ。）であつた者（基準日世帯被保険者（同令第十四条の二第一項第四号に規定する基準日世帯被保険者をいう。以下この条において同じ。）（基準日後期高齢者医療被保険者を除く。以下この条において同じ。）を除く。）が当該基準日後期高齢者医療被保険者の被扶養者等であつた間に限る。）において、当該基準日後期高齢者医療被保険者の被扶養者等であつた者（基準日世帯被保険者を除く。）が当該組合等の組合員等の被扶養者等（法第五十七条第二項第一号ニの規定が適用される者に相当する者である場合を除く。）として受けた外来療養について令第十一条の三の四第一項第一号に規定する合算額及び前条で定めるところにより算定した金額の合算額の合算額

三　計算期間（基準日世帯被保険者が組合等の組合員等であり、かつ、当該基準日世帯被保険者の被扶養者等であつた者（基準日後期高齢者医療被保険者を除く。）が基準日世帯被保険者の被扶養者等であつた間に限る。）において、当該基準日世帯被保険者の被扶養者等であつた者（基準日後期高齢者医療被保険者を除く。）が当該組合等の組合員等の被扶養者等（法第五十七条第二項第一号ニの規定が適用される者に相当する者である場合を除く。）として受けた外来療養について令第十一条の三の四第一項第一号に規定する合算額及び前条で定めるところにより算定した金額の合算額の合算額

（高額療養費に係る療養に要した費用の額）

第百五条の六　令第十一条の三の五第一項第一号、第二号若しくは第三号に規定する財務省令で定めるところにより算定した療養に要した費用の額、同条第二項第一号、第二号若しくは第三号に規定する財務省令で定めるところにより算定した療養に要した費用の額、同条第三項第二号、第三号若しくは第四号若しくは第四項第二号、第三号若しくは第四号に規定する財務省令で定めるところにより算定した療養に要した費用の額又は同条第六項第一号若しくは第七項第一号イ、ロ若しくはハ若しくは第二号ロ、ハ若しくはニに規定する財務省令で定めるところにより算定した特定給付対象療養（令第十一条の三の三第一項第二号に規定する特定給付対象療養をいう。）若しくは特定疾病給付対象療養に要した費用の額は、同項第一号及び第二号に掲げる合算した金額、同条第二項第一号及び第二号に掲げる合算した金額、同条第三項第一号及び第二号に掲げる合算した金額若しくは同条第四項に掲げる合算した金額又は同条第一項第一号イからへまでに掲げる金額につき次の各号に掲げる区分に応じ、当該各号に定める費用の額又はその合算額とする。

一　令第十一条の三の三第一項第一号イに掲げる金額　次のイ又はロに掲げる区分に応じ、当該イ又はロに定める額

イ　法第五十五条第二項の規定により当該額を算定す

る場合にその例によることとされる健康保険法第七十六条第二項の規定により算定される費用の額

ロ　法第五十五条第三項に規定する運営規則で定める金額に係る療養に要した費用の額

二　令第十一条の三の三第一項第一号ロに掲げる金額法第五十五条の五第二項第一号の規定により算定した費用の額（その額が現に当該療養に要した費用の額を超えるときは、現に当該療養に要した費用の額）に前号に定める額を加えた額

三　令第十一条の三の三第一項第一号ハに掲げる金額法第五十六条第三項の規定により算定した費用の額（食事療養及び生活療養について算定した費用の額を除くものとし、その額が現に療養に要した費用の額を超えるときは、現にその療養に要した費用の額とする。）

四　令第十一条の三の三第一項第一号ニに掲げる金額法第五十六条の二第二項の規定により算定した費用の額

五　令第十一条の三の三第一項第一号ホに掲げる金額当該療養（食事療養及び生活療養を除く。）について算定した費用の額（その額が現に当該療養に要した費用の額を超えるときは、現に当該療養に要した費用の額）

六　令第十一条の三の三第一項第一号ヘに掲げる金額法第五十七条の三第二項の規定により算定した費用の額

（令第十一条の三の五第一項第五号に規定する財務省令で定める者等）

第百五条の七　令第十一条の三の五第一項第五号（同条第二項第五号並びに第七項第一号ホにおいて引用する場合を含む。）に規定する財務省令で定める者は、令第十一条の三の三第一項、第二項又は第七項の規定による高額療養費の支給があり、かつ、令第十一条の三の六第一項第一号ホの規定の適用を受ける者として食事療養標準負担額又は生活療養標準負担額について減額があるならば生活保護法（昭和二十五年法律第百四十四号）第六条第二項に規定する要保護者に該当しないこととなる者とする。

2　令第十一条の三の五第三項第五号（同条第四項第五号、第五項第二号並びに第七項第二号ホ及び第三号ロにおいて引用する場合を含む。）に規定する財務省令で定める者は、令第十一条の三の三第三項、第四項、第五項又は第七項の規定による高額療養費の支給があり、かつ、令第十一条の三の六第一項第二号ホ、第三号ホ又は第四号ロの規定の適用を受ける者として食事療養標準負担額又は生活療養標準負担額について減額があるならば生活保護法第六条第二項に規定する要保護者に該当しないこととなる者とする。

3　令第十一条の三の五第三項第六号（同条第四項第六号、第五項第二号並びに第七項第二号ヘ及び第三号ロにおいて引用する場合を含む。）に規定する財務省令で定める者は、令第十一条の三の三第三項、第四項、第五項又は第七項の規定による高額療養費の支給があり、かつ、令第十一条の三の六第一項第二号ヘ、第三号ヘ又は第四号ロの規定の適用を受ける者として食事療養標準負担額又は生活療養標準負担額について減額があるならば生活保護法第六条第二項に規定する要保護者に該当しないこととなる者とする。

4　中国残留邦人等の円滑な帰国の促進並びに永住帰国した中国残留邦人等及び特定配偶者の自立の支援に関する法律（平成六年法律第三十号。以下この項において「支援法」という。）第十四条第一項に規定する支援給付（中国残留邦人等の円滑な帰国の促進及び永住帰国後の自立の支援に関する法律の一部を改正する法律（平成十九年法律第百二十七号。以下この項において「平成十九年改正法」という。）附則第四条第一項に規定する支援給付及び中国残留邦人等の円滑な帰国の促進及び永住帰国後の自立の支援に関する法律の一部を改正する法律（平成二十五年法律第百六号。以下この項において「平成二十五年改正法」という。）附則第二条第一項又は第二項の規定によりなお従前の例によることとされた平成二十五年改正法による改正前の中国残留邦人等の円滑な帰国の促進及び永住帰国後の自立の支援に関する法律第十四条第一項に規定する支援給付を含む。以下この項において「支援給付」という。）が行われる場合における前各項の規定の適用については、支援給付を必要とする状態にある世帯に属する者（支援法第十四条第一項若しくは第三項、平成十九年改正法附則第四条第一項又は平成二十五年改正法附則第二条第三項の規定による生活保護法第八条第一項の基準による額の算出に係る者に限る。）を生活保護法第六条第二項に規定する要保護者とみなす。

（限度額適用の認定等）

第百五条の七の二　組合は、第百五条の九第一項の規定による認定を受けている場合を除き、組合員の標準報酬月額に基づき、令第十一条の三の六第一項第一号イ、ロ、ハ若しくはニ、第二号ハ若しくはニ若しくは第三号ハ若しくはニ（これらの規定を同条第四項又は第五項において引用する場合を含む。）の規定による組合の認定又は同条第四項若しくは第五項の規定による組合の認定（令第十一条の三の五第二項第一号から第四号までのいずれかに掲げる区分に該当する者に対して行われるものに限

る。）を行わなければならない。ただし、この項の規定による認定を受けた者が第百五条の九第一項の規定による認定を受けるに至つたときは、この項の規定による認定を取り消さなければならない。

2　組合は、前項の規定による認定を受けた者（その者が被扶養者であるときは、その者を扶養する組合員。以下この項において同じ。）から次に掲げる事項を記載した限度額適用認定証交付申請書の提出があつたときは、前項の規定による認定を受けた者に対して別紙様式第二十一号の二の三による限度額適用認定証を交付しなければならない。

一　組合員の氏名、生年月日及び住所並びに組合員証の組合員等記号・番号又は個人番号

二　被扶養者の氏名、生年月日及び住所又は個人番号並びに被扶養者と組合員との続柄（前項の規定による認定を受けた者が被扶養者である場合に限る。）

三　その他必要な事項

3　限度額適用認定証の交付を受けた組合員は、次の各号のいずれかに該当することとなつたときは、遅滞なく、限度額適用認定証を組合に返納しなければならない。

一　組合員の資格を喪失したとき。

二　組合員が後期高齢者医療の被保険者等又は交流派遣職員、私立大学派遣検察官等若しくは私立大学等複数校派遣検察官等、弁護士職務従事職員、オリンピック・パラリンピック派遣職員、ラグビー派遣職員、福島相双復興推進機構派遣職員、イノベーション・コースト機構派遣職員、国際博覧会派遣職員若しくは園芸博覧会派遣職員となつたとき。

三　組合員が継続長期組合員の資格を取得したとき。

四　被扶養者がその要件を欠くに至つたとき。

五　第一項ただし書の規定により認定が取り消されたとき。

六　令第十一条の三の六第一項第一号イに掲げる者が令第十一条の三の五第一項第一号に掲げる者に該当しなくなつたとき、令第十一条の三の六第一項第一号ロに掲げる者が令第十一条の三の五第一項第二号に掲げる者に該当しなくなつたとき、令第十一条の三の六第一項第一号ハに掲げる者が令第十一条の三の五第一項第三号に掲げる者に該当しなくなつたとき、令第十一条の三の六第一項第一号ニに掲げる者が令第十一条の三の五第一項第四号に掲げる者に該当しなくなつたとき、令第十一条の三の六第一項第二号ハに掲げる者が令第十一条の三の五第三項第三号に掲げる者に該当しなくなつたとき、令第十一条の三の六第一項第二号ニに掲げる者が令第十一条の三の五第三項第四号に掲げる者に該当しなくなつたとき、令第十一条の三の六第一項第三号ハに掲げる者が令第十一条の三の五第四項第三号に掲げる者に該当しなくなつたとき若しくは令第十一条の三の六第一項第三号ニに掲げる者が令第十一条の三の五第四項第四号に掲げる者に該当しなくなつたとき又は令第十一条の三の六第四項若しくは第五項の規定により令第十一条の三の五第二項第一号から第四号までのいずれかに掲げる区分に該当していることにつき第一項の規定による認定を受けている者が当該区分に該当しなくなつたとき。

七　限度額適用認定証の有効期限に至つたとき。

4　第九十条から第九十四条までの規定（第九十三条第一項の規定を除く。）は、限度額適用認定証について準用する。この場合において、第九十三条第二項中「前項の資格喪失の」とあるのは「第百五条の七の二第三項第一号の資格喪失又は同項第四号の要件を欠くに至つた」と、「埋葬料」とあるのは「埋葬料又は家族埋葬料」と、第九十四条中「組合員証整理簿」とあるのは「限度額適用認定証整理簿」と読み替えるものとする。

5　第一項の規定による認定を受け、保険医療機関等又は指定訪問看護事業者から療養を受けようとする者は、第九十九条第二項（第三号を除く。）に規定する方法又は第百二条の二第一項に規定する方法により組合員であることの確認を受ける場合（第百五条第一項の規定により読み替えて準用する第九十九条第二項（第三号を除く。）又は第百五条の二の規定により読み替えて準用する第百二条の二第一項に規定する方法により被扶養者であることの確認を受ける場合を含む。）において、当該保険医療機関等又は指定訪問看護事業者から第一項の規定による認定を受けていることの確認を求められたときは、限度額適用認定証を当該保険医療機関等又は指定訪問看護事業者に提出しなければならない。ただし、緊急その他やむを得ない事情により、提出できない場合には、この限りでない。

6　前項ただし書の場合においては、その事情がなくなつた後遅滞なく限度額適用認定証を当該保険医療機関等又は指定訪問看護事業者に提出しなければならない。

（令第十一条の三の六第一項第一号イ、ロ若しくはハ、第二号ロ、ハ若しくはニ又は第三号ロ、ハ若しくはニに規定する財務省令で定める費用の額）

第百五条の八　第百五条の六の規定は、令第十一条の三の六第一項第一号イ、ロ若しくはハ、第二号ロ、ハ若しくはニ又は第三号ロ、ハ若しくはニに規定する財務省令で定めるところにより算定した療養に要した費用の額について準用する。

（限度額適用・標準負担額減額の認定）

第百五条の九　令第十一条の三の六第一項第一号ホ、第二号ホ若しくはヘ、第三号ホ若しくはヘ若しくは第四号ロ（これらの規定を同条第四項又は第五項において引用する場合を含む。）の規定による組合の認定又は同条第四項若しくは第五項の規定による組合の認定（令第十一条の三の五第二項第五号に掲げる区分に該当する者に対して行われるものに限る。）（以下この条において単に「認定」という。）を受けようとする者（その者が被扶養者であるときは、その受けようとする者を扶養する組合員）は、次に掲げる事項を記載した限度額適用・標準負担額減額認定申請書を、当該事実を証明する証拠書類と併せて組合に提出しなければならない。

一　組合員の氏名、生年月日及び住所並びに組合員証の組合員等記号・番号又は個人番号

二　被扶養者の氏名、生年月日及び住所又は個人番号並びに被扶養者と組合員との続柄（認定を受けようとする者が被扶養者である場合に限る。）

三　入院期間

四　その他必要な事項

2　組合は、前項の申請書の提出に基づき認定を行つたときは、認定を受けた者（その者が被扶養者であるときは、その者を扶養する組合員）に対して別紙様式第二十一号の三による限度額適用・標準負担額減額認定証（以下この条において「限度額適用証」という。）を交付しなければならない。

3　限度額適用証の交付を受けた組合員は、次の各号のいずれかに該当することとなつたときは、遅滞なく、限度額適用証を組合に返納しなければならない。

一　組合員の資格を喪失したとき。

二　組合員が後期高齢者医療の被保険者等又は交流派遣職員、私立大学派遣検察官等若しくは私立大学等複数校派遣検察官等、弁護士職務従事職員、オリンピック・パラリンピック派遣職員、ラグビー派遣職員、福島相双復興推進機構派遣職員、イノベーション・コースト機構派遣職員、国際博覧会派遣職員若しくは園芸博覧会派遣職員となつたとき。

三　組合員が継続長期組合員の資格を取得したとき。

四　被扶養者がその要件を欠くに至つたとき。

五　令第十一条の三の六第一項第一号ホに掲げる者が令第十一条の三の五第一項第五号に掲げる者に該当しなくなつたとき、令第十一条の三の六第一項第二号ホに掲げる者が令第十一条の三の五第三項第五号に掲げる者に該当しなくなつたとき、令第十一条の三の六第一項第二号へに掲げる者が令第十一条の三の五第三項第六号に掲げる者に該当しなくなつたとき、令第十一条の三の六第一項第三号ホに掲げる者が令第十一条の三の五第四項第五号に掲げる者に該当しなくなつたとき、令第十一条の三の六第一項第三号へに掲げる者が令第十一条の三の五第四項第六号に掲げる者に該当しなくなつたとき若しくは令第十一条の三の六第一項第四号ロに掲げる者が令第十一条の三の五第五項第二号に掲げる者に該当しなくなつたとき又は令第十一条の三の六第四項若しくは第五項の規定により令第十一条の三の五第二項第五号に掲げる区分に該当していることにつき認定を受けている者が当該区分に該当しなくなつたとき。

六　限度額適用証の有効期限に至つたとき。

4　第九十条から第九十四条までの規定（第九十三条第一項の規定を除く。）は、限度額適用証について準用する。この場合において、第九十三条第二項中「前項の資格喪失の」とあるのは「第百五条の九第三項第一号の資格喪失又は同項第四号の要件を欠くに至つた」と、「埋葬料」とあるのは「埋葬料又は家族埋葬料」と、第九十四条中「組合員証整理簿」とあるのは「限度額適用・標準負担額減額認定証整理簿」と読み替えるものとする。

5　認定を受け、保険医療機関等又は指定訪問看護事業者から療養を受けようとする者は、第九十九条第二項（第三号を除く。）に規定する方法又は第百二条の二第一項に規定する方法により組合員であることの確認を受ける場合（第百五条第一項の規定により読み替えて準用する第九十九条第二項（第三号を除く。）又は第百五条の二の規定により読み替えて準用する第百二条の二第一項に規定する方法により被扶養者であることの確認を受ける場合を含む。）において、当該保険医療機関等又は指定訪問看護事業者から認定を受けていることの確認を求められたときは、限度額適用証を当該保険医療機関等又は指定訪問看護事業者に提出しなければならない。ただし、緊急その他やむを得ない事情により、提出できない場合には、この限りでない。

6　前項ただし書の場合においては、その事情がなくなつた後遅滞なく限度額適用証を当該保険医療機関等又は指定訪問看護事業者に提出しなければならない。

（高額療養費を医療機関等に支払うことができる医療に関する給付）

第百五条の十　令第十一条の三の六第六項及び第八項に規定する財務省令で定める医療に関する給付は、健康保険法施行令第四十三条第五項に規定する厚生労働省令をもつて定める医療に関する給付とする。

2　令第十一条の三の六第九項において読み替えて準用す

る法第五十六条の二第三項に規定する財務省令で定める医療に関する給付は、健康保険法施行令第四十三条第八項において読み替えて準用する健康保険法第八十八条第六項に規定する厚生労働省令をもつて定める医療に関する給付とする。

3　令第十一条の三の六第十項において読み替えて準用する法第五十七条第四項及び第五項に規定する財務省令で定める医療に関する給付は、健康保険法施行令第四十三条第七項において読み替えて準用する健康保険法第百十条第四項に規定する厚生労働省令をもつて定める医療に関する給付とする。

（令第十一条の三の六第十二項の財務省令で定める場合及び財務省令で定める日）

第百五条の十の二　令第十一条の三の六第十二項の財務省令で定める場合は、当該組合の組合員であつた者が、計算期間において医療保険加入者（令第十一条の三の六第十二項に規定する医療保険加入者をいう。第百五条の二十において同じ。）の資格を喪失し、かつ、当該医療保険加入者の資格を喪失した日以後の当該計算期間において医療保険加入者とならない場合とし、同項の財務省令で定める日は、当該日の前日とする。

（高額介護合算療養費の決定の請求等）

第百五条の十一　申請者（法第六十条の三の規定により高額介護合算療養費の支給を受けようとする基準日組合員をいう。以下この条において同じ。）は、次に掲げる事項を記載した申請書を組合に提出しなければならない。

一　組合員証の組合員等記号・番号又は個人番号

二　計算期間の始期及び終期

三　申請者及び基準日被扶養者の氏名及び生年月日

四　申請者が計算期間における当該組合の組合員であつた間に、高額介護合算療養費に係る療養を受けた者の氏名及びその年月

五　申請者及び基準日被扶養者が、計算期間において、それぞれ加入していた医療保険者並びに介護保険者（介護保険法第三条の規定により介護保険を行う市町村及び特別区をいう。）の名称及びその加入期間

六　次のイ又はロに掲げる者の区分に応じ、当該イ又はロに定める事項

イ　支給を受けようとする預金口座として公金受取口座を利用しようとする者　支給を受けようとする預金口座として公金受取口座を利用する旨

ロ　イに掲げる者以外の者　払渡金融機関の名称及び預金口座の口座番号

2　前項の申請書を提出する場合には、令第十一条の三の六の二第一項第二号から第七号までに掲げる金額に関する証明書（同項第三号に掲げる金額に関する証明書について、組合が不要と認める場合における当該証明書を除く。）をそれぞれ併せて提出しなければならない。ただし、証明書に記載すべき金額が零であるときは、前項の申請書にその旨を記載して、提出を省略することができる。

3　申請者が、令第十一条の三の六の三第一項第五号又は第二項第五号若しくは第六号のいずれかに該当するときは、当該申請者は、第一項の申請書にその旨を証する書類を併せて提出しなければならない。

4　第一項の規定による申請書の提出を受けた組合は、次に掲げる事項を、第二項の証明書を交付した者又は番号利用法第二十二条第一項の規定により当該証明書と同一の内容を含む利用特定個人情報を提供した者に対し、遅滞なく通知しなければならない。

一　当該申請者に適用される令第十一条の三の六の二第一項に規定する介護合算算定基準額及び介護合算一部負担金等世帯合算額

二　当該申請者に適用される令第十一条の三の六の二第二項に規定する七十歳以上介護合算算定基準額及び七十歳以上介護合算一部負担金等世帯合算額

三　その他高額介護合算療養費等（高齢者の医療の確保に関する法律第七条第一項に規定する医療保険各法若しくは高齢者の医療の確保に関する法律の規定による高額介護合算療養費又は介護保険法の規定による高額医療合算介護サービス費若しくは高額医療合算介護予防サービス費をいう。次項及び次条第四項において同じ。）の支給に必要な事項

5　精算対象者（計算期間の途中で死亡した被扶養者その他これに準ずる者をいう。以下この項において同じ。）が死亡した日その他これに準ずる日において、当該精算対象者を扶養する組合員は、当該精算対象者に係る高額介護合算療養費等の額の算定の申請を行うことができる。この場合においては、当該申請を行う者を第一項の申請者とみなして、第一項から第三項までの規定を適用する。

6　前項の申請があつた場合においては、第四項中「通知しなければならない」とあるのは、「通知しなければならない。ただし、精算対象者（計算期間の途中で死亡した被扶養者その他これに準ずる者をいう。）に対する証明書を交付した者及び当該証明書と同一の内容を含む利用特定個人情報を提供した者以外の者に対する通知は省略することができる」と読み替えて、同項の規定を適用する。

（高額介護合算療養費の支給及び証明書の交付の申請等）

第百五条の十二　法第六十条の三の規定により高額介護合

算療養費の支給を受けようとする者（令第十一条の三の六の二第三項から第五項まで及び第七項に規定する組合員であつた者をいう。以下この条において「申請者」という。）は、次に掲げる事項を記載した申請書を組合に提出しなければならない。ただし、次項第四号に掲げる金額が零である場合にあつては、この限りでない。

一　組合員証の組合員等記号・番号又は個人番号
二　計算期間の始期及び終期
三　基準日に加入する医療保険者の名称
四　申請者及び計算期間においてその被扶養者であつた者の氏名及び生年月日
五　申請者が計算期間における当該組合の組合員であつた間に、高額介護合算療養費に係る療養を受けた者の氏名及びその年月
六　次のイ又はロに掲げる者の区分に応じ、当該イ又はロに定める事項
　イ　支給を受けようとする預金口座として公金受取口座を利用しようとする者　支給を受けようとする預金口座として公金受取口座を利用する旨
　ロ　イに掲げる者以外の者　払渡金融機関の名称及び預金口座の口座番号

2　組合は、前項の規定による申請書の提出を受けたときは、次に掲げる事項を記載した証明書を申請者に交付しなければならない。ただし、前条第二項に規定する場合又は第五項に規定する場合に該当するときは、この限りでない。

一　組合員証の組合員等記号・番号
二　申請者が計算期間において組合の組合員であつた期間
三　申請者の氏名及び生年月日
四　令第十一条の三の六の二第一項第三号に掲げる金額又は第二号に掲げる組合員であつた期間に、当該申請者が受けた療養若しくはその被扶養者であつた者がその被扶養者であつた間に受けた療養に係る同項第一号に規定する合算額
五　証明書を交付する者の名称及び所在地
六　その他必要な事項

3　第一項の規定による申請書の提出を受けた組合は、当該申請に係る基準日の翌日から二年以内に同項第三号に掲げる医療保険者から高額介護合算療養費の支給に必要な事項の通知が行われない場合において、申請者等に対して当該申請に関する確認を行つたときは、当該申請書は、提出されなかつたものとみなすことができる。

4　組合は、精算対象者（計算期間の途中で死亡した者その他これに準ずる者をいう。以下この項において同じ。）に係る高額介護合算療養費等の額の算定に必要な第二項の証明書の交付申請を、当該組合の組合員であつた者（当該精算対象者を除く。）から受けたときは、当該証明書を交付しなければならない。

5　第一項の申請書は、同項第三号に掲げる医療保険者を経由して提出することができる。この場合において、当該医療保険者を経由して当該申請書の提出を受けた組合は、当該医療保険者に対し、番号利用法第二十二条第一項の規定により第二項第一号、第二号及び第四号から第六号までに掲げる事項に関する内容を含む利用特定個人情報を提供しなければならない。

（令第十一条の三の六の二第一項第五号の財務省令で定めるところにより算定した金額）

第百五条の十三　令第十一条の三の六の二第一項第五号の財務省令で定めるところにより算定した金額は、計算期間において、基準日組合員又は基準日被扶養者が該当する次の表の第一欄に掲げる期間の区分に応じ、それぞれ当該期間にこれらの者が受けた療養又はその被扶養者がその被扶養者等であつた間に受けた療養に係る同表の第二欄に掲げる金額とする。

	第一欄	第二欄
一	地方の組合の組合員であつた期間	地方公務員等共済組合法施行令第二十三条の三の六第一項第一号に規定する合算額
二	私立学校教職員共済法の規定による私立学校教職員共済制度の加入者であつた期間	私立学校教職員共済法施行令第六条において準用する令第十一条の三の六の二第一項第一号に規定する合算額
三	防衛省の職員の給与等に関する法律施行令（昭和二十七年政令第三百六十八号）第十七条の三第一項に規定する自衛官等（以下「自衛官等」という。）であつた期間	防衛省の職員の給与等に関する法律施行令第十七条の六の四第一項第一号に規定する合算額
四	健康保険法の被保険者であつた期間	健康保険法施行令第四十三条の二第一項第一号に規定する合算額

五	日雇特例被保険者であつた期間	健康保険法施行令第四十四条第五項において準用する同令第四十三条の二第一項第一号に規定する合算額
六	船員保険の被保険者であつた期間	船員保険法施行令第十一条第一項第一号に規定する合算額
七	国民健康保険の世帯主等であつた期間（基準日において、国民健康保険の被保険者でない場合（基準日において当該者と同一の世帯に属する全ての国民健康保険の被保険者が国民健康保険法施行令第二十九条の四の四第一項に掲げる場合に該当する場合を除く。）にあつては、計算期間における基準日まで継続して国民健康保険の世帯主等であつた期間を除く。）	国民健康保険法施行令第二十九条の四の二第一項第一号に規定する合算額
八	高齢者の医療の確保に関する法律の規定による被保険者であつた期間	高齢者の医療の確保に関する法律施行令第十六条の二第一項第一号に規定する合算額

（令第十一条の三の六の二第二項の財務省令で定めるところにより算定した金額）

第百五条の十四　令第十一条の三の六の二第二項の財務省令で定めるところにより算定した金額は、次の各号に掲げる金額の区分に応じ、当該各号に定める金額とする。

一　令第十一条の三の六の二第一項第一号から第四号までに掲げる金額に相当する金額　当該各号に掲げる金額について、それぞれ七十歳に達する日の属する月の翌月以後に受けた療養に係る同項第一号イ及びロに掲げる金額を合算した金額から次に掲げる金額を控除した金額

イ　令第十一条の三の三第一項の規定により高額療養費が支給される場合にあつては、当該支給額に七十歳以上高額療養費按分率（同条第三項に規定する七十歳以上一部負担金等世帯合算額（同項の規定により高額療養費が支給される場合にあつては、当該支給額を控除した金額）を同条第一項に規定する一部負担金等世帯合算額で除して得た率をいう。）を乗じて得た金額

ロ　令第十一条の三の三第三項から第五項までの規定により高額療養費が支給される場合にあつては、当該支給額

ハ　令第十一条の三の四第一項の規定により高額療養費が支給される場合にあつては、当該支給額

ニ　七十歳に達する日の属する月の翌月以後に受けた療養について、法第五十二条に規定するその他の給付として令第十一条の三の六の二第一項第一号イ及びロに掲げる金額に係る負担を軽減するための給付が行われる場合にあつては、当該給付に相当する金額

二　令第十一条の三の六の二第一項第五号に掲げる金額に相当する金額　同号に規定する療養（七十歳に達する日の属する月の翌月以後に受けた療養に限る。）に係る金額として、次の表の上欄に掲げる前条の表の項の第二欄に掲げる金額を、次の表の下欄に掲げる金額に読み替えて適用する同条の規定によりそれぞれ算定した金額

一の項	地方公務員等共済組合法施行令第二十三条の三の六第一項第一号イ及びロに掲げる金額（七十歳に達する日の属する月の翌月以後に受けた療養に係るものに限る。）の合算額（同令第二十三条の三の二第一項の規定により高額療養費が支給される場合にあつては、当該支給額に七十歳以上高額療養費按分率（同条第三項に規定する七十歳以上一部負担金等世帯合算額から同項の規定により支給される高額療養費の額を控除した金額を同条第一項に規定する一部負担金等世帯合算額で除して得た率をいう。）を乗じて得た金額を控除した金額とし、同条第三項から第五項までの規定により高額療養費が支給される場合にあつては、当該支給額を控除した金額とし、同令第二十三条の三の三の規定により高額療養費が支給される場合にあつては、当該支給額を控除した金額とし、地方公務員等共済組合法第五十四条に規定する短期給付として同号イ及びロに掲げる金額（七十歳に達する日

	の属する月の翌月以後に受けた療養に係るものに限る。）に係る負担を軽減するための給付が行われる場合にあつては、当該給付に相当する金額を控除した金額とする。）
二の項	私立学校教職員共済法施行令第六条において準用する令（以下この号において「準用国共済法施行令」という。）第十一条の三の六の二第一項第一号イ及びロに掲げる金額（七十歳に達する日の属する月の翌月以後に受けた療養に係るものに限る。）の合算額（準用国共済法施行令第十一条の三の三第一項の規定により高額療養費が支給される場合にあつては、当該支給額に七十歳以上高額療養費按分率（同条第三項に規定する七十歳以上一部負担金等世帯合算額から同項の規定により支給される高額療養費の額を控除した金額を同条第一項に規定する一部負担金等世帯合算額で除して得た率をいう。）を乗じて得た金額を控除した金額とし、同条第三項から第五項までの規定により高額療養費が支給される場合にあつては、当該支給額を控除した金額とし、準用国共済法施行令第十一条の三の四の規定により高額療養費が支給される場合にあつては、当該支給額を控除した金額とし、私立学校教職員共済法第二十条第三項に規定する短期給付として同号イ及びロに掲げる金額（七十歳に達する日の属する月の翌月以後に受けた療養に係るものに限る。）に係る負担を軽減するための給付が行われる場合にあつては、当該給付に相当する金額を控除した金額とする。）
三の項	防衛省の職員の給与等に関する法律施行令第十七条の六の四第一項第一号イ及びロに掲げる金額（七十歳に達する日の属する月の翌月以後に受けた療養に係るものに限る。）の合算額（令第十一条の三の三第一項の規定により高額療養費が支給される場合にあつては、当該支給額に七十歳以上高額療養費按分率（同条第三項に規定する七十歳以上一部負担金等世帯合算額から同項の規定により支給される高額療養費の額を控除した金額を同条第一項に規定する一部負担金等世帯合算額で除して得た率をいう。）を乗じて得た金額を控除した金額とし、同条第三項から第五項までの規定により高額療養費が支給される場合にあつては、当該支給額を控除した金額とし、法第五十二条に規定する短期給付として令第十一条の三の六の二第一項第一号イ及びロに掲げる金額（七十歳に達する日の属する月の翌月以後に受けた療養に係るものに限る。）に係る負担を軽減するための給付が行われる場合にあつては、当該給付に相当する金額を控除した金額とする。）
四の項	健康保険法施行令第四十三条の二第一項第一号イ及びロに掲げる額（七十歳に達する日の属する月の翌月以後に受けた療養に係るものに限る。）の合算額（同令第四十一条第一項の規定により高額療養費が支給される場合にあつては、当該支給額に七十歳以上高額療養費按分率（同条第三項に規定する七十歳以上一部負担金等世帯合算額から同項の規定により支給される高額療養費の額を控除した額を同条第一項に規定する一部負担金等世帯合算額で除して得た率をいう。）を乗じて得た額を控除した額とし、同条第三項から第五項までの規定により高額療養費が支給される場合にあつては、当該支給額を控除した額とし、同令第四十一条の二の規定により高額療養費が支給される場合にあつては、当該支給額を控除した額とし、健康保険法第五十三条に規定する短期給付として同号イ及びロに掲げる額（七十歳に達する日の属する月の翌月以後に受けた療養に係るものに限る。）に係る負担を軽減するための金品が支給される場合にあつては、当該金品に相当する額を控除した額とする。）
五の項	健康保険法施行令第四十四条第五項において準用する同令第四十三条の二第一項第一号イ及びロに掲げる額（七十歳に達する日の属する月の翌月以後に受けた療養に係るものに限る。）の合算額（同令第四十四条第一項において準用する同令第四十一条第一項の規定により高額療養費が支給される場合にあつては、当該支給額に七十歳以上高額療養費按分率（同令第四十四条第一項において準用する同令第四十一条第三項に規定する七十歳以上

	一部負担金等世帯合算額から同令第四十四条第一項において準用する同令第四十一条第三項の規定により支給される高額療養費の額を控除した額を同令第四十四条第一項において準用する同令第四十一条第一項に規定する一部負担金等世帯合算額で除して得た率をいう。）を乗じて得た額を控除した額とし、同令第四十四条第一項において準用する同令第四十一条第三項から第五項までの規定により高額療養費が支給される場合にあつては、当該支給額を控除した額とし、同令第四十四条第二項又は第三項において準用する同令第四十一条の二の規定により高額療養費が支給される場合にあつては、当該支給額を控除した額とする。）
六の項	船員保険法施行令第十一条第一項第一号イ及びロに掲げる額（七十歳に達する日の属する月の翌月以後に受けた療養に係るものに限る。）の合算額（同令第八条第一項の規定により高額療養費が支給される場合にあつては、当該支給額に七十歳以上高額療養費按分率（同条第三項に規定する七十歳以上一部負担金等世帯合算額から同項の規定により支給される高額療養費の額を控除した額を同条第一項に規定する一部負担金等世帯合算額で除して得た率をいう。）を乗じて得た額を控除した額とし、同条第三項から第五項までの規定により高額療養費が支給される場合にあつては、当該支給額を控除した額とし、同令第

	八条の二の規定により高額療養費が支給される場合にあつては、当該支給額を控除した額とする。）
七の項	国民健康保険法施行令第二十九条の四の二第一項第一号イ及びロに掲げる額（七十歳に達する日の属する月の翌月以後に受けた療養に係るものに限る。）の合算額（同令第二十九条の二第一項の規定により高額療養費が支給される場合にあつては、当該支給額に七十歳以上高額療養費按分率（同条第三項に規定する七十歳以上一部負担金等世帯合算額から同項の規定により支給される高額療養費の額を控除した額を同条第一項に規定する一部負担金等世帯合算額で除して得た率をいう。）を乗じて得た額を控除した額とし、同条第三項から第五項までの規定により高額療養費が支給される場合にあつては、当該支給額を控除した額とし、同令第二十九条の二の二の規定により高額療養費が支給される場合にあつては、当該支給額を控除した額とする。）
八の項	高齢者の医療の確保に関する法律施行令第十六条の二第一項第一号イ及びロに掲げる額の合算額（七十歳に達する日の属する月の翌月以後に受けた療養に係るものに限り、当該療養について同令第十四条第一項、第二項、第三項及び第六項の規定により高額療養費が支給される場合にあつては、当該支給額を控除した額とし、同令第十四条の二の規定により

	高額療養費が支給される場合にあつては、当該支給額を控除した額とする。）

三　令第十一条の三の六の二第一項第六号に掲げる金額に相当する金額　七十歳に達する日の属する月の翌月以後に受けた同号に規定する居宅サービス等に係る同号に掲げる金額

四　令第十一条の三の六の二第一項第七号に掲げる金額に相当する金額　七十歳に達する日の属する月の翌月以後に受けた同号に規定する介護予防サービス等に係る同号に掲げる金額

（令第十一条の三の六の二第五項の財務省令で定めるところにより算定した第一項各号に掲げる金額に相当する金額）

第百五条の十五　令第十一条の三の六の二第五項の財務省令で定めるところにより算定した同条第一項各号に掲げる金額に相当する金額は、組合員であつた者が基準日において該当する次の表の第一欄に掲げる者の区分に応じ、それぞれ同表の第二欄に掲げる金額とする。

	第一欄	第二欄
一	地方の組合の組合員又はその被扶養者	地方公務員等共済組合法施行令第二十三条の三の六第一項各号（同条第三項において準用する場合を含む。）に掲げる金額
二	私立学校教職員共済法の規定による私立学校教職	私立学校教職員共済法施行令第六条において準用

	員共済制度の加入者又はその被扶養者	する令第十一条の三の六の二第一項各号（私立学校教職員共済法施行令第六条において準用する令第十一条の三の六の二第三項において準用する場合を含む。）に掲げる金額
三	自衛官等	防衛省の職員の給与等に関する法律施行令第十七条の六の四第一項各号に掲げる金額
四	健康保険法の被保険者又はその被扶養者	健康保険法施行令第四十三条の二第一項各号（同条第三項において準用する場合を含む。）に掲げる額
五	日雇特例被保険者又はその被扶養者	健康保険法施行令第四十四条第五項において準用する同令第四十三条の二第一項各号（同令第四十四条第五項において準用する同令第四十三条の二第三項において準用する場合を含む。）に掲げる額
六	船員保険の被保険者又はその被扶養者	船員保険法施行令第十一条第一項各号（同条第三項において準用する場合を含む。）に掲げる額
七	国民健康保険の被保険者（国民健康保険法施行令第二十九条の四の四第一項に掲げる場合に該当する者を除く。）	国民健康保険法施行令第二十九条の四の二第一項各号（同条第三項において準用する場合を含む。）に掲げる額

（令第十一条の三の六の二第六項の財務省令で定めるところにより算定した金額）

第百五条の十六　令第十一条の三の六の二第六項の財務省令で定めるところにより算定した金額は、次の表の上欄に掲げる前条の表の項の第二欄に掲げる金額を、次の表の下欄に掲げる金額にそれぞれ読み替えて適用する同条の規定により算定した金額とする。

一の項	地方公務員等共済組合法施行令第二十三条の三の六第二項の総務省令で定めるところにより算定した金額
二の項	私立学校教職員共済法施行令第六条において準用する令第十一条の三の六の二第二項の文部科学省令で定めるところにより算定した金額
三の項	令第十一条の三の六の二第二項の財務省令で定めるところにより算定した金額
四の項	健康保険法施行令第四十三条の二第二項の厚生労働省令で定めるところにより算定した額
五の項	健康保険法施行令第四十四条第五項において準用する同令第四十三条の二第二項の厚生労働省令で定めるところにより算定した額
六の項	船員保険法施行令第十一条第二項の厚生労働省令で定めるところにより算定した額
七の項	国民健康保険法施行令第二十九条の四の二第二項の厚生労働省令で定めるところにより算定した額

（令第十一条の三の六の二第七項の財務省令で定めるところにより算定した第一項各号に掲げる金額に相当する金額）

第百五条の十七　令第十一条の三の六の二第七項の財務省令で定めるところにより算定した同条第一項各号に掲げる金額に相当する金額は、高齢者の医療の確保に関する法律施行令第十六条の二第一項各号に掲げる額とする。

（介護合算算定基準額及び七十歳以上介護合算算定基準額に関する読替え）

第百五条の十八　令第十一条の三の六の三第五項の規定により同項の表の中欄又は下欄に掲げる規定を準用する場合においては、次の表の上欄に掲げる規定中同表の中欄に掲げる字句は、それぞれ同表の下欄に掲げる字句に読み替えるものとする。

地方公務員等	次の各号に	国家公務員共済組合法施行

共済組合法施行令第二十三条の三の七第一項及び第二項	掲げる者	令第十一条の三の六の二第五項に規定する者であつて、基準日において組合員である者にあつては次の各号に掲げる当該者の、基準日において当該組合員の被扶養者である者にあつては次の各号に掲げる当該組合員
私立学校教職員共済法施行令第六条において準用する令第十一条の三の六の三第一項及び第二項	次の各号に掲げる者	国家公務員共済組合法施行令第十一条の三の六の二第五項に規定する者であつて、基準日において加入者である者にあつては次の各号に掲げる当該者の、基準日において当該加入者の被扶養者である者にあつては次の各号に掲げる当該加入者
防衛省の職員の給与等に関する法律施行令第十七条の六の五第一項	次の各号に掲げる者	国家公務員共済組合法施行令第十一条の三の六の二第五項に規定する者であつて、基準日において自衛官等である次の各号に掲げる者
健康保険法施行令第四十三条の三第一項及び第二項	次の各号に掲げる者	国家公務員共済組合法施行令第十一条の三の六の二第五項に規定する者であつて、基準日において被保険者である者にあつては次の各号に掲げる当該者の、基準日において被保険者の被扶養者である者にあつては次の各号に掲げる当該被保険者
健康保険法施行令第四十四条第五項において準用する同令第四十三条の三第一項及び第二項	次の各号に掲げる者	国家公務員共済組合法施行令第十一条の三の六の二第五項に規定する者であつて、基準日において日雇特例被保険者（第四十一条の二第九項に規定する日雇特例被保険者をいう。以下この項において同じ。）である者にあつては次の各号に掲げる当該者の、基準日において日雇特例被保険者の被扶養者である者にあつては次の各号に掲げる当該日雇特例被保険者
	次条第一項	第四十四条第七項
船員保険法施行令第十二条第一項及び第二項	次の各号に掲げる者	国家公務員共済組合法施行令第十一条の三の六の二第五項に規定する者であつて、基準日において被保険者である者にあつては次の各号に掲げる当該者の、基準日において被保険者の被扶養者である者にあつては次の各号に掲げる当該被保険者
国民健康保険法施行令第二十九条の四の三第一項及び第三項	国民健康保険の世帯主等と	国家公務員共済組合法施行令第十一条の三の六の二第五項に規定する者であつて、基準日において被保険者である者と
	国民健康保険の世帯主等及び	国家公務員共済組合法施行令第十一条の三の六の二第五項に規定する者であつて、基準日において被保険者である者が属する世帯の国民健康保険の世帯主等及び
	被保険者が	国家公務員共済組合法施行令第十一条の三の六の二第五項に規定する者であつて、基準日において被保険者である者が

（令第十一条の三の六の三第六項の介護合算算定基準額に関する読替え）

第百五条の十九 令第十一条の三の六の三第六項の規定に

より高齢者の医療の確保に関する法律施行令第十六条の三第一項及び第十六条の四第一項の規定を準用する場合において、同令第十六条の三第一項中「次の各号に掲げる者」とあるのは、「国家公務員共済組合法施行令第十一条の三の六の二第五項に規定する者であつて、基準日において被保険者である次の各号に掲げる者」と読み替えるものとする。

（令第十一条の三の六の四第一項の財務省令で定める場合及び財務省令で定める日）

第百五条の二十　令第十一条の三の六の四第一項の財務省令で定める場合は、組合の組合員であつた者が、計算期間において医療保険加入者の資格を喪失し、かつ、当該医療保険加入者の資格を喪失した日以後の当該計算期間において医療保険加入者とならない場合とし、令第十一条の三の六の四第一項の財務省令で定める日は、当該日の前日とする。

（出産費及び家族出産費）

第百六条　令第十一条の三の七ただし書に規定する財務省令で定める金額は、一万二千円（同条第一号に規定する保険契約に関し、病院、診療所、助産所その他の者（以下この条において「病院等」という。）が負担する保険料に相当する金額が一万二千円に満たないときは、当該保険料に相当する金額とする。）とする。

2　令第十一条の三の七第一号に規定する財務省令で定める基準は、出生した時点における在胎週数が二十八週以上であることとする。

3　令第十一条の三の七第一号に規定する財務省令で定める事由は、次のとおりとする。

一　天災、事変その他の非常事態

二　出産した者の故意又は重大な過失

4　令第十一条の三の七第一号に規定する財務省令で定める程度の障害の状態は、身体障害者福祉法施行規則（昭和二十五年厚生省令第十五号）別表第五号の一級又は二級に該当するものとする。

5　令第十一条の三の七第一号に規定する財務省令で定める要件は、病院等に対し、当該病院等が三千万円以上の補償金を出生した者又はその保護者（親権を行う者、未成年後見人その他の者で、出生した者を現に監護するものをいう。）（次項において「出生した者等」という。）に対して適切な期間にわたり支払うための保険金（特定出産事故（同号に規定する特定出産事故をいう。次項において同じ。）が病院等の過失によつて発生した場合であつて、当該病院等が損害賠償の責任を負うときは、補償金から当該損害賠償金の額を除いた額とする。）が支払われるものであることとする。

6　令第十一条の三の七第二号に規定する財務省令で定めるところにより講ずる措置は、病院等と出生した者等との間における特定出産事故に関する紛争の防止又は解決を図るとともに、特定出産事故に関する情報の分析結果を体系的に編成し、その成果を広く社会に提供するため、特定出産事故に関する情報の収集、整理、分析及び提供について、これらを適正かつ確実に実施することができる適切な機関に委託することとする。

7　法第六十一条の規定により、出産費又は家族出産費の支給を受けようとする者は、次に掲げる事項を記載した出産費請求書又は家族出産費請求書を、医師又は助産師による当該出産に関する事実を証明する証拠書類と併せて組合に提出しなければならない。

一　組合員の氏名及び住所並びに組合員証の組合員等記号・番号又は個人番号

二　出産した者の氏名及び出産年月日

三　請求金額並びに次のイ又はロに掲げる者の区分に応じ、当該イ又はロに定める事項

イ　支給を受けようとする預金口座として公金受取口座を利用しようとする者　支給を受けようとする預金口座として公金受取口座を利用する旨

ロ　イに掲げる者以外の者　払渡金融機関の名称及び預金口座の口座番号

四　その他必要な事項

8　令第十一条の三の七ただし書の加算した金額の支給を受けようとする者は、前項の出産費請求書又は家族出産費請求書に同条ただし書に規定する出産であると組合が認める際に必要となる書類を併せて提出しなければならない。

第百七条　削除

（埋葬料及び家族埋葬料）

第百八条　法第六十三条又は第六十四条の規定により埋葬料又は家族埋葬料の支給を受けようとする者は、次に掲げる事項（組合員が死亡した場合にあつては、個人番号を除く。）を記載した埋葬料請求書又は家族埋葬料請求書を、市町村長の埋葬許可証又は火葬許可証の写し（法第六十三条第二項の規定により埋葬料の支給を受けようとする者にあつては、これらの書類及び埋葬に要した費用の額に関する証拠書類）と併せて組合に提出しなければならない。ただし、やむを得ない理由がある場合には、死亡の事実を証明する書類又は組合が地方公共団体情報システム機構から住民基本台帳法（昭和四十二年法律第八十一号）第三十条の七第四項に規定する機構保存本人確認情報（以下「本人確認情報」という。）の提供を受けることができるときは、当該本人確認情報をもつて埋葬

許可証又は火葬許可証の写しに代えることができる。

一　組合員の氏名及び住所並びに組合員証の組合員等記号・番号又は個人番号

二　死亡した者の氏名及び生年月日並びにその者と組合員との続柄並びに死亡年月日及び埋葬年月日

三　請求金額並びに次のイ又はロに掲げる者の区分に応じ、当該イ又はロに定める事項

イ　支給を受けようとする預金口座として公金受取口座を利用しようとする者　支給を受けようとする預金口座として公金受取口座を利用する旨

ロ　イに掲げる者以外の者　払渡金融機関の名称及び預金口座の口座番号

四　その他必要な事項

（傷病手当金）

第百九条　法第六十六条の規定により傷病手当金の支給を受けようとする者は、次に掲げる事項を記載した傷病手当金請求書を、医師又は歯科医師による当該傷病のため勤務に服することができないことを証明する証拠書類と併せて組合に提出しなければならない。

一　組合員の氏名及び住所並びに組合員証の組合員等記号・番号又は個人番号

二　傷病名及び当該傷病が発病した年月日

三　勤務できなくなつた最初の年月日

四　請求期間、請求金額並びに次のイ又はロに掲げる者の区分に応じ、当該イ又はロに定める事項

イ　支給を受けようとする預金口座として公金受取口座を利用しようとする者　支給を受けようとする預金口座として公金受取口座を利用する旨

ロ　イに掲げる者以外の者　払渡金融機関の名称及び預金口座の口座番号

五　同一の傷病に関し、法第六十六条第十四項に規定する休業補償等を受け、又は受けようとする場合は、その旨

六　その他必要な事項

2　前項の請求書を提出する場合においては、次に掲げる者にあつては、当該各号に定める書類を併せて提出しなければならない。

一　法第六十六条第六項の規定に該当する者　第百十四条の十七の規定による通知の写し、第百十四条の十八の規定による障害厚生年金の年金証書の写し及び当該年金の直近の額を証明する書類

二　法第六十六条第七項の規定に該当する者　第百十四条の十七の規定による通知の写し

三　法第六十六条第八項の規定に該当する者　第百十四条の十七の規定による通知又はこれに準ずる書類の写し、同項に規定する退職老齢年金給付の年金証書又はこれに準ずる書類（以下「年金証書等」という。）の写し及び当該年金の直近の額を証明する書類

（傷病手当金の額の算定）

第百九条の二　組合員（任意継続組合員を除く。以下この条において同じ。）の資格を喪失した日以後に法第六十六条第五項の規定により傷病手当金の支給を始める場合においては、同条第二項中「傷病手当金の支給を始める日」とあるのは「組合員（任意継続組合員を除く。）の資格を喪失した日の前日」と、「組合員が現に属する」とあるのは「組合員であつた者（任意継続組合員を除く。）が同日において属していた」と読み替えて、同項の規定を適用する。

2　法第六十六条第二項に規定する標準報酬の月額は、同項に規定する傷病手当金の支給を始める日の属する月以前の直近の継続した十二月以内の期間において組合員が現に属する組合の任意継続組合員である期間が含まれるときは、当該期間の標準報酬の月額を含むものとする。

3　法第六十六条第二項に規定する標準報酬の月額について、同一の月において二以上の標準報酬の月額が定められている月があるときは、当該月の標準報酬の月額は直近のもの（同項に規定する傷病手当金の支給を始める日以前に定められたものに限る。）とする。

4　傷病手当金の支給を受けている期間に別の疾病又は負傷及びこれにより発した疾病につき傷病手当金の支給を受けることができるときは、それぞれの疾病又は負傷及びこれにより発した疾病に係る傷病手当金について法第六十六条第二項の規定により算定される額のいずれか多い額を支給する。

（障害厚生年金の日額計算）

第百九条の三　法第六十六条第六項に規定する財務省令で定めるところにより算定した額は、同項に規定する者の受ける障害厚生年金の額（当該障害厚生年金と同一の給付事由に基づき国民年金法による障害基礎年金の支給を受けることができるときは、当該障害厚生年金の額とその受ける当該障害基礎年金の額との合算額）に二百六十四分の一を乗じて得た額（その額に一円未満の端数があるときは、これを切り捨てた額）とする。

（退職老齢年金給付の日額計算）

第百九条の四　法第六十六条第八項に規定する財務省令で定めるところにより算定した額は、同項に規定する者の受けるべき退職老齢年金給付の額（当該退職老齢年金給付が二以上あるときは、当該二以上の退職老齢年金給付の額を合算した額）に二百六十四分の一を乗じて得た額（その額に一円未満の端数があるときは、これを切り捨て

た額）とする。

（出産手当金）

第百十条 法第六十七条の規定により出産手当金の支給を受けようとする者は、次に掲げる事項を記載した出産手当金請求書を、医師又は助産師による第二号に掲げる事項を証明する証拠書類と併せて組合に提出しなければならない。

一 組合員の氏名及び住所並びに組合員証の組合員等記号・番号又は個人番号

二 出産した年月日及び出産予定年月日

三 請求期間、請求金額並びに次のイ又はロに掲げる者の区分に応じ、当該イ又はロに定める事項

イ 支給を受けようとする預金口座として公金受取口座を利用しようとする者 支給を受けようとする預金口座として公金受取口座を利用する旨

ロ イに掲げる者以外の者 払渡金融機関の名称及び預金口座の口座番号

四 その他必要な事項

（出産手当金の額の算定）

第百十条の二 第百九条の二第一項から第三項までの規定は、出産手当金の額の算定について準用する。この場合において、同条第一項中「第六十六条第五項」とあるのは「第六十七条第三項」と、「同条第二項」及び「同項」とあるのは「法第六十七条第二項において準用する法第六十六条第二項」と、同条第二項中「法第六十六条第二項」及び「同項」とあるのは「法第六十七条第二項において準用する法第六十六条第二項」と、同条第三項中「法第六十六条第二項」及び「同項」とあるのは「法第六十七条第二項において準用する法第六十六条第二項（第百十条の二において準用する第一項の規定により読み替えて適用する場合を含む。）」と読み替えるものとする。

（休業手当金）

第百十一条 法第六十八条の規定により休業手当金の支給を受けようとする者は、次に掲げる事項を記載した休業手当金請求書を、所属長による当該休業に関する事実を証明する証拠書類と併せて組合に提出しなければならない。

一 組合員の氏名及び住所並びに組合員証の組合員等記号・番号又は個人番号

二 勤務できなかつた期間及び理由

三 請求期間、請求金額並びに次のイ又はロに掲げる者の区分に応じ、当該イ又はロに定める事項

イ 支給を受けようとする預金口座として公金受取口座を利用しようとする者 支給を受けようとする預金口座として公金受取口座を利用する旨

ロ イに掲げる者以外の者 払渡金融機関の名称及び預金口座の口座番号

四 その他必要な事項

（育児休業手当金）

第百十一条の二 法第六十八条の二第一項（同条第二項の規定により読み替えて適用する場合を含む。次項及び第三項において同じ。）の規定により育児休業手当金の支給を受けようとする者は、次に掲げる事項を記載した育児休業手当金請求書を、人事担当者による当該育児休業等が承認された期間及び当該育児休業等に係る子の生年月日を証明する証拠書類と併せて組合に提出しなければならない。

一 組合員の氏名及び住所並びに組合員証の組合員等記号・番号又は個人番号

二 請求期間、請求金額並びに次のイ又はロに掲げる者の区分に応じ、当該イ又はロに定める事項

イ 支給を受けようとする預金口座として公金受取口座を利用しようとする者 支給を受けようとする預金口座として公金受取口座を利用する旨

ロ イに掲げる者以外の者 払渡金融機関の名称及び預金口座の口座番号

三 その他必要な事項

2 法第六十八条の二第一項のその子が一歳に達した日後の期間について育児休業等をすることが必要と認められるものとして財務省令で定める場合は、次のとおりとする。

一 育児休業等（育児休業、介護休業等育児又は家族介護を行う労働者の福祉に関する法律（平成三年法律第七十六号）第二十三条第二項の育児休業に関する制度に準ずる措置及び同法第二十四条第一項（第二号に係る部分に限る。）の規定により同項第二号に規定する育児休業に関する制度に準じて講ずる措置による休業を除く。以下この条において同じ。）の申出に係る子について、児童福祉法（昭和二十二年法律第百六十四号）第三十九条第一項に規定する保育所若しくは就学前の子どもに関する教育、保育等の総合的な提供の推進に関する法律（平成十八年法律第七十七号）第二条第六項に規定する認定こども園における保育又は児童福祉法第二十四条第二項に規定する家庭的保育事業等による保育の利用を希望し、申込みを行つているが、当該子が一歳に達する日後の期間について、当面その実施が行われない場合

二 常態として育児休業等の申出に係る子の養育を行つている配偶者であつて当該子が一歳に達する日後の期間について常態として当該子の養育を行う予定であつ

たものが次のいずれかに該当した場合
イ 死亡したとき。
ロ 負傷、疾病又は身体上若しくは精神上の障害により育児休業等の申出に係る子を養育することが困難な状態になつたとき。
ハ 婚姻の解消その他の事情により配偶者が育児休業等の申出に係る子と同居しないこととなつたとき。
ニ 六週間（多胎妊娠の場合であつては、十四週間）以内に出産する予定であるか又は産後八週間を経過しないとき。
三 育児休業等の申出をした組合員について法第四十条第十四項に規定する産前産後休業の期間が始まつたことにより、当該申出に係る休業をする期間が終了した場合であつて、当該産前産後休業の期間が終了する日（当該産前産後休業の期間の終了後に引き続き当該産前産後休業の期間中に出産した子に係る新たな育児休業等の期間が始まつた場合には、当該新たな育児休業等の期間が終了する日）までに、当該産前産後休業の期間に係る子の全てが、次のいずれかに該当するに至つた場合
イ 死亡したとき。
ロ 養子となつたことその他の事情により当該組合員と同居しないこととなつたとき。
四 育児休業等の申出をした組合員が、法第六十八条の三第一項に規定する介護休業を開始するため、当該申出に係る休業を終了した場合であつて、当該介護休業の期間が終了する日までに、当該介護休業の期間の休業に係る対象家族が、次のいずれかに該当するに至つた場合
イ 死亡したとき。
ロ 離婚、婚姻の取消、離縁等により当該対象家族と組合員との親族関係が消滅したとき。
五 育児休業等の申出をした組合員について新たな育児休業等の期間が始まつたことにより、当該申出に係る休業をする期間が終了した場合であつて、当該新たな育児休業等の期間が終了する日までに、当該新たな育児休業等の期間の休業に係る子の全てが、次のいずれかに該当するに至つた場合
イ 死亡したとき。
ロ 養子となつたことその他の事情により当該組合員と同居しないこととなつたとき。
ハ 民法（明治二十九年法律第八十九号）第八百十七条の二第一項の規定による請求に係る家事審判事件が終了したとき（特別養子縁組の成立の審判が確定した場合を除く。）又は養子縁組が成立しないまま児童福祉法第二十七条第一項第三号の規定による措置が解除されたとき。

3 前項第一号に定める場合に該当する場合において法第六十八条の二第一項の規定により育児休業等に係る子の一歳に達する日の翌日から一歳六か月に達する日までの期間について育児休業手当金の支給を受けようとするときは、第一項の規定の適用については、同項中「証拠書類」とあるのは、「証拠書類並びに次項第一号に定める場合に該当することを証明する証拠書類」とする。

4 法第六十八条の二第二項において読み替えて適用する同条第一項の規定により育児休業等に係る子の一歳に達する日の翌日から一歳二か月に達する日までの期間について育児休業手当金の支給を受けようとするとき（第二項各号に定める場合に該当する場合において、同条第二項において読み替えて適用する同条第一項の規定により育児休業手当金の支給を受けるときを除く。）は、第一項の規定の適用については、同項中「証拠書類」とあるのは「証拠書類並びに育児休業等に係る子の一歳に達する日以前のいずれかの日において育児休業手当金の支給を受けようとする者の配偶者が育児休業等に係る子の一歳に達する日以前のいずれかの日において育児休業等（地方公務員の育児休業等に関する法律（平成三年法律第百十号）第二条第一項の規定による育児休業を含む。）をしていることを証明する証拠書類（以下この項において「配偶者育児休業取得証明書類」という。）」と、「しなければならない」とあるのは「しなければならない。ただし、既にこの項の規定により配偶者育児休業取得証明書類を提出している場合には、当該書類を提出することを要しない」とする。

5 第二項及び第三項の規定は、法第六十八条の二第一項のその子が一歳六か月に達した日後の期間について育児休業等をすることが必要と認められるものとして財務省令で定める場合について準用する。この場合において、第二項中「一歳」とあるのは「一歳六か月」と、第三項中「一歳」とあるのは「一歳六か月」と、「一歳六か月」とあるのは「二歳」と読み替えるものとする。

（介護休業手当金）
第百十一条の三 法第六十八条の三の規定により介護休業手当金の支給を受けようとする者は、次に掲げる事項を記載した介護休業手当金請求書を、人事担当者による同条第一項に規定する介護休業の承認期間を証明する証拠書類と併せて組合に提出しなければならない。
一 組合員の氏名及び住所並びに組合員証の組合員等記号・番号又は個人番号
二 請求期間、請求金額並びに次のイ又はロに掲げる者の区分に応じ、当該イ又はロに定める事項

イ　支給を受けようとする預金口座として公金受取口座を利用しようとする者　支給を受けようとする預金口座として公金受取口座を利用する旨
ロ　イに掲げる者以外の者　払渡金融機関の名称及び預金口座の口座番号
三　その他必要な事項

（弔慰金及び家族弔慰金）
第百十二条　法第七十条の規定により弔慰金又は家族弔慰金の支給を受けようとする者は、次に掲げる事項を記載した弔慰金請求書又は家族弔慰金請求書（弔慰金の支給を受けようとする者にあつては、当該請求書及び遺族の順位を証明するに足る書類）を、市町村長又は警察署長による当該死亡に関する事実を証明する証拠書類と併せて組合に提出しなければならない。
一　組合員の氏名及び住所並びに組合員証の組合員等記号・番号
二　請求金額並びに次のイ又はロに掲げる者の区分に応じ、当該イ又はロに定める事項
イ　支給を受けようとする預金口座として公金受取口座を利用しようとする者　支給を受けようとする預金口座として公金受取口座を利用する旨
ロ　イに掲げる者以外の者　払渡金融機関の名称及び預金口座の口座番号
三　その他必要な事項

（災害見舞金）
第百十三条　法第七十一条の規定により災害見舞金の支給を受けようとする者は、次に掲げる事項を記載した災害見舞金請求書を、市町村長、消防署長又は警察署長による当該災害に関する事実を証明する証拠書類と併せて組合に提出しなければならない。
一　組合員の氏名及び住所並びに組合員証の組合員等記号・番号
二　請求金額並びに次のイ又はロに掲げる者の区分に応じ、当該イ又はロに定める事項
イ　支給を受けようとする預金口座として公金受取口座を利用しようとする者　支給を受けようとする預金口座として公金受取口座を利用する旨
ロ　イに掲げる者以外の者　払渡金融機関の名称及び預金口座の口座番号
三　その他必要な事項

第百十三条の二　削除

（短期給付の決定及び通知）
第百十三条の三　組合は、法第五十条第一項に掲げる短期給付（法第五十四条及び第五十五条の規定による療養の給付、法第五十五条の三第三項から第五項までの規定の適用を受ける入院時食事療養費、法第五十五条の四第三項の規定の適用を受ける入院時生活療養費、法第五十五条の五第三項の規定の適用を受ける保険外併用療養費、法第五十六条の二第三項及び第四項の規定の適用を受ける訪問看護療養費、法第五十七条第三項から第五項までの規定の適用を受ける家族療養費、法第五十七条の三第三項の規定の適用を受ける家族訪問看護療養費並びに令第十一条の三の六第一項から第十項までの規定の適用を受ける高額療養費を除く。）又は法第五十一条に規定する短期給付に係る請求書の提出を受けたときは、遅滞なく、これを審査決定し、請求額と決定額とが異なるとき、又は請求に応ずることができないときは、理由を付してその旨を文書で請求者に通知しなければならない。

（医療費の通知）
第百十三条の三の二　組合は、組合員又はその被扶養者が支払つた医療費の額を当該組合員又はその被扶養者に通知するときは、次の各号に掲げる事項を通知することを標準とする。
一　組合員又はその被扶養者の氏名
二　療養を受けた年月
三　療養を受けた者の氏名
四　療養を受けた病院、診療所、薬局その他の療養機関の名称
五　組合員又はその被扶養者が支払つた医療費の額
六　所属機関の名称

（高齢者の医療の確保に関する法律の障害の認定を受けた者の届出）
第百十三条の四　組合員又はその被扶養者が高齢者の医療の確保に関する法律第五十条第二号に掲げる者となつたときは、当該組合員は、遅滞なく、次に掲げる事項を記載した書類を組合に提出しなければならない。
一　組合員証の組合員等記号・番号又は個人番号
二　認定を受けた者の氏名及び生年月日
三　高齢者の医療の確保に関する法律の規定による被保険者証に記載された資格取得年月日及び有効期限
2　組合員又はその被扶養者が前項の障害に該当しなくなつたとき又は前項の書類の記載事項に変更があつたときは、当該組合員は、遅滞なく、その旨を組合に届け出なければならない。

（介護保険第二号被保険者の資格の届出）
第百十三条の五　組合員又はその被扶養者（四十歳以上六十五歳未満の者に限る。）が次に掲げる事由に該当したときは、当該組合員は、遅滞なく、当該組合員（被扶養者にあつては、当該組合員及びその被扶養者）の氏名及び生年月日、組合員証の組合員等記号・番号又は個人番号

並びに次に掲げる事由に該当した年月日及び理由を記載した書類を組合に提出しなければならない。

一　組合員又はその被扶養者が介護保険法施行法（平成九年法律第百二十四号）第十一条第一項に該当したとき。

二　組合員又はその被扶養者が介護保険法施行法第十一条第一項に該当しなくなつたとき。

（組合への書類の提出）

第百十三条の六　第四章から第五章第二節までの規定による組合への書類の提出は、人事担当者又は給与支給機関を経由して行うことができる。

第三節　長期給付

第一款　厚生年金保険給付

第一目　老齢厚生年金

（老齢厚生年金の請求等）

第百十四条　老齢厚生年金（連合会が支給するものに限る。）に係る請求、届出その他の行為については、厚生年金保険法施行規則第三十条から第三十八条の二まで（同規則第三十条第一項第三号ロ、第五号、第六号及び第十一号ロ、第二項第四号の三並びに第三項、第三十条の五の二第二項第二号から第五号まで、第三十条の六、第三十一条の二第二項、第三十五条、第三十五条の二、第三十六条から第三十八条まで並びに第三十八条の二第二項を除く。）に定めるところによるものとする。この場合において、これらの規定中「機構」とあり、及び「厚生労働大臣」とあるのは「国家公務員共済組合連合会」と、「戸籍の抄本」とあるのは「戸籍の抄本若しくは謄本」とするほか、次の表の上欄に掲げるこれらの規定中同表の中欄に掲げる字句は、それぞれ同表の下欄に掲げる字句とする。

第三十条第一項第二号	又は	及び
第三十条第一項第三号	被保険者（	被保険者（平成二十四年一元化法第一条の規定による改正前の法による被保険者及び
	第五号から第七号までにおいて	以下
第三十条第一項第七号	被保険者	第二号厚生年金被保険者（法第二条の五第一項第二号に規定する第二号厚生年金被保険者をいう。以下同じ。）
	使用される事業所の名称及び所在地又は船舶所有者の氏名及び住所	所属機関の名称及び所在地
第三十条第一項第八号	附則第九条の三第二項及び第九条の四第三項	附則第九条の三第二項
	附則第十八条第三項、第十九条第三項、第二十条第三項を含む。）並びに平成六年改正法附則第三十一条第三項の規定によりなおその効力を有するものとされた平成六年改正法第二条の規定による改正前の法第四十四条第一項（以下「法第四十四条第一項」という	附則第十九条第三項を含む
第三十条第一項第九号及び第十号	年月日	年月
第三十条第一項第十一号	イ及びロ	イ
	希望する者（ロに規定する者を除く。）	希望する者
第三十条第二項第一号の二	書類（雇用保険被保険者証の交付を受けていない者にあつては、その事由書）	書類
第三十条第	共済組合の	法第二条の五第一項

二項第三号		第一号に規定する第一号厚生年金被保険者期間を有する者にあつては厚生労働大臣が、共済組合の
	、当該共済組合	当該共済組合
	国民年金法施行規則	それぞれ国民年金法施行規則
第三十条第五項	第四十四条の三第一項、なお効力を有する平成二十四年一元化法改正前の法（平成二十四年一元化法附則第十二条第二項の規定によりなおその効力を有するものとされた平成二十四年一元化法第一条の規定による改正前の法をいう。以下同じ。）第四十四条の三第一項又は国民年金法等の一部を改正する法律（平成十二年法律第十八号。以下「平成十二年改正法」という。）附則第十七条第一項の規定によりなおその効力を有するものとされた平成十二年改正法第五条の規定による改正前の法第四十四条の三第一項	第四十四条の三第一項
第三十条第六項	第四十四条の三第一項又はなお効力を有する平成二十四年一元化法改正前の法第四十四条の三第一項	第四十四条の三第一項
第三十条第八項	第二条の五第一項第一号に規定する第一号厚生年金被保険者期間（以下「第一号厚生年金被保険者期間	第二条の五第一項第二号に規定する第二号厚生年金被保険者期間（以下「第二号厚生年金被保険者期間
	これらの表	表
第三十条の二第一項各号列記以外の部分	老齢厚生年金及び平成六年改正法附則第三十一条第一項に規定する改正前の老齢厚生年金	老齢厚生年金
第三十条の二第一項第一号の二	又は	及び
第三十条の二第二項第一号の二	又は	及び
第三十条の二第四項	第三十九条第一項	国家公務員共済組合法施行規則（昭和三十三年大蔵省令第五十四号）第百十四条の二十四第二項第二号
第三十条の三第一項第七号	第四十四条の三第一項又はなお効力を有する平成二十四年一元化法改正前の法第四十四条の三第一項	第四十四条の三第一項
第三十条の四第一項各号列記以外の部分	第四十四条の三第一項、なお効力を有する平成二十四年一元化法改正前の法第四十四条の三第一項又は平成十二年改正法附則第十七条第一項の規定によりなおその効力を有するものとされた平成十二年	第四十四条の三第一項

	改正法第五条の規定による改正前の法第四十四条の三第一項	
第三十条の五第一項各号列記以外の部分	第三十八条第二項又はなお効力を有する平成二十四年一元化法改正前の法第三十八条第二項（昭和六十年改正法附則第五十六条第三項において準用する場合を含む。）	第三十八条第二項
第三十条の五第一項第六号	年月日	年月
第三十条の五の二第二項各号列記以外の部分	第三十八条の二第一項（平成十六年度、平成十七年度、平成十九年度及び平成二十年度の国民年金制度及び厚生年金保険制度並びに国家公務員共済組合制度の改正に伴う厚生労働省関係法令に関する経過措置に関する政令（平成十六年政令第二百九十八号。以下「平成十六年経過措置政令」という。）第三十二条第一項及び第三十三条第一項において準用する場合を含む。）、国民年金法第二十条の二第一項（平成十六年経過措置政令第三十一条第一項において準用する場合を含む。）又は平成八年改正法附則第十六条第一項の規定により適用するものとされたなお効力を有する平成二十四年一元化法改正前国共済法第七十四条の二第一項	第三十八条の二第一項
第三十条の五の二第二項第一号	限る。）又は旧法による年金たる保険給付	限る。）
第三十条の五の三第三項	前条第二項各号	前条第二項第一号
	第三十八条の二第三項（平成十六年経過措置政令第三十二条第一項及び第三十三条第一項において準用する場合を含む。）、国民年金法第二十条の二第三項（平成十六年経過措置政令第三十一条第一項において準用する場合を含む。）又は平成八年改正法附則第十六条第一項の規定により適用するものとされたなお効力を有する平成二十四年一元化法改正前国共済法第七十四条の二第三項	第三十八条の二第三項
第三十一条第一項各号列記以外の部分	第九条の三第二項及び第四項、第九条の四第三項及び第五項並びに平成六年改正法附則第十八条第三項、第十九条第三項及び第五項、第二十条第三項及び第五項並びに第二十七条第十三項及び第十四項	第九条の三第二項及び第四項並びに第二十七条第十三項
	並びに平成六年改正	に規定する

	法附則第三十一条第三項の規定によりなおその効力を有するものとされた平成六年改正法第三条の規定による改正前の法第四十四条第三項に規定する	
	十日以内に	速やかに
第三十一条の二第一項第四号	配偶者が令第三条の七に掲げる給付又は平成二十四年一元化法附則第十二条第二項の規定によりなおその効力を有するものとされた被用者年金制度の一元化等を図るための厚生年金保険法等の一部を改正する法律の施行に伴う厚生労働省関係政令等の整備に関する政令（平成二十七年政令第三百四十二号）第一条の規定による改正前の令（以下「平成二十七年改正前の令」という。）	配偶者が令第三条の七に掲げる給付
	第三条の七に掲げる給付（以下「令第三条の七に掲げる給付」という。）	
	年月日	年月
第三十一条の二第三項第五号	年月日	年月
第三十一条の二第四項各号列記以外の部分	若しくは第三項又はなお効力を有する平成二十四年一元化法改正前の法第四十三条第三項	又は第三項
第三十一条の二第四項第五号並びに第三十一条の四第一項第五号及び第七号	年月日	年月
第三十二条第一項各号列記以外の部分	第九条の三第二項及び第四項並びに第九条の四第三項及び第五項並びに平成六年	第九条の三第二項及び第四項並びに第二十七条第十三項
	改正法附則第十八条第三項、第十九条第三項及び第五項、第二十条第三項及び第五項並びに第二十七条第十三項及び第十四項	
	を含む。）又は平成六年改正法附則第三十一条第三項の規定によりなおその効力を有するものとされた平成六年改正法第三条の規定による改正前の法第四十四条第四項各号（第四号、第八号及び第十号を除く。）	を含む。）
	十日以内に	速やかに
第三十二条の四第二項	法第二条の五第一項第二号に規定する第二号厚生年金被保険者（以下「第二号厚生年金被保険者」という。）	第二号厚生年金被保険者
第三十三条	年月日	年月

の二第四号		
第三十四条第一項各号列記以外の部分	第三十八条第一項若しくはなお効力を有する平成二十四年一元化法改正前の法第三十八条第一項	第三十八条第一項
第三十四条第一項第五号、第三十四条の二第一項第四号及び第三十四条の二の二第一項第七号	年月日	年月
第三十五条の三第一項各号列記以外の部分	平成六年改正法附則第十九条第一項又は第二十条第一項	平成六年改正法附則第十九条第一項

第二目　障害厚生年金及び障害手当金

（障害厚生年金及び障害手当金の請求等）

第百十四条の二　障害厚生年金及び障害手当金（連合会が支給するものに限る。）に係る請求、届出その他の行為については、厚生年金保険法施行規則第四十四条から第五十四条の二まで（同規則第四十四条第一項第九号ロ及び第四項、第四十七条の二の二第三項及び第四項、第四十八条の二、第五十一条、第五十一条の二、第五十二条から第五十四条まで並びに第五十四条の二第二項を除く。次項において「障害厚生年金請求等規定」という。）に定めるところによるものとする。この場合において、これらの規定中「機構」とあり、及び「厚生労働大臣」とあるのは「国家公務員共済組合連合会」と、「戸籍の抄本」とあるのは「戸籍の抄本若しくは謄本」とするほか、次の表の上欄に掲げるこれらの規定中同表の中欄に掲げる字句は、それぞれ同表の下欄に掲げる字句とする。

第四十四条第一項第二号	又は	及び
第四十四条第一項第五号	業務上	公務上若しくは業務上
第四十四条第一項第八号	年月日	年月
第四十四条第一項第九号	イ及びロ	イ
第四十四条第二項第三号	共済組合の	第一号厚生年金被保険者期間を有する者にあつては厚生労働大臣が、共済組合の
	、当該共済組合	当該共済組合
	国民年金法施行規則	それぞれ国民年金法施行規則
第四十五条第一項	第三十八条第二項又はなお効力を有する平成二十四年一元化法改正前の法第三十八条第二項（なお効力を有する平成二十四年一元化法改正前の法第五十四条の二第二項及び昭和六十年改正法附則第五十六条第三項において準用する場合を含む。）	第三十八条第二項
第四十六条各号列記以外の部分	十日以内に	速やかに
第四十七条の二第一項各号列記以外の部分	障害厚生年金（昭和六十年改正法附則第七十八条第七項及び第八十七条第八項並びに国民年金法等の一部を改正する法律	障害厚生年金

	の施行に伴う経過措置に関する政令（平成元年政令第三百三十七号。以下「政令第三百三十七号」という。）第十五条及び第十九条の規定により受給権者とみなされる者に係るものを含む。以下この項（第二号を除く。）及び第五十条の二第一項（第二号を除く。）において同じ。）	
第四十七条の二第一項第三号	年金証書、旧法による障害年金証書又は旧船員保険法による障害年金証書	年金証書
第四十七条の二第一項第九号及び第十一号	年月日	年月
第四十七条の二第二項第一号	共済組合の	第一号厚生年金被保険者期間を有する者にあつては厚生労働大臣が、共済組合の
	、当該共済組合	当該共済組合
	国民年金法施行規則	それぞれ国民年金法施行規則
第四十七条の二第三項	政令第三百三十七号	国民年金法等の一部を改正する法律の施行に伴う経過措置に関する政令（平成元年政令第三百三十七号。以下「政令第三百三十七号」という。）
第四十七条の三第一項及び第四十九条第一項	十日以内に	速やかに
第五十条第一項各号列記以外の部分	第三十八条第一項若しくはなお効力を有する平成二十四年一元化法改正前の法第三十八条第二項	第三十八条第一項
	第五十四条第一項若しくは第二項若しくはなお効力を有する平成二十四年一元化法改正前の法第五十四条の二第一項又は昭和六十年改正法附則第五十六条第一項	第五十四条第一項若しくは第二項
第五十条第一項第五号	年月日	年月
第五十条第三項第一号	第三十八条第一項及びなお効力を有する平成二十四年一元化法改正前の法第三十八条第二項並びに	第三十八条第一項及び
第五十条の二第一項第十号	年月日	年月
第五十条の二第二項第二号	共済組合の	第一号厚生年金被保険者期間を有する者にあつては厚生労働大臣が、共済組合の
	、当該共済組合	当該共済組合
	国民年金法施行規則	それぞれ国民年金法施行規則
第五十条の三第一項第	年月日	年月

四号		

２　前項の規定による障害厚生年金又は障害手当金の請求、届出その他の行為について、当該障害厚生年金又は障害手当金が厚生年金保険法第七十八条の二十二に規定する一の期間に係る第二号厚生年金被保険者期間に基づくものである場合においては、障害厚生年金請求等規定（同項の規定により読み替えられた場合には、読替え後の規定）のうち第四十四条第一項中「障害手当金（国家公務員共済組合連合会」とあるのは、「障害手当金（法第七十八条の二十二に規定する一の期間に係るものに限り、かつ、国家公務員共済組合連合会」とする。

第三目　遺族厚生年金

（遺族厚生年金の請求等）

第百十四条の三　遺族厚生年金（連合会が支給するものに限る。）に係る請求、届出その他の行為については、厚生年金保険法施行規則第十一条の二第二号及び第三号並びに第六十条から第七十一条の二まで（同規則第六十条第一項第十四号ロ、第三項第十一号及び第五項、第六十条の二第一項第三号ロ、第六十二条の二第三項、第六十八条、第六十八条の二、第六十九条、第七十条、第七十一条並びに第七十一条の二第二項を除く。次項において「遺族厚生年金請求等規定」という。）に定めるところによるものとする。この場合において、これらの規定中「第一号厚生年金被保険者期間」とあるのは「第二号厚生年金被保険者期間」と、「機構」とあり、及び「厚生労働大臣」とあるのは「国家公務員共済組合連合会」と、「戸籍の抄本」とあるのは「戸籍の抄本若しくは謄本」とするほか、次の表の上欄に掲げるこれらの規定中同表の中欄に掲げる字句は、それぞれ同表の下欄に掲げる字句とする。

第六十条第一項第一号の二	又は	及び
第六十条第一項第八号	業務上	公務上若しくは業務上
第六十条第一項第九号	年月日	年月
第六十条第一項第十四号	イ及びロ	イ
第六十条第三項第九号の二	共済組合の	第一号厚生年金被保険者期間を有する者にあつては厚生労働大臣が、共済組合の
	、当該共済組合	当該共済組合
	国民年金法施行規則	それぞれ国民年金法施行規則
第六十条第三項第十二号	附則第十二条第一項第九号、第十一号、第十三号又は第十五号	附則第十二条第一項第十七号
	該当する者（同項第十六号の規定に該当する者にあつては、退職共済年金を受けることができるものに限る。）	該当する者
第六十条の二第一項第三号	イ及びロ	イ
第六十条の三	第六十四条の二第一項若しくはなお効力を有する平成二十四年一元化法改正前の法第六十四条の三第一項	第六十四条の二第一項
	老齢厚生年金等又は平成二十四年一元化法附則第十二条第二項の規定によりなおその効力を有するものとされた平成二十七年改正前の令第三条の十の五各号に掲げる年金たる給付	老齢厚生年金等
第六十一条	第三十八条第二項又	第三十八条第二項

第一項各号列記以外の部分	はなお効力を有する平成二十四年一元化法改正前の法第三十八条第二項（なお効力を有する平成二十四年一元化法改正前の法第六十四条の二第二項及び昭和六十年改正法附則第五十六条第三項において準用する場合を含む。）	
第六十一条第一項第四号	第二条の五第一項第二号から第四号まで	第二条の五第一項第一号、第三号及び第四号
	第二号等遺族厚生年金	第一号等遺族厚生年金
第六十二条第一項各号列記以外の部分	十日以内に	速やかに
第六十三条第一項各号列記以外の部分	除く。）又は昭和六十年改正法附則第七十二条第三項の規定によりなおその効力を有するものとされた旧法第六十三条第三項（以下この条において「旧法第六十三条第三項」という。）	除く。）
	十日以内に	速やかに
	第七十四条	国家公務員共済組合法施行規則（昭和三十三年大蔵省令第五十四号）第百十四条の二十五第一項
第六十三条第一項第三号	除く。）又は旧法第六十三条第三項	除く。）
第六十五条第一項各号列記以外の部分	第六十六条若しくはなお効力を有する平成二十四年一元化法改正前の法第三十八条第一項、第六十四条の二第一項若しくは第六十六条	第六十六条
第六十五条第五項第一号	第三十八条第一項及びなお効力を有する平成二十四年一元化法改正前の法第三十八条第一項並びに	第三十八条第一項及び
第七十条の二第一項	前条第一項	国家公務員共済組合法施行規則第百十四条の二十五第一項
	十日以内に	遅滞なく

2　前項の規定による遺族厚生年金の請求、届出その他の行為について、当該遺族厚生年金が厚生年金保険法第五十八条第一項第四号に該当することにより支給されるもの又は同法第七十八条の三十二に規定する一の期間に係る第二号厚生年金被保険者期間に基づくもの（同法第五十八条第一項第一号から第三号までのいずれかに該当することにより支給されるものに限る。）である場合においては、遺族厚生年金請求等規定（前項の規定により読み替えられた場合には、読替え後の規定）のうち第六十条第六項中「法若しくは旧法若しくは船員保険法」とあるのは「法」と、「、厚生年金保険法等の一部を改正する法律の施行に伴う経過措置に関する政令（平成九年政令第八十五号）第十七条第一項第三号に掲げる年金たる給付又は厚生年金保険制度及び農林漁業団体職員共済組合制度の統合を図るための農林漁業団体職員共済組合法等を廃止する等の法律の施行に伴う移行農林共済年金等に関する経過措置に関する政令（平成十四年政令第四十四号）第九条第一項第二号に掲げる年金である給付を受ける」とあるのは「を受ける」とする。

第四目　脱退一時金

（脱退一時金の請求等）

第百十四条の四　厚生年金保険法附則第二十九条第一項の

規定による脱退一時金（連合会が支給するものに限る。）に係る請求、届出その他の行為については、厚生年金保険法施行規則第七十六条の二及び第七十六条の四に定めるところによるものとする。この場合において、同規則第七十六条の二第一項中「脱退一時金（厚生労働大臣が支給するものに限る。以下同じ。）」とあるのは「脱退一時金（第二号厚生年金被保険者期間（法附則第二十九条の二の規定により第二号厚生年金被保険者期間に合算された第二号厚生年金被保険者以外の被保険者の種別に係る被保険者であつた期間を含む。）に基づくものに限る。以下同じ。）」と、同項第一号中「及び住所」とあるのは「、住所及び氏名」と、同項及び同規則第七十六条の四第一項中「機構」とあるのは「国家公務員共済組合連合会」とする。

第五目　離婚等をした場合における特例

（標準報酬改定請求等）

第百十四条の五　第二号厚生年金被保険者期間を有する者が厚生年金保険法第七十八条の二第一項に規定する離婚等をした場合であつて同項各号のいずれかに該当することにより同項に規定する当事者に係る第二号厚生年金被保険者期間の標準報酬の改定又は決定を請求するときは、当該改定又は決定に係る請求その他の行為については、厚生年金保険法施行規則第三章の二（第七十八条の六及び第七十八条の十を除く。）に定めるところによるものとする。この場合において、同規則第七十八条の十一第一項中「第一号厚生年金被保険者期間」とあるのは「第二号厚生年金被保険者期間」と、「機構」とあるのは「国家公務員共済組合（組合員であつた者又はその配偶者であつた者にあつては、国家公務員共済組合連合会）」と、同条第二項第四号及び第五号中「厚生労働大臣」とあるのは「国家公務員共済組合連合会」と、同条第三項中「第二号厚生年金被保険者期間」とあるのは「第一号厚生年金被保険者期間」とする。

（当事者等からの情報提供請求等）

第百十四条の六　厚生年金保険法第七十八条の四第一項の規定により第二号厚生年金被保険者期間について情報提供請求をする当事者（以下この条において「情報提供請求当事者」という。）は、次に掲げる事項を記載した請求書を組合（組合員であつた者又はその配偶者（配偶者であつた者を含む。）にあつては、連合会）に提出しなければならない。

一　氏名、生年月日及び住所

二　個人番号又は基礎年金番号

三　次のイからハまでに掲げる場合の区分に応じ、それぞれイからハまでに定める事項

イ　情報提供請求当事者が、厚生年金保険法第七十八条の二第一項に規定する対象期間（以下「対象期間」という。）の末日（情報提供請求があつた日において対象期間の末日が到来していないときは、当該請求があつた日とする。以下この条において同じ。）が属する月の前月の末日において、第一号厚生年金被保険者、第二号厚生年金被保険者、第三号厚生年金被保険者及び第四号厚生年金被保険者（以下この号において「被保険者」と総称する。）の資格を喪失している場合　同日以前の直近の被保険者の資格を喪失した年月日

ロ　情報提供請求当事者が、対象期間の末日が属する月の前月の末日において、被保険者である場合（ハに該当する場合を除く。）　同日以前の直近の被保険者の資格を取得した年月日

ハ　情報提供請求当事者が、対象期間の末日が属する月の前月において被保険者の資格を喪失し、同月に更に被保険者の資格を取得した場合であつて、同月の末日において被保険者であるとき　当該資格を喪失した年月日及び当該資格を取得した年月日

四　次のイからへまでに掲げる場合の区分に応じ、それぞれイからへまでに定める事項

イ　情報提供請求があつた日において、当事者が婚姻をしている場合　当該婚姻が成立した日

ロ　情報提供請求があつた日において、当事者が婚姻の届出をしていないが事実上婚姻関係と同様の事情にある場合　事実婚第三号被保険者期間（厚生年金保険法施行規則第七十八条の二第一項第三号に規定する事実婚第三号被保険者期間をいう。以下同じ。）の初日及び現に当該事情にある旨

ハ　情報提供請求があつた日以前において、厚生年金保険法施行規則第七十八条の二第一項第一号に掲げる場合に該当する場合　同号に規定する期間

ニ　情報提供請求があつた日以前において、厚生年金保険法施行規則第七十八条の二第一項第二号に掲げる場合に該当する場合　同号に規定する期間

ホ　情報提供請求があつた日以前において、厚生年金保険法施行規則第七十八条の二第一項第三号に掲げる場合に該当する場合　事実婚第三号被保険者期間及び婚姻の届出をしていないが事実上婚姻関係と同様の事情が解消した旨

へ　情報提供請求があつた日以前において、厚生年金保険法施行規則第七十八条の二第一項ただし書に規定する第三号被保険者であつた期間があると認められる場合　当該第三号被保険者並びにその者の配偶

者の氏名、生年月日及び基礎年金番号
五　婚姻が成立した日前から婚姻の届出をしていないが事実上婚姻関係と同様の事情にあつた情報提供請求当事者について、当該情報提供請求当事者が婚姻の届出をしたことにより当該事情が解消した場合にあつては、事実婚第三号被保険者期間の初日
六　厚生年金保険法施行規則第七十八条の七各号のいずれかに該当する場合にあつては、その旨
2　前項の請求書には、次に掲げる書類を添えなければならない。
一　前項の規定により同項の請求書に基礎年金番号を記載する者にあつては、基礎年金番号通知書その他の基礎年金番号を明らかにすることができる書類
二　当事者間の身分関係を明らかにすることができる市町村長の証明書又は戸籍の抄本若しくは謄本
三　情報提供請求があつた日において婚姻の届出をしていないが事実上婚姻関係と同様の事情にある情報提供請求当事者であつて、当該事情にある間に事実婚第三号被保険者期間を有するものであるときは、事実婚第三号被保険者期間の初日から情報提供請求があつた日までの間引き続き当該事情にあることを明らかにすることができる書類
四　婚姻の届出をしていないが事実上婚姻関係と同様の事情にあつた情報提供請求当事者であつて、当該事情にあつた間に事実婚第三号被保険者期間を有していたものであるときは、事実婚第三号被保険者期間の初日から当該事情が解消するまでの間引き続き当該事情にあつたことを明らかにすることができる書類
3　当事者の一方のみが情報提供請求をするときは、第一項各号に掲げる事項のほか、次の各号に掲げる事項を第一項の請求書に記載しなければならない。
一　当事者の他方の氏名、生年月日及び住所
二　その他必要な事項
4　前項の場合において、当該当事者が厚生年金保険法施行規則第七十八条の二第一項各号に掲げる場合のいずれかに該当するときは、当該当事者の一方による情報提供請求があつた日において、当該当事者の他方について情報提供請求があつたものとみなす。
5　情報提供請求当事者が、第一号厚生年金被保険者期間、第三号厚生年金被保険者期間又は第四号厚生年金被保険者期間について、他の実施機関（厚生年金保険法第二条の五第一項各号に定める実施機関をいう。以下同じ。）に厚生年金保険法第七十八条の四第一項の規定による情報提供請求をしたときは、併せて、第一項の請求書を提出したものとみなす。
6　連合会は、厚生年金保険法第七十八条の四第一項に規定する情報を提供するときは、文書でその内容を情報提供請求当事者に通知しなければならない。ただし、第三項の場合であつて、当該当事者が厚生年金保険法施行規則第七十八条の二第一項各号に掲げる場合のいずれにも該当しないときは、当該当事者の他方に対し通知しないものとする。
7　第五項の場合において、他の実施機関が情報提供請求当事者に厚生年金保険法第七十八条の四第一項に規定する情報を提供したときは、連合会は、当該情報を提供したものとみなす。

（離婚時みなし被保険者期間を有する者の届出等）
第百十四条の七　厚生年金保険法第七十八条の七に規定する離婚時みなし被保険者期間（第二号厚生年金被保険者期間に係るものに限る。以下この目において「離婚時みなし第二号被保険者期間」という。）を有する者（第二号厚生年金被保険者期間を有する者を除く。以下この条において同じ。）は、その氏名、生年月日、住所及び個人番号又は基礎年金番号を記載した書類を連合会に提出しなければならない。
2　離婚時みなし第二号被保険者期間を有する者（連合会から当該期間を含む厚生年金保険給付の支給を受けている場合を除く。次項において同じ。）は、その氏名又は住所に変更があつたときは、遅滞なく、当該変更に関する書類を連合会に提出しなければならない。
3　離婚時みなし第二号被保険者期間を有する者が死亡した場合には、当該離婚時みなし第二号被保険者期間を有する者であつた者の遺族又は相続人は、次に掲げる事項を記載した死亡届を連合会に提出しなければならない。ただし、死亡に際し、当該離婚時みなし第二号被保険者期間を有する者であつた者に係る厚生年金保険給付の請求を行うことができるときは、この限りでない。
一　離婚時みなし第二号被保険者期間を有する者であつた者の氏名、生年月日、住所及び基礎年金番号
二　死亡年月日
三　その他必要な事項
4　連合会は、離婚時みなし第二号被保険者期間を有する者又は前項に規定する遺族若しくは相続人に対し、第一項若しくは第二項に規定する書類又は前項の死亡届に記載された事項について確認できる書類の提出を求めることができる。

（みなし組合員長期原票）
第百十四条の八　連合会は、離婚時みなし第二号被保険者期間を有する者ごとに、みなし組合員長期原票を備え、次に掲げる事項を記載して整理しなければならない。

一　離婚時みなし第二号被保険者期間を有する者の氏名、生年月日、住所及び基礎年金番号
二　離婚時みなし第二号被保険者期間
三　離婚時みなし第二号被保険者期間に係る標準報酬月額及び標準賞与額
四　その他必要な事項

2　連合会は、離婚時みなし第二号被保険者期間を有する者が第三号厚生年金被保険者となつたときは、その者に係るみなし組合員長期原票その他必要な書類を当該第三号厚生年金被保険者の属する地方の組合に送付し、その写しを保管しなければならない。

（離婚時みなし被保険者期間に係る記録）
第百十四条の九　離婚時みなし第二号被保険者について、厚生年金保険法第二十八条の規定を適用する場合においては、前条のみなし組合員長期原票をもつて同法第二十八条に規定する原簿とみなす。この場合において、同法第七十八条の七に規定する主務省令で定める事項は、離婚時みなし第二号被保険者期間を有する者の基礎年金番号及び生年月日とする。

（標準報酬改定請求に係る連合会への通知）
第百十四条の十　組合は、厚生年金保険法第七十八条の六第一項及び第二項の規定により当事者の標準報酬月額及び標準賞与額を改定し、又は決定したときは、その標準報酬月額及び改定前の標準報酬月額、その標準賞与額及び改定前の標準賞与額その他必要な事項を連合会に通知しなければならない。

（連合会への資料の求め）
第百十四条の十一　組合は、連合会に対し、厚生年金保険法第七十八条の四第一項に規定する情報又は同法第七十八条の五に規定する資料の提供に必要な資料を求めることができる。

第六目　被扶養配偶者である期間についての特例

（三号分割標準報酬改定請求等）
第百十四条の十二　第二号厚生年金被保険者期間を有する者が離婚若しくは婚姻の取消し又は厚生年金保険法施行規則第七十八条の十四各号に掲げる場合に該当することにより厚生年金保険法第七十八条の十四第一項に規定する特定期間に係る第二号厚生年金被保険者期間の標準報酬の改定又は決定を請求するときは、当該改定又は決定に係る請求その他の行為については、同規則第三章の三（第七十八条の十八を除く。）に定めるところによる。この場合において、同規則第七十八条の十九第一項中「第一号厚生年金被保険者期間」とあるのは「第二号厚生年金被保険者期間」と、「機構」とあるのは「国家公務員共済組合（組合員であつた者の被扶養配偶者であつた者にあつては、国家公務員共済組合連合会）」と、同条第二項第四号及び第五号中「厚生労働大臣」とあるのは「国家公務員共済組合連合会」と、第七十八条の二十第二項中「厚生労働大臣」とあるのは「国家公務員共済組合（組合員であつた者の被扶養配偶者であつた者にあつては、国家公務員共済組合連合会）」とする。

（被扶養配偶者みなし被保険者期間を有する者の届出等）
第百十四条の十三　厚生年金保険法第七十八条の十四第四項の規定により第二号厚生年金被保険者期間であつたものとみなされた期間（以下この目において「被扶養配偶者みなし第二号被保険者期間」という。）を有する者（第二号厚生年金被保険者期間を有する者を除く。以下この条において同じ。）は、その氏名、生年月日、住所及び個人番号又は基礎年金番号を記載した書類を連合会に提出しなければならない。

2　被扶養配偶者みなし被保険者期間を有する者（連合会から当該期間を含む厚生年金保険給付の支給を受けている場合を除く。次項において同じ。）は、その氏名又は住所に変更があつたときは、遅滞なく、当該変更に関する書類を連合会に提出しなければならない。

3　被扶養配偶者みなし被保険者期間を有する者が死亡した場合には、当該被扶養配偶者みなし被保険者期間を有する者であつた者の遺族又は相続人は、次に掲げる事項を記載した死亡届を連合会に提出しなければならない。ただし、死亡に際し、当該被扶養配偶者みなし被保険者期間を有する者であつた者に係る厚生年金保険給付の請求を行うことができるときは、この限りでない。
一　被扶養配偶者みなし被保険者期間を有する者であつた者の氏名、生年月日、住所及び基礎年金番号
二　死亡年月日
三　その他必要な事項

4　連合会は、被扶養配偶者みなし被保険者期間を有する者又は前項に規定する遺族若しくは相続人に対し、第一項若しくは第二項に規定する書類又は前項に規定する死亡届に記載された事項について確認できる書類の提出を求めることができる。

（被扶養配偶者みなし組合員長期原票）
第百十四条の十四　連合会は、被扶養配偶者みなし被保険者期間を有する者ごとに、被扶養配偶者みなし組合員長期原票を備え、次に掲げる事項を記載して整理しなければならない。
一　被扶養配偶者みなし被保険者期間を有する者の氏名、生年月日、住所及び基礎年金番号
二　被扶養配偶者みなし被保険者期間

三　被扶養配偶者みなし被保険者期間に係る標準報酬月額及び標準賞与額
四　その他必要な事項
2　連合会は、被扶養配偶者みなし被保険者期間を有する者が第三号厚生年金被保険者となつたときは、その者に係る被扶養配偶者みなし組合員長期原票その他必要な書類を当該第三号厚生年金被保険者の属する地方の組合に送付し、その写しを保管しなければならない。

（被扶養配偶者みなし被保険者期間に係る記録）
第百十四条の十五　被扶養配偶者みなし第二号被保険者について、厚生年金保険法第二十八条の規定を適用する場合においては、前条の被扶養配偶者みなし組合員長期原票をもつて同法第二十八条に規定する原簿とみなす。この場合において、同法第七十八条の十五に規定する主務省令で定める事項は、被扶養配偶者みなし被保険者期間を有する者の基礎年金番号及び生年月日とする。

（三号分割標準報酬改定請求に係る連合会への通知）
第百十四条の十六　組合は、厚生年金保険法第七十八条の十四第二項及び第三項の規定により特定被保険者及び被扶養配偶者の標準報酬月額及び標準賞与額を改定し、及び決定したときは、その標準報酬月額及び改定前の標準報酬月額、その標準賞与額及び改定前の標準賞与額その他必要な事項を連合会に通知しなければならない。

第七目　雑則

（厚生年金保険給付に関する通知）
第百十四条の十七　連合会は、厚生年金保険給付（連合会が支給するものに限る。以下この目において同じ。）に係る処分を行つたときは、速やかに、文書でその内容を請求者又は厚生年金保険給付の受給権者に通知しなければならない。この場合において、請求に応ずることができないものであるときは、理由を付さなければならない。

（厚生年金保険給付に係る年金証書）
第百十四条の十八　連合会は、前条による通知が厚生年金保険給付の裁定に係るものであるときは、同条の通知に併せて、次に掲げる事項を記載した年金証書を交付しなければならない。ただし、特別支給の老齢厚生年金以外の老齢厚生年金の受給権を裁定した場合においてその受給権者が特別支給の老齢厚生年金の年金証書の交付を受けているときは、この限りでない。この場合において、当該特別支給の老齢厚生年金の年金証書は当該老齢厚生年金の年金証書とみなす。
一　受給権者の氏名、生年月日及び基礎年金番号
二　年金の種類及び年金証書の記号番号
三　年金コード
四　年金の受給権発生年月
五　その他必要な事項
2　連合会は、必要があると認めるときは、受給権者に対して年金証書の提出を求めることができる。

（厚生年金保険給付に係る年金証書の再交付の申請）
第百十四条の十九　受給権者は、年金証書を亡失し又は著しく損傷したときは、遅滞なく、次に掲げる事項を記載した年金証書再交付申請書を、亡失の事実を明らかにする書類又はその損傷した年金証書と併せて連合会に提出しなければならない。
一　受給権者の氏名、生年月日及び住所
二　個人番号又は基礎年金番号
三　年金証書の記号番号
四　再交付申請の理由
2　受給権者は、年金証書に記載された氏名に変更があつたときは、前項の申請書を、連合会に提出することができる。
3　前項の申請書には、年金証書を添えなければならない。
4　連合会は、第一項又は第二項の申請書の提出を受けたときは、新たな年金証書を交付しなければならない。
5　受給権者は、年金証書の再交付を受けた後において、亡失した年金証書を発見したときは、遅滞なくこれを連合会に返納しなければならない。

（支払の一時差止め）
第百十四条の二十　連合会は、厚生年金保険給付の受給権者が正当な理由がなく、厚生年金保険法施行規則第三十二条の三第一項の届書若しくはこれに添えるべき書類（同条第三項の規定の適用を受けるものに限る。）、第三十五条第三項に規定する書類、第三十五条の二の書類等、第三十五条の三第一項に規定する届書若しくはこれに添えるべき書類等、第三十五条の四の書類等、第四十条の二第三項に規定する書類、第五十一条第三項に規定する書類、第五十一条の二の書類等、第五十一条の三第一項に規定する届書、第五十一条の四の書類等、第五十六条の二第三項に規定する書類、第六十八条第三項に規定する書類、第六十八条の二の書類等、第六十八条の三の書類等、第七十条の二第一項に規定する届書又は第七十三条の二第三項の書類を提出しないときは、それらの書類等が提出されるまで当該受給権者に係る厚生年金保険給付の支払を差し止めることができる。

（連合会による厚生年金保険給付の受給権者の確認等）
第百十四条の二十一　連合会は、厚生年金保険法第三十六条第三項の規定により厚生年金保険給付を支給する月（以下この項において「厚生年金保険給付の支給期月」という。）の前月（同項ただし書の規定により年金である給付を支給する場合には、その月）において、地方公共団

体情報システム機構から当該厚生年金保険給付の支給期月に支給する厚生年金保険給付の受給権者又は当該保険給付に加算されている加給年金額の対象者（次項において「受給権者等」という。）に係る本人確認情報の提供を受け、必要な事項について確認を行うものとする。

2 連合会は、前項の規定により必要な事項について確認を行つた場合において、受給権者等の生存の事実が確認されなかつたとき（第百十四条の二十三第一項に規定する場合を除く。）には、当該受給権者又は当該加給年金額の対象者がある受給権者に対し、当該受給権者等の生存の事実について確認できる書類の提出を求めることができるものとする。

3 前項の規定により同項に規定する書類の提出を求められた受給権者は、毎年連合会が指定する日（以下「指定日」という。）までに、当該書類を連合会に提出しなければならない。

4 連合会は、前項の規定により第二項の書類を提出しなければならない受給権者が当該書類を提出しないときは、当該書類が提出されるまで、指定日の属する月の翌月以後に支払うべき厚生年金保険給付（加給年金額の対象者についてのみ生存の事実が確認されなかつた受給権者が当該事実について確認できる書類を提出しないときは、当該対象者に係る加給年金額に相当する部分に限る。）の支払を差し止めることができる。

（厚生年金保険給付の受給権者に係る所在不明の届出）

第百十四条の二十二 受給権者の属する世帯の世帯主その他その世帯に属する者は、当該受給権者の所在が一月以上明らかでないときは、速やかに、次に掲げる事項を記載した所在不明届出書を連合会に提出しなければならない。

一 所在不明届出書を提出する者の氏名及び住所並びに当該者と厚生年金保険給付の受給権者との身分関係

二 受給権者と同一世帯である旨

三 受給権者の氏名及び生年月日

四 基礎年金番号

五 年金証書の記号番号

六 受給権者が所在不明となつた年月日

（本人確認情報の提供を受けることができない厚生年金保険給付の受給権者に係る届出）

第百十四条の二十三 連合会は、地方公共団体情報システム機構から受給権者に係る本人確認情報の提供を受けることができない場合にあつては当該受給権者に対し、前条の規定による所在不明届出書の提出があつた場合にあつては当該届出書の提出を行つた者に対し、次に掲げる事項について記載がある当該受給権者又は当該届出書の提出を行つた者が署名した届出書（署名することが困難な受給権者にあつては、当該受給権者の代理人が署名した届出書）を指定日までに提出することを求めることができる。

一 受給権者の氏名、生年月日、住所及び個人番号又は基礎年金番号

二 年金の種類及び年金証書の記号番号

三 その他必要な事項

2 前項の規定により同項に規定する届出書の提出を求められた受給権者は、毎年、指定日までに、当該届出書を連合会に提出しなければならない。

（厚生年金保険給付の受給権者の異動報告等）

第百十四条の二十四 受給権者は、住居表示に関する法律（昭和三十七年法律第百十九号）により住居表示が変更されたとき又は転居したときは、その旨、氏名、生年月日、住所（転居の場合にあつては、転居後の住所）、個人番号又は基礎年金番号及び厚生年金保険給付に係る年金証書の記号番号を記載した受給権者異動届出書を連合会に提出しなければならない。ただし、住居表示が変更されたこと又は転居したことにつき、連合会が地方公共団体情報システム機構から本人確認情報の提供を受けることができるときは、この限りでない。

2 受給権者は、前項の規定に該当する場合のほか、次の各号に掲げる事由に該当したときは、その旨、氏名（第一号に該当する場合にあつては、変更前の氏名及び変更後の氏名）、生年月日、住所、個人番号又は基礎年金番号及び厚生年金保険給付に係る年金証書の記号番号を記載した受給権者異動届出書を、当該各号に掲げる書類と併せて連合会に提出しなければならない。ただし、第一号に該当する場合において、連合会が地方公共団体情報システム機構から本人確認情報の提供を受けることができるときは、この限りでない。

一 氏名を改めたとき 年金証書及び氏名の変更に関する市町村長の証明書又は戸籍抄本

二 払渡金融機関を変更するとき（次号に掲げる事由に該当したときを除く） 新たな払渡金融機関の所在地及び名称を記載したもの、預金口座の口座番号についての当該払渡金融機関の証明書、預金通帳の写しその他の預金口座の口座番号を明らかにすることができる書類

三 支給を受けようとする預金口座として公金受取口座を利用しようとするとき 新たな払渡金融機関の所在地、名称及び公金受取口座の口座番号並びに支給を受けようとする預金口座として公金受取口座を利用する旨を記載したもの

3　連合会は、第一項又は前項に規定する受給権者異動届出書の提出を受けた場合において必要があると認めるときは、地方公共団体情報システム機構から本人確認情報の提供を受け、必要な事項について確認を行うものとする。この場合において、当該事項について確認を行うことができなかつた場合には、連合会はその受給権者に対し当該事項について確認できる書類の提出を求めることができる。

4　連合会は、第二項第一号の規定により、年金証書の提出があつたときは、遅滞なくその記載事項を訂正して、その受給権者に交付しなければならない。

5　厚生年金保険法第四十四条の三第一項の規定による老齢厚生年金の支給の繰下げの申出を行つていないもの（以下「老齢厚生年金の繰下げ待機者」という。）が老齢厚生年金の支給の繰下げの申出を行うまでの間において第一項又は第二項に定める場合に該当するときは、第一項又は第二項に定める受給権者異動届出書を連合会に提出しなければならない。ただし、住居表示が変更されたこと、転居したこと又は氏名を変更したことにつき、連合会が地方公共団体情報システム機構から本人確認情報の提供を受けることができるときは、この限りでない。

（厚生年金保険給付の受給権の消滅の届出）

第百十四条の二十五　厚生年金保険給付の受給権者が死亡し、又はその権利を喪失したとき（老齢厚生年金の受給権者が六十五歳に達したとき及び老齢厚生年金又は障害厚生年金を受ける権利を有していた者が死亡したことにより遺族厚生年金が支給されることとなるときを除く。）は、その遺族、厚生年金保険法第三十七条第一項の規定による未支給の厚生年金保険給付を受ける者若しくは戸籍法（昭和二十二年法律第二百二十四号）の規定による死亡の届出義務者又は年金を受ける権利を喪失した者は、遅滞なく、次に掲げる事項（受給権者が死亡した場合にあつては、個人番号を除く。）を記載した年金受給権消滅届出書を連合会に提出しなければならない。ただし、当該受給権者が死亡したことにつき、連合会が地方公共団体情報システム機構から本人確認情報の提供を受けることができるときは、この限りでない。

一　受給権者であつた者の氏名、生年月日及び住所

二　年金の種類

三　個人番号又は基礎年金番号

四　年金証書の記号番号

五　受給権の消滅の事由

2　老齢厚生年金の繰下げ待機者が老齢厚生年金の支給の繰下げの申出を行うまでの間において前項に定める場合に該当するときは、同項に定める年金受給権消滅届出書を連合会に提出しなければならない。ただし、当該老齢厚生年金繰下げ待機者が死亡したことにつき、連合会が地方公共団体情報システム機構から本人確認情報の提供を受けることができるときは、この限りでない。

（未支給の厚生年金保険給付の請求）

第百十四条の二十六　厚生年金保険法第三十七条第一項の規定により厚生年金保険給付の支給を受けようとする者は、次の各号に掲げる事項を記載した請求書を連合会に提出しなければならない。

一　請求者の氏名、生年月日及び住所並びに請求者と死亡した受給権者との続柄

一の二　請求者の個人番号

二　死亡した受給権者の氏名及び生年月日

三　死亡した受給権者の基礎年金番号

四　年金証書の記号番号

五　死亡した者の死亡年月日

六　請求者以外に厚生年金保険法第三十七条第一項の規定に該当する者があるときは、その者と受給権者との身分関係

七　次のイ又はロに掲げる者の区分に応じ、当該イ又はロに定める事項

イ　支給を受けようとする預金口座として公金受取口座を利用しようとする者　払渡金融機関の名称及び公金受取口座の口座番号並びに支給を受けようとする預金口座として公金受取口座を利用する旨

ロ　イに掲げる者以外の者　払渡金融機関の名称及び預金口座の口座番号

2　受給権者が死亡した場合であつて、厚生年金保険法第三十七条第三項の規定に該当するときは、同条の規定による未支給の保険給付の支給を受けようとする者は、老齢厚生年金の受給権者が死亡した場合にあつては、前項の請求書並びに厚生年金保険法施行規則第三十条、第三十条の二第二項又は第三十条の三の例による請求書及びこれに添えるべき書類等を、障害厚生年金及び障害手当金の受給権者が死亡した場合にあつては、前項の請求書並びに同規則第四十四条の例による請求書及びこれに添えるべき書類等を、遺族厚生年金の受給権者が死亡した場合にあつては、同規則第六十条又は第六十条の二の例による請求書及びこれに添えるべき書類等を連合会に提出しなければならない。

3　前二項の請求書には、次の各号に掲げる書類を添えなければならない。

一　死亡した受給権者と請求者との身分関係を明らかにすることができる市町村長による証明書、戸籍抄本、戸籍謄本、除籍抄本、除籍謄本又は法定相続情報一覧

図の写し

二 死亡した受給権者の死亡の当時その者と生計を同じくしていたことを証する書類

三 預金口座の口座番号についての当該払渡金融機関の証明書、預金通帳の写しその他の預金口座の口座番号を明らかにすることができる書類

（保険料納付の実績及び将来の給付に関する必要な情報の通知）

第百十四条の二十七 厚生年金保険法第三十一条の二の規定による通知（連合会が行うものに限る。）は、次の各号に掲げる事項を記載した書面によつて行うものとする。

一 被保険者期間の月数

二 最近一年間の被保険者期間における標準報酬月額及び標準賞与額

三 被保険者期間における標準報酬月額及び標準賞与額に応じた保険料（被保険者の負担するものに限る。）の総額

四 国民年金法施行規則（昭和三十五年厚生省令第十二号）第十五条の四第一項第一号（ロを除く。）に掲げる事項

五 国民年金法による老齢基礎年金（以下「老齢基礎年金」という。）及び老齢厚生年金の額の見込額

六 その他必要な事項

2 前項の規定にかかわらず、厚生年金保険法第三十一条の二の規定により通知（連合会が行うものに限る。）が行われる被保険者が三十五歳、四十五歳及び五十九歳に達する日の属する年度における同項の通知は、当該被保険者に係る同項各号に掲げる事項（同項第二号に掲げる事項及び最近一年間の被保険者期間における保険料の納付状況を除く。）のほか、次の各号に掲げる事項を記載した書面によつて行うものとする。

一 国民年金法施行規則第十五条の四第二項第一号に掲げる事項

二 国民年金法第七条第一項第一号に規定する第一号被保険者期間における保険料の納付状況及び被保険者期間における標準賞与額

（添付書類の特例）

第百十四条の二十八 前章及びこの章第三節第一款の規定により次の各号に掲げる書類を提出し、又は請求書、申請書、申出書又は届書（以下この条及び次条において「請求書等」という。）に添えなければならない場合において、厚生年金保険法第百条の二第一項の規定による情報の提供を受けることにより連合会が次に掲げる書類に係る事実を確認することができるときは、前章及びこの章第三節第一款の規定にかかわらず、当該書類を提出し、又は請求書等に添えることを要しないものとする。

一 厚生労働大臣、共済組合（法律によつて組織された共済組合をいい、厚生年金保険法等の一部を改正する法律（平成八年法律第八十二号）附則第三十二条第二項に規定する存続組合及び同法附則第四十八条第一項に規定する指定基金を含む。以下この号において同じ。）又は日本私立学校振興・共済事業団が国民年金法施行規則様式第一号により厚生労働大臣、共済組合の組合員又は私学教職員制度の加入者であつた期間を確認した書類

二 国民年金法附則第九条第一項に規定する合算対象期間（国民年金法等の一部を改正する法律（昭和六十年法律第三十四号。以下「昭和六十年国民年金等改正法」という。）附則第八条第五項及び国民年金法等の一部を改正する法律（平成元年法律第八十六号）附則第四条第一項の規定により合算対象期間に算入される期間を含む。）を明らかにすることができる書類

三 厚生年金保険法施行規則第三十条第一項第九号に規定する公的年金給付（連合会が支給するものとされたものを除く。）の支給状況に関する書類

（実施機関による届書等の受理、送付等）

第百十四条の二十九 実施機関（連合会を除く。以下この条において同じ。）は、厚生年金保険法施行令第四条の二の十四の規定により、第百十四条から第百十四条の三まで、第百十四条の五若しくは第百十四条の十二により読み替えられた厚生年金保険法施行規則第三十条から第三十五条の四まで（同規則第三十条の二第一項を除く。）、第四十五条第一項、第四十五条の二第一項、第四十六条、第四十九条の二、第五十条の三第一項若しくは第六十条から第六十八条の三まで（同規則第六十七条の二並びに第六十八条の三第一項及び第二項を除く。）又は第三章の二若しくは第三章の三の規定による請求書等の受理及びこれらの書類に係る事実についての審査を行うものとする。

2 実施機関は、第百十四条の十九、第百十四条の二十二及び第百十四条の二十四から第百十四条の二十六までの規定による請求書等の受理及びこれらの書類に係る事実についての審査を行うものとする。

3 実施機関は、第一項及び前項の規定により請求書等を受理したときは、必要な審査を行い、連合会にこれを送付し、又は電磁的方法により送らなければならない。

4 第一項及び第二項の規定により同項の請求書等が実施機関に受理されたときは、その受理されたときに連合会に提出があつたものとみなす。

（年金原簿等の作成）

第百十四条の三十　連合会は、厚生年金保険給付に係る受給権者ごとに、年金原簿及び年金支給簿を備え、年金の決定、改定及び支給に必要な事項を記載して整理しなければならない。

2　第二号厚生年金被保険者である受給権者については、第八十七条の四中「第八十七条に規定する組合員原票及び前条に規定する組合員長期原票」とあるのは「第八十七条に規定する組合員原票及び前条に規定する組合員長期原票並びに年金原簿及び年金支給簿（厚生年金保険給付に関する部分に限る。）」と、「賞与の支払年月」とあるのは「賞与の支払年月並びに厚生年金保険給付に関する事項」と読み替えて、第二号厚生年金被保険者等であつた者である受給権者については、「前条に規定する組合員長期原票」とあるのは「前条に規定する組合員長期原票並びに年金原簿及び年金支給簿（厚生年金保険給付に関する部分に限る。）」と、「賞与の支払年月」とあるのは「賞与の支払年月並びに厚生年金保険給付に関する事項」と読み替えて、同条の規定を適用する。

3　第八十七条の三第一項の規定により組合員長期原票に記載した七十歳以上被用者の標準報酬月額及び標準賞与額については、年金原簿及び年金支給簿に記載したものとみなす。

4　離婚時みなし第二号被保険者であつた受給権者については、第百十四条の九中「みなし組合員長期原票」とあるのは「みなし組合員長期原票並びに年金原簿及び年金支給簿（厚生年金保険給付に関する部分に限る。）」と読み替えて、同条の規定を適用する。

5　被扶養配偶者みなし第二号被保険者であつた受給権者については、第百十四条の十五中「被扶養配偶者みなし組合員長期原票」とあるのは「みなし組合員長期原票並びに年金原簿及び年金支給簿（厚生年金保険給付に関する部分に限る。）」と読み替えて、同条の規定を適用する。

第二款　退職等年金給付

第一目　通則

（付与率の見直し）

第百十五条　法第七十五条第一項に規定する付与率（以下第百十五条の九まで及び第百十九条の十第一項において「付与率」という。）について、法第七十五条第二項又は令第十三条に規定する事情に適合しないことが明らかとなつたときは、速やかにその水準について見直しを行い、連合会の定款を変更するものとする。

（基準利率の基礎となる国債の利回り）

第百十五条の二　基準利率（法第七十五条第四項の規定により各年の十月から適用される同条第三項に規定する基準利率をいう。以下第百十五条の九まで及び第百十九条の十第一項において同じ。）の基礎となる国債の利回りは、次の各号のいずれか低い率とする。

一　当該十月の属する年の三月から過去一年間に発行された利付国庫債券（期間十年のものに限る。この号及び次号において同じ。）の応募者利回り（当該利付国庫債券の償還金額から発行価格を減じたものを十で除して得た率に当該利付国庫債券の表面利率を加えたものを当該利付国庫債券の発行価格で除したものをいう。次号において同じ。）の平均値

二　当該十月の属する年の三月から過去五年間に発行された利付国庫債券の応募者利回りの平均値

（基準利率の下限）

第百十五条の三　基準利率は、零を下回らないものとする。

（終身年金現価率の計算に用いる基準利率等）

第百十五条の四　法第七十八条第一項及び第三項に規定する終身年金現価率（以下第百十五条の九までにおいて「終身年金現価率」という。）の計算に用いる基準利率は、当該終身年金現価率が適用される各年の十月から翌年の九月までの期間の各月において適用される基準利率とする。

2　終身年金現価率の計算に用いる死亡率は、当該終身年金現価率が適用される各年の十月における退職等年金分掛金（法第百条第二項に規定する退職等年金分掛金をいう。第百十九条の十において同じ。）に係る法第百条第三項の割合の計算に用いた死亡率とする。

（終身年金現価率の見直し）

第百十五条の五　終身年金現価率について、法第七十八条第五項又は令第十六条に規定する事情に適合しないことが明らかとなつたときは、速やかにその水準について見直しを行い、連合会の定款を変更するものとする。

（有期年金現価率の計算に用いる基準利率）

第百十五条の六　法第七十九条第一項及び第三項に規定する有期年金現価率（以下第百十五条の九までにおいて「有期年金現価率」という。）の計算に用いる基準利率は、当該有期年金現価率が適用される各年の十月から翌年の九月までの期間の各月に適用される基準利率とする。

（有期年金現価率の見直し）

第百十五条の七　有期年金現価率について、法第七十九条第五項又は令第十七条に規定する事情に適合しないことが明らかとなつたときは、速やかにその水準について見直しを行い、連合会の定款を変更するものとする。

（端数計算）

第百十五条の八　次の表の上欄に掲げる率を算定する場合において、その率に同表の下欄に掲げる位未満の端数があるときは、同欄に掲げるところにより計算するものとする。

付与率	小数点以下四位未満の端数を四捨五入する。
基準利率	小数点以下四位未満の端数を切り捨てる。
終身年金現価率 有期年金現価率	小数点以下六位未満の端数を四捨五入する。

（委任規定）

第百十五条の九　第百十五条から前条までに定めるもののほか、付与率、基準利率、終身年金現価率及び有期年金現価率の算定に関し必要な事項は、財務大臣が定める。

（老齢加算額等が支給される場合の厚生年金相当額である老齢厚生年金等の額）

第百十五条の十　厚生年金保険法第四十四条第一項に規定する加給年金額、同法第四十四条の三第四項に規定する加算額若しくは同法附則第九条の二第二項第一号に掲げる額又は昭和六十年国民年金等改正法附則第五十九条第二項若しくは第六十条第二項に規定する加算額（以下この項において「老齢加算額等」という。）が支給される場合における法第八十四条第七項に規定する厚生年金保険法による老齢厚生年金の額は、同法の規定により算定した額から当該老齢加算額等を控除した額に相当する額とする。

2　厚生年金保険法第五十条の二第一項に規定する加給年金額が支給される場合における法第八十四条第七項に規定する厚生年金保険法による障害厚生年金の額は、同法の規定により算定した額から当該加給年金額を控除した額に相当する額とする。

3　厚生年金保険法第六十二条第一項に規定する加算額又は昭和六十年国民年金等改正法附則第七十三条第一項若しくは附則第七十四条第一項若しくは第二項に規定する加算額（以下この項において「遺族加算額」という。）が支給される場合における法第八十四条第七項に規定する厚生年金保険法による遺族厚生年金の額は、同法の規定により算定した額から当該遺族加算額を控除した額に相当する額とする。

4　前三項の規定は、法第九十条第七項に規定する老齢厚生年金の額、障害厚生年金の額又は遺族厚生年金の額を算定する場合において準用する。

（公務障害年金及び公務遺族年金の最低保障額から控除する老齢基礎年金相当額等）

第百十五条の十一　令第二十条第二号に規定する老齢基礎年金相当額は、同号に規定する退職年金、減額退職年金又は通算退職年金の額の計算の基礎となつた平成二十四年一元化法附則第四条第五号に規定する旧国共済法の組合員期間の年数に十二を乗じて得た月数（当該月数が四百八十月（これらの年金である給付の受給権者のうち昭和六十年国民年金等改正法附則別表第四の上欄に掲げる者については、同表の下欄に掲げる数の月数。以下この号において同じ。）を超えるときは、四百八十月とする。）を国民年金法第二十七条に規定する保険料納付済期間の月数とみなして同条の規定の例により計算した額に相当する額とする。

2　令第二十条第二号に規定する障害基礎年金相当額は、国民年金法第三十三条第一項に規定する障害基礎年金の額に相当する額（同号に規定する障害年金の給付事由となつた障害の程度が障害等級の一級に該当するときはその額の百分の百二十五に相当する額とし、障害等級の三級に該当するときは零とする。）とする。

3　令第二十条第二号に規定する遺族基礎年金相当額は、国民年金法第三十八条に規定する遺族基礎年金の額に相当する額とする。

4　令第二十条第五号の規定を適用する場合における同号に規定する老齢基礎年金相当額については、第一項の規定中「第二十条第二号」とあるのは「第二十条第五号」と、「附則第四条第五号に規定する旧国共済法の組合員期間」とあるのは「附則第四条第八号に規定する旧地共済法の組合員期間」と、同号に規定する障害基礎年金相当額については、第二項中「第二十条第二号」とあるのは「第二十条第五号」とし、同条第八号の規定を適用する場合における同号に規定する老齢基礎年金相当額については、第一項中「第二十条第二号」とあるのは「第二十条第八号」と、「附則第四条第五号に規定する旧国共済法の組合員期間」とあるのは「附則第四条第十号に規定する旧私学共済法の加入者期間」と、同号に規定する障害基礎年金相当額については、第二項中「第二十条第二号」とあるのは「第二十条第八号」とし、同項第九号の規定を適用する場合における同号に規定する老齢基礎年金相当額については、第一項中「第二十条第二号」とあるのは「第二十条第九号」と、「附則第四条第五号に規定する旧国共済法の組合員期間の年数に十二を乗じて得た」とあるのは「附則第四条第二号に規定する旧厚生年金保険法の被保険者期間の」と、同号に規定する障害基礎年金相当額については、第二項中「第二十条第二号」とあるのは「第二十条第九号」とし、同項第十号の規定を適用する場合における同号に規定する老齢基礎年金相当額については、第一項中「第二十条第二号」とあるのは「第二十条第十号」と、「平成二十四年一元化法附則第四条第五号に規定する旧国共済法の組合員期間の年数に十二を乗じて得た」とあるのは「昭和六十年国民年金等改正法附則第八十七条第三項の規定によりなおその効力を有するものとされた旧船員保険法の被保険者期間の」と、同号に規定する障害基礎年金相当額については、第二項中「第二十条第二号」とあるのは「第二十条第十号」とし、同項第十二号の規定を適用する場合における同号に規定する老齢基礎年金相当額については、第一項中「第二十条第二号」とあるのは「第二十条第十二号」と、「平成二十四年一元化法附則第四条第五号に規定する旧国共済法の組合員期間」とあるのは「厚生年金保険制度及び農林漁業団体職員共済組合制度の統合を図るための農林漁業団体職員共済組合法等を廃止する等の法律（平成十三年法律第百一号）附則第二条第五号に規定する旧制度農林共済法の組合員期間」と、同号に規定する障害基礎年金相当額については、第二項中「第二十条第二号」とあるのは「第二十条第十二号」とする。

（併せて受けることができる二以上の年金である給付に加算額等がある場合における厚生年金相当額）

第百十五条の十二　公務障害年金の受給権者が二以上の法第八十四条第七項に規定する年金である給付を併せて受けることができる場合において、これらの年金である給付が第百十五条の十第一項に規定する老齢加算額等若しくは同条第二項に規定する加給年金額（同条第四項において読み替えて適用する場合を含む。）が支給されるものであるときは、これらの年金である給付の額の合計額は、年金加算額等（これらの年金である給付が令第二十条第二号、第五号、第八号から第十号まで又は第十二号に該当する場合にあつては、当該年金加算額等と前条第一項から第三項まで（同条第四項において読み替えて適用する場合を含む。）に規定する老齢基礎年金相当額、障害基礎年金相当額又は遺族基礎年金相当額との合計額）を当該これらの年金である給付の額の合計額から除いた額に相当する額とする。

２　前項の規定は、公務遺族年金の受給権者が法第九十条第七項に規定する年金である給付を併せて受けることができる場合について準用する。

（遺族の範囲の特例）

第百十五条の十三　法附則第十二条の二に規定する財務省令で定める者は、人事院規則一六―〇（職員の災害補償）第三十二条の表に定める職員（海上保安官を除く。）及び自衛官とし、法附則第十二条の二に規定する財務省令で定める職務は、同表に定める職員にあつては同表に定める職員の区分に応じ、同表に定める職務（犯罪の捜査、被疑者の逮捕、犯罪の制止及び天災時における人命の救助を除く。）とし、自衛官にあつては防衛省職員の災害補償に関する政令（昭和四十一年政令第三百十二号）第二条第一項各号に定める職務（犯罪の捜査及び被疑者の逮捕を除く。）とする。

２　前項に定めるもののほか、国際緊急援助隊の派遣に関する法律（昭和六十二年法律第九十三号。以下この項において「派遣法」という。）第二条に規定する国際緊急援助活動を行う者（海上保安官及び前項に規定する者（以下この項において「海上保安官等」という。）を除く。）、国際連合平和維持活動等に対する協力に関する法律（平成四年法律第七十九号。以下この項において「協力法」という。）第四条第二項第四号に規定する国際平和協力隊の隊員（海上保安官等を除く。）及び協力法第二十一条の規定により国際平和協力本部長の委託を受けて実施される輸送の業務（以下この項において「輸送業務」という。）に従事する者（海上保安官等を除く。）並びに化学兵器の開発、生産、貯蔵及び使用の禁止並びに廃棄に関する条約（以下この項において「化学兵器禁止条約」という。）に基づく遺棄化学兵器の廃棄に係る業務に従事する者（海上保安官等を除く。）は、法附則第十二条の二に規定する財務省令で定める者に該当するものとし、自衛隊法（昭和二十九年法律第百六十五号）第八十四条の三第一項の規定による在外邦人等の保護措置及び同法第八十四条の四第一項の規定による在外邦人等の輸送、派遣法第二条に規定する国際緊急援助活動、協力法第三条第五号に規定する国際平和協力業務及び当該国際平和協力業務が実施される国において行われる輸送業務、重要影響事態に際して我が国の平和及び安全を確保するための措置に関する法律（平成十一年法律第六十号）第三条第一項第二号に規定する後方支援活動及び同項第三号に規定する捜索救助活動、重要影響事態等に際して実施する船舶検査活動に関する法律（平成十二年法律第百四十五号）第二条に規定する船舶検査活動、海賊行為の処罰及び海賊行為への対処に関する法律（平成二十一年法律第五十五号）第七条第二項第一号に規定する海賊対処行動、国際平和共同対処事態に際して我が国が実施する諸外国の軍隊等に対する協力支援活動等に関する法律（平成二十七年法律第七十七号）第三条第一項第二号に規定する協力支援活動及び同項第三号に規定する捜索救助活動、化学兵器禁止条約に基づく遺棄化学兵器の廃棄に係る業務であつて人事院規則九―三〇（特殊勤務手当）第五条第一項第三号(2)に規定する化学砲弾等による被害の危険がある区域内において行われるもの並びに協力法第二十七条第一項の規定により派遣された自衛官として協力法第二十八条において準用する国際機関等に派遣される防衛省の職員の処遇等に関する法律（平成七年法律第百二十二号）第六条第一項の規定により公務とみなされる国際連合の業務は、法附則第十二条の二に規定する財務省令で定める職務に該当するものとする。

第二目　退職年金

（退職年金の決定の請求）

第百十六条　退職年金について、法第三十九条第一項の規定による決定を受けようとする者（法第七十九条の三又は第七十九条の四の規定による一時金について、法第三十九条第一項の規定による決定を受けようとする者を除く。）は、次に掲げる事項を記載した請求書を組合又は連合会に提出しなければならない。この場合において、組合に当該請求書の提出があつたときは、組合は、速やかにこれを連合会に送付するものとする。

一　請求者の氏名、生年月日、住所、個人番号及び基礎年金番号

二　退職当時の所属機関の名称

三　退職年月日

四　法第七十五条の四第一項第一号又は平成二十四年一元化法附則第三十七条の二第一項第一号に規定する場合に該当するときは、その給付の名称、支給を受けることができることとなつた年月日及びその年金証書等の記号番号

五　有期退職年金について、法第七十六条第二項の規定による支給期間の短縮の申出又は法第七十九条の二第一項の規定による一時金の支給の請求をしようとするときは、その旨

六　法第七十七条第一項の規定による退職年金の支給を受けようとする者（法附則第十三条第一項の規定による退職年金の決定の請求を既に行つた者を除く。）で、法第八十条第一項の規定による退職年金の支給の繰下げを行うときは、その旨

七　過去に法第八十二条第二項の規定により有期退職年金を受ける権利を失つた者は、その旨

八　禁錮以上の刑に処せられたとき又は法第九十七条第一項（令第四十八条第六項の規定によりみなして適用する場合を含む。）に規定する懲戒処分若しくは退職手当支給制限等処分を受けたときは、その旨

九　法附則第十三条第一項の規定により退職年金の支給を繰り上げて受けようとするときは、その旨

十　次のイ又はロに掲げる者の区分に応じ、当該イ又はロに定める事項

イ　支給を受けようとする預金口座として公金受取口座を利用しようとする者　払渡金融機関の名称及び公金受取口座の口座番号並びに支給を受けようとする預金口座として公金受取口座を利用する旨

ロ　イに掲げる者以外の者　払渡金融機関の名称及び預金口座の口座番号

十一　その他必要な事項

2　前項の請求書を提出する場合には、次に掲げる書類を併せて提出しなければならない。

一　預金口座の口座番号についての当該払渡金融機関の証明書、預金通帳の写しその他の預金口座の口座番号を明らかにすることができる書類

二　その他必要な書類

3　連合会は、請求者について、地方公共団体情報システム機構から本人確認情報の提供を受け、第一項第一号に掲げる事項その他必要な事項について確認を行うものとする。この場合において、当該確認を行うことができなかつたときは、連合会は、その請求者に対し当該事項について確認できる書類の提出を求めることができる。

4　第一項の請求書を提出する者が、同時に厚生年金保険法による老齢厚生年金の裁定請求をするときは、第二項の規定にかかわらず、同項の規定により当該請求書と併せて提出しなければならないこととされた書類のうち当該老齢厚生年金の裁定請求書に添えたものについては、第一項の請求書に併せて提出することを要しないものとする。

（整理退職の場合の一時金の決定の請求）

第百十六条の二　法第七十九条の三の規定による一時金について、法第三十九条第一項の規定による決定を受けようとする者は、次に掲げる事項を記載した請求書を組合に提出しなければならない。この場合において、組合は、速やかに当該請求書を連合会に送付するものとする。

一　請求者の氏名、生年月日、住所、個人番号及び基礎年金番号

二　退職当時の所属機関の名称

三　退職年月日

四　国家公務員退職手当法（昭和二十八年法律第百八十二号）第五条第一項第二号に掲げる者（令第十八条第四項に規定する同法第五条第一項第二号に相当する者を含む。）に該当する旨

五　次のイ又はロに掲げる者の区分に応じ、当該イ又はロに定める事項

イ　支給を受けようとする預金口座として公金受取口座を利用しようとする者　払渡金融機関の名称及び公金受取口座の口座番号並びに支給を受けようとする預金口座として公金受取口座を利用する旨

ロ　イに掲げる者以外の者　払渡金融機関の名称及び預金口座の口座番号

六　その他必要な事項

2　前項の請求書を提出する場合には、次に掲げる書類を併せて提出しなければならない。

一　請求者が国家公務員退職手当法第五条第一項第二号に掲げる者に該当する旨を証する書類

二　預金口座の口座番号についての当該払渡金融機関の証明書、預金通帳の写しその他の預金口座の口座番号を明らかにすることができる書類

三　その他必要な書類

3　連合会は、請求者について、地方公共団体情報システム機構から本人確認情報の提供を受け、第一項第一号に掲げる事項その他必要な事項について確認を行うものとする。この場合において、当該確認を行うことができなかつたときは、連合会は、その請求者に対し当該事項について確認できる書類の提出を求めることができる。

（遺族に対する一時金の決定の請求）

第百十六条の三　法第七十九条の四の規定による一時金について、法第三十九条第一項の規定による決定を受けようとする者は、次に掲げる事項を記載した請求書を組合（法第七十九条の四第一項第二号に掲げる場合に該当するときは、連合会）に提出しなければならない。この場合において、組合に当該請求書の提出があつたときは、組合は、速やかにこれを連合会に送付するものとする。

一　請求者の氏名、生年月日、住所、個人番号及び基礎年金番号並びに請求者と組合員又は組合員であつた者との身分関係

二　組合員又は組合員であつた者の氏名、生年月日、基礎年金番号及び死亡した年月日

三　組合員又は組合員であつた者の退職当時又は死亡当時の所属機関の名称

四　次のイ又はロに掲げる者の区分に応じ、当該イ又はロに定める事項

イ　支給を受けようとする預金口座として公金受取口座を利用しようとする者　払渡金融機関の名称及び公金受取口座の口座番号並びに支給を受けようとする預金口座として公金受取口座を利用する旨

ロ　イに掲げる者以外の者　払渡金融機関の名称及び預金口座の口座番号

五　その他必要な事項

2　前項の請求書を提出する場合には、次に掲げる書類を併せて提出しなければならない。

一　組合員又は組合員であつた者の死亡に関して市町村長に提出した死亡診断書、死体検案書若しくは検視調書に記載してある事項についての市町村長の証明書又はこれに準ずる書類

二　請求者と組合員又は組合員であつた者との身分関係を明らかにすることができる市町村長の証明書、戸籍謄本、除籍謄本又は法定相続情報一覧図の写し

三　死亡した組合員又は組合員であつた者の死亡の当時その者によつて生計を維持していたことを証する書類

四　請求者が婚姻の届出をしていないが組合員又は組合員であつた者と事実上婚姻関係と同様の事情にあつた者であるときは、その事実を証する書類

五　請求者（配偶者、十八歳に達した日以後最初の三月三十一日までの間にある子又は孫、父母及び祖父母を除く。）が、障害等級の一級又は二級の障害の状態にあるときは、その障害の状態に関する医師又は歯科医師の診断書

六　預金口座の口座番号についての当該払渡金融機関の証明書、預金通帳の写しその他の預金口座の口座番号を明らかにすることができる書類

七　その他必要な書類

3　連合会は、請求者について、地方公共団体情報システム機構から本人確認情報の提供を受け、第一項第一号及び第二号に掲げる事項その他必要な事項について確認を行うものとする。この場合において、当該確認を行うことができなかつたときは、連合会は、その請求者に対し当該事項について確認できる書類の提出を求めることができる。

4　第一項の請求書を提出する者が、同一の給付事由により同時に厚生年金保険法による遺族厚生年金の裁定請求をするときは、第二項の規定にかかわらず、同項の規定により当該請求書と併せて提出しなければならないこととされた書類のうち、当該遺族厚生年金の裁定請求書に添えたものについては、第一項の請求書に併せて提出することを要しないものとする。

（三歳に満たない子を養育する組合員等の給付算定基礎額の計算の特例を受ける場合の申出等）

第百十六条の四　法第七十五条の三第一項の申出は、次に掲げる事項を記載した申出書を組合（組合員であつた者にあつては、連合会。第三項において同じ。）に提出することによつて行うものとする。

一　申出者の氏名、生年月日及び住所
二　個人番号又は基礎年金番号及び長期組合員番号
三　法第七十五条の三第一項に規定する基準月において組合員であつた当時の所属機関の名称
四　三歳に満たない子（以下この条において「子」という。）を養育することとなつた年月日
五　次条に規定する事由が生じた場合にあつては、当該事由が生じた年月日
六　子の氏名、生年月日及び個人番号
七　その他必要な事項

2　前項の申出書を提出する場合には、次に掲げる者の区分に応じ、当該各号に定める書類を併せて提出しなければならない。
一　子を養育することとなつたことによる法第七十五条の三第一項の申出をする者　次に掲げる書類
イ　当該子の生年月日及びその子と申出者との身分関係を明らかにすることができる市町村長その他相当な機関の証明書又は戸籍抄本
ロ　当該子を養育することとなつた年月日を証する書類
ハ　その他必要な書類
二　次条各号に掲げる事由が生じた年月日において子を養育することによる法第七十五条の三第一項の申出をする者　次に掲げる書類。ただし、当該子について、前号又はこの号の申出をしたことがある者については、イに掲げる書類を提出することを要しない。
イ　当該子の生年月日及びその子と申出者との身分関係を明らかにすることができる市町村長その他相当な機関の証明書又は戸籍抄本
ロ　次条に規定する事由が生じた年月日に当該子を養育していることを証する書類
ハ　その他必要な書類

3　法第七十五条の三第一項の申出をした者は、同条第一項第三号から第六号までのいずれかに該当するに至つたときは、速やかに、次に掲げる事項を記載した届出書を組合に提出しなければならない。
一　申出者の氏名、生年月日及び住所
二　個人番号又は基礎年金番号及び長期組合員番号
三　子の氏名及び生年月日
四　法第七十五条の三第一項第三号から第六号までのいずれかに該当するに至つた年月日
五　その他必要な事項

4　組合は、第一項の申出及び前項の届出を受けた場合は、当該申出書及び届出書を連合会に提出しなければならない。

（子の養育以外の標準報酬の月額の特例の開始事由）
第百十六条の五　法第七十五条の三第一項に規定する財務省令で定める事由は、次に掲げる事由とする。
一　三歳に満たない子を養育する者が新たに組合員の資格を取得したこと。
二　法第百条の二第一項の規定の適用を受ける育児休業等を終了した日の翌日が属する月の初日が到来したこと（当該育児休業等を終了した日の翌日が属する月に法第百条の二の二の規定の適用を受ける産前産後休業を開始している場合を除く。）。
三　法第百条の二の二の規定の適用を受ける産前産後休業を終了した日の翌日が属する月の初日が到来したこと（当該産前産後休業を終了した日の翌日が属する月に法第百条の二第一項の規定の適用を受ける育児休業等を開始している場合を除く。）。
四　当該子以外の子に係る法第七十五条の三第一項の規定の適用を受ける期間の最後の月の翌月の初日が到来したこと。

（厚生年金保険法による三歳に満たない子を養育する被保険者等の標準報酬月額の特例に係る申出）
第百十六条の六　第百十六条の四の規定は、厚生年金保険法第二十六条第一項の規定による厚生年金保険法の標準報酬月額の特例を希望する旨の申出について準用する。この場合において、第百十六条の四中「法第七十五条の三第一項」とあるのは「厚生年金保険法第二十六条第一項」と、同条第一項第三号中「組合員であつた当時の所属機関」とあるのは「被保険者であつた者が使用されていた事業所」と、同条第三項中「法第七十五条の三第一項」とあるのは「厚生年金保険法第二十六条第一項」と読み替えるものとする。

（厚生年金保険法による三歳に満たない子を養育する被保険者等の標準報酬月額の特例に係る申出の特例）
第百十六条の七　第二号厚生年金被保険者が厚生年金保険法第二十六条第一項の申出と法第七十五条の三第一項の規定による給付算定基礎額の計算の特例を希望する旨の申出を行うことができるときは、これらを同時に行うものとする。

（併給調整事由該当の届出等）
第百十六条の八　退職年金の受給権者は、法第七十五条の四第一項第一号又は平成二十四年一元化法附則第三十七条の二第一項第一号に定める場合に該当することとなつたときは、速やかに、次に掲げる事項を記載した届出書を連合会に提出しなければならない。
一　受給権者の氏名、生年月日及び住所
一の二　個人番号又は基礎年金番号

二　退職年金の年金証書の記号番号
三　退職年金の支給の停止の原因となつた他の年金である給付（以下この条及び次条において「退職年金に係る併給調整年金」という。）の支給を受けることができることとなつた年月日及びその年金証書の記号番号
四　その他必要な事項

2　法第七十五条の四第二項（平成二十四年一元化法附則第三十七条の二第三項において準用する場合を含む。）の規定により退職年金の支給の停止の解除を申請しようとする者（以下この項において「退職年金の停止解除申請者」という。）は、前項の規定にかかわらず、次に掲げる事項を記載した申請書を連合会に提出しなければならない。
一　受給権者の氏名、生年月日及び住所
一の二　個人番号又は基礎年金番号
二　退職当時の所属機関の名称（組合員にあつては、当該組合員の所属機関の名称）
三　当該申請に係る退職年金の年金証書の記号番号
四　当該申請を行う日が、当該申請に係る退職年金について法第七十五条の四第一項又は平成二十四年一元化法附則第三十七条の二第一項の規定によりその支給を停止すべき事由が生じた日の属する月と同一の月に属するときは、退職年金に係る併給調整年金又は当該退職年金について、退職年金の停止解除申請者にあつては法第七十五条の四第二項又は第三項（平成二十四年一元化法附則第三十七条の二第三項において準用する場合を含む。）の規定（以下「停止解除規定」という。）による支給の停止の解除を申請していない旨
五　当該申請を行う日が、当該申請に係る退職年金について法第七十五条の四第一項又は平成二十四年一元化法附則第三十七条の二第一項の規定によりその支給を停止すべき事由が生じた日の属する月の翌月以後に属するときは、退職年金に係る併給調整年金又は当該退職年金について、退職年金の停止解除申請者にあつては当該支給を停止すべき事由が生じた日以後に行われた停止解除規定による支給の停止の解除の申請を撤回した旨
六　その他必要な事項

3　前項第五号に掲げる事項を記載した申請書を提出する場合には、同号の撤回を証する書類その他の必要な書類を併せて提出しなければならない。

（併給調整事由消滅の届出）
第百十六条の九　退職年金の受給権者は、退職年金に係る併給調整年金の支給を停止すべき事由が消滅したときは、次に掲げる事項を記載した届出書を連合会に提出しなければならない。
一　受給権者の氏名、生年月日及び住所
一の二　個人番号又は基礎年金番号
二　退職年金の年金証書の記号番号
三　退職年金に係る併給調整年金の支給停止事由消滅の事由
四　その他必要な事項

2　連合会は、受給権者について、地方公共団体情報システム機構から本人確認情報の提供を受け、前項第一号に掲げる事項その他必要な事項について確認を行うものとする。この場合において、当該確認を行うことができなかつたときは、連合会は、その受給権者に対し当該事項について確認できる書類の提出を求めることができる。

（受給権者の申出による支給停止に係る届出等）
第百十六条の十　法第七十五条の五第一項の規定による申出をしようとする退職年金の受給権者は、次に掲げる事項を記載した申出書を連合会に提出しなければならない。
一　法第七十五条の五第一項の申出をする旨
二　受給権者の氏名、生年月日及び住所
二の二　個人番号又は基礎年金番号
三　退職年金の年金証書の記号番号
四　その他必要な事項

2　連合会は、前項の申出をした者について、地方公共団体情報システム機構から本人確認情報の提供を受け、同項第二号に掲げる事項その他必要な事項について確認を行うものとする。この場合において、当該確認を行うことができなかつたときは、連合会は、その受給権者に対し当該事項について確認できる書類の提出を求めることができる。

（受給権者の申出による支給停止の撤回等）
第百十六条の十一　法第七十五条の五第二項の規定による申出の撤回をしようとする退職年金の受給権者は、次に掲げる事項を記載した申出書を連合会に提出しなければならない。
一　法第七十五条の五第一項の申出を撤回する旨
二　受給権者の氏名、生年月日及び住所
二の二　個人番号又は基礎年金番号
三　退職年金の年金証書の記号番号
四　その他必要な事項

2　連合会は、受給権者について、地方公共団体情報システム機構から本人確認情報の提供を受け、前項第二号に掲げる事項その他必要な事項について確認を行うものとする。この場合において、当該確認を行うことができなかつたときは、連合会は、その受給権者に対し当該事項

について確認できる書類の提出を求めることができる。

第三目　公務障害年金

（公務障害年金の決定の請求）

第百十七条　公務障害年金について、法第三十九条第一項の規定による決定を受けようとする者は、次に掲げる事項を記載した請求書を組合に提出しなければならない。この場合において、組合に当該請求書の提出があつたときは、組合は、速やかにこれを連合会に送付するものとする。

一　請求者の氏名、生年月日、住所、個人番号及び基礎年金番号

二　退職当時の所属機関の名称（組合員にあつては、当該組合員の所属機関の名称）

三　退職年月日

四　給付事由の発生原因

五　初診日及び障害認定日

六　障害の原因である病気若しくは負傷が第三者の行為によつて生じたものであるときは、その旨

七　法第七十五条の四第一項第二号又は平成二十四年一元化法附則第三十七条の二第一項第二号に定める場合に該当するときは、その給付の名称、その支給を受けることができることとなつた年月日及びその年金証書等の記号番号

八　法第八十四条第六項に定める場合に該当し、厚生年金保険法による年金たる保険給付及び同法による年金たる保険給付に相当するものとして政令で定めるものを受けることができるとき（同法第四十七条第一項ただし書（同法第四十七条の二第二項、第四十七条の三第二項、第五十二条第五項及び第五十四条第三項において準用する場合を含む。）の規定に該当することにより同法による障害厚生年金を受ける権利を有しないとき、又は同法第五十八条第一項ただし書の規定に該当することにより同法による遺族厚生年金を受ける権利を有しないときを除く。）は、同条第七項の厚生年金保険給付相当額に相当する給付の名称、その支給を受けることができることとなつた年月日及びその年金証書等の記号番号

九　厚生年金保険法第四十七条第一項ただし書（同法第四十七条の二第二項、第四十七条の三第二項、第五十二条第五項及び第五十四条第三項において準用する場合を含む。）の規定に該当することにより同法による障害厚生年金を受ける権利を有しないとき、又は同法第五十八条第一項ただし書の規定に該当することにより同法による遺族厚生年金を受ける権利を有しないときは、その旨

十　禁錮以上の刑に処せられたとき又は法第九十七条第一項（令第四十八条第六項の規定によりみなして適用する場合を含む。）に規定する懲戒処分若しくは退職手当支給制限等処分を受けたときは、その旨

十一　次のイ又はロに掲げる者の区分に応じ、当該イ又はロに定める事項

イ　支給を受けようとする預金口座として公金受取口座を利用しようとする者　払渡金融機関の名称及び公金受取口座の口座番号並びに支給を受けようとする預金口座として公金受取口座を利用する旨

ロ　イに掲げる者以外の者　払渡金融機関の名称及び預金口座の口座番号

十二　その他必要な事項

2　前項の請求書を提出する場合には、次に掲げる書類を併せて提出しなければならない。

一　組合員期間等証明書

二　障害の状態に関する医師又は歯科医師の診断書

三　前項第八号に規定する場合に該当するときは、同号に規定する年金証書等の写し

四　請求者について国家公務員災害補償法（昭和二十六年法律第百九十一号）の規定による傷病補償年金若しくは障害補償年金又はこれらに相当する補償に係る当該補償の同法第三条第一項に規定する実施機関の長の証明書

五　預金口座の口座番号についての当該払渡金融機関の証明書、預金通帳の写しその他の預金口座の口座番号を明らかにすることができる書類

六　障害の原因となつた病気又は負傷に係る初診日を明らかにすることができる書類

七　その他必要な書類

3　連合会は、請求者について、地方公共団体情報システム機構から本人確認情報の提供を受け、第一項第一号に掲げる事項その他必要な事項について確認を行うものとする。この場合において、当該確認を行うことができなかつたときは、連合会は、その請求者に対し当該事項について確認できる書類の提出を求めることができる。

4　第一項の請求書を提出する者が、同時に厚生年金保険法による障害厚生年金（当該公務障害年金と同一の給付事由に基づいて支給されるものに限る。以下この条において同じ。）の裁定請求をするときは、第二項の規定により当該請求書と併せて提出しなければならないこととされた書類のうち当該障害厚生年金の裁定請求書に添えたものについては、同項の規定にかかわらず、第一項の請求書に併せて提出することを要しないものとする。

（併給調整事由該当の届出等）

第百十七条の二　公務障害年金の受給権者は、法第七十五条の四第一項第二号又は平成二十四年一元化法附則第三十七条の二第一項第二号に定める場合に該当することとなつたときは、速やかに、次に掲げる事項を記載した届出書を連合会に提出しなければならない。

一　受給権者の氏名、生年月日及び住所

一の二　個人番号又は基礎年金番号

二　公務障害年金の年金証書の記号番号

三　公務障害年金の支給の停止の原因となつた他の年金である給付（次項及び次条において「公務障害年金に係る併給調整年金」という。）の名称、その支給を行う者の名称、その支給を受けることができることとなつた年月日及びその年金証書の記号番号

四　その他必要な事項

2　法第七十五条の四第二項（平成二十四年一元化法附則第三十七条の二第三項において準用する場合を含む。）の規定により公務障害年金の支給の停止の解除を申請しようとする者は、前項の規定にかかわらず、次に掲げる事項を記載した申請書を連合会に提出しなければならない。

一　受給権者の氏名、生年月日及び住所

一の二　個人番号又は基礎年金番号

二　退職当時の所属機関の名称（組合員にあつては、当該組合員の所属機関の名称）

三　当該申請に係る公務障害年金の年金証書の記号番号

四　当該申請を行う日が、当該申請に係る公務障害年金について法第七十五条の四第一項又は平成二十四年一元化法附則第三十七条の二第一項の規定によりその支給を停止すべき事由が生じた日の属する月と同一の月に属するときは、公務障害年金に係る併給調整年金について停止解除規定による支給の停止の解除を申請していない旨

五　当該申請を行う日が、当該申請に係る公務障害年金について法第七十五条の四第一項又は平成二十四年一元化法附則第三十七条の二第一項の規定によりその支給を停止すべき事由が生じた日の属する月の翌月以後に属するときは、公務障害年金に係る併給調整年金について当該支給を停止すべき事由が生じた日以後に行われた停止解除規定による支給の停止の解除の申請を撤回した旨

六　その他必要な事項

3　前項第五号に掲げる事項を記載した申請書を提出する場合には、同号の撤回を証する書類その他の必要な書類を併せて提出しなければならない。

（併給調整事由消滅の届出）

第百十七条の三　公務障害年金の受給権者は、公務障害年金に係る併給調整年金の支給を停止すべき事由が消滅したときは、次に掲げる事項を記載した届出書を連合会に提出しなければならない。

一　受給権者の氏名、生年月日及び住所

一の二　個人番号又は基礎年金番号

二　公務障害年金の年金証書の記号番号

三　公務障害年金に係る併給調整年金の支給停止事由消滅の事由

四　その他必要な事項

2　連合会は、受給権者について、地方公共団体情報システム機構から本人確認情報の提供を受け、前項第一号に掲げる事項その他必要な事項について確認を行うものとする。この場合において、当該確認を行うことができなかつたときは、連合会は、その受給権者に対し当該事項について確認できる書類の提出を求めることができる。

（受給権者の申出による支給停止に係る届出等）

第百十七条の四　法第七十五条の五第一項の規定による申出をしようとする公務障害年金の受給権者は、次に掲げる事項を記載した申出書を連合会に提出しなければならない。

一　法第七十五条の五第一項の申出をする旨

二　受給権者の氏名、生年月日及び住所

二の二　個人番号又は基礎年金番号

三　公務障害年金の年金証書の記号番号

四　その他必要な事項

2　連合会は、前項の申出をした者について、地方公共団体情報システム機構から本人確認情報の提供を受け、同項第二号に掲げる事項その他必要な事項について確認を行うものとする。この場合において、当該確認を行うことができなかつたときは、連合会は、その受給権者に対し当該事項について確認できる書類の提出を求めることができる。

（受給権者の申出による支給停止の撤回等）

第百十七条の五　法第七十五条の五第二項の規定による申出の撤回をしようとする公務障害年金の受給権者は、次に掲げる事項を記載した申出書を連合会に提出しなければならない。

一　法第七十五条の五第一項の規定による申出の撤回をする旨

二　受給権者の氏名、生年月日及び住所

二の二　個人番号又は基礎年金番号

三　公務障害年金の年金証書の記号番号

四　その他必要な事項

2　連合会は、受給権者について地方公共団体情報システ

ム機構から本人確認情報の提供を受け、前項第二号に掲げる事項その他必要な事項について確認を行うものとする。この場合において、当該確認を行うことができなかつたときは、連合会は、その受給権者に対し当該事項について確認できる書類の提出を求めることができる。

（障害の程度が変わつたときの改定の請求等）

第百十七条の六　公務障害年金の受給権者は、法第八十五条第一項又は第二項の規定による当該公務障害年金の額の改定を請求しようとするときは、次に掲げる事項を記載した請求書を連合会に提出しなければならない。

一　受給権者の氏名、生年月日及び住所

一の二　個人番号又は基礎年金番号

二　退職当時の所属機関の名称

三　公務障害年金の年金証書の記号番号

四　公務障害年金を受ける原因となつた病気又は負傷の名称

五　その他必要な事項

2　前項の請求書を提出する場合には、次に掲げる書類を併せて提出しなければならない。

一　当該請求書を提出する日前三月以内に作成された障害の状態に関する医師又は歯科医師の診断書

二　その他必要な書類

3　前二項の規定は、法第八十五条第一項の規定による公務障害年金の受給権者の障害の程度が減退したときの届出について準用する。

4　第一項の請求書を提出する者が、同時に厚生年金保険法による障害厚生年金（当該公務障害年金と同一の給付事由に基づいて支給されるものに限る。）の改定請求をするときは、第二項の規定により当該請求書と併せて提出しなければならないこととされた書類のうち当該障害厚生年金の改定請求書に添えたものについては、同項の規定にかかわらず、第一項の請求書に併せて提出することを要しないものとする。

（障害等級に該当しなくなつたときの届出）

第百十七条の七　公務障害年金の受給権者は、障害の程度が障害等級に該当しなくなつたときは、速やかに、次に掲げる事項を記載した届出書を連合会に提出しなければならない。

一　受給権者の氏名、生年月日及び住所

一の二　個人番号又は基礎年金番号

二　公務障害年金の年金証書の記号番号

三　障害の程度が障害等級に該当しなくなつた年月日

四　その他必要な事項

（障害の状態等に関する届出）

第百十七条の八　公務障害年金の受給権者であつて、その障害の程度についての診査が必要であると認めて連合会が指定したものは、指定日までに、次に掲げる事項を記載した届出書を連合会に提出しなければならない。ただし、当該公務障害年金の全額につき支給が停止されているときは、この限りでない。

一　受給権者の氏名、生年月日及び住所

一の二　個人番号又は基礎年金番号

二　公務障害年金の年金証書の記号番号

三　その他必要な事項

2　前項の届出書を提出する場合には、次に掲げる書類を併せて提出しなければならない。

一　指定日前三月以内に作成された障害の状態に関する医師又は歯科医師の診断書

二　その他必要な書類

3　連合会は、前二項の書類が提出されるまで、指定日の属する月の翌月以後に支払うべき公務障害年金の支払を差し止めることができる。

4　第一項の届出書を提出する者が、同時に厚生年金保険法による障害厚生年金（当該公務障害年金と同一の給付事由に基づいて支給されるものに限る。）について厚生年金保険法施行規則第五十一条の四第一項に規定する届出をするときは、第二項の規定により当該届出書と併せて提出しなければならないこととされた書類のうち当該障害厚生年金に係る届出書に添えたものについては、同項の規定にかかわらず、第一項の届出書に併せて提出することを要しないものとする。

第四目　公務遺族年金

（公務遺族年金の決定の請求）

第百十八条　公務遺族年金について、法第三十九条第一項の規定による決定を受けようとする者は、次に掲げる事項を記載した請求書を組合（公務障害年金の受給権者が退職後に死亡した場合においては、連合会）に提出しなければならない。この場合において、組合に当該請求書の提出があつたときは、組合は、速やかにこれを連合会に送付するものとする。

一　請求者の氏名、生年月日、住所、個人番号及び基礎年金番号並びに請求者と組合員又は組合員であつた者との身分関係

二　組合員又は組合員であつた者の氏名、生年月日、基礎年金番号及び死亡した年月日

三　組合員又は組合員であつた者の退職当時又は死亡当時の所属機関の名称

四　組合員又は組合員であつた者の死亡の原因が第三者の行為によつて生じたものであるときは、その旨

五　法第七十五条の四第一項第三号又は平成二十四年一

元化法附則第三十七条の二第一項第三号に定める場合に該当するときは、その給付の名称、その支給を行う者の名称、その支給を受けることができることとなつた年月日及びその年金証書等の記号番号
六　法第九十条第六項に定める場合に該当するときは、同条第七項の厚生年金相当額に相当する給付の名称、その支給を受けることができることとなつた年月日及びその年金証書等の記号番号
七　厚生年金保険法第四十七条第一項ただし書（同法第四十七条の二第二項、第四十七条の三第二項、第五十二条第五項及び第五十四条第三項において準用する場合を含む。）の規定に該当することにより同法による障害厚生年金を受ける権利を有しないとき、又は同法第五十八条第一項ただし書の規定に該当することにより同法による遺族厚生年金を受ける権利を有しないときは、その旨
八　請求者が、組合員又は組合員であつた者の配偶者である場合において、同一の給付事由により国民年金法による遺族基礎年金の支給を受ける権利を有するときは、その旨
九　請求者が、組合員又は組合員であつた者の子である場合において、当該組合員又は組合員であつた者の夫が六十歳に達していないときは、その旨
十　組合員又は組合員であつた者の死亡について、その配偶者が国民年金法による遺族基礎年金の支給を受ける権利を有しない場合であつて、その子が当該遺族基礎年金の支給を受ける権利を有するときは、その旨
十一　死亡の原因となつた傷病又は負傷に係る初診日を明らかにすることができる書類
十二　次のイ又はロに掲げる者の区分に応じ、当該イ又はロに定める事項
イ　支給を受けようとする預金口座として公金受取口座を利用しようとする者　払渡金融機関の名称及び公金受取口座の口座番号並びに支給を受けようとする預金口座として公金受取口座を利用する旨
ロ　イに掲げる者以外の者　払渡金融機関の名称及び預金口座の口座番号
十三　その他必要な事項

2　前項の請求書を提出する場合には、次に掲げる書類を併せて提出しなければならない。
一　組合員又は組合員であつた者の死亡に関して市町村長に提出した死亡診断書、死体検案書若しくは検視調書に記載してある事項についての市町村長の証明書又はこれに準ずる書類
二　請求者と組合員又は組合員であつた者との身分関係を明らかにすることができる市町村長の証明書、戸籍謄本、除籍謄本又は法定相続情報一覧図の写し
三　組合員又は組合員であつた者の死亡の当時その者と生計を同じくしていたことを証する書類
四　請求者が婚姻の届出をしていないが組合員又は組合員であつた者と事実上婚姻関係と同様の事情にあつた者であるときは、その事実を証する書類
五　請求者（組合員又は組合員であつた者の配偶者、父母及び祖父母を除く。）が障害等級の一級又は二級の障害の状態にあるときは、その障害の状態に関する医師又は歯科医師の診断書
六　前項第五号に規定する場合に該当するときは、同号に規定する年金証書等の写し
七　請求者について国家公務員災害補償法の規定による遺族補償年金又はこれに相当する補償に係る当該補償の同法第三条第一項に規定する実施機関の長の証明書
八　預金口座の口座番号についての当該払渡金融機関の証明書、預金通帳の写しその他の預金口座の口座番号を明らかにすることができる書類
九　その他必要な書類

3　連合会は、請求者について、地方公共団体情報システム機構から本人確認情報の提供を受け、第一項第一号及び第二号に掲げる事項その他必要な事項について確認を行うものとする。この場合において、当該確認を行うことができなかつたときには、連合会は、その請求者に対し当該事項について確認できる書類の提出を求めることができる。

4　第一項の請求書を提出する者が、同時に厚生年金保険法による遺族厚生年金（当該公務遺族年金と同一の給付事由に基づいて支給されるものに限る。）の裁定請求をするときは、第二項の規定により当該請求書と併せて提出しなければならないこととされた書類のうち当該遺族厚生年金の裁定請求書に添えたものについては、同項の規定にかかわらず、第一項の請求書に併せて提出することを要しないものとする。

（併給調整事由該当の届出等）
第百十八条の二　公務遺族年金の受給権者は、法第七十五条の四第一項第三号又は平成二十四年一元化法附則第三十七条の二第一項第三号に定める場合に該当することとなつたときは、速やかに、次に掲げる事項を記載した届出書を連合会に提出しなければならない。
一　受給権者の氏名、生年月日及び住所
一の二　個人番号又は基礎年金番号
二　公務遺族年金の年金証書の記号番号
三　公務遺族年金の支給の停止の原因となつた他の年金

である給付（次項及び次条において「公務遺族年金に係る併給調整年金」という。）の名称、その支給を行う者の名称、その支給を受けることができることとなつた年月日及びその年金証書の記号番号

四　その他必要な事項

2　法第七十五条の四第二項（平成二十四年一元化法附則第三十七条の二第三号において準用する場合を含む。）の規定により公務遺族年金の支給の停止の解除を申請しようとする者（以下この項において「公務遺族年金の停止解除申請者」という。）は、前項の規定にかかわらず、次に掲げる事項を記載した申請書を連合会に提出しなければならない。

一　受給権者の氏名、生年月日及び住所

一の二　個人番号又は基礎年金番号

二　組合員又は組合員であつた者の退職当時又は死亡当時の所属機関の名称

三　当該申請に係る公務遺族年金の年金証書の記号番号

四　当該申請を行う日が、当該申請に係る公務遺族年金について法第七十五条の四第一項又は平成二十四年一元化法附則第三十七条の二第一項の規定によりその支給を停止すべき事由が生じた日の属する月と同一の月に属するときは、公務遺族年金に係る併給調整年金又は当該公務遺族年金について、公務遺族年金の停止解除申請者にあつては停止解除規定による支給の停止の解除を申請していない旨

五　当該申請を行う日が、当該申請に係る公務遺族年金について法第七十五条の四第一項又は平成二十四年一元化法附則第三十七条の二第一項の規定によりその支給を停止すべき事由が生じた日の属する月の翌月以後に属するときは、公務遺族年金に係る併給調整年金又は当該公務遺族年金について、公務遺族年金の停止解除申請者にあつては当該支給を停止すべき事由が生じた日以後に行われた停止解除規定による支給の停止の解除の申請を撤回した旨

六　その他必要な事項

3　前項第五号に掲げる事項を記載した申請書を提出する場合には、同号の撤回を証する書類その他の必要な書類を併せて提出しなければならない。

（併給調整事由等消滅の届出）

第百十八条の三　公務遺族年金の受給権者は、公務遺族年金に係る併給調整年金の支給を停止すべき事由が消滅したときは、次に掲げる事項を記載した届出書を連合会に提出しなければならない。

一　受給権者の氏名、生年月日及び住所

一の二　個人番号又は基礎年金番号

二　公務遺族年金の年金証書の記号番号

三　公務遺族年金に係る併給調整年金の支給停止事由消滅の事由

四　その他必要な事項

2　法第九十一条第一項から第三項までの規定により支給が停止されている公務遺族年金の受給権者は、その支給を停止される事由が消滅したときは、次に掲げる事項を記載した届出書を連合会に提出しなければならない。

一　受給権者の氏名、生年月日及び住所

一の二　個人番号又は基礎年金番号

二　公務遺族年金の年金証書の記号番号

三　公務遺族年金の支給停止事由消滅の事由

四　その他必要な事項

3　前二項の届出書を提出する場合には、次に掲げる書類を併せて提出しなければならない。

一　受給権者が障害等級の一級又は二級に該当する障害の状態になつたことにより前項の届出書を提出する場合には、当該届出書を提出する日前三月以内に作成された障害の状態に関する医師又は歯科医師の診断書

二　その他必要な書類

4　連合会は、受給権者について、地方公共団体情報システム機構から本人確認情報の提供を受け、第一項第一号及び第二項第一号に掲げる事項その他必要な事項について確認を行うものとする。この場合において、当該確認を行うことができなかつたときは、連合会は、その受給権者に対し当該事項について確認できる書類の提出を求めることができる。

（受給権者の申出による支給停止に係る届出等）

第百十八条の四　法第七十五条の五第一項の規定による申出をしようとする公務遺族年金の受給権者は、次に掲げる事項を記載した申出書を連合会に提出しなければならない。

一　法第七十五条の五第一項の申出をする旨

二　受給権者の氏名、生年月日及び住所

二の二　個人番号又は基礎年金番号

三　公務遺族年金の年金証書の記号番号

四　その他必要な事項

2　連合会は、前項の申出をした者について、地方公共団体情報システム機構から本人確認情報の提供を受け、同項第二号に掲げる事項その他必要な事項について確認を行うものとする。この場合において、当該確認を行うことができなかつたときは、連合会は、その受給権者に対し当該事項について確認できる書類の提出を求めることができる。

（受給権者の申出による支給停止の撤回等）

第百十八条の五　法第七十五条の五第二項の規定による申出の撤回をしようとする公務遺族年金の受給権者は、次に掲げる事項を記載した申出書を連合会に提出しなければならない。
一　法第七十五条の五第一項の申出を撤回する旨
二　受給権者の氏名、生年月日及び住所
二の二　個人番号又は基礎年金番号
三　公務遺族年金の年金証書の記号番号
四　その他必要な事項
2　連合会は前項の申出をした者について、地方公共団体情報システム機構から本人確認情報の提供を受け、前項第二号に掲げる事項その他必要な事項について確認を行うものとする。この場合において、当該確認を行うことができなかつたときは、連合会は、その受給権者に対し当該事項について確認できる書類の提出を求めることができる。

（所在不明による支給停止の申請）
第百十八条の六　法第九十二条第一項の規定により所在不明である受給権者の公務遺族年金の支給の停止を申請しようとする者は、次に掲げる事項を記載した申請書を連合会に提出しなければならない。
一　申請者の氏名、生年月日、住所及び個人番号又は基礎年金番号並びに申請者と組合員であつた者との身分関係
二　所在不明である受給権者の氏名
三　公務遺族年金の年金証書の記号番号
四　次のイ又はロに掲げる者の区分に応じ、当該イ又はロに定める事項
イ　支給を受けようとする預金口座として公金受取口座を利用しようとする者　払渡金融機関の名称及び公金受取口座の口座番号並びに支給を受けようとする預金口座として公金受取口座を利用する旨
ロ　イに掲げる者以外の者　払渡金融機関の名称及び預金口座の口座番号
五　その他必要な事項
2　前項の申請書を提出する場合には、法第九十二条第一項に該当する事実があるときはその事実を証する書類その他の必要な書類を併せて提出しなければならない。

（出生の届出）
第百十八条の七　公務遺族年金の受給権者は、法第二条第三項に規定する胎児であつた子が出生したときは、次に掲げる事項を記載した届出書を連合会に提出しなければならない。
一　受給権者の氏名、生年月日及び住所
一の二　個人番号又は基礎年金番号
二　公務遺族年金の年金証書の記号番号
三　子の氏名及び生年月日
四　その他必要な事項
2　前項の届出書を提出する場合には、次に掲げる書類を併せて提出しなければならない。
一　その子と受給権者との身分関係を明らかにすることができる市町村長の証明書、戸籍抄本又は戸籍謄本
二　子が障害等級の一級又は二級の障害の状態にあるときは、その障害の状態に関する医師又は歯科医師の診断書
三　その他必要な書類
3　連合会は、その子について、地方公共団体情報システム機構から本人確認情報の提供を受け、第一項第三号に掲げる事項その他必要な事項について確認を行うものとする。この場合において、当該確認を行うことができなかつたときは、連合会は、その受給権者に対し当該事項について確認できる書類の提出を求めることができる。
4　第一項の届出書を提出する者が、同時に厚生年金保険法による遺族厚生年金（当該公務遺族年金と同一の給付事由に基づいて支給されるものに限る。）について厚生年金保険法施行規則第六十二条に規定する届出を行うときは、第二項の規定により当該届出書と併せて提出しなければならないこととされた書類のうち当該遺族厚生年金に係る届出書に添えたものについては、同項の規定にかかわらず、第一項の届出書に併せて提出することを要しないものとする。

（二級以上の障害の状態にある子等である公務遺族年金の受給権者等の届出）
第百十八条の八　公務遺族年金の受給権者であつて、その障害の程度についての診査が必要であると認めて連合会が指定した者は、指定日までに、次に掲げる事項を記載した届出書を連合会に提出しなければならない。ただし、当該公務遺族年金の全額につき支給が停止されているときは、この限りでない。
一　受給権者の氏名、生年月日及び住所
一の二　個人番号又は基礎年金番号
二　公務遺族年金の年金証書の記号番号
三　その他必要な事項
2　前項の届出書を提出する場合には、次に掲げる書類を併せて提出しなければならない。
一　その障害の状態に関する指定日前三月以内に作成された医師又は歯科医師の診断書
二　その他必要な書類
3　連合会は、前二項の書類が提出されるまで、指定日の属する月の翌月以後に支払うべき公務遺族年金の支払を

差し止めることができる。

4　第一項の届出書を提出する者が、同時に厚生年金保険法による遺族厚生年金（当該公務遺族年金と同一の給付事由に基づいて支給されるものに限る。）について厚生年金保険法施行規則第六十八条の三に規定する届出をするときは、第二項の規定により当該届出書と併せて提出しなければならないこととされた書類のうち当該遺族厚生年金に係る届出書に添えたものについては、同項の規定にかかわらず、第一項の届出書に併せて提出することを要しないものとする。

第五目　日本国籍を有しない者に対する一時金

（日本国籍を有しない者に対する一時金の決定の請求）

第百十八条の九　法附則第十三条の二第一項の規定による一時金について決定を受けようとする者は、次に掲げる事項を記載した請求書を組合又は連合会に提出しなければならない。この場合において、組合に当該請求書の提出があつたときは、組合は、速やかにこれを連合会に送付するものとする。

一　請求者の氏名、生年月日、国籍及び住所

二　退職当時の所属機関の名称

三　厚生年金保険法附則第二十九条第一項の規定による脱退一時金の支給を請求した旨

四　公務障害年金又は令附則第七条の三の三に規定する給付を受ける権利を有したことがない旨

五　払渡金融機関の名称及び預金口座の口座番号

六　その他必要な事項

2　前項の請求書を提出する場合には、次に掲げる書類を併せて提出しなければならない。

一　請求者の生年月日及び国籍を証する書類

二　その他必要な書類

3　第一項の請求書を提出する者が、同時に厚生年金保険法附則第二十九条第一項の規定による脱退一時金の支給を請求するときは、前項の規定にかかわらず、同項の規定により当該請求書と併せて提出しなければならないこととされた書類のうち当該脱退一時金の請求書に添えたものについては、第一項の請求書に併せて提出することを要しないものとする。

第六目　雑則

（退職等年金給付に関する通知）

第百十九条　連合会は、退職等年金給付に係る処分を行つたときは、速やかに、文書でその内容を請求者又は退職等年金給付の受給権者に通知しなければならない。この場合において、請求に応ずることができないものであるときは、理由を付さなければならない。

（退職等年金給付に係る年金証書）

第百十九条の二　連合会は、前条の通知が退職等年金給付（法第七十九条の二から法第七十九条の四までの規定による一時金を除く。第百十九条の四から第百十九条の九までにおいて同じ。）の決定に係るものであるときは、同条の通知に併せて、次に掲げる事項を記載した年金証書を交付しなければならない。

一　受給権者の氏名及び生年月日

二　年金の種類及び年金証書の記号番号

三　年金の受給権発生年月

四　その他必要な事項

2　連合会は、必要があると認めるときは、受給権者に対して年金証書の提出を求めることができる。

（退職等年金給付に係る年金証書の再交付の申請）

第百十九条の三　受給権者は、年金証書を亡失し又は著しく損傷したときは、遅滞なく、次に掲げる事項を記載した年金証書再交付申請書を、亡失の事実を明らかにする書類又は当該損傷した年金証書と併せて連合会に提出しなければならない。

一　受給権者の氏名、生年月日及び住所

一の二　個人番号又は基礎年金番号

二　年金証書の記号番号

三　再交付申請の理由

四　その他必要な事項

2　受給権者は、年金証書に記載された氏名に変更があつたときは、前項の申請書を、連合会に提出することができる。

3　前項の申請書には、年金証書を添えなければならない。

4　連合会は、第一項又は第二項の申請書の提出を受けたときは、新たな年金証書を交付しなければならない。

5　受給権者は、年金証書の再交付を受けた後において、亡失した年金証書を発見したときは、遅滞なくこれを連合会に返納しなければならない。

（連合会による退職等年金給付の受給権者の確認等）

第百十九条の四　連合会は、法第七十五条の二第四項の規定により退職等年金給付を支給する月（以下この項において「退職等年金給付の支給期月」という。）の前月（同項ただし書の規定により退職等年金給付を支給する場合には、その月）において、地方公共団体情報システム機構から当該退職等年金給付の支給期月に支給する退職等年金給付の受給権者（第二号厚生年金被保険者期間に基づく厚生年金保険給付の受給権者を除く。）に係る本人確認情報の提供を受け、必要な事項について確認を行うものとする。

2　連合会は、前項の規定により必要な事項について確認

を行つた場合において、退職等年金給付の受給権者の生存の事実が確認されなかつたとき（第百十九条の六第一項に規定する場合を除く。）には、当該退職等年金給付の受給権者に対し、当該退職等年金給付の受給権者の生存の事実について確認できる書類の提出を求めることができるものとする。

3　前項の規定により同項に規定する書類の提出を求められた受給権者は、指定日までに、当該書類を連合会に提出しなければならない。

4　連合会は、前項の規定により第二項の書類を提出しなければならない退職等年金給付の受給権者が当該書類を提出しないときは、当該書類が提出されるまで、指定日の属する月の翌月以後に支払うべき退職等年金給付の支払を差し止めることができる。

（退職等年金給付の受給権者に係る所在不明の届出）

第百十九条の五　受給権者の属する世帯の世帯主その他その世帯に属する者は、当該受給権者の所在が一月以上明らかでないときは、速やかに、次に掲げる事項を記載した所在不明届出書を連合会に提出しなければならない。

一　所在不明届出書を提出する者の氏名及び住所並びに当該者と受給権者との身分関係

二　受給権者と同一世帯である旨

三　受給権者の氏名及び生年月日

四　受給権者の年金証書の記号番号

五　受給権者が所在不明となつた年月日

六　その他必要な事項

2　前項の届出を行う者が、厚生年金保険給付（連合会が支給するものに限る。）について同様の届出を行つた場合は、前項の規定による届出書の提出は要しないものとする。

（本人確認情報の提供を受けることができない退職等年金給付の受給権者等に係る届出）

第百十九条の六　連合会は、地方公共団体情報システム機構から受給権者に係る本人確認情報の提供を受けることができない場合にあつては当該受給権者に対し、前条の規定による所在不明届出書の提出があつた場合にあつては当該届出書の提出を行つた者に対し、次に掲げる事項について記載がある当該受給権者又は当該届出書の提出を行つた者が署名した届出書（署名することが困難な受給権者にあつては、当該受給権者の代理人が署名した届出書）を毎年、指定日までに提出することを求めることができる。

一　受給権者の氏名、生年月日及び住所

一の二　個人番号又は基礎年金番号

二　年金証書の記号番号

三　その他必要な事項

2　前項の規定により同項に規定する届出書の提出を求められた受給権者は、毎年、指定日までに、当該届出書を連合会に提出しなければならない。

3　連合会は、前項の規定により第一項の届出書を提出しなければならない受給権者が当該届出書を提出しないときは、当該届出書が提出されるまで、指定日の属する月の翌月以後に支払うべき退職等年金給付の支払を差し止めることができる。

4　第一項の規定による届出を行う者が、厚生年金保険給付（連合会が支給するものに限る。）について同様の届出を行つた場合は、同項の規定による届出書の提出は要しないものとする。

（退職等年金給付の受給権者の異動報告等）

第百十九条の七　受給権者は、住居表示に関する法律により住居表示が変更されたとき、又は転居したときは、その旨、氏名、生年月日、変更後の住所（転居の場合にあつては、転居後の住所）及び従前の住所、個人番号又は基礎年金番号並びに年金証書の記号番号を記載した受給権者異動届出書を連合会に提出しなければならない。ただし、住居表示が変更されたこと又は転居したことにつき、連合会が地方公共団体情報システム機構から本人確認情報の提供を受けることができるときは、この限りでない。

2　受給権者は、前項の規定に該当する場合のほか、次の各号に掲げる事由に該当したときは、その旨、氏名（第一号に該当する場合にあつては、変更前の氏名及び変更後の氏名）、生年月日、住所、個人番号又は基礎年金番号及び年金証書の記号番号を記載した受給権者異動届出書を、当該各号に掲げる書類と併せて連合会に提出しなければならない。ただし、第一号に該当する場合において、連合会が地方公共団体情報システム機構から本人確認情報の提供を受けることができるときは、この限りでない。

一　氏名を改めたとき　年金証書

二　払渡金融機関を変更するとき（次号に掲げる事由に該当したときを除く）　新たな払渡金融機関の所在地及び名称を記載した届出書、預金口座の口座番号についての当該払渡金融機関の証明書、預金通帳の写しその他の預金口座の口座番号を明らかにすることができる書類

三　支給を受けようとする預金口座として公金受取口座を利用しようとするとき　新たな払渡金融機関の所在地、名称及び公金受取口座の口座番号並びに支給を受けようとする預金口座として公金受取口座を利用する

旨を記載したもの

四　禁錮以上の刑に処せられたとき又は法第九十七条第一項（令第四十八条第六項の規定によりみなして適用する場合を含む。）に規定する懲戒処分若しくは退職手当支給制限等処分を受けたとき　当該刑に処せられ、又はこれらの処分を受けたことを証する書類

3　受給権者が、前項に規定する受給権者異動届出書を連合会に提出する場合においては、第八十七条の二の二第三項の規定による書類の提出は要しないものとする。

4　連合会は、第一項又は第二項に規定する受給権者異動届出書の提出を受けた場合において必要があると認めるときは、地方公共団体情報システム機構から本人確認情報の提供を受け、必要な事項について確認を行うものとする。この場合において、当該事項について確認を行うことができなかつたときは、連合会は、その受給権者に対し当該事項について確認できる書類の提出を求めることができる。

5　連合会は、第二項第一号の規定により、年金証書の提出があつたときは、遅滞なくその記載事項を訂正して、その受給権者に交付しなければならない。

6　法第八十条第一項の規定による退職年金の支給の繰下げの申出を行つていないもの（第百十九条の九第二項において「退職年金の繰下げ待機者」という。）が退職年金の支給の繰下げの申出を行うまでの間において第一項又は第二項に定める場合に該当するときは、第一項又は第二項に定める受給権者異動届出書を連合会に提出しなければならない。ただし、住居表示が変更されたこと、転居したこと又は氏名を変更したことにつき、連合会が地方公共団体情報システム機構から本人確認情報の提供を受けることができるときは、この限りでない。

7　第一項又は第二項第一号の規定による届出を行う者が、厚生年金保険給付（連合会が支給するものに限る。）に係る同様の届出を行つた場合は、第一項又は第二項第一号の規定による届出書の提出は要しないものとする。

（退職等年金給付の受給権者の個人番号の変更の届出）

第百十九条の七の二　受給権者は、その個人番号を変更したときは、速やかに、次に掲げる事項を記載した個人番号変更届出書を連合会に提出しなければならない。

一　氏名、生年月日及び住所

二　変更前及び変更後の個人番号

三　個人番号の変更年月日

四　年金証書の記号番号

2　前項の規定による届出を行う者が、厚生年金保険給付（連合会が支給するものに限る。）に係る同様の届出を行つた場合は、同項の規定による届出書の提出は要しないものとする。

（公務遺族年金の受給権者の氏名変更の理由の届出）

第百十九条の七の三　公務遺族年金の受給権者は、その氏名を変更した場合であつて第百十九条の七第二項の規定による届出書の提出を要しないときは、遅滞なく、次に掲げる事項を記載した届出書に戸籍抄本その他の氏名の変更の理由を明らかにすることができる書類を添えて、連合会に提出しなければならない。

一　受給権者の氏名、生年月日、住所及び個人番号又は基礎年金番号

二　公務遺族年金の年金証書の記号番号

三　氏名の変更の理由

四　その他必要な事項

2　前項の規定による届出を行う者が、遺族厚生年金（連合会が支給するものに限る。）に係る同様の届出を行つた場合は、同項の届出書を提出することを要しないものとする。

3　連合会は、公務遺族年金の受給権者が正当な理由がなく、第一項に規定する届出書を提出しないときは、当該届出書が提出されるまで当該受給権者に係る公務遺族年金の支払を差し止めることができる。

（退職年金受給権者等の再就職届）

第百十九条の八　退職年金又は公務障害年金を受ける権利を有する者が再び長期組合員となつたときは、遅滞なく、次に掲げる事項を記載した再就職届出書を連合会に提出しなければならない。

一　組合員の氏名、生年月日及び住所

一の二　個人番号又は基礎年金番号

二　年金の種類

三　年金証書の記号番号

四　再就職後の組合名

五　その他必要な事項

（退職等年金給付の受給権の消滅の届出）

第百十九条の九　退職等年金給付の受給権者が死亡し、又はその権利を喪失したとき（公務障害年金を受ける権利を有していた者が死亡したことにより公務遺族年金が支給されることとなるときを除く。）は、その遺族、法第四十四条第一項の規定により支払未済の給付の支給を受ける者若しくは戸籍法の規定による死亡の届出義務者又は年金を受ける権利を喪失した者は、遅滞なく、次に掲げる事項（受給権者が死亡した場合にあつては、個人番号を除く。）を記載した年金受給権消滅届出書を連合会に提出しなければならない。ただし、当該受給権者が死亡したことにつき、連合会が地方公共団体情報システム機構から本人確認情報の提供を受けることができるときは、

この限りでない。

一　受給権者であつた者の氏名、生年月日及び住所
一の二　個人番号又は基礎年金番号
二　年金の種類
三　年金証書の記号番号
四　受給権の消滅の事由
五　その他必要な事項

2　退職年金の繰下げ待機者が当該退職年金の支給の繰下げの申出を行うまでの間において前項に定める場合に該当するときは、同項に定める年金受給権消滅届出書を連合会に提出しなければならない。ただし、当該退職年金の繰下げ待機者が死亡したことにつき、連合会が地方公共団体情報システム機構から本人確認情報の提供を受けることができるときは、この限りでない。

3　前二項の規定による届出を行う者が、厚生年金保険給付（連合会が支給するものに限る。）に係る同様の届出を行つた場合は、前二項の届出書の提出は要しないものとする。

（退職等年金分掛金の払込みの実績の通知）

第百十九条の十　連合会は、長期組合員に対し、当該長期組合員の退職等年金分掛金の払込みの実績に関する次に掲げる情報を通知するものとする。

一　退職等年金給付の算定の基礎となる組合員期間の月数
二　最近一年間の組合員期間の各月における標準報酬の月額及び標準期末手当等の額
三　最近一年間の組合員期間において適用される付与率及び基準利率並びに当該組合員期間の各月における付与額及び基準利率に基づく利息の額（次号において単に「利息の額」という。）
四　付与額及び利息の額の累計額
五　その他必要な事項

2　連合会は、長期組合員が退職したとき、又は長期組合員であつた者（退職等年金給付の受給権者を除く。）が三十五歳、四十五歳、五十九歳及び六十三歳に達したときは、その者に対し、その者の退職等年金分掛金の払込みの実績に関する前項各号（第二号及び第三号を除く。）に掲げる情報を通知するものとする。

（年金原簿等の作成）

第百十九条の十一　連合会は、退職等年金給付の受給権者ごとに、年金原簿及び年金支給簿を備え、年金の決定、改定及び支給に必要な事項を記載して整理しなければならない。

第五章の二　福祉事業

（療養の給付等に関する記録の提供）

第百十九条の十二　組合は、法第九十八条第一項第一号に規定する組合員等（以下この章において「組合員等」という。）の求めに応じ、当該組合員等の健康の保持増進のため必要な範囲内において、当該組合員等に対し、当該組合が保有する当該組合員等が受けた療養の給付等に関する記録を電磁的方法により提供することができる。

（法第九十八条第二項の財務省令で定める者等）

第百十九条の十三　法第九十八条第二項の財務省令で定める者は、次に掲げる者とする。

一　労働安全衛生法（昭和四十七年法律第五十七号）第二条第三号に規定する事業者その他の者であつて、その使用する組合員等に対し健康診断（高齢者の医療の確保に関する法律第二十条の規定による特定健康診査に相当する項目を実施するものに限る。以下この条及び次条において同じ。）を実施しているもの（労働安全衛生法その他の法令に基づき健康診断を実施する責務を有する者を除く。）
二　船員法（昭和二十二年法律第百号）の適用を受ける船舶所有者及び同法第五条第一項の規定により船舶所有者に関する規定の適用を受ける者

2　法第九十八条第二項の財務省令で定めるものは、事業者等（同項に規定する事業者等をいう。次条において同じ。）が保存している組合員等に係る健康診断に関する記録の写し（労働安全衛生法その他の法令に基づき当該事業者等が保存しているものを除く。）とする。

（事業者等が行う記録の写しの提供）

第百十九条の十四　組合が、法第九十八条第二項の規定により組合員等を使用している事業者等又は使用していた事業者等に対して提供を求めることができる健康診断に関する記録の写し（前条第二項に規定する記録の写しを含む。以下この条において同じ。）は、特定健康診査及び特定保健指導の実施に関する基準（平成十九年厚生労働省令第百五十七号）第二条各号に掲げる項目に関する記録の写しその他法第九十八条第一項第一号の規定により組合員等の健康の保持増進のために必要な事業を行うに当たつて組合が必要と認める情報とする。

2　法第九十八条第二項の規定により健康診断に関する記録の写しの提供を求められた事業者等は、同条第三項の規定により当該記録の写しを提供するに当たつては、厚生労働省令で定める方法により行うものとする。

第五章の三　費用の負担

（出産育児交付調整金額）

第百十九条の十五　当該年度の前々年度の概算出産育児交

付金の額（法第九十九条の二第二項において準用する健康保険法第百五十二条の四に規定する概算出産育児交付金の額をいう。次項において同じ。）が同年度の確定出産育児交付金の額（法第九十九条の二第二項において準用する健康保険法第百五十二条の五に規定する確定出産育児交付金の額をいう。次項において同じ。）を超える場合における出産育児交付調整金額（法第九十九条の二第二項において準用する健康保険法第百五十二条の三第二項に規定する出産育児交付調整金額をいう。次項において同じ。）は、その超える額に出産育児交付算定率（健康保険法施行規則（大正十五年内務省令第三十六号）第百三十四条の三に規定する出産育児交付算定率をいう。次項において同じ。）を乗じて得た額とする。

2 当該年度の前々年度の概算出産育児交付金の額が同年度の確定出産育児交付金の額に満たない場合における出産育児交付調整金額は、その満たない額に出産育児交付算定率を乗じて得た額とする。

（出産費及び家族出産費の支給に要する費用の見込額の算定方法）

第百十九条の十六 令第二十三条の三の規定により読み替えて適用する健康保険法第百五十二条の四に規定する出産費及び家族出産費の支給に要する費用の見込額は、第一号に掲げる額に第二号及び第三号に掲げる率を乗じて得た額とする。

一 当該年度の前々年度における当該組合員に係る出産費及び家族出産費の支給に要した費用の額（法第六十一条第一項（同条第二項において準用する場合を含む。）及び第三項に規定する政令で定める金額に係る部分に限る。）

二 健康保険法施行規則第百三十四条の四第一項第二号に掲げる率

三 健康保険法施行規則第百三十四条の四第一項第三号に掲げる率

第六章 掛金等及び負担金

（育児休業期間中の掛金の免除の申出）

第百二十条 法第百条の二第一項の規定により掛金の免除の申出をしようとする者は、次に掲げる事項（第三号に掲げる事項にあつては、育児休業等を開始した日の属する月とその育児休業等が終了する日の翌日が属する月が同一である場合に限る。）を記載した育児休業等掛金免除申出書を、人事担当者による育児休業等に係る子の氏名及び生年月日並びに当該育児休業等の承認期間を証明する証拠書類と併せて組合に提出しなければならない。

一 組合員の氏名及び住所並びに組合員証の組合員等記号・番号又は個人番号

二 掛金の免除を希望する旨

三 育児休業等の日数

四 その他必要な事項

2 組合は、前項の規定による申出書の提出があつたときは、掛金を免除する旨及び当該掛金を免除する期間を組合員原票に記載しなければならない。

3 組合は、長期組合員から第一項の規定による申出書の提出があつたときは、当該長期組合員の氏名、長期組合員番号及び掛金を免除する期間その他必要な事項を連合会に通知しなければならない。

4 法第百条の二第一項第二号に規定する育児休業等の日数として財務省令で定めるところにより計算した日数は、その育児休業等を開始した日の属する月における当該育児休業等を開始した日から当該育児休業等を終了する日までの期間の日数（組合員が育児休業、介護休業等育児又は家族介護を行う労働者の福祉に関する法律第九条の二第一項に規定する出生時育児休業をする場合には、同法第九条の五第四項の規定に基づき当該組合員を使用する事業主が当該組合員を就業させる日数（当該事業主が当該組合員を就業させる時間数を当該組合員に係る一日の所定労働時間数で除して得た数（その数に一未満の端数があるときは、これを切り捨てた数）をいう。）を除いた日数）とする。ただし、当該組合員が当該月において二以上の育児休業等をする場合（法第百条の二第二項の規定によりその全部が一の育児休業等とみなされる場合を除く。）には、これらの育児休業等につきそれぞれこの項の規定により計算した日数を合算して得た日数とする。

5 法第百条の二第二項に規定する財務省令で定める場合は、組合員が二以上の育児休業等をしている場合であつて、一の育児休業等を終了した日とその次の育児休業等を開始した日との間に当該組合員が就業した日がないときとする。

（厚生年金保険法による育児休業期間中の保険料の免除の申出）

第百二十条の二 長期組合員に係る前条第一項から第三項までの規定は、厚生年金保険法第八十一条の二第二項の規定により読み替えて適用する同条第一項の規定による育児休業期間中の保険料の徴収の特例に係る申出について準用する。この場合において、前条第一項中「法第百条の二第一項」とあるのは「厚生年金保険法第八十一条の二第二項の規定により読み替えて適用する同条第一項」と、「掛金の免除」とあるのは「保険料の免除」と、同条第二項中「掛金を免除する旨及び当該掛金を免除する期間」とあるのは「保険料の徴収の特例を適用する旨及び当該保険料の徴収の特例を適用する期間」と、同条第三項中「掛金を免除する期間」とあるのは「保険料の徴収の特例を適用する期間」と読み替えるものとする。

（厚生年金保険法による育児休業期間中の被保険者に係る保険料の徴収の特例の申出等の特例）

第百二十条の三　第二号厚生年金被保険者が法第百二条の二の規定による掛金の免除を希望する旨の申出をした場合には、併せて同一の事由により厚生年金保険法第八十一条の二の規定による同法による育児休業期間中の保険料の徴収の特例に係る申出をしたものとみなす。

2　第二号厚生年金被保険者等が厚生年金保険法第八十一条の二の規定による同法による育児休業期間中の保険料の徴収の特例の適用を受けることを希望する旨の申出をした場合には、併せて同一の事由により法第百二条の二の規定による掛金の免除を希望する旨の申出をしたものとみなす。

（産前産後休業期間中の掛金の免除の申出）

第百二十条の四　法第百条の二の二の規定により掛金の免除の申出をしようとする者は、次に掲げる事項を記載した産前産後休業掛金免除申出書を、産前産後休業の取得期間を証する書類と併せて組合に提出しなければならない。

一　組合員の氏名及び住所並びに組合員証の組合員等記号・番号又は個人番号
二　産前産後休業に係る子の出産予定年月日
三　多胎妊娠の場合にあつては、その旨
四　申出に係る組合員が産前産後休業に係る子を既に出産した場合にあつては、出産年月日
五　掛金の免除を希望する旨
六　その他必要な事項

2　法第百条の二の二の規定により掛金が免除されている者は、前項に規定する産前産後休業の取得期間に変更があつた場合には、変更後の産前産後休業の取得期間を証する書類を組合に提出しなければならない。

3　組合は、第一項の規定による申出書の提出又は前項の規定による書類の提出があつたときは、掛金を免除する旨及び当該掛金を免除する期間を組合員原票に記載しなければならない。

4　組合は、長期組合員から第一項の規定による申出書の提出があつたときは、当該長期組合員の氏名、長期組合員番号及び掛金を免除する期間その他必要な事項を連合会に通知しなければならない。

（厚生年金保険法による産前産後休業期間中の保険料の免除の申出）

第百二十条の五　長期組合員に係る前条の規定は、厚生年金保険法第八十一条の二の二第二項の規定により読み替えて適用する同条第一項の規定による産前産後休業期間中の保険料の徴収の特例に係る申出について準用する。この場合において、前条第一項中「法第百条の二の二」とあるのは「厚生年金保険法第八十一条の二の二第二項の規定により読み替えて適用する同条第一項」と、「掛金の免除」とあるのは「保険料の免除」と、同条第二項中「法第百条の二の二」とあるのは「厚生年金保険法第八十一条の二の二第二項の規定により読み替えて適用する同条第一項」と、「掛金」とあるのは「保険料」と、同条第三項中「掛金を免除する旨及び当該掛金を免除する期間」とあるのは「保険料の徴収の特例を適用する旨及び当該保険料の徴収の特例を適用する期間」と、同条第四項中「掛金を免除する期間」とあるのは「保険料の徴収の特例を適用する期間」と読み替えるものとする。

（厚生年金保険法による産前産後休業期間中の保険料の徴収の特例の申出等の特例）

第百二十条の六　第二号厚生年金被保険者等が法第百条の二の二の規定による掛金の免除を希望する旨の申出をした場合には、併せて同一の事由により厚生年金保険法第八十一条の二の二の規定による同法による産前産後休業期間中の保険料の徴収の特例の適用を受けることを希望する旨の申出をしたものとみなす。

2　第二号厚生年金被保険者等が厚生年金保険法第八十一条の二の二の規定による同法による産前産後休業期間中の保険料の徴収の特例の適用を受けることを希望する旨の申出をした場合には、併せて同一の事由により法第百条の二の二の規定による掛金の免除を希望する旨の申出をしたものとみなす。

（掛金等の還付）

第百二十条の七　組合は、法第百一条第五項の規定により掛金等を還付するときは、次に掲げる事項を記載した通知書を当該組合員に交付しなければならない。

一　還付金額
二　還付することとなつた理由
三　還付年月日
四　その他必要な事項

2　前項の規定は、令第五十二条第三項又は附則第六条の二第三項の規定により任意継続掛金又は特例退職掛金の還付をする場合について準用する。

（払い込むべき掛金等の通知）

第百二十条の八　令第二十五条の二第二項の通知は、次に掲げる事項を記載した通知書を同項に規定する組合員に交付し、又は公示送達することによりするものとする。

一 組合に払い込むべき金額
二 令第二十五条の二第一項に規定する払い込むべき期限
三 令第二十五条の二第二項に規定する組合の指定する期限

2 前項第三号の期限は、同項の規定により通知書を交付し、又は公示送達する日から十日以上を経過した日でなければならない。

（負担金の払込みの手続）

第百二十条の九 法第百二条の規定による負担金の払込みを受けるに必要な手続については、別に財務大臣が定める。

第六章の二 地方公務員共済組合連合会に対する財政調整拠出金

（地方公務員共済組合連合会に対する財政調整拠出金）

第百二十一条 連合会は、法第百二条の三第一項（第一号から第三号までに係る部分に限る。）の規定による令第二十八条第一項に規定する国の厚生年金保険給付概算財政調整拠出金の額を地方公務員等共済組合法第七十八条第四項に規定する支給期月（次項において「支給期月」という。）ごとに財務大臣が別に定める日までに、地方公務員共済組合連合会に拠出するものとする。

2 連合会は、法第百二条の三第一項（第四号に係る部分に限る。）の規定による令第二十八条第四項の規定により準用する同条第一項に規定する国の退職等年金給付概算財政調整拠出金の額を支給期月ごとに財務大臣が別に定める日までに、地方公務員共済組合連合会に拠出するものとする。

第六章の三 国家公務員共済組合審査会

（審査会の委員に対する報酬の額）

第百二十二条 令第二十九条に規定する財務省令で定める額は、会長及びその他の委員につき予算の範囲内で別に連合会の理事長が財務大臣の承認を受けて定める。

第七章 雑則

（年金の支払の調整）

第百二十三条 法第七十五条の七の規定による退職等年金給付の支払金の金額の過誤払による返還金に係る債権（以下この条において「返還金債権」という。）への充当は、次の各号に掲げる場合に行うことができるものとする。

一 退職等年金給付の受給権者の死亡を給付事由とする公務遺族年金の受給権者が、当該退職等年金給付の受給権者の死亡に伴う当該退職等年金給付の過誤払による返還金債権に係る債務の弁済をすべき者であるとき。

二 公務遺族年金の受給権者が、同一の給付事由に基づく他の公務遺族年金の受給権者の死亡に伴う当該公務遺族年金の過誤払による返還金債権に係る債務の弁済をすべき者であるとき。

（書類の保存期限）

第百二十四条 次の各号に掲げる組合の帳簿又は書類の保存期限は、その処理の終つた翌事業年度から起算して当該各号に掲げる期間とする。

一 元帳及び補助簿 十年
二 財産関係帳簿及び書類 十年
三 長期給付に係る伝票、収入及び支出の証ひよう書類、給付関係帳簿、給付の請求書その他関係書類 十年
四 伝票、収入及び支出の証ひよう書類、給付関係帳簿又は給付の請求書その他給付関係書類（前号に掲げるものを除く。） 七年
五 報告書類 三年
六 その他の証ひよう書類 運営規則で定める期間

（事業報告書）

第百二十五条 本部長又は支部長（第四条（第八十五条第二項の規定により読み替えて準用する場合を含む。）に規定する本部又は支部の長をいう。以下同じ。）は、毎月末日現在における財務大臣が別に定める事業報告書を作成しなければならない。この場合において、支部にあつては、翌月十五日までに当該事業報告書を本部長に提出しなければならない。

2 本部長は、前項の規定により提出を受けた事業報告書に基づき、総括した事業報告書を作成し、提出を受けた月の二十五日までに、これを財務大臣が別に定める書類と併せて、組合の代表者（連合会にあつては、連合会の理事長。以下第百二十六条の四までにおいて同じ。）に提出しなければならない。

3 組合の代表者は、前項の規定により提出を受けた事業報告書を、提出を受けた月の末日までに、財務大臣に提出しなければならない。

4 前三項の規定による事業報告書の提出については、電磁的記録媒体（電磁的記録に係る記録媒体をいう。次条第四項において同じ。）を提出することにより行うことができる。

（決算事業報告書）

第百二十五条の二　本部長又は支部長は、毎事業年度末日現在における財務大臣が別に定める決算事業報告書を作成しなければならない。この場合において、支部にあつては、翌事業年度の四月二十五日までに当該決算事業報告書を本部長に提出しなければならない。

2　本部長は、前項の規定により提出を受けた決算事業報告書に基づき、総括した決算事業報告書を作成し、翌事業年度の五月二十日までに、これを財務大臣が別に定める書類と併せて、組合の代表者に提出しなければならない。

3　組合の代表者は、前項の規定により提出を受けた決算事業報告書を、翌事業年度の五月三十一日までに、財務大臣に提出しなければならない。

4　前三項の規定による決算事業報告書の提出については、電磁的記録媒体を提出することにより行うことができる。

（法第百十二条の二第一項の財務省令で定める者等）

第百二十五条の二の二　法第百十二条の二第一項の財務省令で定める者は、次に掲げる者とする。

一　財務大臣
二　実施機関
三　組合員の給与支給機関
四　社会保険診療報酬支払基金
五　国民健康保険団体連合会
六　国民健康保険法第四十五条第六項に規定する厚生労働大臣が指定する法人
七　保険医療機関等
八　法第五十六条第一項に規定する診療、手当又は薬剤の支給を行う保険医療機関等以外の病院、診療所、薬局その他の療養機関
九　指定訪問看護事業者
十　都道府県知事
十一　市町村長
十二　日本年金機構

2　法第百十二条の二第二項の財務省令で定める場合は、次の各号のいずれかに該当する場合とする。

一　医療保険者（組合を除く。）が、高齢者の医療の確保に関する法律第七条第一項に規定する医療保険各法（法を除く。）若しくは高齢者の医療の確保に関する法律に基づく事業又は当該事業に関連する事務を行う場合
二　組合又は連合会から委託を受けた者が、当該委託を受けた福祉事業に関連する事務を行う場合
三　組合員の同意を得た者又は組合員から委託を受けた者が、それぞれ当該同意を得た又は当該委託を受けた組合（当該組合から委託を受けた者を含む。）に対する保険給付に係る請求その他の行為を行う場合
四　国立研究開発法人国立がん研究センターが、がん登録等の推進に関する法律（平成二十五年法律第百十一号）第二十三条第一項の規定により厚生労働大臣から委任を受けた事務を行う場合
五　がん登録等の推進に関する法律第二十四条第一項の規定により都道府県知事から事務の委任を受けた者が、当該事務を行う場合
六　独立行政法人医薬品医療機器総合機構が、独立行政法人医薬品医療機器総合機構法（平成十四年法律第百九十二号）第十五条第一項第五号ハに掲げる業務又は同号ヘに掲げる業務（同号ハに掲げる業務に附帯する業務に限る。）を行う場合
七　医療分野の研究開発に資するための匿名加工医療情報及び仮名加工医療情報に関する法律（平成二十九年法律第二十八号）第十条第一項に規定する認定匿名加工医療情報作成事業者又は同法第三十四条第一項に規定する認定仮名加工医療情報作成事業者が、それぞれ同法第二条第六項に規定する匿名加工医療情報作成事業又は同条第七項に規定する仮名加工医療情報作成事業を行う場合
八　医療分野の研究開発に資するための匿名加工医療情報及び仮名加工医療情報に関する法律第二条第五項に規定する医療情報取扱事業者が、同法第五十二条第一項各号又は第五十七条第一項各号に掲げる事項について通知を受けた本人に係る同法第二条第一項に規定する医療情報を取得する場合
九　第四号から前号までに掲げる場合のほか、次のイからハまでに掲げる者の区分に応じ、当該イからハまでに定めるものを行う場合
イ　国の行政機関（前項第一号から第三号までに掲げる者を除く。）　適正な保健医療サービスの提供に資する施策の企画及び立案に関する調査
ロ　大学、研究機関その他の学術研究を目的とする機関又は団体　疾病の原因並びに疾病の予防、診断及び治療の方法に関する研究その他の公衆衛生の向上及び増進に関する研究
ハ　民間事業者　医療分野の研究開発に資する分析（特定の商品又は役務の広告又は宣伝に利用するために行うものを除く。）
十　法第九十八条第一項第一号の二に規定する特定健康診査等、労働安全衛生法第六十六条第一項に規定する健康診断その他の健康診断を実施する機関が、当該健康診断を実施する場合

十一　社会保険労務士（社会保険労務士法人を含む。）が、社会保険労務士法（昭和四十三年法律第八十九号）第二条第一項各号に掲げる業務を行う場合
十二　独立行政法人環境再生保全機構が、石綿による健康被害の救済に関する法律（平成十八年法律第四号）第十一条の規定により医療費を支給する場合

（社会保険診療報酬支払基金等に委託する事務等）
第百二十五条の三　法第百十四条の二第一項第一号の財務省令で定める短期給付は、法第五十条第一項に規定する短期給付のうち、療養費、高額療養費、高額介護合算療養費、出産費及び家族出産費とする。
2　法第百十四条の二第一項第二号の財務省令で定める事務は、次の各号に掲げる事務とする。
一　法第五十条第一項に規定する短期給付（同項第十号から第十三号までに掲げるものを除く。）の支給に関する事務
二　法第九十八条第一項に規定する福祉事業（同項第二号から第八号までに掲げるものを除く。）の実施に関する事務
三　行政手続における特定の個人を識別するための番号の利用等に関する法律別表の主務省令で定める事務を定める命令（平成二十六年内閣府・総務省令第五号）第二十三条の二の二各号に規定する事務
3　法第百十四条の二第一項第三号の財務省令で定める事務は、次の各号に掲げる事務とする。
一　法第五十条第一項に規定する短期給付（同項第十号から第十三号までに掲げるものを除く。）の支給に関する事務
二　福祉事業（法第九十八条第一項第二号から第八号までに掲げるものを除く。）の実施に関する事務
三　行政手続における特定の個人を識別するための番号の利用等に関する法律第十九条第八号に基づく利用特定個人情報の提供に関する命令（令和六年デジタル庁・総務省令第九号）第六十七条各号に規定する事務
4　法第百十四条の二第二項の財務省令で定めるものは、生活保護法第十九条第四項に規定する保護の実施機関及び防衛省の職員の給与等に関する法律（昭和二十七年法律第二百六十六号）第二十二条第一項の規定による給付又は支給を行う国とする。

（外部監査）
第百二十六条　法第百十六条第三項の規定による当該職員の監査は、別に定める監査要領に従つて行わなければならない。
2　前項に規定する当該職員は、同項の監査をする場合には、別紙様式第三十六号による監査証票を携帯し、関係者の請求があつたときは、提示しなければならない。
第百二十六条の二　会計単位の長及び出納職員は、前条の規定による監査に立会しなければならない。ただし、これらの職員が事故のため自ら立会することができない場合には、その代理人が立会しなければならない。
第百二十六条の三　第百二十六条第一項に規定する当該職員は、同項の監査を行う場合には、会計単位の長及び出納職員又はこれらの者の代理人に対し、現金、預金通帳、帳簿、証ひよう書類等の提示、事実の説明、資料の作成その他監査に必要な事項を要求することができる。

（内部監査）
第百二十六条の四　組合の代表者又はその委任を受けた者は、組合の業務及び財産（連合会にあつては、連合会の業務及び財産）について監査を行わなければならない。
2　前項の規定により行わなければならない監査は、次に掲げる監査とする。
一　毎事業年度末日現在における監査
二　出納主任に異動があつた場合に行う監査
三　その他必要と認める場合に行う監査
3　組合は、法第十六条第二項の承認を受けたときは、前項第一号の監査（本部に係るものに限る。）に関する監査報告書を各事務所に備えて置き、五年間、一般の閲覧に供しなければならない。

（検査証票）
第百二十六条の五　法第百十七条第四項に規定する検査証票は、別紙様式第三十七号による。

（船員組合員原票）
第百二十七条　組合は、船員組合員の資格を取得した者に対しては、第八十七条の規定にかかわらず、船員組合員原票を備え、船員組合員の資格の得喪、個人番号、被扶養者、標準報酬の月額、標準期末手当等の額その他所要の事項を記載して整理しなければならない。
2　第八十七条第二項から第四項までの規定は、船員組合員原票について準用する。

（船員組合員証等）
第百二十七条の二　組合は、船員組合員の資格を取得した者に対しては、第八十九条の規定にかかわらず、別紙様式第三十九号による船員組合員証を作成し、その者に交付しなければならない。この場合において、その者に被扶養者があるときは、第九十五条の規定にかかわらず、別紙様式第四十号による船員組合員被扶養者証を作成し、その者に交付しなければならない。
2　第九十条から第九十四条まで及び第九十五条の二第一項ただし書の規定は船員組合員証について、第九十五条第二項及び第三項の規定は船員組合員被扶養者証につい

て準用する。この場合において、第九十四条中「組合員証整理簿」とあるのは「船員組合員証整理簿」と、第九十五条第二項中「前項」とあるのは「第百二十五条第一項」と、「組合員は」とあるのは「船員組合員は」と、同項第一号及び第二号中「組合員」とあるのは「船員組合員」と、同項第三号中「組合員が」とあるのは「船員組合員が」と、同条第三項中「組合員に」とあるのは「船員組合員に」と、「組合員被扶養者証整理簿」とあるのは「船員組合員被扶養者証整理簿」と読み替えるものとする。

（船員組合員の療養の給付等）

第百二十七条の三 第九十九条から第百五条の十までの規定は、船員組合員又はその被扶養者が法第百二十条の規定により、船員保険法（昭和十四年法律第七十三号）第五十三条（第四項を除く。）、第六十一条から第六十四条第一項まで、第六十五条、第六十八条、第七十六条、第七十八条、第七十九条、第八十二条又は第八十三条の規定の例により療養を受ける場合について準用する。この場合において、第九十九条第二項第一号中「組合員証」とあるのは「船員組合員証」と、同項第三号中「組合員の」とあるのは「船員組合員の」と、同条第三項中「組合員が」とあるのは「船員組合員が」と、「組合員証」とあるのは「船員組合員証」と、「組合員で」とあるのは「船員組合員で」と、第百二条の二第一項中「組合員証」とあるのは「船員組合員証」と、同条第二項中「組合員が」とあるのは「船員組合員が」と、「組合員証」とあるのは「船員組合員証」と、「組合員で」とあるのは「船員組合員で」と、第百五条第一項中「組合員被扶養者証」とあるのは「船員被扶養者証」と、「被扶養者で」とあるのは「船員組合員の被扶養者で」と、「被扶養者が」とあるのは「船員組合員の被扶養者が」と、第百五条の二中「組合員被扶養者証」とあるのは「船員被扶養者証」と、「被扶養者が」とあるのは「船員組合員の被扶養者が」と、「被扶養者で」とあるのは「船員組合員の被扶養者で」と読み替えるものとする。

（船員組合員療養補償証明書）

第百二十七条の四 船員組合員は、法第百二十条の規定により、その例によることとされる船員保険法の規定により、船員法第八十九条第二項に規定する療養補償に相当する療養の給付、当該療養補償に相当する入院時食事療養費に係る療養、当該療養補償に相当する入院時生活療養費に係る療養、当該療養補償に相当する保険外併用療養費に係る療養又は当該療養補償に相当する訪問看護療養費に係る指定訪問看護を受けようとするときは、別紙様式第四十三号による船員組合員療養補償証明書を保険医療機関等又は指定訪問看護事業者に提出しなければならない。ただし、緊急その他やむを得ない事情により、提出することができない場合には、この限りでない。

2 前項ただし書の場合においては、その事情がなくなつた後、遅滞なく、船員組合員療養補償証明書を当該保険医療機関等又は指定訪問看護事業者に提出しなければならない。

3 船員組合員は、前二項の規定により保険医療機関等又は指定訪問看護事業者に船員組合員療養補償証明書を提出したときは、遅滞なく、その写しを組合に提出しなければならない。

（船員組合員の一部負担金等の返還）

第百二十七条の五 船員組合員は、法第百二十条の規定によりその例によることとされる船員保険法の規定により、船員法第八十九条第二項に規定する療養補償に相当する療養の給付、当該療養補償に相当する入院時食事療養費に係る療養、当該療養補償に相当する入院時生活療養費に係る療養、当該療養補償に相当する保険外併用療養費に係る療養又は当該療養補償に相当する訪問看護療養費に係る指定訪問看護を受けた場合において、船員保険法第六十条第二項の規定の例により、同法第五十五条第一項若しくは第六十六条の規定の例により負担した一部負担金の額、同法第六十一条第二項の規定の例により算定した食事療養標準負担額の額、同法第六十二条第二項の規定の例により算定した生活療養標準負担額の額、同法第六十三条第二項の規定の例により算定した費用の額からその療養に要した費用につき保険外併用療養費として支給される金額に相当する金額を控除した金額、同法第六十四条第二項の規定の例により控除された額又は同法第六十五条第五項の規定の例により算定した額からその療養に要した費用につき訪問看護療養費として支給される金額に相当する金額を控除した金額の支払を受けようとするときは、次に掲げる事項を記載した船員組合員一部負担金等返還請求書を組合に提出しなければならない。

一 船員組合員の氏名、生年月日、住所並びに船員組合員証の組合員等記号・番号

二 傷病名、療養に係る療養費等の支給状況及び一部負担金等の額

三 請求金額並びに次のイ又はロに掲げる者の区分に応じ、当該イ又はロに定める事項

イ 支払を受けようとする預金口座として公金受取口座を利用しようとする者 支払を受けようとする預金口座として公金受取口座を利用する旨

ロ イに掲げる者以外の者 払渡金融機関の名称及び

預金口座の口座番号
四 その他必要な事項

（外国で勤務する組合員の特例）
第百二十八条 在外組合員に短期給付を支給する場合の手続に関しては、外務大臣が定めるところによる。

（継続長期組合員となつた者の資格取得届等）
第百二十八条の二 法第百二十四条の二第一項の規定により公庫等職員又は特定公庫等役員である期間引き続き組合員であるものとされることとなつた者は、次に掲げる事項を記載した継続長期組合員資格取得届出書を、公庫等職員又は特定公庫等役員となつたことを証明する書類と併せて組合に提出しなければならない。
一 継続長期組合員の氏名、生年月日、住所及び基礎年金番号
二 公庫等又は特定公庫等である法人の名称
三 その他必要な事項
2 継続長期組合員が令第四十四条の二各号のいずれかに該当することとなつた場合は、その者は、その日から六十日以内に、次に掲げる事項を記載した継続長期組合員転出入届出書を、引き続き他の公庫等職員又は特定公庫等役員となつたことを証明する書類と併せて組合に提出しなければならない。
一 継続長期組合員の氏名、生年月日、住所及び基礎年金番号
二 公庫等又は特定公庫等である法人の名称
三 その他必要な事項
3 組合は、前二項の規定による書類の提出を受けたときは、これを提出した継続長期組合員の氏名、決定した標準報酬の月額及び標準期末手当等の額、厚生年金保険法第八十一条第四項に規定する保険料率（平成二十四年一元化法附則第八十三条に規定する保険料率を含む。）、当該標準報酬の月額及び標準期末手当等の額と掛金及び負担金との割合（退職等年金給付に係るものに限る。）その他必要な事項を当該継続長期組合員の所属する公庫等又は特定公庫等に通知しなければならない。

（継続長期組合員に係る組合員期間の通算の特例）
第百二十八条の三 法第百二十四条の二第四項に規定する財務省令で定める期間は、六月とする。

（継続長期組合員の取扱い）
第百二十八条の四 継続長期組合員に対するこの省令の適用については、第百二十条の九中「法第百二条」とあるのは、「法第百二十四条の二第一項」とする。

（行政執行法人以外の独立行政法人又は国立大学法人等に常時勤務することを要する者の取扱い）
第百二十八条の五 法第百二十四条の三に規定する行政執行法人以外の独立行政法人のうち法別表第二に掲げるもの又は国立大学法人等に常時勤務することを要する者に対するこの省令の適用については、第七条第三項及び第八十一条第一項中「行政執行法人」とあるのは「行政執行法人、独立行政法人のうち法別表第二に掲げるもの、国立大学法人等」と、第百二十条の九中「法第百二条」とあるのは「法第百二条及び第百二十四条の三」とする。

（組合職員の取扱い）
第百二十九条 組合職員に対するこの省令の適用については、第百二十条の九中「法第百二条」とあるのは、「法第百二条及び第百二十五条」とする。

（連合会役職員の取扱い）
第百三十条 連合会役職員に対するこの省令の適用については、第百二十条の九中「法第百二条」とあるのは、「法第百二条及び第百二十六条第二項」とする。

（任意継続組合員となるための申出等）
第百三十条の二 令第四十九条第一項第五号に規定する財務省令で定める事項は、退職時に交付されていた組合員証の組合員等記号・番号又は個人番号、生年月日並びに組合員期間の年数とする。
2 令第四十九条第二項第三号に規定する財務省令で定める事項は、法第百二十六条の五第五項第五号に規定する申出のときに交付されている組合員証の組合員等記号・番号とする。

（任意継続組合員に係る組合員原票の整理等の特例）
第百三十条の三 任意継続組合員に係る第八十七条第一項、第八十八条第一項及び第八十九条の規定の適用については、第八十七条第一項中「組合員の資格の得喪の年月日、住所、所属機関の名称」とあるのは「任意継続組合員となつた事実、任意継続組合員の資格の喪失の年月日、住所」と、第八十八条第一項中「組合員となつた者」とあるのは「任意継続組合員となつた者」と、第八十九条中「組合員の資格を取得した者」とあるのは「任意継続組合員となつた者」とする。

（任意継続組合員に係る訪問看護療養費等に関する特例）
第百三十条の四 任意継続組合員に係る第百二条の二第一項、第百四条、第百五条第二項、第百五条の二、第百六条、第百八条及び第百十三条の三の規定の適用については、次の表の上欄に掲げる規定中同表の中欄に掲げる字句は、それぞれ同表の下欄に掲げる字句とする。

第百二条	法第五十六	令第五十八条第一項におい

の二第一項	条の二第一項	て読み替えて適用される法第五十六条の二第一項
第百四条	法第五十九条第一項	令第五十八条第一項において読み替えて適用される法第五十九条第一項
第百五条第二項	法第五十九条第一項又は第二項	令第五十八条第一項において読み替えて適用される法第五十九条第一項又は第二項
第百五条の二	法第五十九条第一項又は第二項	令第五十八条第一項において読み替えて適用される法第五十九条第一項又は第二項
第百六条	法第六十一条	令第五十八条第一項において読み替えて適用される法第六十一条
第百八条	法第六十三条又は第六十四条	令第五十八条第一項において読み替えて適用される法第六十三条又は第六十四条
第百十三条の三	法第五十四条	令第五十八条第一項において読み替えて適用される法第五十四条

（前納された任意継続掛金の取扱い）

第百三十条の五　法第百二十六条の五第三項の規定により任意継続掛金が前納された後、前納に係る期間の経過前において任意継続掛金の額の引下げが行われることとなつた場合においては、前納された任意継続掛金の額のうち当該任意継続掛金の額の引下げが行われることとなつた後の期間に係るものから当該期間の各月につき払い込むべきこととなる任意継続掛金の額の合計額を控除した額は当該前納に係る期間の後に引き続き任意継続掛金を前納することができる期間に係る前納されるべき任意継続掛金の額の一部とみなす。ただし、当該組合員の請求があつたときは当該残額を当該組合員に還付するものとする。

（前納された任意継続掛金の還付の請求手続）

第百三十条の六　法第百二十六条の五第三項の規定により前納した任意継続掛金の還付を請求しようとする者は、次に掲げる事項を記載した還付請求書を組合に提出しなければならない。

一　還付を請求しようとする者の氏名、生年月日及び住所

二　任意継続組合員であつた者の氏名及び生年月日

三　組合員証の組合員等記号・番号又は個人番号

四　次のイ又はロに掲げる者の区分に応じ、当該イ又はロに定める事項

イ　還付金の払渡しを受けようとする預金口座として公金受取口座を利用しようとする者　還付金の払渡しを受けようとする預金口座として公金受取口座を利用する旨

ロ　イに掲げる者以外の者　払渡金融機関の名称及び預金口座の口座番号

五　還付を請求しようとする金額

六　還付を請求しようとする理由

七　第一号に掲げる者が第二号に掲げる者の相続人であるときは、任意継続組合員であつた者との続柄

2　前項の場合において還付を請求しようとする者が任意継続組合員であつた者の相続人であるときは、次に掲げる書類を提出するものとする。

一　任意継続組合員であつた者の死亡を証明する書類

二　その者が任意継続組合員であつた者の先順位の相続人であることを証明する書類

（様式等の特例）

第百三十一条　任意継続組合員に係る組合員原票は、財務大臣が別に定めるところによるものとする。

2　組合の代表者又は連合会の理事長は、この省令の規定による書類を作成する場合において、電子計算機等の使用その他特別の事情によりこの省令に定める様式により難いときは、財務大臣の承認を受けて、その特例を定めることができる。

（電子情報処理組織による申請等）

第百三十二条　法、令及びこの省令の規定に基づき組合員及び給与支給機関が書面等（情報通信技術活用法第三条第五号に規定する書面等をいう。以下同じ。）により組合に申請等（情報通信技術活用法第三条第八号に規定する申請等をいう。以下同じ。）を行う場合には、電子情報処理組織を使用して行うことができる。

2　前項の規定により電子情報処理組織を使用して申請等を行う場合には、電磁的記録により行うものとする。

3　第一項の規定により電子情報処理組織を使用して申請等を行う場合には、暗証番号及び識別番号を電子計算機に入力すること又は電子署名（電子署名及び認証業務に関する法律（平成十二年法律第百二号）第二条第一項に

規定する電子署名をいう。以下同じ。）により署名等（情報通信技術活用法第三条第六号に規定する署名等をいう。以下同じ。）に代えるものとする。

（電子情報処理組織による処分通知等）

第百三十三条　法、令及びこの省令の規定に基づき組合が書面等により組合員に処分通知等（情報通信技術活用法第三条第九号に規定する処分通知等をいう。以下同じ。）を行う場合には、電子情報処理組織を使用して行うことができる。

2　前項の規定により電子情報処理組織を使用して処分通知等を行う場合には、電磁的記録により行うものとする。

3　第一項の規定により電子情報処理組織を使用して処分通知等を行う場合には、暗証番号及び識別番号を電子計算機に入力すること又は電子署名により署名等に代えるものとする。

（電磁的記録による作成等）

第百三十四条　法、令及びこの省令の規定に基づき組合が作成等（情報通信技術活用法第三条第十一号に規定する作成等をいう。次項において同じ。）を行う場合には、書面等に代えて電磁的記録により行うことができる。

2　前項の規定により作成等を行う場合には、暗証番号及び識別番号を電子計算機に入力すること又は電子署名により署名等に代えるものとする。

（提出書類の特例）

第百三十五条　この省令の規定によつて申請書、申出書、請求書又は届出書に併せて提出すべき書類について、組合又は連合会が番号利用法第二十二条第一項の規定により当該書類と同一の内容を含む利用特定個人情報の提供を受けることができるときは、当該書類の提出を省略することができる。

附　則

1　この省令は、公布の日から施行し、昭和三十三年七月一日から適用する。

2　国家公務員共済組合法施行規則（昭和二十三年大蔵省令第七十七号）及び国家公務員共済組合経理規程（昭和二十八年大蔵省令第四十四号）は、廃止する。

3　廃止前の国家公務員共済組合経理規程第十五条、第七十九条第二号、第八十条及び第八十一条の規定は、昭和三十三年十二月三十一日までは、なお、その効力を有する。

4　次の各号に掲げる様式については、それぞれ当該各号に掲げる日までの間は、運営規則で別段の定をすることができる。

一　様式第九号、第十号、第十二号、第十四号、第十七号から第三十三号まで、第三十八号及び第四十三号　昭和三十四年三月三十一日

二　様式第十一号、第十三号、第十五号、第十六号及び第三十九号から第四十二号まで　昭和三十五年六月三十日

5　廃止前の国家公務員共済組合経理規程の規定に基いてなされた出納職員の任命、取引金融機関の指定、印鑑の登録、取引その他の行為若しくは手続（勘定科目及び現金による支払に係る大蔵大臣の承認を除く。）又は昭和三十三年七月一日からこの省令の施行の日の前日までに法、令、定款若しくは運営規則の規定に基いてなされたこれらの事項、被扶養者の申告、組合員証の交付、短期給付の請求その他の行為若しくは手続は、その行為若しくは手続のなされた日において、この省令中の相当する規定に基いてなされたものとみなす。

6　前二項に定めるもののほか、この省令の施行に伴う必要な経過措置については、別に大蔵大臣が定める。

7　財政融資資金法第七条第三項の規定により財務大臣が定める利率（預託期間が十年の預託金に係るものに限る。）が年四パーセントを下回つている間においては、令附則第三条第三号の規定により連合会が組合の貸付経理に資金を貸し付ける場合の貸付金に係る利率については、第八十五条の八第三項の規定にかかわらず、厚生年金保険給付の事業に係る財政の安定に配慮して財務大臣が別に定める利率によることができる。

8　東日本大震災に対処するための特別の財政援助及び助成に関する法律（平成二十三年法律第四十号）第二条第一項に規定する東日本大震災に際し災害救助法（昭和二十二年法律第百十八号）が適用された市町村の区域における被害に対処するため、令第九条の三第二項第三号及び附則第三条第三号の規定により連合会が組合の貸付経理に資金を貸し付ける場合の貸付金に係る利率については、第八十五条の八第二項及び第三項の規定にかかわらず、長期給付の事業に係る財政の安定に配慮して財務大臣が別に定める利率によることができる。

9　連合会が、令第九条の三第二項第三号及び附則第三条第三号の規定により、地方分権の推進を図るための関係法律の整備等に関する法律（平成十一年法律第八十七号）の施行の日の前日に同法附則第百五十八条第一項に規定する地方職員共済組合の組合員であつて、同法の施行の日において同法附則第七十一条の規定により相当の地方社会保険事務局又は社会保険事務所の職員となつた者及び同法附則第百二十三条の規定により相当の都道府県労働局の職員となつた者が属することとなつた組合に資金（これらの者が、当該地方職員共済組合が貸し付け

た貸付金の弁済に充てるため、その属することとなつた組合から臨時の支出に対する貸付けを受ける場合における資金に限る。）の貸付けを行う場合の貸付金に係る利率については、第八十五条の八第二項、第三項及び附則第七項の規定にかかわらず、これらの者の生活の安定に配慮して財務大臣が別に定める利率によることができる。

10　令附則第十条第一項第一号に規定する財務省令で定める者は、次に掲げる者とする。

一　日本国との平和条約の効力の発生及び日本国とアメリカ合衆国との間の安全保障条約第三条に基く行政協定の実施等に伴い国家公務員法等の一部を改正する等の法律（昭和二十七年法律第百七十四号）による改正前の国家公務員共済組合法第一条第三号及び第四号に掲げる者

二　昭和三十四年一月一日以後において、職員以外の者として、国に使用され、国庫から報酬を受けていた者

11　令附則第十条第一項第一号ハに規定する財務省令で定めるもののうち同号イに掲げる者に準ずる者は、昭和二十四年八月四日から昭和二十八年七月三十一日までの間において、次に掲げるものとして雇用されていたものとする。

一　旧法第一条第一号に規定する常時勤務に服しない者として雇用された者で、次のイ、ロ又はハのいずれにも該当しないもの

イ　勤務日について常勤職員と異なる定めのある者

ロ　勤務時間の定めが一週間について三十六時間（昭和二十七年一月二十二日以後においては、三十三時間）未満の者

ハ　報酬のうち雇用された日において適用されていた政府職員の新給与実施に関する法律（昭和二十三年法律第四十六号）又は一般職の職員の給与に関する法律（昭和二十五年法律第九十五号）に規定する俸給に相当する給与として財務大臣の定める方法により算定した額が、当該法律に定める俸給表に掲げる俸給のうちの最低額に満たない者

二　旧法第一条第二号に規定する臨時に使用される者として雇用された者で、その者が臨時に使用される者として勤務した日（法令の規定により、勤務を要しないこととされ、又は休暇を与えられた日を含むものとし、同条第三号から第五号までに掲げる者及び前項第一号に掲げる者として勤務した日を除く。）が二十二日以上ある月が二月引き続いている期間（次項において「臨時に使用される者に係る待期期間」という。）を有するに至つたもので、その有するに至つた月の翌月以後引き続き臨時に使用される者として勤務することを要することとされていたもの

12　令附則第十条第一項第一号ハに規定する財務省令で定めるもののうち同号ロに掲げる者に準ずる者は、臨時に使用される者に係る待期期間（昭和二十四年八月四日から昭和二十八年七月三十一日までの間に係るものに限る。）を合算した期間又は当該臨時に使用される者に係る待期期間と同号イに規定する待期期間（臨時に使用される者に係る待期期間と重複する期間を除く。）とを合算した期間が十二月となるに至つたもので、そのなるに至つた月の翌月以後常勤職員について定められている勤務時間により勤務することを要するものとされていたものとする。

13　令附則第十条第一項第一号ロ又は前項の規定を適用する場合において、同号イに規定する待期期間のうち附則第十項に規定する者であつた期間は、同号ロ又は前項の当該待期期間に算入しないものとする。

14　令附則第十条の二に規定する財務省令で定める者は、昭和二十年九月二日以前の財務大臣が定める地域における地方公共団体に準ずるものとして財務大臣が定める団体の常勤の職員とする。

15　令附則第十条の二に規定する財務省令で定める期間は、次に掲げる期間とする。

一　令附則第十条の二に規定する外地官署所属職員として勤務した期間の前に引続く国家公務員法（昭和二十二年法律第百二十号）の施行前における職員に相当する者（次号において「職員に相当する者」という。）であつた期間

二　職員に相当する者が召集等により兵役に服するため退職した後他に就職することなく兵役に服し、当該召集等の解除等の日から三年を経過する日の前日までの間に職員（職員に相当する者を含む。以下この号において同じ。）となり、昭和三十四年一月一日（施行法第二十三条第一項に規定する恩給更新組合員にあつては、同年十月一日）の前日まで引続いて職員であつたものの当該兵役に服するため退職した職員であつた期間

三　前二号に掲げる期間に準ずるものとして財務大臣が相当と認める期間

16　令附則第二十七条の二第二項第二号に規定する財務省令で定める者は、次の各号に掲げる者以外の者とする。

一　公務員等共済組合法施行規則（千九百七十年規則第十二号）第二条に規定する者

二　公立学校職員共済組合法施行規則（千九百六十九年規則第四十二号）第二条に規定する者

三　旧公務員退職年金法（千九百六十五年立法第百号）

附則第三条第一項及び第四条第一項に規定する政府等の職員及びこれらの規定に規定する機関に在職していた職員で前二号に掲げる者に準ずる者

17 令附則第二十七条の四第一項に規定する財務省令で定める者は、職員の任免（千九百六十年人事委員会規則第二号）第五条第二号の規定に基づき定められた行政職群の一般事務職の二級の職及びこれと同等以上の職として財務大臣が指定する職にある者とする。

18 前二項に定めるもののほか、沖縄の組合員であつた者に対する共済組合に関する法令の規定の適用に関し必要な細目は、財務大臣が定める。

19 令附則第三十四条の二の四第一項各号に掲げる要件のすべてに該当する法人を設立しようとする者で法附則第二十条の六第一項に規定する承認を受けようとするものは、次に掲げる事項を記載した承認申請書を財務大臣に提出しなければならない。

一 名称及び住所
二 発起人の氏名
三 承認を受けようとする理由
四 郵政会社等との関係の概要

20 令附則第三十四条の二の四第二項に規定する財務省令で定める書類は、次に掲げる書類とする。

一 定款
二 令附則第三十四条の二の四第一項各号に掲げる要件のすべてに該当することを証明する書類
三 事業計画の概要を記載した書類
四 創立総会の議事録又はこれに準ずるもの

21 令附則第三十四条の二の四第二項の規定による申請に係る法人は、設立後、遅滞なく、当該法人の登記簿の謄本を財務大臣に提出しなければならない。

22 国家公務員等共済組合法等の一部を改正する法律の施行に伴う経過措置に関する政令（昭和六十一年政令第五十六号）第六条第四項に規定する財務省令で定める期間は、令第二条第一項第一号から第五号に掲げる者又は同条第二項各号に掲げる者に該当する者であつた期間のうち、人事院規則第九―八（初任給、昇格、昇給等の基準）第四十四条の規定による俸給月額の調整又はこれに相当する法令若しくは規程の規定による俸給月額の調整対象とされなかつた期間とする。

23 法附則第二十条の規定により高齢者の医療の確保に関する法律附則第七条第一項に規定する病床転換支援金等の納付が行われる場合における第六条の規定の適用については、同条第一項第一号中「後期高齢者支援金等」という。）」とあるのは、「後期高齢者支援金等」という。）及び同法附則第七条第一項に規定する病床転換支援金等」とする。

24 組合は、当分の間、電子資格確認に係る組合員及びその被扶養者の個人番号カード（番号利用法第二条第七項に規定する個人番号カードをいう。）の交付の申請（番号利用法第十六条の二第一項に規定する申請をいう。）が円滑に行われるよう、必要な支援を組合員及びその被扶養者に対して行うことができる。

附 則（昭三四・三・一二大蔵令一二）

（施行期日）

1 この省令は、公布の日から施行し、昭和三十四年一月一日から適用する。ただし、別紙様式第二十二号の三の改正規定は、同年四月一日から施行する。

2 国家公務員共済組合連合会、建設省に属する職員をもつて組織する組合及び国家公務員共済組合法附則第二十条第一項各号に掲げる組合に係る貸付金の利率については、昭和三十四年三月三十一日までの間、新規則第十三条及び第八十六条の規定にかかわらず、国家公務員共済組合法施行令附則第三条の二に規定する予定利率によることができる。

附 則（昭三四・五・一四大蔵令三七）（抄）

（施行期日）

1 この省令は、公布の日から施行し、昭和三十四年一月一日から適用する。

（従前の行為等）

2 昭和三十四年一月一日からこの省令の施行の日の前日までに、国家公務員共済組合法、国家公務員共済組合法の長期給付に関する施行法、国家公務員共済組合法施行令（昭和三十三年政令第二百七号）、この省令による改正前の国家公務員共済組合法施行規則、定款又は運営規則の規定に基いてなされたこの省令による改正後の国家公務員共済組合法施行規則（以下「新規則」という。）第百十四条の二から第百十四条の五までに規定する申出、新規則第百十四条の六から第百十四条の二十四までに規定する長期給付に関する請求その他の行為又は手続は、その行為又は手続のなされた日において、新規則中の相当する規定に基いてなされたものとみなす。

（長期組合員となつた者の前歴報告に関する経過措置）

3 昭和三十四年一月一日からこの省令の公布の日の前日までの間において新規則第八十七条の二の規定に該当した者に対する同条の規定の適用については、同条第一項中「そのなつた際」とあり、同条第二項中「その再び長期組合員となつた際」とあるのは、「国家公務員共済組合法施行規則の一部を改正する省令（昭和三十四年大蔵省令第三十七号）の公布の日以後すみやかに」とする。この場合において、同日前に既に同条の前歴報告書に相当する書類及び履歴書の提出がなされているときは、これらの書類の提出は、同条の規定に基いてなされたものとみなす。

（組合員長期原票に関する経過措置）

4　新規則第八十七条の三に規定する組合員長期原票は、同条第一項の規定にかかわらず、この省令の公布の日以後すみやかにこれを備え、整理を行うものとする。

（請求書等の様式に関する経過措置）

5　別紙様式第三十三号の五から別紙様式第三十三号の二十二まで及び別紙様式第三十三号の二十四から別紙様式第三十三号の二十九までについては、昭和三十四年十二月三十一日までの間は、運営規則で別段の定をすることができる。

（その他の経過措置）

6　前四項に定めるもののほか、この省令の施行に伴う必要な経過措置については、別に大蔵大臣が定める。

附　則（昭三四・一〇・一大蔵令六八）

この省令は、公布の日から施行する。

附　則（昭三五・一二・二八大蔵令六七）

この省令は、公布の日から施行し、昭和三十五年十月一日から適用する。

附　則（昭三六・六・一九大蔵令四〇）

（施行期日）

1　この省令は、公布の日から施行する。

（公庫等の在職者の復帰希望職員となるための申出等）

2　この省令による改正後の国家公務員共済組合法施行規則（以下「新規則」という。）第百十三条の四及び第百十三条の五の規定は、国家公務員共済組合法等の一部を改正する法律（昭和三十六年法律第百五十二号）附則第九条第二項に規定する公庫職員及び同法附則第十一条第一項に規定するその他の公庫等職員について、新規則第百十三条の五の規定は、同法附則第十条第一項に規定する公団等職員について、新規則第百十四条の規定は、同法附則第十条第一項の申出について、それぞれ準用する。

（請求書等の様式に関する経過措置）

3　別紙様式第十号、別紙様式第二十六号、別紙様式第三十三号の四、別紙様式第三十三号の二十一、別紙様式第三十三号の二十八及び別紙様式第三十三号の二十九については、昭和三十七年三月三十一日までの間は、運営規則で別段の定めをすることができる。

（その他の経過措置）

4　前三項に定めるもののほか、この省令の施行に伴う必要な経過措置については、別に大蔵大臣が定める。

附　則（昭三六・一一・一大蔵令七〇）（抄）

（施行期日）

1　この省令は、公布の日から施行する。

（退職一時金の選択の申出等）

2　この省令による改正後の国家公務員共済組合法施行規則第百十三条の四の規定は、通算年金制度を創設するための関係法律の一部を改正する法律（昭和三十六年法律第百八十二号）附則第二十一条の規定による申出について準用する。

（請求書等の様式に関する経過措置）

3　別紙様式第三十三号の四、別紙様式第三十三号の十、別紙様式第三十三号の二十三、別紙様式第三十四号、別紙様式第三十五号、別紙様式第四十四号の五及び別表第一号表の第一号表の二については、昭和三十七年三月三十一日までの間は、運営規則で別段の定めをすることができる。

（その他の経過措置）

4　前三項に定めるもののほか、この省令の施行に伴う必要な経過措置については、別に大蔵大臣が定める。

附　則（昭三七・一〇・九大蔵令五八）

最終改正　昭六一・四・三〇大蔵令一九

1　この省令は、公布の日から施行する。

2　組合がこの省令の施行の日（以下「施行日」という。）において保有する長期経理の資産で新規則第十三条の二第一項第一号に掲げるものの価額が、当該経理の資産の総額に同号に規定する割合（第二項の規定により大蔵大臣の承認を受けたときは、その承認を受けた割合とする。）を乗じて得た額（以下この項において「法定額」という。）を下廻る場合においては、当該組合は、昭和三十八年六月三十日までに同号に掲げる資産の価額を法定額以上にしなければならない。

3　組合の保有する貯金経理の資産で新規則第十三条の三第一項第一号に掲げるものの価額は、大蔵大臣が貯金の受払状況、資金の運用その他の事情を考慮して相当と認めて承認したときは、当分の間、同号に規定する額を下廻ることができる。

4　組合が施行日において保有する貯金経理の資産で新規則第十三条の三第一項第一号に掲げるものの価額が同号に規定する価額（前項の規定により大蔵大臣の承認を受けたときは、その承認を受けた価額とする。以下この項において「法定額」という。）を下廻る場合においては、当該組合は、昭和三十八年六月三十日までに、同号に掲げる資産の額を法定額以上にしなければならない。

5　組合が施行日において保有する貯金経理の資産で新規則第十三条の三第二号に掲げるものの価額が同号に規定する価額をこえる場合において、大蔵大臣が貯金の受払状況、資金の運用その他の事情を考慮して相当と認めて承認したときは、同号に掲げる資産の価額は大蔵大臣が承認する期間、同号に規定する額をこえることができる。

6　改正前の国家公務員共済組合法施行規則の一部を改正する省令附則第二項及び附則第三項の規定に基づいて行なわれた大蔵大臣の承認は、その承認された日において、この省令附則中の相当する規定に基づいて行なわれたものとみなす。

附　則（昭三八・六・一七大蔵令三六）

（施行期日）

1　この省令は、公布の日から施行する。ただし、第二条、第百条第一項、第百四条、第百五条第二項、第百六条及び第百七条の改正規定は、昭和三十八年四月一日から適用する。

（請求書等の様式に関する経過措置）

2　別紙様式第二十五号による出産費育児手当金請求書及び配偶者出産費育児手当金請求書については、当分の間、この省令による改正前の様式を使用することができる。

3　別紙様式第三十三号の十の三による退職者台帳については、当分の間、運営規則で別段の定めをすることができる。

附　則（昭三九・一〇・一大蔵令六八）

1　この省令は、公布の日から施行する。

2　この省令による改正前の別紙様式第三十三号の四、別紙様式第三十三号の四の五及び別紙様式第三十三号の十の二は、当分の間、これを取り繕い使用することができる。

3　前二項に定めるもののほか、この省令の施行に伴う必要な経過措置については、別に大蔵大臣が定める。

附　則（昭四〇・六・一大蔵令四〇）

この省令は、公布の日から施行する。

附　則（昭四一・四・一大蔵令二四）

この省令は、公布の日から施行する。

附　則（昭四一・四・一大蔵令二五）

（施行期日）

この省令は、公布の日から施行する。

附　則（昭四一・一一・一〇大蔵令六五）

この省令は、公布の日から施行し、昭和四十一年九月二十九日から適用する。ただし、附則第十三項及び附則第十四項の規定は、同年十月一日から適用する。

附　則（昭四二・三・二五大蔵令九）

1　この省令は、公布の日から施行する。ただし、第六十条第一項及び第三項、第六十一条第三項及び第百十八条並びに別紙様式第三十四号及び別紙様式第三十五号の改正規定は、昭和四十二年四月一日から施行する。

2　この省令施行の際現に存するこの省令による改正前の別紙様式第四号の一、別紙様式第四号の二、別紙様式第四号の三、別紙様式第四号の四、別紙様式第四号の五、別紙様式第四号の九の二、別紙様式第五号、別紙様式第十号、別紙様式第二十二号の一、別紙様式第二十二号の二、別紙様式第二十八号、別紙様式第三十三号の二十三及び別紙様式第三十三号の二十六による用紙は、当分の間、これを取り繕い使用することができる。

3　前二項に定めるもののほか、この省令の施行に伴い必要な経過措置については、別に大蔵大臣が定める。

附　則（昭四二・八・三一大蔵令五六）

1　この省令は、昭和四十二年九月一日から施行する。ただし、国家公務員共済組合法施行規則附則に次の二項を加える改正規定中附則第十六項に係る部分は、同年十月一日から施行する。

2　この省令による改正後の国家公務員共済組合法施行規則（以下「新規則」という。）第百十六条の二の規定は、昭和四十二年四月一日から適用する。

3　昭和四十二年九月一日前に交付された組合員証又は船員組合員証は、新規則附則第十五項及び新規則附則第十六項の規定にかかわらず、同日以降もなおその効力を有する。

4　昭和四十二年九月一日から同月三十日までの間に交付された組合員証又は船員組合員証は、新規則附則第十六項の規定にかかわらず、同年十月一日以降もなおその効力を有する。

5　昭和四十二年十月一日前に行なわれた療養に係る費用の請求に係る診療報酬領収済明細書については、なお従前の例によることができる。

附　則（昭四三・一一・一九大蔵令五六）

この省令は、昭和四十三年十二月一日から施行する。

附　則（昭四四・三・二七大蔵令一〇）

この省令は、昭和四十四年四月一日から施行する。

附　則（昭四四・九・一大蔵令四八）

1　この省令は、公布の日から施行する。

2　この省令の施行の際現に交付されている改正前の別紙様式第十一号による組合員証又は別紙様式第三十九号による船員組合員証は、改正後の別紙様式第十一号又は別紙様式第三十九号の様式によるものとみなす。

3　昭和四十四年九月一日前に行なわれた療養についてその費用を請求するときは、改正前の別紙様式第二十二号の一及び別紙様式第二十二号の二による診療報酬領収済明細書を使用することができる。

4　この省令の施行の際現に存する改正前の別紙様式第十一号による組合員証、別紙様式第二十二号の一及び別紙様式第二十二号の二による診療報酬領収済明細書並びに別紙様式第三十九号による船員組合員証の用紙は、当分の間、これを取り繕い使用することができる。

附　則（昭四四・一〇・一大蔵令五三）

この省令は、公布の日から施行する。

附　則（昭四五・三・三一大蔵令一一）

1　この省令は、公布の日から施行する。ただし、第百十四条の四、第百十四条の六第一項、第百十四条の十五第一項、第百十四条の二十第一項、第百十四条の二十一、第百十四条の二十二第一項及び第三項、第百十四条の二十三第一項並びに別紙様式第三十二号の七及び別紙様式第三十三号の八の改正規定は、昭和四十五年四月一日から施行する。

2　この省令による改正後の国家公務員共済組合法施行規則（以下「新規則」という。）第九十八条の二の改正規定は、昭和四十四年十二月十六日から、新規則第百十六条の二の規定は、同年四月一日から、それぞれ適用する。

3　この省令施行の際現に存するこの省令による改正前の別紙様式第十号及び別紙様式第三十三号の二十三による用紙は、当分の間、これを取り繕い使用することができる。

4　前三項に定めるもののほか、この省令の施行に伴い必要な経過措置については、別に大蔵大臣が定める。

附　則（昭四五・九・三〇大蔵令六七）

1　この省令は、昭和四十五年十月一日から施行する。

2　この省令による改正後の国家公務員共済組合法施行規則第百十六条の二の規定は、昭和四十五年四月一日から適用する。

3　この省令施行の際現に存するこの省令による改正前の別紙様式第三十三号の十七による用紙は、当分の間、これを取り繕い使用することができる。

附　則（昭四六・三・三〇大蔵令一〇）

1　この省令は、公布の日から施行する。ただし、第六十条第一項、第六十一条第一項及び第三項、第百十八条及び第百十八条の二並びに別紙様式第七号の五、別紙様式第七号の十一、別紙様式第三十四号及び別紙様式第三十五号の改正規定は、昭和四十六年四月一日から施行する。

2　この省令施行の際現に存するこの省令による改正前の別紙様式第三号の一、別紙様式第三号の二、別紙様式第三号の三、別紙様式第三十四号及び別紙様式第三十五号による用紙は、当分の間、これを取り繕い使用することができる。

附　則（昭四六・一〇・三〇大蔵令七五）

1　この省令は、昭和四十六年十一月一日から施行する。

2　この省令による改正後の国家公務員共済組合法施行規則第百十六条の二の規定は、昭和四十六年四月一日から適用する。

附　則（昭四七・三・二九大蔵令一一）

この省令は、昭和四十七年四月一日から施行する。

附　則（昭四七・五・一五大蔵令四八）

この省令は、公布の日から施行する。

附　則（昭四七・九・三〇大蔵令七二）

1　この省令は、昭和四十七年十月一日から施行する。

2　この省令による改正後の第百十六条の二の規定は、昭和四十七年四月一日から適用する。

3　この省令の施行の日前に発行された監査証票については、なお従前の例による。

附　則（昭四八・七・二四大蔵令四一）

1　この省令は、公布の日から施行する。

2　この省令による改正後の第百十三条の六第二項及び第三項、第百十三条の七第一項、第百十四条の十五第一項第一号並びに第百十四条の三十三の規定は、この省令の施行の日の前日において現に昭和四十二年度以後における国家公務員共済組合等からの年金の額の改定に関する法律等の一部を改正する法律（昭和四十八年法律第六十二号）第二条の規定による改正後の国家公務員共済組合法（昭和三十三年法律第百二十八号）第百二十四条の二第一項に規定する公庫等職員として在職する者についても、この省令の施行の日以後、適用する。

3　この省令による改正後の第百十六条の二の規定は、昭和四十八年四月一日から適用する。

4　この省令施行の際現に存するこの省令による改正前の別紙様式第三十三号の四の四及び別紙様式第三十三号の四の六による用紙は、当分の間、これを取り繕い使用することができる。

附　則（昭四八・一〇・一大蔵令四六）

改正　昭五七・九・二五大蔵令五一

1　この省令は、公布の日から施行する。

2　昭和四十二年度以後における国家公務員共済組合等からの年金の額の改定に関する法律等の一部を改正する法律（昭和四十八年法律第六十二号。次項において「昭和四十八年改正法」という。）附則第四条第三項の規定によりなお効力を有することとされる同法第二条の規定による改正前の国家公務員共済組合法（昭和三十三年法律第百二十八号）第九十三条の規定による遺族一時金を請求しようとする場合には、改正前の第百十四条の十九の規定の例によるものとする。

3　昭和四十八年十月三十一日以前に給付事由が生じた国家公務員共済組合法（以下この項において「法」という。）の規定による退職年金、障害年金又は遺族年金（国家公務員共済組合法の長期給付に関する施行法（昭和三十三年法律第百二十九号。以下「施行法」という。）の規定によりこれらの年金とみなされる年金を含む。以下「退職年金等」という。）を受ける権利を有する者で昭和四十八年改正法附則第三条第一項の規定の適用を受けるものが、同一の給付事由につき一時恩給若しくは一時金たる長期給付（以下「一時恩給等」という。）の支給を受けた者又はその遺族である場合は、当該年金の額は、第一号に掲げる額から第二号に掲げる額を控除した額とする。

一　退職年金等が昭和四十八年十一月一日に給付事由が生じたものとして法又は施行法の規定（法第七十六条第二項ただし書、第八十八条第二項及び第三項第二号（法第七十六条第三項に係る部分を除く。）並びに別表第三の規定並びに施行法第十三条第二項、第三十二条の三第一項及び第四十五条の三第二項（同法のこれらの規定中同法第十二条に係る部分を除く。）の規定に係る部分に限る。）を適用したとしたならば支給されるべきこととなる額

二　昭和四十八年十月三十一日における退職年金等の額（その額が昭和四十二年度以後における国家公務員共済組合等からの年金の額の改定に関する法律（昭和四十二年法律第百四号）第五条の五第二項及び第五条の五第四項の規定に基づく額であるときは、これらの規定の適用がないものとした場合の額とする。以下この号において同じ。）の算定に際し一時恩給等に係る分として控除することとされている額（その額が、法第七十六条第三項第一号若しくは施行法第十二条第二号の規定による計算方法により計算した額又はその百分の五十に相当する額であるときは、その計算した額又はその百分の五十に相当する額に前号に掲げる額を退職年金等の額とその額の算定に際し一時恩給等に係る分として控除することとされている額との合算額で除して得た割合を乗じて得た額）に相当する額

4　国家公務員共済組合法施行令（昭和三十三年政令第二百七号）附則第二十七条の七の規定により沖縄の共済法（施行法第五十一条の四第二号に規定する沖縄の共済法をいう。以下同じ。）の規定にしたがつて計算された退職年金若しくは遺族年金の決定を請求する手続又は沖縄の共済法の規定にしたがつて計算された退職年金、減額退職年金、障害年金若しくは遺族年金の額の改定を請求する手続は、なお沖縄の共済法の例による。

5　この省令施行の際現に存するこの省令による改正前の別紙様式第三十三号の十七による用紙は、当分の間、これを取り繕い使用することができる。

附　則（昭四八・一〇・二二大蔵令五二）

1　この省令は、公布の日から施行する。ただし、第百五条の次に一条を加える改正規定及び第百二十六条の改正規定は、昭和四十八年十月一日から適用する。

2　この省令施行の際現に存するこの省令による改正前の別紙様式第二十一号及び第三十四号による用紙は、当分の間、これを取り繕い使用することができる。

3　この省令の公布の日前に交付された組合員証、遠隔地被扶養者証及び船員被扶養者証は、この省令による改正後の国家公務員共済組合法施行規則別紙様式第十一号、別紙様式第十五号及び別紙様式第四十号の規定にかかわらず、当分の間、なおその効力を有する。

附　則（昭四八・一二・一二大蔵令六四）

1　この省令は、公布の日から施行する。ただし、別紙様式第十一号、別紙様式第三十三号の十四、別紙様式第三十三号の三十の二、別紙様式第三十四号、別紙様式第三十五号、別紙様式第三十九号及び別紙様式第四十四号の三の改正規定は、昭和四十八年十二月一日から適用する。

2　この省令施行の際現に存するこの省令による改正前の別紙様式第三十三号の四、別紙様式第三十三号の十、別紙様式第三十三号の十四、別紙様式第三十三号の二十三、別紙様式第三十三号の三十の二、別紙様式第三十四号、別紙様式第三十五号及び別紙様式第四十四号の三による用紙は、当分の間、これを取り繕い使用することができる。

3　この省令の施行の日前に交付された組合員証及び船員組合員証は、この省令による改正後の国家公務員共済組合法施行規則

別紙様式第十一号及び別紙様式第三十九号の規定にかかわらず、当分の間、なおその効力を有する。

附　則（昭四八・一二・二七大蔵令六七）

この省令は、公布の日から施行する。

附　則（昭四九・六・二五大蔵令三九）

1　この省令は、公布の日から施行する。
2　この省令による改正後の第百十六条の二の規定は、昭和四十九年四月一日から適用する。
3　この省令施行の際現に存するこの省令による改正前の別紙様式第一号の五、別紙様式第十一号、別紙様式第十五号、別紙様式第三十四号及び別紙様式第三十五号による用紙は、当分の間、これを取り繕い使用することができる。

附　則（昭四九・八・三一大蔵令四九）

1　この省令は、昭和四十九年九月一日から施行する。
2　この省令施行の際現に存するこの省令による改正前の別紙様式第四十四号の一及び別紙様式第四十四号の二から別紙様式第四十四号の四までによる用紙は、当分の間、これを取り繕い使用することができる。

附　則（昭五〇・九・二九大蔵令三五）

1　この省令は、公布の日から施行する。
2　この省令による改正後の第百十六条の二の規定は、昭和五十年四月一日から適用する。

附　則（昭五〇・一一・二〇大蔵令四六）

この省令は、公布の日から施行する。

附　則（昭五一・七・一九大蔵令二〇）

1　この省令は、公布の日から施行する。ただし、第百十四条の十五第二項並びに第百十四条の十六第一項及び第二項並びに別紙様式第三十三号の十五及び別紙様式第四十四号の一の二の改正規定は、昭和五十一年八月一日から施行する。
2　この省令による改正後の国家公務員共済組合法施行規則（以下「新規則」という。）第百十六条の二の規定は、昭和五十一年四月一日から、新規則第百十四条の八、第百十四条の九第一項、第百十四条の十二第二項、第百十四条の十六第三項及び第百三十条の二第一項並びに別紙様式第二十五号、別紙様式第二十八号から別紙様式第三十号まで、別紙様式第三十二号、別紙様式第三十三号、別紙様式第三十三号の十七及び別紙様式第三十三号の十八の規定は、同年七月一日から、それぞれ適用する。
3　この省令施行の際現に存するこの省令による改正前の別紙様式第二十五号、別紙様式第二十八号から別紙様式第三十号まで、別紙様式第三十二号、別紙様式第三十三号、別紙様式第三十三号の十五、別紙様式第三十三号の十七、別紙様式第三十三号の十八及び別紙様式第四十四号の一の二による用紙は、当分の間、これを取り繕い使用することができる。

附　則（昭五一・一一・二九大蔵令三三）

1　この省令は、公布の日から施行する。
2　この省令による改正後の国家公務員共済組合法施行規則第九十六条の二第一項、第九十八条の二、第九十八条の三、第百十四条の十一第二項及び第三項、第百十四条の十三第二項、第百十四条の十四第二項、第百十四条の十五第二項から第五項まで、第百十四条の十六の二、第百十四条の十八第二項、第百十四条の十八の二から第百十四条の十九の二まで、第百十四条の二十第二項、第百十四条の二十四第四項、第百十四条の二十六第二項から第五項まで、第百十四条の二十八第二項及び第三項、第百十四条の三十二、第百二十六条並びに附則第二十一項並びに別紙様式第三十三号の三の二、別紙様式第三十三号の三の三、別紙様式第三十三号の十七から別紙様式第三十三号の十八まで、別紙様式第三十三号の二十一、別紙様式第三十三号の二十二、別紙様式第三十三号の二十三、別紙様式第三十三号の三十の二、別紙様式第三十三号の三十の三、別紙様式第三十三号の三十の五、別紙様式第三十三号の三十一及び別紙様式第四十四号の三から別紙様式第四十四号の四の二までの規定は、昭和五十一年十月一日から適用する。
3　この省令施行の際現に交付されている改正前の別紙様式第十一号による組合員証、別紙様式第十五号による遠隔地被扶養者証、別紙様式第十九号による継続療養証明書又は別紙様式第三十九号による船員組合員証は、改正後の別紙様式第十一号、別紙様式第十五号、別紙様式第十九号又は別紙様式第三十九号の様式によるものとみなす。
4　この省令施行の際現に存するこの省令による改正前の別紙様式第十一号、別紙様式第十五号、別紙様式第十九号、別紙様式第二十二号の一から別紙様式第二十二号の三まで、別紙様式第三十三号の十四、別紙様式第三十三号の十七、別紙様式第三十三号の十七の三、別紙様式第三十三号の十八、別紙様式第三十三号の二十一、別紙様式第三十三号の二十二、別紙様式第三十三号の三十の二、別紙様式第三十三号の三十の三、別紙様式第三十三号の三十一、別紙様式第三十四号、別紙様式第三十五号、別紙様式第三十九号、別紙様式第四十四号の三及び別紙様式第四十四号の四の用紙は、当分の間、これを取り繕い使用することができる。

附　則（昭五二・八・二〇大蔵令三六）

1　この省令は、公布の日から施行する。
2　この省令による改正後の第百十四条の八、第百十四条の九第一項、第百十四条の十二第二項、第百十四条の十六第三項及び第百十六条の二の規定は、昭和五十二年四月一日から適用する。
3　この省令の施行の際現に提出されている国家公務員共済組合法施行令第四十六条第一項の書面は、この省令による改正後の別紙様式第三十三号の四の八の様式によるものとみなす。

附　則（昭五三・九・八大蔵令五三）

1　この省令は、公布の日から施行する。
2　この省令による改正後の第百十四条の八、第百十四条の九第一項、第百十四条の十二第二項、第百十四条の十六第二項及び第三項並びに第百十六条の二の規定は、昭和五十三年四月一日から適用する。

附　則（昭五五・三・一一大蔵令八）

1　この省令は、公布の日から施行する。
2　次の各号に掲げる規定は、当該各号に定める日から適用する。
一　この省令による改正後の第百十四条の八、第百十四条の九第一項、第百十四条の十二第二項及び第百十四条の十六第三項の規定　昭和五十四年四月一日
二　この省令による改正後の第八十七条の二第三項及び第四項、第八十九条、第九十三条第一項、第百十四条の二、第百十四条の十、第百十四条の十五第一項、第百十四条の十九の

二　第百十四条の十九の三並びに第百二十八条の二の規定
　昭和五十五年一月一日

附　則（昭五五・七・三大蔵令三二）

この省令は、公布の日から施行し、改正後の国家公務員共済組合法施行規則第百十六条の二の規定は、昭和五十五年四月一日から適用する。

附　則（昭五五・九・二九大蔵令三八）

１　この省令は、公布の日から施行し、改正後の国家公務員共済組合法施行規則第百十四条の九第二項及び第百十四条の十一第三項の規定は、昭和五十五年七月一日から適用する。

２　この省令施行の際現に交付されている改正前の別紙様式第三十三号の二十三による年金証書、別紙様式第三十三号の二十三の二による通算退職年金証書又は別紙様式第三十三号の二十三の三による通算遺族年金証書は、改正後の別紙様式第三十三号の二十三、別紙様式第三十三号の二十三の二又は別紙様式第三十三号の二十三の三の様式によるものとみなす。

附　則（昭五六・三・二〇大蔵令三）

この省令は、昭和五十六年四月一日から施行する。

附　則（昭五六・三・二八大蔵令四）

１　この省令は、公布の日から施行し、昭和五十六年三月一日から適用する。

２　この省令施行の際現に交付されているこの省令による改正前の別紙様式第十一号による組合員証、別紙様式第十五号による遠隔地被扶養者証、別紙様式第三十九号による船員組合員証又は別紙様式第四十号による船員被扶養者証は、この省令による改正後の別紙様式第十一号、別紙様式第十五号、別紙様式第三十九号又は別紙様式第四十号の様式によるものとみなす。

附　則（昭五六・六・二〇大蔵令三五）

１　この省令は、公布の日から施行する。ただし、第八十一条の次に一条を加える改正規定並びに第八十二条、第八十四条第二項及び別表第一号表の九の改正規定は、昭和五十七年三月三十一日から施行する。

２　この省令による改正後の第百十六条の二の規定は、昭和五十六年四月一日から適用する。

３　この省令による改正前の第八十二条の規定に基づき積み立てられた貸付経理における不足金補てん積立金は、この省令による改正後の第八十一条の二の規定により積み立てられた貸付資金積立金とみなす。

附　則（昭五六・七・二三大蔵令四一）

１　この省令は、公布の日から施行する。

２　この省令による改正後の第百十四条の十五の規定は、昭和五十六年五月三十日以後に給付事由の生じた給付について適用し、同日前に給付事由が生じた給付については、なお従前の例による。

附　則（昭五七・六・二大蔵令三三）

この省令は、公布の日から施行し、改正後の国家公務員共済組合法施行規則第百十六条の二の規定は、昭和五十七年四月一日から適用する。

附　則（昭五七・九・二五大蔵令五一）

この省令は、昭和五十七年十月一日から施行する。

附　則（昭五八・二・一大蔵令一）

１　この省令は、公布の日から施行する。

２　この省令施行の際現に交付されているこの省令による改正前の別紙様式第十一号による組合員証、別紙様式第十五号による遠隔地被扶養者証、別紙様式第十九号による継続療養証明書、別紙様式第三十九号による船員組合員証又は別紙様式第四十号による船員被扶養者証は、この省令による改正後の別紙様式第十一号、別紙様式第十五号、別紙様式第十九号、別紙様式第三十九号又は別紙様式第四十号の様式によるものとみなす。

附　則（昭五九・三・一七大蔵令三）

改正　昭六〇・三・五大蔵令七

（施行期日）

１　この省令は、国家公務員及び公共企業体職員に係る共済組合制度の統合等を図るための国家公務員共済組合法等の一部を改正する法律の施行の日（昭和五十九年四月一日。以下「施行日」という。）から施行する。

（専売共済組合経理規程等の廃止）

２　次に掲げる省令は、廃止する。

一　専売共済組合経理規程（昭和三十二年大蔵省令第二十六号）

二　国家公務員共済組合連合会補助金交付規則（昭和三十二年大蔵省令第八十六号）

三　専売共済組合が支給する高額療養費に関し診療科目を異にする診療について別個の保険医療機関とみなされる保険医療機関を定める省令（昭和四十八年大蔵省令第四十九号）

四　専売共済組合が支給する遺族年金等の加算の特例の調整に関する省令（昭和五十一年大蔵省令第二十三号）

（公共企業体の組合に係る経過措置等）

３　廃止前の専売共済組合経理規程（昭和三十二年大蔵省令第二十六号）、廃止前の国鉄共済組合経理規則（昭和三十一年運輸省令第四十八号）及び廃止前の日本電信電話公社共済組合経理規程（昭和三十二年郵政省令第三号）の規定に基づいてなされた取引金融機関の指定、取引その他の行為又は手続は、その行為又は手続のなされた日において、この省令の相当する規定に基づいてなされたものとみなす。

４　国家公務員等共済組合法（以下「法」という。）附則第十四条の三第二項に規定する国鉄共済組合について第一条の規定による改正後の国家公務員等共済組合法施行規則（以下「新規則」という。）を適用する場合においては、当分の間、新規則第三条中「次の各号」とあるのは「次の各号（第三号を除く。）」と、新規則第十条第一項第五号中「不動産は」とあるのは「不動産（日本国有鉄道の所有地内にある建物で、これに関し紛争を生ずるおそれのないものを除く。）は」と読み替えるものとする。

５　新規則第二条に規定する公共企業体等の組合の保有する長期経理の資産について新規則第十三条の二の規定を適用する場合においては、当分の間、同条第三項中「理由」とあるのは「理由又は大蔵大臣が相当と認めた理由」と読み替えるものとする。

（減価償却等に関する経過措置）

６　新規則第六十八条の規定は、施行日以後に取得した有形固定資産の減価償却について適用し、施行日前に取得した有形固定資産の減価償却については、なお従前の例による。

７　新規則第八十一条の規定は、施行日以後に取得した固定資産に係る積立てについて適用し、施行日前に取得した固定資産に係る積立てについては、なお従前の例による。

（一時金の支給を受けた移行組合員に関する届出の特例等）

8 法又は旧公企体共済法（国家公務員等共済組合法の長期給付に関する施行法（昭和三十三年法律第百二十九号。以下「施行法」という。）第五十一条の十一第一号に規定する旧公企体共済法をいう。次項及び第十一項において同じ。）の規定による一時金である長期給付の支給を受けた移行組合員（施行法第五十一条の十一第三号に規定する移行組合員をいい、施行法第五十一条の十六に規定する者を含む。次項において同じ。）は、施行日から六十日を経過する日以前に、新規則第八十七条の二第一項本文及び第六項の規定の例により、前歴報告書を提出しなければならない。ただし、その者が当該一時金を支給した新規則第二条に規定する組合（当該一時金が法の規定による一時金である場合にあつては、同条に規定する連合会を組織する組合）の組合員であるとき、又はその者が当該一時金について施行法第五十一条の十二第二項第三号の申出をした者であるときは、この限りでない。

9 施行日の前日において法若しくは施行法又は旧公企体共済法の規定による年金を受ける権利を有していた移行組合員（同日において当該年金を支給すべき新規則第二条に規定する組合（当該年金が法又は施行法の規定による年金である場合にあつては、同条に規定する連合会を組織する組合）の組合員である者及び施行法第五十一条の十三第一項の申出をした者を除く。）は、施行日から六十日を経過する日以前に、新規則第百十四条の三十の規定の例により、再就職届を提出しなければならない。この場合においては、新規則第百十四条の二十四の二第二項の規定を準用する。

（郵政省共済組合の連合会加入に伴う経過措置等）

10 国家公務員及び公共企業体職員に係る共済組合制度の統合等を図るための国家公務員共済組合法等の一部を改正する法律の施行に伴う関係政令の整備等に関する政令（昭和五十九年政令第三十五号）附則第三条第一項に規定する郵政省共済組合について新規則を適用する場合においては、当分の間、新規則第六条第一項第二号中「長期給付及びこれらに準ずる給付」とあるのは「連合会により委任された長期給付に関する業務」と読み替えるものとする。

11 新規則第八十九条、第九十五条第二項及び第百条第二項の規定の適用については、第一条の規定による改正前の国家公務員共済組合法施行規則別紙様式第十一号、第十五号若しくは第十九号による組合員証、遠隔地被扶養者証若しくは継続療養証明書（以下この項において「組合員証等」という。）又は旧公企体共済法第六条第一項の運営規則により定められた様式による組合員証等で、この省令の施行の際現に交付されているものは、当分の間、新規則別紙様式第十一号、第十五号若しくは第十九号による組合員証等とみなす。

（大蔵大臣への委任）

12 第三項から前項までに定めるもののほか、この省令の施行に伴う必要な経過措置については、別に大蔵大臣が定める。

附 則（昭五九・三・三〇大蔵・文部・厚生・農水・自治令一）（抄）

1 この省令は、昭和五十九年四月一日から施行する。

附 則（昭五九・九・二一大蔵令三六）

この省令は、昭和五十九年十月一日から施行する。

附 則（昭五九・九・二九大蔵令四二）

1 この省令は、昭和五十九年十月一日から施行する。

2 この省令施行の際現に交付されているこの省令による改正前の別紙様式第十一号による組合員証、別紙様式第十五号による遠隔地被扶養者証、別紙様式第十九号による継続療養証明書、別紙様式第三十九号による船員組合員証又は別紙様式第四十号による船員被扶養者証は、この省令による改正後の別紙様式第十一号、別紙様式第十五号、別紙様式第十九号、別紙様式第三十九号又は別紙様式第四十号の様式によるものとみなす。

附 則（昭五九・一二・三大蔵令四五）

この省令は、昭和六十年三月三十一日から施行する。ただし、別紙様式第三十四号⑵及び⑶並びに別紙様式第三十五号⑷の改正規定は公布の日から、目次及び第八十五条の改正規定並びに第百三十一条の次に一条を加える改正規定は同年四月一日から施行する。

附 則（昭六〇・三・五大蔵令七）（抄）

（施行期日）

第一条 この省令は、昭和六十年四月一日から施行する。〔ただし書略〕

（国家公務員等共済組合法施行規則の一部改正に伴う経過措置）

第六条 専売共済組合（第十一条の規定による改正前の国家公務員等共済組合法施行規則附則第三十八項に規定する専売共済組合をいう。）が、この省令の施行の際、現に交付している、同条の規定による改正前の国家公務員等共済組合法施行規則別紙様式第十一号、第十五号、第十九号又は第三十三号の二十三による組合員証、遠隔地被扶養者証、継続療養証明書又は年金証書は、日本たばこ産業共済組合（国家公務員等共済組合法（昭和三十三年法律第百二十八号）第九十九条第三項に規定する日本たばこ産業共済組合をいう。）によつて交付されたものとみなす。

2 前項に定めるもののほか、国家公務員等共済組合法施行規則の一部改正に伴う経過措置については、別に大蔵大臣が定める。

附 則（昭六〇・三・三〇大蔵令一一）

1 この省令は、公布の日から施行する。ただし、目次、第二十七条の二各号列記以外の部分、第百十六条の二、第六章の三の章名、第百十六条の三第一項第四号及び附則第三十八項の改正規定は、昭和六十年四月一日から施行する。

2 日本電信電話公社共済組合（この省令による改正前の国家公務員等共済組合法施行規則附則第三十八項に規定する日本電信電話公社共済組合をいう。）が、この省令の施行の際、現に交付している、この省令による改正前の国家公務員等共済組合法施行規則別紙様式第十一号、第十五号、第十九号、第二十一号の二又は第三十三号の二十三による組合員証、遠隔地被扶養者証、継続療養証明書、特定疾病療養受療証又は年金証書は、日本電信電話共済組合（国家公務員等共済組合法（昭和三十三年法律第百二十八号）第九十九条第三項に規定する日本電信電話共済組合をいう。）によつて交付されたものとみなす。

3 前項に定めるもののほか、この省令の施行に伴う経過措置については、別に大蔵大臣が定める。

附 則（昭六〇・一二・二一大蔵令六〇）（抄）

1　この省令は公布の日から施行する。ただし、「一般職の職員の給与に関する法律」を「一般職の職員の給与等に関する法律」に改める規定は、昭和六十一年一月一日から施行する。

附　則（昭六一・三・三一大蔵令八）

改正　平一五・一・三一財務令一

1　この省令は、昭和六十一年四月一日から施行する。

2　この省令による改正前の国家公務員等共済組合法施行規則第百十四条の二十八第五項及び第六項の規定は、昭和六十三年七月までの分として支給される退職年金又は減額退職年金に係る書類の提出及び支払の差止めについては、なおその効力を有する。

3　国家公務員等共済組合法等の一部を改正する法律（昭和六十年法律第百五号）附則第六十二条第二項に規定する申出は、次に掲げる事項を記載した申出書を提出するものとする。

一　受給権者の氏名、生年月日及び住所

二　受給している年金の年金証書の記号番号

三　一時金の額及び種類、一時金を受けた年月日並びに一時金の返還方法

四　その他必要な事項

4　この省令による改正後の規定は、昭和六十一年四月一日以後に給付事由が生じた給付について適用し、同日前に給付事由が生じた給付については、次項の規定を適用する場合を除き、なお従前の例による。

5　昭和六十一年四月一日前に給付事由が生じた給付については、この省令による改正前の国家公務員等共済組合法施行規則第百十四条の二十八第一項、第二項及び第四項（同条第二項に係る部分に限る。）並びに第百十四条の二十九の規定を適用せず、同日以後に給付事由が生じた給付とみなして、国家公務員共済組合法施行規則の一部を改正する省令（平成十五年財務省令第一号）による改正後の国家公務員共済組合法施行規則（昭和三十三年大蔵省令第五十四号）第百十四条の四十の二、第百十四条の四十の三及び第百十四条の四十二の規定を適用する。この場合において、同令第百十四条の四十の二第一項中「法第七十三条第四項」とあるのは「昭和六十年改正法附則第十条第一項の規定により適用することとされた法第七十三条第四項」と、「年金である給付を支給する月」とあるのは「昭和六十年改正法附則第三条第一項の規定によりなお従前の例によることとされた昭和六十年改正法の施行の日前に給付事由が生じた年金である給付を支給する月」と、「同条第四項ただし書」とあるのは「昭和六十年改正法附則第十条第一項の規定により適用することとされた法第七十三条第四項ただし書」と読み替えるものとする。

6　第二項から前項までに定めるもののほか、この省令の施行に伴う経過措置については、別に大蔵大臣が定める。

附　則（昭六一・四・三〇大蔵令一九）（抄）

1　この省令は、公布の日から施行する。

2　改正後の国家公務員等共済組合法施行規則第十三条の二第一項第三号に掲げる資産の価額は、当分の間、同号の規定にかかわらず長期経理の資産の総額に大蔵大臣の承認を受けた割合を乗じて得た額以下とすることができる。

附　則（昭六二・三・二七大蔵令一二）（抄）

（施行期日）

第一条　この省令は、昭和六十二年四月一日から施行する。

（国家公務員等共済組合法施行規則の一部改正に伴う経過措置）

第四条　国鉄共済組合（第十四条の規定による改正前の国家公務員等共済組合法施行規則附則第十六項に規定する国鉄共済組合をいう。）が、この省令の施行の際、現に交付している、同条の規定による改正前の国家公務員等共済組合法施行規則第百十四条の三十九第一項に規定する年金証書並びに別紙様式第十一号、第十五号、第十九号、第二十一号の二及び第三十九号による組合員証、遠隔地被扶養者証、継続療養証明書、特定疾病療養受療証及び船員組合員証は、日本鉄道共済組合（国家公務員等共済組合法（昭和三十三年法律第百二十八号）第八条第二項に規定する日本鉄道共済組合をいう。）によって交付されたものとみなす。

2　前項に定めるもののほか、国家公務員等共済組合法施行規則の一部改正に伴う経過措置については、別に大蔵大臣が定める。

附　則（昭六二・六・二七大蔵令三四）

この省令は、公布の日から施行する。

附　則（昭六二・一〇・一大蔵令五二）

この省令は、昭和六十二年十月一日から施行する。

附　則（昭六三・一二・一五大蔵令四六）

この省令は、公布の日から施行する。

附　則（平元・四・六大蔵令四三）

この省令は、公布の日から施行する。

附　則（平元・一二・二七大蔵令七七）

1　この省令は、公布の日から施行する。ただし、第六条第一項第一号並びに別紙様式第一号第一号の五、別紙様式第九号、別紙様式第十六号の二から別紙様式第十六号の四まで、別紙様式第三十四号及び別紙様式第三十五号並びに別表第一号表の改正規定は、平成二年一月一日から施行する。

2　この省令による改正後の国家公務員等共済組合法施行規則附則第二十項の規定は、平成元年十二月一日から適用する。

3　この省令施行の際現に存するこの省令による改正前の別紙様式第一号第一号の五、別紙様式第九号、別紙様式第十六号の二から第十六号の四まで、別紙様式第三十四号及び別紙様式第三十五号による用紙は、当分の間、これを取り繕い使用することができる。

附　則（平二・三・二八大蔵令七）

この省令は、平成二年四月一日から施行する。

附　則（平三・三・二五大蔵令九）

1　この省令は、平成三年四月一日から施行する。

2　この省令施行の際現に存するこの省令による改正前の別紙様式第四号第四号の二、第四号の三、第四号の九及び第四号の十並びに別紙様式第七号第七号の二、第七号の四、第七号の七及び第七号の十五の用紙は、当分の間、これを取り繕い使用することができる。

附　則（平五・七・一五大蔵令七二）

1　この省令は、公布の日から施行する。

2　この省令施行の際現に存するこの省令による改正前の別紙様式第十号、別紙様式第十二号から別紙様式第十四号まで、別紙様式第十六号から別紙様式第十八号まで、別紙様式第二十号、別紙様式第二十一号、別紙様式第二十三号から別紙様式第二十

五号まで、別紙様式第二十八号から別紙様式第三十三号まで、別紙様式第三十四号、別紙様式第三十五号、別紙様式第三十八号及び別紙様式第四十一号から別紙様式第四十四号までの用紙は、当分の間、使用することができる。

附　則（平六・八・三一大蔵令八二）

この省令は、一般職の職員の勤務時間、休暇等に関する法律の施行の日（平成六年九月一日）から施行する。

附　則（平六・九・三〇大蔵令一〇一）

最終改正　平一二・八・二一大蔵令六九

（施行期日等）

第一条　この省令は、平成六年十月一日から施行する。ただし、第百十五条の二を削り、第百十五条の三を第百十五条の二とする改正規定及び附則第五条の規定は、公布の日から施行する。

２　この省令による改正後の国家公務員等共済組合法施行規則第百十四条の三十三第二項の規定は、平成六年四月一日から適用する。

（申請等に係る経過措置）

第二条　この省令の施行の日（以下「施行日」という。）前に行われた看護又は移送に係る申請については、なお従前の例による。

第三条　施行日前に行われた看護又は移送に係る療養費の請求については、なお従前の例による。

２　施行日前に入院していた組合員又は組合員であつた者であつて、被扶養者がいない者に係る施行日前までの傷病手当金及び出産手当金の請求については、なお従前の例による。

３　出産の日が施行日前である組合員又は組合員であつた者に係る出産費、配偶者出産費及び育児手当金の支給の請求については、なお従前の例による。

第四条　健康保険法等の一部を改正する法律（平成六年法律第五十六号）附則第四十七条第二項（同条第三項において準用する場合を含む。）の規定による付添看護に係る申請及び療養費の請求については、なお従前の例による。

（掛金の調整に関する経過措置）

第五条　国家公務員等共済組合法施行令の一部を改正する政令（平成六年政令第二百号。以下「改正令」という。）附則第四項に規定する財務省令で定める場合は、自衛隊法（昭和二十九年法律第百六十五号）第三十六条第二項の規定により、同条第一項の規定を適用しないものとされた者が、同項の規定に該当することとなつた場合以外の場合とする。

２　改正令附則第四項の規定により、改正令による改正前の国家公務員等共済組合法施行令（以下「旧施行令」という。）第十二条の三第一項又は第二項の規定の例により掛金を徴収し、又は還付する場合において、それぞれ掛金を徴収し、又は還付することができることとなつた日の属する月の翌月から三年以内に、これを納付させ又は還付しなければならない。

３　前項の規定により掛金を徴収し、又は還付する場合の利息は、旧施行令第十二条の三第一項又は第二項に規定する組合員が負担した各年度ごとの掛金額に、それぞれこれに対する翌年度の四月一日から改正令附則第三項に規定する適用日の属する月の前月の末日までの期間について付するものとする。

４　前項に規定する利息は、複利計算によるものとする。

（様式の特例）

第六条　施行日において現に交付されているこの省令による改正前の別紙様式第十一号による組合員証、別紙様式第十五号による遠隔地被扶養者証、別紙様式第十九号による継続療養証明書、別紙様式第二十一号の二による特定疾病療養受療証、別紙様式第三十七号による検査証票、別紙様式第三十九号による船員組合員証及び別紙様式第四十号による船員組合員被扶養者証は、この省令による改正後の別紙様式第十一号、別紙様式第十五号、別紙様式第十九号、別紙様式第二十一号の二、別紙様式第三十七号、別紙様式第三十九号及び別紙様式第四十号の様式によるものとみなす。

（老人保健法の一部改正に伴う国家公務員共済組合の業務等の特例）

第七条　健康保険法等の一部を改正する法律（平成六年法律第五十六号）附則第二十五条第一項の規定の適用がある場合における国家公務員共済組合法施行規則第六条の規定の適用については、同条第一項第一号中「第五十三条第一項」とあるのは、「第五十三条第一項及び同法附則第三条第一項」とする。

附　則（平六・一一・一六大蔵令一〇九）

１　この省令は、平成六年十二月一日から施行する。

２　国家公務員等共済組合法施行規則の一部を改正する省令（昭和六十一年大蔵省令第八号）による改正前の国家公務員等共済組合法施行規則第百九条の二の規定は、なおその効力を有する。この場合において、同条中「三百分の一」とあるのは、「二百六十四分の一」と読み替えるものとする。

３　改正後の国家公務員等共済組合法施行規則第百九条の二及び前項の規定は、平成六年十二月一日以後に給付事由が生じた国家公務員等共済組合法による傷病手当金について適用し、同日前に給付事由が生じた同法による傷病手当金については、なお従前の例による。

附　則（平七・三・二九大蔵令一七）

この省令は、平成七年四月一日から施行する。

附　則（平七・三・三一大蔵令二七）

この省令は、平成七年四月一日から施行する。

附　則（平七・六・二九大蔵令四四）

この省令は、平成七年七月一日から施行する。

附　則（平七・七・三一大蔵令五四）

この省令は、公布の日から施行する。

附　則（平八・三・二九大蔵令一六）

１　この省令は、平成八年四月一日から施行する。ただし、第八十七条の二、第八十七条の三、第百十四条の四十二第一項、第百十四条の四十三第一項及び第百十四条の四十五の改正規定並びに次項の規定は、平成八年六月一日から施行する。

２　平成八年五月三十一日において長期組合員であつて、平成八年六月一日において引き続き長期組合員であるものは、その氏名、生年月日及び住所を記載した書類を、速やかに、国家公務員等共済組合（国家公務員等共済組合法施行規則第二条に規定する連合会を組織する組合にあつては、当該連合会を組織する組合が確認を行つた後、国家公務員等共済組合連合会）に提出しなければならない。

３　この省令の施行の際現に存するこの省令による改正前の別紙様式第九号、別紙様式第三十三号の二及び別紙様式第四十五号から別紙様式第四十七号までの用紙は、当分の間、使用することができる。

4　この省令の施行の際現に存するこの省令による改正前の別紙様式第二十九号から別紙様式第三十一号の三までの用紙は、当分の間、これを取り繕い使用することができる。

附　則（平八・六・二八大蔵令三七）

この省令は、平成八年七月一日から施行する。

附　則（平九・三・二八大蔵令二〇）

1　この省令は、平成九年四月一日から施行する。ただし、第二条の規定は、平成十年四月一日から施行する。

2　第一条の規定による改正後の国家公務員共済組合法施行規則第六条第一項第二号の規定の適用については、当分の間、「及び国民年金法（昭和三十四年法律第百四十一号）第九十四条の二第二項に規定する基礎年金拠出金」とあるのは、「、国民年金法（昭和三十四年法律第百四十一号）第九十四条の二第二項に規定する基礎年金拠出金及び厚生年金保険法等の一部を改正する法律（平成八年法律第八十二号）附則第二条による廃止前の被用者年金制度間の費用負担の調整に関する特別措置法（平成元年法律第八十七号）第七条第二項に規定する調整拠出金」とする。

3　この省令の施行の際現に存する第一条の規定による改正前の国家公務員等共済組合法施行規則別紙様式第十六号の二から別紙様式第十六号の四まで、別紙様式第二十八号、別紙様式第三十一号、別紙様式第三十三号の三、別紙様式第三十六号、別紙様式第三十七号及び別紙様式第四十五号から別紙様式第四十七号まで並びに別表第一号表の二の用紙並びに第六条の規定による改正前の旧令共済組合年金等交付金交付規則別紙第一号様式から別紙第六号様式までの用紙は、当分の間、これを取り繕い使用することができる。

附　則（平九・八・二八大蔵令六七）

1　この省令は、平成九年九月一日から施行する。

2　この省令による改正前の別紙様式第十一号による組合員証、別紙様式第十五号による遠隔地被扶養者証、別紙様式第十九号による継続療養証明書、別紙様式第二十二号の一から別紙様式第二十二号の三までによる診療報酬領収済明細書、別紙様式第三十九号による船員組合員証及び別紙様式第四十号による船員被扶養者証は、当分の間、この省令による改正後の別紙様式第十一号、別紙様式第十五号、別紙様式第十九号、別紙様式第二十二号の一から別紙様式第二十二号の三まで、別紙様式第三十九号及び別紙様式第四十号の様式によるものとみなす。

附　則（平一〇・三・三一大蔵令四二）

1　この省令は、平成十年四月一日から施行する。

2　この省令の施行の際現に医療法の一部を改正する法律（平成九年法律第百二十五号）による改正前の医療法（昭和二十三年法律第二百五号）第四条の規定による承認を受けている病院（国家公務員共済組合法第五十五条第一項第三号に規定する保険医療機関又は同法第五十五条の三第一項第一号に規定する特定承認保険医療機関であるものに限る。以下「旧総合病院」という。）において、この省令の施行の日前に行われた療養に係る同法の規定による高額療養費の支給については、なお従前の例による。

3　旧総合病院については、改正前の国家公務員共済組合法施行規則第百五条の四第十二項の規定は、当分の間、なおその効力を有する。

附　則（平一一・三・三一大蔵令二九）

この省令は、平成十一年四月一日から施行する。

附　則（平一一・八・六大蔵令七七）

この省令は、公布の日から施行する。

附　則（平一二・二・二八大蔵令六）

1　この省令は、平成十二年四月一日から施行する。

2　この省令による改正後の別紙様式第三十五号の規定は、この省令の施行の日（以下「施行日」という。）以後に開始する事業年度に係る決算事業報告書について適用し、施行日前に開始する事業年度に係る決算事業報告書については、なお従前の例による。

3　この省令による改正後の第六条及び別表第一号表の規定は、施行日以後に開始する事業年度に係る経理単位について適用する。

4　この省令の施行の際現に存するこの省令による改正前の別紙様式第二十八号及び別紙様式第二十九号の用紙は、当分の間、これを取り繕い使用することができる。

附　則（平一二・三・一七大蔵令一三）

この省令は、平成十二年三月二十一日から施行する。

附　則（平一二・三・三一大蔵令四四）

1　この省令は、公布の日から施行する。ただし、第一条中国家公務員共済組合法施行規則第九十七条及び第百十四条の四十四の改正規定（中略）は、平成十二年四月一日から施行する。

2　第一条の規定による改正後の国家公務員共済組合法施行規則第六十二条、第八十五条第二項及び第百二十二条第三項（中略）の規定は、平成十一年四月一日に始まる事業年度に係るこれらの規定に規定する書類から適用する。

附　則（平一二・三・三一大蔵令四五）

1　この省令は、平成十二年四月一日から施行する。

2　この省令による改正後の第八十五条の二、第八十六条及び附則第七項の規定は、この省令の施行の日以後に貸し付けた貸付金の利率について適用し、同日前に貸し付けた貸付金の利率については、なお従前の例による。

○中央省庁等改革のための財務省関係大蔵省令の整備等に関する省令（抄）

平一二・八・二一
大蔵令六九

改正　平一二・一二・二八大蔵令九三

（旧国家公務員共済組合の平成十二年十二月の出納計算表等に関する経過措置）

第百八十条　旧組合（中央省庁等改革関係法施行法（平成十一年法律第百六十号）第千三百二十五条第五項に規定する旧組合をいう。次条及び第百八十二条において同じ。）の平成十二年十二月に係る出納計算表及び事業報告書については、なお従前の例による。この場合において、なお従前の例によることとされる第四十八条の規定による改正前の国家公務員共済組合法施行規則（以下「改正前国共済施行規則」という。）第六十条第三項及び第百十八条第三項に規定する大蔵大臣は、財務大臣とする。

（旧国家公務員共済組合の解散月の帳簿の記入等に関する経過措置）

第百八十一条　旧組合の平成十二年四月一日に始まる事業年度（次条において「最終事業年度」という。）の終了する月（次項において「解散月」という。）に係る改正前国共済施行規則第五十八条第二項、第五十九条第二項並びに第六十条第一項及び第二項の規定の適用については、これらの規定中「毎月末日」とあるのは、「平成十三年一月五日」とする。

2　旧組合の解散月に係る帳簿の記入並びに出納計算表及び事業報告書の作成及び提出に係る改正前国共済施行規則第五十八条から第六十条まで及び第百十八条の規定は、なおその効力を有する。この場合において、前項の規定により読み替えられた改正前国共済施行規則第六十条第一項中「翌月五日」とあるのは「同月十一日」と、「翌月十五日」とあるのは「同月十九日」と、同条第二項中「翌月二十五日」とあるのは「同月末日」と、同条第三項中「その提出を受けた月の末日までに、大蔵大臣」とあるのは「平成十三年二月五日までに、財務大臣」と、改正前国共済施行規則第百十八条第一項中「毎月末日」とあるのは「平成十三年一月五日」と、「翌月十五日」とあるのは「同月十九日」と、同条第二項中「提出を受けた月の二十五日」とあるのは「平成十三年一月末日」と、同条第三項中「提出を受けた月の末日までに、大蔵大臣」とあるのは「平成十三年二月五日までに、財務大臣」とする。

（旧国家公務員共済組合の最終事業年度の決算精算表等に関する経過措置）

第百八十二条　旧組合の最終事業年度の決算に係る改正前国共済施行規則第六十一条、第七十八条及び第百十八条の二の規定は、なおその効力を有する。この場合において、改正前国共済施行規則第六十一条第一項中「翌事業年度四月十五日」とあるのは「平成十三年一月十九日」と、「翌事業年度四月二十五日」とあるのは「同月末日」と、同条第二項中「翌事業年度の五月二十日」とあるのは「平成十三年二月二十三日」と、同条第三項中「翌事業年度の五月三十一日までに、大蔵大臣」とあるのは「平成十三年三月六日までに、財務大臣」と、改正前国共済施行規則第七十八条中「十二分の二」とあるのは「九分の二」と、改正前国共済施行規則第百十八条の二第一項中「翌事業年度の四月二十五日」とあるのは「平成十三年一月末日」と、同条第二項中「翌事業年度の五月二十日」とあるのは「平成十三年二月二十三日」と、同条第三項中「翌事業年度の五月三十一日までに、大蔵大臣」とあるのは「平成十三年三月六日までに、財務大臣」とする。

2　改正前国共済施行規則第八十二条の規定により旧組合の最終事業年度の欠損金補てん積立金の額を算定する場合において、同条第一号に規定する当該事業年度以前三事業年度における短期給付の平均請求額の算定の基礎となる当該最終事業年度の短期給付の請求額については、当該最終事業年度の短期給付の請求額の九分の十二に相当する額とする。

（新国家公務員共済組合の最初の事業年度の福祉経理の財源等に関する経過措置）

第百八十三条　新組合（中央省庁等改革関係法施行法第千三百二十八条第一項に規定する新組合をいい、防衛庁共済組合（同法第千三百二十四条第一項に規定する防衛庁共済組合をいう。）を除く。以下この条において同じ。）の最初の事業年度に係る福祉経理の財源並びに事業計画及び予算の認可については、改正前国共済施行規則第七条第一項中「の前事業年度における剰余金」とあるのは「に権利及び義務を承継した旧組合（中央省庁等改革関係法施行法（平成十一年法律第百六十号）第千三百二十五条第五項に規定する旧組合をいう。）の平成十二年四月一日に始まる事業年度における剰余金」と、改正前国共済施行規則第二十二条中「前事業年度の二月末日」とあるのは「平成十二年十一月末日」と読み替えて、これらの規定を適用する。

2　新組合の最初の事業年度末日における支払準備金に係る第四十八条の規定による改正後の国家公務員共済組合法施行規則（次項及び第百八十五条において「改正後国共済施行規則」という。）第七十八条の規定の適用については、同条中「十二分の二」とあるのは、「三分の二」とする。

3　改正後国共済施行規則第八十二条の規定により新組合の最初の事業年度から平成十四年四月一日に始まる事業年度までの各事業年度末日において積み立てるべき欠損金補てん積立金の額を算定する場合において、同条第一号に規定する当該事業年度以前三事業年度における短期給付の平均請求額の算定の基礎となる当該最初の事業年度の短期給付の請求額については、当該最初の事業年度の短期給付の請求額の三分の十二に相当する額とする。

（旧総理府共済組合の組合員であった更新組合員に係る組合員原票等の引継ぎ）

第百八十四条　旧総理府共済組合（中央省庁等改革関係法施行法第千三百二十五条第一項に規定する旧総理府共済組合をいう。）の組合員であった更新組合員（同法第千三百二十八条第一項に規定する更新組合員をいい、同条第七項から第九項までの規定によりこの省令の施行の日以後、同法第四百二十三条の規定による改正後の国家公務員共済組合法（昭和三十三年法律第百二十八号）第百二十四条の二第二項、第百二十六条の五第二項又は附則第十二条第三項に規定する継続長期組合員、任意継続組合員又は特例退職組合員となった者を含む。）であって、次の各号に掲げるものに係る組合員原票その他の関係書類（中央省庁等改革関係法施行法第千三百二十五条第一項の規定により内閣共済組合（同項に規定する内閣共済組合をいう。）に承継される権利及び義務に関する書類を除く。）については、当該各号に定める組合が引き継ぐものとする。

一　従前の自治省、公正取引委員会及び総務庁に属していた者　総務省共済組合（中央省庁等改革関係法施行法第千三百二十三条第一項に規定する総務省共済組合をいう。）

二　従前の北海道開発庁及び国土庁に属していた者　国土交通省共済組合（中央省庁等改革関係法施行法第千三百二十五条第一項に規定する国土交通省共済組合をいう。）

三　従前の科学技術庁に属していた者　文部科学省共済組合（中央省庁等改革関係法施行法第千三百二十五条第一項に規定する文部科学省共済組合をいう。）

（国家公務員共済組合法施行規則等の一部改正に伴う様式の特例）

第百八十五条　この省令の施行の日において現に交付されている改正前国共済施行規則別紙様式第十七号の三による標準負担額減額認定証、別紙様式第三十六号による監査証票及び別紙様式第三十七号による検査証票並びに第百五十三条の規定による改正前の厚生年金保険法等の一部を改正する法律等の施行に伴う存続組合及び指定基金に係る特例業務等に関する省令別紙様式第一号による監査証票及び別紙様式第二号による証明書は、当分の間、改正後国共済施行規則別紙様式第十七号の三、別紙様式第三十六号及び別紙様式第三十七号並びに第百五十三条の規定による改正後の厚生年金保険法等の一部を改正する法律等の施行に伴う存続組合及び指定基金に係る特例業務等に関する省令別紙様式第一号及び別紙様式第二号の様式によるものとみなす。

附則

1 この省令は、平成十三年一月六日から施行する。ただし、第百八十一条第一項、第百八十二条第一項（改正前国共済施行規則第七十八条中「十二分の二」とあるのは「九分の二」と読み替える部分に限る。）及び第二項並びに第百八十三条第一項の規定は、公布の日から施行する。

2 この省令の施行の際、現に存するこの省令による改正前の様式による用紙は、当分の間、これを取り繕い使用することができる。

附則（平一二・一二・四大蔵令八五）（抄）

この省令は、平成十三年一月六日から施行する。〔ただし書略〕

附則（平一二・一二・二八大蔵令九三）（抄）

（施行期日）

1 この省令は、平成十三年一月一日から施行する。〔ただし書略〕

（様式の特例）

2 この省令による改正前の別紙様式第十一号による組合員証、別紙様式第十五号による遠隔地被扶養者証、別紙様式第十九号による継続療養証明書、別紙様式第三十九号による船員組合員証及び別紙様式第四十号による船員被扶養者証は、当分の間、この省令による改正後の別紙様式第十一号、別紙様式第十五号、別紙様式第十九号、別紙様式第三十九号及び別紙様式第四十号の様式によるものとみなす。

3 この省令の施行の際現に存するこの省令による改正前の別紙様式第二十一号及び別紙様式第三十一号の二から別紙様式第三十一号の四までの用紙は、当分の間、これを取り繕い使用することができる。

附則（平一三・三・二三財務令一七）（抄）

1 この省令は、平成十三年四月一日から施行する。

2 この省令の施行の際現に国家公務員共済組合法施行令等の一部を改正する政令（平成十二年政令第五百四十三号）第一条の規定による改正前の国家公務員共済組合法施行令第八条（同令第十条において準用する場合を含む。）の規定により運用している有価証券のうち、この省令による改正後の第十二条第三項各号（この省令による改正後の第八十五条第二項において準用する場合を含む。）に掲げる有価証券に該当しないものに限り、当該各号に掲げる有価証券とみなす。この場合においては、この省令による改正後の第十三条の二第一項第二号中「公社債投資信託」とあるのは、「公社債投資信託及び国家公務員共済組合法施行規則の一部を改正する省令（平成十三年財務省令第十七号）附則第二項の規定により第十二条第三項各号に掲げる有価証券とみなされたもの」とし、この省令による改正前の第六十七条第二項の規定は、なおその効力を有する。

3 この省令による改正後の第二十四条第二項（この省令による改正後の第八十五条第二項において準用する場合を含む。）及び別紙様式第七号第七号の十の規定は、この省令の施行の日以後に開始する事業年度に係る予算総則及び固定資産明細表について適用し、施行日前に開始する事業年度に係る予算総則及び固定資産明細表については、なお従前の例による。

附則（平一三・三・三〇財務令二四）（抄）

1 この省令は、平成十三年四月一日から施行する。

2 この省令による改正後の第百十四条の三十九の規定は、この省令の施行の日以後に交付する年金証書について適用し、同日前に交付された年金証書については、なお従前の例による。

附則（平一四・三・二九財務令一八）（抄）

1 この省令は、平成十四年四月一日から施行する。

2 第一条の規定による改正後の国家公務員共済組合法施行規則別表第一号表の規定は、この省令の施行の日以後に開始する事業年度に係る経理単位について適用する。

3 この省令の施行の際現に存する第一条の規定による改正前の別紙様式第三十一号の二、別紙様式第三十一号の三、別紙様式第三十三号の三及び別紙様式第三十七号の用紙〔中略〕は、当分の間、これを取り繕い使用することができる。

附則（平一四・九・三〇財務令五二）

1 この省令は、平成十四年十月一日から施行する。

2 この省令による改正前の別紙様式第十一号による組合員証、別紙様式第十五号による遠隔地被扶養者証、別紙様式第十七号の三による標準負担額減額認定証、別紙様式第十九号による継続療養証明書、別紙様式第二十一号の二による特定疾病療養受領証、別紙様式第三十九号による船員組合員証及び別紙様式第四十号による船員被扶養者証は、当分の間、この省令による改正後の別紙様式第十一号、別紙様式第十五号、別紙様式第十七号の三、別紙様式第十九号、別紙様式第二十一号の二、別紙様式第三十九号及び別紙様式第四十号の様式によるものとみなす。

3 この省令の施行の際現に存するこの省令による改正前の別紙様式第十二号、別紙様式第十六号、別紙様式第十七号の二、別紙様式第二十一号、別紙様式第二十四号、別紙様式第二十五号、別紙様式第三十号、別紙様式第三十四号及び別紙様式第三十五号の用紙は、当分の間、これを取り繕い使用することができる。

附則（平一五・一・三一財務令一）（抄）

（施行期日）

第一条 この省令は、平成十五年四月一日から施行する。

附則（平一五・二・二八財務令六）（抄）

（施行期日）

第一条 この省令は、平成十五年四月一日から施行する。ただし、第八十五条の二後段の改正規定、第八十六条の改正規定及び同条に一項を加える改正規定、附則第七項の改正規定、附則第八項の改正規定並びに附則第九項の改正規定は、公布の日から施行する。

（従前の特別掛金）

第二条 平成十五年四月前の期末手当等（国家公務員共済組合法等の一部を改正する法律（平成十二年法律第二十一号）第二条による改正前の国家公務員共済組合法第百一条の二第一項に規

定する期末手当等をいう。）に係る特別掛金（同項に規定する特別掛金をいう。）については、なお従前の例による。

（事業報告書及び決算事業報告書に関する経過措置）

第三条　この省令による改正後の別紙様式第三十四号による事業報告書及び別紙様式第三十五号による決算事業報告書の様式は、この省令の施行の日以後に開始する事業年度に係る事業報告書及び決算事業報告書について適用し、同日前に開始する事業年度に係る事業報告書及び決算事業報告書については、なお従前の例による。

附　則（平一五・三・三一財務令二五）

1　この省令は、平成十五年四月一日から施行する。

2　この省令による改正前の別紙様式第十一号による組合員証、別紙様式第十五号による遠隔地被扶養者証、別紙様式第三十九号による船員組合員証及び別紙様式第四十号による船員被扶養者証は、当分の間、この省令による改正後の別紙様式第十一号、別紙様式第十五号、別紙様式第三十九号及び別紙様式第四十号によるものとみなす。

3　この省令の施行の際現に存するこの省令による改正前の別紙様式第十二号の用紙は、当分の間、これを取り繕い使用することができる。

附　則（平一五・五・一財務令五六）

この省令は、公布の日から施行する。

附　則（平一五・六・一三財務令六一）

1　この省令は、平成十五年六月十五日から施行する。

2　この省令の施行の際現に存するこの省令による改正前の別紙様式第四十五号から第四十七号までの用紙は、当分の間、これを取り繕い使用することができる。

附　則（平一五・一二・二五財務令一一〇）

この省令は、公布の日から施行する。

附　則（平一六・三・三一財務令二三）（抄）

（施行期日）

第一条　この省令は、平成十六年四月一日から施行する。

附　則（平一六・三・三一財務令二四）（抄）

（施行期日）

1　この省令は、平成十六年四月一日から施行する。

（様式の特例）

2　この省令による改正前の国家公務員共済組合法施行規則の様式は、当分の間、この省令による改正後の国家公務員共済組合法施行規則の様式によるものとみなす。

附　則（平一六・六・三〇財務令四九）（抄）

（施行期日）

1　この省令は、平成十六年七月一日から施行する。

附　則（平一六・九・三〇財務令六三）

この省令は、平成十六年十月一日から施行する。

附　則（平一六・一二・二八財務令八〇）

この省令は、平成十六年十二月三十日から施行する。

附　則（平一七・三・三一財務令二五）（抄）

（施行期日）

1　この省令は、平成十七年四月一日から施行する。

（貸付金の利率に関する経過措置）

2　この省令による改正後の国家公務員共済組合法施行規則第八十六条の規定は、この省令の施行の日以後に貸し付けた貸付金の利率について適用し、同日前に貸し付けた貸付金の利率については、なお従前の例による。

（様式の特例）

3　この省令による改正前の国家公務員共済組合法施行規則の様式は、当分の間、この省令による改正後の国家公務員共済組合法施行規則の様式によるものとみなす。

附　則（平一八・三・三一財務令一五）

（施行期日）

1　この省令は、平成十八年四月一日から施行する。

（事業報告書及び決算事業報告書に関する経過措置）

2　この省令による改正後の別紙様式第三十四号による事業報告書及び別紙様式第三十五号による決算事業報告書の様式は、この省令の施行の日以後に開始する事業年度に係る事業報告書及び決算事業報告書について適用し、同日前に開始する事業年度に係る事業報告書及び決算事業報告書については、なお従前の例による。

附　則（平一八・九・一五財務令五六）

この省令は、平成十八年九月二十日から施行する。

附　則（平一八・九・二八財務令六〇）

1　この省令は、平成十八年十月一日から施行する。

2　この省令による改正前の別紙様式第十一号による組合員証、別紙様式第十五号による遠隔地被扶養者証、別紙様式第十七号の三による標準負担額減額認定証、別紙様式第二十一号の二による特定疾病療養受療証、別紙様式第二十一号の三による限度額適用・標準負担額減額認定証、別紙様式第二十四号の二による特別療養証明書、別紙様式第三十七号による検査証票、別紙様式第三十九号による船員組合員証及び別紙様式第四十号による船員被扶養者証は、当分の間、この省令による改正後の別紙様式第十一号、別紙様式第十五号、別紙様式第十七号の三、別紙様式第二十一号の二、別紙様式第二十一号の三、別紙様式第二十四号の二、別紙様式第三十七号、別紙様式第三十九号及び別紙様式第四十号の様式によるものとみなす。

3　この省令の施行の際現に存するこの省令による改正前の別紙様式第十一号、別紙様式第十五号、別紙様式第十七号の三、別紙様式第十七号の五、別紙様式第二十一号、別紙様式第二十一号の二、別紙様式第二十一号の三、別紙様式第二十四号の二、別紙様式第二十五号、別紙様式第二十八号、別紙様式第三十一号の三、別紙様式第三十一号の四、別紙様式第三十三号の三、別紙様式第三十四号、別紙様式第三十五号、別紙様式第三十七号、別紙様式第三十九号、別紙様式第四十号、別紙様式第四十四号及び別表第一号表第一号表の一の用紙は、当分の間、これを取り繕い使用することができる。

附　則（平一八・九・二九財務令六一）

この省令は、平成十九年四月一日から施行する。

附　則（平一九・一・四財務令一）（抄）

1　この省令は、防衛庁設置法等の一部を改正する法律の施行の日（平成十九年一月九日）から施行する。

附　則（平一九・三・二九財務令一〇）

1　この省令は、平成十九年四月一日から施行する。

2　この省令の施行の際現に交付されている第一条の規定による改正前の別紙様式第十七号の三による標準負担額減額認定証は、平成十九年七月三十一日までの間、同条の規定による改正後の別紙様式第二十一号の二の三によるものとみなす。

3　この省令の施行の際現に存するこの省令による改正前の別紙様式第十七号の二の二、別紙様式第二十一号の四、別紙様式第二十九号及び別紙様式第三十号、別紙様式第三十一号の四の用紙は、当分の間、これを取り繕い使用することができる。

附　則（平一九・三・三〇財務令一一）（抄）

（施行期日）

第一条　この省令は、平成十九年四月一日から施行する。

（国家公務員共済組合法等の一部を改正する法律附則第十九条に規定する財務省令で定める場合）

第二条　国家公務員共済組合法等の一部を改正する法律附則第十九条に規定する財務省令で定める場合は、婚姻の届出をしていないが事実上婚姻関係と同様の事情にあった当事者（国家公務員共済組合法第九十三条の五第一項に規定する当事者をいう。）について、当該当事者の一方の被扶養配偶者（国民年金法（昭和三十四年法律第百四十一号）第七条第一項第三号に規定する被扶養配偶者をいう。以下この条において同じ。）である第三号被保険者（同号に規定する第三号被保険者をいう。以下この条において同じ。）であった当該当事者の他方が、平成十九年四月一日前に当該第三号被保険者の資格を喪失した場合であって、当該当事者の一方が当該当事者の他方の被扶養配偶者である第三号被保険者となることなくして同日以後に当該事情が解消したと認められるとき（当該当事者間で婚姻の届出をしたことにより当該事情が解消したと認められるときを除く。）とする。

附　則（平一九・九・一四財務令四八）

この省令は、信託法の施行の日（平成十九年九月三十日）から施行する。

附　則（平一九・九・一四財務令四九）（抄）

（施行期日）

第一条　この省令は、証券取引法等の一部を改正する法律の施行の日〔平一九・九・三〇〕から施行する。

附　則（平一九・九・二一財務令五二）

最終改正　平二一・三・三一財務令二四

（施行期日）

第一条　この省令は、公布の日から施行する。ただし、附則に次の一項を加える改正規定は、平成十九年十月一日から施行する。

（様式の特例）

第二条　組合は、この省令による改正後の国家公務員共済組合法施行規則の規定にかかわらず、当分の間、この省令による改正前の国家公務員共済組合法施行規則（以下この条において「改正前国共済施行規則」という。）別紙様式第十一号による組合員証、別紙様式第十五号による遠隔地被扶養者証、別紙様式第十五号の三による高齢受給者証、別紙様式第三十九号による船員組合員証及び別紙様式第四十号による船員被扶養者証（以下この条において「旧組合員証等」という。）を交付することができる。この場合において、旧組合員証等については、改正前国共済施行規則の規定は、なおその効力を有する。

2　前項後段の規定によりなおその効力を有することとされた改正前国共済施行規則第九十二条第一項（改正前国共済施行規則第九十五条第四項、第九十五条の二第三項及び第百二十五条第二項において準用する場合を含む。）の規定を適用する場合においては、改正前国共済施行規則第九十二条第一項中「毎年、財務大臣」とあるのは「財務大臣」と、「しなければならない」とあるのは「しなければならない。この場合において、組合は、財務大臣の定めるところにより、被扶養者を有する組合員に対し、毎年、被扶養者の要件の確認を行うものとする」と読み替えるものとする。

3　この省令の施行の際現に交付されている旧組合員証等については、改正前国共済施行規則の規定は、なおその効力を有する。

第三条　この省令の施行の際現に存するこの省令による改正前の別紙様式第三十一号の三の用紙は、当分の間、これを取り繕い使用することができる。

附　則（平一九・九・二八財務令五七）（抄）

（施行期日）

第一条　この省令は、平成十九年十月一日から施行する。〔ただし書略〕

附　則（平二〇・三・三一財務令一六）

この省令は、平成二十年四月一日から施行する。

附　則（平二〇・三・三一財務令一八）

（施行期日）

第一条　この省令は、平成二十年四月一日から施行する。

（事業報告書及び決算事業報告書に関する経過措置）

第二条　この省令による改正後の別紙様式第三十四号による事業報告書及び別紙様式第三十五号による決算事業報告書の様式は、この省令の施行の日以後に開始する事業年度に係る事業報告書及び決算事業報告書について適用し、同日前に開始する事業年度に係る事業報告書及び決算事業報告書については、なお従前の例による。

第三条　この省令による改正後の第六条及び別表第一号表の規定は、施行日以後に開始する事業年度に係る経理単位について適用する。

（減価償却に関する経過措置）

第四条　この省令による改正後の第六十八条の規定は、平成十九年四月一日以後に取得した有形固定資産のこの省令の施行の日以後に開始した事業年度以後の減価償却について適用する。

2　平成十九年三月三十一日以前に取得した有形固定資産の減価償却については、なお従前の例による。ただし、この省令による改正前の第六十八条第二項の規定による残存価額にかかわらず、当該事業年度の前事業年度までの各事業年度においてした償却の額の累計額が取得価額の百分の九十五に相当する額に達するまで従前の例により減価償却を行い、その達した年度の翌事業年度以後、取得価額から取得価額の百分の九十五に相当する額及び一円を控除した金額に事業年度の月数を六十で除した割合を乗じた金額（当該計算した金額と当該事業年度の前事業年度までにした償却の額の累計額との合計額が当該資産の取得価額から一円を控除した金額を超える場合には、当該超える部分の金額を控除した金額）を償却するものとする。

（様式の特例）

第五条　この省令による改正前の別紙様式第十五号の三による高齢受給者証、別紙様式第二十一号の二による特定疾病療養受療証、別紙様式第二十一号の二の三による限度額適用認定証、別紙様式第二十一号の三による限度額適用・標準負担額減額認定証、別紙様式第二十二号の一による診療報酬領収済明細書及び別紙様式第二十四号の二による特別療養証明書は、当分の間、この省令による改正後の別紙様式第十五号の三、別紙様式第二十一号の二、別紙様式第二十一号の二の三、別紙様式第二十一号の三、別紙様式第二十二号の一及び別紙様式第二十四号の二の様式によるものとみなす。

第六条 この省令の施行の際現に存するこの省令による改正前の別紙様式第十五号の三、別紙様式第十七号の二、別紙様式第二十一号の二、別紙様式第二十一号の二の三、別紙様式第二十一号の三、別紙様式第二十二号の一、別紙様式第二十四号の二、別紙様式第二十八号、別紙様式第二十九号及び別紙様式第四十四号の様式は、当分の間、これを取り繕い使用することができる。

（老人保健法の一部改正に伴う国家公務員共済組合の業務等の特例）

第七条 健康保険法施行令等の一部を改正する政令（平成二十年政令第百十六号）附則第十三条の規定の適用がある場合における国家公務員共済組合法施行規則第六条の規定の適用については、同条第一項第一号中「並びに」とあるのは、「並びに健康保険法等の一部を改正する法律（平成十八年法律第八十三号）附則第三十八条の規定によりなおその効力を有するものとされた同法第七条の規定による改正前の老人保健法（昭和五十七年法律第八十号）第五十三条第一項に規定する拠出金、」とする。

（旧組合員証等の様式の特例）

第九条 前条の規定による改正前の旧組合員証等は、当分の間、前条による改正後の旧組合員証等の様式によるものとみなす。

2 この省令の施行の際現に存する前条による改正前の旧組合員証等の用紙は、当分の間、これを取り繕い使用することができる。

附　則（平二〇・九・三〇財務令六一）（抄）

（施行期日）

第一条 この省令は、平成二十年十月一日から施行する。

附　則（平二〇・一二・一財務令七六）

この省令は、公布の日から施行する。

附　則（平二〇・一二・二二財務令八四）（抄）

（施行期日）

第一条 この省令は、株式等の取引に係る決済の合理化を図るための社債等の振替に関する法律等の一部を改正する法律の施行の日（平成二十一年一月五日）から施行する。〔ただし書略〕

附　則（平二〇・一二・二二財務令八五）

この省令は、平成二十一年一月一日から施行する。

附　則（平二〇・一二・二五財務令八七）

（施行期日）

第一条 この省令は、平成二十一年一月一日から施行する。ただし、別紙様式第二十四号の二、別紙様式第三十四号及び別紙様式第三十五号の改正規定は、平成二十一年四月一日から施行する。

（様式の特例）

第二条 この省令による改正前の別紙様式第二十一号の三による限度額適用・標準負担額減額認定証及び別紙様式第二十四号の二による特別療養証明書は、当分の間、この省令による改正後の別紙様式第二十一号の三及び別紙様式第二十四号の二の様式によるものとみなす。

第三条 この省令の施行の際現に存するこの省令による改正前の別紙様式第十七号の二、別紙様式第十七号の二の二、別紙様式第二十一号、別紙様式第二十一号の三、別紙様式第二十一号の四及び別紙様式第二十四号の二の用紙は、当分の間、これを取り繕い使用することができる。

附　則（平二一・一・二三財務令三）

この省令は、公布の日から施行する。

附　則（平二一・三・三一財務令一三）

この省令は平成二十一年四月一日から施行する。

附　則（平二一・四・三〇財務令三五）

1 この省令は、平成二十一年五月一日から施行する。

2 平成二十一年五月から九月までの間においては、国家公務員共済組合法第五十五条第二項第三号又は第五十七条第二項第一号ニの規定が適用される者及び国家公務員共済組合法施行令第十一条の三の四第一項第一号に規定する病院等に国家公務員共済組合法施行規則第百五条の七の二第二項に規定する限度額適用認定証又は同規則第百五条の九第二項に規定する限度額適用・標準負担額減額認定証を提出して国家公務員共済組合法施行令第十一条の三の四第七項に規定する特定疾患給付対象療養を受けた者については、この省令による改正後の国家公務員共済組合法施行規則第百五条の五の二第一項の申出に基づく組合の認定を受けているものとみなす。

附　則（平二一・八・二〇財務令五九）

この省令は、公布の日から施行し、平成二十一年七月二十四日から適用する。

附　則（平二一・一二・二八財務令七四）

1 この省令は、平成二十二年一月一日から施行する。

2 雇用保険法等の一部を改正する法律附則第四十二条第一項の規定によりなお従前の例によることとされた求職者等給付の支給を受ける者に係るこの省令による改正後の国家公務員共済組合法施行規則第百十四条及び第百十四条の四の規定の適用については、なお従前の例による。

附　則（平二一・一二・二八財務令七六）

1 この省令は、平成二十二年四月一日から施行する。

2 この省令の施行の日前に開始された国家公務員共済組合法第六十八条の二第一項に規定する育児休業等に係る育児休業手当金の支給の請求については、なお従前の例による。

3 この省令の施行の際現に存するこの省令による改正前の別紙様式第三十一号の二及び別紙様式第三十一号の四の用紙は、当分の間、これを取り繕い使用することができる。

附　則（平二二・三・三一財務令二四）（抄）

（施行期日）

第一条 この省令は、平成二十二年四月一日から施行する。

附　則（平二二・四・三〇財務令三七）（抄）

（施行期日）

第一条 この省令は、平成二十二年七月十七日から施行する。

（様式の特例）

第三条 組合は、この省令による改正後の国家公務員共済組合法施行規則の規定にかかわらず、当分の間、この省令による改正前の国家公務員共済組合法施行規則（以下「平成二十二年改正前国共済施行規則」という。）別紙様式第十一号による組合員証、別紙様式第十五号による組合員被扶養者証、別紙様式第三十九号による船員組合員証及び別紙様式第四十号による船員組合員被扶養者証（以下「平成二十二年改正前組合員証等」という。）を交付することができる。この場合において、平成二十二年改正前組合員証等については、平成二十二年改正前国共済施行規則の規定は、なおその効力を有する。

2　この省令の施行の際現に交付されている平成二十二年改正前組合員証等については、平成二十二年改正前国共済施行規則の規定は、なおその効力を有する。

第四条　組合は、附則第二条の規定による改正後の平成十九年改正省令による改正後の国家公務員共済組合法施行規則の規定にかかわらず、当分の間、平成十九年改正前国共済施行規則別紙様式第十一号による組合員証、別紙様式第十五号による遠隔地被扶養者証、別紙様式第三十九号による船員組合員証及び別紙様式第四十号による船員被扶養者証（以下「平成十九年改正前組合員証等」という。）を交付することができる。この場合において、平成十九年改正前組合員証等については、平成十九年改正前国共済施行規則（国家公務員共済組合法施行規則の一部を改正する省令（平成二十二年財務省令第二十四号）附則第三条の規定により改正された平成十九年改正省令附則第二条第二項の規定により読み替えて適用する場合を含む。次項において同じ。）の規定は、なおその効力を有する。

2　この省令の施行の際現に交付されている平成十九年改正前組合員証等については、平成十九年改正前国共済施行規則の規定は、なおその効力を有する。

附　則（平二二・六・二九財務令四三）

この省令は、平成二十二年六月三十日から施行する。

附　則（平二三・三・一八財務令四）

この省令は、平成二十三年四月一日から施行する。

附　則（平二三・三・二八財務令七）

この省令は、公布の日から施行する。

附　則（平二三・三・二九財務令八）

この省令は、平成二十三年四月一日から施行する。

附　則（平二三・五・三一財務令二六）

この省令は、平成二十三年六月一日から施行する。

附　則（平二三・九・八財務令六二）

1　この省令は、平成二十三年十月一日から施行する。

2　この省令による改正後の規定（第百九条の二の規定を除く。）は、住居表示の変更若しくは転居又は死亡の日がこの省令の施行の日以後である場合について適用し、住居表示の変更若しくは転居又は死亡の日がこの省令の施行の日前である場合については、なお従前の例による。

附　則（平二四・一・三一財務令一一）

（施行期日）

第一条　この省令は、平成二十四年四月一日から施行する。

（様式の特例）

第二条　この省令による改正前の別紙様式第二十一号の二の三による限度額適用認定書及び別紙様式第二十一号の三による限度額適用・標準負担額減額認定証は、当分の間、この省令による改正後の別紙様式第二十一号の二の三及び別紙様式第二十一号の三の様式によるものとみなす。

第三条　この省令の施行の際現に存するこの省令による改正前の別紙様式第二十一号の二の三及び別紙様式第二十一号の三の用紙は、当分の間、これを取り繕い使用することができる。

附　則（平二四・三・二八財務令一七）

（施行期日）

第一条　この省令は、平成二十四年四月一日から施行する。

（様式の特例）

第二条　この省令による改正前の別紙様式第二十四号の二による特別療養証明書は、当分の間、この省令による改正後の別紙様式第二十四号の二の様式によるものとみなす。

第三条　この省令の施行の際現に存するこの省令による改正前の別紙様式第二十四号の二の用紙は、当分の間、これを取り繕い使用することができる。

附　則（平二五・三・二七財務令八）

（施行期日）

第一条　この省令は、平成二十五年四月一日から施行する。

（様式の特例）

第二条　この省令による改正前の別紙様式第二十四号の二による特別療養証明書は、当分の間、この省令による改正後の別紙様式第二十四号の二の様式によるものとみなす。

第三条　この省令の施行の際現に存するこの省令による改正前の別紙様式第二十四号の二の用紙は、当分の間、これを取り繕い使用することができる。

附　則（平二五・三・二九財務令一三）（抄）

最終改正　平二八・三・三一財務令一四

（施行期日）

第一条　この省令は、平成二十五年四月一日から施行する。ただし、附則第四条の規定は、平成二十七年十月一日から施行する。

（退職等年金給付事業の準備行為）

第二条　国家公務員共済組合連合会は、国家公務員の退職給付の給付水準の見直し等のための国家公務員退職手当法等の一部を改正する法律（平成二十四年法律第九十六号）附則第一条第六号に掲げる規定の施行の日（以下「第六号施行日」という。）前においても、同法第五条による改正後の国家公務員共済組合法第七十四条に規定する退職等年金給付に係る事業の実施に必要な準備行為をすることができる。

（経理単位の特例）

第三条　国家公務員共済組合連合会は、前条に規定する準備行為を行う場合には、当該準備行為に関する取引を経理するための経理単位として退職等年金給付準備業務経理を設けるものとする。

2　国家公務員共済組合連合会の積立金等（国家公務員共済組合法施行令（昭和三十三年政令第二百七号）第九条の二に規定する積立金等をいう。）の資金は、予算の定めるところにより、前項の規定により設けられた退職等年金給付準備業務経理に貸し付けるものとする。この場合において、当該貸付金に係る利率については、長期給付の事業に係る財政の安定に配慮しつつ、財政融資資金法（昭和二十六年法律第百号）第十条第一項の規定に基づき財政融資資金を貸し付ける場合の利率を参酌して財務大臣が定める利率とする。

第四条　国家公務員共済組合連合会の前条第一項に規定する退職等年金給付準備業務経理に係る資産及び負債は、第六号施行日において国家公務員共済組合連合会の業務経理に帰属するものとする。

2　国家公務員共済組合連合会の平成二十七年四月一日に開始する事業年度における前条第一項に規定する退職等年金給付準備業務経理については、国家公務員共済組合法施行規則第八十五条第二項の規定により準用する同規則第八十四条の規定は、適用しない。

附　則（平二六・三・二八財務令一七）

（施行期日）

第一条　この省令は、平成二十六年四月一日から施行する。

（様式の特例）

第二条　この省令による改正前の別紙様式第二十四号の二による特別療養証明書は、当分の間、この省令による改正後の別紙様式第二十四号の二の様式によるものとみなす。

第三条　この省令の施行の際現に存するこの省令による改正前の別紙様式第二十四号の二の用紙は、当分の間、これを取り繕い使用することができる。

附　則（平二六・五・二九財務令四五）（抄）

1　この省令は、国家公務員法等の一部を改正する法律（平成二十六年法律第二十二号）の施行の日（平成二十六年五月三十日）から施行する。

附　則（平二六・九・二七財務令七七）

この省令は、中国残留邦人等の円滑な帰国の促進及び永住帰国後の自立の支援に関する法律の一部を改正する法律（平成二十五年法律第百六号）の施行の日（平成二十六年十月一日）から施行する。

附　則（平二六・一二・二二財務令九八）

（施行期日）

第一条　この省令は、平成二十七年一月一日から施行する。

（特定疾病給付対象療養の認定に関する経過措置）

第二条　平成二十七年一月から同年十二月までの間においては、国家公務員共済組合法第五十五条第二項第三号又は第五十七条第二項第一号ニの規定が適用される者及び国家公務員共済組合法施行令第十一条の三の四第一項第一号に規定する病院等にこの省令による改正後の国家公務員共済組合法施行規則（以下「新規則」という。）別紙様式第二十一号の二の三による限度額適用認定証又は新規則別紙様式第二十一号の三による限度額適用・標準負担額減額認定証を提出して同条第七項に規定する特定疾病給付対象療養を受けた場合の当該療養を受けた者については、新規則第百五条の五の二第一項の申出に基づく組合の認定を受けているものとみなす。

（出産費及び家族出産費に関する経過措置）

第三条　この省令の施行の日前の出産に係る国家公務員共済組合法施行規則第百六条第二項の規定の適用については、なお従前の例による。

（様式の特例）

第四条　この省令の施行の際現に存するこの省令による改正前の別紙様式第二十一号の二の三及び別紙様式第二十一号の三の用紙は、当分の間、これを取り繕い使用することができる。

附　則（平二七・三・三一財務令一七）

この省令は、平成二十七年四月一日から施行する。

附　則（平二七・三・三一財務令一八）（抄）

最終改正　平二八・三・三一財務令一四

（施行期日）

第一条　この省令は、平成二十七年十月一日から施行する。ただし、第百十八条及び第百十八条の二の改正規定は、同年四月一日から施行する。

（事業報告書及び決算事業報告書に関する経過措置）

第二条　この省令による改正後の国家公務員共済組合法施行規則（以下「新規則」という。）第百十八条の規定は、平成二十七年四月以後の毎月末日現在の事業報告書の作成について適用し、同年三月末日現在の事業報告書の作成については、なお従前の例による。

2　新規則第百十八条の二の規定は、平成二十七年四月一日以後に開始する事業年度の毎事業年度末日現在の決算事業報告書の作成について適用し、平成二十七年四月一日前に開始する事業年度の末日現在の決算事業報告書の作成については、なお従前の例による。

（経理単位に関する経過措置）

第三条　この省令の施行の際、この省令による改正前の国家公務員共済組合法施行規則（以下「旧規則」という。）第八十五条第二項の規定により読み替えて準用する第六条第一項第二号に規定する連合会（新規則第二条に規定する連合会をいう。以下同じ。）の長期経理（以下「旧長期経理」という。）の資産及び負債は、新規則第八十五条第二項の規定により読み替えて準用する第六条第一項第二号に規定する厚生年金保険経理又は被用者年金制度の一元化等を図るための厚生年金保険法等の一部を改正する法律の施行及び国家公務員の退職給付の給付水準の見直し等のための国家公務員退職手当法等の一部を改正する法律の一部の施行に伴う国家公務員共済組合法による長期給付等に関する経過措置に関する省令（平成二十七年財務省令第七十四号。以下「平成二十七年経過措置省令」という。）第二条第一項の規定により読み替えて準用する国家公務員共済組合法施行規則第八十五条第二項の規定により読み替えて準用する平成二十七年経過措置省令第二条第一項の規定により読み替えられた国家公務員共済組合法施行規則第六条第一項第二号に規定する経過的長期経理に帰属するものとする。

2　平成二十七年四月一日に開始する事業年度における旧長期経理については、国家公務員共済組合法施行規則第八十五条第二項の規定により準用する同規則第八十四条の規定は、適用しない。この場合において、旧長期経理について損益計算上利益を生じたときはその額を平成二十七年経過措置省令第二条第一項の規定により読み替えて準用する国家公務員共済組合法施行規則第八十五条の六第一項に規定する国の組合の経過的長期給付積立金（以下「経過的長期給付積立金」という。）として、損益計算上損失を生じたときはその額を経過的長期給付積立金から減額して、それぞれ整理するものとする。

（厚生年金保険給付積立金の当初額）

第四条　旧規則第八十五条の二の四に規定する長期給付積立金のうち被用者年金制度の一元化等を図るための厚生年金保険法等の一部を改正する法律（以下「平成二十四年一元化法」という。）附則第二十七条第一項の規定により平成二十四年一元化法第一条の規定による改正後の厚生年金保険法（昭和二十九年法律第百十五号）第七十九条の二に規定する実施機関積立金として積み立てられたものとみなされた額に相当する部分は、この省令の施行の日（以下「施行日」という。）において国家公務員共済組合法施行規則第八十五条の六第一項に規定する厚生年金保険給付積立金として整理されたものとみなす。

（経過的長期給付積立金の当初額）

第五条　旧規則第八十五条の二の四に規定する長期給付積立金のうち平成二十四年一元化法附則第四十九条の四の規定により国の組合の経過的長期給付積立金とみなされた額に相当するものは、施行日において経過的長期給付積立金として整理されたものとみなす。

（連合会の平成二十七年四月一日に開始する事業年度における事業計画及び予算に関する経過措置）

第六条　連合会の平成二十七年四月一日に開始する事業年度における新規則第八十五条第三項及び附則第三十七項の規定の適用については、同条第三項第一号中「前々事業年度の実績並びに前事業年度及び当該事業年度の推計並びに」とあるのは「当該事業年度の推計及び」と、同項第二号中「前々事業年度の実績並びに前事業年度及び当該事業年度」とあるのは「当該事業年度」と、新規則附則第三十七項中「前々事業年度の実績並びに前事業年度及び当該事業年度の推計並びに」とあるのは「当該事業年度の推計及び」とする。

２　連合会の平成二十七年四月一日に開始する事業年度における新規則第八十五条第二項の規定により準用する新規則第二十四条の規定の適用については、同条第三項中「前前事業年度」とあるのは「厚生年金保険経理、退職等年金経理及び経過的長期経理（附則第三十五項において読み替えて適用するものとされた附則第三十四項に規定する経過的長期経理をいう。以下この条において同じ。）以外の経理単位については前々事業年度」と、「推計を」とあるのは「推計を、厚生年金保険経理、退職等年金経理及び経過的長期経理については当該事業年度における推計を、それぞれ」と、同条第四項中「前前事業年度末日」とあるのは「厚生年金保険経理、退職等年金経理及び経過的長期経理以外の経理単位については前々事業年度末日」と、「推計を」とあるのは「推計を、厚生年金保険経理、退職等年金経理及び経過的長期経理については当該事業年度末日における推計を、それぞれ」とする。

附　則（平二七・六・二四財務令五九）（抄）

（施行期日）

第一条　この省令は、平成二十七年六月二十五日から施行する。

（様式の特例）

第二条　この省令による改正前の別紙様式第二十一号の二による特定疾病療養受療証、別紙様式第二十一号の二の三による限度額適用認定証及び別紙様式第二十一号の三による限度額適用・標準負担額減額認定証は、当分の間、この省令による改正後の別紙様式第二十一号の二、別紙様式第二十一号の二の三及び別紙様式第二十一号の三の様式によるものとみなす。

第三条　この省令の施行の際現に存するこの省令による改正前の別紙様式第二十一号の二、別紙様式第二十一号の二の三及び別紙様式第二十一号の三の用紙は、当分の間、これを取り繕い使用することができる。

（旧組合員証等の様式の特例）

第五条　前条の規定による改正前の平成十九年改正前施行規則別紙様式第十一号による組合員証、別紙様式第十五号による遠隔地被扶養者証、別紙様式第十五号の三による高齢受給者証、別紙様式第三十九号による船員組合員証及び別紙様式第四十号による船員被扶養者証（以下「旧組合員証等」という。）は、当分の間、前条の規定による改正後の別紙様式第十一号、別紙様式第十五号、別紙様式第十五号の三、別紙様式第三十九号及び別紙様式第四十号の様式によるものとみなす。

２　この省令の施行の際現に存する前条の規定による改正前の旧組合員証等の用紙は、当分の間、これを取り繕い使用することができる。

附　則（平二七・九・三〇財務令七三）（抄）

（施行期日）

第一条　この省令は、平成二十七年十月一日から施行する。

（退職等年金給付に要する費用を計算したときの財務大臣への報告の特例）

第二条　国家公務員共済組合連合会は、この省令の施行の日（次項において「施行日」という。）前においても、第一条の規定による改正後の国家公務員共済組合法施行規則第八十五条の三に規定する国家公務員共済組合法第二十一条第二項第二号ロの計算を、財務大臣の定める様式に基づき、財務大臣に報告することができるものとする。

２　前項の規定による報告は、施行日において財務大臣に報告されたものとみなす。

（特別支給の退職共済年金の受給権者に係る老齢厚生年金の裁定請求に関する経過措置）

第三条　被用者年金制度の一元化等を図るための厚生年金保険法等の一部を改正する法律（平成二十四年法律第六十三号。以下この条において「平成二十四年一元化法」という。）附則第三十七条第一項に規定する改正前国共済法による年金である給付のうち退職共済年金（平成二十四年一元化法第二条の規定による改正前の国家公務員共済組合法附則第十二条の三又は第十二条の五の規定による退職共済年金に限る。）の受給権者であって厚生年金保険法（昭和二十九年法律第百十五号）の規定による老齢厚生年金について同法第三十三条の規定による裁定を受けようとする者については、この命令による改正後の国家公務員共済組合法施行規則第百十四条により適用することとされた厚生年金保険法施行規則第三十条の二の規定を適用する。

（経過措置に関する委任）

第四条　前二条に定めるもののほか、この命令の施行に伴う必要な経過措置については、別に財務大臣が定める。

附　則（平二七・一〇・一六財務令八一）

この省令は、公布の日から施行し、平成二十七年十月五日から適用する。

附　則（平二八・三・四財務令七）

この省令は、平成二十八年四月一日から施行する。

附　則（平二八・三・三一財務令一四）（抄）

１　この省令は、平成二十八年四月一日から施行する。ただし、第一条中国家公務員共済組合法施行規則第八十五条第二項の表第四十五条第一項第五号の項の次に次のように加える改正規定は、公布の日から施行する。

２　第一条の規定による改正後の国家公務員共済組合法施行規則（以下「改正後規則」という。）の規定（改正後規則第二十七条の二、第八十五条第二項及び第九十七条第二項の規定並びに次項に規定するものを除く。）〔中略〕、第三条の規定による改正後の国家公務員共済組合法施行規則の一部を改正する省令の規定、第四条の規定による改正後の国家公務員共済組合法施行規則の一部を改正する省令の規定〔中略〕は、平成二十七年十月一日から適用する。

3 改正後規則第百十四条の二十五の規定〔中略〕は、平成二十七年十月五日から適用する。

附 則（平二八・九・一二財務令六五）（抄）

改正 平二八・一二・二八財務令八六

この省令は、平成二十九年一月一日から施行する。〔ただし書略〕

附 則（平二八・一二・二八財務令八五）

（施行期日）

第一条 この省令は、平成二十九年八月一日から施行する。ただし、次条の規定は、同年三月一日から施行する。

（老齢厚生年金等施行日前請求手続に係る経過措置）

第二条 老齢厚生年金及び平成二十四年一元化法附則第四十一条退職共済年金に係る老齢厚生年金等施行日前請求手続については、この省令による改正後の国家公務員共済組合法施行規則第百十四条の規定により読み替えられた公的年金制度の財政基盤及び最低保障機能の強化等のための国民年金法等の一部を改正する法律の施行に伴う厚生労働省関係省令の整備及び経過措置に関する省令（平成二十九年厚生労働省令第十一号）による改正後の厚生年金保険法施行規則（昭和二十九年厚生省令第三十七号）第三十条の規定の例による。

附 則（平二九・二・二八財務令二）

この省令は、平成二十九年一月一日から施行する。

附 則（平二九・三・三一財務令九）

この省令は、平成二十九年四月一日から施行する。ただし、第一条の表中第百十三条の三の二を加える規定は、平成三十年一月一日から施行する。

附 則（平二九・五・一九財務令四〇）（抄）

（施行期日）

第一条 この省令は、公布の日から施行する。

（様式の特例）

第二条 この省令による改正前の別紙様式第二十一号の二による特定疾病療養受療証、別紙様式第二十一号の二の三による限度額適用認定証及び別紙様式第二十一号の三による限度額適用・標準負担額減額認定証は、当分の間、この省令による改正後の別紙様式第二十一号の二、別紙様式第二十一号の二の三及び別紙様式第二十一号の三の様式によるものとみなす。

第三条 この省令の施行の際現に存するこの省令による改正前の別紙様式第二十一号の二、別紙様式第二十一号の二の三及び別紙様式第二十一号の三の用紙は、当分の間、これを取り繕い使用することができる。

附 則（平二九・五・二九財務令四三）

この省令は、平成二十九年五月三十日から施行する。

附 則（平二九・七・三一財務令五二）

（施行期日）

第一条 この省令は、平成二十九年八月一日から施行する。ただし、第一条中国家公務員共済組合法施行規則第百十一条の二第二項の改正規定、同条に一項を加える改正規定及び同令別紙様式第二十一号の三の改正規定は、平成二十九年十月一日から施行する。

（様式の特例）

第二条 第一条の規定による改正前の別紙様式第二十一号の三による限度額適用・標準負担額減額認定証は、当分の間、同条の規定による改正後の別紙様式第二十一号の三の様式によるものとみなす。

第三条 附則第一条ただし書に規定する規定の施行の日において現に存する第一条の規定による改正前の別紙様式第二十一号の三の用紙は、当分の間、これを取り繕い使用することができる。

附 則（平二九・一一・九財務令五九）

この省令は、国民年金法施行規則及び厚生年金保険法施行規則の一部を改正する省令（平成二十九年厚生労働省令第百二十二号）の施行の日〔平二九・一一・九〕から施行する。

附 則（平三〇・三・二財務令三）

この省令は、平成三十年三月五日から施行する。

附 則（平三〇・六・二九財務令四六）

この省令は、平成三十年七月二日から施行する。

附 則（平三〇・七・三〇財務令五八）

（施行期日）

第一条 この省令は、平成三十年八月一日から施行する。

（様式の特例）

第二条 この省令による改正前の別紙様式第二十一号の二の三による限度額適用認定証及び別紙様式第二十一号の三による限度額適用・標準負担額減額認定証は、当分の間、この省令による改正後の別紙様式第二十一号の二の三及び別紙様式第二十一号の三の様式によるものとみなす。

附 則（平三〇・一二・二八財務令七一）（抄）

1 この省令は、平成三十一年八月一日から施行する。ただし、次項の規定は、平成三十一年六月一日から施行する。

2 この省令による改正後の国家公務員共済組合法施行規則第百十七条の八若しくは第百十八条の八〔中略〕の届出を行おうとする者（その誕生日が八月一日から九月三十日までの間にある者に限る。）は、この省令の施行の日前においても、この省令による改正後のそれぞれの省令の規定の例により当該届出を行うことができる。

附 則（平三一・三・二九財務令三）（抄）

（施行期日）

1 この省令は、平成三十一年四月一日から施行する。ただし、次の各号に掲げる規定は、当該各号に定める日から施行する。

一 第二条〔中略〕の改正規定 平成三十一年四月十五日

二 第三条〔中略〕の改正規定 平成三十一年七月一日

附 則（令元・五・七財務令一）（抄）

（施行期日）

1 この省令は、公布の日から施行する。

（経過措置）

2 この省令の施行の際、現に存する改正前の様式又は書式による用紙は、当分の間、これを取り繕い使用することができる。

附 則（令元・五・一五財務令二）（抄）

（施行期日）

第一条 この省令は、令和元年五月二十三日から施行する。

（様式の特例）

第二条 この省令による改正前の別紙様式第二十一号の二による特定疾病療養受療証、別紙様式第二十一号の二の三による限度額適用認定証及び別紙様式第二十一号の三による限度額適用・

標準負担額減額認定証は、当分の間、この省令による改正後の別紙様式第二十一号の二、別紙様式第二十一号の二の三及び別紙様式第二十一号の三の様式によるものとみなす。

第三条　この省令の施行の際現に存するこの省令による改正前の別紙様式第二十一号の二、別紙様式第二十一号の二の三及び別紙様式第二十一号の三の用紙は、当分の間、これを取り繕い使用することができる。

附　則（令元・六・二四財務令七）

この省令は、不正競争防止法等の一部を改正する法律の施行の日（令和元年七月一日）から施行する。

附　則（令元・八・三〇財務令二〇）

（施行期日）

第一条　この省令は、令和二年四月一日から施行する。ただし、次条第二項の規定は、公布の日から施行する。

（国家公務員共済組合法施行規則の一部改正に伴う経過措置）

第二条　医療保険制度の適正かつ効率的な運営を図るための健康保険法等の一部を改正する法律附則第八条の規定による改正後の国家公務員共済組合法（以下「改正後国共済法」という。）第二条第一項第二号及びこの省令による改正後の国家公務員共済組合法施行規則（以下「改正後規則」という。）第二条の二の規定の施行により被扶養者の要件を欠くに至る者であつて、この省令の施行の際現に国家公務員共済組合法第五十五条第一項各号に掲げる医療機関に入院しているものの当該入院の期間における被扶養者としての資格については、その者が引き続き当該組合員と同一の世帯に属し、主としてその組合員の収入により生計を維持している間（その者が当該組合員の配偶者、子、父母、孫、祖父母及び兄弟姉妹である場合にあつては、主としてその組合員の収入により生計を維持している間）に限り、改正後国共済法第二条第一項第二号及び改正後規則第二条の二の規定にかかわらず、なお従前の例による。

2　組合は、この省令の施行の日前においても、改正後国共済法第二条第一項第二号及び改正後規則第二条の二の規定の施行により被扶養者の要件を欠くに至る者を有する組合員から、令和二年四月一日における状況を記載した改正後規則第八十八条の規定による被扶養者申告書の提出を受けることができる。

附　則（令元・九・六財務令二五）

（施行期日）

第一条　この省令は、医療保険制度の適正かつ効率的な運営を図るための健康保険法等の一部を改正する法律（次条において「改正法」という。）附則第一条第四号に掲げる規定の施行の日〔令二・一〇・一〕から施行する。ただし、次条の規定は、公布の日から施行する。

（国家公務員共済組合法施行規則の一部改正に伴う経過措置）

第二条　組合は、この省令の施行の日前においても、組合員及びその被扶養者が改正法附則第八条の規定による改正後の国家公務員共済組合法第五十五条第一項に規定する電子資格確認により、組合員又はその被扶養者であることの確認を受けることができるよう、組合員及びその被扶養者が市町村長（特別区の区長を含む。）に対して行う個人番号カード（行政手続における特定の個人を識別するための番号の利用等に関する法律（平成二十五年法律第二十七号）第二条第七項に規定する個人番号カードをいう。）の交付の申請（同法第十七条第一項に規定する申請をいう。）に必要な支援を組合員及びその被扶養者に対して行うことができる。

附　則（令元・一一・一財務令三〇）（抄）

（施行期日）

第一条　この省令は、医療保険制度の適正かつ効率的な運営を図るための健康保険法等の一部を改正する法律附則第一条第四号に掲げる規定の施行の日〔令二・一〇・一〕から施行する。ただし、附則第六条の規定は、令和二年四月一日から施行する。

（様式の特例）

第二条　この省令による改正前の別紙様式第十一号による組合員証、別紙様式第十五号による組合員被扶養者証、別紙様式第十五号の三による高齢受給者証、別紙様式第二十一号の二による特定疾病療養受療証、別紙様式第二十一号の二の三による限度額適用認定証、別紙様式第二十一号の三による限度額適用・標準負担額減額認定証、別紙様式第二十四号の二による特別療養証明書、別紙様式第三十九号による船員組合員証、別紙様式第四十号による船員組合員被扶養者証及び別紙様式第四十三号による船員組合員療養補償証明書は、当分の間、この省令による改正後の別紙様式第十一号、別紙様式第十五号、別紙様式第十五号の三、別紙様式第二十一号の二、別紙様式第二十一号の二の三、別紙様式第二十一号の三、別紙様式第二十四号の二、別紙様式第三十九号、別紙様式第四十号及び別紙様式第四十三号の様式によるものとみなす。

第三条　この省令の施行の際現に存するこの省令による改正前の別紙様式第十一号、別紙様式第十五号、別紙様式第十五号の三、別紙様式第二十一号の二、別紙様式第二十一号の二の三、別紙様式第二十一号の三、別紙様式第二十四号の二、別紙様式第三十九号、別紙様式第四十号及び別紙様式第四十三号の用紙は、当分の間、これを取り繕い使用することができる。

附　則（令元・一二・一三財務令三八）（抄）

（施行期日）

第一条　この省令は、情報通信技術の活用による行政手続等に係る関係者の利便性の向上並びに行政運営の簡素化及び効率化を図るための行政手続等における情報通信の技術の利用に関する法律等の一部を改正する法律の施行の日（令和元年十二月十六日）から施行する。

附　則（令二・六・一二財務令四八）（抄）

（施行期日）

第一条　この省令は、公布の日から施行する。

（様式の特例）

第二条　この省令による改正前の別紙様式第二十一号の二による特定疾病療養受療証、別紙様式第二十一号の二の三による限度額適用認定証及び別紙様式第二十一号の三による限度額適用・標準負担額減額認定証は、当分の間、この省令による改正後の別紙様式第二十一号の二、別紙様式第二十一号の二の三及び別紙様式第二十一号の三の様式によるものとみなす。

第三条　この省令の施行の際現に存するこの省令による改正前の別紙様式第二十一号の二、別紙様式第二十一号の二の三及び別紙様式第二十一号の三の用紙は、当分の間、これを取り繕い使用することができる。

附　則（令二・九・三〇財務令六六）

この省令は、令和二年十月一日から施行する。

附　則（令二・一〇・二六財務令六七）

この省令は、公布の日から施行する。

附　則（令二・一二・一一財務令七八）

この省令は、令和三年一月一日から施行する。

附　則（令二・一二・二五財務令九二）

この省令は、令和二年十二月二十八日から施行する。

附　則（令三・一・二九財務令二）

（施行期日）

第一条　この省令は、公布の日から施行する。

（様式の特例）

第二条　この省令による改正前の別紙様式第十一号による組合員証、別紙様式第十五号による組合員被扶養者証、別紙様式第十五号の三による高齢受給者証、別紙様式第二十一号の二による特定疾病療養受療証、別紙様式第二十一号の二の三による限度額適用認定証、別紙様式第二十一号の三による限度額適用・標準負担額減額認定証、別紙様式第三十九号による船員組合員証及び別紙様式第四十号による船員組合員被扶養者証は、当分の間、この省令による改正後の別紙様式第十一号、別紙様式第十五号、別紙様式第十五号の三、別紙様式第二十一号の二、別紙様式第二十一号の二の三、別紙様式第二十一号の三、別紙様式第三十九号及び別紙様式第四十号の様式によるものとみなす。

第三条　この省令の施行の際現に存するこの省令による改正前の別紙様式第十一号、別紙様式第十五号、別紙様式第十五号の三、別紙様式第二十一号の二、別紙様式第二十一号の二の三、別紙様式第二十一号の三、別紙様式第三十九号及び別紙様式第四十号の用紙は、当分の間、これを取り繕い使用することができる。

附　則（令三・八・三一財務令六二）

この省令は、公布の日から施行する。

附　則（令三・一二・二八財務令八四）

（施行期日）

第一条　この省令は、令和四年一月一日から施行する。

（出産費及び家族出産費に関する経過措置）

第二条　この省令の施行の日前の出産に係る国共済規則第百六条第一項及び第二項の規定の適用については、なお従前の例による。

（障害厚生年金の額の改定等に関する経過措置）

第三条　国民年金法施行令等の一部を改正する政令（以下「改正令」という。）附則第三条第三項の規定による障害厚生年金（国家公務員共済組合連合会（以下「連合会」という。）が支給するものに限る。以下同じ。）の額の改定の請求は、国共済規則第百十四条の二第一項の規定により読み替えられた厚生年金保険法施行規則（昭和二十九年厚生省令第三十七号。以下この条において「読替え後厚年則」という。）第四十七条第一項各号に掲げる事項を記載した請求書を連合会に提出することによって行わなければならない。

2　前項の請求書には、読替え後厚年則第四十七条第二項各号に掲げる書類等を添えなければならない。

3　第一項の請求は、障害厚生年金の受給権者（その障害の程度が改正令第一条の規定による改正前の国民年金法施行令（昭和三十四年政令第百八十四号）別表に定める二級の障害の状態に該当する者に限る。）が同時に当該障害厚生年金と同一の支給事由に基づく障害基礎年金の受給権を有する場合においては、改正令附則第二条第二項の規定による請求に併せて行わなければならない。この場合において、第一項の請求書に記載することとされた事項及び前項の規定により第一項の請求書に添えなければならないこととされた書類等のうち当該障害基礎年金の年金額改定請求書に記載し、又は添えたものについては、前二項の規定にかかわらず、第一項の請求書に記載し、又は添えることを要しないものとする。

4　改正令附則第三条第六項の規定による障害厚生年金の支給の請求をしようとするときは、読替え後厚年則第四十四条第一項各号に掲げる事項を記載した請求書を連合会に提出しなければならない。

5　前項の請求書には、読替え後厚年則第四十四条第二項各号に掲げる書類等を添えなければならない。

（公務障害年金の額の改定等に関する経過措置）

第四条　改正令附則第三条第三項の規定による国家公務員共済組合法（昭和三十三年法律第百二十八号）第七十四条第二号に規定する公務障害年金の額の改定の請求は、国共済規則第百十七条の六第一項各号に掲げる事項を記載した請求書を連合会に提出することによって行わなければならない。

2　前項の請求書には、国共済規則第百十七条の六第二項各号に掲げる書類を添えなければならない。

3　第一項の請求書を提出する者が、同時に前条第一項による障害厚生年金（当該公務障害年金と同一の給付事由に基づいて支給されるものに限る。）の改定請求をするときは、前項の規定により当該請求書と併せて提出しなければならないこととされた書類のうち当該障害厚生年金の改定請求書に添えたものについては、同項の規定にかかわらず、第一項の請求書に併せて提出することを要しないものとする。

（障害特例年金給付の額の改定等に関する経過措置）

第五条　改正令附則第三条第三項の規定による厚生年金保険法等の一部を改正する法律（平成八年法律第八十二号。以下この項及び次項において「平成八年改正法」という。）附則第三十三条第一項に規定する特例年金給付のうち障害を給付事由とするもの（平成八年改正法附則第三十二条第二項に規定する存続組合（以下この項及び次項において「存続組合」という。）が支給するものに限る。）の額の改定の請求は、厚生年金保険法等の一部を改正する法律等の施行に伴う存続組合及び指定基金に係る特例業務等に関する省令（平成九年大蔵省令第二十一号。第三項において「平成九年省令」という。）第十四条第一項の規定により読み替えられた国家公務員共済組合法施行規則等の一部を改正する省令（平成二十七年財務省令第七十三号）第一条の規定による改正前の国共済規則（以下「改正前国共済規則」という。）第百十四条の十七第一項各号に掲げる事項を記載した請求書を存続組合に提出することによって行わなければならない。

2　平成八年改正法附則第四十九条第一項の規定により平成八年改正法附則第四十七条第一項に規定する特例業務を行う平成八年改正法附則第四十八条第一項に規定する指定基金が存続組合とみなされた場合における前項の規定の適用については、同項中「が支給する」とあるのは「又は平成八年改正法附則第四十八条第一項に規定する指定基金（以下この項において「指定基金」という。）が支給する」と、「存続組合に」とあるのは「存続組合又は指定基金に」と読み替えるものとする。

3　前二項の請求書には、平成九年省令第十四条第一項の規定により読み替えられた改正前国共済規則第百十四条の十七第二項各号に掲げる書類を添えなければならない。

（旧職域加算障害給付の額の改定等に関する経過措置）

第六条　改正令附則第三条第三項の規定による被用者年金制度の一元化等を図るための厚生年金保険法等の一部を改正する法律（平成二十四年法律第六十三号。次条第一項において「一元化法」という。）附則第三十六条第五項に規定する改正前国共済法による職域加算額のうち障害を給付事由とするものの額の改定の請求は、平成二十七年経過措置省令第十条の規定により読み替えられた改正前国共済規則第百十四条の十七第一項各号に掲げる事項を記載した請求書を連合会に提出することによって行わなければならない。

2　前項の請求書には、平成二十七年経過措置省令第十条の規定により読み替えられた改正前国共済規則第百十四条の十七第二項各号に掲げる書類を添えなければならない。

3　第一項の請求を行う場合において、当該給付と同一の給付事由による附則第三条第一項による障害厚生年金の請求については、前二項の規定にかかわらず、当該規定による請求書及び書類の提出を省略することができる。

（障害共済年金の額の改定等に関する経過措置）

第七条　改正令附則第三条第三項の規定による一元化法附則第三十七条第一項に規定する給付のうち障害共済年金の額の改定の請求は、平成二十七年経過措置省令第十八条第一項の規定により読み替えられた改正前国共済規則第百十四条の十七第一項各号に掲げる事項を記載した請求書を連合会に提出することによって行わなければならない。

2　前項の請求書には、平成二十七年経過措置省令第十八条第一項の規定により読み替えられた改正前国共済規則第百十四条の十七第二項各号に掲げる書類を添えなければならない。

附　則（令四・三・三一財務令七）

（施行期日）

第一条　この省令は、令和四年四月一日から施行する。

（会計処理に関する経過措置）

第二条　この省令による改正後の第八十一条の規定は、この省令の施行の日（以下「施行日」という。）以後に開始する事業年度に係る会計処理について適用し、施行日前に開始する事業年度に係る会計処理については、なお従前の例による。

（加給年金額対象者の不該当の届出）

第三条　老齢厚生年金（国家公務員共済組合連合会が支給するものに限る。以下同じ。）又は障害厚生年金（国家公務員共済組合連合会が支給するものに限る。以下同じ。）の受給権者（施行日において経過措置政令附則第五条第一項の規定により厚生年金保険法（昭和二十九年法律第百十五号）第四十六条第六項（同法第五十四条第三項において準用する場合を含む。）の規定の適用を受けない者に限る。以下この条及び次条において単に「受給権者」という。）は、その配偶者が、同法第四十四条第四項第一号から第三号までのいずれかに該当するに至ったときは、速やかに、次に掲げる事項を記載した届書を国家公務員共済組合連合会に提出しなければならない。

一　受給権者の氏名、生年月日及び住所

二　受給権者の行政手続における特定の個人を識別するための番号の利用等に関する法律（平成二十五年法律第二十七号）第二条第五項に規定する個人番号（以下「個人番号」という。）又は国民年金法（昭和三十四年法律第百四十一号）第十四条に規定する基礎年金番号（以下「基礎年金番号」という。）

三　老齢厚生年金又は障害厚生年金の年金証書の年金コード（年金の種別及びその区分を表す記号番号をいう。以下同じ。）

四　配偶者の氏名及び生年月日

五　配偶者が厚生年金保険法第四十四条第四項第一号から第三号までのいずれかに該当するに至った年月日及びその事由

（加給年金額支給停止事由の該当の届出）

第四条　受給権者は、施行日の属する月以降の月分の老齢厚生年金又は障害厚生年金について、経過措置政令附則第五条第一項第二号に該当するに至ったとき（当該受給権者の配偶者に対する老齢厚生年金が施行日の前日において厚生年金保険法附則第七条の四第一項（同法附則第十一条の五及び第十三条の六第三項において準用する場合を含む。以下この項において同じ。）の規定によりその全額につき支給を停止されている場合であって、施行日以後に同法附則第七条の四第一項の規定による支給停止が解除されたときを除く。）は、速やかに、次に掲げる事項を記載した届書を国家公務員共済組合連合会に提出しなければならない。

一　受給権者の氏名、生年月日及び住所

二　受給権者の個人番号又は基礎年金番号

三　老齢厚生年金又は障害厚生年金の年金証書の年金コード

四　配偶者の氏名及び生年月日

五　配偶者が支給を受けることができることとなった経過措置政令第五条の規定による改正前の厚生年金保険法施行令（昭和二十九年政令第百十号）第三条の七各号に掲げる老齢又は退職を支給事由とする給付（以下「老齢又は退職を支給事由とする給付」という。）の名称、老齢又は退職を支給事由とする給付に係る制度の名称及びその管掌機関、その支給を受けることができることとなった年月日並びにその年金証書の年金コード又は記号番号並びに配偶者の個人番号又は基礎年金番号

2　受給権者は、施行日の属する月以降の月分の老齢厚生年金又は障害厚生年金について、経過措置政令附則第五条第一項第三号に該当するに至ったとき（当該受給権者の配偶者に対する老齢厚生年金が、障害厚生年金又は国民年金法による障害基礎年金（受給権者が同時に当該障害基礎年金と同一の支給事由に基づく障害厚生年金の受給権を有するものに限る。）の支給を受けることにより支給を停止されるに至ったときを除く。）は、速やかに、次に掲げる事項を記載した届書を国家公務員共済組合連合会に提出しなければならない。

一　受給権者の氏名、生年月日及び住所

二　受給権者の個人番号又は基礎年金番号

三　老齢厚生年金又は障害厚生年金の年金証書の年金コード

四　配偶者の氏名及び生年月日

五　配偶者が支給を受けることを選択した年金たる給付の名称、当該給付に係る制度の名称及びその管掌機関並びにその支給を受けることとなった年月日並びにその年金証書の年金コード又は記号番号並びに配偶者の個人番号又は基礎年金番号

号

（改正前国共済法による加給年金額対象者の届出）

第五条　前二条の規定は、被用者年金制度の一元化等を図るための厚生年金保険法等の一部を改正する法律（平成二十四年法律第六十三号）附則第三十七条第一項に規定する給付のうち退職共済年金又は障害共済年金について準用する。この場合において、附則第三条中「附則第五条第一項」とあるのは「附則第五条第四項において読み替えて準用する同条第一項」と、「厚生年金保険法（昭和二十九年法律第百十五号）第四十六条第六項（同法」とあるのは「被用者年金制度の一元化等を図るための厚生年金保険法等の一部を改正する法律の施行及び国家公務員の退職給付の給付水準の見直し等のための国家公務員退職手当法等の一部を改正する法律の一部の施行に伴う国家公務員共済組合法による長期給付等に関する経過措置に関する政令（平成二十七年政令第三百四十五号。以下この条及び次条第一項第五号において「平成二十七年国共済経過措置政令」という。）第十八条第一項の規定により読み替えられた被用者年金制度の一元化等を図るための厚生年金保険法等の一部を改正する法律（平成二十四年法律第六十三号）第一条の規定による改正後の厚生年金保険法（昭和二十九年法律第百十五号。以下この条において「改正後厚生年金保険法」という。）第四十六条第六項（平成二十七年国共済経過措置政令第十八条第一項の規定により読み替えられた改正後厚生年金保険法」と、「、同法」とあるのは「、厚生年金保険法」と、前条第一項中「附則第五条第一項第二号」とあるのは「附則第五条第四項において読み替えて準用する同条第一項第二号」と、「とき（当該受給権者の配偶者に対する老齢厚生年金が施行日の前日において厚生年金保険法附則第七条の四第一項（同法附則第十一条の五及び第十三条の六第三項において準用する場合を含む。以下この項において同じ。）の規定によりその全額につき支給を停止されている場合であって、施行日以後に同法附則第七条の四第一項の規定による支給停止が解除されたときを除く。）」とあるのは「とき」と、同項第五号中「経過措置政令第五条」とあるのは「平成二十七年国共済経過措置政令第十八条第二項の規定により読み替えられた経過措置政令第五条」と、同条第二項中「附則第五条第一項第三号」とあるのは「附則第五条第四項において読み替えて準用する同条第一項第三号」と、「とき（当該受給権者の配偶者に対する老齢厚生年金が、障害厚生年金又は国民年金法による障害基礎年金（受給権者が同時に当該障害基礎年金と同一の支給事由に基づく障害厚生年金の受給権を有するものに限る。）の支給を受けることにより支給を停止されるに至ったときを除く。）」とあるのは「とき」と読み替えるものとする。

附　則（令四・三・三一財務令八）

（施行期日）

第一条　この省令は、公布の日から施行する。

（様式の特例）

第二条　この省令による改正前の様式は、当分の間、この省令による改正後の様式によるものとみなす。

第三条　この省令の施行の際現に存するこの省令による改正前の様式による用紙は、当分の間、これを取り繕い使用することができる。

附　則（令四・六・二四財務令四三）

この省令は、公布の日から施行する。

附　則（令四・八・三財務令四五）

（施行期日）

第一条　この省令は、令和四年十月一日から施行する。

（育児休業等に関する経過措置）

第二条　この省令による改正後の国家公務員共済組合法施行規則第百二十条第一項（第百二十条の二において準用する場合を含む。）、第四項及び第五項の規定は、この省令の施行の日（以下「施行日」という。）以後に開始する国家公務員共済組合法第四十条第十二項に規定する育児休業等について適用し、施行日前に開始した同項に規定する育児休業等については、なお従前の例による。

（継続被保険者に係る届出）

第三条　厚生年金保険法第二条の五第一項第二号に規定する第二号厚生年金被保険者期間に基づく経過措置政令第五十五条第一項に規定する障害者・長期加入者の老齢厚生年金の受給権者（同項に規定する継続被保険者（以下単に「継続被保険者」という。）に限る。）又は年金制度の機能強化のための国民年金法等の一部を改正する法律附則第一条第八号に掲げる規定の施行の日前において支給事由の生じた厚生年金保険法附則第十三条の四第三項の規定による老齢厚生年金の受給権者（継続被保険者であって、同法附則第十三条の五第一項に規定する繰上げ調整額が加算された老齢厚生年金（同法附則第八条の二第三項に規定する者であることにより当該繰上げ調整額が加算されているものを除く。）の受給権者に限る。）は、施行日以後速やかに、次に掲げる事項を記載した届書に、経過措置政令第五十五条第一項第一号に規定する者に該当することを証する書類を添えて、これを国家公務員共済組合連合会に提出しなければならない。

一　受給権者の氏名、生年月日及び住所

二　受給権者の行政手続における特定の個人を識別するための番号の利用等に関する法律（平成二十五年法律第二十七号）第二条第五項に規定する個人番号又は国民年金法（昭和三十四年法律第百四十一号）第十四条に規定する基礎年金番号

三　老齢厚生年金の年金証書の年金コード（年金の種別及びその区分を表す記号番号をいう。）

四　継続被保険者に該当する旨（厚生年金保険の被保険者の資格の取得事由を含む。）

（特定法人以外の行政執行法人等に係る届出）

第四条　国家公務員共済組合法施行令及び被用者年金制度の一元化等を図るための厚生年金保険法等の一部を改正する法律の施行及び国家公務員の退職給付の給付水準の見直し等のための国家公務員退職手当法等の一部を改正する法律の一部の施行に伴う国家公務員共済組合法による長期給付等に関する経過措置に関する政令の一部を改正する政令（令和四年政令第二百六十五号。以下「改正令」という。）附則第三条第二項ただし書、第四項又は第六項の規定による申出は、公的年金制度の財政基盤及び最低保障機能の強化等のための国民年金法等の一部を改正する法律（平成二十四年法律第六十二号。以下「年金機能強化法」という。）附則第十七条第二項ただし書、第五項又は第八項の規定による申出をすることができる場合にあっては、当該申出と同時に行わなければならない。

2　改正令附則第三条第二項ただし書、第四項又は第六項の規定による申出に係る手続については、年金機能強化法附則第十七条第二項ただし書、第五項又は第八項の規定による申出に係る手続に準じて行うものとする。

3　前二項の規定は、改正令附則第四条第三項の規定により準用する場合について準用する。

附　則（令四・九・三〇財務令四九）

（施行期日）

第一条　この省令は、令和四年十月一日から施行する。

（提出書類に関する経過措置）

第二条　この省令の施行の日から令和四年十二月三十一日までの間において、この省令による改正後の国家公務員共済組合法施行規則第九十七条、第九十九条の三、第九十九条の四、第百二条、第百三条、第百五条の四、第百五条の四の二、第百五条の四の三、第百五条の十一、第百五条の十二、第百六条、第百八条、第百九条、第百十条、第百十一条、第百十一条の二、第百十一条の三、第百十二条、第百十三条、第百二十七条の五及び第百三十条の六の規定の適用については、第九十七条中「支給を受けようとする預金口座として公金受取口座を利用する旨（当該給付が退職等年金給付である場合には、払渡金融機関」とあるのは「払渡金融機関」と、「旨）」とあるのは「旨」と、第九十九条の三、第九十九条の四、第百二条、第百三条、第百五条の四、第百五条の四の二、第百五条の四の三、第百五条の十一、第百五条の十二、第百六条、第百八条、第百九条、第百十条、第百十一条、第百十一条の二、第百十一条の三、第百十二条及び第百十三条中「支給を受けようとする預金口座として公金受取口座を利用する旨」とあるのは「払渡金融機関の名称及び公金受取口座の口座番号並びに支給を受けようとする預金口座として公金受取口座を利用する旨」と、第百二十七条の五中「支払を受けようとする預金口座として公的受取口座を利用する旨」とあるのは「払渡金融機関の名称及び公金受取口座の口座番号並びに支払を受けようとする預金口座として公金受取口座を利用する旨」と、第百三十条の六中「還付金の払渡しを受けようとする預金口座として公金受取口座を利用する旨」とあるのは「払渡金融機関の名称及び公金受取口座の口座番号並びに還付金の払渡しを受けようとする預金口座として公金受取口座を利用する旨」とする。

附　則（令五・三・三〇財務令四）

（施行期日）

第一条　この省令は、令和五年四月一日から施行する。

（出産費及び家族出産費に関する経過措置）

第二条　この省令による改正後の国家公務員共済組合法施行規則第百六条第七項の規定の適用については、令和五年四月一日以後に提出される出産費請求書又は家族出産費請求書について適用する。

（産前産後休業期間中の掛金の免除の申出に関する経過措置）

第三条　この省令による改正後の国家公務員共済組合法施行規則第百二十条の四第一項の規定の適用については、令和五年四月一日以後に提出される産前産後休業掛金免除申出書について適用する。

附　則（令五・九・二九財務令五三）（抄）

（施行期日）

第一条　この省令は、公布の日から施行する。

（経過措置）

第二条　この省令の施行の際現にあるこの省令による改正前の様式（次項において「旧様式」という。）により使用されている書類は、この省令による改正後の様式によるものとみなす。

2　この省令の施行の際現にある旧様式による用紙については、当分の間、これを取り繕って使用することができる。

附　則（令六・二・二八財務令五）

この省令は、令和六年三月一日から施行する。

附　則（令六・三・二九財務令一一）

（施行期日）

第一条　この省令は、令和六年四月一日から施行する。

（様式の特例）

第二条　この省令による改正前の様式は、この省令による改正後の様式によるものとみなす。

第三条　この省令の施行の際現に存するこの省令による改正前の様式による用紙は、当分の間、これを取り繕い使用することができる。

附　則（令六・四・三〇財務令四〇）

（施行期日）

第一条　この省令は、令和六年五月七日から施行する。

（様式の特例）

第二条　この省令による改正前の様式は、この省令による改正後の様式によるものとみなす。

第三条　この省令の施行の際現に存するこの省令による改正前の様式による用紙は、当分の間、これを取り繕い使用することができる。

附　則（令六・五・二七財務令四二）

この省令は、公布の日から施行する。

別紙様式第１号から別紙様式第10号まで 削除

別紙様式第11号

（表面）

（組合員用）

本人（組合員）		令和　　年　　月　　日交付
○○共済組合		
組　合　員　証		
記号	番号	（枝番）
氏名		
性別		
生　年　月　日	年　　月　　日	
資格取得年月日	年　　月　　日	
発行機関所在地		
保　険　者　番　号		印
名　　　　称		

（裏面）

住　所

備　考

※　以下の欄に記入することにより、臓器提供に関する意思を表示することができます。
記入する場合は、１．２．３．のいずれかの番号を○で囲んで下さい。

１．私は、脳死後及び心臓が停止した死後のいずれでも移植の為に臓器を提供します。
２．私は、心臓が停止した死後に限り、移植の為に臓器を提供します。
３．私は、臓器を提供しません。
《１又は２を選んだ方で、提供したくない臓器があれば、×をつけて下さい。》
【 心臓・肺・肝臓・腎臓・膵臓・小腸・眼球 】
〔特記欄：　　　　　　　　　　　　　　　　〕
署名年月日：　　年　　月　　日
本人署名（自筆）：＿＿＿＿＿＿　家族署名（自筆）：＿＿＿＿＿＿

備考　１．プラスチックその他の材料を用い、使用に十分耐えうるものとする。
２．大きさは、縦54ミリメートル、横86ミリメートルとする。
３．必要があるときは、横書きの文字を縦書きで表示することその他所要の変更又は調整を加えることができる。
４．任意継続組合員については、本組合員証表面に任意継続組合員と表示し、資格取得年月日欄には任意継続組合員となつた日を記載するほか、有効期限を記載すること。
５．組合員に次に掲げる事項を周知するものとする。
⑴　組合員証の交付を受けたときは、直ちに住所欄に住所を自署して大切に保管すること。
⑵　保険医療機関等において診療を受けようとするときは、その窓口で電子資格確認を受けるか、組合員証を提出すること。
⑶　組合員の資格を喪失したときは、遅滞なく組合員証を組合に返納すること。
⑷　不正に組合員証を使用した者は、刑法により詐欺罪として懲役の処分を受けることがあること。
⑸　組合員証の記載事項に変更があつたときは、遅滞なく組合に提出して訂正を受けること。
⑹　臓器提供に関する意思を表示する場合は、次の点に留意するほか、臓器の移植に関する法律（平成９年法律第104号）に基づく臓器提供意思表示カードの記載の例によること。
(イ)　特記欄については、親族への優先提供の意思等がある場合に記載すること。
(ロ)　家族署名欄への記載は、意思表示の有効性の要件とはなつていないこと。
また、「家族」は被扶養者の認定を受けている者に限らないこと。

別紙様式第12号から別紙様式第14号まで　削除

別紙様式第15号

（表面）

（被扶養者用）

家族（被扶養者）　令和　年　月　日交付
○○共済組合
組合員被扶養者証
記号　番号　（枝番）
氏名　組合員氏名
性別
生年月日　年　月　日
認定年月日　年　月　日
発行機関所在地
保険者番号　印
名称

（裏面）

住所

備考

※　以下の欄に記入することにより、臓器提供に関する意思を表示することができます。
記入する場合は、1．2．3．のいずれかの番号を○で囲んで下さい。

1．私は、脳死後及び心臓が停止した死後のいずれでも移植の為に臓器を提供します。
2．私は、心臓が停止した死後に限り、移植の為に臓器を提供します。
3．私は、臓器を提供しません。
《1又は2を選んだ方で、提供したくない臓器があれば、×をつけて下さい。》
【心臓・肺・肝臓・腎臓・膵臓・小腸・眼球】
〔特記欄：　〕
署名年月日：＿＿年＿＿月＿＿日
本人署名（自筆）：＿＿＿＿＿＿　家族署名（自筆）：＿＿＿＿＿＿

備考
1．プラスチツクその他の材料を用い、使用に十分耐えうるものとする。
2．大きさは、縦54ミリメートル、横86ミリメートルとする。
3．必要があるときは、横書きの文字を縦書きで表示することその他所要の変更又は調整を加えることができる。
4．任意継続組合員の被扶養者については、本組合員被扶養者証表面に任意継続組合員被扶養者と表示し、有効期限を記載すること。
5．組合員又はその被扶養者に次に掲げる事項を周知するものとする。
(1)　組合員被扶養者証の交付を受けたときは、直ちに住所欄に住所を自署して大切に保管すること。
(2)　保険医療機関等において診療を受けようとするときは、その窓口で電子資格確認を受けるか、組合員被扶養者証を提出すること。
(3)　組合員の資格を喪失したとき又は被扶養者がその要件を欠くに至つたときは、遅滞なく組合員被扶養者証を組合に返納すること。
(4)　不正に組合員被扶養者証を使用した者は、刑法により詐欺罪として懲役の処分を受けることがあること。
(5)　組合員被扶養者証の記載事項に変更があつたときは、遅滞なく組合に提出して訂正を受けること。
(6)　臓器提供に関する意思を表示する場合は、次の点に留意するほか、臓器の移植に関する法律（平成9年法律第104号）に基づく臓器提供意思表示カードの記載の例によること。
(イ)　特記欄については、親族への優先提供の意思等がある場合に記載すること。
(ロ)　家族署名欄への記載は、意思表示の有効性の要件とはなつていないこと。
また、「家族」は被扶姿者の認定を受けている者に限らないこと。

別紙様式第15号の２　削除

別紙様式第15号の３

（表面）

令和　　年　　月　　日交付

○○共済組合

高齢受給者証

記号		番号	（枝番）
対象者氏名		組合員氏名	
生年月日	年　月　日		
発効年月日	年　月　日		
有効期限	年　月　日		
一部負担金の割合			

発行機関所在地

保険者番号

名　　　称　　　　　　　　　印

（裏面）

注　意　事　項

1．この証の交付を受けたときは、すぐに住所欄に住所を自署して大切に保管して下さい。

2．保険診療を受けようとするときは、その窓口で電子的確認を受けるか、この証を組合員証等に添えて渡して下さい。

3．組合員の資格がなくなつたとき、その被扶養者でなくなつたとき又は有効期限に達したときは、遅滞なくこの証を組合に返して下さい。

4．不正にこの証を使用した者は、刑法によつて詐欺罪として懲役の処分を受けます。

5．この証の記載事項に変更があつた場合には、組合員証等を添えて、遅滞なく組合に提出して訂正を受けて下さい。

住所

備考

備考1．プラスチックその他の材料を用い、使用に十分耐えうるものとする。

2．大きさは、縦54ミリメートル、横86ミリメートルとする。

3．対象者が組合員であるときは、表面の「組合員氏名」欄に本人と記載することとする。

4．必要があるときは、横書きの文字を縦書きで表示することその他所要の変更又は調整を加えることができる。

5．別途組合員又はその被扶養者に周知することにより、注意事項を省略することができる。

別紙様式第16号から別紙様式第21号まで 削除

別紙様式第21号の２

（裏）

注意事項

1　この証を受けたときは、各面をよく読んで、大切に持つていて下さい。
2　この証によつて認定疾病に係る保険診療を受ける場合は、窓口で支払う一部負担金等の額は、保険医療機関等又は保険薬局等ごとに一か月に表面に記載された自己負担限度額を最高限度額とします。ただし、入院した場合には、食事療養又は生活療養に要する費用について、別途定額の食事療養標準負担額又は生活療養標準負担額を求めることとなります。
3　保険医療機関等又は保険薬局等について認定疾病に係る保険診療を受けようとする場合において、組合員証等を提出することにより組合員等であることの確認を受ける場合には、この証を組合員証等に添えてその窓口で渡して下さい。
4　組合員の資格がなくなつたとき、法の短期給付に関する規定の適用を受けない組合員となつたとき又は被扶養者でなくなつたときは、５日以内にこの証を組合に返して下さい。
5　不正にこの証を使用した者は、刑法により詐欺罪として懲役の処分を受けます。
6　表面の記載事項に変更があつたときは、遅滞なく共済組合に差し出して訂正を受けて下さい。

（表）

○○共済組合特定疾病療養受療証

令和　年　月　日交付

認定疾病名				
受診者	氏　名及び生年月日	昭平令　年　月　日生		
	住　所			
組合員	記号		番号	（枝番）
	氏　名及び生年月日	昭平令　年　月　日生		
自己負担限度額				
発効期日		令和　年　月　日から有効		
組合名及び印				

備　考

1　用紙の大きさは、縦127ミリメートル、横91ミリメートルとする。
2　この証は、受診者１人ごとに作成すること。
3　受診者が組合員であるときは、表面の「受診者」欄の「氏名及び生年月日」欄に「組合員本人」と記載し、受診者が被扶養者であるときは、それぞれの欄に該当事項を記載すること。
4　「発効期日」欄には、この証が有効となる年月日を記載すること。
5　別途組合員又はその被扶養者に周知することにより、注意事項を省略することができる。

別紙様式第21号の２の２ 削除

別紙様式第21号の２の３

（表）

○○共済組合限度額適用認定証				
		令和　年　月　日交付		
組合員	記　号		番号	（枝番）
	氏　名			
	生 年 月 日	昭和 平成 令和　年　月　日		
適用対象者	氏　名			
	生 年 月 日	昭和 平成 令和　年　月　日		
	住　所			
発 効 年 月 日		令和　年　月　日		
有 効 期 限		令和　年　月　日		
適 用 区 分				
発行機関	所 在 地			
	組合（保険者）番号名称及び印			

マイナ保険証（※）を利用すれば、事前の手続きなく、高額療養費制度における限度額を超える支払いが免除されます。限度額適用認定証の事前申請は不要となりますので、マイナ保険証をぜひご利用ください。
※　電子資格確認に利用される個人番号カードをいいます。

（裏）

注　意　事　項

1　この証は、各面をよく読んで大切に持つていて下さい。
2　この証によつて療養を受ける際に支払う一部負担金の額は、保険医療機関等又は指定訪問看護事業者ごとに１か月につき、別に定められた額を限度とします。
3　保険医療機関等又は指定訪問看護事業者について療養を受けるときには、その窓口で電子的確認を受けるか、この証を組合員証等に添えて渡して下さい。
4　組合員の資格がなくなつたとき、法の短期給付に関する規定の適用を受けない組合員となつたとき、被扶養者でなくなつたとき、認定の条件に該当しなくなつたとき又は有効期限に達したときは、遅滞なくこの証を共済組合に返して下さい。
5　不正にこの証を使用した者は、刑法によつて詐欺罪として懲役の処分を受けます。
6　表面の記載事項に変更があつたときは、遅滞なく共済組合に差し出して訂正を受けて下さい。

備　考

1　用紙の大きさは、縦127ミリメートル横91ミリメートルとする。
2　この証は、対象者１人毎に作製すること。
3　対象者が組合員であるときは、表面の「適用対象者」の欄の「氏名」欄に「組合員本人」と記載し、対象者が被扶養者であるときは、それぞれの欄に該当事項を記載すること。
4　「有効期限」欄には、この証が無効となる日の前日までを記載すること。
5　適用区分欄には、 適用対象者が国家公務員共済組合法施行令第11条の３の５第１項第２号又は第２項第２号に掲げる者である場合は「ア」と、同条第１項第３号又は第２項第３号に掲げる者である場合は「イ」と、同条第１項第１号又は第２項第１号に掲げる者である場合は「ウ」と、同条第１項第４号又は第２項第４号に掲げる者である場合は「エ」と、同条第３項第４号又は第４項第４号に掲げる者である場合は「現役並みⅠ」と、同条第３項第３号又は第４項第３号に掲げる者である場合は「現役並みⅡ」と記載すること。
6　必要があるときは、各欄の配置を著しく変更することなく所要の変更を加えることその他所要の調整を加えることができる。
7　別途組合員又はその被扶養者に周知することにより、注意事項を省略することができる。

別紙様式第21号の３

（表）

○○共済組合限度額適用・標準負担額減額認定証				
		令和　年　月　日交付		
組合員	記号		番号	（枝番）
	氏名			
	生年月日	昭和 平成 令和　年　月　日		
適用・減額対象者	氏名			
	生年月日	昭和 平成 令和　年　月　日		
	住所			
発効年月日		令和　年　月　日		
有効期限		令和　年　月　日		
適用区分				
長期入院該当		令和　年　月　日	組合印	
発行機関	所在地			
	組合（保険者）番号名称及び印			

マイナ保険証(※)を利用すれば、高額療養費制度における限度額を超える支払いが免除されます。限度額適用・標準負担額減額認定証の提示は不要となりますので、マイナ保険証をぜひご利用ください。
※　電子資格確認に利用される個人番号カードをいいます。

（裏）

注意事項

1　この証は、各面をよく読んで大切に持つていて下さい。

2　この証によつて療養を受ける場合は、次のとおり一部負担金限度額の適用及び食事療養標準負担額又は生活療養標準負担額の減額が行われます。

(1)　療養を受ける際に支払う一部負担金の額は、保険医療機関等又は指定訪問看護事業者ごとに1か月につき、別に定められた額を限度とします。

(2)　入院の際に食事療養を受ける場合に支払う食事療養標準負担額又は 生活療養を受ける場合に支払う生活療養標準負担額は、別に厚生労働大臣が定める減額された額とします。

3　保険医療機関等又は指定訪問看護事業者について療養を受けるときには、その窓口で電子的確認を受けるか、この証を組合員証等に添えて渡して下さい。

4　組合員の資格がなくなつたとき、法の短期給付に関する規定の適用を受けない組合員となつたとき、被扶養者でなくなつたとき、認定の条件に該当しなくなつたとき又は有効期限に達したときは、遅滞なくこの証を共済組合に返して下さい。

5　不正にこの証を使用した者は、刑法によつて詐欺罪として懲役の処分を受けます。

6　表面の記載事項に変更があつたときは、遅滞なく共済組合に差し出して訂正を受けて下さい。

備　考

1　用紙の大きさは、縦127ミリメートル横91ミリメートルとする。

2　この証は、対象者１人毎に作製すること。

3　対象者が組合員であるときは、表面の「適用・減額対象者」の欄の「氏名」欄に「組合員本人」と記載し、対象者が被扶養者であるときは、それぞれの欄に該当事項を記載すること。

4　「有効期限」欄には、この証が無効となる日の前日までを記載すること。

5　適用区分欄には、適用対象者が国家公務員共済組合法施行令第11条の３の５第１項第５号又は第２項第５号に掲げる者である場合は「オ」と、同条第３項第６号に掲げる者である場合は「Ⅰ」と、同項第５号に掲げる者である場合は「Ⅱ」と記載すること。

6　健康保険法施行規則第62条の３第６号に掲げる者である場合は、適用区分欄に、６記載の適用区分「オ」又は「Ⅰ」に加え、「(境)」と記載すること。

7　必要があるときは、各欄の配置を著しく変更することなく所要の変更を加えることその他所要の調整を加えることができる。

8　別途組合員又はその被扶養者に周知することにより、注意事項を省略することができる。

別紙様式第22号から別紙様式第24号まで　削除

別紙様式第24号の２

（表）

注意事項

1　この証は各面をよく読んで大切に持つていてください。
2　この証では、資格喪失の際に、現に診療を受けていた傷病及びこれによつて発生した疾病についてのみ、診療が受けられます。診療を受けようとする際には、必ずこの証をその窓口で渡してください。
3　この証で診療を受けたときは、次の額を支払つてください。
(1)　保険診療の費用（(2)の費用を除く。）
ア　組合員であつた者　３割に相当する額
ただし、70歳の誕生日の属する月の翌月（誕生日が月の初日である場合はその月）以後の場合は、２割（ただし、昭和19年４月１日までに生まれた者は１割）に相当する額となります。
イ　被扶養者であつた者　３割に相当する額
ただし、義務教育就学前（６歳の誕生日の前日以後の最初の３月31日まで）の場合は２割に相当する額、70歳の誕生日の属する月の翌月（誕生日が月の初日である場合はその月）以後の場合は２割（ただし、昭和19年４月１日までに生まれた者は１割）に相当する額となります。
(2)　入院時の食事療養又は生活療養に要する費用　定額の食事療養標準負担額又は生活療養標準負担額
4　この証は、健康保険制度の日雇特例被保険者等として療養の給付等が受けられるようになつたとき、組合員等、私学共済制度の加入者等、健康保険制度の被保険者等、船員保険制度の被保険者等、国民健康保険制度の被保険者となつたとき、組合員の資格を喪失してから起算して６月を経過したとき又は診療を受けていた傷病が治つた等のため不要となつたときは、直ちに返納してください。
5　裏面の記載事項のうち組合員であつた者又は受給者の氏名又は住所に変更があつたときは、この証を提出するとともに、新旧の氏名又は住所を遅滞なく、届け出てください。
6　不正にこの証を使用した者は刑法によつて詐欺罪として懲役の処分を受けます。

国家公務員共済組合
特別療養証明書

○○共済組合

（裏）

国家公務員共済組合特別療養証明書

令和　　年　　月　　日　交付

	記　号		番号	（枝番）	
組合員であった者	氏　名			性　別	男　女
	生年月日	昭・平・令　　年　　月　　日生			
	現住所				
受給者	記　号		番号	（枝番）	
	氏　名			性　別	男　女
	生年月日	昭・平・令　　年　　月　　日生			
	現住所				
発行機関	所在地				
	組合（保険者）番号名称及び印				

療養給付記録1	傷　病　名		
	受給期限	令和　　年　　月　　日	
	終了年月日	令和　　年　　月　　日	転帰
	備　考		
療養給付記録2	傷　病　名		
	受給期限	令和　　年　　月　　日	
	終了年月日	令和　　年　　月　　日	転帰
	備　考		
療養給付記録3	傷　病　名		
	受給期限	令和　　年　　月　　日	
	終了年月日	令和　　年　　月　　日	転帰
	備　考		

備　考

1　用紙の大きさは、縦127ミリメートル、横182ミリメートルとする。

2　この証は、受給者１人毎に作製すること。

3　受給者が組合員であつた者であるときは、「受給者」欄の「氏名」欄に本人と記載し、他の欄には、斜線を引くこととし、受給者が組合員の退職又は死亡の際に被扶養者であつた者であるときは、それぞれの欄に当該事項を記載すること。

4　「性別」欄は、該当しない文字を抹消すること。

5　「療養給付記録」欄は、保険医療機関等において次の方法により記載すること。ただし、「受給期限」欄については、特別療養を受けることができる期限を共済組合が記載すること。

(イ)　歯について保険診療を行つた場合には、患歯の部位を「傷病名」欄に記載すること。

(ロ)　「終了年月日」欄には、受給期限が満了するときは、その満了日を記載し、傷病が転帰したときは、その年月日を記載すること。

(ハ)　「転帰」欄には、治ゆ、療養の給付の期間満了、転医、死亡又は療養の中止等の別を記載すること。

(ニ)　船員組合員であつた者が一部負担金を支払つたときは、その額及びその年月日を「備考」欄に記載すること。

6　船員組合員であつた者又はその被扶養者については、本証明書最上欄右側の余白にそれぞれ「(船)」又は「(船　被)」と表示すること。

7　別途組合員であつた者又は受給者に周知することにより、注意事項を省略することができる。

別紙様式第25号から別紙様式第35号まで　削除

別紙様式第36号

（表）

第　　　号　　　　　　　　年　　月　　日発行

国家公務員共済組合法（昭和33年法律第128号）
第116条第３項の規定に基づく監査証票

所　　属

官　　職

氏　　名

生年月日

写　　真

発 行 者　財　務　大　臣
　　　　　財　務　局　長
　　　　　又は福岡財務支局長

（裏）

国家公務員共済組合法（抄）

（財務大臣の権限）

第116条　（第１項及び第２項　略）

3　財務大臣は、必要があると認めるときは、当該職員に組合又は連合会の業務及び財産の状況を監査させるものとする。

（第４項　略）

監査に従事しなくなつたときは、速やかに本証を返納すること。

備　考

1　用紙は厚質青紙とし、大きさは縦5.4センチメートル横8.5センチメートルとする。
2　写真の大きさは、縦3.5センチメートル横2.5センチメートルとする。
3　この監査証票は財務本省所属の職員に係るものであつては財務大臣が、財務局所属の職員に係るものにあつては財務局長が、福岡財務支局所属の職員に係るものにあつては福岡財務支局長が、それぞれ発行するものとする。

別紙様式第37号

（表）

第　　　号　　　　　　　　　　　　年　月　日発行

国家公務員共済組合法（昭和33年法律第128号）
第117条の規定に基づく検査証票

所　属

官　職

氏　名

生年月日

写　真

発行者　財　務　大　臣
　　　　財　務　局　長
　　　　又は福岡財務支局長

（裏）

国家公務員共済組合法（抄）

第117条　財務大臣は、組合の療養に関する短期給付についての費用の負担又は支払の適正化を図るため必要があると認めるときは、医師、歯科医師、薬剤師若しくは手当を行つた者若しくはこれらの者を使用する者に対し、その行つた診療、薬剤の支給若しくは手当に関し、報告若しくは診療録、帳簿書類その他の物件の提示を求め、若しくは当該職員をして質問させ、又は当該給付に係る療養を行つた保険医療機関若しくは保険薬局若しくは当該保険医療機関若しくは保険薬局の開設者若しくは管理者、保険医、保険薬剤師その他の従業者であつた者（以下この項において「開設者であつた者等」という。）から報告若しくは資料の提出を求め、当該保険医療機関若しくは保険薬局の開設者若しくは管理者、保険医、保険薬剤師その他の従業者（開設者であつた者等を含む。）に対し出頭を求め、若しくは当該職員をして関係者に対し質問し、若しくは当該保険医療機関若しくは保険薬局につき設備若しくは診療録その他その業務に関する帳簿書類を検査させることができる。

2　財務大臣は、組合の指定訪問看護に関する短期給付についての費用の負担又は支払の適正化を図るため必要があると認めるときは、当該指定に係る訪問看護事業者又は指定訪問看護事業所の看護師その他の従業者であつた者（以下この項において「指定訪問看護事業者であつた者等」という。）に対し、その行つた訪問看護療養費又は家族訪問看護療養費の支給に関し、報告若しくは帳簿書類の提出若しくは提示を求め、当該指定訪問看護事業者若しくは当該指定に係る訪問看護事業所の看護師その他の従業者（指定訪問看護事業者であつた者等を含む。）に対し出頭を求め、又は当該職員をして関係者に対し質問させ、若しくは当該指定訪問看護事業者の当該指定に係る訪問看護事業所につき帳簿書類その他の物件を検査させることができる。

3　財務大臣は、第百十二条の二第五項及び第六項の規定による措置に関し必要があると認めるときは、その必要と認められる範囲内において、同条第三項若しくは第四項の規定に違反していると認めるに足りる相当の理由がある者に対し、必要な事項に関し報告を求め、又は当該職員をして当該者の事務所若しくは事業所に立ち入つて質問し、若しくは帳簿書類その他の物件を検査させることができる。

4　前三項の規定により質問又は検査をする場合には、当該職員は、その身分を示す証票を携帯し、関係人にこれを提示しなければならない。

（第5項　略）

検査に従事しなくなつたときは、速やかに本証を返納すること。

備　考

1　用紙は厚質青紙とし、大きさは縦5.4センチメートル横8.5センチメートルとする。

2　写真の大きさは、縦3.5センチメートル横2.5センチメートルとする。

3　この検査証票は、財務本省所属の職員に係るものであつては財務大臣が、財務局所属の職員に係るものにあつては財務局長が、福岡財務支局所属の職員に係るものにあつては福岡財務支局長が、それぞれ発行するものとする。

別紙様式第38号　削除

別紙様式第39号

（表面）

（組合員用）

本人（組合員）　　令和　年　月　日交付

○○共済組合

船員組合員証

記号　　番号　　（枝番）

氏名

性別

生　年　月　日　　年　月　日

資格取得年月日　　年　月　日

発行機関所在地

保 険 者 番 号　　印

名　　　称

（裏面）

住　所

備　考

※　以下の欄に記入することにより、臓器提供に関する意思を表示することができます。
記入する場合は、1．2．3．のいずれかの番号を○で囲んで下さい。

1．私は、脳死後及び心臓が停止した死後のいずれでも移植の為に臓器を提供します。
2．私は、心臓が停止した死後に限り、移植の為に臓器を提供します。
3．私は、臓器を提供しません。

《1又は2を選んだ方で、提供したくない臓器があれば、×をつけて下さい。》

【心臓・肺・肝臓・腎臓・膵臓・小腸・眼球】

〔特記欄：　〕

署名年月日：　年　月　日

本人署名（自筆）：　　家族署名（自筆）：

備考　1．プラスチツクその他の材料を用い、使用に十分耐えうるものとする。
2．大きさは、縦54ミリメートル、横86ミリメートルとする。
3．必要があるときは、横書きの文字を縦書きで表示することその他所要の変更又は調整を加えることができる。
4．船員組合員に次に掲げる事項を周知するものとする。
⑴　船員組合員証の交付を受けたときは、直ちに住所欄に住所を自署して大切に保管すること。
⑵　保険医療機関等において診療を受けようとするときは、その窓口で電子資格確認を受けるか、船員組合員証を提出すること。
⑶　船員組合員の資格を喪失したときは、遅滞なく船員組合員証を組合に返納すること。
⑷　不正に船員組合員証を使用した者は、刑法により詐欺罪として懲役の処分を受けることがあること。
⑸　船員組合員証の記載事項に変更があつたときは、遅滞なく組合に提出して訂正を受けること。
⑹　臓器提供に関する意思を表示する場合は、次の点に留意するほか、臓器の移植に関する法律（平成9年法律第104号）に基づく臓器提供意思表示カードの記載の例によること。
(イ)　特記欄については、親族への優先提供の意思等がある場合に記載すること。
(ロ)　家族署名欄への記載は、意思表示の有効性の要件とはなつていないこと。
また、「家族」は被扶養者の認定を受けている者に限らないこと。

別紙様式第40号

（表面）

（被扶養者用）

家族（被扶養者）　　令和　年　月　日交付
○　○　共　済　組　合
船員組合員被扶養者証
記号　　番号　　（枝番）
氏名　　組合員氏名
性別
生　年　月　日　　年　月　日
認　定　年　月　日　　年　月　日
発行機関所在地
保　険　者　番　号
名　　　称　　　印

（裏面）

住　所

備　考

※　以下の欄に記入することにより、臓器提供に関する意思を表示することができます。
記入する場合は、1．2．3．のいずれかの番号を○で囲んで下さい。

1．私は、脳死後及び心臓が停止した死後のいずれでも移植の為に臓器を提供します。
2．私は、心臓が停止した死後に限り、移植の為に臓器を提供します。
3．私は、臓器を提供しません。
《1又は2を選んだ方で、提供したくない臓器があれば、×をつけて下さい。》
【心臓・肺・肝臓・腎臓・膵臓・小腸・眼球】
〔特記欄：　〕
署名年月日：　年　月　日
本人署名（自筆）：　　家族署名（自筆）：

備考　1．プラスチックその他の材料を用い、使用に十分耐えうるものとする。
2．大きさは、縦54ミリメートル、横86ミリメートルとする。
3．必要があるときは、横書きの文字を縦書きで表示することその他所要の変更又は調整を加えることができる。
4．船員組合員又はその被扶養者に次に掲げる事項を周知するものとする。
(1)　船員組合員被扶養者証の交付を受けたときは、直ちに住所欄に住所を自署して大切に保管すること。
(2)　保険医療機関等において診療を受けようとするときは、その窓口で電子資格確認を受けるか、船員組合員被扶養者証を提出すること。
(3)　船員組合員の資格を喪失したとき又は船員組合員の被扶養者がその要件を欠くに至つたときは、遅滞なく船員組合員被扶養者証を組合に返納すること。
(4)　不正に船員組合員被扶養者証を使用した者は、刑法により詐欺罪として懲役の処分を受けることがあること。
(5)　船員組合員被扶養者証の記載事項に変更があつたときは、遅滞なく組合に提出して訂正を受けること。
(6)　臓器提供に関する意思を表示する場合は、次の点に留意するほか、臓器の移植に関する法律（平成9年法律第104号）に基づく臓器提供意思表示カードの記載の例によること。
(イ)　特記欄については、親族への優先提供の意思等がある場合に記載すること。
(ロ)　家族署名欄への記載は、意思表示の有効性の要件とはなつていないこと。
また、「家族」は被扶養者の認定を受けている者に限らないこと。

別紙様式第41号及び別紙様式第42号 削除

別紙様式第43号

船員組合員療養補償証明書

<table>
<tr><td rowspan="3">本　　人</td><td>記　　号</td><td></td><td>番　　号</td><td colspan="3">（枝番）</td></tr>
<tr><td>氏　　名</td><td colspan="2"></td><td>生　年　月　日</td><td colspan="2">昭和
平成　　年　　月　　日
令和</td></tr>
<tr><td>組合員証資格取得年月日</td><td colspan="2">令和　　年　　月　　日</td><td colspan="3"></td></tr>
<tr><td>乗組船舶</td><td>船　舶　名</td><td colspan="2"></td><td>総トン数</td><td colspan="2"></td></tr>
<tr><td rowspan="2">傷病・事故発生の日時及び場所</td><td>日　　時</td><td colspan="5">令和　　年　　月　　日　午前
午後　　時　　分頃</td></tr>
<tr><td>場　　所</td><td colspan="5"></td></tr>
<tr><td>傷　　病</td><td colspan="2">1　疾病　　2　負傷</td><td>部位</td><td colspan="3"></td></tr>
<tr><td rowspan="2">船員法第八十九条第二項該当</td><td rowspan="2">下船の場所及び年月日</td><td>下　船　港</td><td colspan="2"></td><td></td><td></td></tr>
<tr><td>下船年月日</td><td colspan="2">令和　　年　　月　　日</td><td>下船後三月満了年月日</td><td>令和　　年　　月　　日</td></tr>
</table>

上記のとおり相違ないことを証明します。

令和　　年　　月　　日

所在地

支部長

名　称

住　所

船　長

氏　名

備考　用紙の大きさは、日本産業規格Ａ４とする。

別表

一	呼吸器系結核
二	肺化のう症
三	けい肺（これに類似するじん肺症を含む。）
四	その他認定又は診査に際し必要と認められるもの

○厚生年金保険法等の一部を改正する法律等の施行に伴う存続組合及び指定基金に係る特例業務等に関する省令

平九・三・二八
大蔵令二一

最終改正 令六・五・二七財務令四二

厚生年金保険法等の一部を改正する法律（平成八年法律第八十二号）の施行に伴い、並びに同法及び厚生年金保険法等の一部を改正する法律の施行に伴う国家公務員共済組合法による長期給付等に関する経過措置に関する政令（平成九年政令第八十六号）の規定に基づき、並びに同法を実施するため、厚生年金保険法等の一部を改正する法律等の施行に伴う存続組合及び指定基金に係る特例業務等に関する省令を次のように定める。

目次

附則

第一章 総則

（趣旨）

第一条 この省令は、存続組合又は指定基金の財務その他その運営に関し必要な事項を定めるとともに、厚生年金保険法等の一部を改正する法律（平成八年法律第八十二号。以下「平成八年改正法」という。）及び厚生年金保険法等の一部を改正する法律の施行に伴う国家公務員共済組合法による長期給付等に関する経過措置に関する政令（平成九年政令第八十六号。以下「平成九年経過措置政令」という。）等の実施のための手続その他これらの法令の執行に関して必要な細則を定めるものとする。

（定義）

第二条 この省令において、次の各号に掲げる用語の意義は、それぞれ当該各号に定めるところによる。

一 国共済法 被用者年金制度の一元化等を図るための厚生年金保険法等の一部を改正する法律（平成二十四年法律第六十三号。以下「平成二十四年一元化法」という。）第二条の規定による改正後の国家公務員共済組合法（昭和三十三年法律第百二十八号）をいう。

二 国共済法施行規則 国家公務員共済組合法施行規則等の一部を改正する省令（平成二十七年財務省令第七十三号。第七条において「平成二十七年改正省令」という。）第一条の規定による改正後の国家公務員共済組合法施行規則（昭和三十三年大蔵省令第五十四号）をいう。

三 日本たばこ産業共済組合、日本電信電話共済組合又は日本鉄道共済組合 それぞれ平成八年改正法附則第三条第七号に規定する日本たばこ産業共済組合、日本電信電話共済組合又は日本鉄道共済組合をいう。

四 存続組合 平成八年改正法附則第三十二条第二項に規定する存続組合をいう。

五 特例業務 平成八年改正法附則第四十七条第一項に規定する特例業務をいう。

六 指定基金 平成八年改正法附則第四十八条第一項に規定する指定基金をいう。

第二章 存続組合

第一節 運営規則

（運営規則）

第三条 存続組合は、平成八年改正法附則第三十二条第三項の規定により適用するものとされた国共済法第十一条第一項の規定により、次の各号に掲げる事項を運営規則（同項に規定する運営規則をいう。以下同じ。）で定めなければならない。

一 存続組合の業務を執行する権限の委任に関する事項

二 給付の請求、決定及び支払に関する事項

三 存続組合に帰属した権利及び義務（前号に掲げる事項に関するものを除く。）の行使及び履行のために必要な業務に関する事項

四 法令又は平成八年改正法附則第三十二条第三項の規定により適用するものとされた国共済法第六条に規定する定款の規定により運営規則で定めることとされている事項

五 前各号に掲げるもののほか、存続組合の業務の執行に関して必要な事項

第二節 財務等

（存続組合の財務等に関する国共済法施行規則の適用等）

第四条 平成八年改正法附則第三十二条第三項の規定により国共済法第三条第一項に規定する国家公務員共済組合とみなされた存続組合には、国共済法施行規則第二章第二節（第六条、第七条、第十三条の二、第二十一条第三項、第六十六条、第七十七条、第七十八条、第八十条、第八十一条の二及び第八十二条を除く。）、第百二十四条から第百二十六条の四まで及び第百三十一条第二項の規定を適用する。この場合において、次の表の上欄に掲げる国共済法施行規則の規定中同表の中欄に掲げる字句は、それぞれ同表の下欄に掲げる字句に読み替えるものとする。

第五条第四項	組合の代表者	厚生年金保険法等の一部を改正する法律（平成八年法律第八十二号。以下「平成八年改正法」という。）附則第三十二条第三項の規定により読

		み替えて適用するものとされた法第五条第一項に規定する組合の代表者（以下「組合の代表者」という。）
第十条第一項第三号	福祉経理	貸付経理（厚生年金保険法等の一部を改正する法律等の施行に伴う存続組合及び指定基金に係る特例業務等に関する省令（平成九年大蔵省令第二十一号。以下「平成九年省令」という。）第五条第三号に規定する貸付経理をいう。以下同じ。）
第十二条第一項	令第八条第一項第一号	厚生年金保険法等の一部を改正する法律の施行に伴う国家公務員共済組合法による長期給付等に関する経過措置に関する政令（平成九年政令第八十六号。以下「平成九年経過措置政令」という。）第十一条第二項において準用する国家公務員共済組合法施行令等の一部を改正する等の政令（平成二十七年政令第三百四十四号）第一条の規定による改正前の国家公務員共済組合法施行令（昭和三十三年政令第二百七号。以下「平成二十七年改正前国共済令」という。）第八条第一項第一号
第十二条第二項	令第八条第一項	平成九年経過措置政令第十一条第二項において準用する平成二十七年改正前国共済令第八条第一項
第十二条第三項各号列記以外の部分	令第八条第一項第三号	平成九年経過措置政令第十一条第二項において準用する平成二十七年改正前国共済令第八条第一項第三号

	次に掲げるもの	次に掲げるもの（第二号に掲げるものを除く。）
第十六条第一項	職員又は組合職員	職員（平成八年改正法附則第三十二条第二項に規定する業務に従事する者をいう。以下同じ。）
第十七条第一項及び第十八条の二第一項	職員又は組合職員	職員
第十八条の三	職員又は組合職員	職員
	官職又は役職	役職
第二十一条第一項各号列記以外の部分	報告するとともに、本省支部及び本庁支部以外の支部及び単位所属所にあつては、当該報告書の写しを当該支部又は単位所属所の所在地の所轄財務局長（当該所在地が、福岡財	報告しなければならない

	務支局の管轄に属するときは福岡財務支局長。第三項において「関係財務局長等」という。）に報告しなければならない。	
第二十三条各号列記以外の部分	次の各号に掲げる事項	第二号から第四号まで、第十号及び第十二号に掲げる事項
第二十三条第三号	短期経理における給付並びに法第百条第三項に規定する標準報酬の月額及び標準期末手当等の額と掛金（短期給付及び介護納付金に係るものに限る。）との割合	長期経理（平成九年省令第五条第一号に規定する長期経理をいう。以下同じ。）における給付
第二十四	次に掲げる	次に掲げる事項（第四号及び第五号

条第二項各号列記以外の部分	事項	に掲げる事項を除く。）
第二十四条第二項第二号	法	平成八年改正法附則第三十二条第三項の規定により適用するものとされた法
第二十四条第二項第三号	資金の融通	資金の融通並びに繰入れ及び受入れ
第二十七条第一項各号列記以外の部分	次に掲げる場合	次に掲げる場合（第十号に掲げる場合を除く。）
第二十七条第一項第八号	及び他の組合	、他の組合及び平成八年改正法附則第四十八条第一項に規定する指定基金
第三十一条	若しくは他の組合	、他の組合若しくは平成八年改正法附則第四十八条第一項に規定する指定基金
第三十二条	完納させなければならない。ただし、組合員に対して宅地又は建物の譲渡をする場合その他財務大臣の定める場合であつて、組合の代表者の定めるところにより担保を提供させ、かつ、利息を付して宅地又は建物等の代金の割賦弁済の特約をするときは、この限りでない	完納させなければならない
第三十四条各号列記以外の部分	次の各号に掲げる場合	第四号及び第五号に掲げる場合
第四十五条第一項ただし書	次の各号に掲げる場合	第一号から第五号まで及び第十二号に掲げる場合
第四十五条第一項第二号	組合員以外の者に対し支払をしようとする場合において、受取人	受取人
第四十七条	給付金及び組合員に対する貸付金	給付金
第五十条各号列記以外の部分	次の各号に掲げる経費	第一号、第五号及び第七号に掲げる経費
第六十二条第一項及び第六十二条の二	法	平成八年改正法附則第三十二条第三項の規定により適用するものとされた法
第六十四条第二項	職員又は組合職員	職員
第六十七条第二項	福祉経理の資産	長期経理の資産又は貸付経理の資産
第七十三条	組合に使用される者	職員
第七十六条	福祉経理（貯金経理及び指定経理のうち財務大臣が定めるものを除く。）	貸付経理
	貸付金、売掛金	貸付金
第八十一条	、法第九十	をもつて

条第一項	九条に規定する福祉事業に要する費用に充てるべき掛金及び国、行政執行法人、法科大学院設置者、職員団体若しくは郵政会社等の負担金又は第七条第二項に規定する繰入金をもって	
第八十四条第二項	補てんし、なお欠損金がある場合には、欠損金補てん積立金（貸付経理については、貸付資金積立金）を取り崩して補てんするものとする	補てんするものとする
第百二十四条第六号	運営規則	平成八年改正法附則第三十二条第三項の規定により適用するものとされた法第十一条第一項に規定する運営規則
第百二十六条第一項	法	平成八年改正法附則第三十二条第三項の規定により適用するものとされた法
第百二十六条第二項	別紙様式第三十六号	平成九年省令別紙様式第一号
第百二十六条の四第三項	法	平成八年改正法附則第三十二条第三項の規定により適用するものとされた法
第百三十一条第二項	組合の代表者又は連合会の理事長	組合の代表者

2　日本たばこ産業共済組合、日本電信電話共済組合又は日本鉄道共済組合に係る存続組合は、第一項の規定により読み替えて適用される国共済法施行規則第二十七条第一項各号に掲げる場合のほか、それぞれ日本たばこ産業株式会社（当該法人に係る旧指定法人（平成八年改正法附則第五十四条第一項第三号に規定する旧指定法人をいう。以下この項において同じ。）を含む。次項において同じ。）、日本電信電話株式会社等（日本電信電話株式会社（日本電信電話株式会社等に関する法律（昭和五十九年法律第八十五号）第一条の二第一項に規定する日本電信電話株式会社をいう。）及び当該法人に係る旧指定法人並びに日本電信電話株式会社法の一部を改正する法律（平成九年法律第九十八号）附則第二条第一項に規定する地域会社及び同条第三項に規定する長距離会社をいう。次項において同じ。）又は平成八年改正法附則第十八条第二項に規定する旅客鉄道会社等（日本鉄道建設公団並びに旅客鉄道株式会社及び日本貨物鉄道株式会社に関する法律の一部を改正する法律（平成十三年法律第六十一号）附則第二条第一項に規定する新会社及び当該新会社に係る旧指定法人並びに旅客鉄道株式会社及び日本貨物鉄道株式会社に関する法律の一部を改正する法律（平成二十七年法律第三十六号）附則第二条第一項に規定する新会社及び当該新会社に係る旧指定法人を含む。次項において同じ。）との間で契約をするときには、随意契約によることができる。

3　日本たばこ産業共済組合、日本電信電話共済組合又は日本鉄道共済組合に係る存続組合の契約担当者（第一項の規定により適用される国共済法施行規則第二十五条に規定する契約担当者をいう。）は、同項の規定により読み替えて適用される国共済法施行規則第三十一条ただし書に規定する場合のほか、それぞれ日本たばこ産業株式会社、日本電信電話株式会社等又は平成八年改正法附則第十八条第二項に規定する旅客鉄道会社等に対して貸し付ける場合には、賃貸料を定期に納付させる契約をすることができる。

（経理単位）

第五条　前条の規定により国共済法施行規則第四条の規定を適用する場合における経理単位は、次の各号に掲げる経理単位とし、各経理単位においては、当該各号に規定する取引を経理するものとする。

一　長期経理　次に掲げるものに関する取引

イ　平成八年改正法附則第三十二条第二項第一号及び第二号に規定する長期給付並びにこれに準ずる給付

ロ　平成八年改正法附則第三十四条第一項の規定により読み替えられた国民年金法（昭和三十四年法律第百四十一号）第九十四条の二第二項に規定する基礎年金拠出金

ハ　平成八年改正法附則第二条第二項の規定によりなお従前の例によるものとされた同条第一項の規定による廃止前の被用者年金制度間の費用負担の調整に関する特別措置法（平成元年法律第八十七号）の規定による調整拠出金及び同条第三項の規定によりなおその効力を有するものとされた同法の規定による調整拠出金

ニ　平成八年改正法附則第十九条及び第二十条の規定による納付

二　業務経理　存続組合の事務（次号に係る事務を除く。）に関する取引

三　貸付経理　平成八年改正法第二条の規定による改正前の国家公務員等共済組合法（以下「平成八年法改正前国共済法」という。）第九十八条第五号に掲げる事業に関する取引

（経理間の繰入れ）

第六条　長期経理の財源については、貸付経理から繰り入れられる金額を財源とすることができる。

2　業務経理の財源については、財務大臣の承認を受けて長期経理から繰り入れられる金額を財源とすることができる。

（長期経理の余裕金の運用等）

第七条　平成二十七年改正省令第一条の規定による改正前の国家公務員共済組合法施行規則（以下「平成二十七年改正前国共済法施行規則」という。）第八十五条の二、第八十五条の二の二、第八十五条の二の三及び附則第七項並びに国家公務員共済組合法施行規則の一部を改正する省令（平成二十七年財務省令第十八号）による改正前の国家公務員共済組合法施行規則第八十五条の二の四の規定は、存続組合の長期経理について準用する。

第三章　指定基金

第一節　指定基金となるための申請手続等

（基金の申請の手続）

第八条　平成九年経過措置政令第十八条に規定する財務省令で定める事項は、次の各号に掲げる事項とする。

一　平成八年改正法附則第四十七条第一項に規定する指定（以下「指定」という。）を受けようとする厚生年金基金又は平成八年改正法附則第五十二条第六項の規定により読み替えられた平成八年改正法附則第四十七条第一項の規定による指定を受けようとする企業年金基金（以下「基金」と総称する。）の名称及び住所並びに代表者の氏名

二　指定を受けようとする基金の事務所の所在地

三　特例業務を開始しようとする年月日

2　平成九年経過措置政令第十八条に規定する申請書には、次に掲げる書類を添付しなければならない。

一　事業計画の概要を記載した書類

二　特例業務を開始しようとする時における予定貸借対照表

三　その他参考となるべき書類

（適用事業所の事業主の申請の手続）

第九条　平成九年経過措置政令第十九条に規定する財務省令で定める事項は、次の各号に掲げる事項とする。

一　事業主（平成九年経過措置政令第十九条に規定する事業主をいう。次項において同じ。）の名称及び住所

二　指定を受けようとする基金の名称及び住所並びに代表者の氏名

三　指定を受けようとする基金の事務所の所在地

四　特例業務を開始しようとする年月日

2　平成九年経過措置政令第十九条に規定する申請書には、次に掲げる書類を添付しなければならない。

一　平成八年改正法附則第四十七条第一項に規定する事業主であることを証する書類

二　事業計画の概要を記載した書類

三　特例業務を開始しようとする時における予定貸借対照表

四　その他参考となるべき書類

（指定基金が特例業務として支給する年金たる長期給付を支給しないこととすることの認可の申請の手続）

第十条　平成九年経過措置政令第二十二条第三号に規定する財務省令で定める事項は、次の各号に掲げる事項とする。

一　平成八年改正法附則第四十九条第二項の規定による認可（以下この条において「認可」という。）を受けようとする基金の名称及び住所並びに代表者の氏名

二　認可を受けようとする基金の事務所の所在地

三　指定を受けている基金である旨

四　特例業務として支給する年金たる長期給付を支給しないこととしようとする年月日

2　前項の申請書には、次に掲げる書類を添付しなければならない。

一　認可を受けようとする基金に係る厚生年金保険法（昭和二十九年法律第百十五号）第百十五条に規定する規約

二　事業計画の概要を記載した書類

三　特例業務として支給する年金たる長期給付を支給しないこととしようとする時における予定貸借対照表

四　その他参考となるべき書類

第二節　業務規程

（指定基金の業務規程に記載すべき事項）

第十一条　平成八年改正法附則第五十条第一項に規定する特例業務を実施するために必要な事項で財務省令で定めるものは、次の各号に掲げる事項とする。

一　目的

二　名称

三　事務所の所在地

四　指定基金の特例業務を執行する権限の委任に関する事項

五　給付の請求、決定及び支払に関する事項

六　指定基金に帰属した権利及び義務（前号に掲げる事項に関するものを除く。）の行使及び履行のために必要な業務に関する事項

七　資産の管理その他財務に関する事項

八　法令の規定により業務規程で定めることとされている事項

九　前各号に掲げるもののほか、指定基金の特例業務の執行に関して必要な事項

第三節　財務等

（指定基金の特例業務に関する財務及び会計等）

第十二条　指定基金の行う特例業務に係る会計組織については、国共済法施行規則第四条の規定を準用する。この場合において、同条中「法第五条第一項に規定する」とあるのは「厚生年金保険法等の一部を改正する法律等の施行に伴う存続組合及び指定基金に係る特例業務等に関する省令（平成九年大蔵省令第二十一号）第十一条第三号に規定する事務所のうち」と、「同条第二項に規定する」とあるのは「同号に規定する事務所のうち」と読み替えるものとする。

2　指定基金の行う特例業務に係る財務及び会計等については、前項に定めるもののほか、前章第二節の規定（同節の規定により適用される国共済法施行規則第六十二条の二、第百二十六条から第百二十六条の三まで及び第百二十六条の四第三項の規定を除く。）を準用する。この場合において、第四条第一項の表第五条第四項の項中「附則第三十二条第三項の規定により読み替えて適用するものとされた法第五条第一項に規定する組合の

代表者」とあるのは「附則第四十八条第一項に規定する指定基金を代表する者」と、同表第十二条第一項の項、第十二条第二項の項及び第十二条第三項各号列記以外の部分の項中「第十一条第二項」とあるのは「第二十五条第二項」と、同表第二十四条第二項第二号の項中「平成八年改正法附則第三十二条第三項の規定により適用するものとされた法」とあるのは「平成九年経過措置政令第二十五条第二項の規定により準用するものとされた被用者年金制度の一元化等を図るための厚生年金保険法等の一部を改正する法律（平成二十四年法律第六十三号）第二条の規定による改正前の法（以下「平成二十四年一元化法改正前の法」という。）」と、同表第二十七条第一項第八号の項及び第三十一条の項中「平成八年改正法附則第四十八条第一項」とあるのは「他の平成八年改正法附則第四十八条第一項」と、同表第六十二条第一項及び第六十二条の二の項中「第六十二条第一項及び第六十二条の二」とあるのは「第六十二条第一項」と、「平成八年改正法附則第三十二条第三項の規定により適用するものとされた法」とあるのは「平成九年経過措置政令第二十五条第二項の規定により準用するものとされた平成二十四年一元化法改正前の法」と、同表第百二十四条第六号の項中「附則第三十二条第三項の規定により適用するものとされた法第十一条第一項に規定する運営規則」とあるのは「附則第五十条第一項に規定する業務規程」と読み替えるものとする。

（監督）

第十三条　平成八年改正法附則第五十一条第二項の規定による当該職員の検査は、別に定める検査要領に従って行わなければならない。

2　平成八年改正法附則第五十一条第三項に規定する証明書は、別紙様式第二号による。

第四章　特例年金給付等に係る請求手続等

（特例年金給付等の請求手続に係る国共済法施行規則の適用等）

第十四条　存続組合が平成八年改正法附則第三十三条第一項に規定する特例年金給付（以下「特例年金給付」という。）又は同項に規定する特例一時金給付の支給を行う場合においては、国共済法施行規則第九十六条の規定並びに平成二十七年改正前国共済法施行規則第九十七条、第九十八条、第九十八条の二、第五章第三節（第百十四条の二、第百十四条の二の二、第百十四条の三の六第三項、第百十四条の五、第百十四条の十二、第百十四条の十二の二、第百十四条の二十四、第百十四条の二十九、第百十四条の三十二、第百十四条の三十二の五、第百十四条の三十二の七から第百十四条の三十二の十二まで、第百十四条の三十二の十八、第百十四条の三十二の十九、第三款の三、第百十四条の三十三、第百十四条の三十六、第百十四条の三十七、第百十四条の四十の三、第百十四条の四十三及び第百十四条の四十五を除く。）及び第百十七条の規定（以下この条において「平成二十七年改正前国共済法施行規則第九十七条等の規定」という。）を適用する。この場合において、国共済法施行規則第九十六条中「給付（厚生年金保険給付を除く。）」とあるのは「給付」と、「組合（退職等年金給付にあつては、連合会）の運営規則」とあるのは「存続組合（厚生年金保険法等の一部を改正する法律（平成八年法律第八十二号。以下この条において「平成八年改正法」という。）附則第三十二条第二項に規定する存続組合をいう。）の運営規則（平成八年改正法附則第三十二条第三項の規定により適用するものとされた法第十一条第一項に規定する運営規則をいう。）」と、平成二十七年改正前国共済法施行規則第九十七条等の規定中「連合会に」とあるのは「存続組合に」と読み替えるほか、次の表の上欄に掲げる平成二十七年改正前国共済法施行規則の規定中同表の中欄に掲げる字句は、それぞれ同表の下欄に掲げる字句に読み替えるものとする。

第九十七条第一項各号列記以外の部分	法第四十五条第一項	厚生年金保険法等の一部を改正する法律の施行に伴う国家公務員共済組合法による長期給付等に関する経過措置に関する政令（平成九年政令第八十六号。以下「平成九年経過措置政令」という。）第十二条第一項の規定により読み替えられた法（厚生年金保険法等の一部を改正する法律（平成八年法律第八十二号。以下「平成八年改正法」という。）附則第三十一条又は第三十三条第一項の規定により適用するものとされた被用者年金制度の一元化等を図るための厚生年金保険法等の一部を改正する法律（平成二十四年法律第六十三号。以下この項及び第百十四条の十第一項第四号において「平成二十四年一元化法」という。）附則第三十七条第一項の規定によりなおその効力を有するものとされた平成二十四年一元化法第二条の規定による改正前の法をいう。以下同じ。）第四十五条第一項
	組合（当該給付が長期給付である場合には、連合会）	存続組合（平成八年改正法附則第三十二条第二項に規定する存続組合をいう。以下同じ。）
第九十七条第一項第一号	住所	住所又は行政手続における特定の個人を識別するための番号の利用等に関する法律（平成二十五年法律第二十七号。以下「番号利用法」という。）第二条第五項に規定する個人番号（以下「個人番号」という。）
第九十七条第一項第四号	四　払渡金融機関の名称及び預金通帳の記号番	四　次のイ又はロに掲げる者の区分に応じ、当該イ又はロに定める事項 イ　支給を受けようとする預金口座として公的給付の支給等の迅

	号	速かつ確実な実施のための預貯金口座の登録等に関する法律（令和三年法律第三十八号）第三条第一項、第四条第一項及び第五条第二項の規定による登録に係る預金口座（以下「公金受取口座」という。）を利用しようとする者　払渡金融機関の名称及び公金受取口座の口座番号並びに支給を受けようとする預金口座として公金受取口座を利用する旨 ロ　イに掲げる者以外の者　払渡金融機関の名称及び預金口座の口座番号
第九十七条第二項第一号	遺族の順位若しくは遺族がないこと及び当該死亡した者の相続人であることを証するに足る	死亡した受給権者（法第四十一条第一項に規定する受給権者をいう。以下同じ。）と請求者との身分関係を明らかにすることができる
	、区長	、区長又は総合区長
	又は除籍抄本若しくは除籍謄本	、除籍抄本若しくは除籍謄本又は不動産登記規則（平成十七年法務省令第十八号）第二百四十七条第五項の規定により交付を受けた同条第一項に規定する法定相続情報一覧図の写し（以下「法定相続情報一覧図の写し」という。）
第九十七条第二項第二号	当該給付の支払を受けるべきであった者でその支払を受けなかったものの死亡を証する市町村長による証明書、戸籍抄本若しくは戸籍謄本又は除籍抄本若しくは除籍謄本	死亡した受給権者の死亡の当時その者と生計を同じくしていたことを証する書類
第九十八条各号列記以外の部分	組合	存続組合
第九十八条第一号	組合員の氏名及び住所並びに組合員証の記号及び番号	旧適用法人施行日前期間（平成八年改正法附則第二十四条第二項に規定する旧適用法人施行日前期間をいう。以下同じ。）を有する者の氏名及び住所又は個人番号
第百十四条第一項各号列記以外の部分	次に掲げる事項	次に掲げる事項（第十号に掲げる事項を除く。）
第百十四条第一項第一号	及び	及び個人番号又は
第百十四条第一項第二号	退職当時	退職（平成八年改正法附則第二十四条第一項の規定による退職を含む。以下同じ。）当時
第百十四条第一項第五号	法第七十六条第一項第一号に規定する組合員期間等（以下「組合員期間等」という。）	平成九年経過措置政令第八条の規定により読み替えられた法第七十六条第一項第一号に規定する旧適用法人施行日前期間等
第百十四条第一項第六号	及び	及び個人番号又は
第百十四条第一項第七号	配偶者が	配偶者が厚生年金保険法による老齢厚生年金（その年金額の算定の基礎となる被保険者期間又は旧適用法人施行日前期間が二十年以上であるものに限る。）若しくは障害厚生年金又は
	組合員期間	組合員期間又は旧適用法人施行日前期間
	又は令第十一条の七の四	若しくは令（平成九年経過措置政令第十二条第二項の規定により適用するものとされた国家公務員共済組合法施行令等の一部を改正する等の政

		令（平成二十七年政令第三百四十四号）第一条の規定による改正前の令をいう。以下同じ。）第十一条の七の四
第百十四条第一項第九号	法第九十七条第一項	平成九年経過措置政令第十二条第一項の規定により読み替えられた法第九十七条第一項
第百十四条第一項第十三号	十三　払渡金融機関の名称及び預金通帳の記号番号	十三　次のイ又はロに掲げる者の区分に応じ、当該イ又はロに定める事項 イ　支給を受けようとする預金口座として公金受取口座を利用しようとする者　払渡金融機関の名称及び公金受取口座の口座番号並びに支給を受けようとする預金口座として公金受取口座を利用する旨 ロ　イに掲げる者以外の者　払渡金融機関の名称及び預金口座の口座番号
第百十四条第二項各号列記以外の部分	次に掲げる書類	請求者の生年月日に関する市町村長の証明書又は戸籍抄本及び次に掲げる書類
	ならない	ならない。ただし、存続組合が次項の規定により当該これらの書類と同一の内容を含む本人確認情報（住民基本台帳法（昭和四十二年法律第八十一号）第三十条の七第四項に規定する機構保存本人確認情報をいう。以下同じ。）の提供を受けることができるときは、この限りでない

第百十四条第二項第二号	組合員期間等のうち組合員期間	旧適用法人施行日前期間
第百十四条第二項第三号	その者と	その者の生年月日及びその者と
	及びその者の収入の金額	並びにその者が請求者によつて生計を維持していたこと
第百十四条第三項	連合会	存続組合
	都道府県知事又は住民基本台帳法（昭和四十二年法律第八十一号）第三十条の十第一項に規定する指定情報処理機関（以下「知事等」という。）	地方公共団体情報システム機構
	同法第三十条の五第一項に規定する本人確認情報（以下「本人確認情報」という。）	本人確認情報

	ものとする	ことができる
第百十四条第四項	法第七十六条	平成九年経過措置政令第八条の規定により読み替えられた法第七十六条
	法附則第十二条の三又は第十二条の八第一項若しくは第二項の規定	平成九年経過措置政令第八条の規定により読み替えられた法附則第十二条の三の規定
第百十四条第八項第三号	障害共済年金又は	厚生年金保険法による障害厚生年金又は障害共済年金若しくは
第百十四条の二の三第一項第一号及び第二項第一号並びに第百十四条の三第一項第一号	住所	住所又は個人番号
第百十四条の三第一項第四号	生年月日	生年月日又は個人番号
第百十四条の三第	当該対象者と	当該対象者の生年月日及びその者と

二項	及び当該対象者の収入の金額	並びに当該対象者が引き続き受給権者によつて生計を維持していること
	ならない	ならない。ただし、存続組合が次項の規定により当該書類と同一の内容を含む本人確認情報の提供を受けることができるときは、この限りでない
第百十四条の三第三項	連合会	存続組合
	知事等	地方公共団体情報システム機構
	ものとする	ことができる
第百十四条の三の二第一項第二号	住所	住所又は個人番号
第百十四条の三の二第二項	連合会	存続組合
	知事等	地方公共団体情報システム機構
	ものとする	ことができる
第百十四条の三の三第一項第二号	住所	住所又は個人番号
第百十四条の三の三第一項第四号	生年月日	生年月日又は個人番号
第百十四条の三の三第二項	当該対象者と	当該対象者の生年月日及びその者と
	及び当該対象者の収入の金額	並びに当該対象者が引き続き受給権者によつて生計を維持していること
	ならない	ならない。ただし、存続組合が次項の規定により当該書類と同一の内容を含む本人確認情報の提供を受けることができるときは、この限りでない
第百十四条の三の三第三項	連合会	存続組合
	知事等	地方公共団体情報システム機構
	ものとする	ことができる
第百十四条の三の四第一項各号列記以外の部分	法附則第十二条の四の二第一項	平成九年経過措置政令第十二条第一項の規定により読み替えられた法附則第十二条の四の二第一項
第百十四条の三の四第一項第一号	住所	住所又は個人番号
第百十四条の三の四第一項第四号	障害共済年金又は	厚生年金保険法による障害厚生年金又は障害共済年金若しくは
第百十四条の三の四第一項第五号	生年月日	生年月日又は個人番号
第百十四条の三の四第二項各号列記以外の部分	同項第四号	存続組合が第四項の規定により当該書類と同一の内容を含む本人確認情報の提供を受けることができるときは、この限りでなく、また、前項第四号
第百十四条の三の四第二項第三号	その者と	その者の生年月日及びその者と
	及びその者の収入の金額	並びにその者が請求者によつて生計を維持していたこと
第百十四条の三の四第四項	連合会	存続組合
	知事等	地方公共団体情報システム機構
	ものとする	ことができる
第百十四条の三の五各号列記以外の部分	法附則第十二条の四の二第一項	平成九年経過措置政令第十二条第一項の規定により読み替えられた法附則第十二条の四の二第一項
	法附則第十二条の三	平成九年経過措置政令第八条の規定により読み替えられた法附則第十二条の三

第百十四条の三の五第一号	住所	住所又は個人番号
第百十四条の三の六第二項	生年月日	生年月日又は個人番号
第百十四条の三の六第三項	ならない	ならない。ただし、存続組合が同条第四項の規定により当該書類と同一の内容を含む本人確認情報の提供を受けることができるときは、この限りでない
第百十四条の三の七第一項各号列記以外の部分	法附則第十二条の三	平成九年経過措置政令第八条の規定により読み替えられた法附則第十二条の三
	法第七十七条	平成九年経過措置政令第十二条第一項の規定により読み替えられた法第七十七条
	法附則第十二条の七第二項	平成九年経過措置政令第八条の規定により読み替えられた法附則第十二条の七第二項
第百十四条の三の七第一項第一号	住所	住所又は個人番号
第百十四条の三の七第一項第三号	生年月日	生年月日又は個人番号
第百十四条の三の七第三項各号列記以外の部分	ならない	ならない。ただし、存続組合が次項の規定により当該書類と同一の内容を含む本人確認情報の提供を受けることができるときは、この限りでない
第百十四条の三の七第三項第一号	対象者	対象者の生年月日及びその者
	及びその者の収入の額	並びにその者が受給権者によつて生計を維持していたこと
第百十四条の三の七第四項	連合会	存続組合
	知事等	地方公共団体情報システム機構
	ものとする	ことができる
第百十四条の四第一項第一号及び第百十四条の六第一項第一号	住所	住所又は個人番号
第百十四条の六第一項第三号	生年月日	生年月日又は個人番号
第百十四条の六第二項各号列記以外の部分	ならない	ならない。ただし、存続組合が次項の規定により当該書類と同一の内容を含む本人確認情報の提供を受けることができるときは、この限りでない
第百十四条の六第二項第一号	その子	子の生年月日及びその子
第百十四条の六第三項	連合会	存続組合
	知事等	地方公共団体情報システム機構
	ものとする	ことができる
第百十四条の七各号列記以外の部分	連合会が知事等	存続組合が地方公共団体情報システム機構
第百十四条の七第一号及び第百十四条の八第一項第一号	住所	住所又は個人番号
第百十四条の八第一項第三号	生年月日	生年月日又は個人番号
第百十四	厚生年金保	平成八年改正法

条の八第二項各号列記以外の部分	険法等の一部を改正する法律（平成八年法律第八十二号）	
	支給するものとされた退職共済年金	支給するものとされた退職共済年金又は連合会が支給する退職共済年金
第百十四条の八第二項第一号及び第百十四条の九第一号	住所	住所又は個人番号
第百十四条の九第三号	生年月日	生年月日又は個人番号
第百十四条の十第一項各号列記以外の部分	厚生年金保険の被保険者等（	厚生年金保険の被保険者等又は組合員若しくは地方の組合の組合員（
第百十四条の十第一項第一号	住所	住所又は個人番号
第百十四条の十第一項第四号	令第十一条の七の五	平成九年経過措置政令第十六条の規定により読み替えられた令第十一条の七の五
	額及び	額並びに
	同項第二号ロ	平成二十四年一元化法第三条の規定による改正前の地方公務員等共済組合法（昭和三十七年法律第百五十二号。以下単に「地方公務員等共済組合法」という。）第四十四条第二項に規定する掛金の標準となつた期末手当等の額に相当する額及び平成九年経過措置政令第十六条の規定により読み替えられた令第十一条の七の五第二号イ
第百十四条の十第三項	連合会	存続組合
第百十四条の十一第一項第一号	住所	住所又は個人番号
第百十四条の十三第一項第一号	及び	及び個人番号又は
第百十四条の十三第一項第六号	公務	公務（平成八年改正法附則第四条に規定する旧適用法人の業務を含む。）
第百十四条の十三第一項第八号	及び	及び個人番号又は
第百十四条の十三第一項第十号	法第九十七条第一項	平成九年経過措置政令第十二条第一項の規定により読み替えられた法第九十七条第一項
第百十四条の十三第一項第十二号	十二　払渡金融機関の名称及び預金通帳の記号番号	十二　次のイ又はロに掲げる者の区分に応じ、当該イ又はロに定める事項 イ　支給を受けようとする預金口座として公金受取口座を利用しようとする者　払渡金融機関の名称及び公金受取口座の口座番号並びに支給を受けようとする預金口座として公金受取口座を利用する旨 ロ　イに掲げる者以外の者　払渡金融機関の名称及び預金口座の口座番号
第百十四条の十三第二項各号列記以外の部分	次に掲げる書類	請求者の生年月日に関する市町村長の証明書又は戸籍抄本及び次に掲げる書類
	ならない	ならない。ただし、存続組合が次項の規定により当該これらの書類と同一の内容を含む本人確認情報の提供を受けることができるときは、この限りでない

第百十四条の十三第二項第三号	その者と	その者の生年月日及びその者と
	及びその者の収入の金額	並びにその者が請求者によつて生計を維持していたこと
	ならない	ならない。ただし、存続組合が次項の規定により当該書類と同一の内容を含む本人確認情報の提供を受けることができるときは、この限りでない
第百十四条の十三第三項	連合会	存続組合
	知事等	地方公共団体情報システム機構
	ものとする	ことができる
第百十四条の十四第一項第一号及び第二項第一号並びに第百十四条の十五第一項第一号	住所	住所又は個人番号
第百十四条の十五第一項第四号	生年月日	生年月日又は個人番号
第百十四条の十五第二項	当該配偶者と	当該配偶者の生年月日及びその者と
	及び当該配偶者の収入の金額	並びに当該配偶者が引き続き受給権者によつて生計を維持していること
第百十四条の十五第三項	連合会	存続組合
	知事等	地方公共団体情報システム機構
	ものとする	ことができる
第百十四条の十六第一項第二号	住所	住所又は個人番号
第百十四条の十六第二項	連合会	存続組合
	知事等	地方公共団体情報システム機構
	ものとする	ことができる
第百十四条の十六の二第一項第二号	住所	住所又は個人番号
第百十四条の十六の二第一項第四号	生年月日	生年月日又は個人番号
第百十四条の十六の二第二項	当該配偶者と	当該配偶者の生年月日及びその者と
	及び当該配偶者の収入の金額	並びに当該配偶者が引き続き受給権者によつて生計を維持していること
	ならない	ならない。ただし、存続組合が次項の規定により当該書類と同一の内容を含む本人確認情報の提供を受けることができるときは、この限りでない
第百十四条の十六の二第三項	連合会	存続組合
	知事等	地方公共団体情報システム機構
	ものとする	ことができる
第百十四条の十六の三第一項第一号	住所	住所又は個人番号
第百十四条の十六の三第一項第三号	及び	及び個人番号又は
第百十四条の十六の三第二項各号列記以外の部分	ならない	ならない。ただし、存続組合が次項の規定により当該書類と同一の内容を含む本人確認情報の提供を受けることができるときは、この限りでない
第百十四	配偶者と	配偶者の生年月日及び当該配偶者と

条の十六の三第二項第一号	及び当該配偶者の収入の金額	並びに当該配偶者が引き続き受給権者によつて生計を維持していること
第百十四条の十六の三第三項	連合会	存続組合
	知事等	地方公共団体情報システム機構
	ものとする	ことができる
第百十四条の十七第一項各号列記以外の部分	法第八十四条第一項若しくは第二項又は法第八十六条の規定	法第八十四条第一項又は法第八十六条の規定
第百十四条の十七第一項第一号	住所	住所又は個人番号
第百十四条の十七第二項第二号	一月	三月
第百十四条の十八第一号	住所	住所又は個人番号
第百十四条の十九各号列記以外の部分	連合会が知事等	存続組合が地方公共団体情報システム機構
第百十四条の十九第一号	住所	住所又は個人番号
第百十四条の十九第三号	生年月日	生年月日又は個人番号
第百十四条の二十第一号	住所	住所又は個人番号
第百十四条の二十第三号	生年月日	生年月日又は個人番号
第百十四条の二十一第一号	住所	住所又は個人番号
第百十四条の二十一第三号	生年月日	生年月日又は個人番号
第百十四条の二十二第一項第一号	住所	住所又は個人番号
第百十四条の二十二第一項	令第十一条の七の五	平成九年経過措置政令第十六条の規定により読み替えられた令第十一条の七の五
第四号	額及び	額並びに
	同項第二号ロ	地方公務員等共済組合法第四十四条第二項に規定する掛金の標準となつた期末手当等の額に相当する額及び平成九年経過措置政令第十六条の規定により読み替えられた令第十一条の七の五第二号イ
第百十四条の二十二第三項	連合会	存続組合
第百十四条の二十三第一項第一号及び第百十四条の二十五第一項第一号	住所	住所又は個人番号
第百十四条の二十五第一項第四号	法第八十七条の五第一項に規定する退職の日	平成九年経過措置政令第八条の規定により読み替えられた法第八十七条の五第一項に規定する症状固定日
第百十四条の二十五第一項第五号	五　払渡金融機関の名称及び預金通帳の記号番号	五　次のイ又はロに掲げる者の区分に応じ、当該イ又はロに定める事項 イ　支給を受けようとする預金口座として公金受取口座を利用しようとする者　払渡金融機関の名称及び公金受取口座の口座番

		号並びに支給を受けようとする預金口座として公金受取口座を利用する旨 ロ　イに掲げる者以外の者　払渡金融機関の名称及び預金口座の口座番号
第百十四条の二十六第一項第一号	及び	及び個人番号又は
	組合員又は組合員であつた者	旧適用法人施行日前期間を有する者
第百十四条の二十六第一項第二号	組合員又は組合員であつた者	旧適用法人施行日前期間を有する者
第百十四条の二十六第一項第三号	組合員又は組合員であつた者	旧適用法人施行日前期間を有する者
第百十四条の二十六第一項第五号	組合員又は組合員であつた者	旧適用法人施行日前期間を有する者
	又は厚生年金保険法	厚生年金保険法
	受けることができるときは	受けることができるとき、又は法第九十条の規定によりその額が加算された遺族共済年金（連合会が支給するものに限る。）の支給を受けることができるときは
第百十四条の二十六第一項第六号及び第七号	組合員又は組合員であつた者	旧適用法人施行日前期間を有する者
第百十四条の二十六第一項第八号	八　払渡金融機関の名称及び預金通帳の記号番号	八　次のイ又はロに掲げる者の区分に応じ、当該イ又はロに定める事項 イ　支給を受けようとする預金口座として公金受取口座を利用しようとする者　払渡金融機関の名称及び公金受取口座の口座番号並びに支給を受けようとする預金口座として公金受取口座を利用する旨 ロ　イに掲げる者以外の者　払渡金融機関の名称及び預金口座の口座番号
第百十四条の二十六第二項各号列記以外の部分	次に掲げる書類	請求者の生年月日に関する市町村長の証明書又は戸籍抄本及び次に掲げる書類
	ならない	ならない。ただし、存続組合が第五項の規定により当該これらの書類と同一の内容を含む本人確認情報の提供を受けることができるときは、この限りでない
第百十四条の二十六第二項第一号	組合員又は組合員であつた者	旧適用法人施行日前期間を有する者
第百十四条の二十六第二項第二号	組合員又は組合員であつた者	旧適用法人施行日前期間を有する者
	又は除籍謄本	、除籍謄本又は法定相続情報一覧図の写し
第百十四条の二十六第二項第三号	請求者の収入の金額	請求者が旧適用法人施行日前期間を有する者によつて生計を維持していたこと
第百十四条の二十六第二項第五号及び第六号	組合員又は組合員であつた者	旧適用法人施行日前期間を有する者
第百十四条の二十六第二項第七号	組合員又は組合員であつた者	旧適用法人施行日前期間を有する者
	又は厚生年金保険法	厚生年金保険法
	受けることができるときは	受けることができるとき、又は法第九十条の規定によりその額が加算された遺族共済年金（連合会が支給するものに限る。）の支給を受けることができるときは
第百十四条の二十六第二項	組合員又は組合員であつた者が組	旧適用法人施行日前期間を有する者が旧適用法人施行日前期間

第八号	合員期間等のうち組合員期間	
	管掌機関	実施機関
第百十四条の二十六第五項	連合会	存続組合
	知事等	地方公共団体情報システム機構
	ものとする	ことができる
第百十四条の二十七第一項第一号及び第二項第一号	住所	住所又は個人番号
第百十四条の二十七第二項第二号	組合員又は組合員であつた者	旧適用法人施行日前期間を有する者
第百十四条の二十八第一項第一号及び第二項第一号	住所	住所又は個人番号
第百十四条の二十八第三項各号列記	次に掲げる書類	受給権者の生存に関する市町村長の証明書又は戸籍抄本及び次に掲げる書類

以外の部分	ならない	ならない。ただし、存続組合が次項の規定により当該これらの書類と同一の内容を含む本人確認情報の提供を受けることができるときは、この限りでない
第百十四条の二十八第三項第一号	一月	三月
第百十四条の二十八第四項	連合会	存続組合
	知事等	地方公共団体情報システム機構
	ものとする	ことができる
第百十四条の二十八の二第一項第二号	住所	住所又は個人番号
第百十四条の二十八の二第二項	連合会	存続組合
	知事等	地方公共団体情報システム機構
	ものとする	ことができる
第百十四条の二十八の三第一項第二号	住所	住所又は個人番号

第百十四条の二十八の三第二項	連合会	存続組合
	知事等	地方公共団体情報システム機構
	ものとする	ことができる
第百十四条の三十第一項各号列記以外の部分	法第二条第三項	平成九年経過措置政令第十二条第一項の規定により読み替えられた法第二条第三項
第百十四条の三十第一項第一号	住所	住所又は個人番号
第百十四条の三十第一項第三号	生年月日	生年月日又は個人番号
第百十四条の三十第二項各号列記以外の部分	ならない	ならない。ただし、存続組合が次項の規定により当該書類と同一の内容を含む本人確認情報の提供を受けることができるときは、この限りでない
第百十四条の三十第二項第一号	その子	子の生年月日及びその子
第百十四条の三十	連合会	存続組合

第三項	知事等	地方公共団体情報システム機構
	ものとする	ことができる
第百十四条の三十一第一項各号列記以外の部分	法第九十条	平成九年経過措置政令第十二条第一項の規定により読み替えられた法第九十条
	又は厚生年金保険法	、厚生年金保険法
	遺族厚生年金	遺族厚生年金又は法第九十条の規定によりその額が加算された遺族共済年金（連合会が支給するものに限る。）
第百十四条の三十一第一項第一号	住所	住所又は個人番号
第百十四条の三十二の六第一項各号列記以外の部分	組合（組合員であつた者又はその配偶者であつた者にあつては、連合会。次項、第百十四条の三十二の八第六項、第百十四条の三十二の十三及び第百十四条の三十二の十七において同じ。）	存続組合
第百十四条の三十二の六第二項各号列記以外の部分	組合	存続組合
第百十四条の三十二の十三第一項各号列記以外の部分	をしようとする者	があつたものとみなされた者（その者に係る厚生年金保険法第七十八条の二第一項に規定する対象期間が特例年金給付（死亡を支給事由とするものを除く。）の額の算定の基礎となる期間に含まれないものを除く。）
	組合	存続組合
第百十四条の三十二の十三第一項第一号及び第二号	及び	及び個人番号又は
第百十四条の三十二の十三第三項	組合は	存続組合は
第百十四条の三十二の十五第一項	及び	及び個人番号又は
第百十四条の三十二の十五第四項及び第百十四条の三十二の十六第一項各号列記以外の部分	連合会	存続組合
第百十四条の三十二の十六第一項第一号	及び	及び個人番号又は
第百十四条の三十二の十六第二項	連合会	存続組合
第百十四条の三十二の十七	組合	存続組合
第百十四条の三十三の二第一項各号列記以外	法附則第十三条の十第一項	平成九年経過措置政令第八条の規定により読み替えられた法附則第十三条の十第一項

の部分		
第百十四条の三十三の二第一項第一号	住所	住所又は個人番号
第百十四条の三十四第一項各号列記以外の部分	施行法第二十条	平成九年経過措置政令第十二条第一項の規定により読み替えられた施行法第二十条
第百十四条の三十四第一項第一号	組合員であつた者	旧適用法人施行日前期間を有する者
	住所	住所又は個人番号
第百十四条の三十五各号列記以外の部分	施行法第二十一条	平成九年経過措置政令第十二条第一項の規定により読み替えられた施行法第二十一条
第百十四条の三十五第一号	組合員であつた者	旧適用法人施行日前期間を有する者
	住所	住所又は個人番号
第百十四条の三十八並びに第百十四条の三十九第一項各号列記以外の部分及び第三項	連合会	存続組合
第百十四条の四十第一項第一号	住所	住所又は個人番号
第百十四条の四十第二項	連合会	存続組合
第百十四条の四十の二第一項	連合会	存続組合
	知事等	地方公共団体情報システム機構
	ものとする	ことができる
第百十四条の四十の二第二項	連合会	存続組合
第百十四条の四十の二第三項	指定日	存続組合が指定する日（以下「指定日」という。）
第百十四条の四十の二第四項	連合会	存続組合
第百十四条の四十の四第一項各号列記以外の部分	連合会	存続組合
	知事等	地方公共団体情報システム機構
第百十四条の四十の四第一項第一号	住所	住所又は個人番号
第百十四条の四十の四第三項及び第百十四条の四十一	連合会	存続組合
第百十四条の四十二第一項	住所	住所又は個人番号
	受給権者異動届出書	受給権者異動届出書（転居したときは、受給権者異動届出書及び住所の変更に関する市町村長の証明書又は住民票抄本）
	連合会が知事等	存続組合が地方公共団体情報システム機構
第百十四条の四十二第二項各号列記	住所	住所又は個人番号

以外の部分		
第百十四条の四十二第二項第一号	年金証書	年金証書及び氏名の変更に関する市町村長の証明書又は改氏名後の戸籍抄本
第百十四条の四十二第二項第三号	三　払渡郵便局又は金融機関を変更するとき　新たな払渡郵便局又は金融機関の所在地及び名称を記載した書類	三　払渡郵便局又は金融機関を変更するとき（次号に掲げる事由に該当したときを除く）　新たな払渡郵便局又は金融機関の所在地及び名称を記載した書類 三の二　支給を受けようとする預金口座として公金受取口座を利用しようとするとき　新たな払渡郵便局又は金融機関の所在地、名称及び公金受取口座の口座番号並びに支給を受けようとする預金口座として公金受取口座を利用する旨を記載したもの
第百十四条の四十二第二項第四号	法第九十七条第一項	平成九年経過措置政令第十二条第一項の規定により読み替えられた法第九十七条第一項
第百十四条の四十二第三項	連合会	存続組合
	知事等	地方公共団体情報システム機構
	ものとする	ことができる
第百十四条の四十二第四項	連合会	存続組合
第百十四条の四十二第五項	連合会が知事等	存続組合が地方公共団体情報システム機構
第百十四条の四十四第一項各号列記以外の部分	法第四十五条第一項	平成九年経過措置政令第十二条第一項の規定により読み替えられた法第四十五条第一項
	事項	事項（受給権者が死亡した場合にあっては、個人番号を除く。）
	連合会が知事等	存続組合が地方公共団体情報システム機構
第百十四条の四十四第一項第一号	住所	住所又は個人番号
第百十四条の四十四第二項	連合会が知事等	存続組合が地方公共団体情報システム機構
第百十四条の四十六	連合会	存続組合

2　平成八年改正法附則第四十九条第一項の規定により特例業務を行う指定基金が存続組合とみなされた場合における前項の規定の適用については、同項の表以外の部分中「存続組合が」とあるのは「存続組合又は指定基金が」と、「運営規則を」とあるのは「運営規則をいう。）又は指定基金（平成八年改正法附則第四十八条第一項に規定する指定基金をいう。）の業務規程（平成八年改正法附則第五十条第一項に規定する業務規程を」と、「存続組合に」とあるのは「存続組合又は指定基金に」と、同表第九十七条第一項各号列記以外の部分の項中「存続組合をいう。以下同じ。」とあるのは「存続組合をいう。以下同じ。）又は指定基金（平成八年改正法附則第四十八条第一項に規定する指定基金をいう。以下同じ。」と、同表第九十七条第二項各号列記以外の部分の項、第九十八条各号列記以外の部分の項、第百十四条第二項各号列記以外の部分の項、第百十四条第三項の項、第百十四条第九項の項、第百十四条の三第二項の項、第百十四条の三第三項の項、第百十四条の三の二第二項の項、第百十四条の三の三第二項の項、第百十四条の三の三第三項の項、第百十四条の三の四第二項各号列記以外の部分の項、第百十四条の三の四第四項の項、第百十四条の三の六第三項の項、第百十四条の三の七第三項各号列記以外の部分の項、第百十四条の三の七第四項の項、第百十四条の六第二項各号列記以外の部分の項、第百十四条の六第三項の項、第百十四条の七各号列記以外の部分の項、第百十四条の十第三項の項、第百十四条の十三第二項各号列記以外の部分の項、第百十四条の十三第三項の項、第百十四条の十五第二項の項、第百十四条の十五第三項の項、第百十四条の十六第二項の項、第百十四条の十六の二第二項の項、第百十四条の十六の二第三項の項、第百十四条の十六の三第二項各号列記以外の部分の項、第百十四条の十六の三第三項の項、第百十四条の十九各号列記以外の部分の項、第百十四条の二十二第三項の項、第百十四条の二十六第二項各号列記以外の部分の項、第百十四条の二十六第五項の項、第百十四条の二十八第三項の項、第百十四条の二十八第四項の項、第百十四条の二十八の二第二項の項、第百十四条の二十八の三第二項の項、第百十四条の三十第二項各号列記以外の部分の項、第百十四条の三十第三項の項、第百十四条の三十一第二項の項、第百十四条の三十二の六第一項各号列記以外の部分の項、第百十四条の三十二の六第二項各号列記以外の部分の項、第百十四条の三十二の十三第一項各号列記以外の部分の項、第百十四条の三十二の十三第二項の項、第百十四条の三十二の十三第三項の項、第百十四条の三十二の十五第四項及び第百十四条の三十二の十六第一項各号列記以外の部分の項、第百十四条

の三十二の十六第二項の項、第百十四条の三十二の十七の項、第百十四条の三十八並びに第百十四条の三十九第一項各号列記以外の部分及び第三項の項、第百十四条の四十第二項の項、第百十四条の四十の二第一項の項、第百十四条の四十の二第二項の項、第百十四条の四十の二第三項の項、第百十四条の四十の二第四項の項、第百十四条の四十の四第一項各号列記以外の部分の項、第百十四条の四十の四第三項及び第百十四条の四十一の項、第百十四条の四十二第一項の項、第百十四条の四十二第三項の項、第百十四条の四十二第四項の項、第百十四条の四十二第五項の項、第百十四条の四十四第一項各号列記以外の部分の項、第百十四条の四十四第二項の項及び第百十四条の四十六の項中「存続組合」とあるのは「存続組合又は指定基金」と読み替えるものとする。

第十四条の二　存続組合又は指定基金は、特例年金給付の受給権者に対し、年一回に限り次に掲げる事項を記載した書類（以下この条において「身上報告書」という。）の提出を求めることができる。

一　受給権者の氏名、生年月日、住所及び組合員の行政手続における特定の個人を識別するための番号の利用等に関する法律（平成二十五年法律第二十七号。第三項において「番号利用法」という。）第二条第五項に規定する個人番号（第三号において「個人番号」という。）又は基礎年金番号（国民年金法第十四条に規定する基礎年金番号をいう。以下同じ。）

二　特例年金給付の年金証書の記号番号

三　加給年金額の対象者（加給年金額の計算の基礎となる配偶者又は子をいう。次号及び第三項において同じ。）があるときは、その者の氏名、生年月日及び個人番号又は基礎年金番号、その者と受給権者との身分関係並びにその者が引き続き受給権者によって生計を維持している旨

四　加給年金額の対象者である配偶者が平成二十七年改正前国共済法施行規則第百十四条第一項第七号に規定する加給調整対象年金（その全額につき支給を停止されているものを除く。）の支給を受けることができるときは、当該加給調整対象年金の名称、その支給を行う者の名称、その支給を受けることができることとなった年月日及びその年金証書等の記号番号

五　勤務先の名称及び当該勤務先に就職した年月日並びに平成二十四年一元化法第二条の規定による改正前の国家公務員共済組合法（以下「平成二十四年一元化法改正前国共済法」という。）第八十条第一項に規定する厚生年金保険の被保険者等であるときは、その旨

六　特例年金給付が平成八年改正法附則第三十三条第一項の規定により適用するものとされた平成二十四年一元化法改正前国共済法附則第十二条の三の規定による退職共済年金である受給権者が、国民年金法による老齢基礎年金（国民年金法等の一部を改正する法律（平成六年法律第九十五号）附則第七条第二項の規定によりその支給が停止されているものを除く。）の支給を受けることとなったときは、その年月日及び当該老齢基礎年金の年金証書の記号番号

七　その他必要な事項

2　前項の規定により身上報告書の提出を求められた受給権者は、存続組合又は指定基金が指定する日（以下この条において「指定日」という。）までに、同項各号に掲げる事項を記載し、かつ、当該受給権者の署名した身上報告書（署名することが困難な受給権者にあっては、当該受給権者の代理人が署名した身上報告書）を当該存続組合又は指定基金に提出しなければならない。

3　身上報告書を提出する場合には、次に掲げる書類（第一号から第三号までに掲げる書類にあっては、指定日前三月以内に作成されたものに限る。）を併せて提出しなければならない。

一　加給年金額の対象者である子が、厚生年金保険法第四十七条第二項に規定する障害等級の一級又は二級の障害の状態にあるときは、その障害の状態に関する医師又は歯科医師の診断書

二　特例年金給付が障害共済年金であるときは、その障害の状態に関する医師又は歯科医師の診断書

三　受給権者が平成八年改正法附則第三十三条第一項の規定により適用するものとされた平成二十四年一元化法改正前国共済法第九十一条第一項ただし書に規定する場合に該当するときは、その障害の状態に関する医師又は歯科医師の診断書

四　第一項第六号に規定する場合に該当するときは、老齢基礎年金の年金証書の写し

五　その他必要な書類

4　前三項の規定は、特例年金給付が決定され、その額が改定され、又はその支給の停止が解除された日以後一年以内に指定日が到来するときは、これを適用しない。

5　存続組合又は指定基金は、第二項の身上報告書及び第三項の書類が提出されるまで、指定日の属する月の翌月以後に支払うべき特例年金給付の支払を差し止めることができる。

（退職一時金等の返還手続）

第十五条　平成九年経過措置政令第三条第二項に規定する申出をした者が同項の規定により平成八年改正法の施行の日（以下「施行日」という。）以後の各支給期月ごとに控除されることとなる金額に相当する金額が算定される場合においては、その者は、当該金額を当該支給期月の末日までに、現金により、施行日前に最後に所属していた旧適用法人共済組合（平成八年改正法附則第三条第八号に規定する旧適用法人共済組合をいう。以下同じ。）に係る存続組合又は指定基金に返還するものとする。

（平成九年経過措置政令第四条に規定する財務省令で定める期間等）

第十六条　平成九年経過措置政令第四条第一項（同条第六項及び平成九年経過措置政令第五条第二項において準用する場合を含む。）に規定する財務省令で定める期間は、平成九年経過措置政令第四条第一項に規定する退職特例年金給付等の額（厚生年金保険法による老齢厚生年金又は障害厚生年金の受給権を有する場合には、これらの年金たる給付の額のうち旧適用法人施行日前期間（平成八年改正法附則第二十四条第二項に規定する旧適用法人施行日前期間をいう。次項及び次条において同じ。）に係る部分に相当する額を含む。）の十二分の一に相当する金額から、平成九年経過措置政令第四条第一項に規定する支給一時金額等に相当する額に達するまでの金額をこれらの年金たる給付の支給期月ごとに順次に控除した場合に控除することとなる期間の月数から十二を控除した月数に相当する期間とする。

2　平成九年経過措置政令第四条第三項（同条第七項及び平成九

年経過措置政令第五条第四項において準用する場合を含む。）に規定する財務省令で定める期間は、平成九年経過措置政令第二条第三号に規定する遺族特例年金給付の額（厚生年金保険法による遺族厚生年金の受給権を有する場合には、当該遺族厚生年金の額のうち旧適用法人施行日前期間に係る部分に相当する額を含む。）の十二分の一に相当する金額から、平成九年経過措置政令第四条第三項に規定する要返還支給一時金額等に相当する額に達するまでの金額をこれらの年金たる給付の支給期月ごとに順次に控除した場合に控除することとなる期間の月数から十二を控除した月数に相当する期間とする。

3　第一項の規定は、平成九年経過措置政令第五条第一項及び第六条第一項（同条第三項において準用する場合を含む。）に規定する財務省令で定める期間について準用する。

4　第二項の規定は、平成九年経過措置政令第五条第三項及び第六条第二項（同条第四項において準用する場合を含む。）に規定する財務省令で定める期間について準用する。

（国共済法中長期給付の支給要件に関する規定の適用者の範囲）

第十七条　平成九年経過措置政令第七条第一項第一号ホに規定する財務省令で定める者は、次の各号に掲げるものとする。

一　旧適用法人共済組合の組合員であった期間以外の旧適用法人施行日前期間を有するもの

二　平成八年改正法附則第三十三条第一項の規定により適用するものとされた国家公務員等共済組合法等の一部を改正する法律（昭和六十年法律第百五号）附則第二十一条第一項の規定の適用がある旧適用法人施行日前期間を有するもの

三　前二号に類する者として存続組合の運営規則又は指定基金の業務規程で定めるもの

2　平成九年経過措置政令第七条第一項第二号ハに規定する財務省令で定める者は、次の各号に掲げるものとする。

一　前項第一号に掲げるもの

二　平成九年経過措置政令第十二条第二項の規定により適用するものとされた国家公務員等共済組合法等の一部を改正する法律の施行に伴う経過措置に関する政令（昭和六十一年政令第五十六号）第二十一条第一項の規定の適用がある旧適用法人施行日前期間を有するもの

三　前二号に類する者として存続組合の運営規則又は指定基金の業務規程で定めるもの

3　平成九年経過措置政令第七条第二項第四号に規定する財務省令で定める者は、次の各号に掲げるものとする。

一　第一項第一号に掲げる者が死亡した場合のその者の遺族

二　旧適用法人施行日前期間を有する者が死亡した場合のその者の遺族であって平成八年改正法附則第三十三条第一項の規定により適用するものとされた国家公務員等共済組合法等の一部を改正する法律附則第三十条第二項の規定の適用があるもの

三　前二号に類する者として存続組合の運営規則又は指定基金の業務規程で定めるもの

（国共済法の審査請求に係る規定の適用に関する経過措置）

第十七条の二　当分の間、平成九年経過措置政令第十二条第一項の規定による読替え後の平成二十四年一元化法改正前国共済法第百三条の規定の適用については、同項に規定するもののほか、平成二十四年一元化法改正前国共済法第百三条第二項中「六十日以内にしなければならない」とあるのは、「三月を経過したときは、することができない」と読み替えるものとする。

（平成九年経過措置政令第十七条の二に規定する財務省令で定める年金たる給付等）

第十八条　平成九年経過措置政令第十七条の二第一項及び第二項に規定する厚生年金保険法による遺族厚生年金又は年金たる給付であって財務省令で定めるものは、次に掲げる年金たる給付とする。

一　平成二十四年一元化法改正前国共済法による遺族共済年金（連合会（国共済法施行規則第二条に規定する連合会をいう。以下同じ。）が支給するものに限る。）

二　平成二十四年一元化法第三条の規定による改正前の地方公務員等共済組合法（昭和三十七年法律第百五十二号。以下この条において「平成二十四年一元化法改正前地共済法」という。）による遺族共済年金

三　平成二十四年一元化法第四条の規定による改正前の私立学校教職員共済法（昭和二十八年法律第二百四十五号。以下この条において「平成二十四年一元化法改正前私学共済法」という。）による遺族共済年金

四　厚生年金保険制度及び農林漁業団体職員共済組合制度の統合を図るための農林漁業団体職員共済組合法等を廃止する等の法律（平成十三年法律第百一号）附則第十六条第四項に規定する移行農林共済年金のうち遺族共済年金

2　平成九年経過措置政令第十七条の二第一項第一号に規定する退職を給付事由とする年金たる給付であって財務省令で定める額は、次の各号に掲げる額とする。

一　平成二十四年一元化法改正前国共済法による退職共済年金（連合会が支給するものに限る。）の額

二　平成二十四年一元化法改正前地共済法による退職共済年金の額

三　平成二十四年一元化法改正前私学共済法による退職共済年金の額

四　厚生年金保険制度及び農林漁業団体職員共済組合制度の統合を図るための農林漁業団体職員共済組合法等を廃止する等の法律附則第十六条第四項に規定する移行農林共済年金のうち退職共済年金の額

3　平成九年経過措置政令第十七条の二第一項第一号の規定により控除する同号に規定する財務省令で定める額は、同号に規定する退職特例年金給付の受給権者について、次の各号に掲げる受給権者の区分に応じ、当該各号に掲げる金額（当該各号の二以上に該当するときは当該各号に掲げる金額の合算額とし、当該各号のいずれにも該当しない場合は零）とする。

一　平成二十四年一元化法改正前国共済法による退職共済年金（連合会が支給するものに限る。）　国共済法第七十四条第二項に規定する退職共済年金の職域加算額

二　平成二十四年一元化法改正前地共済法による退職共済年金　平成二十四年一元化法改正前地共済法による退職共済年金のうち同法第七十六条第二項の規定により支給の停止を行わないこととされる部分

三　平成二十四年一元化法改正前私学共済法による退職共済年金　平成二十四年一元化法改正前私学共済法第二十五条において準用する平成二十四年一元化法改正前国共済法第七十四

条第二項に規定する退職共済年金の職域加算額

4　平成九年経過措置政令第十七条の二第一項第一号に規定する財務省令で定める規定は、次の各号に掲げる規定とする。

一　平成二十四年一元化法改正前国共済法第八十九条第一項第一号ロ(1)

二　平成二十四年一元化法改正前地共済法第九十九条の二第一項第一号ロ(1)

三　平成二十四年一元化法改正前私学共済法第二十五条において準用する国共済法第八十九条第一項第一号ロ(1)

四　厚生年金保険制度及び農林漁業団体職員共済組合制度の統合を図るための農林漁業団体職員共済組合法等を廃止する等の法律の施行に伴う移行農林共済年金等に関する経過措置に関する政令第十四条の五において読み替えて準用する厚生年金保険法第六十条第一項第一号

第五章　雑則

（指定基金が存続組合又は旧適用法人共済組合の権利を承継した場合の不動産の登記の免税手続）

第十九条　指定基金が、平成八年改正法附則第四十八条第四項に規定する不動産の登記につき同項の規定の適用を受けようとする場合には、その登記の申請書に、当該指定基金が平成八年改正法附則第四十七条第一項の規定による財務大臣の指定を受けた基金であること及び当該登記に係る不動産が平成八年改正法附則第四十八条第一項又は第二項の規定により当該指定基金に係る存続組合又は旧適用法人共済組合から承継されたものであることについての財務大臣の証明書を添付しなければならない。

（組合員原票等の保管等）

第二十条　存続組合又は指定基金は、組合員であった者ごとに、施行日の前日において平成九年改正前国共済法施行規則（平成九年改正省令第一条の規定による改正前の国家公務員等共済組合法施行規則をいう。以下同じ。）第八十七条第一項の規定により備えている組合員原票（以下「組合員原票」という。）又は同条第二項の規定により保管している組合員原票の写しを保管しなければならない。

2　存続組合又は指定基金は、長期組合員（平成九年改正前国共済法施行規則第二条に規定する長期組合員をいう。以下この条において同じ。）であった者が平成九年改正前国共済法施行規則第八十七条の二第二項の規定により前歴報告書を提出する際に添付した履歴書又は同条第四項の規定により退職届を提出する際に添付した組合員期間等証明書（同条第五項に規定する組合員期間等証明書をいう。以下同じ。）（施行日の前日において平成九年改正前国共済法施行規則第八十七条の三第三項の規定によりこれらの写しを保管している場合には、その写し）を保管しなければならない。

3　存続組合又は指定基金は、長期組合員であった者ごとに、施行日の前日において平成九年改正前国共済法施行規則第八十七条の三第一項の規定により備えている組合員長期原票（以下「組合員長期原票」という。）又は同条第三項の規定により保管している組合員長期原票の写しを保管しなければならない。

（施行日前において旧適用法人職員となった連合会組合の組合員であった者の資格に係る申出等）

第二十一条　厚生年金保険法等の一部を改正する法律の施行に伴う経過措置に関する政令（平成九年政令第八十五号。以下「平成九年厚年経過措置政令」という。）第四十三条第一項の規定により申出をしようとする者は、次に掲げる事項を記載した申出書を、その者が施行日の前日に所属していた旧適用法人共済組合に係る存続組合又は指定基金を経由して、施行日前に最後に所属していた連合会組合（平成九年厚年経過措置政令第四十三条第一項に規定する連合会組合をいう。以下同じ。）に提出しなければならない。

一　平成九年厚年経過措置政令第四十三条第一項の規定による申出をする旨

二　氏名、生年月日及び住所

三　申出の年月日及び施行日の前日に所属していた旧適用法人共済組合の名称

四　施行日前に最後に所属していた連合会組合の名称

五　その他必要な事項

2　存続組合又は指定基金は、前項の申出書の提出を受けたときは、当該申出書を提出した者に係る組合員原票を整理した後遅滞なく、その者が施行日前に最後に所属していた連合会組合に当該申出書及び組合員原票を送付し、これらの写しを保管しなければならない。

3　連合会組合は、前項の規定により第一項の申出書及び組合員原票の確認を行った後遅滞なく、当該申出書の写しを連合会に送付しなければならない。

4　連合会は、前項の規定により第一項の申出書の写しの送付を受けたときは、当該申出書を提出した者に係る組合員長期原票を備えている存続組合又は指定基金に対し、当該組合員長期原票の送付を求めなければならない。

5　存続組合又は指定基金は、前項の規定により組合員長期原票の送付を求められたときは、その者に係る組合員長期原票を整理した後遅滞なく、当該組合員長期原票（平成九年改正前国共済法施行規則第八十七条の二第二項又は第五項の規定により履歴書又は組合員期間等証明書が添付されている場合には組合員長期原票のほか当該履歴書又は組合員期間等証明書）を連合会に送付し、その写しを保管しなければならない。

第二十二条　平成九年厚年経過措置政令第四十三条第三項の規定により申出をしようとする者は、次に掲げる事項を記載した申出書を、その者が施行日の前日に所属していた旧適用法人共済組合に係る存続組合又は指定基金を経由して、その者が施行日に所属している連合会組合に提出しなければならない。

一　平成九年厚年経過措置政令第四十三条第三項の規定による申出をする旨

二　氏名、生年月日及び住所

三　申出の年月日及び施行日の前日に所属していた旧適用法人共済組合の名称

四　施行日に所属している連合会組合の名称

五　その他必要な事項

2　存続組合又は指定基金は、前項の申出書の提出を受けたときは、当該申出書を提出した者に係る組合員原票を整理した後遅滞なく、その者が施行日に所属している連合会組合に当該申出書及び組合員原票を送付し、これらの写しを保管しなければならない。

3 前条第三項から第五項までの規定は、連合会組合が前項の規定により第一項の申出書の送付を受けた場合について準用する。

（施行日前において連合会組合の組合員となった旧適用法人共済組合の組合員であった者に係る申出等）

第二十三条 平成九年厚年経過措置政令第四十四条第一項の規定により申出をしようとする者は、次に掲げる事項を記載した申出書を、その者が施行日の前日に所属していた連合会組合を経由して、その者が施行日前に最後に所属していた旧適用法人共済組合に係る存続組合又は指定基金に提出しなければならない。

一 平成九年厚年経過措置政令第四十四条第一項の規定による申出をする旨

二 氏名、生年月日及び住所

三 申出の年月日及び施行日の前日に所属していた連合会組合の名称

四 施行日前に最後に所属していた旧適用法人共済組合の名称

五 その他必要な事項

2 連合会組合は、前項の申出書の提出を受けたときは、当該申出書を提出した者に係る組合員原票を整理した後遅滞なく、その者が施行日前に最後に所属していた旧適用法人共済組合に係る存続組合又は指定基金に当該申出書及び組合員原票を送付するとともに、連合会に当該申出書の写しを送付し、これらの写しを保管しなければならない。

3 存続組合又は指定基金は、前項の規定により第一項の申出書及び組合員原票の送付を受けたときは、当該申出書及び組合員原票の確認を行った後遅滞なく、連合会に対し、当該申出書を提出した者に係る組合員長期原票の送付を求めなければならない。

4 連合会は、第二項の規定により第一項の申出書の写しの送付を受け、かつ、前項の規定により組合員長期原票の送付を求められたときは、その者に係る組合員長期原票を整理した後遅滞なく、当該組合員長期原票（平成九年改正前国共済法施行規則第八十七条の二第二項又は第五項の規定により履歴書又は組合員期間等証明書が添付されている場合には組合員長期原票のほか、当該履歴書又は組合員期間等証明書）を当該存続組合又は指定基金に送付し、その写しを保管しなければならない。

（提出書類の特例）

第二十四条 この省令の規定によって申請書、申出書、請求書又は届出書に併せて提出すべき書類について、存続組合が番号利用法第二十二条第一項の規定により当該書類と同一の内容を含む利用特定個人情報（番号利用法第十九条第八号に規定する利用特定個人情報をいう。）の提供を受けることができるときは、当該書類の提出を省略することができる。

附 則

1 この省令は、平成九年四月一日から施行する。

2 日本鉄道共済組合の旧貯金経理（改正前国共済法施行規則第六条第一項第八号に規定する貯金経理をいう。次項において同じ。）に係る権利及び義務は、施行日において日本鉄道共済組合に係る存続組合の長期経理（平成八年改正法附則第四十八条第二項の規定により施行日において日本鉄道共済組合が解散した場合には、日本鉄道共済組合に係る指定基金の長期経理。次項において同じ。）が承継する。

3 前項の規定により長期経理に承継された旧貯金経理の剰余金及び第六条第一項の規定により貸付経理から繰り入れられた金額（同条第二項の規定により業務経理に繰り入れられた金額を除く。）は、平成八年改正法附則第五十四条第一項から第三項までの規定の適用については、これらの規定に規定する改正前国共済法附則第三条の二第三項の規定により積み立てられた積立金とみなす。

附 則（平一一・七・一大蔵令七二）

この省令は、公布の日から施行する。

附 則（平一二・二・一大蔵令二）（抄）

（施行期日）

第一条 この省令は、公布の日から施行する。

附 則（平一二・三・三一大蔵令四四）

1 この省令は、公布の日から施行する。ただし、〔中略〕第二条中厚生年金保険法等の一部を改正する法律等の施行に伴う存続組合及び指定基金に係る特例業務等に関する省令第十四条第一項の表第九十七条の項及び第百十四条の四十四第一項各号列記以外の部分の項の改正規定は、平成十二年四月一日から施行する。

2 〔前略〕第二条の規定による改正後の厚生年金保険法等の一部を改正する法律等の施行に伴う存続組合及び指定基金に係る特例業務等に関する省令第十二条第二項の規定は、平成十一年四月一日に始まる事業年度に係るこれらの規定に規定する書類から適用する。

附 則（平一二・八・二一大蔵令六九）（抄）

1 この省令は、平成十三年一月六日から施行する。〔ただし書略〕

2 この省令の施行の際、現に存するこの省令による改正前の様式による用紙は、当分の間、これを取り繕い使用することができる。

附 則（平一二・一二・四大蔵令八五）（抄）

この省令は、平成十三年一月六日から施行する。〔ただし書略〕

附 則（平一三・三・二三財務令一七）（抄）

1 この省令は、平成十三年四月一日から施行する。

附 則（平一三・三・三〇財務令二四）（抄）

1 この省令は、平成十三年四月一日から施行する。

附 則（平一四・三・二九財務令一八）（抄）

1 この省令は、平成十四年四月一日から施行する。

3 この省令の施行の際現に存する〔中略〕第二条の規定による改正前の別紙様式第一号の用紙は、当分の間、これを取り繕い使用することができる。

附 則（平一五・一・三一財務令一）（抄）

（施行期日）

第一条 この省令は、平成十五年四月一日から施行する。

附 則（平一五・二・二八財務令六）（抄）

（施行期日）

第一条 この省令は、平成十五年四月一日から施行する。〔ただし書略〕

附 則（平一五・一二・二六財務令一一二）

この省令は、平成十六年一月一日から施行する。

附 則（平一六・三・三一財務令二三）（抄）

（施行期日）

第一条　この省令は、平成十六年四月一日から施行する。

附　則（平一六・三・三一財務令二四）（抄）

（施行期日）

1　この省令は、平成十六年四月一日から施行する。

附　則（平一六・六・三〇財務令四九）（抄）

1　この省令は、平成十六年七月一日から施行する。

附　則（平一六・九・三〇財務令六三）

この省令は、平成十六年十月一日から施行する。

附　則（平一七・三・三一財務令二五）（抄）

（施行期日）

1　この省令は、平成十七年四月一日から施行する。

附　則（平一七・九・三〇財務令七一）（抄）

（施行期日）

第一条　この省令は、法の施行の日（平一七・一〇・一）から施行する。

附　則（平一八・九・二九財務令六一）

この省令は、平成十九年四月一日から施行する。

附　則（平一八・一二・二七財務令七七）（抄）

（施行期日）

第一条　この省令は、法の施行の日（平一九・一・一）から施行する。

附　則（平一八・一二・二七財務令七八）（抄）

（施行期日）

第一条　この省令は、法の施行の日（平一九・六・一）から施行する。

附　則（平一九・三・二九財務令一〇）（抄）

1　この省令は、平成十九年四月一日から施行する。

附　則（平一九・三・三〇財務令一一）（抄）

（施行期日）

第一条　この省令は、平成十九年四月一日から施行する。

（国家公務員共済組合法等の一部を改正する法律附則第十九条に規定する財務省令で定める場合）

第二条　国家公務員共済組合法等の一部を改正する法律附則第十九条に規定する財務省令で定める場合は、婚姻の届出をしていないが事実上婚姻関係と同様の事情にあった当事者（国家公務員共済組合法第九十三条の五第一項に規定する当事者をいう。）について、当該当事者の一方の被扶養配偶者（国民年金法（昭和三十四年法律第百四十一号）第七条第一項第三号に規定する被扶養配偶者をいう。以下この条において同じ。）である第三号被保険者（同号に規定する第三号被保険者をいう。以下この条において同じ。）であった当該当事者の他方が、平成十九年四月一日前に当該第三号被保険者の資格を喪失した場合であって、当該当事者の一方が当該当事者の他方の被扶養配偶者である第三号被保険者となることなくして同日以後に当該事情が解消したと認められるとき（当該当事者間で婚姻の届出をしたことにより当該事情が解消したと認められるときを除く。）とする。

附　則（平一九・九・二八財務令五七）（抄）

（施行期日）

第一条　この省令は、平成十九年十月一日から施行する。〔ただし書略〕

附　則（平二〇・二・二九財務令八）（抄）

（施行期日）

第一条　この省令は、法の施行の日（平成二十年三月一日）から施行する。

附　則（平二〇・三・三一財務令一六）

この省令は、平成二十年四月一日から施行する。

附　則（平二一・三・三一財務令一三）

この省令は平成二十一年四月一日から施行する。

附　則（平二二・三・三一財務令二四）（抄）

（施行期日）

第一条　この省令は、平成二十二年四月一日から施行する。

附　則（平二七・九・三〇財務令七三）（抄）

（施行期日）

第一条　この省令は、平成二十七年十月一日から施行する。

附　則（平二八・三・三一財務令一四）（抄）

1　この省令は、平成二十八年四月一日から施行する。〔ただし書略〕

2　〔前略〕第二条の規定による改正後の厚生年金保険法等の一部を改正する法律等の施行に伴う存続組合及び指定基金に係る特例業務等に関する省令（以下「改正後平成九年省令」という。）の規定（改正後平成九年省令第四条第二項及び第十七条の二の規定を除く。）〔中略〕は、平成二十七年十月一日から適用する。

附　則（平二八・九・一二財務令六五）（抄）

改正　平二八・一二・二八財務令八六

この省令は、平成二十九年一月一日から施行する。〔ただし書略〕

附　則（平二九・六・三〇財務令四七）

この省令は、平成二十九年七月一日から施行する。

附　則（平三〇・一二・二八財務令七一）（抄）

改正　平三一・三・二九財務令三

1　この省令は、平成三十一年八月一日から施行する。ただし、次項の規定は、平成三十一年六月一日から施行する。

2　この省令による改正後の〔中略〕平成九年省令第十四条の二〔中略〕の届出を行おうとする者（その誕生日が八月一日から九月三十日までの間にある者に限る。）は、この省令の施行の日前においても、この省令による改正後のそれぞれの省令の規定の例により当該届出を行うことができる。

附　則（平三一・三・二九財務令三）（抄）

（施行期日）

1　この省令は、平成三十一年四月一日から施行する。ただし、次の各号に掲げる規定は、当該各号に定める日から施行する。

一　〔略〕

二　〔前略〕第四条〔中略〕の改正規定　平成三十一年七月一日

附　則（令二・一〇・二六財務令六七）

この省令は、公布の日から施行する。

附　則（令二・一二・一一財務令七八）

この省令は、令和三年一月一日から施行する。

附　則（令四・九・三〇財務令四九）（抄）

（施行期日）

第一条　この省令は、令和四年十月一日から施行する。

附　則（令六・四・二四財務令三九）

この省令は、令和六年十月一日から施行する。

この省令は、日本電信電話株式会社等に関する法律の一部を改正する法律（令和六年法律第二十号）の施行の日〔令六・六・二五〕から施行する。

附　則（令六・五・二七財務令四二）

この省令は、公布の日から施行する。

別紙様式第１号

（表）

第　　　号　　　　　　　　　　　　年　　月　　日発行

厚生年金保険法等の一部を改正する法律（平成８年法律第82号）附則第32条第３項の規定により適用される国家公務員共済組合法（昭和33年法律第128号）第116条第３項の規定に基づく監査証票

所　　属

官　　職

氏　　名

生年月日

写　　真

発 行 者　　財　務　大　臣

備　考
1　用紙は厚質青紙とし、大きさは縦5.4センチメートル横8.5センチメートルとする。
2　写真の大きさは、縦3.5センチメートル横2.5センチメートルとする。

（裏）

厚生年金保険法等の一部を改正する法律（抄）

附　則

（存続組合の業務等）
第32条（第１項及び第２項　略）
3　存続組合は、国家公務員共済組合法第三条第一項に規定する国家公務員共済組合とみなして、同法第四条から第七条まで、第十一条、第十四条、第十五条、第十六条、第十七条、第十九条、第二十条、第四十五条第二項及び第百十六条の規定並びに平成二十四年一元化法改正前国共済法第四十一条、第四十七条第一項、第四十八条、第五十条、第九十五条、第百六条及び第百十四条の規定を適用する。（以下　略）
（第４項から第９項まで　略）

国家公務員共済組合法（抄）

（財務大臣の権限）
第116条（第１項及び第２項　略）
3　財務大臣は、必要があると認めるときは、当該職員に組合又は連合会の業務及び財産の状況を監査させるものとする。
（第４項　略）

監査に従事しなくなったときは、速やかに本証を返納すること。

別紙様式第2号

（表）

年　月　日発行

厚生年金保険法等の一部を改正する法律（平成8年法律第82号）
附則第51条第3項の規定に基づく証明書

第　　号

所　属

官　職

氏　名

写　真

生年月日

上記の者は、当該職員であることを証明する。

発行者　財　務　大　臣

備　考
1　用紙は厚質青紙とし、大きさは縦5.4センチメートル横8.5センチメートルとする。
2　写真の大きさは、縦3.5センチメートル横2.5センチメートルとする。

（裏）

厚生年金保険法等の一部を改正する法律（抄）

附　則

（監督）

第51条（第1項　略）

2　財務大臣は、特例業務の適正な運営を確保するために必要な限度において、指定基金に対して、必要と認める事項の報告を求め、又は当該職員に、関係者に対して質問させ、若しくはその事務所に立ち入り、特例業務の状況若しくは帳簿書類その他の物件を検査させることができる。

3　前項の規定により立入検査をする職員は、その身分を示す証明書を携帯し、関係者に提示しなければならない。

（第4項及び第5項　略）

検査に従事しなくなったときは、速やかに本証を返納すること。

○被用者年金制度の一元化等を図るための厚生年金保険法等の一部を改正する法律の施行及び国家公務員の退職給付の給付水準の見直し等のための国家公務員退職手当法等の一部を改正する法律の一部の施行に伴う国家公務員共済組合法による長期給付等に関する経過措置に関する省令

平二七・九・三〇
財務令七四

最終改正　令六・五・二七財務令四二

目次

第一章　総則

（定義）

第一条　この省令において、次の各号に掲げる用語の意義は、それぞれ当該各号に定めるところによる。

一　改正前国共済法　被用者年金制度の一元化等を図るための厚生年金保険法等の一部を改正する法律（平成二十四年法律第六十三号。以下「平成二十四年一元化法」という。）附則第四条第三号に規定する改正前国共済法をいう。

二　改正前国共済令　被用者年金制度の一元化等を図るための厚生年金保険法等の一部を改正する法律の施行及び国家公務員の退職給付の給付水準の見直し等のための国家公務員退職手当法等の一部を改正する法律の一部の施行に伴う国家公務員共済組合法による長期給付等に関する経過措置に関する政令（平成二十七年政令第三百四十五号。以下「平成二十七年経過措置政令」という。）第二条第七号に規定する改正前国共済令をいう。

三　改正前国共済規則　国家公務員共済組合法施行規則等の一部を改正する省令（平成二十七年財務省令第七十三号）第一条の規定による改正前の国家公務員共済組合法施行規則（昭和三十三年大蔵省令第五十四号）をいう。

四　改正後国共済法　国家公務員共済組合法（昭和三十三年法律第百二十八号）をいう。

五　改正後国共済令　国家公務員共済組合法施行令（昭和三十三年政令第二百七号）をいう。

六　改正後国共済規則　国家公務員共済組合法施行規則をいう。

第二章　組合及び連合会

（改正後国共済規則の準用）

第二条　改正後国共済規則第一章から第三章までの規定（第八十五条の八第二項の規定を除く。）は、平成二十四年一元化法附則第四十九条の二に規定する国の組合の経過的長期給付（以下「経過的長期給付」という。）の支給に関する業務について準用する。この場合において、次の表の上欄に掲げる改正後国共済規則の規定中同表の中欄に掲げる字句は、それぞれ同表の下欄に掲げる字句に読み替えるものとする。

第六条第一項第二号	厚生年金保険経理	経過的長期経理
	厚生年金保険給付及びこれに準ずる給付並びに厚生年金保険法（昭和二十九年法律第百十五号）第八十四条の五第一項に規定する拠出金、国民年金法（昭和三十四年法律第百四十	被用者年金制度の一元化等を図るための厚生年金保険法等の一部を改正する法律（平成二十四年法律第六十三号。以下「平成二十四年一元化法」という。）附則第四十九条の二に規定する国の組合の経過的長期給付（以下「経過的長期給付」という。）並びに国民年金法（昭和三十四年法律第百四十一号）第九十四条の二第二項に規定する基礎年金拠出金（経過的長期給付に係るものに限る。）及び平成二十四年一元化法附則第五十条第一項に規定する拠出金

	一号）第九十四条の二第二項に規定する基礎年金拠出金及び法第百二条の二に規定する財政調整拠出金（法第百二条の三第一項第一号から第三号までに掲げる場合に行われるものに限る。）	
第十三条	厚生年金保険経理及び退職等年金経理	経過的長期経理
第八十五条第二項	前章第二節	被用者年金制度の一元化等を図るための厚生年金保険法等の一部を改正する法律の施行及び国家公務員の退職給付の給付水準の見直し等のための国家公務員退職手当法等の一部を改正する法律の一部の施行に伴う国家公務員共済組合法による長期給付等に関する経過措置に関する省令（平成二十七年財務省令第七十四号）第二条第一項において読み替えて準用する前章第二節

第八十五条第二項の表第六条第一項第二号の項の中欄	限る。）	及び平成二十四年一元化法附則第五十条第一項に規定する拠出金
第八十五条第二項の表第六条第一項第二号の項の下欄	限る。）の拠出並びに厚生年金保険法第八十四条の三に規定する交付金、国民年金法等の一部を改正する法律（昭和六十年法律第三十四号）附則第三十五条第二項に規定する交付金及び地方公務員等共済組合法（昭和三十七年法律第百五十二号）第百十六条の二に規定する財政調整拠出金（同法第百十六条の三第一項第一号から第三号までに掲げる場合に行われるものに限る。）	及び平成二十四年一元化法附則第五十条第一項に規定する拠出金の拠出並びに国民年金法等の一部を改正する法律（昭和六十年法律第三十四号）附則第三十五条第二項に規定する交付金（経過的長期給付に係るものに限る。）及び平成二十四年一元化法附則第七十六条第一項に規定する拠出金
第八十五条第二項の表第七条第一項の項	第九十九条第一項第一号	法第九十九条第一項第一号
	第九十九条第三項	被用者年金制度の一元化等を図るための厚生年金保険法等の一部を改正する法律の施行及び国家公務員の退職給付の給付水準の見直し等のための国家公務員退職手当法等の一部を改正する法律の一部の施行に伴う国家公務員共済組合法による長期給付等に関する経過措置に関する政令（平成二十七年政令第三百四十五号。以下「平成二十七年経過措置政令」という。）第百四十二条
	、短期経理から	短期経理
	厚生年金保険経理から、同条第一項第三号に規定する事務に要する費用に充てるべき金	経過的長期経理

	額は退職等年金経理から、それぞれ	
第八十五条第二項の表第二十四条第二項第四号の項	第八十五条第二項	被用者年金制度の一元化等を図るための厚生年金保険法等の一部を改正する法律の施行及び国家公務員の退職給付の給付水準の見直し等のための国家公務員退職手当法等の一部を改正する法律の一部の施行に伴う国家公務員共済組合法による長期給付等に関する経過措置に関する省令（平成二十七年財務省令第七十四号）第二条第一項において準用する第八十五条第二項
	及び短期経理から業務経理に繰り入れる	短期経理
	並びに厚生年金保険経理及び退職等年金経理から業務経理に繰り入れるそれぞれの	経過的長期経理
第八十五条第二項の表第六十七条第二項の項	厚生年金保険経理の資産、退職等年金経理の資産又は福祉経理の資産	経過的長期経理の資産
第八十五条第四項第一号	厚生年金保険経理	経過的長期経理
第八十五条の六第一項	厚生年金保険経理	経過的長期経理
	法第二十一条第二項第一号ハ	平成二十四年一元化法附則第四十九条の二
	厚生年金保険給付積立金	国の組合の経過的長期給付積立金
第八十五条の七第一項及び第八十五条の八第一項	令第九条の三第二項第三号及び附則第五条第三号	平成二十七年経過措置政令第百四十五条において準用する令第九条の三第二項第三号
第八十五条の八第三項	令附則第五条第三号	平成二十七年経過措置政令第百四十五条において準用する令第九条の三第二項第三号
第八十五条の九第一項	令	平成二十七年経過措置政令第百四十五条において準用する令
	退職等年金給付積立金等	国の組合の経過的長期給付積立金等
	同項	平成二十七年経過措置政令第百四十五条
第八十五条の十	退職等年金給付の	経過的長期給付の
	令第九条の三第三項	平成二十七年経過措置政令第百四十五条において準用する令第九条の三第三項

2　改正後国共済規則第八十五条第二項において準用する改正後国共済規則第六条第一項第三号の規定の適用については、同号中「第九十九条第五項」とあるのは、「第九十九条第五項（被用者年金制度の一元化等を図るための厚生年金保険法等の一部を改正する法律の施行及び国家公務員の退職給付の給付水準の見直し等のための国家公務員退職手当法等の一部を改正する法律の一部の施行に伴う国家公務員共済組合法による長期給付等に関する経過措置に関する政令（平成二十七年政令第三百四十五号）第百四十条第一項において準用する場合を含む。）」と読み替えるものとする。

（なお効力を有する改正前国共済規則の適用除外）

第三条　平成二十四年一元化法附則第三十六条第五項又は第三十七条第一項の規定によりなおその効力を有するものとされた改正前国共済規則（以下「なお効力を有する改正前国共済規則」という。）第一章から第三章までの規定は、経過的長期給付の支給に関する業務については、適用しない。

（改正後国共済規則の適用）

第三条の二　経過的長期給付の支給に関する業務が行われる間における改正後国共済規則第六条第一項第二号、改正後国共済規則第八十五条第二項の規定により読み替えて準用する改正後国共済規則第六条第一項第二号及び改正後国共済規則第八十五条第三項の規定の適用については、改正後国共済規則第六条第一項第二号中「準ずる給付」とあるのは「準ずる給付（被用者年金制度の一元化等を図るための厚生年金保険法等の一部を改正する法律（平成二十四年法律第六十三号）附則第四十九条の二に規定する国の組合の経過的長期給付（以下「経過的長期給付」という。）を除く。）」と、「基礎年金拠出金」とあるのは「基礎年金拠出金（経過的長期給付に係るものを除く。）」と、改正後国共済規則第八十五条第二項の規定により読み替えて準用する改正後国共済規則第六条第一項第二号中「準ずる給付とあるのは「準ずる給付（被用者年金制度の一元化等を図るための厚生年金保険法等の一部を改正する法律（平成二十四年法律第六十三号）附則第四十九条の二に規定する国の組合の経過的長期給付（以下「経過的長期給付」という。）を除く。）」と、「基礎年金拠出金」とあるのは「基礎年金拠出金（経過的長期給付に係るものを除く。）」と、「附則第三十五条第二項に規定する交付金」とあるのは「附則第三十五条第二項に規定する交付金（経過的長期給付に係るものを除く。）」と、改正後国共済規則第八十五条第三項中「と同項第二号の二に規定する取引の事務に要する費用と」とあるのは「、同項第二号の二に規定する取引の事務に要する費用及び被用者年金制度の一元化等を図るための厚生年金保険法等の一部を改正する法律の施行及び国家公務員の退職給付の給付水準の見直し等のための国家公務員退職手当法等の一部を改正する法律の一部の施行に伴う国家公務員共済組合法による長期給付等に関する経過措置に関する省令（平成二十七年財務省令第七十四号）第二条第一項の規定により読み替えて準用する第八十五条第二項の規定により読み替えて準用する同令第二条第一項の規定により読み替えられた第六条第一項第二号に規定する取引の事務に要する費用ごと」とする。

（合同運用における利益又は損失の経理間の按分）

第四条　改正後国共済令第九条の三第四項（平成二十七年経過措置政令第百四十五条において準用する場合を含む。）の規定により、改正後国共済令第九条の三第一項に規定する厚生年金保険給付積立金等（以下「厚生年金保険給付積立金等」という。）、同条第二項に規定する退職等年金給付積立金等（以下「退職等年金給付積立金等」という。）及び平成二十七年経過措置政令第百四十五条に規定する国の組合の経過的長期給付積立金等（以下「経過的長期給付積立金等」という。）を合同して管理及び運用を行った場合に利益を生じたときは、次の各号に掲げる経理単位に帰属する額は、それぞれ当該各号に定める額とする。

一　厚生年金保険経理（改正後国共済規則第八十五条第二項の規定により読み替えて準用する改正後国共済規則第六条第一項第二号に掲げる経理単位をいう。次項及び第六条において同じ。）　当該利益の額に当該事業年度において合同して管理及び運用を行った厚生年金保険給付積立金等の額を当該額と当該事業年度における退職等年金給付積立金等の額及び経過的長期給付積立金等の額との合算額で除して得た率を乗じて得た額（一円未満の端数があるときは、これを四捨五入して得た額）

二　退職等年金経理（改正後国共済規則第八十五条第二項の規定により読み替えて準用する改正後国共済規則第六条第一項第二号の二に掲げる経理単位をいう。次項において同じ。）　当該利益の額に当該事業年度において合同して管理及び運用を行った退職等年金給付積立金等の額を当該額と当該事業年度における厚生年金保険給付積立金等の額及び経過的長期給付積立金等の額との合算額で除して得た率を乗じて得た額（一円未満の端数があるときは、これを四捨五入して得た額）

三　経過的長期経理（第二条第一項の規定により読み替えて準用する改正後国共済規則第八十五条第二項の規定により読み替えて準用する第二条第一項の規定により読み替えられた改正後国共済規則第六条第一項第二号に掲げる経理単位をいう。以下同じ。）　当該利益の額から前二号に定める額を控除して得た額

2　改正後国共済令第九条の三第四項（平成二十七年経過措置政令第百四十五条において準用する場合を含む。）の規定により、厚生年金保険給付積立金等、退職等年金給付積立金等及び経過的長期給付積立金等を合同して管理及び運用を行った場合に損失が生じたときは、次の各号に掲げる経理単位に帰属する額は、それぞれ当該各号に定める額とする。

一　厚生年金保険経理　当該損失の額に前項第一号の率を乗じて得た額（一円未満の端数があるときは、これを四捨五入して得た額）

二　退職等年金経理　当該損失の額に前項第二号の率を乗じて得た額（一円未満の端数があるときは、これを四捨五入して得た額）

三　経過的長期経理　当該損失の額から前二号に定める額を控除して得た額

3　前二項に定めるもののほか、厚生年金保険給付積立金等、退職等年金給付積立金等及び経過的長期給付積立金等を合同して管理及び運用を行った場合の利益又は損失に関し必要な事項は、財務大臣が定める。

（平成二十四年一元化法附則第四十九条の三において準用する改正後国共済法第三十五条の四に規定する財務省令で定める事項）

第五条　平成二十四年一元化法附則第四十九条の三において準用する改正後国共済法第三十五条の四に規定する財務省令で定める業務概況書に記載すべき事項は、次の各号に掲げる事項とする。

一　当該事業年度における平成二十四年一元化法附則第四十九条の二に規定する国の組合の経過的長期給付積立金（以下「経過的長期給付積立金」という。）の資産の額

二　当該事業年度における経過的長期給付積立金の資産の構成割合

三　当該事業年度における経過的長期給付積立金の運用収入の額

四　経過的長期給付積立金の運用利回り

五　経過的長期給付積立金の運用に関するリスク管理の状況

六　運用手法別の運用の状況（国家公務員共済組合連合会（以下「連合会」という。）が改正後国共済令第九条の三第一項第三号本文、同号ハ及び同項第四号に規定する方法で運用する場合にあっては、当該運用に関する契約の相手方の選定及び管理の状況等を含む。）

七　連合会における株式に係る議決権の行使に関する状況等

八　連合会の役員（監事を除く。）及び職員の職務の執行が法令等に適合するための体制その他連合会の業務の適正を確保

するための体制に関する事項

九　その他経過的長期給付積立金の管理及び運用に関する重要事項

（連合会に返還されるべき退職一時金等の帰属する経理単位について）

第六条　平成二十四年一元化法附則第三十九条第一項又は第四十条第一項前段若しくは第二項前段の規定により返還されるべき額は、連合会の厚生年金保険経理及び経過的長期経理に帰属するものとする。この場合において、次の各号に掲げる経理単位に帰属する額は、それぞれ当該各号に定める額とする。

一　厚生年金保険経理　当該返還されるべき額に百十分の百を乗じて得た額（一円未満の端数があるときは、これを四捨五入して得た額）

二　経過的長期経理　当該返還されるべき額から前号に掲げる額を控除して得た額

第三章　給付

第一節　通則

（改正後国共済法における報酬又は期末手当等に関する特例）

第七条　改正後国共済規則第九十六条の二第一項第二号、第三号、第三項第三号、第四項第三号及び第五項第三号に規定する報酬については、平成二十七年経過措置政令第三条により報酬とみなされたものを含むものとする。

2　改正後国共済規則第九十六条の六第一項第二号に規定する期末手当等については、平成二十七年経過措置政令第三条により期末手当等とみなされたものを含むものとする。

第二節　平成二十四年一元化法附則第三十六条第五項に規定する改正前国共済法による職域加算額の支給

（改正前国共済法による職域加算額の支給に係る請求等のなお効力を有する改正前国共済規則の適用等）

第八条　平成二十四年一元化法附則第三十六条第五項に規定する改正前国共済法による職域加算額（以下「改正前国共済法による職域加算額」という。）の支給に係る請求、届出その他の行為に係るなお効力を有する改正前国共済規則第九十六条及び第九十七条の規定の適用については、次の表の上欄に掲げるなお効力を有する改正前国共済規則の規定中同表の中欄に掲げる字句は、それぞれ同表の下欄に掲げる字句に読み替えるものとする。

上欄	中欄	下欄
第九十六条	給付を同時に	給付（連合会が支給するものに限る。以下この条において同じ。）を同時に
第九十七条第一項各号列記以外の部分	法第四十五条第一項	被用者年金制度の一元化等を図るための厚生年金保険法等の一部を改正する法律の施行及び国家公務員の退職給付の給付水準の見直し等のための国家公務員退職手当法等の一部を改正する法律の一部の施行に伴う国家公務員共済組合法による長期給付等に関する経過措置に関する政令（平成二十七年政令第三百四十五号）第八条第一項により読み替えられた被用者年金制度の一元化等を図るための厚生年金保険法等の一部を改正する法律（平成二十四年法律第六十三号。以下「平成二十四年一元化法」という。）附則第四条第三号に規定する改正前の国共済法（以下「改正前国共済法」という。）第四十五条第一項
	組合（当該給付が長期給付である場合には、連合会）	連合会
第九十七条第一項第一号	一　請求者の氏名、生年月日及び住所並びに請求者と死亡した者との続柄	一　請求者の氏名、生年月日及び住所並びに請求者と死亡した者との続柄 一の二　請求者の行政手続における特定の個人を識別するための番号の利用等に関する法律（平成二十五年法律第二十七号）第二条第五項に規定する個人番号
第九十七条第一項第二号	二　死亡した者の氏名及び生年月日	二　死亡した者の氏名及び生年月日 二の二　死亡した者の基礎年金番号
第九十七条第一項第四号	四　払渡金融機関の名称及び預金通帳の記号番号	四　次のイ又はロに掲げる者の区分に応じ、当該イ又はロに定める事項 イ　支給を受けようとする預金口座として公的給付の支給等の迅速かつ確実な実施のための預貯金口座の登録等に関する法律（令和三年法律第三十八号）第三条第一項、第四条第一項及び第五条第二項の規定による登録に係る預金口座（以下「公金受取口座」という。）を利用しようとする者　払渡金融機関の名称及び公金受取口座の口座番号並びに支給を受けようとする預金口座として公金受取口座を利用する旨 ロ　イに掲げる者以外の者　払渡金融機関の名称及び預金口座の口座番号
第九十七	遺族の順位	死亡した受給権者（平成二十四年一

条第二項第一号	若しくは遺族がないこと及び当該死亡した者の相続人であることを証するに足る	元化法附則第三十六条第五項に規定する改正前国共済法による職域加算額を受ける権利を有する者。以下この項において同じ。）と請求者との身分関係を明らかにすることができる
	、区長	、区長又は総合区長
	又は除籍抄本若しくは除籍謄本	、除籍抄本若しくは除籍謄本又は不動産登記規則（平成十七年法務省令第十八号）第二百四十七条第五項の規定により交付を受けた同条第一項に規定する法定相続情報一覧図の写し
第九十七条第二項第三号	三　その他必要な書類	三　死亡した受給権者の死亡の当時その者と生計を同じくしていたことを証する書類 四　その他必要な書類

（公務等による旧職域加算障害給付又は公務等による旧職域加算遺族給付の最低保障額を算定する場合における改正後国共済規則の準用）

第八条の二　改正前国共済法による職域加算額について、平成二十七年経過措置政令第八条第一項の規定により読み替えられたなお効力を有する改正前国共済法第八十二条第三項及び第八十九条第四項の規定を適用するときは、改正後国共済規則第百十五条の十から第百十五条の十二までの規定を準用する。この場合において、改正後国共済規則第百十五条の十第一項中「法第八十四条第七項」とあるのは「読替え後の改正前国共済法（被用者年金制度の一元化等を図るための厚生年金保険法等の一部を改正する法律の施行及び国家公務員の退職給付の給付水準の見直し等のための国家公務員退職手当法等の一部を改正する法律の一部の施行に伴う国家公務員共済組合法による長期給付等に関する経過措置に関する政令（平成二十七年政令第三百四十五号）第八条第一項により読み替えられた平成二十四年一元化法附則第四条第三号に規定する改正前国共済法をいう。以下この条及び第百十五条の十二において同じ。）第八十二条第三項」と、同条第二項及び第三項中「法第八十四条第七項」とあるのは「読替え後の改正前国共済法第八十二条第三項」と、同条第四項中「法第九十条第四項」とあるのは「読替え後の改正前国共済法第八十九条第四項」と、改正後国共済規則第百十五条の十二第一項中「法第八十四条第七項」とあるのは「読替え後の改正前国共済法第八十二条第三項」と、同条第二項中「法第九十条第七項」とあるのは「読替え後の改正前国共済法第八十九条第四項」と読み替えるものとする。

（改正前国共済法による職域加算額のうち退職を給付事由とするものの支給に係る請求等のなお効力を有する改正前国共済規則の適用）

第九条　改正前国共済法による職域加算額のうち退職を給付事由とするもの（以下「旧職域加算退職給付」という。）の支給に係る請求、届出その他の行為に係るなお効力を有する改正前国共済規則第百十四条（第一項第六号から第八号まで及び第十一号、第二項第三号、第五号及び第六号、第八項並びに第九項を除く。）、第百十四条の二の三、第百十四条の三（第一項第四号及び第五号並びに第二項を除く。）、第百十四条の三の二、第百十四条の三の三（第一項第四号及び第五号並びに第二項を除く。）並びに第百十四条の五第三項及び第四項の規定の適用については、次の表の上欄に掲げるなお効力を有する改正前国共済規則の規定中同表の中欄に掲げる字句は、それぞれ同表の下欄に掲げる字句に読み替えるものとする。

第百十四条第一項各号列記以外の部分	退職共済年金	旧職域加算退職給付（被用者年金制度の一元化等を図るための厚生年金保険法等の一部を改正する法律（平成二十四年法律第六十三号。以下「平成二十四年一元化法」という。）附則第三十六条第五項に規定する改正前国共済法による職域加算額のうち退職を給付事由とするものをいう。以下同じ。）
	法	平成二十四年一元化法附則第四条第三号に規定する改正前国共済法（以下「改正前国共済法」という。）
第百十四条第一項第一号	及び	、行政手続における特定の個人を識別するための番号の利用等に関する法律（平成二十五年法律第二十七号）第二条第五項に規定する個人番号（以下「個人番号」という。）及び
第百十四条第一項第四号	法第七十四条第一項第一号	被用者年金制度の一元化等を図るための厚生年金保険法等の一部を改正する法律の施行及び国家公務員の退職給付の給付水準の見直し等のための国家公務員退職手当法等の一部を改正する法律の一部の施行に伴う国家公務員共済組合法による長期給付等に関する経過措置に関する政令（平成二十七年政令第三百四十五号。以下「平成二十七年経過措置政令」という。以下同じ。）第八条第一項により読み替えられた改正前国共済法第七十四条第一項第一号
	を含む。次条第一項において同じ。）	を含む。）又は平成二十四年一元化法附則第三十七条の二第二項第一号

	年月日	年月
第百十四条第一項第五号	法第七十六条第一項第一号	平成二十七年経過措置政令第六条により読み替えられた改正前国共済法第七十六条第一項第一号
第百十四条第一項第九号	法第九十七条第一項（令	平成二十七年経過措置政令第八条第一項により読み替えられた改正前国共済法第九十七条第一項（平成二十七年経過措置政令第二条第七号に規定する改正前国共済令（以下「改正前国共済令」という。）
第百十四条第一項第十号	法	改正前国共済法
	退職共済年金	旧職域加算退職給付
第百十四条第一項第十二号	法附則第十二条の十二第一項各号	平成二十七年経過措置政令第十四条第一項により読み替えられた平成二十四年一元化法附則第三十九条第一項各号
第百十四条第一項第十三号	預金通帳の記号番号	預金口座の口座番号
第百十四条第二項第四号	四　前項第四号に規定する場合に該当するときは、同号に規定する年金証書等の写し	四　前項第四号に規定する場合に該当するときは、同号に規定する年金証書等の写し 四の二　預金口座の口座番号についての当該払渡金融機関の証明書、預金通帳の写しその他の預金口座の口座番号を明らかにすることができる書類
第百十四条第三項	請求者及び加給年金額の対象者	請求者
	都道府県知事又は住民基本台帳法（昭和四十二年法律第八十一号）第三十条の十第一項に規定する指定情報処理機関（以下「知事等」という。）	地方公共団体情報システム機構
	同法第三十条の五第一項に規定する本人確認情報（以下「本人確認情報」という。）	住民基本台帳法（昭和四十二年法律第八十一号）第三十条の七第四項に規定する機構保存本人確認情報（以下「本人確認情報」という。）
	第一項第一号及び第六号	第一項第一号
第百十四条第四項及び第五項	法第七十六条	平成二十七年経過措置政令第六条により読み替えられた改正前国共済法第七十六条
	退職共済年金	旧職域加算退職給付
	法附則第十二条の三	平成二十七年経過措置政令第六条により読み替えられた改正前国共済法附則第十二条の三
	法第七十八条の二第一項	平成二十七年経過措置政令第八条第一項により読み替えられた改正前国共済法第七十八条の二第一項
第百十四条第六項	法第七十六条	平成二十七年経過措置政令第六条により読み替えられた改正前国共済法第七十六条
	退職共済年金	旧職域加算退職給付
	法附則第十二条の三	平成二十七年経過措置政令第六条により読み替えられた改正前国共済法附則第十二条の三
	法附則第十二条の五	平成二十七年経過措置政令第八条第一項により読み替えられた改正前国共済法附則第十二条の五
	法第七十八条の二第一項	平成二十七年経過措置政令第八条第一項により読み替えられた改正前国共済法第七十八条の二第一項
	法第七十八条の二の	被用者年金制度の一元化等を図るための厚生年金保険法等の一部を改正

		する法律の施行及び国家公務員の退職給付の給付水準の見直し等のための国家公務員退職手当法等の一部を改正する法律の一部の施行に伴う国家公務員共済組合法による長期給付等に関する経過措置に関する政令（平成二十七年政令第三百四十五号）第八条第一項により読み替えられた改正前国共済法第七十八条の二の
第百十四条第七項	法附則第十二条の六の二第三項	平成二十七年経過措置政令第六条により読み替えられた改正前国共済法附則第十二条の六の二第三項
	退職共済年金	旧職域加算退職給付
	（法	（改正前国共済法
第百十四条の二の三第一項各号列記以外の部分	退職共済年金	旧職域加算退職給付
	法第七十四条第一項第一号	平成二十七年経過措置政令第八条第一項により読み替えられた改正前国共済法第七十四条第一項第一号又は平成二十四年一元化法附則第三十七条の二第二項第一号
第百十四条の二の三第一項第二号	二　退職共済年金の年金証書の記号番号	一の二　個人番号又は基礎年金番号 二　旧職域加算退職給付の年金証書の記号番号
第百十四	退職共済年	旧職域加算退職給付の

条の二の三第一項第三号	金の	
	退職共済年金に係る併給調整年金	旧職域加算退職給付に係る併給調整年金
	年月日	年月
第百十四条の二の三第二項各号列記以外の部分	法第七十四条第三項	改正前国共済法第七十四条第三項又は平成二十四年一元化法附則第三十七条の二第三項の規定により準用することとされた国家公務員の退職給付の給付水準の見直し等のための国家公務員退職手当法等の一部を改正する法律（平成二十四年法律第九十六号）第五条の規定による改正後の国共済法（以下「改正後国共済法」という。）第七十五条の四第二項
	退職共済年金の支給	旧職域加算退職給付の支給
	退職共済年金の停止解除申請者	旧職域加算退職給付の停止解除申請者
第百十四条の二の三第二項第一号	一　受給権者の氏名、生年月日及び住所	一　受給権者の氏名、生年月日及び住所 一の二　個人番号又は基礎年金番号
第百十四条の二の三第二項	退職共済年金	旧職域加算退職給付

第三号		
第百十四条の二の三第二項第四号	退職共済年金について法第七十四条第一項	旧職域加算退職給付について平成二十七年経過措置政令第八条第一項により読み替えられた改正前国共済法第七十四条第一項
	同じ。）	同じ。）又は平成二十四年一元化法附則第三十七条の二第二項
	退職共済年金に係る併給調整年金又は当該退職共済年金	旧職域加算退職給付に係る併給調整年金又は当該旧職域加算退職給付
	退職共済年金の停止解除申請者にあつては法	旧職域加算退職給付の停止解除申請者にあつては改正前国共済法第七十四条第三項又は平成二十四年一元化法附則第三十七条の二第三項の規定
	第七十四条第三項	により準用することとされた改正後国共済法第七十五条の四第二項
	若しくは令	若しくは改正前国共済令
第百十四条の二の三第二項第五号	退職共済年金について法第七十四条第一項	旧職域加算退職給付について平成二十七年経過措置政令第八条第一項により読み替えられた改正前国共済法第七十四条第一項又は平成二十四年一元化法附則第三十七条の二第二項
	退職共済年金に係る併給調整年金又は当該退	旧職域加算退職給付に係る併給調整年金又は当該旧職域加算退職給付

	職共済年金	
	退職共済年金の停止解除申請者	旧職域加算退職給付の停止解除申請者
第百十四条の三第一項各号列記以外の部分	退職共済年金の	旧職域加算退職給付の
	退職共済年金に係る併給調整年金	旧職域加算退職給付に係る併給調整年金
第百十四条の三第一項第二号	二　退職共済年金の年金証書の記号番号	一の二　個人番号又は基礎年金番号 二　旧職域加算退職給付の年金証書の記号番号
第百十四条の三第一項第三号	退職共済年金に係る併給調整年金	旧職域加算退職給付に係る併給調整年金
第百十四条の三第三項	受給権者及び加給年金額の対象者	受給権者
	知事等	地方公共団体情報システム機構
	第一項第一号及び第四号	第一項第一号
第百十四条の三第一項各号列記以外の部分	法	改正前国共済法
	退職共済年金	旧職域加算退職給付
第百十四条の三の二第一項第一号	法	改正前国共済法
第百十四条の三の二第一項第三号	三　退職共済年金の年金証書の記号番号	二の二　個人番号又は基礎年金番号 三　旧職域加算退職給付の年金証書の記号番号
第百十四条の三の二第二項	知事等	地方公共団体情報システム機構
第百十四条の三の三第一項各号列記以外の部分	法	改正前国共済法
	退職共済年金	旧職域加算退職給付
第百十四条の三の三第一項第一号	法	改正前国共済法
第百十四条の三の三第一項第三号	三　退職共済年金の年金証書の記号番号	二の二　個人番号又は基礎年金番号 三　旧職域加算退職給付の年金証書の記号番号
第百十四条の三の三第三項	受給権者及び加給年金額の対象者	受給権者
	知事等	地方公共団体情報システム機構
	第一項第二号及び第四号	第一項第二号
第百十四条の五第三項	法附則第十二条の六の二第三項	平成二十七年経過措置政令第六条により読み替えられた改正前国共済法附則第十二条の六の二第三項
	第一項各号（第二号及び第四号を除く。）に掲げる事項	受給権者の氏名、生年月日、住所、個人番号又は基礎年金番号、退職当時の所属機関の名称、旧職域加算退職給付の年金証書の記号番号及び退職年月日その他必要な事項
第百十四条の五第四項	第二項各号に掲げる書類	組合員期間等証明書その他必要な書類

（改正前国共済法による職域加算額のうち障害を給付事由とするものの支給に係る請求等のなお効力を有する改正前国共済規則の適用）

第十条　改正前国共済法による職域加算額のうち障害を給付事由とするもの（以下「旧職域加算障害給付」という。）の支給に係る請求、届出その他の行為に係るなお効力を有する改正前国共済規則第百十四条の十三（第一項第八号及び第九号並びに第二項第三号及び第四号を除く。）、第百十四条の十四、第百十四条の十五（第一項第四号及び第五号並びに第二項を除く。）、第百十四条の十六、第百十四条の十六の二（第一項第四号及び第五号並びに第二項を除く。）、第百十四条の十七、第百十四条の十八及び第百十四条の二十四（第一項第三号及び第四号を除く。）の規定の適用については、次の表の上欄に掲げるなお効力を有する改正前国共済規則の規定中同表の中欄に掲げる字句は、それぞれ同表の下欄に掲げる字句に読み替えるものとする。

第百十四条の十三第一項各号列記以外の部分	障害共済年金	旧職域加算障害給付（被用者年金制度の一元化等を図るための厚生年金保険法等の一部を改正する法律（平成二十四年法律第六十三号。以下「平成二十四年一元化法」という。）附則第三十六条第五項に規定する改正前国共済法による職域加算額のうち障害を給付事由とするものをいう。以下同じ。）
第百十四条の十三第一項第一号	及び	、行政手続における特定の個人を識別するための番号の利用等に関する法律（平成二十五年法律第二十七号）第二条第五項に規定する個人番号（以下「個人番号」という。）及び
第百十四条の十三第一項第七号	法第七十四条第一項第二号	被用者年金制度の一元化等を図るための厚生年金保険法等の一部を改正する法律の施行及び国家公務員の退職給付の給付水準の見直し等のための国家公務員退職手当法等の一部を改正する法律の一部の施行に伴う国家公務員共済組合法による長期給付等に関する経過措置に関する政令（平成二十七年政令第三百四十五号。以下「平成二十七年経過措置政令」という。）第八条第一項により読み替えられた平成二十四年一元化法附則第四条第三号に規定する改正前国共済法（以下「改正前国共済法」という。）第七十四条第一項
	同じ。）	同じ。）又は平成二十四年一元化法附則第三十七条の二第二項第二号
	年月日	年月
第百十四条の十三第一項第十号	法第九十七条第一項（令	平成二十七年経過措置政令第八条第一項により読み替えられた改正前国共済法第九十七条第一項（平成二十七年経過措置政令第二条第七号に規定する改正前国共済令（以下「改正前国共済令」という。）
第百十四条の十三第一項第十一号	法附則第十二条の十二第一項各号	平成二十七年経過措置政令第十四条第一項により読み替えられた平成二十四年一元化法附則第三十九条第一項各号
第百十四条の十三第一項第十二号	預金通帳の記号番号	預金口座の口座番号
第百十四条の十三第二項第二号	二　障害の状態に関する医師又は歯科医師の診断書	二　障害の状態に関する医師又は歯科医師の診断書 二の二　この障害の原因となつた病気又は負傷に係る初診日を明らかにすることができる書類
第百十四条の十三第二項第五号	五　請求者について国家公務員災害補償法（昭和二十六年法律第百九十一号）の規定による傷病補償年金若しくは障害補償年金又はこれらに相当する補償が支給されることとなつたときは、補償事由の発生年月日、補償の支給期間、補償の等級及び補償金額を記載した当該補償の実施機関の長の証	五　請求者について国家公務員災害補償法（昭和二十六年法律第百九十一号）の規定による傷病補償年金若しくは障害補償年金又はこれらに相当する補償に係る当該補償の同法第三条第一項に規定する実施機関の長の証明書 五の二　預金口座の口座番号についての当該払渡金融機関の証明書、預金通帳の写しその他の預金口座の口座番号を明らかにすることができる書類

	明書	
第百十四条の十三第三項	請求者及び加給年金額の対象者	請求者
	知事等	地方公共団体情報システム機構
	本人確認情報	住民基本台帳法第三十条の七第四項に規定する機構保存本人確認情報（以下「本人確認情報」という。）
	第一項第一号及び第八号	第一項第一号
第百十四条の十四第一項各号列記以外の部分	障害共済年金	旧職域加算障害給付
	法第七十四条第一項第二号	平成二十七年経過措置政令第八条第一項により読み替えられた改正前国共済法第七十四条第一項第二号又は平成二十四年一元化法附則第三十七条の二第二項第二号
第百十四条の十四第一項第二号	二　障害共済年金の年金証書の記号番号	一の二　個人番号又は基礎年金番号 二　旧職域加算障害給付の年金証書の記号番号
第百十四条の十四第一項第三号	障害共済年金の	旧職域加算障害給付の
	障害共済年金に係る併給調整年金	旧職域加算障害給付に係る併給調整年金
第百十四条の十四第二項各号列記以外の部分	法第七十四条第三項	改正前国共済法第七十四条第三項又は平成二十四年一元化法附則第三十七条の二第三項の規定により準用することとされた改正後国共済法（国家公務員の退職給付の給付水準の見直し等のための国家公務員退職手当法等の一部を改正する法律第五条の規定による改正後の国家公務員共済組合法をいう。以下「改正後国共済法」という。）第七十五条の四第二項
	障害共済年金	旧職域加算障害給付
第百十四条の十四第二項第一号	一　受給権者の氏名、生年月日及び住所	一　受給権者の氏名、生年月日及び住所 一の二　個人番号又は基礎年金番号
第百十四条の十四第二項第三号	障害共済年金	旧職域加算障害給付
第百十四条の十四第二項第四号及び第五号	障害共済年金について法第七十四条第一項	旧職域加算障害給付について平成二十七年経過措置政令第八条第一項により読み替えられた改正前国共済法第七十四条第一項又は平成二十四年一元化法附則第三十七条の二第二項
	障害共済年金に係る併給調整年金	旧職域加算障害給付に係る併給調整年金
第百十四条の十五第一項各号列記以外の部分	障害共済年金の	旧職域加算障害給付の
	障害共済年金に係る併給調整年金	旧職域加算障害給付に係る併給調整年金
第百十四条の十五第一項第二号	二　障害共済年金の年金証書の記号番号	一の二　個人番号又は基礎年金番号 二　旧職域加算障害給付の年金証書の記号番号
第百十四条の十五第一項第三号	障害共済年金に係る併給調整年金	旧職域加算障害給付に係る併給調整年金
第百十四条の十五第三項	受給権者及び加給年金額の対象者である配偶者	受給権者
	知事等	地方公共団体情報システム機構
	第一項第一号及び第四号	第一項第一号
第百十四	法	改正前国共済法

条の十六第一項各号列記以外の部分	障害共済年金	旧職域加算障害給付
第百十四条の十六第一項第一号	法	改正前国共済法
第百十四条の十六第一項第三号	三　障害共済年金の年金証書の記号番号	二の二　個人番号又は基礎年金番号 三　旧職域加算障害給付の年金証書の記号番号
第百十四条の十六第二項	知事等	地方公共団体情報システム機構
第百十四条の十六の二第一項各号列記以外の部分	法	改正前国共済法
	障害共済年金	旧職域加算障害給付
第百十四条の十六の二第一項第一号	法	改正前国共済法
第百十四条の十六の二第一項第三号	三　障害共済年金の年金証書の記号番号	二の二　個人番号又は基礎年金番号 三　旧職域加算障害給付の年金証書の記号番号
第百十四条の十六の二第三項	受給権者及び加給年金額の対象者	受給権者
	知事等	地方公共団体情報システム機構
	第一項第二号及び第四号	第一項第二号
第百十四条の十七第一項各号列記以外の部分	障害共済年金	旧職域加算障害給付
	法第八十四条第一項	平成二十七年経過措置政令第八条第一項により読み替えられた改正前国共済法第八十四条第一項
	法第八十六条	平成二十七年経過措置政令第八条第一項により読み替えられた改正前国共済法第八十六条
第百十四条の十七第一項第一号	一　受給権者の氏名、生年月日及び住所	一　受給権者の氏名、生年月日及び住所 一の二　個人番号又は基礎年金番号
第百十四条の十七第一項第三号及び第四号	障害共済年金	旧職域加算障害給付
第百十四条の十七第一項第五号	法第八十六条	平成二十七年経過措置政令第八条第一項により読み替えられた改正前国共済法第八十六条
第百十四条の十七第二項第一号	障害共済年金	旧職域加算障害給付
第百十四条の十七第二項第二号	一月	三月
第百十四条の十七第三項	障害共済年金	旧職域加算障害給付
第百十四条の十八各号列記以外の部分	障害共済年金	旧職域加算障害給付
	障害等級	障害等級（平成二十七年経過措置政令第六条により読み替えられた改正前国共済法第八十一条第二項に規定する障害等級をいう。以下同じ。）
第百十四条の十八第二号	二　障害共済年金の年金証書の記号番号	一の二　個人番号又は基礎年金番号 二　旧職域加算障害給付の年金証書の記号番号
第百十四	障害共済年	旧職域加算障害給付

条の二十四第一項各号列記以外の部分	金 受給権者は、毎年、指定日	受給権者であつて、その障害の程度の診査が必要であると認めて連合会が指定したものは、連合会が指定した日（以下「指定日」という。）
第百十四条の二十四第一項第一号	一　受給権者の氏名、生年月日及び住所	一　受給権者の氏名、生年月日及び住所 一の二　個人番号又は基礎年金番号
第百十四条の二十四第一項第二号	障害共済年金	旧職域加算障害給付
第百十四条の二十四第二項第一号	一月	三月
第百十四条の二十四第三項及び第四項	障害共済年金	旧職域加算障害給付

（障害の程度が増進したことが明らかである場合）

第十一条　平成二十七年経過措置政令第八条第一項により読み替えられた改正前国共済法第八十四条第一項に規定する財務省令で定める場合は、障害の程度が障害等級（平成二十七年経過措置政令第六条により読み替えられた改正前国共済法第八十一条第二項に規定する障害等級をいう。以下この条において同じ。）の二級に該当する者に係るものは、当該旧職域加算障害給付について給付事由が生じた日又は平成二十七年経過措置政令第八条第一項により読み替えられた改正前国共済法第八十四条第一項の規定する診査を受けた日のうち最も遅い日のいずれか遅い日以後、厚生年金保険法施行規則（昭和二十九年厚生省令第三十七号）第四十七条の二の二第一項各号に掲げるいずれかの状態に至った場合（同項第八号に掲げる状態については、当該状態に係る障害の範囲が拡大した場合を含む。次項において同じ。）とする。

2　平成二十七年経過措置政令第八条第一項により読み替えられた改正前国共済法第八十四条第一項に規定する財務省令で定める場合は、障害の程度が障害等級の三級に該当する者に係るものは、当該旧職域加算障害給付について給付事由が生じた日又は平成二十七年経過措置政令第八条第一項により読み替えられた改正前国共済法第八十四条第一項に規定する診査を受けた日のうち最も遅い日のいずれか遅い日以後、厚生年金保険法施行規則第四十七条の二の二第一項各号又は同条第二項各号に掲げるいずれかの状態に至った場合とする。

（改正前国共済法による職域加算額のうち死亡を給付事由とするものの支給に係る請求等のなお効力を有する改正前国共済規則の適用）

第十二条　改正前国共済法による職域加算額のうち死亡を給付事由とするもの（以下「旧職域加算遺族給付」という。）の支給に係る請求、届出その他の行為に係るなお効力を有する改正前国共済規則第百十四条の二十六（第一項第五号、第二項第七号、第三項及び第四項を除く。）、第百十四条の二十七、第百十四条の二十八（第五項を除く。）、第百十四条の二十八の二（第三項を除く。）、第百十四条の二十八の三（第三項を除く。）、第百十四条の二十九（第三項及び第四項を除く。）、第百十四条の三十及び第百十四条の三十二の規定の適用については、次の表の上欄に掲げるなお効力を有する改正前国共済規則の規定中同表の中欄に掲げる字句は、それぞれ同表の下欄に掲げる字句に読み替えるものとする。

第百十四条の二十六第一項各号列記以外の部分	遺族共済年金	旧職域加算遺族給付（被用者年金制度の一元化等を図るための厚生年金保険法等の一部を改正する法律（平成二十四年法律第六十三号。以下「平成二十四年一元化法」という。）附則第三十六条第五項に規定する改正前国共済法による職域加算額のうち死亡を給付事由とするものをいう。以下同じ。）
第百十四条の二十六第一項第一号	及び	、行政手続における特定の個人を識別するための番号の利用等に関する法律（平成二十五年法律第二十七号）第二条第五項に規定する個人番号（以下「個人番号」という。）及び
第百十四条の二十六第一項第四号	法第七十四条第一項第三号	被用者年金制度の一元化等を図るための厚生年金保険法等の一部を改正する法律の施行及び国家公務員の退職給付の給付水準の見直し等のための国家公務員退職手当法等の一部を改正する法律の一部の施行に伴う国家公務員共済組合法による長期給付等に関する経過措置に関する政令（平成二十七年政令第三百四十五号。以下「平成二十七年経過措置政令」という。）第八条第一項により読み替えられた平成二十四年一元化法附則第四条第三号に規定する改正前国共済法（以下「改正前国共済法」という。）第七十四条第一項第三号
	同じ。）	同じ。）又は平成二十四年一元化法附則第三十七条の二第二項第三号

	年月日	年月
第百十四条の二十六第一項第五号の二	夫（障害等級の一級又は二級に該当する障害の状態にある夫を除く。）	夫
第百十四条の二十六第一項第七号	法附則第十二条の十二第一項各号	平成二十七年経過措置政令第十四条第一項により読み替えられた平成二十四年一元化法附則第三十九条第一項各号
第百十四条の二十六第一項第八号	八 払渡金融機関の名称及び預金通帳の記号番号	八 次のイ又はロに掲げる者の区分に応じ、当該イ又はロに定める事項 イ 支給を受けようとする預金口座として公的給付の支給等の迅速かつ確実な実施のための預貯金口座の登録等に関する法律（令和三年法律第三十八号）第三条第一項、第四条第一項及び第五条第二項の規定による登録に係る預金口座（以下「公金受取口座」という。）を利用しようとする者　払渡金融機関の名称及び口座番号並びに支給を受けようとする預金口座として公金受取口座を利用する旨 ロ イに掲げる者以外の者　払渡金融機関の名称及び預金口座の口座番号
第百十四条の二十六第二項第二号	又は除籍謄本	、除籍謄本又は不動産登記規則（平成十七年法務省令第十八号）第二百四十七号第五項の規定により交付を受けた同条第一項に規定する法定相続情報一覧図の写し
第百十四条の二十六第二項第六号	請求者（組合員又は組合員であつた者の妻並びに六十歳以上の夫	請求者（組合員又は組合員であつた者の配偶者
	障害等級	障害等級（平成二十七年経過措置政令第六条により読み替えられた改正前国共済法第八十一条第二項に規定する障害等級をいう。以下同じ。）
第百十四条の二十六第二項第九号	九 請求者について国家公務員災害補償法の規定による遺族補償年金又はこれに相当する補償が支給されることとなつたときは、補償事由の発生年月日、補償の支給期間及び補償金額を記載した当該補償の実施機関の長の証明書	九 請求者について国家公務員災害補償法の規定による遺族補償年金又はこれに相当する補償に係る当該補償の同法第三条第一項に規定する実施機関の長の証明書 九の二 預金口座の口座番号についての当該払渡金融機関の証明書、預金通帳の写しその他の預金口座の口座番号を明らかにすることができる書類 九の三 死亡の原因となつた病気又は負傷に係る初診日を明らかにすることができる書類
第百十四条の二十六第五項	知事等	地方公共団体情報システム機構
	本人確認情報	住民基本台帳法第三十条の七第四項に規定する機構保存本人確認情報（以下「本人確認情報」という。）
第百十四条の二十七第一項各号列記以外の部分	遺族共済年金	旧職域加算遺族給付
	法第七十四条第一項第三号	平成二十七年経過措置政令第八条第一項により読み替えられた改正前国共済法第七十四条第一項第三号又は平成二十四年一元化法附則第三十七条の二第二項第三号
第百十四条の二十七第一項第二号	二 遺族共済年金の年金証書の記号番号	一の二 個人番号又は基礎年金番号 二 旧職域加算遺族給付の年金証書の記号番号
第百十四条の二十	遺族共済年金の	旧職域加算遺族給付の

七第一項第三号	遺族共済年金に係る併給調整年金	旧職域加算遺族給付に係る併給調整年金
	年月日	年月
第百十四条の二十七第二項各号列記以外の部分	法第七十四条第三項	改正前国共済法第七十四条第三項又は平成二十四年一元化法附則第三十七条の二第三項の規定により準用することとされた改正後国共済法（国家公務員の退職給付の給付水準の見直し等のための国家公務員退職手当法等の一部を改正する法律第五条の規定による改正後の国家公務員共済組合法をいう。以下「改正後国共済法」という。）第七十四条第三項
	により遺族共済年金	により旧職域加算遺族給付
	遺族共済年金の停止解除申請者	旧職域加算遺族給付の停止解除申請者
第百十四条の二十七第二項第一号	一　受給権者の氏名、生年月日及び住所	一　受給権者の氏名、生年月日及び住所 一の二　個人番号又は基礎年金番号
第百十四条の二十七第二項第三号	遺族共済年金	旧職域加算遺族給付

第百十四条の二十七第二項第四号及び第五号	遺族共済年金について法第七十四条第一項	旧職域加算遺族給付について平成二十七年経過措置政令第八条第一項により読み替えられた改正前国共済法第七十四条第一項又は平成二十四年一元化法附則第三十七条の二第二項
	遺族共済年金に係る併給調整年金又は当該遺族共済年金	旧職域加算遺族給付に係る併給調整年金又は当該旧職域加算遺族給付
	遺族共済年金の停止解除申請者	旧職域加算遺族給付の停止解除申請者
第百十四条の二十八第一項各号列記以外の部分	遺族共済年金の	旧職域加算遺族給付の
	遺族共済年金に係る併給調整年金	旧職域加算遺族給付に係る併給調整年金
第百十四条の二十八第一項第一号	一　受給権者の氏名、生年月日及び住所	一　受給権者の氏名、生年月日及び住所 一の二　個人番号又は基礎年金番号
第百十四条の二十八第一項第二号及び第三号	遺族共済年金	旧職域加算遺族給付

第百十四条の二十八第二項各号列記以外の部分	法第九十一条第一項から第三項まで	平成二十七年経過措置政令第十二条第一項により読み替えて適用する平成二十四年一元化法附則第七条第一項に規定する改正後厚生年金保険法（以下「改正後厚生年金保険法」という。）第六十五条の二又は第六十六条
	遺族共済年金	旧職域加算遺族給付
第百十四条の二十八第二項第一号	一　受給権者の氏名、生年月日及び住所	一　受給権者の氏名、生年月日及び住所 一の二　個人番号又は基礎年金番号
第百十四条の二十八第二項第二号及び第三号	遺族共済年金	旧職域加算遺族給付
第百十四条の二十八第三項第一号	一月	三月
第百十四条の二十八第四項	知事等	地方公共団体情報システム機構
第百十四条の二十	法	改正前国共済法

八の二第一項各号列記以外の部分	遺族共済年金	旧職域加算遺族給付
第百十四条の二十八の二第一項第一号	法	改正前国共済法
第百十四条の二十八の二第一項第三号	三 遺族共済年金の年金証書の記号番号	二の二 個人番号又は基礎年金番号 三 旧職域加算遺族給付の年金証書の記号番号
第百十四条の二十八の二第二項	知事等	地方公共団体情報システム機構
第百十四条の二十八の三第一項各号列記以外の部分	法	改正前国共済法
	遺族共済年金	旧職域加算遺族給付
第百十四条の二十八の三第一項第一号	法	改正前国共済法
第百十四条の二十八の三第一項第三号	三 遺族共済年金の年金証書の記号番号	二の二 個人番号又は基礎年金番号 三 旧職域加算遺族給付の年金証書の記号番号
第百十四条の二十八の三第二項	知事等	地方公共団体情報システム機構
第百十四条の二十九第一項各号列記以外の部分	法第九十二条第一項	平成二十七年経過措置政令第十二条第一項により読み替えて適用する改正後厚生年金保険法第六十七条第一項又は第六十八条第一項
	遺族共済年金	旧職域加算遺族給付
第百十四条の二十九第一項第一号	及び	及び個人番号又は
第百十四条の二十九第一項第三号	遺族共済年金	旧職域加算遺族給付
第百十四条の二十九第一項第四号	預金通帳の記号番号	預金口座の口座番号
第百十四条の二十九第二項	法第九十二条第一項	平成二十七年経過措置政令第十二条第一項により読み替えて適用する改正後厚生年金保険法第六十七条第一項又は第六十八条第一項
第百十四条の三十第一項各号列記以外の部分	遺族共済年金	旧職域加算遺族給付
	法第二条第三項	平成二十七年経過措置政令第八条第一項により読み替えられた改正前国共済法第二条第三項
第百十四条の三十第一項第二号	二 遺族共済年金の年金証書の記号番号	一の二 個人番号又は基礎年金番号 二 旧職域加算遺族給付の年金証書の記号番号
第百十四条の三十第三項	知事等	地方公共団体情報システム機構
第百十四条の三十二第一項各号列記以外の部分	六十歳未満の障害等級の一級若しくは二級の障害の状態にある夫、父母若しくは祖父母である遺族共済年金の受給権者又は障害等級の一級若しくは二級の障	障害等級の一級若しくは二級の障害の状態にある子若しくは孫である旧職域加算遺族給付の受給権者であって、その障害の程度の診査が必要であると認めて連合会が指定したものは

	害の状態にある子若しくは孫である受給権者は、毎年	
	当該遺族共済年金	当該旧職域加算遺族給付
第百十四条の三十二第一項第一号	一　受給権者の氏名、生年月日及び住所	一　受給権者の氏名、生年月日及び住所 一の二　個人番号又は基礎年金番号
第百十四条の三十二第一項第二号	遺族共済年金	旧職域加算遺族給付
第百十四条の三十二第二項第一号	一月	三月
第百十四条の三十二第三項及び第四項	遺族共済年金	旧職域加算遺族給付

（離婚等をした場合における改正後国共済規則の準用）

第十三条　改正前国共済法による職域加算額について、平成二十七年経過措置政令第八条第一項の規定により読み替えられたなお効力を有する改正前国共済法第四章第三節第五款の規定を適用するときは、改正後国共済規則第百十四条の五の規定により読み替えられた厚生年金保険法施行規則第三章の二及び改正後国共済規則第百十四条の六から第百十四条の十一までの規定を準用する。この場合において、改正後国共済規則第百十四条の六第一項中「第二号厚生年金被保険者期間」とあるのは、「被用者年金制度の一元化等を図るための厚生年金保険法等の一部を改正する法律（平成二十四年法律第六十三号）附則第四十一条第一項に規定する国共済組合員等期間」と読み替えるものとする。

（被扶養配偶者である期間における改正後国共済規則の準用）

第十四条　改正前国共済法による職域加算額について、平成二十七年経過措置政令第八条第一項の規定により読み替えられたなお効力を有する改正前国共済法第四章第三節第六款の規定を適用するときは、改正後国共済規則第百十四条の十二の規定により読み替えられた厚生年金保険法施行規則第三章の三及び改正後国共済規則第百十四条の十三から第百十四条の十六までの規定を準用する。この場合において、改正後国共済規則第百十四条の十二の規定により読み替えられた厚生年金保険法施行規則第七十八条の十九第一項中「第二号厚生年金被保険者期間」とあるのは「平成二十四年一元化法附則第四十一条第一項に規定する国共済組合員等期間」と、同項第一号中「特定被保険者」とあるのは「特定組合員（平成二十四年一元化法附則第四条第三号に規定する改正前国共済法（以下「改正前国共済法」という。）第九十三条の十三第一項に規定する特定組合員をいう。以下同じ。）」と、同項第四号及び同条第二項中「特定被保険者」とあるのは「特定組合員」と、同規則第七十八条の二十第一項中「法第七十八条の十四第二項及び第三項の規定による」とあるのは「被用者年金制度の一元化等を図るための厚生年金保険法等の一部を改正する法律の施行及び国家公務員の退職給付の給付水準の見直し等のための国家公務員退職手当法等の一部を改正する法律の一部の施行に伴う国家公務員共済組合法による長期給付等に関する経過措置に関する政令（平成二十七年政令第三百四十五号。以下「平成二十七年経過措置政令」という。）第八条第一項の規定により読み替えられた改正前国共済法第九十三条の十三第二項及び第三項の規定による」と、「法第七十八条の四第一項」とあるのは「改正前国共済法第九十三条の七第一項」と、「特定被保険者」とあるのは「特定組合員」と、「障害厚生年金」とあるのは「平成二十四年一元化法附則第三十六条第五項に規定する改正前国共済法による職域加算額のうち障害を給付事由とするもの」と、「同条第二項」とあるのは「改正前国共済法第九十三条の七第二項」と、「法第七十八条の十四第二項及び第三項の規定により」とあるのは「平成二十七年経過措置政令第八条第一項の規定により読み替えられた改正前国共済法第九十三条の十三第二項及び第三項の規定により」と、「被保険者期間（」とあるのは「平成二十四年一元化法附則第四十一条第一項に規定する国共済組合員等期間（」と、「被保険者期間を」とあるのは「期間を」と、同条第二項中「法第七十八条の五」とあるのは「改正前国共済法第九十三条の八」と読み替えるものとする。

（改正前国共済法による職域加算額の支給に係る届出等のなお効力を有する改正前国共済規則の適用）

第十五条　改正前国共済法による職域加算額の支給に係る届出その他の行為（第九条から前条までに係るものを除く。）に係るなお効力を有する改正前国共済規則第百十四条の三十三、第百十四条の三十八、第百十四条の三十九（第二項を除く。）、第百十四条の四十から第百十四条の四十の四まで、第百十四条の四十二（第二項第二号を除く。）、第百十四条の四十四及び第百十四条の四十六の規定の適用については、次の表の上欄に掲げる改正前国共済規則の規定中同表の中欄に掲げる字句は、それぞれ同表の下欄に掲げる字句に読み替えるものとする。

第百十四条の三十三第一項	法附則第十二条の十二に規定する財務省令で定める者	被用者年金制度の一元化等を図るための厚生年金保険法等の一部を改正する法律（平成二十四年法律第六十三号。以下「平成二十四年一元化法」という。）附則第四条第三号に規定する改正前国共済法（以下「改正前国共済法」という。）第十二条の十二に規定する財務省令で定める者

	、法附則	、改正前国共済法附則
第百十四条の三十三第二項	法附則	改正前国共済法附則
第百十四条の三十八	長期給付	平成二十四年一元化法附則第三十六条第五項に規定する改正前国共済法による職域加算額（以下「改正前国共済法による職域加算額」という。）
	請求書の提出を受けたとき又は年金額の変更を認めたときは、遅滞なく、これを審査決定し、その決定の内容を	処分を行ったときは、速やかに、文書でその内容を
第百十四条の三十九第一項	退職共済年金、障害共済年金又は遺族共済年金	改正前国共済法による職域加算額
	決定し又は改定	決定
	交付しなければならない。	交付しなければならない。ただし、特別支給の旧職域加算退職給付（被用者年金制度の一元化等を図るための厚生年金保険法等の一部を改正する法律の施行及び国家公務員の退職給付の給付水準の見直し等のための国家公務員退職手当法等の一部を改正する法律の一部の施行に伴う国家公務員共済組合法による長期給付等に関する経過措置に関する政令（平成二十七年政令第三百四十五号。以下「平成二十七年経過措置政令」という。）第六条により読み替えられた改正前国共済法附則第十二条の三の規定により決定された旧職域加算退職給付（平成二十四年一元化法附則第三十六条第五項に規定する改正前国共済法による職域加算額のうち退職を給付事由とするものをいう。）の受給権以外の旧職域加算退職給付を決定した場合において、その受給権者が特別支給の旧職域加算退職給付の年金証書の交付を受けているときは、この限りでない。この場合において、当該特別支給の旧職域加算退職給付の年金証書は当該旧職域加算退職給付の年金証書とみなす。
第百十四条の四十第一項第一号	一　受給権者の氏名、生年月日及び住所	一　受給権者の氏名、生年月日及び住所 一の二　行政手続における特定の個人を識別するための番号の利用等に関する法律（平成二十五年法律第二十七号）第二条第五項に規定する個人番号（以下「個人番号」という。）又は基礎年金番号
第百十四条の四十の二第一項	法	改正前国共済法
	年金である給付	改正前国共済法による職域加算額
	知事等	地方公共団体情報システム機構
	受給権者又は当該年金である給付に加算されている加給年金額の対象者（次項において「受給権者等」という。）	受給権者
	本人確認情報	住民基本台帳法第三十条の七第四項に規定する機構保存本人確認情報（同法第七条第八号の二に規定する個人番号を除く。以下「本人確認情報」という。）
第百十四条の四十の二第二項	受給権者等	受給権者
	受給権者又は当該加給年金額の対象者がある受給権者	
第百十四	年金である	改正前国共済法による職域加算額

条の四十の二第四項	給付（加給年金額の対象者についてのみ生存の事実が確認されなかつた受給権者が当該事実について確認できる書類を提出しないときは、当該対象者に係る加給年金額に相当する部分に限る。）	
第百十四条の四十の三第一項各号列記以外の部分	年金である給付	改正前国共済法による職域加算額
第百十四条の四十の四第一項各号列記以外の部分	知事等	地方公共団体情報システム機構
第百十四条の四十の四第一項第一号	一　受給権者の氏名、生年月日及び住所	一　受給権者の氏名、生年月日及び住所 一の二　個人番号又は基礎年金番号
第百十四条の四十二第一項	住所	住所、個人番号又は基礎年金番号
	知事等	地方公共団体情報システム機構
第百十四条の四十二第二項各号列記以外の部分	住所	住所、個人番号又は基礎年金番号
	提出しなければならない。この場合において、第八十七条の二第三項の規定による書類の提出は、必要ないものとする	提出しなければならない。ただし、第一号に該当する場合において、連合会が地方公共団体情報システム機構から本人確認情報の提供を受けることができるときは、この限りでない
第百十四条の四十二第二項第三号	三　払渡郵便局又は金融機関を変更するとき　新たな払渡郵便局又は金融機関の所在地及び名称を記載した書類	三　払渡郵便局又は金融機関を変更するとき（次号に掲げる事由に該当したときを除く）　新たな払渡郵便局又は金融機関の所在地及び名称を記載した書類 三の二　支給を受けようとする預金口座として公金受取口座を利用しようとするとき　新たな払渡郵便局又は金融機関の所在地、名称及び公金受取口座の口座番号並びに支給を受けようとする預金口座として公金受取口座を利用する旨を記載したもの
第百十四条の四十二第二項第四号	法第九十七条第一項（令	平成二十七年経過措置政令第八条第一項により読み替えられた改正前国共済法第九十七条第一項（平成二十七年経過措置政令第二条第七号に規定する改正前国共済令
第百十四条の四十二第三項	知事等	地方公共団体情報システム機構
第百十四条の四十二第四項	第二項第一号又は第二号	第二項第一号
第百十四条の四十二第五項	繰下げ待機者	繰下げ待機者（平成二十七年経過措置政令第八条第一項の規定により読み替えられた改正前国共済法第七十八条の二第一項の規定による旧職域加算退職給付の支給の繰下げの申出を行つていないものをいう。第百十四条の四十四第二項において同じ。）
	退職共済年金	旧職域加算退職給付
	又は転居したこと	、転居したこと又は氏名を変更したこと
	知事等	地方公共団体情報システム機構
第百十四条の四十四第一項	退職共済年金の	旧職域加算退職給付の

各号列記以外の部分	退職共済年金又は障害共済年金	旧職域加算退職給付又は旧職域加算障害給付（平成二十四年一元化法附則第三十六条第五項に規定する改正前国共済法による職域加算額のうち障害を給付事由とするものをいう。）
	遺族共済年金	旧職域加算遺族給付（平成二十四年一元化法附則第三十六条第五項に規定する改正前国共済法による職域加算額のうち死亡を給付事由とするものをいう。）
	法第四十五条第一項	平成二十七年経過措置政令第八条第一項により読み替えられた改正前国共済法第四十五条第一項
	相続人	者
	事項	事項（受給権者が死亡した場合にあっては、個人番号を除く。）
	知事等	地方公共団体情報システム機構
第百十四条の四十四第一項第一号	一　受給権者であった者の氏名、生年月日及び住所	一　受給権者であった者の氏名、生年月日及び住所 一の二　個人番号又は基礎年金番号
第百十四条の四十四第二項	退職共済年金	旧職域加算退職給付
	知事等	地方公共団体情報システム機構

（なお効力を有する改正前国共済規則の適用除外）

第十六条　なお効力を有する改正前国共済規則第百十四条第一項第六号から第八号まで及び第十一号、第二項第三号、第五号及び第六号並びに第八項並びに第九項、第百十四条の二、第百十四条の二の二、第百十四条の三第一項第四号及び第五号並びに第二項、第百十四条の三の四、第百十四条の五第一項及び第二項、第百十四条の六から第百十四条の十二の二まで、第百十四条の十三第一項第八号及び第九号並びに第二項第三号及び第四号、第百十四条の十五第二項、第百十四条の十六の二第一項第四号及び第五号並びに第二項、第百十四条の十六の三、第百十四条の十九から第百十四条の二十三まで、第百十四条の二十四第一項第三号及び第四号、第百十四条の二十五、第百十四条の二十六第一項第五号及び第二項第七号並びに第三項並びに第四項、第百十四条の二十八第五項、第百十四条の二十八の二第三項、第百十四条の二十八の三第三項、第百十四条の二十九第三項及び第四項、第百十四条の三十一、第百十四条の三十二の二から第百十四条の三十二の二十九まで、第百十四条の三十三の二、第百十四条の三十九第二項、第百十四条の四十一、第百十四条の四十二第二項第二号並びに第百十四条の四十三の規定は、改正前国共済法による職域加算額の支給に係る請求、届出その他の行為については、適用しない。

（改正前国共済法による職域加算額の受給権者の個人番号の変更の届出）

第十六条の二　改正前国共済法による職域加算額の受給権者は、その個人番号を変更したときは、速やかに、次に掲げる事項を記載した個人番号変更届出書を連合会に提出しなければならない。

一　氏名、生年月日及び住所
二　変更前及び変更後の個人番号
三　個人番号の変更年月日
四　年金証書の記号番号

（旧職域加算遺族給付の受給権者の氏名変更の理由の届出）

第十六条の三　旧職域加算遺族給付の受給権者は、その氏名を変更した場合であって第十五条の規定により読み替えて適用するなおその効力を有する改正前国共済規則第百十四条の四十二第二項の規定による届出書の提出を要しないときは、遅滞なく、次に掲げる事項を記載した届出書に戸籍抄本その他の氏名の変更の理由を明らかにすることができる書類を添えて、連合会に提出しなければならない。

一　受給権者の氏名、生年月日、住所及び個人番号又は基礎年金番号
二　年金証書の記号番号
三　氏名の変更の理由
四　その他必要な事項

2　連合会は、旧職域加算遺族給付の受給権者が正当な理由がなく、前項に規定する届出書を提出しないときは、当該届出書が提出されるまで当該受給権者に係る旧職域加算遺族給付の支払を差し止めることができる。

（年金証書の再交付の申請の特例）

第十六条の四　改正前国共済法による職域加算額の受給権者は、その氏名を変更した場合は、第十五条の規定により読み替えられたなお効力を有する改正前国共済規則第百十四条の四十第一項の規定による申請書を連合会に提出することができる。

2　前項の申請書には、年金証書を添えなければならない。

3　連合会は、第一項の申請書の提出を受けたときは、新たな年金証書を交付しなければならない。

（改正前国共済法による職域加算額の請求及び届出に係る特例）

第十七条　旧職域加算退職給付、旧職域加算障害給付又は旧職域加算遺族給付の請求を行う場合において、当該給付と同一の給付事由による厚生年金保険法（昭和二十九年法律第百十五号）による保険給付の請求、届出その他の行為については、第九条から第十二条までにより読み替えられたなお効力を有する改正前国共済規則の規定にかかわらず、当該規定による請求書及び書類の提出を省略することができる。

2　旧職域加算退職給付、旧職域加算障害給付又は旧職域加算遺族給付に係る第十五条により読み替えて適用するなお効力を有する改正前国共済規則第百十四条の四十の二第三項、第百十四条の四十の三、第百十四条の四十の四、第百十四条の四十二

（第二項第四号を除く。）及び第百十四条の四十四並びに前条に規定する届出を行う場合において、同時に厚生年金保険法の給付（脱退一時金及び脱退手当金に係るものを除く。）に係る同一の事由による届出を行うときは、これらの規定にかかわらず、これらの規定による届出書及び当該届出書に添えるべき書類の提出を省略することができる。

3　改正前国共済法による職域加算額の受給権者の死亡により、第八条により読み替えられた改正前国共済規則第九十七条の規定に基づき請求を行う者が、同時に当該改正前国共済法による職域加算額の受給権者の死亡による未支給の厚生年金保険法の保険給付の請求を行うときは、なお効力を有する改正前国共済規則の規定による請求書及び当該届出書に添えるべき書類の提出を省略することができる。

第三節　平成二十四年一元化法附則第三十七条第一項等の規定による改正前国共済法等による年金である給付の支給

（平成二十四年一元化法附則第三十七条第一項等の規定によりなおその効力を有するものとされた改正前国共済法等による年金である給付の支給に係るなお効力を有する改正前国共済規則の適用等）

第十八条　平成二十四年一元化法附則第三十七条第一項に規定する改正前国共済法による年金である給付及び旧国共済法による年金である給付に係る請求、届出その他の行為に係るなお効力を有する改正前国共済規則第九十六条、第九十七条、第五章第三節（第百十四条から第百十四条の二の二まで、第百十四条の四の三、第百十四条の五第一項及び第二項、第百十四条の十から第百十四条の十一の二まで、第百十四条の十三、第百十四条の二十二、第百十四条の二十三、第百十四条の二十五、第百十四条の二十六、第百十四条の二十九第三項、第百十四条の三十二の二から第百十四条の三十二の二十九まで、第百十四条の三十三の二、第百十四条の三十九第二項、第百十四条の四十一、第百十四条の四十三第二項及び第百十四条の四十五第三号を除く。）（改正前国共済規則附則においてこれらの規定を適用し、又は準用する場合を含む。）の規定の適用については、次の表の上欄に掲げるなお効力を有する改正前国共済規則の規定中同表の中欄に掲げる字句は、それぞれ同表の下欄に掲げる字句に読み替えるものとする。

第九十六条	給付を	給付（連合会が支給するものに限る。以下この条において同じ。）を
第九十七条第一項各号列記以外の部分	法第四十五条第一項	被用者年金制度の一元化等を図るための厚生年金保険法等の一部を改正する法律の施行及び国家公務員の退職給付の給付水準の見直し等のための国家公務員退職手当法等の一部を改正する法律の一部の施行に伴う国家公務員共済組合法による長期給付等に関する経過措置に関する政令（平成二十七年政令第三百四十五号。以下「平成二十七年経過措置政令」という。）第十五条第一項により読み替えられたなお効力を有する改正前国共済法（平成二十七年経過措置政令第二条第三号に規定するなお効力を有する改正前国共済法をいう。以下同じ。）第四十五条第一項
	組合（当該給付が長期給付である場合には、連合会）	連合会
第九十七条第一項第一号	一　請求者の氏名、生年月日及び住所並びに請求者と死亡した者との続柄	一　請求者の氏名、生年月日及び住所並びに請求者と死亡した者との続柄 一の二　請求者の行政手続における特定の個人を識別するための番号の利用等に関する法律（平成二十五年法律第二十七号。以下「番号利用法」という。）第二条第五項に規定する個人番号（以下「個人番号」という。）
第九十七条第一項第二号	二　死亡した者の氏名及び生年月日	二　死亡した者の氏名及び生年月日 二の二　死亡した者の基礎年金番号
第九十七条第一項第四号	四　払渡金融機関の名称及び預金通帳の記号番号	四　次のイ又はロに掲げる者の区分に応じ、当該イ又はロに定める事項 イ　支給を受けようとする預金口座として公的給付の支給等の迅速かつ確実な実施のための預貯金口座の登録等に関する法律（令和三年法律第三十八号）第三条第一項、第四条第一項及び第五条第二項の規定による登録に係る預金口座（以下「公金受取口座」という。）を利用しようとする者　払渡金融機関の名称及び公金受取口座の口座番号並びに支給を受けようとする預金口座として公金受取口座を利用する旨 ロ　イに掲げる者以外の者　払渡金融機関の名称及び預金口座の口座番号
第九十七条第二項第一号	遺族の順位若しくは遺族がないこと及び当該	死亡した受給権者（被用者年金制度の一元化等を図るための厚生年金保険法等の一部を改正する法律（平成二十四年法律第六十三号。以下「平

	死亡した者の相続人であることを証するに足る	成二十四年一元化法」という。）附則第四条第三号に規定する改正前国共済法（以下「改正前国共済法」という。）第四十一条第一項に規定する受給権者をいう。以下同じ。）と請求者との身分関係を明らかにすることができる
	、区長	、区長又は総合区長
	又は除籍抄本若しくは除籍謄本	、除籍抄本若しくは除籍謄本又は不動産登記規則（平成十七年法務省令第十八号）第二百四十七条第五項の規定により交付を受けた同条第一項に規定する法定相続情報一覧図の写し
第九十七条第二項第三号	三　その他必要な書類	三　死亡した受給権者の死亡の当時その者によつて生計を同じくしていたことを証する書類 四　その他必要な書類
第百十四条の二の三第一項各号列記以外の部分	法第七十四条第一項第一号	なお効力を有する改正前国共済法第七十四条第一項第一号又は平成二十四年一元化法附則第三十七条の二第二項第一号
第百十四条の二の三第一項第一号	一　受給権者の氏名、生年月日及び住所	一　受給権者の氏名、生年月日及び住所 一の二　個人番号又は基礎年金番号
第百十四条の二の三第二項各号列記以外の部分	法第七十四条第三項	なお効力を有する改正前国共済法第七十四条第三項又は平成二十四年一元化法附則第三十七条の二第三項の規定により準用することとされた改正後国共済法第七十五条の四第二項（平成二十七年経過措置政令第百十四条第一項の規定により読み替えて準用する場合を含む。）
第百十四条の二の三第二項第一号	一　受給権者の氏名、生年月日及び住所	一　受給権者の氏名、生年月日及び住所 一の二　個人番号又は基礎年金番号
第百十四条の二の三第二項第四号	法第七十四条第一項	なお効力を有する改正前国共済法第七十四条第一項
	同じ。）	同じ。）又は平成二十四年一元化法附則第三十七条の二第二項
	法第七十四条第三項	なお効力を有する改正前国共済法第七十四条第三項
	若しくは令	若しくは平成二十七年経過措置政令第二条第八号に規定するなお効力を有する改正前国共済令（以下「なお効力を有する改正前国共済令」という。）
第百十四条の二の三第二項第五号	法第七十四条第一項	なお効力を有する改正前国共済法第七十四条第一項
第百十四条の三第一項第一号	一　受給権者の氏名、生年月日及び住所	一　受給権者の氏名、生年月日及び住所 一の二　個人番号又は基礎年金番号
第百十四条の三第一項第四号	四　加給年金額の対象者があるときは、その者の氏名及び生年月日並びにその者が引き続き受給権者によつて生計を維持している旨	四　加給年金額の対象者があるときは、その者の氏名及び生年月日並びにその者が引き続き受給権者によつて生計を維持している旨 四の二　加給年金額の対象者（次号に規定する配偶者を除く。）の個人番号
第百十四条の三第一項第五号	及びその年金証書等の記号番号	、その年金証書等の記号番号及び配偶者の個人番号又は基礎年金番号
第百十四条の三第三項	知事等	地方公共団体情報システム機構
	本人確認情報	住民基本台帳法第三十条の七第四項に規定する機構保存本人確認情報（以下「本人確認情報」という。）
第百十四条の三の	法	なお効力を有する改正前国共済法

二第一項各号列記以外の部分及び同項第一号		
第百十四条の三の二第一項第二号	二　受給権者の氏名、生年月日及び住所	二　受給権者の氏名、生年月日及び住所 二の二　個人番号又は基礎年金番号
第百十四条の三の二第二項	知事等	地方公共団体情報システム機構
第百十四条の三の三第一項各号列記以外の部分及び同項第一号	法	なお効力を有する改正前国共済法
第百十四条の三の三第一項第二号	二　受給権者の氏名、生年月日及び住所	二　受給権者の氏名、生年月日及び住所 二の二　個人番号又は基礎年金番号
第百十四条の三の三第一項第五号	及びその年金証書の記号番号	、その年金証書の記号番号及び配偶者の個人番号又は基礎年金番号
第百十四条の三の三第三項	知事等	地方公共団体情報システム機構
第百十四条の三の四第一項各号列記以外の部分	法	なお効力を有する改正前国共済法
第百十四条の三の四第一項第一号	一　請求者の氏名、生年月日及び住所	一　請求者の氏名、生年月日及び住所 一の二　個人番号又は基礎年金番号
第百十四条の三の四第一項第四号	令	なお効力を有する改正前国共済令
第百十四条の三の四第一項第五号	五　加給年金額の対象者があるときは、その者の氏名及び生年月日並びにその者と請求者との身分関係	五　加給年金額の対象者があるときは、その者の氏名及び生年月日並びにその者と請求者との身分関係 五の二　加給年金額の対象者（次号に規定する配偶者を除く。）の個人番号
第百十四条の三の四第一項第六号	及びその年金証書等の記号番号	、その年金証書等の記号番号及び配偶者の個人番号又は基礎年金番号
第百十四条の三の四第四項	知事等	地方公共団体情報システム機構
第百十四条の三の五各号列記以外の部分	法	なお効力を有する改正前国共済法
	障害等級	障害等級（平成二十七年経過措置政令第十五条第一項により読み替えられたなお効力を有する改正前国共済法第二条第三項に規定する障害等級をいう。以下同じ。）
第百十四条の三の五第一号	一　受給権者の氏名、生年月日及び住所	一　受給権者の氏名、生年月日及び住所 一の二　個人番号又は基礎年金番号
第百十四条の三の六第一項及び第百十四条の三の七第一項各号列記以外の部分	法	なお効力を有する改正前国共済法
第百十四条の三の七第一項	一　受給権者の氏名、生年	一　受給権者の氏名、生年月日及び住所 一の二　個人番号又は基礎年金番号

第一号	月日及び住所	
第百十四条の三の七第一項第三号	三　加給年金額の対象者の氏名及び生年月日並びにその者と受給権者との身分関係	三　加給年金額の対象者の氏名及び生年月日並びにその者と受給権者との身分関係 三の二　加給年金額の対象者（次号に規定する配偶者を除く。）の個人番号
第百十四条の三の七第一項第四号	及びその年金証書等の記号番号	、その年金証書等の記号番号及び配偶者の個人番号又は基礎年金番号
第百十四条の三の七第二項	法	なお効力を有する改正前国共済法
第百十四条の三の七第四項	知事等	地方公共団体情報システム機構
第百十四条の四第一項各号列記以外の部分	法	なお効力を有する改正前国共済法
第百十四条の四第一項第一号	一　受給権者の氏名、生年月日及び住所	一　受給権者の氏名、生年月日及び住所 一の二　個人番号又は基礎年金番号
第百十四条の四第一項第三号	雇用保険被保険者番号	雇用保険法施行規則（昭和五十年労働省令第三号）第十条第一項の規定による雇用保険被保険者証の交付を受けた者（連合会が番号利用法第二十二条第一項の規定により雇用保険被保険者番号（直近に交付された雇用保険被保険者証に記載されている被保険者番号をいう。以下同じ。）の提供を受けることができる者を除く。）にあっては、直近に交付された雇用保険被保険者番号
第百十四条の四第三項各号列記以外の部分	法	なお効力を有する改正前国共済法
第百十四条の四の二	法附則第十二条の八の二第二項第一号	なお効力を有する改正前国共済法附則第十二条の八の二第二項第一号
	法附則第十二条の八の二第一項	なお効力を有する改正前国共済法附則第十二条の八の二第一項
第百十四条の五第三項	法	なお効力を有する改正前国共済法
	同条第六項	平成二十七年経過措置政令第十五条第一項により読み替えられたなお効力を有する改正前国共済法附則第十二条の六の二第六項
	第一項各号（第二号及び第四号を除く。）に掲げる事項	受給権者の氏名、生年月日、住所、個人番号又は基礎年金番号及び旧職域加算退職給付の年金証書の記号番号その他必要な事項
第百十四条の五第四項	第二項各号に掲げる	組合員期間等証明書その他必要な
第百十四条の六第一項各号列記以外の部分	法	なお効力を有する改正前国共済法
第百十四条の六第一項第一号	一　受給権者の氏名、生年月日及び住所	一　受給権者の氏名、生年月日及び住所 一の二　個人番号又は基礎年金番号
第百十四条の六第一項第三号	及び生年月日	、生年月日及び個人番号
第百十四条の六第三項	知事等	地方公共団体情報システム機構
第百十四条の七各	法	なお効力を有する改正前国共済法

号列記以外の部分		
第百十四条の七第一号	一 受給権者の氏名、生年月日及び住所	一 受給権者の氏名、生年月日及び住所 一の二 個人番号又は基礎年金番号
第百十四条の七第三号	三 法第七十八条第四項各号のいずれかに該当するに至つた加給年金額の対象者の氏名及び生年月日並びにその者と受給権者との身分関係	三 なお効力を有する改正前国共済法第七十八条第四項各号のいずれかに該当するに至つた加給年金額の対象者の氏名及び生年月日並びにその者と受給権者との身分関係 三の二 加給年金額の対象者の個人番号
第百十四条の七第四号	法	なお効力を有する改正前国共済法
第百十四条の八第一項第一号	一 受給権者の氏名、生年月日及び住所	一 受給権者の氏名、生年月日及び住所 一の二 個人番号又は基礎年金番号
第百十四条の八第一項第四号	及びその年金証書等の記号番号	、その年金証書等の記号番号及び配偶者の個人番号又は基礎年金番号
第百十四条の八第二項各号列記以外の部分	法第七十八条第一項	なお効力を有する改正前国共済法第七十八条第一項
第百十四条の八第二項第一号	一 受給権者の氏名、生年月日及び住所	一 受給権者の氏名、生年月日及び住所 一の二 個人番号又は基礎年金番号
第百十四条の九第一号	一 受給権者の氏名、生年月日及び住所	一 受給権者の氏名、生年月日及び住所 一の二 個人番号又は基礎年金番号
第百十四条の九第四号	及びその年金証書等の記号番号	、その年金証書等の記号番号及び配偶者の個人番号又は基礎年金番号
第百十四条の十二第一項各号列記以外の部分	法附則第十二条の三	なお効力を有する改正前国共済法附則第十二条の三
第百十四条の十二第一項第一号	一 受給権者の氏名、生年月日及び住所	一 受給権者の氏名、生年月日及び住所 一の二 個人番号又は基礎年金番号
第百十四条の十二の二第一項第一号	一 受給権者の氏名、生年月日及び住所	一 受給権者の氏名、生年月日及び住所 一の二 個人番号又は基礎年金番号
第百十四条の十二の二第一項第四号	及びその年金証書等の記号番号	、その年金証書等の記号番号及び配偶者の個人番号又は基礎年金番号
第百十四条の十二の二第二項第一号	一月	三月
第百十四条の十四第一項各号列記以外の部分	法第七十四条第一項第二号	なお効力を有する改正前国共済法第七十四条第一項第二号又は平成二十四年一元化法附則第三十七条の二第二項第二号
第百十四条の十四第一項第一号	一 受給権者の氏名、生年月日及び住所	一 受給権者の氏名、生年月日及び住所 一の二 個人番号又は基礎年金番号
第百十四条の十四	年月日	年月

第一項第三号		
第百十四条の十四第二項各号列記以外の部分	法第七十四条第三項	なお効力を有する改正前国共済法第七十四条第三項又は平成二十四年一元化法附則第三十七条の二第三項の規定により準用することとされた改正後国共済法第七十五条の四第二項（平成二十七年経過措置政令第百十四条第一項の規定により読み替えて準用する場合を含む。）
第百十四条の十四第二項第一号	一　受給権者の氏名、生年月日及び住所	一　受給権者の氏名、生年月日及び住所 一の二　個人番号又は基礎年金番号
第百十四条の十四第二項第四号及び第五号	法第七十四条第一項	なお効力を有する改正前国共済法第七十四条第一項又は平成二十四年一元化法附則第三十七条の二第二項
第百十四条の十五第一項第一号	一　受給権者の氏名、生年月日及び住所	一　受給権者の氏名、生年月日及び住所 一の二　個人番号又は基礎年金番号
第百十四条の十五第一項第四号	四　加給年金額の対象者である配偶者があるときは、その者の氏名及び生年月日並びにその者が受給権者によつて生計を維持している旨	四　加給年金額の対象者である配偶者があるときは、その者の氏名及び生年月日並びにその者が受給権者によつて生計を維持している旨 四の二　加給年金額の対象者（次号に規定する配偶者を除く。）の個人番号
第百十四条の十五第一項第五号	及びその年金証書等の記号番号	、その年金証書等の記号番号及び配偶者の個人番号又は基礎年金番号
第百十四条の十五第三項	知事等	地方公共団体情報システム機構
第百十四条の十六第一項各号列記以外の部分及び同項第一号	法	なお効力を有する改正前国共済法
第百十四条の十六第一項第二号	二　受給権者の氏名、生年月日及び住所	二　受給権者の氏名、生年月日及び住所 二の二　個人番号又は基礎年金番号
第百十四条の十六第二項	知事等	地方公共団体情報システム機構
第百十四条の十六の二第一項各号列記以外の部分及び同項第一号	法	なお効力を有する改正前国共済法
第百十四条の十六の二第一項第二号	二　受給権者の氏名、生年月日及び住所	二　受給権者の氏名、生年月日及び住所 二の二　個人番号又は基礎年金番号
第百十四条の十六の二第一項第五号	及びその年金証書の記号番号	、その年金証書の記号番号及び配偶者の個人番号又は基礎年金番号
第百十四条の十六の二第三項	知事等	地方公共団体情報システム機構
第百十四条の十六の三第一項各号列記以外の部分	令	なお効力を有する改正前国共済令
	法	なお効力を有する改正前国共済法

第百十四条の十六の三第一項第一号	一　受給権者の氏名、生年月日及び住所	一　受給権者の氏名、生年月日及び住所 一の二　個人番号又は基礎年金番号
第百十四条の十六の三第一項第三号	及び	及び個人番号又は
第百十四条の十六の三第三項	知事等	地方公共団体情報システム機構
第百十四条の十七第一項各号列記以外の部分	法第八十四条第一項	平成二十七年経過措置政令第十五条第一項により読み替えられたなお効力を有する改正前国共済法第八十四条第一項
	法第八十六条	なお効力を有する改正前国共済法第八十六条
第百十四条の十七第一項第一号	一　受給権者の氏名、生年月日及び住所	一　受給権者の氏名、生年月日及び住所 一の二　個人番号又は基礎年金番号
第百十四条の十七第一項第五号	法第八十六条	なお効力を有する改正前国共済法第八十六条
第百十四条の十七第二項第二号	一月	三月
第百十四条の十八第一項第一号	一　受給権者の氏名、生年月日及び住所	一　受給権者の氏名、生年月日及び住所 一の二　個人番号又は基礎年金番号
第百十四条の十九各号列記以外の部分	法	なお効力を有する改正前国共済法
	知事等	地方公共団体情報システム機構
第百十四条の十九第一号	一　受給権者の氏名、生年月日及び住所	一　受給権者の氏名、生年月日及び住所 一の二　個人番号又は基礎年金番号
第百十四条の十九第三号	及び生年月日	、生年月日及び個人番号
第百十四条の十九第四号	法	なお効力を有する改正前国共済法
第百十四条の二十第一号	一　受給権者の氏名、生年月日及び住所	一　受給権者の氏名、生年月日及び住所 一の二　個人番号又は基礎年金番号
第百十四条の二十第四号	及びその年金証書等の記号番号	、その年金証書等の記号番号及び配偶者の個人番号又は基礎年金番号
第百十四条の二十一第一号	一　受給権者の氏名、生年月日及び住所	一　受給権者の氏名、生年月日及び住所 一の二　個人番号又は基礎年金番号
第百十四条の二十一第四号	及びその年金証書等の記号番号	、その年金証書等の記号番号及び配偶者の個人番号又は基礎年金番号
第百十四条の二十四第一項各号列記以外の部分	の受給権者	の額に加給年金額が加算されている受給権者
	全額	全額又は加算されている加給年金額
第百十四条の二十四第一項第一号	一　受給権者の氏名、生年月日及び住所	一　受給権者の氏名、生年月日及び住所 一の二　個人番号又は基礎年金番号
第百十四条の二十四第一項第三号	及び	及び個人番号又は
第百十四	前項の届出	障害共済年金の受給権者であつて、

条の二十四第二項各号列記以外の部分	書を提出する場合には	その障害の程度の診査が必要であると認めて連合会が指定したものは、指定日までに、受給権者の氏名、生年月日、住所、個人番号又は基礎年金番号及び障害共済年金の年金証書の記号番号その他必要な事項を記載した届出書を連合会に提出しなければならない。この場合においては
第百十四条の二十四第二項第一号	一月	三月
第百十四条の二十四第四項	及び第二項	又は第二項
第百十四条の二十七第一項各号列記以外の部分	法第七十四条第一項第三号	なお効力を有する改正前国共済法第七十四条第一項第二号又は平成二十四年一元化法附則第三十七条の二第二項第三号
第百十四条の二十七第一項第一号	一　受給権者の氏名、生年月日及び住所	一　受給権者の氏名、生年月日及び住所 一の二　個人番号又は基礎年金番号
第百十四条の二十七第二項各号列記	法第七十四条第三項	なお効力を有する改正前国共済法第七十四条第三項又は平成二十四年一元化法附則第三十七条の二第三項の規定により準用するものとされた改

以外の部分		正後国共済法第七十五条の四第二項（平成二十七年経過措置政令第百十四条第一項の規定により読み替えて準用する場合を含む。）
第百十四条の二十七第二項第一号	一　受給権者の氏名、生年月日及び住所	一　受給権者の氏名、生年月日及び住所 一の二　個人番号又は基礎年金番号
第百十四条の二十七第二項第四号及び第五号	法第七十四条第一項	なお効力を有する改正前国共済法第七十四条第一項又は平成二十四年一元化法附則第三十七条の二第二項
第百十四条の二十八第一項第一号	一　受給権者の氏名、生年月日及び住所	一　受給権者の氏名、生年月日及び住所 一の二　個人番号又は基礎年金番号
第百十四条の二十八第二項各号列記以外の部分	法第九十一条第一項から第三項まで	平成二十七年経過措置政令第十八条第一項により読み替えて適用する平成二十四年一元化法附則第七条第一項に規定する改正後厚生年金保険法（以下「改正後厚生年金保険法」という。）第六十五条の二又は第六十六条
第百十四条の二十八第二項第一号	一　受給権者の氏名、生年月日及び	一　受給権者の氏名、生年月日及び住所 一の二　個人番号又は基礎年金番号

	住所	
第百十四条の二十八第三項第一号	一月	三月
第百十四条の二十八第四項	知事等	地方公共団体情報システム機構
第百十四条の二十八の二第一項各号列記以外の部分及び同項第一号	法	なお効力を有する改正前国共済法
第百十四条の二十八の二第一項第二号	二　受給権者の氏名、生年月日及び住所	二　受給権者の氏名、生年月日及び住所 二の二　個人番号又は基礎年金番号
第百十四条の二十八の二第二項	知事等	地方公共団体情報システム機構
第百十四条の二十八の三第一項各号	法	なお効力を有する改正前国共済法

列記以外の部分及び同項第一号		
第百十四条の二十八の三第一項第二号	二 受給権者の氏名、生年月日及び住所	二 受給権者の氏名、生年月日及び住所 二の二 個人番号又は基礎年金番号
第百十四条の二十八の三第二項	知事等	地方公共団体情報システム機構
第百十四条の二十九第一項各号列記以外の部分	法第九十二条第一項	平成二十七年経過措置政令第十八条第一項により読み替えて適用することとされた改正後厚生年金保険法第六十七条第一項又は第六十八条第一項
第百十四条の二十九第一項第一号	及び	及び個人番号又は
第百十四条の二十九第一項第四号	預金通帳の記号番号	預金口座の口座番号
第百十四条の二十九第二項	法第九十二条第一項	平成二十七年経過措置政令第十八条第一項により読み替えて適用するこ

九第二項		とされた改正後厚生年金保険法第六十七条第一項又は第六十八条第一項
第百十四条の二十九第四項	から前項まで	及び第二項
第百十四条の三十第一項各号列記以外の部分	法	なお効力を有する改正前国共済法
第百十四条の三十第一項第一号	一 受給権者の氏名、生年月日及び住所	一 受給権者の氏名、生年月日及び住所 一の二 個人番号又は基礎年金番号
第百十四条の三十第三項	知事等	地方公共団体情報システム機構
第百十四条の三十一第一項各号列記以外の部分	法第九十条	なお効力を有する改正前国共済法第九十条
第百十四条の三十一第一項第一号	一 受給権者の氏名、生年月日及び住所	一 受給権者の氏名、生年月日及び住所 一の二 個人番号又は基礎年金番号

	住所	
第百十四条の三十二第一項各号列記以外の部分	受給権者は、毎年	受給権者であつて、その障害の程度の診査が必要であると認めて連合会が指定したものは
第百十四条の三十二第一項第一号	一 受給権者の氏名、生年月日及び住所	一 受給権者の氏名、生年月日及び住所 一の二 個人番号又は基礎年金番号
第百十四条の三十二第二項第一号	一月	三月
第百十四条の三十三第一項	法	なお効力を有する改正前国共済法
第百十四条の三十四第一項各号列記以外の部分	施行法第二十条	平成二十七年経過措置政令第二条第五号に規定するなお効力を有する改正前国共済施行法（以下この条から第百十四条の三十七までにおいて「なお効力を有する改正前国共済施行法」という。）第二十条
	施行法第二十二条第一項	なお効力を有する改正前国共済施行法第二十二条第一項

第百十四条の三十四第一項第一号	一 組合員であった者の氏名、生年月日及び住所	一 組合員であった者の氏名、生年月日及び住所 一の二 個人番号又は基礎年金番号
第百十四条の三十五各号列記以外の部分	施行法	なお効力を有する改正前国共済施行法
第百十四条の三十五第一号	一 組合員であった者の氏名、生年月日及び住所	一 組合員であった者の氏名、生年月日及び住所 一の二 個人番号又は基礎年金番号
第百十四条の三十六第一項及び第百十四条の三十七第一項	施行法	なお効力を有する改正前国共済施行法
第百十四条の三十九	決定し又は改定	改定
第百十四条の四十第一項第一号	一 受給権者の氏名、生年月日及び住所	一 受給権者の氏名、生年月日及び住所 一の二 個人番号又は基礎年金番号
第百十四条の四十の二第一項	法	なお効力を有する改正前国共済法
	知事等	地方公共団体情報システム機構
第百十四条の四十一第一項各号列記以外の部分	知事等	地方公共団体情報システム機構
第百十四条の四十一第一項第一号	一 受給権者の氏名、生年月日及び住所	一 受給権者の氏名、生年月日及び住所 一の二 個人番号又は基礎年金番号
第百十四条の四十二第一項	住所	住所、個人番号又は基礎年金番号
	知事等	地方公共団体情報システム機構
第百十四条の四十二第二項各号列記以外の部分	住所	住所、個人番号又は基礎年金番号
	しなければならない。この場合において、第八十七条の二第三項の規定による書類の提出は必要ないものとする	しなければならない。ただし、第一号に該当する場合において、連合会が地方公共団体情報システム機構から本人確認情報の提供を受けることができるときは、この限りでない
第百十四条の四十二第二項第三号	三 払渡郵便局又は金融機関を変更するとき 新たな払渡郵便局又は金融機関の所在地及び名称を記載した書類	三 払渡郵便局又は金融機関を変更するとき（次号に掲げる事由に該当したときを除く） 新たな払渡郵便局又は金融機関の所在地及び名称を記載した書類 三の二 支給を受けようとする預金口座として公金受取口座を利用しようとするとき 新たな払渡郵便局又は金融機関の所在地、名称及び公金受取口座の口座番号並びに支給を受けようとする預金口座として公金受取口座を利用する旨を記載したもの
第百十四条の四十二第二項第四号	法	なお効力を有する改正前国共済法
	令	なお効力を有する改正前国共済令
第百十四条の四十二第三項	知事等	地方公共団体情報システム機構
第百十四条の四十二第五項	又は転居したこと	、転居したこと又は氏名を変更したこと
	知事等	地方公共団体情報システム機構
第百十四条の四十三第一項各号列記	、年金証書と併せて連合会に提出しなければ	連合会に提出しなければならない

以外の部分	ならない。この場合において、第八十七条の二第一項及び第三項の規定による書類の提出は、必要ないものとする	
第百十四条の四十三第一項第一号	一 組合員の氏名、生年月日及び住所	一 組合員の氏名、生年月日及び住所 一の二 個人番号又は基礎年金番号
第百十四条の四十四第一項各号列記以外の部分	法第四十五条第一項	平成二十七年経過措置政令第十五条第一項により読み替えられたなお効力を有する改正前国共済法第四十五条第一項
	相続人	者
	事項	事項（受給権者が死亡した場合にあつては、個人番号を除く。）
	知事等	地方公共団体情報システム機構
第百十四条の四十四第一項第一号	一 受給権者であつた者の氏名、生年月日及び住所	一 受給権者であつた者の氏名、生年月日及び住所 一の二 個人番号又は基礎年金番号
第百十四条の四十四第二項	知事等	地方公共団体情報システム機構
第百十四条の四十五各号列記以外の部分	第八十七条の二第八項の規定は、長期組合員が	長期組合員が
	について準用	は、組合が確認を行つた後当該組合を経由して行うことと
第百十四条の四十五第一号	決定（第百十四条第五項に定める者の法第七十六条の規定による退職共済年金の決定を除く。）又は改定（退職による改定を除く。）	改定
第百十四条の四十五第二号	決定又は改定	改定

2 なお効力を有する改正前国共済規則第百十四条から第百十四条の二の二まで、第百十四条の五第一項及び第二項、第百十四条の十から第百十四条の十一の二まで、第百十四条の十三、第百十四条の二十二、第百十四条の二十三、第百十四条の二十五、第百十四条の二十六、第百十四条の二十九第三項、第百十四条の三十二の二から第百十四条の三十二の二十九まで、第百十四条の三十三の二、第百十四条の三十九第二項、第百十四条の四十一、第百十四条の四十三第二項及び第百十四条の四十五第三号の規定は、平成二十四年一元化法附則第三十七条第一項に規定する改正前国共済法による年金である給付及び旧国共済法による年金である給付に係る請求、届出その他の行為については、適用しない。

（改正前国共済法による年金である給付等の受給権者の個人番号の変更の届出）

第十八条の二 改正前国共済法による年金である給付又は旧国共済法による年金である給付の受給権者は、その個人番号を変更したときは、速やかに、次に掲げる事項を記載した個人番号変更届出書を連合会に提出しなければならない。

一 氏名、生年月日及び住所
二 変更前及び変更後の個人番号
三 個人番号の変更年月日
四 年金証書の記号番号

（改正前国共済法による年金である給付等の受給権者の氏名変更の理由の届出）

第十八条の三 改正前国共済法による年金である給付又は旧国共済法による年金である給付（死亡を給付事由とするものに限る。以下この条において同じ。）の受給権者は、その氏名を変更した場合であつて第十八条の規定により読み替えて適用するなおその効力を有する改正前国共済規則第百十四条の四十二第二項の規定による届出書の提出を要しないときは、遅滞なく、次に掲げる事項を記載した届出書に戸籍抄本その他の氏名の変更の理由を明らかにすることができる書類を添えて、連合会に提出しなければならない。

一 受給権者の氏名、生年月日、住所及び個人番号又は基礎年金番号
二 年金証書の記号番号
三 氏名の変更の理由
四 その他必要な事項

2 連合会は、改正前国共済法による年金である給付又は旧国共

済法による年金である給付の受給権者が正当な理由がなく、前項に規定する届出書を提出しないときは、当該届出書が提出されるまで当該年金である給付の支払を差し止めることができる。

（国会議員等となったときの支給停止の届出）

第十九条　改正前国共済法による退職共済年金及び旧国共済法による年金である給付（退職を給付事由とするものに限る。以下この条から第二十一条までにおいて「改正前国共済法による退職共済年金等」という。）の受給権者は、厚生年金保険法第四十六条第一項に規定する国会議員又は地方公共団体の議会の議員（以下「国会議員等」という。）となったときは、速やかに、次に掲げる事項を記載した届書を連合会に提出しなければならない。ただし、衆議院議長、参議院議長又は地方公共団体の議会の議長に対する資料の提供の求めその他の方法により、連合会が当該受給権者に係る第三号から第五号までに掲げる事項を確認したときは、この限りでない。

一　受給権者の氏名、生年月日及び住所
一の二　個人番号又は基礎年金番号
二　改正前国共済法による退職共済年金等の年金証書の記号番号
三　国会議員等となった年月日
四　国会議員等である日の属する月における厚生年金保険法施行令（昭和二十九年政令第百十号）第三条の六第一項第二号又は第三号に掲げる額及び同項第二号又は第三号と同一の月以前の一年間の各月における同条第二項第二号又は第三号に掲げる額
五　所属する議会の名称
六　その他必要な事項

2　前項の届書を提出する場合には、同項第四号及び第五号に掲げる事項を明らかにする書類その他の必要な書類を併せて提出しなければならない。ただし、同項の届書に相当の記載を受けたときは、この限りでない。

3　連合会は、平成二十七年経過措置政令第二条第三号の規定によるなお効力を有する改正前国共済法第七十五条第二項の規定により、改正前国共済法による退職共済年金等の受給権者が前項の書類を提出しないときは、当該書類が提出されるまで、第一項の届書が提出された日の属する月の翌月以後に支払うべき当該改正前国共済法による退職共済年金等の支払を差し止めることができる。

4　改正前国共済法による退職共済年金等の受給権者は、連合会から第一項の届書及びこれに添えるべき書類の提出を求められたときは、連合会の指定する日までにこれに応じなければならない。

（総報酬月額相当額を算定する場合に必要な事項の異動の届出）

第二十条　国会議員等である改正前国共済法による退職共済年金等の受給権者は、前条第一項第四号に掲げる事項に異動があったときは、速やかに、次に掲げる事項を記載した届書を連合会に提出しなければならない。ただし、衆議院議長、参議院議長又は地方公共団体の議会の議長に対する資料の提供の求めその他の方法により、連合会が当該受給権者に係る第三号及び第四号に掲げる事項を確認したときは、この限りでない。

一　受給権者の氏名、生年月日及び住所
一の二　個人番号又は基礎年金番号
二　改正前国共済法による退職共済年金等の年金証書の記号番号
三　異動の事由及びその年月日
四　異動後の前条第一項第四号に掲げる事項
五　その他必要な事項

2　前項の届書を提出する場合には、同項第三号及び第四号に掲げる事項を明らかにする書類その他の必要な書類を併せて連合会に提出しなければならない。

（国会議員等でなくなったことの届出）

第二十一条　国会議員等である改正前国共済法による退職共済年金等の受給権者は、国会議員等でなくなったときは、速やかに、次に掲げる事項を記載した届書を連合会に提出しなければならない。ただし、衆議院議長、参議院議長又は地方公共団体の議会の議長に対する資料の提供の求めその他の方法により、連合会が当該受給権者に係る第三号に掲げる事項を確認したときは、この限りでない。

一　受給権者の氏名、生年月日及び住所
一の二　個人番号又は基礎年金番号
二　改正前国共済法による退職共済年金等の年金証書の記号番号
三　国会議員等でなくなった年月日

（障害の程度が増進したことが明らかである場合）

第二十二条　平成二十七年経過措置政令第十五条第一項により読み替えられたなお効力を有する改正前国共済法（平成二十四年一元化法附則第三十七条第一項の規定によりなおその効力を有するものとされた改正前国共済法をいう。以下この節において同じ。）第八十四条第一項に規定する財務省令で定める場合は、障害の程度が障害等級の二級に該当する者に係るものについては、平成二十七年経過措置政令第十五条第一項により読み替えられたなお効力を有する改正前国共済法第八十四条第一項に規定する診査を受けた日のいずれか遅い日以後、厚生年金保険法施行規則第四十七条の二の二第一項各号に掲げるいずれかの状態に至った場合（同項第八号に掲げる状態については、当該状態に係る障害の範囲が拡大した場合を含む。次項において同じ。）とする。

2　平成二十七年経過措置政令第十五条第一項により読み替えられたなお効力を有する改正前国共済法第八十四条第一項に規定する財務省令で定める場合は、障害の程度が障害等級の三級に該当する者に係るものについては、平成二十七年経過措置政令第十五条第一項により読み替えられたなお効力を有する改正前国共済法第八十四条第一項に規定する診査を受けた日のいずれか遅い日以後、厚生年金保険法施行規則第四十七条の二の二第一項各号又は同条第二項各号に掲げるいずれかの状態に至った場合とする。

（改正前国共済法による年金である給付等の支払未済の給付の請求に係る特例）

第二十三条　第十八条第一項により読み替えられたなお効力を有する改正前国共済規則第九十七条第一項に係る請求を行う者が、同時に厚生年金保険法による給付について同一の事由による請求を行うときは、同項の規定にかかわらず、同項の規定による請求書及び同条第二項に規定する書類の提出は要しないものとする。

（年金証書の再交付の申請の特例）

第二十三条の二　改正前国共済法による年金である給付又は旧国共済法による年金である給付の受給権者は、その氏名を変更した場合は、第十八条第一項の規定により読み替えられたなお効力を有する改正前国共済規則第百十四条の四十第一項の規定による申請書を連合会に提出することができる。

2　前項の申請書には、年金証書を添えなければならない。

3　連合会は、第一項の申請書の提出を受けたときは、新たな年金証書を交付しなければならない。

（改正前国共済法による年金である給付等の受給権者の異動報告に係る特例）

第二十四条　改正前国共済法による年金である給付又は旧国共済法による年金である給付の受給権者に係る第十八条第一項により読み替えられたなお効力を有する改正前国共済規則第百十四条の四十二第一項並びに第二項第一号及び第二号並びに第十八条の二の届出並びに第十九条から第二十一条までの届書を提出する者が、同時に厚生年金保険法による給付（脱退一時金及び脱退手当金に係るものを除く。）について同一の事由による届出を行うときは、第十八条第一項により読み替えられたなお効力を有する改正前国共済規則第百十四条の四十二第一項並びに第二項第一号及び第二号並びに第十八条の二から第二十一条までの規定にかかわらず、これらの規定による届出書又は当該届書及び当該届出書又は当該届書に添えるべき書類の提出は要しないものとする。

（改正前国共済法による年金である給付に係る離婚等をした場合における特例）

第二十五条　平成二十四年一元化法附則第三十七条第一項の規定によりなおその効力を有するものとされた年金である給付（退職又は障害を給付事由とするものに限る。）の受給権者について、平成二十七年経過措置政令第十五条の規定により読み替えられたなお効力を有する改正前国共済法第九十三条の十及び第九十三条の十一の規定を適用するときは、当該年金である給付の額の改定に係る請求その他の行為については、厚生年金保険法施行規則第三章の二に定めるところによるものとする。この場合において、同規則第七十八条の六第一項中「第一号厚生年金被保険者期間」とあるのは「第二号厚生年金被保険者期間」と、「機構」とあるのは「国家公務員共済組合（組合員であつた者又はその配偶者であつた者にあつては国家公務員共済組合連合会）」と、同項第三号イ中「、被保険者」とあるのは「、第二号厚生年金被保険者」と、同条第六項及び第七項中「厚生労働大臣」とあるのは「国家公務員共済組合（組合員であつた者又はその配偶者であつた者にあつては、国家公務員共済組合連合会）」と、同規則第七十八条の十一第一項中「第一号厚生年金被保険者期間」とあるのは「第二号厚生年金被保険者期間」と、「機構」とあるのは「国家公務員共済組合（組合員であつた者又はその配偶者であつた者にあつては、国家公務員共済組合連合会）」と、同条第二項第四号及び第五号中「厚生労働大臣」とあるのは「国家公務員共済組合連合会」と、同条第三項中「第二号厚生年金被保険者期間」とあるのは「第一号厚生年金被保険者期間」とする。

（改正前国共済法による年金である給付に係る被扶養配偶者である期間についての特例）

第二十六条　平成二十四年一元化法附則第三十七条第一項の規定によりなおその効力を有するものとされた年金である給付（退職又は障害を給付事由とするものに限る。）の受給権者について、平成二十七年経過措置政令第十五条の規定により読み替えられたなお効力を有する改正前国共済法第九十三条の十四及び第九十三条の十五の規定を適用するときは、当該年金である給付の額の改定に係る請求その他の行為については、厚生年金保険法施行規則第三章の三に定めるところによる。この場合において、同規則第七十八条の十九第一項中「第一号厚生年金被保険者期間」とあるのは「第二号厚生年金被保険者期間」と、「機構」とあるのは「国家公務員共済組合（組合員であつた者の被扶養配偶者にあつては、国家公務員共済組合連合会）」と、同条第二項第四号及び第五号中「厚生労働大臣」とあるのは「国家公務員共済組合連合会」と、同条第三項中「第二号厚生年金被保険者」とあるのは「第一号厚生年金被保険者」と、同規則第七十八条の二十第一項中「障害厚生年金」とあるのは「障害共済年金」と、同条第二項中「厚生労働大臣」とあるのは「国家公務員共済組合（組合員であつた者の被扶養配偶者にあつては、国家公務員共済組合連合会）」とする。

第四節　平成二十四年一元化法附則第三十九条等の規定による退職一時金の返還

（平成二十四年一元化法附則第三十九条の規定による退職一時金の返還に係る申出）

第二十七条　老齢厚生年金（連合会が支給するものに限る。）又は障害厚生年金（連合会が支給するものに限る。）について、改正後国共済法第三十九条第一項の規定による裁定（以下この条及び次条において「裁定」という。）を受けようとする者が平成二十四年一元化法附則第三十九条第一項各号に掲げる一時金である給付を受けた者であるときは、当該一時金の返還方法その他必要な事項を記載した請求書を連合会に提出しなければならない。

2　前項の規定による事項を記載した請求書を提出する者が第九条により読み替えられたなお効力を有する改正前国共済規則第百十四条第一項第十二号又は第十条により読み替えられたなお効力を有する改正前国共済規則第百十四条の十三第一項第十一号に掲げる事項を記載した請求書を提出する場合においては、前項の規定にかかわらず、同項の規定による事項を記載した請求書の提出を要しないものとする。

（平成二十四年一元化法附則第四十条の規定による退職一時金の返還に係る申出）

第二十八条　平成二十四年一元化法附則第四十条第一項に規定する遺族が、遺族厚生年金（連合会が支給するものに限る。）について裁定を受けようとする場合においては、平成二十四年一元化法附則第三十九条第一項各号に掲げる一時金の返還方法その他必要な事項を記載した請求書を連合会に提出しなければならない。

2　前項の規定による事項を記載した請求書を提出する者が第十二条により読み替えられたなお効力を有する改正前国共済規則第百十四条の二十六第一項第七号に掲げる事項を記載した請求書を提出する場合においては、前項の規定にかかわらず、同項の規定による事項を記載した請求書の提出を要しないものとする。

第五節　平成二十四年一元化法附則第四十一条の規定に

よる退職共済年金等

（平成二十四年一元化法附則第四十一条第一項等の規定による退職共済年金等の請求等）

第二十九条　平成二十四年一元化法附則第四十一条第一項の規定により連合会が支給する退職共済年金、障害共済年金及び遺族共済年金に係る請求、届出その他の行為については、当該退職共済年金、障害共済年金及び遺族共済年金を厚生年金保険法による老齢厚生年金、障害厚生年金及び遺族厚生年金とみなして、改正後国共済規則第百十四条から第百十四条の三まで、第百十四条の十七から第百十四条の二十六まで及び第百十四条の二十八から第百十四条の三十までの規定を準用する。この場合において、これらの規定中「第二号厚生年金被保険者期間」とあるのは、「平成二十四年一元化法附則第四十一条第一項に規定する国共済組合員等期間」と読み替えるものとする。

（平成二十四年一元化法附則第四十一条第一項等の規定による退職共済年金等の受給権者に係る離婚等をした場合の特例）

第三十条　平成二十四年一元化法附則第四十一条第一項の規定により連合会が支給するものとされた退職共済年金又は障害共済年金の受給権者がその例によるものとされた厚生年金保険法第七十八条の二第一項に規定する離婚等をした場合であって同項各号のいずれかに該当することにより当該退職共済年金又は障害共済年金の額の改定を請求するときは、当該改定に係る請求その他の行為については、厚生年金保険法施行規則第三章の二の規定を準用する。この場合において、同規則第七十八条の六第一項中「第一号厚生年金被保険者期間」とあるのは「平成二十四年一元化法附則第四十一条第一項に規定する国共済組合員等期間」と、「機構」とあるのは「国家公務員共済組合（組合員であつた者又はその配偶者であつた者にあつては、国家公務員共済組合連合会）」と、同項第三号中「、被保険者」とあるのは「第一号厚生年金被保険者」と、同条第五項中「法第二条の五第一項第二号に規定する第二号厚生年金被保険者期間（以下「第二号厚生年金被保険者期間」という。）」とあるのは「第一号厚生年金被保険者期間」と、同条第六項及び第七項中「厚生労働大臣」とあるのは「国家公務員共済組合（組合員であつた者又はその配偶者であつた者にあつては、国家公務員共済組合連合会）」と、同規則第七十八条の十一第一項中「第一号厚生年金被保険者期間」とあるのは「平成二十四年一元化法附則第四十一条第一項に規定する国共済組合員等期間」と、「機構」とあるのは「国家公務員共済組合（組合員であつた者又はその配偶者であつた者にあつては、国家公務員共済組合連合会）」と、同条第二項第四号及び第五号中「厚生労働大臣」とあるのは「国家公務員共済組合連合会」と、同条第三項中「第二号厚生年金被保険者期間」とあるのは「第一号厚生年金被保険者期間」と読み替えるものとする。

（平成二十四年一元化法附則第四十一条第一項等の規定による退職共済年金等の受給権者に係る被扶養配偶者である期間についての特例）

第三十一条　平成二十四年一元化法附則第四十一条第一項の規定により連合会が支給するものとされた退職共済年金又は障害共済年金の受給権者が離婚若しくは婚姻の取消し又は厚生年金保険法施行規則第七十八条の十四各号に掲げる場合に相当する場合に該当することにより当該退職共済年金又は障害共済年金の額の改定を請求するときは、当該改定に係る請求その他の行為については、同規則第三章の三の規定を準用する。この場合において、同規則第七十八条の十九第一項中「第一号厚生年金被保険者期間」とあるのは「平成二十四年一元化法附則第四十一条第一項に規定する国共済組合員等期間」と、「機構」とあるのは「国家公務員共済組合（組合員であつた者の被扶養配偶者にあつては、国家公務員共済組合連合会）」と、同条第二項第四号及び第五号中「厚生労働大臣」とあるのは「国家公務員共済組合連合会」と、同条第三項中「第二号厚生年金被保険者期間」とあるのは「第一号厚生年金被保険者期間」と、同規則第七十八条の二十第一項中「障害厚生年金」とあるのは「障害共済年金」と、同条第二項中「厚生労働大臣」とあるのは「国家公務員共済組合（組合員であつた者の被扶養配偶者にあつては、国家公務員共済組合連合会）」と読み替えるものとする。

第四章　地方公務員共済組合連合会に対する財政調整拠出金

（地方公務員共済組合連合会に対する財政調整拠出金）

第三十二条　改正後国共済規則第百二十一条第一項の規定は、連合会が、平成二十四年一元化法附則第五十条第一項の規定に基づく拠出金を地方公務員共済組合連合会（地方公務員等共済組合法（昭和三十七年法律第百五十二号）第三十八条の二第一項に規定する地方公務員共済組合連合会をいう。）に拠出する場合について準用する。

第五章　雑則

（年金の支払の調整）

第三十三条　平成二十七年経過措置政令第五条第二項の規定により同条第一項の規定による年金である給付の支払金の金額の過誤払による返還金に係る債権（以下この条において「返還金債権」という。）への充当は、次の各号に掲げる場合に行うことができるものとする。

一　年金である給付の受給権者の死亡を給付事由とする旧職域加算遺族給付の受給権者が、当該年金である給付の受給権者の死亡に伴う当該年金である給付の過誤払による返還金債権に係る債務の弁済をすべき者であるとき。

二　旧職域加算遺族給付の受給権者が、同一の給付事由に基づく他の遺族共済年金の受給権者の死亡に伴う当該遺族共済年金の過誤払による返還金債権に係る債務の弁済をすべき者であるとき。

（改正後国共済規則の準用）

第三十四条　改正後国共済規則第百二十四条から第百二十六条の四まで、第百三十一条第二項及び第百三十二条から第百三十四条までの規定は、経過的長期給付の支給に関する業務について準用する。この場合において、改正後国共済規則第百二十四条第三号中「長期給付」とあるのは、「被用者年金制度の一元化等を図るための厚生年金保険法等の一部を改正する法律（平成二十四年法律第六十三号）附則第四十九条の二に規定する国の組合の経過的長期給付」と読み替えるものとする。

2　前項の規定は、平成二十四年一元化法附則第三十七条第一項に規定する給付（経過的長期給付を除く。）及び平成二十四年一元化法附則第四十一条の規定による給付の支給に関する業務について準用する。この場合において、前項中「附則第四十九条の二に規定する国の組合の経過的長期給付」とあるのは、「附則第三十七条第一項に規定する給付（同法附則第四十九条の二に規定する国の組合の経過的長期給付を除く。）及び同法附則第四十一条の規定による給付」とする。

（なお効力を有する改正前国共済規則の適用除外）

第三十五条　なお効力を有する改正前国共済規則第百二十四条から第百二十六条の四まで、第百三十一条第二項及び第百三十二条から第百三十四条までの規定は、経過的長期給付、平成二十四年一元化法附則第三十七条第一項に規定する給付（経過的長期給付を除く。）及び平成二十四年一元化法附則第四十一条の規定による給付の支給に関する業務については、適用しない。

（移行遺族年金の寡婦加算の調整）

第三十六条　国家公務員等共済組合法等の一部を改正する法律の施行に伴う経過措置に関する政令（昭和六十一年政令第五十六号。次条において「昭和六十一年経過措置政令」という。）第六十二条第一項第二号に規定する他の移行遺族年金で財務省令で定めるものは、当該移行遺族年金が日本たばこ産業共済組合から支給を受けるものである場合にあっては日本鉄道共済組合から支給を受ける移行遺族年金とし、日本電信電話共済組合から支給を受けるものである場合にあっては日本鉄道共済組合から支給を受ける移行遺族年金又は日本たばこ産業共済組合から支給を受ける移行遺族年金とする。

（改正前昭和六十一年経過措置政令第六条第四項に規定する期間）

第三十七条　国家公務員共済組合法施行令等の一部を改正する等の政令（平成二十七年政令第三百四十四号）第二条の規定による改正前の昭和六十一年経過措置政令第六条第四項に規定する財務省令で定める期間については、改正後国共済規則附則第二十二項の規定を準用する。

（提出書類の特例）

第三十八条　この省令の規定によって申請書、申出書、請求書又は届出書に併せて提出すべき書類について、連合会が行政手続における特定の個人を識別するための番号の利用等に関する法律（平成二十五年法律第二十七号。以下この条において「番号利用法」という。）第二十二条第一項の規定により当該書類と同一の内容を含む利用特定個人情報（番号利用法第十九条第八号に規定する利用特定個人情報をいう。）の提供を受けることができるときは、当該書類の提出を省略することができる。

附　則

（施行期日）

第一条　この省令は、平成二十七年十月一日から施行する。

（連合会の平成二十八年四月一日に開始する事業年度における事業計画及び予算に関する経過措置）

第二条　連合会の平成二十八年四月一日に開始する事業年度における第二条第一項の規定により読み替えて準用する改正後国共済規則第八十五条第四項第一号の規定の適用については、同号中「前々事業年度の実績並びに前事業年度」とあるのは、「前事業年度」と読み替えるものとする。

2　連合会の平成二十八年四月一日に開始する事業年度における改正後国共済規則第八十五条第二項において準用する改正後国共済規則第二十四条の規定の適用については、同条第三項中「前々事業年度」とあるのは「厚生年金保険経理、退職等年金経理及び経過的長期経理（被用者年金制度の一元化等を図るための厚生年金保険法等の一部を改正する法律の施行及び国家公務員の退職給付の給付水準の見直し等のための国家公務員退職手当法等の一部を改正する法律の一部の施行に伴う国家公務員共済組合法による長期給付等に関する経過措置に関する省令（平成二十七年財務省令第七十四号）第二条第一項の規定により準用するものとされた改正後国共済規則（同令第一条第六号に規定する改正後国共済規則をいう。以下同じ。）第八十五条第二項において読み替えて準用する改正後国共済規則第六条第一項第二号に掲げる経理単位をいう。以下同じ。）以外の経理単位については前々事業年度」と、「推計を」とあるのは「推計を、厚生年金保険経理、退職等年金経理及び経過的長期経理については前事業年度及び当該事業年度における推計を、それぞれ」と、同条第四項中「前々事業年度末日」とあるのは「厚生年金保険経理、退職等年金経理及び経過的長期経理以外の経理単位については前々事業年度末日」と、「推計を」とあるのは「推計を、厚生年金保険経理、退職等年金経理及び経過的長期経理については前事業年度末日及び当該事業年度末日における推計を、それぞれ」と読み替えるものとする。

（施行日において国会議員等である者の経過措置）

第三条　改正前国共済法による年金である給付又は旧国共済法による年金である給付（退職を給付事由とするものに限る。）の受給権者であって、この省令の施行の日（以下「施行日」という。）の前日において国会議員等であり、かつ、施行日において引き続き国会議員等である者に対する第十九条の規定の適用については、施行日において同項の届書の提出があったものとみなし、当該届書を提出することを要しない。

2　第二十条及び第二十一条の規定は、施行日以後にこれらの規定による届書の提出をすべき事由が生じた場合について適用するものとし、施行日前に当該事由が生じた場合については、適用しない。

附　則（平二七・一〇・一六財務令八一）

この省令は、公布の日から施行し、平成二十七年十月五日から適用する。

附　則（平二八・三・三一財務令一四）（抄）

1　この省令は、平成二十八年四月一日から施行する。〔ただし書略〕

2　〔前略〕第五条の規定による改正後の被用者年金制度の一元化等を図るための厚生年金保険法等の一部を改正する法律の施行及び国家公務員の退職給付の給付水準の見直し等のための国家公務員退職手当法等の一部を改正する法律の一部の施行に伴う国家公務員共済組合法による長期給付等に関する経過措置に関する省令（以下「改正後平成二十七年省令」という。）の規定（次項に規定するものを除く。）は、平成二十七年十月一日から適用する。

3　〔前略〕改正後平成二十七年省令第十八条第一項の表第百十四条の三の六第一項、第百十四条の三の七第一項各号列記以外の部分及び第百十四条の三の七第二項の項、第百十四条の四第一項各号列記以外の部分及び同条第三項各号列記以外の部分の項、第百十四条の四の二の項及び第百十四条の三十一第一項の項の規定は、平成二十七年十月五日から適用する。

附　則（平二八・一一・三〇財務令八二）

この省令は、公布の日から施行する。

附　則（平二九・三・三一財務令九）（抄）

この省令は、平成二十九年四月一日から施行する。〔ただし書略〕

附　則（平三〇・三・二財務令三）

この省令は、平成三十年三月五日から施行する。

附　則（平三〇・一二・二八財務令七一）（抄）

1　この省令は、平成三十一年八月一日から施行する。ただし、次項の規定は、平成三十一年六月一日から施行する。

2　この省令による改正後の〔中略〕平成二十七年経過措置省令第十条に規定するなお効力を有する改正前国共済規則第百十四条の二十四、第十二条に規定するなお効力を有する改正前国共済規則第百十四条の三十二若しくは第十八条第一項に規定するなお効力を有する改正前国共済規則第百十四条の十二の二、第百十四条の二十四若しくは第百十四条の三十二の届出を行おうとする者（その誕生日が八月一日から九月三十日までの間にある者に限る。）は、この省令の施行の日前においても、この省令による改正後のそれぞれの省令の規定の例により当該届出を行うことができる。

附　則（平三一・三・二九財務令二三）（抄）

（施行期日）

1　この省令は、平成三十一年四月一日から施行する。ただし、次の各号に掲げる規定は、当該各号に定める日から施行する。

一　〔前略〕第六条の改正規定　平成三十一年四月十五日

二　〔前略〕第七条の改正規定　平成三十一年七月一日

附　則（令二・一〇・二六財務令六七）

この省令は、公布の日から施行する。

附　則（令三・一二・二八財務令八四）（抄）

（施行期日）

第一条　この省令は、令和四年一月一日から施行する。

附　則（令四・九・三〇財務令四九）（抄）

（施行期日）

第一条　この省令は、令和四年十月一日から施行する。

附　則（令五・九・二九財務令五三）（抄）

（施行期日）

第一条　この省令は、公布の日から施行する。

（経過措置）

第二条　この省令の施行の際現にあるこの省令による改正前の様式（次項において「旧様式」という。）により使用されている書類は、この省令による改正後の様式によるものとみなす。

2　この省令の施行の際現にある旧様式による用紙については、当分の間、これを取り繕って使用することができる。

附　則（令六・三・二九財務令一一）（抄）

（施行期日）

第一条　この省令は、令和六年四月一日から施行する。

附　則（令六・五・二七財務令四二）

この省令は、公布の日から施行する。

○社会保障協定の実施に伴う国家公務員共済組合法施行規則の特例等に関する省令

平二〇・二・二九
財　務　令　八

最終改正　令五・一二・二七財務令五八

社会保障協定の実施に伴う厚生年金保険法等の特例等に関する法律（平成十九年法律第百四号）第百五条及び社会保障協定の実施に伴う国家公務員共済組合法等の特例に関する政令（平成二十年政令第三十七号）第三十一条第二項から第四項までの規定に基づき、並びに社会保障協定及び同法を実施するため、社会保障協定の実施に伴う国家公務員共済組合法施行規則の特例等に関する省令を次のように定める。

（適用証明書の申請）

第一条　国家公務員共済組合法（昭和三十三年法律第百二十八号。以下「国共済法」という。）第三条第一項に規定する国家公務員共済組合（以下「組合」という。）の組合員（以下「組合員」という。）であって、社会保障協定（社会保障協定の実施に伴う厚生年金保険法等の特例等に関する法律（以下「法」という。）第二条第一号に規定する社会保障協定をいう。以下同じ。）の規定により相手国法令（法第二条第五号に規定する相手国法令をいう。以下同じ。）の規定の適用の免除を受けようとする者（社会保障に関する日本国と大韓民国との間の協定（第四条第三項において「韓国協定」という。）第八条2、社会保障に関する日本国政府とフランス共和国政府との間の協定（以下「フランス協定」という。）第八条2及び社会保障に関する日本国とカナダとの間の協定（第四条第三項において「カナダ協定」という。）第五条5(c)の規定に該当する者を除く。）は、次に掲げる事項を記載した申請書を、当該組合を経由して国共済法第二十一条第一項に規定する国家公務員共済組合連合会（以下「連合会」という。）に提出しなければならない。

一　組合員の氏名、性別、生年月日及び住所

二　行政手続における特定の個人を識別するための番号の利用等に関する法律（平成二十五年法律第二十七号）第二条第五項に規定する個人番号（第三条第二項第二号において「個人番号」という。）又は基礎年金番号（国民年金法（昭和三十四年法律第百四十一号）第十四条に規定する基礎年金番号をいう。第三条第二項第二号において同じ。）

三　当該申請に係る就労の開始予定年月日及び終了予定年月日

四　相手国の領域内における就労先の名称及び所在地（社会保障に関する日本国とアメリカ合衆国との間の協定第四条１の規定により同協定第二条２に規定する合衆国費用負担法令の規定の適用の免除を受けようとする者を除く。）

五　次の表の上欄に掲げる社会保障協定の区分に応じ、それぞれ同表の下欄に掲げる事項

社会保障に関する日本国とドイツ連邦共和国との間の協定（以下この号において「ドイツ協定」という。）	ドイツ年金法令（ドイツ協定第二条(1)(b)に規定する年金保険制度に係るドイツ連邦共和国の法令をいう。）の加入期間を有する者にあっては、ドイツ連邦共和国における保険番号
社会保障に関する日本国とベルギー王国との間の協定（第五条第二項第四号において「ベルギー協定」という。）	ベルギー王国の領域内における就労先の登録番号
社会保障に関する日本国とオランダ王国との間の協定（以下この号及び第五条第二項第四号において「オランダ協定」という。）	オランダ王国の領域内において就労し、かつ、オランダ協定第七条１の規定によりオランダ王国の社会保障の部門に関する法令（オランダ協定第二条２に掲げる社会保障の各部門に関するオランダ王国の法律及び規則をいう。第五条第二項第四号において同じ。）の規定の適用を免除することとされたことがある者にあっては、当該申請に係る就労の開始の予定日が直近の当該オランダ王国の領域内における就労の終了の日から一年を経過している旨
社会保障に関する日本国とチェコ共和国との間の協定（第五条第二項第四号において「チェコ協定」という。）	チェコ共和国の領域内における就労先の登録番号
社会保障に関する日本国とスペインとの間の協定（第五条第二項第四号において「スペイン協定」という。）	スペインの領域内における就労先の登録番号
社会保障に関する日本国とブラジル連邦共和国との間の協定（第五条第二項第四号において「ブラジル協定」という。）	ブラジル連邦共和国の領域内における就労先の登録番号
社会保障に関する日本国とハンガリーとの間の協定	ハンガリーの領域内における就労先の登録番号
社会保障に関する日本国とイタリア共和国との間の協定	イタリア共和国の領域内における就労先の税務番号

六　その他必要な事項

（適用証明書の交付）

第二条　連合会は、前条の申請書に基づき、相手国法令の規定の適用の免除を決定したときは、連合会が別に定める証明書（以下「適用証明書」という。）を作成し、組合を経由して当該申請に係る組合員に交付するものとする。

（適用証明書の記載事項の訂正等）

第三条　適用証明書の交付を受けた者に係る国家公務員共済組合法施行規則（昭和三十三年大蔵省令第五十四号。以下「施行規則」という。）第八十七条の二の二第三項の規定による氏名の変更に関する書類を提出する場合には、当該適用証明書を併せて提出しなければならない。

2　適用証明書の交付を受けた者は、当該適用証明書を亡失し、又は著しく損傷したときは、遅滞なく、次に掲げる事項を記載した再交付の申請書を、亡失の場合を除き適用証明書と併せて組合を経由して連合会に提出しなければならない。

一　組合員の氏名及び生年月日

二　個人番号又は基礎年金番号

三　当該申請に係る就労の開始年月日

四　亡失し、又は損傷した事由

五　その他必要な事項

3　連合会は、氏名の変更に関する書類又は前項の申請書の提出があったときは、新たな適用証明書を交付するものとする。

4　施行規則第九十一条第三項及び第九十三条の規定は、適用証明書について準用する。この場合において、これらの規定中「組合に」とあるのは、「組合を経由して連合会に」と読み替えるものとする。

（相手国法令の規定の適用を受ける者に係る届出等）

第四条　法第四十五条の規定により国共済法の規定の適用を受けないこととなった者は、遅滞なく、次に掲げる事項を記載した届出書を、相手国実施機関等（法第二条第四号に規定する相手国実施機関等をいう。第五条第二項第三号及び第七条において同じ。）より交付された相手国法令の規定の適用に関する証明書の写しと併せて組合に提出しなければならない。

一 届出者の氏名及び生年月日
二 国共済法の規定の適用を受けないこととなった日
三 その他必要な事項

2 組合は、前項の届出（国共済法の長期給付に関する規定の適用に係るものに限る。）を受けた場合は、その写しを連合会に送付しなければならない。

3 韓国協定第八条2、フランス協定第八条2及びカナダ協定第五条5(b)の規定に該当する者は、第一項に規定する証明書の写しの提出に代えて、次に掲げる書類のいずれかの提示をもって当該者であることを証明することができる。
一 旅券
二 その他本人確認できるもの

（厚生年金保険の特例加入被保険者の資格取得の申出）
第五条 法第二十五条第一項の規定による資格取得の申出（厚生年金保険法（昭和二十九年法律第百十五号）第二条の五第一項第二号に規定する第二号厚生年金被保険者（第六条において「第二号厚生年金被保険者」という。）となる者に係るものに限る。）については、社会保障協定の実施に伴う国民年金法施行規則及び厚生年金保険法施行規則の特例等に関する省令（平成二十年厚生労働省令第二号。第六条において「社保厚労省令」という。）第十九条に定めるところによるものとする。この場合において、同条第一項中「第一号厚生年金被保険者」とあるのは「厚生年金保険法第二条の五第一項第二号に規定する第二号厚生年金被保険者」と、「日本年金機構（以下「機構」という。）」とあるのは「国家公務員共済組合連合会」とする。

（厚生年金保険の受給権者の手続の特例）
第六条 厚生年金保険の受給権者の手続（第二号厚生年金被保険者に係るものに限る。）については、社保厚労省令第二十二条から第二十四条までに定めるところによるものとする。この場合において、次の表の上欄に掲げる社保厚労省令の規定中同表の中欄に掲げる字句は、それぞれ同表の下欄に掲げる字句とする。

第二十二条第一項第一号	厚年規則	国家公務員共済組合法施行規則（昭和三十三年大蔵省令第五十四号。以下「国共規則」という。）第百十四条の規定により読み替えられた厚年規則
第二十二条第一項第二号	厚年規則	国共規則第百十四条の二の規定により読み替えられた厚年規則
第二十二条第一項第三号	厚年規則	国共規則第百十四条の三の規定により読み替えられた厚年規則
第二十二条第一項第十三号及び第二項	厚年規則	国共規則第百十四条の四の規定により読み替えられた厚年規則
第二十三条第一項、第二項、第五項及び第六項	厚年規則	国共規則第百十四条の規定により読み替えられた厚年規則
第二十三条第七項及び第八項並びに第二十四条	厚年規則	国共規則第百十四条の二の規定により読み替えられた厚年規則

（附則第四十一条年金の決定請求書等の特例）
第七条 次に掲げる被用者年金制度の一元化等を図るための厚生年金保険法等の一部を改正する法律（平成二十四年法律第六十三号。以下「平成二十四年一元化法」という。）附則第四十一条の規定により支給する退職共済年金、障害共済年金及び遺族共済年金（以下「附則第四十一条年金」という。）の決定の請求に係る請求書を提出する場合には、当該決定を受けようとする者（第二号に係る請求書にあっては、死亡した組合員又は組合員であった者。次項第一号において同じ。）に係る相手国期間申立書（法第二条第五号に規定する相手国期間の確認を申し立てる書類をいう。次項及び次条において同じ。）を併せて提出しなければならない。
一 法第二十七条（第二号、第四号及び第六号から第八号までを除く。）の規定により厚生年金保険法の老齢厚生年金の受給資格要件又は厚生年金保険法の老齢厚生年金の加給の加算の資格要件を満たしたことにより平成二十四年一元化法附則第四十一条の規定による退職共済年金の受給権を有することとなった者に係る施行規則第百十四条第一項の規定により読み替えられた厚生年金保険法施行規則（昭和二十九年厚生省令第三十七号）第三十条第一項の請求書
二 法第二十七条第一項（第一号、第三号、第五号及び第八号を除く。）、第三十条又は第四十条第一項の規定により厚生年金保険法の遺族厚生年金の受給資格要件又は厚生年金保険法の遺族厚生年金の中高齢寡婦加算若しくは厚生年金保険法の遺族厚生年金の経過的寡婦加算の加算の資格要件を満たしたことにより平成二十四年一元化法附則第四十一条の規定による遺族共済年金の受給権を有することとなった者に係る施行規則第百十四条の三第一項の規定により読み替えられた厚生年金保険法施行規則第六十条第一項の請求書
三 法第二十八条又は第三十八条第一項の規定により厚生年金保険法の障害厚生年金の受給資格要件を満たしたことにより平成二十四年一元化法附則第四十一条の規定による障害共済年金の受給権を有することとなった者に係る施行規則第百十四条の二第一項の規定により読み替えられた厚生年金保険法施行規則第四十四条第一項の請求書

2 相手国期間申立書には、次に掲げる事項（フランス協定の適用を受ける場合には、第二号に掲げる事項を除く。）を記載しなければならない。

一　決定を受けようとする者の氏名、性別、生年月日及び住所
二　出生地及び国籍
三　相手国実施機関等から通知された相手国法令の適用に係る番号
四　次の表の上欄に掲げる社会保障協定の区分に応じ、それぞれ同表の下欄に掲げる事項

ベルギー協定	ベルギー協定第一条1(e)に規定するベルギー王国の実施機関の名称
フランス協定	フランス共和国の領域内における滞在期間及び当該滞在期間に係る就労状況
	その他の国の領域内における滞在期間及び当該滞在期間に係るフランス協定第二条1に掲げるフランス社会保障法令の適用状況
社会保障に関する日本国とオーストラリアとの間の協定	オーストラリアの領域内における滞在期間及び当該滞在期間に係る就労状況
オランダ協定	オランダ王国の領域内における滞在期間及び当該滞在期間に係る就労状況
	その他の国の領域内における滞在期間及び当該滞在期間に係るオランダ王国の社会保障の部門に関する法令の適用状況
チェコ協定	チェコ共和国の領域内における滞在期間及び当該滞在期間に係る就労状況
	その他の国の領域内における滞在期間及び当該滞在期間に係るチェコ協定第二条1(a)に規定するチェコ共和国の年金保険法及びその関係法によって規律される制度の適用状況
スペイン協定	スペインの領域内における滞在期間及び当該滞在期間に係る就労状況
ブラジル協定	ブラジル連邦共和国の領域内における滞在期間及び当該滞在期間に係る就労状況
	その他の国の領域内における滞在期間及び当該滞在期間に係るブラジル協定第一条1(d)に規定するブラジル連邦共和国の法令の適用状況

五　その他必要な事項

（附則第四十一条年金の改定請求の特例）

第八条　法第二十八条第二項の規定を適用するとしたならば同項の規定により厚生年金保険法の障害厚生年金の額を改定すべき事由が生じた場合において平成二十四年一元化法附則第四十一条第一項の規定による障害共済年金の額の改定に係る施行規則第百十四条の二の規定により読み替えられた厚生年金保険法施行規則第四十七条第一項又は第四十七条の二第一項に規定する請求書を提出する場合には、相手国期間申立書を併せて提出しなければならない。

（附則第四十一条年金の請求の特例）

第九条　第七条第一項の規定の適用がある場合における同項各号に掲げる請求書又は前条の規定の適用がある場合における同条に規定する請求書については、相手国実施機関等を経由して連合会に提出することができる。

2　前項の規定により第七条第一項第一号に掲げる請求書が相手国実施機関等を経由して連合会に提出される場合には、施行規則第百十四条第一項の規定により読み替えられた厚生年金保険法施行規則第三十条第二項第三号に掲げる書類は、提出を要しない。

3　第一項の規定により第七条第一項第二号に掲げる請求書が相手国実施機関等を経由して連合会に提出される場合には、次に掲げる書類は、提出を要しない。ただし、第一号に掲げる書類にあっては、当該請求書に係る組合員又は組合員であった者の死亡した年月日及び死亡の原因を確認したことを証する書類を有するアイルランドの実施機関（社会保障に関する日本国政府とアイルランド政府との間の協定第一条1(e)に規定するアイルランドの実施機関をいう。）を経由して提出される場合に限る。

一　施行規則第百十四条の三第一項の規定により読み替えられた厚生年金保険法施行規則第六十条第三項第四号に掲げる被保険者又は被保険者であった者の死亡に関して市町村長に提出した死亡診断書、死体検案書若しくは検視調書に記載してある事項についての市町村長の証明書又はこれに準ずる書類
二　施行規則第百十四条の三第一項の規定により読み替えられた厚生年金保険法施行規則第六十条第三項第九号の二に掲げる書類

附　則（抄）

（施行期日）

第一条　この省令は、法の施行の日（平成二十年三月一日）から施行する。

（社会保障に関する日本国とドイツ連邦共和国との間の協定の実施に伴う国家公務員共済組合法施行規則の特例等に関する省令等の廃止）

第二条　次に掲げる省令は、廃止する。

一　社会保障に関する日本国とドイツ連邦共和国との間の協定の実施に伴う国家公務員共済組合法施行規則の特例等に関する省令（平成十二年大蔵省令第二号）
二　社会保障に関する日本国とグレート・ブリテン及び北部アイルランド連合王国との間の協定の実施に伴う国家公務員共済組合法施行規則の特例等に関する省令（平成十二年大蔵省令第八十七号）
三　社会保障に関する日本国と大韓民国との間の協定の実施に伴う国家公務員共済組合法施行規則の特例に関する省令（平成十七年財務省令第二十六号）

四 社会保障に関する日本国とアメリカ合衆国との間の協定の実施に伴う国家公務員共済組合法施行規則の特例等に関する省令（平成十七年財務省令第七十一号）
五 社会保障に関する日本国とベルギー王国との間の協定の実施に伴う国家公務員共済組合法施行規則の特例等に関する省令（平成十八年財務省令第七十七号）
六 社会保障に関する日本国政府とフランス共和国政府との間の協定の実施に伴う国家公務員共済組合法施行規則の特例に関する省令（平成十八年財務省令第七十八号）

附 則（平二〇・一一・二八財務令七三）

この省令は、社会保障に関する日本国とオーストラリアとの間の協定の効力発生の日〔平二一・一・一〕から施行する。ただし、第一条第四号の表に次のように加える改正規定及び第五条第二項第四号の表の改正規定（社会保障に関する日本国とオランダ王国との間の協定（以下「オランダ協定」という。）に係る部分に限る。）は、オランダ協定の効力発生の日〔平二一・三・一〕から施行する。

附 則（平二一・六・一財務令四二）

この省令は、社会保障に関する日本国とチェコ共和国との間の協定の効力発生の日〔平二一・六・一〕から施行する。

附 則（平二一・一二・二八財務令七五）

この省令は、平成二十二年一月一日から施行する。

附 則（平二二・三・三一財務令二四）（抄）

（施行期日）

第一条 この省令は、平成二十二年四月一日から施行する。

附 則（平二二・一一・三〇財務令五九）

この省令は、公布の日から施行する。ただし、次の各号に掲げる規定は、それぞれ当該各号に定める日から施行する。
一 第一条第四号の表に次のように加える改正規定及び第五条第二項第四号の表に次のように加える改正規定 社会保障に関する日本国とスペインとの間の協定の効力発生の日〔平二二・一二・一〕
二 第七条の改正規定 社会保障に関する日本国政府とアイルランド政府との間の協定の効力発生の日〔平二二・一二・一〕

附 則（平二四・二・二九財務令一三）

この省令は、社会保障に関する日本国とブラジル連邦共和国との間の協定の効力発生の日〔平二四・三・一〕から施行する。

附 則（平二五・三・二九財務令一三）（抄）

（施行期日）

第一条 この省令は、平成二十五年四月一日から施行する。〔ただし書略〕

附 則（平二五・一二・二四財務令六三）

この省令は、社会保障に関する日本国とハンガリーとの間の協定の効力発生の日〔平二六・一・一〕から施行する。

附 則（平二七・九・三〇財務令七三）（抄）

（施行期日）

第一条 この省令は、平成二十七年十月一日から施行する。

附 則（平二八・九・一二財務令六五）

改正 平二八・一二・二八財務令八六

この省令は、平成二十九年一月一日から施行する。ただし、第三条の規定は、この省令の公布の日から施行し、平成二十七年十月一日から適用する。

附 則（平二九・七・三一財務令五二）（抄）

（施行期日）

第一条 この省令は、平成二十九年八月一日から施行する。〔ただし書略〕

附 則（平三〇・三・二財務令三）

この省令は、平成三十年三月五日から施行する。

附 則（令五・九・二九財務令五三）（抄）

（施行期日）

第一条 この省令は、公布の日から施行する。

附 則（令五・一二・二七財務令五八）

この省令は、社会保障に関する日本国とイタリア共和国との間の協定の効力発生の日〔令六・四・一〕から施行する。

○厚生年金保険法等の一部を改正する法律附則第五十二条第一項の規定による厚生年金基金の指定を取り消す件及び同条第六項の規定により読み替えられた同法附則第四十七条第一項の規定による企業年金基金を指定する件

平一九・八・二二
財務省告示二八三

平成九年五月大蔵省告示第百二十一号をもって告示した厚生年金保険法等の一部を改正する法律（平成八年法律第八十二号）附則第四十七条第一項の規定により指定した厚生年金基金について、同法附則第五十二条第一項の規定により平成十九年六月三十日付けで指定を取り消すとともに、次の企業年金基金について、同条第六項の規定により読み替えられた同法附則第四十七条第一項の規定により平成十九年七月一日付けで特例業務を行う者として新たに指定したので、同法附則第五十二条第三項及び同法附則第四十七条第二項の規定により告示する。
一 名称 エヌ・ティ・ティ企業年金基金
二 住所 東京都千代田区大手町二丁目二番二号
三 事業所の所在地 東京都千代田区大手町二丁目二番二号

○国家公務員共済組合法施行令第十一条の三の四〔現行＝第十一条の三の三〕第七項の規定に基づき財務大臣が定める給付が行われるべき療養を定める件

平二一・五・一
財務省告示一五三

改正　平二九・八・三一財務省告示二四三

国家公務員共済組合法施行令（昭和三十三年政令第二百七号）第十一条の三の四〔現行＝第十一条の三の三〕第七項の規定に基づき、国家公務員共済組合法施行令第十一条の三の四第七項の規定に基づき財務大臣が定める医療に関する給付を次のように定め、公布の日から適用する。

国家公務員共済組合法施行令第十一条の三の三第七項の規定に基づき財務大臣が定める医療に関する給付は、健康保険法施行令（大正十五年勅令第二百四十三号）第四十一条第七項の規定に基づき厚生労働大臣が定める医療に関する給付（平成二十一年厚生労働省告示第二百九十号）に規定する給付とする。

○国家公務員共済組合法等の運用方針

昭三四・一〇・一
蔵計二九二七

最終改正　令六・四・一財計一五七〇

（一）　共済組合法関係

第二条関係

第一項第一号

1　国家公務員共済組合法施行令（昭和三十三年政令第二百七号。以下「施行令」という。）第二条第一項柱書に規定する「二月以内の期間を定めて使用される者であつて財務大臣が定めるもの」、第二項第一号イ及び第二号イに規定する「二月以内の期間を定めて任用された者であつて財務大臣が定めるもの」並びに同項第三号に規定する「二月以内の期間を定めて採用された者であつて財務大臣が定めるもの」は、二月以内の期間を定め、当該定めた期間を超えて使用又は任用されることが見込まれない者とし、当該定めた期間を超えて引き続き使用又は任用されるに至つた場合を除くものとする。

2　二以上の事業所に採用された者に係る施行令第二条の規定の適用については、次により行うものとする。

(1)　国の事業所（組合（国家公務員共済組合法（昭和三十三年法律第百二十八号。以下「法」という。）第三条第一項に規定する組合をいう。以下同じ。）に属する事業所をいう。以下この項及び第三十七条関係において同じ。）に採用される前に地方の事業所（地方の組合（法第五十五条第一項第二号に規定する地方の組合をいう。以下同じ。）に属する事業所をいう。次号及び第四号において同じ。）に採用された者については、施行令第二条の規定により、組合の組合員の資格を有する職員とはならないものとする。ただし、当該者が当該地方の組合の組合員の資格を喪失したときは、当該喪失した日に組合の組合員の資格を取得するものとする。

(2)　同日において国の事業所と地方の事業所に採用された者にあつては、当該者の申出により組合又は地方の組合のいずれかの組合員となるものとし、地方の組合の組合員となつた者については、施行令第二条の規定により、組合の組合員の資格を有する職員とはならないものとする。ただし、当該者が当該地方の組合の組合員の資格を喪失したときは、当該喪失した日に組合の組合員の資格を取得するものとする。

(3)　国の事業所と学校法人等（私立学校教職員共済法（昭和二十八年法律第二百四十五号）第十四条第一項に規定する学校法人等をいう。以下この項において同じ。）に採用された者については、当該学校法人等において私立学校教職員共済法施行令（昭和二十八年政令第四十二号）第一条の二第一項第一号に掲げる者に該当するものとされた場合に組合の組合員となるものとし、当該者は国家公務員共済組合法施行規則（昭和三十三年大蔵省令第五十四号。以下「施行規則」という。）第八十七条の二第一項の規定による短期組合員資格取得届を当該組合に提出するものとする。ただし、当該者が、その後当該学校法人等において同号に掲げる者に該当しないものとされたときは、法第五十五条第一項第二号に規定する私学共済制度の加入者になるものとし、施行規則第八十七条の二第三項に規定する退職届を提出しなければならない。

(4)　国の事業所と民間の事業所（健康保険法（大正十一年法律第七十号）第三条第三項に規定する適用事業所であつて、国の事業所、地方の事業所又は学校法人等以外のものをいう。）に採用された者については、当該国の事業所が属する組合の組合員となるものとし、健康保険法第二百条第一項及び第二百二条の規定により、同法による保険給付及び保険料の徴収を行わないものとする。

3　施行令第二条第一項第七号の規定の適用については、次により行うものとする。

(1)　施行令第二条第一項第七号に規定する「常勤職員について定められている勤務時間により勤務することを要するこ

とされているもの」は、雇用関係が事実上継続していると認められる場合において、常勤職員について定められている勤務時間により勤務した日（以下この項において「勤務日数」という。）が一月間につき十八日（一月間の日数（行政機関の休日に関する法律（昭和六十三年法律第九十一号。以下「休日法」という。）第一条第一項各号に掲げる日の日数は算入しない。）が二十日に満たない日数の場合にあつては、十八日から二十日と当該日数との差に相当する日数を減じた日数。）以上であるものとする。

（2）勤務日数には、次に掲げる日を含み、休日法第一条第一項各号に掲げる日（実際に勤務した日及び休暇を与えられた日を除く。）を含まないものとする。

(イ) 施行令第二条第一項第一号に規定する休職又は停職の処分により現実に職務をとることを要しない期間に属する日（任命権者又はその委任を受けた者が当該処分に係る事由がなければ勤務を要するものとして定めた日に限る。）

(ロ) 施行令第二条第一項第四号に規定する育児休業により現実に職務をとることを要しない期間に属する日（任命権者又はその委任を受けた者が当該育児休業に係る請求がなければ勤務を要するものとして定めた日に限る。）

(ハ) 国家公務員の育児休業等に関する法律（平成三年法律第百九号。以下「国家公務員育児休業法」という。）第二十六条第一項の規定による育児時間その他これに準ずる事由により勤務しない時間（次項において「育児時間等」という。）を勤務したものとみなした場合にその日の勤務した時間が常勤職員について定められている勤務時間以上となる日

(ニ) 一般職の職員の勤務時間、休暇等に関する法律（平成六年法律第三十三号。以下「勤務時間法」という。）第二十三条の規定に基づく人事院規則により休暇を与えられた日

(ホ) (イ)から(ニ)までに掲げる日に準ずる日

4 施行令第二条第一項第八号又は第九号イの規定の適用については、次により行うものとする。

（1）連続する二月において実際の勤務時間又は勤務日数が施行令第二条第一項第八号及び第九号イにそれぞれ規定する勤務時間又は勤務日数を下回つた場合において、引き続き同様の状態が続くことが見込まれるときは、所定勤務時間又は所定勤務日数に変更があつたものとし、その翌月の初日に施行令第二条第一項第八号又は第九号に掲げる者でなくなるものとする。

（2）前号に規定する実際の勤務日数には、前項第二号(イ)～(ニ)に掲げる日及び勤務時間法第十七条から第二十条の二までの規定により休暇を与えられた日並びにこれらに準ずる日を含み、休日法第一条第一項各号に掲げる日（実際に勤務した日及び休暇を与えられた日を除く。）を含まないものとする。

（3）第一号に規定する実際の勤務時間には、次に掲げる時間を含み、休日法第一条第一項各号に掲げる日（実際に勤務した日及び休暇を与えられた日を除く。）に属する時間を含まないものとする。

(イ) 施行令第二条第一項第一号に規定する休職又は停職の処分により現実に職務をとることを要しない期間に属する時間（任命権者又はその委任を受けた者が当該処分に係る事由がなければ勤務を要するものとして定めた時間に限る。）

(ロ) 施行令第二条第一項第四号に規定する育児休業により現実に職務をとることを要しない期間に属する時間（任命権者又はその委任を受けた者が当該育児休業に係る請求がなければ勤務を要するものとして定めた時間に限る。）

(ハ) 育児時間等

(ニ) 勤務時間法第十七条から第二十条の二までの規定又は第二十三条の規定に基づく人事院規則により休暇を与えられた時間

(ホ) (イ)から(ニ)までに掲げる時間に準ずる時間

5 勤務時間が月単位で定められている者に係る施行令第二条第一項第八号又は第九号の規定の適用にあつては、一月の所定勤務時間を十二分の五十二で除して得た数をもつて「所定勤務時間」とする。

第一項第二号

1 共済組合の組合員、健康保険の被保険者又は船員保険の被保険者であるものは、これを被扶養者として取り扱わないものとする。

2 次に掲げる者は、「主として組合員の収入により生計を維持する者」に該当しないものとする。

（1）その者について当該組合員以外の者が一般職の職員の給与に関する法律（昭和二十五年法律第九十五号。以下「一般職給与法」という。）第十一条第一項に規定する扶養手当又はこれに相当する手当を国、地方公共団体その他から受けている者

（2）組合員が他の者と共同して同一人を扶養する場合において、社会通念上、その組合員が主たる扶養者でない者

（3）年額百三十万円以上の所得がある者（国民年金法（昭和三十四年法律第百四十一号）及び厚生年金保険法（昭和二十九年法律第百十五号）に基づく年金たる給付その他の公的な年金たる給付のうち障害を支給事由とする給付の受給要件に該当する程度の障害を有する者である場合又は六十歳以上の者である場合にあつては、年額百八十万円以上の所得がある者）

3 前項第三号の所得は、被扶養者としようとするときにおける恒常的な所得の現況により算定する。従つて、過去において同号に定める金額以上の所得があつた場合においても、現在所得がないときは、同号には該当しない。

4 主として組合員の収入により生計を維持することの認定に関しては、十八歳未満の者、六十歳以上の者、一般職給与法第十一条に規定する扶養親族（一般職給与法の適用を受けない組合員にあつては、これに相当するもの）とされている者、学校教育法（昭和二十二年法律第二十六号）第一条に規定する学校の学生（同法第五十三条に規定する定時制の課程、同法第五十四条に規定する通信制の課程並びに同法第八十六条に規定する夜間において授業を行う学部及び通信による教育を行う学部の学生を除く。）、所得税法（昭和四十年法律第三十三号）第二条第一項第三十三号に規定する同一生計

配偶者又は同項第三十四号に規定する扶養親族とされている者及び病気又は負傷のため就労能力を失つている者を除き、通常稼働能力があるものと考えられる場合が多いので、扶養の事実及び扶養しなければならない事情を具体的に調査確認して処理するものとする。なお、これらの者であつても第二項各号に該当することが明らかなものは、被扶養者には該当しない。

5　「組合員と同一の世帯に属する」とは、組合員と生計を共にし、かつ、同居している場合をいう。ただし、営内居住の自衛官、病院勤務の看護師のように、勤務上別居を要する場合、若しくはこれに準ずる場合、又は転勤等に際して自己の都合により一時的に別居を余儀なくされる場合には、同居を要しないものとする。

第一項第三号

施行令第四条に規定する財務大臣の定める金額は、八百五十万円とする。

なお、以上のほか、遺族に係る生計を維持することの認定に関しては、厚生年金保険における生計維持関係等の認定基準及び認定の取扱いの例によるものとする。

第一項第五号

1　施行令第五条第二項第一号の二に規定する財務大臣が定めるものは、在外公館の名称及び位置並びに在外公館に勤務する外務公務員の給与に関する法律（昭和二十七年法律第九十三号）第五条に規定する在勤手当のうち次に掲げる手当（第一号、第二号及び第四号に掲げる手当にあつては、当該手当のうち組合の運営規則で定める額に係る部分に限る。）とする。

(1)　住居手当
(2)　子女教育手当
(3)　特殊語学手当
(4)　研修員手当

2　施行令第五条第四項に規定する一般職員の報酬に含まれる給与に相当するものとして別に財務大臣が定めるものは、次に掲げるものとする。

(1)　国会議員の歳費、旅費及び手当等に関する法律（昭和二十二年法律第八十号）第一条の規定に基づく歳費及び同法第七条ただし書の規定に基づく差額

(2)　国家公務員の寒冷地手当に関する法律（昭和二十四年法律第二百号）の規定に基づく寒冷地手当

(3)　一般職給与法第十二条の規定に基づく通勤手当に相当するものとして支給される定期券、回数券、乗車証その他の有価物

(4)　在外公館の名称及び位置並びに在外公館に勤務する外務公務員の給与に関する法律第五条の規定に基づく在勤手当（前項に規定する各手当のうち同項の規定により組合の運営規則で定める額を除く。）

(5)　国際連合平和維持活動等に対する協力に関する法律（平成四年法律第七十九号）第十六条の規定に基づく国際平和協力手当

(6)　イラクにおける人道復興支援活動及び安全確保支援活動の実施に関する特別措置法（平成十五年法律第百三十七号）第十四条の規定に基づくイラク人道復興支援等手当

(7)　沖縄の復帰に伴う防衛庁関係法令の適用の特別措置に関する政令（昭和四十七年政令第百八十七号）第十一条の規定に基づく医師暫定手当

(8)　前各号に掲げるもののほか、次に掲げる給与

(イ)　法科大学院への裁判官及び検察官その他の一般職の国家公務員の派遣に関する法律（平成十五年法律第四十号）第七条第二項ただし書又は第十三条第二項ただし書の規定に基づき支給される給与及び同法第三条第一項に規定する法科大学院設置者から支給される給与のうち、期末手当及び勤勉手当に相当する給与を除いたもの

(ロ)　令和三年東京オリンピック競技大会・東京パラリンピック競技大会特別措置法（平成二十七年法律第三十三号）第十九条第二項ただし書（同法第二十七条第一項において準用する場合を含む。）の規定に基づき支給される給与及び同法第八条第一項に規定する組織委員会から支給される給与のうち、期末手当及び勤勉手当に相当する給与を除いたもの

(ハ)　平成三十一年ラグビーワールドカップ大会特別措置法（平成二十七年法律第三十四号）第六条第二項ただし書（同法第十四条第一項において準用する場合を含む。）の規定に基づき支給される給与及び同法第二条に規定する組織委員会から支給される給与のうち、期末手当及び勤勉手当に相当する給与を除いたもの

(ニ)　令和七年に開催される国際博覧会の準備及び運営のために必要な特別措置に関する法律（平成三十一年法律第十八号）第二十七条第二項ただし書（同法第三十五条第一項において準用する場合を含む。）の規定に基づき支給される給与及び同法第十四条第一項の規定により指定された博覧会協会から支給される給与のうち、期末手当及び勤勉手当に相当する給与を除いたもの

(ホ)　令和九年に開催される国際園芸博覧会の準備及び運営のために必要な特別措置に関する法律（令和四年法律第十五号）第十七条第二項ただし書（同法第二十五条第一項において準用する場合を含む。）の規定に基づき支給される給与及び同法第二条第一項の規定により指定された博覧会協会から支給される給与のうち、期末手当及び勤勉手当に相当する給与を除いたもの

第六条関係

第二項

施行令第六条第三号に規定する「財務大臣の指定する事項」とは、事務所の名称の変更及び行政組織の変更に伴う支部、支部の長等の名称の変更とする。

第十五条関係

施行令第七条

1　第一号の「人件費及び事務費」とは、「職員給与」及び「退職給与引当金繰入」並びに「旅費」及び「事務費」とする。

2　第三号の「資金の融通」とは、資金の貸付及び借入をいう。

3　第四号の「当該福祉事業のための施設の設置に関する事項」とは、個々の施設（土地、建物（構築物、機械及び装置を含む。）及び借入不動産附帯施設）の設置場所及び個々の施設の設置に要する額の総額とする。

また、「当該福祉事業のための施設の廃止に関する事項」とは、個々の廃止対象施設（土地、建物（構築物、機械及び装置

を含む。）及び借入不動産附帯施設）の帳簿価額とする。

4　第四号の「当該福祉事業に要する費用に充てることができる金額の最高限度」とは、法第九十九条に規定する福祉事業に要する費用に充てるべき掛金及び国の負担金を保健経理に収納した後他の福祉経理へ繰り入れる場合には、各福祉経理ごとの当該繰入金の最高限度額である。

5　第五号に規定する「財務大臣の指定する事項」とは、次の事項とする。

(1)　法第十七条ただし書の規定による借入金の条件及び第三号に規定する組合の各経理単位相互間における資金の融通の条件

(2)　医療経理における診療報酬の一点単価

(3)　貯金経理における組合員貯金に対する支払利率

(4)　貸付経理における組合員貸付金の受取利率及び最高限度額

(5)　施行規則第七条第一項の規定により短期経理から業務経理へ繰り入れられる金額及び短期経理から業務経理に繰り入れる金額の最高限度額

(6)　施行規則第七条第二項の規定により福祉経理相互間において繰り入れられる金額及び繰り入れる金額の最高限度額

(7)　施行規則第八十五条第二項の規定により読み替えられた施行規則第七条第一項の規定により厚生年金保険経理から業務経理へ繰り入れられる金額及び厚生年金保険経理から業務経理に繰り入れる金額の最高限度額

(8)　施行規則第八十五条第二項の規定により読み替えられた施行規則第七条第一項の規定により退職等年金経理から業務経理へ繰り入れられる金額及び退職等年金経理から業務経理に繰り入れる金額の最高限度額

(9)　被用者年金制度の一元化等を図るための厚生年金保険法等の一部を改正する法律の施行及び国家公務員の退職給付の給付水準の見直し等のための国家公務員退職手当法等の一部を改正する法律の一部の施行に伴う国家公務員共済組合法による長期給付等に関する経過措置に関する省令（平成二十七年財務省令第七十四号。以下「平成二十七年経過措置省令」という。）第二条第一項の規定により準用するものとされた施行規則第八十五条第二項の規定により読み替えられた施行規則第七条第一項の規定により経過的長期経理から業務経理へ繰り入れられる金額及び経過的長期経理から業務経理に繰り入れる金額の最高限度額

(10)　国家公務員共済組合及び国家公務員共済組合連合会が行う国家公務員等の財産形成事業に関する政令（昭和五十二年政令第百九十九号）第四条第三項の規定による借入金の最高限度額

(11)　日本国有鉄道清算事業団の債務等の処理に関する法律施行令（平成十年政令第三百三十五号）第四条第一項の規定により、日本鉄道共済組合等の当該年度の予算をもつて定める額

(12)　厚生年金保険法等の一部を改正する法律の施行に伴う存続組合又は指定基金に係る特例業務等に関する省令（平成九年大蔵省令第二十一号）第六条第一項の規定により貸付経理から長期経理へ繰り入れられる金額及び貸付経理から長期経理に繰り入れる金額並びに同条第二項の規定により長期経理から業務経理へ繰り入れられる金額及び長期経理から業務経理に繰り入れる金額の最高限度額

第十九条関係

施行令第九条の三

1　第一項第二号に規定する年金積立金管理運用独立行政法人法（平成十六年法律第百五号）第二十一条第一項第二号の規定により厚生労働大臣が適当と認めて指定した預金又は貯金の取扱いを参酌して財務大臣が定めるものは、次に掲げるものとする。

(1)　国内における円建て普通預金並びに譲渡性預金

(2)　外国における外貨建て普通預金（外国における決済に用いる場合に限る。）

2　第二項第二号及び附則第三条第二号に規定する不動産が国に対する投資不動産である場合には、あらかじめ財務大臣の承認を受けたものとして準用するものとする。

第三十七条関係

第三項

同日において二以上の国の事業所に採用された職員に係る法第三十七条第三項の規定の適用については、当該職員の申出により、同項に規定する「後の組合」の組合員の資格を有する職員となるものとし、当該後の組合以外の組合に対する施行規則第八十七条の二第一項の規定による短期組合員資格取得届の提出は要さないものとする。ただし、当該職員が、その後当該組合の組合員の資格を喪失した日において、引き続き当該組合以外の組合に属する事業所における職員であるときは現に所属する事業所（同日に採用された事業所が複数ある場合は当該職員の申出のあつた事業所）が属する組合の組合員となるものとし、更に当該喪失した日に他の国の事業所に採用されたときは当該他の国の事業所が属する組合の組合員となるものとする。

第三十九条関係

第一項

「その権利を有する者」には、後見人、保佐人及び臨時保佐人を含むものとする。

第四十条関係

1　法第四十条第八項に規定する組合員の資格を取得した者には、短期組合員から長期組合員となつたもの、組合間で異動したもの、地方の組合の組合員から組合の組合員となつたもの、継続長期組合員から継続長期組合員以外の組合員となつたもの、交流派遣職員から交流派遣職員以外の組合員となつたもの、私立大学派遣検察官等から私立大学派遣検察官等以外の組合員となつたもの、私立大学等複数校派遣検察官等から私立大学等複数校派遣検察官等以外の組合員となつたもの、弁護士職務従事職員から弁護士職務従事職員以外の組合員となつたもの、オリンピック・パラリンピック派遣職員からオリンピック・パラリンピック派遣職員以外の組合員となつたもの、ラグビー派遣職員からラグビー派遣職員以外の組合員となつたもの、福島相双復興推進機構派遣職員から福島相双復興推進機構派遣職員以外の組合員となつたもの、イノベーション・コースト機構派遣職員からイノベーション・コースト機構派遣職員以外の組合員となつたもの、国際博覧会派遣職員から国際博覧会派遣職員以外の組合員となつたもの及び園芸博覧会派遣職員から園芸博覧会派遣職員以外の組合員となつたものを含むものとし、同項の標準報酬の算定の基礎となる報酬は、その者が月の初日に資格を取得したとしたならば受けるべき報酬及び同様の

職務に従事する職員の報酬等を考慮した額とする。ただし、短期組合員が長期組合員となつた場合においては、短期給付等事務（法第四十条第二項に規定する短期給付等事務をいう。次項において同じ。）に係る法第四十条第八項の規定による標準報酬の決定は行わないものとする。

2　法第四十条第十項の規定による標準報酬の改定（以下「随時改定」という。）は、次のいずれかに該当した場合に行うものとする。

(1)　固定的給与の変動（給与体系の変更により報酬の増減があつた場合をいう。以下同じ。）があり、当該変動があつた月から継続した三月間に受けた報酬の総額を三で除して得た額（当該額に円位未満の端数が生じたときは、その端数を切り捨てるものとする。次号及び第三号において同じ。）を報酬月額として算定した標準報酬の等級と既に決定又は改定されている標準報酬（以下「従前標準報酬」という。）の等級に二等級以上の差がある場合

(2)　退職等年金給付事務（退職等年金給付の額の算定並びに退職等年金給付に係る掛金及び負担金の徴収をいう。以下同じ。）に関する標準報酬の等級が第三十一級である者の報酬月額が昇給等により固定的給与の変動があり、変動があつた月から継続した三月間に受けた報酬の総額を三で除して得た額が六十六万五千円以上である場合

(3)　短期給付等事務に関する標準報酬の等級が第四十九級である者の報酬月額が昇給等により固定的給与の変動があり、変動があつた月から継続した三月間に受けた報酬の総額を三で除して得た額が百四十一万五千円以上である場合

(4)　標準報酬の等級が第一級である者の報酬月額（退職等年金給付事務に関する報酬月額については八万三千円未満、短期給付等事務に関する報酬月額については五万三千円未満である場合に限る。）が昇給等により固定的給与の変動があり、変動があつた月から継続した三月間に受けた報酬の総額を三で除して得た報酬月額（当該報酬月額に円位未満の端数が生じたときは、その端数を切り捨てるものとする。第五号、第六号及び第七号において同じ。）が第二級以上の標準報酬に該当する場合

(5)　退職等年金給付事務に関する標準報酬の等級が第三十二級である者の報酬月額（報酬月額が六十六万五千円以上である場合に限る。）が降給等により固定的給与の変動があり、変動があつた月から継続した三月間に受けた報酬の総額を三で除して得た報酬月額が第三十一級以下の標準報酬に該当する場合

(6)　短期給付等事務に関する標準報酬の等級が第五十級である者の報酬月額（報酬月額が百四十一万五千円以上である場合に限る。）が降給等により固定的給与の変動があり、変動があつた月から継続した三月間に受けた報酬の総額を三で除して得た報酬月額が第四十九級以下の標準報酬に該当する場合

(7)　標準報酬の等級が第二級である者の報酬月額が降給等により固定的給与の変動があり、変動があつた月から継続した三月間に受けた報酬の総額を三で除して得た報酬月額が、退職等年金給付事務に関する報酬月額については八万三千円未満、短期給付等事務に関する報酬月額については五万三千円未満である場合

3　欠勤、休職その他の理由（以下「休職等」という。）により報酬の全部又は一部が支給されないこととなつた場合（国家公務員育児休業法第二十六条第二項及び勤務時間法第二十条の二第三項の規定により一部が支給されない場合その他これらに相当する法令の規定により一部が支給されない場合を除く。）においては、その者の固定的給与の変動はないものとする。

4　固定的給与の変動があつた月から継続した三月間のうちに休職等により組合員の報酬の全部又は一部が支給されない日の属する月（報酬支払の基礎となつた日数（以下「支払基礎日数」という。）が十七日（施行規則第九十六条の四の二で定める者にあつては、十一日。第七項及び第十項において同じ。）以上でなければならない。）がある場合には、当該月に支払われた報酬を含めて随時改定に係る報酬月額の計算を行うものとする。

5　前三項に規定する固定的給与とは、一般職給与法の適用を受ける者にあつては、一般職給与法の規定による俸給、俸給の特別調整額、本府省業務調整手当、初任給調整手当、扶養手当、地域手当、広域異動手当、住居手当及び通勤手当等勤務実績に直接関係なく、月等を単位として一定額が継続して支給される報酬をいい、一般職給与法の適用を受ける者以外の者については、これに準ずるものをいう。

なお、以上のほか、勤務実績に直接関係なく支給される報酬等であると思われるものについては、財務省主計局長と協議の上認めるものとする。

6　随時改定を行う場合には、原則として、第二項第一号に規定する昇給又は降給等があつた月の翌々月を法第四十条第十項に規定する「その著しく高低を生じた月」とし、その翌月の初日において行うものとする。

7　組合は、法第四十条第五項の規定により標準報酬の決定（以下「定時決定」という。）を行う場合（次項に規定する場合を除く。）において、次の各号に掲げる場合に該当する場合には、同条第十六項の規定の適用があるものとし、当該各号に定める額をもつてその者の報酬月額とする。

(1)　七月一日前三月の各月とも、支払基礎日数が十七日未満である場合　従前標準報酬の算定基礎となつている報酬月額（以下「従前報酬月額」という。）

(2)　七月一日前三月のうちいずれかの月において、休職等により、組合員の報酬の全部又は一部が支給されない日の属する月（支払基礎日数が十七日未満である月を除く。次号において同じ。）がある場合（国家公務員育児休業法第二十六条第二項及び勤務時間法第二十条の二第三項並びに人事院規則九―一四第十九条の二第一項第四号及び同規則第二十条の規定により一部が支給されない場合その他これらに相当する法令の規定により一部が支給されない場合を除く。次号において同じ。）　その月を除いて算出した報酬月額

(3)　七月一日前三月の各月とも、休職等により、組合員の報酬の全部又は一部が支給されない日の属する月である場合　従前報酬月額

8　組合は、施行令第二条第一項第八号に掲げる者に係る定時決定を行う場合において、次の各号に掲げる場合に該当するときは、法第四十条第十六項の規定の適用があるものとし、当該各号に定める額をもつてその者の報酬月額とする。

(1)　七月一日前三月の各月とも、支払基礎日数が十七日未満で

あり、いずれかの月において支払基礎日数が十五日以上である場合　十五日以上十七日未満の月の報酬月額の平均によつて算出された額

(2)　七月一日前三月の各月とも、支払基礎日数が十五日未満の場合　従前報酬月額

(3)　七月一日前三月のうちいずれかの月において、休職等により、組合員の報酬の全部又は一部が支給されない日の属する月（支払基礎日数が十五日未満である月を除く。次号において同じ。）がある場合（国家公務員育児休業法第二十六条第二項及び勤務時間法第二十条の二第三項並びに人事院規則九―二四第十九条の二第一項第四号及び同規則第二十条の規定により一部が支給されない場合その他これらに相当する法令の規定により一部が支給されない場合を除く。次号において同じ。）　その月を除いて算出した報酬月額

(4)　七月一日前三月の各月とも、休職等により、組合員の報酬の全部又は一部が支給されない日の属する月である場合　従前報酬月額

9　定時決定を行う場合において、四月、五月及び六月に三月分以前の報酬の遅配分を受け、又は遡つた昇給、昇格等により数月分の差額を一括して受ける等通常受けるべき報酬以外の報酬を受けたときは、その差額については、これらの期間における報酬としては取り扱わないものとする。

10　組合は、国家公務員育児休業法第十三条第一項に規定する育児短時間勤務職員である組合員のうち国家公務員育児休業法第十二条第一項第三号若しくは第四号に掲げる勤務の形態により勤務する者又は同項第五号の規定により一月当たりの勤務を要する日数が十七日未満とされた者（他の法令に規定する当該育児短時間勤務職員に相当する組合員のうち一月当たりの勤務を要する日数が十七日未満とされた者を含む。以下「育児短時間勤務組合員」と総称する。）に対して、国家公務員育児休業法第十六条の規定による読替え後の一般職給与法の規定により報酬が支給される場合その他これに相当する法令の規定により報酬が支給される場合における標準報酬の月額の基礎となる報酬月額については、法第四十条第十六項の規定の適用があるものとし、支払基礎日数が十七日未満である月（国家公務員育児休業法第十二条第三項の規定その他これに相当する法令の規定による承認を受けた育児短時間勤務について、当該承認を受けた勤務形態により勤務した日数が、当該勤務形態により当該月の初日から末日までの間に勤務するとした場合に勤務を要することとなる日数に四分の三を乗じて得た数（一未満の端数があるときは、これを切り上げる。）に相当する日数以上となる月に限る。）を十七日以上である月とみなして、法第四十条第五項、第十項、第十二項又は第十四項の規定を適用することにより算定された報酬月額をもつて当該育児短時間勤務の期間中の報酬月額とする。

11　標準報酬の算定の基礎となる報酬とされる寒冷地手当の額は、七月一日前の一年間に受けた寒冷地手当の総額を十二で除して得た額とする。ただし、次の各号に掲げる場合に該当する場合には、当該各号に定める額とする。

(1)　三月二日から七月一日までの間に寒冷地（国家公務員の寒冷地手当に関する法律第一条第一号及び第二号に規定する地域をいう。以下同じ。）に異動することとなつた場合（四月一日から七月一日までの間に寒冷地において休職等から復職した場合を含む。）　その者が寒冷地に異動することとなつたときと同様の状況の下で、当該寒冷地に異動することとなつた日前一年間に当該寒冷地に在勤していたとすれば支給されるべき寒冷地手当の総額を十二で除して得た額

(2)　法第四十条第八項に規定する組合員の資格を取得して、寒冷地で勤務することとなつた場合　その者と同様の事情にある者に支給される寒冷地手当の額を考慮して組合が決定した寒冷地手当の総額を十二で除して得た額（六月一日から七月一日までの間に組合員資格を取得した場合には、その者と同様の事情にある者に同月以前一年間に支給された寒冷地手当の総額を十二で除して得た額）

12　七月二日から翌年三月一日までの間に寒冷地に異動することとなつた場合（七月二日から翌年三月三十一日までの間に寒冷地において休職等から復職した場合を含む。）には、その者と同様の事情にある者に支給される寒冷地手当の額を考慮して組合が決定した寒冷地手当の総額を十二で除して得た額をその者の標準報酬の算定の基礎となる各月の報酬とされる寒冷地手当の額として、その者の異動のあつた月の属する年度の九月一日（十月以後に異動したものについては、当該異動した日の属する月）からの標準報酬について見直しを行うものとする。

13　七月二日から翌年三月一日までの間に寒冷地から寒冷地以外の地域に異動することとなつた場合において、その者の異動のあつた月の属する年度においてその者に寒冷地手当が支給された場合には、当該寒冷地手当の総額を十二で除して得た額をその者の標準報酬の算定の基礎となる各月の報酬とされる寒冷地手当の額として、当該異動のあつた月からの標準報酬について見直しを行うものとする。

14　法第四十条第十項、第十二項及び第十四項に規定する標準報酬の改定（以下「随時改定等」という。）を行う場合（七月、八月及び九月の随時改定等を行う場合を除く。）における寒冷地手当の額については、当該随時改定等前の当該額を当該随時改定等後の標準報酬の算定の基礎となる報酬とされる寒冷地手当の額とするものとする。

15　標準報酬の月額の決定に関しては、前各項の規定に定めるもののほか、組合の代表者が財務大臣と協議して定めるところによることができるものとする。

第四十一条関係

1　標準期末手当等の額は「組合員が期末手当等を受けた月」において決定することとされていることから、その決定については、原則として組合員の資格を喪失した日以後に支給される期末手当等の額に基づく標準期末手当等の額の決定は行わないこととする。

2　「期末手当等を受けた月」であつても当該月が組合員期間の計算の基礎とならない月である場合には、標準期末手当等の額の決定は行わないものとする。

3　期末手当等の支給の基準となる日とされている日（以下「期末手当等基準日」という。）後から期末手当等の実際の支給日（以下「期末手当等支給日」という。）以前に他の組合（地方の組合を含む。）の組合員に異動した場合におけるその者の当該期末手当等基準日に係る標準期末手当等の額は、その者の異動前の組合において決定するものとする。

4　同一の期末手当等支給日において数種類の期末手当等である

給与が支給される場合には、その合計額をもつて「期末手当等の額」として取り扱うものとする。

5 同一の月における期末手当等の合計額が千円未満の場合には、標準期末手当等の額の決定は、行わないこととする。

6 同一の月に期末手当等支給日が異なる期末手当等が二回支給される場合であつて、これらの合計額が同月において既に決定している標準期末手当等の額と千円以上の差を有することとなるとき（標準期末手当等の額が決定されていない場合には、千円以上となるとき）は、当該合計額に基づき、二回目の期末手当等支給日において標準期末手当等の額について再決定（標準期末手当等の額が決定されていない場合には、決定）するものとする。

同一の月に期末手当等支給日が異なる期末手当等が三回以上支給される場合においても、同様とする。

7 標準期末手当等の額を決定した月後に当該標準期末手当等の額の基礎となつた期末手当等の額の増額又は減額が行われる場合には、当該月に遡つて当該増額又は減額後の期末手当等の額を基礎として標準期末手当等の額を再決定するものとする。

組合員の資格喪失後に当該増額又は減額が行われる場合においても、同様に遡つて再決定するものとする。

8 派遣休職等の理由により本来支給されるべき給与が支給されない場合であつても、その間他から期末手当等に相当する給与が支給されるときは、法第四十一条の規定の適用があるものと解し、当該期末手当等に相当する給与の額に基づいて標準期末手当等の額を決定するものとする。

9 標準期末手当等の額の決定に関しては、前各項の規定に定めるもののほか、組合の代表者が財務大臣と協議して定めるところによることができるものとする。

第四十七条関係

1 第一項の規定により組合が取得する損害賠償の請求権は、当該第三者の行為によつて生じた損害のうち、組合が行つた給付によつててん補された部分についての請求権であると解する。

従つて、給付を受ける権利を有する者が第三者から損害賠償を受けた場合においても、当該損害賠償による損害のてん補に相当する給付以外の給付については、第二項の規定を適用しないものとする。

（注） たとえば、組合員が損害賠償として慰謝料の支払を受けても、これによつて治療費の損害はてん補されないから、療養の給付又は療養費の支給は制限しない。

2 自動車損害賠償保障法（昭和三十年法律第九十七号）第十六条第一項の規定により被害者が保険会社に対して有する賠償額の支払の請求権についても、組合は、その行つた給付の価額の限度でこれを取得することになるものと解する。

この場合の取扱は、原則として、先ず被害者に保険会社から賠償額の支払を受けさせ、その額を同一の事由に係る給付（当該賠償額の支払による損害てん補に相当するものに限る。）の額から差し引くものとする。

3 給付を受ける権利を有する者（以下「受給権者」という。）が、損害賠償請求権の全部又は一部を放棄した場合は、前二項の規定にかかわらず、その限度において組合は給付を行なわないものとする。従つて、受給権者と第三者との間に示談が成立した場合においては、その給付が当該示談の成立した後になされたものであるときは、その給付の額の限度で不当利得の返還請求ができるものと解する。なお、組合が給付を行なつた後又は行なうこととされた後、示談が成立した場合におけるその給付の費用は、この条の規定により損害賠償請求を第三者に対して行なうものとする。

4 第三者の行為によつて生じた給付事由に対する給付が退職等年金給付である場合はその将来の給付現価が当該給付事由発生の直前におけるその者のために積み立てるべき責任準備金よりも多い場合のみ、次により算定した額とする。

毎年度請求すべき金額 ＝ 毎年度支給した金額 ×（1 － 給付事由発生の直前におけるその者のために積み立てるべき責任準備金（A） ／ 第三者の行為によつて生じた給付事由に対する将来の給付現価（B））

なお、第三者の行為によつて生じた給付事由に対して、受給権者が、第三者から同一の事由について損害賠償を受けたときは、その受けた価額の限度において、組合が第三者に対して請求すべき損害賠償額、即ち（B－A）に達するまで、受給権者に対する給付の支給を停止するものとする。

（注） 将来の給付現価及び積み立てるべき責任準備金は、当該組合の所要財源率の計算基礎によつて計算するものとする。

第五十四条関係

療養の給付の対象となる「病気」又は「負傷」の範囲並びに「診察」、「薬剤又は治療材料の支給」、「処置、手術その他の治療」、「居宅における療養上の管理及びその療養に伴う世話その他の看護」及び「病院又は診療所への入院及びその療養に伴う世話その他の看護」の取扱いについては、健康保険の例に準ずるものとする。

第五十五条関係

1 第一項第一号の連合会の経営する医療機関又は薬局とは、連合会がこの法律に基いて経営するものをいい、旧令による共済組合等からの年金受給者のための特別措置法（昭和二十五年法律第二百五十六号）附則第三項の規定に基いて経営するものを含まないものとする。

2 法第五十五条第一項第三号に掲げる医療機関等が水震火災その他の非常災害により、組合員又は被扶養者等の診療録等を失つた場合は、その療養に係る費用の支払については、健康保険の例によるものとする。

第五十五条の三関係

入院時食事療養費は、第三項から第五項までの規定により給付することを原則とする。

第五十五条の四関係

入院時生活療養費は、第三項において準用する法第五十五条の三第三項から第五項までの規定により給付することを原則とする。

第五十五条の五関係

保険外併用療養費は、第三項において準用する法第五十五条の三第三項から第五項までの規定により給付することを原則とする。

第五十六条関係

1　療養費の内訳に、厚生労働大臣の定めた基準より高いものと低いものとがある場合には、その基準により調整して支払うものとする。ただし、その調整した総額が実費を超えるときは、実費とする。

2　国外で療養を受けたときについては、「療養の給付若しくは入院時食事療養費、入院時生活療養費若しくは保険外併用療養費の支給をすることが困難であると認めたとき」に該当するものとして、療養費を支給して差し支えない。この場合において、療養に要する費用の額が健康保険の例により算定することが困難である場合には、算定することができるものに限り支給するものとする。従つて、その費用の総額の何割というような支給は認めない。

3　前項の場合において、請求に必要な証拠書類が日本語により作成されていないものであるときは、組合の求めに応じて、日本語の翻訳文を添付しなければならない。

第五十六条の二関係

訪問看護療養費は、第三項及び第四項の規定により給付することを原則とする。

第五十六条の三関係

「組合が必要と認めたとき」の取扱いについては、健康保険の例に準ずるものとする。

第五十七条関係

家族療養費は、第四項から第六項までの規定により給付することを原則とし、療養費払方式は、緊急その他やむを得ない場合に限り認めるものとする。（第七項参照）

第五十七条の三関係

家族訪問看護療養費は、第三項において準用する法第五十六条の二第三項及び第四項の規定により給付することを原則とする。

第五十七条の四関係

「組合が必要と認めたとき」の取扱いについては、健康保険の例に準ずるものとする。

第五十九条関係

第一項

1　「組合員が資格を喪失し、かつ、健康保険法第三条第二項に規定する日雇特例被保険者又はその被扶養者（次項において「日雇特例被保険者等」という。）となつた場合」とは、組合員がその資格を喪失し、引き続いて日雇特例被保険者（健康保険法第三条第二項に規定する日雇特例被保険者をいう。以下同じ。）又はその被扶養者となつた場合と解して取り扱うものとする。

2　退職した際（任意継続組合員にあつては、その資格を喪失した際）に療養の給付、入院時食事療養費、入院時生活療養費、保険外併用療養費、療養費、訪問看護療養費、家族療養費若しくは家族訪問看護療養費又は介護保険法（平成九年法律第百二十三号）の規定による居宅介護サービス費（同法の規定による当該給付のうち療養に相当する同法第四十一条第一項に規定する指定居宅サービスに係るものに限る。以下同じ。）、特例居宅介護サービス費（同法の規定による当該給付のうち療養に相当する同法第八条第一項に規定する居宅サービス又はこれに相当するサービスに係るものに限る。以下同じ。）、施設介護サービス費（同法の規定による当該給付のうち療養に相当する同法第四十八条第一項に規定する指定施設サービス等に係るものに限る。以下同じ。）若しくは特例施設介護サービス費（同法の規定による当該給付のうち療養に相当する同法第八条第二十六項に規定する施設サービスに係るものに限る。以下同じ。）若しくは介護予防サービス費（同法の規定による当該給付のうち療養に相当する同法第五十三条第一項に規定する指定介護予防サービスに係るものに限る。以下同じ。）若しくは特例介護予防サービス費（同法の規定による当該給付のうち療養に相当する同法第八条の二第一項に規定する介護予防サービス又はこれに相当するサービスに係るものに限る。以下同じ。）を受けている場合における当該病気（その原因となつた病気又は負傷を含む。）又は負傷（以下「当該傷病」という。）について、医師が臨床的に診断の結果、治癒したものと認め、かつ、療養を離れてから三月を経過した後に再発したものは、当該傷病に該当しないものとして取り扱う。ただし、喘息、てんかん等の間歇的慢性疾患については、時々発作を起こして短期間の診療によつて軽快し、継続して治療を要せず、業務及び日常生活等にも支障がない場合には、一の発作期間をもつて一の病気又は負傷として取り扱う。

第六十一条～第六十四条関係

他の法律に基づく共済組合で短期給付に相当する給付を行うものの組合員、健康保険の被保険者（日雇特例被保険者を除く。）又は船員保険の被保険者が、その資格を喪失した後、組合員の被扶養者になつた場合において、その者がこれらの法律の規定に基づく給付を受けることができるときは、その給付に相当する組合の給付は行わないものとする。ただし、その者がこれらの法律の規定に基づく給付を受けないことが明らかであるときは、この限りでない。

第六十一条関係

1　「一年以上組合員であつた者」とは、組合員（他の組合（地方の組合を含む。）の組合員を含み、短期給付の適用を受けない者を除く。）となつた日から組合員の資格を喪失した日の前日まで引き続く期間が満一年以上であつた者をいい、当該引き続く期間には任意継続組合員期間を含むものとする。

2　妊娠四箇月以上（八十五日以上をいう。以下同じ。）の異常分べん又は母体保護法（昭和二十三年法律第百五十六号）に基づく妊娠四箇月以上の胎児の人工妊娠中絶手術をした場合も、「出産」に該当するものとして、出産費又は家族出産費を支給するものとする。

3　双生児を出産した場合には、出産が二度あつたものとして、倍額を支給するものとする。

4　妊娠四箇月以上を経過して胎児であつたものをべん出した場合において、その胎児であつたものが四箇月未満で死亡していたときは、出産費又は家族出産費は支給できないものとする。

第六十三条関係

第一項

「被扶養者であつた者で埋葬を行うもの」は、被扶養者であつた者で社会通念上埋葬を行うべき者とみられる者と解し取り扱うものとする。

第二項

1　「埋葬を行つた者」は、死亡した者との親族関係の有無等を問わず実際に埋葬を行つた者をいうものとする。

2　「埋葬に要した費用」は、埋葬に直接要した実費とし、霊柩代又は霊柩の借料、霊柩の運搬費、葬式の際における僧侶の謝礼及び霊前供物代又は入院患者が死亡した場合に、病院から自宅まで移送する費用等を含むものとする。

第六十六条～第六十八条の三関係

1　休業給付は、勤務日等（勤務時間法第十条に規定する「勤務日等」及びその他これに相当する日をいう。以下同じ。）が国民の祝日に関する法律（昭和二十三年法律第百七十八号）に規定する休日（以下「祝日法による休日」という。）及び十二月二十九日から翌年の一月三日までの日（祝日法による休日を除く。）に当たつても支給されるが、勤務日等以外の日については支給されない。

2　勤務時間が平日の勤務時間と異なる定めがなされている日についても、休業給付の額は、一日分として算定する。

3　非常勤職員（施行令第二条第一項第七号から第九号までに掲げる者をいう。第六十九条関係第三項において同じ。）に対する休業給付について第一項の規定を適用するにあたつては、常勤職員の勤務日等に準じて割り振つた日を勤務日等とみなす。

第六十六条関係

第四項

1　同時に発生した病気であつても相互に因果関係のない病気は「同一の傷病」に該当せず、又、傷病名が異なつていても相互に因果関係のある病気は「同一の傷病」に該当するものと解する。なお、この取扱いについては、運用方針法第五十九条関係の「第一項」の第二項に規定する「当該傷病」の取扱いに準ずるものとする。

2　傷病のため勤務に服することができなかつた日について俸給が支給されても、その日は、傷病手当金の支給期間に算入されるが、病気の途中で出勤し、再び同じ傷病で欠勤した場合には、その出勤した期間は、支給期間に算入せず、前後の期間を通算して一年六月又は三年に達するまで、傷病手当金を支給するものとする。

3　傷病手当金の支給を受けている期間内に更に他の傷病にかかり、引き続き勤務に服することができない場合における当該他の傷病に係る傷病手当金の支給期間は、当該他の傷病により勤務に服することができなくなつた日以後三日を経過した日から起算すべきものと解する。この場合、重複する期間について、傷病手当金は、二重には支給されない。

第五項

1　退職した日において、すでに勤務に服することができなかつた日以後三日を経過しているが、報酬が支給されているため、法第六十六条第六項、第七項若しくは第十三項又は第六十九条第一項の規定により、傷病手当金の支給が行われていない場合においても、「退職した際に傷病手当金を受けている場合」に該当するものとして取り扱うものとする。

　この場合の支給の始期は、資格を喪失した日とする。

2　労働能力がある場合には、「傷病のため勤務に服することができない場合」に該当せず、従つて自家営業を行つている場合、事業所に雇用されている場合、勤務することができる状態にありながら、適当な職がないために勤務しない場合等には、組合員資格喪失後の傷病手当金は支給できないものと解される。

第六十七条関係

第一項

1　「組合員が出産した場合」には、組合員が出産予定である場合を含むものとし、出産後に組合員資格を取得した場合を含まないものとする。

2　妊娠四箇月以上の異常分べん又は母体保護法に基く妊娠四箇月以上の胎児の人工妊娠中絶をした場合も、「出産」に該当するものとして、これにより勤務に服することができない場合には、出産手当金を支給するものとする。

第三項

　退職した日において、出産により勤務に服することができない状態であるが、報酬が支給されているため、法第六十九条第二項の規定により、出産手当金の支給が行われていない場合においても、「退職した際に出産手当金を受けているとき」に該当するものとして取り扱うものとする。

第六十八条関係

1　組合員の傷病又は出産については、休業手当金は、支給しないものとする。

2　「欠勤」とは、組合員が休暇（勤務時間法第二十条第一項に規定する介護休暇その他これに準ずる休暇を除く。）により勤務しない場合、職務専念義務が免除されていないにもかかわらず勤務を欠いた場合その他これに準ずる場合をいう（第四十条関係第三項において同じ。）。

第六十九条関係

1　傷病手当金又は出産手当金と調整する報酬の範囲については、健康保険法による傷病手当金又は出産手当金と報酬との調整の例に準ずるものとする。

2　傷病手当金又は出産手当金と調整する報酬の日額については、その報酬が日々の勤務に対して支給される場合はその報酬の月額を支給対象月における勤務日等の日数で除した金額とし、一定の期間に対して支給される場合はその月額の二十二分の一に相当する金額とする。

3　非常勤職員に対する傷病手当金又は出産手当金と報酬との調整について前項の規定を適用するにあたつては、常勤職員の勤務日等に準じて割り振つた日を勤務日等とみなす。

4　休業手当金と報酬との調整については、傷病手当金又は出産手当金と報酬との調整の例による。

5　育児休業手当金又は介護休業手当金と調整する報酬の範囲については、雇用保険法（昭和四十九年法律第百十六号）による育児休業給付金又は介護休業給付金と賃金との調整の例に準ずるものとする。

6　休業給付は、国家公務員災害補償法（昭和二十六年法律第百九十一号）に基づく休業補償又はこれに相当する補償を受けている場合は報酬の全部又は一部を受けているものとみなし、本条を適用するものとする。ただし、普通恩給、増加恩給その他公的年金制度による年金等を受けている場合は報酬を受けているものとみなさない。

第七十条関係

　「非常災害」とは、水害、地震、火災などの災害、主として天災をいうが、その他の予測し難い事故を含むものと解する。

　この場合において、「予測し難い事故」の判定は、次に掲げる事由に該当する事項を勘案して、弔慰金、家族弔慰金の支給の可否を判定するものとする。

(1) その事故による死亡の要素が、客観的にみて、社会通念上予想し難い不慮の事故による死亡であると考えられるものでなければならない。

(2) その事故による死亡が事故直後に起つたもので、医療効果が得られないような状態で死亡した場合でなければならない。

(3) その事故による死亡が、原則として他動的原因に基いて死亡したものでなければならない。

（注） 例えば(1)の場合、風雪や濃霧で通常、登山できないような状態にありながら登山し転落死亡した場合、又は危険地域とされている海岸で水泳中に溺死した場合或いは密閉した部屋でガス中毒死した場合などは、客観的にみて社会通念上の自己の不注意により事故を生ぜしめたことも考えられるので、このような場合は予測し難い事故とはみなさない。また(2)の場合、例えば交通事故により負傷し、病院で治療を受けていたが事故発生後数週間経て死亡したような場合も、治療の方法によつては回復することも考えられるので、この場合も弔慰金、家族弔慰金の支給の対象と考えない。(3)の場合、例えば、テレビ観覧中にそのショツクにより死亡した場合とか通勤電車の中で心臓麻痺のため死亡したような場合は通常予想しがたい死亡であるが、法の主旨からしてこの程度まで弔慰金、家族弔慰金の支給の対象と考えるのは疑義がある。しかし、子供が電気洗濯機に逆さに落ちて死亡した場合などは、他動的に事故が発生したものではないが、(1)及び(2)に該当するものであれば支給の対象となるものとする。

第七十一条関係

1 「非常災害」には、盗難を含まないものと解する。

2 「住居」とは、現に組合員が生活の本拠として居住する建造物をいい、自宅、公務員宿舎、公営住宅、借家、借間等の別を問わない。

3 「家財」とは、住居以外の社会生活上必要な一切の財産をいう。ただし、山林、田畑、宅地、貸家等の不動産及び現金、預貯金、有価証券等を含まない。

4 同一世帯に組合員が二人以上ある場合には、各組合員につき、それぞれ災害見舞金を支給する。

5 損害の程度は、原則として、住居又は家財を換価して判定する。

6 組合員とその被扶養者が別居している場合には、被扶養者の住居又は家財も組合員の住居又は家財の一部として取り扱う。

7 災害見舞金の額の算定は住居、家財のそれぞれにつき別個に別表を適用して算定した月数を合算することとするが、標準報酬の月額の三月分を超えることができない。

8 浸水により平家屋（家財を含む。）が損害を受けた場合におけるその損害については、当分の間、その損害の程度の認定が困難な場合に限り、次の外形的標準により取り扱うものとする。

浸水の程度	標準報酬の月額に乗ずべき月数
床上三〇センチメートル以上	〇・五月
床上一二〇センチメートル以上	一月

9 豪雨によるがけ崩れ等のために立退命令を受け住居の移転を要する場合には、災害による損害とみなす。この場合において、住居移転に必要な経費は、住居等の損害に加算して損害の程度を算定して取扱つてさしつかえない。

第七十五条関係

第三項の「掛金の払込みがあつた月」には、法第百条の二又は第百条の二の二の規定により掛金等を徴収しないこととされた期間に係る各月を含むものとする。

第九十四条関係

第一項及び第三項の「この法律により給付を受けるべき者」には、当該給付が組合員の被扶養者について生じた場合にはその被扶養者を含むものとする。

第九十七条関係

第一項

1 「懲戒処分を受けた場合」には、次の場合を含むものとする。

(1) 裁判官弾劾法（昭和二十二年法律第百三十七号）により裁判官を罷免された場合

(2) 国家公務員法（昭和二十二年法律第百二十号）第八条第二項第二号の事由により、同条第一項第二号に該当して罷免された場合

(3) 会計検査院法（昭和二十二年法律第七十三号）第六条第一項の規定により、職務上の義務に違反する事実があると決定され、かつ、両議院の議決があつた場合

2 年金受給者が再就職した場合において、その再就職期間に係る懲戒処分による給付の制限を受けるべきこととなつたときは、従前の年金額までは制限しないこととする。

第一項・第二項

施行令第二十一条の二第一項及び第二項の規定により退職等年金給付の一部の支給を制限する場合においては、法第百十五条第一項の規定を適用して端数の整理を行つた後の額により制限額を決定し、その制限額に円位未満の端数があるときは、円位未満の端数を切り捨てるものとする。

第三項

刑の執行を受ける間、その支給を停止されていた年金は、刑の執行を受けなくなつた日の属する月の翌月から支給するものとする。

第九十九条関係

法第九十九条第二項の規定により組合員が負担すべき標準報酬の月額を標準とする掛金は、毎月の初日（月の初日以外の日に組合員の資格を取得した者に係るその月の当該掛金については、その組合員の資格を取得した日）における当該組合員の標準報酬の月額を標準として算定すること。

第百条関係

1 短期掛金及び福祉掛金を算定する場合は、これらの掛金率を合わせて標準報酬の月額及び標準期末手当等の額に乗ずることができる。この場合、その総額を短期及び福祉の掛金率の比率で割り振る場合に円位未満の端数が生じたときは、短期掛金の端数を切り捨てるものとする。

2 組合員の資格を取得した月の中途で他の組合（地方の組合を含む。）の組合員に異動した場合における、その者の異動前の組合に係る短期掛金、介護掛金及び福祉掛金は徴収しないもの

とする。

3　同一の組合内において期末手当等基準日に属する給与支給機関と期末手当等支給日に属する給与支給機関が異なる組合員に係る標準期末手当等の額（当該期末手当支給日に支給される期末手当等の額に基づき決定されるものに限る。）を標準とする掛金の取扱いは、原則として期末手当等基準日に属する給与支給機関において、次の各号に掲げる場合の区分に応じ、当該各号に掲げる標準期末手当等の額を標準とする掛金の源泉控除を行い、これを組合に払い込むこととする。

(1)　次号及び第三号に掲げる場合以外の場合　短期掛金、介護掛金、退職等年金分掛金及び福祉掛金

(2)　期末手当等基準日に長期組合員であつた者が当該期末手当等基準日に係る期末手当等支給日に継続長期組合員、交流派遣職員、私立大学派遣検察官等、私立大学等複数校派遣検察官等、弁護士職務従事職員、オリンピック・パラリンピック派遣職員、ラグビー派遣職員、福島相双復興推進機構派遣職員、イノベーション・コースト機構派遣職員、国際博覧会派遣職員又は園芸博覧会派遣職員である組合員である場合　退職等年金分掛金

(3)　期末手当等基準日に長期組合員であつた者が当該期末手当等基準日に係る期末手当等支給日に短期組合員である場合又は期末手当等基準日に短期組合員であつた者が当該期末手当等基準日に係る期末手当等支給日に長期組合員である場合　短期掛金、介護掛金及び福祉掛金

4　期末手当等基準日に属する組合と期末手当等支給日に属する組合が異なる場合（いずれかの組合が地方の組合である場合を含む。）における長期組合員の標準期末手当等の額（当該期末手当等支給日に支給される期末手当等の額に基づき決定されるものに限る。）を標準とする掛金の取扱いは、原則として期末手当等基準日に属する給与支給機関において、次の各号に掲げる場合の区分に応じ、当該各号に掲げる掛金の源泉控除を行い、これを当該期末手当等基準日に属する組合に払い込むこととする。ただし、第一号に掲げる場合にあつては、払い込まれた掛金（退職等年金分掛金を除く。）を当該期末手当等支給日に属する組合に移換するものとする。

(1)　次号に掲げる場合以外の場合　短期掛金、介護掛金、退職等年金分掛金及び福祉掛金

(2)　期末手当等基準日に長期組合員であつた者が当該期末手当等基準日に係る期末手当等支給日に地方の組合の長期組合員である場合　退職等年金分掛金

5　前二項の規定の場合における事業主が負担することとされている負担金の負担者は、期末手当等基準日を基準に判断する。従つて、一般には、期末手当等の支給者と一致することとなる。

6　派遣休職等の間にその派遣先等から支給される期末手当等に相当する給与の額に基づいて決定した標準期末手当等の額に係る事業主が負担することとされている負担金については、その者が休職等をしていないものとした場合に負担することとなる者が負担するものとする。

7　第二項から前項までの規定は、厚生年金保険法の標準賞与額を標準とする組合員保険料を組合に払い込む場合について準用する。

第百条の二の二関係

同条に規定する「産前産後休業を開始した日」と「産前産後休業が終了する日」が同一の月に属するときは、後者が月の末日である場合を除き、その月の掛金等については、同条の適用がないものとする。

第百十一条関係

1　給付を受ける権利の消滅時効の起算日は、給付事由の生じた日の翌日と解されるので、次の各号に掲げる給付については、当該各号に掲げる日を起算日として取り扱うものとする。

(1)　療養費又は家族療養費　組合員が医療機関等に療養の費用を支払つた部分について、その支払つた日の翌日

(2)　移送費及び家族移送費　移送を行つた日の翌日

(3)　高額療養費　高額療養費の算定の対象となつた同一月内における次に掲げる日のうち、最も遅い日の翌日

(イ)　当該組合員が医療機関等に支払つた施行令第十一条の三の三第一項第一号イからヘまでに掲げる金額を支払つた日

(ロ)　施行令第十一条の三の三第一項第二号に規定する特定給付対象療養について、当該組合員又はその被扶養者がなお負担すべき額を支払つた日

(4)　高額介護合算療養費　それぞれ次に掲げる日

(イ)　(ロ)に掲げる場合以外の場合　計算期間の末日の翌日

(ロ)　計算期間の末日以外の日に死亡した組合員に係る当該死亡した日の属する計算期間中の高額介護合算療養費を請求する場合　死亡した日の翌日

(5)　傷病手当金、出産手当金、休業手当金又は介護休業手当金　それぞれ勤務に服することができない日ごとに、その翌日

(6)　育児休業手当金　育児休業等により勤務に服さなかつた日ごとに、その翌日

2　退職等年金給付を受ける権利の消滅時効期間は、基本権については、法律上決定の請求をすることができることとなつた日の翌日を、支分権については、支給すべき期日の翌月の初日をそれぞれ起算日として五年間であると解されるが、年金の決定がなされた後の基本権は、時効により消滅しないものとして取り扱うものとする。

3　時効期間が満了した場合には、組合は時効の利益を放棄しないものとする。ただし、短期給付を受ける権利又は退職等年金給付を受ける権利について、特別の事情がある場合であつて組合の代表者がやむを得ないと認めたときは、この限りでない。

4　掛金を徴収し、又はその還付を受ける権利は、その掛金を徴収し、又は払い込むべき月の翌月の初日から二年間これを行わないときは、時効により消滅するものとする。

5　懲戒免職の処分を受けて、組合員の資格を喪失した者が、その処分取消の判定を受けて、組合員の資格を回復した場合において、その処分の日から取消の日までの間に給付事由が生じたときは、処分取消の判定が確定した日を、その給付についての消滅時効の起算日として取り扱うものとする。

第百十五条関係

1　退職等年金給付の額を算出する過程において、円位未満の端数があるときは、特段の定めのない限り、銭位まで計算し、銭位未満の端数は四捨五入するものとする。

2　退職等年金給付の各支給期月における支給額に一円未満の端数があるときは、四月、六月、八月、十月、十二月に支給すべき端数金額はこれを切り捨て、二月に支給すべき金額に加算す

るものとする。

第百二十一条関係

船員組合員に対する給付は、船員組合員又は船員組合員であつたものが死亡し、かつ、その者が給付の選択をしなかつたときは、その者の遺族のうち先順位者が、この条の規定による給付の選択を行うものとする。

第百二十四条の二関係

継続長期組合員が公庫等職員から引き続き当該公庫等の役員となつた場合又は特定公庫等役員から引き続き当該特定公庫等に使用される者となつた場合は、継続長期組合員としての資格を失つたものとして処理するものとする。

第百二十六条の五関係

第三項

この項の規定により前納すべき額は、任意継続掛金の額に次の表の前納期間の区分に応じた率を乗じて得た額（その額に一円未満の端数がある場合は、これを四捨五入するものとする。）とする。

前納期間	率
一月	〇・九九六七三七
二月	一・九九〇二二一
三月	二・九八〇四六四
四月	三・九六七四七六
五月	四・九五一二六七
六月	五・九三一八四七
七月	六・九〇九二二八
八月	七・八八三四二〇
九月	八・八五四四三三
十月	九・八二二二七七
十一月	一〇・七八六九六四
十二月	一一・七四八五〇二

施行令第五十一条

任意継続組合員の資格を取得した日の属する月にその資格を喪失したときは、その月の任意継続掛金を徴収することになつているが、更にその月に組合員の資格を取得すれば、その月の任意継続掛金は徴収しないものとする。

施行令第五十四条

任意継続掛金を前納する期間内において、介護保険第二号被保険者の資格を有することとなる任意継続組合員の介護納付金に係る任意継続掛金は、当該介護納付金に係る任意継続掛金の対象月以後の月数に応じた前納に係る率を乗じて算出した額を当該対象月の前月の末日までに組合に払い込まなければならない。

ただし、任意継続掛金を前納する期間内において、介護保険第二号被保険者の資格を有することとなることが明らかである者については、当該前納に係る期間の最初の月の前月の末日までに、当該介護納付金に係る任意継続掛金と短期給付及び福祉事業に係る任意継続掛金とを合算して前納を行うことができるものとする。

施行令第五十六条

1 引上げ後の任意継続掛金に対する充当額に初めて不足が生じる月（以下「不足月」という。）以後の不足額は、当該不足月の前月の末までに組合に払い込むものとする。

2 前納に係る期間の経過前において任意継続掛金の額の引上げが行われることとなつたときは、1によるほか、当該引上げが行われることとなる月以後の前納に係る期間の各月の任意継続掛金の引上げ額のうち、当該引上げ額について払込みをしようとする月の翌月以後の分について、前納の取扱いの例により組合に前納することができるものとする。

附則第五条関係

掛金を徴収し、又はその還付を受ける権利は、昭和三十三年七月一日においてその請求をすることができることとなつた日から既に二年を経過している場合には、同日において時効により消滅することとなるが、掛金の還付については、旧法下における期待権を尊重して、同日から二年内は、援用しないものとする。ただし、未納の掛金その他その者が組合に支払うべき金額で時効により消滅したものがあるときは、当該金額に相当する金額については、この限りでない。

附則第八条関係

「一部負担金の払戻しその他の措置で財務大臣の定めるもの」は、一部負担金の払戻しとする。

附則第二十条の六関係

1 施行令附則第三十四条の二の四第一項第一号に規定する「新たに設立される法人」には、既に厚生年金保険法及び健康保険法の規定による保険料の徴収等これらの法律の適用のための具体的事務が行われているものは含まないこととする。

2 施行令附則第三十四条の二の四第一項第一号の「密接な関係を有する業務」とは、次の各号のいずれかに該当する業務とする。

(1) 郵政会社等（法附則第二十条の二第二項に規定する郵政会社等をいう。以下同じ。）の委託により、当該郵政会社等の業務の一部を行う業務

(2) 郵政会社等の行う事業に関連する業務（郵政会社等の本来事業に付帯する業務又は目的達成事業に関連する業務を含む。）

(3) 郵政会社等の経営の効率化又は合理化に資する業務

3 施行令附則第三十四条の二の四第一項第二号に掲げる郵政会社等と密接な資本関係を有する法人は次の各号のいずれかに該当するものとする。

(1) 当該法人が株式会社であるときは、郵政会社等が当該法人の設立に際して発行される株式の総数の三分の二以上を引き受けることが明らかであり、かつ、その資本関係が将来においても継続するものであると認められること。

(2) 当該法人が財団法人又はこれに類する法人であるときは、当該法人の設立者に郵政会社等又は郵政会社等の役員若しくはこれに準ずる者が加わつているとともに、当該法人の基本財産の額の三分の二以上に当たる金額が郵政会社等により出資されることが明らかなものであること。

(3) 当該法人が社団法人又はこれに類する法人（株式会社を除く。）であるときは、当該法人の設立者に郵政会社等又は郵政会社等の役員若しくはこれに準ずる者が加わつているとともに、当該法人の議決権の三分の二以上が郵政会社等又は郵政会社等の役員若しくはこれに準ずる者が有することが明ら

かなものであり、かつ、その関係が将来においても継続するものであると認められること。

4　施行令附則第三十四条の二の四第一項第三号に掲げる郵政会社等又は適用法人に使用され、かつ、これらの法人から給与を受ける者から引き続き当該承認申請法人に使用され、かつ、給与を受ける者には、郵政会社等又は適用法人の職員の身分を保有したまま、いわゆる在籍出向として、当該法人に出向するものを含むこととする。

(二)　平成二十四年一元化法関係

附則第三十六条・附則第三十七条・附則第四十一条関係

附則第三十六条

1　退職共済年金の受給権者又は組合員期間等が二十五年以上である者が死亡したときに遺族共済年金を支給することとしているため、法第八十九条の規定の適用がある場合を除き、被用者年金制度の一元化等を図るための厚生年金保険法等の一部を改正する法律（平成二十四年法律第六十三号。以下「平成二十四年一元化法」という。）附則第三十六条第三項の規定によりなおその効力を有するものとされた平成二十四年一元化法第二条の規定による改正前の国家公務員共済組合法第八十八条第一項第四号に該当する場合は、「初診日が施行日前にある傷病により死亡した場合」に該当するものとして取り扱うものとする。

2　前項の規定に該当する場合を除き、平成二十四年一元化法附則第三十六条第四項に規定する初診日がない場合にあつては、死亡の原因となつた傷病の発した日（公務による傷病により死亡した場合は当該公務傷病の発した日、法令の規定により死亡したものと推定された場合は当該推定日）を初診日として取り扱うものとする。

なお効力を有する改正前の法第四十五条

第一項

　支払未済の給付を受けるべき者の順位は、施行令第十一条の二の四の規定の例によるものとする。

なお効力を有する改正前の法附則第十二条の九

第一項

　退職の日に昇任した自衛官の定年年齢は、当該昇任前の階級によるものとする。

なお効力を有する改正前昭和六十年改正法附則第八条

1　一般職給与法の適用を受ける者その他昭和六十年度における給与の改定が同年七月以後行われた者に対する平成二十四年一元化法附則第三十六条第五項又は第三十七条第一項の規定によりなおその効力を有するものとされた平成二十四年一元化法附則第九十八条の規定（平成二十四年一元化法附則第一条第三号に掲げる改正規定を除く。）による改正前の国家公務員等共済組合法等の一部を改正する法律（昭和六十年法律第百五号。以下「なお効力を有する昭和六十年改正法」という。）附則第八条の規定の適用については、昭和六十年六月に受けた法第二条第一項第五号に規定する報酬に一・〇五七四を乗じて得た額をもつてこの条の規定においてその例によることとされる平成二十四年一元化法第二条の規定による改正前の法第四十二条第一項、第五項後段及び第九項の規定により決定する標準報酬の等級及び月数の計算の基礎となる報酬の額とする。

2　前項の場合において、昭和六十年六月に同年五月分以前の報酬の遅配分を受け、又は、遡つた昇給、昇格等により数月分の差額を一括して受ける等通常受けるべき報酬以外の報酬を受けた場合には、当該差額については、同年六月における報酬としては取り扱わないものとする。

なお効力を有する改正前昭和六十年改正法附則第九条

　国家公務員等共済組合法等の一部を改正する法律の施行に伴う経過措置に関する政令（昭和六十一年政令第五十六号。以下「昭和六十一年経過措置政令」という。）第四条第三項第三号に規定する「財務大臣が定める期間」は、昭和六十年改正法第一条の規定による改正前の国家公務員等共済組合法第二条第一項第五号に規定する俸給に係る一般職の職員の給与に関する法律の一部を改正する法律（昭和六十年法律第九十七号）による改正前の一般職の職員の給与に関する法律の適用を受けていた昭和五十八年度内の組合員であつた期間又は当該俸給に係る給与法令のうち同法の改正に準じて行われたものの適用を受けた同年度内の期間とする。

なお効力を有する改正前国共済施行法第二条

1　更新組合員には、施行日において退職した長期組合員を含むものとする。

2　第十号中「恩給につき在職年の計算上加えられる期間」とは、恩給法の一部を改正する法律（昭和二十八年法律第百五十五号）附則第四十一条から附則第四十一条の五まで、附則第四十二条若しくは附則第四十二条の二（同法附則第四十三条及び第四十三条の二において準用する場合を含む。）又は附則第四十四条から附則第四十四条の三までの規定等により、普通恩給の基礎となる在職年に加えることとされているが、退職共済年金の基礎となる組合員期間にも加えられるものと解する。

なお効力を有する改正前国共済施行法第三条

　昭和三十三年十二月三十一日までに給付事由の生じた旧法の規定による退職給付、障害給付若しくは遺族給付又は旧法第九十条の規定による給付については、当該組合員であつた者が長期組合員となつた場合、平成二十四年一元化法附則第三十六条第五項又は第三十七条第一項の規定によりなおその効力を有するものとされた平成二十四年一元化法附則第九十七条の規定による改正前の国家公務員共済組合法の長期給付に関する施行法（昭和三十三年法律第百二十九号。以下「なお効力を有する改正前国共済施行法」という。）第十九条の規定に該当する場合等、なお効力を有する改正前国共済施行法に別段の規定があるもののほか、施行日以後に異動事由に該当した場合の取扱についても、すべて従前の例による。

　従つて、旧法の退職年金の若年停止、旧法の障害年金受給者が失権した場合の差額の支給、旧法の退職年金又は障害年金の受給権者が死亡した場合の遺族年金の支給、遺族年金受給者が失権した場合に転給すべき遺族の範囲、旧法の年金受給者が死亡した場合の年金者遺族一時金の支給等、すべて旧法及び旧法下における取扱の例による。

なお効力を有する改正前国共済施行法第五条

第二項

1　「その者が施行日前に支払を受けるべきであつた恩給」には、第一項の規定により退職したものとみなされたことにより生ずる恩給は含まれない。

2　同時に別の期間に係る二以上の普通恩給受給権又は地方公共団体の年金受給権を有する場合、その一を放棄し、他を放棄しないことは差支えない。

なお効力を有する改正前国共済施行法第七条

第一項

1　一時恩給若しくは旧法等の退職年金、退職一時金等の受給権が時効により消滅した期間又は一時恩給若しくは旧法の退職一時金の受給資格期間に達しなかつた期間も「恩給公務員期間」又は「旧長期組合員期間」に該当するものとする。

2　第一号の「恩給公務員期間」には、国会議員互助年金法を廃止する法律（平成十八年法律第一号）による廃止前の国会議員互助年金法（昭和三十三年法律第七十号。この項において「廃止前の国会議員互助年金法」という。）附則第五項の規定により、国会議員としての在職期間から除算される期間は含むものとし、廃止前の国会議員互助年金法第二十六条第一項の規定により恩給の基礎となるべき在職年に算入しないものとされた期間は、含まないものと解する。

3　第五号の職員期間には、次の期間が含まれる。

(1)　施行日前の非常勤職員で、旧法等の組合員資格を有していた期間

(2)　無給休職、停職等の期間で組合員とされていた期間

(3)　準軍人の次の期間は、職員期間とされる。

陸軍の見習士官、海軍の候補生及び見習尉官

4　第五号の「引き続いているもの」には、次の場合の職員期間が含まれるものとする。

(1)　職員が休職又は停職となり、更に復職した場合における当該休職等の期間の前後の職員期間

(2)　国家公務員退職手当法施行令（昭和二十八年政令第二百十五号）附則第四項及び第六項の規定により引き続いたものとみなされた職員期間

(3)　前項第三号の規定により職員期間とされる者に係る準軍人が引き続いて軍人となり、除隊の日から三年以内に職員となつた場合における当該準軍人として勤務した職員期間と再就職後の職員期間

5　施行令附則第十条第一項第一号及び施行規則附則第十一項第二号に規定する「法令の規定により、勤務を要しないこととされ、又は休暇を与えられた日」とは、人事院規則一五―四第二項及び第三項の規定により、休暇を与えられた日及びこれらに準ずる日と解する。

6　施行規則附則第十一項第一号に規定する「旧法第一条第一号に規定する常時勤務に服しない者」とは、雇用期間の定めのない常勤職員以外の者を指すものである。

7　施行規則附則第十一項第一号ハに規定する財務大臣の定める方法は、次のとおりとする。

(1)　給与が時間単位で定められている場合

$$\frac{(\text{時間給}\times 1\text{週の勤務時間})\times 52\text{週}}{12}\times\frac{70}{100}=\text{俸給}$$

(注)　「一週の勤務時間」は、雇用契約に基づく正規の勤務時間である。

(2)　給与が日単位で定められている場合

$$\text{日額}\times 25\times\frac{70}{100}=\text{俸給}$$

(3)　給与が月単位で定められている場合（ただし、一般職給与法その他の法令において、本俸とその他の諸手当とが区分して定められている場合を除く。）

$$\text{月額}\times\frac{70}{100}=\text{俸給}$$

(4)　給与が月単位で定められている場合（前号に該当する場合を除く。）

報酬のうち本俸相当額

(5)　昭和二十七年九月十五日以後に雇用された者については、第一号から第三号までの算出方法中「$\frac{70}{100}$」とあるのは、「$\frac{80}{100}$」とする。

8　施行規則附則第十一項第二号に規定する「旧法第一条第二号に規定する臨時に使用される者」とは、勤務日及び勤務時間が常勤職員と同様の拘束を受けるが、あらかじめ雇用期間が定められている者を指すものである。

9　施行規則附則第十四項に規定する「財務大臣が定める地域における地方公共団体に準ずるものとして財務大臣が定める団体の常勤の職員」とは、樺太、台湾、朝鮮及び関東州における地方公共団体に在職した常勤職員とする。

10　施行令附則第十条の二及び附則第十条の三第二項に規定する「その後他に就職することなく三年以内に職員となり」とは、昭和二十年八月十四日まで引続き外地官署所属職員として勤務した者、外国政府等に勤務した者及び関与法人等に勤務した者（外国政府等に勤務した者で関与法人等の職員となるため退職し、昭和二十年八月八日まで引続き当該関与法人等の職員として勤務した者に限る。）がその後他に就職することなくその帰国した日から三年を経過する日の前日までの間に職員となつた場合とする。

11　施行規則附則第十五項第三号に規定する「財務大臣が相当と認める期間」は、次の期間とする。

(1)　国家公務員法の施行前における職員に相当する者（以下この11において「職員相当者」という。）が徴兵又は召集により兵役に服し、当該徴兵又は召集の除隊の日から三年を経過する日の前日までの間に職員（職員相当者を含む。以下この11において同じ。）となり、更に徴兵又は召集により兵役に服するため退職したもののうち、その職員となつた期間についてなお効力を有する改正前国共済施行法第七条第一項第五号の適用がある者の前の兵役に服するため退職した職員であつた期間

(2)　職員相当者が徴用を受け引き続いてその業務に服し、当該徴用の解除の日から三年を経過する日の前日までの間に職員となり、昭和三十四年一月一日（更新組合員にあつては、同年十月一日）の前日まで引き続いて職員であつたものの当該徴用を受けた期間の前に引き続く職員であつた期間

(3)　第六号の外国政府等に勤務した期間の前に引き続く職員相当者であつた期間

第二項

任官した月は、「重複する期間」に該当せず、第一項第一号の期間と同項第二号から第四号までの期間のそれぞれに算入するものとする。

なお効力を有する改正前国共済施行法第八条

1　昭和四十二年度及び昭和四十三年度における旧令による共済組合等からの年金受給者のための特別措置法等の規定による年金の額の改定に関する法律等の一部を改正する法律（昭和四十四年法律第九十二号。以下「四十四年改正法」という。）附則第八条第一項ただし書及び附則第十条第一項本文の規定により増加恩給等を受ける権利を有する者の当該恩給公務員期間は、本条の在職年に含まれるものとする。

2　第一項各号の在職年には、平成二十四年一元化法附則第六十条第五項又は第六十一条第一項の規定によりなおその効力を有するものとされた平成二十四年一元化法附則第百一条の規定による改正前の地方公務員等共済組合法の長期給付等に関する施行法（昭和三十七年法律第百五十三号。以下「なお効力を有する改正前地方の施行法」という。）附則第四項の規定により、組合員期間に通算しないことを選択した場合のその期間は、含まないものとする。

なお効力を有する改正前国共済施行法第九条

第一号の職員期間には、次の期間は含まれない。

(1)　移行年金又はなお効力を有する改正前国共済施行法第四十二条第一項各号の申出に係る年金等の受給資格期間として算入された期間

(2)　なお効力を有する改正前地方の施行法附則第四項等の規定により組合員期間に通算しないことを選択した場合のその期間

なお効力を有する改正前国共済施行法第十条

1　若年停止の解除については第十条第三項の場合は、同項の年齢に達した月の翌月から、同条第四項の場合は、同項の年齢に達した月からそれぞれ行うものとする。

2　国家公務員等共済組合法等の一部を改正する法律（平成六年法律第九十八号）による改正前の施行法第十条第一項において読み替えられた法附則第十二条の三第一項の規定により平成七年四月一日前に退職共済年金を受ける権利を有していた者については、法附則第十二条の四の二第三項の規定の例により算定した金額（法第七十八条の規定の適用がある場合には、同条第一項に規定する加給年金額を含む。）をもつて、施行法第十条第二項に規定する「新法附則第十二条の三の規定による退職共済年金」の額とする。

なお効力を有する改正前国共済施行法第十四条

退職一時金等の支給額及び支給期日等が明らかでない場合には、合理的な方法により当該支給額及び支給期日等を推定することができる。また、旧法施行前の退職一時金については、昭和六十一年経過措置政令第六十五条第二項に該当するものとみなす。

なお効力を有する改正前国共済施行法第二十条

「増加恩給等を受ける権利を有する者となつたとき」とは、増加恩給等の支給が行われるべき日と解する。

なお効力を有する改正前国共済施行法第三十一条

1　「地方の職員等」には、樺太、台湾及び関東州における地方公共団体に在職した常勤の者を含むものとする。

2　第一項に規定する「地方公共団体の条例」には、樺太、台湾、朝鮮及び関東州（次項において「旧外地」という。）における地方公共団体の条例（これに相当する規程を含む。以下「旧外地の条例等」という。）を含む。この場合において、当該条例の規定は、恩給法（恩給法の一部を改正する法律（昭和八年法律第五十号）による改正後の恩給法をいう。）と異なる規定が設けられていることが確認された場合を除き、恩給法の規定（加算年に関する規定を除く。）と同一の規定が設けられていたものとして取り扱うものとする。

3　旧外地の条例等（関東州における市会の条例及び朝鮮における邑面の条例を除く。）の施行の時期は、その施行の時期が明らかである場合を除き、次の各号に掲げる区分に応じ当該各号に掲げる日（同日以後に旧外地の地方公共団体が設置されている場合は、当該地方公共団体が設置された日）として取り扱うものとする。

(1)　樺太の市町村　大正十二年三月一日
(2)　台湾の州庁又は市街庄　昭和十七年二月一日
(3)　朝鮮の道府　大正十四年五月一日

4　旧外地の条例等の終期は、昭和二十年九月二日まで効力を有していたものとして取り扱うものとする。

なお効力を有する改正前国共済施行法第三十四条

第一項

「沖縄の組合員であつた者のうち国家公務員に相当する者として財務大臣が定めるもの」は、特別措置法（施行法第三十三条第一号に規定する特別措置法をいう。以下同じ。）の施行の日前に退職又は死亡した者で、その退職又は死亡の際次に掲げる職員であつたものとする。

(1)　琉球政府の職員で、特別措置法の施行に伴い、国が処理することとなる行政事務に相当する事務に従事するもの（次号に掲げる者を除く。）

(2)　沖縄の公立学校職員共済組合法（一九六八年立法第百四十七号）第二条第一項第二号に規定する職員のうち沖縄の琉球大学委員会の任命に係る職員

(3)　前二号に相当する職員

なお効力を有する改正前国共済施行法第五十三条

第七条第一項第五号及び第六号の期間又は第九条各号の期間の計算は、この項によるが、恩給公務員期間又は旧長期組合員期間の計算は、別段の規定に該当するものとして、それぞれ恩給法又は旧法の期間計算の例によるものとする。従つて、雇用人が任官した場合は、その月は、恩給公務員期間及び旧長期組合員期間の両者に算入され、また旧長期組合員が退職の月に再び旧長期組合員として再就職した場合についても、その月は、旧長期組合員期間二月として計算される。なお、昭和三十四年一月から九月までの間に更新組合員であつた者が恩給公務員となり、同年十月一日に恩給更新組合員となつた場合についても同様に取り扱うこととする。

平成二十七年経過措置政令第百三十八条第一項

第一項の「財務大臣が定める額」は、次の(1)から(3)までに掲げる場合の区分に応じ、当該(1)から(3)までの定めるところにより算定した額とする。

(1)　控除前遺族特例年金給付額が国家公務員共済組合法施行令等の一部を改正する等の政令（平成二十七年政令第三百四十四号。以下「平成二十七年整備政令」という。）第三条の規定による改正後の厚生年金保険法等の一部を改正する法律の施行に伴う国家公務員共済組合法による長期給付等に関する経過措置に関する政令（平成九年政令第八十六号。以下「改正後平成九年経過措置政令」という。）第十七条の三第一項

第二号イ(2)(i)の規定により算定される場合　以下の算式のαについて計算して得た額

算式

$X_1 - Y \times X_1 / X = \alpha$

算式の符号

X_1　改正後平成9年経過措置政令第13条第1項第9号又は第10号の規定により算定した額

X　改正後平成9年経過措置政令第17条の2第1項第1号に規定する遺族給付額

Y　改正後平成9年経過措置政令第17条の2第1項第1号に規定する老齢厚生年金等合計額

(2)　控除前遺族特例年金給付額が改正後平成九年経過措置政令第十七条の三第一項第二号イ(2)(ii)又はロ(2)の規定により算定される場合　以下の算式のαについて計算して得た額

算式

$X_1 \times 2/3 - Y \times 1/2 \times X_1 / X = \alpha$

算式の符号

X_1　改正後平成9年経過措置政令第13条第1項第9号又は第10号の規定により算定した額

X　改正後平成9年経過措置政令第17条の2第1項第1号に規定する遺族給付額

Y　改正後平成9年経過措置政令第17条の2第1項第1号に規定する老齢厚生年金等合計額

(3)　控除前遺族特例年金給付額が改正後平成九年経過措置政令第十七条の三第一項第一号又は第二号イ(1)若しくはロ(1)の規定により算定される場合　零

平成二十七年経過措置政令第百三十八条第二項

1　第一号ハの「財務大臣が定めるところにより算定した額」は、次の(1)又は(2)に掲げる場合の区分に応じ、当該(1)又は(2)の定めるところにより算定した額とする。

(1)　第一号イの平成二十四年一元化法附則第三十七条第一項に規定する給付のうち退職共済年金と併給する場合　次のイ又はロに掲げる場合の区分に応じ、当該イ又はロの定めるところにより算定した額

イ　第一号イの平成二十四年一元化法附則第三十七条第一項に規定する給付のうち退職共済年金が控除対象年金である場合であつて、第一号ハの平成二十四年一元化法附則第三十七条第一項に規定する給付のうち遺族共済年金が控除対象年金でない場合　第一号イに定める平成二十四年一元化法附則第三十七条第一項に規定する給付のうち退職共済年金の額（第二号老齢厚生年金の受給権を有する場合には当該第二号老齢厚生年金の額を、退職特例年金給付が支給される場合には老齢厚生年金相当額を、それぞれ加えた額。ロにおいて同じ。）を基礎として遺族共済年金額算定規定により算定した額から被用者年金制度の一元化等を図るための厚生年金保険法等の一部を改正する法律の施行及び国家公務員の退職給付の給付水準の見直し等のための国家公務員退職手当法等の一部を改正する法律の一部の施行に伴う国家公務員共済組合法による長期給付等に関する経過措置に関する政令（平成二十七年政令第三百四十五号。以下「平成二十七年経過措置政令」という。）第百三十八条第一項（以下この1から10までにおいて単に「前項」という。）第三号に定める額を控除して得た額

ロ　第一号イの平成二十四年一元化法附則第三十七条第一項に規定する給付のうち退職共済年金及び第一号ハの平成二十四年一元化法附則第三十七条第一項に規定する給付のうち遺族共済年金がともに控除対象年金である場合　第一号イに定める平成二十四年一元化法附則第三十七条第一項に規定する給付のうち退職共済年金の額と平成二十四年一元化法附則第三十七条第一項の規定によりなおその効力を有するものとされた平成二十四年一元化法第二条の規定による改正前の法（以下「なお効力を有する改正前の法」という。）第八十九条第一項第一号の規定の例により算定した額から当該算定した額を組合員期間の月数（平成二十四年一元化法第二条の規定による改正前の法（以下「改正前の法」という。）第八十八条第一項第一号から第三号までのいずれかに該当することにより支給される遺族共済年金にあつては、当該月数が三百月未満であるときは、三百月）で除して得た額の百分の二十七に相当する額に追加費用対象期間の月数を乗じて得た額又は当該算定した額の百分の十に相当する額のいずれか少ない額を控除した額とを基礎として遺族共済年金額算定規定の例により算定した額から前項第三号に定める額を控除して得た額

(2)　第一号ロの平成二十四年一元化法附則第四十一条退職共済年金と併給する場合　次のイ又はロに掲げる場合の区分に応じ、当該イ又はロに定めるところにより算定した額

イ　第一号ハの平成二十四年一元化法附則第三十七条第一項に規定する給付のうち遺族共済年金が控除対象年金でない場合　第一号ロに定める平成二十四年一元化法附則第四十一条退職共済年金の額（退職特例年金給付が支給される場合には、老齢厚生年金相当額を加えた額。ロにおいて同じ。）を基礎として遺族共済年金額算定規定により算定した額から前項第三号に定める額を控除して得た額

ロ　第一号ハの平成二十四年一元化法附則第三十七条第一項に規定する給付のうち遺族共済年金が控除対象年金である場合　第一号イに定める平成二十四年一元化法附則第三十七条第一項に規定する給付のうち退職共済年金の額となお効力を有する改正前の法第八十九条第一項第一号の規定の例により算定した額から当該算定した額を組合員期間の月数（改正前の法第八十八条第一項第一号から第三号までのいずれかに該当することにより支給される遺族共済年金にあつては、当該月数が三百月未満であるときは、三百月）で除して得た額の百分の二十七に相当する額に追加費用対象期間の月数を乗じて得た額又は当該算定した額の百分の十に相当する額のいずれか少ない額を控除した額とを基礎として遺族共済年金額算定規定の例により算定した額から前項第三号に定める額を控除して得た額

2　第一号ホの「財務大臣が定めるところにより算定した額」は、次の(1)又は(2)に掲げる場合の区分に応じ、当該(1)又は(2)の定めるところにより算定した額とする。

(1)　第一号イの平成二十四年一元化法附則第三十七条第一項に規定する給付のうち退職共済年金と併給する場合　第一号イに定める平成二十四年一元化法附則第三十七条第一項に規定する給付のうち退職共済年金の額と平成二十四年一元化法第一条の規定による改正後の厚生年金保険法（以下「改正後厚

生年金保険法」という。）第六十条第一項第一号の規定の例により算定した額（改正前の法による職域加算額が支給される場合には、その額を加えた額。(2)において同じ。）から当該算定した額を国共済組合員等期間の月数（厚生年金保険法第五十八条第一項第一号から第三号までのいずれかに該当することにより支給される平成二十四年一元化法附則第四十一条遺族共済年金にあつては、当該月数が三百月未満であるときは、三百月）で除して得た額の百分の二十七に相当する額に追加費用対象期間の月数を乗じて得た額又は当該算定した額の百分の十に相当する額のいずれか少ない額を控除した額とを基礎として老齢厚生年金額算定規定の例により算定した額から前項第五号に定める額を控除して得た額

(2)　第一号ロの平成二十四年一元化法附則第四十一条退職共済年金と併給する場合　同号ロに定める平成二十四年一元化法附則第四十一条退職共済年金の額と改正後厚生年金保険法第六十条第一項第一号の規定の例により算定した額から当該算定した額を国共済組合員等期間の月数（厚生年金保険法第五十八条第一項第一号から第三号までのいずれかに該当することにより支給される平成二十四年一元化法附則第四十一条遺族共済年金にあつては、当該月数が三百月未満であるときは、三百月）で除して得た額の百分の二十七に相当する額に追加費用対象期間の月数を乗じて得た額又は当該算定した額の百分の十に相当する額のいずれか少ない額を控除した額とを基礎として老齢厚生年金額算定規定の例により算定した額から前項第五号に定める額を控除して得た額

3　第二号イの「財務大臣が定めるところにより算定した額」は、次の(1)から(3)までに掲げる場合の区分に応じ、当該(1)から(3)までの定めるところにより算定した額とする。

(1)　第二号ハの平成二十四年一元化法附則第三十七条第一項に規定する給付のうち遺族共済年金と併給する場合　次のイからニまでに掲げる場合の区分に応じ、当該イからニまでの定めるところにより算定した額

イ　第二号イの平成二十四年一元化法附則第三十七条第一項に規定する給付のうち退職共済年金が控除対象年金である場合であつて、第二号ハの平成二十四年一元化法附則第三十七条第一項に規定する給付のうち遺族共済年金が控除対象年金でない場合　控除後控除調整下限額（第二号老齢厚生年金の受給権を有する場合には当該第二号老齢厚生年金の額を、退職特例年金給付が支給される場合には老齢厚生年金相当額を、それぞれ控除した額。ニにおいて同じ。）から前項第三号に定める額を控除して得た額に二を乗じて得た額

ロ　第二号イの平成二十四年一元化法附則第三十七条第一項に規定する給付のうち退職共済年金が控除対象年金でない場合であつて、第二号ハの平成二十四年一元化法附則第三十七条第一項に規定する給付のうち遺族共済年金が控除対象年金である場合　零

ハ　第二号イの平成二十四年一元化法附則第三十七条第一項に規定する給付のうち退職共済年金及び第二号ハの平成二十四年一元化法附則第三十七条第一項に規定する給付のうち遺族共済年金がともに控除対象年金である場合であつて、前項第三号に定める額がなお効力を有する改正前の法第八十九条第一項第一号の規定による額である場合　零

ニ　第二号イの平成二十四年一元化法附則第三十七条第一項に規定する給付のうち退職共済年金及び第二号ハの平成二十四年一元化法附則第三十七条第一項に規定する給付のうち遺族共済年金がともに控除対象年金である場合であつて、前項第三号の平成二十四年一元化法附則第三十七条第一項に規定する給付のうち遺族共済年金の額がなお効力を有する改正前の法第八十九条第一項第二号イ及びロに掲げる額を合算した額である場合　控除後控除調整下限額から前項第三号に定める額を控除して得た額に退職按分率（退職共済年金控除額と遺族共済年金控除額との合計額に対する退職共済年金控除額の割合をいう。以下同じ。）を乗じて得た額に二を乗じて得た額

(2)　第二号ニの第二号遺族厚生年金と併給する場合　控除後控除調整下限額（第二号老齢厚生年金の受給権を有する場合には当該第二号老齢厚生年金の額を、退職特例年金給付が支給される場合には老齢厚生年金相当額を、それぞれ控除した額）から前項第四号に定める額を控除して得た額に二を乗じて得た額

(3)　第二号ホの平成二十四年一元化法附則第四十一条遺族共済年金と併給する場合　次のイからハまでに掲げる場合の区分に応じ、当該イからハまでの定めるところにより算定した額

イ　第二号イの平成二十四年一元化法附則第三十七条第一項に規定する給付のうち退職共済年金が控除対象年金でない場合　零

ロ　第二号イの平成二十四年一元化法附則第三十七条第一項に規定する給付のうち退職共済年金が控除対象年金である場合であつて、前項第五号に定める額が改正後厚生年金保険法第六十条第一項第一号の規定による額である場合　零

ハ　第二号イの平成二十四年一元化法附則第三十七条第一項に規定する給付のうち退職共済年金が控除対象年金である場合であつて、前項第五号の平成二十四年一元化法附則第四十一条遺族共済年金の額が改正後厚生年金保険法第六十条第一項第二号イ及びロに掲げる額を合算した額である場合　控除後控除調整下限額（第二号老齢厚生年金の受給権を有する場合には当該第二号老齢厚生年金の額を、退職特例年金給付が支給される場合には老齢厚生年金相当額を、それぞれ控除した額）から前項第五号に定める額を控除して得た額に退職按分率を乗じて得た額に二を乗じて得た額

4　第二号ロの「財務大臣が定めるところにより算定した額」は、次の(1)から(3)までに掲げる場合の区分に応じ、当該(1)から(3)までの定めるところにより算定した額とする。

(1)　第二号ハの平成二十四年一元化法附則第三十七条第一項に規定する給付のうち遺族共済年金と併給する場合　次のイからハまでに掲げる場合の区分に応じ、当該イからハまでの定めるところにより算定した金額

イ　第二号ハの平成二十四年一元化法附則第三十七条第一項に規定する給付のうち遺族共済年金が控除対象年金でない場合　控除後控除調整下限額から前項第三号に定める額を控除して得た額（退職特例年金給付が支給される場合には、老齢厚生年金相当額を控除した額。ハにおいて同じ。）に二を乗じて得た額

ロ　第二号ハの平成二十四年一元化法附則第三十七条第一項

に規定する給付のうち遺族共済年金が控除対象年金である場合であつて、前項第三号に定める額がなお効力を有する改正前の法第八十九条第一項第一号の規定による額である場合　零

ハ　第二号ハの平成二十四年一元化法附則第三十七条第一項に規定する給付のうち遺族共済年金が控除対象年金である場合であつて、前項第三号の平成二十四年一元化法附則第三十七条第一項に規定する給付のうち遺族共済年金の額がなお効力を有する改正前の法第八十九条第一項第二号イ及びロに掲げる額を合算した額である場合　控除後控除調整下限額から前項第三号に定める額を控除して得た額に退職按分率を乗じて得た額に二を乗じて得た額

(2)　第二号ニの第二号遺族厚生年金と併給する場合　控除後控除調整下限額から前項第四号に定める額を控除して得た額（退職特例年金給付が支給される場合には、老齢厚生年金相当額を控除した額）に二を乗じて得た額

(3)　第二号ホの平成二十四年一元化法附則第四十一条遺族共済年金と併給する場合　次のイ又はロに掲げる場合の区分に応じ、当該イ又はロの定めるところにより算定した額

イ　前項第五号に定める額がなお効力を有する改正前の法第八十九条第一項第一号の規定による額である場合　零

ロ　前項第五号の平成二十四年一元化法附則第四十一条遺族共済年金の額がなお効力を有する改正前の法第八十九条第一項第二号イ及びロに掲げる額を合算した額である場合　控除後控除調整下限額から前項第五号に定める額（退職特例年金給付が支給される場合には、老齢厚生年金相当額を控除した額）を控除して得た額に退職按分率を乗じて得た額に二を乗じて得た額

5　第二号ハの「財務大臣が定めるところにより算定した額」は、次の(1)から(3)までに掲げる場合の区分に応じ、当該(1)から(3)までの定めるところにより算定した額とする。

(1)　控除後遺族特例年金給付額が改正後平成九年経過措置政令第十七条の三第一項第二号イ(2)(i)の規定により算定される場合　以下の算式のαについて計算して得た額

算式

$$X_1 - Z \times X_1 / X = \alpha$$

算式の符号

X_1　改正後平成9年経過措置政令第13条第1項第9号又は第10号の規定により算定した額

X　改正後平成9年経過措置政令第17条の2の2の規定により遺族給付額とみなされた遺族共済年金額控除規定適用後の改正後平成9年経過措置政令第17条の2第1項第1号に規定する死亡を給付事由とする年金たる給付の額

Z　改正後平成9年経過措置政令第17条の3の2の規定により老齢厚生年金等合計額とみなされた退職共済年金額控除規定適用後の改正後平成9年経過措置政令第17条の2第1項第1号に規定する退職を給付事由とする年金たる給付の額

(2)　控除後遺族特例年金給付額が改正後平成九年経過措置政令第十七条の三第一項第二号イ(2)(ii)又はロ(2)の規定により算定される場合　以下の算式のαについて計算して得た額

算式

$$X_1 \times 2/3 - Z \times 1/2 \times X_1 / X = \alpha$$

算式の符号

X_1　改正後平成9年経過措置政令第13条第1項第9号又は第10号の規定により算定した額

X　改正後平成9年経過措置政令第17条の2の2の規定により遺族給付額とみなされた遺族共済年金額控除規定適用後の改正後平成9年経過措置政令第17条の2第1項第1号に規定する死亡を給付事由とする年金たる給付の額

Z　改正後平成9年経過措置政令第17条の3の2の規定により老齢厚生年金等合計額とみなされた退職共済年金額控除規定適用後の改正後平成9年経過措置政令第17条の2第1項第1号に規定する退職を給付事由とする年金たる給付の額

(3)　控除後遺族特例年金給付額が改正後平成九年経過措置政令第十七条の三第一項第一号又は第二号イ(1)若しくはロ(1)の規定により算定される場合　零

6　第三号ハの「財務大臣が定めるところにより算定した額」は、次の(1)又は(2)に掲げる場合の区分に応じ、当該(1)又は(2)の定めるところにより算定した額とする。

(1)　第三号イの平成二十四年一元化法附則第三十七条第一項に規定する給付のうち退職共済年金と併給する場合　次のイ又はロに掲げる場合の区分に応じ、当該イ又はロの定めるところにより算定した額

イ　第三号イの平成二十四年一元化法附則第三十七条第一項に規定する給付のうち退職共済年金が控除対象年金である場合であつて、第三号ハの平成二十四年一元化法附則第三十七条第一項に規定する給付のうち遺族共済年金が控除対象年金でない場合　第三号イに定める平成二十四年一元化法附則第三十七条第一項に規定する給付のうち退職共済年金の額（第二号老齢厚生年金の受給権を有する場合には当該第二号老齢厚生年金の額を、退職特例年金給付が支給される場合には老齢厚生年金相当額を、それぞれ加えた額。ロにおいて同じ。）を基礎として遺族共済年金額算定規定により算定した額から前項第三号に定める額を控除して得た額

ロ　第三号イの平成二十四年一元化法附則第三十七条第一項に規定する給付のうち退職共済年金及び第三号ハの平成二十四年一元化法附則第三十七条第一項に規定する給付のうち遺族共済年金がともに控除対象年金である場合　第三号イに定める平成二十四年一元化法附則第三十七条第一項に規定する給付のうち退職共済年金の額となお効力を有する改正前の法第八十九条第一項第一号の規定の例により算定した額から当該算定した額を組合員期間の月数（改正前の法第八十八条第一項第一号から第三号までのいずれかに該当することにより支給される遺族共済年金にあつては、当該月数が三百月未満であるときは、三百月）で除して得た額の百分の二十七に相当する額に追加費用対象期間の月数を乗じて得た額又は当該算定した額の百分の十に相当する額のいずれか少ない額を控除した額とを基礎として遺族共済年金額算定規定の例により算定した額から前項第三号に定める額を控除して得た額

(2)　第三号ロの平成二十四年一元化法附則第四十一条退職共済年金と併給する場合　次のイ又はロに掲げる場合の区分に応じ、当該イ又はロに定めるところにより算定した額

イ　第三号ハの平成二十四年一元化法附則第三十七条第一項に規定する給付のうち遺族共済年金が控除対象年金でない場合　第三号ロに定める平成二十四年一元化法附則第四十一条退職共済年金の額（退職特例年金給付が支給される場合には、老齢厚生年金相当額を加えた額。ロにおいて同じ。）を基礎として遺族共済年金額算定規定により算定した額から前項第三号に定める額を控除して得た額

ロ　第三号ハの平成二十四年一元化法附則第三十七条第一項に規定する給付のうち遺族共済年金が控除対象年金である場合　第三号ロに定める平成二十四年一元化法附則第四十一条退職共済年金の額となお効力を有する改正前の法第八十九条第一項第一号の規定の例により算定した額から当該算定した額を組合員期間の月数（改正前の法第八十八条第一項第一号から第三号までのいずれかに該当することにより支給される遺族共済年金にあつては、当該月数が三百月未満であるときは、三百月）で除して得た額の百分の二十七に相当する額に追加費用対象期間の月数を乗じて得た額又は当該算定した額の百分の十に相当する額のいずれか少ない額を控除した額とを基礎として遺族共済年金額算定規定の例により算定した額から前項第三号に定める額を控除して得た額

7　第三号ホの「財務大臣が定めるところにより算定した額」は、次の(1)又は(2)に掲げる場合の区分に応じ、当該(1)又は(2)の定めるところにより算定した額とする。

(1)　第三号イの平成二十四年一元化法附則第三十七条第一項に規定する給付のうち退職共済年金と併給する場合　第三号イに定める平成二十四年一元化法附則第三十七条第一項に規定する給付のうち退職共済年金の額（第二号老齢厚生年金の受給権を有する場合には当該第二号老齢厚生年金の額を、退職特例年金給付が支給される場合には老齢厚生年金相当額を、それぞれ加えた額）と改正後厚生年金保険法第六十条第一項第一号の規定の例により算定した額から当該算定した額を国共済組合員等期間の月数（厚生年金保険法第五十八条第一項第一号から第三号までのいずれかに該当することにより支給される平成二十四年一元化法附則第四十一条遺族共済年金にあつては、当該月数が三百月未満であるときは、三百月）で除して得た額の百分の二十七に相当する額に追加費用対象期間の月数を乗じて得た額又は当該算定した額の百分の十に相当する額のいずれか少ない額を控除した額とを基礎として遺族厚生年金額算定規定の例により算定した額から前項第五号に定める額を控除して得た額

(2)　第三号ロの平成二十四年一元化法附則第四十一条退職共済年金と併給する場合　同号ロに定める平成二十四年一元化法附則第四十一条退職共済年金の額（退職特例年金給付が支給される場合には、老齢厚生年金相当額を加えた額）と改正後厚生年金保険法第六十条第一項第一号の規定の例により算定した額から当該算定した額を国共済組合員等期間の月数（厚生年金保険法第五十八条第一項第一号から第三号までのいずれかに該当することにより支給される平成二十四年一元化法附則第四十一条遺族共済年金にあつては、当該月数が三百月未満であるときは、三百月）で除して得た額の百分の二十七に相当する額に追加費用対象期間の月数を乗じて得た額又は当該算定した額の百分の十に相当する額のいずれか少ない額を控除した額とを基礎として老齢厚生年金額算定規定の例により算定した額から前項第五号に定める額を控除して得た額

8　第四号イの「財務大臣が定めるところにより算定した額」は、次の(1)から(3)までに掲げる場合の区分に応じ、当該(1)から(3)までの定めるところにより算定した額とする。

(1)　第四号ハの平成二十四年一元化法附則第三十七条第一項に規定する給付のうち遺族共済年金と併給する場合　次のイからハまでに掲げる場合の区分に応じ、当該イからハまでの定めるところにより算定した額

イ　第四号イの平成二十四年一元化法附則第三十七条第一項に規定する給付のうち退職共済年金が控除対象年金である場合であつて、第四号ハの平成二十四年一元化法附則第三十七条第一項に規定する給付のうち遺族共済年金が控除対象年金でない場合　控除後控除調整下限額（第二号老齢厚生年金の受給権を有する場合には当該第二号老齢厚生年金の額を、退職特例年金給付が支給される場合には老齢厚生年金相当額を、それぞれ控除した額。ハにおいて同じ。）から前項第三号に定める額を控除して得た額に二を乗じて得た額

ロ　第四号イの平成二十四年一元化法附則第三十七条第一項に規定する給付のうち退職共済年金及び第四号ハの平成二十四年一元化法附則第三十七条第一項に規定する給付のうち遺族共済年金がともに控除対象年金である場合であつて、前項第三号に定める額がなお効力を有する改正前の法第八十九条第一項第一号の規定による額である場合　零

ハ　第四号イの平成二十四年一元化法附則第三十七条第一項に規定する給付のうち退職共済年金及び第四号ハの平成二十四年一元化法附則第三十七条第一項に規定する給付のうち遺族共済年金がともに控除対象年金である場合であつて、前項第三号の平成二十四年一元化法附則第三十七条第一項に規定する給付のうち遺族共済年金の額がなお効力を有する改正前の法第八十九条第一項第二号イ及びロに掲げる額を合算した額である場合　控除後控除調整下限額から前項第三号に定める額を控除して得た額に退職按分率を乗じて得た額に二を乗じて得た額

(2)　第四号ニの第二号遺族厚生年金と併給する場合　控除後控除調整下限額（第二号老齢厚生年金の受給権を有する場合には当該第二号老齢厚生年金の額を、退職特例年金給付が支給される場合には老齢厚生年金相当額を、それぞれ控除した額）から前項第四号に定める額を控除して得た額に二を乗じて得た額

(3)　第四号ホの平成二十四年一元化法附則第四十一条遺族共済年金と併給する場合　次のイ又はロに掲げる場合の区分に応じ、当該イ又はロの定めるところにより算定した額

イ　前項第五号の平成二十四年一元化法附則第四十一条遺族共済年金の額が改正後厚生年金保険法第六十条第一項第一号の規定による額である場合　零

ロ　前項第五号の平成二十四年一元化法附則第四十一条遺族共済年金の額が改正後厚生年金保険法第六十条第一項第二

号イ及びロに掲げる額を合算した額である場合　控除後控除調整下限額（退職特例年金給付が支給される場合には、老齢厚生年金相当額を控除した額）から前項第五号に定める額を控除して得た額に退職按分率を乗じて得た額に二を乗じて得た額

9　第四号ロの「財務大臣が定めるところにより算定した額」は、次の(1)から(3)までに掲げる場合の区分に応じ、当該(1)から(3)までの定めるところにより算定した額とする。

(1)　第四号ハの平成二十四年一元化法附則第三十七条第一項に規定する給付のうち遺族共済年金と併給する場合　次のイからハまでに掲げる場合の区分に応じ、当該イからハまでの定めるところにより算定した額

イ　第四号ハの平成二十四年一元化法附則第三十七条第一項に規定する給付のうち遺族共済年金が控除対象年金でない場合　控除後控除調整下限額（退職特例年金給付が支給される場合には、老齢厚生年金相当額を控除した額。ハにおいて同じ。）から前項第三号に定める額を控除して得た額に二を乗じて得た額

ロ　第四号ハの平成二十四年一元化法附則第三十七条第一項に規定する給付のうち遺族共済年金が控除対象年金である場合であつて、前項第三号に定める額がなお効力を有する改正前の法第八十九条第一項第一号の規定による額である場合　零

ハ　第四号ハの平成二十四年一元化法附則第三十七条第一項に規定する給付のうち遺族共済年金が控除対象年金である場合であつて、前項第三号の平成二十四年一元化法附則第三十七条第一項に規定する給付のうち遺族共済年金の額がなお効力を有する改正前の法第八十九条第一項第二号イ及びロに掲げる額を合算した額である場合　控除後控除調整下限額から前項第三号に定める額を控除して得た額に退職按分率を乗じて得た額に二を乗じて得た額

(2)　第四号ニの第二号遺族厚生年金と併給する場合　控除後控除調整下限額（退職特例年金給付が支給される場合には、老齢厚生年金相当額を控除した額）から前項第四号に定める額を控除して得た額に二を乗じて得た額

(3)　第四号ホの平成二十四年一元化法附則第四十一条遺族共済年金と併給する場合　次のイ又はロに掲げる場合の区分に応じ、当該イ又はロの定めるところにより算定した金額

イ　前項第五号の平成二十四年一元化法附則第四十一条遺族共済年金の額が改正後厚生年金保険法第六十条第一項第一号の規定による額である場合　零

ロ　前項第五号の平成二十四年一元化法附則第四十一条遺族共済年金の額が改正後厚生年金保険法第六十条第一項第二号イ及びロに掲げる額を合算した額である場合　控除後控除調整下限額（退職特例年金給付が支給される場合には、老齢厚生年金相当額を控除した額）から前項第五号に定める額を控除して得た額に退職按分率を乗じて得た額に二を乗じて得た額

10　第四号ハの「財務大臣が定めるところにより算定した額」は、次の(1)から(3)までに掲げる場合の区分に応じ、当該(1)から(3)までの定めるところにより算定した額とする。

(1)　控除後遺族特例年金給付額が改正後平成九年経過措置政令第十七条の三第一項第二号イ(2)(i)の規定により算定される場合　以下の算式のαについて計算して得た額

算式

$X_1 - Z \times X_1 / X = \alpha$

算式の符号

X_1　改正後平成9年経過措置政令第13条第1項第9号又は第10号の規定により算定した額

X　改正後平成9年経過措置政令第17条の2の2の規定により遺族給付額とみなされた遺族共済年金額控除規定適用後の改正後平成9年経過措置政令第17条の2第1項第1号に規定する死亡を給付事由とする年金たる給付の額

Z　改正後平成9年経過措置政令第17条の3の2の規定により老齢厚生年金等合計額とみなされた退職共済年金額控除規定適用後の改正後平成9年経過措置政令第17条の2第1項第1号に規定する退職を給付事由とする年金たる給付の額

(2)　控除後遺族特例年金給付額が改正後平成九年経過措置政令第十七条の三第一項第二号イ(2)(ii)又はロ(2)の規定により算定される場合　以下の算式のαについて計算して得た額

算式

$X_1 \times 2 / 3 - Z \times 1 / 2 \times X_1 / X = \alpha$

算式の符号

X_1　改正後平成9年経過措置政令第13条第1項第9号又は第10号の規定により算定した額

X　改正後平成9年経過措置政令第17条の2の2の規定により遺族給付額とみなされた遺族共済年金額控除規定適用後の改正後平成9年経過措置政令第17条の2第1項第1号に規定する死亡を給付事由とする年金たる給付の額

Z　改正後平成9年経過措置政令第17条の3の2の規定により老齢厚生年金等合計額とみなされた退職共済年金額控除規定適用後の改正後平成9年経過措置政令第17条の2第1項第1号に規定する退職を給付事由とする年金たる給付の額

(3)　控除後遺族特例年金給付額が改正後平成九年経過措置政令第十七条の三第一項第一号又は第二号イ(1)若しくはロ(1)の規定により算定される場合　零

平成二十七年経過措置政令第百三十八条第六項

1　第六項の規定により読み替えて準用する第二項（以下この1から14までにおいて単に「第二項」という。）第一号ハの「財務大臣が定めるところにより算定した額」は、次の(1)又は(2)に掲げる場合の区分に応じ、当該(1)又は(2)の定めるところにより算定した額とする。

(1)　第二項第一号イの平成二十四年一元化法附則第三十七条第一項に規定する給付のうち退職共済年金と併給する場合　次のイ又はロに掲げる場合の区分に応じ、当該イ又はロの定めるところにより算定した額

イ　第二項第一号イの平成二十四年一元化法附則第三十七条第一項に規定する給付のうち退職共済年金が控除対象年金である場合であつて、第二項第一号ハの平成二十四年一元化法附則第三十七条第一項に規定する給付のうち遺族共済年金が控除対象年金でない場合　第二項第一号イに定める

平成二十四年一元化法附則第三十七条第一項に規定する給付のうち退職共済年金の額を基礎として遺族共済年金額算定規定により算定した額から第六項の規定により読み替えて準用する第一項（以下この1から14までにおいて単に「第一項」という。）第三号に定める額を控除して得た額

ロ　第二項第一号イの平成二十四年一元化法附則第三十七条第一項に規定する給付のうち退職共済年金及び第二項第一号ハの平成二十四年一元化法附則第三十七条第一項に規定する給付のうち遺族共済年金がともに控除対象年金である場合　第二項第一号イに定める平成二十四年一元化法附則第三十七条第一項に規定する給付のうち退職共済年金の額となお効力を有する改正前の法第八十九条第一項第一号の規定により算定した額から当該算定した額を組合員期間の月数（改正前の法第八十八条第一項第一号から第三号までのいずれかに該当することにより支給される平成二十四年一元化法附則第三十七条第一項に規定する給付のうち遺族共済年金にあつては、当該月数が三百月未満であるときは、三百月）で除して得た額の百分の二十七に相当する額に追加費用対象期間の月数を乗じて得た額又は当該算定した額の百分の十に相当する額のいずれか少ない額を控除した額とを基礎として遺族共済年金額算定規定の例により算定した額から第一項第三号に定める額を控除して得た額

(2)　第二項第一号ロの平成二十四年一元化法附則第四十一条退職共済年金と併給する場合　第二項第一号ロに定める平成二十四年一元化法附則第四十一条退職共済年金の額となお効力を有する改正前の法第八十九条第一項第一号の規定により算定した額から当該算定した額を組合員期間の月数（改正前の法第八十八条第一項第一号から第三号までのいずれかに該当することにより支給される遺族共済年金にあつては、当該月数が三百月未満であるときは、三百月）で除して得た額の百分の二十七に相当する額に追加費用対象期間の月数を乗じて得た額又は当該算定した額の百分の十に相当する額のいずれか少ない額を控除した額とを基礎として遺族共済年金額算定規定の例により算定した額から第一項第三号に定める額を控除して得た額

2　第二項第一号ホの「財務大臣が定めるところにより算定した額」は、次の(1)又は(2)に掲げる場合の区分に応じ、当該(1)又は(2)の定めるところにより算定した額とする。

(1)　第二項第一号イの平成二十四年一元化法附則第三十七条第一項に規定する給付のうち退職共済年金と併給する場合　第二項第一号イに定める平成二十四年一元化法附則第三十七条第一項に規定する給付のうち退職共済年金の額と改正後厚生年金保険法第六十条第一項第一号の規定により算定した額から当該算定した額を組合員期間の月数（厚生年金保険法第五十八条第一項第一号から第三号までのいずれかに該当することにより支給される平成二十四年一元化法附則第四十一条遺族共済年金にあつては、当該月数が三百月未満であるときは、三百月）で除して得た額の百分の二十七に相当する額に追加費用対象期間の月数を乗じて得た額又は当該算定した額の百分の十に相当する額のいずれか少ない額を控除した額とを基礎として遺族共済年金額算定規定の例により算定した額から第一項第五号に定める額を控除して得た額

(2)　第二項第一号ロの平成二十四年一元化法附則第四十一条退職共済年金と併給する場合　第二項第一号ロに定める平成二十四年一元化法附則第四十一条退職共済年金の額と改正後厚生年金保険法第六十条第一項第一号の規定により算定した額から当該算定した額を組合員期間の月数（厚生年金保険法第五十八条第一項第一号から第三号までのいずれかに該当することにより支給される平成二十四年一元化法附則第四十一条遺族共済年金にあつては、当該月数が三百月未満であるときは、三百月）で除して得た額の百分の二十七に相当する額に追加費用対象期間の月数を乗じて得た額又は当該算定した額の百分の十に相当する額のいずれか少ない額を控除した額とを基礎として遺族共済年金額算定規定の例により算定した額から第一項第五号に定める額を控除して得た額

3　第二項第二号イの「財務大臣が定めるところにより算定した額」は、次の(1)から(3)までに掲げる場合の区分に応じ、当該(1)から(3)までの定めるところにより算定した額とする。

(1)　第二項第二号ハの平成二十四年一元化法附則第三十七条第一項に規定する給付のうち遺族共済年金と併給する場合　次のイからホまでに掲げる場合の区分に応じ、当該イからホまでの定めるところにより算定した額

イ　第二項第二号イの平成二十四年一元化法附則第三十七条第一項に規定する給付のうち退職共済年金が控除対象年金である場合であつて、第二項第二号ハの平成二十四年一元化法附則第三十七条第一項に規定する給付のうち遺族共済年金が控除対象年金でない場合であり、かつ、控除後遺族共済年金等支給額が零を超える場合であつて、第一項第三号に定める額がなお効力を有する改正前の法第八十九条第二項第一号の規定による額である場合　以下の算式のαについて計算して得た額

算式

$$(A+\alpha)+\{B-(A+\alpha)\times B/(B+C)\}=D$$

算式の符号

A　第1項第1号に定める額

B　第1項第3号に定める額

C　平成24年一元化法附則第37条第1項の規定によりなおその効力を有するものとされた平成27年整備政令第1条の規定による改正前の施行令（以下「なお効力を有する改正前の施行令」という。）第11条の8の7に掲げる規定による額の合算額

D　控除後控除調整下限額

ロ　第二項第二号イの平成二十四年一元化法附則第三十七条第一項に規定する給付のうち退職共済年金が控除対象年金である場合であつて、第二項第二号ハの平成二十四年一元化法附則第三十七条第一項に規定する給付のうち遺族共済年金が控除対象年金でない場合であり、かつ、控除後遺族共済年金等支給額が零を超える場合であつて、第一項第三号に定める額がなお効力を有する改正前の法第八十九条第二項第二号の規定による額である場合　以下の算式のαについて計算して得た額

算式

$$(A+\alpha)+[\{(B+C_2)\times 2/3+(A+\alpha+C_1)\times 1/2\}\times B/(B+C_2)]-(A+\alpha)\times B/(B+C_2)=D$$

算式の符号

A　第1項第1号に定める額

B　第1項第3号に定める額の算定の基礎となつたなお効力を有する改正前の法第89条第1項第1号の規定による額

C_1　なお効力を有する改正前の施行令第11条の8の2に掲げる年金である給付の合算額（同条第1号及び第3号に掲げる年金である給付を除く。以下同じ。）

C_2　なお効力を有する改正前の施行令第11条の8の7に掲げる規定による額の合算額

D　控除後控除調整下限額

ハ　第二項第二号イの平成二十四年一元化法附則第三十七条第一項に規定する給付のうち退職共済年金が控除対象年金でない場合であつて、第二項第二号ハの平成二十四年一元化法附則第三十七条第一項に規定する給付のうち遺族共済年金が控除対象年金である場合　零

ニ　第二項第二号イの平成二十四年一元化法附則第三十七条第一項に規定する給付のうち退職共済年金及び第二項第二号ハの平成二十四年一元化法附則第三十七条第一項に規定する給付のうち遺族共済年金がともに控除対象年金である場合であり、かつ、控除後遺族共済年金等支給額が零を超える場合であつて、第一項第三号に定める額がなお効力を有する改正前の法第八十九条第二項第一号の規定による額である場合　零

ホ　第二項第二号イの平成二十四年一元化法附則第三十七条第一項に規定する給付のうち退職共済年金及び第二項第二号ハの平成二十四年一元化法附則第三十七条第一項に規定する給付のうち遺族共済年金がともに控除対象年金である場合であり、かつ、控除後遺族共済年金等支給額が零を超える場合であつて、第一項第三号に定める額がなお効力を有する改正前の法第八十九条第二項第二号の規定による額である場合　控除後控除調整下限額から第一項第一号に定める額及び控除後遺族共済年金等支給額の合計額を控除して得た額に退職按分率を乗じて得た額に二を乗じて得た額

(2)　第二項第二号ニの第二号遺族厚生年金と併給する場合　次のイ又はロに掲げる場合の区分に応じ、当該イ又はロの定めるところにより算定した額

イ　第二項第二号イの平成二十四年一元化法附則第三十七条第一項に規定する給付のうち退職共済年金が控除対象年金である場合であり、かつ、控除後遺族共済年金等支給額が零を超える場合であつて、第一項第四号に定める額がなお効力を有する改正前厚生年金保険法（平成二十四年一元化法附則第十二条第二項の規定によりなおその効力を有するものとされた平成二十四年一元化法第一条の規定による改正前の厚生年金保険法をいい、被用者年金制度の一元化等を図るための厚生年金保険法等の一部を改正する法律の施行に伴う厚生年金保険の保険給付等に関する経過措置に関する政令（平成二十七年政令第三百四十三号）第二十一条第一項の規定により読み替えられた規定にあつては、同項の規定による読替え後のものとする。以下同じ。）第六十条第二項第一号の規定による額である場合　以下の算式のαについて計算して得た額

算式

$$(A+\alpha)+\{B-(A+\alpha)\times B/(B+C)\}=D$$

算式の符号

A　第1項第1号に定める額

B　第1項第3号に定める額

C_2　なお効力を有する改正前の施行令第11条の8の7に掲げる規定による額の合算額

D　控除後控除調整下限額

ロ　第二項第二号イの平成二十四年一元化法附則第三十七条第一項に規定する給付のうち退職共済年金が控除対象年金である場合であり、かつ、控除後遺族共済年金等支給額が零を超える場合であつて、第一項第四号に定める額がなお効力を有する改正前厚生年金保険法第六十条第二項第二号の規定による額である場合　以下の算式のαについて計算して得た額

算式

$$(A+\alpha)+[\{(B+C_2)\times 2/3+(A+\alpha+C_1)\times 1/2\}\times B/(B+C_2)]-(A+\alpha)\times B/(B+C_2)=D$$

算式の符号

A　第1項第1号に定める額

B　第1項第4号に定める額の算定の基礎となつた改正後厚生年金保険法第60条第1項第1号の規定による額

C_1　なお効力を有する改正前の施行令第11条の8の2に掲げる年金である給付の合算額

C_2　なお効力を有する改正前の施行令第11条の8の7に掲げる規定による額の合算額

D　控除後控除調整下限額

(3)　第二項第二号ホの平成二十四年一元化法附則第四十一条遺族共済年金と併給する場合　次のイからハまでに掲げる場合の区分に応じ、当該イからハまでの定めるところにより算定した額

イ　第二項第二号イの平成二十四年一元化法附則第三十七条第一項に規定する給付のうち退職共済年金が控除対象年金でない場合　零

ロ　第二項第二号イの平成二十四年一元化法附則第三十七条第一項に規定する給付のうち退職共済年金が控除対象年金である場合であり、かつ、控除後遺族共済年金等支給額が零を超える場合であつて、第一項第五号に定める額がなお効力を有する改正前厚生年金保険法第六十条第二項第一号の規定による額である場合　零

ハ　第二項第二号イの平成二十四年一元化法附則第三十七条第一項に規定する給付のうち退職共済年金が控除対象年金である場合であり、かつ、控除後遺族共済年金等支給額が零を超える場合であつて、第一項第五号に定める額がなお効力を有する改正前厚生年金保険法第六十条第二項第二号の規定による額である場合　控除後控除調整下限額から第一項第一号に定める額及び控除後遺族共済年金等支給額の合計額を控除して得た額に退職按分率を乗じて得た額に二を乗じて得た額

4　第二項第二号ロの「財務大臣が定めるところにより算定した額」は、次の(1)から(3)までに掲げる場合の区分に応じ、当該(1)から(3)までの定めるところにより算定した額とする。

(1)　第二項第二号ハの平成二十四年一元化法附則第三十七条第一項に規定する給付のうち遺族共済年金と併給する場合　次のイからニまでに掲げる場合の区分に応じ、当該イからニまでの定めるところにより算定した額

イ　第二項第二号ハの平成二十四年一元化法附則第三十七条第一項に規定する給付のうち遺族共済年金が控除対象年金でない場合であり、かつ、控除後遺族共済年金等支給額が零を超える場合であつて、第一項第三号に定める額がなお効力を有する改正前の法第八十九条第二項第一号の規定による額である場合　以下の算式のαについて計算して得た額

算式

$(A+\alpha)+\{B-(A+\alpha)\times B/(B+C)\}=D$

算式の符号

A　第1項第2号に定める額

B　第1項第3号に定める額

C　なお効力を有する改正前の施行令第11条の8の7に掲げる規定による額の合算額

D　控除後控除調整下限額

ロ　第二項第二号ハの平成二十四年一元化法附則第三十七条第一項に規定する給付のうち遺族共済年金が控除対象年金でない場合であり、かつ、控除後遺族共済年金等支給額が零を超える場合であつて、第一項第三号に定める額がなお効力を有する改正前の法第八十九条第二項第二号の規定による額である場合　以下の算式のαについて計算して得た額

算式

$(A+\alpha)+[\{(B+C_2)\times 2/3+(A+\alpha+C_1)\times 1/2\}\times B/(B+C_2)]-(A+\alpha)\times B/(B+C_2)=D$

算式の符号

A　第1項第2号に定める額

B　第1項第3号に定める額の算定の基礎となつたなお効力を有する改正前の法第89条第1項第1号の規定による額

C_1　なお効力を有する改正前の施行令第11条の8の2に掲げる年金である給付の合算額

C_2　なお効力を有する改正前の施行令第11条の8の7に掲げる規定による額の合算額

D　控除後控除調整下限額

ハ　第二項第二号ハの平成二十四年一元化法附則第三十七条第一項に規定する給付のうち遺族共済年金が控除対象年金である場合であり、かつ、控除後遺族共済年金等支給額が零を超える場合であつて、第一項第三号に定める額がなお効力を有する改正前の法第八十九条第二項第一号の規定による額である場合　零

ニ　第二項第二号ハの平成二十四年一元化法附則第三十七条第一項に規定する給付のうち遺族共済年金が控除対象年金である場合であり、かつ、控除後遺族共済年金等支給額が零を超える場合であつて、第一項第三号に定める額がなお効力を有する改正前の法第八十九条第二項第二号の規定による額である場合　控除後控除調整下限額から第一項第二号に定める額及び控除後遺族共済年金等支給額の合計額を控除して得た額に退職按分率を乗じて得た額に二を乗じて得た額

(2)　第二項第二号ニの第二号遺族厚生年金と併給する場合　次のイ又はロに掲げる場合の区分に応じ、当該イ又はロの定めるところにより算定した額

イ　控除後遺族共済年金等支給額が零を超える場合であつて、第一項第四号に定める額がなお効力を有する改正前厚生年金保険法第六十条第二項第一号の規定による額である場合　以下の算式のαについて計算して得た額

算式

$(A+\alpha)+\{B-(A+\alpha)\times B/(B+C)\}=D$

算式の符号

A　第1項第2号に定める額

B　第1項第4号に定める額

C　なお効力を有する改正前の施行令第11条の8の7に掲げる規定による額の合算額

D　控除後控除調整下限額

ロ　控除後遺族共済年金等支給額が零を超える場合であつて、第一項第四号に定める額がなお効力を有する改正前厚生年金保険法第六十条第二項第二号の規定による額である場合　以下の算式のαについて計算して得た額

算式

$(A+\alpha)+[\{(B+C_2)\times 2/3+(A+\alpha+C_1)\times 1/2\}\times B/(B+C_2)]-(A+\alpha)\times B/(B+C_2)=D$

算式の符号

A　第1項第2号に定める額

B　第1項第4号に定める額の算定の基礎となつた改正後厚生年金保険法第60条第1項第1号の規定による額

C_1　なお効力を有する改正前の施行令第11条の8の2に掲げる年金である給付の合算額

C_2　なお効力を有する改正前の施行令第11条の8の7に掲げる規定による額の合算額

D　控除後控除調整下限額

(3)　第二項第二号ホの平成二十四年一元化法附則第四十一条遺族共済年金と併給する場合　次のイ又はロに掲げる場合の区分に応じ、当該イ又はロの定めるところにより算定した額

イ　控除後遺族共済年金等支給額が零を超える場合であつて、第一項第五号に定める額がなお効力を有する改正前厚生年金保険法第六十条第二項第一号の規定による額である場合　零

ロ　控除後遺族共済年金等支給額が零を超える場合であつて、第一項第五号に定める額がなお効力を有する改正前厚生年金保険法第六十条第二項第二号の規定による額である場合　控除後控除調整下限額から第一項第二号に定める額及び控除後遺族共済年金等支給額の合計額を控除して得た額に退職按分率を乗じて得た額に二を乗じて得た額

5　第二項第二号ハの「財務大臣が定めるところにより算定した

額」は、次の(1)又は(2)に掲げる場合の区分に応じ、当該(1)又は(2)の定めるところにより算定した額とする。

(1) 第二項第二号イの平成二十四年一元化法附則第三十七条第一項に規定する給付のうち退職共済年金と併給する場合　次のイからホまでに掲げる場合の区分に応じ、当該イからホまでの定めるところにより算定した額

イ　第二項第二号イの平成二十四年一元化法附則第三十七条第一項に規定する給付のうち退職共済年金が控除対象年金である場合であつて、第二項第二号ハの平成二十四年一元化法附則第三十七条第一項に規定する給付のうち遺族共済年金が控除対象年金でない場合　第二項第二号イに定める平成二十四年一元化法附則第三十七条第一項に規定する給付のうち退職共済年金の額を基礎として遺族共済年金額算定規定により算定した額から第一項第三号に定める額を控除して得た額

ロ　第二項第二号イの平成二十四年一元化法附則第三十七条第一項に規定する給付のうち退職共済年金が控除対象年金でない場合であつて、第二項第二号ハの平成二十四年一元化法附則第三十七条第一項に規定する給付のうち遺族共済年金が控除対象年金である場合であり、かつ、第一項第三号に定める額がなお効力を有する改正前の法第八十九条第二項第一号の規定による額である場合　以下の算式のαについて計算して得た額

算式

$$A+\{(B+\alpha)-A\times(B+\alpha)/(B+\alpha+C)\}=D$$

算式の符号

A　第1項第1号に定める額

B　第1項第3号に定める額

C　なお効力を有する改正前の施行令第11条の8の7に掲げる規定による額の合算額

D　控除後控除調整下限額

ハ　第二項第二号イの平成二十四年一元化法附則第三十七条第一項に規定する給付のうち退職共済年金が控除対象年金でない場合であつて、第二項第二号ハの平成二十四年一元化法附則第三十七条第一項に規定する給付のうち遺族共済年金が控除対象年金である場合であり、かつ、第一項第三号に定める額がなお効力を有する改正前の法第八十九条第二項第二号の規定による額である場合　第一項第三号に定める額の算定の基礎となつたなお効力を有する改正前の法第八十九条第一項第一号の規定による額に以下の算式のαについて計算して得た額を加えた額を基礎として遺族共済年金額算定規定の例により算定した額から第一項第三号に定める額を控除して得た額

算式

$$A+[\{(B+\alpha+C_2)\times2/3+(A+C_1)\times1/2\}\times(B+\alpha)/(B+\alpha+C_2)]-A\times(B+\alpha)/(B+\alpha+C_2)=D$$

算式の符号

A　第1項第1号に定める額

B　第1項第3号に定める額の算定の基礎となつたなお効力を有する改正前の法第89条第1項第1号の規定による額

C_1　なお効力を有する改正前の施行令第11条の8の2に掲げる年金である給付の合算額

C_2　なお効力を有する改正前の施行令第11条の8の7に掲げる規定による額の合算額

D　控除後控除調整下限額

ニ　第二項第二号イの平成二十四年一元化法附則第三十七条第一項に規定する給付のうち退職共済年金及び第二項第二号ハの平成二十四年一元化法附則第三十七条第一項に規定する給付のうち遺族共済年金がともに控除対象年金である場合であり、かつ、控除後遺族共済年金等支給額が零を超える場合であつて、第一項第三号に定める額がなお効力を有する改正前の法第八十九条第二項第一号の規定による額である場合　以下の算式のαについて計算して得た額

算式

$$A+\{(B+\alpha)-A\times(B+\alpha)/(B+\alpha+C)\}=D$$

算式の符号

A　第2項第2号イに定める額

B　第1項第3号に定める額

C　なお効力を有する改正前の施行令第11条の8の7に掲げる規定による額の合算額

D　控除後控除調整下限額

ホ　第二項第二号イの平成二十四年一元化法附則第三十七条第一項に規定する給付のうち退職共済年金及び第二項第二号ハの平成二十四年一元化法附則第三十七条第一項に規定する給付のうち遺族共済年金がともに控除対象年金である場合であり、かつ、控除後遺族共済年金等支給額が零を超える場合であつて、第一項第三号に定める額がなお効力を有する改正前の法第八十九条第二項第二号の規定による額である場合　第一項第三号に定める額の算定の基礎となつたなお効力を有する改正前の法第八十九条第一項第一号の規定による額に以下の算式のαについて計算して得た額を加えた額を基礎として遺族共済年金額算定規定の例により算定した額から第一項第三号に定める額を控除して得た額

算式

$$A+[\{(B+\alpha+C_2)\times2/3+(A+C_1)\times1/2\}\times(B+\alpha)/(B+\alpha+C_2)]-A\times(B+\alpha)/(B+\alpha+C_2)=D$$

算式の符号

A　第2項第2号イに定める額

B　第1項第3号に定める額の算定の基礎となつたなお効力を有する改正前の法第89条第1項第1号の規定による額

C_1　なお効力を有する改正前の施行令第11条の8の2に掲げる年金である給付の合算額

C_2　なお効力を有する改正前の施行令第11条の8の7に掲げる規定による額の合算額

D　控除後控除調整下限額

(2) 第二項第二号ロの平成二十四年一元化法附則第四十一条退職共済年金と併給する場合　次のイからハまでに掲げる場合の区分に応じ、当該イからハまでの定めるところにより算定した額

イ　第二項第二号ハの平成二十四年一元化法附則第三十七条第一項に規定する給付のうち遺族共済年金が控除対象年金

でない場合　第二項第二号ロに定める平成二十四年一元化法附則第四十一条退職共済年金の額を基礎として遺族共済年金額算定規定により算定した額から第一項第三号に定める額を控除して得た額

ロ　第二項第二号ハの平成二十四年一元化法附則第三十七条第一項に規定する給付のうち遺族共済年金が控除対象年金である場合であり、かつ、控除後遺族共済年金等支給額が零を超える場合であつて、第一項第三号に定める額がなお効力を有する改正前の法第八十九条第二項第一号の規定による額である場合　以下の算式のαについて計算して得た額

算式

$A+\{(B+\alpha)-A\times(B+\alpha)/(B+\alpha+C)\}=D$

算式の符号

A　第2項第2号ロに定める額

B　第1項第3号に定める額

C　なお効力を有する改正前の施行令第11条の8の7に掲げる規定による額の合算額

D　控除後控除調整下限額

ハ　第二項第二号ハの平成二十四年一元化法附則第三十七条第一項に規定する給付のうち遺族共済年金が控除対象年金である場合であり、かつ、控除後遺族共済年金等支給額が零を超える場合であつて、第一項第三号に定める額がなお効力を有する改正前の法第八十九条第二項第二号の規定による額である場合　第一項第三号に定める額の算定の基礎となつたなお効力を有する改正前の法第八十九条第一項第一号の規定による額に以下の算式のαについて計算して得た額を加えた額を基礎として遺族共済年金額算定規定の例により算定した額から第一項第三号に定める額を控除して得た額

算式

$A+[\{(B+\alpha+C_2)\times 2/3+(A+C_1)\times 1/2\}\times(B+\alpha)/(B+\alpha+C_2)]-A\times(B+\alpha)/(B+\alpha+C_2)=D$

算式の符号

A　第2項第2号ロに定める額

B　第1項第3号に定める額の算定の基礎となつたなお効力を有する改正前の法第89条第1項第1号の規定による額

C_1　なお効力を有する改正前の施行令第11条の8の2に掲げる年金である給付の合算額

C_2　なお効力を有する改正前の施行令第11条の8の7に掲げる規定による額の合算額

D　控除後控除調整下限額

6　第二項第二号ニの「財務大臣が定めるところにより算定した額」は、次の(1)又は(2)に掲げる場合の区分に応じ、当該(1)又は(2)の定めるところにより算定した額とする。

(1)　第二項第二号イの平成二十四年一元化法附則第三十七条第一項に規定する給付のうち退職共済年金と併給する場合　第二項第二号イに定める平成二十四年一元化法附則第三十七条第一項に規定する給付のうち退職共済年金の額を基礎として遺族共済年金額算定規定により算定した額から第一項第四号に定める額を控除して得た額

(2)　第二項第二号ロの平成二十四年一元化法附則第四十一条退職共済年金と併給する場合　第二項第二号ロに定める平成二十四年一元化法附則第四十一条退職共済年金の額を基礎として遺族共済年金額算定規定により算定した額から第一項第四号に定める額を控除して得た額

7　第二項第二号ホの「財務大臣が定めるところにより算定した額」は、次の(1)又は(2)に掲げる場合の区分に応じ、当該(1)又は(2)の定めるところにより算定した額とする。

(1)　第二項第二号イの平成二十四年一元化法附則第三十七条第一項に規定する給付のうち退職共済年金と併給する場合　次のイからニまでに掲げる場合の区分に応じ、当該イからニまでの定めるところにより算定した額

イ　第二項第二号イの平成二十四年一元化法附則第三十七条第一項に規定する給付のうち退職共済年金が控除対象年金でない場合であり、かつ、第一項第五号に定める額がなお効力を有する改正前厚生年金保険法第六十条第二項第一号の規定による額である場合　以下の算式のαについて計算して得た額

算式

$A+\{(B+\alpha)-A\times(B+\alpha)/(B+\alpha+C)\}=D$

算式の符号

A　第1項第1号に定める額

B　第1項第5号に定める額

C　なお効力を有する改正前の施行令第11条の8の7に掲げる規定による額の合算額

D　控除後控除調整下限額

ロ　第二項第二号イの平成二十四年一元化法附則第三十七条第一項に規定する給付のうち退職共済年金が控除対象年金でない場合であり、かつ、第一項第五号に定める額がなお効力を有する改正前厚生年金保険法第六十条第二項第二号の規定による額である場合　第一項第五号に定める額の算定の基礎となつた改正後厚生年金保険法第六十条第一項第一号の規定による額に以下の算式のαについて計算して得た額を加えた額を基礎として遺族共済年金額算定規定の例により算定した額から第一項第五号に定める額を控除して得た額

算式

$A+[\{(B+\alpha+C_2)\times 2/3+(A+C_1)\times 1/2\}\times(B+\alpha)/(B+\alpha+C_2)]-A\times(B+\alpha)/(B+\alpha+C_2)=D$

算式の符号

A　第1項第1号に定める額

B　第1項第5号に定める額の算定の基礎となつた改正後厚生年金保険法第60条第1項第1号の規定による額

C_1　なお効力を有する改正前の施行令第11条の8の2に掲げる年金である給付の合算額

C_2　なお効力を有する改正前の施行令第11条の8の7に掲げる規定による額の合算額

D　控除後控除調整下限額

ハ　第二項第二号イの平成二十四年一元化法附則第三十七条第一項に規定する給付のうち退職共済年金が控除対象年金

である場合であり、かつ、控除後遺族共済年金等支給額が零を超える場合であつて、第一項第五号に定める額がなお効力を有する改正前厚生年金保険法第六十条第二項第一号の規定による額である場合　以下の算式のαについて計算して得た額

算式

$A+\{(B+\alpha)-A\times(B+\alpha)/(B+\alpha+C)\}=D$

算式の符号

A　第2項第2号イに定める額

B　第1項第5号に定める額

C　なお効力を有する改正前の施行令第11条の8の7に掲げる規定による額の合算額

D　控除後控除調整下限額

二　第二項第二号イの平成二十四年一元化法附則第三十七条第一項に規定する給付のうち退職共済年金が控除対象年金である場合であり、かつ、控除後遺族共済年金等支給額が零を超える場合であつて、第一項第五号に定める額がなお効力を有する改正前厚生年金保険法第六十条第二項第二号の規定による額である場合　第一項第五号に定める額の算定の基礎となつた改正後厚生年金保険法第六十条第一項第一号の規定による額に以下の算式のαについて計算して得た額を加えた額を基礎として遺族共済年金額算定規定の例により算定した額から第一項第五号に定める額を控除して得た額

算式

$A+[\{(B+\alpha+C_2)\times 2/3+(A+C_1)\times 1/2\}\times(B+\alpha)/(B+\alpha+C_2)]-A\times(B+\alpha)/(B+\alpha+C_2)=D$

算式の符号

A　第2項第2号イに定める額

B　第1項第5号に定める額の算定の基礎となつた改正後厚生年金保険法第60条第1項第1号の規定による額

C_1　なお効力を有する改正前の施行令第11条の8の2に掲げる年金である給付の合算額

C_2　なお効力を有する改正前の施行令第11条の8の7に掲げる規定による額の合算額

D　控除後控除調整下限額

(2)　第二項第二号ロの平成二十四年一元化法附則第四十一条退職共済年金と併給する場合　次のイ又はロに掲げる場合の区分に応じ、当該イ又はロの定めるところにより算定した額

イ　控除後遺族共済年金等支給額が零を超える場合であつて、第一項第五号に定める額がなお効力を有する改正前厚生年金保険法第六十条第二項第一号の規定による額である場合　以下の算式のαについて計算して得た額

算式

$A+\{(B+\alpha)-A\times(B+\alpha)/(B+\alpha+C)\}=D$

算式の符号

A　第2項第2号ロに定める額

B　第1項第5号に定める額

C　なお効力を有する改正前の施行令第11条の8の7に掲げる規定による額の合算額

D　控除後控除調整下限額

ロ　控除後遺族共済年金等支給額が零を超える場合であつて、第一項第五号に定める額がなお効力を有する改正前厚生年金保険法第六十条第二項第二号の規定による額である場合　第一項第五号に定める額の算定の基礎となつた改正後厚生年金保険法第六十条第一項第一号の規定による額に以下の算式のαについて計算して得た額を加えた額を基礎として遺族共済年金額算定規定の例により算定した額から第一項第五号に定める額を控除して得た額

算式

$A+[\{(B+\alpha+C_2)\times 2/3+(A+C_1)\times 1/2\}\times(B+\alpha)/(B+\alpha+C_2)]-A\times(B+\alpha)/(B+\alpha+C_2)=D$

算式の符号

A　第2項第2号ロに定める額

B　第1項第5号に定める額の算定の基礎となつた改正後厚生年金保険法第60条第1項第1号の規定による額

C_1　なお効力を有する改正前の施行令第11条の8の2に掲げる年金である給付の合算額

C_2　なお効力を有する改正前の施行令第11条の8の7に掲げる規定による額の合算額

D　控除後控除調整下限額

8　第二項第三号ハの「財務大臣が定めるところにより算定した額」は、次の(1)又は(2)に掲げる場合の区分に応じ、当該(1)又は(2)の定めるところにより算定した額とする。

(1)　第二項第三号イの平成二十四年一元化法附則第三十七条第一項に規定する給付のうち退職共済年金と併給する場合　次のイ又はロに掲げる場合の区分に応じ、当該イ又はロの定めるところにより算定した額

イ　第二項第三号イの平成二十四年一元化法附則第三十七条第一項に規定する給付のうち退職共済年金が控除対象年金である場合であつて、第二項第三号ハの平成二十四年一元化法附則第三十七条第一項に規定する給付のうち遺族共済年金が控除対象年金でない場合　第二項第三号イに定める平成二十四年一元化法附則第三十七条第一項に規定する給付のうち退職共済年金の額を基礎として遺族共済年金額算定規定により算定した額から第一項第三号に定める額を控除して得た額

ロ　第二項第三号イの平成二十四年一元化法附則第三十七条第一項に規定する給付のうち退職共済年金及び第二項第三号ハの平成二十四年一元化法附則第三十七条第一項に規定する給付のうち遺族共済年金がともに控除対象年金である場合　第二項第三号イに定める平成二十四年一元化法附則第三十七条第一項に規定する給付のうち退職共済年金の額となお効力を有する改正前の法第八十九条第一項第一号の規定の例により算定した額から当該算定した額を組合員期間の月数（改正前の法第八十八条第一項第一号から第三号までのいずれかに該当することにより支給される平成二十四年一元化法附則第三十七条第一項に規定する給付のうち遺族共済年金にあつては、当該月数が三百月未満であるときは、三百月）で除して得た額の百分の二十七に相当する額に追加費用対象期間の月数を乗じて得た額又は当該算定

した額の百分の十に相当する額のいずれか少ない額を控除した額とを基礎として遺族共済年金額算定規定により算定した額から第一項第三号に定める額を控除して得た額

(2)　第二項第三号ロの平成二十四年一元化法附則第四十一条退職共済年金と併給する場合　次のイ又はロに掲げる場合の区分に応じ、当該イ又はロの定めるところにより算定した額

イ　第二項第三号ハの平成二十四年一元化法附則第三十七条第一項に規定する給付のうち遺族共済年金が控除対象年金でない場合　第二項第三号ロに定める平成二十四年一元化法附則第四十一条退職共済年金の額を基礎として遺族共済年金額算定規定により算定した額から第一項第三号に定める額を控除して得た額

ロ　第二項第三号ハの平成二十四年一元化法附則第三十七条第一項に規定する給付のうち遺族共済年金が控除対象年金である場合　第二項第三号ロに定める平成二十四年一元化法附則第四十一条退職共済年金の額となお効力を有する改正前の法第八十九条第一項第一号の規定の例により算定した額から当該算定した額を組合員期間の月数（改正前の法第八十八条第一項第一号から第三号までのいずれかに該当することにより支給される平成二十四年一元化法附則第三十七条第一項に規定する給付のうち遺族共済年金にあつては、当該月数が三百月未満であるときは、三百月）で除して得た額の百分の二十七に相当する額に追加費用対象期間の月数を乗じて得た額又は当該算定した額の百分の十に相当する額のいずれか少ない額を控除した額とを基礎として遺族共済年金額算定規定により算定した額から第一項第三号に定める額を控除して得た額

9　第二項第三号ホの「財務大臣が定めるところにより算定した額」は、次の(1)又は(2)に掲げる場合の区分に応じ、当該(1)又は(2)の定めるところにより算定した額とする。

(1)　第二項第三号イの平成二十四年一元化法附則第三十七条第一項に規定する給付のうち退職共済年金と併給する場合　第二項第三号イに定める平成二十四年一元化法附則第三十七条第一項に規定する給付のうち退職共済年金の額と改正後厚生年金保険法第六十条第一項第一号の規定の例により算定した額から当該算定した額を組合員期間の月数（厚生年金保険法第五十八条第一項第一号から第三号までのいずれかに該当することにより支給される平成二十四年一元化法附則第四十一条遺族共済年金にあつては、当該月数が三百月未満であるときは、三百月）で除して得た額の百分の二十七に相当する額に追加費用対象期間の月数を乗じて得た額又は当該算定した額の百分の十に相当する額のいずれか少ない額を控除した額とを基礎として遺族共済年金額算定規定により算定した額から第一項第五号に定める額を控除して得た額

(2)　第二項第三号ロの平成二十四年一元化法附則第四十一条退職共済年金と併給する場合　第二項第三号ロに定める平成二十四年一元化法附則第四十一条退職共済年金の額と改正後厚生年金保険法第六十条第一項第一号の規定の例により算定した額から当該算定した額を組合員期間の月数（厚生年金保険法第五十八条第一項第一号から第三号までのいずれかに該当することにより支給される平成二十四年一元化法附則第四十一条遺族共済年金にあつては、当該月数が三百月未満であるときは、三百月）で除して得た額の百分の二十七に相当する額に追加費用対象期間の月数を乗じて得た額又は当該算定した額の百分の十に相当する額のいずれか少ない額を控除した額とを基礎として遺族共済年金額算定規定により算定した額から第一項第五号に定める額を控除して得た額

10　第二項第四号イの「財務大臣が定めるところにより算定した額」は、次の(1)から(3)までに掲げる場合の区分に応じ、当該(1)から(3)までの定めるところにより算定した額とする。

(1)　第二項第四号ハの平成二十四年一元化法附則第三十七条第一項に規定する給付のうち遺族共済年金と併給する場合　次のイからニまでに掲げる場合の区分に応じ、当該イからニまでの定めるところにより算定した額

イ　第二項第四号イの平成二十四年一元化法附則第三十七条第一項に規定する給付のうち退職共済年金が控除対象年金である場合であつて、第二項第四号ハの平成二十四年一元化法附則第三十七条第一項に規定する給付のうち遺族共済年金が控除対象年金でない場合であり、かつ、控除後遺族共済年金等支給額が零を超える場合であつて、第一項第三号に定める額がなお効力を有する改正前の法第八十九条第二項第一号の規定による額である場合　以下の算式のαについて計算して得た額

算式

$(A+\alpha)+\{B-(A+\alpha)\times B/(B+C)\}=D$

算式の符号

A　第1項第1号に定める額

B　第1項第3号に定める額

C　なお効力を有する改正前の施行令第11条の8の7に掲げる規定による額の合算額

D　控除後控除調整下限額

ロ　第二項第四号イの平成二十四年一元化法附則第三十七条第一項に規定する給付のうち退職共済年金が控除対象年金である場合であつて、第二項第四号ハの平成二十四年一元化法附則第三十七条第一項に規定する給付のうち遺族共済年金が控除対象年金でない場合であり、かつ、控除後遺族共済年金等支給額が零を超える場合であつて、第一項第三号に定める額がなお効力を有する改正前の法第八十九条第二項第二号の規定による額である場合　以下の算式のαについて計算して得た額

算式

$(A+\alpha)+[\{(B+C_2)\times 2/3+(A+\alpha+C_1)\times 1/2\}\times B/(B+C_2)]-(A+\alpha)\times B/(B+C_2)=D$

算式の符号

A　第1項第1号に定める額

B　第1項第3号に定める額の算定の基礎となつたなお効力を有する改正前の法第89条第1項第1号の規定による額

C_1　なお効力を有する改正前の施行令第11条の8の2に掲げる年金である給付の合算額

C_2　なお効力を有する改正前の施行令第11条の8の7に掲げる規定による額の合算額

D　控除後控除調整下限額

ハ　第二項第四号イの平成二十四年一元化法附則第三十七条

第一項に規定する給付のうち退職共済年金及び第二項第四号ハの平成二十四年一元化法附則第三十七条第一項に規定する給付のうち遺族共済年金がともに控除対象年金である場合であり、かつ、控除後遺族共済年金等支給額が零を超える場合であつて、第一項第三号に定める額がなお効力を有する改正前の法第八十九条第二項第一号の規定による額である場合　零

ニ　第二項第四号イの平成二十四年一元化法附則第三十七条第一項に規定する給付のうち退職共済年金及び第二項第四号ロの平成二十四年一元化法附則第三十七条第一項に規定する給付のうち遺族共済年金がともに控除対象年金である場合であり、かつ、控除後遺族共済年金等支給額が零を超える場合であつて、第一項第三号に定める額がなお効力を有する改正前の法第八十九条第二項第二号の規定による額である場合　控除後控除調整下限額から第一項第一号に定める額及び控除後遺族共済年金等支給額の合計額を控除して得た額に退職按分率を乗じて得た額に二を乗じて得た額

(2)　第二項第四号ニの第二号遺族厚生年金と併給する場合　次のイ又はロに掲げる場合の区分に応じ、当該イ又はロの定めるところにより算定した額

イ　第二項第四号イの平成二十四年一元化法附則第三十七条第一項に規定する給付のうち退職共済年金が控除対象年金である場合であり、かつ、控除後遺族共済年金等支給額が零を超える場合であつて、第一項第四号に定める額がなお効力を有する改正前厚生年金保険法第六十条第二項第一号の規定による額である場合　以下の算式のαについて計算して得た額

算式

$(A+\alpha)+\{B-(A+\alpha)\times B/(B+C)\}=D$

算式の符号

A　第1項第1号に定める額

B　第1項第4号に定める額

C　なお効力を有する改正前の施行令第11条の8の7に掲げる規定による額の合算額

D　控除後控除調整下限額

ロ　第二項第四号イの平成二十四年一元化法附則第三十七条第一項に規定する給付のうち退職共済年金が控除対象年金である場合であり、かつ、控除後遺族共済年金等支給額が零を超える場合であつて、第一項第四号に定める額がなお効力を有する改正前厚生年金保険法第六十条第二項第二号の規定による額である場合　以下の算式のαについて計算して得た額

算式

$(A+\alpha)+[\{(B+C_2)\times 2/3+(A+\alpha+C_1)\times 1/2\}\times B/(B+C_2)]-(A+\alpha)\times B/(B+C_2)=D$

算式の符号

A　第1項第1号に定める額

B　第1項第4号に定める額の算定の基礎となつた改正後厚生年金保険法第60条第1項第1号の規定による額

C_1　なお効力を有する改正前の施行令第11条の8の2に掲げる年金である給付の合算額

C_2　なお効力を有する改正前の施行令第11条の8の7に掲げる規定による額の合算額

D　控除後控除調整下限額

(3)　第二項第四号ホの平成二十四年一元化法附則第四十一条遺族共済年金と併給する場合　次のイ又はロに掲げる場合の区分に応じ、当該イ又はロの定めるところにより算定した額

イ　第二項第四号イの平成二十四年一元化法附則第三十七条第一項に規定する給付のうち退職共済年金が控除対象年金である場合であり、かつ、控除後遺族共済年金等支給額が零を超える場合であつて、第一項第五号に定める額がなお効力を有する改正前厚生年金保険法第六十条第二項第一号の規定による額である場合　零

ロ　第二項第四号イの平成二十四年一元化法附則第三十七条第一項に規定する給付のうち退職共済年金が控除対象年金である場合であり、かつ、控除後遺族共済年金等支給額が零を超える場合であつて、第一項第五号に定める額がなお効力を有する改正前厚生年金保険法第六十条第二項第二号の規定による額である場合　控除後控除調整下限額から第一項第一号に定める額及び控除後遺族共済年金等支給額の合計額を控除して得た額に退職按分率を乗じて得た額に二を乗じて得た額

11　第二項第四号ロの「財務大臣が定めるところにより算定した額」は、次の(1)から(3)までに掲げる場合の区分に応じ、当該(1)から(3)までの定めるところにより算定した額とする。

(1)　第二項第四号ハの平成二十四年一元化法附則第三十七条第一項に規定する給付のうち遺族共済年金と併給する場合　次のイからニまでに掲げる場合の区分に応じ、当該イからニまでの定めるところにより算定した額

イ　第二項第四号ハの平成二十四年一元化法附則第三十七条第一項に規定する給付のうち遺族共済年金が控除対象年金でない場合であり、かつ、控除後遺族共済年金等支給額が零を超える場合であつて、第一項第三号に定める額がなお効力を有する改正前の法第八十九条第二項第一号の規定による額である場合　以下の算式のαについて計算して得た額

算式

$(A+\alpha)+\{B-(A+\alpha)\times B/(B+C)\}=D$

算式の符号

A　第1項第2号に定める額

B　第1項第3号に定める額

C　なお効力を有する改正前の施行令第11条の8の7に掲げる規定による額の合算額

D　控除後控除調整下限額

ロ　第二項第四号ハの平成二十四年一元化法附則第三十七条第一項に規定する給付のうち遺族共済年金が控除対象年金でない場合であり、かつ、控除後遺族共済年金等支給額が零を超える場合であつて、第一項第三号に定める額がなお効力を有する改正前の法第八十九条第二項第二号の規定による額である場合　以下の算式のαについて計算して得た額

算式

$(A+\alpha)+[\{(B+C_2)\times 2/3+(A+\alpha+C_1)\times$

$1/2\}\times B/(B+C_2)]-(A+\alpha)\times B/(B+C_2)=D$

算式の符号

A　第1項第2号に定める額

B　第1項第3号に定める額の算定の基礎となつたなお効力を有する改正前の法第89条第1項第1号の規定による額

C_1　なお効力を有する改正前の施行令第11条の8の2に掲げる年金である給付の合算額

C_2　なお効力を有する改正前の施行令第11条の8の7に掲げる規定による額の合算額

D　控除後控除調整下限額

ハ　第二項第四号ハの平成二十四年一元化法附則第三十七条第一項に規定する給付のうち遺族共済年金が控除対象年金である場合であり、かつ、控除後遺族共済年金等支給額が零を超える場合であつて、第一項第三号に定める額がなお効力を有する改正前の法第八十九条第二項第一号の規定による額である場合　零

ニ　第二項第四号ハの平成二十四年一元化法附則第三十七条第一項に規定する給付のうち遺族共済年金が控除対象年金である場合であり、かつ、控除後遺族共済年金等支給額が零を超える場合であつて、第一項第三号に定める額がなお効力を有する改正前の法第八十九条第二項第二号の規定による額である場合　控除後控除調整下限額から第一項第二号に定める額及び控除後遺族共済年金等支給額の合計額を控除して得た額に退職按分率を乗じて得た額に二を乗じて得た額

(2)　第二項第四号ニの第二号遺族厚生年金と併給する場合　次のイ又はロに掲げる場合の区分に応じ、当該イ又はロの定めるところにより算定した額

イ　控除後遺族共済年金等支給額が零を超える場合であつて、第一項第四号に定める額がなお効力を有する改正前厚生年金保険法第六十条第二項第一号の規定による額である場合　以下の算式のαについて計算して得た額

算式

$(A+\alpha)+\{B-(A+\alpha)\times B/(B+C)\}=D$

算式の符号

A　第1項第2号に定める額

B　第1項第4号に定める額

C　なお効力を有する改正前の施行令第11条の8の7に掲げる規定による額の合算額

D　控除後控除調整下限額

ロ　控除後遺族共済年金等支給額が零を超える場合であつて、第一項第四号に定める額がなお効力を有する改正前厚生年金保険法第六十条第二項第二号の規定による額である場合　以下の算式のαについて計算して得た額

算式

$(A+\alpha)+[\{(B+C_2)\times 2/3+(A+\alpha+C_1)\times 1/2\}\times B/(B+C_2)]-(A+\alpha)\times B/(B+C_2)=D$

算式の符号

A　第1項第2号に定める額

B　第1項第4号に定める額の算定の基礎となつた改正後厚生年金保険法第60条第1項第1号の規定による額

C_1　なお効力を有する改正前の施行令第11条の8の2に掲げる年金である給付の合算額

C_2　なお効力を有する改正前の施行令第11条の8の7に掲げる規定による額の合算額

D　控除後控除調整下限額

(3)　第二項第四号ホの平成二十四年一元化法附則第四十一条遺族共済年金と併給する場合　次のイ又はロに掲げる場合の区分に応じ、当該イ又はロの定めるところにより算定した額

イ　控除後遺族共済年金等支給額が零を超える場合であつて、第一項第五号に定める額がなお効力を有する改正前厚生年金保険法第六十条第二項第一号の規定による額である場合　零

ロ　控除後遺族共済年金等支給額が零を超える場合であつて、第一項第五号に定める額がなお効力を有する改正前厚生年金保険法第六十条第二項第二号の規定による額である場合　控除後控除調整下限額から第一項第二号に定める額及び控除後遺族共済年金等支給額の合計額を控除して得た額に退職按分率を乗じて得た額に二を乗じて得た額

12　第二項第四号ハの「財務大臣が定めるところにより算定した額」は、次の(1)又は(2)に掲げる場合の区分に応じ、当該(1)又は(2)の定めるところにより算定した額とする。

(1)　第二項第四号イの平成二十四年一元化法附則第三十七条第一項に規定する給付のうち退職共済年金と併給する場合　次のイからハまでに掲げる場合の区分に応じ、当該イからハまでの定めるところにより算定した額

イ　第二項第四号イの平成二十四年一元化法附則第三十七条第一項に規定する給付のうち退職共済年金が控除対象年金であつて、第二項第四号ハの平成二十四年一元化法附則第三十七条第一項に規定する給付のうち遺族共済年金が控除対象年金でない場合　第二項第四号イに定める平成二十四年一元化法附則第三十七条第一項に規定する給付のうち退職共済年金の額を基礎として遺族共済年金額算定規定により算定した額から第一項第三号に定める額を控除して得た額

ロ　第二項第四号イの平成二十四年一元化法附則第三十七条第一項に規定する給付のうち退職共済年金及び第二項第四号ハの平成二十四年一元化法附則第三十七条第一項に規定する給付のうち遺族共済年金がともに控除対象年金である場合であり、かつ、控除後遺族共済年金等支給額が零を超える場合であつて、第一項第三号に定める額がなお効力を有する改正前の法第八十九条第二項第一号の規定による額である場合　以下の算式のαについて計算して得た額

算式

$A+\{(B+\alpha)-A\times(B+\alpha)/(B+\alpha+C)\}=D$

算式の符号

A　第2項第4号イに定める額

B　第1項第3号に定める額

C　なお効力を有する改正前の施行令第11条の8の7に掲げる規定による額の合算額

D　控除後控除調整下限額

ハ　第二項第四号イの平成二十四年一元化法附則第三十七条第一項に規定する給付のうち退職共済年金及び第二項第四号ハの平成二十四年一元化法附則第三十七条第一項に規定する給付のうち遺族共済年金がともに控除対象年金である場合であり、かつ、控除後遺族共済年金等支給額が零を超える場合であって、第一項第三号に定める額がなお効力を有する改正前の法第八十九条第二項第二号の規定による額である場合　第一項第三号に定める額の算定の基礎となったなお効力を有する改正前の法第八十九条第一項第一号の規定による額に以下の算式のαについて計算して得た額を加えた額を基礎として遺族共済年金額算定規定の例により算定した額から第一項第三号に定める額を控除して得た額

算式

$A+[\{(B+\alpha+C_2)\times 2/3+(A+C_1)\times 1/2\}\times(B+\alpha)/(B+\alpha+C_2)]-A\times(B+\alpha)/(B+\alpha+C_2)=D$

算式の符号

A　第2項第4号イに定める額

B　第1項第3号に定める額の算定の基礎となったなお効力を有する改正前の法第89条第1項第1号の規定による額

C_1　なお効力を有する改正前の施行令第11条の8の2に掲げる年金である給付の合算額

C_2　なお効力を有する改正前の施行令第11条の8の7に掲げる規定による額の合算額

D　控除後控除調整下限額

(2)　第二項第四号ロの平成二十四年一元化法附則第四十一条退職共済年金と併給する場合　次のイからハまでに掲げる場合の区分に応じ、当該イからハまでの定めるところにより算定した額

イ　第二項第四号ハの平成二十四年一元化法附則第三十七条第一項に規定する給付のうち遺族共済年金が控除対象年金でない場合　第二項第四号ロに定める平成二十四年一元化法附則第四十一条退職共済年金の額を基礎として遺族共済年金額算定規定により算定した額から第一項第三号に定める額を控除して得た額

ロ　第二項第四号ハの平成二十四年一元化法附則第三十七条第一項に規定する給付のうち遺族共済年金が控除対象年金である場合であり、かつ、控除後遺族共済年金等支給額が零を超える場合であって、第一項第三号に定める額がなお効力を有する改正前の法第八十九条第二項第一号の規定による額である場合　以下の算式のαについて計算して得た額

算式

$A+\{(B+\alpha)-A\times(B+\alpha)/(B+\alpha+C)\}=D$

算式の符号

A　第2項第4号ロに定める額

B　第1項第3号に定める額

C　なお効力を有する改正前の施行令第11条の8の7に掲げる規定による額の合算額

D　控除後控除調整下限額

ハ　第二項第四号ハの平成二十四年一元化法附則第三十七条第一項に規定する給付のうち遺族共済年金が控除対象年金である場合であり、かつ、控除後遺族共済年金等支給額が零を超える場合であって、第一項第三号に定める額がなお効力を有する改正前の法第八十九条第二項第二号の規定による額である場合　第一項第三号に定める額の算定の基礎となったなお効力を有する改正前の法第八十九条第一項第一号の規定による額に以下の算式のαについて計算して得た額を加えた額を基礎として遺族共済年金額算定規定の例により算定した額から第一項第三号に定める額を控除して得た額

算式

$A+[\{(B+\alpha+C_2)\times 2/3+(A+C_1)\times 1/2\}\times(B+\alpha)/(B+\alpha+C_2)]-A\times(B+\alpha)/(B+\alpha+C_2)=D$

算式の符号

A　第2項第4号ロに定める額

B　第1項第3号に定める額の算定の基礎となったなお効力を有する改正前の法第89条第1項第1号の規定による額

C_1　なお効力を有する改正前の施行令第11条の8の2に掲げる年金である給付の合算額

C_2　なお効力を有する改正前の施行令第11条の8の7に掲げる規定による額の合算額

D　控除後控除調整下限額

13　第二項第四号ニの「財務大臣が定めるところにより算定した額」は、次の(1)又は(2)に掲げる場合の区分に応じ、当該(1)又は(2)の定めるところにより算定した額とする。

(1)　第二項第四号イの平成二十四年一元化法附則第三十七条第一項に規定する給付のうち退職共済年金と併給する場合　第二項第四号イに定める平成二十四年一元化法附則第三十七条第一項に規定する給付のうち退職共済年金の額を基礎として遺族共済年金額算定規定により算定した額から第一項第四号に定める額を控除して得た額

(2)　第二項第四号ロの平成二十四年一元化法附則第四十一条退職共済年金と併給する場合　同号ロに定める平成二十四年一元化法附則第四十一条退職共済年金の額を基礎として遺族共済年金額算定規定により算定した額から第一項第四号に定める額を控除して得た額

14　第二項第四号ホの「財務大臣が定めるところにより算定した額」は、次の(1)又は(2)に掲げる場合の区分に応じ、当該(1)又は(2)の定めるところにより算定した額とする。

(1)　第二項第四号イの平成二十四年一元化法附則第三十七条第一項に規定する給付のうち退職共済年金と併給する場合　次のイ又はロに掲げる場合の区分に応じ、当該イ又はロの定めるところにより算定した額

イ　第二項第四号イの平成二十四年一元化法附則第三十七条第一項に規定する給付のうち退職共済年金が控除対象年金である場合であり、かつ、控除後遺族共済年金等支給額が零を超える場合であって、第一項第五号に定める額がなお効力を有する改正前厚生年金保険法第六十条第二項第一号の規定による額である場合　以下の算式のαについて計算して得た額

算式

$A+\{(B+\alpha)-A\times(B+\alpha)/(B+\alpha+C)\}=D$

算式の符号

A　第2項第4号イに定める額

B　第1項第5号に定める額

C　なお効力を有する改正前の施行令第11条の8の7に掲げる規定による額の合算額

D　控除後控除調整下限額

ロ　第二項第四号イの平成二十四年一元化法附則第三十七条第一項に規定する給付のうち退職共済年金が控除対象年金である場合であり、かつ、控除後遺族共済年金等支給額が零を超える場合であつて、第一項第五号に定める額がなお効力を有する改正前厚生年金保険法第六十条第二項第二号の規定による額である場合　第一項第五号に定める額の算定の基礎となつた改正後厚生年金保険法第六十条第一項第一号の規定による額に以下の算式のαについて計算して得た額を加えた額を基礎として遺族共済年金額算定規定の例により算定した額から第一項第五号に定める額を控除して得た額

算式

$$A+[\{(B+\alpha+C_2)\times 2/3+(A+C_1)\times 1/2\}\times(B+\alpha)/(B+\alpha+C_2)]-A\times(B+\alpha)/(B+\alpha+C_2)=D$$

算式の符号

A　第2項第4号イに定める額

B　第1項第5号に定める額の算定の基礎となつた改正後厚生年金保険法第60条第1項第1号の規定による額

C_1　なお効力を有する改正前の施行令第11条の8の2に掲げる年金である給付の合算額

C_2　なお効力を有する改正前の施行令第11条の8の7に掲げる規定による額の合算額

D　控除後控除調整下限額

(2)　第二項第四号ロの平成二十四年一元化法附則第四十一条退職共済年金と併給する場合　次のイ又はロに掲げる場合の区分に応じ、当該イ又はロの定めるところにより算定した額

イ　控除後遺族共済年金等支給額が零を超える場合であつて、第一項第五号に定める額がなお効力を有する改正前厚生年金保険法第六十条第二項第一号の規定による額である場合　以下の算式のαについて計算して得た額

算式

$$A+\{(B+\alpha)-A\times(B+\alpha)/(B+\alpha+C)\}=D$$

算式の符号

A　第2項第4号ロに定める額

B　第1項第5号に定める額

C　なお効力を有する改正前の施行令第11条の8の7に掲げる規定による額の合算額

D　控除後控除調整下限額

ロ　控除後遺族共済年金等支給額が零を超える場合であつて、第一項第五号に定める額がなお効力を有する改正前厚生年金保険法第六十条第二項第二号の規定による額である場合　第一項第五号に定める額の算定の基礎となつた改正後厚生年金保険法第六十条第一項第一号の規定による額に以下の算式のαについて計算して得た額を加えた額を基礎として遺族共済年金額算定規定の例により算定した額から第一項第五号に定める額を控除して得た額

算式

$$A+[\{(B+\alpha+C_2)\times 2/3+(A+C_1)\times 1/2\}\times(B+\alpha)/(B+\alpha+C_2)]-A\times(B+\alpha)/(B+\alpha+C_2)=D$$

算式の符号

A　第2項第4号ロに定める額

B　第1項第5号に定める額の算定の基礎となつた改正後厚生年金保険法第60条第1項第1号の規定による額

C_1　なお効力を有する改正前の施行令第11条の8の2に掲げる年金である給付の合算額

C_2　なお効力を有する改正前の施行令第11条の8の7に掲げる規定による額の合算額

D　控除後控除調整下限額

平成二十七年経過措置政令第百三十八条第十九項

第十九項の「財務大臣が定める額」は、次の(1)から(3)までに掲げる場合の区分に応じ、当該(1)から(3)までの定めるところにより算定した額とする。

(1)　控除後遺族特例年金給付額が改正後平成九年経過措置政令第十七条の三第一項第二号イ(2)(i)の規定により算定される場合　以下の算式のαについて計算して得た額

算式

$$X_1-Z\times X_1/X=\alpha$$

算式の符号

X_1　改正後平成9年経過措置政令第13条第1項第9号又は第10号の規定により算定した額

X　改正後平成9年経過措置政令第17条の2の2の規定により遺族給付額とみなされた遺族共済年金額控除規定適用後の改正後平成9年経過措置政令第17条の2第1項第1号に規定する死亡を給付事由とする年金たる給付の額

Z　改正後平成9年経過措置政令第17条の3の2の規定により老齢厚生年金等合計額とみなされた退職共済年金額控除規定適用後の改正後平成9年経過措置政令第17条の2第1項第1号に規定する退職を給付事由とする年金たる給付の額

(2)　控除後遺族特例年金給付額が改正後平成九年経過措置政令第十七条の三第一項第二号イ(2)(ii)又はロ(2)の規定により算定される場合　以下の算式のαについて計算して得た額

算式

$$X_1\times 2/3-Z\times 1/2\times X_1/X=\alpha$$

算式の符号

X_1　改正後平成9年経過措置政令第13条第1項第9号又は第10号の規定により算定した額

X　改正後平成9年経過措置政令第17条の2の2の規定により遺族給付額とみなされた遺族共済年金額控除規定適用後の改正後平成9年経過措置政令第17条の2第1項第1号に規定する死亡を給付事由とする年金たる給付の額

Z　改正後平成9年経過措置政令第17条の3の2の規定により老齢厚生年金等合計額とみなされた退職共済年金額

控除規定適用後の改正後平成9年経過措置政令第17条の2第1項第1号に規定する退職を給付事由とする年金たる給付の額

(3) 控除後遺族特例年金給付額が改正後平成九年経過措置政令第十七条の三第一項第一号又は第二号イ(1)若しくはロ(1)の規定により算定される場合　零

附則第四十九条の三関係

平成二十七年経過措置政令第百四十五条

平成二十七年経過措置省令第四条

1 平成二十七年経過措置政令第百四十五条の規定により読み替えて準用する施行令第九条の三第四項の規定により同条第二項に規定する退職等年金給付積立金等（以下「退職等年金給付積立金等」という。）及び平成二十七年経過措置政令第百四十五条に規定する国の組合の経過的長期給付積立金等（以下「経過的長期給付積立金等」という。）を合同して管理及び運用を行つた場合に利益（第三項に規定するものを除く。）が生じたときは、次の各号に掲げる経理に帰属する額は、それぞれ当該各号に定める額とする。

(1) 退職等年金経理（施行規則第八十五条第二項において読み替えて準用する施行規則第六条第一項第二号の二に掲げる経理単位をいう。次項において同じ。）　当該利益の額に当該事業年度において合同して管理及び運用を行つた退職等年金給付積立金等の額を当該額と当該事業年度において合同して管理及び運用を行つた経過的長期給付積立金等の額との合算額で除して得た率を乗じて得た額（一円未満の端数があるときは、これを四捨五入して得た額）

(2) 経過的長期経理（平成二十七年経過措置省令第二条第一項において読み替えて準用する施行規則第六条第一項第二号に掲げる経理単位をいう。次項及び第三項において同じ。）　当該利益の額から前号に定める額を控除して得た額

2 退職等年金給付積立金等及び経過的長期給付積立金等を合同して管理及び運用を行つた場合に損失（次項に規定するものを除く。）が生じたときは、次の各号に掲げる経理に帰属する額は、それぞれ当該各号に定める額とする。

(1) 退職等年金経理　当該損失の額に前項第一号の率を乗じて得た額（一円未満の端数があるときは、これを四捨五入して得た額）

(2) 経過的長期経理　当該損失の額から前号に定める額を控除して得た額

3 平成二十七年経過措置政令第百四十五条の規定により読み替えて準用する施行令第九条の三第四項の規定により退職等年金給付積立金等及び経過的長期給付積立金等を合同して管理及び運用を行う場合における不動産の譲渡による利益又は損失については、経過的長期経理に帰属するものとする。

附則第百六十条関係

平成二十七年経過措置政令第三条

平成二十七年経過措置政令第三条に規定する財務大臣が定める厚生年金保険法第三条第一項第三号に掲げる報酬若しくは同項第四号に掲げる賞与又は健康保険法第三条第五項に規定する報酬若しくは同条第六項に規定する賞与のうちその全部又は一部が通貨以外のもので支払われる報酬又は賞与に相当するものは、厚生労働大臣が定める現物給与の価額（平成二十四年一月厚生労働省告示第三十六号）によつて定めるものとする。

平成二十七年経過措置政令第十三条第一項

平成六年改正法附則第八条

国家公務員等共済組合法等の一部を改正する法律（平成六年法律第九十八号）附則第八条第二項の規定により支給される旧職域加算障害給付については、同項に規定する旧共済法による障害年金の給付事由が生じた日（旧共済法第八十五条の規定により当該障害年金の額を改定した場合にあつては、最後に改定した日）を障害認定日とみなし、なお効力を有する改正前の法の旧職域加算障害給付に関する規定を適用するものとする。

(三) 施行規則関係

施行規則第六条関係

宿泊所及び病院等に附帯する業務（例えば売店等）は、宿泊所及び病院等の主体業務の経理単位に含めて経理することができる。

施行規則第七条関係

第二項に規定する「剰余金に相当する金額」とは、剰余金のうち積立金及び当期利益金とする。

施行規則第十条関係

1 貸付信託及び証券投資信託の受益証券（約款において受益証券が無記名式に限定されている公社債投資信託を除く。）は、記名式としなければならない。

2 損害保険に付する資産の価格は時価とする。

施行規則第十二条関係

1 第二項に規定する短期の預金とは、当座預金、普通預金、通知預金又は別段預金をいう。

2 第三項第三号の「その他確実と認められるもの」とは、信用のある格付け機関からA格以上の格付けを取得したものとする。

3 第三項第六号に掲げる債券への運用は、信用のある格付け機関からＡＡ格以上の格付けを取得したものに限るものとする。

施行規則第十三条の二関係

第一項第三号中「固定資産」とは、有形固定資産及び無形固定資産とする。

施行規則第十五条関係

組合の資産の交換で相手方に新たに建物等を建築させて共済組合の資産と交換しようとする場合においては、次の建築交換基準によるものとする。

建築交換基準

（交換の目的）

1 交換の目的は次の号のいずれかに該当するものでなければならない。

(1) 都市計画上現在の施設を他に移転しようとするとき。

(2) 資産の効率的活用を図るため、分散している施設を集合整備しようとするとき。

(3) 老朽施設の更新をしようとする場合で四囲の環境等からみて、その他の場所に施設を設けることが適当であると認められるとき。

(4) その他現在の位置、環境、規模、形態等からみて組合がそのまま使用することが適当でないと認められる施設の更新をしようとするとき。

（交換の相手方）

2　建築交換の相手方は、次の各号のいずれかに該当するものでなければならない。

(1)　交換の相手方が国、他の共済組合、政府関係機関、地方公共団体、その他公共性、公益性の強い者であつて、交換渡資産をこれらの者の本来の用に直接供するものであるとき。

(2)　交換の相手方が、交換渡財産を取得するにふさわしい者であつて、組合として交換しようとすることが、通常の売払及び購入によるよりも有利であると認められるとき。

施行規則第十八条の二関係

第一項中「特に必要があると認める場合」とは、宿泊所、学生寮、保養所及び臨時に開設する海の家、山の家の運営を行なう場合並びに貯金、食堂、物資の業務を行なう場合等で特別の事情により出納員の配置を必要とする場合とする。

施行規則第二十一条関係

1　「第五十七条に規定する帳簿」とは、各会計単位において、記録された元帳及び補助簿である。

2　「亡失」とは、社会通念上減耗と考えられるものを除き、天災その他の事由により、焼失、流失、盗難等によつて滅失（物がその物としての物理的存在を失うことをいう。）又は紛失（物が物としての物理的存在を失つたかどうかを問わず見えなくなること或いはこれをなくすることをいう。）したことをいう。

施行規則第二十三条関係

第五号、第六号、第七号、第八号及び第十一号中「施設の設置及び廃止に関する事項」とは、施行令第七条第四号に規定するものをいう。

施行規則第二十四条関係

1　第二項第一号中「人件費及び事務費」とは、施行令第七条第一号に規定するものをいう。

2　第二項第三号中「資金の融通」とは、施行令第七条第三号に規定するものをいう。

3　第二項第六号中「不動産」とは、土地、建物（構築物、機械及び装置を含む。）、借入不動産附帯施設とする。

4　第二項第七号の「財務大臣の指定する事項」とは、施行令第七条第五号に規定するもの（運用方針法第十五条関係の「施行令第七条」の第五項第五号、第七号及び第十号に掲げる事項を除く。）をいう。

施行規則第二十六条の三関係

第二項中の「指名基準」を次のように定める。

契約担当者は、履行成績、履行能力、立地条件、経営状況、信用度、実務経験、機械設備及びその他必要と認める事項を考慮して指名するものとする。

施行規則第二十七条関係

1　第一項第八号にいう「財務大臣が指定する団体」とは、次に掲げる団体とする。

(1)　地方の組合

(2)　公有地の拡大の推進に関する法律（昭和四十七年法律第六十六号）第十条第一項の規定により設立された土地開発公社（同法第十七条第一項第一号ロに規定する業務の用に直接供するため必要な物件（土地に限る。）を直接に当該公社に売り払う場合に限る。）

(3)　地方住宅供給公社法（昭和四十年法律第百二十四号）の規定により設立された地方住宅供給公社

(4)　地方道路公社法（昭和四十五年法律第八十二号）の規定により設立された地方道路公社

2　次の各号に掲げる随意契約については、見積書の徴取を省略することができる。

(1)　法令に基づいて取引価格（料金）が定められていることその他特別の事由があることにより、特定の取引価格（料金）によらなければ契約が不可能又は著しく困難であると認められる場合の随意契約

(2)　予定価格が十万円を超えない契約で、組合の代表者において契約担当者が見積書の徴取を省略しても支障がないと認める場合の随意契約

施行規則第二十七条の二関係

契約担当者は、施行規則第二十七条の二に規定する場合のほか、施行規則第二十四条に規定する予算総則に翌年度以降にわたる債務の負担の最高限度額を明らかにすれば長期継続契約を締結することができる。

施行規則第二十七条の三関係

1　契約担当者は、第二十七条の三第一項ただし書の場合のほか競争に参加しようとする者の工事、製造又は販売の実績、従業員数、資本の額、その他経営の規模及び経営の状況等に関する事項について競争に参加する者に必要な資格を定めた場合において落札者が契約を結ばないおそれがないと認められたときは、入札保証金の全部又は一部の納付を当分の間免除できるものとする。

2　第二項第五号にいう「その他確実と認められる担保で別に財務大臣の定めるもの」とは、次に掲げるものとする。

(1)　施行規則第二十七条の三第二項第二号の規定に該当するものを除くほか、日本国有鉄道及び旧日本電信電話公社の発行した債券

(2)　地方債

(3)　契約担当者が確実と認める社債

(4)　契約担当者が確実と認める金融機関（出資の受入れ、預り金及び金利等の取締りに関する法律（昭和二十九年法律第百九十五号）第三条に規定する金融機関をいう。以下同じ。）が振り出し又は支払保証をした小切手

(5)　銀行又は契約担当者が確実と認める金融機関が引き受け又は保証若しくは裏書をした手形

(6)　銀行又は契約担当者が確実と認める金融機関に対する定期預金債権

(7)　銀行又は契約担当者が確実と認める金融機関の保証

3　契約担当者は定期預金債権を入札保証金に代わる担保として提供させるときは、当該債権に質権を設定させ、当該債権に係る証書及び当該債権に係る債務者である銀行又は確実と認める金融機関の承諾を証する確定日付のある書面を提出させなければならない。

4　契約担当者は銀行又は確実と認める金融機関の保証を入札保証金に代わる担保として提供させるときは、当該保証を証する書面を提出させ、その提出を受けたときは、遅滞なく、当該保証をした銀行又は確実と認める金融機関との間に保証契約を締結しなければならない。

施行規則第二十九条関係

1　契約担当者は、第一項ただし書の場合のほか競争に参加する

者に必要な資格を定めて契約を結ぼうとする場合において、契約保証金の全部又は一部を、その必要がないと認められるときには、当分の間、納めさせないことができる。

2　第二項において準用する第二十七条の三第二項第五号にいう「その他確実と認められる担保で別に財務大臣の定めるもの」とは、次に掲げるものとする。

(1)　施行規則第二十七条の三関係の2の(1)から(7)までに掲げるもの

(2)　公共工事の前払金保証事業に関する法律（昭和二十七年法律第百八十四号）第二条第四項に規定する保証事業会社（以下「保証事業会社」という。）の保証

3　施行規則第二十七条の三関係の3及び4の規定は、契約保証金について準用する。この場合において、同条関係の4中「金融機関の保証」とあるのは「金融機関の保証若しくは保証事業会社の保証」と、「金融機関との間」とあるのは「金融機関若しくは保証事業会社との間」と読み替えるものとする。

施行規則第三十二条関係

「財務大臣の定める場合」とは、物資経理において、組合員に対して生活必需物資を供給する取引をする場合とする。

施行規則第三十七条関係

取引金融機関に登録する印鑑は、公印、私印のいずれでも差し支えない。ただし、組合の内部においては統一を図ること。

施行規則第四十一条関係

事業運営上の「つり銭」については、出納しめ切後に現金を収納したものと解して必要額を翌日に繰越し保有することができる。

施行規則第四十二条関係

現金を収納し相手方に領収証書を交付する場合において、相手方が領収証書の受領を拒んだ場合又は施行規則第四十四条ただし書の規定により領収証書を必要としない場合においては、その交付を行なわないことができる。

施行規則第四十五条関係

第二項中「自己を受取人とする小切手」とは、出納主任を受取人とする小切手をいう。

施行規則第五十二条関係

1　取引を行う場合の事業年度区分は、発生した事実に基き、正規の簿記の原則に従つて整理しなければならない。ただし、短期経理、厚生年金保険経理及び退職等年金経理における給付金の事業年度区分は、当該請求書の到着した日の属する事業年度において処理するものとする。

2　短期経理における給付金のうち附加給付金の事業年度区分は、当該給付の基礎となる法定給付の事業年度区分に一致させるものとする。ただし、この年度区分により難い場合は、組合ごとに定めるところによることができる。

3　短期経理、厚生年金保険経理及び退職等年金経理の給付金について、各月請求のあつたものについては、すみやかに審査確定し、その月の末日において未払のものについては、未払金として処理するものとする。

4　修繕費と資本的支出の区別

修繕費とは、固定資産の原状を維持管理するために必要な費用であり、資本的支出とは、固定資産に支出した金額のうち、当該固定資産の使用可能期間を延長させる部分に対する金額又は当該固定資産の価額を増加させる部分に対応する金額をいう。ただし、事業開始前に設備に投入した費用は、全額資本的支出として処理するものとする。

例えば、修繕費として処理する事項は、(1)　家屋又は壁の塗替　(2)　家屋の床の毀損部分の取替　(3)　家屋の畳の表替　(4)　瓦の取替　(5)　ガラスの取替又は障子、襖の張替　(6)　ベルトの取替　(7)　自動車のタイヤの取替等であり、また資本的支出として処理する事項は、(1)　工場用建物を宿泊所に変更する等の特殊な用途の変更を行う改造　(2)　ビルディング等における避難施設等の取付、等である。

施行規則第五十六条関係

伝票は、収入伝票、支払伝票及び振替伝票に区分されるが、この三種類の伝票を使用するか、又は振替伝票のみで取引を処理するかは、組合の実情により決定すべきもので、必ずしも三種類の伝票を使用しなくても差しつかえない。

施行規則第五十九条関係

出納主任は、毎月末日、元帳口座の金額について関係帳簿と照合して記入の正確を確認した場合には、確認をした証として職名を記載するものとする。

施行規則第六十八条関係

1　施行規則第六十八条第一項に規定する有形固定資産には、次の各号に掲げる資産は該当しないものとすることができる。

(1)　当該資産の取得の時において当該資産につき通常の管理又は修理をするものとした場合に予測される当該資産の使用可能期間が一年未満である資産

(2)　法人税法施行令（昭和四十年政令第九十七号）第五十四条第一項各号の規定により計算した取得価額が同令第百三十三条に規定する価格未満である資産（共済組合の業務の性質上基本的に重要な資産を除く。）

2　前項第二号の取得価額は、通常一単位として取引される単位ごとに判定する。

例えば、器具及び備品については、一個、一組又は一揃ごとに判定する。

3　償却の基礎となる固定資産には遊休設備は含むが、建設中のものは含まない。ただし、建設仮勘定に属しているものであつても、その完成部分を事業の用に供しているものは償却の対象とすることができる。

4　減価償却資産は、その資産の効用が漸次消滅するものであるから、時の経過とともにその価値が減少しないような書画、骨董等は減価償却の対象には含まれない。

ただし、書画、骨董等の複製のようなものであつて、単に装飾的目的にのみ使用されるものは、この限りでない。

5　一つの建物が二以上の構造により構成されている場合においては、構造別に区分することができるもの（例えば、鉄筋コンクリート造三階建の上に更に木造建物を建築し四階建としたようなもの）は、それぞれ構造の異なるごとに区分して、その構造について定められた耐用年数を適用し、構造別にその建物と区分することが困難なものについてはその骨格が主としてどの構造によつて構成されているかにより、その耐用年数を判定するものとする。

6　毎事業年度の減価償却を計算する場合において、最終的確定金額に一円未満の端数が生じた場合には、切り捨てる。

7　減価償却資産の耐用年数等に関する省令（昭和四十年大蔵省

令第十五号）の別表の耐用年数が改正された場合において、その改正の適用日前に取得した有形固定資産のうち、耐用年数が改正された有形固定資産の毎事業年度の減価償却の計算は、次の方法で一円に達するまで減価償却を行なうものとする。

取得価額×新耐用年数に応じた償却率

8 施行規則第六十八条第四項の規定により法定耐用年数とみなされて償却額を計算するものとされている有形固定資産に係る法定耐用年数が、減価償却資産の耐用年数等に関する省令の改正により短縮された場合には、同条第四項の規定の例により計算するものとする。この場合において、同項中「法定耐用年数の全部を経過したもの」とあるのは「減価償却資産の耐用年数等に関する省令の改正により短縮された同令の別表に掲げる耐用年数（以下「新耐用年数」という。）の全部を経過したもの」と、「当該法定耐用年数」とあるのは「当該新耐用年数」と、「法定耐用年数の一部」とあるのは「新耐用年数の一部」と、「法定耐用年数と」とあるのは「前項の耐用年数と」として適用する。

9 事業年度の中途において譲渡又は滅失した資産の当該年度の減価償却は行なわないものとする。

10 第四項中「経過年数」とは、「経過年月数」とする。

11 経過年数が不明なときは、その構造、型式、表示された製作の時期等を勘案して、その経過年数を適正に見積るものとする。

12 第六項中「経過月数」を計算する場合には、取得した日の属する月は、一月として計算する。

施行規則第六十八条・第六十九条・第七十条関係

減価償却の償却期間の始期は次の各号に定めるところによるものとする。

(1) 新規に施設の営業を開始するために取得したものについては、営業を開始した日

(2) 施設の増改築により取得したものについては、当該施設の使用を開始した日

(3) (1)及び(2)に掲げるもののうちに含まれない減価償却の対象となる物品の購入については、組合が検査納入した日

施行規則第七十一条関係

1 「陳腐化」とは、流行の変せん、新発見又は新発明等によつて、その使用価値が減価されるものである。例えば、新式の医療機器又は機械が発明され、従来共済組合で使用していた同種類のものが患者の利用に供することができなくなり、用途廃止する場合である。

2 「不適応化」とは、それ自体の原因でなく、他の資産の関係からその使用価値が減価されるものである。例えば、動力源を火力から電力に変更することにより煙突は不用となる場合及び従来三十キロワットの変圧器を使用していたが、病床数を増加したことにより、その変圧器は病院施設の使用には不適当となり、取替える場合等である。

なお、固定資産で通常の使用方法により使用していたのであるが、使用度が激しいために使用不能になり価値を減じた場合等は、特別償却とならない。

施行規則第七十四条関係

商品についても、有形固定資産に準じて所要の金額を損害補てん引当金として計上することができる。

施行規則第七十六条関係

1 「財務大臣が定める金額」とは、各事業年度末日における貸付金、売掛金その他事業に係る未収金の総額に次に掲げる率を乗じて得た金額とする。

(1) 保健経理、医療経理、宿泊経理及び住宅経理においては、$\frac{1}{100}$

(2) 貸付経理においては、$\frac{0.3}{100}$

(3) 物資経理においては、$\frac{2}{100}$

2 「貸付金」のうちには、各経理相互間における貸付金は含まないものとする。

3 「事業に係る未収金」のうちには、国、独立行政法人、職員団体及び共済組合の負担金、国及び地方公共団体の補助金、組合員の掛金、福祉経理相互間における繰入金並びに各経理相互間における未収金は、含まないものとする。

施行規則第八十七条の二関係

長期組合員が短期組合員となつた場合において、運用方針施行規則第八十七条の二の二関係に基づき提出された退職届に短期組合員資格を喪失していないことが記載されているときは、短期組合員資格取得届の提出は要しないものとする。

施行規則第八十七条の二の二関係

長期組合員が法第七十二条第二項の規定により長期給付に関する規定を適用しないこととなつた場合は、当該者が退職したものとみなして退職届を提出するものとする。

施行規則第八十八条関係

被扶養者の認定を受けようとする者が一般職給与法第十一条に規定する扶養親族（一般職給与法の適用を受けない組合員にあつては、これに相当するもの）の認定を受けている者である場合には、給与事務担当者による確認を受け、その確認した内容及び確認方法について記録しておくものとする。

施行規則第九十条関係

「その事実を証する書類」の記載事項について人事担当者による確認又はその他の方法による確認が可能な場合には、「その事実を証する書類」の提出を省略することができるものとする。この場合においては、その確認した内容及び確認方法について記録しておくものとする。

施行規則第九十六条の二関係

第四項

「証拠書類」の記載事項について人事担当者による確認又はその他の方法による確認が可能な場合には、「証拠書類」の提出を省略することができるものとする。この場合においては、その確認した内容及び確認方法について記録しておくものとする。

施行規則第九十六条の四関係

「長期組合員の標準報酬を決定し又は改定したとき」は、退職等年金給付事務に関する標準報酬を決定し又は改定したときとし、「その標準報酬」は、退職等年金給付事務に関するものとする。

施行規則第百三条関係

第四号

1 「移送を必要とする理由」には、付添が必要であつた理由を含むものとする。

2 「医師又は歯科医師の証明」の記載については、医師又は歯科医師による当該事項に掲げる内容が記載された証明書を

「移送費請求書」と併せて組合に提出することで省略することができるものとする。

施行規則第百十一条～第百十一条の三関係

「証拠書類」の記載事項について所属長（施行規則第百十一条の二又は第百十一条の三の規定が適用される場合には人事担当者）による確認又はその他の方法による確認が可能な場合には、「証拠書類」の提出を省略することができるものとする。この場合においては、その確認した内容及び確認方法について記録しておくものとする。

施行規則第百十六条の四関係

第二項第一号イ及び第二号イに規定する「その他相当な機関」とは、家庭裁判所及び児童相談所とする。

施行規則第百二十条関係

「証拠書類」の記載事項について人事担当者による確認又はその他の方法による確認が可能な場合には、「証拠書類」の提出を省略することができるものとする。この場合においては、その確認した内容及び確認方法について記録しておくものとする。

施行規則第百二十条の七関係

1　組合は、退職等年金分掛金及び組合員保険料に係る還付金を短期経理により立替金として取引することができる。

2　前項の立替金は、還付金が生じた月の翌月までの掛金の内から調整するものとする。

施行規則第百二十四条関係

帳簿又は書類の保管については、フィルム又は磁気テープ（これらに類するものを含む。）に収録する方法によつて行うことができる。この場合においては、その取扱いに関する細則を定めなければならない。

施行規則第百二十六条の四関係

内部監査を行つた場合には、監査確認した証として元帳に記名するものとする。

㈣　その他

1　この運用方針に抵触する従前の諸通達、質疑応答等は、昭和三十四年十月一日以後廃止する。

2　施行法第十五条第一項第二号又は第十六条第一項第二号の規定により算定した額が昭和四十二年度以後における国家公務員共済組合等からの年金の額の改定に関する法律等の一部を改正する法律（昭和四十九年法律第九十四号）による改正前の施行法第十五条第一項第一号若しくは第二号又は第十六条第一項第一号若しくは第二号の規定により算定した額より少ないときは、その額を施行法第十五条第一項又は第十六条第一項の規定により支給する。

附　則（昭三五・六・二七蔵計二一四五）

この改正は、昭和三十五年六月九日から適用する。

附　則（昭三五・一二・二七蔵計三七八五）

この改正は、昭和三十五年十二月二十二日から適用する。

附　則（昭三六・一二・二二蔵計三五四七）

この改正は、昭和三十六年十一月一日から適用する。

附　則（昭三七・一〇・九蔵計三六七二）

この運用方針の改正中次の各号に掲げる部分の改正は、当該各号に掲げる日から適用するものとする。

(1)　国家公務員共済組合法関係
第五十九条関係に第三項を加える改正及び第百二十一条第二項の改正　昭和三十七年十月一日

(2)　施行法関係
第七条関係に第三項を加える改正　昭和三十七年十月九日

(3)　前二号以外の改正部分　昭和三十七年十月一日

附　則（昭三八・四・一〇蔵計一〇七〇）

この改正は、昭和三十八年二月二十八日から適用する。

附　則（昭三九・一・二〇蔵計三九）

1　この改正は、通達の日に給付事由の生じるものから適用する。ただし、次の各号に掲げる改正規定は、当該各号に掲げる日から適用する。

(1)　第百二十一条関係の改正は、昭和三十七年四月一日

(2)　第三十八条、第三十九条、第四十二条、第五十九条「第一項」の第一項及び第四項、第七十六条、第七十七条、第八十七条、第百条第二項、第百二十五条、第百二十六条、附則第十三条関係の改正及び施行法関係、第八条、第九条、第四十一条、第四十一条の二関係の改正並びに施行規則関係第八十七条―第八十七条の三関係の改正は、昭和三十七年十二月一日

(3)　第五十九条「第一項」の第二項及び第三項、第六十六条、第八十一条の改正は、昭和三十八年四月一日

(4)　第四十八条関係の改正は、昭和三十八年六月四日

(5)　施行法関係第二条、第十三条関係の改正は、昭和三十八年十月一日

(6)　第二条関係第二項第三号及び第三項、第五十九条関係「第二項」の改正規定中「七万二千円」を「八万一千円」に改める改正は、昭和三十八年十二月二十日

2　この通達の日前に行なわれた共済組合法関係の第四十八条関係の改正規定の適用については、前項の規定にかかわらず、なお従前の例による。

附　則（昭三九・一〇・二一蔵計二九七七）

この運用方針の改正は、昭和三十九年十月一日から適用する。ただし、㈠共済組合法関係第三十八条関係及び第百条関係及び㈡施行法関係第七条関係、第八条関係及び第五十一条の二関係の改正は、昭和三十七年十二月一日から、㈠共済組合法関係の改正後の第三十九条関係及び㈡施行法第五十三条関係の改正は昭和三十四年一月一日から適用する。

附　則（昭三九・一二・二八蔵計三四五四）

この改正は、昭和三十九年十二月十七日から適用する。

附　則（昭四〇・六・一九蔵計一六一二）

この改正は、昭和四十年六月一日から適用する。ただし、㈠共済組合法関係第二条関係は、昭和四十年四月一日から、㈠共済組合法関係第七十六条関係及び第七十九条の二関係、㈡施行法関係第十三条関係及び㈣その他の改正は、昭和四十年五月一日から適用する。

附　則（昭四一・一・一三蔵計四〇）

この改正は、昭和四十年十二月二十七日から適用する。

附　則（昭四二・四・二六蔵計九〇四）

この運用方針の改正は、昭和四十二年三月二十五日から適用する。ただし、㈠共済組合法関係第十五条関係の改正は、昭和四十二年四月一日から適用する。

附　則（昭四一・一二・二七蔵計二七八六）

この改正は、昭和四十一年十二月二十七日から適用する。

附則（昭四二・九・二五蔵計二〇七四）

この改正は、昭和四十二年七月三十一日から適用する。ただし、㈠共済組合法関係中第九十二条関係は昭和四十一年七月一日から、第九十七条関係は昭和四十年六月一日から、㈡施行法関係中第二条関係及び第十三条関係は、昭和四十一年十月一日から、それぞれ適用する。

附則（昭四二・一二・二六蔵計二六二八）

この改正は、昭和四十二年十二月二十日から適用する。

附則（昭四三・九・二七蔵計二二五四）

この改正は、昭和四十三年十月一日から適用する。

附則（昭四三・一二・二六蔵計二八三五）

この改正は、昭和四十三年十二月二十一日から適用する。ただし、施行法関係第五十一条の二関係は、昭和三十七年十二月一日から適用する。

附則（昭四四・九・二九蔵計三五〇一）

この改正は、昭和四十四年十月一日から適用する。

附則（昭四四・一二・二五蔵計四五〇八）

この改正は、昭和四十四年十月一日から適用する。ただし、国家公務員共済組合法等の運用方針㈠共済組合法関係第二条関係及び第五十九条関係中「十二万八千円」を「十四万七千円」に改める規定は、同年十二月二日から適用する。

附則（昭四五・四・一蔵計九八七）

この改正は、昭和四十五年四月一日から適用する。

附則（昭四五・一一・一蔵計三五一五）

この改正は、昭和四十五年十月一日から適用する。

附則（昭四五・一二・二五蔵計四〇二九）

この改正は、昭和四十五年十二月十七日から適用する。

附則（昭四六・九・三〇蔵計三〇〇七）

この改正は、昭和四十六年十月一日から適用する。

附則（昭四六・一一・一九蔵計三四七四）

この改正は、昭和四十六年十二月一日から適用する。ただし、施行規則第六十八条関係第一項は、昭和四十七年四月一日から適用する。

附則（昭四七・一〇・二〇蔵計三四八七）

この改正は、昭和四十七年十月一日から適用する。

附則（昭四七・一二・二〇蔵計四〇九五）

この改正は、昭和四十七年五月十五日から適用する。

附則（昭四八・一〇・一一蔵計三三四二）

1　この改正は、昭和四十八年十月一日から適用する。

2　この改正による改正前の㈡施行法関係第三十七条関係及び第四十一条関係の規定は、昭和四十八年十月一日前に給付事由が生じた給付については、なおその効力を有する。

附則（昭四九・四・一蔵計一〇八五）

この改正は、昭和四十九年四月一日から適用する。

附則（昭四九・六・二五蔵計二三三八）

この改正は、昭和四十九年六月二十五日から適用する。

附則（昭四九・一一・一六蔵計三七〇一）

この改正は、昭和四十九年九月一日から適用する。

附則（昭五五・七・三蔵計一七九二）

この改正は、昭和五十五年七月三日から適用する。

附則（昭五六・四・二四蔵計一一三三）

この改正は、昭和五十六年五月一日から適用する。

附則（昭五七・三・二三蔵計五八〇）

この改正は、昭和五十七年三月三十一日に終る事業年度の決算から適用する。

附則（昭五七・七・七蔵計一七三六）

この改正は、昭和五十七年七月一日から適用する。

附則（昭五七・九・二九蔵計二二七八）

この改正は、昭和五十七年十月一日から適用する。

附則（昭五八・四・一蔵計六四三）

この改正は、昭和五十八年三月三十一日から適用する。ただし、㈠共済組合法関係中第二条関係は、同年四月一日から適用する。

附則（昭五九・四・一蔵計一〇四〇）

1　この改正は、昭和五十九年四月一日から適用する。

2　この改正による改正後の㈠共済組合法関係第九十七条関係「第一項」の6の規定は、昭和五十九年四月一日以後に給付事由が生じた給付について適用し、同日前に給付事由が生じた給付については、なお従前の例による。

附則（昭五九・一〇・一蔵計二四八五）

この改正は、昭和五十九年十月一日から適用する。

附則（昭五九・一一・二七蔵計二六四八）

この改正は、昭和五十九年十月一日から適用する。

附則（昭六〇・四・一蔵計七八五）

この改正は、昭和六十年四月一日から適用する。

附則（昭六一・一・四蔵計三一）

この改正は、昭和六十一年一月一日から適用する。

附則（昭六一・三・三一蔵計七七八）

この改正は、昭和六十一年四月一日から適用する。

附則（昭六一・五・一二蔵計一三一九）

この改正は、昭和六十一年四月三十日から適用する。

附則（昭六二・四・一蔵計七二八）

この改正は、昭和六十二年四月一日から適用する。ただし、改正後の㈠共済組合法関係第二条関係の「第一項第二号」の第二項第三号の規定は、昭和六十二年五月一日から適用する。

附則（昭六三・三・三一蔵計八二六）

この改正は、昭和六十三年四月一日から適用する。

附則（昭六三・四・一八蔵計一一九九）

1　この改正は、昭和六十三年四月十七日から適用する。

2　この改正による改正後の㈠共済組合法関係第二条関係の第一号及び第二号の規定は、昭和六十三年四月一日以後の勤続期間の計算について適用し、同日前の勤続期間の計算については、なお従前の例による。

附則（平元・四・一蔵計八〇六）

この改正は、平成元年五月一日から適用する。

附則（平元・一二・二七蔵計二九三四）

この改正は、平成二年一月一日から適用する。ただし、改正後の第百十五条関係第二項の規定は、平成二年二月一日から適用する。

附則（平二・一一・一蔵計二七八七）

この改正は、平成二年十一月一日から適用する。

附則（平三・三・二五蔵計八四九）

この改正は、平成三年四月一日から適用する。

附則（平三・一二・四蔵計二八六九）

この改正は、平成四年一月一日から適用する。
附　則（平四・二・一〇蔵計二四九）
この改正は、平成四年二月十日から適用する。
附　則（平四・三・五蔵計四〇六）
この改正は、平成四年四月一日から適用する。
附　則（平四・四・二二蔵計一一九六）
1　この改正は、平成四年五月一日から適用する。
2　この改正による改正後の㈠共済組合法第二条関係の第一号及び第二号の規定は、平成四年五月一日以後の勤続期間について適用し、同日前の勤続期間の計算については、なお従前の例による。
附　則（平四・九・一七蔵計二一四七）
この改正は、平成四年十月一日から適用する。
附　則（平五・三・一五蔵計五六一）
この改正は、平成五年四月一日から適用する。
附　則（平六・一一・一六蔵計二七四五）
この改正は、平成六年十月一日から適用する。ただし、㈠共済組合法関係第二条関係の(2)及び同条関係の「第一項第二号」の2(1)の改正は、同年九月一日から適用する。
附　則（平七・四・一七蔵計一二一八）
この改正は、平成七年四月一日から適用する。ただし、2の「一般職の職員の給与等に関する法律」を「一般職の職員の給与に関する法律」に改める規定は、平成六年九月一日から適用する。
附　則（平七・四・二八蔵計一二九三）
この改正は、平成七年四月一日から適用する。
附　則（平七・六・三〇蔵計一九四一）
この改正は、平成七年四月一日から適用する。
附　則（平八・三・二八蔵計六八八）
この改正は、平成八年四月一日から適用する。
附　則（平九・四・二五蔵計一一七九）
この改正は、平成九年四月一日から適用する。
附　則（平一一・二・九蔵計二二七）
この改正は、平成十一年二月九日から適用する。
附　則（平一二・三・二一蔵計七〇四）
この改正は、平成十二年三月一日から適用する。
附　則（平一二・三・三一蔵計八四三）
この改正は、平成十一年四月一日から適用する。
附　則（平一二・三・三一蔵計一九二九）
この改正は、平成十二年四月一日から適用する。ただし、㈠共済組合法関係第四十二条関係2の改正は、平成十三年十月一日から適用する。
附　則（平一二・一二・二七蔵計二八三四）
この改正は、平成十三年一月一日から適用する。ただし、㈠共済組合法関係第二条関係の改正規定及び第百十二条関係を第百十一条関係に改める規定並びに㈢施行規則関係の改正規定は、平成十三年一月六日から適用する。
附　則（平一三・一・五蔵計二七八二）
この改正は、平成十三年一月六日から適用する。
附　則（平一三・三・三〇財計六五二）
この改正は、平成十三年四月一日から適用する。
附　則（平一四・三・二九財計八五六）
この改正は、平成十四年四月一日から適用する。
附　則（平一四・九・三〇財計二三二八）
この改正は、平成十四年十月一日から適用する。
附　則（平一五・三・三一財計九一一）
この改正は、平成十五年四月一日から適用する。
附　則（平一五・六・一〇財計一六八二）
この改正は、平成十五年六月十五日から施行する。
附　則（平一五・一二・二五財計二九八七）
この改正は、平成十五年十二月二十五日から適用する。
附　則（平一六・三・三一財計一〇九六）
この改正は、平成十六年四月一日から適用する。
附　則（平一七・四・一財計八七〇）
この改正は、平成十七年四月一日から適用する。
附　則（平一八・三・三〇財計七七〇）
この改正は、平成十八年四月一日から適用する。
附　則（平一八・九・二九財計二一四九）
この改正は、平成十八年十月一日から適用する。
附　則（平一九・三・三〇財計四〇八）
この改正は、平成十九年四月一日から適用する。
附　則（平一九・七・三一財計一五九四）
この改正は、平成十九年八月一日から適用する。
附　則（平一九・九・二八財計一九一七）
1　この改正は、平成十九年十月一日から適用する。
2　平成十九年九月三十日において現に運用されている国家公務員共済組合法施行令（昭和三十三年政令第二百七号）第九条の三第一項第五号に掲げる不動産については、この改正による改正前の㈠共済組合法関係第十九条関係の規定は、なおその効力を有する。この場合において、同規定中「日本郵政公社」とあるのは、「法附則第二十条の三第一項に規定する郵政会社等」と読み替えるものとする。
附　則（平二〇・一・七財計二一六七）
この改正は、平成十九年十二月二十六日から適用する。ただし、第四十二条関係の改正規定は平成十九年八月一日から適用する。
附　則（平二〇・三・三一財計六八七）
この改正は、平成二十年四月一日から適用する。
附　則（平二一・三・三一財計五九七）
この改正は、平成二十一年四月一日から適用する。
附　則（平二二・三・三一財計六八二）
1　この改正は、平成二十二年四月一日から適用する。
2　平成二十二年四月一日前に開始された国家公務員共済組合法（昭和三十三年法律第百二十八号）第六十八条の二第一項に規定する育児休業等に係る育児休業手当金を受ける権利の消滅時効の起算日については、なお従前の例による。
附　則（平二三・三・三〇財計九八二）
この改正は、平成二十三年四月一日から適用する。
附　則（平二五・八・一財計二〇一三）
この改正は、平成二十五年八月一日から適用する。
附　則（平二六・四・一財計一〇二〇）
この改正は、平成二十六年四月一日から適用する。
附　則（平二七・四・一財計一三八二）
この改正は、平成二十七年四月一日から適用する。ただし、㈠共済組合法関係第十五条関係の改正規定は、平成二十七年十月一日から適用する。

附　則（平二七・五・一三財計二〇五七）

1　この改正は、平成二十七年四月一日から適用する。

2　この改正による改正後の㈠共済組合法関係第六十九条関係の改正規定は、平成二十七年四月一日以後の期間を算定の基礎とする傷病手当金、出産手当金、休業手当金、育児休業手当金及び介護休業手当金について適用し、同日前の期間を算定の基礎とする傷病手当金、出産手当金、休業手当金、育児休業手当金及び介護休業手当金については、なお従前の例による。

附　則（平二七・九・三〇財計二九〇五）

1　この改正は、平成二十七年十月一日から適用する。

2　この改正による改正後の第四十条関係及び第四十一条関係の規定は、組合の運営規則で定める日後の標準報酬の決定又は改定及び標準期末手当等の額の決定について適用し、同日以前の標準報酬の決定又は改定及び標準期末手当等の額の決定については、なお従前の例によることができる。

3　前項の規定は、厚生年金保険の標準報酬月額及び標準賞与額の決定又は改定について準用する。

4　国家公務員共済組合法施行令（昭和三十三年政令第二百七号）第三十四条、第三十七条及び第四十条における在勤手当について、当分の間、第二条関係第一項第五号の第一項及び第二項に規定する在勤手当から除くものとして財務大臣が定めるものは、同条関係第一項第五号の第一項第一号、第二号及び第三号のうち組合の運営規則に定めるものに限るものとする。

附　則（平二八・三・三一財計一二六五）

この改正は、平成二十八年四月一日から適用する。ただし、㈠共済組合法関係第七十五条関係及び㈡平成二十四年一元化法関係附則第四十九条の三関係の改正規定は、平成二十七年十月一日から適用する。

附　則（平二八・一二・二八財計四二八五）

この改正は、平成二十九年一月一日から適用する。

附　則（平二九・五・一九財計二三三五）

この改正は、通達の日から適用する。

附　則（平二九・七・三一財計二九二九）

この改正は、平成二十九年八月一日から適用する。

附　則（平二九・一二・二七財計四一七〇）

この改正は、平成三十年一月一日から適用する。ただし、㈠共済組合法関係中第五十九条関係の改正規定は、平成二十八年四月一日から、㈢施行規則関係施行規則第十二条関係の改正規定は、平成十六年七月一日から、それぞれ適用する。

附　則（平三〇・三・二財計五一九）

この改正は、平成二十七年十月一日から適用する。

附　則（令元・五・一五財計二五三七）

この改正は、令和元年五月二十三日から適用する。ただし、㈠共済組合法関係第二条関係「第一項第五号」の2⑻の(イ)の改正規定は、平成十六年四月一日から、(ロ)及び(ハ)の改正規定は、平成二十七年六月二十五日から、それぞれ適用する。

附　則（令元・七・一〇財計三〇九〇）

この改正は、平成二十七年十月一日から適用する。

附　則（令二・六・一二財計三〇七八）

この改正は、通達の日から適用する。

附　則（令二・八・一四財計三七六八）

この改正は、令和二年九月一日から適用する。

附　則（令二・一二・一一財計四八三〇）

この改正は、令和三年一月一日から適用する。

附　則（令二・一二・二五財計四九五一）

この改正は、令和二年十二月二十八日から適用する。

附　則（令三・三・三一財計一八七九）

この改正は、令和三年四月一日から適用する。

附　則（令四・六・二四財計二六八二）

この改正は、通達の日から適用する

附　則（令四・八・三財計三一七一）

改正　令四・九・三〇財計三六七二

第一条　この改正は、令和四年十月一日から適用する。

第二条　この改正による改正後の㈠共済組合法関係第二条関係の「第一項第一号」の第三項の規定は、令和四年十月一日（以下「施行日」という。）以降の月について適用し、施行日前に採用された者に係る国家公務員共済組合法施行令（昭和三十三年政令第二百七号）第十二条第二項の規定の適用については、この改正による改正前の㈠共済組合法関係第二条関係の規定により勤務した施行日前の期間と、この改正による改正後の㈠共済組合法関係第二条関係の「第一項第一号」の第三項の規定により勤務した施行日以降の期間とが、引き続いて十二月を超えるに至った場合に、同令第十二条第二項に規定する常勤職員について定められている勤務時間以上勤務した日が引き続いて十二月を超えるに至った者となるものとする。

第三条　施行日に組合員となった者であってその前日において健康保険の被保険者であった者について、健康保険法（大正十一年法律第七十号）による被扶養者として認定されている者がいる場合は、組合は、当該者を国家公務員共済組合法（昭和三十三年法律第百二十八号）による被扶養者であるものとみなして認定を行い、「組合員証等のカード化等に伴う事務の取扱いについて」（平成十九年九月二十一日財計第一九八〇号）第三⑴の規定にかかわらず、令和四年十二月末日までの間に国家公務員共済組合法施行規則（昭和三十三年大蔵省令第五十四号）第九十五条第三項の規定による被扶養者の要件の確認を行うこととする。

2　前項の規定による確認の結果、被扶養者の要件を満たしていないことが確認された者については、要件を欠くに至ったときから被扶養者の認定を取り消すこととする。ただし、当該者のうち、六十歳以上のものであって百三十万円以上百八十万円未満の所得があることが確認された者については、令和五年一月一日に被扶養者の要件を欠くに至ったものとする。

附　則（令四・一二・九財計四四八八）

この改正は、令和五年二月一日から適用する。ただし、国家公務員共済組合法等の運用方針の一部改正（令和四年八月三日財計第三一七一号）附則第三条第二項の規定により令和五年一月一日に被扶養者の要件を欠くに至ったものとされた者に係るこの改正による改正後の㈠共済組合法関係第二条関係「第一項第二号」第二項第三号の規定は、令和五年一月一日から適用する。

附　則（令五・三・二八財計一五八九）

1　この改正は、令和四年十月一日から適用する。

2　令和四年十月一日に組合員となった者が同年九月三十日に健康保険法（大正十一年法律第七十号）第百二条による出産手当金を受給していた場合においては、この改正による改正後の㈠

共済組合法関係第六十七条関係「第一項」第一項の規定にかかわらず、組合員となった日から出産の日後五十六日までの間において勤務に服することができなかった期間、国家公務員共済組合法（昭和三十三年法律第百二十八号）第六十七条による出産手当金を支給するものとする。

附則（令五・九・二九財計三八一二）

この改正は、通達の日から適用する。

附則（令六・四・一財計一五七〇）

この改正は、令和六年四月一日から適用する。

○国家公務員共済組合及び国家公務員共済組合連合会が行う国家公務員等の財産形成事業に関する政令

昭五二・六・一〇
政令一九九

最終改正 平二三・六・一〇政令一六六

内閣は、国家公務員共済組合法（昭和三十三年法律第百二十八号）附則第十四条の三第一項及び第三項の規定に基づき、この政令を制定する。

（趣旨）

第一条 国家公務員共済組合（以下「組合」という。）及び国家公務員共済組合連合会（以下「連合会」という。）が国家公務員共済組合法（以下「法」という。）附則第十四条の四第一項の規定により行う事業については、この政令の定めるところによる。

（財産形成事業）

第二条 組合及び連合会は、法附則第十四条の四第一項の規定により行う事業として、次に掲げる事業（以下「財産形成事業」という。）を行うことができる。

一 組合の組合員（常時勤務に服することを要しない国家公務員のうち内閣総理大臣が定めるものを除く。第七条において同じ。）で勤労者財産形成促進法施行令（昭和四十六年政令第三百三十二号）第三十一条各号に掲げる要件を満たす者にその持家としての住宅の建設若しくは購入のための資金（当該住宅の用に供する宅地又はこれに係る借地権の取得のための資金を含む。）又はその持家である住宅の改良のための資金を貸し付ける事業

二 前号に掲げる事業に附帯する事業

（財産形成事業に係る基本計画）

第三条 内閣総理大臣は、組合及び連合会の毎事業年度の財産形成事業につき基本計画を定め、当該事業年度の開始前に、組合及び連合会に通知するものとする。これを変更したときも、同様とする。

2 内閣総理大臣は、前項の基本計画を定めようとするとき、又はこれを変更しようとするときは、あらかじめ財務大臣と協議するものとする。

3 組合及び連合会は、財産形成事業に係る法第十五条（法第三十六条において準用する場合を含む。）の事業計画及び予算を作成し、又は変更しようとするときは、第一項の基本計画に基づいて行うものとする。

（財産形成事業に係る資金の調達等）

第四条 連合会は、法第三十六条において準用する法第十七条ただし書の規定による財務大臣の承認を受けて、組合及び連合会が財産形成事業を行うために必要な資金（以下「事業資金」という。）を、勤労者財産形成促進法（昭和四十六年法律第九十二号）第十二条第一項又は附則第二条に規定するところにより、同法第六条第一項第一号、第二号及び第二号の二に規定する金融機関等、生命保険会社等及び損害保険会社又は独立行政法人勤労者退職金共済機構から調達するものとする。

2 組合は、その必要とする事業資金の金額を、あらかじめ、連合会に対し申し出なければならない。

3 連合会は、前項の規定による申出に係る事業資金を調達したときは、内閣総理大臣が財務大臣と協議して定める条件により、速やかに、当該申出をした組合にこれを貸し付けるものとする。

4 組合が前項の規定による貸付けを受ける場合には、法第十七条の規定は、適用がないものとする。

（財産形成事業に係る短期借入金）

第五条 組合及び連合会は、前条の規定による場合のほか、財産形成事業の円滑な実施のため必要があるときは、法第十七条ただし書（法第三十六条において準用する場合を含む。次項にお

いて同じ。）の規定による財務大臣の承認を受けて、短期借入金をすることができる。

2　前項の規定による短期借入金は、当該事業年度内に償還しなければならない。ただし、資金の不足のため償還することができない金額に限り、法第十七条ただし書の規定による財務大臣の承認を受けて、これを借り換えることができる。

3　前項ただし書の規定により借り換えた短期借入金は、一年以内に償還しなければならない。

（財産形成事業に係る貸付けの限度額）

第六条　第二条第一号の規定による資金の貸付けは、当該貸付けを受ける各人につき勤労者財産形成促進法第十五条第三項に規定する貸付限度額の範囲内で行わなければならない。

（財産形成事業に係る貸付けの条件等の決定）

第七条　第二条から前条までに規定するもののほか、組合の組合員に対する第二条の規定による資金の貸付けの条件その他財産形成事業の実施に関し必要な事項は、内閣総理大臣が財務大臣と協議して定める。

附　則

1　この政令は、公布の日から施行する。

2　国家公務員共済組合連合会が行う国家公務員の福祉増進事業に関する政令（昭和五十年政令第三百七号。次項において「旧令」という。）は、廃止する。

附　則（昭五三・五・一六政令一六九）（抄）

（施行期日）

第一条　この政令は、公布の日から施行する。

附　則（昭五三・九・三〇政令三四三）

この政令は、勤労者財産形成促進法の一部を改正する法律の施行の日（昭和五十三年十月一日）から施行する。〔ただし書略〕

附　則（昭五四・一二・二八政令三一三）（抄）

（施行期日等）

第一条　この政令〔中略〕は、公布の日から施行する。

2　〔略〕

附　則（昭五六・五・三〇政令一九七）

この政令は、公布の日から施行する。

附　則（昭五七・一〇・一政令二七七）（抄）

（施行期日）

第一条　この政令は、公布の日から施行する。

附　則（昭五九・三・一七政令三五）（抄）

（施行期日）

第一条　この政令は、国家公務員及び公共企業体職員に係る共済組合制度の統合等を図るための国家公務員共済組合法等の一部を改正する法律の施行の日（昭和五十九年四月一日）から施行する。

附　則（昭六〇・三・五政令二四）（抄）

（施行期日）

第一条　この政令は、昭和六十年四月一日から施行する。

附　則（昭六二・三・二〇政令五四）（抄）

（施行期日）

第一条　この政令は、昭和六十二年四月一日から施行する。

附　則（昭六二・六・一二政令二一二）

この政令は、公布の日から施行する。

附　則（昭六二・一二・一八政令四〇三）（抄）

1　この政令は、勤労者財産形成促進法の一部を改正する法律（昭和六十二年法律第百号）の施行の日（昭和六十三年四月一日）から施行する。

附　則（平元・五・二九政令一五二）（抄）

（施行期日）

1　この政令は、公布の日から施行する。

附　則（平二・三・二八政令五六）（抄）

改正　平九・三・二八政令八四

（施行期日）

第一条　この政令は、平成二年四月一日から、施行する。

附　則（平三・九・二六政令三一二）（抄）

（施行期日）

第一条　この政令は、平成三年十月一日から施行する。〔ただし書略〕

附　則（平九・三・二八政令八四）（抄）

（施行期日）

第一条　この政令は、平成九年四月一日から施行する。

附　則（平一一・九・三政令二六二）

この政令は、平成十二年四月一日から施行する。

附　則（平一一・九・二〇政令二六七）（抄）

（施行期日）

第一条　この政令は、雇用・能力開発機構法（以下「法」という。）の一部の施行の日（平成十一年十月一日）から施行する。

附　則（平一二・六・七政令三〇七）（抄）

（施行期日）

第一条　この政令は、平成十三年一月六日から施行する。〔ただし書略〕

附　則（平一五・一二・二五政令五五五）（抄）

（施行期日）

第一条　この政令は、公布の日から施行する。ただし、附則第九条から第三十六条までの規定については、平成十六年三月一日から施行する。

附　則（平一九・四・二三政令一六一）（抄）

（施行期日）

第一条　この政令は、公布の日から施行する。

附　則（平二三・六・一〇政令一六六）（抄）

（施行期日）

第一条　この政令は、平成二十三年十月一日から施行する。〔ただし書略〕

○国家公務員共済組合及び国家公務員共済組合連合会が行う国家公務員等の財産形成事業に関する省令

昭五二・一二・一五
大　蔵　令　五　〇

最終改正　平一二・八・二一大蔵令六九

国家公務員共済組合法（昭和三十三年法律第百二十八号）第二十条（同法第三十六条において準用する場合を含む。）の規定に基づき、国家公務員の福祉増進事業に関する省令を次のように定める。

国家公務員共済組合及び国家公務員共済組合連合会が行う国家公務員等の財産形成事業に関する政令（昭和五十二年政令第百九十九号）第二条の規定により国家公務員共済組合及び国家公務員共済組合連合会が行うことができる国家公務員等の福祉の増進に資する事業に係る経理その他その事業の実施に必要な事項については、国家公務員共済組合法施行規則（昭和三十三年大蔵省令第五十四号）の規定にかかわらず、別に財務大臣の定めるところによることができる。

附　則

1　この省令は、公布の日から施行する。

2　国家公務員共済組合連合会が行う国家公務員の福祉増進事業に関する省令（昭和五十年大蔵省令第四十号）は、廃止する。

附　則（昭五九・三・一七大蔵令三）（抄）

（施行期日）

1　この省令は、国家公務員及び公共企業体職員に係る共済組合制度の統合等を図るための国家公務員共済組合法等の一部を改正する法律の施行の日（昭和五十九年四月一日。以下「施行日」という。）から施行する。

附　則（平九・三・二八大蔵令二〇）（抄）

1　この省令は、平成九年四月一日から施行する。〔ただし書略〕

附　則（平一二・八・二一大蔵令六九）（抄）

1　この省令は、平成十三年一月六日から施行する。〔ただし書略〕

○常時勤務に服することを要しない国家公務員を内閣総理大臣が定める等の件

昭五九・六・一
総理府告示一四

国家公務員等共済組合及び国家公務員等共済組合連合会が行う国家公務員等の財産形成事業に関する政令（昭和五十二年政令第百九十九号）第二条第一項第一号の常時勤務に服することを要しない国家公務員のうち内閣総理大臣が定めるものは、常時勤務に服することを要しない国家公務員のうち国家公務員等共済組合法施行令（昭和三十三年政令第二百七号）第二条第一項第一号から第五号までに掲げる者とし、国家公務員共済組合及び国家公務員共済組合連合会が行う国家公務員の福祉増進事業に関する政令第二条の内閣総理大臣が定めるものに関する件（昭和五十二年八月十日総理府告示第二十五号）は、廃止する。

〇国家公務員共済組合の更新組合員が増加恩給等を受ける権利を放棄した場合に支給する公務による障害年金の額の特例等に関する政令

昭四二・七・三一
政令二二〇

最終改正　昭五七・九・二五政令二六三

内閣は、昭和四十二年度における旧令による共済組合等からの年金受給者のための特別措置法等の規定による年金の額の改定に関する法律（昭和四十二年法律第百四号）附則第九条第三項（同法附則第十条第八項において準用する場合を含む。）並びに第十条第十項及び第十一項の規定に基づき、この政令を制定する。

（公務による障害年金の額の特例の適用を受ける者の範囲等）

第一条　昭和四十二年度以後における国家公務員共済組合等からの年金の額の改定に関する法律（以下「法」という。）附則第九条第三項（法附則第十条第八項において準用する場合を含む。次項において同じ。）に規定する政令で定める者は、更新組合員等（法附則第三条第一項に規定する更新組合員等をいう。以下第三条までにおいて同じ。）又は更新組合員等であつた者で、増加恩給等（国家公務員共済組合法の長期給付に関する施行法（昭和三十三年法律第百二十九号。以下「施行法」という。）第二条第一項第九号に規定する増加恩給等をいう。以下同じ。）を受ける権利を有することとなつた際に施行法第二条第一項第八号に規定する傷病年金を受ける傷病の程度にあつたとしたならば当該傷病年金を受ける権利を有することとなるものとする。

2　法附則第九条第三項に規定する政令で定める金額は、十万九千円に、前項に規定する者が同項の傷病年金を受ける権利を有する者であるとした場合において、国家公務員共済組合法（昭和三十三年法律第百二十八号。以下「新法」という。）又は施行法の規定による退職年金を受ける権利を有する者であるときはその者が受けることができる退職年金の額を、新法又は施行法の規定による退職年金を受ける権利を有しない者であるときは次の各号に掲げる期間に応じ当該各号に掲げる金額を、それぞれ加えた金額とする。

一　施行法第十九条第一号の期間　同号に掲げる金額の十五分の一に相当する金額

二　施行法第十九条第二号の期間（次号に掲げる期間を除く。）　当該期間の年数一年につき旧法の俸給年額（施行法第二条第一項第十八号に規定する旧法の俸給年額をいう。次号において同じ。）の百分の〇・七五に相当する金額

三　施行法第十九条第二号の期間のうち同法第二条第一項第十六号に規定する控除期間　当該期間の年数一年につき旧法の俸給年額の百二十分の〇・五に相当する金額

四　施行法第十九条第三号の期間　当該期間の年数（一年未満の端数があるときは、これを切り捨てた年数）一年につき新法の俸給年額（施行法第二条第一項第十九号に規定する新法の俸給年額をいう。）の百分の一・四に相当する金額

3　前項各号の期間のうちに、法の公布の日前に給付事由の生じた退職一時金の基礎となつた期間（退職一時金を受ける権利を取得するに至らなかつた期間を含む。）があるときは、これを除くものとする。

4　第二項第二号の期間のうち、新法附則第十八条第一項又は施行法第四十九条の二第二項に規定する期間（一年未満の端数があるときは、これを切り捨てた期間）に対する同号の規定の適用については、同号中「百分の〇・七五」とあるのは、「百分の〇・一八」とする。

5　第二項の場合において、同項第一号から第三号までの期間に一年未満の端数があるときは、これを切り捨て、同項第四号の期間に加算するものとする。

（障害年金等の支給額から控除する増加恩給相当額）

第二条　法附則第十条第十項に規定する政令で定める金額は、新法第八十一条第一項第一号の規定による障害年金又は新法第八十八条第一項第一号の規定による遺族年金の支給時に係る支給額の二分の一に相当する額とする。

2　法附則第十条第一項又は第二項の規定による申出があつた者につき、新法第七十四条第一項の規定の適用により公務による障害年金に代えて退職年金（減額退職年金を含む。次項及び次条において同じ。）を支給することとなつた場合において、その者が昭和三十四年一月一日（施行法第四十二条第一項に規定する恩給更新組合員については、同年十月一日）以後の更新組合員等であつた期間に係る分として増加恩給を受けていたときは、当該増加恩給の額の総額に相当する額に達するまで、その支給に際し、その支給時に係る支給額からその二分の一に相当する額を控除するものとする。

3　法附則第十条第十項の規定による遺族年金の支給額からの控除は、同項に規定する増加恩給の額の総額（同項又は前項の規定によりすでに公務による障害年金又は退職年金の支給額から控除された額があるときは、その額を控除した額）の二分の一に相当する額に達するまで行なうものとする。

（在職中に増加恩給と併給される普通恩給の支給を受けた者に関する特例等）

第三条　法附則第十条第一項又は第二項の規定による申出があつた者のうち、施行法第二条第一項第七号の施行日の前日において同項第五号に規定する旧長期組合員であつた者につき、退職年金又は障害年金を支給する場合において、その者が昭和三十四年一月一日以後の更新組合員等であつた期間に係る分として増加恩給と併給される普通恩給を受けていたときは、当該普通恩給の額の総額に相当する額に達するまで、その支給に際し、その支給時に係る支給額からその二分の一に相当する額を控除するものとする。

2　法附則第十条第一項、第二項、第四項又は第五項の規定による申出があつた者につき遺族年金を支給する場合において、当該遺族年金に係る更新組合員等が前項の普通恩給の支給を受けていたときは、当該普通恩給の額の総額（同項の規定によりすで

に控除された額があるときは、その額を控除した額）の二分の一に相当する額に達するまで、その支給に際し、その支給時に係る支給額からその二分の一に相当する額を控除するものとする。

3　法附則第十条第一項、第二項、第四項又は第五項の規定による申出があつた施行法第五十一条の二第二項に規定する地方の更新組合員である地方の職員等（同条第一項に規定する地方の職員等をいう。）であつた同法第二条第一項第六号に規定する長期組合員が、増加恩給と併給される普通恩給の支給を受けていた場合には、当該普通恩給を同法第五十一条の二第五項第一号に掲げる給付として支給されていたものとみなして、同項及び同条第六項の規定を適用するものとする。

4　施行法第五十一条の二第五項若しくは第六項、国家公務員共済組合法等の一部を改正する法律（昭和三十九年法律第百五十三号）附則第五条第三項若しくは第四項、法附則第十条第十項、前条第二項若しくは第三項又は前三項の規定を適用する場合において、これらの規定による額を、それぞれ同一の支給時に係る退職年金、障害年金又は遺族年金の支給額から控除すべきこととなるときは、当該支給額の二分の一に相当する額を当該控除に係るこれらの規定による額によつてあん分した額をもつて、それぞれこれらの規定による控除額とする。

（組合職員及び連合会職員に係る増加恩給等を受ける権利の放棄の申出等の特例）

第四条　法附則第十条第一項又は第五項に規定する更新組合員等には、国家公務員共済組合法等の一部を改正する法律（昭和三十六年法律第百五十二号）附則第十二条の規定の適用を受ける者及び国家公務員共済組合法施行令（昭和三十三年政令第二百七号）附則第二十五条第二項の規定の適用を受ける者を含まないものとする。

2　国家公務員共済組合法等の一部を改正する法律（昭和三十九年法律第百五十三号）による改正前の新法第百二十五条第二項（同法第百二十六条第三項において準用する場合を含む。）の申出（以下この項において「非通算の申出」という。）をした者又はその遺族が法附則第十条第一項、第二項、第四項又は第五項の規定による申出をしたときは、非通算の申出は、なかつたものとみなす。

（増加退隠料等を受ける権利を放棄した地方の職員であつた長期組合員の公務による障害年金等の取扱い）

第五条　施行法第五十一条の二第二項に規定する地方の更新組合員である地方の職員等（同条第一項に規定する地方の職員等をいう。）であつた同法第二条第一項第六号に規定する長期組合員が昭和四十二年度以後における地方公務員等共済組合法の年金の額の改定等に関する法律（昭和四十二年法律第百五号）附則第九条第一項の規定によつてした申出は、法附則第十条第一項の規定によつてした申出とみなして、法の規定を適用する。

（増加恩給等を受ける権利の放棄の申出の取扱い）

第六条　法附則第十条第一項、第二項及び第四項の規定による申出は、これらの規定に規定する更新組合員等及びその遺族がこれをすることができる最初の申出期間内にするものとする。

附　則

この政令は、公布の日から施行する。

附　則（昭四二・九・三〇政令三二三）

最終改正　昭五七・九・二五政令二六三

1　この政令は、昭和四十二年十月一日から施行する。

2　改正後の第一条第二項の規定は、昭和四十二年十月分以後の同項の規定に係る障害年金について適用し、同年九月分以前の当該年金については、なお従前の例による。

附　則（昭四三・九・三〇政令二九〇）

最終改正　昭五七・九・二五政令二六三

1　この政令は、昭和四十三年十月一日から施行する。

2　改正後の第一条第二項の規定は、昭和四十三年十月分以後の同項の規定に係る障害年金について適用し、同年九月分以前の当該年金については、なお従前の例による。

附　則（昭四三・一二・二七政令三四四）（抄）

1　この政令は、公布の日から施行する。

附　則（昭四四・一二・一六政令二九二）

最終改正　昭五七・九・二五政令二六三

1　この政令は、公布の日から施行する。

2　改正後の第一条第二項の規定は、昭和四十四年十月分以後の同項の規定に係る障害年金について適用し、同年九月分以前の当該年金については、なお従前の例による。

附　則（昭四五・九・二九政令二八六）（抄）

（施行期日）

1　この政令は、昭和四十五年十月一日から施行する。

附　則（昭五七・九・二五政令二六三）

この政令は、昭和五十七年十月一日から施行する。

○東日本大震災に対処するための特別の財政援助及び助成に関する法律（抄）

平二三・五・二
法　四　〇

最終改正　令四・一二・一六法一〇四

第五章　財務省関係

（旧令による共済組合等からの年金受給者のための特別措置法の死亡に係る給付の支給に関する規定の適用の特例）

第二十五条　平成二十三年三月十一日に発生した東北地方太平洋沖地震による災害により行方不明となった者の生死が三月間分からない場合又はその者の死亡が三月以内に明らかとなり、かつ、その死亡の時期が分からない場合には、旧令による共済組合等からの年金受給者のための特別措置法（昭和二十五年法律第二百五十六号）の死亡に係る給付の支給に関する規定の適用については、同日に、その者は、死亡したものと推定する。

（国共済法の退職共済年金の決定の特例）

第二十六条　国家公務員共済組合法（昭和三十三年法律第百二十八号。以下この条から第三十二条までにおいて「国共済法」という。）第二十一条第一項に規定する国家公務員共済組合連合会は、平成二十三年三月一日から第九十六条に規定する厚生労働大臣が定める日までの間に六十五歳に達する者であって次の各号のいずれにも該当するものに係る国共済法第七十六条の規定による退職共済年金を受ける権利については、その権利を有する者の国共済法第四十一条第一項の請求がない場合であっても、必要があると認めるときは、同項の決定を行うことができる。

一　第九十六条第一号に規定する厚生労働大臣が定める区域に住所を有すること。

二　平成二十三年三月十一日前に国共済法附則第十二条の三の規定による退職共済年金その他の政令で定める給付を受ける権利に係る決定を受けたこと。

2　前項の規定は、厚生年金保険法等の一部を改正する法律（平成八年法律第八十二号）附則第三十二条第二項に規定する存続組合又は同法附則第四十八条第一項に規定する指定基金について準用する。

（国共済法の入院時食事療養費の額の特例）

第二十七条　国共済組合（国共済法第三条第一項に規定する国家公務員共済組合をいう。以下この条から第三十一条までにおいて同じ。）が、平成二十三年三月十一日から平成二十四年二月二十九日までの間において第五十条に規定する厚生労働大臣が定める日までの間（次条、第二十九条及び第三十一条において「特例対象期間」という。）に被災国共済組合員（国共済組合の組合員（国共済法第五十九条第一項の規定の適用を受ける者を含む。第三十一条第一項において同じ。）であって、東日本大震災による被害を受けたことにより療養の給付について国共済法第五十五条の二第一項第二号の措置が採られるべきものをいう。以下この条から第三十条までにおいて同じ。）が受けた食事療養（国共済法第五十四条第二項第一号に規定する食事療養をいう。以下この条及び第二十九条から第三十一条までにおいて同じ。）について国共済法第五十五条の三第一項の規定により当該被災国共済組合員に対して支給する入院時食事療養費の額は、同条第二項の規定にかかわらず、当該食事療養について同項の厚生労働大臣が定める基準によりされる算定の例により算定した費用の額（その額が現に当該食事療養に要した費用の額を超えるときは、当該現に食事療養に要した費用の額）に相当する金額とする。

（国共済法の入院時生活療養費の額の特例）

第二十八条　国共済組合が、特例対象期間に被災国共済組合員が受けた生活療養（国共済法第五十四条第二項第二号に規定する生活療養をいう。以下この条から第三十一条までにおいて同じ。）について国共済法第五十五条の四第一項の規定により当該被災国共済組合員に対して支給する入院時生活療養費の額は、同条第二項の規定にかかわらず、当該生活療養について同項の厚生労働大臣が定める基準によりされる算定の例により算定した費用の額（その額が現に当該生活療養に要した費用の額を超えるときは、当該現に生活療養に要した費用の額）に相当する金額とする。

（国共済法の保険外併用療養費の額の特例）

第二十九条　国共済組合が、特例対象期間に被災国共済組合員が受けた評価療養（国共済法第五十四条第二項第三号に規定する評価療養をいう。次項及び第三十一条において同じ。）又は選定療養（国共済法第五十四条第二項第四号に規定する選定療養をいう。次項及び第三十一条において同じ。）（これらの療養のうち食事療養が含まれているものに限る。）について国共済法第五十五条の五第一項の規定により当該被災国共済組合員に対して支給する保険外併用療養費の額は、同条第二項の規定にかかわらず、同項第一号に規定する金額及び当該食事療養について国共済法第五十五条の三第二項の厚生労働大臣が定める基準によりされる算定の例により算定した費用の額（その額が現に当該食事療養に要した費用の額を超えるときは、当該現に食事療養に要した費用の額）に相当する金額の合算額とする。

2　国共済組合が、特例対象期間に被災国共済組合員が受けた評価療養又は選定療養（これらの療養のうち生活療養が含まれているものに限る。）について国共済法第五十五条の五第一項の規定により当該被災国共済組合員に対して支給する保険外併用療養費の額は、同条第二項の規定にかかわらず、同項第一号に規定する金額及び当該生活療養について国共済法第五十五条の四第二項の厚生労働大臣が定める基準によりされる算定の例により算定した費用の額（その額が現に当該生活療養に要した費用の額を超えるときは、当該現に生活療養に要した費用の額）に相当する金額の合算額とする。

（国共済法の療養費の額の特例）

第三十条　国共済組合が、平成二十三年三月十一日から平成二十四年二月二十九日までの間に被災国共済組合員が受けた療養について国共済法第五十六条第一項又は第二項の規定により当該被災国共済組合員に対して支給する療養費の額は、同条第三項の規定にかかわらず、当該療養（食事療養及び生活療養を除く。）について算定した費用の額及び当該食事療養又は生活療養について算定した費用の額を基準として、国共済組合が定める金額とする。

2　前項の費用の額の算定に関しては、療養の給付を受けるべき場合には国共済法第五十五条第六項の療養に要する費用の額の算定、入院時食事療養費の支給を受けるべき場合には第二十七条の費用の額の算定（第五十条に規定する厚生労働大臣が定める日の翌日以降に受けた食事療養については、国共済法第五十五条の三第二項の金額の算定）、入院時生活療養費の支給を受けるべき場合には第二十八条の費用の額の算定（第五十条に規定する厚生労働大臣が定める日の翌日以降に受けた生活療養については、国共済法第五十五条の四第二項の金額の算定）、保険外併用療養費の支給を受けるべき場合には国共済法第五十五条の五第二項第一号の費用の額の算定（前項に規定する療養に食事療養又は生活療養が含まれるときは、前条の費用の額の算定（第五十条に規定する厚生労働大臣が定める日の翌日以降に受けた食事療養又は生活療養については、国共済法第五十五条の三第二項又は第五十五条の四第二項の金額の算定））の例による。ただし、その額は、現に療養に要した費用の額を超えることができない。

（国共済法の家族療養費の額の特例）

第三十一条　国共済組合が、特例対象期間に被災国共済被扶養者（国共済組合の組合員であって、東日本大震災による被害を受けたことにより国共済法第五十七条第一項又は第五十九条第一項の規定による家族療養費の支給について国共済法第五十七条の二第一項の措置が採られるべきものの被扶養者及び国共済法第五十九条第二項の規定の適用を受ける者であって、東日本大震災による被害を受けたことにより同項の規定による家族療養費の支給について国共済法第五十七条の二第一項の措置が採られるべきものをいう。以下この条において同じ。）が受けた療養（食事療養が含まれている療養に限る。）について国共済法第五十七条第一項の規定により当該被災国共済被扶養者に係る国共済組合の組合員（国共済法第五十九条第二項の規定の適用を受ける被災国共済被扶養者を含む。次項において「国共済組合の組合員等」という。）に対して支給する家族療養費の額は、国共済法第五十七条第二項の規定にかかわらず、当該療養（食事療養を除く。）について算定した費用の額に相当する金額及び当該食事療養について算定した費用の額に相当する金額の合算額とする。

2　国共済組合が、特例対象期間に被災国共済被扶養者が受けた療養（生活療養が含まれている療養に限る。）について国共済法第五十七条第一項の規定により当該被災国共済被扶養者に係る国共済組合の組合員等に対して支給する家族療養費の額は、同条第二項の規定にかかわらず、当該療養（生活療養を除く。）について算定した費用の額に相当する金額及び当該生活療養について算定した費用の額に相当する金額の合算額とする。

3　前二項に規定する療養についての費用の額の算定に関しては、保険医療機関等（国共済法第五十五条の五第一項に規定する保険医療機関等をいう。以下この項において同じ。）から療養（評価療養及び選定療養を除く。）を受ける場合にあっては国共済法第五十五条第六項の療養に要する費用の額の算定、保険医療機関等から評価療養又は選定療養を受ける場合にあっては国共済法第五十五条の五第二項第一号の費用の額の算定、第一項に規定する食事療養についての費用の額の算定に関しては第二十七条の費用の額の算定、前項に規定する生活療養についての費用の額の算定に関しては第二十八条の費用の額の算定の例による。

4　前条の規定は、国共済法第五十七条第七項において準用する国共済法第五十六条第一項及び第二項の規定により被災国共済被扶養者に係る家族療養費を支給する場合について準用する。この場合において、国共済法第五十七条第八項の規定は、適用しない。

（国共済法の死亡に係る給付の支給に関する規定の適用の特例）

第三十二条　平成二十三年三月十一日に発生した東北地方太平洋沖地震による災害により行方不明となった者の生死が三月間分からない場合又はその者の死亡が三月以内に明らかとなり、かつ、その死亡の時期が分からない場合には、国共済法の死亡に係る給付の支給に関する規定の適用については、同日に、その者は、死亡したものと推定する。

（国家公務員共済組合法の長期給付に関する施行法の死亡に係る給付の支給に関する規定の適用の特例）

第三十三条　平成二十三年三月十一日に発生した東北地方太平洋沖地震による災害により行方不明となった者の生死が三月間分からない場合又はその者の死亡が三月以内に明らかとなり、かつ、その死亡の時期が分からない場合には、国家公務員共済組合法の長期給付に関する施行法（昭和三十三年法律第百二十九号）の死亡に係る給付の支給に関する規定の適用については、同日に、その者は、死亡したものと推定する。

（適用）

第三十七条　第二十七条から第三十一条までの規定は、平成二十三年三月十一日から適用する。

附　則（抄）

（施行期日）

第一条　この法律は、公布の日から施行する。〔ただし書略〕

附　則（令四・五・二法三七）（抄）

（施行期日）

第一条　この法律は、公布の日から起算して六月を超えない範囲内において政令で定める日から施行する。〔ただし書略〕

〇東日本大震災に対処するための特別の財政援助及び助成に関する法律第二十六条第一項第二号の給付を定める政令

平二三・五・二
政令一二九

内閣は、東日本大震災に対処するための特別の財政援助及び助成に関する法律（平成二十三年法律第四十号）第二十六条第一項第二号（同条第二項において準用する場合を含む。）の規定に基づき、この政令を制定する。

東日本大震災に対処するための特別の財政援助及び助成に関する法律第二十六条第一項第二号（同条第二項において準用する場合を含む。）の政令で定める給付は、次に掲げる給付とする。

一　国家公務員共済組合法（昭和三十三年法律第百二十八号）附則第十二条の三の規定による退職共済年金

二　国家公務員共済組合法附則第十二条の八第二項の規定による退職共済年金

附　則

この政令は、公布の日から施行する。

〇東日本大震災に対処するための国家公務員共済組合法の特例等に関する省令

平二三・六・一〇
財務令二七

改正　平二七・九・三〇財務令七三

（国共済法の死亡に係る給付の決定の請求の特例）

第一条　被用者年金制度の一元化等を図るための厚生年金保険法等の一部を改正する法律（平成二十四年法律第六十三号。以下「平成二十四年一元化法」という。）附則第三十七条第一項の規定によりなおその効力を有するものとされた国家公務員共済組合法施行規則等の一部を改正する省令（平成二十七年財務省令第七十三号）第一条の規定による改正前の国家公務員共済組合法施行規則（昭和三十三年大蔵省令第五十四号。以下「国共済規則」という。）第九十七条の規定により行う支払未済の給付の請求は、平成二十四年一元化法第二条の規定による改正前の国家公務員共済組合法による給付の支払を受けるべきであった者でその支払を受けなかったものが東日本大震災に対処するための特別の財政援助及び助成に関する法律（以下「法」という。）第三十二条に規定する状態に該当するものであるときは、国共済規則第九十七条第二項第二号に掲げる書類に代えて、その者が行方不明となった事実又は死亡した事実を明らかにすることができる書類を併せて提出しなければならない。

2　国共済規則第百八条の規定により行う埋葬料及び家族埋葬料の請求は、組合員若しくは組合員であった者又は組合員の被扶養者が法第三十二条に規定する状態に該当するものであるときは、国共済規則第百八条ただし書に規定する死亡の事実を証明する書類に代えて、これらの者が行方不明となった事実又は死亡した事実を明らかにすることができる書類を併せて提出しなければならない。

3　国共済規則第百十二条の規定により行う弔慰金及び家族弔慰金の請求は、組合員又はその被扶養者が法第三十二条に規定する状態に該当するものであるときは、国共済規則第百十二条に規定する市町村長又は警察署長による当該死亡に関する事実を証明する証拠書類に代えて、これらの者が行方不明となった事実又は死亡した事実を明らかにすることができる書類を併せて提出しなければならない。

4　国共済規則第百十四条の二十六の規定により行う遺族共済年金の決定の請求は、組合員又は組合員であった者が法第三十二条に規定する状態に該当するものであるときは、国共済規則第百十四条の二十六第二項第一号に掲げる書類に代えて、これらの者が行方不明となった事実又は死亡した事実を明らかにすることができる書類を併せて提出しなければならない。

5　国共済規則第百十四条の二十九第三項において読み替えて準用する同条第一項の規定により行う遺族共済年金の転給の申請は、遺族共済年金の受給権者が法第三十二条に規定する状態に該当するものであるときは、国共済規則第百十四条の二十九第三項において読み替えて準用する同条第二項に規定する事実を証する書類に代えて、その者が行方不明となった事実又は死亡した事実を明らかにすることができる書類を併せて提出しなければならない。

第二条　削除

（継続長期組合員に係る組合員期間の通算の特例）

第三条　公庫等職員（国家公務員共済組合法第百二十四条の二第一項に規定する公庫等職員をいう。以下この条において同じ。）として在職していた継続長期組合員（同条第二項に規定する継続長期組合員をいう。）が、東日本大震災（法第二条に規定する東日本大震災をいう。）に対処するため、引き続き再び組合員の資格を取得した後、その者が引き続き再び同一の公庫等（国家公務員共済組合法第百二十四条の二第一項に規定する公庫等をいう。）に公庫等職員として転出をしたときは、国共済規則第百二十八条の三の規定中「六月」とあるのは、「一月」とする。

附　則

この省令は、公布の日から施行する。ただし、第三条の規定は、平成二十三年三月十一日から適用する。

附　則（平二七・九・三〇財務令七三）（抄）

（施行期日）

第一条　この省令は、平成二十七年十月一日から施行する。

○公的年金制度の財政基盤及び最低保障機能の強化等のための国民年金法等の一部を改正する法律の一部の施行に伴う経過措置に関する政令

平二八・九・三〇
政令三二三

最終改正　令三・八・六政令二二九

内閣は、公的年金制度の財政基盤及び最低保障機能の強化等のための国民年金法等の一部を改正する法律（平成二十四年法律第六十二号）附則第七十一条の規定に基づき、この政令を制定する。

（継続短時間労働被保険者に係る老齢厚生年金等の支給停止に関する経過措置）

第一条　公的年金制度の財政基盤及び最低保障機能の強化等のための国民年金法等の一部を改正する法律（以下「年金機能強化法」という。）附則第一条第五号に掲げる規定の施行の日（以下「第五号施行日」という。）前において支給事由の生じた厚生年金保険法（昭和二十九年法律第百十五号）附則第十一条の二第一項に規定する障害者・長期加入者の老齢厚生年金（以下「障害者・長期加入者の老齢厚生年金」という。）の受給権者（次の各号のいずれにも該当する厚生年金保険の被保険者（国会議員及び地方公共団体の議会の議員を除く。以下「継続短時間労働被保険者」という。）に限り、第七条第一項及び第十二条第一項に規定する者を除く。）について、同法附則第十一条の二第一項及び第二項の規定を適用する場合においては、同条第一項の規定にかかわらず、同項に規定する基本支給停止額に相当する部分の支給を停止せず、同条第二項に規定する支給停止基準額は、当該基本支給停止額を含めないものとして計算した額とする。

一　第五号施行日前から引き続き同一の事業所（厚生年金保険法第六条第一項に規定する事業所をいう。次号において同じ。）に使用される者であること。

二　その一週間の所定労働時間が同一の事業所に使用される働き方改革を推進するための関係法律の整備に関する法律（平成三十年法律第七十一号）第七条の規定による改正前の短時間労働者の雇用管理の改善等に関する法律（平成五年法律第七十六号）第二条に規定する通常の労働者（以下この号において「通常の労働者」という。）の一週間の所定労働時間の四分の三未満である同条に規定する短時間労働者（以下この号において「短時間労働者」という。）又はその一月間の所定労働日数が同一の事業所に使用される通常の労働者の一月間の所定労働日数の四分の三未満である短時間労働者に該当し、かつ、年金機能強化法第三条の規定による改正後の厚生年金保険法第十二条第五号イからニまでのいずれの要件にも該当しないことにより、第五号施行日に厚生年金保険の被保険者（厚生年金保険法第二条の五第一項第一号に規定する第一号厚生年金被保険者又は同項第四号に規定する第四号厚生年金被保険者に限る。次号において同じ。）の資格を取得した者であること。

三　第五号施行日以後引き続き第五号施行日に取得した厚生年金保険の被保険者の資格を有する者であること。

2　前項の受給権者（雇用保険法（昭和四十九年法律第百十六号）の規定による高年齢雇用継続基本給付金（以下「高年齢雇用継続基本給付金」という。）又は高年齢再就職給付金（以下「高年齢再就職給付金」という。）の支給を受けることができる場合に限る。）について、厚生年金保険法附則第十一条の六第一項（同条第八項において準用する場合を含む。）の規定を適用する場合においては、同法附則第十一条の二の規定を適用した場合における同条第一項の規定にかかわらず、同項に規定する基本支給停止額に相当する部分の支給を停止せず、同条第二項に規定する支給停止基準額は、当該基本支給停止額を含めないものとして計算した額とする。

第二条　前条第一項の受給権者に基金（公的年金制度の健全性及び信頼性の確保のための厚生年金保険法等の一部を改正する法律（平成二十五年法律第六十三号）附則第三条第十一号に規定する存続厚生年金基金をいう。以下同じ。）が支給する老齢年金給付（同法附則第五条第一項の規定によりなおその効力を有するものとされた同法第一条の規定による改正前の厚生年金保険法第百三十条第一項に規定する老齢年金給付をいう。次項並びに第五条、第八条及び第十条において同じ。）についての厚生年金保険法附則第十三条第三項（第二号から第六号までを除く。）及び第四項（第一号に係る部分に限る。）の規定の適用については、前条第一項の規定を適用しないとしたならば同法附則第八条の規定による老齢厚生年金（第一号厚生年金被保険者期間（同法第二条の五第一項第一号に規定する第一号厚生年金被保険者期間をいう。以下同じ。）に基づくものに限る。）がその全額につき支給を停止されている場合を当該老齢厚生年金がその全額につき支給を停止されている場合とみなす。

２　前条第二項の受給権者に基金が支給する老齢年金給付についての厚生年金保険法附則第十三条第三項（第一号から第三号まで、第五号及び第六号を除く。）及び第四項（第三号に係る部分に限る。）の規定の適用については、前条第二項の規定を適用しないとしたならば同法附則第八条の規定による老齢厚生年金（第一号厚生年金被保険者期間に基づくものに限る。）がその全額につき支給を停止されている場合を当該老齢厚生年金がその全額につき支給を停止されている場合とみなす。

第三条　第一条第一項の受給権者であって、解散基金に係る老齢年金給付（厚生年金保険法附則第七条の七第一項に規定する解散基金に係る老齢年金給付をいう。次項並びに第六条、第九条及び第十一条において同じ。）の受給権を有する者であるものの解散基金に係る代行部分（同法附則第十三条の二第一項に規定する解散基金に係る代行部分をいう。次項及び第九条において同じ。）についての同法附則第十三条の二第一項の規定の適用については、第一条第一項の規定を適用しないとしたならば同法附則第八条の規定による老齢厚生年金（第一号厚生年金被保険者期間に基づくものに限る。）がその全額につき支給を停止されているときを当該老齢厚生年金がその全額につき支給を停止されているときとみなす。

２　第一条第二項の受給権者であって、解散基金に係る老齢年金給付の受給権を有する者であるものの解散基金に係る代行部分についての厚生年金保険法附則第十三条の二第三項の規定の適用については、第一条第二項の規定を適用しないとしたならば同法附則第八条の規定による老齢厚生年金（第一号厚生年金被保険者期間に基づくものに限る。）がその全額につき支給を停止されているときを当該老齢厚生年金がその全額につき支給を停止されているときとみなす。

第四条　第五号施行日前において支給事由の生じた厚生年金保険法附則第十三条の四第三項の規定による老齢厚生年金の受給権者（継続短時間労働被保険者であって、同法附則第十三条の五第一項に規定する繰上げ調整額が加算された老齢厚生年金（同法附則第八条の二第三項に規定する者であることにより当該繰上げ調整額が加算されているものを除く。）の受給権者であるものに限る。）については、同法附則第十三条の五第六項の規定は、適用しない。

第五条　前条の受給権者に基金が支給する老齢年金給付についての厚生年金保険法附則第十三条の七第四項及び第五項の規定の適用については、前条の規定を適用しないとしたならば同法附則第十三条の四第三項の規定による老齢厚生年金（第一号厚生年金被保険者期間に基づくものに限る。）がその全額につき支給を停止されている場合を当該老齢厚生年金がその全額につき支給を停止されている場合とみなす。

第六条　第四条の受給権者であって、解散基金に係る老齢年金給付の受給権を有する者であるものの解散基金に係る代行部分（厚生年金保険法附則第十三条の八第二項に規定する解散基金に係る代行部分をいう。第十一条において同じ。）についての同項及び同法附則第十三条の八第三項の規定の適用については、第四条の規定を適用しないとしたならば同法附則第十三条の四第三項の規定による老齢厚生年金（第一号厚生年金被保険者期間に基づくものに限る。）がその全額につき支給を停止されているときを当該老齢厚生年金がその全額につき支給を停止されているときとみなす。

第七条　厚生年金保険法第七十八条の二十二に規定する各号の厚生年金被保険者期間（以下「各号の厚生年金被保険者期間」という。）のうち二以上の同法第十五条に規定する被保険者の種別に係る被保険者であった期間を有する者（以下「二以上の種別の被保険者であった期間を有する者」という。）であって、第五号施行日前において支給事由の生じた障害者・長期加入者の老齢厚生年金の受給権者（継続短時間労働被保険者に限る。）であるものについて、厚生年金保険法施行令（昭和二十九年政令第百十号。以下「厚年令」という。）第八条の五第三項の規定により読み替えられた同法附則第十一条の二第一項及び第二項の規定を適用する場合においては、同条第一項の規定にかかわらず、同項に規定する基本支給停止額に相当する部分の支給を停止せず、同条第二項に規定する支給停止基準額は、当該基本支給停止額を含めないものとして計算した額とする。

２　前項の受給権者（高年齢雇用継続基本給付金又は高年齢再就職給付金の支給を受けることができる場合に限る。）について、厚年令第八条の五第三項の規定により読み替えられた厚生年金保険法附則第十一条の六第一項（同条第八項において準用する場合を含む。）の規定を適用する場合においては、同法附則第十一条の二の規定を適用した場合における同条第一項の規定にかかわらず、同項に規定する基本支給停止額に相当する部分の支給を停止せず、同条第二項に規定する支給停止基準額は、当該基本支給停止額を含めないものとして計算した額とする。

第八条　前条第一項の受給権者に基金が支給する老齢年金給付についての厚年令第八条の五第四項の規定により読み替えられた厚生年金保険法附則第十三条第三項（第二号から第六号までを除く。）及び第四項（第一号に係る部分に限る。）の規定の適用については、前条第一項の規定を適用しないとしたならば各号の厚生年金被保険者期間のうち第一号厚生年金被保険者期間に基づく同法附則第八条の規定による老齢厚生年金がその全額につき支給を停止されている場合を当該老齢厚生年金がその全額につき支給を停止されている場合とみなす。

２　前条第二項の受給権者に基金が支給する老齢年金給付につい

ての厚年令第八条の五第四項の規定により読み替えられた厚生年金保険法附則第十三条第三項（第一号から第三号まで、第五号及び第六号を除く。）及び第四項（第三号に係る部分に限る。）の規定の適用については、前条第二項の規定を適用しないとしたならば各号の厚生年金被保険者期間のうち第一号厚生年金被保険者期間に基づく同法附則第八条の規定による老齢厚生年金がその全額につき支給を停止されている場合を当該老齢厚生年金がその全額につき支給を停止されている場合とみなす。

第九条　第七条第一項の受給権者であって、解散基金に係る老齢年金給付の受給権を有する者であるものの解散基金に係る代行部分についての厚年令第八条の五第五項の規定により読み替えられた厚生年金保険法附則第十三条の二第一項の規定の適用については、第七条第一項の規定を適用しないとしたならば各号の厚生年金被保険者期間のうち第一号厚生年金被保険者期間に基づく同法附則第八条の規定による老齢厚生年金がその全額につき支給を停止されているときを当該老齢厚生年金がその全額につき支給を停止されているときとみなす。

2　第七条第二項の受給権者であって、解散基金に係る老齢年金給付の受給権を有する者であるものの解散基金に係る代行部分についての厚年令第八条の五第五項の規定により読み替えられた厚生年金保険法附則第十三条の二第三項の規定の適用については、第七条第二項の規定を適用しないとしたならば各号の厚生年金被保険者期間のうち第一号厚生年金被保険者期間に基づく同法附則第八条の規定による老齢厚生年金がその全額につき支給を停止されているときを当該老齢厚生年金がその全額につき支給を停止されているときとみなす。

第十条　二以上の種別の被保険者であった期間を有する者であって、第四条の受給権者であるものに基金が支給する老齢年金給付についての厚年令第八条の六第三項の規定により読み替えられた厚生年金保険法附則第十三条の七第四項及び第五項の規定の適用については、第四条の規定を適用しないとしたならば各号の厚生年金被保険者期間のうち第一号厚生年金被保険者期間に基づく同法附則第十三条の四第三項の規定による老齢厚生年金がその全額につき支給を停止されている場合を当該老齢厚生年金がその全額につき支給を停止されている場合とみなす。

第十一条　二以上の種別の被保険者であった期間を有する者のうち第四条の受給権者であって、解散基金に係る老齢年金給付の受給権を有する者であるものの解散基金に係る代行部分についての厚年令第八条の六第四項の規定により読み替えられた厚生年金保険法附則第十三条の八第二項及び第三項の規定の適用については、第四条の規定を適用しないとしたならば各号の厚生年金被保険者期間のうち第一号厚生年金被保険者期間に基づく同法附則第十三条の四第三項の規定による老齢厚生年金がその全額につき支給を停止されているときを当該老齢厚生年金がその全額につき支給を停止されているときとみなす。

第十二条　第五号施行日前において支給事由の生じた障害者・長期加入者の老齢厚生年金の受給権者であって、被用者年金制度の一元化等を図るための厚生年金保険法等の一部を改正する法律の施行に伴う厚生年金保険の保険給付等に関する経過措置に関する政令（平成二十七年政令第三百四十三号。以下この条において「平成二十七年経過措置政令」という。）第四十八条各号に掲げる年金たる給付の受給権者（継続短時間労働被保険者に限る。）であるものについて、平成二十七年経過措置政令第五十一条第一項（同条第四項において準用する場合を含む。次項において同じ。）の規定により読み替えられた厚生年金保険法附則第十一条の二第一項及び第二項の規定を適用する場合においては、同条第一項の規定にかかわらず、同項に規定する基本支給停止額に相当する部分の支給を停止せず、同条第二項に規定する支給停止基準額は、当該基本支給停止額を含めないものとして計算した額とする。

2　前項の受給権者（高年齢雇用継続基本給付金又は高年齢再就職給付金の支給を受けることができる場合に限る。）について、平成二十七年経過措置政令第五十一条第一項の規定により読み替えられた厚生年金保険法附則第十一条の六第一項（同条第八項において準用する場合を含む。）の規定を適用する場合においては、同法附則第十一条の二の規定を適用した場合における同条第一項の規定にかかわらず、同項に規定する基本支給停止額に相当する部分の支給を停止せず、同条第二項に規定する支給停止基準額は、当該基本支給停止額を含めないものとして計算した額とする。

（継続短時間労働被保険者に係る退職共済年金の支給停止に関する経過措置）

第十三条　適用する改正後厚生年金保険法（被用者年金制度の一元化等を図るための厚生年金保険法等の一部を改正する法律の施行及び国家公務員の退職給付の給付水準の見直し等のための国家公務員退職手当法等の一部を改正する法律の一部の施行に伴う国家公務員共済組合法による長期給付等に関する経過措置に関する政令（平成二十七年政令第三百四十五号。第十五条において「平成二十七年国共済経過措置政令」という。）第十八条第一項の規定により読み替えられた被用者年金制度の一元化等を図るための厚生年金保険法等の一部を改正する法律（平成二十四年法律第六十三号。以下第十五条までにおいて同じ。）附則第十一条の二第一項に規定する障害者・長期加入者の退職共済年金の受給権者（継続短時間労働被保険者に限り、第十五条第一項に規定する者を除く。）について、適用する改正後厚生年金保険法附則第十一条の二第一項及び第二項の規定を適用する場合においては、同条第一項の規定にかかわらず、同項に規定する基本支給停止額に相当する部分の支給を停止せず、同条第二項に規定する支給停止基準額は、当該基本支給停止額を含めないものとして計算した額とする。

2　前項の受給権者（高年齢雇用継続基本給付金又は高年齢再就職給付金の支給を受けることができる場合に限る。）について、適用する改正後厚生年金保険法附則第十一条の六第一項（同条第八項において準用する場合を含む。）の規定を適用する場合においては、適用する改正後厚生年金保険法附則第十一条の二第一項及び第二項の規定を適用した場合における同条第一項の規定にかかわらず、同項に規定する基本支給停止額に相当する部分の支給を停止せず、同条第二項に規定する支給停止基準額は、当該基本支給停止額を含めないものとして計算した額とする。

第十四条　平成二十四年一元化法附則第三十七条第一項に規定す

る平成二十四年一元化法第二条の規定による改正前の国家公務員共済組合法（昭和三十三年法律第百二十八号。以下この条において「平成二十四年改正前国共済法」という。）による年金である給付のうち平成二十四年改正前国共済法附則第十二条の六の二第三項の規定による退職共済年金の受給権者（継続短時間労働被保険者であって、平成二十四年一元化法附則第三十七条第一項の規定によりなおその効力を有するものとされた平成二十四年改正前国共済法附則第十二条の六の三第一項に規定する繰上げ調整額が加算された退職共済年金の受給権者であるものに限る。）については、適用する改正後厚生年金保険法附則第十三条の五第六項の規定は、適用しない。

第十五条　適用する改正後厚生年金保険法附則第十一条の二第一項に規定する障害者・長期加入者の退職共済年金の受給権者であって、平成二十七年国共済経過措置政令第三十八条第三項に規定する年金たる給付の受給権者（昭和二十六年十月二日から昭和三十年十月一日までの間に生まれた継続短時間労働被保険者に限る。）であるものについて、平成二十七年国共済経過措置政令第四十三条第一項の規定により読み替えられた適用する改正後厚生年金保険法附則第十一条の二第一項及び第二項の規定を適用する場合においては、同条第一項の規定にかかわらず、同項に規定する基本支給停止額に相当する部分の支給を停止せず、同条第二項に規定する支給停止基準額は、当該基本支給停止額を含めないものとして計算した額とする。

2　前項の受給権者（高年齢雇用継続基本給付金又は高年齢再就職給付金の支給を受けることができる場合に限る。）について、平成二十七年国共済経過措置政令第四十三条第一項の規定により読み替えられた適用する改正後厚生年金保険法附則第十一条の六第一項（同条第八項において準用する場合を含む。）の規定を適用する場合においては、平成二十七年国共済経過措置政令第四十三条第一項の規定により読み替えられた適用する改正後厚生年金保険法附則第十一条の二第一項及び第二項の規定を適用した場合における同条第一項の規定にかかわらず、同項に規定する基本支給停止額に相当する部分の支給を停止せず、同条第二項に規定する支給停止基準額は、当該基本支給停止額を含めないものとして計算した額とする。

第十六条　適用する改正後厚生年金保険法（被用者年金制度の一元化等を図るための厚生年金保険法等の一部を改正する法律及び地方公務員等共済組合法及び被用者年金制度の一元化等を図るための厚生年金保険法等の一部を改正する法律の一部を改正する法律の施行に伴う地方公務員等共済組合法による長期給付等に関する経過措置に関する政令（平成二十七年政令第三百四十七号。第十八条において「平成二十七年地共済経過措置政令」という。）第十七条第一項の規定により読み替えられた平成二十四年一元化法附則第六十一条第四項の規定により適用するものとされた平成二十四年一元化法第一条の規定による改正後の厚生年金保険法をいう。以下同じ。）附則第十一条の二第一項に規定する障害者・長期加入者の退職共済年金の受給権者（継続短時間労働被保険者に限り、第十八条第一項に規定する者を除く。）について、適用する改正後厚生年金保険法附則第十一条の二第一項及び第二項の規定を適用する場合においては、同条第一項の規定にかかわらず、同項に規定する基本支給停止額に相当する部分の支給を停止せず、同条第二項に規定する支給停止基準額は、当該基本支給停止額を含めないものとして計算した額とする。

2　前項の受給権者（高年齢雇用継続基本給付金又は高年齢再就職給付金の支給を受けることができる場合に限る。）について、適用する改正後厚生年金保険法附則第十一条の六第一項（同条第八項において準用する場合を含む。）の規定を適用する場合においては、適用する改正後厚生年金保険法附則第十一条の二第一項及び第二項の規定を適用した場合における同条第一項の規定にかかわらず、同項に規定する基本支給停止額に相当する部分の支給を停止せず、同条第二項に規定する支給停止基準額は、当該基本支給停止額を含めないものとして計算した額とする。

第十七条　平成二十四年一元化法附則第六十一条第一項に規定する平成二十四年一元化法第三条の規定による改正前の地方公務員等共済組合法（昭和三十七年法律第百五十二号。以下この条において「平成二十四年改正前地共済法」という。）による年金である給付のうち平成二十四年改正前地共済法附則第二十四条の二第三項の規定による退職共済年金の受給権者（継続短時間労働被保険者であって、平成二十四年一元化法附則第六十一条第一項の規定によりなおその効力を有するものとされた平成二十四年改正前地共済法附則第二十四条の三第一項に規定する繰上げ調整額が加算された退職共済年金の受給権者であるものに限る。）については、適用する改正後厚生年金保険法附則第十三条の五第六項の規定は、適用しない。

第十八条　適用する改正後厚生年金保険法附則第十一条の二第一項に規定する障害者・長期加入者の退職共済年金の受給権者であって、平成二十七年地共済経過措置政令第三十六条第三項に規定する年金たる給付の受給権者（昭和二十六年十月二日から昭和三十年十月一日までの間に生まれた継続短時間労働被保険者に限る。）であるものについて、平成二十七年地共済経過措置政令第四十一条第一項の規定により読み替えられた適用する改正後厚生年金保険法附則第十一条の二第一項及び第二項の規定を適用する場合においては、同条第一項の規定にかかわらず、同項に規定する基本支給停止額に相当する部分の支給を停止せず、同条第二項に規定する支給停止基準額は、当該基本支給停止額を含めないものとして計算した額とする。

2　前項の受給権者（高年齢雇用継続基本給付金又は高年齢再就職給付金の支給を受けることができる場合に限る。）について、平成二十七年地共済経過措置政令第四十一条第一項の規定により読み替えられた適用する改正後厚生年金保険法附則第十一条の六第一項（同条第八項において準用する場合を含む。）の規定を適用する場合においては、平成二十七年地共済経過措置政令第四十一条第一項の規定により読み替えられた適用する改正後厚生年金保険法附則第十一条の二第一項及び第二項の規定を適用した場合における同条第一項の規定にかかわらず、同項に規定する基本支給停止額に相当する部分の支給を停止せず、同条第二項に規定する支給停止基準額は、当該基本支給停止額を含めないものとして計算した額とする。

（標準報酬平均額の算定方法に関する経過措置）

第十九条　年金機能強化法附則第十七条の二第二項の規定により厚生年金保険法第四十三条の二の規定を読み替えて適用する場合における厚年令第三条の四の規定の適用については、同条第一項第一号中「及び年齢別構成」とあるのは、「、年齢別構成及び公的年金制度の財政基盤及び最低保障機能の強化等のための国民年金法等の一部を改正する法律（平成二十四年法律第六十二号）附則第十七条の二第二項の規定により読み替えられた法第四十三条の二第一項第二号イに規定する所定労働時間別構成」とする。

第二十条 年金機能強化法附則第十七条の二第三項の規定により厚生年金保険法第四十三条の二の規定を読み替えて適用する場合における厚年令第三条の四の規定の適用については、同条第一項第一号中「及び年齢別構成」とあるのは、「、年齢別構成及び公的年金制度の財政基盤及び最低保障機能の強化等のための国民年金法等の一部を改正する法律（平成二十四年法律第六十二号）附則第十七条の二第三項の規定により読み替えられた法第四十三条の二第一項第二号イに規定する所定労働時間別構成」とする。

附 則

この政令は、平成二十八年十月一日から施行する。

附 則（平二九・三・一七政令三七）

（施行期日）

1 この政令は、平成二十九年四月一日から施行する。

（経過措置）

2 この政令の施行前に第一条の規定による改正前の公的年金制度の財政基盤及び最低保障機能の強化等のための国民年金法等の一部を改正する法律の一部の施行に伴う経過措置に関する政令（以下「旧令」という。）第一条第一項の規定により改定された厚生年金保険法第二十条第一項に規定する標準報酬月額及び旧令第一条第三項において準用する同条第一項の規定により算定された同法第四十六条第一項の標準報酬月額に相当する額については、旧令第一条第二項（同条第三項において準用する場合を含む。）の規定は、なおその効力を有する。

3 この政令の施行前に旧令第二条第一項の規定により改定された私立学校教職員共済法（昭和二十八年法律第二百四十五号）第二十二条第一項に規定する標準報酬月額については、旧令第二条第二項の規定は、なおその効力を有する。

附 則（平三一・四・一七政令一五五）

改正 令元・六・一四政令二七

この政令は、令和二年四月一日から施行する。

附 則（令三・八・六政令二二九）（抄）

（施行期日）

第一条 この政令は、令和四年四月一日から施行する。ただし、次の各号に掲げる規定は、当該各号に定める日から施行する。

一 〔略〕

二 〔前略〕第七条〔中略〕の規定 令和四年十月一日

三 〔略〕

四 第八条〔中略〕の規定 令和六年十月一日

○公的年金制度の財政基盤及び最低保障機能の強化等のための国民年金法等の一部を改正する法律の一部の施行に伴う経過措置に関する省令

平二八・九・三〇
財務令六九

改正 平二九・三・二九財務令八

（障害者・長期加入者の老齢厚生年金の受給権者等の届出）

第一条 受給権者（厚生年金保険法（昭和二十九年法律第百十五号）第二条の五第一項第二号に規定する第二号厚生年金被保険者期間に基づく公的年金制度の財政基盤及び最低保障機能の強化等のための国民年金法等の一部を改正する法律の一部の施行に伴う経過措置に関する政令（平成二十八年政令第三百二十三号。以下「経過措置政令」という。）第一条第一項に規定する障害者・長期加入者の老齢厚生年金の受給権者（同項に規定する継続短時間労働被保険者（以下単に「継続短時間労働被保険者」という。）に限る。）又は経過措置政令第四条に規定する老齢厚生年金の受給権者（継続短時間労働被保険者であって、同法附則第十三条の五第一項に規定する繰上げ調整額が加算された老齢厚生年金（同法附則第八条の二第三項に規定する者であることにより当該繰上げ調整額が加算されているものを除く。）の受給権者であるものに限る。）に限る。）は、この省令の施行の日以後速やかに、次に掲げる事項を記載した届出書を国家公務員共済組合連合会に提出しなければならない。

一 受給権者の氏名、生年月日及び住所

二　国民年金法（昭和三十四年法律第百四十一号）第十四条に規定する基礎年金番号（次条第一項第二号において単に「基礎年金番号」という。）
三　老齢厚生年金の年金証書の記号番号
四　老齢厚生年金の年金証書の年金コード
五　継続短時間労働被保険者に該当する旨
六　その他必要な事項

2　前項の届出書を提出する場合には、同項第五号に掲げる事項を明らかにする書類その他の必要な書類を併せて提出しなければならない。

（障害者・長期加入者の退職共済年金の受給権者等の届出）

第二条　受給権者（経過措置政令第十三条第一項に規定する障害者・長期加入者の退職共済年金の受給権者（継続短時間労働被保険者に限る。）又は経過措置政令第十四条に規定する退職共済年金の受給権者（継続短時間労働被保険者であって、被用者年金制度の一元化等を図るための厚生年金保険法等の一部を改正する法律（平成二十四年法律第六十三号）附則第三十七条第一項の規定によりなおその効力を有するものとされた同法第二条の規定による改正前の国家公務員共済組合法（昭和三十三年法律第百二十八号）附則第十二条の六の三第一項に規定する繰上げ調整額が加算された退職共済年金の受給権者であるものに限る。）に限る。）は、この省令の施行の日以後速やかに、次に掲げる事項を記載した届出書を国家公務員共済組合連合会に提出しなければならない。

一　受給権者の氏名、生年月日及び住所
二　基礎年金番号
三　退職共済年金の年金証書の記号番号
四　継続短時間労働被保険者に該当する旨
五　その他必要な事項

2　前項の届出書を提出する場合には、同項第四号に掲げる事項を明らかにする書類その他の必要な書類を併せて提出しなければならない。

附　則

この省令は、平成二十八年十月一日から施行する。

附　則（平二九・三・二九財務令八）

この省令は、平成二十九年四月一日から施行する。

○地方公務員等共済組合法

昭三七・九・八
法一五二

最終改正 令六・六・一二法四七

目次〔略〕

第一章 総則

（目的）

第一条 この法律は、地方公務員の病気、負傷、出産、休業、災害、退職、障害若しくは死亡又はその被扶養者の病気、負傷、出産、死亡若しくは災害に関して適切な給付を行うため、相互救済を目的とする共済組合の制度を設け、その行うこれらの給付及び福祉事業に関して必要な事項を定め、もつて地方公務員及びその遺族の生活の安定と福祉の向上に寄与するとともに、公務の能率的運営に資することを目的とし、あわせて地方団体関係団体の職員の年金制度等に関して定めるものとする。

2 国及び地方公共団体は、前項の共済組合の健全な運営と発達が図られるように、必要な配慮を加えるものとする。

（定義）

第二条 この法律において、次の各号に掲げる用語の意義は、それぞれ当該各号に定めるところによる。

一 職員 常時勤務に服することを要する地方公務員（地方公務員法（昭和二十五年法律第二百六十一号）第二十七条第二項に規定する休職の処分を受けた者、同法第二十九条第一項に規定する停職の処分を受けた者、法律又は条例の規定により職務に専念する義務を免除された者その他の常時勤務に服することを要しない地方公務員で政令で定めるものを含むものとし、臨時に使用される者（二月以内の期間を定めて使用される者であつて、当該定めた期間を超えて使用されることが見込まれないものに限る。第百四十二条第一項及び第百四十四条の三第一項において同じ。）その他の政令で定める者を含まないものとする。）をいう。

二 被扶養者 次に掲げる者（後期高齢者医療の被保険者（高齢者の医療の確保に関する法律（昭和五十七年法律第八十号）第五十条の規定による被保険者をいう。）及び同条各号のいずれかに該当する者で同法第五十一条の規定により後期高齢者医療の被保険者とならないもの（以下「後期高齢者医療の被保険者等」という。）その他健康保険法（大正十一年法律第七十号）第三条第七項ただし書に規定する特別の理由がある者に準じて主務省令で定める者を除く。）で主として組合員（短期給付に関する規定の適用を受けないものを除く。以下この号において同じ。）の収入により生計を維持するものであつて、日本国内に住所を有するもの又は外国において留学をする学生その他の日本国内に住所を有しないが渡航目的その他の事情を考慮して日本国内に生活の基礎があると認められるものとして主務省令で定めるものをいう。

イ 組合員の配偶者、子、父母、孫、祖父母及び兄弟姉妹

ロ 組合員と同一世帯に属する三親等内の親族でイに掲げる者以外のもの

ハ 組合員の配偶者で届出をしていないが、事実上婚姻関係と同様の事情にあるものの父母及び子並びに当該配偶者の死亡後におけるその父母及び子で、組合員と同一の世帯に属するもの

三 遺族 組合員又は組合員であつた者の配偶者、子、父母、孫及び祖父母で、組合員又は組合員であつた者の死亡の当時（失踪の宣告を受けた組合員であつた者にあつては、行方不明となつた当時。第三項において同じ。）その者によつて生計を維持していたものをいう。

四 退職 職員が死亡以外の事由により職員でなくなること（職員でなくなつた日又はその翌日に再び職員となる場合におけるその職員でなくなることを除く。）をいう。

五 報酬 地方自治法（昭和二十二年法律第六十七号）第二百四条の規定の適用を受ける職員については、同条第一項に規定する給料及び同条第二項に規定する手当のうち期末手当、勤勉手当その他政令で定める手当を除いたものとし、その他の職員については、これらの給料及び手当に準ずるものとして政令で定めるものをいう。

六 期末手当等 地方自治法第二百四条の規定の適用を受ける職員については、同条第二項に規定する手当のうち期末手当、勤勉手当その他政令で定める手当とし、その他の職員については、これらの手当に準ずるものとして政令で定めるものをいう。

2 前項第二号の規定の適用上主として組合員の収入により生計を維持することの認定及び同項第三号の規定の適用上組合員又は組合員であつた者によつて生計を維持することの認定に関し必要な事項は、政令で定める。

3 第一項第三号の規定の適用については、夫、父母又は祖父母は五十五歳以上の者に、子若しくは孫は十八歳に達する日以後の最初の三月三十一日までの間にあるか、又は二十歳未満で厚生年金保険法（昭和二十九年法律第百十五号）第四十七条第二項に規定する障害等級（以下単に「障害等級」という。）の一級若しくは二級に該当する程度の障害の状態にあり、かつ、まだ配偶者がない者に限るものとし、組合員又は組合員であつた者の死亡の当時胎児であつた子が出生した場合には、その子は、これらの者の死亡の当時その者によつて生計を維持していたものとみなす。

4 この法律において、「配偶者」、「夫」及び「妻」には、婚姻の届出をしていないが、事実上婚姻関係と同様の事情にある者を含むものとする。

第二章 組合及び連合会

第一節 組合

（設立）

第三条 次の各号に掲げる職員の区分に従い、当該各号に掲げる職員をもつて組織する当該各号の地方公務員共済組合（次項に規定する都市職員共済組合を含み、以下「組合」という。）を設ける。

一 道府県の職員（次号及び第三号に掲げる者を除く。） 地方職員共済組合

二 公立学校の職員並びに都道府県教育委員会及びその所管に属する教育機関（公立学校を除く。）の職員 公立学校共済組合

三 都道府県警察の職員 警察共済組合

四　都の職員（特別区の職員を含み、第二号及び前号に掲げる者を除く。）　都職員共済組合
五　地方自治法第二百五十二条の十九第一項に規定する指定都市（以下「指定都市」という。）の職員（第二号に掲げる者を除く。）　指定都市ごとに、指定都市職員共済組合
六　指定都市以外の市及び町村の職員（第二号に掲げる者を除く。）　都道府県の区域ごとに、市町村職員共済組合

2　この法律の施行の日の前日において、旧市町村職員共済組合法（昭和二十九年法律第二百四号）の規定の全部の適用を受けていなかつた指定都市以外の市（以下この項において「市」という。）の職員（前項第二号に掲げる者を除く。）については、同項第六号の規定にかかわらず、政令で定めるところにより、一の市の職員又は二以上の市の職員をもつて組織する都市職員共済組合を設けることができる。

3　地方自治法第二百八十四条第一項の一部事務組合及び広域連合（以下この項において「一部事務組合等」という。）の職員は、政令で定めるところにより、当該一部事務組合等を組織する地方公共団体の職員を組合員とする組合のうちいずれか一の組合の組合員となるものとする。

4　特定地方独立行政法人（地方独立行政法人法（平成十五年法律第百十八号）第二条第二項に規定する特定地方独立行政法人をいう。以下同じ。）の職員は、政令で定めるところにより、設立団体（同法第六条第三項に規定する設立団体をいう。）の職員を組合員とする組合のうちいずれか一の組合の組合員となるものとする。

（組合の業務）

第三条の二　組合は、次に掲げる業務を行う。
一　短期給付の決定及び支払
二　長期給付の裁定又は決定及び支払
三　厚生年金保険給付組合積立金（第二十四条に規定する厚生年金保険給付組合積立金をいう。）及び退職等年金給付組合積立金（第二十四条の二に規定する退職等年金給付組合積立金をいう。）の積立て
四　業務上の余裕金の管理及び運用
五　掛金及び厚生年金保険法第八十一条第一項の規定による保険料の徴収
六　前各号に定めるもののほか、厚生年金保険法その他の法律により組合が行うものとされた業務

2　組合は、前項に定めるもののほか、福祉事業を行うことができる。

（法人格）

第四条　組合は、法人とする。

2　組合の住所は、その主たる事務所の所在地にあるものとする。

（定款）

第五条　組合は、定款をもつて次に掲げる事項を定めなければならない。
一　目的
二　名称
三　事務所の所在地
四　運営審議会又は組合会に関する事項
五　役員に関する事項
六　組合員の範囲その他組合員に関する事項
七　短期給付及び長期給付に関する事項
八　掛金に関する事項（第三十八条の三第一項第十二号に掲げる事項を除く。）
九　資産の管理その他財務に関する事項
十　その他組織及び業務に関する重要事項

2　前項各号に掲げるもののほか、地方職員共済組合、公立学校共済組合及び警察共済組合（以下「地方職員共済組合等」という。）並びに都職員共済組合の定款にあつては、地方公務員共済組合審査会に関する事項を定めなければならない。

3　定款の変更（政令で定める事項に係るものを除く。）は、主務大臣の認可を受けなければ、その効力を生じない。

4　主務大臣は、第一項第八号に掲げる事項について、前項の認可をしようとするときは、あらかじめ、総務大臣に協議しなければならない。

5　総務大臣は、警察共済組合に係る前項の協議を受けたときは、財務大臣の意見を聴かなければならない。

6　主務大臣は、第一項各号（第八号を除く。）及び第二項に掲げる事項について、第三項の認可をしたときは、遅滞なく、これを総務大臣に通知しなければならない。

7　組合は、第三項に規定する政令で定める事項に係る定款の変更をしたときは、遅滞なく、これを主務大臣に報告しなければならない。

8　主務大臣は、前項の報告を受けたときは、遅滞なく、これを総務大臣に通知しなければならない。

9　組合は、定款の変更について第三項の認可を受けたとき、又は同項に規定する政令で定める事項に係る定款の変更をしたときは、遅滞なく、これを公告しなければならない。

（運営審議会及び組合会の設置）

第六条　地方職員共済組合等に運営審議会を、都職員共済組合、指定都市職員共済組合、市町村職員共済組合及び都市職員共済組合に組合会を置く。

（運営審議会）

第七条　運営審議会は、委員十六人以内で組織する。

2　委員は、主務大臣がその組合の組合員のうちから命ずる。

3　主務大臣は、前項の規定により委員を命ずる場合には、組合の業務その他組合員の福祉に関する事項について広い知識を有する者のうちから命じなければならない。この場合において、委員の半数は、組合員を代表する者でなければならない。

第八条　次に掲げる事項は、運営審議会の議を経なければならない。
一　定款の変更
二　運営規則の作成及び変更
三　毎事業年度の事業計画並びに予算及び決算
四　重要な財産の処分及び重大な債務の負担

2　運営審議会は、前項に定めるもののほか、理事長の諮問に応じて組合の業務に関する重要事項を調査審議し、又は必要と認める事項につき理事長に建議することができる。

（組合会）

第九条　組合会は、二十人以内の議員をもつて組織する。ただし、政令で定める場合に該当する市町村職員共済組合の組合会

にあつては、二十人をこえ、三十人以内の議員をもつて組織することができる。

2　都職員共済組合及び指定都市職員共済組合（以下「都職員共済組合等」という。）の組合会の議員は、それぞれ半数を、都知事若しくは指定都市の市長が組合員のうちから任命し、又は組合員が組合員のうちから選挙する。

3　市町村職員共済組合の組合会の議員は、市町村長及び市町村長以外の組合員がそれぞれのうちからそれぞれ同数を選挙する。

4　都市職員共済組合の組合会の議員については、第二項の規定を準用する。この場合において、同項中「都知事若しくは指定都市の市長」とあるのは、「当該都市職員共済組合に係る市の市長（二以上の市の職員をもつて組織する都市職員共済組合にあつては、当該二以上の市の長が協議して定める市長）」と読み替えるものとする。

5　議員の任期は、二年とする。ただし、補欠の議員の任期は、前任者の残任期間とする。

6　市町村長である議員が市町村長の職を離れたとき、又は市町村長以外の組合員である議員が組合員の資格を失つたときは、議員の職を失う。

7　組合会は、理事長が招集する。組合会の議員の定数の三分の一以上の者が会議に付議すべき事件を示して組合会の招集を請求したときは、理事長は、組合会を招集しなければならない。

8　組合会に議長を置く。議長は、理事長をもつて充てる。

9　議長は、組合会の会議を総理する。議長に事故があるとき、又は議長が欠けたときは、第十二条第一項後段の規定により理事長の職務を代理し、又はその職務を行なう者がその職務を行なう。

10　前各項に定めるもののほか、組合会の招集及び議事の手続に関し必要な事項は、政令で定める。

第十条　次に掲げる事項は、組合会の議決を経なければならない。

一　定款の変更

二　運営規則の作成及び変更

三　毎事業年度の事業計画並びに予算及び決算

四　重要な財産の処分及び重大な債務の負担

五　その他組合の業務に関する重要事項で定款で定めるもの

2　理事長は、組合会が成立しないとき、又は理事長において組合会を招集する暇がないと認めるときは、組合会の議決を経なければならない事項で臨時急施を要するものを処分することができる。

3　理事長は、前項の規定による処置については、次の組合会においてこれを報告し、その承認を求めなければならない。

4　組合会は、監事に対し、組合の業務に関する監査を求め、その結果の報告を請求することができる。

（役員）

第十一条　組合に、役員として理事長一人、理事若干人及び監事三人（地方職員共済組合にあつては、監事四人）を置く。

（役員の職務）

第十二条　理事長は、組合を代表し、その業務を執行する。理事長に事故があるとき、又は理事長が欠けたときは、地方職員共済組合等にあつては理事のうちから、都職員共済組合等、市町村職員共済組合及び都市職員共済組合にあつては次条第六項各号に掲げる組合会の議員である理事のうちから、あらかじめ理事長が指定する者がその職務を代理し、又はその職務を行なう。

2　理事は、理事長の定めるところにより、理事長を補佐して組合の業務を執行する。

3　監事は、組合の業務を監査する。

（役員の任命又は選挙）

第十三条　地方職員共済組合等の理事長及び監事は、主務大臣が任命する。

2　地方職員共済組合等の理事は、理事長が、主務大臣の認可を受けて任命する。

3　都職員共済組合等の理事長は、第六項第一号に掲げる組合会の議員の選挙した理事のうちから、理事が選挙する。

4　市町村職員共済組合の理事長は、第六項第二号に掲げる組合会の議員の選挙した理事のうちから、理事が選挙する。

5　都市職員共済組合の理事長は、次項第三号に掲げる組合会の議員の選挙した理事のうちから、理事が選挙する。

6　都職員共済組合等、市町村職員共済組合及び都市職員共済組合の理事は、次の各号に掲げる組合会の議員及び当該各号に掲げる組合会の議員以外の組合会の議員がそれぞれのうちからそれぞれ同数を選挙する。

一　都職員共済組合等　都知事又は指定都市の市長が任命した組合会の議員

二　市町村職員共済組合　市町村長が選挙した組合会の議員

三　都市職員共済組合　市長が任命した組合会の議員

7　都職員共済組合等、市町村職員共済組合及び都市職員共済組合の監事は、組合会において、学識経験を有する者、前項各号に掲げる組合会の議員及び当該各号に掲げる組合会の議員以外の組合会の議員のうちからそれぞれ一人を選挙する。

（役員の任期等）

第十四条　役員の任期は、二年とする。ただし、補欠の役員の任期は、前任者の残任期間とする。

2　都職員共済組合等、市町村職員共済組合及び都市職員共済組合の役員が組合会の議員の職を失つたときは、役員の職を失う。

3　都職員共済組合等、市町村職員共済組合及び都市職員共済組合の役員は、その任期が満了しても、後任の役員が就職するまでの間は、なお、その職務を行なう。

4　組合は、役員が就職し、又は退職したときは、遅滞なく、これを公告しなければならない。

（地方職員共済組合等の役員の解任）

第十五条　主務大臣又は地方職員共済組合等の理事長は、それぞれその任命に係る役員が次の各号の一に該当するとき、その他役員たるに適しないと認めるときは、その役員を解任することができる。

一　心身の故障のため職務の執行に堪えないと認められるとき。

二　職務上の義務違反があるとき。

2　地方職員共済組合等の理事長は、前項の規定により理事を解任しようとするときは、主務大臣の認可を受けなければならない。

（理事長の代表権の制限）

第十六条　組合と理事長（第十二条第一項の規定により理事長の職務を代理し、又はその職務を行なう者を含む。以下この項において同じ。）又は理事長がその長である市町村との利益が相反する事項については、理事長は、代表権を有しない。この場合においては、監事が組合を代表する。

（運営規則）

第十七条　組合は、組合の業務を執行するために必要な事項で主務省令で定めるものについて、運営規則を定めるものとする。

2　組合は、運営規則を定め、又は変更したときは、遅滞なく、これを主務大臣に報告しなければならない。

3　主務大臣は、前項の報告を受けたときは、遅滞なく、これを総務大臣に通知しなければならない。

（地方公共団体の便宜の供与）

第十八条　地方公共団体の機関は、組合の運営に必要な範囲内において、その所属の職員その他地方公共団体に使用される者をして組合の業務に従事させることができる。

2　地方公共団体の機関は、組合の運営に必要な範囲内において、その管理に係る土地、建物その他の施設を無償で組合の利用に供することができる。

（組合の役員及び事務職員の公務員たる性質）

第十九条　組合の役員及び組合に使用され、その事務に従事する者は、刑法（明治四十年法律第四十五号）その他の罰則の適用については、法令により公務に従事する職員とみなす。

（秘密保持義務）

第十九条の二　組合の役員若しくは組合の事務に従事する者又はこれらの者であつた者は、組合の事業に関して職務上知り得た秘密を漏らし、又は盗用してはならない。

（事業年度）

第二十条　組合の事業年度は、毎年四月一日に始まり、翌年三月三十一日に終わる。

（事業計画及び予算）

第二十一条　組合は、毎事業年度、事業計画及び予算を作成しなければならない。

2　組合は、事業計画及び予算を作成し、又は変更したときは、遅滞なく、これを主務大臣に報告しなければならない。

3　主務大臣は、前項の報告を受けたときは、遅滞なく、これを総務大臣に通知しなければならない。

（決算）

第二十二条　組合は、毎事業年度の決算を翌事業年度の五月三十一日までに完結しなければならない。

2　組合は、毎事業年度、貸借対照表及び損益計算書を作成し、これに監事の意見を付けて決算完結後一月以内に主務大臣に報告しなければならない。

3　組合は、前項の規定による報告を行つたときは、遅滞なく、主務省令で定めるところにより貸借対照表及び損益計算書又はこれらの要旨を公告し、かつ、貸借対照表、損益計算書、附属明細書、事業状況報告書及び監事の意見を記載した書面を各事務所に備え付け、主務省令で定める期間、一般の閲覧に供しなければならない。

4　主務大臣は、第二項の報告を受けたときは、遅滞なく、これを総務大臣に通知しなければならない。

（借入金の制限）

第二十三条　組合は、地方公務員共済組合連合会（指定都市職員共済組合、市町村職員共済組合及び都市職員共済組合にあつては、全国市町村職員共済組合連合会）から借り入れる場合を除き、借入金をしてはならない。ただし、組合の目的を達成するため必要な場合において、主務大臣の承認を受けたときは、この限りでない。

2　主務大臣は、前項の承認をしたときは、遅滞なく、これを総務大臣に通知しなければならない。

（厚生年金保険給付組合積立金の積立て）

第二十四条　組合（指定都市職員共済組合、市町村職員共済組合及び都市職員共済組合を除く。次条において同じ。）は、政令で定めるところにより、厚生年金保険法第七十九条の二に規定する実施機関積立金として、同法第八十四条の五第一項に規定する拠出金（以下「厚生年金拠出金」という。）及び国民年金法（昭和三十四年法律第百四十一号）第九十四条の二第二項に規定する基礎年金拠出金（以下「基礎年金拠出金」という。）の負担に充てるべき積立金（以下「厚生年金保険給付組合積立金」という。）を積み立てなければならない。

（退職等年金給付組合積立金の積立て）

第二十四条の二　組合は、政令で定めるところにより、退職等年金給付に充てるべき積立金（以下「退職等年金給付組合積立金」という。）を積み立てなければならない。

（資金の運用）

第二十五条　組合の業務上の余裕金は、政令で定めるところにより、事業の目的及び資金の性質に応じ、安全かつ効率的な方法により、かつ、組合員の福祉の増進又は地方公共団体の行政目的の実現に資するように運用しなければならない。この場合において、地方職員共済組合等にあつては、政令で定めるところにより、都道府県ごとに、業務上の余裕金（厚生年金保険法第七十九条の二に規定する実施機関積立金及び退職等年金給付組合積立金を除く。）の運用計画を作成するものとし、当該運用計画を作成し、又は変更しようとするときは、当該都道府県知事の意見を聴くものとする。

（主務省令への委任）

第二十六条　この節に規定するもののほか、組合の財務その他その運営に関して必要な事項は、主務省令で定める。

第二節　連合会

第一款　全国市町村職員共済組合連合会

（市町村連合会）

第二十七条　指定都市職員共済組合、市町村職員共済組合又は都市職員共済組合の事業のうち次項に規定する業務を共同して行うとともに、指定都市職員共済組合、市町村職員共済組合及び都市職員共済組合の業務の適正かつ円滑な運営を図るため、全ての指定都市職員共済組合、市町村職員共済組合及び都市職員共済組合をもつて組織する全国市町村職員共済組合連合会（以下「市町村連合会」という。）を置く。

2　市町村連合会の業務は、指定都市職員共済組合、市町村職員共済組合又は都市職員共済組合（以下この款において「構成組合」という。）の長期給付に係る業務（基礎年金拠出金の負担に関する業務を含む。）のうち、第三条の二第一項第二号から第四号までに掲げる業務その他総務省令で定める業務とする。

3　市町村連合会は、前項に規定する業務のほか次に掲げる事業を行う。

一 構成組合の業務に関する技術的及び専門的な知識、資料等を構成組合に提供すること。
二 構成組合の短期給付、短期給付に要する財源の計算及び資産の管理が適切に行われるように、構成組合の事務の指導を行うこと。
三 災害給付積立金の管理及び運用を行うこと。
四 福祉事業を行うこと。
五 その他その目的を達成するために必要な事業

4 市町村連合会は、政令の定めるところにより、第二項に規定する業務の一部を構成組合に行わせることができる。

5 前項の場合において、この法律の規定の適用に関し必要な技術的読替えその他必要な事項は、政令で定める。

6 市町村連合会は、法人とする。

7 市町村連合会は、主たる事務所を東京都に置く。

（定款）

第二十八条 市町村連合会は、定款をもつて次に掲げる事項を定めなければならない。
一 目的
二 名称
三 事業
四 事務所の所在地
五 総会に関する事項
六 役員に関する事項
七 長期給付に関する事項
八 災害給付積立金に関する事項
九 経費の分賦及び資産の管理その他財務に関する事項
十 地方公務員共済組合審査会に関する事項
十一 その他組織及び業務に関する重要事項

2 定款の変更は、総務大臣の認可を受けなければ、その効力を生じない。

（登記）

第二十九条 市町村連合会は、政令で定めるところにより、登記しなければならない。

2 前項の規定により登記しなければならない事項は、登記の後でなければ、これをもつて第三者に対抗することができない。

（総会）

第三十条 市町村連合会に、市町村連合会の業務に関する重要事項を決定するための機関として、総会を置く。

2 総会は、議員六十一人をもつて組織する。

3 総会の議員のうち四十七人は各構成組合の理事長が互選し、総会の議員のうち十四人は各構成組合の理事（指定都市職員共済組合の第十三条第六項第一号に掲げる組合会の議員が選挙した理事、市町村職員共済組合の同項第二号に掲げる組合会の議員が選挙した理事及び都市職員共済組合の同項第三号に掲げる組合会の議員が選挙した理事を除く。次項において同じ。）が互選する。

4 議員の任期は、その者の当該構成組合における理事長又は理事の任期による。ただし、各構成組合の理事長の互選した議員が構成組合の理事長の職を失つたとき、又は各構成組合の理事の互選した議員が構成組合の理事の職を失つたときは、議員の職を失う。

（総会の招集）

第三十一条 総会は、理事長が招集する。総会の議員の定数の三分の一以上の者が会議に付議すべき事件を示して総会の招集を請求したときは、理事長は、総会を招集しなければならない。

（総会の権限）

第三十二条 次に掲げる事項は、総会の議決を経なければならない。
一 定款の変更
二 運営規則の作成及び変更
三 毎事業年度の事業計画並びに予算及び決算
四 重要な財産の処分及び重大な債務の負担
五 その他市町村連合会の業務に関する重要事項で定款で定めるもの

2 理事長は、総会が成立しないとき、又は理事長において総会を招集する暇がないと認めるときは、総会の議決を経なければならない事項で臨時急施を要するものを処分することができる。

3 理事長は、前項の規定による処置については、次の総会においてこれを報告し、その承認を求めなければならない。

4 総会は、監事に対し、市町村連合会の業務に関する監査を求め、その結果の報告を請求することができる。

（役員）

第三十三条 市町村連合会に、役員として理事長一人、理事十三人及び監事三人を置く。

2 理事長は、各構成組合の理事長である理事のうちから理事が選挙する。

3 理事は、総会において、学識経験を有する者のうちから一人、各構成組合の理事長である総会の議員のうちから九人、及び各構成組合の理事長である総会の議員以外の総会の議員のうちから四人を選挙する。

4 監事は、総会において、学識経験を有する者、各構成組合の理事長である総会の議員及び各構成組合の理事長である総会の議員以外の総会の議員のうちからそれぞれ一人を選挙する。

5 役員の任期は、二年とする。ただし、補欠の役員の任期は、前任者の残任期間とする。

6 役員が総会の議員の職を失つたときは、役員の職を失う。

7 役員は、その任期が満了しても、後任の役員が就職するまでの間は、なお、その職務を行う。

（役員の職務）

第三十四条 理事長は、市町村連合会を代表し、その業務を執行する。理事長に事故があるとき、又は理事長が欠けたときは、理事長のあらかじめ指定する理事がその職務を代理し、又はその職務を行う。

2 理事は、理事長の定めるところにより、理事長を補佐して市町村連合会の業務を執行する。

3 監事は、市町村連合会の業務を監査する。

4 市町村連合会と理事長若しくは職務代理者（第一項後段の規定により理事長の職務を代理し、又はその職務を行う者をいう。以下この項において同じ。）又は理事長若しくは市町村長である職務代理者がその長である市町村との利益が相反する事項については、理事長又は職務代理者は、代表権を有しない。この場合においては、監事が市町村連合会を代表する。

（借入金の制限）

第三十五条 市町村連合会は、地方公務員共済組合連合会から借り入れる場合を除き、借入金をしてはならない。ただし、市町村連合会の目的を達成するため必要な場合において、総務大臣の承認を受けたときは、この限りでない。

（災害給付積立金）

第三十六条　災害給付（これに係る附加給付を含む。第三項において同じ。）の円滑な実施を図るため、市町村連合会に災害給付積立金を設ける。

2　構成組合は、災害給付積立金に充てるため、政令で定めるところにより、一定の金額を市町村連合会に払い込むものとする。

3　市町村連合会は、政令で定めるところにより、構成組合の請求に基づき、その災害給付に要する資金を災害給付積立金から構成組合に交付するものとする。

4　災害給付積立金は、政令で定めるところにより、安全かつ効率的な方法により、かつ、組合員の福祉の増進又は市町村の行政目的の実現に資するように運用しなければならない。

（資料の提出の請求）

第三十七条　市町村連合会は、その業務に関して必要があると認めるときは、構成組合に対し、必要な資料の提出を求めることができる。

（準用規定）

第三十八条　第五条第九項、第十四条第四項、第十七条第一項及び第二項、第十八条、第二十条、第二十一条第一項及び第二項、第二十二条第一項から第三項まで、第二十四条、第二十四条の二、第二十五条前段並びに第二十六条の規定は市町村連合会について、第九条第八項から第十項までの規定は総会について、第十九条の規定は市町村連合会の役員及び市町村連合会に使用され、その事務に従事する者について、第十九条の二の規定は市町村連合会の役員若しくは市町村連合会の事務に従事する者又はこれらの者であつた者について準用する。この場合において、第五条第九項中「第三項の認可を受けたとき、又は同項に規定する政令で定める事項に係る定款の変更をしたとき」とあるのは「第二十八条第二項の認可を受けたとき」と、第九条第九項中「第十二条第一項後段」とあるのは、「第三十四条第一項後段」と読み替えるものとする。

2　一般社団法人及び一般財団法人に関する法律（平成十八年法律第四十八号）第四条及び第七十八条の規定は、市町村連合会について準用する。

第二款　地方公務員共済組合連合会

（地方公務員共済組合連合会）

第三十八条の二　組合及び市町村連合会の長期給付に係る業務の適正かつ円滑な運営を図るため、すべての組合及び市町村連合会をもつて組織する地方公務員共済組合連合会を置く。

2　地方公務員共済組合連合会は、次に掲げる事業を行う。

一　組合及び市町村連合会の長期給付に係る業務に関する技術的及び専門的な知識、資料等を組合に提供すること。

二　組合及び市町村連合会の長期給付に係る業務に関し、厚生年金保険法第二条の五第一項に規定する実施機関（同項第三号に定める者を除く。）との情報交換及び連絡調整を行うこと。

三　第五章の二に定めるところにより実施機関積立金及び退職等年金給付組合積立金の運用状況の管理に関する事務を行うこと。

四　厚生年金保険給付調整積立金及び退職等年金給付調整積立金の管理及び運用に関する事務を行うこと。

五　厚生年金拠出金を納付し、又は厚生年金保険法第八十四条の三に規定する交付金（以下「厚生年金交付金」という。）を受け入れること。

六　基礎年金拠出金を納付すること。

七　第七十七条第一項に規定する付与率及び同条第三項に規定する基準利率、第八十九条第一項に規定する終身年金現価率、第九十条第一項に規定する有期年金現価率並びに組合の退職等年金給付に係る標準報酬の月額及び標準期末手当等の額と掛金との割合を定めること。

八　第百十六条の二に規定する財政調整拠出金を拠出し、又は国家公務員共済組合法（昭和三十三年法律第百二十八号）第百二条の二に規定する財政調整拠出金を受け入れること。

九　その他その目的を達成するために必要な事業

3　地方公務員共済組合連合会は、前項に定めるもののほか、介護保険法（平成九年法律第百二十三号）第百三十四条第十項（同法第百三十七条第九項及び第百三十八条第四項、国民健康保険法（昭和三十三年法律第百九十二号）第七十六条の四並びに高齢者の医療の確保に関する法律第百十条において準用する場合を含む。）及び第百三十六条第六項（介護保険法第百三十八条第二項、第百四十条第三項及び第百四十一条第二項、国民健康保険法第七十六条の四並びに高齢者の医療の確保に関する法律第百十条において準用する場合を含む。）の規定による通知の経由に係る事業並びに介護保険法第百三十七条第二項（同法第百四十条第三項において準用する場合を含む。）の規定による特別徴収に係る納入金の納入の経由に係る事業その他総務省令で定める事業を行うものとする。

4　地方公務員共済組合連合会は、法人とする。

5　地方公務員共済組合連合会は、主たる事務所を東京都に置く。

（定款）

第三十八条の三　地方公務員共済組合連合会は、定款をもつて次に掲げる事項を定めなければならない。

一　目的

二　名称

三　事業

四　事務所の所在地

五　運営審議会に関する事項

六　役員に関する事項

七　厚生年金保険法第二条の五第一項に規定する実施機関（同項第三号に定める者を除く。）との情報交換及び連絡調整に関する事項

八　第五章の二に定めるところにより行う実施機関積立金及び退職等年金給付組合積立金の運用状況の管理に関する事項

九　厚生年金保険給付調整積立金及び退職等年金給付調整積立金に関する事項

十　厚生年金拠出金及び厚生年金交付金に関する事項

十一　基礎年金拠出金に関する事項

十二　第七十七条第一項に規定する付与率及び同条第三項に規定する基準利率、第八十九条第一項に規定する終身年金現価率、第九十条第一項に規定する有期年金現価率並びに組合の

退職等年金給付に係る標準報酬の月額及び標準期末手当等の額と掛金との割合に関する事項
十三 第百十六条の二に規定する財政調整拠出金に関する事項
十四 経費の分賦及び会計に関する事項
十五 その他組織及び業務に関する重要事項
2 定款の変更は、総務大臣の認可を受けなければ、その効力を生じない。
3 総務大臣は、第一項第十二号及び第十三号に掲げる事項について、前項の認可をしようとするときは、あらかじめ、財務大臣に協議しなければならない。
4 総務大臣は、第二項の認可をしようとするときは、あらかじめ、内閣総理大臣及び文部科学大臣に協議しなければならない。

（運営審議会）
第三十八条の四 地方公務員共済組合連合会に、運営審議会を置く。
2 運営審議会は、委員二十二人以内で組織する。
3 委員は、総務大臣が組合員のうちから任命する。
4 総務大臣は、前項の規定により委員を任命する場合には、組合、市町村連合会及び地方公務員共済組合連合会の業務に関する事項について広い知識を有する者のうちから任命しなければならない。この場合において、委員の半数は、組合員を代表する者でなければならない。
第三十八条の五 次に掲げる事項は、運営審議会の議を経なければならない。
一 定款の変更
二 運営規則の作成及び変更
三 毎事業年度の事業計画並びに予算及び決算
四 重要な財産の処分及び重大な債務の負担
2 運営審議会は、前項に定めるもののほか、理事長の諮問に応じて地方公務員共済組合連合会の業務に関する重要事項を調査審議し、又は必要と認める事項につき理事長に建議することができる。

（役員）
第三十八条の六 地方公務員共済組合連合会に、役員として理事長一人、理事若干人及び監事三人を置く。
2 理事長及び監事は、総務大臣が任命する。
3 理事は、理事長が、総務大臣の認可を受けて任命する。
4 役員の任期は、二年とする。ただし、補欠の役員の任期は、前任者の残任期間とする。
5 総務大臣又は理事長は、それぞれその任命に係る役員が次の各号の一に該当するとき、その他役員たるに適しないと認めるときは、その役員を解任することができる。
一 心身の故障のため職務の執行に堪えないと認められるとき。
二 職務上の義務違反があるとき。
6 理事長は、前項の規定により理事を解任しようとするときは、総務大臣の認可を受けなければならない。

（役員の職務）
第三十八条の七 理事長は、地方公務員共済組合連合会を代表し、その業務を執行する。理事長に事故があるとき、又は理事長が欠けたときは、理事長のあらかじめ指定する理事がその職務を代理し、又はその職務を行う。
2 理事は、理事長の定めるところにより、理事長を補佐して地方公務員共済組合連合会の業務を執行する。
3 監事は、地方公務員共済組合連合会の業務を監査する。
4 地方公務員共済組合連合会と理事長又は職務代理者（第一項後段の規定により理事長の職務を代理し、又はその職務を行う者をいう。以下この項において同じ。）との利益が相反する事項については、理事長又は職務代理者は、代表権を有しない。この場合においては、監事が地方公務員共済組合連合会を代表する。

（厚生年金保険給付調整積立金）
第三十八条の八 組合（指定都市職員共済組合、市町村職員共済組合及び都市職員共済組合にあつては、市町村連合会。以下この条及び次条において同じ。）の厚生年金拠出金及び基礎年金拠出金の負担並びに第百十六条の二に規定する財政調整拠出金の拠出（第百十六条の三第一項第一号から第三号までに掲げる場合に行われるものに限る。第百十三条第三項において同じ。）の円滑な実施を図るため、厚生年金保険法第七十九条の二に規定する実施機関積立金として地方公務員共済組合連合会に厚生年金保険給付調整積立金を設ける。
2 組合は、厚生年金保険給付調整積立金に充てるため、政令で定めるところにより、厚生年金保険給付組合積立金のうちから政令で定める金額を地方公務員共済組合連合会に払い込むものとする。
3 地方公務員共済組合連合会は、政令で定めるところにより、組合の請求に基づき、その厚生年金拠出金及び基礎年金拠出金の負担に要する資金を厚生年金保険給付調整積立金から組合に交付するものとする。
4 厚生年金保険給付調整積立金は、政令で定めるところにより、安全かつ効率的な方法により、かつ、組合員の福祉の増進又は地方公共団体の行政目的の実現に資するように運用しなければならない。

（退職等年金給付調整積立金）
第三十八条の八の二 組合の退職等年金給付及び第百十六条の二に規定する財政調整拠出金の拠出（第百十六条の三第一項第四号に掲げる場合に行われるものに限る。）の円滑な実施を図るため、地方公務員共済組合連合会に退職等年金給付調整積立金を設ける。
2 組合は、退職等年金給付調整積立金に充てるため、政令で定めるところにより、退職等年金給付組合積立金のうちから政令で定める金額を地方公務員共済組合連合会に払い込むものとする。
3 地方公務員共済組合連合会は、政令で定めるところにより、組合の請求に基づき、その退職等年金給付に要する資金を退職等年金給付調整積立金から組合に交付するものとする。
4 退職等年金給付調整積立金は、政令で定めるところにより、安全かつ効率的な方法により、かつ、組合員の福祉の増進又は地方公共団体の行政目的の実現に資するように運用しなければならない。

（準用規定）
第三十八条の九 第五条第九項、第十四条第四項、第十七条第一項及び第二項、第十八条、第二十条、第二十一条第一項及び第二項、第二十二条第一項から第三項まで、第二十五条前段、第

二十六条、第二十九条、第三十五条並びに第三十七条の規定は地方公務員共済組合連合会について、第十九条の規定は地方公務員共済組合連合会の役員及び地方公務員共済組合連合会に使用され、その事務に従事する者について、第十九条の二の規定は地方公務員共済組合連合会の役員若しくは地方公務員共済組合連合会の事務に従事する者又はこれらの者であつた者について準用する。この場合において、第五条第九項中「第三項の認可を受けたとき、又は同項に規定する政令で定める事項に係る定款の変更をしたとき」とあるのは「第三十八条の三第二項の認可を受けたとき」と、第二十五条前段中「業務上の余裕金」とあるのは「業務上の余裕金（厚生年金保険給付調整積立金及び退職等年金給付調整積立金を除く。）」と、第三十七条中「構成組合」とあるのは「組合及び市町村連合会」と読み替えるものとする。

2　一般社団法人及び一般財団法人に関する法律第四条及び第七十八条の規定は、地方公務員共済組合連合会について準用する。

第三章　組合員

（組合員の資格の得喪）

第三十九条　職員となつた者は、その職員となつた日から、それぞれ第三条第一項各号又は第二項に規定する組合の組合員の資格を取得する。

2　組合員は、死亡したとき、又は退職したときは、その翌日から組合員の資格を喪失する。

3　一の組合の組合員が他の組合を組織する職員となつたときは、その日から前の組合の組合員の資格を喪失し、後の組合の組合員の資格を取得する。

（組合員期間の計算）

第四十条　組合員である期間（以下「組合員期間」という。）の計算は、組合員の資格を取得した日の属する月からその資格を喪失した日の属する月の前月までの期間の年月数による。

2　組合員の資格を取得した日の属する月にその資格を喪失したときは、その月を一月として組合員期間を計算する。ただし、その月に、更に組合員の資格を取得したとき、又は厚生年金保険の被保険者（組合員たる厚生年金保険の被保険者を除く。）若しくは国民年金の被保険者（国民年金法第七条第一項第二号に規定する第二号被保険者を除く。）の資格を取得したときは、この限りでない。

3　組合員が引き続き他の組合の組合員の資格を取得したときは、元の組合員の組合員期間は、その者が新たに組合員の資格を取得した組合の組合員期間とみなす。

4　組合員がその資格を喪失した後再び元の組合又は他の組合の組合員の資格を取得したときは、前後の組合員期間を合算する。

第四十一条　削除

第四章　給付

第一節　通則

（給付の決定及び裁定）

第四十二条　短期給付及び退職等年金給付を受ける権利はその権利を有する者（以下「受給権者」という。）の請求に基づいて組合（退職等年金給付で指定都市職員共済組合、市町村職員共済組合又は都市職員共済組合に係るものにあつては、市町村連合会。次項、第四十九条第一項、第五十条、この章第三節、第百九条、第百四十四条の二十五及び第百四十四条の二十五の二において同じ。）が決定し、厚生年金保険給付を受ける権利は厚生年金保険法第三十三条の規定によりその権利を有する者の請求に基づいて組合（指定都市職員共済組合、市町村職員共済組合又は都市職員共済組合にあつては、市町村連合会）が裁定する。

2　組合は、短期給付又は退職等年金給付の原因である事故が公務又は通勤（地方公務員災害補償法（昭和四十二年法律第百二十一号）第二条第二項に規定する通勤をいう。以下同じ。）により生じたものであるかどうかを認定するに当たつては、公務上の災害又は通勤による災害に対する補償の実施機関の意見を聴かなければならない。

（標準報酬）

第四十三条　標準報酬の等級及び月額は、組合員の報酬月額に基づき次の区分（第三項又は第四項の規定により標準報酬の区分の改定が行われたときは、改定後の区分）によつて定め、各等級に対応する標準報酬の日額は、その月額の二十二分の一に相当する金額（当該金額に五円未満の端数があるときは、これを切り捨て、五円以上十円未満の端数があるときは、これを十円に切り上げるものとする。）とする。

標準報酬の等級	標準報酬の月額	報酬月額
第一級	八八、〇〇〇円	九三、〇〇〇円未満
第二級	九八、〇〇〇円	九三、〇〇〇円以上 一〇一、〇〇〇円未満
第三級	一〇四、〇〇〇円	一〇一、〇〇〇円以上 一〇七、〇〇〇円未満
第四級	一一〇、〇〇〇円	一〇七、〇〇〇円以上 一一四、〇〇〇円未満
第五級	一一八、〇〇〇円	一一四、〇〇〇円以上 一二二、〇〇〇円未満
第六級	一二六、〇〇〇円	一二二、〇〇〇円以上 一三〇、〇〇〇円未満
第七級	一三四、〇〇〇円	一三〇、〇〇〇円以上 一三八、〇〇〇円未満
第八級	一四二、〇〇〇円	一三八、〇〇〇円以上 一四六、〇〇〇円未満
第九級	一五〇、〇〇〇円	一四六、〇〇〇円以上 一五五、〇〇〇円未満

第一〇級	一六〇、〇〇〇円	一五五、〇〇〇円以上 一六五、〇〇〇円未満
第一一級	一七〇、〇〇〇円	一六五、〇〇〇円以上 一七五、〇〇〇円未満
第一二級	一八〇、〇〇〇円	一七五、〇〇〇円以上 一八五、〇〇〇円未満
第一三級	一九〇、〇〇〇円	一八五、〇〇〇円以上 一九五、〇〇〇円未満
第一四級	二〇〇、〇〇〇円	一九五、〇〇〇円以上 二一〇、〇〇〇円未満
第一五級	二二〇、〇〇〇円	二一〇、〇〇〇円以上 二三〇、〇〇〇円未満
第一六級	二四〇、〇〇〇円	二三〇、〇〇〇円以上 二五〇、〇〇〇円未満
第一七級	二六〇、〇〇〇円	二五〇、〇〇〇円以上 二七〇、〇〇〇円未満
第一八級	二八〇、〇〇〇円	二七〇、〇〇〇円以上 二九〇、〇〇〇円未満
第一九級	三〇〇、〇〇〇円	二九〇、〇〇〇円以上 三一〇、〇〇〇円未満
第二〇級	三二〇、〇〇〇円	三一〇、〇〇〇円以上 三三〇、〇〇〇円未満
第二一級	三四〇、〇〇〇円	三三〇、〇〇〇円以上 三五〇、〇〇〇円未満
第二二級	三六〇、〇〇〇円	三五〇、〇〇〇円以上 三七〇、〇〇〇円未満
第二三級	三八〇、〇〇〇円	三七〇、〇〇〇円以上 三九五、〇〇〇円未満
第二四級	四一〇、〇〇〇円	三九五、〇〇〇円以上 四二五、〇〇〇円未満
第二五級	四四〇、〇〇〇円	四二五、〇〇〇円以上 四五五、〇〇〇円未満
第二六級	四七〇、〇〇〇円	四五五、〇〇〇円以上 四八五、〇〇〇円未満
第二七級	五〇〇、〇〇〇円	四八五、〇〇〇円以上 五一五、〇〇〇円未満
第二八級	五三〇、〇〇〇円	五一五、〇〇〇円以上 五四五、〇〇〇円未満
第二九級	五六〇、〇〇〇円	五四五、〇〇〇円以上 五七五、〇〇〇円未満
第三〇級	五九〇、〇〇〇円	五七五、〇〇〇円以上 六〇五、〇〇〇円未満
第三一級	六二〇、〇〇〇円	六〇五、〇〇〇円以上

2　短期給付等事務（短期給付の額の算定並びに短期給付、介護保険法第百五十条第一項に規定する納付金（以下「介護納付金」という。）及び福祉事業に係る掛金及び負担金の徴収をいう。次項及び次条第二項において同じ。）に関する前項の規定の適用については、同項の表は、次のとおりとする。

標準報酬の等級	標準報酬の月額	報酬月額
第一級	五八、〇〇〇円	六三、〇〇〇円未満
第二級	六八、〇〇〇円	六三、〇〇〇円以上 七三、〇〇〇円未満
第三級	七八、〇〇〇円	七三、〇〇〇円以上 八三、〇〇〇円未満
第四級	八八、〇〇〇円	八三、〇〇〇円以上 九三、〇〇〇円未満
第五級	九八、〇〇〇円	九三、〇〇〇円以上 一〇一、〇〇〇円未満
第六級	一〇四、〇〇〇円	一〇一、〇〇〇円以上 一〇七、〇〇〇円未満
第七級	一一〇、〇〇〇円	一〇七、〇〇〇円以上 一一四、〇〇〇円未満
第八級	一一八、〇〇〇円	一一四、〇〇〇円以上 一二二、〇〇〇円未満
第九級	一二六、〇〇〇円	一二二、〇〇〇円以上 一三〇、〇〇〇円未満
第一〇級	一三四、〇〇〇円	一三〇、〇〇〇円以上 一三八、〇〇〇円未満
第一一級	一四二、〇〇〇円	一三八、〇〇〇円以上 一四六、〇〇〇円未満

第一二級	一五〇、〇〇〇円	一四六、〇〇〇円以上 一五五、〇〇〇円未満
第一三級	一六〇、〇〇〇円	一五五、〇〇〇円以上 一六五、〇〇〇円未満
第一四級	一七〇、〇〇〇円	一六五、〇〇〇円以上 一七五、〇〇〇円未満
第一五級	一八〇、〇〇〇円	一七五、〇〇〇円以上 一八五、〇〇〇円未満
第一六級	一九〇、〇〇〇円	一八五、〇〇〇円以上 一九五、〇〇〇円未満
第一七級	二〇〇、〇〇〇円	一九五、〇〇〇円以上 二一〇、〇〇〇円未満
第一八級	二二〇、〇〇〇円	二一〇、〇〇〇円以上 二三〇、〇〇〇円未満
第一九級	二四〇、〇〇〇円	二三〇、〇〇〇円以上 二五〇、〇〇〇円未満
第二〇級	二六〇、〇〇〇円	二五〇、〇〇〇円以上 二七〇、〇〇〇円未満
第二一級	二八〇、〇〇〇円	二七〇、〇〇〇円以上 二九〇、〇〇〇円未満
第二二級	三〇〇、〇〇〇円	二九〇、〇〇〇円以上 三一〇、〇〇〇円未満
第二三級	三二〇、〇〇〇円	三一〇、〇〇〇円以上 三三〇、〇〇〇円未満
第二四級	三四〇、〇〇〇円	三三〇、〇〇〇円以上 三五〇、〇〇〇円未満
第二五級	三六〇、〇〇〇円	三五〇、〇〇〇円以上 三七〇、〇〇〇円未満
第二六級	三八〇、〇〇〇円	三七〇、〇〇〇円以上 三九五、〇〇〇円未満
第二七級	四一〇、〇〇〇円	三九五、〇〇〇円以上 四二五、〇〇〇円未満
第二八級	四四〇、〇〇〇円	四二五、〇〇〇円以上 四五五、〇〇〇円未満
第二九級	四七〇、〇〇〇円	四五五、〇〇〇円以上 四八五、〇〇〇円未満
第三〇級	五〇〇、〇〇〇円	四八五、〇〇〇円以上 五一五、〇〇〇円未満
第三一級	五三〇、〇〇〇円	五一五、〇〇〇円以上 五四五、〇〇〇円未満
第三二級	五六〇、〇〇〇円	五四五、〇〇〇円以上 五七五、〇〇〇円未満
第三三級	五九〇、〇〇〇円	五七五、〇〇〇円以上 六〇五、〇〇〇円未満
第三四級	六二〇、〇〇〇円	六〇五、〇〇〇円以上 六三五、〇〇〇円未満
第三五級	六五〇、〇〇〇円	六三五、〇〇〇円以上 六六五、〇〇〇円未満
第三六級	六八〇、〇〇〇円	六六五、〇〇〇円以上 六九五、〇〇〇円未満
第三七級	七一〇、〇〇〇円	六九五、〇〇〇円以上 七三〇、〇〇〇円未満
第三八級	七五〇、〇〇〇円	七三〇、〇〇〇円以上 七七〇、〇〇〇円未満
第三九級	七九〇、〇〇〇円	七七〇、〇〇〇円以上 八一〇、〇〇〇円未満
第四〇級	八三〇、〇〇〇円	八一〇、〇〇〇円以上 八五五、〇〇〇円未満
第四一級	八八〇、〇〇〇円	八五五、〇〇〇円以上 九〇五、〇〇〇円未満
第四二級	九三〇、〇〇〇円	九〇五、〇〇〇円以上 九五五、〇〇〇円未満
第四三級	九八〇、〇〇〇円	九五五、〇〇〇円以上 一、〇〇五、〇〇〇円未満
第四四級	一、〇三〇、〇〇〇円	一、〇〇五、〇〇〇円以上 一、〇五五、〇〇〇円未満
第四五級	一、〇九〇、〇〇〇円	一、〇五五、〇〇〇円以上 一、一一五、〇〇〇円未満

第四六級	一、一五〇、〇〇〇円	一、一二五、〇〇〇円以上 一、一七五、〇〇〇円未満
第四七級	一、二一〇、〇〇〇円	一、一七五、〇〇〇円以上 一、二三五、〇〇〇円未満
第四八級	一、二七〇、〇〇〇円	一、二三五、〇〇〇円以上 一、二九五、〇〇〇円未満
第四九級	一、三三〇、〇〇〇円	一、二九五、〇〇〇円以上 一、三五五、〇〇〇円未満
第五〇級	一、三九〇、〇〇〇円	一、三五五、〇〇〇円以上

3　短期給付等事務に関する前項の規定により読み替えられた第一項の規定による標準報酬の区分については、健康保険法第四十条第二項の規定による標準報酬月額の等級区分の改定措置その他の事情を勘案して、政令で定めるところにより、前項の規定により読み替えられた第一項の規定による標準報酬の等級の最高等級の上に更に等級を加える改定を行うことができる。ただし、当該改定後の標準報酬の等級のうちの最高等級の標準報酬の月額は、同条の規定による標準報酬月額等級のうちの最高等級の標準報酬月額を超えてはならない。

4　退職等年金給付の額の算定並びに退職等年金給付に係る掛金及び負担金の徴収に関する第一項の規定による標準報酬の区分については、厚生年金保険法第二十条第二項の規定による標準報酬月額の等級区分の改定措置その他の事情を勘案して、政令で定めるところにより、第一項の規定による標準報酬の等級の最高等級の上に更に等級を加える改定を行うことができる。ただし、当該改定後の標準報酬の等級のうちの最高等級の標準報酬の月額は、同条の規定による標準報酬月額等級のうちの最高等級の標準報酬月額を超えてはならない。

5　組合は、毎年七月一日において、現に組合員である者の同日前三月間（同日に継続した組合員であつた期間に限るものとし、かつ、報酬支払の基礎となつた日数が十七日（総務省令で定める者にあつては、十一日。以下この条において同じ。）未満である月があるときは、その月を除く。）に受けた報酬の総額をその期間の月数で除して得た額を報酬月額として、標準報酬を決定する。

6　前項の規定によつて決定された標準報酬は、その年の九月一日から翌年の八月三十一日までの標準報酬とする。

7　第五項の規定は、六月一日から七月一日までの間に組合員の資格を取得した者並びに第十項又は第十二項及び第十三項若しくは第十四項及び第十五項の規定により七月から九月までのいずれかの月から標準報酬を改定され又は改定されるべき組合員については、その年に限り適用しない。

8　組合は、組合員の資格を取得した者があるときは、その資格を取得した日の現在の報酬の額により標準報酬を決定する。この場合において、週その他月以外の一定期間により支給される報酬については、政令で定めるところにより算定した金額をもつて報酬月額とする。

9　前項の規定によつて決定された標準報酬は、組合員の資格を取得した日からその年の八月三十一日（六月一日から十二月三十一日までの間に組合員の資格を取得した者については、翌年の八月三十一日）までの標準報酬とする。

10　組合は、組合員が継続した三月間（各月とも、報酬支払の基礎となつた日数が、十七日以上でなければならない。）に受けた報酬の総額を三で除して得た額が、その者の標準報酬の基礎となつた報酬月額に比べて著しく高低を生じ、総務省令で定める程度に達したときは、その額を報酬月額として、その著しく高低を生じた月の翌月から標準報酬を改定するものとする。

11　前項の規定によつて改定された標準報酬は、その年の八月三十一日（七月から十二月までのいずれかの月から改定されたものについては、翌年の八月三十一日）までの標準報酬とする。

12　組合は、育児休業、介護休業等育児又は家族介護を行う労働者の福祉に関する法律（平成三年法律第七十六号）第二条第一号の規定による育児休業若しくは同法第二十三条第二項の育児休業に関する制度に準ずる措置若しくは同法第二十四条第一項（第二号に係る部分に限る。）の規定により同項第二号に規定する育児休業に関する制度に準じて講ずる措置による休業又は地方公務員の育児休業等に関する法律（平成三年法律第百十号）第二条第一項の規定による育児休業（以下「育児休業等」という。）を終了した組合員が、当該育児休業等を終了した日（以下この項及び次項において「育児休業等終了日」という。）において育児休業、介護休業等育児又は家族介護を行う労働者の福祉に関する法律第二条第一号又は地方公務員の育児休業等に関する法律第二条第一項に規定する子（第七十条の二、第七十条の三、第七十条の五及び第七十九条において「子」という。）であつて、当該育児休業等に係る三歳に満たないものを養育する場合において、組合に申出をしたときは、育児休業等終了日の翌日が属する月以後三月間（育児休業等終了日の翌日において継続して組合員であつた期間に限るものとし、かつ、報酬支払の基礎となつた日数が十七日未満である月があるときは、その月を除く。）に受けた報酬の総額をその期間の月数で除して得た額を報酬月額として、標準報酬を改定するものとする。ただし、育児休業等終了日の翌日に第十四項に規定する産前産後休業を開始している組合員は、この限りでない。

13　前項の規定によつて改定された標準報酬は、育児休業等終了日の翌日から起算して二月を経過した日の属する月の翌月からその年の八月三十一日（七月から十二月までのいずれかの月から改定されたものについては、翌年の八月三十一日）までの標準報酬とする。

14　組合は、産前産後休業（出産の日（出産の日が出産の予定日後であるときは、出産の予定日）以前四十二日（多胎妊娠の場合にあつては、九十八日）から出産の日後五十六日までの間において勤務に服さないこと（妊娠又は出産に関する事由を理由として勤務に服さない場合に限る。）をいう。以下同じ。）を終了した組合員が、当該産前産後休業を終了した日（以下この項及び次項において「産前産後休業終了日」という。）において、当該産前産後休業に係る子を養育する場合において、組合に申出をしたときは、産前産後休業終了日の翌日が属する月以後三月間（産前産後休業終了日の翌日において継続して組合員であつた期間に限るものとし、かつ、報酬支払の基礎となつた日数が十七日未満である月があるときは、その月を除く。）に受けた報酬の総額をその期間の月数で除して得た額を報酬月額として、標準報酬を改定するものとする。ただし、産前産後休業終了日の翌日に育児休業等を開始している組合員は、この限りでない。

15 前項の規定によつて改定された標準報酬は、産前産後休業終了日の翌日から起算して二月を経過した日の属する月の翌月からその年の八月三十一日（七月から十二月までのいずれかの月から改定されたものについては、翌年の八月三十一日）までの標準報酬とする。

16 組合員の報酬月額が第五項、第八項、第十二項若しくは第十四項の規定によつて算定することが困難であるとき、又は第五項、第八項、第十項、第十二項若しくは第十四項の規定によつて算定するとすれば著しく不当であるときは、これらの規定にかかわらず、同様の職務に従事する職員の報酬月額その他の事情を考慮して組合が適当と認めて算定する額をこれらの規定による当該組合員の報酬月額とする。

（標準期末手当等の額の決定）

第四十四条 組合は、組合員が期末手当等を受けた月において、その月に当該組合員が受けた期末手当等の額に基づき、これに千円未満の端数を生じたときはこれを切り捨てて、その月における標準期末手当等の額を決定する。この場合において、当該標準期末手当等の額が百五十万円を超えるときは、これを百五十万円とする。

2 短期給付等事務に関する前項の規定の適用については、同項後段中「標準期末手当等の額が百五十万円を超えるときは、これを百五十万円」とあるのは、「組合員が受けた期末手当等によりその年度における標準期末手当等の額の累計額が五百七十三万円（前条第三項の規定による標準報酬の区分の改定が行われたときは、政令で定める金額。以下この項において同じ。）を超えることとなる場合には、当該累計額が五百七十三万円となるようその月の標準期末手当等の額を決定し、その年度においてその月の翌月以降に受ける期末手当等の標準期末手当等の額は零」とする。

3 前条第四項の規定による標準報酬の区分の改定が行われた場合における退職等年金給付の額の算定並びに退職等年金給付に係る掛金及び負担金の徴収に関する標準期末手当等の額については、第一項後段中「百五十万円を」とあるのは、「百五十万円（前条第四項の規定による標準報酬の区分の改定が行われたときは、政令で定める金額。以下この項において同じ。）を」とする。

4 前条第十六項の規定は、標準期末手当等の額の算定について準用する。

（遺族の順位）

第四十五条 給付を受けるべき遺族の順位は、次の各号の順序とする。

一 配偶者及び子
二 父母
三 孫
四 祖父母

2 前項の場合において、父母については養父母、実父母の順とし、祖父母については養父母の養父母、養父母の実父母、実父母の養父母、実父母の実父母の順とする。

3 第一項の規定にかかわらず、父母は配偶者又は子が、孫は配偶者、子又は父母が、祖父母は配偶者、子、父母又は孫が給付を受けるべき権利を有することとなつたときは、それぞれ当該給付を受けることができる遺族としない。

4 先順位者となることができる者が後順位者より後に生じ、又は同順位者となることができる者がその他の同順位者である者より後に生じたときは、その先順位者又は同順位者となることができる者については、前三項の規定は、その生じた日から適用する。

（同順位者が二人以上ある場合の給付）

第四十六条 前条の規定により給付を受けるべき遺族に同順位者が二人以上あるときは、その給付は、その人数によつて等分して支給する。

（支払未済の給付の受給者の特例）

第四十七条 受給権者が死亡した場合において、その者が支給を受けることができた給付でその支払を受けなかつたものがあるときは、これをその者の配偶者、子、父母、孫、祖父母、兄弟姉妹又はこれらの者以外の三親等内の親族であつて、その者の死亡の当時その者と生計を共にしていたもの（次条第二項において「親族」という。）に支給する。

2 前項の場合において、死亡した者が公務遺族年金の受給権者である妻であつたときは、その者の死亡の当時その者と生計を共にしていた組合員又は組合員であつた者の子であつて、その者の死亡によつて公務遺族年金の支給の停止が解除されたものは、同項に規定する子とみなす。

3 第一項の規定による給付を受けるべき者の順位は、政令で定める。

4 第一項の規定による給付を受けるべき同順位者が二人以上あるときは、その全額をその一人に支給することができるものとし、この場合において、その一人にした支給は、全員に対してしたものとみなす。

（給付金からの控除）

第四十八条 組合員が第百十五条第三項の規定により第百十四条第一項に規定する掛金等に相当する金額を組合に払い込むべき場合において、当該組合がその者に支給すべき給付金（家族埋葬料に係る給付金を除く。）があり、かつ、その者が第百十五条第三項の規定により当該組合に対して払い込まなかつた金額があるときは、当該組合は、当該給付金からこれを控除することができる。

2 組合員が組合員の資格を喪失した場合において、組合がその者又はその者の親族（前条第二項の規定により同条第一項に規定する子とみなされる者を含む。）に支給すべき給付金（埋葬料及び家族埋葬料に係る給付金を除く。）があり、かつ、その者が当該組合に対して支払うべき金額があるときは、当該組合は、当該給付金からこれを控除する。

3 前二項の規定は、市町村連合会について準用する。この場合において、第一項中「組合が」とあるのは「組合又は市町村連合会が」と、「当該組合は」とあるのは「当該組合又は当該市町村連合会は」と、前項中「組合が」とあるのは「組合（市町村連合会を含む。以下この項において同じ。）が」と読み替えるものとする。

（不正受給者からの費用の徴収等）

第四十九条 偽りその他不正の行為により組合から給付を受けた者がある場合には、組合は、その者から、その給付に要した費用に相当する金額（その給付が療養の給付であるときは、第五十七条第二項又は第三項の規定により支払つた一部負担金（第五十七条の二第一項第一号の措置が採られるときは、当該減額された一部負担金）に相当する額を控除した金額）の全部又は一部を徴収することができる。

2　前項の場合において、第五十七条第一項第三号に掲げる保険医療機関において診療に従事する保険医（第六十条第一項に規定する保険医をいう。）又は健康保険法第八十八条第一項に規定する主治の医師が組合に提出されるべき診断書に虚偽の記載をしたため、その給付が行われたものであるときは、組合は、その保険医又は主治の医師に対し、給付を受けた者と連帯して前項の規定により徴収すべき金額を納付させることができる。

3　組合は、第五十七条第一項第三号に掲げる保険医療機関若しくは保険薬局又は第五十八条の二第一項に規定する指定訪問看護事業者が偽りその他不正の行為により組合員又は被扶養者の療養に関する費用の支払を受けたときは、当該保険医療機関若しくは保険薬局又は当該指定訪問看護事業者に対し、その支払つた額につき返還させるほか、その返還させる額に百分の四十を乗じて得た額を納付させることができる。

（損害賠償の請求権）

第五十条　組合は、給付事由（第七十二条又は第七十三条の規定による給付に係るものを除く。）が第三者の行為によつて生じた場合には、当該給付事由に対して行つた給付の価額の限度で、受給権者（当該給付事由が組合員の被扶養者について生じた場合には、当該被扶養者を含む。次項において同じ。）が第三者に対して有する損害賠償の請求権を取得する。

2　前項の場合において、受給権者が第三者から同一の事由について損害賠償を受けたときは、組合は、その価額の限度で、給付をしないことができる。

（給付を受ける権利の保護）

第五十一条　この法律に基づく給付を受ける権利は、譲り渡し、担保に供し、又は差し押さえることができない。ただし、退職年金若しくは公務遺族年金又は休業手当金を受ける権利を国税滞納処分（その例による処分を含む。）により差し押さえる場合は、この限りでない。

（公課の禁止）

第五十二条　租税その他の公課は、組合の給付として支給を受ける金品を標準として、課することができない。ただし、退職年金及び公務遺族年金並びに休業手当金については、この限りでない。

第二節　短期給付

第一款　通則

（短期給付の種類等）

第五十三条　この法律による短期給付は、次のとおりとする。

一　療養の給付、入院時食事療養費、入院時生活療養費、保険外併用療養費、療養費、訪問看護療養費及び移送費

二　家族療養費、家族訪問看護療養費及び家族移送費

二の二　高額療養費及び高額介護合算療養費

三　出産費

四　家族出産費

五　削除

六　埋葬料

七　家族埋葬料

八　傷病手当金

九　出産手当金

十　休業手当金

十の二　育児休業手当金

十の三　育児休業支援手当金

十の四　介護休業手当金

十の五　育児時短勤務手当金

十一　弔慰金

十二　家族弔慰金

十三　災害見舞金

2　短期給付に関する規定（育児休業手当金、育児休業支援手当金、介護休業手当金及び育児時短勤務手当金に係る部分を除く。以下この条において同じ。）は、後期高齢者医療の被保険者等に該当する組合員には、適用しない。

3　短期給付に関する規定の適用を受ける組合員が前項の規定によりその適用を受けない組合員となつたときは、短期給付に関する規定の適用については、そのなつた日の前日に退職したものとみなす。

4　第二項の規定により短期給付に関する規定の適用を受けない組合員が後期高齢者医療の被保険者等に該当しないこととなつたときは、短期給付に関する規定の適用については、そのなつた日に組合員となつたものとみなす。

（附加給付）

第五十四条　組合は、政令で定めるところにより、前条第一項各号に掲げる給付に併せて、これに準ずる短期給付を行うことができる。

（短期給付の給付額の算定の基準となる標準報酬の日額）

第五十四条の二　短期給付（前二条に規定する短期給付をいう。以下同じ。）の給付額の算定の基準となるべき第四十三条第一項に規定する標準報酬の月額（以下「標準報酬の月額」という。）又は同項に規定する標準報酬の日額（以下「標準報酬の日額」という。）は、給付事由が生じた日（給付事由が退職後に生じた場合には、退職の日）の標準報酬の月額又は標準報酬の日額とする。

（被扶養者に係る届出及び短期給付）

第五十五条　新たに組合員となつた者に被扶養者の要件を備える者がある場合又は組合員について次の各号のいずれかに該当する事実が生じた場合には、その組合員は、主務省令で定める手続により、その旨を組合に届け出なければならない。

一　新たに被扶養者の要件を備える者が生じたこと。

二　被扶養者がその要件を欠くに至つたこと。

2　被扶養者に係る短期給付は、新たに組合員となつた者に被扶養者となるべき者がある場合にはその者が組合員となつた日から、組合員に前項第一号に該当する事実が生じた場合にはその事実が生じた日から、それぞれ行うものとする。ただし、同項（第二号を除く。）の規定による届出がその組合員となつた日又はその事実の生じた日から三十日以内にされない場合には、その届出を受けた日から行うものとする。

（組合員の資格の確認に必要な書面の交付等）

第五十五条の二　組合員又はその被扶養者が第五十七条第一項に規定する電子資格確認を受けることができない状況にあるときは、当該組合員は、主務省令で定めるところにより、組合に対

し、当該状況にある組合員若しくはその被扶養者の資格に係る情報として主務省令で定める事項を記載した書面の交付又は当該事項の電磁的方法（電子情報処理組織を使用する方法その他の情報通信の技術を利用する方法であつて主務省令で定めるものをいう。以下この条において同じ。）による提供を求めることができる。この場合において、当該組合は、主務省令で定めるところにより、速やかに、当該書面の交付の求めを行つた組合員に対しては当該書面を交付するものとし、当該電磁的方法による提供の求めを行つた組合員に対しては当該事項を電磁的方法により提供するものとする。

2　前項の規定により同項の書面の交付を受け、若しくは電磁的方法により同項の主務省令で定める事項の提供を受けた組合員又はその被扶養者は、当該書面又は当該事項を主務省令で定める方法により表示したものを提示することにより、第五十七条第一項（第五十九条第七項において準用する場合を含む。）、第五十七条の三第一項、第五十七条の四第一項、第五十七条の五第一項又は第五十八条の二第一項（第五十九条の三第三項において準用する場合を含む。）の確認を受けることができる。

第二款　保健給付

（療養の給付）

第五十六条　組合は、組合員の公務によらない病気又は負傷について次に掲げる療養の給付を行う。

一　診察

二　薬剤又は治療材料の支給

三　処置、手術その他の治療

四　居宅における療養上の管理及びその療養に伴う世話その他の看護

五　病院又は診療所への入院及びその療養に伴う世話その他の看護

2　次に掲げる療養に係る給付は、前項の給付に含まれないものとする。

一　食事の提供である療養であつて前項第五号に掲げる療養と併せて行うもの（医療法（昭和二十三年法律第二百五号）第七条第二項第四号に掲げる療養病床への入院及びその療養に伴う世話その他の看護であつて、当該療養を受ける際、六十五歳に達する日の属する月の翌月以後である組合員（以下「特定長期入院組合員」という。）に係るものを除く。以下「食事療養」という。）

二　次に掲げる療養であつて前項第五号に掲げる療養と併せて行うもの（特定長期入院組合員に係るものに限る。以下「生活療養」という。）

イ　食事の提供である療養

ロ　温度、照明及び給水に関する適切な療養環境の形成である療養

三　健康保険法第六十三条第二項第三号に掲げる療養（以下「評価療養」という。）

四　健康保険法第六十三条第二項第四号に掲げる療養（以下「患者申出療養」という。）

五　健康保険法第六十三条第二項第五号に掲げる療養（以下「選定療養」という。）

（療養の機関及び費用の負担）

第五十七条　組合員は、前条第一項各号に掲げる療養の給付を受けようとするときは、主務省令で定めるところにより、保険医療機関等（次に掲げる医療機関又は薬局をいう。以下同じ。）から、電子資格確認（保険医療機関等から療養を受けようとする者又は第五十八条の二第一項に規定する指定訪問看護事業者から同項に規定する指定訪問看護を受けようとする者が、組合に対し、個人番号カード（行政手続における特定の個人を識別するための番号の利用等に関する法律（平成二十五年法律第二十七号）第二条第七項に規定する個人番号カードをいう。）に記録された利用者証明用電子証明書（電子署名等に係る地方公共団体情報システム機構の認証業務に関する法律（平成十四年法律第百五十三号）第二十二条第一項に規定する利用者証明用電子証明書をいう。）を送信する方法その他の主務省令で定める方法により、組合員又は被扶養者の資格に係る情報（短期給付に係る費用の請求に必要な情報を含む。）の照会を行い、電子情報処理組織を使用する方法その他の情報通信の技術を利用する方法により、組合から回答を受けて当該情報を当該保険医療機関等又は当該指定訪問看護事業者に提供し、当該保険医療機関等又は当該指定訪問看護事業者から組合員又は被扶養者であることの確認を受けることをいう。以下同じ。）その他主務省令で定める方法（以下「電子資格確認等」という。）により、組合員であることの確認を受け、その給付を受けるものとする。

一　組合の経営する医療機関又は薬局

二　組合員（国家公務員共済組合法第三条第一項に規定する国家公務員共済組合（以下「国の組合」という。）の組合員及び私立学校教職員共済法（昭和二十八年法律第二百四十五号）の規定による私立学校教職員共済制度の加入者（以下「私学共済制度の加入者」という。）を含む。）に対し療養を行う医療機関又は薬局で組合員の療養について組合が契約しているもの

三　保険医療機関又は保険薬局（健康保険法第六十三条第三項第一号に規定する保険医療機関又は保険薬局をいう。以下同じ。）

2　前項の規定により同項第二号又は第三号に掲げる医療機関又は薬局から療養の給付を受ける者は、その給付を受ける際、次の各号に掲げる場合の区分に応じ、当該給付について健康保険法第七十六条第二項の規定の例により算定した費用の額に当該各号に定める割合を乗じて得た金額を一部負担金として当該医療機関又は薬局に支払うものとする。ただし、前項第二号に掲げる医療機関又は薬局から療養の給付を受ける場合には、組合は、運営規則で定めるところにより、当該一部負担金を減額し、又はその支払を要しないものとすることができる。

一　七十歳に達する日の属する月以前である場合　百分の三十

二　七十歳に達する日の属する月の翌月以後である場合（次号に掲げる場合を除く。）　百分の二十

三　七十歳に達する日の属する月の翌月以後である場合であつて、政令で定めるところにより算定した報酬の額が政令で定める額以上であるとき　百分の三十

3　組合は、運営規則で定めるところにより、第一項第一号に掲げる医療機関又は薬局から療養の給付を受ける者については、前項の規定の例により算定した金額の範囲内で運営規則で定める金額を一部負担金として支払わせることができる。

4　保険医療機関又は保険薬局は、第二項に規定する一部負担金（次条第一項第一号の措置が採られるときは、当該減額された

一部負担金）の支払を受領しなければならないものとし、保険医療機関又は保険薬局が善良な管理者の注意と同一の注意をもつてその支払を受領すべく努めたにもかかわらず、組合員が当該一部負担金の全部又は一部を支払わないときは、組合は、当該保険医療機関又は保険薬局の請求により、当該一部負担金の全部又は一部を支払わなかつた組合員から、これを徴収することができる。

５　組合員が第一項の規定により療養の給付を受けた場合には、組合は、同項第一号の医療機関又は薬局については、その費用から組合員が支払うべき第三項に規定する一部負担金に相当する金額を控除した金額を負担し、第一項第二号又は第三号の医療機関又は薬局については、療養に要する費用から組合員が支払うべき第二項に規定する一部負担金（次条第一項各号の措置が採られるときは、当該措置が採られたものとした場合の一部負担金）に相当する金額を控除した金額を当該医療機関又は薬局に支払うものとする。

６　前項に規定する療養に要する費用の額は、健康保険法第七十六条第二項の規定に基づき厚生労働大臣が定めるところにより算定した金額（当該金額の範囲内において組合が第一項第二号又は第三号の医療機関又は薬局との契約により別段の定めをした場合には、その定めたところにより算定した金額）とする。

７　第二項の規定により一部負担金を支払う場合においては、当該一部負担金の額に五円未満の端数があるときは、これを切り捨て、五円以上十円未満の端数があるときは、これを十円に切り上げるものとする。

（一部負担金の額の特例）

第五十七条の二　組合は、災害その他の総務省令で定める特別の事情がある組合員であつて、前条第一項第二号又は第三号に掲げる医療機関又は薬局に同条第二項の規定による一部負担金を支払うことが困難であると認められるものに対し、次の措置を採ることができる。

一　一部負担金を減額すること。

二　一部負担金の支払を免除すること。

三　当該医療機関又は薬局に対する支払に代えて、一部負担金を直接に徴収することとし、その徴収を猶予すること。

２　前項の措置を受けた組合員は、前条第二項の規定にかかわらず、前項第一号の措置を受けた組合員にあつてはその減額された一部負担金を同条第一項第二号又は第三号に掲げる医療機関又は薬局に支払うをもつて足り、前項第二号又は第三号の措置を受けた組合員にあつては一部負担金を当該医療機関又は薬局に支払うことを要しない。

３　前条第七項の規定は、前項の場合における一部負担金の支払について準用する。

（入院時食事療養費）

第五十七条の三　組合員（特定長期入院組合員を除く。）が公務によらない病気又は負傷により、主務省令で定めるところにより、第五十七条第一項各号に掲げる医療機関から、電子資格確認等により、組合員であることの確認を受け、第五十六条第一項第五号に掲げる療養の給付と併せて食事療養を受けたときは、その食事療養に要した費用について入院時食事療養費を支給する。

２　入院時食事療養費の額は、当該食事療養について健康保険法第八十五条第二項に規定する厚生労働大臣が定める基準により算定される算定の例により算定した費用の額（その額が現に当該食事療養に要した費用の額を超えるときは、当該現に食事療養に要した費用の額）から同項に規定する食事療養標準負担額（以下「食事療養標準負担額」という。）を控除した金額とする。

３　組合員（特定長期入院組合員を除く。以下この条において同じ。）が第五十七条第一項第一号に掲げる医療機関から食事療養を受けた場合において、組合がその組合員の支払うべき食事療養に要した費用のうち入院時食事療養費として組合員に支給すべき金額に相当する金額の支払を免除したときは、組合員に対し入院時食事療養費を支給したものとみなす。

４　組合員が第五十七条第一項第二号又は第三号に掲げる医療機関から食事療養を受けた場合は、組合は、その組合員が当該医療機関に支払うべき食事療養に要した費用について入院時食事療養費として組合員に支給すべき金額に相当する金額を、組合員に代わり、当該医療機関に支払うことができる。

５　前項の規定による支払があつたときは、組合員に対し入院時食事療養費を支給したものとみなす。

６　第五十七条第一項各号に掲げる医療機関は、食事療養に要した費用について支払を受ける際に、その支払をした組合員に対し、領収証を交付しなければならない。

（入院時生活療養費）

第五十七条の四　特定長期入院組合員が公務によらない病気又は負傷により、主務省令で定めるところにより、第五十七条第一項各号に掲げる医療機関から、電子資格確認等により、組合員であることの確認を受け、第五十六条第一項第五号に掲げる療養の給付と併せて生活療養を受けたときは、その生活療養に要した費用について入院時生活療養費を支給する。

２　入院時生活療養費の額は、当該生活療養について健康保険法第八十五条の二第二項に規定する厚生労働大臣が定める基準によりされる算定の例により算定した費用の額（その額が現に当該生活療養に要した費用の額を超えるときは、当該現に生活療養に要した費用の額）から同項に規定する生活療養標準負担額（以下「生活療養標準負担額」という。）を控除した金額とする。

３　前条第三項から第六項までの規定は、入院時生活療養費の支給について準用する。

（保険外併用療養費）

第五十七条の五　組合員が公務によらない病気又は負傷により、主務省令で定めるところにより、保険医療機関等から、電子資格確認等により、組合員であることの確認を受け、評価療養、患者申出療養又は選定療養を受けたときは、その療養に要した費用について保険外併用療養費を支給する。

２　保険外併用療養費の額は、第一号に掲げる金額（当該療養に食事療養が含まれるときは当該金額及び第二号に掲げる金額の合算額、当該療養に生活療養が含まれるときは当該金額及び第三号に掲げる金額の合算額）とする。

一　当該療養（食事療養及び生活療養を除く。）について健康保険法第八十六条第二項第一号に規定する厚生労働大臣が定めるところによりされる算定の例により算定した費用の額（その額が現に当該療養に要した費用の額を超えるときは、当該現に療養に要した費用の額）から、その額に第五十七条第二項各号に掲げる場合の区分に応じ、同項各号に定める割合を乗じて得た額（療養の給付に係る同項の一部負担金について第五十七条の二第一項各号の措置が採られるときは、当該措置が採られたものとした場合の額）を控除した金額

二　当該食事療養について健康保険法第八十五条第二項に規定する厚生労働大臣が定める基準によりされる算定の例により算定した費用の額（その額が現に当該食事療養に要した費用の額を超えるときは、当該現に食事療養に要した費用の額）から食事療養標準負担額を控除した金額

三　当該生活療養について健康保険法第八十五条の二第二項に規定する厚生労働大臣が定める基準によりされる算定の例により算定した費用の額（その額が現に当該生活療養に要した費用の額を超えるときは、当該現に生活療養に要した費用の額）から生活療養標準負担額を控除した金額

3　第五十七条の三第三項から第六項までの規定は、保険外併用療養費の支給について準用する。

4　第五十七条第七項の規定は、前項において準用する第五十七条の三第四項の場合において第二項の規定により算定した費用の額（その額が現に療養に要した費用の額を超えるときは、当該現に療養に要した費用の額）から当該療養に要した費用につき保険外併用療養費として支給される金額に相当する金額を控除した金額の支払について準用する。

（療養費）

第五十八条　組合は、療養の給付若しくは入院時食事療養費、入院時生活療養費若しくは保険外併用療養費の支給（以下この項において「療養の給付等」という。）をすることが困難であると認めたとき、又は組合員が保険医療機関等以外の病院、診療所、薬局その他の療養機関から診療、手当若しくは薬剤の支給を受けた場合において、組合がやむを得ないと認めたときは、療養の給付等に代えて、療養費を支給することができる。

2　組合は、組合員が第五十七条第一項第二号又は第三号の医療機関又は薬局から第五十六条第一項各号に掲げる療養を受け、緊急その他やむを得ない事情によりその費用をこれらの医療機関又は薬局に支払つた場合において、組合が必要と認めたときは、療養の給付に代えて、療養費を支給することができる。

3　前二項の規定により支給する療養費の額は、当該療養（食事療養及び生活療養を除く。）について算定した費用の額（その額が現に当該療養に要した費用の額を超えるときは、当該現に療養に要した費用の額）からその額に第五十七条第二項各号に掲げる場合の区分に応じ、同項各号に定める割合を乗じて得た額を控除した金額及び当該食事療養又は生活療養について算定した費用の額（その額が現に当該食事療養又は生活療養に要した費用の額を超えるときは、当該現に食事療養又は生活療養に要した費用の額）から食事療養標準負担額又は生活療養標準負担額を控除した金額の合算額（第一項の規定による場合には、当該合算額の範囲内で組合が定める金額）とする。

4　前項の費用の額の算定に関しては、療養の給付を受けるべき場合には第五十七条第六項の療養に要する費用の額の算定、入院時食事療養費の支給を受けるべき場合には第五十七条の三第二項の食事療養についての費用の額の算定、入院時生活療養費の支給を受けるべき場合には第五十七条の四第二項の生活療養についての費用の額の算定、保険外併用療養費の支給を受けるべき場合には前条第二項の療養についての費用の額の算定の例による。

（訪問看護療養費）

第五十八条の二　組合員が公務によらない病気又は負傷により、主務省令で定めるところにより、健康保険法第八十八条第一項に規定する指定訪問看護事業者（以下「指定訪問看護事業者」という。）から、電子資格確認等により、組合員であることの確認を受け、同項に規定する指定訪問看護（以下「指定訪問看護」という。）を受けた場合において、組合が必要と認めたときは、その指定訪問看護に要した費用について訪問看護療養費を支給する。

2　訪問看護療養費の額は、当該指定訪問看護について健康保険法第八十八条第四項に規定する厚生労働大臣が定めるところによりされる算定の例により算定した費用の額から、その額に第五十七条第二項各号に掲げる場合の区分に応じ、同項各号に定める割合を乗じて得た額（療養の給付に係る同項の一部負担金について第五十七条の二第一項各号の措置が採られるときは、当該措置が採られたものとした場合の額）を控除した金額とする。

3　組合員が指定訪問看護事業者から指定訪問看護を受けた場合には、組合は、その組合員が当該指定訪問看護事業者に支払うべき指定訪問看護に要した費用について訪問看護療養費として組合員に支給すべき金額に相当する金額を、組合員に代わり、当該指定訪問看護事業者に支払うことができる。

4　前項の規定による支払があつたときは、組合員に対し訪問看護療養費を支給したものとみなす。

5　指定訪問看護事業者は、指定訪問看護に要した費用について支払を受ける際に、その支払をした組合員に対し、領収証を交付しなければならない。

6　指定訪問看護は、第五十六条第一項各号に掲げる療養に含まれないものとする。

7　第五十七条第七項の規定は、第三項の場合において第二項の規定により算定した費用の額から当該指定訪問看護に要した費用につき訪問看護療養費として支給される金額に相当する金額を控除した金額の支払について準用する。

（移送費）

第五十八条の三　組合員が療養の給付（保険外併用療養費に係る療養を含む。）を受けるため病院又は診療所に移送された場合において、組合が必要と認めたときは、その移送に要した費用について移送費を支給する。

2　移送費の額は、健康保険法第九十七条第一項に規定する厚生労働省令で定めるところによりされる算定の例により算定した金額とする。

（家族療養費）

第五十九条　被扶養者が保険医療機関等から療養を受けたときは、その療養に要した費用について組合員に家族療養費を支給する。

2　家族療養費の額は、第一号に掲げる金額（当該療養に食事療養が含まれるときは当該金額及び第二号に掲げる金額の合算額、当該療養に生活療養が含まれるときは当該金額及び第三号に掲げる金額の合算額）とする。

一　当該療養（食事療養及び生活療養を除く。）について算定した費用の額（その額が現に当該療養に要した費用の額を超えるときは、当該現に療養に要した費用の額）に次のイから

ニまでに掲げる場合の区分に応じ、それぞれイからニまでに定める割合を乗じて得た金額

イ　被扶養者が六歳に達する日以後の最初の三月三十一日の翌日以後であつて七十歳に達する日の属する月以前である場合　百分の七十

ロ　被扶養者が六歳に達する日以後の最初の三月三十一日以前である場合　百分の八十

ハ　被扶養者（ニに規定する被扶養者を除く。）が七十歳に達する日の属する月の翌月以後である場合　百分の八十

ニ　第五十七条第二項第三号に掲げる場合に該当する組合員その他政令で定める組合員の被扶養者が七十歳に達する日の属する月の翌月以後である場合　百分の七十

二　当該食事療養について算定した費用の額（その額が現に当該食事療養に要した費用の額を超えるときは、当該現に食事療養に要した費用の額）から食事療養標準負担額を控除した金額

三　当該生活療養について算定した費用の額（その額が現に当該生活療養に要した費用の額を超えるときは、当該現に生活療養に要した費用の額）から生活療養標準負担額を控除した金額

3　前項第一号の療養についての費用の額の算定に関しては、保険医療機関等から療養（評価療養、患者申出療養及び選定療養を除く。）を受ける場合にあつては第五十七条第六項の療養に要する費用の額の算定、保険医療機関等から評価療養、患者申出療養又は選定療養を受ける場合にあつては第五十七条の五第二項の療養についての費用の額の算定、前項第二号の食事療養についての費用の額の算定に関しては、第五十七条の三第二項の食事療養についての費用の額の算定、前項第三号の生活療養についての費用の額の算定に関しては第五十七条の四第二項の生活療養についての費用の額の算定の例による。

4　被扶養者が第五十七条第一項第一号に掲げる医療機関又は薬局から療養を受けた場合において、組合がその被扶養者の支払うべき療養に要した費用のうち家族療養費として組合員に支給すべき金額に相当する金額の支払を免除したときは、組合員に対し家族療養費を支給したものとみなす。

5　被扶養者が第五十七条第一項第二号又は第三号に掲げる医療機関又は薬局から療養を受けた場合には、組合は、療養に要した費用のうち家族療養費として組合員に支給すべき金額に相当する金額を、組合員に代わり、これらの医療機関又は薬局に支払うことができる。

6　前項の規定による支払があつたときは、組合員に対し家族療養費を支給したものとみなす。

7　第五十七条第一項、第五十七条の三第六項並びに第五十八条第一項及び第二項の規定は、被扶養者の療養及び家族療養費の支給について準用する。

8　前項において準用する第五十八条第一項又は第二項の規定により支給する家族療養費の額は、第二項の規定の例により算定した金額（同条第一項の規定による場合には、当該金額の範囲内で組合が定める金額）とする。

9　第五十七条第七項の規定は、第五項の場合において療養につき第三項の規定により算定した費用の額（その額が現に当該療養に要した費用の額を超えるときは、当該現に療養に要した費用の額）から当該療養に要した費用につき家族療養費として支給される金額に相当する金額を控除した金額の支払について準用する。

（家族療養費の額の特例）

第五十九条の二　組合は、第五十七条の二第一項に規定する組合員の被扶養者に係る家族療養費の支給について、前条第二項第一号イからニまでに定める割合を、それぞれの割合を超え百分の百以下の範囲内において組合が定めた割合とする措置を採ることができる。

2　組合は、前項に規定する被扶養者に係る前条第五項の規定の適用については、同項中「家族療養費として組合員に支給すべき金額」とあるのは、「当該療養につき算定した費用の額（その額が現に当該療養に要した費用の額を超えるときは、当該現に療養に要した費用の額）」とする。この場合において、組合は、当該支払をした金額から家族療養費として組合員に対し支給すべき金額に相当する金額を控除した金額をその被扶養者に係る組合員から直接に徴収することとし、その徴収を猶予することができる。

（家族訪問看護療養費）

第五十九条の三　被扶養者が指定訪問看護事業者から指定訪問看護を受けた場合において、組合が必要と認めたときは、その指定訪問看護に要した費用について組合員に家族訪問看護療養費を支給する。

2　家族訪問看護療養費の額は、当該指定訪問看護について健康保険法第八十八条第四項に規定する厚生労働大臣が定めるところによりされる算定の例により算定した費用の額に第五十九条第二項第一号イからニまでに掲げる場合の区分に応じ、同号イからニまでに定める割合を乗じて得た金額（家族療養費の支給について前条第一項又は第二項の規定が適用されるときは、当該規定が適用されたものとした場合の金額）とする。

3　第五十八条の二第一項及び第三項から第五項までの規定は、家族訪問看護療養費の支給及び被扶養者の指定訪問看護について準用する。

4　第五十七条第七項の規定は、前項において準用する第五十八条の二第三項の場合において第二項の規定により算定した費用の額から当該指定訪問看護に要した費用につき家族訪問看護療養費として支給される金額に相当する金額を控除した金額の支払について準用する。

（家族移送費）

第五十九条の四　被扶養者が家族療養費に係る療養を受けるため病院又は診療所に移送された場合において、組合が必要と認めたときは、その移送に要した費用について組合員に家族移送費を支給する。

2　第五十八条の三第二項の規定は、家族移送費の支給について準用する。

（保険医療機関の療養担当等）

第六十条　保険医療機関若しくは保険薬局又はこれらにおいて診療若しくは調剤に従事する保険医若しくは保険薬剤師（健康保険法第六十四条に規定する保険医又は保険薬剤師をいう。第百四十四条の二十八第一項において同じ。）は、同法及びこれに基づく命令の規定の例により、組合員及びその被扶養者の療養並びにこれに係る事務を担当し、又は診療若しくは調剤に当たらなければならない。

2　指定訪問看護事業者又は指定訪問看護事業者の指定に係る訪問看護事業所（健康保険法第八十九条第一項に規定する訪問看護事業所をいう。第百四十四条の二十八第二項において同じ。）の看護師その他の従業者は、同法及びこれに基づく命令の規定の例により、組合員及びその被扶養者の指定訪問看護並びにこれに係る事務を担当し、又は指定訪問看護に当たらなければならない。

（組合員が日雇特例被保険者又はその被扶養者となつた場合等の給付）

第六十一条　組合員が資格を喪失し、かつ、健康保険法第三条第二項に規定する日雇特例被保険者又はその被扶養者（次項において「日雇特例被保険者等」という。）となつた場合においては、その者が退職した際に療養の給付、入院時食事療養費、入院時生活療養費、保険外併用療養費、療養費、訪問看護療養費、家族療養費若しくは家族訪問看護療養費又は介護保険法の規定による居宅介護サービス費（同法の規定による当該給付のうち療養に相当する同法第四十一条第一項に規定する指定居宅サービスに係るものに限る。以下この条において同じ。）、特例居宅介護サービス費（同法の規定による当該給付のうち療養に相当する同法第八条第一項に規定する居宅サービス又はこれに相当するサービスに係るものに限る。以下この条において同じ。）、地域密着型介護サービス費（同法の規定による当該給付のうち療養に相当する同法第四十二条の二第一項に規定する指定地域密着型サービスに係るものに限る。以下この条において同じ。）、特例地域密着型介護サービス費（同法の規定による当該給付のうち療養に相当する同法第八条第十四項に規定する地域密着型サービス又はこれに相当するサービスに係るものに限る。以下この条において同じ。）、施設介護サービス費（同法の規定による当該給付のうち療養に相当する同法第四十八条第一項に規定する指定施設サービス等に係るものに限る。以下この条において同じ。）若しくは特例施設介護サービス費（同法の規定による当該給付のうち療養に相当する同法第八条第二十六項に規定する施設サービスに係るものに限る。以下この条において同じ。）若しくは介護予防サービス費（同法の規定による当該給付のうち療養に相当する同法第五十三条第一項に規定する指定介護予防サービスに係るものに限る。以下この条において同じ。）若しくは特例介護予防サービス費（同法の規定による当該給付のうち療養に相当する同法第八条の二第一項に規定する介護予防サービス又はこれに相当するサービスに係るものに限る。以下この条において同じ。）を受けているとき（その者が退職した際にその被扶養者が同法の規定による居宅介護サービス費、特例居宅介護サービス費、地域密着型介護サービス費、特例地域密着型介護サービス費、施設介護サービス費若しくは特例施設介護サービス費又は介護予防サービス費若しくは特例介護予防サービス費を受けているときを含む。）には、当該病気又は負傷及びこれらにより生じた病気について継続して療養の給付、入院時食事療養費、入院時生活療養費、保険外併用療養費、療養費、訪問看護療養費、移送費、家族療養費、家族訪問看護療養費又は家族移送費を支給する。

2　組合員が死亡により資格を喪失し、又は組合員であつた者が死亡により前項の規定の適用を受けることができないこととなつた場合であつて、かつ、当該組合員又は組合員であつた者の被扶養者が日雇特例被保険者等となつた場合において、当該組合員又は組合員であつた者が死亡した際に家族療養費又は家族訪問看護療養費を受けているとき（当該組合員又は組合員であつた者が死亡した際に当該被扶養者が介護保険法の規定による居宅介護サービス費、特例居宅介護サービス費、地域密着型介護サービス費、特例地域密着型介護サービス費、施設介護サービス費若しくは特例施設介護サービス費又は介護予防サービス費若しくは特例介護予防サービス費を受けているときを含む。）には、当該病気又は負傷及びこれらにより生じた病気について、継続して家族療養費、家族訪問看護療養費又は家族移送費を当該組合員であつた者の被扶養者として現に療養を受けている者に支給する。

3　前二項の規定による給付は、次の各号のいずれかに該当するに至つたときは、行わない。

一　当該病気又は負傷について、健康保険法第五章の規定による療養の給付又は入院時食事療養費、入院時生活療養費、保険外併用療養費、療養費、訪問看護療養費、移送費（次項に規定する移送費を除く。）、家族療養費、家族訪問看護療養費若しくは家族移送費（同項に規定する家族移送費を除く。）の支給を受けることができるに至つたとき。

二　その者が、他の組合の組合員（国の組合の組合員、私学共済制度の加入者、健康保険の被保険者（健康保険法第三条第二項に規定する日雇特例被保険者を除く。）及び船員保険の被保険者を含む。第六十三条第二項ただし書、第六十六条ただし書、第六十八条第五項ただし書及び第六十九条第三項ただし書において同じ。）若しくはその被扶養者、国民健康保険の被保険者又は後期高齢者医療の被保険者等となつたとき。

三　組合員の資格を喪失した日から起算して六月を経過したとき。

4　第一項及び第二項の規定による給付は、当該病気又は負傷について、健康保険法第五章の規定による特別療養費（同法第百四十五条第六項において準用する同法第百三十二条の規定により支給される療養費を含む。）又は移送費若しくは家族移送費（当該特別療養費に係る療養を受けるための移送に係る移送費又は家族移送費に限る。）の支給を受けることができる間は、行わない。

（他の法令による療養との調整）

第六十二条　他の法令の規定により国又は地方公共団体の負担において療養又は療養費の支給を受けたときは、その受けた限度において、療養の給付又は入院時食事療養費、入院時生活療養費、保険外併用療養費、療養費、訪問看護療養費、移送費、家族療養費、家族訪問看護療養費若しくは家族移送費の支給は、行わない。

2　療養の給付又は入院時食事療養費、入院時生活療養費、保険外併用療養費、療養費、訪問看護療養費、移送費、家族療養費、家族訪問看護療養費若しくは家族移送費の支給は、同一の病気、負傷又は死亡に関し、地方公務員災害補償法の規定による通勤による災害に係る療養補償又はこれに相当する補償が行われるときは、行わない。

3　療養の給付又は入院時食事療養費、入院時生活療養費、保険外併用療養費、療養費、訪問看護療養費、家族療養費若しくは家族訪問看護療養費の支給は、同一の病気又は負傷に関し、介護保険法の規定によりそれぞれの給付に相当する給付が行われるときは、行わない。

4　埋葬料及び家族埋葬料は、地方公務員災害補償法の規定による通勤による災害に係る葬祭補償又はこれに相当する補償が行われるときは、支給しない。

（高額療養費）

第六十二条の二　療養の給付につき支払われた第五十七条第二項若しくは第三項に規定する一部負担金（第五十七条の二第一項第一号の措置が採られるときは、当該減額された一部負担金）の額又は療養（食事療養及び生活療養を除く。次項において同じ。）に要した費用の額からその療養に要した費用につき保険外併用療養費、療養費、訪問看護療養費、家族療養費若しくは家族訪問看護療養費として支給される金額に相当する金額を控除した金額（次条第一項において「一部負担金等の額」という。）が著しく高額であるときは、その療養の給付又はその保険外併用療養費、療養費、訪問看護療養費、家族療養費若しくは家族訪問看護療養費の支給を受けた者に対し、高額療養費を支給する。

2　高額療養費の支給要件、支給額その他高額療養費の支給に関し必要な事項は、療養に必要な費用の負担の家計に与える影響及び療養に要した費用の額を考慮して、政令で定める。

（高額介護合算療養費）

第六十二条の三　一部負担金等の額（前条第一項の高額療養費が支給される場合にあつては、当該支給額に相当する金額を控除した金額）並びに介護保険法第五十一条第一項に規定する介護サービス利用者負担額（同項の高額介護サービス費が支給される場合にあつては、当該支給額に相当する金額を控除した金額）及び同法第六十一条第一項に規定する介護予防サービス利用者負担額（同項の高額介護予防サービス費が支給される場合にあつては、当該支給額に相当する金額を控除した金額）の合計額が著しく高額であるときは、当該一部負担金等の額に係る療養の給付又は保険外併用療養費、療養費、訪問看護療養費、家族療養費若しくは家族訪問看護療養費の支給を受けた者に対し、高額介護合算療養費を支給する。

2　前条第二項の規定は、高額介護合算療養費の支給について準用する。

（出産費及び家族出産費）

第六十三条　組合員が出産したときは、出産費として、政令で定める金額を支給する。

2　前項の規定は、組合員の資格を喪失した日の前日まで引き続き一年以上組合員であつた者（以下「一年以上組合員であつた者」という。）が退職後六月以内に出産した場合について準用する。ただし、退職後出産するまでの間に他の組合の組合員の資格を取得したときは、この限りでない。

3　被扶養者（前項本文の規定の適用を受ける者を除く。）が出産したときは、家族出産費として、政令で定める金額を支給する。

第六十四条　削除

（埋葬料及び家族埋葬料）

第六十五条　組合員が公務によらないで死亡したときは、その死亡の当時被扶養者であつた者で埋葬を行うものに対し、埋葬料として、政令で定める金額を支給する。

2　前項の規定により埋葬料の支給を受けるべき者がない場合には、埋葬を行つた者に対し、同項に規定する金額の範囲内で、埋葬に要した費用に相当する金額を支給する。

3　被扶養者が死亡したときは、家族埋葬料として、政令で定める金額を支給する。

第六十六条　組合員であつた者が退職後三月以内に死亡したときは、前条第一項及び第二項の規定に準じて埋葬料を支給する。ただし、退職後死亡するまでの間に他の組合の組合員の資格を取得したときは、この限りでない。

（日雇特例被保険者に係る給付との調整）

第六十七条　家族療養費、家族訪問看護療養費、家族移送費、家族出産費又は家族埋葬料は、同一の病気、負傷、出産又は死亡に関し、健康保険法第五章の規定により療養の給付又は入院時食事療養費、入院時生活療養費、保険外併用療養費、療養費、訪問看護療養費、移送費、出産育児一時金若しくは埋葬料の支給があつた場合には、その限度において、支給しない。

第三款　休業等給付

（傷病手当金）

第六十八条　組合員（第百四十四条の二第二項に規定する任意継続組合員を除く。第五項、次条第一項及び第三項並びに第七十条から第七十条の五までにおいて同じ。）が公務によらないで病気にかかり、又は負傷し、療養のため引き続き勤務に服することができない場合には、勤務に服することができなくなつた日以後三日を経過した日から、その後における勤務に服することができない期間、傷病手当金を支給する。

2　傷病手当金の額は、一日につき、傷病手当金の支給を始める日の属する月以前の直近の継続した十二月間の各月の標準報酬の月額（組合員が現に属する組合により定められたものに限る。以下この項において同じ。）の平均額の二十二分の一に相当する金額（当該金額に五円未満の端数があるときは、これを切り捨て、五円以上十円未満の端数があるときは、これを十円に切り上げるものとする。）の三分の二に相当する金額（当該金額に五十銭未満の端数があるときは、これを切り捨て、五十銭以上一円未満の端数があるときは、これを一円に切り上げるものとする。）とする。ただし、同日の属する月以前の直近の継続した期間において標準報酬の月額が定められている月が十二月に満たない場合にあつては、次の各号に掲げる金額のうちいずれか少ない額の三分の二に相当する金額（当該金額に五十銭未満の端数があるときは、これを切り捨て、五十銭以上一円未満の端数があるときは、これを一円に切り上げるものとする。）とする。

一　傷病手当金の支給を始める日の属する月以前の直近の継続した各月の標準報酬の月額の平均額の二十二分の一に相当する金額（当該金額に五円未満の端数があるときは、これを切り捨て、五円以上十円未満の端数があるときは、これを十円に切り上げるものとする。）

二　傷病手当金の支給を始める日の属する年度の前年度の九月三十日における短期給付に関する規定の適用を受ける全ての組合員の同月の標準報酬の月額の平均額を標準報酬の基礎となる報酬月額とみなしたときの標準報酬の月額の二十二分の一に相当する金額（当該金額に五円未満の端数があるときは、これを切り捨て、五円以上十円未満の端数があるときは、これを十円に切り上げるものとする。）

3　前項に規定するもののほか、傷病手当金の額の算定に関して必要な事項は、総務省令で定める。

4　傷病手当金の支給期間は、同一の病気又は負傷及びこれらにより生じた病気（以下「傷病」という。）については、第一項に規定する勤務に服することができなくなつた日以後三日を経過した日（同日において第七十一条第一項の規定により傷病手当金の全部を支給しないときは、その支給を始めた日）から通算して一年六月間（結核性の病気については、三年間）とする。

5　一年以上組合員であつた者が退職した際に傷病手当金を受けている場合には、その者が退職しなかつたとしたならば前項の規定により受けることができる期間、継続してこれを支給する。ただし、その者が他の組合の組合員の資格を取得したときは、この限りでない。

6　傷病手当金は、同一の傷病について障害厚生年金（厚生年金保険法による障害厚生年金をいう。以下この項において同じ。）の支給を受けることができるときは、支給しない。ただし、その支給を受けることができる障害厚生年金の額（当該障害厚生年金と同一の給付事由に基づき国民年金法による障害基礎年金の支給を受けることができるときは、当該障害厚生年金の額と当該障害基礎年金の額との合算額）を基準として総務省令で定めるところにより算定した額（以下この項において「障害年金の額」という。）が、第二項の規定により算定される額より少ないときは、当該額から次の各号に掲げる場合の区分に応じて当該各号に定める額を控除した額を支給する。

一　報酬を受けることができない場合であつて、かつ、出産手当金の支給を受けることができない場合　障害年金の額

二　報酬を受けることができない場合であつて、かつ、出産手当金の支給を受けることができる場合　出産手当金の額（当該額が第二項の規定により算定される額を超える場合にあつては、当該額）と障害年金の額のいずれか多い額

三　報酬の全部又は一部を受けることができる場合であつて、かつ、出産手当金の支給を受けることができない場合　当該受けることができる報酬の全部又は一部の額（当該額が第二項の規定により算定される額を超える場合にあつては、当該額）と障害年金の額のいずれか多い額

四　報酬の全部又は一部を受けることができる場合であつて、かつ、出産手当金の支給を受けることができないとしたならば支給されることとなる出産手当金の額（当該額が第二項の規定により算定される額を超える場合にあつては、当該額）と障害年金の額のいずれか多い額

7　傷病手当金は、同一の傷病について障害手当金（厚生年金保険法による障害手当金をいう。以下この項において同じ。）の支給を受けることとなつたときは、当該障害手当金の支給を受けることとなつた日からその日以後に傷病手当金の支給を受けるとする場合の第二項の規定により算定される額の合計額が当該障害手当金の額に達するに至る日までの間、支給しない。ただし、当該合計額が当該障害手当金の額に達するに至つた日において当該合計額が当該障害手当金の額を超える場合において、報酬の全部若しくは一部又は出産手当金の支給を受けることができるときその他の政令で定めるときは、当該合計額から当該障害手当金の額を控除した額その他の政令で定める額については、この限りでない。

8　第五項の傷病手当金（政令で定める要件に該当する者に支給するものに限る。）は、厚生年金保険法又は国民年金法による老齢を給付事由とする年金である給付その他の退職又は老齢を給付事由とする年金である給付であつて政令で定めるもの（以下この項及び次項において「退職老齢年金給付」という。）の支給を受けることができるときは、支給しない。ただし、その支給を受けることができる退職老齢年金給付の額（当該退職老齢年金給付が二以上あるときは、当該二以上の退職老齢年金給付の額を合算した額）を基準として総務省令で定めるところにより算定した額が、当該退職老齢年金給付の支給を受けることができないとしたならば支給されることとなる傷病手当金の額より少ないときは、当該傷病手当金の額から当該総務省令で定めるところにより算定した額を控除した額を支給する。

9　組合は、前三項の規定による傷病手当金に関する処分に関し必要があると認めるときは、第六項の障害厚生年金若しくは障害基礎年金、第七項の障害手当金又は前項の退職老齢年金給付の支給状況につき、退職老齢年金給付の支払をする者に対し、必要な資料の提供を求めることができる。

10　傷病手当金は、次条の規定により出産手当金を支給する場合（第六項又は第七項に該当するときを除く。）には、その期間内は、支給しない。ただし、報酬を受けることができないとしたならば支給されることとなる出産手当金の額が、第二項の規定により算定される額より少ないときは、同項の規定により算定される額から当該出産手当金の額を控除した額を支給する。

11　傷病手当金は、同一の傷病に関し、地方公務員災害補償法の規定による通勤による災害に係る休業補償若しくは傷病補償年金又はこれらに相当する補償（次項において「休業補償等」という。）が行われるときは、支給しない。

12　組合は、前項の規定による傷病手当金に関する処分に関し必要があると認めるときは、休業補償等の支給状況につき、休業補償等の支給を行う者に対し、必要な資料の提供を求めることができる。

（出産手当金）

第六十九条　組合員が出産した場合には、出産の日（出産の日が出産の予定日後であるときは、出産の予定日）以前四十二日（多胎妊娠の場合にあつては、九十八日）から出産の日後五十六日までの間において勤務に服することができなかつた期間、出産手当金を支給する。

2　前条第二項及び第三項の規定は、出産手当金の額の算定について準用する。

3　一年以上組合員であつた者が退職した際に出産手当金を受けているときは、その給付は、第一項に規定する期間内は、引き続き支給する。ただし、その者が他の組合の組合員の資格を取得したときは、この限りでない。

（休業手当金）

第七十条　組合員が次に掲げる事由により欠勤した場合には、休業手当金として、その期間（第二号から第四号までの各号については、当該各号に掲げる期間内においてその欠勤した期間）一日につき標準報酬の日額の百分の五十に相当する金額を支給する。ただし、傷病手当金又は出産手当金を支給する場合には、その期間内は、この限りでない。

一　被扶養者の病気又は負傷
二　組合員の配偶者の出産　十四日
三　組合員の公務によらない不慮の災害又は被扶養者に係る不慮の災害　五日
四　組合員の婚姻、配偶者の死亡又は二親等内の血族若しくは一親等の姻族で主として組合員の収入により生計を維持するもの若しくはその他の被扶養者の婚姻若しくは葬祭　七日
五　前各号に掲げるもののほか、運営規則で定める事由　運営規則で定める期間

（育児休業手当金）

第七十条の二　組合員が育児休業等（育児休業、介護休業等育児又は家族介護を行う労働者の福祉に関する法律第二十三条第二項の育児休業に関する制度に準ずる措置及び同法第二十四条第一項（第二号に係る部分に限る。）の規定により同項第二号に規定する育児休業に関する制度に準じて講ずる措置による休業を除く。以下この条及び次条において同じ。）をした場合には、育児休業手当金として、当該育児休業等により勤務に服さなかつた期間で当該育児休業等に係る子が一歳（その子が一歳に達した日後の期間について育児休業等をすることが必要と認められるものとして総務省令で定める場合に該当するときは、一歳六か月（その子が一歳六か月に達した日後の期間について育児休業等をすることが必要と認められるものとして総務省令で定める場合に該当するときは、二歳））に達する日までの期間一日につき標準報酬の日額の百分の五十（当該育児休業等をした期間が百八十日に達するまでの期間については、百分の六十七）に相当する金額を支給する。

2　組合員の養育する子について、当該組合員の配偶者がその子の一歳に達する日以前のいずれかの日において前項に規定する育児休業等（国会職員の育児休業等に関する法律（平成三年法律第百八号）第三条第一項の規定による育児休業、国家公務員の育児休業等に関する法律（平成三年法律第百九号）第三条第一項（同法第二十七条第一項及び裁判所職員臨時措置法（昭和二十六年法律第二百九十九号）（第七号に係る部分に限る。）において準用する場合を含む。）の規定による育児休業又は裁判官の育児休業に関する法律（平成三年法律第百十一号）第二条第一項の規定による育児休業を含む。次条第一項第二号において「配偶者育児休業等」という。）をしている場合における前項の規定の適用については、同項中「係る子が一歳」とあるのは「係る子が一歳二か月」と、「日までの期間」とあるのは「日までの期間（当該期間において当該育児休業等をした期間（その子の出生した日以後労働基準法（昭和二十二年法律第四十九号）第六十五条第一項又は第二項の規定により休業した期間を含む。）が一年（その子が一歳に達した日後の期間について育児休業等をすることが必要と認められるものとして総務省令で定める場合に該当するときは、一年六月（その子が一歳六か月に達した日後の期間について育児休業等をすることが必要と認められるものとして総務省令で定める場合に該当するときは、二年）。以下この項において同じ。）を超えるときは、一年）」とする。

3　第一項（前項の規定により読み替えて適用する場合を含む。以下この項において同じ。）の規定により支給すべきこととされる標準報酬の日額の百分の五十（当該育児休業等をした期間が百八十日に達するまでの期間については、百分の六十七）に相当する金額が、給付上限相当額（雇用保険法（昭和四十九年法律第百十六号）第十七条第四項第二号ハに定める額（当該額が同法第十八条の規定により変更された場合には、当該変更された後の額）に相当する額に三十を乗じて得た額の百分の五十（当該育児休業等をした期間が百八十日に達するまでの期間については、百分の六十七）に相当する額を二十二で除して得た額をいう。）を超える場合における第一項の規定の適用については、同項中「標準報酬の日額の百分の五十（当該育児休業等をした期間が百八十日に達するまでの期間については、百分の六十七）」とあるのは、「第三項に規定する給付上限相当額」とする。

4　育児休業手当金は、同一の育児休業等について雇用保険法の規定による育児休業給付の支給を受けることができるときは、支給しない。

（育児休業支援手当金）

第七十条の三　組合員が、対象期間内に育児休業等をした場合において、次の各号に掲げる要件のいずれにも該当するときは、育児休業支援手当金として、対象期間内に当該育児休業等をした日一日につき標準報酬の日額の百分の十三に相当する金額を支給する。
一　対象期間内に育児休業等をした日数が通算して十四日以上であるとき。
二　当該組合員の配偶者が当該育児休業等に係る子について配偶者育児休業等をしたとき（当該配偶者が当該子の出生の日から起算して五十六日を経過する日の翌日までの期間内にした配偶者育児休業等の日数が通算して十四日以上であるときに限る。）。

2　組合員が次の各号のいずれかに該当する場合における前項の規定の適用については、同項中「次の各号に掲げる要件のいずれにも」とあるのは、「第一号に掲げる要件に」とする。
一　配偶者のない者その他総務省令で定める者である場合
二　当該組合員の配偶者が雇用保険法第五条第一項に規定する適用事業に雇用される労働者でない場合
三　当該組合員の配偶者が当該育児休業等に係る子について労働基準法（昭和二十二年法律第四十九号）第六十五条第二項の規定による休業その他これに相当する休業として総務省令で定める休業（第五項各号において「産後休業等」という。）をした場合
四　前三号に掲げる場合のほか、当該組合員の配偶者が当該育児休業等に係る子の出生の日から起算して五十六日を経過する日の翌日までの期間内において当該子を養育するための休業をすることができない場合として総務省令で定める場合

3　組合員が育児休業等についてこの条の定めるところにより育児休業支援手当金の支給を受けたことがある場合において、当該組合員が次の各号のいずれかに該当する育児休業等をしたときは、前二項の規定にかかわらず、育児休業支援手当金は、支給しない。
一　同一の子について当該組合員が複数回の育児休業等を取得することについて妥当である場合として総務省令で定める場合に該当しない場合における二回目以後の育児休業等
二　同一の子について当該組合員が五回以上の育児休業等（当該育児休業等を五回以上取得することについてやむを得ない

理由がある場合として総務省令で定める場合に該当するものを除く。）をした場合における五回目以後の育児休業等

三　同一の子について当該組合員がした育児休業等ごとに、当該育児休業等を開始した日から当該育児休業等を終了した日までの日数を合算して得た日数が二十八日に達した日後の育児休業等

4　第一項（第二項の規定により読み替えて適用する場合を含む。以下この項において同じ。）の規定により支給すべきこととされる標準報酬の日額の百分の十三に相当する金額が、給付上限相当額（雇用保険法第十七条第四項第二号ハに定める額（当該額が同法第十八条の規定により変更された場合には、当該変更された後の額）に相当する額に三十を乗じて得た額の百分の十三に相当する額を二十二で除して得た額をいう。）を超える場合における第一項の規定の適用については、同項中「標準報酬の日額の百分の十三」とあるのは、「第四項に規定する給付上限相当額」とする。

5　第一項の「対象期間」とは、次の各号に掲げる区分に応じ、当該各号に定める期間とする。

一　組合員が当該育児休業等に係る子について産後休業をしなかつたとき　その子の出生の日から起算して五十六日を経過する日の翌日までの期間

二　組合員が当該育児休業等に係る子について産後休業等をしたとき　次のイからハまでに掲げる場合の区分に応じ、当該イからハまでに定める期間

イ　出産の予定日に当該子が出生した場合　当該出生の日から起算して百十二日を経過する日の翌日までの期間

ロ　出産の予定日前に当該子が出生した場合　当該出生の日から当該出産の予定日から起算して百十二日を経過する日の翌日までの期間

ハ　出産の予定日後に当該子が出生した場合　当該出産の予定日から当該出生の日から起算して百十二日を経過する日の翌日までの期間

6　育児休業支援手当金は、同一の育児休業等について雇用保険法の規定による出生後休業支援給付金の支給を受けることができるときは、支給しない。

（介護休業手当金）

第七十条の四　組合員が介護休業（育児休業、介護休業等育児又は家族介護を行う労働者の福祉に関する法律第六十一条の二第三項に規定する要介護家族その他主務省令で定める者を介護するための休業であつて、任命権者又はその委任を受けた者の承認（主務省令で定める組合員については、主務省令で定める者の承認）を受けたものをいう。以下この条において同じ。）をした場合には、介護休業手当金として、当該介護休業により勤務に服さなかつた期間一日につき標準報酬の日額の百分の四十に相当する金額を支給する。

2　前項の介護休業手当金の支給期間は、組合員の介護を必要とする者の各々が介護を必要とする一の継続する状態ごとに、介護休業の日数を通算して六十六日を超えないものとする。

3　第七十条の二第三項の規定は、第一項の規定により介護休業手当金を支給する場合について準用する。この場合において、同条第三項中「百分の五十（当該育児休業等をした期間が百八十日に達するまでの期間については、百分の六十七）」とあるのは「百分の四十」と、「第十七条第四項第二号ハ」とあるのは「第十七条第四項第二号ロ」と読み替えるものとする。

4　介護休業手当金は、同一の介護休業について雇用保険法の規定による介護休業給付の支給を受けることができるときは、支給しない。

（育児時短勤務手当金）

第七十条の五　組合員が、その二歳に満たない子を養育するため勤務時間を短縮することによる勤務として総務省令で定める勤務（以下この条において「育児時短勤務」という。）をした場合には、支給対象月につき育児時短勤務手当金を支給する。

2　前項の規定にかかわらず、支給対象月における報酬の月額が支給限度額（雇用保険法第六十一条の十二第二項に規定する支給限度額をいう。第四項ただし書において同じ。）以上であるときは、当該支給対象月については、育児時短勤務手当金は、支給しない。

3　この条において「支給対象月」とは、組合員が育児時短勤務を開始した日の属する月から当該育児時短勤務を終了した日の属する月までの期間内にある月（その月の初日から末日まで引き続いて組合員であり、かつ、育児休業手当金又は介護休業手当金の支給を受けることができる休業をしなかつた月に限る。）をいう。

4　育児時短勤務手当金の額は、一支給対象月について、次の各号に掲げる区分に応じ、当該各号に定める率を乗じて得た額とする。ただし、その額に当該報酬の額を加えて得た額が支給限度額を超えるときは、支給限度額から当該報酬の額を減じて得た額とする。

一　当該報酬の額が、育児時短勤務を開始した日の属する月における標準報酬の月額の百分の九十に相当する額未満であるとき　百分の十

二　当該報酬の額が、育児時短勤務を開始した日の属する月における標準報酬の月額の百分の九十に相当する額以上百分の百に相当する額未満であるとき　当該標準報酬の月額に対する当該報酬の額の割合が百分の九十を超える大きさの程度に応じ、百分の十から一定の割合で逓減するように総務省令で定める率

5　前項各号の標準報酬の月額が、基準報酬月額相当額（雇用保険法第十七条第四項第二号ハに定める額（当該額が同法第十八条の規定により変更された場合には、当該変更された後の額）に相当する額に三十を乗じて得た額をいう。）を超える場合における前項の規定の適用については、同項第一号中「標準報酬の月額」とあるのは「次項に規定する基準報酬月額相当額（次号において「基準報酬月額相当額」という。）」と、同項第二号中「標準報酬の月額」とあるのは「基準報酬月額相当額」とする。

6　第一項及び第四項の規定にかかわらず、同項の規定により支給対象月における育児時短勤務手当金の額として算定された額が雇用保険法第十七条第四項第一号に掲げる額（当該額が同法第十八条の規定により変更された場合には、当該変更された後の額）の百分の八十に相当する額を超えないときは、当該支給対象月については、育児時短勤務手当金は、支給しない。

7　育児時短勤務手当金は、同一の育児時短勤務について雇用保険法の規定による育児時短就業給付金、高年齢雇用継続基本給付金又は高年齢再就職給付金の支給を受けることができるとき

は、支給しない。

（報酬との調整）

第七十一条 傷病手当金は、その支給期間に係る報酬の全部又は一部を受ける場合（第六十八条第六項、第七項又は第十項に該当するときを除く。）には、その受ける金額を基準として政令で定める金額の限度において、その全部又は一部を支給しない。

2 出産手当金、休業手当金、育児休業手当金、育児休業支援手当金又は介護休業手当金は、その支給期間に係る報酬の全部又は一部を受ける場合には、その受ける金額を基準として政令で定める金額の限度において、その全部又は一部を支給しない。

第四款 災害給付

（弔慰金及び家族弔慰金）

第七十二条 組合員又はその被扶養者が水震火災その他の非常災害により死亡したときは、組合員については標準報酬の月額に相当する金額の弔慰金をその遺族に、被扶養者については当該金額の百分の七十に相当する金額の家族弔慰金を組合員に支給する。

（災害見舞金）

第七十三条 組合員が前条に規定する非常災害によりその住居又は家財に損害を受けたときは、災害見舞金として、別表に掲げる損害の程度に応じ、同表に定める月数を標準報酬の月額に乗じて得た金額を支給する。

第三節 長期給付

第一款 通則

（長期給付の種類等）

第七十四条 この法律における長期給付は、厚生年金保険給付及び退職等年金給付とする。

2 長期給付に関する規定は、次の各号のいずれかに該当する職員には適用しない。

一 常時勤務に服することを要しない職員で政令で定めるもの

二 臨時に使用される職員その他の政令で定める職員

3 長期給付に関する規定の適用を受ける組合員がその適用を受けない組合員となつたときは、長期給付に関する規定の適用については、そのなつた日の前日に退職したものとみなす。

4 第二項の規定により長期給付に関する規定の適用を受けない組合員がその適用を受ける組合員となつたときは、長期給付に関する規定の適用については、そのなつた日に新たに組合員となつたものとみなす。

第二款 厚生年金保険給付

（厚生年金保険給付の種類等）

第七十五条 この法律における厚生年金保険給付は、厚生年金保険法第三十二条に規定する次に掲げる保険給付（同法第二条の五第一項第三号に規定する第三号厚生年金被保険者期間に基づくものに限る。）とする。

一 老齢厚生年金

二 障害厚生年金及び障害手当金

三 遺族厚生年金

2 第一節（第四十二条第一項及び第四十八条を除く。）及び次節（第百十条を除く。）、第九章（第百四十条から第百四十四条までを除く。）並びに第九章の三（第百四十四条の二十七、第百四十四条の二十九及び第百四十四条の三十一から第百四十六条までを除く。）の規定は、厚生年金保険給付については、適用しない。

第三款 退職等年金給付

第一目 通則

（退職等年金給付の種類）

第七十六条 この法律による退職等年金給付は、次に掲げる給付とする。

一 退職年金

二 公務障害年金

三 公務遺族年金

（給付算定基礎額）

第七十七条 退職等年金給付の給付事由が生じた日における当該退職等年金給付の額の算定の基礎となるべき額（以下「給付算定基礎額」という。）は、組合員期間の計算の基礎となる各月の掛金の標準となつた標準報酬の月額と標準期末手当等の額に当該各月において適用される付与率を乗じて得た額に当該各月から当該給付事由が生じた日の前日の属する月までの期間に応ずる利子に相当する額を加えた額の総額とする。

2 前項に規定する付与率は、退職等年金給付が組合員であつた者及びその遺族の適当な生活の維持を図ることを目的とする年金制度の一環をなすものであることとその他政令で定める事情を勘案して、地方公務員共済組合連合会の定款で定める。

3 第一項に規定する利子は、掛金の払込みがあつた月から退職等年金給付の給付事由が生じた日の前日の属する月までの期間に応じ、当該期間の各月において適用される基準利率を用いて複利の方法により計算する。

4 各年の十月から翌年の九月までの期間の各月において適用される前項に規定する基準利率（以下「基準利率」という。）は、毎年九月三十日までに、国債の利回りを基礎として、退職等年金給付組合積立金及び退職等年金給付調整積立金の運用の状況及びその見通しその他政令で定める事情を勘案して、地方公務員共済組合連合会の定款で定める。

5 前各項に定めるもののほか、給付算定基礎額の計算に関し必要な事項は、総務省令で定める。

（退職等年金給付の支給期間及び支給期月）

第七十八条 退職等年金給付は、その給付事由が生じた日の属する月の翌月からその事由のなくなつた日の属する月までの分を支給する。

2 退職等年金給付は、その支給を停止すべき事由が生じたときは、その事由が生じた日の属する月の翌月からその事由がなくなつた日の属する月までの分の支給を停止する。ただし、これらの日が同じ月に属する場合には、支給を停止しない。

3 退職等年金給付の額を改定する事由が生じたときは、その事由が生じた日の属する月の翌月分からその改定した金額を支給する。

4 退職等年金給付は、毎年二月、四月、六月、八月、十月及び十二月において、それぞれの前月までの分を支給する。ただし、その給付を受ける権利が消滅したとき、又はその支給を停止すべき事由が生じたときは、その支給期月にかかわらず、その際、その月までの分を支給する。

（三歳に満たない子を養育する組合員等の給付算定基礎額の計算の特例）

第七十九条 三歳に満たない子を養育し、又は養育していた組合員又は組合員であつた者が、組合に申出をしたときは、当該子を養育することとなつた日（総務省令で定める事由が生じた場合にあつては、その日）の属する月から次の各号のいずれかに該当するに至つた日の翌日の属する月の前月までの各月のうち、その標準報酬の月額が当該子を養育することとなつた日の属する月の前月（当該月において組合員でない場合にあつては、当該月前一年以内における組合員であつた月のうち直近の月。以下この条において「基準月」という。）の標準報酬の月額（この項の規定により当該子以外の子に係る基準月の標準報酬の月額が標準報酬の月額とみなされている場合にあつては、当該みなされた基準月の標準報酬の月額。以下この項において「従前標準報酬の月額」という。）を下回る月（当該申出が行われた日の属する月前の月にあつては、当該申出が行われた日の属する月の前月までの二年間のうちにあるものに限る。）については、従前標準報酬の月額を当該下回る月の標準報酬の月額とみなして、第七十七条第一項の規定を適用する。

一 当該子が三歳に達したとき。

二 当該組合員若しくは当該組合員であつた者が死亡したとき、又は当該組合員が退職したとき。

三 当該子以外の子についてこの条の規定の適用を受ける場合における当該子以外の子を養育することとなつたときその他これに準ずるものとして総務省令で定めるものが生じたとき。

四 当該子が死亡したときその他当該組合員が当該子を養育しないこととなつたとき。

五 当該組合員が第百十四条の二第一項の規定の適用を受ける育児休業等を開始したとき。

六 当該組合員が第百十四条の二の二の規定の適用を受ける産前産後休業を開始したとき。

2 前項の規定による給付算定基礎額の計算その他同項の規定の適用に関し必要な事項は、政令で定める。

3 第一項第六号の規定に該当した組合員（同項の規定により当該子以外の子に係る基準月の標準報酬の月額が基準月の標準報酬の月額とみなされている場合を除く。）に対する同項の規定の適用については、同項中「この項の規定により当該子以外の子に係る基準月の標準報酬の月額が標準報酬の月額とみなされている場合にあつては、当該みなされた基準月の標準報酬の月額」とあるのは、「第六号の規定の適用がなかつたとしたならば、この項の規定により当該子以外の子に係る基準月の標準報酬の月額が標準報酬の月額とみなされる場合にあつては、当該みなされることとなる基準月の標準報酬の月額」とする。

（併給の調整）

第八十条 次の各号に掲げる退職等年金給付（第九十一条第三項前段、第九十二条第二項前段若しくは第三項又は第九十三条第一項に規定する一時金を除く。以下この条において同じ。）の受給権者が当該各号に定める場合に該当するときは、その該当する間、当該退職等年金給付は、その支給を停止する。

一 退職年金 公務障害年金を受けることができるとき。

二 公務障害年金 退職年金又は公務遺族年金を受けることができるとき。

三 公務遺族年金 公務障害年金を受けることができるとき。

2 前項の規定によりその支給を停止するものとされた退職等年金給付の受給権者は、同項の規定にかかわらず、その支給の停止の解除を申請することができる。

3 現にその支給が行われている退職等年金給付が第一項の規定によりその支給を停止するものとされた場合において、その支給を停止すべき事由が生じた日の属する月に当該退職等年金給付に係る前項の申請がなされないときは、その支給を停止すべき事由が生じたときにおいて、当該退職等年金給付に係る同項の申請があつたものとみなす。

4 第二項の申請（前項の規定により第二項の申請があつたものとみなされた場合における当該申請を含む。以下この項及び次項において同じ。）があつた場合には、当該申請に係る退職等年金給付については、第一項の規定にかかわらず、同項の規定による支給の停止は行わない。ただし、その者に係る他の退職等年金給付について、第二項の申請があつたとき（次項の規定により当該申請が撤回された場合を除く。）は、この限りでない。

5 第二項の申請は、いつでも、将来に向かつて撤回することができる。

（受給権者の申出による支給停止）

第八十一条 退職等年金給付（この法律の他の規定により支給を停止されているものを除く。）は、その受給権者の申出により、その支給を停止する。

2 前項の申出は、いつでも、将来に向かつて撤回することができる。

3 第一項の規定による支給停止の方法その他前二項の規定の適用に関し必要な事項は、政令で定める。

（年金の支払の調整）

第八十二条 退職等年金給付（以下この項において「乙年金」という。）の受給権者が他の退職等年金給付（以下この項において「甲年金」という。）を受ける権利を取得したため乙年金を受ける権利が消滅し、又は同一人に対して乙年金の支給を停止して甲年金を支給すべき場合において、乙年金を受ける権利が消滅し、又は乙年金の支給を停止すべき事由が生じた月の翌月以後の分として、乙年金の支払が行われたときは、その支払われた乙年金は、甲年金の内払とみなす。

2 退職等年金給付の支給を停止すべき事由が生じたにもかかわらず、その停止すべき期間の分として退職等年金給付が支払われたときは、その支払われた退職等年金給付は、その後に支払うべき退職等年金給付の内払とみなすことができる。退職等年金給付を減額して改定すべき事由が生じたにもかかわらず、その事由が生じた月の翌月以後の分として減額しない額の退職等年金給付が支払われた場合における当該退職等年金給付の当該減額すべきであつた部分についても、同様とする。

3 第九十一条第三項前段又は第九十二条第二項前段若しくは第三項に規定する一時金の支給を受けた者が、公務障害年金の支給を受けるときは、その支払われた一時金は、その後に支払うべき公務障害年金の支給期月ごとの支給額の二分の一に相当する金額の限度において、当該支給期月において支払うべき公務障害年金の内払とみなす。

第八十三条 退職等年金給付の受給権者が死亡したためその受ける権利が消滅したにもかかわらず、その死亡の日の属する月の翌月以後の分として当該退職等年金給付の過誤払が行われた場合において、当該過誤払による返還金に係る債権（以下この条において「返還金債権」という。）に係る債務の弁済をすべき者に支払うべき退職等年金給付があるときは、主務省令で定めるところにより、当該退職等年金給付の支払金の金額を当該過誤払による返還金債権の金額に充当することができる。

（死亡の推定）

第八十四条　船舶が沈没し、転覆し、滅失し、若しくは行方不明となつた際現にその船舶に乗つていた組合員若しくは組合員であつた者若しくは船舶に乗つていてその船舶の航行中に行方不明となつた組合員若しくは組合員であつた者の生死が三月間分からない場合又はこれらの者の死亡が三月以内に明らかとなり、かつ、その死亡の時期が分からない場合には、公務遺族年金又はその他の退職等年金給付に係る支払未済の給付の支給に関する規定の適用については、その船舶が沈没し、転覆し、滅失し、若しくは行方不明となつた日又はその者が行方不明となつた日に、その者は、死亡したものと推定する。航空機が墜落し、滅失し、若しくは行方不明となつた際現にその航空機に乗つていた組合員若しくは組合員であつた者若しくは航空機に乗つていてその航空機の航行中に行方不明となつた組合員若しくは組合員であつた者の生死が三月間分からない場合又はこれらの者の死亡が三月以内に明らかとなり、かつ、その死亡の時期が分からない場合にも、同様とする。

（年金受給者の書類の提出等）

第八十五条　組合は、退職等年金給付の支給に関し必要な範囲内において、その支給を受ける者に対して、身分関係の異動、支給の停止及び障害の状態に関する書類その他の物件の提出を求めることができる。

２　組合は、前項の要求をした場合において、正当な理由がなくてこれに応じない者があるときは、その者に対しては、これに応ずるまでの間、退職等年金給付の支払を差し止めることができる。

（政令への委任）

第八十六条　この款に定めるもののほか、退職等年金給付の額の計算及びその支給に関し必要な事項は、政令で定める。

第二目　退職年金

（退職年金の種類）

第八十七条　退職年金は、支給期間を終身とするもの（以下「終身退職年金」という。）及び支給期間を二百四十月とするもの（以下「有期退職年金」という。）とする。

２　有期退職年金の受給権者が組合に当該有期退職年金の支給期間の短縮の申出をしたときは、当該有期退職年金の支給期間は百二十月とする。

３　前項の申出は、当該有期退職年金の給付事由が生じた日から六月以内に、退職年金の支給の請求と同時に行わなければならない。

（退職年金の受給権者）

第八十八条　一年以上の引き続く組合員期間を有する者が退職した後に六十五歳に達したとき（その者が組合員である場合を除く。）、又は六十五歳に達した日以後に退職したときは、その者に退職年金を支給する。

２　第九十六条第二項の規定により有期退職年金を受ける権利を失つた者が前項に規定する場合に該当するに至つたときは、同条第二項の規定にかかわらず、その者に有期退職年金を支給する。この場合において、当該失つた権利に係る組合員期間は、この項の規定により支給する有期退職年金の額の計算については、組合員期間に含まれないものとするほか、当該有期退職年金の額の計算に関し必要な事項は、政令で定める。

（終身退職年金の額）

第八十九条　終身退職年金の額は、終身退職年金の額の算定の基礎となるべき額（以下「終身退職年金算定基礎額」という。）を、受給権者の年齢に応じた終身年金現価率で除して得た金額とする。

２　終身退職年金の給付事由が生じた日からその年の九月三十日（終身退職年金の給付事由が生じた日が九月一日から十二月三十一日までの間にあるときは、翌年の九月三十日）までの間における終身退職年金算定基礎額は、給付算定基礎額の二分の一に相当する額（組合員期間が十年に満たないときは、当該額に二分の一を乗じて得た額）とする。

３　終身退職年金の給付事由が生じた日の属する年（終身退職年金の給付事由が生じた日が九月一日から十二月三十一日までの間にあるときは、その翌年）以後の各年の十月一日から翌年の九月三十日までの間における終身退職年金算定基礎額は、当該各年の九月三十日における終身退職年金の額に同日において当該終身退職年金の受給権者の年齢に一年を加えた年齢の者に対して適用される終身年金現価率を乗じて得た額とする。

４　第一項及び前項の規定の適用については、終身退職年金の給付事由が生じた日からその日の属する年の九月三十日（終身退職年金の給付事由が生じた日が十月一日から十二月三十一日までの間にあるときは、翌年の九月三十日）までの間においては、終身退職年金の給付事由が生じた日の属する年の前年の三月三十一日（終身退職年金の給付事由が生じた日が十月一日から十二月三十一日までの間にあるときは、その年の三月三十一日）における当該終身退職年金の受給権者の年齢に一年を加えた年齢を、終身退職年金の給付事由が生じた日の属する年（終身退職年金の給付事由が生じた日が十月一日から十二月三十一日までの間にあるときは、その翌年）以後の各年の十月一日から翌年の九月三十日までの間においては、当該各年の三月三十一日における当該終身退職年金の受給権者の年齢に一年を加えた年齢を、当該受給権者の年齢とする。

５　各年の十月から翌年の九月までの期間において適用される第一項及び第三項に規定する終身年金現価率（第九十八条第一項及び第百四条第一項において「終身年金現価率」という。）は、毎年九月三十日までに、基準利率、死亡率の状況及びその見通しその他政令で定める事情を勘案して終身にわたり一定額の年金額を支給することとした場合の年金額を計算するための率として、地方公務員共済組合連合会の定款で定める。

６　前各項に定めるもののほか、終身退職年金の額の計算に関し必要な事項は、総務省令で定める。

（有期退職年金の額）

第九十条　有期退職年金の額は、有期退職年金の額の算定の基礎となるべき額（以下「有期退職年金算定基礎額」という。）を、支給残月数に応じた有期年金現価率で除して得た金額とする。

２　有期退職年金の給付事由が生じた日からその年の九月三十日（有期退職年金の給付事由が生じた日が九月一日から十二月三十一日までの間にあるときは、翌年の九月三十日）までの間における有期退職年金算定基礎額は、給付算定基礎額の二分の一に相当する額（組合員期間が十年に満たないときは、当該額に二分の一を乗じて得た額）とする。

3　有期退職年金の給付事由が生じた日の属する年（有期退職年金の給付事由が生じた日が九月一日から十二月三十一日までの間にあるときは、その翌年）以後の各年の十月一日から翌年の九月三十日までの間における有期退職年金算定基礎額は、当該各年の九月三十日における有期退職年金の額にその年の十月一日における当該有期退職年金の支給残月数に相当する月数に対してその年の九月三十日において適用される有期年金現価率を乗じて得た額とする。

4　第一項及び前項に規定する支給残月数（次項において「支給残月数」という。）は、有期退職年金の給付事由が生じた日からその年の九月三十日（有期退職年金の給付事由が生じた日が九月一日から十二月三十一日までの間にあるときは、翌年の九月三十日）までの間においては二百四十月（第八十七条第二項の申出があつた場合は百二十月。以下この項、第九十三条第一項第二号及び第九十五条第四項において同じ。）とし、同日以後の各年の十月一日から翌年の九月三十日までの間においては二百四十月から当該給付事由が生じた日の属する月の翌月から当該各年の九月までの月数を控除した月数とする。

5　各年の十月から翌年の九月までの期間において適用される第一項及び第三項に規定する有期年金現価率（第九十三条第一項第二号及び第九十五条第四項において「有期年金現価率」という。）は、毎年九月三十日までに、基準利率その他政令で定める事情を勘案して支給残月数の期間において一定額の年金額を支給することとした場合の年金額を計算するための率として、地方公務員共済組合連合会の定款で定める。

6　前各項に定めるもののほか、有期退職年金の額の計算に関し必要な事項は、総務省令で定める。

（有期退職年金に代わる一時金）

第九十一条　有期退職年金の受給権者は、給付事由が生じた日から六月以内に、一時金の支給を組合に請求することができる。

2　前項の請求は、退職年金の支給の請求と同時に行わなければならない。

3　第一項の請求があつたときは、その請求をした者に給付事由が生じた日における有期退職年金算定基礎額に相当する金額の一時金を支給する。この場合においては、第八十八条の規定にかかわらず、その者に対する有期退職年金は支給しない。

4　前項の規定による一時金は、有期退職年金とみなしてこの法律の規定（第八十八条、前条及び第九十六条第二項を除く。）を適用する。

（整理退職の場合の一時金）

第九十二条　地方公務員法第二十八条第一項第四号の規定による免職の処分又はこれに相当する処分を受けて退職をした者（一年以上の引き続く組合員期間を有する者であつて、六十五歳未満であるものに限る。）は、当該退職をした日から六月以内に、一時金の支給を組合に請求することができる。

2　前項の請求があつたときは、その請求をした者に同項に規定する退職をした日における給付算定基礎額の二分の一に相当する金額の一時金を支給する。この場合において、第七十七条第一項中「退職等年金給付の給付事由が生じた日」とあるのは「地方公務員法第二十八条第一項第四号の規定による免職の処分又はこれに相当する処分を受けて退職をした日」と、「当該給付事由が生じた日の」とあるのは「当該退職をした日の」と、同条第三項中「退職等年金給付の給付事由が生じた日」とあるのは「同項に規定する退職をした日」とする。

3　第一項の請求をした者が、他の退職に係る同項の請求（他の法令の規定で同項の規定に相当するものとして政令で定めるものに基づく請求を含む。）をした者であるときは、前項の規定にかかわらず、その者に同項の規定の例により算定した金額から当該他の退職に関し同項の規定（他の法令の規定で同項の規定に相当するものとして政令で定めるものを含む。）により支給すべき一時金の額に相当する金額として政令で定めるところにより計算した金額を控除した金額の一時金を支給する。

4　前二項の規定による一時金は、有期退職年金とみなしてこの法律の規定（第八十八条、第九十条及び第九十六条第二項を除く。）を適用する。

5　前各項に定めるもののほか、第二項又は第三項の規定による一時金の支給に関し必要な事項は、政令で定める。

（遺族に対する一時金）

第九十三条　一年以上の引き続く組合員期間を有する者が死亡した場合には、その者の遺族に次の各号に掲げる場合の区分に応じ当該各号に定める金額の一時金を支給する。

一　次号及び第三号に掲げる場合以外の場合　その者が死亡した日における給付算定基礎額（組合員であつた者が死亡した場合において、その者の組合員期間が十年に満たないときは、当該給付算定基礎額に二分の一を乗じて得た額）の二分の一に相当する金額（当該死亡した者が前条第一項の規定による一時金の請求をした者であるときは、当該二分の一に相当する金額から当該請求に基づき支払われるべき一時金の額に相当するものとして政令で定めるところにより計算した金額を控除した金額）

二　その者が退職年金の受給権者である場合（次号に掲げる場合を除く。）　その者が死亡した日における有期退職年金の額に二百四十月から当該有期退職年金の給付事由が生じた日の属する月の翌月からその者が死亡した日の属する月までの月数を控除した月数に応じた有期年金現価率を乗じて得た額に相当する金額

三　その者が退職年金の受給権者であり、かつ、組合員である場合　その者が死亡した日において退職をしたものとした場合における有期退職年金算定基礎額に相当する額として政令で定めるところにより計算した金額

2　前項第一号に規定する給付算定基礎額に係る第七十七条第一項及び第三項の規定の適用については、同条第一項中「退職等年金給付の給付事由が生じた日」とあるのは「一年以上の引き続く組合員期間を有する者が死亡した日」と、「当該給付事由が生じた日の」とあるのは「その者が死亡した日の」と、同条第三項中「退職等年金給付の給付事由が生じた日」とあるのは「その者が死亡した日」とする。

3　第一項の規定により一時金の支給を受ける者が、同項に規定する者の死亡により公務遺族年金を受けることができるときは、当該支給を受ける者の選択により、一時金と公務遺族年金のうち、そのいずれかを支給し、他は支給しない。

4　第一項の規定による一時金は、有期退職年金とみなしてこの

法律の規定（第八十八条、第九十条及び第九十六条第二項を除く。）を適用する。

（支給の繰下げ）

第九十四条　退職年金の受給権者であつて当該退職年金を請求していないものは、組合に当該退職年金の支給の繰下げの申出をすることができる。

2　退職年金の受給権を取得した日から起算して十年を経過した日（以下この項において「十年経過日」という。）後にある者が前項の申出（第四項の規定により前項の申出があつたものとみなされた場合における当該申出を除く。以下この項において同じ。）をしたときは、十年経過日において、前項の申出があつたものとみなす。

3　第一項の申出（次項の規定により第一項の申出があつたものとみなされた場合における当該申出を含む。第五項及び次条第七項において同じ。）をした者に対する退職年金は、第七十八条第一項の規定にかかわらず、当該申出のあつた月の翌月から支給するものとする。

4　退職年金の受給権者が、退職年金の受給権を取得した日から起算して五年を経過した日後に当該退職年金を請求し、かつ、当該請求の際に第一項の申出をしないときは、当該請求をした日の五年前の日に同項の申出があつたものとみなす。ただし、その者が退職年金の受給権を取得した日から起算して十五年を経過した日以後にあるときは、この限りでない。

5　第一項の申出があつた場合における第七十七条から前条までの規定の適用については、第七十七条第一項中「退職等年金給付の給付事由が生じた日」とあるのは「第九十四条第一項の申出（同条第四項の規定により同条第一項の申出があつたものとみなされた場合における当該申出を含む。以下この条において同じ。）があつた日」と、「給付事由が生じた日の」とあるのは「申出があつた日の」と、同条第三項中「退職等年金給付の給付事由が生じた日」とあるのは「第九十四条第一項の申出があつた日」とするほか、必要な技術的読替えは、政令で定める。

6　前各項に定めるもののほか、退職年金の支給の繰下げについて必要な事項は、政令で定める。

（組合員である間の退職年金の支給の停止等）

第九十五条　終身退職年金の受給権者が組合員であるときは、組合員である間、終身退職年金の支給を停止する。

2　前項の規定により終身退職年金の支給を停止されている者が退職をした場合における当該退職をした日からその年の九月三十日（当該退職をした日が九月一日から十二月三十一日までの間にあるときは、翌年の九月三十日）までの間における終身退職年金算定基礎額は、第八十九条第三項の規定にかかわらず、最後に組合員となつた日（以下この条において「最終資格取得日」という。）の前日における終身退職年金算定基礎額に最終資格取得日の属する月から当該退職をした日の前日の属する月までの期間に応ずる利子に相当する額を加えた額及び当該退職した日を給付事由が生じた日と、組合員期間から最終資格取得日前の組合員期間を除いた期間を組合員期間とみなして第八十九条第二項の規定の例により計算した額の合計額とする。

3　有期退職年金の受給権者が組合員であるときは、組合員である間、有期退職年金は支給しない。

4　前項の規定により有期退職年金の支給を受けないこととされている者が退職をした場合における当該退職をした日からその年の九月三十日（当該退職をした日が九月一日から十二月三十一日までの間にあるときは、翌年の九月三十日）までの間における有期退職年金算定基礎額は、第九十条第三項の規定にかかわらず、最終資格取得日の前日における有期退職年金の額に同日における二百四十月から給付事由が生じた日の属する月の翌月から最終資格取得日の属する月までの月数を控除した月数に応じた有期年金現価率を乗じて得た額に最終資格取得日の属する月から当該退職をした日の前日の属する月までの期間に応ずる利子に相当する額を加えた額及び当該退職をした日を給付事由が生じた日と、組合員期間から最終資格取得日前の組合員期間を除いた期間を組合員期間とみなして同条第二項の規定の例により計算した額の合計額とする。

5　前項に規定する退職をした場合における第九十条から前条までの規定の適用については、第九十条第四項中「有期退職年金の給付事由が生じた日から」とあるのは「第九十五条第四項に規定する退職をした日（以下この項において「最終退職日」という。）から」と、「有期退職年金の給付事由が生じた日が」とあるのは「最終退職日が」と、「とし、同日」とあるのは「から有期退職年金の給付事由が生じた日の属する月の翌月から最後に組合員となつた日（以下この項において「最終資格取得日」という。）の属する月までの月数を控除した月数とし、最終退職日の属する年の九月三十日（最終退職日が九月一日から十二月三十一日までの間にあるときは、翌年の九月三十日）」と、「とする」とあるのは「に最終資格取得日の属する月の翌月から最終退職日の属する月までの月数を加えた月数とする」とするほか、必要な技術的読替えは、政令で定める。

6　第二項及び第四項に規定する利子は、最終資格取得日の属する月から退職をした日の前日の属する月までの期間に応じ、当該期間の各月において適用される基準利率を用いて複利の方法により計算する。

7　前条第一項の申出をした者に対する第四項の規定の適用については、同項中「給付事由が生じた日の」とあるのは「前条第一項の申出（同条第四項の規定により同条第一項の申出があつたものとみなされた場合における当該申出を含む。）があつた日の」と、「同条第二項」とあるのは「第九十条第二項」とする。

8　前各項に定めるもののほか、終身退職年金算定基礎額及び有期退職年金算定基礎額の計算に関し必要な事項は、総務省令で定める。

（退職年金の失権）

第九十六条　退職年金を受ける権利は、その受給権者が死亡したときは、消滅する。

2　有期退職年金を受ける権利は、前項に規定する場合のほか、次の各号のいずれかに該当することとなつたときは、消滅する。

一　第八十七条第一項又は第二項に規定する支給期間が終了したとき。

二　第九十一条第一項又は第九十二条第一項の規定により一時金の支給を請求したとき。

第三目　公務障害年金

（公務障害年金の受給権者）

第九十七条　公務により病気にかかり、又は負傷した者で、その病気又は負傷に係る傷病（以下「公務傷病」という。）について初めて医師又は歯科医師の診療を受けた日（以下「初診日」という。）において組合員であつたものが、当該初診日から起算して一年六月を経過した日（その期間内にその公務傷病が治つたとき、又はその症状が固定し治療の効果が期待できない状態に至つたときは、当該治つた日又は当該状態に至つた日。以下「障害認定日」という。）において、その公務傷病により障害等級に該当する程度の障害の状態にある場合には、その障害の程度に応じて、その者に公務障害年金を支給する。

2 公務により病気にかかり、又は負傷した者で、その公務傷病の初診日において組合員であつた者のうち、障害認定日において障害等級に該当する程度の障害の状態になかつた者が、障害認定日後六十五歳に達する日の前日までの間において、その公務傷病により障害等級に該当する程度の障害の状態になつたときは、その者は、その期間内に前項の公務障害年金の支給を請求することができる。

3 前項の請求があつたときは、第一項の規定にかかわらず、その請求をした者に同項の公務障害年金を支給する。

4 公務により病気にかかり、又は負傷した者で、その公務傷病の初診日において組合員であつた者のうち、その公務傷病（以下この項において「基準公務傷病」という。）以外の公務傷病（以下この項において「その他公務傷病」という。）により障害の状態にある者が、基準公務傷病に係る障害認定日以後六十五歳に達する日の前日までの間において、初めて、基準公務傷病による障害（以下この項において「基準公務障害」という。）とその他公務傷病による障害とを併合して障害等級の一級又は二級に該当する程度の障害の状態になつたとき（基準公務傷病の初診日が、その他公務傷病（その他公務傷病が二以上ある場合は、全てのその他公務傷病）に係る初診日以後であるときに限る。）は、その者に基準公務障害とその他公務傷病による障害とを併合した障害の程度による公務障害年金を支給する。

5 前項の公務障害年金の支給は、第七十八条第一項の規定にかかわらず、当該公務障害年金の請求のあつた月の翌月から始めるものとする。

（公務障害年金の額）

第九十八条 公務障害年金の額は、公務障害年金の額の算定の基礎となるべき額（次項において「公務障害年金算定基礎額」という。）を、組合員又は組合員であつた者の公務障害年金の給付事由が生じた日における年齢（その者の年齢が六十四歳に満たないときは、六十四歳）に応じた終身年金現価率で除して得た金額に調整率を乗じて得た金額とする。

2 公務障害年金算定基礎額は、次に掲げる額の合計額とする。

一 給付算定基礎額に五・三三四（障害の程度が障害等級の一級に該当する者にあつては、八・〇〇一）を乗じて得た額を組合員期間の月数で除して得た額に三百を乗じて得た額

二 給付算定基礎額（障害の程度が障害等級の一級に該当する者にあつては、給付算定基礎額に一・二五を乗じて得た額）を組合員期間の月数で除して得た額に組合員期間の月数（組合員期間の月数が三百月以下であるときは、三百月）から三百月を控除した月数を乗じて得た額

3 第一項に規定する者が退職年金の受給権者である場合における前項の規定の適用については、同項各号中「給付算定基礎額」とあるのは、「公務障害年金の給付事由が生じた日におけるその者の終身退職年金算定基礎額（その者の組合員期間が十年に満たないときは、当該終身退職年金算定基礎額に二を乗じて得た額）に二を乗じて得た額」とする。

4 第一項に規定する組合員又は組合員であつた者の年齢については、第八十九条第四項の規定を準用する。

5 第一項に規定する調整率は、各年度における国民年金法第二十七条に規定する改定率（以下「改定率」という。）を公務障害年金の給付事由が生じた日の属する年度における改定率で除して得た率とする。

6 公務障害年金の額が、その受給権者の公務傷病による障害の程度が次の各号に掲げる障害等級のいずれの区分に属するかに応じ当該各号に定める金額に改定率を乗じて得た金額から厚生年金相当額を控除して得た金額より少ないときは、当該控除して得た金額を当該公務障害年金の額とする。

一 障害等級一級 四百十五万二千六百円

二 障害等級二級 二百五十六万四千八百円

三 障害等級三級 二百三十二万六百円

7 前項に規定する厚生年金相当額は、公務障害年金の受給権者が受ける権利を有する厚生年金保険法による障害厚生年金の額（同法第四十七条第一項ただし書（同法第四十七条の二第二項、第四十七条の三第二項、第五十二条第五項及び第五十四条第三項において準用する場合を含む。以下この項及び第百四条第七項において同じ。）の規定により同法による障害厚生年金を受ける権利を有しないときは同項ただし書の規定の適用がないものとして同法の規定の例により算定した額）、同法による老齢厚生年金の額、同法による遺族厚生年金の額（同法第五十八条第一項ただし書の規定により同法による遺族厚生年金を受ける権利を有しないときは同項ただし書の規定の適用がないものとして同法の規定の例により算定した額）、同法による年金たる保険給付に相当するものとして政令で定めるものの額又はその者が二以上のこれらの年金である給付を併せて受けることができる場合におけるこれらの年金である給付の額の合計額のうち最も高い額をいう。

8 前各項に定めるもののほか、公務障害年金の額の計算に関し必要な事項は、総務省令で定める。

（障害の程度が変わつた場合の公務障害年金の額の改定）

第九十九条 公務障害年金の受給権者の障害の程度が減退したとき、又は当該障害の程度が増進した場合においてその者の請求があつたときは、その減退し、又は増進した後における障害の程度に応じて、その公務障害年金の額を改定する。

2 公務障害年金（その権利を取得した当時から引き続き障害等級の一級又は二級に該当しない程度の障害の状態にある受給権者に係るものを除く。）の受給権者であつて、後発公務傷病（公務傷病であつて当該公務障害年金の給付事由となつた障害に係る公務傷病の初診日後に初診日があるものをいう。以下この項及び第百一条第二項ただし書において同じ。）の初診日において組合員であつたものが、当該後発公務傷病により障害（障害等級の一級又は二級に該当しない程度のものに限る。以下この項及び第百一条第二項ただし書において「その他公務障害」という。）の状態にあり、かつ、当該後発公務傷病に係る障害認定日以後六十五歳に達する日の前日までの間において、当該公務障害年金の給付事由となつた障害とその他公務障害

（その他公務障害が二以上ある場合は、全てのその他公務障害を併合した障害）とを併合した障害の程度が当該公務障害年金の給付事由となつた障害の程度より増進した場合においてその期間内にその者の請求があつたときは、その増進した後における障害の程度に応じて、その公務障害年金の額を改定する。

3　第一項の規定は、公務障害年金（障害等級の三級に該当する程度の障害の状態にある場合に限る。）の受給権者（当該公務障害年金の給付事由となつた障害について国民年金法による障害基礎年金が支給されない者に限る。）であつて、かつ、六十五歳以上の者については、適用しない。

（二以上の障害がある場合の取扱い）

第百条　公務障害年金（その権利を取得した当時から引き続き障害等級の一級又は二級に該当しない程度の障害の状態にある受給権者に係るものを除く。以下この条において同じ。）の受給権者に対して更に公務障害年金を支給すべき事由が生じたときは、前後の障害を併合した障害の程度を第九十七条に規定する障害の程度として同条の規定を適用する。

2　公務障害年金の受給権者が前項の規定により前後の障害を併合した障害の程度による公務障害年金を受ける権利を取得したときは、従前の公務障害年金を受ける権利は、消滅する。

3　第一項の規定による公務障害年金の額が前項の規定により消滅した公務障害年金の額に満たないときは、第九十八条第一項の規定にかかわらず、従前の公務障害年金の額に相当する額をもつて、第一項の規定による公務障害年金の額とする。

（組合員である間の公務障害年金の支給の停止等）

第百一条　公務障害年金の受給権者が組合員であるときは、組合員である間、公務障害年金の支給を停止する。

2　公務障害年金の受給権者の障害の程度が障害等級に該当しなくなつたときは、その該当しない間、公務障害年金の支給を停止する。ただし、その支給を停止された公務障害年金（その権利を取得した当時から引き続き障害等級の一級又は二級に該当しない程度の障害の状態にある受給権者に係るものを除く。）の受給権者が後発公務傷病の初診日において組合員であつた場合であつて、当該後発公務傷病によりその他公務障害の状態にあり、かつ、当該後発公務傷病に係る障害認定日以後六十五歳に達する日の前日までの間において、当該公務障害年金の給付事由となつた障害とその他公務障害（その他公務障害が二以上ある場合は、全てのその他公務障害を併合した障害）とを併合した障害の程度が、障害等級の一級又は二級に該当するに至つたときは、この限りでない。

（公務障害年金の失権）

第百二条　公務障害年金を受ける権利は、第百条第二項の規定によつて消滅するほか、公務障害年金の受給権者が次の各号のいずれかに該当するに至つたときは、消滅する。

一　死亡したとき。

二　障害等級に該当する程度の障害の状態にない者が六十五歳に達したとき。ただし、六十五歳に達した日において、障害等級に該当する程度の障害の状態に該当しなくなつた日から起算して障害等級に該当することなく三年を経過していないときを除く。

三　障害等級に該当する程度の障害の状態に該当しなくなつた日から起算して障害等級に該当することなく三年を経過したとき。ただし、三年を経過した日において、当該受給権者が六十五歳未満であるときを除く。

第四目　公務遺族年金

（公務遺族年金の受給権者）

第百三条　組合員又は組合員であつた者が次の各号のいずれかに該当するときは、その者の遺族に公務遺族年金を支給する。

一　組合員が、公務傷病により死亡したとき（公務により行方不明となり、失踪の宣告を受けたことにより死亡したとみなされたときを含む。）。

二　組合員であつた者が、退職後に、組合員であつた間に初診日がある公務傷病により当該初診日から起算して五年を経過する日前に死亡したとき。

三　障害等級の一級又は二級に該当する障害の状態にある公務障害年金の受給権者が当該公務障害年金の給付事由となつた公務傷病により死亡したとき。

2　一年以上の引き続く組合員期間を有し、かつ、国民年金法第五条第一項に規定する保険料納付済期間、同条第二項に規定する保険料免除期間及び同法附則第九条第一項に規定する合算対象期間を合算した期間が二十五年以上である者が、公務傷病により死亡したときの前項の規定の適用については、同項第二号中「当該初診日から起算して五年を経過する日前に死亡した」とあるのは「死亡した」と、同項第三号中「の一級又は二級に該当する」とあるのは「に該当する」とする。

（公務遺族年金の額）

第百四条　公務遺族年金の額は、公務遺族年金の額の算定の基礎となるべき額（次項において「公務遺族年金算定基礎額」という。）を、組合員又は組合員であつた者の死亡の日における年齢（その者の年齢が六十四歳に満たないときは、六十四歳）に応じた終身年金現価率で除して得た金額に調整率を乗じて得た金額とする。

2　公務遺族年金算定基礎額は、給付算定基礎額に二・二五を乗じて得た額（組合員期間の月数が三百月未満であるときは、当該乗じて得た額を組合員期間の月数で除して得た額に三百を乗じて得た額）とする。

3　第一項に規定する者が退職年金の受給権者である場合における前項の規定の適用については、同項中「給付算定基礎額」とあるのは、「死亡した日におけるその者の終身退職年金算定基礎額（その者の組合員期間が十年に満たないときは、当該終身退職年金算定基礎額に二を乗じて得た額）に二を乗じて得た額」とする。

4　第一項に規定する組合員又は組合員であつた者の年齢については、第八十九条第四項の規定を準用する。

5　第一項に規定する調整率は、各年度における改定率を公務遺族年金の給付事由が生じた日の属する年度における改定率で除して得た率とする。

6　第一項の規定による公務遺族年金の額が百三万八千百円に改定率を乗じて得た金額から厚生年金相当額を控除して得た金額より少ないときは、当該控除して得た金額を当該公務遺族年金の額とする。

7　前項に規定する厚生年金相当額は、公務遺族年金の受給権者が受ける権利を有する厚生年金保険法による遺族厚生年金の額（同法第五十八条第一項ただし書の規定により同法による遺族厚生年金を受ける権利を有しないときは同項ただし書の規定の適用がないものとして同法の規定の例により算定した額）、同法による老齢厚生年金の額、同法による障害厚生年金の額（同法第四十七条第一項ただし書の規定により障害厚生年金を受ける権利を有しないときは同法第四十七条第一項ただし書の規定の適用がないものとして同法の規定の例により算定した額）、同法による年金たる保険給付に相当するものとして政令で定めるものの額又はその者が二以上のこれらの年金である給付を併せて受けることができる場合におけるこれらの年金である給付の額の合計額のうち最も高い額をいう。

8　前各項に定めるもののほか、公務遺族年金の額の計算に関し必要な事項は、総務省令で定める。

（公務遺族年金の支給の停止）

第百五条　夫、父母又は祖父母に対する公務遺族年金は、その者が六十歳に達するまでは、その支給を停止する。ただし、夫に対する公務遺族年金については、当該組合員又は組合員であつた者の死亡について、夫が国民年金法による遺族基礎年金を受ける権利を有するときは、この限りでない。

2　子に対する公務遺族年金は、配偶者が公務遺族年金を受ける権利を有する間、その支給を停止する。ただし、配偶者に対する公務遺族年金が第八十一条第一項、前項本文、次項本文又は次条第一項の規定によりその支給を停止されている間は、この限りでない。

3　配偶者に対する公務遺族年金は、当該組合員又は組合員であつた者の死亡について、配偶者が国民年金法による遺族基礎年金を受ける権利を有しない場合であつて子が当該遺族基礎年金を受ける権利を有するときは、その間、その支給を停止する。ただし、子に対する公務遺族年金が次条第一項の規定によりその支給を停止されている間は、この限りでない。

4　第二項本文の規定により年金の支給を停止した場合においては、その停止している期間、その年金は、配偶者に支給する。

5　第三項本文の規定により年金の支給を停止した場合においては、その停止している期間、その年金は、子に支給する。

第百六条　公務遺族年金の受給権者が一年以上所在不明である場合には、同順位者があるときは同順位者の申請により、その所在不明である間、当該受給権者の受けるべき公務遺族年金の支給を停止することができる。

2　前項の規定により年金の支給を停止した場合には、その停止している期間、その年金は、同順位者から申請があつたときは同順位者に支給する。

（公務遺族年金の失権）

第百七条　公務遺族年金の受給権者は、次の各号のいずれかに該当するに至つたときは、その権利を失う。

一　死亡したとき。

二　婚姻をしたとき（届出をしていないが、事実上婚姻関係と同様の事情にある者となつたときを含む。）。

三　直系血族及び直系姻族以外の者の養子（届出をしていないが、事実上養子縁組関係と同様の事情にある者を含む。）となつたとき。

四　死亡した組合員であつた者との親族関係が離縁によつて終了したとき。

五　次のイ又はロに掲げる区分に応じ、当該イ又はロに定める日から起算して五年を経過したとき。

イ　公務遺族年金の受給権を取得した当時三十歳未満である妻が当該公務遺族年金と同一の給付事由に基づく国民年金法による遺族基礎年金の受給権を取得しないとき　当該公務遺族年金の受給権を取得した日

ロ　公務遺族年金と当該公務遺族年金と同一の給付事由に基づく国民年金法による遺族基礎年金の受給権を有する妻が三十歳に到達する日前に当該遺族基礎年金の受給権が消滅したとき　当該遺族基礎年金の受給権が消滅した日

2　公務遺族年金の受給権者である子又は孫は、次の各号のいずれかに該当するに至つたときは、その権利を失う。

一　子又は孫（障害等級の一級又は二級に該当する障害の状態にある子又は孫を除く。）について、十八歳に達した日以後の最初の三月三十一日が終了したとき。

二　障害等級の一級又は二級に該当する障害の状態にある子又は孫（十八歳に達する日以後の最初の三月三十一日までの間にある子又は孫を除く。）について、その事情がなくなつたとき。

三　子又は孫が、二十歳に達したとき。

第四節　給付の制限

（給付の制限）

第百八条　この法律により給付を受けるべき者が、故意の犯罪行為により、又は故意に、病気、負傷、障害、死亡若しくは災害又はこれらの直接の原因となつた事故を生じさせた場合には、その者には、次項の規定に該当する場合を除き、当該病気、負傷、障害、死亡又は災害に係る給付は、行わない。

2　公務遺族年金である給付又は第四十七条の規定により支給するその他の給付に係る支払未済の給付（以下この項及び第百四十四条の二十三第五項において「遺族給付」という。）を受けるべき者が組合員、組合員であつた者又は遺族給付を受ける者を故意の犯罪行為により、又は故意に死亡させた場合には、その者には、当該遺族給付は、行わない。組合員又は組合員であつた者の死亡前に、その者の死亡によつて遺族給付を受けるべき者を故意の犯罪行為により、又は故意に死亡させた者についても、同様とする。

3　この法律により給付を受けるべき者が、重大な過失により、若しくは正当な理由がなくて療養に関する指示に従わなかつたことにより、病気、負傷、障害若しくは死亡若しくはこれらの直接の原因となつた事故を生じさせ、その病気若しくは障害の程度を増進させ、若しくはその回復を妨げ、又は故意にその障害の程度を増進させ、若しくはその回復を妨げた場合には、その者には、当該病気、負傷、障害又は死亡に係る給付の全部又は一部を行わず、また、当該障害については、第九十九条第一項の規定による改定を行わず、又はその者の障害の程度が現に該当する障害等級以下の障害等級に該当するものとして同項の規定による公務障害年金の額の改定を行うことができる。

第百九条　組合がこの法律に基づく給付の支給に関し必要があると認めてその支給に係る者につき診断を受けるべきことを求めた場合において、正当な理由がなくてこれに応じない者があるときは、その者に係る当該給付は、その全部又は一部を行わないことができる。

第百十条　第百十五条第三項の規定により同条第一項に規定する掛金等に相当する金額を組合に払い込むべき者が、その払い込むべき月の翌月の末日までにその掛金等に相当する金額を組合に納付しない場合には、政令で定めるところにより、その者に係る給付の一部を行わないことができる。

第百十一条　組合員若しくは組合員であつた者が禁錮以上の刑に処せられたとき、組合員が懲戒処分（地方公務員法第二十九条の規定による減給若しくは戒告又はこれらに相当する処分を除く。）を受けたとき又は組合員（退職した後に再び組合員となつた者に限る。）若しくは組合員であつた者が国家公務員共済組合法第九十七条第一項に規定する退職手当支給制限等処分に相当する処分を受けたときには、政令で定めるところにより、その者には、その組合員期間に係る退職年金又は公務障害年金の全部又は一部を支給しないことができる。

2　公務遺族年金の受給権者が禁錮以上の刑に処せられたときは、政令で定めるところにより、その者には、公務遺族年金の一部を支給しないことができる。

3　禁錮以上の刑に処せられてその刑の執行を受ける者に支給すべきその組合員期間に係る退職年金又は公務障害年金は、その刑の執行を受ける間、その支給を停止する。

第五章　福祉事業

（福祉事業）

第百十二条　組合（市町村連合会を含む。以下この条において同じ。）は、組合員の福祉の増進に資するため、次に掲げる事業を行うことができる。

一　組合員及びその被扶養者（以下この条において「組合員等」という。）の健康教育、健康相談及び健康診査並びに健康管理及び疾病の予防に係る組合員等の自助努力についての支援その他の組合員等の健康の保持増進のために必要な事業（次条に規定するものを除く。）

一の二　組合員の保健、保養若しくは宿泊又は教養のための施設の経営

二　組合員の利用に供する財産の取得、管理又は貸付け

三　組合員の貯金の受入れ又はその運用

四　組合員の臨時の支出に対する貸付け

五　組合員の需要する生活必需物資の供給

六　その他組合員の福祉の増進に資する事業で定款で定めるもの

2　組合は、前項各号に掲げる事業を行うに当たつては、他の組合と共同して行う等組合員の福祉を増進するための事業が総合的に行われるように努めなければならない。

3　組合は、第一項第一号の規定により組合員等の健康の保持増進のために必要な事業を行うに当たつて必要があると認めるときは、組合員等を使用している事業者等（労働安全衛生法（昭和四十七年法律第五十七号）第二条第三号に規定する事業者その他の法令に基づき健康診断（特定健康診査（高齢者の医療の確保に関する法律第二十条の規定による特定健康診査をいう。次条第一項において同じ。）に相当する項目を実施するものに限る。）を実施する責務を有する者その他主務省令で定める者をいう。以下この条において同じ。）又は使用していた事業者等に対し、主務省令で定めるところにより、労働安全衛生法その他の法令に基づき当該事業者等が保存している当該組合員等に係る健康診断に関する記録の写しその他これに準ずるものとして主務省令で定めるものを提供するよう求めることができる。

4　前項の規定により、労働安全衛生法その他の法令に基づき保存している組合員等に係る健康診断に関する記録の写しの提供を求められた事業者等は、主務省令で定めるところにより、当該記録の写しを提供しなければならない。

5　組合は、第一項第一号に掲げる事業を行うに当たつては、高齢者の医療の確保に関する法律第十六条第一項に規定する医療保険等関連情報、事業者等から提供を受けた組合員等に係る健康診断に関する記録の写しその他必要な情報を活用し、適切かつ有効に行うものとする。

6　主務大臣は、第一項第一号の規定により組合が行う組合員等の健康の保持増進のために必要な事業に関して、その適切かつ有効な実施を図るため、指針の公表、情報の提供その他の必要な支援を行うものとする。

7　前項の指針は、健康増進法（平成十四年法律第百三号）第九条第一項に規定する健康診査等指針と調和が保たれたものでなければならない。

8　主務大臣は、第六項の指針を定めるときは、あらかじめ、総務大臣に協議しなければならない。

第百十二条の二　組合は、特定健康診査及び高齢者の医療の確保に関する法律第二十四条の規定による特定保健指導（次項及び第百十三条の三において「特定健康診査等」という。）を行うものとする。

2　前条第五項の規定は、前項の規定により組合が特定健康診査等を行う場合について準用する。

第五章の二　実施機関積立金及び退職等年金給付組合積立金等の管理及び運用

第一節　実施機関積立金の管理及び運用

（地方公務員共済組合連合会の管理運用の方針等）

第百十二条の三　総務大臣は、厚生年金保険法第七十九条の四第一項又は第三項の規定により積立金基本指針（同条第一項に規定する積立金基本指針をいう。次条において同じ。）が定められ、又は変更されたときは、直ちに、これを内閣総理大臣及び文部科学大臣に通知するものとする。

2　地方公務員共済組合連合会は、厚生年金保険法第七十九条の六第一項、第三項又は第七項の規定により管理運用の方針（同条第一項に規定する管理運用の方針をいう。以下この条及び次条において同じ。）を定め、又は変更しようとするときは、あらかじめ、組合（第二十七条第二項に規定する構成組合を除く。次項において同じ。）及び市町村連合会の意見を聴かなければならない。

3　地方公務員共済組合連合会の管理運用の方針には、組合、市町村連合会及び地方公務員共済組合連合会（以下この節において「実施機関」という。）がそれぞれの実施機関積立金（厚生年金保険法第七十九条の二に規定する実施機関積立金をいう。以下この節において同じ。）について長期的な観点から資産の構成を定めるに当たつて遵守すべき基準を定めるものとする。

4　総務大臣は、厚生年金保険法第七十九条の六第四項の規定により地方公務員共済組合連合会の管理運用の方針を承認しようとするときは、あらかじめ、内閣総理大臣及び文部科学大臣に

協議するものとする。

（実施機関の基本方針）

第百十二条の四　実施機関は、当該実施機関の実施機関積立金の管理及び運用が適切になされるよう、積立金基本指針及び地方公務員共済組合連合会の管理運用の方針（以下この節において「管理運用方針等」という。）に適合するように、当該実施機関積立金の資産の構成に関する事項その他主務省令で定める事項を記載した実施機関積立金の管理及び運用に係る基本的な方針（以下この節において「基本方針」という。）を定めなければならない。

2　実施機関は、管理運用方針等が変更されたときその他必要があると認めるときは、基本方針に検討を加え、必要に応じ、これを変更しなければならない。

3　実施機関は、基本方針を定め、又は変更しようとするときは、あらかじめ、主務大臣の承認を受けなければならない。

4　主務大臣（総務大臣を除く。）は、前項の承認をしようとするときは、あらかじめ、総務大臣に協議するものとする。

5　総務大臣は、前項の規定による協議を受けたときは、当該実施機関の基本方針が地方公務員共済組合連合会の管理運用の方針に適合しているかどうかについて、地方公務員共済組合連合会の意見を聴くものとする。

6　実施機関（地方公務員共済組合連合会を除く。）は、基本方針を定め、又は変更したときは、遅滞なく、これを地方公務員共済組合連合会に送付するとともに、公表しなければならない。

7　地方公務員共済組合連合会は、基本方針を定め、又は変更したときは、遅滞なく、これを公表しなければならない。

8　主務大臣は、実施機関の基本方針が管理運用方針等に適合しなくなつたと認めるときは、当該実施機関に対し、基本方針の変更を命ずることができる。

（実施機関積立金の管理及び運用）

第百十二条の五　実施機関は、第二十五条（第三十八条第一項において準用する場合を含む。）及び第三十八条の八第四項の規定によるほか、管理運用方針等及び当該実施機関の基本方針に従つて、実施機関積立金の管理及び運用を行わなければならない。

（実施機関積立金の管理及び運用の状況に関する報告）

第百十二条の六　実施機関（公立学校共済組合及び警察共済組合並びに地方公務員共済組合連合会を除く。）は、毎事業年度、総務省令で定めるところにより、実施機関積立金の管理及び運用の状況についての報告書（以下この条において「運用報告書」という。）を作成し、翌事業年度の五月三十一日までに地方公務員共済組合連合会に提出しなければならない。

2　公立学校共済組合及び警察共済組合は、毎事業年度、総務省令で定めるところにより、運用報告書を作成し、翌事業年度の五月三十一日までに主務大臣及び地方公務員共済組合連合会に提出しなければならない。

3　地方公務員共済組合連合会は、毎事業年度、総務省令で定めるところにより、運用報告書を作成し、当該運用報告書を第一項の規定により提出を受けた運用報告書の写しとともに総務大臣に提出しなければならない。

4　地方公務員共済組合連合会は、第一項及び第二項に定めるもののほか、総務省令で定めるところにより、他の実施機関に対し、実施機関積立金の管理及び運用の状況について必要な報告を求めることができる。

（実施機関積立金の管理及び運用に対する措置）

第百十二条の七　地方公務員共済組合連合会は、他の実施機関の実施機関積立金の管理及び運用の状況が管理運用方針等に適合しないと認めるときは、当該実施機関に対し、当該実施機関積立金の管理及び運用の状況を管理運用方針等に適合させるために必要な措置をとるよう求めることができる。

2　地方公務員共済組合連合会は、前項の規定による措置を求めたときは、その旨を総務大臣に通知するものとする。

3　総務大臣は、公立学校共済組合又は警察共済組合の実施機関積立金の管理及び運用の状況に関し前項の規定による通知を受けたときは、直ちに、その写しを主務大臣に送付するものとする。

4　主務大臣は、実施機関における実施機関積立金の管理及び運用の状況が管理運用方針等又は当該実施機関の基本方針に適合しないと認めるときは、当該実施機関に対し、その管理及び運用の状況を管理運用方針等及び当該実施機関の基本方針に適合させるために必要な措置をとることを命ずることができる。

5　主務大臣（総務大臣を除く。）は、実施機関に対して前項の規定による措置（管理運用方針等に適合させるために必要な措置に限る。）をとることを命じようとするときは、あらかじめ、その旨を総務大臣に通知するものとする。

6　総務大臣は、実施機関（公立学校共済組合及び警察共済組合に限る。）における実施機関積立金の管理及び運用の状況が管理運用方針等に適合しないと認めるときは、当該実施機関の主務大臣に対し、当該実施機関の実施機関積立金の管理及び運用の状況を管理運用方針等に適合させるために必要な措置をとるよう求めることができる。

（政令への委任）

第百十二条の八　この節に定めるもののほか、実施機関積立金の管理及び運用に関し必要な事項は、政令で定める。

（運用職員に関する厚生年金保険法の準用）

第百十二条の九　厚生年金保険法第七十九条の十から第七十九条の十二までの規定は、実施機関積立金の運用に係る行政事務に従事する文部科学省及び警察庁の職員（政令で定める者に限る。）について準用する。

第二節　退職等年金給付組合積立金等の管理及び運用

（管理運用の方針）

第百十二条の十　地方公務員共済組合連合会は、退職等年金給付調整積立金の管理及び運用（組合（第二十七条第二項に規定する構成組合を除く。以下この節において同じ。）及び市町村連合会の退職等年金給付組合積立金の運用状況の管理を含む。次項において同じ。）が長期的な観点から安全かつ効率的に行われるようにするため、管理及び運用の方針（以下この節において「管理運用の方針」という。）を定めなければならない。

2　管理運用の方針においては、次に掲げる事項を定めるものとする。

一　退職等年金給付調整積立金の管理及び運用の基本的な方針

二　退職等年金給付調整積立金の管理及び運用に関し遵守すべき事項

三　退職等年金給付調整積立金の管理及び運用における長期的

な観点からの資産の構成に関する事項

四　管理運用機関（組合、市町村連合会及び地方公務員共済組合連合会をいう。以下この節において同じ。）がそれぞれの退職等年金給付組合積立金又は退職等年金給付調整積立金（以下この節において「退職等年金給付組合積立金等」という。）について長期的な観点から資産の構成を定めるに当たつて遵守すべき基準

五　その他退職等年金給付調整積立金の管理及び運用に関し必要な事項

3　地方公務員共済組合連合会は、管理運用の方針を定め、又は変更しようとするときは、あらかじめ、組合及び市町村連合会の意見を聴かなければならない。

4　地方公務員共済組合連合会は、管理運用の方針を定め、又は変更しようとするときは、あらかじめ、総務大臣の承認を得なければならない。

5　総務大臣は、前項の承認をしようとするときは、あらかじめ、財務大臣並びに内閣総理大臣及び文部科学大臣に協議するものとする。

6　地方公務員共済組合連合会は、管理運用の方針を定め、又はこれを変更したときは、遅滞なく、これを公表しなければならない。

7　地方公務員共済組合連合会は、管理運用の方針に従つて組合及び市町村連合会の退職等年金給付組合積立金の運用状況の管理を行わなければならない。

（管理運用機関の基本方針）

第百十二条の十一　管理運用機関は、当該管理運用機関の退職等年金給付組合積立金等の管理及び運用が適切になされるよう、管理運用の方針に適合するように、当該退職等年金給付組合積立金等の資産の構成に関する事項その他主務省令で定める事項を記載した退職等年金給付組合積立金等の管理及び運用に係る基本方針（以下この節において「基本方針」という。）を定めなければならない。

2　管理運用機関は、管理運用の方針が変更されたときその他必要があると認めるときは、基本方針に検討を加え、必要に応じ、これを変更しなければならない。

3　管理運用機関は、基本方針を定め、又は変更しようとするときは、あらかじめ、主務大臣の承認を受けなければならない。

4　主務大臣（総務大臣を除く。）は、前項の承認をしようとするときは、あらかじめ、総務大臣に協議するものとする。

5　総務大臣は、前項の規定による協議を受けたときは、当該管理運用機関の基本方針が管理運用の方針に適合しているかどうかについて、地方公務員共済組合連合会の意見を聴くものとする。

6　管理運用機関（地方公務員共済組合連合会を除く。）は、基本方針を定め、又は変更したときは、遅滞なく、これを地方公務員共済組合連合会に送付するとともに、公表しなければならない。

7　地方公務員共済組合連合会は、基本方針を定め、又は変更したときは、遅滞なく、これを公表しなければならない。

8　主務大臣は、管理運用機関の基本方針が管理運用の方針に適合しなくなつたと認めるときは、当該管理運用機関に対し、基本方針の変更を命ずることができる。

（退職等年金給付組合積立金等の管理及び運用）

第百十二条の十二　管理運用機関は、第二十五条（第三十八条第一項において準用する場合を含む。）及び第三十八条の八の二第四項の規定によるほか、管理運用の方針及び当該管理運用機関の基本方針に従つて、退職等年金給付組合積立金等の管理及び運用を行わなければならない。

（退職等年金給付組合積立金等の管理及び運用の状況に関する報告）

第百十二条の十三　管理運用機関（公立学校共済組合及び警察共済組合並びに地方公務員共済組合連合会を除く。）は、毎事業年度、総務省令で定めるところにより、退職等年金給付組合積立金等の管理及び運用の状況についての報告書（以下この条において「運用報告書」という。）を作成し、翌事業年度の五月三十一日までに、地方公務員共済組合連合会に提出しなければならない。

2　公立学校共済組合及び警察共済組合は、毎事業年度、総務省令で定めるところにより、運用報告書を作成し、翌事業年度の五月三十一日までに主務大臣及び地方公務員共済組合連合会に提出しなければならない。

3　地方公務員共済組合連合会は、毎事業年度、総務省令で定めるところにより、運用報告書を作成し、当該運用報告書の写しとともに第一項の規定により提出を受けた運用報告書の写しを総務大臣に提出しなければならない。

4　地方公務員共済組合連合会は、第一項及び第二項に定めるもののほか、総務省令で定めるところにより、他の管理運用機関に対し、退職等年金給付組合積立金の管理及び運用の状況について必要な報告を求めることができる。

（退職等年金給付組合積立金等の管理及び運用に対する措置）

第百十二条の十四　地方公務員共済組合連合会は、他の管理運用機関の退職等年金給付組合積立金の管理及び運用の状況が管理運用の方針に適合しないと認めるときは、当該管理運用機関に対し、退職等年金給付組合積立金の管理及び運用の状況を管理運用の方針に適合させるために必要な措置をとるよう求めることができる。

2　地方公務員共済組合連合会は、前項の規定による措置を求めたときは、その旨を総務大臣に通知するものとする。

3　総務大臣は、公立学校共済組合及び警察共済組合の退職等年金給付組合積立金の管理及び運用の状況に関し前項の規定による通知を受けたときは、直ちに、その写しを主務大臣に送付するものとする。

4　主務大臣は、管理運用機関における退職等年金給付組合積立金等の管理及び運用の状況が管理運用の方針又は当該管理運用機関の基本方針に適合しないと認めるときは、当該管理運用機関に対し、その管理及び運用の状況を管理運用の方針及び当該管理運用機関の基本方針に適合させるために必要な措置を命ずることができる。

5　主務大臣（総務大臣を除く。）は、管理運用機関に対して前項の規定による措置（管理運用の方針に適合させるために必要な措置に限る。）をとることを命じようとするときは、あらかじめ、その旨を総務大臣に通知するものとする。

6　総務大臣は、管理運用機関（公立学校共済組合及び警察共済組合に限る。）における退職等年金給付組合積立金の管理及び運用の状況が管理運用の方針に適合しないと認めるときは、当

該管理運用機関の主務大臣に対し、当該管理運用機関の退職等年金給付組合積立金の管理及び運用の状況を管理運用の方針に適合させるために必要な措置をとるよう求めることができる。

（退職等年金給付組合積立金等の管理及び運用の状況に関する業務概況書）

第百十二条の十五　地方公務員共済組合連合会は、各事業年度の決算完結後、遅滞なく、当該事業年度における退職等年金給付組合積立金等の資産の額、その構成割合、運用収入の額その他の総務省令で定める事項を記載した業務概況書を作成し、総務大臣に提出するとともに、これを公表しなければならない。

2　総務大臣は、前項の規定による業務概況書の提出を受けたときは、当該業務概況書を内閣総理大臣及び文部科学大臣に送付するものとする。

（政令への委任）

第百十二条の十六　この節に定めるもののほか、退職等年金給付組合積立金等の管理及び運用に関し必要な事項は、政令で定める。

第六章　費用の負担

（費用の負担）

第百十三条　組合の給付に要する費用（高齢者の医療の確保に関する法律第三十六条第一項に規定する前期高齢者納付金等（以下「前期高齢者納付金等」という。）、同法第百十八条第一項の規定による後期高齢者支援金及び後期高齢者関係事務費拠出金並びに同法第百二十四条の五第一項の規定による出産育児関係事務費拠出金（以下「後期高齢者支援金等」という。）、介護納付金並びに感染症の予防及び感染症の患者に対する医療に関する法律（平成十年法律第百十四号）第三十六条の十四第三項に規定する流行初期医療確保拠出金等（以下「流行初期医療確保拠出金等」という。）の納付に要する費用並びに組合の事務に要する費用を含む。）は、短期給付に要する費用（前期高齢者納付金等及び後期高齢者支援金等、介護納付金並びに流行初期医療確保拠出金等の納付に要する費用並びに短期給付並びに前期高齢者納付金等及び後期高齢者支援金等、介護納付金並びに流行初期医療確保拠出金等の納付に係る組合の事務に要する費用（第五項の規定による地方公共団体の負担に係るものを除く。）を含み、第四項第一号及び第一号の二に掲げる費用のうち同項の規定による地方公共団体の負担に係るもの並びに次条第一項に規定する費用のうち同項の出産育児交付金をもつて充てるものを除く。以下この項及び次項において同じ。）にあつては各組合ごとに当該組合を組織する職員（介護納付金の納付に要する費用については、当該組合を組織する職員のうち介護保険法第九条第二号に規定する被保険者（第百十四条第五項及び第百四十四条の二第二項において「介護保険第二号被保険者」という。）の資格を有する者）を単位として、退職等年金給付に要する費用（退職等年金給付に係る組合の事務に要する費用（第五項の規定による地方公共団体の負担に係るものを除く。）を含む。以下この項及び次項において同じ。）にあつては全ての組合を組織する職員を単位として、次に定めるところにより、算定するものとする。この場合において、第三号に規定する費用については、少なくとも五年ごとに再計算を行うものとする。

一　短期給付に要する費用（次号に掲げるものを除く。）については、当該事業年度におけるその費用の予想額と当該事業年度における次項第一号の掛金及び負担金の額とが等しくなるように定める。

二　介護納付金の納付に要する費用については、当該事業年度におけるその費用の額と当該事業年度における次項第二号の掛金及び負担金の額とが等しくなるように定める。

三　退職等年金給付に要する費用については、将来にわたるその費用の予想額の現価に相当する額から将来にわたる次項第三号の掛金及び負担金の予想額の現価に相当する額を控除した額として政令で定めるところにより計算した額（第百十六条の三第一項第四号において「地方の積立基準額」という。）と国家公務員共済組合法第九十九条第一項第三号に規定する国の積立基準額（第百十六条の三第一項第四号において「国の積立基準額」という。）との合計額と、退職等年金給付組合積立金及び退職等年金給付調整積立金の合計額と国の退職等年金給付積立金（同法第二十一条第二項第二号ハに規定する退職等年金給付積立金をいう。第百十六条の三第一項第四号において同じ。）の額との合計額とが、将来にわたつて均衡を保つことができるように定める。

2　組合の事業に要する費用で次の各号に掲げるものは、当該各号に掲げる割合により、組合員の掛金及び地方公共団体（市町村立学校職員給与負担法（昭和二十三年法律第百三十五号）第一条又は第二条の規定により都道府県がその給与を負担する者にあつては、都道府県。以下この条において同じ）の負担金をもつて充てる。

一　短期給付に要する費用（次号に掲げるものを除く。）　掛金百分の五十、地方公共団体の負担金百分の五十

二　介護納付金の納付に要する費用　掛金百分の五十、地方公共団体の負担金百分の五十

三　退職等年金給付に要する費用　掛金百分の五十、地方公共団体の負担金百分の五十

四　福祉事業に要する費用　掛金百分の五十、地方公共団体の負担金百分の五十

3　組合の事業に要する費用で厚生年金保険給付に要する費用（厚生年金拠出金及び基礎年金拠出金の負担並びに第百十六条の二に規定する財政調整拠出金の拠出に要する費用（次項第二号に掲げる費用のうち同項の規定による地方公共団体の負担に係るものを除く。）をいい、厚生年金保険給付及びこれに相当するものとして政令で定める年金である給付（厚生年金拠出金及び基礎年金拠出金並びに第百十六条の二に規定する財政調整拠出金を含む。）に係る組合の事務に要する費用（第五項の規定による地方公共団体の負担に係るものを除く。）を含む。）については、厚生年金保険法第八十一条第一項に規定する保険料をもつて充てる。

4　地方公共団体は、政令で定めるところにより、組合の事業に要する費用のうち次の各号に掲げる費用については、当該各号に定める額を負担する。

一　育児休業手当金及び介護休業手当金に要する費用　当該事業年度において支給される育児休業手当金及び介護休業手当金の額に雇用保険法の規定による育児休業給付及び介護休業給付に係る国庫の負担の割合を参酌して政令で定める割合を乗じて得た額

一の二　育児休業支援手当金及び育児時短勤務手当金に要する費用　当該事業年度において支給される育児休業支援手当金及び育児時短勤務手当金の額

二　基礎年金拠出金に係る負担に要する費用　当該事業年度における基礎年金拠出金の負担に要する費用の額の二分の一に相当する額

5　地方公共団体は、組合の事務（福祉事業に係る事務を除く。）に要する費用については、政令で定めるところにより算定した額を負担する。

6　地方公務員法第五十二条の職員団体若しくは地方公営企業等の労働関係に関する法律（昭和二十七年法律第二百八十九号）第五条（同法附則第五項において準用する場合を含む。）の労働組合（以下「職員団体」と総称する。）の事務に専ら従事する職員である組合員又は特定地方独立行政法人の職員である組合員（職員団体の事務に専ら従事する者を除く。）に係る第二項に規定する費用については、同項中「地方公共団体（市町村立学校職員給与負担法（昭和二十三年法律第百三十五号）第一条又は第二条の規定により都道府県がその給与を負担する者にあつては、都道府県。以下この条において同じ。）の」とあり、及び「地方公共団体の」とあるのは、「第六項に規定する職員団体又は特定地方独立行政法人の」として、同項の規定を適用する。

（出産育児交付金）

第百十三条の二　出産費及び家族出産費の支給に要する費用（第六十三条第一項（同条第二項において準用する場合を含む。）及び第三項に規定する政令で定める金額に係る部分に限る。）の一部については、政令で定めるところにより、高齢者の医療の確保に関する法律第百二十四条の四第一項の規定により社会保険診療報酬支払基金法（昭和二十三年法律第百二十九号）による社会保険診療報酬支払基金が組合に対して交付する出産育児交付金をもつて充てる。

2　健康保険法第百五十二条の三から第百五十二条の五までの規定並びに高齢者の医療の確保に関する法律第四十一条及び第四十二条の規定は、前項の出産育児交付金について準用する。この場合において、必要な技術的読替えは、政令で定める。

（国の補助）

第百十三条の三　国は、予算の範囲内において、組合の事業に要する費用のうち、特定健康診査等の実施に要する費用の一部を補助することができる。

（掛金等）

第百十四条　掛金等（掛金及び厚生年金保険法第八十二条第一項の規定により組合員が被保険者として負担する保険料（以下「組合員保険料」という。）をいう。以下同じ。）は、組合員の資格を取得した日の属する月にその資格を喪失したときを除き、組合員の資格を取得した日の属する月からその資格を喪失した日の属する月の前月までの各月（介護納付金に係る掛金にあつては、当該各月のうち対象月に限る。）につき、徴収するものとする。

2　組合員の資格を取得した日の属する月にその資格を喪失したときは、その月（介護納付金に係る掛金にあつては、その月が対象月である場合に限る。）の掛金等を徴収する。ただし、第百十三条第二項第三号に規定する掛金（以下「退職等年金分掛金」という。）及び組合員保険料にあつては、その月に、更に組合員の資格を取得したとき、又は厚生年金保険の被保険者（組合員たる厚生年金保険の被保険者を除く。）若しくは国民年金の被保険者（国民年金法第七条第一項第二号に規定する第二号被保険者を除く。）の資格を取得したときは、それぞれその喪失した資格に係るその月の退職等年金分掛金及び組合員保険料は、徴収しない。

3　掛金は、組合員の標準報酬の月額及び標準期末手当等の額を標準として算定するものとし、その標準報酬の月額及び標準期末手当等の額と掛金との割合は、組合（退職等年金分掛金に係るものにあつては、地方公務員共済組合連合会）の定款で定める。

4　退職等年金分掛金に係る前項の割合については、第七十七条第一項に規定する付与率を基礎として、公務障害年金及び公務遺族年金の支給状況その他政令で定める事情を勘案して、千分の七・五を超えない範囲で定めるものとする。

5　第一項及び第二項に規定する対象月とは、当該組合員が介護保険第二号被保険者の資格を有する日を含む月（政令で定めるものを除く。）をいう。

（育児休業期間中の掛金等の特例）

第百十四条の二　育児休業等をしている組合員（次条の規定の適用を受けている組合員及び第百四十四条の二第二項に規定する任意継続組合員を除く。次項において同じ。）が組合に申出をしたときは、前条の規定にかかわらず、次の各号に掲げる場合の区分に応じ、当該各号に定める月の掛金等（その育児休業等の期間が一月以下である者については、標準報酬の月額に係る掛金等に限る。）は、徴収しない。

一　その育児休業等を開始した日の属する月とその育児休業等が終了する日の翌日が属する月とが異なる場合　その育児休業等を開始した日の属する月からその育児休業等が終了する日の翌日が属する月の前月までの月

二　その育児休業等を開始した日の属する月とその育児休業等が終了する日の翌日が属する月とが同一であり、かつ、当該月における育児休業等の日数として主務省令で定めるところにより計算した日数が十四日以上である場合　当該月

2　組合員が連続する二以上の育児休業等をしている場合（これに準ずる場合として主務省令で定める場合を含む。）における前項の規定の適用については、その全部を一の育児休業等とみなす。

（産前産後休業期間中の掛金等の特例）

第百十四条の二の二　産前産後休業をしている組合員（第百四十四条の二第二項に規定する任意継続組合員を除く。）が組合に申出をしたときは、第百十四条の規定にかかわらず、その産前産後休業を開始した日の属する月からその産前産後休業が終了する日の翌日の属する月の前月までの期間に係る掛金等は、徴収しない。

（掛金等の給与からの控除等）

第百十五条　組合員の給与支給機関は、毎月、報酬その他の給与を支給する際組合員の給与から掛金等に相当する金額を控除して、これを組合員に代わつて組合に払い込まなければならない。

2　組合員（組合員であつた者を含む。以下この条において同じ。）の給与支給機関は、組合員が組合に対して支払うべき掛

金等以外の金額又は前項の規定により控除して払い込まれなかつた掛金等の金額があるときは、報酬その他の給与（地方自治法第二百四条第二項に規定する退職手当又はこれに相当する手当を含む。以下この条において同じ。）を支給する際、組合員の報酬その他の給与からこれらの金額に相当する金額を控除して、これを組合員に代わつて組合に払い込まなければならない。

3　組合員は、報酬その他の給与の全部又は一部の支給を受けないことにより、前二項の規定による掛金等に相当する金額の全部又は一部の控除及び払込みが行われないときは、政令で定めるところにより、その控除が行われるべき毎月の末日までに、その払い込まれるべき掛金等に相当する金額を組合に払い込まなければならない。

4　組合員が他の組合の組合員となつた場合において、もとの組合に対して支払うべき金額があるときは、もとの組合は、政令で定めるところにより、当該他の組合の組合員の給与支給機関に対して当該金額の徴収を嘱託することができる。この場合においては、当該徴収を嘱託された金額は、組合員が当該他の組合に対して支払うべき金額に該当するものとみなして、第二項の規定を適用する。

5　指定都市職員共済組合、市町村職員共済組合及び都市職員共済組合は、掛金等のうち退職等年金分掛金及び組合員保険料については、第一項から第三項までの規定による払込みがあるごとに、これを市町村連合会に払い込まなければならない。

6　第一項から第三項までの規定により組合に払い込まれた掛金等のうち徴収を要しないこととなつたものがあるときは、組合（前項の規定により当該掛金等のうち退職等年金分掛金及び組合員保険料が市町村連合会に払い込まれている場合には、市町村連合会）は、主務省令で定めるところにより、当該徴収を要しないこととなつた掛金等を組合員に還付するものとする。

（負担金）

第百十六条　地方公共団体の機関、特定地方独立行政法人又は職員団体は、それぞれ第百十三条第二項（同条第六項の規定により読み替えて適用する場合を含む。）又は同条第四項及び第五項並びに厚生年金保険法第八十二条第一項の規定により地方公共団体、特定地方独立行政法人又は職員団体（第三項において「地方公共団体等」という。）が負担すべき金額（組合員に係るものに限るものとし、第百十四条の二第一項及び第百十四条の二の二の規定により徴収しないこととされた掛金等に相当する金額を除く。）を、毎月、組合に払い込まなければならない。

2　前項の規定による負担金の支払については、概算払をすることができる。この場合においては、当該事業年度末において、精算するものとする。

3　指定都市職員共済組合、市町村職員共済組合及び都市職員共済組合は、政令で定めるところにより、第百十三条第二項第三号及び第四項第二号に掲げる費用並びに同条第五項に規定する費用（長期給付に係るものに限る。）並びに厚生年金保険法第八十一条第一項に規定する費用に充てるため地方公共団体等が負担すべき金額（組合員に係るものに限る。）を、当該金額の払込みがあるごとに、市町村連合会に払い込まなければならない。

第六章の二　国家公務員共済組合連合会に対する財政調整拠出金

（国家公務員共済組合連合会に対する長期給付に係る財政調整拠出金の拠出）

第百十六条の二　地方公務員共済組合連合会は、厚生年金保険給付費（厚生年金拠出金及び基礎年金拠出金の負担に要する費用その他政令で定める費用をいう。次条第一項第一号において同じ。）の負担の水準と国の組合の国家公務員共済組合法第百二条の二に規定する厚生年金保険給付費の負担の水準との均衡及び組合の長期給付と国の組合の同法第七十二条第一項に規定する長期給付の円滑な実施を図るため、次条第一項各号に掲げる場合に該当するときは、その事業年度において、国家公務員共済組合連合会（同法第二十一条第一項に規定する国家公務員共済組合連合会をいう。以下同じ。）への拠出金（以下「財政調整拠出金」という。）の拠出を行うものとする。

第百十六条の三　財政調整拠出金の額は、次の各号に掲げる場合の区分に応じ、当該各号に定める額（当該各号に掲げる場合の二以上に該当するときは、当該二以上の各号に定める額の合計額）とする。

一　当該事業年度における厚生年金保険給付費のうち政令で定めるものの額（以下この号において「地方の調整対象費用の額」という。）を当該事業年度における全ての組合員（厚生年金保険給付に関する規定の適用を受ける組合員に限る。以下この号において同じ。）の厚生年金保険法第二十条第一項に規定する標準報酬月額の合計額及び当該組合員の同法第二十四条の四第一項に規定する標準賞与額の合計額の合算額（以下この号において「標準報酬等総額」という。）で除して得た率が、当該事業年度における国家公務員共済組合法第百二条の三第一項第一号に規定する国の調整対象費用の額（以下この号において「国の調整対象費用の額」という。）を当該事業年度における同項第一号に規定する標準報酬等総額（以下この号において「国の標準報酬等総額」という。）で除して得た率を下回る場合　当該事業年度における地方の調整対象費用の額に一定額を加算して得た額を当該事業年度における標準報酬等総額で除して得た率と当該事業年度における国の調整対象費用の額から当該一定額を控除して得た額を当該事業年度における国の標準報酬等総額で除して得た率とが等しくなる場合における当該一定額に相当する額

二　当該事業年度における地方の厚生年金保険給付等に係る収入の額が当該事業年度における地方の厚生年金保険給付等に係る支出の額を上回り、かつ、当該事業年度における国の厚生年金保険給付等に係る収入の額（国家公務員共済組合法第百二条の三第二項に規定する国の厚生年金保険給付等に係る収入の額をいう。以下この号及び次号において同じ。）が当該事業年度における国の厚生年金保険給付等に係る支出の額（同条第三項に規定する国の厚生年金保険給付等に係る支出の額をいう。以下この号及び次号において同じ。）を下回る場合（次号に掲げる場合を除く。）　当該事業年度における国の厚生年金保険給付等に係る支出の額から当該事業年度における国の厚生年金保険給付等に係る収入の額を控除して得た額（当該控除して得た額が、限度額（当該事業年度におけ

る地方の厚生年金保険給付等に係る収入の額から当該事業年度における地方の厚生年金保険給付等に係る支出の額に前号に掲げる場合における同号に定める額を加算した額を控除して得た額をいう。）を超える場合にあつては、当該限度額

三 当該事業年度における国の厚生年金保険給付等に係る支出の額に国家公務員共済組合法第百二条の三第一項第一号に掲げる場合における同号に定める額を加算した額が国の厚生年金保険給付等に係る収入の額を上回り、かつ、当該上回る額（以下この号において「国の不足額」という。）が前事業年度の末日における国の厚生年金保険給付積立金（同法第二十一条第二項第一号ハに規定する厚生年金保険給付積立金をいう。以下この号において同じ。）の額を上回る場合　国の不足額から前事業年度の末日における国の厚生年金保険給付積立金の額を控除して得た額（当該控除して得た額が、限度額（前事業年度の末日における厚生年金保険給付組合積立金及び厚生年金保険給付調整積立金の合計額から当該事業年度における地方の厚生年金保険給付等に係る支出の額に第一号に掲げる場合における同号に定める額を加算した額を控除し、当該事業年度における地方の厚生年金保険給付等に係る収入の額を加算した額をいう。）を超える場合にあつては、当該限度額）

四 当該事業年度の末日における国の退職等年金給付積立金の額が国の積立基準額を下回り、かつ、退職等年金給付組合積立金及び退職等年金給付調整積立金の合計額が地方の積立基準額を上回る場合　国の積立基準額から国の退職等年金給付積立金の額を控除して得た額の五分の一に相当する額（当該額が当該事業年度の末日における退職等年金給付組合積立金及び退職等年金給付調整積立金の合計額から地方の積立基準額（当該地方の積立基準額が零を下回る場合には、零とする。）を控除して得た額を超える場合にあつては、当該控除して得た額）

2 前項第二号及び第三号に規定する「地方の厚生年金保険給付等に係る収入の額」とは、厚生年金保険法第八十一条第一項に規定する保険料その他の組合、市町村連合会及び地方公務員共済組合連合会（次項において「組合等」という。）の収入として政令で定めるものの額の合計額に、国家公務員共済組合法第百二条の三第一項第一号に掲げる場合における同号に定める額を加算した額をいう。

3 第一項第二号及び第三号に規定する「地方の厚生年金保険給付等に係る支出の額」とは、厚生年金拠出金及び基礎年金拠出金の納付その他の組合等の支出として政令で定めるものの額の合計額をいう。

（資料の提供）

第百十六条の四 地方公務員共済組合連合会は、国家公務員共済組合連合会に対し、財政調整拠出金の額の算定のために必要な資料の提供を求めることができる。

（政令への委任）

第百十六条の五 この章に定めるもののほか、財政調整拠出金の拠出に関し必要な事項は、政令で定める。

第七章　審査請求

（審査請求）

第百十七条 組合員の資格若しくは短期給付及び退職等年金給付に関する決定、厚生年金保険法第九十条第二項（第一号及び第三号を除く。）に規定する被保険者の資格若しくは保険給付に関する処分、掛金等その他この法律及び厚生年金保険法による徴収金の徴収、組合員期間の確認又は国民年金法による障害基礎年金に係る障害の程度の診査に関し不服がある者は、文書又は口頭で、地方公務員共済組合審査会（以下「審査会」という。）に審査請求をすることができる。

2 前項の審査請求は、同項に規定する決定、処分、徴収、確認又は診査があつたことを知つた日から三月を経過したときは、することができない。ただし、正当な理由により、この期間内に審査請求をすることができなかつたことを疎明したときは、この限りでない。

3 審査請求は、時効の完成猶予及び更新に関しては、裁判上の請求とみなす。

4 審査会は、行政不服審査法（平成二十六年法律第六十八号）第九条第一項、第三項及び第四項の規定の適用については、同条第一項第二号に掲げる機関とみなす。

（審査会の設置及び組織）

第百十八条 地方職員共済組合等、都職員共済組合及び市町村連合会に、それぞれ審査会を置く。

2 審査会は、委員六人をもつて組織する。

3 委員は、組合員を代表する者、地方公共団体を代表する者及び公益を代表する者それぞれ二人とし、地方職員共済組合等及び都職員共済組合に置かれる審査会にあつては組合の理事長が、市町村連合会に置かれる審査会にあつては市町村連合会の理事長が、それぞれ委嘱する。

4 委員の任期は、三年とする。ただし、補欠の委員の任期は、前任者の残任期間とする。

5 委員は、再任されることができる。

6 審査会に会長を置く。会長は、審査会において、公益を代表する委員のうちから選挙する。

7 会長は、会務を総理する。会長に事故があるとき、又は会長が欠けたときは、会長以外の公益を代表する委員がその職務を行う。

（議事）

第百十九条 審査会は、組合員を代表する委員、地方公共団体を代表する委員及び公益を代表する委員各一人以上が出席しなければ、会議を開き、及び議決することができない。

2 審査会の議事は、出席委員の過半数で決する。可否同数のときは、会長の決するところによる。

（組合に対する通知等）

第百二十条 審査会は、審査請求がされたときは、行政不服審査法第二十四条の規定により当該審査請求を却下する場合を除き、当該審査請求に係る組合（指定都市職員共済組合、市町村職員共済組合又は都市職員共済組合に係る審査請求のうち長期給付に係るものにあつては、市町村連合会）にこれを通知し、かつ、利害関係人に対し参加人として当該審査請求に参加することを求めなければならない。

（政令への委任）

第百二十一条 この章及び行政不服審査法に定めるもののほか、審査会の委員及び同法第三十四条の規定により事実の陳述を求め、又は鑑定を求めた参考人の旅費その他の手当の支給その他

審査会及び審査請求の手続に関し必要な事項は、政令で定める。

第八章　地方財政審議会の意見の聴取

（地方財政審議会の意見の聴取）

第百二十二条　総務大臣は、次に掲げる事項のうち組合員又は短期給付若しくは長期給付を受ける権利を有する者の権利義務に係るものに関し、命令の制定若しくは改廃の立案をしようとするとき又は第百四十四条の二十九第二項の協議を受けたときは、地方財政審議会の意見を聴かなければならない。

一　組合の組織に関すること。

二　組合の行う短期給付に関すること。

三　組合の行う長期給付に関すること。

四　組合の行う福祉事業に関すること。

第百二十三条から第百二十五条まで　削除

第九章　船員組合員等の特例

第百二十六条から第百三十四条まで　削除

（船員組合員の資格の得喪の特例）

第百三十五条　船員保険の被保険者（以下この章において「船員」という。）である組合員（以下「船員組合員」という。）の船員組合員としての資格の得喪については、船員保険法（昭和十四年法律第七十三号）の定めるところによる。

（船員組合員の療養の特例）

第百三十六条　船員組合員が公務によらないで病気にかかり、若しくは負傷した場合（通勤により病気にかかり、又は負傷した場合を除く。）又は船員組合員の被扶養者が病気にかかり、若しくは負傷した場合における療養に関しては、第五十六条から第六十一条まで、第六十二条の二及び第六十二条の三の規定にかかわらず、船員保険法第五十三条（第四項を除く。）、第五十四条から第六十八条まで、第七十六条から第七十九条まで及び第八十二条から第八十四条までの規定による。

（船員組合員の療養以外の短期給付の特例）

第百三十七条　前条に定めるもののほか、船員組合員若しくは船員組合員であつた者又はこれらの者の遺族に対する第五十三条第一項第三号から第十三号までに掲げる短期給付（その給付事由が通勤によるものを除く。）は、次に掲げるもののうちこれらの者が選択するいずれか一の給付とする。

一　組合員若しくは組合員であつた者又はこれらの者の遺族として受けるべき給付

二　その者が組合員とならなかつたものとした場合に船員若しくは船員であつた者又はこれらの者の遺族として受けるべき船員保険法に規定する給付

（船員組合員についての負担金の特例）

第百三十八条　地方公共団体（市町村立学校職員給与負担法第一条又は第二条の規定により都道府県がその給与を負担する者にあつては、都道府県）又は特定地方独立行政法人は、船員組合員若しくは船員組合員であつた者又はこれらの者の遺族に対する短期給付に要する費用のうち、船員保険法に規定する給付に要する費用に係る部分については、第百十三条第二項の規定にかかわらず、同法第百二十五条第一項の規定による船舶所有者の負担と同一の割合によつて算定した金額を負担する。

（外国で勤務する組合員についての特例）

第百三十九条　外国で勤務する組合員に対するこの法律の規定の適用については、政令で特例を定めることができる。

（公庫等に転出した継続長期組合員についての特例）

第百四十条　組合員が任命権者又はその委任を受けた者の要請に応じ、引き続いて、沖縄振興開発金融公庫その他特別の法律により設立された法人でその業務が国又は地方公共団体の事務又は事業と密接な関連を有するもののうち政令で定めるもの（以下「公庫等」という。）に使用される者（役員及び常時勤務に服することを要しない者を除く。以下「公庫等職員」という。）となるため退職した場合（政令で定める場合を除く。）には、長期給付に関する規定（第四十二条第二項の規定を除く。）の適用については、その者の退職は、なかつたものとみなし、その者は、当該公庫等職員である間、引き続き転出（公庫等職員となるための退職をいう。次項第一号において同じ。）の際に所属していた組合の組合員であるものとする。この場合においては、第四章中「公務」とあるのは「業務」と、第百十三条第二項中「地方公共団体（市町村立学校職員給与負担法（昭和二十三年法律第百三十五号）第一条又は第二条の規定により都道府県がその給与を負担する者にあつては、都道府県。以下この条において同じ。）の負担金」とあるのは「公庫等（第百四十条第一項に規定する公庫等をいう。以下この条において同じ。）の負担金」と、同項第三号中「地方公共団体の負担金」とあるのは「公庫等の負担金」と、第百十六条第一項中「地方公共団体の機関、特定地方独立行政法人又は職員団体」とあるのは「公庫等（第百四十条第一項に規定する公庫等をいう。以下この条において同じ。）」と、「地方公共団体、特定地方独立行政法人又は職員団体（第三項において「地方公共団体等」という。）」とあるのは「公庫等」と、同条第三項中「第百十三条第二項第三号及び第四項第二号に掲げる費用並びに同条第五項に規定する費用（長期給付に係るものに限る。）並びに厚生年金保険法」とあるのは「第百十三条第二項第三号に掲げる費用及び厚生年金保険法」と、「地方公共団体等」とあるのは「公庫等」とする。

2　前項前段の規定により引き続き組合員であるとされる者（以下「継続長期組合員」という。）が次の各号の一に該当するに至つたときは、その翌日から、継続長期組合員の資格を喪失する。

一　転出の日から起算して五年を経過したとき。

二　引き続き公庫等職員として在職しなくなつたとき。

三　死亡したとき。

3　継続長期組合員が公庫等職員として在職し、引き続き他の公庫等職員となつた場合（その者が更に引き続き他の公庫等職員となつた場合を含む。）における前二項の規定の適用については、その者は、これらの他の公庫等職員として引き続き在職する間、継続長期組合員であるものとみなす。

4　前三項に定めるもののほか、継続長期組合員に対する長期給付に関する規定の適用に関し必要な事項は、政令で定める。

（組合役職員等の取扱い）

第百四十一条　組合の役員及び組合に使用され、組合から給与を受ける者であつて、職員に準ずるものとして主務省令で定めるもの（以下「組合役職員」という。）は、当該組合を組織する職員とみなして、この法律の規定を適用する。この場合においては、第四章中「公務」とあるのは「業務」と、第百十三条第二項中「地方公共団体（市町村立学校職員給与負担法（昭和二十三年法律第百三十五号）第一条又は第二条の規定により都道府県がその給与を負担する者にあつては、都道府県。以下この条において同じ。）の」とあり、及び「地方公共団体の」とあるのは「組合の」とするほか、必要な技術的読替えは、政令で定める。

２　市町村連合会又は地方公務員共済組合連合会（以下「連合会」という。）の役員及び連合会に使用され、連合会から給与を受ける者であつて、職員に準ずるものとして主務省令で定めるもの（以下「連合会役職員」という。）は、総務大臣が指定する組合を組織する職員とみなして、この法律の規定を適用する。この場合においては、前項後段の規定を準用する。

３　警察共済組合にあつては、第百十三条第四項の規定により地方公共団体が負担すべきこととなる費用のうち第百四十二条第一項に規定する国の職員に係るものについては、第百十三条第四項の規定にかかわらず、国が負担する。

４　前項の規定により国が負担すべきこととなる費用の負担について必要な事項は、政令で定める。

（職員引継一般地方独立行政法人の役職員に係る特例）

第百四十一条の二　職員引継一般地方独立行政法人（地方独立行政法人法第五十九条第二項に規定する移行型一般地方独立行政法人であつて同項の規定により設立団体（同法第六条第三項に規定する設立団体をいう。）の職員が当該移行型一般地方独立行政法人の同法第二十条に規定する職員となつたものをいう。以下この条及び第百四十四条の三第一項第十一号において同じ。）の役職員（同法第十二条に規定する役員及び職員引継一般地方独立行政法人に使用され、職員引継一般地方独立行政法人から給与を受ける者であつて、職員に準ずるものとして主務省令で定めるものをいう。）は、職員とみなしてこの法律の規定を適用する。この場合においては、第三条第四項中「特定地方独立行政法人（地方独立行政法人法（平成十五年法律第百十八号）第二条第二項に規定する特定地方独立行政法人をいう。以下同じ。）」とあるのは「職員引継一般地方独立行政法人（第百四十一条の二に規定する職員引継一般地方独立行政法人をいう。以下同じ。）」と、「同法第六条第三項」とあるのは「地方独立行政法人法（平成十五年法律第百十八号）第六条第三項」と、「組合の組合員」とあるのは「組合（職員引継一般地方独立行政法人が公立大学法人（同法第六十八条第一項に規定する公立大学法人をいう。）である場合には、公立学校共済組合）の組合員」と、第四章中「公務」とあるのは「業務」と、第六章、第百三十八条及び第百四十四条の三十一（見出しを含む。）中「特定地方独立行政法人」とあるのは「職員引継一般地方独立行政法人」とするほか、必要な技術的読替えは、政令で定める。

（定款変更一般地方独立行政法人の役職員に係る特例）

第百四十一条の三　定款変更一般地方独立行政法人（地方独立行政法人法第六十七条の二に規定する定款変更後の一般地方独立行政法人をいう。以下この条及び第百四十四条の三第一項第十一号において同じ。）の役職員（同法第十二条に規定する役員及び定款変更一般地方独立行政法人に使用され、定款変更一般地方独立行政法人から給与を受ける者であつて、職員に準ずるものとして主務省令で定めるものをいう。）は、職員とみなしてこの法律の規定を適用する。この場合においては、第三条第四項中「特定地方独立行政法人（地方独立行政法人法（平成十五年法律第百十八号）第二条第二項に規定する特定地方独立行政法人をいう。以下同じ。）」とあるのは「定款変更一般地方独立行政法人（第百四十一条の三に規定する定款変更一般地方独立行政法人をいう。以下同じ。）」と、「同法第六条第三項」とあるのは「地方独立行政法人法（平成十五年法律第百十八号）第六条第三項」と、第四章中「公務」とあるのは「業務」と、第六章、第百三十八条及び第百四十四条の三十一（見出しを含む。）中「特定地方独立行政法人」とあるのは「定款変更一般地方独立行政法人」とするほか、必要な技術的読替えは、政令で定める。

（職員引継等合併一般地方独立行政法人の役職員に係る特例）

第百四十一条の四　職員引継等合併一般地方独立行政法人（地方独立行政法人法第百十二条第一項に規定する新設合併により設立された地方独立行政法人であつて、前二条又はこの条の規定によりその役職員（同法第十二条に規定する役員及び当該地方独立行政法人に使用され、当該地方独立行政法人から給与を受ける者であつて、職員に準ずるものとして主務省令で定めるものをいう。以下この条において同じ。）が職員とみなされる地方独立行政法人のみを同項第一号に規定する新設合併消滅法人とするものをいう。第百四十四条の三第一項第十一号において同じ。）の役職員は、職員とみなしてこの法律の規定を適用する。この場合においては、第三条第四項中「特定地方独立行政法人（地方独立行政法人法（平成十五年法律第百十八号）第二条第二項に規定する特定地方独立行政法人をいう。以下同じ。）」とあるのは「職員引継等合併一般地方独立行政法人（第百四十一条の四に規定する職員引継等合併一般地方独立行政法人をいう。以下同じ。）」と、「同法第六条第三項」とあるのは「地方独立行政法人法（平成十五年法律第百十八号）第六条第三項」と、「組合の組合員」とあるのは「組合（職員引継等合併一般地方独立行政法人が公立大学法人（同法第六十八条第一項に規定する公立大学法人をいう。）である場合には、公立学校共済組合）の組合員」と、第四章中「公務」とあるのは「業務」と、第六章、第百三十八条及び第百四十四条の三十一（見出しを含む。）中「特定地方独立行政法人」とあるのは「職員引継等合併一般地方独立行政法人」とするほか、必要な技術的読替えは、政令で定める。

（国の職員の取扱い）

第百四十二条　常時勤務に服することを要する国家公務員（国家公務員法（昭和二十二年法律第百二十号）第七十九条又は第八十二条に規定する休職又は停職の処分を受けた者、法令の規定により職務に専念する義務を免除された者その他の常時勤務に服することを要しない国家公務員で政令で定めるものを含むものとし、臨時に使用される者その他の政令で定める者を含まないものとする。）のうち警察庁の所属職員及び警察法（昭和二十九年法律第百六十二号）第五十六条第一項に規定する地方警務官である者（以下「国の職員」という。）は、職員とみなしてこの法律の規定を適用する。この場合においては、国の職員は、警察共済組合の組合員となるものとする。

２　国の職員についてこの法律の規定を適用する場合には、次の表の上欄に掲げる規定中同表の中欄に掲げる字句は、それぞれ同表の下欄に掲げる字句とするほか、必要な技術的読替えは、政令で定める。

条項	読み替えられる字句	読み替える字句
第二条第一項第五号	地方自治法（昭和二十二年法律第六十七号）第二百四条の規定の適用を受ける職員については、同条第一項に規定する給料及び同条第二項に規定する手当のうち期末手当、勤勉手当その他政令で定める手当を除いたものとし、その他の職員については、これらの給料及び手当に準ずるものとして政令で定めるもの	一般職の職員の給与に関する法律（昭和二十五年法律第九十五号）の適用を受ける職員については、同法の規定に基づく給与のうち期末手当、勤勉手当その他政令で定める給与を除いたもの及び他の法律の規定に基づく給与のうち政令で定めるものとし、その他の職員については、これらに準ずる給与として政令で定めるもの
第二条第一項第六号	地方自治法第二百四条の規定の適用を受ける職員については、同条第二項に規定する手当のうち期末手当、勤勉手当その他政令で定める手当とし、その他の職員については、これらの手当に準ずるもの	一般職の職員の給与に関する法律の適用を受ける職員については、同法の規定に基づく給与のうち期末手当、勤勉手当その他政令で定める給与（報酬に該当しない給与に限る。）及び他の法律の規定に基づく給与のうち政令で定めるもの（報酬に該当しない給与に限る。）とし、その他の職員については、これらに準ずる給与
第四十二条第二項	地方公務員災害補償法（昭和四十二年法律第百二十一号）第二条第二項	国家公務員災害補償法（昭和二十六年法律第百九十一号）第一条の二
第四十三条第十二項	地方公務員の育児休業等に関する法律（平成三年法律第百十号）第二条第一項	国家公務員の育児休業等に関する法律（平成三年法律第百九号）第三条第一項
	地方公務員の育児休業等に関する法律第二条第一項	国家公務員の育児休業等に関する法律第三条第一項
第七十条の二第二項	国家公務員の育児休業等に関する法律（平成三年法律第百九号）第三条第一項（同法第二十七条第一項及び裁判所職員臨時措置法（昭和二十六年法律第二百九十九号）（第七号に係る部分に限る。）において準用する場合を含む。）の規定による育児休業又は裁判官の育児休業に関する法律（平成三年法律第百十一号）第二条第一項	国家公務員の育児休業等に関する法律第二十七条第一項及び裁判所職員臨時措置法（昭和二十六年法律第二百九十九号）（第七号に係る部分に限る。）において準用する国家公務員の育児休業等に関する法律第三条第一項の規定による育児休業、裁判官の育児休業に関する法律（平成三年法律第百十一号）第二条第一項の規定による育児休業又は地方公務員の育児休業等に関する法律（平成三年法律第百十号）第二条第一項
	その子の出生した日以後労働基準法（昭和二十二年法律第四十九号）第六十五条第一項又は第二項の規定により休業した期間	一般職の職員の勤務時間、休暇等に関する法律（平成六年法律第三十三号）第十九条の規定による特別休暇（出産に関する特別休暇であつて政令で定めるものに限る。）の期間
第七十条の四第一項	育児休業、介護休業等育児又は家族介護を行う労働者の福祉に関する法律第六十一条の二第三項に規定する要介護家族その他主務省令で定める者を介護するための休業であつて、任命権者又はその委任を受けた者の承認（主務省令で定める組合員については、主務省令で定める者の承認）を受けたもの	一般職の職員の勤務時間、休暇等に関する法律第二十条第一項に規定する介護休暇又はこれに準ずる休暇として政令で定めるもの
第九十二条第一項	地方公務員法第二十八条第一項第四号の規定による免職の処分又はこれに相当する処分を受けて退職をした	国家公務員退職手当法（昭和二十八年法律第百八十二号）第五条第一項第二号に掲げる
	当該退職	同号の退職
第九十二条第二項	地方公務員法第二十八条第一項第四号の規定による免職の処分又はこれに相当する処分を受けて	国家公務員退職手当法（昭和二十八年法律第百八十二号）第五条第一項第二号の

	当該退職	同号の退職
第百十一条第一項	地方公務員法第二十九条	国家公務員法第八十二条
	退職手当支給制限等処分に相当する処分	退職手当支給制限等処分
第百十三条第一項	地方公共団体	国
第百十三条第二項各号列記以外の部分	地方公共団体（市町村立学校職員給与負担法（昭和二十三年法律第百三十五号）第一条又は第二条の規定により都道府県がその給与を負担する者にあつては、都道府県。以下この条において同じ。）の	国の
第百十三条第二項各号、第三項から第五項まで	地方公共団体	国
第百十五条第二項	地方自治法第二百四条第二項に規定する	国家公務員退職手当法に基づく
第百十六条第一項	地方公共団体の機関	国の機関
	規定により地方公共団体	規定により国
	職員団体（第三項において「地方公共団体等」という。）	職員団体
第百三十八条	地方公共団体（市町村立学校職員給与負担法第一条又は第二条の規定により都道府県がその給与を負担する者にあつては、都道府県）	国
第百四十条第一項	任命権者又は	任命権者若しくは
	又は地方公共団体の事務又は	若しくは地方公共団体の事務若しくは
	政令で定める場合を除く。）	政令で定める場合を除く。）又は組合員が任命権者若しくはその委任を受けた者の要請に応じ、引き続いて沖縄振興開発金融公庫その他特別の法律により設立された法人でその業務が国の事務若しくは事業と密接な関連を有するもののうち政令で定めるもの（以下「特定公庫等」という。）の役員（常時勤務に服することを要しない者を除く。以下「特定公庫等役員」という。）となるため退職した場合（政令で定める場合
		を除く。）
	当該公庫等職員	当該公庫等職員又は特定公庫等役員
	（公庫等職員	（公庫等職員又は特定公庫等役員
	公庫等をいう。以下この条において同じ。）の負担金	公庫等をいう。以下この条において同じ。）又は特定公庫等（第百四十条第一項に規定する特定公庫等をいう。以下この条において同じ。）の負担金
	公庫等の負担金	公庫等又は特定公庫等の負担金
	公庫等（第百四十条第一項に規定する公庫等をいう。以下この条において同じ。」	公庫等（第百四十条第一項に規定する公庫等をいう。以下この条において同じ。）又は特定公庫等（第百四十条第一項に規定する特定公庫等をいう。以下この条において同じ。）」
	公庫等」と、	公庫等又は特定公庫等」と、
第百四十条第二項第二号	公庫等職員	公庫等職員又は特定公庫等役員
第百四十条第	含む。）	含む。）、継続長期組合

三項		員が特定公庫等役員として在職し、引き続き他の特定公庫等役員となつた場合（その者が更に引き続き他の特定公庫等役員となつた場合を含む。）その他の政令で定める場合
	これらの他の公庫等職員	公庫等職員又は特定公庫等役員
第百四十四条の二第二項及び第百四十四条の三十一（見出しを含む。）	地方公共団体	国

3　国の機関は、警察共済組合の運営に必要な範囲内において、その所属職員その他国に使用される者をして当該組合の業務に従事させることができる。

4　国の機関は、警察共済組合の運営に必要な範囲内において、その管理に係る土地、建物その他の施設を無償で当該組合の利用に供することができる。

（国家公務員共済組合法との関係）

第百四十三条　組合員が退職し、引き続き国の組合の組合員のうち、国家公務員共済組合法の長期給付に関する規定の適用を受ける者となつたときは、長期給付に関する規定の適用については、その退職はなかつたものとみなす。

2　組合員が国の組合の組合員となつたときは、当該国の組合を他の組合と、当該国の組合の組合員を他の組合の組合員と、それぞれみなして、第三十九条第三項の規定を適用する。

3　組合員又は組合員であつた者が国の組合の組合員となつたときは、元の組合（指定都市職員共済組合、市町村職員共済組合及び都市職員共済組合にあつては、市町村連合会）は、政令で定めるところにより、厚生年金保険給付組合積立金及び退職等年金給付組合積立金の額のうちその者に係る部分として政令で定めるところにより算定した金額を国家公務員共済組合連合会に移換しなければならない。

4　前三項に定めるもののほか、組合員又は組合員であつた者が国の組合の組合員となつた場合におけるこの法律の規定の適用について必要な事項は、政令で定める。

第百四十四条　国の組合の組合員であつた組合員に対するこの法律（第六章を除く。）の規定の適用については、その者の当該国の組合の組合員であつた間組合員であつたものと、国家公務員共済組合法の規定による給付はこの法律中の相当する規定による給付とみなす。ただし、長期給付に関する規定の適用については、国家公務員共済組合法の長期給付に関する規定の適用を受けた国の組合の組合員であつた間に限る。

2　前項の定めるもののほか、国の組合の組合員であつた組合員に対するこの法律の規定の適用について必要な事項は、政令で定める。

（任意継続組合員に対する短期給付等）

第百四十四条の二　退職の日の前日まで引き続き一年以上組合員であつた者（後期高齢者医療の被保険者等でないものに限る。）は、その退職の日から起算して二十日を経過する日（正当な理由があると組合が認めた場合には、その認めた日）までに、引き続き短期給付を受け、及び福祉事業を利用することを希望する旨を組合に申し出ることができる。この場合において、その申出をした者は、この法律の規定中短期給付及び福祉事業に係る部分の適用については、別段の定めがあるものを除き、引き続き当該組合の組合員であるものとみなす。

2　前項後段の規定により組合員であるものとみなされた者（以下この条において「任意継続組合員」という。）は、組合が、政令で定める基準に従い、その者の短期給付及び福祉事業に係る掛金及び地方公共団体の負担金（前期高齢者納付金等及び後期高齢者支援金等並びに流行初期医療確保拠出金等に係る掛金及び地方公共団体の負担金を含み、介護保険第二号被保険者の資格を有する任意継続組合員にあつては、介護納付金に係る掛金及び地方公共団体の負担金を含む。）の合算額を基礎として定款で定める金額（以下この条において「任意継続掛金」という。）を、毎月、政令で定めるところにより、組合に払い込まなければならない。

3　任意継続組合員は、将来の一定期間に係る任意継続掛金を前納することができる。この場合において、前納すべき額は、当該期間の各月の任意継続掛金の合計額から政令で定める額を控除した額とする。

4　任意継続組合員が初めて払い込むべき任意継続掛金をその払込期日までに払い込まなかつたときは、第一項の規定にかかわらず、その者は、任意継続組合員にならなかつたものとみなす。ただし、その払込みの遅延について正当な理由があると組合が認めたときは、この限りでない。

5　任意継続組合員が次の各号のいずれかに該当するに至つたときは、その翌日（第四号又は第六号に該当するに至つたときは、その日）から、その資格を喪失する。

一　任意継続組合員となつた日から起算して二年を経過したとき。

二　死亡したとき。

三　任意継続掛金（初めて払い込むべき任意継続掛金を除く。）をその払込期日までに払い込まなかつたとき（払込みの遅延について正当な理由があると組合が認めたときを除く。）。

四　組合員（国の組合の組合員、私学共済制度の加入者、健康保険の被保険者（健康保険法第三条第二項に規定する日雇特例被保険者を除く。）及び船員保険の被保険者を含む。）となつたとき。

五　任意継続組合員でなくなることを希望する旨を組合に申し出た場合において、その申出が受理された日の属する月の末日が到来したとき。

六　後期高齢者医療の被保険者等となつたとき。

6　第一項及び前項第五号の申出の手続、任意継続組合員に対する短期給付の支給の特例その他任意継続組合員に関し必要な事項並びに任意継続掛金の前納の手続、前納された任意継続掛金の還付その他任意継続掛金の前納に関し必要な事項は、政令で

23年ぶりの全面改訂版！

新版

例解 共済組合経理の実務

新版　例解　共済組合経理の実務　もくじ

1 経常費用に属する勘定
2 特別損益に属する勘定
3 経常収益に属する勘定

共済組合経理研究会　編

2024年12月刊行！

A5判並製272頁　定価**4,950**円（10％税込）　ISBN978-4-313-12067-9 C2063

共済組合の行う医療保険事業、年金保険事業及び福祉事業等広範囲な事業の経理処理について、最新のデータを収録した経理事務担当者の手引書。
2001年11月以来23年ぶりの全面改訂版。

【本書の特色】

1. 共済組合において発生する各種取引の処理に係る唯一の手引書。
2. 一般企業には見られない共済組合特有の経理処理はじめ、正規の簿記の原則に従って共済組合経理に必要な勘定科目と仕訳例等を詳細に解説。
3. 簿記原理の原則の説明を種々の事例を掲げながら解説。
4. 貸借対照表勘定、損益計算書勘定、決算手続など一連の会計処理の方法を詳解。

学陽書房

〒102-0072 東京都千代田区飯田橋1-9-3
TEL. 03-3261-1111 FAX. 03-5211-3300

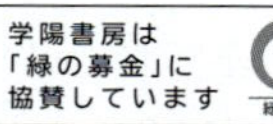

学陽書房は
「緑の募金」に
協賛しています

定める。

第九章の二　地方団体関係団体の職員の年金制度等

（団体職員の取扱い）

第百四十四条の三　次に掲げる団体（以下「団体」という。）に使用される者で、団体から給与を受けるもののうち役員、常時勤務に服することを要しない者及び臨時に使用される者以外の者（地方公務員の休職又は停職の場合における休職又は停職の事由に相当する事由により地方公務員の休職又は停職に相当する取扱いを受けた者その他総務省令で定める者を含む。以下「団体職員」という。）は、職員とみなして、この法律の規定（第百十五条及び第百十六条を除く。）中長期給付及び福祉事業に係る部分を適用する。この場合においては、団体職員は、地方職員共済組合の組合員となるものとする。

一　地方自治法第二百六十三条の三第一項に規定する連合組織で同項の規定による届出をしたもの

二　地方自治法第二百六十三条の二第一項に規定する公益的法人

三　国民健康保険法第八十三条第一項に規定する国民健康保険団体連合会で都道府県の区域をその区域とするもの

四　健康保険法第四条に規定する健康保険組合で地方公共団体の職員を被保険者とするもの

五　地方公務員災害補償法第三条に規定する地方公務員災害補償基金

六　消防団員等公務災害補償等責任共済等に関する法律（昭和三十一年法律第百七号）第十四条に規定する消防団員等公務災害補償等共済基金

七　水害予防組合法（明治四十一年法律第五十号）第一条に規定する水害予防組合

八　地方住宅供給公社法（昭和四十年法律第百二十四号）第一条に規定する地方住宅供給公社

九　地方道路公社法（昭和四十五年法律第八十二号）第一条に規定する地方道路公社

十　公有地の拡大の推進に関する法律（昭和四十七年法律第六十六号）第十条に規定する土地開発公社

十一　地方独立行政法人法第八条第一項第五号に規定する一般地方独立行政法人（職員引継一般地方独立行政法人、定款変更一般地方独立行政法人及び職員引継等合併一般地方独立行政法人を除く。）

２　団体職員についてこの法律を適用する場合においては、第四章中「公務」とあるのは「業務」とするほか、次の表の上欄に掲げる規定中同表の中欄に掲げる字句は、それぞれ同表の下欄に掲げる字句とする。

第二条第一項第五号	地方自治法（昭和二十二年法律第六十七号）第二百四条の規定の適用を受ける職員については、同条第一項に規定する給料及び同条第二項に規定する手当のうち期末手当、勤勉手当その他政令で定める手当を除いたものとし、その他の職員については、これらの給料及び手当に準ずるものとして政令で定めるもの	第百四十四条の三第一項に規定する団体職員が、同項に規定する団体から勤務の対償として受ける給与で、地方自治法（昭和二十二年法律第六十七号）第二百四条第一項に規定する給料及び同条第二項に規定する手当のうち期末手当、勤勉手当その他政令で定める手当を除いたもの又はこれらの給料及び手当に準ずるものとして政令で定めるものに相当するもの
第二条第一項第六号	地方自治法第二百四条の規定の適用を受ける職員については、同条第二項に規定する手当のうち期末手当、勤勉手当その他政令で定める手当とし、その他の職員については、これらの手当に準ずるものとして政令で定めるもの	第百四十四条の三第一項に規定する団体職員が、同項に規定する団体から勤務の対償として受ける給与で、地方自治法第二百四条第二項に規定する期末手当、勤勉手当その他政令で定める手当に準ずるものとして政令で定めるものに相当するもの
第二条第二項	前項第二号の規定の適用上主として組合員の収入により生計を維持することの認定及び同項第三号	前項第三号
第四十八条第二項	給付金（埋葬料及び家族埋葬料に係る給付金を除く。）	給付金
第四十九条第一項	その給付に要した費用に相当する金額（その給付が療養の給付であるときは、第五十七条第二項又は第三項の規定により支払つた一部負担金（第五十七条の二第一項第一号の措置が採られるときは、当該減額された一部負担金）に相当する額を控除した金額）	その給付に要した費用に相当する金額
第五十条第一項	給付事由（第七十二条又は第七十三条の規定による給付に係るものを除く。）	給付事由
	受給権者（当該給付事	受給権者

	由が組合員の被扶養者について生じた場合には、当該被扶養者を含む。次項において同じ。）	
第五十一条	退職年金若しくは公務遺族年金又は休業手当金	退職年金又は公務遺族年金
第五十二条	退職年金及び公務遺族年金並びに休業手当金	退職年金及び公務遺族年金
第八十三条	主務省令	総務省令
第百八条第一項	病気、負傷、障害、死亡若しくは災害	障害若しくは死亡
	当該病気、負傷、障害、死亡又は災害	当該障害又は死亡
第百八条第三項	病気、負傷、障害若しくは	障害若しくは
	その病気若しくは障害	その障害
	当該病気、負傷、障害又は死亡	当該障害
第百十一条第一項	組合員が懲戒処分（地方公務員法第二十九条の規定による減給若しくは戒告又はこれらに相当する処分を除く。）を受けた	地方公務員の場合における懲戒の事由に相当する事由により地方公務員の停職に相当する処分を受けたとき若しくは解雇された

第百十三条第二項各号列記以外の部分	地方公共団体（市町村立学校職員給与負担法（昭和二十三年法律第百三十五号）第一条又は第二条の規定により都道府県がその給与を負担する者にあつては、都道府県。以下この条において同じ。）	団体（第百四十四条の三第一項に規定する団体をいう。以下この条において同じ。）
第百十三条第二項第三号及び第四号	地方公共団体	団体

3　前項に定めるもののほか、組合員（団体職員である組合員（以下「団体組合員」という。）を除く。以下この項において同じ。）であつた団体組合員又は団体組合員であつた組合員に対する長期給付に関する規定の適用に関し必要な事項は、政令で定める。

第百四十四条の四　削除

（団体職員運営評議員会）

第百四十四条の五　地方職員共済組合に、団体職員運営評議員会を置く。

2　団体職員運営評議員会に関する事項は、地方職員共済組合の定款をもつて定めなければならない。

第百四十四条の六　団体職員運営評議員会（以下「評議員会」という。）は、評議員十人以内で組織する。

2　評議員は、総務大臣が団体組合員のうちから命ずる。

3　総務大臣は、前項の規定により評議員を命ずる場合には、地方職員共済組合の業務で団体組合員に係るもの（以下「団体組合員業務」という。）その他団体組合員の福祉に関する事項について広い知識を有する者のうちから命じなければならない。この場合においては、一部の者の利益に偏することのないように、相当の注意を払わなければならない。

第百四十四条の七　次に掲げる事項のうち団体組合員業務に係る事項は、評議員会の議を経なければならない。

一　定款の変更
二　運営規則の変更
三　毎事業年度の事業計画並びに予算及び決算
四　重要な財産の処分及び重大な債務の負担

2　評議員会は、前項に定めるもののほか、理事長の諮問に応じて団体組合員業務に関する重要事項を調査審議し、又は必要と認める事項につき理事長に建議することができる。

3　第八条第一項各号に掲げる事項又は同条第二項の組合の業務に関する重要事項が団体組合員のみに関するものをその内容とするものであるときは、同条の規定は、これらの事項については、適用しない。

第百四十四条の八　削除

（団体組合員に係る福祉事業に要する費用）

第百四十四条の九　団体組合員に係る第百十二条第一項に規定する事業に要する費用に充てることができる金額は、当該事業年度における団体組合員の報酬の総額の百分の〇・八に相当する金額の範囲内とする。

第百四十四条の十及び第百四十四条の十一　削除

（団体組合員に係る費用の負担の特例）

第百四十四条の十二　団体は、その使用する団体組合員及び自己の負担すべき毎月の掛金（第百十三条第二項第三号及び第四号の掛金をいう。以下この条において同じ。）及び負担金（同項第三号及び第四号の負担金をいい、第百十四条の二第一項及び第百十四条の二の二の規定により徴収しないこととされた掛金に相当する金額を除く。）並びに厚生年金保険法第八十一条第一項に規定する保険料を、翌月末日までに地方職員共済組合に納付する義務を負う。

2　団体は、団体組合員の報酬を支給するときは、その報酬から当該団体組合員が負担すべき当該報酬に係る月の前月分の掛金及び組合員保険料（団体組合員がその資格を喪失した場合においては、前月分及びその月分の掛金及び組合員保険料）に相当する金額を控除することができる。

3　団体は、団体組合員の期末手当等（地方自治法第二百四条第

二項に規定する退職手当に相当する手当を含む。以下この項において同じ。）を支給するときは、その期末手当等から当該団体組合員が負担すべき掛金及び組合員保険料に相当する金額を控除することができる。

4　団体は、前二項の規定により控除されなかつた掛金及び組合員保険料の金額があるときは、団体組合員（団体組合員であつた者を含む。次項において同じ。）の給与を支給する際その給与から当該金額に相当する金額を控除することができる。

5　団体は、団体組合員が地方職員共済組合に対して支払うべき第百十二条第一項第四号の貸付けに係る償還金その他の金額があるときは、当該団体組合員に支給すべき給与から当該償還金その他の金額に相当する金額を控除して、これを当該団体組合員に代わつて地方職員共済組合に払い込まなければならない。

第百四十四条の十三から第百四十四条の十八まで　削除

（組合役職員に関する特例）

第百四十四条の十九　地方職員共済組合の組合役職員のうち、団体組合員業務に従事する者として理事長が指定する者は、第百四十一条の規定にかかわらず、団体職員とみなして、この法律の規定を適用する。この場合においては、第百四十四条の三第二項の表第二条第一項第五号の項及び第二条第一項第六号の項中「同項に規定する団体」とあり、同表第百十三条第二項各号列記以外の部分の項中「団体（第百四十四条の三第一項に規定する団体をいう。以下この条において同じ。）」とあり、並びに同表第百十三条第二項第三号及び第四号の項中「団体」とあるのは、「地方職員共済組合」とする。

（経理に関する取扱い）

第百四十四条の二十　地方職員共済組合は、団体組合員に係る事業に関する経理を、職員である組合員に係る事業に関する経理と区分してしなければならない。

（適用除外）

第百四十四条の二十一　第百二十二条の規定は、団体組合員に係る長期給付及び福祉事業に関する事項については、適用しない。

（健康保険法等との関係）

第百四十四条の二十二　団体組合員は、健康保険法第二百条の規定の適用については、同条第一項に規定する共済組合の組合員でないものとみなす。

2　団体組合員は、国民健康保険法第六条の規定の適用については、同条第三号に規定する地方公務員等共済組合法に基づく共済組合の組合員でないものとみなす。

第九章の三　雑則

（時効）

第百四十四条の二十三　短期給付を受ける権利はその給付事由が生じた日から二年間、退職等年金給付を受ける権利はその給付事由が生じた日から五年間、退職等年金給付の返還を受ける権利はこれを行使することができる時から五年間行使しないときは、時効によつて消滅する。

2　退職等年金給付の返還を受ける権利の時効については、その援用を要せず、また、その利益を放棄することができないものとする。

3　掛金（第百十三条第二項の掛金をいう。）及び負担金（団体に係るものに限る。）を徴収し、又はその還付を受ける権利は、これらを行使することができる時から二年間行使しないときは、時効によつて消滅する。

4　前項に規定する権利の時効については、その援用を要せず、また、その利益を放棄することができないものとする。

5　時効期間の満了前六月以内において、次に掲げる者の生死又は所在が不明であるためにその者に係る遺族給付の請求をすることができない場合には、その請求をすることができることとなつた日から六月以内は、当該権利の消滅時効は、完成しないものとする。

一　組合員又は組合員であつた者でその者が死亡した場合に遺族給付を受けるべき者があるもの

二　遺族給付を受ける権利を有する者のうち先順位者又は同順位者

（期間計算の特例）

第百四十四条の二十四　この法律の規定により給付の請求又は給付を受ける権利に係る申出若しくは届出に係る期間を計算する場合において、その請求、申出又は届出が郵便又は民間事業者による信書の送達に関する法律（平成十四年法律第九十九号）第二条第六項に規定する一般信書便事業者若しくは同条第九項に規定する特定信書便事業者による同条第二項に規定する信書便により行われたものであるときは、送付に要した日数は、その期間に算入しない。

（組合員等記号・番号等の利用制限等）

第百四十四条の二十四の二　主務大臣、組合、市町村連合会、地方公務員共済組合連合会、保険医療機関等、指定訪問看護事業者その他の短期給付及び長期給付の事業並びに福祉事業又はこれらの事業に関連する事務の遂行のため組合員等記号・番号等（保険者番号（主務大臣が健康保険法第三条第十一項に規定する保険者番号に準じて定めるものをいう。）及び組合員等記号・番号（組合が組合員又は被扶養者の資格を管理するための記号、番号その他の符号として、組合員又は被扶養者ごとに定めるものをいう。）をいう。以下この条において同じ。）を利用する者として主務省令で定める者（以下この条において「主務大臣等」という。）は、これらの事業又は事務の遂行のため必要がある場合を除き、何人に対しても、その者又はその者以外の者に係る組合員等記号・番号等を告知することを求めてはならない。

2　主務大臣等以外の者は、短期給付及び長期給付の事業並びに福祉事業又はこれらの事業に関連する事務の遂行のため組合員等記号・番号等の利用が特に必要な場合として主務省令で定める場合を除き、何人に対しても、その者又はその者以外の者に係る組合員等記号・番号等を告知することを求めてはならない。

3　何人も、次に掲げる場合を除き、その者が業として行う行為に関し、その者に対し売買、貸借、雇用その他の契約（以下この項において「契約」という。）の申込みをしようとする者若しくは申込みをする者又はその者と契約の締結をした者に対し、当該者又は当該者以外の者に係る組合員等記号・番号等を告知することを求めてはならない。

一　主務大臣等が、第一項に規定する場合に、組合員等記号・番号等を告知することを求めるとき。

二　主務大臣等以外の者が、前項に規定する主務省令で定める場合に、組合員等記号・番号等を告知することを求めるとき。

4　何人も、次に掲げる場合を除き、業として、組合員等記号・番号等の記録されたデータベース（その者以外の者に係る組合員等記号・番号等を含む情報の集合物であつて、それらの情報を電子計算機を用いて検索することができるように体系的に構成したものをいう。）であつて、当該データベースに記録された情報が他に提供されることが予定されているもの（以下この項において「提供データベース」という。）を構成してはならない。

一　主務大臣等が、第一項に規定する場合に、提供データベースを構成するとき。

二　主務大臣等以外の者が、第二項に規定する主務省令で定める場合に、提供データベースを構成するとき。

5　主務大臣は、前二項の規定に違反する行為が行われた場合において、当該行為をした者が更に反復してこれらの規定に違反する行為をするおそれがあると認めるときは、当該行為をした者に対し、当該行為を中止することを勧告し、又は当該行為が中止されることを確保するために必要な措置を講ずることを勧告することができる。

6　主務大臣は、前項の規定による勧告を受けた者がその勧告に従わないときは、その者に対し、期限を定めて、当該勧告に従うべきことを命ずることができる。

（戸籍書類の無料証明）

第百四十四条の二十五　市町村長（特別区の区長を含むものとし、指定都市にあつては、区長又は総合区長とする。）は、組合又は受給権者に対して、当該市町村又は特別区の条例で定めるところにより、組合員、組合員であつた者又は受給権者の戸籍に関し、無料で証明を行うことができる。

（資料の提供）

第百四十四条の二十五の二　組合は、年金である給付に関する処分に関し必要があると認めるときは、受給権者に対する厚生年金保険法による年金である保険給付（これに相当する給付として政令で定めるものを含む。）の支給状況につき、厚生労働大臣、国家公務員共済組合連合会又は日本私立学校振興・共済事業団に対し、必要な資料の提供を求めることができる。

（端数の処理）

第百四十四条の二十六　長期給付を受ける権利を決定し又は長期給付の額を改定する場合において、その長期給付の額に五十円未満の端数があるときは、これを切り捨て、五十円以上百円未満の端数があるときは、これを百円に切り上げるものとする。

2　前項に定めるもののほか、この法律による給付及び掛金等に係る端数計算については、別段の定めがあるものを除き、国等の債権債務等の金額の端数計算に関する法律（昭和二十五年法律第六十一号）第二条の規定を準用する。

（主務大臣の権限）

第百四十四条の二十七　組合（連合会を含む。以下この条において同じ。）の業務の執行は、主務大臣が監督する。

2　組合は、主務省令で定めるところにより、毎月末日現在における事業についての報告書を主務大臣に提出しなければならない。

3　主務大臣は、前項の規定による報告書の提出を受けたときは、遅滞なく、これを総務大臣に通知しなければならない。

4　主務大臣は、必要があると認めるときは、当該職員に組合の業務及び財産の状況を監査させるものとする。

5　主務大臣は、この法律の適正な実施を確保するため必要があると認めるときは、組合に対してその業務に関し、監督上必要な命令をすることができる。

第百四十四条の二十八　主務大臣は、組合の療養に関する短期給付についての費用の負担又は支払の適正化を図るため必要があると認めるときは、医師、歯科医師、薬剤師若しくは手当を行つた者若しくはこれらの者を使用する者に対し、その行つた診療、薬剤の支給若しくは手当に関し、報告若しくは診療録、帳簿書類その他の物件の提示を求め、若しくは当該職員に質問させ、又は当該給付に係る療養を行つた保険医療機関若しくは保険薬局若しくは当該保険医療機関若しくは保険薬局の開設者若しくは管理者、保険医、保険薬剤師その他の従業者であつた者（以下この項において「開設者であつた者等」という。）から報告若しくは資料の提出を求め、当該保険医療機関若しくは保険薬局の開設者若しくは管理者、保険医、保険薬剤師その他の従業者（開設者であつた者等を含む。）に対し出頭を求め、若しくは当該職員に関係者に対し質問させ、若しくは当該保険医療機関若しくは保険薬局につき設備若しくは診療録その他その業務に関する帳簿書類を検査させることができる。

2　主務大臣は、組合の指定訪問看護に関する短期給付についての費用の負担又は支払の適正化を図るため必要があると認めるときは、当該給付に係る指定訪問看護を行つた指定訪問看護事業者又は指定訪問看護事業者であつた者若しくは当該指定に係る訪問看護事業所の看護師その他の従業者であつた者（以下この項において「指定訪問看護事業者であつた者等」という。）から報告若しくは帳簿書類の提出若しくは提示を求め、当該指定訪問看護事業者若しくは当該指定に係る訪問看護事業所の看護師その他の従業者（指定訪問看護事業者であつた者等を含む。）に対し出頭を求め、又は当該職員に関係者に対し質問させ、若しくは当該指定訪問看護事業者の当該指定に係る訪問看護事業所につき帳簿書類その他の物件を検査させることができる。

3　主務大臣は、第百四十四条の二十四の二第五項及び第六項の規定による措置に関し必要があると認めるときは、その必要と認められる範囲内において、同条第三項若しくは第四項の規定に違反していると認めるに足りる相当の理由がある者に対し、必要な事項に関し報告を求め、又は当該職員に当該者の事務所若しくは事業所に立ち入つて質問させ、若しくは帳簿書類その他の物件を検査させることができる。

4　当該職員は、前三項の規定により質問又は検査をする場合には、その身分を示す証明書を携帯し、関係人にこれを提示しなければならない。

5　第一項から第三項までの質問又は検査の権限は、犯罪捜査のために認められたものと解してはならない。

（主務大臣等）

第百四十四条の二十九　この法律における主務大臣及び主務省令は、地方職員共済組合、都職員共済組合等、市町村職員共済組合及び都市職員共済組合並びに連合会については総務大臣及び総務省令、公立学校共済組合については文部科学大臣及び文部科学省令、警察共済組合については内閣総理大臣及び内閣府令とする。

2　主務大臣は、主務省令を定めるときは、あらかじめ、総務大臣に協議しなければならない。

3　第百四十四条の二十七第一項及び第四項並びに前条第一項及び第二項に規定する総務大臣の権限に属する事務の一部は、政令で定めるところにより、都道府県知事が行うこととすることができる。

4　この法律に規定する警察共済組合に係る内閣総理大臣の権限は、警察庁長官が補佐する。

（医療に関する事項等の報告）

第百四十四条の三十　組合は、内閣府令・総務省令・文部科学省令・厚生労働省令で定めるところにより、この法律に定める医療に関する事項その他この法律の規定による短期給付に関する事項について、厚生労働大臣に報告しなければならない。

（地方公共団体又は特定地方独立行政法人の報告等）

第百四十四条の三十一　地方公共団体又は特定地方独立行政法人は、政令で定めるところにより、組合員の異動、給与等に関し、組合に報告し、又は文書を提示し、その他組合の業務の執行に必要な事務を行うものとする。

（地方職員共済組合の報告徴取等）

第百四十四条の三十二　地方職員共済組合は、総務省令で定めるところにより、団体に、その使用する団体組合員の異動、給与等に関し、報告をさせ、又は文書を提示させ、その他団体組合員業務の執行に必要な事務を行わせることができる。

2　地方職員共済組合は、総務省令で定めるところにより、団体組合員又は団体組合員に係る長期給付を受けるべき者に、地方職員共済組合又は団体に対して、団体組合員業務の執行に必要な申出若しくは届出をさせ、又は文書を提出させることができる。

（社会保険診療報酬支払基金等への事務の委託）

第百四十四条の三十三　組合は、次に掲げる事務を社会保険診療報酬支払基金法による社会保険診療報酬支払基金又は国民健康保険法第四十五条第五項に規定する国民健康保険団体連合会に委託することができる。

一　第五十三条第一項に規定する短期給付のうち総務省令で定めるものの支給に関する事務

二　第五十三条第一項に規定する短期給付の支給、第百十二条第一項及び第百十二条の二第一項に規定する福祉事業の実施その他の総務省令で定める事務に係る組合員若しくは組合員であつた者又はこれらの被扶養者（次号において「組合員等」という。）に係る情報の収集又は整理に関する事務

三　第五十三条第一項に規定する短期給付の支給、第百十二条第一項及び第百十二条の二第一項に規定する福祉事業の実施その他の総務省令で定める事務に係る組合員等に係る情報の利用又は提供に関する事務

2　組合は、前項の規定により同項第二号又は第三号に掲げる事務を委託する場合は、他の社会保険診療報酬支払基金法第一条に規定する保険者及び法令の規定により医療に関する給付その他の事務を行う者であつて主務省令で定めるものと共同して委託するものとする。

（関係者の連携及び協力）

第百四十四条の三十四　国、組合及び保険医療機関等その他の関係者は、電子資格確認の仕組みの導入その他手続における情報通信の技術の利用の推進により、医療保険各法等（高齢者の医療の確保に関する法律第七条第一項に規定する医療保険各法及び高齢者の医療の確保に関する法律をいう。）その他医療に関する給付を定める法令の規定により行われる事務が円滑に実施されるよう、相互に連携を図りながら協力するものとする。

（地方公務員法との関係）

第百四十五条　この法律の定めるところにより行われる短期給付及び長期給付の制度は、一般職に属する職員については、地方公務員法第四十三条に規定する共済制度とする。

（経過措置）

第百四十五条の二　この法律に基づき政令を制定し、又は改廃する場合においては、政令で、その制定又は改廃に伴い合理的に必要と認められる範囲内において、所要の経過措置を定めることができる。

（主務省令への委任）

第百四十六条　第三条から第百四十四条の三十四までの規定の実施のための手続その他これらの規定の執行に関し必要な細則は、主務省令で定める。

第十章　罰則

第百四十六条の二　第十九条の二（第三十八条第一項及び第三十八条の九第一項において準用する場合を含む。）の規定に違反して、秘密を漏らし、又は盗用した者は、一年以下の懲役又は百万円以下の罰金に処する。

第百四十六条の三　第百四十四条の二十四の二第六項の規定による命令に違反した者は、一年以下の懲役又は五十万円以下の罰金に処する。

第百四十七条　次の各号のいずれかに該当する者は、三十万円以下の罰金に処する。

一　第百四十四条の二十七第二項又は第四項の規定に違反して、報告をせず、若しくは虚偽の報告をし、又は監査を拒み、妨げ、若しくは忌避した者

二　正当な理由がなく第百四十四条の二十八第三項の規定による報告をせず、若しくは虚偽の報告をし、又は同項の規定による質問に対して正当な理由がなく答弁せず、若しくは虚偽の答弁をし、若しくは正当な理由がなく同項の規定による検査を拒み、妨げ、若しくは忌避した者

第百四十七条の二　法人（法人でない社団又は財団で代表者又は管理人の定めがあるもの（以下この条において「人格のない社団等」という。）を含む。以下この項において同じ。）の代表者（人格のない社団等の管理人を含む。）又は法人若しくは人の代理人、使用人その他の従業者が、その法人又は人の業務に関して、第百四十六条の三又は前条第二号の違反行為をしたときは、行為者を罰するほか、その法人又は人に対しても、各本条の罰金刑を科する。

2　人格のない社団等について前項の規定の適用がある場合には、その代表者又は管理人がその訴訟行為につき当該人格のない社団等を代表するほか、法人を被告人又は被疑者とする場合の刑事訴訟に関する法律の規定を準用する。

第百四十八条　次の各号のいずれかに該当する場合には、その違反行為をした組合役職員、連合会役職員その他組合又は連合会の事務を行う者は、二十万円以下の過料に処する。

一　この法律により主務大臣の認可又は承認を受けなければならない場合において、その認可又は承認を受けなかつたとき。

二　第五条第七項、第十七条第二項、第二十一条第二項又は第二十二条第二項（これらの規定を第三十八条第一項又は第三十八条の九第一項において準用する場合を含む。）の規定に違反して、報告をせず、又は虚偽の報告をしたとき。

三　第二十五条前段（第三十八条第一項又は第三十八条の九第一項において準用する場合を含む。）又は第三十六条第四項、第三十八条の八第四項若しくは第三十八条の八の二第四項の規定に違反して、組合若しくは連合会の業務上の余裕金を運用したとき。

三の二　第百十二条の四第六項若しくは第七項、第百十二条の十第六項、第百十二条の十一第六項若しくは第七項又は第百十二条の十五第一項の規定に違反して、公表をせず、又は虚偽の公表をしたとき。

四　第百十二条の四第八項、第百十二条の七第四項、第百十二条の十一第八項、第百十二条の十四第四項又は第百四十四条の二十七第五項の規定による主務大臣の命令に違反したとき。

五　この法律に規定する業務又は他の法律により組合若しくは連合会が行うものとされた業務以外の業務を行つたとき。

第百四十九条　連合会の役員が第二十九条第一項（第三十八条の九第一項において準用する場合を含む。）の規定による政令に違反して登記することを怠つたときは、二十万円以下の過料に処する。

第百五十条　医師、歯科医師、薬剤師若しくは手当を行つた者又はこれらの者を使用する者が第百四十四条の二十八第一項の規定による報告若しくは診療録、帳簿書類その他の物件の提示を命ぜられて正当な理由がなくこれに従わず、又は同項の規定による質問に対して正当な理由がなく答弁せず、若しくは虚偽の答弁をしたときは、十万円以下の過料に処する。

第百五十一条　第百四十四条の三十二の規定による報告、申出若しくは届出をせず、若しくは虚偽の報告、申出若しくは届出をし、又は文書の提示若しくは提出を怠つた者は、十万円以下の過料に処する。

附　則（抄）

（施行期日）

第一条　この法律は、昭和三十七年十二月一日（以下「施行日」という。）から施行する。ただし、第百三十二条第一項、第二項及び第四項、附則第三条第三項及び第四項、附則第五条第一項から第七項まで、附則第六条第一項から第七項まで、附則第七条、附則第八条、附則第九条第一項から第四項まで、附則第十条第二項、附則第二十九条、附則第三十三条並びに附則第四十二条の規定は、公布の日から施行する。

（法律の廃止）

第二条　次に掲げる法律は、廃止する。

一　町村職員恩給組合法（昭和二十七年法律第百十八号）

二　市町村職員共済組合法

三　地方議会議員互助年金法（昭和三十六年法律第百二十号）

（組合の存続）

第三条　この法律による改正前の国家公務員共済組合法第三条第二項第一号ニ及び同法附則第二十条第一項第二号の規定に基づく地方職員共済組合、同法附則第二十条第一項第三号の規定に基づく公立学校共済組合又は同法第三条第二項第一号イ及び同法附則第二十条第一項第一号の規定に基づく警察共済組合（以下この条、附則第十五条及び附則第十六条において、「旧組合」という。）は、昭和三十七年十二月一日において、それぞれ第三条第一項第一号から第三号までに掲げる地方職員共済組合、公立学校共済組合又は警察共済組合となり、同一性をもつて存続するものとする。

2　旧組合の運営規則でこの法律の規定に抵触するものは、施行日からその効力を失うものとする。

3　自治大臣、文部大臣及び警察庁長官は、施行日の前日までに、それぞれ旧組合の運営審議会の議を経て、第五条の規定の例により、地方職員共済組合等の定款を定め、及び主務省令で定めるところにより施行日を含む事業年度のうち同日以後の期間に係る事業計画及び予算を作成し、並びに当該定款、事業計画及び予算につき主務大臣の認可を受けるものとする。

4　前項の主務大臣の定款の認可については、第五条第四項から第六項までの規定の例による。

5　地方職員共済組合等は、施行日に、第三項の規定により認可を受けた定款を公告しなければならない。

（地方職員共済組合等の運営審議会の委員等の任命の特例）

第三条の二　地方職員共済組合等の運営審議会の委員の任命については、当分の間、第七条第二項中「組合員」とあるのは、「組合員又は組合員であつた者（運営審議会の委員であつた者に限る。）」として、同項の規定を適用する。

2　都職員共済組合等、市町村職員共済組合及び都市職員共済組合の組合会の議員の選挙については、当分の間、第九条第二項（同条第四項において準用する場合を含む。）中「組合員が組合員のうち」とあるのは「組合員が組合員又は組合員であつた者（組合会の議員であつた者に限る。）のうち」と、同条第三項中「それぞれのうち」とあるのは、「市町村長及び市町村長以外の組合員又は市町村長以外の組合員であつた者（組合会の議員であつた者に限る。）のうち」として、これらの規定を適用する。

（町村職員恩給組合等の解散）

第四条　旧町村職員恩給組合法第二条の町村職員恩給組合（以下「旧町村職員恩給組合」という。）及び同法の規定に基づく町村職員恩給組合連合会（以下「旧町村職員恩給組合連合会」という。）並びに旧市町村職員共済組合法の規定に基づく市町村職員共済組合（以下「旧市町村職員共済組合」という。）及び市町村職員共済組合連合会（以下「旧市町村職員共済組合連合会」という。）は、この法律の施行の時において、解散するものとする。

（都職員共済組合等の設立）

第五条　都職員共済組合設立委員又は指定都市職員共済組合設立委員（以下この条において「組合設立委員」という。）は、都知事又は指定都市の市長が都（特別区を含む。以下この項及び第三項において同じ。）又は指定都市の職員のうちから指名する者十人以内及びこれと同数の、都又は指定都市の職員がその職員のうちから選挙する者とする。

2　都知事又は指定都市の市長は、昭和三十七年十月五日までに、組合設立委員の指名をしなければならない。

3 都知事又は指定都市の市長は、昭和三十七年十月二日までに、都又は指定都市の職員のうちから十人以内を、都職員共済組合設立委員選挙管理人（以下この条において「選挙管理人」という。）として指名しなければならない。

4 選挙管理人は、昭和三十七年十月十五日までに、組合設立委員の選挙を行なわなければならない。

5 組合設立委員は、昭和三十七年十月二十七日までに、第五条第一項各号に掲げる事項及び同条第二項に定める事項について定款を定め、並びに主務省令で定めるところにより施行日を含む事業年度のうち同日以後の期間に係る事業計画及び予算を作成し、その定款、事業計画及び予算について自治大臣の認可を申請しなければならない。

6 自治大臣は、前項に規定する認可をしたときは、直ちにその旨を告示するものとする。

7 組合設立委員は、前項の規定による告示があつたときは、昭和三十七年十一月二十四日までに、第十三条第三項、第六項及び第七項の規定の例により理事長となるべき者、理事となるべき者及び監事となるべき者を選挙しなければならない。

8 都職員共済組合等は、第六項の規定による告示があつたときは、施行日に、成立する。この場合において、都職員共済組合等は、遅滞なく、その定款を公告しなければならない。

9 組合設立委員並びに第七項の理事長となるべき者、理事となるべき者及び監事となるべき者は、都職員共済組合等の成立の日において、都職員共済組合等の組合会の議員、理事長、理事及び監事となるものとする。

10 都職員共済組合等の設立に要する費用は、当該都職員共済組合等が負担するものとする。

（指定都市職員共済組合の設立の特例）

第五条の二 昭和四十二年度以後における地方公務員等共済組合法の年金の額の改定等に関する法律等の一部を改正する法律（昭和五十七年法律第七十二号）の公布の日以後に地方自治法第二百五十二条の十九第一項の規定により指定された指定都市の職員については、当分の間、第三条第一項第五号の規定は、適用しない。この場合において、当該職員は、引き続き指定都市以外の市の職員であるものとみなして、同項及び同条第二項の規定を適用する。

（市町村職員共済組合の設立）

第六条 都道府県知事は、昭和三十七年十月二日までに、市町村長及び市町村長以外の市町村の職員のうちからそれぞれ十人以内の同数の者を市町村職員共済組合設立委員選挙管理人（以下この条において「選挙管理人」という。）として指名しなければならない。

2 選挙管理人は、昭和三十七年十月五日までに、市町村職員共済組合設立委員（以下この条において「組合設立委員」という。）の定数を二十人以内（政令で定める市町村職員共済組合に係るものにあつては、二十人をこえ三十人以内）において定めなければならない。

3 組合設立委員は、市町村長及び市町村長以外の市町村の職員がそれぞれのうちから同数を選挙するものとする。

4 選挙管理人は、昭和三十七年十月十五日までに、組合設立委員の選挙を行なわなければならない。

5 組合設立委員は、昭和三十七年十月二十七日までに、第五条第一項各号に掲げる事項について定款を定め、並びに主務省令で定めるところにより施行日を含む事業年度のうち同日以後の期間に係る事業計画及び予算を作成し、その定款、事業計画及び予算について自治大臣の認可を申請しなければならない。

6 自治大臣は、前項に規定する認可をしたときは、直ちにその旨を告示するものとする。

7 組合設立委員は、前項の規定による告示があつたときは、昭和三十七年十一月二十四日までに、第十三条第四項、第六項及び第七項の規定の例により理事長となるべき者、理事となるべき者及び監事となるべき者を選挙しなければならない。

8 市町村職員共済組合は、第六項の規定による告示があつたときは、施行日に、成立する。この場合において、市町村職員共済組合は、遅滞なく、その定款を公告しなければならない。

9 組合設立委員並びに第七項の理事長となるべき者、理事となるべき者及び監事となるべき者は、市町村職員共済組合の成立の日において、市町村職員共済組合の組合会の議員、理事長、理事及び監事となるものとする。

10 市町村職員共済組合の設立に要する費用は、当該市町村職員共済組合が負担するものとする。

（都市職員共済組合を設立する旨の申出）

第七条 第三条第二項の規定により都市職員共済組合を設けようとする一の市又は二以上の市の長は、昭和三十七年九月二十五日までに、政令で定めるところにより、その旨を都道府県知事に申し出なければならない。

（都市職員共済組合の設立）

第八条 都市職員共済組合の設立については、次の各号に定めるところによる。

一 当該設立される都市職員共済組合が一の市の職員をもつて組織される場合にあつては、附則第五条に規定する都職員共済組合等の設立の方法の例によるものとする。

二 当該設立される都市職員共済組合が二以上の市の職員をもつて組織される場合にあつては、当該二以上の市の長の協議により、附則第五条に規定する都職員共済組合等の設立の方法又は附則第六条に規定する市町村職員共済組合の設立の方法のいずれかの例によるものとする。この場合において、附則第五条に規定する都職員共済組合等の設立の方法の例によるのは、当該二以上の市の数が当該方法の例により定めるべき組合設立委員の定数の半数に満たない場合とし、附則第六条に規定する市町村職員共済組合の設立の方法によるのは、当該二以上の市の数が当該方法の例により定めるべき組合設立委員の定数の半数以上である場合とする。

2 前項の場合において、附則第五条に規定する都職員共済組合等の設立の方法の例によるときは、当該二以上の市の長が協議して定める市長が選挙管理人及び組合設立委員を指名するものとする。

（市町村職員共済組合連合会等の設立）

第九条 自治大臣は、昭和三十七年十一月二十六日までに、市町村職員共済組合又は都市職員共済組合の理事長となるべき者の会議を招集しなければならない。

2 市町村職員共済組合又は都市職員共済組合の理事長となるべき者は、前項に規定する会議において、地方公務員等共済組合法の一部を改正する法律（昭和五十八年法律第五十九号。以下

「昭和五十八年法律第五十九号」という。）による改正前の地方公務員等共済組合法第二十七条第一項の規定に基づく市町村職員共済組合連合会及び都市職員共済組合連合会（以下「旧連合会」という。）の理事長となるべき者を互選し、並びに同法第二十八条第一項各号に掲げる事項について定款を定め、施行日を含む事業年度のうち同日以後の期間に係る事業計画及び予算を作成しなければならない。

3　前項の規定により旧連合会の理事長となるべき者として互選された者は、昭和三十七年十一月二十八日までに、前項の定款、事業計画及び予算について自治大臣の認可を申請しなければならない。

4　自治大臣は、前項に規定する認可をしたときは、直ちにその旨を告示するものとする。

5　旧連合会は、前項の規定による告示があつたときは、施行日に、成立する。この場合において、旧連合会は、遅滞なく、その定款を公告しなければならない。

6　第二項の旧連合会の理事長となるべき者は、旧連合会の成立の日において、旧連合会の理事長となるものとする。

7　旧連合会の設立に要する費用は、当該旧連合会が負担するものとする。

第十条　削除

（**権利義務に関する経過措置**）

第十一条　市町村職員共済組合又は昭和五十八年法律第五十九号による改正前の地方公務員等共済組合法第二十七条第一項の規定に基づく市町村職員共済組合連合会は、この法律の施行に伴い解散する旧町村職員恩給組合及び旧市町村職員共済組合又は旧町村職員恩給組合連合会及び旧市町村職員共済組合連合会の権利義務をそれぞれ承継するものとする。この場合において、施行日前に旧町村職員恩給組合を組織していた市町村（以下次項までにおいて「恩給組合加入市町村」という。）の職員であつた者に係る旧町村職員恩給組合の条例の規定による給付の支払に要する費用については、次項及び第五項の規定の適用がある場合を除き、総務省令で定めるところにより、恩給組合加入市町村が負担する。

2　恩給組合加入市町村をもつて組織する地方自治法第二百八十四条に規定する一部事務組合で恩給組合加入市町村に係る次の各号に掲げる費用を市町村職員共済組合に払い込む事務を共同して行なうためのものが施行日に成立したときは、前項の規定にかかわらず、当該一部事務組合が当該旧町村職員恩給組合の財産を承継するものとする。

一　施行日前に恩給組合加入市町村の職員であつた者で市町村職員共済組合の組合員となつたものについて生ずる追加費用

二　施行日前に恩給組合加入市町村の職員であつた者に係る旧町村職員恩給組合の条例の規定による給付の支払に要する費用

3　前項の一部事務組合の財務に関する事項については、旧町村職員恩給組合法第六条の二から第六条の六までの規定の例によるほか、地方自治法第百六十八条から第百七十一条まで及び第二編第九章（第二百八条、第二百三十二条の二、第二百三十五条の二第一項及び第三項、第二百三十六条並びに第二百四十三条の二を除く。）の規定は、準用しない。

4　第二項の承継及び同項の一部事務組合における資産の運用その他財務に関し必要な事項は、前項に定めるもののほか、政令で定める。

5　第二項の一部事務組合が解散した場合においては、当該一部事務組合を組織していた市町村の職員をもつて組織する市町村職員共済組合は、当該一部事務組合の権利義務を承継するものとし、当該一部事務組合を組織していた市町村は、当該一部事務組合の解散の日前に係る同項各号に掲げる費用で市町村職員共済組合に払込みがされていないもの及び同日以後に係る同項第二号に掲げる費用を総務省令で定めるところにより負担するものとする。

6　都職員共済組合、都市職員共済組合、指定都市職員共済組合又は市町村職員共済組合は、附則第二十九条第二項の規定により解散する健康保険組合の権利義務をそれぞれ承継するものとする。

（**旧町村職員恩給組合等の職員の身分取扱い**）

第十二条　地方職員共済組合等以外の組合及び旧連合会は、この法律の施行に伴い解散する旧町村職員恩給組合、旧市町村職員共済組合、健康保険組合、旧町村職員恩給組合連合会及び旧市町村職員共済組合連合会の職員がそれぞれ引き続き組合及び旧連合会の職員としての身分を取得するように措置しなければならない。

（**従前の給付等**）

第十三条　この附則（附則第四十条の規定に基づく別に定める法律を含む。）に別段の規定があるもののほか、施行日前に国家公務員共済組合法、旧市町村職員共済組合法、健康保険法、船員保険法並びに旧町村職員恩給組合の退職年金及び退職一時金に関する条例の規定に基づいてした給付、審査の請求その他の行為又は手続で施行日以後その法令上の効力が失われるものは、この法律中の相当する規定によつてした行為又は手続とみなす。

（**被扶養者に関する経過措置**）

第十四条　施行日の前日において旧市町村職員共済組合法、健康保険法又は船員保険法（以下この条において「旧市町村職員共済組合法等」という。）に規定する被扶養者であつた者で第二条第一項第二号に掲げる被扶養者に該当しないもののうち次の各号の一に該当するものの被扶養者としての資格については、その者が引き続き主として第一号の組合員等の収入により生計を維持している間に限り、第二条第一項第二号の規定にかかわらず、なお従前の例による。ただし、第一号に該当する者にあつては、当該傷病手当金及びその給付事由である病気又は負傷により生じた病気による傷病手当金以外の給付、第二号に該当する者にあつては、その傷病により生じた病気についての家族療養費以外の給付については、この限りでない。

一　この法律の施行の際現に旧市町村職員共済組合法等の規定による傷病手当金の支給を受け、かつ、病院又は診療所に収容されている旧市町村職員共済組合の組合員若しくは組合員であつた者又は健康保険若しくは船員保険の被保険者若しくは被保険者であつた者（次号において「組合員等」という。）によつて生計を維持している者

二　その病気又は負傷につき、この法律の施行の際現に組合員等が旧市町村職員共済組合法等の規定による家族療養費の支給を受けている者

（**遺族の範囲の特例**）

第十四条の二　退職等年金給付に関する規定の適用については、当分の間、組合員（警察官、皇宮護衛官、消防吏員その他の職務内容の特殊な職員で総務省令で定めるものに限る。）が、その生命又は身体に対する高度の危険が予測される状況の下において犯罪の捜査、火災の鎮圧その他の総務省令で定めるものに従事し、そのため公務傷病により死亡した場合において、その死亡した者と生計を共にしていた配偶者、子又は父母（第二条第一項第三号に掲げる者に該当するものを除く。）があるときは、これらの者を同号に規定する遺族とみなす。

2　前項に規定する場合における退職等年金給付に関する規定の適用については、当分の間、第二条第三項中「夫、父母又は祖父母は五十五歳以上の者に、子若しくは孫は」とあるのは「子又は孫は」と、「二十歳未満で」とあるのは「組合員若しくは組合員であつた者の死亡の当時から引き続き」とし、第百七条第二項（第三号に係る部分に限る。）の規定は、適用しない。

（市町村連合会が行う共同事業）

第十四条の三　市町村連合会は、第二十七条第二項に規定する業務及び同条第三項各号に掲げる事業のほか、当分の間、政令で定めるところにより、次に掲げる事業を行うことができる。

一　構成組合（第二十七条第二項に規定する構成組合をいう。以下この条において同じ。）の短期給付（第五十四条に規定する短期給付を除く。次号において同じ。）の掛金（前期高齢者納付金等及び後期高齢者支援金等、介護納付金並びに流行初期医療確保拠出金等に係るものを含む。次号において同じ。）に係る不均衡を調整するための交付金（第五項において「調整交付金」という。）を構成組合に交付する事業

二　構成組合の短期給付の掛金に係る著しい不均衡（総務大臣が定める基準を超えるものをいう。）を調整するための交付金（第五項において「特別調整交付金」という。）を構成組合に交付する事業

三　構成組合が行う育児休業手当金、育児休業支援手当金、介護休業手当金及び育児時短勤務手当金の事業の円滑な実施を図るため、育児休業手当金、育児休業支援手当金、介護休業手当金及び育児時短勤務手当金に要する資金を構成組合に交付する事業

四　前三号に掲げる事業のほか、構成組合の短期給付に係る事業のうち共同して行うことが適当と認められるものとして政令で定める事業

2　市町村連合会が前項の規定により行う事業に要する費用は、構成組合からの市町村連合会に対する拠出金をもつて充てるものとする。

3　前項の拠出金のうち第一項第二号の事業に係るものの拠出に要する費用は、国、地方公共団体、特定地方独立行政法人、第百四十一条の二に規定する職員引継一般地方独立行政法人、第百四十一条の三に規定する定款変更一般地方独立行政法人、第百四十一条の四に規定する職員引継等合併一般地方独立行政法人若しくは職員団体又は構成組合若しくは連合会が、政令で定めるところにより、負担するものとする。

4　構成組合は、政令で定めるところにより、第二項の拠出金を市町村連合会に拠出するものとする。

5　調整交付金又は特別調整交付金の交付を受ける構成組合に係る第百十三条第一項第一号及び第二号並びに第二項第一号及び第二号並びに第百十四条第三項の規定の適用については、これらの交付金は、掛金とみなす。

6　第二項から前項までに規定するもののほか、第一項の規定により行う事業の実施に関し必要な事項は、政令で定める。

第十四条の四から第十四条の五まで　削除

（市町村連合会の総会の議員の定数の特例）

第十四条の六　市町村連合会の当面の円滑な運営を期するため、第三十条第二項の規定にかかわらず、昭和五十八年法律第五十九号の施行の日から政令で定める日までの間は、市町村連合会の総会は、議員七十一人をもつて組織するものとする。この場合において、同条第三項中「四十七人」とあるのは「五十五人」と、「十四人」とあるのは「十六人」として、同項の規定を適用する。

（地方公務員共済組合連合会の運営審議会の委員の任命の特例）

第十四条の七　地方公務員共済組合連合会の運営審議会の委員の任命については、当分の間、第三十八条の四第三項中「組合員」とあるのは、「組合員又は組合員であつた者（組合の運営審議会の委員又は組合会の議員である者に限る。）」として、同項の規定を適用する。

（国家公務員共済組合の組合員等であつた期間に係る給付の取扱い）

第十五条　旧組合若しくは旧市町村職員共済組合の組合員又は健康保険若しくは船員保険の被保険者で組合の成立と同時に組合員となつたものに対する短期給付に関する規定の適用については、これらの者は、当該組合の成立前の旧組合若しくは旧市町村職員共済組合の組合員又は健康保険若しくは船員保険の被保険者であつた期間、当該組合の組合員であつたものとみなし、当該組合の成立の際現に国家公務員共済組合法の規定による短期給付、旧市町村職員共済組合法の規定による保健給付若しくは休業給付又は健康保険法若しくは船員保険法の規定による保険給付（以下この条において「国家公務員共済組合法による短期給付等」という。）を受けている場合においては、当該国家公務員共済組合法による短期給付等は、この法律に基づいて当該国家公務員共済組合法による短期給付等に相当する給付として受けていたものとみなして、当該組合は、当該組合が成立した日以後に係る給付を支給する。

（資格喪失後の給付に関する経過措置）

第十六条　施行日前に旧組合若しくは旧市町村職員共済組合の組合員の資格又は附則第二十九条第二項の規定により解散する健康保険組合の被保険者（次項において「解散健康保険組合の被保険者」という。）の資格を喪失した者で組合員とならなかつたものが、施行日以後に出産し、又は死亡した場合において、国家公務員共済組合法、旧市町村職員共済組合法又は健康保険法（以下この条において「国家公務員共済組合法等」という。）の規定を適用するとしたならば国家公務員共済組合法による短期給付、旧市町村職員共済組合法による保険給付若しくは休業給付又は健康保険法による保険給付を受けることができるときは、これらの給付は、国家公務員共済組合法等の規定の例により組合が支給する。ただし、資格喪失後出産し、又は死亡するまでの間に他の法律に基づく共済組合でこれらの給付に相当する給付を行なうものの組合員その他健康保険又は船員保険の被保険者の資格を取得したときは、この限りでない。

２　この法律の施行の際現に国家公務員共済組合法第五十九条第二項（同法第六十六条第四項において準用する場合を含む。）若しくは同法第六十七条第四項の規定により支給されている給付で旧組合の組合員に係るもの、旧市町村職員共済組合法第三十五条第二項（同法第五十七条第五項において準用する場合を含む。）若しくは同法第五十八条第三項の規定により支給されている給付又は健康保険法第五十五条の規定により支給されている給付で解散健康保険組合の被保険者に係るものについては、なお従前の例により組合が支給する。

３　第六十一条第二項の規定は、前項の規定による家族療養費を受けている者が死亡した場合についても、適用する。

（一部負担金に関する経過措置）

第十七条　組合は、当分の間、組合員が第五十七条第二項又は第三項に規定する一部負担金を支払つたことにより生じた余裕財源の範囲内で、一部負担金の払戻しその他の措置で主務大臣の定めるものを行うことができる。

（介護休業手当金に関する暫定措置）

第十七条の二　第七十条の四第一項及び第三項の規定の適用については、当分の間、これらの規定中「百分の四十」とあるのは、「百分の六十七」とする。

（令和六年度及び令和七年度の出産育児交付金の特例）

第十七条の三　令和六年度及び令和七年度においては、第百十三条の二第二項において準用する健康保険法第百五十二条の四及び第百五十二条の五中「に同年度」とあるのは、「の二分の一に相当する額に同年度」とする。

（特例退職組合員に対する短期給付等）

第十八条　主務省令で定める要件に該当するものとして主務大臣の認可を受けた組合（以下この条において「特定共済組合」という。）の組合員であつた者で健康保険法等の一部を改正する法律（平成十八年法律第八十三号）第十三条の規定による改正前の国民健康保険法第八条の二第一項に規定する退職被保険者であるべきもののうち当該特定共済組合の定款で定めるものは、主務省令で定めるところにより、当該特定共済組合の組合員として短期給付を受けることを希望する旨を当該特定共済組合に申し出ることができる。ただし、第百四十四条の二第二項に規定する任意継続組合員であるときは、この限りでない。

２　前項本文の規定により申出をした者は、この法律の規定中短期給付に係る部分の適用については、別段の定めがあるものを除き、当該特定共済組合の組合員であるものとみなす。

３　前項の規定により特定共済組合の組合員であるものとみなされた者（以下この条において「特例退職組合員」という。）は、第一項の申出が受理された日からその資格を取得するものとする。

４　特例退職組合員は、同時に二以上の組合の組合員（国の組合の組合員、私学共済制度の加入者及び健康保険の被保険者（健康保険法第三条第二項に規定する日雇特例被保険者を除く。）を含む。）となることができない。

５　特例退職組合員は、当該特定共済組合が、その者の短期給付に係る掛金及び地方公共団体の負担金（前期高齢者納付金等及び後期高齢者支援金等並びに流行初期医療確保拠出金等に係る掛金及び地方公共団体の負担金を含み、第百十三条第一項に規定する介護保険第二号被保険者の資格を有する特例退職組合員にあつては、介護納付金に係る掛金及び地方公共団体の負担金を含む。）の合算額を基礎として定款で定める金額（以下この項において「特例退職掛金」という。）を、毎月、政令で定めるところにより、当該特定共済組合に払い込まなければならない。この場合における標準報酬の月額は、第四十三条の規定にかかわらず、前年（一月から三月までの標準報酬の月額にあつては、前々年）の九月三十日における当該特例退職組合員の属する特定共済組合の短期給付に関する規定の適用を受ける全ての組合員（特例退職組合員を除く。）の標準報酬の月額の平均額の範囲内で定款で定める金額を標準報酬の基礎となる報酬月額とみなしたときの標準報酬の月額とする。

６　第六十八条、第七十条から第七十条の五まで、第七十二条及び第七十三条の規定にかかわらず、特例退職組合員については、傷病手当金、休業手当金、育児休業手当金、育児休業支援手当金、介護休業手当金、育児時短勤務手当金、弔慰金及び家族弔慰金並びに災害見舞金は、支給しない。

７　特例退職組合員は、第百四十四条の二第二項に規定する任意継続組合員とみなして同条第三項、第四項並びに第五項第一号及び第三号の規定を適用する。この場合において、同条第四項中「第一項」とあるのは「附則第十八条第一項」と、同条第五項第一号中「任意継続組合員となつた日から起算して二年を経過したとき」とあるのは「健康保険法等の一部を改正する法律（平成十八年法律第八十三号）第十三条の規定による改正前の国民健康保険法第八条の二第一項に規定する退職被保険者であるべき者に該当しなくなつたとき」と読み替えるものとする。

８　第百十四条の二及び第百十四条の二の二の規定は、特例退職組合員については、適用しない。

９　特例退職組合員に対する短期給付の支給の特例その他特例退職組合員に関し必要な事項は、政令で定める。

（支給の繰上げ）

第十九条　当分の間、一年以上の引き続く組合員期間を有する者であり、かつ、退職している者であつて、六十歳以上六十五歳未満であるものは、退職年金の支給を組合に請求することができる。

２　前項の請求があつたときは、その請求をした者に退職年金を支給する。この場合においては、第八十八条の規定は、適用しない。

３　第一項の請求があつた場合における第七十七条から第九十三条までの規定の適用については、第七十七条第一項中「退職等年金給付の給付事由が生じた日」とあるのは「附則第十九条第一項の請求をした日」と、「給付事由が生じた日の」とあるのは「請求をした日の」と、同条第三項中「退職等年金給付の給付事由が生じた日」とあるのは「附則第十九条第一項の請求をした日」とするほか、必要な技術的読替えは、政令で定める。

４　前三項に定めるもののほか、退職年金の支給の繰上げについて必要な事項は、政令で定める。

（日本国籍を有しない者に対する一時金の支給）

第十九条の二　当分の間、組合員期間が一年以上である日本国籍を有しない者であり、かつ、退職している者（第四十二条第一項の規定による退職等年金給付の請求を行つた者を除く。）であつて、当該組合員期間に係る厚生年金保険法附則第二十九条第一項の規定による脱退一時金の支給を請求したものは、一時金の支給を請求することができる。ただし、その者が公務障害年金その他政令で定める給付を受ける権利を有したことがあるときは、この限りでない。

2　前項の請求があつたときは、その請求をした者に一時金を支給する。

3　前項の規定による一時金の額は、退職をした日における給付算定基礎額の二分の一に相当する金額とする。この場合において、第七十七条第一項中「退職等年金給付」とあるのは「退職をした日における当該退職等年金給付の給付事由が生じた日における一時金」と、「当該給付事由が生じた日の」とあるのは「当該退職をした日の」と、同条第三項中「退職等年金給付の給付事由が生じた日」とあるのは「同項に規定する退職をした日」とする。

4　第二項の規定による一時金の支給を受けたときは、その額の算定の基礎となつた組合員であつた期間は退職等年金給付に関する規定の適用について組合員期間でなかつたものとみなし、当該期間に係る給付算定基礎額は零とみなす。

5　第二項の規定による一時金について第五十一条及び第五十二条の規定を適用する場合には、第五十一条中「退職年金」とあるのは「退職年金若しくは一時金」と、第五十二条中「退職年金及び」とあるのは「退職年金及び一時金並びに」とする。

6　第二項の規定による一時金は、第四十二条第一項、第四十七条第一項、第三項及び第四項、第四十九条第一項、第八十五条、第百十七条、第百二十条並びに第百四十四条の二十六第一項の規定の適用については、退職等年金給付とみなす。

（公務障害年金等に関する暫定措置）

第二十条　第九十二条第一項、第九十八条第一項及び第百四条第一項の規定の適用については、当分の間、第九十二条第一項中「六十五歳」とあるのは「六十歳」と、第九十八条第一項及び第百四条第一項中「六十四歳」とあるのは「五十九歳」とするほか、必要な技術的読替えその他必要な事項は、政令で定める。

第二十一条から第二十八条まで　削除

（健康保険組合及び健康保険についての経過措置）

第二十九条　この法律の公布の際現に組合員となるべき者を被保険者とする健康保険組合が組織されている地方公共団体にあつては、当該地方公共団体の長が、昭和三十七年十月五日までに、厚生大臣及び自治大臣に対し、当該健康保険組合を施行日以後は存続しないことの、政令で定めるところによる当該健康保険組合の組合会の議決があつた旨を申し出た場合を除き、この法律の短期給付に関する規定は、施行日以後においても、当該健康保険組合の被保険者である当該地方公共団体の職員については、適用しないものとする。

2　この法律の公布の際現に組合員となるべき者を被保険者とする健康保険組合で前項の規定による申出がされたものは、この法律の施行の時において、解散するものとする。

第三十条　前条第一項に規定する申出をしなかつた地方公共団体が健康保険組合を組織しなくなつたときは、当該地方公共団体及びその職員は、そのときにおいて、この法律の短期給付に関する規定の適用を受ける地方公共団体及びその職員となるものとする。この場合において、健康保険との関係の調整その他必要な経過措置は、政令で定める。

第三十条の二　平成七年四月一日から平成十一年三月三十一日までの間における前二条の規定の適用については、附則第二十九条第一項中「短期給付に関する規定」とあるのは、「短期給付に関する規定（育児休業手当金に係る部分を除く。次条において同じ。）」とする。

2　平成十一年四月一日以後における前二条の規定の適用については、附則第二十九条第一項中「短期給付に関する規定」とあるのは、「短期給付に関する規定（育児休業手当金及び介護休業手当金に係る部分を除く。次条において同じ。）」とする。

（学校栄養職員の取扱い）

第三十一条　学校給食法（昭和二十九年法律第百六十号）第六条に規定する施設の同法第七条に規定する職員のうち市町村立学校職員給与負担法附則第三項の政令で定める者に対するこの法律の規定の適用については、第三条第一項第二号中「公立学校」とあるのは、「公立学校（学校給食法（昭和二十九年法律第百六十号）第六条に規定する施設を含む。）」とする。

（介護納付金の納付に要する費用の負担の特例）

第三十一条の二　組合は、第百十三条第一項の規定にかかわらず、定款で定めるところにより、介護保険第二号被保険者等を単位として介護納付金の納付に要する費用を算定することができる。

2　前項に規定する「介護保険第二号被保険者等」とは、当該組合を組織する職員のうち第百十三条第一項に規定する介護保険第二号被保険者（以下この項において「介護保険第二号被保険者」という。）の資格を有する者及び特例負担職員（当該組合を組織する職員のうち介護保険第二号被保険者の資格を有しない者（介護保険第二号被保険者の資格を有する被扶養者がある者に限る。）で定款で定めるものをいう。）をいう。

3　第一項の規定により介護保険第二号被保険者等を単位として介護納付金の納付に要する費用を算定することとした組合に係る第百十四条第五項、第百四十四条の二第二項及び附則第十八条第五項の規定の適用については、第百十四条第五項中「資格を有する日」とあるのは「資格を有する日又は附則第三十一条の二第二項に規定する特例負担職員である日」と、第百四十四条の二第二項中「介護保険第二号被保険者の資格を有する任意継続組合員」とあるのは「介護保険第二号被保険者の資格を有する任意継続組合員及び附則第三十一条の二第二項に規定する特例負担職員に相当する任意継続組合員として定款で定める者」と、附則第十八条第五項中「介護保険第二号被保険者の資格を有する特例退職組合員」とあるのは「介護保険第二号被保険者の資格を有する特例退職組合員及び附則第三十一条の二第二項に規定する特例負担職員に相当する特例退職組合員として定款で定める者」とする。

（短期給付に要する費用の負担割合の特例）

第三十二条　旧市町村職員共済組合又は附則第二十九条第二項の規定により解散する健康保険組合で、短期給付に相当する給付に要する費用のうち地方公共団体の負担する割合が旧市町村職員共済組合の組合員又は被保険者の負担する割合をこえているものの権利義務を附則第十一条第一項又は第五項の規定により承継する組合は、第百十三条第二項第一号の規定にかかわらず、昭和四十八年三月三十一日までの間に限り、自治大臣の認可を受けて、政令で定めるところにより、従前の地方公共団体の負担する割合をこえない範囲において同号の地方公共団体の負担金の割合を定めることができる。

第三十三条　削除

（福祉事業に要する費用の額の特例）

第三十四条　附則第二十九条第一項の規定の適用を受ける地方公共団体の職員をもつて組織する組合が行う福祉事業に要する費用に充てることができる金額は、当分の間、毎年四月一日における組合員の第百十四条第三項の規定により福祉事業に係る掛金の標準となつた標準報酬の月額の総額に十二を乗じて得た額に総務省令で定める率を乗じて得た金額に相当する金額の範囲内とする。

第三十五条　削除

（市町村の廃置分合等の場合の取扱い）

第三十六条　市町村の廃置分合その他これに準ずる処分に伴う組合の権利義務の承継その他この法律の適用に関し必要な経過措置は、政令で定める。

（都市職員共済組合の長期給付等に関する事務の承継）

第三十七条　都市職員共済組合を組織している市が指定都市職員共済組合を設立することとなつたとき、又は市町村職員共済組合に加入することとなつたときにおける権利義務の承継その他この法律の適用に関し必要な経過措置は、政令で定める。

第三十八条　削除

（従前の行為に対する罰則の適用）

第三十九条　この法律の施行前にした行為に対する罰則の適用については、なお従前の例による。

（長期給付に関する経過措置）

第四十条　この附則に定めるもののほか、長期給付に関する規定の施行に関して必要な事項は、別に法律で定める。

（組合等が行う事業の特例）

第四十条の二　組合（連合会を含む。第三項において同じ。）は、この法律に定める短期給付及び長期給付の事業並びに福祉事業のほか、当分の間、これらの事業に支障を及ぼさない範囲内において、政令で定めるところにより、次に掲げる事業を行うことができる。

一　地方公務員（組合役職員及び連合会役職員を含む。次号において同じ。）又は団体職員で勤労者財産形成促進法（昭和四十六年法律第九十二号）第九条第一項の政令で定める要件を満たす者にその持家としての住宅の建設若しくは購入のための資金（当該住宅の用に供する宅地又はこれに係る借地権の取得のための資金を含む。）又はその持家である住宅の改良のための資金を貸し付ける事業

二　前号に掲げる事業のほか、地方公務員又は団体職員の福祉の増進に資する事業として政令で定める事業

2　第百四十二条の規定の適用を受ける国家公務員については、その者を地方公務員とみなして前項の規定を適用する。

3　組合は、第一項の規定により行う事業に係る経理については、福祉事業に係る経理と区分しなければならない。

4　第八条、第十条、第三十二条、第三十八条の五及び第百四十四条の七の規定は、第一項の規定により行う事業については、適用しない。

5　前三項に規定するもののほか、第一項の規定により行う事業の実施に関し必要な事項は、政令で定める。

第四十条の三　削除

（病床転換支援金等の納付が行われる場合における費用の負担の特例）

第四十条の三の二　高齢者の医療の確保に関する法律附則第二条に規定する政令で定める日までの間、同法附則第七条第一項に規定する病床転換支援金等の納付が同条第二項の規定により行われる場合における第百十三条第一項、第百四十四条の二第二項、附則第十四条の三第一項及び附則第十八条第五項の規定の適用については、第百十三条第一項中「）、介護納付金」とあるのは「）並びに同法附則第七条第一項に規定する病床転換支援金等（以下「病床転換支援金等」という。）、介護納付金」と、「及び後期高齢者支援金等」とあるのは「、後期高齢者支援金等及び病床転換支援金等、介護納付金」と、第百四十四条の二第二項、附則第十四条の三第一項及び附則第十八条第五項中「及び後期高齢者支援金等」とあるのは「、後期高齢者支援金等及び病床転換支援金等」とする。

（退職手当制度の整備）

第四十一条　この法律の施行に伴い、地方公共団体は、当該地方公共団体の職員の退職手当に関する制度を、国家公務員の退職手当に関する制度が国家公務員共済組合法の改正に伴い改正された趣旨にならつて整備するよう努めなければならない。

（政令への委任）

第四十二条　この法律に規定するもののほか、この法律の施行に関して必要な経過措置は、政令で定める。

附　則（令六・六・一二法四七）（抄）

（施行期日）

第一条　この法律は、令和六年十月一日から施行する。ただし、次の各号に掲げる規定は、当該各号に定める日から施行する。

一～三　〔略〕

四　次に掲げる規定　令和七年四月一日

イ～ニ　〔略〕

ホ　第十一条の規定（次号トに掲げる改正規定を除く。）及び附則第十二条の規定

ヘ～ツ　〔略〕

五・六　〔略〕

（地方公務員等共済組合法の一部改正に伴う経過措置）

第十二条　第十一条の規定（附則第一条第五号トに掲げる改正規定を除く。）による改正後の地方公務員等共済組合法（以下この条において「新地共済法」という。）第七十条の三の規定は、第四号施行日以後に新地共済法第七十条の二第一項に規定する育児休業等を開始する者について適用する。

2　新地共済法第七十条の五の規定は、第四号施行日以後に同条第一項に規定する育児時短勤務を開始する者について適用する。

別表（第七十三条関係）

損害の程度	月数
一 住居及び家財の全部が焼失し、又は滅失したとき。 二 住居及び家財に前号と同程度の損害を受けたとき。	三月
一 住居及び家財の二分の一以上が焼失し、又は滅失したとき。 二 住居及び家財に前号と同程度の損害を受けたとき。 三 住居又は家財の全部が焼失し、又は滅失したとき。 四 住居又は家財に前号と同程度の損害を受けたとき。	二月
一 住居及び家財の三分の一以上が焼失し、又は滅失したとき。 二 住居及び家財に前号と同程度の損害を受けたとき。 三 住居又は家財の二分の一以上が焼失し、又は滅失したとき。 四 住居又は家財に前号と同程度の損害を受けたとき。	一月
一 住居又は家財の三分の一以上が焼失し、又は滅失したとき。 二 住居又は家財に前号と同程度の損害を受けたとき。	〇・五月

＊ 地方公務員等共済組合法は、刑法等の一部を改正する法律の施行に伴う関係法律の整理等に関する法律（令和四年法六八）により一部改正されたが、刑法等一部改正法施行日〔令七・六・一〕から施行となるため、一部改正法の形で掲載した。

○刑法等の一部を改正する法律の施行に伴う関係法律の整理等に関する法律（抄）

令四・六・一七
法　六　八

（地方公務員等共済組合法の一部改正）

第百六十三条 地方公務員等共済組合法（昭和三十七年法律第百五十二号）の一部を次のように改正する。

第百十一条中「禁錮」を「拘禁刑」に改める。

第百四十六条の二及び第百四十六条の三中「懲役」を「拘禁刑」に改める。

附 則（抄）

（施行期日）

1 この法律は、刑法等一部改正法施行日〔令七・六・一〕から施行する。〔ただし書略〕

＊ 地方公務員等共済組合法は、全世代対応型の持続可能な社会保障制度を構築するための健康保険法等の一部を改正する法律（令和五年法三一）の附則により一部改正されたが、このうち公布の日から起算して四年を超えない範囲内において政令で定める日から施行される部分については、一部改正法の形で掲載した。

○全世代対応型の持続可能な社会保障制度を構築するための健康保険法等の一部を改正する法律（抄）

令五・五・一九
法　三　一

（地方公務員等共済組合法の一部改正）

第二十一条 地方公務員等共済組合法の一部を次のように改正する。

第百四十四条の三十三〔中略〕第二項中「及び法令」を「、法令」に改め、「定めるもの」の下に「並びに介護保険法第三条の規定により介護保険を行う市町村及び特別区」を加える。

附 則（抄）

（施行期日）

第一条 この法律は、令和六年四月一日から施行する。ただし、次の各号に掲げる規定は、当該各号に定める日から施行する。

一～五 〔略〕

六 〔前略〕附則第二十一条中地方公務員等共済組合法（昭和三十七年法律第百五十二号）第百四十四条の三十三第二項の改正規定〔中略〕 公布の日から起算して四年を超えない範囲内において政令で定める日

七 〔略〕

＊　地方公務員等共済組合法は、子ども・子育て支援法等の一部を改正する法律（令和六年法四七）により一部改正されたが、このうち令和八年四月一日から施行される部分については、一部改正法の形で掲載した。

○子ども・子育て支援法等の一部を改正する法律（抄）

令六・六・一二
法　四七

（地方公務員等共済組合法の一部改正）

第十一条　地方公務員等共済組合法（昭和三十七年法律第百五十二号）の一部を次のように改正する。

第四十三条第二項中「）及び」を「）、子ども・子育て支援法（平成二十四年法律第六十五号）第七十一条の三第一項の規定による子ども・子育て支援納付金（以下「子ども・子育て支援納付金」という。）及び」に改め〔中略〕る。

第百十三条第一項中「）、介護納付金並びに」を「）、介護納付金」に、「）の納付」を「）並びに子ども・子育て支援納付金の納付」に、「並びに流行初期医療確保拠出金等」を「、流行初期医療確保拠出金等並びに子ども・子育て支援納付金」に、〔中略〕「第百十四条第五項」を「第百十四条第六項」に改め、同項第一号中「次号」を「次号及び第二号の二」に改め、同項第二号の次に次の一号を加える。

二の二　子ども・子育て支援納付金の納付に要する費用については、当該事業年度におけるその費用の額と当該事業年度における次項第二号の二の掛金及び負担金の額とが等しくなるように定める。

第百十三条第一項第三号中「第九十九条第一項第三号」を「第九十九条第一項第四号」に改め、同条第二項第一号中「次号」を「次号及び第二号の二」に改め、同項第二号の次に次の一号を加える。

二の二　子ども・子育て支援納付金の納付に要する費用　掛金百分の五十、地方公共団体の負担金百分の五十

第百十四条第五項を同条第六項とし、同条第四項中「前項」を「第三項」に改め、同項を同条第五項とし、同条第三項の次に次の一項を加える。

4　子ども・子育て支援納付金に係る前項の割合については、各年度において全ての組合が納付すべき子ども・子育て支援納付金の総額を当該年度における全ての組合の組合員の総報酬額（標準報酬の月額及び標準期末手当等の額の合計額をいう。）の総額の見込額で除した率を基礎として政令で定める率を超えない範囲で定めるものとする。

第百四十四条の二第二項中「並びに流行初期医療確保拠出金等」を「、流行初期医療確保拠出金等並びに子ども・子育て支援納付金」に改める。

附則第十四条の三第一項第一号中「並びに流行初期医療確保拠出金等」を「、流行初期医療確保拠出金等並びに子ども・子育て支援納付金」に改め、〔中略〕同条第五項中「及び第二号並びに第三項第一号及び第二号」を「から第二号の二まで及び第三項第一号から第二号の二まで」に改める。

附則第十八条第五項中「並びに流行初期医療確保拠出金等」を「、流行初期医療確保拠出金等並びに子ども・子育て支援納付金」に改め〔中略〕る。

附則第三十一条の二第三項中「第百十四条第五項」を「第百十四条第六項」に改める。

附　則（抄）

（施行期日）

第一条　この法律は、令和六年十月一日から施行する。ただし、次の各号に掲げる規定は、当該各号に定める日から施行する。

一～四　〔略〕

五　次に掲げる規定　令和八年四月一日

イ～ヘ　〔略〕

ト　第十一条中地方公務員等共済組合法第四十三条第二項の改正規定、同法第百十三条第一項の改正規定（「第四項第一号」を「第四項第一号及び第一号の二」に、「及び次条第一項」を「並びに次条第一項」に改める部分を除く。）、同条第二項の改正規定、同法第百十四条の改正規定、同法第百四十四条の二第二項の改正規定、同法附則第十四条の三第一項第一号の改正規定、同条第五項の改正規定、同法附則第十八条第五項の改正規定及び同法附則第三十一条の二第三項の改正規定

チ～ネ　〔略〕

六　〔略〕

○地方公務員等共済組合法の長期給付等に関する施行法

昭三七・九・八
法一五三

最終改正　平二八・五・二〇法四四

目次〔略〕

第一章　総則

第一条　この法律は、地方公務員等共済組合法（昭和三十七年法律第百五十二号）の長期給付及び年金である共済給付金に関する規定の施行に伴う経過措置等に関して必要な事項を定めるものとする。

（定義）

第二条　この法律（第十三章を除く。）において、次の各号に掲げる用語の意義は、それぞれ当該各号に定めるところによる。

一　新法　被用者年金制度の一元化等を図るための厚生年金保険法等の一部を改正する法律（平成二十四年法律第六十三号）第三条の規定による改正前の地方公務員等共済組合法をいう。

一の二　三十七年法　地方公務員共済組合法等の一部を改正する法律（昭和三十九年法律第百五十二号）による改正前の地方公務員共済組合法をいう。

二　退職年金条例　恩給法（大正十二年法律第四十八号）の規定による恩給に相当する給付に関する地方公共団体の条例（三十七年法の施行に伴い効力を失うこととなる当該条例が三十七年法の施行後もなお効力を有するものとした場合における当該条例を含む。）をいう。

三　共済法　次に掲げる法律、条例及び規程をいう。

イ　三十七年法による廃止前の市町村職員共済組合法（昭和二十九年法律第二百四号。以下「旧市町村共済法」という。）

ロ　旧市町村共済法附則第二十一項後段に規定する長期給付に相当する給付（以下この号及び第九号において「長期給付に相当する給付」という。）に関する地方公共団体の条例（前号に掲げるものを除く。）及び長期給付に相当する給付を行なうことを目的とする団体の長期給付に相当する給付に関する規程（以下「共済条例」という。）

四　職員、遺族、給料、組合、市町村連合会、傷病、長期給付、地方公共団体の長、組合役職員、連合会若しくは連合会役職員又は警察職員　それぞれ新法第二条第一項第一号、新法第二条第一項第三号、新法第二条第一項第五号、新法第三条第一項、新法第二十七条第一項、新法第六十八条第三項、新法第七十四条、新法第百条、新法第百四十一条第一項、新法第百四十一条第二項又は新法附則第二十八条の四第一項に規定する職員、遺族、給料、組合、市町村連合会、傷病、長期給付、地方公共団体の長、組合役職員、連合会若しくは連合会役職員又は警察職員をいう。

四の二　退職共済年金、障害共済年金又は遺族共済年金　それぞれ新法第七十八条、新法附則第十九条若しくは新法附則第二十六条の規定による退職共済年金、新法第八十四条から新法第八十六条までの規定による障害共済年金又は新法第九十九条の規定による遺族共済年金をいう。

五　年金条例職員　退職年金条例の適用を受ける者をいう。

六　知事等　都道府県知事又は市町村長である年金条例職員で、退隠料の最短年金年限又は基本率につきその他の年金条例職員と異なつた取扱いを受けるものをいう。

七　警察条例職員　警部補、巡査部長又は巡査である年金条例職員で、退隠料等につき警察監獄職員に関する恩給法の規定に相当する退職年金条例の規定の適用を受けるものをいう。

八　消防職員　消防司令補、消防士長若しくは消防士又は常勤の消防団員である年金条例職員で、退隠料等につき警察監獄職員に関する恩給法の規定に相当する退職年金条例の規定の適用を受けるものをいう。

九　旧長期組合員　旧市町村共済法の退職給付、障害給付及び遺族給付に関する規定の適用を受ける者及び共済条例の長期給付に相当する給付に関する規定の適用を受ける者をいう。

十　更新組合員　施行日（新法附則第一条本文に規定する施行日をいう。第十一章及び第十三章を除き、以下同じ。）の前日に職員であつた者で施行日に組合の組合員となり、引き続き組合の組合員であるものをいう。

十一　消防組合員　消防司令補、消防士長若しくは消防士又は常勤の消防団員である組合の組合員をいう。

十二　退隠料、退職給与金、増加退隠料、公務傷病賜金、退職年金条例の遺族年金、公務遺族年金又は退職年金条例の遺族一時金　それぞれ退職年金条例に規定する普通恩給、一時恩給、増加恩給、傷病年金若しくは傷病賜金、扶助料、公務扶助料又は一時扶助料に相当する給付をいう。

十三　退職年金条例の通算退職年金、退職年金条例の返還一時金又は退職年金条例の死亡一時金　それぞれ退職年金条例に規定する国の新法の規定による通算退職年金、返還一時金又は死亡一時金に相当する給付をいう。

十四　退隠料等　退隠料、退職年金条例の通算退職年金、退職給与金、退職年金条例の返還一時金、増加退隠料、公務傷病賜金、退職年金条例の遺族年金、公務遺族年金、退職年金条例の遺族一時金、退職年金条例の死亡一時金その他退職年金条例の規定による給付をいう。

十五　増加退隠料等　増加退隠料及びこれと併給される退隠料をいう。

十六　共済法の退職年金、共済法の通算退職年金、共済法の退職一時金、共済法の返還一時金共済法の障害年金、共済法の障害一時金、共済法の遺族年金、共済法の遺族一時金又は共済法の死亡一時金　それぞれ旧市町村共済法の退職年金及び共済条例の退職年金、旧市町村共済法の通算退職年金及び共済条例の通算退職年金、旧市町村共済法の退職一時金及び共済条例の退職一時金、旧市町村共済法の返還一時金及び共済条例の返還一時金、旧市町村共済法の障害年金及び共済条例の障害年金、旧市町村共済法の障害一時金及び共済条例の障害一時金、旧市町村共済法の遺族年金及び共済条例の遺族年金、旧市町村共済法の遺族一時金及び共済条例の遺族一時金又は旧市町村共済法の死亡一時金及び共済条例の死亡一時金をいう。

十七　共済条例の退職年金、共済条例の退職一時金、共済条例の障害年金、共済条例の障害一時金、共済条例の遺族年金若しくは共済条例の遺族一時金又は共済条例の通算退職年金、共済条例の返還一時金若しくは共済条例の死亡一時金　それぞれ共済条例に規定する旧市町村共済法の規定による退職年金、退職一時金、障害年金、障害一時金、遺族年金若しくは遺族一時金に相当する給付又は国の新法の規定による通算退職年金、返還一時金若しくは死亡一時金に相当する給付をいう。

十八　共済法の退職年金等　共済法の退職年金、共済法の通算退職年金、共済法の退職一時金、共済法の返還一時金、共済法の障害年金、共済法の障害一時金、共済法の遺族年金、共済法の遺族一時金、共済法の死亡一時金その他共済法の規定による給付をいう。

十八の二　退職一時金　昭和四十二年度以後における地方公務員等共済組合法の年金の額の改定等に関する法律等の一部を改正する法律（昭和五十四年法律第七十三号。以下「昭和五十四年法律第七十三号」という。）による改正前の地方公務員等共済組合法（以下「昭和五十四年改正前の新法」という。）第八十三条の規定による退職一時金及び昭和五十四年法律第七十三号による改正前の地方公務員等共済組合法の長期給付等に関する施行法（以下「昭和五十四年改正前の施行法」という。）第二十二条の規定による退職一時金その他の昭和五十四年改正前の新法第八十三条の規定による退職一時金とみなされる給付をいう。

十九　年金条例職員期間　年金条例職員として在職した期間（年金条例職員として在職するものとみなされる期間、条例在職年の計算上年金条例職員として在職した期間に通算される期間、条例在職年の計算上年金条例職員として在職した期間に加えられる期間及び年金条例職員として在職した期間に準ずるものとして政令で定める期間を含む。）をいう。

二十　条例在職年　退隠料等の算定の基礎となる年月数をいう。

二十一　旧長期組合員期間　旧長期組合員であつた期間（旧長期組合員であつた期間とみなされる期間及び旧長期組合員であつた期間に準ずるものとして政令で定める期間を含む。）をいう。

二十二　共済控除期間　旧長期組合員期間のうち、旧市町村共済法附則第三十一項に規定する控除期間及び共済条例に規定するこれに相当する期間をいう。

二十三　最短年金年限　退隠料又は共済法の退職年金についての最短年限をいう。

二十四　最短一時金年限　退職給与金若しくは退職年金条例の遺族一時金又は共済法の退職一時金若しくは共済法の遺族一時金についての最短年限をいう。

二十五　恩給公務員　恩給法第十九条に規定する公務員及び他の法令により当該公務員とみなされる者をいう。

二十六　警察監獄職員　恩給法第二十三条に規定する警察監獄職員及び他の法令により当該警察監獄職員とみなされる者をいう。

二十七　消防公務員　消防組織法（昭和二十二年法律第二百二十六号）附則第二条の規定により警察監獄職員として勤続するものとみなされた同条第二項第一号又は第二号に掲げる者をいう。

二十八　恩給、普通恩給、一時恩給、増加恩給、傷病年金、傷病賜金、扶助料又は一時扶助料　それぞれ恩給に関する法令の規定による恩給、普通恩給、一時恩給、増加恩給、傷病年金、傷病賜金、扶助料又は一時扶助料をいう。

二十九　増加恩給等　増加恩給及びこれと併給される普通恩給をいう。

三十　公務扶助料　恩給法（他の法令において準用する場合を含む。以下同じ。）第七十五条第一項第二号の規定による扶助料をいう。

三十一　警察監獄職員の普通恩給　恩給法第六十三条第一項の規定による警察監獄職員の普通恩給をいう。

三十二　旧軍人等の普通恩給　恩給法の一部を改正する法律（昭和二十八年法律第百五十五号。以下「法律第百五十五号」という。）附則第十条第一項第一号（同法附則第十七条において準用する場合を含む。）の規定による旧軍人、旧準軍人又は旧軍属の普通恩給をいう。

三十三　恩給公務員期間　恩給公務員、従前の宮内官の恩給規程による宮内職員、恩給法第八十四条に掲げる法令の規定により恩給、退隠料その他これらに準ずるものを給すべきものとされていた公務員その他法令の規定により恩給を給すべきものとされた公務員として在職した期間（法令の規定により恩給を給すべきものとされた公務員として在職するものとみなされる期間、恩給につき在職年月数に通算される期間及び在職年の計算上恩給公務員としての在職年月数に加えられる期間を含む。）をいう。

三十四　在職年　恩給に関する法令にいう在職年をいう。

三十五　警察在職年　警察監獄職員の恩給の基礎となるべき在職年の計算の例により計算した在職年をいう。

三十五の二　国の新法　被用者年金制度の一元化等を図るための厚生年金保険法等の一部を改正する法律第二条の規定による改正前の国家公務員共済組合法（昭和三十三年法律第百二十八号）をいう。

三十六　国の旧法　国家公務員共済組合法（昭和三十三年法律第百二十八号）による改正前の国家公務員共済組合法（昭和二十三年法律第六十九号。国の新法附則第二条第一項の規定によりなおその効力を有するものとされた場合及び他の法律において準用し、又は適用する場合を含む。）をいう。

三十七　国の旧法等　国の旧法及びその施行前の政府職員の共済組合に関する法令で国の新法の長期給付に相当する給付について定めていたものをいう。

三十八　国の旧長期組合員　国の旧法等の退職給付、障害給付及び遺族給付に関する規定の適用を受ける国の旧法等の組合員をいう。

三十九　国の職員　国家公務員共済組合法の長期給付に関する施行法（昭和三十三年法律第百二十九号。以下「国の施行法」という。）第七条第一項第五号に規定する職員をいう。

四十　国の長期組合員　国の新法の長期給付に関する規定の適用を受ける者をいう。

四十一　国の更新組合員　国の施行法の施行の日の前日に国の職員（国の職員とみなされる者を含む。）であつた者で、国の施行法の施行の日に国の長期組合員となり、引き続き国の長期組合員であるもの（国の施行法第二十三条第一項に規定する恩給更新組合員を含む。）をいう。

四十二　国の旧長期組合員期間　国の旧長期組合員であつた期間及び国の旧法又は他の法令の規定により国の旧法の退職給付、障害給付及び遺族給付の基礎となる組合員であつた期間とみなされた期間をいう。

2　この法律において、年金条例職員、年金条例職員期間若しくは旧長期組合員若しくは旧長期組合員期間（共済条例に係るものに限る。）という場合又は退職年金条例若しくは共済条例の規定のうち恩給法第五十八条ノ三第一項若しくは旧市町村共済法第四十一条第一項ただし書の規定に相当する規定を引用する場合においては、総務省令で定める場合を除き、昭和三十七年一月一日以後になされた退職年金条例又は共済条例の改正に係るものを含まないものとする。

3　前項の規定の適用については、恩給に関する法令の改正に伴い、総務省令で定める日までになされた退職年金条例の改正で、政令で定める基準に従い、次に掲げる規定に相当する規定を、当該退職年金条例に設け、又は改めるものは、同項に規定する昭和三十七年一月一日以後になされた退職年金条例の改正に該当しないものとする。

一　法律第百五十五号附則第四十一条及び第四十二条

二　法律第百五十五号附則第四十六条から第四十九条まで

三　法律第百五十五号附則第四十三条

四　法律第百五十五号附則第四十三条の二

五　法律第百五十五号附則第四十一条の二

六　前各号に掲げるもののほか、政令で定める規定

（施行日前に給付事由が生じた給付の取扱い等）

第三条　施行日前に給付事由が生じた国の新法の規定による長期給付若しくは国の施行法第三条の規定による給付（新法附則第三条第一項に規定する旧組合に係るものに限る。）又は三十七年法による廃止前の町村職員恩給組合法（昭和二十七年法律第百十八号）第二条の町村職員恩給組合の退職年金条例（以下「恩給組合条例」という。）の規定による退隠料等若しくは旧市町村共済法の規定による共済法の退職年金等については、この法律に別段の規定があるもののほか、なお従前の例により地方職員共済組合、公立学校共済組合若しくは警察共済組合又は市町村連合会が支給する。

2　三十七年法が施行されなければ、次の各号に掲げる者に新法附則第三条第一項に規定する旧組合又は旧町村職員恩給組合若しくは旧市町村職員共済組合が支給することとなる国の新法の規定による退職共済年金（第一号に規定する退職一時金の基礎となつた期間のみを当該退職共済年金の算定の基礎期間とするものに限る。）、国家公務員等共済組合法等の一部を改正する法律（昭和六十年法律第百五号。以下「昭和六十年国の改正法」という。）附則の規定によりその例によることとされる同法による改正前の国家公務員共済組合法（以下「昭和六十年改正前の国の新法」という。）の規定による通算退職年金若しくは昭和四十二年度以後における国家公務員共済組合等からの年金の額の改定に関する法律等の一部を改正する法律（昭和五十四年法律第七十二号）附則の規定によりその例によることとされる同法による改正前の国家公務員共済組合法（以下「昭和五十四年改正前の国の新法」という。）の規定による返還一時金若しくは死亡一時金又は恩給組合条例の規定による退職年金条例の通算退職年金、退職年金条例の返還一時金若しくは退職年金条例の死亡一時金若しくは旧市町村共済法の規定による通算退職年金、返還一時金若しくは死亡一時金は、この法律に別段の規定があるもののほか、国の新法、昭和六十年改正前の国の新法若しくは昭和五十四年改正前の国の新法、恩給組合条例又は旧市町村共済法の規定の例により地方職員共済組合、公立学校共済組合若しくは警察共済組合又は市町村連合会が支給する。

一　昭和五十四年改正前の国の新法第八十条第二項の退職一時金（通算年金制度を創設するための関係法律の一部を改正する法律（昭和三十六年法律第百八十二号。以下「法律第百八十二号」という。）附則第二十二条第二項の規定により当該退職一時金とみなされたものを含む。）を受けた新法附則第三条第一項に規定する旧組合の組合員であつた者（昭和五十四年改正前の国の新法第八十条第一項ただし書の規定の適用を受けた者を含む。）

二　昭和五十四年改正前の国の新法第八十条第二項の規定に相当する恩給組合条例の規定による退職給与金（法律第百八十二号附則第二十二条第二項の規定に相当する恩給組合条例の規定により当該退職給与金とみなされたものを含む。）を受けた者（昭和五十四年改正前の国の新法第八十条第一項ただし書の規定に相当する恩給組合条例の規定の適用を受けた者及び三十七年法による改正前の旧通算年金通則法（国民年金法等の一部を改正する法律（昭和六十年法律第三十四号）による廃止前の通算年金通則法（昭和三十六年法律第百八十一号）をいう。以下同じ。）附則第六条第五項の規定に基づく措置をした恩給組合条例の規定により当該退職給与金を受けたものとみなされた者を含む。）

三　旧市町村共済法第四十三条第二項の退職一時金（法律第百八十二号附則第二十八条第二項の規定により当該退職一時金とみなされたものを含む。）を受けた者（旧市町村共済法第四十三条第一項ただし書の規定の適用を受けた者を含む。）

3　前項第二号又は第三号に掲げる者に対する恩給組合条例の規定による退職年金条例の通算退職年金又は旧市町村共済法の規定による通算退職年金については、昭和六十年国の改正法による改正前の国家公務員共済組合法第七十九条の二の規定又は法律第百八十二号附則第十九条の規定に相当する恩給組合条例又は旧市町村共済法の規定は、政令で特別の定めをするものを除き、昭和六十年国の改正法による改正前の国家公務員共済組合法第七十九条の二又は法律第百八十二号附則第十九条の規定と同様に改正されたものとして、同項の規定を適用する。

4　昭和二十一年一月二十九日前に給付事由が生じた旧沖縄県町村吏員恩給組合恩給条例（以下次項までにおいて「旧沖縄恩給条例」という。）の規定による恩給組合条例の退隠料等に相当する給付で政令で定めるもの（次項及び第八項において「沖縄の退隠料等」という。）については、この法律又はこれに基づく政令に別段の規定があるもののほか、旧沖縄恩給条例の規定の例により、当該条例の規定の適用を受けていた者又はその遺族（当該条例の規定による遺族をいう。次項及び第六項において同じ。）に対し、市町村連合会からこれを支給する。

5　前項の規定は、旧沖縄恩給条例が昭和二十一年一月二十九日から昭和四十五年六月三十日までの間においてもなお効力を有

するものとしたならば当該条例の規定の適用を受けることとなる者として沖縄の市町村に在職した者（沖縄の教育区に在職した者のうち、これに相当する者として政令で定める者を含む。）又はその遺族につき当該条例の規定を適用するものとした場合にこれらの者に支給すべきこととなる沖縄の退隠料等について準用する。

6　前二項の規定は、公立学校職員共済組合法（千九百六十八年立法第百四十七号）若しくは公務員等共済組合法（千九百六十九年立法第百五十四号）の規定の適用を受ける者であつた期間を有する者若しくはその遺族又は公務員退職年金法（千九百六十五年立法第百号）の規定による年金たる給付を受ける権利を有する者については、適用しない。

7　昭和十九年四月一日前に給付事由が生じた樺太にあつた市町村の退職年金条例の規定による恩給組合条例の退隠料等に相当する給付で政令で定めるもの及び昭和二十年九月三日前に給付事由が生じた旧樺太市町村吏員恩給組合恩給条例（以下この項において「旧樺太恩給条例」という。）の規定による恩給組合条例の退隠料等に相当する給付（旧樺太恩給条例の規定の適用を受けていた者で同日以後引き続き樺太にあつたものについては、当該条例が同日からその者が帰国した日（その者が帰国前に死亡したときは、その死亡の日）までの間においてもなお効力を有するものとし、かつ、当該帰国又は死亡を当該条例の規定による退職又は死亡とみなして当該条例の規定を適用するものとした場合にその者又はその遺族（当該条例の規定による遺族をいう。以下この項において同じ。）に支給すべきこととなる給付を含む。）で政令で定めるもの（次項において「樺太の退隠料等」と総称する。）については、この法律又はこれに基づく政令に別段の規定があるもののほか、旧樺太恩給条例の規定の例により、当該条例の規定の適用を受けていた者又はその遺族に対し、市町村連合会からこれを支給する。

8　第四項若しくは第五項又は前項の規定により支給される沖縄の退隠料等又は樺太の退隠料等は、新法及びこの法律の適用については、第一項の規定により市町村連合会が支給すべき恩給組合条例の規定による退隠料等とみなす。

9　第六項及び前項に定めるもののほか、同項に規定する沖縄の退隠料等又は樺太の退隠料等の額の算定の基礎となる給料の額の計算方法その他第四項、第五項及び第七項の規定の適用について必要な事項は、政令で定める。

第三条の二　前条第一項又は第二項の規定により地方職員共済組合、公立学校共済組合又は警察共済組合（以下この条において「地方職員共済組合等」という。）が支給すべき国の新法の規定による通算退職年金若しくは昭和六十年改正前の国の新法の規定による退職年金を受ける権利を有する者が死亡した場合には、当該地方職員共済組合等は、政令で特別の定めをするものを除き、国の新法（昭和六十年改正前の国の新法を含む。）の規定の例により、その者の遺族に遺族共済年金（昭和六十一年三月三十一日以前に死亡した場合にあつては、通算遺族年金）を支給する。

2　前条第一項又は第二項の規定により市町村連合会が支給すべき恩給組合条例の規定による退職年金条例の通算退職年金若しくは旧市町村共済法の規定による通算退職年金を受ける権利を有する者が死亡した場合には、市町村連合会は、政令で特別の定めをするものを除き、昭和六十年改正前の国の新法の規定の例により、その者の遺族に通算遺族年金を支給する。

第三条の二の二　新法附則第三条第一項に規定する旧組合の組合員であつた者に係る国の新法（被用者年金制度の一元化等を図るための厚生年金保険法等の一部を改正する法律の施行日前に国家公務員共済組合法について改正が行われた場合において、当該改正前の国家公務員共済組合法の規定の例によることとされるときは、当該改正前の国家公務員共済組合法を含む。）の規定による長期給付（前条第一項の規定により支給される遺族共済年金又は通算遺族年金を含む。）又は国の施行法第三条の規定による給付の支給については、この法律及びこれに基づく政令に別段の規定があるもののほか、三十七年法が施行されなければ当該給付の支給について適用されるべき法令の規定が準用されるものとする。

第三条の三　第三条第一項の規定により市町村連合会が支給すべき恩給組合条例の規定による退隠料等の支給につき当該恩給組合条例の規定を適用するについては、当該恩給組合条例の規定中次の各号に掲げる規定にかかわらず、それぞれ当該各号に定めるところによる。

一　恩給法等の一部を改正する法律（昭和三十八年法律第百十三号。以下この項において「法律第百十三号」という。）による改正前の恩給法第六十五条第五項の規定に相当する恩給組合条例の規定　当該恩給組合条例の規定は、削除されたものとする。

二　法律第百十三号による改正前の法律第百五十五号附則第三十一条において準用する同法附則第十四条の規定に相当する恩給組合条例の規定　当該恩給組合条例の規定は、恩給法等の一部を改正する法律（昭和五十五年法律第三十九号）による改正後の法律第百五十五号附則第三十一条において準用する同法附則第十四条の規定と同様に改正されたものとする。

三　法律第百十三号による改正前の昭和二十三年六月三十日以前に給与事由の生じた恩給等の年額の改定に関する法律（昭和三十一年法律第百四十九号）第二条又は恩給法等の一部を改正する法律（昭和三十三年法律第百二十四号）附則第七条の規定に相当する恩給組合条例の規定　当該恩給組合条例の規定は、削除されたものとする。

四　恩給法の一部を改正する法律等の一部を改正する法律（昭和三十九年法律第百五十一号）による改正前の恩給法等の一部を改正する法律（昭和三十七年法律第百十四号）附則第三条の規定に相当する恩給組合条例の規定　当該恩給組合条例の規定は削除されたものとする。

五　恩給法等の一部を改正する法律（昭和四十年法律第八十二号）による改正前の恩給法第五十八条ノ四第一項の規定に相当する恩給組合条例の規定　当該恩給組合条例の規定は、恩給法第五十八条ノ四第一項の規定と同様に改正されたものとする。

2　恩給組合条例の適用を受けていた年金条例職員であつた者のうち次に掲げる者として勤務したことがある者については、恩給に関する法令の規定の例により政令で定めるところにより、当該勤務していた期間をその者の当該恩給組合条例による条例在職年の計算上年金条例職員期間に加えるものとする。ただし、更新組合員については、その者又はその遺族が恩給組合条例の規定による退隠料等を受ける権利を有する場合に限る。

一　法律第百五十五号附則第四十三条に規定する外国特殊法人職員
二　法律第百五十五号附則第四十三条の二に規定する外国特殊機関職員
三　法律第百五十五号附則第四十一条の二第一項に規定する救護員
四　前三号に掲げる者のほか、政令で定める者

3　恩給に関する法令の改正により恩給の基礎となるべき在職年に加算年その他の期間が算入された場合において、三十七年法が施行されなければ、当該期間が地方自治法（昭和二十二年法律第六十七号）第二百五十二条の十八第三項において準用する同条第一項の規定に基づく恩給組合条例の規定によりその適用を受けていた者に係る年金条例職員期間に通算されることとなるときは、当該期間のうち政令で定めるものについては、政令で定めるところにより、その者の当該年金条例職員期間に通算するものとする。この場合においては、前項ただし書の規定を準用する。

4　恩給に関する法令の改正により恩給の年額が改定された場合においては、第三条第一項の規定により市町村連合会が支給すべき恩給組合条例の規定による退隠料等の年額を改定するものとし、その改定及び支給については、政令で特別の定めをするものを除き、当該恩給に関する法令の改正規定の例による。恩給の支給につき恩給に関する法令が改正された場合も、同様とする。

第三条の四　国の旧法の規定による年金の額の改定に関する法令の制定又は改正により国家公務員共済組合が支給する国の旧法の規定による年金の額が改定された場合において、第三条第一項の規定により市町村連合会が支給する旧市町村共済法の規定による共済法の退職年金等を国の規定による年金とみなしたならばその額を改定すべきこととなるときは、当該年金の額を改定するものとし、その改定及び支給については、政令で特別の定めをするものを除き、当該国の旧法の規定による年金の額の改定に関する法令の規定の例による。

第三条の四の二　国の新法の規定による年金の額の改定に関する法令の制定又は改正により国家公務員共済組合が支給する昭和六十年改正前の国の新法の規定による通算退職年金又は通算遺族年金の年額が改定された場合において、第三条第一項若しくは同条第二項及び第三項又は第三条の二第二項の規定により市町村連合会が支給すべき恩給組合条例の規定による退職年金条例の通算退職年金若しくは旧市町村共済法の規定による通算退職年金又はこれらの通算退職年金に係る通算遺族年金を昭和六十年改正前の国の新法の規定による通算退職年金又は通算遺族年金とみなしたならばその額を改定すべきこととなるときは、当該年金の額を改定するものとし、その改定及び支給については、政令で特別の定めをするものを除き、当該昭和六十年改正前の国の新法の規定による通算退職年金又は通算遺族年金の額の改定に関する法令の規定の例による。

第三条の五　第三条から前条までの規定により行なわれる給付の額の改定等により増加する費用は、政令で定めるところにより、国、地方公共団体又は組合が負担する。

第三条の六　新法第七十六条の二、新法第七十六条の三第二項及び新法第七十六条の四の規定は、第三条から第三条の四の二までの規定に規定する給付のうち年金である給付について準用する。

（組合員に対する退職年金条例等の適用）
第四条　組合員は、施行日以後において退職年金条例（恩給組合条例を除く。以下この条において同じ。）若しくは共済条例の適用を受ける者又は恩給公務員に該当する場合においても、当該条例又は恩給に関する法令の規定の適用については、この法律に別段の規定があるもののほか、組合員である間、当該条例の適用を受ける者又は恩給公務員として在職しないものとみなす。

第二章　年金条例職員期間又は旧長期組合員期間を有する者等に関する一般的経過措置

第一節　更新組合員に関する一般的経過措置

（退隠料等の受給権の取扱い）
第五条　更新組合員で施行日の前日に年金条例職員であつたものは、退職年金条例の規定の適用については、同日において退職したものとみなす。

2　更新組合員に係る退隠料等を受ける権利は、施行日の前日において消滅するものとする。ただし、次に掲げる権利は、この限りでない。
一　増加退隠料又は公務傷病賜金を受ける権利
二　退職年金条例の通算退職年金又は退職年金条例の返還一時金を受ける権利
三　退隠料を受ける権利（施行日の前日において恩給法第五十八条の規定に相当する退職年金条例の規定によりその支給を停止されていた退隠料を受ける権利及び前項の規定により退職したものとみなされたことにより生ずる退隠料を受ける権利を除く。）（当該退隠料を受ける権利を有する者が施行日から六十日を経過する日以前に当該権利の裁定を行なつた者に対してこれを消滅させる旨を申し出なかつたものに限る。）

3　更新組合員に係る退職年金条例の通算退職年金は、その者が更新組合員である間、その支給を停止する。

4　第二項第三号に規定する者が同号の申出の期限前に死亡した場合は、同号の申出は、その遺族がすることができる。

5　第二項第三号の申出をしなかつた者又はその遺族に対して支給する長期給付については、同項第三号に規定する退隠料の基礎となつた期間（退隠料を受ける権利を有する者が年金条例職員となり、施行日前に退職した場合において、退隠料の改定が行なわれなかつたときにおけるその年金条例職員となつた日以後の年金条例職員期間を含む。）は、第七条第一項第一号の期間に該当しないものとみなす。

6　退職一時金の支給を受けた更新組合員であつた者が第二項第三号の規定による申出をしたことにより退職年金又は減額退職年金を受けるべきこととなつたときは、各支給期月においてその者に支給すべきこれらの年金の額から、当該一時金の額に達するまでの金額を順次に控除するものとする。

7　前項の規定は、第四項の規定による申出があつた場合について準用する。

8　第二項第三号又は第四項の規定による申出をした者は、当該申出に係る更新組合員又は更新組合員であつた者が施行日以後

申出をした時までに支給を受けた退隠料の額に相当する金額を申出の日から三十日以内に、当該更新組合員の属する組合又は当該更新組合員であつた者の属していた組合に納入しなければならない。

第五条の二　第二条第三項に規定する退職年金条例の改正により、更新組合員又はその遺族が新たに退隠料又はこれに基づく退職年金条例の遺族年金を受ける権利を有することとなつたときは、当該更新組合員は施行日の前日において当該退隠料を受ける権利を有していたものとみなして、当該退隠料又は退職年金条例の遺族年金を受ける権利について前条第二項本文の規定を適用する。

（共済法の退職年金等の受給権の取扱い）

第六条　更新組合員で施行日の前日に共済条例の適用を受けていたものは、共済条例の規定の適用については、同日において退職したものとみなす。ただし、当該退職したものとみなされたことによる共済条例の退職年金等は、支給しない。

2　更新組合員に係る共済法の退職年金を受ける権利は、施行日の前日において消滅するものとする。ただし、共済法の退職年金を受ける権利（施行日の前日において旧市町村共済法第四十二条第一項の規定又はこれに相当する共済条例の規定によりその支給を停止されていた共済法の退職年金を受ける権利を除く。）を有する者が施行日から六十日を経過する日以前に当該権利の決定を行なつた者に対して当該退職年金を受ける旨を申し出た場合には、この限りでない。

3　前項ただし書の申出をした者に係る共済法の退職年金で施行日の前日において旧市町村共済法附則第十五項若しくは附則第十八項の規定又はこれらに相当する共済条例の規定によりその支給を停止されているものは、その者が更新組合員である間、その支給を停止する。

4　更新組合員に係る共済法の通算退職年金及び共済法の障害年金（第三十三条第一項の申出をした者に係る共済法の障害年金を除く。）は、その者が更新組合員である間、その支給を停止する。

5　第五条第四項の規定は、第二項ただし書の申出について準用する。

6　第二項ただし書の申出をした者又はその遺族に対して支給する長期給付については、同項ただし書に規定する共済法の退職年金の基礎となつた期間は、次条第一項第二号の期間に該当しないものとする。

（組合員期間の計算の特例）

第七条　更新組合員の施行日前の次の期間は、組合員期間（新法第四十条第一項に規定する組合員期間をいう。）に算入する。

一　年金条例職員期間のうち条例在職年の計算において除算することとされている年金条例職員期間（法律第百五十五号附則第四十六条から第四十八条までの規定に相当する退職年金条例の規定の適用を受ける者（新法又はこの法律の規定による年金たる給付を法律第百五十五号附則第四十六条から第四十八条までの規定に相当する退職年金条例の規定による退隠料とみなしたならば当該退職年金条例の規定の適用を受けることとなるべき者を含む。）のその適用に係る期間を除く。）を除いた期間。ただし、その期間のうちに条例在職年の計算において加算又は減算することとされている年月数があるときはその年月数を加算又は減算し、換算することとされている年月数があるときはその年月数を換算した後の期間とする。

二　旧長期組合員期間

三　職員（国又は地方公共団体以外の法人に勤務する者で年金条例職員又は旧長期組合員に該当するもの及び職員に準ずる者として政令で定める者を含む。）であつた期間で、施行日の前日まで引き続いているもの又は政令で定める要件に該当するもの（年金条例職員期間、旧長期組合員期間（第四十五条の規定により旧長期組合員期間とみなされた期間を含む。）、恩給公務員である職員であつた期間、国の旧長期組合員である職員であつた期間、国の長期組合員であつた期間及び政令で定める期間を除く。）

四　法律第百五十五号附則第四十二条第一項又は第四十三条に規定する外国政府職員又は外国特殊法人職員に係る外国政府又は法人（以下この号において「外国政府等」という。）に勤務していた者でその後他に就職することなく政令で定める期間内に職員となり、施行日の前日まで引き続いて職員であつたもの、当該外国政府等に勤務していた者で任命権者又はその委任を受けた者の要請に応じ当該外国政府等又は日本政府がその運営に関与していた法人その他の団体の職員（以下この号において「関与法人等の職員」という。）となるため退職し、当該関与法人等の職員として昭和二十年八月八日まで引き続き勤務し、その後他に就職することなく政令で定める期間内に職員となり、施行日の前日まで引き続いて職員であつたもの及び当該外国政府等に勤務していた者で政令で定めるものの当該外国政府等に勤務していた期間で職員となつた日の前日まで引き続いているもの（当該外国政府等に勤務しなくなつた日の属する月の翌月から帰国した日の属する月（同月において職員となつた場合には、その前月）までの期間で未帰還者留守家族等援護法（昭和二十八年法律第百六十一号）第二条に規定する未帰還者であると認められるものを含む。）のうち年金条例職員期間及び恩給公務員である職員であつた期間を除いた期間

五　旧国民健康保険法（昭和十三年法律第六十号）に規定する国民健康保険組合又は国民健康保険を行う社団法人（以下この号において「国民健康保険組合等」という。）に勤務していた者で当該国民健康保険組合等の業務の市町村への引継ぎに伴い引き続き職員となり、施行日の前日まで引き続いて職員であつたもの又は政令で定める要件に該当するものの当該国民健康保険組合等に勤務していた期間（当該職員となつた日の前日まで引き続く期間に限る。）

2　更新組合員（組合員期間が二十年以上である者を除く。以下この項において同じ。）又はその遺族に係る退職共済年金又は遺族共済年金の基礎となるべき組合員期間を計算する場合には、前項の規定にかかわらず、その者の施行日前の次の期間以外の期間は、新法第四十条第一項に規定する組合員期間に算入しない。

一　第五条第二項本文の規定を適用しないとしたならば更新組合員が受けるべきこととなる退職給与金の基礎となる条例在職年に係る年金条例職員期間で前項第一号の期間に該当するもの

二　退職給与金についての最短一時金年限未満の施行日まで引

き続く年金条例職員期間（これに合算されるべき年金条例職員期間を含む。）で前項第一号の期間に該当するもの

三　施行日の前日に旧長期組合員であつた更新組合員が、旧市町村共済法の規定の適用につき同日に退職したとしたならばその者が受けるべきこととなる旧市町村共済法の退職一時金又は前条第一項本文の規定により退職したものとみなされた場合に同項ただし書の規定を適用しないとしたならばその者が受けるべきこととなる共済条例の退職一時金の基礎となる旧長期組合員期間

四　共済法の退職一時金についての最短一時金年限未満の施行日まで引き続く旧長期組合員期間（これに合算されるべき旧長期組合員期間を含む。）

3　第一項第二号の期間のうちに同項第一号本文の期間と重複する期間があるときは、その重複する期間を除いた期間を同項第二号の期間とする。

第七条の二　恩給組合条例の適用を受けていた年金条例職員であつた更新組合員が次に掲げる者として勤務していたものであるときは、恩給に関する法令の規定の例により政令で定めるところにより、当該勤務していた期間をその者の当該恩給組合条例の適用を受けていた年金条例職員であつた期間に加えるものとする。

一　法律第百五十五号附則第四十三条に規定する外国特殊法人職員

二　法律第百五十五号附則第四十三条の二に規定する外国特殊機関職員

三　法律第百五十五号附則第四十一条の二第一項に規定する救護員

四　前三号に掲げる者のほか、政令で定める者

2　恩給に関する法令の改正により恩給の基礎となるべき在職年に加算年その他の期間が算入された場合において、三十七年法が施行されなければ、当該期間が地方自治法第二百五十二条の十八第三項において準用する同条第一項の規定に基づく恩給組合条例の規定によりその適用を受けていた更新組合員に係る年金条例職員期間に通算されることとなるときは、当該期間のうち政令で定めるものについては、政令で定めるところにより、その者の当該年金条例職員期間に通算するものとする。

3　前二項の規定は、第三条の三第二項又は第三項の規定により恩給組合条例による条例在職年の計算上年金条例職員期間に加えられ、又は通算された期間については、適用しない。

第二節　退職共済年金に関する経過措置

第一款　退職共済年金の受給資格に関する経過措置

（年金条例職員であつた更新組合員の特例）

第八条　組合員期間が二十年未満の更新組合員で施行日の前日に退隠料の最短年金年限の年数が次の表の上欄に掲げる年数である退職年金条例の適用を受けていたものの当該退職年金条例による施行日前の条例在職年（その者が更新組合員である間年金条例職員であつたものとみなした場合に当該退職年金条例の規定により年金条例職員期間に通算されるべきこととなる期間に係る条例在職年を含む。以下この項及び次項において「施行日直前の条例在職年」という。）の年月数と施行日以後の組合員期間の年月数とを合算した年月数が、同表の当該中欄に掲げる者の区分に応じ同表の当該下欄に掲げる年数以上であるときは、その者は、新法第九十九条第一項第四号の規定の適用については組合員期間等（新法第七十八条第一項第一号に規定する組合員期間等をいう。以下同じ。）が二十五年以上である者であるものと、新法附則第二十六条第一項、第二項及び第十二項の規定の適用については組合員期間等が二十五年以上であり、かつ、組合員期間が二十年以上である者であるものとみなす。

十九年以上二十年未満	施行日直前の条例在職年が二十年未満である者	十九年
十八年以上十九年未満	施行日直前の条例在職年が九年以上である者	十八年
	施行日直前の条例在職年が九年未満である者	十九年
十七年以上十八年未満	施行日直前の条例在職年が十一年以上である者	十七年
	施行日直前の条例在職年が五年以上十一年未満である者	十八年
	施行日直前の条例在職年が五年未満である者	十九年
十六年以上十七年未満	施行日直前の条例在職年が十二年以上である者	十六年
	施行日直前の条例在職年が八年以上十二年未満である者	十七年
	施行日直前の条例在職年が四年以上八年未満である者	十八年
	施行日直前の条例在職年が四年未満である者	十九年
十五年以上十六年未満	施行日直前の条例在職年が十二年以上である者	十五年
	施行日直前の条例在職年が九年以上十二年未満である者	十六年
	施行日直前の条例在職年が六年以上九年未満である者	十七年
	施行日直前の条例在職年が三年以上六年未満である者	十八年
	施行日直前の条例在職年が三年未満である者	十九年

十四年以上十五年未満	施行日直前の条例在職年が十一年以上である者	十四年
	施行日直前の条例在職年が八年以上十一年未満である者	十五年
	施行日直前の条例在職年が五年以上八年未満である者	十六年
	施行日直前の条例在職年が二年以上五年未満である者	十七年
	施行日直前の条例在職年が二年未満である者	十八年
十三年以上十四年未満	施行日直前の条例在職年が十年以上である者	十三年
	施行日直前の条例在職年が八年以上十年未満である者	十四年
	施行日直前の条例在職年が六年以上八年未満である者	十五年
	施行日直前の条例在職年が四年以上六年未満である者	十六年
	施行日直前の条例在職年が二年以上四年未満である者	十七年
	施行日直前の条例在職年が二年未満である者	十八年
十二年以上十三年未満	施行日直前の条例在職年が十年以上である者	十二年
	施行日直前の条例在職年が八年以上十年未満である者	十三年
	施行日直前の条例在職年が六年以上八年未満である者	十四年
	施行日直前の条例在職年が四年以上六年未満である者	十五年
	施行日直前の条例在職年が二年以上四年未満である者	十六年
	施行日直前の条例在職年が二年未満である者	十七年
十一年以上十二年未満	施行日直前の条例在職年が九年以上である者	十一年
	施行日直前の条例在職年が七年以上九年未満である者	十二年
	施行日直前の条例在職年が六年以上七年未満である者	十三年
	施行日直前の条例在職年が四年以上六年未満である者	十四年
	施行日直前の条例在職年が三年以上四年未満である者	十五年
	施行日直前の条例在職年が一年以上三年未満である者	十六年
	施行日直前の条例在職年が一年未満である者	十七年
十一年未満	施行日直前の条例在職年が八年以上である者	十年
	施行日直前の条例在職年が七年以上八年未満である者	十一年
	施行日直前の条例在職年が六年以上七年未満である者	十二年
	施行日直前の条例在職年が五年以上六年未満である者	十三年
	施行日直前の条例在職年が三年以上五年未満である者	十四年
	施行日直前の条例在職年が二年以上三年未満である者	十五年
	施行日直前の条例在職年が一年以上二年未満である者	十六年
	施行日直前の条例在職年が一年未満である者	十七年

2　組合員期間が二十年未満の更新組合員で施行日の前日に退隠料の最短年金年限の年数が次の表の上欄に掲げる年数である退職年金条例の適用を受けていたもの（施行日直前の条例在職年に係る年金条例職員期間以外の年金条例職員期間を有する者に限る。）のうち前項の規定に該当しない者の施行日前の条例在職年の年月数と施行日以後の組合員期間の年月数とを合算した年月数が、同表の当該中欄に掲げる者の区分に応じ同表の当該下欄に掲げる年数以上であるときは、その者は、新法第九十九

条第一項第四号の規定の適用については組合員期間等が二十五年以上である者であるものと、新法附則第二十六条第一項、第二項及び第十二項の規定の適用については組合員期間等が二十五年以上であり、かつ、組合員期間が二十年以上である者であるものとみなす。

十九年以上二十年未満	施行日前の条例在職年が二十年未満である者	十九年
十八年以上十九年未満	施行日前の条例在職年が九年以上である者	十八年
	施行日前の条例在職年が九年未満である者	十九年
十八年未満	施行日前の条例在職年が十一年以上である者	十七年
	施行日前の条例在職年が五年以上十一年未満である者	十八年
	施行日前の条例在職年が五年未満である者	十九年

3 組合員期間が二十年未満の更新組合員で第五条第二項本文の規定を適用しないとしたならば退隠料を受ける権利を有することとなるもの（前二項の規定の適用を受ける者を除く。）は、新法第七十八条、新法第九十九条第一項第四号及び新法附則第十九条の規定の適用については組合員期間等が二十五年以上である者であるものと、新法附則第二十六条第一項、第二項及び第十二項の規定の適用については組合員期間等が二十五年以上であり、かつ、組合員期間が二十年以上である者であるものとみなす。

4 第一項に規定する場合における同項に規定する更新組合員、第二項に規定する場合における同項に規定する更新組合員又は前項に規定する更新組合員に対する新法附則第二十五条第一項及び第二項並びに第七条第二項、第十三条、第十六条及び第八十三条第三項の規定の適用については、その者は組合員期間が二十年以上である者であるものとみなし、その者に係る退職共済年金の額を算定する場合には、新法第七十九条第一項第二号及び新法附則第二十条の二第二項第三号（新法附則第二十条の三第一項及び第四項、新法附則第二十五条の二第二項、新法附則第二十五条の三第二項及び第五項並びに新法附則第二十六条第五項においてその例による場合を含む。以下この項において同じ。）の規定の適用についてはその者は新法第七十九条第一項第二号イ又は新法附則第二十条の二第二項第三号イに掲げる者に該当するものと、新法第八十条第一項（新法附則第二十条の二第三項、新法附則第二十条の三第二項及び第五項、新法附則第二十五条の二第三項、新法附則第二十五条の三第三項及び第六項、新法附則第二十五条の六第七項並びに新法附則第二十六条第六項において準用する場合を含む。）、新法附則第二十三条及び新法附則第二十五条の七の規定の適用についてはその者は組合員期間が二十年以上である者であるものと、新法附則第二十条の二第二項第一号（新法附則第二十条の三第一項及び第四項、新法附則第二十五条の二第二項、新法附則第二十五条の三第二項及び第五項並びに新法附則第二十六条第五項においてその例による場合を含む。）の規定の適用については組合員期間の月数が二百四十月であるものとみなし、その者に係る遺族共済年金の額を算定する場合には、新法第九十九条の二第一項第一号ロ(2)の規定の適用についてはその者は同号ロ(2)(i)に掲げる者に該当するものと、新法第九十九条の三の規定の適用については組合員期間が二十年以上である者であるものとみなし、その者が新法第八十一条第七項に規定する配偶者である場合における同項の規定の適用については、その者に係る退職共済年金はその額の算定の基礎となる組合員期間が二十年以上であるものであるものとみなす。

（共済条例の適用を受けていた旧長期組合員であつた更新組合員の特例）

第九条 組合員期間が二十年未満の更新組合員で施行日の前日に共済条例の退職年金の最短年金年限の年数が前条第一項の表の上欄に掲げる年数である共済条例の適用を受けていたもの（旧市町村共済法附則第十六項の規定に相当する共済条例の規定により引き続き共済法の退職年金等に関する規定の適用を受けていた者（以下この項において「継続旧長期組合員」という。）を含む。）の当該共済条例による旧長期組合員期間（継続旧長期組合員であつた期間を含む。）の年月数と施行日以後の組合員期間の年月数とを合算した年月数が、同表の当該中欄に掲げる者の区分に応じ同表の当該下欄に掲げる年数以上であるときは、その者は、新法第九十九条第一項第四号の規定の適用については組合員期間等が二十五年以上である者であるものと、新法附則第二十六条第一項、第二項及び第十二項の規定の適用については組合員期間等が二十五年以上であり、かつ、組合員期間が二十年以上である者であるものとみなす。この場合において、同表中欄中「施行日直前の条例在職年」とあるのは、「旧長期組合員期間（継続旧長期組合員であつた期間を含む。）」と読み替えるものとする。

2 組合員期間が二十年未満の更新組合員で、第六条第二項本文の規定を適用しないとしたならば共済条例の退職年金を受ける権利を有することとなるものは、新法第七十八条、新法第九十九条第一項第四号及び新法附則第十九条の規定の適用については組合員期間等が二十五年以上である者であるものと、新法附則第二十六条第一項、第二項及び第十二項の規定の適用については組合員期間等が二十五年以上であり、かつ、組合員期間が二十年以上である者であるものとみなす。

3 第一項に規定する場合における同項に規定する更新組合員又は前項に規定する更新組合員に係る退職共済年金又は遺族共済年金については、前条第四項の規定を準用する。

（特殊の期間の通算）

第十条 組合員期間が二十年未満の更新組合員（前二条の規定の適用を受ける者を除く。）で、その組合員期間に次の期間を算入するとしたならば、その期間が二十年以上となるものは、新法第九十九条第一項第四号の規定の適用については組合員期間等が二十五年以上である者であるものと、新法附則第二十六条第一項、第二項及び第十二項の規定の適用については組合員期間等が二十五年以上であり、かつ、組合員期間が二十年以上である者であるものとみなす。

一　職員（国又は地方公共団体以外の法人に勤務する者で年金条例職員又は旧長期組合員に該当するもの及び職員に準ずる者として政令で定める者を含む。以下この項において同じ。）であつた期間のうち、年金条例職員期間、旧長期組合員期間（第四十五条の規定により旧長期組合員期間とみなされた期間を含む。）、恩給公務員である職員であつた期間、国の旧長期組合員である職員であつた期間、国の長期組合員である職員であつた期間及び第七条第一項第三号の期間を除いた期間

二　旧国民医療法（昭和十七年法律第七十号）に規定する日本医療団に勤務していた者で日本医療団の業務の地方公共団体への引継ぎに伴い、引き続いて職員となつたものの日本医療団に勤務していた期間のうち年金条例職員期間を除いた期間

三　旧日本赤十字社令（明治四十三年勅令第二百二十八号）の規定に基づき戦地勤務（法律第百五十五号附則第四十一条の二第一項に規定する戦地勤務をいう。以下この号において同じ。）に服した日本赤十字社の救護員であつた者でその後職員となつたものの当該戦地勤務に服していた期間（当該日本赤十字社の救護員として昭和二十年八月九日以後戦地勤務に服していた者で、当該戦地勤務に引き続いて海外にあつたものについては、当該戦地勤務に服さなくなつた日の属する月の翌月から帰国した日の属する月（同月において職員となつた場合には、その前月）までの期間で未帰還者留守家族等援護法第二条に規定する未帰還者であると認められるものを含む。）のうち年金条例職員期間及び恩給公務員期間を除いた期間

四　外国政府等（法律第百五十五号附則第四十二条第一項に規定する外国政府職員に係る外国政府、同法附則第四十三条に規定する外国特殊法人職員に係る法人及び同法附則第四十三条の二第一項に規定する外国特殊機関職員に係る特殊機関をいう。以下この号において同じ。）に昭和二十年八月八日まで引き続き勤務していた者、当該外国政府等に勤務した後引き続いて職員となつた者で同日まで引き続き勤務していたもの、当該外国政府等に勤務していた者で任命権者又はその委任を受けた者の要請に応じ当該外国政府等又は日本政府がその運営に関与していた法人その他の団体の職員（以下この号において「関与法人等の職員」という。）となるため退職し、当該関与法人等の職員として同日まで引き続き勤務した後職員となつたもの及び当該外国政府等に勤務していた者で政令で定めるものの当該外国政府等に勤務していた期間（当該外国政府等に勤務しなくなつた日の属する月の翌月から帰国した日の属する月（同月において職員となつた場合には、その前月）までの期間で未帰還者留守家族等援護法第二条に規定する未帰還者であると認められるものを含む。）のうち年金条例職員期間、恩給公務員期間、第七条第一項第四号の期間その他政令で定める期間を除いた期間

五　旧国民健康保険法に規定する国民健康保険組合又は国民健康保険を行う社団法人（以下この号において「国民健康保険組合等」という。）に勤務していた者で当該国民健康保険組合等の業務の市町村への引継ぎに伴い引き続き職員となつたものの当該国民健康保険組合等に勤務していた期間（当該職員となつた日の前日まで引き続く期間に限る。）のうち第七条第一項第五号の期間を除いた期間

六　法律第百五十五号附則第四十一条の四第一項に規定する旧国際電気通信株式会社の社員としての在職期間のある者に準ずる者で当該会社に勤務した後職員となつたものの当該会社に勤務していた期間

2　組合員期間が二十年未満の更新組合員（前二条又は前項の規定の適用を受ける者を除く。）のうち、学校給食に関する単純な労務その他の地方公共団体の事務に相当するものとして政令で定める特定の事務に従事していた者（地方公共団体の財政上の理由その他政令で定める理由により職員となることなく当該特定の事務に従事し、かつ、その者の当該特定の事務に係る勤務の形態が政令で定める要件に該当していた者に限る。以下この項において「特定事務従事者」という。）であつたもので引き続いて職員となつたもの又は更新組合員以外の者（組合員期間が二十年未満である者に限る。）のうち、施行日の前日において特定事務従事者であつたもので同日後引き続き職員となり、昭和四十二年度以後における地方公務員等共済組合法の年金の額の改定等に関する法律等の一部を改正する法律（昭和五十年法律第八十号。以下この項及び次項において「昭和五十年法律第八十号」という。）の施行の日まで引き続いて職員であつたもの（これらの者のうち、職員となつた際のその者の職務が当該特定の事務と同様の内容であつたものに限るものとし、当該職員となつた日が昭和五十年法律第八十号の施行の日の前日までの日であつた者に限る。）が当該施行の日から昭和五十八年十一月三十日までの間に退職した場合において、その者の四十歳以上の組合員期間が十五年以上であり、かつ、組合員期間にその者の当該職員であつた期間に引き続く当該特定事務従事者であつた期間から十二月を控除した期間を算入するとしたならば、その期間が二十年以上となるときは、その者は、新法第九十九条第一項第四号の規定の適用については組合員期間等が二十五年以上である者であるものと、新法附則第二十六条第一項、第二項及び第十二項の規定の適用については組合員期間等が二十五年以上であり、かつ、組合員期間が二十年以上である者であるものとみなす。

3　組合員期間が二十年未満の更新組合員（前二条又は前二項の規定の適用を受ける者を除く。）のうち、地方公共団体の財政上の理由その他政令で定める理由により職員以外の地方公務員として地方公共団体の事務のうち学校給食に関する単純な労務その他の政令で定める特定の事務に従事していた者（以下この項において「特定事務従事地方公務員」という。）であつたもので引き続いて職員となつたもの又は更新組合員以外の者（組合員期間が二十年未満である者に限る。）のうち、昭和五十年法律第八十号の施行の日前において特定事務従事地方公務員であつたもので引き続き職員となり、昭和五十四年法律第七十三号附則第一条第一項第一号に定める日まで引き続いて職員であつたもの（これらの者のうち、職員となつた際のその者の職務が当該特定の事務と同様の内容であつた者に限るものとし、当該職員となつた日が昭和五十年法律第八十号の施行の日の前日までの日であつた者に限る。）が同項第一号に定める日から昭和六十五年十一月十九日までの間に退職した場合において、その者の四十歳以上の組合員期間が十五年以上であり、かつ、組合員期間にその者の当該職員であつた期間に引き続く当該特定

事務従事地方公務員であつた期間から十二月を控除した期間を算入するとしたならば、その期間が二十年以上となるときは、その者は、新法第九十九条第一項第四号の規定の適用については組合員期間等が二十五年以上である者であるものと、新法附則第二十六条第一項、第二項及び第十二項の規定の適用については組合員期間等が二十五年以上であり、かつ、組合員期間が二十年以上である者であるものとみなす。

4 第一項に規定する更新組合員、第二項に規定する場合における同項に規定する更新組合員若しくは同項に規定する更新組合員以外の者又は前項に規定する場合における同項に規定する更新組合員若しくは同項に規定する更新組合員以外の者に係る退職共済年金又は遺族共済年金については、第八条第四項の規定を準用する。

5 第二項に規定する場合における同項に規定する更新組合員以外の者又は第三項に規定する場合における同項に規定する更新組合員以外の者に係る新法及びこの法律の長期給付に関する規定（第二項又は第三項の規定を除く。）の適用については、政令で特別の定めをするものを除き、その者を更新組合員とみなす。

6 前項に定めるもののほか、第二項及び第三項の規定の適用について必要な事項は、政令で定める。

（遺族共済年金の受給資格の特例）

第十一条 次の表の上欄に掲げる者である組合員で、その者の組合員期間等（明治四十四年四月一日以前に生まれた者にあつては昭和三十六年四月一日前の通算対象期間（旧通算年金通則法に規定する通算対象期間に相当するものとして政令で定めるものをいう。以下この条において同じ。）と同日以後の通算対象期間とを合算した期間とし、明治四十四年四月二日から大正十五年四月一日までの間に生まれた者にあつては昭和三十六年四月一日以後の通算対象期間を合算した期間）がそれぞれ同表の下欄に掲げる期間以上であるものは、新法第九十九条第一項第四号の規定の適用については、組合員期間等が二十五年以上である者であるものとみなす。

大正五年四月一日以前に生まれた者	十年
大正五年四月二日から大正六年四月一日までの間に生まれた者	十一年
大正六年四月二日から大正七年四月一日までの間に生まれた者	十二年
大正七年四月二日から大正八年四月一日までの間に生まれた者	十三年
大正八年四月二日から大正九年四月一日までの間に生まれた者	十四年
大正九年四月二日から大正十年四月一日までの間に生まれた者	十五年
大正十年四月二日から大正十一年四月一日までの間に生まれた者	十六年
大正十一年四月二日から大正十二年四月一日までの間に生まれた者	十七年
大正十二年四月二日から大正十三年四月一日までの間に生まれた者	十八年
大正十三年四月二日から大正十四年四月一日までの間に生まれた者	十九年
大正十四年四月二日から大正十五年四月一日までの間に生まれた者	二十年
大正十五年四月二日から昭和二年四月一日までの間に生まれた者	二十一年
昭和二年四月二日から昭和三年四月一日までの間に生まれた者	二十二年
昭和三年四月二日から昭和四年四月一日までの間に生まれた者	二十三年
昭和四年四月二日から昭和五年四月一日までの間に生まれた者	二十四年

2 次に掲げる者は、新法第七十八条、新法第九十九条第一項第四号及び新法附則第十九条の規定の適用については、組合員期間等が二十五年以上である者であるものとみなす。

一 第一項の表の上欄に掲げる者（明治四十四年四月一日以前に生まれた者及び大正十四年四月二日以後に生まれた者を除く。）である組合員で、昭和三十六年四月一日以後の組合員期間がそれぞれ同表の下欄に掲げる期間以上であるもの

二 明治四十四年四月一日以前に生まれた組合員で、昭和三十六年四月一日前の通算対象期間である組合員期間と同日以後の組合員期間とを合算した期間が十年以上であるもの

第十二条 更新組合員に対する前条第二項の規定の適用については、その者の次の各号に掲げる期間（一月未満の端数があるときは、これを一月とする。）は、同項の組合員期間に算入する。

一 通算年金制度を措置した退職年金条例（三十七年法による改正前の旧通算年金通則法附則第六条第五項の規定に基づく措置をした退職年金条例をいう。）に係る第七条第二項第一号又は第二号の期間（前条第二項第一号に掲げる者にあつては、昭和三十六年四月一日以後の期間に限る。）の年月数に、二十年を当該退職年金条例の退隠料の最短年金年限の年数で除して得た率を乗じて得た年月数

二 通算年金制度を措置した共済条例（三十七年法による改正前の旧通算年金通則法附則第六条第五項の規定に基づく措置をした共済条例をいう。）に係る第七条第二項第三号又は第四号の期間（前条第二項第一号に掲げる者にあつては、昭和三十六年四月一日以後の期間に限る。）の年月数に、二十年

を当該共済条例の退職年金の最短年金年限の年数で除して得た率を乗じて得た年月数

第二款　退職共済年金の額に関する経過措置

（共済控除期間等の期間を有する更新組合員等に係る退職共済年金の額の特例）

第十三条　組合員期間のうち共済控除期間及び第七条第一項第三号から第五号までの期間（以下この条において「共済控除期間等の期間」という。）を有する更新組合員に対する退職共済年金の額は、当該退職共済年金の額から次の各号に掲げる者（組合員期間が二十年以上である者に限る。）の区分に応じ、当該各号に掲げる額を控除した額とする。

一　組合員期間が四十年以下の者　退職共済年金の額（新法第八十条第一項（新法附則第二十条の二第三項、新法附則第二十条の三第二項若しくは第五項、新法附則第二十五条の二第三項、新法附則第二十五条の三第三項若しくは第六項、新法附則第二十五条の四第三項若しくは第六項、新法附則第二十五条の六第七項若しくは第九項又は新法附則第二十六条第六項において準用する場合を含む。）に規定する加給年金額を除き、国民年金法（昭和三十四年法律第百四十一号）の規定による老齢基礎年金が支給される場合には、当該老齢基礎年金の額のうち、組合員期間に係る部分に相当するものとして政令で定めるところにより算定した額を加えた額）を組合員期間の月数で除して得た額の百分の四十五に相当する額に共済控除期間等の期間の月数を乗じて得た額

二　共済控除期間等の期間以外の組合員期間が四十年を超える者　退職共済年金の額（新法第八十条第一項（新法附則第二十条の二第三項、新法附則第二十条の三第二項若しくは第五項、新法附則第二十五条の二第三項、新法附則第二十五条の三第三項若しくは第六項、新法附則第二十五条の四第三項若しくは第六項、新法附則第二十五条の六第七項若しくは第九項又は新法附則第二十六条第六項において準用する場合を含む。）に規定する加給年金額を除き、六十五歳に達するまでは、新法附則第二十条の二第二項第一号（新法附則第二十条の三第一項及び第四項、新法附則第二十五条の二第二項、新法附則第二十五条の三第二項及び第五項並びに新法附則第二十五条の四第二項及び第五項においてその例による場合を含む。次項において同じ。）の規定により算定した額若しくは新法附則第二十五条の六第一項に規定する繰上げ調整額又は新法附則第二十六条第五項においてその例によるものとされた同号に規定する金額に係る同項の規定による減額後の額を除く。）を組合員期間の月数で除して得た額の百分の四十五に相当する額に共済控除期間等の期間の月数を乗じて得た額

三　組合員期間が四十年を超え、かつ、共済控除期間等の期間以外の組合員期間が四十年以下の者　次のイ及びロに掲げる額の合算額

イ　共済控除期間等の期間のうち四十年から共済控除期間等の期間以外の組合員期間を控除した期間に相当する期間については、第一号の規定の例により算定した額

ロ　共済控除期間等の期間のうちイに規定する期間以外の期間については、第二号の規定の例により算定した額

2　前項の規定を適用して算定された新法附則第十九条又は新法附則第二十六条の規定による退職共済年金の額のうち、新法附則第二十条の二第二項第一号に掲げる金額若しくは新法附則第二十五条の六第一項に規定する繰上げ調整額又は新法附則第二十六条第五項においてその例によるものとされた同号に規定する金額に係る同項の規定による減額後の金額に相当する額が、組合員期間を二百四十月であるものとして算定した新法附則第二十条の二第二項第一号に掲げる金額若しくは新法附則第二十五条の六第一項に規定する繰上げ調整額又は新法附則第二十六条第五項においてその例によるものとされた同号に規定する金額に係る同項の規定による減額後の金額より少ないときは、当該金額をもつて当該相当する額とする。

（追加費用対象期間を有する更新組合員に係る退職共済年金の額の特例）

第十三条の二　第七条第一項各号の期間又は第八十三条第一項各号の期間その他の政令で定める期間（以下この条、第二十二条の二及び第二十七条の二において「追加費用対象期間」という。）を有する更新組合員（第八十一条第一項第四号に規定する団体更新組合員を含む。以下この条において同じ。）に対する退職共済年金の額（国民年金法の規定による老齢基礎年金又は障害基礎年金が支給される場合には、これらの年金である給付の額を加えた額とする。）が控除調整下限額（二百三十万円に被用者年金制度の一元化等を図るための厚生年金保険法等の一部を改正する法律附則第一条第三号に定める日の属する年度以後の各年度の再評価率（厚生年金保険法（昭和二十九年法律第百十五号）第四十三条第一項に規定する再評価率をいう。）の改定の基準となる率であつて政令で定める率を順次乗じて得た金額をいう。第三項、第二十二条の二及び第二十七条の二において同じ。）を超えるときは、退職共済年金の額は、新法第七十九条第一項、新法第八十条第一項（新法附則第二十条の二第三項、新法附則第二十条の三第二項及び第五項、新法附則第二十五条の二第三項、新法附則第二十五条の三第三項及び第六項、新法附則第二十五条の四第三項及び第六項、新法附則第二十五条の六第七項及び第九項並びに新法附則第二十六条第六項において準用する場合を含む。）、新法第八十条の二第四項、新法第百二条第一項、新法附則第二十条の二第二項（新法附則第二十条の三第一項及び第四項、新法附則第二十五条の二第二項、新法附則第二十五条の三第二項及び第五項並びに新法附則第二十五条の四第二項及び第五項においてその例による場合を含む。）、新法附則第二十四条第一項、新法附則第二十四条の二第四項、新法附則第二十四条の三第一項、新法附則第二十四条の二第四項、新法附則第二十五条の六第一項、第三項（同条第四項において準用する場合を含む。）及び第五項（同条第六項において準用する場合を含む。）並びに新法附則第二十六条第五項及び第十項並びに前条の規定にかかわらず、これらの規定により算定した額から当該額（国民年金法の規定による老齢基礎年金が支給される場合には当該老齢基礎年金の額のうち組合員期間に係る部分に相当するものとして政令で定めるところにより算定した額を、同法の規定による障害基礎年金が支給される場合には当該障害基礎年金の額のうち組合員期間に係る部分に相当するものとして政令で定めるところにより算定した額を、それぞれ加えた額とする。次項において「控除前退職共済年金額」という。）を組合員期間の月数で除して得た額の百分の二十七に相当する額に追加費用対象期間の月数を乗じて得た額（次項において「退職共済年金控除額」という。）を控除した金額とす

る。

2　前項の規定による退職共済年金控除額が控除前退職共済年金額の百分の十に相当する額を超えるときは、当該百分の十に相当する額をもつて退職共済年金控除額とする。

3　前二項の場合において、これらの規定による控除後の退職共済年金の額が控除調整下限額より少ないときは、控除調整下限額をもつて退職共済年金の額とする。

4　国民年金法の規定による老齢基礎年金又は障害基礎年金が支給される場合における前項の規定の適用については、同項中「控除調整下限額」とあるのは、「控除調整下限額から国民年金法の規定による老齢基礎年金又は障害基礎年金の額を控除した額」とする。

5　退職共済年金の受給権者（追加費用対象期間を有する更新組合員に限る。）が、遺族共済年金（その者が六十五歳に達しているものに限る。）その他の政令で定める年金である給付の支給を受けることができるときは、退職共済年金の額は、前各項の規定にかかわらず、当該退職共済年金の額及び当該支給を受けることができる政令で定めるものの額の総額を基礎として、これらの規定に準じて政令で定めるところにより算定した額とする。

6　前各項に定めるもののほか、追加費用対象期間を有する更新組合員に対する退職共済年金の額の算定に関し必要な事項は、政令で定める。

（退職給与金又は共済法の退職一時金の返還）

第十四条　退職給与金（当該退職給与金の基礎となつた年金条例職員期間が第七条第一項第一号の期間に該当するものに限る。）の支給を受けた年金条例職員であつた更新組合員が、退職共済年金を受ける権利を有することとなつたときは、当該退職給与金の額を基礎として政令で定めるところにより算定した金額を当該退職共済年金を受ける権利を有することとなつた日の属する月の翌月から一年以内に、一時に又は分割して、退職給与金を支給した地方公共団体に返還しなければならない。この場合においては、新法附則第二十八条の二第一項後段及び第二項から第四項までの規定を準用する。

2　共済条例の退職一時金（当該共済条例の退職一時金の基礎となつた旧長期組合員期間が第七条第一項第二号の期間に該当するものに限る。）の支給を受けた旧長期組合員であつた更新組合員が、退職共済年金を受ける権利を有することとなつたときは、当該共済条例の退職一時金の額を基礎として政令で定めるところにより算定した金額を当該退職共済年金を受ける権利を有することとなつた日の属する月の翌月から一年以内に、一時に又は分割して、共済条例の退職一時金を支給した地方公共団体に返還しなければならない。この場合においては、新法附則第二十八条の二第一項後段及び第二項から第四項までの規定を準用する。

3　旧市町村共済法の退職一時金（当該旧市町村共済法の退職一時金の基礎となつた期間が第七条第一項第二号の期間に該当するものに限る。）の支給を受けた更新組合員が退職共済年金を受ける権利を有することとなつた場合には、新法附則第二十八条の二の規定を準用する。

（退隠料又は共済法の退職年金を受けた期間を有する更新組合員に関する経過措置）

第十五条　退隠料（第五条第二項第三号の申出をしなかつた場合における退隠料を除く。以下この条において同じ。）又は共済法の退職年金（第六条第二項ただし書の申出をした場合における共済法の退職年金を除く。以下この条において同じ。）を受けていた第七条第一項第一号の期間又は同項第二号の期間を有する更新組合員であつた者に退職共済年金を支給するときは、当該第七条第一項第一号の期間又は同項第二号の期間（退隠料を受けていた同号の期間を除く。）に係る退隠料又は共済法の退職年金の額（既に控除を受けた額があるときは、その額を控除した額とし、第二十四条及び第二十九条において「退隠料等受給額」という。）に相当する額に達するまで、支給時に際し、その支給時に係る支給額の二分の一に相当する額を控除する。

第三款　退職共済年金の支給開始年齢に関する経過措置

（年金条例職員期間又は旧長期組合員期間を有する者の退職共済年金の支給開始年齢の特例）

第十六条　次の各号のいずれかに該当する更新組合員（組合員期間が二十年以上である者に限る。）が六十歳に達する前に退職した場合における新法附則第十九条の規定の適用については、同条第一号中「六十歳以上である」とあるのは、「退職している」とする。

一　第七条第一項第一号の期間に該当する期間が退隠料の最短年金年限の年数の十七分の五に相当する年月数以上であるもの

二　第七条第一項第二号の期間に該当する期間が共済法の退職年金の最短年金年限の年数の二十分の六に相当する年月数以上であるもの

（年金条例職員期間又は旧長期組合員期間を有する者の退職共済年金の額の支給停止）

第十七条　前条に規定する更新組合員に支給する退職共済年金で新法附則第十九条の規定によるものは、その者が六十歳（新法附則第二十五条第一項、第二項又は第三項の規定に規定する者であるときは、それぞれ新法附則別表第二、新法附則別表第三又は新法附則別表第四の上欄に掲げる者の区分に応じ、これらの表の中欄に掲げる年齢。以下この条において同じ。）未満であるときは、六十歳未満である間、その支給を停止する。

第十八条　第十六条第一号に規定する更新組合員に支給する退職共済年金で新法附則第十九条の規定によるものの額のうち、当該年金の額（新法附則第二十条の二第三項、新法附則第二十条の三第二項及び第五項、新法附則第二十五条の二第三項、新法附則第二十五条の三第三項及び第六項、新法附則第二十五条の四第三項及び第六項並びに新法附則第二十五条の六第七項及び第九項において準用する新法第八十条第一項の規定による加給年金額を除く。）に第七条第一項第一号の期間の月数を当該年金の額の算定の基礎となつた組合員期間の月数で除して得た割合を乗じて得た金額については、前条の規定にかかわらず、当該金額から当該金額を退隠料の額とみなした場合に恩給法第五十八条ノ三第一項の規定に相当する退職年金条例の規定により停止することとなる金額に相当する金額を控除した金額に相当する金額を支給する。

第十九条　第十六条第二号に規定する更新組合員に支給する退職共済年金で新法附則第十九条の規定によるものの額のうち、当該年金の額（新法附則第二十条の二第三項、新法附則第二十条の三第二項及び第五項、新法附則第二十五条の二第三項、新法附則第二十五条の三第三項及び第六項、新法附則第二十五条の四第三項及び第六項並びに新法附則第二十五条の六第七項及び第九項において準用する新法第八十条第一項の規定による加給年金額を除く。）に第七条第一項第二号の期間の月数を当該年金の額の算定の基礎となつた組合員期間の月数で除して得た割合を乗じて得た金額については、第十七条の規定にかかわらず、旧市町村共済法に係るものにあつては五十歳に達した日以後当該金額を支給し、共済条例に係るものにあつては同法第四十一条第一項ただし書の規定に相当する共済条例の規定の例により当該規定に定め年齢に達した日以後当該金額を支給する。

第三節　障害共済年金に関する経過措置

第一款　障害共済年金の受給資格に関する経過措置

（公務等による障害共済年金に関する規定の適用）

第二十条　新法第八十四条から第九十五条までの規定中公務等による障害共済年金に関する部分の規定は、組合員が施行日以後公務により病気にかかり、又は負傷し、当該公務による傷病により障害の状態となつた場合について適用する。

（公務等によらない障害共済年金に関する特例）

第二十一条　第七条第一項各号に掲げる期間で施行日まで引き続いているものは、組合員であつた期間とみなして新法第八十四条から第九十五条までの規定中公務等によらない障害共済年金に関する部分の規定を適用する。

第二款　障害共済年金の額に関する経過措置

（共済控除期間等の期間を有する更新組合員に係る障害共済年金の額の特例）

第二十二条　組合員期間が二十五年以上であり、かつ、共済控除期間及び第七条第一項第三号から第五号までの期間（以下この条において「共済控除期間等の期間」という。）を有する者に対する障害共済年金の額は、当該障害共済年金の額から、その額（新法第八十八条第一項に規定する加給年金額を除き、国民年金法の規定による障害基礎年金が支給される場合には、当該障害基礎年金の額を加えた額）を組合員期間の月数で除して得た額の百分の四十五に相当する額に共済控除期間等の期間の月数（その月数が組合員期間の月数から三百月を控除した月数を超えるときは、その控除した月数）を乗じて得た額を控除した額とする。

（追加費用対象期間を有する者に係る障害共済年金の額の特例）

第二十二条の二　追加費用対象期間を有する者に対する障害共済年金（新法第八十七条第二項に規定する公務等による障害共済年金を除く。以下この条において同じ。）の額（国民年金法の規定による障害基礎年金が支給される場合には、当該障害基礎年金の額を加えた額とする。）が控除調整下限額を超えるときは、障害共済年金の額は、新法第八十七条第一項及び第三項、新法第八十八条第一項並びに新法第百三条第一項及び第二項並びに前条の規定にかかわらず、これらの規定により算定した額（以下この項及び次項において「控除前障害共済年金額」という。）から控除前障害共済年金額を組合員期間の月数（当該月数が三百月未満であるときは、三百月）で除して得た額の百分の二十七に相当する額に追加費用対象期間の月数を乗じて得た額（次項において「障害共済年金控除額」という。）を控除した金額とする。

2　前項の規定による障害共済年金控除額が控除前障害共済年金額の百分の十に相当する額を超えるときは、当該百分の十に相当する額をもつて障害共済年金控除額とする。

3　前二項の場合において、これらの規定による控除後の障害共済年金の額が控除調整下限額より少ないときは、控除調整下限額をもつて障害共済年金の額とする。

4　国民年金法の規定による障害基礎年金が支給される場合における前項の規定の適用については、同項中「控除調整下限額」とあるのは、「控除調整下限額から国民年金法の規定による障害基礎年金の額を控除した額」とする。

5　前各項に定めるもののほか、追加費用対象期間を有する者に対する障害共済年金の額の算定に関し必要な事項は、政令で定める。

（退職給与金又は共済法の退職一時金の返還）

第二十三条　第十四条の規定は、同条に規定する更新組合員が障害共済年金を受ける権利を有することとなつた場合について準用する。

（退隠料又は共済法の退職年金を受けた期間を有する更新組合員に関する経過措置）

第二十四条　第十五条に規定する更新組合員であつた者に障害共済年金を支給するときは、退隠料等受給額（同条の規定により既に控除された額があるときは、その額を控除した額）に相当する額に達するまで、支給時に際し、その支給時に係る支給額の二分の一に相当する額を控除する。

第四節　遺族共済年金に関する経過措置等

第一款　遺族共済年金の受給資格に関する経過措置等

（公務傷病による死亡者に係る遺族共済年金の規定の適用）

第二十五条　新法第九十九条から第九十九条の九までの規定中公務等による遺族共済年金に関する部分の規定は、組合員が施行日以後公務により病気にかかり、又は負傷し、当該公務による傷病により死亡した場合について適用する。

（遺族年金の失権に関する経過措置）

第二十六条　旧市町村共済法の遺族年金を受ける権利を有する者が養子縁組をした場合には、当該遺族年金の失権については、地方公務員等共済組合法等の一部を改正する法律（昭和六十年法律第百八号。以下「昭和六十年改正法」という。）による改正前の新法第九十六条第三号の規定の例による。

第二款　遺族共済年金の額に関する経過措置

（共済控除期間等の期間を有する更新組合員に係る遺族共済年金の額の特例）

第二十七条　組合員期間が二十五年以上であり、かつ、共済控除期間及び第七条第一項第三号から第五号までの期間（以下この条において「共済控除期間等の期間」という。）を有するものの遺族に係る遺族共済年金の額は、当該遺族共済年金の額から、その額（新法第九十九条の三の規定により加算される金額を除き、国民年金法の規定による遺族基礎年金が支給される場合には、当該遺族基礎年金の額を加えた額）を組合員期間の月数で除して得た額の百分の四十五に相当する額に共済控除期間等の期間の月数（その月数が組合員期間の月数から三百月を控除した月数を超えるときは、その控除した月数）を乗じて得た額を控除した額とする。

（追加費用対象期間を有する者の遺族に係る遺族共済年金の額の特例）

第二十七条の二　追加費用対象期間を有する者の遺族に対する遺族共済年金（新法第九十九条の二第三項に規定する公務等による遺族共済年金を除く。以下この条において同じ。）の額（国民年金法の規定による老齢基礎年金、障害基礎年金又は遺族基礎年金が支給される場合には、これらの年金である給付の額を加えた額とする。）が控除調整下限額を超えるときは、遺族共済年金の額は、新法第九十九条の二第一項及び第二項、新法第九十九条の三並びに新法第百四条第一項並びに前条の規定にかかわらず、これらの規定により算定した額（以下この項及び次項において「控除前遺族共済年金額」という。）から控除前遺族共済年金額を組合員期間の月数（新法第九十九条第一項第一号から第三号までのいずれかに該当することにより支給される遺族共済年金にあつては、当該月数が三百月未満であるときは、三百月）で除して得た額の百分の二十七に相当する額に追加費用対象期間の月数を乗じて得た額（次項において「遺族共済年金控除額」という。）を控除した金額とする。

2　前項の規定による遺族共済年金控除額が控除前遺族共済年金額の百分の十に相当する額を超えるときは、当該百分の十に相当する額をもつて遺族共済年金控除額とする。

3　前二項の場合において、これらの規定による控除後の遺族共済年金の額が控除調整下限額より少ないときは、控除調整下限額をもつて遺族共済年金の額とする。

4　国民年金法の規定による老齢基礎年金、障害基礎年金又は遺族基礎年金が支給される場合における前項の規定の適用については、同項中「控除調整下限額」とあるのは、「控除調整下限額から国民年金法の規定による老齢基礎年金、障害基礎年金又は遺族基礎年金の額を控除した額」とする。

5　遺族共済年金の受給権者（追加費用対象期間を有する者の遺族である者に限る。）が、退職共済年金（その者が六十五歳に達しているものに限る。）その他の政令で定める年金である給付の支給を受けることができるときは、遺族共済年金の額は、前各項の規定にかかわらず、当該遺族共済年金の額及び当該支給を受けることができる政令で定めるものの額の総額を基礎として、これらの規定に準じて政令で定めるところにより算定した額とする。

6　前各項に定めるもののほか、追加費用対象期間を有する者の遺族に対する遺族共済年金の額の算定に関し必要な事項は、政令で定める。

（退職給与金又は共済法の退職一時金の返還）

第二十八条　第十四条第一項又は第二項に規定する更新組合員の遺族が遺族共済年金を受ける権利を有することとなつたときは、同条第一項又は第二項に規定する政令で定めるところにより算定した金額に相当する金額（同条第一項又は第二項の規定又はこれらの規定において準用する新法附則第二十八条の二第三項の規定により既に返還された金額を除く。）を当該遺族共済年金を受ける権利を有することとなつた日の属する月の翌月から一年以内に、一時に又は分割して、退職給与金又は共済条例の退職一時金を支給した地方公共団体に返還しなければならない。この場合においては、新法附則第二十八条の二第一項後段及び第二項から第四項までの規定を準用する。

2　第十四条第三項に規定する更新組合員の遺族が遺族共済年金を受ける権利を有することとなつた場合には、新法附則第二十八条の三の規定を準用する。

（退隠料又は共済法の退職年金を受けた期間を有する更新組合員であつた者に関する経過措置）

第二十九条　第十五条に規定する更新組合員又は当該更新組合員であつた者が死亡したことにより遺族共済年金を支給するときは、退隠料等受給額（同条又は第二十四条の規定により既に控除された額があるときは、その額を控除した額）の二分の一に相当する額に達するまで、支給時に際し、その支給時に係る支給額の二分の一に相当する額を控除する。

第五節　特殊の期間又は資格を有する組合員に関する特例

（退職後に増加退隠料等を受けることとなつた者の特例）

第三十条　更新組合員であつた者が退職した後に増加退隠料等を受ける権利を有する者となつたときは、当該更新組合員であつた者は、新法及びこの法律の長期給付に関する規定の適用については、施行日の前日において増加退隠料等を受ける権利を有する者であつたものとみなす。

（退職後に増加退隠料を受けなくなつた者の特例）

第三十一条　増加退隠料を受ける権利を有する更新組合員であつた者が退職した後に当該増加退隠料を受ける権利を有しない者となつたときは、当該更新組合員であつた者は、新法及びこの法律の長期給付に関する規定の適用については、施行日の前日において増加退隠料を受ける権利を有しない者であつたものとみなす。この場合において、その者がその時までに支給を受けた退職共済年金は、返還することを要しないものとする。

（退職後に共済法の障害年金を受けなくなつた者の特例）

第三十二条　共済法の障害年金（次条の申出によりその支給を停止されないものに限る。）を受ける権利を有する更新組合員であつた者が退職した後に共済法の障害年金を受けるべき障害の状態に該当しなくなつたため共済法の障害年金を受ける権利を有しない者となつたときは、当該更新組合員であつた者は、新法及びこの法律の長期給付に関する規定の適用については、退職の時において共済法の障害年金を受ける権利を有しない者であつたものとみなす。この場合においては、当該更新組合員であつた者には、旧市町村共済法第四十六条第三項若しくは第四項の規定又はこれらに相当する共済条例の規定は、適用しないものとし、その者がその時までに支給を受けた退職共済年金は、返還することを要しないものとする。

（共済法の障害年金の受給の申出）

第三十三条　更新組合員で共済法の障害年金を受ける権利（施行日の前日において旧市町村共済法第四十六条の二第一項若しくは附則第十八項の規定又はこれらに相当する共済条例の規定によりその支給を停止されていた共済法の障害年金を受ける権利を除く。以下この項において同じ。）を有するものが、施行日（同日以後に共済法の障害年金を受ける権利を有することとなつた場合にあつては、当該権利を有することとなつた日）から六十日を経過する日以前に当該共済法の障害年金の支給を停止させない旨をその決定を行なつた者に対して申し出たときは、当該共済法の障害年金は、その者が更新組合員である間、その支給を停止しない。

2　第六条第六項の規定は、前項の申出があつた場合について準用する。

（退職年金条例の改正に伴う組合員期間の計算等の特例）

第三十四条　第二条第三項に規定する退職年金条例の改正がなされた場合における更新組合員又はその遺族に係る組合員期間の計算、長期給付の支給その他新法及びこの法律の長期給付に関する規定の適用に関し必要な事項は、法律で別に定めるものを除き、政令で定める。

（恩給に関する法令の改正に係る期間を有する者の特例）

第三十五条　恩給に関する法令の改正により新たに恩給が支給され、又は恩給の年額が改定されることとなつたことに伴い、これに相当する退職年金条例の規定が改正された場合において、更新組合員であつた者又はその遺族につき当該恩給に関する法令の改正に係る規定で政令で定めるもの又はこれに相当する退職年金条例の規定並びに新法及びこの法律の規定を適用するとしたならば、退職共済年金若しくは遺族共済年金を新たに支給すべきこととなるとき、又は退職共済年金、障害共済年金若しくは遺族共済年金の額が増加することとなるときは、当該恩給に関する法令の改正に係る規定による恩給の支給又は年額の改定が開始される月分以後、当該恩給に関する法令の改正に係る規定又はこれに相当する退職年金条例の規定並びに新法及びこの法律の規定により、その者若しくはその遺族に退職共済年金若しくは遺族共済年金を新たに支給し、又はその者若しくはその遺族の退職共済年金、障害共済年金若しくは遺族共済年金の額を、これらの規定を適用して算定した額に改定する。

2　前項の規定は、同項の規定の適用を受ける者に準ずるものとして政令で定める者の同項に規定する年金について準用する。

第六節　再就職者に関する経過措置

（年金条例職員又は旧長期組合員であつた者等が施行日以後に組合員となつた場合の取扱い）

第三十六条　第五条第三項及び第五項、第五条の二、第六条第四項及び第六項、第七条第一項（同項第三号及び第五号の規定については、この項第一号に掲げる者に限る。）、第二項各号列記以外の部分及び第三項、第七条の二、第八条第二項から第四項まで、第九条第二項及び第三項、第十条（この項第一号に掲げる者に限る。）、第十三条から第十九条まで、第二十二条から第二十四条まで並びに第二十七条から前条までの規定は、次に掲げる者（第八条第二項の規定については、年金条例職員であつた者で施行日以後に組合員となつたもののうち政令で定める者）について準用する。

一　更新組合員であつた者で再び組合員となつたもの

二　年金条例職員期間又は旧長期組合員期間を有する者で施行日以後に組合員となつたもの（更新組合員及び前号に掲げる者を除く。）

2　前項の場合において、第五条の二、第三十条及び第三十三条第一項中「施行日」とあるのは「第三十六条第一項各号に掲げる組合員となつた日」と、第七条第一項各号列記以外の部分中「施行日前の次の期間」とあるのは「第三十六条第一項各号に掲げる組合員となつた日前の次の期間（当該組合員となつた日の属する月を除く。）」と読み替え、前項第二号に掲げる者については、更に、第五条第五項中「第二項第三号の申出をしなかつた者」とあるのは「退隠料を受ける権利を有する者で、第三十六条第一項第二号に掲げる組合員となつたもの」と、「同項第三号に規定する退隠料」とあるのは「当該退隠料」と読み替えるものとする。

3　前項に定めるもののほか、第一項各号に掲げる者に係る同項において準用する第八条第二項その他のこの法律の規定又は新法の規定の適用について必要な事項は、政令で定める。

4　年金条例職員であつた者で施行日以後に組合員となつたものについて、第四条第一項及び第五条の規定を適用しないものとした場合に退職年金条例の規定により条例在職年の年月数に通算されるべき期間があるときは、第七条第一項第一号（第一項において準用する場合を含む。）、第八条第一項又は第十五条の規定の適用については、その者は、当該期間年金条例職員として在職したものとみなす。

第三章　恩給公務員期間を有する者に関する経過措置

（恩給公務員である職員であつた更新組合員の取扱い）

第三十七条　恩給公務員である職員であつた更新組合員に対する長期給付については、その者が恩給公務員である職員であつた間、年金条例職員として在職していたものと、その者の恩給公務員期間は年金条例職員期間と、恩給に関する法令の規定はこれに相当する退職年金条例の規定と、当該恩給に関する法令の規定による恩給はこれに相当する退隠料等とみなして、この法律中年金条例職員であつた更新組合員に関する規定（これに係る新法の規定を含む。）を適用する。

2　前項に規定する更新組合員について、第七条第一項の規定を適用する場合において、同項第一号ただし書中「加算又は減算することとされている年月数」とあるのは、「加算又は減算することとされている年月数で戦務加算等の期間（法律第百五十五号附則第二十四条第二項又は第三項に規定する加算年のうちこれらの規定により恩給の基礎在職年に算入しないこととされている年月数以外の年月数、同条第四項に規定する加算年の年月数（同条第八項又は法律第百五十五号附則第二十四条の三第三項の規定により法律第百五十五号附則第二十四条第四項第一号又は第三号に規定する加算年の年月数とみなされる年月数を含む。）、同条第九項、第十項又は第十四項の規定により恩給の基礎在職年に算入することとされている加算年の年月数及び同条第十一項又は第十二項の規定により在職期間に加えられることとされている年月数をいう。）以外のもの」とする。

（施行日以後に恩給の受給権を有することとなる者の取扱い）

第三十八条　恩給に関する法令の改正により、前条第一項に規定する更新組合員又はその遺族が新たに普通恩給又はこれに基づく扶助料を受ける権利を有することとなつたときは、当該更新組合員は施行日の前日において当該普通恩給を受ける権利を有していたものとみなして、当該普通恩給又は扶助料を受ける権利について第五条第二項本文の規定を適用する。

（再就職者の取扱い）

第三十九条　前二条の規定は、恩給公務員である職員であつた者で組合員となつたもの（恩給公務員である職員であつた更新組合員を除く。）について準用する。この場合において、第三十七条第一項中「更新組合員に関する規定」とあるのは「前条第一項の規定の適用を受ける組合員に関する規定」と、前条中「施行日」とあるのは「次条に規定する組合員となつた日」と読み替えるものとする。

第四章　国の旧長期組合員期間を有する者に関する経過措置

（国の旧長期組合員である職員であつた更新組合員の取扱い）

第四十条　国の旧長期組合員である職員であつた更新組合員に対する長期給付については、その者が国の旧長期組合員である職員であつた間、旧市町村職員共済組合の組合員として在職したものと、その者の国の旧長期組合員期間は旧市町村共済法に係る旧長期組合員期間と、国の旧法等の規定はこれに相当する旧市町村共済法の規定と、当該国の旧法等の規定による退職給付、障害給付及び遺族給付はこれらに相当する旧市町村共済法の規定による共済法の退職年金等とみなして、この法律中旧市町村職員共済組合に係る旧長期組合員であつた更新組合員に関する規定（これに係る新法の規定を含む。）を適用する。

2　新法第八十九条の規定は、この法律の施行の際新法附則第三条に規定する旧組合に係る国の旧法第四十二条の規定による障害年金を受ける権利を有する者について適用する。この場合において、新法第八十九条第一項中「後における障害等級に該当する」とあるのは、「後において該当する国の旧法別表第二の上欄に掲げる」とする。

3　国の旧法等の規定により退職一時金（当該退職一時金の基礎となつた期間が第七条第一項第二号の期間に該当するものに限る。）の支給を受けた更新組合員が退職共済年金又は障害共済年金を受ける権利を有することとなつた場合には新法附則第二十八条の二の規定を、当該更新組合員の遺族が遺族共済年金を受ける権利を有することとなつた場合には新法附則第二十八条の三の規定を、それぞれ準用する。

（再就職者の取扱い）

第四十一条　前条の規定は、国の旧長期組合員である職員であつた者で組合員となつたもの（国の旧長期組合員である職員であつた更新組合員を除く。）について準用する。この場合において、同条第一項中「更新組合員に関する規定」とあるのは、「第三十六条第一項の規定の適用を受ける組合員に関する規定」と読み替えるものとする。

第五章　国の長期組合員であつた者に関する経過措置

（国の長期組合員である職員であつた組合員の取扱い）

第四十二条　国の長期組合員である職員であつた組合員に対する長期給付については、その者が国の長期組合員である職員であつた間、組合員であつたものと、国の新法及び国の施行法の規定による給付は新法及びこの法律中のこれらの規定に相当する規定による給付とみなして、新法及びこの法律の規定を適用する。この場合において、第二十条及び第二十五条中「施行日」とあるのは、「国の長期組合員となつた日」とする。

（国の更新組合員である職員であつた組合員の取扱い）

第四十三条　国の更新組合員（国の施行法第二十二条第一項各号に掲げる者を含む。）である職員であつた組合員に対する長期給付については、前条に規定するもののほか、その者が国の更新組合員である職員であつた間、更新組合員であつたものと、その者が国の旧法の規定による退職年金を受ける権利につき国の施行法の規定によつてした申出はこの法律中の相当する規定によつてした申出と、国の施行法の規定によつて消滅した恩給、退隠料又は国の旧法の規定による退職年金はこの法律中の相当する規定によつて消滅したものとみなして、この法律の規定を適用する。この場合において、第六条第三項中「旧市町村共済法附則第十五項若しくは附則第十八項の規定又はこれらに相当する共済条例」とあるのは「国の施行法第六条第二項（国の施行法第二十二条第一項又は第二十三条第一項において準用する場合を含む。）」と、第七条第一項第三号から第五号まで及び第十四条第一項の規定中「施行日」とあるのは「国の更新組合員となつた日（国の施行法第二十二条第一項第二号に掲げる者にあつては、同号に掲げる者となつた日）」とし、施行日の前日に国の更新組合員（国の施行法第二十二条第一項各号に掲げる者を含む。）であつた更新組合員については、更に、第七条第二項並びに第八条第一項及び第二項中「施行日」とあるのは「国の更新組合員となつた日（国の施行法第二十二条第一項各号に掲げる者にあつては、当該各号に掲げる者となつた日）」と、第二十一条中「施行日」とあるのは「国の更新組合員となつた日」とする。

（国の長期組合員である職員であつた更新組合員等の取扱い）

第四十四条　国の長期組合員である職員であつた更新組合員に係る昭和六十年改正前の国の新法の規定による退職年金又は減額退職年金（施行日の前日において、昭和六十年国の改正法による改正前の国の新法第七十七条第一項（昭和六十年国の改正法による改正前の国の新法第七十九条第三項において準用する場合を含む。）の規定によりその支給を停止されていた退職年金又は減額退職年金を除く。）は、当該更新組合員が施行日から六十日を経過する日以前に当該退職年金又は減額退職年金の支給を停止させない旨をその決定を行つた者に対して申し出たときは、その者が更新組合員である間、その支給を停止しない。

2　第五条第四項の規定は、前項の申出について準用する。

3　第一項又は前項において準用する第五条第四項の申出をした者に対する新法及びこの法律の長期給付に関する規定の適用については、当該申出に係る退職年金又は減額退職年金の基礎となつた期間は、第七条第一項各号の期間及び組合員であつた期間に該当しないものとする。

4　国の長期組合員である職員であつた更新組合員に係る昭和六十年改正前の国の新法の規定による障害年金（施行日の前日において、昭和六十年国の改正法による改正前の国の新法第八十五条の規定によりその支給を停止されていた障害年金を除く。）は、当該更新組合員が施行日（施行日以後に昭和六十年改正前の国の新法の規定による障害年金を受ける権利を有することとなつた場合にあつては、当該権利を有することとなつた日）から六十日を経過する日以前に当該障害年金の支給を停止させない旨をその決定を行つた者に対して申し出たときは、その者が更新組合員である間、その支給を停止しない。

5　第三項の規定は、前項の申出があつた場合について準用する。

6　第十五条若しくは第二十四条又は第二十九条の規定は、次の各号に掲げる者又はその遺族に退職共済年金若しくは障害共済年金又は遺族共済年金を支給する場合について準用する。

一　昭和六十年改正前の国の新法の規定による退職年金又は減額退職年金（第一項又は第二項において準用する第五条第四

項の申出をした場合における昭和六十年改正前の国の新法の規定による退職年金又は減額退職年金を除く。）を受けていた第七条第一項第一号の期間又は同項第二号の期間（次条第一項の規定により第七条第一項第二号の期間とみなされた期間を除く。）を有する国の長期組合員である職員であつた者

二　退隠料（第五条第二項第三号の申出をしなかつた場合における退隠料を除く。）を受けていた国の長期組合員であつた期間（第三項の規定により組合員であつた期間に該当しないものとされた期間を除くものとし、恩給公務員に該当する者であつた期間に限る。）又は共済法の退職年金（第六条第二項ただし書の申出をした場合における共済法の退職年金を除く。）を受けていた国の長期組合員であつた期間（第三項の規定により組合員であつた期間に該当しないものとされた期間を除く。）を有する国の長期組合員である職員であつた者

7　この法律による改正前の国の施行法第五十一条の二第一項又は第三項の規定による申出をした国の長期組合員である職員であつた更新組合員に対する新法及びこの法律の長期給付に関する規定の適用については、この法律による改正前の国の施行法第五十一条の二第一項又は第三項の規定による長期給付に関する規定の適用があつた日以後の年金条例職員期間は、第七条第一項第一号の期間に該当しないものとする。

第六章　厚生年金保険の被保険者であつた更新組合員に関する経過措置

（厚生年金保険の被保険者であつた更新組合員の取扱い）

第四十五条　施行日の前日に厚生年金保険法による厚生年金保険（以下「厚生年金保険」という。）の被保険者であつた更新組合員（当該更新組合員であつた者で再び組合員となつたものを含む。以下この条において同じ。）の当該被保険者であつた期間（その期間の計算については、同法の規定による被保険者期間の計算の例による。）は、この法律の規定（これに係る新法の規定を含む。）の適用については、当該被保険者であつた期間のうち職員であつた期間は旧市町村共済法の旧長期組合員期間（旧市町村共済法附則第三十一項に規定する控除期間（以下この項において「控除期間」という。）を除く。）で第七条第二項第三号又は第四号の期間に該当するものであつたものとみなし、当該被保険者であつた期間のうち職員でなかつた期間は控除期間で同項第三号又は第四号の期間に該当するものであつたものとみなす。

2　前項に規定する更新組合員の厚生年金保険の被保険者であつた期間のうち職員でなかつた期間に係る第十三条、第二十二条及び第二十七条の規定の適用については、これらの規定中「共済控除期間」とあるのは、「共済控除期間（第四十五条第一項の規定により同項に規定する控除期間で第七条第二項第三号又は第四号の期間に該当するものであつたものとみなされる期間を除く。）」とする。

3　前二項の規定は、更新組合員（第一項に規定する更新組合員を除く。）の施行日前の厚生年金保険の被保険者であつた期間（地方公共団体に使用され、地方公共団体から給与を受ける者であつた期間に限る。）で政令で定めるものについて準用する。

4　第一項又は前項に規定する更新組合員の第一項（前項において準用する場合を含む。）の規定により旧市町村共済法の旧長期組合員期間とみなされた期間は、施行日以後においては、厚生年金保険の被保険者でなかつたものとみなす。

第七章　特殊の組合員に関する経過措置

第一節　都道府県知事又は市町村長であつた更新組合員等に関する経過措置

（都道府県知事又は市町村長であつた更新組合員等の取扱い）

第四十六条　都道府県知事又は市町村長（特別区の区長（地方自治法第二百八十三条第一項の規定により選挙された特別区の区長に限る。）を含む。）であつた更新組合員等に対し新法の長期給付に関する規定及びこの法律の規定を適用する場合の特例については、この節に定めるところによる。

（地方公共団体の長であつた期間の計算の特例）

第四十七条　更新組合員の第七条第一項第一号の期間のうち、同号中「年金条例職員期間のうち」とあるのは「知事等としての退隠料等の基礎となるべき期間のうち」として同号の規定を適用して算定した期間は、地方公共団体の長であつた期間に算入する。

2　施行日以後の地方公共団体の長であつた期間を有しない知事等であつた更新組合員の知事等としての退隠料等の基礎となるべき期間で前項の規定により地方公共団体の長であつた期間に算入される期間に相当するものは、地方公共団体の長であつた期間とみなして、この節の規定を適用する。

3　第七条第一項第一号の期間のうちに都道府県知事又は市町村長としての年金条例職員期間（昭和二十一年十月五日以後における期間に限る。）を有する更新組合員が当該年金条例職員期間（第一項の規定により地方公共団体の長であつた期間に算入され、又は前項の規定により地方公共団体の長であつた期間とみなされた期間を除く。以下この項において同じ。）の月数（一月未満の端数があるときは、これを一月とする。）一月につき施行日（同日に地方公共団体の長でない更新組合員にあつては、当該年金条例職員期間の最終日）の属する月におけるその者の給料の百分の〇・五に相当する金額を、政令で定めるところにより、組合に納付したときは、当該年金条例職員期間は、知事等としての退隠料等の基礎となるべき期間とみなして、前二項の規定を適用する。

（地方公共団体の長の退職共済年金の受給資格に関する特例）

第四十八条　地方公共団体の長であつた期間が十二年未満の知事等であつた更新組合員で施行日の前日に退職年金条例の適用を受けていたものの施行日直前の条例在職年（第八条第一項に規定する施行日直前の条例在職年をいう。）のうち前条の規定により地方公共団体の長であつた期間に算入され、又は地方公共団体の長であつた期間とみなされた期間に係る条例在職年の年月数に、十二年をその者に係る知事等としての退隠料の最短年金年限の年数で除して得た率を乗じて得た年月数（一月未満の端数があるときは、これを一月とする。）と施行日以後の地方公共団体の長であつた期間の年月数とを合算した年月数が十二年以上であるときは、その者は、新法第九十九条第一項第四号の規定の適用については組合員期間等が二十五年以上である者

であるものと、新法附則第二十六条第一項、第二項及び第十二項の規定の適用については組合員期間等が二十五年以上であり、かつ、組合員期間が二十年以上である者であるものとみなす。

2 地方公共団体の長であつた期間が十二年未満の知事等であつた更新組合員で第五条第二項本文の規定を適用しないとしたならば知事等としての退隠料を受ける権利を有することとなるもの（前項の規定の適用を受ける者を除く。）は、新法第七十八条、新法第九十九条第一項第四号及び新法附則第十九条の規定の適用については組合員期間等が二十五年以上である者であるものと、新法附則第二十六条第一項、第二項及び第十二項の規定の適用については組合員期間等が二十五年以上であり、かつ、組合員期間が二十年以上である者であるものとみなす。

3 第一項に規定する場合における同項に規定する更新組合員又は前項に規定する更新組合員に対する新法附則第二十五条第一項及び第二項並びに第七条第二項、第十三条及び第八十三条第三項の規定の適用については、その者は組合員期間が二十年以上である者であるものとみなし、その者に係る退職共済年金の額を算定する場合には、新法第七十九条第一項第二号及び新法附則第二十条の二第二項第三号（新法附則第二十条の三第一項及び第四項、新法附則第二十五条の二第二項、新法附則第二十五条の三第二項及び第五項並びに新法附則第二十六条第五項においてその例による場合を含む。以下この項において同じ。）の規定の適用についてはその者は新法第七十九条第一項第二号イ又は新法附則第二十条の二第二項第三号イに掲げる者に該当するものと、新法第八十条第一項（新法附則第二十条の二第三項、新法附則第二十条の三第二項及び第五項、新法附則第二十五条の三第三項及び第六項、新法附則第二十五条の六第七項並びに新法附則第二十六条第六項において準用する場合を含む。）、新法附則第二十三条及び新法附則第二十五条の七の規定の適用についてはその者は組合員期間が二十年以上である者であるものと、新法第百二条第一項及び新法附則第二十四条第一項の規定の適用についてはその者は地方公共団体の長であつた期間が十二年以上である者であるものと、第四十九条の規定の適用についてはその者は組合員期間が二十年以上であり、かつ、地方公共団体の長であつた期間が十二年以上である者であるものとみなし、その者に係る遺族共済年金の額を算定する場合には、新法第九十九条の二第一項第一号ロ(2)の規定の適用についてはその者は同号ロ(2)(i)に掲げる者に該当するものと、新法第九十九条の三の規定の適用についてはその者は組合員期間が二十年以上である者であるものと、新法第百四条第一項の規定の適用についてはその者は地方公共団体の長であつた期間が十二年以上である者であるものとみなし、その者が新法第八十一条第七項に規定する配偶者である場合における同項の規定の適用については、その者に係る退職共済年金はその額の算定の基礎となる組合員期間が二十年以上であるものであるものとみなす。

（地方公共団体の長の退職共済年金の支給開始年齢に関する特例）

第四十九条 第七条第一項第一号の期間のうち、第四十七条の規定により地方公共団体の長であつた期間に算入され、又は地方公共団体の長であつた期間とみなされた期間が知事等としての退隠料の最短年金年限の年数の十二分の四に相当する年月数以上である更新組合員（組合員期間が二十年以上であり、かつ、当該組合員期間のうち地方公共団体の長である期間が十二年以上である者に限る。）が六十歳に達する前に退職した場合における新法附則第十九条の規定の適用については、同条第一号中「六十歳以上である」とあるのは、「退職している」とする。

第五十条 前条に規定する更新組合員に支給する退職共済年金で新法附則第十九条の規定によるものは、その者が六十歳（新法附則第二十五条第一項又は第二項の規定に規定する者であるときは、それぞれ新法附則別表第二又は新法附則別表第三の上欄に掲げる者の区分に応じ、それぞれ同表の中欄に掲げる年齢。以下この条において同じ。）未満であるときは、六十歳未満である間、その支給を停止する。

第五十一条 第四十九条に規定する更新組合員に支給する退職共済年金で新法附則第十九条の規定によるものの額のうち、当該年金の額（新法附則第二十条の二第三項、新法附則第二十条の三第二項及び第五項、新法附則第二十五条の二第三項、新法附則第二十五条の三第三項及び第六項、新法附則第二十五条の四第三項及び第六項並びに新法附則第二十五条の六第七項及び第九項において準用する新法第八十条第一項の規定による加給年金額を除く。）に第七条第一項第一号の期間（第四十七条の規定により地方公共団体の長であつた期間に算入され、又は地方公共団体の長であつた期間とみなされた期間に限る。）の月数を当該年金の額の算定の基礎となつた組合員期間の月数で除して得た割合を乗じて得た金額については、前条の規定にかかわらず、当該金額から当該金額を知事等としての退隠料の額とみなした場合に恩給法第五十八条ノ三第一項の規定に相当する退職年金条例の規定により停止することとなる金額に相当する金額を控除した金額に相当する金額を支給する。

（再就職者の取扱い）

第五十二条 第四十七条から前条までの規定は、都道府県知事又は市町村長であつた者で組合員となつたもの（都道府県知事又は市町村長であつた更新組合員を除く。）について準用する。この場合において、第四十七条第三項中「施行日」とあるのは、「第五十二条に規定する組合員となつた日」と読み替えるものとする。

第二節 警察職員に関する経過措置

（警察職員の取扱い）

第五十三条 恩給公務員である職員又は警察条例職員であつた更新組合員等のうち警察職員に対し新法の長期給付に関する規定及びこの法律の規定を適用する場合の特例については、この節に定めるところによる。

（警察職員であつた期間の計算の特例）

第五十四条 恩給公務員である職員であつた更新組合員の第七条第一項第一号の期間のうち、同号中「年金条例職員期間のうち」とあるのは「警察監獄職員の恩給の基礎となるべき期間のうち」として同号及び第三十七条第二項の規定を適用して算定した期間は、警察職員であつた期間に算入する。

2 警察条例職員であつた更新組合員の第七条第一項第一号の期間のうち、同号中「年金条例職員期間のうち」とあるのは「警察条例職員としての年金条例職員期間（警察法の一部を改正する法律（昭和二十六年法律第二百三十三号）附則第四項の規定の適用を受けた者の市町村警察の職員として在職した期間及び警察法（昭和二十九年法律第百六十二号）附則第二十四項の規定の適用を受けた者の自治体警察の職員として在職した期間を除く。）のうち」として同号の規定を適用して算定した期間は、警察職員であつた期間に算入する。

3　警察条例職員であつた更新組合員に対する長期給付については、その者が警察条例職員であつた間、警察監獄職員として在職していたものと、その者の警察条例職員であつた期間は警察監獄職員であつた期間と、当該警察条例職員であつた期間に係る退職年金条例の規定はこれに相当する恩給法の規定と、当該退職年金条例の規定による退隠料等はこれに相当する恩給とみなして、次条から第五十八条までの規定を適用する。

（警察職員の退職共済年金の受給資格に関する特例）

第五十五条　警察職員であつた期間が十五年（新法附則第二十八条の四第一項第二号イからホまでに掲げる者については、これらの者の区分に応じ同号イからホまでに掲げる年数。次項において同じ。）未満の恩給公務員である職員であつた更新組合員で施行日の前日に恩給公務員である職員であつたものの施行日前の警察在職年の年月数と施行日以後の警察職員であつた期間の年月数とを合算した年月数が次の各号に掲げる者の区分に応じ当該各号に掲げる年数以上であるときは、その者は、新法第九十九条第一項第四号の規定の適用については組合員期間等が二十五年以上である者であるものと、新法附則第二十六条第一項、第二項及び第十二項の規定の適用については組合員期間等が二十五年以上であり、かつ、組合員期間が二十年以上である者であるものとみなす。

一　施行日前の警察在職年が八年以上である者　十二年

二　施行日前の警察在職年が四年以上八年未満である者　十三年

三　施行日前の警察在職年が四年未満である者　十四年

2　警察職員であつた期間が十五年未満の恩給公務員である職員であつた更新組合員で第五条第二項本文の規定を適用しないとしたならば警察監獄職員の普通恩給を受ける権利を有することとなるもの（前項の規定の適用を受ける者を除く。）は、新法第七十八条、新法第九十九条第一項第四号及び新法附則第十九条の規定の適用については組合員期間等が二十五年以上である者であるものと、新法附則第二十六条第一項、第二項及び第十二項の規定の適用については組合員期間等が二十五年以上であり、かつ、組合員期間が二十年以上である者であるものとみなす。

3　第一項に規定する場合における同項に規定する更新組合員又は前項に規定する更新組合員に対する新法附則第二十五条第一項及び第二項並びに第七条第二項、第十三条、次条及び第八十三条第三項の規定の適用については、その者は組合員期間が二十年以上である者であるものとみなし、その者に係る退職共済年金の額を算定する場合には、新法第七十九条第一項第二号及び新法附則第二十条の二第二項第三号（新法附則第二十条の三第一項及び第四項、新法附則第二十五条の二第二項、新法附則第二十五条の三第二項及び第五項並びに新法附則第二十六条第五項においてその例による場合を含む。以下この項において同じ。）の規定の適用についてはその者は新法第七十九条第一項第二号イ又は新法附則第二十条の二第二項第三号イに掲げる者に該当するものと、新法第八十条第一項（新法附則第二十条の二第三項、新法附則第二十条の三第二項及び第五項、新法附則第二十五条の二第三項、新法附則第二十五条の三第三項及び第六項、新法附則第二十五条の六第七項並びに新法附則第二十六条第六項において準用する場合を含む。）、新法附則第二十三条及び新法附則第二十五条の七の規定の適用についてはその者は組合員期間が二十年以上である者であるものと、新法附則第二十条の二第二項第一号（新法附則第二十条の三第一項及び第四項、新法附則第二十五条の二第二項、新法附則第二十五条の三第二項及び第五項並びに新法附則第二十六条第五項においてその例による場合を含む。）の規定の適用については組合員期間の月数が二百四十月であるものとみなし、その者に係る遺族共済年金の額を算定する場合には、新法第九十九条の二第一項第一号ロ⑵の規定の適用についてはその者は同号ロ⑵(i)に掲げる者に該当するものと、新法第九十九条の三の規定の適用についてはその者は組合員期間が二十年以上である者であるものとみなし、その者が新法第八十一条第七項に規定する配偶者である場合における同項の規定の適用については、その者に係る退職共済年金はその額の算定の基礎となる組合員期間が二十年以上であるものであるものとみなす。

（警察職員の退職共済年金の支給開始年齢に関する特例）

第五十六条　第七条第一項第一号の期間のうち、第五十四条の規定により警察職員であつた期間に算入された期間が四年以上である更新組合員（組合員期間が二十年以上である者に限る。）が六十歳に達する前に退職した場合における新法附則第十九条の規定の適用については、同条第一号中「六十歳以上である」とあるのは、「退職している」とする。

第五十七条　前条に規定する更新組合員に支給する退職共済年金で新法附則第十九条の規定によるものは、その者が六十歳（新法附則別表第四の上欄に掲げる者の区分に応じ、同表の中欄に掲げる年齢。以下この条において同じ。）未満であるときは、六十歳未満である間、その支給を停止する。

第五十八条　第五十六条に規定する更新組合員に支給する退職共済年金で新法附則第十九条の規定によるものの額のうち、当該年金の額（新法附則第二十条の二第三項、新法附則第二十条の三第二項及び第五項、新法附則第二十五条の二第三項、新法附則第二十五条の三第三項及び第六項、新法附則第二十五条の四第三項及び第六項並びに新法附則第二十五条の六第七項及び第九項において準用する新法第八十条第一項の規定による加給年金額を除く。）に第七条第一項第一号の期間（第五十四条の規定により警察職員であつた期間に算入された期間に限る。）の月数を当該年金の額の算定の基礎となつた組合員期間の月数で除して得た割合を乗じて得た金額については、前条の規定にかかわらず、当該金額のうち、四十五歳に達した日以後五十歳に達するまではその百分の五十に相当する金額、五十歳に達した日以後五十五歳に達するまではその百分の七十に相当する金額、五十五歳に達した日以後はその百分の百に相当する金額をそれぞれ支給する。

（再就職者の取扱い）

第五十九条　第五十四条から前条までの規定は、警察監獄職員又は警察条例職員であつた者で組合員となつたもの（警察監獄職員である職員又は警察条例職員であつた更新組合員を除く。）について準用する。

第三節　消防職員であつた更新組合員等に関する経過措置

（消防職員であつた者の取扱い）

第六十条　消防職員であつた更新組合員等に対し新法の長期給付に関する規定及びこの法律の規定を適用する場合の特例については、この節に定めるところによる。

（消防組合員であつた期間の計算の特例）

第六十一条　消防職員であつた更新組合員の第七条第一項第一号の期間のうち、同号中「年金条例職員期間のうち」とあるのは「第六十二条第一項に規定する消防職員としての年金条例職員期間のうち」として同号の規定を適用して算定した期間は、消防組合員であつた期間に算入する。

2　施行日以後の消防組合員であつた期間を有しない消防職員であつた更新組合員の消防職員であつた期間で前項の規定により消防組合員であつた期間に算入される期間に相当するものは、消防組合員であつた期間とみなして、この節の規定を適用する。

3　恩給公務員である職員であつた更新組合員の第七条第一項第一号の期間のうち、同号中「年金条例職員期間のうち」とあるのは「消防公務員に係る警察監獄職員の恩給の基礎となるべき期間のうち」として同号及び第三十七条第二項の規定を適用して算定した期間は、消防組合員であつた期間に算入する。

4　第二項の規定は、施行日以後の消防組合員であつた期間を有しない消防公務員であつた更新組合員の消防公務員であつた期間で前項の規定により消防組合員であつた期間に算入される期間に相当するものについて準用する。

5　消防公務員であつた更新組合員に対する長期給付については、その者が消防公務員であつた間、消防職員として在職していたものと、その者の消防公務員であつた期間は消防職員であつた期間と、当該消防公務員であつた期間に係る恩給法の規定はこれに相当する退職年金条例の規定と、当該恩給法の規定による恩給はこれに相当する退隠料等とみなして、次条から第六十五条までの規定を適用する。

（消防職員であつた更新組合員の退職共済年金の受給資格の特例）

第六十二条　消防組合員であつた期間が二十年未満の消防職員であつた更新組合員で施行日の前日に退隠料の最短年金年限の年数が第八条第一項の表の上欄に掲げる年数である退職年金条例の適用を受けていたものの当該退職年金条例による施行日前の年金条例職員期間（その者が更新組合員である間年金条例職員であつたものとみなした場合に退職年金条例の規定により年金条例職員期間に通算されるべきこととなる期間を含む。）のうち消防職員としての年金条例職員期間（その者が消防組合員である間消防職員であつたものとみなした場合に退職年金条例の規定により当該消防職員としての年金条例職員期間に通算されるべきこととなる消防職員としての年金条例職員期間又は消防職員としての年金条例職員期間以外の年金条例職員期間（退職年金条例の規定により当該期間を換算して消防職員としての年金条例職員期間に通算されることとなる消防職員としての年金条例職員期間以外の年金条例職員期間については、当該換算した期間とする。）を含む。）に係る条例在職年の年月数と施行日以後の消防組合員であつた期間の年月数とを合算した年月数が、同表の当該中欄に掲げる者の区分に応じ同表の当該下欄に掲げる年数以上であるときは、その者は、新法第九十九条第一項第四号の規定の適用については組合員期間等が二十五年以上である者であるものと、新法附則第二十六条第一項、第二項及び第十二項の規定の適用については組合員期間等が二十五年以上であり、かつ、組合員期間が二十年以上である者であるものとみなす。この場合において、同表中欄中「施行日直前の条例在職年」とあるのは、「施行日前の年金条例職員期間（その者が更新組合員である間年金条例職員であつたものとみなした場合に退職年金条例の規定により年金条例職員期間に通算されるべきこととなる期間を含む。）のうち消防職員としての年金条例職員期間（その者が消防組合員である間消防職員であつたものとみなした場合に退職年金条例の規定により当該消防職員としての年金条例職員期間に通算されるべきこととなる消防職員としての年金条例職員期間又は消防職員としての年金条例職員期間以外の年金条例職員期間（退職年金条例の規定により当該期間を換算して消防職員としての年金条例職員期間に通算されることとなる消防職員としての年金条例職員期間以外の年金条例職員期間については、当該換算した期間とする。）を含む。）に係る条例在職年」と読み替えるものとする。

2　消防組合員であつた期間が二十年未満の消防職員であつた更新組合員で第五条第二項本文の規定を適用しないとしたならば消防職員としての退隠料を受ける権利を有することとなるもの（前項の規定の適用を受ける者を除く。）は、新法第七十八条、新法第九十九条第一項第四号及び新法附則第十九条の規定の適用については組合員期間等が二十五年以上である者であるものと、新法附則第二十六条第一項、第二項及び第十二項の規定の適用については組合員期間等が二十五年以上であり、かつ、組合員期間が二十年以上である者であるものとみなす。

3　第一項に規定する場合における同項に規定する更新組合員又は前項に規定する更新組合員に対する新法附則第二十五条第一項及び第二項並びに第六条第二項、第十三条、次条及び第八十三条第三項の規定の適用については、その者は組合員期間が二十年以上である者であるものとみなし、その者に係る退職共済年金の額を算定する場合には、新法第七十九条第一項第二号及び新法附則第二十条の二第二項第三号（新法附則第二十条の三第一項及び第四項、新法附則第二十五条の二第二項、新法附則第二十五条の三第二項及び第五項並びに新法附則第二十六条第五項においてその例による場合を含む。以下この項において同じ。）の規定の適用についてはその者は新法第七十九条第一項第二号イ又は新法附則第二十条の二第二項第三号イに掲げる者に該当するものと、新法第八十条第一項（新法附則第二十条の二第三項、新法附則第二十条の三第三項及び第五項、新法附則第二十五条の二第三項、新法附則第二十五条の三第三項及び第六項、新法附則第二十五条の六第七項並びに新法附則第二十六条第六項において準用する場合を含む。）、新法附則第二十三条及び新法附則第二十五条の七の規定の適用についてはその者は組合員期間が二十年以上である者であるものと、新法附則第二十条の二第二項第一号（新法附則第二十条の三第一項及び第四項、新法附則第二十五条の二第二項、新法附則第二十五条の三第二項及び第五項並びに新法附則第二十六条第五項においてその例による場合を含む。）の規定の適用については組合員期間の月数が二百四十月であるものとみなし、その者に係る遺族共済年金の額を算定する場合には、新法第九十九条の二第一項第一号ロ(2)の規定の適用についてはその者は同号ロ(2)(i)に掲げる者に該当するものと、新法第九十九条の三の規定の適用についてはその者は組合員期間が二十年以上である者であるものとみなし、その者が新法第八十一条第七項に規定する配偶者である場合における同項の規定の適用については、その者に係る退職共済年金はその額の算定の基礎となる組合員期間が二十年以上であるものであるものとみなす。

（消防組合員の退職共済年金の支給開始年齢に関する特例）

第六十三条　第七条第一項第一号の期間のうち、第六十一条の規定により消防組合員であつた期間に算入され、又は消防組合員であつた期間とみなされた期間がその期間に係る退隠料の最短年金年限の年数の十二分の四に相当する年月数以上である更新組合員（組合員期間が二十年以上である者に限る。）が六十歳に達する前に退職した場合における新法附則第十九条の規定の適用については、同条第一号中「六十歳以上である」とあるのは、「退職している」とする。

第六十四条　前条に規定する更新組合員に支給する退職共済年金で新法附則第十九条の規定によるものは、その者が六十歳（新法附則第二十五条第三項の規定に規定する者であるときは、新法附則別表第四の上欄に掲げる者の区分に応じ、同表の中欄に掲げる年齢。以下この条において同じ。）未満であるときは、六十歳未満である間、その支給を停止する。

第六十五条　第六十三条に規定する更新組合員に支給する退職共済年金で新法附則第十九条の規定によるものの額のうち、当該年金の額（新法附則第二十条の二第三項、新法附則第二十条の三第二項及び第五項、新法附則第二十五条の二第三項、新法附則第二十五条の三第三項及び第六項、新法附則第二十五条の四第三項及び第六項並びに新法附則第二十五条の六第七項及び第九項において準用する新法第八十条第一項の規定による加給年金額を除く。）に第七条第一項第一号の期間（第六十一条の規定により消防組合員であつた期間に算入され、又は消防組合員であつた期間とみなされた期間に限る。）の月数を当該年金の額の算定の基礎となつた組合員期間の月数で除して得た割合を乗じて得た金額については、前条の規定にかかわらず、当該金額から当該金額を消防職員としての退隠料の額とみなした場合に恩給法第五十八条ノ三第一項の規定に相当する退職年金条例の規定により停止することとなる金額に相当する金額を控除した金額に相当する金額を支給する。

（再就職者の取扱い）

第六十六条　第六十一条から前条までの規定は、消防職員又は消防組合員であつた者で組合員となつたもの（消防職員又は消防公務員であつた更新組合員を除く。）について準用する。

第八章　組合役職員等に関する経過措置

（組合役職員等の取扱い）

第六十七条　組合役職員又は連合会役職員（これらの者のうち役員を除く。以下この章において同じ。）である組合員で旧市町村職員共済組合又は旧市町村職員共済組合連合会に使用される者（常時勤務に服することを要しない者及び臨時に使用される者を除く。以下この項において「組合等の職員」という。）であつたものに対するこの法律の規定の適用については、これらの者は、組合等の職員であつた間、職員であつたものとみなす。

2　旧町村職員恩給組合連合会及び新法附則第二十九条第二項の規定により解散する健康保険組合に使用される者（常時勤務に服することを要しない者及び臨時に使用される者を除く。以下この項において「団体の職員」という。）で施行日の前日に団体の職員であり、引き続き組合役職員又は連合会役職員である組合員となつたものに対するこの法律の規定の適用については、これらの者の団体の職員として施行日まで引き続いている期間は、職員であつたものとみなす。

3　前二項に規定するもののほか、組合役職員又は連合会役職員である組合員に対する新法及びこの法律の長期給付に関する規定の適用について必要な事項は、政令で定める。

第六十八条　新法附則第二十九条第一項に規定する地方公共団体で同項の申出をしなかつたものが健康保険組合を組織しなくなつたことに伴い当該健康保険組合が解散した場合において、当該解散した日に当該解散した健康保険組合に使用される者（常時勤務に服することを要しない者及び臨時に使用される者を除く。以下「解散健康保険組合の職員」という。）であつた者が、引き続き組合役職員である組合員となつたときは、新法及びこの法律（第十条を除く。）の規定の適用については、当該組合役職員である組合員となつた者（第八十一条第一項第四号に規定する団体更新組合員に限る。）は、第四十五条第一項に規定する更新組合員とみなし、当該組合役職員である組合員となつた者の次の表の上欄に掲げる期間は、それぞれ同表の下欄に掲げる期間に該当するものとする。

一　第八十三条第一項第一号の期間並びに同項第二号ロ及びニの期間で厚生年金保険の被保険者であつた期間に該当するもののうち、解散健康保険組合の職員であつた期間	第四十五条第一項に規定する旧市町村共済法の旧長期組合員期間
二　第八十三条第一項第一号の期間のうち解散健康保険組合の職員でなかつた期間	第四十五条第一項に規定する控除期間
三　第八十三条第一項第三号の期間並びに同項第二号ロ及びニの期間で厚生年金保険の被保険者でなかつた期間に該当するもの	第七条第一項第三号の期間
四　昭和三十九年十月一日以後の第八十一条第一項第三号に規定する旧団体共済組合員であつた期間又は新法第百四十四条の三第一項に規定する団体職員である期間に係る組合員期間	施行日以後の組合員期間

2　前項の規定の適用を受ける者の同項の表の上欄に掲げる期間

は、同項の解散した日後における新法第九章の二及びこの法律第十一章の規定の適用については、新法第百四十四条の三第一項に規定する団体職員である期間に係る組合員期間に該当しないものとみなす。

第六十九条　職員であつた期間で施行日の前日まで引き続いているものに引き続く健康保険組合（職員を被保険者とする健康保険組合に限る。以下この条において同じ。）の職員であつた期間を有する更新組合員又は施行日の前日に健康保険組合の職員であつた者で施行日に職員となつたものに対する新法及びこの法律の規定の適用については、これらの者の当該職員であつた期間で施行日の前日まで引き続いているものに引き続く健康保険組合の職員であつた期間又は当該職員となつた日に引き続く健康保険組合の職員であつた期間のうち、共済条例の旧長期組合員期間と同様の取扱いをされていた期間は、職員であつたものとみなし、当該期間は、第七条第一項第三号の期間に該当するものとする。

第九章　国の職員等であつた者に関する経過措置

（国の職員等であつた組合員の取扱い）

第七十条　国の職員又は国の職員とみなされる者（職員である者を除く。）（以下この条において「国の職員等」という。）であつた組合員は、この法律（次項を除く。）の規定の適用については、国の職員等であつた間、職員であつたものとみなし、国の職員等であつた組合員に対する第七条第一項の規定の適用については、その者の国の施行法第七条第一項第六号に規定する期間は、第七条第一項第四号の期間に該当するものとする。

2　国の更新組合員である国の職員等であつた組合員に第十条（第三十六条第一項において準用する場合を含む。）の規定を適用する場合においては、その者の次の期間は、第十条第一項各号に掲げる期間に該当するものとする。

一　旧国民医療法に規定する日本医療団に勤務していた者で日本医療団の業務の政府への引継ぎに伴い、引き続いて国の職員等となつたものの日本医療団に勤務していた期間のうち恩給公務員期間を除いた期間

二　外国政府等（法律第百五十五号附則第四十二条第一項に規定する外国政府職員に係る外国政府、同法附則第四十三条に規定する外国特殊法人職員に係る法人及び同法附則第四十三条の二第一項に規定する外国特殊機関職員に係る特殊機関をいう。以下この号において同じ。）に昭和二十年八月八日まで引き続き勤務していた者、当該外国政府等に勤務した後引き続いて国の職員等となつた者で同日まで引き続き勤務していたもの、当該外国政府等に勤務していた者で任命権者又はその委任を受けた者の要請に応じ当該外国政府等又は日本政府がその運営に関与していた法人その他の団体の職員（以下この号において「関与法人等の職員」という。）となるため退職し、当該関与法人等の職員として同日まで引き続き勤務した後国の職員等となつたもの及び当該外国政府等に勤務していた者で政令で定めるものの当該外国政府等に勤務していた期間（当該外国政府等に勤務しなくなつた日の属する月の翌月から帰国した日の属する月（同月において国の職員等となつた場合には、その前月）までの期間で未帰還者留守家族等援護法第二条に規定する未帰還者であると認められるものを含む。）のうち年金条例職員期間並びに恩給公務員期間、国の施行法第七条第一項第六号の期間その他政令で定める期間を除いた期間

三　旧日本赤十字社令の規定に基づき戦地勤務（法律第百五十五号附則第四十一条の二第一項に規定する戦地勤務をいう。以下この号において同じ。）に服した日本赤十字社の救護員であつた者でその後国の職員等となつたものの当該戦地勤務に服していた期間（当該日本赤十字社の救護員として昭和二十年八月九日以後戦地勤務に服していた者で、当該戦地勤務に引き続いて海外にあつたものについては、当該戦地勤務に服さなくなつた日の属する月の翌月から帰国した日の属する月（同月において国の職員等となつた場合には、その前月）までの期間で未帰還者留守家族等援護法第二条に規定する未帰還者であると認められるものを含む。）のうち年金条例職員期間及び恩給公務員期間を除いた期間

四　鉄道事業法（昭和六十一年法律第九十二号）附則第二条の規定による廃止前の地方鉄道法（大正八年法律第五十二号）第十条第一項に規定する地方鉄道会社で政令で定めるものに勤務していた者で当該会社所属の鉄道の買収に際して国に引き継がれ、その後国の更新組合員となるまで引き続き国の職員等であるもののうち当該会社に勤務していた期間で買収の時まで引き続いているもののうち恩給公務員期間を除いた期間

五　国際電気通信株式会社、日本電信電話工事株式会社又は日本電話設備株式会社に勤務していた者でこれらの会社の買収に際して国に引き継がれ、その後国の更新組合員となつた日まで引き続き国の職員等であるもののこれらの会社に勤務していた期間で買収の時まで引き続いているもの（昭和十九年四月三十日において旧南洋庁に勤務していた者で、旧南洋庁の電気通信業務が国際電気通信株式会社に引き継がれたことに伴い引き続き当該会社に勤務した後国の職員等となつたものの当該会社に勤務していた期間及びこれらの会社に勤務していた者でその後これらの会社の買収までの間に国の職員等となつたもののこれらの会社に勤務していた期間（昭和二十年八月十五日前の期間で同日まで引き続いていないものを除く。）を含む。）のうち恩給公務員期間を除いた期間

3　前二項に規定するもののほか、国の職員等であつた組合員に対する新法及びこの法律の長期給付に関する規定の適用について必要な事項は、政令で定める。

（旧公企体長期組合員であつた組合員の取扱い）

第七十一条　旧公企体長期組合員（国の施行法第四十条第二号に規定する旧公企体長期組合員をいう。）であつた組合員は、当該旧公企体長期組合員であつた間、国の長期組合員である国の職員等であつたものと、旧公企体更新組合員であつた間、国の更新組合員であつたものとみなして、前条の規定を適用する。

2　前項に定めるもののほか、旧公企体共済法の規定による年金の支給を受けていた者その他旧公企体長期組合員であつた者に係る年金の支給停止の特例及びその年金の額に関する経過措置その他長期給付に関する必要な経過措置等は、国の施行法第十章の規定の例に準じ、政令で定める。

（警察職員等であつた組合員の取扱い）

第七十二条　三十七年法による改正前の国の新法附則第十三条に規定する警察職員等である国の職員等であつた組合員に対する

長期給付については、その者が警察職員等であつた間、警察職員であつたものと、国の新法及び国の施行法の規定による給付は新法及びこの法律中のこれらの規定に相当する規定による給付とみなして、新法及びこの法律の規定を適用する。

第十章　琉球政府等の職員であつた者に関する経過措置

（定義）

第七十三条　この章、次章及び第十三章において、次の各号に掲げる用語の意義は、当該各号に定めるところによる。

一　特別措置法　沖縄の復帰に伴う特別措置に関する法律（昭和四十六年法律第百二十九号）をいう。

二　沖縄の共済法　特別措置法の施行の日前に沖縄県の区域に施行されていた新法の規定による長期給付に相当する給付に関する沖縄法令をいう。

三　沖縄の組合員　沖縄の共済法の規定に基づく公務員等共済組合又は公立学校職員共済組合の組合員をいう。

四　復帰更新組合員　特別措置法の規定によりその施行の日に組合の組合員となり、引き続き組合の組合員であるものをいう。

2　復帰更新組合員に対して新法の長期給付に関する規定を適用する場合における必要な経過措置等については、この章に定めるところによる。

（特別措置法の施行の日前に給付事由が生じた給付の取扱い）

第七十四条　沖縄の共済法の適用を受けていた者のうち地方公務員に相当するものとして総務大臣の定めるものに係る特別措置法の施行の日前に給付事由が生じた沖縄の共済法の規定による長期給付については、別段の定めがあるもののほか、なお従前の例により地方職員共済組合、公立学校共済組合若しくは警察共済組合又は市町村連合会が支給する。

2　前項に規定する者のうち沖縄の共済法の規定による退職一時金の支給を受けた者その他これに準ずるものとして政令で定める者（同項の規定により通算退職年金の支給を受ける者を除く。）については、政令で定めるところにより、同項の組合又は市町村連合会が新法の規定による退職共済年金又は昭和六十年改正法による改正前の新法の規定による通算退職年金を支給する。

3　復帰更新組合員であつた者に係る年金である給付の額の改定に関する法令の制定又は改正が行われた場合においては、前二項の規定により第一項の組合又は市町村連合会が支給すべき年金である給付の額を改定するものとし、その改定については、政令で特別の定めをするものを除き、当該法令の改正規定の例による。

4　特別措置法の施行の日の前日に沖縄の立法院議員であつた者及び沖縄の中央教育委員会の委員であつた者は、沖縄の共済法の適用については、同日において退職したものとみなす。ただし、沖縄の立法院議員であつた者については、特別措置法の施行の日から六十日を経過する日以前に地方職員共済組合に対して、沖縄の共済法の規定による長期給付を受けることを希望する旨の申出がない場合には、この限りでない。

（恩給等の受給権の取扱い）

第七十五条　復帰更新組合員で特別措置法の施行の日の前日に恩給に関する法令の適用を受けていたものは、これらの法令の規定の適用については、同日において退職したものとみなす。

2　復帰更新組合員に係る恩給に関する法令又は退職年金条例（元沖縄県吏員恩給規則の規定による恩給受給権者のための恩給支給に関する特別措置法（千九百六十八年立法第七十八号）を含む。）の規定による恩給又は退隠料等を受ける権利は、特別措置法の施行の日の前日において消滅するものとする。ただし、次に掲げる権利はこの限りでない。

一　増加恩給、増加退隠料、傷病年金又は傷病賜金を受ける権利

二　特別措置法の施行の日の前日において現に支給を受けている普通恩給又は退隠料を受ける権利（これを有する者が特別措置法の施行の日から六十日を経過する日以前に当該権利の裁定を行なつた者に対して、これを消滅させる旨を申し出なかつたものに限る。）

3　前項第二号の規定による申出をしなかつた者又はその遺族に対して支給する長期給付については、当該申出に係る普通恩給又は退隠料を受ける権利の基礎となつた期間は、第七条第一項第一号の期間に該当しないものとみなす。

（国の旧法等の規定による退職年金等の受給権の取扱い）

第七十六条　復帰更新組合員に係る国の旧法等又は共済法の退職年金を受ける権利は、特別措置法の施行の日の前日において消滅するものとする。ただし、当該退職年金を受ける権利を有する者が特別措置法の施行の日から六十日を経過する日以前に当該権利の決定を行なつた者に対して当該退職年金を受ける旨を申し出た場合には、この限りでない。

2　復帰更新組合員に係る国の旧法等若しくは共済法の障害年金又は共済法の通算退職年金は、その者が復帰更新組合員である間、その支給を停止する。ただし、当該障害年金を受ける権利を有する者が特別措置法の施行の日から六十日を経過する日以前に当該権利の決定を行なつた者に対して当該障害年金を受ける旨を申し出た場合には、この限りでない。

3　第一項ただし書若しくは前項ただし書の規定による申出をした者又はその遺族に対して支給する長期給付については、これらの申出に係る退職年金又は障害年金を受ける権利の基礎となつた期間は、第七条第一項第二号の期間に該当しないものとみなす。

（沖縄の共済法の規定による退職年金等の取扱い）

第七十七条　沖縄の組合員であつた復帰更新組合員に対する長期給付について新法及びこの法律の規定を適用する場合には、政令で特別の定めをする場合を除き、沖縄の共済法の規定による給付は、新法及びこの法律中のこれらの規定に相当する規定による給付とみなす。

（沖縄の組合員であつた期間等の組合員期間への算入）

第七十八条　復帰更新組合員の特別措置法の施行の日前の期間のうち沖縄の組合員であつた期間（沖縄の共済法の規定により当該期間に算入されることとされている期間その他政令で定める期間を含む。）は、更新組合員の職員としての在職期間の組合員期間への算入の取扱いの例に準じ政令で定めるところにより、新法第四十条第一項に規定する組合員期間に算入する。

（地方公共団体の長に相当する者等に対する長期給付の特例）

第七十九条　琉球政府の行政主席若しくは沖縄の市町村長又は琉球政府の警部補、巡査部長若しくは巡査であつた復帰更新組合

員に対し、第四十七条から第四十九条まで及び第五十一条又は第五十四条から第五十六条まで及び第五十八条の規定を適用する場合においては、次の各号に掲げる期間は、当該各号に掲げる期間に算入する。

一　琉球政府の行政主席又は沖縄の市町村長であつた期間として政令で定める期間　地方公共団体の長であつた期間

二　琉球政府その他政令で定める機関の警部補、巡査部長又は巡査であつた期間　警察職員であつた期間

（政令への委任）

第八十条　この章に定めるもののほか、復帰更新組合員その他政令で定める者に係る退職共済年金の受給資格に関する経過措置その他長期給付に関する必要な経過措置等は、第二章から前章までの規定の例に準じ、政令で定める。

第十一章　旧団体共済組合員であつた者等に関する経過措置等

（定義）

第八十一条　この章において、次の各号に掲げる用語の意義は、それぞれ当該各号に定めるところによる。

一　団体職員又は団体組合員　それぞれ新法第百四十四条の三第一項又は第三項に規定する団体職員又は団体組合員をいう。

二　業務等による障害共済年金又は業務等によらない障害共済年金　それぞれ新法第百四十四条の三第二項の規定により読み替えられた新法第八十七条第二項又は新法第九十条第二項に規定する業務傷病又は業務による障害年金若しくは業務によらない障害年金をいう。

三　旧団体共済組合員　昭和四十二年度以後における地方公務員等共済組合法の年金の額の改定等に関する法律等の一部を改正する法律（昭和五十六年法律第七十三号。以下「昭和五十六年法律第七十三号」という。）による改正前の新法第百七十四条第一項の規定に基づく地方団体関係団体職員共済組合（第九十二条第二項において「旧団体共済組合」という。）の組合員をいう。

四　団体更新組合員　地方公務員共済組合法等の一部を改正する法律（昭和三十九年法律第百五十二号。以下この章において「昭和三十九年改正法」という。）附則第一条本文に規定する施行日（新法第百四十四条の三第一項第八号又は第九号に掲げる団体の職員にあつては昭和四十六年十一月一日、同項第十号に掲げる団体の職員にあつては昭和四十九年十月一日。以下この章において「施行日」という。）の前日に団体職員であつた者で、施行日に旧団体共済組合員となり、引き続き昭和五十七年四月一日に団体組合員となり、引き続き団体組合員であるものをいう。

2　旧団体共済組合員等であつた団体組合員に対し新法の長期給付に関する規定及びこの法律の規定を適用する場合の特例については、この章に定めるところによる。

（旧団体共済組合員であつた者の取扱い）

第八十二条　旧団体共済組合員であつた団体組合員に対する長期給付については、その者が旧団体共済組合員であつた間、団体組合員であつたものと、昭和五十六年法律第七十三号による改正前の新法第十二章の規定による給付は昭和五十六年法律第七十三号による改正後の新法の規定による団体組合員に係る長期給付とそれぞれみなして、新法及びこの章の規定を適用する。

（施行日前の団体職員であつた期間の取扱い）

第八十三条　団体更新組合員の施行日前の次の期間は、新法第四十条第一項に規定する組合員期間に算入する。

一　施行日の前日に厚生年金保険の被保険者であつた者の厚生年金保険の被保険者であつた期間（その期間の計算については、厚生年金保険法の規定による被保険者期間の計算の例による。）（次号ロ、ニ及びホに掲げるものを除く。）

二　団体職員（新法第百四十四条の三第一項第一号に掲げる団体にその権利義務を引き継いだ団体に使用されていた者で団体職員に相当するものを含む。以下この章において同じ。）であつた期間又は地方住宅供給公社法（昭和四十年法律第百二十四号）附則第二項、地方道路公社法（昭和四十五年法律第八十二号）附則第二条第一項若しくは公有地の拡大の推進に関する法律（昭和四十七年法律第六十六号）附則第二条第一項の規定による組織変更をした公益法人に使用されていた者で施行日においてそれぞれ新法第百四十四条の三第一項第八号から第十号までに掲げる団体の団体職員であつたものの当該公益法人に使用されていた者であつた期間（ホにおいて「特定公益法人被用者期間」という。）で、施行日の前日まで引き続いているもののうち次に掲げる期間

イ　旧市町村共済法の退職給付、障害給付及び遺族給付に関する規定の適用を受けていた期間及びこれに相当する期間（次号において「旧市町村職員共済組合の組合員期間」という。）でハに掲げる期間に引き続いているもの

ロ　昭和三十年一月一日から昭和三十七年十一月三十日までの期間でイに掲げるもの以外のもののうち政令で定めるもの

ハ　昭和三十九年改正法による改正前の新法附則第三十一条の規定により市町村職員共済組合の組合員となつた者の当該組合員として新法第四十二条の規定による長期給付に関する規定の適用を受けていた期間（次号において「市町村職員共済組合の組合員期間」という。）で施行日の前日まで引き続いているもの

ニ　昭和三十七年十二月一日から昭和三十九年九月三十日までの期間でハに掲げるもの以外のもののうち政令で定めるもの

ホ　新法第百四十四条の三第一項第八号から第十号までに掲げる団体の団体職員であつた期間又は特定公益法人被用者期間で、昭和三十九年十月一日から施行日の前日までのもののうち政令で定めるもの

三　団体職員であつた期間（昭和二十二年五月三日以後の期間に限る。）で施行日の前日まで引き続いているもののうち前二号に掲げる期間以外の期間（旧市町村職員共済組合の組合員期間又は市町村職員共済組合の組合員期間で旧市町村共済法若しくは新法第四章第三節第二款若しくは第三款の規定による退職給付若しくは障害給付又はこれらに相当する給付の基礎となつた期間（旧市町村共済法又は昭和五十四年改正前の新法第八十三条の規定による退職一時金を受ける権利を取

得するに至らなかつた期間を含む。）を除く。）

2　前項の規定の適用については、旧市町村共済法附則第三十二項の規定により同項に規定する組合員であつた期間とみなされた期間は、前項第二号イの期間とみなす。

3　団体更新組合員（組合員期間が二十年以上である者を除く。）又はその遺族に係る退職共済年金又は遺族共済年金の基礎となるべき組合員期間を計算する場合には、第一項の規定にかかわらず、その者の同項第三号の期間（当該退職共済年金又は遺族共済年金の基礎となるべき組合員期間を計算する場合には、同項第二号ロ、ニ及びホの期間で厚生年金保険の被保険者でなかつた期間に該当するものを含む。）は、組合員期間に算入しない。

（団体共済控除期間を有する者に係る退職共済年金等の額の特例）

第八十四条　前条第一項第三号の期間を有する団体組合員に係る退職共済年金、障害共済年金及び遺族共済年金の額については、第十三条、第二十二条及び第二十七条中「共済控除期間」とあるのは「共済控除期間（第八十三条第一項第三号の期間を含む。）」として、これらの規定を適用する。

（業務等による障害共済年金に関する規定の適用）

第八十五条　新法第百四十四条の三第二項の規定により読み替えられた新法第八十四条から第九十五条までの規定中業務等による障害共済年金に関する部分の規定は、団体組合員が施行日以後業務により病気にかかり、又は負傷し、当該業務による傷病により障害の状態となつた場合について適用する。

（業務等によらない障害共済年金の受給資格に係る団体職員期間）

第八十六条　団体職員であつた期間で施行日まで引き続いているものは、組合員であつた期間とみなして新法第百四十四条の三第二項の規定により読み替えられた新法第八十四条から第九十五条までの規定中業務等によらない障害共済年金に関する部分の規定を適用する。

（業務傷病による死亡に係る遺族共済年金の規定の適用）

第八十七条　新法第百四十四条の三第二項の規定により読み替えられた新法第九十九条から第九十九条の九までの規定中新法第百四十四条の三第二項の規定により読み替えられた新法第九十九条の二第三項に規定する業務等による遺族共済年金に関する部分の規定は、団体組合員が施行日以後業務により病気にかかり、又は負傷し、当該業務による傷病により死亡した場合について適用する。

（地方公務員共済組合法の退職年金等の受給の申出）

第八十八条　施行日の前日において昭和三十九年改正法による改正前の新法附則第三十一条の規定により市町村職員共済組合の組合員であつた団体更新組合員で、新法の規定の適用につき同日に退職したとしたならば、昭和六十年改正法による改正前の新法第七十八条若しくは昭和六十年改正法による改正前の地方公務員等共済組合法の長期給付等に関する施行法第八条から第十条まで又は昭和六十年改正法による改正前の新法第八十六条若しくは昭和六十年改正法による改正前の地方公務員等共済組合法の長期給付等に関する施行法第二十六条第二項の規定による退職年金又は障害年金を受ける権利を有することとなるものが、施行日から六十日以内に、当該市町村職員共済組合に対してこれらの年金を受けることを希望する旨の申出をしたときは、その者は、新法の長期給付に関する規定の適用については、施行日の前日において退職したものとみなす。この場合においては、その者については、第八十三条第一項第二号イ及びハの規定を適用しないものとする。

（再就職者の取扱い）

第八十九条　第八十三条、第八十四条及び前条の規定は、次に掲げる者について準用する。

一　団体更新組合員であつた者で再び団体組合員となつたもの

二　旧団体共済更新組合員（施行日の前日に団体職員であつた者で施行日に旧団体共済組合員となつたものをいう。次条において同じ。）であつた者で団体組合員となつたもの（前号に該当する者を除く。）

（厚生年金保険の被保険者であつた期間等の取扱い）

第九十条　第八十三条第一項第一号の期間又は同項第二号ロ、ニ若しくはホの期間で厚生年金保険の被保険者であつた期間に該当するものを有する団体更新組合員の同項の規定により組合員期間に算入されたこれらの期間は、施行日以後における厚生年金保険法の規定の適用については、厚生年金保険の被保険者でなかつたものとみなす。

2　第八十三条第一項第二号イ又はハの期間を有する団体更新組合員の同項の規定により組合員期間に算入されたこれらの期間は、施行日以後における新法及びこの法律の規定の適用については、旧市町村共済法の退職給付、障害給付及び遺族給付又は新法第四十二条の規定による長期給付に関する規定の適用を受ける者でなかつたものとみなす。

（市町村関係団体職員共済組合の組合員であつた者等の取扱い）

第九十一条　特別措置法の施行の日の前日に沖縄の共済法の規定に基づく市町村関係団体職員共済組合（以下この条において「沖縄の団体共済組合」という。）の組合員であつた者で特別措置法の施行の日に旧団体共済組合員となり、引き続き昭和五十七年四月一日に団体組合員となり、引き続き団体組合員であるものの特別措置法の施行の日前の沖縄の団体共済組合の組合員であつた期間（沖縄の共済法の規定により当該期間に算入された期間を含む。）は、団体更新組合員の団体職員としての在職期間の組合員期間への算入の取扱いの例に準じ政令で定めるところにより、組合員期間に算入する。

（旧団体共済組合員に係る従前の給付の取扱い等）

第九十二条　昭和五十七年四月一日前に給付事由が生じた昭和五十六年法律第七十三号による改正前の新法第百九十八条各号に掲げる給付については、この法律に別段の規定があるもののほか、なお従前の例により地方職員共済組合が支給する。

2　昭和五十六年法律第七十三号が施行されなかつたとしたならば旧団体共済組合が支給すべきこととなる退職共済年金（昭和五十七年四月一日前の旧団体共済組合員であつた期間（昭和五十六年法律第七十三号による改正前の地方公務員等共済組合法の長期給付等に関する施行法第百四十三条の二及び第百四十三条の二十三の規定により算入された期間を含む。）のみを当該退職共済年金の算定の基礎期間とするものに限る。）、昭和五十六年法律第七十三号による改正前の新法第二百二条において準用する新法第八十二条第四項若しくは第八十三条第一項の規定による通算退職年金若しくは脱退一時金若しくは昭和五十六年法律第七十三号による改正前の新法附則第十八条の七第一項に規定する特例死亡一時金又は昭和六十年改正法による改正前の昭和五十四年法律第七十三号附則第七条第二項若しくは第四項に規定する返還一時金若しくは死亡一時金は、この法律に別段の規定があるもののほか、新法、昭和五十六年法律第七十三号による改正前の新法又は昭和五十四年改正前の新法の規定の例により地方職員共済組合が支給する。

第九十三条　団体組合員であつた者に係る年金である給付の支給につき新法その他の法令の改正（新法の規定による年金の額の改定に関する法令の制定又は改正を含む。）が行われた場合においては、前条第一項及び第二項の規定により地方職員共済組合が支給すべき年金である給付の年額を改定するものとし、その改定及び支給については、政令で特別の定めをするものを除き、当該法令の改正規定の例による。

2　前項の規定による年金である給付の額の改定により増加する費用（業務に係る障害年金又は遺族年金についての費用を除く。）のうち、昭和五十六年法律第七十三号による改正前の第百四十三条の三第一項第四号の期間（以下この項において「施行日以後の団体共済組合員期間等」という。）以外の期間として年金額の計算の基礎となるものに対応する年金額の増加に要する費用については、政令で定めるところにより、新法第百四十四条の三第一項に規定する団体又は地方職員共済組合が負担し、施行日以後の団体共済組合員期間等として年金額の計算の基礎となるものに対応する年金額の増加に要する費用については、新法第百四十四条の三第二項の規定により読み替えられた第百十三条第二項第二号の規定の例による。

3　第一項の規定による年金である給付の額の改定により増加する費用のうち業務に係る障害年金又は遺族年金についての費用は、政令で定めるところにより、新法第百四十四条の三第一項に規定する団体が負担する。

第十二章　雑則

（期間計算の方法）

第九十四条　この法律による給付を受ける権利の基礎となる期間の計算は、この法律に別段の規定があるもののほか、その初日の属する月から起算し、その最終日の属する月をもつて終わるものとし、二以上の期間を合算する場合において、前の期間の最終日と後の期間の初日とが同一の月に属するときは、後の期間は、その初日の属する月の翌月から起算するものとする。

2　新法第百四十四条の二十四の規定は、この法律に定める権利に関する申出の期間を計算する場合について準用する。

（債務の保証）

第九十五条　更新組合員又は施行日以後に組合員となつた者が国民生活金融公庫に担保に供していた退隠料等若しくは恩給又は共済法の退職年金若しくは国の旧法の退職年金が第五条第二項本文又は第六条第二項本文の規定により消滅したときは、組合は、当該退隠料等若しくは恩給又は共済法の退職年金若しくは国の旧法の退職年金につき民法（明治二十九年法律第八十九号）の保証債務と同一の債務を負う。

（経過措置に伴う費用の負担）

第九十六条　第二章から第七章まで、第九章及び第十章の規定により職員（地方公務員等共済組合法第百四十二条第一項に規定する国の職員を含む。）である組合員について生ずる組合の追加費用は、第三項の規定により同項に規定する法人が負担すべき金額を除き、政令で定めるところにより、国又は地方公共団体が負担する。

2　第二章から第八章まで及び第十章の規定により組合役職員又は連合会役職員である組合員について生ずる組合の追加費用は、政令で定めるところにより、組合又は連合会が負担する。

3　機構等（独立行政法人都市再生機構、独立行政法人水資源機構、東日本高速道路株式会社、中日本高速道路株式会社、西日本高速道路株式会社、独立行政法人日本高速道路保有・債務返済機構、国立研究開発法人森林研究・整備機構、原子燃料公社、地方公共団体金融機構、独立行政法人労働者健康安全機構、株式会社日本政策金融公庫、首都高速道路株式会社、独立行政法人高齢・障害・求職者雇用支援機構又は阪神高速道路株式会社をいう。以下この項において同じ。）は、政令で定めるところにより、第七条（第三十六条第一項において準用する場合を含む。）の規定により機構等（独立行政法人水資源機構にあつては愛知用水公団、国立研究開発法人森林研究・整備機構にあつては農地開発機械公団又は森林開発公団、独立行政法人都市再生機構にあつては日本住宅公団、株式会社日本政策金融公庫にあつては中小企業信用保険公庫、独立行政法人高齢・障害・求職者雇用支援機構にあつては雇用促進事業団、独立行政法人労働者健康安全機構にあつては労働福祉事業団、東日本高速道路株式会社、中日本高速道路株式会社及び西日本高速道路株式会社にあつては日本道路公団、首都高速道路株式会社にあつては首都高速道路公団、阪神高速道路株式会社にあつては阪神高速道路公団、独立行政法人日本高速道路保有・債務返済機構にあつては日本道路公団、首都高速道路公団又は阪神高速道路公団、地方公共団体金融機構にあつては公営企業金融公庫）に勤務していた期間を組合員期間に算入される者に係る長期給付で当該勤務していた期間に係るものの支払に充てる金額を負担し、これを組合（指定都市職員共済組合、市町村職員共済組合及び都市職員共済組合にあつては、市町村連合会）に払い込むものとする。

第九十七条　前章（第九十二条及び第九十三条を除く。）の規定により第八十一条第一項第四号に規定する団体更新組合員について生ずる地方職員共済組合の追加費用については、前条第一項及び第二項の規定を準用する。この場合において、同条第一項中「国又は地方公共団体」とあるのは、「同法第百四十四条の三第一項に規定する団体」と読み替えるものとする。

（追加費用に関する総務大臣の権限）

第九十八条　地方公務員等共済組合法第百四十四条の二十七第一項及び第四項の規定による場合のほか、総務大臣は、第三条の五並びに第九十六条第一項及び第二項の規定による費用の適正な負担を確保するため必要があると認めるときは、組合又は連合会に対して、給付に関する報告若しくは資料の提出を求め、又は当該職員をして実地について給付に関する帳簿書類の検査をさせることができる。

2　総務大臣は、公立学校共済組合又は警察共済組合について第一項の規定による検査をさせるときは、あらかじめ、文部科学大臣又は内閣総理大臣にその旨を通知するものとする。

（政令への委任）

第九十九条　この法律に規定するもののほか、新法及びこの法律の長期給付に関する規定の施行に関して必要な事項は、政令で定める。

第十三章　互助会の会員であつた者に関する経過措置等

（定義）

第百条　この章において「新法」とは、地方公務員共済組合法等の一部を改正する法律（昭和三十九年法律第百五十二号。以下この章において「三十九年改正法」という。）による改正後の地方公務員等共済組合法をいい、「施行日」とは、新法附則第一条本文に規定する施行日をいい、「旧互助年金法」とは、三十九年改正法による改正前の地方公務員共済組合法による廃止前の地方議会議員互助年金法（昭和三十六年法律第百二十号）をいい、「互助会」とは、旧互助年金法第二条第二項に規定する地方議会議員互助会をいい、「共済会」とは、新法第百五十一条第一項に規定する地方議会議員共済会をいう。

（互助会の会員であつた者の取扱い）

第百一条　互助会の会員であつた共済会の会員は、それぞれ都道府県議会議員互助会、市議会議員互助会又は町村議会議員互助会の会員であつた間、都道府県議会議員共済会、市議会議員共済会又は町村議会議員共済会の会員であつたものと、その者のこれらの互助会の会員であつた期間はこれらの当該共済会の会員である期間と、旧互助年金法の規定（互助会が支給する年金に係る部分に限る。）はこれに相当する新法の規定と、互助会が支給する年金はこれに相当する年金である共済給付金と、それぞれみなす。

2　施行日の前日までの間における地方公共団体の議会の議員（これに準ずる者として政令で定める者を含む。）としての在職期間（昭和二十二年四月三十日以降の当該在職期間に限る。）で互助会の会員でなかつた期間については、都道府県の議会の議員としての在職期間は都道府県議会議員互助会の会員であつた期間と、市の議会の議員としての在職期間は市議会議員互助会の会員であつた期間と、町村の議会の議員としての在職期間は町村議会議員互助会の会員であつた期間とみなして、前項の規定を適用する。ただし、新法附則第三十五条第二項の規定により共済会に払い込まなければならない金額を払い込まなかつた者の昭和三十六年七月一日以降の当該期間については、この限りでない。

3　施行日以前において、市町村の廃置分合若しくは境界変更により町村が市となり若しくは市が町村となつた場合又は町村を市とし若しくは市を町村とする処分があつた場合の年金である共済給付金の基礎となるべき施行日前の地方議会議員の在職期間と施行日以後の地方議会議員の在職期間との合算については、新法第百五十九条第二項の規定の例による。

（年金である共済給付金からの控除）

第百二条　昭和二十二年四月三十日から昭和三十六年六月三十日までの間における地方議会議員としての在職期間を有する共済会の会員又はその遺族に年金である共済給付金を支給するときは、当該在職期間につき旧互助年金法附則第三項の規定により減額すべきこととされている額（前条第二項の政令で定める者としての在職期間に係るこれに相当する額を含む。）を、同項及びこれに基づく互助会の規約の規定の例により控除するものとする。

（旧互助年金法の規定による互助年金の取扱い）

第百三条　施行日前に給付事由が生じた旧互助年金法の規定による互助年金については、なお従前の例により、共済会が支給する。

（沖縄の立法院議員であつた者等の取扱い）

第百四条　沖縄の共済法の規定に基づく市町村議会議員共済会（以下この条において「沖縄の共済会」という。）の会員であつた者に係る特別措置法の施行の日前に給付事由が生じた沖縄の共済法の規定による共済給付金については、なお従前の例により市議会議員共済会又は町村議会議員共済会が支給する。

2　沖縄の立法院議員又は沖縄の共済会の会員であつた共済会の会員に対し新法の共済給付金に関する規定を適用する場合においては、沖縄の立法院議員であつた期間として政令で定める期間は都道府県議会議員共済会の会員であつた期間と、沖縄の共済会の会員であつた期間（当該期間に算入され、又は当該期間とみなされる期間を含む。）は市議会議員共済会又は町村議会議員共済会の会員であつた期間とみなす。

3　前二項に定めるもののほか、沖縄の立法院議員又は沖縄の共済会の会員であつた者で共済会の会員になつたものの共済給付金の額の算定に関して必要な事項その他新法の適用に関して必要な経過措置は、政令で定める。

4　沖縄の市町村の議会の議員であつた者で昭和三十七年十二月一日から昭和四十五年六月三十日までの間に任期満了若しくは解散その他政令で定める理由により退職したもの又はその遺族（沖縄の共済法の規定による遺族をいう。次項において同じ。）について沖縄の共済法の適用があるものとしたならば沖縄の共済法の規定により年金たる共済給付金を支給すべきこととなるときは、当該年金たる共済給付金については、沖縄の共済法の規定の例により、これらの者に対し、市議会議員共済会又は町村議会議員共済会がこれを支給する。

5　前項の規定は、沖縄の共済会の会員であつた者又はその遺族については、適用しない。

6　第四項に規定する年金たる共済給付金の額の算定方法その他同項の規定の適用について必要な事項は、政令で定める。

（互助年金等の額の改定）

第百五条　共済会の行う年金である給付の額の改定に関する法令の制定又は改正が行われた場合においては、第百三条及び前条第一項又は第四項の規定により共済会が支給すべき互助年金及び共済給付金の額を改定するものとし、その改定については、この法律に別段の定めをするものを除き、当該法令の改正規定の例による。

附　則

1　この法律は、昭和三十七年十二月一日から施行する。

2　第五条第二項ただし書、第六条第二項ただし書、第五十一条第一項、第五十四条第一項、第六十三条第一項若しくは第四項若しくは第百二十四条第五項の申出又は附則第四項の規定の適用がある場合における国家公務員共済組合法の長期給付に関する施行法第五条第二項ただし書、第六条第一項ただし書若しくは第四十条第一項の申出は、施行日前においても行なうことができる。

3　この法律による改正後の国家公務員共済組合法の長期給付に関する施行法の規定は、昭和三十七年十二月一日以後に給付事由が生じた国家公務員共済組合法の規定による長期給付について適用し、同日前に給付事由が生じた同法の規定による長期給付については、なお従前の例による。

4　昭和三十七年十一月三十日に国家公務員共済組合法の長期給付に関する規定の適用を受ける同法の組合員であつた者で同年十二月一日において引き続き当該組合員であるものに係る退職年金条例の規定による給付を受ける権利（この法律による改正前の国家公務員共済組合法の長期給付に関する施行法第五十一条第一項又は第五十一条の三の規定の適用により同法第五条第二項ただし書の規定の適用を受けた権利を除く。）又は旧市町村職員共済組合法若しくは共済条例の規定による給付を受ける権利については、国家公務員共済組合法の長期給付に関する施行法第五条第二項（第二号を除く。）中「施行日」とあるのは「昭和三十七年十二月一日」と、同法同条同項第二号中「施行日の前日に旧長期組合員であつた者の普通恩給」とあるのは「普通恩給」と、同法第六条第一項中「施行日」とあるのは「昭和三十七年十二月一日」と、「同日に恩給公務員であつた者の当該退職年金」とあるのは「当該退職年金」と、同法第四十条第一項中「施行日」とあるのは「昭和三十七年十二月一日」として、同法第五条、第六条及び第四十条の規定を適用する。

附　則（平二四・八・二二法六二）（抄）

改正　平二八・一一・二四法八四

（施行期日）

第一条　この法律は、平成二十九年八月一日から施行する。〔ただし書略〕

附　則（平二四・八・二二法六三）（抄）

（施行期日）

第一条　この法律は、平成二十七年十月一日から施行する。ただし、次の各号に掲げる規定は、それぞれ当該各号に定める日から施行する。

一・二　〔略〕

三　〔前略〕附則第百条の規定〔中略〕　公布の日から起算して一年を超えない範囲内において政令で定める日〔平二五・八・一〕

四・五　〔略〕

附　則（平二六・六・一三法六七）（抄）

（施行期日）

第一条　この法律は、独立行政法人通則法の一部を改正する法律（平成二十六年法律第六十六号。以下「通則法改正法」という。）の施行の日〔平二七・四・一〕から施行する。〔ただし書略〕

附　則（平二七・五・七法一七）（抄）

（施行期日）

第一条　この法律は、平成二十八年四月一日から施行する。〔ただし書略〕

附　則（平二八・五・二〇法四四）（抄）

（施行期日）

第一条　この法律は、平成二十九年四月一日から施行する。〔ただし書略〕

○私立学校教職員共済法

昭二八・八・二一
法　　二四五

最終改正　令六・六・一二法四七

目次（略）

第一章　総則

（目的）

第一条　この法律は、私立学校教職員の相互扶助事業として、私立学校教職員の病気、負傷、出産、休業、災害、退職、障害若しくは死亡又はその被扶養者の病気、負傷、出産、死亡若しくは災害に関する給付及び福祉事業を行う共済制度（以下「私立学校教職員共済制度」という。）を設け、私立学校教職員の福利厚生を図り、もつて私立学校教育の振興に資することを目的とする。

（管掌）

第二条　私立学校教職員共済制度は、日本私立学校振興・共済事業団（以下「事業団」という。）が、管掌する。

第三条　削除

（共済規程）

第四条　事業団は、共済規程をもつて次に掲げる事項を規定しなければならない。

一　共済運営委員会に関する事項
二　加入者に関する事項
三　共済業務（日本私立学校振興・共済事業団法（平成九年法律第四十八号。以下「事業団法」という。）第十八条第二項に規定する共済業務をいう。以下同じ。）及びその執行に関する事項
四　掛金に関する事項
五　共済審査会に関する事項
六　共済業務に係る資産の管理その他財務に関する事項
七　共済業務に係る会計に関する事項
八　その他共済業務に関する重要事項

2　共済規程の変更は、文部科学大臣の認可を受けなければ、その効力を生じない。

（非課税）

第五条　この法律に基づく給付として支給を受ける金品のうち、退職年金及び職務遺族年金並びに休業手当金以外の給付については、これを標準として、租税その他の公課を課さない。

（戸籍書類の無料証明）

第六条　市町村長（特別区の区長を含むものとし、地方自治法（昭和二十二年法律第六十七号）第二百五十二条の十九第一項の指定都市にあつては、区長又は総合区長とする。）は、事業団又はこの法律に基づく給付を受ける権利を有する者に対して、当該市町村の条例で定めるところにより、加入者、加入者であつた者又はこの法律に基づく給付を受ける権利を有する者の戸籍に関し、無料で証明を行うことができる。

第二章　削除

第七条から第十一条まで　削除

第三章　共済運営委員会

（共済運営委員会）

第十二条　共済業務の適正なる運営を図るため、事業団に共済運営委員会を置く。

2　共済運営委員会の委員は、二十一人以内とし、加入者、加入者を使用する私立学校法（昭和二十四年法律第二百七十号）第三条に定める学校法人又は同法第百五十二条第五項の法人の役員及び共済業務の適正な運営に必要な学識経験を有する者のうちから、文部科学大臣が委嘱する。

3　文部科学大臣は、前項の規定により委員を委嘱する場合においては、一部の者の利益に偏することのないように、相当の注意を払わなければならない。

4　第二項の委員の任期は、二年とする。ただし、補欠の委員の任期は、前任者の残任期間とする。

5　第二項の委員は、再任されることができる。

（共済運営委員会の職務）

第十三条　次に掲げる事項については、事業団の理事長（以下単に「理事長」という。）は、あらかじめ、共済運営委員会の意見を聴かなければならない。

一　共済規程の変更
二　共済運営規則（事業団法第二十五条第二項に規定する共済運営規則をいう。以下同じ。）の変更
三　共済業務に係る毎事業年度の事業計画、予算及び資金計画
四　共済業務に係る重要な財産の処分又は重大な義務の負担
五　共済業務に係る訴訟又は審査請求の提起及び和解
六　その他共済業務に関する重要事項で共済規程で定めるもの

2　前項に規定する事項のほか、共済運営委員会は、共済業務に関し、理事長の諮問に応じ、又は必要と認める事項について、理事長に建議することができる。

第四章　加入者

（加入者）

第十四条　私立学校法第三条に定める学校法人、同法第百五十二条第五項の法人又は事業団（以下「学校法人等」という。）に使用される者で学校法人等から報酬を受けるもの（次に掲げる者を除く。以下「教職員等」という。）は、私立学校教職員共済制度の加入者とする。

一　船員保険の被保険者
二　専任でない者又は臨時に使用される者であつて、政令で定めるもの
三　前二号に掲げる者のほか、一週間の所定労働時間その他の事情を勘案して政令で定める者

2　前項の規定により加入者とされた者が次に掲げる事由に該当することとなつたときは、同項及び第十六条の規定にかかわらず、その該当する間、その者を加入者とする。

一　公務員の場合における休職の事由に相当する事由により公務員の場合における休職に相当する取扱いを受けるとき（その取扱いの期間中、学校法人等から報酬を受ける場合に限る。）。
二　育児休業、介護休業等育児又は家族介護を行う労働者の福祉に関する法律（平成三年法律第七十六号）第二条第一号に規定する育児休業をするとき。

三　前二号に規定するもののほか、学校法人等から報酬を受けず、又は常時勤務に服しない場合であつて政令で定めるもの

（加入者の資格の取得）

第十五条　教職員等は、その教職員等となつた日から、加入者の資格を取得する。

（加入者の資格の喪失）

第十六条　加入者は、次に掲げる事由に該当するに至つたときは、その翌日（第二号から第四号までに掲げる事由に該当するに至つた日に他の法律に基づく共済組合の組合員又は厚生年金保険の被保険者の資格を取得したときは、その日）から加入者の資格を喪失する。ただし、第二号若しくは第四号に掲げる事由に該当するに至つた日若しくはその翌日又は第三号に掲げる事由に該当するに至つた日に更に教職員等となつたときは、この限りでない。

一　死亡したとき。

二　退職したとき。

三　第十四条第一項各号に掲げる者となつたとき。

四　その使用される学校法人等が解散したとき。

（加入者期間）

第十七条　加入者である期間（以下「加入者期間」という。）は、加入者の資格を取得した日の属する月から起算し、その資格を喪失した日の属する月の前月をもつて終わるものとする。

2　加入者の資格を取得した日の属する月にその資格を喪失したときは、その月を一月として加入者期間を計算する。ただし、その月に更に加入者の資格を取得したとき、又は他の法律に基づく共済組合の組合員、厚生年金保険の被保険者（加入者及び他の法律に基づく共済組合の組合員たる被保険者を除く。）若しくは国民年金の被保険者（国民年金法（昭和三十四年法律第百四十一号）第七条第一項第二号に規定する第二号被保険者を除く。）の資格を取得したときは、この限りでない。

3　加入者の資格を喪失した後再び加入者の資格を取得したときは、前後の加入者期間を合算する。

第五章　給付及び福祉事業

第一節　削除

第十八条及び第十九条　削除

第二節　給付

（給付）

第二十条　この法律による短期給付は、次のとおりとする。

一　療養の給付、入院時食事療養費、入院時生活療養費、保険外併用療養費、療養費、訪問看護療養費及び移送費

二　家族療養費、家族訪問看護療養費及び家族移送費

三　高額療養費及び高額介護合算療養費

四　出産費

五　家族出産費

六　埋葬料

七　家族埋葬料

八　傷病手当金

九　出産手当金

十　休業手当金

十一　弔慰金

十二　家族弔慰金

十三　災害見舞金

2　この法律による退職等年金給付は、次のとおりとする。

一　退職年金

二　職務障害年金

三　職務遺族年金

3　事業団は、政令で定めるところにより、第一項各号に掲げる給付に併せて、これに準ずる短期給付を行うことができる。

（報酬及び賞与の範囲）

第二十一条　この法律において「報酬」とは、勤務の対償として受ける給料、俸給、手当又は賞与及びこれに準ずるものをいう。ただし、臨時に受けるもの及び三月を超える期間ごとに受けるものを含まない。

2　この法律において「賞与」とは、前項に規定する給料、俸給、手当又は賞与及びこれに準ずるもので、三月を超える期間ごとに受けるものをいう。

3　報酬又は賞与の一部が金銭以外のものである場合においては、その価額は、その地方の時価により、理事長が定める。

（標準報酬月額）

第二十二条　標準報酬月額は、加入者の報酬月額に基づき次の等級区分（第三項又は第四項の規定により標準報酬月額の等級区分の改定が行われたときは、改定後の等級区分）により定め、各等級に対応する標準報酬日額は、その月額の二十二分の一に相当する額とする。

標準報酬月額の等級	標準報酬月額	報酬月額
第一級	八八、〇〇〇円	九三、〇〇〇円未満
第二級	九八、〇〇〇円	九三、〇〇〇円以上 一〇一、〇〇〇円未満
第三級	一〇四、〇〇〇円	一〇一、〇〇〇円以上 一〇七、〇〇〇円未満
第四級	一一〇、〇〇〇円	一〇七、〇〇〇円以上 一一四、〇〇〇円未満
第五級	一一八、〇〇〇円	一一四、〇〇〇円以上 一二二、〇〇〇円未満
第六級	一二六、〇〇〇円	一二二、〇〇〇円以上 一三〇、〇〇〇円未満
第七級	一三四、〇〇〇円	一三〇、〇〇〇円以上 一三八、〇〇〇円未満
第八級	一四二、〇〇〇円	一三八、〇〇〇円以上 一四六、〇〇〇円未満
第九級	一五〇、〇〇〇円	一四六、〇〇〇円以上 一五五、〇〇〇円未満

第十級	一六〇、〇〇〇円	一五五、〇〇〇円以上一六五、〇〇〇円未満
第十一級	一七〇、〇〇〇円	一六五、〇〇〇円以上一七五、〇〇〇円未満
第十二級	一八〇、〇〇〇円	一七五、〇〇〇円以上一八五、〇〇〇円未満
第十三級	一九〇、〇〇〇円	一八五、〇〇〇円以上一九五、〇〇〇円未満
第十四級	二〇〇、〇〇〇円	一九五、〇〇〇円以上二一〇、〇〇〇円未満
第十五級	二二〇、〇〇〇円	二一〇、〇〇〇円以上二三〇、〇〇〇円未満
第十六級	二四〇、〇〇〇円	二三〇、〇〇〇円以上二五〇、〇〇〇円未満
第十七級	二六〇、〇〇〇円	二五〇、〇〇〇円以上二七〇、〇〇〇円未満
第十八級	二八〇、〇〇〇円	二七〇、〇〇〇円以上二九〇、〇〇〇円未満
第十九級	三〇〇、〇〇〇円	二九〇、〇〇〇円以上三一〇、〇〇〇円未満
第二十級	三二〇、〇〇〇円	三一〇、〇〇〇円以上三三〇、〇〇〇円未満
第二十一級	三四〇、〇〇〇円	三三〇、〇〇〇円以上三五〇、〇〇〇円未満
第二十二級	三六〇、〇〇〇円	三五〇、〇〇〇円以上三七〇、〇〇〇円未満
第二十三級	三八〇、〇〇〇円	三七〇、〇〇〇円以上三九五、〇〇〇円未満
第二十四級	四一〇、〇〇〇円	三九五、〇〇〇円以上四二五、〇〇〇円未満
第二十五級	四四〇、〇〇〇円	四二五、〇〇〇円以上四五五、〇〇〇円未満
第二十六級	四七〇、〇〇〇円	四五五、〇〇〇円以上四八五、〇〇〇円未満
第二十七級	五〇〇、〇〇〇円	四八五、〇〇〇円以上五一五、〇〇〇円未満
第二十八級	五三〇、〇〇〇円	五一五、〇〇〇円以上五四五、〇〇〇円未満
第二十九級	五六〇、〇〇〇円	五四五、〇〇〇円以上五七五、〇〇〇円未満
第三十級	五九〇、〇〇〇円	五七五、〇〇〇円以上六〇五、〇〇〇円未満
第三十一級	六二〇、〇〇〇円	六〇五、〇〇〇円以上

2　短期給付等事務（短期給付（第二十条第一項及び第三項に規定する短期給付をいう。以下同じ。）の額の算定並びに短期給付、高齢者の医療の確保に関する法律（昭和五十七年法律第八十号）の規定による前期高齢者納付金等、後期高齢者支援金等及び出産育児関係事務費拠出金、介護保険法（平成九年法律第百二十三号）の規定による納付金（以下「介護納付金」という。）、感染症の予防及び感染症の患者に対する医療に関する法律（平成十年法律第百十四号）の規定による流行初期医療確保拠出金等並びに福祉事業に係る掛金の徴収をいう。次項及び次条第二項において同じ。）に関する前項の規定の適用については、同項の表は、次のとおりとする。

標準報酬月額の等級	標準報酬月額	報酬月額
第一級	五八、〇〇〇円	六三、〇〇〇円未満
第二級	六八、〇〇〇円	六三、〇〇〇円以上七三、〇〇〇円未満
第三級	七八、〇〇〇円	七三、〇〇〇円以上八三、〇〇〇円未満
第四級	八八、〇〇〇円	八三、〇〇〇円以上九三、〇〇〇円未満
第五級	九八、〇〇〇円	九三、〇〇〇円以上一〇一、〇〇〇円未満
第六級	一〇四、〇〇〇円	一〇一、〇〇〇円以上一〇七、〇〇〇円未満
第七級	一一〇、〇〇〇円	一〇七、〇〇〇円以上一一四、〇〇〇円未満
第八級	一一八、〇〇〇円	一一四、〇〇〇円以上一二二、〇〇〇円未満
第九級	一二六、〇〇〇円	一二二、〇〇〇円以上一三〇、〇〇〇円未満

等級	標準報酬月額	報酬月額
第十級	一三四、〇〇〇円	一三〇、〇〇〇円以上 一三八、〇〇〇円未満
第十一級	一四二、〇〇〇円	一三八、〇〇〇円以上 一四六、〇〇〇円未満
第十二級	一五〇、〇〇〇円	一四六、〇〇〇円以上 一五五、〇〇〇円未満
第十三級	一六〇、〇〇〇円	一五五、〇〇〇円以上 一六五、〇〇〇円未満
第十四級	一七〇、〇〇〇円	一六五、〇〇〇円以上 一七五、〇〇〇円未満
第十五級	一八〇、〇〇〇円	一七五、〇〇〇円以上 一八五、〇〇〇円未満
第十六級	一九〇、〇〇〇円	一八五、〇〇〇円以上 一九五、〇〇〇円未満
第十七級	二〇〇、〇〇〇円	一九五、〇〇〇円以上 二一〇、〇〇〇円未満
第十八級	二二〇、〇〇〇円	二一〇、〇〇〇円以上 二三〇、〇〇〇円未満
第十九級	二四〇、〇〇〇円	二三〇、〇〇〇円以上 二五〇、〇〇〇円未満
第二十級	二六〇、〇〇〇円	二五〇、〇〇〇円以上 二七〇、〇〇〇円未満
第二十一級	二八〇、〇〇〇円	二七〇、〇〇〇円以上 二九〇、〇〇〇円未満
第二十二級	三〇〇、〇〇〇円	二九〇、〇〇〇円以上 三一〇、〇〇〇円未満
第二十三級	三二〇、〇〇〇円	三一〇、〇〇〇円以上 三三〇、〇〇〇円未満
第二十四級	三四〇、〇〇〇円	三三〇、〇〇〇円以上 三五〇、〇〇〇円未満
第二十五級	三六〇、〇〇〇円	三五〇、〇〇〇円以上 三七〇、〇〇〇円未満
第二十六級	三八〇、〇〇〇円	三七〇、〇〇〇円以上 三九五、〇〇〇円未満
第二十七級	四一〇、〇〇〇円	三九五、〇〇〇円以上 四二五、〇〇〇円未満
第二十八級	四四〇、〇〇〇円	四二五、〇〇〇円以上 四五五、〇〇〇円未満
第二十九級	四七〇、〇〇〇円	四五五、〇〇〇円以上 四八五、〇〇〇円未満
第三十級	五〇〇、〇〇〇円	四八五、〇〇〇円以上 五一五、〇〇〇円未満
第三十一級	五三〇、〇〇〇円	五一五、〇〇〇円以上 五四五、〇〇〇円未満
第三十二級	五六〇、〇〇〇円	五四五、〇〇〇円以上 五七五、〇〇〇円未満
第三十三級	五九〇、〇〇〇円	五七五、〇〇〇円以上 六〇五、〇〇〇円未満
第三十四級	六二〇、〇〇〇円	六〇五、〇〇〇円以上 六三五、〇〇〇円未満
第三十五級	六五〇、〇〇〇円	六三五、〇〇〇円以上 六六五、〇〇〇円未満
第三十六級	六八〇、〇〇〇円	六六五、〇〇〇円以上 六九五、〇〇〇円未満
第三十七級	七一〇、〇〇〇円	六九五、〇〇〇円以上 七三〇、〇〇〇円未満
第三十八級	七五〇、〇〇〇円	七三〇、〇〇〇円以上 七七〇、〇〇〇円未満
第三十九級	七九〇、〇〇〇円	七七〇、〇〇〇円以上 八一〇、〇〇〇円未満
第四十級	八三〇、〇〇〇円	八一〇、〇〇〇円以上 八五五、〇〇〇円未満
第四十一級	八八〇、〇〇〇円	八五五、〇〇〇円以上 九〇五、〇〇〇円未満
第四十二級	九三〇、〇〇〇円	九〇五、〇〇〇円以上 九五五、〇〇〇円未満
第四十三級	九八〇、〇〇〇円	九五五、〇〇〇円以上 一、〇〇五、〇〇〇円未満

第四十四級	一、〇三〇、〇〇〇円	一、〇〇五、〇〇〇円以上 一、〇五五、〇〇〇円未満
第四十五級	一、〇九〇、〇〇〇円	一、〇五五、〇〇〇円以上 一、一一五、〇〇〇円未満
第四十六級	一、一五〇、〇〇〇円	一、一一五、〇〇〇円以上 一、一七五、〇〇〇円未満
第四十七級	一、二一〇、〇〇〇円	一、一七五、〇〇〇円以上 一、二三五、〇〇〇円未満
第四十八級	一、二七〇、〇〇〇円	一、二三五、〇〇〇円以上 一、二九五、〇〇〇円未満
第四十九級	一、三三〇、〇〇〇円	一、二九五、〇〇〇円以上 一、三五五、〇〇〇円未満
第五十級	一、三九〇、〇〇〇円	一、三五五、〇〇〇円以上

3　短期給付等事務に関する前項の規定により読み替えられた第一項の規定による標準報酬月額の等級区分については、国家公務員共済組合法（昭和三十三年法律第百二十八号）第四十条第三項の規定による標準報酬の区分の改定措置その他の事情を勘案して、政令で定めるところにより前項の規定により読み替えられた第一項の規定による標準報酬月額の等級の最高等級の上に更に等級を加える改定を行うことができる。ただし、当該改定後の標準報酬月額の等級のうちの最高等級の標準報酬月額は、同条第二項の規定により読み替えられた同条第一項の規定及び同条第三項の規定による標準報酬の等級のうちの最高等級の標準報酬の月額を超えてはならない。

4　退職等年金給付の額の算定及び退職等年金給付に係る掛金の徴収に関する第一項の規定による標準報酬月額の等級区分については、国家公務員共済組合法第四十条第四項の規定による標準報酬の区分の改定措置その他の事情を勘案して、政令で定めるところにより第一項の規定による標準報酬月額の等級の最高等級の上に更に等級を加える改定を行うことができる。ただし、当該改定後の標準報酬月額の等級のうちの最高等級の標準報酬月額は、同条第一項及び第四項の規定による標準報酬の等級のうちの最高等級の標準報酬の月額を超えてはならない。

5　事業団は、加入者が毎年七月一日現に使用される学校法人等において同日前三月間（その学校法人等で継続して使用された期間に限るものとし、かつ、報酬の支払の基礎となつた日数が十七日（文部科学省令で定める者にあつては、十一日。以下この条において同じ。）未満である月があるときは、その月を除く。）に受けた報酬の総額をその期間の月数で除して得た額を報酬月額として、標準報酬月額を定める。

6　前項の規定によつて定められた標準報酬月額は、その年の九月から翌年の八月までの各月の標準報酬月額とする。

7　第五項の規定は、六月一日から七月一日までの間に加入者の資格を取得した者並びに第十項又は第十二項及び第十三項若しくは第十四項及び第十五項の規定により七月から九月までのいずれかの月から標準報酬月額が改定される加入者については、その年に限り適用しない。

8　事業団は、加入者の資格を取得した者があるときは、その資格を取得した日の現在により標準報酬月額を定める。この場合において、週その他月以外の一定期間により支給される報酬については、その報酬の額をその支給される期間の総日数をもつて除して得た額の三十倍に相当する額を報酬月額とする。

9　前項の規定によつて定められた標準報酬月額は、加入者の資格を取得した月からその年の八月（六月一日から十二月三十一日までの間に加入者の資格を取得した者については、翌年の八月）までの各月の標準報酬月額とする。

10　事業団は、加入者が現に使用される学校法人等において継続した三月間（各月とも、報酬の支払の基礎となつた日数が、十七日以上でなければならない。）に受けた報酬の総額を三で除して得た額が、その者の標準報酬月額の基礎となつた報酬月額に比べて著しく高低を生じ、文部科学省令で定める程度に達したときは、その額を報酬月額として、その著しく高低を生じた月の翌月から標準報酬月額を改定するものとする。

11　前項の規定によつて改定された標準報酬月額は、その年の八月（七月から十二月までのいずれかの月から改定されたものについては、翌年の八月）までの各月の標準報酬月額とする。

12　事業団は、育児休業、介護休業等育児又は家族介護を行う労働者の福祉に関する法律第二条第一号に規定する育児休業又は同法第二十三条第二項の育児休業に関する制度に準ずる措置若しくは同法第二十四条第一項（第二号に係る部分に限る。）の規定により同項第二号に規定する育児休業に関する制度に準じて講ずる措置による休業（以下「育児休業等」という。）を終了した加入者が、当該育児休業等を終了した日（以下この項及び次項において「育児休業等終了日」という。）において当該育児休業等に係る三歳に満たない子を養育する場合において、事業団に申出をしたときは、育児休業等終了日の翌日が属する月以後三月間（育児休業等終了日の翌日において使用される学校法人等で継続して使用された期間に限るものとし、かつ、報酬の支払の基礎となつた日数が十七日未満である月があるときは、その月を除く。）に受けた報酬の総額をその期間の月数で除して得た額を報酬月額として、標準報酬月額を改定する。ただし、育児休業等終了日の翌日に第十四項に規定する産前産後休業を開始している加入者は、この限りでない。

13　前項の規定によつて改定された標準報酬月額は、育児休業等終了日の翌日から起算して二月を経過した日の属する月の翌月からその年の八月（当該翌月が七月から十二月までのいずれかの月である場合は、翌年の八月）までの各月の標準報酬月額とする。

14　事業団は、産前産後休業（出産の日（出産の日が出産の予定日後であるときは、出産の予定日）以前四十二日（多胎妊娠の場合にあつては、九十八日）から出産の日後五十六日までの間において勤務に服さないこと（妊娠又は出産に関する事由を理由として勤務に服さない場合に限る。）をいう。以下同じ。）を終了した加入者が、当該産前産後休業を終了した日（以下この項及び次項において「産前産後休業終了日」という。）において、当該産前産後休業に係る子を養育する場合において、事業団に申出をしたときは、産前産後休業終了日の翌日が属する月以後三月間（産前産後休業終了日の翌日において使用される学校法人等で継続して使用された期間に限るものとし、かつ、報酬の支払の基礎となつた日数が十七日未満である月があるときは、その月を除く。）に受けた報酬の総額をその期間の月数で除して得た額を報酬月額として、標準報酬月額を改定する。ただし、産前産後休業終了日の翌日に育児休業等を開始している加入者は、この限りでない。

15　前項の規定によつて改定された標準報酬月額は、産前産後休業終了日の翌日から起算して二月を経過した日の属する月の翌月からその年の八月（当該翌月が七月から十二月までのいずれかの月である場合は、翌年の八月）までの各月の標準報酬月額とする。

16　加入者の報酬月額が、第五項、第八項、第十二項若しくは第十四項の規定によつて算定することが困難であるとき、又は第五項、第八項、第十項、第十二項若しくは第十四項の規定によつて算定するとすれば著しく不当であるときは、これらの規定にかかわらず、同様の業務に従事し、かつ、同様の報酬を受ける他の教職員等の報酬月額その他の事情を考慮して理事長が適正と認めて算定する額をこれらの規定による当該加入者の報酬月額とする。

（標準賞与額の決定）

第二十三条　事業団は、加入者が賞与を受けた月において、その月に当該加入者が受けた賞与の額に基づき、これに千円未満の端数を生じたときはこれを切り捨てて、その月における標準賞与額を決定する。この場合において、当該標準賞与額が百五十万円を超えるときは、これを百五十万円とする。

2　短期給付等事務に関する前項の規定の適用については、同項後段中「標準賞与額が百五十万円を超えるときは、これを百五十万円」とあるのは、「加入者が受けた賞与によりその年度における標準賞与額の累計額が五百七十三万円（前条第三項の規定による標準報酬月額の等級区分の改定が行われたときは、政令で定める額。以下この項において同じ。）を超えることとなる場合には、当該累計額が五百七十三万円となるようその月の標準賞与額を決定し、その年度においてその月の翌月以降に受ける賞与の標準賞与額は零」とする。

3　前条第四項の規定による標準報酬月額の等級区分の改定が行われた場合における退職等年金給付の額の算定及び退職等年金給付に係る掛金の徴収に関する標準賞与額については、第一項後段中「百五十万円を」とあるのは、「百五十万円（前条第四項の規定による標準報酬月額の等級区分の改定が行われたときは、政令で定める額。以下この項において同じ。）を」とする。

4　前条第十六項の規定は、標準賞与額の算定について準用する。

（給付額等の端数計算）

第二十四条　短期給付の額に一円に満たない端数を生じたときは、これを一円に切り上げる。

2　標準報酬日額に五円未満の端数があるときはこれを切り捨て、五円以上十円未満の端数があるときはこれを十円に切り上げるものとする。

3　退職等年金給付の額に五十円未満の端数があるときはこれを切り捨て、五十円以上百円未満の端数があるときはこれを百円に切り上げるものとする。

（国家公務員共済組合法の準用）

第二十五条　この節に規定するもののほか、短期給付及び退職等年金給付については、国家公務員共済組合法第二条（第一項第一号及び第五号から第七号までを除く。）、第四章（第三十九条第二項、第四十条、第四十一条、第四十五条第一項、第四十九条から第五十一条まで、第六十八条の二から第六十八条の五まで、第三節第一款及び第二款、第七十四条、第七十九条の三第五項、第九十六条並びに第九十七条第四項を除く。）、第百十一条第一項、第二項及び第五項、第百十二条、第百二十六条の五、附則第十二条、附則第十三条から第十四条まで並びに別表第一の規定を準用する。この場合において、これらの規定（同法第三十九条第一項、第五十五条第一項第一号及び第二号、第五十九条第三項第二号、第六十一条第二項、第六十四条、第六十六条第二項（各号を除く。）及び第五項、第六十七条第三項、第七十五条第一項、第二項及び第四項、第七十八条第二項及び第五項、第七十九条第二項及び第五項、第七十九条の四第一項第一号、第八十四条第三項、第九十条第三項、第九十七条第一項、第百二十六条の五第五項第四号並びに附則第十二条第一項から第六項まで及び第八項の規定を除く。）中「組合員」とあるのは「加入者」と、「公務遺族年金」とあるのは「職務遺族年金」と、「組合」とあり、及び「連合会」とあるのは「事業団」と、「標準報酬の月額」とあるのは「標準報酬月額」と、「標準報酬の日額」とあるのは「標準報酬日額」と、「財務省令」とあるのは「文部科学省令」と、「公務」とあるのは「職務」と、「公務障害年金」とあるのは「職務障害年金」と、「組合員期間」とあるのは「加入者期間」と、「公務傷病」とあるのは「職務傷病」と、「特例退職組合員」とあるのは「特例退職加入者」と、「任意継続組合員」とあるのは「任意継続加入者」と読み替えるほか、次の表の上欄に掲げる同法の規定中同表の中欄に掲げる字句は、それぞれ同表の下欄に掲げる字句に読み替えるものとする。

上欄	中欄	下欄
第二条第一項第二号	（短期給付	（私立学校教職員共済法第十四条第一項に規定する加入者をいう。以下同じ。）（短期給付
第二条第一項第四号	職員が	教職員等（私立学校教職員共済法第十四条第一項に規定する教職員等をいう。以下同じ。）が
	職員で	教職員等で
	職員と	教職員等と
第三十九条第一項	組合（退職等年金給付にあつては、連合会。次項、第四十六条第一項、第四十七条、第九十五条及び第百十三条において	日本私立学校振興・共済事業団（以下「事業団」という。）が決定する

	同じ。）が決定し、厚生年金保険給付を受ける権利は厚生年金保険法第三十三条の規定によりその権利を有する者の請求に基づいて連合会が裁定する	
第四十六条第二項	第五十五条第一項第三号に掲げる保険医療機関	学校法人等（私立学校教職員共済法第十四条第一項に規定する学校法人等をいう。以下この項において同じ。）が虚偽の報告若しくは証明をし、又は第五十五条第一項第三号に掲げる保険医療機関
	又は健康保険法	若しくは健康保険法
	その保険医又は主治の医師	その学校法人等、保険医又は主治の医師
第五十二条	前二条	私立学校教職員共済法第二十条第一項及び第三項
	第四十条第一項	同法第二十二条第一項
第五十四条第二項第一号及び第二号	特定長期入院組合員	特定長期入院加入者
第五十五条第一項第一号	組合又は連合会	事業団
第五十五条第一項第二号	組合員（地方公務員等共済組合法第三条第一項に規定する地方公務員共済組合（以下「地方の組合」という。）	加入者（他の法律に基づく共済組合
	組合員及び私立学校教職員共済法（昭和二十八年法律第二百四十五号）の規定による私立学校教職員共済制度の加入者（以下「私学共済制度の加入者」という。）	組合員
	組合員の	加入者の
	組合が	事業団が
第五十五条第二項	運営規則	共済運営規則（日本私立学校振興・共済事業団法（平成九年法律第四十八号）第二十五条第二項に規定する共済運営規則をいう。次項及び第六十八条において同じ。）
第五十五条第三項	運営規則	共済運営規則
第五十五条の三第一項及び第五十五条の四第一項	特定長期入院組合員	特定長期入院加入者
第五十九条第三項第二号	地方の組合	他の法律に基づく共済組合
	組合員、私学共済制度の加入者	組合員
	被保険者を含む	被保険者をいう
第六十条第二項	国家公務員災害補償法の規定による通勤による災害に係る療養補償又はこれに相当する補償	労働者災害補償保険法（昭和二十二年法律第五十号）の規定による療養給付
第六十一条第二項	、組合員	、加入者
	組合員で	加入者で
第六十三条第四項	国家公務員災害補償法の規定による通勤による災害に係る葬祭補償又はこれに相当する補償	労働者災害補償保険法の規定による葬祭給付
第六十四条	組合員で	加入者で
第六十六条第一	第六十八条から第六	第六十八条

項	十八条の五まで	
第六十六条第二項	標準報酬の月額（組合員が現に属する組合により定められたものに限る。以下この項において同じ。）	標準報酬月額
	三分の二	百分の八十
	標準報酬の月額が	標準報酬月額が
	標準報酬の基礎	標準報酬月額の基礎
第六十六条第五項	組合員で	加入者で
第六十六条第十四項	国家公務員災害補償法の規定による通勤による災害に係る休業補償若しくは傷病補償年金又はこれらに相当する補償（次項において「休業補償等」という。）	労働者災害補償保険法の規定による休業給付又は傷病年金の支給（次項において「休業給付等」という。）
第六十六条第十五項	休業補償等	休業給付等
第六十七条第三項	組合員で	加入者で
第六十八条	百分の五十	百分の六十
	運営規則	共済運営規則
第六十九条第二項	、休業手当金、育児休業手当金、育児休業支援手当金又は介護休業手当金	又は休業手当金
第七十五条第一項	組合員期間	加入者期間（私立学校教職員共済法第十七条第一項に規定する加入者期間をいう。以下同じ。）
	標準報酬の月額	標準報酬月額
	標準期末手当等の額	標準賞与額（同法第二十三条第一項に規定する標準賞与額をいう。）
第七十五条第二項	組合員	加入者
	連合会の定款	共済規程（私立学校教職員共済法第四条第一項に規定する共済規程をいう。以下同じ。）
第七十五条第四項	退職等年金給付積立金	日本私立学校振興・共済事業団法第三十三条第一項第四号の経理に係る勘定に属する積立金
	連合会の定款	共済規程
第七十五条の三第一項	従前標準報酬の月額	従前標準報酬月額
	第百条の二第一項の規定	私立学校教職員共済法第二十八条第二項及び第三項の規定
	第百条の二の二	私立学校教職員共済法第二十八条第五項及び第六項
第七十八条第二項	額（組合員期間が十年に満たないときは、当該額に二分の一を乗じて得た額）	額
第七十八条第五項	連合会の定款	共済規程
第七十九条第二項	額（組合員期間が十年に満たないときは、当該額に二分の一を乗じて得た額）	額
第七十九条第五項	連合会の定款	共済規程
第七十九条の三第一項	国家公務員退職手当法（昭和二十八年法律第百八十二号）第五条第一項第二号に掲げる	国家公務員の場合における国家公務員法（昭和二十二年法律第百二十号）第七十八条第四号に掲げる分限免職の事由に相当する事由により解雇された

	同号の退職をした	その解雇された
第七十九条の三第二項	規定する退職をした	規定する解雇された
	国家公務員退職手当法（昭和二十八年法律第百八十二号）第五条第一項第二号の退職をした	国家公務員の場合における国家公務員法（昭和二十二年法律第百二十号）第七十八条第四号に掲げる分限免職の事由に相当する事由により解雇された
	同号の退職をした	その解雇された
第七十九条の三第三項	退職	解雇
	請求（他の法令の規定で同項の規定に相当するものとして政令で定めるものに基づく請求を含む。）	請求
	規定（他の法令の規定で同項の規定に相当するものとして政令で定めるものを含む。）	規定
第七十九条の三第六項	前各項	第一項から第四項まで
第七十九条の四第一項第一号	給付算定基礎額（組合員であつた者が死亡した場合において、その者の組合員期間が十年に満たないときは、当該給付算定基礎額に二分の一を乗じて得た額）	給付算定基礎額
第八十三条第四項	基準公務傷病	基準職務傷病
	その他公務傷病	その他職務傷病
	基準公務障害	基準職務障害
第八十四条第一項及び第二項	公務障害年金算定基礎額	職務障害年金算定基礎額
第八十四条第三項	公務障害年金	職務障害年金
	終身退職年金算定基礎額（その者の組合員期間が十年に満たないときは、当該終身退職年金算定基礎額に二を乗じて得た額）	終身退職年金算定基礎額
第八十五条第二項及び第八十七条第二項	後発公務傷病	後発職務傷病
	その他公務障害	その他職務障害
第九十条第一項及び第二項	公務遺族年金算定基礎額	職務遺族年金算定基礎額
第九十条第三項	終身退職年金算定基礎額（その者の組合員期間が十年に満たないときは、当該終身退職年金算定基礎額に二を乗じて得た額）	終身退職年金算定基礎額
第九十七条第一項	組合員若しくは組合員であつた者	加入者若しくは加入者であつた者
	組合員が懲戒処分（国家公務員法第八十二条の規定による減給若しくは戒告又はこれらに相当する処分を除く。）を受けたとき又は組合員（退職した後に再び組合員となつた者に限る。）若しくは組合員であつた者が退職手当支給制限等処分（国家公務員退職手当法第十四条第一項第三号に該当することにより同項の規定による一般の退職手当等（同法第五条の二第二項に規定する一般の退職手当等をいう。以下この項において同じ。）の全部若しくは一部を支給しないこととする処分若しくは同法第十五条第一項第三	又は加入者が公務員の場合における懲戒の事由に相当する事由により解雇された

	号に該当することにより同項の規定による一般の退職手当等の額の全部若しくは一部の返納を命ずる処分又はこれらに相当する処分をいう。第四項において同じ。）を受けた	
	組合員期間	加入者期間
	公務障害年金	職務障害年金
第百二十六条の五第二項	及び国の負担金（	（前期高齢者納付金等及び後期高齢者支援金等並びに第三条第四項に規定する流行初期医療確保拠出金等に係る掛金を含み、
	にあつては、介護納付金に係る掛金及び国の負担金を含む。）の合算額	にあつては介護納付金に係る掛金を含む。）
	定款	共済規程
第百二十六条の五第五項第四号	組合員（地方の組合	加入者（他の法律に基づく共済組合
	組合員、私学共済制度の加入者	組合員

附則第十二条第一項	財務省令で定める要件	事業団が、文部科学省令で定める要件
	財務大臣の認可を受けた組合（以下この条において「特定共済組合」という。）の組合員	文部科学大臣の認可を受けた場合には、加入者
	当該特定共済組合の定款	共済規程
	財務省令で定めるところ	文部科学省令で定めるところ
	当該特定共済組合の組合員	加入者
	当該特定共済組合に	事業団に
	任意継続組合員	任意継続加入者
附則第十二条第二項	当該特定共済組合の組合員	加入者
附則第十二条第三項	特定共済組合の組合員	加入者
	特例退職組合員	特例退職加入者
附則第十二条第四項	特例退職組合員	特例退職加入者
	二以上の	他の

	地方の組合	他の法律に基づく共済組合
	組合員、私学共済制度の加入者	組合員
	を含む	をいう
附則第十二条第五項	特例退職組合員の標準報酬の月額は、第四十条	特例退職加入者の標準報酬月額は、私立学校教職員共済法第二十二条
	標準報酬の月額に	標準報酬月額に
	当該特例退職組合員の属する特定共済組合の短期給付	短期給付
	組合員	加入者
	特例退職組合員を	特例退職加入者を
	標準報酬の月額の	標準報酬月額の
	定款	共済規程
	標準報酬の基礎	標準報酬月額の基礎
	標準報酬の月額と	標準報酬月額と
附則第十二条第六項	特例退職組合員	特例退職加入者
	当該特定共済組合	事業団

	及び国の負担金（	（前期高齢者納付金等及び後期高齢者支援金等並びに第三条第四項に規定する流行初期医療確保拠出金等に係る掛金を含み、
	にあつては、介護納付金に係る掛金及び国の負担金を含む。）の合算額	にあつては介護納付金に係る掛金を含む。）
	定款	共済規程
附則第十二条第七項	第六十八条から第六十八条の五まで	第六十八条
	休業手当金、育児休業手当金、育児休業支援手当金、介護休業手当金、育児時短勤務手当金	休業手当金
附則第十二条第八項	特例退職組合員	特例退職加入者
	任意継続組合員とみなして	任意継続加入者とみなして
附則第十二条第九項	第百条の二及び第百条の二の二	私立学校教職員共済法第二十八条第二項及び第五項
附則第十三条の二第五項	第四十九条の	私立学校教職員共済法第五条の
	第四十九条中	同法第五条中
附則第十三条の二第六項	、第七十五条の九、第百三条、第百六条並びに第百十五条第一項	並びに第七十五条の九並びに私立学校教職員共済法第二十四条第三項及び第三十六条並びに同法第三十八条において準用する第百三条第三項及び第百六条

第三節　福祉事業

（福祉事業）

第二十六条　事業団は、加入者の福祉を増進するため、次に掲げる福利及び厚生に関する事業を行う。

一　高齢者の医療の確保に関する法律第二十条の規定による特定健康診査（第三項において単に「特定健康診査」という。）及び同法第二十四条の規定による特定保健指導（以下この号及び第三十五条第三項において「特定健康診査等」という。）並びに特定健康診査等以外の事業であつて加入者及びその被扶養者（以下この条において「加入者等」という。）の健康教育、健康相談及び健康診査並びに健康管理及び疾病の予防に係る加入者等の自助努力についての支援その他の加入者等の健康の保持増進のために必要な事業

二　加入者の保養若しくは宿泊又は教養のための施設の経営

三　加入者の利用に供する財産の取得、管理又は貸付け

四　加入者の貯金の受入れ又はその運用

五　加入者の臨時の支出に対する貸付け

六　加入者の需要する生活必需物資の供給

七　その他加入者の福祉の増進に資する事業で共済規程で定めるもの

2　事業団は、加入者であつた者の福祉を増進するため、前項各号に掲げる事業に準ずる事業であつて政令で定めるものを行うことができる。

3　事業団は、第一項第一号の規定により加入者等の健康の保持増進のために必要な事業を行うに当たつて必要があると認めるときは、加入者等を使用している事業者等（労働安全衛生法（昭和四十七年法律第五十七号）第二条第三号に規定する事業者その他の法令に基づき健康診断（特定健康診査に相当する項目を実施するものに限る。）を実施する責務を有する者その他文部科学省令で定める者をいう。以下この条において同じ。）又は使用していた事業者等に対し、文部科学省令で定めるところにより、同法その他の法令に基づき当該事業者等が保存している当該加入者等に係る健康診断に関する記録の写しその他これに準ずるものとして文部科学省令で定めるものを提供するよう求めることができる。

4　前項の規定により、労働安全衛生法その他の法令に基づき保存している加入者等に係る健康診断に関する記録の写しの提供を求められた事業者等は、文部科学省令で定めるところにより、当該記録の写しを提供しなければならない。

5　事業団は、第一項第一号に掲げる事業を行うに当たつては、高齢者の医療の確保に関する法律第十六条第一項に規定する医療保険等関連情報、事業者等から提供を受けた加入者等に係る健康診断に関する記録の写しその他必要な情報を活用し、適切かつ有効に行うものとする。

6　文部科学大臣は、第一項第一号の規定により事業団が行う加入者等の健康の保持増進のために必要な事業に関して、その適切かつ有効な実施を図るため、指針の公表、情報の提供その他の必要な支援を行うものとする。

7　前項の指針は、健康増進法（平成十四年法律第百三号）第九条第一項に規定する健康診査等指針と調和が保たれたものでなければならない。

第六章　費用の負担

（掛金等）

第二十七条　事業団は、共済業務に要する費用に充てるため、掛金及び加入者保険料（厚生年金保険法（昭和二十九年法律第百十五号）第八十二条第一項の規定により加入者たる被保険者及

び当該被保険者を使用する学校法人等が負担する厚生年金保険の保険料をいう。次項において同じ。）を徴収する。

2　掛金及び加入者保険料（以下「掛金等」という。）は、加入者期間の計算の基礎となる各月（介護納付金に係る掛金にあつては、当該各月のうち加入者（附則第二十項の規定により健康保険法（大正十一年法律第七十号）による保険給付のみを受けることができることとなつた加入者を除く。）の資格及び介護保険法第九条第二号に規定する被保険者（以下「介護保険第二号被保険者」という。）の資格を併せ有する日を含む月（政令で定めるものを除く。）に限る。）につき、徴収するものとする。

3　前二項の規定による掛金は、加入者の標準報酬月額及び標準賞与額を標準として算定するものとし、その標準報酬月額及び標準賞与額と掛金との割合は、政令で定める範囲内において、共済規程で定める。

（掛金の折半負担等）

第二十八条　加入者及びその加入者を使用する学校法人等は、前条の規定による掛金を折半して、これを負担する。

2　育児休業等をしている加入者（第五項の規定の適用を受けている加入者及び第二十五条において読み替えて準用する国家公務員共済組合法第百二十六条の五第二項に規定する任意継続加入者を除く。第四項において同じ。）が事業団に申出をしたときは、前項の規定にかかわらず、次の各号に掲げる場合の区分に応じ、当該各号に定める月の当該加入者に関する掛金等（その育児休業等の期間が一月以下である者については、標準報酬月額に係る掛金等に限る。）を免除する。

一　その育児休業等を開始した日の属する月とその育児休業等が終了する日の翌日が属する月とが異なる場合　その育児休業等を開始した日の属する月からその育児休業等が終了する日の翌日が属する月の前月までの月

二　その育児休業等を開始した日の属する月とその育児休業等が終了する日の翌日が属する月とが同一であり、かつ、当該月における育児休業等の日数として文部科学省令で定めるところにより計算した日数が十四日以上である場合　当該月

3　育児休業等をしている加入者（第五項の規定の適用を受けている加入者を除く。）を使用する学校法人等が事業団に申出をしたときは、第一項の規定にかかわらず、前項各号に掲げる場合の区分に応じ、当該各号に定める月の当該加入者に係る掛金等であつて第一項の規定により当該学校法人等が負担すべきもの（その育児休業等の期間が一月以下である者については、標準報酬月額に係る掛金等に限る。）を免除する。

4　加入者が連続する二以上の育児休業等をしている場合（これに準ずる場合として文部科学省令で定める場合を含む。）における前二項の規定の適用については、その全部を一の育児休業等とみなす。

5　産前産後休業をしている加入者（第二十五条において読み替えて準用する国家公務員共済組合法第百二十六条の五第二項に規定する任意継続加入者を除く。）が事業団に申出をしたときは、第一項の規定にかかわらず、その産前産後休業を開始した日の属する月からその産前産後休業が終了する日の翌日の属する月の前月までの各月分の同項の規定により加入者が負担すべき掛金等を免除する。

6　産前産後休業をしている加入者を使用する学校法人等が事業団に申出をしたときは、第一項の規定にかかわらず、その産前産後休業を開始した日の属する月からその産前産後休業が終了する日の翌日の属する月の前月までの各月分の当該加入者に係る掛金等であつて同項の規定により当該学校法人等が負担すべきものを免除する。

（掛金等の納付義務及び報酬からの控除等）

第二十九条　学校法人等は、自己及びその使用する加入者の負担すべき毎月の掛金等を、翌月末日までに事業団に納付する義務を負う。

2　学校法人等は、加入者の報酬を支給するときは、その報酬から当該加入者が負担すべき当該報酬に係る月の前月の標準報酬月額及び厚生年金保険法による標準報酬月額に係る掛金等（加入者が当該報酬に係る月の翌月の初日からその資格を喪失する場合においては、当該報酬に係る月の前月及びその月の標準報酬月額及び厚生年金保険法による標準報酬月額に係る掛金等）に相当する金額を控除することができる。

3　学校法人等は、加入者の賞与を支給するときは、その賞与から当該加入者が負担すべき当該賞与に係る月の標準賞与額及び厚生年金保険法による標準賞与額に係る掛金等に相当する金額を控除することができる。

4　学校法人等は、加入者が事業団に対して支払うべき第二十六条第一項第五号の貸付金の返還の債務がある場合において、事業団から求められたときは、当該加入者に支給すべき報酬、賞与又は退職手当からその債務の額に相当する金額を控除して、その金額を加入者に代わり事業団に支払わなければならない。

（掛金等の繰上徴収）

第二十九条の二　掛金等は、次に掲げる場合においては、納期前であつても、全て徴収することができる。

一　学校法人等が、次のいずれかに該当する場合

イ　国税、地方税その他の公課の滞納によつて、滞納処分を受けるとき。

ロ　強制執行を受けるとき。

ハ　破産手続開始の決定を受けたとき。

ニ　競売の開始があつたとき。

二　学校法人等が、解散をした場合

三　加入者の勤務する私立学校、私立専修学校又は私立各種学校が、廃止された場合

（督促及び延滞金の徴収）

第三十条　掛金等を滞納した学校法人等に対しては、事業団は、期限を指定して、これを督促しなければならない。ただし、前条の規定により掛金等を徴収するときは、この限りでない。

2　前項の規定によつて督促をしようとするときは、事業団は、学校法人等に対して督促状を発する。この場合において、督促状により指定すべき期限は、前条各号のいずれかに該当する場合を除き、督促状を発する日から起算して十日以上を経過した日でなければならない。

3　前項の規定によつて督促をしたときは、事業団は、掛金等の額に、納期限の翌日から掛金等の完納又は財産差押えの日の前日までの期間の日数に応じ、年十四・六パーセント（当該納期限の翌日から三月を経過する日までの期間については、年七・三パーセント）の割合を乗じて計算した延滞金を徴収する。ただし、掛金額が千円未満であるとき、又は滞納につきやむを得ない事情があると認められる場合は、この限りではない。

4 前項の場合において、掛金等の額の一部について納付があつたときは、その納付の日以後の期間に係る延滞金の計算の基礎となる掛金等は、その納付のあつた掛金等の額を控除した金額による。
5 延滞金を計算するに当たり、掛金等の額に千円未満の端数があるときは、その端数は、切り捨てる。
6 督促状に指定した期限までに掛金等を完納したとき、又は前三項の規定によつて計算した金額が千円未満のときは、延滞金は、徴収しない。
7 延滞金の金額に十円未満の端数があるときは、その端数は、切り捨てる。

（滞納処分）
第三十一条 前条の規定による督促又は第二十九条の二各号（第一号ハを除く。）のいずれかに該当したことにより納期を繰り上げてする掛金等の納入の告知を受けた学校法人等が、この指定の期限までに掛金等を完納しないときは、事業団は、国税滞納処分の例によつてこれを処分し、又は学校法人等若しくはその財産のある市町村（特別区を含むものとし、地方自治法第二百五十二条の十九第一項の指定都市にあつては区又は総合区とする。第三項において同じ。）に対して、その処分を請求することができる。
2 事業団は、前項の規定により国税滞納処分の例により処分しようとするときは、文部科学大臣の認可を受けなければならない。
3 市町村は、第一項の規定による処分の請求を受けたときは、市町村税の滞納処分の例によつてこれを処分することができる。この場合においては、事業団は、徴収金額の百分の四に相当する金額を当該市町村に交付しなければならない。

（先取特権の順位）
第三十二条 掛金等その他この法律の規定による徴収金の先取特権の順位は、国税及び地方税に次ぐものとする。

（徴収に関する通則）
第三十三条 掛金等その他この法律の規定による徴収金は、この法律に別段の規定があるものを除き、国税徴収の例により徴収する。

（時効）
第三十四条 掛金その他この法律の規定による徴収金を徴収し、又はその還付を受ける権利は、これらを行使することができる時から二年を経過したときは、時効によつて消滅する。
2 前項に規定する権利の時効については、その援用を要せず、また、その利益を放棄することができないものとする。
3 事業団が行う掛金等その他この法律の規定による徴収金の督促は、時効の更新の効力を有する。

（出産育児交付金）
第三十四条の二 出産費及び家族出産費の支給に要する費用（第二十五条において準用する国家公務員共済組合法第六十一条第一項（第二十五条において準用する同法第六十一条第二項において準用する場合を含む。）及び第三項に規定する政令で定める金額に係る部分に限る。）の一部については、政令で定めるところにより、高齢者の医療の確保に関する法律第百二十四条の四第一項の規定により社会保険診療報酬支払基金法（昭和二十三年法律第百二十九号）による社会保険診療報酬支払基金が事業団に対して交付する出産育児交付金をもつて充てる。
2 健康保険法第百五十二条の三から第百五十二条の五まで及び高齢者の医療の確保に関する法律第四十二条の規定は、前項の出産育児交付金について準用する。この場合において、必要な技術的読替えは、政令で定める。

（国及び都道府県の補助）
第三十五条 国は、毎年度、事業団が国民年金法第九十四条の二第二項の規定により当該事業年度において納付する基礎年金拠出金の額の二分の一に相当する金額を補助する。
2 国は、前項の規定により補助する金額を、政令で定めるところにより、事業団に交付しなければならない。
3 国は、予算の範囲内において、事業団の共済業務に係る事務及び特定健康診査等の実施に要する費用を補助することができる。
4 都道府県は、当該都道府県の予算の範囲内において、事業団の共済業務に要する経費について補助することができる。

第七章　共済審査会

（審査請求）
第三十六条 加入者の資格若しくは給付に関する決定、厚生年金保険法第九十条第二項（第一号及び第二号を除く。）に規定する被保険者の資格若しくは保険給付に関する処分、掛金等その他この法律及び厚生年金保険法の規定による徴収金の徴収、加入者期間の確認、国民年金法の規定による障害基礎年金に係る障害の程度の診査又は第三十一条の規定による処分に対し異議のある者は、共済審査会に対し、文書又は口頭をもつて審査請求をすることができる。
2 前項の審査請求は、同項に規定する決定、処分、徴収、確認又は診査があつたことを知つた日から三月を経過したときは、することができない。ただし、正当な理由によりこの期間内に審査請求をすることができなかつたことを疎明したときは、この限りでない。
3 共済審査会は、行政不服審査法（平成二十六年法律第六十八号）第九条第一項、第三項及び第四項の規定の適用については、同条第一項第二号に掲げる機関とみなす。

（共済審査会）
第三十七条 共済審査会は、事業団に置き、前条第一項の規定によりその権限に属せしめられた事項をつかさどる。
2 共済審査会は、委員九人をもつて組織する。
3 前項の委員は、加入者を代表する者、学校法人等を代表する者及び公益を代表する者各三人とし、文部科学大臣が委嘱する。
4 第十二条第四項及び第五項の規定は、前項の委員について準用する。

（国家公務員共済組合法の準用）
第三十八条 前二条に規定するもののほか、共済審査会については、国家公務員共済組合法第百三条第三項、第百四条第六項及び第七項並びに第百五条から第百七条までの規定を準用する。この場合において、同法第百五条第一項中「組合員」とあるのは「加入者」と、「国」とあるのは「学校法人等」と、同法第百六条中「当該審査請求に係る組合（審査請求のうち長期給付に係るものにあつては、連合会）」とあるのは「事業団」と、同法第百七条中「この章」とあるのは「私立学校教職員共済法

第七章」と読み替えるものとする。

第八章　高齢の教職員等に係る特例

（短期給付に関する規定の適用の特例）

第三十九条　この法律の短期給付に関する規定は、教職員等のうち、後期高齢者医療の被保険者（高齢者の医療の確保に関する法律第五十条の規定による被保険者をいう。）及び同条各号のいずれかに該当する者で同法第五十一条の規定により後期高齢者医療の被保険者とならないもの（第三項において「後期高齢者医療の被保険者等」という。）に該当するものには、適用しない。

2　この法律の短期給付に関する規定の適用を受ける加入者が前項の規定によりその適用を受けないこととなつたときは、この法律の短期給付に関する規定の適用については、そのなつた日の前日に退職したものとみなす。

3　第一項の規定により短期給付に関する規定の適用を受けない者が後期高齢者医療の被保険者等に該当しないこととなつたときは、この法律の短期給付に関する規定の適用については、そのなつた日に教職員等となつたものとみなす。

（掛金率の特例）

第四十条　前条第一項の規定により短期給付に関する規定を適用しないこととされた加入者の掛金の標準報酬月額及び標準賞与額に対する割合は、政令で定める範囲内において、共済規程で定める。

（退職等年金給付に関する規定の適用の特例）

第四十一条　七十歳以上の教職員等に対するこの法律の退職等年金給付に関する規定の適用については、次の各号に掲げる者の区分に応じ、当該各号に定めるところによる。

一　七十歳に達した日の前日において加入者であつた者で七十歳に達した日以後引き続き加入者であるもの　七十歳に達した日の前日に退職したものとみなす。

二　七十歳に達した日以後に加入者となつた者　加入者でないものとみなす。

（掛金率の特例）

第四十二条　前条の規定により退職等年金給付に関する規定の適用について退職したもの又は加入者でないものとみなされた加入者の掛金の標準報酬月額及び標準賞与額に対する割合は、政令で定める範囲内において、共済規程で定める。

第四十三条及び第四十四条　削除

第九章　雑則

（加入者等記号・番号等の利用制限等）

第四十五条　文部科学大臣、事業団、保険医療機関等（第二十五条において準用する国家公務員共済組合法第五十五条第一項に規定する保険医療機関等をいう。第四十七条の四において同じ。）、指定訪問看護事業者（第二十五条において準用する同法第五十六条の二第一項に規定する指定訪問看護事業者をいう。次条第二項及び第三項において同じ。）その他の短期給付及び退職等年金給付の事業並びに福祉事業又はこれらの事業に関連する事務の遂行のため加入者等記号・番号等（保険者番号（文部科学大臣が健康保険法第三条第十一項に規定する保険者番号に準じて定めるものをいう。）及び加入者等記号・番号（事業団が加入者又は被扶養者の資格を管理するための記号、番号その他の符号として、加入者又は被扶養者ごとに定めるものをいう。）をいう。以下この条において同じ。）を利用する者として文部科学省令で定める者（以下この条において「文部科学大臣等」という。）は、これらの事業又は事務の遂行のため必要がある場合を除き、何人に対しても、その者又はその者以外の者に係る加入者等記号・番号等を告知することを求めてはならない。

2　文部科学大臣等以外の者は、短期給付及び退職等年金給付の事業並びに福祉事業又はこれらの事業に関連する事務の遂行のため加入者等記号・番号等の利用が特に必要な場合として文部科学省令で定める場合を除き、何人に対しても、その者又はその者以外の者に係る加入者等記号・番号等を告知することを求めてはならない。

3　何人も、次に掲げる場合を除き、その者が業として行う行為に関し、その者に対し売買、貸借、雇用その他の契約（以下この項において「契約」という。）の申込みをしようとする者若しくは申込みをする者又はその者と契約の締結をした者に対し、当該者又は当該者以外の者に係る加入者等記号・番号等を告知することを求めてはならない。

一　文部科学大臣等が、第一項に規定する場合に、加入者等記号・番号等を告知することを求めるとき。

二　文部科学大臣等以外の者が、前項に規定する文部科学省令で定める場合に、加入者等記号・番号等を告知することを求めるとき。

4　何人も、次に掲げる場合を除き、業として、加入者等記号・番号等の記録されたデータベース（その者以外の者に係る加入者等記号・番号等を含む情報の集合物であつて、それらの情報を電子計算機を用いて検索することができるように体系的に構成したものをいう。）であつて、当該データベースに記録された情報が他に提供されることが予定されているもの（以下この項において「提供データベース」という。）を構成してはならない。

一　文部科学大臣等が、第一項に規定する場合に、提供データベースを構成するとき。

二　文部科学大臣等以外の者が、第二項に規定する文部科学省令で定める場合に、提供データベースを構成するとき。

5　文部科学大臣は、前二項の規定に違反する行為が行われた場合において、当該行為をした者が更に反復してこれらの規定に違反する行為をするおそれがあると認めるときは、当該行為をした者に対し、当該行為を中止することを勧告し、又は当該行為が中止されることを確保するために必要な措置を講ずることを勧告することができる。

6　文部科学大臣は、前項の規定による勧告を受けた者がその勧告に従わないときは、その者に対し、期限を定めて、当該勧告に従うべきことを命ずることができる。

（報告の請求及び検査）

第四十六条　文部科学大臣は、事業団の療養に関する短期給付についての費用の支払の適正化を図るため必要があると認めるときは、当該給付に係る療養を行つた保険医療機関若しくは保険薬局（第二十五条において準用する国家公務員共済組合法第五十五条第一項第三号に規定する保険医療機関又は保険薬局をいう。以下この条において同じ。）若しくは当該保険医療機関若しくは保険薬局の開設者若しくは管理者、保険医、保険薬剤師その他の従業者であつた者に対して必要な報告を求め、又は当該職員をして当該保険医療機関若しくは保険薬局について、その管理者の同意を得て、実地に診療録その他の帳簿書類を検査させることができる。

2　文部科学大臣は、事業団の訪問看護療養費及び家族訪問看護療養費に関する短期給付についての費用の支払の適正化を図るため必要があると認めるときは、指定訪問看護事業者若しくは指定訪問看護事業者であつた者若しくは当該指定に係る訪問看護事業所（第二十五条において準用する国家公務員共済組合法第五十八条第二項に規定する訪問看護事業所をいう。以下この項において同じ。）の看護師その他の従業者であつた者に対し、その行つた訪問看護療養費若しくは家族訪問看護療養費の支給に関して必要な報告を求め、又は当該職員をして当該指定訪問看護事業者の当該指定に係る訪問看護事業所について、当該指定訪問看護事業者の同意を得て、実地に帳簿書類その他の物件を検査させることができる。

3　保険医療機関若しくは保険薬局若しくはその管理者又は指定訪問看護事業者が、正当な理由がなく、前二項の報告の求めに応ぜず、若しくは虚偽の報告をし、又はこれらの規定の同意を拒んだときは、文部科学大臣は、事業団に対して当該保険医療機関、保険薬局又は指定訪問看護事業者に対する費用の支払を一時差し止めるべきことを命ずることができる。

4　文部科学大臣は、前条第五項及び第六項の規定による措置に関し必要があると認めるときは、その必要と認められる範囲内において、同条第三項若しくは第四項の規定に違反していると認めるに足りる相当の理由がある者に対し、必要な事項に関し報告を求め、又は当該職員をして当該者の事務所若しくは事業所に立ち入つて質問し、若しくは帳簿書類その他の物件を検査させることができる。

5　当該職員は、前項の規定により質問又は検査をする場合には、その身分を示す証票を携帯し、関係人にこれを提示しなければならない。

6　第四項の質問又は検査の権限は、犯罪捜査のために認められたものと解してはならない。

（事業団の報告徴取等）

第四十七条　事業団は、文部科学省令で定めるところにより、加入者を使用する学校法人等に、その使用する加入者の異動、報酬等に関し報告をさせ、又は文書を提示させ、その他共済業務の執行に必要な事務を行わせることができる。

2　事業団は、文部科学省令で定めるところにより、加入者又はこの法律若しくは厚生年金保険法により給付を受けるべき者に、事業団又は学校法人等に対して共済業務の執行に必要な申出若しくは届出をさせ、又は文書を提出させることができる。

（資料の提供）

第四十七条の二　事業団は、年金である給付に関する処分に関し必要があると認めるときは、受給権者に対する厚生年金保険法による年金である保険給付（これに相当する給付として政令で定めるものを含む。）の支給状況につき、厚生労働大臣又は他の法律に基づく共済組合に対し、必要な資料の提供を求めることができる。

（社会保険診療報酬支払基金等への事務の委託）

第四十七条の三　事業団は、次に掲げる事務を社会保険診療報酬支払基金法による社会保険診療報酬支払基金又は国民健康保険法（昭和三十三年法律第百九十二号）第四十五条第五項に規定する国民健康保険団体連合会に委託することができる。

一　第二十条第一項に規定する短期給付のうち文部科学省令で定めるものの支給に関する事務

二　第二十条第一項に規定する短期給付の支給、第二十六条第一項及び第二項に規定する福祉事業の実施その他の文部科学省令で定める事務に係る加入者若しくは加入者であつた者又はこれらの被扶養者（次号において「加入者等」という。）に係る情報の収集又は整理に関する事務

三　第二十条第一項に規定する短期給付の支給、第二十六条第一項及び第二項に規定する福祉事業の実施その他の文部科学省令で定める事務に係る加入者等に係る情報の利用又は提供に関する事務

2　事業団は、前項の規定により同項第二号又は第三号に掲げる事務を委託する場合は、他の社会保険診療報酬支払基金法第一条に規定する保険者及び法令の規定により医療に関する給付その他の事務を行う者であつて文部科学省令で定めるものと共同して委託するものとする。

（関係者の連携及び協力）

第四十七条の四　国、事業団及び保険医療機関等その他の関係者は、電子資格確認（第二十五条において準用する国家公務員共済組合法第五十五条第一項に規定する電子資格確認をいう。）の仕組みの導入その他手続における情報通信の技術の利用の推進により、医療保険各法等（高齢者の医療の確保に関する法律第七条第一項に規定する医療保険各法及び高齢者の医療の確保に関する法律をいう。）その他医療に関する給付を定める法令の規定により行われる事務が円滑に実施されるよう、相互に連携を図りながら協力するものとする。

（秘密保持義務）

第四十七条の五　事業団の役員若しくは職員又はこれらの職にあつた者は、共済業務に関して職務上知り得た秘密を漏らし、又は盗用してはならない。

（医療に関する事項）

第四十八条　事業団は、この法律に定める医療に関する事項については、随時、厚生労働大臣に連絡をしなければならない。

（国家公務員共済組合法の改正の場合等の経過措置）

第四十八条の二　第二十五条又は第三十八条において準用する国家公務員共済組合法の規定が改正された場合におけるこの法律の適用について必要な経過措置に関しては、政令で特に定めるものを除き、これらの規定の改正の際の経過措置の例による。この場合において必要な技術的読替えは、政令で定める。

第四十八条の三　この法律に基づき政令を制定し、又は改廃する場合においては、政令で、その制定又は改廃に伴い合理的に必要と認められる範囲内において、所要の経過措置を定めることができる。

（文部科学省令への委任）

第四十九条　この法律の実施のための手続その他その執行について必要な細則は、文部科学省令で定める。

第十章　罰則

第五十条　第四条第二項の規定により文部科学大臣の認可を受け

なければならない場合において、その認可を受けなかつたときは、事業団の役員を二十万円以下の過料に処する。

第五十一条　第四十五条第六項の規定による命令に違反した者は、一年以下の懲役又は五十万円以下の罰金に処する。

第五十二条　正当な理由がなく、第四十六条第四項の規定による報告をせず、若しくは虚偽の報告をし、又は同項の規定による当該職員の質問に対して、答弁をせず、若しくは虚偽の答弁をし、若しくは同項の規定による検査を拒み、妨げ、若しくは忌避した者は、三十万円以下の罰金に処する。

第五十三条　法人（法人でない社団又は財団で代表者又は管理人の定めがあるもの（以下この条において「人格のない社団等」という。）を含む。以下この項において同じ。）の代表者（人格のない社団等の管理人を含む。）又は法人若しくは人の代理人、使用人その他の従業者が、その法人又は人の業務に関して、前二条の違反行為をしたときは、行為者を罰するほか、その法人又は人に対しても、各本条の罰金刑を科する。

2　人格のない社団等について前項の規定の適用がある場合には、その代表者又は管理人がその訴訟行為につき当該人格のない社団等を代表するほか、法人を被告人又は被疑者とする場合の刑事訴訟に関する法律の規定を準用する。

第五十四条　第四十七条の規定による報告、申出若しくは届出をせず、虚偽の報告、申出若しくは届出をし、又は文書の提示若しくは提出を怠つた者は、十万円以下の過料に処する。

第五十五条　第四十七条の五の規定に違反して秘密を漏らし、又は盗用した者は、一年以下の懲役又は百万円以下の罰金に処する。

附　則

（施行期日）

1　この法律は、昭和二十九年一月一日から施行する。但し、附則第二項から第六項まで及び第二十四項の規定は、公布の日から施行する。

（組合の設立）

2　文部大臣は、組合の設立前に、第九条第一項の例により、理事長、理事又は監事となるべき者を指名する。

3　前項の規定により指名された者は、組合成立の日において、この法律の規定により、それぞれ、理事長、理事又は監事に任命されたものとする。

4　文部大臣は、設立委員を命じ、組合の設立に関する事務を処理させる。

5　設立委員は、定款、業務方法書並びに最初の事業年度の収入及び支出の予算を作成し、文部大臣の認可を受けなければならない。

6　前項の認可があつたときは、設立委員は、遅滞なく、その事務を第二項の規定により指名された理事長となるべき者に引き継がなければならない。

7　第二項の規定により指名された理事長となるべき者は、前項の事務の引継を受けたときは、政令で定めるところにより、設立の登記をしなければならない。

8　組合は、設立の登記をすることによつて成立する。

（最初の事業年度）

9　組合の最初の事業年度は、第三十九条第一項の規定にかかわらず、昭和二十九年一月一日に始まり、同年三月三十一日に終るものとする。

（学校法人とみなされるもの）

10　私立の幼稚園を設置する者並びに就学前の子どもに関する教育、保育等の総合的な提供の推進に関する法律の一部を改正する法律（平成二十四年法律第六十六号。以下この項において「認定こども園法一部改正法」という。）附則第三条第二項に規定するみなし幼保連携型認定こども園を設置する者及び認定こども園法一部改正法附則第四条第一項の規定により幼保連携型認定こども園（就学前の子どもに関する教育、保育等の総合的な提供の推進に関する法律（平成十八年法律第七十七号）第二条第七項に規定する幼保連携型認定こども園をいう。）を設置する者は、学校法人でない場合においても、当分の間、この法律の適用については、学校法人とみなす。

（恩給財団等の解散）

11　財団法人私学恩給財団（以下「恩給財団」という。）及び財団法人私学教職員共済会は、組合成立の日に解散し、その権利義務は、組合が承継する。この場合においては、他の法令中法人の解散及び清算に関する規定は、適用しない。

12　前項の財団法人の解散の登記に関して必要な事項は、政令で定める。

（厚生年金保険の被保険者であつた期間）

13　組合成立の際現に厚生年金保険の被保険者であつて組合成立と同時に組合員となつた者に対してこの法律による給付を行う場合においては、その者の厚生年金保険の被保険者であつた期間（その期間の計算については、旧厚生年金保険法（昭和十六年法律第六十号）第二十四条から第二十五条ノ二までの規定の例による。以下同じ。）は、この法律による加入者期間とみなし、政令で定めるところにより、これとその者がこの法律による加入者となつた後の加入者期間とを合算する。

（恩給財団の加入教職員であつた期間）

14　第十一項前段の規定による恩給財団の解散の際現にその加入教職員である者に対してこの法律による給付を行う場合においては、その者の恩給財団の加入教職員であつた期間（その期間の計算については、従前の例による。以下同じ。）は、この法律による加入者期間とみなし、政令で定めるところにより、これとその者がこの法律による加入者となつた後の加入者期間とを合算する。

（加入者期間とみなされる期間の標準給与）

15　第十三項の規定により厚生年金保険の被保険者であつた期間をこの法律による加入者期間とみなす場合においては、その期間における各月の旧厚生年金保険法による標準報酬月額をもつて、それぞれ当該各月におけるこの法律による標準給与の月額とみなし、前項の規定により恩給財団の加入教職員であつた期間をこの法律による加入者期間とみなす場合においては、その期間における標準給与の月額は、一万円であつたものとみなす。

（期間の合算に関する特例）

16　組合成立の際現に厚生年金保険の被保険者であり、かつ、恩給財団の加入教職員である者に対してこの法律による給付を行う場合においては、第十三項又は第十四項の規定にかかわらず、第十三項の規定により合算されるべき厚生年金保険の被保険者であつた期間と第十四項の規定により合算されるべき恩給財団の加入教職員であつた期間のうち、いずれか長い方の期間（その期間が等しい場合には、そのうち一方の期間）のみと、その者がこの法律により加入者となつた後の加入者期間とを合算する。

（給付費の負担の特例）

17　第十三項の規定により厚生年金保険の被保険者であつた期間をこの法律による加入者期間とみなして退職共済年金又は遺族共済年金の給付が行われた場合において、そのみなされた期間がその給付の計算の基礎となつたときは、その給付に要する費用は、事業団と年金特別会計とが負担する。ただし、当該加入者を厚生年金保険の被保険者とみなし、加入者期間を厚生年金保険の被保険者であつた期間とみなした場合において、厚生年金保険法に照らし、当該給付に相当する保険給付を行うことができないときは、この限りでない。

18　前項の場合において、負担の割合その他費用の負担に関して必要な事項は、政令で定める。

（保険給付の調整）

19　組合成立の際現に厚生年金保険の被保険者である者に対する厚生年金保険法による保険給付については、第十三項の規定によりその者の厚生年金保険の被保険者であつた期間が、この法律による加入者期間とみなされることに伴い相当と認められる限度において、政令で定めるところにより、調整を行うことができる。

（適用除外）

20　組合成立の際現に健康保険又は厚生年金保険の被保険者である者を使用する学校法人が、その設置する私立学校（この法律による組合員となるべき当該私立学校に勤務するすべての教職員が健康保険又は厚生年金保険の被保険者でないものを除く。以下同じ。）ごとに当該私立学校に勤務する教職員（健康保険組合を組織している場合においては、当該組合の組合員たる教職員。以下同じ。）の過半数の同意を得て、組合成立の日から三十日以内に、文部大臣に対し、当該同意に係る私立学校の教職員が健康保険法による保険給付を受け、又は厚生年金保険の被保険者となるべき旨の申請をしたときは、当該申請に係る私立学校に勤務する教職員は、健康保険法等の一部を改正する法律（平成十四年法律第百二号）第一条の規定による改正前の健康保険法第十二条第一項の規定にかかわらず、健康保険法による保険給付を受けることができ、又は旧厚生年金保険法第十六条ノ二の規定にかかわらず、厚生年金保険の被保険者となるものとする。この場合において、健康保険法による保険給付のみを受けることができることとなつた者は、短期給付に関し、厚生年金保険のみの被保険者となつた者は、長期給付に関しては、それぞれこの法律による加入者でない者とみなし、健康保険法による保険給付を受け、かつ、厚生年金保険の被保険者となつた者は、第十四条の規定にかかわらず、この法律による加入者にならないものとする。組合成立後新たに当該同意に係る私立学校に勤務することとなつた教職員についても同様とする。

21　前項の規定により厚生年金保険のみの被保険者となつた者が勤務する私立学校の教職員等は、退職等年金給付に関する規定及び厚生年金保険法の規定の適用については、この法律による加入者でない者とみなす。

（適用除外教職員に対するこの法律の適用）

22　昭和四十八年十月一日において現に附則第二十項の規定により健康保険法による保険給付を受けることができ、かつ、同項の規定により厚生年金保険の被保険者である教職員等を使用する学校法人が、当該教職員等の過半数の同意（当該教職員等を被保険者とする健康保険組合が組織されているときは、当該同意及び当該健康保険組合の組合会の議決による同意）を得て、同年同月同日から起算して二箇月以内に、組合に対し、当該教職員等がこの法律による組合員となるべき旨の申出をしたときは、同項の規定にかかわらず、昭和四十九年三月三十一日の経過する際現に当該学校法人に使用される教職員等は、同年四月一日にこの法律による組合員となるものとする。

23　昭和四十八年十月一日において現に附則第二十項の規定により健康保険法による保険給付のみを受けることができるこの法律による組合員又は同項の規定により厚生年金保険のみの被保険者であるこの法律による組合員を使用する学校法人が、当該組合員の過半数の同意（当該組合員を被保険者とする健康保険組合が組織されているときは、当該同意及び当該健康保険組合の組合会の議決による同意）を得て、同年同月同日から起算して二箇月以内に組合に対し、それぞれ、当該組合員がこの法律に基づく保健給付、災害給付及び休業給付又は退職給付、障害給付及び遺族給付に関しても組合員となるべき旨の申出をしたときは、同項の規定にかかわらず、昭和四十九年三月三十一日の経過する際現に当該学校法人に使用される組合員は、同年四月一日に当該申出に係る給付に関してもこの法律による組合員となるものとする。

24　前二項の申出をした学校法人に昭和四十九年四月一日以後に使用されることとなる教職員等については、附則第二十項後段の規定は、適用しない。

（高齢者の医療の確保に関する法律の規定による病床転換支援金等の納付が行われる場合における任意継続加入者等に係る掛金の特例）

25　高齢者の医療の確保に関する法律附則第二条に規定する政令で定める日までの間、同法附則第七条第一項に規定する病床転換支援金等の納付が同条第二項の規定により行われる場合における第二十二条第二項及び第二十五条の規定の適用については、同項中「及び出産育児関係事務費拠出金」とあるのは「、出産育児関係事務費拠出金及び病床転換支援金等」と、同条の表第百二十六条の五第二項の項下欄及び附則第十二条第六項の項下欄中「及び後期高齢者支援金等」とあるのは「、後期高齢者支援金等及び病床転換支援金等」とする。

（介護納付金に係る掛金の徴収の特例）

26　介護納付金に係る掛金は、第二十七条第二項の規定により徴収するもののほか、共済規程で定めるところにより、加入者期間の計算の基礎となる各月のうち、加入者（附則第二十項の規定により健康保険法による保険給付のみを受けることができることとなつた加入者を除く。）が介護保険第二号被保険者の資格を有しない日（当該加入者に介護保険第二号被保険者の資格を有する被扶養者がある日に限る。）を含む月（政令で定めるものを除く。）であつて共済規程で定めるものにつき、徴収することができる。

27　前項の規定により介護納付金に係る掛金を徴収することとした場合においては、第二十五条の表第百二十六条の五第二項の項下欄中「にあつては介護納付金」とあるのは「及び介護保険第二号被保険者の資格を有しない任意継続加入者（介護保険第二号被保険者の資格を有しない任意継続加入者にあつては、介護保険第二号被保険者の資格を有する被扶養者がある者で共済規程で定めるものに限る。）にあつては介護納付金」と、同表附則第十二条第六項の項下欄中「にあつては介護納付金」とあるのは「及び介護保険第二号被保険者の資格を有しない特例退職加入者（介護保険第二号被保険者の資格を有しない特例退職加入者にあつては、介護保険第二号被保険者の資格を有する被扶養者がある者で共済規程で定めるものに限る。）にあつては介護納付金」と、第二十七条第三項中「前二項」とあるのは「前二項及び附則第二十六項」とする。

（延滞金の割合の特例）

28　第三十条第三項に規定する延滞金の年十四・六パーセントの割合及び年七・三パーセントの割合は、当分の間、同項の規定にかかわらず、各年の延滞税特例基準割合（租税特別措置法（昭和三十二年法律第二十六号）第九十四条第一項に規定する延滞税特例基準割合をいう。以下この項において同じ。）が年七・三パーセントの割合に満たない場合には、その年中においては、年十四・六パーセントの割合にあつては当該延滞税特例基準割合に年七・三パーセントの割合を加算した割合とし、年七・三パーセントの割合にあつては当該延滞税特例基準割合に年一パーセントの割合を加算した割合（当該加算した割合が年七・三パーセントの割合を超える場合には、年七・三パーセントの割合）とする。

（令和六年度及び令和七年度の出産育児交付金の特例）

29　令和六年度及び令和七年度においては、第三十四条の二第二項において準用する健康保険法第百五十二条の四及び第百五十二条の五中「に同年度」とあるのは、「の二分の一に相当する額に同年度」とする。

附　則（昭二九・五・一九法一一五）（抄）

（施行期日）

第一条　この法律は、公布の日から施行し、昭和二十九年五月一日から適用する。

附　則（昭三〇・六・三〇法三九）（抄）

1　この法律は、昭和三十年七月一日から施行する。

13　前項の規定による改正後の同項各号に掲げる法律の規定は、この法律の施行後に徴収する延滞金について適用する。ただし、当該延滞金の全部又は一部でこの法律の施行前の期間に対応するものについては、なお従前の例による。

附　則（昭三〇・八・五法一三〇）

この法律は、公布の日から施行し、昭和三十年度から適用する。

附　則（昭三一・六・一二法一四八）（抄）

1　この法律は、地方自治法の一部を改正する法律（昭和三十一年法律第百四十七号）の施行の日（昭三一・九・一）から施行する。

附　則（昭三二・五・二八法一三七）

（施行期日）

1　この法律中目次の改正規定、第六条の次に一条を加える改正規定、第十二条第二項、第十四条から第十六条まで、第十八条、第二十条及び第二十二条の改正規定、第二十五条の次に一条を加える改正規定、第二十九条の次に一条を加える改正規定、第三十条第一項及び第二項、第三十一条第一項並びに第三十三条の改正規定、第四十八条の次に一条を加える改正規定並びに附則第三項から附則第五項までの規定は、昭和三十二年六月一日から施行し、その他の規定は、各規定につき、同日から起算して二箇月をこえない範囲内において政令で定める日（昭三二・七・一）から施行する。

（組合員たる期間の計算に関する経過措置）

2　この法律による改正後の第十七条第二項の規定は、同項の改正規定の施行の日前に再び組合員たる資格を取得した者に係る給付で同日以後に給付事由が生じたものの基礎となるべき組合員たる期間の計算についても、適用する。

（標準給与に関する経過措置）

3　昭和三十二年六月一日前に組合員たる資格を取得して同日まで引き続き組合員たる資格を有する者の同年同月から同年九月までの各月の標準給与については、その者が同日に組合員たる資格を取得したものとみなしてこの法律による改正後の第二十二条第五項の規定を適用するものとする。

（資格喪失後の期間に係る継続給付に関する経過措置）

4　昭和三十二年六月一日において現に第二十五条において準用する国家公務員共済組合法（昭和二十三年法律第六十九号）第三十四条第二項、第三十五条第二項、第三十六条第二項若しくは第三項、第五十五条第五項又は第五十六条第一項後段若しくは第三項の規定により給付を受けている者の当該給付については、この法律による改正後の第二十五条の二の規定は、適用しない。

（掛金徴収に関する経過措置）

5　昭和三十二年五月以前の月に係る掛金の徴収については、なお従前の例による。ただし、この法律による改正後の第三十条の規定の適用を妨げない。

附　則（昭三三・五・一法一二八）（抄）

（施行期日）

第一条　この法律は、昭和三十三年七月一日から施行する。

附　則（昭三四・四・二〇法一四八）（抄）

（施行期日）

1　この法律は、国税徴収法（昭和三十四年法律第百四十七号）の施行の日（昭三五・一・一）から施行する。

（公課の先取特権の順位の改正に関する経過措置）

7　第二章の規定による改正後の各法令（徴収金の先取特権の順位に係る部分に限る。）の規定は、この法律の施行後に国税徴収法第二条第十二号に規定する強制換価手続による配当手続が開始される場合について適用し、この法律の施行前に当該配当手続が開始されている場合における当該法令の規定に規定する徴収金の先取特権の順位については、なお従前の例による。

附　則（昭三六・六・一六法一四〇）（抄）

最終改正　平一四・一一・二六法九九

（施行期日）

1　この法律は、昭和三十七年一月一日から施行する。

（現組合員である者についての標準給与に関する経過措置）

2　この法律の施行の際現に組合員である者については、この法律による改正後の私立学校教職員共済組合法（以下「新法」という。）第二十二条第二項の規定にかかわらず、その者がこの法律の施行の日（以下「施行日」という。）に組合員の資格を取得したものとみなして新法第二十二条第五項の規定を適用する。

（長期給付に関する経過措置）

3　新法の長期給付に関する規定の施行に伴う経過措置等に関して必要な事項は、次項から附則第二十項までに定めるところによる。

（定義）

4　次項から附則第二十項までにおいて、次の各号に掲げる用語の意義は、それぞれ当該各号に定めるところによる。

一　旧長期組合員　この法律による改正前の私立学校教職員共済組合法（以下「旧法」という。）の長期給付に関する規定の適用を受ける組合員（恩給財団における従前の例による者を含む。）をいう。

二　恩給財団における従前の例による者　旧法附則第二十項の規定により恩給財団（旧法附則第十一項の恩給財団をいう。以下同じ。）における従前の例によることとされている者をいう。

三　長期組合員　新法の長期給付に関する規定の適用を受ける組合員をいう。

四　長期加入者　私立学校教職員共済法（昭和二十八年法律第二百四十五号。以下「共済法」という。）の長期給付に関する規定の適用を受ける加入者（共済法第十四条第一項に規定する加入者をいう。以下同じ。）をいう。

五　更新加入者　施行日の前日に旧長期組合員であつた者で、施行日に長期組合員となり、引き続き平成十年一月一日に長期加入者となり、引き続き長期加入者であるものをいう。

（施行日前に給付事由が生じた給付の取扱い）

5　施行日前に給付事由が生じた旧法の規定による長期給付については、この附則に別段の規定があるもののほか、なお従前の例による。

（施行日前に給付事由が生じた年金である給付の額の改定等）

6　前項に規定する給付のうち年金である給付並びに日本私立学校振興・共済事業団（以下「事業団」という。）が共済法附則第十一項及び日本私立学校振興・共済事業団法（平成九年法律第四十八号。次項において「事業団法」という。）附則第五条第一項の規定により権利義務を承継したことにより支給すべき義務を負う恩給財団の年金及び旧法附則第二十項の規定により恩給財団における従前の例によることとされた年金（次項及び附則第八項において「旧法の規定による年金等」という。）の額については、国家公務員共済組合法の長期給付に関する施行法（昭和三十三年法律第百二十九号）第三条の二の規定により国家公務員共済組合法（昭和三十三年法律第百二十八号）による改正前の国家公務員共済組合法（昭和二十三年法律第六十九号）による年金である給付の額を改定する措置が講じられる場合には、当該措置が講じられる月分以後、当該措置を参酌して、政令で定めるところにより改定する。

7　前項の規定による旧法の規定による年金等（附則第五項に規定する給付のうち年金である給付を除く。）の額の改定により増加する費用は、事業団の負担とし、その費用については、文部科学大臣の定めるところにより、事業団法第三十三条第一項第一号の経理に係る勘定から同項第三号の経理に係る勘定に事業団法附則第十二条の規定による繰入れを行うものとする。

8　国家公務員共済組合法第七十三条第四項、第七十四条の三第二項及び第七十四条の四の規定は、旧法の規定による年金等について準用する。この場合において、同条中「財務省令」とあるのは、「文部科学省令」と読み替えるものとする。

（加入者期間の計算の特例）

9　更新加入者に係る共済法附則第十四項に規定する恩給財団の加入教職員であつた期間のうち、昭和二十九年一月一日まで引き続く期間以外の期間については、これと同日後にその者が旧長期組合員となつた後の加入者期間（共済法第十七条第一項に規定する加入者期間をいう。以下同じ。）とを合算しても二十年（恩給財団における従前の例による者であつた更新加入者に係るものにあつては、十五年）に満たないときは、同項の規定は適用しない。

（更新加入者に対する退職共済年金等に関する経過措置）

10　施行日の前日に恩給財団における従前の例による者であつた更新加入者であつて加入者期間が十五年以上であるものに対する共済法第二十五条において準用する国家公務員共済組合法の次の表の上欄に掲げる規定の適用については、これらの規定中同表の中欄に掲げる字句は、それぞれ同表の下欄に掲げる字句に読み替えるものとする。

第七十七条第二項第一号	組合員期間が二十年以上である者	私立学校教職員共済組合法等の一部を改正する法律（昭和三十六年法律第百四十号。以下「昭和三十六年改正法」という。）附則第十項に規定する更新加入者（以下「特定更新加入者」という。）
第七十七条第二項第二号	二十年未満である者	二十年未満である者（特定更新加入者を除く。）
第七十八条第一項	退職共済年金（その年金額の算定の基礎となる組合員期間が二十年以上であるものに限る。）	退職共済年金
	その権利を取得した当時（退職共済年金を受ける権利を取得した当時、当該退職共済年金の額の算定の基礎となる組合員期間が二十年未満であつたときは、前条第四項の規定により当該退職共済年金の額が改定された場合において当該組合員期間が二十年以上と	その権利を取得した当時

	なるに至つた当時。第三項において同じ。）	
第七十九条第六項	二十年以上であるもの	二十年以上であるもの及び特定更新加入者に該当して支給されるもの
第八十八条第一項第四号	組合員期間等が二十五年以上である者	特定更新加入者
第八十九条第一項第一号ロ(2)(i)	組合員期間が二十年以上である者	特定更新加入者
第八十九条第一項第一号ロ(2)(ii)	二十年未満である者	二十年未満である者（特定更新加入者を除く。）
第九十条	遺族共済年金（第八十八条第一項第四号に該当することにより支給される遺族共済年金でその額の算定の基礎となる組合員期間が二十年未満であるものを除く。）	遺族共済年金
附則第十二条の四の二第二項第一号	当該月数が四百八十月を超えるときは、四百八十月	当該月数が、二百四十月未満であるときは二百四十月とし、四百八十月を超えるときは四百八十月とする。

附則第十二条の四の二第三項	次の各号に掲げる者の区分に応じ、それぞれ当該各号	第一号
	組合員期間が二十年以上である者	特定更新加入者
附則第十二条の四の二第四項	第七十八条第一項	昭和三十六年改正法附則第十項において読み替えられた第七十八条第一項
	当時（退職共済年金を受ける権利を取得した当時	当時
	当時（当該請求があつた当時	
附則第十二条の四の三第四項	第七十八条第一項	昭和三十六年改正法附則第十項において読み替えられた第七十八条第一項
	当時（退職共済年金を受ける権利を取得した当時、当該退職共済年金の額の算定の基礎となる組合員期間が二十年未満であつたときは、前条第四項の規定により当該退職共済年金の額が改定された場合	当時

	において当該組合員期間が二十年以上となるに至つた当時。第三項において同じ。）	
附則第十二条の六第一項	算定されているものであつて、かつ、その年金額の算定の基礎となる組合員期間が二十年以上であるもの	算定されているもの
	第七十八条第一項	昭和三十六年改正法附則第十項において読み替えられた第七十八条第一項
	当時（退職共済年金を受ける権利を取得した当時	当時
	当時（当該請求があつた当時	
附則第十二条の六第二項及び第三項	第七十八条第一項	昭和三十六年改正法附則第十項において読み替えられた第七十八条第一項
	当時（退職共済年金を受ける権利を取得した当時、当該退職共済年金の額の算定の基礎となる組合員	当時

	期間が二十年未満であつたときは、前条第四項の規定により当該退職共済年金の額が改定された場合において当該組合員期間が二十年以上となるに至つた当時。第三項において同じ。）	
附則第十二条の七第一項及び第二項	組合員期間が二十年以上である者	特定更新加入者
附則第十二条の七の三第五項	第七十八条第一項	昭和三十六年改正法附則第十項において読み替えられた第七十八条第一項
	当時（退職共済年金を受ける権利を取得した当時	当時
	当時（その年齢に達した当時	
附則第十二条の七の五第一項	組合員期間	加入者期間（当該月数が二百四十月未満であるときは、二百四十月）
附則第十二条の七の五第四項及び第五項	当該月数が四百八十月を超えるときは、四百八十月	当該月数が、二百四十月未満であるときは二百四十月とし、四百八十月を超えるときは四百八十月とする。
附則第十二条の七の五第六項	同条第一項	昭和三十六年改正法附則第十項において読み替えられた同条第一項
	当時（退職共済年金を受ける権利を取得した当時、当該退職共済年金の額	当時
	当時（その年齢に達した当時、当該退職共済年金の額（附則第十二条の七の五第一項に規定する繰上げ調整額を除く。）	
附則第十二条の七の六第一項	算定されているものであつて、かつ、その年金額の算定の基礎となる組合員期間が二十年以上であるもの	算定されているもの
	第七十八条第一項	昭和三十六年改正法附則第十項において読み替えられた第七十八条第一項
	当時（退職共済年金を受ける権利を取得した当時	当時
	当時（当該退職共済年金を受ける権利を取得した当時	
附則第十二条の七の六第二項	加算されたものであつて、かつ、その年金額の算定の基礎となる組合員期間が二十年以上であるもの	加算されたもの
	第七十八条第一項	昭和三十六年改正法附則第十項において読み替えられた第七十八条第一項
	当時（退職共済年金を受ける権利を取得した当時、当該退職共済年金の額	当時
	当時（当該年齢に達した当時、附則第十二条の三の規定による退職共済年金の額（附則第十二条の七の五第一項に規定する繰上げ調整額を除く。）	
附則第十二条の八第一項、第二項及び第九項	組合員期間等が二十五年以上であり、かつ、組合員期間が二十年以上である者	特定更新加入者

11 前項の規定は、昭和二十九年一月一日以後引き続き組合員であつた更新加入者で次の表の上欄に掲げる者に該当するもののうち、加入者期間がそれぞれ同表の下欄に掲げる期間以上であり、かつ、その加入者期間に同日まで引き続く文部科学省令で定める学校法人等における文部科学省令で定める在職期間（加入者期間を除く。）を算入するとしたならば、その期間が二十年以上となる更新加入者について準用する。この場合において、同項の表の下欄中「附則第十項」とあるのは、「附則第十一項」と読み替えるものとする。

明治四十二年一月一日以前に生まれた者	十年
明治四十二年一月二日から明治四十三年一月一日までの間に生まれた者	十一年
明治四十三年一月二日から明治四十四年一月一日までの間に生まれた者	十二年
明治四十四年一月二日から明治四十五年一月一日までの間に生まれた者	十三年
明治四十五年一月二日から大正二年一月一日までの間に生まれた者	十四年
大正二年一月二日から大正三年一月一日までの間に生まれた者	十五年
大正三年一月二日から大正四年一月一日までの間に生まれた者	十六年
大正四年一月二日から大正五年一月一日までの間に生まれた者	十七年
大正五年一月二日から大正六年一月一日までの間に生まれた者	十八年
大正六年一月二日から大正七年一月一日までの間に生まれた者	十九年

12 施行日の前日に恩給財団における従前の例による者であつた更新加入者が退職共済年金（その額の算定の基礎となる加入者期間が十五年以上であるものに限る。）又は障害共済年金を受ける権利を有することとなつた場合において、その者につき恩給財団における従前の例による控除すべき金額があるときは、当該控除すべき金額の合計額（以下この項及び次項において「控除額」という。）に相当する金額を、当該退職共済年金又は障害共済年金を受ける権利を有することとなつた日の属する月の翌月から一年以内に、一時に又は分割して、事業団に納付しなければならない。この場合において、控除額に相当する金額の事業団への納付については、国家公務員共済組合法附則第十二条の十二第二項及び第三項の規定を準用する。

13 前項に規定する更新加入者の遺族（共済法第二十五条において準用する国家公務員共済組合法第二条第一項第三号に規定する遺族をいう。以下同じ。）が遺族共済年金を受ける権利を有することとなつたときは、控除額に相当する金額（前項の規定により納付されたものがあるときは、その納付された金額を控除した金額）を、当該遺族共済年金を受ける権利を有することとなつた日の属する月の翌月から一年以内に、一時に又は分割して、事業団に納付しなければならない。この場合においては、前項後段の規定を準用する。

14 更新加入者（附則第十項に規定する更新加入者、附則第十一項に規定する更新加入者又は加入者期間が二十年以上である更新加入者に限る。）に対する共済法第二十五条の規定の適用については、同条中「附則第十二条の二の二から第十二条の八の三まで」とあるのは、「附則第十二条の三から第十二条の六まで、附則第十二条の七の二から第十二条の八の三まで」とし、当該更新加入者が六十歳に達する前に退職（同条において準用する国家公務員共済組合法第二条第一項第四号に規定する退職をいう。以下同じ。）をした場合における共済法第二十五条において準用する国家公務員共済組合法附則第十二条の三の規定の適用については、同条第一号中「六十歳以上である」とあるのは、「退職している」とする。

15 前項の更新加入者に支給する共済法第二十五条において準用する国家公務員共済組合法附則第十二条の三の規定による退職共済年金は、その者が六十歳（その者が、同法附則別表第一の上欄に掲げる者であるとき、又は同法附則別表第二の上欄に掲げる者であり、かつ、その者の事情によらないで引き続いて勤務することを困難とする理由により退職をした者で政令で定めるものに該当するときは、これらの表の上欄に掲げる者の区分に応じ、それぞれこれらの表の中欄に掲げる年齢。以下この項において同じ。）未満であるときは、六十歳未満である間、その支給を停止する。

16 附則第十四項の更新加入者に支給する共済法第二十五条において準用する国家公務員共済組合法附則第十二条の三の規定による退職共済年金の額のうち、当該年金の額（同法第七十八条第一項に規定する加給年金額を除く。）に旧長期組合員であつた期間の月数を当該年金の額の算定の基礎となつた加入者期間の月数で除して得た割合を乗じて得た金額については、前項の規定にかかわらず、次の各号に掲げる旧長期組合員であつた期間の区分に応じ、それぞれ、第一号の期間に係るものにあつては同号に定める年齢に達した日以後その全額を支給し、第二号の期間に係るものにあつては同号に定める年齢に達するまではその百分の七十に相当する金額、同号に定める年齢に達した日以後はその全額を支給する。

一 旧長期組合員であつた期間（恩給財団における従前の例による者であつた期間を除く。） 五十歳

二 恩給財団における従前の例による者であつた期間 四十五歳

（更新加入者に対する長期給付に関する経過措置についての施行法の準用）

17 附則第十項から前項までに規定するもののほか、旧法の規定による退職一時金の支給を受けた更新加入者に係る退職共済年金、障害共済年金及び遺族共済年金に係る支給額に相当する金額の返還については国家公務員共済組合法の長期給付に関する施行法第十四条第三項及び第十五条第三項の規定を、更新加入

者に係る旧法の規定による障害年金の支給の停止及び額の改定については同法第六条第二項及び第十八条の規定を、施行日以後における更新加入者の職務傷病による障害共済年金及び遺族共済年金に関する規定の適用については同法第十六条及び第十七条の規定を、更新加入者に係る旧法の規定による遺族年金の失権については同法第十九条の規定を、それぞれ準用する。この場合において、これらの規定の準用についての必要な技術的読替えは、政令で定める。

（再就職者に関する経過措置）

18 附則第十項から前項までの規定は、次の各号に掲げる者について準用する。この場合において、これらの規定の準用についての必要な技術的読替えは、政令で定める。

一 更新加入者であつた者で、再び長期加入者となつたもの

二 旧長期組合員であつた期間を有する者で、長期加入者となつたもの（更新加入者及び前号に掲げる者を除く。）

（国家公務員共済組合法の長期給付に関する施行法の改正の場合の経過措置）

19 附則第十七項（前項において準用する場合を含む。）において準用する国家公務員共済組合法の長期給付に関する施行法の規定が改正された場合におけるこの附則の適用について必要な経過措置に関しては、政令で特に定めるものを除き、これらの規定の改正の際の経過措置の例による。この場合において、これらの規定の準用についての必要な技術的読替えは、政令で定める。

（政令への委任）

20 附則第三項から前項までに規定するもののほか、長期給付に関する規定の施行に関して必要な事項は、政令で定める。

附　則（令六・六・一二法四七）（抄）

（施行期日）

第一条 この法律は、令和六年十月一日から施行する。ただし、次の各号に掲げる規定は、当該各号に定める日から施行する。

一～三 〔略〕

四 次に掲げる規定 令和七年四月一日

イ・ロ 〔略〕

ハ 第六条中私立学校教職員共済法第二十五条の改正規定

ニ～ツ 〔略〕

五・六 〔略〕

＊ 私立学校教職員共済法は、刑法等の一部を改正する法律の施行に伴う関係法律の整理等に関する法律（令和四年法六八）により一部改正されたが、刑法等一部改正法施行日（令七・六・一）から施行となるため、一部改正法の形で掲載した。

○刑法等の一部を改正する法律の施行に伴う関係法律の整理等に関する法律（抄）

令四・六・一七
法六八

（私立学校教職員共済法等の一部改正）

第二百十七条 次に掲げる法律の規定中「懲役」を「拘禁刑」に改める。

一 私立学校教職員共済法（昭和二十八年法律第二百四十五号）第五十一条及び第五十五条

二～二十八 〔略〕

附　則（抄）

（施行期日）

1 この法律は、刑法等一部改正法施行日〔令七・六・一〕から施行する。〔ただし書略〕

＊　私立学校教職員共済法は、全世代対応型の持続可能な社会保障制度を構築するための健康保険法等の一部を改正する法律（令和五年法三一）の附則により一部改正されたが、このうち公布の日から起算して四年を超えない範囲内において政令で定める日から施行される部分については、一部改正法の形で掲載した。

○全世代対応型の持続可能な社会保障制度を構築するための健康保険法等の一部を改正する法律（抄）

令五・五・一九
法　三　一

（私立学校教職員共済法の一部改正）

第十九条　私立学校教職員共済法の一部を次のように改正する。

第四十七条の三〔中略〕第二項中「及び法令」を「、法令」に改め、「定めるもの」の下に「並びに介護保険法第三条の規定により介護保険を行う市町村及び特別区」を加える。

附　則（抄）

（施行期日）

第一条　この法律は、令和六年四月一日から施行する。ただし、次の各号に掲げる規定は、当該各号に定める日から施行する。

一～五　〔略〕

六　〔前略〕附則第十九条中私立学校教職員共済法（昭和二十八年法律第二百四十五号）第四十七条の三第二項の改正規定〔中略〕　公布の日から起算して四年を超えない範囲内において政令で定める日

七　〔略〕

＊　私立学校教職員共済法は、子ども・子育て支援法等の一部を改正する法律（令和六年法四七）により一部改正されたが、このうち令和八年四月一日から施行される部分については、一部改正法の形で掲載した。

○子ども・子育て支援法等の一部を改正する法律（抄）

令六・六・一二
法　四　七

（私立学校教職員共済法の一部改正）

第六条　私立学校教職員共済法（昭和二十八年法律第二百四十五号）の一部を次のように改正する。

第二十二条第二項中「流行初期医療確保拠出金等」の下に「、子ども・子育て支援法（平成二十四年法律第六十五号）の規定による子ども・子育て支援納付金」を加える。

附　則（抄）

（施行期日）

第一条　この法律は、令和六年十月一日から施行する。ただし、次の各号に掲げる規定は、当該各号に定める日から施行する。

一～四　〔略〕

五　次に掲げる規定　令和八年四月一日

イ～ニ　〔略〕

ホ　第六条中私立学校教職員共済法第二十二条第二項の改正規定

ヘ～ネ　〔略〕

六　〔略〕

○行政不服審査法

平二六・六・一三
法　六八

最終改正　令四・五・二五法五二

目次

第一章　総則

（目的等）

第一条　この法律は、行政庁の違法又は不当な処分その他公権力の行使に当たる行為に関し、国民が簡易迅速かつ公正な手続の下で広く行政庁に対する不服申立てをすることができるための制度を定めることにより、国民の権利利益の救済を図るとともに、行政の適正な運営を確保することを目的とする。

2　行政庁の処分その他公権力の行使に当たる行為（以下単に「処分」という。）に関する不服申立てについては、他の法律に特別の定めがある場合を除くほか、この法律の定めるところによる。

（処分についての審査請求）

第二条　行政庁の処分に不服がある者は、第四条及び第五条第二項の定めるところにより、審査請求をすることができる。

（不作為についての審査請求）

第三条　法令に基づき行政庁に対して処分についての申請をした者は、当該申請から相当の期間が経過したにもかかわらず、行政庁の不作為（法令に基づく申請に対して何らの処分をもしないことをいう。以下同じ。）がある場合には、次条の定めるところにより、当該不作為についての審査請求をすることができる。

（審査請求をすべき行政庁）

第四条　審査請求は、法律（条例に基づく処分については、条例）に特別の定めがある場合を除くほか、次の各号に掲げる場合の区分に応じ、当該各号に定める行政庁に対してするものとする。

一　処分庁等（処分をした行政庁（以下「処分庁」という。）又は不作為に係る行政庁（以下「不作為庁」という。）をいう。以下同じ。）に上級行政庁がない場合又は処分庁等が主任の大臣若しくは宮内庁長官若しくは内閣府設置法（平成十一年法律第八十九号）第四十九条第一項若しくは第二項若しくは国家行政組織法（昭和二十三年法律第百二十号）第三条第二項に規定する庁の長である場合　当該処分庁等

二　宮内庁長官又は内閣府設置法第四十九条第一項若しくは第二項若しくは国家行政組織法第三条第二項に規定する庁の長が処分庁等の上級行政庁である場合　宮内庁長官又は当該庁の長

三　主任の大臣が処分庁等の上級行政庁である場合（前二号に掲げる場合を除く。）　当該主任の大臣

四　前三号に掲げる場合以外の場合　当該処分庁等の最上級行政庁

（再調査の請求）

第五条　行政庁の処分につき処分庁以外の行政庁に対して審査請求をすることができる場合において、法律に再調査の請求をすることができる旨の定めがあるときは、当該処分に不服がある者は、処分庁に対して再調査の請求をすることができる。ただし、当該処分について第二条の規定により審査請求をしたときは、この限りでない。

2　前項本文の規定により再調査の請求をしたときは、当該再調査の請求についての決定を経た後でなければ、審査請求をすることができない。ただし、次の各号のいずれかに該当する場合は、この限りでない。

一　当該処分につき再調査の請求をした日（第六十一条において読み替えて準用する第二十三条の規定により不備を補正すべきことを命じられた場合にあっては、当該不備を補正した日）の翌日から起算して三月を経過しても、処分庁が当該再調査の請求につき決定をしない場合

二　その他再調査の請求についての決定を経ないことにつき正当な理由がある場合

（再審査請求）

第六条　行政庁の処分につき法律に再審査請求をすることができる旨の定めがある場合には、当該処分についての審査請求の裁決に不服がある者は、再審査請求をすることができる。

2　再審査請求は、原裁決（再審査請求をすることができる処分についての審査請求の裁決をいう。以下同じ。）又は当該処分（以下「原裁決等」という。）を対象として、前項の法律に定める行政庁に対してするものとする。

（適用除外）

第七条　次に掲げる処分及びその不作為については、第二条及び第三条の規定は、適用しない。

一　国会の両院若しくは一院又は議会の議決によってされる処分

二　裁判所若しくは裁判官の裁判により、又は裁判の執行としてされる処分

三　国会の両院若しくは一院若しくは議会の議決を経て、又はこれらの同意若しくは承認を得た上でされるべきものとされている処分

四　検査官会議で決すべきものとされている処分

五 当事者間の法律関係を確認し、又は形成する処分で、法令の規定により当該処分に関する訴えにおいてその法律関係の当事者の一方を被告とすべきものと定められているもの
六 刑事事件に関する法令に基づいて検察官、検察事務官又は司法警察職員がする処分
七 国税又は地方税の犯則事件に関する法令（他の法令において準用する場合を含む。）に基づいて国税庁長官、国税局長、税務署長、国税庁、国税局若しくは税務署の当該職員、税関長、税関職員又は徴税吏員（他の法令の規定に基づいてこれらの職員の職務を行う者を含む。）がする処分及び金融商品取引の犯則事件に関する法令（他の法令において準用する場合を含む。）に基づいて証券取引等監視委員会、その職員（当該法令においてその職員とみなされる者を含む。）、財務局長又は財務支局長がする処分
八 学校、講習所、訓練所又は研修所において、教育、講習、訓練又は研修の目的を達成するために、学生、生徒、児童若しくは幼児若しくはこれらの保護者、講習生、訓練生又は研修生に対してされる処分
九 刑務所、少年刑務所、拘置所、留置施設、海上保安留置施設、少年院又は少年鑑別所において、収容の目的を達成するためにされる処分
十 外国人の出入国又は帰化に関する処分
十一 専ら人の学識技能に関する試験又は検定の結果についての処分
十二 この法律に基づく処分（第五章第一節第一款の規定に基づく処分を除く。）
2 国の機関又は地方公共団体その他の公共団体若しくはその機関に対する処分で、これらの機関又は団体がその固有の資格において当該処分の相手方となるもの及びその不作為については、この法律の規定は、適用しない。

（特別の不服申立ての制度）
第八条 前条の規定は、同条の規定により審査請求をすることができない処分又は不作為につき、別に法令で当該処分又は不作為の性質に応じた不服申立ての制度を設けることを妨げない。

第二章 審査請求

第一節 審査庁及び審理関係人

（審理員）
第九条 第四条又は他の法律若しくは条例の規定により審査請求がされた行政庁（第十四条の規定により引継ぎを受けた行政庁を含む。以下「審査庁」という。）は、審査庁に所属する職員（第十七条に規定する名簿を作成した場合にあっては、当該名簿に記載されている者）のうちから第三節に規定する審理手続（この節に規定する手続を含む。）を行う者を指名するとともに、その旨を審査請求人及び処分庁等（審査庁以外の処分庁等に限る。）に通知しなければならない。ただし、次の各号のいずれかに掲げる機関が審査庁である場合若しくは条例に基づく処分について条例に特別の定めがある場合又は第二十四条の規定により当該審査請求を却下する場合は、この限りでない。
一 内閣府設置法第四十九条第一項若しくは第二項又は国家行政組織法第三条第二項に規定する委員会
二 内閣府設置法第三十七条若しくは第五十四条又は国家行政組織法第八条に規定する機関
三 地方自治法（昭和二十二年法律第六十七号）第百三十八条の四第一項に規定する委員会若しくは委員又は同条第三項に規定する機関
2 審査庁が前項の規定により指名する者は、次に掲げる者以外の者でなければならない。
一 審査請求に係る処分若しくは当該処分に係る再調査の請求についての決定に関与した者又は審査請求に係る不作為に係る処分に関与し、若しくは関与することとなる者
二 審査請求人
三 審査請求人の配偶者、四親等内の親族又は同居の親族
四 審査請求人の代理人
五 前二号に掲げる者であった者
六 審査請求人の後見人、後見監督人、保佐人、保佐監督人、補助人又は補助監督人
七 第十三条第一項に規定する利害関係人
3 審査庁が第一項各号に掲げる機関である場合又は同項ただし書の特別の定めがある場合においては、別表第一の上欄に掲げる規定の適用については、これらの規定中同表の中欄に掲げる字句は、それぞれ同表の下欄に掲げる字句に読み替えるものとし、第十七条、第四十条、第四十二条及び第五十条第二項の規定は、適用しない。
4 前項に規定する場合において、審査庁は、必要があると認めるときは、その職員（第二項各号（第一項各号に掲げる機関の構成員にあっては、第一号を除く。）に掲げる者以外の者に限る。）に、前項において読み替えて適用する第三十一条第一項の規定による審査請求人若しくは第十三条第四項に規定する参加人の意見の陳述を聴かせ、前項において読み替えて適用する第三十四条の規定による参考人の陳述を聴かせ、同項において読み替えて適用する第三十五条第一項の規定による検証をさせ、前項において読み替えて適用する第三十六条の規定による第二十八条に規定する審理関係人に対する質問をさせ、又は同項において読み替えて適用する第三十七条第一項若しくは第二項の規定による意見の聴取を行わせることができる。

（法人でない社団又は財団の審査請求）
第十条 法人でない社団又は財団で代表者又は管理人の定めがあるものは、その名で審査請求をすることができる。

（総代）
第十一条 多数人が共同して審査請求をしようとするときは、三人を超えない総代を互選することができる。
2 共同審査請求人が総代を互選しない場合において、必要があると認めるときは、第九条第一項の規定により指名された者（以下「審理員」という。）は、総代の互選を命ずることができる。
3 総代は、各自、他の共同審査請求人のために、審査請求の取下げを除き、当該審査請求に関する一切の行為をすることができる。
4 総代が選任されたときは、共同審査請求人は、総代を通じてのみ、前項の行為をすることができる。
5 共同審査請求人に対する行政庁の通知その他の行為は、二人以上の総代が選任されている場合においても、一人の総代に対してすれば足りる。

6　共同審査請求人は、必要があると認める場合には、総代を解任することができる。

（代理人による審査請求）

第十二条　審査請求は、代理人によってすることができる。

2　前項の代理人は、各自、審査請求人のために、当該審査請求に関する一切の行為をすることができる。ただし、審査請求の取下げは、特別の委任を受けた場合に限り、することができる。

（参加人）

第十三条　利害関係人（審査請求人以外の者であって審査請求に係る処分又は不作為に係る処分の根拠となる法令に照らし当該処分につき利害関係を有するものと認められる者をいう。以下同じ。）は、審理員の許可を得て、当該審査請求に参加することができる。

2　審理員は、必要があると認める場合には、利害関係人に対し、当該審査請求に参加することを求めることができる。

3　審査請求への参加は、代理人によってすることができる。

4　前項の代理人は、各自、第一項又は第二項の規定により当該審査請求に参加する者（以下「参加人」という。）のために、当該審査請求への参加に関する一切の行為をすることができる。ただし、審査請求への参加の取下げは、特別の委任を受けた場合に限り、することができる。

（行政庁が裁決をする権限を有しなくなった場合の措置）

第十四条　行政庁が審査請求がされた後法令の改廃により当該審査請求につき裁決をする権限を有しなくなったときは、当該行政庁は、第十九条に規定する審査請求書又は第二十一条第二項に規定する審査請求録取書及び関係書類その他の物件を新たに当該審査請求につき裁決をする権限を有することとなった行政庁に引き継がなければならない。この場合において、その引継ぎを受けた行政庁は、速やかに、その旨を審査請求人及び参加人に通知しなければならない。

（審理手続の承継）

第十五条　審査請求人が死亡したときは、相続人その他法令により審査請求の目的である処分に係る権利を承継した者は、審査請求人の地位を承継する。

2　審査請求人について合併又は分割（審査請求の目的である処分に係る権利を承継させるものに限る。）があったときは、合併後存続する法人その他の社団若しくは財団若しくは合併により設立された法人その他の社団若しくは財団又は分割により当該権利を承継した法人は、審査請求人の地位を承継する。

3　前二項の場合には、審査請求人の地位を承継した相続人その他の者又は法人その他の社団若しくは財団は、書面でその旨を審査庁に届け出なければならない。この場合には、届出書には、死亡若しくは分割による権利の承継又は合併の事実を証する書面を添付しなければならない。

4　第一項又は第二項の場合において、前項の規定による届出がされるまでの間において、死亡者又は合併前の法人その他の社団若しくは財団若しくは分割をした法人に宛ててされた通知が審査請求人の地位を承継した相続人その他の者又は合併後の法人その他の社団若しくは財団若しくは分割により審査請求人の地位を承継した法人に到達したときは、当該通知は、これらの者に対する通知としての効力を有する。

5　第一項の場合において、審査請求人の地位を承継した相続人その他の者が二人以上あるときは、その一人に対する通知その他の行為は、全員に対してされたものとみなす。

6　審査請求の目的である処分に係る権利を譲り受けた者は、審査庁の許可を得て、審査請求人の地位を承継することができる。

（標準審理期間）

第十六条　第四条又は他の法律若しくは条例の規定により審査庁となるべき行政庁（以下「審査庁となるべき行政庁」という。）は、審査請求がその事務所に到達してから当該審査請求に対する裁決をするまでに通常要すべき標準的な期間を定めるよう努めるとともに、これを定めたときは、当該審査庁となるべき行政庁及び関係処分庁（当該審査請求の対象となるべき処分の権限を有する行政庁であって当該審査庁となるべき行政庁以外のものをいう。次条において同じ。）の事務所における備付けその他の適当な方法により公にしておかなければならない。

（審理員となるべき者の名簿）

第十七条　審査庁となるべき行政庁は、審理員となるべき者の名簿を作成するよう努めるとともに、これを作成したときは、当該審査庁となるべき行政庁及び関係処分庁の事務所における備付けその他の適当な方法により公にしておかなければならない。

第二節　審査請求の手続

（審査請求期間）

第十八条　処分についての審査請求は、処分があったことを知った日の翌日から起算して三月（当該処分について再調査の請求をしたときは、当該再調査の請求についての決定があったことを知った日の翌日から起算して一月）を経過したときは、することができない。ただし、正当な理由があるときは、この限りでない。

2　処分についての審査請求は、処分（当該処分について再調査の請求をしたときは、当該再調査の請求についての決定）があった日の翌日から起算して一年を経過したときは、することができない。ただし、正当な理由があるときは、この限りでない。

3　次条に規定する審査請求書を郵便又は民間事業者による信書の送達に関する法律（平成十四年法律第九十九号）第二条第六項に規定する一般信書便事業者若しくは同条第九項に規定する特定信書便事業者による同条第二項に規定する信書便で提出した場合における前二項に規定する期間（以下「審査請求期間」という。）の計算については、送付に要した日数は、算入しない。

（審査請求書の提出）

第十九条　審査請求は、他の法律（条例に基づく処分については、条例）に口頭ですることができる旨の定めがある場合を除き、政令で定めるところにより、審査請求書を提出してしなければならない。

2　処分についての審査請求書には、次に掲げる事項を記載しなければならない。

一　審査請求人の氏名又は名称及び住所又は居所

二　審査請求に係る処分の内容

三　審査請求に係る処分（当該処分について再調査の請求につ

いての決定を経たときは、当該決定）があったことを知った年月日
四　審査請求の趣旨及び理由
五　処分庁の教示の有無及びその内容
六　審査請求の年月日
3　不作為についての審査請求書には、次に掲げる事項を記載しなければならない。
一　審査請求人の氏名又は名称及び住所又は居所
二　当該不作為に係る処分についての申請の内容及び年月日
三　審査請求の年月日
4　審査請求人が、法人その他の社団若しくは財団である場合、総代を互選した場合又は代理人によって審査請求をする場合には、審査請求書には、第二項各号又は前項各号に掲げる事項のほか、その代表者若しくは管理人、総代又は代理人の氏名及び住所又は居所を記載しなければならない。
5　処分についての審査請求書には、第二項及び前項に規定する事項のほか、次の各号に掲げる場合においては、当該各号に定める事項を記載しなければならない。
一　第五条第二項第一号の規定により再調査の請求についての決定を経ないで審査請求をする場合　再調査の請求をした年月日
二　第五条第二項第二号の規定により再調査の請求についての決定を経ないで審査請求をする場合　その決定を経ないことについての正当な理由
三　審査請求期間の経過後において審査請求をする場合　前条第一項ただし書又は第二項ただし書に規定する正当な理由

（口頭による審査請求）
第二十条　口頭で審査請求をする場合には、前条第二項から第五項までに規定する事項を陳述しなければならない。この場合において、陳述を受けた行政庁は、その陳述の内容を録取し、これを陳述人に読み聞かせて誤りのないことを確認しなければならない。

（処分庁等を経由する審査請求）
第二十一条　審査請求をすべき行政庁が処分庁等と異なる場合における審査請求は、処分庁等を経由してすることができる。この場合において、審査請求人は、処分庁等に審査請求書を提出し、又は処分庁等に対し第十九条第二項から第五項までに規定する事項を陳述するものとする。
2　前項の場合には、処分庁等は、直ちに、審査請求書又は審査請求録取書（前条後段の規定により陳述の内容を録取した書面をいう。第二十九条第一項及び第五十五条において同じ。）を審査庁となるべき行政庁に送付しなければならない。
3　第一項の場合における審査請求期間の計算については、処分庁に審査請求書を提出し、又は処分庁に対し当該事項を陳述した時に、処分についての審査請求があったものとみなす。

（誤った教示をした場合の救済）
第二十二条　審査請求をすることができる処分につき、処分庁が誤って審査請求をすべき行政庁でない行政庁を審査請求をすべき行政庁として教示した場合において、その教示された行政庁に書面で審査請求がされたときは、当該行政庁は、速やかに、審査請求書を処分庁又は審査庁となるべき行政庁に送付し、かつ、その旨を審査請求人に通知しなければならない。
2　前項の規定により処分庁に審査請求書が送付されたときは、処分庁は、速やかに、これを審査庁となるべき行政庁に送付し、かつ、その旨を審査請求人に通知しなければならない。
3　第一項の処分のうち、再調査の請求をすることができない処分につき、処分庁が誤って再調査の請求をすることができる旨を教示した場合において、当該処分庁に再調査の請求がされたときは、処分庁は、速やかに、再調査の請求書（第六十一条において読み替えて準用する第十九条に規定する再調査の請求書をいう。以下この条において同じ。）又は再調査の請求録取書（第六十一条において準用する第二十条後段の規定により陳述の内容を録取した書面をいう。以下この条において同じ。）を審査庁となるべき行政庁に送付し、かつ、その旨を再調査の請求人に通知しなければならない。
4　再調査の請求をすることができる処分につき、処分庁が誤って審査請求をすることができる旨を教示しなかった場合において、当該処分庁に再調査の請求がされた場合であって、再調査の請求人から申立てがあったときは、処分庁は、速やかに、再調査の請求書又は再調査の請求録取書及び関係書類その他の物件を審査庁となるべき行政庁に送付しなければならない。この場合において、その送付を受けた行政庁は、速やかに、その旨を再調査の請求人及び第六十一条において読み替えて準用する第十三条第一項又は第二項の規定により当該再調査の請求に参加する者に通知しなければならない。
5　前各項の規定により審査請求書又は再調査の請求書若しくは再調査の請求録取書が審査庁となるべき行政庁に送付されたときは、初めから審査庁となるべき行政庁に審査請求がされたものとみなす。

（審査請求書の補正）
第二十三条　審査請求書が第十九条の規定に違反する場合には、審査庁は、相当の期間を定め、その期間内に不備を補正すべきことを命じなければならない。

（審理手続を経ないでする却下裁決）
第二十四条　前条の場合において、審査請求人が同条の期間内に不備を補正しないときは、審査庁は、次節に規定する審理手続を経ないで、第四十五条第一項又は第四十九条第一項の規定に基づき、裁決で、当該審査請求を却下することができる。
2　審査請求が不適法であって補正することができないことが明らかなときも、前項と同様とする。

（執行停止）
第二十五条　審査請求は、処分の効力、処分の執行又は手続の続行を妨げない。
2　処分庁の上級行政庁又は処分庁である審査庁は、必要があると認める場合には、審査請求人の申立てにより又は職権で、処分の効力、処分の執行又は手続の続行の全部又は一部の停止その他の措置（以下「執行停止」という。）をとることができる。
3　処分庁の上級行政庁又は処分庁のいずれでもない審査庁は、必要があると認める場合には、審査請求人の申立てにより、処分庁の意見を聴取した上、執行停止をすることができる。ただし、処分の効力、処分の執行又は手続の続行の全部又は一部の停止以外の措置をとることはできない。
4　前二項の規定による審査請求人の申立てがあった場合において、処分、処分の執行又は手続の続行により生ずる重大な損害

を避けるために緊急の必要があると認めるときは、審査庁は、執行停止をしなければならない。ただし、公共の福祉に重大な影響を及ぼすおそれがあるとき、又は本案について理由がないとみえるときは、この限りでない。

5　審査庁は、前項に規定する重大な損害を生ずるか否かを判断するに当たっては、損害の回復の困難の程度を考慮するものとし、損害の性質及び程度並びに処分の内容及び性質をも勘案するものとする。

6　第二項から第四項までの場合において、処分の効力の停止は、処分の効力の停止以外の措置によって目的を達することができるときは、することができない。

7　執行停止の申立てがあったとき、又は審理員から第四十条に規定する執行停止をすべき旨の意見書が提出されたときは、審査庁は、速やかに、執行停止をするかどうかを決定しなければならない。

（執行停止の取消し）

第二十六条　執行停止をした後において、執行停止が公共の福祉に重大な影響を及ぼすことが明らかとなったとき、その他事情が変更したときは、審査庁は、その執行停止を取り消すことができる。

（審査請求の取下げ）

第二十七条　審査請求人は、裁決があるまでは、いつでも審査請求を取り下げることができる。

2　審査請求の取下げは、書面でしなければならない。

第三節　審理手続

（審理手続の計画的進行）

第二十八条　審査請求人、参加人及び処分庁等（以下「審理関係人」という。）並びに審理員は、簡易迅速かつ公正な審理の実現のため、審理において、相互に協力するとともに、審理手続の計画的な進行を図らなければならない。

（弁明書の提出）

第二十九条　審理員は、審査庁から指名されたときは、直ちに、審査請求書又は審査請求録取書の写しを処分庁等に送付しなければならない。ただし、処分庁等が審査庁である場合には、この限りでない。

2　審理員は、相当の期間を定めて、処分庁等に対し、弁明書の提出を求めるものとする。

3　処分庁等は、前項の弁明書に、次の各号の区分に応じ、当該各号に定める事項を記載しなければならない。

一　処分についての審査請求に対する弁明書　処分の内容及び理由

二　不作為についての審査請求に対する弁明書　処分をしていない理由並びに予定される処分の時期、内容及び理由

4　処分庁が次に掲げる書面を保有する場合には、前項第一号に掲げる弁明書にこれを添付するものとする。

一　行政手続法（平成五年法律第八十八号）第二十四条第一項の調書及び同条第三項の報告書

二　行政手続法第二十九条第一項に規定する弁明書

5　審理員は、処分庁等から弁明書の提出があったときは、これを審査請求人及び参加人に送付しなければならない。

（反論書等の提出）

第三十条　審査請求人は、前条第五項の規定により送付された弁明書に記載された事項に対する反論を記載した書面（以下「反論書」という。）を提出することができる。この場合において、審理員が、反論書を提出すべき相当の期間を定めたときは、その期間内にこれを提出しなければならない。

2　参加人は、審査請求に係る事件に関する意見を記載した書面（第四十条及び第四十二条第一項を除き、以下「意見書」という。）を提出することができる。この場合において、審理員が、意見書を提出すべき相当の期間を定めたときは、その期間内にこれを提出しなければならない。

3　審理員は、審査請求人から反論書の提出があったときはこれを参加人及び処分庁等に、参加人から意見書の提出があったときはこれを審査請求人及び処分庁等に、それぞれ送付しなければならない。

（口頭意見陳述）

第三十一条　審査請求人又は参加人の申立てがあった場合には、審理員は、当該申立てをした者（以下この条及び第四十一条第二項第二号において「申立人」という。）に口頭で審査請求に係る事件に関する意見を述べる機会を与えなければならない。ただし、当該申立人の所在その他の事情により当該意見を述べる機会を与えることが困難であると認められる場合には、この限りでない。

2　前項本文の規定による意見の陳述（以下「口頭意見陳述」という。）は、審理員が期日及び場所を指定し、全ての審理関係人を招集してさせるものとする。

3　口頭意見陳述において、申立人は、審理員の許可を得て、補佐人とともに出頭することができる。

4　口頭意見陳述において、審理員は、申立人のする陳述が事件に関係のない事項にわたる場合その他相当でない場合には、これを制限することができる。

5　口頭意見陳述に際し、申立人は、審理員の許可を得て、審査請求に係る事件に関し、処分庁等に対して、質問を発することができる。

（証拠書類等の提出）

第三十二条　審査請求人又は参加人は、証拠書類又は証拠物を提出することができる。

2　処分庁等は、当該処分の理由となる事実を証する書類その他の物件を提出することができる。

3　前二項の場合において、審理員が、証拠書類若しくは証拠物又は書類その他の物件を提出すべき相当の期間を定めたときは、その期間内にこれを提出しなければならない。

（物件の提出要求）

第三十三条　審理員は、審査請求人若しくは参加人の申立てにより又は職権で、書類その他の物件の所持人に対し、相当の期間を定めて、その物件の提出を求めることができる。この場合において、審理員は、その提出された物件を留め置くことができる。

（参考人の陳述及び鑑定の要求）

第三十四条　審理員は、審査請求人若しくは参加人の申立てにより又は職権で、適当と認める者に、参考人としてその知っている事実の陳述を求め、又は鑑定を求めることができる。

（検証）

第三十五条　審理員は、審査請求人若しくは参加人の申立てにより又は職権で、必要な場所につき、検証をすることができる。

2　審理員は、審査請求人又は参加人の申立てにより前項の検証をしようとするときは、あらかじめ、その日時及び場所を当該申立てをした者に通知し、これに立ち会う機会を与えなければならない。

（審理関係人への質問）

第三十六条　審理員は、審査請求人若しくは参加人の申立てにより又は職権で、審査請求に係る事件に関し、審理関係人に質問することができる。

（審理手続の計画的遂行）

第三十七条　審理員は、審査請求に係る事件について、審理すべき事項が多数であり又は錯綜しているなど事件が複雑であることその他の事情により、迅速かつ公正な審理を行うため、第三十一条から前条までに定める審理手続を計画的に遂行する必要があると認める場合には、期日及び場所を指定して、審理関係人を招集し、あらかじめ、これらの審理手続の申立てに関する意見の聴取を行うことができる。

2　審理員は、審理関係人が遠隔の地に居住している場合その他相当と認める場合には、政令で定めるところにより、審理員及び審理関係人が音声の送受信により通話をすることができる方法によって、前項に規定する意見の聴取を行うことができる。

3　審理員は、前二項の規定による意見の聴取を行ったときは、遅滞なく、第三十一条から前条までに定める審理手続の期日及び場所並びに第四十一条第一項の規定による審理手続の終結の予定時期を決定し、これらを審理関係人に通知するものとする。当該予定時期を変更したときも、同様とする。

（審査請求人等による提出書類等の閲覧等）

第三十八条　審査請求人又は参加人は、第四十一条第一項又は第二項の規定により審理手続が終結するまでの間、審理員に対し、提出書類等（第二十九条第四項各号に掲げる書面又は第三十二条第一項若しくは第二項若しくは第三十三条の規定により提出された書類その他の物件をいう。次項において同じ。）の閲覧（電磁的記録（電子的方式、磁気的方式その他人の知覚によっては認識することができない方式で作られる記録であって、電子計算機による情報処理の用に供されるものをいう。以下同じ。）にあっては、記録された事項を審査庁が定める方法により表示したものの閲覧）又は当該書面若しくは当該書類の写し若しくは当該電磁的記録に記録された事項を記載した書面の交付を求めることができる。この場合において、審理員は、第三者の利益を害するおそれがあると認めるとき、その他正当な理由があるときでなければ、その閲覧又は交付を拒むことができない。

2　審理員は、前項の規定による閲覧をさせ、又は同項の規定による交付をしようとするときは、当該閲覧又は交付に係る提出書類等の提出人の意見を聴かなければならない。ただし、審理員が、その必要がないと認めるときは、この限りでない。

3　審理員は、第一項の規定による閲覧について、日時及び場所を指定することができる。

4　第一項の規定による交付を受ける審査請求人又は参加人は、政令で定めるところにより、実費の範囲内において政令で定める額の手数料を納めなければならない。

5　審理員は、経済的困難その他特別の理由があると認めるときは、政令で定めるところにより、前項の手数料を減額し、又は免除することができる。

6　地方公共団体（都道府県、市町村及び特別区並びに地方公共団体の組合に限る。以下同じ。）に所属する行政庁が審査庁である場合における前二項の規定の適用については、これらの規定中「政令」とあるのは、「条例」とし、国又は地方公共団体に所属しない行政庁が審査庁である場合におけるこれらの規定の適用については、これらの規定中「政令で」とあるのは、「審査庁が」とする。

（審理手続の併合又は分離）

第三十九条　審理員は、必要があると認める場合には、数個の審査請求に係る審理手続を併合し、又は併合された数個の審査請求に係る審理手続を分離することができる。

（審理員による執行停止の意見書の提出）

第四十条　審理員は、必要があると認める場合には、審査庁に対し、執行停止をすべき旨の意見書を提出することができる。

（審理手続の終結）

第四十一条　審理員は、必要な審理を終えたと認めるときは、審理手続を終結するものとする。

2　前項に定めるもののほか、審理員は、次の各号のいずれかに該当するときは、審理手続を終結することができる。

一　次のイからホまでに掲げる規定の相当の期間内に、当該イからホまでに定める物件が提出されない場合において、更に一定の期間を示して、当該物件の提出を求めたにもかかわらず、当該提出期間内に当該物件が提出されなかったとき。

イ　第二十九条第二項　弁明書

ロ　第三十条第一項後段　反論書

ハ　第三十条第二項後段　意見書

ニ　第三十二条第三項　証拠書類若しくは証拠物又は書類その他の物件

ホ　第三十三条前段　書類その他の物件

二　申立人が、正当な理由なく、口頭意見陳述に出頭しないとき。

3　審理員が前二項の規定により審理手続を終結したときは、速やかに、審理関係人に対し、審理手続を終結した旨並びに次条第一項に規定する審理員意見書及び事件記録（審査請求書、弁明書その他審査請求に係る事件に関する書類その他の物件のうち政令で定めるものをいう。同条第二項及び第四十三条第二項において同じ。）を審査庁に提出する予定時期を通知するものとする。当該予定時期を変更したときも、同様とする。

（審理員意見書）

第四十二条　審理員は、審理手続を終結したときは、遅滞なく、審査庁がすべき裁決に関する意見書（以下「審理員意見書」という。）を作成しなければならない。

2　審理員は、審理員意見書を作成したときは、速やかに、これを事件記録とともに、審査庁に提出しなければならない。

第四節　行政不服審査会等への諮問

第四十三条　審査庁は、審理員意見書の提出を受けたときは、次の各号のいずれかに該当する場合を除き、審査庁が主任の大臣又は宮内庁長官若しくは内閣府設置法第四十九条第一項若しくは第二項若しくは国家行政組織法第三条第二項に規定する庁の長である場合にあっては行政不服審査会に、審査庁が地方公共団体の長（地方公共団体の組合にあっては、長、管理者又は理事会）である場合にあっては第八十一条第一項又は第二項の機関に、それぞれ諮問しなければならない。

一　審査請求に係る処分をしようとするときに他の法律又は政令（条例に基づく処分については、条例）に第九条第一項各号に掲げる機関若しくは地方公共団体の議会又はこれらの機関に類するものとして政令で定めるもの（以下「審議会等」という。）の議を経るべき旨又は経ることができる旨の定めがあり、かつ、当該議を経て当該処分がされた場合

二　裁決をしようとするときに他の法律又は政令（条例に基づく処分については、条例）に第九条第一項各号に掲げる機関若しくは地方公共団体の議会又はこれらの機関に類するものとして政令で定めるものの議を経るべき旨又は経ることができる旨の定めがあり、かつ、当該議を経て裁決をしようとする場合

三　第四十六条第三項又は第四十九条第四項の規定により審議会等の議を経て裁決をしようとする場合

四　審査請求人から、行政不服審査会又は第八十一条第一項若しくは第二項の機関（以下「行政不服審査会等」という。）への諮問を希望しない旨の申出がされている場合（参加人から、行政不服審査会等に諮問しないことについて反対する旨の申出がされている場合を除く。）

五　審査請求が、行政不服審査会等によって、国民の権利利益及び行政の運営に対する影響の程度その他当該事件の性質を勘案して、諮問を要しないものと認められたものである場合

六　審査請求が不適法であり、却下する場合

七　第四十六条第一項の規定により審査請求に係る処分（法令に基づく申請を却下し、又は棄却する処分及び事実上の行為を除く。）の全部を取り消し、又は第四十七条第一号若しくは第二号の規定により審査請求に係る事実上の行為の全部を撤廃すべき旨を命じ、若しくは撤廃することとする場合（当該処分の全部を取り消すこと又は当該事実上の行為の全部を撤廃すべき旨を命じ、若しくは撤廃することについて反対する旨の意見書が提出されている場合及び口頭意見陳述においてその旨の意見が述べられている場合を除く。）

八　第四十六条第二項各号又は第四十九条第三項各号に定める措置（法令に基づく申請の全部を認容すべき旨を命じ、又は認容するものに限る。）をとることとする場合（当該申請の全部を認容することについて反対する旨の意見書が提出されている場合及び口頭意見陳述においてその旨の意見が述べられている場合を除く。）

2　前項の規定による諮問は、審理員意見書及び事件記録の写しを添えてしなければならない。

3　第一項の規定により諮問をした審査庁は、審理関係人（処分庁等が審査庁である場合にあっては、審査請求人及び参加人）に対し、当該諮問をした旨を通知するとともに、審理員意見書の写しを送付しなければならない。

第五節　裁決

（裁決の時期）

第四十四条　審査庁は、行政不服審査会等から諮問に対する答申を受けたとき（前条第一項の規定による諮問を要しない場合（同項第二号又は第三号に該当する場合を除く。）にあっては審理員意見書が提出されたとき、同項第二号又は第三号に該当する場合にあっては同項第二号又は第三号に規定する議を経たとき）は、遅滞なく、裁決をしなければならない。

（処分についての審査請求の却下又は棄却）

第四十五条　処分についての審査請求が法定の期間経過後にされたものである場合その他不適法である場合には、審査庁は、裁決で、当該審査請求を却下する。

2　処分についての審査請求が理由がない場合には、審査庁は、裁決で、当該審査請求を棄却する。

3　審査請求に係る処分が違法又は不当ではあるが、これを取り消し、又は撤廃することにより公の利益に著しい障害を生ずる場合において、審査請求人の受ける損害の程度、その損害の賠償又は防止の程度及び方法その他一切の事情を考慮した上、処分を取り消し、又は撤廃することが公共の福祉に適合しないと認めるときは、審査庁は、裁決で、当該審査請求を棄却することができる。この場合には、審査庁は、裁決の主文で、当該処分が違法又は不当であることを宣言しなければならない。

（処分についての審査請求の認容）

第四十六条　処分（事実上の行為を除く。以下この条及び第四十八条において同じ。）についての審査請求が理由がある場合（前条第三項の規定の適用がある場合を除く。）には、審査庁は、裁決で、当該処分の全部若しくは一部を取り消し、又はこれを変更する。ただし、審査庁が処分庁の上級行政庁又は処分庁のいずれでもない場合には、当該処分を変更することはできない。

2　前項の規定により法令に基づく申請を却下し、又は棄却する処分の全部又は一部を取り消す場合において、次の各号に掲げる審査庁は、当該申請に対して一定の処分をすべきものと認めるときは、当該各号に定める措置をとる。

一　処分庁の上級行政庁である審査庁　当該処分庁に対し、当該処分をすべき旨を命ずること。

二　処分庁である審査庁　当該処分をすること。

3　前項に規定する一定の処分に関し、第四十三条第一項第一号に規定する議を経るべき旨の定めがある場合において、審査庁が前項各号に定める措置をとるために必要があると認めるときは、審査庁は、当該定めに係る審議会等の議を経ることができる。

4　前項に規定する定めがある場合のほか、第二項に規定する一定の処分に関し、他の法令に関係行政機関との協議の実施その他の手続をとるべき旨の定めがある場合において、審査庁が同項各号に定める措置をとるために必要があると認めるときは、審査庁は、当該手続をとることができる。

第四十七条　事実上の行為についての審査請求が理由がある場合（第四十五条第三項の規定の適用がある場合を除く。）には、審査庁は、裁決で、当該事実上の行為が違法又は不当である旨を宣言するとともに、次の各号に掲げる審査庁の区分に応じ、当該各号に定める措置をとる。ただし、審査庁が処分庁の上級行政庁以外の審査庁である場合には、当該事実上の行為を変更すべき旨を命ずることはできない。

一　処分庁以外の審査庁　当該処分庁に対し、当該事実上の行為の全部若しくは一部を撤廃し、又はこれを変更すべき旨を命ずること。

二　処分庁である審査庁　当該事実上の行為の全部若しくは一部を撤廃し、又はこれを変更すること。

（不利益変更の禁止）

第四十八条 第四十六条第一項本文又は前条の場合において、審査庁は、審査請求人の不利益に当該処分を変更し、又は当該事実上の行為を変更すべき旨を命じ、若しくはこれを変更することはできない。

（不作為についての審査請求の裁決）

第四十九条 不作為についての審査請求が当該不作為に係る処分についての申請から相当の期間が経過しないでされたものである場合その他不適法である場合には、審査庁は、裁決で、当該審査請求を却下する。

2 不作為についての審査請求が理由がない場合には、審査庁は、裁決で、当該審査請求を棄却する。

3 不作為についての審査請求が理由がある場合には、審査庁は、裁決で、当該不作為が違法又は不当である旨を宣言する。この場合において、次の各号に掲げる審査庁は、当該申請に対して一定の処分をすべきものと認めるときは、当該各号に定める措置をとる。

一 不作為庁の上級行政庁である審査庁 当該不作為庁に対し、当該処分をすべき旨を命ずること。

二 不作為庁である審査庁 当該処分をすること。

4 審査請求に係る不作為に係る処分に関し、第四十三条第一項第一号に規定する議を経るべき旨の定めがある場合において、審査庁が前項各号に定める措置をとるために必要があると認めるときは、審査庁は、当該定めに係る審議会等の議を経ることができる。

5 前項に規定する定めがある場合のほか、審査請求に係る不作為に係る処分に関し、他の法令に関係行政機関との協議の実施その他の手続をとるべき旨の定めがある場合において、審査庁が第三項各号に定める措置をとるために必要があると認めるときは、審査庁は、当該手続をとることができる。

（裁決の方式）

第五十条 裁決は、次に掲げる事項を記載し、審査庁が記名押印した裁決書によりしなければならない。

一 主文

二 事案の概要

三 審理関係人の主張の要旨

四 理由（第一号の主文が審理員意見書又は行政不服審査会等若しくは審議会等の答申書と異なる内容である場合には、異なることとなった理由を含む。）

2 第四十三条第一項の規定による行政不服審査会等への諮問を要しない場合には、前項の裁決書には、審理員意見書を添付しなければならない。

3 審査庁は、再審査請求をすることができる裁決をする場合には、裁決書に再審査請求をすることができる旨並びに再審査請求をすべき行政庁及び再審査請求期間（第六十二条に規定する期間をいう。）を記載して、これらを教示しなければならない。

（裁決の効力発生）

第五十一条 裁決は、審査請求人（当該審査請求が処分の相手方以外の者のしたものである場合における第四十六条第一項及び第四十七条の規定による裁決にあっては、審査請求人及び処分の相手方）に送達された時に、その効力を生ずる。

2 裁決の送達は、送達を受けるべき者に裁決書の謄本を送付することによってする。ただし、送達を受けるべき者の所在が知れない場合その他裁決書の謄本を送付することができない場合には、公示の方法によってすることができる。

3 公示の方法による送達は、審査庁が裁決書の謄本を保管し、いつでもその送達を受けるべき者に交付する旨を当該審査庁の掲示場に掲示し、かつ、その旨を官報その他の公報又は新聞紙に少なくとも一回掲載してするものとする。この場合において、その掲示を始めた日の翌日から起算して二週間を経過した時に裁決書の謄本の送付があったものとみなす。

4 審査庁は、裁決書の謄本を参加人及び処分庁等（審査庁以外の処分庁等に限る。）に送付しなければならない。

（裁決の拘束力）

第五十二条 裁決は、関係行政庁を拘束する。

2 申請に基づいてした処分が手続の違法若しくは不当を理由として裁決で取り消され、又は申請を却下し、若しくは棄却した処分が裁決で取り消された場合には、処分庁は、裁決の趣旨に従い、改めて申請に対する処分をしなければならない。

3 法令の規定により公示された処分が裁決で取り消され、又は変更された場合には、処分庁は、当該処分が取り消され、又は変更された旨を公示しなければならない。

4 法令の規定により処分の相手方以外の利害関係人に通知された処分が裁決で取り消され、又は変更された場合には、処分庁は、その通知を受けた者（審査請求人及び参加人を除く。）に、当該処分が取り消され、又は変更された旨を通知しなければならない。

（証拠書類等の返還）

第五十三条 審査庁は、裁決をしたときは、速やかに、第三十二条第一項又は第二項の規定により提出された証拠書類若しくは証拠物又は書類その他の物件及び第三十三条の規定による提出要求に応じて提出された書類その他の物件をその提出人に返還しなければならない。

第三章 再調査の請求

（再調査の請求期間）

第五十四条 再調査の請求は、処分があったことを知った日の翌日から起算して三月を経過したときは、することができない。ただし、正当な理由があるときは、この限りでない。

2 再調査の請求は、処分があった日の翌日から起算して一年を経過したときは、することができない。ただし、正当な理由があるときは、この限りでない。

（誤った教示をした場合の救済）

第五十五条 再調査の請求をすることができる処分につき、処分庁が誤って再調査の請求をすることができる旨を教示しなかった場合において、審査請求がされた場合であって、審査請求人から申立てがあったときは、審査庁は、速やかに、審査請求書又は審査請求録取書を処分庁に送付しなければならない。ただし、審査請求人に対し弁明書が送付された後においては、この限りでない。

2 前項本文の規定により審査請求書又は審査請求録取書の送付を受けた処分庁は、速やかに、その旨を審査請求人及び参加人に通知しなければならない。

3 第一項本文の規定により審査請求書又は審査請求録取書が処分庁に送付されたときは、初めから処分庁に再調査の請求がされたものとみなす。

（再調査の請求についての決定を経ずに審査請求がされた場合）

第五十六条　第五条第二項ただし書の規定により審査請求がされたときは、同項の再調査の請求は、取り下げられたものとみなす。ただし、処分庁において当該審査請求がされた日以前に再調査の請求に係る処分（事実上の行為を除く。）を取り消す旨の第六十条第一項の決定書の謄本を発している場合又は再調査の請求に係る事実上の行為を撤廃している場合は、当該審査請求（処分（事実上の行為を除く。）の一部を取り消す旨の第五十九条第一項の決定がされている場合又は事実上の行為の一部が撤廃されている場合にあっては、その部分に限る。）が取り下げられたものとみなす。

（三月後の教示）

第五十七条　処分庁は、再調査の請求がされた日（第六十一条において読み替えて準用する第二十三条の規定により不備を補正すべきことを命じた場合にあっては、当該不備が補正された日）の翌日から起算して三月を経過しても当該再調査の請求が係属しているときは、遅滞なく、当該処分について直ちに審査請求をすることができる旨を書面でその再調査の請求人に教示しなければならない。

（再調査の請求の却下又は棄却の決定）

第五十八条　再調査の請求が法定の期間経過後にされたものである場合その他不適法である場合には、処分庁は、決定で、当該再調査の請求を却下する。

２　再調査の請求が理由がない場合には、処分庁は、決定で、当該再調査の請求を棄却する。

（再調査の請求の認容の決定）

第五十九条　処分（事実上の行為を除く。）についての再調査の請求が理由がある場合には、処分庁は、決定で、当該処分の全部若しくは一部を取り消し、又はこれを変更する。

２　事実上の行為についての再調査の請求が理由がある場合には、処分庁は、決定で、当該事実上の行為が違法又は不当である旨を宣言するとともに、当該事実上の行為の全部若しくは一部を撤廃し、又はこれを変更する。

３　処分庁は、前二項の場合において、再調査の請求人の不利益に当該処分又は当該事実上の行為を変更することはできない。

（決定の方式）

第六十条　前二条の決定は、主文及び理由を記載し、処分庁が記名押印した決定書によりしなければならない。

２　処分庁は、前項の決定書（再調査の請求に係る処分の全部を取り消し、又は撤廃する決定に係るものを除く。）に、再調査の請求に係る処分につき審査請求をすることができる旨（却下の決定である場合にあっては、当該却下の決定が違法な場合に限り審査請求をすることができる旨）並びに審査請求をすべき行政庁及び審査請求期間を記載して、これらを教示しなければならない。

（審査請求に関する規定の準用）

第六十一条　第九条第四項、第十条から第十六条まで、第十八条第三項、第十九条（第三項並びに第五項第一号及び第二号を除く。）、第二十条、第二十三条、第二十四条、第二十五条（第三項を除く。）、第二十六条、第二十七条、第三十一条（第五項を除く。）、第三十二条（第二項を除く。）、第三十九条、第五十一条及び第五十三条の規定は、再調査の請求について準用する。この場合において、別表第二の上欄に掲げる規定中同表の中欄に掲げる字句は、それぞれ同表の下欄に掲げる字句に読み替えるものとする。

第四章　再審査請求

（再審査請求期間）

第六十二条　再審査請求は、原裁決があったことを知った日の翌日から起算して一月を経過したときは、することができない。ただし、正当な理由があるときは、この限りでない。

２　再審査請求は、原裁決があった日の翌日から起算して一年を経過したときは、することができない。ただし、正当な理由があるときは、この限りでない。

（裁決書の送付）

第六十三条　第六十六条第一項において読み替えて準用する第十一条第二項に規定する審理員又は第六十六条第一項において準用する第九条第一項各号に掲げる機関である再審査庁（他の法律の規定により再審査請求がされた行政庁（第六十六条第一項において読み替えて準用する第十四条の規定により引継ぎを受けた行政庁を含む。）をいう。以下同じ。）は、原裁決をした行政庁に対し、原裁決に係る裁決書の送付を求めるものとする。

（再審査請求の却下又は棄却の裁決）

第六十四条　再審査請求が法定の期間経過後にされたものである場合その他不適法である場合には、再審査庁は、裁決で、当該再審査請求を却下する。

２　再審査請求が理由がない場合には、再審査庁は、裁決で、当該再審査請求を棄却する。

３　再審査請求に係る原裁決（審査請求を却下し、又は棄却したものに限る。）が違法又は不当である場合において、当該審査請求に係る処分が違法又は不当のいずれでもないときは、再審査庁は、裁決で、当該再審査請求を棄却する。

４　前項に規定する場合のほか、再審査請求に係る原裁決等が違法又は不当ではあるが、これを取り消し、又は撤廃することにより公の利益に著しい障害を生ずる場合において、再審査請求人の受ける損害の程度、その損害の賠償又は防止の程度及び方法その他一切の事情を考慮した上、原裁決等を取り消し、又は撤廃することが公共の福祉に適合しないと認めるときは、再審査庁は、裁決で、当該再審査請求を棄却することができる。この場合には、再審査庁は、裁決の主文で、当該原裁決等が違法又は不当であることを宣言しなければならない。

（再審査請求の認容の裁決）

第六十五条　原裁決等（事実上の行為を除く。）についての再審査請求が理由がある場合（前条第三項に規定する場合及び同条第四項の規定の適用がある場合を除く。）には、再審査庁は、裁決で、当該原裁決等の全部又は一部を取り消す。

２　事実上の行為についての再審査請求が理由がある場合（前条第四項の規定の適用がある場合を除く。）には、裁決で、当該事実上の行為が違法又は不当である旨を宣言するとともに、処分庁に対し、当該事実上の行為の全部又は一部を撤廃すべき旨を命ずる。

（審査請求に関する規定の準用）

第六十六条　第二章（第九条第三項、第十八条（第三項を除

く。）、第十九条第三項並びに第五項第一号及び第二号、第二十二条、第二十五条第二項、第二十九条（第一項を除く。）、第三十条第一項、第四十一条第二項第一号イ及びロ、第四節、第四十五条から第四十九条まで並びに第五十条第三項を除く。）の規定は、再審査請求について準用する。この場合において、別表第三の上欄に掲げる規定中同表の中欄に掲げる字句は、それぞれ同表の下欄に掲げる字句に読み替えるものとする。

2　再審査庁が前項において準用する第九条第一項各号に掲げる機関である場合には、前項において準用する第十七条、第四十条、第四十二条及び第五十条第二項の規定は、適用しない。

第五章　行政不服審査会等

第一節　行政不服審査会

第一款　設置及び組織

（設置）

第六十七条　総務省に、行政不服審査会（以下「審査会」という。）を置く。

2　審査会は、この法律の規定によりその権限に属させられた事項を処理する。

（組織）

第六十八条　審査会は、委員九人をもって組織する。

2　委員は、非常勤とする。ただし、そのうち三人以内は、常勤とすることができる。

（委員）

第六十九条　委員は、審査会の権限に属する事項に関し公正な判断をすることができ、かつ、法律又は行政に関して優れた識見を有する者のうちから、両議院の同意を得て、総務大臣が任命する。

2　委員の任期が満了し、又は欠員を生じた場合において、国会の閉会又は衆議院の解散のために両議院の同意を得ることができないときは、総務大臣は、前項の規定にかかわらず、同項に定める資格を有する者のうちから、委員を任命することができる。

3　前項の場合においては、任命後最初の国会で両議院の事後の承認を得なければならない。この場合において、両議院の事後の承認が得られないときは、総務大臣は、直ちにその委員を罷免しなければならない。

4　委員の任期は、三年とする。ただし、補欠の委員の任期は、前任者の残任期間とする。

5　委員は、再任されることができる。

6　委員の任期が満了したときは、当該委員は、後任者が任命されるまで引き続きその職務を行うものとする。

7　総務大臣は、委員が心身の故障のために職務の執行ができないと認める場合又は委員に職務上の義務違反その他委員たるに適しない非行があると認める場合には、両議院の同意を得て、その委員を罷免することができる。

8　委員は、職務上知ることができた秘密を漏らしてはならない。その職を退いた後も同様とする。

9　委員は、在任中、政党その他の政治的団体の役員となり、又は積極的に政治運動をしてはならない。

10　常勤の委員は、在任中、総務大臣の許可がある場合を除き、報酬を得て他の職務に従事し、又は営利事業を営み、その他金銭上の利益を目的とする業務を行ってはならない。

11　委員の給与は、別に法律で定める。

（会長）

第七十条　審査会に、会長を置き、委員の互選により選任する。

2　会長は、会務を総理し、審査会を代表する。

3　会長に事故があるときは、あらかじめその指名する委員が、その職務を代理する。

（専門委員）

第七十一条　審査会に、専門の事項を調査させるため、専門委員を置くことができる。

2　専門委員は、学識経験のある者のうちから、総務大臣が任命する。

3　専門委員は、その者の任命に係る当該専門の事項に関する調査が終了したときは、解任されるものとする。

4　専門委員は、非常勤とする。

（合議体）

第七十二条　審査会は、委員のうちから、審査会が指名する者三人をもって構成する合議体で、審査請求に係る事件について調査審議する。

2　前項の規定にかかわらず、審査会が定める場合においては、委員の全員をもって構成する合議体で、審査請求に係る事件について調査審議する。

（事務局）

第七十三条　審査会の事務を処理させるため、審査会に事務局を置く。

2　事務局に、事務局長のほか、所要の職員を置く。

3　事務局長は、会長の命を受けて、局務を掌理する。

第二款　審査会の調査審議の手続

（審査会の調査権限）

第七十四条　審査会は、必要があると認める場合には、審査請求に係る事件に関し、審査請求人、参加人又は第四十三条第一項の規定により審査会に諮問をした審査庁（以下この款において「審査関係人」という。）にその主張を記載した書面（以下この款において「主張書面」という。）又は資料の提出を求めること、適当と認める者にその知っている事実の陳述又は鑑定を求めることその他必要な調査をすることができる。

（意見の陳述）

第七十五条　審査会は、審査関係人の申立てがあった場合には、当該審査関係人に口頭で意見を述べる機会を与えなければならない。ただし、審査会が、その必要がないと認める場合には、この限りでない。

2　前項本文の場合において、審査請求人又は参加人は、審査会の許可を得て、補佐人とともに出頭することができる。

（主張書面等の提出）

第七十六条　審査関係人は、審査会に対し、主張書面又は資料を提出することができる。この場合において、審査会が、主張書面又は資料を提出すべき相当の期間を定めたときは、その期間内にこれを提出しなければならない。

（委員による調査手続）

第七十七条　審査会は、必要があると認める場合には、その指名する委員に、第七十四条の規定による調査をさせ、又は第七十五条第一項本文の規定による審査関係人の意見の陳述を聴かせることができる。

（提出資料の閲覧等）

第七十八条 審査関係人は、審査会に対し、審査会に提出された主張書面若しくは資料の閲覧（電磁的記録にあっては、記録された事項を審査会が定める方法により表示したものの閲覧）又は当該主張書面若しくは当該資料の写し若しくは当該電磁的記録に記録された事項を記載した書面の交付を求めることができる。この場合において、審査会は、第三者の利益を害するおそれがあると認めるとき、その他正当な理由があるときでなければ、その閲覧又は交付を拒むことができない。

2 審査会は、前項の規定による閲覧をさせ、又は同項の規定による交付をしようとするときは、当該閲覧又は交付に係る主張書面又は資料の提出人の意見を聴かなければならない。ただし、審査会が、その必要がないと認めるときは、この限りでない。

3 審査会は、第一項の規定による閲覧について、日時及び場所を指定することができる。

4 第一項の規定による交付を受ける審査請求人又は参加人は、政令で定めるところにより、実費の範囲内において政令で定める額の手数料を納めなければならない。

5 審査会は、経済的困難その他特別の理由があると認めるときは、政令で定めるところにより、前項の手数料を減額し、又は免除することができる。

（答申書の送付等）

第七十九条 審査会は、諮問に対する答申をしたときは、答申書の写しを審査請求人及び参加人に送付するとともに、答申の内容を公表するものとする。

第三款 雑則

（政令への委任）

第八十条 この法律に定めるもののほか、審査会に関し必要な事項は、政令で定める。

第二節 地方公共団体に置かれる機関

第八十一条 地方公共団体に、執行機関の附属機関として、この法律の規定によりその権限に属させられた事項を処理するための機関を置く。

2 前項の規定にかかわらず、地方公共団体は、当該地方公共団体における不服申立ての状況等に鑑み同項の機関を置くことが不適当又は困難であるときは、条例で定めるところにより、事件ごとに、執行機関の附属機関として、この法律の規定によりその権限に属させられた事項を処理するための機関を置くこととすることができる。

3 前節第二款の規定は、前二項の機関について準用する。この場合において、第七十八条第四項及び第五項中「政令」とあるのは、「条例」と読み替えるものとする。

4 前三項に定めるもののほか、第一項又は第二項の機関の組織及び運営に関し必要な事項は、当該機関を置く地方公共団体の条例（地方自治法第二百五十二条の七第一項の規定により共同設置する機関にあっては、同項の規約）で定める。

第六章 補則

（不服申立てをすべき行政庁等の教示）

第八十二条 行政庁は、審査請求若しくは再調査の請求又は他の法令に基づく不服申立て（以下この条において「不服申立て」と総称する。）をすることができる処分をする場合には、処分の相手方に対し、当該処分につき不服申立てをすることができる旨並びに不服申立てをすべき行政庁及び不服申立てをすることができる期間を書面で教示しなければならない。ただし、当該処分を口頭でする場合は、この限りでない。

2 行政庁は、利害関係人から、当該処分が不服申立てをすることができる処分であるかどうか並びに当該処分が不服申立てをすることができるものである場合における不服申立てをすべき行政庁及び不服申立てをすることができる期間につき教示を求められたときは、当該事項を教示しなければならない。

3 前項の場合において、教示を求めた者が書面による教示を求めたときは、当該教示は、書面でしなければならない。

（教示をしなかった場合の不服申立て）

第八十三条 行政庁が前条の規定による教示をしなかった場合には、当該処分について不服がある者は、当該処分庁に不服申立書を提出することができる。

2 第十九条（第五項第一号及び第二号を除く。）の規定は、前項の不服申立書について準用する。

3 第一項の規定により不服申立書の提出があった場合において、当該処分が処分庁以外の行政庁に対し審査請求をすることができる処分であるときは、処分庁は、速やかに、当該不服申立書を当該行政庁に送付しなければならない。当該処分が他の法令に基づき、処分庁以外の行政庁に不服申立てをすることができる処分であるときも、同様とする。

4 前項の規定により不服申立書が送付されたときは、初めから当該行政庁に審査請求又は当該法令に基づく不服申立てがされたものとみなす。

5 第三項の場合を除くほか、第一項の規定により不服申立書が提出されたときは、初めから当該処分庁に審査請求又は当該法令に基づく不服申立てがされたものとみなす。

（情報の提供）

第八十四条 審査請求、再調査の請求若しくは再審査請求又は他の法令に基づく不服申立て（以下この条及び次条において「不服申立て」と総称する。）につき裁決、決定その他の処分（同条において「裁決等」という。）をする権限を有する行政庁は、不服申立てをしようとする者又は不服申立てをした者の求めに応じ、不服申立書の記載に関する事項その他の不服申立てに必要な情報の提供に努めなければならない。

（公表）

第八十五条 不服申立てにつき裁決等をする権限を有する行政庁は、当該行政庁がした裁決等の内容その他当該行政庁における不服申立ての処理状況について公表するよう努めなければならない。

（政令への委任）

第八十六条 この法律に定めるもののほか、この法律の実施のために必要な事項は、政令で定める。

（罰則）

第八十七条 第六十九条第八項の規定に違反して秘密を漏らした者は、一年以下の懲役又は五十万円以下の罰金に処する。

附 則

（施行期日）

第一条 この法律は、公布の日から起算して二年を超えない範囲内において政令で定める日〔平二八・四・一〕から施行する。

ただし、次条の規定は、公布の日から施行する。

（準備行為）

第二条 第六十九条第一項の規定による審査会の委員の任命に関し必要な行為は、この法律の施行の日前においても、同項の規定の例によりすることができる。

（経過措置）

第三条 行政庁の処分又は不作為についての不服申立てであって、この法律の施行前にされた行政庁の処分又はこの法律の施行前にされた申請に係る行政庁の不作為に係るものについては、なお従前の例による。

第四条 この法律の施行後最初に任命される審査会の委員の任期は、第六十九条第四項本文の規定にかかわらず、九人のうち、三人は二年、六人は三年とする。

2 前項に規定する各委員の任期は、総務大臣が定める。

（その他の経過措置の政令への委任）

第五条 前二条に定めるもののほか、この法律の施行に関し必要な経過措置は、政令で定める。

（検討）

第六条 政府は、この法律の施行後五年を経過した場合において、この法律の施行の状況について検討を加え、必要があると認めるときは、その結果に基づいて所要の措置を講ずるものとする。

附　則（平二九・三・三一法四）（抄）

（施行期日）

第一条 この法律は、平成二十九年四月一日から施行する。ただし、次の各号に掲げる規定は、当該各号に定める日から施行する。

一～四 〔略〕

五 次に掲げる規定 平成三十年四月一日

イ～ハ 〔略〕

ニ 〔前略〕附則〔中略〕第百二十九条〔中略〕の規定

ホ～ル 〔略〕

六～十八 〔略〕

附　則（令三・五・一九法三七）（抄）

（施行期日）

第一条 この法律は、令和三年九月一日から施行する。〔ただし書略〕

附　則（令四・五・二五法五二）（抄）

（施行期日）

第一条 この法律は、令和六年四月一日から施行する。〔ただし書略〕

別表第一（第九条関係）

第十一条第二項	第九条第一項の規定により指名された者（以下「審理員」という。）	審査庁
第十三条第一項及び第二項	審理員	審査庁
第二十五条第七項	執行停止の申立てがあったとき、又は審理員から第四十条に規定する執行停止をすべき旨の意見書が提出されたとき	執行停止の申立てがあったとき
第二十八条	審理員	審査庁
第二十九条第一項	審理員は、審査庁から指名されたときは、直ちに	審査庁は、審査請求がされたときは、第二十四条の規定により当該審査請求を却下する場合を除き、速やかに
第二十九条第二項	審理員は	審査庁は、審査庁が処分庁等以外である場合にあっては
	提出を求める	提出を求め、審査庁が処分庁等である場合にあっては、相当の期間内に、弁明書を作成する

第二十九条第五項	審理員は	審査庁は、第二項の規定により
	提出があったとき	提出があったとき、又は弁明書を作成したとき
第三十条第一項及び第二項	審理員	審査庁
第三十条第三項	審理員	審査庁
	参加人及び処分庁等	参加人及び処分庁等（処分庁等が審査庁である場合にあっては、参加人）
	審査請求人及び処分庁等	審査請求人及び処分庁等（処分庁等が審査庁である場合にあっては、審査請求人）
第三十一条第一項	審理員	審査庁
第三十一条第二項	審理員	審査庁
	審理関係人	審理関係人（処分庁等が審査庁である場合にあっては、審査請求人及び参加人。以下この節及び第五十条第一項第三号において同じ。）
第三十一条第三項から第五項まで、第三十二条第三項、第三十三条から第三十七条まで、第三十八条第一項から第三項まで及び第五項、第三十九条並びに第四十一条第一項及び第二項	審理員	審査庁
第四十一条第三項	審理員が	審査庁が
	終結した旨並びに次条第一項に規定する審理員意見書及び事件記録（審査請求書、弁明書その他審査請求に係る事件に関する書類その他の物件のうち政令で定めるものをいう。同条第二項及び第四十三条第二項において同じ。）を審査庁に提出する予定時期を通知するものとする。当該予定時期を変更したときも、同様とする	終結した旨を通知するものとする
第四十四条	行政不服審査会等から諮問に対する答申を受けたとき（前条第一項の規定による諮問を要しない場合（同項第二号又は第三号に該当する場合を除く。）にあっては審理員意見書が提出されたとき、同項第二号又は第三号に該当する場合にあっては同項第二号又は第三号に規定する議を経たとき）	審理手続を終結したとき
第五十条第一項第四号	理由（第一号の主文が審理員意見書又は行政不服審査会等若しくは審議会等の答申書と異なる内容である場合には、異なることとなった理由を含む。）	理由

別表第二（第六十一条関係）

第九条第四項	前項に規定する場合において、審査庁	処分庁
	（第二項各号（第一項各号に掲げる機関の構成員にあっては、第一号を除く。）に掲げる者以外の者に限る。）に、前項において読み替えて適用する	に、第六十一条において読み替えて準用する
	若しくは第十三条第四項	又は第六十一条において準用する第十三条第四項
	聴かせ、前項において読み替えて適用する第三十四条の規定による参考人の陳述を聴かせ、同項において読み替えて適用する第三十五条第一項の規定による検証をさせ、前項において読み替えて適用する第三十六条の規定による第二十八条に規定する審理関係人に対する質問をさせ、又は同項において読み替えて適用する第三十七条第一項若しくは第二項の規定による意見の聴取を行わせる	聴かせる
第十一条第二項	第九条第一項の規定により指名された者（以下「審理員」という。）	処分庁
第十三条第一項	処分又は不作為に係る処分	処分
	審理員	処分庁
第十三条第二項	審理員	処分庁
第十四条	第十九条に規定する審査請求書	第六十一条において読み替えて準用する第十九条に規定する再調査の請求書
	第二十一条第二項に規定する審査請求録取書	第二十二条第三項に規定する再調査の請求録取書
第十六条	第四条又は他の法律若しくは条例の規定により審査庁となるべき行政庁（以下「審査庁となるべき行政庁」という。）	再調査の請求の対象となるべき処分の権限を有する行政庁
	当該審査庁となるべき行政庁及び関係処分庁（当該審査請求の対象となるべき処分の権限を有する行政庁であって当該審査庁となるべき行政庁以外のものをいう。次条において同じ。）	当該行政庁
第十八条第三項	次条に規定する審査請求書	第六十一条において読み替えて準用する次条に規定する再調査の請求書
	前二項に規定する期間（以下「審査請求期間」という。）	第五十四条に規定する期間
第十九条の見出し及び同条第一項	審査請求書	再調査の請求書
第十九条第二項	処分についての審査請求書	再調査の請求書
	処分（当該処分について再調査の請求についての決定を経たときは、当該決定）	処分
第十九条第四項	審査請求書	再調査の請求書
	第二項各号又は前項各号	第二項各号
第十九条第五項	処分についての審査	再調査の請求書

	請求書	
	審査請求期間	第五十四条に規定する期間
	前条第一項ただし書又は第二項ただし書	同条第一項ただし書又は第二項ただし書
第二十条	前条第二項から第五項まで	第六十一条において読み替えて準用する前条第二項、第四項及び第五項
第二十三条（見出しを含む。）	審査請求書	再調査の請求書
第二十四条第一項	次節に規定する審理手続を経ないで、第四十五条第一項又は第四十九条第一項	審理手続を経ないで、第五十八条第一項
第二十五条第二項	処分庁の上級行政庁又は処分庁である審査庁	処分庁
第二十五条第四項	前二項	第二項
第二十五条第六項	第二項から第四項まで	第二項及び第四項
第二十五条第七項	執行停止の申立てがあったとき、又は審理員から第四十条に規定する執行停止をすべき旨の意見書が提出されたとき	執行停止の申立てがあったとき
第三十一条第一項	審理員	処分庁
	この条及び第四十一条第二項第二号	この条
第三十一条第二項	審理員	処分庁
	全ての審理関係人	再調査の請求人及び参加人
第三十一条第三項及び第四項	審理員	処分庁
第三十二条第三項	前二項	第一項
	審理員	処分庁
第三十九条	審理員	処分庁
第五十一条第一項	第四十六条第一項及び第四十七条	第五十九条第一項及び第二項
第五十一条第四項	参加人及び処分庁等（審査庁以外の処分庁等に限る。）	参加人
第五十三条	第三十二条第一項又は第二項の規定により提出された証拠書類若しくは証拠物又は書類その他の物件及び第三十三条の規定による提出要求に応じて提出された書類その他の物件	第六十一条において準用する第三十二条第一項の規定により提出された証拠書類又は証拠物

別表第三（第六十六条関係）

第九条第一項	第四条又は他の法律若しくは条例の規定により審査請求がされた行政庁（第十四条の規定により引継ぎを受けた行政庁を含む。以下「審査庁」という。）	第六十三条に規定する再審査庁（以下この章において「再審査庁」という。）
	この節	この節及び第六十三条
	処分庁等（審査庁以外の処分庁等に限る。）	裁決庁等（原裁決をした行政庁（以下この章において「裁決庁」という。）又は処分庁をいう。以下この章において同じ。）
	若しくは条例に基づく処分について条例に特別の定めがある場合又は第二十四条	又は第六十六条第一項において読み替えて準用する第二十四条
第九条第二項第一号	審査請求に係る処分若しくは	原裁決に係る審査請求に係る処分、
	に関与した者又は審査請求に係る不作為に係る処分に関与し、若しくは関与することとなる者	又は原裁決に関与した者
第九条第四項	前項に規定する場合において、審査庁	第一項各号に掲げる機関である再審査庁（以下「委員会等である再審査庁」という。）
	前項において	第六十六条第一項において
	適用する	準用する
	第十三条第四項	第六十六条第一項において準用する第十三条第四項
	第二十八条	同項において読み替えて準用する第二十八条
第十一条第二項	第九条第一項の規定により指名された者（以下「審理員」という。）	第六十六条第一項において読み替えて準用する第九条第一項の規定により指名された者（以下「審理員」という。）又は委員会等である再審査庁
第十三条第一項	処分又は不作為に係る処分の根拠となる法令に照らし当該処分	原裁決等の根拠となる法令に照らし当該原裁決等
	審理員	審理員又は委員会等である再審査庁
第十三条第二項	審理員	審理員又は委員会等である再審査庁
第十四条	第十九条に規定する審査請求書	第六十六条第一項において読み替えて準用する第十九条に規定する再審査請求書
	第二十一条第二項に規定する審査請求録取書	同項において読み替えて準用する第二十一条第二項に規定する再審査請求録取書
第十五条第一項、第二項及び第六項	審査請求の	原裁決に係る審査請求の
第十六条	第四条又は他の法律若しくは条例	他の法律
	関係処分庁（当該審査請求の対象となるべき処分の権限を有する行政庁であって当該審査庁となるべき行政庁以外のものをいう。次条において同じ。）	当該再審査請求の対象となるべき裁決又は処分の権限を有する行政庁
第十七条	関係処分庁	当該再審査請求の対象となるべき裁決又は処分の権限を有する行政庁

第十八条第三項	次条に規定する審査請求書	第六十六条第一項において読み替えて準用する次条に規定する再審査請求書
	前二項に規定する期間（以下「審査請求期間」という。）	第五十条第三項に規定する再審査請求期間（以下この章において「再審査請求期間」という。）
第十九条の見出し及び同条第一項	審査請求書	再審査請求書
第十九条第二項	処分についての審査請求書	再審査請求書
	処分の内容	原裁決等の内容
	審査請求に係る処分（当該処分について再調査の請求についての決定を経たときは、当該決定）	原裁決
	処分庁	裁決庁
第十九条第四項	審査請求書	再審査請求書
	第二項各号又は前項各号	第二項各号
第十九条第五項	処分についての審査請求書	再審査請求書
	審査請求期間	再審査請求期間
	前条第一項ただし書又は第二項ただし書	第六十二条第一項ただし書又は第二項ただし書
第二十条	前条第二項から第五項まで	第六十六条第一項において読み替えて準用する前条第二項、第四項及び第五項
第二十一条の見出し	処分庁等	処分庁又は裁決庁
第二十一条第一項	審査請求をすべき行政庁が処分庁等と異なる場合における審査請求は、処分庁等	再審査請求は、処分庁又は裁決庁
	処分庁等に	処分庁若しくは裁決庁に
	審査請求書	再審査請求書
	第十九条第二項から第五項まで	第六十六条第一項において読み替えて準用する第十九条第二項、第四項及び第五項
第二十一条第二項	処分庁等	処分庁又は裁決庁
	審査請求書又は審査請求録取書（前条後段	再審査請求書又は再審査請求録取書（第六十六条第一項において準用する前条後段
	第二十九条第一項及び第五十五条	第六十六条第一項において読み替えて準用する第二十九条第一項
第二十一条第三項	審査請求期間	再審査請求期間
	処分庁に	処分庁若しくは裁決庁に
	審査請求書	再審査請求書
	処分についての審査請求	再審査請求
第二十三条（見出しを含む。）	審査請求書	再審査請求書
第二十四条第一項	審理手続を経ないで、第四十五条第一項又は第四十九条第一項	審理手続（第六十三条に規定する手続を含む。）を経ないで、第六十四条第一項
第二十五条第一項	処分	原裁決等
第二十五条第三項	処分庁の上級行政庁又は処分庁のいずれでもない審査庁	再審査庁

	処分庁の意見	裁決庁等の意見
	執行停止をすることができる。ただし、処分の効力、処分の執行又は手続の続行の全部又は一部の停止以外の措置をとることはできない	原裁決等の効力、原裁決等の執行又は手続の続行の全部又は一部の停止（以下「執行停止」という。）をすることができる
第二十五条第四項	前二項	前項
	処分	原裁決等
第二十五条第六項	第二項から第四項まで	第三項及び第四項
	処分	原裁決等
第二十五条第七項	第四十条に規定する執行停止をすべき旨の意見書が提出されたとき	第六十六条第一項において準用する第四十条に規定する執行停止をすべき旨の意見書が提出されたとき（再審査庁が委員会等である再審査庁である場合にあっては、執行停止の申立てがあったとき）
第二十八条	処分庁等	裁決庁等
	審理員	審理員又は委員会等である再審査庁
第二十九条第一項	審理員は	審理員又は委員会等である再審査庁は、審理員にあっては
	審査請求書又は審査請求録取書の写しを処分庁等に送付しなければならない。ただし、処分庁等が審査庁である場合には、この限りでない	委員会等である再審査庁にあっては、再審査請求がされたときは第六十六条第一項において読み替えて準用する第二十四条の規定により当該再審査請求を却下する場合を除き、速やかに、それぞれ、再審査請求書又は再審査請求録取書の写しを裁決庁等に送付しなければならない
第三十条の見出し	反論書等	意見書
第三十条第二項	審理員	審理員又は委員会等である再審査庁
第三十条第三項	審理員は、審査請求人から反論書の提出があったときはこれを参加人及び処分庁等に	審理員又は委員会等である再審査庁は
	これを審査請求人及び処分庁等に、それぞれ	、これを再審査請求人及び裁決庁等に
第三十一条第一項から第四項まで	審理員	審理員又は委員会等である再審査庁
第三十一条第五項	審理員	審理員又は委員会等である再審査庁
	処分庁等	裁決庁等
第三十二条第二項	処分庁等は、当該処分	裁決庁等は、当該原裁決等
第三十二条第三項及び第三十三条から第三十七条まで	審理員	審理員又は委員会等である再審査庁
第三十八条第一項	審理員	審理員又は委員会等である再審査庁
	第二十九条第四項各号に掲げる書面又は第三十二条第一項若しくは第二項若しくは	第六十六条第一項において準用する第三十二条第一項若しくは第二項又は
第三十八条第二項、第三項及び第五項、第三十九条並びに第四十一条第一項	審理員	審理員又は委員会等である再審査庁
第四十一条第二項	審理員	審理員又は委員会等である再審査庁

	イからホまで	ハからホまで
第四十一条第三項	審理員が	審理員又は委員会等である再審査庁が
	審理手続を終結した旨並びに次条第一項	審理員にあっては審理手続を終結した旨並びに第六十六条第一項において準用する次条第一項
	審査請求書、弁明書	再審査請求書、原裁決に係る裁決書
	同条第二項及び第四十三条第二項	第六十六条第一項において準用する次条第二項
	を通知する	を、委員会等である再審査庁にあっては審理手続を終結した旨を、それぞれ通知する
	当該予定時期	審理員が当該予定時期
第四十四条	行政不服審査会等から諮問に対する答申を受けたとき（前条第一項の規定による諮問を要しない場合（同項第二号又は第三号に該当する場合を除く。）にあっては審理員意見書が提出されたとき、同項第二号又は第三号に該当する場合にあっては同項第二号又は第三号に規定する議を経たとき）	審理員意見書が提出されたとき（委員会等である再審査庁にあっては、審理手続を終結したとき）
第五十条第一項第四号	第一号の主文が審理員意見書又は行政不服審査会等若しくは審議会等の答申書と異なる内容である場合には	再審査庁が委員会等である再審査庁以外の行政庁である場合において、第一号の主文が審理員意見書と異なる内容であるときは
第五十条第二項	第四十三条第一項の規定による行政不服審査会等への諮問を要しない場合	再審査庁が委員会等である再審査庁以外の行政庁である場合
第五十一条第一項	処分	原裁決等
	第四十六条第一項及び第四十七条	第六十五条
第五十一条第四項	及び処分庁等（審査庁以外の処分庁等に限る。）	並びに処分庁及び裁決庁（処分庁以外の裁決庁に限る。）
第五十二条第二項	申請を	申請若しくは審査請求を
	棄却した処分	棄却した原裁決等
	処分庁	裁決庁等
	申請に対する処分	申請に対する処分又は審査請求に対する裁決
第五十二条第三項	処分が	原裁決等が
	処分庁	裁決庁等
第五十二条第四項	処分の	原裁決等の
	処分が	原裁決等が
	処分庁	裁決庁等

＊ 行政不服審査法は、刑法等の一部を改正する法律の施行に伴う関係法律の整理等に関する法律（令和四年法六八）により一部改正されたが、刑法等一部改正法施行日〔令七・六・一〕から施行となるため、一部改正法の形で掲載した。

○刑法等の一部を改正する法律の施行に伴う関係法律の整理等に関する法律（抄）

令四・六・一七
法 六 八

（当せん金付証票法等の一部改正）

第百五十条 次に掲げる法律の規定中「懲役」を「拘禁刑」に改める。

一～十七 〔略〕

十八 行政不服審査法（平成二十六年法律第六十八号）第八十七条

十九～二十二 〔略〕

附 則（抄）

（施行期日）

1 この法律は、刑法等一部改正法施行日〔令七・六・一〕から施行する。〔ただし書略〕

＊ 行政不服審査法は、デジタル社会の形成を図るための規制改革を推進するためのデジタル社会形成基本法等の一部を改正する法律（令和五年法六三）により一部改正されたが、公布の日から起算して三年を超えない範囲内において政令で定める日から施行となるため、一部改正法の形で掲載した。

○デジタル社会の形成を図るための規制改革を推進するためのデジタル社会形成基本法等の一部を改正する法律（抄）

令五・六・一六
法 六 三

（行政不服審査法の一部改正）

第六十二条 行政不服審査法（平成二十六年法律第六十八号）の一部を次のように改正する。

第五十一条第三項中「交付する旨」の下に「を総務省令で定める方法により不特定多数の者が閲覧することができる状態に置くとともに、その旨が記載された書面」を、「当該審査庁」の下に「の事務所」を加え、「かつ、その旨を官報その他の公報又は新聞紙に少なくとも一回掲載してする」を「又はその旨を当該事務所に設置した電子計算機の映像面に表示したものの閲覧をすることができる状態に置く措置をとることにより行う」に、「その掲示を始めた」を「当該措置を開始した」に改める。

附 則（抄）

（施行期日）

第一条 この法律は、公布の日から起算して一年を超えない範囲内において政令で定める日〔令六・四・一〕から施行する。ただし、次の各号に掲げる規定は、当該各号に定める日から施行する。

一 〔略〕

二 〔前略〕第六十二条及び〔中略〕次条〔中略〕の規定 公布の日から起算して三年を超えない範囲内において政令で定める日

（公示送達等の方法に関する経過措置）

第二条 次に掲げる法律の規定は、前条第二号に掲げる規定の施行の日以後にする公示送達、送達又は通知について適用し、同日前にした公示送達、送達又は通知については、なお従前の例による。

一～十三 〔略〕

十四 第六十二条の規定による改正後の行政不服審査法第五十一条第三項（同法又は他の法律において準用する場合を含む。）

十五 〔略〕

○勤労者財産形成促進法（抄）

昭四六・六・一
法 九 二

最終改正 令四・三・三一法七

目次〔略〕

第一章 総則

（目的）

第一条 この法律は、勤労者の計画的な財産形成を促進することにより、勤労者の生活の安定を図り、もつて国民経済の健全な発展に寄与することを目的とする。

（定義）

第二条 この法律において、次の各号に掲げる用語の意義は、それぞれ当該各号に定めるところによる。

一 勤労者 職業の種類を問わず、事業主に雇用される者をいう。

二 賃金 賃金、給料、手当、賞与その他名称のいかんを問わず、労働の対償として事業主が勤労者に支払うすべてのものをいう。

三 持家 自ら居住するため所有する住宅をいう。

四 財産形成 預貯金の預入、金銭の信託、有価証券の購入その他の貯蓄をすること及び持家の取得又は改良をすることをいう。

（国及び地方公共団体の施策）

第三条 国及び地方公共団体は、この法律の目的の達成に資するため、勤労者について、財産形成を促進するための施策を講ずるように配慮しなければならない。

（勤労者財産形成政策基本方針）

第四条 厚生労働大臣、内閣総理大臣及び国土交通大臣（内閣総理大臣にあつては勤労者（国家公務員及び地方公務員を除く。以下この条、第六条の二、第六条の三、第七条の二、次章第二節、第十四条、第十六条及び第十七条において同じ。）の貯蓄に係る部分に、国土交通大臣にあつては勤労者の持家の取得又は改良に係る部分に限るものとする。）は、勤労者の財産形成に関する施策の基本となるべき方針（以下「勤労者財産形成政策基本方針」という。）を定めるものとする。

2 勤労者財産形成政策基本方針に定める事項は、勤労者の財産形成の動向に関する事項及び勤労者の財産形成を促進するために講じようとする施策の基本となるべき事項とする。

3 厚生労働大臣は、勤労者財産形成政策基本方針を定めるにあたつては、あらかじめ、関係行政機関の長と協議し、かつ、その概要について労働政策審議会の意見をきかなければならない。

4 厚生労働大臣は、勤労者財産形成政策基本方針を定めたときは、その概要を公表しなければならない。

5 前二項の規定は、勤労者財産形成政策基本方針の変更について準用する。

第三章 勤労者の持家建設の推進等に関する措置

（機構の行う勤労者財産形成持家融資）

第九条 厚生労働大臣は、この法律の目的を達成するため、独立行政法人勤労者退職金共済機構（以下「機構」という。）に、事業主、事業主で組織された法人で政令で定めるもの（以下この条及び次条において「事業主団体」という。）又は勤労者（国家公務員及び地方公務員（以下「公務員」という。）を除く。以下第十条の二までにおいて同じ。）の持家としての住宅の建設若しくは購入のための資金の貸付けの業務を行う福利厚生会社で、事業主にあつてはその雇用する勤労者（継続して一年以上にわたつて勤労者財産形成貯蓄契約等に基づく預入等をしたことその他の政令で定める要件を満たす者に限る。以下この項において同じ。）に、事業主団体にあつてはその構成員である事業主の雇用する勤労者に、福利厚生会社にあつては当該福利厚生会社に出資する事業主又は当該福利厚生会社に出資する事業主団体の構成員である事業主（政令で定めるものに限る。）の雇用する勤労者にその持家としての住宅の建設若しくは購入のための資金（当該住宅の用に供する宅地又はこれに係る借地権の取得のための資金を含む。）又はその持家である住宅の改良のための資金（以下「住宅資金」と総称する。）の貸付けを行うものに対し、各勤労者についてその者の有する勤労者財産形成貯蓄の額の十倍に相当する額（その額が政令で定める額を超える場合には、当該政令で定める額。次条第一項及び第二項並びに第十五条第三項において「貸付限度額」という。）の範囲内で、当該貸付けのための資金の貸付けを行う業務を行わせるものとする。

2 機構の行う前項の貸付けは、次の要件に該当する場合でなければ行わないものとする。

一 貸付けを受けようとする者（その者が事業主団体である場合にはその構成員である事業主、その者が福利厚生会社である場合には当該福利厚生会社に出資する事業主のうち、政令で定める割合以上のもの）が、その雇用する勤労者に代わつて勤労者財産形成貯蓄契約等に基づく預入等に係る金銭の払込みを行つていること。

二 貸付けを受けようとする者（福利厚生会社を除くものとし、その者が事業主団体である場合には、当該事業主団体又は当該貸付けに係る資金により当該事業主団体が行う貸付けを受けようとする勤労者を雇用する事業主とする。）が、当該貸付けに係る資金により行う資金の貸付け（持家である住宅の改良のための資金の貸付けを除く。）に当たつて、当該資金の貸付けを受ける勤労者の負担を軽減するために必要な措置として政令で定める措置を講ずること。

3 前二項及び第十六条第五項の福利厚生会社とは、事業主又は事業主団体が、専ら、その雇用する勤労者又はその構成員である事業主の雇用する勤労者の福祉を増進するため、その持家としての住宅の建設又は購入のための資金の貸付けをさせる目的で出資する法人であつて、厚生労働省令で定めるものをいう。

4 機構の行う第一項の貸付けに係る貸付金の利率、償還期間その他当該貸付けについて必要な事項は、政令で定める。

（独立行政法人住宅金融支援機構等の行う勤労者財産形成持家融資）

第十条 独立行政法人住宅金融支援機構は、独立行政法人住宅金

融支援機構法（平成十七年法律第八十二号）第十三条第一項に規定する業務のほか、この法律の目的を達成するため、前条第一項の政令で定める要件を満たす勤労者で、事業主若しくは事業主団体から機構の行う同項の貸付けに係る住宅資金の貸付けを受けることができないもの又は同項の政令で定める要件を満たす公務員で、第十五条第二項に規定する共済組合等から住宅資金の貸付けを受けることができないものに対し、政令で定めるところにより、当該勤労者又は当該公務員に係る貸付限度額の範囲内で、住宅資金の貸付けの業務を行う。

2　沖縄振興開発金融公庫は、この法律の目的を達成するため、沖縄振興開発金融公庫法第十九条第一項第三号に掲げる業務の一部として、前条第一項の政令で定める要件を満たす勤労者で、事業主若しくは事業主団体から機構の行う同項の貸付けに係る住宅資金の貸付けを受けることができないもの又は同項の政令で定める要件を満たす公務員で、第十五条第二項に規定する共済組合等から住宅資金の貸付けを受けることができないものに対し、政令で定めるところにより、当該勤労者又は当該公務員に係る貸付限度額の範囲内で、かつ、当該業務に係る通常の貸付けの条件と異なる条件により、住宅資金の貸付けを行うものとする。ただし、当該勤労者又は当該公務員に対し、政令で定めるところにより、当該貸付けに併せて、当該業務に係る通常の貸付けの条件により、当該資金の貸付けを行うことを妨げない。

3　独立行政法人住宅金融支援機構又は沖縄振興開発金融公庫の行う第一項又は前項本文の住宅資金の貸付け（持家である住宅の改良のための資金の貸付けを除く。）は、当該貸付けを受ける者に対し、事業主又は事業主団体が前条第二項第二号の措置に準ずる措置を講ずる場合に限り行うものとする。

4　沖縄振興開発金融公庫の行う第二項の規定による業務に関する沖縄振興開発金融公庫法第三十二条第二項及び第三十九条第六号の規定の適用については、同項中「この法律」とあるのは、「この法律及び勤労者財産形成促進法」とする。

（事業主の協力等）

第十条の二　事業主は、勤労者の持家の取得又は改良を効果的に推進するため、互いに協力するように努めるものとする。

2　前項の場合において、国及び地方公共団体は、事業主に対し、必要な助言、指導その他の援助を与えるものとする。

（勤労者財産形成持家融資の原資）

第十一条　機構の行う第九条第一項の貸付け、独立行政法人住宅金融支援機構の行う第十条第一項の貸付け、沖縄振興開発金融公庫の行う同条第二項本文の貸付け又は第十五条第二項に規定する共済組合等の行う同項の貸付けに必要な資金は、次条に規定するところにより調達するものとし、当該調達のための中小企業退職金共済法（昭和三十四年法律第百六十号）第七十五条の二第一項の規定に基づく長期借入金の額、同項の規定に基づく財形住宅債券の発行額（独立行政法人雇用・能力開発機構法を廃止する法律（平成二十三年法律第二十六号）による廃止前の独立行政法人雇用・能力開発機構法（平成十四年法律第百七十号）第十五条第一項の規定に基づく雇用・能力開発債券の発行額を含む。）、中小企業退職金共済法第七十五条の二第二項の規定に基づく短期借入金の額、独立行政法人住宅金融支援機構法第十九条第一項の規定に基づく長期借入金の額、同条第三項の規定に基づく住宅金融支援機構財形住宅債券の発行額（旧住宅金融公庫法（昭和二十五年法律第百五十六号）第二十七条の三第三項の規定に基づく住宅金融公庫財形住宅債券の発行額を含む。）、独立行政法人通則法（平成十一年法律第百三号）第四十五条第一項の規定に基づく独立行政法人住宅金融支援機構の短期借入金の額、沖縄振興開発金融公庫法第二十六条第一項又は第四項の規定に基づく借入金の額、同法第二十七条第三項の規定に基づく沖縄振興開発金融公庫財形住宅債券の発行額及び当該共済組合等の借入金の額の毎年度の末日における残高の合計額として政令で定める金額は、勤労者財産形成貯蓄契約等に基づく預入等（勤労者財産形成貯蓄契約に該当する積立分譲契約に基づく金銭の積立てを除く。）に係る預貯金等（勤労者財産形成貯蓄契約等に該当する生命保険契約等又は損害保険契約に基づく保険料又は共済掛金の払込みに係る金額を含む。）の同日の属する年の前々年の九月三十日における残高のうち政令で定める額を超えないようにするものとする。

（資金の調達）

第十二条　機構、独立行政法人住宅金融支援機構、沖縄振興開発金融公庫又は第十五条第二項に規定する共済組合等が、前条に規定する資金を調達するため、勤労者財産形成貯蓄契約等を締結した金融機関等、生命保険会社等又は損害保険会社に対して協力を求めたときは、当該金融機関等、生命保険会社等又は損害保険会社は、政令で定めるところにより、その資金の調達に応じなければならない。

2　前項の場合においては、金融機関及び第六条第一項第二号の政令で定める生命共済の事業を行う者で、政令で定めるものは、他の法律の規定にかかわらず、前項の資金の調達に係る資金の貸付けの業務を行うことができる。

3　機構又は独立行政法人住宅金融支援機構は、中小企業退職金共済法又は独立行政法人住宅金融支援機構法の定めるところにより、第一項の資金の調達の事務の全部又は一部について金融機関等、生命保険会社等若しくは損害保険会社又はこれらの団体に対し必要な委託をすることができる。

（特別の法人の借入金に関する特例）

第十三条　特別の法律に基づいて設立された法人で、その設立について定める特別の法律の借入金に関する規定により機構の行う第九条第一項の貸付けを受けることができないもの（当該法人を監督する行政庁の認可又は承認（これらに類する処分を含む。）を受けなければ当該貸付けを受けることができない法人を含む。）は、当該特別の法律の規定にかかわらず、機構の行う当該貸付けを受けることができる。

2　沖縄振興開発金融公庫の予算及び決算に関する法律（昭和二十六年法律第九十九号）第五条第二項の規定は、沖縄振興開発金融公庫が前項の規定により受けることができる貸付けに係る借入金については、適用しない。

第四章　雑則

（事務代行団体への事務の委託）

第十四条　法人である事業主団体であつて、厚生労働省令で定めるところにより、厚生労働大臣が指定するもの（以下「事務代行団体」という。）は、厚生労働省令で定めるところにより、その構成員である中小企業の事業主（その資本金の額又は出資の総額が政令で定める額を超えない事業主及びその常時雇用する勤労者の数が政令で定める数を超えない事業主をいう。）の委託を受けて、当該中小企業の事業主が行うこととされている申請書の作成その他のこの法律に基づく事務であつて厚生労働省令で定めるものを行うことができる。

2　前項の中小企業の事業主が、その雇用する勤労者から委託を受けて行う当該勤労者が締結している勤労者財産形成貯蓄契約等に係る事務を事務代行団体に委託しようとするときには、厚生労働省令で定めるところにより、当該勤労者の同意を得なければならない。

（公務員に関する特例等）

第十五条　国又は地方公共団体は、国家公務員又は地方公務員で、労働基準法（昭和二十二年法律第四十九号）第二十四条第一項又は船員法（昭和二十二年法律第百号）第五十三条第一項の規定の適用を受けないものに代わつて勤労者財産形成貯蓄契約等に基づく預入等に係る金銭の払込みを行う場合には、これらの者に支払う賃金から当該預入等に係る金額を控除することができる。

2　公務員（第九条第一項の政令で定める要件を満たす者に限る。次項において同じ。）に住宅資金を貸し付ける業務及びこれに附帯する業務は、国家公務員共済組合法（昭和三十三年法律第百二十八号）第三条に規定する国家公務員共済組合若しくは同法第二十一条に規定する国家公務員共済組合連合会又は地方公務員等共済組合法（昭和三十七年法律第百五十二号）第三条に規定する地方公務員共済組合、同法第二十七条に規定する全国市町村職員共済組合連合会若しくは同法第三十八条の二に規定する地方公務員共済組合連合会（以下「共済組合等」という。）が、これらの法律で定めるところにより行うことができる。

3　共済組合等が前項の規定により行う住宅資金の貸付けは、各公務員について当該公務員に係る貸付限度額の範囲内で行うものとする。

4　機構、独立行政法人住宅金融支援機構及び沖縄振興開発金融公庫並びに共済組合等が貸付けに関する業務を行う場合には、国家公務員共済組合法第百二十四条の三の規定により同法第百二十条第一項第一号に規定する職員とみなされる者、同法第百二十五条に規定する組合職員及び同法第百二十六条第一項に規定する連合会役職員、地方公務員等共済組合法第百四十一条第一項に規定する組合役職員及び同条第二項に規定する団体職員を公務員とみなして、第九条、第十条及び前二項の規定を適用する。

5　内閣総理大臣又は総務大臣は、国家公務員又は地方公務員の財産形成について、第四条の規定に基づき定められる勤労者財産形成政策基本方針の趣旨が生かされるように配慮しなければならないものとする。

（船員に関する特例）

第十六条　船員法の適用を受ける船員（以下この条において「船員」という。）に関しては、第四条第一項中「厚生労働大臣、内閣総理大臣及び国土交通大臣（内閣総理大臣（内閣総理大臣にあつては」とあるのは「国土交通大臣及び内閣総理大臣（内閣総理大臣にあつては、」と、「貯蓄に係る部分に、国土交通大臣にあつては勤労者の持家の取得又は改良に係る部分に」とあるのは「貯蓄に係る部分に」と、同条第三項及び第四項（同条第五項において準用する場合を含む。）、第五条、次条並びに第十九条第一項中「厚生労働大臣」とあるのは「国土交通大臣」と、第四条第三項（同条第五項において準用する場合を含む。）中「労働政策審議会」とあるのは「交通政策審議会」と、次条第二項中「厚生労働省令」とあるのは「国土交通省令」とする。

2　船員に支払う賃金からの勤労者財産形成貯蓄契約等に基づく預入等に係る金額の控除については、船員法第五十三条第一項中「労働協約」とあるのは、「当該船舶所有者に使用される船員の過半数で組織する労働組合があるときは、その労働組合、船員の過半数で組織する労働組合がないときは、船員の過半数を代表する者との書面による協定」とする。

3　船員のみに関して締結された勤労者財産形成給付金契約及び勤労者財産形成基金契約については、第六条の二第一項並びに第六条の三第二項及び第三項中「厚生労働大臣」とあるのは「国土交通大臣」と、「厚生労働省令」とあるのは「国土交通省令」とし、船員及び船員以外の勤労者に関して締結された勤労者財産形成給付金契約及び勤労者財産形成基金契約については、これらの規定中「厚生労働大臣」とあるのは「厚生労働大臣及び国土交通大臣」と、「厚生労働省令」とあるのは「厚生労働省令・国土交通省令」とする。

4　加入員が船員のみである基金については、第二章第二節中「厚生労働大臣」とあるのは「国土交通大臣」と、「厚生労働省令」とあるのは「国土交通省令」とし、加入員が船員及び船員以外の勤労者である基金については、同節中「厚生労働大臣」とあるのは「厚生労働大臣及び国土交通大臣」と、「厚生労働省令」とあるのは「厚生労働省令・国土交通省令」とする。

5　船員に対してのみその業務を行う福利厚生会社については、第九条第三項中「厚生労働省令」とあるのは「国土交通省令」とし、船員及び船員以外の勤労者に対してその業務を行う福利厚生会社については、同項中「厚生労働省令」とあるのは「厚生労働省令・国土交通省令」とする。

（調査等）

第十七条　厚生労働大臣は、勤労者財産形成政策基本方針を定めるについて必要な調査を実施するものとする。

2　厚生労働大臣は、厚生労働省令で定めるところにより、次の各号に掲げる者に対し、当該各号に掲げる事項その他必要な事項について報告を求めることができる。

一　勤労者財産形成貯蓄契約等に基づく預入等をしている勤労者（払込代行契約を締結している勤労者を除く。）を雇用する事業主　当該契約の締結及びこれに基づく預入等の状況

二　払込代行契約を締結し、又は第十四条の規定により委託を受けている事務代行団体　当該契約の締結及びこれにより行われる勤労者財産形成貯蓄契約に基づく預入等の状況並びに当該委託に係る事務の処理状況

第十八条　削除

（権限の委任）

第十九条　この法律に定める厚生労働大臣の権限は、政令で定めるところにより、その一部を行政庁に委任することができる。

2　内閣総理大臣は、この法律による権限（政令で定めるものを除く。）を金融庁長官に委任する。

附　則（抄）

（施行期日）

第一条　この法律は、公布の日から施行する。〔ただし書略〕

（勤労者財産形成持家融資等に係る暫定措置）

第二条　厚生労働大臣は、機構に、当分の間、沖縄振興開発金融公庫又は共済組合等から第十二条第一項の規定により資金を調達することが困難である旨の申出があつたときは、当該沖縄振興開発金融公庫又は共済組合等に対し、第十条第二項本文の貸付け又は第十五条第二項の貸付けに必要な資金を貸し付ける業務を行わせることができる。この場合における機構の行う貸付けに必要な資金の調達については、第十一条中「第九条第一項の貸付け」とあるのは、「第九条第一項の貸付け若しくは附則第二条の貸付け」として、同条及び第十二条の規定を適用する。

附　則（昭五三・五・一六法四七）（抄）

（施行期日）

第一条　この法律は、昭和五十三年十月一日から施行する。ただし、次の各号に掲げる規定は、それぞれ当該各号に掲げる日から施行する。

一　第二条の改正規定、第三条の改正規定、第四条の改正規定、第九条の改正規定、第十条の改正規定、第十条の次に二条を加える改正規定（第十条の二に係る部分に限る。）、第十一条の改正規定、第十三条の改正規定、第十五条の改正規定（進学資金を貸し付ける業務に係る部分を除く。）、第十六条第三項の次に二項を加える改正規定（同条第五項に係る部分に限る。）〔中略〕並びに附則第三条から第七条までの規定〔中略〕　公布の日

二　〔略〕

（勤労者財産形成持家融資に係る経過措置）

第四条　雇用促進事業団が行う新法第九条第一項第三号の貸付け、住宅金融公庫及び沖縄振興開発金融公庫が行う新法第十条第一項の貸付け並びに新法第十五条第二項に規定する共済組合等が行う同項の貸付けに係る貸付金額の限度に関しては、新法の規定は、雇用促進事業団、住宅金融公庫、沖縄振興開発金融公庫又は同項に規定する共済組合等（以下「事業団等」という。）が新法第九条第一項第三号の改正規定の施行の日以後に受理する貸付けの申込みから適用し、事業団等が同日前に受理した貸付けの申込みについては、なお従前の例による。

附　則（昭六二・六・一二法七五）（抄）

（施行期日）

第一条　この法律は、公布の日から施行する。

（勤労者財産形成持家融資に係る経過措置）

第二条　雇用促進事業団が行う改正後の勤労者財産形成促進法（以下「新法」という。）第九条第一項第一号及び第三号の貸付け、住宅金融公庫及び沖縄振興開発金融公庫が行う新法第十条第一項本文の貸付け並びに新法第十五条第二項に規定する共済組合等が行う同項の住宅資金の貸付けに係る貸付要件及び貸付金額の限度に関しては、新法の規定は、雇用促進事業団、住宅金融公庫、沖縄振興開発金融公庫又は同項に規定する共済組合等（以下「事業団等」という。）がこの法律の施行の日以後に受理する貸付けの申込みから適用し、事業団等が同日前に受理した貸付けの申込みについては、なお従前の例による。

附　則（平一五・六・二〇法一〇〇）（抄）

（施行期日）

第一条　この法律は、平成十六年七月一日から施行する。〔ただし書略〕

附　則（平一七・七・二六法八七）（抄）

この法律は、会社法の施行の日（平一八・五・一）から施行する。〔ただし書略〕

（勤労者財産形成促進法の一部改正に伴う経過措置）

第三百三十四条　施行日前に生じた前条の規定による改正前の勤労者財産形成促進法第七条の二十六第一項各号に掲げる理由により勤労者財産形成基金が解散した場合における勤労者財産形成基金の清算については、なお従前の例による。

附　則（平一九・四・二三法三〇）（抄）

（施行期日）

第一条　この法律は、公布の日から施行する。〔ただし書略〕

（勤労者財産形成促進法の一部改正に伴う経過措置）

第八十八条　前条の規定による改正前の勤労者財産形成促進法（以下「旧財形法」という。）第八条の二第一号の規定に基づき支給される助成金であって、施行日前に勤労者財産形成給付金契約又は同法第六条の二に規定する勤労者財産形成基金契約に基づき拠出を行った事業主に対するものの支給については、なお従前の例による。

2　旧財形法第八条の二第二号の規定に基づき支給される奨励金であって、施行日前に設立された基金（勤労者財産形成促進法第七条の四の基金をいう。）に対するものの支給については、なお従前の例による。

3　旧財形法第八条の二第三号の規定に基づき支給される助成金であって、施行日前に同号に規定する預貯金等の払出し、譲渡若しくは償還をし又は支払を受けた金銭に係るものの支給については、なお従前の例による。

4　旧財形法第九条第一項第一号及び第二号の規定に基づき行われる貸付けであって、独立行政法人雇用・能力開発機構が施行日前に当該貸付けの申込みを受理したものについては、なお従前の例による。

5　旧財形法第十条の三第一項第二号の規定に基づき行われる貸付けであって、独立行政法人雇用・能力開発機構が施行日前に当該貸付けの申込みを受理したものについては、なお従前の例による。

6　旧財形法第十四条の三の規定に基づき行われる助成であって、施行日前に当該助成を受けている事業主団体に対するものについては、なお従前の例による。

附　則（平二三・四・二七法二六）（抄）

（施行期日）

第一条　この法律は、平成二十三年十月一日から施行する。〔ただし書略〕

（勤労者財産形成促進法の一部改正に伴う経過措置）

第二十条　前条の規定による改正前の勤労者財産形成促進法第十条の三の規定に基づき行われる貸付けであって、雇用・能力開発機構が施行日前に当該貸付けの申込みを受理したものについては、勤労者退職金共済機構が当該貸付けの申込みを受理したものとみなす。

附　則（平三〇・六・八法四一）（抄）

（施行期日）

第一条　この法律は、公布の日から起算して六月を超えない範囲内において政令で定める日から施行する。ただし、次の各号に

掲げる規定は、当該各号に定める日から施行する。

一 〔略〕

二 〔前略〕附則第四条から第八条まで〔中略〕の規定 平成三十一年四月一日

附 則（令四・三・三一法七）（抄）

（施行期日）

第一条 この法律は、令和四年四月一日から施行する。〔ただし書略〕

国家公務員共済組合連合会定款

平27・10・1

最終改正　令6・7・11

第1章　総　　則

（名　称）

第1条　本会は、国家公務員共済組合法（昭和33年法律第128号。以下「法」という。）に基づき設立された法人であって、国家公務員共済組合連合会（以下「本会」という。）という。

（目　的）

第2条　本会は、法第3条第1項に規定する組合（以下「組合」という。）の事業のうち、法第21条第2項各号に掲げる業務を共同して行うことを目的とする。

（事務所の所在地）

第3条　本会は、主たる事務所を東京都千代田区に置く。

（公告の方法）

第4条　本会の定款に関する公告は、官報に掲載して行う。

第2章　役　　員

（役　員）

第5条　本会に次の役員を置く。

理事長　1名

常務理事　6名以内

理事　4名

常任監事　2名

監事　1名

2　本会に役員として常務理事のうちから専務理事1名を置くことができるものとし、理事長が定める。

（理事長）

第6条　理事長は、本会を代表し、その業務を執行する。

（専務理事、常務理事及び理事）

第7条　専務理事は、理事長の定めるところにより、理事長を補佐して業務を執行し、理事長に事故があるときはその職務を代理し、理事長が欠員のときはその職務を行う。

2　常務理事及び理事は、理事長の定めるところにより、理事長及び専務理事を補佐して業務を執行し、理事長及び専務理事に事故があるときは理事長の職務を代理し、理事長が欠員の場合であって、かつ、専務理事が置かれていないときは理事長の職務を行う。

（常任監事及び監事）

第8条　常任監事及び監事は、業務を監査する。

（任　命）

第9条　理事長及び常任監事は、財務大臣の任命による。

第10条　常務理事及び理事（次条の規定による理事を除く。）は、理事長が財務大臣の認可を受けて任命する。

第11条　理事3名及び監事は、組合の事務を主管する者のうちから、理事長が任命する。

（任　期）

第12条　役員の任期は、2年とする。ただし、補欠の役員の任期は、前任者の残任期間とする。

2　役員は、再任されることができる。

（解　任）

第13条　理事長は、役員が法第31条各号のいずれかに該当するに至ったとき（第11条の規定による理事及び監事が、組合の事務を主管する者でなくなったときを含む。）は、これを解任する。

2　理事長は、役員が法第32条第2項各号のいずれかに該当するに至ったときは、財務大臣の認可を得て、これを解任することができる。

3　理事長及び常任監事の解任については、法第32条の定めるところによる。

（兼業禁止）

第14条　役員は、営利を目的とする団体の役員となり、又は自ら営利事業に従事してはならない。

（代表権の制限）

第15条　本会と理事長、常務理事（専務理事を含む。以下同じ。）又は理事との利益が相反する事項については、これらの者は、代表権を有しない。この場合には、常任監事又は監事が本会を代表する。

（理事会）

第16条　理事長、常務理事及び理事は、理事会を組織する。

2　理事長は、必要に応じ理事会を招集し、これを主宰する。

3　次に掲げる事項は、理事会の議に付さなければならない。

(1)　第21条第1項各号に掲げる事項

(2)　その他理事長が業務執行上必要と認めた事項

4　常任監事及び監事は、理事会に出席して意見を述べることができる。

第3章　顧問及び参与

第17条　本会に、顧問及び参与若干名を置くことができる。

2　顧問及び参与は、本会の事業に関し学識経験のある者のうちから、理事長がこれを委嘱する。

3　顧問は、理事長の諮問に応じ、参与は、会務に参与する。

第4章　運営審議会

（名　称）

第18条　法第35条第1項の規定に基づき本会に置く運営審議会は、国家公務員共済組合連合会運営審議会（以下「運営審議会」という。）という。

（委　員）

第19条　運営審議会の委員（以下この章において「委員」という。）の定数は次のとおりとし、理事長が組合員のうちから任命する。

(1)　組合員を代表する者以外の者である委員　8人

(2)　組合員を代表する者である委員　8人

（任　期）

第20条　委員の任期は、2年とする。ただし、補欠の委員の任期は、前任者の残任期間とする。

（審議事項）

第21条　次に掲げる事項は、運営審議会の議を経なければならない。

(1)　定款の変更

(2)　運営規則の作成及び変更

(3)　毎事業年度の事業計画並びに予算及び決算

(4)　重要な財産の処分及び重大な債務の負担

(5)　その他厚生年金保険給付等（法第73条第1項に規定する厚生年金保険給付並びに被用者年金制度の一元化等を図るための厚生年金保険法等の一部を改正する法律（平成24年法律第63号。以下「一元化法」という。）附則第32条第1項及び第37条第1項に規定する給付（厚生年金保険給付に相当する部分に限る。）並びに一元化法附則第41条第1項に規定する給付をいう。以下同じ。）に関する事業、退職等年金給付（法第74条に規定する退職等年金給付をいう。以下同じ。）に関する事業及び福祉事業の運営に関する重要事項

2　運営審議会は、前項に定めるもののほか、理事長の諮問に応じて本会の業務に関する重要事項を調査審議し、又は必要と認める事項につき理事長に建議することができる。

3　第31条及び第32条の事業のうち、組合に関係のない事項については、運営審議会に付議することを要しない。

（招　集）

第22条　理事長は、毎年3月及び6月並びに必要に応じ運営審議会を招集する。

2　理事長は、7人以上の委員が審議すべき事項を示して運営審議会の招集を請求したときは、運営審議会を招集しなければならない。

（議　長）

第23条　運営審議会に議長を置く。議長は、第19条第1号に掲げる委員のうちから、委員が選挙する。

2 議長は、運営審議会の議事を整理する。議長に事故があるとき、又は議長が欠けたときは、あらかじめ議長が指名する委員がその職務を行う。

(定足数)

第24条 運営審議会は、第19条各号に掲げる委員が、それぞれ半数以上出席しなければ議事を開くことができない。

(議決方法)

第25条 運営審議会の議事は、出席委員の過半数で決する。可否同数のときは、議長の決するところによる。

(代理出席)

第26条 委員は、病気その他やむを得ない事由により運営審議会に出席することができないときは、委任により、他の組合員を代理人として出席させることができる。

2 前項に規定する代理人は、その旨を証する書面を運営審議会の開会前に理事長に提出しなければならない。

(議事録)

第27条 運営審議会の議事については、議事録を作り、議長及び議長の指名する委員2人以内が署名捺印しなければならない。

(会議の運営)

第28条 この章に定めるものを除くほか、運営審議会の議事の手続きその他運営に関し必要な事項は、理事長が運営審議会に諮って定める。

第5章 事 業

(長期給付等に関する事業)

第29条 本会は、組合員に係る厚生年金保険給付等に関し、次に掲げる業務を行う。

(1) 厚生年金保険給付等の請求書の審査に関する業務

(2) 厚生年金保険給付等の裁定及び年金証書の発行に関する業務

(3) 厚生年金保険給付等の支払に関する業務

(4) 法第100条第1項に規定する組合員保険料及び負担金の受入れに関する業務

(5) 厚生年金拠出金(法第3条第4項に規定する厚生年金拠出金をいう。以下同じ。)及び基礎年金拠出金(同項に規定する基礎年金拠出金をいう。以下同じ。)の納付に要する費用、法第102条の2に規定する財政調整拠出金の拠出(法第102条の3第1項第1号から第3号までに掲げる場合に行われるものに限る。第10号において同じ。)に要する費用並びに厚生年金保険給付等に係る事務に要する費用の計算に関する業務

(6) 厚生年金保険給付積立金(法第21条第2項第1号ハに規定する厚生年金保険給付積立金をいう。以下同じ。)の積立てに関する業務

(7) 厚生年金保険給付積立金及び厚生年金保険給付等の支払上の余裕金の管理及び運用に関する業務

(8) 厚生年金拠出金の納付及び法第21条第2項第1号に規定する厚生年金交付金の受入れに関する業務

(9) 基礎年金拠出金の納付に関する業務

(10) 法第102条の2に規定する財政調整拠出金の拠出及び地方公務員等共済組合法(昭和37年法律第152号)第116条の2に規定する財政調整拠出金の受入れ(同法第116条の3第1項第1号から第3号までに掲げる場合に行われるものに限る。)に関する業務

(11) 厚生年金保険給付等に関する調査及び統計に関する業務

(12) その他厚生年金保険給付等に関する事業に関し必要な業務

2 本会は、組合員に係る退職等年金給付に関し、次に掲げる業務を行う。

(1) 退職等年金給付の請求書の審査に関する業務

(2) 退職等年金給付の決定及び年金証書の発行に関する業務

(3) 退職等年金給付の支払に関する業務

(4) 法第100条第2項に規定する退職等年金分掛金(第37条において「退職等年金分掛金」という。)及び負担金の受入れに関する業務

(5) 退職等年金給付に要する費用、法第102条の2に規定する財政調整拠出金の拠出(法第102条の3第1項第4号に掲げる場合に行われるものに限る。第8号において同じ。)及び退職等年金給付に係る事務に要する費用の計算に関する業務

(6) 退職等年金給付積立金（法第21条第２項第２号ハに規定する退職等年金給付積立金をいう。以下同じ。）の積立てに関する業務
(7) 退職等年金給付積立金及び退職等年金給付の支払上の余裕金の管理及び運用に関する業務
(8) 法第102条の２に規定する財政調整拠出金の拠出及び地方公務員等共済組合法第116条の２に規定する財政調整拠出金の受入れ（同法第116条の３第１項第４号に掲げる場合に行われるものに限る。）に関する業務
(9) 退職等年金給付に関する調査及び統計に関する業務
(10) 各事業年度における退職等年金給付積立金の額と法第99条第１項第３号に規定する地方退職等年金給付積立金の額との合計額及び同号に規定する国の積立基準額と同号に規定する地方の積立基準額との合計額の均衡の保持に係る計算に関する業務
(11) その他退職等年金給付の事業に関し必要な業務

（福祉事業）

第30条 本会は、組合員に係る福祉の増進に資するため、次に掲げる事業を行う。
(1) 組合員の医療、保養若しくは宿泊又は教養のための施設の経営
(2) 組合に対する資金の貸付け及び本会が行う事業（前条、この号及び次条の事業を除く。）に対する資金の貸付けに関する事業
(3) その他組合員の福祉の増進に資する事業
(4) 前３号に掲げる事業に附帯する事業

（旧令共済年金に関する事業）

第31条 本会は、旧令による共済組合等からの年金受給者のための特別措置法（昭和25年法律第256号）第８条の規定に基づき、同法第１条に規定する旧陸軍共済組合、旧海軍共済組合又は外地関係共済組合の組合員であった者に係る給付の決定及び支払に関する業務を行う。

（その他の事業）

第32条 本会は、第29条から前条までに定める事業のほか、法令により特に定められた事業を行うことができる。

第６章 付与率、基準利率、終身年金現価率及び有期年金現価率並びに掛金及び負担金

（付与率）

第33条 法第75条第１項に規定する付与率は、1000分の15とする。

（基準利率）

第34条 法第75条第３項に規定する基準利率は、1000分の2.6とする。

（終身年金現価率）

第35条 法第78条第１項に規定する終身年金現価率は、法第76条第１項に規定する終身退職年金を受ける権利を有する者の法第78条第４項の規定による年齢に応じ、別表第１に定めるところによる。

（有期年金現価率）

第36条 法第79条第１項に規定する有期年金現価率は、法第76条第１項に規定する有期退職年金を受ける権利を有する者の法第79条第４項に規定する支給残月数に応じ、別表第２に定めるところによる。

（掛金及び負担金）

第37条 退職等年金分掛金の額又は当該退職等年金分掛金に係る負担金の額は、組合員の法第40条第１項に規定する標準報酬の月額及び法第41条第１項に規定する標準期末手当等の額に1000分の7.5を乗じて得た金額とする。

第７章 審査会

第38条 本会に、法第103条第１項に規定する審査請求を審査するため、同項に規定する国家公務員共済組合審査会（以下「審査会」という。）を置く。

2 審査会に書記を置く。書記は、本会の事務に従事する者のうちから、理事長が任命し、会長の指揮を受けて庶務を整理する。

第８章 財　　務

（財　務）

第39条 本会の財務に関する事項は、法令に定めるもののほか、この章で定めるところによる。

（事業年度）

第40条 本会の事業年度は、毎年４月１日に始まり、翌年３月31日に終る。

（会計単位）

第41条 本会の会計単位は、本部会計並びに本会の経営する病院及び共済会館に置く所属所会計とする。

（経理単位）

第42条 本会の経理単位は、厚生年金保険経理、退職等年金経理、業務経理、医療経理、宿泊経理及び保健経理とする。

第９章 運営規則

第43条 本会の業務を行うために必要な事項は、運営規則で定める。

附 則

（施行期日）

第１条 この変更は、平成27年10月１日から施行する。

（委員の任命の特例）

第２条 運営審議会の委員の任命については、当分の間、第19条中「組合員」とあるのは、「組合員又は組合員であった者（組合の運営審議会の委員であった者に限る。）」として、同条の規定を適用する。

（掛金及び負担金に関する経過措置）

第３条 変更後の第37条の規定は、平成27年10月以後の月分の退職等年金分掛金及び負担金について適用し、同月前の月分の掛金及び負担金については、なお従前の例による。

（事業に関する特例）

第４条 本会は、第５章に定める業務のほか、経過的長期給付（一元化法附則第32条第１項に規定する給付（厚生年金保険給付に相当する部分を除く。）、一元化法附則第36条第５項に規定する給付及び一元化法附則第37条第１項に規定する給付（厚生年金保険給付に相当する部分を除く。）をいう。以下同じ。）に関し、次に掲げる業務を行う。

(1) 経過的長期給付の請求書の審査に関する業務
(2) 経過的長期給付の決定及び年金証書の発行に関する業務
(3) 経過的長期給付の支払に関する業務
(4) 経過的長期給付に関する負担金の受入れに関する業務
(5) 一元化法附則第50条第１項に規定する拠出金の拠出に要する費用の計算に関する業務
(6) 一元化法附則第49条の２に規定する国の組合の経過的長期給付積立金（次号において「経過的長期給付積立金」という。）の積立てに関する業務
(7) 経過的長期給付積立金及び経過的長期給付の支払上の余裕金の管理及び運用に関する業務
(8) 一元化法附則第50条第１項に規定する拠出金の拠出及び一元化法附則第76条第１項に規定する拠出金の受入れに関する業務
(9) 経過的長期給付に関する調査及び統計に関する業務
(10) その他経過的長期給付の事業に関し必要な業務

第５条 前条の場合における第16条、第21条、第30条第２号、第38条及び第42条の規定の適用については、第16条第３項第１号中「第21条第１項各号」とあるのは「附則第５条の規定による読替え後の第21条第１項各号」と、第21条第１項第５号中「事業及び」とあるのは「事業、附則第４条に規定する経過的長期給付に関する事業及び」と、第30条第２号中「及び次条」とあるのは「、次条及び附則第４条」と、第38条第１項中「第103条第１項」とあるのは「第103条第１項（被用者年金制度一元化等を図るための厚生年金保険法等の一部を改正する法律の施行及び国家公務員の退職給付の給付水準の見直し等のための国家公務員退職手当法等の一部を改正する法律の一部の施行に伴う国家公務員共済組合法による長期給付等に関する経過措置に関する政令（平成27年政令第345号）第14条第１項及び第21条の規定により読み替えて適用する場合を含む。）」と、第42条中「退職等年金経理」とあるのは「退職等年金経理、経過的長期経理」とする。

附 則（平28・７・６）

1 この変更は、平成28年10月１日から施行する。
2 変更後の第34条の規定並びに別表第１及び別表第２の規定は、平成28年10月以後の基準利率並びに

終身年金現価率及び有期年金現価率について適用し、同年９月以前に適用される基準利率並びに終身年金現価率及び有期年金現価率については、なお従前の例による。

附　則（平29・７・５）

1　この変更は、平成29年10月１日から施行する。

2　変更後の第34条の規定並びに別表第１及び別表第２の規定は、平成29年10月以後の基準利率並びに終身年金現価率及び有期年金現価率について適用し、同年９月以前に適用される基準利率並びに終身年金現価率及び有期年金現価率については、なお従前の例による。

附　則（平30・７・６）

1　この変更は、平成30年10月１日から施行する。

2　変更後の第34条の規定並びに別表第１及び別表第２の規定は、平成30年10月以後の基準利率並びに終身年金現価率及び有期年金現価率について適用し、同年９月以前に適用される基準利率並びに終身年金現価率及び有期年金現価率については、なお従前の例による。

附　則（令元・７・８）

1　この変更は、令和元年10月１日から施行する。

2　変更後の別表第１の規定は、令和元年10月以後の終身年金現価率について適用し、同年９月以前に適用される終身年金現価率については、なお従前の例による。

附　則（令２・７・８）

1　この変更は、令和２年10月１日から施行する。

2　変更後の第34条の規定並びに別表第１及び別表第２の規定は、令和２年10月以後の基準利率並びに終身年金現価率及び有期年金現価率について適用し、同年９月以前に適用される基準利率並びに終身年金現価率及び有期年金現価率については、なお従前の例による。

附　則（令４・３・24）

1　この変更は、令和４年４月１日から適用する。

2　当分の間、国家公務員共済組合連合会定款（平成27年９月30日共済連本総第207号。以下この項において「定款」という。）第42条に規定する退職等年金経理は、国家公務員共済組合法施行令（昭和33年政令第207号）第９条の３第２項各号に掲げる方法（第１号に掲げる方法にあっては、同条第１項第２号に掲げる方法に限る。）により運用を行っている資産を、定款第30条第２号に掲げる事業に関する取引を経理する経理単位に寄託することができる。

附　則（令４・７・19）

1　この変更は、令和４年10月１日から施行する。

2　変更後の第34条の規定並びに別表第１及び別表第２の規定は、令和４年10月以後の基準利率並びに終身年金現価率及び有期年金現価率について適用し、同年９月以前に適用される基準利率並びに終身年金現価率及び有期年金現価率については、なお従前の例による。

附　則（令５・７・31）

1　この変更は、令和５年10月１日から施行する。

2　変更後の第34条の規定並びに別表第１及び別表第２の規定は、令和５年10月以後の基準利率並びに終身年金現価率及び有期年金現価率について適用し、同年９月以前に適用される基準利率並びに終身年金現価率及び有期年金現価率については、なお従前の例による。

別表第１　（第35条関係）

年齢	終身年金現価率	年齢	終身年金現価率	年齢	終身年金現価率
59歳	27.982427	81歳	10.836633	103歳	2.030177
60歳	27.162255	82歳	10.156241	104歳	1.896596
61歳	26.345930	83歳	9.494539	105歳	1.780933
62歳	25.534024	84歳	8.853768	106歳	1.674277
63歳	24.727120	85歳	8.236461	107歳	1.575692
64歳	23.925537	86歳	7.645279	108歳	1.484152
65歳	23.129448	87歳	7.082924	109歳	1.398322
66歳	22.339294	88歳	6.551770	110歳	1.315993
67歳	21.521525	89歳	6.053526	111歳	1.232531
68歳	20.710074	90歳	5.588673	112歳	1.136628
69歳	19.905235	91歳	5.156682	113歳	0.997693
70歳	19.107767	92歳	4.757972	114歳	0.726227
71歳	18.317324	93歳	4.386458	115歳以上	0.541504
72歳	17.532746	94歳	4.042979		
73歳	16.753353	95歳	3.727735		
74歳	15.979642	96歳	3.441363		
75歳	15.213114	97歳	3.181314		
76歳	14.455568	98歳	2.943427		
77歳	13.708135	99歳	2.725812		
78歳	12.971234	100歳	2.526846		
79歳	12.245872	101歳	2.345182		
80歳	11.533766	102歳	2.179801		

別表第２　(第36条関係)

支給残月数	有期年金現価率	支給残月数	有期年金現価率	支給残月数	有期年金現価率	支給残月数	有期年金現価率
1 月	0.083315	61 月	5.048848	121 月	9.950329	181 月	14.788585
2 月	0.166595	62 月	5.131053	122 月	10.031474	182 月	14.868683
3 月	0.249874	63 月	5.213258	123 月	10.112618	183 月	14.948781
4 月	0.333117	64 月	5.295427	124 月	10.193728	184 月	15.028844
5 月	0.416360	65 月	5.377597	125 月	10.274837	185 月	15.108907
6 月	0.499567	66 月	5.459731	126 月	10.355912	186 月	15.188936
7 月	0.582775	67 月	5.541865	127 月	10.436986	187 月	15.268965
8 月	0.665946	68 月	5.623963	128 月	10.518026	188 月	15.348959
9 月	0.749117	69 月	5.706061	129 月	10.599065	189 月	15.428953
10 月	0.832252	70 月	5.788124	130 月	10.680069	190 月	15.508912
11 月	0.915387	71 月	5.870187	131 月	10.761074	191 月	15.588872
12 月	0.998487	72 月	5.952214	132 月	10.842043	192 月	15.668796
13 月	1.081586	73 月	6.034242	133 月	10.923012	193 月	15.748721
14 月	1.164649	74 月	6.116234	134 月	11.003946	194 月	15.828611
15 月	1.247713	75 月	6.198225	135 月	11.084880	195 月	15.908502
16 月	1.330740	76 月	6.280182	136 月	11.165780	196 月	15.988357
17 月	1.413767	77 月	6.362138	137 月	11.246679	197 月	16.068213
18 月	1.496759	78 月	6.444059	138 月	11.327543	198 月	16.148034
19 月	1.579750	79 月	6.525980	139 月	11.408407	199 月	16.227855
20 月	1.662706	80 月	6.607865	140 月	11.489236	200 月	16.307642
21 月	1.745661	81 月	6.689751	141 月	11.570066	201 月	16.387428
22 月	1.828581	82 月	6.771601	142 月	11.650860	202 月	16.467180
23 月	1.911500	83 月	6.853451	143 月	11.731654	203 月	16.546932
24 月	1.994384	84 月	6.935265	144 月	11.812413	204 月	16.626650
25 月	2.077268	85 月	7.017080	145 月	11.893173	205 月	16.706367
26 月	2.160116	86 月	7.098859	146 月	11.973897	206 月	16.786050
27 月	2.242964	87 月	7.180638	147 月	12.054621	207 月	16.865733
28 月	2.325776	88 月	7.262382	148 月	12.135311	208 月	16.945382
29 月	2.408588	89 月	7.344126	149 月	12.216000	209 月	17.025031
30 月	2.491364	90 月	7.425835	150 月	12.296655	210 月	17.104645
31 月	2.574140	91 月	7.507543	151 月	12.377309	211 月	17.184259
32 月	2.656880	92 月	7.589216	152 月	12.457929	212 月	17.263838
33 月	2.739621	93 月	7.670889	153 月	12.538548	213 月	17.343418
34 月	2.822325	94 月	7.752527	154 月	12.619133	214 月	17.422963
35 月	2.905030	95 月	7.834165	155 月	12.699718	215 月	17.502509
36 月	2.987699	96 月	7.915767	156 月	12.780267	216 月	17.582019
37 月	3.070368	97 月	7.997370	157 月	12.860817	217 月	17.661530
38 月	3.153001	98 月	8.078937	158 月	12.941332	218 月	17.741007
39 月	3.235634	99 月	8.160504	159 月	13.021847	219 月	17.820483
40 月	3.318231	100 月	8.242036	160 月	13.102327	220 月	17.899925
41 月	3.400828	101 月	8.323568	161 月	13.182808	221 月	17.979367
42 月	3.483390	102 月	8.405064	162 月	13.263253	222 月	18.058775
43 月	3.565951	103 月	8.486561	163 月	13.343698	223 月	18.138182
44 月	3.648477	104 月	8.568022	164 月	13.424109	224 月	18.217556
45 月	3.731003	105 月	8.649483	165 月	13.504519	225 月	18.296929
46 月	3.813493	106 月	8.730909	166 月	13.584895	226 月	18.376268
47 月	3.895983	107 月	8.812336	167 月	13.665271	227 月	18.455607
48 月	3.978438	108 月	8.893726	168 月	13.745612	228 月	18.534911
49 月	4.060892	109 月	8.975117	169 月	13.825953	229 月	18.614216
50 月	4.143311	110 月	9.056473	170 月	13.906259	230 月	18.693486
51 月	4.225730	111 月	9.137828	171 月	13.986565	231 月	18.772757
52 月	4.308113	112 月	9.219149	172 月	14.066836	232 月	18.851993
53 月	4.390496	113 月	9.300469	173 月	14.147108	233 月	18.931229
54 月	4.472843	114 月	9.381754	174 月	14.227345	234 月	19.010430
55 月	4.555191	115 月	9.463040	175 月	14.307581	235 月	19.089632
56 月	4.637503	116 月	9.544290	176 月	14.387783	236 月	19.168800
57 月	4.719814	117 月	9.625540	177 月	14.467985	237 月	19.247967
58 月	4.802091	118 月	9.706755	178 月	14.548153	238 月	19.327100
59 月	4.884367	119 月	9.787970	179 月	14.628320	239 月	19.406233
60 月	4.966607	120 月	9.869149	180 月	14.708452	240 月	19.485332

一般社団法人共済組合連盟定款

平25・4・1

第1章 総 則

（名 称）

第1条 この法人は、一般社団法人共済組合連盟（以下「連盟」という。）という。

（事務所）

第2条 連盟の主たる事務所を、東京都千代田区に置く。

第2章 目的及び事業

（目 的）

第3条 連盟は、国家公務員共済組合法（昭和33年法律第128号）、日本私立学校振興・共済事業団法（平成9年法律第485号）その他の法律の規定に基づき設立された共済組合（国家公務員共済組合連合会及び共済組合の業務を行う企業年金基金等を含む。）及び日本私立学校振興・共済事業団（以下「共済組合等」と総称する。）の行う共済事業の健全かつ円滑な運営を図るため、共済事業等に関する調査研究、業務の提携、情報の提供等を行い、もつて共済制度及び社会保障制度の発展に寄与することを目的とする。

（事 業）

第4条 連盟は、前条の目的を達成するために次の事業を行う。

⑴ 共済の事業及び制度並びに社会保障制度に関する調査研究

⑵ 診療報酬の審査支払事務等に係る契約その他関係機関との業務の提携

⑶ 共済の事業及び制度並びに社会保障制度に関する機関誌及び図書の発行並びに関係機関に対する情報の提供

⑷ その他前条の目的を達成するために必要な事業

2 前項の事業は日本全国において行うものとする。

第3章 会 員

（会 員）

第5条 連盟の会員は、次のとおりとし、正会員をもって、一般社団法人及び一般財団法人に関する法律（平成18年法律第48号。以下「一般社団・財団法人法」という。）上の社員とする。

⑴ 正会員 この連盟の目的に賛同して加入した共済組合等

⑵ 賛助会員 この連盟の事業を賛助するために加入した法人

（会員の資格の取得）

第6条 連盟の会員になろうとする者は、国内に主たる事務所を有する法人であって、理事会の定めるところにより申込みをし、その承認を受けなければならない。

（会 費）

第7条 会員は、総会において別に定めるところにより、会費を納付しなければならない。

（退 会）

第8条 会員は、理事会において別に定める退会届を提出することにより、任意にいつでも退会することができる。

（除 名）

第9条 会員が次のいずれかに該当するに至ったときは、総会の決議によって当該会員を除名することができる。

⑴ 会員としての義務に違反したとき。

⑵ 連盟の名誉を傷つけ、又は目的に反する行為をしたとき。

⑶ その他除名すべき正当な事由があるとき。

（会員資格の喪失）

第10条 前2条の場合のほか、会員は、次のいずれかに該当するに至ったときは、その資格を喪失する。

⑴ 第7条の支払義務を2年以上履行しなかったとき。

⑵ すべての正会員が同意したとき。
⑶ 当該会員が解散したとき。

第4章 連盟の機関

第1節 総　　会

（構　成）
第11条 総会は、すべての正会員をもって構成する。
2 前項の総会をもって一般社団・財団法人法上の社員総会とする。

（権　限）
第12条 総会は、次に掲げる事項について決議する。
⑴ 会員の除名
⑵ 理事及び監事の選任又は解任
⑶ 理事及び監事の報酬の額
⑷ 事業計画書及び収支予算書の承認
⑸ 貸借対照表及び正味財産増減計算書の承認
⑹ 重要な財産の処分及び重大な義務の負担
⑺ 定款の変更
⑻ 解散及び残余財産の処分
⑼ 総会で決議するものとして法令又はこの定款で定められた事項

（開　催）
第13条 総会は、定時総会及び臨時総会とする。
2 定時総会は、毎事業年度終了後3月以内にこれを開催し、臨時総会は、毎事業年度開始前3月以内及び随時必要なときにこれを開催する。

（招　集）
第14条 総会は、法令に別段の定めがある場合を除き、理事会の決議に基づき会長が招集する。
2 正会員の5分の1以上の議決権を有する会員は、会長に対し、総会の目的である事項及び招集の理由を示して、総会の招集を請求することができる。

（議　長）
第15条 総会の議長は、会長がこれに当たる。

（議決権）
第16条 総会における議決権は、正会員1名につき1個とする。

（決　議）
第17条 総会の決議は、総正会員の議決権の過半数を有する正会員が出席し、出席した当該正会員の議決権の過半数をもって行う。
2 前項の規定にかかわらず、次の決議は、総正会員の半数以上であって、総正会員の議決権の3分の2以上に当たる多数をもって行う。
⑴ 会員の除名
⑵ 監事の解任
⑶ 定款の変更
⑷ 解散
⑸ その他法令で定められた事項
3 理事又は監事を選任する議案を決議するに際しては、候補者ごとに第1項の決議を行わなければならない。理事又は監事の候補者の合計数が第19条に定める定数を上回る場合には、過半数の賛成を得た候補者の中から得票数の多い順に定数の枠に達するまでの者を選任することとする。

（議事録）
第18条 総会の議事については、法令で定めるところにより、議事録を作成する。
2 議長及び出席した理事は、前項の議事録に記名押印する。

第2節 役 員 等

（役　員）
第19条 連盟に、次の役員を置く。
⑴ 理　事　　7名以上11名以内
⑵ 理事のうち1名を会長、2名以内を常務理事とする。

⑶ 監　事　　２名以内

2　前項の会長をもって一般社団・財団法人法上の代表理事とし、常務理事をもって同法第91条第１項第２号の業務執行理事とする。

（役員の選任）

第20条　理事及び監事は、総会の決議によって選任する。

2　会長及び常務理事は、理事会の決議によって理事の中から選定する。

（理事の職務及び権限）

第21条　理事は、理事会を構成し、法令及びこの定款で定めるところにより、職務を執行する。

2　会長は、法令及びこの定款で定めるところにより、この法人を代表し、その業務を執行し、常務理事は、理事会において別に定めるところにより、この法人の業務を分担執行する。

3　会長及び常務理事は、毎事業年度に４箇月を超える間隔で２回以上、自己の職務の執行の状況を理事会に報告しなければならない。

（監事の職務及び権限）

第22条　監事は、理事の職務の執行を監査し、法令で定めるところにより、監査報告を作成する。

2　監事は、いつでも、理事及び使用人に対して事業の報告を求め、この法人の業務及び財産の状況の調査をすることができる。

（役員の任期）

第23条　役員の任期は、選任後２年以内に終了する事業年度のうち最終のものに関する定時総会の終結の時までとする。

2　補欠として選任された役員の任期は、前任者の任期の満了する時までとする。

3　役員は、第19条に定める定数に足りなくなるときは、任期の満了又は辞任により退任した後も、新たに選任された者が就任するまで、なお役員の権利義務を有する。

（役員の解任）

第24条　役員は、総会の決議によって解任することができる。

（報　酬）

第25条　役員に対しては、総会で定める額を報酬として支給することができる。

（顧　問）

第26条　連盟に、顧問若干名を置くことができる。

2　顧問は、理事会の決議により、会長が任免する。

3　顧問は、重要な事項について、会長の諮問に応じる。

第３節　理事会

（構　成）

第27条　連盟に理事会を置く。

2　理事会は、すべての理事をもって構成する。

（権　限）

第28条　理事会は、この定款において別に定める事項のほか、次の職務を行う。

⑴ 連盟の業務執行の決定

⑵ 理事の職務の執行の監督

⑶ 会長及び常務理事の選定及び解職

⑷ 総会に付議すべき事項の決定

⑸ その他会長が付議した事項の審議

（招　集）

第29条　理事会は、会長が招集する。

2　会長が欠けたとき又は会長に事故があるときは、各理事が理事会を招集する。

3　監事は、理事会に出席して、意見を述べることができる。

（議　長）

第30条　理事会の議長は、会長がこれに当たる。

2　会長が欠けたとき又は会長に事故があるときは、出席理事の互選によって議長を定める。

（決　議）

第31条　理事会の決議は、決議について特別の利害関係を有する理事を除く理事の過半数が出席し、その過半数をもって行う。

2　前項の規定にかかわらず、一般社団・財団法人法第96条の要件を満たしたときは、理事会の決議があったものとみなす。

（議事録）

第32条 理事会の議事については、法令で定めるところにより、議事録を作成する。

2 出席した会長及び監事は、前項の議事録に記名押印する。

第４節 業務調査会

（業務調査会の設置）

第33条 連盟の事業を推進するために、理事会はその決議により業務調査会を設置する。

2 業務調査会の任務、構成及び運営に関し必要な事項は、理事会の決議により別に定める業務調査会規程による。

第５章 資産及び会計

（事業年度）

第34条 連盟の事業年度は、毎年４月１日に始まり翌年３月31日に終わる。

（事業計画及び収支予算）

第35条 連盟の事業計画書及び収支予算書は、毎事業年度開始の日の前日までに、会長が作成し、理事会の決議を経て、総会の承認を受けなければならない。また、これを変更する場合も、同様とする。

2 前項の書類については、主たる事務所に当該事業年度が終了するまでの間備え置くものとする。

（事業報告及び決算）

第36条 連盟の事業報告及び決算については、毎事業年度終了後、会長が次の書類を作成し、監事の監査を受けた上で、理事会の承認を受けなければならない。

(1) 事業報告

(2) 事業報告の附属明細書

(3) 貸借対照表

(4) 正味財産増減計算書

(5) 貸借対照表及び正味財産増減計算書の附属明細書

2 前項の承認を受けた書類のうち、第１号、第３号及び第４号の書類については、定時総会に提出し、第１号の書類についてはその内容を報告し、その他の書類については承認を受けなければならない。

3 第１項の書類のほか、主たる事務所に、監査報告を５年間備え置くとともに、定款及び会員名簿を備え置くものとする。

（剰余金の配分）

第37条 連盟は、剰余金の分配を行うことができない。

第６章 定款の変更及び解散等

（定款の変更）

第38条 この定款は、総会の決議によって変更することができる。

（解　散）

第39条 連盟は、総会の決議その他法令で定められた事由により解散する。

（残余財産の帰属）

第40条 連盟が清算した場合において有する残余財産は、総会の決議を経て国家公務員共済組合連合会に贈与するものとする。

第７章 公告の方法

（公告の方法）

第41条 連盟の公告は、主たる事務所の公衆の見やすい場所に掲示する方法により行う。

第８章 雑　　則

（細　則）

第42条 この定款の施行について必要な細則は、理事会の決議により、会長が別に定める。

附　則

1 この定款は、一般社団法人及び一般財団法人に関する法律及び公益社団法人及び公益財団法人の認定等に関する法律の施行に伴う関係法律の整備等に関する法律（以下「整備法」という。）第121条第

１項において読み替えて準用する同法第106条第１項に定める一般法人の設立の登記の日から施行する。

2　この法人の最初の会長は山崎泰彦とする。

3　整備法第121条第１項において読み替えて準用する同法第106条第１項に定める特例民法法人の解散の登記と一般法人の設立の登記を行ったときは、第34条の規定にかかわらず、解散の登記の日の前日を事業年度の末日とし、設立の登記の日を事業年度の開始日とする。

共済組合と社会保険診療報酬支払基金との契約書

○診療報酬の審査支払に関する契約書

平22・4・1

最終改正　令6・4・1

国家公務員共済組合法（昭和33年法律第128号）に基づく別表1に掲げる共済組合（以下「共済組合」という。）の組合員及びその被扶養者の診療報酬請求書の内容の審査事務並びに支払事務等に関し、共済組合から契約に関する委任を受けた一般社団法人共済組合連盟と社会保険診療報酬支払基金（以下「基金」という。）との間に、次のように契約を締結する。

第1条　基金は、共済組合が国家公務員共済組合法に基づく組合員及びその被扶養者の療養の給付及びこれに相当する給付の費用について、療養の給付及びこれに相当する給付に係る医療を担当するもの（以下「診療担当者」という。）に対して支払うべき費用（以下「診療報酬」という。）の迅速適正な支払を行い、併せて診療担当者より提出された診療報酬請求書の内容の審査に関する事務を受託するものとする。

2　前項の審査及び支払事務は、社会保険診療報酬支払基金法（昭和23年法律第129号。以下「基金法」という。）並びに同法に関連する他法令及び行政通知並びに社会保険診療報酬支払基金定款及び基金の定める業務規程等並びに本契約に基づき行われるものとし、その概要は別紙のとおりである。

第2条　基金は、前条の審査及び支払事務については、所定の期日までに提出された毎月分の診療報酬請求書について、すみやかに審査を行い、診療報酬請求書が提出された月の翌月の別表2に定める支払期日までに診療担当者に支払を完了させるものとする。

第3条　基金は、基金法第15条第1項第1号の規定による金額の委託を受けるため、次条に規定する金額を、共済組合のそれぞれの本部（以下「共済組合本部」という。）に請求するものとする。

2　基金は、保険者から期日までに診療報酬が納入されない場合は、前項の規定により委託を受けた金額をもって診療担当者に支払うべき診療報酬に充てることができる。

なお、委託金額を使用した場合には速やかに対象となる共済組合本部へ報告するものとする。

第4条　基金は、平成22年4月10日までに、前年の7月、8月又は9月のうち、最高額の費用を要した月の診療報酬のおおむね0.15か月分に相当する金額（以下「委託金額」という。）を、共済組合本部に対し請求し、同年4月30日までにその支払を受けるものとする。

2　前項の金額で、千円未満の端数を生じたときは、その端数は切り捨てるものとする。

3　基金は、第1項の規定による委託金額と前年度の委託金額を調整し、その差額の請求又は返還を行う。ただし、その総額に著しい増減がないときは、請求又は返還を行わないで、その旨を、共済組合本部に対し通知するものとする。

第5条　基金は、毎月分につき診療担当者に対して支払う診療報酬を共済組合のそれぞれの支部（支部のない共済組合は本部とし、以下「共済組合支部」という。）に対し、診療担当者から診療報酬請求書が提出された月の翌月の10日までに請求し、共済組合支部は、当該翌月の別表2に定める納入期日までにこれを支払うものとする。

2　基金は、前項に規定する診療報酬を共済組合支部に請求するとともに、診療担当者から提出された電子レセプト及び診療担当者から提出された紙レセプトを画像化したレセプト（原本から複製したものであることを明示したもの。以下「画像レセプト」という。）を電子情報処理組織（共済組合支部の使用に係る電子計算機と基金の使用に係る電子計算機とを電気通信回線で接続した電子情報処理組織をいう。）を使用して共済組合支部の使用に係る電子計算機に備えられたファイルに記録する方法（以下「オンライン」という。）又は電子媒体のいずれかにより共済組合支部に提出するものとする。

3　共済組合支部は、基金から提出された画像レセプトを診療担当者が基金に請求した紙レセプトの原本として取り扱うものとし、基金は、共済組合支部が当該紙レセプトの廃棄を申し出た場合、該当する画像レセプトのデータを共済組合支部に提供した日から1か月を経過した日の属する月の10日以降に、これを廃棄するものとする。

4　共済組合支部は、前項に規定する紙レセプトの廃棄を申し出た場合、診療担当者から提出された紙レセプトの送付及び画像レセプトの再作成を求めないものとする。

5　第2項に規定する画像レセプトについて、共済組合支部が紙媒体による受取りを申し出た場合、基金は、診療担当者から診療報酬請求書が提出された月の翌月の15日までに、これを提出するものとする。

第6条　共済組合支部は、前条第1項に規定する支払と同時に基金法第26条の規定による事務費として、次の表の区分に応じ、それぞれ掲げる額に診療件数を乗じて得た金額を基金に支払うものとする。

なお、事務の遂行に係る費用のうち、基金が利用するクラウドサービスの利用料の決定等については、別記「覚書」によるものとする。

単位：円（税込）

保険者の受取形態		医科・歯科・訪問看護		調剤
		一般レセプト ※1	判断が明らかなレセプト ※2	
電子レセプト	オンライン	69.80	39.60	32.60
	電子媒体	71.10	40.90	33.90
	紙媒体	82.00	51.80	44.80
紙レセプト ※3		69.80	—	32.60

※1　一般レセプト
判断が明らかなレセプト以外のレセプト

※2　判断が明らかなレセプト
電子計算機による簡素なチェックで審査プロセスが完結するレセプト

※3　紙レセプト
診療担当者から基金に紙レセプトで提出された場合の区分（基金から保険者へは第5条第2項の規定に基づき画像レセプトを提出）

2　前項に規定する事務費に係る消費税相当分は、基金が診療担当者に診療報酬の支払を行った日において効力を有する、消費税法（昭和63年法律第108号）第28条第1項及び第29条並びに地方税法（昭和25年法律第226号）第72条の82及び第72条の83の規定に基づき計算した金額とする。

第7条　共済組合本部は、自己の責に帰すべき理由により、第4条第1項に規定する期日までに委託金額を支払わないときは、支払金額に対し、当該期日の翌日から、基金が共済組合本部に当該支払金額の請求を行った日において効力を有する、政府契約の支払遅延防止等に関する法律（昭和24年法律第256号）第8条第1項の規定に基づく政府契約の支払遅延に対する遅延利息の率の割合で計算した金額を延滞金として基金に対し支払うものとする。

2　共済組合支部は、自己の責に帰すべき理由により、第5条に規定する期日までに診療報酬及び前条に規定する事務費を支払わないときは、支払金額に対し、当該期日の翌日から、基金が共済組合支部に当該支払金額の請求を行った日において効力を有する、政府契約の支払遅延防止等に関する法律第8条第1項の規定に基づく政府契約の支払遅延に対する遅延利息の率の割合で計算した金額を延滞金として基金に対し支払うものとする。

第8条　共済組合は、基金に関する帳簿書類を閲覧し、説明を求め及び報告を徴することができるものとする。

第9条　この契約による業務遂行に当り知り得た個人情報の取り扱いについては、別記「覚書」によるものとする。

第10条　この契約の当事者のいずれか一方がこの契約による義務を履行せず、事業遂行に著しく支障を来たし、又は来たすおそれがあると認めるときは、その当事者の相手方はこの契約を解除することができるものとする。

第11条　この契約の当事者いずれか一方が故意又は過失により契約に反して相手側に損害を与えた場合は、相手側に対する損害賠償の責任を負うものとする。

第12条　この契約の有効期間は、平成22年4月1日から平成23年3月31日までとする。

第13条　この契約の有効期間満了1か月前までに契約当事者のいずれか一方から、何等の意思表示をしないときは、終期の翌日において向う１か年間順次契約の更新をしたものとみなす。この場合において、第４条第１項中「平成22年４月10日」及び「同年４月30日」とあるのは、それぞれ更新された年の「４月10日」及び「４月30日」と読み替えるものとする。
2　前項の場合において、別表２は、契約更新の都度、新たに定めるものとする。

附　則（平22・４・１）

1　平成16年３月31日付けをもって共済組合連盟会長と社会保険診療報酬支払基金理事長との間に締結した診療報酬の審査支払に関する契約（以下「旧契約」という。）は、平成22年３月31日をもって解除する。
2　第６条の規定にかかわらず、基金が共済組合支部に対して平成22年２月分として同年４月に請求する診療報酬に係る事務費の単価については、旧契約第６条の規定を適用する。

上記契約の締結の証として、本書２通を作成し、双方記名押印の上、各自１通を保有するものとする。

附　則（令６・４・１）

この契約の改定は、令和６年４月１日から適用する。ただし、第６条第１項に関する部分は、基金が令和６年３月分として同年５月に請求する診療報酬に係る事務費から適用する。

社団法人共済組合連盟
会　長　庭田 範秋
社会保険診療報酬支払基金
理事長　中村 秀一

別表１

衆議院共済組合　参議院共済組合　内閣共済組合　総務省共済組合　法務省共済組合　外務省共済組合　財務省共済組合　文部科学省共済組合　厚生労働省共済組合　農林水産省共済組合　経済産業省共済組合　国土交通省共済組合　防衛省共済組合　裁判所共済組合　会計検査院共済組合　刑務共済組合　厚生労働省第二共済組合　林野庁共済組合　日本郵政共済組合　国家公務員共済組合連合会職員共済組合

別表２　令和６年度納入期日及び支払期日

区　分	納入期日	支払期日
６年４月	19日	22日
５月	20日	21日
６月	20日	21日
７月	19日	22日
８月	20日	21日
９月	19日	20日
10月	21日	22日
11月	20日	21日
12月	19日	20日
７年１月	20日	21日
２月	20日	21日
３月	19日	21日

別紙　〔略〕

覚　書

平成22年４月１日社団法人共済組合連盟と社会保険診療報酬支払基金との間に締結した契約の実行に関し、次のように申し合わせる。

契約書第４条第３項による委託金額の調整は、同条第１項により算定した委託金額が、前年度の委託金額に対し、1割未満の増減のとき、又は1割以上の増減であって増減額が5千円未満のときは行わないものとする。

平成22年4月1日

社団法人共済組合連盟
会 長 庭田 範秋
社会保険診療報酬支払基金
理事長 中村 秀一

○レセプト電子データ提供に関する契約書

平22・9・1

最終改正 令6・4・1

社会保険診療報酬支払基金が、保険者に対し実施する電子的手法によるレセプトデータ（以下「レセプト電子データ」という。）の提供業務に関し、国家公務員共済組合法（昭和33年法律第128号）に基づく別表1に掲げる共済組合から委任を受けた一般社団法人共済組合連盟（以下「甲」という。）と社会保険診療報酬支払基金（以下「丙」という。）との間に、次のとおり契約を締結する。

第1条 丙は、別表1に掲げる共済組合の本部又は支部（以下「乙」という。）がレセプト電子データの提供を希望するときは、乙に対し、乙の組合員及びその被扶養者に係るレセプト電子データを、電子情報処理組織（乙の使用に係る電子計算機と丙の使用に係る電子計算機とを電気通信回線で接続した電子情報処理組織をいう。以下同じ。）を使用して乙が所有する電子計算機に備えられたファイルに記録する方法（以下「オンライン」という。）、ＤＶＤ－Ｒ又はＣＤ－Ｒ（以下「電子媒体」という。）で提供するものとし、その概要は別紙のとおりとする。

2 乙は、レセプト電子データの提供を希望するとき、又は提供を希望するレセプト電子データの内容若しくは形態を変更するときは、提供開始希望月の前々月20日までに、丙に対し、「電子レセプトのＣＳＶ情報による請求申出書兼レセプト電子データ提供申出書（開始・変更）」（様式1）を提出するものとする。

第2条 本契約によるレセプト電子データの提供費用は、提供するレセプト電子データの内容及び形態に基づいて別表2に定めた単価（消費税相当額を含む。）に、提供件数を乗じて得た額とする。

2 前項に規定する1件当たりの単価に係る消費税相当額は、丙が乙にレセプト電子データの提供費用の請求を行った日において効力を有する、消費税法（昭和63年法律第108号）第28条第1項及び第29条並びに地方税法（昭和25年法律第226号）第72条の82及び第72条の83の規定に基づき計算した金額とする。

3 第1項の提供費用には、電子媒体費用及び送料を含むものとする。

第3条 丙は、各月分のレセプト電子データを、別表3に定めた日までに乙が指定する場所に納入するものとする。

第4条 丙は、乙に対しレセプト電子データを提供したときは、第2条第1項の定めにより算定した提供費用を、提供した月の翌月の10日（その日が休日、土曜日又は日曜日に当たるときは、その日後においてその日に最も近い休日、土曜日又は日曜日でない日とする。）までに乙に対し請求し、乙は、請求を受けた月の別表4に掲げる日までに、丙に対し当該額を支払うものとする。

第5条 丙は、レセプト電子データの提供が第3条に定める期限までに完了しない場合、又はレセプト電子データの提供に重大な支障をきたすおそれのある事故等が発生した場合には、速やかにその旨を乙に報告するとともに、その対応策を講じるものとする。

第6条 乙は、レセプト電子データの提供を希望しなくなったときは、提供を希望しない月の前々月の20日までに、丙に対し、「電子レセプトのＣＳＶ情報による請求申出書兼レセプト電子データ提供申出書（開始・変更）」（様式1）又は「電子レセプトのＣＳＶ情報による請求中止申出書」（様式2）を提出するものとする。

第7条 この契約の有効期間は、平成22年9月1日から平成23年3月31日までとする。

第8条 この契約の有効期間終了1か月前までに、甲丙のいずれか一方から、何らかの意思表示がなされないときは、終期の翌日において向こう1か年間順次契約の更新をしたものとみなす。

第9条　この契約の各条項の解釈について疑義が生じたとき、又はこの契約に定めのない事項については、甲丙協議の上その都度定める。

この契約を証するため、契約書2通を作成し、双方記名押印の上、甲丙各1通を所持するものとする。

平成22年9月1日

附　則（平28・3・24）

1　この契約の改定は、平成28年4月1日から適用する。

ただし、第1条第3項及び第4項、別表2及び別紙に関する部分は、平成28年4月処理分（平成28年3月診療分、平成28年5月提供分）のレセプト電子データ提供及び当該費用から適用する。

2　この契約の改定前に、レセプト電子データの提供の開始又は変更を申し出たものについては、改定後の第1条第2項の規定により申し出たものとみなす。

附　則（令6・4・1）

この契約の改定は、令和6年4月1日から適用する。

社団法人共済組合連盟
会　長　山崎　泰彦
社会保険診療報酬支払基金
理事長　中村　秀一

別表1

衆議院共済組合　参議院共済組合　内閣共済組合　総務省共済組合　法務省共済組合　外務省共済組合　財務省共済組合　文部科学省共済組合　厚生労働省共済組合　農林水産省共済組合　経済産業省共済組合　国土交通省共済組合　防衛省共済組合　裁判所共済組合　会計検査院共済組合　刑務共済組合　厚生労働省第二共済組合　林野庁共済組合　日本郵政共済組合　国家公務員共済組合連合会職員共済組合

別表2　提供価格一覧

1　電子レセプト（レセプト1件当たり）

【基本】

画像データ及びテキストデータ（資格、点数、傷病情報等）……@1.50円

【オプション】

写入り紙レセプト……@6.50円

2　紙レセプト（レセプト1件当たり）

【基本】

テキストデータ（資格、点数等）……@5.20円

【オプション】

傷病情報（医科レセプトのみ・最大3つまで）……@3.50円

3　写媒体（媒体1枚当たり）

原本から複製したものであることを明示した画像データ及びテキストデータを記録した媒体　…@500円

別表3　提供期日一覧

1　オンラインによる提供期日

診療翌々月の8日、9日及び10日（3日間）

（その日が休日、土曜日又は日曜日に当たるときは、その日前においてその日に最も近い休日、土曜日又は日曜日でない日とする。）

2　電子媒体による提供期日

診療翌々月の10日

（その日が休日、土曜日又は日曜日に当たるときは、その日前においてその日に最も近い休日、土曜日又は日曜日でない日とする。）

3　電子レセプトの写入り紙レセプト（オプション）の提供期日

診療翌々月の13日

（その日が休日、土曜日又は日曜日に当たるときは、その日後においてその日に最も近い休日、土

曜日又は日曜日でない日とする。）

別表４　令和６年度納入期日

区　分	納入期日
６年４月	19日
５月	20日
６月	20日
７月	19日
８月	20日
９月	19日
10月	21日
11月	20日
12月	19日
７年１月	20日
２月	20日
３月	19日

様式１・２　〔略〕

別紙　〔略〕

第2編
関　係　法　令

○国家公務員法（抄）

昭二二・一〇・二一
法　一二〇

最終改正　令四・六・一七法六八

（一般職及び特別職）

第二条 国家公務員の職は、これを一般職と特別職とに分つ。

② 一般職は、特別職に属する職以外の国家公務員の一切の職を包含する。

③ 特別職は、次に掲げる職員の職とする。

一 内閣総理大臣
二 国務大臣
三 人事官及び検査官
四 内閣法制局長官
五 内閣官房副長官
五の二 内閣危機管理監
五の三 国家安全保障局長
五の四 内閣官房副長官補、内閣広報官及び内閣情報官
六 内閣総理大臣補佐官
七 副大臣
七の二 大臣政務官
七の三 大臣補佐官
七の四 デジタル監
八 内閣総理大臣秘書官及び国務大臣秘書官並びに特別職たる機関の長の秘書官のうち人事院規則で指定するもの
九 就任について選挙によることを必要とし、あるいは国会の両院又は一院の議決又は同意によることを必要とする職員
十 宮内庁長官、侍従長、東宮大夫、式部官長及び侍従次長並びに法律又は人事院規則で指定する宮内庁のその他の職員
十一 特命全権大使、特命全権公使、特派大使、政府代表、全権委員、政府代表又は全権委員の代理並びに特派大使、政府代表又は全権委員の顧問及び随員
十一の二 日本ユネスコ国内委員会の委員
十二 日本学士院会員
十二の二 日本学術会議会員
十三 裁判官及びその他の裁判所職員
十四 国会職員
十五 国会議員の秘書
十六 防衛省の職員（防衛省に置かれる合議制の機関で防衛省設置法（昭和二十九年法律第百六十四号）第四十一条の政令で定めるものの委員及び同法第四条第一項第二十四号又は第二十五号に掲げる事務に従事する職員で同法第四十一条の政令で定めるもののうち、人事院規則で指定するものを除く。）
十七 独立行政法人通則法（平成十一年法律第百三号）第二条第四項に規定する行政執行法人（以下「行政執行法人」という。）の役員

④ この法律の規定は、一般職に属するすべての職（以下その職を官職といい、その職を占める者を職員という。）に、これを適用する。人事院は、ある職が、国家公務員の職に属するかどうか及び本条に規定する一般職に属するか特別職に属するかを決定する権限を有する。

⑤ この法律の規定は、この法律の改正法律により、別段の定がなされない限り、特別職に属する職には、これを適用しない。

⑥ 政府は、一般職又は特別職以外の勤務者を置いてその勤務に対し俸給、給料その他の給与を支払つてはならない。

⑦ 前項の規定は、政府又はその機関と外国人の間に、個人的基礎においてなされる勤務の契約には適用されない。

（任命権者）

第五十五条 任命権は、法律に別段の定めのある場合を除いては、内閣、各大臣（内閣総理大臣及び各省大臣をいう。以下同じ。）、会計検査院長及び人事院総裁並びに宮内庁長官及び各外局の長に属するものとする。これらの機関の長の有する任命権は、その部内の機関に属する官職に限られ、内閣の有する任命権は、その直属する機関（内閣府及びデジタル庁を除く。）に属する官職に限られる。ただし、外局の長（国家行政組織法第七条第五項に規定する実施庁以外の庁にあつては、外局の幹部職）に対する任命権は、各大臣に属する。

② 前項に規定する機関の長たる任命権者は、幹部職以外の官職（内閣が任命権を有する場合にあつては、幹部職を含む。）の任命権を、その部内の上級の国家公務員（内閣が任命権を有する幹部職にあつては、内閣総理大臣又は国務大臣）に限り委任することができる。この委任は、その効力が発生する日の前に、書面をもつて、これを人事院に提示しなければならない。

③ この法律、人事院規則及び人事院指令に規定する要件を備えない者は、これを任命し、雇用し、昇任させ若しくは転任させてはならず、又はいかなる官職にも配置してはならない。

（本人の意に反する休職の場合）

第七十九条 職員が、左の各号の一に該当する場合又は人事院規則で定めるその他の場合においては、その意に反して、これを休職することができる。

一 心身の故障のため、長期の休養を要する場合
二 刑事事件に関し起訴された場合

（休職の効果）

第八十条 前条第一号の規定による休職の期間は、人事院規則でこれを定める。休職期間中その事故の消滅したときは、休職は当然終了したものとし、すみやかに復職を命じなければならない。

② 前条第二号の規定による休職の期間は、その事件が裁判所に係属する間とする。

③ いかなる休職も、その事由が消滅したときは、当然に終了したものとみなされる。

④ 休職者は、職員としての身分を保有するが、職務に従事しない。休職者は、その休職の期間中、給与に関する法律で別段の定めをしない限り、何らの給与を受けてはならない。

（定年による退職）

第八十一条の六 職員は、法律に別段の定めのある場合を除き、定年に達したときは、定年に達した日以後における最初の三月三十一日又は第五十五条第一項に規定する任命権者若しくは法律で別に定められた任命権者があらかじめ指定する日のいずれか早い日（次条第一項及び第二項ただし書において「定年退職日」という。）に退職する。

② 前項の定年は、年齢六十五年とする。ただし、その職務と責任に特殊性があること又は欠員の補充が困難であることにより

定年を年齢六十五年とすることが著しく不適当と認められる官職を占める医師及び歯科医師その他の職員として人事院規則で定める職員の定年は、六十五年を超え七十年を超えない範囲内で人事院規則で定める年齢とする。

③ 前二項の規定は、臨時的職員その他の法律により任期を定めて任用される職員及び常時勤務を要しない官職を占める職員には適用しない。

（定年による退職の特例）

第八十一条の七 任命権者は、定年に達した職員が前条第一項の規定により退職すべきこととなる場合において、次に掲げる事由があると認めるときは、同項の規定にかかわらず、当該職員に係る定年退職日の翌日から起算して一年を超えない範囲内で期限を定め、当該職員を当該定年退職日において従事している職務に従事させるため、引き続き勤務させることができる。ただし、第八十一条の五第一項から第四項までの規定により異動期間（これらの規定により延長された期間を含む。）を延長した職員であつて、定年退職日において管理監督職を占めている職員については、同条第一項又は第二項の規定により当該定年退職日まで当該異動期間を延長した場合であつて、引き続き勤務させることについて人事院の承認を得たときに限るものとし、当該期限は、当該職員が占めている管理監督職に係る異動期間の末日の翌日から起算して三年を超えることができない。

一 前条第一項の規定により退職すべきこととなる職員の職務の遂行上の特別の事情を勘案して、当該職員の退職により公務の運営に著しい支障が生ずると認められる事由として人事院規則で定める事由

二 前条第一項の規定により退職すべきこととなる職員の職務の特殊性を勘案して、当該職員の退職により、当該職員が占める官職の欠員の補充が困難となることにより公務の運営に著しい支障が生ずると認められる事由として人事院規則で定める事由

② 任命権者は、前項の期限又はこの項の規定により延長された期限が到来する場合において、前項各号に掲げる事由が引き続きあると認めるときは、人事院の承認を得て、これらの期限の翌日から起算して一年を超えない範囲内で期限を延長することができる。ただし、当該期限は、当該職員に係る定年退職日（同項ただし書に規定する職員にあつては、当該職員が占めている管理監督職に係る異動期間の末日）の翌日から起算して三年を超えることができない。

③ 前二項に定めるもののほか、これらの規定による勤務に関し必要な事項は、人事院規則で定める。

（定年に関する事務の調整等）

第八十一条の八 内閣総理大臣は、職員の定年に関する事務の適正な運営を確保するため、各行政機関が行う当該事務の運営に関し必要な調整を行うほか、職員の定年に関する制度の実施に関する施策を調査研究し、その権限に属する事項について適切な方策を講ずるものとする。

（懲戒の場合）

第八十二条 職員が次の各号のいずれかに該当する場合には、当該職員に対し、懲戒処分として、免職、停職、減給又は戒告の処分をすることができる。

一 この法律若しくは国家公務員倫理法又はこれらの法律に基づく命令（国家公務員倫理法第五条第三項の規定に基づく訓令及び同条第四項の規定に基づく規則を含む。）に違反した場合

二 職務上の義務に違反し、又は職務を怠つた場合

三 国民全体の奉仕者たるにふさわしくない非行のあつた場合

② 職員が、任命権者の要請に応じ特別職に属する国家公務員、地方公務員又は沖縄振興開発金融公庫その他その業務が国の事務若しくは事業と密接な関連を有する法人のうち人事院規則で定めるものに使用される者（以下この項において「特別職国家公務員等」という。）となるため退職し、引き続き特別職国家公務員等として在職した後、引き続いて当該退職を前提として職員として採用された場合（一の特別職国家公務員等として在職した後、引き続き一以上の特別職国家公務員等として在職し、引き続いて当該退職を前提として職員として採用された場合を含む。）において、当該退職までの引き続く職員としての在職期間（当該退職前に同様の退職（以下この項において「先の退職」という。）、特別職国家公務員等としての在職及び職員としての採用がある場合には、当該先の退職までの引き続く職員としての在職期間を含む。以下この項において「要請に応じた退職前の在職期間」という。）中に前項各号のいずれかに該当したときは、当該職員に対し、同項に規定する懲戒処分を行うことができる。定年前再任用短時間勤務職員が、年齢六十年以上退職者となつた日までの引き続く職員としての在職期間（要請に応じた退職前の在職期間を含む。）又は第六十条の二第一項の規定によりかつて採用されて定年前再任用短時間勤務職員として在職していた期間中に前項各号のいずれかに該当したときも、同様とする。

（懲戒の効果）

第八十三条 停職の期間は、一年を超えない範囲内において、人事院規則でこれを定める。

② 停職者は、職員としての身分を保有するが、その職務に従事しない。停職者は、第九十二条の規定による場合の外、停職の期間中給与を受けることができない。

（懲戒権者）

第八十四条 懲戒処分は、任命権者が、これを行う。

② 人事院は、この法律に規定された調査を経て職員を懲戒手続に付することができる。

（国家公務員倫理審査会への権限の委任）

第八十四条の二 人事院は、前条第二項の規定による権限（国家公務員倫理法又はこれに基づく命令（同法第五条第三項の規定に基づく訓令及び同条第四項の規定に基づく規則を含む。）に違反する行為に関して行われるものに限る。）を国家公務員倫理審査会に委任する。

（公務傷病に対する補償）

第九十三条 職員が公務に基き死亡し、又は負傷し、若しくは疾病にかかり、若しくはこれに起因して死亡した場合における、本人及びその直接扶養する者がこれによつて受ける損害に対し、これを補償する制度が樹立し実施せられなければならない。

② 前項の規定による補償制度は、法律によつてこれを定める。

（法令及び上司の命令に従う義務並びに争議行為等の禁止）

第九十八条 職員は、その職務を遂行するについて、法令に従い、且つ、上司の職務上の命令に忠実に従わなければならな

い。

② 職員は、政府が代表する使用者としての公衆に対して同盟罷業、怠業その他の争議行為をなし、又は政府の活動能率を低下させる怠業的行為をしてはならない。又、何人も、このような違法な行為を企て、又はその遂行を共謀し、そそのかし、若しくはあおつてはならない。

③ 職員で同盟罷業その他前項の規定に違反する行為をした者は、その行為の開始とともに、国に対し、法令に基いて保有する任命又は雇用上の権利をもつて、対抗することができない。

（内閣総理大臣への届出）

第百六条の二十四　管理職職員であつた者（退職手当通算離職者を除く。次項において同じ。）は、離職後二年間、次に掲げる法人の役員その他の地位であつて政令で定めるものに就こうとする場合（前条第一項の規定により政令で定める事項を届け出た場合を除く。）には、あらかじめ、政令で定めるところにより、内閣総理大臣に政令で定める事項を届け出なければならない。

一　行政執行法人以外の独立行政法人

二　特殊法人（法律により直接に設立された法人及び特別の法律により特別の設立行為をもつて設立された法人（独立行政法人に該当するものを除く。）のうち政令で定めるものをいう。）

三　認可法人（特別の法律により設立され、かつ、その設立に関し行政庁の認可を要する法人のうち政令で定めるものをいう。）

四　公益社団法人又は公益財団法人（国と特に密接な関係があるものとして政令で定めるものに限る。）

② 管理職職員であつた者は、離職後二年間、営利企業以外の事業の団体の地位に就き、若しくは事業に従事し、若しくは事務を行うこととなつた場合（報酬を得る場合に限る。）又は営利企業（前項第二号又は第三号に掲げる法人を除く。）の地位に就いた場合は、前条第一項又は前項の規定による届出を行つた場合を除き、日々雇い入れられる者となつた場合その他政令で定める場合を除き、政令で定めるところにより、速やかに、内閣総理大臣に政令で定める事項を届け出なければならない。

（退職年金制度）

第百七条　職員が、相当年限忠実に勤務して退職した場合、公務に基く負傷若しくは疾病に基き退職した場合又は公務に基き死亡した場合におけるその者又はその遺族に支給する年金に関する制度が、樹立し実施せられなければならない。

② 前項の年金制度は、退職又は死亡の時の条件を考慮して、本人及びその退職又は死亡の当時直接扶養する者のその後における適当な生活の維持を図ることを目的とするものでなければならない。

③ 第一項の年金制度は、健全な保険数理を基礎として定められなければならない。

④ 前三項の規定による年金制度は、法律によつてこれを定める。

（意見の申出）

第百八条　人事院は、前条の年金制度に関し調査研究を行い、必要な意見を国会及び内閣に申し出ることができる。

○国際機関等に派遣される一般職の国家公務員の処遇等に関する法律（抄）

昭四五・一二・一七
法一一七

最終改正　平二一・五・二九法四一

（趣旨）

第一条　この法律は、国際協力等の目的で、国際機関、外国政府の機関等に派遣される職員（国家公務員法（昭和二十二年法律第百二十号）第二条に規定する一般職に属する職員をいう。以下同じ。）の処遇等について定めるものとする。

（職員の派遣）

第二条　任命権者（国家公務員法第五十五条第一項に規定する任命権者及び法律で別に定められた任命権者をいう。以下同じ。）は、条約その他の国際約束若しくはこれに準ずるものに基づき又は次に掲げる機関の要請に応じ、これらの機関の業務に従事させるため、部内の職員（人事院規則で定める職員を除く。）を派遣することができる。

一　わが国が加盟している国際機関

二　外国政府の機関

三　前二号に準ずる機関で、人事院規則で定めるもの

2　任命権者は、前項の規定により職員を派遣する場合には、当該職員の同意を得なければならない。

（派遣職員の身分）

第三条　前条第一項の規定により派遣された職員（以下「派遣職員」という。）は、その派遣の期間中、職員としての身分を保有するが、職務に従事しない。

第四条　任命権者は、派遣職員についてその派遣の必要がなくなつたときは、すみやかに当該職員を職務に復帰させなければならない。

2　派遣職員は、その派遣の期間が満了したときは、職務に復帰

するものとする。

（派遣職員の給与）

第五条　派遣職員には、その派遣の期間中、俸給、扶養手当、地域手当、広域異動手当、研究員調整手当、住居手当及び期末手当のそれぞれ百分の百以内を支給することができる。

２　前項の規定による給与の支給に関し必要な事項は、人事院規則（派遣職員が検察官の俸給等に関する法律（昭和二十三年法律第七十六号）の適用を受ける職員である場合にあつては、同法第三条第一項に規定する準則）で定める。

（派遣職員の業務上の災害に対する補償等）

第六条　派遣職員に関する国家公務員災害補償法（昭和二十六年法律第百九十一号）の規定の適用については、派遣先の機関の業務を公務とみなす。

２　派遣職員の派遣先の業務上の災害又は通勤による災害に対する補償に係る国家公務員災害補償法の規定による平均給与額については、同法第四条の規定にかかわらず、人事院規則で定める。

３　派遣職員の派遣先の業務上の災害又は通勤による災害に対し国家公務員災害補償法の規定による補償を行なう場合において、補償を受けるべき者が派遣先の機関等から同一の事由について当該災害に対する補償を受けたときは、国は、その価額の限度において、同法の規定による補償を行なわない。

第七条　派遣職員に関する国家公務員共済組合法（昭和三十三年法律第百二十八号）又は地方公務員等共済組合法（昭和三十七年法律第百五十二号）の規定の適用については、それぞれ派遣先の機関の業務を公務とみなす。

２　派遣職員に関する国家公務員共済組合法又は地方公務員等共済組合法の規定の適用については、派遣職員の派遣先の業務上の災害又は通勤による災害に対して派遣先の機関等から補償が行なわれることとなつたため、前条第三項の規定により、当該災害に対する国家公務員災害補償法の規定による補償が行なわれないこととなつた場合における当該派遣先の機関等からの補償を同法の規定による補償に相当する補償とみなす。

（派遣職員の復帰時における処遇）

第十一条　派遣職員が職務に復帰した場合における任用、給与等に関する処遇については、部内職員との均衡を失することのないよう適切な配慮が加えられなければならない。

附　則（抄）

（施行期日）

１　この法律は、公布の日から起算して三十日を経過した日から施行する。

（経過措置）

２　この法律の施行の際現に国家公務員法第七十九条の規定に基づく人事院規則の定めるところにより休職にされ、第二条第一項各号に掲げる機関（次項及び附則第四項において「国際機関等」という。）の業務に従事している職員のうち、人事院規則で定めるものは、この法律の施行の日（以下「施行日」という。）に派遣職員となるものとする。

○国と民間企業との間の人事交流に関する法律（抄）

平一一・一二・二二
法二二四

最終改正　令六・六・一二法四七

（目的）

第一条　この法律は、行政運営における重要な役割を担うことが期待される職員について交流派遣をし、民間企業の実務を経験させることを通じて、効率的かつ機動的な業務遂行の手法を体得させ、かつ、民間企業の実情に関する理解を深めさせることにより、行政の課題に柔軟かつ的確に対応するために必要な知識及び能力を有する人材の育成を図るとともに、民間企業における実務の経験を通じて効率的かつ機動的な業務遂行の手法を体得している者について交流採用をして職務に従事させることにより行政運営の活性化を図るため、交流派遣及び交流採用（以下「人事交流」という。）に関し必要な措置を講じ、もつて公務の能率的な運営に資することを目的とする。

（定義）

第二条　この法律において「職員」とは、第十四条第一項及び第二十四条を除き、国家公務員法（昭和二十二年法律第百二十号）第二条に規定する一般職に属する職員をいう。

２　この法律において「民間企業」とは、次に掲げる法人をいう。

一　株式会社、合名会社、合資会社及び合同会社

二　信用金庫

三　相互会社

四　前三号に掲げるもののほか、その事業の運営のために必要な経費の主たる財源をその事業の収益（法令の規定に基づく指定、認定その他これらに準ずる処分若しくは国若しくは地方公共団体からの委託を受けて実施する国若しくは地方公共団体の事務若しくは事業又はこれに類するものとして人事院規則で定めるものの実施による収益及び補助金等（補助金等

に係る予算の執行の適正化に関する法律（昭和三十年法律第百七十九号）第二条第一項に規定する補助金等をいう。）を除く。）によって得ている本邦法人（次に掲げるものを除く。）のうち、前条の目的を達成するために適切であると認められる法人として人事院規則で定めるもの

イ　独立行政法人通則法（平成十一年法律第百三号）第二条第一項に規定する独立行政法人、国立大学法人法（平成十五年法律第百十二号）第二条第一項に規定する国立大学法人、同条第三項に規定する大学共同利用機関法人及び総合法律支援法（平成十六年法律第七十四号）第十三条に規定する日本司法支援センター

ロ　法律により直接に設立された法人又は特別の法律により特別の設立行為をもって設立された法人であって、総務省設置法（平成十一年法律第九十一号）第四条第一項第八号の規定の適用を受けるもの

ハ　地方独立行政法人法（平成十五年法律第百十八号）第二条第一項に規定する地方独立行政法人

ニ　イからハまでに掲げるもののほか、その資本金の全部又は大部分が国又は地方公共団体からの出資による法人

五　外国法人であって、前各号に掲げる法人に類するものとして人事院が指定するもの

3　この法律において「交流派遣」とは、期間を定めて、職員（法律により任期を定めて任用される職員、常時勤務を要しない官職を占める職員その他の人事院規則で定める職員を除く。）を、その身分を保有させたまま、当該職員と民間企業との間で締結した労働契約に基づく業務に従事させることをいう。

4　この法律において「交流採用」とは、選考により、次に掲げる者を任期を定めて常時勤務を要する官職を占める職員として採用することをいう。

一　民間企業に雇用されていた者であって、引き続いてこの法律の規定により採用された職員となるため退職したもの

二　民間企業に現に雇用されている者であって、この法律の規定により当該雇用関係を継続することができるもの

5　この法律において「任命権者」とは、国家公務員法第五十五条第一項に規定する任命権者及び法律で別に定められた任命権者並びにその委任を受けた者をいう。

（交流派遣）

第七条　任命権者は、前条第二項の規定により提示された名簿に記載のある民間企業に交流派遣をすることができる。

2　任命権者は、前項の規定による交流派遣をしようとするときは、あらかじめ、当該交流派遣に係る職員の同意を得た上で、人事院規則で定めるところにより、その実施に関する計画を記載した書類を提出して、当該計画がこの法律の規定及び交流基準に適合するものであることについて、人事院の認定を受けなければならない。

3　任命権者は、第一項の規定による交流派遣をするときは、当該交流派遣に係る民間企業（以下「派遣先企業」という。）との間において、前項の認定を受けた計画に従って、当該派遣先企業における当該交流派遣に係る職員の労働条件、当該職員が職務に復帰する場合における当該職員と当該派遣先企業との間の労働契約の終了その他交流派遣に当たって合意しておくべきものとして人事院規則で定める事項について取決めを締結しなければならない。この場合において、任命権者は、当該職員にその取決めの内容を明示しなければならない。

（交流派遣の期間）

第八条　交流派遣の期間は、三年を超えることができない。

2　前条第一項の規定により交流派遣をした任命権者は、当該派遣先企業から当該交流派遣の期間の延長を希望する旨の申出があり、かつ、その申出に理由があると認める場合には、当該交流派遣をされた職員（以下「交流派遣職員」という。）の同意及び人事院の承認を得て、当該交流派遣をした日から引き続き五年を超えない範囲内において、交流派遣の期間を延長することができる。

（労働契約の締結）

第九条　交流派遣職員は、第七条第三項の取決めに定められた内容に従って、派遣先企業との間で労働契約を締結し、その交流派遣の期間中、当該派遣先企業の業務に従事するものとする。

（交流派遣職員の職務）

第十条　交流派遣職員は、その交流派遣の期間中、職務に従事することができない。

2　次に掲げる法律の規定は、交流派遣職員には適用しない。

一　国家公務員法第百一条の規定

二　一般職の職員の勤務時間、休暇等に関する法律（平成六年法律第三十三号）の規定

（交流派遣職員の給与）

第十一条　交流派遣職員には、その交流派遣の期間中、給与を支給しない。

（交流派遣職員の服務等）

第十二条　交流派遣職員は、派遣先企業において、その交流派遣前に在職していた国の機関及び行政執行法人に対してする申請（行政手続法第二条第三号に規定する申請をいう。）に関する業務その他の交流派遣職員が従事することが適当でないものとして人事院規則で定める業務に従事してはならない。

2　交流派遣職員は、派遣先企業における業務を行うに当たっては、職員たる地位を利用し、又はその交流派遣前において官職を占めていたことによる影響力を利用してはならない。

3　交流派遣職員は、任命権者から求められたときは、派遣先企業における労働条件及び業務の遂行の状況を報告しなければならない。

4　交流派遣職員の派遣先企業の業務への従事に関しては、国家公務員法第百四条の規定は、適用しない。

5　交流派遣職員に対する国家公務員法第八十二条の規定の適用については、同条第一項第一号中「若しくは国家公務員倫理法」とあるのは「、国家公務員倫理法若しくは国と民間企業との間の人事交流に関する法律」とする。

（交流派遣職員に関する国家公務員共済組合法の特例）

第十四条　国家公務員共済組合法（昭和三十三年法律第百二十八号）第三十九条第二項の規定及び同法の短期給付に関する規定（同法第六十八条の四の規定を除く。以下この項において同じ。）は、交流派遣職員には適用しない。この場合において、同法の短期給付に関する規定の適用を受ける職員（同法第二条第一項第一号に規定する職員をいう。以下この項において同じ。）が交流派遣職員となったときは、同法の短期給付に関する規定の適用については、そのなった日の前日に退職（同法第

二条第一項第四号に規定する退職をいう。）をしたものとみなし、交流派遣職員が同法の短期給付に関する規定の適用を受ける職員となったときは、同法の短期給付に関する規定の適用については、そのなった日に職員となったものとみなす。

2　交流派遣職員に対する国家公務員共済組合法の退職等年金給付に関する規定の適用については、派遣先企業の業務を公務とみなす。

3　交流派遣職員は、国家公務員共済組合法第九十八条第一項各号に掲げる福祉事業を利用することができない。

4　交流派遣職員に関する国家公務員共済組合法の規定の適用については、同法第二条第一項第五号及び第六号中「とし、その他の職員については、これらに準ずる給与として政令で定めるもの」とあるのは「に相当するものとして、次条第一項に規定する組合の運営規則で定めるもの」と、同法第九十九条第二項中「次の各号」とあるのは「第三号」と、「当該各号」とあるのは「同号」と、「及び国の負担金」とあるのは「及び国と民間企業との間の人事交流に関する法律（平成十一年法律第二百二十四号）第七条第三項に規定する派遣先企業（以下「派遣先企業」という。）の負担金」と、同項第三号中「国の負担金」とあるのは「派遣先企業の負担金」と、同法第百二条第一項中「各省各庁の長（環境大臣を含む。）、行政執行法人又は職員団体」とあり、及び「国、行政執行法人又は職員団体」とあるのは「派遣先企業及び国」と、「第九十九条第二項（同条第六項から第八項までの規定により読み替えて適用する場合を含む。）及び第五項（同条第七項及び第八項の規定により読み替えて適用する場合を含む。）」とあるのは「第九十九条第二項第三号及び第五項」と、同条第四項中「第九十九条第二項第三号及び第四号」とあるのは「第九十九条第二項第三号」と、「並びに同条第五項（同条第七項及び第八項の規定により読み替えて適用する場合を含む。以下この項において同じ。）」とあるのは「及び同条第五項」と、「（同条第五項」とあるのは「（同項」と、「国、行政執行法人又は職員団体」とあるのは「派遣先企業及び国」とする。

（交流派遣職員に関する地方公務員等共済組合法の適用関係等についての政令への委任）

第十五条の二　前二条に定めるもののほか、交流派遣職員に関する国家公務員共済組合法、地方公務員等共済組合法（昭和三十七年法律第百五十二号）、児童手当法その他これらに類する法律の適用関係の調整を要する場合におけるその適用関係その他必要な事項は、政令で定める。

（交流採用）

第十九条　任命権者は、第六条第二項の規定により提示された名簿に記載のある民間企業に雇用されていた者又は現に雇用されている者について交流採用をすることができる。

2　任命権者は、前項の規定による交流採用をしようとするときは、あらかじめ、人事院規則の定めるところにより、その実施に関する計画を記載した書類を提出して、当該計画がこの法律の規定及び交流基準に適合するものであることについて、人事院の認定を受けなければならない。

3　任命権者は、第一項の規定により交流採用をするときは、同項の民間企業との間において、第二条第四項第一号に係る交流採用にあっては当該交流採用に係る任期が満了した場合における当該民間企業による再雇用に関する取決めを、同項第二号に係る交流採用にあっては当該交流採用に係る任期中における雇用及び任期が満了した場合における雇用に関する取決めを締結しておかなければならない。

4　第二条第四項第二号に係る交流採用についての前項の取決めにおいては、任期中における雇用に基づき賃金（労働基準法（昭和二十二年法律第四十九号）第十一条に規定する賃金をいう。以下この項において同じ。）の支払その他の給付（賃金の支払以外のものであって、人事院規則で定めるものを除く。）を行うことをその内容として定めてはならない。

5　交流採用に係る任期は、三年を超えない範囲内で任命権者が定める。ただし、任命権者がその所掌事務の遂行上特に必要があると認める場合には、人事院の承認を得て、交流採用をした日から引き続き五年を超えない範囲内において、これを更新することができる。

6　任命権者は、交流採用をする場合には、当該交流採用をされる者にその任期を明示しなければならない。これを更新する場合も、同様とする。

（官職の制限）

第二十条　任命権者は、前条第一項の規定により交流採用をされた職員（以下「交流採用職員」という。）を同項の民間企業（以下「交流元企業」という。）に対する処分等に関する事務をその職務とする官職その他の交流元企業と密接な関係にあるものとして人事院規則で定める官職に就けてはならない。

（交流採用職員の服務等）

第二十一条　交流採用職員は、その任期中、第二条第四項第二号に掲げる者である交流採用職員（以下「雇用継続交流採用職員」という。）が第十九条第三項の取決めに定められた内容に従って交流元企業の地位に就く場合を除き、交流元企業の地位に就いてはならない。

2　交流採用職員は、その任期中、いかなる場合においても、交流元企業の事業又は事務に従事してはならない。

3　第十二条第五項の規定は、交流採用職員について準用する。

（雇用継続交流採用職員に関する雇用保険法の特例）

第二十二条　雇用継続交流採用職員に関する雇用保険法（昭和四十九年法律第百十六号）第二十二条の規定の適用については、同条第三項中「とする。ただし、当該期間に」とあるのは、「とし、当該雇用された期間又は当該被保険者であった期間に国と民間企業との間の人事交流に関する法律（平成十一年法律第二百二十四号）第二十一条第一項に規定する雇用継続交流採用職員（以下この項において「雇用継続交流採用職員」という。）であった期間があるときは、雇用継続交流採用職員であった期間を除いて算定した期間とする。ただし、これらの期間に」とする。

（防衛省の職員への準用等）

第二十四条　この法律（第二条第一項及び第五項、第三条第一号及び第二号、第四条、第五条第二項及び第三項並びに第十条第二項を除く。）の規定は、国家公務員法第二条第三項第十六号に掲げる防衛省の職員の人事交流について準用する。この場合において、これらの規定中「人事院規則」とあるのは「政令」と、第二条第二項第五号、第三条、第六条第二項、第八条第二項、第十九条第五項及び前条第一項中「人事院」とあるのは「防衛大臣」と、第二条第三項中「職員」とあるのは「職員、防衛省設置法（昭和二十九年法律第百六十四号）第十五条第一項又は第十六条第一項（第三号を除く。）の教育訓練を受けている者（以下「学生」という。）、自衛隊法（昭和二十九年法律第百六十五号）第二十五条第五項の教育訓練を受けている者（以下「生徒」という。）」と、同条第四項中「占める職員」とあるのは「占める職員（自衛官、自衛官候補生、学生及び生徒を除く。）」と、第三条第三号中「任命権者」とあるのは「任命権者（自衛隊法第三十一条第一項の規定により同法第二条第五項に規定する隊員の任免について権限を有する者をいう。以下同じ。）」と、第六条第一項中「人事院は」とあるのは「防衛大臣は」と、第七条第二項中「人事院の」とあるのは「防衛大臣の」と、第十二条第四項中「国家公務員法第百四条」とあるのは「自衛隊法第六十三条」と、同条第五項中「国家公務員法第八十二条」とあるのは「自衛隊法第四十六条」と、「同条第一項第一号」とあるのは「同条第一項第三号」と、「国家公務員倫理法」とあるのは「自衛隊員倫理法（平成十一年法律第百三十号）」と、第十四条第四項中「とし、その他の職員については、これらに準ずる給与として」とあるのは「として」と、「に相当するもの」とあるのは「として政令で定めるものに相当するもの」と、第十六条中「一般職の職員の給与に関する法律（昭和二十五年法律第九十五号）第二十三条第一項及び附則第六項」とあるのは「防衛省の職員の給与等に関する法律（昭和二十七年法律第二百六十六号）第二十三条第一項」と、「国家公務員災害補償法」とあるのは「防衛省の職員の給与等に関する法律第二十七条第一項において準用する国家公務員災害補償法」と、第十八条第一項中「級」とあるのは「級又は階級」と、第十九条第二項中「人事院の」とあるのは「防衛大臣の」と、第二十二条中「」第二十一条第一項」とあるのは「」第二十四条第一項において準用する同法第二十一条第一項」と、前条第二項中「人事院は、毎年、国会及び内閣」とあるのは「内閣は、毎年、国会」と読み替えるものとする。

2　防衛大臣は、前項において準用する第七条第二項及び第十九条第二項の認定並びに前項において準用する第八条第二項及び第十九条第五項の承認を行う場合には、審議会等（国家行政組織法（昭和二十三年法律第百二十号）第八条に規定する機関をいう。）で政令で定めるものに付議し、その議決に基づいて行わなければならない。

3　自衛隊法（昭和二十九年法律第百六十五号）第六十条の規定は、第一項において準用する第七条第一項の規定により交流派遣をされた防衛省の職員には適用しない。

4　第一項において準用する第七条第一項の規定により交流派遣をされた自衛官（次項において「交流派遣自衛官」という。）に関する自衛隊法第九十八条第四項及び第九十九条第一項の規定の適用については、派遣先企業の業務を公務とみなす。

5　防衛省の職員の給与等に関する法律（昭和二十七年法律第二百六十六号）第二十二条の規定は、交流派遣自衛官には適用しない。

附　則

（施行期日）

1　この法律は、公布の日から起算して三月を超えない範囲内において政令で定める日〔平一二・三・二一〕から施行する。ただし、次項の規定は、公布の日から施行する。

（交流基準の制定のために必要な行為）

2　第五条の規定による交流基準の制定のため必要な手続その他の行為は、この法律の施行前においても、行うことができる。

（経過措置）

3　この法律の施行の日から平成十二年三月三十一日までの間における第十二条第四項及び第二十三条第一項の規定の適用については、第十二条第四項中「若しくは国家公務員倫理法」とあるのは「この法律又はこの」と、「、国家公務員倫理法若しくは国と民間企業との間の人事交流に関する法律」とあるのは「この法律若しくは国と民間企業との間の人事交流に関する法律又はこれらの」と、第二十三条第一項中「同条第一項第三号」と、「国家公務員倫理法」とあるのは「自衛隊員倫理法（平成十一年法律第百三十号）」と」とあるのは「同条第一項第三号」と」とする。

（平成二十二年度等における子ども手当の支給に関する法律により適用される旧児童手当法の特例）

4　平成二十二年度等における子ども手当の支給に関する法律（平成二十二年法律第十九号）の規定により子ども手当の支給がされる交流派遣職員に関しては、第十五条の規定を準用する。この場合において、同条の見出し中「子ども・子育て支援法」とあるのは「平成二十二年度等における子ども手当の支給に関する法律が適用される場合における旧児童手当法」と、同条中「子ども・子育て支援法（平成二十四年法律第六十五号）」とあるのは「平成二十二年度等における子ども手当の支給に関する法律（平成二十二年法律第十九号）第二十条第一項の規定による児童手当法の一部を改正する法律（平成二十四年法律第二十四号）附則第十一条の規定によりなおその効力を有するものとされた同法第一条の規定による改正前の児童手当法（昭和四十六年法律第七十三号）」と、「第六十九条第一項第四号」とあるのは「第二十条第一項第四号」と読み替えるものとする。

（平成二十三年度における子ども手当の支給等に関する特別措置法により適用される旧児童手当法の特例）

5　平成二十三年度における子ども手当の支給等に関する特別措置法（平成二十三年法律第百七号）の規定により子ども手当の支給がされる交流派遣職員に関しては、第十五条の規定を準用する。この場合において、同条の見出し中「子ども・子育て支援法」とあるのは「平成二十三年度における子ども手当の支給等に関する特別措置法が適用される場合における旧児童手当法」と、同条中「子ども・子育て支援法（平成二十四年法律第六十五号）」とあるのは「平成二十三年度における子ども手当の支給等に関する特別措置法（平成二十三年法律第百七号）第二十条第一項、第三項又は第五項の規定による児童手当法の一部を改正する法律（平成二十四年法律第二十四号）附則第十二条の規定によりなおその効力を有するものとされた同法第一条の規定による改正前の児童手当法（昭和四十六年法律第七十三号）」と、「第六十九条第一項第四号」とあるのは「第二十条第一項第四号」と読み替えるものとする。

附　則（令六・六・一二法四七）（抄）

（施行期日）

第一条　この法律は、令和六年十月一日から施行する。ただし、次の各号に掲げる規定は、当該各号に定める日から施行する。

一〔前略〕附則第四十六条の規定　この法律の公布の日

二・三　〔略〕
四　次に掲げる規定　令和七年四月一日
イ〜ヌ　〔略〕
ル　附則第二十九条中国と民間企業との間の人事交流に関する法律（平成十一年法律第二百二十四号）第十四条第一項の改正規定
ヲ〜ツ　〔略〕
五・六　〔略〕

（その他の経過措置の政令への委任）
第四十六条　この附則に定めるもののほか、この法律の施行に関し必要な経過措置（罰則に関する経過措置を含む。）は、政令で定める。

＊　国と民間企業との間の人事交流に関する法律は、子ども・子育て支援法等の一部を改正する法律（令和六年法四七）の附則により一部改正されたが、このうち令和八年四月一日から施行される部分については、一部改正法の形で掲載した。

○子ども・子育て支援法等の一部を改正する法律（抄）

令六・六・一二
法　四　七

（国と民間企業との間の人事交流に関する法律の一部改正）
第二十九条　国と民間企業との間の人事交流に関する法律の一部を次のように改正する。
第十四条〔中略〕第四項中「第三号」を「第四号」に、「同項第三号」を「同項第四号」に、「第九十九条第二項第三号及び第四号」とあるのは「第九十九条第二項第三号」を「第九十九条第二項第四号及び第五号」とあるのは「第九十九条第二項第四号」に改める。

附　則（抄）

（施行期日）
第一条　この法律は、令和六年十月一日から施行する。ただし、次の各号に掲げる規定は、当該各号に定める日から施行する。
一〜四　〔略〕
五　次に掲げる規定　令和八年四月一日
イ〜ヌ　〔略〕
ル　附則第二十九条中国と民間企業との間の人事交流に関する法律第十四条第四項の改正規定
ヲ〜ネ　〔略〕
六　〔略〕

○法科大学院への裁判官及び検察官その他の一般職の国家公務員の派遣に関する法律

平一五・五・九
法　四　〇

最終改正　令六・六・一二法四七

（目的）
第一条　この法律は、法科大学院における教育が、司法修習生の修習との有機的連携の下に法曹としての実務に関する教育の一部を担うものであり、かつ、法曹の養成に関係する機関の密接な連携及び相互の協力の下に将来の法曹としての実務に必要な法律に関する理論的かつ実践的な能力（各種の専門的な法分野における高度の能力を含む。）を備えた多数の法曹の養成を実現すべきものであることにかんがみ、法科大学院の教育と司法試験等との連携等に関する法律（平成十四年法律第百三十九号）第三条の規定の趣旨にのっとり、国の責務として、裁判官及び検察官その他の一般職の国家公務員が法科大学院において教授、准教授その他の教員としての業務を行うための派遣に関し必要な事項について定めることにより、法科大学院における法曹としての実務に関する教育の実効性の確保を図り、もって同条第一項に規定する法曹養成の基本理念に則した法科大学院における教育の充実に資することを目的とする。

（定義）
第二条　この法律において「法科大学院」とは、学校教育法（昭和二十二年法律第二十六号）第九十九条第二項に規定する専門職大学院であって、法曹に必要な学識及び能力を培うことを目的とするものをいう。
2　この法律において「検察官等」とは、検察官その他の国家公務員法（昭和二十二年法律第百二十号）第二条に規定する一般職に属する職員（法律により任期を定めて任用される職員、常時勤務を要しない官職を占める職員、独立行政法人通則法（平成十一年法律第百三号）第二条第四項に規定する行政執行法人の職員その他人事院規則で定める職員を除く。）をいう。

3　この法律において「任命権者」とは、国家公務員法第五十五条第一項に規定する任命権者及び法律で別に定められた任命権者並びにその委任を受けた者をいう。

（法科大学院設置者による派遣の要請）

第三条　法科大学院設置者（法科大学院を置き若しくは置こうとする大学の設置者又は法科大学院を置く大学を設置しようとする者をいう。以下同じ。）は、当該法科大学院において将来の法曹としての実務に必要な法律に関する理論的かつ実践的な能力（各種の専門的な法分野における高度の能力を含む。）を涵養するための教育を実効的に行うため、裁判官又は検察官等を教授、准教授その他の教員（以下「教授等」という。）として必要とするときは、その必要とする事由を明らかにして、裁判官については最高裁判所に対し、検察官等については任命権者に対し、その派遣を要請することができる。

2　前項の要請の手続は、最高裁判所に対するものについては最高裁判所規則で、任命権者に対するものについては人事院規則で定める。

（職務とともに教授等の業務を行うための派遣）

第四条　最高裁判所は、前条第一項の要請があった場合において、その要請に係る派遣の必要性、派遣に伴う事務の支障その他の事情を勘案して、相当と認めるときは、これに応じ、裁判官の同意を得て、当該法科大学院設置者との間の取決めに基づき、期間を定めて、当該裁判官が職務とともに当該法科大学院において教授等の業務を行うものとすることができる。

2　最高裁判所は、前項の同意を得るに当たっては、あらかじめ、当該裁判官に同項の取決めの内容を明示しなければならない。

3　任命権者は、前条第一項の要請があった場合において、その要請に係る派遣の必要性、派遣に伴う事務の支障その他の事情を勘案して、相当と認めるときは、これに応じ、検察官等の同意（検察官については、検察庁法（昭和二十二年法律第六十一号）第二十五条の俸給の減額に係る同意を含む。以下同じ。）を得て、当該法科大学院設置者との間の取決めに基づき、期間を定めて、職務とともに当該法科大学院における教授等の業務を行うものとして当該検察官等を当該法科大学院を置く大学に派遣することができる。

4　任命権者は、前項の同意を得るに当たっては、あらかじめ、当該検察官等に同項の取決めの内容及び当該派遣の期間中における給与の支給に関する事項を明示しなければならない。

5　第一項又は第三項の取決めにおいては、当該法科大学院における勤務時間その他の勤務条件（検察官等については、教授等の業務に係る報酬等（報酬、賃金、給料、俸給、手当、賞与その他いかなる名称であるかを問わず、教授等の業務の対償として受けるすべてのものをいう。以下同じ。）を含む。）及び教授等の業務の内容、派遣の期間、派遣の終了に関する事項その他第一項又は第三項の規定による派遣の実施に当たって合意しておくべきものとして裁判官については最高裁判所規則で、検察官等については人事院規則で定める事項を定めるものとする。

6　最高裁判所又は任命権者は、第一項又は第三項の取決めの内容を変更しようとするときは、当該裁判官又は検察官等の同意を得なければならない。この場合においては、第二項又は第四項の規定を準用する。

7　第一項又は第三項の規定による派遣の期間は、三年を超えることができない。ただし、当該法科大学院設置者からその期間の延長を希望する旨の申出があり、かつ、特に必要があると認めるときは、最高裁判所又は任命権者は、当該裁判官又は検察官等の同意を得て、当該派遣の日から引き続き五年を超えない範囲内で、これを延長することができる。

8　第一項又は第三項の規定により法科大学院において教授等の業務を行う裁判官又は検察官等は、その派遣の期間中、その同意に係る第一項又は第三項の取決めに定められた内容に従って、当該法科大学院において教授等の業務を行うものとする。

9　第三項の規定により派遣された検察官等は、その正規の勤務時間（一般職の職員の勤務時間、休暇等に関する法律（平成六年法律第三十三号）第十三条第一項に規定する正規の勤務時間をいう。第七条第二項において同じ。）のうち当該法科大学院において教授等の業務を行うため必要であると任命権者が認める時間においては、勤務しない。

10　第三項の規定による検察官等の教授等の業務への従事については、国家公務員法第百四条の規定は、適用しない。

（派遣の終了）

第五条　前条第一項又は第三項の規定による派遣の期間が満了したときは、当該教授等の業務は終了するものとする。

2　最高裁判所は、前条第一項の規定により法科大学院において教授等の業務を行う裁判官が当該法科大学院における教授等の地位を失った場合その他の最高裁判所規則で定める場合であって、その教授等の業務を継続することができないか又は適当でないと認めるときは、速やかに、当該裁判官が当該教授等の業務を行うことを終了するものとしなければならない。

3　任命権者は、前条第三項の規定により派遣された検察官等が当該法科大学院における教授等の地位を失った場合その他の人事院規則で定める場合であって、その教授等の業務を継続することができないか又は適当でないと認めるときは、速やかに、当該検察官等の派遣を終了させなければならない。

（派遣期間中の裁判官の報酬及び国庫納付金の納付）

第六条　第四条第一項の規定により法科大学院において教授等の業務を行う裁判官は、その教授等の業務に係る報酬等の支払を受けないものとし、教授等の業務を行ったことを理由として、裁判官として受ける報酬その他の給与について減額をされないものとする。

2　第四条第一項の規定により裁判官が法科大学院において教授等の業務を行った場合においては、当該法科大学院設置者は、その教授等の業務の対償に相当するものとして政令で定める金額を、国庫に納付しなければならない。

3　前項の規定による納付金の納付の手続については、政令で定める。

（派遣期間中の検察官等の給与等）

第七条　任命権者は、法科大学院設置者との間で第四条第三項の取決めをするに当たっては、同項の規定により派遣される検察官等が当該法科大学院設置者から受ける教授等の業務に係る報酬等について、当該検察官等が従事している職務及び当該法科大学院において行う教授等の業務の内容に応じた相当の額が確保されるよう努めなければならない。

2　第四条第三項の規定により派遣された検察官等がその正規の勤務時間において当該法科大学院において教授等の業務を行うため勤務しない場合には、一般職の職員の給与に関する法律（昭和二十五年法律第九十五号）第十五条の規定にかかわらず、その勤務しない一時間につき、同法第十九条に規定する勤務一時間当たりの給与額を減額して支給する。ただし、当該法科大学院において第三条第一項に規定する教育が実効的に行われることを確保するため特に必要があると認められるときは、当該検察官等には、その派遣の期間中、当該法科大学院設置者から受ける教授等の業務に係る報酬等の額に照らして必要と認められる範囲内で、その給与の減額分の百分の五十以内を支給することができる。

3　前項ただし書の規定による給与の支給に関し必要な事項は、人事院規則（第四条第三項の規定により派遣された検察官等が検察官の俸給等に関する法律（昭和二十三年法律第七十六号）の適用を受ける者である場合にあっては、同法第三条第一項に規定する準則）で定める。

（国家公務員共済組合法の特例）

第八条　第四条第一項又は第三項の規定により法科大学院において教授等の業務を行う裁判官又は検察官等に関する国家公務員共済組合法（昭和三十三年法律第百二十八号。以下この条及び第十四条において「国共済法」という。）の規定の適用については、当該法科大学院における教授等の業務を公務とみなす。

2　第四条第三項の規定により派遣された検察官等に関する国共済法の規定の適用については、国共済法第二条第一項第五号及び第六号中「とし、その他の職員」とあるのは「並びにこれらに相当するものとして次条第一項に規定する組合の運営規則で定めるものとし、その他の職員」と、国共済法第九十九条第二項中「及び国の負担金」とあるのは「、法科大学院への裁判官及び検察官その他の一般職の国家公務員の派遣に関する法律（平成十五年法律第四十号）第三条第一項に規定する法科大学院設置者（以下「法科大学院設置者」という。）の負担金及び国の負担金」と、同項各号中「国の負担金」とあるのは「法科大学院設置者の負担金及び国の負担金」と、国共済法第百二条第一項中「各省各庁の長（環境大臣を含む。）、行政執行法人又は職員団体」とあり、及び「国、行政執行法人又は職員団体」とあるのは「法科大学院設置者及び国」と、「第九十九条第二項（同条第六項から第八項までの規定により読み替えて適用する場合を含む。）及び第五項（同条第七項及び第八項の規定により読み替えて適用する場合を含む。）」とあるのは「第九十九条第二項及び第四項」と、同条第四項中「同条第四項（同条第七項及び第八項の規定により読み替えて適用する場合を含む。以下この項において同じ。）」とあるのは「同条第五項」と、「同条第五項」とあるのは「同項」と、「国、行政執行法人又は職員団体」とあるのは「法科大学院設置者及び国」とする。

3　前項の場合において法科大学院設置者及び国が同項の規定により読み替えられた国共済法第九十九条第二項の規定により負担すべき金額その他必要な事項は、政令で定める。

（一般職の職員の給与に関する法律の特例）

第九条　第四条第三項の規定による派遣の期間中又はその期間の満了後における当該検察官等に関する一般職の職員の給与に関する法律第二十三条第一項及び附則第六項の規定の適用については、当該法科大学院における教授等の業務（当該教授等の業務に係る労働者災害補償保険法（昭和二十二年法律第五十号）第七条第二項に規定する通勤（当該教授等の業務に係る就業の場所を国家公務員災害補償法（昭和二十六年法律第百九十一号）第一条の二第一項第一号及び第二号に規定する勤務場所とみなした場合に同条に規定する通勤に該当するものに限る。次条において同じ。）を含む。）を公務とみなす。

（国家公務員退職手当法の特例）

第十条　第四条第三項の規定による派遣の期間中又はその期間の満了後に当該検察官等が退職した場合における国家公務員退職手当法（昭和二十八年法律第百八十二号）の規定の適用については、当該法科大学院における教授等の業務に係る業務上の傷病又は死亡は同法第四条第二項、第五条第一項及び第七条第四項に規定する公務上の傷病又は死亡と、当該教授等の業務に係る労働者災害補償保険法第七条第二項に規定する通勤による傷病は国家公務員退職手当法第四条第二項、第五条第二項及び第六条の四第一項に規定する通勤による傷病とみなす。

（専ら教授等の業務を行うための派遣）

第十一条　任命権者は、第三条第一項の要請があった場合において、その要請に係る派遣の必要性、派遣に伴う事務の支障その他の事情を勘案して、相当と認めるときは、これに応じ、検察官等の同意を得て、当該法科大学院設置者との間の取決めに基づき、期間を定めて、専ら当該法科大学院における教授等の業務を行うものとして当該検察官等を当該法科大学院を置く大学に派遣することができる。

2　任命権者は、前項の同意を得るに当たっては、あらかじめ、当該検察官等に同項の取決めの内容及び当該派遣の期間中における給与の支給に関する事項を明示しなければならない。

3　第一項の取決めにおいては、当該法科大学院における勤務時間、教授等の業務に係る報酬等その他の勤務条件及び教授等の業務の内容、派遣の期間、職務への復帰に関する事項その他同項の規定による派遣の実施に当たって合意しておくべきものとして人事院規則で定める事項を定めるものとする。

4　第四条第六項から第八項まで及び第十項の規定は、第一項の規定による派遣について準用する。

5　第一項の規定により派遣された検察官等は、その派遣の期間中、検察官等としての身分を保有するが、職務に従事しない。

（職務への復帰）

第十二条　前条第一項の規定により派遣された検察官等は、その派遣の期間が満了したときは、職務に復帰するものとする。

2　任命権者は、前条第一項の規定により派遣された検察官等が当該法科大学院における教授等の地位を失った場合その他の人事院規則で定める場合であって、その派遣を継続することができないか又は適当でないと認めるときは、速やかに、当該検察官等を職務に復帰させなければならない。

（派遣期間中の給与等）

第十三条　任命権者は、法科大学院設置者との間で第十一条第一項の取決めをするに当たっては、同項の規定により派遣される検察官等が当該法科大学院設置者から受ける教授等の業務に係る報酬等について、当該検察官等がその派遣前に従事していた職務及び当該法科大学院において行う教授等の業務の内容に応じた相当の額が確保されるよう努めなければならない。

2　第十一条第一項の規定により派遣された検察官等には、その派遣の期間中、給与を支給しない。ただし、当該法科大学院において第三条第一項に規定する教育が実効的に行われることを確保するため特に必要があると認められるときは、当該検察官等には、その派遣の期間中、当該法科大学院設置者から受ける教授等の業務に係る報酬等の額に照らして必要と認められる範囲内で、俸給、扶養手当、地域手当、広域異動手当、研究員調整手当、住居手当及び期末手当のそれぞれ百分の五十以内を支給することができる。

3　前項ただし書の規定による給与の支給に関し必要な事項は、人事院規則（第十一条第一項の規定により派遣された検察官等が検察官の俸給等に関する法律の適用を受ける者である場合にあっては、同法第三条第一項に規定する準則）で定める。

（国家公務員共済組合法の特例）

第十三条の二　第八条の規定は、第十一条第一項の規定により法科大学院を置く国立大学（国立大学法人法（平成十五年法律第百十二号）第二条第二項に規定する国立大学をいう。）に派遣された検察官等について準用する。

第十四条　国共済法第三十九条第二項の規定及び国共済法の短期給付に関する規定（国共済法第六十八条の四の規定を除く。以下この項において同じ。）は、第十一条第一項の規定により法科大学院を置く私立大学（学校教育法第二条第二項に規定する私立学校である大学をいう。）に派遣された検察官等（以下「私立大学派遣検察官等」という。）には、適用しない。この場合において、国共済法の短期給付に関する規定の適用を受ける職員（国共済法第二条第一項第一号に規定する職員をいう。以下この項において同じ。）が私立大学派遣検察官等となったときは、国共済法の短期給付に関する規定の適用については、そのなった日の前日に退職（国共済法第二条第一項第四号に規定する退職をいう。）をしたものとみなし、私立大学派遣検察官等が国共済法の短期給付に関する規定の適用を受ける職員となったときは、国共済法の短期給付に関する規定の適用については、そのなった日に職員となったものとみなす。

2　私立大学派遣検察官等に関する国共済法の退職等年金給付に関する規定の適用については、当該法科大学院における教授等の業務を公務とみなす。

3　私立大学派遣検察官等は、国共済法第九十八条第一項各号に掲げる福祉事業を利用することができない。

4　私立大学派遣検察官等に関する国共済法の規定の適用については、国共済法第二条第一項第五号及び第六号中「とし、その他の職員」とあるのは「並びにこれらに相当するものとして次条第一項に規定する組合の運営規則で定めるものとし、その他の職員」と、国共済法第九十九条第二項中「次の各号」とあるのは「第三号」と、「当該各号」とあるのは「同号」と、「及び国の負担金」とあるのは「、法科大学院への裁判官及び検察官その他の一般職の国家公務員の派遣に関する法律（平成十五年法律第四十号）第三条第一項に規定する法科大学院設置者（以下「法科大学院設置者」という。）の負担金及び国の負担金」と、同項第三号中「国の負担金」とあるのは「法科大学院設置者の負担金及び国の負担金」と、国共済法第百二条第一項中「各省各庁の長（環境大臣を含む。）、行政執行法人又は職員団体」とあり、及び「国、行政執行法人又は職員団体」とあるのは「法科大学院設置者及び国」と、「第九十九条第二項（同条第六項から第八項までの規定により読み替えて適用する場合を含む。）及び第五項（同条第七項及び第八項の規定により読み替えて適用する場合を含む。）」とあるのは「第九十九条第二項第三号及び第五項」と、同条第四項中「第九十九条第二項第三号」とあるのは「第九十九条第二項第三号」と、「並びに同条第五項（同条第七項及び第八項の規定により読み替えて適用する場合を含む。以下この項において同じ。）」とあるのは「及び同条第五項」と、「国、行政執行法人又は職員団体」とあるのは「法科大学院設置者及び国」と、「（同条第五項」とあるのは「（同項」とする。

5　前項の場合において法科大学院設置者及び国が同項の規定により読み替えられた国共済法第九十九条第二項及び厚生年金保険法（昭和二十九年法律第百十五号）第八十二条第一項の規定により負担すべき金額その他必要な事項は、政令で定める。

（地方公務員等共済組合法の特例）

第十五条　第十一条第一項の規定により法科大学院を置く公立大学（学校教育法第二条第二項に規定する公立学校である大学をいう。第十八条及び第十九条第一項において同じ。）に派遣された検察官等のうち第十三条第二項ただし書の規定による給与の支給を受ける者に関する地方公務員等共済組合法（昭和三十七年法律第百五十二号）の規定の適用については、同法第百十三条第二項各号列記以外の部分中「、地方公共団体」とあるのは「及び地方公共団体」と、「の負担金」とあるのは「の負担金及び国の負担金」と、同項各号中「の負担金」とあるのは「及び国の負担金」と、同法第百十五条第二項中「相当する手当」とあるのは「相当する手当及び国家公務員退職手当法（昭和二十八年法律第百八十二号）に基づく退職手当又はこれに相当する手当」と、同法第百十六条第一項中「の機関、特定地方独立行政法人又は職員団体」とあるのは「及び国の機関」と、「第百十三条第二項（同条第六項の規定により読み替えて適用する場合を含む。）」とあるのは「第百十三条第二項」と、「地方公共団体、特定地方独立行政法人又は職員団体」とあるのは「地方公共団体及び国」と、同法第百四十四条の三十一（見出しを含む。）中「地方公共団体又は特定地方独立行政法人」とあるのは「地方公共団体及び国」とする。

2　前項の場合において地方公共団体及び国が同項の規定により読み替えられた地方公務員等共済組合法第百十三条第二項の規定により負担すべき金額その他必要な事項は、政令で定める。

（私立学校教職員共済法の特例）

第十六条　私立学校教職員共済法（昭和二十八年法律第二百四十五号）の退職等年金給付に関する規定は、私立大学派遣検察官等には、適用しない。

2　私立大学派遣検察官等に関する私立学校教職員共済法の規定の適用については、同法第二十七条第一項中「掛金及び加入者保険料（厚生年金保険法（昭和二十九年法律第百十五号）第八十二条第一項の規定により加入者たる被保険者及び当該被保険者を使用する学校法人等が負担する厚生年金保険の保険料をいう。次項において同じ。）」とあり、同条第二項中「掛金及び加入者保険料（以下「掛金等」という。）」とあり、並びに同法第二十八条第二項、第三項、第五項及び第六項、第二十九条第一項、第二十九条の二、第三十条第一項及び第三項から第六項まで、第三十一条第一項、第三十二条、第三十三条並びに第三十四条第三項中「掛金等」とあるのは「掛金」と、同法第二十九条第二項中「及び厚生年金保険法による標準報酬月額に係る掛金等」とあり、及び同条第三項中「及び厚生年金保険法による標準賞与額に係る掛金等」とあるのは「に係る掛金」とする。

3　私立大学派遣検察官等のうち第十三条第二項ただし書の規定による給与の支給を受ける者に関する私立学校教職員共済法の規定の適用については、同法第二十一条第一項中「準ずるもの」とあるのは「準ずるもの（法科大学院への裁判官及び検察官その他の一般職の国家公務員の派遣に関する法律（平成十五年法律第四十号）第十三条第二項ただし書の規定により国から支給される給与であつて共済規程で定めるもの（次条において「私立大学派遣検察官等に対する国の給与」という。）を含む。）」と、同法第二十二条第五項及び第十項中「報酬の総額」とあるのは「報酬（当該期間における私立大学派遣検察官等に対する国の給与を含む。）の総額」と、同法第二十八条第一項中「及び」とあるのは「並びに」と、「学校法人等」とあるのは「学校法人等及び国」と、同条第三項及び第六項中「当該学校法人等」とあるのは「当該学校法人等及び国」と、同法第二十九条第一項から第三項までの規定中「学校法人等」とあるのは「学校法人等及び国」とする。

4　前項の場合において学校法人等及び国が同項の規定により読み替えられた私立学校教職員共済法第二十八条第一項の規定により負担すべき掛金の額その他必要な事項は、政令で定める。

（子ども・子育て支援法の特例）

第十七条　私立大学派遣検察官等に関する子ども・子育て支援法（平成二十四年法律第六十五号）の規定の適用については、当該法科大学院設置者を同法第六十九条第一項第四号に規定する団体とみなす。

（一般職の職員の給与に関する法律の特例）

第十八条　第九条の規定は、第十一条第一項の規定により派遣された検察官等について準用する。この場合において、当該検察官等が法科大学院を置く公立大学に派遣されたものであるときは、第九条中「労働者災害補償保険法（昭和二十二年法律第五十号）第七条第二項」とあるのは、「地方公務員災害補償法（昭和四十二年法律第百二十一号）第二条第二項」とする。

（国家公務員退職手当法の特例）

第十九条　第十条の規定は、第十一条第一項の規定により派遣された検察官等について準用する。この場合において、当該検察官等が法科大学院を置く公立大学に派遣されたものであるときは、第十条中「労働者災害補償保険法第七条第二項」とあるのは、「地方公務員災害補償法第二条第二項」とする。

2　第十一条第一項の規定により派遣された検察官等に関する国家公務員退職手当法第六条の四第一項及び第七条第四項の規定の適用については、第十一条第一項の規定による派遣の期間は、同法第六条の四第一項に規定する現実に職務をとることを要しない期間には該当しないものとみなす。

3　前項の規定は、第十一条第一項の規定により派遣された検察官等が当該法科大学院設置者から所得税法（昭和四十年法律第三十三号）第三十条第一項に規定する退職手当等（同法第三十一条の規定により退職手当等とみなされるものを含む。）の支払を受けた場合には、適用しない。

4　第十一条第一項の規定により派遣された検察官等がその派遣の期間中に退職した場合に支給する国家公務員退職手当法の規定による退職手当の算定の基礎となる俸給月額については、部内の他の職員との権衡上必要があると認められるときは、次条第一項の規定の例により、その額を調整することができる。

（派遣後の職務への復帰に伴う措置）

第二十条　第十一条第一項の規定により派遣された検察官等が職務に復帰した場合におけるその者の職務の級及び号俸については、部内の他の職員との権衡上必要と認められる範囲内において、人事院規則の定めるところにより、必要な調整を行うことができる。

2　前項に定めるもののほか、第十一条第一項の規定により派遣された検察官等が職務に復帰した場合における任用、給与等に関する処遇については、部内の他の職員との均衡を失することのないよう適切な配慮が加えられなければならない。

（社会保険関係法の適用関係等についての政令への委任）

第二十一条　この法律に定めるもののほか、検察官等が二以上の法科大学院において教授等の業務を行うものとして派遣された場合その他第四条第三項又は第十一条第一項の規定により派遣された検察官等に関する社会保険関係法（厚生年金保険法、国家公務員共済組合法、地方公務員等共済組合法、私立学校教職員共済法及び健康保険法（大正十一年法律第七十号）をいう。）の適用関係の調整を要する場合におけるその適用関係その他必要な事項は、政令で定める。

（最高裁判所規則及び人事院規則への委任）

第二十二条　この法律に定めるもののほか、法科大学院において裁判官が教授等の業務を行うための派遣に関し必要な事項は、最高裁判所規則で定める。

2　この法律に定めるもののほか、法科大学院において検察官等が教授等の業務を行うための派遣に関し必要な事項は、人事院規則で定める。

附　則

（施行期日）

1　この法律は、平成十六年四月一日から施行する。ただし、第三条、次項及び附則第三項の規定は、平成十五年十月一日から施行する。

（準備行為）

2　最高裁判所又は任命権者は、この法律の施行の日前に第三条第一項の要請があった場合においては、この法律の施行の日前においても、当該法科大学院設置者との間で第四条第一項若しくは第三項又は第十一条第一項の取決めをし、裁判官又は検察官等からこれらの規定の同意を得、その他当該法科大学院において裁判官又は検察官等が教授等の業務を行うための派遣に必要な準備行為をすることができる。

3　この法律の施行の日前においては、国立大学法人法第二条第二項に規定する国立大学に置かれる法科大学院に係る第三条第一項の要請は、同法附則第二条第一項の規定により指名された当該国立大学を設置する国立大学法人の学長となるべき者がするものとする。この場合において、前項の規定の適用については、同項中「当該法科大学院設置者」とあるのは、「当該国立大学法人の学長となるべき者」とする。

4　前項後段の規定により読み替えて適用される附則第二項の規定により最高裁判所又は任命権者と当該国立大学法人の学長と

なるべき者との間でされた取決めは、この法律の施行の日以後は、最高裁判所又は任命権者と当該国立大学法人との間でされた第四条第一項若しくは第三項又は第十一条第一項の取決めとしての効力を有するものとする。

（健康増進法による国家公務員共済組合法の一部改正に伴う経過措置）

5　この法律の施行の日が健康増進法（平成十四年法律第百三号）附則第十条の規定の施行の日前である場合には、同条の規定の施行の日の前日までの間における第十四条第三項の規定の適用については、同項中「第九十八条第一項各号」とあるのは、「第九十八条各号」とする。

（平成二十二年度等における子ども手当の支給に関する法律により適用される旧児童手当法の特例）

6　平成二十二年度等における子ども手当の支給に関する法律（平成二十二年法律第十九号）の規定により子ども手当の支給がされる私立大学派遣検察官等に関しては、第十七条の規定を準用する。この場合において、同条の見出し中「子ども・子育て支援法」とあるのは「平成二十二年度等における子ども手当の支給に関する法律が適用される場合における旧児童手当法」と、同条中「子ども・子育て支援法（平成二十四年法律第六十五号）」とあるのは「平成二十二年度等における子ども手当の支給に関する法律（平成二十二年法律第十九号）第二十条第一項の規定による児童手当法の一部を改正する法律（平成二十四年法律第二十四号）附則第十一条の規定によりなおその効力を有するものとされた同法第一条の規定による改正前の児童手当法（昭和四十六年法律第七十三号）」と、「第六十九条第一項第四号」とあるのは「第二十条第一項第四号」と読み替えるものとする。

（平成二十三年度における子ども手当の支給等に関する特別措置法により適用される旧児童手当法の特例）

7　平成二十三年度における子ども手当の支給等に関する特別措置法（平成二十三年法律第百七号）の規定により子ども手当の支給がされる私立大学派遣検察官等に関しては、第十七条の規定を準用する。この場合において、同条の見出し中「子ども・子育て支援法」とあるのは「平成二十三年度における子ども手当の支給等に関する特別措置法が適用される場合における旧児童手当法」と、同条中「子ども・子育て支援法（平成二十四年法律第六十五号）」とあるのは「平成二十三年度における子ども手当の支給等に関する特別措置法（平成二十三年法律第百七号）第二十条第一項、第三項又は第五項の規定による児童手当法の一部を改正する法律（平成二十四年法律第二十四号）附則第十二条の規定によりなおその効力を有するものとされた同法第一条の規定による改正前の児童手当法（昭和四十六年法律第七十三号）」と、「第六十九条第一項第四号」とあるのは「第二十条第一項第四号」と読み替えるものとする。

附　則（令六・六・一二法四七）（抄）

（施行期日）

第一条　この法律は、令和六年十月一日から施行する。ただし、次の各号に掲げる規定は、当該各号に定める日から施行する。

一　〔前略〕附則第四十六条の規定　この法律の公布の日

二・三　〔略〕

四　次に掲げる規定　令和七年四月一日

イ〜ヌ　〔略〕

ル　附則第二十九条中国と民間企業との間の人事交流に関する法律（平成十一年法律第二百二十四号）第十四条第一項の改正規定

ヲ〜ツ　〔略〕

五・六　〔略〕

（その他の経過措置の政令への委任）

第四十六条　この附則に定めるもののほか、この法律の施行に関し必要な経過措置（罰則に関する経過措置を含む。）は、政令で定める。

＊　法科大学院への裁判官及び検察官その他の一般職の国家公務員の派遣に関する法律は、子ども・子育て支援法等の一部を改正する法律（令和六年法四七）の附則により一部改正されたが、このうち令和八年四月一日から施行される部分については、一部改正法の形で掲載した。

○子ども・子育て支援法等の一部を改正する法律（抄）

令六・六・一二
法　四　七

（法科大学院への裁判官及び検察官その他の一般職の国家公務員の派遣に関する法律の一部改正）

第三十一条　法科大学院への裁判官及び検察官その他の一般職の国家公務員の派遣に関する法律の一部を次のように改正する。

第十四条〔中略〕第四項中「第三号」を「第四号」に、「同項第三号」を「同項第四号」に、「第九十九条第二項第三号及び第四号」とあるのは「第九十九条第二項第三号」を「第九十九条第二項第四号及び第五号」とあるのは「第九十九条第二項第四号」に改める。

附　則（抄）

（施行期日）

第一条　この法律は、令和六年十月一日から施行する。ただし、次の各号に掲げる規定は、当該各号に定める日から施行する。

一〜四　〔略〕

五　次に掲げる規定　令和八年四月一日

イ〜ル　〔略〕

ヲ　附則第三十一条中法科大学院への裁判官及び検察官その他の一般職の国家公務員の派遣に関する法律第十四条第四項の改正規定

ワ〜ネ　〔略〕

六　〔略〕

○判事補及び検事の弁護士職務経験に関する法律

平一六・六・一八
法　　一　二　一

最終改正　令六・六・一二法四七

（目的）

第一条　この法律は、内外の社会経済情勢の変化に伴い、司法の果たすべき役割がより重要なものとなり、司法に対する多様かつ広範な国民の要請にこたえることのできる広くかつ高い識見を備えた裁判官及び検察官が求められていることにかんがみ、判事補及び検事（司法修習生の修習を終えた者であって、その最初に検事に任命された日から十年を経過していないものに限る。第七条第五項、第十一条第四項及び第十二条を除き、以下同じ。）について、その経験多様化（裁判官又は検察官としての能力及び資質の向上並びにその職務の充実に資する他の職務経験その他の多様な経験をすることをいう。次条第一項及び第四項において同じ。）のための方策の一環として、一定期間その官を離れ、弁護士となってその職務を経験するために必要な措置を講ずることにより、判事補及び検事が弁護士としての職務を経験することを通じて、裁判官及び検察官としての能力及び資質の一層の向上並びにその職務の一層の充実を図ることを目的とする。

（弁護士職務経験）

第二条　最高裁判所は、判事補が経験多様化の一環として一定期間弁護士となってその職務を経験することの必要性、これに伴う事務の支障その他の事情を勘案して、相当と認めるときは、当該判事補の同意（第三項に規定する事項に係る同意を含む。）を得て、第七項に規定する雇用契約を締結しようとする弁護士法人若しくは弁護士・外国法事務弁護士共同法人又は弁護士との間の取決めに基づき、期間を定めて、当該判事補が弁護士となってその職務を行うものとすることができる。

2　最高裁判所は、前項の同意を得るに当たっては、あらかじめ、当該判事補に同項の取決めの内容を明示しなければならない。

3　第一項の場合においては、最高裁判所は、当該判事補を裁判所事務官に任命するものとし、当該判事補は、その任命の時にその官を失うものとする。

4　法務大臣は、検事が経験多様化の一環として一定期間弁護士となってその職務を経験することの必要性、これに伴う事務の支障その他の事情を勘案して、相当と認めるときは、当該検事の同意（第六項に規定する事項に係る同意を含む。）を得て、第七項に規定する雇用契約を締結しようとする弁護士法人若しくは弁護士・外国法事務弁護士共同法人又は弁護士との間の取決めに基づき、期間を定めて、当該検事に弁護士となってその職務を行わせることができる。

5　法務大臣は、前項の同意を得るに当たっては、あらかじめ、当該検事に同項の取決めの内容を明示しなければならない。

6　第四項の場合においては、法務大臣は、当該検事を法務省（検察庁を除く。以下同じ。）に属する官職に任命するものとし、当該検事は、その任命の時にその官を失うものとする。

7　第一項又は第四項の取決めにおいては、第三項又は前項の規定により裁判所事務官又は法務省に属する官職に任命されて第一項又は第四項の規定により弁護士となってその職務を行う者（以下「弁護士職務従事職員」という。）と弁護士職務従事職員を雇用する弁護士法人若しくは弁護士・外国法事務弁護士共同法人又は弁護士（以下「受入先弁護士法人等」という。）との間の雇用契約（第四条第二項ただし書に規定する承認に係る事項の定めを含む。）の締結、当該受入先弁護士法人等における勤務条件、第一項又は第四項の規定により弁護士となってその職務を行う期間（以下「弁護士職務従事期間」という。）、これらの規定により弁護士となってその職務を経験すること（以下「弁護士職務経験」という。）の終了に関する事項その他これらの規定により弁護士となってその職務を行うものとし又は行わせるに当たって合意しておくべきものとして判事補については最高裁判所規則で、検事については法務省令で定める事項を定めるものとする。

8　最高裁判所又は法務大臣は、第一項又は第四項の取決めの内容を変更しようとするときは、当該判事補若しくは検事又は当該弁護士職務従事職員の同意を得なければならない。この場合においては、第二項又は第五項の規定を準用する。

（弁護士職務従事期間）

第三条　弁護士職務従事期間は、二年を超えることができない。ただし、特に必要があると認めるときは、最高裁判所又は法務大臣は、当該弁護士職務従事職員及び当該受入先弁護士法人等の同意を得て、当該弁護士職務経験を開始した日から引き続き三年を超えない範囲内で、これを延長することができる。

（弁護士の業務への従事）

第四条　弁護士職務従事職員は、第二条第一項又は第四項の取決めに定められた内容に従って、受入先弁護士法人等との間で雇用契約（次項ただし書に規定する承認に係る事項の定めを含む。）を締結し、弁護士法（昭和二十四年法律第二百五号）の定めるところにより弁護士登録（同法第八条に規定する登録をいう。第七条第四項及び第五項において同じ。）を受け、その弁護士職務従事期間中、当該雇用契約に基づいて弁護士の業務に従事するものとする。

2　弁護士職務従事職員は、前項の規定により従事する弁護士の業務のうち当事者その他関係人から依頼を受けて行う事務については、当該受入先弁護士法人等が弁護士法人又は弁護士・外国法事務弁護士共同法人である場合にあっては当該弁護士法人又は当該弁護士・外国法事務弁護士共同法人が当事者その他関係人から委託を受けた事務を行い、当該受入先弁護士法人等が弁護士である場合にあっては当該弁護士と共同して当事者その他関係人から依頼を受けてその事務を行うものとする。ただし、当該受入先弁護士法人等が個別に承認した事務については、同項の雇用契約に基づいて、単独で当事者その他関係人から依頼を受けてその事務を行うことができる。

（弁護士職務従事職員の職務及び給与）

第五条　弁護士職務従事職員は、その弁護士職務従事期間中、裁判所事務官又は法務省職員（法務省に属する官職を占める者をいう。以下同じ。）としての身分を保有するが、その職務に従事しない。

2　弁護士職務従事職員には、その弁護士職務従事期間中、給与を支給しない。

3　一般職の職員の給与に関する法律（昭和二十五年法律第九十五号。裁判所職員臨時措置法（昭和二十六年法律第二百九十九号）において準用する場合を含む。第十条において同じ。）の規定は、弁護士職務従事職員には、その弁護士職務従事期間中、適用しない。

（弁護士職務従事職員の服務等）

第六条　弁護士職務従事職員は、第四条の規定により弁護士の業務を行うに当たっては、裁判所事務官若しくは法務省職員たる地位を利用し、又はその弁護士職務経験の前において判事補若しくは検事であったことによる影響力を利用してはならない。

2　弁護士職務従事職員の第四条の規定による弁護士の業務への従事に関しては、国家公務員法（昭和二十二年法律第百二十号）第百四条（裁判所職員臨時措置法において準用する場合を含む。）の規定は、適用しない。

3　最高裁判所又は法務大臣は、必要があると認めるときは、当該弁護士職務従事職員に対し、当該受入先弁護士法人等における勤務条件及び第四条の規定による弁護士の業務への従事の状況（弁護士法第二十三条に規定する職務上知り得た秘密に該当する事項を除く。）について、報告を求めることができる。

4　弁護士職務従事職員に関する国家公務員倫理法（平成十一年法律第百二十九号。裁判所職員臨時措置法において準用する場合を含む。以下この項において同じ。）の規定の適用については、当該弁護士職務従事職員（第二条第三項又は第六項の規定により裁判所事務官又は法務省に属する官職に任命された日の前日において裁判官の報酬等に関する法律（昭和二十三年法律第七十五号）別表判事補の項八号の報酬月額以上の報酬又は検察官の俸給等に関する法律（昭和二十三年法律第七十六号）別表検事の項十六号の俸給月額以上の俸給を受けていた者に限る。）は、国家公務員倫理法第二条第二項に規定する本省課長補佐級以上の職員とみなす。

5　弁護士職務従事職員に関する国家公務員法第八十二条（裁判所職員臨時措置法において準用する場合を含む。以下この項において同じ。）の規定の適用については、同条第一項第一号中「若しくは国家公務員倫理法」とあるのは、「、国家公務員倫理法（判事補及び検事の弁護士職務経験に関する法律（平成十六年法律第百二十一号）第六条第四項の規定によりみなして適用される場合を含む。）若しくは判事補及び検事の弁護士職務経験に関する法律」とする。

（弁護士職務経験の終了等）

第七条　弁護士職務従事期間が満了したときは、当該弁護士職務経験は終了するものとする。

2　最高裁判所は、裁判所事務官である弁護士職務従事職員が当該受入先弁護士法人等との間の第四条第一項の雇用契約上の地位を失った場合その他の最高裁判所規則で定める場合であって、その弁護士職務経験を継続することができないか又は適当でないと認めるときは、速やかに、当該弁護士職務経験を終了するものとしなければならない。

3　法務大臣は、法務省職員である弁護士職務従事職員が当該受入先弁護士法人等との間の第四条第一項の雇用契約上の地位を失った場合その他の法務省令で定める場合であって、その弁護士職務経験を継続することができないか又は適当でないと認めるときは、速やかに、当該弁護士職務経験を終了するものとしなければならない。

4　第一項又は第二項の規定により裁判所事務官である弁護士職務従事職員の弁護士職務経験が終了するときは、当該弁護士職務従事職員は、弁護士法の定めるところによりその弁護士登録の取消しを受けるものとし、最高裁判所は、当該弁護士職務従事職員について判事補又は判事への任命に関し必要な手続をとらなければならない。ただし、その任命を不相当と認めるべき事由があるときは、この限りでない。

5　第一項又は第三項の規定により法務省職員である弁護士職務従事職員の弁護士職務経験が終了するときは、当該弁護士職務従事職員は、弁護士法の定めるところによりその弁護士登録の取消しを受けるものとし、法務大臣は、当該弁護士職務従事職員について検事への任命に関し必要な措置をとらなければならない。この場合においては、前項ただし書の規定を準用する。

（国家公務員共済組合法の特例）

第八条　国家公務員共済組合法（昭和三十三年法律第百二十八号）第三十九条第二項の規定及び同法の短期給付に関する規定（同法第六十八条の四の規定を除く。以下この項において同じ。）は、弁護士職務従事職員には、適用しない。この場合において、同法の短期給付に関する規定の適用を受ける職員（同法第二条第一項第一号に規定する職員をいう。以下この項において同じ。）が弁護士職務従事職員となったときは、同法の短期給付に関する規定の適用については、そのなった日の前日に退職（同法第二条第一項第四号に規定する退職をいう。）をしたものとみなし、弁護士職務従事職員が同法の短期給付に関する規定の適用を受ける職員となったときは、同法の短期給付に関する規定の適用については、そのなった日に職員となったものとみなす。

2　弁護士職務従事職員に関する国家公務員共済組合法の退職等年金給付に関する規定の適用については、第四条第一項に規定する弁護士の業務を公務とみなす。

3　弁護士職務従事職員は、国家公務員共済組合法第九十八条第一項各号に掲げる福祉事業を利用することができない。

4　弁護士職務従事職員に関する国家公務員共済組合法の規定の適用については、同法第二条第一項第五号及び第六号中「準ずる給与として政令で定めるもの」とあるのは「相当するものとして次条第一項に規定する組合の運営規則で定めるもの」と、同法第九十九条第二項中「次の各号」とあるのは「第三号」と、「当該各号」とあるのは「同号」と、「及び国の負担金」とあるのは「及び判事補及び検事の弁護士職務経験に関する法律（平成十六年法律第百二十一号）第二条第七項に規定する受入先弁護士法人等（以下「受入先弁護士法人等」という。）の負担金」と、同項第三号中「国の負担金」とあるのは「受入先弁護士法人等の負担金」と、同法第百二条第一項中「各省各庁の長（環境大臣を含む。）、行政執行法人又は職員団体」とあり、及び「国、行政執行法人又は職員団体」とあるのは「受入先弁護士法人等及び国」と、「第九十九条第二項（同条第六項から第八項までの規定により読み替えて適用する場合を含む。）及び第五項（同条第七項及び第八項の規定により読み替えて適用する場合を含む。）」とあるのは「第九十九条第二項第三号及び第四号」と、同条第四項中「第九十九条第二項」とあるのは「第九十九条第二項第三号」と、「並びに同条第五項（同条第七項及び第八項の規定により読み替えて適用する場合を含む。以下この項において同じ。）」とあるのは「及び同条第五項」と、「（同条第五項」とあるのは「（同項」と、「国、行政執行法人又は職員団体」とあるのは「受入先弁護士法人等及び国」とする。

（子ども・子育て支援法の特例）

第九条　弁護士職務従事職員に関する子ども・子育て支援法（平成二十四年法律第六十五号）の規定の適用については、受入先弁護士法人等を同法第六十九条第一項第四号に規定する団体とみなす。

（一般職の職員の給与に関する法律の特例）

第十条　弁護士職務従事職員であった者に関する一般職の職員の給与に関する法律第二十三条第一項及び附則第六項の規定の適用については、第四条第一項に規定する弁護士の業務（当該弁護士の業務に係る労働者災害補償保険法（昭和二十二年法律第五十号）第七条第二項に規定する通勤（当該弁護士の業務に係る就業の場所を国家公務員災害補償法（昭和二十六年法律第百九十一号）第一条の二第一項第一号及び第二号に規定する勤務場所とみなした場合に同条に規定する通勤に該当するものに限る。次条第一項において同じ。）を含む。）を公務とみなす。

2　弁護士職務従事職員であった者に関する一般職の職員の給与に関する法律第十一条の七第三項、第十一条の八第三項、第十二条第四項、第十二条の二第三項及び第十四条第二項の規定の適用については、弁護士職務従事職員は、同法第十一条の七第三項に規定する行政執行法人職員等とみなす。

（国家公務員退職手当法の特例）

第十一条　弁護士職務従事職員又は弁護士職務従事職員であった者が退職した場合における国家公務員退職手当法（昭和二十八年法律第百八十二号）の規定の適用については、第四条第一項に規定する弁護士の業務に係る業務上の傷病又は死亡は同法第四条第二項、第五条第一項及び第六条の四第一項に規定する公務上の傷病又は死亡と、当該弁護士の業務に係る労働者災害補償保険法第七条第二項に規定する通勤による傷病は国家公務員退職手当法第四条第二項、第五条第二項及び第六条の四第一項に規定する通勤による傷病とみなす。

2　弁護士職務従事職員又は弁護士職務従事職員であった者に関する国家公務員退職手当法第六条の四第一項及び第七条第四項の規定の適用については、弁護士職務従事期間は、同法第六条の四第一項に規定する現実に職務をとることを要しない期間には該当しないものとみなす。

3　前項の規定は、弁護士職務従事職員又は弁護士職務従事職員であった者が当該受入先弁護士法人等から所得税法（昭和四十年法律第三十三号）第三十条第一項に規定する退職手当等（同法第三十一条の規定により退職手当等とみなされるものを含む。）の支払を受けた場合には、適用しない。

4　弁護士職務従事職員がその弁護士職務従事期間中に退職した場合に支給する国家公務員退職手当法の規定による退職手当の算定の基礎となる俸給若しくは扶養手当又はこれらに対する地域手当若しくは広域異動手当（以下この項において「俸給等」という。）の月額については、当該弁護士職務従事職員が第二条第三項又は第六項の規定により裁判所事務官又は法務省に属する官職に任命された日の前日において受けていた俸給等の月額をもって、当該弁護士職務従事職員の俸給等の月額とする。ただし、必要があると認められるときは、他の判事補若しくは判事又は検事との均衡を考慮し、必要な措置を講ずることができる。

5　弁護士職務従事職員又は弁護士職務従事職員であった者が退職した場合における国家公務員退職手当法第六条の四の規定の適用については、これらの者は、その弁護士職務従事期間中、第二条第三項又は第六項の規定により裁判所事務官又は法務省に属する官職に任命された日の前日において従事していた職務に従事していたものとみなす。

（判事補等又は検事への復帰時における処遇）

第十二条　裁判所事務官である弁護士職務従事職員がその弁護士職務経験の終了後に判事補又は判事に任命された場合及び法務省職員である弁護士職務従事職員がその弁護士職務経験の終了後に検事に任命された場合における処遇については、他の判事補若しくは判事又は検事との権衡上必要と認められる範囲内において、適切な配慮が加えられなければならない。

（最高裁判所及び法務大臣の責務）

第十三条　最高裁判所及び法務大臣は、この法律の運用に当たっては、裁判官、検察官及び弁護士のそれぞれの職務の性質に配慮しつつ、その適正な運用の確保に努めなければならない。

（最高裁判所規則及び法務省令への委任）

第十四条　この法律に定めるもののほか、判事補に係るこの法律の実施に関し必要な事項は、最高裁判所規則で定める。

2　この法律に定めるもののほか、検事に係るこの法律の実施に関し必要な事項は、法務省令で定める。

3　法務大臣は、第二条第七項又は第七条第三項の法務省令を制定し、又は改廃しようとするときは、人事院の意見を聴かなければならない。前項の法務省令であって人事院の所掌に係る事項を定めるものを制定し、又は改廃しようとするときも、同様とする。

附　則（抄）

（施行期日）

1　この法律は、公布の日から起算して一年を超えない範囲内において政令で定める日〔平一七・四・一〕から施行する。ただし、次の各号に掲げる規定は、それぞれ当該各号に定める日から施行する。

一　附則第三項の規定　公布の日

二　次項の規定　公布の日から起算して九月を超えない範囲内において政令で定める日〔平一七・一・一〕

（準備行為）

2　最高裁判所又は法務大臣は、この法律の施行の日前においても、第二条第七項に規定する雇用契約を締結しようとする弁護士法人又は弁護士との間で同条第一項又は第四項の取決めをし、判事補又は検事からこれらの規定の同意を得、その他この法律の実施のために必要な準備行為をすることができる。

3　法務大臣は、第二条第七項、第七条第三項又は第十四条第三項後段の法務省令を制定しようとするときは、この法律の施行の日前においても、人事院の意見を聴くことができる。

（平成二十二年度等における子ども手当の支給に関する法律により適用される旧児童手当法の特例）

6　平成二十二年度等における子ども手当の支給に関する法律（平成二十二年法律第十九号）の規定により子ども手当の支給

がされる弁護士職務従事職員に関しては、第九条の規定を準用する。この場合において、同条の見出し中「子ども・子育て支援法」とあるのは「平成二十二年度等における子ども手当の支給に関する法律が適用される場合における旧児童手当法」と、同条中「子ども・子育て支援法（平成二十四年法律第六十五号）」とあるのは「平成二十二年度等における子ども手当の支給に関する法律（平成二十二年法律第十九号）第二十条第一項の規定による児童手当法の一部を改正する法律（平成二十四年法律第二十四号）附則第十一条の規定によりなおその効力を有するものとされた同法第一条の規定による改正前の児童手当法（昭和四十六年法律第七十三号）」と、「第六十九条第一項第四号」とあるのは「第二十条第一項第四号」と読み替えるものとする。

（平成二十三年度における子ども手当の支給等に関する特別措置法により適用される旧児童手当法の特例）

7　平成二十三年度における子ども手当の支給等に関する特別措置法（平成二十三年法律第百七号）の規定により子ども手当の支給がされる弁護士職務従事職員に関しては、第九条の規定を準用する。この場合において、同条の見出し中「子ども・子育て支援法」とあるのは「平成二十三年度における子ども手当の支給等に関する特別措置法が適用される場合における旧児童手当法」と、同条中「子ども・子育て支援法（平成二十四年法律第六十五号）」とあるのは「平成二十三年度における子ども手当の支給等に関する特別措置法（平成二十三年法律第百七号）第二十条第一項、第三項又は第五項の規定による児童手当法の一部を改正する法律（平成二十四年法律第二十四号）附則第十二条の規定によりなおその効力を有するものとされた同法第一条の規定による改正前の児童手当法（昭和四十六年法律第七十三号）」と、「第六十九条第一項第四号」とあるのは「第二十条第一項第四号」と読み替えるものとする。

附　則（令六・六・一二法四七）（抄）

（施行期日）

第一条　この法律は、令和六年十月一日から施行する。ただし、次の各号に掲げる規定は、当該各号に定める日から施行する。

一　〔前略〕附則第四十六条の規定　この法律の公布の日

二・三　〔略〕

四　次に掲げる規定　令和七年四月一日

イ～ヌ　〔略〕

ル　附則第二十九条中国と民間企業との間の人事交流に関する法律（平成十一年法律第二百二十四号）第十四条第一項の改正規定

ヲ～ツ　〔略〕

五・六　〔略〕

（その他の経過措置の政令への委任）

第四十六条　この附則に定めるもののほか、この法律の施行に関し必要な経過措置（罰則に関する経過措置を含む。）は、政令で定める。

＊　判事補及び検事の弁護士職務経験に関する法律は、子ども・子育て支援法等の一部を改正する法律（令和六年法四七）の附則により一部改正されたが、このうち令和八年四月一日から施行される部分については、一部改正法の形で掲載した。

○子ども・子育て支援法等の一部を改正する法律（抄）

令六・六・一二
法　四　七

（判事補及び検事の弁護士職務経験に関する法律の一部改正）

第三十三条　判事補及び検事の弁護士職務経験に関する法律の一部を次のように改正する。

第八条〔中略〕第四項中「第三号」を「第四号」に、「同項第三号」を「同項第四号」に、「第九十九条第二項第三号及び第四号」とあるのは「第九十九条第二項第三号」を「第九十九条第二項第四号及び第五号」とあるのは「第九十九条第二項第四号」に改める。

附　則（抄）

（施行期日）

第一条　この法律は、令和六年十月一日から施行する。ただし、次の各号に掲げる規定は、当該各号に定める日から施行する。

一～四　〔略〕

五　次に掲げる規定　令和八年四月一日

イ～ヲ　〔略〕

ワ　附則第三十三条中判事補及び検事の弁護士職務経験に関する法律第八条第一項の改正規定

カ～ネ　〔略〕

六　〔略〕

〇国家公務員退職手当法(抄)

昭二八・八・八
法 一 八 二

最終改正 令六・五・一七法二六

目次〔略〕

第一章 総則

(趣旨)

第一条 この法律は、国家公務員が退職した場合に支給する退職手当の基準を定めるものとする。

(適用範囲)

第二条 この法律の規定による退職手当は、常時勤務に服することを要する国家公務員(自衛隊法(昭和二十九年法律第百六十五号)第四十五条の二第一項の規定により採用された者及び独立行政法人通則法(平成十一年法律第百三号)第二条第四項に規定する行政執行法人(以下「行政執行法人」という。)の役員を除く。以下「職員」という。)が退職した場合に、その者(死亡による退職の場合には、その遺族)に支給する。

2 職員以外の者で、その勤務形態が職員に準ずるものは、政令で定めるところにより、職員とみなして、この法律の規定を適用する。

(遺族の範囲及び順位)

第二条の二 この法律において、「遺族」とは、次に掲げる者をいう。

一 配偶者(届出をしないが、職員の死亡当時事実上婚姻関係と同様の事情にあつた者を含む。)

二 子、父母、孫、祖父母及び兄弟姉妹で職員の死亡当時主としてその収入によつて生計を維持していたもの

三 前号に掲げる者のほか、職員の死亡当時主としてその収入によつて生計を維持していた親族

四 子、父母、孫、祖父母及び兄弟姉妹で第二号に該当しないもの

2 この法律の規定による退職手当を受けるべき遺族の順位は、前項各号の順位により、同項第二号及び第四号に掲げる者のうちにあつては、当該各号に掲げる順位による。この場合において、父母については、養父母を先にし実父母を後にし、祖父母については、養父母の父母を先にし実父母の父母を後にし、父母の養父母を先にし父母の実父母を後にする。

3 この法律の規定による退職手当の支給を受けるべき遺族に同順位の者が二人以上ある場合には、その人数によつて当該退職手当を等分して当該各遺族に支給する。

4 次に掲げる者は、この法律の規定による退職手当の支給を受けることができる遺族としない。

一 職員を故意に死亡させた者

二 職員の死亡前に、当該職員の死亡によつてこの法律の規定による退職手当の支給を受けることができる先順位又は同順位の遺族となるべき者を故意に死亡させた者

第二章 一般の退職手当

(一般の退職手当)

第二条の四 退職した者に対する退職手当の額は、次条から第六条の三までの規定により計算した退職手当の基本額に、第六条の四の規定により計算した退職手当の調整額を加えて得た額とする。

(二十五年以上勤続後の定年退職等の場合の退職手当の基本額)

第五条 次に掲げる者に対する退職手当の基本額は、退職日俸給月額に、その者の勤続期間の区分ごとに当該区分に応じた割合を乗じて得た額の合計額とする。

一 二十五年以上勤続し、国家公務員法第八十一条の六第一項の規定により退職した者(同法第八十一条の七第一項の期限又は同条第二項の規定により延長された期限の到来により退職した者を含む。)又はこれに準ずる他の法令の規定により退職した者

二 国家公務員法第七十八条第四号(裁判所職員臨時措置法において準用する場合を含む。)、自衛隊法第四十二条第四号又は国会職員法第十一条第一項第四号の規定による免職の処分を受けて退職した者

三 第八条の二第五項に規定する認定(同条第一項第二号に係るものに限る。)を受けて同条第八項第三号に規定する退職すべき期日に退職した者

四 公務上の傷病又は死亡により退職した者

五 二十五年以上勤続し、その者の事情によらないで引き続いて勤続することを困難とする理由により退職した者で政令で定めるもの

六 二十五年以上勤続し、第八条の二第五項に規定する認定(同条第一項第一号に係るものに限る。)を受けて同条第八項第三号に規定する退職すべき期日に退職した者

2 前項の規定は、二十五年以上勤続した者で、通勤による傷病により退職し、死亡により退職し、又は定年に達した日以後その者の非違によることなく退職した者(同項の規定に該当する者を除く。)に対する退職手当の基本額について準用する。

3 第一項に規定する勤続期間の区分及び当該区分に応じた割合は、次のとおりとする。

一 一年以上十年以下の期間については、一年につき百分の百五十

二 十一年以上二十五年以下の期間については、一年につき百分の百六十五

三 二十六年以上三十四年以下の期間については、一年につき百分の百八十

四 三十五年以上の期間については、一年につき百分の百五

(俸給月額の減額改定以外の理由により俸給月額が減額されたことがある場合の退職手当の基本額に係る特例)

第五条の二 退職した者の基礎在職期間中に、俸給月額の減額改定(俸給月額の改定をする法令が制定され、又はこれに準ずる給与の支給の基準が定められた場合において、当該法令又は給与の支給の基準による改定により当該改定前に受けていた俸給月額が減額されることをいう。以下同じ。)以外の理由によりその者の俸給月額が減額されたことがある場合において、当該理由が生じた日(以下「減額日」という。)における当該理由により減額されなかつたものとした場合のその者の俸給月額のうち最も多いもの(以下「特定減額前俸給月額」という。)が、退職日俸給月額よりも多いときは、その者に対する退職手

当の基本額は、前三条の規定にかかわらず、次の各号に掲げる額の合計額とする。

一　その者が特定減額前俸給月額に係る減額日のうち最も遅い日の前日に現に退職した理由と同一の理由により退職したものとし、かつ、その者の同日までの勤続期間及び特定減額前俸給月額を基礎として、前三条の規定により計算した場合の退職手当の基本額に相当する額

二　退職日俸給月額に、イに掲げる割合からロに掲げる割合を控除した割合を乗じて得た額

イ　その者に対する退職手当の基本額が前三条の規定により計算した額であるものとした場合における当該退職手当の基本額の退職日俸給月額に対する割合

ロ　前号に掲げる額の特定減額前俸給月額に対する割合

2　前項の「基礎在職期間」とは、その者に係る退職（この法律その他の法律の規定により、この法律の規定による退職手当を支給しないこととしている退職を除く。）の日以前の期間のうち、次の各号に掲げる在職期間に該当するもの（当該期間中にこの法律の規定による退職手当の支給を受けたこと又は地方公務員、第七条の二第一項に規定する公庫等職員（他の法律の規定により、同条の規定の適用について、同項に規定する公庫等職員とみなされるものを含む。以下この項において同じ。）若しくは第八条第一項に規定する独立行政法人等役員として退職したことにより退職手当（これに相当する給付を含む。）の支給を受けたことがある場合におけるこれらの退職手当に係る退職の日以前の期間及び第七条第六項の規定により職員としての引き続いた在職期間の全期間が切り捨てられたこと又は第十二条第一項若しくは第十四条第一項の規定により一般の退職手当等（一般の退職手当及び第九条の規定による退職手当をいう。以下同じ。）の全部を支給しないこととする処分を受けたことにより一般の退職手当等の支給を受けなかつたことがある場合における当該一般の退職手当等に係る退職の日以前の期間（これらの退職の日に職員、地方公務員、第七条の二第一項に規定する公庫等職員又は第八条第一項に規定する独立行政法人等役員となつたときは、当該退職の日前の期間）を除く。）をいう。

一　職員としての引き続いた在職期間

二　第七条第五項の規定により職員としての引き続いた在職期間に含むものとされた地方公務員としての引き続いた在職期間

三　第七条の二第一項に規定する再び職員となつた者の同項に規定する公庫等職員としての引き続いた在職期間

四　第七条の二第二項に規定する場合における公庫等職員としての引き続いた在職期間

五　第八条第一項に規定する再び職員となつた者の同項に規定する独立行政法人等役員としての引き続いた在職期間

六　第八条第二項に規定する場合における独立行政法人等役員としての引き続いた在職期間

七　前各号に掲げる期間に準ずるものとして政令で定める在職期間

（勤続期間の計算）

第七条　退職手当の算定の基礎となる勤続期間の計算は、職員としての引き続いた在職期間による。

2　前項の規定による在職期間の計算は、職員となつた日の属する月から退職した日の属する月までの月数による。

3　職員が退職した場合（第十二条第一項各号のいずれかに該当する場合を除く。）において、その者が退職の日又はその翌日に再び職員となつたときは、前二項の規定による在職期間の計算については、引き続いて在職したものとみなす。

4　前三項の規定による在職期間のうちに休職月等が一以上あつたときは、その月数の二分の一に相当する月数（国家公務員法第百八条の六第一項ただし書若しくは行政執行法人の労働関係に関する法律（昭和二十三年法律第二百五十七号）第七条第一項ただし書に規定する事由又はこれらに準ずる事由により現実に職務をとることを要しなかつた期間については、その月数）を前三項の規定により計算した在職期間から除算する。

5　第一項に規定する職員としての引き続いた在職期間には、地方公務員が機構の改廃、施設の移譲その他の事由によつて引き続いて職員となつたときにおけるその者の地方公務員としての引き続いた在職期間を含むものとする。この場合において、その者の地方公務員としての引き続いた在職期間の計算については、前各項の規定を準用するほか、政令でこれを定める。

6　前各項の規定により計算した在職期間に一年未満の端数がある場合には、その端数は、切り捨てる。ただし、その在職期間が六月以上一年未満（第三条第一項（傷病又は死亡による退職に係る部分に限る。）、第四条第一項又は第五条第一項の規定により退職手当の基本額を計算する場合にあつては、一年未満）の場合には、これを一年とする。

7　前項の規定は、前条又は第十条の規定により退職手当の額を計算する場合における勤続期間の計算については、適用しない。

8　第十条の規定により退職手当の額を計算する場合における勤続期間の計算については、前各項の規定により計算した在職期間に一月未満の端数がある場合には、その端数は、切り捨てる。

（公庫等職員として在職した後引き続いて職員となつた者の在職期間の計算）

第七条の二　職員のうち、任命権者又はその委任を受けた者の要請に応じ、引き続いて沖縄振興開発金融公庫その他特別の法律により設立された法人（行政執行法人を除く。）でその業務が国の事務又は事業と密接な関連を有するもののうち政令で定めるもの（退職手当（これに相当する給付を含む。）に関する規程において、職員が任命権者又はその委任を受けた者の要請に応じ、引き続いて当該法人に使用される者となつた場合に、職員としての勤続期間を当該法人に使用される者としての勤続期間に通算することと定めている法人に限る。以下「公庫等」という。）に使用される者（役員及び常時勤務に服することを要しない者を除く。以下「公庫等職員」という。）となるため退職をし、かつ、引き続き公庫等職員として在職した後引き続いて再び職員となつた者の前条第一項の規定による在職期間の計算については、先の職員としての在職期間の始期から後の職員としての在職期間の終期までの期間は、職員としての引き続いた在職期間とみなす。

2　公庫等職員が、公庫等の要請に応じ、引き続いて職員となるため退職し、かつ、引き続いて職員となつた場合におけるその者の前条第一項に規定する職員としての引き続いた在職期間に

は、その者の公庫等職員としての引き続いた在職期間を含むものとする。

3　前二項の場合における公庫等職員としての在職期間の計算については、前条（第五項を除く。）の規定を準用するほか、政令で定める。

4　第六条の四第一項の政令で定める法人その他の団体に使用される者がその身分を保有したまま引き続いて職員となつた場合におけるその者の前条第一項の規定による在職期間の計算については、職員としての在職期間は、なかつたものとみなす。ただし、政令で定める場合においては、この限りでない。

第四章　退職手当の支給制限等

（定義）

第十一条　この章において、次の各号に掲げる用語の意義は、当該各号に定めるところによる。

一　懲戒免職等処分　国家公務員法第八十二条の規定による懲戒免職の処分その他の職員としての身分を当該職員の非違を理由として失わせる処分をいう。

二　退職手当管理機関　退職（この法律その他の法律の規定により、この法律の規定による退職手当を支給しないこととしている退職を除く。以下この章において同じ。）の日におけるイからホまでに掲げる職員の区分に応じ、それぞれイからホまでに定める機関をいう。ただし、ホに定める機関が当該職員の退職後に廃止された場合における当該職員については、当該職員の占めていた職（当該職が廃止された場合にあつては、当該職に相当する職）を占める職員に対し懲戒免職等処分を行う権限を有する機関（当該機関がない場合にあつては、懲戒免職等処分及びこの章の規定に基づく処分の性質を考慮して政令で定める機関）をいう。

イ　国会職員法第一条第一号に規定する各議院事務局の事務総長　両議院の議長が両議院の議院運営委員会の合同審査会に諮つて定める機関

ロ　裁判官　最高裁判所

ハ　検査官　会計検査院

ニ　人事官　人事院

ホ　イからニまでに掲げる者以外の職員　国家公務員法その他の法令の規定（国家公務員法第八十四条第二項（裁判所職員臨時措置法において準用する場合を含む。）を除く。）により当該職員の退職の日において当該職員に対し懲戒免職等処分を行う権限を有していた機関（当該機関がない場合にあつては、懲戒免職等処分及びこの章の規定に基づく処分の性質を考慮して政令で定める機関）

（懲戒免職等処分を受けた場合等の退職手当の支給制限）

第十二条　退職をした者が次の各号のいずれかに該当するときは、当該退職に係る退職手当管理機関は、当該退職をした者（当該退職をした者が死亡したときは、当該退職に係る一般の退職手当等の額の支払を受ける権利を承継した者）に対し、当該退職をした者が占めていた職の職務及び責任、当該退職をした者が行つた非違の内容及び程度、当該非違が公務に対する国民の信頼に及ぼす影響その他の政令で定める事情を勘案して、当該一般の退職手当等の全部又は一部を支給しないこととする処分を行うことができる。

一　懲戒免職等処分を受けて退職をした者

二　国家公務員法第七十六条の規定による失職又はこれに準ずる退職をした者

2　退職手当管理機関は、前項の規定による処分を行うときは、その理由を付記した書面により、その旨を当該処分を受けるべき者に通知しなければならない。

3　退職手当管理機関は、前項の規定による通知をする場合において、当該処分を受けるべき者の所在が知れないときは、当該処分の内容を官報に掲載することをもつて通知に代えることができる。この場合においては、その掲載した日から起算して二週間を経過した日に、通知が当該処分を受けるべき者に到達したものとみなす。

（退職手当の支払の差止め）

第十三条　退職をした者が次の各号のいずれかに該当するときは、当該退職に係る退職手当管理機関は、当該退職をした者に対し、当該退職に係る一般の退職手当等の額の支払を差し止める処分を行うものとする。

一　職員が刑事事件に関し起訴（当該起訴に係る犯罪について禁錮以上の刑が定められているものに限り、刑事訴訟法（昭和二十三年法律第百三十一号）第六編に規定する略式手続によるものを除く。以下同じ。）をされた場合において、その判決の確定前に退職をしたとき。

二　退職をした者に対しまだ当該一般の退職手当等の額が支払われていない場合において、当該退職をした者が基礎在職期間中の行為に係る刑事事件に関し起訴をされたとき。

2　退職をした者に対しまだ当該退職に係る一般の退職手当等の額が支払われていない場合において、次の各号のいずれかに該当するときは、当該退職に係る退職手当管理機関は、当該退職をした者に対し、当該一般の退職手当等の額の支払を差し止める処分を行うことができる。

一　当該退職をした者の基礎在職期間中の行為に係る刑事事件に関して、その者が逮捕されたとき又は当該退職手当管理機関がその者から聴取した事項若しくは調査により判明した事実に基づきその者に犯罪があると思料するに至つたときであつて、その者に対し一般の退職手当等の額を支払うことが公務に対する国民の信頼を確保する上で支障を生ずると認めるとき。

二　当該退職手当管理機関が、当該退職をした者について、当該一般の退職手当等の額の算定の基礎となる職員としての引き続いた在職期間中に懲戒免職等処分を受けるべき行為（在職期間中の職員の非違に当たる行為であつて、その非違の内容及び程度に照らして懲戒免職等処分に値することが明らかなものをいう。以下同じ。）をしたことを疑うに足りる相当な理由があると思料するに至つたとき。

3　死亡による退職をした者の遺族（退職をした者（死亡による退職の場合には、その遺族）が当該退職に係る一般の退職手当等の額の支払を受ける前に死亡したことにより当該一般の退職手当等の額の支払を受ける権利を承継した者を含む。以下この項において同じ。）に対しまだ当該一般の退職手当等の額が支払われていない場合において、前項第二号に該当するときは、当該退職に係る退職手当管理機関は、当該遺族に対し、当該一般の退職手当等の額の支払を差し止める処分を行うことができる。

4　前三項の規定による一般の退職手当等の額の支払を差し止める処分（以下「支払差止処分」という。）を受けた者は、行政不服審査法（平成二十六年法律第六十八号）第十八条第一項本文に規定する期間が経過した後においては、当該支払差止処分後の事情の変化を理由に、当該支払差止処分を行つた退職手当管理機関に対し、その取消しを申し立てることができる。

5　第一項又は第二項の規定による支払差止処分を行つた退職手当管理機関は、次の各号のいずれかに該当するに至つた場合には、速やかに当該支払差止処分を取り消さなければならない。ただし、第三号に該当する場合において、当該支払差止処分を受けた者がその者の基礎在職期間中の行為に係る刑事事件に関し現に逮捕されているときその他これを取り消すことが支払差止処分の目的に明らかに反すると認めるときは、この限りでない。

一　当該支払差止処分を受けた者について、当該支払差止処分の理由となつた起訴又は行為に係る刑事事件につき無罪の判決が確定した場合

二　当該支払差止処分を受けた者について、当該支払差止処分の理由となつた起訴又は行為に係る刑事事件につき、判決が確定した場合（禁錮以上の刑に処せられた場合及び無罪の判決が確定した場合を除く。）又は公訴を提起しない処分があつた場合であつて、次条第一項の規定による処分を受けることなく、当該判決が確定した日又は当該公訴を提起しない処分があつた日から六月を経過した場合

三　当該支払差止処分を受けた者について、その者の基礎在職期間中の行為に係る刑事事件に関し起訴をされることなく、かつ、次条第一項の規定による処分を受けることなく、当該支払差止処分を受けた日から一年を経過した場合

6　第三項の規定による支払差止処分を行つた退職手当管理機関は、当該支払差止処分を受けた者が次条第二項の規定による処分を受けることなく当該支払差止処分を受けた日から一年を経過した場合には、速やかに当該支払差止処分を取り消さなければならない。

7　前二項の規定は、当該支払差止処分を行つた退職手当管理機関が、当該支払差止処分後に判明した事実又は生じた事情に基づき、当該一般の退職手当等の額の支払を差し止める必要がなくなつたとして当該支払差止処分を取り消すことを妨げるものではない。

8　第一項又は第二項の規定による支払差止処分を受けた者に対する第十条の規定の適用については、当該支払差止処分が取り消されるまでの間、その者は、一般の退職手当等の支給を受けない者とみなす。

9　第一項又は第二項の規定による支払差止処分を受けた者が当該支払差止処分が取り消されたことにより当該一般の退職手当等の額の支払を受ける場合（これらの規定による支払差止処分を受けた者が死亡した場合において、当該一般の退職手当等の額の支払を受ける権利を承継した者が第三項の規定による支払差止処分を受けることなく当該一般の退職手当等の額の支払を受けるに至つたときを含む。）において、当該退職をした者が既に第十条の規定による退職手当の額の支払を受けているときは、当該一般の退職手当等の額から既に支払を受けた同条の規定による退職手当の額を控除するものとする。この場合において、当該一般の退職手当等の額が既に支払を受けた同条の規定による退職手当の額以下であるときは、当該一般の退職手当等は、支払わない。

10　前条第二項及び第三項の規定は、支払差止処分について準用する。

（退職後禁錮以上の刑に処せられた場合等の退職手当の支給制限）

第十四条　退職をした者に対しまだ当該退職に係る一般の退職手当等の額が支払われていない場合において、次の各号のいずれかに該当するときは、当該退職に係る退職手当管理機関は、当該退職をした者（第一号又は第二号に該当する場合において、当該退職をした者が死亡したときは、当該一般の退職手当等の額の支払を受ける権利を承継した者）に対し、第十二条第一項に規定する政令で定める事情及び同項各号に規定する退職をした場合の一般の退職手当等の額との権衡を勘案して、当該一般の退職手当等の全部又は一部を支給しないこととする処分を行うことができる。

一　当該退職をした者が刑事事件（当該退職後に起訴をされた場合にあつては、基礎在職期間中の行為に係る刑事事件に限る。）に関し当該退職後に禁錮以上の刑に処せられたとき。

二　当該退職をした者が当該一般の退職手当等の額の算定の基礎となる職員としての引き続いた在職期間中の行為に関し国家公務員法第八十二条第二項（裁判所職員臨時措置法において準用する場合を含む。）、自衛隊法第四十六条第二項又は国会職員法第二十八条第二項の規定による懲戒免職等処分（以下「定年前再任用短時間勤務職員等に対する免職処分」という。）を受けたとき。

三　当該退職手当管理機関が、当該退職をした者（定年前再任用短時間勤務職員等に対する免職処分の対象となる者を除く。）について、当該退職後に当該一般の退職手当等の額の算定の基礎となる職員としての引き続いた在職期間中に懲戒免職等処分を受けるべき行為をしたと認めたとき。

2　死亡による退職をした者の遺族（退職をした者（死亡による退職の場合には、その遺族）が当該退職に係る一般の退職手当等の額の支払を受ける前に死亡したことにより当該一般の退職手当等の額の支払を受ける権利を承継した者を含む。以下この項において同じ。）に対しまだ当該一般の退職手当等の額が支払われていない場合において、前項第三号に該当するときは、当該退職に係る退職手当管理機関は、当該遺族に対し、第十二条第一項に規定する政令で定める事情を勘案して、当該一般の退職手当等の全部又は一部を支給しないこととする処分を行うことができる。

3　退職手当管理機関は、第一項第三号又は前項の規定による処分を行おうとするときは、当該処分を受けるべき者の意見を聴取しなければならない。

4　行政手続法（平成五年法律第八十八号）第三章第二節（第二十八条を除く。）の規定は、前項の規定による意見の聴取について準用する。

5　第十二条第二項及び第三項の規定は、第一項及び第二項の規定による処分について準用する。

6　支払差止処分に係る一般の退職手当等に関し第一項又は第二項の規定により当該一般の退職手当等の一部を支給しないこととする処分が行われたときは、当該支払差止処分は、取り消さ

れたものとみなす。

（退職をした者の退職手当の返納）

第十五条　退職をした者に対し当該退職に係る一般の退職手当等の額が支払われた後において、次の各号のいずれかに該当するときは、当該退職に係る退職手当管理機関は、当該退職をした者に対し、第十二条第一項に規定する政令で定める事情のほか、当該退職をした者の生計の状況を勘案して、当該一般の退職手当等の額（当該退職をした者が当該一般の退職手当等の支給を受けていなければ第十条第二項、第五項又は第七項の規定による退職手当の支給を受けることができた者（次条及び第十七条において「失業手当受給可能者」という。）であつた場合には、これらの規定により算出される金額（次条及び第十七条において「失業者退職手当額」という。）を除く。）の全部又は一部の返納を命ずる処分を行うことができる。

一　当該退職をした者が基礎在職期間中の行為に係る刑事事件に関し禁錮以上の刑に処せられたとき。

二　当該退職をした者が当該一般の退職手当等の額の算定の基礎となる職員としての引き続いた在職期間中の行為に関し定年前再任用短時間勤務職員等に対する免職処分を受けたとき。

三　当該退職手当管理機関が、当該退職をした者（定年前再任用短時間勤務職員等に対する免職処分の対象となる職員を除く。）について、当該一般の退職手当等の額の算定の基礎となる職員としての引き続いた在職期間中に懲戒免職等処分を受けるべき行為をしたと認めたとき。

2　前項の規定にかかわらず、当該退職をした者が第十条第一項、第四項又は第六項の規定による退職手当の額の支払を受けている場合（受けることができる場合を含む。）における当該退職に係る一般の退職手当等については、当該退職に係る退職手当管理機関は、前項の規定による処分を行うことができない。

3　第一項第三号に該当するときにおける同項の規定による処分は、当該退職の日から五年以内に限り、行うことができる。

4　退職手当管理機関は、第一項の規定による処分を行おうとするときは、当該処分を受けるべき者の意見を聴取しなければならない。

5　行政手続法第三章第二節（第二十八条を除く。）の規定は、前項の規定による意見の聴取について準用する。

6　第十二条第二項の規定は、第一項の規定による処分について準用する。

（遺族の退職手当の返納）

第十六条　死亡による退職をした者の遺族（退職をした者（死亡による退職の場合には、その遺族）が当該退職に係る一般の退職手当等の額の支払を受ける前に死亡したことにより当該一般の退職手当等の額の支払を受ける権利を承継した者を含む。以下この項において同じ。）に対し当該一般の退職手当等の額が支払われた後において、前条第一項第三号に該当するときは、当該退職に係る退職手当管理機関は、当該遺族に対し、当該退職の日から一年以内に限り、第十二条第一項に規定する政令で定める事情のほか、当該遺族の生計の状況を勘案して、当該一般の退職手当等の額（当該退職をした者が失業手当受給可能者であつた場合にあつては、失業者退職手当額を除く。）の全部又は一部の返納を命ずる処分を行うことができる。

2　第十二条第二項並びに前条第二項及び第四項の規定は、前項の規定による処分について準用する。

3　行政手続法第三章第二節（第二十八条を除く。）の規定は、前項において準用する前条第四項の規定による意見の聴取について準用する。

附　則

1　この法律は、公布の日から施行し、昭和二十八年八月一日以後の退職による退職手当について適用する。

2　職員のうち、国家公務員等退職手当法等の一部を改正する法律（昭和五十六年法律第九十一号）第一条の規定の施行の日（次項において「昭和五十六年改正法第一条施行日」という。）前に任命権者又はその委任を受けた者の要請に応じ、引き続いて旧プラント類輸出促進臨時措置法（昭和三十四年法律第五十八号）第十六条第二項に規定する指定機関（当該指定機関であつた期間の前後の内閣総理大臣が定める期間における当該指定機関とされた法人を含む。）に使用される者（役員及び常時勤務に服することを要しない者を除く。以下この項において「指定機関職員」という。）となるため退職をし、かつ、引き続き指定機関職員として在職した後引き続いて再び職員となつた者（引き続き指定機関職員として在職した後引き続いて公庫等職員として在職し、その後引き続いて再び職員となつた者を含む。）の第七条第一項の規定による在職期間の計算については、指定機関職員となる前の職員としての在職期間の始期から後の職員としての在職期間の終期までの期間は、職員としての引き続いた在職期間とみなす。

3　職員のうち、昭和五十六年改正法第一条施行日前に任命権者又はその委任を受けた者の要請に応じ、引き続いて地方公共団体（昭和五十六年改正法第一条施行日前における地方公共団体の退職手当に関する規定に、職員としての勤続期間を当該地方公共団体における地方公務員としての勤続期間に通算する旨の規定（以下この項において「通算規定」という。）がない地方公共団体に限る。）の地方公務員となるため退職をし、かつ、引き続き当該地方公共団体の地方公務員として在職した後引き続いて再び職員となつた者の第七条第一項の規定による在職期間の計算については、昭和五十六年改正法第一条施行日における当該地方公共団体の退職手当に関する規定に通算規定がある場合に限り、第七条第五項の規定にかかわらず、当該地方公共団体の地方公務員となる前の職員としての在職期間の始期から後の職員としての在職期間の終期までの期間は、職員としての引き続いた在職期間とみなす。

4　前二項に規定する者が退職した場合におけるその者に対する第二条の四及び第六条の五の規定による退職手当の額は、国家公務員等退職手当法の一部を改正する法律（昭和四十八年法律第三十号。次項から附則第八項までにおいて「昭和四十八年改正法」という。）附則第十二項の規定の例により計算した額とする。

5　附則第三項に規定する者のうち、昭和四十七年十二月一日に地方公務員であつた者は、昭和四十八年改正法附則第五項に規定する適用日に在職する職員とみなす。

6　当分の間、三十五年以下の期間勤続して退職した者（昭和四十八年改正法附則第五項の規定に該当する者を除く。）に対する退職手当の基本額は、第三条から第五条の三まで及び附則第十二項から第十六項までの規定により計算した額にそれぞれ百分の八十三・七を乗じて得た額とする。この場合において、第六条の五第一項中「前条」とあるのは、「前条並びに附則第六項」とする。

7 当分の間、三十六年以上四十二年以下の期間勤続して退職した者（昭和四十八年改正法附則第六項の規定に該当する者を除く。）で第三条第一項の規定に該当する退職をしたものに対する退職手当の基本額は、同項又は第五条の二及び附則第十五項の規定により計算した額に前項に定める割合を乗じて得た額とする。

8 当分の間、三十五年を超える期間勤続して退職した者（昭和四十八年改正法附則第七項の規定に該当する者を除く。）で第五条又は附則第十三項の規定に該当する退職をしたものに対する退職手当の基本額は、その者の勤続期間を三十五年として附則第六項の規定の例により計算して得られる額とする。

9 退職した者の基礎在職期間中に俸給月額の減額改定（平成十八年三月三十一日以前に行われた俸給月額の減額改定で内閣総理大臣が定めるものを除く。）によりその者の俸給月額が減額されたことがある場合において、その者の減額後の俸給月額が減額前の俸給月額に達しない場合にはその差額に相当する額を支給することとする法令又はこれに準ずる給与の支給の基準の適用を受けたことがあるときは、この法律の規定による俸給月額には、当該差額を含まないものとする。ただし、第六条の五第二項に規定する一般職の職員に係る基本給月額に含まれる俸給の月額及び同項に規定するその他の職員に係る基本給月額に含まれる俸給月額に相当するものとして政令で定めるものについては、この限りでない。

10 令和九年三月三十一日以前に退職した職員に対する第十条第九項の規定の適用については、同項中「第二十八条まで」とあるのは「第二十八条まで及び附則第五条」と、同項第二号中「ロ 雇用保険法第二十二条第二項に規定する厚生労働省令で定める理由により就職が困難な者であつて、同法第二十四条の二第一項第二号に掲げる者に相当する者として内閣官房令で定める者に該当し、かつ、公共職業安定所長が同項に規定する指導基準に照らして再就職を促進するために必要な職業安定法第四条第四項に規定する職業指導を行うことが適当であると認めたもの」とあるのは

「ロ 雇用保険法第二十二条第二項に規定する厚生労働省令で定める理由により就職が困難な者であつて、同法第二十四条の二第一項第二号に掲げる者に相当する者として内閣官房令で定める者に該当し、かつ、公共職業安定所長が同項に規定する指導基準に照らして再就職を促進するために必要な職業安定法第四条第四項に規定する職業指導を行うことが適当であると認めたもの

ハ 特定退職者であつて、雇用保険法附則第五条第一項に規定する地域内に居住し、かつ、公共職業安定所長が同法第二十四条の二第一項に規定する指導基準に照らして再就職を促進するために必要な職業安定法第四条第四項に規定する職業指導を行うことが適当であると認めたもの（イに掲げる者を除く。）」

とする。

11 当分の間、第六条の四第四項第五号に掲げる者に対する同項（同号に係る部分に限る。）及び附則第六項の規定の適用については、同号中「百分の八」とあるのは「百分の八・三」と、同項中「附則第六項」とあるのは「附則第六項及び第十一項」とする。

12 当分の間、第四条第一項の規定は、十一年以上二十五年未満の期間勤続した者であつて、六十歳（次の各号に掲げる者にあつては、当該各号に定める年齢）に達した日以後その者の非違によることなく退職した者（定年の定めのない職を退職した者及び同項又は同条第二項の規定に該当する者を除く。）に対する退職手当の基本額について準用する。この場合における第三条の規定の適用については、同条第一項中「又は第五条」とあるのは、「、第五条又は附則第十二項」とする。

一 次に掲げる者 六十三歳

イ 国家公務員法等の一部を改正する法律（令和三年法律第六十一号。ニにおいて「令和三年国家公務員法等改正法」という。）第一条の規定による改正前の国家公務員法（次号イ及び附則第十四項第一号において「令和五年旧国家公務員法」という。）第八十一条の二第二項第二号（裁判所職員臨時措置法において準用する場合を含む。）に掲げる職員に相当する職員として内閣官房令で定める職員

ロ 検事総長以外の検察官

ハ 国会職員法及び国家公務員退職手当法の一部を改正する法律（令和三年法律第六十二号。附則第十五項において「令和三年国会職員法等改正法」という。）第一条の規定による改正前の国会職員法（次号ロ及び附則第十四項第七号において「令和五年旧国会職員法」という。）第十五条の二第二項第二号に掲げる国会職員（国会職員法第一条に規定する国会職員をいう。以下この項及び附則第十四項において同じ。）に相当する国会職員として内閣官房令で定める国会職員

ニ 令和三年国家公務員法等改正法第八条の規定による改正前の自衛隊法（次号ハ及び附則第十四項第九号において「令和五年旧自衛隊法」という。）第四十四条の二第二項第二号に掲げる隊員（自衛隊法第二条第五項に規定する隊員をいう。以下この項及び附則第十四項において同じ。）に相当する隊員として内閣官房令で定める隊員

二 次に掲げる者 六十歳を超え六十四歳を超えない範囲内で内閣官房令で定める年齢

イ 令和五年旧国家公務員法第八十一条の二第二項第三号（裁判所職員臨時措置法において準用する場合を含む。）に掲げる職員に相当する職員のうち、内閣官房令で定める職員

ロ 令和五年旧国会職員法第十五条の二第二項第三号に掲げる国会職員に相当する国会職員のうち、内閣官房令で定める国会職員

ハ 令和五年旧自衛隊法第四十四条の二第二項第三号に掲げる隊員に相当する隊員のうち、内閣官房令で定める隊員

13 当分の間、第五条第一項の規定は、二十五年以上の期間勤続した者であつて、六十歳（前項各号に掲げる者にあつては、当該各号に定める年齢）に達した日以後その者の非違によることなく退職した者（定年の定めのない職を退職した者及び同条第一項又は第二項の規定に該当する者を除く。）に対する退職手

当の基本額について準用する。この場合における第三条の規定の適用については、同条第一項中「又は第五条」とあるのは、「、第五条又は附則第十三項」とする。

14 前二項の規定は、次に掲げる者が退職した場合に支給する退職手当の基本額については適用しない。

一 令和五年旧国家公務員法第八十一条の二第二項第一号（裁判所職員臨時措置法において準用する場合を含む。）に掲げる職員に相当する職員として内閣官房令で定める職員及び同項第三号（裁判所職員臨時措置法において準用する場合を含む。）に掲げる職員に相当する職員のうち内閣官房令で定める職員

二 国家公務員法第八十一条の六第二項ただし書（裁判所職員臨時措置法において準用する場合を含む。）に規定する職員

三 公正取引委員会の委員長及び委員

四 裁判官

五 検事総長

六 検査官

七 令和五年旧国会職員法第十五条の二第二項第一号に掲げる国会職員に相当する国会職員として内閣官房令で定める国会職員及び同項第三号に掲げる国会職員に相当する国会職員のうち内閣官房令で定める国会職員

八 国会職員法第十五条の六第二項ただし書に規定する国会職員

九 令和五年旧自衛隊法第四十四条の二第二項第一号に掲げる隊員に相当する隊員として内閣官房令で定める隊員及び同項第三号に掲げる隊員に相当する隊員のうち内閣官房令で定める隊員

十 自衛隊法第四十四条の六第二項ただし書に規定する隊員

十一 自衛隊法第四十五条第一項に規定する自衛官

十二 給与その他の処遇の状況が前各号に掲げる職員に類する職員として内閣官房令で定める職員

15 一般職の職員の給与に関する法律附則第八項（裁判所職員臨時措置法において準用する場合を含む。）、検察官の俸給等に関する法律（昭和二十三年法律第七十六号）附則第五条第一項若しくは防衛省の職員の給与等に関する法律（昭和二十七年法律第二百六十六号）附則第五項の規定、令和三年国会職員法等改正法による定年の引上げに伴う給与に関する特例措置又はこれらに準ずる給与の支給の基準による職員の俸給月額の改定は、俸給月額の減額改定に該当しないものとする。

16 当分の間、第四条第一項第三号並びに第五条第一項第三号、第五号及び第六号に掲げる者に対する第五条の三及び第六条の三の規定の適用については、第五条の三並びに第六条の三の表第六条の項、第六条の二第一号の項及び第六条の二第二号の項中「定年」とあるのは、「定年（附則第十二項各号及び第十四項各号に掲げる者以外の者（国家公務員法等の一部を改正する法律（令和三年法律第六十一号）第一条の規定による改正前の国家公務員法第八十一条の二第二項本文（裁判所職員臨時措置法において準用する場合を含む。）の適用を受けていた者であつて附則第十四項第二号に掲げる職員に該当する職員、国会職員法及び国家公務員退職手当法の一部を改正する法律（令和三年法律第六十二号）第一条の規定による改正前の国会職員法第十五条の二第二項本文の適用を受けていた者であつて附則第十四項第八号に掲げる国会職員に該当する国会職員及び国家公務員法等の一部を改正する法律第八条の規定による改正前の自衛隊法第四十四条の二第二項本文の適用を受けていた者であつて附則第十四項第十号に掲げる隊員に該当する隊員を含む。）にあつては六十歳とし、附則第十二項各号に掲げる者にあつては当該各号に定める年齢とし、附則第十四項第一号に掲げる職員、同項第七号に掲げる国会職員及び同項第九号に掲げる隊員にあつては六十五歳とし、同項第十二号に掲げる職員にあつては内閣官房令で定める年齢とする。）」とする。

附　則（昭三二・四・二〇法七四）（抄）

最終改正　平九・六・二〇法九八

1 この法律は、公布の日から施行する。

附　則（昭三四・五・一五法一六四）（抄）

最終改正　平二〇・一二・二六法九五

1 この法律は、公布の日から施行する。

附　則（昭三五・六・二八法一一一）（抄）

1 この法律は、公布の日から施行する。

附　則（昭四八・五・一七法三〇）（抄）

最終改正　平二九・一二・一五法七九

（施行期日）

1 この法律は、公布の日から施行する。

附　則（昭五九・八・一〇法七一）（抄）

改正　昭六一・一二・四法九三

（施行期日）

第一条 この法律は、昭和六十年四月一日から施行する。〔ただし書略〕

附　則（昭五九・一二・二五法八七）（抄）

改正　昭六一・一二・四法九三

（施行期日）

第一条 この法律は、昭和六十年四月一日から施行する。〔ただし書略〕

附　則（昭六〇・三・三〇法四）（抄）

（施行期日等）

1 この法律は、昭和六十年四月一日から施行する。ただし、第二条第二項の改正規定、第三条第二項の改正規定（「傷病」を「負傷若しくは病気（以下「傷病」という。）」に改める部分に限る。）及び附則に二項を加える改正規定（附則第十九項に係る部分に限る。）は、同年三月三十一日から施行する。

附　則（昭六一・一二・四法九三）（抄）

最終改正　平二〇・一二・二六法九五

（施行期日）

第一条 この法律は、昭和六十二年四月一日から施行する。〔ただし書略〕

附　則（昭六三・一二・一三法九一）（抄）

（施行期日）

第一条 この法律は、公布の日から起算して六月を超えない範囲内において政令で定める日（昭六四・一・一）から施行する。

附　則（平四・四・二法二八）（抄）

（施行期日）

1 この法律は、公布の日から起算して六月を超えない範囲内において政令で定める日（平四・五・一）から施行する。

附　則（平九・六・四法六六）（抄）

（施行期日等）

1 この法律は、公布の日から起算して三月を超えない範囲内において政令で定める日〔平九・七・一〕から施行する。

附 則（平一二・五・一二法五九）（抄）

（施行期日）

第一条 この法律は、平成十三年四月一日から施行する。〔ただし書略〕

附 則（平一五・四・三〇法三一）（抄）

（施行期日）

第一条 この法律は、平成十五年五月一日から施行する。

附 則（平一五・六・四法六二）（抄）

最終改正 平二四・一一・二六法九六

（施行期日）

1 この法律は、平成十五年十月一日から施行する。ただし、次の各号に掲げる規定は、当該各号に定める日から施行する。

一 第一条中国家公務員退職手当法第五条の二及び第七条の二の改正規定並びに同条の次に一条を加える改正規定並びに附則第五項から第七項までの規定 公布の日から起算して二月を超えない範囲内において政令で定める日〔平一五・六・一五〕

二 附則第四項の規定 平成十六年十月一日

附 則（平一六・一二・一法一四六）（抄）

最終改正 平二六・一一・一九法一〇七

（施行期日）

1 この法律は、平成十七年四月一日から施行する。

附 則（平一七・一〇・二一法一〇二）（抄）

最終改正 平二〇・一二・二六法九五

（施行期日）

第一条 この法律は、郵政民営化法の施行の日〔平一九・一〇・一〕から施行する。〔ただし書略〕

附 則（平一七・一一・七法一一三）（抄）

（施行期日）

第一条 この法律は、公布の日の属する月の翌月の初日（公布の日が月の初日であるときは、その日）から施行する。ただし、〔中略〕附則〔中略〕第十七条から第三十二条までの規定は、平成十八年四月一日から施行する。

附 則（平一七・一一・七法一一五）（抄）

最終改正 平二九・一二・一五法七九

（施行期日）

第一条 この法律は、平成十八年四月一日から施行する。

附 則（平一九・四・二三法三〇）（抄）

改正 平一九・七・六法一〇九

（施行期日）

第一条 この法律は、公布の日から施行する。ただし、次の各号に掲げる規定は、当該各号に定める日から施行する。

一 〔略〕

一の二 〔前略〕附則〔中略〕第六十一条、第六十三条〔中略〕の規定〔中略〕 平成十九年十月一日

二 〔略〕

三 〔前略〕附則〔中略〕第六十二条、第六十四条〔中略〕の規定 日本年金機構法の施行の日〔平二二・一・一〕

附 則（平二〇・一二・二六法九五）（抄）

（施行期日）

第一条 この法律は、公布の日から起算して六月を超えない範囲内において政令で定める日〔平二一・四・一〕から施行する。〔ただし書略〕

附 則（平二二・三・三一法一五）（抄）

（施行期日）

第一条 この法律は、平成二十二年四月一日から施行する。〔ただし書略〕

附 則（平二四・六・二七法四二）（抄）

（施行期日）

第一条 この法律は、平成二十五年四月一日から施行する。〔ただし書略〕

附 則（平二四・一一・二六法九六）（抄）

（施行期日）

第一条 この法律は、平成二十五年一月一日から施行する。ただし、次の各号に掲げる規定は、当該各号に定める日から施行する。

一 〔前略〕附則〔中略〕第十一条の規定 公布の日

二～四 〔略〕

五 第一条中国家公務員退職手当法目次、第三条、第四条、第五条（見出しを含む。）、第五条の三、第六条の三及び第六条の四第四項の改正規定、同法第二章中第八条の次に一条を加える改正規定並びに同法第十一条第二号及び第十四条第一項第二号の改正規定並びに附則第五条の規定 公布の日から起算して一年を超えない範囲内において政令で定める日〔平二五・一一・一〕〔平二五・六・一〕

六 〔略〕

附 則（平二六・六・一三法六七）（抄）

（施行期日）

第一条 この法律は、独立行政法人通則法の一部を改正する法律（平成二十六年法律第六十六号。以下「通則法改正法」という。）の施行の日〔平二七・四・一〕から施行する。〔ただし書略〕

附 則（平二六・一一・一九法一〇七）（抄）

（施行期日）

第一条 この法律は、平成二十七年四月一日から施行する。ただし、附則第三条の規定は、公布の日から施行する。

附 則（平二八・三・三一法一七）（抄）

改正 平二八・一一・二四法八〇

（施行期日）

第一条 この法律は、平成二十九年一月一日から施行する。〔ただし書略〕

附 則（平二九・三・三一法一四）（抄）

（施行期日）

第一条 この法律は、平成二十九年四月一日から施行する。ただし、次の各号に掲げる規定は、当該各号に定める日から施行する。

一～三 〔略〕

四 〔前略〕附則第十三条中国家公務員退職手当法（昭和二十八年法律第百八十二号）第十条第十項第五号の改正規定、附則第十四条第二項〔中略〕の規定〔中略〕 平成三十年一月一日

五 〔略〕

附 則（平二九・一二・一五法七九）（抄）

（施行期日）
1　この法律は、平成三十年一月一日から施行する。

附　則（令元・六・一四法三七）（抄）

（施行期日）
第一条　この法律は、公布の日から起算して三月を経過した日から施行する。〔ただし書略〕

附　則（令三・六・一一法六一）（抄）

（施行期日）
第一条　この法律は、令和五年四月一日から施行する。ただし、第三条中国家公務員退職手当法附則第二十五項の改正規定〔中略〕は、公布の日から施行する。

附　則（令三・六・一一法六二）（抄）

（施行期日）
第一条　この法律は、令和五年四月一日から施行する。〔ただし書略〕

附　則（令四・三・三一法一二）（抄）

（施行期日）
第一条　この法律は、令和四年四月一日から施行する。ただし、次の各号に掲げる規定は、当該各号に定める日から施行する。
一　〔略〕
二　〔前略〕附則第十一条中国家公務員退職手当法（昭和二十八年法律第百八十二号）第十条第三項の改正規定並びに附則第十二条〔中略〕の規定　令和四年七月一日
三　〔前略〕附則第十一条中国家公務員退職手当法第十条第十項の改正規定〔中略〕　令和四年十月一日

（国家公務員退職手当法の一部改正に伴う経過措置）
第十二条　前条の規定（附則第一条第二号に掲げる改正規定に限る。）による改正後の国家公務員退職手当法第十条第三項の規定は、第二号施行日以後に同項の事業を開始した職員その他これに準ずるものとして同項の内閣官房令で定める職員に該当するに至った者について適用する。

附　則（令六・五・一七法二六）（抄）

（施行期日）
第一条　この法律は、令和七年四月一日から施行する。〔ただし書略〕

＊　国家公務員退職手当法は、刑法等の一部を改正する法律の施行に伴う関係法律の整理等に関する法律（令和四年法六八）により一部改正されたが、刑法等一部改正法施行日〔令七・六・一〕から施行となるため、一部改正法の形で掲載した。

○刑法等の一部を改正する法律の施行に伴う関係法律の整理等に関する法律（抄）

令四・六・一七
法　六　八

（国家公務員退職手当法の一部改正）
第七十二条　国家公務員退職手当法（昭和二十八年法律第百八十二号）の一部を次のように改正する。
第十三条第一項第一号及び第五項第二号中「禁錮」を「拘禁刑」に改める。
第十四条の見出し、同条第一項第一号、第十五条第一項第一号及び第十七条第四項中「禁錮」を「拘禁刑」に改める。

附　則（抄）

（施行期日）
1　この法律は、刑法等一部改正法施行日〔令七・六・一〕から施行する。〔ただし書略〕

○国家公務員退職手当法施行令（抄）

昭二八・八・二五
政令二一五

最終改正　令六・四・二四政令一七四

目次〔略〕

第一章　総則

（非常勤職員に対する退職手当）
第一条　常時勤務に服することを要する国家公務員（以下「職員」という。）以外の者で、国家公務員退職手当法（以下「法」という。）第二条第二項の規定により職員とみなされるものは、次に掲げる者とする。
一　国の一般会計又は特別会計の歳出予算の常勤職員給与の目から俸給が支給される者
二　前号に掲げる者以外の常時勤務に服することを要しない者のうち、内閣総理大臣の定めるところにより、職員について定められている勤務時間以上勤務した日（法令の規定により、勤務を要しないこととされ、又は休暇を与えられた日を含む。）が引き続いて十二月を超えるに至つたもので、その超えるに至つた日以後引き続き当該勤務時間により勤務することとされているもの
2　前項第二号に掲げる者については、法第四条中十一年以上二十五年未満の期間勤続した者の通勤による傷病による退職及び死亡による退職に係る部分以外の部分の規定並びに法第五条中公務上の傷病又は死亡による退職に係る部分並びに二十五年以上勤続した者の通勤による傷病による退職及び死亡による退職に係る部分以外の部分の規定は、適用しないものとする。

（法第七条の二第一項に規定する政令で定める法人）
第九条の二　法第七条の二第一項に規定する政令で定める法人は、沖縄振興開発金融公庫のほか、次に掲げる法人とする。
一　独立行政法人都市再生機構法（平成十五年法律第百号）附

則第四条第一項の規定により解散した旧都市基盤整備公団（同法附則第十八条の規定による廃止前の都市基盤整備公団法（平成十一年法律第七十六号。以下この号において「旧都市基盤整備公団法」という。）附則第十七条の規定による廃止前の住宅・都市整備公団法（昭和五十六年法律第四十八号）附則第六条第一項の規定により解散した旧日本住宅公団及び同法附則第七条第一項の規定により解散した旧宅地開発公団並びに旧都市基盤整備公団法附則第六条第一項の規定により解散した旧住宅・都市整備公団を含む。）

二　日本道路公団等民営化関係法施行法（平成十六年法律第百二号）第十五条第一項の規定により解散した旧日本道路公団

三　独立行政法人緑資源機構法を廃止する法律（平成二十年法律第八号）附則第二条第一項の規定により解散した旧独立行政法人緑資源機構（以下「旧緑資源機構」という。）（森林開発公団法の一部を改正する法律（平成十一年法律第七十号）附則第八条の規定による廃止前の農用地整備公団法（昭和四十九年法律第四十三号）附則第六条第一項の規定により解散した旧農地開発機械公団、農用地開発公団法の一部を改正する法律（昭和五十二年法律第七十号）附則第二条第一項の規定により解散した旧八郎潟新農村建設事業団、農用地開発公団法の一部を改正する法律（昭和六十三年法律第四十四号）附則第二条の規定により農用地整備公団となつた旧農用地開発公団、森林開発公団法の一部を改正する法律附則第二条の規定により緑資源公団となつた旧森林開発公団及び同法附則第三条第一項の規定により解散した旧農用地整備公団並びに独立行政法人緑資源機構法を廃止する法律による廃止前の独立行政法人緑資源機構法（平成十四年法律第百三十号）附則第四条第一項の規定により解散した旧緑資源公団を含む。）

四　旧日本鉄道建設公団（旧日本国有鉄道清算事業団を含む。）及び独立行政法人鉄道建設・運輸施設整備支援機構法附則第三条第一項の規定により解散した旧運輸施設整備事業団（国内旅客船公団法の一部を改正する法律（昭和三十六年法律第七十三号）附則第二条の規定により特定船舶整備公団となつた旧国内旅客船公団、特定船舶整備公団法の一部を改正する法律（昭和四十一年法律第百四十九号）附則第二項の規定により船舶整備公団となつた旧特定船舶整備公団、独立行政法人鉄道建設・運輸施設整備支援機構法附則第十四条の規定による廃止前の運輸施設整備事業団法（平成九年法律第八十三号）附則第六条第一項の規定により解散した旧船舶整備公団及び同法附則第七条第一項の規定により解散した旧鉄道整備基金、特定船舶製造業安定事業協会法の一部を改正する法律（平成元年法律第五十七号）による改正前の特定船舶製造業安定事業協会法（昭和五十三年法律第百三号）第一条の特定船舶製造業安定事業協会並びに運輸施設整備事業団法の一部を改正する法律（平成十二年法律第四十七号）附則第三条第一項の規定により解散した旧造船業基盤整備事業協会を含む。）

五　首都高速道路株式会社（日本道路公団等民営化関係法施行法第十五条第一項の規定により解散した旧首都高速道路公団を含む。）

六　旧独立行政法人日本原子力研究開発機構法第三条の独立行政法人日本原子力研究開発機構（原子力基本法及び動力炉・核燃料開発事業団法の一部を改正する法律（平成十年法律第六十二号）第二条の規定による改正前の動力炉・核燃料開発事業団法（昭和四十二年法律第七十三号）附則第三条第一項の規定により解散した旧原子燃料公社、日本原子力船開発事業団法の一部を改正する法律（昭和五十五年法律第九十二号）附則第二条第一項の規定により日本原子力船研究開発事業団となつた旧日本原子力船開発事業団、日本原子力研究所法の一部を改正する法律（昭和五十九年法律第五十七号）附則第二条第一項の規定により解散した旧日本原子力船研究開発事業団及び原子力基本法及び動力炉・核燃料開発事業団法の一部を改正する法律附則第二条の規定により核燃料サイクル開発機構となつた旧動力炉・核燃料開発事業団並びに旧独立行政法人日本原子力研究開発機構法附則第二条第一項の規定により解散した旧日本原子力研究所及び同法附則第三条第一項の規定により解散した旧核燃料サイクル開発機構を含む。）

七　平成二十七年独法改革厚生労働省関係法整備法第四条の規定による改正前の独立行政法人労働者健康福祉機構法（平成十四年法律第百七十一号。以下「旧独立行政法人労働者健康福祉機構法」という。）第二条の独立行政法人労働者健康福祉機構（旧独立行政法人労働者健康福祉機構法附則第二条第一項の規定により解散した旧労働福祉事業団を含む。）及び旧労働安全衛生総合研究所

八　独立行政法人日本貿易振興機構法（平成十四年法律第百七十二号）附則第二条第一項の規定により解散した旧日本貿易振興会（日本貿易振興会法及び通商産業省設置法の一部を改正する法律附則第三条第一項の規定により解散した旧アジア経済研究所を含む。）

九　平成二十六年独法整備法第百七十三条の規定による改正前の独立行政法人新エネルギー・産業技術総合開発機構法（平成十四年法律第百四十五号。以下「旧独立行政法人新エネルギー・産業技術総合開発機構法」という。）第三条の独立行政法人新エネルギー・産業技術総合開発機構（石油代替エネルギーの開発及び導入の促進に関する法律等の一部を改正する法律（平成二十一年法律第七十号）第一条の規定による改正前の石油代替エネルギーの開発及び導入の促進に関する法律（昭和五十五年法律第七十一号）附則第七条第一項の規定により解散した旧石炭鉱業合理化事業団、産業技術に関する研究開発体制の整備に関する法律の一部を改正する法律（平成三年法律第六十四号）による改正前の産業技術に関する研究開発体制の整備に関する法律（昭和六十三年法律第三十三号）附則第四条の規定により新エネルギー・産業技術総合開発機構となつた旧新エネルギー総合開発機構、石炭鉱害賠償担保等臨時措置法の一部を改正する法律（昭和四十三年法律第五十一号）附則第二条の規定により石炭鉱害事業団となつた旧鉱害基金及び石炭鉱害賠償等臨時措置法の一部を改正する法律（平成八年法律第二十三号）附則第二条第一項の規定により解散した旧石炭鉱害事業団並びに旧独立行政法人新エネルギー・産業技術総合開発機構法附則第二条第一項の規定により解散した旧新エネルギー・産業技術総合開発機構を含む。）

十　株式会社日本政策金融公庫（株式会社日本政策金融公庫法（平成十九年法律第五十七号）附則第四十二条第四号の規定

による廃止前の国際協力銀行法（平成十一年法律第三十五号）附則第六条第一項の規定により解散した旧日本輸出入銀行、同法附則第七条第一項の規定により解散した旧海外経済協力基金、国民金融公庫法の一部を改正する法律（平成十一年法律第五十六号）附則第二条の規定により国民生活金融公庫となつた旧国民金融公庫及び同法附則第三条第一項の規定により解散した旧環境衛生金融公庫並びに株式会社日本政策金融公庫法附則第十五条第一項の規定により解散した旧国民生活金融公庫（以下「旧国民生活金融公庫」という。）、同法附則第十六条第一項の規定により解散した旧農林漁業金融公庫（以下「旧農林漁業金融公庫」という。）、同法附則第十七条第一項の規定により解散した旧中小企業金融公庫（以下「旧中小企業金融公庫」という。）及び同法附則第十八条第一項の規定により解散した旧国際協力銀行（以下「旧国際協力銀行」という。）を含む。）

十一　株式会社日本政策投資銀行（株式会社日本政策投資銀行法（平成十九年法律第八十五号）附則第二十六条の規定による廃止前の日本政策投資銀行法（平成十一年法律第七十三号）附則第六条第一項の規定により解散した旧日本開発銀行及び同法附則第七条第一項の規定により解散した旧北海道東北開発公庫並びに株式会社日本政策投資銀行法附則第十五条第一項の規定により解散した旧日本政策投資銀行を含む。）

十二　平成二十六年独法整備法第八十七条の規定による改正前の独立行政法人理化学研究所法（平成十四年法律第百六十号。以下「旧独立行政法人理化学研究所法」という。）第二条の独立行政法人理化学研究所（旧独立行政法人理化学研究所法附則第二条第一項の規定により解散した旧理化学研究所を含む。）

十三　旧独立行政法人科学技術振興機構法第三条の独立行政法人科学技術振興機構（新技術開発事業団法の一部を改正する法律附則第二条の規定により新技術事業団となつた旧新技術開発事業団、旧独立行政法人科学技術振興機構法附則第六条の規定による廃止前の科学技術振興事業団法附則第六条第一項の規定により解散した旧日本科学技術情報センター及び同法附則第八条第一項の規定により解散した旧新技術事業団並びに旧独立行政法人科学技術振興機構法附則第二条第一項の規定により解散した旧科学技術振興事業団を含む。）

十四　独立行政法人農畜産業振興機構法（平成十四年法律第百二十六号）附則第三条第一項の規定により解散した旧農畜産業振興事業団（同法附則第九条の規定による廃止前の農畜産業振興事業団法（平成八年法律第五十三号。以下この号において「旧農畜産業振興事業団法」という。）附則第十五条の規定による廃止前の蚕糸砂糖類価格安定事業団法（昭和五十六年法律第四十四号）附則第六条第一項の規定により解散した旧日本蚕糸事業団及び同法附則第八条第一項の規定により解散した旧糖価安定事業団並びに旧農畜産業振興事業団法附則第六条第一項の規定により解散した旧畜産振興事業団及び旧農畜産業振興事業団法附則第七条第一項の規定により解散した旧蚕糸砂糖類価格安定事業団を含む。）及び独立行政法人農畜産業振興機構法附則第四条第一項の規定により解散した旧野菜供給安定基金

十五　中小企業退職金共済法の一部を改正する法律（平成十四年法律第百六十四号）附則第二条第一項の規定により解散した旧勤労者退職金共済機構（中小企業退職金共済法の一部を改正する法律（昭和五十六年法律第三十八号）附則第五条第一項の規定により解散した旧特定業種退職金共済組合並びに中小企業退職金共済法の一部を改正する法律（平成九年法律第六十八号）附則第五条第一項の規定により解散した旧中小企業退職金共済事業団及び同法附則第六条第一項の規定により解散した旧特定業種退職金共済組合を含む。）

十六　独立行政法人国際観光振興機構法（平成十四年法律第百八十一号）附則第二条第一項の規定により解散した旧国際観光振興会（日本観光協会法の一部を改正する法律（昭和三十九年法律第十五号）附則第二条第一項の規定により国際観光振興会となつた旧日本観光協会を含む。）

十七　旧日本てん菜振興会の解散に関する法律（昭和四十八年法律第三十三号）第一項の規定により解散した旧日本てん菜振興会

十八　独立行政法人雇用・能力開発機構法を廃止する法律（平成二十三年法律第二十六号。以下この号において「廃止法」という。）附則第二条第一項の規定により解散した旧独立行政法人雇用・能力開発機構（以下「旧独立行政法人雇用・能力開発機構」という。）（廃止法による廃止前の独立行政法人雇用・能力開発機構法（平成十四年法律第百七十号）附則第三条第一項の規定により解散した旧雇用・能力開発機構、同法附則第六条の規定による廃止前の雇用・能力開発機構法（平成十一年法律第二十号。以下この号において「旧雇用・能力開発機構法」という。）附則第十二条の規定による廃止前の雇用促進事業団法（昭和三十六年法律第百十六号）附則第十条第一項の規定により解散した旧炭鉱離職者援護会及び旧雇用・能力開発機構法附則第六条第一項の規定により解散した旧雇用促進事業団を含む。）

十九　年金積立金管理運用独立行政法人法（平成十六年法律第百五号）附則第三条第一項の規定により解散した旧年金資金運用基金（同法附則第十四条の規定による廃止前の年金福祉事業団の解散及び業務の承継等に関する法律（平成十二年法律第二十号）第一条第一項の規定により解散した旧年金福祉事業団を含む。）

二十　郵政民営化法等の施行に伴う関係法律の整備等に関する法律（平成十七年法律第百二号）第二条第十二号の規定による廃止前の日本郵政公社法施行法（平成十四年法律第九十八号。第八十九号において「旧日本郵政公社法施行法」という。）第六条第一項の規定により解散した旧簡易保険福祉事業団（簡易生命保険法の一部を改正する法律（平成二年法律第五十号）附則第二十八条第一項の規定により簡易保険福祉事業団となつた旧簡易保険郵便年金福祉事業団を含む。）

二十一　阪神高速道路株式会社（日本道路公団等民営化関係法施行法第十五条第一項の規定により解散した旧阪神高速道路公団を含む。）

二十二　独立行政法人水資源機構法（平成十四年法律第百八十二号）附則第二条第一項の規定により解散した旧水資源開発公団（水資源開発公団法の一部を改正する法律（昭和四十三年法律第七十三号）附則第二条第一項の規定により解散した旧愛知用水公団を含む。）

二十三　独立行政法人国際協力機構法（平成十四年法律第百三

十六号）附則第二条第一項の規定により解散した旧国際協力事業団（同法附則第五条の規定による廃止前の国際協力事業団法（昭和四十九年法律第六十二号）附則第六条第一項の規定により解散した旧海外技術協力事業団及び同法附則第七条第一項の規定により解散した旧海外移住事業団を含む。）

二十四　中小企業総合事業団法及び機械類信用保険法の廃止等に関する法律（平成十四年法律第百四十六号。以下この号において「廃止法」という。）附則第二条第一項の規定により解散した旧中小企業総合事業団（廃止法第一条の規定による廃止前の中小企業総合事業団法（平成十一年法律第十九号。以下この号において「旧中小企業総合事業団法」という。）附則第二十四条の規定による廃止前の中小企業事業団法（昭和五十五年法律第五十三号。以下この号において「旧中小企業事業団法」という。）附則第十六条の規定による廃止前の中小企業振興事業団法（昭和四十二年法律第五十六号）附則第八条第一項の規定により解散した旧日本中小企業指導センター、中小企業倒産防止共済法（昭和五十二年法律第八十四号）附則第四条第一項の規定により中小企業共済事業団となつた旧小規模企業共済事業団、旧中小企業事業団法附則第六条第一項の規定により解散した旧中小企業共済事業団及び旧中小企業事業団法附則第七条第一項の規定により解散した旧中小企業振興事業団、繊維工業構造改善臨時措置法の一部を改正する法律（平成六年法律第二十七号）による改正前の繊維工業構造改善臨時措置法（昭和四十二年法律第八十二号）第二十一条の繊維工業構造改善事業協会並びに旧中小企業総合事業団法附則第五条第一項の規定により解散した旧中小企業信用保険公庫、旧中小企業総合事業団法附則第六条第一項の規定により解散した旧繊維産業構造改善事業協会及び旧中小企業総合事業団法附則第七条第一項の規定により解散した旧中小企業事業団を含む。）及び廃止法附則第四条第一項の規定により解散した旧産業基盤整備基金（特定不況産業安定臨時措置法の一部を改正する法律（昭和五十八年法律第五十三号）による改正前の特定不況産業安定臨時措置法（昭和五十三年法律第四十四号）第十三条の特定不況産業信用基金、民間事業者の能力の活用による特定施設の整備の促進に関する臨時措置法（昭和六十一年法律第七十七号）附則第七条第五項の規定により解散した旧特定産業信用基金及び産業構造転換円滑化臨時措置法を廃止する法律（平成八年法律第四十九号）による廃止前の産業構造転換円滑化臨時措置法（昭和六十二年法律第二十四号）附則第四条の規定による改正前の民間事業者の能力の活用による特定施設の整備の促進に関する臨時措置法第十四条の産業基盤信用基金を含む。）並びに中小企業金融公庫法及び独立行政法人中小企業基盤整備機構法の一部を改正する法律（平成十六年法律第三十五号）附則第三条第一項の規定により解散した旧地域振興整備公団（産炭地域振興事業団法の一部を改正する法律（昭和四十七年法律第七十四号）附則第二条第一項の規定により工業再配置・産炭地域振興公団となつた旧産炭地域振興事業団及び工業再配置・産炭地域振興公団法の一部を改正する法律（昭和四十九年法律第六十九号）附則第二条の規定により地域振興整備公団となつた旧工業再配置・産炭地域振興公団を含む。）

二十五　平成二十六年独法整備法第百四十八条の規定による改正前の独立行政法人農業・食品産業技術総合研究機構法（平成十一年法律第百九十二号。以下「旧独立行政法人農業・食品産業技術総合研究機構法」という。）第三条の独立行政法人農業・食品産業技術総合研究機構（独立行政法人農業技術研究機構法の一部を改正する法律（平成十四年法律第百二十九号）附則第八条の規定による廃止前の生物系特定産業技術研究推進機構法（昭和六十一年法律第八十二号）附則第二条第一項の規定により解散した旧農業機械化研究所及び独立行政法人農業技術研究機構法の一部を改正する法律附則第四条第一項の規定により解散した旧生物系特定産業技術研究推進機構を含む。）並びに平成二十七年独法改革農林水産省関係法整備法附則第二条第一項の規定により解散した旧独立行政法人種苗管理センター（以下「旧種苗管理センター」という。）（平成十八年独法改革農林水産省関係法整備法の施行の日の前日までの間におけるものを除く。）、旧国立研究開発法人農業生物資源研究所（平成二十六年独法整備法第百四十九条の規定による改正前の独立行政法人農業生物資源研究所法（平成十一年法律第百九十三号。以下「旧独立行政法人農業生物資源研究所法」という。）第二条の独立行政法人農業生物資源研究所（同日までの間におけるものを除く。）を含む。）及び旧国立研究開発法人農業環境技術研究所（平成二十六年独法整備法第百五十条の規定による改正前の独立行政法人農業環境技術研究所法（平成十一年法律第百九十四号。以下「旧独立行政法人農業環境技術研究所法」という。）第二条の独立行政法人農業環境技術研究所（同日までの間におけるものを除く。）を含む。）

二十六　安定的なエネルギー需給構造の確立を図るためのエネルギーの使用の合理化等に関する法律等の一部を改正する法律（令和四年法律第四十六号）第三条の規定による改正前の独立行政法人石油天然ガス・金属鉱物資源機構法（平成十四年法律第九十四号。以下「旧独立行政法人石油天然ガス・金属鉱物資源機構法」という。）第二条の独立行政法人石油天然ガス・金属鉱物資源機構（金属鉱物探鉱促進事業団法の一部を改正する法律（昭和四十八年法律第二十五号）附則第二条の規定により金属鉱業事業団となつた旧金属鉱物探鉱促進事業団及び石油開発公団法及び石炭及び石油対策特別会計法の一部を改正する法律（昭和五十三年法律第八十三号）附則第二条の規定により石油公団となつた旧石油開発公団並びに石油公団法及び金属鉱業事業団法の廃止等に関する法律（平成十四年法律第九十三号）附則第五条第一項の規定により解散した旧金属鉱業事業団及び同法附則第二条第一項の規定により解散した旧石油公団を含む。）

二十七　独立行政法人農林漁業信用基金法（平成十四年法律第百二十八号）附則第三条第一項の規定により解散した旧農林漁業信用基金（同法附則第五条の規定による廃止前の農林漁業信用基金法（昭和六十二年法律第七十九号）附則第三条第一項の規定により解散した旧林業信用基金及び同法附則第七条第三項の規定により解散した旧中央漁業信用基金並びに農業災害補償法及び農林漁業信用基金法の一部を改正する法律（平成十一年法律第六十九号）附則第三条第四項の規定により解散した旧農業共済基金を含む。）

二十八　日本消防検定協会

二十九　国立教育会館の解散に関する法律（平成十一年法律第

六十二号）第一項の規定により解散した旧国立教育会館

三十　社会保障研究所の解散に関する法律（平成八年法律第四十号）第一項の規定により解散した旧社会保障研究所

三十一　中央省庁等改革関係法施行法（平成十一年法律第百六十号）第七十七条第三十六号の規定による廃止前のオリンピック記念青少年総合センターの解散に関する法律（昭和五十五年法律第五十四号）第一項の規定により解散した旧オリンピック記念青少年総合センター

三十二　独立行政法人環境再生保全機構法（平成十五年法律第四十三号）附則第三条第一項の規定により解散した旧公害健康被害補償予防協会（公害健康被害補償法の一部を改正する法律（昭和六十二年法律第九十七号）による改正前の公害健康被害補償法（昭和四十八年法律第百十一号）第十三条第二項の公害健康被害補償協会を含む。）及び独立行政法人環境再生保全機構法附則第四条第一項の規定により解散した旧環境事業団（公害防止事業団法の一部を改正する法律（昭和四十年法律第三十九号）附則第二条の規定により環境事業団となつた旧公害防止事業団を含む。）

三十三　独立行政法人日本芸術文化振興会法（平成十四年法律第百六十三号）附則第二条第一項の規定により解散した旧日本芸術文化振興会（国立劇場法の一部を改正する法律（平成二年法律第六号）附則第二条の規定により日本芸術文化振興会となつた旧国立劇場を含む。）

三十四　成田国際空港株式会社（成田国際空港株式会社法（平成十五年法律第百二十四号）附則第十二条第一項の規定により解散した旧新東京国際空港公団を含む。）

三十五　独立行政法人日本スポーツ振興センター法（平成十四年法律第百六十二号）附則第四条第一項の規定により解散した旧日本体育・学校健康センター（同法附則第九条の規定による廃止前の日本体育・学校健康センター法（昭和六十年法律第九十二号）附則第六条第一項の規定により解散した旧国立競技場及び旧日本学校健康会並びに同法附則第十三条の規定による廃止前の日本学校健康会法（昭和五十七年法律第六十三号）附則第六条第一項の規定により解散した旧日本学校給食会及び旧日本学校安全会を含む。）

三十六　独立行政法人労働政策研究・研修機構法附則第十条第一項の規定により解散した旧日本労働研究機構（日本労働協会法の一部を改正する法律（平成元年法律第三十九号）附則第二条の規定により日本労働研究機構となつた旧日本労働協会を含む。）

三十七　独立行政法人日本学術振興会法（平成十四年法律第百五十九号）附則第二条第一項の規定により解散した旧日本学術振興会

三十八　独立行政法人福祉医療機構法（平成十四年法律第百六十六号）附則第二条第一項の規定により解散した旧社会福祉・医療事業団（同法附則第六条の規定による廃止前の社会福祉・医療事業団法（昭和五十九年法律第七十五号）附則第二条の規定により社会福祉・医療事業団となつた旧社会福祉事業振興会及び同法附則第三条第一項の規定により解散した旧医療金融公庫を含む。）

三十九　削除

四十　海上物流の基盤強化のための港湾法等の一部を改正する法律（平成十八年法律第三十八号）第二条の規定による改正前の外貿埠頭公団の解散及び業務の承継に関する法律（昭和五十六年法律第二十八号）第一条の規定により解散した旧京浜外貿埠頭公団

四十一　海上物流の基盤強化のための港湾法等の一部を改正する法律第二条の規定による改正前の外貿埠頭公団の解散及び業務の承継に関する法律第一条の規定により解散した旧阪神外貿埠頭公団

四十二　旧独立行政法人宇宙航空研究開発機構法第三条の独立行政法人宇宙航空研究開発機構（旧独立行政法人宇宙航空研究開発機構法附則第十条第一項の規定により解散した旧宇宙開発事業団を含む。）

四十三　国家公務員共済組合連合会（厚生年金保険法等の一部を改正する法律（平成八年法律第八十二号）附則第二十三条第一項の規定により国家公務員共済組合連合会となつた旧国家公務員等共済組合連合会を含む。）

四十四　本州四国連絡高速道路株式会社（日本道路公団等民営化関係法施行法第十五条第一項の規定により解散した旧本州四国連絡橋公団（以下この号において「旧本州四国連絡橋公団」という。）の成立の際現に同項の規定により解散した旧日本道路公団の職員として在職する者が同法第三十七条の規定による廃止前の本州四国連絡橋公団法（昭和四十五年法律第八十一号）附則第十二条に規定する場合に該当することとなつた場合の同公団及び旧本州四国連絡橋公団を含む。）

四十五　日本私立学校振興・共済事業団（日本私立学校振興・共済事業団法（平成九年法律第四十八号）附則第六条第一項の規定により解散した旧日本私学振興財団を含む。）

四十六　情報処理の促進に関する法律の一部を改正する法律（平成十四年法律第百四十四号）附則第二条第一項の規定により解散した旧情報処理振興事業協会

四十七　独立行政法人農業者年金基金法（平成十四年法律第百二十七号）附則第四条第一項の規定により解散した旧農業者年金基金

四十八　独立行政法人国民生活センター法附則第二条第一項の規定により解散した旧国民生活センター

四十九　独立行政法人国立重度知的障害者総合施設のぞみの園法附則第二条第一項の規定により解散した旧心身障害者福祉協会

五十　旧国立研究開発法人水産総合研究センター法第二条の国立研究開発法人水産総合研究センター（独立行政法人水産総合研究センター法の一部を改正する法律（平成十四年法律第百三十一号）附則第五条第一項の規定により解散した旧海洋水産資源開発センター及び平成二十六年独法整備法第百五十三条の規定による改正前の独立行政法人水産総合研究センター法（平成十一年法律第百九十九号。以下「旧独立行政法人水産総合研究センター法」という。）第二条の独立行政法人水産総合研究センター（平成十八年独法改革農林水産省関係法整備法の施行の日の前日までの間におけるものを除く。）を含む。）及び旧水産大学校（同日までの間におけるものを除く。）

五十一　独立行政法人日本万国博覧会記念機構法を廃止する法律（平成二十五年法律第十九号。以下この号において「廃止法」という。）附則第二条第一項の規定により解散した旧独立行政法人日本万国博覧会記念機構（以下「旧独立行政法人日本万国博覧会記念機構」という。）（廃止法による廃止前の独立行政法人日本万国博覧会記念機構法（平成十四年法律第百二十五号）附則第二条第一項の規定により解散した旧日本万国博覧会記念協会を含む。）
五十二　旧独立行政法人海洋研究開発機構法第三条の独立行政法人海洋研究開発機構（旧独立行政法人海洋研究開発機構法附則第十条第一項の規定により解散した旧海洋科学技術センターを含む。）
五十三　軽自動車検査協会
五十四　日本下水道事業団（下水道事業センター法の一部を改正する法律附則第二条の規定により日本下水道事業団となつた旧下水道事業センターを含む。）
五十五　独立行政法人国際交流基金法（平成十四年法律第百三十七号）附則第三条第一項の規定により解散した旧国際交流基金
五十六　独立行政法人日本学生支援機構法附則第十条第一項の規定により解散した旧日本育英会
五十七　中央省庁等改革関係法施行法第千三百二十五条第一項の規定により解散した旧建設省共済組合
五十八　日本航空株式会社法を廃止する等の法律（昭和六十二年法律第九十二号。以下この号において「廃止法」という。）第一条の規定による廃止前の日本航空株式会社法（昭和二十八年法律第百五十四号）により設立された日本航空株式会社（廃止法の施行の日の前日までの間におけるものに限る。）
五十九　消防団員等公務災害補償等共済基金
六十　中小企業投資育成株式会社（消費生活用製品安全法等の一部を改正する法律（昭和六十一年法律第五十四号）第九条の施行の日の前日までの間におけるものに限る。）
六十一　日本自動車ターミナル株式会社法を廃止する法律（昭和六十年法律第二十六号。以下この号において「廃止法」という。）による廃止前の日本自動車ターミナル株式会社法（昭和四十年法律第七十五号）により設立された日本自動車ターミナル株式会社（廃止法の施行の日の前日までの間におけるものに限る。）
六十二　こどもの国協会の解散及び事業の承継に関する法律（昭和五十五年法律第九十一号）第一条第一項の規定により解散した旧こどもの国協会
六十三　確定給付企業年金法（平成十三年法律第五十号）に規定する企業年金連合会（国民年金法等の一部を改正する法律（平成十六年法律第百四号）附則第三十九条の規定により企業年金連合会（公的年金制度の健全性及び信頼性の確保のための厚生年金保険法等の一部を改正する法律（平成二十五年法律第六十三号）第一条の規定による改正前の厚生年金保険法により設立されたものをいう。以下この号において「旧企業年金連合会」という。）となつた旧厚生年金基金連合会及び旧企業年金連合会を含む。）
六十四　石炭鉱業年金基金
六十五　通商産業省関係の基準・認証制度等の整理及び合理化に関する法律（平成十一年法律第百二十一号。以下この号において「整理合理化法」という。）第一条の規定による改正前の消費生活用製品安全法（昭和四十八年法律第三十一号）により設立された製品安全協会（整理合理化法附則第十条に規定する時までの間におけるものに限る。）
六十六　独立行政法人自動車事故対策機構法（平成十四年法律第百八十三号）附則第二条第一項の規定により解散した旧自動車事故対策センター
六十七　小型船舶検査機構
六十八　公共用飛行場周辺における航空機騒音による障害の防止等に関する法律の一部を改正する法律（平成十四年法律第百八十四号）附則第二条第一項の規定により解散した旧空港周辺整備機構（公共用飛行場周辺における航空機騒音による障害の防止等に関する法律の一部を改正する法律（昭和六十年法律第四十七号）附則第四条第一項の規定により解散した旧空港周辺整備機構を含む。）
六十九　高圧ガス保安協会
七十　独立行政法人北方領土問題対策協会法（平成十四年法律第百三十二号）附則第二条第一項の規定により解散した旧北方領土問題対策協会
七十一　自動車安全運転センター
七十二　海洋汚染等及び海上災害の防止に関する法律等の一部を改正する法律（平成二十四年法律第八十九号）附則第十条第一項の規定により解散した旧独立行政法人海上災害防止センター（以下「旧独立行政法人海上災害防止センター」という。）（海洋汚染及び海上災害の防止に関する法律の一部を改正する法律（平成十四年法律第百八十五号）附則第二条第一項の規定により解散した旧海上災害防止センターを含む。）
七十三　輸出入・港湾関連情報処理センター株式会社（航空運送貨物の税関手続の特例等に関する法律の一部を改正する法律（平成三年法律第十八号）による改正前の航空運送貨物の税関手続の特例等に関する法律（昭和五十二年法律第五十四号）第六条の航空貨物通関情報処理センター、電子情報処理組織による税関手続の特例等に関する法律の一部を改正する法律（平成十四年法律第百二十四号）附則第二条第一項の規定により解散した旧通関情報処理センター及び電子情報処理組織による税関手続の特例等に関する法律の一部を改正する法律（平成二十年法律第四十六号）附則第十二条第一項の規定により解散した旧独立行政法人通関情報処理センター（以下「旧独立行政法人通関情報処理センター」という。）を含む。）
七十四　旧独立行政法人情報通信研究機構法第三条の独立行政法人情報通信研究機構（独立行政法人情報通信研究機構法の一部を改正する法律の施行の日の前日までの間におけるものを除き、通信・放送衛星機構法の一部を改正する法律（平成四年法律第三十四号）による改正前の通信・放送衛星機構法（昭和五十四年法律第四十六号）第一条の通信・放送衛星機構及び独立行政法人通信総合研究所法の一部を改正する法律（平成十四年法律第百三十四号）附則第三条第一項の規定により解散した旧通信・放送機構を含む。）
七十五　独立行政法人医薬品医療機器総合機構法附則第十三条第一項の規定により解散した旧医薬品副作用被害救済・研究振興調査機構（医薬品副作用被害救済基金法の一部を改正する法律（昭和六十二年法律第三十二号）による改正前の医薬品副作用被害救済基金法（昭和五十四年法律第五十五号）第

一条の医薬品副作用被害救済基金及び医薬品副作用被害救済・研究振興基金法の一部を改正する法律（平成五年法律第二十七号）による改正前の医薬品副作用被害救済・研究振興基金法第一条の医薬品副作用被害救済・研究振興基金を含む。）

七十六　放送大学学園（放送大学学園法附則第三条第一項の規定により解散した旧放送大学学園及び旧メディア教育開発センターを含む。）

七十七　電気事業法及びガス事業法の一部を改正する等の法律（平成十五年法律第九十二号。以下この号において「改正法」という。）第三条の規定による廃止前の電源開発促進法（昭和二十七年法律第二百八十三号）により設立された電源開発株式会社（改正法第三条の規定の施行の日の前日までの間におけるものに限る。）

七十八　国際電信電話株式会社

七十九　日本商工会議所

八十　地方職員共済組合

八十一　警察共済組合

八十二　中央労働災害防止協会

八十三　地方公務員災害補償基金

八十四　貿易研修センター法を廃止する等の法律（昭和六十年法律第六十六号。以下この号において「廃止法」という。）による廃止前の貿易研修センター法（昭和四十二年法律第百三十四号）により設立された貿易研修センター（廃止法第二条に規定する時までの間におけるものに限る。）

八十五　預金保険機構

八十六　旧総合研究開発機構

八十七　危険物保安技術協会

八十八　独立行政法人雇用・能力開発機構法を廃止する法律附則第十三条の規定による改正前の独立行政法人高齢・障害者雇用支援機構法（平成十四年法律第百六十五号。以下「旧独立行政法人高齢・障害者雇用支援機構法」という。）第二条の独立行政法人高齢・障害者雇用支援機構（以下「旧高齢・障害者雇用支援機構」という。）（身体障害者雇用促進法の一部を改正する法律（昭和六十二年法律第四十一号）による改正前の身体障害者雇用促進法（昭和三十五年法律第百二十三号）第四十条の身体障害者雇用促進協会及び旧独立行政法人高齢・障害者雇用支援機構法附則第三条第一項の規定により解散した旧日本障害者雇用促進協会を含む。）

八十九　旧日本郵政公社法施行法第四十条の規定による改正前の郵便貯金法（昭和二十二年法律第百四十四号）により設立された郵便貯金振興会（旧日本郵政公社法施行法附則第六条第一項に規定する時までの間におけるものに限る。）

九十　中央職業能力開発協会

九十一　地方公務員共済組合連合会

九十二　全国市町村職員共済組合連合会

九十三　関西国際空港及び大阪国際空港の一体的かつ効率的な設置及び管理に関する法律（平成二十三年法律第五十四号。以下この号において「設置管理法」という。）附則第十九条の規定による廃止前の関西国際空港株式会社法（昭和五十九年法律第五十三号）により設立された関西国際空港株式会社（設置管理法の施行の日の前日までの間におけるものに限る。）

九十四　日本たばこ産業株式会社

九十五　日本電信電話株式会社

九十六　基盤技術研究円滑化法の一部を改正する法律（平成十三年法律第六十号）附則第二条第一項の規定により解散した旧基盤技術研究促進センター

九十七　北海道旅客鉄道株式会社

九十八　旅客鉄道株式会社及び日本貨物鉄道株式会社に関する法律の一部を改正する法律（平成十三年法律第六十一号。以下この号から第百号までにおいて「旅客会社法改正法」という。）による改正前の旅客鉄道株式会社及び日本貨物鉄道株式会社に関する法律（昭和六十一年法律第八十八号。次号及び第百三十一号において「改正前旅客会社法」という。）により設立された東日本旅客鉄道株式会社（旅客会社法改正法の施行の日の前日までの間におけるものに限る。）

九十九　改正前旅客会社法により設立された東海旅客鉄道株式会社（旅客会社法改正法の施行の日の前日までの間におけるものに限る。）

百　改正前旅客会社法により設立された西日本旅客鉄道株式会社（旅客会社法改正法の施行の日の前日までの間におけるものに限る。）

百一　四国旅客鉄道株式会社

百二　旅客鉄道株式会社及び日本貨物鉄道株式会社に関する法律の一部を改正する法律（平成二十七年法律第三十六号。以下この号において「改正法」という。）による改正前の旅客鉄道株式会社及び日本貨物鉄道株式会社に関する法律により設立された九州旅客鉄道株式会社（改正法の施行の日の前日までの間におけるものに限る。）

百三　日本貨物鉄道株式会社

百四　新幹線鉄道に係る鉄道施設の譲渡等に関する法律（平成三年法律第四十五号）第五条第一項の規定により解散した旧新幹線鉄道保有機構

百五　独立行政法人平和祈念事業特別基金等に関する法律の廃止等に関する法律（平成十八年法律第百十九号）附則第二条第一項の規定により解散した旧独立行政法人平和祈念事業特別基金（以下「旧独立行政法人平和祈念事業特別基金」という。）（平和祈念事業特別基金等に関する法律の一部を改正する法律（平成十四年法律第百三十三号）附則第二条第一項の規定により解散した旧平和祈念事業特別基金を含む。）

百六　社会保険診療報酬支払基金

百七　国民年金基金連合会

百八　公立学校共済組合

百九　日本中央競馬会

百十　日本電信電話株式会社等に関する法律第一条の二第二項に規定する東日本電信電話株式会社（以下「東日本電信電話株式会社」という。）

百十一　日本電信電話株式会社等に関する法律第一条の二第三項に規定する西日本電信電話株式会社（以下「西日本電信電話株式会社」という。）

百十二　原子力発電環境整備機構

百十三　行政執行法人以外の独立行政法人

百十四　株式会社産業再生機構

百十五　国立大学法人

百十六　大学共同利用機関法人
百十七　中間貯蔵・環境安全事業株式会社（日本環境安全事業株式会社法の一部を改正する法律（平成二十六年法律第百二十号）による改正前の日本環境安全事業株式会社法（平成十五年法律第四十四号）第一条第一項の日本環境安全事業株式会社を含む。）
百十八　東日本高速道路株式会社
百十九　中日本高速道路株式会社
百二十　西日本高速道路株式会社
百二十一　国立大学法人法の一部を改正する法律（平成十七年法律第四十九号。以下「平成十七年国立大学法人法改正法」という。）附則第五条第一項の規定により解散した旧国立大学法人富山大学、旧国立大学法人富山医科薬科大学及び旧国立大学法人高岡短期大学
百二十二　平成十七年国立大学法人法改正法附則第五条第一項の規定により解散した旧国立大学法人筑波技術短期大学
百二十三　日本郵政株式会社
百二十四　日本司法支援センター
百二十五　旧青年の家及び旧少年自然の家
百二十六　独立行政法人住宅金融支援機構法（平成十七年法律第八十二号）附則第三条第一項の規定により解散した旧住宅金融公庫
百二十七　学校教育法等の一部を改正する法律（平成十八年法律第八十号）第四条の規定による改正前の独立行政法人国立特殊教育総合研究所法（平成十一年法律第百六十五号）第二条の独立行政法人国立特殊教育総合研究所（平成十八年独法改革文部科学省関係法整備法の施行の日の前日までの間におけるものを除く。）
百二十八　独立行政法人国立博物館法の一部を改正する法律による改正前の独立行政法人国立博物館法（平成十一年法律第百七十八号）第二条の独立行政法人国立博物館（平成十八年独法改革文部科学省関係法整備法の施行の日の前日までの間におけるものを除く。）及び旧文化財研究所（同日までの間におけるものを除く。）
百二十九　旧国立研究開発法人森林総合研究所法第二条の国立研究開発法人森林総合研究所（旧林木育種センター（平成十八年独法改革農林水産省関係法整備法の施行の日の前日までの間におけるものを除く。）及び旧独立行政法人森林総合研究所法第二条の独立行政法人森林総合研究所（同日までの間におけるものを除く。）を含む。）
百三十　削除
百三十一　日本郵便株式会社（旧郵便事業株式会社及び旧郵便局株式会社を含む。）
百三十二　国立大学法人法の一部を改正する法律（平成十九年法律第八十九号）附則第二条第一項の規定により解散した旧国立大学法人大阪外国語大学（以下「旧大阪外国語大学」という。）
百三十三　地方公共団体金融機構（地方交付税法等の一部を改正する法律（平成二十一年法律第十号）第五条の規定による改正前の地方公営企業等金融機構法（平成十九年法律第六十四号。以下「旧地方公営企業等金融機構法」という。）附則第九条第一項の規定により解散した旧公営企業金融公庫及び旧地方公営企業等金融機構法第一条の地方公営企業等金融機構を含む。）
百三十四　地方競馬全国協会
百三十五　株式会社商工組合中央金庫
百三十六　全国健康保険協会
百三十七　農水産業協同組合貯金保険機構
百三十八　株式会社産業革新投資機構（産業競争力強化法等の一部を改正する法律（平成三十年法律第二十六号）第二条の規定による改正前の産業競争力強化法（平成二十五年法律第九十八号。以下「旧産業競争力強化法」という。）第七十六条の株式会社産業革新機構を含む。）
百三十九　株式会社地域経済活性化支援機構（株式会社企業再生支援機構法の一部を改正する法律（平成二十五年法律第二号）による改正前の株式会社企業再生支援機構法（平成二十一年法律第六十三号）第一条の株式会社企業再生支援機構を含む。）
百四十　旧国立国語研究所（平成十八年独法改革文部科学省関係法整備法の施行の日の前日までの間におけるものを除く。）
百四十一　日本年金機構
百四十二　削除
百四十三　全国土地改良事業団体連合会
百四十四　全国中小企業団体中央会
百四十五　全国商工会連合会
百四十六　漁業共済組合連合会
百四十七　日本銀行
百四十八　日本弁理士会
百四十九　東京地下鉄株式会社
百五十　日本アルコール産業株式会社
百五十一　原子力損害賠償・廃炉等支援機構（原子力損害賠償支援機構法の一部を改正する法律（平成二十六年法律第四十号）による改正前の原子力損害賠償支援機構法（平成二十三年法律第九十四号）第一条の原子力損害賠償支援機構を含む。）
百五十二　沖縄科学技術大学院大学学園（沖縄科学技術大学院大学学園法附則第三条第一項の規定により解散した旧独立行政法人沖縄科学技術研究基盤整備機構（以下「旧沖縄科学技術研究基盤整備機構」という。）を含む。）
百五十三　株式会社東日本大震災事業者再生支援機構
百五十四　株式会社国際協力銀行
百五十五　新関西国際空港株式会社
百五十六　株式会社農林漁業成長産業化支援機構
百五十七　株式会社民間資金等活用事業推進機構
百五十八　株式会社海外需要開拓支援機構
百五十九　旧独立行政法人原子力安全基盤機構
百六十　地方公共団体情報システム機構
百六十一　株式会社海外交通・都市開発事業支援機構
百六十二　広域的運営推進機関
百六十三　旧独立行政法人医薬基盤研究所法第二条の独立行政法人医薬基盤研究所及び旧国立健康・栄養研究所（平成十八年独法改革厚生労働省関係法整備法の施行の日の前日までの間におけるものを除く。）
百六十四　平成二十六年独法整備法第七十九条の規定による改

正前の独立行政法人物質・材料研究機構法（平成十一年法律第百七十三号。以下「旧独立行政法人物質・材料研究機構法」という。）第三条の独立行政法人物質・材料研究機構（平成十八年独法改革文部科学省関係法整備法の施行の日の前日までの間におけるものを除く。）

百六十五　平成二十六年独法整備法第八十条の規定による改正前の独立行政法人防災科学技術研究所法（平成十一年法律第百七十四号。以下「旧独立行政法人防災科学技術研究所法」という。）第三条の独立行政法人防災科学技術研究所（平成十八年独法改革文部科学省関係法整備法の施行の日の前日までの間におけるものを除く。）

百六十六　旧国立研究開発法人放射線医学総合研究所法第二条の国立研究開発法人放射線医学総合研究所（平成二十六年独法整備法第八十一条の規定による改正前の独立行政法人放射線医学総合研究所法（平成十一年法律第百七十六号。以下「旧独立行政法人放射線医学総合研究所法」という。）第二条の独立行政法人放射線医学総合研究所（平成十八年独法改革文部科学省関係法整備法の施行の日の前日までの間におけるものを除く。）を含む。）

百六十七　旧高度専門医療独立行政法人法第四条第一項に規定する国立高度専門医療研究センター

百六十八及び百六十九　削除

百七十　平成二十六年独法整備法第百五十一条の規定による改正前の独立行政法人国際農林水産業研究センター法（平成十一年法律第百九十七号。以下「旧独立行政法人国際農林水産業研究センター法」という。）第二条の独立行政法人国際農林水産業研究センター（平成十八年独法改革農林水産省関係法整備法の施行の日の前日までの間におけるものを除く。）

百七十一　旧独立行政法人産業技術総合研究所法第二条の独立行政法人産業技術総合研究所（独立行政法人産業技術総合研究所法の一部を改正する法律の施行の日の前日までの間におけるものを除く。）

百七十二　平成二十六年独法整備法第百八十四条の規定による改正前の独立行政法人土木研究所法（平成十一年法律第二百五号。以下「旧独立行政法人土木研究所法」という。）第二条の独立行政法人土木研究所（平成十八年独法改革国土交通省関係法整備法の施行の日の前日までの間におけるものを除く。）

百七十三　平成二十六年独法整備法第百八十五条の規定による改正前の独立行政法人建築研究所法（平成十一年法律第二百六号。以下「旧独立行政法人建築研究所法」という。）第二条の独立行政法人建築研究所（平成十八年独法改革国土交通省関係法整備法の施行の日の前日までの間におけるものを除く。）

百七十四　旧国立研究開発法人海上技術安全研究所法第二条の国立研究開発法人海上技術安全研究所（平成二十六年独法整備法第百八十七条の規定による改正前の独立行政法人海上技術安全研究所法（平成十一年法律第二百八号。以下「旧独立行政法人海上技術安全研究所法」という。）第二条の独立行政法人海上技術安全研究所（平成十八年独法改革国土交通省関係法整備法の施行の日の前日までの間におけるものを除く。）を含む。）、旧国立研究開発法人港湾空港技術研究所（旧独立行政法人港湾空港技術研究所法第二条の独立行政法人港湾空港技術研究所（同日までの間におけるものを除く。）を含む。）及び旧国立研究開発法人電子航法研究所（旧独立行政法人電子航法研究所法第二条の独立行政法人電子航法研究所（同日までの間におけるものを除く。）を含む。）

百七十五及び百七十六　削除

百七十七　旧独立行政法人国立環境研究所法第二条の独立行政法人国立環境研究所（独立行政法人国立環境研究所法の一部を改正する法律の施行の日の前日までの間におけるものを除く。）

百七十八　株式会社海外通信・放送・郵便事業支援機構

百七十九　旧独立行政法人大学評価・学位授与機構法第二条の独立行政法人大学評価・学位授与機構及び旧国立大学財務・経営センター

百八十　旧自動車検査独立行政法人法第二条の自動車検査独立行政法人（自動車検査独立行政法人法等改正法の施行の日の前日までの間におけるものを除く。）及び旧交通安全環境研究所（平成十八年独法改革国土交通省関係法整備法の施行の日の前日までの間におけるものを除く。）

百八十一　旧航海訓練所（平成十八年独法改革国土交通省関係法整備法の施行の日の前日までの間におけるものを除く。）

百八十二　使用済燃料再処理・廃炉推進機構（脱炭素社会の実現に向けた電気供給体制の確立を図るための電気事業法等の一部を改正する法律（令和五年法律第四十四号）第三条の規定による改正前の原子力発電における使用済燃料の再処理等の実施に関する法律（平成十七年法律第四十八号）第十条の使用済燃料再処理機構を含む。）

百八十三　外国人技能実習機構

百八十四　株式会社日本貿易保険（旧独立行政法人日本貿易保険を含む。）

百八十五　教育公務員特例法等の一部を改正する法律第三条の規定による改正前の独立行政法人教員研修センター法（平成十二年法律第八十八号。以下「旧独立行政法人教員研修センター法」という。）第二条の独立行政法人教員研修センター

百八十六　農業共済組合連合会（農業保険法（昭和二十二年法律第百八十五号）第十条第一項に規定する全国連合会に限る。）

百八十七　地方税共同機構

百八十八　独立行政法人郵便貯金・簡易生命保険管理機構法の一部を改正する法律（平成三十年法律第四十一号）による改正前の独立行政法人郵便貯金・簡易生命保険管理機構法（平成十七年法律第百一号。以下「旧独立行政法人郵便貯金・簡易生命保険管理機構法」という。）第二条の独立行政法人郵便貯金・簡易生命保険管理機構

百八十九　学校教育法等の一部を改正する法律（令和元年法律第十一号）附則第三条第一項の規定により解散した旧国立大学法人岐阜大学（以下「旧岐阜大学」という。）及び同法附則第六条の規定により国立大学法人東海国立大学機構となった旧国立大学法人名古屋大学（以下「旧名古屋大学」という。）

百九十　国立大学法人法の一部を改正する法律（令和三年法律第四十一号。以下「令和三年国立大学法人法改正法」という。）附則第五条第一項の規定により解散した旧国立大学法

人小樽商科大学（以下「旧小樽商科大学」という。）及び旧国立大学法人北見工業大学（以下「旧北見工業大学」という。）並びに令和三年国立大学法人法改正法附則第八条第一項の規定により国立大学法人北海道国立大学機構となつた旧国立大学法人帯広畜産大学（以下「旧帯広畜産大学」という。）

百九十一　令和三年国立大学法人法改正法附則第五条第一項の規定により解散した旧国立大学法人奈良教育大学（以下「旧奈良教育大学」という。）及び令和三年国立大学法人法改正法附則第八条第二項の規定により国立大学法人奈良国立大学機構となつた旧国立大学法人奈良女子大学（以下「旧奈良女子大学」という。）

百九十二　福島国際研究教育機構

百九十三　株式会社脱炭素化支援機構

百九十四　金融経済教育推進機構

百九十五　脱炭素成長型経済構造移行推進機構

百九十六　国立大学法人法の一部を改正する法律（令和五年法律第八十八号）附則第二条の規定により国立大学法人東京科学大学となつた旧国立大学法人東京工業大学（以下「旧東京工業大学」という。）及び同法附則第三条第一項の規定により解散した旧国立大学法人東京医科歯科大学（以下「旧東京医科歯科大学」という。）

（公庫等職員としての引き続いた在職期間の計算）

第九条の三　職員が、任命権者又はその委任を受けた者の要請に応じ、引き続いて特定公庫等職員となるため退職し、かつ、引き続き特定公庫等職員として在職した後引き続いて特定地方公務員又は通算制度を有する一般地方独立行政法人等である地方公社に使用される者（役員及び常時勤務に服することを要しない者を除く。以下「特定地方公社職員」という。）となるため退職し、かつ、引き続き特定地方公務員又は特定地方公社職員として在職した後引き続いて再び特定公庫等職員となるため退職し、かつ、引き続き特定公庫等職員として在職した後引き続いて再び職員となるため退職し、かつ、引き続いて職員となつた場合においては、先の職員としての引き続いた在職期間の始期から後の特定公庫等職員としての引き続いた在職期間の終期までの期間をその者の公庫等職員（法第七条の二第一項に規定する公庫等職員をいう。以下同じ。）としての引き続いた在職期間として計算する。

2　特定公庫等職員が、公庫等の要請に応じ、引き続いて特定地方公務員又は特定地方公社職員となるため退職し、かつ、引き続き特定地方公務員又は特定地方公社職員として在職した後引き続いて再び特定公庫等職員となるため退職し、かつ、引き続き特定公庫等職員として在職した後更に引き続いて職員となるため退職し、かつ、引き続いて職員となつた場合においては、先の特定公庫等職員としての引き続いた在職期間の始期から後の特定公庫等職員としての引き続いた在職期間の終期までの期間をその者の公庫等職員としての引き続いた在職期間として計算する。

（法第八条第一項に規定する政令で定める法人）

第九条の四　法第八条第一項に規定する政令で定める法人は、独立行政法人のほか、次に掲げる法人とする。

一　独立行政法人住宅金融支援機構法附則第三条第一項の規定により解散した旧住宅金融公庫

二　旧農林漁業金融公庫

三　旧中小企業金融公庫

四　日本道路公団等民営化関係法施行法第十五条第一項の規定により解散した旧日本道路公団

五　旧独立行政法人日本原子力研究開発機構法第三条の独立行政法人日本原子力研究開発機構（旧独立行政法人日本原子力研究開発機構法附則第二条第一項の規定により解散した旧日本原子力研究所を含む。）

六　自転車競技法及び小型自動車競走法の一部を改正する法律（平成十九年法律第八十二号）附則第三条第一項の規定により解散した旧日本自転車振興会

七　旧独立行政法人理化学研究所法第二条の独立行政法人理化学研究所（旧独立行政法人理化学研究所法附則第二条第一項の規定により解散した旧理化学研究所を含む。）

八　日本道路公団等民営化関係法施行法第十五条第一項の規定により解散した旧首都高速道路公団

九　日本道路公団等民営化関係法施行法第十五条第一項の規定により解散した旧阪神高速道路公団

十　地方競馬全国協会

十一　自転車競技法及び小型自動車競走法の一部を改正する法律附則第十条第一項の規定により解散した旧日本小型自動車振興会

十二　地方職員共済組合

十三　公立学校共済組合

十四　警察共済組合

十五　地方公務員災害補償基金

十六　日本道路公団等民営化関係法施行法第十五条第一項の規定により解散した旧本州四国連絡橋公団

十七　預金保険機構

十八　沖縄振興開発金融公庫

十九　旧総合研究開発機構

二十　農水産業協同組合貯金保険機構

二十一　中小企業総合事業団及び機械類信用保険法の廃止等に関する法律附則第二条第一項の規定により解散した旧中小企業総合事業団及び中小企業金融公庫法及び独立行政法人中小企業基盤整備機構法の一部を改正する法律附則第三条第一項の規定により解散した旧地域振興整備公団

二十二　日本下水道事業団

二十三　全国市町村職員共済組合連合会

二十四　地方公務員共済組合連合会

二十五　国家公務員共済組合連合会

二十六　旧独立行政法人新エネルギー・産業技術総合開発機構法第三条の独立行政法人新エネルギー・産業技術総合開発機構（旧独立行政法人新エネルギー・産業技術総合開発機構法附則第二条第一項の規定により解散した旧新エネルギー・産業技術総合開発機構を含む。）

二十七　旧独立行政法人情報通信研究機構法第三条の独立行政法人情報通信研究機構（独立行政法人通信総合研究所法の一部を改正する法律附則第二条の規定により独立行政法人情報通信研究機構となつた旧独立行政法人通信総合研究所及び同法附則第三条第一項の規定により解散した旧通信・放送機構を含む。）

二十八　日本私立学校振興・共済事業団
二十九　旧国際協力銀行
三十　旧国民生活金融公庫
三十一　年金積立金管理運用独立行政法人法附則第三条第一項の規定により解散した旧年金資金運用基金
三十二　銀行等保有株式取得機構
三十三　削除
三十四　国立大学法人
三十五　大学共同利用機関法人
三十六　平成十七年国立大学法人法改正法附則第五条第一項の規定により解散した旧国立大学法人富山医科薬科大学及び旧国立大学法人高岡短期大学
三十七　平成十七年国立大学法人法改正法附則第五条第一項の規定により解散した旧国立大学法人筑波技術短期大学
三十八　平成十八年独法改革文部科学省関係法整備法第三条の規定による改正前の独立行政法人国立オリンピック記念青少年総合センター法（平成十一年法律第百六十七号）第二条の独立行政法人国立オリンピック記念青少年総合センター
三十九　旧独立行政法人農業・食品産業技術総合研究機構法第三条の独立行政法人農業・食品産業技術総合研究機構（平成十八年独法改革農林水産省関係法整備法第一条の規定による改正前の独立行政法人農業・生物系特定産業技術研究機構法（平成十一年法律第百九十二号）第三条の独立行政法人農業・生物系特定産業技術研究機構、平成十八年独法改革農林水産省関係法整備法附則第八条第一項の規定により解散した旧独立行政法人農業者大学校、旧独立行政法人農業工学研究所及び旧独立行政法人食品総合研究所を含む。）並びに旧種苗管理センター、旧国立研究開発法人農業生物資源研究所（旧独立行政法人農業生物資源研究所法第二条の独立行政法人農業生物資源研究所を含む。）及び旧国立研究開発法人農業環境技術研究所（旧独立行政法人農業環境技術研究所法第二条の独立行政法人農業環境技術研究所を含む。）
四十　旧国立研究開発法人水産総合研究センター法第二条の国立研究開発法人水産総合研究センター（平成十八年独法改革農林水産省関係法整備法附則第十六条第一項の規定により解散した旧独立行政法人さけ・ます資源管理センター及び旧独立行政法人水産総合研究センター法第二条の独立行政法人水産総合研究センターを含む。）及び旧水産大学校
四十一　旧独立行政法人土木研究所（平成十八年独法改革国土交通省関係法整備法附則第八条第一項の規定により解散した旧独立行政法人北海道開発土木研究所を含む。）
四十二　放送大学学園（旧メディア教育開発センターを含む。）
四十三　農林水産消費技術センター法等改正法第一条の規定による改正前の独立行政法人農林水産消費技術センター法（平成十一年法律第百八十三号）第二条の独立行政法人農林水産消費技術センター及び農林水産消費技術センター法等改正法附則第三条第一項の規定により解散した旧独立行政法人肥飼料検査所
四十四　旧国立研究開発法人森林総合研究所法第二条の国立研究開発法人森林総合研究所
四十五　旧大阪外国語大学
四十六　地方公共団体金融機構（旧地方公営企業等金融機構法附則第九条第一項の規定により解散した旧公営企業金融公庫及び旧地方公営企業等金融機構法第一条の地方公営企業等金融機構を含む。）
四十七　旧緑資源機構
四十八　旧独立行政法人通関情報処理センター
四十九　全国健康保険協会
五十　旧国立国語研究所
五十一　日本年金機構
五十二　削除
五十三　日本商工会議所
五十四　全国土地改良事業団体連合会
五十五　全国中小企業団体中央会
五十六　全国商工会連合会
五十七　高圧ガス保安協会
五十八　消防団員等公務災害補償等共済基金
五十九　漁業共済組合連合会
六十　軽自動車検査協会
六十一　小型船舶検査機構
六十二　自動車安全運転センター
六十三　危険物保安技術協会
六十四　関西国際空港及び大阪国際空港の一体的かつ効率的な設置及び管理に関する法律（以下この号において「設置管理法」という。）附則第十九条の規定による廃止前の関西国際空港株式会社法により設立された関西国際空港株式会社（設置管理法の施行の日の前日までの間におけるものに限る。）
六十五　日本電信電話株式会社
六十六　北海道旅客鉄道株式会社
六十七　四国旅客鉄道株式会社
六十八　削除
六十九　日本貨物鉄道株式会社
七十　東日本電信電話株式会社
七十一　西日本電信電話株式会社
七十二　原子力発電環境整備機構
七十三　東京地下鉄株式会社
七十四　中間貯蔵・環境安全事業株式会社（日本環境安全事業株式会社法の一部を改正する法律による改正前の日本環境安全事業株式会社法第一条第一項の日本環境安全事業株式会社を含む。）
七十五　成田国際空港株式会社
七十六　東日本高速道路株式会社
七十七　首都高速道路株式会社
七十八　中日本高速道路株式会社
七十九　西日本高速道路株式会社
八十　阪神高速道路株式会社
八十一　本州四国連絡高速道路株式会社
八十二　日本アルコール産業株式会社
八十三　日本郵政株式会社
八十四　削除
八十五　日本郵便株式会社（旧郵便事業株式会社及び旧郵便局株式会社を含む。）
八十六　株式会社日本政策金融公庫

八十七　株式会社商工組合中央金庫
八十八　株式会社日本政策投資銀行
八十九　輸出入・港湾関連情報処理センター株式会社
九十　原子力損害賠償・廃炉等支援機構（原子力損害賠償支援機構法の一部を改正する法律による改正前の原子力損害賠償支援機構法第一条の原子力損害賠償支援機構を含む。）
九十一　旧独立行政法人雇用・能力開発機構
九十二　旧高齢・障害者雇用支援機構
九十三　沖縄科学技術大学院大学学園（旧沖縄科学技術研究基盤整備機構を含む。）
九十四　株式会社国際協力銀行
九十五　新関西国際空港株式会社
九十六　旧独立行政法人平和祈念事業特別基金
九十七　旧独立行政法人海上災害防止センター
九十八　株式会社産業革新投資機構（旧産業競争力強化法第七十六条の株式会社産業革新機構を含む。）
九十九　株式会社農林漁業成長産業化支援機構
百　株式会社地域経済活性化支援機構
百一　株式会社民間資金等活用事業推進機構
百二　株式会社海外需要開拓支援機構
百三　旧独立行政法人原子力安全基盤機構
百四　地方公共団体情報システム機構
百五　旧独立行政法人日本万国博覧会記念機構
百六　株式会社海外交通・都市開発事業支援機構
百七　広域的運営推進機関
百八　旧国立健康・栄養研究所
百九　旧独立行政法人物質・材料研究機構法第三条の独立行政法人物質・材料研究機構
百十　旧独立行政法人防災科学技術研究所法第三条の独立行政法人防災科学技術研究所
百十一　旧国立研究開発法人放射線医学総合研究所法第二条の国立研究開発法人放射線医学総合研究所（旧独立行政法人放射線医学総合研究所法第二条の独立行政法人放射線医学総合研究所を含む。）
百十二　旧独立行政法人科学技術振興機構法第三条の独立行政法人科学技術振興機構
百十三　旧独立行政法人宇宙航空研究開発機構法第三条の独立行政法人宇宙航空研究開発機構
百十四　旧独立行政法人海洋研究開発機構法第三条の独立行政法人海洋研究開発機構
百十五及び百十六　削除
百十七　旧独立行政法人国際農林水産業研究センター法第二条の独立行政法人国際農林水産業研究センター
百十八　旧独立行政法人産業技術総合研究所法第二条の独立行政法人産業技術総合研究所
百十九　旧独立行政法人建築研究所法第二条の独立行政法人建築研究所
百二十　旧国立研究開発法人海上技術安全研究所法第二条の国立研究開発法人海上技術安全研究所（旧独立行政法人海上技術安全研究所法第二条の独立行政法人海上技術安全研究所を含む。）、旧国立研究開発法人港湾空港技術研究所法第二条の国立研究開発法人港湾空港技術研究所（旧独立行政法人港湾空港技術研究所を含む。）及び旧国立研究開発法人電子航法研究所法第二条の国立研究開発法人電子航法研究所（旧独立行政法人電子航法研究所を含む。）
百二十一及び百二十二　削除
百二十三　旧独立行政法人国立環境研究所法第二条の独立行政法人国立環境研究所
百二十四　株式会社海外通信・放送・郵便事業支援機構
百二十五　旧独立行政法人大学評価・学位授与機構法第二条の独立行政法人大学評価・学位授与機構及び旧国立大学財務・経営センター
百二十六　旧自動車検査独立行政法人法第二条の自動車検査独立行政法人
百二十七　旧航海訓練所
百二十八　旧独立行政法人労働者健康福祉機構法第二条の独立行政法人労働者健康福祉機構及び旧労働安全衛生総合研究所
百二十九　使用済燃料再処理・廃炉推進機構
百三十　外国人技能実習機構
百三十一　株式会社日本貿易保険（旧独立行政法人日本貿易保険を含む。）
百三十二　旧独立行政法人教員研修センター法第二条の独立行政法人教員研修センター
百三十三　地方税共同機構
百三十四　旧独立行政法人郵便貯金・簡易生命保険管理機構法第二条の独立行政法人郵便貯金・簡易生命保険管理機構
百三十五　旧岐阜大学及び旧名古屋大学
百三十六　旧小樽商科大学、旧北見工業大学及び旧帯広畜産大学
百三十七　旧奈良教育大学及び旧奈良女子大学
百三十八　福島国際研究教育機構
百三十九　株式会社脱炭素化支援機構
百四十　旧独立行政法人石油天然ガス・金属鉱物資源機構法第二条の独立行政法人石油天然ガス・金属鉱物資源機構
百四十一　金融経済教育推進機構
百四十二　脱炭素成長型経済構造移行推進機構
百四十三　旧東京工業大学及び旧東京医科歯科大学

第四章　退職手当の支給制限等

（懲戒免職等処分を行う権限を有していた機関がない場合における退職手当管理機関）

第十六条　法第十一条第二号ホに規定する政令で定める機関は、次に掲げる職員の区分に応じ、当該各号に定める機関とする。

一　内閣総理大臣　内閣総理大臣

二　法第十一条第二号ホに掲げる職員のうち、当該職員の退職の日において当該職員に対し同号ホに規定する懲戒免職等処分を行う権限を有していた機関がないものであつて、前号に掲げる者以外のもの　当該職員の退職の日において当該職員の占めていた職（当該職が廃止された場合にあつては、当該職に相当する職）の任命権を有する機関

（一般の退職手当等の全部又は一部を支給しないこととする場合に勘案すべき事情）

第十七条　法第十二条第一項に規定する政令で定める事情は、当該退職をした者が占めていた職の職務及び責任、当該退職をした者の勤務の状況、当該退職をした者が行つた非違の内容及び

程度、当該非違に至つた経緯、当該非違後における当該退職をした者の言動、当該非違が公務の遂行に及ぼす支障の程度並びに当該非違が公務に対する国民の信頼に及ぼす影響とする。

附　則

1　この政令は、公布の日から施行し、昭和二十八年八月一日から適用する。

2　法附則第九項ただし書に規定する政令で定める額は、第六条の七各号に規定する俸給の月額とする。

3　当分の間、法第四条第一項第三号並びに第五条第一項第三号、第五号及び第六号に掲げる者（次の表の上欄に掲げる者であつて、退職の日において定められているその者に係る定年がそれぞれ同表の下欄に掲げる年齢を超える者に限る。）（内閣官房令で定める者を除く。）に対する第五条の三及び第五条の四の規定の適用については、第五条の三第二項中「六月」とあるのは「零月」と、同条第四項第三号及び第五項第三号中「百分の三（退職の日において定められているその者に係る定年と退職の日におけるその者の年齢との差に相当する年数が一年である職員にあつては、百分の二）」とあるのは「百分の三」とする。

法附則第十二項各号に掲げる者以外の者（国家公務員法等の一部を改正する法律（令和三年法律第六十一号。以下この表において「令和三年国家公務員法等改正法」という。）第一条の規定による改正前の国家公務員法第八十一条の二第二項本文（裁判所職員臨時措置法において準用する場合を含む。）の適用を受けていた者であつて法附則第十四項第二号に掲げる職員に該当する職員、国会職員法及び国家公務員退職手当法の一部を改正する法律（令和三年法律第六十二号）第一条の規定による改正前の国会職員法（昭和二十二年法律第八十五号）第十五条の二第二項本文の適用を受けていた者であつて法附則第十四項第八号に掲げる国会職員に該当する国会職員及び令和三年国家公務員法等改正法第八条の規定による改正前の自衛隊法（昭和二十九年法律第百六十五号）第四十四条の二第二項本文の適用を受けていた者であつて法附則第十四項第十号に掲げる隊員に該当する隊員を含む。）	六十歳
法附則第十二項各号に掲げる者	法附則第十二項各号に定める年齢
法附則第十四項第一号に掲げる職員、同項第七号に掲げる国会職員及び同項第九号に掲げる隊員	六十五歳
法附則第十四項第十二号に掲げる職員	内閣官房令で定める年齢

4　当分の間、法第四条第一項第三号及び第五条第一項（第一号を除く。）に規定する者に対する第五条の三の規定の適用については、同条第三項中「二十年」とあるのは「十五年」とするほか、前項の表の上欄に掲げる者の区分に応じ、同条第三項中「退職の日において定められているその者に係る定年」とあるのはそれぞれ同表の下欄に掲げる字句とする。

5　当分の間、法第五条第一項第二号及び第四号に掲げる者であつて附則第三項の表の上欄に掲げる者が、それぞれ同表の下欄に掲げる年齢に達する日前に退職したときにおける第五条の三及び第五条の四の規定の適用については、次の表の上欄に掲げる規定中同表の中欄に掲げる字句は、それぞれ同表の下欄に掲げる字句とする。

第五条の三第四項第一号	百分の一	附則第三項の表の上欄に掲げる者の区分ごとにそれぞれ同表の下欄に掲げる年齢と退職の日におけるその者の年齢との差に相当する年数（以下この条において「改正前定年前年数」という。）に百分の一を退職の日において定められているその者に係る定年と退職の日におけるその者の年齢との差に相当する年数（以下この条において「改正後定年前年数」という。）で除して得た割合
第五条の三第四項第二号及び第五項第二号	百分の二	改正前定年前年数に百分の二を乗じて得た割合を改正後定年前年数で除して得た割合
第五条の三第四項第三号及び第五項第三号	百分の三（退職の日において定められているその者に係る定年と退職の日におけるその者の年齢との差に相当する年数が一年である職員にあつては、百分の二）	改正前定年前年数に百分の三を乗じて得た割合を改正後定年前年数で除して得た割合
第五条の三第五項	百分の一	改正前定年前年数に

第一号		百分の一を乗じて得た割合を改正後定年前年数で除して得た割合

6　当分の間、法第五条第一項第二号及び第四号に掲げる者であつて附則第三項の表の上欄に掲げる者が、それぞれ同表の下欄に掲げる年齢に達した日以後に退職したときにおける第五条の三及び第五条の四の規定の適用については、次の表の上欄に掲げる規定中同表の中欄に掲げる字句は、それぞれ同表の下欄に掲げる字句とする。

第五条の三第四項第一号	百分の一	百分の一を退職の日において定められているその者に係る定年と退職の日におけるその者の年齢との差に相当する年数（以下この条において「改正後定年前年数」という。）で除して得た割合
第五条の三第四項第二号及び第五項第二号	百分の二	百分の二を改正後定年前年数で除して得た割合
第五条の三第四項第三号及び第五項第三号	百分の三（退職の日において定められているその者に係る定年と退職の日におけるその者の年齢との差に相当する年数が一年である職員にあつては、百分の二）	百分の二を改正後定年前年数で除して得た割合
第五条の三第五項第一号	百分の一	百分の一を改正後定年前年数で除して得た割合

7　当分の間、教育公務員特例法（昭和二十四年法律第一号）第三十一条第一項に規定する研究施設研究教育職員に対する附則第三項から前項までの規定の適用については、次の表の上欄に掲げる規定中同表の中欄に掲げる字句は、それぞれ同表の下欄に掲げる字句とする。

附則第三項	次の表の上欄に掲げる者であつて、退職	退職
	それぞれ同表の下欄に掲げる年齢	改正前定年（教育公務員特例法（昭和二十四年法律第一号）附則第八条の規定により読み替えて適用する法附則第十二項に規定する改正前定年をいう。附則第五項及び第六項において同じ。）
附則第四項	は、同条第三項中「二十年」とあるのは「十五年」とするほか、前項の表の上欄に掲げる者の区分に応じ、	は、
	それぞれ同表の下欄に掲げる字句	「教育公務員特例法（昭和二十四年法律第一号）附則第八条の規定により読み替えて適用する法附則第十二項に規定する改正前定年」と、「二十年」とあるのは「十五年」
附則第五項	であつて附則第三項の表の上欄に掲げる者が、それぞれ同表の下欄に掲げる年齢	が改正前定年
附則第五項の表第五条の三第四項第一号の項	附則第三項の表の上欄に掲げる者の区分ごとにそれぞれ同表の下欄に掲げる年齢	教育公務員特例法（昭和二十四年法律第一号）附則第八条の規定により読み替えて適用する法附則第十二項に規定する改正前定年
前項	であつて附則第三項の表の上欄に掲げる者が、それぞれ同表の下欄に掲げる年齢	が改正前定年

附　則（昭三四・六・一政令二〇八）（抄）
最終改正　平二一・三・三一政令七六

1　この政令は、公布の日から施行する。

附　則（昭三六・六・一九政令二〇〇）（抄）

1　この政令は、公布の日から施行する。

附　則（昭四四・一二・一八政令三〇一）（抄）

（施行期日）

1　この政令は、昭和四十五年一月一日から施行する。〔ただし書略〕

附　則（昭四八・五・一七政令一三四）（抄）

最終改正　平二六・五・二九政令一九五

1　この政令は、国家公務員等退職手当法の一部を改正する法律（以下「法律第三十号」という。）の施行の日から施行し、この政令による改正後の国家公務員等退職手当法施行令（以下「新令」という。）の規定（第六条、第七条第三項から第五項まで及び第九条の三の規定を除く。）は、昭和四十七年十二月一日（以下「適用日」という。）以後の退職による退職手当について適用し、適用日前の退職による退職手当については、なお従前の例による。

附　則（昭五〇・三・一〇政令二六）

この政令は、雇用保険法の施行の日（昭和五十年四月一日）から施行する。

附　則（昭五九・七・二七政令二四五）

改正　昭六二・三・二〇政令五四

1　この政令は、昭和五十九年八月一日から施行する。

附　則（平二五・三・一三政令五五）（抄）

改正　平二七・三・一八政令七四

（施行期日）

第一条　この政令は、平成二十五年四月一日から施行する。〔ただし書略〕

附　則（平二五・三・一五政令六五）（抄）

（施行期日）

1　この政令は、株式会社企業再生支援機構法の一部を改正する法律の施行の日（平成二十五年三月十八日）から施行する。

附　則（平二五・五・二四政令一五八）（抄）

（施行期日）

第一条　この政令は、国家公務員の退職給付の給付水準の見直し等のための国家公務員退職手当法等の一部を改正する法律附則第一条第五号に掲げる規定の施行の日（平成二十五年十一月一日）から施行する。ただし、目次及び第五条の改正規定並びに第九条の五を第九条の九とし、第二章中第九条の四の次に四条を加える改正規定並びに次条の規定は、平成二十五年六月一日から施行する。

附　則（平二九・二・一七政令二二）（抄）

（施行期日）

1　この政令は、平成二十九年四月一日から施行する。ただし、第三条中国家公務員退職手当法施行令第五条の二に一号を加える改正規定は、平成三十年四月一日から施行する。

附　則（平三一・三・二〇政令四〇）

この政令は、平成三十一年四月一日から施行する。

附　則（令元・九・一一政令九七）（抄）

（施行期日）

1　この政令は、令和二年四月一日から施行する。

附　則（令三・五・二一政令一五六）（抄）

この政令は、令和四年四月一日から施行する。〔ただし書略〕

附　則（令三・七・二政令一九五）（抄）

（施行期日）

1　この政令は、令和三年九月一日から施行する。〔ただし書略〕

附　則（令四・三・三〇政令一二八）（抄）

（施行期日）

第一条　この政令は、令和五年四月一日から施行する。

附　則（令四・六・一六政令二一八）

この政令は、福島復興再生特別措置法の一部を改正する法律の施行の日（令和四年六月十七日）から施行する。

附　則（令四・六・二四政令二二八）（抄）

（施行期日）

1　この政令は、地球温暖化対策の推進に関する法律の一部を改正する法律（令和四年法律第六十号）の施行の日（令和四年十月一日）から施行する。

附　則（令四・一一・一一政令三四八）

この政令は、改正法附則第一条第二号に掲げる規定の施行の日（令和四年十一月十四日）から施行する。

附　則（令五・一二・二〇政令三六二）（抄）

（施行期日）

1　この政令は、令和六年十月一日から施行する。〔ただし書略〕

附　則（令五・一二・二七政令三七九）（抄）

（施行期日）

第一条　この政令は、法附則第一条第二号に掲げる規定の施行の日（令和六年二月十六日）から施行する。

附　則（令六・一・三一政令二二）（抄）

（施行期日）

1　この政令は、金融商品取引法等の一部を改正する法律附則第一条第二号に掲げる規定の施行の日（令和六年二月一日）から施行する。

附　則（令六・三・二五政令六二）

この政令は、令和六年四月一日から施行する。

附　則（令六・四・二四政令一七四）

この政令は、日本電信電話株式会社等に関する法律の一部を改正する法律の施行の日〔令六・四・二五〕から施行する。

別表第一・第二〔略〕

○健康保険法（抄）

大一一・四・二二
法　七　〇

最終改正　令五・六・九法四八

目次〔略〕

第一章　総則

（目的）

第一条　この法律は、労働者又はその被扶養者の業務災害（労働者災害補償保険法（昭和二十二年法律第五十号）第七条第一項第一号に規定する業務災害をいう。）以外の疾病、負傷若しくは死亡又は出産に関して保険給付を行い、もって国民の生活の安定と福祉の向上に寄与することを目的とする。

（基本的理念）

第二条　健康保険制度については、これが医療保険制度の基本をなすものであることにかんがみ、高齢化の進展、疾病構造の変化、社会経済情勢の変化等に対応し、その他の医療保険制度及び後期高齢者医療制度並びにこれらに密接に関連する制度と併せてその在り方に関して常に検討が加えられ、その結果に基づき、医療保険の運営の効率化、給付の内容及び費用の負担の適正化並びに国民が受ける医療の質の向上を総合的に図りつつ、実施されなければならない。

（定義）

第三条　この法律において「被保険者」とは、適用事業所に使用される者及び任意継続被保険者をいう。ただし、次の各号のいずれかに該当する者は、日雇特例被保険者となる場合を除き、被保険者となることができない。

一　船員保険の被保険者（船員保険法（昭和十四年法律第七十三号）第二条第二項に規定する疾病任意継続被保険者を除く。）

二　臨時に使用される者であって、次に掲げるもの（イに掲げる者にあっては一月を超え、ロに掲げる者にあってはロに掲げる定めた期間を超え、引き続き使用されるに至った場合を除く。）

イ　日々雇い入れられる者

ロ　二月以内の期間を定めて使用される者であって、当該定めた期間を超えて使用されることが見込まれないもの

三　事業所又は事務所（第八十八条第一項及び第八十九条第一項を除き、以下単に「事業所」という。）で所在地が一定しないものに使用される者

四　季節的業務に使用される者（継続して四月を超えて使用されるべき場合を除く。）

五　臨時的事業の事業所に使用される者（継続して六月を超えて使用されるべき場合を除く。）

六　国民健康保険組合の事業所に使用される者

七　後期高齢者医療の被保険者（高齢者の医療の確保に関する法律（昭和五十七年法律第八十号）第五十条の規定による被保険者をいう。）及び同条各号のいずれかに該当する者で同法第五十一条の規定により後期高齢者医療の被保険者とならないもの（以下「後期高齢者医療の被保険者等」という。）

八　厚生労働大臣、健康保険組合又は共済組合の承認を受けた者（健康保険の被保険者でないことにより国民健康保険の被保険者であるべき期間に限る。）

九　事業所に使用される者であって、その一週間の所定労働時間が同一の事業所に使用される通常の労働者（当該事業所に使用される通常の労働者と同種の業務に従事する当該事業所に使用される者にあっては、厚生労働省令で定める場合を除き、当該者と同種の業務に従事する当該通常の労働者。以下この号において単に「通常の労働者」という。）の一週間の所定労働時間の四分の三未満である短時間労働者（一週間の所定労働時間が同一の事業所に使用される通常の労働者の一週間の所定労働時間に比し短い者をいう。以下この号において同じ。）又はその一月間の所定労働日数が同一の事業所に使用される通常の労働者の一月間の所定労働日数の四分の三未満である短時間労働者に該当し、かつ、イからハまでのいずれかの要件に該当するもの

イ　一週間の所定労働時間が二十時間未満であること。

ロ　報酬（最低賃金法（昭和三十四年法律第百三十七号）第四条第三項各号に掲げる賃金に相当するものとして厚生労働省令で定めるものを除く。）について、厚生労働省令で定めるところにより、第四十二条第一項の規定の例により算定した額が、八万八千円未満であること。

ハ　学校教育法（昭和二十二年法律第二十六号）第五十条に規定する高等学校の生徒、同法第八十三条に規定する大学の学生その他の厚生労働省令で定める者であること。

2　この法律において「日雇特例被保険者」とは、適用事業所に使用される日雇労働者をいう。ただし、後期高齢者医療の被保険者等である者又は次の各号のいずれかに該当する者として厚生労働大臣の承認を受けたものは、この限りでない。

一　適用事業所において、引き続く二月間に通算して二十六日以上使用される見込みのないことが明らかであるとき。

二　任意継続被保険者であるとき。

三　その他特別の理由があるとき。

3　この法律において「適用事業所」とは、次の各号のいずれかに該当する事業所をいう。

一　次に掲げる事業の事業所であって、常時五人以上の従業員を使用するもの

イ　物の製造、加工、選別、包装、修理又は解体の事業

ロ　土木、建築その他工作物の建設、改造、保存、修理、変更、破壊、解体又はその準備の事業

ハ　鉱物の採掘又は採取の事業

ニ　電気又は動力の発生、伝導又は供給の事業

ホ　貨物又は旅客の運送の事業

ヘ　貨物積卸しの事業

ト　焼却、清掃又はと殺の事業

チ　物の販売又は配給の事業

リ　金融又は保険の事業

ヌ　物の保管又は賃貸の事業

ル　媒介周旋の事業

ヲ　集金、案内又は広告の事業

ワ　教育、研究又は調査の事業

カ　疾病の治療、助産その他医療の事業

ヨ　通信又は報道の事業

タ　社会福祉法（昭和二十六年法律第四十五号）に定める社会福祉事業及び更生保護事業法（平成七年法律第八十六号）に定める更生保護事業

レ　弁護士、公認会計士その他政令で定める者が法令の規定に基づき行うこととされている法律又は会計に係る業務を行う事業

二　前号に掲げるもののほか、国、地方公共団体又は法人の事業所であって、常時従業員を使用するもの

4　この法律において「任意継続被保険者」とは、適用事業所に使用されなくなったため、又は第一項ただし書に該当するに至ったため被保険者（日雇特例被保険者を除く。）の資格を喪失した者であって、喪失の日の前日まで継続して二月以上被保険者（日雇特例被保険者、任意継続被保険者又は共済組合の組合員である被保険者を除く。）であったもののうち、保険者に申し出て、継続して当該保険者の被保険者となった者をいう。ただし、船員保険の被保険者又は後期高齢者医療の被保険者等である者は、この限りでない。

5　この法律において「報酬」とは、賃金、給料、俸給、手当、賞与その他いかなる名称であるかを問わず、労働者が、労働の対償として受けるすべてのものをいう。ただし、臨時に受けるもの及び三月を超える期間ごとに受けるものは、この限りでない。

6　この法律において「賞与」とは、賃金、給料、俸給、手当、賞与その他いかなる名称であるかを問わず、労働者が、労働の対償として受けるすべてのもののうち、三月を超える期間ごとに受けるものをいう。

7　この法律において「被扶養者」とは、次に掲げる者で、日本国内に住所を有するもの又は外国において留学をする学生その他の日本国内に住所を有しないが渡航目的その他の事情を考慮して日本国内に生活の基礎があると認められるものとして厚生労働省令で定めるものをいう。ただし、後期高齢者医療の被保険者等である者その他この法律の適用を除外すべき特別の理由がある者として厚生労働省令で定める者は、この限りでない。

一　被保険者（日雇特例被保険者であった者を含む。以下この項において同じ。）の直系尊属、配偶者（届出をしていないが、事実上婚姻関係と同様の事情にある者を含む。以下この項において同じ。）、子、孫及び兄弟姉妹であって、主としてその被保険者により生計を維持するもの

二　被保険者の三親等内の親族で前号に掲げる者以外のものであって、その被保険者と同一の世帯に属し、主としてその被保険者により生計を維持するもの

三　被保険者の配偶者で届出をしていないが事実上婚姻関係と同様の事情にあるものの父母及び子であって、その被保険者と同一の世帯に属し、主としてその被保険者により生計を維持するもの

四　前号の配偶者の死亡後におけるその父母及び子であって、引き続きその被保険者と同一の世帯に属し、主としてその被保険者により生計を維持するもの

8　この法律において「日雇労働者」とは、次の各号のいずれかに該当する者をいう。

一　臨時に使用される者であって、次に掲げるもの（同一の事業所において、イに掲げる者にあっては一月を超え、ロに掲げる者にあってはロに掲げる定めた期間を超え、引き続き使用されるに至った場合（所在地の一定しない事業所において引き続き使用されるに至った場合を除く。）を除く。）

イ　日々雇い入れられる者

ロ　二月以内の期間を定めて使用される者であって、当該定めた期間を超えて使用されることが見込まれないもの

二　季節的業務に使用される者（継続して四月を超えて使用されるべき場合を除く。）

三　臨時的事業の事業所に使用される者（継続して六月を超えて使用されるべき場合を除く。）

9　この法律において「賃金」とは、賃金、給料、手当、賞与その他いかなる名称であるかを問わず、日雇労働者が、労働の対償として受けるすべてのものをいう。ただし、三月を超える期間ごとに受けるものは、この限りでない。

10　この法律において「共済組合」とは、法律によって組織された共済組合をいう。

11　この法律において「保険者番号」とは、厚生労働大臣が健康保険事業において保険者を識別するための番号として、保険者ごとに定めるものをいう。

12　この法律において「被保険者等記号・番号」とは、保険者が被保険者又は被扶養者の資格を管理するための記号、番号その他の符号として、被保険者又は被扶養者ごとに定めるものをいう。

13　この法律において「電子資格確認」とは、保険医療機関等（第六十三条第三項各号に掲げる病院若しくは診療所又は薬局をいう。以下同じ。）から療養を受けようとする者又は第八十八条第一項に規定する指定訪問看護事業者から同項に規定する指定訪問看護を受けようとする者が、保険者に対し、個人番号カード（行政手続における特定の個人を識別するための番号の利用等に関する法律（平成二十五年法律第二十七号）第二条第七項に規定する個人番号カードをいう。）に記録された利用者証明用電子証明書（電子署名等に係る地方公共団体情報システム機構の認証業務に関する法律（平成十四年法律第百五十三号）第二十二条第一項に規定する利用者証明用電子証明書をいう。）を送信する方法その他の厚生労働省令で定める方法により、被保険者又は被扶養者の資格に係る情報（保険給付に係る費用の請求に必要な情報を含む。）の照会を行い、電子情報処理組織を使用する方法その他の情報通信の技術を利用する方法により、保険者から回答を受けて当該情報を当該保険医療機関等又は指定訪問看護事業者に提供し、当該保険医療機関等又は指定訪問看護事業者から被保険者又は被扶養者であることの確認を受けることをいう。

第二章　保険者

第一節　通則

（保険者）

第四条　健康保険（日雇特例被保険者の保険を除く。）の保険者は、全国健康保険協会及び健康保険組合とする。

（全国健康保険協会管掌健康保険）

第五条　全国健康保険協会は、健康保険組合の組合員でない被保険者（日雇特例被保険者を除く。次節、第五十一条の二、第六十三条第三項第二号、第百五十条第一項、第百七十二条第三号、第十章及び第十一章を除き、以下本則において同じ。）の

保険を管掌する。

2 前項の規定により全国健康保険協会が管掌する健康保険の事業に関する業務のうち、被保険者の資格の取得及び喪失の確認、標準報酬月額及び標準賞与額の決定並びに保険料の徴収(任意継続被保険者に係るものを除く。)並びにこれらに附帯する業務は、厚生労働大臣が行う。

(組合管掌健康保険)

第六条 健康保険組合は、その組合員である被保険者の保険を管掌する。

(二以上の事業所に使用される者の保険者)

第七条 同時に二以上の事業所に使用される被保険者の保険を管掌する者は、第五条第一項及び前条の規定にかかわらず、厚生労働省令で定めるところによる。

第二節 全国健康保険協会

(設立及び業務)

第七条の二 健康保険組合の組合員でない被保険者(以下この節において単に「被保険者」という。)に係る健康保険事業を行うため、全国健康保険協会(以下「協会」という。)を設ける。

2 協会は、次に掲げる業務を行う。

一 第四章の規定による保険給付及び第五章第三節の規定による日雇特例被保険者に係る保険給付に関する業務

二 第六章の規定による保健事業及び福祉事業に関する業務

三 前二号に掲げる業務のほか、協会が管掌する健康保険の事業に関する業務であって第五条第二項の規定により厚生労働大臣が行う業務以外のもの

四 第一号及び第二号に掲げる業務のほか、日雇特例被保険者の保険の事業に関する業務であって第百二十三条第二項の規定により厚生労働大臣が行う業務以外のもの

五 第二百四条の七第一項に規定する権限に係る事務に関する業務

六 前各号に掲げる業務に附帯する業務

3 協会は、前項各号に掲げる業務のほか、船員保険法の規定による船員保険事業に関する業務(同法の規定により厚生労働大臣が行うものを除く。)並びに高齢者の医療の確保に関する法律の規定による前期高齢者納付金等(以下「前期高齢者納付金等」という。)並びに同法の規定による後期高齢者支援金、後期高齢者関係事務費拠出金及び出産育児関係事務費拠出金(以下「後期高齢者支援金等」という。)、介護保険法(平成九年法律第百二十三号)の規定による納付金(以下「介護納付金」という。)並びに感染症の予防及び感染症の患者に対する医療に関する法律(平成十年法律第百十四号)の規定による流行初期医療確保拠出金等(以下「流行初期医療確保拠出金等」という。)の納付に関する業務を行う。

(法人格)

第七条の三 協会は、法人とする。

(事務所)

第七条の四 協会は、主たる事務所を東京都に、従たる事務所(以下「支部」という。)を各都道府県に設置する。

2 協会の住所は、その主たる事務所の所在地にあるものとする。

(資本金)

第七条の五 協会の資本金は、健康保険法等の一部を改正する法律(平成十八年法律第八十三号。以下「改正法」という。)附則第十八条第二項の規定により政府から出資があったものとされた金額とする。

(定款)

第七条の六 協会は、定款をもって、次に掲げる事項を定めなければならない。

一 目的

二 名称

三 事務所の所在地

四 役員に関する事項

五 運営委員会に関する事項

六 評議会に関する事項

七 保健事業に関する事項

八 福祉事業に関する事項

九 資産の管理その他財務に関する事項

十 その他組織及び業務に関する重要事項として厚生労働省令で定める事項

2 前項の定款の変更(厚生労働省令で定める事項に係るものを除く。)は、厚生労働大臣の認可を受けなければ、その効力を生じない。

3 協会は、前項の厚生労働省令で定める事項に係る定款の変更をしたときは、遅滞なく、これを厚生労働大臣に届け出なければならない。

4 協会は、定款の変更について第二項の認可を受けたとき、又は同項の厚生労働省令で定める事項に係る定款の変更をしたときは、遅滞なく、これを公告しなければならない。

(登記)

第七条の七 協会は、政令で定めるところにより、登記しなければならない。

2 前項の規定により登記しなければならない事項は、登記の後でなければ、これをもって第三者に対抗することができない。

(名称)

第七条の八 協会でない者は、全国健康保険協会という名称を用いてはならない。

(役員)

第七条の九 協会に、役員として、理事長一人、理事六人以内及び監事二人を置く。

(役員の職務)

第七条の十 理事長は、協会を代表し、その業務を執行する。

2 理事長に事故があるとき、又は理事長が欠けたときは、理事のうちから、あらかじめ理事長が指定する者がその職務を代理し、又はその職務を行う。

3 理事は、理事長の定めるところにより、理事長を補佐して、協会の業務を執行することができる。

4 監事は、協会の業務の執行及び財務の状況を監査する。

(役員の任命)

第七条の十一 理事長及び監事は、厚生労働大臣が任命する。

2 厚生労働大臣は、前項の規定により理事長を任命しようとするときは、あらかじめ、第七条の十八第一項に規定する運営委員会の意見を聴かなければならない。

3 理事は、理事長が任命する。

4 理事長は、前項の規定により理事を任命したときは、遅滞な

く、厚生労働大臣に届け出るとともに、これを公表しなければならない。

（役員の任期）

第七条の十二 役員の任期は三年とする。ただし、補欠の役員の任期は、前任者の残任期間とする。

2 役員は、再任されることができる。

（役員の欠格条項）

第七条の十三 政府又は地方公共団体の職員（非常勤の者を除く。）は、役員となることができない。

（役員の解任）

第七条の十四 厚生労働大臣又は理事長は、それぞれその任命に係る役員が前条の規定により役員となることができない者に該当するに至ったときは、その役員を解任しなければならない。

2 厚生労働大臣又は理事長は、それぞれその任命に係る役員が次の各号のいずれかに該当するとき、その他役員たるに適しないと認めるときは、その役員を解任することができる。

一 心身の故障のため職務の遂行に堪えないと認められるとき。

二 職務上の義務違反があるとき。

3 理事長は、前項の規定により理事を解任したときは、遅滞なく、厚生労働大臣に届け出るとともに、これを公表しなければならない。

（役員の兼職禁止）

第七条の十五 役員（非常勤の者を除く。）は、営利を目的とする団体の役員となり、又は自ら営利事業に従事してはならない。ただし、厚生労働大臣の承認を受けたときは、この限りでない。

（代表権の制限）

第七条の十六 協会と理事長又は理事との利益が相反する事項については、これらの者は、代表権を有しない。この場合には、監事が協会を代表する。

（代理人の選任）

第七条の十七 理事長は、理事又は職員のうちから、協会の業務の一部に関し一切の裁判上又は裁判外の行為をする権限を有する代理人を選任することができる。

（運営委員会）

第七条の十八 事業主（被保険者を使用する適用事業所の事業主をいう。以下この節において同じ。）及び被保険者の意見を反映させ、協会の業務の適正な運営を図るため、協会に運営委員会を置く。

2 運営委員会の委員は、九人以内とし、事業主、被保険者及び協会の業務の適正な運営に必要な学識経験を有する者のうちから、厚生労働大臣が各同数を任命する。

3 前項の委員の任期は、二年とする。

4 第七条の十二第一項ただし書及び第二項の規定は、運営委員会の委員について準用する。

（運営委員会の職務）

第七条の十九 次に掲げる事項については、理事長は、あらかじめ、運営委員会の議を経なければならない。

一 定款の変更

二 第七条の二十二第二項に規定する運営規則の変更

三 協会の毎事業年度の事業計画並びに予算及び決算

四 重要な財産の処分又は重大な債務の負担

五 第七条の三十五第二項に規定する役員に対する報酬及び退職手当の支給の基準の変更

六 その他協会の組織及び業務に関する重要事項として厚生労働省令で定めるもの

2 前項に規定する事項のほか、運営委員会は、理事長の諮問に応じ、又は必要と認める事項について、理事長に建議することができる。

3 前二項に定めるもののほか、運営委員会の組織及び運営に関し必要な事項は、厚生労働省令で定める。

（委員の地位）

第七条の二十 運営委員会の委員は、刑法（明治四十年法律第四十五号）その他の罰則の適用については、法令により公務に従事する職員とみなす。

（評議会）

第七条の二十一 協会は、都道府県ごとの実情に応じた業務の適正な運営に資するため、支部ごとに評議会を設け、当該支部における業務の実施について、評議会の意見を聴くものとする。

2 評議会の評議員は、定款で定めるところにより、当該評議会が設けられる支部の都道府県に所在する適用事業所（第三十四条第一項に規定する一の適用事業所を含む。以下同じ。）の事業主及び被保険者並びに当該支部における業務の適正な実施に必要な学識経験を有する者のうちから、支部の長（以下「支部長」という。）が委嘱する。

（運営規則）

第七条の二十二 協会は、業務を執行するために必要な事項で厚生労働省令で定めるものについて、運営規則を定めるものとする。

2 理事長は、運営規則を変更しようとするときは、あらかじめ、厚生労働大臣に届け出なければならない。

（職員の任命）

第七条の二十三 協会の職員は、理事長が任命する。

（役員及び職員の公務員たる性質）

第七条の二十四 第七条の二十の規定は、協会の役員及び職員について準用する。

（事業年度）

第七条の二十五 協会の事業年度は、毎年四月一日に始まり、翌年三月三十一日に終わる。

（企業会計原則）

第七条の二十六 協会の会計は、厚生労働省令で定めるところにより、原則として企業会計原則によるものとする。

（事業計画等の認可）

第七条の二十七 協会は、毎事業年度、事業計画及び予算を作成し、当該事業年度開始前に、厚生労働大臣の認可を受けなければならない。これを変更しようとするときも、同様とする。

（財務諸表等）

第七条の二十八 協会は、毎事業年度の決算を翌事業年度の五月三十一日までに完結しなければならない。

2 協会は、毎事業年度、貸借対照表、損益計算書、利益の処分又は損失の処理に関する書類その他厚生労働省令で定める書類及びこれらの附属明細書（以下「財務諸表」という。）を作成し、これに当該事業年度の事業報告書及び決算報告書（以下この条及び第二百十七条の二第四号において「事業報告書等」という。）を添え、監事及び次条第二項の規定により選任された会計監査人の意見を付けて、決算完結後二月以内に厚生労働大臣に提出し、その承認を受けなければならない。

3　財務諸表及び事業報告書等には、支部ごとの財務及び事業の状況を示すために必要な事項として厚生労働省令で定めるものを記載しなければならない。

4　協会は、第二項の規定による厚生労働大臣の承認を受けたときは、遅滞なく、財務諸表を官報に公告し、かつ、財務諸表及び事業報告書等並びに同項の監事及び会計監査人の意見を記載した書面を、各事務所に備えて置き、厚生労働省令で定める期間、一般の閲覧に供しなければならない。

（会計監査人の監査）

第七条の二十九　協会は、財務諸表、事業報告書（会計に関する部分に限る。）及び決算報告書について、監事の監査のほか、会計監査人の監査を受けなければならない。

2　会計監査人は、厚生労働大臣が選任する。

3　会計監査人は、公認会計士（公認会計士法（昭和二十三年法律第百三号）第十六条の二第五項に規定する外国公認会計士を含む。）又は監査法人でなければならない。

4　公認会計士法の規定により、財務諸表について監査をすることができない者は、会計監査人となることができない。

5　会計監査人の任期は、その選任の日以後最初に終了する事業年度の財務諸表についての厚生労働大臣の前条第二項の承認の時までとする。

6　厚生労働大臣は、会計監査人が次の各号のいずれかに該当するときは、その会計監査人を解任することができる。

一　職務上の義務に違反し、又は職務を怠ったとき。

二　会計監査人たるにふさわしくない非行があったとき。

三　心身の故障のため、職務の遂行に支障があり、又はこれに堪えないとき。

（各事業年度に係る業績評価）

第七条の三十　厚生労働大臣は、協会の事業年度ごとの業績について、評価を行わなければならない。

2　厚生労働大臣は、前項の評価を行ったときは、遅滞なく、協会に対し、当該評価の結果を通知するとともに、これを公表しなければならない。

（借入金）

第七条の三十一　協会は、その業務に要する費用に充てるため必要な場合において、厚生労働大臣の認可を受けて、短期借入金をすることができる。

2　前項の規定による短期借入金は、当該事業年度内に償還しなければならない。ただし、資金の不足のため償還することができないときは、その償還することができない金額に限り、厚生労働大臣の認可を受けて、これを借り換えることができる。

3　前項ただし書の規定により借り換えた短期借入金は、一年以内に償還しなければならない。

（債務保証）

第七条の三十二　政府は、法人に対する政府の財政援助の制限に関する法律（昭和二十一年法律第二十四号）第三条の規定にかかわらず、国会の議決を経た金額の範囲内で、その業務の円滑な運営に必要があると認めるときは、前条の規定による協会の短期借入金に係る債務について、必要と認められる期間の範囲において、保証することができる。

（資金の運用）

第七条の三十三　協会の業務上の余裕金の運用は、政令で定めるところにより、事業の目的及び資金の性質に応じ、安全かつ効率的にしなければならない。

（重要な財産の処分）

第七条の三十四　協会は、厚生労働省令で定める重要な財産を譲渡し、又は担保に供しようとするときは、厚生労働大臣の認可を受けなければならない。

（役員の報酬等）

第七条の三十五　協会の役員に対する報酬及び退職手当は、その役員の業績が考慮されるものでなければならない。

2　協会は、その役員に対する報酬及び退職手当の支給の基準を定め、これを厚生労働大臣に届け出るとともに、公表しなければならない。これを変更したときも、同様とする。

（職員の給与等）

第七条の三十六　協会の職員の給与は、その職員の勤務成績が考慮されるものでなければならない。

2　協会は、その職員の給与及び退職手当の支給の基準を定め、これを厚生労働大臣に届け出るとともに、公表しなければならない。これを変更したときも、同様とする。

（秘密保持義務）

第七条の三十七　協会の役員若しくは職員又はこれらの職にあった者は、健康保険事業に関して職務上知り得た秘密を正当な理由がなく漏らしてはならない。

2　前項の規定は、協会の運営委員会の委員又は委員であった者について準用する。

（報告の徴収等）

第七条の三十八　厚生労働大臣は、協会について、必要があると認めるときは、その事業及び財産の状況に関する報告を徴し、又は当該職員をして協会の事務所に立ち入って関係者に質問させ、若しくは実地にその状況を検査させることができる。

2　前項の規定によって質問又は検査を行う当該職員は、その身分を示す証明書を携帯し、かつ、関係者の請求があるときは、これを提示しなければならない。

3　第一項の規定による権限は、犯罪捜査のために認められたものと解釈してはならない。

（監督）

第七条の三十九　厚生労働大臣は、協会の事業若しくは財産の管理若しくは執行が法令、定款若しくは厚生労働大臣の処分に違反していると認めるとき、確保すべき収入を不当に確保せず、不当に経費を支出し、若しくは不当に財産を処分し、その他協会の事業若しくは財産の管理若しくは執行が著しく適正を欠くと認めるとき、又は協会の役員がその事業若しくは財産の管理若しくは執行を明らかに怠っていると認めるときは、期間を定めて、協会又はその役員に対し、その事業若しくは財産の管理若しくは執行について違反の是正又は改善のため必要な措置を採るべき旨を命ずることができる。

2　協会又はその役員が前項の命令に違反したときは、厚生労働大臣は、協会に対し、期間を定めて、当該違反に係る役員の全部又は一部の解任を命ずることができる。

3　協会が前項の命令に違反したときは、厚生労働大臣は、同項の命令に係る役員を解任することができる。

（解散）
第七条の四十 協会の解散については、別に法律で定める。

（厚生労働省令への委任）
第七条の四十一 この法律及びこの法律に基づく政令に規定するもののほか、協会の財務及び会計その他協会に関し必要な事項は、厚生労働省令で定める。

（財務大臣との協議）
第七条の四十二 厚生労働大臣は、次の場合には、あらかじめ、財務大臣に協議しなければならない。
一 第七条の二十七、第七条の三十一第一項若しくは第二項ただし書又は第七条の三十四の規定による認可をしようとするとき。
二 前条の規定により厚生労働省令を定めようとするとき。

第三節 健康保険組合

（組織）
第八条 健康保険組合は、適用事業所の事業主、その適用事業所に使用される被保険者及び任意継続被保険者をもって組織する。

（法人格）
第九条 健康保険組合は、法人とする。
2 健康保険組合の住所は、その主たる事務所の所在地にあるものとする。

（名称）
第十条 健康保険組合は、その名称中に健康保険組合という文字を用いなければならない。
2 健康保険組合でない者は、健康保険組合という名称を用いてはならない。

（設立）
第十一条 一又は二以上の適用事業所について常時政令で定める数以上の被保険者を使用する事業主は、当該一又は二以上の適用事業所について、健康保険組合を設立することができる。
2 適用事業所の事業主は、共同して健康保険組合を設立することができる。この場合において、被保険者の数は、合算して常時政令で定める数以上でなければならない。
第十二条 適用事業所の事業主は、健康保険組合を設立しようとするときは、健康保険組合を設立しようとする適用事業所に使用される被保険者の二分の一以上の同意を得て、規約を作り、厚生労働大臣の認可を受けなければならない。
2 二以上の適用事業所について健康保険組合を設立しようとする場合においては、前項の同意は、各適用事業所について得なければならない。
第十三条 第三十一条第一項の規定による認可の申請と同時に健康保険組合の設立の認可の申請を行う場合にあっては、前二条中「適用事業所」とあるのは「適用事業所となるべき事業所」と、「被保険者」とあるのは「被保険者となるべき者」とする。
第十四条 厚生労働大臣は、一又は二以上の適用事業所（第三十一条第一項の規定によるものを除く。）について常時政令で定める数以上の被保険者を使用する事業主に対し、健康保険組合の設立を命ずることができる。
2 前項の規定により健康保険組合の設立を命ぜられた事業主は、規約を作り、その設立について厚生労働大臣の認可を受けなければならない。

（成立の時期）
第十五条 健康保険組合は、設立の認可を受けた時に成立する。

（規約）
第十六条 健康保険組合は、規約において、次に掲げる事項を定めなければならない。
一 名称
二 事務所の所在地
三 健康保険組合の設立に係る適用事業所の名称及び所在地
四 組合会に関する事項
五 役員に関する事項
六 組合員に関する事項
七 保険料に関する事項
八 準備金その他の財産の管理に関する事項
九 公告に関する事項
十 前各号に掲げる事項のほか、厚生労働省令で定める事項
2 前項の規約の変更（厚生労働省令で定める事項に係るものを除く。）は、厚生労働大臣の認可を受けなければ、その効力を生じない。
3 健康保険組合は、前項の厚生労働省令で定める事項に係る規約の変更をしたときは、遅滞なく、これを厚生労働大臣に届け出なければならない。

（組合員）
第十七条 健康保険組合が設立された適用事業所（以下「設立事業所」という。）の事業主及びその設立事業所に使用される被保険者は、当該健康保険組合の組合員とする。
2 前項の被保険者は、当該設立事業所に使用されなくなったときであっても、任意継続被保険者であるときは、なお当該健康保険組合の組合員とする。

（組合会）
第十八条 健康保険組合に、組合会を置く。
2 組合会は、組合会議員をもって組織する。
3 組合会議員の定数は、偶数とし、その半数は、設立事業所の事業主において設立事業所の事業主（その代理人を含む。）及び設立事業所に使用される者のうちから選定し、他の半数は、被保険者である組合員において互選する。

（組合会の議決事項）
第十九条 次に掲げる事項は、組合会の議決を経なければならない。
一 規約の変更
二 収入支出の予算
三 事業報告及び決算
四 その他規約で定める事項

（組合会の権限）
第二十条 組合会は、健康保険組合の事務に関する書類を検査し、理事若しくは監事の報告を請求し、又は事務の管理、議決の執行若しくは出納を検査することができる。
2 組合会は、組合会議員のうちから選任した者に、前項の組合会の権限に属する事項を行わせることができる。

（役員）
第二十一条 健康保険組合に、役員として理事及び監事を置く。
2 理事の定数は、偶数とし、その半数は設立事業所の事業主の選定した組合会議員において、他の半数は被保険者である組合

員の互選した組合会議員において、それぞれ互選する。
3　理事のうち一人を理事長とし、設立事業所の事業主の選定した組合会議員である理事のうちから、理事が選挙する。
4　監事は、組合会において、設立事業所の事業主の選定した組合会議員及び被保険者である組合員の互選した組合会議員のうちから、それぞれ一人を選挙する。
5　監事は、理事又は健康保険組合の職員と兼ねることができない。

（役員の職務）
第二十二条　理事長は、健康保険組合を代表し、その業務を執行する。理事長に事故があるとき、又は理事長が欠けたときは、設立事業所の事業主の選定した組合会議員である理事のうちから、あらかじめ理事長が指定する者がその職務を代理し、又はその職務を行う。
2　健康保険組合の業務は、規約に別段の定めがある場合を除くほか、理事の過半数により決し、可否同数のときは、理事長の決するところによる。
3　理事は、理事長の定めるところにより、理事長を補佐して、健康保険組合の業務を執行することができる。
4　監事は、健康保険組合の業務の執行及び財産の状況を監査する。

（協会の役員及び職員の秘密保持義務に関する規定の準用）
第二十二条の二　第七条の三十七第一項の規定は、健康保険組合の役員及び職員について準用する。

（合併）
第二十三条　健康保険組合は、合併しようとするときは、組合会において組合会議員の定数の四分の三以上の多数により議決し、厚生労働大臣の認可を受けなければならない。
2　合併によって健康保険組合を設立するには、各健康保険組合がそれぞれ組合会において役員又は組合会議員のうちから選任した設立委員が共同して規約を作り、その他設立に必要な行為をしなければならない。
3　合併により設立された健康保険組合又は合併後存続する健康保険組合は、合併により消滅した健康保険組合の権利義務を承継する。

（分割）
第二十四条　健康保険組合は、分割しようとするときは、組合会において組合会議員の定数の四分の三以上の多数により議決し、厚生労働大臣の認可を受けなければならない。
2　健康保険組合の分割は、設立事業所の一部について行うことはできない。
3　分割を行う場合においては、分割により設立される健康保険組合の組合員となるべき被保険者又は分割後存続する健康保険組合の組合員である被保険者の数が、第十一条第一項（健康保険組合を共同して設立している場合にあっては、同条第二項）の政令で定める数以上でなければならない。
4　分割によって健康保険組合を設立するには、分割により設立される健康保険組合の設立事業所となるべき適用事業所の事業主が規約を作り、その他設立に必要な行為をしなければならない。
5　分割により設立された健康保険組合は、分割により消滅した健康保険組合又は分割後存続する健康保険組合の権利義務の一部を承継する。
6　前項の規定により承継する権利義務の限度は、分割の議決とともに議決し、厚生労働大臣の認可を受けなければならない。

（設立事業所の増減）
第二十五条　健康保険組合がその設立事業所を増加させ、又は減少させようとするときは、その増加又は減少に係る適用事業所の事業主の全部及びその適用事業所に使用される被保険者の二分の一以上の同意を得なければならない。
2　第三十一条第一項の規定による認可の申請があった事業所に係る設立事業所の増加に関する規約の変更の認可の申請を行う場合にあっては、前項中「被保険者」とあるのは、「被保険者となるべき者」とする。
3　第一項の規定により健康保険組合が設立事業所を減少させるときは、健康保険組合の被保険者である組合員の数が、設立事業所を減少させた後においても、第十一条第一項（健康保険組合を共同して設立している場合にあっては、同条第二項）の政令で定める数以上でなければならない。
4　第十二条第二項の規定は、第一項の被保険者の同意を得る場合について準用する。

（解散）
第二十六条　健康保険組合は、次に掲げる理由により解散する。
一　組合会議員の定数の四分の三以上の多数による組合会の議決
二　健康保険組合の事業の継続の不能
三　第二十九条第二項の規定による解散の命令
2　健康保険組合は、前項第一号又は第二号に掲げる理由により解散しようとするときは、厚生労働大臣の認可を受けなければならない。
3　健康保険組合が解散する場合において、その財産をもって債務を完済することができないときは、当該健康保険組合は、設立事業所の事業主に対し、政令で定めるところにより、当該債務を完済するために要する費用の全部又は一部を負担することを求めることができる。
4　協会は、解散により消滅した健康保険組合の権利義務を承継する。

第二十七条　削除

（指定健康保険組合による健全化計画の作成）
第二十八条　健康保険事業の収支が均衡しない健康保険組合であって、政令で定める要件に該当するものとして厚生労働大臣の指定を受けたもの（以下この条及び次条において「指定健康保険組合」という。）は、政令で定めるところにより、その財政の健全化に関する計画（以下この条において「健全化計画」という。）を定め、厚生労働大臣の承認を受けなければならない。これを変更しようとするときも、同様とする。
2　前項の承認を受けた指定健康保険組合は、当該承認に係る健全化計画に従い、その事業を行わなければならない。
3　厚生労働大臣は、第一項の承認を受けた指定健康保険組合の事業及び財産の状況により、その健全化計画を変更する必要があると認めるときは、当該指定健康保険組合に対し、期限を定めて、当該健全化計画の変更を求めることができる。

（報告の徴収等）
第二十九条　第七条の三十八及び第七条の三十九の規定は、健康保険組合について準用する。この場合において、同条第一項中

「厚生労働大臣は」とあるのは「厚生労働大臣は、第二十九条第一項において準用する前条の規定により報告を徴し、又は質問し、若しくは検査した場合において」と、「定款」とあるのは「規約」と読み替えるものとする。

2 健康保険組合が前項において準用する第七条の三十九第一項の規定による命令に違反したとき、又は前条第二項の規定に違反した指定健康保険組合、同条第三項の求めに応じない指定健康保険組合その他政令で定める指定健康保険組合の事業若しくは財産の状況によりその事業の継続が困難であると認めるときは、厚生労働大臣は、当該健康保険組合の解散を命ずることができる。

（政令への委任）

第三十条 この節に規定するもののほか、健康保険組合の管理、財産の保管その他健康保険組合に関して必要な事項は、政令で定める。

第三章 被保険者

第一節 資格

（適用事業所）

第三十一条 適用事業所以外の事業所の事業主は、厚生労働大臣の認可を受けて、当該事業所を適用事業所とすることができる。

2 前項の認可を受けようとするときは、当該事業所の事業主は、当該事業所に使用される者（被保険者となるべき者に限る。）の二分の一以上の同意を得て、厚生労働大臣に申請しなければならない。

第三十二条 適用事業所が、第三条第三項各号に該当しなくなったときは、その事業所について前条第一項の認可があったものとみなす。

第三十三条 第三十一条第一項の事業所の事業主は、厚生労働大臣の認可を受けて、当該事業所を適用事業所でなくすることができる。

2 前項の認可を受けようとするときは、当該事業所の事業主は、当該事業所に使用される者（被保険者である者に限る。）の四分の三以上の同意を得て、厚生労働大臣に申請しなければならない。

第三十四条 二以上の適用事業所の事業主が同一である場合には、当該事業主は、厚生労働大臣の承認を受けて、当該二以上の事業所を一の適用事業所とすることができる。

2 前項の承認があったときは、当該二以上の適用事業所は、適用事業所でなくなったものとみなす。

（資格取得の時期）

第三十五条 被保険者（任意継続被保険者を除く。以下この条から第三十八条までにおいて同じ。）は、適用事業所に使用されるに至った日若しくはその使用される事業所が適用事業所となった日又は第三条第一項ただし書の規定に該当しなくなった日から、被保険者の資格を取得する。

（資格喪失の時期）

第三十六条 被保険者は、次の各号のいずれかに該当するに至った日の翌日（その事実があった日に更に前条に該当するに至ったときは、その日）から、被保険者の資格を喪失する。

一 死亡したとき。

二 その事業所に使用されなくなったとき。

三 第三条第一項ただし書の規定に該当するに至ったとき。

四 第三十三条第一項の認可があったとき。

（任意継続被保険者）

第三十七条 第三条第四項の申出は、被保険者の資格を喪失した日から二十日以内にしなければならない。ただし、保険者は、正当な理由があると認めるときは、この期間を経過した後の申出であっても、受理することができる。

2 第三条第四項の申出をした者が、初めて納付すべき保険料をその納付期日までに納付しなかったときは、同項の規定にかかわらず、その者は、任意継続被保険者とならなかったものとみなす。ただし、その納付の遅延について正当な理由があると保険者が認めたときは、この限りでない。

（任意継続被保険者の資格喪失）

第三十八条 任意継続被保険者は、次の各号のいずれかに該当するに至った日の翌日（第四号から第六号までのいずれかに該当するに至ったときは、その日）から、その資格を喪失する。

一 任意継続被保険者となった日から起算して二年を経過したとき。

二 死亡したとき。

三 保険料（初めて納付すべき保険料を除く。）を納付期日までに納付しなかったとき（納付の遅延について正当な理由があると保険者が認めたときを除く。）。

四 被保険者となったとき。

五 船員保険の被保険者となったとき。

六 後期高齢者医療の被保険者等となったとき。

七 任意継続被保険者でなくなることを希望する旨を、厚生労働省令で定めるところにより、保険者に申し出た場合において、その申出が受理された日の属する月の末日が到来したとき。

（資格の得喪の確認）

第三十九条 被保険者の資格の取得及び喪失は、保険者等（被保険者が協会が管掌する健康保険の被保険者である場合にあっては厚生労働大臣、被保険者が健康保険組合が管掌する健康保険の被保険者である場合にあっては当該健康保険組合をいう。第百六十四条第二項及び第三項、第百八十条第一項、第二項及び第四項並びに第百八十一条第一項を除き、以下同じ。）の確認によって、その効力を生ずる。ただし、第三十六条第四号に該当したことによる被保険者の資格の喪失並びに任意継続被保険者の資格の取得及び喪失は、この限りでない。

2 前項の確認は、第四十八条の規定による届出若しくは第五十一条第一項の規定による請求により、又は職権で行うものとする。

3 第一項の確認については、行政手続法（平成五年法律第八十八号）第三章（第十二条及び第十四条を除く。）の規定は、適用しない。

第二節 標準報酬月額及び標準賞与額

（標準報酬月額）

第四十条 標準報酬月額は、被保険者の報酬月額に基づき、次の等級区分（次項の規定により等級区分の改定が行われたときは、改定後の等級区分）によって定める。

標準報酬月額等級	標準報酬月額	報酬月額
第一級	五八、〇〇〇円	六三、〇〇〇円未満
第二級	六八、〇〇〇円	六三、〇〇〇円以上 七三、〇〇〇円未満
第三級	七八、〇〇〇円	七三、〇〇〇円以上 八三、〇〇〇円未満
第四級	八八、〇〇〇円	八三、〇〇〇円以上 九三、〇〇〇円未満
第五級	九八、〇〇〇円	九三、〇〇〇円以上 一〇一、〇〇〇円未満
第六級	一〇四、〇〇〇円	一〇一、〇〇〇円以上 一〇七、〇〇〇円未満
第七級	一一〇、〇〇〇円	一〇七、〇〇〇円以上 一一四、〇〇〇円未満
第八級	一一八、〇〇〇円	一一四、〇〇〇円以上 一二二、〇〇〇円未満
第九級	一二六、〇〇〇円	一二二、〇〇〇円以上 一三〇、〇〇〇円未満
第一〇級	一三四、〇〇〇円	一三〇、〇〇〇円以上 一三八、〇〇〇円未満
第一一級	一四二、〇〇〇円	一三八、〇〇〇円以上 一四六、〇〇〇円未満
第一二級	一五〇、〇〇〇円	一四六、〇〇〇円以上 一五五、〇〇〇円未満
第一三級	一六〇、〇〇〇円	一五五、〇〇〇円以上 一六五、〇〇〇円未満
第一四級	一七〇、〇〇〇円	一六五、〇〇〇円以上 一七五、〇〇〇円未満
第一五級	一八〇、〇〇〇円	一七五、〇〇〇円以上 一八五、〇〇〇円未満
第一六級	一九〇、〇〇〇円	一八五、〇〇〇円以上 一九五、〇〇〇円未満
第一七級	二〇〇、〇〇〇円	一九五、〇〇〇円以上 二一〇、〇〇〇円未満
第一八級	二二〇、〇〇〇円	二一〇、〇〇〇円以上 二三〇、〇〇〇円未満
第一九級	二四〇、〇〇〇円	二三〇、〇〇〇円以上 二五〇、〇〇〇円未満
第二〇級	二六〇、〇〇〇円	二五〇、〇〇〇円以上 二七〇、〇〇〇円未満
第二一級	二八〇、〇〇〇円	二七〇、〇〇〇円以上 二九〇、〇〇〇円未満
第二二級	三〇〇、〇〇〇円	二九〇、〇〇〇円以上 三一〇、〇〇〇円未満
第二三級	三二〇、〇〇〇円	三一〇、〇〇〇円以上 三三〇、〇〇〇円未満
第二四級	三四〇、〇〇〇円	三三〇、〇〇〇円以上 三五〇、〇〇〇円未満
第二五級	三六〇、〇〇〇円	三五〇、〇〇〇円以上 三七〇、〇〇〇円未満
第二六級	三八〇、〇〇〇円	三七〇、〇〇〇円以上 三九五、〇〇〇円未満
第二七級	四一〇、〇〇〇円	三九五、〇〇〇円以上 四二五、〇〇〇円未満
第二八級	四四〇、〇〇〇円	四二五、〇〇〇円以上 四五五、〇〇〇円未満
第二九級	四七〇、〇〇〇円	四五五、〇〇〇円以上 四八五、〇〇〇円未満
第三〇級	五〇〇、〇〇〇円	四八五、〇〇〇円以上 五一五、〇〇〇円未満
第三一級	五三〇、〇〇〇円	五一五、〇〇〇円以上 五四五、〇〇〇円未満
第三二級	五六〇、〇〇〇円	五四五、〇〇〇円以上 五七五、〇〇〇円未満
第三三級	五九〇、〇〇〇円	五七五、〇〇〇円以上 六〇五、〇〇〇円未満
第三四級	六二〇、〇〇〇円	六〇五、〇〇〇円以上 六三五、〇〇〇円未満
第三五級	六五〇、〇〇〇円	六三五、〇〇〇円以上 六六五、〇〇〇円未満
第三六級	六八〇、〇〇〇円	六六五、〇〇〇円以上 六九五、〇〇〇円未満
第三七級	七一〇、〇〇〇円	六九五、〇〇〇円以上 七三〇、〇〇〇円未満
第三八級	七五〇、〇〇〇円	七三〇、〇〇〇円以上 七七〇、〇〇〇円未満
第三九級	七九〇、〇〇〇円	七七〇、〇〇〇円以上 八一〇、〇〇〇円未満
第四〇級	八三〇、〇〇〇円	八一〇、〇〇〇円以上 八五五、〇〇〇円未満
第四一級	八八〇、〇〇〇円	八五五、〇〇〇円以上 九〇五、〇〇〇円未満
第四二級	九三〇、〇〇〇円	九〇五、〇〇〇円以上 九五五、〇〇〇円未満
第四三級	九八〇、〇〇〇円	九五五、〇〇〇円以上 一、〇〇五、〇〇〇円未満
第四四級	一、〇三〇、〇〇〇円	一、〇〇五、〇〇〇円以上 一、〇五五、〇〇〇円未満
第四五級	一、〇九〇、〇〇〇円	一、〇五五、〇〇〇円以上 一、一一五、〇〇〇円未満
第四六級	一、一五〇、〇〇〇円	一、一一五、〇〇〇円以上 一、一七五、〇〇〇円未満
第四七級	一、二一〇、〇〇〇円	一、一七五、〇〇〇円以上 一、二三五、〇〇〇円未満

第四八級	一、二七〇、〇〇〇円	一、二三五、〇〇〇円以上 一、二九五、〇〇〇円未満
第四九級	一、三三〇、〇〇〇円	一、二九五、〇〇〇円以上 一、三五五、〇〇〇円未満
第五〇級	一、三九〇、〇〇〇円	一、三五五、〇〇〇円以上

2　毎年三月三十一日における標準報酬月額等級の最高等級に該当する被保険者数の被保険者総数に占める割合が百分の一・五を超える場合において、その状態が継続すると認められるときは、その年の九月一日から、政令で、当該最高等級の上に更に等級を加える標準報酬月額の等級区分の改定を行うことができる。ただし、その年の三月三十一日において、改定後の標準報酬月額等級の最高等級に該当する被保険者数の同日における被保険者総数に占める割合が百分の〇・五を下回ってはならない。

3　厚生労働大臣は、前項の政令の制定又は改正について立案を行う場合には、社会保障審議会の意見を聴くものとする。

（定時決定）

第四十一条　保険者等は、被保険者が毎年七月一日現に使用される事業所において同日前三月間（その事業所で継続して使用された期間に限るものとし、かつ、報酬支払の基礎となった日数が十七日（厚生労働省令で定める者にあっては、十一日。第四十三条第一項、第四十三条の二第一項及び第四十三条の三第一項において同じ。）未満である月があるときは、その月を除く。）に受けた報酬の総額をその期間の月数で除して得た額を報酬月額として、標準報酬月額を決定する。

2　前項の規定によって決定された標準報酬月額は、その年の九月から翌年の八月までの各月の標準報酬月額とする。

3　第一項の規定は、六月一日から七月一日までの間に被保険者の資格を取得した者及び第四十三条、第四十三条の二又は第四十三条の三の規定により七月から九月までのいずれかの月から標準報酬月額を改定され、又は改定されるべき被保険者については、その年に限り適用しない。

（被保険者の資格を取得した際の決定）

第四十二条　保険者等は、被保険者の資格を取得した者があるときは、次に掲げる額を報酬月額として、標準報酬月額を決定する。

一　月、週その他一定期間によって報酬が定められる場合には、被保険者の資格を取得した日の現在の報酬の額をその期間の総日数で除して得た額の三十倍に相当する額

二　日、時間、出来高又は請負によって報酬が定められる場合には、被保険者の資格を取得した月前一月間に当該事業所で、同様の業務に従事し、かつ、同様の報酬を受ける者が受けた報酬の額を平均した額

三　前二号の規定によって算定することが困難であるものについては、被保険者の資格を取得した月前一月間に、その地方で、同様の業務に従事し、かつ、同様の報酬を受ける者が受けた報酬の額

四　前三号のうち二以上に該当する報酬を受ける場合には、それぞれについて、前三号の規定によって算定した額の合算額

2　前項の規定によって決定された標準報酬月額は、被保険者の資格を取得した月からその年の八月（六月一日から十二月三十一日までの間に被保険者の資格を取得した者については、翌年の八月）までの各月の標準報酬月額とする。

（改定）

第四十三条　保険者等は、被保険者が現に使用される事業所において継続した三月間（各月とも、報酬支払の基礎となった日数が、十七日以上でなければならない。）に受けた報酬の総額を三で除して得た額が、その者の標準報酬月額の基礎となった報酬月額に比べて、著しく高低を生じた場合において、必要があると認めるときは、その額を報酬月額として、その著しく高低を生じた月の翌月から、標準報酬月額を改定することができる。

2　前項の規定によって改定された標準報酬月額は、その年の八月（七月から十二月までのいずれかの月から改定されたものについては、翌年の八月）までの各月の標準報酬月額とする。

（育児休業等を終了した際の改定）

第四十三条の二　保険者等は、育児休業、介護休業等育児又は家族介護を行う労働者の福祉に関する法律（平成三年法律第七十六号）第二条第一号に規定する育児休業、同法第二十三条第二項の育児休業に関する制度に準ずる措置若しくは同法第二十四条第一項（第二号に係る部分に限る。）の規定により同項第二号に規定する育児休業に関する制度に準じて講ずる措置による休業又は政令で定める法令に基づく育児休業（以下「育児休業等」という。）を終了した被保険者が、当該育児休業等を終了した日（以下この条において「育児休業等終了日」という。）において当該育児休業等に係る三歳に満たない子を養育する場合において、その使用される事業所の事業主を経由して厚生労働省令で定めるところにより保険者等に申出をしたときは、第四十一条の規定にかかわらず、育児休業等終了日の翌日が属する月以後三月間（育児休業等終了日の翌日において使用される事業所で継続して使用された期間に限るものとし、かつ、報酬支払の基礎となった日数が十七日未満である月があるときは、その月を除く。）に受けた報酬の総額をその期間の月数で除して得た額を報酬月額として、標準報酬月額を改定する。ただし、育児休業等終了日の翌日に次条第一項に規定する産前産後休業を開始している被保険者は、この限りでない。

2　前項の規定によって改定された標準報酬月額は、育児休業等終了日の翌日から起算して二月を経過した日の属する月の翌月からその年の八月（当該翌月が七月から十二月までのいずれかの月である場合は、翌年の八月）までの各月の標準報酬月額とする。

（産前産後休業を終了した際の改定）

第四十三条の三　保険者等は、産前産後休業（出産の日（出産の日が出産の予定日後であるときは、出産の予定日）以前四十二日（多胎妊娠の場合においては、九十八日）から出産の日後五十六日までの間において労務に服さないこと（妊娠又は出産に関する事由を理由として労務に服さない場合に限る。）をいう。以下同じ。）を終了した被保険者が、当該産前産後休業を終了した日（以下この条において「産前産後休業終了日」という。）において当該産前産後休業に係る子を養育する場合において、その使用される事業所の事業主を経由して厚生労働省令で定めるところにより保険者等に申出をしたときは、第四十一条の規定にかかわらず、産前産後休業終了日の翌日が属する月以後三月間（産前産後休業終了日の翌日において使用される事

業所で継続して使用された期間に限るものとし、かつ、報酬支払の基礎となった日数が十七日未満である月があるときは、その月を除く。）に受けた報酬の総額をその期間の月数で除して得た額を報酬月額として、標準報酬月額を改定する。ただし、産前産後休業終了日の翌日に育児休業等を開始している被保険者は、この限りでない。

2　前項の規定によって改定された標準報酬月額は、産前産後休業終了日の翌日から起算して二月を経過した日の属する月の翌月からその年の八月（当該翌月が七月から十二月までのいずれかの月である場合は、翌年の八月）までの各月の標準報酬月額とする。

（報酬月額の算定の特例）

第四十四条　保険者等は、被保険者の報酬月額が、第四十一条第一項、第四十二条第一項、第四十三条の二第一項若しくは前条第一項の規定によって算定することが困難であるとき、又は第四十一条第一項、第四十二条第一項、第四十三条第一項、第四十三条の二第一項若しくは前条第一項の規定によって算定した額が著しく不当であると認めるときは、これらの規定にかかわらず、その算定する額を当該被保険者の報酬月額とする。

2　前項の場合において、保険者が健康保険組合であるときは、同項の算定方法は、規約で定めなければならない。

3　同時に二以上の事業所で報酬を受ける被保険者について報酬月額を算定する場合においては、各事業所について、第四十一条第一項、第四十二条第一項、第四十三条第一項、第四十三条の二第一項若しくは前条第一項又は第一項の規定によって算定した額の合算額をその者の報酬月額とする。

（標準賞与額の決定）

第四十五条　保険者等は、被保険者が賞与を受けた月において、その月に当該被保険者が受けた賞与額に基づき、これに千円未満の端数を生じたときは、これを切り捨てて、その月における標準賞与額を決定する。ただし、その月に当該被保険者が受けた賞与によりその年度（毎年四月一日から翌年三月三十一日までをいう。以下同じ。）における標準賞与額の累計額が五百七十三万円（第四十条第二項の規定による標準報酬月額の等級区分の改定が行われたときは、政令で定める額。以下この項において同じ。）を超えることとなる場合には、当該累計額が五百七十三万円となるようその月の標準賞与額を決定し、その年度においてその月の翌月以降に受ける賞与の標準賞与額は零とする。

2　第四十条第三項の規定は前項の政令の制定又は改正について、前条の規定は標準賞与額の算定について準用する。

（現物給与の価額）

第四十六条　報酬又は賞与の全部又は一部が、通貨以外のもので支払われる場合においては、その価額は、その地方の時価によって、厚生労働大臣が定める。

2　健康保険組合は、前項の規定にかかわらず、規約で別段の定めをすることができる。

（任意継続被保険者の標準報酬月額）

第四十七条　任意継続被保険者の標準報酬月額については、第四十一条から第四十四条までの規定にかかわらず、次の各号に掲げる額のうちいずれか少ない額をもって、その者の標準報酬月額とする。

一　当該任意継続被保険者が被保険者の資格を喪失したときの標準報酬月額

二　前年（一月から三月までの標準報酬月額については、前々年）の九月三十日における当該任意継続被保険者の属する保険者が管掌する全被保険者の同月の標準報酬月額を平均した額（健康保険組合が当該平均した額の範囲内においてその規約で定めた額があるときは、当該規約で定めた額）を標準報酬月額の基礎となる報酬月額とみなしたときの標準報酬月額

2　保険者が健康保険組合である場合においては、前項の規定にかかわらず、同項第一号に掲げる額が同項第二号に掲げる額を超える任意継続被保険者について、規約で定めるところにより、同項第一号に掲げる額（当該健康保険組合が同項第二号に掲げる額を超え同項第一号に掲げる額未満の範囲内においてその規約で定めた額があるときは、当該規約で定めた額を標準報酬月額の基礎となる報酬月額とみなしたときの標準報酬月額）をその者の標準報酬月額とすることができる。

第三節　届出等

（届出）

第四十八条　適用事業所の事業主は、厚生労働省令で定めるところにより、被保険者の資格の取得及び喪失並びに報酬月額及び賞与額に関する事項を保険者等に届け出なければならない。

（通知）

第四十九条　厚生労働大臣は、第三十三条第一項の規定による認可を行ったときは、その旨を当該事業主に通知するものとし、保険者等は、第三十九条第一項の規定による確認又は標準報酬（標準報酬月額及び標準賞与額をいう。以下同じ。）の決定若しくは改定を行ったときは、その旨を当該事業主に通知しなければならない。

2　事業主は、前項の通知があったときは、速やかに、これを被保険者又は被保険者であった者に通知しなければならない。

3　被保険者が被保険者の資格を喪失した場合において、その者の所在が明らかでないため前項の通知をすることができないときは、事業主は、厚生労働大臣又は保険者等にその旨を届け出なければならない。

4　厚生労働大臣は、前項の届出があったときは、所在が明らかでない者について第一項の規定により事業主に通知した事項を公告するものとし、保険者等は、前項の届出があったときは、所在が明らかでない者について第一項の規定により事業主に通知した事項を公告しなければならない。

5　厚生労働大臣は、事業所が廃止された場合その他やむを得ない事情のため第一項の通知をすることができない場合においては、同項の通知に代えて、その通知すべき事項を公告するものとし、保険者等は、事業所が廃止された場合その他やむを得ない事情のため同項の通知をすることができない場合においては、同項の通知に代えて、その通知すべき事項を公告しなければならない。

第五十条　保険者等は、第四十八条の規定による届出があった場合において、その届出に係る事実がないと認めるときは、その旨をその届出をした事業主に通知しなければならない。

2　前条第二項から第五項までの規定は、前項の通知について準用する。

（確認の請求）

第五十一条　被保険者又は被保険者であった者は、いつでも、第

三十九条第一項の規定による確認を請求することができる。

2　保険者等は、前項の規定による請求があった場合において、その請求に係る事実がないと認めるときは、その請求を却下しなければならない。

（情報の提供等）

第五十一条の二　厚生労働大臣は、協会に対し、厚生労働省令で定めるところにより、被保険者の資格に関する事項、標準報酬に関する事項その他協会の業務の実施に関して必要な情報の提供を行うものとする。

（被保険者の資格の確認に必要な書面の交付等）

第五十一条の三　被保険者又はその被扶養者が電子資格確認を受けることができない状況にあるときは、当該被保険者は、厚生労働省令で定めるところにより、保険者に対し、当該状況にある被保険者若しくはその被扶養者の資格に係る情報として厚生労働省令で定める事項を記載した書面の交付又は当該事項の電磁的方法（電子情報処理組織を使用する方法その他の情報通信の技術を利用する方法であって厚生労働省令で定めるものをいう。以下この条において同じ。）による提供を求めることができる。この場合において、当該保険者は、厚生労働省令で定めるところにより、速やかに、当該書面の交付の求めを行った被保険者に対しては当該書面を交付するものとし、当該電磁的方法による提供の求めを行った被保険者に対しては当該事項を電磁的方法により提供するものとする。

2　前項の規定により同項の書面の交付を受け、若しくは電磁的方法により同項の厚生労働省令で定める事項の提供を受けた被保険者又はその被扶養者は、当該書面又は当該事項を厚生労働省令で定める方法により表示したものを提示することにより、第六十三条第三項（第百十条第七項において準用する場合を含む。）、第八十五条第一項、第八十五条の二第一項、第八十六条第一項又は第八十八条第三項（第百十一条第三項において準用する場合を含む。）の確認を受けることができる。

第四章　保険給付

第一節　通則

（保険給付の種類）

第五十二条　被保険者に係るこの法律による保険給付は、次のとおりとする。

一　療養の給付並びに入院時食事療養費、入院時生活療養費、保険外併用療養費、療養費、訪問看護療養費及び移送費の支給
二　傷病手当金の支給
三　埋葬料の支給
四　出産育児一時金の支給
五　出産手当金の支給
六　家族療養費、家族訪問看護療養費及び家族移送費の支給
七　家族埋葬料の支給
八　家族出産育児一時金の支給
九　高額療養費及び高額介護合算療養費の支給

（健康保険組合の付加給付）

第五十三条　保険者が健康保険組合である場合においては、前条各号に掲げる給付に併せて、規約で定めるところにより、保険給付としてその他の給付を行うことができる。

（法人の役員である被保険者又はその被扶養者に係る保険給付の特例）

第五十三条の二　被保険者又はその被扶養者が法人の役員（業務を執行する社員、取締役、執行役又はこれらに準ずる者をいい、相談役、顧問その他いかなる名称を有する者であるかを問わず、法人に対し業務を執行する社員、取締役、執行役又はこれらに準ずる者と同等以上の支配力を有するものと認められる者を含む。以下この条において同じ。）であるときは、当該被保険者又はその被扶養者のその法人の役員としての業務（被保険者の数が五人未満である適用事業所に使用される法人の役員としての業務であって厚生労働省令で定めるものを除く。）に起因する疾病、負傷又は死亡に関して保険給付は、行わない。

（日雇特例被保険者に係る保険給付との調整）

第五十四条　被保険者に係る家族療養費（第百十条第七項において準用する第八十七条第一項の規定により支給される療養費を含む。）、家族訪問看護療養費、家族移送費、家族埋葬料又は家族出産育児一時金の支給は、同一の疾病、負傷、死亡又は出産について、次章の規定により療養の給付又は入院時食事療養費、入院時生活療養費、保険外併用療養費、療養費、訪問看護療養費、移送費、埋葬料若しくは出産育児一時金の支給を受けたときは、その限度において、行わない。

（他の法令による保険給付との調整）

第五十五条　被保険者に係る療養の給付又は入院時食事療養費、入院時生活療養費、保険外併用療養費、療養費、訪問看護療養費、移送費、傷病手当金、埋葬料、家族療養費、家族訪問看護療養費、家族移送費若しくは家族埋葬料の支給は、同一の疾病、負傷又は死亡について、労働者災害補償保険法、国家公務員災害補償法（昭和二十六年法律第百九十一号。他の法律において準用し、又は例による場合を含む。次項及び第百二十八条第二項において同じ。）又は地方公務員災害補償法（昭和四十二年法律第百二十一号）若しくは同法に基づく条例の規定によりこれらに相当する給付を受けることができる場合には、行わない。

2　保険者は、傷病手当金の支給を行うにつき必要があると認めるときは、労働者災害補償保険法、国家公務員災害補償法又は地方公務員災害補償法若しくは同法に基づく条例の規定により給付を行う者に対し、当該給付の支給状況につき、必要な資料の提供を求めることができる。

3　被保険者に係る療養の給付又は入院時食事療養費、入院時生活療養費、保険外併用療養費、療養費、訪問看護療養費、家族療養費若しくは家族訪問看護療養費の支給は、同一の疾病又は負傷について、介護保険法の規定によりこれらに相当する給付を受けることができる場合には、行わない。

4　被保険者に係る療養の給付又は入院時食事療養費、入院時生活療養費、保険外併用療養費、療養費、訪問看護療養費、移送費、家族療養費、家族訪問看護療養費若しくは家族移送費の支給は、同一の疾病又は負傷について、他の法令の規定により国又は地方公共団体の負担で療養又は療養費の支給を受けたときは、その限度において、行わない。

（保険給付の方法）

第五十六条　入院時食事療養費、入院時生活療養費、保険外併用療養費、療養費、訪問看護療養費、移送費、傷病手当金、埋葬料、出産育児一時金、出産手当金、家族療養費、家族訪問看護

療養費、家族移送費、家族埋葬料及び家族出産育児一時金の支給は、その都度、行わなければならない。第百条第二項（第百五条第二項において準用する場合を含む。）の規定による埋葬に要した費用に相当する金額の支給についても、同様とする。

2 傷病手当金及び出産手当金の支給は、前項の規定にかかわらず、毎月一定の期日に行うことができる。

（損害賠償請求権）

第五十七条 保険者は、給付事由が第三者の行為によって生じた場合において、保険給付を行ったときは、その給付の価額（当該保険給付が療養の給付であるときは、当該療養の給付に要する費用の額から当該療養の給付に関し被保険者が負担しなければならない一部負担金に相当する額を控除した額。次条第一項において同じ。）の限度において、保険給付を受ける権利を有する者（当該給付事由が被保険者の被扶養者について生じた場合には、当該被扶養者を含む。次項において同じ。）が第三者に対して有する損害賠償の請求権を取得する。

2 前項の場合において、保険給付を受ける権利を有する者が第三者から同一の事由について損害賠償を受けたときは、保険者は、その価額の限度において、保険給付を行う責めを免れる。

（不正利得の徴収等）

第五十八条 偽りその他不正の行為によって保険給付を受けた者があるときは、保険者は、その者からその給付の価額の全部又は一部を徴収することができる。

2 前項の場合において、事業主が虚偽の報告若しくは証明をし、又は第六十三条第三項第一号に規定する保険医療機関において診療に従事する第六十四条に規定する保険医若しくは第八十八条第一項に規定する主治の医師が、保険者に提出されるべき診断書に虚偽の記載をしたため、その保険給付が行われたものであるときは、保険者は、当該事業主、保険医又は主治の医師に対し、保険給付を受けた者に連帯して前項の徴収金を納付すべきことを命ずることができる。

3 保険者は、第六十三条第三項第一号に規定する保険医療機関若しくは保険薬局又は第八十八条第一項に規定する指定訪問看護事業者が偽りその他不正の行為によって療養の給付に関する費用の支払又は第八十五条第五項（第八十五条の二第五項及び第八十六条第四項において準用する場合を含む。）、第八十八条第六項（第百十一条第三項において準用する場合を含む。）若しくは第百十条第四項の規定による支払を受けたときは、当該保険医療機関若しくは保険薬局又は指定訪問看護事業者に対し、その支払った額につき返還させるほか、その返還させる額に百分の四十を乗じて得た額を支払わせることができる。

（文書の提出等）

第五十九条 保険者は、保険給付に関して必要があると認めるときは、保険給付を受ける者（当該保険給付が被扶養者に係るものである場合には、当該被扶養者を含む。第百二十一条において同じ。）に対し、文書その他の物件の提出若しくは提示を命じ、又は当該職員に質問若しくは診断をさせることができる。

（診療録の提示等）

第六十条 厚生労働大臣は、保険給付を行うにつき必要があると認めるときは、医師、歯科医師、薬剤師若しくは手当を行った者又はこれを使用する者に対し、その行った診療、薬剤の支給又は手当に関し、報告若しくは診療録、帳簿書類その他の物件の提示を命じ、又は当該職員に質問させることができる。

2 厚生労働大臣は、必要があると認めるときは、療養の給付又は入院時食事療養費、入院時生活療養費、保険外併用療養費、療養費、訪問看護療養費、家族療養費若しくは家族訪問看護療養費の支給を受けた被保険者又は被保険者であった者に対し、当該保険給付に係る診療、調剤又は第八十八条第一項に規定する指定訪問看護の内容に関し、報告を命じ、又は当該職員に質問させることができる。

3 第七条の三十八第二項の規定は前二項の規定による質問について、同条第三項の規定は前二項の規定による権限について準用する。

（受給権の保護）

第六十一条 保険給付を受ける権利は、譲り渡し、担保に供し、又は差し押さえることができない。

（租税その他の公課の禁止）

第六十二条 租税その他の公課は、保険給付として支給を受けた金品を標準として、課することができない。

第二節 療養の給付及び入院時食事療養費等の支給

第一款 療養の給付並びに入院時食事療養費、入院時生活療養費、保険外併用療養費及び療養費の支給

（療養の給付）

第六十三条 被保険者の疾病又は負傷に関しては、次に掲げる療養の給付を行う。

一 診察

二 薬剤又は治療材料の支給

三 処置、手術その他の治療

四 居宅における療養上の管理及びその療養に伴う世話その他の看護

五 病院又は診療所への入院及びその療養に伴う世話その他の看護

2 次に掲げる療養に係る給付は、前項の給付に含まれないものとする。

一 食事の提供である療養であって前項第五号に掲げる療養と併せて行うもの（医療法（昭和二十三年法律第二百五号）第七条第二項第四号に規定する療養病床（以下「療養病床」という。）への入院及びその療養に伴う世話その他の看護であって、当該療養を受ける際、六十五歳に達する日の属する月の翌月以後である被保険者（以下「特定長期入院被保険者」という。）に係るものを除く。以下「食事療養」という。）

二 次に掲げる療養であって前項第五号に掲げる療養と併せて行うもの（特定長期入院被保険者に係るものに限る。以下「生活療養」という。）

イ 食事の提供である療養

ロ 温度、照明及び給水に関する適切な療養環境の形成である療養

三 厚生労働大臣が定める高度の医療技術を用いた療養その他の療養であって、前項の給付の対象とすべきものであるか否かについて、適正な医療の効率的な提供を図る観点から評価を行うことが必要な療養（次号の患者申出療養を除く。）として厚生労働大臣が定めるもの（以下「評価療養」という。）

四 高度の医療技術を用いた療養であって、当該療養を受けよ

うとする者の申出に基づき、前項の給付の対象とすべきものであるか否かについて、適正な医療の効率的な提供を図る観点から評価を行うことが必要な療養として厚生労働大臣が定めるもの（以下「患者申出療養」という。）

五　被保険者の選定に係る特別の病室の提供その他の厚生労働大臣が定める療養（以下「選定療養」という。）

3　第一項の給付を受けようとする者は、厚生労働省令で定めるところにより、次に掲げる病院若しくは診療所又は薬局のうち、自己の選定するものから、電子資格確認その他厚生労働省令で定める方法（以下「電子資格確認等」という。）により、被保険者であることの確認を受け、同項の給付を受けるものとする。

一　厚生労働大臣の指定を受けた病院若しくは診療所（第六十五条の規定により病床の全部又は一部を除いて指定を受けたときは、その除外された病床を除く。以下「保険医療機関」という。）又は薬局（以下「保険薬局」という。）

二　特定の保険者が管掌する被保険者に対して診療又は調剤を行う病院若しくは診療所又は薬局であって、当該保険者が指定したもの

三　健康保険組合である保険者が開設する病院若しくは診療所又は薬局

4　第二項第四号の申出は、厚生労働大臣が定めるところにより、厚生労働大臣に対し、当該申出に係る療養を行う医療法第四条の三に規定する臨床研究中核病院（保険医療機関であるものに限る。）の開設者の意見書その他必要な書類を添えて行うものとする。

5　厚生労働大臣は、第二項第四号の申出を受けた場合は、当該申出について速やかに検討を加え、当該申出に係る療養が同号の評価を行うことが必要な療養と認められる場合には、当該療養を患者申出療養として定めるものとする。

6　厚生労働大臣は、前項の規定により第二項第四号の申出に係る療養を患者申出療養として定めることとした場合には、その旨を当該申出を行った者に速やかに通知するものとする。

7　厚生労働大臣は、第五項の規定により第二項第四号の申出について検討を加え、当該申出に係る療養を患者申出療養として定めないこととした場合には、理由を付して、その旨を当該申出を行った者に速やかに通知するものとする。

（保険医又は保険薬剤師）

第六十四条　保険医療機関において健康保険の診療に従事する医師若しくは歯科医師又は保険薬局において健康保険の調剤に従事する薬剤師は、厚生労働大臣の登録を受けた医師若しくは歯科医師（以下「保険医」と総称する。）又は薬剤師（以下「保険薬剤師」という。）でなければならない。

（保険医療機関又は保険薬局の指定）

第六十五条　第六十三条第三項第一号の指定は、政令で定めるところにより、病院若しくは診療所又は薬局の開設者の申請により行う。

2　前項の場合において、その申請が病院又は病床を有する診療所に係るものであるときは、当該申請は、医療法第七条第二項に規定する病床の種別（第四項第二号及び次条第一項において単に「病床の種別」という。）ごとにその数を定めて行うものとする。

3　厚生労働大臣は、第一項の申請があった場合において、次の各号のいずれかに該当するときは、第六十三条第三項第一号の指定をしないことができる。

一　当該申請に係る病院若しくは診療所又は薬局が、この法律の規定により保険医療機関又は保険薬局に係る第六十三条第三項第一号の指定を取り消され、その取消しの日から五年を経過しないものであるとき。

二　当該申請に係る病院若しくは診療所又は薬局が、保険給付に関し診療又は調剤の内容の適切さを欠くおそれがあるとして重ねて第七十三条第一項（第八十五条第九項、第八十五条の二第五項、第八十六条第四項、第百十条第七項及び第百四十九条において準用する場合を含む。）の規定による指導を受けたものであるとき。

三　当該申請に係る病院若しくは診療所又は薬局の開設者又は管理者が、この法律その他国民の保健医療に関する法律で政令で定めるものの規定により罰金の刑に処せられ、その執行を終わり、又は執行を受けることがなくなるまでの者であるとき。

四　当該申請に係る病院若しくは診療所又は薬局の開設者又は管理者が、禁錮以上の刑に処せられ、その執行を終わり、又は執行を受けることがなくなるまでの者であるとき。

五　当該申請に係る病院若しくは診療所又は薬局の開設者又は管理者が、この法律、船員保険法、国民健康保険法（昭和三十三年法律第百九十二号）、高齢者の医療の確保に関する法律、地方公務員等共済組合法（昭和三十七年法律第百五十二号）、私立学校教職員共済法（昭和二十八年法律第二百四十五号）、厚生年金保険法（昭和二十九年法律第百十五号）又は国民年金法（昭和三十四年法律第百四十一号）（第八十九条第四項第七号において「社会保険各法」という。）の定めるところにより納付義務を負う保険料、負担金又は掛金（地方税法（昭和二十五年法律第二百二十六号）の規定による国民健康保険税を含む。以下この号、第八十九条第四項第七号及び第百九十九条第二項において「社会保険料」という。）について、当該申請をした日の前日までに、これらの法律の規定に基づく滞納処分を受け、かつ、当該処分を受けた日から正当な理由なく三月以上の期間にわたり、当該処分を受けた日以降に納期限の到来した社会保険料のすべて（当該処分を受けた者が、当該処分に係る社会保険料の納付義務を負うことを定める法律によって納付義務を負う社会保険料に限る。第八十九条第四項第七号において同じ。）を引き続き滞納している者であるとき。

六　前各号のほか、当該申請に係る病院若しくは診療所又は薬局が、保険医療機関又は保険薬局として著しく不適当と認められるものであるとき。

4　厚生労働大臣は、第二項の病院又は診療所について第一項の申請があった場合において、次の各号のいずれかに該当するときは、その申請に係る病床の全部又は一部を除いて、第六十三条第三項第一号の指定を行うことができる。

一　当該病院又は診療所の医師、歯科医師、看護師その他の従業者の人員が、医療法第二十一条第一項第一号又は第二項第一号に規定する厚生労働省令で定める員数及び同条第三項に規定する厚生労働省令で定める基準を勘案して厚生労働大臣が定める基準により算定した員数を満たしていないとき。

二　当該申請に係る病床の種別に応じ、医療法第七条の二第一項に規定する地域における保険医療機関の病床数が、その指定により同法第三十条の四第一項に規定する医療計画において定める基準病床数を勘案して厚生労働大臣が定めるところにより算定した数を超えることになると認める場合（その数を既に超えている場合を含む。）であって、当該病院又は診療所の開設者又は管理者が同法第三十条の十一の規定による都道府県知事の勧告を受け、これに従わないとき。

三　医療法第七条の三第一項に規定する構想区域における保険医療機関の病床数が、当該申請に係る指定により同法第三十条の四第一項に規定する医療計画において定める将来の病床数の必要量を勘案して厚生労働大臣が定めるところにより算定した数を超えることになると認める場合（その数を既に超えている場合を含む。）であって、当該病院又は診療所の開設者又は管理者が同法第三十条の十一の規定による都道府県知事の勧告を受け、これに従わないとき。

四　その他適正な医療の効率的な提供を図る観点から、当該病院又は診療所の病床の利用に関し、保険医療機関として著しく不適当なところがあると認められるとき。

（保険医療機関の指定の変更）

第六十六条　前条第二項の病院又は診療所の開設者は、第六十三条第三項第一号の指定に係る病床数の増加又は病床の種別の変更をしようとするときは、厚生労働省令で定めるところにより、当該病院又は診療所に係る同号の指定の変更を申請しなければならない。

2　前条第四項の規定は、前項の指定の変更の申請について準用する。

（地方社会保険医療協議会への諮問）

第六十七条　厚生労働大臣は、保険医療機関に係る第六十三条第三項第一号の指定をしないこととするとき、若しくはその申請に係る病床の全部若しくは一部を除いて指定（指定の変更を含む。）を行おうとするとき、又は保険薬局に係る同号の指定をしないこととするときは、地方社会保険医療協議会の議を経なければならない。

（保険医療機関又は保険薬局の指定の更新）

第六十八条　第六十三条第三項第一号の指定は、指定の日から起算して六年を経過したときは、その効力を失う。

2　保険医療機関（第六十五条第二項の病院及び診療所を除く。）又は保険薬局であって厚生労働省令で定めるものについては、前項の規定によりその指定の効力を失う日前六月から同日前三月までの間に、別段の申出がないときは、同条第一項の申請があったものとみなす。

（保険医療機関又は保険薬局のみなし指定）

第六十九条　診療所又は薬局が医師若しくは歯科医師又は薬剤師の開設したものであり、かつ、当該開設者である医師若しくは歯科医師又は薬剤師のみが診療又は調剤に従事している場合において、当該医師若しくは歯科医師又は薬剤師について第六十四条の登録があったときは、当該診療所又は薬局について、第六十三条第三項第一号の指定があったものとみなす。ただし、当該診療所又は薬局が、第六十五条第三項又は第四項に規定する要件に該当する場合であって厚生労働大臣が同号の指定があったものとみなすことが不適当と認められるときは、この限りでない。

（保険医療機関又は保険薬局の責務）

第七十条　保険医療機関又は保険薬局は、当該保険医療機関において診療に従事する保険医又は当該保険薬局において調剤に従事する保険薬剤師に、第七十二条第一項の厚生労働省令で定めるところにより、診療又は調剤に当たらせるほか、厚生労働省令で定めるところにより、療養の給付を担当しなければならない。

2　保険医療機関又は保険薬局は、前項（第八十五条第九項、第八十五条の二第五項、第八十六条第四項、第百十条第七項及び第百四十九条において準用する場合を含む。）の規定によるほか、船員保険法、国民健康保険法、国家公務員共済組合法（昭和三十三年法律第百二十八号。他の法律において準用し、又は例による場合を含む。）又は地方公務員等共済組合法（以下「この法律以外の医療保険各法」という。）による療養の給付並びに被保険者及び被扶養者の療養並びに高齢者の医療の確保に関する法律による療養の給付、入院時食事療養費に係る療養、入院時生活療養費に係る療養及び保険外併用療養費に係る療養を担当するものとする。

3　保険医療機関のうち医療法第四条の二に規定する特定機能病院その他の病院であって厚生労働省令で定めるものは、患者の病状その他の患者の事情に応じた適切な他の保険医療機関を当該患者に紹介することその他の保険医療機関相互間の機能の分担及び業務の連携のための措置として厚生労働省令で定める措置を講ずるものとする。

4　保険医療機関又は保険薬局は、感染症の予防及び感染症の患者に対する医療に関する法律第六条第七項に規定する新型インフルエンザ等感染症その他の感染症に関する同法第三十七条第一項各号に掲げる医療その他必要な医療の実施について、国又は地方公共団体が講ずる措置に協力するものとする。

（保険医又は保険薬剤師の登録）

第七十一条　第六十四条の登録は、医師若しくは歯科医師又は薬剤師の申請により行う。

2　厚生労働大臣は、前項の申請があった場合において、次の各号のいずれかに該当するときは、第六十四条の登録をしないことができる。

一　申請者が、この法律の規定により保険医又は保険薬剤師に係る第六十四条の登録を取り消され、その取消しの日から五年を経過しない者であるとき。

二　申請者が、この法律その他国民の保健医療に関する法律で政令で定めるものの規定により罰金の刑に処せられ、その執行を終わり、又は執行を受けることがなくなるまでの者であるとき。

三　申請者が、禁錮以上の刑に処せられ、その執行を終わり、又は執行を受けることがなくなるまでの者であるとき。

四　前三号のほか、申請者が、保険医又は保険薬剤師として著しく不適当と認められる者であるとき。

3　厚生労働大臣は、保険医又は保険薬剤師に係る第六十四条の登録をしないこととするときは、地方社会保険医療協議会の議を経なければならない。

4　第一項又は第二項に規定するもののほか、保険医及び保険薬剤師に係る第六十四条の登録に関して必要な事項は、政令で定める。

（保険医又は保険薬剤師の責務）

第七十二条　保険医療機関において診療に従事する保険医又は保険薬局において調剤に従事する保険薬剤師は、厚生労働省令で定めるところにより、健康保険の診療又は調剤に当たらなければならない。

2　保険医療機関において診療に従事する保険医又は保険薬局において調剤に従事する保険薬剤師は、前項（第八十五条第九項、第八十五条の二第五項、第八十六条第四項、第百十条第七項及び第百四十九条において準用する場合を含む。）の規定によるほか、この法律以外の医療保険各法又は高齢者の医療の確保に関する法律による診療又は調剤に当たるものとする。

（厚生労働大臣の指導）

第七十三条　保険医療機関及び保険薬局は療養の給付に関し、保険医及び保険薬剤師は健康保険の診療又は調剤に関し、厚生労働大臣の指導を受けなければならない。

2　厚生労働大臣は、前項の指導をする場合において、必要があると認めるときは、診療又は調剤に関する学識経験者をその関係団体の指定により指導に立ち会わせるものとする。ただし、関係団体が指定を行わない場合又は指定された者が立ち会わない場合は、この限りでない。

（一部負担金）

第七十四条　第六十三条第三項の規定により保険医療機関又は保険薬局から療養の給付を受ける者は、その給付を受ける際、次の各号に掲げる場合の区分に応じ、当該給付につき第七十六条第二項又は第三項の規定により算定した額に当該各号に定める割合を乗じて得た額を、一部負担金として、当該保険医療機関又は保険薬局に支払わなければならない。

一　七十歳に達する日の属する月以前である場合　百分の三十

二　七十歳に達する日の属する月の翌月以後である場合（次号に掲げる場合を除く。）　百分の二十

三　七十歳に達する日の属する月の翌月以後である場合であって、政令で定めるところにより算定した報酬の額が政令で定める額以上であるとき　百分の三十

2　保険医療機関又は保険薬局は、前項の一部負担金（第七十五条の二第一項第一号の措置が採られたときは、当該減額された一部負担金）の支払を受けるべきものとし、保険医療機関又は保険薬局が善良な管理者と同一の注意をもってその支払を受けることに努めたにもかかわらず、なお療養の給付を受けた者が当該一部負担金の全部又は一部を支払わないときは、保険者は、当該保険医療機関又は保険薬局の請求に基づき、この法律の規定による徴収金の例によりこれを処分することができる。

第七十五条　前条第一項の規定により一部負担金を支払う場合においては、同項の一部負担金の額に五円未満の端数があるときは、これを切り捨て、五円以上十円未満の端数があるときは、これを十円に切り上げるものとする。

（一部負担金の額の特例）

第七十五条の二　保険者は、災害その他の厚生労働省令で定める特別の事情がある被保険者であって、保険医療機関又は保険薬局に第七十四条第一項の規定による一部負担金を支払うことが困難であると認められるものに対し、次の措置を採ることができる。

一　一部負担金を減額すること。

二　一部負担金の支払を免除すること。

三　保険医療機関又は保険薬局に対する支払に代えて、一部負担金を直接に徴収することとし、その徴収を猶予すること。

2　前項の措置を受けた被保険者は、第七十四条第一項の規定にかかわらず、前項第一号の措置を受けた被保険者にあってはその減額された一部負担金を保険医療機関又は保険薬局に支払うをもって足り、同項第二号又は第三号の措置を受けた被保険者にあっては一部負担金を保険医療機関又は保険薬局に支払うことを要しない。

3　前条の規定は、前項の場合における一部負担金の支払について準用する。

（療養の給付に関する費用）

第七十六条　保険者は、療養の給付に関する費用を保険医療機関又は保険薬局に支払うものとし、保険医療機関又は保険薬局が療養の給付に関し保険者に請求することができる費用の額は、療養の給付に要する費用の額から、当該療養の給付に関し被保険者が当該保険医療機関又は保険薬局に対して支払わなければならない一部負担金に相当する額を控除した額とする。

2　前項の療養の給付に要する費用の額は、厚生労働大臣が定めるところにより、算定するものとする。

3　保険者は、厚生労働大臣の認可を受けて、保険医療機関又は保険薬局との契約により、当該保険医療機関又は保険薬局において行われる療養の給付に関する第一項の療養の給付に要する費用の額につき、前項の規定により算定される額の範囲内において、別段の定めをすることができる。

4　保険者は、保険医療機関又は保険薬局から療養の給付に関する費用の請求があったときは、第七十条第一項及び第七十二条第一項の厚生労働省令並びに前二項の定めに照らして審査の上、支払うものとする。

5　保険者は、前項の規定による審査及び支払に関する事務を社会保険診療報酬支払基金法（昭和二十三年法律第百二十九号）による社会保険診療報酬支払基金（以下「基金」という。）又は国民健康保険法第四十五条第五項に規定する国民健康保険団体連合会（以下「国保連合会」という。）に委託することができる。

6　前各項に定めるもののほか、保険医療機関又は保険薬局の療養の給付に関する費用の請求に関して必要な事項は、厚生労働省令で定める。

（療養の給付に要する費用の額の定めに関する厚生労働大臣の調査）

第七十七条　厚生労働大臣は、前条第二項の定めのうち薬剤に関する定めその他厚生労働大臣の定めを適正なものとするため、必要な調査を行うことができる。

2　厚生労働大臣は、保険医療機関のうち病院であって厚生労働省令で定めるものに関する前条第二項の定めを適正なものとするため、必要な調査を行うものとする。

3　前項に規定する病院は、同項の調査に資するため、当該病院に入院する患者に提供する医療の内容その他の厚生労働大臣が定める情報（第百五十条の二第一項及び第百五十条の三において「診療等関連情報」という。）を厚生労働大臣に報告しなければならない。

（保険医療機関又は保険薬局の報告等）

第七十八条　厚生労働大臣は、療養の給付に関して必要があると

認めるときは、保険医療機関若しくは保険薬局若しくは保険医療機関若しくは保険薬局の開設者若しくは管理者、保険医、保険薬剤師その他の従業者であった者（以下この項において「開設者であった者等」という。）に対し報告若しくは診療録その他の帳簿書類の提出若しくは提示を命じ、保険医療機関若しくは保険薬局の開設者若しくは管理者、保険医、保険薬剤師その他の従業者（開設者であった者等を含む。）に対し出頭を求め、又は当該職員に関係者に対して質問させ、若しくは保険医療機関若しくは保険薬局について設備若しくは診療録、帳簿書類その他の物件を検査させることができる。

2　第七条の三十八第二項及び第七十三条第二項の規定は前項の規定による質問又は検査について、第七条の三十八第三項の規定は前項の規定による権限について準用する。

（保険医療機関等の指定の辞退又は保険医等の登録の抹消）

第七十九条　保険医療機関又は保険薬局は、一月以上の予告期間を設けて、その指定を辞退することができる。

2　保険医又は保険薬剤師は、一月以上の予告期間を設けて、その登録の抹消を求めることができる。

（保険医療機関又は保険薬局の指定の取消し）

第八十条　厚生労働大臣は、次の各号のいずれかに該当する場合においては、当該保険医療機関又は保険薬局に係る第六十三条第三項第一号の指定を取り消すことができる。

一　保険医療機関において診療に従事する保険医又は保険薬局において調剤に従事する保険薬剤師が、第七十二条第一項（第八十五条第九項、第八十五条の二第五項、第八十六条第四項、第百十条第七項及び第百四十九条において準用する場合を含む。）の規定に違反したとき（当該違反を防止するため、当該保険医療機関又は保険薬局が相当の注意及び監督を尽くしたときを除く。）。

二　前号のほか、保険医療機関又は保険薬局が、第七十条第一項（第八十五条第九項、第八十五条の二第五項、第八十六条第四項、第百十条第七項及び第百四十九条において準用する場合を含む。）の規定に違反したとき。

三　療養の給付に関する費用の請求又は第八十五条第五項（第八十五条の二第五項及び第八十六条第四項において準用する場合を含む。）若しくは第百十条第四項（これらの規定を第百四十九条において準用する場合を含む。）の規定による支払に関する請求について不正があったとき。

四　保険医療機関又は保険薬局が、第七十八条第一項（第八十五条第九項、第八十五条の二第五項、第八十六条第四項、第百十条第七項及び第百四十九条において準用する場合を含む。次号において同じ。）の規定により報告若しくは診療録その他の帳簿書類の提出若しくは提示を命ぜられてこれに従わず、又は虚偽の報告をしたとき。

五　保険医療機関又は保険薬局の開設者又は従業者が、第七十八条第一項の規定により出頭を求められてこれに応ぜず、同項の規定による質問に対して答弁せず、若しくは虚偽の答弁をし、又は同項の規定による検査を拒み、妨げ、若しくは忌避したとき（当該保険医療機関又は保険薬局の従業者がその行為をした場合において、その行為を防止するため、当該保険医療機関又は保険薬局が相当の注意及び監督を尽くしたときを除く。）。

六　この法律以外の医療保険各法による療養の給付若しくは被保険者若しくは被扶養者の療養又は高齢者の医療の確保に関する法律による療養の給付、入院時食事療養費に係る療養、入院時生活療養費に係る療養若しくは保険外併用療養費に係る療養に関し、前各号のいずれかに相当する事由があったとき。

七　保険医療機関又は保険薬局の開設者又は管理者が、この法律その他国民の保健医療に関する法律で政令で定めるものの規定により罰金の刑に処せられ、その執行を終わり、又は執行を受けることがなくなるまでの者に該当するに至ったとき。

八　保険医療機関又は保険薬局の開設者又は管理者が、禁錮以上の刑に処せられ、その執行を終わり、又は執行を受けることがなくなるまでの者に該当するに至ったとき。

九　前各号に掲げる場合のほか、保険医療機関又は保険薬局の開設者が、この法律その他国民の保健医療に関する法律で政令で定めるもの又はこれらの法律に基づく命令若しくは処分に違反したとき。

（保険医又は保険薬剤師の登録の取消し）

第八十一条　厚生労働大臣は、次の各号のいずれかに該当する場合においては、当該保険医又は保険薬剤師に係る第六十四条の登録を取り消すことができる。

一　保険医又は保険薬剤師が、第七十二条第一項（第八十五条第九項、第八十五条の二第五項、第八十六条第四項、第百十条第七項及び第百四十九条において準用する場合を含む。）の規定に違反したとき。

二　保険医又は保険薬剤師が、第七十八条第一項（第八十五条第九項、第八十五条の二第五項、第八十六条第四項、第百十条第七項及び第百四十九条において準用する場合を含む。以下この号において同じ。）の規定により出頭を求められてこれに応ぜず、第七十八条第一項の規定による質問に対して答弁せず、若しくは虚偽の答弁をし、又は同項の規定による検査を拒み、妨げ、若しくは忌避したとき。

三　この法律以外の医療保険各法又は高齢者の医療の確保に関する法律による診療又は調剤に関し、前二号のいずれかに相当する事由があったとき。

四　保険医又は保険薬剤師が、この法律その他国民の保健医療に関する法律で政令で定めるものの規定により罰金の刑に処せられ、その執行を終わり、又は執行を受けることがなくなるまでの者に該当するに至ったとき。

五　保険医又は保険薬剤師が、禁錮以上の刑に処せられ、その執行を終わり、又は執行を受けることがなくなるまでの者に該当するに至ったとき。

六　前各号に掲げる場合のほか、保険医又は保険薬剤師が、この法律その他国民の保健医療に関する法律で政令で定めるもの又はこれらの法律に基づく命令若しくは処分に違反したとき。

（社会保険医療協議会への諮問）

第八十二条　厚生労働大臣は、第七十条第一項（第八十五条第九項、第八十五条の二第五項、第八十六条第四項、第百十条第七項及び第百四十九条において準用する場合を含む。）若しくは第七十二条第一項（第八十五条第九項、第八十五条の二第五項、第八十六条第四項、第百十条第七項及び第百四十九条において準用する場合を含む。）の厚生労働省令を定めようとするとき、又は第六十三条第二項第三号若しくは第五号若しくは第七十六条第二項（これらの規定を第百四十九条において準用する場合を含む。）の定めをしようとするときは、中央社会保険医療協議会に諮問するものとする。ただし、第六十三条第二項第三号の定めのうち高度の医療技術に係るものについては、この限りでない。

2　厚生労働大臣は、保険医療機関若しくは保険薬局に係る第六十三条第三項第一号の指定を行おうとするとき、若しくはその指定を取り消そうとするとき、又は保険医若しくは保険薬剤師に係る第六十四条の登録を取り消そうとするときは、政令で定めるところにより、地方社会保険医療協議会に諮問するものとする。

（処分に対する弁明の機会の付与）

第八十三条　厚生労働大臣は、保険医療機関に係る第六十三条第三項第一号の指定をしないこととするとき、若しくはその申請に係る病床の全部若しくは一部を除いて指定（指定の変更を含む。）を行おうとするとき、若しくは保険薬局に係る同号の指定をしないこととするとき、又は保険医若しくは保険薬剤師に係る第六十四条の登録をしないこととするときは、当該医療機関若しくは薬局の開設者又は当該保険医若しくは保険薬剤師に対し、弁明の機会を与えなければならない。この場合においては、あらかじめ、書面で、弁明をすべき日時、場所及びその事由を通知しなければならない。

（保険者が指定する病院等における療養の給付）

第八十四条　第六十三条第三項第二号及び第三号に掲げる病院若しくは診療所又は薬局において行われる療養の給付及び健康保険の診療又は調剤に関する準則については、第七十条第一項及び第七十二条第一項の厚生労働省令の例による。

2　第六十三条第三項第二号に掲げる病院若しくは診療所又は薬局から療養の給付を受ける者は、その給付を受ける際、第七十四条の規定の例により算定した額を、一部負担金として当該病院若しくは診療所又は薬局に支払わなければならない。ただし、保険者が健康保険組合である場合においては、規約で定めるところにより、当該一部負担金を減額し、又はその支払を要しないものとすることができる。

3　健康保険組合は、規約で定めるところにより、第六十三条第三項第三号に掲げる病院若しくは診療所又は薬局から療養の給付を受ける者に、第七十四条の規定の例により算定した額の範囲内において一部負担金を支払わせることができる。

（入院時食事療養費）

第八十五条　被保険者（特定長期入院被保険者を除く。）が、厚生労働省令で定めるところにより、第六十三条第三項各号に掲げる病院又は診療所のうち自己の選定するものから、電子資格確認等により、被保険者であることの確認を受け、同条第一項第五号に掲げる療養の給付と併せて受けた食事療養に要した費用について、入院時食事療養費を支給する。

2　入院時食事療養費の額は、当該食事療養につき食事療養に要する平均的な費用の額を勘案して厚生労働大臣が定める基準により算定した費用の額（その額が現に当該食事療養に要した費用の額を超えるときは、当該現に食事療養に要した費用の額）から、平均的な家計における食費の状況及び特定介護保険施設等（介護保険法第五十一条の三第一項に規定する特定介護保険施設等をいう。）における食事の提供に要する平均的な費用の額を勘案して厚生労働大臣が定める額（所得の状況その他の事情をしん酌して厚生労働省令で定める者については、別に定める額。以下「食事療養標準負担額」という。）を控除した額とする。

3　厚生労働大臣は、前項の基準を定めようとするときは、中央社会保険医療協議会に諮問するものとする。

4　厚生労働大臣は、食事療養標準負担額を定めた後に勘案又はしん酌すべき事項に係る事情が著しく変動したときは、速やかにその額を改定しなければならない。

5　被保険者（特定長期入院被保険者を除く。以下この条において同じ。）が第六十三条第三項第一号又は第二号に掲げる病院又は診療所から食事療養を受けたときは、保険者は、その被保険者が当該病院又は診療所に支払うべき食事療養に要した費用について、入院時食事療養費として被保険者に対し支給すべき額の限度において、被保険者に代わり、当該病院又は診療所に支払うことができる。

6　前項の規定による支払があったときは、被保険者に対し入院時食事療養費の支給があったものとみなす。

7　被保険者が第六十三条第三項第三号に掲げる病院又は診療所から食事療養を受けた場合において、保険者がその被保険者の支払うべき食事療養に要した費用のうち入院時食事療養費として被保険者に支給すべき額に相当する額の支払を免除したときは、入院時食事療養費の支給があったものとみなす。

8　第六十三条第三項各号に掲げる病院又は診療所は、食事療養に要した費用につき、その支払を受ける際、当該支払をした被保険者に対し、厚生労働省令で定めるところにより、領収証を交付しなければならない。

9　第六十四条、第七十条第一項、第七十二条第一項、第七十三条、第七十六条第三項から第六項まで、第七十八条及び前条第一項の規定は、第六十三条第三項各号に掲げる病院又は診療所から受けた食事療養及びこれに伴う入院時食事療養費の支給について準用する。

（入院時生活療養費）

第八十五条の二　特定長期入院被保険者が、厚生労働省令で定めるところにより、第六十三条第三項各号に掲げる病院又は診療所のうち自己の選定するものから、電子資格確認等により、被保険者であることの確認を受け、同条第一項第五号に掲げる療養の給付と併せて受けた生活療養に要した費用について、入院時生活療養費を支給する。

2　入院時生活療養費の額は、当該生活療養につき生活療養に要する平均的な費用の額を勘案して厚生労働大臣が定める基準により算定した費用の額（その額が現に当該生活療養に要した費用の額を超えるときは、当該現に生活療養に要した費用の額）から、平均的な家計における食費及び光熱水費の状況並びに病院及び診療所における生活療養に要する費用について介護保険法第五十一条の三第二項第一号に規定する食費の基準費用額及び同項第二号に規定する居住費の基準費用額に相当する費用の額を勘案して厚生労働大臣が定める額（所得の状況、病状の程度、治療の内容その他の事情をしん酌して厚生労働省令で定める者については、別に定める額。以下「生活療養標準負担額」という。）を控除した額とする。

3 厚生労働大臣は、前項の基準を定めようとするときは、中央社会保険医療協議会に諮問するものとする。

4 厚生労働大臣は、生活療養標準負担額を定めた後に勘案又はしん酌すべき事項に係る事情が著しく変動したときは、速やかにその額を改定しなければならない。

5 第六十四条、第七十条第一項、第七十二条第一項、第七十三条、第七十六条第三項から第六項まで、第七十八条、第八十四条第一項及び前条第五項から第八項までの規定は、第六十三条第三項各号に掲げる病院又は診療所から受けた生活療養及びこれに伴う入院時生活療養費の支給について準用する。

（保険外併用療養費）

第八十六条 被保険者が、厚生労働省令で定めるところにより、保険医療機関等のうち自己の選定するものから、電子資格確認等により、被保険者であることの確認を受け、評価療養、患者申出療養又は選定療養を受けたときは、その療養に要した費用について、保険外併用療養費を支給する。

2 保険外併用療養費の額は、第一号に掲げる額（当該療養に食事療養が含まれるときは当該額及び第二号に掲げる額の合算額、当該療養に生活療養が含まれるときは当該額及び第三号に掲げる額の合算額）とする。

一 当該療養（食事療養及び生活療養を除く。）につき第七十六条第二項の定めを勘案して厚生労働大臣が定めるところにより算定した費用の額（その額が現に当該療養に要した費用の額を超えるときは、当該現に療養に要した費用の額）から、その額に第七十四条第一項各号に掲げる場合の区分に応じ、同項各号に定める割合を乗じて得た額（療養の給付に係る同項の一部負担金について第七十五条の二第一項各号の措置が採られるべきときは、当該措置が採られたものとした場合の額）を控除した額

二 当該食事療養につき第八十五条第二項に規定する厚生労働大臣が定める基準により算定した費用の額（その額が現に当該食事療養に要した費用の額を超えるときは、当該現に食事療養に要した費用の額）から食事療養標準負担額を控除した額

三 当該生活療養につき前条第二項に規定する厚生労働大臣が定める基準により算定した費用の額（その額が現に当該生活療養に要した費用の額を超えるときは、当該現に生活療養に要した費用の額）から生活療養標準負担額を控除した額

3 厚生労働大臣は、前項第一号の定めをしようとするときは、中央社会保険医療協議会に諮問するものとする。

4 第六十四条、第七十条第一項、第七十二条第一項、第七十三条、第七十六条第三項から第六項まで、第七十七条、第七十八条、第八十四条第一項及び第八十五条第五項から第八項までの規定は、保険医療機関等から受けた評価療養、患者申出療養及び選定療養並びにこれらに伴う保険外併用療養費の支給について準用する。

5 第七十五条の規定は、前項の規定により準用する第八十五条第五項の場合において第二項の規定により算定した費用の額（その額が現に療養に要した費用の額を超えるときは、当該現に療養に要した費用の額）から当該療養に要した費用について保険外併用療養費として支給される額に相当する額を控除した額の支払について準用する。

（療養費）

第八十七条 保険者は、療養の給付若しくは入院時食事療養費、入院時生活療養費若しくは保険外併用療養費の支給（以下この項において「療養の給付等」という。）を行うことが困難であると認めるとき、又は被保険者が保険医療機関等以外の病院、診療所、薬局その他の者から診療、薬剤の支給若しくは手当を受けた場合において、保険者がやむを得ないものと認めるときは、療養の給付等に代えて、療養費を支給することができる。

2 療養費の額は、当該療養（食事療養及び生活療養を除く。）について算定した費用の額から、その額に第七十四条第一項各号に掲げる場合の区分に応じ、同項各号に定める割合を乗じて得た額を控除した額及び当該食事療養又は生活療養について算定した費用の額から食事療養標準負担額又は生活療養標準負担額を控除した額を基準として、保険者が定める。

3 前項の費用の額の算定については、療養の給付を受けるべき場合においては第七十六条第二項の費用の額の算定、入院時食事療養費の支給を受けるべき場合においては第八十五条第二項の費用の額の算定、入院時生活療養費の支給を受けるべき場合においては第八十五条の二第二項の費用の額の算定、保険外併用療養費の支給を受けるべき場合においては前条第二項の費用の額の算定の例による。ただし、その額は、現に療養に要した費用の額を超えることができない。

第二款 訪問看護療養費の支給

（訪問看護療養費）

第八十八条 被保険者が、厚生労働大臣が指定する者（以下「指定訪問看護事業者」という。）から当該指定に係る訪問看護事業（疾病又は負傷により、居宅において継続して療養を受ける状態にある者（主治の医師がその治療の必要の程度につき厚生労働省令で定める基準に適合していると認めたものに限る。）に対し、その者の居宅において看護師その他厚生労働省令で定める者が行う療養上の世話又は必要な診療の補助（保険医療機関等又は介護保険法第八条第二十八項に規定する介護老人保健施設若しくは同条第二十九項に規定する介護医療院によるものを除く。以下「訪問看護」という。）を行う事業をいう。）を行う事業所により行われる訪問看護（以下「指定訪問看護」という。）を受けたときは、その指定訪問看護に要した費用について、訪問看護療養費を支給する。

2 前項の訪問看護療養費は、厚生労働省令で定めるところにより、保険者が必要と認める場合に限り、支給するものとする。

3 指定訪問看護を受けようとする者は、厚生労働省令で定めるところにより、自己の選定する指定訪問看護事業者から、電子資格確認等により、被保険者であることの確認を受け、当該指定訪問看護を受けるものとする。

4 訪問看護療養費の額は、当該指定訪問看護につき指定訪問看護に要する平均的な費用の額を勘案して厚生労働大臣が定めるところにより算定した費用の額から、その額に第七十四条第一項各号に掲げる場合の区分に応じ、同項各号に定める割合を乗じて得た額（療養の給付に係る同項の一部負担金について第七十五条の二第一項各号の措置が採られるべきときは、当該措置が採られたものとした場合の額）を控除した額とする。

5 厚生労働大臣は、前項の定めをしようとするときは、中央社会保険医療協議会に諮問するものとする。

6 被保険者が指定訪問看護事業者から指定訪問看護を受けたと

きは、保険者は、その被保険者が当該指定訪問看護事業者に支払うべき当該指定訪問看護に要した費用について、訪問看護療養費として被保険者に対し支給すべき額の限度において、被保険者に代わり、当該指定訪問看護事業者に支払うことができる。

7　前項の規定による支払があったときは、被保険者に対し訪問看護療養費の支給があったものとみなす。

8　第七十五条の規定は、第六項の場合において第四項の規定により算定した費用の額から当該指定訪問看護に要した費用について訪問看護療養費として支給される額に相当する額を控除した額の支払について準用する。

9　指定訪問看護事業者は、指定訪問看護に要した費用につき、その支払を受ける際、当該支払をした被保険者に対し、厚生労働省令で定めるところにより、領収証を交付しなければならない。

10　保険者は、指定訪問看護事業者から訪問看護療養費の請求があったときは、第四項の定め及び第九十二条第二項に規定する指定訪問看護の事業の運営に関する基準（指定訪問看護の取扱いに関する部分に限る。）に照らして審査の上、支払うものとする。

11　保険者は、前項の規定による審査及び支払に関する事務を基金又は国保連合会に委託することができる。

12　指定訪問看護は、第六十三条第一項各号に掲げる療養に含まれないものとする。

13　前各項に定めるもののほか、指定訪問看護事業者の訪問看護療養費の請求に関して必要な事項は、厚生労働省令で定める。

（指定訪問看護事業者の指定）

第八十九条　前条第一項の指定は、厚生労働省令で定めるところにより、訪問看護事業を行う者の申請により、訪問看護事業を行う事業所（以下「訪問看護事業所」という。）ごとに行う。

2　指定訪問看護事業者以外の訪問看護事業を行う者について、介護保険法第四十一条第一項本文の規定による指定居宅サービス事業者（訪問看護事業を行う者のうち、厚生労働省令で定める基準に該当するものに限る。次項において同じ。）の指定、同法第四十二条の二第一項本文の規定による指定地域密着型サービス事業者（訪問看護事業を行う者のうち、厚生労働省令で定める基準に該当するものに限る。次項において同じ。）の指定又は同法第五十三条第一項本文の規定による指定介護予防サービス事業者（訪問看護事業を行う者のうち、厚生労働省令で定める基準に該当するものに限る。次項において同じ。）の指定があったときは、その指定の際、当該訪問看護事業を行う者について、前条第一項の指定があったものとみなす。ただし、当該訪問看護事業を行う者が、厚生労働省令で定めるところにより、別段の申出をしたときは、この限りでない。

3　介護保険法第七十条の二第一項の規定による指定居宅サービス事業者の指定の失効若しくは同法第七十七条第一項若しくは第百十五条の三十五第六項の規定による指定居宅サービス事業者の指定の取消し若しくは効力の停止、同法第七十八条の十（同法第七十八条の十七の規定により読み替えて適用される場合を含む。）の規定による指定地域密着型サービス事業者の指定の取消し若しくは効力の停止若しくは同法第七十八条の十二において準用する同法第七十条の二第一項若しくは同法第七十八条の十五第一項若しくは第三項（同条第五項において準用する場合を含む。）の規定による指定地域密着型サービス事業者の指定の失効又は同法第百十五条の九第一項若しくは第百十五条の三十五第六項の規定による指定介護予防サービス事業者の指定の取消し若しくは効力の停止若しくは同法第百十五条の十一において準用する同法第七十条の二第一項の規定による指定介護予防サービス事業者の指定の失効は、前項本文の規定により受けたものとみなされた前条第一項の指定の効力に影響を及ぼさないものとする。

4　厚生労働大臣は、第一項の申請があった場合において、次の各号のいずれかに該当するときは、前条第一項の指定をしてはならない。

一　申請者が地方公共団体、医療法人、社会福祉法人その他厚生労働大臣が定める者でないとき。

二　当該申請に係る訪問看護事業所の看護師その他の従業者の知識及び技能並びに人員が、第九十二条第一項の厚生労働省令で定める基準及び同項の厚生労働省令で定める員数を満たしていないとき。

三　申請者が、第九十二条第二項（第百十一条第三項及び第百四十九条において準用する場合を含む。）に規定する指定訪問看護の事業の運営に関する基準に従って適正な指定訪問看護事業の運営をすることができないと認められるとき。

四　申請者が、この法律の規定により指定訪問看護事業者に係る前条第一項の指定を取り消され、その取消しの日から五年を経過しない者であるとき。

五　申請者が、この法律その他国民の保健医療に関する法律で政令で定めるものの規定により罰金の刑に処せられ、その執行を終わり、又は執行を受けることがなくなるまでの者であるとき。

六　申請者が、禁錮以上の刑に処せられ、その執行を終わり、又は執行を受けることがなくなるまでの者であるとき。

七　申請者が、社会保険料について、当該申請をした日の前日までに、社会保険各法又は地方税法の規定に基づく滞納処分を受け、かつ、当該処分を受けた日から正当な理由なく三月以上の期間にわたり、当該処分を受けた日以降に納期限の到来した社会保険料のすべてを引き続き滞納している者であるとき。

八　前各号のほか、申請者が、指定訪問看護事業者として著しく不適当と認められる者であるとき。

（指定訪問看護事業者の責務）

第九十条　指定訪問看護事業者は、第九十二条第二項に規定する指定訪問看護の事業の運営に関する基準に従い、訪問看護を受ける者の心身の状況等に応じて自ら適切な指定訪問看護を提供するものとする。

2　指定訪問看護事業者は、前項（第百十一条第三項及び第百四十九条において準用する場合を含む。）の規定によるほか、この法律以外の医療保険各法による被保険者及び被扶養者の指定訪問看護並びに高齢者の医療の確保に関する法律による被保険者の指定訪問看護を提供するものとする。

（厚生労働大臣の指導）

第九十一条　指定訪問看護事業者及び当該指定に係る訪問看護事業所の看護師その他の従業者は、指定訪問看護に関し、厚生労働大臣の指導を受けなければならない。

（指定訪問看護の事業の運営に関する基準）

第九十二条　指定訪問看護事業者は、当該指定に係る訪問看護事業所ごとに、厚生労働省令で定める基準に従い厚生労働省令で定める員数の看護師その他の従業者を有しなければならない。

2　前項に規定するもののほか、指定訪問看護の事業の運営に関する基準は、厚生労働大臣が定める。

3　厚生労働大臣は、前項に規定する指定訪問看護の事業の運営に関する基準（指定訪問看護の取扱いに関する部分に限る。）を定めようとするときは、中央社会保険医療協議会に諮問するものとする。

（変更の届出等）

第九十三条　指定訪問看護事業者は、当該指定に係る訪問看護事業所の名称及び所在地その他厚生労働省令で定める事項に変更があったとき、又は当該指定訪問看護の事業を廃止し、休止し、若しくは再開したときは、厚生労働省令で定めるところにより、十日以内に、その旨を厚生労働大臣に届け出なければならない。

（指定訪問看護事業者等の報告等）

第九十四条　厚生労働大臣は、訪問看護療養費の支給に関して必要があると認めるときは、指定訪問看護事業者又は指定訪問看護事業者であった者若しくは当該指定に係る訪問看護事業所の看護師その他の従業者であった者（以下この項において「指定訪問看護事業者であった者等」という。）に対し報告若しくは帳簿書類の提出若しくは提示を命じ、指定訪問看護事業者若しくは当該指定に係る訪問看護事業所の看護師その他の従業者（指定訪問看護事業者であった者等を含む。）に対し出頭を求め、又は当該職員に関係者に対して質問させ、若しくは当該指定訪問看護事業者の当該指定に係る訪問看護事業所について帳簿書類その他の物件を検査させることができる。

2　第七条の三十八第二項の規定は前項の規定による質問又は検査について、同条第三項の規定は前項の規定による権限について準用する。

（指定訪問看護事業者の指定の取消し）

第九十五条　厚生労働大臣は、次の各号のいずれかに該当する場合においては、当該指定訪問看護事業者に係る第八十八条第一項の指定を取り消すことができる。

一　指定訪問看護事業者が、当該指定に係る訪問看護事業所の看護師その他の従業者について、第九十二条第一項の厚生労働省令で定める基準又は同項の厚生労働省令で定める員数を満たすことができなくなったとき。

二　指定訪問看護事業者が、第九十二条第二項（第百十一条第三項及び第百四十九条において準用する場合を含む。）に規定する指定訪問看護の事業の運営に関する基準に従って適正な指定訪問看護事業の運営をすることができなくなったとき。

三　第八十八条第六項（第百十一条第三項及び第百四十九条において準用する場合を含む。）の規定による支払に関する請求について不正があったとき。

四　指定訪問看護事業者が、前条第一項（第百十一条第三項及び第百四十九条において準用する場合を含む。以下この条において同じ。）の規定により報告若しくは帳簿書類の提出若しくは提示を命ぜられてこれに従わず、又は虚偽の報告をしたとき。

五　指定訪問看護事業者又は当該指定に係る訪問看護事業所の看護師その他の従業者が、前条第一項の規定により出頭を求められてこれに応ぜず、同項の規定による質問に対して答弁せず、若しくは虚偽の答弁をし、又は同項の規定による検査を拒み、妨げ、若しくは忌避したとき（当該指定に係る訪問看護事業所の看護師その他の従業者がその行為をした場合において、その行為を防止するため、当該指定訪問看護事業者が相当の注意及び監督を尽くしたときを除く。）。

六　この法律以外の医療保険各法による被保険者若しくは被扶養者の指定訪問看護又は高齢者の医療の確保に関する法律による被保険者の指定訪問看護に関し、第二号から前号までのいずれかに相当する事由があったとき。

七　指定訪問看護事業者が、不正の手段により指定訪問看護事業者の指定を受けたとき。

八　指定訪問看護事業者が、この法律その他国民の保健医療に関する法律で政令で定めるものの規定により罰金の刑に処せられ、その執行を終わり、又は執行を受けることがなくなるまでの者に該当するに至ったとき。

九　指定訪問看護事業者が、禁錮以上の刑に処せられ、その執行を終わり、又は執行を受けることがなくなるまでの者に該当するに至ったとき。

十　前各号に掲げる場合のほか、指定訪問看護事業者が、この法律その他国民の保健医療に関する法律で政令で定めるもの又はこれらの法律に基づく命令若しくは処分に違反したとき。

（公示）

第九十六条　厚生労働大臣は、次に掲げる場合には、その旨を公示しなければならない。

一　指定訪問看護事業者の指定をしたとき。

二　第九十三条の規定による届出（同条の厚生労働省令で定める事項の変更並びに同条に規定する事業の休止及び再開に係るものを除く。）があったとき。

三　前条の規定により指定訪問看護事業者の指定を取り消したとき。

第三款　移送費の支給

第九十七条　被保険者が療養の給付（保険外併用療養費に係る療養を含む。）を受けるため、病院又は診療所に移送されたときは、移送費として、厚生労働省令で定めるところにより算定した金額を支給する。

2　前項の移送費は、厚生労働省令で定めるところにより、保険者が必要であると認める場合に限り、支給するものとする。

第四款　補則

（被保険者が日雇労働者又はその被扶養者となった場合）

第九十八条　被保険者が資格を喪失し、かつ、日雇特例被保険者又はその被扶養者となった場合において、その資格を喪失した際に療養の給付、入院時食事療養費に係る療養、入院時生活療養費に係る療養、保険外併用療養費に係る療養、療養費に係る療養若しくは訪問看護療養費に係る療養又は介護保険法の規定による居宅介護サービス費に係る指定居宅サービス（同法第四十一条第一項に規定する指定居宅サービスをいう。第百二十九条第二項第二号において同じ。）、特例居宅介護サービス費に係る居宅サービス（同法第八条第一項に規定する居宅サービスをいう。同号及び第百三十五条第一項において同じ。）若しくはこれに相当するサービス、地域密着型介護サービス費に係る指定地域密着型サービス（同法第四十二条の二第一項に規定する指定地域密着型サービスをいう。同号において同じ。）、特例地域密着型介護サービス費に係る地域密着型サービス（同法第八条第十四項に規定する地域密着型サービスをいう。同号及び第百三十五条第一項において同じ。）若しくはこれに相当するサービス、施設介護サービス費に係る指定施設サービス等（同法第四十八条第一項に規定する指定施設サービス等をいう。同号において同じ。）、特例施設介護サービス費に係る施設サービス（同法第八条第二十六項に規定する施設サービスをいう。同号及び第百三十五条第一項において同じ。）、介護予防サービス費に係る指定介護予防サービス（同法第五十三条第一項に規定する指定介護予防サービスをいう。同号において同じ。）若しくは特例介護予防サービス費に係る介護予防サービス（同法第八条の二第一項に規定する介護予防サービスをいう。同号及び第百三十五条第一項において同じ。）若しくはこれに相当するサービスのうち、療養に相当するものを受けているときは、当該疾病又は負傷及びこれにより発した疾病につき、当該保険者から療養の給付又は入院時食事療養費、入院時生活療養費、保険外併用療養費、療養費、訪問看護療養費若しくは移送費の支給を受けることができる。

2 前項の規定による療養の給付又は入院時食事療養費、入院時生活療養費、保険外併用療養費、療養費、訪問看護療養費若しくは移送費の支給は、次の各号のいずれかに該当するに至ったときは、行わない。

一 当該疾病又は負傷について、次章の規定により療養の給付又は入院時食事療養費、入院時生活療養費、保険外併用療養費、療養費、訪問看護療養費、移送費、家族療養費、家族訪問看護療養費若しくは家族移送費の支給を受けることができるに至ったとき。

二 その者が、被保険者若しくは船員保険の被保険者若しくはこれらの者の被扶養者、国民健康保険の被保険者又は後期高齢者医療の被保険者等となったとき。

三 被保険者の資格を喪失した日から起算して六月を経過したとき。

3 第一項の規定による療養の給付又は入院時食事療養費、入院時生活療養費、保険外併用療養費、療養費、訪問看護療養費若しくは移送費の支給は、当該疾病又は負傷について、次章の規定により特別療養費（第百四十五条第六項において準用する第百三十二条の規定により支給される療養費を含む。）又は移送費若しくは家族移送費の支給を受けることができる間は、行わない。

4 第一項の規定による療養の給付又は入院時食事療養費、入院時生活療養費、保険外併用療養費、療養費若しくは訪問看護療養費の支給は、当該疾病又は負傷について、介護保険法の規定によりそれぞれの給付に相当する給付を受けることができる場合には、行わない。

第三節 傷病手当金、埋葬料、出産育児一時金及び出産手当金の支給

（傷病手当金）

第九十九条 被保険者（任意継続被保険者を除く。第百二条第一項において同じ。）が療養のため労務に服することができないときは、その労務に服することができなくなった日から起算して三日を経過した日から労務に服することができない期間、傷病手当金を支給する。

2 傷病手当金の額は、一日につき、傷病手当金の支給を始める日の属する月以前の直近の継続した十二月間の各月の標準報酬月額（被保険者が現に属する保険者等により定められたものに限る。以下この項において同じ。）を平均した額の三十分の一に相当する額（その額に、五円未満の端数があるときは、これを切り捨て、五円以上十円未満の端数があるときは、これを十円に切り上げるものとする。）の三分の二に相当する金額（その金額に、五十銭未満の端数があるときは、これを切り捨て、五十銭以上一円未満の端数があるときは、これを一円に切り上げるものとする。）とする。ただし、同日の属する月以前の直近の継続した期間において標準報酬月額が定められている月が十二月に満たない場合にあっては、次の各号に掲げる額のうちいずれか少ない額の三分の二に相当する金額（その金額に、五十銭未満の端数があるときは、これを切り捨て、五十銭以上一円未満の端数があるときは、これを一円に切り上げるものとする。）とする。

一 傷病手当金の支給を始める日の属する月以前の直近の継続した各月の標準報酬月額を平均した額の三十分の一に相当する額（その額に、五円未満の端数があるときは、これを切り捨て、五円以上十円未満の端数があるときは、これを十円に切り上げるものとする。）

二 傷病手当金の支給を始める日の属する年度の前年度の九月三十日における全被保険者の同月の標準報酬月額を平均した額を標準報酬月額の基礎となる報酬月額とみなしたときの標準報酬月額の三十分の一に相当する額（その額に、五円未満の端数があるときは、これを切り捨て、五円以上十円未満の端数があるときは、これを十円に切り上げるものとする。）

3 前項に規定するもののほか、傷病手当金の額の算定に関して必要な事項は、厚生労働省令で定める。

4 傷病手当金の支給期間は、同一の疾病又は負傷及びこれにより発した疾病に関しては、その支給を始めた日から通算して一年六月間とする。

（埋葬料）

第百条 被保険者が死亡したときは、その者により生計を維持していた者であって、埋葬を行うものに対し、埋葬料として、政令で定める金額を支給する。

2 前項の規定により埋葬料の支給を受けるべき者がない場合においては、埋葬を行った者に対し、同項の金額の範囲内においてその埋葬に要した費用に相当する金額を支給する。

（出産育児一時金）

第百一条 被保険者が出産したときは、出産育児一時金として、政令で定める金額を支給する。

（出産手当金）

第百二条 被保険者が出産したときは、出産の日（出産の日が出産の予定日後であるときは、出産の予定日）以前四十二日（多胎妊娠の場合においては、九十八日）から出産の日後五十六日までの間において労務に服さなかった期間、出産手当金を支給する。

2 第九十九条第二項及び第三項の規定は、出産手当金の支給に

ついて準用する。

（出産手当金と傷病手当金との調整）

第百三条　出産手当金を支給する場合（第百八条第三項又は第四項に該当するときを除く。）においては、その期間、傷病手当金は、支給しない。ただし、その受けることができる出産手当金の額（同条第二項ただし書の場合においては、同項ただし書に規定する報酬の額と同項ただし書の規定により算定される出産手当金の額との合算額）が、第九十九条第二項の規定により算定される額より少ないときは、その差額を支給する。

2　出産手当金を支給すべき場合において傷病手当金が支払われたときは、その支払われた傷病手当金（前項ただし書の規定により支払われたものを除く。）は、出産手当金の内払とみなす。

（傷病手当金又は出産手当金の継続給付）

第百四条　被保険者の資格を喪失した日（任意継続被保険者の資格を喪失した者にあっては、その資格を取得した日）の前日まで引き続き一年以上被保険者（任意継続被保険者又は共済組合の組合員である被保険者を除く。）であった者（第百六条において「一年以上被保険者であった者」という。）であって、その資格を喪失した際に傷病手当金又は出産手当金の支給を受けているものは、被保険者として受けることができるはずであった期間、継続して同一の保険者からその給付を受けることができる。

（資格喪失後の死亡に関する給付）

第百五条　前条の規定により保険給付を受ける者が死亡したとき、同条の規定により保険給付を受けていた者がその給付を受けなくなった日後三月以内に死亡したとき、又はその他の被保険者であった者が被保険者の資格を喪失した日後三月以内に死亡したときは、被保険者であった者により生計を維持していた者であって、埋葬を行うものは、その被保険者の最後の保険者から埋葬料の支給を受けることができる。

2　第百条の規定は、前項の規定により埋葬料の支給を受けるべき者がない場合及び同項の埋葬料の金額について準用する。

（資格喪失後の出産育児一時金の給付）

第百六条　一年以上被保険者であった者が被保険者の資格を喪失した日後六月以内に出産したときは、被保険者として受けることができるはずであった出産育児一時金の支給を最後の保険者から受けることができる。

（船員保険の被保険者となった場合）

第百七条　前三条の規定にかかわらず、被保険者であった者が船員保険の被保険者となったときは、保険給付は、行わない。

（傷病手当金又は出産手当金と報酬等との調整）

第百八条　疾病にかかり、又は負傷した場合において報酬の全部又は一部を受けることができる者に対しては、これを受けることができる期間は、傷病手当金を支給しない。ただし、その受けることができる報酬の額が、第九十九条第二項の規定により算定される額より少ないとき（第百三条第一項又は第三項若しくは第四項に該当するときを除く。）は、その差額を支給する。

2　出産した場合において報酬の全部又は一部を受けることができる者に対しては、これを受けることができる期間は、出産手当金を支給しない。ただし、その受けることができる報酬の額が、出産手当金の額より少ないときは、その差額を支給する。

3　傷病手当金の支給を受けるべき者が、同一の疾病又は負傷及びこれにより発した疾病につき厚生年金保険法による障害厚生年金の支給を受けることができるときは、傷病手当金は、支給しない。ただし、その受けることができる障害厚生年金の額（当該障害厚生年金と同一の支給事由に基づき国民年金法による障害基礎年金の支給を受けることができるときは、当該障害厚生年金の額と当該障害基礎年金の額との合算額）につき厚生労働省令で定めるところにより算定した額（以下この項において「障害年金の額」という。）が、第九十九条第二項の規定により算定される額より少ないときは、当該額と次の各号に掲げる場合の区分に応じて当該各号に定める額との差額を支給する。

一　報酬を受けることができない場合であって、かつ、出産手当金の支給を受けることができない場合　障害年金の額

二　報酬を受けることができない場合であって、かつ、出産手当金の支給を受けることができる場合　出産手当金の額（当該額が第九十九条第二項の規定により算定される額を超える場合にあっては、当該額）と障害年金の額のいずれか多い額

三　報酬の全部又は一部を受けることができる場合であって、かつ、出産手当金の支給を受けることができない場合　当該受けることができる報酬の全部又は一部の額（当該額が第九十九条第二項の規定により算定される額を超える場合にあっては、当該額）と障害年金の額のいずれか多い額

四　報酬の全部又は一部を受けることができる場合であって、かつ、出産手当金の支給を受けることができる場合　当該受けることができる報酬の全部又は一部の額及び前項ただし書の規定により算定される出産手当金の額の合算額（当該合算額が第九十九条第二項の規定により算定される額を超える場合にあっては、当該額）と障害年金の額のいずれか多い額

4　傷病手当金の支給を受けるべき者が、同一の疾病又は負傷及びこれにより発した疾病につき厚生年金保険法による障害手当金の支給を受けることができるときは、当該障害手当金の支給を受けることとなった日からその者がその日以後に傷病手当金の支給を受けるとする場合の第九十九条第二項の規定により算定される額の合計額が当該障害手当金の額に達するに至る日までの間、傷病手当金は、支給しない。ただし、当該合計額が当該障害手当金の額に達するに至った日において当該合計額が当該障害手当金の額を超える場合において、報酬の全部若しくは一部又は出産手当金の支給を受けることができるときその他の政令で定めるときは、当該合計額と当該障害手当金の額との差額その他の政令で定める差額については、この限りでない。

5　傷病手当金の支給を受けるべき者（第百四条の規定により受けるべき者であって、政令で定める要件に該当するものに限る。）が、国民年金法又は厚生年金保険法による老齢を支給事由とする年金たる給付その他の老齢又は退職を支給事由とする年金である給付であって政令で定めるもの（以下この項及び次項において「老齢退職年金給付」という。）の支給を受けることができるときは、傷病手当金は、支給しない。ただし、その受けることができる老齢退職年金給付の額（当該老齢退職年金給付が二以上あるときは、当該二以上の老齢退職年金給付の額の合算額）につき厚生労働省令で定めるところにより算定した額が、傷病手当金の額より少ないときは、その差額を支給す

る。

6 保険者は、前三項の規定により傷病手当金の支給を行うにつき必要があると認めるときは、老齢退職年金給付の支払をする者（次項において「年金保険者」という。）に対し、第二項の障害厚生年金若しくは障害基礎年金、第三項の障害手当金又は前項の老齢退職年金給付の支給状況につき、必要な資料の提供を求めることができる。

7 年金保険者（厚生労働大臣を除く。）は、厚生労働大臣の同意を得て、前項の規定による資料の提供の事務を厚生労働大臣に委託して行わせることができる。

第百九条 前条第一項から第四項までに規定する者が、疾病にかかり、負傷し、又は出産した場合において、その受けることができるはずであった報酬の全部又は一部につき、その全額を受けることができなかったときは傷病手当金又は出産手当金の全額、その一部を受けることができなかった場合においてその受けた額が傷病手当金又は出産手当金の額より少ないときはその額と傷病手当金又は出産手当金との差額を支給する。ただし、同条第一項ただし書、第二項ただし書、第三項ただし書又は第四項ただし書の規定により傷病手当金又は出産手当金の一部を受けたときは、その額を支給額から控除する。

2 前項の規定により保険者が支給した金額は、事業主から徴収する。

第四節 家族療養費、家族訪問看護療養費、家族移送費、家族埋葬料及び家族出産育児一時金の支給

（家族療養費）

第百十条 被保険者の被扶養者が保険医療機関等のうち自己の選定するものから療養を受けたときは、被保険者に対し、その療養に要した費用について、家族療養費を支給する。

2 家族療養費の額は、第一号に掲げる額（当該療養に食事療養が含まれるときは当該額及び第二号に掲げる額の合算額、当該療養に生活療養が含まれるときは当該額及び第三号に掲げる額の合算額）とする。

一 当該療養（食事療養及び生活療養を除く。）につき算定した費用の額（その額が現に当該療養に要した費用の額を超えるときは、当該現に療養に要した費用の額）に次のイからニまでに掲げる場合の区分に応じ、当該イからニまでに定める割合を乗じて得た額

イ 被扶養者が六歳に達する日以後の最初の三月三十一日の翌日以後であって七十歳に達する日の属する月以前である場合 百分の七十

ロ 被扶養者が六歳に達する日以後の最初の三月三十一日以前である場合 百分の八十

ハ 被扶養者（ニに規定する被扶養者を除く。）が七十歳に達する日の属する月の翌月以後である場合 百分の八十

ニ 第七十四条第一項第三号に掲げる場合に該当する被保険者その他政令で定める被保険者の被扶養者が七十歳に達する日の属する月の翌月以後である場合 百分の七十

二 当該食事療養につき算定した費用の額（その額が現に当該食事療養に要した費用の額を超えるときは、当該現に食事療養に要した費用の額）から食事療養標準負担額を控除した額

三 当該生活療養につき算定した費用の額（その額が現に当該生活療養に要した費用の額を超えるときは、当該現に生活療養に要した費用の額）から生活療養標準負担額を控除した額

3 前項第一号の療養についての費用の額の算定に関しては、保険医療機関等から療養（評価療養、患者申出療養及び選定療養を除く。）を受ける場合にあっては第七十六条第二項の費用の額の算定、保険医療機関等から評価療養、患者申出療養又は選定療養を受ける場合にあっては第八十六条第二項第一号の費用の額の算定、前項第二号の食事療養についての費用の額の算定に関しては、第八十五条第二項の費用の額の算定、前項第三号の生活療養についての費用の額の算定に関しては、第八十五条の二第二項の費用の額の算定の例による。

4 被扶養者が第六十三条第三項第一号又は第二号に掲げる病院若しくは診療所又は薬局から療養を受けたときは、保険者は、その被扶養者が当該病院若しくは診療所又は薬局に支払うべき療養に要した費用について、家族療養費として被保険者に対し支給すべき額の限度において、被保険者に代わり、当該病院若しくは診療所又は薬局に支払うことができる。

5 前項の規定による支払があったときは、被保険者に対し家族療養費の支給があったものとみなす。

6 被扶養者が第六十三条第三項第三号に掲げる病院若しくは診療所又は薬局から療養を受けた場合において、保険者がその被扶養者の支払うべき療養に要した費用のうち家族療養費として被保険者に支給すべき額に相当する額の支払を免除したときは、被保険者に対し家族療養費の支給があったものとみなす。

7 第六十三条、第六十四条、第七十条第一項、第七十二条第一項、第七十三条、第七十六条第三項から第六項まで、第七十八条、第八十四条第一項、第八十五条第八項、第八十七条及び第九十八条の規定は、家族療養費の支給及び被扶養者の療養について準用する。

8 第七十五条の規定は、第四項の場合において療養につき第三項の規定により算定した費用の額（その額が現に療養に要した費用の額を超えるときは、当該現に療養に要した費用の額）から当該療養に要した費用について家族療養費として支給される額に相当する額を控除した額の支払について準用する。

（家族療養費の額の特例）

第百十条の二 保険者は、第七十五条の二第一項に規定する被保険者の被扶養者に係る家族療養費の支給について、前条第二項第一号イからニまでに定める割合を、それぞれの割合を超え百分の百以下の範囲内において保険者が定めた割合とする措置を採ることができる。

2 前項に規定する被扶養者に係る前条第四項の規定の適用については、同項中「家族療養費として被保険者に対し支給すべき額」とあるのは、「当該療養につき算定した費用の額（その額が現に当該療養に要した費用の額を超えるときは、当該現に療養に要した費用の額）」とする。この場合において、保険者は、当該支払をした額から家族療養費として被保険者に対し支給すべき額を控除した額をその被扶養者に係る被保険者から直接に徴収することとし、その徴収を猶予することができる。

（家族訪問看護療養費）

第百十一条 被保険者の被扶養者が指定訪問看護事業者から指定訪問看護を受けたときは、被保険者に対し、その指定訪問看護に要した費用について、家族訪問看護療養費を支給する。

2 家族訪問看護療養費の額は、当該指定訪問看護につき第八十

八条第四項の厚生労働大臣の定めの例により算定した費用の額に第百十条第二項第一号イからニまでに掲げる場合の区分に応じ、同号イからニまでに定める割合を乗じて得た額（家族療養費の支給について前条第一項又は第二項の規定が適用されるべきときは、当該規定が適用されたものとした場合の額）とする。

3　第八十八条第二項、第三項、第六項から第十一項まで及び第十三項、第九十条第一項、第九十一条、第九十二条第二項及び第三項、第九十四条並びに第九十八条の規定は、家族訪問看護療養費の支給及び被扶養者の指定訪問看護について準用する。

（家族移送費）

第百十二条　被保険者の被扶養者が家族療養費に係る療養を受けるため、病院又は診療所に移送されたときは、家族移送費として、被保険者に対し、第九十七条第一項の厚生労働省令で定めるところにより算定した金額を支給する。

2　第九十七条第二項及び第九十八条の規定は、家族移送費の支給について準用する。

（家族埋葬料）

第百十三条　被保険者の被扶養者が死亡したときは、家族埋葬料として、被保険者に対し、第百条第一項の政令で定める金額を支給する。

（家族出産育児一時金）

第百十四条　被保険者の被扶養者が出産したときは、家族出産育児一時金として、被保険者に対し、第百一条の政令で定める金額を支給する。

第五節　高額療養費及び高額介護合算療養費の支給

（高額療養費）

第百十五条　療養の給付について支払われた一部負担金の額又は療養（食事療養及び生活療養を除く。次項において同じ。）に要した費用の額からその療養に要した費用につき保険外併用療養費、療養費、訪問看護療養費、家族療養費若しくは家族訪問看護療養費として支給される額に相当する額を控除した額（次条第一項において「一部負担金等の額」という。）が著しく高額であるときは、その療養の給付又はその保険外併用療養費、療養費、訪問看護療養費、家族療養費若しくは家族訪問看護療養費の支給を受けた者に対し、高額療養費を支給する。

2　高額療養費の支給要件、支給額その他高額療養費の支給に関して必要な事項は、療養に必要な費用の負担の家計に与える影響及び療養に要した費用の額を考慮して、政令で定める。

（高額介護合算療養費）

第百十五条の二　一部負担金等の額（前条第一項の高額療養費が支給される場合にあっては、当該支給額に相当する額を控除して得た額）並びに介護保険法第五十一条第一項に規定する介護サービス利用者負担額（同項の高額介護サービス費が支給される場合にあっては、当該支給額を控除して得た額）及び同法第六十一条第一項に規定する介護予防サービス利用者負担額（同項の高額介護予防サービス費が支給される場合にあっては、当該支給額を控除して得た額）の合計額が著しく高額であるときは、当該一部負担金等の額に係る療養の給付又は保険外併用療養費、療養費、訪問看護療養費、家族療養費若しくは家族訪問看護療養費の支給を受けた者に対し、高額介護合算療養費を支給する。

2　前条第二項の規定は、高額介護合算療養費の支給について準用する。

第六節　保険給付の制限

第百十六条　被保険者又は被保険者であった者が、自己の故意の犯罪行為により、又は故意に給付事由を生じさせたときは、当該給付事由に係る保険給付は、行わない。

第百十七条　被保険者が闘争、泥酔又は著しい不行跡によって給付事由を生じさせたときは、当該給付事由に係る保険給付は、その全部又は一部を行わないことができる。

第百十八条　被保険者又は被保険者であった者が、次の各号のいずれかに該当する場合には、疾病、負傷又は出産につき、その期間に係る保険給付（傷病手当金及び出産手当金の支給にあっては、厚生労働省令で定める場合に限る。）は、行わない。

一　少年院その他これに準ずる施設に収容されたとき。

二　刑事施設、労役場その他これらに準ずる施設に拘禁されたとき。

2　保険者は、被保険者又は被保険者であった者が前項各号のいずれかに該当する場合であっても、被扶養者に係る保険給付を行うことを妨げない。

第百十九条　保険者は、被保険者又は被保険者であった者が、正当な理由なしに療養に関する指示に従わないときは、保険給付の一部を行わないことができる。

第百二十条　保険者は、偽りその他不正の行為により保険給付を受け、又は受けようとした者に対して、六月以内の期間を定め、その者に支給すべき傷病手当金又は出産手当金の全部又は一部を支給しない旨の決定をすることができる。ただし、偽りその他不正の行為があった日から一年を経過したときは、この限りでない。

第百二十一条　保険者は、保険給付を受ける者が、正当な理由なしに、第五十九条の規定による命令に従わず、又は答弁若しくは受診を拒んだときは、保険給付の全部又は一部を行わないことができる。

第百二十二条　第百十六条、第百十七条、第百十八条第一項及び第百十九条の規定は、被保険者の被扶養者について準用する。この場合において、これらの規定中「保険給付」とあるのは、「当該被扶養者に係る保険給付」と読み替えるものとする。

第六章　保健事業及び福祉事業

（保健事業及び福祉事業）

第百五十条　保険者は、高齢者の医療の確保に関する法律第二十条の規定による特定健康診査（次項において単に「特定健康診査」という。）及び同法第二十四条の規定による特定保健指導（以下この項及び第百五十四条の二において「特定健康診査等」という。）を行うものとするほか、特定健康診査等の事業であって、健康教育、健康相談及び健康診査並びに健康管理及び疾病の予防に係る被保険者及びその被扶養者（以下この条において「被保険者等」という。）の自助努力についての支援その他の被保険者等の健康の保持増進のために必要な事業を行うように努めなければならない。

2　保険者は、前項の規定により被保険者等の健康の保持増進のために必要な事業を行うに当たって必要があると認めるときは、被保険者等を使用している事業者等（労働安全衛生法（昭和四十七年法律第五十七号）第二条第三号に規定する事業者そのの他の法令に基づき健康診断（特定健康診査に相当する項目を実施するものに限る。）を実施する責務を有する者その他厚生労働省令で定める者をいう。以下この条において同じ。）又は使用していた事業者等に対し、厚生労働省令で定めるところにより、同法その他の法令に基づき当該事業者等が保存している当該被保険者等に係る健康診断に関する記録の写しその他これに準ずるものとして厚生労働省令で定めるものを提供するよう求めることができる。

3 前項の規定により、労働安全衛生法その他の法令に基づき保存している被保険者等に係る健康診断に関する記録の写しの提供を求められた事業者等は、厚生労働省令で定めるところにより、当該記録の写しを提供しなければならない。

4 保険者は、第一項の事業を行うに当たっては、高齢者の医療の確保に関する法律第十六条第一項に規定する医療保険等関連情報、事業者等から提供を受けた被保険者等に係る健康診断に関する記録の写しその他必要な情報を活用し、適切かつ有効に行うものとする。

5 保険者は、被保険者等の療養のために必要な費用に係る資金若しくは用具の貸付けその他の被保険者等の療養若しくは療養環境の向上又は被保険者等の出産のために必要な費用に係る資金の貸付けその他の被保険者等の福祉の増進のために必要な事業を行うことができる。

6 保険者は、第一項及び前項の事業に支障がない場合に限り、被保険者等でない者にこれらの事業を利用させることができる。この場合において、保険者は、これらの事業の利用者に対し、厚生労働省令で定めるところにより、利用料を請求することができる。

7 厚生労働大臣は、健康保険組合に対し、厚生労働省令で定めるところにより、第一項又は第五項の事業を行うことを命ずることができる。

8 厚生労働大臣は、第一項の規定により保険者が行う被保険者等の健康の保持増進のために必要な事業に関して、その適切かつ有効な実施を図るため、指針の公表、情報の提供その他の必要な支援を行うものとする。

9 前項の指針は、健康増進法（平成十四年法律第百三号）第九条第一項に規定する健康診査等指針と調和が保たれたものでなければならない。

（国民保健の向上のための匿名診療等関連情報の利用又は提供）

第百五十条の二 厚生労働大臣は、国民保健の向上に資するため、匿名診療等関連情報（診療等関連情報に係る特定の被保険者その他の厚生労働省令で定める者（次条において「本人」という。）を識別すること及びその作成に用いる診療等関連情報を復元することができないようにするために厚生労働省令で定める基準に従い加工した診療等関連情報をいう。以下同じ。）を利用し、又は厚生労働省令で定めるところにより、次の各号に掲げる者であって、匿名診療等関連情報の提供を受けて行うことについて相当の公益性を有すると認められる業務としてそれぞれ当該各号に定めるものを行うものに提供することができる。

一 国の他の行政機関及び地方公共団体 適正な保健医療サービスの提供に資する施策の企画及び立案に関する調査

二 大学その他の研究機関 疾病の原因並びに疾病の予防、診断及び治療の方法に関する研究その他の公衆衛生の向上及び増進に関する研究

三 民間事業者その他の厚生労働省令で定める者 医療分野の研究開発に資する分析その他の厚生労働省令で定める業務（特定の商品又は役務の広告又は宣伝に利用するために行うものを除く。）

2 厚生労働大臣は、前項の規定による利用又は提供を行う場合には、当該匿名診療等関連情報を高齢者の医療の確保に関する法律第十六条の二第一項に規定する匿名医療保険等関連情報、介護保険法第百十八条の三第一項に規定する匿名介護保険等関連情報その他の厚生労働省令で定めるものと連結して利用し、又は連結して利用することができる状態で提供することができる。

3 厚生労働大臣は、第一項の規定により匿名診療等関連情報を提供しようとする場合には、あらかじめ、社会保障審議会の意見を聴かなければならない。

（照合等の禁止）

第百五十条の三 前条第一項の規定により匿名診療等関連情報の提供を受け、これを利用する者（以下「匿名診療等関連情報利用者」という。）は、匿名診療等関連情報を取り扱うに当たっては、当該匿名診療等関連情報の作成に用いられた診療等関連情報に係る本人を識別するために、当該診療等関連情報から削除された記述等（文書、図画若しくは電磁的記録（電磁的方式（電子的方式、磁気的方式その他人の知覚によっては認識することができない方式をいう。）で作られる記録をいう。）に記載され、若しくは記録され、又は音声、動作その他の方法を用いて表された一切の事項をいう。）若しくは匿名診療等関連情報の作成に用いられた加工の方法に関する情報を取得し、又は当該匿名診療等関連情報を他の情報と照合してはならない。

（消去）

第百五十条の四 匿名診療等関連情報利用者は、提供を受けた匿名診療等関連情報を利用する必要がなくなったときは、遅滞なく、当該匿名診療等関連情報を消去しなければならない。

（安全管理措置）

第百五十条の五 匿名診療等関連情報利用者は、匿名診療等関連情報の漏えい、滅失又は毀損の防止その他の当該匿名診療等関連情報の安全管理のために必要かつ適切なものとして厚生労働省令で定める措置を講じなければならない。

（利用者の義務）

第百五十条の六 匿名診療等関連情報利用者又は匿名診療等関連情報利用者であった者は、匿名診療等関連情報の利用に関して知り得た匿名診療等関連情報の内容をみだりに他人に知らせ、又は不当な目的に利用してはならない。

（立入検査等）

第百五十条の七 厚生労働大臣は、この章の規定の施行に必要な限度において、匿名診療等関連情報利用者（国の他の行政機関を除く。以下この項及び次条において同じ。）に対し報告若しくは帳簿書類の提出若しくは提示を命じ、又は当該職員に匿名診療等関連情報利用者の事務所その他の事業所に立ち入って関係者に質問させ、若しくは帳簿書類その他の物件を検査させることができる。

2 第七条の三十八第二項の規定は前項の規定による質問又は検

査について、同条第三項の規定は前項の規定による権限について、それぞれ準用する。

（是正命令）

第百五十条の八 厚生労働大臣は、匿名診療等関連情報利用者が第百五十条の三から第百五十条の六までの規定に違反していると認めるときは、その者に対し、当該違反を是正するため必要な措置をとるべきことを命ずることができる。

（基金等への委託）

第百五十条の九 厚生労働大臣は、第七十七条第二項に規定する調査及び第百五十条の二第一項の規定による利用又は提供に係る事務の全部又は一部を基金又は国保連合会その他厚生労働省令で定める者（次条において「基金等」という。）に委託することができる。

（手数料）

第百五十条の十 匿名診療等関連情報利用者は、実費を勘案して政令で定める額の手数料を国（前条の規定により厚生労働大臣からの委託を受けて、基金等が第百五十条の二第一項の規定による匿名診療等関連情報の提供に係る事務の全部を行う場合にあっては、基金等）に納めなければならない。

2 厚生労働大臣は、前項の手数料を納めようとする者が都道府県その他の国民保健の向上のために特に重要な役割を果たす者として政令で定める者であるときは、政令で定めるところにより、当該手数料を減額し、又は免除することができる。

3 第一項の規定により基金等に納められた手数料は、基金等の収入とする。

第七章 費用の負担

（国庫負担）

第百五十一条 国庫は、毎年度、予算の範囲内において、健康保険事業の事務（前期高齢者納付金等、後期高齢者支援金等及び第百七十三条の規定による拠出金、介護納付金並びに感染症の予防及び感染症の患者に対する医療に関する法律の規定による流行初期医療確保拠出金（第百五十三条及び第百五十四条第一項において「流行初期医療確保拠出金」という。）の納付に関する事務を含む。）の執行に要する費用を負担する。

第百五十二条 健康保険組合に対して交付する国庫負担金は、各健康保険組合における被保険者数を基準として、厚生労働大臣が算定する。

2 前項の国庫負担金については、概算払をすることができる。

（出産育児交付金）

第百五十二条の二 出産育児一時金及び家族出産育児一時金（第百五十二条の四及び第百五十二条の五において「出産育児一時金等」という。）の支給に要する費用（第百一条の政令で定める金額に係る部分に限る。第百五十二条の四において同じ。）の一部については、政令で定めるところにより、高齢者の医療の確保に関する法律第百二十四条の四第一項の規定により基金が保険者に対して交付する出産育児交付金をもって充てる。

（出産育児交付金の額）

第百五十二条の三 前条に規定する出産育児交付金の額は、当該年度の概算出産育児交付金の額とする。ただし、前々年度の概算出産育児交付金の額が同年度の確定出産育児交付金の額を超えるときは、当該年度の概算出産育児交付金の額からその超える額とその超える額に係る出産育児交付調整金額との合計額を控除して得た額とするものとし、前々年度の概算出産育児交付金の額が同年度の確定出産育児交付金の額に満たないときは、当該年度の概算出産育児交付金の額にその満たない額とその満たない額に係る出産育児交付調整金額との合計額を加算して得た額とする。

2 前項ただし書の出産育児交付調整金額は、前々年度における高齢者の医療の確保に関する法律第七条第二項に規定する保険者（国民健康保険法の定めるところにより都道府県が当該都道府県内の市町村（特別区を含む。）とともに行う国民健康保険にあっては、都道府県）の全てに係る概算出産育児交付金の額と確定出産育児交付金の額との過不足額につき生ずる利子その他の事情を勘案して厚生労働省令で定めるところにより各保険者ごとに算定される額とする。

（概算出産育児交付金）

第百五十二条の四 前条第一項の概算出産育児交付金の額は、当該年度における当該保険者に係る出産育児一時金等の支給に要する費用の見込額として厚生労働省令で定めるところにより算定した額に同年度における高齢者の医療の確保に関する法律第百二十四条の三第一項の出産育児支援金率（次条において単に「出産育児支援金率」という。）を乗じて得た額とする。

（確定出産育児交付金）

第百五十二条の五 第百五十二条の三第一項ただし書の確定出産育児交付金の額は、前々年度における当該保険者に係る出産育児一時金等の支給に要した費用（第百一条の政令で定める金額に係る部分に限る。）の額に同年度における出産育児支援金率を乗じて得た額とする。

（準用）

第百五十二条の六 高齢者の医療の確保に関する法律第四十一条及び第四十二条の規定は、出産育児交付金について準用する。この場合において、必要な技術的読替えは、政令で定める。

（国庫補助）

第百五十三条 国庫は、第百五十一条に規定する費用のほか、協会が管掌する健康保険の事業の執行に要する費用のうち、被保険者に係る療養の給付並びに入院時食事療養費、入院時生活療養費、保険外併用療養費、療養費、訪問看護療養費、移送費、傷病手当金、出産手当金、家族療養費、家族訪問看護療養費、家族移送費、高額療養費及び高額介護合算療養費の支給に要する費用（療養の給付については、一部負担金に相当する額を控除するものとする。）の額（高齢者の医療の確保に関する法律第三十四条第一項各号の調整対象給付費見込額（第一号及び次条第一項において「調整対象給付費見込額」という。）の三分の一に相当する額を除く。）、同法の規定による前期高齢者納付金（以下「前期高齢者納付金」という。）の納付に要する費用の額に同号に掲げる額の第二号に掲げる額に対する割合を乗じて得た額並びに流行初期医療確保拠出金の納付に要する費用の額の合算額（同法の規定による前期高齢者交付金（以下「前期高齢者交付金」という。）がある場合には、当該合算額から当該前期高齢者交付金の額を基準として政令で定める額を控除した額）に千分の百三十から千分の二百までの範囲内において政令で定める割合を乗じて得た額を補助する。

一 調整対象給付費見込額の三分の二に相当する額に高齢者の医療の確保に関する法律第三十四条第七項に規定する概算加

入者調整率を乗じて得た額から調整対象給付費見込額の三分の二に相当する額を控除した額（当該額が零を下回る場合には、零とする。）

二　高齢者の医療の確保に関する法律第三十八条第二項第一号イ及びロに掲げる額の合計額

第百五十四条　国庫は、第百五十一条及び前条に規定する費用のほか、毎年度、健康保険事業の執行に要する費用のうち、日雇特例被保険者に係る療養の給付並びに入院時食事療養費、入院時生活療養費、保険外併用療養費、療養費、訪問看護療養費、移送費、傷病手当金、出産手当金、家族療養費、家族訪問看護療養費、家族移送費、特別療養費、高額療養費及び高額介護合算療養費の支給に要する費用（療養の給付については、一部負担金に相当する額を控除するものとする。）の額、前期高齢者納付金の納付に要する費用の額に給付費割合（調整対象給付費見込額及び高齢者の医療の確保に関する法律第三十四条第一項第一号イ(2)に規定する前期高齢者に係る後期高齢者支援金の概算額の合計額に対する調整対象給付費見込額の割合をいう。以下この条において同じ。）を乗じて得た額並びに流行初期医療確保拠出金の納付に要する費用の額の合算額（前期高齢者交付金がある場合には、当該合算額から当該前期高齢者交付金の額に給付費割合を乗じて得た額を控除した額）に健康保険組合（第三条第一項第八号の承認を受けた者の国民健康保険を行う国民健康保険の保険者を含む。第百七十一条第二項及び第三項において同じ。）を設立する事業主以外の事業主から当該年度に納付された日雇特例被保険者に関する保険料の総延べ納付日数を当該年度に納付された日雇特例被保険者に関する保険料の総延べ納付日数で除して得た率を乗じて得た額に前条に規定する政令で定める割合を乗じて得た額を補助する。

2　国庫は、第百五十一条、前条及び前項に規定する費用のほか、協会が拠出すべき前期高齢者納付金及び高齢者の医療の確保に関する法律の規定による後期高齢者支援金並びに介護納付金のうち日雇特例被保険者に係るものの納付に要する費用の額の合算額（当該前期高齢者納付金の額に給付費割合を乗じて得た額を除き、前期高齢者交付金がある場合には、当該前期高齢者交付金の額から当該額に給付費割合を乗じて得た額を控除して得た額を当該合算額から控除した額）に同項に規定する率を乗じて得た額に同条に規定する政令で定める割合を乗じて得た額を補助する。

第百五十四条の二　国庫は、第百五十一条及び前二条に規定する費用のほか、予算の範囲内において、健康保険事業の執行に要する費用のうち、特定健康診査等の実施に要する費用の一部を補助することができる。

（保険料）

第百五十五条　保険者等は、健康保険事業に要する費用（前期高齢者納付金等及び後期高齢者支援金等、介護納付金並びに流行初期医療確保拠出金等並びに健康保険組合においては、第百七十三条の規定による拠出金の納付に要する費用を含む。）に充てるため、保険料を徴収する。

2　前項の規定にかかわらず、協会が管掌する健康保険の任意継続被保険者に関する保険料は、協会が徴収する。

（保険料等の交付）

第百五十五条の二　政府は、協会が行う健康保険事業に要する費用に充てるため、協会に対し、政令で定めるところにより、厚生労働大臣が徴収した保険料その他この法律の規定による徴収金の額及び印紙をもってする歳入金納付に関する法律（昭和二十三年法律第百四十二号）の規定による納付金に相当する額から厚生労働大臣が行う健康保険事業の事務の執行に要する費用に相当する額（第百五十一条の規定による当該費用に係る国庫負担金の額を除く。）を控除した額を交付する。

（被保険者の保険料額）

第百五十六条　被保険者に関する保険料額は、各月につき、次の各号に掲げる被保険者の区分に応じ、当該各号に定める額とする。

一　介護保険法第九条第二号に規定する被保険者（以下「介護保険第二号被保険者」という。）である被保険者　一般保険料額（各被保険者の標準報酬月額及び標準賞与額にそれぞれ一般保険料率（基本保険料率と特定保険料率とを合算した率をいう。）を乗じて得た額をいう。以下同じ。）と介護保険料額（各被保険者の標準報酬月額及び標準賞与額にそれぞれ介護保険料率を乗じて得た額をいう。以下同じ。）との合算額

二　介護保険第二号被保険者である被保険者以外の被保険者　一般保険料額

2　前項第一号の規定にかかわらず、介護保険第二号被保険者である被保険者が介護保険第二号被保険者に該当しなくなった場合においては、その月分の保険料額は、一般保険料額とする。ただし、その月に再び介護保険第二号被保険者となった場合その他政令で定める場合は、この限りでない。

3　前二項の規定にかかわらず、前月から引き続き被保険者である者がその資格を喪失した場合においては、その月分の保険料は、算定しない。

（任意継続被保険者の保険料）

第百五十七条　任意継続被保険者に関する保険料は、任意継続被保険者となった月から算定する。

2　前項の場合において、各月の保険料の算定方法は、前条の例による。

（保険料の徴収の特例）

第百五十八条　前月から引き続き被保険者（任意継続被保険者を除く。以下この条、次条及び第百五十九条の三において同じ。）である者が第百十八条第一項各号のいずれかに該当するに至った場合はその月以後、被保険者がその資格を取得した月に同項各号のいずれかに該当するに至った場合はその翌月以後、同項各号のいずれかに該当しなくなった月の前月までの期間、保険料を徴収しない。ただし、被保険者が同項各号のいずれかに該当するに至った月に同項各号のいずれかに該当しなくなったときは、この限りでない。

第百五十九条　育児休業等をしている被保険者（第百五十九条の三の規定の適用を受けている被保険者を除く。次項において同じ。）が使用される事業所の事業主が、厚生労働省令で定めるところにより保険者等に申出をしたときは、次の各号に掲げる場合の区分に応じ、当該各号に定める月の当該被保険者に関する保険料（その育児休業等の期間が一月以下である者については、標準報酬月額に係る保険料に限る。）は、徴収しない。

一　その育児休業等を開始した日の属する月とその育児休業等が終了する日の翌日が属する月とが異なる場合　その育児休業等を開始した日の属する月からその育児休業等が終了する

日の翌日が属する月の前月までの月

二　その育児休業等を開始した日の属する月とその育児休業等が終了する日の翌日が属する月とが同一であり、かつ、当該月における育児休業等の日数として厚生労働省令で定めるところにより計算した日数が十四日以上である場合　当該月

2　被保険者が連続する二以上の育児休業等をしている場合（これに準ずる場合として厚生労働省令で定める場合を含む。）における前項の規定の適用については、その全部を一の育児休業等とみなす。

第百五十九条の二　厚生労働大臣が保険料を徴収する場合において、適用事業所の事業主から保険料、厚生年金保険法第八十一条に規定する保険料（以下「厚生年金保険料」という。）及び子ども・子育て支援法（平成二十四年法律第六十五号）第六十九条に規定する拠出金（以下「子ども・子育て拠出金」という。）の一部の納付があったときは、当該事業主が納付すべき保険料、厚生年金保険料及び子ども・子育て拠出金の額を基準として按分した額に相当する保険料の額が納付されたものとする。

第百五十九条の三　産前産後休業をしている被保険者が使用される事業所の事業主が、厚生労働省令で定めるところにより保険者等に申出をしたときは、その産前産後休業を開始した日の属する月からその産前産後休業が終了する日の翌日が属する月の前月までの期間、当該被保険者に関する保険料を徴収しない。

（保険料率）

第百六十条　協会が管掌する健康保険の被保険者に関する一般保険料率は、千分の三十から千分の百三十までの範囲内において、支部被保険者（各支部の都道府県に所在する適用事業所に使用される被保険者及び当該都道府県の区域内に住所又は居所を有する任意継続被保険者をいう。以下同じ。）を単位として協会が決定するものとする。

2　前項の規定により支部被保険者を単位として決定する一般保険料率（以下「都道府県単位保険料率」という。）は、当該支部被保険者に適用する。

3　都道府県単位保険料率は、支部被保険者を単位として、次に掲げる額に照らし、毎事業年度において財政の均衡を保つことができるものとなるよう、政令で定めるところにより算定するものとする。

一　第五十二条第一号に掲げる療養の給付その他の厚生労働省令で定める保険給付（以下この項及び次項において「療養の給付等」という。）のうち、当該支部被保険者に係るものに要する費用の額（当該支部被保険者に係る療養の給付等に関する第百五十三条の規定による国庫補助の額を除く。）に次項の規定に基づく調整を行うことにより得られると見込まれる額

二　保険給付（支部被保険者に係る療養の給付等を除く。）、前期高齢者納付金等及び後期高齢者支援金等並びに流行初期医療確保拠出金等に要する費用の予想額（第百五十二条の二に規定する出産育児交付金の額、第百五十三条及び第百五十四条の規定による国庫補助の額（前号の国庫補助の額を除く。）並びに第百七十三条の規定による拠出金の額を除く。）に総報酬按分率（当該都道府県の支部被保険者の総報酬額（標準報酬月額及び標準賞与額の合計額をいう。以下同じ。）の総額を協会が管掌する健康保険の被保険者の総報酬額の総額で除して得た率をいう。）を乗じて得た額

三　保健事業及び福祉事業に要する費用の額（第百五十四条の二の規定による国庫補助の額を除く。）並びに健康保険事業の事務の執行に要する費用及び次条の規定による準備金の積立ての予定額（第百五十一条の規定による国庫負担金の額を除く。）のうち当該支部被保険者が分担すべき額として協会が定める額

4　協会は、支部被保険者及びその被扶養者の年齢階級別の分布状況と協会が管掌する健康保険の被保険者及びその被扶養者の年齢階級別の分布状況との差異によって生ずる療養の給付等に要する費用の額の負担の不均衡並びに支部被保険者の総報酬額の平均額と協会が管掌する健康保険の被保険者の総報酬額の平均額との差異によって生ずる財政力の不均衡を是正するため、政令で定めるところにより、支部被保険者を単位とする健康保険の財政の調整を行うものとする。

5　協会は、二年ごとに、翌事業年度以降の五年間についての協会が管掌する健康保険の被保険者数及び総報酬額の見通し並びに保険給付に要する費用の額、保険料の額（各事業年度において財政の均衡を保つことができる保険料率の水準を含む。）その他の健康保険事業の収支の見通しを作成し、公表するものとする。

6　協会が都道府県単位保険料率を変更しようとするときは、あらかじめ、理事長が当該変更に係る都道府県に所在する支部の支部長の意見を聴いた上で、運営委員会の議を経なければならない。

7　支部長は、前項の意見を求められた場合のほか、都道府県単位保険料率の変更が必要と認める場合には、あらかじめ、当該支部に設けられた評議会の意見を聴いた上で、理事長に対し、当該都道府県単位保険料率の変更について意見の申出を行うものとする。

8　協会が都道府県単位保険料率を変更しようとするときは、理事長は、その変更について厚生労働大臣の認可を受けなければならない。

9　厚生労働大臣は、前項の認可をしたときは、遅滞なく、その旨を告示しなければならない。

10　厚生労働大臣は、都道府県単位保険料率が、当該都道府県における健康保険事業の収支の均衡を図る上で不適当であり、協会が管掌する健康保険の事業の健全な運営に支障があると認めるときは、協会に対し、相当の期間を定めて、当該都道府県単位保険料率の変更の認可を申請すべきことを命ずることができる。

11　厚生労働大臣は、協会が前項の期間内に同項の申請をしないときは、社会保障審議会の議を経て、当該都道府県単位保険料率を変更することができる。

12　第九項の規定は、前項の規定により行う都道府県単位保険料率の変更について準用する。

13　第一項及び第八項の規定は、健康保険組合が管掌する健康保険の一般保険料率について準用する。この場合において、第一項中「支部被保険者（各支部の都道府県に所在する適用事業所に使用される被保険者及び当該都道府県の区域内に住所又は居所を有する任意継続被保険者をいう。以下同じ。）を単位として協会が決定するものとする」とあるのは「決定するものとす

る」と、第八項中「都道府県単位保険料率」とあるのは「健康保険組合が管掌する健康保険の一般保険料率」と読み替えるものとする。

14 特定保険料率は、各年度において保険者が納付すべき前期高齢者納付金等の額及び後期高齢者支援金等の額並びに流行初期医療確保拠出金等の額（協会が管掌する健康保険及び日雇特例被保険者の保険においては、その額から第百五十三条及び第百五十四条の規定による国庫補助額を控除した額）の合算額（前期高齢者交付金がある場合には、これを控除した額）を当該年度における当該保険者が管掌する被保険者の総報酬額の総額の見込額で除して得た率を基準として、保険者が定める。

15 基本保険料率は、一般保険料率から特定保険料率を控除した率を基準として、保険者が定める。

16 介護保険料率は、各年度において保険者が納付すべき介護納付金（日雇特例被保険者に係るものを除く。）の額を当該年度における当該保険者が管掌する介護保険第二号被保険者である被保険者の総報酬額の総額の見込額で除して得た率を基準として、保険者が定める。

17 協会は、第十四項及び第十五項の規定により基本保険料率及び特定保険料率を定め、又は前項の規定により介護保険料率を定めたときは、遅滞なく、その旨を厚生労働大臣に通知しなければならない。

（準備金）

第百六十条の二 保険者は、政令で定めるところにより、健康保険事業に要する費用の支出に備えるため、毎事業年度末において、準備金を積み立てなければならない。

（保険料の負担及び納付義務）

第百六十一条 被保険者及び被保険者を使用する事業主は、それぞれ保険料額の二分の一を負担する。ただし、任意継続被保険者は、その全額を負担する。

2 事業主は、その使用する被保険者及び自己の負担する保険料を納付する義務を負う。

3 任意継続被保険者は、自己の負担する保険料を納付する義務を負う。

4 被保険者が同時に二以上の事業所に使用される場合における各事業主の負担すべき保険料の額及び保険料の納付義務については、政令で定めるところによる。

（健康保険組合の保険料の負担割合の特例）

第百六十二条 健康保険組合は、前条第一項の規定にかかわらず、規約で定めるところにより、事業主の負担すべき一般保険料額又は介護保険料額の負担の割合を増加することができる。

第百六十三条 削除

（保険料の納付）

第百六十四条 被保険者に関する毎月の保険料は、翌月末日までに、納付しなければならない。ただし、任意継続被保険者に関する保険料については、その月の十日（初めて納付すべき保険料については、保険者が指定する日）までとする。

2 保険者等（被保険者が協会が管掌する健康保険の任意継続被保険者である場合は協会、被保険者が健康保険組合が管掌する健康保険の被保険者である場合は当該健康保険組合、これら以外の場合は厚生労働大臣をいう。次項において同じ。）は、被保険者に関する保険料の納入の告知をした後に告知をした保険料額が当該納付義務者の納付すべき保険料額を超えていることを知ったとき、又は納付した被保険者に関する保険料額が当該納付義務者の納付すべき保険料額を超えていることを知ったときは、その超えている部分に関する納入の告知又は納付を、その告知又は納付の日の翌日から六月以内の期日に納付されるべき保険料について納期を繰り上げてしたものとみなすことができる。

3 前項の規定によって、納期を繰り上げて納入の告知又は納付をしたものとみなしたときは、保険者等は、その旨を当該納付義務者に通知しなければならない。

（任意継続被保険者の保険料の前納）

第百六十五条 任意継続被保険者は、将来の一定期間の保険料を前納することができる。

2 前項の場合において前納すべき額は、当該期間の各月の保険料の額から政令で定める額を控除した額とする。

3 第一項の規定により前納された保険料については、前納に係る期間の各月の初日が到来したときに、それぞれその月の保険料が納付されたものとみなす。

4 前三項に定めるもののほか、保険料の前納の手続、前納された保険料の還付その他保険料の前納に関して必要な事項は、政令で定める。

（口座振替による納付）

第百六十六条 厚生労働大臣は、納付義務者から、預金又は貯金の払出しとその払い出した金銭による保険料の納付をその預金口座又は貯金口座のある金融機関に委託して行うことを希望する旨の申出があった場合においては、その納付が確実と認められ、かつ、その申出を承認することが保険料の徴収上有利と認められるときに限り、その申出を承認することができる。

（保険料の源泉控除）

第百六十七条 事業主は、被保険者に対して通貨をもって報酬を支払う場合においては、被保険者の負担すべき前月の標準報酬月額に係る保険料（被保険者がその事業所に使用されなくなった場合においては、前月及びその月の標準報酬月額に係る保険料）を報酬から控除することができる。

2 事業主は、被保険者に対して通貨をもって賞与を支払う場合においては、被保険者の負担すべき標準賞与額に係る保険料に相当する額を当該賞与から控除することができる。

3 事業主は、前二項の規定によって保険料を控除したときは、保険料の控除に関する計算書を作成し、その控除額を被保険者に通知しなければならない。

（健康保険印紙の受払等の報告）

第百七十一条 事業主は、その事業所ごとに健康保険印紙の受払及び前条第一項に規定する告知に係る保険料の納付（以下この条において「受払等」という。）に関する帳簿を備え付け、その受払等の都度、その受払等の状況を記載し、かつ、翌月末日までに、厚生労働大臣にその受払等の状況を報告しなければならない。

2 前項の場合において、健康保険組合を設立する事業主は、併せて当該健康保険組合に同項の報告をしなければならない。

3 前項の規定により報告を受けた健康保険組合は、厚生労働省令で定めるところにより、毎年度、厚生労働大臣に当該健康保険組合を設立する事業主の前年度の受払等の報告をしなければならない。

（保険料の繰上徴収）

第百七十二条　保険料は、次に掲げる場合においては、納期前であっても、すべて徴収することができる。

一　納付義務者が、次のいずれかに該当する場合

イ　国税、地方税その他の公課の滞納によって、滞納処分を受けるとき。

ロ　強制執行を受けるとき。

ハ　破産手続開始の決定を受けたとき。

ニ　企業担保権の実行手続の開始があったとき。

ホ　競売の開始があったとき。

二　法人である納付義務者が、解散をした場合

三　被保険者の使用される事業所が、廃止された場合

（国民健康保険の保険者への適用）

第百七十九条　第三条第一項第八号の承認を受けた者の国民健康保険を行う国民健康保険の保険者は、健康保険組合とみなして、第百七十三条から前条までの規定を適用する。

（保険料等の督促及び滞納処分）

第百八十条　保険料その他この法律の規定による徴収金（第二百四条の二第一項及び第二百四条の六第一項を除き、以下「保険料等」という。）を滞納する者（以下「滞納者」という。）があるときは、保険者等（被保険者が協会が管掌する健康保険の任意継続被保険者である場合、協会が管掌する健康保険の被保険者若しくは日雇特例被保険者であって第五十八条、第七十四条第二項及び第百九条第二項（第百四十九条においてこれらの規定を準用する場合を含む。）の規定による徴収金を納付しなければならない場合又は解散により消滅した健康保険組合の権利を第二十六条第四項の規定により承継した場合であって当該健康保険組合の保険料等で未収のものに係るものがあるときは協会、被保険者が健康保険組合が管掌する健康保険の被保険者である場合は当該健康保険組合、これら以外の場合は厚生労働大臣をいう。以下この条及び次条第一項において同じ。）は、期限を指定して、これを督促しなければならない。ただし、第百七十二条の規定により保険料を徴収するときは、この限りでない。

2　前項の規定によって督促をしようとするときは、保険者等は、納付義務者に対して、督促状を発する。

3　前項の督促状により指定する期限は、督促状を発する日から起算して十日以上を経過した日でなければならない。ただし、第百七十二条各号のいずれかに該当する場合は、この限りでない。

4　保険者等は、納付義務者が次の各号のいずれかに該当する場合においては、国税滞納処分の例によってこれを処分し、又は納付義務者の居住地若しくはその者の財産所在地の市町村（特別区を含むものとし、地方自治法（昭和二十二年法律第六十七号）第二百五十二条の十九第一項の指定都市にあっては、区又は総合区とする。第六項において同じ。）に対して、その処分を請求することができる。

一　第一項の規定による督促を受けた者がその指定の期限までに保険料等を納付しないとき。

二　第百七十二条各号のいずれかに該当したことにより納期を繰り上げて保険料納入の告知を受けた者がその指定の期限までに保険料を納付しないとき。

5　前項の規定により協会又は健康保険組合が国税滞納処分の例により処分を行う場合においては、厚生労働大臣の認可を受けなければならない。

6　市町村は、第四項の規定による処分の請求を受けたときは、市町村税の例によってこれを処分することができる。この場合においては、保険者は、徴収金の百分の四に相当する額を当該市町村に交付しなければならない。

（延滞金）

第百八十一条　前条第一項の規定によって督促をしたときは、保険者等は、徴収金額に、納期限の翌日から徴収金完納又は財産差押えの日の前日までの期間の日数に応じ、年十四・六パーセント（当該督促が保険料に係るものであるときは、当該納期限の翌日から三月を経過する日までの期間については、年七・三パーセント）の割合を乗じて計算した延滞金を徴収する。ただし、次の各号のいずれかに該当する場合又は滞納につきやむを得ない事情があると認められる場合は、この限りでない。

一　徴収金額が千円未満であるとき。

二　納期を繰り上げて徴収するとき。

三　納付義務者の住所若しくは居所が国内にないため、又はその住所及び居所がいずれも明らかでないため、公示送達の方法によって督促をしたとき。

2　前項の場合において、徴収金額の一部につき納付があったときは、その納付の日以後の期間に係る延滞金の計算の基礎となる徴収金は、その納付のあった徴収金額を控除した金額による。

3　延滞金を計算するに当たり、徴収金額に千円未満の端数があるときは、その端数は、切り捨てる。

4　督促状に指定した期限までに徴収金を完納したとき、又は前三項の規定によって計算した金額が百円未満であるときは、延滞金は、徴収しない。

5　延滞金の金額に百円未満の端数があるときは、その端数は、切り捨てる。

（協会による広報及び保険料の納付の勧奨等）

第百八十一条の二　協会は、その管掌する健康保険の事業の円滑な運営が図られるよう、当該事業の意義及び内容に関する広報を実施するとともに、保険料の納付の勧奨その他厚生労働大臣の行う保険料の徴収に係る業務に対する適切な協力を行うものとする。

（協会による保険料の徴収）

第百八十一条の三　厚生労働大臣は、協会と協議を行い、効果的な保険料の徴収を行うために必要があると認めるときは、厚生労働大臣の認可を受けて、協会に保険料の滞納者に関する情報その他必要な情報を提供するとともに、当該滞納者に係る保険料の徴収を行わせることができる。

2　厚生労働大臣は、前項の規定により協会に滞納者に係る保険料の徴収を行わせることとしたときは、当該滞納者に対し、協会が当該滞納者に係る保険料の徴収を行うこととなる旨その他の厚生労働省令で定める事項を通知しなければならない。

3　第一項の規定により協会が保険料の徴収を行う場合においては、協会を保険者等とみなして、第百八十条及び第百八十一条の規定を適用する。

4　第一項の規定により協会が保険料を徴収したときは、その徴収した額に相当する額については、第百五十五条の二の規定に

より、政府から協会に対し、交付されたものとみなす。

5　前各項に定めるもののほか、協会による保険料の徴収に関し必要な事項は、政令で定める。

（先取特権の順位）

第百八十二条　保険料等の先取特権の順位は、国税及び地方税に次ぐものとする。

（徴収に関する通則）

第百八十三条　保険料等は、この法律に別段の規定があるものを除き、国税徴収の例により徴収する。

第八章　健康保険組合連合会

（設立、人格及び名称）

第百八十四条　健康保険組合は、共同してその目的を達成するため、健康保険組合連合会（以下「連合会」という。）を設立することができる。

2　連合会は、法人とする。

3　連合会は、その名称中に健康保険組合連合会という文字を用いなければならない。

4　連合会でない者は、健康保険組合連合会という名称を用いてはならない。

（設立の認可等）

第百八十五条　連合会を設立しようとするときは、規約を作り、厚生労働大臣の認可を受けなければならない。

2　連合会は、設立の認可を受けた時に成立する。

3　厚生労働大臣は、健康保険組合に対し、組合員である被保険者の共同の福祉を増進するため必要があると認めるときは、連合会に加入することを命ずることができる。

（規約の記載事項）

第百八十六条　連合会は、規約において、次に掲げる事項を定めなければならない。

一　目的及び事業

二　名称

三　事務所の所在地

四　総会に関する事項

五　役員に関する事項

六　会員の加入及び脱退に関する事項

七　資産及び会計に関する事項

八　公告に関する事項

九　前各号に掲げる事項のほか、厚生労働省令で定める事項

（役員）

第百八十七条　連合会に、役員として会長、副会長、理事及び監事を置く。

2　会長は、連合会を代表し、その業務を執行する。

3　副会長は、会長を補佐して連合会の業務を執行し、会長に事故があるときはその職務を代理し、会長が欠員のときはその職務を行う。

4　理事は、会長の定めるところにより、会長及び副会長を補佐して連合会の業務を掌理し、会長及び副会長に事故があるときはその職務を代理し、会長及び副会長が欠員のときはその職務を行う。

5　監事は、連合会の業務の執行及び財産の状況を監査する。

（準用）

第百八十八条　第七条の三十八、第七条の三十九、第九条第二項、第十六条第二項及び第三項、第十八条第一項及び第二項、第十九条、第二十条、第二十六条第一項（第二号に係る部分を除く。）及び第二項、第二十九条第二項、第三十条、第百五十条並びに第百九十五条の規定は、連合会について準用する。この場合において、これらの規定中「組合会」とあるのは「総会」と、第七条の三十九第一項中「厚生労働大臣は」とあるのは「厚生労働大臣は、第百八十八条において準用する前条の規定により報告を徴し、又は質問し、若しくは検査した場合において」と、「定款」とあるのは「規約」と、第十六条第二項中「前項」とあるのは「第百八十六条」と、第二十九条第二項中「前項」とあるのは「第百八十八条」と、「前条第二項の規定に違反した指定健康保険組合、同条第三項の求めに応じない指定健康保険組合その他政令で定める指定健康保険組合の事業」とあるのは「その事業」と、第百五十条第二項中「前項の規定により被保険者等の健康の保持増進のために必要な事業」とあるのは「前項の事業」と、「被保険者等を」とあるのは「健康保険組合又は被保険者等を」と、「又は」とあるのは「若しくは」と、「同法」とあるのは「それぞれ当該健康保険組合が保存している医療保険等関連情報（高齢者の医療の確保に関する法律第十六条第一項に規定する医療保険等関連情報をいう。次項及び第四項において同じ。）又は労働安全衛生法」と、同条第三項中「労働安全衛生法」とあるのは「医療保険等関連情報の提供を求められた健康保険組合又は労働安全衛生法」と、「当該」とあるのは「当該医療保険等関連情報又は当該」と、同条第四項中「高齢者の医療の確保に関する法律第十六条第一項に規定する」とあるのは「健康保険組合から提供を受けた」と読み替えるものとする。

第九章　不服申立て

（審査請求及び再審査請求）

第百八十九条　被保険者の資格、標準報酬又は保険給付に関する処分に不服がある者は、社会保険審査官に対して審査請求をし、その決定に不服がある者は、社会保険審査会に対して再審査請求をすることができる。

2　審査請求をした日から二月以内に決定がないときは、審査請求人は、社会保険審査官が審査請求を棄却したものとみなすことができる。

3　第一項の審査請求及び再審査請求は、時効の完成猶予及び更新に関しては、裁判上の請求とみなす。

4　被保険者の資格又は標準報酬に関する処分が確定したときは、その処分についての不服を当該処分に基づく保険給付に関する処分についての不服の理由とすることができない。

第百九十条　保険料等の賦課若しくは徴収の処分又は第百八十条の規定による処分に不服がある者は、社会保険審査会に対して審査請求をすることができる。

（行政不服審査法の適用関係）

第百九十一条　前二条の審査請求及び第百八十九条第一項の再審査請求については、行政不服審査法（平成二十六年法律第六十八号）第二章（第二十二条を除く。）及び第四章の規定は、適用しない。

（審査請求と訴訟との関係）

第百九十二条　第百八十九条第一項に規定する処分の取消しの訴

え は、当該処分についての審査請求に対する社会保険審査官の決定を経た後でなければ、提起することができない。

第十章　雑則

（時効）

第百九十三条　保険料等を徴収し、又はその還付を受ける権利及び保険給付を受ける権利は、これらを行使することができる時から二年を経過したときは、時効によって消滅する。

2　保険料等の納入の告知又は督促は、時効の更新の効力を有する。

（期間の計算）

第百九十四条　この法律又はこの法律に基づく命令に規定する期間の計算については、民法（明治二十九年法律第八十九号）の期間に関する規定を準用する。

（被保険者等記号・番号等の利用制限等）

第百九十四条の二　厚生労働大臣、保険者、保険医療機関等、指定訪問看護事業者その他の健康保険事業又は当該事業に関連する事務の遂行のため保険者番号及び被保険者等記号・番号（以下この条において「被保険者等記号・番号等」という。）を利用する者として厚生労働省令で定める者（以下この条において「厚生労働大臣等」という。）は、当該事業又は事務の遂行のため必要がある場合を除き、何人に対しても、その者又はその者以外の者に係る被保険者等記号・番号等を告知することを求めてはならない。

2　厚生労働大臣等以外の者は、健康保険事業又は当該事業に関連する事務の遂行のため被保険者等記号・番号等の利用が特に必要な場合として厚生労働省令で定める場合を除き、何人に対しても、その者又はその者以外の者に係る被保険者等記号・番号等を告知することを求めてはならない。

3　何人も、次に掲げる場合を除き、その者が業として行う行為に関し、その者に対し売買、貸借、雇用その他の契約（以下この項において「契約」という。）の申込みをしようとする者若しくは申込みをする者又はその者と契約の締結をした者に対し、当該者又は当該者以外の者に係る被保険者等記号・番号等を告知することを求めてはならない。

一　厚生労働大臣等が、第一項に規定する場合に、被保険者等記号・番号等を告知することを求めるとき。

二　厚生労働大臣等以外の者が、前項に規定する厚生労働省令で定める場合に、被保険者等記号・番号等を告知することを求めるとき。

4　何人も、次に掲げる場合を除き、業として、被保険者等記号・番号等の記録されたデータベース（その者以外の者に係る被保険者等記号・番号等を含む情報の集合物であって、それらの情報を電子計算機を用いて検索することができるように体系的に構成したものをいう。）であって、当該データベースに記録された情報が他に提供されることが予定されているもの（以下この項において「提供データベース」という。）を構成してはならない。

一　厚生労働大臣等が、第一項に規定する場合に、提供データベースを構成するとき。

二　厚生労働大臣等以外の者が、第二項に規定する厚生労働省令で定める場合に、提供データベースを構成するとき。

5　厚生労働大臣は、前二項の規定に違反する行為が行われた場合において、当該行為をした者が更に反復してこれらの規定に違反する行為をするおそれがあると認めるときは、当該行為をした者に対し、当該行為を中止することを勧告し、又は当該行為が中止されることを確保するために必要な措置を講ずることを勧告することができる。

6　厚生労働大臣は、前項の規定による勧告を受けた者がその勧告に従わないときは、その者に対し、期限を定めて、当該勧告に従うべきことを命ずることができる。

（報告及び検査）

第百九十四条の三　厚生労働大臣は、前条第五項及び第六項の規定による措置に関し必要があると認めるときは、その必要と認められる範囲内において、同条第三項若しくは第四項の規定に違反していると認めるに足りる相当の理由がある者に対し、必要な事項に関し報告を求め、又は当該職員に当該者の事務所若しくは事業所に立ち入って質問させ、若しくは帳簿書類その他の物件を検査させることができる。

2　第七条の三十八第二項の規定は前項の規定による質問又は検査について、同条第三項の規定は前項の規定による権限について、それぞれ準用する。

（印紙税の非課税）

第百九十五条　健康保険に関する書類には、印紙税を課さない。

（戸籍事項の無料証明）

第百九十六条　市町村長（特別区の区長を含むものとし、地方自治法第二百五十二条の十九第一項の指定都市にあっては、区長又は総合区長とする。第二百三条において同じ。）は、保険者又は保険給付を受けるべき者に対して、当該市町村（特別区を含む。）の条例で定めるところにより、被保険者又は被保険者であった者の戸籍に関し、無料で証明を行うことができる。

2　前項の規定は、被扶養者に係る保険給付を行う場合において は、被扶養者又は被扶養者であった者の戸籍について準用する。

（報告等）

第百九十七条　保険者（厚生労働大臣が行う第五条第二項及び第百二十三条第二項に規定する業務に関しては、厚生労働大臣。次項において同じ。）は、厚生労働省令で定めるところにより、被保険者を使用する事業主に、第四十八条に規定する事項以外の事項に関し報告をさせ、又は文書を提示させ、その他この法律の施行に必要な事務を行わせることができる。

2　保険者は、厚生労働省令で定めるところにより、被保険者（日雇特例被保険者であった者を含む。）又は保険給付を受けるべき者に、保険者又は事業主に対して、この法律の施行に必要な申出若しくは届出をさせ、又は文書を提出させることができる。

（立入検査等）

第百九十八条　厚生労働大臣は、被保険者の資格、標準報酬、保険料又は保険給付に関して必要があると認めるときは、事業主に対し、文書その他の物件の提出若しくは提示を命じ、又は当該職員をして事業所に立ち入って関係者に質問し、若しくは帳簿書類その他の物件を検査させることができる。

2　第七条の三十八第二項の規定は前項の規定による質問又は検査について、同条第三項の規定は前項の規定による権限について準用する。

（資料の提供）

第百九十九条　厚生労働大臣は、被保険者の資格、標準報酬又は保険料に関し必要があると認めるときは、官公署に対し、法人の事業所の名称、所在地その他必要な資料の提供を求めることができる。

２　厚生労働大臣は、第六十三条第三項第一号又は第八十八条第一項の指定に関し必要があると認めるときは、当該指定に係る開設者若しくは管理者又は申請者の社会保険料の納付状況につき、当該社会保険料を徴収する者に対し、必要な書類の閲覧又は資料の提供を求めることができる。

（**厚生労働大臣と協会の連携**）

第百九十九条の二　厚生労働大臣及び協会は、この法律に基づく協会が管掌する健康保険の事業が、適正かつ円滑に行われるよう、必要な情報交換を行う等、相互の緊密な連携の確保に努めるものとする。

（**共済組合に関する特例**）

第二百条　国に使用される被保険者、地方公共団体の事務所に使用される被保険者又は法人に使用される被保険者であって共済組合の組合員であるものに対しては、この法律による保険給付は、行わない。

２　共済組合の給付の種類及び程度は、この法律の給付の種類及び程度以上であることを要する。

第二百一条　厚生労働大臣は、共済組合について、必要があると認めるときは、その事業及び財産に関する報告を徴し、又はその運営に関する指示をすることができる。

第二百二条　第二百条第一項の規定により保険給付を受けない者に関しては、保険料を徴収しない。

（**市町村が処理する事務等**）

第二百三条　日雇特例被保険者の保険の保険者の事務のうち厚生労働大臣が行うものの一部は、政令で定めるところにより、市町村長が行うこととすることができる。

２　協会は、市町村（特別区を含む。）に対し、政令で定めるところにより、日雇特例被保険者の保険の保険者の事務のうち協会が行うものの一部を委託することができる。

（**機構への厚生労働大臣の権限に係る事務の委任**）

第二百四条　次に掲げる厚生労働大臣の権限に係る事務（第百八十一条の三第一項の規定により協会が行うこととされたもの、前条第一項の規定により市町村長が行うこととされたもの及び第二百四条の七第一項に規定するものを除く。）は、日本年金機構（以下「機構」という。）に行わせるものとする。ただし、第十八号から第二十号までに掲げる権限は、厚生労働大臣が自ら行うことを妨げない。

一　第三条第一項第八号の規定による承認

二　第三条第二項ただし書（同項第一号及び第二号に係る部分に限る。）の規定による承認

三　第三十一条第一項及び第三十三条第一項の規定による認可（健康保険組合に係る場合を除く。）、第三十四条第一項の規定による承認（健康保険組合に係る場合を除く。）並びに第三十一条第二項及び第三十三条第二項の規定による申請の受理（健康保険組合に係る場合を除く。）

四　第三十九条第一項の規定による確認

五　第四十一条第一項、第四十二条第一項、第四十三条第一項、第四十三条の二第一項及び第四十三条の三第一項の規定による標準報酬月額の決定又は改定（第四十三条の二第一項及び第四十三条の三第一項の規定による申出の受理を含み、第四十四条第一項の規定により算定する額を報酬月額として決定又は改定する場合を含む。）

六　第四十五条第一項の規定による標準賞与額の決定（同条第二項において準用する第四十四条第一項の規定により算定する額を標準賞与額として決定する場合を含む。）

七　第四十八条（第百六十八条第二項において準用する場合を含む。）の規定による届出の受理及び第五十条第一項の規定による通知

八　第四十九条第一項の規定による認可に係る通知（健康保険組合に係る場合を除く。）、同条第三項の規定による届出の受理（健康保険組合に係る場合を除く。）並びに同条第四項及び第五項の規定による公告（健康保険組合に係る場合を除く。）

九　第四十九条第一項の規定による確認又は標準報酬の決定若しくは改定に係る通知、同条第三項（第五十条第二項において準用する場合を含む。）の規定による届出の受理並びに第四十九条第四項及び第五項（第五十条第二項においてこれらの規定を準用する場合を含む。）の規定による公告

十　第五十一条第一項の規定による請求の受理及び同条第二項の規定による請求の却下

十一　第百二十六条第一項の規定による申請の受理、同条第二項の規定による交付及び同条第三項の規定による日雇特例被保険者手帳の受領

十二　第百五十九条第一項及び第百五十九条の三の規定による申出の受理

十三　第百六十六条（第百六十九条第八項において準用する場合を含む。）の規定による申出の受理及び承認

十四　第百七十一条第一項及び第三項の規定による報告の受理

十五　第百八十条第四項の規定による国税滞納処分の例による処分及び同項の規定による市町村に対する処分の請求

十六　第百八十三条の規定により国税徴収の例によるものとされる徴収に係る権限（国税通則法（昭和三十七年法律第六十六号）第三十六条第一項の規定の例による納入の告知、同法第四十二条において準用する民法第四百二十三条第一項の規定の例による納付義務者に属する権利の行使、国税通則法第四十六条の規定の例による納付の猶予その他の厚生労働省令で定める権限並びに次号に掲げる質問、検査及び提示又は提出の要求、物件の留置き並びに捜索を除く。）

十七　第百八十三条の規定によりその例によるものとされる国税徴収法（昭和三十四年法律第百四十七号）第百四十一条の規定による質問、検査及び提示又は提出の要求、同法第百四十二条の二の規定による物件の留置き並びに同法第百四十二条の規定による捜索

十八　第百九十七条第一項の規定による報告、文書の提示その他この法律の施行に必要な事務を行わせること並びに同条第二項の規定による申出及び届出並びに文書の提出をさせること。

十九　第百九十八条第一項の規定による命令並びに質問及び検査（健康保険組合に係る場合を除く。）

二十　第百九十九条第一項の規定による資料の提供の求め

二十一 前各号に掲げるもののほか、厚生労働省令で定める権限

2 機構は、前項第十五号に掲げる国税滞納処分の例による処分及び同項第十七号に掲げる権限（以下「滞納処分等」という。）その他同項各号に掲げる権限のうち厚生労働省令で定める権限に係る事務を効果的に行うため必要があると認めるときは、厚生労働省令で定めるところにより、厚生労働大臣に当該権限の行使に必要な情報を提供するとともに、厚生労働大臣自らその権限を行うよう求めることができる。

3 厚生労働大臣は、前項の規定による求めがあった場合において必要があると認めるとき、又は機構が天災その他の事由により第一項各号に掲げる権限に係る事務の全部若しくは一部を行うことが困難若しくは不適当となったと認めるときは、同項各号に掲げる権限の全部又は一部を自ら行うものとする。

4 厚生年金保険法第百条の四第四項から第七項までの規定は、機構による第一項各号に掲げる権限に係る事務の実施又は厚生労働大臣による同項各号に掲げる権限の行使について準用する。

（財務大臣への権限の委任）

第二百四条の二 厚生労働大臣は、前条第三項の規定により滞納処分等及び同条第一項第十六号に掲げる権限の全部又は一部を自らが行うこととした場合におけるこれらの権限並びに同号に規定する厚生労働省令で定める権限のうち厚生労働省令で定めるもの（以下この項において「滞納処分等その他の処分」という。）に係る納付義務者が滞納処分等その他の処分の執行を免れる目的でその財産について隠ぺいしているおそれがあることその他の政令で定める事情があるため保険料その他この法律の規定による徴収金（第五十八条、第七十四条第二項及び第百九条第二項（第百四十九条においてこれらの規定を準用する場合を含む。）の規定による徴収金を除く。第二百四条の六第一項において「保険料等」という。）の効果的な徴収を行う上で必要があると認めるときは、政令で定めるところにより、財務大臣に、当該納付義務者に関する情報その他必要な情報を提供するとともに、当該納付義務者に係る滞納処分等その他の処分の権限の全部又は一部を委任することができる。

2 厚生年金保険法第百条の五第二項から第七項までの規定は、前項の規定による財務大臣への権限の委任について準用する。

（機構が行う滞納処分等に係る認可等）

第二百四条の三 機構は、滞納処分等を行う場合には、あらかじめ、厚生労働大臣の認可を受けるとともに、次条第一項に規定する滞納処分等実施規程に従い、徴収職員に行わせなければならない。

2 厚生年金保険法第百条の六第二項及び第三項の規定は、前項の規定による機構が行う滞納処分等について準用する。

（滞納処分等実施規程の認可等）

第二百四条の四 機構は、滞納処分等の実施に関する規程（次項において「滞納処分等実施規程」という。）を定め、厚生労働大臣の認可を受けなければならない。これを変更しようとするときも、同様とする。

2 厚生年金保険法第百条の七第二項及び第三項の規定は、滞納処分等実施規程の認可及び変更について準用する。

（機構が行う立入検査等に係る認可等）

第二百四条の五 機構は、第二百四条第一項第十九号に掲げる権限に係る事務を行う場合には、あらかじめ、厚生労働大臣の認可を受けなければならない。

2 前項に規定する場合における第百九十八条第一項の規定の適用については、同項中「、保険料又は保険給付」とあるのは「又は保険料」と、「当該職員」とあるのは「日本年金機構の職員」とする。

（機構が行う収納）

第二百四条の六 厚生労働大臣は、会計法（昭和二十二年法律第三十五号）第七条第一項の規定にかかわらず、政令で定める場合における保険料等の収納を、政令で定めるところにより、機構に行わせることができる。

2 厚生年金保険法第百条の十一第二項から第六項までの規定は、前項の規定による機構が行う収納について準用する。この場合において、必要な技術的読替えは、政令で定める。

（協会への厚生労働大臣の権限に係る事務の委任）

第二百四条の七 第百九十八条第一項の規定による厚生労働大臣の命令並びに質問及び検査の権限（健康保険組合に係る場合を除き、保険給付に関するものに限る。）に係る事務は、協会に行わせるものとする。ただし、当該権限は、厚生労働大臣が自ら行うことを妨げない。

2 前項に定めるもののほか、協会による同項に規定する権限に係る事務の実施に関し必要な事項は、厚生労働省令で定める。

（協会が行う立入検査等に係る認可等）

第二百四条の八 協会は、前条第一項に規定する権限に係る事務を行う場合には、あらかじめ、厚生労働大臣の認可を受けなければならない。

2 前項に規定する場合における第百九十八条第一項の規定の適用については、同項中「被保険者の資格、標準報酬、保険料又は保険給付」とあるのは「保険給付」と、「当該職員」とあるのは「協会の職員」とする。

（地方厚生局長等への権限の委任）

第二百五条 この法律に規定する厚生労働大臣の権限（第二百四条の二第一項及び同条第二項において準用する厚生年金保険法第百条の五第二項に規定する厚生労働大臣の権限を除く。）は、厚生労働省令で定めるところにより、地方厚生局長に委任することができる。

2 前項の規定により地方厚生局長に委任された権限は、厚生労働省令で定めるところにより、地方厚生支局長に委任することができる。

（機構への事務の委託）

第二百五条の二 厚生労働大臣は、機構に、次に掲げる事務（第百八十一条の三第一項の規定により協会が行うこととされたもの及び第二百三条第一項の規定により市町村長が行うこととされたものを除く。）を行わせるものとする。

一 第三条第二項ただし書（同項第三号に係る部分に限る。）の規定による承認に係る事務（当該承認を除く。）

二 第四十六条第一項及び第百二十五条第二項（第百六十八条第二項において準用する場合を含む。）の規定による価額の決定に係る事務（当該決定を除く。）

三 第五十一条の二の規定による情報の提供に係る事務（当該情報の提供を除く。）

四 第百八条第六項の規定による資料の提供に係る事務（当該

資料の提供を除く。）

五　第百五十五条第一項、第百五十八条、第百五十九条、第百五十九条の三及び第百七十二条の規定による保険料の徴収に係る事務（第二百四条第一項第十二号、第十三号及び第十五号から第十七号までに掲げる権限を行使する事務並びに第二百四条の六第一項の規定により機構が行う収納、第百八十条第一項の規定による督促その他の厚生労働省令で定める権限を行使する事務並びに次号、第七号、第九号及び第十一号に掲げる事務を除く。）

六　第百六十四条第二項及び第三項（第百六十九条第八項においてこれらの規定を準用する場合を含む。）の規定による納付に係る事務（納期を繰り上げて納入の告知又は納付をしたものとみなす決定及びその旨の通知を除く。）

七　第百七十条第一項の規定による保険料額の決定及び告知に係る事務（当該保険料額の決定及び告知を除く。）並びに同条第二項の規定による追徴金の徴収に係る事務（第二百四条第一項第十五号から第十七号までに掲げる権限を行使する事務及び第二百四条の六第一項の規定により機構が行う収納、第百八十条第一項の規定による督促その他の厚生労働省令で定める権限を行使する事務並びに第九号及び第十一号に掲げる事務を除く。）

八　第百七十三条第一項の規定による拠出金の徴収に係る事務（第二百四条第一項第十五号から第十七号までに掲げる権限を行使する事務及び第二百四条の六第一項の規定により機構が行う収納、第百八十条第一項の規定による督促その他の厚生労働省令で定める権限を行使する事務並びに次号及び第十一号に掲げる事務を除く。）

九　第百八十条第一項及び第二項の規定による督促に係る事務（当該督促及び督促状を発すること（督促状の発送に係る事務を除く。）を除く。）

十　第百八十一条第一項及び第四項の規定による延滞金の徴収に係る事務（第二百四条第一項第十五号から第十七号までに掲げる権限を行使する事務及び第二百四条の六第一項の規定により機構が行う収納、第百八十条第一項の規定による督促その他の厚生労働省令で定める権限を行使する事務並びに前号及び次号に掲げる事務を除く。）

十一　第二百四条第一項第十六号に規定する厚生労働省令で定める権限に係る事務（当該権限を行使する事務を除く。）

十二　介護保険法第六十八条第五項その他の厚生労働省令で定める法律の規定による求めに応じたこの法律の実施に関し厚生労働大臣が保有する情報の提供に係る事務（当該情報の提供及び厚生労働省令で定める事務を除く。）

十三　前各号に掲げるもののほか、厚生労働省令で定める事務

２　厚生年金保険法第百条の十第二項及び第三項の規定は、前項の規定による機構への事務の委託について準用する。この場合において、必要な技術的読替えは、政令で定める。

（情報の提供等）

第二百五条の三　機構は、厚生労働大臣に対し、厚生労働省令で定めるところにより、被保険者の資格に関する事項、標準報酬に関する事項その他厚生労働大臣の権限の行使に関して必要な情報の提供を行うものとする。

２　厚生労働大臣及び機構は、この法律に基づく協会が管掌する健康保険の事業が、適正かつ円滑に行われるよう、必要な情報交換を行うことその他相互の密接な連携の確保に努めるものとする。

（基金等への事務の委託）

第二百五条の四　保険者は、第七十六条第五項（第八十五条第九項、第八十五条の二第五項、第八十六条第四項、第百十条第七項及び第百四十九条において準用する場合を含む。第一号において同じ。）及び第八十八条第十一項（第百十一条第三項及び第百四十九条において準用する場合を含む。同号において同じ。）に規定する事務のほか、次に掲げる事務を基金又は国保連合会に委託することができる。

一　第四章の規定による保険給付及び第五章第三節の規定による日雇特例被保険者に係る保険給付のうち厚生労働省令で定めるものの支給に関する事務（第七十六条第五項及び第八十八条第十一項に規定する事務を除く。）

二　第四章の規定による保険給付及び第五章第三節の規定による日雇特例被保険者に係る保険給付の支給、第六章の規定による保健事業及び福祉事業の実施、第百五十五条の規定による保険料の徴収その他の厚生労働省令で定める事務に係る被保険者若しくは被保険者であった者又はこれらの被扶養者（次号において「被保険者等」という。）に係る情報の収集又は整理に関する事務

三　第四章の規定による保険給付及び第五章第三節の規定による日雇特例被保険者に係る保険給付の支給、第六章の規定による保健事業及び福祉事業の実施、第百五十五条の規定による保険料の徴収その他の厚生労働省令で定める事務に係る被保険者等に係る情報の利用又は提供に関する事務

２　保険者は、前項の規定により同項第二号又は第三号に掲げる事務を委託する場合は、他の社会保険診療報酬支払基金法第一条に規定する保険者及び法令の規定により医療に関する給付その他の事務を行う者であって厚生労働省令で定めるものと共同して委託するものとする。

（関係者の連携及び協力）

第二百五条の五　国、協会及び健康保険組合並びに保険医療機関等その他の関係者は、電子資格確認の仕組みの導入その他手続における情報通信の技術の利用の推進により、医療保険各法等（高齢者の医療の確保に関する法律第七条第一項に規定する医療保険各法及び高齢者の医療の確保に関する法律をいう。）その他医療に関する給付を定める法令の規定により行われる事務が円滑に実施されるよう、相互に連携を図りながら協力するものとする。

（経過措置）

第二百六条　この法律に基づき命令を制定し、又は改廃する場合においては、その命令で、その制定又は改廃に伴い合理的に必要と判断される範囲内において、所要の経過措置（罰則に関する経過措置を含む。）を定めることができる。

（実施規定）

第二百七条　この法律に特別の規定があるものを除くほか、この法律の実施のための手続その他その執行について必要な細則は、厚生労働省令で定める。

第十一章　罰則

第二百七条の二　第七条の三十七第一項（同条第二項及び第二十

二条の二において準用する場合を含む。）の規定に違反して秘密を漏らした者は、一年以下の懲役又は百万円以下の罰金に処する。

第二百七条の三　次の各号のいずれかに該当する場合には、その違反行為をした者は、一年以下の懲役若しくは五十万円以下の罰金に処し、又はこれを併科する。

一　第百五十条の六の規定に違反して、匿名診療等関連情報の利用に関して知り得た匿名診療等関連情報の内容をみだりに他人に知らせ、又は不当な目的に利用したとき。

二　第百五十条の八の規定による命令に違反したとき。

第二百七条の四　第百九十四条の二第六項の規定による命令に違反したときは、その違反行為をした者は、一年以下の懲役又は五十万円以下の罰金に処する。

第二百八条　事業主が、正当な理由がなくて次の各号のいずれかに該当するときは、六月以下の懲役又は五十万円以下の罰金に処する。

一　第四十八条（第百六十八条第二項において準用する場合を含む。）の規定に違反して、届出をせず、又は虚偽の届出をしたとき。

二　第四十九条第二項（第五十条第二項において準用する場合を含む。）の規定に違反して、通知をしないとき。

三　第百六十一条第二項又は第百六十九条第七項の規定に違反して、督促状に指定する期限までに保険料を納付しないとき。

四　第百六十九条第二項の規定に違反して、保険料を納付せず、又は第百七十一条第一項の規定に違反して、帳簿を備え付けず、若しくは同項若しくは同条第二項の規定に違反して、報告せず、若しくは虚偽の報告をしたとき。

五　第百九十八条第一項の規定による文書その他の物件の提出若しくは提示をせず、又は同項の規定による当該職員（第二百四条の五第二項において読み替えて適用される第百九十八条第一項に規定する機構の職員及び第二百四条の八第二項において読み替えて適用される第百九十八条第一項に規定する協会の職員を含む。次条において同じ。）の質問に対して、答弁せず、若しくは虚偽の答弁をし、若しくは第百九十八条第一項の規定による検査を拒み、妨げ、若しくは忌避したとき。

第二百九条　事業主以外の者が、正当な理由がなくて第百九十八条第一項の規定による当該職員の質問に対して、答弁せず、若しくは虚偽の答弁をし、又は同項の規定による検査を拒み、妨げ、若しくは忌避したときは、六月以下の懲役又は三十万円以下の罰金に処する。

第二百十条　被保険者又は被保険者であった者が、第六十条第二項（第百四十九条において準用する場合を含む。）の規定により、報告を命ぜられ、正当な理由がなくてこれに従わず、又は同項の規定による当該職員の質問に対して、正当な理由がなくて答弁せず、若しくは虚偽の答弁をしたときは、三十万円以下の罰金に処する。

第二百十一条　第百二十六条第一項の規定による申請に関し虚偽の申請をした者は、六月以下の懲役又は三十万円以下の罰金に処する。

第二百十二条　第百二十六条第一項の規定に違反して、申請をせず、又は第百六十九条第四項の規定に違反して、日雇特例被保険者手帳を提出しなかった者は、三十万円以下の罰金に処する。

第二百十二条の二　第七条の三十八第一項の規定による報告をせず、若しくは虚偽の報告をし、若しくは同項の規定による当該職員の質問に対して、答弁をせず、若しくは虚偽の答弁をし、若しくは同項の規定による検査を拒み、妨げ、若しくは忌避し、又は第七条の三十九第一項の規定による命令に違反したときは、その違反行為をした協会の役員又は職員は、三十万円以下の罰金に処する。

第二百十三条　健康保険組合又は第百五十四条第一項に規定する国民健康保険の保険者である国民健康保険組合の役員、清算人又は職員が、第百七十一条第三項の規定に違反して、報告をせず、又は虚偽の報告をしたときは、五十万円以下の罰金に処する。

第二百十三条の二　次の各号のいずれかに該当する場合には、その違反行為をした者は、五十万円以下の罰金に処する。

一　第百五十条の七第一項の規定による報告若しくは帳簿書類の提出若しくは提示をせず、若しくは虚偽の報告若しくは虚偽の帳簿書類の提出若しくは提示をし、又は同項の規定による当該職員の質問に対して、答弁をせず、若しくは虚偽の答弁をし、若しくは同項の規定による検査を拒み、妨げ、若しくは忌避したとき。

二　第百八十三条の規定によりその例によるものとされる国税徴収法第百四十一条の規定による徴収職員の質問（協会又は健康保険組合の職員が行うものを除く。）に対して答弁をせず、又は偽りの陳述をしたとき。

三　第百八十三条の規定によりその例によるものとされる国税徴収法第百四十一条の規定による検査（協会又は健康保険組合の職員が行うものを除く。）を拒み、妨げ、又は忌避したとき。

四　第百八十三条の規定によりその例によるものとされる国税徴収法第百四十一条の規定による物件の提示又は提出の要求（協会又は健康保険組合の職員が行うものを除く。）に対し、正当な理由がなくこれに応じず、又は偽りの記載若しくは記録をした帳簿書類その他の物件を提示し、若しくは提出したとき。

第二百十三条の三　正当な理由がなくて第百九十四条の三第一項の規定による報告をせず、若しくは虚偽の報告をし、又は同項の規定による当該職員の質問に対して、正当な理由がなくて答弁をせず、若しくは虚偽の答弁をし、若しくは正当な理由がなくて同項の規定による検査を拒み、妨げ、若しくは忌避したときは、その違反行為をした者は、三十万円以下の罰金に処する。

第二百十三条の四　第二百七条の三の罪は、日本国外において同条の罪を犯した者にも適用する。

第二百十四条　法人（法人でない社団又は財団で代表者又は管理人の定めがあるもの（以下この条において「人格のない社団等」という。）を含む。以下この項において同じ。）の代表者（人格のない社団等の管理人を含む。）又は法人若しくは人の代理人、使用人その他の従業者が、その法人又は人の業務又は財産に関して、第二百七条の三から第二百八条まで、第二百十三条の二又は第二百十三条の三の違反行為をしたときは、行為者を罰するほか、その法人又は人に対しても、各本条の罰金刑を科する。

2　人格のない社団等について前項の規定の適用がある場合においては、その代表者又は管理人がその訴訟行為につき当該人格のない社団等を代表するほか、法人を被告人又は被疑者とする場合の刑事訴訟に関する法律の規定を準用する。

第二百十五条　医師、歯科医師、薬剤師若しくは手当を行った者又はこれを使用する者が、第六十条第一項（第百四十九条において準用する場合を含む。）の規定により、報告若しくは診療録、帳簿書類その他の物件の提示を命ぜられ、正当な理由がなくてこれに従わず、又は同項の規定による当該職員の質問に対して、正当な理由がなくて答弁せず、若しくは虚偽の答弁をしたときは、十万円以下の過料に処する。

第二百十六条　事業主が、正当な理由がなくて第百九十七条第一項の規定に違反して、報告をせず、若しくは虚偽の報告をし、文書の提示をせず、又はこの法律の施行に必要な事務を行うことを怠ったときは、十万円以下の過料に処する。

第二百十七条　被保険者又は保険給付を受けるべき者が、正当な理由がなくて第百九十七条第二項の規定に違反して、申出をせず、若しくは虚偽の申出をし、届出をせず、若しくは虚偽の届出をし、又は文書の提出を怠ったときは、十万円以下の過料に処する。

第二百十七条の二　次の各号のいずれかに該当する場合には、その違反行為をした協会の役員は、二十万円以下の過料に処する。

一　第七条の七第一項の規定による政令に違反して登記することを怠ったとき。

二　第七条の二十七、第七条の三十一第一項若しくは第二項又は第七条の三十四の規定により厚生労働大臣の認可を受けなければならない場合において、その認可を受けなかったとき。

三　第七条の二十八第二項の規定により厚生労働大臣の承認を受けなければならない場合において、その承認を受けなかったとき。

四　第七条の二十八第四項の規定に違反して財務諸表、事業報告書等若しくは監事及び会計監査人の意見を記載した書面を備え置かず、又は閲覧に供しなかったとき。

五　第七条の三十三の規定に違反して協会の業務上の余裕金を運用したとき。

六　第七条の三十五第二項又は第七条の三十六第二項の規定による届出をせず、又は虚偽の届出をしたとき。

七　第七条の三十五第二項又は第七条の三十六第二項の規定による公表をせず、又は虚偽の公表をしたとき。

八　この法律に規定する業務又は他の法律により協会が行うものとされた業務以外の業務を行ったとき。

第二百十八条　健康保険組合の設立を命ぜられた事業主が、正当な理由がなくて厚生労働大臣が指定する期日までに設立の認可を申請しなかったときは、その手続の遅延した期間、その負担すべき保険料額の二倍に相当する金額以下の過料に処する。

第二百十九条　健康保険組合又は連合会が、第十六条第三項（第百八十八条において準用する場合を含む。）の規定による届出をせず、若しくは虚偽の届出をし、第二十九条第一項若しくは第百八十八条において準用する第七条の三十八の規定による報告をせず、若しくは虚偽の報告をし、若しくは第二十九条第一項若しくは第百八十八条において準用する第七条の三十八の規定による当該職員の質問に対して、答弁せず、若しくは虚偽の答弁をし、若しくは同条の規定による検査を拒み、妨げ、若しくは忌避し、又は第二十九条第一項若しくは第百八十八条において準用する第七条の三十九第一項の規定による命令に違反したときは、その役員を二十万円以下の過料に処する。

第二百二十条　第七条の八、第十条第二項又は第百八十四条第四項の規定に違反して、全国健康保険協会という名称、健康保険組合という名称又は健康保険組合連合会という名称を用いた者は、十万円以下の過料に処する。

第二百二十一条　機構の役員は、次の各号のいずれかに該当する場合には、二十万円以下の過料に処する。

一　第二百四条の三第一項、同条第二項において準用する厚生年金保険法第百条の六第二項、第二百四条の四第一項、第二百四条の五第一項及び第二百四条の六第二項において準用する同法第百条の十一第二項の規定により厚生労働大臣の認可を受けなければならない場合において、その認可を受けなかったとき。

二　第二百四条の四第二項において準用する厚生年金保険法第百条の七第三項の規定による命令に違反したとき。

第二百二十二条　協会の役員は、第二百四条の八第一項の規定により厚生労働大臣の認可を受けなければならない場合において、その認可を受けなかったときは、二十万円以下の過料に処する。

附　則

（施行期日）

第一条　この法律は、大正十五年七月一日から施行する。ただし、保険給付及び費用の負担に関する規定は、大正十六年一月一日から施行する。

（健康保険組合の財政調整）

第二条　健康保険組合が管掌する健康保険の医療に関する給付、保健事業及び福祉事業の実施又は健康保険組合に係る前期高齢者納付金等、後期高齢者支援金等、日雇拠出金、介護納付金若しくは流行初期医療確保拠出金等の納付に要する費用の財源の不均衡を調整するため、連合会は、政令で定めるところにより、会員である健康保険組合（以下この条及び次条において「組合」という。）に対する交付金の交付の事業を行うものとする。

2　組合は、前項の事業に要する費用に充てるため、連合会に対し、政令で定めるところにより、拠出金を拠出するものとする。

3　組合は、前項の規定による拠出金の拠出に要する費用に充てるため、調整保険料を徴収する。

4　調整保険料額は、各月につき、各被保険者の標準報酬月額及び標準賞与額にそれぞれ調整保険料率を乗じて得た額とする。

5　調整保険料率は、交付金の交付に要する費用並びに組合の組合員である被保険者の数及び標準報酬を基礎として、政令で定める。

6　第七条の三十九、第二十九条第二項及び第百八十五条第三項の規定は、第一項の事業について準用する。この場合において、第七条の三十九第一項中「事業若しくは財産」とあるのは「事業」と、「定款」とあるのは「規約」と、第二十九条第二項中「前項」とあるのは「附則第二条第六項」と、「とき、又は前条第二項の規定に違反した指定健康保険組合、同条第三項の求めに応じない指定健康保険組合その他政令で定める指定健康保険組合の事業若しくは財産の状況によりその事業の継続が困難であると認めるとき」とあるのは「とき」と、第百八十五条第三項中「組合員である被保険者の共同の福祉を増進するため」とあるのは「附則第二条第一項の事業を推進するため」と読み替えるものとする。

7　第百五十八条、第百五十九条、第百五十九条の三、第百六十一条、第百六十二条、第百六十四条、第百六十五条、第百六十七条及び第百九十三条の規定は、第三項の規定による調整保険料について準用する。

8　一般保険料率と調整保険料率とを合算した率の変更が生じない一般保険料率の変更の決定は、第百六十条第十三項において準用する同条第八項の規定にかかわらず、同項の認可を受けることを要しない。

9　前項の規定による決定をしたときは、当該変更後の一般保険料率を厚生労働大臣に届け出なければならない。

（国庫負担）

第二条の二　国は、政令で定めるところにより、連合会に対し、政令で定める組合に対する前条第一項の交付金の交付に要する費用について、予算の範囲内で、その一部を負担する。

（特定健康保険組合）

第三条　厚生労働省令で定める要件に該当するものとして厚生労働大臣の認可を受けた健康保険組合（以下この条において「特定健康保険組合」という。）の組合員である被保険者であった者であって、改正法第十三条の規定による改正前の国民健康保険法第八条の二第一項に規定する退職被保険者であるべきもののうち当該特定健康保険組合の規約で定めるものは、当該特定健康保険組合に申し出て、当該特定健康保険組合の被保険者（以下この条において「特例退職被保険者」という。）となることができる。ただし、任意継続被保険者であるときは、この限りでない。

2　特例退職被保険者は、同時に二以上の保険者（共済組合を含む。）の被保険者となることができない。

3　特例退職被保険者は、第一項の申出が受理された日から、その資格を取得する。

4　特例退職被保険者の標準報酬月額については、第四十一条から第四十四条までの規定にかかわらず、当該特定健康保険組合が管掌する前年（一月から三月までの標準報酬月額については、前々年）の九月三十日における特例退職被保険者以外の全被保険者の同月の標準報酬月額を平均した額の範囲内においてその規約で定めた額を標準報酬月額の基礎となる報酬月額とみなしたときの標準報酬月額とする。

5　第百四条の規定にかかわらず、特例退職被保険者には、傷病手当金は、支給しない。

6　特例退職被保険者は、この法律の規定（第三十八条第二号、第四号及び第五号を除く。）の適用については、任意継続被保険者とみなす。この場合において、同条第一号中「任意継続被保険者となった日から起算して二年を経過したとき」とあるのは「改正法第十三条の規定による改正前の国民健康保険法第八条の二第一項に規定する退職被保険者であるべき者に該当しなくなったとき」と、同条第三号中「保険者」とあるのは「附則第三条第一項に規定する特定健康保険組合」と、同条第七号中「保険者に」とあるのは「附則第三条第一項に規定する特定健康保険組合に」とする。

7　特例退職被保険者に対する保険給付の特例その他特例退職被保険者に関して必要な事項は、政令で定める。

（地域型健康保険組合）

第三条の二　第二十三条第三項の合併により設立された健康保険組合又は合併後存続する健康保険組合のうち次の要件のいずれにも該当する合併に係るもの（以下この条において「地域型健康保険組合」という。）は、当該合併が行われた日の属する年度及びこれに続く五箇年度に限り、第百六十条第十三項において準用する同条第一項に規定する範囲内において、不均一の一般保険料率を決定することができる。

一　合併前の健康保険組合の設立事業所がいずれも同一都道府県の区域にあること。

二　当該合併が第二十八条第一項に規定する指定健康保険組合、被保険者の数が第十一条第一項又は第二項の政令で定める数に満たなくなった健康保険組合その他事業運営基盤の安定が必要と認められる健康保険組合として厚生労働省令で定めるものを含むこと。

2　前項の一般保険料率の決定は、厚生労働大臣の認可を受けなければならない。

3　地域型健康保険組合の一般保険料率の認可の手続その他地域型健康保険組合に関して必要な事項は、政令で定める。

（協会が管掌する健康保険の被保険者に係る給付の事業）

第四条　被保険者を使用する事業主（健康保険組合が組織されている事業所の事業主を除く。）及び当該被保険者で組織する法人その他の政令で定めるもの（次項において「法人等」という。）であって、政令で定める要件に該当するものとして厚生労働大臣の承認を受けたもの（以下この条において「承認法人等」という。）は、当該被保険者の療養に関して保険給付があった場合において、第七十四条第一項の規定により当該被保険者が支払った一部負担金に相当する額の範囲内において、当該被保険者に対し、給付をすることができる。

2　前項の法人等が承認を受けようとするときは、あらかじめ、協会の同意を得なければならない。

3　承認法人等は、第一項の給付に要する費用に充てるため、厚生労働省令で定めるところにより、事業主又は被保険者から費用を徴収することができる。

4　承認法人等の事業に関して必要な事項は、厚生労働省令で定める。

（病床転換支援金の経過措置）

第四条の二　高齢者の医療の確保に関する法律附則第二条に規定する政令で定める日までの間、第七条の二第三項中「並びに同法」とあるのは「、同法」と、「、介護保険法」とあるのは「並びに同法附則第七条第一項に規定する病床転換支援金等（以下「病床転換支援金等」という。）、介護保険法」と、第百五十一条中「及び第百七十三条」とあるのは「、病床転換支援金等及び第百七十三条」と、附則第五条の規定により読み替えられた第百五十四条第二項中「及び高齢者の医療の確保に関する法律の規定による後期高齢者支援金」とあるのは「、高齢者の医療の確保に関する法律の規定による後期高齢者支援金及び同法附則第七条第一項に規定する病床転換支援金」と、第百五十五条第一項及び第百六十条第三項第二号中「及び後期高齢者支援金等」とあるのは「、後期高齢者支援金等及び病床転換支援金等」と、同条第十四項中「及び後期高齢者支援金等」とあるのは「、後期高齢者支援金等の額及び病床転換支援金等」と、第百七十三条第一項及び第百七十六条中「及び後期高齢者支援金等」とあるのは「、後期高齢者支援金等及び病床転換支援金等」と、附則第二条第一項中「後期高齢者支援金等」とあるのは「後期高齢者支援金等、病床転換支援金等」とする。

（令和六年度及び令和七年度の概算出産育児交付金及び確定出産育児交付金の額の算定の特例）

第四条の三　令和六年度及び令和七年度においては、第百五十二条の四及び第百五十二条の五中「に同年度」とあるのは、「の二分の一に相当する額に同年度」とする。

（国庫補助の経過措置）

第五条　当分の間、第百五十三条中「千分の百三十から千分の二百までの範囲内において政令で定める割合」とあり、第百五十四条第一項中「前条に規定する政令で定める割合」とあり、同条第二項中「同条に規定する政令で定める割合」とあり、及び次条中「第百五十三条に規定する政令で定める割合」とあるのは、「千分の百六十四」とする。

（国庫補助の特例）

第五条の二　高齢者の医療の確保に関する法律附則第二条に規定する政令で定める日までの間、国庫は、第百五十一条、第百五十三条及び第百五十四条に規定する費用のほか、協会が拠出すべき同法附則第七条第一項に規定する病床転換支援金（日雇特例被保険者に係るものを除く。）の納付に要する費用の額に第百五十三条に規定する政令で定める割合を乗じて得た額を補助する。

第五条の三　令和二年度以降の一の事業年度においては、第百五十三条及び第百五十四条並びに附則第四条の二及び第五条並びに前条の規定にかかわらず、国庫は、附則第五条の規定により読み替えて適用される第百五十三条及び第百五十四条第一項、附則第四条の二の規定により読み替えて適用される附則第五条の規定により読み替えられた第百五十四条第二項並びに附則第五条の規定により読み替えて適用される前条の規定により算定される額から、第一号に掲げる額（第三号に掲げる額がある場合には、第一号に掲げる額から第三号に掲げる額を控除して得た額）から第二号に掲げる額を控除して得た額（当該額が零を下回る場合には、零とする。）に千分の百六十四を乗じて得た額を控除して得た額を補助する。

一　平成二十七年度から当該一の事業年度の前事業年度までの間において毎年度継続して協会の一般保険料率を千分の百とし、かつ、持続可能な医療保険制度を構築するための国民健康保険法等の一部を改正する法律（平成二十七年法律第三十一号。次号ロにおいて「国保法等一部改正法」という。）第六条の規定による改正前の附則第五条の四から第五条の六までの規定を適用しないとしたならば積み立てられることとなる当該一の事業年度の前事業年度末における協会の準備金の額

二　次に掲げる額のうちいずれか高い額

イ　平成二十六年度末における協会の準備金の額及び平成二十六年度において独立行政法人年金・健康保険福祉施設整理機構法の一部を改正する法律（平成二十三年法律第七十三号）附則第五条の規定によりなお従前の例によることとされた同法による改正前の独立行政法人年金・健康保険福祉施設整理機構法（平成十七年法律第七十一号）第十五条第一項の規定により年金特別会計の健康勘定に納付された額を原資として平成二十七年度中に協会に対して交付された額の合算額

ロ　平成二十七年度から当該一の事業年度の前々事業年度までの間において毎年度継続して協会の一般保険料率を千分の百とし、かつ、国保法等一部改正法第六条の規定による改正前の附則第五条の四から第五条の六までの規定を適用しないとしたならば積み立てられることとなる平成二十七年度から当該一の事業年度の前々事業年度までの間の各事業年度の事業年度末における協会の準備金の額（平成二十七年度から当該各事業年度までの間において独立行政法人通則法（平成十一年法律第百三号）第四十六条の二第一項から第三項まで及び独立行政法人地域医療機能推進機構法（平成十七年法律第七十一号）第十六条第二項の規定により年金特別会計の健康勘定に納付された額（次号において「納付額」という。）を原資として、協会に対して交付された額がある場合には、当該各事業年度の事業年度末における協会の準備金の額から、平成二十七年度から当該各事業年度までの間における当該交付された額の累計額を控除して得た額）のうち最も高い額

三　平成二十七年度から当該一の事業年度の前事業年度までの間における納付額を原資として、協会に対して交付された額の累計額

（検討）

第五条の四　政府は、協会が作成する第百六十条第五項に規定する健康保険事業の収支の見通しを踏まえ、その財政の均衡を保つために協会の一般保険料率を引き上げる必要があると見込まれる場合において、協会以外の保険者の一般保険料率の動向、国の財政状況その他の社会経済情勢の変化等を勘案し、第百五十三条及び第百五十四条並びに附則第五条の規定について検討を加え、必要があると認めるときは、その結果に基づいて所要の措置を講ずるものとする。

（日本私立学校振興・共済事業団等の適用）

第六条　この法律の適用については、日本私立学校振興・共済事業団は共済組合と、私立学校教職員共済法の規定による私立学校教職員共済制度の加入者は共済組合の組合員とみなす。

（特定被保険者）

第七条　健康保険組合は、第百五十六条第一項第二号及び第百五十七条第二項の規定にかかわらず、規約で定めるところにより、介護保険第二号被保険者である被保険者以外の被保険者（介護保険第二号被保険者である被扶養者があるものに限る。以下この条及び次条において「特定被保険者」という。）に関する保険料額を一般保険料額と介護保険料額との合算額とすることができる。

2　前項の規定によりその保険料額を一般保険料額と介護保険料額との合算額とされた特定被保険者に対する第百五十六条第三項の規定の適用については、同項中「前二項」とあるのは、「附則第七条第一項及び第三項」とする。

3　第百五十六条第二項の規定は、介護保険第二号被保険者である被扶養者（第一項の規定によりその保険料額を一般保険料額と介護保険料額との合算額とされた特定被保険者の被扶養者に限る。）が介護保険第二号被保険者に該当しなくなった場合について準用する。

4　第一項の規定により特定被保険者に関する保険料額を一般保険料額と介護保険料額との合算額とした健康保険組合の介護保険料率の算定の特例に関して必要な事項は、政令で定める。

（承認健康保険組合）

第八条　政令で定める要件に該当するものとして厚生労働大臣の承認を受けた健康保険組合（以下この条において「承認健康保険組合」という。）は、第百五十六条第一項第一号、第百五十七条第二項、第百六十条第十六項及び前条第一項の規定にかかわらず、介護保険第二号被保険者である被保険者（同項の規定によりその保険料額を一般保険料額と介護保険料額との合算額とされた特定被保険者を含む。第四項において同じ。）に関する保険料額を一般保険料額と特別介護保険料額との合算額とすることができる。

2　前項の特別介護保険料額の算定方法は、政令で定める基準に従い、各年度における当該承認健康保険組合の特別介護保険料額の総額と当該承認健康保険組合が納付すべき介護納付金の額とが等しくなるように規約で定めるものとする。

3　前項の政令は、介護保険法第百二十九条第二項に規定する政令で定める基準を勘案して定める。

4　承認健康保険組合の介護保険第二号被保険者である被保険者に対する第百六十二条の規定の適用については、同条中「介護保険料額」とあるのは、「特別介護保険料額」とする。

（平成二十二年度等における子ども手当の支給に関する法律により適用される旧児童手当法の特例）

第八条の二　平成二十二年度等における子ども手当の支給に関する法律（平成二十二年法律第十九号）第二十条第一項の規定により適用される児童手当法の一部を改正する法律（平成二十四年法律第二十四号）附則第十一条の規定によりなおその効力を有するものとされた同法第一条の規定による改正前の児童手当法（昭和四十六年法律第七十三号。以下「旧児童手当法」という。）第二十条の拠出金に関しては、第百五十九条の二の規定を準用する。この場合において、同条中「子ども・子育て支援法（平成二十四年法律第六十五号）第六十九条」とあるのは「平成二十二年度等における子ども手当の支給に関する法律（平成二十二年法律第十九号）第二十条第一項の規定により適用される児童手当法の一部を改正する法律（平成二十四年法律第二十四号）附則第十一条の規定によりなおその効力を有するものとされた同法第一条の規定による改正前の児童手当法（昭和四十六年法律第七十三号）第二十条」と、「子ども・子育て拠出金」とあるのは「子ども手当拠出金」と読み替えるものとする。

（平成二十三年度における子ども手当の支給等に関する特別措置法により適用される旧児童手当法の特例）

第八条の三　平成二十三年度における子ども手当の支給等に関する特別措置法（平成二十三年法律第百七号）第二十条第一項、第三項及び第五項の規定により適用される児童手当法の一部を改正する法律附則第十二条の規定によりなおその効力を有するものとされた旧児童手当法第二十条の拠出金に関しては、第百五十九条の二の規定を準用する。この場合において、同条中「及び子ども・子育て支援法（平成二十四年法律第六十五号）第六十九条」とあるのは「並びに平成二十三年度における子ども手当の支給等に関する特別措置法（平成二十三年法律第百七号）第二十条第一項、第三項及び第五項の規定により適用される児童手当法の一部を改正する法律（平成二十四年法律第二十四号）附則第十二条の規定によりなおその効力を有するものとされた同法第一条の規定による改正前の児童手当法（昭和四十六年法律第七十三号）第二十条」と、「子ども・子育て拠出金」とあるのは「子ども手当拠出金」と読み替えるものとする。

（都道府県単位保険料率の算定の特例等）

第八条の四　平成二十二年度から平成二十四年度までの間は、第百六十条第三項第三号中「並びに健康保険事業の事務の執行に要する費用及び次条の規定による準備金の積立ての予定額（第百五十一条の規定による国庫負担金の額を除く。）」とあるのは「、健康保険事業の事務の執行に要する費用及び次条の規定による準備金の積立ての予定額（第百五十一条の規定による国庫負担金の額を除く。）並びに第七条の三十一の規定による短期借入金の償還に要する費用の額に充てるものとして政令で定める額」と、同条第五項中「二年ごとに、翌事業年度以降の五年間」とあるのは「平成二十二年度から平成二十四年度までの間、毎事業年度の開始前に（平成二十二年度にあっては、当該年度開始後速やかに）、当該事業年度から平成二十四年度までの間（当該事業年度が平成二十四年度の場合にあっては、当該事業年度）」とする。

第八条の五　平成二十五年度及び平成二十六年度においては、第百六十条第三項第三号中「並びに健康保険事業」とあるのは「、健康保険事業」と、「及び次条の規定による準備金の積立ての予定額（第百五十一条の規定による国庫負担金の額を除く。）」とあるのは「（第百五十一条の規定による国庫負担金の額を除く。）並びに第七条の三十一の規定による短期借入金の償還に要する費用の額に充てるものとして政令で定める額」と、同条第五項中「二年ごとに、翌事業年度以降の五年間」とあるのは「平成二十五年度にあっては当該年度開始後速やかに、同年度及び平成二十六年度の各事業年度についての、平成二十六年度にあっては当該年度開始前に、当該事業年度」とする。

2　協会については、平成二十五年度及び平成二十六年度においては、第百六十条の二の規定は適用しない。

（延滞金の割合の特例）

第九条　第百八十一条第一項に規定する延滞金の年十四・六パーセントの割合及び年七・三パーセントの割合は、当分の間、同項の規定にかかわらず、各年の延滞税特例基準割合（租税特別措置法（昭和三十二年法律第二十六号）第九十四条第一項に規定する延滞税特例基準割合をいう。以下この条において同じ。）が年七・三パーセントの割合に満たない場合には、その年中においては、年十四・六パーセントの割合にあっては当該延滞税特例基準割合に年七・三パーセントの割合を加算した割合とし、年七・三パーセントの割合にあっては当該延滞税特例基準割合に年一パーセントの割合を加算した割合（当該加算した割合が年七・三パーセントの割合を超える場合には、年七・

三パーセントの割合」とする。

（郵政会社等に関する経過措置）

第十条　国家公務員共済組合法附則第二十条の二第二項に規定する郵政会社等が保険医療機関、保険薬局又は指定訪問看護事業者の指定の申請を行う場合におけるこの法律の適用については、次の表の上欄に掲げる規定中同表の中欄に掲げる字句は、それぞれ同表の下欄に掲げる字句とする。

第六十五条第三項第五号	高齢者の医療の確保に関する法律	高齢者の医療の確保に関する法律、国家公務員共済組合法（昭和三十三年法律第百二十八号）
第七十条第二項	国家公務員共済組合法（昭和三十三年法律第百二十八号。	国家公務員共済組合法（

（機構への厚生労働大臣の権限に係る事務の委任等）

第十一条　改正法附則第二十五条その他この法律の改正に伴う経過措置を定める規定であって厚生労働省令で定めるものによる厚生労働大臣の権限については、日本年金機構法（平成十九年法律第百九号）附則第二十三条の規定による改正後の健康保険法（次項において「新健康保険法」という。）第二百四条から第二百五条の三までの規定の例により、当該権限に係る事務を機構に行わせるものとする。

2　前項の場合において、新健康保険法第二百四条から第二百五条の三までの規定の適用についての技術的読替えその他これらの規定の適用に関し必要な事項は、厚生労働省令で定める。

附　則（昭五九・八・一四法七七）（抄）

最終改正　平一八・六・二一法八三

（施行期日）

第一条　この法律は、公布の日から起算して三月を超えない範囲内において政令で定める日〔昭五九・一〇・一〕から施行する。ただし、第一条中健康保険法第三条第一項の改正規定（同項の表に係る部分に限る。）〔中略〕は昭和五十九年十月一日から、第一条中健康保険法附則に二条を加える改正規定〔中略〕は昭和六十年四月一日から、〔中略〕第一条中健康保険法第十三条第二号の改正規定及び附則第三条の規定は昭和六十一年四月一日から、第一条中健康保険法第四十三条ノ十四第一項の改正規定及び第四十四条ノ二の前に一条を加える改正規定（同法第四十四条第十一項に係る部分に限る。）〔中略〕は公布の日から施行する。

第三条　新健保法第十三条第二号に掲げる事業所に使用される者であって、常時五人以上の従業員を使用する事業所以外の事業所に使用されるものについては、同条（同法第十四条、第十六条から第十八条まで、第二十条第一項、第二十一条、第三十一条、第五十五条第二項（第五十五条ノ二第二項、第五十七条第二項及び第五十九条ノ二第七項において準用する場合を含む。）及び第六十九条の七において準用する場合を含む。）の規定は、昭和六十四年三月三十一日までの間は、政令で定めるところにより、段階的に適用するものとする。

第四条及び第五条　削除

附　則（平六・六・二九法五六）（抄）

最終改正　平九・六・二〇法九四

（施行期日）

第一条　この法律は、平成六年十月一日から施行する。ただし、次の各号に掲げる規定は、当該各号に定める日から施行する。

一　第一条中健康保険法第二十三条の改正規定、同法第二十三条ノ二の改正規定、同法第三十七条ノ二の改正規定、同法第七十一条ノ三の改正規定、同法第七十一条ノ四の改正規定及び同法第七十六条の改正規定（同法附則第三条、第五条、第八条及び第九条第六項の改正規定を含む。）〔後略〕　平成七年四月一日

二　第一条中健康保険法第四章の二の改正規定（「二十八日」を「二十六日」に改める部分に限る。）　公布の日から起算して三月を超えない範囲内において政令で定める日

（健康保険法の一部改正に伴う経過措置）

第四条　厚生大臣の定める病院又は診療所（新健保法第四十四条第一項第一号に規定する特定承認保険医療機関を除く。）において、新健保法第四十三条第一項第五号に掲げる療養の給付を受ける被保険者又は被保険者であった者（老人保健法の規定による医療を受けることができる者を除き、厚生大臣の定める状態にある者に限る。）が、当該病院又は診療所の従業者以外の者が提供する看護（以下この項において「付添看護」という。）を受けたときは、平成八年三月三十一日（付添看護の状況その他の事情を勘案し、厚生省令で定める要件に該当する病院又は診療所として都道府県知事の承認を受けたものにおける付添看護については、その日後厚生省令で定める日）までの間、当該付添看護を新健保法第四十四条ノ二又は新健保法第六十九条の十四第一項（新健保法第六十九条の二十六第五項において準用する場合を含む。）に規定する療養の給付等とみなしてこれらの規定を適用する。

2　前項の規定は、健康保険法の規定による家族療養費の支給及び被扶養者の療養について準用する。

3　新健保法第四十三条ノ十七第二項（新健保法第六十九条の三十一において準用する場合を含む。以下この項において同じ。）に規定する標準負担額は、新健保法第四十三条ノ十七第二項の規定にかかわらず、平成八年九月三十日までの間、六百円（同項の厚生省令で定める者については、厚生大臣が別に定める額）とする。

第六条　この法律の施行の際現に老人保健法第四十六条の五の二第一項に規定する指定老人訪問看護事業者であるものについては、新健保法の施行日に、新健保法第四十四条ノ四第一項の指定訪問看護事業者の指定があったものとみなす。ただし、その指定老人訪問看護事業を行う者が施行日の前日までに、厚生省令の定めるところにより別段の申出をしたときは、この限りでない。

（入院時食事療養費及び訪問看護療養費の支給等に関する規定の施行前の準備）

第九条　厚生大臣は、新健保法第四十三条ノ十七第二項の標準負担額、新健保法第四十四条ノ八第一項の厚生省令及び同条第二項に規定する指定訪問看護の事業の運営に関する基準（指定訪問看護の取扱いに関する部分を除く。）、その他新健保法に基づく制度の実施の大綱に関するものを定めようとするときは、施

行日前においても新健保法第一条ノ二に規定する政令で定める審議会に諮問することができる。

2　厚生大臣は、新健保法第四十三条ノ十七第二項の基準、同条第九項において準用する新健保法第四十三条ノ四第一項及び第四十三条ノ六第一項の厚生省令、新健保法第四十四条ノ四第四項に規定する定め並びに新健保法第四十四条ノ八第二項に規定する指定訪問看護の事業の運営に関する基準（指定訪問看護の取扱いに関する部分に限る。）を定めようとするときは、施行日前においても中央社会保険医療協議会に諮問することができる。

附　則（平八・六・一四法八二）（抄）

最終改正　平二四・一一・二六法九六

（施行期日）

第一条　この法律は、平成九年四月一日から施行する。ただし、附則第三十七条（中略）の規定は、同年一月一日から施行する。

（健康保険組合の設立）

第三十七条　旧適用法人（改正前国共済法第百十一条の六第一項に規定する指定法人を含む。次項において同じ。）の事業主は、改正前国共済法第二条第一項第七号イ、ロ又はハに掲げる区分ごとに、施行日において健康保険組合を設立するものとする。

2　前項の場合において、旧適用法人の事業主は、施行日の前日までに、健康保険組合の規約その他政令で定める事項につき、厚生大臣の認可を受けるものとする。

3　前項に規定するもののほか、第一項の規定による健康保険組合の設立に必要な事項は、政令で定める。

（旧適用法人共済組合の短期給付等に係る権利及び義務の承継に関する経過措置）

第三十八条　この法律の施行の際旧適用法人共済組合が有している改正前国共済法による短期給付（老人保健法（昭和五十七年法律第八十号）第五十三条第一項に規定する拠出金及び国民健康保険法（昭和三十三年法律第百九十二号）第八十一条の二第一項に規定する拠出金の納付に関する業務を含む。）の事業並びに改正前国共済法第九十八条第一号及び第二号に掲げる事業（これらの事業に附帯する事業を含む。）に係る一切の権利及び義務は、前条第一項の規定により設立された健康保険組合（以下「新設健保組合」という。）が承継する。

2　前項の規定により新設健保組合が旧適用法人共済組合の権利を承継する場合における当該承継に係る不動産の取得に対しては、不動産取得税又は土地の取得に対して課する特別土地保有税を課することができない。

3　新設健保組合が第一項の規定により旧適用法人共済組合から権利を承継し、かつ、引き続き保有する土地のうち、地方税法（昭和二十五年法律第二百二十六号）第五百九十九条第一項の規定により申告納付すべき日の属する年の一月一日において旧適用法人共済組合が当該土地の取得をした日以後十年を経過したものに対しては、土地に対して課する特別土地保有税を課することができない。

（旧適用法人共済組合の任意継続組合員に関する経過措置）

第四十条　施行日前に退職し、改正前国共済法第百二十六条の五第一項の規定による申出を旧適用法人共済組合にすることができた者であって、施行日前に当該申出をしていないものが、その退職の日から起算して二十日を経過する日（正当な理由があると新設健保組合が認めた場合には、その認めた日）までの間に当該申出を新設健保組合に行ったときは、その者は退職の日の翌日から施行日の前日までの間は任意継続組合員であった者とする。

2　施行日の前日において旧適用法人共済組合の任意継続組合員であった者（前項の規定により任意継続組合員であった者とされた者を含み、同日において改正前国共済法第百二十六条の五第五項第一号から第三号まで又は第五号のいずれかに該当した者を除く。）は、施行日において新設健保組合の健康保険法（大正十一年法律第七十号）第二十条の規定による被保険者とする。この場合において、その者の当該任意継続組合員であった期間は、同条の規定による被保険者であった期間とみなす。

3　施行日の前日において旧適用法人共済組合の組合員（継続長期組合員及び任意継続組合員を除く。次条において同じ。）であった者であって、同日に退職し、かつ、同日に改正前国共済法第百二十六条の五第一項の規定による申出を旧適用法人共済組合に行ったものは、施行日において新設健保組合の健康保険法第二十条の規定による被保険者になるものとする。

（健康保険法第二十条又は第五十五条第二項の規定の適用に関する特例）

第四十一条　施行日の前日において旧適用法人共済組合の組合員であった者であって、施行日において新設健保組合の被保険者となったものに対する健康保険法第二十条の規定の適用については、同条中「共済組合」とあるのは、「共済組合（厚生年金保険法等の一部を改正する法律（平成八年法律第八十二号）附則第三条第八号ニ規定スル旧適用法人共済組合ヲ除ク）」とする。

2　施行日の前日において旧適用法人共済組合の組合員（改正前国共済法第百十九条に規定する船員組合員を除く。）であった者であって、施行日において政府又は健康保険組合（新設健保組合を除く。）の管掌する健康保険の被保険者となったものに対する健康保険法第二十条の規定の適用については、同条中「共済組合」とあるのは、「共済組合（厚生年金保険法等の一部を改正する法律（平成八年法律第八十二号）附則第三条第八号ニ規定スル旧適用法人共済組合ヲ除ク）」とする。

3　前条第二項及び第三項に規定する者については、施行日前に旧適用法人共済組合の組合員であった期間を健康保険法第十三条の規定による被保険者（同法第十三条第一項に規定する共済組合の組合員である被保険者を除く。）であった期間とみなし、同法第五十五条第二項（同法第五十五条ノ二第二項及び第五十七条第二項において準用する場合を含む。）の規定を適用する。

（旧適用法人共済組合の組合員で新設健保組合の被保険者となった者に係る給付に関する経過措置）

第四十二条　この法律の施行の際附則第四十条第二項若しくは第三項又は前条第一項に規定する者のうち改正前国共済法第六十六条第一項の規定による傷病手当金（その者が改正前国共済法第百二十一条の規定により選択した船員保険法（昭和十四年法律第七十三号）第三十条の規定による傷病手当金を含む。以下この項において同じ。）の受給権者であった者であって、同一の傷病について健康保険法第四十五条の規定による傷病手当金を受けることができるものに対する同法第四十七条の規定の適用については、当該改正前国共済法第六十六条第一項の規定による傷病手当金の支給を始めた日を当該健康保険法第四十五条の規定による傷病手当金の支給を始めた日とみなす。

2　附則第四十条第二項若しくは第三項又は前条第一項に規定する者のうち健康保険法第四十五条又は第五十五条ノ二の規定による傷病手当金の受給権者であって、当該傷病による障害について附則第十六条第三項の規定により厚生年金保険の実施者たる政府が支給するものとされた年金たる給付のうち障害を支給事由とするものの支給を受けることができるものに対する同法第五十八条第二項の規定の適用については、これらの者が引き続き新設健保組合の被保険者である間は、当該年金たる給付を厚生年金保険法による障害厚生年金とみなす。

3　前二項に定めるもののほか、附則第四十条第二項若しくは第三項又は前条第一項に規定する者に係る改正前国共済法の規定による短期給付について必要な事項は、政令で定める。

（旧適用法人共済組合の組合員の資格喪失後の給付に関する経過措置）

第四十三条　この法律の施行の際現に旧適用法人共済組合の組合員（継続長期組合員を除く。次項において同じ。）であった者若しくはその被扶養者に対し改正前国共済法第五十九条の規定により支給されている給付（改正前国共済法第百二十条の規定により船員保険法の規定の例によるものとされた給付を含む。）及び改正前国共済法第六十六条第三項又は第六十七条第四項の規定により支給されている給付（改正前国共済法第百二十一条の規定による選択に係る給付を含む。）については、なお従前の例によるものとし、新設健保組合が当該給付を支給する。

2　施行日前に旧適用法人共済組合の組合員の資格を喪失し、かつ、施行日以後に出産し、又は死亡した場合において、改正前国共済法第六十一条第二項、第六十四条又は第六十七条第二項及び第三項の規定が適用されるものとしたならば、これらの規定により支給される給付（改正前国共済法第百二十一条の規定による選択に係る給付を含む。）を受けることができるときは、これらの給付は、改正前国共済法の規定の例によるものとし、新設健保組合が当該給付を支給する。

（保険料算定の特例）

第四十四条　附則第四十条第二項若しくは第三項又は第四十一条第一項に規定する者が平成九年四月中に新設健保組合の被保険者の資格を喪失した場合においては、当月分の健康保険法第七十一条に規定する保険料は、これを算定しない。

（審査請求に関する経過措置）

第四十五条　旧適用法人共済組合が改正前国共済法の規定により行った短期給付に係る組合員の資格若しくは給付に関する決定又は掛金の徴収に対する審査請求であって、施行日以後に審査請求が行われたものについては、なお従前の例による。

2　新設健保組合が改正前国共済法の規定により行った旧適用法人共済組合の短期給付に係る組合員の資格若しくは給付に関する決定又は掛金の徴収に対する審査請求については、国家公務員共済組合法第百三条から第百七条までの規定を適用する。この場合において、改正後国共済法第百六条中「組合」とあるのは、「厚生年金保険法等の一部を改正する法律（平成八年法律第八十二号）附則第三十八条第一項に規定する新設健保組合」とする。

（その他の経過措置の政令への委任）

第七十条　この附則に規定するもののほか、この法律の施行に伴い必要な経過措置は、政令で定める。

附　則（平九・五・九法四八）（抄）

（施行期日）

第一条　この法律は、平成十年一月一日から施行する。〔ただし書略〕

附　則（平九・六・一八法九二）（抄）

（施行期日）

第一条　この法律は、平成十一年四月一日から施行する。ただし、次の各号に掲げる規定は、当該各号に定める日から施行する。

一　〔略〕

二　〔前略〕附則第十二条の規定〔中略〕　平成十年四月一日

附　則（平九・六・二〇法九四）（抄）

改正　平一四・八・二法一〇二

（施行期日等）

第一条　この法律は、平成九年九月一日から施行する。〔ただし書略〕

2　〔略〕

（健康保険法の一部改正に伴う経過措置）

第二条　この法律の施行の日（以下「施行日」という。）前に行われた診療、薬剤の支給又は手当に係る健康保険法の規定による療養費、家族療養費、高額療養費又は特別療養費の額については、なお従前の例による。

第三条　平成九年八月以前の月に係る健康保険の保険料については、なお従前の保険料率による。

第四条　削除

附　則（平九・一一・二一法一〇五）（抄）

（施行期日）

1　この法律は、公布の日から施行する。〔ただし書略〕

（健康保険法の一部改正に伴う経過措置）

6　第八条の規定の施行の際現に健康保険法第四十三条ノ三第一項の指定を受けている保険医療機関又は保険薬局の当該指定の有効期間については、第八条の規定による改正後の同法第四十三条ノ三第四項の規定にかかわらず、なお従前の例による。

○介護保険法施行法（抄）

平九・一二・一七
法一二四

最終改正　平二九・六・二法五二

（健康保険法の一部改正に伴う経過措置）

第三十条　介護保険法の施行の際第五条の規定により居宅サービス（同法第七条第八項に規定する訪問看護に限る。）に係る同法第四十一条第一項本文の指定があったものとみなされた旧老健法第四十六条の五の二第一項に規定する指定老人訪問看護事業者（以下この条において「指定老人訪問看護事業者」という。）については、前条の規定による改正前の健康保険法第四十四条ノ五第二項の規定により同法第四十四条ノ四第一項の指定訪問看護事業者の指定があったものとみなされたものの地位に影響を及ぼすものではない。ただし、指定老人訪問看護事業者がこの法律の施行の日の前日までに、厚生省令で定めるところにより、別段の申出をしたときは、この限りでない。

第三十一条　この法律の施行前に旧老健法の規定により老人保健施設療養費の支給を受けていた者に対する健康保険法第百二十九条第二項第二号及び第百三十六条第一項の規定の適用については、同号中「老人訪問看護療養費の支給」とあるのは「老人訪問看護療養費の支給若しくは介護保険法施行法（平成九年法律第百二十四号）第二十四条の規定による改正前の老人保健法（第百三十六条第一項において「旧老健法」という。）の規定による老人保健施設療養費の支給」と、同法第百三十六条第一項中「死亡が療養の給付」とあるのは「死亡が療養の給付（旧老健法の規定による老人保健施設療養費の支給を含む。）」とする。

第三十二条　この法律の施行前に行われた第二十九条の規定による改正前の健康保険法附則第十一条に規定する施設療養に係る同条第一項の規定による療養費の額又は同条第二項の規定による家族療養費の額については、なお従前の例による。

附　則（抄）

この法律は、介護保険法の施行の日〔平一二・四・一〕から施行する。〔ただし書略〕

附　則（平一〇・六・一七法一〇九）（抄）

改正　平一四・八・二法一〇二

（施行期日）

第一条　この法律は、公布の日から施行する。ただし、次の各号に掲げる規定は、当該各号に定める日から施行する。

一　〔前略〕第四条及び〔中略〕次条から附則〔中略〕第二十四条まで〔中略〕の規定　公布の日から起算して三月を超えない範囲内において政令で定める日〔平一〇・八・一〕

二　〔略〕

（保険医療機関の病床の指定等に当たっての公正の確保等）

第二条　政府は、健康保険法第六十五条第四項（同法第六十六条第二項（同法第八十六条第十三項において準用する場合を含む。）及び第八十六条第十三項において準用する場合を含む。）の規定の適用に当たっては、被保険者等医療を受ける者の必要を反映して、良質かつ適切な地域医療が確保されるよう十分配慮するとともに、その理由を明らかにする等、公正の確保及び手続の透明性の確保に努めるものとする。

（健康保険法の一部改正に伴う経過措置）

第十三条　附則第一条第一号に掲げる規定の施行の日前に旧健康保険法第四十三条ノ十二の規定により指定を取り消された病院若しくは診療所又は薬局に対する当該取消しに係る健康保険法第六十五条第三項第一号の規定の適用については、同号中「五年」とあるのは、「二年」とする。

第十四条　附則第一条第一号に掲げる規定の施行の際現に旧健康保険法第四十三条ノ三第一項の指定を受けている病院又は診療所については、医療法（昭和二十三年法律第二百五号）第七条第一項から第三項までの許可を受けている当該病院又は診療所の病床であって同号に掲げる規定の施行の際現に存するものに関し、第四条の規定による改正後の健康保険法（以下「新健保法」という。）第四十三条ノ三第一項の規定による保険医療機関の指定を受けたものとみなす。

第十五条　附則第一条第一号に掲げる規定の施行の際現に旧健保法第四十三条ノ三第一項の指定を受けている病院又は診療所については、新健保法第四十三条ノ三第四項（同条第六項において準用する場合を除く。）の規定は、公布の日から起算して二年を超えない範囲内において政令で定める日〔平一二・五・三一〕までの間は、適用しない。

第十六条　前三条の規定は、健康保険法第八十六条第一項第一号に規定する特定承認保険医療機関の承認について準用する。

第十七条　附則第一条第一号に掲げる規定の施行の日前に旧健保法第四十三条ノ十三の規定により登録を取り消された医師若しくは歯科医師又は薬剤師に対する当該取消しに係る健康保険法第七十一条第二項の規定の適用については、同項中「五年」とあるのは、「二年」とする。

第十八条　旧健保法保険医療機関等が附則第一条第一号に掲げる規定の施行の日前にした詐欺その他不正の行為により支払われた療養の給付又は入院時食事療養費、特定療養費、家族療養費、訪問看護療養費若しくは家族訪問看護療養費の支給に関する費用の返還については、新健保法第六十七条ノ二第三項の規定にかかわらず、なお従前の例による。

附　則（平一一・七・一六法八七）（抄）

（施行期日）

第一条　この法律は、平成十二年四月一日から施行する。〔ただし書略〕

附　則（平一一・一二・二二法一六〇）（抄）

（施行期日）

第一条　この法律〔中略〕は、平成十三年一月六日から施行する。〔ただし書略〕

附　則（平一二・六・七法一一一）（抄）

（施行期日）

第一条　この法律は、公布日のから施行する。〔ただし書略〕

附　則（平一二・一二・六法一四〇）（抄）

改正　平一四・八・二法一〇二

（施行期日）

第一条　この法律は、平成十三年一月一日から施行する。ただし、次の各号に掲げる規定は、それぞれ当該各号に定める日から施行する。

一　第一条中健康保険法第五十八条に三項を加える改正規定〔中略〕及び同法附則第十二条の改正規定〔中略〕　平成十三年四月一日

二　〔略〕

（健康保険法の一部改正に伴う経過措置）

第四条　平成十三年一月一日前に健康保険の被保険者（日雇特例被保険者を除く。以下この項において同じ。）の資格を取得して、同日まで引き続き被保険者の資格を有する者（健康保険法第二十条の規定による被保険者の資格を有する者、同法附則第九条第一項に規定する特例退職被保険者の資格を有する者及び同月から標準報酬を改定されるべき者を除く。）のうち、平成十二年十二月の標準報酬月額が九万二千円であるものの標準報酬は、当該標準報酬月額の基礎となった報酬月額を第一条の規定による改正後の健康保険法（以下「新健保法」という。）第三条第一項の規定による標準報酬の基礎となる報酬月額とみなして、保険者が改定する。

2　前項の規定により改定された標準報酬は、平成十三年一月一日から同年九月三十日までの標準報酬とする。

第五条　削除

第六条　この法律の施行の日（以下「施行日」という。）前に行われた診療、薬剤の支給又は手当に係る健康保険法の規定による高額療養費の支給については、なお従前の例による。

第七条　平成十三年一月一日前に、第一条の規定による改正前の健康保険法第七十六条の規定に基づく申出をした者であって、同月末日以後に育児休業、介護休業等育児又は家族介護を行う労働者の福祉に関する法律（平成三年法律第七十六号）その他政令で定める法令に基づく育児休業が終了したものについては、同月一日に、新健保法第七十一条ノ三ノ二（新健保法附則第八条第七項において準用する場合を含む。）の規定に基づく申出があったものとみなして、同月以後の期間のその者に係る保険料、新健保法附則第三条第一項に規定する特別保険料及び新健保法附則第八条第三項に規定する調整保険料について、新健保法第七十一条ノ三ノ二（新健保法附則第八条第七項において準用する場合を含む。）及び附則第三条第二項の規定を適用する。

第八条　健康保険の保険者は、健康保険法第百六十条第十一項及び附則第十三条第二項の規定にかかわらず、政令で定めるところにより、平成十二年度から平成十四年度までの各年度における当該保険者の介護保険料額の総額又は特別介護保険料額の総額の合計額と当該保険者が介護保険法の規定により納付すべき納付金（日雇特例被保険者に係るものを除く。）の額（政府の管掌する健康保険においては、その額から健康保険法第百五十三条第二項の規定による国庫補助額を控除した額）の合計額とが等しくなるように介護保険料率又は特別介護保険料額の算定方法を定めることができる。

附　則（平一二・一二・六法一四一）（抄）

（施行期日）

第一条　この法律は、公布の日から起算して六月を超えない範囲内において政令で定める日〔平一三・三・一〕から施行する。〔ただし書略〕

附　則（平一三・七・四法一〇一）（抄）

（施行期日）

第一条　この法律は、平成十四年四月一日から施行する。

（健康保険法及び船員保険法の一部改正に伴う経過措置）

第百十四条　前条の規定による改正後の健康保険法第五十八条第四項及び船員保険法第三十条ノ二第五項の規定は、施行日以後に支給事由が生じた傷病手当金の支給について適用し、施行日前に支給事由が生じた傷病手当金の支給については、なお従前の例による。

附　則（平一三・一二・七法一四三）（抄）

（施行期日）

第一条　この法律は、平成十四年四月一日から施行する。〔ただし書略〕

附　則（平一三・一二・一二法一五三）（抄）

（施行期日）

第一条　この法律は、公布の日から起算して六月を超えない範囲内において政令で定める日〔平一四・三・一〕から施行する。

附　則（平一四・八・二法一〇二）（抄）

改正　平一四・一二・一三法一五二

（施行期日）

第一条　この法律は、平成十四年十月一日から施行する。ただし、〔中略〕第二条、〔中略〕附則第六条から第八条まで、〔中略〕第四十一条、〔中略〕第七十一条、〔中略〕の規定は平成十五年四月一日から〔中略〕施行する。

（健康保険法の一部改正に伴う経過措置）

第三条　この法律（附則第一条ただし書に規定する規定については、当該規定。以下この条において同じ。）の施行の日前に行われた診療、薬剤の支給又は手当に係るこの法律による改正前の健康保険法の規定による療養費又は高額療養費の支給については、なお従前の例による。

第四条　第一条の規定による改正後の健康保険法第百十四条及び第百四十四条の規定は、出産の日がこの法律の施行の日（以下「施行日」という。）以後である被保険者について適用し、出産の日が施行日前である被保険者の第一条の規定による改正前の健康保険法の配偶者出産育児一時金については、なお従前の例による。

第五条　前二条に規定するもののほか、施行日前に第一条の規定による改正前の健康保険法又はこれに基づく命令の規定によりした処分、手続その他の行為は、同条の規定による改正後の同法又はこれに基づく命令中の相当する規定によりした処分、手続その他の行為とみなす。

第六条　第二条の規定の施行の日前に任意継続被保険者（第一条の規定による改正後の健康保険法第三条第四項に規定する任意継続被保険者をいう。以下この条において同じ。）の資格を取得した者のその任意継続被保険者の資格の喪失については、第二条の規定による改正後の同法第三十八条の規定にかかわらず、なお従前の例による。

第七条　平成十五年四月一日前の各月の健康保険の標準報酬については、なお従前の例による。

2　平成十五年四月一日前に第二条の規定による改正前の健康保険法第四十一条第一項、第四十二条第一項又は第四十三条第一項の規定により決定され、又は改定された同年三月における標準報酬は、同年八月までの各月の標準報酬月額とする。

第八条　平成十五年四月前の賞与等（第二条の規定による改正前の健康保険法附則第三条第二項に規定する賞与等をいう。）に係る届出及び特別保険料の納付については、なお従前の例による。

附　則（平一四・八・二法一〇三）（抄）

（施行期日）

第一条　この法律は、公布の日から起算して九月を超えない範囲内において政令で定める日〔平一五・五・一〕から施行する。ただし、〔中略〕附則第八条〔中略〕の規定は、公布の日から起算して二年を超えない範囲内において政令で定める日〔平一六・八・一〕から施行する。

附　則（平一六・六・二法七六）（抄）

（施行期日）

第一条　この法律は、破産法（平成十六年法律第七十五号）〔中略〕の施行の日〔平一七・一・一〕から施行する。〔ただし書略〕

附　則（平一六・六・一一法一〇四）（抄）

改正　平一八・三・三一法二〇

（施行期日）

第一条　この法律は、平成十六年十月一日から施行する。ただし、次の各号に掲げる規定は、それぞれ当該各号に定める日から施行する。
一　〔前略〕第四十九条〔中略〕並びに附則〔中略〕第五十七条〔中略〕の規定　平成十七年四月一日
二・三　〔略〕
四　〔前略〕第五十条〔中略〕の規定　平成十八年七月一日
五～七　〔略〕

（健康保険法の一部改正に伴う経過措置）
第五十七条　第四十九条の規定による改正後の健康保険法第四十三条の二の規定は、平成十七年四月一日以後に終了した同条第一項に規定する育児休業等（第三項において「育児休業等」という。）について適用する。
2　平成十七年四月一日前に第四十九条の規定による改正前の健康保険法第百五十九条の規定に基づく申出をした者については、なお従前の例による。
3　平成十七年四月一日前に育児休業等を開始した者（平成十七年四月一日前に第四十九条の規定による改正前の健康保険法第百五十九条の規定に基づく申出をした者を除く。）については、その育児休業等を開始した日を平成十七年四月一日とみなして、第四十九条の規定による改正後の健康保険法第百五十九条の規定を適用する。

附　則（平一六・一二・八法一六〇）（抄）

（施行期日）
第一条　この法律は、平成十七年四月一日から施行する。

附　則（平一七・五・二五法五〇）（抄）

（施行期日）
第一条　この法律は、公布の日から起算して一年を超えない範囲内において政令で定める日〔平一八・五・二四〕から施行する。〔ただし書略〕

附　則（平一七・六・二二法七一）（抄）

（施行期日）
第一条　この法律は、公布の日から施行する。ただし、附則第五条から第七条までの規定は、平成十七年十月一日から施行する。

附　則（平一七・六・二九法七七）（抄）

（施行期日）
第一条　この法律は、平成十八年四月一日から施行する。〔ただし書略〕

附　則（平一八・六・二一法八三）（抄）

最終改正　令三・六・一一法六六

（施行期日）
第一条　この法律は、平成十八年十月一日から施行する。ただし、次の各号に掲げる規定は、それぞれ当該各号に定める日から施行する。
一　〔前略〕附則第四条〔中略〕の規定　公布の日
二　〔略〕
三　第二条〔中略〕並びに附則第七条から第十一条まで〔中略〕の規定　平成十九年四月一日
四　第三条〔中略〕並びに附則第二条第二項〔中略〕の規定　平成二十年四月一日
五　第四条〔中略〕並びに附則第十六条、第十七条、第十八条第一項及び第二項、第十九条から第三十一条まで〔中略〕の規定　平成二十年十月一日
六　第五条〔中略〕並びに附則〔中略〕第百三十条の二の規定　平成二十四年四月一日

（検討）
第二条　政府は、この法律の施行後五年を目途として、この法律の施行の状況等を勘案し、この法律により改正された医療保険各法及び第七条の規定による改正後の高齢者の医療の確保に関する法律（以下「高齢者医療確保法」という。）の規定に基づく規制の在り方について検討を加え、必要があると認めるときは、その結果に基づいて所要の措置を講ずるものとする。
2　高齢者医療確保法による高齢者医療制度については、制度の実施状況、保険給付に要する費用の状況、社会経済の情勢の推移等を勘案し、第七条の規定の施行後五年を目途としてその全般に関して検討が加えられ、必要があると認めるときは、その結果に基づいて所要の措置が講ぜられるべきものとする。
3　政府は、入所者の状態に応じてふさわしいサービスを提供する観点から、介護保険法第八条第二十五項に規定する介護老人保健施設及び同条第二十四項に規定する介護老人福祉施設の基本的な在り方並びにこれらの施設の入所者に対する医療の提供の在り方の見直しを検討するとともに、介護保険施設等の設備及び運営に関する基準並びに利用者負担の在り方等について検討を加え、その結果に基づいて必要な措置を講ずるとともに、地域における適切な保健医療サービス及び福祉サービスの提供体制の整備の支援に努めるものとする。

第五条　施行日において現に第一条の規定による改正前の健康保険法第八十六条第一項第一号の規定により特定承認保険医療機関の承認を受けている病院又は診療所は、施行日に、健康保険法第六十三条第三項第一号の指定を受けたものとみなす。ただし、当該開設者が施行日の前日までに、厚生労働省令で定めるところにより別段の申出をしたときは、この限りでない。
2　前項本文の規定により指定を受けたものとみなされた病院又は診療所に係る当該指定の効力を有する期間は、健康保険法第六十八条第一項の規定にかかわらず、その病院又は診療所について第一条の規定による改正前の健康保険法第八十六条第十二項において準用する同法第六十八条第一項の規定により承認の効力を有するとされた期間の施行日における残存期間と同一の期間とする。

第十一条　平成二十年四月一日以降における政府が管掌する健康保険の被保険者に関する一般保険料率について第四条の規定による改正前の健康保険法（以下「平成二十年十月改正前健保法」という。）第百六十条の規定を適用する場合においては、同条第二項中「予定額」とあるのは「予定額、健康保険事業の事務の執行に要する費用の予定額、健康保険法等の一部を改正する法律（平成十八年法律第八十三号）第四条の規定による改正後の健康保険法第百六十条の二に規定する準備金の積立てに要する費用の予定額」と、「国庫補助」とあるのは「国庫負担、国庫補助」と、「おおむね五年を通じ」とあるのは「平成二十一年三月三十一日までの間」とするほか、同条第五項及び第六項の規定は、適用しない。

第十二条　厚生労働大臣は、第四条の規定による改正後の健康保険法（以下「平成二十年十月改正健保法」という。）第七条の二第一項に規定する全国健康保険協会（以下「協会」という。）の理事長となるべき者及び監事となるべき者を指名す

る。

2　前項の規定により指名された理事長となるべき者及び監事となるべき者は、協会の成立の時において、平成二十年十月改正健保法第七条の十一第一項の規定により、それぞれ理事長及び監事に任命されたものとする。

第十六条　前条第三項の規定により協会の職員として採用される者に対しては、国家公務員退職手当法（昭和二十八年法律第百八十二号）に基づく退職手当は、支給しない。

2　協会は、前項の規定の適用を受けた協会の職員の退職に際し、退職手当を支給しようとするときは、その者の国家公務員退職手当法第二条第一項に規定する職員（同条第二項の規定により職員とみなされる者を含む。）としての引き続いた在職期間を協会の職員としての在職期間とみなして取り扱うべきものとする。

3　協会は、協会の成立の日の前日に社会保険庁の職員として在職し、前条第三項の規定により引き続いて協会の職員として採用された者のうち協会の成立の日から雇用保険法（昭和四十九年法律第百十六号）による失業等給付の受給資格を取得するまでの間に協会を退職したものであって、その退職した日まで社会保険庁の職員として在職したものとしたならば国家公務員退職手当法第十条の規定による退職手当の支給を受けることができるものに対しては、同条の規定の例により算定した退職手当の額に相当する額を退職手当として支給するものとする。

第十七条　附則第十五条第三項の規定により協会の職員として採用された者であって、協会の成立の日の前日において厚生労働大臣又はその委任を受けた者から児童手当法（昭和四十六年法律第七十三号）第七条第一項（同法附則第六条第二項、第七条第五項又は第八条第四項において準用する場合を含む。以下この条において同じ。）の規定による認定を受けているものが、協会の成立の日において児童手当又は同法附則第六条第一項、第七条第一項若しくは第八条第一項の給付（以下この条において「特例給付等」という。）の支給要件に該当するときは、その者に対する児童手当又は特例給付等の支給に関しては、協会の成立の日において同法第七条第一項の規定による市町村長（特別区の区長を含む。以下同じ。）の認定があったものとみなす。この場合において、その認定があったものとみなされた児童手当又は特例給付等の支給は、同法第八条第二項（同法附則第六条第二項、第七条第五項又は第八条第四項において準用する場合を含む。）の規定にかかわらず、協会の成立の日の前日の属する月の翌月から始める。

第十八条　協会の成立の際現に厚生労働省設置法（平成十一年法律第九十七号）第四条第一項第九十四号に掲げる事務に関し国が有する権利及び義務は、政令で定めるものを除き、協会が承継する。

2　前項の規定により協会が国の有する権利及び義務を承継したときは、協会に承継される権利に係る資産で政令で定めるものの価額の合計額から、承継される義務に係る負債で政令で定めるものの価額の合計額を差し引いた額に相当する金額は、政令で定めるところにより、政府から協会に対し出資されたものとする。

3　前項の資産の価額は、協会の成立の日現在における時価を基準として評価委員が評価した価額とする。

4　前項の評価委員その他評価に関し必要な事項は、政令で定める。

第十九条　前条第一項の規定により協会が権利を承継する場合における当該承継に伴う登記又は登録については、登録免許税を課さない。

第二十条　協会が附則第十八条第一項の規定により不動産に関する権利を承継した場合において、その権利につきなすべき登記の手続については、政令で特例を設けることができる。

第二十一条　第四条の規定の施行の日の前日において平成二十年十月改正前健保法第五条第二項に規定する政府が管掌する健康保険（以下「旧政管健保」という。）の被保険者であった者（同日において、その者が平成二十年十月改正前健保法第三十六条各号又は第三十八条第一号から第三号までに掲げる事由に該当する場合を除く。）は、第四条の規定の施行の日において、平成二十年十月改正健保法第五条第二項に規定する全国健康保険協会が管掌する健康保険の被保険者になるものとする。

第二十二条　第四条の規定の施行の日前にその使用される事業所を退職し、同日前に平成二十年十月改正前健保法第三条第四項の規定による申出をしていない者が、第四条の規定の施行の日以後その退職の日から起算して二十日を経過する日（正当な理由があると協会が認めた場合には、その認めた日。次項において同じ。）までの間に当該申出を協会に行ったときは、その者は退職の日の翌日から同条の規定の施行の日の前日までの間は旧政管健保の任意継続被保険者であった者とする。

2　第四条の規定の施行の日前にその使用される事業所を退職し、同日の前日に平成二十年十月改正前健保法第三条第四項の規定による申出を社会保険庁長官に行った者（当該申出を退職の日から起算して二十日を経過する日までの間に行った者に限る。）は、退職の日の翌日から第四条の規定の施行の日の前日までの間は旧政管健保の任意継続被保険者であった者とする。

3　第四条の規定の施行の日の前日において旧政管健保の任意継続被保険者である者（前二項の規定により任意継続被保険者であった者とされた者を含み、同日において平成二十年十月改正前健保法第三十八条第一号から第三号までのいずれかに該当した者を除く。）は、第四条の規定の施行の日において協会が管掌する健康保険の任意継続被保険者になるものとする。この場合において、その者の旧政管健保の当該任意継続被保険者であった期間は、協会が管掌する健康保険の任意継続被保険者であった期間とみなす。

4　第四条の規定の施行の日の前日において旧政管健保の被保険者（任意継続被保険者を除く。）であった者であって、同日にその使用される事業所を退職し、かつ、同日に平成二十年十月改正前健保法第三条第四項の規定による申出を社会保険庁長官に行ったものは、第四条の規定の施行の日において協会が管掌する健康保険の任意継続被保険者になるものとする。

第二十三条　第四条の規定の施行の日の前日において健康保険法第百二十三条第一項に規定する政府を保険者とする日雇特例被保険者の保険の被保険者であった者は、第四条の規定の施行の日において平成二十年十月改正健保法第百二十三条第一項の規定による協会を保険者とする日雇特例被保険者の保険の被保険者になるものとする。

第二十四条　第四条の規定の施行の日前に社会保険庁長官が健康保険法の規定によってした保険給付は、協会が同法の相当する規定によってした保険給付とみなす。

2 第四条の規定の施行の日前に給付事由が生じた健康保険法の規定による保険給付のうち同日においてまだ支給していないものについては、協会によって支給するものとする。

第二十五条 第四条の規定の施行の日前に徴収事由が生じた旧政管健保及び政府を保険者とする日雇特例被保険者の保険の保険料その他平成二十年十月改正前健保法の規定による同日以後の徴収金の徴収については、任意継続被保険者に係るもの及び健康保険法第四章に規定する徴収金（同法第百八十一条第一項に規定する延滞金を含む。）は協会が、それ以外のものは厚生労働大臣が行うものとする。

第二十六条 協会の成立の際現に係属している平成二十年十月改正健保法第七条の二第二項及び第三項に規定する協会の業務に関する訴訟事件又は非訟事件であって協会が受け継ぐものについては、政令で定めるところにより、協会を国の利害に関係のある訴訟についての法務大臣の権限等に関する法律（昭和二十二年法律第百九十四号）に規定する国又は行政庁とみなし、同法を適用する。

第二十七条 第四条の規定の施行の際現にその名称中に全国健康保険協会という文字を用いている者については、平成二十年十月改正健保法第七条の八の規定は、第四条の規定の施行後六月間は、適用しない。

第二十八条 協会の最初の事業年度は、平成二十年十月改正健保法第七条の二十五の規定にかかわらず、その成立の日に始まり、その後最初の三月三十一日に終わるものとする。

第二十九条 協会は、成立後一年内に、平成二十年十月改正健保法第百六十条第二項に規定する都道府県単位保険料率（以下「都道府県単位保険料率」という。）を決定しなければならない。

2 協会が都道府県単位保険料率を決定するまでの間は、協会が管掌する健康保険の被保険者の保険料については、第四条の規定の施行の日の前日における旧政管健保の一般保険料率を用いる。

3 協会が都道府県単位保険料率を決定するまでの間は、平成二十年十月改正健保法第百六十八条第一項第一号イに規定する平均保険料率は、第四条の規定の施行の日の前日における旧政管健保の一般保険料率とする。

第三十条 協会の成立後最初の都道府県単位保険料率の決定については、平成二十年十月改正健保法第百六十条第六項から第八項までの規定を準用する。この場合において、同条第六項中「当該変更に係る都道府県」とあるのは「各都道府県」と、同条第七項中「前項の意見を求められた場合のほか、都道府県単位保険料率の変更が必要と認める場合」とあるのは「前項の意見を求められた場合」と読み替えるものとする。

第三十一条 平成二十年十月改正健保法第百六十条第三項の規定に基づき算定した都道府県単位保険料率のうち、第四条の規定の施行の日の前日における旧政管健保の一般保険料率との率の差が政令で定める基準を上回るものがある場合においては、同項の規定にかかわらず、協会は、成立の日から、被保険者及びその被扶養者の健康の保持増進並びに医療に要する費用の適正化に係る協会の各支部（健康保険法第百六十条第一項に規定する各支部をいう。）の取組の状況を勘案して令和六年三月三十一日までの間において政令で定める日までの間に限り、政令で定めるところにより、都道府県単位保険料率の調整を行い、運営委員会の議を経て、当該算定した都道府県単位保険料率とは異なる都道府県単位保険料率を定めるものとする。

（健康保険法等の一部改正に伴う経過措置）

第百三十条の二 第二十六条の規定の施行の際現に同条の規定による改正前の介護保険法（以下この条において「旧介護保険法」という。）第四十八条第一項第三号の指定を受けている旧介護保険法第八条第二十六項に規定する介護療養型医療施設については、第五条の規定による改正前の健康保険法の規定（中略）（これらの規定に基づく命令の規定を含む。）は、令和六年三月三十一日までの間、なおその効力を有する。

2 前項の規定によりなおその効力を有するものとされた旧介護保険法第四十八条第一項第三号の規定により令和六年三月三十一日までに行われた指定介護療養施設サービスに係る保険給付については、同日後も、なお従前の例による。

3 第二十六条の規定の施行の日前にされた旧介護保険法第百七条第一項の指定の申請であって、第二十六条の規定の施行の際、指定をするかどうかの処分がなされていないものについての当該処分については、なお従前の例による。この場合において、同条の規定の施行の日以後に旧介護保険法第八条第二十六項に規定する介護療養型医療施設について旧介護保険法第四十八条第一項第三号の指定があったときは、第一項の介護療養型医療施設とみなして、同項の規定によりなおその効力を有するものとされた規定を適用する。

（罰則に関する経過措置）

第百三十一条 この法律（附則第一条各号に掲げる規定については、当該各規定。以下同じ。）の施行前にした行為、この附則の規定によりなお従前の例によることとされる場合及びこの附則の規定によりなおその効力を有することとされる場合におけるこの法律の施行後にした行為並びにこの法律の施行後前条第一項の規定によりなおその効力を有するものとされる同項に規定する法律の規定の失効前にした行為に対する罰則の適用については、なお従前の例による。

（処分、手続等に関する経過措置）

第百三十二条 この法律の施行前に改正前のそれぞれの法律（これに基づく命令を含む。以下この条において同じ。）の規定によってした処分、手続その他の行為であって、改正後のそれぞれの法律の規定に相当の規定があるものは、この附則に別段の定めがあるものを除き、改正後のそれぞれの法律の相当の規定によってしたものとみなす。

2 この法律の施行前に改正前のそれぞれの法律の規定により届出その他の手続をしなければならない事項で、この法律の施行の日前にその手続がされていないものについては、この法律及びこれに基づく命令に別段の定めがあるものを除き、これを、改正後のそれぞれの法律中の相当の規定により手続がされていないものとみなして、改正後のそれぞれの法律の規定を適用する。

附　則（平一八・六・二一法八四）（抄）

（施行期日）

第一条 この法律は、平成十九年四月一日から施行する。ただし、次の各号に掲げる規定は、当該各号に定める日から施行する。

一　〔略〕
二　〔前略〕附則第十七条の規定中健康保険法（大正十一年法律第七十号）第六十五条第二項の改正規定　平成十九年一月一日
三　〔略〕

附　則（平一九・三・三一法一三）（抄）

（施行期日）
第一条　この法律は、平成十九年四月一日から施行し、平成十九年度の予算から適用する。〔ただし書略〕

附　則（平一九・四・二三法三〇）（抄）

（施行期日）
第一条　この法律は、公布の日から施行する。ただし、次の各号に掲げる規定は、当該各号に定める日から施行する。
一～二　〔略〕
三　〔前略〕附則〔中略〕第五十四条から第六十条まで〔中略〕の規定　日本年金機構法の施行の日〔平二二・一・一〕

附　則（平一九・七・六法一〇九）（抄）

（施行期日）
第一条　この法律は、平成二十二年四月一日までの間において政令で定める日〔平二二・一・一〕から施行する。ただし、次の各号に掲げる規定は、当該各号に定める日から施行する。
一　〔略〕
二　附則第二十二条〔中略〕の規定　平成二十年十月一日

附　則（平一九・七・六法一一〇）（抄）

（施行期日）
第一条　この法律は、平成二十年四月一日から施行する。ただし、次の各号に掲げる規定は、それぞれ当該各号に定める日から施行する。
一～三　〔略〕
四　〔前略〕第二十条から第二十三条まで〔中略〕の規定　平成二十一年四月一日
五～七　〔略〕

附　則（平二〇・五・二八法四二）（抄）

（施行期日）
第一条　この法律は、公布の日から起算して一年を超えない範囲内において政令で定める日〔平二一・五・一〕から施行する。

附　則（平二一・五・一法三六）（抄）

（施行期日）
第一条　この法律は、平成二十二年一月一日から施行する。〔ただし書略〕

附　則（平二一・七・一法六五）（抄）

（施行期日）
第一条　この法律は、公布の日から起算して一年を超えない範囲内において政令で定める日〔平二二・六・三〇〕から施行する。〔ただし書略〕

附　則（平二二・三・三一法一九）（抄）

（施行期日）
第一条　この法律は、平成二十二年四月一日から施行する。〔ただし書略〕

附　則（平二二・五・一九法三五）（抄）

（施行期日）
第一条　この法律は、公布の日から施行する。ただし、〔中略〕第二条中健康保険法附則第五条の次に一条を加える改正規定〔中略〕並びに附則第七条から第十七条までの規定は、平成二十二年七月一日から施行する。

（検討）
第二条　政府は、第二条の規定による改正後の健康保険法（以下「改正後健保法」という。）附則第五条及び第五条の二（国庫補助率に係る部分に限る。）の規定について、全国健康保険協会が管掌する健康保険の財政状況、高齢者の医療に要する費用の負担の在り方についての検討の状況、国の財政状況その他の社会経済情勢の変化等を勘案し、平成二十四年度までの間に検討を行い、必要があると認めるときは、所要の措置を講ずるものとする。

（健康保険法の一部改正に伴う経過措置）
第七条　平成二十二年度における改正後健保法附則第五条の二の規定により読み替えられた改正後健保法附則第五条及び改正後健保法附則第五条の二の規定により読み替えられた改正後健保法第百五十三条第一項の規定により補助する額は、同項の規定にかかわらず、同項の規定により算定される額の十二分の八に相当する額と同年度において改正後健保法附則第五条の二の規定の適用がないものとして改正後健保法附則第五条の規定により読み替えられた改正後健保法第百五十三条第一項の規定を適用するとしたならば同項の規定により算定されることとなる額の十二分の四に相当する額との合計額とする。

第八条　平成二十二年度における改正後健保法附則第五条の二の規定により読み替えられた、改正後健保法附則第四条の四の規定により読み替えられた改正後健保法第百五十三条第二項の規定により補助する額は、同項の規定にかかわらず、同項の規定により算定される額の十二分の八に相当する額と同年度において改正後健保法附則第五条の二の規定の適用がないものとして改正後健保法附則第四条の四の規定により読み替えられた改正後健保法第百五十三条第二項の規定を適用するとしたならば同項の規定により算定されることとなる額の十二分の四に相当する額との合計額とする。

第九条　平成二十二年度における改正後健保法附則第五条及び改正後健保法附則第五条の二の規定により読み替えられた改正後健保法第百五十四条第一項の規定により補助する額は、同項の規定にかかわらず、同項の規定により算定される額の十二分の八に相当する額と同年度において改正後健保法附則第五条の二の規定の適用がないものとして改正後健保法附則第五条の規定により読み替えられた改正後健保法第百五十四条第一項の規定を適用するとしたならば同項の規定により算定されることとなる額の十二分の四に相当する額との合計額とする。

附　則（平二三・三・三一法一四）（抄）

（施行期日）
第一条　この法律は、平成二十三年四月一日（この法律の公布の日が同月一日後となる場合には、公布の日）から施行する。

附　則（平二三・六・二二法七二）（抄）

（施行期日）
第一条　この法律は、平成二十四年四月一日から施行する。〔ただし書略〕

附　則（平二三・六・二四法七三）（抄）

（施行期日）

第一条　この法律は、公布の日から起算して三年を超えない範囲内において政令で定める日〔平二六・四・一〕から施行する。〔ただし書略〕

附　則（平二三・八・三〇法一〇五）（抄）

（施行期日）

第一条　この法律は、公布の日から施行する。ただし、次の各号に掲げる規定は、当該各号に定める日から施行する。

一　〔略〕

二　〔前略〕附則〔中略〕第八十三条〔中略〕の規定　平成二十四年四月一日

三～六　〔略〕

附　則（平二三・八・三〇法一〇七）（抄）

（施行期日）

第一条　この法律は、平成二十三年十月一日から施行する。〔ただし書略〕

附　則（平二四・三・三一法二四）（抄）

（施行期日）

第一条　この法律は、平成二十四年四月一日から施行する。〔ただし書略〕

附　則（平二四・八・二二法六二）（抄）

最終改正　令二・六・五法四〇

（施行期日）

第一条　この法律は、平成二十九年八月一日から施行する。ただし、次の各号に掲げる規定は、当該各号に定める日から施行する。

一～三　〔略〕

四　〔前略〕第二十五条の規定（次号に掲げる改正規定を除く。）〔中略〕並びに附則〔中略〕第四十七条から第五十条まで〔中略〕の規定　公布の日から起算して二年を超えない範囲内において政令で定める日〔平二六・四・一〕

五　〔前略〕第二十五条中健康保険法第三条、第四十一条第一項及び附則第五条の三の改正規定〔中略〕並びに附則〔中略〕第四十五条、第四十六条〔中略〕の規定　平成二十八年十月一日

六　〔略〕

（健康保険の短時間労働者への適用に関する経過措置）

第四十五条　第五号施行日前に健康保険の被保険者の資格を取得して、第五号施行日まで引き続き被保険者の資格を有する者については、健康保険法第三条第一項（同項第九号に係る部分に限る。）の規定は、第五号施行日以降引き続き第五号施行日において使用されていた事業所に使用されている間は、適用しない。

第四十六条　当分の間、特定適用事業所以外の適用事業所（健康保険法第三条第三項に規定する適用事業所をいい、国又は地方公共団体の当該適用事業所を除く。以下この条において同じ。）に使用される第一号又は第二号に掲げる者であって同法第三条第一項各号のいずれにも該当しないもの（前条の規定により第二十五条の規定による改正後の同項（第九号に係る部分に限る。）の規定が適用されない者を除く。以下この条において「特定四分の三未満短時間労働者」という。）については、同項の規定にかかわらず、健康保険の被保険者としない。

一　その一週間の所定労働時間が同一の事業所に使用される通常の労働者（健康保険法第三条第一項第九号に規定する通常の労働者をいう。次号において同じ。）の一週間の所定労働時間の四分の三未満である短時間労働者（同項第九号に規定する短時間労働者をいう。次号において同じ。）

二　その一月間の所定労働日数が同一の事業所に使用される通常の労働者の一月間の所定労働日数の四分の三未満である短時間労働者

2　特定適用事業所に該当しなくなった適用事業所に使用される特定四分の三未満短時間労働者については、前項の規定は、適用しない。ただし、当該適用事業所の事業主が、次の各号に掲げる場合に応じ、当該各号に定める同意を得て、保険者等（全国健康保険協会が管掌する健康保険にあっては厚生労働大臣、健康保険組合が管掌する健康保険にあっては当該健康保険組合をいう。以下この条において同じ。）に当該特定四分の三未満短時間労働者について同項の規定の適用を受ける旨の申出をした場合は、この限りでない。

一　当該事業主の一又は二以上の適用事業所に使用される四分の三以上同意対象者の四分の三以上で組織する労働組合があるとき　当該労働組合の同意

二　前号に規定する労働組合がないとき　イ又はロに掲げる同意

イ　当該事業主の一又は二以上の適用事業所に使用される四分の三以上同意対象者の四分の三以上を代表する者の同意

ロ　当該事業主の一又は二以上の適用事業所に使用される四分の三以上同意対象者の四分の三以上の同意

3　前項ただし書の申出は、附則第十七条第二項ただし書の規定により同項ただし書の申出をすることができる事業主にあっては、当該申出と同時に行わなければならない。

4　第二項ただし書の申出があったときは、当該特定四分の三未満短時間労働者（健康保険の被保険者の資格を有する者に限る。）は、当該申出が受理された日の翌日に、健康保険の被保険者の資格を喪失する。

5　特定適用事業所（第二項本文の規定により第一項の規定が適用されない特定四分の三未満短時間労働者を使用する適用事業所を含む。）以外の適用事業所の事業主は、次の各号に掲げる場合に応じ、当該各号に定める同意を得て、保険者等に当該事業主の一又は二以上の適用事業所に使用される特定四分の三未満短時間労働者について同項の規定の適用を受けない旨の申出をすることができる。

一　当該事業主の一又は二以上の適用事業所に使用される二分の一以上同意対象者の過半数で組織する労働組合があるとき　当該労働組合の同意

二　前号に規定する労働組合がないとき　イ又はロに掲げる同意

イ　当該事業主の一又は二以上の適用事業所に使用される二分の一以上同意対象者の過半数を代表する者の同意

ロ　当該事業主の一又は二以上の適用事業所に使用される二分の一以上同意対象者の二分の一以上の同意

6　前項の申出は、附則第十七条第五項の規定により同項の申出をすることができる事業主にあっては、当該申出と同時に行わなければならない。

7　第五項の申出があったときは、当該特定四分の三未満短時間労働者については、当該申出が受理された日以後においては、

第一項の規定は、適用しない。この場合において、当該特定四分の三未満短時間労働者についての厚生年金保険法第三十五条の規定の適用については、同条中「適用事業所に使用されるに至つた日若しくはその使用される事業所が適用事業所となつた日又は第三条第一項ただし書の規定に該当しなくなつた」とあるのは、「公的年金制度の財政基盤及び最低保障機能の強化等のための国民年金法等の一部を改正する法律（平成二十四年法律第六十二号）附則第四十六条第五項の申出が受理された」とする。

8　第五項の申出をした事業主は、次の各号に掲げる場合に応じ、当該各号に定める同意を得て、保険者等に当該事業主の一又は二以上の適用事業所に使用される特定四分の三未満短時間労働者について第一項の規定の適用を受ける旨の申出をすることができる。ただし、当該事業主の適用事業所が特定適用事業所に該当する場合は、この限りでない。

一　当該事業主の一又は二以上の適用事業所に使用される四分の三以上同意対象者の四分の三以上で組織する労働組合があるとき　当該労働組合の同意

二　前号に規定する労働組合がないとき　イ又はロに掲げる同意

イ　当該事業主の一又は二以上の適用事業所に使用される四分の三以上同意対象者の四分の三以上を代表する者の同意

ロ　当該事業主の一又は二以上の適用事業所に使用される四分の三以上同意対象者の四分の三以上の同意

9　前項の申出は、附則第十七条第八項の規定により同項の申出をすることができる事業主にあつては、当該申出と同時に行わなければならない。

10　第八項の申出があつたときは、当該特定四分の三未満短時間労働者（健康保険の被保険者の資格を有する者に限る。）は、当該申出が受理された日の翌日に、健康保険の被保険者の資格を喪失する。

11　第二項ただし書、第五項及び第八項の規定による保険者等（厚生労働大臣に限る。）の申出の受理の権限に係る事務は、日本年金機構に行わせるものとする。この場合において、日本年金機構法第二十三条第三項中「、船員保険法」とあるのは「若しくは公的年金制度の財政基盤及び最低保障機能の強化等のための国民年金法等の一部を改正する法律（平成二十四年法律第六十二号）、船員保険法」と、同法第二十六条第二項中「健康保険法」とあるのは「健康保険法若しくは公的年金制度の財政基盤及び最低保障機能の強化等のための国民年金法等の一部を改正する法律」と、同法第二十七条第二項第二号中「に規定する権限に係る事務、同法」とあるのは「並びに公的年金制度の財政基盤及び最低保障機能の強化等のための国民年金法等の一部を改正する法律附則第四十六条第二項ただし書、第五項及び第八項に規定する権限に係る事務、健康保険法」と、「及び」とあるのは「並びに」と、同法第四十八条第一項中「健康保険法」とあるのは「健康保険法若しくは公的年金制度の財政基盤及び最低保障機能の強化等のための国民年金法等の一部を改正する法律」とする。

12　この条において特定適用事業所とは、事業主が同一である一又は二以上の適用事業所であつて、当該一又は二以上の適用事業所に使用される特定労働者の総数が常時五十人を超えるものの各適用事業所をいう。

（健康保険の産前産後休業を終了した際の改定に関する経過措置）

第四十七条　第二十五条の規定による改正後の健康保険法第四十三条の三の規定は、第四号施行日以後に終了した同条第一項に規定する産前産後休業について適用する。

（健康保険の産前産後休業期間中の被保険者の特例に関する経過措置）

第四十八条　第四号施行日前に第二十五条の規定による改正後の健康保険法第四十三条の三第一項に規定する産前産後休業に相当する休業を開始した者については、第四号施行日をその産前産後休業を開始した日とみなして、第二十五条の規定による改正後の健康保険法第百五十九条の三の規定を適用する。

附　則（平二四・八・二二法六三）（抄）

（施行期日）

第一条　この法律は、平成二十七年十月一日から施行する。〔ただし書略〕

（障害共済年金が支給される者の特例）

第百十二条　附則第四十一条第一項の規定により障害共済年金が支給される者又は附則第六十五条第一項の規定により障害共済年金が支給される者に係る前条の規定による改正後の健康保険法第百八条の規定の適用については、同条第二項中「障害厚生年金の支給」とあるのは「障害厚生年金又は被用者年金制度の一元化等を図るための厚生年金保険法等の一部を改正する法律（平成二十四年法律第六十三号）附則第四十一条第一項の規定による障害共済年金（以下この項及び第五項において「国家公務員障害共済年金」という。）若しくは同法附則第六十五条第一項の規定による障害共済年金（以下この項及び第五項において「地方公務員障害共済年金」という。）の支給」と、「障害厚生年金の額」とあるのは「障害厚生年金又は国家公務員障害共済年金若しくは地方公務員障害共済年金の額」と、「障害厚生年金と」とあるのは「障害厚生年金又は国家公務員障害共済年金若しくは地方公務員障害共済年金と」と、同条第五項中「障害厚生年金」とあるのは「障害厚生年金若しくは国家公務員障害共済年金若しくは地方公務員障害共済年金」とする。

○子ども・子育て支援法及び就学前の子どもに関する教育、保育等の総合的な提供の推進に関する法律の一部を改正する法律の施行に伴う関係法律の整備等に関する法律（抄）

平二四・八・二二
法　六　七

（健康保険法の一部改正に伴う経過措置）

第二条　前条の規定による改正後の健康保険法第百五十九条の二の規定にかかわらず、第三十八条の規定によりその徴収についてなお従前の例によることとされた第三十六条の規定による改正前の児童手当法（昭和四十六年法律第七十三号。以下「旧児童手当法」という。）第二十条第一項に規定する拠出金の納付については、なお従前の例による。

附　則（抄）

この法律は、子ども・子育て支援法の施行の日〔平二七・四・一〕から施行する。〔ただし書略〕

附　則（平二五・五・三一法二六）（抄）

（施行期日）

第一条　この法律は、公布の日から施行する。ただし、第一条中健康保険法第一条の改正規定、同法第五十三条の次に一条を加える改正規定及び同法第五十五条第一項の改正規定〔中略〕並びに附則第三条の規定は、平成二十五年十月一日から施行する。

（検討）

第二条　政府は、第一条の規定による改正後の健康保険法附則第五条及び第五条の三（国庫補助率に係る部分に限る。）の規定について、全国健康保険協会が管掌する健康保険の財政状況、高齢者の医療に要する費用の負担の在り方についての検討の状況、国の財政状況その他の社会経済情勢の変化等を勘案し、平成二十六年度までの間に検討を行い、必要があると認めるときは、所要の措置を講ずるものとする。

（健康保険法の一部改正に伴う経過措置）

第三条　健康保険法による保険給付で、附則第一条ただし書に規定する規定の施行の日前に発生した事故に起因する業務上の事由（第一条の規定による改正前の健康保険法第一条の業務外の事由以外の事由をいう。）による疾病、負傷又は死亡に関するものについては、なお従前の例による。

（政令への委任）

第五条　この附則に規定するもののほか、この法律の施行に伴い必要な経過措置は、政令で定める。

附　則（平二六・五・三〇法四二）（抄）

（施行期日）

第一条　この法律は、公布の日から起算して二年を超えない範囲内において政令で定める日〔平二八・四・一〕から施行する。

〔ただし書略〕

附　則（平二六・六・一一法六四）（抄）

（施行期日）

第一条　この法律は、平成二十六年十月一日から施行する。ただし、次の各号に掲げる規定は、当該各号に定める日から施行する。

一　〔略〕

二　〔前略〕第六条〔中略〕の規定並びに附則〔中略〕第十七条の規定　平成二十七年一月一日

三～八　〔略〕

（延滞金の割合の特例等に関する経過措置）

第十七条　次の各号に掲げる規定は、当該各号に定める規定に規定する延滞金（第十五号にあっては、加算金。以下この条において同じ。）のうち平成二十七年一月一日以後の期間に対応するものについて適用し、当該延滞金のうち同日前の期間に対応するものについては、なお従前の例による。

一・二　〔略〕

三　第六条の規定による改正後の健康保険法附則第九条　健康保険法第百八十一条第一項

四～十八　〔略〕

附　則（平二六・六・一三法六九）（抄）

（施行期日）

第一条　この法律は、行政不服審査法（平成二十六年法律第六十八号）の施行の日〔平二八・四・一〕から施行する。

附　則（平二六・六・二五法八三）（抄）

（施行期日）

第一条　この法律は、公布の日又は平成二十六年四月一日のいずれか遅い日から施行する。ただし、次の各号に掲げる規定は、当該各号に定める日から施行する。

一～五　〔略〕

六　〔前略〕附則〔中略〕第四十二条〔中略〕の規定　平成二十八年四月一日までの間において政令で定める日〔平二八・四・一〕

七　〔略〕

附　則（平二七・五・二九法三一）（抄）

（施行期日）

第一条　この法律は、平成三十年四月一日から施行する。ただし、次の各号に掲げる規定は、それぞれ当該各号に定める日から施行する。

一　〔前略〕第五条中健康保険法第九十条第二項及び第九十五条第六号の改正規定、同法第百五十三条第一項の改正規定、同法附則第四条の四の改正規定、同法附則第五条の改正規定、同法附則第五条の二の改正規定、同法附則第五条の三の改正規定並びに同条の次に四条を加える改正規定〔中略〕並びに附則〔中略〕第十五条、第十八条〔中略〕、第六十二条〔中略〕の規定　公布の日

二　〔前略〕第五条（前号に掲げる改正規定を除く。）〔中略〕及び第十四条の規定並びに附則第十六条、第十七条、第十九条〔中略〕の規定　平成二十八年四月一日

三　〔前略〕第六条〔中略〕並びに附則〔中略〕第二十条〔中略〕の規定　平成二十九年四月一日

（検討）

第二条　政府は、この法律の公布後において、持続可能な医療保険制度を構築する観点から、医療に要する費用の適正化、医療保険の保険給付の範囲及び加入者等の負担能力に応じた医療に要する費用の負担の在り方等について検討を加え、その結果に基づいて必要な措置を講ずるものとする。

2　〔略〕

（健康保険法の一部改正に伴う経過措置）

第十五条　平成二十二年度から平成二十六年度までの各年度における全国健康保険協会に対する国庫補助の額については、なお従前の例による。

第十六条　附則第一条第二号に掲げる規定の施行の日（以下「第二号施行日」という。）前に健康保険の被保険者（日雇特例被保険者を除く。以下この項において同じ。）の資格を取得して、第二号施行日まで引き続きその資格を有する者（平成二十八年四月から標準報酬月額を改定されるべき者を除く。）のうち、同年三月の標準報酬月額が百二十一万円であるもの（当該標準報酬月額の基礎となった報酬月額が百二十三万五千円未満である者を除く。）の標準報酬月額は、当該標準報酬月額の基礎となった報酬月額を第五条の規定による改正後の健康保険法（次条及び附則第十八条において「第二号改正後健保法」という。）第四十条第一項の規定による標準報酬月額の基礎となる報酬月額とみなして、保険者等（健康保険法第三十九条第一項に規定する保険者等をいう。）が改定する。

2　前項の規定により改定された標準報酬月額は、平成二十八年

四月から同年八月までの各月の標準報酬月額とする。

第十七条　第二号改正後健保法第四十五条第一項の規定は、第二号施行日の属する月以後の月に健康保険の被保険者が受けた賞与の標準賞与額について適用し、第二号施行日の属する月前の月に当該被保険者が受けた賞与の標準賞与額については、なお従前の例による。

第十八条　厚生労働大臣は、第二号改正後健保法第七十条第三項の厚生労働省令を定めようとするときは、第二号施行日前においても、第二号改正後健保法第八十二条第一項の規定の例により、中央社会保険医療協議会に諮問することができる。

第十九条　第二号施行日前において、第五条の規定による改正前の健康保険法による傷病手当金又は出産手当金の支給を受けていた者又は受けるべき者に係る第二号施行日前までの分として支給される当該傷病手当金又は出産手当金の額については、なお従前の例による。

第二十条　平成二十七年度及び平成二十八年度の各年度における全国健康保険協会に対する国庫補助の額については、なお従前の例による。

○民法の一部を改正する法律の施行に伴う関係法律の整備等に関する法律（抄）

（平二九・六・二法四五）

（健康保険法の一部改正に伴う経過措置）

第百六十一条　施行日前に前条の規定による改正前の健康保険法第百八十九条第三項又は第百九十三条第二項に規定する時効の中断の事由が生じた場合におけるその事由の効力については、なお従前の例による。

附　則（抄）

この法律は、民法改正法の施行の日〔平三二・四・一〕から施行する。〔ただし書略〕

附　則（平二九・六・二法五二）（抄）

（施行期日）

第一条　この法律は、平成三十年四月一日から施行する。ただし、次の各号に掲げる規定は、当該各号に定める日から施行する。

一　第三条の規定〔中略〕　公布の日

二　〔前略〕第五条の規定（健康保険法第八十八条第一項の改正規定を除く。）並びに附則〔中略〕第二十四条、第二十五条〔中略〕の規定　平成二十九年七月一日

三　〔略〕

（健康保険法の一部改正に伴う経過措置）

第二十四条　第五条の規定（附則第一条第二号に掲げる改正規定に限る。次条において同じ。）による改正後の健康保険法（次条において「第二号新健康保険法」という。）第百五十三条及び第百五十四条並びに附則第四条の四から第五条の三まで及び第五条の五の規定は、平成二十九年度以後の各年度における全国健康保険協会に対する国庫補助の額について適用し、平成二十八年度以前の各年度における全国健康保険協会に対する国庫補助の額については、なお従前の例による。

第二十五条　平成二十九年度における第二号新健康保険法附則第五条の規定により読み替えて適用される第二号新健康保険法附則第五条の三の規定による全国健康保険協会に対する国庫補助の額は、同条の規定にかかわらず、同条の規定により算定される額の十二分の八に相当する額と同年度において第五条の規定による改正前の健康保険法（以下この項において「第二号旧健康保険法」という。）附則第五条の規定により読み替えられた第二号旧健康保険法第百五十三条第二項の規定により算定されることとなる額の十二分の四に相当する額との合計額とする。

2　平成二十九年度における第二号新健康保険法附則第四条の四の規定により読み替えて適用される第二号新健康保険法附則第五条の規定により読み替えられた第二号新健康保険法第百五十四条第二項の規定による全国健康保険協会に対する国庫補助の額の算定に用いられる全国健康保険協会が拠出すべき健康保険法第七条の二第三項に規定する介護納付金のうち同法第三条第二項に規定する日雇特例被保険者に係るもの（介護保険法の規定による概算納付金に係る部分に限る。）の納付に要する費用の額は、第二号新介護保険法第百五十二条第一項第二号の規定にかかわらず、同号の規定により算定される額の十二分の八に相当する額と同年度において第二号旧介護保険法附則第十一条第一項の規定により算定される額の十二分の四に相当する額との合計額とする。

附　則（平三〇・七・六法七一）（抄）

改正　令二・三・三一法一四

（施行期日）

第一条　この法律は、平成三十一年四月一日から施行する。ただし、次の各号に掲げる規定は、当該各号に定める日から施行する。

一　〔略〕

二　〔前略〕附則〔中略〕第十三条〔中略〕及び第二十六条の規定〔中略〕　令和二年四月一日

三　〔略〕

附　則（平三〇・七・二五法七九）（抄）

（施行期日）

第一条　この法律は、平成三十一年四月一日から施行する。ただし、次の各号に掲げる規定は、当該各号に定める日から施行する。

一　〔前略〕附則第九条〔中略〕の規定　公布の日

二　〔略〕

附　則（令元・五・二二法九）（抄）

改正　令二・六・一二法五二

（施行期日）

第一条　この法律は、令和二年四月一日から施行する。ただし、次の各号に掲げる規定は、当該各号に定める日から施行する。

一・二　〔略〕

三　第一条の規定（健康保険法第三条第七項の改正規定を除く。）〔中略〕　令和二年十月一日

四　第二条の規定（第六号に掲げる改正規定を除く。）〔中略〕　公布の日から起算して二年を超えない範囲内において政令で定める日〔令二・一〇・一〕

五　〔略〕

六　第二条中健康保険法第百五十条の二第二項の改正規定及び同項を同条第三項とし同条第一項の次に一項を加える改正規

定〔中略〕　令和四年四月一日

附　則（令二・三・三一法八）（抄）

（施行期日）

第一条　この法律は、令和二年四月一日から施行する。ただし、次の各号に掲げる規定は、当該各号に定める日から施行する。

一　〔略〕

二　次に掲げる規定　令和三年一月一日

イ・ロ　〔略〕

ハ　〔前略〕附則〔中略〕第百四十九条の規定

ニ〜ヘ　〔略〕

三〜十二　〔略〕

附　則（令二・六・五法四〇）（抄）

（施行期日）

第一条　この法律は、令和四年四月一日から施行する。ただし、次の各号に掲げる規定は、当該各号に定める日から施行する。

一　〔前略〕第二十九条中健康保険法附則第五条の四、第五条の六及び第五条の七の改正規定〔中略〕　公布の日

二〜七　〔略〕

八　〔前略〕第九条の規定〔中略〕、第二十九条の規定（第一号に掲げる改正規定を除く。）〔中略〕　令和四年十月一日

九〜十　〔略〕

十一　第十条の規定　令和六年十月一日

附　則（令三・五・一九法三七）（抄）

（施行期日）

第一条　この法律は、令和三年九月一日から施行する。ただし、次の各号に掲げる規定は、当該各号に定める日から施行する。

一〜六　〔略〕

七　〔前略〕附則〔中略〕第十五条〔中略〕の規定　公布の日から起算して二年を超えない範囲内において、各規定につき、政令で定める日〔令五・五・一二〕

八〜十　〔略〕

附　則（令三・六・一一法六六）（抄）

（施行期日）

第一条　この法律は、令和四年一月一日から施行する。ただし、次の各号に掲げる規定は、当該各号に定める日から施行する。

一　〔前略〕第九条の規定〔中略〕、附則第二十九条〔中略〕の規定　公布の日

二　〔略〕

三　第一条中健康保険法第百五十九条及び第二百四条第一項第十二号の改正規定〔中略〕並びに附則第三条第三項〔中略〕の規定　令和四年十月一日

四・五　〔略〕

六　第一条中健康保険法第二百五条の四第二項及び第二百五条の五の改正規定〔中略〕　公布の日から起算して三年を超えない範囲内において政令で定める日〔令六・三・一〕

（健康保険法の一部改正に伴う経過措置）

第三条　第一条の規定による改正後の健康保険法第四十七条第二項の規定は、この法律の施行の日（以下「施行日」という。）以後に健康保険法第三十六条の規定により被保険者の資格を喪失した者について適用し、施行日前に同条の規定により被保険者の資格を喪失した者については、なお従前の例による。

2　第一条の規定による改正後の健康保険法第九十九条第四項の規定は、施行日の前日において、支給を始めた日から起算して一年六月を経過していない傷病手当金について適用し、施行日前に第一条の規定による改正前の健康保険法第九十九条第四項に規定する支給期間が満了した傷病手当金については、なお従前の例による。

3　第一条の規定による改正後の健康保険法第百五十九条の規定は、附則第一条第三号に掲げる規定の施行の日（以下「第三号施行日」という。）以後に開始する健康保険法第四十三条の二第一項に規定する育児休業等について適用し、第三号施行日前に開始した同項に規定する育児休業等については、なお従前の例による。

附　則（令四・一二・九法九六）（抄）

（施行期日）

第一条　この法律は、令和六年四月一日から施行する。〔ただし書略〕

附　則（令五・三・三一法三）（抄）

（施行期日）

第一条　この法律は、令和五年四月一日から施行する。ただし、次の各号に掲げる規定は、当該各号に定める日から施行する。

一・二　〔略〕

三　次に掲げる規定　令和六年一月一日

イ・ロ　〔略〕

ハ　〔前略〕附則〔中略〕第六十六条〔中略〕の規定

ニ〜ト　〔略〕

四〜十三　〔略〕

附　則（令五・五・一九法三一）（抄）

（施行期日）

第一条　この法律は、令和六年四月一日から施行する。ただし、次の各号に掲げる規定は、当該各号に定める日から施行する。

一　〔前略〕次条第一項並びに附則〔中略〕第十八条の規定　公布の日

二〜七　〔略〕

（検討）

第二条　政府は、この法律の公布後、全世代対応型の持続可能な社会保障制度を構築するため、経済社会情勢の変化と社会の要請に対応し、受益と負担の均衡がとれた社会保障制度の確立を図るための更なる改革について速やかに検討を加え、その結果に基づいて所要の措置を講ずるものとする。

2　政府は、この法律の施行後五年を目途として、この法律による改正後のそれぞれの法律（以下この項において「改正後の各法律」という。）の施行の状況等を勘案し、必要があると認めるときは、改正後の各法律の規定について検討を加え、その結果に基づいて所要の措置を講ずるものとする。

（健康保険法の一部改正に伴う経過措置）

第三条　第一条の規定（附則第一条第六号に掲げる改正規定を除く。附則第五条第四項において同じ。）による改正後の健康保険法第百五十三条及び第百五十四条並びに附則第四条の二、第五条及び第五条の三の規定は、令和六年度以後の各年度における全国健康保険協会に対する国庫補助の額について適用し、令和五年度以前の各年度における全国健康保険協会に対する国庫補助の額については、なお従前の例による。

（政令への委任）

第十八条　附則第三条から前条までに規定するもののほか、この法律の施行に伴い必要な経過措置（罰則に関する経過措置を含む。）は、政令で定める。

附　則（令五・六・九法四八）（抄）

（施行期日）

第一条　この法律は、公布の日から起算して一年三月を超えない範囲内において政令で定める日〔令六・五・二七〕から施行する。ただし、次の各号に掲げる規定は、当該各号に定める日から施行する。

一　〔略〕

二　〔前略〕第五条、〔中略〕附則第十五条〔中略〕の規定　公布の日から起算して一年六月を超えない範囲内において政令で定める日〔令六・一二・二〕

三・四　〔略〕

（健康保険法等の一部改正に伴う経過措置）

第十五条　保険者（健康保険法第四条に規定する保険者をいう。）は、第五条の規定による改正後の同法第五十一条の三第一項前段に規定する場合において、必要があると認めるときは、当分の間、同項の規定にかかわらず、職権で、被保険者に対し、同項後段の厚生労働省令で定めるところにより、同項の厚生労働省令で定める事項を記載した書面を交付し、又は当該事項を同項に規定する電磁的方法により提供することができる。

2　〔略〕

＊　健康保険法は、刑法等の一部を改正する法律の施行に伴う関係法律の整理等に関する法律（令和四年法六八）により一部改正されたが、刑法等一部改正法施行日〔令七・六・一〕から施行となるため、一部改正法の形で掲載した。

○刑法等の一部を改正する法律の施行に伴う関係法律の整理等に関する法律（抄）

令四・六・一七
法　六八

（健康保険法の一部改正）

第二百二十条　健康保険法（大正十一年法律第七十号）の一部を次のように改正する。

第六十五条第三項第四号中「禁錮」を「拘禁刑」に改め、同項第五号中「すべて」を「全て」に改める。

第七十一条第二項第三号、第八十条第八号及び第八十一条第五号中「禁錮」を「拘禁刑」に改める。

第八十九条第四項第六号中「禁錮」を「拘禁刑」に改め、同項第七号中「すべて」を「全て」に改める。

第九十五条第九号中「禁錮」を「拘禁刑」に改める。

第二百七条の二から第二百九条までの規定及び第二百十一条中「懲役」を「拘禁刑」に改める。

附　則（抄）

（施行期日）

1　この法律は、刑法等一部改正法施行日〔令七・六・一〕から施行する。〔ただし書略〕

＊　健康保険法は、全世代対応型の持続可能な社会保障制度を構築するための健康保険法等の一部を改正する法律（令和五年法三一）により一部改正されたが、このうち公布の日から起算して四年を超えない範囲内において政令で定める日から施行される部分については、一部改正法の形で掲載した。

○全世代対応型の持続可能な社会保障制度を構築するための健康保険法等の一部を改正する法律（抄）

令五・五・一九
法　三一

（健康保険法の一部改正）

第一条　健康保険法（大正十一年法律第七十号）の一部を次のように改正する。

第二百五条の四第二項中「及び法令」を「、法令」に改め、「定めるもの」の下に「並びに介護保険法第三条の規定により介護保険を行う市町村及び特別区」を加える。

附　則（抄）

（施行期日）

第一条　この法律は、令和六年四月一日から施行する。ただし、次の各号に掲げる規定は、当該各号に定める日から施行する。

一〜五　〔略〕

六　第一条中健康保険法第二百五条の四第二項の改正規定〔中略〕　公布の日から起算して四年を超えない範囲内において政令で定める日

七　〔略〕

＊ 健康保険法は、子ども・子育て支援法等の一部を改正する法律（令和六年法四七）により一部改正されたが、令和八年四月一日から施行となるため、一部改正法の形で掲載した。

〇子ども・子育て支援法等の一部を改正する法律（抄）

令六・六・一二
法 四七

（健康保険法の一部改正）

第二条 健康保険法（大正十一年法律第七十号）の一部を次のように改正する。

第七条の二第三項中「介護納付金」という。）並びに」を「介護納付金」という。）」に、「の納付」を「並びに子ども・子育て支援法（平成二十四年法律第六十五号）の規定による子ども・子育て支援納付金（以下「子ども・子育て支援納付金」という。）の納付」に改める。

第五十一条中「介護納付金並びに」を「介護納付金、」に、「の納付」を「並びに子ども・子育て支援納付金の納付」に改める。

第五十四条第二項中「並びに介護納付金」を「、介護納付金並びに子ども・子育て支援納付金」に改める。

第五十五条第一項中「並びに流行初期医療確保拠出金等」を「、流行初期医療確保拠出金等並びに子ども・子育て支援納付金」に改める。

第五十六条第一項第一号中「一般保険料額」を「一般保険料等額」に改め、「をいう。）」の下に「と子ども・子育て支援金率とを合算した率」を加え、同項第二号及び同条第二項中「一般保険料額」を「一般保険料等額」に改める。

第五十九条の二中「（平成二十四年法律第六十五号）」を削る。

第百六十条第三項第三号中「次条」を「第百六十条の三」に改める。

第百六十条の二を第百六十条の三とし、第百六十条の次に次の一条を加える。

（子ども・子育て支援金率）

第百六十条の二 子ども・子育て支援金率は、各年度において全ての保険者が納付すべき子ども・子育て支援納付金の総額を当該年度における全ての保険者が管掌する被保険者の総報酬額の総額の見込額で除した率を基礎として政令で定める率の範囲内において、保険者が定める。

2 協会は、前項の規定により子ども・子育て支援金率を定めたときは、厚生労働省令で定めるところにより、遅滞なく、その旨を厚生労働大臣に通知しなければならない。

第百六十二条中「一般保険料額」を「一般保険料等額」に改める。

第百六十八条第一項第一号イ中「平均保険料率」を「平均保険料等率」に改め、「得た率」の下に「と子ども・子育て支援金率とを合算した率」を加え、同項第二号中「平均保険料率」を「平均保険料等率」に改める。

第百七十三条第一項及び第百七十六条中「並びに流行初期医療確保拠出金等」を「、流行初期医療確保拠出金等並びに子ども・子育て支援納付金」に改める。

附則第二条第一項中「若しくは流行初期医療確保拠出金等」を「、流行初期医療確保拠出金等若しくは子ども・子育て支援納付金」に改める。

附則第七条及び第八条第一項中「一般保険料額」を「一般保険料等額」に改める。

附則第八条の二及び第八条の三中「（平成二十四年法律第六十五号）」を削る。

附則第八条の四及び第八条の五を削る。

附 則（抄）

（施行期日）

第一条 この法律は、令和六年十月一日から施行する。ただし、次の各号に掲げる規定は、当該各号に定める日から施行する。

一～四 〔略〕

五 次に掲げる規定 令和八年四月一日

イ 〔略〕

ロ 第二条〔中略〕の規定

ハ～ネ 〔略〕

六 〔略〕

（子ども・子育て支援納付金の導入に当たっての経過措置及び留意事項）

第四十七条 政府は、この法律の施行にあわせて、令和五年十二月二十二日に閣議において決定されたこども未来戦略（次項において「こども未来戦略」という。）に基づき、社会保障負担率（一会計年度における国民経済計算の体系（国際連合の定めた基準に準拠して内閣府が作成する国民経済計算の体系をいう。以下この項において同じ。）における社会保障負担の額その他内閣総理大臣が定める額を合算した額を国民経済計算の体系における国民所得の額で除して得られる数値をいう。以下この項において同じ。）の上昇の抑制に向けて、全世代型社会保障制度改革（同日の閣議において決定された全世代型社会保障構築を目指す改革の道筋（改革工程）（以下この項及び第三項第一号において「改革工程」という。）の「医療・介護制度等の改革」の「加速化プラン」の実施が完了する二千二十八年度までに実施について検討する取組」に記載されたところにより検討した結果に基づいて行う取組をいう。以下この条において同じ。）の徹底を図るものとし、子ども・子育て支援納付金（施行日新支援法第七十一条の三第一項に規定する子ども・子育て支援納付金をいう。以下この条において同じ。）の導入に当たっては、次項各号に掲げる各年度において、子ども・子育て支援納付金（当該年度の支援納付金公費負担額に相当する部分を除いた部分に限る。）を徴収することにより当該年度の社会保障負担率の上昇に与える影響の程度が、令和五年度から当該各年度まで全世代型社会保障制度改革等（改革工程の「医療・介護制度等の改革」のうち「来年度（二千二十四年度）に実施する取組」に記載された取組その他の令和五年度及び令和六年度に実施された社会保障制度に関する施策の見直し並びに全世代型社会保障制度改革をいう。次項及び第五項において同じ。）及び労働者の報酬の水準の上昇に向けた取組を実施することにより社会保障負担率の低下に与える影響の程度を超えないものとする。

2 政府は、前項の規定の趣旨及び受益と負担の均衡がとれた社会保障制度の確立を図る観点を踏まえ、加速化プラン実施施策（こども未来戦略に「加速化プラン」において実施する具体的な施策」として記載された施策をいう。以下この項及び次条において同じ。）を実施するために必要となる費用については、全世代型社会保障制度改革等を通じた国及び地方公共団体の歳出の抑制その他歳出の見直し、消費税法（昭和六十三年法律第百八号）第一条第二項の規定により少子化に対処するための施策に要する経費に充てるものとされている消費税の収入、施行日新支援法第六十九条第一項に規定する拠出金の収入、加速化プラン実施施策に係る社会保険料の収入並びに施行日新支援法第七十一条の三第一項に規定する支援納付金対象費用（第五項において「支援納付金対象費用」という。）に係る財源により賄うものとし、次の各号に掲げる各年度における子ども・子育て支援納付金（当該年度の支援納付金公費負担額に相当する部分を除いた部分に限る。）の総額は、それぞれ当該各号に掲げる額を目安とするものとする。

一　令和八年度　おおむね六千億円

二　令和九年度　おおむね八千億円

三　令和十年度　おおむね一兆円

3　政府は、第一項の全世代型社会保障制度改革を推進するに当たっては、次に掲げる事項を基本とするものとする。

一　改革工程において令和十年度までに実施の検討を行うこととされている取組については、当該年度までの各年度の予算編成過程において実施すべき施策の検討及び決定を行い、全世代が安心できる社会保障制度を構築し、これを次の世代に引き継ぐことを旨として、着実に進めること。

二　前号の予算編成過程における検討に当たっては、社会保障サービスの生産性の向上、質の向上及び提供体制の効率化、能力に応じて全世代が支え合う仕組みの構築、高齢者の活躍促進及び健康寿命の延伸等の観点を踏まえつつ、人口動態の変化に対応し、全世代が安心できる社会保障制度を構築することを旨として、それまでに実施した取組の検証等も含め、制度、事業等の在り方について、幅広い検討を行うこと。

三　前項の規定の趣旨を踏まえ、国及び地方公共団体の歳出の継続的な抑制に資するものとなるようにすること。

4　第一項及び第二項の「支援納付金公費負担額」とは、次の各号に掲げる額の総額をいう。

一　第二条の規定による改正後の健康保険法（附則第四十九条において「新健康保険法」という。）第百五十四条第二項の規定による国庫補助の額（子ども・子育て支援納付金の納付に要する費用に係る部分に限る。）

二　第七条の規定（附則第一条第五号ヘに掲げる改正規定に限る。）による改正後の国家公務員共済組合法第九十九条第二項第三号に掲げる費用のうち、同号に定める国の負担金をもって充てる部分の額

三　第八条の規定による改正後の国民健康保険法（以下この号において「新国民健康保険法」という。）第七十条第一項の規定による国庫負担金、新国民健康保険法第七十二条第一項の規定による調整交付金及び新国民健康保険法第七十二条の二第一項の規定による繰入金の額（子ども・子育て支援納付金の納付に要する費用に係る部分に限る。）並びに新国民健康保険法第七十二条の三第一項、第七十二条の三の二第一項、第七十二条の三の三第一項及び第七十二条の四第一項の規定による繰入金並びに新国民健康保険法第七十三条第一項の規定による補助の額（子ども・子育て支援納付金の納付に要する費用に係る部分として政令で定める部分に限る。）

四　第十一条の規定（附則第一条第五号トに掲げる改正規定に限る。）による改正後の地方公務員等共済組合法第百十三条第二項第二号の二に掲げる費用のうち、同号に定める地方公共団体の負担金をもって充てる部分の額

五　高齢者の医療の確保に関する法律第九十九条第一項及び第二項の規定による繰入金の額（子ども・子育て支援納付金の納付に要する費用に係る部分として政令で定める部分に限る。）

5　政府は、全世代型社会保障制度改革等及び労働者の報酬の水準の上昇に向けた取組の実施状況その他の事情を勘案し、第一項及び第二項の規定の趣旨に照らして必要があると認める場合は、支援納付金対象費用に係る施策の費用負担の在り方その他の事項について、必要な見直しを行うものとする。

（検討）

第四十八条　政府は、この法律の施行後五年を目途として、少子化の進展に対処するための子ども及び子育ての支援に関する施策の在り方について、加速化プラン実施施策の実施状況及びその効果並びに前条第二項の観点を踏まえて検討を行い、その結果に基づいて所要の措置を講ずるものとする。

（子ども・子育て支援金率の範囲を政令で定めるに当たっての留意事項）

第四十九条　政府は、新健康保険法第百六十条の二第一項の政令を定めようとするときは、附則第四十七条の規定の趣旨を考慮しなければならない。

＊　健康保険法は、事業性融資の推進等に関する法律（令和六年法五二）の附則により一部改正されたが、公布の日から起算して二年六月を超えない範囲内において政令で定める日から施行となるため、一部改正法の形で掲載した。

○事業性融資の推進等に関する法律（抄）

令六・六・一四
法　五　二

（健康保険法の一部改正）

第二十八条　健康保険法（大正十一年法律第七十号）の一部を次のように改正する。

第百七十二条中「すべて」を「全て」に改め、同条第一号中ホをヘとし、ニの次に次のように加える。

ホ　企業価値担保権の実行手続の開始があったとき。

附　則（抄）

（施行期日）

第一条　この法律は、公布の日から起算して二年六月を超えない範囲内において政令で定める日から施行する。〔ただし書略〕

○健康保険法施行令（抄）

大一五・六・三〇
勅　令　二　四　三

最終改正　令六・三・二九政令一二五

目次〔略〕

第一章　適用事業所の事業の範囲

第一条　健康保険法（大正十一年法律第七十号。以下「法」という。）第三条第三項第一号レの政令で定める者は、次のとおりとする。

一　公証人
二　司法書士
三　土地家屋調査士
四　行政書士
五　海事代理士
六　税理士
七　社会保険労務士
八　沖縄弁護士に関する政令（昭和四十七年政令第百六十九号）第一条に規定する沖縄弁護士
九　外国法事務弁護士
十　弁理士

（健康保険組合の設立に必要な被保険者の数）

第一条の三　法第十一条第一項の政令で定める数は、七百人とする。

2　法第十一条第二項の政令で定める数は、三千人とする。

（一部負担金の割合が百分の三十となる場合）

第三十四条　法第七十四条第一項第三号の政令で定めるところにより算定した報酬の額は療養の給付を受ける月の標準報酬月額とし、同号の政令で定める額は二十八万円とする。

2　前項の規定は、次の各号のいずれかに該当する者については、適用しない。

一　被保険者及びその被扶養者（七十歳に達する日の属する月の翌月以後である場合に該当する者に限る。）について厚生労働省令で定めるところにより算定した収入の額が五百二十万円（当該被扶養者がいない者にあっては、三百八十三万円）に満たない者

二　被保険者（その被扶養者（七十歳に達する日の属する月の翌月以後である場合に該当する者に限る。）がいない者であってその被扶養者であった者（法第三条第七項ただし書に該当するに至ったため被扶養者でなくなった者であって、同項ただし書に該当するに至った日の属する月以後五年を経過する月までの間に限り、同日以後継続して同項ただし書に該当するものをいう。以下この号において同じ。）がいるものに限る。）及びその被扶養者であった者について前号の厚生労働省令で定めるところにより算定した収入の額が五百二十万円に満たない者

（埋葬料の金額）

第三十五条　法第百条第一項の政令で定める金額は、五万円とする。

（出産育児一時金の金額）

第三十六条　法第百一条の政令で定める金額は、四十八万八千円とする。ただし、病院、診療所、助産所その他の者であって、次の各号に掲げる要件のいずれにも該当するものによる医学的管理の下における出産であると保険者が認めるときは、四十八万八千円に、第一号に規定する保険契約に関し被保険者が追加的に必要となる費用の額を基準として、三万円を超えない範囲内で保険者が定める金額を加算した金額とする。

一　当該病院、診療所、助産所その他の者による医学的管理の下における出産について、特定出産事故（出産（厚生労働省令で定める基準に該当する出産に限る。）に係る事故（厚生労働省令で定める事由により発生したものを除く。）のうち、出生した者が当該事故により脳性麻痺にかかり、厚生労働省令で定める程度の障害の状態となったものをいう。次号において同じ。）が発生した場合において、当該出生した者の養育に係る経済的負担の軽減を図るための補償金の支払に要する費用の支出に備えるための保険契約であって厚生労働省令で定める要件に該当するものが締結されていること。

二　出産に係る医療の安全を確保し、当該医療の質の向上を図

るため、厚生労働省令で定めるところにより、特定出産事故に関する情報の収集、整理、分析及び提供の適正かつ確実な実施のための措置を講じていること。

（傷病手当金と障害手当金等との併給調整）

第三十六条の二　法第百八条第四項ただし書の政令で定めるときは次の各号に掲げる場合とし、同項ただし書の政令で定める差額は当該各号に掲げる場合の区分に応じ当該各号に定める額とする。

一　報酬を受けることができない場合であって、かつ、出産手当金の支給を受けることができない場合　傷病手当金合計額（厚生年金保険法（昭和二十九年法律第百十五号）による障害手当金の支給を受けることとなった日以後に傷病手当金の支給を受けるとする場合の法第九十九条第二項の規定により算定される額の合計額が当該障害手当金の額に達するに至る日における当該合計額をいう。以下この条において同じ。）と障害手当金の額との差額

二　報酬を受けることができない場合であって、かつ、出産手当金の支給を受けることができる場合　法第九十九条第二項の規定により算定される額と出産手当金の額（当該額が同項の規定により算定される額を超える場合にあっては、当該額）との差額又は傷病手当金合計額と障害手当金の額との差額のいずれか少ない額

三　報酬の全部又は一部を受けることができる場合であって、かつ、出産手当金の支給を受けることができない場合　法第九十九条第二項の規定により算定される額と当該受けることができる報酬の全部若しくは一部の額（当該額が同項の規定により算定される額を超える場合にあっては、当該額）との差額又は傷病手当金合計額と障害手当金の額との差額のいずれか少ない額

四　報酬の全部又は一部を受けることができる場合であって、かつ、出産手当金の支給を受けることができる場合　法第九十九条第二項の規定により算定される額と当該受けることができる報酬の全部若しくは一部の額及び法第百八条第二項ただし書の規定により算定される出産手当金の額の合算額（当該合算額が法第九十九条第二項の規定により算定される額を超える場合にあっては、当該額）との差額又は傷病手当金合計額と障害手当金の額との差額のいずれか少ない額

（傷病手当金の併給調整の対象となる者の要件）

第三十七条　法第百八条第五項の政令で定める要件は、法第百三十五条第一項の規定により傷病手当金の支給を受けることができる日雇特例被保険者（日雇特例被保険者であった者を含む。第四十一条の二、第四十三条の三及び第四十四条第二項から第七項までを除き、以下この章において同じ。）でないこととする。

（傷病手当金の併給調整の対象となる年金である給付）

第三十八条　法第百八条第五項の老齢又は退職を支給事由とする年金である給付であって政令で定めるものは、次のとおりとする。ただし、その全額につき支給を停止されている給付を除く。

一　国民年金法（昭和三十四年法律第百四十一号）による老齢基礎年金及び同法附則第九条の三第一項の規定による老齢年金並びに国民年金法等の一部を改正する法律（昭和六十年法律第三十四号。次号及び第三号において「昭和六十年国民年金等改正法」という。）第一条の規定による改正前の国民年金法による老齢年金（老齢福祉年金を除く。）及び通算老齢年金

二　厚生年金保険法による老齢厚生年金及び特例老齢年金並びに昭和六十年国民年金等改正法第三条の規定による改正前の厚生年金保険法による老齢年金、通算老齢年金及び特例老齢年金

三　昭和六十年国民年金等改正法第五条の規定による改正前の船員保険法による老齢年金、通算老齢年金及び特例老齢年金

四　被用者年金制度の一元化等を図るための厚生年金保険法等の一部を改正する法律（平成二十四年法律第六十三号。以下「平成二十四年一元化法」という。）附則第三十六条第五項に規定する改正前国共済法による職域加算額のうち退職を給付事由とするもの及び平成二十四年一元化法附則第三十七条第一項に規定する給付のうち退職を給付事由とするもの

四の二　平成二十四年一元化法附則第四十一条第一項の規定による退職共済年金

五　平成二十四年一元化法附則第六十条第五項に規定する改正前地共済法による職域加算額のうち退職を給付事由とするもの及び平成二十四年一元化法附則第六十一条第一項に規定する給付のうち退職を給付事由とするもの

五の二　平成二十四年一元化法附則第六十五条第一項の規定による退職共済年金

六　平成二十四年一元化法附則第七十八条第三項に規定する給付のうち退職を給付事由とするもの及び平成二十四年一元化法附則第七十九条に規定する給付のうち退職を給付事由とするもの

七　厚生年金保険制度及び農林漁業団体職員共済組合制度の統合を図るための農林漁業団体職員共済組合法等を廃止する等の法律（平成十三年法律第百一号）附則第十六条第三項の規定により厚生年金保険の実施者たる政府が支給するものとされた年金である給付のうち退職を給付事由とするもの

八　厚生年金保険法附則第二十八条に規定する共済組合が支給する年金である給付のうち退職を支給事由とするもの

九　旧令による共済組合等からの年金受給者のための特別措置法（昭和二十五年法律第二百五十六号）によって国家公務員共済組合連合会が支給する年金である給付のうち退職を支給事由とするもの

（月間の高額療養費の支給要件及び支給額）

第四十一条　高額療養費は、次に掲げる額を合算した額から次項から第五項までの規定により支給される高額療養費の額を控除した額（以下この項において「一部負担金等世帯合算額」という。）が高額療養費算定基準額を超える場合に支給するものとし、その額は、一部負担金等世帯合算額から高額療養費算定基準額を控除した額とする。

一　被保険者（法第九十八条第一項の規定により療養の給付又は保険外併用療養費若しくは訪問看護療養費の支給を受けている者を含み、日雇特例被保険者を除く。以下この条、第四十二条、第四十三条及び附則第二条において同じ。）又はその被扶養者（法第百十条第七項において準用する法第九十八条第一項の規定により支給される家族療養費に係る療養を受けている者又は法第百十一条第三項において準用する法第九

十八条第一項の規定により支給される家族訪問看護療養費に係る療養を受けている者を含む。以下この条、第四十二条、第四十三条及び附則第二条において同じ。）が同一の月にそれぞれ一の病院、診療所、薬局その他の者（以下「病院等」という。）から受けた療養（法第六十三条第二項第一号に規定する食事療養（以下この条において単に「食事療養」という。）、同項第二号に規定する生活療養（以下この条において単に「生活療養」という。）及び当該被保険者又はその被扶養者が第八項の規定に該当する場合における同項に規定する療養を除く。以下この項から第五項まで、第四十三条第一項及び第三項並びに第四十三条の二並びに附則第二条において同じ。）であって次号に規定する特定給付対象療養以外のものに係る次のイからへまでに掲げる額（七十歳に達する日の属する月以前の療養に係るものにあっては、二万千円（第四十二条第五項に規定する七十五歳到達時特例対象療養に係るものにあっては、一万五百円）以上のものに限る。）を合算した額

イ　一部負担金の額

ロ　当該療養が法第六十三条第二項第三号に規定する評価療養、同項第四号に規定する患者申出療養又は同項第五号に規定する選定療養を含む場合における一部負担金の額に法第八十六条第二項第一号に規定する厚生労働大臣が定めるところにより算定した費用の額（その額が現に当該療養に要した費用の額を超えるときは、現に当該療養に要した費用の額）から当該療養に要した費用につき保険外併用療養費として支給される額に相当する額を控除した額を加えた額

ハ　当該療養につき算定した費用の額（その額が現に当該療養に要した費用の額を超えるときは、現に当該療養に要した費用の額）から当該療養に要した費用につき療養費として支給される額に相当する額を控除した額

ニ　法第八十八条第四項に規定する厚生労働大臣が定めるところにより算定した費用の額からその指定訪問看護に要した費用につき訪問看護療養費として支給される額に相当する額を控除した額

ホ　当該療養につき算定した費用の額（その額が現に当該療養に要した費用の額を超えるときは、現に当該療養に要した費用の額）から当該療養に要した費用につき家族療養費（法第百十条第七項において準用する法第八十七条第一項の規定により家族療養費に代えて支給される療養費を含む。）として支給される額に相当する額を控除した額

ヘ　法第百十一条第二項の規定により算定した費用の額からその指定訪問看護に要した費用につき家族訪問看護療養費として支給される額に相当する額を控除した額

二　被保険者又はその被扶養者が前号と同一の月にそれぞれ一の病院等から受けた特定給付対象療養（原子爆弾被爆者に対する援護に関する法律（平成六年法律第百十七号）による一般疾病医療費（第四十三条第五項において「原爆一般疾病医療費」という。）の支給その他厚生労働省令で定める医療に関する給付が行われるべき療養及び当該被保険者又はその被扶養者が第九項の規定による保険者の認定を受けた場合における同項に規定する療養をいう。以下同じ。）について、当該被保険者又はその被扶養者がなお負担すべき額（七十歳に達する日の属する月以前の特定給付対象療養に係るものにあっては、当該特定給付対象療養に係る前号イからへまでに掲げる額が二万千円（第四十二条第五項に規定する七十五歳到達時特例対象療養に係るものにあっては、一万五百円）以上のものに限る。）を合算した額

2　被保険者の被扶養者が療養（第四十二条第五項に規定する七十五歳到達時特例対象療養であって、七十歳に達する日の属する月以前のものに限る。）を受けた場合において、当該被扶養者が同一の月にそれぞれ一の病院等から受けた当該療養に係る次に掲げる額を当該被扶養者ごとにそれぞれ合算した額が高額療養費算定基準額を超えるときは、当該それぞれ合算した額から高額療養費算定基準額を控除した額の合算額を高額療養費として支給する。

一　被扶養者が受けた当該療養（特定給付対象療養を除く。）に係る前項第一号イからへまでに掲げる額（一万五百円以上のものに限る。）を合算した額

二　被扶養者が受けた当該療養（特定給付対象療養に限る。）について、当該被扶養者がなお負担すべき額（当該特定給付対象療養に係る前項第一号イからへまでに掲げる額が一万五百円以上のものに限る。）を合算した額

3　被保険者又はその被扶養者が療養（七十歳に達する日の属する月の翌月以後の療養に限る。第五項において同じ。）を受けた場合において、当該被保険者又はその被扶養者が同一の月にそれぞれ一の病院等から受けた当該療養に係る次に掲げる額を合算した額から次項又は第五項の規定により支給される高額療養費の額を控除した額（以下この項及び附則第二条第二項第一号において「七十歳以上一部負担金等世帯合算額」という。）が高額療養費算定基準額を超えるときは、当該七十歳以上一部負担金等世帯合算額から高額療養費算定基準額を控除した額を高額療養費として支給する。

一　被保険者又はその被扶養者が受けた当該療養（特定給付対象療養を除く。）に係る第一項第一号イからへまでに掲げる額を合算した額

二　被保険者又はその被扶養者が受けた当該療養（特定給付対象療養に限る。）について、当該被保険者又はその被扶養者がなお負担すべき額を合算した額

4　被保険者が第一号に掲げる療養若しくは第二号に掲げる療養を受けた場合又はその被扶養者が第二号に掲げる療養若しくは第三号に掲げる療養（七十歳に達する日の属する月の翌月以後の療養に限る。）を受けた場合において、当該被保険者又はその被扶養者が同一の月にそれぞれ一の病院等から受けた当該療養に係る前項第一号及び第二号に掲げる額を当該被保険者又はその被扶養者ごとにそれぞれ合算した額から次項の規定により支給される高額療養費の額のうち当該被保険者又はその被扶養者に係る額をそれぞれ控除した額が高額療養費算定基準額を超えるときは、当該それぞれ控除した額から高額療養費算定基準額を控除した額の合算額を高額療養費として支給する。

一　高齢者の医療の確保に関する法律第五十二条第一号に該当し、月の初日以外の日において同法第五十条の規定による被保険者（以下「後期高齢者医療の被保険者」という。）の資格を取得したことにより健康保険の被保険者の資格を喪失した者（第三号において「七十五歳到達前旧被保険者」とい

う。）が、同日の前日の属する月（同日以前の期間に限る。第三号において「旧被保険者七十五歳到達月」という。）に受けた療養

二　高齢者の医療の確保に関する法律第五十二条第一号に該当し、月の初日以外の日において後期高齢者医療の被保険者の資格を取得したことにより被扶養者でなくなった者が、同日の前日の属する月（同日以前の期間に限る。）に受けた療養

三　七十五歳到達前旧被保険者の被扶養者であった者（当該七十五歳到達前旧被保険者が後期高齢者医療の被保険者の資格を取得したことによりその被扶養者でなくなった者に限る。）が、当該七十五歳到達前旧被保険者に係る旧被保険者七十五歳到達月に受けた療養

5　被保険者（法第七十四条第一項第三号の規定が適用される者である場合を除く。）又はその被扶養者が療養（外来療養（法第六十三条第一項第一号から第四号までに掲げる療養（同項第五号に掲げる療養に伴うものを除く。）をいう。次条並びに第四十二条第六項第三号、第七項第三号及び第八項第三号において同じ。）に限る。）を受けた場合において、当該被保険者又はその被扶養者が同一の月にそれぞれ一の病院等から受けた当該療養に係る第三項第一号及び第二号に掲げる額を当該被保険者又はその被扶養者ごとにそれぞれ合算した額が高額療養費算定基準額を超えるときは、当該それぞれ合算した額から高額療養費算定基準額を控除した額の合算額を高額療養費として支給する。

6　被保険者又はその被扶養者が特定給付対象療養（当該被保険者又はその被扶養者が次項の規定による保険者の認定を受けた場合における同項に規定する特定疾病給付対象療養及び当該被保険者又はその被扶養者が第九項の規定による保険者の認定を受けた場合における同項に規定する療養を除く。）を受けた場合において、当該被保険者又はその被扶養者が同一の月にそれぞれ一の病院等から受けた当該特定給付対象療養に係る第一項第一号イからへまでに掲げる額が高額療養費算定基準額を超えるときは、当該同号イからへまでに掲げる額から高額療養費算定基準額を控除した額を高額療養費として支給する。

7　被保険者又はその被扶養者が特定疾病給付対象療養（特定給付対象療養（当該被保険者又はその被扶養者が第九項の規定による保険者の認定を受けた場合における同項に規定する療養を除く。）のうち、治療方法が確立していない疾病その他の疾病であって、当該疾病にかかることにより長期にわたり療養を必要とすることとなるものの当該療養に必要な費用の負担を軽減するための医療に関する給付として厚生労働大臣が定めるものが行われるべきものをいう。第四十二条第七項において同じ。）を受けた場合において、当該特定疾病給付対象療養を受けた被保険者又はその被扶養者が厚生労働省令で定めるところにより保険者の認定を受けたものであり、かつ、当該被保険者又はその被扶養者が同一の月にそれぞれ一の病院等から受けた当該特定疾病給付対象療養に係る第一項第一号イからへまでに掲げる額が高額療養費算定基準額を超えるときは、当該同号イからへまでに掲げる額から高額療養費算定基準額を控除した額を高額療養費として支給する。

8　被保険者又はその被扶養者が生活保護法（昭和二十五年法律第百四十四号）第六条第一項に規定する被保護者である場合において、当該被保険者又はその被扶養者が同一の月にそれぞれ一の病院等から受けた療養（食事療養、生活療養及び特定給付対象療養を除く。）に係る第一項第一号イからへまでに掲げる額が高額療養費算定基準額を超えるときは、当該同号イからへまでに掲げる額から高額療養費算定基準額を控除した額を高額療養費として支給する。

9　被保険者又はその被扶養者が次のいずれにも該当する疾病として厚生労働大臣が定めるものに係る療養（食事療養及び生活療養を除く。）を受けた場合において、当該療養を受けた被保険者又はその被扶養者が厚生労働省令で定めるところにより保険者の認定を受けたものであり、かつ、当該被保険者又はその被扶養者が同一の月にそれぞれ一の病院等から受けた当該療養に係る第一項第一号イからへまでに掲げる額が高額療養費算定基準額を超えるときは、当該同号イからへまでに掲げる額から高額療養費算定基準額を控除した額を高額療養費として支給する。

一　費用が著しく高額な一定の治療として厚生労働大臣が定める治療を要すること。

二　前号に規定する治療を著しく長期間にわたり継続しなければならないこと。

（年間の高額療養費の支給要件及び支給額）

第四十一条の二　高額療養費は、第一号から第六号までに掲げる額を合算した額（以下この項において「基準日被保険者合算額」という。）、第七号から第十二号までに掲げる額を合算した額（以下この項において「基準日被扶養者合算額」という。）又は第十三号から第十八号までに掲げる額を合算した額（以下この項において「元被扶養者合算額」という。）のいずれかが高額療養費算定基準額を超える場合に第一号に規定する基準日被保険者に支給するものとし、その額は、基準日被保険者合算額から高額療養費算定基準額を控除した額（当該額が零を下回る場合には、零とする。）に高額療養費按分率（同号に掲げる額を、基準日被保険者合算額で除して得た率をいう。）を乗じて得た額、基準日被扶養者合算額から高額療養費算定基準額を控除した額（当該額が零を下回る場合には、零とする。）に高額療養費按分率（第七号に掲げる額を、基準日被扶養者合算額で除して得た率をいう。）を乗じて得た額及び元被扶養者合算額から高額療養費算定基準額を控除した額（当該額が零を下回る場合には、零とする。）に高額療養費按分率（第十三号に掲げる額を、元被扶養者合算額で除して得た率をいう。）を乗じて得た額の合算額とする。ただし、当該基準日被保険者が基準日（計算期間（毎年八月一日から翌年七月三十一日までの期間をいう。以下同じ。）の末日をいう。以下同じ。）において法第七十四条第一項第三号の規定が適用される者である場合は、この限りでない。

一　計算期間（基準日において当該保険者の被保険者（日雇特例被保険者、国家公務員共済組合法及び地方公務員等共済組合法に基づく共済組合の組合員並びに私立学校教職員共済法の規定による私立学校教職員共済制度の加入者を除く。以下この条、第四十三条第十一項及び第四十三条の二から第四十三条の四までにおいて同じ。）である者（以下この条並びに第四十三条の二第一項、第二項、第五項及び第七項において「基準日被保険者」という。）が当該保険者の被保険者であった間に限る。）において、当該基準日被保険者が当該保険者

の被保険者（法第七十四条第一項第三号の規定が適用される者である場合を除く。）として受けた外来療養（七十歳に達する日の属する月の翌月以後の外来療養に限る。以下この条において同じ。）（法第九十八条第一項（法第百十条第七項及び第百十一条第三項において準用する場合を含む。）の規定による保険給付に係る外来療養（以下この条において「継続給付に係る外来療養」という。）を含む。）に係る次に掲げる額の合算額（前条第一項から第五項までの規定により高額療養費が支給される場合にあっては、当該者に係る支給額を控除した額とし、法第五十三条に規定するその他の給付として次に掲げる額に係る負担を軽減するための金品が支給される場合にあっては、当該者に係る当該金品に相当する額を控除した額とする。）

イ　当該外来療養（特定給付対象療養を除く。）に係る前条第一項第一号イからへまでに掲げる額を合算した額

ロ　当該外来療養（特定給付対象療養に限る。）について、当該者がなお負担すべき額

二　計算期間（基準日被保険者が他の健康保険の保険者の被保険者であった間に限る。）において、当該基準日被保険者が当該他の健康保険の保険者の被保険者（法第七十四条第一項第三号の規定が適用される者である場合を除く。）として受けた外来療養（継続給付に係る外来療養を含む。）に係る前号に規定する合算額

三　計算期間（基準日被保険者の被扶養者（基準日において当該保険者の被保険者の被扶養者である者に限る。以下この条並びに第四十三条の二第一項（同条第三項において準用する場合を含む。）、第三項及び第五項において「基準日被扶養者」という。）が当該保険者の被保険者であり、かつ、当該基準日被保険者が当該基準日被扶養者の被扶養者であった間に限る。）において、当該基準日被保険者が当該保険者の被保険者の被扶養者（法第百十条第二項第一号ニの規定が適用される者である場合を除く。）として受けた外来療養（継続給付に係る外来療養を含む。）に係る第一号に規定する合算額

四　計算期間（基準日被扶養者が他の健康保険の保険者の被保険者であり、かつ、基準日被保険者が当該基準日被扶養者の被扶養者であった間に限る。）において、当該基準日被保険者が当該他の健康保険の保険者の被保険者の被扶養者（法第百十条第二項第一号ニの規定が適用される者である場合を除く。）として受けた外来療養（継続給付に係る外来療養を含む。）に係る第一号に規定する合算額

五　計算期間（基準日被保険者が組合等の組合員等であった間に限る。）において、当該基準日被保険者が当該組合等の組合員等（法第七十四条第一項第三号の規定が適用される者に相当する者である場合を除く。）として受けた外来療養について第一号に規定する合算額に相当する額として厚生労働省令で定めるところにより算定した額

六　計算期間（基準日被扶養者が組合等（高齢者の医療の確保に関する法律に基づく後期高齢者医療広域連合を除く。）の組合員等（後期高齢者医療の被保険者を除く。）であり、かつ、基準日被保険者が当該基準日被扶養者の被扶養者等であった間に限る。）において、当該基準日被保険者が当該組合等の組合員等の被扶養者等（法第百十条第二項第一号ニの規定が適用される者に相当する者である場合を除く。）として受けた外来療養について第一号に規定する合算額に相当する額として厚生労働省令で定めるところにより算定した額

七　計算期間（基準日被保険者が当該保険者の被保険者であり、かつ、基準日被扶養者が当該基準日被保険者の被扶養者であった間に限る。）において、当該基準日被扶養者が当該保険者の被保険者の被扶養者（法第百十条第二項第一号ニの規定が適用される者である場合を除く。）として受けた外来療養（継続給付に係る外来療養を含む。）に係る第一号に規定する合算額

八　計算期間（基準日被保険者が他の健康保険の保険者の被保険者であり、かつ、基準日被扶養者が当該基準日被保険者の被扶養者であった間に限る。）において、当該基準日被扶養者が当該他の健康保険の保険者の被保険者の被扶養者（法第百十条第二項第一号ニの規定が適用される者である場合を除く。）として受けた外来療養（継続給付に係る外来療養を含む。）に係る第一号に規定する合算額

九　計算期間（基準日被扶養者が当該保険者の被保険者であった間に限る。）において、当該基準日被扶養者が当該保険者の被保険者（法第七十四条第一項第三号の規定が適用される者である場合を除く。）として受けた外来療養（継続給付に係る外来療養を含む。）に係る第一号に規定する合算額

十　計算期間（基準日被扶養者が他の健康保険の保険者の被保険者であった間に限る。）において、当該基準日被扶養者が当該他の健康保険の保険者の被保険者（法第七十四条第一項第三号の規定が適用される者である場合を除く。）として受けた外来療養（継続給付に係る外来療養を含む。）に係る第一号に規定する合算額

十一　計算期間（基準日被保険者が組合等（高齢者の医療の確保に関する法律に基づく後期高齢者医療広域連合を除く。）の組合員等（後期高齢者医療の被保険者を除く。）であり、かつ、基準日被扶養者が当該基準日被保険者の被扶養者等であった間に限る。）において、当該基準日被扶養者が当該組合等の組合員等の被扶養者等（法第百十条第二項第一号ニの規定が適用される者に相当する者である場合を除く。）として受けた外来療養について第一号に規定する合算額に相当する額として厚生労働省令で定めるところにより算定した額

十二　計算期間（基準日被扶養者が組合等の組合員等であった間に限る。）において、当該基準日被扶養者が当該組合等の組合員等（法第七十四条第一項第三号の規定が適用される者に相当する者である場合を除く。）として受けた外来療養について第一号に規定する合算額に相当する額として厚生労働省令で定めるところにより算定した額

十三　計算期間（基準日被保険者が当該保険者の被保険者であり、かつ、当該基準日被保険者の被扶養者であった者（基準日被扶養者を除く。）が当該基準日被保険者の被扶養者であった間に限る。）において、当該基準日被保険者の被扶養者であった者（基準日被扶養者を除く。）が当該保険者の被保険者の被扶養者（法第百十条第二項第一号ニの規定が適用される者である場合を除く。）として受けた外来療養（継続給付に係る外来療養を含む。）に係る第一号に規定する合算額

十四　計算期間（基準日被保険者が他の健康保険の保険者の被

保険者であり、かつ、当該基準日被保険者の被扶養者であった者（基準日被扶養者を除く。）が当該基準日被保険者の被扶養者であった間に限る。）において、当該基準日被保険者の被扶養者であった者（基準日被扶養者を除く。）が当該他の健康保険の保険者の被保険者の被扶養者（法第百十条第二項第一号ニの規定が適用される者である場合を除く。）として受けた外来療養（継続給付に係る外来療養を含む。）に係る第一号に規定する合算額

十五　計算期間（基準日被扶養者が当該保険者の被保険者であり、かつ、当該基準日被扶養者の被扶養者であった者（基準日被保険者を除く。）が当該基準日被扶養者の被扶養者であった間に限る。）において、当該基準日被扶養者の被扶養者であった者（基準日被保険者を除く。）が当該保険者の被保険者の被扶養者（法第百十条第二項第一号ニの規定が適用される者である場合を除く。）として受けた外来療養（継続給付に係る外来療養を含む。）に係る第一号に規定する合算額

十六　計算期間（基準日被扶養者が他の健康保険の保険者の被保険者であり、かつ、当該基準日被扶養者の被扶養者であった者（基準日被保険者を除く。）が当該基準日被扶養者の被扶養者であった間に限る。）において、当該基準日被扶養者の被扶養者であった者（基準日被保険者を除く。）が当該他の健康保険の保険者の被保険者の被扶養者（法第百十条第二項第一号ニの規定が適用される者である場合を除く。）として受けた外来療養（継続給付に係る外来療養を含む。）に係る第一号に規定する合算額

十七　計算期間（基準日被保険者が組合等（高齢者の医療の確保に関する法律に基づく後期高齢者医療広域連合を除く。）の組合員等（後期高齢者医療の被保険者を除く。）であり、かつ、当該基準日被保険者の被扶養者等であった者（基準日被扶養者を除く。）が当該基準日被保険者の被扶養者等であった間に限る。）において、当該基準日被保険者の被扶養者等であった者（基準日被扶養者を除く。）が当該組合等の組合員等の被扶養者等（法第百十条第二項第一号ニの規定が適用される者に相当する者である場合を除く。）として受けた外来療養について第一号に規定する合算額に相当する額として厚生労働省令で定めるところにより算定した額

十八　計算期間（基準日被扶養者が組合等（高齢者の医療の確保に関する法律に基づく後期高齢者医療広域連合を除く。）の組合員等（後期高齢者医療の被保険者を除く。）であり、かつ、当該基準日被扶養者の被扶養者等であった者（基準日被保険者を除く。）が当該基準日被扶養者の被扶養者等であった間に限る。）において、当該基準日被扶養者の被扶養者等であった者（基準日被保険者を除く。）が当該組合等の組合員等の被扶養者等（法第百十条第二項第一号ニの規定が適用される者に相当する者である場合を除く。）として受けた外来療養について第一号に規定する合算額に相当する額として厚生労働省令で定めるところにより算定した額

2　前項の規定は、計算期間において当該保険者の被保険者であった者（基準日被扶養者に限る。）に対する高額療養費の支給について準用する。この場合において、同項中「同号」とあるのは「第三号」と、「（第七号」とあるのは「（第九号」と、「（第十三号」とあるのは「（第十五号」と、同項ただし書中「第七十四条第一項第三号」とあるのは「第百十条第二項第一号ニ」と読み替えるものとする。

3　第一項の規定は、計算期間において当該保険者の被保険者であった者（基準日において他の健康保険の保険者の被保険者である者に限る。）に対する高額療養費の支給について準用する。この場合において、次の表の上欄に掲げる規定中同表の中欄に掲げる字句は、それぞれ同表の下欄に掲げる字句に読み替えるものとする。

第一項	同号に掲げる	第二号に掲げる額のうち、計算期間（毎年八月一日から翌年七月三十一日までの期間をいう。以下同じ。）（第三項に規定する者が当該保険者の被保険者であった間に限る。）において、当該第三項に規定する者が当該保険者の被保険者（法第七十四条第一項第三号の規定が適用される者である場合を除く。）として受けた第二号に規定する外来療養に係る
	第七号に掲げる	第八号に掲げる額のうち、計算期間（第三項に規定する者が当該保険者の被保険者であり、かつ、第三号に規定する基準日被扶養者が当該同項に規定する者の被扶養者であった間に限る。）において、当該基準日被扶養者が当該保険者の被保険者の被扶養者（法第百十条第二項第一号ニの規定が適用される者である場合を除く。）として受けた第八号に規定する外来療養に係る
	第十三号に掲げる	第十四号に掲げる額のうち、計算期間（第三項に規定する者が当該保険者の被保険者であり、かつ、当該同項に規定する者の被扶養者であった者（当該基準日被扶養者を除く。）が当該同項に規定する者の被扶養者であった間に限る。）において、当該同項に規定する者の被扶養者であった者（当該基準日被扶養者を除く。）が当該保険者の被保険者の被扶養者（法第百十条第二項第一号ニの規定が適用される者である場合を除く。）として受けた第十四号に規定する外来療養に係る

第一項ただし書	（毎年八月一日から翌年七月三十一日までの期間をいう。以下同じ。）の末日	の末日
第一項第一号	おいて当該	おいて他の健康保険の
	）が当該保険者	）が当該他の健康保険の保険者（以下この項において「基準日保険者」という。）
	保険者の被保険者（法	基準日保険者の被保険者（法
第一項第二号	他の	基準日保険者以外の
第一項第三号	おいて当該保険者	おいて基準日保険者
	が当該保険者	が当該基準日保険者
第一項第四号	他の	基準日保険者以外の
第一項第七号	当該保険者の被保険者で	基準日保険者の被保険者で
	保険者の被保険者の	基準日保険者の被保険者の
第一項第八号	他の	基準日保険者以外の
第一項第九号	当該保険者の被保険者で	基準日保険者の被保険者で
	保険者の被保険者（	基準日保険者の被保険者（
第一項第十号	他の	基準日保険者以外の
第一項第十三号	当該保険者の被保険者で	基準日保険者の被保険者で
	保険者の被保険者の	基準日保険者の被保険者の
第一項第十四号	他の	基準日保険者以外の
第一項第十五号	当該保険者の被保険者で	基準日保険者の被保険者で
	保険者の被保険者の	基準日保険者の被保険者の
第一項第十六号	他の	基準日保険者以外の

4　第一項の規定は、計算期間において当該保険者の被保険者であった者（基準日において他の健康保険の保険者の被保険者の被扶養者である者に限る。）に対する高額療養費の支給について準用する。この場合において、次の表の上欄に掲げる規定中同表の中欄に掲げる字句は、それぞれ同表の下欄に掲げる字句に読み替えるものとする。

第一項	同号に掲げる	第四号に掲げる額のうち、計算期間（毎年八月一日から翌年七月三十一日までの期間をいう。以下同じ。）（第四項に規定する者が当該保険者の被保険者であり、かつ、第一号に規定する基準日被保険者が当該同項に規定する者の被扶養者であった間に限る。）において、当該基準日被保険者が当該保険者の被保険者の被扶養者（法第百十条第二項第一号ニの規定が適用される者である場合を除く。）として受けた第四号に規定する外来療養に係る
	第七号に掲げる	第十号に掲げる額のうち、計算期間（第四項に規定する者が当該保険者の被保険者であった間に限る。）において、当該第四項に規定する者が当該保険者の被保険者（法第七十四条第一項第三号の規定が適用される者である場合を除く。）として受けた第十号に規定する外来療養に係る
	第十三号に掲げる	第十六号に掲げる額のうち、計算期間（第四項に規定する者が当該保険者の被保険者であり、かつ、当該同項に規定する者の被扶養者であった者（当該基準日被保険者を除く。）が当該同項に規定する者の被扶養者であった間に限る。）において、当該同項に規定する者の被扶養者

		であった者（当該基準日被保険者を除く。）が当該保険者の被保険者の被扶養者（法第百十条第二項第一号ニの規定が適用される者である場合を除く。）として受けた第十六号に規定する外来療養に係る
第一項ただし書	（毎年八月一日から翌年七月三十一日までの期間をいう。以下同じ。）の末日	の末日
	第七十四条第一項第三号	第百十条第二項第一号ニ
第一項第一号	おいて当該	おいて他の健康保険の
	）が当該保険者	）が当該他の健康保険の保険者（以下この項において「基準日保険者」という。）
	保険者の被保険者（法	基準日保険者の被保険者（法
第一項第二号	他の	基準日保険者以外の
第一項第三号	おいて当該保険者	おいて基準日保険者
	が当該保険者	が当該基準日保険者
第一項第四号	他の	基準日保険者以外の
第一項第七号	当該保険者の被保険者で	基準日保険者の被保険者で
	保険者の被保険者の	基準日保険者の被保険者の
第一項第八号	他の	基準日保険者以外の
第一項第九号	当該保険者の被保険者で	基準日保険者の被保険者で
	保険者の被保険者（	基準日保険者の被保険者（
第一項第十号	他の	基準日保険者以外の
第一項第十三号	当該保険者の被保険者で	基準日保険者の被保険者で
	保険者の被保険者の	基準日保険者の被保険者の
第一項第十四号	他の	基準日保険者以外の
第一項第十五号	当該保険者の被保険者で	基準日保険者の被保険者で
	保険者の被保険者の	基準日保険者の被保険者の
第一項第十六号	他の	基準日保険者以外の

5　計算期間において当該保険者の被保険者であった者（基準日において組合等（高齢者の医療の確保に関する法律に基づく後期高齢者医療広域連合を除く。）の組合員等（第九項に規定する国民健康保険の世帯主等であって被保険者又はその被扶養者である者及び後期高齢者医療の被保険者を除く。）である者に限る。以下この項において「基準日組合員等」という。）に対する高額療養費は、次の表の上欄に掲げる額のいずれかが高額療養費算定基準額を超える場合に支給するものとし、その額は、同表の中欄に掲げる額（当該額が零を下回る場合には、零とする。）にそれぞれ同表の下欄に掲げる率を乗じて得た額の合算額とする。ただし、当該基準日組合員等が基準日において法第七十四条第一項第三号の規定が適用される者に相当する者である場合は、この限りでない。

基準日組合員等を基準日被保険者と、基準日被扶養者等（基準日において当該基準日組合員等の被扶養者等である者をいう。以下この表において同じ。）を基準日被扶養者とそれぞれみなして厚生労働省令で定めるところにより算定した第一項第一号から第六号までに掲げる額に相当する額を合算した額（以下この表において「基準日組合員等合算額」という。）	基準日組合員等合算額から高額療養費算定基準額を控除した額	基準日組合員等合算額のうち、基準日組合員等を基準日被保険者と、基準日被扶養者等を基準日被扶養者とそれぞれみなして厚生労働省令で定めるところにより算定した第一項第一号に掲げる額に相当する額を、基準日組合員等合算額で除して得た率

基準日組合員等を基準日被保険者と、基準日被扶養者等を基準日被扶養者とそれぞれみなして厚生労働省令で定めるところにより算定した第一項第七号から第十二号までに掲げる額に相当する額を合算した額（以下この表において「基準日被扶養者等合算額」という。）	基準日被扶養者等合算額から高額療養費算定基準額を控除した額	基準日被扶養者等合算額のうち、基準日組合員等を基準日被保険者と、基準日被扶養者等を基準日被扶養者とそれぞれみなして厚生労働省令で定めるところにより算定した第一項第七号に掲げる額に相当する額を、基準日被扶養者等合算額で除して得た率
基準日組合員等を基準日被保険者と、基準日被扶養者等を基準日被扶養者とそれぞれみなして厚生労働省令で定めるところにより算定した第一項第十三号から第十八号までに掲げる額に相当する額を合算した額（以下この表において「元被扶養者合算額」という。）	元被扶養者合算額から高額療養費算定基準額を控除した額	元被扶養者合算額のうち、基準日組合員等を基準日被保険者と、基準日被扶養者等を基準日被扶養者とそれぞれみなして厚生労働省令で定めるところにより算定した第一項第十三号に掲げる額に相当する額を、元被扶養者合算額で除して得た率

6　前項の規定は、計算期間において当該保険者の被保険者であった者（基準日において組合等（高齢者の医療の確保に関する法律に基づく後期高齢者医療広域連合を除く。）の組合員等（後期高齢者医療の被保険者を除く。）の被扶養者等である者に限る。）に対する高額療養費の支給について準用する。この場合において、同項ただし書中「第七十四条第一項第三号」とあるのは「第百十条第二項第一号ニ」と、同項の表中「を基準日被保険者と、基準日被扶養者等（」とあるのは「（基準日において組合等（高齢者の医療の確保に関する法律に基づく後期高齢者医療広域連合を除く。）の組合員等（後期高齢者医療の被保険者を除く。）である者をいう。以下この表において同じ。）を基準日被保険者と、基準日被扶養者等（」と、「第一項第一号に」とあるのは「第一項第三号に」と、「第一項第七号に」とあるのは「第一項第九号に」と、「第一項第十三号に」とあるのは「第一項第十五号に」と読み替えるものとする。

7　計算期間において当該保険者の被保険者であった者（基準日において後期高齢者医療の被保険者である者に限る。以下この項において「基準日後期高齢者医療被保険者」という。）に対する高額療養費は、次の表の上欄に掲げる額のいずれかが高額療養費算定基準額を超える場合に支給するものとし、その額は、同表の中欄に掲げる額（当該額が零を下回る場合には、零とする。）にそれぞれ同表の下欄に掲げる率を乗じて得た額の合算額とする。ただし、当該基準日後期高齢者医療被保険者が基準日において法第七十四条第一項第三号の規定が適用される者に相当する者である場合は、この限りでない。

基準日後期高齢者医療被保険者を基準日被保険者と、基準日後期高齢者医療被保険者以外後期高齢者医療被保険者（基準日において当該基準日後期高齢者医療被保険者と同一の世帯に属する当該基準日後期高齢者医療被保険者以外の後期高齢者医療の被保険者をいう。以下この表において同じ。）を基準日被扶養者とそれぞれみなして厚生労働省令で定めるところにより算定した第一項第一号から第六号までに掲げる額に相当する額を合算した額（以下この表において「基準日後期高齢者医療被保険者合算額」という。）	基準日後期高齢者医療被保険者合算額から高額療養費算定基準額を控除した額	基準日後期高齢者医療被保険者合算額のうち、基準日後期高齢者医療被保険者を基準日被保険者と、基準日後期高齢者医療被保険者以外後期高齢者医療被保険者を基準日被扶養者とそれぞれみなして厚生労働省令で定めるところにより算定した第一項第一号に掲げる額に相当する額を、基準日後期高齢者医療被保険者合算額で除して得た率
基準日後期高齢者医療被保険者を基準日被保険者と、基準日後期高齢者医療被保険者以外後期高齢者医療被保険者を基準日被扶養者とそれぞれみなして厚生労働省令で定めるところにより算定した第一項第七号から第十二号までに掲げる額に相当する額を合算した額（以下この表において「基準日後期高齢者医療被保険者以外後期高齢者医療被保険者合算額」という。）	基準日後期高齢者医療被保険者以外後期高齢者医療被保険者合算額から高額療養費算定基準額を控除した額	基準日後期高齢者医療被保険者以外後期高齢者医療被保険者合算額のうち、基準日後期高齢者医療被保険者を基準日被保険者と、基準日後期高齢者医療被保険者以外後期高齢者医療被保険者を基準日被扶養者とそれぞれみなして厚生労働省令で定めるところにより算定した第一項第七号に掲げる額に相当する額を、基準日後期高齢者医療被保険者以外後期高齢者医療被保険者合算額で除して得た率
基準日後期高齢者医療被保険者を基準日被保険者と、基準日後期高齢者医療被保険者以外後期高齢者医療被保険者を基準日被扶養者とそれぞれみなして厚生労働省令で定めるところにより算定した第一	元被扶養者合算額から高額療養費算定基準額を控除した額	元被扶養者合算額のうち、基準日後期高齢者医療被保険者を基準日被保険者と、基準日後期高齢者医療被保険者以外後期高齢者医療被保険者を基準日被扶養者とそれぞれみなして厚生労働省令で定める

項第十三号から第十八号までに掲げる額に相当する額を合算した額（以下この表において「元被扶養者合算額」という。）		ところにより算定した第一項第十三号に掲げる額に相当する額を、元被扶養者合算額で除して得た率

8　第一項（第二項から第四項までにおいて準用する場合を含む。）、第五項（第六項において準用する場合を含む。）及び第六項において「組合等」とは、法第百二十三条第一項の規定による保険者としての全国健康保険協会、船員保険法の規定により医療に関する給付を行う全国健康保険協会、市町村（特別区を含む。）、国民健康保険組合、国家公務員共済組合法若しくは地方公務員等共済組合法に基づく共済組合、日本私立学校振興・共済事業団又は高齢者の医療の確保に関する法律に基づく後期高齢者医療広域連合をいう。

9　第一項（第二項から第四項までにおいて準用する場合を含む。）、第五項（第六項において準用する場合を含む。）及び第六項において「組合員等」とは、日雇特例被保険者（日雇特例被保険者であった者（法第百二十六条の規定により日雇特例被保険者手帳の交付を受け、その手帳に健康保険印紙を貼り付けるべき余白がなくなるに至るまでの間にある者に限り、法第三条第二項ただし書の規定による承認を受けて同項の規定による日雇特例被保険者とならない期間内にある者又は法第百二十六条第三項の規定により当該日雇特例被保険者手帳を返納した者を除く。）を含む。次項、第四十三条の三第五項及び第四十四条第二項から第七項までにおいて同じ。）、船員保険の被保険者、国家公務員共済組合法若しくは地方公務員等共済組合法に基づく共済組合の組合員、私立学校教職員共済法の規定による私立学校教職員共済制度の加入者、国民健康保険の被保険者の属する世帯の世帯主若しくは国民健康保険組合の組合員（以下「国民健康保険の世帯主等」という。）又は後期高齢者医療の被保険者をいう。

10　第一項（第二項から第四項までにおいて準用する場合を含む。）、第五項（第六項において準用する場合を含む。）及び第六項において「被扶養者等」とは、日雇特例被保険者の被扶養者若しくは船員保険法、国家公務員共済組合法（他の法律において準用する場合を含む。）若しくは地方公務員等共済組合法の規定による被扶養者又は国民健康保険の世帯主等と同一の世帯に属する当該国民健康保険の世帯主等以外の国民健康保険の被保険者をいう。

（高額療養費算定基準額）

第四十二条　第四十一条第一項の高額療養費算定基準額は、次の各号に掲げる者の区分に応じ、当該各号に定める額とする。

一　次号から第五号までに掲げる者以外の者　八万百円と、第四十一条第一項第一号及び第二号に掲げる額を合算した額に係る療養につき厚生労働省令で定めるところにより算定した当該療養に要した費用の額（その額が二十六万七千円に満たないときは、二十六万七千円）から二十六万七千円を控除した額に百分の一を乗じて得た額（この額に一円未満の端数がある場合において、その端数金額が五十銭未満であるときは、これを切り捨て、その端数金額が五十銭以上であるときは、これを一円に切り上げた額）との合算額。ただし、当該療養のあった月以前の十二月以内に既に高額療養費（同条第一項から第四項までの規定によるものに限る。）が支給されている月数が三月以上ある場合（以下この条及び次条第一項において「高額療養費多数回該当の場合」という。）にあっては、四万四千四百円とする。

二　療養のあった月の標準報酬月額が八十三万円以上の被保険者又はその被扶養者　二十五万二千六百円と、第四十一条第一項第一号及び第二号に掲げる額を合算した額に係る療養につき厚生労働省令で定めるところにより算定した当該療養に要した費用の額（その額が八十四万二千円に満たないときは、八十四万二千円）から八十四万二千円を控除した額に百分の一を乗じて得た額（この額に一円未満の端数がある場合において、その端数金額が五十銭未満であるときは、これを切り捨て、その端数金額が五十銭以上であるときは、これを一円に切り上げた額）との合算額。ただし、高額療養費多数回該当の場合にあっては、十四万百円とする。

三　療養のあった月の標準報酬月額が五十三万円以上八十三万円未満の被保険者又はその被扶養者　十六万七千四百円と、第四十一条第一項第一号及び第二号に掲げる額を合算した額に係る療養につき厚生労働省令で定めるところにより算定した当該療養に要した費用の額（その額が五十五万八千円に満たないときは、五十五万八千円）から五十五万八千円を控除した額に百分の一を乗じて得た額（この額に一円未満の端数がある場合において、その端数金額が五十銭未満であるときは、これを切り捨て、その端数金額が五十銭以上であるときは、これを一円に切り上げた額）との合算額。ただし、高額療養費多数回該当の場合にあっては、九万三千円とする。

四　療養のあった月の標準報酬月額が二十八万円未満の被保険者又はその被扶養者（次号に掲げる者を除く。）　五万七千六百円。ただし、高額療養費多数回該当の場合にあっては、四万四千四百円とする。

五　市町村民税非課税者（療養のあった月の属する年度（療養のあった月が四月から七月までの場合にあっては、前年度）分の地方税法（昭和二十五年法律第二百二十六号）の規定による市町村民税（同法の規定による特別区民税を含むものとし、同法第三百二十八条の規定によって課する所得割を除く。第四十三条の三第一項第五号において同じ。）が課されない者（市町村（特別区を含む。同号において同じ。）の条例で定めるところにより当該市町村民税を免除された者を含むものとし、当該市町村民税の賦課期日において同法の施行地に住所を有しない者を除く。）をいう。第三項第五号において同じ。）である被保険者若しくはその被扶養者又は療養のあった月において要保護者（生活保護法第六条第二項に規定する要保護者をいう。第三項において同じ。）であって厚生労働省令で定めるものに該当する被保険者若しくはその被扶養者（第二号及び第三号に掲げる者を除く。）　三万五千四百円。ただし、高額療養費多数回該当の場合にあっては、二万四千六百円とする。

2　第四十一条第二項の高額療養費算定基準額は、当該被扶養者に係る次の各号に掲げる被保険者の区分に応じ、当該各号に定める額とする。

一　次号から第五号までに掲げる被保険者以外の被保険者　四

万五十円と、第四十一条第二項第一号及び第二号に掲げる額を合算した額に係る療養につき厚生労働省令で定めるところにより算定した当該療養に要した費用の額（その額が十三万三千五百円に満たないときは、十三万三千五百円）から十三万三千五百円を控除した額に百分の一を乗じて得た額（この額に一円未満の端数がある場合において、その端数金額が五十銭未満であるときは、これを切り捨て、その端数金額が五十銭以上であるときは、これを一円に切り上げた額）との合算額。ただし、高額療養費多数回該当の場合にあっては、二万二千二百円とする。

二　前項第二号に規定する被保険者　十二万六千三百円と、第四十一条第二項第一号及び第二号に掲げる額を合算した額に係る療養につき厚生労働省令で定めるところにより算定した当該療養に要した費用の額（その額が四十二万千円に満たないときは、四十二万千円）から四十二万千円を控除した額に百分の一を乗じて得た額（この額に一円未満の端数がある場合において、その端数金額が五十銭未満であるときは、これを切り捨て、その端数金額が五十銭以上であるときは、これを一円に切り上げた額）との合算額。ただし、高額療養費多数回該当の場合にあっては、七万五十円とする。

三　前項第三号に規定する被保険者　八万三千七百円と、第四十一条第二項第一号及び第二号に掲げる額を合算した額に係る療養につき厚生労働省令で定めるところにより算定した当該療養に要した費用の額（その額が二十七万九千円に満たないときは、二十七万九千円）から二十七万九千円を控除した額に百分の一を乗じて得た額（この額に一円未満の端数がある場合において、その端数金額が五十銭未満であるときは、これを切り捨て、その端数金額が五十銭以上であるときは、これを一円に切り上げた額）との合算額。ただし、高額療養費多数回該当の場合にあっては、四万六千五百円とする。

四　前項第四号に規定する被保険者　二万八千八百円。ただし、高額療養費多数回該当の場合にあっては、二万二千二百円とする。

五　前項第五号に規定する被保険者　一万七千七百円。ただし、高額療養費多数回該当の場合にあっては、一万二千三百円とする。

3　第四十一条第三項の高額療養費算定基準額は、次の各号に掲げる者の区分に応じ、当該各号に定める額とする。

一　次号から第六号までに掲げる者以外の者　五万七千六百円。ただし、高額療養費多数回該当の場合にあっては、四万四千四百円とする。

二　法第七十四条第一項第三号の規定が適用される者であって療養のあった月の標準報酬月額が八十三万円以上の被保険者又はその被扶養者　二十五万二千六百円と、第四十一条第三項第一号及び第二号に掲げる額を合算した額に係る療養につき厚生労働省令で定めるところにより算定した当該療養に要した費用の額（その額が八十四万二千円に満たないときは、八十四万二千円）から八十四万二千円を控除した額に百分の一を乗じて得た額（この額に一円未満の端数がある場合において、その端数金額が五十銭未満であるときは、これを切り捨て、その端数金額が五十銭以上であるときは、これを一円に切り上げた額）との合算額。ただし、高額療養費多数回該当の場合にあっては、十四万百円とする。

三　法第七十四条第一項第三号の規定が適用される者であって療養のあった月の標準報酬月額が五十三万円以上八十三万円未満の被保険者又はその被扶養者　十六万七千四百円と、第四十一条第三項第一号及び第二号に掲げる額を合算した額に係る療養につき厚生労働省令で定めるところにより算定した当該療養に要した費用の額（その額が五十五万八千円に満たないときは、五十五万八千円）から五十五万八千円を控除した額に百分の一を乗じて得た額（この額に一円未満の端数がある場合において、その端数金額が五十銭未満であるときは、これを切り捨て、その端数金額が五十銭以上であるときは、これを一円に切り上げた額）との合算額。ただし、高額療養費多数回該当の場合にあっては、九万三千円とする。

四　法第七十四条第一項第三号の規定が適用される者であって療養のあった月の標準報酬月額が五十三万円未満の被保険者又はその被扶養者　八万百円と、第四十一条第三項第一号及び第二号に掲げる額を合算した額に係る療養につき厚生労働省令で定めるところにより算定した当該療養に要した費用の額（その額が二十六万七千円に満たないときは、二十六万七千円）から二十六万七千円を控除した額に百分の一を乗じて得た額（この額に一円未満の端数がある場合において、その端数金額が五十銭未満であるときは、これを切り捨て、その端数金額が五十銭以上であるときは、これを一円に切り上げた額）との合算額。ただし、高額療養費多数回該当の場合にあっては、四万四千四百円とする。

五　市町村民税非課税者である被保険者若しくはその被扶養者又は療養のあった月において要保護者である者であって厚生労働省令で定めるものに該当する被保険者若しくはその被扶養者（前三号又は次号に掲げる者を除く。）　二万四千六百円

六　被保険者及びその被扶養者の全てが療養のあった月の属する年度（療養のあった月が四月から七月までの場合にあっては、前年度）分の地方税法の規定による市町村民税（同法の規定による特別区民税を含む。第四十三条の三第二項第六号において同じ。）に係る同法第三百十三条第一項に規定する総所得金額及び山林所得金額に係る所得税法（昭和四十年法律第三十三号）第二条第一項第二十二号に規定する各種所得の金額（同法第三十五条第二項に規定する公的年金等の支給を受ける者については、同条第四項中「次の各号に掲げる場合の区分に応じ当該各号に定める金額」とあるのは「八十万円」として同項の規定を適用して算定した総所得金額とし、総所得金額に同法第二十八条第一項に規定する給与所得が含まれている場合においては、当該給与所得については、同条第二項の規定によって計算した金額から十万円を控除して得た金額（当該金額が零を下回る場合には、零とする。）によるものとする。第四十三条の三第二項第六号において同じ。）並びに他の所得と区分して計算される所得の金額（地方税法附則第三十三条の二第五項に規定する上場株式等に係る配当所得等の金額（同法附則第三十五条の二の六第八項又は第十一項の規定の適用がある場合には、その適用後の金額）、同法附則第三十三条の三第五項に規定する土地等に係る事業所得等の金額、同法附則第三十四条第四項に規定する長期譲渡所得の金額（租税特別措置法（昭和三十二年法律第

二十六号）第三十三条の四第一項若しくは第二項、第三十四条第一項、第三十四条の二第一項、第三十四条の三第一項、第三十五条第一項、第三十五条の二第一項、第三十五条の三第一項又は第三十六条の規定の適用がある場合には、これらの規定の適用により同法第三十一条第一項に規定する長期譲渡所得の金額から控除する金額を控除した金額）、地方税法附則第三十五条第五項に規定する短期譲渡所得の金額（租税特別措置法第三十三条の四第一項若しくは第二項、第三十四条第一項、第三十四条の二第一項、第三十四条の三第一項、第三十五条第一項又は第三十六条の規定の適用がある場合には、これらの規定の適用により同法第三十二条第一項に規定する短期譲渡所得の金額から控除する金額を控除した金額）、地方税法附則第三十五条の二第五項に規定する一般株式等に係る譲渡所得等の金額（同法附則第三十五条の三第十五項の規定の適用がある場合には、その適用後の金額）、同法附則第三十五条の二の二第五項に規定する上場株式等に係る譲渡所得等の金額（同法附則第三十五条の二の六第十一項又は第三十五条の三第十三項若しくは第十五項の規定の適用がある場合には、その適用後の金額）、同法附則第三十五条の四第四項に規定する先物取引に係る雑所得等の金額（同法附則第三十五条の四の二第七項の規定の適用がある場合には、その適用後の金額）、外国居住者等の所得に対する相互主義による所得税等の非課税等に関する法律（昭和三十七年法律第百四十四号）第八条第二項（同法第十二条第五項及び第十六条第二項において準用する場合を含む。）に規定する特例適用利子等の額、同法第八条第四項（同法第十二条第六項及び第十六条第三項において準用する場合を含む。）に規定する特例適用配当等の額、租税条約等の実施に伴う所得税法、法人税法及び地方税法の特例等に関する法律（昭和四十四年法律第四十六号）第三条の二の二第十項に規定する条約適用利子等の額及び同条第十二項に規定する条約適用配当等の額をいう。第四十三条の三第二項第六号において同じ。）がない被保険者若しくはその被扶養者又は療養のあった月において要保護者である者であって厚生労働省令で定めるものに該当する被保険者若しくはその被扶養者（第二号から第四号までに掲げる者を除く。）　一万五千円

4　第四十一条第四項の高額療養費算定基準額は、次の各号に掲げる者の区分に応じ、当該各号に定める額とする。

一　前項第一号に掲げる者　二万八千八百円。ただし、高額療養費多数回該当の場合にあっては、二万二千二百円とする。

二　前項第二号に掲げる者　十二万六千三百円と、第四十一条第四項に規定する合算した額に係る療養につき厚生労働省令で定めるところにより算定した当該療養に要した費用の額（その額が四十二万千円に満たないときは、四十二万千円）から四十二万千円を控除した額に百分の一を乗じて得た額（この額に一円未満の端数がある場合において、その端数金額が五十銭未満であるときは、これを切り捨て、その端数金額が五十銭以上であるときは、これを一円に切り上げた額）との合算額。ただし、高額療養費多数回該当の場合にあっては、七万五十円とする。

三　前項第三号に掲げる者　八万三千七百円と、第四十一条第四項に規定する合算した額に係る療養につき厚生労働省令で定めるところにより算定した当該療養に要した費用の額（その額が二十七万九千円に満たないときは、二十七万九千円）から二十七万九千円を控除した額に百分の一を乗じて得た額（この額に一円未満の端数がある場合において、その端数金額が五十銭未満であるときは、これを切り捨て、その端数金額が五十銭以上であるときは、これを一円に切り上げた額）との合算額。ただし、高額療養費多数回該当の場合にあっては、四万六千五百円とする。

四　前項第四号に掲げる者　四万五十円と、第四十一条第四項に規定する合算した額に係る療養につき厚生労働省令で定めるところにより算定した当該療養に要した費用の額（その額が十三万三千五百円に満たないときは、十三万三千五百円）から十三万三千五百円を控除した額に百分の一を乗じて得た額（この額に一円未満の端数がある場合において、その端数金額が五十銭未満であるときは、これを切り捨て、その端数金額が五十銭以上であるときは、これを一円に切り上げた額）との合算額。ただし、高額療養費多数回該当の場合にあっては、二万二千二百円とする。

五　前項第五号に掲げる者　一万二千三百円

六　前項第六号に掲げる者　七千五百円

5　第四十一条第五項の高額療養費算定基準額は、次の各号に掲げる者の区分に応じ、当該各号に定める額（同条第四項各号に掲げる療養（以下この条及び第四十三条の二第一項第一号において「七十五歳到達時特例対象療養」という。）に係るものにあっては、当該各号に定める額に二分の一を乗じて得た額）とする。

一　第三項第一号に掲げる者　一万八千円

二　第三項第五号又は第六号に掲げる者　八千円

6　第四十一条第六項の高額療養費算定基準額は、次の各号に掲げる場合の区分に応じ、当該各号に定める額とする。

一　次号又は第三号に掲げる場合以外の場合　八万百円（七十五歳到達時特例対象療養に係るものにあっては、四万五十円）と、第四十一条第一項第一号イからへまでに掲げる額に係る同条第六項に規定する特定給付対象療養につき厚生労働省令で定めるところにより算定した当該特定給付対象療養に要した費用の額（その額が二十六万七千円（七十五歳到達時特例対象療養に係るものにあっては、十三万三千五百円。以下この号において同じ。）に満たないときは、二十六万七千円）から二十六万七千円を控除した額に百分の一を乗じて得た額（この額に一円未満の端数がある場合において、その端数金額が五十銭未満であるときは、これを切り捨て、その端数金額が五十銭以上であるときは、これを一円に切り上げた額）との合算額

二　七十歳に達する日の属する月の翌月以後の前号の特定給付対象療養であって、入院療養（法第六十三条第一項第五号に掲げる療養（当該療養に伴う同項第一号から第三号までに掲げる療養を含む。）をいう。次項及び第八項第二号において同じ。）である場合　五万七千六百円（七十五歳到達時特例対象療養に係るものにあっては、二万八千八百円）

三　七十歳に達する日の属する月の翌月以後の第一号の特定給付対象療養であって、外来療養である場合　一万八千円（七十五歳到達時特例対象療養に係るものにあっては、九千円）

7　第四十一条第七項の高額療養費算定基準額は、次の各号に掲

げる場合の区分に応じ、当該各号に定める額とする。

一 次号又は第三号に掲げる場合以外の場合 次のイからホまでに掲げる者の区分に応じ、それぞれイからホまでに定める額

イ 第一項第一号に掲げる者 八万百円（七十五歳到達時特例対象療養に係るものにあっては、四万五十円）と、第四十一条第一項第一号イからヘまでに掲げる額に係る特定疾病給付対象療養につき厚生労働省令で定めるところにより算定した当該特定疾病給付対象療養に要した費用の額（その額が二十六万七千円（七十五歳到達時特例対象療養に係るものにあっては、十三万三千五百円。以下このイにおいて同じ。）に満たないときは、二十六万七千円）から二十六万七千円を控除した額に百分の一を乗じて得た額（この額に一円未満の端数がある場合において、その端数金額が五十銭未満であるときは、これを切り捨て、その端数金額が五十銭以上であるときは、これを一円に切り上げた額）との合算額。ただし、当該特定疾病給付対象療養（入院療養に限る。）のあった月以前の十二月以内に既に高額療養費（当該特定疾病給付対象療養（入院療養に限る。）を受けた被保険者又はその被扶養者がそれぞれ同一の病院又は診療所から受けた入院療養に係るものであって、同条第七項の規定によるものに限る。）が支給されている月数が三月以上ある場合（以下この項において「特定疾病給付対象療養高額療養費多数回該当の場合」という。）にあっては、四万四千四百円（七十五歳到達時特例対象療養に係るものにあっては、二万二千二百円）とする。

ロ 第一項第二号に掲げる者 二十五万二千六百円（七十五歳到達時特例対象療養に係るものにあっては、十二万六千三百円）と、第四十一条第一項第一号イからヘまでに掲げる額に係る特定疾病給付対象療養につき厚生労働省令で定めるところにより算定した当該特定疾病給付対象療養に要した費用の額（その額が八十四万二千円（七十五歳到達時特例対象療養に係るものにあっては、四十二万千円。以下このロにおいて同じ。）に満たないときは、八十四万二千円）から八十四万二千円を控除した額に百分の一を乗じて得た額（この額に一円未満の端数がある場合において、その端数金額が五十銭未満であるときは、これを切り捨て、その端数金額が五十銭以上であるときは、これを一円に切り上げた額）との合算額。ただし、特定疾病給付対象療養高額療養費多数回該当の場合にあっては、十四万百円（七十五歳到達時特例対象療養に係るものにあっては、七万五十円）とする。

ハ 第一項第三号に掲げる者 十六万七千四百円（七十五歳到達時特例対象療養に係るものにあっては、八万三千七百円）と、第四十一条第一項第一号イからヘまでに掲げる額に係る特定疾病給付対象療養につき厚生労働省令で定めるところにより算定した当該特定疾病給付対象療養に要した費用の額（その額が五十五万八千円（七十五歳到達時特例対象療養に係るものにあっては、二十七万九千円。以下このハにおいて同じ。）に満たないときは、五十五万八千円）から五十五万八千円を控除した額に百分の一を乗じて得た額（この額に一円未満の端数がある場合において、その端数金額が五十銭未満であるときは、これを切り捨て、その端数金額が五十銭以上であるときは、これを一円に切り上げた額）との合算額。ただし、特定疾病給付対象療養高額療養費多数回該当の場合にあっては、九万三千円（七十五歳到達時特例対象療養に係るものにあっては、四万六千五百円）とする。

ニ 第一項第四号に掲げる者 五万七千六百円（七十五歳到達時特例対象療養に係るものにあっては、二万八千八百円）。ただし、特定疾病給付対象療養高額療養費多数回該当の場合にあっては、四万四千四百円（七十五歳到達時特例対象療養に係るものにあっては、二万二千二百円）とする。

ホ 第一項第五号に掲げる者 三万五千四百円（七十五歳到達時特例対象療養に係るものにあっては、一万七千七百円）。ただし、特定疾病給付対象療養高額療養費多数回該当の場合にあっては、二万四千六百円（七十五歳到達時特例対象療養に係るものにあっては、一万二千三百円）とする。

二 七十歳に達する日の属する月の翌月以後の特定疾病給付対象療養であって、入院療養である場合 次のイからヘまでに掲げる者の区分に応じ、それぞれイからヘまでに定める額

イ 第三項第一号に掲げる者 五万七千六百円（七十五歳到達時特例対象療養に係るものにあっては、二万八千八百円）。ただし、特定疾病給付対象療養高額療養費多数回該当の場合にあっては、四万四千四百円（七十五歳到達時特例対象療養に係るものにあっては、二万二千二百円）とする。

ロ 第三項第二号に掲げる者 二十五万二千六百円（七十五歳到達時特例対象療養に係るものにあっては、十二万六千三百円）と、第四十一条第一項第一号イからヘまでに掲げる額に係る特定疾病給付対象療養につき厚生労働省令で定めるところにより算定した当該特定疾病給付対象療養に要した費用の額（その額が八十四万二千円（七十五歳到達時特例対象療養に係るものにあっては、四十二万千円。以下このロにおいて同じ。）に満たないときは、八十四万二千円）から八十四万二千円を控除した額に百分の一を乗じて得た額（この額に一円未満の端数がある場合において、その端数金額が五十銭未満であるときは、これを切り捨て、その端数金額が五十銭以上であるときは、これを一円に切り上げた額）との合算額。ただし、特定疾病給付対象療養高額療養費多数回該当の場合にあっては、十四万百円（七十五歳到達時特例対象療養に係るものにあっては、七万五十円）とする。

ハ 第三項第三号に掲げる者 十六万七千四百円（七十五歳到達時特例対象療養に係るものにあっては、八万三千七百円）と、第四十一条第一項第一号イからヘまでに掲げる額に係る特定疾病給付対象療養につき厚生労働省令で定めるところにより算定した当該特定疾病給付対象療養に要した費用の額（その額が五十五万八千円（七十五歳到達時特例対象療養に係るものにあっては、二十七万九千円。以下このハにおいて同じ。）に満たないときは、五十五万八千円）から五十五万八千円を控除した額に百分の一を乗じて得た額（この額に一円未満の端数がある場合において、そ

の端数金額が五十銭未満であるときは、これを切り捨て、その端数金額が五十銭以上であるときは、これを一円に切り上げた額）との合算額。ただし、特定疾病給付対象療養高額療養費多数回該当の場合にあっては、九万三千円（七十五歳到達時特例対象療養に係るものにあっては、四万六千五百円）とする。

ニ　第三項第四号に掲げる者　八万百円（七十五歳到達時特例対象療養に係るものにあっては、四万五十円）と、第四十一条第一項第一号イからへまでに掲げる額に係る特定疾病給付対象療養につき厚生労働省令で定めるところにより算定した当該特定疾病給付対象療養に要した費用の額（その額が二十六万七千円（七十五歳到達時特例対象療養に係るものにあっては、十三万三千五百円。以下このニにおいて同じ。）に満たないときは、二十六万七千円）から二十六万七千円を控除した額に百分の一を乗じて得た額（この額に一円未満の端数がある場合において、その端数金額が五十銭未満であるときは、これを切り捨て、その端数金額が五十銭以上であるときは、これを一円に切り上げた額）との合算額。ただし、特定疾病給付対象療養高額療養費多数回該当の場合にあっては、四万四千四百円（七十五歳到達時特例対象療養に係るものにあっては、二万二千二百円）とする。

ホ　第三項第五号に掲げる者　二万四千六百円（七十五歳到達時特例対象療養に係るものにあっては、一万二千三百円）

へ　第三項第六号に掲げる者　一万五千円（七十五歳到達時特例対象療養に係るものにあっては、七千五百円）

三　七十歳に達する日の属する月の翌月以後の特定疾病給付対象療養であって、外来療養である場合　次のイ又はロに掲げる者の区分に応じ、それぞれイ又はロに定める額（七十五歳到達時特例対象療養に係るものにあっては、それぞれイ又はロに定める額に二分の一を乗じて得た額）

イ　第三項第一号に掲げる者　一万八千円

ロ　第三項第五号又は第六号に掲げる者　八千円

8　第四十一条第八項の高額療養費算定基準額は、次の各号に掲げる場合の区分に応じ、当該各号に定める額（七十五歳到達時特例対象療養に係るものにあっては、当該各号に定める額に二分の一を乗じて得た額）とする。

一　次号又は第三号に掲げる場合以外の場合　三万五千四百円

二　七十歳に達する日の属する月の翌月以後の第四十一条第八項に規定する療養であって、入院療養である場合　一万五千円

三　七十歳に達する日の属する月の翌月以後の第四十一条第八項に規定する療養であって、外来療養である場合　八千円

9　第四十一条第九項の高額療養費算定基準額は、次の各号に掲げる者の区分に応じ、当該各号に定める額（七十五歳到達時特例対象療養に係るものにあっては、当該各号に定める額に二分の一を乗じて得た額）とする。

一　次号に掲げる者以外の者　一万円

二　第一項第二号又は第三号に掲げる者（七十歳に達する日の属する月の翌月以後に前条第九項に規定する療養を受けた者及び同項に規定する療養のうち国が費用を負担すべき療養に係る疾病として厚生労働大臣が定めるものに係る療養を受けた者を除く。）　二万円

10　前条第一項（同条第二項から第四項までにおいて準用する場合を含む。）、第五項（同条第六項において準用する場合を含む。）及び第七項の高額療養費算定基準額は、それぞれ十四万四千円とする。

（その他高額療養費の支給に関する事項）

第四十三条　被保険者が同一の月に一の保険医療機関若しくは保険薬局若しくは法第六十三条第三項第二号に掲げる病院若しくは診療所若しくは薬局（以下この項及び第五項において「保険医療機関等」と総称する。）又は指定訪問看護事業者から療養を受けた場合において、法の規定により支払うべき一部負担金、保険外併用療養費負担額（保険外併用療養費の支給につき法第八十六条第四項において準用する法第八十五条第五項又は第七項の規定の適用がある場合における当該保険外併用療養費の支給に係る療養につき算定した費用の額から当該保険外併用療養費の額を控除した額をいう。以下この項及び第五項において同じ。）又は訪問看護療養費負担額（訪問看護療養費の支給につき法第八十八条第六項の規定の適用がある場合における当該訪問看護療養費の支給に係る指定訪問看護につき算定した費用の額から当該訪問看護療養費の額を控除した額をいう。以下この項及び第五項において同じ。）の支払が行われなかったときは、保険者は、第四十一条第一項及び第三項から第五項までの規定による高額療養費について、当該一部負担金の額、保険外併用療養費負担額又は訪問看護療養費負担額から次の各号に掲げる場合の区分に応じ、当該各号に定める額を控除した額の限度において、当該保険医療機関等又は指定訪問看護事業者に支払うものとする。

一　第四十一条第一項の規定により高額療養費を支給する場合　次のイからホまでに掲げる者の区分に応じ、それぞれイからホまでに定める額

イ　前条第一項第一号に掲げる者に該当していることにつき厚生労働省令で定めるところにより保険者の認定を受けている者　八万百円と、当該療養につき厚生労働省令で定めるところにより算定した当該療養に要した費用の額（その額が二十六万七千円に満たないときは、二十六万七千円）から二十六万七千円を控除した額に百分の一を乗じて得た額（この額に一円未満の端数がある場合において、その端数金額が五十銭未満であるときは、これを切り捨て、その端数金額が五十銭以上であるときは、これを一円に切り上げた額）との合算額。ただし、高額療養費多数回該当の場合にあっては、四万四千四百円とする。

ロ　前条第一項第二号に掲げる者に該当していることにつき厚生労働省令で定めるところにより保険者の認定を受けている者　二十五万二千六百円と、当該療養につき厚生労働省令で定めるところにより算定した当該療養に要した費用の額（その額が八十四万二千円に満たないときは、八十四万二千円）から八十四万二千円を控除した額に百分の一を乗じて得た額（この額に一円未満の端数がある場合において、その端数金額が五十銭未満であるときは、これを切り捨て、その端数金額が五十銭以上であるときは、これを一円に切り上げた額）との合算額。ただし、高額療養費多数回該当の場合にあっては、十四万百円とする。

ハ　前条第一項第三号に掲げる者に該当していることにつき厚生労働省令で定めるところにより保険者の認定を受けている者　十六万七千四百円と、当該療養につき厚生労働省令で定めるところにより算定した当該療養に要した費用の額（その額が五十五万八千円に満たないときは、五十五万八千円）から五十五万八千円を控除した額に百分の一を乗じて得た額（この額に一円未満の端数がある場合において、その端数金額が五十銭未満であるときは、これを切り捨て、その端数金額が五十銭以上であるときは、これを一円に切り上げた額）との合算額。ただし、高額療養費多数回該当の場合にあっては、九万三千円とする。

ニ　前条第一項第四号に掲げる者に該当していることにつき厚生労働省令で定めるところにより保険者の認定を受けている者　五万七千六百円。ただし、高額療養費多数回該当の場合にあっては、四万四千四百円とする。

ホ　前条第一項第五号に掲げる者に該当していることにつき厚生労働省令で定めるところにより保険者の認定を受けている者　三万五千四百円。ただし、高額療養費多数回該当の場合にあっては、二万四千六百円とする。

二　第四十一条第三項の規定により高額療養費を支給する場合次のイからへまでに掲げる者の区分に応じ、それぞれイからへまでに定める額

イ　ロからへまでに掲げる者以外の者　五万七千六百円。ただし、高額療養費多数回該当の場合にあっては、四万四千四百円とする。

ロ　前条第三項第二号に掲げる者　二十五万二千六百円と、当該療養につき厚生労働省令で定めるところにより算定した当該療養に要した費用の額（その額が八十四万二千円に満たないときは、八十四万二千円）から八十四万二千円を控除した額に百分の一を乗じて得た額（この額に一円未満の端数がある場合において、その端数金額が五十銭未満であるときは、これを切り捨て、その端数金額が五十銭以上であるときは、これを一円に切り上げた額）との合算額。ただし、高額療養費多数回該当の場合にあっては、十四万百円とする。

ハ　前条第三項第三号に掲げる者に該当していることにつき厚生労働省令で定めるところにより保険者の認定を受けている者　十六万七千四百円と、当該療養につき厚生労働省令で定めるところにより算定した当該療養に要した費用の額（その額が五十五万八千円に満たないときは、五十五万八千円）から五十五万八千円を控除した額に百分の一を乗じて得た額（この額に一円未満の端数がある場合において、その端数金額が五十銭未満であるときは、これを切り捨て、その端数金額が五十銭以上であるときは、これを一円に切り上げた額）との合算額。ただし、高額療養費多数回該当の場合にあっては、九万三千円とする。

ニ　前条第三項第四号に掲げる者に該当していることにつき厚生労働省令で定めるところにより保険者の認定を受けている者　八万百円と、当該療養につき厚生労働省令で定めるところにより算定した当該療養に要した費用の額（その額が二十六万七千円に満たないときは、二十六万七千円）から二十六万七千円を控除した額に百分の一を乗じて得た額（この額に一円未満の端数がある場合において、その端数金額が五十銭未満であるときは、これを切り捨て、その端数金額が五十銭以上であるときは、これを一円に切り上げた額）との合算額。ただし、高額療養費多数回該当の場合にあっては、四万四千四百円とする。

ホ　前条第三項第五号に掲げる者に該当していることにつき厚生労働省令で定めるところにより保険者の認定を受けている者　二万四千六百円

ヘ　前条第三項第六号に掲げる者に該当していることにつき厚生労働省令で定めるところにより保険者の認定を受けている者　一万五千円

三　第四十一条第四項の規定により高額療養費を支給する場合次のイからへまでに掲げる者の区分に応じ、それぞれイからへまでに定める額

イ　ロからへまでに掲げる者以外の者　二万八千八百円。ただし、高額療養費多数回該当の場合にあっては、二万二千二百円とする。

ロ　前条第四項第二号に掲げる者　十二万六千三百円と、当該療養につき厚生労働省令で定めるところにより算定した当該療養に要した費用の額（その額が四十二万千円に満たないときは、四十二万千円）から四十二万千円を控除した額に百分の一を乗じて得た額（この額に一円未満の端数がある場合において、その端数金額が五十銭未満であるときは、これを切り捨て、その端数金額が五十銭以上であるときは、これを一円に切り上げた額）との合算額。ただし、高額療養費多数回該当の場合にあっては、七万五十円とする。

ハ　前条第四項第三号に掲げる者に該当していることにつき厚生労働省令で定めるところにより保険者の認定を受けている者　八万三千七百円と、当該療養につき厚生労働省令で定めるところにより算定した当該療養に要した費用の額（その額が二十七万九千円に満たないときは、二十七万九千円）から二十七万九千円を控除した額に百分の一を乗じて得た額（この額に一円未満の端数がある場合において、その端数金額が五十銭未満であるときは、これを切り捨て、その端数金額が五十銭以上であるときは、これを一円に切り上げた額）との合算額。ただし、高額療養費多数回該当の場合にあっては、四万六千五百円とする。

ニ　前条第四項第四号に掲げる者に該当していることにつき厚生労働省令で定めるところにより保険者の認定を受けている者　四万五十円と、当該療養につき厚生労働省令で定めるところにより算定した当該療養に要した費用の額（その額が十三万三千五百円に満たないときは、十三万三千五百円）から十三万三千五百円を控除した額に百分の一を乗じて得た額（この額に一円未満の端数がある場合において、その端数金額が五十銭未満であるときは、これを切り捨て、その端数金額が五十銭以上であるときは、これを一円に切り上げた額）との合算額。ただし、高額療養費多数回該当の場合にあっては、二万二千二百円とする。

ホ　前条第四項第五号に掲げる者に該当していることにつき厚生労働省令で定めるところにより保険者の認定を受けている者　一万二千三百円

ヘ　前条第四項第六号に掲げる者に該当していることにつき

厚生労働省令で定めるところにより保険者の認定を受けている者　七千五百円

四　第四十一条第五項の規定により高額療養費を支給する場合次のイ又はロに掲げる者の区分に応じ、それぞれイ又はロに定める額

イ　ロに掲げる者以外の者　一万八千円

ロ　前条第五項第二号に掲げる者に該当していることにつき厚生労働省令で定めるところにより保険者の認定を受けている者　八千円

2　前項の規定による支払があったときは、その限度において、被保険者に対し第四十一条第一項及び第三項から第五項までの規定による高額療養費の支給があったものとみなす。

3　法第百十条第四項から第六項までの規定は、家族療養費に係る療養についての第四十一条第一項から第五項までの規定による高額療養費の支給（家族療養費負担額（家族療養費の支給につき法第百十条第四項又は第六項の規定の適用がある場合における当該家族療養費の支給に係る療養につき算定した費用の額から当該家族療養費の額を控除した額をいう。）から第一項各号に掲げる場合については当該場合の区分に応じ当該各号に定める額を、第四十一条第二項の規定により高額療養費を支給する場合であって前条第二項各号のいずれかに掲げる区分に該当していることにつき厚生労働省令で定めるところにより保険者の認定を受けているときについては当該区分に応じ当該各号に定める額を控除した額を限度とするものに限る。）について準用する。

4　法第八十八条第六項及び第七項の規定は、家族訪問看護療養費に係る指定訪問看護についての第四十一条第一項から第五項までの規定による高額療養費の支給（家族訪問看護療養費負担額（家族訪問看護療養費の支給につき法第百十一条第三項において準用する法第八十八条第六項の規定の適用がある場合における当該家族訪問看護療養費の支給に係る指定訪問看護につき算定した費用の額から当該家族訪問看護療養費の額を控除した額をいう。）から第一項各号に掲げる場合については当該場合の区分に応じ当該各号に定める額を、第四十一条第二項の規定により高額療養費を支給する場合であって前条第二項各号のいずれかに掲げる区分に該当していることにつき厚生労働省令で定めるところにより保険者の認定を受けているときについては当該区分に応じ当該各号に定める額を控除した額を限度とするものに限る。）について準用する。この場合において、法第八十八条第六項中「被保険者が」とあるのは、「被扶養者が」と読み替えるものとする。

5　被保険者が保険医療機関等若しくは指定訪問看護事業者から原爆一般疾病医療費の支給その他厚生労働省令で定める医療に関する給付が行われるべき療養を受けた場合、第四十一条第八項の規定に該当する被保険者が保険医療機関等若しくは指定訪問看護事業者から同項に規定する療養を受けた場合又は同条第九項の規定による保険者の認定を受けた被保険者が保険医療機関等若しくは指定訪問看護事業者から同項に規定する療養を受けた場合において、法の規定により支払うべき一部負担金、保険外併用療養費負担額又は訪問看護療養費負担額の支払が行われなかったときは、保険者は、当該療養に要した費用のうち同条第六項から第九項までの規定による高額療養費として被保険者に支給すべき額に相当する額を当該保険医療機関等又は指定訪問看護事業者に支払うものとする。

6　前項の規定による支払があったときは、被保険者に対し第四十一条第六項から第九項までの規定による高額療養費の支給があったものとみなす。

7　法第百十条第四項から第六項までの規定は、家族療養費に係る療養についての第四十一条第六項から第九項までの規定による高額療養費の支給について準用する。この場合において、法第百十条第四項及び第六項中「療養を」とあるのは「原子爆弾被爆者に対する援護に関する法律（平成六年法律第百十七号）による一般疾病医療費の支給その他厚生労働省令で定める医療に関する給付が行われるべき療養を」と、「療養に」とあるのは「その療養に」と読み替えるものとする。

8　法第八十八条第六項及び第七項の規定は、家族訪問看護療養費に係る指定訪問看護についての第四十一条第六項から第九項までの規定による高額療養費の支給について準用する。この場合において、法第八十八条第六項中「被保険者が」とあるのは「被扶養者が」と、「指定訪問看護を」とあるのは「原子爆弾被爆者に対する援護に関する法律（平成六年法律第百十七号）による一般疾病医療費の支給その他厚生労働省令で定める医療に関する給付が行われるべき指定訪問看護を」と読み替えるものとする。

9　歯科診療及び歯科診療以外の診療を併せ行う保険医療機関は、第四十一条の規定の適用については、歯科診療及び歯科診療以外の診療につきそれぞれ別個の保険医療機関とみなす。

10　被保険者又はその被扶養者が同一の月にそれぞれ一の保険医療機関から法第六十三条第三項第五号に掲げる療養を含む療養及びそれ以外の療養を受けた場合は、第四十一条の規定の適用については、当該同号に掲げる療養を含む療養及びそれ以外の療養は、それぞれ別個の保険医療機関から受けたものとみなす。

11　被保険者が計算期間においてその資格を喪失し、かつ、当該資格を喪失した日以後の当該計算期間において医療保険加入者（高齢者の医療の確保に関する法律第七条第四項に規定する加入者又は後期高齢者医療の被保険者をいう。第四十三条の四第一項並びに第四十四条第四項及び第七項において同じ。）とならない場合その他厚生労働省令で定める場合における第四十一条の二の規定による高額療養費の支給については、当該日の前日（当該厚生労働省令で定める場合にあっては、厚生労働省令で定める日）を基準日とみなして、同条及び前条第十項の規定を適用する。

12　高額療養費の支給に関する手続に関して必要な事項は、厚生労働省令で定める。

（高額介護合算療養費の支給要件及び支給額）

第四十三条の二　高額介護合算療養費は、次に掲げる額を合算した額から七十歳以上介護合算支給総額（次項の七十歳以上介護合算一部負担金等世帯合算額から同項の七十歳以上介護合算算定基準額を控除した額（当該額が高額介護合算療養費の支給事務の執行に要する費用を勘案して厚生労働大臣が定める支給基準額（以下この条において「支給基準額」という。）以下である場合又は当該七十歳以上介護合算一部負担金等世帯合算額の算定につき同項ただし書に該当する場合には、零とする。）をいう。）を控除した額（以下この項において「介護合算一部

負担金等世帯合算額」という。）が介護合算算定基準額に支給基準額を加えた額を超える場合に基準日被保険者に支給するものとし、その額は、介護合算一部負担金等世帯合算額から介護合算算定基準額を控除した額に介護合算按分率（第一号に掲げる額から次項の規定により支給される高額介護合算療養費の額を控除した額を、介護合算一部負担金等世帯合算額で除して得た率をいう。）を乗じて得た額とする。ただし、同号から第五号までに掲げる額を合算した額又は第六号及び第七号に掲げる額を合算した額が零であるときは、この限りでない。

一　計算期間において、基準日被保険者又はその被扶養者がそれぞれ当該保険者の被保険者又はその被扶養者として受けた療養（法第九十八条第一項（法第百十条第七項及び第百十一条第三項において準用する場合を含む。）の規定による保険給付に係る療養（以下この条において「継続給付に係る療養」という。）を含む。）に係る次に掲げる額の合算額（第四十一条第一項から第五項まで又は第四十一条の二の規定により高額療養費が支給される場合にあっては、当該支給額を控除した額とし、法第五十三条に規定するその他の給付として次に掲げる額に係る負担を軽減するための金品が支給される場合にあっては、当該金品に相当する額を控除した額とする。）

イ　当該療養（特定給付対象療養を除く。）に係る第四十一条第一項第一号イからへまでに掲げる額（七十歳に達する日の属する月以前の当該療養に係るものにあっては、同一の月にそれぞれ一の病院等から受けた当該療養について二万千円（七十五歳到達時特例対象療養に係るものにあっては、一万五百円）以上のものに限る。）を合算した額

ロ　当該療養（特定給付対象療養に限る。）について、当該療養を受けた者がなお負担すべき額（七十歳に達する日の属する月以前の特定給付対象療養に係るものにあっては、当該特定給付対象療養に係る第四十一条第一項第一号イからへまでに掲げる額が同一の月にそれぞれ一の病院等から受けた当該特定給付対象療養について二万千円（七十五歳到達時特例対象療養に係るものにあっては、一万五百円）以上のものに限る。）を合算した額

二　基準日被保険者が計算期間における他の健康保険の保険者の被保険者であった間に、当該者が受けた療養又はその被扶養者であった者がその被扶養者であった間に受けた療養に係る前号に規定する合算額

三　基準日被扶養者が計算期間における当該保険者の被保険者であった間に、当該者が受けた療養（継続給付に係る療養を含む。）又はその被扶養者であった者がその被扶養者であった間に受けた療養（継続給付に係る療養を含む。）に係る第一号に規定する合算額

四　基準日被扶養者が計算期間における他の健康保険の保険者の被保険者であった間に、当該者が受けた療養又はその被扶養者であった者がその被扶養者であった間に受けた療養に係る第一号に規定する合算額

五　基準日被保険者又は基準日被扶養者が計算期間における組合員等（第四十一条の二第九項に規定する組合員等をいう。以下この号及び第五項において同じ。）であった間に、当該組合員等が受けた療養（前各号に規定する療養を除く。）又はその被扶養者等（同条第十項に規定する被扶養者等をいう。以下この号及び第五項において同じ。）であった者がその被扶養者等であった間に受けた療養について第一号に規定する合算額に相当する額として厚生労働省令で定めるところにより算定した額

六　基準日被保険者又は基準日被扶養者が計算期間に受けた居宅サービス等（介護保険法施行令（平成十年政令第四百十二号）第二十二条の二の二第一項に規定する居宅サービス等をいう。次項において同じ。）に係る同条第二項第一号及び第二号に掲げる額の合算額（同項の規定により高額介護サービス費が支給される場合にあっては、当該支給額を控除した額とする。）

七　基準日被保険者又は基準日被扶養者が計算期間に受けた介護予防サービス等（介護保険法施行令第二十二条の二の二第二項に規定する介護予防サービス等をいう。次項において同じ。）に係る同条第二項第三号及び第四号に掲げる額の合算額（同令第二十九条の二の二第二項の規定により高額介護予防サービス費が支給される場合にあっては、当該支給額を控除した額とする。）

2　前項各号に掲げる額のうち、七十歳に達する日の属する月の翌月以後に受けた療養又は居宅サービス等若しくは介護予防サービス等（以下この項及び第六項において「七十歳以上合算対象サービス」という。）に係る額に相当する額として厚生労働省令で定めるところにより算定した額を合算した額（以下この項において「七十歳以上介護合算一部負担金等世帯合算額」という。）が七十歳以上介護合算算定基準額に支給基準額を加えた額を超える場合は、七十歳以上介護合算一部負担金等世帯合算額から七十歳以上介護合算算定基準額を控除した額に七十歳以上介護合算按分率（七十歳以上合算対象サービスに係る前項第一号に掲げる額に相当する額として厚生労働省令で定めるところにより算定した額を、七十歳以上介護合算一部負担金等世帯合算額で除して得た率をいう。）を乗じて得た額を高額介護合算療養費として基準日被保険者に支給する。ただし、七十歳以上合算対象サービスに係る前項第一号から第五号までに掲げる額に相当する額として厚生労働省令で定めるところにより算定した額を合算した額又は七十歳以上合算対象サービスに係る同項第六号及び第七号に掲げる額に相当する額として厚生労働省令で定めるところにより算定した額を合算した額が零であるときは、この限りでない。

3　前二項の規定は、計算期間において当該保険者の被保険者であった者（基準日被扶養者に限る。）に対する高額介護合算療養費の支給について準用する。この場合において、第一項中「第一号に掲げる」とあるのは「第三号に掲げる」と、同項ただし書中「同号」とあるのは「第一号」と、前項中「前項第一号に」とあるのは「前項第三号に」と読み替えるものとする。

4　第一項及び第二項の規定は、計算期間において当該保険者の被保険者であった者（基準日において他の健康保険の保険者の被保険者又はその被扶養者である者に限る。）に対する高額介護合算療養費の支給について準用する。この場合において、第一項中「第一号に掲げる額」とあるのは「第四項に規定する者が計算期間における当該保険者の被保険者であった間に、当該者が受けた療養（第一号に規定する継続給付に係る療養を含む。）又はその被扶養者であった者がその被扶養者であった間

に受けた療養（同号に規定する継続給付に係る療養を含む。）に係る同号に規定する合算額」と、同項第一号中「基準日被保険者」とあるのは「他の健康保険の保険者の被保険者（基準日において当該他の健康保険の保険者の被保険者である者に限る。以下この項及び次項において「基準日被保険者」という。）」と、「保険者の」とあるのは「他の健康保険の保険者（以下この項において「基準日保険者」という。）の」と、同項第二号中「他の」とあるのは「基準日保険者以外の」と、同項第三号中「基準日被扶養者」とあるのは「基準日被保険者の被扶養者（基準日において基準日保険者の被保険者の被扶養者である者に限る。以下この項において「基準日被扶養者」という。）」と、「保険者の」とあるのは「基準日保険者の」と、同項第四号中「他の」とあるのは「基準日保険者以外の」と、第二項中「七十歳以上合算対象サービスに係る前項第一号に掲げる額」とあるのは「第四項に規定する者が計算期間における当該保険者の被保険者であった間に、当該者が受けた療養（七十歳に達する日の属する月の翌月以後に受けた療養に限り、継続給付に係る療養を含む。）又はその被扶養者であった者がその被扶養者であった間に受けた療養（七十歳に達する日の属する月の翌月以後に受けた療養に限り、継続給付に係る療養を含む。）に係る前項第一号に規定する合算額」と読み替えるものとする。

5　計算期間において当該保険者の被保険者であった者（基準日において組合員等（国民健康保険の世帯主等であって被保険者又はその被扶養者である者及び後期高齢者医療の被保険者を除く。）である者又は被扶養者等である者に限る。）に対する高額介護合算療養費は、当該組合員等である者を基準日被保険者と、当該被扶養者等である者を基準日被扶養者とそれぞれみなして厚生労働省令で定めるところにより算定した第一項各号に掲げる額に相当する額（以下この項及び次項において「通算対象負担額」という。）を合算した額から七十歳以上介護合算支給総額（次項の七十歳以上介護合算一部負担金等世帯合算額から同項の七十歳以上介護合算算定基準額を控除した額（当該額が支給基準額以下である場合又は当該七十歳以上介護合算一部負担金等世帯合算額の算定につき同項ただし書に該当する場合には、零とする。）をいう。）を控除した額（以下この項において「介護合算一部負担金等世帯合算額」という。）が介護合算算定基準額に支給基準額を加えた額を超える場合に支給するものとし、その額は、介護合算一部負担金等世帯合算額から介護合算算定基準額を控除した額に介護合算按分率（この項に規定する者が計算期間における当該保険者の被保険者であった間に、当該者が受けた療養（継続給付に係る療養を含む。）又はその被扶養者であった者がその被扶養者であった間に受けた療養（継続給付に係る療養を含む。）に係る通算対象負担額から次項の規定により支給される高額介護合算療養費の額を控除した額を、介護合算一部負担金等世帯合算額で除して得た率をいう。）を乗じて得た額とする。ただし、第一項第一号から第五号までに係る通算対象負担額を合算した額又は同項第六号及び第七号に係る通算対象負担額を合算した額が零であるときは、この限りでない。

6　通算対象負担額のうち、七十歳以上合算対象サービスに係る額に相当する額として厚生労働省令で定めるところにより算定した額（以下この項において「七十歳以上通算対象負担額」という。）を合算した額（以下この項において「七十歳以上介護合算一部負担金等世帯合算額」という。）が七十歳以上介護合算算定基準額に支給基準額を加えた額を超える場合は、七十歳以上介護合算一部負担金等世帯合算額から七十歳以上介護合算算定基準額を控除した額に七十歳以上介護合算按分率（前項に規定する者が計算期間における当該保険者の被保険者であった間に、当該者が受けた療養（継続給付に係る療養を含む。）又はその被扶養者であった者がその被扶養者であった間に受けた療養（継続給付に係る療養を含む。）に係る七十歳以上通算対象負担額を、七十歳以上介護合算一部負担金等世帯合算額で除して得た率をいう。）を乗じて得た額を高額介護合算療養費として同項に規定する者に支給する。ただし、第一項第一号から第五号までに係る七十歳以上通算対象負担額を合算した額又は同項第六号及び第七号に係る七十歳以上通算対象負担額を合算した額が零であるときは、この限りでない。

7　計算期間において当該保険者の被保険者であった者（基準日において後期高齢者医療の被保険者である者に限る。）に対する高額介護合算療養費は、当該後期高齢者医療の被保険者である者を基準日被保険者とみなして厚生労働省令で定めるところにより算定した第一項各号に掲げる額に相当する額（以下この項において「通算対象負担額」という。）を合算した額（以下この項において「介護合算一部負担金等世帯合算額」という。）が介護合算算定基準額に支給基準額を加えた額を超える場合に支給するものとし、その額は、介護合算一部負担金等世帯合算額から介護合算算定基準額を控除した額に介護合算按分率（この項に規定する者が計算期間における当該保険者の被保険者であった間に、当該者が受けた療養（継続給付に係る療養を含む。）又はその被扶養者であった者がその被扶養者であった間に受けた療養（継続給付に係る療養を含む。）に係る通算対象負担額を、介護合算一部負担金等世帯合算額で除して得た率をいう。）を乗じて得た額とする。ただし、第一項第一号から第五号までに係る通算対象負担額を合算した額又は同項第六号及び第七号に係る通算対象負担額を合算した額が零であるときは、この限りでない。

（介護合算算定基準額）

第四十三条の三　前条第一項（同条第三項及び第四項において準用する場合を除く。）の介護合算算定基準額は、次の各号に掲げる者の区分に応じ、当該各号に定める額とする。

一　次号から第五号までに掲げる者以外の者　六十七万円

二　基準日の属する月の標準報酬月額が八十三万円以上の被保険者　二百十二万円

三　基準日の属する月の標準報酬月額が五十三万円以上八十三万円未満の被保険者　百四十一万円

四　基準日の属する月の標準報酬月額が二十八万円未満の被保険者（次号に掲げる者を除く。）　六十万円

五　市町村民税非課税者（基準日の属する年度の前年度（次条第一項の規定により前年八月一日から三月三十一日までのいずれかの日を基準日とみなした場合にあっては、当該基準日とみなした日の属する年度）分の地方税法の規定による市町村民税が課されない者（市町村の条例で定めるところにより当該市町村民税を免除された者を含むものとし、当該市町村民税の賦課期日において同法の施行地に住所を有しない者を

除く。）をいう。次項第五号において同じ。）である被保険者（第二号及び第三号に掲げる者を除く。）　三十四万円

2　前条第二項（同条第三項及び第四項において準用する場合を除く。）の七十歳以上介護合算算定基準額は、次の各号に掲げる者の区分に応じ、当該各号に定める額とする。

一　次号から第六号までに掲げる者以外の者　五十六万円

二　基準日において療養の給付を受けることとした場合に法第七十四条第一項第三号の規定が適用される者（次号及び第四号において「第三号適用者」という。）であって、基準日の属する月の標準報酬月額が八十三万円以上のもの　二百十二万円

三　第三号適用者であって、基準日の属する月の標準報酬月額が五十三万円以上八十三万円未満のもの　百四十一万円

四　第三号適用者であって、基準日の属する月の標準報酬月額が五十三万円未満のもの　六十七万円

五　市町村民税非課税者である被保険者（前三号又は次号に掲げる者を除く。）　三十一万円

六　被保険者及び基準日の属する月における厚生労働省令で定める日においてその被扶養者である者の全てが基準日の属する年度の前年度（次条第一項の規定により前年八月一日から三月三十一日までのいずれかの日を基準日とみなした場合にあっては、当該基準日とみなした日の属する年度）分の地方税法の規定による市町村民税に係る同法第三百十三条第一項に規定する総所得金額及び山林所得金額に係る所得税法第二条第一項第二十二号に規定する各種所得の金額並びに他の所得と区分して計算される所得の金額がない被保険者（第二号から第四号までに掲げる者を除く。）　十九万円

3　第一項の規定は前条第三項において準用する同条第一項の介護合算算定基準額について、前項の規定は同条第三項において準用する同条第二項の七十歳以上介護合算算定基準額について、それぞれ準用する。この場合において、第一項中「前条第一項（同条第三項及び第四項において準用する場合を除く。）」とあるのは「前条第三項において準用する同条第一項」と、「次の各号に掲げる者」とあるのは「同条第三項に規定する者について基準日において当該者を扶養する次の各号に掲げる被保険者」と、前項中「前条第二項（同条第三項及び第四項において準用する場合を除く。）」とあるのは「前条第三項において準用する同条第二項」と、「次の各号に掲げる者」とあるのは「同条第三項に規定する者について基準日において当該者を扶養する次の各号に掲げる被保険者」と読み替えるものとする。

4　第一項の規定は前条第四項において準用する同条第一項の介護合算算定基準額について、第二項の規定は同条第四項において準用する同条第二項の七十歳以上介護合算算定基準額について、それぞれ準用する。この場合において、第一項中「前条第一項（同条第三項及び第四項において準用する場合を除く。）」とあるのは「前条第四項において準用する同条第一項」と、「次の各号に掲げる者」とあるのは「同条第四項に規定する者であって、基準日において他の健康保険の保険者の被保険者である者にあっては次の各号に掲げる当該者の区分に応じ、基準日において他の健康保険の保険者の被保険者の被扶養者である者にあっては次の各号に掲げる当該被保険者」と、「当該各号」とあるのは「それぞれ当該各号」と、第二項中「前条第二項（同条第三項及び第四項において準用する場合を除く。）」とあるのは「前条第四項において準用する同条第二項」と、「次の各号に掲げる者」とあるのは「同条第四項に規定する者であって、基準日において他の健康保険の保険者の被保険者である者にあっては次の各号に掲げる当該者の区分に応じ、基準日において他の健康保険の保険者の被保険者の被扶養者である者にあっては次の各号に掲げる当該被保険者」と、「当該各号」とあるのは「それぞれ当該各号」と読み替えるものとする。

5　前条第五項の介護合算算定基準額については、次の表の上欄に掲げる者の区分に応じ、それぞれ同表の中欄に掲げる規定を、同条第六項の七十歳以上介護合算算定基準額については、同表の上欄に掲げる者の区分に応じ、それぞれ同表の下欄に掲げる規定を準用する。この場合において、必要な技術的読替えは、厚生労働省令で定める。

上欄	中欄	下欄
基準日において日雇特例被保険者である者又はその被扶養者である者	第四十四条第五項において準用する第四十三条の三第一項（第四十四条第五項において準用する第四十三条の三第三項において準用する場合を含む。）及び第四十四条第七項	第四十四条第五項において準用する第四十三条の三第二項（第四十四条第五項において準用する第四十三条の三第三項において準用する場合を含む。）及び第四十四条第七項
基準日において船員保険の被保険者（国家公務員共済組合法及び地方公務員等共済組合法に基づく共済組合の組合員を除く。）である者又はその被扶養者である者	船員保険法施行令（昭和二十八年政令第二百四十号）第十二条第一項（同条第三項において準用する場合を含む。）及び第十三条第一項	船員保険法施行令第十二条第二項（同条第三項において準用する場合を含む。）及び第十三条第一項
基準日において国家公務員共済組合法の規定に基づく共済組合の組合員（防衛省の職員の給与等に関する法律施行令（昭和二十七年政令第三百六十八号）第十七条の三第一項に規定する自衛官等（以下この表において「自衛官等」という。）を除く。）である者又はその被扶養者	国家公務員共済組合法施行令（昭和三十三年政令第二百七号）第十一条の三の六の三第一項（同条第三項において準用する場合を含む。）及び第十一条の三の六の四第一項	国家公務員共済組合法施行令第十一条の三の六の三第二項（同条第三項において準用する場合を含む。）及び第十一条の三の六の四第一項

（自衛官等の被扶養者を含む。）である者		
基準日において自衛官等である者	防衛省の職員の給与等に関する法律施行令第十七条の六の五第一項及び第十七条の六の六第一項	国家公務員共済組合法施行令第十一条の三の六の三第二項及び第十一条の三の六の四第一項
基準日において地方公務員等共済組合法の規定に基づく共済組合の組合員である者又はその被扶養者である者	地方公務員等共済組合法施行令（昭和三十七年政令第三百五十二号）第二十三条の三の七第一項（同条第三項において準用する場合を含む。）及び第二十三条の三の八第一項	地方公務員等共済組合法施行令第二十三条の三の七第二項（同条第三項において準用する場合を含む。）及び第二十三条の三の八第一項
基準日において私立学校教職員共済法の規定による私立学校教職員共済制度の加入者である者又はその被扶養者である者	私立学校教職員共済法施行令（昭和二十八年政令第四百二十五号）第六条において準用する国家公務員共済組合法施行令第十一条の三の六の三第一項（私立学校教職員共済法施行令第六条において準用する国家公務員共済組合法施行令第十一条の三の六の三第三項において準用する場合を含む。）及び第十一条の三の六の四第一項	私立学校教職員共済法施行令第六条において準用する国家公務員共済組合法施行令第十一条の三の六の三第二項（私立学校教職員共済法施行令第六条において準用する国家公務員共済組合法施行令第十一条の三の六の三第三項において準用する場合を含む。）及び第十一条の三の六の四第一項
基準日において国民健康保険の世帯主等である者又は当該国民健康保険の世帯主等と同一の世帯に属する当該国民健康保険の世帯主等以外の国民健康保険の被保険者である者	国民健康保険法施行令（昭和三十三年政令第三百六十二号）第二十九条の四の三第一項並びに第二十九条の四の四第一項及び第二項	国民健康保険法施行令第二十九条の四の三第三項並びに第二十九条の四の四第一項及び第二項

6 前条第七項の介護合算算定基準額については、高齢者の医療の確保に関する法律施行令（平成十九年政令第三百十八号）第十六条の三第一項及び第十六条の四第一項の規定を準用する。この場合において、必要な技術的読替えは、厚生労働省令で定める。

（その他高額介護合算療養費の支給に関する事項）

第四十三条の四 被保険者が計算期間においてその資格を喪失し、かつ、当該資格を喪失した日以後の当該計算期間において医療保険加入者とならない場合その他厚生労働省令で定める場合における高額介護合算療養費の支給については、当該日の前日（当該厚生労働省令で定める場合にあっては、厚生労働省令で定める日）を基準日とみなして、前二条の規定を適用する。

2 高額介護合算療養費の支給に関する手続に関して必要な事項は、厚生労働省令で定める。

（出産育児交付金）

第四十四条の四 各年度の出産育児交付金は、当該年度の法第百五十二条の二に規定する出産育児一時金等の支給に要する費用の一部に充てるものとする。

（出産育児交付金に関する高齢者の医療の確保に関する法律の規定の読替え）

第四十四条の五 法第百五十二条の六の規定により高齢者の医療の確保に関する法律第四十一条及び第四十二条の規定を準用する場合においては、同法第四十一条（見出しを含む。）中「保険者」とあるのは「健康保険組合」と、同法第四十二条第一項中「、各保険者」とあるのは「、各保険者（健康保険（日雇特例被保険者（健康保険法第三条第二項に規定する日雇特例被保険者をいう。）の保険を除く。）の保険者としての全国健康保険協会及び健康保険組合をいう。以下同じ。）」と読み替えるものとする。

（健康保険組合の合併等の場合における出産育児交付金の額の算定の特例）

第四十四条の六 前期高齢者交付金及び後期高齢者医療の国庫負担金の算定等に関する政令（平成十九年政令第三百二十五号）第二条第一項から第四項までの規定は、法第百五十二条の六において準用する高齢者の医療の確保に関する法律第四十一条の規定による出産育児交付金の額の算定の特例について準用する。この場合において、次の表の上欄に掲げる同令の規定中同表の中欄に掲げる字句は、それぞれ同表の下欄に掲げる字句に読み替えるものとする。

第二条の見出し	保険者	健康保険組合
第二条第一項	保険者、	健康保険組合、
	保険者又は解散をした保険者	健康保険組合又は解散をした健康保険組合
	承継した保険者	承継した健康保険組合
	成立保険者等	成立健康保険組合等

第二条第一項第一号	保険者	健康保険組合
	債権の額又は前期高齢者納付金等に係る債務	債権
第二条第一項第二号及び第三号	保険者	健康保険組合
	次のイ及びロに掲げる額の区分に応じ、それぞれイ及びロに	イに
第二条第二項の表以外の部分	成立保険者等	成立健康保険組合等
	法第三十三条第一項ただし書	健康保険法（大正十一年法律第七十号）第百五十二条の三第一項ただし書
	概算前期高齢者交付金	概算出産育児交付金
	確定前期高齢者交付金	確定出産育児交付金
第二条第二項の表	保険者	健康保険組合
	概算前期高齢者交付金	概算出産育児交付金
	確定前期高齢者交付金	確定出産育児交付金
第二条第三項	成立保険者等	成立健康保険組合等
第二条第四項の表以外の部分	成立保険者等	成立健康保険組合等
	法第三十三条第一項ただし書	健康保険法第百五十二条の三第一項ただし書
	概算前期高齢者交付金	概算出産育児交付金
	確定前期高齢者交付金	確定出産育児交付金
第二条第四項の表	保険者	健康保険組合
	概算前期高齢者交付金	概算出産育児交付金
	確定前期高齢者交付金	確定出産育児交付金

（準備金の積立て）

第四十六条　協会は、毎事業年度末において、当該事業年度及びその直前の二事業年度内において行った保険給付に要した費用の額（前期高齢者納付金等、後期高齢者支援金等及び日雇拠出金、介護納付金並びに流行初期医療確保拠出金等の納付に要した費用の額（前期高齢者交付金がある場合には、これを控除した額）を含み、出産育児交付金の額並びに法第百五十三条及び第百五十四条の規定による国庫補助の額を除く。）の一事業年度当たりの平均額の十二分の一に相当する額に達するまでは、当該事業年度の剰余金の額を準備金として積み立てなければならない。

2　健康保険組合は、毎事業年度末において、当該事業年度及びその直前の二事業年度内において行った保険給付に要した費用の額（被保険者又はその被扶養者が法第六十三条第三項第三号に掲げる病院若しくは診療所又は薬局から受けた療養に係る保険給付に要した費用の額及び出産育児交付金の額を除く。）の一事業年度当たりの平均額の十二分の三に相当する額と当該事業年度及びその直前の二事業年度内において行った前期高齢者納付金等、後期高齢者支援金等及び日雇拠出金、介護納付金並びに流行初期医療確保拠出金等の納付に要した費用の額（前期高齢者交付金がある場合には、これを控除した額）の一事業年度当たりの平均額の十二分の一に相当する額とを合算した額に達するまでは、当該事業年度の剰余金の額を準備金として積み立てなければならない。

（二以上の事業所に使用される場合の保険料）

第四十七条　法第百六十一条第四項の規定により被保険者（日雇特例被保険者を除く。以下同じ。）が同時に二以上の事業所又は事務所（以下単に「事業所」という。）に使用される場合における各事業主の負担すべき標準報酬月額に係る保険料の額は、第一号に掲げる額に第二号に掲げる数を乗じて得た額とする。

一　当該被保険者の保険料の半額（法第百六十二条の規定が適用された場合にあっては、保険料の額に事業主の負担すべき割合を乗じて得た額）

二　各事業所について法第四十一条第一項、第四十二条第一項若しくは第四十三条第一項又は第四十四条第一項の規定により算定した額を当該被保険者の報酬月額で除して得た数

2　法第百六十一条第四項の規定により被保険者が同時に二以上の事業所に使用される場合における各事業主の負担すべき標準賞与額に係る保険料の額は、前項第一号に掲げる額に各事業所についてその月に各事業主が支払った賞与額をその月に当該被保険者が受けた賞与額で除して得た数を乗じて得た額とする。

3　法第百六十一条第四項の被保険者が同時に二以上の事業所に使用される場合における各事業主が納付すべき保険料は、前二項の規定により各事業主が負担すべき保険料及びこれに応ずる当該被保険者が負担すべき保険料とする。

（保険料の前納期間）

第四十八条　法第百六十五条第一項の規定による保険料の前納

は、四月から九月まで若しくは十月から翌年三月までの六月間又は四月から翌年三月までの十二月間を単位として行うものとする。ただし、当該六月又は十二月の間において、任意継続被保険者の資格を取得した者又はその資格を喪失することが明らかである者については、当該六月間又は十二月間のうち、その資格を取得した日の属する月の翌月以降の期間又はその資格を喪失する日の属する月の前月までの期間の保険料について前納を行うことができる。

（前納の際の控除額）

第四十九条　法第百六十五条第二項の政令で定める額は、前納に係る期間の各月の保険料の合計額から、その期間の各月の保険料の額を年四分の利率による複利現価法によって前納に係る期間の最初の月から当該各月までのそれぞれの期間に応じて割り引いた額の合計額（この額に一円未満の端数がある場合においては、その端数金額が五十銭未満であるときは、これを切り捨て、その端数金額が五十銭以上であるときは、これを一円として計算する。）を控除した額とする。

（前納保険料の充当）

第五十条　法第百六十五条第一項の規定により保険料が前納された後、前納に係る期間の経過前において任意継続被保険者に係る保険料の額の引上げが行われることとなった場合においては、前納された保険料のうち当該保険料の額の引上げが行われることとなった後の期間に係るものは、当該期間の各月につき納付すべきこととなる保険料に、先に到来する月の分から順次充当するものとする。

（前納保険料の還付）

第五十一条　法第百六十五条第一項の規定により保険料を前納した後、前納に係る期間の経過前において任意継続被保険者がその資格を喪失した場合においては、その者（法第三十八条第二号に該当するに至った場合においては、その者の相続人）の請求に基づき、前納した保険料のうち未経過期間に係るものを還付する。

2　前項に規定する未経過期間に係る還付額は、任意継続被保険者の資格を喪失した時において当該未経過期間につき保険料を前納するものとした場合におけるその前納すべき額に相当する額とする。

（準用）

第五十二条　第四十八条から前条までの規定は、法附則第三条第一項に規定する特例退職被保険者の保険料の前納について準用する。

（厚生労働省令への委任）

第五十三条　第四十八条から前条までに定めるもののほか、保険料の前納の手続その他保険料の前納に関して必要な事項は、厚生労働省令で定める。

（日雇特例被保険者の保険料額）

第五十四条　法第百六十八条第一項の規定により日雇特例被保険者に関する保険料額を算定する場合並びに法第百六十九条第一項の規定により日雇特例被保険者の負担すべき額及び日雇特例被保険者を使用する事業主の負担すべき額を算定する場合において、法第百六十八条第一項第一号イ及びロに掲げる額に十円未満の端数があるときは、その端数を切り捨てるものとする。

2　厚生労働大臣は、日雇特例被保険者に関する保険料額並びに日雇特例被保険者の負担すべき額及び日雇特例被保険者を使用する事業主の負担すべき額を告示するものとする。

（交付金）

第六十五条　法附則第二条第一項の規定により連合会が行う交付金の交付の事業は、次に掲げる基準に適合するものでなければならない。

一　交付金の交付の対象となる健康保険組合は、次のいずれかに該当するものであること。

イ　その所要保険料率（当該年度において各健康保険組合が行った医療に関する給付（法第五十三条に規定するその他の給付を除く。以下「医療給付」という。）並びに前期高齢者納付金等、後期高齢者支援金等及び日雇拠出金並びに流行初期医療確保拠出金等の納付に要した費用の額（出産育児交付金（前期高齢者交付金がある場合には、出産育児交付金及び前期高齢者交付金）の額を控除した額）の見込額を当該年度における当該各健康保険組合の組合員である被保険者の標準報酬月額の総額及び標準賞与額の総額の合算額の見込額で除して得た率をいう。以下同じ。）が連合会の会員である全健康保険組合の平均の所要保険料率以上である健康保険組合であって、医療給付、保健事業及び福祉事業の実施並びに前期高齢者納付金等、後期高齢者支援金等及び日雇拠出金並びに流行初期医療確保拠出金等の納付に係る財政の負担を軽減することが必要であると認められるもの

ロ　イに掲げる健康保険組合以外の健康保険組合であって、高額な医療給付の発生、報酬の水準の低下その他医療給付、保健事業及び福祉事業の実施並びに前期高齢者納付金等、後期高齢者支援金等及び日雇拠出金並びに流行初期医療確保拠出金等の納付に係る健康保険組合の財政状況に相当程度の影響を及ぼす要因に照らし、その影響を緩和することが必要であると認められるもの

二　交付金の交付事業の規模及び交付方法は、健康保険組合が行う事業について、健康保険組合の自主的な運営を妨げず、かつ、健康保険組合の事業努力を失わせないよう配慮されたものであること。

2　前項の基準の適用に関し必要な事項、交付金の額の算定に関し必要な事項その他交付金の交付に関して必要な事項は、厚生労働省令で定める。

3　連合会は、前項の厚生労働省令で定めるところに従い、交付金の交付に関する細目を定めなければならない。

（拠出金）

第六十六条　法附則第二条第二項の規定により健康保険組合が連合会に対して拠出すべき拠出金の額は、各年度につき当該健康保険組合が同条第三項の規定により徴収する調整保険料の総額とする。

2　前項に定めるもののほか、拠出金の納付方法その他拠出金の拠出に関して必要な事項は、連合会が定める。

（調整保険料率）

第六十七条　法附則第二条第四項の調整保険料率は、基本調整保険料率に修正率を乗じて得た率とする。

2　前項の基本調整保険料率は、各年の三月から翌年の二月までの期間について、連合会が当該三月の属する年度の翌年度において交付する交付金の総額の見込額を当該翌年度における連合

会の会員である全健康保険組合の組合員である被保険者の標準報酬月額の総額及び標準賞与額の総額の合算額の見込額で除して得た率として厚生労働大臣が定める率とする。

3　第一項の修正率は、各健康保険組合につき、各年の三月から翌年の二月までの期間について、当該三月の属する年度において当該健康保険組合が行う医療給付並びに前期高齢者納付金等、後期高齢者支援金等及び日雇拠出金並びに流行初期医療確保拠出金等の納付に要する費用の見込額（出産育児交付金及び前期高齢者交付金がある場合には、出産育児交付金及び前期高齢者交付金）の額を控除した額）を当該年度における当該健康保険組合の組合員である被保険者の標準報酬月額の総額及び標準賞与額の総額の合算額の見込額で除して得た率（以下この項において「見込所要保険料率」という。）の連合会の会員である全健康保険組合の平均の見込所要保険料率に対する比率を基準として、連合会が定める。ただし、厚生労働大臣の定める率を超えてはならない。

（法附則第二条の二の規定による国庫負担）

第六十八条の二　法附則第二条の二の政令で定める組合は、第六十五条第一項第一号ロに規定する健康保険組合とする。

2　国は、毎年度、連合会に対し、当該年度における前項に規定する健康保険組合を対象とする法附則第二条第一項の交付金の交付に要する費用の一部について、当該年度の予算で定める額を負担する。

附　則

（施行期日）

第一条　この勅令は、大正十五年七月一日から施行する。ただし、保険給付及び費用の負担に関する規定は、大正十六年一月一日から施行する。

（市町村民税経過措置対象被保険者に対する高額療養費の支給に関する特例）

第二条　市町村民税経過措置対象被保険者の被扶養者が同一の月にそれぞれ一の病院等から受けた療養に係る高額療養費については、第四十一条第一項中「次項又は第三項」とあるのは、「第三項又は附則第二条第二項」と読み替えて、同項の規定を適用する。この場合において、第四十三条第三項中「第一項各号」とあるのは「第一項第二号又は第三号」と、「第四十一条第一項から第三項まで」とあるのは「第四十一条第三項又は附則第二条第二項」と、「当該各号」とあるのは「当該各号ハ」と、同条第八項及び第九項中「第四十一条」とあるのは「第四十一条第三項から第六項まで、附則第二条第一項の規定により読み替えて適用する第四十一条第一項及び附則第二条第二項」と読み替えて、これらの規定を適用する。

2　市町村民税経過措置対象被保険者の被扶養者が同一の月に一の病院等から療養（七十歳に達する日の属する月の翌月以後の療養に限る。以下この項において同じ。）を受けた場合において、当該市町村民税経過措置対象被保険者に対して支給される高額療養費の額は、第四十一条第二項の規定にかかわらず、同項の規定により支給されるべき高額療養費の額に、当該被扶養者ごとに算定した第二号に掲げる額から第一号に掲げる額を控除した額（当該額が零を下回る場合には、零とする。）を合算した額を加算した額とする。

一　七十歳以上一部負担金等世帯合算額から高額療養費算定基準額を控除した額（当該額が零を下回る場合には、零とする。）に、被扶養者按分率（市町村民税経過措置対象被保険者の被扶養者が同一の月に受けた療養に係る第四十一条第二項各号に掲げる額を合算した額から同条第三項の規定により支給される高額療養費の額を控除した額（次号において「被扶養者一部負担金等合算額」という。）を七十歳以上一部負担金等世帯合算額で除して得た率をいう。）を乗じて得た額

二　被扶養者一部負担金等合算額から高額療養費算定基準額を控除した額

3　第一項の規定により読み替えて適用する第四十一条第一項の高額療養費算定基準額については、第四十二条第一項（第三号を除く。）中「前条第一項の」とあるのは「附則第二条第一項の規定により読み替えて適用する前条第一項の」と、「次号又は第三号」とあるのは「次号」と、「同条第一項又は第二項」とあるのは「同条第一項若しくは第二項又は附則第二条第一項の規定により読み替えて適用する前条第一項若しくは附則第二条第二項」と、「以下この条並びに次条第一項第一号イからハまで並びに第二号イ及びロ」とあるのは「次号」と、「被保険者」とあるのは「附則第二条第七項に規定する市町村民税経過措置対象被保険者」と読み替えて、同項（第三号を除く。）を適用する。

4　第四十二条第二項（第三号及び第四号を除く。）の規定は、第二項第一号の高額療養費算定基準額について準用する。この場合において、同条第二項中「前条第二項の」とあるのは「附則第二条第二項第一号の」と、「次号から第四号まで」とあるのは「次号」と、「高額療養費多数回該当の場合」とあるのは「当該療養のあった月以前の十二月以内に既に高額療養費（前条第一項若しくは第二項又は附則第二条第一項の規定により読み替えて適用する前条第一項若しくは附則第二条第二項の規定によるものに限る。）が支給されている月数が三月以上ある場合」と読み替えるものとする。

5　第二項第二号の高額療養費算定基準額は、第四十二条第二項第三号に定める額とする。

6　市町村民税経過措置対象被保険者の被扶養者に係る第四十二条第三項の高額療養費算定基準額は、同項の規定にかかわらず、同項第三号に定める額とする。

7　第一項、第二項及び前項の市町村民税経過措置対象被保険者は、被保険者のうち、次の各号のいずれかに該当するものとする。

一　その被扶養者の療養のあった月が平成十八年八月から平成十九年七月までの場合にあっては、地方税法等の一部を改正する法律（平成十七年法律第五号）附則第六条第二項に該当する者

二　その被扶養者の療養のあった月が平成十九年八月から平成二十年七月までの場合にあっては、地方税法等の一部を改正する法律附則第六条第四項に該当する者

8　前各項の規定は、前項各号のいずれかに該当する日雇特例被保険者に係る高額療養費の支給について準用する。

第三条　削除

（病床転換支援金等の経過措置）

第四条　令和八年三月三十一日までの間、第二十条中「並びに法第百七十三条」とあるのは「、同法附則第七条第一項に規定する病床転換支援金等（以下「病床転換支援金等」という。）並

びに法第百七十三条」と、前条の規定により読み替えられた第二十九条、第四十六条、第六十五条第一項第一号及び第六十七条第三項中「及び日雇拠出金」とあるのは「、病床転換支援金等及び日雇拠出金」とする。

（指定健康保険組合の指定の要件及び健康保険組合の準備金の積立てに関する特例）

第五条　第二十九条及び第四十六条第二項の適用については、当分の間、これらの規定中「十二分の三」とあるのは、「十二分の二」とする。

（特例措置対象被保険者等に係る高額療養費の支給に関する経過措置）

第六条　法第七十四条第一項第二号の規定が適用される被保険者又は法第百十条第二項第一号ハの規定が適用される被扶養者のうち、平成二十一年四月から平成三十一年三月までの間に、特定給付対象療養（第四十一条第一項第二号に規定する特定給付対象療養をいい、これらの者に対する医療に関する給付であって厚生労働大臣が定めるものが行われるべき療養に限る。）を受けたもの（次項において「特例措置対象被保険者等」という。）に係る第四十一条第六項の規定による高額療養費の支給については、同項中「及び当該被保険者」とあるのは「、当該被保険者」と、「を除く」とあるのは「及び附則第六条第一項に規定する厚生労働大臣が定める給付が行われるべき療養を除く」と読み替えて、同項の規定を適用する。

2　前項の規定は、第三十七条に規定する日雇特例被保険者であって、当該日雇特例被保険者を被保険者とみなして同項の規定を適用した場合に特例措置対象被保険者等に該当することとなるものに係る高額療養費の支給について準用する。

（都道府県単位保険料率の算定方法の特例等）

第七条　平成二十五年度及び平成二十六年度においては、第四十五条の二第一号ニ中「一の事業年度において取り崩すことが見込まれる準備金の額その他健康保険事業」とあるのは、「健康保険事業」とする。

2　協会については、平成二十五年度及び平成二十六年度においては、第四十六条第一項の規定は適用しない。

（子ども・子育て支援法及び就学前の子どもに関する教育、保育等の総合的な提供の推進に関する法律の一部を改正する法律の施行に伴う関係法律の整備等に関する法律によりなお従前の例によるものとされた改正前の児童手当法に係る特例）

第八条　子ども・子育て支援法及び就学前の子どもに関する教育、保育等の総合的な提供の推進に関する法律の一部を改正する法律の施行に伴う関係法律の整備等に関する法律（平成二十四年法律第六十七号）第三十八条の規定によりその徴収についてなお従前の例によるものとされた同法第三十六条の規定による改正前の児童手当法（昭和四十六年法律第七十三号）第二十条の拠出金に関する第六十三条の規定の適用については、同条第三号中「による拠出金」とあるのは、「による拠出金、子ども・子育て支援法及び就学前の子どもに関する教育、保育等の総合的な提供の推進に関する法律の一部を改正する法律の施行に伴う関係法律の整備等に関する法律（平成二十四年法律第六十七号）第三十八条の規定によりその徴収についてなお従前の例によるものとされた同法第三十六条の規定による改正前の児童手当法（昭和四十六年法律第七十三号）の規定による拠出金」とする。

（平成二十二年度等における子ども手当の支給に関する法律により適用される旧児童手当法に係る特例）

第九条　平成二十二年度等における子ども手当の支給に関する法律（平成二十二年法律第十九号）第二十条第一項の規定により適用される児童手当法の一部を改正する法律（平成二十四年法律第二十四号）附則第十一条の規定によりなおその効力を有するものとされた同法第一条の規定による改正前の児童手当法（次条において「旧児童手当法」という。）第二十条の拠出金に関する第六十三条の規定の適用については、同条第三号中「による拠出金」とあるのは、「による拠出金、平成二十二年度等における子ども手当の支給に関する法律（平成二十二年法律第十九号）第二十条第一項の規定により適用される児童手当法の一部を改正する法律（平成二十四年法律第二十四号）附則第十一条の規定によりなおその効力を有するものとされた同法第一条の規定による改正前の児童手当法（昭和四十六年法律第七十三号）の規定による拠出金」とする。

（平成二十三年度における子ども手当の支給等に関する特別措置法により適用される旧児童手当法に係る特例）

第十条　平成二十三年度における子ども手当の支給等に関する特別措置法（平成二十三年法律第百七号）第二十条第一項、第三項及び第五項の規定により適用される児童手当法の一部を改正する法律附則第十二条の規定によりなおその効力を有するものとされた旧児童手当法第二十条の拠出金に関する第六十三条の規定の適用については、同条第三号中「による拠出金」とあるのは、「による拠出金、平成二十三年度における子ども手当の支給等に関する特別措置法（平成二十三年法律第百七号）第二十条第一項、第三項及び第五項の規定により適用される児童手当法の一部を改正する法律（平成二十四年法律第二十四号）附則第十二条の規定によりなおその効力を有するものとされた同法第一条の規定による改正前の児童手当法（昭和四十六年法律第七十三号）の規定による拠出金」とする。

（法附則第八条の三の規定により読み替えられた法第百六十条第三項第三号の政令で定める額）

第十一条　法附則第八条の三の規定により読み替えられた法第百六十条第三項第三号の政令で定める額は、平成二十二年度から平成二十四年度までの各事業年度ごとに法第七条の三十一の規定による短期借入金の償還に要する費用の額に充てるべき額として、当該各事業年度の前事業年度末における同条第二項ただし書の規定による短期借入金の借換えの予定額その他の厚生労働省令で定める額を基礎として、協会が管掌する健康保険の財政状況、当該各事業年度の初日から平成二十五年三月三十一日までの期間等を勘案して、厚生労働大臣が財務大臣と協議して定める額とする。

附　則（平一八・七・二一政令二四一）（抄）

（施行期日）

第一条　この政令は、公布の日から施行する。

（健康保険法施行令の一部改正に伴う経過措置）

第四条　第二条の規定による改正後の健康保険法施行令（以下この条において「新令」という。）第三十四条第二項の規定は、療養の給付を受ける月が平成十八年九月以後の場合について適用し、療養の給付を受ける月が同年八月までの場合については、なお従前の例による。

2　新令第三十九条第二項の規定は、同項に規定する被扶養者（以下この条及び次条において単に「被扶養者」という。）が療養を受ける月が平成十八年九月以後の場合について適用し、被扶養者が療養を受ける月が同年八月までの場合については、なお従前の例による。

3　新令第四十二条第二項第四号の規定は、療養のあった月が平成十八年八月以後の場合について適用し、療養のあった月が同年七月までの場合については、なお従前の例による。

第五条　健康保険法第七十四条第一項第三号又は第百十条第二項第一号ニの規定が適用される被保険者のうち、次の各号のいずれかに該当するもの（以下この条において「特定収入被保険者」という。）に係る健康保険法施行令（以下この条において「令」という。）第四十一条第二項の高額療養費算定基準額は、令第四十二条第二項の規定にかかわらず、同項第一号に定める額とする。

一　療養の給付又はその被扶養者の療養を受ける月が平成十八年九月から平成十九年八月までの場合における令第三十四条第二項又は第三十九条第二項の収入の額が六百二十一万円未満である者（被扶養者がいない者にあっては、四百八十四万円未満である者）

二　療養の給付又はその被扶養者の療養を受ける月が平成十九年九月から平成二十年三月までの場合における令第三十四条第二項又は第三十九条第二項の収入の額が六百二十一万円未満である者（被扶養者がいない者にあっては、四百八十四万円未満である者）

2　特定収入被保険者に係る令第四十一条第三項の高額療養費算定基準額は、令第四十二条第三項の規定にかかわらず、同項第一号に定める額とする。

3　令第四十三条第一項の規定により特定収入被保険者に対し支給すべき高額療養費について保険者が同項に規定する保険医療機関等に支払う額は、同項の規定にかかわらず、同項に規定する当該一部負担金の額から次の各号に掲げる療養の区分に応じ、当該各号に定める額を控除した額を限度とする。

一　令第四十三条第一項第二号に掲げる療養　同号イに定める額

二　令第四十三条第一項第三号に掲げる療養　同号イに定める額

4　特定収入被保険者に対する保険外併用療養費又は家族療養費に係る高額療養費の支給については、令第四十三条第三項中「当該各号」とあるのは「当該各号イ」と読み替えて、同項の規定を適用する。

附　則（平一八・八・三〇政令二八六）（抄）

（施行期日）

第一条　この政令は、平成十八年十月一日から施行する。

（保険医療機関等の指定等の要件に関する経過措置）

第二条　健康保険法（大正十一年法律第七十号）第六十五条第三項第三号及び第四号、第七十一条第二項第二号及び第三号、第八十条第七号及び第八号、第八十一条第四号及び第五号、第八十九条第四項第五号及び第六号並びに第九十五条第八号及び第九号の規定は、この政令の施行の日（以下「施行日」という。）前にした行為により刑に処せられ、これらの規定に該当することとなった者に係る当該刑については、適用しない。

2　健康保険法第八十条第九号、第八十一条第六号及び第九十五条第十号の規定は、施行日前にした違反によりこれらの規定に該当することとなった者に係る当該違反については、適用しない。

3　健康保険法第八十九条第四項第四号の規定は、施行日前に同法第九十五条各号のいずれかに該当したことにより施行日前若しくは施行日以後に指定訪問看護事業者に係る同法第八十八条第一項の指定を取り消された者に係る当該取消しについては、適用しない。

（健康保険法施行令の一部改正に伴う経過措置）

第三条　施行日前に死亡し又は出産した被保険者若しくは日雇特例被保険者若しくはこれらの者であった者又は被扶養者に係る健康保険法の規定による埋葬料及び同法第百条第二項（同法第百五条第二項において準用する場合を含む。）若しくは第百三十六条第二項の規定によりなされる給付若しくは同法の規定による家族埋葬料又は同法の規定による出産育児一時金若しくは家族出産育児一時金の額については、なお従前の例による。

第四条　施行日前に行われた療養に係る健康保険法の規定による高額療養費の支給については、なお従前の例による。

附　則（平二〇・三・三一政令一一六）（抄）

最終改正　平三〇・三・二六政令六三

（施行期日）

第一条　この政令は、平成二十年四月一日から施行する。

第三条から第二十七条まで　削除

（健康保険法施行令の一部改正に伴う経過措置）

第二十八条　健康保険法施行令第三十四条第二項の規定は、療養を受ける日がこの政令の施行の日（以下「施行日」という。）以後の場合について適用し、療養を受ける日が施行日前の場合については、なお従前の例による。

2　健康保険法施行令第三十四条第二項に規定する被保険者及びその被扶養者について、療養の給付又は当該被扶養者の療養を受ける月が平成二十年四月から八月までの場合にあっては、同項中「及びその被扶養者（七十歳に達する日の属する月の翌月以後である場合に該当する者に限る。）」とあるのは「並びにその被扶養者（七十歳に達する日の属する月の翌月以後である場合に該当する者に限る。）及びその被扶養者であった者（法第三条第七項ただし書に該当するに至ったため被扶養者でなくなった者をいう。以下この項において同じ。）」と、「当該被扶養者」とあるのは「当該被扶養者及び当該被扶養者であった者」と読み替えて、同項の規定を適用する。

第二十九条　施行日前に行われた療養に係る健康保険法（大正十一年法律第七十号）の規定による家族療養費及び家族訪問看護療養費の支給については、なお従前の例による。

第三十条　施行日前に行われた療養に係る健康保険法の規定による高額療養費の支給については、なお従前の例による。

第三十一条　健康保険法施行令第四十二条第二項第二号に掲げる者のうち、次の各号のいずれかに該当するもの（以下この条において「特定収入被保険者」という。）に係る同令第四十一条第二項の高額療養費算定基準額は、同令第四十二条第二項の規定にかかわらず、第一条の規定による改正前の健康保険法施行令（以下この条において「旧健保令」という。）第四十二条第二項第一号に定める額とする。

一　療養の給付又はその被扶養者（健康保険法施行令第三十四

条第二項に規定する被扶養者をいう。以下この号において同じ。）の療養を受ける月が平成二十年四月から八月までの場合における附則第二十八条第二項の規定により読み替えて適用する健康保険法施行令第三十四条第二項の収入の額が六百二十一万円未満である者（被扶養者及び附則第二十八条第二項の規定により読み替えて適用する健康保険法施行令第三十四条第二項に規定する被扶養者であった者がいない者にあっては、四百八十四万円未満である者）

二　次のイ及びロのいずれにも該当する者

イ　健康保険法施行令第三十四条第二項に規定する被扶養者がいない被保険者であって、被扶養者であった者（健康保険法第三条第七項ただし書に該当するに至ったため被扶養者でなくなった者をいう。以下この号及び附則第三十三条第四項第二号において同じ。）がいるもの

ロ　療養の給付を受ける月が平成二十年九月から十二月までの場合において、その被扶養者であった者について、健康保険法施行令第三十四条第二項に規定する被扶養者とみなして同項の規定を適用した場合の同項の収入の額が五百二十万円未満である者

2　特定収入被保険者に係る健康保険法施行令第四十一条第三項の高額療養費算定基準額は、同令第四十二条第三項の規定にかかわらず、旧健保令第四十二条第三項第一号に定める額とする。

3　特定収入被保険者が次の各号に掲げる療養を受けた場合において、健康保険法の規定により支払うべき一部負担金の支払が行われなかったときの健康保険法施行令第四十三条第一項の規定により特定収入被保険者について保険者が同項に規定する保険医療機関等に支払う額の限度については、同項各号の規定にかかわらず、当該一部負担金の額から次の各号に掲げる療養の区分に応じ、当該各号に定める額を控除した額とする。

一　健康保険法施行令第四十三条第一項第二号に掲げる療養　旧健保令第四十三条第一項第二号イに定める額

二　健康保険法施行令第四十三条第一項第三号に掲げる療養　旧健保令第四十三条第一項第三号イに定める額

4　特定収入被保険者に対する保険外併用療養費又は家族療養費（第一項第一号に該当する者に係るものに限る。）に係る高額療養費の支給については、健康保険法施行令第四十三条第三項中「当該各号に定める額」とあるのは、「健康保険法施行令等の一部を改正する政令（平成二十年政令第百十六号）第一条の規定による改正前の当該各号イに定める額」と読み替えて、同項の規定を適用する。

第三十二条　健康保険法第七十四条第一項第二号の規定が適用される被保険者又は同法第百十条第二項第一号ハの規定が適用される被扶養者のうち、平成二十年四月から十二月までの間に、特定給付対象療養（健康保険法施行令第四十一条第一項第二号に規定する特定給付対象療養をいい、これらの者に対する医療に関する給付であって厚生労働大臣が定めるものが行われるべき療養に限る。）を受けたもの（以下この条において「平成二十年特例措置対象被保険者等」という。）に係る同令第四十一条第四項の規定による高額療養費の支給については、同項中「を除く」とあるのは、「及び健康保険法施行令等の一部を改正する政令（平成二十年政令第百十六号）附則第三十二条第一項に規定する厚生労働大臣が定める給付が行われるべき療養を除く」と読み替えて、同項の規定を適用する。

2　平成二十年特例措置対象被保険者等に係る健康保険法施行令第四十一条第二項の高額療養費算定基準額については、同令第四十二条第二項第一号の規定にかかわらず、なお従前の例による。

3　平成二十年特例措置対象被保険者等に係る健康保険法施行令第四十一条第三項の高額療養費算定基準額については、同令第四十二条第三項第一号の規定にかかわらず、なお従前の例による。

4　健康保険法施行令第四十三条第一項の規定により平成二十年特例措置対象被保険者等について保険者が同項に規定する保険医療機関等に支払う額の限度については、同項第二号イ及び第三号イの規定にかかわらず、なお従前の例による。この場合において、同令第四十三条第三項中「当該各号」とあるのは、「健康保険法施行令等の一部を改正する政令（平成二十年政令第百十六号）第一条による改正前の当該各号」と読み替えて、同項の規定を適用する。

5　健康保険法施行令第四十三条第四項及び第五項の規定は、平成二十年特例措置対象被保険者等が外来療養（同令第四十一条第三項に規定する外来療養をいう。）を受けた場合において、健康保険法の規定により支払うべき一部負担金等の額（同法第百十五条第一項に規定する一部負担金等の額をいう。）についての支払が行われなかったときの同令第四十一条第三項の規定による高額療養費の支給について準用する。この場合において、同令第四十三条第四項中「当該療養に要した費用のうち同条第四項から第六項までの規定による高額療養費として被保険者に支給すべき額に相当する額を」とあるのは「同条第三項の規定による高額療養費について、当該一部負担金等の額から健康保険法施行令等の一部を改正する政令（平成二十年政令第百十六号）附則第三十二条第三項の規定によりなお従前の例によるものとされた第四十一条第三項の高額療養費算定基準額（当該外来療養につき算定した費用の額に百分の十を乗じて得た額が当該高額療養費算定基準額を超える場合にあっては、当該乗じて得た額）を控除した額の限度において、」と、同条第五項中「第四十一条第四項から第六項まで」とあるのは「第四十一条第三項」と読み替えるものとする。

6　前各項の規定は、健康保険法施行令第三十七条に規定する日雇特例被保険者であって、当該日雇特例被保険者を被保険者とみなして第一項の規定を適用した場合に平成二十年特例措置対象被保険者等に該当することとなるものに係る高額療養費の支給について準用する。

第三十三条　施行日から平成二十一年七月三十一日までの間に受けた療養に係る健康保険法の規定による高額介護合算療養費の支給については、健康保険法施行令第四十三条の二第一項第一号（同条第三項及び第四項並びに同令第四十四条第二項において準用する場合を含む。次項及び第四項において同じ。）中「前年八月一日から七月三十一日まで」とあるのは、「平成二十年四月一日から平成二十一年七月三十一日まで」と読み替えて、同令第四十三条の二から第四十四条（第一項を除く。）までの規定を適用する。この場合において、次の表の上欄に掲げる同令の規定中同表の中欄に掲げる字句は、それぞれ同表の下欄に掲げる字句とする。

第四十三条の三第一項（同条第三項及び第四項並びに第四十四条第二項において準用する場合を含む。）	六十七万円	八十九万円
	百二十六万円	百六十八万円
	三十四万円	四十五万円
第四十三条の三第二項（同条第三項及び第四項並びに第四十四条第二項において準用する場合を含む。）	六十二万円	七十五万円
	六十七万円	八十九万円
	三十一万円	四十一万円
第四十三条の三第五項（第四十四条第三項において準用する場合を含む。）の表	十九万円	二十五万円
	第四十三条の三第一項	健康保険法施行令等の一部を改正する政令（平成二十年政令第百十六号。以下この条において「改正令」という。）附則第三十三条第一項の規定により読み替えられた第四十三条の三第一項
	第四十三条の三第二項	改正令附則第三十三条第一項の規定により読み替えられた第四十三条の三第二項
	船員保険法施行令	改正令附則第四十五条第一項の規定により読み替えられた船員保険法施行令
	国家公務員共済組合法施行令（	改正令附則第五十二条第一項の規定により読み替えられた国家公務員共済組合法施行令（
	国家公務員共済組合法施行令第十一条の三の六の三第二項（同条第三項	改正令附則第五十二条第一項の規定により読み替えられた国家公務員共済組合法施行令第十一条の三の六の三第二項（同条第三項
	防衛省の職員の給与等に関する法律施行令第十七条の六の五第一項	改正令附則第六十条第二項の規定により読み替えられた防衛省の職員の給与等に関する法律施行令第十七条の六の五第一項
	国家公務員共済組合法施行令第十一条の三の六の三第二項及び	改正令附則第五十二条第一項の規定により読み替えられた国家公務員共済組合法施行令第十一条の三の六の三第二項及び
	地方公務員等共済組合法施行令	改正令附則第五十八条第一項の規定により読み替えられた地方公務員等共済組合法施行令
	私立学校教職員共済法施行令	私立学校教職員共済法第四十八条の二の規定によりその例によることとされる改正令附則第五十二条第一項の規定により読み替えられた、私立学校教職員共済法施行令
	国民健康保険法施行令	改正令附則第三十九条第一項の規定により読み替えられた国民健康保険法施行令
第四十三条の三第六項（第四十四条第三項において準用する場合を含む。）	高齢者の医療の確保に関する法律施行令	改正令附則第三十四条第一項の規定により読み替えられた高齢者の医療の確保に関する法律施行令

2　平成二十年八月一日から平成二十一年七月三十一日までに受けた療養に係る次の各号に掲げる高額介護合算療養費の支給については、当該各号イに掲げる額が、それぞれ当該各号ロに掲げる額を超えるときは、前項の規定にかかわらず、健康保険法施行令第四十三条の二第一項第一号中「前年八月一日から七月三十一日まで」とあるのは、「平成二十年八月一日から平成二十一年七月三十一日まで」と読み替えて、同条から同令第四十四条（第一項を除く。）までの規定を適用する。

一　健康保険法施行令第四十三条の二第一項及び第二項（これらの規定を同条第三項及び第四項並びに同令第四十四条第二項において準用する場合を含む。）の規定による高額介護合算療養費の支給

イ　この項の規定により健康保険法施行令第四十三条の二を読み替えて適用する場合の同条第一項（同条第三項及び第四項並びに同令第四十四条第二項において準用する場合を含む。）に規定する介護合算一部負担金等世帯合算額から同令第四十三条の二第一項の介護合算算定基準額を控除した額（当該額が同項に規定する支給基準額以下である場合又は当該介護合算一部負担金等世帯合算額の算定につき同項ただし書に該当する場合には、零とする。）及び同項に規定する七十歳以上介護合算支給総額を合算した額

ロ　イ中「この項」とあるのを「前項」と読み替えてイを適用する場合のイに掲げる額

二　健康保険法施行令第四十三条の二第五項及び第六項（これらの規定を同令第四十四条第三項において準用する場合を含む。）の規定による高額介護合算療養費の支給

イ　この項の規定により健康保険法施行令第四十三条の二を読み替えて適用する場合の同条第五項（同令第四十四条第三項において準用する場合を含む。）に規定する介護合算一部負担金等世帯合算額から同令第四十三条の二第五項の介護合算算定基準額を控除した額（当該額が同項に規定する支給基準額以下である場合又は当該介護合算一部負担金等世帯合算額の算定につき同項ただし書に該当する場合には、零とする。）及び同項に規定する七十歳以上介護合算支給総額を合算した額

ロ　イ中「この項」とあるのを「前項」と読み替えてイを適用する場合のイに掲げる額

三　健康保険法施行令第四十三条の二第七項（同令第四十四条第三項において準用する場合を含む。以下この号において同じ。）の規定による高額介護合算療養費の支給

イ　この項の規定により健康保険法施行令第四十三条の二を読み替えて適用する場合の同条第七項に規定する介護合算一部負担金等世帯合算額から同項の介護合算算定基準額を控除した額（当該額が同項に規定する支給基準額以下である場合又は当該介護合算一部負担金等世帯合算額の算定につき同項ただし書に該当する場合には、零とする。）

ロ　イ中「この項」とあるのを「前項」と読み替えてイを適用する場合のイに掲げる額

3　前項の場合において、次の表の上欄に掲げる健康保険法施行令の規定中同表の中欄に掲げる字句は、それぞれ同表の下欄に掲げる字句とする。

第四十三条の三第二項第一号（同条第三項及び第四項並びに第四十四条第二項において準用する場合を含む。）	六十二万円	五十六万円
第四十三条の三第五項（第四十四条第三項において準用する場合を含む。）の表下欄	第四十三条の三第二項	健康保険法施行令等の一部を改正する政令（平成二十年政令第百十六号。以下この項において「改正令」という。）附則第三十三条第三項の規定により読み替えられた第四十三条の三第二項
	船員保険法施行令	改正令附則第四十五条第三項の規定により読み替えられた船員保険法施行令
	国家公務員共済組合法施行令第十一条の三の六の三第二項（同条第三項	改正令附則第五十二条第三項の規定により読み替えられた国家公務員共済組合法施行令第十一条の三の六の三第二項（同条第三項
	国家公務員共済組合法施行令第十一条の三の六の三第二項及び	改正令附則第五十二条第三項の規定により読み替えられた国家公務員共済組合法施行令第十一条の三の六の三第二項及び
	地方公務員等共済組合法施行令	改正令附則第五十八条第三項の規定により読み替えられた地方公務員等共済組合法施行令
	私立学校教職員共済法施行令	私立学校教職員共済法第四十八条の二の規定によりその例によることとされる改正令附則第五十二条第三項の規定により読み替えられた、私立学校教職員共済法施行令
	国民健康保険法施行令	改正令附則第三十九条第三項の規定により読み替えられた国民健康保険法施行令

4　健康保険法施行令第四十三条の三第二項第二号に掲げる者のうち、次の各号のいずれにも該当するものに係る同令第四十三条の二第二項（同条第三項及び第四項において準用する場合を含む。）の七十歳以上介護合算算定基準額は、同令第四十三条の三第二項（同条第三項及び第四項において準用する場合を含

む。）の規定にかかわらず、同条第二項第一号（同条第三項及び第四項において準用する場合を含む。）に定める額とする。

一　附則第三十一条第一項第二号イに掲げる者

二　基準日とみなされる日（健康保険法施行令第四十三条の四第一項の規定により同令第四十三条の二第一項第一号に規定する基準日とみなされる日をいう。以下この条において同じ。）が平成二十年九月から十二月までの間にある場合であって当該基準日とみなされる日において療養の給付を受けることとしたときに、その被扶養者であった者について、同令第三十四条第二項に規定する被扶養者とみなして同項の規定を適用した場合の同項の収入の額が五百二十万円未満である者

5　基準日とみなされる日が平成二十年九月から十二月までの間にある場合における健康保険法施行令第四十三条の二第六項の七十歳以上介護合算算定基準額については、同令第四十三条の三第五項の表下欄中次の表の上欄に掲げる字句は、それぞれ同表の下欄に掲げる字句に読み替えて、同項の規定を適用する。

第十一条の四第一項	第十一条の四第一項並びに健康保険法施行令等の一部を改正する政令（平成二十年政令第百十六号。以下この項において「改正令」という。）附則第四十五条第四項
第十一条の三の六の四第一項	第十一条の三の六の四第一項並びに改正令附則第五十二条第四項
第二十三条の三の八第一項	第二十三条の三の八第一項並びに改正令附則第五十八条第四項
第二十九条の四の四第一項及び第二項	第二十九条の四の四第一項及び第二項並びに改正令附則第三十九条第四項

6　基準日とみなされる日が平成二十年九月から十二月までの間にある場合における健康保険法施行令第四十三条の二第七項の介護合算算定基準額については、同令第四十三条の三第六項中「第十六条の四第一項」とあるのは、「第十六条の四第一項並びに健康保険法施行令等の一部を改正する政令（平成二十年政令第百十六号）附則第三十四条第四項」と読み替えて、同項の規定を適用する。

附　則（平二〇・一一・二一政令三五七）（抄）

（施行期日）

第一条　この政令は、平成二十一年一月一日から施行する。ただし、第二条中健康保険法施行令附則に二条を加える改正規定〔中略〕は、同年四月一日から施行する。

（健康保険法施行令の一部改正に伴う経過措置）

第四条　第二条の規定による改正後の健康保険法施行令（次条及び附則第六条において「新健保令」という。）第三十四条第二項、第四十一条から第四十三条まで及び第四十四条第一項の規定（他の法令において引用する場合を含む。）は、療養を受ける日が施行日以後の場合について適用し、療養を受ける日が施行日前の場合については、なお従前の例による。

第五条　健康保険法第七十四条第一項第二号の規定が適用される被保険者又は同法第百十条第二項第一号ハの規定が適用される被扶養者のうち、平成二十一年一月から三月までの間に、特定給付対象療養（健康保険法施行令等の一部を改正する政令（平成二十年政令第百十六号）附則第三十二条第一項に規定する特定給付対象療養をいう。）を受けたもの（以下この条において「施行日以後平成二十年度特例措置対象被保険者等」という。）に係る新健保令第四十一条第六項の規定による高額療養費の支給については、同項中「を除く」とあるのは、「及び健康保険法施行令等の一部を改正する政令（平成二十年政令第百十六号）附則第三十二条第一項に規定する厚生労働大臣が定める給付が行われるべき療養を除く」と読み替えて、同項の規定を適用する。

2　施行日以後平成二十年度特例措置対象被保険者等に係る新健保令第四十一条第三項の高額療養費算定基準額については、新健保令第四十二条第三項第一号中「六万二千百円。ただし、高額療養費多数回該当の場合にあっては、四万四千四百円とする。」とあるのは、「四万四千四百円」と読み替えて、同項の規定を適用する。

3　施行日以後平成二十年度特例措置対象被保険者等に係る新健保令第四十一条第四項の高額療養費算定基準額については、新健保令第四十二条第四項第一号中「三万五千五十円。ただし、高額療養費多数回該当の場合にあっては、二万二千二百円とする。」とあるのは、「二万二千二百円」と読み替えて、同項の規定を適用する。

4　施行日以後平成二十年度特例措置対象被保険者等に係る新健保令第四十一条第五項の高額療養費算定基準額については、新健保令第四十二条第五項第一号中「二万四千六百円」とあるのは、「一万二千円」と読み替えて、同項の規定を適用する。

5　新健保令第四十三条第一項の規定により施行日以後平成二十年度特例措置対象被保険者等について保険者が同項に規定する保険医療機関等に支払う額の限度については、同項第二号イ中「六万二千百円（七十五歳到達時特例対象療養に係るものにあっては、三万千五十円）。ただし、高額療養費多数回該当の場合にあっては、四万四千四百円（七十五歳到達時特例対象療養に係るものにあっては、二万二千二百円）とする。」とあるのは「四万四千四百円（七十五歳到達時特例対象療養に係るものにあっては、二万二千二百円）」と、同項第三号イ中「二万四千六百円」とあるのは「一万二千円」と読み替えて、同項の規定を適用する。この場合において、同条第二項及び第三項の規定の適用については、同条第二項中「前項」とあるのは「高齢者の医療の確保に関する法律施行令等の一部を改正する政令（平成二十年政令第三百五十七号。次項において「改正令」という。）附則第五条第五項の規定により読み替えられた前項」と、同条第三項中「当該各号」とあるのは「当該各号（同項第二号又は第三号の規定を改正令附則第五条第五項の規定により読み替えて適用する場合にあっては、第一項第一号並びに同条第五項の規定により読み替えられた第一項第二号及び第三号）」とする。

6　新健保令第四十三条第四項及び第五項の規定は、施行日以後平成二十年度特例措置対象被保険者等が外来療養（新健保令第四十一条第五項に規定する外来療養をいう。）を受けた場合に

おいて、健康保険法の規定により支払うべき一部負担金等の額（同法第百十五条第一項に規定する一部負担金等の額をいう。）についての支払が行われなかったときの新健保令第四十一条第五項の規定による高額療養費の支給について準用する。この場合において、新健保令第四十三条第四項中「当該療養に要した費用のうち同条第六項から第八項までの規定による高額療養費として被保険者に支給すべき額に相当する額を」とあるのは「同条第五項の規定による高額療養費について、当該一部負担金等の額から高齢者の医療の確保に関する法律施行令等の一部を改正する政令（平成二十年政令第三百五十七号）附則第五条第四項の規定による高額療養費算定基準額（当該外来療養につき算定した費用の額に百分の十を乗じて得た額が当該高額療養費算定基準額を超える場合にあっては、当該乗じて得た額）を控除した額の限度において、」と、同条第五項中「第四十一条第六項から第八項まで」とあるのは「第四十一条第五項」と読み替えるものとする。

7　前各項の規定は、健康保険法施行令第三十七条に規定する日雇特例被保険者であって、当該日雇特例被保険者を被保険者とみなして第一項の規定を適用した場合に施行日以後平成二十年度特例措置対象被保険者等に該当することとなるものに係る高額療養費の支給について準用する。

第六条　平成二十年四月一日から十二月三十一日までの間に受けた療養を含む療養に係る健康保険法の規定による高額介護合算療養費の支給について、健康保険法施行令等の一部を改正する政令（平成二十年政令第百十六号）附則第三十三条第一項の規定を適用する場合における新健保令第四十三条の二第一項第一号（同条第三項及び第四項並びに新健保令第四十四条第二項において準用する場合を含む。次項において同じ。）の規定の適用については、同号中「までの規定」とあるのは、「までの規定（平成二十年四月一日から十二月三十一日までの間に受けた療養に係るものにあっては、高齢者の医療の確保に関する法律施行令等の一部を改正する政令（平成二十年政令第三百五十七号）第二条の規定による改正前の第四十一条第一項から第三項までの規定（同条第一項の規定を附則第二条第一項の規定により読み替えて適用する場合にあっては、同項の規定により読み替えられた同令第二条の規定による改正前の第四十一条第一項の規定若しくは同令第二条の規定による改正前の第四十一条第三項の規定又は附則第二条第二項の規定）」とする。

2　平成二十年八月一日から十二月三十一日までの間に受けた療養を含む療養に係る健康保険法の規定による高額介護合算療養費の支給について、健康保険法施行令等の一部を改正する政令（平成二十年政令第百十六号）附則第三十三条第二項の規定を適用する場合における新健保令第四十三条の二第一項第一号の規定の適用については、同号中「までの規定」とあるのは、「までの規定（平成二十年八月一日から十二月三十一日までの間に受けた療養に係るものにあっては、高齢者の医療の確保に関する法律施行令等の一部を改正する政令（平成二十年政令第三百五十七号）第二条の規定による改正前の第四十一条第一項から第三項までの規定）」とする。

附　則（平二二・三・三一政令五七）（抄）

（施行期日）

第一条　この政令は、平成二十二年六月一日から施行する。〔ただし書略〕

附　則（平二二・三・三一政令六五）（抄）

（施行期日）

第一条　この政令は、平成二十二年四月一日から施行する。

（健康保険法施行令の一部改正に伴う経過措置）

第二条　第一条の規定による改正後の健康保険法施行令第四十三条第八項の規定は、療養を受ける日がこの政令の施行の日（以下「施行日」という。）以後の場合について適用し、療養を受ける日が施行日前の場合については、なお従前の例による。

附　則（平二二・三・三一政令七五）（抄）

（施行期日）

第一条　この政令は、平成二十二年四月一日から施行する。

附　則（平二二・五・一九政令一四〇）（抄）

（施行期日）

第一条　この政令は、公布の日から施行する。

附　則（平二三・三・三〇政令五五）（抄）

（施行期日）

第一条　この政令は、平成二十三年四月一日から施行する。

（健康保険法施行令の一部改正に伴う経過措置）

第二条　この政令の施行の日（以下「施行日」という。）前に出産した被保険者若しくは日雇特例被保険者若しくはこれらの者であった者又は被扶養者に係る健康保険法の規定による出産育児一時金又は家族出産育児一時金の額については、なお従前の例による。

附　則（平二三・三・三一政令九二）（抄）

（施行期日）

第一条　この政令は、平成二十三年四月一日から施行する。

附　則（平二三・九・三〇政令三〇八）（抄）

（施行期日）

第一条　この政令は、平成二十三年十月一日から施行する。

附　則（平二三・一〇・二一政令三二七）（抄）

（施行期日）

第一条　この政令は、平成二十四年四月一日から施行する。

（健康保険法施行令の一部改正に伴う経過措置）

第二条　この政令の施行の日（以下「施行日」という。）前に行われた療養に係る健康保険法の規定による高額療養費の支給については、なお従前の例による。

附　則（平二四・三・二八政令七四）

この政令は、公布の日から施行する。

附　則（平二四・三・三一政令一一三）（抄）

（施行期日）

第一条　この政令は、平成二十四年四月一日から施行する。〔ただし書略〕

附　則（平二四・七・一九政令一九七）

この政令は、新非訟事件手続法の施行の日（平成二十五年一月一日）から施行する。

附　則（平二五・三・一三政令五七）（抄）

（施行期日）

第一条　この政令は、平成二十五年四月一日から施行する。

附　則（平二五・三・二一政令七〇）

この政令は、公布の日から施行する。

附　則（平二五・五・三一政令一六四）

この政令は、公布の日から施行する。

附　則（平二六・三・三一政令一二九）（抄）

（施行期日）

第一条　この政令は、平成二十六年四月一日から施行する。

（健康保険法施行令の一部改正に伴う経過措置）

第二条　この政令の施行の日（以下「施行日」という。）前に行われた療養に係る健康保険法の規定による高額療養費の支給（次項に規定する療養に係るものを除く。）及び高額介護合算療養費の支給については、なお従前の例による。

2　第一条の規定による改正後の健康保険法施行令第四十二条第六項又は第七項の規定は、平成二十一年五月一日から施行日の前日までに行われた療養であって、第一条の規定による改正前の健康保険法施行令（以下この項において「旧健保令」という。）附則第五条第一項の規定により読み替えて適用する旧健保令第四十一条第六項に規定する特定給付対象療養又は旧健保令第四十一条第七項に規定する特定疾患給付対象療養に該当するものに係る健康保険法の規定による高額療養費の支給についても適用する。

附　則（平二六・一一・一九政令三六五）（抄）

（施行期日）

第一条　この政令は、平成二十七年一月一日から施行する。ただし、第一条中健康保険法施行令附則第六条を削る改正規定、同令附則第五条第一項の改正規定、同条を同令附則第六条とする改正規定及び同令附則第四条の次に一条を加える改正規定、第五条中国家公務員共済組合法施行令附則第三十四条の四の改正規定並びに第七条中地方公務員等共済組合法施行令附則第五十二条の五の二の改正規定は、公布の日から施行する。

（健康保険法施行令の一部改正に伴う経過措置）

第二条　この政令の施行の日（以下「施行日」という。）前の出産に係る健康保険法の規定による出産育児一時金及び家族出産育児一時金の額については、なお従前の例による。

第三条　施行日前に行われた療養に係る健康保険法の規定による高額療養費の支給については、なお従前の例による。

第四条　平成二十六年八月一日から平成二十七年七月三十一日までの期間（以下「特定計算期間」という。）に行われた療養に係る健康保険法の規定による高額介護合算療養費の支給については、第一条の規定による改正後の健康保険法施行令（以下この項において「新健保令」という。）第四十三条の三第一項第二号中「二百十二万円」とあるのは「百七十六万円」と、同項第三号中「百四十一万円」とあるのは「百三十五万円」と、同項第四号中「六十万円」とあるのは「六十三万円」と読み替えて、新健保令第四十三条の二から第四十三条の四まで及び第四十四条（第一項を除く。）の規定を適用する。

2　前項の規定にかかわらず、特定計算期間において健康保険法施行令第四十三条の四第一項の規定により同令第四十三条の二第一項第一号に規定する基準日とみなされた日が施行日前の日である場合における特定計算期間に行われた療養に係る健康保険法の規定による高額介護合算療養費の支給については、なお従前の例による。

3　平成二十六年七月三十一日以前に行われた療養に係る健康保険法の規定による高額介護合算療養費の支給については、なお従前の例による。

附　則（平二八・三・三一政令一八〇）（抄）

（施行期日）

第一条　この政令は、平成二十八年四月一日から施行する。

附　則（平二八・五・二五政令二二六）（抄）

（施行期日）

第一条　この政令は、所得税法等の一部を改正する法律（平成二十八年法律第十五号。次条第二項及び附則第四条第二項において「改正法」という。）附則第一条第五号に掲げる規定の施行の日〔平成二八年三月三一日から起算して一年を超えない範囲内において政令で定める日〕から施行する。〔ただし書略〕

附　則（平二八・一二・二六政令四〇〇）（抄）

最終改正　平三〇・七・一三政令二一〇

（施行期日）

第一条　この政令は、平成二十九年一月一日から施行する。

（健康保険法施行令等の一部改正に伴う経過措置）

第二条　健康保険法施行令第四十二条第三項（第六号に係る部分に限り、健康保険法施行令第四十四条第一項において準用する場合を含む。）の規定は、療養のあった月が平成二十九年八月以後の場合における同令第四十一条第三項の高額療養費算定基準額及び同令第四十一条の二第一項ただし書に規定する基準日（同令第四十三条の四第一項又は第四十四条第七項の規定により基準日とみなされる日を含む。以下この項において「基準日」という。）の属する月が同月以後の場合における同令第四十三条の二第二項（同条第三項及び第四項において準用する場合を含む。）の七十歳以上介護合算算定基準額について適用し、療養のあった月が同年七月以前の場合における当該高額療養費算定基準額及び基準日の属する月が同月以前の場合における当該七十歳以上介護合算算定基準額については、なお従前の例による。

2・3　〔略〕

附　則（平二九・三・三一政令九八）（抄）

（施行期日）

第一条　この政令は、平成二十九年四月一日から施行する。

附　則（平二九・六・三〇政令一七七）（抄）

（施行期日）

第一条　この政令は、平成二十九年七月一日から施行する。

附　則（平二九・七・二八政令二一三）（抄）

（施行期日）

第一条　この政令は、平成二十九年八月一日から施行する。

（健康保険法施行令の一部改正に伴う経過措置）

第二条　第一条の規定による改正後の健康保険法施行令第四十三条第十一項に規定する資格を喪失した日が平成二十九年八月一日である場合における同項の規定の適用については、同項中「当該日の前日」とあるのは、「当該日」とする。

第三条　この政令の施行の日（以下「施行日」という。）前に行われた療養に係る健康保険法の規定による高額療養費及び高額介護合算療養費の支給については、なお従前の例による。

附　則（平三〇・二・二八政令四一）（抄）

（施行期日）

第一条　この政令は、法の施行の日（平成三十年四月一日）から施行する。

附　則（平三〇・三・二二政令五五）（抄）

（施行期日）

第一条　この政令は、平成三十年四月一日から施行する。〔ただ

し書略〕

　附　則（平三〇・三・二二政令五九）（抄）

（施行期日）

第一条　この政令は、平成三十一年四月一日から施行する。

　附　則（平三〇・七・一三政令二一〇）（抄）

（施行期日）

第一条　この政令は、平成三十年八月一日から施行する。ただし、附則第三条〔中略〕の規定は、公布の日から施行する。

（健康保険法施行令の一部改正に伴う経過措置）

第二条　この政令の施行の日（以下「施行日」という。）前に行われた療養に係る健康保険法の規定による高額療養費及び高額介護合算療養費の支給については、なお従前の例による。

（健康保険法施行令の一部改正に伴う準備行為）

第三条　第一条の規定による改正後の健康保険法施行令（以下この条において「新健保令」という。）第四十三条第一項第二号ハ及びニ並びに第三号ハ及びニの規定による保険者の認定は、施行日前においても、新健保令の規定の例によりすることができる。

　附　則（平三一・四・五政令一四六）（抄）

　改正　令二・三・三一政令一三八

（施行期日）

第一条　この政令は、平成三十年改正法の施行の日（令和二年四月一日）から施行する。

　附　則（令二・九・四政令二七〇）（抄）

（施行期日）

第一条　この政令は、令和三年一月一日から施行する。

（健康保険法施行令の一部改正に伴う経過措置）

第三条　第二条の規定による改正後の健康保険法施行令第四十二条第三項（第六号に係る部分に限り、健康保険法施行令第四十四条第一項において準用する場合を含む。）の規定は、療養のあった月が令和三年八月以後の場合における健康保険法施行令第四十一条第三項から第五項まで及び第七項（これらの規定を同令第四十四条第一項において準用する場合を含む。）の高額療養費算定基準額並びに同令第四十一条の二第一項（同令第四十四条第二項において準用する場合を含む。）に規定する基準日（同令第四十三条の四第一項又は第四十四条第七項の規定により基準日とみなされる日を含む。以下この条において「基準日」という。）の属する月が同月以後の場合における同令第四十三条の二第二項（同令第四十四条第五項において準用する場合を含む。）の七十歳以上介護合算算定基準額（同令第四十三条の三第三項（同令第四十四条第五項において準用する場合を含む。）において同令第四十三条の三第二項の規定を準用することとされた同令第四十三条の二第三項において準用する同条第二項の七十歳以上介護合算算定基準額及び同令第四十三条の三第四項において同条第二項の規定を準用することとされた同令第四十三条の二第四項において準用する同条第二項の七十歳以上介護合算算定基準額を含む。）について適用し、療養のあった月が同年七月以前の場合における当該高額療養費算定基準額及び基準日の属する月が同月以前の場合における当該七十歳以上介護合算算定基準額については、なお従前の例による。

　附　則（令二・九・三〇政令二九九）

この政令は、令和二年十月一日から施行する。

　附　則（令二・一二・二四政令三八一）（抄）

（施行期日）

第一条　この政令は、令和三年一月一日から施行する。〔ただし書略〕

（健康保険法施行令の一部改正に伴う経過措置）

第二条　第一条の規定による改正後の健康保険法施行令第四十二条第三項（第六号に係る部分に限り、健康保険法施行令第四十四条第一項において準用する場合を含む。）の規定は、療養のあった月が令和三年八月以後の場合における健康保険法施行令第四十一条第三項から第五項まで及び第七項（これらの規定を同令第四十四条第一項において準用する場合を含む。）の高額療養費算定基準額並びに同令第四十一条の二第一項（同令第四十四条第二項において準用する場合を含む。）に規定する基準日（同令第四十三条の四第一項又は第四十四条第七項の規定により基準日とみなされる日を含む。以下この条において「基準日」という。）の属する月が同月以後の場合における同令第四十三条の二第二項（同令第四十四条第五項において準用する場合を含む。）の七十歳以上介護合算算定基準額（同令第四十三条の三第三項（同令第四十四条第五項において準用する場合を含む。）において同令第四十三条の三第二項の規定を準用することとされた同令第四十三条の二第三項において準用する同条第二項の七十歳以上介護合算算定基準額及び同令第四十三条の三第四項において同条第二項の規定を準用することとされた同令第四十三条の二第四項において準用する同条第二項の七十歳以上介護合算算定基準額を含む。）について適用し、療養のあった月が同年七月以前の場合における当該高額療養費算定基準額及び基準日の属する月が同月以前の場合における当該七十歳以上介護合算算定基準額については、なお従前の例による。

　附　則（令三・八・四政令二二二）（抄）

（施行期日）

1　この政令は、令和四年一月一日から施行する。

（経過措置）

2　この政令の施行の日前の出産に係る健康保険法〔中略〕の規定による出産費及び家族出産費の額については、なお従前の例による。

　附　則（令三・八・六政令二二九）（抄）

（施行期日）

第一条　この政令は、令和四年四月一日から施行する。ただし、次の各号に掲げる規定は、当該各号に定める日から施行する。

一　〔略〕

二　〔前略〕第十四条の規定〔中略〕　令和四年十月一日

三・四　〔略〕

　附　則（令四・三・三一政令一三三）（抄）

（施行期日）

第一条　この政令は、令和四年四月一日から施行する。ただし、次の各号に掲げる規定は、当該各号に定める日から施行する。

一～三　〔略〕

四　〔前略〕附則第十一条の規定　令和六年一月一日

五　〔略〕

　附　則（令五・二・一政令二三）（抄）

（施行期日）

1　この政令は、令和五年四月一日から施行する。

（経過措置）

2 この政令の施行の日前の出産に係る健康保険法〔中略〕の規定による出産育児一時金及び家族出産育児一時金〔中略〕の額については、なお従前の例による。

附 則（令五・一〇・二〇政令三〇七）（抄）

（施行期日）

1 この政令は、令和六年四月一日から施行する。〔ただし書略〕

附 則（令六・一・一七政令八）（抄）

（施行期日）

1 この政令は、令和六年四月一日から施行する。

附 則（令六・一・一七政令九）

この政令は、令和六年四月一日から施行する。

附 則（令六・三・二九政令一二五）（抄）

（施行期日）

1 この政令は、令和六年四月一日から施行する。

○健康保険法施行令第四十一条第七項の規定に基づき厚生労働大臣が定める医療に関する給付を定める件

平二一・四・三〇
厚労省告示二九〇

最終改正 令三・三・三一厚労省告示一四三

健康保険法施行令（大正十五年勅令第二百四十三号）第四十一条第七項の規定に基づき、健康保険法施行令第四十一条第七項の規定に基づき厚生労働大臣が定める医療に関する給付を次のように定め、平成二十一年五月一日から適用する。

健康保険法施行令第四十一条第七項の規定に基づき厚生労働大臣が定める医療に関する給付

一 児童福祉法（昭和二十二年法律第百六十四号）第十九条の二第一項の小児慢性特定疾病医療費の支給

二 難病の患者に対する医療等に関する法律（平成二十六年法律第五十号）第五条第一項の特定医療費の支給

三 昭和四十八年四月十七日衛発第二百四十二号厚生省公衆衛生局長通知「特定疾患治療研究事業について」による治療研究に係る医療の給付

四 平成三十年六月二十七日健発〇六二七第一号厚生労働省健康局長通知「肝がん・重度肝硬変治療研究促進事業について」による高療該当肝がん・重度肝硬変入院関係医療に係る医療費の支給

○健康保険法施行令附則第五条第一項及び船員保険法施行令附則第四条第一項の規定に基づき厚生労働大臣が定める医療に関する給付を定める件

平二〇・一二・二二
厚労省告示五五八

健康保険法施行令（大正十五年勅令第二百四十三号）附則第五条〔現行＝附則六条＝平成二六年一一月政令三六五号により改正〕第一項及び船員保険法施行令（昭和二十八年政令第二百四十号）附則第四条〔現行＝附則三条＝平成二二年一二月政令二九六号・平成二六年三月政令一一九号により改正〕第一項の規定に基づき、健康保険法施行令附則第五条第一項及び船員保険法施行令附則第四条第一項の規定に基づき厚生労働大臣が定める医療に関する給付を次のように定め、平成二十一年四月一日から適用する。

健康保険法施行令附則第五条第一項及び船員保険法施行令附則第四条第一項の規定に基づき厚生労働大臣が定める医療に関する給付

平成二十年二月二十一日保発第〇二二一〇〇三号厚生労働省保険局長通知「七十歳代前半の被保険者等に係る一部負担金等の軽減特例措置の取扱いについて」による医療費の支給

○健康保険法施行令第四十三条の二第一項及び介護保険法施行令第二十二条の三第二項の規定に基づき厚生労働大臣が定める支給基準額を定める件

平二〇・三・三一
厚労省告示一二五

健康保険法施行令（大正十五年勅令第二百四十三号）第四十三条の二第一項及び介護保険法施行令（平成十年政令第四百十二号）第二十二条の三第二項の規定に基づき、健康保険法施行令第四十三条の二第一項及び介護保険法施行令第二十二条の三第二項の規定に基づき厚生労働大臣が定める支給基準額を次のように定め、平成二十年四月一日から適用する。

健康保険法施行令第四十三条の二第一項及び介護保険法施行令第二十二条の三第二項の規定に基づき厚生労働大臣が定める支給基準額

健康保険法施行令（大正十五年勅令第二百四十三号）第四十三条の二第一項の規定に基づき厚生労働大臣が定める支給基準額及び介護保険法施行令（平成十年政令第四百十二号）第二十二条の三第二項の規定に基づき厚生労働大臣が定める支給基準額は、それぞれ五百円とする。

○健康保険法施行令等の一部を改正する政令附則第三十二条第一項及び第四十四条第一項の規定に基づき厚生労働大臣が定める医療に関する給付を定める件

平二〇・三・三一
厚労省告示一二六

健康保険法施行令等の一部を改正する政令（平成二十年政令第百十六号）附則第三十二条第一項及び第四十四条第一項の規定に基づき、健康保険法施行令等の一部を改正する政令附則第三十二条第一項及び第四十四条第一項の規定に基づき厚生労働大臣が定める医療に関する給付を次のように定め、平成二十年四月一日から適用する。

健康保険法施行令等の一部を改正する政令附則第三十二条第一項及び第四十四条第一項の規定に基づき厚生労働大臣が定める医療に関する給付

平成二十年二月二十一日保発第〇二二一〇〇三号厚生労働省保険局長通知「七十歳代前半の被保険者等に係る一部負担金等の軽減特例措置の取扱いについて」による医療費の支給

○健康保険法施行令第四十一条第九項の規定に基づき厚生労働大臣が定める治療及び疾病を定める件

昭五九・九・二八
厚生省告示一五六

最終改正　平二一・四・三〇厚労省告示二九一

健康保険法施行令（大正十五年勅令第二百四十三号）第四十一条第六項の規定に基づき、厚生大臣が定める治療及び疾病を次のように定め、昭和五十九年十月一日から適用する。

健康保険法施行令第四十一条第九項の規定に基づき厚生労働大臣が定める治療及び疾病

一　人工腎臓を実施している慢性腎不全

二　血漿分画製剤を投与している先天性血液凝固第Ⅷ因子障害又は先天性血液凝固第Ⅸ因子障害

三　抗ウイルス剤を投与している後天性免疫不全症候群（HIV感染を含み、厚生労働大臣の定める者に係るものに限る。）

前　文（平二一・四・三〇厚労省告示二九一）（抄）

〔前略〕平成二十一年五月一日から適用する。

○健康保険法施行令第四十二条第九項第二号の規定に基づき厚生労働大臣が定める疾病を定める件

平一八・九・八
厚労省告示四八九

最終改正 平二一・四・三〇厚労省告示二九二

健康保険法施行令（大正十五年勅令第二百四十三号）第四十二条第六項第二号〔現行＝四二条九項二号＝平成二〇年一一月政令三五七号・二一年四月政令一三五号により改正〕の規定に基づき、厚生労働大臣が定める疾病を次のように定め、平成十八年十月一日から適用する。

健康保険法施行令第四十二条第九項第二号の規定に基づき厚生労働大臣が定める疾病

一 血漿分画製剤を投与している先天性血液凝固第Ⅷ因子障害又は先天性血液凝固第Ⅸ因子障害

二 抗ウイルス剤を投与している後天性免疫不全症候群（ＨＩＶ感染を含み、厚生労働大臣の定める者に係るものに限る。）

前　文〔平二一・四・三〇厚労省告示二九二〕（抄）

〔前略〕平成二十一年五月一日から適用する。

○保険医療機関及び保険医療養担当規則

昭三二・四・三〇
厚生令一五

最終改正 令六・三・五厚労令三五

目次〔略〕

第一章　保険医療機関の療養担当

（療養の給付の担当の範囲）

第一条 保険医療機関が担当する療養の給付並びに被保険者及び被保険者であつた者並びにこれらの者の被扶養者の療養（以下単に「療養の給付」という。）の範囲は、次のとおりとする。

一 診察

二 薬剤又は治療材料の支給

三 処置、手術その他の治療

四 居宅における療養上の管理及びその療養に伴う世話その他の看護

五 病院又は診療所への入院及びその療養に伴う世話その他の看護

（療養の給付の担当方針）

第二条 保険医療機関は、懇切丁寧に療養の給付を担当しなければならない。

2 保険医療機関が担当する療養の給付は、被保険者及び被保険者であつた者並びにこれらの者の被扶養者である患者（以下単に「患者」という。）の療養上妥当適切なものでなければならない。

（診療に関する照会）

第二条の二 保険医療機関は、その担当した療養の給付に係る患者の疾病又は負傷に関し、他の保険医療機関から照会があつた場合には、これに適切に対応しなければならない。

（適正な手続の確保）

第二条の三 保険医療機関は、その担当する療養の給付に関し、厚生労働大臣又は地方厚生局長若しくは地方厚生支局長に対する申請、届出等に係る手続及び療養の給付に関する費用の請求に係る手続を適正に行わなければならない。

（健康保険事業の健全な運営の確保）

第二条の四 保険医療機関は、その担当する療養の給付に関し、健康保険事業の健全な運営を損なうことのないよう努めなければならない。

（経済上の利益の提供による誘引の禁止）

第二条の四の二 保険医療機関は、患者に対して、第五条の規定により受領する費用の額に応じて当該保険医療機関が行う収益業務に係る物品の対価の額の値引きをすることその他の健康保険事業の健全な運営を損なうおそれのある経済上の利益の提供により、当該患者が自己の保険医療機関において診療を受けるように誘引してはならない。

2 保険医療機関は、事業者又はその従業員に対して、患者を紹介する対価として金品を提供することその他の健康保険事業の健全な運営を損なうおそれのある経済上の利益を提供することにより、患者が自己の保険医療機関において診療を受けるように誘引してはならない。

（特定の保険薬局への誘導の禁止）

第二条の五 保険医療機関は、当該保険医療機関において健康保険の診療に従事している保険医（以下「保険医」という。）の行う処方箋の交付に関し、患者に対して特定の保険薬局において調剤を受けるべき旨の指示等を行つてはならない。

2 保険医療機関は、保険医の行う処方箋の交付に関し、患者に対して特定の保険薬局において調剤を受けるべき旨の指示等を行うことの対償として、保険薬局から金品その他の財産上の利益を収受してはならない。

（掲示）

第二条の六 保険医療機関は、その病院又は診療所内の見やすい場所に、第五条の三第四項、第五条の三の二第四項及び第五条の四第二項に規定する事項のほか、別に厚生労働大臣が定める事項を掲示しなければならない。

2 保険医療機関は、原則として、前項の厚生労働大臣が定める事項をウェブサイトに掲載しなければならない。

（受給資格の確認）

第三条　保険医療機関は、患者から療養の給付を受けることを求められた場合には、次に掲げるいずれかの方法によつて療養の給付を受ける資格があることを確認しなければならない。ただし、緊急やむを得ない事由によつて当該確認を行うことができない患者であつて、療養の給付を受ける資格が明らかなものについては、この限りでない。

一　健康保険法（大正十一年法律第七十号。以下「法」という。）第三条第十三項に規定する電子資格確認（以下「電子資格確認」という。）

二　患者の提出する被保険者証

三　当該保険医療機関が、過去に取得した当該患者の被保険者又は被扶養者の資格に係る情報（保険給付に係る費用の請求に必要な情報を含む。）を用いて、保険者に対し、電子情報処理組織を使用する方法その他の情報通信の技術を利用する方法により、あらかじめ照会を行い、保険者から回答を受けて取得した直近の当該情報を確認する方法（当該患者が当該保険医療機関から療養の給付（居宅における療養上の管理及びその療養に伴う世話その他の看護に限る。）を受けようとする場合であつて、当該保険医療機関から電子資格確認による確認を受けてから継続的な療養の給付を受けている場合に限る。）

2　患者が電子資格確認により療養の給付を受ける資格があることの確認を受けることを求めた場合における前項の規定の適用については、同項中「次に掲げるいずれかの」とあるのは「第一号又は第三号に掲げる」と、「事由によつて」とあるのは「事由によつて第一号又は第三号に掲げる方法により」とする。

3　療養の給付及び公費負担医療に関する費用の請求に関する命令（昭和五十一年厚生省令第三十六号）附則第三条の四第一項の規定により同項に規定する書面による請求を行つている保険医療機関及び同令附則第三条の五第一項の規定により届出を行つた保険医療機関については、前項の規定は、適用しない。

4　保険医療機関（前項の規定の適用を受けるものを除く。）は、第二項に規定する場合において、患者が電子資格確認によつて療養の給付を受ける資格があることの確認を受けることができるよう、あらかじめ必要な体制を整備しなければならない。

（要介護被保険者等の確認）

第三条の二　保険医療機関等は、患者に対し、訪問看護、訪問リハビリテーションその他の介護保険法（平成九年法律第百二十三号）第八条第一項に規定する居宅サービス又は同法第八条の二第一項に規定する介護予防サービスに相当する療養の給付を行うに当たつては、同法第十二条第三項に規定する被保険者証の提示を求めるなどにより、当該患者が同法第六十二条に規定する要介護被保険者等であるか否かの確認を行うものとする。

（被保険者証の返還）

第四条　保険医療機関は、患者の提出する被保険者証により、療養の給付を受ける資格があることを確認した患者に対する療養の給付を担当しなくなつたとき、その他正当な理由により当該患者から被保険者証の返還を求められたときは、これを遅滞なく当該患者に返還しなければならない。ただし、当該患者が死亡した場合は、法第百条、第百五条又は第百十三条の規定により埋葬料、埋葬費又は家族埋葬料を受けるべき者に返還しなければならない。

（一部負担金等の受領）

第五条　保険医療機関は、被保険者又は被保険者であつた者については法第七十四条の規定による一部負担金、法第八十五条に規定する食事療養標準負担額（同条第二項の規定により算定した費用の額が標準負担額に満たないときは、当該費用の額とする。以下単に「食事療養標準負担額」という。）、法第八十五条の二に規定する生活療養標準負担額（同条第二項の規定により算定した費用の額が生活療養標準負担額に満たないときは、当該費用の額とする。以下単に「生活療養標準負担額」という。）又は法第八十六条の規定による療養（法第六十三条第二項第一号に規定する食事療養（以下「食事療養」という。）及び同項第二号に規定する生活療養（以下「生活療養」という。）を除く。）についての費用の額に法第七十四条第一項各号に掲げる場合の区分に応じ、同項各号に定める割合を乗じて得た額（食事療養を行つた場合においては食事療養標準負担額を加えた額とし、生活療養を行つた場合においては生活療養標準負担額を加えた額とする。）の支払を、被扶養者については法第七十六条第二項、第八十五条第二項、第八十五条の二第二項又は第八十六条第二項第一号の費用の額の算定の例により算定された費用の額から法第百十条の規定による家族療養費として支給される額に相当する額を控除した額の支払を受けるものとする。

2　保険医療機関は、食事療養に関し、当該療養に要する費用の範囲内において法第八十五条第二項又は第百十条第三項の規定により算定した費用の額を超える金額の支払を、生活療養に関し、当該療養に要する費用の範囲内において法第八十五条の二第二項又は第百十条第三項の規定により算定した費用の額を超える金額の支払を、法第六十三条第二項第三号に規定する評価療養（以下「評価療養」という。）、同項第四号に規定する患者申出療養（以下「患者申出療養」という。）又は同項第五号に規定する選定療養（以下「選定療養」という。）に関し、当該療養に要する費用の範囲内において法第八十六条第二項又は第百十条第三項の規定により算定した費用の額を超える金額の支払を受けることができる。ただし、厚生労働大臣が定める療養に関しては、厚生労働大臣が定める額の支払を受けるものとする。

3　保険医療機関のうち、医療法（昭和二十三年法律第二百五号）第七条第二項第五号に規定する一般病床（以下「一般病床」という。）を有する同法第四条第一項に規定する地域医療支援病院（一般病床の数が二百未満であるものを除く。）、同法第四条の二第一項に規定する特定機能病院及び同法第三十条の十八の二第一項に規定する外来機能報告対象病院等（同法第三十条の十八の四第一項第二号の規定に基づき、同法第三十条の十八の二第一項第一号の厚生労働省令で定める外来医療を提供する基幹的な病院として都道府県が公表したものに限り、一般病床の数が二百未満であるものを除く。）であるものは、法第七十条第三項に規定する保険医療機関相互間の機能の分担及び業務の連携のための措置として、次に掲げる措置を講ずるものとする。

一　患者の病状その他の患者の事情に応じた適切な他の保険医療機関を当該患者に紹介すること。

二　選定療養（厚生労働大臣の定めるものに限る。）に関し、当該療養に要する費用の範囲内において厚生労働大臣の定める金額以上の金額の支払を求めること（厚生労働大臣の定める場合を除く。）。

（領収証等の交付）

第五条の二　保険医療機関は、前条の規定により患者から費用の支払を受けるときは、正当な理由がない限り、個別の費用ごとに区分して記載した領収証を無償で交付しなければならない。

2　厚生労働大臣の定める保険医療機関は、前項に規定する領収証を交付するときは、正当な理由がない限り、当該費用の計算の基礎となつた項目ごとに記載した明細書を交付しなければならない。

3　前項に規定する明細書の交付は、無償で行わなければならない。

第五条の二の二　前条第二項の厚生労働大臣の定める保険医療機関は、公費負担医療（厚生労働大臣の定めるものに限る。）を担当した場合（第五条第一項の規定により患者から費用の支払を受ける場合を除く。）において、正当な理由がない限り、当該公費負担医療に関する費用の請求に係る計算の基礎となつた項目ごとに記載した明細書を交付しなければならない。

2　前項に規定する明細書の交付は、無償で行わなければならない。

（食事療養）

第五条の三　保険医療機関は、その入院患者に対して食事療養を行うに当たつては、病状に応じて適切に行うとともに、その提供する食事の内容の向上に努めなければならない。

2　保険医療機関は、食事療養を行う場合には、次項に規定する場合を除き、食事療養標準負担額の支払を受けることにより食事を提供するものとする。

3　保険医療機関は、第五条第二項の規定による支払を受けて食事療養を行う場合には、当該療養にふさわしい内容のものとするほか、当該療養を行うに当たり、あらかじめ、患者に対しその内容及び費用に関して説明を行い、その同意を得なければならない。

4　保険医療機関は、その病院又は診療所の病棟等の見やすい場所に、前項の療養の内容及び費用に関する事項を掲示しなければならない。

5　保険医療機関は、原則として、前項の療養の内容及び費用に関する事項をウェブサイトに掲載しなければならない。

（生活療養）

第五条の三の二　保険医療機関は、その入院患者に対して生活療養を行うに当たつては、病状に応じて適切に行うとともに、その提供する食事の内容の向上並びに温度、照明及び給水に関する適切な療養環境の形成に努めなければならない。

2　保険医療機関は、生活療養を行う場合には、次項に規定する場合を除き、生活療養標準負担額の支払を受けることにより食事を提供し、温度、照明及び給水に関する適切な療養環境を形成するものとする。

3　保険医療機関は、第五条第二項の規定による支払を受けて生活療養を行う場合には、当該療養にふさわしい内容のものとするほか、当該療養を行うに当たり、あらかじめ、患者に対しその内容及び費用に関して説明を行い、その同意を得なければならない。

4　保険医療機関は、その病院又は診療所の病棟等の見やすい場所に、前項の療養の内容及び費用に関する事項を掲示しなければならない。

5　保険医療機関は、原則として、前項の療養の内容及び費用に関する事項をウェブサイトに掲載しなければならない。

（保険外併用療養費に係る療養の基準等）

第五条の四　保険医療機関は、評価療養、患者申出療養又は選定療養に関して第五条第二項又は第三項第二号の規定による支払を受けようとする場合において、当該療養を行うに当たり、その種類及び内容に応じて厚生労働大臣の定める基準に従わなければならないほか、あらかじめ、患者に対しその内容及び費用に関して説明を行い、その同意を得なければならない。

2　保険医療機関は、その病院又は診療所の見やすい場所に、前項の療養の内容及び費用に関する事項を掲示しなければならない。

3　保険医療機関は、原則として、前項の療養の内容及び費用に関する事項をウェブサイトに掲載しなければならない。

（証明書等の交付）

第六条　保険医療機関は、患者から保険給付を受けるために必要な保険医療機関又は保険医の証明書、意見書等の交付を求められたときは、無償で交付しなければならない。ただし、法第八十七条第一項の規定による療養費（柔道整復を除く施術に係るものに限る。）、法第九十九条第一項の規定による傷病手当金、法第百一条の規定による出産育児一時金、法第百二条第一項の規定による出産手当金又は法第百十四条の規定による家族出産育児一時金に係る証明書又は意見書については、この限りでない。

（指定訪問看護の事業の説明）

第七条　保険医療機関は、患者が指定訪問看護事業者（法第八十八条第一項に規定する指定訪問看護事業者並びに介護保険法第四十一条第一項本文に規定する指定居宅サービス事業者（訪問看護事業を行う者に限る。）及び同法第五十三条第一項に規定する指定介護予防サービス事業者（介護予防訪問看護事業を行う者に限る。）をいう。以下同じ。）から指定訪問看護（法第八十八条第一項に規定する指定訪問看護並びに介護保険法第四十一条第一項本文に規定する指定居宅サービス（同法第八条第四項に規定する訪問看護の場合に限る。）及び同法第五十三条第一項に規定する指定介護予防サービス（同法第八条の二第三項に規定する介護予防訪問看護の場合に限る。）をいう。以下同じ。）を受ける必要があると認めた場合には、当該患者に対しその利用手続、提供方法及び内容等につき十分説明を行うよう努めなければならない。

（診療録の記載及び整備）

第八条　保険医療機関は、第二十二条の規定による診療録に療養の給付の担当に関し必要な事項を記載し、これを他の診療録と区別して整備しなければならない。

（帳簿等の保存）

第九条　保険医療機関は、療養の給付の担当に関する帳簿及び書類その他の記録をその完結の日から三年間保存しなければならない。ただし、患者の診療録にあつては、その完結の日から五年間とする。

（通知）

第十条　保険医療機関は、患者が次の各号の一に該当する場合には、遅滞なく、意見を付して、その旨を全国健康保険協会又は当該健康保険組合に通知しなければならない。
一　家庭事情等のため退院が困難であると認められたとき。
二　闘争、泥酔又は著しい不行跡によつて事故を起したと認められたとき。
三　正当な理由がなくて、療養に関する指揮に従わないとき。
四　詐欺その他不正な行為により、療養の給付を受け、又は受けようとしたとき。

（入院）
第十一条　保険医療機関は、患者の入院に関しては、療養上必要な寝具類を具備し、その使用に供するとともに、その病状に応じて適切に行い、療養上必要な事項について適切な注意及び指導を行わなければならない。
2　保険医療機関は、病院にあつては、医療法の規定に基づき許可を受け、若しくは届出をし、又は承認を受けた病床の数の範囲内で、診療所にあつては、同法の規定に基づき許可を受け、若しくは届出をし、又は通知をした病床数の範囲内で、それぞれ患者を入院させなければならない。ただし、災害その他のやむを得ない事情がある場合は、この限りでない。

（看護）
第十一条の二　保険医療機関は、その入院患者に対して、患者の負担により、当該保険医療機関の従業者以外の者による看護を受けさせてはならない。
2　保険医療機関は、当該保険医療機関の従業者による看護を行うため、従業者の確保等必要な体制の整備に努めなければならない。

（報告）
第十一条の三　保険医療機関は、厚生労働大臣が定める療養の給付の担当に関する事項について、地方厚生局長又は地方厚生支局長に定期的に報告を行わなければならない。
2　前項の規定による報告は、当該保険医療機関の所在地を管轄する地方厚生局又は地方厚生支局の分室がある場合においては、当該分室を経由して行うものとする。

第二章　保険医の診療方針等

（診療の一般的方針）
第十二条　保険医の診療は、一般に医師又は歯科医師として診療の必要があると認められる疾病又は負傷に対して、適確な診断をもととし、患者の健康の保持増進上妥当適切に行われなければならない。

（療養及び指導の基本準則）
第十三条　保険医は、診療に当つては、懇切丁寧を旨とし、療養上必要な事項は理解し易いように指導しなければならない。

（指導）
第十四条　保険医は、診療にあたつては常に医学の立場を堅持して、患者の心身の状態を観察し、心理的な効果をも挙げることができるよう適切な指導をしなければならない。
第十五条　保険医は、患者に対し予防衛生及び環境衛生の思想のかん養に努め、適切な指導をしなければならない。

（転医及び対診）
第十六条　保険医は、患者の疾病又は負傷が自己の専門外にわたるものであるとき、又はその診療について疑義があるときは、他の保険医療機関へ転医させ、又は他の保険医の対診を求める等診療について適切な措置を講じなければならない。

（診療に関する照会）
第十六条の二　保険医は、その診療した患者の疾病又は負傷に関し、他の保険医療機関又は保険医から照会があつた場合には、これに適切に対応しなければならない。

（施術の同意）
第十七条　保険医は、患者の疾病又は負傷が自己の専門外にわたるものであるという理由によつて、みだりに、施術業者の施術を受けさせることに同意を与えてはならない。

（特殊療法等の禁止）
第十八条　保険医は、特殊な療法又は新しい療法等については、厚生労働大臣の定めるもののほか行つてはならない。

（使用医薬品及び歯科材料）
第十九条　保険医は、厚生労働大臣の定める医薬品以外の薬物を患者に施用し、又は処方してはならない。ただし、医薬品、医療機器等の品質、有効性及び安全性の確保等に関する法律（昭和三十五年法律第百四十五号）第二条第十七項に規定する治験（以下「治験」という。）に係る診療において、当該治験の対象とされる薬物を使用する場合その他厚生労働大臣が定める場合においては、この限りでない。
2　歯科医師である保険医は、厚生労働大臣の定める歯科材料以外の歯科材料を歯冠修復及び欠損補綴において使用してはならない。ただし、治験に係る診療において、当該治験の対象とされる機械器具等を使用する場合その他厚生労働大臣が定める場合においては、この限りでない。

（健康保険事業の健全な運営の確保）
第十九条の二　保険医は、診療に当たつては、健康保険事業の健全な運営を損なう行為を行うことのないよう努めなければならない。

（特定の保険薬局への誘導の禁止）
第十九条の三　保険医は、処方箋の交付に関し、患者に対して特定の保険薬局において調剤を受けるべき旨の指示等を行つてはならない。
2　保険医は、処方箋の交付に関し、患者に対して特定の保険薬局において調剤を受けるべき旨の指示等を行うことの対償として、保険薬局から金品その他の財産上の利益を収受してはならない。

（指定訪問看護事業との関係）
第十九条の四　医師である保険医は、患者から訪問看護指示書の交付を求められ、その必要があると認めた場合には、速やかに、当該患者の選定する訪問看護ステーション（指定訪問看護事業者が当該指定に係る訪問看護事業を行う事業所をいう。以下同じ。）に交付しなければならない。
2　医師である保険医は、訪問看護指示書に基づき、適切な訪問看護が提供されるよう、訪問看護ステーション及びその従業者からの相談に際しては、当該指定訪問看護を受ける者の療養上必要な事項について適切な注意及び指導を行わなければならない。

（診療の具体的方針）
第二十条　医師である保険医の診療の具体的方針は、前十二条の規定によるほか、次に掲げるところによるものとする。
一　診察

イ　診察は、特に患者の職業上及び環境上の特性等を顧慮して行う。
ロ　診察を行う場合は、患者の服薬状況及び薬剤服用歴を確認しなければならない。ただし、緊急やむを得ない場合については、この限りではない。
ハ　健康診断は、療養の給付の対象として行つてはならない。
ニ　往診は、診療上必要があると認められる場合に行う。
ホ　各種の検査は、診療上必要があると認められる場合に行う。
ヘ　ホによるほか、各種の検査は、研究の目的をもつて行つてはならない。ただし、治験に係る検査については、この限りでない。

二　投薬
イ　投薬は、必要があると認められる場合に行う。
ロ　治療上一剤で足りる場合には一剤を投与し、必要があると認められる場合に二剤以上を投与する。
ハ　同一の投薬は、みだりに反覆せず、症状の経過に応じて投薬の内容を変更する等の考慮をしなければならない。
ニ　投薬を行うに当たつては、医薬品、医療機器等の品質、有効性及び安全性の確保等に関する法律第十四条の四第一項各号に掲げる医薬品（以下「新医薬品等」という。）とその有効成分、分量、用法、用量、効能及び効果が同一性を有する医薬品として、同法第十四条又は第十九条の二の規定による製造販売の承認（以下「承認」という。）がなされたもの（ただし、同法第十四条の四第一項第二号に掲げる医薬品並びに新医薬品等に係る承認を受けている者が、当該承認に係る医薬品と有効成分、分量、用法、用量、効能及び効果が同一であつてその形状、有効成分の含量又は有効成分以外の成分若しくはその含量が異なる医薬品に係る承認を受けている場合における当該医薬品を除く。）（以下「後発医薬品」という。）の使用を考慮するとともに、患者に後発医薬品を選択する機会を提供すること等患者が後発医薬品を選択しやすくするための対応に努めなければならない。
ホ　栄養、安静、運動、職場転換その他療養上の注意を行うことにより、治療の効果を挙げることができると認められる場合は、これらに関し指導を行い、みだりに投薬をしてはならない。
ヘ　投薬量は、予見することができる必要期間に従つたものでなければならない。この場合において、厚生労働大臣が定める内服薬及び外用薬については当該厚生労働大臣が定める内服薬及び外用薬ごとに一回十四日分、三十日分又は九十日分を限度とする。
ト　注射薬は、患者に療養上必要な事項について適切な注意及び指導を行い、厚生労働大臣の定める注射薬に限り投与することができることとし、その投与量は、症状の経過に応じたものでなければならず、厚生労働大臣が定めるものについては当該厚生労働大臣が定めるものごとに一回十四日分、三十日分又は九十日分を限度とする。

三　処方箋の交付
イ　処方箋の使用期間は、交付の日を含めて四日以内とする。ただし、長期の旅行等特殊の事情があると認められる場合は、この限りでない。
ロ　イの規定にかかわらず、リフィル処方箋（保険医が診療に基づき、別に厚生労働大臣が定める医薬品以外の医薬品を処方する場合に限り、複数回（三回までに限る。）の使用を認めた処方箋をいう。以下同じ。）の二回目以降の使用期間は、直近の当該リフィル処方箋の使用による前号への必要期間が終了する日の前後七日以内とする。
ハ　イ及びロによるほか、処方箋の交付に関しては、前号に定める投薬の例による。ただし、当該処方箋がリフィル処方箋である場合における同号の規定の適用については、同号へ中「投薬量」とあるのは、「リフィル処方箋の一回の使用による投薬量及び当該リフィル処方箋の複数回の使用による合計の投薬量」とし、同号へ後段の規定は、適用しない。

四　注射
イ　注射は、次に掲げる場合に行う。
(1)　経口投与によつて胃腸障害を起すおそれがあるとき、経口投与をすることができないとき、又は経口投与によつては治療の効果を期待することができないとき。
(2)　特に迅速な治療の効果を期待する必要があるとき。
(3)　その他注射によらなければ治療の効果を期待することが困難であるとき。
ロ　注射を行うに当たつては、後発医薬品の使用を考慮するよう努めなければならない。
ハ　内服薬との併用は、これによつて著しく治療の効果を挙げることが明らかな場合又は内服薬の投与だけでは治療の効果を期待することが困難である場合に限つて行う。
ニ　混合注射は、合理的であると認められる場合に行う。
ホ　輸血又は電解質若しくは血液代用剤の補液は、必要があると認められる場合に行う。

五　手術及び処置
イ　手術は、必要があると認められる場合に行う。
ロ　処置は、必要の程度において行う。

六　リハビリテーション
リハビリテーションは、必要があると認められる場合に行う。

六の二　居宅における療養上の管理等
居宅における療養上の管理及び看護は、療養上適切であると認められる場合に行う。

七　入院
イ　入院の指示は、療養上必要があると認められる場合に行う。
ロ　単なる疲労回復、正常分べん又は通院の不便等のための入院の指示は行わない。
ハ　保険医は、患者の負担により、患者に保険医療機関の従業者以外の者による看護を受けさせてはならない。

（歯科診療の具体的方針）

第二十一条　歯科医師である保険医の診療の具体的方針は、第十二条から第十九条の三までの規定によるほか、次に掲げるところによるものとする。

一　診察
イ　診察は、特に患者の職業上及び環境上の特性等を顧慮して行う。

ロ　診察を行う場合は、患者の服薬状況及び薬剤服用歴を確認しなければならない。ただし、緊急やむを得ない場合については、この限りではない。

ハ　健康診断は、療養の給付の対象として行つてはならない。

ニ　往診は、診療上必要があると認められる場合に行う。

ホ　各種の検査は、診療上必要があると認められる場合に行う。

ヘ　ホによるほか、各種の検査は、研究の目的をもつて行つてはならない。ただし、治験に係る検査については、この限りでない。

二　投薬

イ　投薬は、必要があると認められる場合に行う。

ロ　治療上一剤で足りる場合には一剤を投与し、必要があると認められる場合に二剤以上を投与する。

ハ　同一の投薬は、みだりに反覆せず、症状の経過に応じて投薬の内容を変更する等の考慮をしなければならない。

ニ　投薬を行うに当たつては、後発医薬品の使用を考慮するとともに、患者に後発医薬品を選択する機会を提供すること等患者が後発医薬品を選択しやすくするための対応に努めなければならない。

ホ　栄養、安静、運動、職場転換その他療養上の注意を行うことにより、治療の効果を挙げることができると認められる場合は、これらに関し指導を行い、みだりに投薬をしてはならない。

ヘ　投薬量は、予見することができる必要期間に従つたものでなければならない。この場合において、厚生労働大臣が定める内服薬及び外用薬については当該厚生労働大臣が定める内服薬及び外用薬ごとに一回十四日分、三十日分又は九十日分を限度とする。

三　処方箋の交付

イ　処方箋の使用期間は、交付の日を含めて四日以内とする。ただし、長期の旅行等特殊の事情があると認められる場合は、この限りでない。

ロ　イの規定にかかわらず、リフィル処方箋の二回目以降の使用期間は、直近の当該リフィル処方箋の使用による前号への必要期間が終了する日の前後七日以内とする。

ハ　イ及びロによるほか、処方箋の交付に関しては、前号に定める投薬の例による。ただし、当該処方箋がリフィル処方箋である場合における同号の規定の適用については、同号ヘ中「投薬量」とあるのは、「リフィル処方箋の一回の使用による投薬量及び当該リフィル処方箋の複数回の使用による合計の投薬量」とし、同号ヘ後段の規定は、適用しない。

四　注射

イ　注射は、次に掲げる場合に行う。

(1)　経口投与によつて胃腸障害を起すおそれがあるとき、経口投与をすることができないとき、又は経口投与によつては治療の効果を期待することができないとき。

(2)　特に迅速な治療の効果を期待する必要があるとき。

(3)　その他注射によらなければ治療の効果を期待することが困難であるとき。

ロ　注射を行うに当たつては、後発医薬品の使用を考慮するよう努めなければならない。

ハ　内服薬との併用は、これによつて著しく治療の効果を挙げることが明らかな場合又は内服薬の投与だけでは治療の効果を期待することが困難である場合に限つて行う。

ニ　混合注射は、合理的であると認められる場合に行う。

ホ　輸血又は電解質若しくは血液代用剤の補液は、必要があると認められる場合に行う。

五　手術及び処置

イ　手術は、必要があると認められる場合に行う。

ロ　処置は、必要の程度において行う。

六　歯冠修復及び欠損補綴

歯冠修復及び欠損補綴は、次に掲げる基準によつて行う。

イ　歯冠修復

(1)　歯冠修復は、必要があると認められる場合に行うとともに、これを行つた場合は、歯冠修復物の維持管理に努めるものとする。

(2)　歯冠修復において金属を使用する場合は、代用合金を使用するものとする。ただし、前歯部の金属歯冠修復については金合金又は白金加金を使用することができるものとする。

ロ　欠損補綴

(1)　有床義歯

(一)　有床義歯は、必要があると認められる場合に行う。

(二)　鉤は、金位十四カラット合金又は代用合金を使用する。

(三)　バーは、代用合金を使用する。

(2)　ブリッジ

(一)　ブリッジは、必要があると認められる場合に行うとともに、これを行つた場合は、その維持管理に努めるものとする。

(二)　ブリッジは、代用合金を使用する。

(3)　口蓋補綴及び顎補綴並びに広範囲顎骨支持型補綴

口蓋補綴及び顎補綴並びに広範囲顎骨支持型補綴は、必要があると認められる場合に行う。

七　リハビリテーション

リハビリテーションは、必要があると認められる場合に行う。

七の二　居宅における療養上の管理等

居宅における療養上の管理及び看護は、療養上適切であると認められる場合に行う。

八　入院

イ　入院の指示は、療養上必要があると認められる場合に行う。

ロ　通院の不便等のための入院の指示は行わない。

ハ　保険医は、患者の負担により、患者に保険医療機関の従業者以外の者による看護を受けさせてはならない。

九　歯科矯正

歯科矯正は、療養の給付の対象として行つてはならない。ただし、別に厚生労働大臣が定める場合においては、この限りでない。

（診療録の記載）

第二十二条　保険医は、患者の診療を行つた場合には、遅滞なく、様式第一号又はこれに準ずる様式の診療録に、当該診療に関し必要な事項を記載しなければならない。

（処方箋の交付）

第二十三条　保険医は、処方箋を交付する場合には、様式第二号若しくは第二号の二又はこれらに準ずる様式の処方箋に必要な事項を記載しなければならない。

2　保険医は、リフィル処方箋を交付する場合には、様式第二号又はこれに準ずる様式の処方箋にその旨及び当該リフィル処方箋の使用回数の上限を記載しなければならない。

3　保険医は、その交付した処方箋に関し、保険薬剤師から疑義の照会があつた場合には、これに適切に対応しなければならない。

（適正な費用の請求の確保）

第二十三条の二　保険医は、その行つた診療に関する情報の提供等について、保険医療機関が行う療養の給付に関する費用の請求が適正なものとなるよう努めなければならない。

第三章　雑則

（読替規定）

第二十四条　日雇特例被保険者の保険及び船員保険に関してこの省令を適用するについては、次の表の第一欄に掲げるこの省令の規定中の字句で、同表の第二欄に掲げるものは、日雇特例被保険者の保険にあつては同表の第三欄に掲げる字句と、船員保険にあつては同表の第四欄に掲げる字句とそれぞれ読み替えるものとする。

第一欄	第二欄	第三欄	第四欄
第二条の三（見出しを含む。）	健康保険事業	健康保険事業	船員保険事業
第三条第一項第一号	健康保険法（大正十一年法律第七十号。以下「法」という。）第三条第十三項に規定する電子資格確認	健康保険法（大正十一年法律第七十号。以下「法」という。）第三条第十三項に規定する電子資格確認	船員保険法（昭和十四年法律第七十三号。以下「法」という。）第二条第十二項に規定する電子資格確認
第三条第一項第二号	被保険者証	受給資格者票（特別療養費受給票を含む。第四条において同じ。）	被保険者証
第四条	被保険者証	受給資格者票	被保険者証
	法第百条、第百五条又は第百十三条の規定により埋葬料、埋葬費又は家族埋葬料	法第百三十六条又は第百四十三条の規定により埋葬料、埋葬費又は家族埋葬料	法第七十二条又は第八十条の規定により葬祭料又は家族葬祭料
第五条第一項	第七十四条	第百四十九条において準用する法第七十四条	第五十五条
	第八十五条	第百四十九条において準用する法第八十五条	第六十条
	第八十五条の二	第百四十九条において準用する法第八十五条の二	第六十二条
	法第八十六条	法第百四十九条において準用する法第八十六条	法第六十条
	第五十三条第二項第一号に規定する食事療養（以下「食事療養」という。）及び同項第二号に規定する生活療養（以下「生活療養」という。）を除く。）についての費用の額に法第七十四条第一項各号に掲げる場合の区分に応じ、同項各号に定める割合を乗じて得た額	第六十三条第二項第一号に規定する食事療養（以下「食事療養」という。）及び同項第二号に規定する生活療養（以下「生活療養」という。）を除く。）についての費用の額に法第百四十九条において準用する法第七十四条第一項各号に掲げる場合の区分に応じ、同項各号に定める割合を乗じて得た額	第六十三条第二項第一号に規定する食事療養（以下「食事療養」という。）及び同項第二号に規定する生活療養（以下「生活療養」という。）を除く。）についての費用の額に法第五十五条第一項各号に掲げる場合の区分に応じ、同項各号に定める割合を乗じて得た額又は法第六十三条第三項の規定に基づき算定費用額から控除される金額
	第七十六条第二項、第八十五条第二項、第八十五条の二第二項又は第八十六条第二項第一号	第七十六条第二項、第八十五条第二項、第八十五条の二第二項又は第八十六条第二項第一号	第五十八条第二項、第六十一条第二項、第六十二条第二項又は第六十三条第二項第一号

	第百十条	第百四十条	第七十六条
	支払を受ける	支払を、特別療養費に係る療養を受けた者については法第七十六条第二項、第八十五条第二項、第八十五条の二第二項又は第八十六条第二項第一号の費用の額の算定の例により算定された費用の額から法第百四十五条の規定による特別療養費として支給される額に相当する額を控除した額の支払を受ける	支払を受ける
第五条第二項	第八十五条第二項又は第百十条第三項	第百四十九条において準用する法第八十五条第二項又は第百十条第三項	第六十一条第二項又は第七十六条第三項
	第八十五条の二第二項又は第百十条第三項	第百四十九条において準用する法第八十五条の二第二項又は第百十条第三項	第六十二条第二項又は第七十六条第三項

	法第六十三条第二項第三号	法第百四十九条において準用する法第六十三条第二項第三号	健康保険法（大正十一年法律第七十号）第六十三条第二項第三号
	同項第四号	法第百四十九条において準用する法第六十三条第二項第四号	健康保険法第六十三条第二項第四号
	同項第五号	法第百四十九条において準用する法第六十三条第二項第五号	健康保険法第六十三条第二項第五号
	第八十六条第二項又は第百十条第三項	第百四十九条において準用する法第八十六条第二項又は第百十条第三項	第六十三条第二項又は第七十六条第三項
第六条	第八十七条第一項	第百三十二条第一項	第六十四条
	第九十九条第一項	第百三十五条	第六十九条
	第百一条	第百三十七条	第七十三条第一項
	第百二条第一項	法第百三十八条	第七十四条第一項
	第百十四条	第百四十四条	第八十一条

第七条	法	法	健康保険法
第十条	全国健康保険協会又は当該健康保険組合	全国健康保険協会	全国健康保険協会
第十九条の二（見出しを含む。）	健康保険事業	健康保険事業	船員保険事業

附　則

（施行期日）

1　この省令は、昭和三十二年五月一日から施行する。

（健康保険保険医療養担当規程等の廃止）

2　健康保険保険医療養担当規程（昭和二十五年九月厚生省告示第二百三十九号）、健康保険保険歯科医療養担当規程（昭和二十五年九月厚生省告示第二百四十号）及び船員保険保険医療養担当規程（昭和二十五年十月厚生省告示第二百七十六号）は、廃止する。

（経過規定）

3　この省令の施行前に、改正前の健康保険法及び船員保険法の規定による保険医等から交付された処方せんは、この省令の規定により交付された処方せんとみなす。

（一部負担金等の受領に係る手続の特例）

4　保険医療機関は、厚生労働大臣が指定する保険医療機関の病棟における療養に関して第五条の規定による支払を受けようとする場合において、当該療養を行うに当たり、あらかじめ、患者に対しその受領方法に関して説明を行わなければならない。

附　則（平六・八・五厚生令五〇）（抄）

1　この省令は、平成六年十月一日から施行する。

2　健康保険法等の一部を改正する法律（平成六年法律第五十六号）附則第四条又は第十二条の規定により療養の給付等とみな

される同法附則第四条に規定する付添看護については、この省令による改正後の保険医療機関及び保険医療養担当規則第十一条の二、第二十条第七号ハ及び第二十一条第八号ハの規定は適用せず、この省令による改正前のこれらの規定は、この省令の施行後も、なおその効力を有する。

附 則（平九・八・二五厚生令六二）

1 この省令は、平成九年九月一日から施行する。

2 この省令の施行日前に行われた療養の給付の担当については、なお従前の例による。

附 則（平一〇・九・二九厚生令七八）

（施行期日）

1 この省令は、平成十年十月一日から施行する。

（経過措置）

2 保険医療機関及び保険医療養担当規則第一条に規定する保険医療機関は、当分の間、第二条の規定による改正後の保険医療機関及び保険医療養担当規則附則第四項の規定により読み替えられた同令第四条の規定による記録をすることを要しない。

附 則（平一〇・一〇・二二厚生令八六）

この省令は、平成十年十一月一日から施行する。〔ただし書略〕

附 則（平一二・三・一七厚生令三〇）

この省令は、平成十二年四月一日から施行する。

附 則（平一二・三・三一厚生令八一）

この省令は、平成十二年四月一日から施行する。

附 則（平一二・一〇・二〇厚生令一二七）（抄）

（施行期日）

1 この省令は、内閣法の一部を改正する法律（平成十一年法律第八十八号）の施行の日（平成十三年一月六日）から施行する。

附 則（平一三・二・一四厚労令一二）（抄）

1 この省令は、平成十三年四月一日から施行する。

附 則（平一四・三・八厚労令二三）

この省令は、平成十四年四月一日から施行する。

附 則（平一四・九・一二厚労令一二〇）（抄）

（施行期日）

第一条 この省令は、平成十四年十月一日から施行する。ただし、第二条〔中略〕の規定は平成十五年四月一日から施行する。

附 則（平一五・二・二五厚労令一五）（抄）

（施行期日）

第一条 この省令は、平成十五年四月一日から施行する。〔ただし書略〕

附 則（平一五・五・一五厚労令八九）（抄）

（施行期日）

1 この省令は、薬事法及び採血及び供血あつせん業取締法の一部を改正する法律附則第一条第一号に掲げる規定の施行の日（平成十五年七月三十日）から施行する。

附 則（平一六・二・二七厚労令二一）

この省令は、平成十六年四月一日から施行する。

附 則（平一六・七・九厚労令一一二）（抄）

（施行期日）

第一条 この省令は、薬事法及び採血及び供血あつせん業取締法の一部を改正する法律（以下「改正法」という。）の施行の日（平成十七年四月一日）から施行する。

附 則（平一七・八・三一厚労令一三七）（抄）

（施行期日）

1 この省令は、平成十七年九月一日から施行する。

附 則（平一八・三・六厚労令二七）（抄）

（施行期日）

第一条 この省令は、平成十八年四月一日から施行する。

（経過措置）

第二条 個別の費用ごとに区分して記載した領収証の交付に必要な設備がこの省令の施行の際まだ整備されていない保険医療機関及び保険薬局については、この省令による改正後の保険医療機関及び保険医療養担当規則第五条の二〔中略〕の規定にかかわらず、平成十八年九月三十日までは、なお従前の例によることができる。

附 則（平一八・三・一四厚労令三二）（抄）

（施行期日）

第一条 この省令は、平成十八年四月一日から施行する。

附 則（平一八・九・八厚労令一五七）（抄）

（施行期日）

第一条 この省令は、平成十八年十月一日から施行する。〔ただし書略〕

附 則（平一九・二・二八厚労令一三）（抄）

（施行期日）

1 この省令は、平成十九年四月一日から施行する。

附 則（平二〇・三・五厚労令二八）

この省令は、平成二十年四月一日から施行する。

附 則（平二〇・九・三〇厚労令一四九）（抄）

（施行期日）

第一条 この省令は、平成二十年十月一日から施行する。

附 則（平二〇・九・三〇厚労令一五〇）（抄）

（施行期日）

第一条 この省令は、平成二十年十月一日から施行する。

附 則（平二一・一二・二八厚労令一六八）（抄）

（施行期日）

第一条 この省令は、平成二十二年一月一日から施行する。

附 則（平二二・三・五厚労令二五）

1 この省令は、平成二十二年四月一日から施行する。

2 第一条の規定による改正後の保険医療機関及び保険医療養担当規則の規定にかかわらず、同令第二十三条に規定する処方せんの様式については、平成二十二年九月三十日までの間、なお従前の例によることができる。

附 則（平二四・三・五厚労令二六）（抄）

改正 平二六・三・五厚労令一七

（施行期日）

第一条 この省令は、平成二十四年四月一日から施行する。ただし、次の各号に掲げる規定は、当該各号に定める日から施行する。

一 第一条中保険医療機関及び保険医療養担当規則第二条の四の次に一条を加える改正規定〔中略〕 平成二十四年十月一日

二 第一条中保険医療機関及び保険医療養担当規則第五条の二の改正規定〔中略〕並びに附則第二条〔中略〕の規定 平成

二十六年四月一日

（保険医療機関及び保険医療養担当規則の一部改正に伴う経過措置）

第二条　保険医療機関（病院を除く。）において、領収証を交付するに当たり明細書を常に交付することが困難であることについて正当な理由がある場合は、第一条の規定による改正後の保険医療機関及び保険医療養担当規則（以下「新療担規則」という。）第五条の二第二項の規定にかかわらず、当分の間、患者から求められたときに明細書を交付することで足りるものとする。

2　病床数が四百床未満の保険医療機関において、明細書の交付を無償で行うことが困難であることについて正当な理由がある場合は、新療担規則第五条の二第三項の規定にかかわらず、当分の間、明細書の交付を有償で行うことができる。

附　則（平二六・三・五厚労令一七）

この省令は、平成二十六年四月一日から施行する。ただし、第二条の規定は、平成二十八年四月一日から施行する。

附　則（平二六・七・三〇厚労令八七）（抄）

（施行期日）

第一条　この省令は、薬事法等の一部を改正する法律（以下「改正法」という。）の施行の日（平成二十六年十一月二十五日）から施行する。

附　則（平二七・三・三一厚労令五七）（抄）

（施行期日）

第一条　この省令は、平成二十七年四月一日から施行する。〔ただし書略〕

附　則（平二八・三・四厚労令二七）

改正　令二・三・五厚労令二四

（施行期日）

第一条　この省令は、平成二十八年四月一日から施行する。

（経過措置）

第二条　第一条の規定による改正後の保険医療機関及び保険医療養担当規則（以下「新療担規則」という。）第五条第三項に規定する保険医療機関において、同項第二号に掲げる措置を講ずることが困難であることについて正当な理由がある場合は、同号の規定にかかわらず、平成二十八年九月三十日までの間、同号に掲げる措置を講ずることを要しない。

第三条　新療担規則第五条の二の二第一項に規定する保険医療機関又は第二条の規定による改正後の保険薬局及び保険薬剤師療養担当規則（以下「新薬担規則」という。）第四条の二の二第一項に規定する保険薬局において、新療担規則第五条の二の二第一項又は新薬担規則第四条の二の二第一項の明細書を常に交付することが困難であることについて正当な理由がある場合は、新療担規則第五条の二の二第一項又は新薬担規則第四条の二の二第一項の規定にかかわらず、平成三十年三月三十一日までの間（診療所にあっては、当面の間）、新療担規則第五条の二の二第一項又は新薬担規則第四条の二の二第一項の明細書を患者から求められたときに交付することで足りるものとする。

2　新療担規則第五条の二の二第一項に規定する保険医療機関又は新薬担規則第四条の二の二第一項に規定する保険薬局において、新療担規則第五条の二の二第一項又は新薬担規則第四条の二の二第一項の明細書の交付を無償で行うことが困難であることについて正当な理由がある場合は、新療担規則第五条の二の二第二項又は新薬担規則第四条の二の二第二項の規定にかかわらず、平成三十年三月三十一日までの間（診療所にあっては、当面の間）、新療担規則第五条の二の二第一項又は新薬担規則第四条の二の二第一項の明細書の交付を有償で行うことができる。

附　則（平三〇・三・五厚労令二〇）

（施行期日）

1　この省令は、平成三十年四月一日から施行する。

（経過措置）

2　この省令の施行の日以後、第一条の規定による改正後の保険医療機関及び保険医療養担当規則（以下「新療担規則」という。）第五条第三項の規定により、同項各号に掲げる措置を講ずることを要する保険医療機関（この省令の施行の日前において、第一条の規定による改正前の保険医療機関及び保険医療養担当規則第五条第三項各号に掲げる措置を講ずることを要しなかったものに限る。）において、新療担規則第五条第三項第二号に掲げる措置を講ずることが困難であることについて正当な理由がある場合は、同号の規定にかかわらず、平成三十年九月三十日までの間、同号に掲げる措置を講ずることを要しない。

附　則（令元・五・七厚労令一）

（施行期日）

第一条　この省令は、公布の日から施行する。

（経過措置）

第二条　この省令による改正前のそれぞれの省令で定める様式（次項において「旧様式」という。）により使用されている書類は、この省令による改正後のそれぞれの省令で定める様式によるものとみなす。

2　旧様式による用紙については、合理的に必要と認められる範囲内で、当分の間、これを取り繕って使用することができる。

附　則（令元・六・二八厚労令二〇）（抄）

（施行期日）

第一条　この省令は、不正競争防止法等の一部を改正する法律の施行の日（令和元年七月一日）から施行する。

（様式に関する経過措置）

第二条　この省令の施行の際現にあるこの省令による改正前の様式（次項において「旧様式」という。）により使用されている書類は、この省令による改正後の様式によるものとみなす。

2　この省令の施行の際現にある旧様式による用紙については、当分の間、これを取り繕って使用することができる。

附　則（令二・三・五厚労令二四）（抄）

（施行期日）

1　この省令は、令和二年四月一日から施行する。ただし、次の各号に掲げる規定は、当該各号に定める日から施行する。

一　第二条〔中略〕の規定　医療保険制度の適正かつ効率的な運営を図るための健康保険法等の一部を改正する法律（令和元年法律第九号）附則第一条第四号の政令で定める日〔令二・一〇・一〕

二　第五条の規定　令和四年四月一日

（経過措置）

2　第一条の規定による改正後の保険医療機関及び保険医療養担当規則第五条第三項の規定により、同項各号に掲げる措置を講ずることを要する保険医療機関（この省令の施行の日前において、同項各号に掲げる措置を講ずることを要しなかったものに限る。）において、同項第二号に掲げる措置を講ずることが困難であることについて正当な理由がある場合は、同号の規定にかかわらず、令和二年九月三十日までの間、同号に掲げる措置を講ずることを要しない。

附　則（令二・七・一七厚労令一四二）（抄）

（施行期日）

第一条　この省令は、令和二年九月一日から施行する。

附　則（令四・三・四厚労令三一）

（施行期日）

第一条　この省令は、令和四年四月一日から施行する。ただし、第二条の規定は、令和四年十月一日から施行する。

（経過措置）

第二条　この省令の施行の際現にある第一条の規定による改正前の様式（次項において「旧様式」という。）により使用されている書類は、この省令による改正後の様式によるものとみなす。

2　この省令の施行の際現にある旧様式による用紙は、当分の間、これを取り繕って使用することができる。

3　第二条の規定による改正後の保険医療機関及び保険医療養担当規則（以下この項において「新療担規則」という。）第五条第三項の規定により、同項各号に掲げる措置を講ずることを要する保険医療機関（医療法（昭和二十三年法律第二百五号）第三十条の十八の四第一項第二号の規定に基づき、同法第三十条の十八の二第一項第一号の厚生労働省令で定める外来医療を提供する基幹的な病院として都道府県が新たに公表したものに限る。）において、新療担規則第五条第三項第二号に掲げる措置を講ずることが困難であることについて正当な理由がある場合は、同項の規定にかかわらず、当該公表があった日から起算して六月を経過する日までの間は、同号に掲げる措置を講ずることを要しない。

附　則（令四・九・五厚労令一二四）

改正　令五・一・一七厚労令三

（施行期日）

第一条　この省令は、令和五年四月一日から施行する。ただし、附則第三条の規定は、保険医療機関及び保険医療養担当規則及び保険薬局及び保険薬剤師療養担当規則の一部を改正する省令の一部を改正する省令（令和五年厚生労働省令第三号）の公布の日〔令五・一・一七〕から施行する。

（受給資格の確認等に係る経過措置）

第二条　第一条の規定による改正後の保険医療機関及び保険医療養担当規則（以下「新療担規則」という。）第三条第二項から第四項までの規定及び第二条の規定による改正後の保険薬局及び保険薬剤師療養担当規則（以下「新薬担規則」という。）第三条第二項から第四項までの規定（新薬担規則第十一条において読み替えて適用する場合を含む。）は、次の表の上欄に掲げる保険医療機関又は保険薬局であって、あらかじめ、その旨を電磁的記録（電子的方式、磁気的方式その他人の知覚によっては認識することができない方式で作られる記録であって、電子計算機による情報処理の用に供されるものをいう。）に記録し電子情報処理組織を使用して提出する方法その他の適切な方法により地方厚生局長又は地方厚生支局長（以下「地方厚生局長等」という。）に届け出たものについて、同表の下欄に掲げる期間においては、適用しない。

上欄	下欄
一　患者が健康保険法（大正十一年法律第七十号）第三条第十三項に規定する電子資格確認（以下「電子資格確認」という。）によって保険医療機関及び保険医療養担当規則第一条に規定する療養の給付又は保険薬局及び保険薬剤師療養担当規則第一条に規定する療養の給付（以下「療養の給付」という。）を受ける資格があることの確認を受けることができる体制の整備に係る事業を行う者との間で当該体制の整備に係る契約（令和五年二月二十八日までに締結されたものに限る。）を締結している保険医療機関又は保険薬局であって、当該事業者による当該体制の整備に係る作業が完了していないもの	上欄の体制の整備に係る作業が完了する日又は令和五年九月三十日のいずれか早い日までの間
二　電子資格確認に必要な電気通信回線（光回線に限る。）が整備されていない保険医療機関又は保険薬局	上欄の電気通信回線が整備された日から起算して六月が経過した日までの間
三　居宅における療養上の管理及びその療養に伴う世話その他の看護のみを行う保険医療機関	居宅における療養上の管理及びその療養に伴う世話その他の看護のみを行う場合にあって患者が電子資格確認によって療養の給付を受ける資格があることの確認を受けることができる仕組みの運用が開始されるまでの間
四　改築の工事中である施設又は臨時の施設において診療又は調剤を行っている保険医療機関又は保険薬局	当該改築の工事中である施設又は臨時の施設において診療又は調剤を行っている間
五　廃止又は休止に関する計画を定めている保険医療機関又は保険薬局	廃止又は休止するまでの間
六　その他患者が電子資格確認によって療養の給付を受	上欄の特に困難な事情が解消されるまでの間

ける資格があることの確認を受けることができる体制を整備することが特に困難な事情がある保険医療機関又は保険薬局	

2　新療担規則第三条第二項の規定及び新薬担規則第三条第二項の規定（新薬担規則第十一条において読み替えて適用する場合を含む。）は、保険医療機関又は保険薬局（前項の規定の適用を受けるものを除く。）が次の各号に掲げる療養の給付を担当する場合において、次の各号に掲げる場合にあって患者が電子資格確認によって療養の給付を受ける資格があることの確認を受けることができる仕組みの運用が開始されるまでの期間、適用しない。

一　居宅における療養上の管理及びその療養に伴う世話その他の看護又は居宅における薬学的管理及び指導を行う場合

二　電話又は情報通信機器を用いた診療又は薬学的管理及び指導を行う場合

3　保険医療機関又は保険薬局は、第一項の届出を行う際、当該届出の内容を確認できる必要な資料を添付するものとする。ただし、同項の届出を行うに当たり、資料の添付を併せて行うことができないことについてやむを得ない事情がある場合には、当該届出の事後において、速やかに地方厚生局長等に提出するものとする。

4　第一項の届出は、当該保険医療機関又は保険薬局の所在地を管轄する地方厚生局又は地方厚生支局の分室がある場合においては、当該分室を経由して行うものとする。

（準備行為）

第三条　前条第一項の表の上欄に掲げる保険医療機関又は保険薬局は、この省令の施行の日前においても、同条の規定の例により、その届出を行うことができる。

（資料の提供）

第四条　地方厚生局長等は、療養の給付に関して必要があると認めるときは、審査支払機関に対し、新療担規則第三条第二項から第四項までの規定及び新薬担規則第三条第二項から第四項までの規定（新薬担規則第十一条において読み替えて適用する場合を含む。）並びに前二条に関して必要な資料の提供を求めることができる。

2　社会保険診療報酬支払基金法（昭和二十三年法律第百二十九号）による社会保険診療報酬支払基金は、保険医療機関又は保険薬局において患者が電子資格確認によって療養の給付を受ける資格があることの確認を受けることができる体制を整備できるよう、地域における医療及び介護の総合的な確保の促進に関する法律（平成元年法律第六十四号）第二十四条第一号に規定する業務及びこれに附帯する業務並びに同法附則第一条の三第一項各号に掲げる業務を行うため、地方厚生局長等に対して、前二条に規定する届出を行った保険医療機関又は保険薬局の名称及び所在地その他の必要な資料の提供を求めることができる。

附　則（令五・三・三一厚労令四八）（抄）

（施行期日）

第一条　この省令は、令和五年四月一日から施行する。

（様式に関する経過措置）

第二条　この省令の施行の際現にあるこの省令による改正前の様式（次項において「旧様式」という。）により使用されている書類は、この省令による改正後の様式によるものとみなす。

2　この省令の施行の際現にある旧様式による用紙については、当分の間、これを取り繕って使用することができる。

附　則（令五・一一・三〇厚労令一四七）（抄）

（施行期日）

第一条　この省令は、令和五年十二月一日から施行する。ただし、次の各号に掲げる規定は、当該各号に定める日から施行する。

一　附則第二条〔中略〕の規定　公布の日

二　第二条〔中略〕の規定　令和六年四月一日

三　〔略〕

（受給資格の確認等に係る経過措置）

第二条　保険医療機関、保険薬局又は指定訪問看護事業者は、この省令の施行の日前においても、第一条の規定による改正前の療担規則第三条第一項〔中略〕の規定にかかわらず、第一条の規定による改正後の療担規則第三条第一項第三号〔中略〕に掲げる方法によって、療養の給付又は指定訪問看護を受ける資格があることを確認することができる。

附　則（令六・三・五厚労令三五）（抄）

（施行期日）

第一条　この省令は、令和六年六月一日から施行する。ただし、第二条〔中略〕の規定は、令和六年十月一日から施行する。

（ウェブサイトへの掲載に係る経過措置）

第二条　この省令の施行の日から令和七年五月三十一日までの間、第一条の規定による改正後の療担規則（以下「新療担規則」という。）第二条の六第二項の規定の適用については、同項中「保険医療機関は、原則として、前項の厚生労働大臣が定める事項をウェブサイトに掲載しなければならない。」とあるのは「削除」と、新療担規則第五条の三第五項、第五条の三の二第五項及び第五条の四第三項の規定の適用については、これらの規定中「保険医療機関は、原則として、前項の療養の内容及び費用に関する事項をウェブサイトに掲載しなければならない。」とあるのは「削除」と〔中略〕する。

様式第一号(一)の1（第二十二条関係）

診　　療　　録

公費負担者番号		保険者番号	
公費負担医療の受給者番号		被保険者証・被保険者手帳 記号・番号	・　（枝番）
		被保険者証・被保険者手帳 有効期限	令和　年　月　日

受診者				
氏名				
生年月日	明大昭平令　年　月　日生			男・女
住所	電話　局　番			
職業		被保険者との続柄		

被保険者氏名		
資格取得		昭和・平成・令和　年　月　日
事業所（船舶所有者）	所在地	電話　局　番
	名称	
保険者	所在地	電話　局　番
	名称	

傷病名	職務	開始	終了	転帰	期間満了予定日
	上・外	年　月　日	年　月　日	治ゆ・死亡・中止	年　月　日
	上・外	年　月　日	年　月　日	治ゆ・死亡・中止	年　月　日
	上・外	年　月　日	年　月　日	治ゆ・死亡・中止	年　月　日
	上・外	年　月　日	年　月　日	治ゆ・死亡・中止	年　月　日
	上・外	年　月　日	年　月　日	治ゆ・死亡・中止	年　月　日
	上・外	年　月　日	年　月　日	治ゆ・死亡・中止	年　月　日
	上・外	年　月　日	年　月　日	治ゆ・死亡・中止	年　月　日

傷病名	労務不能に関する意見		入院期間
	意見書に記入した労務不能期間	意見書交付	
	自　月　日 至　月　日　日間	年　月　日	自　月　日 至　月　日　日間
	自　月　日 至　月　日　日間	年　月　日	自　月　日 至　月　日　日間
	自　月　日 至　月　日　日間	年　月　日	自　月　日 至　月　日　日間

業務災害、複数業務要因災害又は通勤災害の疑いがある場合は、その旨	

備考	公費負担者番号	
	公費負担医療の受給者番号	

様式第一号（一）の2（第二十二条関係）

既往症・原因・主要症状・経過等	処方・手術・処置等

様式第一号（一）の3（第二十二条関係）

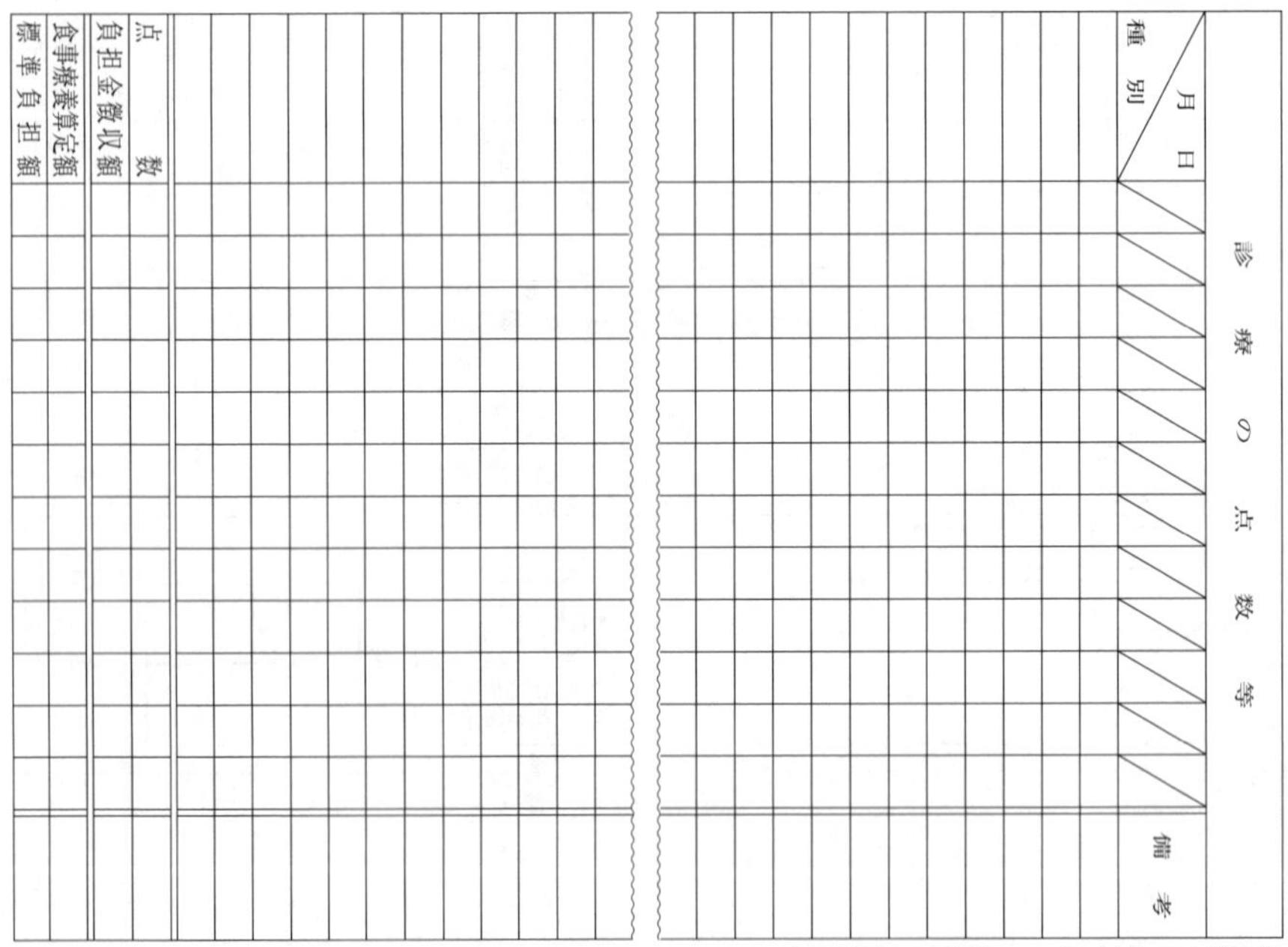

月日 / 種別	診療の点数等	備考

点数
負担金徴収額
食事療養算定額
標準負担額

様式第一号(二)の1 (第二十二条関係)

歯　科　診　療　録

公費負担者番号		保険者番号	
公費負担医療の受給者番号		被保険者証・被保険者手帳 記号・番号	・　(枝番)
		有効期限	令和　年　月　日

受診者			
氏名			
生年月日	明 大 昭 平 令　年　月　日生	男・女	
住所	電話　局　番		
職業		被保険者との続柄	

被保険者氏名		
資格取得		昭和 平成 令和　年　月　日
事業所(船舶所有者)	所在地	電話　局　番
	名称	
保険者	所在地	電話　局　番
	名称	

部位	傷病名	職務	開始	終了	転帰
─┼─		上・外	年 月 日	年 月 日	
─┼─		上・外	年 月 日	年 月 日	
─┼─		上・外	年 月 日	年 月 日	
─┼─		上・外	年 月 日	年 月 日	
─┼─		上・外	年 月 日	年 月 日	
─┼─		上・外	年 月 日	年 月 日	
─┼─		上・外	年 月 日	年 月 日	
─┼─		上・外	年 月 日	年 月 日	
─┼─		上・外	年 月 日	年 月 日	
─┼─		上・外	年 月 日	年 月 日	
─┼─		上・外	年 月 日	年 月 日	

上

右 ── 左

下

〔主訴〕その他摘要

傷病名	労務不能に関する意見		入院期間
	意見書に記入した労務不能期間	意見書交付	
	自　月　日 至　月　日　日間	年　月　日	自　月　日 至　月　日　日間

業務災害、複数業務要因災害又は通勤災害の疑いがある場合は、その旨	
備考	

様式第一号（二）の2（第二十二条関係）

月　日	部　　位	療　法　・　処　置	点　数	負担金 徴収額
／	┼			
／	┼			
／	┼			
／	┼			
／	┼			
／	┼			
／	┼			
／	┼			
／	┼			
／	┼			
／	┼			
／	┼			
／	┼			
／	┼			
／	┼			
／	┼			
／	┼			
／	┼			
／	┼			
／	┼			
／	┼			

様式第二号（第二十三条関係）

処　方　箋

（この処方箋は、どの保険薬局でも有効です。）

公費負担者番号		保険者番号	
公費負担医療の受給者番号		被保険者証・被保険者手帳の記号・番号	・　（枝番）

患者	氏名		保険医療機関の所在地及び名称
	生年月日	明大昭平令　年　月　日　男・女	電話番号
			保険医氏名　㊞
	区分	被保険者　被扶養者	都道府県番号　点数表番号　医療機関コード

交付年月日	令和　年　月　日	処方箋の使用期間	令和　年　月　日　（特に記載のある場合を除き、交付の日を含めて４日以内に保険薬局に提出すること。）

処方	変更不可（医療上必要）	患者希望	（個々の処方薬について、医療上の必要性があるため、後発医薬品（ジェネリック医薬品）への変更に差し支えがあると判断した場合には、「変更不可」欄に「レ」又は「×」を記載し、「保険医署名」欄に署名又は記名・押印すること。また、患者の希望を踏まえ、先発医薬品を処方した場合には、「患者希望」欄に「レ」又は「×」を記載すること。）
			リフィル可　□　（　回）

備考	保険医署名　（「変更不可」欄に「レ」又は「×」を記載した場合は、署名又は記名・押印すること。）
	保険薬局が調剤時に残薬を確認した場合の対応（特に指示がある場合は「レ」又は「×」を記載すること。） □保険医療機関へ疑義照会した上で調剤　□保険医療機関へ情報提供

調剤実施回数（調剤回数に応じて、□に「レ」又は「×」を記載するとともに、調剤日及び次回調剤予定日を記載すること。）
□１回目調剤日（　年　月　日）　□２回目調剤日（　年　月　日）　□３回目調剤日（　年　月　日）
次回調剤予定日（　年　月　日）　次回調剤予定日（　年　月　日）

調剤済年月日	令和　年　月　日	公費負担者番号	
保険薬局の所在地及び名称 保険薬剤師氏名	㊞	公費負担医療の受給者番号	

備考　１．「処方」欄には、薬名、分量、用法及び用量を記載すること。
　　　２．この用紙は、Ａ列５番を標準とすること。
　　　３．療養の給付及び公費負担医療に関する費用の請求に関する命令（昭和51年厚生省令第36号）第１条の公費負担医療については、「保険医療機関」とあるのは「公費負担医療の担当医療機関」と、「保険医氏名」とあるのは「公費負担医療の担当医氏名」と読み替えるものとすること。

様式第二号の二（第二十三条関係）

処　方　箋

（この処方箋は、どの保険薬局でも有効です。）

分割指示に係る処方箋　__分割の__回目

公費負担者番号		保険者番号	
公費負担医療の受給者番号		被保険者証・被保険者手帳の記号・番号	・　(枝番)

患者	氏名			保険医療機関の所在地及び名称
	生年月日	明大昭平令　年　月　日	男・女	電話番号
				保険医氏名　㊞
	区分	被保険者	被扶養者	都道府県番号 / 点数表番号 / 医療機関コード

交付年月日	令和　年　月　日	処方箋の使用期間	令和　年　月　日	特に記載のある場合を除き、交付の日を含めて4日以内に保険薬局に提出すること。

処方	変更不可（医療上必要）	患者希望	個々の処方薬について、医療上の必要性があるため、後発医薬品（ジェネリック医薬品）への変更に差し支えがあると判断した場合には、「変更不可」欄に「レ」又は「×」を記載し、「保険医署名」欄に署名又は記名・押印すること。また、患者の希望を踏まえ、先発医薬品を処方した場合には、「患者希望」欄に「レ」又は「×」を記載すること。

備考	保険医署名 （「変更不可」欄に「レ」又は「×」を記載した場合は、署名又は記名・押印すること。）
	保険薬局が調剤時に残薬を確認した場合の対応（特に指示がある場合は「レ」又は「×」を記載すること。） □保険医療機関へ疑義照会した上で調剤　□保険医療機関へ情報提供

調剤済年月日	令和　年　月　日	公費負担者番号	
保険薬局の所在地及び名称 保険薬剤師氏名	㊞	公費負担医療の受給者番号	

備考 1．「処方」欄には、薬名、分量、用法及び用量を記載すること。

2．この用紙は、A列5番を標準とすること。

3．療養の給付及び公費負担医療に関する費用の請求に関する命令（昭和51年厚生省令第36号）第1条の公費負担医療については、「保険医療機関」とあるのは「公費負担医療の担当医療機関」と、「保険医氏名」とあるのは「公費負担医療の担当医氏名」と読み替えるものとすること。

様式第二号の二

分割指示に係る処方箋（別紙）

(発行保険医療機関情報)
処方箋発行医療機関の保険薬局からの連絡先

電話番号＿＿＿＿＿＿＿＿　　ＦＡＸ番号＿＿＿＿＿＿＿＿

その他の連絡先＿＿＿＿＿＿＿＿

(受付保険薬局情報)

１回目を受け付けた保険薬局

名称＿＿＿＿＿＿＿＿

所在地＿＿＿＿＿＿＿＿

保険薬剤師氏名＿＿＿＿＿＿＿＿㊞

調剤年月日＿＿＿＿＿＿＿＿

２回目を受け付けた保険薬局

名称＿＿＿＿＿＿＿＿

所在地＿＿＿＿＿＿＿＿

保険薬剤師氏名＿＿＿＿＿＿＿＿㊞

調剤年月日＿＿＿＿＿＿＿＿

３回目を受け付けた保険薬局

名称＿＿＿＿＿＿＿＿

所在地＿＿＿＿＿＿＿＿

保険薬剤師氏名＿＿＿＿＿＿＿＿㊞

調剤年月日＿＿＿＿＿＿＿＿

○保険薬局及び保険薬剤師療養担当規則

昭三二・四・三〇
厚生令一六

最終改正 令六・三・五厚労令三五

（療養の給付の担当の範囲）

第一条 保険薬局が担当する療養の給付及び被扶養者の療養（以下単に「療養の給付」という。）は、薬剤又は治療材料の支給並びに居宅における薬学的管理及び指導とする。

（療養の給付の担当方針）

第二条 保険薬局は、懇切丁寧に療養の給付を担当しなければならない。

（適正な手続の確保）

第二条の二 保険薬局は、その担当する療養の給付に関し、厚生労働大臣又は地方厚生局長若しくは地方厚生支局長に対する申請、届出等に係る手続及び療養の給付に関する費用の請求に係る手続を適正に行わなければならない。

（健康保険事業の健全な運営の確保）

第二条の三 保険薬局は、その担当する療養の給付に関し、次の各号に掲げる行為を行つてはならない。

一 保険医療機関と一体的な構造とし、又は保険医療機関と一体的な経営を行うこと。

二 保険医療機関又は保険医に対し、患者に対して特定の保険薬局において調剤を受けるべき旨の指示等を行うことの対償として、金品その他の財産上の利益を供与すること。

2 前項に規定するほか、保険薬局は、その担当する療養の給付に関し、健康保険事業の健全な運営を損なうことのないよう努めなければならない。

（経済上の利益の提供による誘引の禁止）

第二条の三の二 保険薬局は、患者に対して、第四条の規定により受領する費用の額に応じて当該保険薬局における商品の購入に係る対価の額の値引きをすることその他の健康保険事業の健全な運営を損なうおそれのある経済上の利益を提供することにより、当該患者が自己の保険薬局において調剤を受けるように誘引してはならない。

2 保険薬局は、事業者又はその従業員に対して、患者を紹介する対価として金品を提供することその他の健康保険事業の健全な運営を損なうおそれのある経済上の利益を提供することにより、患者が自己の保険薬局において調剤を受けるように誘引してはならない。

（掲示）

第二条の四 保険薬局は、その薬局内の見やすい場所に、第四条の三第二項に規定する事項のほか、別に厚生労働大臣が定める事項を掲示しなければならない。

2 保険薬局は、原則として、前項の厚生労働大臣が定める事項をウェブサイトに掲載しなければならない。

（処方箋の確認等）

第三条 保険薬局は、被保険者及び被保険者であつた者並びにこれらの者の被扶養者である患者（以下単に「患者」という。）から療養の給付を受けることを求められた場合には、その者の提出する処方箋が健康保険法（大正十一年法律第七十号。以下「法」という。）第六十三条第三項各号に掲げる病院又は診療所において健康保険の診療に従事している医師又は歯科医師（以下「保険医等」という。）が交付した処方箋であること及び次に掲げるいずれかの方法によつて療養の給付を受ける資格があることを確認しなければならない。ただし、緊急やむを得ない事由によつて療養の給付を受ける資格があることの確認を行うことができない患者であつて、療養の給付を受ける資格が明らかなものについては、この限りでない。

一 保険医等が交付した処方箋

二 法第三条第十三項に規定する電子資格確認（以下「電子資格確認」という。）

三 患者の提出する被保険者証

四 当該保険薬局が、過去に取得した当該患者の被保険者又は被扶養者の資格に係る情報（保険給付に係る費用の請求に必要な情報を含む。）を用いて、保険者に対し、電子情報処理組織を使用する方法その他の情報通信の技術を利用する方法により、あらかじめ照会を行い、保険者から回答を受けて取得した直近の当該情報を確認する方法（当該患者が当該保険薬局から療養の給付（居宅における薬学的管理及び指導に限る。）を受けようとする場合であつて、当該保険薬局から電子資格確認による確認を受けてから継続的な療養の給付を受けている場合に限る。）

2 患者が電子資格確認により療養の給付を受ける資格があることの確認を受けることを求めた場合における前項の規定の適用については、同項中「次に掲げるいずれかの」とあるのは「第二号又は第四号に掲げる」と、「事由によつて」とあるのは「事由によつて第二号又は第四号に掲げる方法により」とする。

3 療養の給付及び公費負担医療に関する費用の請求に関する命令（昭和五十一年厚生省令第三十六号）附則第三条の四第一項の規定により同項に規定する書面による請求を行つている保険薬局及び同令附則第三条の五第一項の規定により届出を行つた保険薬局については、前項の規定は、適用しない。

4 保険薬局（前項の規定の適用を受けるものを除く。）は、第二項に規定する場合において、患者が電子資格確認によつて療養の給付を受ける資格があることの確認を受けることができるよう、あらかじめ必要な体制を整備しなければならない。

（要介護被保険者等の確認）

第三条の二 保険医療機関等は、患者に対し、居宅療養管理指導その他の介護保険法（平成九年法律第百二十三号）第八条第一項に規定する居宅サービス又は同法第八条の二第一項に規定する介護予防サービスに相当する療養の給付を行うに当たつては、同法第十二条第三項に規定する被保険者証の提示を求めるなどにより、当該患者が同法第六十二条に規定する要介護被保険者等であるか否かの確認を行うものとする。

（患者負担金の受領）

第四条 保険薬局は、被保険者又は被保険者であつた者については法第七十四条の規定による一部負担金並びに法第八十六条の規定による療養についての費用の額に法第七十四条第一項各号に掲げる場合の区分に応じ、同項各号に定める割合を乗じて得た額の支払を、被扶養者については法第七十六条第二項又は第八十六条第二項第一号の費用の額の算定の例により算定された費用の額から法第百十条の規定による家族療養費として支給される額（同条第二項第一号に規定する額に限る。）に相当する額を控除した額の支払を受けるものとする。

2　保険薬局は、法第六十三条第二項第三号に規定する評価療養（以下「評価療養」という。）、同項第四号に規定する患者申出療養（以下「患者申出療養」という。）又は同項第五号に規定する選定療養（以下「選定療養」という。）に関し、当該療養に要する費用の範囲内において、法第八十六条第二項又は第百十条第三項の規定により算定した費用の額を超える金額の支払を受けることができる。ただし、厚生労働大臣が定める療養に関しては、厚生労働大臣が定める額の支払を受けるものとする。

（領収証等の交付）

第四条の二　保険薬局は、前条の規定により患者から費用の支払を受けるときは、正当な理由がない限り、個別の費用ごとに区分して記載した領収証を無償で交付しなければならない。

2　厚生労働大臣の定める保険薬局は、前項に規定する領収証を交付するときは、正当な理由がない限り、当該費用の計算の基礎となつた項目ごとに記載した明細書を交付しなければならない。

3　前項に規定する明細書の交付は、無償で行わなければならない。

第四条の二の二　前条第二項の厚生労働大臣の定める保険薬局は、公費負担医療（厚生労働大臣の定めるものに限る。）を担当した場合（第四条第一項の規定により患者から費用の支払を受ける場合を除く。）において、正当な理由がない限り、当該公費負担医療に関する費用の請求に係る計算の基礎となつた項目ごとに記載した明細書を交付しなければならない。

2　前項に規定する明細書の交付は、無償で行わなければならない。

（保険外併用療養費に係る療養の基準等）

第四条の三　保険薬局は、評価療養、患者申出療養又は選定療養に関して第四条第二項の規定による支払を受けようとする場合において、当該療養を行うに当たり、その種類及び内容に応じて厚生労働大臣の定める基準に従わなければならないほか、あらかじめ、患者に対しその内容及び費用に関して説明を行い、その同意を得なければならない。

2　保険薬局は、その薬局内の見やすい場所に、前項の療養の内容及び費用に関する事項を掲示しなければならない。

3　保険薬局は、原則として、前項の療養の内容及び費用に関する事項をウェブサイトに掲載しなければならない。

（調剤録の記載及び整備）

第五条　保険薬局は、第十条の規定による調剤録に、療養の給付の担当に関し必要な事項を記載し、これを他の調剤録と区別して整備しなければならない。

（処方箋等の保存）

第六条　保険薬局は、患者に対する療養の給付に関する処方箋及び調剤録をその完結の日から三年間保存しなければならない。

（通知）

第七条　保険薬局は、患者が次の各号の一に該当する場合には、遅滞なく、意見を付して、その旨を全国健康保険協会又は当該健康保険組合に通知しなければならない。

一　正当な理由がなくて、療養に関する指揮に従わないとき。

二　詐欺その他不正な行為により、療養の給付を受け、又は受けようとしたとき。

（後発医薬品の調剤）

第七条の二　保険薬局は、医薬品、医療機器等の品質、有効性及び安全性の確保等に関する法律第十四条の四第一項各号に掲げる医薬品（以下「新医薬品等」という。）とその有効成分、分量、用法、用量、効能及び効果が同一性を有する医薬品として、同法第十四条又は第十九条の二の規定による製造販売の承認（以下「承認」という。）がなされたもの（ただし、同法第十四条の四第一項第二号に掲げる医薬品並びに新医薬品等に係る承認を受けている者が、当該承認に係る医薬品と有効成分、分量、用法、用量、効能及び効果が同一であつてその形状、有効成分の含量又は有効成分以外の成分若しくはその含量が異なる医薬品に係る承認を受けている場合における当該医薬品を除く。）（以下「後発医薬品」という。）の備蓄に関する体制その他の後発医薬品の調剤に必要な体制の確保に努めなければならない。

（調剤の一般的方針）

第八条　保険薬局において健康保険の調剤に従事する保険薬剤師（以下「保険薬剤師」という。）は、保険医等の交付した処方箋に基いて、患者の療養上妥当適切に調剤並びに薬学的管理及び指導を行わなければならない。

2　保険薬剤師は、調剤を行う場合は、患者の服薬状況及び薬剤服用歴を確認しなければならない。

3　保険薬剤師は、処方箋に記載された医薬品に係る後発医薬品が次条に規定する厚生労働大臣の定める医薬品である場合であつて、当該処方箋を発行した保険医等が後発医薬品への変更を認めているときは、患者に対して、後発医薬品に関する説明を適切に行わなければならない。この場合において、保険薬剤師は、後発医薬品を調剤するよう努めなければならない。

（使用医薬品）

第九条　保険薬剤師は、厚生労働大臣の定める医薬品以外の医薬品を使用して調剤してはならない。ただし、厚生労働大臣が定める場合においては、この限りでない。

（健康保険事業の健全な運営の確保）

第九条の二　保険薬剤師は、調剤に当たつては、健康保険事業の健全な運営を損なう行為を行うことのないよう努めなければならない。

（調剤録の記載）

第十条　保険薬剤師は、患者の調剤を行つた場合には、遅滞なく、調剤録に当該調剤に関する必要な事項を記載しなければならない。

（適正な費用の請求の確保）

第十条の二　保険薬剤師は、その行つた調剤に関する情報の提供等について、保険薬局が行う療養の給付に関する費用の請求が適正なものとなるよう努めなければならない。

（読替規定）

第十一条　日雇特例被保険者の保険及び船員保険に関してこの省令を適用するについては、次の表の第一欄に掲げるこの省令の規定中の字句で、同表の第二欄に掲げるものは、日雇特例被保険者の保険にあつては同表の第三欄に掲げる字句と、船員保険にあつては同表の第四欄に掲げる字句とそれぞれ読み替えるものとする。

第一欄	第二欄	第三欄	第四欄
第二条の三（見出しを含む。）	健康保険事業	健康保険事業	船員保険事業
第三条第一項	健康保険法（大正十一年法律第七十号。以下「法」という。）第六十三条第三項各号	健康保険法（大正十一年法律第七十号。以下「法」という。）第六十三条第三項第一号又は第二号	船員保険法（昭和十四年法律第七十三号。以下「法」という。）第五十三条第三項各号
	法第三条第十三項に規定する電子資格確認	法第三条第十三項に規定する電子資格確認	法第二条第十二項に規定する電子資格確認
第四条第一項	第七十四条	第百四十九条において準用する法第七十四条	第五十五条
	法第八十六条	法第百四十九条において準用する法第八十六条	法第六十三条
	第七十四条第一項各号に掲げる場合の区分に応じ、同項各号に定める割合を乗じて得た額	第百四十九条において準用する法第七十四条第一項各号に掲げる場合の区分に応じ、同項各号に定める割合を乗じて得た額	第五十五条第一項各号に掲げる区分に応じ、同項各号に定める割合を乗じて得た額又は法第六十三条第三項の規定に基づき算定費用額から控除される金額
	第七十六条第二項又は第八十六条第二項第一号	第七十六条第二項又は第八十六条第二項第一号	第五十八条第二項又は第六十三条第二項第一号
	第百十条	第百四十条	第七十六条
	同条第二項第一号に規定する額	法第百四十九条において準用する法第百十条第二項第一号に規定する額	同条第二項第一号に規定する額
	支払を受ける	支払を、特別療養費に係る療養を受けた者については法第七十六条第二項の費用の額の算定の例により算定された費用の額から法第百四十五条の規定による特別療養費（同条第二項第一号に掲げる費用に限る。）として支給される額に相当する額を控除した額の支払を受ける	支払を受ける
第四条第二項	法第六十三条第二項第三号	法第百四十九条において準用する法第六十三条第二項第三号	健康保険法（大正十一年法律第七十号）第六十三条第二項第三号
	同項第四号	法第百四十九条において準用する法第六十三条第二項第四号	健康保険法第六十三条第二項第四号
	同項第五号	法第百四十九条において準用する法第六十三条第二項第五号	健康保険法第六十三条第二項第五号
	第八十六条第二項又は第百十条第三項	第百四十九条において準用する法第八十六条第二項又は第百十条第三項	第六十三条第二項又は第七十六条第三項
第七条	全国健康保険協会又は当該健康保険組合	全国健康保険協会	全国健康保険協会
第九条の二（見出しを含む。）	健康保険事業	健康保険事業	船員保険事業

附　則

（施行期日）

1 この省令は、昭和三十二年五月一日から施行する。

（健康保険及び船員保険保険薬剤師療養担当規程の廃止）

2 健康保険及び船員保険保険薬剤師療養担当規程（昭和二十五年十月厚生省告示第二百七十五号）は、廃止する。

附 則（平九・八・二五厚生令六二）

1 この省令は、平成九年九月一日から施行する。

2 この省令の施行日前に行われた療養の給付の担当については、なお従前の例による。

附 則（平一二・三・一七厚生令三二）

この省令は、平成十二年四月一日から施行する。

附 則（平一二・三・三一厚生令八二）

この省令は、平成十二年四月一日から施行する。

附 則（平一二・一〇・二〇厚生令一二七）（抄）

（施行期日）

1 この省令は、内閣法の一部を改正する法律（平成十一年法律第八十八号）の施行の日（平成十三年一月六日）から施行する。

附 則（平一四・三・八厚労令二三）

この省令は、平成十四年四月一日から施行する。

附 則（平一四・九・一二厚労令一二〇）（抄）

（施行期日）

第一条 この省令は、平成十四年十月一日から施行する。ただし、〔中略〕第四条の規定は平成十五年四月一日から施行する。

附 則（平一五・二・二五厚労令一五）（抄）

（施行期日）

第一条 この省令は、平成十五年四月一日から施行する。〔ただし書略〕

附 則（平一六・二・二七厚労令二一）

この省令は、平成十六年四月一日から施行する。

附 則（平一八・三・六厚労令二七）

（施行期日）

第一条 この省令は、平成十八年四月一日から施行する。

（経過措置）

第二条 個別の費用ごとに区分して記載した領収証の交付に必要な設備がこの省令の施行の際まだ整備されていない保険医療機関及び保険薬局については、この省令による改正後の〔中略〕保険薬局及び保険薬剤師療養担当規則第四条の二の規定にかかわらず、平成十八年九月三十日までは、なお従前の例によることができる。

附 則（平一八・三・一四厚労令三二）（抄）

（施行期日）

第一条 この省令は、平成十八年四月一日から施行する。

附 則（平一八・九・八厚労令一五七）（抄）

（施行期日）

第一条 この省令は、平成十八年十月一日から施行する。〔ただし書略〕

附 則（平二〇・三・五厚労令二八）

この省令は、平成二十年四月一日から施行する。

附 則（平二〇・九・三〇厚労令一四九）（抄）

（施行期日）

第一条 この省令は、平成二十年十月一日から施行する。

附 則（平二〇・九・三〇厚労令一五〇）（抄）

（施行期日）

第一条 この省令は、平成二十年十月一日から施行する。

附 則（平二一・一二・二八厚労令一六八）（抄）

（施行期日）

第一条 この省令は、平成二十二年一月一日から施行する。

附 則（平二二・三・五厚労令二五）（抄）

1 この省令は、平成二十二年四月一日から施行する。

附 則（平二四・三・五厚労令二六）（抄）

改正 平三〇・三・五厚労令二〇

（施行期日）

第一条 この省令は、平成二十四年四月一日から施行する。ただし、次の各号に掲げる規定は、当該各号に定める日から施行する。

一 〔前略〕第二条中保険薬局及び保険薬剤師療養担当規則第二条の三の次に一条を加える改正規定 平成二十四年十月一日

二 〔前略〕第二条中保険薬局及び保険薬剤師療養担当規則第四条の二の改正規定並びに附則〔中略〕第三条の規定 平成二十六年四月一日

附 則（平二六・三・五厚労令一七）（抄）

この省令は、平成二十六年四月一日から施行する。〔ただし書略〕

附 則（平二六・七・三〇厚労令八七）（抄）

（施行期日）

第一条 この省令は、薬事法等の一部を改正する法律（以下「改正法」という。）の施行の日（平成二十六年十一月二十五日）から施行する。

附 則（平二八・三・四厚労令二七）（抄）

（施行期日）

第一条 この省令は、平成二十八年四月一日から施行する。

第三条 新療担規則第五条の二の二第一項に規定する保険医療機関又は第二条の規定による改正後の保険薬局及び保険薬剤師療養担当規則（以下「新薬担規則」という。）第四条の二の二第一項に規定する保険薬局において、新療担規則第五条の二の二第一項又は新薬担規則第四条の二の二第一項の明細書を常に交付することが困難であることについて正当な理由がある場合は、新療担規則第五条の二の二第一項又は新薬担規則第四条の二の二第一項の規定にかかわらず、平成三十年三月三十一日までの間（診療所にあっては、当面の間）、新療担規則第五条の二の二第一項又は新薬担規則第四条の二の二第一項の明細書を患者から求められたときに交付することで足りるものとする。

2 新療担規則第五条の二の二第一項に規定する保険医療機関又は新薬担規則第四条の二の二第一項に規定する保険薬局において、新療担規則第五条の二の二第一項又は新薬担規則第四条の二の二第一項の明細書の交付を無償で行うことが困難であることについて正当な理由がある場合は、新療担規則第五条の二の二第二項又は新薬担規則第四条の二の二第二項の規定にかかわらず、平成三十年三月三十一日までの間（診療所にあっては、当面の間）、新療担規則第五条の二の二第一項又は新薬担規則第四条の二の二第一項の明細書の交付を有償で行うことができる。

附 則（平三〇・三・五厚労令二〇）（抄）

（施行期日）

1 この省令は、平成三十年四月一日から施行する。

附 則（令二・三・五厚労令二四）（抄）

（施行期日）

1 この省令は、令和二年四月一日から施行する。ただし、次の各号に掲げる規定は、当該各号に定める日から施行する。

一 〔前略〕第四条の規定 医療保険制度の適正かつ効率的な運営を図るための健康保険法等の一部を改正する法律（令和元年法律第九号）附則第一条第四号の政令で定める日（令二・一〇・一）

二 第五条の規定 令和四年四月一日

附 則（令四・九・五厚労令一二四）

改正 令五・一・一七厚労令三

（施行期日）

第一条 この省令は、令和五年四月一日から施行する。ただし、附則第三条の規定は、保険医療機関及び保険医療養担当規則及び保険薬局及び保険薬剤師療養担当規則の一部を改正する省令（令和五年厚生労働省令第三号）の公布の日（令五・一・一七）から施行する。

（受給資格の確認等に係る経過措置）

第二条 第一条の規定による改正後の保険医療機関及び保険医療養担当規則（以下「新療担規則」という。）第三条第二項から第四項までの規定及び第二条の規定による改正後の保険薬局及び保険薬剤師療養担当規則（以下「新薬担規則」という。）第三条第二項から第四項までの規定（新薬担規則第十一条において読み替えて適用する場合を含む。）は、次の表の上欄に掲げる保険医療機関又は保険薬局であって、あらかじめ、その旨を電磁的記録（電子的方式、磁気的方式その他人の知覚によっては認識することができない方式で作られる記録であって、電子計算機による情報処理の用に供されるものをいう。）に記録し電子情報処理組織を使用して提出する方法その他の適切な方法により地方厚生局長又は地方厚生支局長（以下「地方厚生局長等」という。）に届け出たものについて、同表の下欄に掲げる期間においては、適用しない。

上欄	下欄
一 患者が健康保険法（大正十一年法律第七十号）第三条第十三項に規定する電子資格確認（以下「電子資格確認」という。）によって保険医療機関及び保険医療養担当規則第一条に規定する療養の給付又は保険薬局及び保険薬剤師療養担当規則第一条に規定する療養の給付（以下「療養の給付」という。）を受ける資格があることの確認を受けることができる体制の整備に係る事業を行う者との間で当該体制の整備に係る契約（令和五年二月二十八日までに締結されたものに限る。）を締結している保険医療機関又は保険薬局であって、当該事業者による当該体制の整備に係る作業が完了していないもの	上欄の体制の整備に係る作業が完了する日又は令和五年九月三十日のいずれか早い日までの間
二 電子資格確認に必要な電気通信回線（光回線に限る。）が整備されていない保険医療機関又は保険薬局	上欄の電気通信回線が整備された日から起算して六月が経過した日までの間
三 居宅における療養上の管理及びその療養に伴う世話その他の看護のみを行う保険医療機関	居宅における療養上の管理及びその療養に伴う世話その他の看護のみを行う場合にあって患者が電子資格確認によって療養の給付を受ける資格があることの確認を受けることができる仕組みの運用が開始されるまでの間
四 改築の工事中である施設又は臨時の施設において診療又は調剤を行っている保険医療機関又は保険薬局	当該改築の工事中である施設又は臨時の施設において診療又は調剤を行っている間
五 廃止又は休止に関する計画を定めている保険医療機関又は保険薬局	廃止又は休止するまでの間
六 その他患者が電子資格確認によって療養の給付を受ける資格があることの確認を受けることができる体制を整備することが特に困難な事情がある保険医療機関又は保険薬局	上欄の特に困難な事情が解消されるまでの間

2 新療担規則第三条第二項の規定及び新薬担規則第三条第二項の規定（新薬担規則第十一条において読み替えて適用する場合を含む。）は、保険医療機関又は保険薬局（前項の規定の適用を受けるものを除く。）が次の各号に掲げる療養の給付を担当する場合において、次の各号に掲げる場合にあって患者が電子資格確認によって療養の給付を受ける資格があることの確認を受けることができる仕組みの運用が開始されるまでの期間、適用しない。

一 居宅における療養上の管理及びその療養に伴う世話その他の看護又は居宅における薬学的管理及び指導を行う場合

二 電話又は情報通信機器を用いた診療又は薬学的管理及び指導を行う場合

3 保険医療機関又は保険薬局は、第一項の届出を行う際、当該届出の内容を確認できる必要な資料を添付するものとする。ただし、同項の届出を行うに当たり、資料の添付を併せて行うことができないことについてやむを得ない事情がある場合には、当該届出の事後において、速やかに地方厚生局長等に提出するものとする。

4　第一項の届出は、当該保険医療機関又は保険薬局の所在地を管轄する地方厚生局又は地方厚生支局の分室がある場合においては、当該分室を経由して行うものとする。

（準備行為）

第三条　前条第一項の表の上欄に掲げる保険医療機関又は保険薬局は、この省令の施行の日前においても、同条の規定の例により、その届出を行うことができる。

（資料の提供）

第四条　地方厚生局長等は、療養の給付に関して必要があると認めるときは、審査支払機関に対し、新療担規則第三条第二項から第四項までの規定及び新薬担規則第三条第二項から第四項までの規定（新薬担規則第十一条において読み替えて適用する場合を含む。）並びに前二条に関して必要な資料の提供を求めることができる。

2　社会保険診療報酬支払基金法（昭和二十三年法律第百二十九号）による社会保険診療報酬支払基金は、保険医療機関又は保険薬局において患者が電子資格確認によって療養の給付を受ける資格があることの確認を受けることができる体制を整備できるよう、地域における医療及び介護の総合的な確保の促進に関する法律（平成元年法律第六十四号）第二十四条第一号に規定する業務及びこれに附帯する業務並びに同法附則第一条の三第一項各号に掲げる業務を行うため、地方厚生局長等に対して、前二条に規定する届出を行った保険医療機関又は保険薬局の名称及び所在地その他の必要な資料の提供を求めることができる。

附　則（令五・三・三一厚労令四八）（抄）

（施行期日）

第一条　この省令は、令和五年四月一日から施行する。

（様式に関する経過措置）

第二条　この省令の施行の際現にあるこの省令による改正前の様式（次項において「旧様式」という。）により使用されている書類は、この省令による改正後の様式によるものとみなす。

2　この省令の施行の際現にある旧様式による用紙については、当分の間、これを取り繕って使用することができる。

附　則（令五・一一・三〇厚労令一四七）（抄）

（施行期日）

第一条　この省令は、令和五年十二月一日から施行する。ただし、次の各号に掲げる規定は、当該各号に定める日から施行する。

一　附則第二条〔中略〕の規定　公布の日
二　〔前略〕第四条の規定　令和六年四月一日
三　〔略〕

（受給資格の確認等に係る経過措置）

第二条　保険医療機関、保険薬局又は指定訪問看護事業者は、この省令の施行の日前においても、〔中略〕第三条の規定による改正前の薬担規則第三条第一項〔中略〕の規定にかかわらず、〔中略〕第三条の規定による改正後の薬担規則第三条第一項第四号〔中略〕に掲げる方法によって、療養の給付又は指定訪問看護を受ける資格があることを確認することができる。

附　則（令六・三・五厚労令三五）（抄）

（施行期日）

第一条　この省令は、令和六年六月一日から施行する。ただし、〔中略〕第四条の規定は、令和六年十月一日から施行する。

（ウェブサイトへの掲載に係る経過措置）

第二条　この省令の施行の日から令和七年五月三十一日までの間、〔中略〕第三条の規定による改正後の薬担規則（以下「新薬担規則」という。）第二条の四第二項の規定の適用については、同項中「保険薬局は、原則として、前項の厚生労働大臣が定める事項をウェブサイトに掲載しなければならない。」とあるのは「削除」と、新薬担規則第四条の三第三項の規定の適用については、同項中「保険薬局は、原則として、前項の療養の内容及び費用に関する事項をウェブサイトに掲載しなければならない。」とあるのは「削除」と〔中略〕する。

様式〔略〕

○社会保険診療報酬支払基金法（抄）

昭二三・七・一〇
法一二九

最終改正　令五・五・一九法三一

〔基金の目的〕

第一条　社会保険診療報酬支払基金（以下「基金」という。）は、全国健康保険協会若しくは健康保険組合、都道府県及び市町村若しくは国民健康保険組合、後期高齢者医療広域連合、法律で組織された共済組合又は日本私立学校振興・共済事業団（以下「保険者」という。）が、医療保険各法等（高齢者の医療の確保に関する法律（昭和五十七年法律第八十号）第七条第一項に規定する医療保険各法又は高齢者の医療の確保に関する法律をいう。以下同じ。）の規定に基づいて行う療養の給付及びこれに相当する給付の費用について、療養の給付及びこれに相当する給付に係る医療を担当する者（以下「診療担当者」という。）に対して支払うべき費用（以下「診療報酬」という。）の迅速適正な支払を行い、併せて診療担当者から提出された診療報酬請求書の審査を行うほか、保険者の委託を受けて保険者が医療保険各法等の規定により行う事務を行うこと並びに国民の保健医療の向上及び福祉の増進並びに医療に要する費用の適正化（次条及び第十五条第一項第八号において「医療費適正化」という。）に資する情報の収集、整理及び分析並びにその結果の活用の促進に関する事務を行うことを目的とする。

第一条の二　基金は、診療報酬請求書の審査における公正性及び中立性の確保を通じた国民の保健医療の向上及び福祉の増進、診療報酬請求書情報等の分析等（第十五条第一項第八号に規定する業務をいう。）を通じた国民の保健医療の向上及び福祉の増進並びに医療費適正化、情報通信の技術の活用による業務運営の効率化の推進並びに業務運営における透明性の確保に努めるとともに、医療保険制度の安定的かつ効率的な運営に資するよう、国民健康保険法（昭和三十三年法律第百九十二号）第四十五条第五項に規定する国民健康保険団体連合会と有機的に連携しつつ、診療担当者に対する診療報酬の適正な請求に資する支援その他の取組を行うよう努めなければならない。

（法人格）

第二条　基金は、これを法人とする。

（事務所）

第三条　基金は、主たる事務所を東京都に置く。

（業務）

第十五条　基金は、第一条の目的を達成するため、次の業務を行う。

一　各保険者（国民健康保険法の定めるところにより都道府県が当該都道府県内の市町村とともに行う国民健康保険にあつては、市町村。第六号及び第七号を除き、以下この項において同じ。）から、毎月、その保険者が過去三箇月において最高額の費用を要した月の診療報酬の政令で定める月数分に相当する金額の委託を受けること。

二　診療担当者の提出する診療報酬請求書に対して、厚生労働大臣の定めるところにより算定したる金額を支払うこと。

三　診療担当者の提出する診療報酬請求書の審査（その審査について不服の申出があつた場合の再審査を含む。以下同じ。）を行うこと。

四　前二号に準じ、訪問看護療養費又は家族訪問看護療養費の支払及び審査を行うこと。

五　保険者から委託された医療保険各法等による保険給付の支給に関する事務（前各号に掲げるものを除く。）を行うこと。

六　保険者から委託された健康保険法（大正十一年法律第七十号）第二百五条の四第一項第二号、船員保険法（昭和十四年法律第七十三号）第百五十三条の十第一項第二号、私立学校教職員共済法（昭和二十八年法律第二百四十五号）第四十七条の三第一項第二号、国家公務員共済組合法（昭和三十三年法律第百二十八号）第百十四条の二第一項第二号、国民健康保険法第百十三条の三第一項第一号、地方公務員等共済組合法（昭和三十七年法律第百五十二号）第百四十四条の三十三第一項第二号又は高齢者の医療の確保に関する法律第百六十五条の二第一項第一号に掲げる情報の収集又は整理に関する事務を行うこと。

七　保険者から委託された健康保険法第二百五条の四第一項第三号、船員保険法第百五十三条の十第一項第三号、私立学校教職員共済法第四十七条の三第一項第三号、国家公務員共済組合法第百十四条の二第一項第三号、国民健康保険法第百十三条の三第一項第二号、地方公務員等共済組合法第百四十四条の三十三第一項第三号又は高齢者の医療の確保に関する法律第百六十五条の二第一項第二号に掲げる情報の利用又は提供に関する事務を行うこと。

八　診療報酬請求書及び特定健康診査等（高齢者の医療の確保に関する法律第十八条第二項第一号に規定する特定健康診査等をいう。）に関する記録に係る情報その他の国民の保健医療の向上及び福祉の増進並びに医療費適正化に資する情報の収集、整理及び分析並びにその結果の活用の促進に関する事務を行うこと。

九　前各号の業務に附帯する業務

十　前各号に掲げるもののほか、第一条の目的を達成するために必要な業務

2　基金は、前項に定める業務のほか、次の業務を行うことができる。

一　生活保護法（昭和二十五年法律第百四十四号）第五十三条第三項、児童福祉法（昭和二十二年法律第百六十四号）第十九条の二十第三項（同法第二十一条の二、第二十一条の五の三十及び第二十四条の二十一並びに母子保健法（昭和四十年法律第百四十一号）第二十条第七項において準用する場合を含む。）、戦傷病者特別援護法（昭和三十八年法律第百六十八号）第十五条第三項（同法第二十条第三項において準用する場合を含む。）、原子爆弾被爆者に対する援護に関する法律（平成六年法律第百十七号）第十五条第三項若しくは第二十条第一項、感染症の予防及び感染症の患者に対する医療に関する法律（平成十年法律第百十四号）第四十条第五項（同法第四十四条の三の二第二項及び第五十条の三第二項において準用する場合を含む。）、心神喪失等の状態で重大な他害行為を行った者の医療及び観察等に関する法律（平成十五年法律第百十号）第八十四条第三項、石綿による健康被害の救済に関する法律（平成十八年法律第四号）第十四条第一項、障害者の日常生活及び社会生活を総合的に支援するための法律（平成十七年法律第百二十三号）第七十三条第三項又は難病の患者に対する医療等に関する法律（平成二十六年法律第五十号）第二十五条第三項の規定により医療機関の請求することのできる診療報酬の額又は被爆者一般疾病医療機関若しくは保険医療機関等若しくは生活保護指定医療機関に支払うべき額の決定について意見を求められたときは、意見を述べること。

二　生活保護法第五十三条第四項、戦傷病者特別援護法第十五条第四項（同法第二十条第三項において準用する場合を含む。）、原子爆弾被爆者に対する援護に関する法律第十五条第四項若しくは第二十条第二項、児童福祉法第十九条の二十第四項（同法第二十一条の二、第二十一条の五の三十及び第二十四条の二十一並びに母子保健法第二十条第七項において準用する場合を含む。）、感染症の予防及び感染症の患者に対する医療に関する法律第四十条第六項（同法第四十四条の三の二第二項及び第五十条の三第二項において準用する場合を含む。）、心神喪失等の状態で重大な他害行為を行った者の医療及び観察等に関する法律第八十四条第四項、石綿による健康被害の救済に関する法律第十四条第二項、障害者の日常生活及び社会生活を総合的に支援するための法律第七十三条第四項又は難病の患者に対する医療等に関する法律第二十五条第四項の規定により医療機関に対する診療報酬又は一般疾病医療費若しくは医療費に相当する額の支払に関する事務を委託されたときは、その支払に必要な事務を行うこと。

三　防衛省の職員の給与等に関する法律（昭和二十七年法律第二百六十六号）第二十二条第三項（第一号に係る部分に限る。）の規定により、療養を担当する者が国に対して請求することができる診療報酬の額の審査に関する事務及びその診療報酬の支払に関する事務を委託されたときは、これらに必要な事務を行うこと。

四　精神保健及び精神障害者福祉に関する法律（昭和二十五年法律第百二十三号）第二十九条の七又は麻薬及び向精神薬取締法（昭和二十八年法律第十四号）第五十八条の十五の規定

により、これらの規定に規定する審査、額の算定又は診療報酬の支払に関する事務を委託されたときは、これらに必要な事務を行うこと。

五　生活保護法第八十条の四第一項又は防衛省の職員の給与等に関する法律第二十二条第三項（第二号に係る部分に限る。）の規定により情報の収集若しくは整理又は利用若しくは提供に関する事務を委託されたときは、その収集若しくは整理又は利用若しくは提供に必要な事務を行うこと。

（事務執行費の負担）

第二十六条　基金は、各保険者（第十五条第二項第一号から第四号まで及び第三項の場合においては国、都道府県又は市町村）に、同条第一項第一号から第四号まで並びに同条第二項第一号から第四号まで及び第三項に規定する業務に関する事務の執行に要する費用を、その提出する診療報酬請求書の数、当該診療報酬請求書の審査の内容その他の当該費用を算出するに当たり考慮すべき事項として厚生労働省令で定めるものを基準として負担させるものとする。

○船員保険法（抄）

昭一四・四・六
法　七　三

最終改正　令五・六・九法四八

第一章　総則

（目的）

第一条　この法律は、船員又はその被扶養者の職務外の事由による疾病、負傷若しくは死亡又は出産に関して保険給付を行うとともに、労働者災害補償保険による保険給付と併せて船員の職務上の事由又は通勤による疾病、負傷、障害又は死亡に関して保険給付を行うこと等により、船員の生活の安定と福祉の向上に寄与することを目的とする。

（定義）

第二条　この法律において「被保険者」とは、船員法（昭和二十二年法律第百号）第一条に規定する船員（以下「船員」という。）として船舶所有者に使用される者及び疾病任意継続被保険者をいう。

2　この法律において「疾病任意継続被保険者」とは、船舶所有者に使用されなくなったため、被保険者（独立行政法人等職員被保険者を除く。）の資格を喪失した者であって、喪失の日の前日まで継続して二月以上被保険者（疾病任意継続被保険者又は国家公務員共済組合法（昭和三十三年法律第百二十八号）若しくは地方公務員等共済組合法（昭和三十七年法律第百五十二号）に基づく共済組合の組合員である被保険者を除く。）であったもののうち、健康保険法（大正十一年法律第七十号）による全国健康保険協会（以下「協会」という。）に申し出て、継続して被保険者になった者をいう。ただし、健康保険の被保険者（同法第三条第二項に規定する日雇特例被保険者を除く。以下同じ。）又は後期高齢者医療の被保険者（高齢者の医療の確保に関する法律（昭和五十七年法律第八十号）第五十条の規定による被保険者をいう。）若しくは同条各号のいずれかに該当する者であって同法第五十一条の規定により後期高齢者医療の被保険者とならないもの（独立行政法人等職員被保険者を除く。以下「後期高齢者医療の被保険者等」と総称する。）である者は、この限りでない。

3　この法律において「独立行政法人等職員被保険者」とは、国家公務員共済組合法に基づく共済組合の組合員（行政執行法人（独立行政法人通則法（平成十一年法律第百三号）第二条第四項に規定する行政執行法人をいう。）以外の独立行政法人（同条第一項に規定する独立行政法人をいう。）のうち別表第一に掲げるもの並びに国立大学法人法（平成十五年法律第百十二号）第二条第一項に規定する国立大学法人及び同条第三項に規定する大学共同利用機関法人に常時勤務することを要する者（同表に掲げる法人に常時勤務することを要しない者で政令で定めるものを含むものとし、臨時に使用される者その他の政令で定める者を含まないものとする。）に限る。）である被保険者（疾病任意継続被保険者を除く。）をいう。

4　この法律において「報酬」とは、賃金、給料、俸給、手当、賞与その他いかなる名称であるかを問わず、労働者が、労働の対償として受けるすべてのものをいう。ただし、臨時に受けるもの及び三月を超える期間ごとに受けるものは、この限りでない。

5　この法律において「賞与」とは、賃金、給料、俸給、手当、賞与その他いかなる名称であるかを問わず、労働者が、労働の対償として受けるすべてのもののうち、三月を超える期間ごとに受けるものをいう。

6　この法律において「通勤」とは、労働者災害補償保険法（昭和二十二年法律第五十号）第七条第一項第三号の通勤をいう。

7　この法律において「最終標準報酬月額」とは、被保険者又は被保険者であった者の障害又は死亡の原因となった疾病又は負傷の発した日（第四十二条の規定により死亡したものと推定された場合は、死亡の推定される事由の生じた日）の属する月の標準報酬月額をいう。

8　この法律において「最終標準報酬日額」とは、最終標準報酬月額の三十分の一に相当する額（その額に、五円未満の端数があるときは、これを切り捨て、五円以上十円未満の端数があるときは、これを十円に切り上げるものとする。）をいう。

9　この法律において「被扶養者」とは、次に掲げる者で、日本国内に住所を有するもの又は外国において留学をする学生その他の日本国内に住所を有しないが渡航目的その他の事情を考慮して日本国内に生活の基礎があると認められるものとして厚生労働省令で定めるものをいう。ただし、後期高齢者医療の被保険者等である者その他この法律の適用を除外すべき特別の理由がある者として厚生労働省令で定める者は、この限りでない。

一　被保険者（後期高齢者医療の被保険者等である者を除く。以下この項において同じ。）の直系尊属、配偶者（婚姻の届出をしていないが、事実上婚姻関係と同様の事情にある者を含む。以下同じ。）、子、孫及び兄弟姉妹であって、主としてその被保険者により生計を維持するもの

二　被保険者の三親等内の親族で前号に掲げる者以外のものであって、その被保険者と同一の世帯に属し、主としてその被保険者により生計を維持するもの

三　被保険者の配偶者で婚姻の届出をしていないが事実上婚姻関係と同様の事情にあるものの父母及び子であって、その被保険者と同一の世帯に属し、主としてその被保険者により生計を維持するもの

四　前号の配偶者の死亡後におけるその父母及び子であって、引き続きその被保険者と同一の世帯に属し、主としてその被保険者により生計を維持するもの

10　この法律において「保険者番号」とは、厚生労働大臣が船員保険事業において保険者を識別するための番号として定めるものをいう。

11　この法律において「被保険者等記号・番号」とは、協会が被保険者又は被扶養者の資格を管理するための記号、番号その他の符号として、被保険者又は被扶養者ごとに定めるものをいう。

12　この法律において「電子資格確認」とは、保険医療機関（健康保険法第六十三条第三項第一号に規定する保険医療機関をいう。以下同じ。）若しくは保険薬局（同号に規定する保険薬局をいう。以下同じ。）から療養を受けようとする者又は指定訪問看護事業者（同法第八十八条第一項に規定する指定訪問看護事業者をいう。以下同じ。）から指定訪問看護（同項に規定する指定訪問看護をいう。以下同じ。）を受けようとする者が、協会に対し、個人番号カード（行政手続における特定の個人を識別するための番号の利用等に関する法律（平成二十五年法律第二十七号）第二条第七項に規定する個人番号カードをいう。）に記録された利用者証明用電子証明書（電子署名等に係る地方公共団体情報システム機構の認証業務に関する法律（平成十四年法律第百五十三号）第二十二条第一項に規定する利用者証明用電子証明書をいう。）を送信する方法その他の厚生労働省令で定める方法により、被保険者又は被扶養者の資格に係る情報（保険給付に係る費用の請求に必要な情報を含む。）の照会を行い、電子情報処理組織を使用する方法その他の情報通信の技術を利用する方法により、協会から回答を受けて当該情報を当該保険医療機関若しくは保険薬局又は指定訪問看護事業者に提供し、当該保険医療機関若しくは保険薬局又は指定訪問看護事業者から被保険者又は被扶養者であることの確認を受けることをいう。

第二章　保険者

（管掌）

第四条　船員保険は、協会が、管掌する。

2　前項の規定により協会が管掌する船員保険の事業に関する業務のうち、被保険者の資格の取得及び喪失の確認、標準報酬月額及び標準賞与額の決定並びに保険料の徴収（疾病任意継続被保険者に係るものを除く。）並びにこれらに附帯する業務は、厚生労働大臣が行う。

第三章　被保険者

第一節　資格

（資格取得の時期）

第十一条　被保険者（疾病任意継続被保険者を除く。以下この条から第十四条までにおいて同じ。）は、船員として船舶所有者に使用されるに至った日から、被保険者の資格を取得する。

（資格喪失の時期）

第十二条　被保険者は、死亡した日又は船員として船舶所有者に使用されなくなるに至った日の翌日（その事実があった日に更に前条に該当するに至ったときは、その日）から、被保険者の資格を喪失する。

（資格の得喪の確認）

第十五条　被保険者の資格の取得及び喪失は、厚生労働大臣の確認によって、その効力を生ずる。ただし、疾病任意継続被保険者の資格の取得及び喪失は、この限りでない。

2　前項の確認は、第二十四条の規定による届出若しくは第二十七条第一項の規定による請求により、又は職権で行うものとする。

3　第一項の確認については、行政手続法（平成五年法律第八十八号）第三章（第十二条及び第十四条を除く。）の規定は、適用しない。

第二節　標準報酬月額及び標準賞与額

（被保険者の資格を取得した際の決定）

第十七条　厚生労働大臣は、被保険者の資格を取得した者があるときは、標準報酬月額を決定する。

第三節　届出等〔略〕

第四章　保険給付

第一節　通則

（保険給付の種類）

第二十九条　この法律による職務外の事由（通勤を除く。以下同じ。）による疾病、負傷若しくは死亡又は出産に関する保険給付は、次のとおりとする。

一　療養の給付並びに入院時食事療養費、入院時生活療養費、保険外併用療養費、療養費、訪問看護療養費及び移送費の支給
二　傷病手当金の支給
三　葬祭料の支給
四　出産育児一時金の支給
五　出産手当金の支給
六　家族療養費、家族訪問看護療養費及び家族移送費の支給
七　家族葬祭料の支給
八　家族出産育児一時金の支給
九　高額療養費及び高額介護合算療養費の支給

2　職務上の事由若しくは通勤による疾病、負傷、障害若しくは死亡又は職務上の事由による行方不明に関する保険給付は、労働者災害補償保険法の規定による保険給付のほか、次のとおりとする。
一　休業手当金の支給
二　障害年金及び障害手当金の支給
三　障害差額一時金の支給
四　障害年金差額一時金の支給
五　行方不明手当金の支給
六　遺族年金の支給
七　遺族一時金の支給
八　遺族年金差額一時金の支給

（付加給付）
第三十条　協会は、前条第一項各号に掲げる給付に併せて、政令で定めるところにより、保険給付としてその他の給付を行うことができる。

（独立行政法人等職員被保険者に対する給付）
第三十二条　独立行政法人等職員被保険者については、第二十九条第一項（第一号（第五十三条第四項の規定により同条第一項第六号に掲げる給付が行われる場合に限る。）を除く。）及び第三十条に規定する保険給付は行わないものとする。

（他の法令による保険給付との調整）
第三十三条　療養の給付（第五十三条第四項の規定により行われる同条第一項第六号に掲げる給付を除く。次項及び第五項において同じ。）又は入院時食事療養費、入院時生活療養費、保険外併用療養費、療養費、訪問看護療養費、移送費、傷病手当金、葬祭料、出産育児一時金若しくは出産手当金の支給は、同一の疾病、負傷、死亡又は出産について、健康保険法の規定（同法第五章の規定を除く。）によりこれらに相当する給付を受けることができる場合には、行わない。
2　療養の給付又は入院時食事療養費、入院時生活療養費、保険外併用療養費、療養費、訪問看護療養費、移送費、傷病手当金、葬祭料、家族療養費、家族訪問看護療養費、家族移送費若しくは家族葬祭料の支給は、同一の疾病、負傷又は死亡について、労働者災害補償保険法、国家公務員災害補償法（昭和二十六年法律第百九十一号。他の法律において準用し、又は例による場合を含む。次項及び第七項において同じ。）又は地方公務員災害補償法（昭和四十二年法律第百二十一号）若しくは同法に基づく条例の規定によりこれらに相当する給付を受けることができる場合には、行わない。
3　協会は、傷病手当金の支給を行うにつき必要があると認めるときは、労働者災害補償保険法、国家公務員災害補償法又は地方公務員災害補償法若しくは同法に基づく条例の規定により給付を行う者に対し、当該給付の支給状況につき、必要な資料の提供を求めることができる。
4　療養の給付（第五十三条第四項の規定により行われる同条第一項第六号に掲げる給付及び船員法第八十九条第二項の規定により船舶所有者が施し、又は必要な費用を負担する療養（以下「下船後の療養補償」という。）に相当する療養の給付を除く。）又は入院時食事療養費、入院時生活療養費、保険外併用療養費、療養費、訪問看護療養費、家族療養費若しくは家族訪問看護療養費の支給は、同一の疾病又は負傷について、介護保険法（平成九年法律第百二十三号）の規定によりこれらに相当する給付を受けることができる場合には、行わない。
5　療養の給付又は入院時食事療養費、入院時生活療養費、保険外併用療養費、療養費、訪問看護療養費、移送費、家族療養費、家族訪問看護療養費若しくは家族移送費の支給は、同一の疾病又は負傷について、他の法令の規定により国又は地方公共団体の負担で療養又は療養費の支給を受けたときは、その限度において、行わない。
6　家族療養費、家族訪問看護療養費、家族移送費、家族葬祭料又は家族出産育児一時金の支給は、同一の疾病、負傷、死亡又は出産について、健康保険法第五章の規定により療養の給付又は入院時食事療養費、入院時生活療養費、保険外併用療養費、療養費、訪問看護療養費、移送費、埋葬料若しくは出産育児一時金の支給を受けたときは、その限度において、行わない。
7　療養の給付（第五十三条第四項の規定により行われる同条第一項第六号に掲げる給付に限る。）、休業手当金、障害年金、障害手当金、障害差額一時金、障害年金差額一時金、行方不明手当金、遺族年金、遺族一時金又は遺族年金差額一時金の支給は、同一の疾病、負傷、障害、行方不明又は死亡について、国家公務員災害補償法又は地方公務員災害補償法若しくは同法に基づく条例の規定によりこれらに相当する給付を受けることができる場合には、行わない。

（行方不明手当金を受ける被扶養者の範囲及び順位）
第三十四条　行方不明手当金を受けることができる被扶養者の範囲は、次に掲げる者であって、被保険者が行方不明となった当時主としてその収入によって生計を維持していたものとする。
一　被保険者の配偶者、子、父母、孫及び祖父母
二　被保険者の三親等内の親族であって、その被保険者と同一の世帯に属するもの
三　被保険者の配偶者で婚姻の届出をしていないが事実上婚姻関係と同様の事情にあるものの子及び父母であって、その被保険者と同一の世帯に属するもの
2　被保険者が行方不明となった当時胎児であった子が出生したときは、前項の規定の適用については、出生の日より被保険者が行方不明となった当時主としてその収入によって生計を維持していた子とみなす。
3　行方不明手当金を受けるべき者の順位は、第一項各号の順序により、同項第一号又は第三号に掲げる者のうちにあっては当該各号に掲げる順序により、同項第二号に掲げる者のうちにあっては親等の少ない者を先にする。

（遺族年金を受ける遺族の範囲及び順位）
第三十五条　遺族年金を受けることができる遺族の範囲は、被保険者又は被保険者であった者の配偶者、子、父母、孫、祖父母及び兄弟姉妹であって、被保険者又は被保険者であった者の死亡の当時その収入によって生計を維持していたものとする。ただし、妻（婚姻の届出をしていないが、事実上婚姻関係と同様の事情にあった者を含む。以下同じ。）以外の者にあっては、被保険者又は被保険者であった者の死亡の当時次に掲げる要件に該当した場合に限るものとする。
一　夫（婚姻の届出をしていないが、事実上婚姻関係と同様の事情にあった者を含む。以下同じ。）、父母又は祖父母については、六十歳以上であること。
二　子又は孫については、十八歳に達する日以後の最初の三月

三十一日までの間にあること。

三　兄弟姉妹については、十八歳に達する日以後の最初の三月三十一日までの間にあること又は六十歳以上であること。

四　前三号の要件に該当しない夫、子、父母、孫、祖父母又は兄弟姉妹については、厚生労働省令で定める障害の状態にあること。

２　被保険者又は被保険者であった者の死亡の当時胎児であった子が出生したときは、前項の規定の適用については、出生の日より被保険者又は被保険者であった者の死亡の当時その収入によって生計を維持していた子とみなす。

３　遺族年金を受けるべき遺族の順位は、配偶者、子、父母、孫、祖父母及び兄弟姉妹の順序とする。

（**障害年金差額一時金等を受ける遺族の範囲及び順位**）

第三十六条　障害年金差額一時金、遺族一時金又は遺族年金差額一時金を受けることができる遺族の範囲は、次に掲げる者とする。

一　配偶者

二　被保険者又は被保険者であった者の死亡の当時その収入によって生計を維持していた子、父母、孫及び祖父母

三　前号に該当しない子、父母、孫及び祖父母並びに兄弟姉妹

２　前項の一時金を受けるべき遺族の順位は、同項各号の順序により、同項第二号及び第三号に掲げる者のうちにあっては、それぞれ、当該各号に掲げる順序による。

（**障害年金等の額の改定**）

第三十九条　休業手当金、障害年金又は遺族年金を受けることができる者の当該保険給付については、労働者災害補償保険法第八条の三第一項第二号の規定による給付基礎日額の算定の方法その他の事情を勘案して、厚生労働省令で定めるところにより、その額を改定することができる。

２　障害手当金、障害差額一時金、障害年金差額一時金、遺族一時金又は遺族年金差額一時金については、労働者災害補償保険法第八条の四において準用する同法第八条の三第一項第二号の規定による給付基礎日額の算定の方法その他の事情を勘案して、厚生労働省令で定めるところにより、その額を改定することができる。

（**災害補償相当給付の費用の徴収**）

第四十六条　船舶所有者が故意又は重大な過失により第二十四条の規定による届出をしなかった場合において、その届出をしなかった期間内に生じた職務上の事由による疾病、負傷、行方不明若しくは死亡又はその疾病若しくは負傷及びこれにより発した疾病による障害について、保険給付を行った場合には、協会は、当該船舶所有者が船員法の規定により支給すべき災害補償の額から労働基準法（昭和二十二年法律第四十九号）の規定による災害補償に相当する額を控除した額の限度において、その保険給付に要した費用を当該船舶所有者より徴収することができる。ただし、被保険者の当該疾病、負傷、行方不明又は死亡の生ずる前に、当該期間に係る被保険者の資格の取得について、第二十七条第一項の規定による確認の請求又は第十五条第一項の規定による確認があったときは、この限りでない。

２　前項の規定は、船舶所有者が故意又は重大な過失によって第二十四条の規定による届出をしなかった期間内に第四十二条の規定により被保険者又は被保険者であった者の死亡が推定される事由の生じた場合におけるその死亡について保険給付が行われた場合について準用する。

第二節　職務外の事由による疾病、負傷若しくは死亡又は出産に関する保険給付

第一款　療養の給付並びに入院時食事療養費、入院時生活療養費、保険外併用療養費、療養費、訪問看護療養費及び移送費の支給

（**療養の給付**）

第五十三条　被保険者又は被保険者であった者の給付対象傷病に関しては、次に掲げる療養の給付を行う。

一　診察

二　薬剤又は治療材料の支給

三　処置、手術その他の治療

四　居宅における療養上の管理及びその療養に伴う世話その他の看護

五　病院又は診療所への入院及びその療養に伴う世話その他の看護

六　自宅以外の場所における療養に必要な宿泊及び食事の支給

２　次に掲げる療養に係る給付は、前項の給付に含まれないものとする。

一　食事の提供である療養であって前項第五号に掲げる療養と併せて行うもの（医療法（昭和二十三年法律第二百五号）第七条第二項第四号に規定する療養病床への入院及びその療養に伴う世話その他の看護であって、当該療養を受ける際、六十五歳に達する日の属する月の翌月以後である被保険者又は被保険者であった者（以下「特定長期入院被保険者等」という。）に係るものを除く。以下「食事療養」という。）

二　次に掲げる療養であって前項第五号に掲げる療養と併せて行うもの（特定長期入院被保険者等に係るものに限る。以下「生活療養」という。）

イ　食事の提供である療養

ロ　温度、照明及び給水に関する適切な療養環境の形成である療養

三　評価療養（健康保険法第六十三条第二項第三号に規定する評価療養をいう。以下同じ。）

四　患者申出療養（健康保険法第六十三条第二項第四号に規定する患者申出療養をいう。以下同じ。）

五　選定療養（健康保険法第六十三条第二項第五号に規定する選定療養をいう。以下同じ。）

３　第一項の給付対象傷病は、次の各号に掲げる被保険者又は被保険者であった者の区分に応じ、当該各号に定める疾病又は負傷とする。

一　次号に掲げる者以外の被保険者　職務外の事由による疾病又は負傷

二　後期高齢者医療の被保険者等である被保険者　雇入契約存続中の職務外の事由による疾病若しくは負傷又はこれにより発した疾病（当該疾病又は負傷について下船後の療養補償を受けることができるものに限る。）

三　被保険者であった者　被保険者の資格を喪失する前に発した職務外の事由による疾病若しくは負傷又はこれにより発した疾病

４　前項の規定にかかわらず、第一項第六号に掲げる給付は、職務上の事由又は通勤による疾病又は負傷についても行うものと

する。

5　被保険者であった者に対する第三項第三号に規定する疾病又は負傷に関する療養の給付については、健康保険法第三条第二項に規定する日雇特例被保険者又はその被扶養者となった場合に限り、その資格を喪失した後の期間に係る療養の給付を行うことができる。ただし、下船後の療養補償を受けることができる場合におけるその療養補償に相当する療養の給付については、この限りでない。

6　第一項第一号から第五号までに掲げる給付を受けようとする者は、厚生労働省令で定めるところにより、次に掲げる病院若しくは診療所又は薬局のうち、自己の選定するものから、電子資格確認その他厚生労働省令で定める方法（以下「電子資格確認等」という。）により、被保険者又は被保険者であった者であることの確認を受け、同項第一号から第五号までに掲げる給付を受けるものとする。

一　保険医療機関又は保険薬局

二　船員保険の被保険者に対して診療又は調剤を行う病院若しくは診療所又は薬局であって、協会が指定したもの

7　第一項第六号に掲げる給付を受けようとする者は、厚生労働省令で定めるところにより、協会の指定した施設のうち、自己の選定するものから受けるものとする。

（診療規則）

第五十四条　保険医療機関若しくは保険薬局又は保険医若しくは健康保険法第六十四条に規定する保険薬剤師が船員保険の療養の給付を担当し、又は船員保険の診療若しくは調剤に当たる場合の準則については、同法第七十条第一項及び第七十二条第一項の規定による厚生労働省令の例による。

2　前項の場合において、同項に規定する厚生労働省令の例により難いとき、又はよることが適当と認められないときの準則については、厚生労働省令で定める。

（一部負担金）

第五十五条　第五十三条第六項の規定により保険医療機関又は保険薬局から療養の給付を受ける者は、その給付を受ける際、次の各号に掲げる場合の区分に応じ、当該給付につき第五十八条第二項又は第三項の規定により算定した額に当該各号に定める割合を乗じて得た額を、一部負担金として、当該保険医療機関又は保険薬局に支払わなければならない。ただし、その者が、下船後の療養補償に相当する療養の給付を受けるときは、この限りでない。

一　七十歳に達する日の属する月以前である場合　百分の三十

二　七十歳に達する日の属する月の翌月以後である場合（次号に掲げる場合を除く。）　百分の二十

三　七十歳に達する日の属する月の翌月以後である場合であって、政令で定めるところにより算定した報酬の額が政令で定める額以上であるとき　百分の三十

2　保険医療機関又は保険薬局は、前項の一部負担金（第五十七条第一項第一号に掲げる措置が採られたときは、当該減額された一部負担金）の支払を受けるべきものとし、保険医療機関又は保険薬局が善良な管理者と同一の注意をもってその支払を受けることに努めたにもかかわらず、なお療養の給付を受けた者が当該一部負担金の全部又は一部を支払わないときは、協会は、当該保険医療機関又は保険薬局の請求に基づき、この法律の規定による徴収金の例によりこれを処分することができる。

第五十六条　前条第一項の規定により一部負担金を支払う場合においては、同項の一部負担金の額に五円未満の端数があるときは、これを切り捨て、五円以上十円未満の端数があるときは、これを十円に切り上げるものとする。

（一部負担金の額の特例）

第五十七条　協会は、災害その他の厚生労働省令で定める特別の事情がある被保険者又は被保険者であった者であって、保険医療機関又は保険薬局に第五十五条第一項の規定による一部負担金を支払うことが困難であると認められるものに対し、次に掲げる措置を採ることができる。

一　一部負担金を減額すること。

二　一部負担金の支払を免除すること。

三　保険医療機関又は保険薬局に対する支払に代えて、一部負担金を直接に徴収することとし、その徴収を猶予すること。

2　前項の措置を受けた被保険者又は被保険者であった者は、第五十五条第一項の規定にかかわらず、前項第一号に掲げる措置を受けた被保険者又は被保険者であった者にあってはその減額された一部負担金を保険医療機関又は保険薬局に支払うをもって足り、同項第二号又は第三号に掲げる措置を受けた被保険者又は被保険者であった者にあっては一部負担金を保険医療機関又は保険薬局に支払うことを要しない。

3　前条の規定は、前項の場合における一部負担金の支払について準用する。

（療養の給付に関する費用）

第五十八条　協会は、療養の給付に関する費用を保険医療機関又は保険薬局に支払うものとし、保険医療機関又は保険薬局が療養の給付に関し協会に請求することができる費用の額は、療養の給付に要する費用の額から、当該療養の給付に関し被保険者又は被保険者であった者が当該保険医療機関又は保険薬局に対して支払わなければならない一部負担金に相当する額を控除した額とする。

2　前項の療養の給付に要する費用の額の算定については、健康保険法第七十六条第二項の規定による厚生労働大臣の定めの例によるものとし、これにより難いとき、又はよることが適当と認められないときにおける療養の給付に要する費用の額は、厚生労働大臣が定めるところにより、これを算定するものとする。

3　協会は、厚生労働大臣の認可を受けて、保険医療機関又は保険薬局との契約により、当該保険医療機関又は保険薬局において行われる療養の給付に関する第一項の療養の給付に要する費用の額につき、前項の規定により算定される額の範囲内において、別段の定めをすることができる。

（健康保険法の準用）

第五十九条　健康保険法第六十四条、第七十三条、第七十六条第四項から第六項まで、第七十八条及び第八十二条第一項の規定は、この法律による療養の給付について準用する。

（協会が指定する病院等における療養の給付）

第六十条　第五十三条第六項第二号に掲げる病院若しくは診療所又は薬局において行われる療養の給付及び診療又は調剤に関する準則については、健康保険法第七十条第一項及び第七十二条第一項の規定による厚生労働省令の例によるものとし、これにより難いとき、又はよることが適当と認められないときの準則

については、第五十四条第二項の規定による厚生労働省令の例による。

2　第五十三条第六項第二号に掲げる病院若しくは診療所又は薬局から療養の給付を受ける者は、その給付を受ける際、第五十五条第一項の規定の例により算定した額を、一部負担金として当該病院若しくは診療所又は薬局に支払わなければならない。

（入院時食事療養費）

第六十一条　被保険者又は被保険者であった者（特定長期入院被保険者等を除く。）が、第五十三条第三項に規定する給付対象傷病に関し、厚生労働省令で定めるところにより、同条第六項各号に掲げる病院又は診療所のうち自己の選定するものから、電子資格確認等により、被保険者又は被保険者であった者であることの確認を受け、同条第一項第五号に掲げる療養の給付と併せて受けた食事療養に要した費用について、入院時食事療養費を支給する。

2　入院時食事療養費の額は、当該食事療養につき健康保険法第八十五条第二項の規定による厚生労働大臣が定める基準の例により算定した費用の額（その額が現に当該食事療養に要した費用の額を超えるときは、当該現に食事療養に要した費用の額。以下「入院時食事療養費算定額」という。）から食事療養標準負担額（同項に規定する食事療養標準負担額をいう。以下同じ。）を控除した額とする。

3　前項の規定にかかわらず、下船後の療養補償に相当する入院時食事療養費の額については、入院時食事療養費算定額とする。

4　第一項の場合において、協会は、その食事療養を受けた者が当該病院又は診療所に支払うべき食事療養に要した費用について、入院時食事療養費として被保険者又は被保険者であった者（特定長期入院被保険者等を除く。以下この条において同じ。）に対し支給すべき額の限度において、被保険者又は被保険者であった者に代わり、当該病院又は診療所に支払うことができる。

5　前項の規定による支払があったときは、被保険者又は被保険者であった者に対し入院時食事療養費の支給があったものとみなす。

6　第五十三条第六項各号に掲げる病院又は診療所は、食事療養に要した費用につき、その支払を受ける際、当該支払をした被保険者又は被保険者であった者に対し、厚生労働省令で定めるところにより、領収証を交付しなければならない。

7　健康保険法第六十四条、第七十三条、第七十六条第四項から第六項まで及び第七十八条の規定並びに第五十三条第五項、第五十四条、第五十八条第三項及び前条第一項の規定は、第五十三条第六項各号に掲げる病院又は診療所から受けた食事療養及びこれに伴う入院時食事療養費の支給について準用する。

（入院時生活療養費）

第六十二条　特定長期入院被保険者等が、第五十三条第三項に規定する給付対象傷病に関し、厚生労働省令で定めるところにより、同条第六項各号に掲げる病院又は診療所のうち自己の選定するものから、電子資格確認等により、被保険者又は被保険者であった者であることの確認を受け、同条第一項第五号に掲げる療養の給付と併せて受けた生活療養に要した費用について、入院時生活療養費を支給する。

2　入院時生活療養費の額は、当該生活療養につき健康保険法第八十五条の二第二項の規定による厚生労働大臣が定める基準の例により算定した費用の額（その額が現に当該生活療養に要した費用の額を超えるときは、当該現に生活療養に要した費用の額。以下「入院時生活療養費算定額」という。）から生活療養標準負担額（同項に規定する生活療養標準負担額をいう。以下同じ。）を控除した額とする。

3　前項の規定にかかわらず、下船後の療養補償に相当する入院時生活療養費の額については、入院時生活療養費算定額とする。

4　健康保険法第六十四条、第七十三条、第七十六条第四項から第六項まで及び第七十八条の規定並びに第五十三条第五項、第五十四条、第五十八条第三項、第六十条第一項及び前条第四項から第六項までの規定は、第五十三条第六項各号に掲げる病院又は診療所から受けた生活療養及びこれに伴う入院時生活療養費の支給について準用する。

（保険外併用療養費）

第六十三条　被保険者又は被保険者であった者が、第五十三条第三項に規定する給付対象傷病に関し、厚生労働省令で定めるところにより、同条第六項各号に掲げる病院若しくは診療所又は薬局（以下「保険医療機関等」と総称する。）のうち自己の選定するものから、電子資格確認等により、被保険者又は被保険者であった者であることの確認を受け、評価療養、患者申出療養又は選定療養を受けたときは、その療養に要した費用について、保険外併用療養費を支給する。

2　保険外併用療養費の額は、第一号に掲げる額（当該療養に食事療養が含まれるときは当該額及び第二号に掲げる額の合算額、当該療養に生活療養が含まれるときは当該額及び第三号に掲げる額の合算額）とする。

一　当該療養（食事療養及び生活療養を除く。）につき健康保険法第八十六条第二項第一号の規定による厚生労働大臣の定めの例により算定した費用の額（その額が現に当該療養に要した費用の額を超えるときは、当該現に療養に要した費用の額。次項において「保険外併用療養費算定額」という。）からその額に第五十五条第一項各号に掲げる場合の区分に応じ、同項各号に定める割合を乗じて得た額（療養の給付に係る同項の一部負担金について第五十七条第一項各号に掲げる措置が採られるべきときは、当該措置が採られたものとした場合の額）を控除した額

二　当該食事療養につき入院時食事療養費算定額から食事療養標準負担額を控除した額

三　当該生活療養につき入院時生活療養費算定額から生活療養標準負担額を控除した額

3　前項の規定にかかわらず、下船後の療養補償に相当する保険外併用療養費の額については、保険外併用療養費算定額（当該療養に食事療養が含まれるときは当該保険外併用療養費算定額及び入院時食事療養費算定額の合算額、当該療養に生活療養が含まれるときは当該保険外併用療養費算定額及び入院時生活療養費算定額の合算額。以下「算定費用額」という。）とする。

4　健康保険法第六十四条、第七十三条、第七十六条第四項から第六項まで及び第七十八条の規定並びに第五十三条第五項、第五十四条、第五十八条第三項、第六十条第一項及び第六十一条第四項から第六項までの規定は、保険医療機関等から受けた評

価療養、患者申出療養及び選定療養並びにこれらに伴う保険外併用療養費の支給について準用する。

5　第五十六条の規定は、前項の規定により準用する第六十一条第四項の場合において算定費用額から当該療養に要した費用について保険外併用療養費として支給される額に相当する額を控除した額の支払について準用する。

（療養費）

第六十四条　協会は、療養の給付若しくは入院時食事療養費、入院時生活療養費若しくは保険外併用療養費の支給（以下この項において「療養の給付等」という。）を行うことが困難であると認めるとき、又は被保険者若しくは被保険者であつた者が保険医療機関等以外の病院、診療所、薬局その他の者から診療、薬剤の支給若しくは手当を受けた場合において、協会がやむを得ないものと認めるときは、療養の給付等に代えて、療養費を支給することができる。

2　療養費の額は、当該療養（食事療養及び生活療養を除く。）について算定した費用の額から、その額に第五十五条第一項各号に掲げる場合の区分に応じ、同項各号に定める割合を乗じて得た額を控除した額及び当該食事療養又は生活療養について算定した費用の額から食事療養標準負担額又は生活療養標準負担額を控除した額を基準として、協会が定める。

3　前項の規定にかかわらず、下船後の療養補償に相当する療養費の額については、当該療養につき算定した費用の額を基準として、協会が定める。

4　前二項の費用の額の算定については、療養の給付を受けるべき場合においては第五十八条第二項の費用の額の算定、入院時食事療養費の支給を受けるべき場合においては第六十一条第二項の費用の額の算定、入院時生活療養費の支給を受けるべき場合においては第六十二条第二項の費用の額の算定、保険外併用療養費の支給を受けるべき場合においては前条第二項の費用の額の算定の例による。ただし、その額は、現に療養に要した費用の額を超えることができない。

（訪問看護療養費）

第六十五条　被保険者又は被保険者であつた者が、第五十三条第三項に規定する給付対象傷病に関し、指定訪問看護事業者から指定訪問看護を受けたときは、その指定訪問看護に要した費用について、訪問看護療養費を支給する。

2　前項の訪問看護療養費は、厚生労働省令で定めるところにより、協会が必要と認める場合に限り、支給するものとする。

3　指定訪問看護を受けようとする者は、厚生労働省令で定めるところにより、自己の選定する指定訪問看護事業者から、電子資格確認等により、被保険者又は被保険者であつた者であることの確認を受け、当該指定訪問看護を受けるものとする。

4　訪問看護療養費の額は、当該指定訪問看護につき健康保険法第八十八条第四項の規定による厚生労働大臣の定めの例により算定した費用の額から、その額に第五十五条第一項各号に掲げる場合の区分に応じ、同項各号に定める割合を乗じて得た額（療養の給付に係る同項の一部負担金について第五十七条第一項各号に掲げる措置が採られるべきときは、当該措置が採られたものとした場合の額）を控除した額とする。

5　前項の規定にかかわらず、下船後の療養補償に相当する訪問看護療養費の額については、同項の規定により算定した費用の額とする。

6　被保険者又は被保険者であつた者が指定訪問看護事業者から指定訪問看護を受けたときは、協会は、その被保険者又は被保険者であつた者が当該指定訪問看護事業者に支払うべき当該指定訪問看護に要した費用について、訪問看護療養費として被保険者又は被保険者であつた者に対し支給すべき額の限度において、被保険者又は被保険者であつた者に代わり、当該指定訪問看護事業者に支払うことができる。

7　前項の規定による支払があつたときは、被保険者又は被保険者であつた者に対し訪問看護療養費の支給があつたものとみなす。

8　第五十六条の規定は、第六項の場合において第四項の規定により算定した費用の額から当該指定訪問看護に要した費用について訪問看護療養費として支給される額に相当する額を控除した額の支払について準用する。

9　指定訪問看護事業者は、指定訪問看護に要した費用につき、その支払を受ける際、当該支払をした被保険者又は被保険者であつた者に対し、厚生労働省令で定めるところにより、領収証を交付しなければならない。

10　指定訪問看護事業者が船員保険の指定訪問看護を行う場合の準則については、健康保険法第九十二条第二項に規定する指定訪問看護の事業の運営に関する基準（指定訪問看護の取扱いに関する部分に限る。）の例によるものとし、これにより難いとき、又はよることが適当と認められないときの準則については、厚生労働省令で定める。

11　指定訪問看護は、第五十三条第一項各号に掲げる療養に含まれないものとする。

12　健康保険法第八十八条第十項、第十一項及び第十三項、第九十一条、第九十二条第三項並びに第九十四条の規定並びに第五十三条第五項の規定は、この法律による訪問看護療養費の支給及び指定訪問看護について準用する。

（船員法による療養補償との調整）

第六十六条　下船後の療養補償に相当する療養の給付又は入院時食事療養費、入院時生活療養費、保険外併用療養費、療養費若しくは訪問看護療養費の支給については、次の各号に掲げる保険給付の区分に応じ、当該各号に定める額（第八十三条第一項の規定により支給された高額療養費又は第八十四条第一項の規定により支給された高額介護合算療養費のうち、政令で定めるところにより、当該療養に係るものとして算定した額に相当する額を除く。）があるときは、協会は、厚生労働省令で定めるところにより、当該額を被保険者又は被保険者であつた者に支払うものとする。

一　療養の給付　第五十五条第一項又は第六十条第二項の規定により被保険者又は被保険者であつた者が支払つた一部負担金の額

二　入院時食事療養費の支給　入院時食事療養費算定額からその食事療養に要した費用につき入院時食事療養費として支給される額に相当する額を控除した額

三　入院時生活療養費の支給　入院時生活療養費算定額からその生活療養に要した費用につき入院時生活療養費として支給される額に相当する額を控除した額

四　保険外併用療養費の支給　算定費用額からその療養に要した費用につき保険外併用療養費として支給される額に相当す

る額を控除した額

五　療養費の支給　第六十四条第二項の規定により控除された額

六　訪問看護療養費の支給　前条第四項の規定により算定した費用の額からその指定訪問看護に要した費用につき訪問看護療養費として支給される額に相当する額を控除した額

（療養の給付等の支給停止）

第六十七条　被保険者であった者が資格を喪失する前に発した疾病又は負傷及びこれにより発した疾病に関する療養の給付（第五十三条第四項の規定により行われる同条第一項第六号に掲げる給付を除く。）又は入院時食事療養費、入院時生活療養費、保険外併用療養費、訪問看護療養費若しくは移送費の支給（以下この条において「療養の給付等」という。）は、被保険者の資格を喪失した日から起算して六月が経過したときは、行わない。ただし、雇入契約存続中の職務外の事由による疾病又は負傷につき下船後の療養補償に相当する療養の給付等を受ける間においては、この限りでない。

2　療養の給付等（下船後の療養補償に相当する療養の給付等を除く。次項において同じ。）は、次の各号のいずれかに該当するに至ったときは、行わない。

一　当該疾病又は負傷につき、健康保険法第五章の規定による療養の給付若しくは入院時食事療養費、入院時生活療養費、保険外併用療養費、訪問看護療養費、移送費、家族療養費、家族訪問看護療養費若しくは家族移送費の支給を受けることができるに至ったとき又は高齢者の医療の確保に関する法律の規定により療養の給付若しくは入院時食事療養費、入院時生活療養費、保険外併用療養費、訪問看護療養費若しくは移送費の支給を受けることができるに至ったとき。

二　その者が、被保険者（疾病任意継続被保険者を除く。）若しくは健康保険の被保険者若しくはこれらの者の被扶養者、国民健康保険の被保険者又は後期高齢者医療の被保険者等となったとき。

3　療養の給付等は、当該疾病又は負傷につき健康保険法第五章の規定により特別療養費又は移送費若しくは家族移送費の支給を受けることができる間は、行わない。

（移送費）

第六十八条　被保険者又は被保険者であった者が療養の給付（保険外併用療養費に係る療養を含む。）を受けるため、病院又は診療所に移送されたときは、移送費として、厚生労働省令で定めるところにより算定した金額を支給する。

2　前項の移送費は、厚生労働省令で定めるところにより、協会が必要であると認める場合に限り、支給するものとする。

第二款　傷病手当金及び葬祭料の支給

（傷病手当金）

第六十九条　被保険者又は被保険者であった者が被保険者の資格を喪失する前に発した職務外の事由による疾病又は負傷及びこれにより発した疾病につき療養のため職務に服することができない期間、傷病手当金を支給する。

2　傷病手当金の額は、一日につき、傷病手当金の支給を始める日（被保険者であった者にあっては、その資格を喪失した日。以下この項において同じ。）の属する月以前の直近の継続した十二月間の各月の標準報酬月額を平均した額の三十分の一に相当する額（その額に、五円未満の端数があるときは、これを切り捨て、五円以上十円未満の端数があるときは、これを十円に切り上げるものとする。）の三分の二に相当する金額（その金額に、五十銭未満の端数があるときは、これを切り捨て、五十銭以上一円未満の端数があるときは、これを一円に切り上げるものとする。）とする。ただし、傷病手当金の支給を始める日の属する月以前の直近の継続した期間において標準報酬月額が定められている月が十二月に満たない場合にあっては、同日の属する月以前の直近の継続した各月の標準報酬月額を平均した額の三十分の一に相当する額（その額に、五円未満の端数があるときは、これを切り捨て、五円以上十円未満の端数があるときは、これを十円に切り上げるものとする。）の三分の二に相当する金額（その金額に、五十銭未満の端数があるときは、これを切り捨て、五十銭以上一円未満の端数があるときは、これを一円に切り上げるものとする。）とする。

3　前項に規定するもののほか、傷病手当金の額の算定に関して必要な事項は、厚生労働省令で定める。

4　疾病任意継続被保険者又は疾病任意継続被保険者であった者に係る第一項の規定による傷病手当金の支給は、当該被保険者の資格を取得した日から起算して一年以上経過したときに発した疾病若しくは負傷又はこれにより発した疾病については、行わない。

5　傷病手当金の支給期間は、同一の疾病又は負傷及びこれにより発した疾病に関しては、その支給を始めた日から通算して三年間とする。

6　被保険者であった者がその資格を喪失する前に発した職務外の事由による疾病若しくは負傷又はこれにより発した疾病に関し第一項の規定によりその資格を喪失した後の期間に係る傷病手当金の支給を受けるには、被保険者の資格を喪失した日（疾病任意継続被保険者の資格を喪失した者にあっては、その資格を取得した日）前における被保険者（疾病任意継続被保険者を除く。）であった期間が、その日前一年間において三月以上又はその日前三年間において一年以上（第七十三条第二項及び第七十四条第二項において「支給要件期間」という。）であることを要する。

7　傷病手当金の支給は、高齢者の医療の確保に関する法律の規定により傷病手当金の支給があったときは、その限度において、行わない。

（傷病手当金と報酬等との調整）

第七十条　疾病にかかり、又は負傷した場合において報酬の全部又は一部を受けることができる者に対しては、これを受けることができる期間は、傷病手当金を支給しない。ただし、その受けることができる報酬の額が、前条第二項の規定により算定される額より少ないとき（次項若しくは第三項又は第七十五条第一項に該当するときを除く。）は、その差額を支給する。

2　傷病手当金の支給を受けるべき者が、同一の疾病又は負傷及びこれにより発した疾病につき厚生年金保険法（昭和二十九年法律第百十五号）の規定による障害厚生年金の支給を受けることができるときは、傷病手当金は、支給しない。ただし、その受けることができる障害厚生年金の額（当該障害厚生年金と同一の事由に基づき国民年金法（昭和三十四年法律第百四十一号）の規定による障害基礎年金の支給を受けることができるときは、当該障害厚生年金の額と当該障害基礎年金の額との合算額）につき厚生労働省令で定めるところにより算定した額（以下この項において「障害厚生年金等の額」という。）が、前条第二項の規定により算定される額より少ないときは、当該額と次の各号に掲げる場合の区分に応じて当該各号に定める額との差額を支給する。

一 報酬を受けることができない場合であって、かつ、出産手当金の支給を受けることができない場合　障害厚生年金等の額

二 報酬を受けることができない場合であって、かつ、出産手当金の支給を受けることができる場合　出産手当金の額（当該額が前条第二項の規定により算定される額を超える場合にあっては、当該額）と障害厚生年金等の額のいずれか多い額

三 報酬の全部又は一部を受けることができる場合であって、かつ、出産手当金の支給を受けることができない場合　当該受けることができる報酬の全部又は一部の額（当該額が前条第二項の規定により算定される額を超える場合にあっては、当該額）と障害厚生年金等の額のいずれか多い額

四 報酬の全部又は一部を受けることができる場合であって、かつ、出産手当金の支給を受けることができる場合　当該受けることができる報酬の全部又は一部の額及び第七十四条の二ただし書の規定により算定される出産手当金の額の合算額（当該合算額が前条第二項の規定により算定される額を超える場合にあっては、当該額）と障害厚生年金等の額のいずれか多い額

3 傷病手当金の支給を受けるべき者が、同一の疾病又は負傷及びこれにより発した疾病につき厚生年金保険法の規定による障害手当金の支給を受けることができるときは、当該障害手当金の支給を受けることとなった日からその者がその日以後に傷病手当金の支給を受けるとする場合の前条第二項の規定により算定される額の合計額が当該障害手当金の額に達するに至る日までの間、傷病手当金は、支給しない。ただし、当該合計額が当該障害手当金の額に達するに至った日において当該合計額が当該障害手当金の額を超える場合において、報酬の全部若しくは一部又は出産手当金の支給を受けることができるときその他の政令で定めるときは、当該合計額と当該障害手当金の額との差額その他の政令で定める差額については、この限りでない。

4 傷病手当金の支給を受けるべき者（疾病任意継続被保険者及び被保険者であった者に限る。）が、国民年金法又は厚生年金保険法による老齢を支給事由とする年金たる給付その他の老齢又は退職を支給事由とする年金である給付であって政令で定めるもの（以下この項及び次項において「老齢退職年金給付」という。）の支給を受けることができるときは、傷病手当金は、支給しない。ただし、その受けることができる老齢退職年金給付の額（当該老齢退職年金給付が二以上あるときは、当該二以上の老齢退職年金給付の額の合算額）につき厚生労働省令で定めるところにより算定した額が、傷病手当金の額より少ないときは、その差額を支給する。

5 協会は、前三項の規定により傷病手当金の支給を行うにつき必要があると認めるときは、老齢退職年金給付の支払をする者（次項において「年金保険者」という。）に対し、第二項の障害厚生年金若しくは障害基礎年金、第三項の障害手当金又は前項の老齢退職年金給付の支給状況につき、必要な資料の提供を求めることができる。

6 年金保険者（厚生労働大臣を除く。）は、厚生労働大臣の同意を得て、前項の規定による資料の提供の事務を厚生労働大臣に委託して行わせることができる。

第七十一条 前条第一項から第三項までに規定する者が、疾病にかかり、又は負傷した場合において、その受けることができるはずであった報酬の全部又は一部につき、その全額を受けることができなかったときは傷病手当金の全額、その一部を受けることができなかった場合においてその受けた額が傷病手当金の額より少ないときはその額と傷病手当金との差額を支給する。ただし、同条第一項ただし書、第二項ただし書又は第三項ただし書の規定により傷病手当金の一部を受けたときは、その額を支給額から控除する。

2 前項の規定により協会が支給した金額は、船舶所有者から徴収する。

（葬祭料）

第七十二条 次の各号のいずれかに該当する場合においては、被保険者又は被保険者であった者により生計を維持していた者であって、葬祭を行うものに対し、葬祭料として、政令で定める金額を支給する。

一 被保険者が職務外の事由により死亡したとき。

二 被保険者であった者が、その資格を喪失した後三月以内に職務外の事由により死亡したとき。

2 前項の規定により葬祭料の支給を受けるべき者がない場合においては、葬祭を行った者に対し、同項の金額の範囲内においてその葬祭に要した費用に相当する金額の葬祭料を支給する。

3 葬祭料の支給は、高齢者の医療の確保に関する法律の規定により葬祭料に相当する給付の支給があったときは、その限度において、行わない。

第三款 出産育児一時金及び出産手当金の支給

（出産育児一時金）

第七十三条 被保険者又は被保険者であった者（後期高齢者医療の被保険者等である者を除く。以下この条及び次条において同じ。）が出産したときは、出産育児一時金として、政令で定める金額を支給する。

2 被保険者であった者がその資格を喪失した日後に出産したことにより前項の規定による出産育児一時金の支給を受けるには、被保険者であった者がその資格を喪失した日より六月以内に出産したこと及び被保険者であった期間が支給要件期間であることを要する。

（出産手当金）

第七十四条 被保険者又は被保険者であった者が出産したときは、出産の日以前において船員法第八十七条の規定により職務に服さなかった期間及び出産の日後五十六日以内において職務に服さなかった期間、出産手当金を支給する。

2 被保険者であった者がその資格を喪失した日後の期間に係る前項の規定による出産手当金の支給を受けるには、被保険者であった者が第十二条の規定によりその資格を喪失した日前に出産したこと又は同条の規定によりその資格を喪失した日から六月以内に出産したこと及び被保険者であった期間が支給要件期間であることを要する。

3 第六十九条第二項及び第三項並びに第七十一条の規定は、出産手当金の支給について準用する。

（出産手当金と報酬との調整）

第七十四条の二　出産した場合において報酬の全部又は一部を受けることができる者に対しては、これを受けることができる期間は、出産手当金を支給しない。ただし、その受けることができる報酬の額が、出産手当金の額より少ないときは、その差額を支給する。

（出産手当金と傷病手当金との調整）

第七十五条　出産手当金を支給する場合（第七十条第二項又は第三項に該当するときを除く。）においては、その期間、傷病手当金は、支給しない。ただし、その受けることができる出産手当金の額（前条ただし書の場合においては、同条ただし書に規定する報酬の額と同条ただし書の規定により算定される出産手当金の額との合算額）が、第六十九条第二項の規定により算定される額より少ないときは、その差額を支給する。

2　出産手当金を支給すべき場合において傷病手当金が支払われたときは、その支払われた傷病手当金（前項ただし書の規定により支払われたものを除く。）は、出産手当金の内払とみなす。

第四款　家族療養費、家族訪問看護療養費、家族移送費、家族葬祭料及び家族出産育児一時金の支給

（家族療養費）

第七十六条　被扶養者が保険医療機関等のうち自己の選定するものから療養（第五十三条第一項第六号に掲げる療養を除く。）を受けたときは、被保険者に対し、その療養に要した費用について、家族療養費を支給する。

2　家族療養費の額は、第一号に掲げる額（当該療養に食事療養が含まれるときは当該額及び第二号に掲げる額の合算額、当該療養に生活療養が含まれるときは当該額及び第三号に掲げる額の合算額）とする。

一　当該療養（食事療養及び生活療養を除く。）につき算定した費用の額（その額が現に当該療養に要した費用の額を超えるときは、当該現に療養に要した費用の額）に次のイからニまでに掲げる場合の区分に応じ、当該イからニまでに定める割合を乗じて得た額

イ　被扶養者が六歳に達する日以後の最初の三月三十一日の翌日以後であって七十歳に達する日の属する月以前である場合　百分の七十

ロ　被扶養者が六歳に達する日以後の最初の三月三十一日以前である場合　百分の八十

ハ　被扶養者（ニに規定する被扶養者を除く。）が七十歳に達する日の属する月の翌月以後である場合　百分の八十

ニ　第五十五条第一項第三号に掲げる場合に該当する被保険者その他政令で定める被保険者の被扶養者が七十歳に達する日の属する月の翌月以後である場合　百分の七十

二　当該食事療養につき算定した費用の額（その額が現に当該食事療養に要した費用の額を超えるときは、当該現に食事療養に要した費用の額）から食事療養標準負担額を控除した額

三　当該生活療養につき算定した費用の額（その額が現に当該生活療養に要した費用の額を超えるときは、当該現に生活療養に要した費用の額）から生活療養標準負担額を控除した額

3　前項第一号の療養についての費用の額の算定に関しては、保険医療機関等から療養（評価療養、患者申出療養及び選定療養を除く。）を受ける場合にあっては第五十八条第二項の費用の額の算定、保険医療機関等から評価療養、患者申出療養又は選定療養を受ける場合にあっては第六十三条第二項第一号の費用の額の算定、前項第二号の食事療養についての費用の額の算定に関しては、第六十一条第二項の費用の額の算定、前項第三号の生活療養についての費用の額の算定に関しては、第六十二条第二項の費用の額の算定の例による。

4　第一項の場合において、協会は、その療養を受けた者が当該病院若しくは診療所又は薬局に支払うべき療養に要した費用について、家族療養費として被保険者又は被保険者であった者に対し支給すべき額の限度において、被保険者又は被保険者であった者に代わり、当該病院若しくは診療所又は薬局に支払うことができる。

5　前項の規定による支払があったときは、被保険者又は被保険者であった者に対し家族療養費の支給があったものとみなす。

6　第五十三条第一項、第二項、第六項及び第八項、第五十四条、第五十八条第三項、第五十九条、第六十条第一項、第六十一条第六項並びに第六十四条の規定は、家族療養費の支給及び被扶養者の療養について準用する。

7　第五十六条の規定は、第四項の場合において療養につき第三項の規定により算定した費用の額（その額が現に療養に要した費用の額を超えるときは、当該現に療養に要した費用の額）から当該療養に要した費用について家族療養費として支給される額に相当する額を控除した額の支払について準用する。

（家族療養費の額の特例）

第七十七条　協会は、第五十七条第一項に規定する被保険者又は被保険者であった者の被扶養者に係る家族療養費の支給について、前条第二項第一号イからニまでに定める割合を、それぞれの割合を超え百分の百以下の範囲内において協会が定めた割合とする措置を採ることができる。

2　前項に規定する被扶養者に係る前条第四項の規定の適用については、同項中「家族療養費として被保険者又は被保険者であった者に対し支給すべき額」とあるのは、「当該療養につき算定した費用の額（その額が現に当該療養に要した費用の額を超えるときは、当該現に療養に要した費用の額）」とする。この場合において、協会は、当該支払をした額から家族療養費として被保険者又は被保険者であった者に対し支給すべき額を控除した額をその被扶養者に係る被保険者又は被保険者であった者から直接に徴収することとし、その徴収を猶予することができる。

（家族訪問看護療養費）

第七十八条　被扶養者が指定訪問看護事業者から指定訪問看護を受けたときは、被保険者に対し、その指定訪問看護に要した費用について、家族訪問看護療養費を支給する。

2　家族訪問看護療養費の額は、当該指定訪問看護につき第六十五条第四項の厚生労働大臣の定めの例により算定した費用の額に第七十六条第二項第一号イからニまでに掲げる場合の区分に応じ、同号イからニまでに定める割合を乗じて得た額（家族療養費の支給について前条の規定が適用されるべきときは、当該規定が適用されたものとした場合の額）とする。

3　健康保険法第八十八条第十項、第十一項及び第十三項、第九十一条、第九十二条第三項並びに第九十四条の規定並びに第六

十五条第二項、第三項及び第六項から第十項までの規定は、家族訪問看護療養費の支給及び被扶養者の指定訪問看護について準用する。

（家族移送費）

第七十九条　被扶養者が家族療養費に係る療養を受けるため、病院又は診療所に移送されたときは、家族移送費として、被保険者に対し、第六十八条第一項の厚生労働省令で定めるところにより算定した金額を支給する。

2　第六十八条第二項の規定は、家族移送費の支給について準用する。

（家族葬祭料）

第八十条　被扶養者が死亡したときは、家族葬祭料として、被保険者に対し、第七十二条第一項の政令で定める金額を支給する。

（家族出産育児一時金）

第八十一条　被扶養者が出産したときは、家族出産育児一時金として、被保険者に対し、第七十三条第一項の政令で定める金額を支給する。

（被保険者が資格を喪失した場合）

第八十二条　被保険者がその資格を喪失した際に家族療養費に係る療養若しくは家族訪問看護療養費に係る療養若しくは高齢者の医療の確保に関する法律の規定によるこれらに相当する給付に係る療養又は介護保険法の規定による居宅介護サービス費に係る指定居宅サービス（同法第四十一条第一項に規定する指定居宅サービスをいう。）、特例居宅介護サービス費に係る居宅サービス（同法第八条第一項に規定する居宅サービスをいう。）若しくはこれに相当するサービス、地域密着型介護サービス費に係る指定地域密着型サービス（同法第四十二条の二第一項に規定する指定地域密着型サービスをいう。）、特例地域密着型介護サービス費に係る地域密着型サービス（同法第八条第十四項に規定する地域密着型サービスをいう。）若しくはこれらに相当するサービス、施設介護サービス費に係る指定施設サービス等（同法第四十八条第一項に規定する指定施設サービス等をいう。）、特例施設介護サービス費に係る施設サービス（同法第八条第二十六項に規定する施設サービスをいう。）、介護予防サービス費に係る指定介護予防サービス（同法第五十三条第一項に規定する指定介護予防サービスをいう。）若しくは特例介護予防サービス費に係る介護予防サービス（同法第八条の二第一項に規定する介護予防サービスをいう。）若しくはこれらに相当するサービスのうち、療養に相当するものを受ける被扶養者が引き続き当該疾病又は負傷及びこれにより発した疾病につき療養又は移送を受けたときは、被保険者であつた者に対し、家族療養費、家族訪問看護療養費又は家族移送費を支給する。

2　前項の規定による給付は、当該被保険者の資格を喪失した日から起算して六月を経過するまでの間（当該被保険者がその資格を喪失しなかつた場合にはその者の被扶養者となるべき事情が継続する間に限る。）に限りこれを支給する。

3　第六十七条第二項及び第三項の規定は、第一項の規定による給付について準用する。

第五款　高額療養費及び高額介護合算療養費の支給

（高額療養費）

第八十三条　療養の給付について支払われた一部負担金の額又は療養（食事療養及び生活療養を除く。以下この条において同じ。）に要した費用の額からその療養に要した費用につき保険外併用療養費、療養費、訪問看護療養費、家族療養費若しくは家族訪問看護療養費として支給される額に相当する額を控除した額（次条第一項において「一部負担金等の額」という。）が著しく高額であるときは、その療養の給付又はその保険外併用療養費、療養費、訪問看護療養費、家族療養費若しくは家族訪問看護療養費の支給を受けた者に対し、高額療養費を支給する。

2　高額療養費の支給要件、支給額その他高額療養費の支給に関して必要な事項は、療養に必要な費用の負担の家計に与える影響及び療養に要した費用の額を考慮して、政令で定める。

（高額介護合算療養費）

第八十四条　一部負担金等の額（前条第一項の高額療養費が支給される場合にあつては、当該支給額に相当する額を控除して得た額）並びに介護保険法第五十一条第一項に規定する介護サービス利用者負担額（同項の高額介護サービス費が支給される場合にあつては、当該支給額を控除して得た額）及び同法第六十一条第一項に規定する介護予防サービス利用者負担額（同項の高額介護予防サービス費が支給される場合にあつては、当該支給額を控除して得た額）の合計額が著しく高額であるときは、当該一部負担金等の額に係る療養の給付又は保険外併用療養費、療養費、訪問看護療養費、家族療養費若しくは家族訪問看護療養費の支給を受けた者に対し、高額介護合算療養費を支給する。

2　前条第二項の規定は、高額介護合算療養費の支給について準用する。

第三節　職務上の事由若しくは通勤による疾病、負傷、障害若しくは死亡又は職務上の事由による行方不明に関する保険給付

第一款　休業手当金の支給

（休業手当金）

第八十五条　休業手当金は、被保険者又は被保険者であつた者が職務上の事由又は通勤による疾病又は負傷及びこれにより発した疾病につき療養のため労働することができないために報酬を受けない日について、支給する。

2　休業手当金の額は、次の各号に掲げる期間（第二号から第四号までに掲げる期間においては、同一の事由について労働者災害補償保険法の規定による休業補償給付又は休業給付の支給を受ける場合に限る。）の区分に応じ、一日につき、当該各号に定める金額とする。

一　療養のため労働することができないために報酬を受けない最初の日から療養のため労働することができないために報酬を受けない三日間　標準報酬日額（標準報酬月額（被保険者であつた者にあつては、その資格を喪失した月の標準報酬月額）の三十分の一に相当する額（その額に、五円未満の端数があるときは、これを切り捨て、五円以上十円未満の端数があるときは、これを十円に切り上げるものとする。）をいう。以下同じ。）の全額

二　療養のため労働することができないために報酬を受けない四月以内の期間（前号及び第四号に掲げる期間を除く。）　標準報酬日額の百分の四十に相当する金額（同一の事由について労働者災害補償保険法第二十九条第一項第二号に掲げる

事業として支給が行われる給付金であって厚生労働省令で定めるものを受けることができるときは、当該給付の水準を勘案して、厚生労働省令で定める金額）

三　療養のため労働することができないために報酬を受けない期間であって、療養を開始した日から起算して一年六月を経過した日以後の期間（第一号及び次号に掲げる期間を除き、労働者災害補償保険法第八条の二第二項第二号に定める額が標準報酬日額より少ない場合に限る。）　標準報酬日額から同号に定める額を控除した額の百分の六十に相当する金額

四　療養のため労働することができないために報酬を受けない四月以内の期間であって、療養を開始した日から起算して一年六月を経過した日以後の期間（第一号に掲げる期間を除き、標準報酬日額が労働者災害補償保険法第八条の二第二項第二号に定める額より多い場合に限る。）　前二号に定める額の合算額

（休業手当金と報酬等との調整）

第八十六条　前条の規定にかかわらず、被保険者が職務上の事由又は通勤による疾病又は負傷及びこれにより発した疾病につき療養のため所定労働時間のうちその一部分についてのみ労働する日に係る休業手当金の額は、次の各号に掲げる期間に応じ、当該各号に定める金額とする。

一　前条第二項第一号に掲げる期間　同号に定める金額から当該労働に対して支払われる報酬の額を控除した金額

二　前条第二項第二号に掲げる期間　標準報酬日額から当該労働に対して支払われる報酬の額を控除した額の百分の四十に相当する金額（同一の事由について労働者災害補償保険法第二十九条第一項第二号に掲げる事業として支給が行われる給付金であって厚生労働省令で定めるものを受けることができるときは、当該給付の水準を勘案して、厚生労働省令で定める金額）

三　前条第二項第三号に掲げる期間（標準報酬日額から当該労働に対して支払われる報酬の額を控除した額が労働者災害補償保険法第八条の二第二項第二号に定める額より多い場合に限る。）　標準報酬日額から当該労働に対して支払われる報酬の額及び同法第八条の二第二項第二号に定める額の合算額を控除した額（当該額が零を下回る場合には、零とする。）の百分の六十に相当する金額

四　前条第二項第四号に掲げる期間　前二号に定める額の合算額

2　休業手当金の支給を受けるべき者が、同一の事由について厚生年金保険法の規定による障害厚生年金の支給を受けることができるときは、当該休業手当金の額に政令で定める率を乗じて得た額に相当する部分の支給を停止する。

第二款　障害年金及び障害手当金の支給

（障害年金及び障害手当金の支給要件）

第八十七条　被保険者であった間に発した職務上の事由又は通勤による疾病又は負傷及びこれにより発した疾病により労働者災害補償保険法の規定による障害補償年金、障害年金、傷病補償年金又は傷病年金を受ける者に対し、同法第八条の三第二項において読み替えられた同法第八条の二第二項第二号に定める額（以下「最高限度額」という。）が最終標準報酬日額より少ないときは、厚生労働省令で定める障害等級に該当する障害の程度に応じ、障害年金を支給する。

2　被保険者であった間に発した職務上の事由又は通勤による疾病又は負傷及びこれにより発した疾病が治癒した場合において、労働者災害補償保険法の規定による障害補償一時金又は障害一時金を受ける者に対し、厚生労働省令で定める障害等級に該当する障害の程度に応じ、一時金として障害手当金を支給する。

3　被保険者又は被保険者であった者の前二項の規定による障害の程度は、協会が認定する。

（障害年金の額）

第八十八条　障害年金の額は、最終標準報酬日額から最高限度額を控除した額に、障害の程度に応じて別表第二に定める日数を乗じて得た金額とする。

2　障害年金を受ける者の当該障害の程度に変更があったため、新たに厚生労働省令で定める障害等級の他の障害等級に該当する障害の程度に至った場合には、協会は、厚生労働省令で定めるところにより、新たに該当するに至った障害等級の障害の程度に応じて障害年金又は障害手当金を支給するものとし、その後は、従前の障害年金は、支給しない。

（障害年金の支給停止部分）

第八十九条　障害年金は、同一の事由について厚生年金保険法の規定による障害厚生年金が支給されるときは、障害年金の額に政令で定める率を乗じて得た額に相当する部分の支給を停止する。

（障害手当金の額）

第九十条　障害手当金の額は、最終標準報酬月額に、障害の程度に応じて別表第三に定める月数を乗じて得た金額とする。

（障害差額一時金）

第九十一条　労働者災害補償保険法の規定による障害補償年金又は障害年金（以下「障害補償年金等」という。）を受ける者が、同法第十五条の二（同法第二十二条の三第三項において準用する場合を含む。）の規定により障害補償一時金又は障害一時金を受ける場合において、既に支給を受けた障害年金の総額、障害補償年金等の総額及び同法の規定による障害補償一時金又は障害一時金の額の合算額が、最終標準報酬月額に障害補償年金等の基礎となった障害の程度に応じて別表第四に定める月数を乗じて得た金額に満たないときは、その差額を障害差額一時金として支給する。

（障害年金差額一時金）

第九十二条　障害補償年金等の支給を受ける者が死亡した場合において、既に支給を受けた障害年金の総額、障害補償年金等の総額及び労働者災害補償保険法の規定による障害補償年金差額一時金又は障害年金差額一時金の額の合算額が、最終標準報酬月額に障害補償年金等の基礎となった障害の程度に応じて別表第四に定める月数を乗じて得た金額に満たないときは、その差額を障害年金差額一時金としてその遺族に支給する。

第三款　行方不明手当金の支給

（行方不明手当金の支給要件）

第九十三条　被保険者が職務上の事由により行方不明となったときは、その期間、被扶養者に対し、行方不明手当金を支給する。ただし、行方不明の期間が一月未満であるときは、この限りでない。

（行方不明手当金の額）

第九十四条 行方不明手当金の額は、一日につき、被保険者が行方不明となった当時の標準報酬日額に相当する金額とする。

（行方不明手当金の支給期間）

第九十五条 行方不明手当金の支給を受ける期間は、被保険者が行方不明となった日の翌日から起算して三月を限度とする。

（報酬との調整）

第九十六条 被保険者の行方不明の期間に係る報酬が支払われる場合においては、その報酬の額の限度において行方不明手当金を支給しない。

第四款 遺族年金の支給

（遺族年金の支給要件）

第九十七条 被保険者又は被保険者であった者が、職務上の事由又は通勤により死亡した場合であって、労働者災害補償保険法の規定により遺族補償年金又は遺族年金（以下「遺族補償年金等」という。）が支給され、かつ、最高限度額が最終標準報酬日額より少ないときは、その遺族に対し、遺族年金を支給する。

（遺族年金の額）

第九十八条 遺族年金の額は、次の各号に掲げる遺族年金を受ける権利を有する遺族及びその者と生計を同じくしている遺族年金を受けることができる遺族の人数の区分に応じ、最高限度額と最終標準報酬日額の差額に、当該各号に定める日数を乗じて得た金額とする。

一 一人 百五十三日（五十五歳以上の妻又は厚生労働省令で定める障害の状態にある妻にあっては、百七十五日）

二 二人 二百一日

三 三人 二百二十三日

四 四人以上 二百四十五日

2 遺族年金の額の算定の基礎となる遺族の数に増減を生じたときは、その増減を生じた月の翌月から、遺族年金の額を改定する。

（遺族年金の受給権の消滅）

第九十九条 遺族年金を受ける権利は、その権利を有する遺族が次の各号のいずれかに該当するに至ったときは、消滅する。この場合において、同順位者がなくて後順位者があるときは、次順位者に遺族年金を支給する。

一 死亡したとき。

二 婚姻（届出をしていないが、事実上婚姻関係と同様の事情にある場合を含む。）をしたとき。

三 直系血族又は直系姻族以外の者の養子（届出をしていないが、事実上養子縁組関係と同様の事情にある者を含む。）となったとき。

四 離縁によって、死亡した被保険者又は被保険者であった者との親族関係が終了したとき。

五 子、孫又は兄弟姉妹については、十八歳に達した日以後の最初の三月三十一日が終了したとき（被保険者又は被保険者であった者の死亡の時から引き続き第三十五条第一項第四号の厚生労働省令で定める障害の状態にあるときを除く。）。

六 第三十五条第一項第四号の厚生労働省令で定める障害の状態にある夫、子、父母、孫、祖父母又は兄弟姉妹については、その事情がなくなったとき（夫、父母又は祖父母については被保険者又は被保険者であった者の死亡の当時六十歳以上であったとき、子又は孫については十八歳に達する日以後の最初の三月三十一日までの間にあるとき、兄弟姉妹については十八歳に達する日以後の最初の三月三十一日までの間にあるか又は被保険者若しくは被保険者であった者の死亡の当時六十歳以上であったときを除く。）。

2 遺族年金を受けることができる遺族が前項各号のいずれかに該当するに至ったときは、その者は、遺族年金を受けることができる遺族でなくなる。

（遺族年金の支給停止等）

第百条 遺族年金を受ける権利を有する者の所在が一年以上明らかでない場合には、当該遺族年金は、同順位者があるときは同順位者の、同順位者がないときは次順位者の申請によって、その所在が明らかでない間、その支給を停止する。この場合において、同順位者がないときは、その間、次順位者を先順位者とする。

2 前項の規定により遺族年金の支給を停止された遺族は、いつでも、その支給の停止の解除を申請することができる。

3 第九十八条第二項の規定は、第一項の規定により遺族年金の支給が停止され、又は前項の規定によりその停止が解除された場合について準用する。この場合において、同条第二項中「増減を生じた月」とあるのは、「支給が停止され、又はその停止が解除された月」と読み替えるものとする。

4 遺族年金は、同一の事由について厚生年金保険法の規定による遺族厚生年金が支給されるときは、遺族年金の額に政令で定める率を乗じて得た額に相当する部分の支給を停止する。

（遺族一時金）

第百一条 被保険者又は被保険者であった者が職務上の事由又は通勤により死亡した際（その者の死亡の当時に胎児であった子が出生したときは、その出生の際）、遺族年金の支給を受けることができる者がない場合であって、労働者災害補償保険法の規定による遺族補償一時金又は遺族一時金（以下「遺族補償一時金等」という。）が支給されるときは、最終標準報酬月額の二・七月分に相当する金額を遺族一時金として、その遺族に支給する。

（遺族年金差額一時金）

第百二条 遺族補償年金等を受ける者が、遺族補償年金等を受ける権利を失った際、遺族補償年金等の支給を受けることができる者がない場合において、被保険者又は被保険者であった者の死亡に関し既に支給された遺族年金の総額、遺族補償年金等の総額及び遺族補償一時金等の額の合算額が最終標準報酬月額の三十六月分に相当する額に満たないときは、その差額を遺族年金差額一時金として、被保険者であった者の遺族に支給する。

第五章 保健事業及び福祉事業

第百十一条 協会は、高齢者の医療の確保に関する法律第二十条の規定による特定健康診査（次項において単に「特定健康診査」という。）及び同法第二十四条の規定による特定保健指導（以下「特定健康診査等」という。）を行うものとするほか、特定健康診査等以外の事業であって、健康教育、健康相談及び健康診査並びに健康管理及び疾病の予防に係る被保険者、被保険者であった者及びこれらの被扶養者（以下この条並びに第百五十三条の十第一項第二号及び第三号において「被保険者等」という。）の自助努力についての支援その他の被保険者等の健康の保持増進のために必要な事業を行うように努めなければならない。

2　協会は、前項の規定により被保険者等の健康の保持増進のために必要な事業を行うに当たって必要があると認めるときは、被保険者等を使用している事業者等（労働安全衛生法（昭和四十七年法律第五十七号）第二条第三号に規定する事業者その他の法令に基づき健康診断（特定健康診査に相当する項目を実施するものに限る。）を実施する責務を有する者その他厚生労働省令で定める者をいう。以下この条において同じ。）又は使用していた事業者等に対し、厚生労働省令で定めるところにより、同法その他の法令に基づき当該事業者等が保存している当該被保険者等に係る健康診断に関する記録の写しその他これに準ずるものとして厚生労働省令で定めるものを提供するよう求めることができる。

3　前項の規定により、労働安全衛生法その他の法令に基づき保存している被保険者等に係る健康診断に関する記録の写しの提供を求められた事業者等は、厚生労働省令で定めるところにより、当該記録の写しを提供しなければならない。

4　協会は、第一項の事業を行うに当たっては、高齢者の医療の確保に関する法律第十六条第一項に規定する医療保険等関連情報、事業者等から提供を受けた被保険者等に係る健康診断に関する記録の写しその他必要な情報を活用し、適切かつ有効に行うものとする。

5　協会は、被保険者等の療養のために必要な費用に係る資金若しくは用具の貸付けその他の被保険者等の療養若しくは療養環境の向上又は被保険者等の出産のため必要な費用に係る資金の貸付けその他の被保険者等の福祉の増進のために必要な事業を行うことができる。

6　協会は、第一項及び前項の事業に支障がない場合に限り、被保険者等でない者にこれらの事業を利用させることができる。この場合において、協会は、これらの事業の利用者に対し、厚生労働省令で定めるところにより、利用料を請求することができる。

7　厚生労働大臣は、第一項の規定により協会が行う被保険者等の健康の保持増進のために必要な事業に関して、その適切かつ有効な実施を図るため、指針の公表、情報の提供その他の必要な支援を行うものとする。

8　前項の指針は、健康増進法（平成十四年法律第百三号）第九条第一項に規定する健康診査等指針と調和が保たれたものでなければならない。

第六章　費用の負担

（保険料の徴収の特例）

第百十八条　育児休業等をしている被保険者（次条の規定の適用を受けている被保険者を除く。次項において同じ。）を使用する船舶所有者が、厚生労働省令で定めるところにより厚生労働大臣に申出をしたときは、次の各号に掲げる場合の区分に応じ、当該各号に定める月の当該被保険者に関する保険料（その育児休業等の期間が一月以下である者については、標準報酬月額に係る保険料に限る。）は、徴収しない。

一　その育児休業等を開始した日の属する月とその育児休業等が終了する日の翌日が属する月とが異なる場合　その育児休業等を開始した日の属する月からその育児休業等が終了する日の翌日が属する月の前月までの月

二　その育児休業等を開始した日の属する月とその育児休業等が終了する日の翌日が属する月とが同一であり、かつ、当該月における育児休業等の日数として厚生労働省令で定めるところにより計算した日数が十四日以上である場合　当該月

2　被保険者が連続する二以上の育児休業等をしている場合（これに準ずる場合として厚生労働省令で定める場合を含む。）における前項の規定の適用については、その全部を一の育児休業等とみなす。

第百十八条の二　産前産後休業をしている被保険者を使用する船舶所有者が、厚生労働省令で定めるところにより厚生労働大臣に申出をしたときは、その産前産後休業を開始した日の属する月からその産前産後休業が終了する日の翌日の属する月の前月までの期間、当該被保険者に関する保険料を徴収しない。

第百十九条　厚生労働大臣が保険料を徴収する場合において、船舶所有者から保険料、厚生年金保険法第八十一条第一項に規定する保険料（以下「厚生年金保険料」という。）及び子ども・子育て支援法（平成二十四年法律第六十五号）第六十九条第一項に規定する拠出金（以下「子ども・子育て拠出金」という。）の一部の納付があったときは、当該船舶所有者が納付すべき保険料、厚生年金保険料及び児童手当拠出金の額を基準として按分した額に相当する保険料の額が納付されたものとする。

第八章　雑則

（共済組合に関する特例）

第百四十九条　国家公務員共済組合法又は地方公務員等共済組合法に基づく共済組合の組合員（独立行政法人等職員被保険者を除く。以下この条及び次条において「組合員」という。）である被保険者に対しては、この法律による保険給付は行わない。

2　組合員である被保険者であった者に対しても、前項と同様とする。ただし、組合員である被保険者が、組合員である資格を喪失した際に、なお、この法律の適用を受ける場合においては、その者が再び被保険者である組合員となるまでの間は、この限りでない。

3　前項本文の規定は、組合員である被保険者であった者が組合員である被保険者以外の被保険者の資格を取得した場合において、その者に対し、その被保険者の資格を取得した日以後の期間に基づくこの法律による保険給付を行うことを妨げない。

4　前三項の規定によりこの法律による保険給付を受けることができない間に死亡した被保険者又は被保険者であった者の遺族に対しては、この法律による保険給付は行わない。

第百五十条　組合員である被保険者については、保険料を徴収しない。

第百五十一条　厚生労働大臣は、第百四十九条の共済組合に対して、事業に関する報告をさせ、事業及び財産の状況を検査することができる。

（基金等への事務の委託）

第百五十三条の十　協会は、第五十九条（第七十六条第六項において準用する場合を含む。第一号において同じ。）、第六十一条第七項、第六十二条第四項及び第六十三条第四項において準用する健康保険法第七十六条第五項並びに第六十五条第十二項及

び第七十八条第三項において準用する同法第八十八条第十一項に規定する事務のほか、次に掲げる事務を基金又は国民健康保険法（昭和三十三年法律第百九十二号）第四十五条第五項に規定する国民健康保険団体連合会に委託することができる。

一　第四章の規定による保険給付のうち厚生労働省令で定めるものの支給に関する事務（第五十九条、第六十一条第七項、第六十二条第四項及び第六十三条第四項において準用する健康保険法第七十六条第五項並びに第六十五条第十二項及び第七十八条第三項において準用する同法第八十八条第十一項に規定する事務を除く。）

二　第四章の規定による保険給付の支給、第五章の規定による保健事業及び福祉事業の実施、第百十四条の規定による保険料の徴収、附則第五条第一項の規定による障害前払一時金又は同条第二項の規定による遺族前払一時金の支給、雇用保険法等の一部を改正する法律（平成十九年法律第三十号）附則第三十九条の規定によりなお従前の例によるものとされた同法第四条の規定による改正前のこの法律の規定による保険給付の支給その他の厚生労働省令で定める事務に係る被保険者等に係る情報の収集又は整理に関する事務

三　第四章の規定による保険給付の支給、第五章の規定による保健事業及び福祉事業の実施、第百十四条の規定による保険料の徴収、附則第五条第一項の規定による障害前払一時金又は同条第二項の規定による遺族前払一時金の支給、雇用保険法等の一部を改正する法律附則第三十九条の規定によりなお従前の例によるものとされた同法第四条の規定による改正前のこの法律の規定による保険給付の支給その他の厚生労働省令で定める事務に係る被保険者等に係る情報の利用又は提供に関する事務

2　協会は、前項の規定により同項第二号又は第三号に掲げる事務を委託する場合は、協会以外の社会保険診療報酬支払基金法第一条に規定する保険者及び法令の規定により医療に関する給付その他の事務を行う者であって厚生労働省令で定めるものと共同して委託するものとする。

（関係者の連携及び協力）

第百五十三条の十一　国、協会及び保険医療機関等その他の関係者は、電子資格確認の仕組みの導入その他手続における情報通信の技術の利用の推進により、医療保険各法等（高齢者の医療の確保に関する法律第七条第一項に規定する医療保険各法及び高齢者の医療の確保に関する法律をいう。）その他医療に関する給付を定める法令の規定により行われる事務が円滑に実施されるよう、相互に連携を図りながら協力するものとする。

附　則（抄）

（日本郵政共済組合に関する経過措置）

第二条　当分の間、独立行政法人等職員被保険者には、国家公務員共済組合法附則第二十条の三に規定する日本郵政共済組合の組合員である被保険者を含むものとする。

（令和六年度及び令和七年度の出産育児交付金の特例）

第八条　令和六年度及び令和七年度においては、第百十二条の二第二項において準用する健康保険法第百五十二条の四及び第百五十二条の五中「に同年度」とあるのは、「の二分の一に相当する額に同年度」とする。

（平成二十二年度等における子ども手当の支給に関する法律により適用される旧児童手当法の特例）

第八条の二　平成二十二年度等における子ども手当の支給に関する法律（平成二十二年法律第十九号）第二十条第一項の規定により適用される児童手当法の一部を改正する法律（平成二十四年法律第二十四号）附則第十一条の規定によりなおその効力を有するものとされた同法第一条の規定による改正前の児童手当法（昭和四十六年法律第七十三号。以下「旧児童手当法」という。）第二十条第一項の拠出金に関しては、第百十九条の規定を準用する。この場合において、同条中「子ども・子育て支援法（平成二十四年法律第六十五号）第六十九条第一項」とあるのは「平成二十二年度等における子ども手当の支給に関する法律（平成二十二年法律第十九号）第二十条第一項の規定により適用される児童手当法の一部を改正する法律（平成二十四年法律第二十四号）附則第十一条の規定によりなおその効力を有するものとされた同法第一条の規定による改正前の児童手当法（昭和四十六年法律第七十三号）第二十条第一項」と、「子ども・子育て拠出金」とあるのは「子ども手当拠出金」と読み替えるものとする。

（平成二十三年度における子ども手当の支給等に関する特別措置法により適用される旧児童手当法の特例）

第八条の三　平成二十三年度における子ども手当の支給等に関する特別措置法（平成二十三年法律第百七号）第二十条第一項、第三項及び第五項の規定により適用される児童手当法の一部を改正する法律附則第二条の規定によりなおその効力を有するものとされた旧児童手当法第二十条第一項の拠出金に関しては、第百十九条の規定を準用する。この場合において、同条中「及び子ども・子育て支援法（平成二十四年法律第六十五号）第六十九条第一項」とあるのは「並びに平成二十三年度における子ども手当の支給等に関する特別措置法（平成二十三年法律第百七号）第二十条第一項、第三項及び第五項の規定により適用される児童手当法の一部を改正する法律（平成二十四年法律第二十四号）附則第十二条の規定によりなおその効力を有するものとされた同法第一条の規定による改正前の児童手当法（昭和四十六年法律第七十三号）第二十条第一項」と、「子ども・子育て拠出金」とあるのは「子ども手当拠出金」と読み替えるものとする。

附　則（昭五九・八・一四法七七）（抄）

改正　平一四・八・二法一〇二

第十三条から第十五条まで　削除

附　則（平六・六・二九法五六）（抄）

（施行期日）

第一条　この法律は、平成六年十月一日から施行する。〔ただし書略〕

附　則（平八・六・一四法八二）（抄）

（施行期日）

第一条　この法律は、平成九年四月一日から施行する。〔ただし書略〕

附　則（平九・六・二〇法九四）（抄）

（施行期日等）

第一条　この法律は、平成九年九月一日から施行する。〔ただし書略〕

2　〔略〕

附　則（平九・一二・一七法一二四）（抄）

この法律は、介護保険法の施行の日〔平一二・四・一〕から施行する。〔ただし書略〕

附　則〔平一〇・三・三一法一九〕〔抄〕

（施行期日）

第一条　この法律は、公布の日から施行する。ただし、次の各号に掲げる規定は、当該各号に定める日から施行する。

一　〔前略〕第二条中船員保険法第一条第一項〔中略〕の改正規定〔中略〕　平成十年十二月一日

二　〔略〕

附　則〔平一〇・六・一七法一〇九〕〔抄〕

（施行期日）

第一条　この法律は、公布の日から施行する。〔ただし書略〕

附　則〔平一一・七・一六法八七〕〔抄〕

（施行期日）

第一条　この法律は、平成十二年四月一日から施行する。〔ただし書略〕

附　則〔平一一・一二・二二法一六〇〕〔抄〕

（施行期日）

第一条　この法律〔中略〕は、平成十三年一月六日から施行する。〔ただし書略〕

附　則〔平一一・一二・二二法二二五〕〔抄〕

（施行期日）

第一条　この法律は、公布の日から起算して六月を超えない範囲内において政令で定める日〔平一二・四・一〕から施行する。

附　則〔平一二・一二・六法一四〇〕〔抄〕

（施行期日）

第一条　この法律は、平成十三年一月一日から施行する。ただし、次の各号に掲げる規定は、それぞれ当該各号に定める日から施行する。

一　〔前略〕第四条中船員保険法第三十条ノ二に二項を加える〔中略〕改正規定　平成十三年四月一日

二　〔略〕

附　則〔平一二・一二・六法一四一〕〔抄〕

（施行期日）

第一条　この法律は、公布の日から起算して六月を超えない範囲内において政令で定める日〔平一三・三・一〕から施行する。〔ただし書略〕

附　則〔平一三・七・四法一〇一〕〔抄〕

（施行期日）

第一条　この法律は、平成十四年四月一日から施行する。

附　則〔平一四・五・三一法五四〕〔抄〕

（施行期日）

第一条　この法律は、平成十四年七月一日から施行する。

附　則〔平一四・八・二法一〇二〕〔抄〕

改正　平一四・一二・一三法一五二

（施行期日）

第一条　この法律は、平成十四年十月一日から施行する。ただし、〔中略〕第八条並びに附則〔中略〕第四十一条、〔中略〕の規定は平成十五年四月一日から〔中略〕施行する。

第三十三条　第八条の規定の施行の日前に船員保険法第十九条ノ三の規定による被保険者の資格を取得した者のその被保険者の資格の喪失については、第八条の規定による改正後の同法第十九条ノ四の規定にかかわらず、なお従前の例による。

附　則〔平一五・四・三〇法三一〕〔抄〕

（施行期日）

第一条　この法律は、平成十五年五月一日から施行する。

附　則〔平一六・六・一一法一〇四〕〔抄〕

（施行期日）

第一条　この法律は、平成十六年十月一日から施行する。ただし、次の各号に掲げる規定は、それぞれ当該各号に定める日から施行する。

一　〔前略〕第五十一条〔中略〕並びに附則〔中略〕第五十八条〔中略〕の規定　平成十七年四月一日

二～七　〔略〕

附　則〔平一七・六・二九法七七〕〔抄〕

（施行期日）

第一条　この法律は、平成十八年四月一日から施行する。〔ただし書略〕

附　則〔平一八・六・二一法八三〕〔抄〕

最終改正　令二・六・一二法五二

（施行期日）

第一条　この法律は、平成十八年十月一日から施行する。ただし、次の各号に掲げる規定は、それぞれ当該各号に定める日から施行する。

一・二　〔略〕

三　〔前略〕第十八条並びに附則〔中略〕第四十八条から第五十一条まで〔中略〕の規定　平成十九年四月一日

四　〔前略〕第十九条〔中略〕の規定　平成二十年四月一日

五　〔略〕

六　〔前略〕第二十条〔中略〕並びに附則〔中略〕第百三十条の二の規定　平成二十四年四月一日

（船員保険法の一部改正に伴う経過措置）

第四十六条　第十七条又は第十九条の規定の施行の日前に行われた診療、薬剤の支給若しくは手当又は訪問看護に係るこれらの条の規定による改正前の船員保険法の規定による保険給付については、それぞれなお従前の例による。

第四十七条　第十七条の規定による改正後の船員保険法第五十条ノ九及び第五十条ノ十の規定は、死亡の日が施行日以後である被保険者若しくは被保険者であった者又は被扶養者について適用し、死亡の日が施行日前である被保険者若しくは被保険者であった者又は被扶養者の第十七条による改正前の船員保険法の葬祭料及び家族葬祭料の支給については、なお従前の例による。

第四十八条　平成十九年四月一日前に船員保険の被保険者の資格を取得して、同日まで引き続き被保険者の資格を有する者（船員保険法第十九条ノ三の規定による被保険者の資格を有する者を除く。）のうち、同年三月の標準報酬月額が九万八千円であるもの（当該標準報酬月額の基礎となった報酬月額が九万三千円以上である者を除く。）又は九十八万円であるもの（当該標準報酬月額の基礎となった報酬月額が百万五千円未満である者を除く。）の標準報酬月額は、当該標準報酬月額の基礎となった報酬月額を第十八条の規定による改正後の船員保険法（以下「平成十九年四月改正船保法」という。）第四条第一項の規定による標準報酬月額の基礎となる報酬月額とみなして、同年四月からその標準報酬月額を改定する。

第四十九条　平成十九年四月前の賞与に係る保険料の納付については、なお従前の例による。

第五十条　第十八条の規定の施行の日の前日において傷病手当金の支給を受けていた者又は受けるべき者（平成十九年四月改正船保法第三十条第三項の規定に該当する者に限る。）についての傷病手当金の支給については、なお従前の例による。

2　第十八条の規定の施行の日の前日において傷病手当金の支給を受けていた者又は受けるべき者（平成十九年四月改正船保法第三十条第三項の規定に該当する者を除く。）についての第十八条の規定の施行の日前までの傷病手当金の支給については、なお従前の例による。

第五十一条　第十八条の規定の施行の日の前日において出産手当金の支給を受けていた者又は受けるべき者（支給事由が生じた際に同条の規定による改正前の船員保険法第十九条ノ三の規定による被保険者（以下この条において「疾病任意継続被保険者」という。）であった者を除く。次項において同じ。）に係る第十八条の規定の施行の日前までの出産手当金の額については、なお従前の例による。

2　第十八条の規定の施行の日の前日において出産手当金の支給を受けていた者又は受けるべき者（支給事由が生じた後に疾病任意継続被保険者となった者に限る。）に係る出産手当金の支給については、平成十九年四月改正船保法第十九条ノ三第四項の規定にかかわらず、平成十九年四月改正船保法第三十二条第二項の規定を適用する。

3　第十八条の規定の施行の日の前日において出産手当金の支給を受けていた者又は受けるべき者（支給事由が生じた際に疾病任意継続被保険者であった者に限る。）に係る出産手当金の支給については、なお従前の例による。

（健康保険法等の一部改正に伴う経過措置）

第百三十条の二　第二十六条の規定の施行の際現に同条の規定による改正前の介護保険法（以下この条において「旧介護保険法」という。）第四十八条第一項第三号の指定を受けている旧介護保険法第八条第二十六項に規定する介護療養型医療施設については、〔中略〕第二十条の規定による改正前の船員保険法の規定〔中略〕（これらの規定に基づく命令の規定を含む。）は、令和六年三月三十一日までの間、なおその効力を有する。

2　前項の規定によりなおその効力を有するものとされた旧介護保険法第四十八条第一項第三号の規定により令和六年三月三十一日までに行われた指定介護療養施設サービスに係る保険給付については、同日後も、なお従前の例による。

3　第二十六条の規定の施行の日前にされた旧介護保険法第百七条第一項の指定の申請であって、第二十六条の規定の施行の際、指定をするかどうかの処分がなされていないものについての当該処分については、なお従前の例による。この場合において、同条の規定の施行の日以後に旧介護保険法第八条第二十六項に規定する介護療養型医療施設について旧介護保険法第四十八条第一項第三号の指定があったときは、第一項の介護療養型医療施設とみなして、同項の規定によりなおその効力を有するものとされた規定を適用する。

附　則（平一九・四・二三法三〇）（抄）

改正　平一九・七・六法一〇九

（施行期日）

第一条　この法律は、公布の日から施行する。ただし、次の各号に掲げる規定は、当該各号に定める日から施行する。

一　〔略〕

一の二　〔前略〕第三条中船員保険法〔中略〕第六十条第一項第一号の改正規定（「第三十三条ノ三第二項各号」を「第三十三条ノ三第三項各号」に改める部分に限る。）、同項第二号の改正規定、同項第三号の改正規定（「第三十三条ノ三第二項各号」を「第三十三条ノ三第三項各号」に改める部分に限る。）、同項第四号の改正規定〔中略〕並びに同法附則第二十四項の次に六項を加える改正規定（同法附則第二十五項から第二十八項までを加える部分を除く。）〔中略〕　平成十九年十月一日

二　〔略〕

三　〔前略〕第四条〔中略〕の規定　日本年金機構法の施行の日〔平二二・一・一〕

（被保険者に関する経過措置）

第三十三条　附則第一条第三号に掲げる規定の施行の日の前日において平成二十二年改正前船員保険法第十七条に規定する政府が管掌する船員保険の被保険者であった者（同日において、その者が平成二十二年改正前船員保険法第十九条又は第十九条ノ四第一号から第三号までに掲げる事由に該当する場合を除く。）は、附則第一条第三号に掲げる規定の施行の日において、協会が管掌する船員保険の被保険者になるものとする。

附　則（平一九・七・六法一〇九）（抄）

（施行期日）

第一条　この法律は、平成二十二年四月一日までの間において政令で定める日〔平二二・一・一〕から施行する。〔ただし書略〕

附　則（平二一・三・三〇法五）（抄）

（施行期日）

第一条　この法律は、平成二十一年三月三十一日から施行する。〔ただし書略〕

附　則（平二一・五・一法三六）（抄）

（施行期日）

第一条　この法律は、平成二十二年一月一日から施行する。〔ただし書略〕

附　則（平二一・七・一法六五）（抄）

（施行期日）

第一条　この法律は、公布の日から起算して一年を超えない範囲内において政令で定める日〔平二二・六・三〇〕から施行する。〔ただし書略〕

附　則（平二二・三・三一法一九）（抄）

（施行期日）

第一条　この法律は、平成二十二年四月一日から施行する。〔ただし書略〕

附　則（平二二・五・一九法三五）（抄）

（施行期日）

第一条　この法律は、公布の日から施行する。〔ただし書略〕

附　則（平二二・一二・三法六一）（抄）

（施行期日）

第一条　この法律は、平成二十三年四月一日から施行する。

附　則（平二三・三・三一法一四）（抄）

（施行期日）

第一条　この法律は、平成二十三年四月一日（この法律の公布の日が同月一日後となる場合には、公布の日）から施行する。

附　則（平二三・六・二二法七二）（抄）

（施行期日）

第一条　この法律は、平成二十四年四月一日から施行する。〔ただし書略〕

附　則（平二三・八・三〇法一〇七）（抄）

（施行期日）

第一条　この法律は、平成二十三年十月一日から施行する。〔ただし書略〕

附　則（平二四・三・三一法二四）（抄）

（施行期日）

第一条　この法律は、平成二十四年四月一日から施行する。〔ただし書略〕

附　則（平二四・八・二二法六二）（抄）

最終改正　平二八・一二・二六法一一四

（施行期日）

第一条　この法律は、平成二十九年八月一日から施行する。ただし、次の各号に掲げる規定は、当該各号に定める日から施行する。

一～三　〔略〕

四　〔前略〕第二十六条の規定（次号に掲げる改正規定を除く。）〔中略〕　公布の日から起算して二年を超えない範囲内において政令で定める日〔平二六・四・一〕

五　〔前略〕第二十六条中船員保険法第二条第九項第一号の改正規定〔中略〕　平成二十八年十月一日

六　〔略〕

附　則（平二四・八・二二法六三）（抄）

（施行期日）

第一条　この法律は、平成二十七年十月一日から施行する。〔ただし書略〕

（障害共済年金等が支給される者の特例）

第百十四条　附則第四十一条第一項の規定により障害共済年金若しくは遺族共済年金が支給される者又は附則第六十五条第一項の規定により障害共済年金若しくは遺族共済年金が支給される者に係る前条の規定による改正後の船員保険法（以下この条において「改正後船員保険法」という。）の規定の適用については、改正後船員保険法第七十条第二項中「障害厚生年金の支給」とあるのは「障害厚生年金又は被用者年金制度の一元化等を図るための厚生年金保険法等の一部を改正する法律（平成二十四年法律第六十三号）附則第四十一条第一項の規定による障害共済年金（以下「国家公務員障害共済年金」という。）若しくは同法附則第六十五条第一項の規定による障害共済年金（以下「地方公務員障害共済年金」という。）の支給」と、「障害厚生年金の額」とあるのは「障害厚生年金又は国家公務員障害共済年金若しくは地方公務員障害共済年金の額」と、「障害厚生年金と」とあるのは「障害厚生年金又は国家公務員障害共済年金若しくは地方公務員障害共済年金と」と、同条第五項中「障害厚生年金」とあるのは「障害厚生年金若しくは国家公務員障害共済年金若しくは地方公務員障害共済年金」と、改正後船員保険法第八十六条第二項及び第八十九条中「障害厚生年金」とあるのは「障害厚生年金又は国家公務員障害共済年金若しくは地方公務員障害共済年金」と、改正後船員保険法第百条第四項中「遺族厚生年金」とあるのは「遺族厚生年金又は被用者年金制度の一元化等を図るための厚生年金保険法等の一部を改正する法律附則第四十一条第一項の規定による遺族共済年金若しくは同法附則第六十五条第一項の規定による遺族共済年金」とする。

○子ども・子育て支援法及び就学前の子どもに関する教育、保育等の総合的な提供の推進に関する法律の一部を改正する法律の施行に伴う関係法律の整備等に関する法律（抄）

平二四・八・二二
法　六七

（船員保険法の一部改正に伴う経過措置）

第四条　前条の規定による改正後の船員保険法第百十九条の規定にかかわらず、第三十八条の規定によりその徴収についてなお従前の例によることとされた旧児童手当法第二十条第一項に規定する拠出金の納付については、なお従前の例による。

附　則（抄）

この法律は、子ども・子育て支援法の施行の日〔平二七・四・一〕から施行する。〔ただし書略〕

附　則（平二四・九・一二法八七）（抄）

（施行期日）

第一条　この法律は、公布の日から起算して一年を超えない範囲内において政令で定める日〔平二五・三・一〕から施行する。〔ただし書略〕

附　則（平二五・五・三一法二六）（抄）

（施行期日）

第一条　この法律は、公布の日から施行する。ただし、〔中略〕第二条中船員保険法第一条の改正規定〔中略〕は、平成二十五年十月一日から施行する。

附　則（平二六・四・二三法二八）（抄）

（施行期日）

第一条　この法律は、平成二十七年四月一日から施行する。ただし、次の各号に掲げる規定は、当該各号に定める日から施行する。

一・二　〔略〕

三　〔前略〕附則〔中略〕第五条〔中略〕の規定　平成二十六年十二月一日

附　則（平二六・五・二一法三八）（抄）

（施行期日）

第一条　この法律は、公布の日から起算して一年を超えない範囲内において政令で定める日〔平二七・四・一〕から施行する。〔ただし書略〕

附　則（平二六・五・三〇法四二）（抄）

（施行期日）

第一条　この法律は、公布の日から起算して二年を超えない範囲内において政令で定める日〔平二八・四・一〕から施行する。〔ただし書略〕

附　則（平二六・六・一三法六七）（抄）

（施行期日）

第一条　この法律は、独立行政法人通則法の一部を改正する法律（平成二十六年法律第六十六号。以下「通則法改正法」という。）の施行の日〔平二七・四・一〕から施行する。〔ただし書略〕

附　則（平二六・六・二五法八三）（抄）

（施行期日）

第一条　この法律は、公布の日又は平成二十六年四月一日のいずれか遅い日から施行する。ただし、次の各号に掲げる規定は、当該各号に定める日から施行する。

一～五　〔略〕

六　〔前略〕附則〔中略〕第四十三条〔中略〕の規定　平成二十八年四月一日までの間において政令で定める日〔平二八・四・一〕

七　〔略〕

附　則（平二七・五・七法一七）（抄）

（施行期日）

第一条　この法律は、平成二十八年四月一日から施行する。〔ただし書略〕

附　則（平二七・五・二七法二七）（抄）

（施行期日）

第一条　この法律は、平成二十八年四月一日から施行する。〔ただし書略〕

附　則（平二七・五・二九法三一）（抄）

（施行期日）

第一条　この法律は、平成三十年四月一日から施行する。ただし、次の各号に掲げる規定は、それぞれ当該各号に定める日から施行する。

一　〔前略〕第七条中船員保険法第七十条第四項の改正規定及び同法第八十五条第二項第三号の改正規定〔中略〕　公布の日

二　〔前略〕第七条（前号に掲げる改正規定を除く。）〔中略〕の規定並びに附則〔中略〕第二十一条から第二十五条まで〔中略〕の規定　平成二十八年四月一日

三　〔略〕

（船員保険法の一部改正に伴う経過措置）

第二十一条　第二号施行日前に船員保険の被保険者の資格を取得して、第二号施行日まで引き続きその資格を有する者（平成二十八年四月から標準報酬月額を改定されるべき者を除く。）のうち、同年三月の標準報酬月額が百二十一万円であるもの（当該標準報酬月額の基礎となった報酬月額が百二十三万五千円未満である者を除く。）の標準報酬月額は、当該標準報酬月額の基礎となった報酬月額を第七条の規定による改正後の船員保険法（次条において「第二号改正後船保法」という。）第十六条第一項の規定による標準報酬月額の基礎となる報酬月額とみなして、厚生労働大臣が改定する。

2　前項の規定により改定された標準報酬月額は、平成二十八年四月から同年八月までの各月の標準報酬月額とする。

第二十二条　第二号改正後船保法第二十一条第一項の規定は、第二号施行日の属する月以後の月に船員保険の被保険者が受けた賞与の標準賞与額について適用し、第二号施行日の属する月前の月に当該被保険者が受けた賞与の標準賞与額については、なお従前の例による。

第二十三条　第二号施行日前において、第七条の規定による改正前の船員保険法による傷病手当金、出産手当金又は休業手当金の支給を受けていた者又は受けるべき者に係る第二号施行日前までの分として支給される当該傷病手当金、出産手当金又は休業手当金の額については、なお従前の例による。

附　則（平二七・六・二四法四四）（抄）

（施行期日）

第一条　この法律は、平成二十八年四月一日から施行する。〔ただし書略〕

附　則（平二七・六・二六法四八）（抄）

（施行期日）

第一条　この法律は、平成二十八年四月一日から施行する。〔ただし書略〕

附　則（平二七・七・八法五一）（抄）

（施行期日）

第一条　この法律は、平成二十八年四月一日から施行する。〔ただし書略〕

附　則（平二七・九・一八法七〇）（抄）

（施行期日）

第一条　この法律は、平成二十八年四月一日から施行する。〔ただし書略〕

附　則（平二八・五・二〇法四四）（抄）

（施行期日）

第一条　この法律は、平成二十九年四月一日から施行する。〔ただし書略〕

附　則（平二八・一一・二八法八七）（抄）

（施行期日）

第一条　この法律は、平成二十九年四月一日から施行する。〔ただし書略〕

附　則（令元・五・二二法九）（抄）

改正　令二・六・一二法五二

（施行期日）

第一条　この法律は、令和二年四月一日から施行する。ただし、次の各号に掲げる規定は、当該各号に定める日から施行する。

一・二　〔略〕

三　〔前略〕第十四条中船員保険法第百十一条第二項の改正規定〔中略〕　令和二年十月一日

四　〔前略〕第十四条の規定（船員保険法第二条第九項の改正規定及び前号に掲げる改正規定を除く。）〔中略〕　公布の日から起算して二年を超えない範囲内において政令で定める日〔令二・一〇・一〕

五・六　〔略〕

附　則（令二・三・三一法八）（抄）

（施行期日）

第一条　この法律は、令和二年四月一日から施行する。ただし、次の各号に掲げる規定は、当該各号に定める日から施行する。

一　〔略〕

二　次に掲げる規定　令和三年一月一日

イ・ロ　〔略〕

ハ　〔前略〕附則〔中略〕第百四十九条の規定

ニ～ヘ　〔略〕

三～十二　〔略〕

附　則（令二・三・三一法一四）（抄）

（施行期日）

第一条　この法律は、令和二年四月一日から施行する。ただし、次の各号に掲げる規定は、当該各号に定める日から施行する。

一・二　〔略〕

三　〔前略〕附則〔中略〕第十二条の規定〔中略〕　公布の日から起算して六月を超えない範囲内において政令で定める日〔令二・九・一〕

附　則（令二・六・五法四〇）（抄）

（施行期日）

第一条　この法律は、令和四年四月一日から施行する。〔ただし書略〕

附　則（令三・五・一九法三七）（抄）

（施行期日）

第一条　この法律は、令和三年九月一日から施行する。ただし、次の各号に掲げる規定は、当該各号に定める日から施行する。

一～六　〔略〕

七　〔前略〕附則〔中略〕第十五条〔中略〕の規定　公布の日から起算して二年を超えない範囲内において、各規定につき、政令で定める日〔令五・五・一二〕

八～十　〔略〕

附　則（令三・六・一一法六六）（抄）

（施行期日）

第一条　この法律は、令和四年一月一日から施行する。ただし、次の各号に掲げる規定は、当該各号に定める日から施行する。

一・二　〔略〕

三　〔前略〕第二条中船員保険法第百十八条〔中略〕の改正規定並びに〔中略〕附則〔中略〕第四条第二項〔中略〕の規定〔中略〕　令和四年十月一日

四～五　〔略〕

六　〔前略〕第二条中船員保険法第百五十三条の十第二項及び第百五十三条の十一の改正規定〔中略〕　公布の日から起算して三年を超えない範囲内において政令で定める日〔令六・三・一〕

（船員保険法の一部改正に伴う経過措置）

第四条　第二条の規定による改正後の船員保険法第六十九条第五項の規定は、施行日の前日において、支給を始めた日から起算して三年を経過していない傷病手当金について適用し、施行日前に第二条の規定による改正前の船員保険法第六十九条第五項に規定する支給期間が満了した傷病手当金については、なお従前の例による。

2　第二条の規定による改正後の船員保険法第百十八条の規定は、第三号施行日以後に開始する船員保険法第十九条第一項に規定する育児休業等について適用し、第三号施行日前に開始した同項に規定する育児休業等については、なお従前の例による。

附　則（令四・六・一七法六八）（抄）

（施行期日）

1　この法律は、刑法等一部改正法施行日〔令七・六・一〕から施行する。〔ただし書略〕

附　則（令四・一二・九法九六）（抄）

（施行期日）

第一条　この法律は、令和六年四月一日から施行する。〔ただし書略〕

附　則（令五・三・三一法三）（抄）

（施行期日）

第一条　この法律は、令和五年四月一日から施行する。ただし、次の各号に掲げる規定は、当該各号に定める日から施行する。

一・二　〔略〕

三　次に掲げる規定　令和六年一月一日

イ・ロ　〔略〕

ハ　〔前略〕附則〔中略〕第六十六条から第六十九条まで〔中略〕の規定

ニ～ト　〔略〕

四～十三　〔略〕

附　則（令五・五・一九法三一）（抄）

（施行期日）

第一条　この法律は、令和六年四月一日から施行する。〔ただし書略〕

附　則（令五・六・七法四七）（抄）

（施行期日）

第一条　この法律は、国立健康危機管理研究機構法（令和五年法律第四十六号）の施行の日〔令和五年六月七日から起算して三年を超えない範囲内において政令で定める日〕〔中略〕から施行する。〔ただし書略〕

附　則（令五・六・九法四八）（抄）

（施行期日）

第一条　この法律は、公布の日から起算して一年三月を超えない範囲内において政令で定める日〔令六・五・二七〕から施行する。ただし、次の各号に掲げる規定は、当該各号に定める日から施行する。

一　〔略〕

二　〔前略〕第六条〔中略〕の規定〔中略〕　公布の日から起算して一年六月を超えない範囲内において政令で定める日〔令六・一二・二〕

三・四　〔略〕

別表第一～第五　〔略〕

＊船員保険法は、全世代対応型の持続可能な社会保障制度を構築するための健康保険法等の一部を改正する法律（令和五年法三一）により一部改正されたが、このうち公布の日から起算して四年を超えない範囲内において政令で定める日から施行される部分については、一部改正法の形で掲載した。

○全世代対応型の持続可能な社会保障制度を構築するための健康保険法等の一部を改正する法律（抄）

令五・五・一九
法　三　一

（船員保険法の一部改正）

第二条 船員保険法（昭和十四年法律第七十三号）の一部を次のように改正する。

第百五十三条の十〔中略〕第二項中「及び法令」を「、法令」に改め、「定めるもの」の下に「並びに介護保険法第三条の規定により介護保険を行う市町村及び特別区」を加える。

附　則（抄）

（施行期日）

第一条 この法律は、令和六年四月一日から施行する。ただし、次の各号に掲げる規定は、当該各号に定める日から施行する。

一〜五　〔略〕

六　〔前略〕第二条中船員保険法第百五十三条の十第二項の改正規定〔中略〕公布の日から起算して四年を超えない範囲内において政令で定める日

七　〔略〕

＊船員保険法は、子ども・子育て支援法等の一部を改正する法律（令和六年法四七）により一部改正されたが、令和八年四月一日から施行となるため、一部改正法の形で掲載した。

○子ども・子育て支援法等の一部を改正する法律（抄）

令六・六・一二
法　四　七

（船員保険法の一部改正）

第三条 船員保険法（昭和十四年法律第七十三号）の一部を次のように改正する。

第百十二条第二項中「介護納付金」という。）並びに」を「介護納付金」という。）」に、「の納付」を「並びに子ども・子育て支援法（平成二十四年法律第六十五号）の規定による子ども・子育て支援納付金（以下「子ども・子育て支援納付金」という。）の納付」に改める。

第百十四条第一項中「介護納付金並びに」を「介護納付金、」に、「の納付」を「並びに子ども・子育て支援納付金の納付」に改める。

第百十六条第一項第一号中「一般保険料額」を「一般保険料等額」に改め、「一般保険料率」の下に「と子ども・子育て支援金率とを合算した率」を加え、同項第二号並びに同条第二項及び第三項中「一般保険料額」を「一般保険料等額」に改める。

第百十九条中「（平成二十四年法律第六十五号）」を削る。

第百二十二条の次に次の一条を加える。

（子ども・子育て支援金率）

第百二十二条の二 子ども・子育て支援金率は、各年度において協会が納付すべき子ども・子育て支援納付金の額を当該年度における被保険者の標準報酬月額の総額及び標準賞与額の総額の合算額の見込額で除して得た率を基準として、協会が決定するものとする。

2　第百二十一条第十一項の規定は、子ども・子育て支援金率の決定について準用する。

第百二十五条第一項各号中「疾病保険料率」の下に「と子ども・子育て支援金率とを合算した率」を加える。

附則第八条の二及び第八条の三中「（平成二十四年法律第六十五号）」を削る。

附　則（抄）

（施行期日）

第一条 この法律は、令和六年十月一日から施行する。ただし、次の各号に掲げる規定は、当該各号に定める日から施行する。

一〜四　〔略〕

五　次に掲げる規定　令和八年四月一日

イ　〔略〕

ロ　〔前略〕第三条〔中略〕の規定

ハ〜ネ　〔略〕

六　〔略〕

＊　船員保険法は、事業性融資の推進等に関する法律（令和六年法五二）の附則により一部改正されたが、公布の日から起算して二年六月を超えない範囲内において政令で定める日から施行となるため、一部改正法の形で掲載した。

○事業性融資の推進等に関する法律（抄）

令六・六・一四
法　五　二

（船員保険法の一部改正）

第二十九条　船員保険法（昭和十四年法律第七十三号）の一部を次のように改正する。

第百三十一条第一項中「すべて」を「全て」に改め、同項第一号中ホをヘとし、ニの次に次のように加える。

ホ　企業価値担保権の実行手続の開始があったとき。

附　則（抄）

（施行期日）

第一条　この法律は、公布の日から起算して二年六月を超えない範囲内において政令で定める日から施行する。〔ただし書略〕

○船員法（抄）

昭二二・九・一
法　一〇〇

最終改正　令六・五・三一法四二

（船員）

第一条　この法律において「船員」とは、日本船舶又は日本船舶以外の命令で定める船舶に乗り組む船長及び海員並びに予備船員をいう。

②　前項に規定する船舶には、次の船舶を含まない。

一　総トン数五トン未満の船舶

二　湖、川又は港のみを航行する船舶

三　政令の定める総トン数三十トン未満の漁船

四　前三号に掲げるもののほか、船舶職員及び小型船舶操縦者法（昭和二十六年法律第百四十九号）第二条第四項に規定する小型船舶であつて、スポーツ又はレクリエーションの用に供するヨット、モーターボートその他のその航海の目的、期間及び態様、運航体制等からみて船員労働の特殊性が認められない船舶として国土交通省令の定めるもの

③　前項第二号の港の区域は、港則法（昭和二十三年法律第百七十四号）に基づく港の区域の定めのあるものについては、その区域によるものとする。ただし、国土交通大臣は、政令で定めるところにより、特に港を指定し、これと異なる区域を定めることができる。

（療養補償）

第八十九条　船員が職務上負傷し、又は疾病にかかつたときは、船舶所有者は、その負傷又は疾病がなおるまで、その費用で療養を施し、又は療養に必要な費用を負担しなければならない。

②　船員が雇入契約存続中職務外で負傷し、又は疾病にかかつたときは、船舶所有者は、三箇月の範囲内において、その費用で療養を施し、又は療養に必要な費用を負担しなければならない。但し、その負傷又は疾病につき船員に故意又は重大な過失のあつたときは、この限りでない。

○高齢者の医療の確保に関する法律（抄）

昭五七・八・一七
法　八〇

最終改正　令五・六・九法四八

目次〔略〕

第一章　総則

（目的）

第一条　この法律は、国民の高齢期における適切な医療の確保を図るため、医療費の適正化を推進するための計画の作成及び保険者による健康診査等の実施に関する措置を講ずるとともに、高齢者の医療について、国民の共同連帯の理念等に基づき、前期高齢者に係る保険者間の費用負担の調整、後期高齢者に対する適切な医療の給付等を行うために必要な制度を設け、もつて国民保健の向上及び高齢者の福祉の増進を図ることを目的とする。

（基本的理念）

第二条　国民は、自助と連帯の精神に基づき、自ら加齢に伴つて生ずる心身の変化を自覚して常に健康の保持増進に努めるとともに、高齢者の医療に要する費用を公平に負担するものとする。

2　国民は、年齢、心身の状況等に応じ、職域若しくは地域又は家庭において、高齢期における健康の保持を図るための適切な保健サービスを受ける機会を与えられるものとする。

（国の責務）

第三条　国は、国民の高齢期における医療に要する費用の適正化を図るための取組が円滑に実施され、高齢者医療制度（第三章に規定する前期高齢者に係る保険者間の費用負担の調整及び第四章に規定する後期高齢者医療制度をいう。以下同じ。）の運営が健全に行われるよう必要な各般の措置を講ずるとともに、第一条に規定する目的の達成に資するため、医療、公衆衛生、

社会福祉その他の関連施策を積極的に推進しなければならない。

（地方公共団体の責務）

第四条 地方公共団体は、この法律の趣旨を尊重し、住民の高齢期における医療に要する費用の適正化を図るための取組及び高齢者医療制度の運営が適切かつ円滑に行われるよう所要の施策を実施しなければならない。

2 前項に規定する住民の高齢期における医療に要する費用の適正化を図るための取組においては、都道府県は、当該都道府県における医療提供体制（医療法（昭和二十三年法律第二百五号）第三十条の三第一項に規定する医療提供体制をいう。）の確保並びに当該都道府県及び当該都道府県内の市町村（特別区を含む。以下同じ。）の国民健康保険事業の健全な運営を担う責務を有することに鑑み、保険者、第四十八条に規定する後期高齢者医療広域連合（第八条から第十六条まで及び第二十七条において「後期高齢者医療広域連合」という。）、医療関係者その他の関係者の協力を得つつ、中心的な役割を果たすものとする。

（保険者の責務）

第五条 保険者は、加入者の高齢期における健康の保持のために必要な事業を積極的に推進するよう努めるとともに、高齢者医療制度の運営が健全かつ円滑に実施されるよう協力しなければならない。

（医療の担い手等の責務）

第六条 医師、歯科医師、薬剤師、看護師その他の医療の担い手並びに医療法第一条の二第二項に規定する医療提供施設の開設者及び管理者は、前三条に規定する各般の措置、施策及び事業に協力しなければならない。

（定義）

第七条 この法律において「医療保険各法」とは、次に掲げる法律をいう。

一 健康保険法（大正十一年法律第七十号）
二 船員保険法（昭和十四年法律第七十三号）
三 国民健康保険法（昭和三十三年法律第百九十二号）
四 国家公務員共済組合法（昭和三十三年法律第百二十八号）
五 地方公務員等共済組合法（昭和三十七年法律第百五十二号）
六 私立学校教職員共済法（昭和二十八年法律第二百四十五号）

2 この法律において「保険者」とは、医療保険各法の規定により医療に関する給付を行う全国健康保険協会、健康保険組合、都道府県及び市町村、国民健康保険組合、共済組合又は日本私立学校振興・共済事業団をいう。

3 この法律において「被用者保険等保険者」とは、保険者（健康保険法第百二十三条第一項の規定による保険者としての全国健康保険協会、都道府県及び市町村並びに国民健康保険組合を除く。）又は健康保険法第三条第一項第八号の規定による承認を受けて同法の被保険者とならない者を組合員とする国民健康保険組合であつて厚生労働大臣が定めるものをいう。

4 この法律において「加入者」とは、次に掲げる者をいう。

一 健康保険法の規定による被保険者。ただし、同法第三条第二項の規定による日雇特例被保険者を除く。
二 船員保険法の規定による被保険者
三 国民健康保険法の規定による被保険者
四 国家公務員共済組合法又は地方公務員等共済組合法に基づく共済組合の組合員
五 私立学校教職員共済法の規定による私立学校教職員共済制度の加入者
六 健康保険法、船員保険法、国家公務員共済組合法（他の法律において準用する場合を含む。）又は地方公務員等共済組合法の規定による被扶養者。ただし、健康保険法第三条第二項の規定による日雇特例被保険者の同法の規定による被扶養者を除く。
七 健康保険法第百二十六条の規定により日雇特例被保険者手帳の交付を受け、その手帳に健康保険印紙をはり付けるべき余白がなくなるに至るまでの間にある者及び同法の規定によるその者の被扶養者。ただし、同法第三条第二項ただし書の規定による承認を受けて同項の規定による日雇特例被保険者とならない期間内にある者及び同法第百二十六条第三項の規定により当該日雇特例被保険者手帳を返納した者並びに同法の規定によるその者の被扶養者を除く。

第二章 医療費適正化の推進

第二節 特定健康診査等基本指針等

（特定健康診査等基本指針）

第十八条 厚生労働大臣は、特定健康診査（糖尿病その他の政令で定める生活習慣病に関する健康診査をいう。以下同じ。）及び特定保健指導（特定健康診査の結果により健康の保持に努める必要がある者として厚生労働省令で定めるものに対し、保健指導に関する専門的知識及び技術を有する者として厚生労働省令で定めるものが行う保健指導をいう。以下同じ。）の適切かつ有効な実施を図るための基本的な指針（以下「特定健康診査等基本指針」という。）を定めるものとする。

2 特定健康診査等基本指針においては、次に掲げる事項を定めるものとする。

一 特定健康診査及び特定保健指導（以下「特定健康診査等」という。）の実施方法に関する基本的な事項
二 特定健康診査等の実施及びその成果に係る目標に関する基本的な事項
三 前二号に掲げるもののほか、次条第一項に規定する特定健康診査等実施計画の作成に関する重要事項

3 特定健康診査等基本指針は、健康増進法第九条第一項に規定する健康診査等指針と調和が保たれたものでなければならない。

4 厚生労働大臣は、特定健康診査等基本指針を定め、又はこれを変更しようとするときは、あらかじめ、関係行政機関の長に協議するものとする。

5 厚生労働大臣は、特定健康診査等基本指針を定め、又はこれを変更したときは、遅滞なく、これを公表するものとする。

（特定健康診査等実施計画）

第十九条 保険者（国民健康保険法の定めるところにより都道府県が当該都道府県内の市町村とともに行う国民健康保険（以下「国民健康保険」という。）にあつては、市町村。以下この節並びに第百二十五条の三第一項及び第四項において同じ。）は、特定健康診査等基本指針に即して、六年ごとに、六年を一期として、特定健康診査等の実施に関する計画（以下「特定健康診

査等実施計画」という。）を定めるものとする。

2　特定健康診査等実施計画においては、次に掲げる事項を定めるものとする。

一　特定健康診査等の具体的な実施方法に関する事項

二　特定健康診査等の実施及びその成果に関する具体的な目標

三　前二号に掲げるもののほか、特定健康診査等の適切かつ有効な実施のために必要な事項

3　保険者は、特定健康診査等実施計画を定め、又はこれを変更したときは、遅滞なく、これを公表しなければならない。

（特定健康診査）

第二十条　保険者は、特定健康診査等実施計画に基づき、厚生労働省令で定めるところにより、四十歳以上の加入者に対し、特定健康診査を行うものとする。ただし、加入者が特定健康診査に相当する健康診査を受け、その結果を証明する書面の提出を受けたとき、又は第二十六条第二項の規定により特定健康診査に関する記録の送付を受けたときは、この限りでない。

（他の法令に基づく健康診断との関係）

第二十一条　保険者は、加入者が、労働安全衛生法（昭和四十七年法律第五十七号）その他の法令に基づき行われる特定健康診査に相当する健康診断を受けた場合又は受けることができる場合は、厚生労働省令で定めるところにより、前条の特定健康診査の全部又は一部を行ったものとする。

2　労働安全衛生法第二条第三号に規定する事業者その他の法令に基づき特定健康診査に相当する健康診断を実施する責務を有する者（以下「事業者等」という。）は、当該健康診断の実施を保険者に対し委託することができる。この場合において、委託をしようとする事業者等は、その健康診断の実施に必要な費用を保険者に支払わなければならない。

（特定健康診査に関する記録の保存）

第二十二条　保険者は、第二十条の規定により特定健康診査を行ったときは、厚生労働省令で定めるところにより、当該特定健康診査に関する記録を保存しなければならない。同条ただし書の規定により特定健康診査の結果を証明する書面の提出若しくは特定健康診査に関する記録の送付を受けた場合又は第二十七条第四項の規定により特定健康診査、第百二十五条第一項に規定する健康診査若しくは健康診断に関する記録の写しの提供を受けた場合においても、同様とする。

（特定健康診査の結果の通知）

第二十三条　保険者は、厚生労働省令で定めるところにより、特定健康診査を受けた加入者に対し、当該特定健康診査の結果を通知しなければならない。第二十六条第二項の規定により、特定健康診査に関する記録の送付を受けた場合においても、同様とする。

（特定保健指導）

第二十四条　保険者は、特定健康診査等実施計画に基づき、厚生労働省令で定めるところにより、特定保健指導を行うものとする。

（特定保健指導に関する記録の保存）

第二十五条　保険者は、前条の規定により特定保健指導を行ったときは、厚生労働省令で定めるところにより、当該特定保健指導に関する記録を保存しなければならない。次条第二項の規定により特定保健指導に関する記録の送付を受けた場合又は第二十七条第四項の規定により特定保健指導若しくは第百二十五条第一項に規定する保健指導に関する記録の写しの提供を受けた場合においても、同様とする。

（他の保険者の加入者への特定健康診査等）

第二十六条　保険者は、その加入者の特定健康診査等の実施に支障がない場合には、他の保険者の加入者に係る特定健康診査又は特定保健指導を行うことができる。この場合において、保険者は、当該特定健康診査又は特定保健指導を受けた者に対し、厚生労働省令で定めるところにより、当該特定健康診査又は特定保健指導に要する費用を請求することができる。

2　保険者は、前項の規定により、他の保険者の加入者に対し特定健康診査又は特定保健指導を行ったときは、厚生労働省令で定めるところにより、当該特定健康診査又は特定保健指導に関する記録を、速やかに、その者が現に加入する当該他の保険者に送付しなければならない。

3　保険者は、その加入者が、第一項の規定により、他の保険者が実施する特定健康診査又は特定保健指導を受け、その費用を当該他の保険者に支払った場合には、当該加入者に対して、厚生労働省令で定めるところにより、当該特定健康診査又は特定保健指導に要する費用として相当な額を支給する。

4　第一項及び前項の規定にかかわらず、保険者は他の保険者と協議して、当該他の保険者の加入者に係る特定健康診査又は特定保健指導の費用の請求及び支給の取扱いに関し、別段の定めをすることができる。

（特定健康診査等に関する記録の提供）

第二十七条　保険者は、特定健康診査等の適切かつ有効な実施を図るため、加入者の資格を取得した者（国民健康保険にあっては、同一の都道府県内の他の市町村の区域内から住所を変更した被保険者を含む。次項において同じ。）があるときは、当該加入者が加入していた他の保険者に対し、当該他の保険者が保存している当該加入者に係る特定健康診査又は特定保健指導に関する記録の写しを提供するよう求めることができる。

2　保険者は、特定健康診査等の適切かつ有効な実施を図るため、加入者の資格を取得した者が後期高齢者医療広域連合の被保険者の資格を有していたことがあるときは、当該後期高齢者医療広域連合に対し、当該後期高齢者医療広域連合が保存している当該加入者に係る第百二十五条第一項に規定する健康診査又は保健指導に関する記録の写しを提供するよう求めることができる。

3　保険者は、特定健康診査等の適切かつ有効な実施を図るため、加入者を使用している事業者等（厚生労働省令で定める者を含む。以下この項及び次項において同じ。）又は使用していた事業者等に対し、厚生労働省令で定めるところにより、労働安全衛生法その他の法令に基づき当該事業者等が保存している当該加入者に係る健康診断に関する記録の写しその他これに準ずるものとして厚生労働省令で定めるものを提供するよう求めることができる。

4　前三項の規定により、特定健康診査若しくは特定保健指導に関する記録、第百二十五条第一項に規定する健康診査若しくは保健指導に関する記録又は労働安全衛生法その他の法令に基づき保存している健康診断に関する記録の写しの提供を求められた他の保険者、後期高齢者医療広域連合又は事業者等は、厚生労働省令で定めるところにより、当該記録の写しを提供しなけ

ればならない。

（実施の委託）

第二十八条　保険者は、特定健康診査等について、健康保険法第六十三条第三項各号に掲げる病院又は診療所その他適当と認められるものに対し、その実施を委託することができる。この場合において、保険者は、受託者に対し、委託する特定健康診査等の実施に必要な範囲内において、厚生労働省令で定めるところにより、自らが保存する特定健康診査又は特定保健指導に関する記録の写しその他必要な情報を提供することができる。

（関係者との連携）

第二十九条　保険者は、第三十二条第一項に規定する前期高齢者である加入者に対して特定健康診査等を実施するに当たつては、前期高齢者である加入者の心身の特性を踏まえつつ、介護保険法第百十五条の四十五第一項及び第二項の規定により地域支援事業を行う市町村との適切な連携を図るよう留意するとともに、当該特定健康診査等が効率的に実施されるよう努めるものとする。

２　保険者は、前項に規定するもののほか、特定健康診査の効率的な実施のために、他の保険者、医療機関その他の関係者との連携に努めなければならない。

（市町村の行う特定健康診査等の対象者の範囲）

第二十九条の二　国民健康保険法第三条第一項の市町村は、当該市町村の区域内に住所を有する被保険者について、この節の規定による事務を行うものとする。

（秘密保持義務）

第三十条　第二十八条の規定により保険者から特定健康診査等の実施の委託を受けた者（その者が法人である場合にあつては、その役員）若しくはその職員又はこれらの者であつた者は、その実施に関して知り得た個人の秘密を正当な理由がなく漏らしてはならない。

（健康診査等指針との調和）

第三十一条　第十八条第一項、第二十条、第二十一条第一項、第二十二条から第二十五条まで、第二十六条第二項、第二十七条第三項及び第四項並びに第二十八条に規定する厚生労働省令は、健康増進法第九条第一項に規定する健康診査等指針と調和が保たれたものでなければならない。

第三章　前期高齢者に係る保険者間の費用負担の調整

（前期高齢者交付金）

第三十二条　支払基金は、各保険者（国民健康保険にあつては、都道府県。以下この章において同じ。）に係る加入者の数に占める前期高齢者である加入者（六十五歳に達する日の属する月の翌月（その日が月の初日であるときは、その日の属する月）以後である加入者であつて、七十五歳に達する日の属する月以前であるものその他厚生労働省令で定めるものをいう。以下同じ。）の数の割合に係る負担の不均衡を調整するため、政令で定めるところにより、保険者に対して、前期高齢者交付金を交付する。

２　前項の前期高齢者交付金は、第三十六条第一項の規定により支払基金が徴収する前期高齢者納付金をもつて充てる。

（前期高齢者交付金の額）

第三十三条　前条第一項の規定により各保険者に対して交付される前期高齢者交付金の額は、当該年度の概算前期高齢者交付金の額とする。ただし、前々年度の概算前期高齢者交付金の額が同年度の確定前期高齢者交付金の額を超えるときは、当該年度の概算前期高齢者交付金の額からその超える額とその超える額に係る前期高齢者交付調整金額との合計額を控除して得た額とするものとし、前々年度の概算前期高齢者交付金の額が同年度の確定前期高齢者交付金の額に満たないときは、当該年度の概算前期高齢者交付金の額にその満たない額とその満たない額に係る前期高齢者交付調整金額との合計額を加算して得た額とする。

２　前項に規定する前期高齢者交付調整金額は、前々年度におけるすべての保険者に係る概算前期高齢者交付金の額と確定前期高齢者交付金の額との過不足額につき生ずる利子その他の事情を勘案して厚生労働省令で定めるところにより各保険者ごとに算定される額とする。

（概算前期高齢者交付金）

第三十四条　前条第一項の概算前期高齢者交付金の額は、次の各号に掲げる保険者の区分に応じ、当該各号に定める額とする。

一　被用者保険等保険者　イ及びロに掲げる額の合計額

イ　(1)及び(2)に掲げる額の合計額から(3)に掲げる額を控除して得た額（当該額が零を下回る場合には、零とする。）の三分の二に相当する額

(1)　当該年度における当該保険者に係る調整対象給付費見込額

(2)　当該年度における当該保険者に係る第百十九条第一項の概算後期高齢者支援金の額を同年度における当該保険者に係る第百二十条第一項各号の概算後期高齢者支援金調整率で除して得た額に、同年度における当該保険者に係る加入者の見込数に対する前期高齢者である加入者の見込数の割合を基礎として保険者ごとに算定される率を乗じて得た額（以下「前期高齢者に係る後期高齢者支援金の概算額」という。）

(3)　当該年度における概算調整対象基準額

ロ　当該年度における当該保険者に係る調整対象給付費見込額及び前期高齢者に係る後期高齢者支援金の概算額の合計額から同年度における概算報酬調整後調整対象基準額を控除して得た額（当該額が零を下回る場合には、零とする。）の三分の一に相当する額

二　被用者保険等保険者以外の保険者　当該年度における当該保険者に係る調整対象給付費見込額及び前期高齢者に係る後期高齢者支援金の概算額の合計額から同年度における概算調整対象基準額を控除して得た額（当該額が零を下回る場合には、零とする。）

２　前項各号の調整対象給付費見込額は、当該年度、当該年度の前年度及び当該年度の前々年度の各年度における当該保険者に係る一人平均調整対象給付費見込額（各年度における第一号に掲げる額から第二号に掲げる額を控除して得た額を、厚生労働省令で定めるところにより算定した各年度における当該保険者に係る前期高齢者である加入者の見込数で除して得た額をいう。）の平均額として厚生労働省令で定めるところにより算定される額に、厚生労働省令で定めるところにより算定した当該年度における当該保険者に係る前期高齢者である加入者の見込

数を乗じて得た額とする。

一　当該保険者の給付（国民健康保険にあつては、都道府県内の市町村の給付）であつて医療保険各法の規定による医療に関する給付（健康保険法第五十三条に規定するその他の給付及びこれに相当する給付を除く。）のうち厚生労働省令で定めるものに該当するものに要する費用（以下「保険者の給付に要する費用」という。）の見込額のうち前期高齢者である加入者に係るものとして厚生労働省令で定めるところにより算定される額（以下「前期高齢者給付費見込額」という。）

二　当該保険者が概算基準超過保険者（イに掲げる額をロに掲げる額で除して得た率が、全ての保険者に係る前期高齢者である加入者一人当たりの前期高齢者給付費見込額の分布状況等を勘案して政令で定める率を超える保険者をいう。）である場合における当該保険者に係る前期高齢者給付費見込額のうち、ロに掲げる額に当該政令で定める率を乗じて得た額を超える部分として厚生労働省令で定めるところにより算定される額

イ　一の保険者に係る前期高齢者である加入者一人当たりの前期高齢者給付費見込額として厚生労働省令で定めるところにより算定される額

ロ　一人平均前期高齢者給付費見込額

3　第一項各号の概算調整対象基準額は、当該保険者に係る同項各号の調整対象給付費見込額及び前期高齢者に係る後期高齢者支援金の概算額（被用者保険等保険者にあつては、当該額に概算額補正率を乗じて得た額）の合計額に概算加入者調整率を乗じて得た額とする。

4　第一項第一号ロの概算報酬調整後調整対象基準額は、当該保険者に係る同項各号の調整対象給付費見込額に当該年度における第一号に掲げる額を第二号に掲げる額で除して得た率（第六項第一号において「概算報酬調整率」という。）及び概算給付費補正率を乗じて得た額並びに前期高齢者に係る後期高齢者支援金の概算額に概算額補正率を乗じて得た額の合計額に概算加入者調整率を乗じて得た額とする。

一　当該保険者に係る標準報酬総額の見込額として厚生労働省令で定めるところにより算定される額（次号並びに第百二十条第一項第一号イ及びロにおいて「標準報酬総額の見込額」という。）を厚生労働省令で定めるところにより算定した当該保険者に係る加入者の見込数で除して得た額

二　全ての被用者保険等保険者に係る標準報酬総額の見込額の合計額を全ての被用者保険等保険者に係る加入者の見込総数で除して得た額として厚生労働省令で定めるところにより算定した額

5　前二項の概算額補正率は、各被用者保険等保険者に係る第一号に掲げる額から第二号に掲げる額を控除して得た額の合計額が第三号に掲げる額から第四号に掲げる額を控除して得た額の合計額に等しくなるよう厚生労働省令で定めるところにより算定した率とする。

一　前期高齢者に係る後期高齢者支援金の概算額に概算加入者調整率を乗じて得た額

二　前期高齢者に係る後期高齢者支援金の概算額

三　被用者保険等保険者を被用者保険等保険者以外の保険者とみなした場合における前期高齢者に係る後期高齢者支援金の概算額に概算加入者調整率を乗じて得た額

四　被用者保険等保険者を被用者保険等保険者以外の保険者とみなした場合における前期高齢者に係る後期高齢者支援金の概算額

6　第四項の概算給付費補正率は、各被用者保険等保険者に係る第一号に掲げる額の合計額が第二号に掲げる額の合計額に等しくなるよう厚生労働省令で定めるところにより算定した率とする。

一　第一項各号の調整対象給付費見込額に概算報酬調整率及び概算加入者調整率を乗じて得た額

二　第一項各号の調整対象給付費見込額に概算加入者調整率を乗じて得た額

7　第三項、第四項、第五項第一号及び第三号並びに前項各号の概算加入者調整率は、厚生労働省令で定めるところにより、当該年度における全ての保険者に係る加入者の見込総数に対する前期高齢者である加入者の見込総数の割合を同年度における当該保険者に係る加入者の見込数に対する前期高齢者である加入者の見込数の割合（その割合が同年度における下限割合（同年度における全ての保険者に係る加入者の見込総数に対する前期高齢者である加入者の見込総数の割合の動向を勘案して政令で定める割合をいう。以下この項及び次条第七項において同じ。）に満たないときは、下限割合とする。）で除して得た率を基礎として保険者ごとに算定される率とする。

8　第四項第一号の標準報酬総額は、次の各号に掲げる保険者の区分に応じ、各年度の当該各号に定める額の合計額の総額を、それぞれ政令で定めるところにより補正して得た額とする。

一　全国健康保険協会及び健康保険組合　被保険者ごとの健康保険法又は船員保険法に規定する標準報酬（標準報酬月額及び標準賞与額をいう。）

二　共済組合　組合員ごとの国家公務員共済組合法又は地方公務員等共済組合法に規定する標準報酬の月額及び標準期末手当等の額

三　日本私立学校振興・共済事業団　加入者ごとの私立学校教職員共済法に規定する標準報酬月額及び標準賞与額

四　国民健康保険組合（被用者保険等保険者であるものに限る。）　組合員ごとの前三号に定める額に相当するものとして厚生労働省令で定める額

9　第二項第二号ロの一人平均前期高齢者給付費見込額は、全ての保険者に係る前期高齢者である加入者一人当たりの前期高齢者給付費見込額の平均額として厚生労働省令で定めるところにより算定される額とする。

（確定前期高齢者交付金）

第三十五条　第三十三条第一項の確定前期高齢者交付金の額は、次の各号に掲げる保険者の区分に応じ、当該各号に定める額とする。

一　被用者保険等保険者　イ及びロに掲げる額の合計額

イ　(1)から(3)までに掲げる額の合計額から(4)に掲げる額を控除して得た額（当該額が零を下回る場合には、零とする。）の三分の二に相当する額

(1)　前々年度における当該保険者に係る調整対象給付費額

(2)　前々年度における当該保険者に係る第百十九条第一項の確定後期高齢者支援金の額を同年度における当該保険者に係る第百二十一条第一項各号の確定後期高齢者支援

金調整率で除して得た額に、同年度における当該保険者に係る加入者の数に対する前期高齢者である加入者の数の割合を基礎として保険者ごとに算定される率を乗じて得た額（以下「前期高齢者に係る後期高齢者支援金の確定額」という。）

(3) 前々年度における当該保険者に係る感染症の予防及び感染症の患者に対する医療に関する法律（平成十年法律第百十四号）の規定による流行初期医療確保拠出金（以下「流行初期医療確保拠出金」という。）の額のうち前期高齢者である加入者に係るものとして厚生労働省令で定めるところにより算定される額（以下「前期高齢者に係る流行初期医療確保拠出金の額」という。）

(4) 前々年度における確定調整対象基準額

ロ 前々年度における当該保険者に係る調整対象給付費額、前期高齢者に係る後期高齢者支援金の確定額及び前期高齢者に係る流行初期医療確保拠出金の額の合計額から同年度における確定報酬調整後調整対象基準額を控除して得た額（当該額が零を下回る場合には、零とする。）の三分の一に相当する額

二 被用者保険等保険者以外の保険者 前々年度における当該保険者に係る調整対象給付費額、前期高齢者に係る後期高齢者支援金の確定額及び前期高齢者に係る流行初期医療確保拠出金の額の合計額から同年度における確定調整対象基準額を控除して得た額（当該額が零を下回る場合には、零とする。）

2 前項各号の調整対象給付費額は、前々年度、前々年度の初日の属する年の前年の四月一日の属する年度及び前々年度の初日の属する年の前々年の四月一日の属する年度の各年度における当該保険者に係る一人平均調整対象給付費額（各年度における第一号に掲げる額から第二号に掲げる額を控除して得た額を、厚生労働省令で定めるところにより算定した各年度における当該保険者に係る前期高齢者である加入者の数で除して得た額をいう。）の平均額として厚生労働省令で定めるところにより算定される額に、前々年度における当該保険者に係る前期高齢者である加入者の数を乗じて得た額とする。

一 当該保険者の給付に要する費用の額のうち前期高齢者である加入者に係るものとして厚生労働省令で定めるところにより算定される額（以下「前期高齢者給付費額」という。）

二 当該保険者が確定基準超過保険者（イに掲げる額をロに掲げる額で除して得た率が、前条第二項第二号の政令で定める率を超える保険者をいう。）である場合における当該保険者に係る前期高齢者給付費額のうち、ロに掲げる額に当該政令で定める率を乗じて得た額を超える部分として厚生労働省令で定めるところにより算定される額

イ 一の保険者に係る前期高齢者である加入者一人当たりの前期高齢者給付費額として厚生労働省令で定めるところにより算定される額

ロ 一人平均前期高齢者給付費額

3 第一項各号の確定調整対象基準額は、当該保険者に係る同項各号の調整対象給付費額、前期高齢者に係る後期高齢者支援金の確定額（被用者保険等保険者にあつては、当該額に確定額補正率を乗じて得た額）及び前期高齢者に係る流行初期医療確保拠出金の額の合計額に確定加入者調整率を乗じて得た額とする。

4 第一項第一号ロの確定報酬調整後調整対象基準額は、当該保険者に係る同項各号の調整対象給付費額及び前期高齢者に係る流行初期医療確保拠出金の額の合計額に前々年度における第一号に掲げる額を第二号に掲げる額で除して得た率（第六項第一号において「確定報酬調整率」という。）及び確定給付費等補正率を乗じて得た額並びに前期高齢者に係る後期高齢者支援金の確定額に確定額補正率を乗じて得た額の合計額に確定加入者調整率を乗じて得た額とする。

一 当該保険者に係る標準報酬総額（前条第八項に規定する標準報酬総額をいう。次号並びに第百二十一条第一項第一号イ及びロにおいて同じ。）を厚生労働省令で定めるところにより算定した当該保険者に係る加入者の数で除して得た額

二 全ての被用者保険等保険者に係る標準報酬総額の合計額を全ての被用者保険等保険者に係る加入者の総数で除して得た額として厚生労働省令で定めるところにより算定した額

5 前二項の確定額補正率は、各被用者保険等保険者に係る第一号に掲げる額から第二号に掲げる額を控除して得た額の合計額が第三号に掲げる額から第四号に掲げる額を控除して得た額の合計額に等しくなるよう厚生労働省令で定めるところにより算定した率とする。

一 前期高齢者に係る後期高齢者支援金の確定額に確定加入者調整率を乗じて得た額

二 前期高齢者に係る後期高齢者支援金の確定額

三 被用者保険等保険者を被用者保険等保険者以外の保険者とみなした場合における前期高齢者に係る後期高齢者支援金の確定額に確定加入者調整率を乗じて得た額

四 被用者保険等保険者を被用者保険等保険者以外の保険者とみなした場合における前期高齢者に係る後期高齢者支援金の確定額

6 第四項の確定給付費等補正率は、各被用者保険等保険者に係る第一号に掲げる額の合計額が第二号に掲げる額の合計額に等しくなるよう厚生労働省令で定めるところにより算定した率とする。

一 第一項各号の調整対象給付費額及び前期高齢者に係る流行初期医療確保拠出金の額の合計額に確定報酬調整率及び確定加入者調整率を乗じて得た額

二 第一項各号の調整対象給付費額及び前期高齢者に係る流行初期医療確保拠出金の額の合計額に確定加入者調整率を乗じて得た額

7 第三項、第四項、第五項第一号及び第三号並びに前項各号の確定加入者調整率は、厚生労働省令で定めるところにより、前々年度における全ての保険者に係る加入者の総数に対する前期高齢者である加入者の総数の割合を同年度における当該保険者に係る加入者の数に対する前期高齢者である加入者の数の割合（その割合が同年度における下限割合に満たないときは、下限割合とする。）で除して得た率を基礎として保険者ごとに算定される率とする。

8 第二項第二号ロの一人平均前期高齢者給付費額は、全ての保険者に係る前期高齢者である加入者一人当たりの前期高齢者給付費額の平均額として厚生労働省令で定めるところにより算定される額とする。

（前期高齢者納付金等の徴収及び納付義務）

第三十六条　支払基金は、第百三十九条第一項第一号に掲げる業務及び当該業務に関する事務の処理に要する費用に充てるため、年度ごとに、保険者から、前期高齢者納付金及び前期高齢者関係事務費拠出金（以下「前期高齢者納付金等」という。）を徴収する。

2　保険者は、前期高齢者納付金等を納付する義務を負う。

（前期高齢者納付金の額）

第三十七条　前条第一項の規定により各保険者から徴収する前期高齢者納付金の額は、当該年度の概算前期高齢者納付金の額とする。ただし、前々年度の概算前期高齢者納付金の額が同年度の確定前期高齢者納付金の額を超えるときは、当該年度の概算前期高齢者納付金の額からその超える額とその超える額に係る前期高齢者納付調整金額との合計額を控除して得た額とするものとし、前々年度の概算前期高齢者納付金の額が同年度の確定前期高齢者納付金の額に満たないときは、当該年度の概算前期高齢者納付金の額にその満たない額とその満たない額に係る前期高齢者納付調整金額との合計額を加算して得た額とする。

2　前項に規定する前期高齢者納付調整金額は、前々年度におけるすべての保険者に係る概算前期高齢者納付金の額と確定前期高齢者納付金の額との過不足額につき生ずる利子その他の事情を勘案して厚生労働省令で定めるところにより各保険者ごとに算定される額とする。

（概算前期高齢者納付金）

第三十八条　前条第一項の概算前期高齢者納付金の額は、次の各号に掲げる保険者の区分に応じ、当該各号に定める額とする。

一　概算負担調整基準超過保険者（当該年度における負担調整前概算前期高齢者納付金相当額が零を超える保険者のうち、イに掲げる合計額がロに掲げる額を超える者（次号の特別概算負担調整基準超過保険者を除く。）をいう。以下この条において同じ。）　負担調整前概算前期高齢者納付金相当額から負担調整対象見込額（イに掲げる合計額からロに掲げる額を控除して得た額（当該額が負担調整前概算前期高齢者納付金相当額を上回るときは、負担調整前概算前期高齢者納付金相当額とする。）をいう。第三項において同じ。）を控除して得た額と負担調整見込額との合計額

イ　次に掲げる額の合計額

(1)　当該年度における負担調整前概算前期高齢者納付金相当額

(2)　当該年度における当該保険者に係る第百十九条第一項の概算後期高齢者支援金の額を同年度における当該保険者に係る第百二十条第一項各号の概算後期高齢者支援金調整率で除して得た額

ロ　次に掲げる額の合計額に当該年度の負担調整基準率を乗じて得た額

(1)　イに掲げる合計額

(2)　当該年度における当該保険者の給付に要する費用（健康保険法第百七十三条第二項に規定する日雇拠出金の納付に要する費用を含む。次号ロ(2)、次条第一項第一号ロ(2)及び第二号ロ(2)において「保険者の給付に要する費用等」という。）の見込額として厚生労働省令で定めるところにより算定される額

二　特別概算負担調整基準超過保険者（当該年度における負担調整前概算前期高齢者納付金相当額が零を超える保険者のうち、イに掲げる合計額がロに掲げる額を超える者であつて、政令で定めるところにより算定した同年度における当該保険者の財政力の見込みが政令で定める基準に満たないものをいう。以下この条において同じ。）　負担調整前概算前期高齢者納付金相当額から特別負担調整対象見込額（イに掲げる合計額からロに掲げる額を控除して得た額（当該額が負担調整前概算前期高齢者納付金相当額を上回るときは、負担調整前概算前期高齢者納付金相当額とする。）をいう。第三項において同じ。）を控除して得た額と負担調整見込額との合計額

イ　次に掲げる額の合計額

(1)　当該年度における負担調整前概算前期高齢者納付金相当額

(2)　当該年度における当該保険者に係る第百十九条第一項の概算後期高齢者支援金の額を同年度における当該保険者に係る第百二十条第一項各号の概算後期高齢者支援金調整率で除して得た額

ロ　次に掲げる額の合計額に当該年度の特別負担調整基準率を乗じて得た額

(1)　イに掲げる合計額

(2)　当該年度における当該保険者の給付に要する費用等の見込額として厚生労働省令で定めるところにより算定される額

三　概算負担調整基準超過保険者及び特別概算負担調整基準超過保険者以外の保険者　負担調整前概算前期高齢者納付金相当額と負担調整見込額との合計額

2　前項各号の負担調整前概算前期高齢者納付金相当額は、次の各号に掲げる保険者の区分に応じ、当該各号に定める額とする。

一　被用者保険等保険者　イ及びロに掲げる額の合計額

イ　第三十四条第一項各号の概算調整対象基準額から、当該保険者に係る同項各号の調整対象給付費見込額及び前期高齢者に係る後期高齢者支援金の概算額の合計額を控除して得た額（当該額が零を下回る場合には、零とする。）の三分の二に相当する額

ロ　第三十四条第一項第一号ロの概算報酬調整後調整対象基準額から、当該保険者に係る同項各号の調整対象給付費見込額及び前期高齢者に係る後期高齢者支援金の概算額の合計額を控除して得た額（当該額が零を下回る場合には、零とする。）の三分の一に相当する額

二　被用者保険等保険者以外の保険者　第三十四条第一項各号の概算調整対象基準額から、当該保険者に係る同項各号の調整対象給付費見込額及び前期高齢者に係る後期高齢者支援金の概算額の合計額を控除して得た額（当該額が零を下回る場合には、零とする。）

3　第一項各号の負担調整見込額は、当該年度における次の各号に掲げる額の合計額を、厚生労働省令で定めるところにより算定した同年度における全ての保険者に係る加入者の見込総数で除して得た額に、厚生労働省令で定めるところにより算定した同年度における当該保険者に係る加入者の見込数を乗じて得た額に概算負担調整額調整率を乗じて得た額とする。

一　全ての概算負担調整基準超過保険者に係る負担調整対象見込額の総額

二　全ての特別概算負担調整基準超過保険者に係る負担調整対

象見込額の総額

三　全ての特別概算負担調整基準超過保険者に係る特別負担調整対象見込額から負担調整対象見込額を控除した額の総額（第九十三条第三項において「特別負担調整見込額の総額等」という。）の三分の一

4　第一項第一号ロの負担調整基準率は、全ての保険者に占める概算負担調整基準超過保険者の割合が著しく少ないものとして政令で定める割合となるよう、年度ごとに政令で定める率とする。

5　第一項第二号ロの特別負担調整基準率は、全ての保険者に占める特別概算負担調整基準超過保険者の割合が少ないものとして政令で定める割合となるよう、年度ごとに政令で定める率とする。

6　第三項の概算負担調整額調整率は、前期高齢者である加入者一人当たりの前期高齢者給付費見込額を勘案し、百分の九十から百分の百十の範囲内で政令で定めるところにより算定する。

（確定前期高齢者納付金）

第三十九条　第三十七条第一項の確定前期高齢者納付金の額は、次の各号に掲げる保険者の区分に応じ、当該各号に定める額とする。

一　確定負担調整基準超過保険者（前々年度における負担調整前確定前期高齢者納付金相当額が零を超える保険者のうち、イに掲げる合計額がロに掲げる額を超える者（次号の特別確定負担調整基準超過保険者を除く。）をいう。以下この条において同じ。）　負担調整前確定前期高齢者納付金相当額から負担調整対象額（イに掲げる合計額からロに掲げる額を控除して得た額（当該額が負担調整前確定前期高齢者納付金相当額を上回るときは、負担調整前確定前期高齢者納付金相当額とする。）をいう。第三項において同じ。）を控除して得た額と負担調整額との合計額

イ　次に掲げる額の合計額

(1)　前々年度における負担調整前確定前期高齢者納付金相当額

(2)　前々年度における当該保険者に係る第百十九条第一項の確定後期高齢者支援金の額を同年度における当該保険者に係る第百二十一条第一項各号の確定後期高齢者支援金調整率で除して得た額

ロ　次に掲げる額の合計額に前々年度の前条第一項第一号ロの負担調整基準率を乗じて得た額

(1)　イに掲げる合計額

(2)　前々年度における当該保険者の給付に要する費用等の額及び流行初期医療確保拠出金の額

二　特別確定負担調整基準超過保険者（前々年度における負担調整前確定前期高齢者納付金相当額が零を超える保険者のうち、イに掲げる合計額がロに掲げる額を超える者であつて、政令で定めるところにより算定した同年度における当該保険者の財政力が政令で定める基準に満たないものをいう。以下この条において同じ。）　負担調整前確定前期高齢者納付金相当額から特別負担調整対象額（イに掲げる合計額からロに掲げる額を控除して得た額（当該額が負担調整前確定前期高齢者納付金相当額を上回るときは、負担調整前確定前期高齢者納付金相当額とする。）をいう。第三項において同じ。）を控除して得た額と負担調整額との合計額

イ　次に掲げる額の合計額

(1)　前々年度における負担調整前確定前期高齢者納付金相当額

(2)　前々年度における当該保険者に係る第百十九条第一項の確定後期高齢者支援金の額を同年度における当該保険者に係る第百二十一条第一項各号の確定後期高齢者支援金調整率で除して得た額

ロ　次に掲げる額の合計額に前々年度の前条第一項第二号ロの特別負担調整基準率を乗じて得た額

(1)　イに掲げる合計額

(2)　前々年度における当該保険者の給付に要する費用等の額及び流行初期医療確保拠出金の額

三　確定負担調整基準超過保険者及び特別確定負担調整基準超過保険者以外の保険者　負担調整前確定前期高齢者納付金相当額と負担調整額との合計額

2　前項各号の負担調整前確定前期高齢者納付金相当額は、次の各号に掲げる保険者の区分に応じ、当該各号に定める額とする。

一　被用者保険等保険者　イ及びロに掲げる額の合計額

イ　第三十五条第一項各号の確定調整対象基準額から、当該保険者に係る同項各号の調整対象給付費額、前期高齢者に係る後期高齢者支援金の確定額及び前期高齢者に係る流行初期医療確保拠出金の額の合計額を控除して得た額（当該額が零を下回る場合には、零とする。）の三分の二に相当する額

ロ　第三十五条第一項第一号ロの確定報酬調整後調整対象基準額から、当該保険者に係る同項各号の調整対象給付費額、前期高齢者に係る後期高齢者支援金の確定額及び前期高齢者に係る流行初期医療確保拠出金の額の合計額を控除して得た額（当該額が零を下回る場合には、零とする。）の三分の一に相当する額

二　被用者保険等保険者以外の保険者　第三十五条第一項各号の確定調整対象基準額から、当該保険者に係る同項各号の調整対象給付費額、前期高齢者に係る後期高齢者支援金の確定額及び前期高齢者に係る流行初期医療確保拠出金の額の合計額を控除して得た額（当該額が零を下回る場合には、零とする。）

3　第一項各号の負担調整額は、前々年度における次の各号に掲げる額の合計額を、厚生労働省令で定めるところにより算定した同年度における全ての保険者に係る加入者の総数で除して得た額に、厚生労働省令で定めるところにより算定した同年度における当該保険者に係る加入者の数を乗じて得た額に確定負担調整額調整率を乗じて得た額とする。

一　全ての確定負担調整基準超過保険者に係る負担調整対象額の総額

二　全ての特別確定負担調整基準超過保険者に係る負担調整対象額の総額

三　全ての特別確定負担調整基準超過保険者に係る特別負担調整対象額から負担調整対象額を控除した額の総額（第九十三条第三項において「特別負担調整額の総額等」という。）の三分の一

4　前項の確定負担調整額調整率は、前期高齢者である加入者一人当たりの前期高齢者給付費額を勘案し、百分の九十から百分

の百十の範囲内で政令で定めるところにより算定する。

（前期高齢者関係事務費拠出金の額）

第四十条　第三十六条第一項の規定により各保険者から徴収する前期高齢者関係事務費拠出金の額は、厚生労働省令で定めるところにより、当該年度における第百三十九条第一項第一号に掲げる支払基金の業務に関する事務の処理に要する費用の見込額を基礎として、各保険者に係る加入者の見込数に応じ、厚生労働省令で定めるところにより算定した額とする。

（保険者の合併等の場合における前期高齢者交付金等の額の特例）

第四十一条　合併又は分割により成立した保険者、合併又は分割後存続する保険者及び解散をした保険者の権利義務を承継した保険者に係る前期高齢者交付金及び前期高齢者納付金等の額の算定の特例については、政令で定める。

（前期高齢者交付金の額の決定、通知等）

第四十二条　支払基金は、各年度につき、各保険者に対し交付すべき前期高齢者交付金の額を決定し、当該各保険者に対し、その者に対し交付すべき前期高齢者交付金の額、交付の方法その他必要な事項を通知しなければならない。

２　前項の規定により前期高齢者交付金の額が定められた後、前期高齢者交付金の額を変更する必要が生じたときは、支払基金は、当該各保険者に対し交付すべき前期高齢者交付金の額を変更し、当該各保険者に対し、変更後の前期高齢者交付金の額を通知しなければならない。

３　支払基金は、保険者に対し交付した前期高齢者交付金の額が、前項の規定による変更後の前期高齢者交付金の額に満たない場合には、その不足する額について、同項の規定による通知とともに交付の方法その他必要な事項を通知し、同項の規定による変更後の前期高齢者交付金の額を超える場合には、その超える額について、未払の前期高齢者交付金があるときはこれに充当し、なお残余があれば返還させ、未払の交付金がないときはこれを返還させなければならない。

（前期高齢者納付金等の額の決定、通知等）

第四十三条　支払基金は、各年度につき、各保険者が納付すべき前期高齢者納付金等の額を決定し、当該各保険者に対し、その者が納付すべき前期高齢者納付金等の額、納付の方法及び納付すべき期限その他必要な事項を通知しなければならない。

２　前項の規定により前期高齢者納付金等の額が定められた後、前期高齢者納付金等の額を変更する必要が生じたときは、支払基金は、当該各保険者が納付すべき前期高齢者納付金等の額を変更し、当該各保険者に対し、変更後の前期高齢者納付金等の額を通知しなければならない。

３　支払基金は、保険者が納付した前期高齢者納付金等の額が、前項の規定による変更後の前期高齢者納付金等の額に満たない場合には、その不足する額について、同項の規定による通知とともに納付の方法及び納付すべき期限その他必要な事項を通知し、同項の規定による変更後の前期高齢者納付金等の額を超える場合には、その超える額について、未納の前期高齢者納付金等その他この章の規定による支払基金の徴収金があるときはこれに充当し、なお残余があれば還付し、未納の徴収金がないときはこれを還付しなければならない。

（督促及び滞納処分）

第四十四条　支払基金は、保険者が、納付すべき期限までに前期高齢者納付金等を納付しないときは、期限を指定してこれを督促しなければならない。

２　支払基金は、前項の規定により督促をするときは、当該保険者に対し、督促状を発する。この場合において、督促状により指定すべき期限は、督促状を発する日から起算して十日以上経過した日でなければならない。

３　支払基金は、第一項の規定による督促を受けた保険者がその指定期限までにその督促状に係る前期高齢者納付金等及び次条の規定による延滞金を完納しないときは、政令で定めるところにより、その徴収を、厚生労働大臣又は都道府県知事に請求するものとする。

４　前項の規定による徴収の請求を受けたときは、厚生労働大臣又は都道府県知事は、国税滞納処分の例により処分することができる。

（延滞金）

第四十五条　前条第一項の規定により前期高齢者納付金等の納付を督促したときは、支払基金は、その督促に係る前期高齢者納付金等の額につき年十四・五パーセントの割合で、納付期日の翌日からその完納又は財産差押えの日の前日までの日数により計算した延滞金を徴収する。ただし、督促に係る前期高齢者納付金等の額が千円未満であるときは、この限りでない。

２　前項の場合において、前期高齢者納付金等の額の一部につき納付があつたときは、その納付の日以降の期間に係る延滞金の額の計算の基礎となる前期高齢者納付金等の額は、その納付のあつた前期高齢者納付金等の額を控除した額とする。

３　延滞金の計算において、前二項の前期高齢者納付金等の額に千円未満の端数があるときは、その端数は、切り捨てる。

４　前三項の規定によつて計算した延滞金の額に百円未満の端数があるときは、その端数は、切り捨てる。

５　延滞金は、次の各号のいずれかに該当する場合には、徴収しない。ただし、第三号の場合には、その執行を停止し、又は猶予した期間に対応する部分の金額に限る。

一　督促状に指定した期限までに前期高齢者納付金等を完納したとき。

二　延滞金の額が百円未満であるとき。

三　前期高齢者納付金等について滞納処分の執行を停止し、又は猶予したとき。

四　前期高齢者納付金等を納付しないことについてやむを得ない理由があると認められるとき。

（納付の猶予）

第四十六条　支払基金は、やむを得ない事情により、保険者が前期高齢者納付金等を納付することが著しく困難であると認められるときは、厚生労働省令で定めるところにより、当該保険者の申請に基づき、厚生労働大臣の承認を受けて、その納付すべき期限から一年以内の期間を限り、その一部の納付を猶予することができる。

２　支払基金は、前項の規定による猶予をしたときは、その旨、猶予に係る前期高齢者納付金等の額、猶予期間その他必要な事項を保険者に通知しなければならない。

３　支払基金は、第一項の規定による猶予をしたときは、その猶予期間内は、その猶予に係る前期高齢者納付金等につき新たに第四十四条第一項の規定による督促及び同条第三項の規定による徴収の請求をすることができない。

第四章　後期高齢者医療制度

第一節　総則

（後期高齢者医療）

第四十七条　後期高齢者医療は、高齢者の疾病、負傷又は死亡に関して必要な給付を行うものとする。

（広域連合の設立）

第四十八条　市町村は、後期高齢者医療の事務（保険料の徴収の事務及び被保険者の便益の増進に寄与するものとして政令で定める事務を除く。）を処理するため、都道府県の区域ごとに当該区域内のすべての市町村が加入する広域連合（以下「後期高齢者医療広域連合」という。）を設けるものとする。

（特別会計）

第四十九条　後期高齢者医療広域連合及び市町村は、後期高齢者医療に関する収入及び支出について、政令で定めるところにより、特別会計を設けなければならない。

第二節　被保険者

（被保険者）

第五十条　次の各号のいずれかに該当する者は、後期高齢者医療広域連合が行う後期高齢者医療の被保険者とする。

一　後期高齢者医療広域連合の区域内に住所を有する七十五歳以上の者

二　後期高齢者医療広域連合の区域内に住所を有する六十五歳以上七十五歳未満の者であつて、厚生労働省令で定めるところにより、政令で定める程度の障害の状態にある旨の当該後期高齢者医療広域連合の認定を受けたもの

（適用除外）

第五十一条　前条の規定にかかわらず、次の各号のいずれかに該当する者は、後期高齢者医療広域連合が行う後期高齢者医療の被保険者としない。

一　生活保護法（昭和二十五年法律第百四十四号）による保護を受けている世帯（その保護を停止されている世帯を除く。）に属する者

二　前号に掲げるもののほか、後期高齢者医療の適用除外とすべき特別の理由がある者で厚生労働省令で定めるもの

（資格取得の時期）

第五十二条　後期高齢者医療広域連合が行う後期高齢者医療の被保険者は、次の各号のいずれかに該当するに至つた日又は前条各号のいずれにも該当しなくなつた日から、その資格を取得する。

一　当該後期高齢者医療広域連合の区域内に住所を有する者（第五十条第二号の認定を受けた者を除く。）が七十五歳に達したとき。

二　七十五歳以上の者が当該後期高齢者医療広域連合の区域内に住所を有するに至つたとき。

三　当該後期高齢者医療広域連合の区域内に住所を有する六十五歳以上七十五歳未満の者が、第五十条第二号の認定を受けたとき。

（資格喪失の時期）

第五十三条　後期高齢者医療広域連合が行う後期高齢者医療の被保険者は、当該後期高齢者医療広域連合の区域内に住所を有しなくなつた日若しくは第五十条第二号の状態に該当しなくなつた日又は第五十一条第二号に掲げる者に該当するに至つた日の翌日から、その資格を喪失する。ただし、当該後期高齢者医療広域連合の区域内に住所を有しなくなつた日に他の後期高齢者医療広域連合の区域内に住所を有するに至つたときは、その日から、その資格を喪失する。

2　後期高齢者医療広域連合が行う後期高齢者医療の被保険者は、第五十一条第一号に規定する者に該当するに至つた日から、その資格を喪失する。

（届出等）

第五十四条　被保険者は、厚生労働省令で定めるところにより、被保険者の資格の取得及び喪失に関する事項その他必要な事項を後期高齢者医療広域連合に届け出なければならない。

2　被保険者の属する世帯の世帯主は、その世帯に属する被保険者に代わつて、当該被保険者に係る前項の規定による届出をすることができる。

3　被保険者が第六十四条第三項に規定する電子資格確認を受けることができない状況にあるときは、当該被保険者は、厚生労働省令で定めるところにより、後期高齢者医療広域連合に対し、当該状況にある被保険者の資格に係る情報として厚生労働省令で定める事項を記載した書面の交付又は当該事項の電磁的方法（電子情報処理組織を使用する方法その他の情報通信の技術を利用する方法であつて厚生労働省令で定めるものをいう。以下この項から第五項までにおいて同じ。）による提供を求めることができる。この場合において、当該後期高齢者医療広域連合は、厚生労働省令で定めるところにより、速やかに、当該書面の交付の求めを行つた被保険者に対しては当該書面を交付するものとし、当該電磁的方法による提供の求めを行つた被保険者に対しては当該事項を電磁的方法により提供するものとする。

4　前項の規定により同項の書面の交付を受け、又は電磁的方法により同項の厚生労働省令で定める事項の提供を受けた被保険者は、当該書面又は当該事項を厚生労働省令で定める方法により表示したものを提示することにより、第六十四条第三項本文（第七十四条第十項、第七十五条第七項、第七十六条第六項及び第八十二条第六項において準用する場合を含む。）又は第七十八条第三項（第八十二条第六項において準用する場合を含む。）の確認を受けることができる。

5　被保険者は、当該被保険者の資格に係る事実の確認のため、厚生労働省令で定めるところにより、後期高齢者医療広域連合に対し、当該事実を記載した書面の交付又は当該書面に記載すべき事項の電磁的方法による提供を求めることができる。この場合において、当該後期高齢者医療広域連合は、厚生労働省令で定めるところにより、当該書面の交付の求めを行つた被保険者に対しては当該書面を交付するものとし、当該電磁的方法による提供の求めを行つた被保険者に対しては当該書面に記載すべき事項を電磁的方法により提供するものとする。

6　住民基本台帳法（昭和四十二年法律第八十一号）第二十二条から第二十四条まで、第二十五条、第三十条の四十六又は第三十条の四十七の規定による届出があつたとき（当該届出に係る書面に同法第二十八条の二の規定による付記がされたときに限る。）は、その届出と同一の事由に基づく第一項の規定による届出があつたものとみなす。

7　前各項に規定するもののほか、被保険者に関する届出及び被保険者の資格に関する確認に関して必要な事項は、厚生労働省令で定める。

（病院等に入院、入所又は入居中の被保険者の特例）

第五十五条　次の各号に掲げる入院、入所又は入居（以下この条において「入院等」という。）をしたことにより、当該各号に規定する病院、診療所又は施設（以下この条において「病院等」という。）の所在する場所に住所を変更したと認められる被保険者（次条第一項の規定により同項に規定する従前住所地後期高齢者医療広域連合が行う後期高齢者医療の被保険者とされる者を除く。）であつて、当該病院等に入院等をした際他の後期高齢者医療広域連合（当該病院等が所在する後期高齢者医療広域連合以外の後期高齢者医療広域連合をいう。）の区域内に住所を有していたと認められるものは、第五十条の規定にかかわらず、当該他の後期高齢者医療広域連合が行う後期高齢者医療の被保険者とする。ただし、二以上の病院等に継続して入院等をしている被保険者であつて、現に入院等をしている病院等（以下この条において「現入院病院等」という。）に入院等をする直前に入院等をしていた病院等（以下この項において「直前入院病院等」という。）及び現入院病院等のそれぞれに入院等をしたことにより直前入院病院等及び現入院病院等のそれぞれの所在する場所に順次住所を変更したと認められるもの（次項において「特定継続入院等被保険者」という。）については、この限りでない。

一　病院又は診療所への入院

二　障害者の日常生活及び社会生活を総合的に支援するための法律（平成十七年法律第百二十三号）第五条第十一項に規定する障害者支援施設又は同条第一項の主務省令で定める施設への入所

三　独立行政法人国立重度知的障害者総合施設のぞみの園法（平成十四年法律第百六十七号）第十一条第一号の規定により独立行政法人国立重度知的障害者総合施設のぞみの園の設置する施設への入所

四　老人福祉法（昭和三十八年法律第百三十三号）第二十条の四又は第二十条の五に規定する養護老人ホーム又は特別養護老人ホームへの入所（同法第十一条第一項第一号又は第二号の規定による入所措置が採られた場合に限る。）

五　介護保険法第八条第十一項に規定する特定施設への入居又は同条第二十五項に規定する介護保険施設への入所

2　特定継続入院等被保険者のうち、次の各号に掲げるものは、第五十条の規定にかかわらず、当該各号に定める後期高齢者医療広域連合が行う後期高齢者医療の被保険者とする。

一　継続して入院等をしている二以上の病院等のそれぞれに入院等をすることによりそれぞれの病院等の所在する場所に順次住所を変更したと認められる被保険者であつて、当該二以上の病院等のうち最初の病院等に入院等をした際他の後期高齢者医療広域連合（現入院病院等が所在する後期高齢者医療広域連合以外の後期高齢者医療広域連合をいう。）の区域内に住所を有していたと認められるもの　当該他の後期高齢者医療広域連合

二　継続して入院等をしている二以上の病院等のうち一の病院等から継続して他の病院等に入院等をすること（以下この号において「継続入院等」という。）により当該一の病院等の所在する場所以外の場所から当該他の病院等の所在する場所への住所の変更（以下この号において「特定住所変更」という。）を行つたと認められる被保険者であつて、最後に行つた特定住所変更に係る継続入院等の際他の後期高齢者医療広域連合（現入院病院等が所在する後期高齢者医療広域連合以外の後期高齢者医療広域連合をいう。）の区域内に住所を有していたと認められるもの　当該他の後期高齢者医療広域連合

3　前二項の規定の適用を受ける被保険者が入院等をしている病院等は、当該病院等の所在する後期高齢者医療広域連合及び当該被保険者に対し後期高齢者医療を行う後期高齢者医療広域連合に、必要な協力をしなければならない。

（国民健康保険法第百十六条の二の規定の適用を受ける者の特例）

第五十五条の二　国民健康保険法第百十六条の二第一項及び第二項の規定の適用を受ける国民健康保険の被保険者であつて、これらの規定により住所を有するものとみなされた市町村（以下この項において「従前住所地市町村」という。）の加入する後期高齢者医療広域連合の区域内に住所を有する者（第二号の場合においては、六十五歳以上七十五歳未満の者に限る。）が、次の各号のいずれかに該当するに至つた場合は、第五十条の規定にかかわらず、従前住所地市町村の加入する後期高齢者医療広域連合（第二号及び次項において「従前住所地後期高齢者医療広域連合」という。）が行う後期高齢者医療の被保険者とする。この場合において、当該被保険者は、第五十二条の規定にかかわらず、当該各号のいずれかに該当するに至つた日から、その資格を取得する。

一　七十五歳に達したとき。

二　厚生労働省令で定めるところにより、第五十条第二号の政令で定める程度の障害の状態にある旨の従前住所地後期高齢者医療広域連合の認定を受けたとき。

2　前条の規定は、前項の規定により従前住所地後期高齢者医療広域連合が行う後期高齢者医療の被保険者とされる者について準用する。この場合において、必要な技術的読替えは、政令で定める。

第三節　後期高齢者医療給付

第一款　通則

（後期高齢者医療給付の種類）

第五十六条　被保険者に係るこの法律による給付（以下「後期高齢者医療給付」という。）は、次のとおりとする。

一　療養の給付並びに入院時食事療養費、入院時生活療養費、保険外併用療養費、療養費、訪問看護療養費、特別療養費及び移送費の支給

二　高額療養費及び高額介護合算療養費の支給

三　前二号に掲げるもののほか、後期高齢者医療広域連合の条例で定めるところにより行う給付

（他の法令による医療に関する給付との調整）

第五十七条　療養の給付又は入院時食事療養費、入院時生活療養費、保険外併用療養費、療養費、訪問看護療養費、特別療養費若しくは移送費の支給は、被保険者の当該疾病又は負傷につき、労働者災害補償保険法（昭和二十二年法律第五十号）の規定による療養補償給付、複数事業労働者療養給付若しくは療養

給付、国家公務員災害補償法（昭和二十六年法律第百九十一号。他の法律において準用する場合を含む。）の規定による療養補償、地方公務員災害補償法（昭和四十二年法律第百二十一号）若しくは同法に基づく条例の規定による療養補償その他政令で定める法令に基づく医療に関する給付を受けることができる場合、介護保険法の規定によつて、それぞれの給付に相当する給付を受けることができる場合又はこれらの法令以外の法令により国若しくは地方公共団体の負担において医療に関する給付が行われた場合には、行わない。

2　後期高齢者医療広域連合は、前項に規定する法令による給付が医療に関する現物給付である場合において、その給付に関し一部負担金の支払若しくは実費徴収が行われ、かつ、その一部負担金若しくは実費徴収の額が、その給付がこの法律による療養の給付として行われたものとした場合におけるこの法律による一部負担金の額を超えるとき、又は同項に規定する法令（介護保険法を除く。）による給付が医療費の支給である場合において、その支給額が、当該療養につきこの法律による入院時食事療養費、入院時生活療養費、保険外併用療養費、療養費、訪問看護療養費、特別療養費又は移送費の支給をすべきものとした場合における入院時食事療養費、入院時生活療養費、保険外併用療養費、療養費、訪問看護療養費、特別療養費又は移送費の額に満たないときは、それぞれその差額を当該被保険者に支給しなければならない。

3　前項の場合において、被保険者が保険医療機関等（健康保険法第六十三条第三項第一号に規定する保険医療機関（以下「保険医療機関」という。）又は保険薬局をいう。以下同じ。）について当該療養を受けたときは、後期高齢者医療広域連合は、前項の規定により被保険者に支給すべき額の限度において、当該被保険者が保険医療機関等に支払うべき当該療養に要した費用を、当該被保険者に代わつて保険医療機関等に支払うことができる。

4　前項の規定により保険医療機関等に対して費用が支払われたときは、その限度において、被保険者に対し第二項の規定による支給が行われたものとみなす。

（損害賠償請求権）

第五十八条　後期高齢者医療広域連合は、給付事由が第三者の行為によつて生じた場合において、後期高齢者医療給付（前条第二項の規定による差額の支給を含む。以下同じ。）を行つたときは、その後期高齢者医療給付の価額（当該後期高齢者医療給付が療養の給付であるときは、当該療養の給付に要する費用の額から当該療養の給付に関し被保険者が負担しなければならない一部負担金に相当する額を控除した額。次条第一項において同じ。）の限度において、被保険者が第三者に対して有する損害賠償の請求権を取得する。

2　前項の場合において、後期高齢者医療給付を受けるべき者が第三者から同一の事由について損害賠償を受けたときは、後期高齢者医療広域連合は、その価額の限度において、後期高齢者医療給付を行う責めを免れる。

3　後期高齢者医療広域連合は、第一項の規定により取得した請求権に係る損害賠償金の徴収又は収納の事務を国保連合会であつて厚生労働省令で定めるものに委託することができる。

（不正利得の徴収等）

第五十九条　偽りその他不正の行為によつて後期高齢者医療給付を受けた者があるときは、後期高齢者医療広域連合は、その者からその後期高齢者医療給付の価額の全部又は一部を徴収することができる。

2　前項の場合において、保険医療機関において診療に従事する保険医又は第七十八条第一項に規定する主治の医師が、後期高齢者医療広域連合に提出されるべき診断書に虚偽の記載をしたため、その後期高齢者医療給付が行われたものであるときは、後期高齢者医療広域連合は、当該保険医又は主治の医師に対し、後期高齢者医療給付を受けた者に連帯して前項の徴収金を納付すべきことを命ずることができる。

3　後期高齢者医療広域連合は、保険医療機関等又は指定訪問看護事業者（健康保険法第八十八条第一項に規定する指定訪問看護事業者をいう。以下同じ。）が偽りその他不正の行為によつて療養の給付に関する費用の支払又は第七十四条第五項（第七十五条第七項、第七十六条第六項及び第七十八条第八項において準用する場合を含む。）の規定による支払を受けたときは、当該保険医療機関等又は指定訪問看護事業者に対し、その支払つた額につき返還させるほか、その返還させる額に百分の四十を乗じて得た額を支払わせることができる。

（文書の提出等）

第六十条　後期高齢者医療広域連合は、後期高齢者医療給付に関して必要があると認めるときは、当該被保険者若しくは被保険者であつた者又は後期高齢者医療給付を受ける者に対し、文書その他の物件の提出若しくは提示を命じ、又は当該職員に質問若しくは診断をさせることができる。

（診療録の提示等）

第六十一条　厚生労働大臣又は都道府県知事は、後期高齢者医療給付に関して必要があると認めるときは、医師、歯科医師、薬剤師若しくは手当を行つた者又はこれを使用する者に対し、その行つた診療、薬剤の支給又は手当に関し、報告若しくは診療録、帳簿書類その他の物件の提示を命じ、又は当該職員に質問させることができる。

2　厚生労働大臣又は都道府県知事は、必要があると認めるときは、療養の給付又は入院時食事療養費、入院時生活療養費、保険外併用療養費、療養費、訪問看護療養費若しくは特別療養費の支給を受けた被保険者又は被保険者であつた者に対し、当該療養の給付若しくは入院時食事療養費、入院時生活療養費、保険外併用療養費、療養費、訪問看護療養費若しくは特別療養費の支給に係る診療、調剤又は指定訪問看護の内容に関し、報告を命じ、又は当該職員に質問させることができる。

3　第十六条の七第二項の規定は前二項の規定による質問について、同条第三項の規定は前二項の規定による権限について、それぞれ準用する。

（受給権の保護）

第六十二条　後期高齢者医療給付を受ける権利は、譲り渡し、担保に供し、又は差し押さえることができない。

（租税その他の公課の禁止）

第六十三条　租税その他の公課は、後期高齢者医療給付として支給を受けた金品を標準として、課することができない。

第二款　療養の給付及び入院時食事療養費等の支給

第一目　療養の給付並びに入院時食事療養費、入院時生活療養費、保険外併用療養費及び療養

費の支給

（療養の給付）

第六十四条 後期高齢者医療広域連合は、被保険者の疾病又は負傷に関しては、次に掲げる療養の給付を行う。ただし、当該被保険者が第八十二条第一項又は第二項本文の規定の適用を受けている間は、この限りでない。

一 診察
二 薬剤又は治療材料の支給
三 処置、手術その他の治療
四 居宅における療養上の管理及びその療養に伴う世話その他の看護
五 病院又は診療所への入院及びその療養に伴う世話その他の看護

2 次に掲げる療養に係る給付は、前項の給付に含まれないものとする。

一 食事の提供である療養であつて前項第五号に掲げる療養（医療法第七条第二項第四号に規定する療養病床への入院及びその療養に伴う世話その他の看護（以下「長期入院療養」という。）を除く。）と併せて行うもの（以下「食事療養」という。）
二 次に掲げる療養であつて前項第五号に掲げる療養（長期入院療養に限る。）と併せて行うもの（以下「生活療養」という。）
イ 食事の提供である療養
ロ 温度、照明及び給水に関する適切な療養環境の形成である療養
三 厚生労働大臣が定める高度の医療技術を用いた療養その他の療養であつて、前項の給付の対象とすべきものであるか否かについて、適正な医療の効率的な提供を図る観点から評価を行うことが必要な療養（次号の患者申出療養を除く。）として厚生労働大臣が定めるもの（以下「評価療養」という。）
四 高度の医療技術を用いた療養であつて、当該療養を受けようとする者の申出に基づき、前項の給付の対象とすべきものであるか否かについて、適正な医療の効率的な提供を図る観点から評価を行うことが必要な療養として厚生労働大臣が定めるもの（以下「患者申出療養」という。）
五 被保険者の選定に係る特別の病室の提供その他の厚生労働大臣が定める療養（以下「選定療養」という。）

3 被保険者が第一項の給付を受けようとするときは、自己の選定する保険医療機関等から、電子資格確認（保険医療機関等から療養を受けようとする者又は指定訪問看護事業者から第七十八条第一項に規定する指定訪問看護を受けようとする者が、後期高齢者医療広域連合に対し、個人番号カード（行政手続における特定の個人を識別するための番号の利用等に関する法律（平成二十五年法律第二十七号）第二条第七項に規定する個人番号カードをいう。）に記録された利用者証明用電子証明書（電子署名等に係る地方公共団体情報システム機構の認証業務に関する法律（平成十四年法律第百五十三号）第二十二条第一項に規定する利用者証明用電子証明書をいう。）を送信する方法その他の厚生労働省令で定める方法により、被保険者の資格に係る情報（保険給付に係る費用の請求に必要な情報を含む。）の照会を行い、電子情報処理組織を使用する方法その他の情報通信の技術を利用する方法により、後期高齢者医療広域連合から回答を受けて当該情報を当該保険医療機関等又は指定訪問看護事業者に提供し、当該保険医療機関等又は指定訪問看護事業者から被保険者であることの確認を受けることをいう。以下同じ。）その他厚生労働省令で定める方法（以下「電子資格確認等」という。）により、被保険者であることの確認を受け、第一項の給付を受けるものとする。ただし、厚生労働省令で定める場合に該当するときは、当該確認を受けることを要しない。

4 第二項第四号の申出は、厚生労働大臣が定めるところにより、厚生労働大臣に対し、当該申出に係る療養を行う医療法第四条の三に規定する臨床研究中核病院（保険医療機関であるものに限る。）の開設者の意見書その他必要な書類を添えて行うものとする。

5 厚生労働大臣は、第二項第四号の申出を受けた場合は、当該申出について速やかに検討を加え、当該申出に係る療養が同号の評価を行うことが必要な療養と認められる場合には、当該療養を患者申出療養として定めるものとする。

6 厚生労働大臣は、前項の規定により第二項第四号の申出に係る療養を患者申出療養として定めることとした場合には、その旨を当該申出を行つた者に速やかに通知するものとする。

7 厚生労働大臣は、第五項の規定により第二項第四号の申出について検討を加え、当該申出に係る療養を患者申出療養として定めないこととした場合には、理由を付して、その旨を当該申出を行つた者に速やかに通知するものとする。

（保険医療機関等の責務）

第六十五条 保険医療機関等又は保険医等（健康保険法第六十四条に規定する保険医又は保険薬剤師をいう。以下同じ。）は、第七十一条第一項の療養の給付の取扱い及び担当に関する基準に従い、後期高齢者医療の療養の給付を取り扱い、又は担当しなければならない。

（厚生労働大臣又は都道府県知事の指導）

第六十六条 保険医療機関等は療養の給付に関し、保険医等は後期高齢者医療の診療又は調剤に関し、厚生労働大臣又は都道府県知事の指導を受けなければならない。

2 厚生労働大臣又は都道府県知事は、前項の指導をする場合において、必要があると認めるときは、診療又は調剤に関する学識経験者をその関係団体の指定により立ち会わせるものとする。ただし、関係団体が指定を行わない場合又は指定された者が立ち会わない場合は、この限りでない。

（一部負担金）

第六十七条 第六十四条第三項の規定により保険医療機関等について療養の給付を受ける者は、その給付を受ける際、次の各号に掲げる場合の区分に応じ、当該給付につき第七十条第二項又は第七十一条第一項の療養の給付に要する費用の額の算定に関する基準により算定した額に当該各号に定める割合を乗じて得た額を、一部負担金として、当該保険医療機関等に支払わなければならない。

一 次号及び第三号に掲げる場合以外の場合 百分の十
二 当該療養の給付を受ける者又はその属する世帯の他の世帯員である被保険者その他政令で定める者について政令で定めるところにより算定した所得の額が政令で定める額以上である場合（次号に掲げる場合を除く。） 百分の二十

三　当該療養の給付を受ける者又はその属する世帯の他の世帯員である被保険者その他政令で定める者について政令で定めるところにより算定した所得の額が前号の政令で定める額を超える政令で定める額以上である場合　百分の三十

2　保険医療機関等は、前項の一部負担金（第六十九条第一項第一号の措置が採られたときは、当該減額された一部負担金とする。）の支払を受けるべきものとし、保険医療機関等が善良な管理者と同一の注意をもつてその支払を受けることに努めたにもかかわらず、なお被保険者が当該一部負担金の全部又は一部を支払わないときは、後期高齢者医療広域連合は、当該保険医療機関等の請求に基づき、この法律の規定による徴収金の例によりこれを処分することができる。

第六十八条　前条第一項の規定により一部負担金を支払う場合においては、当該一部負担金の額に五円未満の端数があるときは、これを切り捨て、五円以上十円未満の端数があるときは、これを十円に切り上げるものとする。

第六十九条　後期高齢者医療広域連合は、災害その他の厚生労働省令で定める特別の事情がある被保険者であつて、保険医療機関等に第六十七条第一項の規定による一部負担金を支払うことが困難であると認められるものに対し、次の措置を採ることができる。

一　一部負担金を減額すること。

二　一部負担金の支払を免除すること。

三　保険医療機関等に対する支払に代えて、一部負担金を直接に徴収することとし、その徴収を猶予すること。

2　前項の措置を受けた被保険者は、第六十七条第一項の規定にかかわらず、前項第一号の措置を受けた被保険者にあつてはその減額された一部負担金を保険医療機関等に支払うことをもつて足り、同項第二号又は第三号の措置を受けた被保険者にあつては一部負担金を保険医療機関等に支払うことを要しない。

3　前条の規定は、前項の場合における一部負担金の支払について準用する。

（保険医療機関等の診療報酬）

第七十条　後期高齢者医療広域連合は、療養の給付に関する費用を保険医療機関等に支払うものとし、保険医療機関等が療養の給付に関し後期高齢者医療広域連合に請求することができる費用の額は、次条第一項の療養の給付に要する費用の額の算定に関する基準により算定した療養の給付に要する費用の額から、当該療養の給付に関して当該保険医療機関等に支払われるべき一部負担金に相当する額を控除した額とする。

2　後期高齢者医療広域連合は、都道府県知事の認可を受け、保険医療機関等との契約により、当該保険医療機関等において行われる療養の給付に関する前項の療養の給付に要する費用につき、同項の規定により算定される額の範囲内において、別段の定めをすることができる。

3　後期高齢者医療広域連合は、保険医療機関等から療養の給付に関する費用の請求があつたときは、次条第一項の療養の給付の取扱い及び担当に関する基準並びに療養の給付に要する費用の額の算定に関する基準及び前項の定めに照らして審査した上、支払うものとする。

4　後期高齢者医療広域連合は、前項の規定による審査及び支払に関する事務を支払基金又は国保連合会に委託することができる。

5　前項の規定による委託を受けた国保連合会は、当該委託を受けた審査に関する事務のうち厚生労働大臣の定める診療報酬請求書の審査に係るものを、国民健康保険法第四十五条第六項に規定する厚生労働大臣が指定する法人（以下「指定法人」という。）に委託することができる。

6　前項の規定により厚生労働大臣の定める診療報酬請求書の審査に係る事務の委託を受けた指定法人は、当該診療報酬請求書の審査を厚生労働省令で定める要件に該当する者に行わせなければならない。

7　前各項に規定するもののほか、保険医療機関等の療養の給付に関する費用の請求に関して必要な事項は、厚生労働省令で定める。

（療養の給付に関する基準）

第七十一条　療養の給付の取扱い及び担当に関する基準並びに療養の給付に要する費用の額の算定に関する基準については、厚生労働大臣が中央社会保険医療協議会の意見を聴いて定めるものとする。

2　中央社会保険医療協議会は、社会保険医療協議会法（昭和二十五年法律第四十七号）第二条第一項の規定にかかわらず、前項の規定により意見を求められた事項について審議し、及び文書をもつて答申するほか、同項に規定する事項について、自ら厚生労働大臣に文書をもつて建議することができる。

（保険医療機関等の報告等）

第七十二条　厚生労働大臣又は都道府県知事は、療養の給付に関して必要があると認めるときは、保険医療機関等若しくは保険医療機関等の開設者若しくは管理者、保険医等その他の従業員であつた者（以下この項において「開設者であつた者等」という。）に対し報告若しくは診療録その他の帳簿書類の提出若しくは提示を命じ、保険医療機関等の開設者若しくは管理者、保険医等その他の従業者（開設者であつた者等を含む。）に対し出頭を求め、又は当該職員に関係者に対して質問させ、若しくは保険医療機関等について設備若しくは診療録、帳簿書類その他の物件を検査させることができる。

2　第十六条の七第二項及び第六十六条第二項の規定は前項の規定による質問又は検査について、第十六条の七第三項の規定は前項の規定による権限について、それぞれ準用する。

3　都道府県知事は、保険医療機関等につきこの法律の規定による療養の給付に関し健康保険法第八十条の規定による処分が行われる必要があると認めるとき、又は保険医等につきこの法律の規定による診療若しくは調剤に関し健康保険法第八十一条の規定による処分が行われる必要があると認めるときは、理由を付して、その旨を厚生労働大臣に通知しなければならない。

（健康保険法の準用）

第七十三条　健康保険法第六十四条の規定は、この法律の規定による療養の給付について準用する。

（入院時食事療養費）

第七十四条　後期高齢者医療広域連合は、被保険者（長期入院療養を受ける被保険者（次条第一項において「長期入院被保険者」という。）を除く。以下この条において同じ。）が、保険医療機関等（保険薬局を除く。以下この条及び次条において同じ。）のうち自己の選定するものについて第六十四条第一項第五号に掲げる療養の給付と併せて受けた食事療養に要した費用について、当該被保険者に対し、入院時食事療養費を支給する。ただし、当該被保険者が第八十二条第一項又は第二項本文の規定の適用を受けている間は、この限りでない。

2　入院時食事療養費の額は、当該食事療養につき食事療養に要する平均的な費用の額を勘案して厚生労働大臣が定める基準により算定した費用の額（その額が現に当該食事療養に要した費用の額を超えるときは、当該現に食事療養に要した費用の額）から、平均的な家計における食費の状況及び特定介護保険施設等（介護保険法第五十一条の三第一項に規定する特定介護保険施設等をいう。）における食事の提供に要する平均的な費用の額を勘案して厚生労働大臣が定める額（所得の状況その他の事情をしん酌して厚生労働省令で定める者については、別に定める額。以下「食事療養標準負担額」という。）を控除した額とする。

3　厚生労働大臣は、食事療養標準負担額を定めた後に勘案又はしん酌すべき事項に係る事情が著しく変動したときは、速やかにその額を改定しなければならない。

4　保険医療機関等及び保険医等（保険薬剤師を除く。次条第四項において同じ。）は、厚生労働大臣が定める入院時食事療養費に係る療養の取扱い及び担当に関する基準に従い、入院時食事療養費に係る療養を取り扱い、又は担当しなければならない。

5　被保険者が保険医療機関等について食事療養を受けたときは、後期高齢者医療広域連合は、その被保険者が当該保険医療機関等に支払うべき食事療養に要した費用について、入院時食事療養費として被保険者に対し支給すべき額の限度において、被保険者に代わり、当該保険医療機関等に支払うことができる。

6　前項の規定による支払があつたときは、被保険者に対し入院時食事療養費の支給があつたものとみなす。

7　保険医療機関等は、食事療養に要した費用につき、その支払を受ける際、当該支払をした被保険者に対し、厚生労働省令で定めるところにより、領収書を交付しなければならない。

8　厚生労働大臣は、第二項の規定による基準及び第四項に規定する入院時食事療養費に係る療養の取扱い及び担当に関する基準を定めようとするときは、あらかじめ中央社会保険医療協議会の意見を聴かなければならない。

9　第七十一条第二項の規定は、前項に規定する事項に関する中央社会保険医療協議会の権限について準用する。

10　健康保険法第六十四条並びに本法第六十四条第三項、第六十六条、第七十条第二項から第七項まで及び第七十二条の規定は、保険医療機関等について受けた食事療養及びこれに伴う入院時食事療養費の支給について準用する。この場合において、これらの規定に関し必要な技術的読替えは、政令で定める。

（入院時生活療養費）

第七十五条　後期高齢者医療広域連合は、長期入院被保険者が、保険医療機関等のうち自己の選定するものについて第六十四条第一項第五号に掲げる療養の給付と併せて受けた生活療養に要した費用について、当該長期入院被保険者に対し、入院時生活療養費を支給する。ただし、当該長期入院被保険者が第八十二条第一項又は第二項本文の規定の適用を受けている間は、この限りでない。

2　入院時生活療養費の額は、当該生活療養につき生活療養に要する平均的な費用の額を勘案して厚生労働大臣が定める基準により算定した費用の額（その額が現に当該生活療養に要した費用の額を超えるときは、当該現に生活療養に要した費用の額）から、平均的な家計における食費及び光熱水費の状況並びに病院及び診療所における生活療養に要する費用について介護保険法第五十一条の三第二項第一号に規定する食費の基準費用額及び同項第二号に規定する居住費の基準費用額に相当する費用の額を勘案して厚生労働大臣が定める額（所得の状況、病状の程度、治療の内容その他の事情をしん酌して厚生労働省令で定める者については、別に定める額。以下「生活療養標準負担額」という。）を控除した額とする。

3　厚生労働大臣は、生活療養標準負担額を定めた後に勘案又はしん酌すべき事項に係る事情が著しく変動したときは、速やかにその額を改定しなければならない。

4　保険医療機関等及び保険医等は、厚生労働大臣が定める入院時生活療養費に係る療養の取扱い及び担当に関する基準に従い、入院時生活療養費に係る療養を取り扱い、又は担当しなければならない。

5　厚生労働大臣は、第二項の規定による基準及び前項に規定する入院時生活療養費に係る療養の取扱い及び担当に関する基準を定めようとするときは、あらかじめ中央社会保険医療協議会の意見を聴かなければならない。

6　第七十一条第二項の規定は、前項に規定する事項に関する中央社会保険医療協議会の権限について準用する。

7　健康保険法第六十四条並びに本法第六十四条第三項、第六十六条、第七十条第二項から第七項まで、第七十二条及び前条第五項から第七項までの規定は、保険医療機関等について受けた生活療養及びこれに伴う入院時生活療養費の支給について準用する。この場合において、これらの規定に関し必要な技術的読替えは、政令で定める。

（保険外併用療養費）

第七十六条　後期高齢者医療広域連合は、被保険者が、自己の選定する保険医療機関等について評価療養、患者申出療養又は選定療養を受けたときは、当該被保険者に対し、その療養に要した費用について、保険外併用療養費を支給する。ただし、当該被保険者が第八十二条第一項又は第二項本文の規定の適用を受けている間は、この限りでない。

2　保険外併用療養費の額は、第一号に掲げる額（当該療養に食事療養が含まれるときは当該額及び第二号に掲げる額の合計額、当該療養に生活療養が含まれるときは当該額及び第三号に掲げる額の合計額）とする。

一　当該療養（食事療養及び生活療養を除く。）につき第七十一条第一項に規定する療養の給付に要する費用の額の算定に関する基準を勘案して厚生労働大臣が定める基準により算定した費用の額（その額が現に当該療養に要した費用の額を超えるときは、当該現に療養に要した費用の額）から、その額に第六十七条第一項各号に掲げる場合の区分に応じ、同項各号に定める割合を乗じて得た額（療養の給付に係る同項の一部負担金について第六十九条第一項各号の措置が採られるべきときは、当該措置が採られたものとした場合の額）を控除した額

二　当該食事療養につき第七十四条第二項に規定する厚生労働

大臣が定める基準により算定した費用の額（その額が現に当該食事療養に要した費用の額を超えるときは、当該現に食事療養に要した費用の額）から食事療養標準負担額を控除した額

三　当該生活療養につき前条第二項に規定する厚生労働大臣が定める基準により算定した費用の額（その額が現に当該生活療養に要した費用の額を超えるときは、当該現に生活療養に要した費用の額）から生活療養標準負担額を控除した額

3　保険医療機関等及び保険医等は、厚生労働大臣が定める保険外併用療養費に係る療養の取扱い及び担当に関する基準に従い、保険外併用療養費に係る療養を取り扱い、又は担当しなければならない。

4　厚生労働大臣は、評価療養（第六十四条第二項第三号に規定する高度の医療技術に係るものを除く。）、選定療養、第二項第一号の規定による基準並びに前項に規定する保険外併用療養費に係る療養の取扱い及び担当に関する基準を定めようとするときは、あらかじめ中央社会保険医療協議会の意見を聴かなければならない。

5　第七十一条第二項の規定は、前項に規定する事項に関する中央社会保険医療協議会の権限について準用する。

6　健康保険法第六十四条並びに本法第六十四条第三項、第六十六条、第七十条第二項から第七項まで、第七十二条及び第七十四条第五項から第七項までの規定は、保険医療機関等について受けた評価療養、患者申出療養及び選定療養並びにこれらに伴う保険外併用療養費の支給について準用する。この場合において、これらの規定に関し必要な技術的読替えは、政令で定める。

7　第六十八条の規定は、前項の規定により準用する第七十四条第五項の場合において当該療養につき第二項の規定により算定した費用の額（その額が現に療養に要した費用の額を超えるときは、当該現に療養に要した費用の額）から当該療養に要した費用について保険外併用療養費として支給される額に相当する額を控除した額の支払について準用する。

（療養費）

第七十七条　後期高齢者医療広域連合は、療養の給付若しくは入院時食事療養費、入院時生活療養費若しくは保険外併用療養費の支給（以下この項及び次項において「療養の給付等」という。）を行うことが困難であると認めるとき、又は被保険者が保険医療機関等以外の病院、診療所若しくは薬局その他の者について診療、薬剤の支給若しくは手当を受けた場合において、後期高齢者医療広域連合がやむを得ないものと認めるときは、療養の給付等に代えて、療養費を支給することができる。ただし、当該被保険者が第八十二条第一項又は第二項本文の規定の適用を受けている間は、この限りでない。

2　後期高齢者医療広域連合は、被保険者が電子資格確認等により被保険者であることの確認を受けないで保険医療機関等について診療又は薬剤の支給を受けた場合において、当該確認を受けなかったことが、緊急その他やむを得ない理由によるものと認めるときは、療養の給付等に代えて、療養費を支給するものとする。ただし、当該被保険者が第八十二条第一項又は第二項本文の規定の適用を受けている間は、この限りでない。

3　療養費の額は、当該療養（食事療養及び生活療養を除く。）について算定した費用の額から、その額に第六十七条第一項各号に掲げる場合の区分に応じ、同項各号に定める割合を乗じて得た額を控除した額及び当該食事療養又は生活療養について算定した費用の額から食事療養標準負担額又は生活療養標準負担額を控除した額を基準として、後期高齢者医療広域連合が定める。

4　前項の費用の額の算定については、療養の給付を受けるべき場合においては第七十一条第一項の規定を、入院時食事療養費の支給を受けるべき場合においては第七十四条第二項の規定を、入院時生活療養費の支給を受けるべき場合においては第七十五条第二項の規定を、保険外併用療養費の支給を受けるべき場合においては前条第二項の規定を準用する。ただし、その額は、現に療養に要した費用の額を超えることができない。

第二目　訪問看護療養費の支給

（訪問看護療養費）

第七十八条　後期高齢者医療広域連合は、被保険者が指定訪問看護事業者から当該指定に係る訪問看護事業（健康保険法第八十八条第一項に規定する訪問看護事業をいう。）を行う事業所により行われる訪問看護（疾病又は負傷により、居宅において継続して療養を受ける状態にある被保険者（主治の医師がその治療の必要の程度につき厚生労働省令で定める基準に適合していると認めたものに限る。）に対し、その者の居宅において看護師その他厚生労働省令で定める者が行う療養上の世話又は必要な診療の補助をいう。以下「指定訪問看護」という。）を受けたときは、当該被保険者に対し、当該指定訪問看護に要した費用について、訪問看護療養費を支給する。ただし、当該被保険者が第八十二条第一項又は第二項本文の規定の適用を受けている間は、この限りでない。

2　前項の訪問看護療養費は、厚生労働省令で定めるところにより、後期高齢者医療広域連合が必要と認める場合に限り、支給するものとする。

3　被保険者が指定訪問看護を受けようとするときは、厚生労働省令で定めるところにより、自己の選定する指定訪問看護事業者から、電子資格確認等により、被保険者であることの確認を受け、当該指定訪問看護を受けるものとする。

4　訪問看護療養費の額は、当該指定訪問看護につき指定訪問看護に要する平均的な費用の額を勘案して厚生労働大臣が定める基準により算定した費用の額から、その額に第六十七条第一項各号に掲げる場合の区分に応じ、同項各号に定める割合を乗じて得た額（療養の給付について第六十九条第一項各号の措置が採られるべきときは、当該措置が採られたものとした場合の額）を控除した額とする。

5　厚生労働大臣は、前項の基準を定めようとするときは、あらかじめ中央社会保険医療協議会の意見を聴かなければならない。

6　第七十一条第二項の規定は、前項に規定する事項に関する中央社会保険医療協議会の権限について準用する。

7　後期高齢者医療広域連合は、指定訪問看護事業者から訪問看護療養費の請求があったときは、第四項の厚生労働大臣が定める基準及び次条第一項に規定する指定訪問看護の事業の運営に関する基準（指定訪問看護の取扱いに関する部分に限る。）に照らして審査した上、支払うものとする。

8　第七十条第四項から第七項まで及び第七十四条第五項から第

七項までの規定は、指定訪問看護事業者について受けた指定訪問看護及びこれに伴う訪問看護療養費の支給について準用する。この場合において、これらの規定に関し必要な技術的読替えは、政令で定める。

9　第六十八条の規定は、前項において準用する第七十四条第五項の場合において第四項の規定により算定した費用の額から当該指定訪問看護に要した費用について訪問看護療養費として支給される額に相当する額を控除した額の支払について準用する。

10　指定訪問看護は、第六十四条第一項各号に掲げる療養に含まれないものとする。

11　前各項に規定するもののほか、第四項の厚生労働大臣が定める算定方法の適用及び指定訪問看護事業者の訪問看護療養費の請求に関して必要な事項は、政令で定める。

（指定訪問看護の事業の運営に関する基準）

第七十九条　指定訪問看護の事業の運営に関する基準については、厚生労働大臣が定める。

2　指定訪問看護事業者は、前項に規定する指定訪問看護の事業の運営に関する基準に従い、高齢者の心身の状況等に応じて適切な指定訪問看護を提供するとともに、自らその提供する指定訪問看護の質の評価を行うことその他の措置を講ずることにより常に指定訪問看護を受ける者の立場に立つてこれを提供するように努めなければならない。

3　厚生労働大臣は、第一項に規定する指定訪問看護の事業の運営に関する基準（指定訪問看護の取扱いに関する部分に限る。）を定めようとするときは、あらかじめ中央社会保険医療協議会の意見を聴かなければならない。

4　第七十一条第二項の規定は、前項に規定する事項に関する中央社会保険医療協議会の権限について準用する。

（厚生労働大臣又は都道府県知事の指導）

第八十条　指定訪問看護事業者及び当該指定に係る事業所の看護師その他の従業者は、指定訪問看護に関し、厚生労働大臣又は都道府県知事の指導を受けなければならない。

（報告等）

第八十一条　厚生労働大臣又は都道府県知事は、訪問看護療養費の支給に関して必要があると認めるときは、指定訪問看護事業者又は指定訪問看護事業者であつた者若しくは当該指定に係る事業所の看護師その他の従業者であつた者（以下この項において「指定訪問看護事業者であつた者等」という。）に対し、報告若しくは帳簿書類の提出若しくは提示を命じ、指定訪問看護事業者若しくは当該指定に係る事業所の看護師その他の従業者若しくは指定訪問看護事業者であつた者等に対し出頭を求め、又は当該職員に関係者に対して質問させ、若しくは当該指定訪問看護事業者の当該指定に係る事業所について帳簿書類その他の物件を検査させることができる。

2　第十六条の七第二項の規定は前項の規定による質問又は検査について、同条第三項の規定は前項の規定による権限について、それぞれ準用する。

3　都道府県知事は、指定訪問看護事業者につきこの法律の規定による指定訪問看護に関し健康保険法第九十五条の規定による処分が行われる必要があると認めるときは、理由を付して、その旨を厚生労働大臣に通知しなければならない。

第三目　特別療養費の支給

第八十二条　後期高齢者医療広域連合は、保険料を滞納している被保険者（原子爆弾被爆者に対する援護に関する法律（平成六年法律第百十七号）による一般疾病医療費の支給その他厚生労働省令で定める医療に関する給付（第四項において「原爆一般疾病医療費の支給等」という。）を受けることができる被保険者を除く。以下この条において「保険料滞納者」という。）が、当該保険料の納期限から厚生労働省令で定める期間が経過するまでの間に、市町村が当該保険料の納付の勧奨及び当該保険料の納付に係る相談の機会の確保その他厚生労働省令で定める保険料の納付に資する取組（次項並びに第九十二条第一項及び第二項において「保険料納付の勧奨等」という。）を行つてもなお当該保険料を納付しない場合においては、当該保険料の滞納につき災害その他の政令で定める特別の事情があると認められる場合を除き、当該保険料滞納者が保険医療機関等から療養を受けたとき、又は指定訪問看護事業者から指定訪問看護を受けたときは、当該保険料滞納者に対し、その療養又は指定訪問看護に要した費用について、療養の給付又は入院時食事療養費、入院時生活療養費、保険外併用療養費、療養費若しくは訪問看護療養費の支給（次項、第四項及び第五項において「療養の給付等」という。）に代えて、特別療養費を支給する。

2　後期高齢者医療広域連合は、前項に規定する厚生労働省令で定める期間が経過する前においても、市町村が保険料納付の勧奨等を行つてもなお保険料滞納者が当該保険料を納付しない場合においては、当該保険料滞納者が保険医療機関等から療養を受けたとき、又は指定訪問看護事業者から指定訪問看護を受けたときは、当該保険料滞納者に対し、その療養又は指定訪問看護に要した費用について、療養の給付等に代えて、特別療養費を支給することができる。ただし、同項の政令で定める特別の事情があると認められるときは、この限りでない。

3　後期高齢者医療広域連合は、第一項又は前項本文の規定により特別療養費を支給するときは、あらかじめ、厚生労働省令で定めるところにより、保険料滞納者に対し、当該保険料滞納者が保険医療機関等から療養を受けたとき、又は指定訪問看護事業者から指定訪問看護を受けたときは、特別療養費を支給する旨を通知するものとする。

4　後期高齢者医療広域連合は、第一項又は第二項本文の規定の適用を受けている保険料滞納者が滞納している保険料を完納した場合若しくはその者に係る滞納額の著しい減少、災害その他の政令で定める特別の事情があると認められる場合又は当該被保険者が原爆一般疾病医療費の支給等を受けることができる者となつた場合において、これらの場合に該当する被保険者が保険医療機関等から療養を受けたとき、又は指定訪問看護事業者から指定訪問看護を受けたときは、当該被保険者に対し、療養の給付等を行う。

5　後期高齢者医療広域連合は、前項の規定により療養の給付等を行うときは、あらかじめ、厚生労働省令で定めるところにより、同項に規定する場合に該当する被保険者に対し、当該被保険者が保険医療機関等から療養を受けたとき、又は指定訪問看護事業者から指定訪問看護を受けたときは、療養の給付等を行う旨を通知するものとする。

6　健康保険法第六十四条並びに本法第六十四条第三項、第六十五条、第六十六条、第七十条第二項、第七十二条、第七十四条

第七項（第七十八条第八項において準用する場合を含む。）、第七十六条第二項、第七十八条第三項、第七十九条第二項、第八十条及び前条の規定は、保険医療機関等又は指定訪問看護事業者について受けた特別療養費に係る療養又は指定訪問看護及びこれらに伴う特別療養費の支給について準用する。この場合において、必要な技術的読替えは、政令で定める。

7　第一項又は第二項本文の規定の適用を受けている保険料滞納者がこれらの規定の適用を受けていないとすれば第七十七条第一項の規定が適用されることとなるときは、後期高齢者医療広域連合は、療養費を支給することができる。

8　第一項又は第二項本文の規定の適用を受けている保険料滞納者が電子資格確認等により被保険者であることの確認を受けないで保険医療機関等について診療又は薬剤の支給を受け、当該確認を受けなかつたことが、緊急その他やむを得ない理由によるものと認めるときは、後期高齢者医療広域連合は、療養費を支給するものとする。

9　第七十七条第三項及び第四項の規定は、前二項の規定による療養費について準用する。この場合において、同条第四項中「受けるべき場合」とあるのは、「受けることができる場合」と読み替えるものとする。

第四目　移送費の支給

第八十三条　後期高齢者医療広域連合は、被保険者が療養の給付（保険外併用療養費に係る療養及び特別療養費に係る療養を含む。）を受けるため病院又は診療所に移送されたときは、当該被保険者に対し、移送費として、厚生労働省令で定めるところにより算定した額を支給する。

2　前項の移送費は、厚生労働省令で定めるところにより、後期高齢者医療広域連合が必要であると認める場合に限り、支給するものとする。

第三款　高額療養費及び高額介護合算療養費の支給

（高額療養費）

第八十四条　後期高齢者医療広域連合は、療養の給付につき支払われた第六十七条に規定する一部負担金の額又は療養（食事療養及び生活療養を除く。以下この条において同じ。）に要した費用の額からその療養に要した費用につき保険外併用療養費、療養費、訪問看護療養費若しくは特別療養費として支給される額若しくは第五十七条第二項の規定により支給される差額に相当する額を控除した額（次条第一項において「一部負担金等の額」という。）が著しく高額であるときは、その療養の給付又はその保険外併用療養費、療養費、訪問看護療養費若しくは特別療養費の支給を受けた被保険者に対し、高額療養費を支給する。

2　高額療養費の支給要件、支給額その他高額療養費の支給に関して必要な事項は、療養に必要な費用の負担の家計に与える影響及び療養に要した費用の額を考慮して、政令で定める。

（高額介護合算療養費）

第八十五条　後期高齢者医療広域連合は、一部負担金等の額（前条第一項の高額療養費が支給される場合にあつては、当該支給額に相当する額を控除して得た額）並びに介護保険法第五十一条第一項に規定する介護サービス利用者負担額（同項の高額介護サービス費が支給される場合にあつては、当該支給額を控除して得た額）及び同法第六十一条第一項に規定する介護予防サービス利用者負担額（同項の高額介護予防サービス費が支給される場合にあつては、当該支給額を控除して得た額）の合計額が著しく高額であるときは、当該一部負担金等の額に係る療養の給付又は保険外併用療養費、療養費、訪問看護療養費若しくは特別療養費の支給を受けた被保険者に対し、高額介護合算療養費を支給する。

2　前条第二項の規定は、高額介護合算療養費の支給について準用する。

第四款　その他の後期高齢者医療給付

第八十六条　後期高齢者医療広域連合は、被保険者の死亡に関しては、条例の定めるところにより、葬祭費の支給又は葬祭の給付を行うものとする。ただし、特別の理由があるときは、その全部又は一部を行わないことができる。

2　後期高齢者医療広域連合は、前項の給付のほか、後期高齢者医療広域連合の条例の定めるところにより、傷病手当金の支給その他の後期高齢者医療給付を行うことができる。

第五款　後期高齢者医療給付の制限

第八十七条　被保険者又は被保険者であつた者が、自己の故意の犯罪行為により、又は故意に疾病にかかり、若しくは負傷したときは、当該疾病又は負傷に係る療養の給付又は入院時食事療養費、入院時生活療養費、保険外併用療養費、療養費、訪問看護療養費、特別療養費若しくは移送費の支給（以下この款において「療養の給付等」という。）は、行わない。

第八十八条　被保険者が闘争、泥酔又は著しい不行跡によつて疾病にかかり、又は負傷したときは、当該疾病又は負傷に係る療養の給付等は、その全部又は一部を行わないことができる。

第八十九条　被保険者又は被保険者であつた者が、刑事施設、労役場その他これらに準ずる施設に拘禁された場合には、その期間に係る療養の給付等は、行わない。

第九十条　後期高齢者医療広域連合は、被保険者又は被保険者であつた者が、正当な理由がなく療養に関する指示に従わないときは、療養の給付等の一部を行わないことができる。

第九十一条　後期高齢者医療広域連合は、被保険者若しくは被保険者であつた者又は後期高齢者医療給付を受ける者が、正当な理由がなく第六十条の規定による命令に従わず、又は答弁若しくは受診を拒んだときは、療養の給付等の全部又は一部を行わないことができる。

第九十二条　後期高齢者医療広域連合は、後期高齢者医療給付を受けることができる被保険者が保険料を滞納しており、かつ、当該保険料の納期限から厚生労働省令で定める期間が経過するまでの間に、市町村が保険料納付の勧奨等を行つてもなお当該保険料を納付しない場合においては、当該保険料の滞納につき災害その他の政令で定める特別の事情があると認められる場合を除き、厚生労働省令で定めるところにより、後期高齢者医療給付の全部又は一部の支払を一時差し止めるものとする。

2　後期高齢者医療広域連合は、前項に規定する厚生労働省令で定める期間が経過しない場合においても、後期高齢者医療給付を受けることができる被保険者が、市町村が保険料納付の勧奨等を行つてもなお保険料を滞納している場合においては、当該保険料の滞納につき災害その他の政令で定める特別の事情があると認められる場合を除き、厚生労働省令で定めるところにより、後期高齢者医療給付の全部又は一部の支払を一時差し止めることができる。

3　後期高齢者医療広域連合は、第八十二条第一項又は第二項本文の規定の適用を受けている被保険者であつて、前二項の規定による後期高齢者医療給付の全部又は一部の支払の一時差止がなされているものが、なお滞納している保険料を納付しない場合においては、厚生労働省令で定めるところにより、あらかじめ、当該被保険者に通知して、当該一時差止に係る後期高齢者医療給付の額から当該被保険者が滞納している保険料額を控除することができる。

第四節　費用等

第一款　費用の負担

（国の負担）

第九十三条　国は、政令で定めるところにより、後期高齢者医療広域連合に対し、被保険者に係る療養の給付に要する費用の額から当該給付に係る一部負担金に相当する額を控除した額並びに入院時食事療養費、入院時生活療養費、保険外併用療養費、療養費、訪問看護療養費、特別療養費、移送費、高額療養費及び高額介護合算療養費の支給に要する費用の額の合計額（以下「療養の給付等に要する費用の額」という。）から第六十七条第一項第三号に掲げる場合に該当する者に係る療養の給付等に要する費用の額（以下「特定費用の額」という。）を控除した額（次項第一号及び第百条第一項において「負担対象額」という。）並びに流行初期医療確保拠出金の額から当該流行初期医療確保拠出金の額に療養の給付等に要する費用の額に占める特定費用の額の割合を乗じて得た額（第百条第一項において「特定流行初期医療確保拠出金の額」という。）を控除した額（第百条第一項において「負担対象拠出金額」という。）の合計額（以下「負担対象総額」という。）の十二分の三に相当する額を負担する。

2　国は、前項に掲げるもののほか、政令で定めるところにより、後期高齢者医療広域連合に対し、後期高齢者医療の財政の安定化を図るため、被保険者に係る全ての医療に関する給付に要する費用の額に対する高額な医療に関する給付の割合等を勘案して、高額な医療に関する給付の発生による後期高齢者医療の財政に与える影響が著しいものとして政令で定めるところにより算定する額以上の高額な医療に関する給付に要する費用の合計額に次に掲げる率の合計を乗じて得た額（第九十六条第二項において「高額医療費負担対象額」という。）の四分の一に相当する額を負担する。

一　負担対象額の十二分の一に相当する額を療養の給付等に要する費用の額で除して得た率

二　第百条第一項の後期高齢者負担率

3　国は、前二項に定めるもののほか、政令で定めるところにより、年度ごとに、支払基金に対して当該年度の特別負担調整見込額の総額等の三分の二を交付する。ただし、前々年度の特別負担調整見込額の総額等が同年度の特別負担調整額の総額等を超えるときは、当該年度の特別負担調整見込額の総額等からその超える額を控除して得た額の三分の二を交付するものとし、前々年度の特別負担調整見込額の総額等が同年度の特別負担調整額の総額等に満たないときは、当該年度の特別負担調整見込額の総額等にその満たない額を加算して得た額の三分の二を交付するものとする。

（国庫負担金の減額）

第九十四条　後期高齢者医療広域連合が確保すべき収入を不当に確保しなかつた場合においては、国は、政令で定めるところにより、前条の規定により当該後期高齢者医療広域連合に対して負担すべき額を減額することができる。

2　前項の規定により減額する額は、不当に確保しなかつた額を超えることができない。

（調整交付金）

第九十五条　国は、後期高齢者医療の財政を調整するため、政令で定めるところにより、後期高齢者医療広域連合に対して調整交付金を交付する。

2　前項の規定による調整交付金の総額は、負担対象総額の見込額の総額の十二分の一に相当する額とする。

（都道府県の負担）

第九十六条　都道府県は、政令で定めるところにより、後期高齢者医療広域連合に対し、負担対象総額の十二分の一に相当する額を負担する。

2　都道府県は、前項に掲げるもののほか、政令で定めるところにより、後期高齢者医療広域連合に対し、高額医療費負担対象額の四分の一に相当する額を負担する。

（都道府県の負担金の減額）

第九十七条　後期高齢者医療広域連合が確保すべき収入を不当に確保しなかつた場合において、国が第九十四条の規定により負担すべき額を減額したときは、都道府県は、政令で定めるところにより、前条の規定により当該後期高齢者医療広域連合に対して負担すべき額を減額することができる。

2　前項の規定により減額する額は、不当に確保しなかつた額を超えることができない。

（市町村の一般会計における負担）

第九十八条　市町村は、政令で定めるところにより、後期高齢者医療広域連合に対し、その一般会計において、負担対象総額の十二分の一に相当する額を負担する。

（市町村の特別会計への繰入れ等）

第九十九条　市町村は、政令で定めるところにより、一般会計から、所得の少ない者について後期高齢者医療広域連合の条例の定めるところにより行う保険料の減額賦課に基づき被保険者に係る保険料につき減額した額の総額を基礎とし、後期高齢者医療の財政の状況その他の事情を勘案して政令で定めるところにより算定した額を市町村の後期高齢者医療に関する特別会計に繰り入れなければならない。

2　市町村は、政令で定めるところにより、一般会計から、第五十二条各号のいずれかに該当するに至つた日の前日において健康保険法、船員保険法、国家公務員共済組合法（他の法律において準用する場合を含む。）又は地方公務員等共済組合法の規定による被扶養者であつた被保険者について、同条各号に掲げる場合のいずれかに該当するに至つた日の属する月以後二年を経過する月までの間に限り、条例の定めるところにより行う保険料の減額賦課に基づき保険料を減額した場合における当該減額した額の総額を基礎とし、後期高齢者医療の財政の状況その他の事情を勘案して政令で定めるところにより算定した額を、市町村の後期高齢者医療に関する特別会計に繰り入れなければならない。

3　都道府県は、政令で定めるところにより、前二項の規定による繰入金の四分の三に相当する額を負担する。

（後期高齢者交付金）

第百条　後期高齢者医療広域連合の後期高齢者医療に関する特別会計において負担する費用のうち、負担対象額に一から後期高齢者負担率及び百分の五十を控除して得た率を乗じて得た額並びに特定費用の額に一から後期高齢者負担率を控除して得た率を乗じて得た額の合計額（以下この節において「保険納付対象額」という。）に負担対象拠出金額に一から後期高齢者負担率及び百分の五十を控除して得た率を乗じて得た額並びに特定流行初期医療確保拠出金の額に一から後期高齢者負担率を控除して得た率を乗じて得た額の合計額を加えて得た額（第百二十一条第一項において「保険納付対象総額」という。）については、政令で定めるところにより、支払基金が後期高齢者医療広域連合に対して交付する後期高齢者交付金をもつて充てる。

2　前項の後期高齢者負担率は、第一号に掲げる数に第二号に掲げる率を乗じて得た数を第三号に掲げる数で除して得た率を基礎として、二年ごとに政令で定める。

一　二分の一に、当該年度における療養の給付等に要する費用の額に対する特定費用の額の割合の二分の一に相当する率を加えて得た数

二　百分の十一・七二に、当該年度における全ての後期高齢者医療広域連合に係る被保険者の見込総数を令和四年度における全ての後期高齢者医療広域連合に係る被保険者の総数で除して得た率を乗じて得た率

三　前号に掲げる率に、イに掲げる率にロに掲げる率を乗じて得た率を加えて得た数

イ　令和四年度における保険納付対象額を同年度における療養の給付等に要する費用の額で除して得た率

ロ　当該年度における全ての保険者に係る加入者の見込総数を令和四年度における全ての保険者に係る加入者の総数で除して得た率

3　第一項の後期高齢者交付金は、第百十八条第一項の規定により支払基金が徴収する後期高齢者支援金をもつて充てる。

（後期高齢者交付金の減額）

第百一条　厚生労働大臣は、後期高齢者医療広域連合が確保すべき収入を不当に確保しなかつた場合又は後期高齢者医療広域連合が支出すべきでない経費を不当に支出した場合においては、政令で定めるところにより、支払基金に対し、前条第一項の規定により当該後期高齢者医療広域連合に対して交付する同項の後期高齢者交付金の額を減額することを命ずることができる。

2　前項の規定により減額する額は、不当に確保しなかつた額又は不当に支出した額を超えることができない。

（国の補助）

第百二条　国は、第九十三条、第九十五条及び第百十六条第六項に規定するもののほか、予算の範囲内において、後期高齢者医療に要する費用の一部を補助することができる。

（都道府県、市町村及び後期高齢者医療広域連合の補助及び貸付け）

第百三条　都道府県、市町村及び後期高齢者医療広域連合は、第九十六条、第九十八条、第九十九条及び第百十六条第五項に規定するもののほか、後期高齢者医療に要する費用に対し、補助金を交付し、又は貸付金を貸し付けることができる。

（保険料）

第百四条　市町村は、後期高齢者医療に要する費用（財政安定化基金拠出金、第百十七条第二項の規定による拠出金及び出産育児支援金並びに感染症の予防及び感染症の患者に対する医療に関する法律の規定による流行初期医療確保拠出金等（第三項及び第百十六条第二項において「流行初期医療確保拠出金等」という。）の納付に要する費用を含む。）に充てるため、保険料を徴収しなければならない。

2　前項の保険料は、後期高齢者医療広域連合が被保険者に対し、後期高齢者医療広域連合の全区域にわたつて均一の保険料率であることその他の政令で定める基準に従い後期高齢者医療広域連合の条例で定めるところにより算定された保険料率によつて算定された保険料額によつて課する。ただし、当該後期高齢者医療広域連合の区域のうち、離島その他の医療の確保が著しく困難である地域であつて厚生労働大臣が定める基準に該当する地域に住所を有する被保険者の保険料については、政令で定める基準に従い別に後期高齢者医療広域連合の条例で定めるところにより算定された保険料率によつて算定された保険料額によつて課することができる。

3　前項の保険料率は、療養の給付等に要する費用の額の予想額、財政安定化基金拠出金、第百十七条第二項の規定による拠出金及び出産育児支援金並びに流行初期医療確保拠出金等の納付に要する費用の予想額、第百十六条第一項第二号の規定による都道府県からの借入金の償還に要する費用の予定額、第百二十五条第一項に規定する高齢者保健事業及び同条第五項に規定する事業に要する費用の予定額、被保険者の所得の分布状況及びその見通し、国庫負担並びに第百条第一項の後期高齢者交付金等の額等に照らし、おおむね二年を通じ財政の均衡を保つことができるものでなければならない。

（保険料等の納付）

第百五条　市町村は、後期高齢者医療広域連合が行う後期高齢者医療に要する費用に充てるため、後期高齢者医療広域連合に対し、後期高齢者医療広域連合の規約で定めるところにより、第九十九条第一項及び第二項の規定による繰入金並びに保険料その他この章の規定による徴収金（市町村が徴収するものに限る。）を納付するものとする。

（賦課期日）

第百六条　保険料の賦課期日は、当該年度の初日とする。

（保険料の徴収の方法）

第百七条　市町村による第百四条の保険料の徴収については、特別徴収（市町村が老齢等年金給付を受ける被保険者（政令で定める者を除く。）から老齢等年金給付の支払をする者（以下「年金保険者」という。）に保険料を徴収させ、かつ、その徴収すべき保険料を納入させることをいう。以下同じ。）の方法による場合を除くほか、普通徴収（市町村が、保険料を課せられた被保険者又は当該被保険者の属する世帯の世帯主若しくは当該被保険者の配偶者（婚姻の届出をしていないが、事実上婚姻関係と同様の事情にある者を含む。以下同じ。）に対し、地方自治法（昭和二十二年法律第六十七号）第二百三十一条の規定により納入の通知をすることによつて保険料を徴収することをいう。以下同じ。）の方法によらなければならない。

2　前項の老齢等年金給付は、国民年金法（昭和三十四年法律第百四十一号）による老齢基礎年金その他の同法又は厚生年金保険法（昭和二十九年法律第百十五号）による老齢、障害又は死

亡を支給事由とする年金たる給付であつて政令で定めるもの及びこれらの年金たる給付に類する老齢若しくは退職、障害又は死亡を支給事由とする年金たる給付であつて政令で定めるものをいう。

（普通徴収に係る保険料の納付義務）

第百八条　被保険者は、市町村がその者の保険料を普通徴収の方法によつて徴収しようとする場合においては、当該保険料を納付しなければならない。

2　世帯主は、市町村が当該世帯に属する被保険者の保険料を普通徴収の方法によつて徴収しようとする場合において、当該保険料を連帯して納付する義務を負う。

3　配偶者の一方は、市町村が被保険者たる他方の保険料を普通徴収の方法によつて徴収しようとする場合において、当該保険料を連帯して納付する義務を負う。

（普通徴収に係る保険料の納期）

第百九条　普通徴収の方法によつて徴収する保険料の納期は、市町村の条例で定める。

（介護保険法の準用）

第百十条　介護保険法第百三十四条から第百四十一条の二までの規定は、第百七条の規定により行う保険料の特別徴収について準用する。この場合において、必要な技術的読替えは、政令で定める。

（保険料の減免等）

第百十一条　後期高齢者医療広域連合は、条例で定めるところにより、特別の理由がある者に対し、保険料を減免し、又はその徴収を猶予することができる。

（地方税法の準用）

第百十二条　保険料その他この章の規定による徴収金（市町村及び後期高齢者医療広域連合が徴収するものに限る。）については、地方税法（昭和二十五年法律第二百二十六号）第九条、第十三条の二、第二十条、第二十条の二及び第二十条の四の規定を準用する。

（滞納処分）

第百十三条　市町村が徴収する保険料、後期高齢者医療広域連合が徴収する徴収猶予した一部負担金その他この章の規定による徴収金は、地方自治法第二百三十一条の三第三項に規定する法律で定める歳入とする。

（保険料の徴収の委託）

第百十四条　市町村は、普通徴収の方法によつて徴収する保険料の徴収の事務については、収入の確保及び被保険者の便益の増進に寄与すると認める場合に限り、地方自治法第二百四十三条の二第一項の規定により指定する者に委託することができる。

（条例等への委任）

第百十五条　この款に規定するもののほか、保険料の賦課額その他保険料の賦課に関する事項は、政令で定める基準に従つて後期高齢者医療広域連合の条例で定める。

2　この款に規定するもののほか、保険料の額の通知その他保険料の徴収に関する事項（特別徴収に関するものを除く。）は政令で定める基準に従つて市町村の条例で、特別徴収に関して必要な事項は政令又は政令で定める基準に従つて市町村の条例で定める。

第二款　財政安定化基金

第百十六条　都道府県は、後期高齢者医療の財政の安定化に資するため財政安定化基金を設け、次に掲げる事業に必要な費用に充てるものとする。

一　実績保険料収納額が予定保険料収納額に不足すると見込まれ、かつ、基金事業対象収入額が基金事業対象費用額に不足すると見込まれる後期高齢者医療広域連合に対し、政令で定めるところにより、イに掲げる額（イに掲げる額がロに掲げる額を超えるときは、ロに掲げる額）の二分の一に相当する額を基礎として、当該後期高齢者医療広域連合を組織する市町村における保険料の収納状況等を勘案して政令で定めるところにより算定した額を交付する事業

イ　実績保険料収納額が予定保険料収納額に不足すると見込まれる額

ロ　基金事業対象収入額が基金事業対象費用額に不足すると見込まれる額

二　基金事業対象収入額及び基金事業交付額の合計額が、基金事業対象費用額に不足すると見込まれる後期高齢者医療広域連合に対し、政令で定めるところにより、当該不足すると見込まれる額を基礎として、当該後期高齢者医療広域連合を組織する市町村における保険料の収納状況等を勘案して政令で定めるところにより算定した額の範囲内の額を貸し付ける事業

2　前項における用語のうち次の各号に掲げるものの意義は、当該各号に定めるところによる。

一　予定保険料収納額　後期高齢者医療広域連合において特定期間（平成二十年度を初年度とする同年度以降の二年度ごとの期間をいう。以下この項において同じ。）中に当該後期高齢者医療広域連合を組織する市町村において収納が見込まれた保険料の額の合計額のうち、療養の給付等に要する費用の額、財政安定化基金拠出金、次条第二項の規定による拠出金及び出産育児支援金並びに流行初期医療確保拠出金等の納付に要する費用の額並びに前項第二号の規定による都道府県からの借入金（以下この項において「基金事業借入金」という。）の償還に要する費用の額に充てるものとして政令で定めるところにより算定した額

二　実績保険料収納額　後期高齢者医療広域連合を組織する市町村において特定期間中に収納した保険料の額の合計額のうち、療養の給付に要した費用の額から当該給付に係る一部負担金に相当する額を控除した額並びに入院時食事療養費、入院時生活療養費、保険外併用療養費、療養費、訪問看護療養費、特別療養費、移送費、高額療養費及び高額介護合算療養費の支給に要した費用の額の合計額（以下この項において「療養の給付等に要した費用の額」という。）、財政安定化基金拠出金、次条第二項の規定による拠出金及び出産育児支援金並びに流行初期医療確保拠出金等の納付に要した費用の額並びに基金事業借入金の償還に要した費用の額に充てるものとして政令で定めるところにより算定した額

三　基金事業対象収入額　後期高齢者医療広域連合の後期高齢者医療に関する特別会計において特定期間中に収入した金額（第五号の基金事業交付額及び基金事業借入金の額を除く。）の合計額のうち、療養の給付等に要した費用の額、財政安定化基金拠出金、次条第二項の規定による拠出金及び出産育児支援金並びに流行初期医療確保拠出金等の納付に要した費用

の額並びに基金事業借入金の償還に要した費用の額に充てるものとして政令で定めるところにより算定した額

四　基金事業対象費用額　後期高齢者医療広域連合において特定期間中に療養の給付等に要した費用の額、財政安定化基金拠出金、次条第二項の規定による拠出金及び出産育児支援金並びに流行初期医療確保拠出金等の納付に要した費用の額並びに基金事業借入金の償還に要した費用の額の合計額として政令で定めるところにより算定した額

五　基金事業交付額　後期高齢者医療広域連合が特定期間中に前項第一号の規定により交付を受けた額

3　都道府県は、財政安定化基金に充てるため、政令で定めるところにより、後期高齢者医療広域連合から財政安定化基金拠出金を徴収するものとする。

4　後期高齢者医療広域連合は、前項の規定による財政安定化基金拠出金を納付する義務を負う。

5　都道府県は、政令で定めるところにより、第三項の規定により後期高齢者医療広域連合から徴収した財政安定化基金拠出金の総額の三倍に相当する額を財政安定化基金に繰り入れなければならない。

6　国は、政令で定めるところにより、前項の規定により都道府県が繰り入れた額の三分の一に相当する額を負担する。

7　財政安定化基金から生ずる収入は、全て財政安定化基金に充てなければならない。

第三款　特別高額医療費共同事業

第百十七条　指定法人は、政令で定めるところにより、著しく高額な医療に関する給付の発生が後期高齢者医療の財政に与える影響を緩和するため、後期高齢者医療広域連合に対して被保険者に係る著しく高額な医療に関する給付に係る交付金を交付する事業（以下「特別高額医療費共同事業」という。）を行うものとする。

2　指定法人は、特別高額医療費共同事業に要する費用に充てるため、政令で定めるところにより、後期高齢者医療広域連合から拠出金を徴収する。

3　後期高齢者医療広域連合は、前項の規定による拠出金を納付する義務を負う。

第四款　保険者の後期高齢者支援金等

（後期高齢者支援金等の徴収及び納付義務）

第百十八条　支払基金は、第百三十九条第一項第二号に掲げる業務に要する費用に充てるため、年度ごとに、保険者（国民健康保険にあつては、都道府県。以下この節において同じ。）から、後期高齢者支援金及び後期高齢者関係事務費拠出金（以下「後期高齢者支援金等」という。）を徴収する。

2　保険者は、後期高齢者支援金等を納付する義務を負う。

（後期高齢者支援金の額）

第百十九条　前条第一項の規定により各保険者から徴収する後期高齢者支援金の額は、当該年度の概算後期高齢者支援金の額とする。ただし、前々年度の概算後期高齢者支援金の額が同年度の確定後期高齢者支援金の額を超えるときは、当該年度の概算後期高齢者支援金の額からその超える額とその超える額に係る後期高齢者調整金額との合計額を控除して得た額とするものとし、前々年度の概算後期高齢者支援金の額が同年度の確定後期高齢者支援金の額に満たないときは、当該年度の概算後期高齢者支援金の額にその満たない額とその満たない額に係る後期高齢者調整金額との合計額を加算して得た額とする。

2　前項に規定する後期高齢者調整金額は、前々年度におけるすべての保険者に係る概算後期高齢者支援金の額と確定後期高齢者支援金の額との過不足額につき生ずる利子その他の事情を勘案して厚生労働省令で定めるところにより各保険者ごとに算定される額とする。

（概算後期高齢者支援金）

第百二十条　前条第一項の概算後期高齢者支援金の額は、次の各号に掲げる保険者の区分に応じ、当該各号に定める額とする。

一　被用者保険等保険者　当該年度における全ての後期高齢者医療広域連合の保険納付対象額の見込額の総額を厚生労働省令で定めるところにより算定した同年度における全ての保険者に係る加入者の見込総数で除して得た額に、厚生労働省令で定めるところにより算定した同年度における全ての被用者保険等保険者に係る加入者数の見込数を乗じて得た額に、同年度におけるイに掲げる額をロに掲げる額で除して得た率及び概算後期高齢者支援金調整率を乗じて得た額

イ　当該被用者保険等保険者に係る標準報酬総額の見込額

ロ　全ての被用者保険等保険者に係る標準報酬総額の見込額の合計額

二　被用者保険等保険者以外の保険者　当該年度における全ての後期高齢者医療広域連合の保険納付対象額の見込額の総額を厚生労働省令で定めるところにより算定した同年度における全ての保険者に係る加入者の見込総数で除して得た額に、厚生労働省令で定めるところにより算定した同年度における当該保険者に係る加入者の見込数を乗じて得た額に、概算後期高齢者支援金調整率を乗じて得た額

2　前項各号の概算後期高齢者支援金調整率は、第十八条第二項第二号及び第十九条第二項第二号に掲げる事項についての達成状況、保険者に係る加入者の見込数等を勘案し、百分の九十から百分の百十の範囲内で政令で定めるところにより算定する。

（確定後期高齢者支援金）

第百二十一条　第百十九条第一項の確定後期高齢者支援金の額は、次の各号に掲げる保険者の区分に応じ、当該各号に定める額とする。

一　被用者保険等保険者　前々年度における全ての後期高齢者医療広域連合の保険納付対象総額の総額を厚生労働省令で定めるところにより算定した同年度における全ての保険者に係る加入者の総数で除して得た額に、厚生労働省令で定めるところにより算定した同年度における全ての被用者保険等保険者に係る加入者数を乗じて得た額に、同年度におけるイに掲げる額をロに掲げる額で除して得た率及び確定後期高齢者支援金調整率を乗じて得た額

イ　当該被用者保険等保険者に係る標準報酬総額

ロ　全ての被用者保険等保険者に係る標準報酬総額の合計額

二　被用者保険等保険者以外の保険者　前々年度における全ての後期高齢者医療広域連合の保険納付対象総額の総額を厚生労働省令で定めるところにより算定した同年度における全ての保険者に係る加入者の総数で除して得た額に、厚生労働省令で定めるところにより算定した同年度における当該保険者に係る加入者の数を乗じて得た額に、確定後期高齢者支援金調整率を乗じて得た額

2　前項各号の確定後期高齢者支援金調整率は、第十八条第二項第二号及び第十九条第二項第二号に掲げる事項についての達成状況、保険者に係る加入者の数等を勘案し、百分の九十から百分の百十の範囲内で政令で定めるところにより算定する。

（後期高齢者関係事務費拠出金の額）

第百二十二条　第百十八条第一項の規定により各保険者から徴収する後期高齢者関係事務費拠出金の額は、厚生労働省令で定めるところにより、当該年度における第百三十九条第一項第二号に掲げる支払基金の業務に関する事務の処理に要する費用の見込額を基礎として、各保険者に係る加入者の見込数に応じ、厚生労働省令で定めるところにより算定した額とする。

（通知）

第百二十三条　後期高齢者医療広域連合は、厚生労働省令で定めるところにより、支払基金に対し、各年度における保険納付対象額その他厚生労働省令で定める事項を通知しなければならない。

2　後期高齢者医療広域連合は、前項の規定による通知の事務を国保連合会に委託することができる。

（準用）

第百二十四条　第四十一条及び第四十三条から第四十六条までの規定は、後期高齢者支援金等について準用する。

第五款　後期高齢者医療広域連合の出産育児支援金等

（出産育児支援金の徴収及び納付義務）

第百二十四条の二　支払基金は、第百三十九条第一項第三号に掲げる業務に要する費用に充てるため、年度ごとに、後期高齢者医療広域連合から、出産育児支援金を徴収する。

2　後期高齢者医療広域連合は、出産育児支援金を納付する義務を負う。

（出産育児支援金の額）

第百二十四条の三　前条第一項の規定により各後期高齢者医療広域連合から徴収する出産育児支援金の額は、医療保険各法の規定による出産育児一時金、家族出産育児一時金、出産費及び家族出産費の支給に要する費用（次条第一項及び第百二十四条の七第一項において「出産育児一時金等の支給に要する費用」という。）の額の総額を基礎として厚生労働省令で定めるところにより算定した額に、出産育児支援金率及び全ての後期高齢者医療広域連合に係る被保険者の総数に対する当該後期高齢者医療広域連合に係る被保険者の数の割合を乗じて得た額とする。

2　令和六年度及び令和七年度における前項の出産育児支援金率は、百分の七とする。

3　令和八年度以降の年度における第一項の出産育児支援金率は、第一号に掲げる率を第二号に掲げる数で除して得た数を基礎として、二年ごとに政令で定める。

一　百分の七に、当該年度における全ての後期高齢者医療広域連合に係る被保険者の見込総数を令和六年度における全ての後期高齢者医療広域連合に係る被保険者の総数で除して得た率を乗じて得た率

二　前号に掲げる率に、百分の九十三に当該年度における全ての保険者に係る加入者の見込総数を令和六年度における全ての保険者に係る加入者の総数で除して得た率を乗じて得た率を加えて得た数

（出産育児交付金）

第百二十四条の四　支払基金は、出産育児一時金等の支給に要する費用の一部に充てるため、保険者に対して、出産育児交付金を交付する。

2　前項の出産育児交付金は、第百二十四条の二第一項の規定により支払基金が徴収する出産育児支援金をもつて充てる。

3　第一項の規定により各保険者に対して交付される出産育児交付金の額は、医療保険各法の規定により算定される額とする。

（出産育児関係事務費拠出金の徴収及び納付義務）

第百二十四条の五　支払基金は、第百三十九条第一項第三号に掲げる業務に関する事務の処理に要する費用に充てるため、年度ごとに、保険者から、出産育児関係事務費拠出金を徴収する。

2　保険者は、出産育児関係事務費拠出金を納付する義務を負う。

（出産育児関係事務費拠出金の額）

第百二十四条の六　前条第一項の規定により各保険者から徴収する出産育児関係事務費拠出金の額は、厚生労働省令で定めるところにより、当該年度における第百三十九条第一項第三号に掲げる支払基金の業務に関する事務の処理に要する費用の見込額を基礎として、各保険者に係る加入者の見込数に応じ、厚生労働省令で定めるところにより算定した額とする。

（通知）

第百二十四条の七　保険者は、厚生労働省令で定めるところにより、支払基金に対し、各年度における当該保険者に係る出産育児一時金等の支給に要する費用の額その他厚生労働省令で定める事項を通知しなければならない。

2　後期高齢者医療広域連合は、厚生労働省令で定めるところにより、支払基金に対し、各年度における当該後期高齢者医療広域連合に係る被保険者の数その他厚生労働省令で定める事項を通知しなければならない。

（準用）

第百二十四条の八　第四十一条及び第四十三条から第四十六条までの規定は、出産育児支援金及び出産育児関係事務費拠出金について準用する。この場合において、必要な技術的読替えは、政令で定める。

第六款　雑則

第百二十四条の九　第百条第一項の規定により支払基金が各後期高齢者医療広域連合に対して交付する後期高齢者交付金と第百二十四条の二第一項の規定により支払基金が各後期高齢者医療広域連合から徴収する出産育児支援金は、相殺するものとする。

2　第百十八条第一項及び第百二十四条の五第一項の規定により支払基金が各保険者から徴収する後期高齢者支援金等及び出産育児関係事務費拠出金と第百二十四条の四第一項の規定により支払基金が各保険者に対して交付する出産育児交付金は、相殺するものとする。

第五節　高齢者保健事業

（高齢者保健事業）

第百二十五条　後期高齢者医療広域連合は、高齢者の心身の特性に応じ、健康教育、健康相談、健康診査及び保健指導並びに健康管理及び疾病の予防に係る被保険者の自助努力についての支援その他の被保険者の健康の保持増進のために必要な事業（以下「高齢者保健事業」という。）を行うように努めなければならない。

2　後期高齢者医療広域連合は、高齢者保健事業を行うに当たつては、医療保険等関連情報を活用し、適切かつ有効に行うもの

とする。

3　後期高齢者医療広域連合は、高齢者保健事業を行うに当たつては、市町村及び保険者との連携を図るとともに、高齢者の身体的、精神的及び社会的な特性を踏まえ、高齢者保健事業を効果的かつ効率的で被保険者の状況に応じたきめ細かなものとするため、市町村との連携の下に、市町村が実施する国民健康保険法第八十二条第五項に規定する高齢者の心身の特性に応じた事業（次条第一項において「国民健康保険保健事業」という。）及び介護保険法第百十五条の四十五第一項から第三項までに規定する地域支援事業（次条第一項において「地域支援事業」という。）と一体的に実施するものとする。

4　後期高齢者医療広域連合は、高齢者保健事業を行うに当たつては、効果的かつ効率的で被保険者の状況に応じたきめ細かな高齢者保健事業の実施が推進されるよう、地方自治法第二百九十一条の七に規定する広域計画（次条第一項において「広域計画」という。）に、後期高齢者医療広域連合における市町村との連携に関する事項を定めるよう努めなければならない。

5　後期高齢者医療広域連合は、被保険者の療養のために必要な用具の貸付けその他の被保険者の療養環境の向上のために必要な事業、後期高齢者医療給付のために必要な事業、被保険者の療養のための費用に係る資金の貸付けその他の必要な事業を行うことができる。

6　厚生労働大臣は、第一項の規定により後期高齢者医療広域連合が行う高齢者保健事業に関して、その適切かつ有効な実施を図るため、指針の公表、情報の提供その他の必要な支援を行うものとする。

7　前項の指針においては、次に掲げる事項を定めるものとする。

一　高齢者保健事業の効果的かつ効率的な実施に関する基本的事項

二　高齢者保健事業の効果的かつ効率的な実施に向けた後期高齢者医療広域連合及び次条第一項前段の規定により委託を受けた市町村が行う取組に関する事項

三　高齢者保健事業の効果的かつ効率的な実施に向けた後期高齢者医療広域連合及び次条第一項前段の規定により委託を受けた市町村に対する支援に関する事項

四　高齢者保健事業の効果的かつ効率的な実施に向けた後期高齢者医療広域連合と市町村との連携に関する事項

五　高齢者保健事業の効果的かつ効率的な実施に向けた後期高齢者医療広域連合と地域の関係機関及び関係団体との連携に関する事項

六　その他高齢者保健事業の効果的かつ効率的な実施に向けて配慮すべき事項

8　第六項の指針は、健康増進法第九条第一項に規定する健康診査等指針、国民健康保険法第八十二条第十一項に規定する指針及び介護保険法第百十六条第一項に規定する基本指針と調和が保たれたものでなければならない。

（高齢者保健事業の市町村への委託）

第百二十五条の二　後期高齢者医療広域連合は、当該後期高齢者医療広域連合の広域計画に基づき、高齢者保健事業の一部について、当該後期高齢者医療広域連合に加入する市町村に対し、その実施を委託することができるものとし、当該委託を受けた市町村は、被保険者に対する高齢者保健事業の効果的かつ効率的な実施を図る観点から、その実施に関し、国民健康保険保健事業及び地域支援事業との一体的な実施の在り方を含む基本的な方針を定めるものとする。この場合において、後期高齢者医療広域連合は、当該委託を受けた市町村に対し、委託した高齢者保健事業の実施に必要な範囲内において、自らが保有する被保険者に係る療養に関する情報又は健康診査若しくは保健指導に関する記録の写しその他高齢者保健事業を効果的かつ効率的に実施するために必要な情報として厚生労働省令で定めるものを提供することができる。

2　前項前段の規定により委託を受けた市町村の職員又は職員であつた者は、高齢者保健事業の実施に関して知り得た個人の秘密を正当な理由がなく漏らしてはならない。

（高齢者保健事業に関する情報の提供）

第百二十五条の三　後期高齢者医療広域連合及び前条第一項前段の規定により当該後期高齢者医療広域連合から委託を受けた市町村は、当該後期高齢者医療広域連合の被保険者の資格を取得した者（保険者に加入していたことがある者に限る。）があるときは、当該被保険者が加入していた保険者に対し、当該保険者が保存している当該被保険者に係る特定健康診査又は特定保健指導に関する記録の写しを提供するよう求めることができる。

2　後期高齢者医療広域連合は、被保険者ごとの身体的、精神的及び社会的な状態の整理及び分析を行い、被保険者に対する高齢者保健事業の効果的かつ効率的な実施を図る観点から、必要があると認めるときは、市町村及び他の後期高齢者医療広域連合に対し、当該被保険者に係る医療及び介護に関する情報等（当該被保険者に係る療養に関する情報若しくは健康診査若しくは保健指導に関する記録の写し若しくは特定健康診査若しくは特定保健指導に関する記録の写し、国民健康保険法の規定による療養に関する情報又は介護保険法の規定による保健医療サービス若しくは福祉サービスに関する情報をいう。以下この条及び次条において同じ。）その他高齢者保健事業を効果的かつ効率的に実施するために必要な情報として厚生労働省令で定めるものの提供を求めることができる。

3　市町村は、前条第一項前段の規定により、後期高齢者医療広域連合が行う高齢者保健事業の委託を受けた場合であつて、被保険者ごとの身体的、精神的及び社会的な状態の整理及び分析を行い、被保険者に対する高齢者保健事業の効果的かつ効率的な実施を図る観点から、必要があると認めるときは、他の市町村及び後期高齢者医療広域連合に対し、当該被保険者に係る医療及び介護に関する情報等その他高齢者保健事業を効果的かつ効率的に実施するために必要な情報として厚生労働省令で定めるものの提供を求めることができる。

4　前三項の規定により、記録の写し又は情報の提供を求められた保険者並びに市町村及び後期高齢者医療広域連合は、厚生労働省令で定めるところにより、当該記録の写し又は情報を提供しなければならない。

5　前条第一項前段の規定により委託を受けた市町村は、効果的かつ効率的で被保険者の状況に応じたきめ細かな高齢者保健事業を実施するため、前項の規定により提供を受けた記録の写し又は情報に加え、自らが保有する当該被保険者に係る特定健康診査若しくは特定保健指導に関する記録、国民健康保険法の規定による療養に関する情報又は介護保険法の規定による保健医療サービス若しくは福祉サービスに関する情報を併せて活用することができる。

（高齢者保健事業の関係機関又は関係団体への委託）

第百二十五条の四　後期高齢者医療広域連合は、高齢者保健事業の一部について、高齢者保健事業を適切かつ確実に実施することができると認められる関係機関又は関係団体（都道府県及び市町村を除く。以下この条において同じ。）に対し、その実施を委託することができる。この場合において、後期高齢者医療広域連合は、当該委託を受けた関係機関又は関係団体に対し、委託した高齢者保健事業の実施に必要な範囲内において、自らが保有する、又は前条第四項の規定により提供を受けた被保険者に係る医療及び介護に関する情報等その他高齢者保健事業を効果的かつ効率的に実施するために必要な情報として厚生労働省令で定めるものを提供することができる。

2　第百二十五条の二第一項前段の規定により委託を受けた市町村は、当該委託を受けた高齢者保健事業の一部について、高齢者保健事業を適切かつ確実に実施することができると認められる関係機関又は関係団体に対し、その実施を委託することができる。この場合において、市町村は、当該委託を受けた関係機関又は関係団体に対し、委託した高齢者保健事業の実施に必要な範囲内において、自らが保有する、又は同項後段若しくは前条第四項の規定により提供を受けた被保険者に係る医療及び介護に関する情報等その他高齢者保健事業を効果的かつ効率的に実施するために必要な情報として厚生労働省令で定めるものを提供することができる。

3　第一項前段又は前項前段の規定により委託を受けた関係機関又は関係団体の役員若しくは職員又はこれらの職にあつた者は、高齢者保健事業の実施に関して知り得た個人の秘密を正当な理由がなく漏らしてはならない。

第六節　後期高齢者医療診療報酬審査委員会

（審査委員会）

第百二十六条　第七十条第四項の規定による委託を受けて診療報酬請求書の審査を行うため、国保連合会に後期高齢者医療診療報酬審査委員会を置く。

2　前項の規定にかかわらず、国民健康保険法第八十七条に規定する審査委員会を置く国保連合会は、当該審査委員会において後期高齢者医療に係る診療報酬請求書の審査を行うことができる。

（国民健康保険法の準用）

第百二十七条　国民健康保険法第八十八条から第九十条までの規定は、後期高齢者医療診療報酬審査委員会について準用する。

第七節　審査請求

（審査請求）

第百二十八条　後期高齢者医療給付に関する処分（第五十四条第三項及び第五項の規定による求めに対する処分を含む。）又は保険料その他この章の規定による徴収金（市町村及び後期高齢者医療広域連合が徴収するものに限る。）に関する処分に不服がある者は、後期高齢者医療審査会に審査請求をすることができる。

2　前項の審査請求は、時効の完成猶予及び更新に関しては、裁判上の請求とみなす。

（審査会の設置）

第百二十九条　後期高齢者医療審査会は、各都道府県に置く。

（国民健康保険法の準用）

第百三十条　国民健康保険法第九十三条から第百三条までの規定は、後期高齢者医療審査会について準用する。この場合において、必要な技術的読替えは、政令で定める。

第八節　高齢者保健事業等に関する援助等

（高齢者保健事業等に関する援助等）

第百三十一条　国保連合会及び指定法人は、後期高齢者医療の運営の安定化を図るため、後期高齢者医療広域連合が行う高齢者保健事業及び第百二十五条第五項に規定する事業、後期高齢者医療給付に要する費用の適正化のための事業その他の事業（以下この条において「高齢者保健事業等」という。）に関する調査研究及び高齢者保健事業等の実施に係る後期高齢者医療広域連合間（国保連合会においては、後期高齢者医療広域連合と当該後期高齢者医療広域連合から第百二十五条の二第一項前段の規定により委託を受けた市町村との間及び当該委託を受けた市町村間を含む。）の連絡調整を行うとともに、高齢者保健事業等に関し、専門的な技術又は知識を有する者の派遣、情報の提供、高齢者保健事業等の実施状況の分析及び評価その他の必要な援助を行うよう努めなければならない。

（国及び地方公共団体の措置）

第百三十二条　国及び地方公共団体は、前条の規定により国保連合会及び指定法人が行う事業を促進するために必要な助言、情報の提供その他の措置を講ずるよう努めなければならない。

第九節　雑則

（都道府県の助言等）

第百三十三条　都道府県は、後期高齢者医療広域連合又は市町村に対し、後期高齢者医療制度の運営が健全かつ円滑に行われるように、必要な助言及び適切な援助をするものとする。

2　後期高齢者医療広域連合は、第五十六条第三号に掲げる給付を行おうとする場合その他の政令で定める場合においては、あらかじめ、都道府県知事に協議しなければならない。

（報告の徴収等）

第百三十四条　厚生労働大臣又は都道府県知事は、後期高齢者医療広域連合又は市町村について、この法律を施行するために必要があると認めるときは、その事業及び財産の状況に関する報告を徴し、又は当該職員に実地にその状況を検査させることができる。

2　厚生労働大臣又は都道府県知事は、保険者（国民健康保険にあつては、都道府県）に対し、前期高齢者納付金等、後期高齢者支援金等及び出産育児関係事務費拠出金の額の算定に関して必要があると認めるときは、その業務に関する報告を徴し、又は当該職員に実地にその状況を検査させることができる。

3　第十六条の七第二項の規定は前二項の規定による検査について、同条第三項の規定は前二項の規定による権限について、それぞれ準用する。

（事業状況の報告）

第百三十五条　後期高齢者医療広域連合又は国保連合会は、厚生労働省令で定めるところにより、後期高齢者医療に係る事業の状況（後期高齢者医療広域連合にあつては、次項の規定により後期高齢者医療広域連合の長（地方自治法第二百九十一条の十三において準用する同法第二百八十七条の三第二項の規定により長に代えて理事会を置く後期高齢者医療広域連合にあつては、理事会。次項において同じ。）が市町村から報告を受ける事業の状況を含む。）を都道府県知事に報告しなければならない。

2 市町村は、厚生労働省令で定めるところにより、後期高齢者医療に係る事業の状況を後期高齢者医療広域連合の長に報告しなければならない。

（戸籍に関する無料証明）

第百三十六条 市町村長（特別区の区長を含むものとし、地方自治法第二百五十二条の十九第一項の指定都市にあつては、区長又は総合区長とする。）は、後期高齢者医療広域連合又は後期高齢者医療給付を受ける者に対し、当該市町村の条例で定めるところにより、被保険者又は被保険者であつた者の戸籍に関し、無料で証明を行うことができる。

（被保険者等に関する調査）

第百三十七条 後期高齢者医療広域連合は、被保険者の資格、後期高齢者医療給付及び保険料に関して必要があると認めるときは、被保険者、被保険者の配偶者若しくは被保険者の属する世帯の世帯主その他その世帯に属する者又はこれらであつた者に対し、文書その他の物件の提出若しくは提示を命じ、又は当該職員に質問させることができる。

2 市町村は、保険料の徴収に関して必要があると認めるときは、被保険者、被保険者の配偶者若しくは被保険者の属する世帯の世帯主その他その世帯に属する者又はこれらであつた者に対し、文書その他の物件の提出若しくは提示を命じ、又は当該職員に質問させることができる。

3 第十六条の七第二項の規定は前二項の規定による質問について、同条第三項の規定は前二項の規定による権限について、それぞれ準用する。

（資料の提供等）

第百三十八条 後期高齢者医療広域連合は、被保険者の資格、後期高齢者医療給付及び保険料に関して必要があると認めるときは、被保険者の後期高齢者医療給付を受けた事由が第三者の行為によつて生じたものであることを確認するために必要な事項、被保険者、被保険者の配偶者若しくは被保険者の属する世帯の世帯主その他その世帯に属する者の資産若しくは収入の状況又は被保険者に対する第百七条第二項に規定する老齢等年金給付の支給状況につき、市町村その他の官公署若しくは年金保険者に対し必要な文書の閲覧若しくは資料の提供を求め、又は銀行、信託会社その他の機関若しくは被保険者の雇用主その他の関係人に報告を求めることができる。

2 後期高齢者医療広域連合は、被保険者の資格に関し必要があると認めるときは、他の後期高齢者医療広域連合及び保険者（国民健康保険にあつては、市町村）に対し、他の後期高齢者医療広域連合が行う後期高齢者医療の被保険者及び加入者（国民健康保険にあつては、当該市町村の区域内に住所を有する被保険者）の氏名及び住所、健康保険法第三条第三項に規定する適用事業所の名称及び所在地その他の必要な資料の提供を求めることができる。

3 市町村は、保険料の徴収に関して必要があると認めるときは、被保険者、被保険者の配偶者若しくは被保険者の属する世帯の世帯主その他その世帯に属する者の資産若しくは収入の状況又は被保険者に対する第百七条第二項に規定する老齢等年金給付の支給状況につき、官公署若しくは年金保険者に対し必要な文書の閲覧若しくは資料の提供を求め、又は銀行、信託会社その他の機関若しくは被保険者の雇用主その他の関係人に報告を求めることができる。

附 則（抄）

（施行期日）

第一条 この法律は、公布の日から起算して一年六月を超えない範囲内において政令で定める日〔昭五八・二・一〕から施行する。〔ただし書略〕

（病床転換支援金の徴収及び納付義務）

第七条 支払基金は、附則第十一条第一項に規定する業務及び当該業務に関する事務の処理に要する費用に充てるため、年度ごとに、保険者（国民健康保険にあつては、都道府県。附則第九条の二第四項を除き、以下同じ。）から病床転換支援金及び病床転換助成関係事務費拠出金（以下「病床転換支援金等」という。）を徴収する。

2 保険者は、病床転換支援金等を納付する義務を負う。

（病床転換支援金の額）

第八条 前条第一項の規定により各保険者から徴収する病床転換支援金の額は、当該年度における病床転換助成事業に要する費用の二十七分の十二に相当する額を、厚生労働省令で定めるところにより算定した当該年度におけるすべての保険者に係る加入者の見込総数で除して得た額に、厚生労働省令で定めるところにより算定した当該年度における当該保険者に係る加入者の見込数を乗じて得た額とする。

（病床転換助成関係事務費拠出金の額）

第九条 附則第七条第一項の規定により各保険者から徴収する病床転換助成関係事務費拠出金の額は、厚生労働省令で定めるところにより、当該年度における附則第十一条第一項に規定する支払基金の業務に関する事務の処理に要する費用の見込額を基礎として、各保険者に係る加入者の見込数に応じ、厚生労働省令で定めるところにより算定した額とする。

（支払基金の納付等）

第九条の二 支払基金は、政令で定める年度（以下この条において「対象年度」という。）の翌年度の末日までの間において、厚生労働大臣が、支払基金が平成二十年度から対象年度までの間（以下この条において「対象期間」という。）において附則第七条第一項の規定により保険者から徴収した病床転換支援金等の額（以下この条において「病床転換支援金等徴収額」という。）から対象期間において附則第十一条第一項に規定する業務に要した費用の額を控除して得た額（第三項において「国庫納付等算定対象額」という。）の範囲内において、対象期間における健康保険法の規定による病床転換支援金の納付に要する費用についての補助金並びに国民健康保険法の規定による病床転換支援金の納付に要する費用についての国庫負担金、調整交付金及び補助金の額の病床転換支援金等徴収額に対する割合並びに病床転換支援金等徴収額に係る利子を勘案して支払基金が国庫に納付すべき額を定めたときは、政令で定めるところにより、当該額を国庫に納付しなければならない。

2 厚生労働大臣は、前項の規定により支払基金が国庫に納付すべき額を定めようとするときは、あらかじめ、財務大臣に協議しなければならない。

3　支払基金は、対象年度の翌年度の末日までの間において、厚生労働大臣が、国庫納付等算定対象額の範囲内において、対象期間における国民健康保険法の規定による病床転換支援金の納付に要する費用についての都道府県調整交付金の額の病床転換支援金等徴収額に対する割合及び病床転換支援金等徴収額に係る利子を勘案して支払基金が都道府県に交付すべき額を定めたときは、政令で定めるところにより、当該額を都道府県に交付しなければならない。

4　支払基金は、対象年度の翌年度の末日までの間において、厚生労働大臣が、病床転換支援金等徴収額から対象期間において附則第十一条第一項に規定する業務及び当該業務に関する事務の処理に要した費用の額並びに第一項の規定により支払基金が国庫に納付する額及び前項の規定により支払基金が都道府県に交付する額を控除して得た額の範囲内において、対象期間における各保険者（国民健康保険にあつては、市町村。以下この項において同じ。）の負担の額の病床転換支援金等徴収額に対する割合として厚生労働省令で定めるところにより算定した割合及び病床転換支援金等徴収額に係る利子を勘案して支払基金が各保険者に対し交付すべき額を定めたときは、政令で定めるところにより、当該額を各保険者に交付しなければならない。

（準用）

第十条　第四十一条、第四十三条から第四十六条まで、第百三十四条第二項及び第三項、第百五十九条、第百六十条、第百六十一条並びに第百六十八条第一項（同項第二号を除く。）の規定は、病床転換支援金等について準用する。この場合において、必要な技術的読替えは、政令で定める。

（病床転換助成事業に係る支払基金の業務）

第十一条　支払基金は、第百三十九条第一項に掲げる業務のほか、保険者から病床転換支援金等を徴収し、都道府県に対し病床転換助成交付金を交付する業務及びこれに附帯する業務を行う。

2　第五章（第百三十九条第一項、第百四十条及び第百四十二条第二項を除く。）、第百六十八条第一項（同項第一号を除く。）及び第二項並びに第百七十条第一項の規定は、病床転換助成事業に係る支払基金の業務について準用する。この場合において、必要な技術的読替えは、政令で定める。

（厚生労働省令への委任）

第十二条　附則第二条から前条までに規定するもののほか、病床転換助成事業に関し必要な事項は、厚生労働省令で定める。

（前期高齢者交付金及び前期高齢者納付金の額の算定の特例）

第十三条　附則第二条に規定する政令で定める日までの間、第三十四条第一項、第三十五条第一項、第三十八条第一項又は第三十九条第一項の規定の適用については、第三十四条第一項第一号イ(2)、第三十五条第一項第一号イ(2)、第三十八条第一項第一号イ(2)及び第二号イ(2)並びに第三十九条第一項第一号イ(2)及び第二号イ(2)中「除して得た額」とあるのは、「除して得た額及び附則第八条の規定により算定される病床転換支援金の額の合計額」とする。

（延滞金の割合の特例）

第十三条の二　第四十五条第一項（第百二十四条、第百二十四条の八及び附則第十条において準用する場合を含む。）に規定する延滞金の年十四・五パーセントの割合は、当分の間、同項の規定にかかわらず、各年の延滞税特例基準割合（租税特別措置法（昭和三十二年法律第二十六号）第九十四条第一項に規定する延滞税特例基準割合をいう。以下この条において同じ。）が年七・二パーセントの割合に満たない場合には、その年中においては、当該延滞税特例基準割合に年七・三パーセントの割合を加算した割合とする。

（指定介護老人福祉施設に入所中の被保険者の特例）

第十三条の三　指定介護老人福祉施設（介護保険法第四十八条第一項第一号に規定する指定介護老人福祉施設をいう。以下この項において同じ。）に入所をすることにより当該指定介護老人福祉施設の所在する場所に住所を変更したと認められる被保険者であつて、当該指定介護老人福祉施設に入所をした際他の後期高齢者医療広域連合（当該指定介護老人福祉施設が所在する後期高齢者医療広域連合以外の後期高齢者医療広域連合をいう。）の区域内に住所を有していたと認められるものは、当該指定介護老人福祉施設が入所定員の減少により同法第八条第二十二項に規定する地域密着型介護老人福祉施設（同項に規定する地域密着型介護老人福祉施設入所者生活介護の事業を行う事業所に係る同法第四十二条の二第一項本文の指定を受けているものに限る。以下この条において「変更後地域密着型介護老人福祉施設」という。）となつた場合においても、当該変更後地域密着型介護老人福祉施設に継続して入所をしている間は、第五十五条の規定にかかわらず、当該他の後期高齢者医療広域連合が行う後期高齢者医療の被保険者とする。ただし、変更後地域密着型介護老人福祉施設となつた指定介護老人福祉施設（以下この条において「変更前介護老人福祉施設」という。）を含む二以上の病院等（第五十五条第一項に規定する病院等をいう。以下この条において同じ。）に継続して入院、入所又は入居（以下この条において「入院等」という。）をしていた被保険者（当該変更後地域密着型介護老人福祉施設に継続して入所をしている者に限る。）であつて、当該変更前介護老人福祉施設に入所をする直前に入院等をしていた病院等（以下この項において「直前入院病院等」という。）及び変更前介護老人福祉施設のそれぞれに入院等をすることにより直前入院病院等及び変更前介護老人福祉施設のそれぞれの所在する場所に順次住所を変更したと認められるもの（次項において「特定継続入院等被保険者」という。）については、この限りでない。

2　特定継続入院等被保険者のうち、次の各号に掲げるものは、第五十五条の規定にかかわらず、当該各号に定める後期高齢者医療広域連合が行う後期高齢者医療の被保険者とする。

一　継続して入院等をしていた二以上の病院等のそれぞれに入院等をすることによりそれぞれの病院等の所在する場所に順次住所を変更したと認められる被保険者であつて、当該二以上の病院等のうち最初の病院等に入院等をした際他の後期高齢者医療広域連合（変更前介護老人福祉施設が所在する後期高齢者医療広域連合以外の後期高齢者医療広域連合をいう。）の区域内に住所を有していたと認められるもの　当該他の後期高齢者医療広域連合

二　継続して入院等をしていた二以上の病院等のうち一の病院等から継続して他の病院等に入院等をすること（以下この号において「継続入院等」という。）により当該一の病院等の所在する場所以外の場所から当該他の病院等の所在する場所への住所の変更（以下この号において「特定住所変更」とい

う。）を行つたと認められる被保険者であつて、最後に行つた特定住所変更に係る継続入院等の際他の後期高齢者医療広域連合（変更前介護老人福祉施設が所在する後期高齢者医療広域連合以外の後期高齢者医療広域連合をいう。）の区域内に住所を有していたと認められるもの　当該他の後期高齢者医療広域連合

3　前二項の規定の適用を受ける被保険者については、変更後地域密着型介護老人福祉施設を病院等とみなして、第五十五条の規定を適用する。

（市町村の特別会計への繰入れ等の特例）

第十三条の四　当分の間、第九十九条第二項の規定の適用については、同項中「同条各号に掲げる場合のいずれかに該当するに至つた日の属する月以後二年を経過する月までの間に限り、条例の」とあるのは、「条例の」とする。

（財政安定化基金の特例）

第十四条　都道府県は、当分の間、第百十六条第一項の規定にかかわらず、政令で定めるところにより、後期高齢者医療広域連合に対して保険料率の増加の抑制を図るための交付金を交付する事業に必要な費用に、財政安定化基金を充てることができる。

（令和六年度及び令和七年度の出産育児支援金の額の算定の特例）

第十五条　令和六年度及び令和七年度においては、第百二十四条の三第一項中「額に」とあるのは、「額の二分の一に相当する額に」とする。

附　則（昭六一・一二・二三法一〇六）（抄）

（施行期日）

第一条　この法律は、昭和六十二年一月一日から施行する。ただし、次の各号に掲げる規定は、当該各号に定める日から施行する。

一　第一条中老人保健法第七条第一項及び第二項の改正規定、同法第七条に一項を加える改正規定並びに同法第三十一条の次に一条を加える改正規定（同法第三十一条の二第七項及び第八項に係る部分に限る。）、第四条中老人保健法第七条第二項の改正規定、同法第八条第一項の改正規定、同法第三章第三節の次に一節を加える改正規定（同法第四十六条の二第五項及び第六項に係る部分に限る。）及び同法第三章の次に一章を加える改正規定（同法第四十六条の八第五項から第七項までの規定に係る部分に限る。）〔中略〕の規定並びに附則第四条第二項、第十二条及び第十三条の規定　公布の日

二　第四条の規定（前号に掲げる改正規定を除く。）〔中略〕並びに附則第十六条〔中略〕の規定　公布の日から起算して一年六月を超えない範囲内において政令で定める日〔昭六三・一・二〇〕

（医療費拠出金等に関する経過措置）

第三条　第一条の規定による改正後の老人保健法（以下「新老健法」という。）第五十四条第一項ただし書及び第二項の規定は、昭和六十一年度以後の年度の医療費拠出金の額の算定について適用し、昭和六十年度以前の年度の医療費拠出金の額の算定については、なお従前の例による。

2　昭和六十年度以前の年度の概算医療費拠出金及び確定医療費拠出金については、なお従前の例による。

（検討）

第十四条　政府は、この法律の施行後における老人医療費の動向、健康保険組合の決算の状況等各医療保険の運営の状況、老人保健法による医療費拠出金の額の動向等を勘案し、昭和六十五年度までの間に保険者の拠出金の算定方法その他この法律による改正に係る事項に関し検討を行い、その結果に基づいて所要の措置を講ずるものとする。

第十五条　政府は、新老健法第二十八条第一項第一号に規定する給付に要する費用の額が低額である場合には当該額に対する同号に規定する一部負担金の額の割合が著しく高くなることがあることにかんがみ、必要があると認めるときは、同号の一部負担金の在り方について検討を加え、その結果に基づいて所要の措置を講ずるものとする。

第十六条　政府は、第四条の規定の施行後適当な時期において、老人保健施設に関する状況を勘案し、必要があると認めるときは、老人保健施設の在り方について検討を加え、その結果に基づいて所要の措置を講ずるものとする。

附　則（平三・一〇・四法八九）（抄）

（施行期日）

第一条　この法律は、平成四年一月一日から施行する。ただし、次の各号に掲げる規定は、当該各号に定める日から施行する。

一　第一条中老人保健法第四十六条の九〔中略〕の改正規定並びに附則第十二条、第十四条及び第十五条の規定　公布の日

二　第一条中老人保健法〔中略〕第二条の改正規定、同法第六条に一項を加える改正規定、〔中略〕同法第三章の章名の改正規定、同法第十二条の改正規定、同法第十七条の三の次に一条を加える改正規定、同法第二十条、第三十三条及び第三十四条の改正規定、同法第三章中第四節の次に二節を加える改正規定、同法第三章の二の章名の改正規定、同法第三章の二中第四十六条の六の前に節名を付する改正規定、同法第四十六条の十七の改正規定、同法第三章の二中同条の次に一節を加える改正規定、同法第四十七条の改正規定、同法第四十八条の改正規定（「医療等」の下に「（医療（老人医療受給対象者が医療法第二十一条第一項ただし書の都道府県知事の許可を受けた病院その他これに準ずる病院であつて政令で定めるものの病床のうち、老人の心身の特性に応じた適切な看護が行われるもの（痴呆の状態にある老人の心身の特性に応じた適切な看護が行われるものを含む。）として政令で定めるもの（以下この項において「看護強化病床」という。）について受ける第十七条第四号に掲げる給付（当該給付に伴う同条第一号から第三号まで及び第七号に掲げる給付を含む。）に限る。）、特定療養費の支給（老人医療受給対象者が看護強化病床について受ける政令で定める療養に係るものに限る。）、老人保健施設療養費の支給及び老人訪問看護療養費の支給（以下「老人保健施設療養費等」という。）を除く。）」を加える部分のうち「（痴呆の状態にある老人の心身の特性に応じた適切な看護が行われるものを含む。）」に係る部分（附則第七条において「老健法第四十八条改正規定中痴呆性老人部分」という。）及び老人訪問看護療養費の支給に係る部分、「及び第四十六条の二第九項」を「、第四十六条の二第九項及び第四十六条の五の二第七項」に改める部分並びに「第四十六条の二第十項」の下に「（第四十六条の五の三において準用する場合を含む。）」を加える部分に限る。）、

同法第五十二条の改正規定（「並びに」を「及び」に改める部分に限る。）並びに同法第五十七条〔中略〕の改正規定

〔中略〕　平成四年四月一日

（検討等）

第二条　第一条の規定による改正後の老人保健法（以下「新老健法」という。）第二十八条の二の規定の適用に当たって、一部負担金の額が老人の負担能力等を考慮して過大な負担になるおそれが生ずる場合においては、一部負担金の額の改定措置の在り方について総合的に検討が加えられ、その結果に基づき、必要な措置が講ぜられるべきものとする。

2　前項に規定するもののほか、老人保健法による老人保健制度については、老人保健制度の目的を踏まえ、この法律の施行後の老人保健制度の実施状況、老人医療費の動向、社会経済情勢の推移等を勘案し、給付及び費用の負担の在り方について検討が加えられるべきものとする。

第三条　政府は、老人の心身の特性に応じた適切な医療が行われるよう、老人が老人保健法第二十五条第三項に規定する保険医療機関等及び同法第六条第四項に規定する老人保健施設について受ける医療その他のサービスの質に関する評価方法の研究に努めるとともに、同法第二十五条の規定により行われる医療に要する費用の額の包括的な算定等当該費用の額の算定の在り方について検討を行い、その結果に基づいて所要の措置を講ずるものとする。

第四条　政府は、病院又は診療所において行われる付添看護その他の看護に関し、老人がその心身の特性に応じこれらの看護とその他の医療を一体的な管理の下に適切に受けることができるよう、必要な施策の推進に努めるものとする。

（一部負担金に関する経過措置）

第五条　この法律の施行の日（以下「施行日」という。）から平成五年三月三十一日までの間は、新老健法第二十八条第一項第一号中「千円（次条第一項の規定により当該一部負担金の額が改定されたときは、直近の同項の規定による改定後の当該一部負担金の額とする。）」とあるのは「九百円」と、同項第二号中「七百円（次条第二項の規定により当該一部負担金の額が改定されたときは、直近の同項の規定による改定後の当該一部負担金の額とする。）」とあるのは「六百円」とする。

（医療費拠出金に関する経過措置）

第八条　平成二年度以前の年度の概算医療費拠出金及び確定医療費拠出金については、なお従前の例による。

第九条　平成三年度の概算医療費拠出金の額は、新老健法第五十五条第一項の規定にかかわらず、次の各号に掲げる額の合計額とする。

一　旧老健法の規定に基づき算定された平成三年度の概算医療費拠出金の額の十二分の十に相当する額

二　次に掲げる額の合計額（次号において「施行日以後調整後老人医療費見込額」という。）に、一から施行日以後老人保健施設療養費等概算率を控除して得た率を乗じて得た額の十分の七に相当する額

イ　当該保険者に係る施行日以後老人医療費見込額（市町村が平成三年度において支弁する一の保険者に係る七十歳以上の加入者等に対する施行日以後に行われる医療（医療費の支給を含む。）、特定療養費の支給（医療費の支給を含む。）、老人保健施設療養費の支給及び老人訪問看護療養費の支給（次条において「医療等」という。）に要する費用の見込額として厚生省令で定めるところにより算定される額をいう。以下この条において同じ。）から施行日以後調整対象外医療費見込額（当該保険者が概算施行日以後基準超過保険者（一の保険者に係る七十歳以上の加入者等一人当たりの施行日以後老人医療費見込額として厚生省令で定めるところにより算定される額をすべての保険者に係る七十歳以上の加入者等一人当たりの施行日以後老人医療費見込額の平均額として厚生省令で定めるところにより算定される額（以下この号において「一人平均老人医療費見込額」という。）で除して得た率が、新老健法第五十五条第一項第一号イの政令で定める率を超える保険者をいう。）である場合における当該保険者に係る施行日以後老人医療費見込額のうち、一人平均老人医療費見込額に当該政令で定める率を乗じて得た額を超える部分として厚生省令で定めるところにより算定される額をいう。ロにおいて同じ。）を控除して得た額に平成三年度に係る新老健法第五十五条第四項の概算加入者調整率を乗じて得た額

ロ　施行日以後調整対象外医療費見込額

三　施行日以後調整後老人医療費見込額に施行日以後老人保健施設療養費等概算率を乗じて得た額の十二分の六に相当する額

2　前項の施行日以後老人保健施設療養費等概算率は、各保険者に係る施行日以後老人保健施設療養費等見込額（市町村が平成三年度において支弁する一の保険者に係る七十歳以上の加入者等に対する施行日以後に行われる新老健法第四十八条第一項に規定する老人保健施設療養費等に要する費用の見込額として厚生省令で定めるところにより算定される額をいう。）の総額を、各保険者に係る施行日以後老人医療費見込額の総額で除して得た率とする。

第十条　平成三年度の確定医療費拠出金の額は、新老健法第五十六条第一項の規定にかかわらず、次の各号に掲げる額の合計額とする。

一　次に掲げる額の合計額の十分の七に相当する額

イ　当該保険者に係る施行日前老人医療費額（市町村が平成三年度において支弁した一の保険者に係る七十歳以上の加入者等に対する施行日前に行われた医療（医療費の支給を含む。）、特定療養費の支給（医療費の支給を含む。）及び老人保健施設療養費の支給に要する費用の額をいう。以下この号において同じ。）から施行日前調整対象外医療費額（当該保険者が確定施行日前基準超過保険者（一の保険者に係る七十歳以上の加入者等一人当たりの施行日前老人医療費額として厚生省令で定めるところにより算定される額をすべての保険者に係る七十歳以上の加入者等一人当たりの施行日前老人医療費額の平均額として厚生省令で定めるところにより算定される額（以下この号において「一人平均老人医療費額」という。）で除して得た率が、旧老健法第五十五条第一項第一号の政令で定める率を超える保険者をいう。）である場合における当該保険者に係る施行日前老人医療費額のうち、一人平均老人医療費額に当該政令で定める率を乗じて得た額を超える部分として厚生省令で定めるところにより算定される額をいう。ロにおいて同

じ。）を控除して得た額に平成三年度に係る旧老健法第五十六条第二項の確定加入者調整率を乗じて得た額

ロ　施行日前調整対象外医療費額

二　次に掲げる額の合計額（次号において「施行日以後調整後老人医療費額」という。）に、一から施行日以後老人保健施設療養費等確定率を控除して得た率を乗じて得た額の十分の七に相当する額

イ　当該保険者に係る施行日以後老人医療費額（市町村が平成三年度において支弁した一の保険者に係る七十歳以上の加入者等に対する施行日以後に行われた医療等に要する費用の額をいう。以下この条において同じ。）から施行日以後調整対象外医療費額（当該保険者が確定施行日以後基準超過保険者（一の保険者に係る七十歳以上の加入者等一人当たりの施行日以後老人医療費額として厚生省令で定めるところにより算定される額をすべての保険者に係る七十歳以上の加入者等一人当たりの施行日以後老人医療費額の平均額として厚生省令で定めるところにより算定される額（以下この号において「一人平均老人医療費」という。）で除して得た率が、新老健法第五十五条第一項第一号イの政令で定める率を超える保険者をいう。）である場合における当該保険者に係る施行日以後老人医療費額のうち、一人平均老人医療費額に当該政令で定める率を乗じて得た額を超える部分として厚生省令で定めるところにより算定される額をいう。ロにおいて同じ。）を控除して得た額に平成三年度に係る新老健法第五十六条第三項の確定加入者調整率を乗じて得た額

ロ　施行日以後調整対象外医療費額

三　施行日以後調整後老人医療費額に施行日以後老人保健施設療養費等確定率を乗じて得た額の十二分の六に相当する額

2　前項の施行日以後老人保健施設療養費等確定率は、各保険者に係る施行日以後老人保健施設療養費等額（市町村が平成三年度において支弁した一の保険者に係る七十歳以上の加入者等に対する施行日以後に行われた新老健法第四十八条第一項に規定する老人保健施設療養費等に要する費用の額をいう。）の総額を、各保険者に係る施行日以後老人医療費額の総額で除して得た率とする。

（平成三年度の拠出金の額の変更等）

第十一条　社会保険診療報酬支払基金法（昭和二十三年法律第百二十九号）による社会保険診療報酬支払基金は、この法律の施行後遅滞なく、各保険者が平成三年度に納付すべき拠出金の額を変更し、当該各保険者に対し、変更後の拠出金の額を通知しなければならない。

2　新老健法第五十九条第三項の規定は、前項の場合に準用する。

（老人訪問看護療養費の支給等に関する規定の施行前の準備）

第十二条　厚生大臣は、新老健法第四十六条の十七の五第一項の厚生省令を定めようとするとき、及び同条第二項に規定する指定老人訪問看護の事業の運営に関する基準（指定老人訪問看護の取扱いに関する部分を除く。）を定めようとするときは、附則第一条第二号に掲げる規定の施行の日前においても老人保健審議会の意見を聴くことができる。

2　厚生大臣は、新老健法第四十六条の五の二第二項の基準及び新老健法第四十六条の十七の五第二項に規定する指定老人訪問看護の事業の運営に関する基準（指定老人訪問看護の取扱いに関する部分に限る。）を定めようとするときは、附則第一条第二号に掲げる規定の施行の日前においても中央社会保険医療協議会の意見を聴くことができる。

（老人保健施設に関する経過措置）

第十三条　旧老健法第四十六条の六第一項の許可に係る旧老健法第六条第四項に規定する老人保健施設は、新老健法第四十六条の六第一項の許可に係る新老健法附則第一条の二の規定により読み替えられた新老健法第六条第四項に規定する老人保健施設とみなす。

附　則（平六・六・二九法五六）（抄）

最終改正　平九・六・二〇法九四

（施行期日）

第一条　この法律は、平成六年十月一日から施行する。ただし、次の各号に掲げる規定は、当該各号に定める日から施行する。

一　〔前略〕第四条中老人保健法第五条の改正規定、同法第二十二条の改正規定及び同法第二十五条に一項を加える改正規定〔後略〕　平成七年四月一日

二　〔略〕

三　第四条中老人保健法第四十一条に一項を加える改正規定、同法第四十六条の八第四項の改正規定並びに同法第四十六条の十七の三の改正規定〔後略〕　公布の日

（老人保健法の一部改正に伴う経過措置）

第二十二条　厚生大臣の定める病院又は診療所（新健保法第四十四条第一項第一号に規定する特定承認保険医療機関を除く。）において、第四条の規定による改正後の老人保健法（以下「新老健法」という。）第十七条第一項第五号に掲げる給付を受ける老人医療受給対象者（厚生大臣の定める状態にある者に限る。）が、当該病院又は診療所の従業者以外の者が提供する看護（以下この条において「付添看護」という。）を受けたときは、平成八年三月三十一日（付添看護の状況その他の事情を勘案し、厚生省令で定める要件に該当する病院又は診療所として都道府県知事の承認を受けたものにおける付添看護については、その日後厚生省令で定める日）までの間、当該付添看護を新老健法第三十二条第一項に規定する医療とみなして同項の規定を適用する。

2　新老健法第三十一条の二第二項に規定する標準負担額は、同項の規定にかかわらず、平成八年九月三十日までの間、六百円（同項の厚生省令で定める者については、厚生大臣が別に定める額）とする。

（入院時食事療養費に関する規定の施行前の準備）

第二十三条　厚生大臣は、新老健法第三十一条の二第二項に規定する標準負担額を定めようとするときは、施行日前において老人保健審議会に諮問することができる。この場合において、当該諮問に係る老人保健審議会からの答申は、新老健法第七条に規定する政令で定める審議会からの答申とみなす。

2　厚生大臣は、新老健法第三十一条の二第二項に規定する基準並びに同条第四項に規定する入院時食事療養費に係る療養の取扱い及び担当に関する基準を定めようとするときは、施行日前においても中央社会保険医療協議会の意見を聴くことができる。

（事業費拠出金等に関する規定の施行前の準備）

第二十四条　厚生大臣は、新老健法附則第三条第一項の政令を定めようとするとき、及び新老健法附則第四条第一項の政令を定めようとするときは、施行日前において老人保健審議会の意見を聴くことができる。この場合において、老人保健審議会が述べた意見は、新老健法第七条に規定する政令で定める審議会が述べた意見とみなす。

（老人保健法の一部改正に伴う国家公務員共済組合の業務等の特例）

第二十五条　新老健法附則第三条第一項の規定により拠出金の徴収が行われる場合における国家公務員共済組合法（昭和三十三年法律第百二十八号）の規定の適用については、同法第三条第四項中「第五十三条第一項」とあるのは、「第五十三条第一項及び同法附則第三条第一項」とする。

2　新老健法附則第三条第一項の規定により拠出金の徴収が行われる場合における地方公務員等共済組合法（昭和三十七年法律第百五十二号）の規定の適用については、同法第百十三条第一項中「第五十三条第一項」とあるのは、「第五十三条第一項及び同法附則第三条第一項」とする。

附　則（平七・三・三一法五三）（抄）

最終改正　平一四・八・二法一〇二

（施行期日）

第一条　この法律は、平成七年四月一日から施行する。〔ただし書略〕

第四条　削除

（交付金に関する経過措置）

第五条　第三条の規定による改正後の老人保健法（以下「新老健法」という。）第四十八条の規定は、この法律の施行の日（以下「施行日」という。）以後に行われる新老健法の規定による医療（医療費の支給を含む。）、入院時食事療養費の支給（医療費の支給を含む。）及び特定療養費の支給（医療費の支給を含む。）に要する費用並びにこれらの事業に関する事務の執行に要する費用について適用し、施行日前に行われた第三条の規定による改正前の老人保健法の規定による医療（医療費の支給を含む。）、入院時食事療養費の支給（医療費の支給を含む。）及び特定療養費の支給（医療費の支給を含む。）に要する費用並びにこれらの事業に関する事務の執行に要する費用については、なお従前の例による。

（平成六年度以前の年度の医療費拠出金に関する経過措置）

第六条　平成六年度以前の年度の概算医療費拠出金及び確定医療費拠出金については、なお従前の例による。

（加入者調整率に関する特例）

第七条　平成七年度の新老健法第五十五条第三項に規定する概算加入者調整率については、同項中「上限割合（当該割合を超える保険者の見込数がすべての保険者の数のおおむね百分の三となる割合として政令で定める割合をいう。以下この項及び次条第三項において同じ。）を超えるときは上限割合」とあるのは「百分の二十二を超えるときは百分の二十二」と、「百分の一・五」とあるのは「百分の一・四」と、同条第四項中「第一項第一号イ及び前項」とあるのは「第一項第一号イ」とし、同年度の新老健法第五十六条第三項に規定する確定加入者調整率については、同項中「前々年度における上限割合を超えるときは当該上限割合」とあるのは「百分の二十二を超えるときは百分の二十二」と、「百分の一・五」とあるのは「百分の一・四」とする。

2　平成八年度以降附則第四条の規定により医療費拠出金の算定方法に関する措置が講じられるまでの間に係る新老健法第五十五条第三項に規定する概算加入者調整率については、同項中「当該割合を超える保険者の見込数がすべての保険者の数のおおむね百分の三となる割合として政令で定める割合をいう。以下この項及び次条第三項において同じ。」とあるのは「各医療保険の運営の状況等を勘案し、百分の二十四以上百分の二十六以下において各年度ごとに政令で定める割合をいう。以下この項及び国民健康保険法等の一部を改正する法律（平成七年法律第五十三号）附則第七条第二項の規定により読み替えて適用される次条第三項において同じ。」と、「百分の一・五」とあるのは「百分の一・四」と、同条第四項中「前項」とあるのは「国民健康保険法等の一部を改正する法律附則第七条第二項の規定により読み替えて適用される前項」とし、平成八年度及び平成九年度の新老健法第五十六条第三項に規定する確定加入者調整率については、同項中「百分の一・五」とあるのは、「百分の一・四」とする。

附　則（平八・六・一四法八二）（抄）

最終改正　平二〇・四・三〇法二三

（施行期日）

第一条　この法律は、平成九年四月一日から施行する。〔ただし書略〕

（新設健保組合に係る医療費拠出金及び療養給付費拠出金の額の特例）

第三十九条　平成九年度及び平成十年度の新設健保組合に係る老人保健法第五十三条第一項に規定する医療費拠出金の額の算定の特例については、政令で定める。

2　〔略〕

附　則（平九・五・九法四八）（抄）

（施行期日）

第一条　この法律は、平成十年一月一日から施行する。〔ただし書略〕

附　則（平九・六・二〇法九四）（抄）

最終改正　平一四・八・二法一〇二

（施行期日等）

第一条　この法律は、平成九年九月一日から施行する。〔ただし書略〕

2　〔略〕

（老人保健法の一部改正に伴う経過措置）

第八条　施行日前に行われた診療、薬剤の支給又は手当に係る老人保健法の規定による医療費の額については、なお従前の例による。

2　施行日から平成十一年三月三十一日までの間におけるこの法律による改正後の老人保健法第二十八条第一項の規定の適用については、同項第二号中「千二百円（次条第二項の規定により当該一部負担金の額が改定されたときは、直近の同項の規定による改定後の当該一部負担金の額とする。）」とあるのは、施行日から平成十年三月三十一日までの間は「千円」と、同年四月一日から平成十一年三月三十一日までの間は「千百円」とする。

附　則（平九・一二・一七法一二四）

この法律は、介護保険法の施行の日〔平一二・四・一〕から施行する。〔ただし書略〕

附　則（平一一・七・一六法八七）（抄）

（施行期日）

第一条　この法律は、平成十二年四月一日から施行する。〔ただし書略〕

附　則（平一一・七・一六法一〇二）（抄）

（施行期日）

第一条　この法律は、内閣法の一部を改正する法律（平成十一年法律第八十八号）の施行の日〔平一三・一・六〕から施行する。〔ただし書略〕

附　則（平一一・一二・二二法一六〇）（抄）

（施行期日）

第一条　この法律（中略）は、平成十三年一月六日から施行する。〔ただし書略〕

附　則（平一二・一二・六法一四〇）（抄）

改正　平一四・八・二法一〇二

（施行期日）

第一条　この法律は、平成十三年一月一日から施行する。〔ただし書略〕

（老人保健法の一部改正に伴う経過措置）

第九条　施行日前に行われた診療、薬剤の支給又は手当に係る老人保健法の規定による医療費の額については、なお従前の例による。

附　則（平一二・一二・六法一四一）（抄）

（施行期日）

第一条　この法律は、公布の日から起算して六月を超えない範囲内において政令で定める日〔平一三・三・一〕から施行する。〔ただし書略〕

附　則（平一三・一二・一二法一五三）（抄）

（施行期日）

第一条　この法律は、公布の日から起算して六月を超えない範囲内において政令で定める日〔平一四・三・一〕から施行する。

附　則（平一四・八・二法一〇二）（抄）

改正　平一四・一二・一三法一五二

（施行期日）

第一条　この法律は、平成十四年十月一日から施行する。〔ただし書略〕

（老人保健法の一部改正に伴う経過措置）

第九条　施行日の前日において七十歳以上である者（施行日において七十五歳以上である者を除く。）については、施行日からその者が七十五歳以上の者に該当するに至った日の属する月の末日（その者が七十五歳以上の者に該当するに至った日が月の初日であるときは、その日の前日）までの間は、その者を七十五歳以上の者とみなして第三条の規定による改正後の老人保健法（以下「新老健法」という。）の規定（新老健法第二十五条第一項第二号の規定を除く。）を適用する。

第十条　施行日前に行われた診療、薬剤の支給又は手当に係る第三条の規定による改正前の老人保健法（以下「旧老健法」という。）の規定による医療費又は高額医療費の支給については、なお従前の例による。

第十一条　新老健法第四十八条から第五十条までの規定は、施行日以後に行われる新老健法の規定による医療（医療費の支給を含む。）、入院時食事療養費の支給（医療費の支給を含む。）、特定療養費の支給（医療費の支給を含む。）、老人訪問看護療養費の支給、移送費の支給及び高額医療費の支給（以下「医療等」と総称する。）に要する費用並びにこれらの事業に関する事務の執行に要する費用について適用し、施行日前に行われた旧老健法の規定による医療等に要する費用及びこれらの事業に関する事務の執行に要する費用については、なお従前の例による。

第十二条　施行日から平成十八年九月三十日までの間に行われる医療等に要する費用及びこれらの事業に関する事務の執行に要する費用についての新老健法第四十八条から第五十条までの規定の適用については、次の表の第一欄に掲げる医療等が行われる期間の区分に応じ、同表の第二欄に掲げる規定中同表の第三欄に掲げる字句は、それぞれ同表の第四欄に掲げる字句に読み替えるものとする。

平成十四年十月一日から平成十五年九月三十日まで	第四十八条	十二分の六	百分の六十六
	第四十九条	十二分の四	六百分の百三十六
	第五十条	十二分の一	六百分の三十四
平成十五年十月一日から平成十六年九月三十日まで	第四十八条	十二分の六	百分の六十二
	第四十九条	十二分の四	六百分の百五十二
	第五十条	十二分の一	六百分の三十八
平成十六年十月一日から平成十七年九月三十日まで	第四十八条	十二分の六	百分の五十八
	第四十九条	十二分の四	六百分の百六十八
	第五十条	十二分の一	六百分の四十二
平成十七年十月一日から平成十八年九月三十日まで	第四十八条	十二分の六	百分の五十四
	第四十九条	十二分の四	六百分の百八十四
	第五十条	十二分の一	六百分の四十六

第十三条　平成十三年度以前の年度の概算医療費拠出金及び確定

医療費拠出金については、なお従前の例による。

第十四条　平成十四年度の概算医療費拠出金の額は、新老健法第五十五条第一項の規定にかかわらず、次の各号に掲げる額の合計額とする。

一　次のイ又はロに掲げる保険者の区分に応じ、それぞれイ又はロに掲げる額

イ　概算特別調整基準超過保険者（平成十四年度における旧老健法第五十五条第二項に規定する概算加入者調整率が一を超える保険者のうち、特別調整前概算医療費拠出金相当額（平成十四年度における同条第一項各号に掲げる額の合計額をいう。以下この項及び次項において同じ。）から⑴に掲げる額を控除して得た額が⑵に掲げる額を超えるものをいう。以下この項から第三項までにおいて同じ。）　特別調整前概算医療費拠出金相当額から特別調整対象見込額（特別調整前概算医療費拠出金相当額から⑴に掲げる額と⑵に掲げる額との合計額を控除して得た額をいう。次項において同じ。）を控除して得た額と、特別調整見込額との合計額の十二分の七に相当する額

⑴　当該保険者に係る平成十四年度における旧老健法第五十五条第一項第一号に規定する老人医療費見込額の十分の七に相当する額

⑵　次に掲げる額の合計額に特別調整基準率を乗じて得た額

(i)　特別調整前概算医療費拠出金相当額

(ii)　当該保険者の給付であって旧老健法第六条第一項に規定する医療保険各法の規定による医療に関する給付（第一条の規定による改正前の健康保険法第六十九条ノ三に規定するその他の給付及びこれに相当する給付を除く。）のうち厚生労働省令で定めるものに該当するものに要する費用（同法第七十九条ノ九第二項に規定する日雇拠出金の納付に要する費用及び第四条の規定による改正前の国民健康保険法第八十一条の二第一項に規定する療養給付費拠出金の納付に要する費用を含む。第三項において「保険者の給付に要する費用」という。）の平成十四年度における見込額として厚生労働省令で定めるところにより算定される額

ロ　概算特別調整基準超過保険者以外の保険者　特別調整前概算医療費拠出金相当額と特別調整見込額との合計額の十二分の七に相当する額

二　次のイ又はロに掲げる保険者の区分に応じ、それぞれイ又はロに掲げる額

イ　施行日以後概算負担調整基準超過保険者（施行日以後概算加入者調整率が一を超える保険者のうち、施行日以後負担調整前概算医療費拠出金相当額から⑴に掲げる額を控除して得た額が⑵に掲げる額を超えるものをいう。以下この条において同じ。）　施行日以後負担調整前概算医療費拠出金相当額から施行日以後負担調整対象見込額（施行日以後負担調整前概算医療費拠出金相当額から⑴に掲げる額と⑵に掲げる額との合計額を控除して得た額をいう。第六項において同じ。）を控除して得た額と、施行日以後負担調整見込額との合計額

⑴　当該保険者に係る施行日以後老人医療費見込額（市町村が平成十四年度において支弁する一の保険者に係る新老健法第二十五条第一項に規定する七十五歳以上の加入者等（附則第九条の規定により七十五歳以上の者とみなされる者であって加入者であるものを含む。以下この条から附則第十七条までにおいて単に「七十五歳以上の加入者等」という。）に対する施行日以後に行われる医療（医療費の支給を含む。）、入院時食事療養費の支給（医療費の支給を含む。）、特定療養費の支給（医療費の支給を含む。）、老人訪問看護療養費の支給、移送費の支給及び高額医療費の支給（以下この条から附則第十七条までにおいて「医療等」という。）に要する費用の見込額として厚生労働省令で定めるところにより算定される額をいう。以下この条において同じ。）に、一から施行日以後特定費用概算率を控除して得た率を乗じて得た額の百分の六十六に相当する額と、施行日以後老人医療費見込額に施行日以後特定費用概算率を乗じて得た額との合計額

⑵　次に掲げる額の合計額に施行日以後負担調整基準率を乗じて得た額

(i)　施行日以後負担調整前概算医療費拠出金相当額

(ii)　当該保険者の給付であって新老健法第六条第一項の医療保険各法の規定による医療に関する給付（健康保険法第五十三条に規定するその他の給付及びこれに相当する給付を除く。以下この条、次条第一項、附則第十六条第一項及び附則第十七条第一項において「医療関連給付」という。）のうち厚生労働省令で定めるものに該当するものに要する費用（同法第百七十三条第二項に規定する日雇拠出金の納付に要する費用及び国民健康保険法第八十一条の二第一項に規定する療養給付費等拠出金の納付に要する費用を含む。次条第一項、附則第十六条第一項及び附則第十七条第一項において「保険者の給付に要する費用」という。）の平成十四年度における見込額のうち施行日以後に行われる医療関連給付に要する費用の見込額として厚生労働省令で定めるところにより算定される額

ロ　施行日以後概算負担調整基準超過保険者以外の保険者　施行日以後負担調整前概算医療費拠出金相当額と施行日以後負担調整見込額との合計額

2　前項第一号イの特別調整見込額は、当該保険者に係る特別調整前概算医療費拠出金相当額（概算特別調整基準超過保険者にあっては、特別調整前概算医療費拠出金相当額から特別調整対象見込額を控除して得た額）に概算特別調整加算率（すべての概算特別調整基準超過保険者に係る特別調整対象見込額の総額を、すべての保険者に係る特別調整前概算医療費拠出金相当額の総額からすべての概算特別調整基準超過保険者に係る特別調整対象見込額の総額を控除して得た額で除して得た率を基礎として厚生労働大臣が定める率をいう。）を乗じて得た額とする。

3　第一項第一号イ⑵の特別調整基準率は、一人当たりの老人医療費の動向、旧老健法第二十五条第一項に規定する七十歳以上の加入者等（同項に規定する七十歳以上の加入者等をいう。次条において単に「七十歳以上の加入者等」という。）の増加の状況、保険者の給付に要する費用の動向及び概算特別調整基準

超過保険者の数の動向を勘案し、百分の二十五以上において政令で定める率とする。

4　第一項第二号イの施行日以後概算加入者調整率は、厚生労働省令で定めるところにより、施行日以後平成十五年三月三十一日までの期間におけるすべての保険者に係る加入者の見込総数に対する七十五歳以上の加入者等の見込数の割合を当該期間における当該保険者に係る加入者の見込数に対する七十五歳以上の加入者等の見込数の割合（その割合が当該期間における下限割合（新老健法第五十五条第二項の政令で定める割合をいう。次条第五項、附則第十六条第二項及び第七項並びに附則第十七条第二項及び第六項において同じ。）に満たないときは、下限割合とする。）で除して得た率を基礎として保険者ごとに算定される率とする。

5　第一項第二号イの施行日以後負担調整前概算医療費拠出金相当額は、次の各号に掲げる額の合計額とする。

一　次に掲げる額の合計額（次号において「施行日以後調整後老人医療費見込額」という。）に、一から施行日以後特定費用概算率を控除して得た率を乗じて得た額の百分の六十六に相当する額

イ　当該保険者に係る施行日以後老人医療費見込額から施行日以後調整対象外医療費見込額（当該保険者が概算施行日以後基準超過保険者（一の保険者に係る七十五歳以上の加入者等一人当たりの施行日以後老人医療費見込額として厚生労働省令で定めるところにより算定される額をすべての保険者に係る七十五歳以上の加入者等一人当たりの施行日以後老人医療費見込額の平均額として厚生労働省令で定めるところにより算定される額（イにおいて「一人平均老人医療費見込額」という。）で除して得た率が、新老健法第五十五条第三項第一号イの政令で定める率を超える保険者をいう。）である場合における当該保険者に係る施行日以後老人医療費見込額のうち、一人平均老人医療費見込額に当該政令で定める率を乗じて得た額を超える部分として厚生労働省令で定めるところにより算定される額をいう。ロにおいて同じ。）を控除して得た額に施行日以後概算加入者調整率を乗じて得た額

ロ　施行日以後調整対象外医療費見込額

二　施行日以後調整後老人医療費見込額に施行日以後特定費用概算率を乗じて得た額

6　第一項第二号イの施行日以後負担調整見込額は、当該保険者に係る施行日以後負担調整前概算医療費拠出金相当額（施行日以後概算負担調整基準超過保険者にあっては、施行日以後負担調整前概算医療費拠出金相当額から施行日以後負担調整対象見込額を控除して得た額）に施行日以後概算負担調整加算率（すべての施行日以後概算負担調整基準超過保険者に係る施行日以後負担調整対象見込額の総額を、すべての保険者に係る施行日以後負担調整前概算医療費拠出金相当額の総額からすべての施行日以後概算負担調整基準超過保険者に係る施行日以後負担調整対象見込額の総額を控除して得た額で除して得た率を基礎として厚生労働大臣が定める率をいう。）を乗じて得た額とする。

7　第一項第二号イ(1)の施行日以後特定費用概算率は、施行日以後平成十五年三月三十一日までの期間におけるすべての保険者に係る七十五歳以上の加入者等の見込総数に対する新老健法第二十八条第一項第二号に掲げる場合に該当する者の見込総数の割合及び同項各号に掲げる割合を勘案し、厚生労働大臣が定める率とする。

8　第一項第二号イ(2)の施行日以後負担調整基準率は、一人当たりの老人医療費の動向、七十五歳以上の加入者等の増加の状況、保険者の給付に要する費用の動向及び施行日以後概算負担調整基準超過保険者の数の動向を勘案し、百分の二十五以上において政令で定める率とする。

第十五条　平成十四年度の確定医療費拠出金の額は、新老健法第五十六条第一項の規定にかかわらず、次の各号に掲げる額の合計額とする。

一　次のイ又はロに掲げる保険者の区分に応じ、それぞれイ又はロに掲げる額

イ　施行日前確定特別調整基準超過保険者（施行日前確定加入者調整率が一を超える保険者のうち、施行日前特別調整前確定医療費拠出金相当額から(1)に掲げる額を控除して得た額が(2)に掲げる額を超えるものをいう。以下この条において同じ。）　施行日前特別調整前確定医療費拠出金相当額から施行日前特別調整対象額（施行日前特別調整前確定医療費拠出金相当額から(1)に掲げる額と(2)に掲げる額との合計額を控除して得た額をいう。第四項において同じ。）を控除して得た額と、施行日前特別調整額との合計額

(1)　当該保険者に係る施行日前老人医療費額（市町村が平成十四年度において支弁した一の保険者に係る七十五歳以上の加入者等に対する施行日前に行われた医療等に要する費用の額をいう。以下この条において同じ。）の十分の七に相当する額

(2)　次に掲げる額の合計額に前条第三項の特別調整基準率を乗じて得た額

(i)　施行日前特別調整前確定医療費拠出金相当額

(ii)　当該保険者の給付に要する費用の平成十四年度における額のうち施行日前に行われた医療関連給付に要する費用の額

ロ　施行日前確定特別調整基準超過保険者以外の保険者　施行日前特別調整前確定医療費拠出金相当額と施行日前特別調整額との合計額

二　次のイ又はロに掲げる保険者の区分に応じ、それぞれイ又はロに掲げる額

イ　施行日以後確定負担調整基準超過保険者（施行日以後確定加入者調整率が一を超える保険者のうち、施行日以後負担調整前確定医療費拠出金相当額から(1)に掲げる額を控除して得た額が(2)に掲げる額を超えるものをいう。以下この条において同じ。）　施行日以後負担調整前確定医療費拠出金相当額から施行日以後負担調整対象額（施行日以後負担調整前確定医療費拠出金相当額から(1)に掲げる額と(2)に掲げる額との合計額を控除して得た額をいう。第七項において同じ。）を控除して得た額と、施行日以後負担調整額との合計額

(1)　当該保険者に係る施行日以後老人医療費額（市町村が平成十四年度において支弁した一の保険者に係る七十五歳以上の加入者等に対する施行日以後に行われた医療等に要する費用の額をいう。以下この条において同じ。）

に、一から施行日以後特定費用確定率を控除して得た率を乗じて得た額の百分の六十六に相当する額と、施行日以後老人医療費額に施行日以後特定費用確定率を乗じて得た額との合計額

(2) 次に掲げる額の合計額に前条第八項の施行日以後負担調整基準率を乗じて得た額

(i) 施行日以後負担調整前確定医療費拠出金相当額

(ii) 当該保険者の給付に要する費用の平成十四年度における額のうち施行日以後に行われた医療関連給付に要する費用の額

ロ 施行日以後確定負担調整基準超過保険者以外の保険者
施行日以後負担調整前確定医療費拠出金相当額と施行日以後負担調整額との合計額

2 前項第一号イの施行日前確定加入者調整率は、厚生労働省令で定めるところにより、平成十四年四月一日以後施行日前の期間におけるすべての保険者に係る加入者の総数に対する七十歳以上の加入者等の総数の割合を当該期間における当該保険者に係る加入者の数に対する七十歳以上の加入者等の数の割合（その割合が百分の三十を超えるときは百分の三十とし、百分の一・四に満たないときは百分の一・四とする。）で除して得た率を基礎として保険者ごとに算定される率とする。

3 第一項第一号イの施行日前特別調整前確定医療費拠出金相当額は、次の各号に掲げる額の合計額の十分の七に相当する額とする。

一 当該保険者に係る施行日前老人医療費額から施行日前調整対象外医療費額（当該保険者が確定施行日前基準超過保険者（一の保険者に係る七十歳以上の加入者等一人当たりの施行日前老人医療費額として厚生労働省令で定めるところにより算定される額をすべての保険者に係る七十歳以上の加入者等一人当たりの施行日前老人医療費額の平均額として厚生労働省令で定めるところにより算定される額（以下この号において「一人平均老人医療費額」という。）で除して得た率が、旧老健法第五十五条第一項第一号の政令で定める率を超える保険者をいう。）である場合における当該保険者に係る施行日前老人医療費額のうち、一人平均老人医療費額に当該政令で定める率を乗じて得た額を超える部分として厚生労働省令で定めるところにより算定される額をいう。次号において同じ。）を控除して得た額に施行日前確定加入者調整率を乗じて得た額

二 施行日前調整対象外医療費額

4 第一項第一号イの施行日前特別調整額は、当該保険者に係る施行日前特別調整前確定医療費拠出金相当額（施行日前確定特別調整基準超過保険者にあっては、施行日前特別調整前確定医療費拠出金相当額から施行日前特別調整対象額を控除して得た額）に施行日前確定特別調整加算率（すべての施行日前確定特別調整基準超過保険者に係る施行日前特別調整対象額の総額を、すべての保険者に係る施行日前特別調整前確定医療費拠出金相当額の総額からすべての施行日前確定特別調整基準超過保険者に係る施行日前特別調整対象額の総額を控除して得た額で除して得た率を基礎として厚生労働大臣が定める率をいう。）を乗じて得た額とする。

5 第一項第二号イの施行日以後確定加入者調整率は、厚生労働省令で定めるところにより、施行日以後平成十五年三月三十一日までの期間におけるすべての保険者に係る加入者の総数に対する七十五歳以上の加入者等の総数の割合を当該期間における当該保険者に係る加入者の数に対する七十五歳以上の加入者等の数の割合（その割合が当該期間における下限割合に満たないときは、下限割合とする。）で除して得た率を基礎として保険者ごとに算定される率とする。

6 第一項第二号イの施行日以後負担調整前確定医療費拠出金相当額は、次の各号に掲げる額の合計額とする。

一 次に掲げる額の合計額（次号において「施行日以後調整後老人医療費額」という。）に、一から施行日以後特定費用確定率を控除して得た率を乗じて得た額の百分の六十六に相当する額

イ 当該保険者に係る施行日以後老人医療費額から施行日以後調整対象外医療費額（当該保険者が確定施行日以後基準超過保険者（一の保険者に係る七十五歳以上の加入者等一人当たりの施行日以後老人医療費額として厚生労働省令で定めるところにより算定される額をすべての保険者に係る七十五歳以上の加入者等一人当たりの施行日以後老人医療費額の平均額として厚生労働省令で定めるところにより算定される額（イにおいて「一人平均老人医療費額」という。）で除して得た率が、新老健法第五十五条第三項第一号イの政令で定める率を超える保険者をいう。）である場合における当該保険者に係る施行日以後老人医療費額のうち、一人平均老人医療費額に当該政令で定める率を乗じて得た額を超える部分として厚生労働省令で定めるところにより算定される額をいう。ロにおいて同じ。）を控除して得た額に施行日以後確定加入者調整率を乗じて得た額

ロ 施行日以後調整対象外医療費額

二 施行日以後調整後老人医療費額に施行日以後特定費用確定率を乗じて得た額

7 第一項第二号イの施行日以後負担調整額は、当該保険者に係る施行日以後負担調整前確定医療費拠出金相当額（施行日以後確定負担調整基準超過保険者にあっては、施行日以後負担調整前確定医療費拠出金相当額から施行日以後負担調整対象額を控除して得た額）に施行日以後確定負担調整加算率（すべての施行日以後確定負担調整基準超過保険者に係る施行日以後負担調整対象額の総額を、すべての保険者に係る施行日以後負担調整前確定医療費拠出金相当額の総額からすべての施行日以後確定負担調整基準超過保険者に係る施行日以後負担調整対象額の総額を控除して得た額で除して得た率を基礎として厚生労働大臣が定める率をいう。）を乗じて得た額とする。

8 第一項第二号イ(1)の施行日以後特定費用確定率は、各保険者に係る施行日以後特定費用額（市町村が平成十四年度において支弁した一の保険者に係る新老健法第二十八条第一項第二号に掲げる場合に該当する者に対する施行日以後に行われた医療等に要する費用の額をいう。）を、各保険者に係る施行日以後老人医療費額で除して得た率とする。

第十六条 平成十五年度の概算医療費拠出金の額は、新老健法第五十五条第一項の規定にかかわらず、次の各号に掲げる額の合計額とする。

一 次のイ又はロに掲げる保険者の区分に応じ、それぞれイ又はロに掲げる額

イ　前期概算負担調整基準超過保険者（前期概算加入者調整率が一を超える保険者のうち、前期負担調整前概算医療費拠出金相当額から⑴に掲げる額を控除して得た額が⑵に掲げる額を超えるものをいう。以下この条において同じ。）

前期負担調整前概算医療費拠出金相当額から前期負担調整対象見込額（前期負担調整前概算医療費拠出金相当額から⑴に掲げる額と⑵に掲げる額との合計額を控除して得た額をいう。第四項において同じ。）を控除して得た額と、前期負担調整見込額との合計額

⑴　次に掲げる額の合計額

(i)　当該保険者に係る前期老人医療費見込額（市町村が平成十五年度において支弁する一の保険者に係る七十五歳以上の加入者等に対する平成十五年十月一日前に行われる医療等に要する費用の見込額として厚生労働省令で定めるところにより算定される額をいう。以下この条において同じ。）に、一から前期特定費用概算率を控除して得た率を乗じて得た額の百分の六十六に相当する額

(ii)　当該保険者に係る前期老人医療費見込額に前期特定費用概算率を乗じて得た額

⑵　次に掲げる額の合計額に前期負担調整基準率を乗じて得た額

(i)　前期負担調整前概算医療費拠出金相当額

(ii)　当該保険者の給付に要する費用の平成十五年度における見込額のうち平成十五年十月一日前に行われる医療関連給付に要する費用の額

ロ　前期概算負担調整基準超過保険者以外の保険者　前期負担調整前概算医療費拠出金相当額と前期負担調整見込額との合計額

二　次のイ又はロに掲げる保険者の区分に応じ、それぞれイ又はロに掲げる額

イ　後期概算負担調整基準超過保険者（後期概算加入者調整率が一を超える保険者のうち、後期負担調整前概算医療費拠出金相当額から⑴に掲げる額を控除して得た額が⑵に掲げる額を超えるものをいう。以下この条において同じ。）

後期負担調整前概算医療費拠出金相当額から後期負担調整対象見込額（後期負担調整前概算医療費拠出金相当額から⑴に掲げる額と⑵に掲げる額との合計額を控除して得た額をいう。第九項において同じ。）を控除して得た額と、後期負担調整見込額との合計額

⑴　次に掲げる額の合計額

(i)　当該保険者に係る後期老人医療費見込額（市町村が平成十五年度において支弁する一の保険者に係る七十五歳以上の加入者等に対する平成十五年十月一日以後に行われる医療等に要する費用の見込額として厚生労働省令で定めるところにより算定される額をいう。以下この条において同じ。）に、一から後期特定費用概算率を控除して得た率を乗じて得た額の百分の六十二に相当する額

(ii)　当該保険者に係る後期老人医療費見込額に後期特定費用概算率を乗じて得た額

⑵　次に掲げる額の合計額に後期負担調整基準率を乗じて得た額

(i)　後期負担調整前概算医療費拠出金相当額

(ii)　当該保険者の給付に要する費用の平成十五年度における見込額のうち平成十五年十月一日以後に行われる医療関連給付に要する費用の額

ロ　後期概算負担調整基準超過保険者以外の保険者　後期負担調整前概算医療費拠出金相当額と後期負担調整見込額との合計額

2　第一項第一号イの前期概算加入者調整率は、厚生労働省令で定めるところにより、平成十五年四月一日から同年九月三十日までの期間におけるすべての保険者に係る加入者の見込総数に対する七十五歳以上の加入者等の見込総数の割合を当該期間における当該保険者に係る加入者の見込数に対する七十五歳以上の加入者等の見込数の割合（その割合が当該期間における下限割合に満たないときは、下限割合とする。）で除して得た率を基礎として保険者ごとに算定される率とする。

3　第一項第一号イの前期負担調整前概算医療費拠出金相当額は、次の各号に掲げる額の合計額とする。

一　次に掲げる額の合計額（次号において「前期調整後老人医療費見込額」という。）に、一から前期特定費用概算率を控除して得た率を乗じて得た額の百分の六十六に相当する額

イ　当該保険者に係る前期老人医療費見込額から前期調整対象外医療費見込額（当該保険者が概算前期基準超過保険者（一の保険者に係る七十五歳以上の加入者等一人当たりの前期老人医療費見込額として厚生労働省令で定めるところにより算定される額をすべての保険者に係る七十五歳以上の加入者等一人当たりの前期老人医療費見込額の平均額として厚生労働省令で定めるところにより算定される額（イにおいて「一人平均老人医療費見込額」という。）で除して得た率が、新老健法第五十五条第三項第一号イの政令で定める率を超える保険者をいう。）である場合における当該保険者に係る前期老人医療費見込額のうち、一人平均老人医療費見込額に当該政令で定める率を乗じて得た額を超える部分として厚生労働省令で定めるところにより算定される額をいう。ロにおいて同じ。）を控除して得た額に、前期概算加入者調整率を乗じて得た額

ロ　前期調整対象外医療費見込額に前期特定費用概算率を乗じて得た額

二　前期調整後老人医療費見込額に前期特定費用概算率を乗じて得た額

4　第一項第一号イの前期負担調整見込額は、当該保険者に係る前期負担調整前概算医療費拠出金相当額（前期概算負担調整基準超過保険者にあっては、前期負担調整前概算医療費拠出金相当額から前期負担調整対象見込額を控除して得た額）に前期概算負担調整加算率（すべての前期概算負担調整基準超過保険者に係る前期負担調整対象見込額の総額を、すべての保険者に係る前期負担調整前概算医療費拠出金相当額の総額からすべての前期概算負担調整基準超過保険者に係る前期負担調整対象見込額の総額を控除して得た額で除して得た率を基礎として厚生労働大臣が定める率をいう。）を乗じて得た額とする。

5　第一項第一号イ⑴(i)の前期特定費用概算率は、各保険者に係る前期特定費用見込額（市町村が平成十五年度において支弁する一の保険者に係る新老健法第二十八条第一項第二号に掲げる場合に該当する者に対する平成十五年十月一日前に行われる医

療等に要する費用の見込額として厚生労働省令で定めるところにより算定される額をいう。）を各保険者に係る前期老人医療費見込額で除して得た率とする。

6　第一項第一号イ(2)の前期負担調整基準率は、一人当たりの老人医療費の動向、七十五歳以上の加入者等の増加の状況、保険者の給付に要する費用の動向及び前期概算負担調整基準超過保険者の数の動向を勘案し、百分の二十五以上において政令で定める率とする。

7　第一項第二号イの後期概算加入者調整率は、厚生労働省令で定めるところにより、平成十五年十月一日から平成十六年三月三十一日までの期間におけるすべての保険者に係る加入者の見込総数に対する七十五歳以上の加入者等の見込総数の割合を当該期間における当該保険者に係る加入者の見込数に対する七十五歳以上の加入者等の見込数の割合（その割合が当該期間における下限割合に満たないときは、下限割合とする。）で除して得た率を基礎として保険者ごとに算定される率とする。

8　第一項第二号イの後期負担調整前概算医療費拠出金相当額は、次の各号に掲げる額の合計額とする。

一　次に掲げる額の合計額（次号において「後期調整後老人医療費見込額」という。）に、一から後期特定費用概算率を控除して得た率を乗じて得た額の百分の六十二に相当する額

イ　当該保険者に係る後期老人医療費見込額から後期調整対象外医療費見込額（当該保険者が概算後期基準超過保険者（一の保険者に係る七十五歳以上の加入者等一人当たりの後期老人医療費見込額として厚生労働省令で定めるところにより算定される額をすべての保険者に係る七十五歳以上の加入者等一人当たりの後期老人医療費見込額の平均額として厚生労働省令で定めるところにより算定される額（イにおいて「一人平均老人医療費見込額」という。）で除して得た率が、新老健法第五十五条第三項第一号イの政令で定める率を超える保険者をいう。）である場合における当該保険者に係る後期老人医療費見込額のうち、一人平均老人医療費見込額に当該政令で定める率を乗じて得た額を超える部分として厚生労働省令で定めるところにより算定される額をいう。ロにおいて同じ。）を控除して得た額に、後期概算加入者調整率を乗じて得た額

ロ　後期調整対象外医療費見込額

二　後期調整後老人医療費見込額に後期特定費用概算率を乗じて得た額

9　第一項第二号イの後期負担調整見込額は、当該保険者に係る後期負担調整前概算医療費拠出金相当額（後期概算負担調整基準超過保険者にあっては、後期負担調整前概算医療費拠出金相当額から後期負担調整対象見込額を控除して得た額）に後期概算負担調整加算率（すべての後期概算負担調整基準超過保険者に係る後期負担調整対象見込額の総額を、すべての保険者に係る後期負担調整前概算医療費拠出金相当額の総額からすべての後期概算負担調整基準超過保険者に係る後期負担調整対象見込額の総額を控除して得た額で除して得た率を基礎として厚生労働大臣が定める率をいう。）を乗じて得た額とする。

10　第一項第二号イ(1)(i)の後期特定費用概算率は、各保険者に係る後期特定費用見込額（市町村が平成十五年度において支弁する一の保険者に係る新老健法第二十八条第一項第二号に掲げる場合に該当する者に対する平成十五年十月一日以後に行われる医療等に要する費用の見込額として厚生労働省令で定めるところにより算定される額をいう。）を各保険者に係る後期老人医療費見込額で除して得た率とする。

11　第一項第二号イ(2)の後期負担調整基準率は、一人当たりの老人医療費の動向、七十五歳以上の加入者等の増加の状況、保険者の給付に要する費用の動向及び後期概算負担調整基準超過保険者の数の動向を勘案し、百分の二十五以上において政令で定める率とする。

第十七条　平成十五年度の確定医療費拠出金の額は、新老健法第五十六条第一項の規定にかかわらず、次の各号に掲げる額の合計額とする。

一　次のイ又はロに掲げる保険者の区分に応じ、それぞれイ又はロに掲げる額

イ　前期確定負担調整基準超過保険者（前期確定加入者調整率が一を超える保険者のうち、前期負担調整前確定医療費拠出金相当額から(1)に掲げる額を控除して得た額が(2)に掲げる額を超えるものをいう。以下この条において同じ。）　前期負担調整前確定医療費拠出金相当額から前期負担調整対象額（前期負担調整前確定医療費拠出金相当額から(1)に掲げる額と(2)に掲げる額との合計額を控除して得た額をいう。第四項において同じ。）を控除して得た額と、前期負担調整額との合計額

(1)　次に掲げる額の合計額

(i)　当該保険者に係る前期老人医療費額（市町村が平成十五年度において支弁した一の保険者に係る七十五歳以上の加入者等に対する平成十五年十月一日前に行われた医療等に要する費用の額をいう。以下この条において同じ。）に、一から前期特定費用確定率を控除して得た率を乗じて得た額の百分の六十六に相当する額

(ii)　当該保険者に係る前期老人医療費額に前期特定費用確定率を乗じて得た額

(2)　次に掲げる額の合計額に前条第六項の前期負担調整基準率を乗じて得た額

(i)　前期負担調整前確定医療費拠出金相当額

(ii)　当該保険者の給付に要する費用の平成十五年度における額のうち平成十五年十月一日前に行われた医療関連給付に要する費用の額

ロ　前期確定負担調整基準超過保険者以外の保険者　前期負担調整前確定医療費拠出金相当額と前期負担調整額との合計額

二　次のイ又はロに掲げる保険者の区分に応じ、それぞれイ又はロに掲げる額

イ　後期確定負担調整基準超過保険者（後期確定加入者調整率が一を超える保険者のうち、後期負担調整前確定医療費拠出金相当額から(1)に掲げる額を控除して得た額が(2)に掲げる額を超えるものをいう。以下この条において同じ。）　後期負担調整前確定医療費拠出金相当額から後期負担調整対象額（後期負担調整前確定医療費拠出金相当額から(1)に掲げる額と(2)に掲げる額との合計額を控除して得た額をいう。第八項において同じ。）を控除して得た額と、後期負担調整額との合計額

(1)　次に掲げる額の合計額

(i) 当該保険者に係る後期老人医療費額（市町村が平成十五年度において支弁した一の保険者に係る七十五歳以上の加入者等に対する平成十五年十月一日以後に行われた医療等に要する費用の額をいう。以下この条において同じ。）に、一から後期特定費用確定率を控除して得た率を乗じて得た額の百分の六十二に相当する額

(ii) 当該保険者に係る後期老人医療費額に後期特定費用確定率を乗じて得た額

(2) 次に掲げる額の合計額に前条第十一項の後期負担調整基準率を乗じて得た額

(i) 後期負担調整前確定医療費拠出金相当額

(ii) 当該保険者の給付に要する費用の平成十五年度における額のうち平成十五年十月一日以後に行われた医療関連給付に要する費用の額

ロ 後期確定負担調整基準超過保険者以外の保険者　後期負担調整前確定医療費拠出金相当額と後期負担調整額との合計額

2 第一項第一号イの前期確定加入者調整率は、厚生労働省令で定めるところにより、平成十五年四月一日から同年九月三十日までの期間におけるすべての保険者に係る加入者の総数に対する七十五歳以上の加入者等の総数の割合を当該期間における当該保険者に係る加入者の数に対する七十五歳以上の加入者等の数の割合（その割合が当該期間における下限割合に満たないときは、下限割合とする。）で除して得た率を基礎として保険者ごとに算定される率とする。

3 第一項第一号イの前期負担調整前確定医療費拠出金相当額は、次の各号に掲げる額の合計額とする。

一 次に掲げる額の合計額（次号において「前期調整後老人医療費額」という。）に、一から前期特定費用確定率を控除して得た率を乗じて得た額の百分の六十六に相当する額

イ 当該保険者に係る前期老人医療費額から前期調整対象外医療費額（当該保険者が確定前期基準超過保険者（一の保険者に係る七十五歳以上の加入者等一人当たりの前期老人医療費額として厚生労働省令で定めるところにより算定される額をすべての保険者に係る七十五歳以上の加入者等一人当たりの前期老人医療費額の平均額として厚生労働省令で定めるところにより算定される額（イにおいて「一人平均老人医療費額」という。）で除して得た率が、新老健法第五十六条第三項第一号イの政令で定める率を超える保険者をいう。）である場合における当該保険者に係る前期老人医療費額のうち、一人平均老人医療費額に当該政令で定める率を乗じて得た額を超える部分として厚生労働省令で定めるところにより算定される額をいう。ロにおいて同じ。）を控除して得た額に、前期確定加入者調整率を乗じて得た額

ロ 前期調整対象外医療費額

二 前期調整後老人医療費額に前期特定費用確定率を乗じて得た額

4 第一項第一号イの前期負担調整額は、当該保険者に係る前期負担調整前確定医療費拠出金相当額（前期確定負担調整基準超過保険者にあっては、前期負担調整前確定医療費拠出金相当額から前期負担調整対象額を控除して得た額）に前期確定負担調整加算率（すべての前期確定負担調整基準超過保険者に係る前期負担調整対象額の総額を、すべての保険者に係る前期負担調整前確定医療費拠出金相当額の総額からすべての前期確定負担調整基準超過保険者に係る前期負担調整対象額の総額を控除して得た額で除して得た率を基礎として厚生労働大臣が定める率をいう。）を乗じて得た額とする。

5 第一項第一号イ(1)(i)の前期特定費用確定率は、各保険者に係る前期特定費用額（市町村が平成十五年度において支弁した一の保険者に係る新老健法第二十八条第一項第二号に掲げる場合に該当する者に対する平成十五年十月一日前に行われた医療等に要する費用の額をいう。）を、各保険者に係る前期老人医療費額で除して得た率とする。

6 第一項第二号イの後期確定加入者調整率は、厚生労働省令で定めるところにより、平成十五年十月一日から平成十六年三月三十一日までの期間におけるすべての保険者に係る加入者の総数に対する七十五歳以上の加入者等の総数の割合を当該期間における当該保険者に係る加入者の数に対する七十五歳以上の加入者等の数の割合（その割合が当該期間における下限割合に満たないときは、下限割合とする。）で除して得た率を基礎として保険者ごとに算定される率とする。

7 第一項第二号イの後期負担調整前確定医療費拠出金相当額は、次の各号に掲げる額の合計額とする。

一 次に掲げる額の合計額（次号において「後期調整後老人医療費額」という。）に、一から後期特定費用確定率を控除して得た率を乗じて得た額の百分の六十二に相当する額

イ 当該保険者に係る後期老人医療費額から後期調整対象外医療費額（当該保険者が確定後期基準超過保険者（一の保険者に係る七十五歳以上の加入者等一人当たりの後期老人医療費額として厚生労働省令で定めるところにより算定される額をすべての保険者に係る七十五歳以上の加入者等一人当たりの後期老人医療費額の平均額として厚生労働省令で定めるところにより算定される額（イにおいて「一人平均老人医療費額」という。）で除して得た率が、新老健法第五十六条第三項第一号イの政令で定める率を超える保険者をいう。）である場合における当該保険者に係る後期老人医療費額のうち、一人平均老人医療費額に当該政令で定める率を乗じて得た額を超える部分として厚生労働省令で定めるところにより算定される額をいう。ロにおいて同じ。）を控除して得た額に、後期確定加入者調整率を乗じて得た額

ロ 後期調整対象外医療費額

二 後期調整後老人医療費額に後期特定費用確定率を乗じて得た額

8 第一項第二号イの後期負担調整額は、当該保険者に係る後期負担調整前確定医療費拠出金相当額（後期確定負担調整基準超過保険者にあっては、後期負担調整前確定医療費拠出金相当額から後期負担調整対象額を控除して得た額）に後期確定負担調整加算率（すべての後期確定負担調整基準超過保険者に係る後期負担調整対象額の総額を、すべての保険者に係る後期負担調整前確定医療費拠出金相当額の総額からすべての後期確定負担調整基準超過保険者に係る後期負担調整対象額の総額を控除して得た額で除して得た率を基礎として厚生労働大臣が定める率

をいう。）を乗じて得た額とする。

9　第一項第二号イ(1)(i)の後期特定費用確定率は、各保険者に係る後期特定費用額（市町村が平成十五年度において支弁した一の保険者に係る新老健法第二十八条第一項第二号に掲げる場合に該当する者に対する平成十五年十月一日以後に行われた医療等に要する費用の額をいう。）を、各保険者に係る後期老人医療費額で除して得た率とする。

第十八条　次の表の上欄に掲げる年度の概算医療費拠出金の額については、新老健法第五十五条第一項の規定にかかわらず、附則第十六条の規定を準用する。この場合において、同欄に掲げる年度の区分に応じ、同条の規定中同表の中欄に掲げる字句は、それぞれ同表の下欄に掲げる字句に読み替えるものとする。

平成十六年度	平成十五年十月一日	平成十六年十月一日
	百分の六十六	百分の六十二
	百分の六十二	百分の五十八
	平成十五年四月一日	平成十六年四月一日
	平成十六年三月三十一日	平成十七年三月三十一日
平成十七年度	平成十五年十月一日	平成十七年十月一日
	百分の六十六	百分の五十八
	百分の六十二	百分の五十四
	平成十五年四月一日	平成十七年四月一日
	平成十六年三月三十一日	平成十八年三月三十一日
平成十八年度	平成十五年十月一日	平成十八年十月一日
	百分の六十六	百分の五十四
	百分の六十二	十二分の六
	平成十五年四月一日	平成十八年四月一日
	平成十六年三月三十一日	平成十九年三月三十一日

第十九条　次の表の上欄に掲げる年度の確定医療費拠出金の額については、新老健法第五十六条第一項の規定にかかわらず、附則第十七条の規定を準用する。この場合において、同欄に掲げる年度の区分に応じ、同条の規定中同表の中欄に掲げる字句は、それぞれ同表の下欄に掲げる字句に読み替えるものとする。

平成十六年度	平成十五年十月一日	平成十六年十月一日
	百分の六十六	百分の六十二
	百分の六十二	百分の五十八
	平成十五年四月一日	平成十六年四月一日
	平成十六年三月三十一日	平成十七年三月三十一日
平成十七年度	平成十五年十月一日	平成十七年十月一日
	百分の六十六	百分の五十八
	百分の六十二	百分の五十四
	平成十五年四月一日	平成十七年四月一日
	平成十六年三月三十一日	平成十八年三月三十一日
平成十八年度	平成十五年十月一日	平成十八年十月一日
	百分の六十六	百分の五十四
	百分の六十二	十二分の六
	平成十五年四月一日	平成十八年四月一日
	平成十六年三月三十一日	平成十九年三月三十一日

第二十条　社会保険診療報酬支払基金法（昭和二十三年法律第百二十九号）による社会保険診療報酬支払基金は、この法律の施行後遅滞なく、平成十四年度に係る納付すべき拠出金の額を変更し、変更後の拠出金の額を通知しなければならない。

2　新老健法第五十九条第三項の規定は、前項の場合について準用する。

第二十一条　この法律の施行前に生じた旧老健法第四十六条の八の規定による高額医療費の支給を受ける権利の時効については、なお従前の例による。

附　則（平一四・八・二法一〇三）（抄）

（施行期日）

第一条　この法律は、公布の日から起算して九月を超えない範囲内において政令で定める日〔平一五・五・一〕から施行する。ただし、〔中略〕附則〔中略〕第十九条〔中略〕の規定は、公布の日から起算して二年を超えない範囲内において政令で定める日〔平一六・八・一〕から施行する。

附　則（平一七・六・二九法七七）（抄）

（施行期日）

第一条　この法律は、平成十八年四月一日から施行する。〔ただし書略〕

附　則（平一八・六・二一法八三）（抄）

最終改正　令二・六・一二法五二

（施行期日）

第一条　この法律は、平成十八年十月一日から施行する。ただし、次の各号に掲げる規定は、それぞれ当該各号に定める日から施行する。

一　〔前略〕附則〔中略〕第三十三条から第三十六条まで〔中略〕の規定　公布の日

二・三　〔略〕

四　〔前略〕第七条〔中略〕並びに附則〔中略〕第三十七条から第三十九条までの規定　平成二十年四月一日

五　〔前略〕第八条〔中略〕の規定　平成二十年十月一日

六　〔前略〕第九条〔中略〕並びに附則〔中略〕第百三十条の二の規定　平成二十四年四月一日

（老人保健法の一部改正に伴う経過措置）

第三十二条　第六条又は第七条の規定の施行の日前に行われた診療、薬剤の支給若しくは手当又は老人訪問看護に係るこれらの条の規定による改正前の老人保健法の規定による医療等については、それぞれなお従前の例による。

第三十三条　厚生労働大臣は、第六条の規定による改正後の老人保健法第十七条第二項第三号及び第四号の定め（同項第三号の定めのうち高度の医療技術に係るものを除く。）、同法第三十一条の二の二第二項及び第四項の基準並びに同法第三十一条の二第二項第一号及び第三項の基準を定めようとするときは、施行日前においても中央社会保険医療協議会の意見を聴くことができる。

2　厚生労働大臣は、高齢者医療確保法第六十四条第二項第三号及び第四号の定め（同項第三号の定めのうち高度の医療技術に関するものを除く。）、高齢者医療確保法第七十一条第一項の基準、高齢者医療確保法第七十四条第二項及び第四項の基準、高齢者医療確保法第七十五条第二項及び第四項の基準、高齢者医療確保法第七十六条第二項第一号及び第三項の基準並びに高齢者医療確保法第七十八条第四項及び第七十九条第一項の基準（指定訪問看護の取扱いに関する部分に限る。）を定めようとするときは、第七条の規定の施行の日前においても中央社会保険医療協議会の意見を聴くことができる。

第三十四条　厚生労働大臣及び都道府県知事は、高齢者医療確保法第八条第一項の医療費適正化基本方針及び全国医療費適正化計画並びに高齢者医療確保法第九条第一項の都道府県医療費適正化計画の作成のため、第七条の規定の施行の日前においても、関係行政機関の長又は関係市町村（特別区を含む。以下同じ。）との協議その他の必要な準備行為をすることができる。

2　厚生労働大臣及び保険者は、高齢者医療確保法第十八条第一項の特定健康診査等基本指針及び高齢者医療確保法第十九条第一項の特定健康診査等実施計画の作成のため、第七条の規定の施行の日前においても、関係行政機関の長との協議その他の必要な準備行為をすることができる。

第三十五条　都道府県及び市町村は、第七条の規定の施行の日前においても、後期高齢者医療の事務の実施に必要な準備行為をすることができる。

第三十六条　この法律の公布の日に現に存する市町村（この法律の公布の日後この項の規定により広域連合を設ける日までの間に廃置分合により消滅した市町村を除く。以下この条において「現存市町村」という。）は、高齢者医療確保法の施行の準備のため、平成十八年度の末日までに、都道府県の区域ごとに当該区域内のすべての現存市町村が加入する広域連合を設けるものとする。

2　平成十八年度の末日までに前項の広域連合に加入していない現存市町村以外の市町村は、同日後速やかに同項の広域連合に加入するものとする。

第三十七条　第七条の規定の施行の際現にされている同条の規定による改正前の老人保健法（以下「平成二十年四月改正前老健法」という。）第二十五条の二の規定による市町村長に対する届出（高齢者医療確保法第五十一条各号のいずれかに該当する者に係るものを除く。）は、高齢者医療確保法第五十四条第一項の規定によりされた後期高齢者医療広域連合に対する届出とみなす。

2　第七条の規定の施行の際現に受けている平成二十年四月改正前老健法第二十五条第一項第二号の規定による市町村長の認定（高齢者医療確保法第五十一条各号のいずれかに該当する者に係るものを除く。）は、高齢者医療確保法第五十条第二号の規定により後期高齢者医療広域連合から受けた認定とみなす。

第三十八条　第七条の規定の施行の日前に平成二十年四月改正前老健法の規定により行われた診療、薬剤の支給若しくは手当又は老人訪問看護に係る医療等に要する費用（以下この条において「平成二十年四月前の医療等に要する費用」という。）のうち平成二十七年度以前に請求されたものの支弁及び負担並びにこれらの事務の執行に要する費用については、平成二十年四月改正前老健法第四章（第五十一条及び第五十二条を除く。）、第五章及び第六章（第七十九条第一項及び第二項を除く。）の規定（これらの規定に基づく命令を含む。）は、なおその効力を有する。この場合において、これらの規定の適用に関し必要な技術的読替えその他これらの規定の適用に関し必要な事項は、政令で定める。

2　平成二十年四月前の医療等に要する費用のうち平成二十八年度以後に請求されるものについては、平成二十年四月改正前老健法の規定により当該費用を負担することとされた市町村が加入する高齢者の医療の確保に関する法律第四十八条に規定する後期高齢者医療広域連合が負担する療養の給付に要する費用とみなして、同法第四章第四節及び第五章の規定を適用する。

3　平成三十年度以後の各年度における、平成二十年四月前の医療等に要する費用のうち平成二十七年度以前に請求されたものの支弁及び負担に係る事務の執行に要する費用（社会保険診療報酬支払基金法（昭和二十三年法律第百二十九号）による社会保険診療報酬支払基金（以下この項において「支払基金」という。）の事務に係るものに限る。）については、第一項の規定によりなおその効力を有するものとされた平成二十年四月改正前老健法第五十三条の規定を適用せず、当該各年度における高齢者の医療の確保に関する法律第百三十九条第一項第二号に掲げる支払基金の業務に関する事務の処理に要する費用とみなして、同法第百二十二条の規定を適用する。

4　平成三十年四月一日において現に第一項の規定によりなおその効力を有するものとされた平成二十年四月改正前老健法第六

十八条に規定する特別の会計に所属する権利及び義務は、政令で定めるところにより、同日において高齢者の医療の確保に関する法律第百四十三条に規定する同法第百三十九条第一項第二号の業務に係る特別の会計に帰属するものとする。

第三十九条　市町村は、第七条の規定の施行後三年間は、附則第三十二条の規定によりなお従前の例によることとされた平成二十年四月改正前老健法の規定による医療等に関する収入及び支出について、特別会計を設けるものとする。

（健康保険法等の一部改正に伴う経過措置）

第百三十条の二　第二十六条の規定の施行の際現に同条の規定による改正前の介護保険法（以下この条において「旧介護保険法」という。）第四十八条第一項第三号の指定を受けている旧介護保険法第八条第二十六項に規定する介護療養型医療施設については、〔中略〕第九条の規定による改正前の高齢者の医療の確保に関する法律の規定〔中略〕（これらの規定に基づく命令の規定を含む。）は、令和六年三月三十一日までの間、なおその効力を有する。

2　前項の規定によりなおその効力を有するものとされた旧介護保険法第四十八条第一項第三号の規定により令和六年三月三十一日までに行われた指定介護療養施設サービスに係る保険給付については、同日後も、なお従前の例による。

3　第二十六条の規定の施行の日前にされた旧介護保険法第百七条第一項の指定の申請であって、第二十六条の規定の施行の際、指定をするかどうかの処分がなされていないものについての当該処分については、なお従前の例による。この場合において、同条の規定の施行の日以後に旧介護保険法第八条第二十六項に規定する介護療養型医療施設について旧介護保険法第四十八条第一項第三号の指定があったときは、第一項の介護療養型医療施設とみなして、同項の規定によりなおその効力を有するものとされた規定を適用する。

附　則（平一九・四・二三法三〇）（抄）

（施行期日）

第一条　この法律は、公布の日から施行する。ただし、次の各号に掲げる規定は、当該各号に定める日から施行する。

一〜二　〔略〕

三　〔前略〕附則〔中略〕第九十六条から第百条まで〔中略〕の規定　日本年金機構法の施行の日（平二二・一・一）

附　則（平二〇・五・二八法四二）（抄）

（施行期日）

第一条　この法律は、公布の日から起算して一年を超えない範囲内において政令で定める日（平二一・五・一）から施行する。

附　則（平二一・七・一五法七七）（抄）

（施行期日）

第一条　この法律は、公布の日から起算して三年を超えない範囲内において政令で定める日（平二四・七・九）から施行する。ただし、次の各号に掲げる規定は、当該各号に定める日から施行する。

一　〔前略〕附則〔中略〕第十三条から第二十条までの規定〔中略〕　出入国管理及び難民認定法及び日本国との平和条約に基づき日本の国籍を離脱した者等の出入国管理に関する特例法の一部を改正する等の法律（平成二十一年法律第七十九号。以下「入管法等改正法」という。）の施行の日（平二四・七・九）

二　〔略〕

（附則第五条第一項の届出に係る高齢者の医療の確保に関する法律の届出の特例）

第十八条　附則第五条第一項の規定による届出及び同条第二項の規定により適用するものとされた新法第二十八条の二の規定による付記は、それぞれ新法第三十条の四十七の規定による届出及び新法第二十八条の二の規定による付記とみなして、前条の規定による改正後の高齢者の医療の確保に関する法律第五十四条第十項の規定を適用する。

附　則（平二二・五・一九法三五）（抄）

（施行期日）

第一条　この法律は、公布の日から施行する。ただし、〔中略〕第三条中高齢者の医療の確保に関する法律附則第十三条の次に五条を加える改正規定（同法附則第十三条の六に係る部分を除く。）及び同法附則第十四条の次に三条を加える改正規定（同法附則第十四条の二に係る部分を除く。）並びに附則第七条から第十七条までの規定は、平成二十二年七月一日から施行する。

（高齢者の医療の確保に関する法律の一部改正に伴う経過措置）

第十条　平成二十一年度以前の年度の被用者保険等保険者（改正後国保法附則第十条第一項に規定する被用者保険等保険者をいう。以下同じ。）に係る概算前期高齢者交付金及び確定前期高齢者交付金、概算前期高齢者納付金及び確定前期高齢者納付金並びに概算後期高齢者支援金及び確定後期高齢者支援金については、なお従前の例による。

第十一条　平成二十二年度の被用者保険等保険者に係る概算前期高齢者交付金の額は、第三条の規定による改正後の高齢者の医療の確保に関する法律（以下「改正後高齢者医療確保法」という。）附則第十三条の二の規定にかかわらず、同条の規定により算定される額の十二分の八に相当する額と同年度において同条の規定の適用がないものとして改正後高齢者医療確保法第三十四条の規定を当該被用者保険等保険者に適用するとしたならば同条第一項の規定により算定されることとなる額の十二分の四に相当する額との合計額とする。

第十二条　平成二十二年度の被用者保険等保険者に係る確定前期高齢者交付金の額は、改正後高齢者医療確保法附則第十三条の三の規定にかかわらず、同条の規定により算定される額の十二分の八に相当する額と同年度において同条の規定の適用がないものとして改正後高齢者医療確保法第三十五条の規定を当該被用者保険等保険者に適用するとしたならば同条第一項の規定により算定されることとなる額の十二分の四に相当する額との合計額とする。

第十三条　平成二十二年度の被用者保険等保険者に係る概算前期高齢者納付金の額は、改正後高齢者医療確保法第三十八条第一項の規定にかかわらず、同項の規定により算定される額の十二分の八に相当する額と同年度において改正後高齢者医療確保法附則第十三条の四の規定の適用がないものとして改正後高齢者医療確保法第三十八条の規定を当該被用者保険等保険者に適用するとしたならば同条第一項の規定により算定されることとなる額の十二分の四に相当する額との合計額とする。

第十四条　平成二十二年度の被用者保険等保険者に係る確定前期

高齢者納付金の額は、改正後高齢者医療確保法第三十九条第一項の規定にかかわらず、同項の規定により算定される額の十二分の八に相当する額と同年度において改正後高齢者医療確保法附則第十三条の五の規定の適用がないものとして改正後高齢者医療確保法第三十九条の規定を当該被用者保険等保険者に適用するとしたならば同条第一項の規定により算定されることとなる額の十二分の四に相当する額との合計額とする。

第十五条 平成二十二年度の被用者保険等保険者に係る概算後期高齢者支援金の額は、改正後高齢者医療確保法附則第十四条の三第一項の規定にかかわらず、同項の規定により算定される額の十二分の八に相当する額と同年度において同条の規定の適用がないものとして改正後高齢者医療確保法第百二十条の規定を当該被用者保険等保険者に適用するとしたならば同条第一項の規定により算定されることとなる額の十二分の四に相当する額との合計額とする。

第十六条 平成二十二年度の被用者保険等保険者に係る確定後期高齢者支援金の額は、改正後高齢者医療確保法附則第十四条の四第一項の規定にかかわらず、同項の規定により算定される額の十二分の八に相当する額と同年度において同条の規定の適用がないものとして改正後高齢者医療確保法第百二十一条の規定を当該被用者保険等保険者に適用するとしたならば同条第一項の規定により算定されることとなる額の十二分の四に相当する額との合計額とする。

第十七条 社会保険診療報酬支払基金法（昭和二十三年法律第百二十九号）による社会保険診療報酬支払基金は、附則第一条ただし書に規定する規定の施行後遅滞なく、平成二十二年度における各被用者保険等保険者に係る前期高齢者交付金及び前期高齢者納付金並びに後期高齢者支援金（次項において「前期高齢者交付金等」という。）の額を変更し、当該変更後の額をそれぞれ通知しなければならない。

2 改正後高齢者医療確保法第四十二条第三項及び第四十三条第三項並びに第百二十四条において準用する第四十三条第三項の規定は、前項の規定により前期高齢者交付金等の額の変更がされた場合について、それぞれ準用する。

（政令への委任）

第二十二条 この附則に規定するもののほか、この法律の施行に伴い必要な経過措置は、政令で定める。

附 則（平二二・一二・一〇法七一）（抄）

（施行期日）

第一条 この法律は、平成二十四年四月一日から施行する。ただし、次の各号に掲げる規定は、当該各号に定める日から施行する。

一・二 〔略〕

三 〔前略〕附則〔中略〕第四十六条〔中略〕の規定 平成二十四年四月一日までの間において政令で定める日〔平二三・一〇・一〕

附 則（平二三・六・二二法七二）（抄）

最終改正 令五・五・一九法三一

（施行期日）

第一条 この法律は、平成二十四年四月一日から施行する。ただし、次の各号に掲げる規定は、当該各号に定める日から施行する。

一 〔略〕

二 〔前略〕第三十四条（高齢者の医療の確保に関する法律（昭和五十七年法律第八十号）第五十五条第一項第五号の改正規定（「同条第二十二項」を「同法第八条第二十四項」に改める部分を除く。）に限る。）及び第三十五条の規定 この法律の施行の日又は高齢者の居住の安定確保に関する法律等の一部を改正する法律（平成二十三年法律第三十二号）の施行の日のいずれか遅い日

（高齢者の医療の確保に関する法律の一部改正に伴う経過措置）

第三十五条 附則第一条第二号に掲げる規定の施行の際現に前条の規定による改正前の高齢者の医療の確保に関する法律第五十五条第一項第五号に掲げる特定施設（前条の規定による改正後の高齢者の医療の確保に関する法律第五十五条第一項第五号に掲げる特定施設に該当するものを除く。）に入居をしている後期高齢者医療の被保険者については、なお従前の例による。

第三十六条 高齢者の医療の確保に関する法律附則第十三条の三の規定は、同条第一項に規定する変更後地域密着型介護老人福祉施設に施行日以後になったものに入所をしている後期高齢者医療の被保険者（同項に規定する変更前介護老人福祉施設に入所をすることにより、当該変更前介護老人福祉施設の所在する場所に住所を変更したと認められる者に限る。）であって、当該変更前介護老人福祉施設に入所をした際、当該変更前介護老人福祉施設が所在する後期高齢者医療広域連合以外の後期高齢者医療広域連合の区域内に住所を有していたと認められるものについて、適用する。

附 則（平二四・六・二七法五一）（抄）

（施行期日）

第一条 この法律は、平成二十五年四月一日から施行する。ただし、次の各号に掲げる規定は、当該各号に定める日から施行する。

一 〔略〕

二 〔前略〕附則〔中略〕第十二条〔中略〕の規定 平成二十六年四月一日

附 則（平二四・八・二二法六二）（抄）

最終改正 平二八・一二・二六法一一四

（施行期日）

第一条 この法律は、平成二十九年八月一日から施行する。ただし、次の各号に掲げる規定は、当該各号に定める日から施行する。

一～四 〔略〕

五 〔前略〕第二十七条から第二十九条までの規定〔中略〕並びに附則〔中略〕第五十一条から第五十六条まで〔中略〕及び第六十七条の規定 平成二十八年十月一日

六 〔略〕

（高齢者の医療の確保に関する法律の一部改正に伴う経過措置）

第五十一条 平成二十七年度以前の年度の被用者保険等保険者（持続可能な医療保険制度を構築するための国民健康保険法等の一部を改正する法律（平成二十七年法律第三十一号。以下「国保法等一部改正法」という。）第三条の規定による改正前の国民健康保険法（昭和三十三年法律第百九十二号）附則第十条第一項に規定する被用者保険等保険者（健康保険法第百二十三

条第一項の規定による保険者としての全国健康保険協会を除く。）をいう。以下附則第五十一条の七までにおいて同じ。）に係る高齢者の医療の確保に関する法律（以下「高齢者医療確保法」という。）の規定による概算前期高齢者交付金及び確定前期高齢者交付金、概算前期高齢者納付金及び確定前期高齢者納付金並びに概算後期高齢者支援金及び確定後期高齢者支援金については、なお従前の例による。

第五十一条の二　平成二十八年度の被用者保険等保険者に係る高齢者医療確保法の規定による概算前期高齢者交付金の額は、高齢者医療確保法第三十四条第一項及び第二十七条の規定による改正後の高齢者医療確保法（以下「改正後高齢者医療確保法」という。）附則第十三条の六第一項の規定にかかわらず、同項の規定により算定される額の十二分の六に相当する額と同年度において第二十七条の規定による改正前の高齢者医療確保法（以下「改正前高齢者医療確保法」という。）附則第十三条の六の規定により算定されることとなる額の十二分の六に相当する額との合計額とする。

第五十一条の三　平成二十八年度の被用者保険等保険者に係る高齢者医療確保法の規定による確定前期高齢者交付金の額は、高齢者医療確保法第三十五条第一項及び附則第十三条の四第一項の規定にかかわらず、同項の規定により算定される額の十二分の六に相当する額と同年度において改正前高齢者医療確保法附則第十三条の七の規定により算定されることとなる額の十二分の六に相当する額との合計額とする。

第五十一条の四　平成二十八年度の被用者保険等保険者に係る高齢者医療確保法の規定による概算前期高齢者納付金の額は、高齢者医療確保法第三十八条第一項及び改正後高齢者医療確保法附則第十三条の八第一項の規定にかかわらず、これらの規定により算定される額の十二分の六に相当する額と同年度において高齢者医療確保法第三十八条第一項及び改正前高齢者医療確保法附則第十三条の八第一項の規定を適用するとしたならばこれらの規定により算定されることとなる額の十二分の六に相当する額との合計額とする。

第五十一条の五　平成二十八年度の被用者保険等保険者に係る高齢者医療確保法の規定による確定前期高齢者納付金の額は、高齢者医療確保法第三十九条第一項及び附則第十三条の五第一項の規定にかかわらず、これらの規定により算定される額の十二分の六に相当する額と同年度において国保法等一部改正法第十条の規定による改正前の高齢者医療確保法（附則第六十条第二項において「平成二十九年改正前高齢者医療確保法」という。）第三十九条第一項及び附則第十三条の九第一項の規定を適用するとしたならばこれらの規定により算定されることとなる額の十二分の六に相当する額との合計額とする。

第五十一条の六　平成二十八年度の被用者保険等保険者に係る高齢者医療確保法の規定による概算後期高齢者支援金の額は、高齢者医療確保法第百二十条第一項及び改正後高齢者医療確保法附則第十四条の九第一項の規定にかかわらず、同項の規定により算定される額の十二分の六に相当する額と同年度において改正前高齢者医療確保法附則第十四条の九第一項の規定により算定されることとなる額の十二分の六に相当する額との合計額とする。

第五十一条の七　平成二十八年度の被用者保険等保険者に係る高齢者医療確保法の規定による確定後期高齢者支援金の額は、高齢者医療確保法第百二十一条第一項第一号及び附則第十四条の三第一項の規定にかかわらず、同項の規定により算定される額の十二分の六に相当する額と同年度において改正前高齢者医療確保法附則第十四条の十第一項の規定により算定されることとなる額の十二分の六に相当する額との合計額とする。

第五十一条の八　社会保険診療報酬支払基金法（昭和二十三年法律第百二十九号）による社会保険診療報酬支払基金は、附則第一条第五号に規定する規定の施行後遅滞なく、平成二十八年度における各保険者に係る高齢者医療確保法の規定による前期高齢者交付金及び前期高齢者納付金並びに後期高齢者支援金（次項において「前期高齢者交付金等」という。）の額を変更し、当該変更後の額をそれぞれ通知しなければならない。

2　改正後高齢者医療確保法第四十二条第三項及び第四十三条第三項並びに第百二十四条において準用する同項の規定は、前項の規定により前期高齢者交付金等の額の変更がされた場合について、それぞれ準用する。

第五十一条の九　平成二十八年度における健康保険法附則第五条及び第二十五条の規定による改正後の健康保険法附則第五条の三の規定により読み替えられた健康保険法第百五十三条第一項の規定により補助する額は、同項の規定にかかわらず、同項の規定により算定される額の十二分の六に相当する額と同年度において改正前高齢者医療確保法附則第十三条の六及び第十三条の八の規定を適用するとしたならば健康保険法附則第五条及び第二十五条の規定による改正後の健康保険法附則第五条の三の規定により読み替えられた健康保険法第百五十三条第一項の規定により算定されることとなる額の十二分の六に相当する額との合計額とする。

第五十一条の十　平成二十八年度における第二十五条の規定による改正後の健康保険法附則第五条の三の規定により読み替えて適用される健康保険法附則第四条の四の規定により読み替えられた同法附則第五条の規定により読み替えられた同法第百五十三条第二項の規定により補助する額は、同項の規定にかかわらず、同項の規定により算定される額の十二分の六に相当する額と同年度において改正前高齢者医療確保法附則第十三条の六、第十三条の八及び第十四条の九の規定を適用するとしたならば第二十五条の規定による改正後の健康保険法附則第五条の三の規定により読み替えて適用される健康保険法附則第四条の四の規定により読み替えられた同法附則第五条の規定により読み替えられた同法第百五十三条第二項の規定により算定されることとなる額の十二分の六に相当する額との合計額とする。

附　則（平二四・八・二二法六三）（抄）

（施行期日）

第一条　この法律は、平成二十七年十月一日から施行する。〔ただし書略〕

附　則（平二四・九・五法七二）（抄）

（施行期日）

第一条　この法律は、公布の日から施行する。ただし、〔中略〕附則〔中略〕第十条から第十四条までの規定〔中略〕は、公布の日から起算して六月を超えない範囲内において政令で定める日〔平二五・三・一〕から施行する。

附　則（平二五・五・三一法二六）（抄）

（施行期日）

第一条　この法律は、公布の日から施行する。〔ただし書略〕

附　則（平二五・六・一四法四四）（抄）

（施行期日）

第一条　この法律は、公布の日から施行する。〔ただし書略〕

附　則（平二六・五・三〇法四二）（抄）

（施行期日）

第一条　この法律は、公布の日から起算して二年を超えない範囲内において政令で定める日〔平二八・四・一〕から施行する。〔ただし書略〕

附　則（平二六・六・二五法八三）（抄）

（施行期日）

第一条　この法律は、公布の日又は平成二十六年四月一日のいずれか遅い日から施行する。ただし、次の各号に掲げる規定は、当該各号に定める日から施行する。

一・二　〔略〕

三　〔前略〕第十八条の規定（第六号に掲げる改正規定を除く。）〔中略〕　平成二十七年四月一日

四・五　〔略〕

六　〔前略〕第十八条中高齢者の医療の確保に関する法律第五十五条第一項第五号の改正規定（「同法第八条第二十四項」を「同条第二十五項」に改める部分に限る。）並びに同法附則〔中略〕第十三条の十一第一項の改正規定〔中略〕　平成二十八年四月一日までの間において政令で定める日〔平二八・四・一〕

七　〔略〕

附　則（平二七・五・二九法三一）（抄）

改正　令三・六・一一法六六

（施行期日）

第一条　この法律は、平成三十年四月一日から施行する。ただし、次の各号に掲げる規定は、それぞれ当該各号に定める日から施行する。

一　〔前略〕第八条の規定〔中略〕並びに次条第一項並びに附則〔中略〕第二十六条〔中略〕の規定　公布の日

二　〔前略〕第九条〔中略〕の規定並びに附則〔中略〕第二十一条から第二十五条まで〔中略〕の規定　平成二十八年四月一日

三　〔前略〕第十条の規定並びに附則〔中略〕第二十七条及び第二十八条の規定〔中略〕並びに附則第六十条、第六十三条〔中略〕の規定　平成二十九年四月一日

（検討）

第二条　政府は、この法律の公布後において、持続可能な医療保険制度を構築する観点から、医療に要する費用の適正化、医療保険の保険給付の範囲及び加入者等の負担能力に応じた医療に要する費用の負担の在り方等について検討を加え、その結果に基づいて必要な措置を講ずるものとする。

2　政府は、この法律の施行後において、国民健康保険の医療に要する費用の増加の要因、当該費用の適正化に向けた国、都道府県及び市町村の取組並びに国民健康保険事業の標準化及び効率化に向けた都道府県及び市町村の取組等の国民健康保険事業の運営の状況を検証しつつ、これらの取組の一層の推進を図るとともに、国民健康保険の持続可能な運営を確保する観点から、当該取組の推進の状況も踏まえ、都道府県及び市町村の役割分担の在り方も含め、国民健康保険全般について、医療保険制度間における公平に留意しつつ検討を加え、その結果に基づいて必要な措置を講ずるものとする。

（高齢者の医療の確保に関する法律の一部改正に伴う経過措置）

第二十四条　国は、第二号施行日以後、速やかに、第九条の規定による改正後の高齢者の医療の確保に関する法律（以下「第二号改正後高確法」という。）に基づく全国医療費適正化計画（以下「新全国計画」という。）を定めるものとする。

2　第九条の規定による改正前の高齢者の医療の確保に関する法律（次条第二項において「第二号改正前高確法」という。）に基づく全国医療費適正化計画（次項において「旧全国計画」という。）は、新全国計画が定められるまでの間、新全国計画とみなす。

3　前項の規定により新全国計画とみなされた旧全国計画については、第二号改正後高確法第八条（第二項及び第三項を除く。）、第十一条第六項から第八項まで、第十二条第三項及び第四項、第十四条並びに第十五条の規定は適用せず、なお従前の例による。この場合において、新全国計画が定められた日の前日を旧全国計画の期間の終了の日とみなす。

4　第二号施行日以後最初に定められる新全国計画に対する第二号改正後高確法第八条第一項の規定の適用については、同項中「六年ごとに、六年を一期として、」とあるのは、「令和六年三月三十一日までを計画期間とする」とする。

第二十五条　都道府県は、第二号施行日以後、速やかに、第二号改正後高確法に基づく都道府県医療費適正化計画（以下「新都道府県計画」という。）を定めるものとする。

2　第二号改正前高確法に基づく都道府県医療費適正化計画（次項において「旧都道府県計画」という。）は、新都道府県計画が定められるまでの間、新都道府県計画とみなす。

3　前項の規定により新都道府県計画とみなされた旧都道府県計画については、第二号改正後高確法第九条、第十一条第一項から第五項まで、第十二条第一項及び第二項、第十三条第一項並びに第十五条の規定は適用せず、なお従前の例による。この場合において、新都道府県計画が定められた日の前日を旧都道府県計画の期間の終了の日とみなす。

4　第二号施行日以後最初に定められる新都道府県計画に対する第二号改正後高確法第九条第一項の規定の適用については、同項中「六年ごとに、六年を一期として、」とあるのは、「令和六年三月三十一日までを計画期間とする」とする。

第二十六条　厚生労働大臣は、新全国計画の作成のため、第二号施行日前においても、第二号改正後高確法第八条第六項の規定の例により、関係行政機関の長に協議することができる。

2　都道府県は、新都道府県計画の作成のため、第二号施行日前においても、第二号改正後高確法第九条第七項の規定の例により、関係市町村（高齢者の医療の確保に関する法律第百五十七条の二第一項の保険者協議会が組織されている都道府県にあっては、関係市町村及び当該保険者協議会）に協議することができる。

第二十七条　平成二十八年度以前の各年度の保険者（第十条の規定による改正前の高齢者の医療の確保に関する法律（以下この条及び附則第三十条において「第三号改正前高確法」という。）第七条第二項に規定する保険者をいい、被用者保険等保

険者（第三号改正前国保法附則第十条第一項に規定する被用者保険等保険者をいう。次条において同じ。）を除く。以下この条において同じ。）に係る概算前期高齢者交付金及び概算前期高齢者納付金並びに概算後期高齢者支援金並びに平成二十六年度以前の各年度の保険者に係る確定前期高齢者交付金及び確定前期高齢者納付金並びに確定後期高齢者支援金については、なお従前の例による。

2　平成二十七年度及び平成二十八年度の各年度の保険者に係る確定前期高齢者交付金の額は、第三号改正後高確法第三十五条第一項の規定にかかわらず、第三号改正前高確法第三十五条第一項の規定により算定される額とする。

3　平成二十七年度及び平成二十八年度の各年度の保険者に係る確定前期高齢者納付金の額は、第三号改正後高確法第三十九条第一項の規定にかかわらず、第三号改正前高確法第三十九条第一項の規定により算定される額とする。

4　平成二十七年度及び平成二十八年度の各年度の保険者に係る確定後期高齢者支援金の額は、第三号改正後高確法第百二十一条第一項第二号の規定にかかわらず、第三号改正前高確法第百二十一条第一項の規定により算定される額とする。

第二十八条　平成二十八年度以前の各年度の被用者保険等保険者に係る概算前期高齢者交付金及び概算前期高齢者納付金並びに概算後期高齢者支援金並びに平成二十六年度以前の各年度の被用者保険等保険者に係る確定前期高齢者交付金及び確定前期高齢者納付金並びに確定後期高齢者支援金については、なお従前の例による。

第二十九条　平成二十九年度以前の各年度の市町村に係る概算前期高齢者交付金及び概算前期高齢者納付金並びに概算後期高齢者支援金並びに平成二十七年度以前の各年度の市町村に係る確定前期高齢者交付金及び確定前期高齢者納付金並びに確定後期高齢者支援金については、なお従前の例による。

第三十条　平成三十年度の都道府県に係る前期高齢者交付金の額は、高齢者の医療の確保に関する法律第三十三条第一項の規定にかかわらず、同年度の概算前期高齢者交付金の額（以下この項において「平成三十年度都道府県概算前期高齢者交付金額」という。）とする。ただし、平成二十八年度の当該都道府県の区域に属する市町村に係る概算前期高齢者交付金の額の合計額（以下この項において「平成二十八年度区域内市町村概算前期高齢者交付金合計額」という。）が同年度の当該都道府県の区域に属する市町村に係る確定前期高齢者交付金の額（当該市町村に第三号改正前高確法第三十五条第一項の規定を適用するとしたならば、同項の規定により算定されることとなる額をいう。）の合計額（以下この項において「平成二十八年度区域内市町村確定前期高齢者交付金合計額」という。）を超えるときは、平成三十年度都道府県概算前期高齢者交付金額からその超える額とその超える額に係る前期高齢者交付調整金額（高齢者の医療の確保に関する法律第三十三条第一項に規定する前期高齢者交付調整金額をいう。以下この項及び次条第一項において同じ。）との合計額を控除して得た額とするものとし、平成二十八年度区域内市町村確定前期高齢者交付金合計額が平成二十八年度区域内市町村概算前期高齢者交付金合計額に満たないときは、平成三十年度都道府県概算前期高齢者交付金額にその満たない額とその満たない額に係る前期高齢者交付調整金額との合計額を加算して得た額とする。

2　平成三十年度の都道府県に係る前期高齢者納付金の額は、高齢者の医療の確保に関する法律第三十七条第一項の規定にかかわらず、同年度の概算前期高齢者納付金の額（以下この項において「平成三十年度都道府県概算前期高齢者納付金額」という。）とする。ただし、平成二十八年度の当該都道府県の区域に属する市町村に係る概算前期高齢者納付金の額の合計額（以下この項において「平成二十八年度区域内市町村概算前期高齢者納付金合計額」という。）が同年度の当該都道府県の区域に属する市町村に係る確定前期高齢者納付金の額（当該市町村に第三号改正前高確法第三十九条第一項の規定を適用するとしたならば、同項の規定により算定されることとなる額をいう。）の合計額（以下この項において「平成二十八年度区域内市町村確定前期高齢者納付金合計額」という。）を超えるときは、平成三十年度都道府県概算前期高齢者納付金額からその超える額とその超える額に係る前期高齢者納付調整金額（高齢者の医療の確保に関する法律第三十七条第一項に規定する前期高齢者納付調整金額をいう。以下この項及び次条第二項において同じ。）との合計額を控除して得た額とするものとし、平成二十八年度区域内市町村確定前期高齢者納付金合計額が平成二十八年度区域内市町村概算前期高齢者納付金額に満たないときは、平成三十年度都道府県概算前期高齢者納付金額にその満たない額とその満たない額に係る前期高齢者納付調整金額との合計額を加算して得た額とする。

3　平成三十年度の都道府県に係る後期高齢者支援金の額は、高齢者の医療の確保に関する法律第百十九条第一項の規定にかかわらず、同年度の概算後期高齢者支援金の額（以下この項において「平成三十年度都道府県概算後期高齢者支援金額」という。）とする。ただし、平成二十八年度の当該都道府県の区域に属する市町村に係る概算後期高齢者支援金の額の合計額（以下この項において「平成二十八年度区域内市町村概算後期高齢者支援金合計額」という。）が同年度の当該都道府県の区域に属する市町村に係る確定後期高齢者支援金の額（当該市町村に第三号改正前高確法第百二十一条第一項の規定を適用するとしたならば、同項の規定により算定されることとなる額をいう。）の合計額（以下この項において「平成二十八年度区域内市町村確定後期高齢者支援金合計額」という。）を超えるときは、平成三十年度都道府県概算後期高齢者支援金額からその超える額とその超える額に係る後期高齢者調整金額（高齢者の医療の確保に関する法律第百十九条第一項に規定する後期高齢者調整金額をいう。以下この項及び次条第三項において同じ。）との合計額を控除して得た額とするものとし、平成二十八年度区域内市町村概算後期高齢者支援金合計額が平成二十八年度区域内市町村確定後期高齢者支援金合計額に満たないときは、平成三十年度都道府県概算後期高齢者支援金額にその満たない額とその満たない額に係る後期高齢者調整金額との合計額を加算して得た額とする。

第三十一条　平成三十一年度の都道府県に係る前期高齢者交付金の額は、高齢者の医療の確保に関する法律第三十三条第一項の規定にかかわらず、同年度の概算前期高齢者交付金の額（以下この項において「平成三十一年度都道府県概算前期高齢者交付金額」という。）とする。ただし、平成二十九年度の当該都道府県の区域に属する市町村に係る概算前期高齢者交付金の額の合計額（以下この項において「平成二十九年度区域内市町村概算前期高齢者交付金合計額」という。）が同年度の当該都道府県の区域に属する市町村に係る確定前期高齢者交付金の額（当該市町村に同法第三十五条第一項の規定を適用するとしたならば、同項の規定により算定されることとなる額をいう。）の合計額（以下この項において「平成二十九年度区域内市町村確定前期高齢者交付金合計額」という。）を超えるときは、平成三十一年度都道府県概算前期高齢者交付金額からその超える額とその超える額に係る前期高齢者交付調整金額との合計額を控除して得た額とするものとし、平成二十九年度区域内市町村概算前期高齢者交付金合計額が平成二十九年度区域内市町村確定前期高齢者交付金合計額に満たないときは、平成三十一年度都道府県概算前期高齢者交付金額にその満たない額とその満たない額に係る前期高齢者交付調整金額との合計額を加算して得た額とする。

2 平成三十一年度の都道府県に係る前期高齢者納付金の額は、高齢者の医療の確保に関する法律第三十七条第一項の規定にかかわらず、同年度の概算前期高齢者納付金の額（以下この項において「平成三十一年度都道府県概算前期高齢者納付金額」という。）とする。ただし、平成二十九年度の当該都道府県の区域に属する市町村に係る概算前期高齢者納付金の額の合計額（以下この項において「平成二十九年度区域内市町村概算前期高齢者納付金合計額」という。）が同年度の当該都道府県の区域に属する市町村に係る確定前期高齢者納付金の額（当該市町村に同法第三十九条第一項の規定を適用するとしたならば、同項の規定により算定されることとなる額をいう。）の合計額（以下この項において「平成二十九年度区域内市町村確定前期高齢者納付金合計額」という。）を超えるときは、平成三十一年度都道府県概算前期高齢者納付金額からその超える額とその超える額に係る前期高齢者納付調整金額との合計額を控除して得た額とするものとし、平成二十九年度区域内市町村概算前期高齢者納付金合計額が平成二十九年度区域内市町村確定前期高齢者納付金合計額に満たないときは、平成三十一年度都道府県概算前期高齢者納付金額にその満たない額とその満たない額に係る前期高齢者納付調整金額との合計額を加算して得た額とする。

3 平成三十一年度の都道府県に係る後期高齢者支援金の額は、高齢者の医療の確保に関する法律第百十九条第一項の規定にかかわらず、同年度の概算後期高齢者支援金の額（以下この項において「平成三十一年度都道府県概算後期高齢者支援金額」という。）とする。ただし、平成二十九年度の当該都道府県の区域に属する市町村に係る概算後期高齢者支援金の額の合計額（以下この項において「平成二十九年度区域内市町村概算後期高齢者支援金合計額」という。）が同年度の当該都道府県の区域に属する市町村に係る確定後期高齢者支援金の額（当該市町村に同法第百二十一条第一項第二号の規定を適用するとしたならば、同号の規定により算定されることとなる額をいう。）の合計額（以下この項において「平成二十九年度区域内市町村確定後期高齢者支援金合計額」という。）を超えるときは、平成三十一年度都道府県概算後期高齢者支援金額からその超える額とその超える額に係る後期高齢者調整金額との合計額を控除して得た額とするものとし、平成二十九年度区域内市町村概算後期高齢者支援金合計額が平成二十九年度区域内市町村確定後期高齢者支援金合計額に満たないときは、平成三十一年度都道府県概算後期高齢者支援金額にその満たない額とその満たない額に係る後期高齢者調整金額との合計額を加算して得た額とする。

第三十二条 第十一条の規定による改正後の高齢者の医療の確保に関する法律第五十五条の二の規定は、施行日以後に同条第一項各号に該当するに至ったことにより後期高齢者医療の被保険者となる者について適用し、施行日前に後期高齢者医療の被保険者となった者については、なお従前の例による。

○民法の一部を改正する法律の施行に伴う関係法律の整備等に関する法律（抄）

平二九・六・二
法 四 五

（高齢者の医療の確保に関する法律の一部改正に伴う経過措置）

第二百十五条 施行日前に前条の規定による改正前の高齢者の医療の確保に関する法律第百二十八条第二項〔中略〕に規定する時効の中断の事由が生じた場合におけるその事由の効力については、なお従前の例による。

附 則（抄）

この法律は、民法改正法の施行の日〔平三二・四・一〕から施行する。〔ただし書略〕

附 則（平二九・六・二法五二）（抄）

（施行期日）

第一条 この法律は、平成三十年四月一日から施行する。ただし、次の各号に掲げる規定は、当該各号に定める日から施行する。

一 第三条の規定〔中略〕 公布の日

二・三 〔略〕

附 則（令元・五・二二法九）（抄）

改正 令二・六・一二法五二

（施行期日）

第一条 この法律は、令和二年四月一日から施行する。ただし、次の各号に掲げる規定は、当該各号に定める日から施行する。

一・二 〔略〕

三 〔前略〕第四条の規定〔中略〕 令和二年十月一日

四 〔前略〕第五条の規定〔中略〕 公布の日から起算して二年を超えない範囲内において政令で定める日〔令二・一〇・一〕

五・六 〔略〕

附 則（令二・三・三一法八）（抄）

（施行期日）

第一条 この法律は、令和二年四月一日から施行する。ただし、次の各号に掲げる規定は、当該各号に定める日から施行する。

一 〔略〕

二 次に掲げる規定 令和三年一月一日

イ・ロ 〔略〕

ハ 〔前略〕附則〔中略〕第百四十九条の規定

ニ～ヘ 〔略〕

三～十二　〔略〕

附　則（令二・三・三一法一四）（抄）

（施行期日）

第一条　この法律は、令和二年四月一日から施行する。ただし、次の各号に掲げる規定は、当該各号に定める日から施行する。

一・二　〔略〕

三　〔前略〕附則第十七条〔中略〕の規定　公布の日から起算して六月を超えない範囲内において政令で定める日〔令二・九・一〕

四～六　〔略〕

附　則（令三・五・一九法三七）（抄）

（施行期日）

第一条　この法律は、令和三年九月一日から施行する。ただし、次の各号に掲げる規定は、当該各号に定める日から施行する。

一～六　〔略〕

七　〔前略〕附則〔中略〕第十五条〔中略〕の規定　公布の日から起算して二年を超えない範囲内において、各規定につき、政令で定める日〔令五・五・一二〕

八～十　〔略〕

附　則（令三・六・一一法六六）（抄）

（施行期日）

第一条　この法律は、令和四年一月一日から施行する。ただし、次の各号に掲げる規定は、当該各号に定める日から施行する。

一　〔前略〕附則第二十九条〔中略〕の規定　公布の日

二・三　〔略〕

四　第五条中高齢者の医療の確保に関する法律第六十七条第一項及び第九十三条の改正規定並びに附則第七条の規定　令和四年十月一日から令和五年三月一日までの間において政令で定める日〔令四・一〇・一〕

五・六　〔略〕

（高齢者の医療の確保に関する法律の一部改正に伴う経過措置）

第七条　第五条の規定による改正後の高齢者の医療の確保に関する法律（以下この条において「新高確法」という。）第六十七条第一項の規定は、附則第一条第四号に掲げる規定の施行の日（以下「第四号施行日」という。）以後に行われる診療、薬剤の支給若しくは手当又は訪問看護に係る新高確法の規定による後期高齢者医療給付についてそれぞれ適用し、第四号施行日前に行われた診療、薬剤の支給若しくは手当又は訪問看護に係る第五条の規定による改正前の高齢者の医療の確保に関する法律（次項において「旧高確法」という。）の規定による後期高齢者医療給付については、それぞれなお従前の例による。

2　新高確法第九十三条の規定は、第四号施行日以後に行われる新高確法の規定による後期高齢者医療給付に要する費用について適用し、第四号施行日前に行われた旧高確法の規定による後期高齢者医療給付に要する費用については、なお従前の例による。

附　則（令四・六・一七法六八）（抄）

（施行期日）

1　この法律は、刑法等一部改正法施行日〔令七・六・一〕から施行する。〔ただし書略〕

附　則（令四・六・二二法七六）（抄）

（施行期日）

第一条　この法律は、こども家庭庁設置法（令和四年法律第七十五号）の施行の日〔令五・四・一〕から施行する。〔ただし書略〕

附　則（令四・一二・九法九六）（抄）

（施行期日）

第一条　この法律は、令和六年四月一日から施行する。ただし、次の各号に掲げる規定は、当該各号に定める日から施行する。

一　〔前略〕第十七条中高齢者の医療の確保に関する法律第百二十一条第一項第一号イの改正規定〔中略〕　公布の日

二～四　〔略〕

附　則（令五・五・八法一九）（抄）

（施行期日）

第一条　この法律は、令和六年四月一日から施行する。〔ただし書略〕

附　則（令五・五・一九法三一）（抄）

（施行期日）

第一条　この法律は、令和六年四月一日から施行する。ただし、次の各号に掲げる規定は、当該各号に定める日から施行する。

一　〔前略〕第六条中高齢者の医療の確保に関する法律第四条に一項を加える改正規定、同法第六条、第七条第二項〔中略〕の改正規定、〔中略〕第百三十八条第一項〔中略〕の改正規定〔中略〕並びに次条第一項並びに附則〔中略〕第七条、第八条、第十二条〔中略〕及び第十八条の規定　公布の日

二～七　〔略〕

（検討）

第二条　政府は、この法律の公布後、全世代対応型の持続可能な社会保障制度を構築するため、経済社会情勢の変化と社会の要請に対応し、受益と負担の均衡がとれた社会保障制度の確立を図るための更なる改革について速やかに検討を加え、その結果に基づいて所要の措置を講ずるものとする。

2　政府は、この法律の施行後五年を目途として、この法律による改正後のそれぞれの法律（以下この項において「改正後の各法律」という。）の施行の状況等を勘案し、必要があると認めるときは、改正後の各法律の規定について検討を加え、その結果に基づいて所要の措置を講ずるものとする。

（高齢者の医療の確保に関する法律の一部改正に伴う経過措置）

第七条　附則第一条第一号に掲げる規定の施行の日（以下この条及び次条において「第一号施行日」という。）前に第六条の規定（同号に掲げる改正規定に限る。以下この条において同じ。）による改正前の高齢者の医療の確保に関する法律（次条において「第一号改正前高確法」という。）第八条の規定により定められた全国医療費適正化計画（高齢者の医療の確保に関する法律第八条第一項に規定する全国医療費適正化計画をいう。以下この条において同じ。）は、第一号施行日から令和六年三月三十一日までの間は、第六条の規定による改正後の高齢者の医療の確保に関する法律（次条において「第一号改正後高確法」という。）第八条の規定により定められた全国医療費適正化計画とみなす。

第八条　第一号施行日前に第一号改正前高確法第九条の規定により定められた都道府県医療費適正化計画（高齢者の医療の確保に関する法律第九条第一項に規定する都道府県医療費適正化計画

画をいう。以下この条において同じ。）は、第一号施行日から令和六年三月三十一日までの間は、第一号改正後高確法第九条の規定により定められた都道府県医療費適正化計画とみなす。

第九条　新高確法第三十四条、第三十五条、第三十八条及び第三十九条の規定は、令和六年度以降の各年度の保険者に係る概算前期高齢者交付金及び確定前期高齢者交付金並びに概算前期高齢者納付金及び確定前期高齢者納付金について適用し、令和五年度以前の各年度の保険者に係る概算前期高齢者交付金及び確定前期高齢者交付金並びに概算前期高齢者納付金及び確定前期高齢者納付金については、なお従前の例による。

第十条　新高確法第九十三条第三項の規定は、令和六年度以後の各年度における支払基金に対する交付の額について適用し、令和五年度以前の各年度における支払基金に対する交付の額については、なお従前の例による。

第十一条　新高確法第百条第二項の規定は、令和六年度以後の各年度における後期高齢者負担率について適用し、令和五年度以前の各年度における後期高齢者負担率については、なお従前の例による。

第十二条　支払基金は、施行日前においても、新高確法第百三十九条第一項第三号に掲げる業務の実施に必要な準備行為をすることができる。

（政令への委任）

第十八条　附則第三条から前条までに規定するもののほか、この法律の施行に伴い必要な経過措置（罰則に関する経過措置を含む。）は、政令で定める。

附　則（令五・六・九法四八）（抄）

（施行期日）

第一条　この法律は、公布の日から起算して一年三月を超えない範囲内において政令で定める日〔令六・五・二七〕から施行する。ただし、次の各号に掲げる規定は、当該各号に定める日から施行する。

一　〔前略〕附則〔中略〕第十九条及び第二十条の規定　公布の日

二　〔前略〕第十二条〔中略〕の規定〔中略〕並びに附則第十五条、〔中略〕第十八条〔中略〕の規定　公布の日から起算して一年六月を超えない範囲内において政令で定める日〔令六・一二・二〕

三・四　〔略〕

（健康保険法等の一部改正に伴う経過措置）

第十五条　保険者（健康保険法第四条に規定する保険者をいう。）は、第五条の規定による改正後の同法第五十一条の三第一項前段に規定する場合において、必要があると認めるときは、当分の間、同項の規定にかかわらず、職権で、被保険者に対し、同項後段の厚生労働省令で定めるところにより、同項の厚生労働省令で定める事項を記載した書面を交付し、又は当該事項を同項に規定する電磁的方法により提供することができる。

2　前項の規定は、〔中略〕第十二条の規定による改正後の高齢者の医療の確保に関する法律第五十四条第三項の規定による書面の交付及び電磁的方法による提供について準用する。この場合において、必要な技術的読替えは、政令で定める。

（高齢者の医療の確保に関する法律の一部改正に伴う経過措置）

第十八条　第十二条の規定の施行の際現に後期高齢者医療広域連合から被保険者証又は被保険者資格証明書の交付を受けている者が、第二号施行日以後に保険医療機関等から療養を受ける場合又は指定訪問看護事業者から指定訪問看護を受ける場合における当該被保険者証又は被保険者資格証明書については、同条の規定による改正前の高齢者の医療の確保に関する法律（これに基づく命令を含む。）の規定により当該被保険者証又は被保険者資格証明書が効力を有するとされた間（当該期間の末日が第二号施行日から起算して一年を経過する日の翌日以後であるときは、第二号施行日から起算して一年間とする。）は、なお従前の例による。

第十九条　後期高齢者医療広域連合は、第十二条の規定による改正後の高齢者の医療の確保に関する法律（これに基づく命令を含む。）の施行のために必要な条例の制定又は改正その他の行為については、第二号施行日前においても行うことができる。

＊　高齢者の医療の確保に関する法律は、子ども・子育て支援法等の一部を改正する法律（令和六年法四七）により一部改正されたが、令和八年四月一日から施行となるため、一部改正法の形で掲載した。

○子ども・子育て支援法等の一部を改正する法律（抄）

令六・六・一二
法　四　七

（高齢者の医療の確保に関する法律の一部改正）

第十四条　高齢者の医療の確保に関する法律（昭和五十七年法律第八十号）の一部を次のように改正する。

第九十五条第二項中「とする」を「及び子ども・子育て支援法（平成二十四年法律第六十五号）の規定による子ども・子育て支援納付金（以下「子ども・子育て支援納付金」という。）の額の見込額の百二十分の一に相当する額の合計額とする」に改める。

第百四条第一項中「出産育児支援金並びに」を「出産育児支援金」に、「の納付」を「並びに子ども・子育て支援納付金の納付」に改め、同条第三項中「並びに流行初期医療確保拠出金等」を「、流行初期医療確保拠出金等並びに子ども・子育て支援納付金」に改める。

第百十六条第二項第一号から第四号までの規定中「並びに流行初期医療確保拠出金等」を「、流行初期医療確保拠出金等並びに子ども・子育て支援納付金」に改める。

附　則（抄）

（施行期日）

第一条　この法律は、令和六年十月一日から施行する。ただし、次の各号に掲げる規定は、当該各号に定める日から施行する。

一〜四　〔略〕

五　次に掲げる規定　令和八年四月一日

イ　〔略〕

ロ　〔前略〕第十四条〔中略〕の規定

ハ〜ネ　〔略〕

六　〔略〕

○前期高齢者交付金及び後期高齢者医療の国庫負担金の算定等に関する政令

平一九・一〇・三一
政令三二五

最終改正　令六・三・二九政令一二五

（前期高齢者交付金）

第一条　社会保険診療報酬支払基金（以下「支払基金」という。）は、毎年度、保険者（国民健康保険法（昭和三十三年法律第百九十二号）の定めるところにより都道府県が当該都道府県内の市町村（特別区を含む。以下同じ。）とともに行う国民健康保険にあっては、都道府県。次条並びに第二十五条の三第一項第一号及び第二号を除き、以下同じ。）に対して高齢者の医療の確保に関する法律（以下「法」という。）第三十二条第一項に規定する前期高齢者交付金（第二条において「前期高齢者交付金」という。）を交付するものとする。

（標準報酬総額の補正）

第一条の二　法第三十四条第四項第一号の標準報酬総額は、次の各号に掲げる保険者の区分に応じ、当該各号に定めるところにより補正して得た額とする。

一　全国健康保険協会及び健康保険組合　全国健康保険協会及び当該健康保険組合の被保険者の健康保険法（大正十一年法律第七十号）又は船員保険法（昭和十四年法律第七十三号）に規定する標準報酬月額の前々年度の合計額の総額に百分の百を乗じて得た額及び当該被保険者の健康保険法又は船員保険法に規定する標準賞与額の同年度の合計額の総額を合算した額

二　共済組合　当該共済組合の組合員（国家公務員共済組合法（昭和三十三年法律第百二十八号）及び地方公務員等共済組合法（昭和三十七年法律第百五十二号）による短期給付に関する規定が適用されない者を除く。以下この号及び次項において同じ。）の標準報酬の月額（国家公務員共済組合法又は地方公務員等共済組合法に規定する標準報酬（以下この条において「標準報酬」という。）の月額をいう。以下この条において同じ。）の前々年度の合計額の総額（当該共済組合の組合員の標準報酬の月額が標準報酬の等級の最高等級又は最低等級に属する組合員がある場合にあっては、当該共済組合の組合員の標準報酬の月額の同年度の合計額の総額に、厚生労働省令で定めるところにより、イに掲げる額をロに掲げる額で除して得た率を乗じて得た額）及び当該共済組合の組合員の標準期末手当等の額（国家公務員共済組合法又は地方公務員等共済組合法に規定する標準期末手当等の額をいう。第四号において同じ。）の同年度の合計額の総額を合算した額

イ　前々年度の厚生労働省令で定める基準となる月（以下この号及び次号において「基準月」という。）における標準報酬の月額が標準報酬の等級の最高等級又は最低等級に属する組合員の標準報酬の月額の基礎となった報酬の月額を健康保険法の規定による報酬月額とみなして定めた同法に規定する標準報酬月額の総額及び同年度の基準月における標準報酬の月額が標準報酬の等級の最高等級又は最低等級に属する組合員以外の組合員の標準報酬の月額の総額を合算した額

ロ　前々年度の基準月における当該共済組合の組合員の標準報酬の月額の総額

三　日本私立学校振興・共済事業団　私立学校教職員共済法（昭和二十八年法律第二百四十五号）の規定による私立学校教職員共済制度の加入者（同法附則第二十項の規定により健康保険法による保険給付のみを受けることができることとなった者を除く。以下この条において「加入者」という。）の私立学校教職員共済法に規定する標準報酬月額の前々年度の合計額の総額（加入者の同法に規定する標準報酬月額が同法に規定する標準報酬月額の等級の最高等級又は最低等級に属する加入者がある場合にあっては、当該加入者の同法に規定する標準報酬月額の同年度の合計額の総額に、厚生労働省令で定めるところにより、イに掲げる額をロに掲げる額で除して得た率を乗じて得た額）及び加入者の同法に規定する標準賞与額の同年度の合計額の総額を合算した額

イ　前々年度の基準月における私立学校教職員共済法に規定する標準報酬月額が同法に規定する標準報酬月額の等級の最高等級又は最低等級に属する加入者の同法に規定する標準報酬月額の基礎となった報酬の月額を健康保険法の規定による報酬月額とみなして定めた同法に規定する標準報酬月額の総額及び同年度の基準月における私立学校教職員共済法に規定する標準報酬月額が同法に規定する標準報酬月額の等級の最高等級又は最低等級に属する加入者以外の加入者の同法に規定する標準報酬月額の総額を合算した額

ロ　前々年度の基準月における加入者の私立学校教職員共済法に規定する標準報酬月額の総額

四　国民健康保険組合（被用者保険等保険者（法第七条第三項に規定する被用者保険等保険者をいう。以下同じ。）であるものに限る。以下この号において「組合」という。）　組合の組合員の健康保険法若しくは船員保険法に規定する標準報酬月額若しくは標準報酬の月額若しくは私立学校教職員共済法に規定する標準報酬月額又は健康保険法若しくは船員保険法に規定する標準賞与額若しくは標準期末手当等の額若しくは私立学校教職員共済法に規定する標準賞与額に相当するものとして厚生労働省令で定めるもの（以下この号において「組合員の報酬」という。）の前々年度の合計額の総額を、組合員の報酬の内容に応じ、前三号の規定による補正の方法を勘案して厚生労働大臣が定めるところにより補正して得た額

2　健康保険法に規定する標準報酬月額の等級又は標準報酬の等級若しくは私立学校教職員共済法に規定する標準報酬月額の等級の最高等級の額又は最低等級の額が改定された年度の前項第二号の共済組合の組合員の標準報酬の月額の合計額の総額及び同項第三号の加入者の同法に規定する標準報酬月額の合計額の総額については、当該共済組合の組合員の標準報酬の月額の同年度の合計額の総額及び当該加入者の同法に規定する標準報酬月額の同年度の合計額の総額をそれぞれ同年度の四月から当該改定が行われた月（以下この項において「改定月」という。）の前月までの期間に係る額と改定月から同年度の三月までの期間に係る額に区分し、それぞれの額につき前項第二号及び第三

号の規定の例により厚生労働省令で定めるところにより補正して得た額を合算した額とする。

（保険者の財政力の見込みの算定方法）

第一条の三　法第三十八条第一項第二号の保険者の財政力の見込みは、次の各号に掲げる保険者の区分に応じ、当該各号に定める額とする。

一　被用者保険等保険者　当該年度における当該被用者保険等保険者の被保険者一人当たり標準報酬総額（被用者保険等保険者の被保険者一人当たりの標準報酬総額（法第三十四条第八項に規定する標準報酬総額をいう。）をいう。以下同じ。）の見込額として厚生労働省令で定めるところにより算定した額

二　都道府県　当該年度における当該都道府県の都道府県被保険者一人当たり所得見込額（都道府県の被保険者一人当たりの所得の見込額として厚生労働省令で定めるところにより算定した額をいう。次条第二号において同じ。）

三　国民健康保険組合　当該年度における当該国民健康保険組合の組合被保険者一人当たり所得見込額（国民健康保険組合の被保険者一人当たりの所得の見込額として厚生労働省令で定めるところにより算定した額をいう。次条第三号において同じ。）

（保険者の財政力の見込みの基準）

第一条の四　法第三十八条第一項第二号の政令で定める基準は、次の各号に掲げる保険者の区分に応じ、当該各号に定める額とする。

一　被用者保険等保険者　当該年度における全ての被用者保険等保険者に係る被保険者一人当たり標準報酬総額の見込額の中央値として厚生労働大臣が定める額

二　都道府県　当該年度における全ての都道府県の都道府県被保険者一人当たり所得見込額のうち最も少ない額

三　国民健康保険組合　当該年度における全ての国民健康保険組合の組合被保険者一人当たり所得見込額のうち最も少ない額

（概算負担調整額調整率の算定方法）

第一条の五　法第三十八条第三項の概算負担調整額調整率は、全ての保険者について、百分の百とする。

（法第三十八条第四項の政令で定める割合）

第一条の六　法第三十八条第四項の政令で定める割合は、百分の六・〇〇とする。

（法第三十八条第五項の政令で定める割合）

第一条の七　法第三十八条第五項の政令で定める割合は、百分の十一・一〇とする。

（保険者の財政力の算定方法）

第一条の八　法第三十九条第一項第二号の保険者の財政力は、次の各号に掲げる保険者の区分に応じ、当該各号に定める額とする。

一　被用者保険等保険者　前々年度における当該被用者保険等保険者の被保険者一人当たり標準報酬総額として厚生労働省令で定めるところにより算定した額

二　都道府県　前々年度における当該都道府県の都道府県被保険者一人当たり所得額（都道府県の被保険者一人当たりの所得の額として厚生労働省令で定めるところにより算定した額をいう。次条第二号において同じ。）

三　国民健康保険組合　前々年度における当該国民健康保険組合の組合被保険者一人当たり所得額（国民健康保険組合の被保険者一人当たりの所得の額として厚生労働省令で定めるところにより算定した額をいう。次条第三号において同じ。）

（保険者の財政力の基準）

第一条の九　法第三十九条第一項第二号の政令で定める基準は、次の各号に掲げる保険者の区分に応じ、当該各号に定める額とする。

一　被用者保険等保険者　前々年度における全ての被用者保険等保険者に係る被保険者一人当たり標準報酬総額の中央値として厚生労働大臣が定める額

二　都道府県　前々年度における全ての都道府県の都道府県被保険者一人当たり所得額のうち最も少ない額

三　国民健康保険組合　前々年度における全ての国民健康保険組合の組合被保険者一人当たり所得額のうち最も少ない額

（確定負担調整額調整率の算定方法）

第一条の十　法第三十九条第三項の確定負担調整額調整率は、次の各号に掲げる保険者の区分に応じ、当該各号に定める率とする。

一　前々年度における全ての保険者の法第三十五条第二項第二号イに掲げる額について、当該額が最も少ない保険者から順次に数えて、全ての保険者の百分の五に相当する順位の保険者に係る前期高齢者である加入者一人当たりの前期高齢者給付費額として厚生労働大臣が定める額以下である保険者（以下この項において「低医療費水準保険者」という。）　低医療費水準保険者に係る負担再調整負担割合（前々年度における全ての低医療費水準保険者に係る加入者の総数を同年度における全ての保険者に係る加入者の総数で除して得た率に百分の十を乗じて得た率をいう。次号において同じ。）に百分の九十を加えて得た率として厚生労働大臣が定める率

二　低医療費水準保険者以外の保険者　百分の十から低医療費水準保険者に係る負担再調整負担割合を控除して得た率に前々年度における全ての低医療費水準保険者に係る調整前負担調整額の総額を同年度における全ての低医療費水準保険者以外の保険者に係る調整前負担調整額の総額で除して得た率を乗じて得た率に一を加えて得た率として厚生労働大臣が定める率

2　前項第二号の調整前負担調整額は、前々年度における法第三十九条第三項各号に掲げる額の合計額を同年度における全ての保険者に係る加入者の総数で除して得た額に、厚生労働省令で定めるところにより算定した同年度における当該保険者に係る加入者の数を乗じて得た額とする。

（保険者の合併等の場合における前期高齢者交付金及び前期高齢者納付金等の額の算定の特例）

第二条　合併若しくは分割により成立した保険者、合併若しくは分割後存続する保険者又は解散をした保険者の権利義務を承継した保険者（以下「成立保険者等」という。）に係る合併、分割又は解散が行われた年度（以下この条において「合併等年度」という。）の前期高齢者交付金及び法第三十六条第一項に規定する前期高齢者納付金等（以下「前期高齢者納付金等」という。）の額は、次の各号に掲げる成立保険者等の区分に応じ、当該各号に定める額とする。ただし、合併、分割又は解散

が合併等年度の初日に行われたときは、この限りでない。

一　合併又は分割により成立した保険者　当該保険者が当該合併により消滅した保険者又は当該分割により消滅した保険者若しくは当該分割後存続する保険者から承継した合併等年度の前期高齢者交付金に係る債権の額又は前期高齢者納付金等に係る債務の額

二　合併後存続する保険者又は解散をした保険者の権利義務を承継した保険者　次のイ及びロに掲げる額の区分に応じ、それぞれイ及びロに定める額

イ　前期高齢者交付金の額　当該合併又は解散前における当該保険者に係る合併等年度の前期高齢者交付金の額に当該合併又は解散により消滅した保険者から承継した合併等年度の前期高齢者交付金に係る債権の額を加えて得た額

ロ　前期高齢者納付金等の額　当該合併又は解散前における当該保険者に係る合併等年度の前期高齢者納付金等の額に当該合併又は解散により消滅した保険者から承継した合併等年度の前期高齢者納付金等に係る債務の額を加えて得た額

三　分割後存続する保険者　次のイ及びロに掲げる額の区分に応じ、それぞれイ及びロに定める額

イ　前期高齢者交付金の額　当該分割前における当該保険者に係る合併等年度の前期高齢者交付金の額から当該分割により成立した保険者が承継した合併等年度の前期高齢者交付金に係る債権の額を控除して得た額

ロ　前期高齢者納付金等の額　当該分割前における当該保険者に係る合併等年度の前期高齢者納付金等の額から当該分割により成立した保険者が承継した合併等年度の前期高齢者納付金等に係る債務の額を控除して得た額

2　前項ただし書に規定する場合における次の表の上欄に掲げる成立保険者等の区分に該当する成立保険者等に係る合併等年度の前期高齢者交付金の額の算定については、当該区分に応じ、法第三十三条第一項ただし書中「前々年度の概算前期高齢者交付金の額」とあるのは同表の中欄に掲げる字句と、「同年度の確定前期高齢者交付金の額」とあるのは同表の下欄に掲げる字句とする。

合併により成立した保険者	当該合併により消滅した保険者に係る当該合併が行われた年度の前々年度の概算前期高齢者交付金の額の合計額	当該合併により消滅した保険者に係る同年度の確定前期高齢者交付金の額の合計額
合併後存続する保険者	当該保険者に係る当該合併が行われた年度の前々年度の概算前期高齢者交付金の額に当該合併により消滅した保険者に係る同年度の概算前期高齢者交付金の額を加えて得た額	当該保険者に係る同年度の確定前期高齢者交付金の額に当該合併により消滅した保険者に係る同年度の確定前期高齢者交付金の額を加えて得た額
分割により成立した保険者（分割後存続する保険者がある場合を除く。）	当該分割により消滅した保険者に係る当該分割が行われた年度の前々年度の概算前期高齢者交付金の額を当該分割により成立した保険者に係る当該分割時における加入者の数に応じて按分して得た額	当該分割により消滅した保険者に係る同年度の確定前期高齢者交付金の額を当該分割により成立した保険者に係る当該分割時における加入者の数に応じて按分して得た額
解散をした保険者の権利義務を承継した保険者	当該保険者に係る当該解散が行われた年度の前々年度の概算前期高齢者交付金の額に当該解散により消滅した保険者に係る同年度の概算前期高齢者交付金の額を加えて得た額	当該保険者に係る同年度の確定前期高齢者交付金の額に当該解散により消滅した保険者に係る同年度の確定前期高齢者交付金の額を加えて得た額

3　前項の規定は、同項の表の上欄に掲げる成立保険者等の区分に該当する成立保険者等に係る合併等年度の翌年度の前期高齢者交付金の額の算定について準用する。この場合において、同表中「前々年度」とあるのは、「前年度」と読み替えるものとする。

4　成立保険者等に係る合併等年度の翌々年度の前期高齢者交付金の額の算定については、次の表の上欄に掲げる成立保険者等の区分に応じ、法第三十三条第一項ただし書中「前々年度の概算前期高齢者交付金の額」とあるのは同表の中欄に掲げる字句と、「同年度の確定前期高齢者交付金の額」とあるのは同表の下欄に掲げる字句とする。ただし、合併、分割又は解散が合併等年度の初日に行われたときは、この限りでない。

合併により成立した保険者	当該合併により消滅した保険者に係る当該合併が行われた年度の概算前期高齢者交付金として当該合併前に算定された額の合計額	当該保険者に係る同年度の確定前期高齢者交付金の額に当該合併により消滅した保険者に係る同年度の確定前期高齢者交付金の額を加えて得た額
合併後存続する保険者	当該保険者に係る当該合併が行われた年度の概算前期高齢者交付金として当該合併前に算定された額に当該合併により消滅した保険者に係る同年度の概算前期高齢者交付金として当	当該保険者に係る同年度の確定前期高齢者交付金の額に当該合併により消滅した保険者に係る同年度の確定前期高齢者交付金の額を加えて得た額

	該合併前に算定された額を加えて得た額	
分割により成立した保険者（分割後存続する保険者がある場合を除く。）	当該分割により消滅した保険者に係る当該分割が行われた年度の概算前期高齢者交付金として当該分割前に算定された額を当該分割により成立した保険者に係る当該分割時における加入者の数に応じて按分して得た額	当該保険者に係る同年度の確定前期高齢者交付金の額に当該分割により消滅した保険者に係る同年度の確定前期高齢者交付金の額を当該分割により成立した保険者に係る当該分割時における加入者の数に応じて按分して得た額を加えて得た額
分割後存続する保険者がある場合における分割により成立した保険者及び分割後存続する保険者	当該分割後存続する保険者に係る当該分割が行われた年度の概算前期高齢者交付金として当該分割前に算定された額を当該分割により成立した保険者及び当該分割後存続する保険者に係る当該分割時における加入者の数及び当該分割の時期に応じて按分して得た額	当該保険者に係る同年度の確定前期高齢者交付金の額
解散をした保険者の権利義務を承継した保険者	当該保険者に係る当該解散が行われた年度の概算前期高齢者交付金として当該解散前に算定された額に当該解散をした保険者に係る同年度の概算前期高齢者交付金として当該解散前に算定された額を加えて得た額	当該保険者に係る同年度の確定前期高齢者交付金の額に当該解散をした保険者に係る同年度の確定前期高齢者交付金の額を加えて得た額

5　第二項の規定は、第一項ただし書に規定する場合における第二項の表の上欄に掲げる成立保険者等の区分に該当する成立保険者等に係る法第三十六条第一項に規定する前期高齢者納付金（次項及び第七項において「前期高齢者納付金」という。）の額の算定について準用する。この場合において、第二項中「第三十三条第一項ただし書」とあるのは「第三十七条第一項ただし書」と、「概算前期高齢者交付金」とあるのは「概算前期高齢者納付金」と、「確定前期高齢者交付金」とあるのは「確定前期高齢者納付金」と読み替えるものとする。

6　第三項の規定は、第二項の表の上欄に掲げる成立保険者等の区分に該当する成立保険者等に係る合併等年度の翌年度の前期高齢者納付金の額の算定について準用する。この場合において、第三項中「前項」とあり、及び「同項」とあるのは、「第五項において準用する前項」と読み替えるものとする。

7　第四項の規定は、成立保険者等に係る合併等年度の翌々年度の前期高齢者納付金の額の算定について準用する。この場合において、同項中「第三十三条第一項ただし書」とあるのは「第三十七条第一項ただし書」と、「概算前期高齢者交付金」とあるのは「概算前期高齢者納付金」と、「確定前期高齢者交付金」とあるのは「確定前期高齢者納付金」と読み替えるものとする。

（前期高齢者納付金等及び延滞金の徴収の請求）

第三条　法第四十四条第三項の規定による前期高齢者納付金等及び延滞金（法第四十五条に規定する延滞金をいう。）の徴収の請求は、当該保険者の主たる事務所の所在地の都道府県知事に対して行うものとする。ただし、厚生労働大臣の指定する保険者に係る当該請求は、厚生労働大臣に対して行うものとする。

（国の後期高齢者医療給付費に対する負担金等の額）

第四条　法第九十三条第一項の規定により、毎年度国が法第四十八条に規定する後期高齢者医療広域連合（以下「後期高齢者医療広域連合」という。）に対して負担する額は、各後期高齢者医療広域連合につき、当該年度における被保険者に係る療養の給付に要した費用の額から当該給付に係る一部負担金に相当する額を控除した額、入院時食事療養費、入院時生活療養費、保険外併用療養費、療養費、訪問看護療養費、特別療養費、移送費、高額療養費及び高額介護合算療養費の支給に要した費用の額の合計額（以下「療養の給付等に要した費用の額」という。）から法第六十七条第一項第三号の規定が適用される被保険者に係る療養の給付等に要した費用の額（以下この条及び第十一条において「特定費用額」という。）を控除した額（以下「負担対象額」という。）並びに感染症の予防及び感染症の患者に対する医療に関する法律（平成十年法律第百十四号）の規定による流行初期医療確保拠出金の額から当該流行初期医療確保拠出金の額に療養の給付等に要した費用の額に占める特定費用額の割合を乗じて得た額（第十一条において「特定流行初期医療確保拠出金の額」という。）を控除した額（第十一条において「負担対象拠出金額」という。）の合計額（第七条第一項及び第九条において「負担対象総額」という。）の十二分の三に相当する額とする。

2　法第九十三条第二項の規定により、毎年度国が後期高齢者医療広域連合に対して負担する額は、各後期高齢者医療広域連合につき、当該年度における被保険者に係る療養の給付に要した費用の額、入院時食事療養費、入院時生活療養費、保険外併用療養費、療養費、訪問看護療養費若しくは特別療養費の支給についての療養につき算定した費用の額又は移送費の支給に要した費用の額のうち次項に定める額の合計額に、次に掲げる率の合計を乗じて得た額（第七条第二項において「高額医療費負担対象額」という。）の四分の一に相当する額とする。

一　負担対象額の十二分の一に相当する額を療養の給付等に要した費用の額で除して得た率

二　法第百条第一項の後期高齢者負担率（以下「後期高齢者負担率」という。）

3　法第九十三条第二項の政令で定めるところにより算定する額は、被保険者が同一の月にそれぞれ一の病院、診療所、薬局その他の者（第二十一条各号において「病院等」という。）について受けた療養に係る費用の額（当該療養（高齢者の医療の確保に関する法律施行令（平成十九年政令第三百十八号。以下「令」という。）第十四条第一項第二号に規定する特定給付対象療養（第二十一条各号において「特定給付対象療養」という。）を除く。）につき法第五十七条第一項に規定する法令による給付が行われたときは、その給付額を控除した額）が八十万円を超えるものの当該超える部分の額とする。

4　法第九十三条第三項の規定により、毎年度国が支払基金に対して交付する額は、当該年度における法第三十八条第三項第三号に規定する特別負担調整見込額の総額等（以下この項において「特別負担調整見込額の総額等」という。）の三分の二とする。ただし、前々年度の特別負担調整見込額の総額等が同年度の法第三十九条第三項第三号に規定する特別負担調整額の総額等を超えるときは、当該年度の特別負担調整見込額の総額等からその超える額を控除して得た額の三分の二とし、前々年度の特別負担調整見込額の総額等が同年度の同号に規定する特別負担調整額の総額等に満たないときは、当該年度の特別負担調整見込額の総額等にその満たない額を加算して得た額の三分の二とする。

（国の後期高齢者医療給付費に対する負担金の減額）

第五条　都道府県知事は、後期高齢者医療広域連合が確保すべき収入を不当に確保していないと認めるときは、当該後期高齢者医療広域連合に対し、相当の期間を定め、当該収入を確保するために必要な措置を採るべきことを勧告することができる。

2　都道府県知事は、前項の規定による勧告をしたときは、速やかに、厚生労働大臣にその旨を報告しなければならない。後期高齢者医療広域連合が同項の規定による勧告に応じ、必要な措置を採ったとき、又はその勧告に従わなかったときも、同様とする。

3　厚生労働大臣は、後期高齢者医療広域連合が第一項の規定による都道府県知事の勧告に従わなかったときは、その従わなかったことにつきやむを得ない理由があると認められる場合を除き、法第九十四条の規定により、当該後期高齢者医療広域連合に対する国の負担金の額を減額することができる。この場合においては、あらかじめ、当該後期高齢者医療広域連合に対し、弁明の機会を与えなければならない。

（調整交付金）

第六条　法第九十五条第一項の規定による調整交付金は、普通調整交付金及び特別調整交付金とする。

2　前項の普通調整交付金は、厚生労働省令で定めるところにより、被保険者に係る所得の後期高齢者医療広域連合間における格差による後期高齢者医療の財政の不均衡を是正することを目的として交付する。

3　第一項の特別調整交付金は、災害その他特別の事情がある後期高齢者医療広域連合に対し、厚生労働省令で定めるところにより交付する。

4　第一項の普通調整交付金の総額は、法第九十五条第二項に規定する調整交付金の総額の十分の九に相当する額とする。

5　第一項の特別調整交付金の総額は、法第九十五条第二項に規定する調整交付金の総額の十分の一に相当する額とする。

6　第三項の規定により各後期高齢者医療広域連合に対して第一項の特別調整交付金として交付すべき額の合計額が前項に規定する特別調整交付金の総額に満たないときは、その満たない額は、第一項の普通調整交付金として交付するものとする。

（都道府県の後期高齢者医療給付費に対する負担金等の額）

第七条　法第九十六条第一項の規定により、毎年度都道府県が後期高齢者医療広域連合に対して負担する額は、各後期高齢者医療広域連合につき、当該年度における負担対象総額の十二分の一に相当する額とする。

2　法第九十六条第二項の規定により、毎年度都道府県が後期高齢者医療広域連合に対して負担する額は、各後期高齢者医療広域連合につき、当該年度における高額医療費負担対象額の四分の一に相当する額とする。

（都道府県の後期高齢者医療給付費に対する負担金の減額）

第八条　都道府県知事は、第五条第三項の規定により厚生労働大臣が後期高齢者医療広域連合に対する国の負担金の額を減額したときは、法第九十七条の規定により、当該後期高齢者医療広域連合に対する都道府県の負担金の額を減額することができる。この場合においては、あらかじめ、当該後期高齢者医療広域連合に対し、弁明の機会を与えなければならない。

（市町村の後期高齢者医療給付費に対する負担金の額）

第九条　法第九十八条の規定により、毎年度市町村が後期高齢者医療広域連合に対して負担する額は、当該年度における当該市町村がその保険料を徴収する被保険者に係る負担対象総額の十二分の一に相当する額とする。

（市町村の特別会計への繰入れ等）

第十条　法第九十九条第一項の規定により、毎年度市町村が後期高齢者医療に関する特別会計に繰り入れる額は、厚生労働省令で定めるところにより、当該市町村が徴収する当該年度分の保険料について、当該後期高齢者医療広域連合が令第十八条第四項に定める基準に従い同条第一項第一号及び第二項第一号の被保険者均等割額を減額するものとした場合に減額することとなる額の合計額（その額が現に当該年度分の法第九十九条第一項に規定する減額した額の総額を超えるときは、当該総額）とする。

2　法第九十九条第二項の規定により、毎年度市町村が後期高齢者医療に関する特別会計に繰り入れる額は、厚生労働省令で定めるところにより、当該市町村が徴収する当該年度分の保険料について、当該後期高齢者医療広域連合が令第十八条第五項に定める基準に従い同条第一項第一号及び第二項第一号の被保険者均等割額を減額するものとした場合に減額することとなる額の合計額（その額が現に当該年度分の法第九十九条第二項に規定する減額した額の総額を超えるときは、当該総額）とする。

3　法第九十九条第三項の規定による都道府県の負担は、同条第一項又は第二項の規定による繰入れが行われた年度において行うものとする。

（後期高齢者交付金の額）

第十一条　法第百条第一項の規定により、毎年度支払基金が後期高齢者医療広域連合に対して交付する後期高齢者交付金の額は、各後期高齢者医療広域連合につき、当該年度における負担対象額に一から当該年度における後期高齢者負担率及び百分の五十を控除して得た率を乗じて得た額に特定費用額に一から当該年度における後期高齢者負担率を控除して得た率を乗じて得た額を加えて得た額に当該年度における負担対象拠出金額に一から当該年度における後期高齢者負担率及び百分の五十を控除して得た率を乗じて得た額並びに当該年度における特定流行初期医療確保拠出金の額に一から当該年度における後期高齢者負担率を控除して得た率を乗じて得た額を加えて得た額とする。

（令和六年度及び令和七年度における後期高齢者負担率）

第十一条の二　令和六年度及び令和七年度における法第百条第二項に規定する後期高齢者負担率は、百分の十二・六七とする。

（後期高齢者交付金の減額）

第十二条　第五条の規定は、法第百一条の規定による後期高齢者交付金の減額について準用する。この場合において、第五条第一項中「確保していない」とあるのは「確保せず、又は支出すべきでない経費を不当に支出した」と、「確保する」とあるのは「確保し、又は不当に支出した経費を回収する」と、同条第三項中「第九十四条」とあるのは「第百一条」と、「国の負担金の額を減額する」とあるのは「後期高齢者交付金の額を減額することを支払基金に対して命ずる」と読み替えるものとする。

（財政安定化基金による交付事業）

第十三条　法第百十六条第一項第一号に掲げる事業に係る交付金（以下「基金事業交付金」という。）の交付は、基金事業交付金の交付に係る特定期間（同条第二項第一号に規定する特定期間をいう。以下同じ。）の終了年度において行うものとする。

2　基金事業交付金の額は、各後期高齢者医療広域連合につき、当該後期高齢者医療広域連合を組織する市町村ごとに算定した第一号に掲げる額（市町村実績保険料収納額並びに当該特定期間における法第九十九条第一項及び第二項の規定による繰入金の額に当該後期高齢者医療広域連合の基金事業対象比率を乗じて得た額の合計額が市町村保険料収納下限額に不足すると見込まれる市町村（災害その他特別の事情により当該合計額が市町村保険料収納下限額に不足すると見込まれる市町村を除く。次条第二項第二号ハにおいて「保険料収納下限額未満市町村」という。）については、第二号に掲げる額）の合計額（当該額が第三号に掲げる額を超えるときは、同号に掲げる額とする。）の二分の一に相当する額とする。

一　市町村予定保険料収納額から市町村実績保険料収納額並びに当該特定期間における法第九十九条第一項及び第二項の規定による繰入金の額の合計額を控除して得た額の見込額として厚生労働省令で定めるところにより算定した額

二　市町村予定保険料収納額から市町村保険料収納下限額を控除して得た額の見込額として厚生労働省令で定めるところにより算定した額

三　基金事業対象費用額（法第百十六条第二項第四号に規定する基金事業対象費用額をいう。以下同じ。）から基金事業対象収入額（同項第三号に規定する基金事業対象収入額をいう。以下同じ。）を控除して得た額の見込額として厚生労働省令で定めるところにより算定した額

3　前項の市町村実績保険料収納額は、当該後期高齢者医療広域連合を組織する市町村ごとに、当該特定期間中に収納した保険料の合計額に当該後期高齢者医療広域連合の基金事業対象比率を乗じて得た額とする。

4　第二項の市町村保険料収納下限額は、市町村予定保険料収納額に、当該後期高齢者医療広域連合を組織する市町村ごとに当該市町村がその保険料を徴収する被保険者の数等の区分に応じて厚生労働省令で定める率を乗じて得た額とする。

5　第二項及び前項の市町村予定保険料収納額は、市町村保険料収納必要額に当該後期高齢者医療広域連合の基金事業対象比率を乗じて得た額とする。

6　前項の市町村保険料収納必要額は、保険料収納必要額を、当該後期高齢者医療広域連合を組織する市町村ごとに、厚生労働省令で定めるところにより、当該市町村が当該特定期間中に徴収する保険料の賦課額並びに当該特定期間における法第九十九条第一項及び第二項の規定による繰入金の額の合計額の合計額に按分して算定した額とする。

7　第二項、第三項及び第五項の基金事業対象比率は、各後期高齢者医療広域連合につき、第一号に掲げる額を第二号に掲げる額で除して得た率とする。

一　当該特定期間における保険料収納必要額のうち法第九十三条第一項に規定する療養の給付等に要する費用の額（以下「療養の給付等に要する費用の額」という。）、財政安定化基金拠出金、法第百十七条第二項の規定による拠出金及び法第百二十四条の二第一項の規定による出産育児支援金並びに感染症の予防及び感染症の患者に対する医療に関する法律の規定による流行初期医療確保拠出金等（第十七条及び第十八条において「流行初期医療確保拠出金等」という。）の納付に要する費用の額並びに基金事業借入金（法第百十六条第二項第一号に規定する基金事業借入金をいう。以下同じ。）の償還に要する費用の額に充てるものとして厚生労働省令で定めるところにより算定した額

二　当該特定期間における保険料収納必要額

8　前二項の保険料収納必要額は、当該後期高齢者医療広域連合に係る当該特定期間における各年度の令第十八条第三項第一号イに掲げる合計額の見込額から同号ロに掲げる合計額の見込額を控除して得た額の合計額とする。

9　都道府県は、基金事業交付金の交付を受ける後期高齢者医療広域連合が予定保険料収納率（令第十八条第三項第一号の予定保険料収納率をいう。次条第三項において同じ。）を不当に過大に見込んだこと等により、第二項の規定により算定される基金事業交付金の額が不当に過大となると認められる場合であって、必要と認めるときは、当該後期高齢者医療広域連合に対する基金事業交付金の額を減額し、又は交付しないこととすることができる。

（財政安定化基金による貸付事業）

第十四条　法第百十六条第一項第二号に掲げる事業に係る貸付金（以下「基金事業貸付金」という。）の貸付けは、基金事業貸付金の貸付けに係る特定期間の初年度においては基金事業対象収入額のうち当該特定期間の初年度に係る額として厚生労働省令で定めるところにより算定した額（次項において「初年度基金事業対象収入額」という。）が基金事業対象費用額のうち当該特定期間の初年度に係る額として厚生労働省令で定めるところにより算定した額（次項において「初年度基金事業対象費用額」という。）に不足すると見込まれる後期高齢者医療広域連合に対し、当該特定期間の終了年度においては基金事業対象収入額及び基金事業交付金の額の合計額が基金事業対象費用額に

不足すると見込まれる後期高齢者医療広域連合に対し、それぞれ行うものとする。

2　基金事業貸付金の額は、各後期高齢者医療広域連合につき、次の各号の区分に応じ、それぞれ当該各号に定める額に一・一を乗じて得た額を限度とする。

一　当該特定期間の初年度　初年度基金事業対象費用額から初年度基金事業対象収入額を控除して得た額の見込額として厚生労働省令で定めるところにより算定した額

二　当該特定期間の終了年度　イに掲げる額からロ及びハに掲げる合計額の合計額を控除して得た額

イ　当該特定期間における基金事業対象費用額から基金事業対象収入額を控除して得た額の見込額として厚生労働省令で定めるところにより算定した額

ロ　当該特定期間の初年度における基金事業借入金の額及び当該特定期間の終了年度における基金事業交付金の額の合計額

ハ　当該後期高齢者医療広域連合を組織する市町村のうち、保険料収納下限額未満市町村における前条第四項に規定する市町村保険料収納下限額から同条第三項に規定する市町村実績保険料収納額並びに当該特定期間における法第九十九条第一項及び第二項の規定による繰入金の額の合計額の合計額を控除して得た額の見込額として厚生労働省令で定めるところにより算定した額の合計額

3　都道府県は、基金事業貸付金の貸付けを受ける後期高齢者医療広域連合が前条第八項に規定する保険料収納必要額を不当に過少に見込んだこと、予定保険料収納率を不当に過大に見込んだこと等により、前項の規定により算定される基金事業貸付金の額が不当に過大となると認められる場合であって、必要と認めるときは、当該後期高齢者医療広域連合に対する基金事業貸付金の額を減額し、又は貸し付けないこととすることができる。

4　基金事業貸付金の据置期間は当該貸付けを行う特定期間の終了年度の末日までとし、償還期限は当該特定期間の次の特定期間の終了年度の末日とする。ただし、当該基金事業貸付金の償還によって保険料の額が著しく高くなると見込まれる後期高齢者医療広域連合であって、都道府県がやむを得ないと認めるものに対する基金事業貸付金については、次のいずれかに掲げる日を償還期限とすることができる。

一　当該貸付けを行う特定期間の次の次の特定期間の終了年度の末日

二　前号に掲げる日の属する特定期間の次の特定期間の終了年度の末日

5　基金事業貸付金は、償還期限までの間は無利子とする。

（予定保険料収納額の算定方法）

第十五条　法第百十六条第二項第一号に規定する予定保険料収納額は、各後期高齢者医療広域連合につき、第十三条第八項に規定する保険料収納必要額に同条第七項に規定する基金事業対象比率を乗じて得た額とする。

（実績保険料収納額の算定方法）

第十六条　法第百十六条第二項第二号に規定する実績保険料収納額（次条において「実績保険料収納額」という。）は、各後期高齢者医療広域連合につき、第十三条第三項に規定する市町村実績保険料収納額の合計額とする。

（基金事業対象収入額の算定方法）

第十七条　基金事業対象収入額は、各後期高齢者医療広域連合につき、当該特定期間における実績保険料収納額、法第九十三条第一項及び第二項、第九十六条並びに第九十八条の規定による負担金の額の合計額、法第九十五条の規定による調整交付金の額の合計額、法第九十九条第一項及び第二項の規定による繰入金の額の合計額、法第百条第一項の規定による後期高齢者交付金の額の合計額、法第百十七条第一項の規定による交付金の額の合計額、法第百二条及び第百三条の規定による補助金の額の合計額その他の後期高齢者医療に要する費用のための収入の額のうち療養の給付等に要した費用の額、財政安定化基金拠出金、法第百十七条第二項の規定による拠出金及び法第百二十四条の二第一項の規定による出産育児支援金並びに流行初期医療確保拠出金等の納付に要した費用の額並びに基金事業借入金の償還に要した費用の額に充てるものとして厚生労働省令で定めるところにより算定した額の合計額とする。

（基金事業対象費用額の算定方法）

第十八条　基金事業対象費用額は、各後期高齢者医療広域連合につき、当該特定期間における療養の給付等に要した費用の額、財政安定化基金拠出金、法第百十七条第二項の規定による拠出金及び法第百二十四条の二第一項の規定による出産育児支援金並びに流行初期医療確保拠出金等の納付に要した費用の額の合計額並びに基金事業借入金の償還に要した費用の額の合計額とする。

（財政安定化基金拠出金の額の算定方法等）

第十九条　法第百十六条第三項の規定により、特定期間において都道府県が後期高齢者医療広域連合から徴収する財政安定化基金拠出金（以下この条において「拠出金」という。）の額は、当該特定期間について、当該後期高齢者医療広域連合の療養の給付等に要する費用の額の見込額に財政安定化基金拠出率を標準として都道府県の条例で定める割合を乗じて得た額から法第百十六条第七項に規定する収入の見込額の三分の一に相当する額を控除して得た額とする。

2　前項の財政安定化基金拠出率は、各都道府県の当該特定期間における財政安定化基金に係る基金事業交付金の見込額及び基金事業貸付金の見込額の合計額の合計額から各都道府県の当該特定期間における基金事業借入金の償還金の見込額の合計額を控除して得た額の三分の一に相当する額を、当該特定期間における各後期高齢者医療広域連合の療養の給付等に要する費用の額の見込額の合計額で除して得た数等を勘案して、二年ごとに、厚生労働大臣が定める率とする。

3　拠出金の額のうち特定期間の初年度（第五項及び第七項において「初年度」という。）において都道府県が後期高齢者医療広域連合から徴収する額は、拠出金の額の二分の一に相当する額以上の額とする。

4　法第百十六条第五項の規定により、都道府県が財政安定化基金に繰り入れる額は、拠出金の額に三を乗じて得た額とし、当該特定期間に繰り入れるものとする。

5　前項の額のうち初年度において都道府県が財政安定化基金に繰り入れる額は、同項の額から第一項から第三項までの規定により後期高齢者医療広域連合から徴収する額並びに次項及び第七項の規定により国が負担する額の合計額を控除して得た額の

二分の一に相当する額以上の額とする。

6　法第百十六条第六項の規定により国が負担する額は、拠出金の額に相当する額とする。

7　前項の額のうち初年度において国が負担する額は、拠出金の額の二分の一に相当する額以上の額とする。

（条例への委任）

第二十条　第十三条から前条までに規定するもののほか、財政安定化基金の運営に関し必要な事項は、都道府県の条例で定める。

（特別高額医療費共同事業交付金の額）

第二十一条　法第百十七条第一項の規定による交付金（以下「特別高額医療費共同事業交付金」という。）は、毎年度法第七十条第五項に規定する指定法人（以下「指定法人」という。）が後期高齢者医療広域連合に対して交付するものとし、その額は、各後期高齢者医療広域連合につき、当該年度分として交付すべき額の算定の基礎とすべき期間として厚生労働省令で定める期間における被保険者に係る療養の給付に要した費用の額、入院時食事療養費、入院時生活療養費、保険外併用療養費、療養費、訪問看護療養費若しくは特別療養費の支給についての療養につき算定した費用の額又は移送費の支給に要した費用の額のうち第一号に掲げる額に十二分の一に後期高齢者負担率を加えた率を乗じて得た額と第二号に掲げる額に後期高齢者負担率を乗じて得た額との合計額に二分の一を乗じて得た額とする。

一　当該後期高齢者医療広域連合が行う後期高齢者医療の被保険者（法第六十七条第一項第三号の規定が適用される被保険者を除く。）が同一の月にそれぞれ一の病院等について受けた療養に係る費用の額（当該療養（特定給付対象療養を除く。）につき法第五十七条第一項に規定する法令による給付が行われたときは、その給付額を控除した額）が四百万円を超えるものの二百万円を超える部分の額の合計額であつて、当該年度分として交付すべき額として厚生労働省令で定めるところにより算定した額

二　当該後期高齢者医療広域連合が行う後期高齢者医療の被保険者（法第六十七条第一項第三号の規定が適用される被保険者に限る。）が同一の月にそれぞれ一の病院等について受けた療養に係る費用の額（当該療養（特定給付対象療養を除く。）につき法第五十七条第一項に規定する法令による給付が行われたときは、その給付額を控除した額）が四百万円を超えるものの二百万円を超える部分の額の合計額であつて、当該年度分として交付すべき額として厚生労働省令で定めるところにより算定した額

（特別高額医療費共同事業に係る拠出金）

第二十二条　法第百十七条第二項の規定による拠出金は、特別高額医療費共同事業拠出金及び特別高額医療費共同事業事務費拠出金とし、指定法人は、毎年度各後期高齢者医療広域連合から徴収するものとする。

（特別高額医療費共同事業拠出金）

第二十三条　前条の特別高額医療費共同事業拠出金の額は、各後期高齢者医療広域連合につき、当該年度において交付する特別高額医療費共同事業交付金の総額に、当該年度の前々年度及びその直前の二箇年度において当該各後期高齢者医療広域連合に交付した特別高額医療費共同事業交付金の額の合計額を当該年度の前々年度及びその直前の二箇年度において交付した特別高額医療費共同事業交付金の総額の合計額で除して得た率を乗じて得た額を基準として、指定法人が定める。

（特別高額医療費共同事業事務費拠出金）

第二十四条　第二十二条の特別高額医療費共同事業事務費拠出金の額は、各後期高齢者医療広域連合につき、当該年度における法第百十七条第一項及び第二項の規定により後期高齢者医療広域連合に対して特別高額医療費共同事業交付金を交付し、後期高齢者医療広域連合から拠出金を徴収する指定法人の業務及びこれに附帯する業務に関する事務の処理に要する費用の見込額を基礎として、各後期高齢者医療広域連合が行う後期高齢者医療の被保険者の数に応じて厚生労働省令で定めるところにより算定した額を基準として、指定法人が定める。

（省令への委任）

第二十五条　第二十一条から前条までに規定するもののほか、法第百十七条第一項に規定する特別高額医療費共同事業に関し必要な事項は、厚生労働省令で定める。

（概算後期高齢者支援金調整率）

第二十五条の二　法第百二十条第一項各号の概算後期高齢者支援金調整率は、全ての保険者について、百分の百とする。

（確定後期高齢者支援金調整率）

第二十五条の三　法第百二十一条第一項各号の確定後期高齢者支援金調整率は、次の各号に掲げる保険者の区分に応じ、当該各号に定める率とする。

一　各保険者（健康保険組合、共済組合、日本私立学校振興・共済事業団又は国民健康保険法第七十三条第四項の規定により増額される補助の対象とならない国民健康保険組合として厚生労働大臣が定める組合をいう。以下この号及び次号において同じ。）に係る加入者の数及び保険者の種類を勘案して、法第十九条第二項第二号に掲げる目標についての達成状況及び特定健康診査等（法第十八条第二項第一号に規定する特定健康診査等をいう。以下この号及び次号において同じ。）の実施状況が不十分なものとして厚生労働省令で定める基準に該当する保険者（特定健康診査等の実施状況が不十分であることについてやむを得ない事由があるものとして厚生労働省令で定める基準に該当するもの及び各保険者に係る加入者の健康の保持増進のために必要な事業（特定健康診査等を除く。次号において同じ。）の実施状況が十分なものとして厚生労働省令で定める基準に該当するものを除く。次号において「加算対象保険者」という。）　特定健康診査等の実施状況が不十分なものとして厚生労働省令で定める基準に応じ、百分の百から百分の百十の範囲内で厚生労働省令で定める率

二　各保険者に係る加入者の数及び保険者の種類を勘案して、法第十九条第二項第二号に掲げる目標についての達成状況並びに特定健康診査等及び各保険者に係る加入者の健康の保持増進のために必要な事業の実施状況が十分なものとして厚生労働省令で定める基準に該当する保険者（ロにおいて「減算対象保険者」という。）　一からイに掲げる額をロに掲げる額で除して得た率を控除して得た率を基礎として厚生労働大臣が定める率

イ　当該各年度における全ての加算対象保険者に係る法第百十九条第一項の確定後期高齢者支援金の額の総額と当該各

年度における全ての加算対象保険者に係る調整前確定後期高齢者支援金の額の総額との差額

ロ 当該各年度における全ての減算対象保険者に係る調整前確定後期高齢者支援金の額の総額

三 前二号に掲げる保険者以外の保険者 百分の百

2 前項第二号の調整前確定後期高齢者支援金の額は、当該各年度における全ての後期高齢者医療広域連合の法第百条第一項に規定する保険納付対象総額の総額を厚生労働省令で定めるところにより算定した当該各年度における全ての保険者に係る加入者の総数で除して得た額に、厚生労働省令で定めるところにより算定した当該各年度における当該保険者に係る加入者の数を乗じて得た額とする。

（保険者の合併等の場合における後期高齢者支援金等の額の算定の特例）

第二十六条 第二条第一項（同項第二号イ及び第三号イを除く。）から第四項までの規定は、法第百二十四条において準用する法第四十一条の規定による成立保険者等に係る後期高齢者支援金等の額の算定の特例について準用する。この場合において、第二条第一項中「前期高齢者交付金及び法第三十六条第一項に規定する前期高齢者納付金等（以下「前期高齢者納付金等」という。）」とあるのは「法第百十八条第一項に規定する後期高齢者支援金等（以下「後期高齢者支援金等」という。）」と、同項第一号中「前期高齢者交付金に係る債権の額又は前期高齢者納付金等に係る債務」とあるのは「後期高齢者支援金等に係る債務」と、同項第二号及び第三号中「次のイ及びロに掲げる額の区分に応じ、それぞれイ及びロに」とあるのは「ロに」と、同条第二項中「の前期高齢者交付金」とあるのは「の後期高齢者支援金」と、「第三十三条第一項ただし書」とあるのは「第百十九条第一項ただし書」と、「概算前期高齢者交付金」とあるのは「概算後期高齢者支援金」と、「確定前期高齢者交付金」とあるのは「確定後期高齢者支援金」と、同条第三項中「前期高齢者交付金」とあるのは「後期高齢者支援金」と、同条第四項中「の前期高齢者交付金」とあるのは「の後期高齢者支援金」と、「第三十三条第一項ただし書」とあるのは「第百十九条第一項ただし書」と、「概算前期高齢者交付金」とあるのは「概算後期高齢者支援金」と、「確定前期高齢者交付金」とあるのは「確定後期高齢者支援金」と読み替えるものとする。

（後期高齢者支援金等及び延滞金の徴収の請求）

第二十七条 第三条の規定は、法第百二十四条において準用する法第四十四条第三項の規定による後期高齢者支援金等及び延滞金（法第百二十四条において準用する法第四十五条の規定による延滞金をいう。）の徴収の請求について準用する。

（出産育児支援金に関する法の規定の読替え）

第二十七条の二 法第百二十四条の八において出産育児支援金について法第四十一条及び第四十三条から第四十六条までの規定を準用する場合における技術的読替えは、次の表のとおりとする。

法の規定中読み替える規定	読み替えられる字句	読み替える字句
第四十一条の見出し	保険者	後期高齢者医療広域連合
第四十一条	保険者、	第四十八条に規定する後期高齢者医療広域連合（以下「後期高齢者医療広域連合」という。）、
	保険者及び解散をした保険者の権利義務を承継した保険者	後期高齢者医療広域連合及び解散をした後期高齢者医療広域連合の権利義務を承継した後期高齢者医療広域連合
第四十三条、第四十四条及び第四十六条	保険者	後期高齢者医療広域連合

（後期高齢者医療広域連合の合併等の場合における出産育児支援金及び保険者の合併等の場合における出産育児関係事務費拠出金の額の算定の特例）

第二十七条の三 第二条第一項の規定は、法第百二十四条の八において準用する法第四十一条の規定による出産育児支援金の額の算定の特例について準用する。この場合において、次の表の上欄に掲げる第二条の規定中同表の中欄に掲げる字句は、それぞれ同表の下欄に掲げる字句に読み替えるものとする。

第二条の見出し	保険者	後期高齢者医療広域連合
第二条第一項	保険者、	後期高齢者医療広域連合（法第四十八条に規定する後期高齢者医療広域連合をいう。以下同じ。）、
	保険者又は解散をした保険者の権利義務を承継した保険者等（以下「成立保険者等	後期高齢者医療広域連合又は解散をした後期高齢者医療広域連合の権利義務を承継した後期高齢者医療広域連合（以下「成立後期高齢者医療広域連合等
	成立保険者等の	成立後期高齢者医療広域連合等の
第二条第一項第一号	保険者	後期高齢者医療広域連合

	債権の額又は前期高齢者納付金等に係る債務	債務
第二条第一項第二号及び第三号	保険者	後期高齢者医療広域連合
	次のイ及びロに掲げる額の区分に応じ、それぞれイ及びロに	ロに

2　第二条第一項の規定は、法第百二十四条の八において準用する法第四十一条の規定による出産育児関係事務費拠出金の額の算定の特例について準用する。この場合において、第二条第一項第一号中「債権の額又は前期高齢者納付金等に係る債務」とあるのは「債務」と、同項第二号及び第三号中「次のイ及びロに掲げる額の区分に応じ、それぞれイ及びロに」とあるのは「ロに」と読み替えるものとする。

（出産育児支援金及び出産育児関係事務費拠出金並びに延滞金の徴収の請求）

第二十七条の四　第三条の規定は、法第百二十四条の八において準用する法第四十四条第三項の規定による出産育児支援金及び延滞金（法第百二十四条の八において準用する法第四十五条に規定する延滞金をいう。次項において同じ。）の徴収の請求について準用する。この場合において、第三条中「当該保険者の主たる事務所の所在地の都道府県知事に対して行うものとする。ただし、厚生労働大臣の指定する保険者に係る当該請求は、厚生労働大臣」とあるのは、「当該後期高齢者医療広域連合（法第四十八条に規定する後期高齢者医療広域連合をいう。）の所在地の都道府県知事」と読み替えるものとする。

2　第三条の規定は、法第百二十四条の八において準用する法第四十四条第三項の規定による出産育児関係事務費拠出金及び延滞金の徴収の請求について準用する。

（基金高齢者医療制度債券の形式）

第二十八条　法第百四十七条第一項の規定により支払基金が発行する債券（以下「基金高齢者医療制度債券」という。）は、無記名式とする。

（基金高齢者医療制度債券の発行の方法）

第二十九条　基金高齢者医療制度債券の発行は、募集の方法による。

（基金高齢者医療制度債券申込証）

第三十条　基金高齢者医療制度債券の募集に応じようとする者は、基金高齢者医療制度債券申込証にその引き受けようとする基金高齢者医療制度債券の数並びにその氏名又は名称及び住所を記載しなければならない。

2　社債、株式等の振替に関する法律（平成十三年法律第七十五号。以下「社債等振替法」という。）の規定の適用がある基金高齢者医療制度債券（次条第二項において「振替基金高齢者医療制度債券」という。）の募集に応じようとする者は、前項の記載事項のほか、自己のために開設された当該基金高齢者医療制度債券の振替を行うための口座（同条第二項において「振替口座」という。）を基金高齢者医療制度債券申込証に記載しなければならない。

3　基金高齢者医療制度債券申込証は、支払基金が作成し、これに次に掲げる事項を記載しなければならない。

一　基金高齢者医療制度債券の名称

二　基金高齢者医療制度債券の総額

三　各基金高齢者医療制度債券の金額

四　基金高齢者医療制度債券の利率

五　基金高齢者医療制度債券の償還の方法及び期限

六　利息の支払の方法及び期限

七　基金高齢者医療制度債券の発行の価額

八　社債等振替法の規定の適用があるときは、その旨

九　社債等振替法の規定の適用がないときは、無記名式である旨

十　応募額が基金高齢者医療制度債券の総額を超える場合の措置

十一　募集又は管理の委託を受けた会社があるときは、その商号

（基金高齢者医療制度債券の引受け）

第三十一条　前条の規定は、政府若しくは地方公共団体が基金高齢者医療制度債券を引き受ける場合又は基金高齢者医療制度債券の募集の委託を受けた会社が自ら基金高齢者医療制度債券を引き受ける場合においては、その引き受ける部分については、適用しない。

2　前項の場合において、振替基金高齢者医療制度債券を引き受ける政府若しくは地方公共団体又は振替基金高齢者医療制度債券の募集の委託を受けた会社は、その引受けの際に、振替口座を支払基金に示さなければならない。

（基金高齢者医療制度債券の成立の特則）

第三十二条　基金高齢者医療制度債券の応募総額が基金高齢者医療制度債券の総額に達しないときでも基金高齢者医療制度債券を成立させる旨を基金高齢者医療制度債券申込証に記載したときは、その応募額をもって基金高齢者医療制度債券の総額とする。

（基金高齢者医療制度債券の払込み）

第三十三条　基金高齢者医療制度債券の募集が完了したときは、支払基金は、遅滞なく、各基金高齢者医療制度債券についてその全額の払込みをさせなければならない。

（債券の発行）

第三十四条　支払基金は、前条の払込みがあったときは、遅滞なく、債券を発行しなければならない。ただし、基金高齢者医療制度債券につき社債等振替法の規定の適用があるときは、この限りでない。

2　各債券には、第三十条第三項第一号から第六号まで、第九号及び第十一号に掲げる事項並びに番号を記載し、支払基金の理事長がこれに記名押印しなければならない。

（基金高齢者医療制度債券原簿）

第三十五条　支払基金は、主たる事務所に基金高齢者医療制度債券原簿を備えて置かなければならない。

2　基金高齢者医療制度債券原簿には、次に掲げる事項を記載しなければならない。

一　基金高齢者医療制度債券の発行の年月日

二　基金高齢者医療制度債券の数（社債等振替法の規定の適用がないときは、基金高齢者医療制度債券の数及び番号）

三　第三十条第三項第一号から第六号まで、第八号及び第十一号に掲げる事項
四　元利金の支払に関する事項

（利札が欠けている場合）
第三十六条　基金高齢者医療制度債券を償還する場合において、欠けている利札があるときは、これに相当する金額を償還額から控除する。ただし、既に支払期が到来した利札については、この限りでない。
2　前項の利札の所持人がこれと引換えに控除金額の支払を請求したときは、支払基金は、これに応じなければならない。

（基金高齢者医療制度債券の発行の認可）
第三十七条　支払基金は、法第百四十七条第一項の規定により基金高齢者医療制度債券の発行の認可を受けようとするときは、基金高齢者医療制度債券の募集の日の二十日前までに次に掲げる事項を記載した申請書を厚生労働大臣に提出しなければならない。
一　基金高齢者医療制度債券の発行を必要とする理由
二　第三十条第三項第一号から第八号までに掲げる事項
三　基金高齢者医療制度債券の募集の方法
四　基金高齢者医療制度債券の発行に要する費用の概算額
五　第二号に掲げるもののほか、債券に記載しようとする事項
2　前項の申請書には、次に掲げる書類を添付しなければならない。
一　作成しようとする基金高齢者医療制度債券申込証
二　基金高齢者医療制度債券の発行により調達する資金の使途を記載した書面
三　基金高齢者医療制度債券の引受けの見込みを記載した書面

（事務の区分）
第三十八条　第五条第一項及び第二項（これらの規定を第十二条において準用する場合を含む。）の規定により都道府県が処理することとされている事務は、地方自治法（昭和二十二年法律第六十七号）第二条第九項第一号に規定する第一号法定受託事務とする。

附　則

（施行期日）
第一条　この政令は、平成二十年四月一日から施行する。
第二条から第四条まで　削除

（法附則第二条に規定する政令で定める日）
第五条　法附則第二条に規定する政令で定める日は、令和八年三月三十一日とする。

（法附則第三条第二項に規定する政令で定める率）
第六条　法附則第三条第二項に規定する政令で定める率は、百分の〇・二五とする。

（国の交付金）
第七条　法附則第五条の規定により、毎年度国が都道府県に対して交付する額は、各都道府県につき、当該年度における病床転換助成事業（法附則第二条に規定する病床転換助成事業をいう。次条において同じ。）に要した費用の額の二十七分の十に相当する額とする。

（病床転換助成交付金）
第八条　法附則第六条第一項の規定により、毎年度支払基金が都道府県に対して交付する額は、各都道府県につき、当該年度における病床転換助成事業に要した費用の額の二十七分の十二に相当する額とする。

（法附則第九条の二第一項に規定する政令で定める年度）
第八条の二　法附則第九条の二第一項に規定する政令で定める年度は、令和七年度とする。

（納付額の通知等）
第八条の三　厚生労働大臣は、法附則第九条の二第一項の規定により支払基金が国庫に納付すべき額（以下この条において「納付額」という。）を定めたときは、支払基金に対し、納付額を通知しなければならない。
2　支払基金は、前項の通知を受けたときは、厚生労働大臣の指定する期日までに、納付額を国庫に納付しなければならない。
第八条の四　厚生労働大臣は、法附則第九条の二第三項の規定により支払基金が都道府県に交付すべき額（以下この条において「都道府県交付額」という。）を定めたときは、支払基金に対し、都道府県交付額を通知しなければならない。
2　支払基金は、前項の通知を受けたときは、厚生労働大臣の指定する期日までに、都道府県交付額を都道府県に交付しなければならない。
第八条の五　厚生労働大臣は、法附則第九条の二第四項の規定により支払基金が各保険者（国民健康保険にあっては、市町村。次項において同じ。）に対し交付すべき額（以下この条において「保険者交付額」という。）を定めたときは、支払基金に対し、保険者交付額を通知しなければならない。
2　支払基金は、前項の通知を受けたときは、厚生労働大臣の指定する期日までに、保険者交付額を各保険者に交付しなければならない。

（病床転換支援金等に関する法の規定の読替え）
第九条　法附則第十条の規定による技術的読替えは、次の表のとおりとする。

法の規定中読み替える規定	読み替えられる字句	読み替える字句
第四十三条第三項	この章	第四十五条
第百五十九条	保険料その他この法律の規定による徴収金	この法律の規定による徴収金（附則第七条第一項に規定する病床転換支援金等及び第四十五条に規定する延滞金に限る。）
第百六十条第一項	保険料その他この法律の規定による徴収金	この法律の規定による徴収金（附則第七条第一項に規定する病床転換支援金等及び第四十五条に規定する延滞金に限る。）

	権利及び後期高齢者医療給付を受ける権利	権利
第百六十条第二項	保険料その他この法律の規定による徴収金	この法律の規定による徴収金（附則第七条第一項に規定する病床転換支援金等及び第四十五条に規定する延滞金に限る。）
第百六十一条	期間の	期間（附則第七条第一項に規定する病床転換支援金等及び第四十五条に規定する延滞金に係るものに限る。）の
第百六十八条第一項	次の各号のいずれか	附則第十条において準用する第一号
第百六十八条第一項第一号	第百三十四条第二項	附則第十条において準用する第百三十四条第二項
	同項	附則第十条において準用する同項

（保険者の合併等の場合における病床転換支援金等の額の算定の特例）

第十条　第二条第一項（同項第二号イ及び第三号イを除く。）の規定は、法附則第十条において準用する法第四十一条の規定による成立保険者等に係る病床転換支援金等の額の算定の特例について準用する。この場合において、第二条第一項中「前期高齢者交付金及び法第三十六条第一項に規定する前期高齢者納付金等（以下「前期高齢者納付金等」という。）」とあるのは「法附則第七条第一項に規定する病床転換支援金等（第一号において「病床転換支援金等」という。）」と、同項第一号中「前期高齢者交付金に係る債権の額又は前期高齢者納付金等に係る債務」とあるのは「病床転換支援金等に係る債務」と、同項第二号及び第三号中「次のイ及びロに掲げる額の区分に応じ、それぞれイ及びロに」とあるのは「ロに」と読み替えるものとする。

（病床転換支援金等及び延滞金の徴収の請求）

第十一条　第三条の規定は、法附則第十条において準用する法第四十四条第三項の規定による病床転換支援金等及び延滞金（法附則第十条において準用する法第四十五条に規定する延滞金をいう。）の徴収の請求について準用する。

（病床転換助成事業に係る支払基金の業務に関する法の規定の読替え）

第十二条　法附則第十一条第二項の規定による技術的読替えは、次の表のとおりとする。

法の規定中読み替える規定	読み替えられる字句	読み替える字句
第百三十九条第二項	前項	前項及び附則第十一条第一項
	事業	事業（附則第二条に規定する病床転換助成事業に密接に関連するものに限る。）
第百三十九条第三項	前二項	附則第十一条第一項及び前項
	高齢者医療制度関係業務	病床転換助成事業関係業務
第百四十一条第一項	高齢者医療制度関係業務	病床転換助成事業関係業務
第百四十二条第一項	加入者数、特定健康診査等の実施状況その他の厚生労働省令で定める事項	病床転換助成事業関係業務に係る事項として厚生労働省令で定める事項
	第百三十九条第一項第一号に規定する保険者から前期高齢者納付金等を徴収する業務、同項第二号に規定する保険者から後期高齢者支援金等を徴収する業務及び同項第三号に規定する保険者から出産育児関係事務費拠出金を徴収する業務	附則第十一条第一項に規定する保険者から病床転換支援金等を徴収する業務
第百四十三条	高齢者医療制度関係業務	病床転換助成事業関係業務
	第百三十九条第一項第一号に掲げる業務、同項第二号及び第三号に掲げる業務並びに同条第二項に規定する業務ごとに、その他	その他
第百四十四条及び第百四十五条	高齢者医療制度関係業務	病床転換助成事業関係業務

第一項		
第百四十六条第一項及び第二項	高齢者医療制度関係業務	病床転換助成事業関係業務
第百四十六条第三項	第百三十九条第一項第一号に規定する保険者に対し前期高齢者交付金を交付する業務、同項第二号に規定する後期高齢者医療広域連合に対し後期高齢者交付金を交付する業務及び同項第三号に規定する保険者に対し出産育児交付金を交付する業務	附則第十一条第一項に規定する都道府県に対し病床転換助成交付金を交付する業務
	同条第二項	第百三十九条第二項
第百四十七条第一項	高齢者医療制度関係業務	病床転換助成事業関係業務
第百四十八条	前期高齢者交付金、後期高齢者交付金及び出産育児交付金	病床転換助成交付金
第百四十九条	高齢者医療制度関係業務	病床転換助成事業関係業務
第百五十一条	この章	この章（第百三十九条第一項及び第百四十条を除く。）
	高齢者医療制度関係業務	病床転換助成事業関係業務
第百五十二条第一項	支払基金又は第百四十条の規定による委託を受けた者（以下「受託者」という。）	支払基金
	高齢者医療制度関係業務	病床転換助成事業関係業務
	できる。ただし、受託者に対しては、当該受託業務の範囲内に限る。	できる。
第百五十二条第三項	高齢者医療制度関係業務	病床転換助成事業関係業務
第百五十三条	第百一条第一項に規定する命令は、社会保険診療報酬支払基金法第十一条第二項及び第三項の規定の適用については、同法第二十九条に規定する命令とみなし、高齢者医療制度関係業務	病床転換助成事業関係業務
	同法第三十二条第二項	社会保険診療報酬支払基金法第三十二条第二項
第百五十四条	処分	処分（病床転換助成事業関係業務に係るものに限る。）
第百六十八条第一項	次の各号のいずれか	附則第十一条第二項において準用する第二号
第百六十八条第一項第二号	第百四十二条第一項	附則第十一条第二項において準用する第百四十二条第一項
第百六十八条第二項	支払基金又は受託者	支払基金
	第百五十二条第一項	附則第十一条第二項において準用する第百五十二条第一項
	同項	附則第十一条第二項において準用する第百五十二条第一項
第百七十条第一項第一号	場合	場合（病床転換助成事業関係業務に係る認可又は承認を受けなければならない場合に限る。）
第百七十条第一項第二号	第百四十九条	附則第十一条第二項において準用する第百四十九条

（病床転換助成事業関係業務に関し支払基金が発行する債券に関する事項）

第十三条 第二十八条から第三十七条までの規定は、法附則第十一条第二項において準用する法第百四十七条第一項の規定により支払基金が発行する債券について準用する。この場合において、次の表の上欄に掲げるこの政令の規定中同表の中欄に掲げる字句は、それぞれ同表の下欄に掲げる字句に読み替えるものとする。

第二十八条（見出しを含む。）及び第二十九条（見出しを含む。）	基金高齢者医療制度債券	基金病床転換助成事業債券
第三十条の見出し	基金高齢者医療制度債券申込証	基金病床転換助成事業債券申込証
第三十条第一項	基金高齢者医療制度債券の	基金病床転換助成事業債券の
	基金高齢者医療制度債券申込証	基金病床転換助成事業債券申込証
第三十条第二項	基金高齢者医療制度債券（	基金病床転換助成事業債券（
	振替基金高齢者医療制度債券	振替基金病床転換助成事業債券
	当該基金高齢者医療制度債券	当該基金病床転換助成事業債券
	基金高齢者医療制度債券申込証	基金病床転換助成事業債券申込証
第三十条第三項	基金高齢者医療制度債券申込証	基金病床転換助成事業債券申込証
第三十条第三項第一号から第五号まで、第七号及び第十号、第三十一条の見出し並びに同条第一項	基金高齢者医療制度債券	基金病床転換助成事業債券
第三十一条第二項	振替基金高齢者医療制度債券	振替基金病床転換助成事業債券
第三十二条の見出し	基金高齢者医療制度債券	基金病床転換助成事業債券
第三十二条	基金高齢者医療制度債券の	基金病床転換助成事業債券の
	基金高齢者医療制度債券を	基金病床転換助成事業債券を
	基金高齢者医療制度債券申込証	基金病床転換助成事業債券申込証
第三十三条（見出しを含む。）及び第三十四条第一項ただし書	基金高齢者医療制度債券	基金病床転換助成事業債券
第三十五条の見出し並びに同条第一項及び第二項	基金高齢者医療制度債券原簿	基金病床転換助成事業債券原簿
第三十五条第二項第一号及び第二号、第三十六条第一項並びに第三十七条の見出し	基金高齢者医療制度債券	基金病床転換助成事業債券
第三十七条第一項	第百四十七条第一項	附則第十一条第二項において準用する法第百四十七条第一項
	基金高齢者医療制度債券の発行の	基金病床転換助成事業債券の発行の
	基金高齢者医療制度債券の募集の日	基金病床転換助成事業債券の募集の日
第三十七条第一項第一号、第三号及び第四号	基金高齢者医療制度債券	基金病床転換助成事業債券
第三十七条第二項第一号	基金高齢者医療制度債券申込証	基金病床転換助成事業債券申込証
第三十七条第二項第二号及び第三号	基金高齢者医療制度債券	基金病床転換助成事業債券

（病床転換助成事業関係業務が終了するまでの間における法の規定の読替え）

第十四条 附則第十二条の規定により読み替えられた法第百三十九条第三項に規定する病床転換助成事業関係業務が終了するまでの間における法の規定の適用については、次の表の上欄に掲げる法の規定中同表の中欄に掲げる字句は、それぞれ同表の下欄に掲げる字句とする。

第百三十九条第	前項	前項及び附則第十一

		条第一項
二項	事業	事業（附則第二条に規定する病床転換助成事業に密接に関連するものを除く。）
第百四十二条第一項	事項	事項（前期高齢者交付金及び後期高齢者医療の国庫負担金の算定等に関する政令附則第十二条において読み替えられた第百三十九条第三項に規定する病床転換助成事業関係業務（以下「病床転換助成事業関係業務」という。）に係る事項として厚生労働省令で定める事項を除く。）
第百五十四条	処分	処分（病床転換助成事業関係業務に係るものを除く。）
第百五十九条及び第百六十条	徴収金	徴収金（附則第七条第一項に規定する病床転換支援金等及び附則第十条において準用する第四十五条に規定する延滞金を除く。）
第百六十一条	期間の	期間（附則第七条第一項に規定する病床転換支援金等及び附則第十条において準用する第四十五条に規定する延滞金に係るものを除く。）の
第百七十条第一項第一号	場合	場合（病床転換助成事業関係業務に係る認可又は承認を受けなければならない場合を除く。）

（法附則第十四条に規定する交付金の額）

第十五条　法附則第十四条の規定により都道府県が後期高齢者医療広域連合に対し交付する交付金の額は、当該年度の前年度の末日における財政安定化基金の残高及び当該年度において都道府県が法第百十六条第五項の規定により財政安定化基金に繰り入れる額の見込額の合計額から、当該年度における財政安定化基金に係る基金事業交付金の見込額及び基金事業貸付金の見込額の合計額から基金事業借入金の償還金の見込額を控除して得た額を控除して得た額を限度とする。

附　則（平二〇・三・三一政令一一六）（抄）

（施行期日）

第一条　この政令は、平成二十年四月一日から施行する。

附　則（平二〇・七・四政令二一九）（抄）

（施行期日）

第一条　この政令は、株式等の取引に係る決済の合理化を図るための社債等の振替に関する法律等の一部を改正する法律（以下「改正法」という。）の施行の日（平二一・一・五）から施行する。〔ただし書略〕

附　則（平二一・一二・二四政令二九七）

この政令は、公布の日から施行する。

附　則（平二二・五・一九政令一四〇）（抄）

（施行期日）

第一条　この政令は、公布の日から施行する。

附　則（平二三・一二・二政令四〇六）

この政令は、平成二十四年四月一日から施行する。

附　則（平二五・三・一三政令五七）（抄）

（施行期日）

第一条　この政令は、平成二十五年四月一日から施行する。

附　則（平二五・五・三一政令一六四）

この政令は、公布の日から施行する。

附　則（平二六・一・二九政令一八）

この政令は、平成二十六年四月一日から施行する。

附　則（平二七・五・二九政令二四四）

この政令は、公布の日から施行する。

附　則（平二八・一・二九政令三一）

この政令は、平成二十八年四月一日から施行する。

附　則（平二八・二・一九政令四四）

この政令は、平成二十八年十月一日から施行する。

附　則（平二九・三・三一政令九八）（抄）

（施行期日）

第一条　この政令は、平成二十九年四月一日から施行する。

（標準報酬総額の補正に関する経過措置）

第三条　第六条の規定による改正後の前期高齢者交付金及び後期高齢者医療の国庫負担金の算定等に関する政令第二十五条の二の規定は、平成二十九年度以後の各年度における概算後期高齢者支援金に係る標準報酬総額の補正について適用する。

2　平成二十八年度以前の各年度における概算療養給付費等拠出金に係る標準報酬総額の補正については、なお従前の例による。

附　則（平二九・一〇・一二政令二五八）（抄）

（施行期日）

第一条　この政令は、平成三十年四月一日から施行する。

附　則（平三〇・一・三一政令二六）

この政令は、平成三十年四月一日から施行する。

附　則（平三〇・三・二二政令五五）（抄）

（施行期日）

第一条　この政令は、平成三十年四月一日から施行する。〔ただし書略〕

附　則（平三〇・三・三〇政令一一〇）

この政令は、平成三十年四月一日から施行する。

附　則（平三一・三・三〇政令一三八）

この政令は、平成三十一年四月一日から施行する。

附　則（平三一・四・二四政令一五九）

この政令は、平成三十二年四月一日から施行する。

附　則（令二・一・二九政令一七）

この政令は、令和二年四月一日から施行する。ただし、附則第五条及び第八条の二の改正規定は、公布の日から施行する。

附　則（令二・三・三一政令一三二）

この政令は、令和二年四月一日から施行する。

附　則（令二・一二・二三政令三六七）

この政令は、令和三年一月一日から施行する。

附　則（令三・三・三一政令九五）

この政令は、令和三年四月一日から施行する。

附　則（令四・一・四政令一四）（抄）

（施行期日）

第一条　この政令は、全世代対応型の社会保障制度を構築するための健康保険法等の一部を改正する法律附則第一条第四号に掲げる規定の施行の日（令和四年十月一日）から施行する。〔ただし書略〕

附　則（令四・一・一九政令三〇）

この政令は、令和四年四月一日から施行する。

附　則（令四・三・二五政令一一一）

この政令は、令和四年四月一日から施行する。

附　則（令五・三・三〇政令一一四）

この政令は、令和五年四月一日から施行する。

○全世代対応型の持続可能な社会保障制度を構築するための健康保険法等の一部を改正する法律の施行に伴う関係政令の整備等及び経過措置に関する政令（抄）

令六・一・一七
政令八

（令和六年度における後期高齢者医療の保険料の算定に関する経過措置）

第十二条　令和五年の高齢者の医療の確保に関する法律施行令第十八条第一項第二号に規定する基礎控除後の総所得金額等が五十八万円を超えない被保険者（高齢者の医療の確保に関する法律第五十条に規定する被保険者をいう。）に係る令和六年度における所得割率（同号に規定する所得割率をいう。）の算定については、改正法第六条の規定による改正後の高齢者の医療の確保に関する法律第百条第二項、第百四条第一項及び第三項、第百十六条第二項、第百二十四条の二並びに第百二十四条の三並びに第五条の規定による改正後の高齢者の医療の確保に関する法律施行令第十八条第三項第一号イ及び第六条の規定による改正後の前期高齢者交付金及び後期高齢者医療の国庫負担金の算定等に関する政令第十一条の二の規定にかかわらず、なお従前の例による。

2　前項の規定によりなお従前の例によることとされる場合における改正法第六条の規定による改正前の高齢者の医療の確保に関する法律第百条第三項に規定する後期高齢者負担率は、百分の十二・二四とする。

附　則（抄）

（施行期日）

1　この政令は、令和六年四月一日から施行する。

附　則（令六・一・一七政令九）

この政令は、令和六年四月一日から施行する。

附　則（令六・三・二九政令一二五）（抄）

（施行期日）

1　この政令は、令和六年四月一日から施行する。

○令和六年度における高齢者の医療の確保に関する法律による前期高齢者交付金及び前期高齢者納付金の額の算定に係る率及び割合を定める政令

令六・三・二九
政令一二六

内閣は、高齢者の医療の確保に関する法律（昭和五十七年法律第八十号）第三十四条第二項第二号及び第七項並びに第三十八条第四項及び第五項の規定に基づき、この政令を制定する。

（調整対象給付費見込額に係る率）

第一条　令和六年度における高齢者の医療の確保に関する法律（以下「法」という。）第三十四条第二項第二号の政令で定める率は、百分の百五十八とする。

（前期高齢者加入率の下限割合）

第二条　令和六年度における法第三十四条第七項の政令で定める割合は、百分の一とする。

（負担調整基準率）

第三条　令和六年度における法第三十八条第四項の政令で定める率は、百分の五十三・四七八とする。

（特別負担調整基準率）

第四条　令和六年度における法第三十八条第五項の政令で定める率は、百分の四十七・一一五〇四とする。

附　則（抄）

（施行期日）

1　この政令は、令和六年四月一日から施行する。

○高齢者の医療の確保に関する法律による保険者の前期高齢者交付金等の額の算定等に関する省令

平一九・一一・二二
厚労令一四〇

最終改正　令六・一・一七厚労令五

目次〔略〕

第一章　前期高齢者交付金

（法第三十二条第一項の厚生労働省令で定める前期高齢者である加入者）

第一条　高齢者の医療の確保に関する法律（昭和五十七年法律第八十号。以下「法」という。）第三十二条第一項の厚生労働省令で定める前期高齢者である加入者は、七十五歳以上の加入者（法第七条第四項に規定する加入者をいう。第八条の二を除き、以下同じ。）とする。

（前期高齢者交付調整金額）

第二条　当該年度の前々年度の概算前期高齢者交付金の額（法第三十四条第一項に規定する概算前期高齢者交付金の額をいう。以下同じ。）が同年度の確定前期高齢者交付金の額（法第三十五条第一項に規定する確定前期高齢者交付金の額をいう。以下同じ。）を超える保険者（法第七条第二項に規定する保険者（国民健康保険法（昭和三十三年法律第百九十二号）の定めるところにより都道府県が当該都道府県内の市町村（特別区を含む。以下同じ。）とともに行う国民健康保険にあっては、都道府県。第四条及び第十二条を除き、以下同じ。）をいう。第四十条の二から第四十条の三まで、第四十四条第二項及び附則第二条から第五条までを除き、以下同じ。）（以下「前期高齢者交付控除対象保険者」という。）に係る前期高齢者交付調整金額（法第三十三条第二項に規定する前期高齢者交付調整金額をいう。以下同じ。）は、その超える額（以下「前期高齢者交付超過額」という。）に次条に規定する前期高齢者交付算定率を乗じて得た額とする。

2　当該年度の前々年度の概算前期高齢者交付金の額が同年度の確定前期高齢者交付金の額に満たない保険者（以下「前期高齢者交付加算対象保険者」という。）に係る前期高齢者交付調整金額は、その満たない額（以下「前期高齢者交付不足額」という。）に次条に規定する前期高齢者交付算定率を乗じて得た額とする。

（前期高齢者交付算定率の算定方法）

第三条　前期高齢者交付算定率は、第一号に掲げる額を第二号に掲げる額で除して得た率を基準として、年度ごとにあらかじめ厚生労働大臣が定める率とする。

一　全ての前期高齢者交付加算対象保険者に係る前期高齢者交付不足額の合計額及び全ての前期高齢者交付控除対象保険者に係る前期高齢者交付超過額の合計額に係る社会保険診療報酬支払基金（以下「支払基金」という。）の支払利息の額と受取利息の額との差額を基礎として、当該年度の前々年度における支払基金の保険者に対し前期高齢者交付金（法第三十二条第一項に規定する前期高齢者交付金をいう。以下同じ。）を交付する業務上生じた利息の額その他の事情を勘案して支払基金があらかじめ厚生労働大臣の承認を受けて算定する額

二　全ての前期高齢者交付加算対象保険者に係る前期高齢者交付不足額の合計額と全ての前期高齢者交付控除対象保険者に係る前期高齢者交付超過額の合計額との差額

（一人平均調整対象給付費見込額の平均額の算定方法）

第三条の二　法第三十四条第二項に規定する当該年度、当該年度の前年度及び当該年度の前々年度の各年度における当該保険者に係る一人平均調整対象給付費見込額の平均額は、各年度における第五条に規定する前期高齢者給付費見込額から第六条に規定する調整対象外給付費見込額を控除して得た額を、次条の規定により算定される各年度における当該保険者に係る前期高齢者である加入者（法第三十二条第一項に規定する前期高齢者である加入者をいう。以下同じ。）の見込数で除して得た額の合計額を三で除して得た額とする。

2　当該年度の初日の属する年の四年前の年の四月一日の属する年度の四月二日以降に新たに設立された保険者及び同年度の四月二日から当該年度の四月一日までの間に合併又は分割により成立した保険者に係る当該年度における一人平均調整対象給付費見込額の平均額は、前項の規定にかかわらず、次の各号に掲げる保険者の区分に応じ、当該各号に定める額とする。

一　当該年度の初日の属する年の四年前の年の四月一日の属する年度の四月二日から当該年度の初日の属する年の三年前の四月一日の属する年度の四月一日までに新たに設立された保険者及び合併又は分割により成立した保険者　当該年度及び当該年度の前年度における当該保険者に係る一人平均調整対象給付費見込額の合計額を二で除して得た額

二　当該年度の初日の属する年の三年前の年の四月一日の属する年度の四月二日から当該年度の前々年度の四月一日までの間に新たに設立された保険者及び合併又は分割により成立した保険者　当該年度における当該保険者に係る一人平均調整対象給付費見込額

三　当該年度の前々年度の四月二日以降に新たに設立された保険者及び同年度の四月二日から当該年度の四月一日までの間に合併又は分割により成立した保険者（以下「新設保険者等」という。）　その間における当該保険者に係る前期高齢者である加入者の数その他の事情を勘案して、あらかじめ支払基金が厚生労働大臣の承認を受けて算定する額

（前期高齢者である加入者の見込数の算定方法）

第三条の三　法第三十四条第二項に規定する当該年度における当該保険者に係る前期高齢者である加入者の見込数は、第一号に掲げる数に第二号に掲げる率を乗じて得た数とする。

一　当該年度の前々年度における当該保険者に係る前期高齢者である加入者の数（その数が当該保険者に係る特別の事情により著しく過大又は過小であると認められるときは、当該保険者の申請に基づきあらかじめ支払基金が厚生労働大臣の承認を受けて算定する数とする。）

二　当該年度における新設保険者等以外の全ての保険者に係る

前期高齢者である加入者の見込数の総数をそれらの保険者に係る前号に掲げる数の合計数で除して得た率を基準として年度ごとにあらかじめ厚生労働大臣が定める率

2　新設保険者等に係る当該年度における前期高齢者である加入の見込数は、前項の規定にかかわらず、その間における当該新設保険者等に係る前期高齢者である加入者の数その他の事情を勘案して、あらかじめ支払基金が厚生労働大臣の承認を受けて算定する数とする。

（法第三十四条第二項第一号の厚生労働省令で定める医療に関する給付）

第四条　法第三十四条第二項第一号の厚生労働省令で定める医療に関する給付は、次の各号に掲げる保険者（国民健康保険法の定めるところにより都道府県が当該都道府県内の市町村とともに行う国民健康保険にあっては、都道府県内の市町村。第十二条において同じ。）の区分に応じ、それぞれ当該各号に定める給付とする。

一　健康保険の保険者　健康保険法（大正十一年法律第七十号）第五十二条及び第百二十七条に掲げる保険給付

二　船員保険の保険者　船員保険法（昭和十四年法律第七十三号）に規定する療養の給付並びに入院時食事療養費、入院時生活療養費、保険外併用療養費、療養費、訪問看護療養費及び移送費の支給（船員法（昭和二十二年法律第百号）第八十九条に規定する療養補償に相当するものを除く。）並びに傷病手当金及び葬祭料の支給並びに家族療養費、家族訪問看護療養費、家族移送費、高額療養費、高額介護合算療養費、出産育児一時金、出産手当金、家族出産育児一時金及び家族葬祭料の支給

三　市町村及び国民健康保険組合　国民健康保険法に規定する療養の給付並びに入院時食事療養費、入院時生活療養費、保険外併用療養費、療養費、訪問看護療養費、特別療養費、移送費、高額療養費及び高額介護合算療養費の支給並びに出産育児一時金及び葬祭費の支給並びに葬祭の給付

四　国家公務員共済組合　国家公務員共済組合法（昭和三十三年法律第百二十八号）第五十条第一項第一号から第九号までに掲げる短期給付（国家公務員共済組合法施行令（昭和三十三年政令第二百七号）第二十二条の二第一項に規定する在外組合員及び同令第三十三条に規定する在外被扶養者が本邦外にある期間内において受けるものを除く。）

五　地方公務員等共済組合　地方公務員等共済組合法（昭和三十七年法律第百五十二号）第五十三条第一項第一号から第九号までに掲げる短期給付

六　日本私立学校振興・共済事業団　私立学校教職員共済法（昭和二十八年法律第二百四十五号）第二十条第一項第一号から第九号までに掲げる短期給付

（前期高齢者給付費見込額の算定方法）

第五条　法第三十四条第二項第一号に規定する前期高齢者給付費見込額（以下「前期高齢者給付費見込額」という。）は、第一号に掲げる額に第二号に掲げる率を乗じて得た額とする。

一　法第三十五条第二項第一号に規定する前期高齢者給付費額（その額が当該保険者に係る特別の事情により著しく過大又は過小であると認められるときは、当該保険者の申請に基づき、あらかじめ支払基金が厚生労働大臣の承認を受けて算定する額とする。）

二　次項に規定する新設保険者等以外の全ての保険者に係る前期高齢者給付費見込額の総額をそれらの保険者に係る前号に掲げる額の合計額で除して得た率を基準として年度ごとにあらかじめ厚生労働大臣が定める率

2　新設保険者等に係る前期高齢者給付費見込額は、前項の規定にかかわらず、当該新設保険者等に係る前期高齢者である加入者の数その他の事情を勘案して、あらかじめ支払基金が厚生労働大臣の承認を受けて算定する額とする。

（調整対象外給付費見込額の算定方法）

第六条　法第三十四条第二項第二号本文の厚生労働省令で定めるところにより算定される額（以下「調整対象外給付費見込額」という。）は、当該保険者に係る前期高齢者給付費見込額から第一号に掲げる額に第二号に掲げる数を乗じて得た額を控除して得た額とする。

一　法第三十四条第九項に規定する一人平均前期高齢者給付費見込額（以下「一人平均前期高齢者給付費見込額」という。）に当該年度に係る同条第二項第二号に規定する政令で定める率を乗じて得た額

二　当該年度における当該保険者に係る前期高齢者である加入者の見込数

2　当該年度において新たに設立された保険者に係る調整対象外給付費見込額の算定に当たっては、一人平均前期高齢者給付費見込額は、第十一条の規定にかかわらず、同条の厚生労働大臣が定める額を基礎として、当該保険者の設立時期その他の事情を勘案してあらかじめ支払基金が厚生労働大臣の承認を受けて算定する額によるものとする。

（一人当たり前期高齢者給付費見込額の算定方法）

第七条　法第三十四条第二項第二号イに規定する一の保険者に係る前期高齢者である加入者一人当たりの前期高齢者給付費見込額は、当該保険者に係る前期高齢者給付費見込額を第三条の三に規定する当該年度における当該保険者に係る前期高齢者である加入者の見込数で除して得た額とする。

（標準報酬総額の見込額の算定方法）

第八条　当該年度における法第三十四条第四項第一号に規定する標準報酬総額の見込額は、第一号に掲げる額に第二号に掲げる率を乗じて得た額とする。

一　当該年度の前々年度の当該被用者保険等保険者（法第七条第三項に規定する被用者保険等保険者をいう。以下同じ。）の標準報酬総額（法第三十四条第八項に規定する標準報酬総額をいう。以下同じ。）

二　当該年度の前年度及び当該年度において見込まれる当該被用者保険等保険者の被保険者等（全国健康保険協会及び健康保険組合の被保険者、共済組合の組合員、日本私立学校振興・共済事業団の加入者並びに国民健康保険組合（被用者保険等保険者であるものに限る。第十条の二において同じ。）の組合員をいう。以下この号において同じ。）に係る賃金水準の伸び及び被保険者等の数の伸び等を勘案して当該被用者保険等保険者において見込まれるこれらの年度における当該被用者保険等保険者の標準報酬総額の伸び率

2　当該年度の前々年度の四月二日以降新たに被用者保険等保険者となった者及び同日以降当該年度の四月一日までの間に合併又は分割により成立した被用者保険等保険者に係る同年度の標

準報酬総額の見込額は、前項の規定にかかわらず、その間における当該被用者保険等保険者の標準報酬総額に相当する額等を勘案して支払基金があらかじめ厚生労働大臣の承認を受けた算定方法に基づき算定するものとする。

3　支払基金は、前項の規定に基づき、当該被用者保険等保険者に係る標準報酬総額の見込額を算定したときは、速やかに当該見込額を厚生労働大臣に報告するものとする。

（標準報酬総額の補正）

第八条の二　前期高齢者交付金及び後期高齢者医療の国庫負担金の算定等に関する政令（平成十九年政令第三百二十五号。以下「算定政令」という。）第一条の二第一項第二号に規定する標準報酬の月額が標準報酬の等級の最高等級又は最低等級に属する共済組合の組合員（国家公務員共済組合法及び地方公務員等共済組合法による短期給付に関する規定が適用されない者を除く。以下この条において同じ。）がある場合における同号に規定する当該共済組合の組合員の標準報酬の月額の前々年度の合計額の総額は、当該共済組合の組合員の標準報酬の月額の当該年度の前々年度の合計額の総額に同号イに掲げる額を同号ロに掲げる額で除して得た率を乗じて得た額とする。

2　算定政令第一条の二第一項第二号イに規定する前々年度の厚生労働省令で定める基準となる月は、当該年度の前々年度の六月とする。

3　算定政令第一条の二第一項第三号に規定する私立学校教職員共済法に規定する標準報酬月額が同法に規定する標準報酬月額の等級の最高等級又は最低等級に属する同法の規定による私立学校教職員共済制度の加入者（同法附則第二十項の規定により健康保険法による保険給付のみを受けることができることとなった者を除く。以下この条において「加入者」という。）がある場合における同号に規定する加入者の私立学校教職員共済法に規定する標準報酬月額の前々年度の合計額の総額は、当該加入者の同法に規定する標準報酬月額の当該年度の前々年度の合計額の総額に同号イに掲げる額を同号ロに掲げる額で除して得た率を乗じて得た額とする。

4　算定政令第一条の二第一項第四号に規定する組合員の健康保険法若しくは船員保険法に規定する標準報酬月額若しくは標準報酬の月額若しくは私立学校教職員共済法に規定する標準報酬月額又は健康保険法若しくは船員保険法に規定する標準賞与額若しくは標準期末手当等の額若しくは私立学校教職員共済法に規定する標準賞与額に相当するものとして厚生労働省令で定めるものは、第十条の二の規定により厚生労働大臣が定めるものとする。

5　算定政令第一条の二第二項に規定する健康保険法に規定する標準報酬月額の等級又は標準報酬の等級若しくは私立学校教職員共済法に規定する標準報酬月額の等級の最高等級の額又は最低等級の額が改定された年度の同条第一項第二号の共済組合の組合員の標準報酬の月額の同年度の合計額の総額及び同項第三号の加入者の同法に規定する標準報酬月額の同年度の合計額の総額は、同項第二号に規定する当該共済組合の組合員の標準報酬の月額の同年度の合計額の総額及び同項第三号に規定する加入者の同法に規定する標準報酬月額の同年度の合計額の総額をそれぞれ同年度の四月から同条第二項に規定する改定月（以下この項において「改定月」という。）の前月までの期間に係る額（以下この項において「改定前の期間に係る額」という。）と改定月から同年度の三月までの期間に係る額（以下この項において「改定以後の期間に係る額」という。）に区分し、それぞれの額につき同条第一項第二号に規定する当該共済組合の組合員の標準報酬の月額の同年度の合計額の総額及び同項第三号に規定する加入者の同法に規定する標準報酬月額の同年度の合計額の総額とみなして同項の規定を適用し補正して得た額を合算して得た額とする。この場合において、同項の規定の適用については、同項第二号イ中「最高等級又は最低等級に属する組合員」とあるのは、改定前の期間に係る額については「当該改定月前における最高等級又は最低等級に属する組合員」とし、改定以後の期間に係る額については「当該改定月以後における最高等級又は最低等級に属する組合員」とし、同号ロ中「総額」とあるのは、改定前の期間に係る額については「総額（当該改定月が当該基準月以前の月であるときは、当該改定月前における標準報酬の等級の最高等級又は最低等級を当該基準月における標準報酬の等級の最高等級又は最低等級とみなして算定した額の総額）」とし、改定以後の期間に係る額については「総額（当該改定月が当該基準月より後の月であるときは、当該改定月以後における標準報酬の等級の最高等級及び最低等級とみなして算定した額の総額）」とし、同項第三号イ中「最高等級又は最低等級に属する加入者」とあるのは、改定前の期間に係る額については「当該改定月前における最高等級又は最低等級に属する加入者」とし、改定以後の期間に係る額については「当該改定月以後における最高等級又は最低等級に属する加入者」とし、同号ロ中「総額」とあるのは、改定前の期間に係る額については「総額（当該改定月が当該基準月以前の月であるときは、当該改定月前における同法に規定する標準報酬月額の等級の最高等級又は最低等級を当該基準月における同法に規定する標準報酬月額の等級の最高等級又は最低等級とみなして算定した額の総額）」とし、改定以後の期間に係る額については「総額（当該改定月が当該基準月より後の月であるときは、当該改定月以後における同法に規定する標準報酬月額の等級の最高等級又は最低等級を当該基準月における同法に規定する標準報酬月額の等級の最高等級及び最低等級とみなして算定した額の総額）」とする。

（加入者見込数等の算定方法）

第八条の三　法第三十四条第四項第一号、第三十八条第三項及び第百二十条第一項第二号に規定する当該年度における当該保険者に係る加入者の見込数（以下「加入者見込数」という。）は、第一号に掲げる数に第二号に掲げる率を乗じて得た数とする。

一　当該年度の前々年度における当該保険者に係る加入者の数（その数が当該保険者に係る特別の事情により著しく過大又は過小であると認められるときは、当該保険者の申請に基づき、あらかじめ支払基金が厚生労働大臣の承認を受けて算定する数とする。）

二　新設保険者等以外の全ての保険者に係る加入者見込数の総数をそれらの保険者に係る前号に掲げる数の合計数で除して得た率を基準として年度ごとにあらかじめ厚生労働大臣が定める率

2　法第三十八条第三項及び第百二十条第一項各号に規定する当該年度における全ての保険者に係る加入者の見込総数（以下

「加入者見込総数」という。）は、全ての保険者に係る前項の規定により算定する数の総数と次項の規定により算定する数の総数との合計数とする。

3 新設保険者等に係る加入者見込数は、第一項の規定にかかわらず、その間における当該保険者に係る加入者の数その他の事情を勘案して、あらかじめ支払基金が厚生労働大臣の承認を受けて算定する数とする。

（法第三十四条第四項第二号の厚生労働省令で定めるところにより算定した額の算定方法）

第八条の四 法第三十四条第四項第二号の厚生労働省令で定めるところにより算定した額は、全ての被用者保険等保険者に係る標準報酬総額の見込額の合計額を全ての被用者保険等保険者に係る加入者の見込総数で除して得た額を基礎として、年度ごとにあらかじめ厚生労働大臣が定める額とする。

（概算額補正率の算定方法）

第八条の五 法第三十四条第五項に規定する概算額補正率は、各被用者保険等保険者に係る法第三十四条第五項第三号に掲げる額から同項第四号に掲げる額を控除して得た額の合計額を同項第一号に掲げる額から同項第二号に掲げる額を控除して得た額の合計額で除して得た率を基準として、年度ごとにあらかじめ厚生労働大臣が定める率とする。

（概算給付費補正率の算定方法）

第八条の六 法第三十四条第六項に規定する概算給付費補正率は、各被用者保険等保険者に係る同項第二号に掲げる額を同項第一号に掲げる額で除して得た率を基準として、年度ごとにあらかじめ厚生労働大臣が定める率とする。

（概算加入者調整率の算定方法）

第九条 法第三十四条第七項に規定する概算加入者調整率は、次項に規定する粗概算加入者調整率に第三項に規定する概算補正係数を乗じて得た率とする。

2 粗概算加入者調整率は、次条第一項に規定する全保険者平均前期高齢者加入率見込値を同条第二項に規定する保険者別前期高齢者加入率見込値で除して得た率とする。

3 概算補正係数は、第一号に掲げる額を第二号に掲げる額で除して得た率を基準として、年度ごとにあらかじめ厚生労働大臣が定める率とする。

一 全ての保険者に係る次に掲げる額の合計額の総額

イ 各保険者に係る調整対象給付費見込額（当該各保険者に係る前期高齢者給付費見込額から当該各保険者に係る調整対象外給付費見込額を控除して得た額をいう。次号イにおいて同じ。）

ロ 各保険者に係る法第三十四条第五項第四号に規定する前期高齢者に係る後期高齢者支援金の概算額

二 全ての保険者に係る次に掲げる額の合計額の総額

イ 各保険者に係る調整対象給付費見込額に当該各保険者に係る前項に規定する粗概算加入者調整率を乗じて得た額

ロ 各保険者に係る法第三十四条第五項第四号に規定する前期高齢者に係る後期高齢者支援金の概算額に当該各保険者に係る前項に規定する粗概算加入者調整率を乗じて得た額

（全保険者平均前期高齢者加入率見込値等の算定方法）

第十条 全保険者平均前期高齢者加入率見込値は、当該年度における全ての保険者に係る前期高齢者である加入者の見込数の総数を、加入者見込総数で除して得た率とする。

2 保険者別前期高齢者加入率見込値は、当該年度における当該保険者に係る前期高齢者である加入者の見込数を、加入者見込数で除して得た率（その率が下限割合（法第三十四条第七項に規定する下限割合をいう。以下同じ。）に満たないときは、下限割合とする。）とする。

（厚生労働大臣が定める国民健康保険組合に係る俸給等に相当するものの額）

第十条の二 法第三十四条第八項第四号に規定する組合員ごとの同項第一号から第三号までに定める額に相当するものとして厚生労働省令で定める額は、賃金、給料、俸給その他勤務の対償として受けるものであって、当該国民健康保険組合の組合員が負担する保険料その他これに相当するものの算定の基礎となるもののうち当該国民健康保険組合ごとに厚生労働大臣が定めるものの額とする。

（一人平均前期高齢者給付費見込額の算定方法）

第十一条 一人平均前期高齢者給付費見込額は、全ての保険者に係る前期高齢者給付費見込額の総額を当該年度における全ての保険者に係る前期高齢者である加入者の見込数の総数で除して得た額を基礎として、年度ごとにあらかじめ厚生労働大臣が定める額とする。

（前期高齢者に係る流行初期医療確保拠出金の額の算定方法）

第十一条の二 法第三十五条第一項第一号イ(3)に規定する前期高齢者に係る流行初期医療確保拠出金の額は、当該年度の前々年度における当該保険者に係る感染症の予防及び感染症の患者に対する医療に関する法律（平成十年法律第百十四号）の規定による流行初期医療確保拠出金の額に同年度における当該保険者に係る第十二条に規定する前期高齢者給付費額を同年度における当該保険者に係る第四条に掲げる医療に関する給付の額で除して得た率を乗じて得た額とする。

（一人平均調整対象給付費額の算定方法）

第十一条の三 法第三十五条第二項に規定する一人平均調整対象給付費額は、当該年度の前々年度における第十二条に規定する前期高齢者給付費額から同年度における第十三条に規定する調整対象外給付費額を控除して得た額を、同年度における第十一条の五に規定する当該保険者に係る前期高齢者である加入者の数で除して得た額とする。

（一人平均調整対象給付費額の平均額の算定方法）

第十一条の四 法第三十五条第二項に規定する当該年度の前々年度、当該年度の前々年度の初日の属する年の前年の四月一日の属する年度及び当該年度の前々年度の初日の属する年の前々年の四月一日の属する年度の各年度における当該保険者に係る一人平均調整対象給付費額の平均額は、次の各号に掲げる保険者の区分に応じ、当該各号に定める額とする。

一 次号及び第三号に掲げる保険者以外の保険者　各年度における一人平均調整対象給付費額の合計額を三で除して得た額

二 当該年度の初日の属する年の四年前の年の四月一日の属する年度に新たに設立された保険者及び合併又は分割により成立した保険者　当該年度の前々年度及び当該年度の初日の属する年の三年前の年の四月一日の属する年度における当該保険者に係る一人平均調整対象給付費額の合計額を二で除して得た額

三 当該年度の初日の属する年の三年前の年の四月一日の属す

る年度又は当該年度の前々年度に新たに設立された保険者及び合併又は分割により成立した保険者　当該年度の前々年度における当該保険者に係る一人平均調整対象給付費額

（前期高齢者である加入者の数の算定方法）

第十一条の五　法第三十五条第二項に規定する前々年度における当該保険者に係る前期高齢者である加入者の数は、当該年度の前々年度における当該保険者に係る前期高齢者である加入者の数とする。

（前期高齢者給付費額の算定方法）

第十二条　法第三十五条第二項第一号に規定する前期高齢者給付費額（以下「前期高齢者給付費額」という。以下同じ。）は、次の各号に掲げる保険者の区分に応じ、それぞれ当該各号に掲げる給付の額のうち、前期高齢者である加入者に係る給付の額の合計額（第三号に掲げる保険者のうち、国民健康保険法第四十三条第一項の規定により一部負担金の割合を減じている保険者については、当該合計額に一部負担金の割合が減ぜられていないものとして厚生労働大臣が定める率を乗じて得た額）とする。

一　健康保険の保険者　健康保険法第五十二条第一号、第六号及び第九号並びに第百二十七条第一号、第六号、第九号及び第十号に掲げる保険給付

二　船員保険の保険者　船員保険法に規定する療養の給付並びに入院時食事療養費、入院時生活療養費、保険外併用療養費、療養費、訪問看護療養費及び移送費の支給（船員法第八十九条に規定する療養補償に相当するものを除く。）並びに家族療養費、家族訪問看護療養費、家族移送費、高額療養費及び高額介護合算療養費の支給

三　市町村及び国民健康保険組合　国民健康保険法に規定する療養の給付並びに入院時食事療養費、入院時生活療養費、保険外併用療養費、療養費、訪問看護療養費、特別療養費、移送費、高額療養費及び高額介護合算療養費の支給

四　国家公務員共済組合　国家公務員共済組合法第五十条第一項第一号から第二号の二までに掲げる短期給付（国家公務員共済組合法施行令第二十二条の二第一項に規定する在外組合員及び同令第三十三条に規定する在外被扶養者が本邦外にある期間内において受けるものを除く。）

五　地方公務員等共済組合　地方公務員等共済組合法第五十三条第一項第一号から第二号の二までに掲げる短期給付

六　日本私立学校振興・共済事業団　私立学校教職員共済法第二十条第一項第一号から第三号までに掲げる短期給付

（調整対象外給付費額の算定方法）

第十三条　法第三十五条第二項第二号本文の厚生労働省令で定めるところにより算定される額（以下「調整対象外給付費額」という。）は、当該保険者に係る前期高齢者給付費額から第一号に掲げる額に第二号に掲げる数を乗じて得た額を控除して得た額とする。

一　法第三十五条第八項に規定する一人平均前期高齢者給付費額（以下「一人平均前期高齢者給付費額」という。）に当該年度の前々年度に係る法第三十四条第二項第二号に規定する政令で定める率を乗じて得た額

二　当該年度の前々年度における当該保険者に係る前期高齢者である加入者の数

2　当該年度の前々年度において新たに設立された保険者、合併若しくは分割により成立若しくは消滅した保険者又は解散をした保険者に係る調整対象外給付費額の算定に当たっては、一人平均前期高齢者給付費額は、第十六条の規定にかかわらず、同条の厚生労働大臣が定める額を基礎として、当該保険者の設立時期その他の事情を勘案してあらかじめ支払基金が厚生労働大臣の承認を受けて算定する額によるものとする。

（一人当たり前期高齢者給付費額の算定方法）

第十四条　法第三十五条第二項第二号イに規定する一の保険者に係る前期高齢者である加入者一人当たりの前期高齢者給付費額は、当該保険者に係る前期高齢者給付費額を当該年度の前々年度における当該保険者に係る前期高齢者である加入者の数で除して得た額とする。

（加入者の数等の算定方法）

第十四条の二　法第三十五条第四項第一号、第三十九条第三項及び第百二十一条第一項第二号並びに算定政令第一条の十第二項に規定する前々年度における当該保険者に係る加入者の数は、当該年度の前々年度における当該保険者に係る加入者の数とする。

2　法第三十九条第三項及び第百二十一条第一項各号に規定する前々年度における全ての保険者に係る加入者の総数は、当該年度の前々年度における全ての保険者に係る加入者の数の総数とする。

（法第三十五条第四項第二号の厚生労働省令で定めるところにより算定した額の算定方法）

第十四条の三　法第三十五条第四項第二号の厚生労働省令で定めるところにより算定した額は、全ての被用者保険等保険者に係る標準報酬総額の合計額を全ての被用者保険等保険者に係る加入者の総数で除して得た額を基礎として、年度ごとにあらかじめ厚生労働大臣が定める額とする。

（確定額補正率の算定方法）

第十四条の四　法第三十五条第五項に規定する確定額補正率は、各被用者保険等保険者に係る同項第三号に掲げる額から同項第四号に掲げる額を控除して得た額の合計額を同項第一号に掲げる額から同項第二号に掲げる額を控除して得た額の合計額で除して得た率を基準として、年度ごとにあらかじめ厚生労働大臣が定める率とする。

（確定給付費等補正率の算定方法）

第十四条の五　法第三十五条第六項に規定する確定給付費等補正率は、各被用者保険等保険者に係る法第三十五条第六項第二号に掲げる額を同項第一号に掲げる額で除して得た率を基準として、年度ごとにあらかじめ厚生労働大臣が定める率とする。

（確定加入者調整率の算定方法）

第十五条　第九条及び第十条の規定は、法第三十五条第七項に規定する確定加入者調整率の算定について準用する。この場合において、次の表の上欄に掲げる規定中同表の中欄に掲げる字句は、同表の下欄に掲げる字句にそれぞれ読み替えるものとする。

第九条第一項	粗概算加入者調整率	粗確定加入者調整率
	概算補正係数	確定補正係数

第九条第二項	粗概算加入者調整率	粗確定加入者調整率
	全保険者平均前期高齢者加入率見込値	全保険者平均前期高齢者加入率
	保険者別前期高齢者加入率見込値	保険者別前期高齢者加入率
第九条第三項	概算補正係数	確定補正係数
第九条第三項第一号イ	調整対象給付費見込額	調整対象給付費額
	前期高齢者給付費見込額	前期高齢者給付費額
	調整対象外給付費見込額	調整対象外給付費額
第九条第三項第一号ロ	第三十四条第五項第四号	第三十五条第五項第四号
	前期高齢者に係る後期高齢者支援金の概算額	前期高齢者に係る後期高齢者支援金の確定額
第九条第三項第二号イ	調整対象給付費見込額	調整対象給付費額
	粗概算加入者調整率	粗確定加入者調整率
第九条第三項第二号ロ	第三十四条第五項第四号	第三十五条第五項第四号
	前期高齢者に係る後期高齢者支援金の概算額	前期高齢者に係る後期高齢者支援金の確定額
	粗概算加入者調整率	粗確定加入者調整率
第十条第一項（見出しを含む。）	全保険者平均前期高齢者加入率見込値	全保険者平均前期高齢者加入率
	当該年度	当該年度の前々年度
	前期高齢者である加入者の見込数	前期高齢者である加入者の数
	加入者見込総数	同年度における全ての保険者に係る加入者の総数
第十条第二項	保険者別前期高齢者加入率見込値	保険者別前期高齢者加入率
	当該年度	当該年度の前々年度
	前期高齢者である加入者の見込数	前期高齢者である加入者の数
	加入者見込数	同年度における当該保険者に係る加入者の数

（一人平均前期高齢者給付費額の算定方法）

第十六条 一人平均前期高齢者給付費額は、全ての保険者に係る前期高齢者給付費額の総額を当該年度の前々年度における全ての保険者に係る前期高齢者である加入者の数の総数で除して得た額を基礎として、年度ごとにあらかじめ厚生労働大臣が定める額とする。

第二章　前期高齢者納付金等

（前期高齢者納付調整金額）

第十七条 第二条及び第三条の規定は、法第三十七条第二項に規定する前期高齢者納付調整金額の算定について準用する。この場合において、次の表の上欄に掲げる規定中同表の中欄に掲げる字句は、同表の下欄に掲げる字句にそれぞれ読み替えるものとする。

第二条第一項	概算前期高齢者交付金の額（法第三十四条第一項に規定する概算前期高齢者交付金の額）	概算前期高齢者納付金の額（法第三十八条第一項に規定する概算前期高齢者納付金の額）
	確定前期高齢者交付金の額（法第三十五条第一項に規定する確定前期高齢者交付金の額）	確定前期高齢者納付金の額（法第三十九条第一項に規定する確定前期高齢者納付金の額）
	前期高齢者交付控除対象保険者	前期高齢者納付控除対象保険者
	前期高齢者交付超過額	前期高齢者納付超過額
	前期高齢者交付算定率	前期高齢者納付算定率
第二条第二項	概算前期高齢者交付金	概算前期高齢者納付金
	確定前期高齢者交付金	確定前期高齢者納付金

	前期高齢者交付加算対象保険者	前期高齢者納付加算対象保険者
	前期高齢者交付不足額	前期高齢者納付不足額
	前期高齢者交付算定率	前期高齢者納付算定率
第三条（見出しを含む。）	前期高齢者交付算定率	前期高齢者納付算定率
	前期高齢者交付加算対象保険者	前期高齢者納付加算対象保険者
	前期高齢者交付不足額	前期高齢者納付不足額
	前期高齢者交付控除対象保険者	前期高齢者納付控除対象保険者
	前期高齢者交付超過額	前期高齢者納付超過額
	前期高齢者交付金（法第三十二条第一項に規定する前期高齢者交付金をいう。以下同じ。）を交付する業務	前期高齢者納付金等（法第三十六条第一項に規定する前期高齢者納付金等をいう。）を徴収する業務

（法定給付費見込額）

第十八条　法第三十八条第一項第一号ロ(2)及び第二号ロ(2)に規定する保険者の給付に要する費用等の見込額（以下「法定給付費見込額」という。）は、次に掲げる額の合計額とする。

一　イに掲げる額にロに掲げる率を乗じて得た額

イ　当該年度の前々年度における第四条に掲げる医療に関する給付の額の合計額

ロ　新設保険者等以外の全ての保険者に係る医療に関する給付の額の動向その他の事情を勘案して年度ごとにあらかじめ厚生労働大臣が定める率

二　イに掲げる額にロに掲げる率を乗じて得た額

イ　当該年度の前々年度における健康保険法第百七十六条に規定する確定日雇拠出金の額

ロ　新設保険者等以外の全ての保険者に係る健康保険法第百七十三条第二項に規定する日雇拠出金の見込額の総額をそれらの保険者に係るイに掲げる額の合計額で除して得た率を基準として年度ごとにあらかじめ厚生労働大臣が定める率

2　新設保険者等に係る法定給付費見込額は、前項の規定にかかわらず、当該新設保険者等に係る加入者の数その他の事情を勘案して、あらかじめ支払基金が厚生労働大臣の承認を受けて算定する額とする。

3　当該年度の前々年度の四月二日から当該年度の四月一日までの間に合併又は分割をして存続する保険者及び解散をした保険者の権利義務を承継した保険者に係る第一項第一号イ、同項第二号イ及び同項第三号イに掲げる額は、これらの規定にかかわらず、当該保険者に係る加入者の数その他の事情を勘案して、あらかじめ支払基金が厚生労働大臣の承認を受けて算定する額とする。

（被保険者一人当たり標準報酬総額の見込額）

第十八条の二　算定政令第一条の三第一号に規定する当該年度における当該被用者保険等保険者の被保険者一人当たり標準報酬総額の見込額は、当該年度の前々年度における当該被用者保険等保険者の標準報酬総額を同年度における当該被用者保険等保険者の被保険者の数で除して得た額とする。ただし、同年度の四月二日から同年度の三月三十一日までの間に新たに設立された被用者保険等保険者又は合併若しくは分割により成立した被用者保険等保険者については、同年度における当該被用者保険等保険者の標準報酬総額に相当する額を同年度における当該被用者保険等保険者の被保険者の数で除して得た額とし、当該年度の前年度の四月一日から同年度の三月三十一日までの間に新たに設立された被用者保険等保険者又は合併若しくは分割により成立した被用者保険等保険者については、同年度における当該被用者保険等保険者の標準報酬総額に相当する額を同年度における当該被用者保険等保険者の被保険者の数に相当する数で除して得た額とする。

（概算前期高齢者納付金の算定に係る加入者一人当たり調整前負担調整見込額の算定方法）

第十九条　加入者一人当たり調整前負担調整見込額は、当該年度における法第三十八条第三項各号に掲げる額の合計額を加入者見込総数で除して得た額を基礎として、年度ごとにあらかじめ厚生労働大臣が定める額とする。ただし、当該年度の四月二日以降に新たに設立された保険者については、当該設立の日から同年度の三月三十一日までの間の日数に応じて算定した額とする。

（被保険者一人当たり標準報酬総額）

第十九条の二　算定政令第一条の八第一号に規定する前々年度における当該被用者保険等保険者の被保険者一人当たり標準報酬総額は、当該年度の前々年度における当該被用者保険等保険者の標準報酬総額を同年度における当該被用者保険等保険者の被保険者の数で除して得た額とする。ただし、同年度の四月二日から同年度の三月三十一日までの間に新たに設立された被用者保険等保険者又は合併若しくは分割により成立した被用者保険等保険者については、同年度における当該被用者保険等保険者の標準報酬総額に相当する額を同年度における当該被用者保険等保険者の被保険者の数で除して得た額とし、当該年度の前年度の四月一日から同年度の三月三十一日までの間に新たに設立された被用者保険等保険者又は合併若しくは分割により成立した被用者保険等保険者については、同年度における当該被用者保険等保険者の標準報酬総額に相当する額を同年度における当該被用者保険等保険者の被保険者の数に相当する数で除して得た額とする。

（確定前期高齢者納付金の算定に係る加入者一人当たり調整前

（負担調整額の算定方法）

第二十条　加入者一人当たり調整前負担調整額は、当該年度の前々年度における法第三十九条第三項各号に掲げる額の合計額を同年度における全ての保険者に係る加入者の総数で除して得た額を基礎として、年度ごとにあらかじめ厚生労働大臣が定める額とする。ただし、当該年度の前々年度の四月二日以降に新たに設立された保険者については、当該設立の日から同年度の三月三十一日までの間の日数に応じて算定した額とする。

（前期高齢者関係事務費拠出金の額の算定方法）

第二十一条　法第四十条に規定する前期高齢者関係事務費拠出金（以下「前期高齢者関係事務費拠出金」という。）の額は、当該年度における法第百三十九条第一項第一号に規定する支払基金の業務に関する事務の処理に要する費用の見込額を加入者見込総数で除して得た額を基礎として年度ごとにあらかじめ厚生労働大臣が定める額に、加入者見込数を乗じて得た額とする。ただし、当該年度の四月二日以降に新たに設立された保険者については、当該設立の日から同年度の三月三十一日までの間の日数に応じて算定した額とする。

（前期高齢者納付金等に係る納付の猶予の申請）

第二十二条　法第四十六条第一項の規定により前期高齢者納付金等（法第三十六条第一項に規定する前期高齢者納付金等をいう。以下同じ。）の一部の納付の猶予を受けようとする保険者は、支払基金に対し、次に掲げる事項を記載した納付猶予申請書を提出して申請しなければならない。

一　納付の猶予を受けようとする前期高齢者納付金等の一部の額

二　納付の猶予を受けようとする期間

2　前項の納付猶予申請書には、やむを得ない事情により当該保険者が前期高齢者納付金等を納付することが著しく困難であることを明らかにすることのできる書類を添付しなければならない。

第三章　市町村の特別会計への繰入れ等

（市町村が後期高齢者医療に関する特別会計に繰り入れる額の算定方法）

第二十三条　算定政令第十条第一項に規定する毎年度市町村が後期高齢者医療に関する特別会計に繰り入れる額は、当該年度において高齢者の医療の確保に関する法律施行令（平成十九年政令第三百十八号。以下「施行令」という。）第十八条第四項第四号に規定する場合に該当することが、同年度の十月二十日までの間に明らかになった被保険者（法第五十条に規定する被保険者をいう。以下同じ。）に係る同年度分の保険料について、当該市町村が加入する後期高齢者医療広域連合（法第四十八条に規定する後期高齢者医療広域連合をいう。以下同じ。）が同項の基準に従い施行令第十八条第一項及び第二項の規定に基づき算定される被保険者均等割額を減額するものとした場合に減額することとなる額の合計額（その額が現に当該被保険者に係る同年度分の法第九十九条第一項に規定する減額した額の総額を超えるときは、当該総額）とする。

2　算定政令第十条第二項に規定する毎年度市町村が後期高齢者医療に関する特別会計に繰り入れる額は、当該年度において法第五十二条各号のいずれかに該当するに至った日の属する月以後二年を経過する月までの間にあることが、同年度の十月二十日までの間に明らかになった施行令第十八条第五項第一号に規定する被扶養者であった被保険者に係る同年度分の保険料について、当該市町村が加入する後期高齢者医療広域連合が同号の基準に従い同条第一項及び第二項の規定に基づき算定される被保険者均等割額を減額するものとした場合に減額することとなる額の合計額（その額が現に当該被保険者に係る同年度分の法第九十九条第二項に規定する減額した額の総額を超えるときは、当該総額）とする。

第四章　財政安定化基金

第一節　財政安定化基金による交付事業

（算定政令第十三条第二項第一号の厚生労働省令で定めるところにより算定した額の算定方法）

第二十四条　算定政令第十三条第二項第一号の厚生労働省令で定めるところにより算定した額は、市町村予定保険料収納額（同条第五項に規定する市町村予定保険料収納額をいう。以下同じ。）から次の各号に掲げる額に当該市町村が加入する後期高齢者医療広域連合の基金事業対象比率（同条第七項に規定する基金事業対象比率をいう。以下同じ。）を乗じて得た額を控除して得た額とする。

一　次のイ及びロに掲げる額の合計額

イ　当該特定期間（法第百十六条第二項第一号に規定する特定期間をいう。以下同じ。）の初年度において当該市町村が収納した当該年度分の保険料の額

ロ　当該特定期間の終了年度の四月一日から基金事業交付金（算定政令第十三条第一項に規定する基金事業交付金をいう。以下同じ。）を算定する月の前月の末日（以下「交付金基準日」という。）までの間に収納した当該年度分の保険料の額に、(1)に掲げる額を(2)に掲げる額で除して得た率を乗じて得た額

(1)　交付金基準日の属する年度（以下「交付金算定基準年度」という。）の前年度及び前々年度において当該市町村が各年度に収納した各年度分の保険料の額の合計額

(2)　次に掲げる額の合計額

(i)　交付金算定基準年度の前年度の四月一日から交付金算定基準年度の前年度における当該交付金基準日に応当する日（以下「交付金基準日応当日」という。）までの間に当該市町村が収納した交付金算定基準年度の前年度分の保険料の額

(ii)　交付金算定基準年度の前々年度の四月一日から交付金算定基準年度の前々年度における交付金基準日応当日までの間に当該市町村が収納した交付金算定基準年度の前々年度分の保険料の額

二　当該特定期間における交付金基準日までに、当該市町村の一般会計から当該市町村の後期高齢者医療に関する特別会計に繰り入れることが明らかになった法第九十九条第一項及び第二項の規定による繰入金の額

（算定政令第十三条第二項第二号の厚生労働省令で定めるところにより算定した額の算定方法）

第二十五条　算定政令第十三条第二項第二号の厚生労働省令で定めるところにより算定した額は、当該後期高齢者医療広域連合

を組織する市町村ごとに、当該特定期間における当該市町村につき算定した市町村予定保険料収納額から市町村保険料収納下限額（同条第四項に規定する市町村保険料収納下限額をいう。以下同じ。）を控除して得た額とする。

（算定政令第十三条第二項第三号の厚生労働省令で定めるところにより算定した額の算定方法）

第二十六条　算定政令第十三条第二項第三号の厚生労働省令で定めるところにより算定した額は、第一号に掲げる額から第二号に掲げる額を控除して得た額とする。

一　次のイ及びロに掲げる額の合計額

イ　当該特定期間の初年度における当該後期高齢者医療広域連合の基金事業対象費用額（法第百十六条第二項第四号に規定する基金事業対象費用額をいう。以下同じ。）

ロ　当該特定期間の終了年度の四月一日から交付金基準日までの間における当該後期高齢者医療広域連合の基金事業対象費用額に、(1)に掲げる額を(2)に掲げる額で除して得た率を乗じて得た額

(1)　交付金算定基準年度の前年度及び前々年度の各年度における当該後期高齢者医療広域連合の基金事業対象費用額の合計額

(2)　次に掲げる額の合計額

(i)　交付金算定基準年度の前年度の四月一日から交付金算定基準年度の前年度における交付金基準日応当日までの間の当該後期高齢者医療広域連合の基金事業対象費用額

(ii)　交付金算定基準年度の前々年度の四月一日から交付金算定基準年度の前々年度における交付金基準日応当日までの間の当該後期高齢者医療広域連合の基金事業対象費用額

二　次のイ及びロに掲げる額の合計額

イ　当該特定期間の初年度における当該後期高齢者医療広域連合の基金事業対象収入額（法第百十六条第二項第三号に規定する基金事業対象収入額をいう。以下同じ。）

ロ　当該特定期間の終了年度の四月一日から交付金基準日までの間における当該後期高齢者医療広域連合の基金事業対象収入額に、(1)に掲げる額を(2)に掲げる額で除して得た率を乗じて得た額

(1)　交付金算定基準年度の前年度及び前々年度の各年度における当該後期高齢者医療広域連合の基金事業対象収入額の合計額

(2)　次に掲げる額の合計額

(i)　交付金算定基準年度の前年度の四月一日から交付金算定基準年度の前年度における交付金基準日応当日までの間の当該後期高齢者医療広域連合の基金事業対象収入額

(ii)　交付金算定基準年度の前々年度の四月一日から交付金算定基準年度の前々年度における交付金基準日応当日までの間の当該後期高齢者医療広域連合の基金事業対象収入額

（算定政令第十三条第四項の厚生労働省令で定める率）

第二十六条の二　算定政令第十三条第四項の厚生労働省令で定める率は、次の各号に掲げる市町村の区分に応じ、当該各号に定める率とする。ただし、被保険者に係る保険料収納率が、当該各号に掲げる率に満たないことが、災害その他特別の事情によるものであるときは、この限りでない。

一　被保険者の数が一千人未満である市町村　百分の九十四

二　被保険者の数が一千人以上一万人未満である市町村　百分の九十三

三　被保険者の数が一万人以上である市町村　百分の九十二

2　前項の保険料収納率は、当該特定期間の終了年度の十一月三十日現在における当該特定期間分の被保険者に係る保険料についての調査決定済額で、当該特定期間の初年度の四月一日から当該特定期間の終了年度の十一月三十日までの保険料の納期に納付すべきものとして賦課されている額のうち、当該特定期間の終了年度の十一月三十日現在において収納された額の占める率とする。

（市町村保険料収納必要額の算定方法）

第二十七条　算定政令第十三条第六項に規定する市町村保険料収納必要額は、当該後期高齢者医療広域連合における同条第八項に規定する保険料収納必要額に、第一号に掲げる額を第二号に掲げる額で除して得た率を乗じて得た額とする。

一　次のイ及びロに掲げる額の合計額

イ　当該特定期間において当該市町村が各年度に徴収する当該各年度の賦課期日（法第百六条に規定する賦課期日をいう。）における被保険者に係る各年度分の保険料の賦課額の合計額

ロ　当該市町村につき算定した当該特定期間における法第九十九条第一項及び第二項の規定による繰入金の額の合計額

二　当該後期高齢者医療広域連合を組織する各市町村につき算定した前号イ及びロに掲げる額の合計額の合計額

（算定政令第十三条第七項第一号の厚生労働省令で定めるところにより算定した額の算定方法）

第二十八条　算定政令第十三条第七項第一号の厚生労働省令で定めるところにより算定した額は、第一号に掲げる額から第二号に掲げる額を控除して得た額とする。

一　当該特定期間の各年度における療養の給付等に要する費用の額（法第九十三条第一項に規定する療養の給付等に要する費用の額をいう。）、財政安定化基金拠出金、法第百十七条第二項の規定による拠出金、法第百二十四条の二第一項に規定する出産育児支援金（以下「出産育児支援金」という。）及び感染症の予防及び感染症の患者に対する医療に関する法律の規定による流行初期医療確保拠出金等（以下「流行初期医療確保拠出金等」という。）の納付に要する費用の額並びに基金事業借入金（法第百十六条第二項第一号に規定する基金事業借入金をいう。以下同じ。）の償還に要する費用の額の合計額の合計額

二　当該特定期間の各年度における施行令第十八条第三項第一号ロに掲げる額の合計額のうち前号の額に係るものの額の合計額の合計額

第二節　財政安定化基金による貸付事業

（初年度基金事業対象収入額及び初年度基金事業対象費用額の算定方法）

第二十九条　算定政令第十四条第一項に規定する初年度基金事業対象収入額（以下「初年度基金事業対象収入額」という。）は、当該特定期間の初年度の四月一日から基金事業貸付金（同

項に規定する基金事業貸付金をいう。以下同じ。）を算定する月の前月の末日（以下「貸付金基準日」という。）までの間における当該後期高齢者医療広域連合の基金事業対象収入額に、第一号に掲げる額を第二号に掲げる額で除して得た率を乗じて得た額とする。

一 貸付金基準日の属する年度（以下「貸付金算定基準年度」という。）の前年度及び前々年度の各年度における当該後期高齢者医療広域連合の基金事業対象収入額の合計額

二 次のイ及びロに掲げる額の合計額

イ 貸付金算定基準年度の前年度の四月一日から貸付金算定基準年度の前年度における当該貸付金基準日に応当する日（以下「貸付金基準日応当日」という。）までの間の当該後期高齢者医療広域連合の基金事業対象収入額

ロ 貸付金算定基準年度の前々年度の四月一日から貸付金算定基準年度の前々年度における貸付金基準日応当日までの間の当該後期高齢者医療広域連合の基金事業対象収入額

2 算定政令第十四条第一項に規定する初年度基金事業対象費用額（以下「初年度基金事業対象費用額」という。）は、当該特定期間の初年度の四月一日から貸付金基準日までの間における当該後期高齢者医療広域連合の基金事業対象費用額に、第一号に掲げる額を第二号に掲げる額で除して得た率を乗じて得た額とする。

一 貸付金算定基準年度の前年度及び前々年度の各年度における当該後期高齢者医療広域連合の基金事業対象費用額の合計額

二 次のイ及びロに掲げる額の合計額

イ 貸付金算定基準年度の前年度の四月一日から貸付金算定基準年度の前年度における貸付金基準日応当日までの間の当該後期高齢者医療広域連合の基金事業対象費用額

ロ 貸付金算定基準年度の前々年度の四月一日から貸付金算定基準年度の前々年度における貸付金基準日応当日までの間の当該後期高齢者医療広域連合の基金事業対象費用額

（特定期間の初年度における基金事業貸付金の額の算定方法）

第三十条 算定政令第十四条第二項第一号の厚生労働省令で定めるところにより算定した額は、当該後期高齢者医療広域連合につき算定した初年度基金事業対象費用額から初年度基金事業対象収入額を控除して得た額とする。

（算定政令第十四条第二項第二号イの厚生労働省令で定めるところにより算定した額の算定方法）

第三十一条 第二十六条の規定は、算定政令第十四条第二項第二号イの厚生労働省令で定めるところにより算定した額について準用する。この場合において、第二十六条中「交付金基準日まで」とあるのは「貸付金基準日まで」と、「交付金算定基準年度」とあるのは「貸付金算定基準年度」と、「交付金基準日応当日」とあるのは「貸付金基準日応当日」と読み替えるものとする。

（算定政令第十四条第二項第二号ハの厚生労働省令で定めるところにより算定した額の合計額の算定方法）

第三十二条 算定政令第十四条第二項第二号ハの厚生労働省令で定めるところにより算定した額の合計額は、当該後期高齢者医療広域連合を組織する各保険料収納下限額未満市町村（算定政令第十三条第二項に規定する保険料収納下限額未満市町村をいう。以下同じ。）につき算定した市町村保険料収納下限額から、次の各号に掲げる額に当該後期高齢者医療広域連合の基金事業対象比率を乗じて得た額を控除して得た額の合計額とする。

一 次のイ及びロに掲げる額の合計額

イ 当該特定期間の初年度において当該保険料収納下限額未満市町村が収納した当該年度分の保険料の額

ロ 当該特定期間の終了年度の四月一日から貸付金基準日までの間に当該保険料収納下限額未満市町村が収納した当該年度分の保険料の額に、(1)に掲げる額を(2)に掲げる額で除して得た率を乗じて得た額

(1) 貸付金算定基準年度の前年度及び前々年度において当該保険料収納下限額未満市町村が各年度に収納した各年度分の保険料の額の合計額

(2) 次に掲げる額の合計額

(i) 貸付金算定基準年度の前年度の四月一日から貸付金算定基準年度の前年度における貸付金基準日応当日までの間に当該保険料収納下限額未満市町村が収納した貸付金算定基準年度の前年度分の保険料の額

(ii) 貸付金算定基準年度の前々年度の四月一日から貸付金算定基準年度の前々年度における貸付金基準日応当日までの間に当該保険料収納下限額未満市町村が収納した貸付金算定基準年度の前々年度分の保険料の額

二 当該特定期間における貸付金基準日までに、当該保険料収納下限額未満市町村の一般会計から当該保険料収納下限額未満市町村の後期高齢者医療に関する特別会計に繰り入れることが明らかになった法第九十九条第一項及び第二項の規定による繰入金の額

（基金事業対象収入額の算定方法）

第三十三条 算定政令第十七条の厚生労働省令で定めるところにより算定する基金事業対象収入額は、各後期高齢者医療広域連合につき、当該特定期間における実績保険料収納額（法第百十六条第二項第二号に規定する実績保険料収納額をいう。）、法第九十三条第一項及び第二項、第九十六条並びに第九十八条の規定による負担金の額の合計額、法第九十五条の規定による調整交付金の額の合計額、法第九十九条第一項及び第二項の規定による繰入金の額の合計額、法第百条の規定による後期高齢者交付金の額の合計額、法第百十七条第一項の規定による交付金の額の合計額、法第百二条及び第百三条の規定による補助金の額の合計額その他の後期高齢者医療に要する費用のための収入の額のうち療養の給付等に要した費用の額（算定政令第四条第一項に規定する療養の給付等に要した費用の額をいう。以下同じ。）、財政安定化基金拠出金、法第百十七条第二項の規定による拠出金、出産育児支援金及び流行初期医療確保拠出金等の納付に要した費用の額並びに基金事業借入金の償還に要した費用の額に係るものの額として次に掲げる額の合計額とする。

一 当該額のうち療養の給付等に要した費用の額、財政安定化基金拠出金、法第百十七条第二項の規定による拠出金、出産育児支援金及び流行初期医療確保拠出金等の納付に要した費用の額並びに基金事業借入金の償還に要した費用の額に係るものの額として算定することができる場合は当該額

二 当該額のうち療養の給付等に要した費用の額、財政安定化基金拠出金、法第百十七条第二項の規定による拠出金、出産

育児支援金及び流行初期医療確保拠出金等の納付に要した費用の額並びに基金事業借入金の償還に要した費用の額に係るものの額として算定することができない場合は当該額に基金事業対象比率を乗じて得た額

第五章　特別高額医療費共同事業

（特別高額医療費共同事業交付金の額の算定の基礎となる期間及び額）

第三十四条　算定政令第二十一条の厚生労働省令で定める期間は、当該年度の前年度の一月一日から当該年度の十二月三十一日までとする。

2　算定政令第二十一条第一号の厚生労働省令で定めるところにより算定した額は、当該後期高齢者医療広域連合につき、前項に規定する期間における当該後期高齢者医療広域連合が行う後期高齢者医療の被保険者（法第六十七条第一項第三号の規定が適用される被保険者を除く。）に係る同一の月にそれぞれ一の病院、診療所、薬局その他の者（以下「病院等」という。）について受けた療養に係る費用の額（当該療養（特定給付対象療養（施行令第十四条第一項第二号に規定する特定給付対象療養をいう。次項において同じ。）を除く。）につき法第五十七条第一項に規定する法令による給付が行われたときは、その給付額を控除した額）（法第七十条第四項の規定により支払基金若しくは国保連合会（法第十七条に規定する国保連合会をいう。次項において同じ。）が審査に係る事務の委託を受けた診療報酬請求書（入院外の診療報酬明細書に係る診療報酬請求書であって、歯科診療以外の診療に係るものに限る。）若しくは法第七十条第五項の規定により指定法人（同項に規定する指定法人をいう。以下同じ。）が審査に係る事務の委託を受けた診療報酬請求書又は社会保険診療報酬支払基金法（昭和二十三年法律第百二十九号）第二十一条第一項の規定により支払基金の特別審査委員会が審査を行う診療報酬請求書に係るものに限る。）が四百万円を超えるものの二百万円を超える部分の額の合計額とする。

3　算定政令第二十一条第二号の厚生労働省令で定めるところにより算定した額は、当該後期高齢者医療広域連合につき、第一項に規定する期間における当該後期高齢者医療広域連合が行う後期高齢者医療の被保険者（法第六十七条第一項第三号の規定が適用される被保険者に限る。）に係る同一の月にそれぞれ一の病院等について受けた療養に係る費用の額（当該療養（特定給付対象療養を除く。）につき法第五十七条第一項に規定する法令による給付が行われたときは、その給付額を控除した額）（法第七十条第四項の規定により支払基金若しくは国保連合会が審査に係る事務の委託を受けた診療報酬請求書（入院外の診療報酬明細書に係る診療報酬請求書であって、歯科診療以外の診療に係るものに限る。）若しくは同条第五項の規定により指定法人が審査に係る事務の委託を受けた診療報酬請求書又は社会保険診療報酬支払基金法第二十一条第一項の規定により支払基金の特別審査委員会が審査を行う診療報酬請求書に係るものに限る。）が四百万円を超えるものの二百万円を超える部分の額の合計額とする。

（特別高額医療費共同事業事務費拠出金の額の算定方法）

第三十五条　算定政令第二十四条の厚生労働省令で定めるところにより算定した額は、各後期高齢者医療広域連合につき、当該年度における法第百十七条第一項及び第二項の規定により後期高齢者医療広域連合に対して特別高額医療費共同事業交付金（算定政令第二十一条に規定する特別高額医療費共同事業交付金をいう。）を交付し、後期高齢者医療広域連合から拠出金（法第百十七条第二項の規定による拠出金をいう。）を徴収する指定法人の業務及びこれに附帯する業務に関する事務の処理に要する費用の見込額に、同年度の前々年度の当該後期高齢者医療広域連合が行う後期高齢者医療の被保険者の数を同年度の各後期高齢者医療広域連合が行う後期高齢者医療の被保険者の数の合計数で除して得た率を乗じて得た額とする。

2　前項の後期高齢者医療広域連合が行う後期高齢者医療の被保険者の数は、四月から三月までの各月末における被保険者の数の合計数とする。

第六章　後期高齢者支援金等

（後期高齢者調整金額）

第三十六条　第二条及び第三条の規定は、法第百十九条第二項に規定する後期高齢者調整金額の算定について準用する。この場合において、次の表の上欄に掲げる規定中同表の中欄に掲げる字句は、同表の下欄に掲げる字句にそれぞれ読み替えるものとする。

第二条第一項	概算前期高齢者交付金の額（法第三十四条第一項に規定する概算前期高齢者交付金の額	概算後期高齢者支援金の額（法第百二十条第一項に規定する概算後期高齢者支援金の額
	確定前期高齢者交付金の額（法第三十五条第一項に規定する確定前期高齢者交付金の額	確定後期高齢者支援金の額（法第百二十一条第一項に規定する確定後期高齢者支援金の額
	前期高齢者交付控除対象保険者	後期高齢者支援控除対象保険者
	前期高齢者交付超過額	後期高齢者支援超過額
	前期高齢者交付算定率	後期高齢者支援算定率
第二条第二項	概算前期高齢者交付金	概算後期高齢者支援金
	確定前期高齢者交付金	確定後期高齢者支援金
	前期高齢者交付加算対象保険者	後期高齢者支援加算対象保険者
	前期高齢者交付不足額	後期高齢者支援不足額
	前期高齢者交付算定率	後期高齢者支援算定率
第三条（見出しを含	前期高齢者交付算定率	後期高齢者支援算定率

む。）

前期高齢者交付加算対象保険者	後期高齢者支援加算対象保険者
前期高齢者交付不足額	後期高齢者支援不足額
前期高齢者交付控除対象保険者	後期高齢者支援控除対象保険者
前期高齢者交付超過額	後期高齢者支援超過額
前期高齢者交付金（法第三十二条第一項に規定する前期高齢者交付金をいう。以下同じ。）を交付する業務	後期高齢者支援金等（法第百十八条第一項に規定する後期高齢者支援金等をいう。）を徴収する業務

（概算後期高齢者支援金の算定に係る保険納付対象額の見込額の総額の算定方法）

第三十七条 法第百二十条第一項各号に規定する保険納付対象額の見込額の総額は、第一号に掲げる額に一から当該年度に係る後期高齢者負担率（法第百条第一項に規定する後期高齢者負担率をいう。以下同じ。）及び百分の五十を控除して得た率を乗じて得た額と、第二号に掲げる額に一から同年度に係る後期高齢者負担率を控除して得た率を乗じて得た額との合計額とする。

一 イに掲げる額にロに掲げる率を乗じて得た額

イ 当該年度の前々年度における全ての後期高齢者医療広域連合の負担対象額（算定政令第四条第一項に規定する負担対象額をいう。以下同じ。）の総額

ロ 当該年度における全ての後期高齢者医療広域連合の負担対象額の見込額の総額を同年度の前々年度における全ての後期高齢者医療広域連合の負担対象額の総額で除して得た率を基準として年度ごとにあらかじめ厚生労働大臣が定める率

二 イに掲げる額にロに掲げる率を乗じて得た額

イ 当該年度の前々年度における全ての後期高齢者医療広域連合の特定費用額（算定政令第四条第一項に規定する特定費用額をいう。以下同じ。）の総額

ロ 当該年度における全ての後期高齢者医療広域連合の特定費用額の見込額の総額を同年度の前々年度における全ての後期高齢者医療広域連合の特定費用額の総額で除して得た率を基準として年度ごとにあらかじめ厚生労働大臣が定める率

（概算後期高齢者支援金の算定に係る加入者一人当たり負担見込額の算定方法）

第三十八条 加入者一人当たり負担見込額は、当該年度における前条の規定により算定した保険納付対象額の見込額の総額を加入者見込総数で除して得た額を基礎として、年度ごとにあらかじめ厚生労働大臣が定める額とする。ただし、当該年度の四月二日以降に新たに設立された保険者については、当該設立の日から同年度の三月三十一日までの間の日数に応じて算定した額とする。

（概算後期高齢者支援金の算定に係る総報酬割概算負担率の算定方法）

第三十八条の二 総報酬割概算負担率は、前条に規定する加入者一人当たり負担見込額に次条に規定する当該年度における全ての被用者保険等保険者に係る加入者数の見込数を乗じて得た額を法第百二十条第一項第一号ロに規定する全ての被用者保険等保険者に係る標準報酬総額の見込額の合計額で除して得た率を基礎として、年度ごとにあらかじめ厚生労働大臣が定める率とする。

（被用者保険等保険者に係る加入者数の見込数の算定方法）

第三十八条の三 法第百二十条第一項第一号に規定する当該年度における全ての被用者保険等保険者に係る加入者数の見込数は、全ての被用者保険等保険者に係る同年度における加入者見込数の総数とする。

（確定後期高齢者支援金の算定に係る保険納付対象総額の総額の算定方法）

第三十九条 法第百二十一条第一項各号に規定する保険納付対象総額の総額は、当該年度の前々年度における後期高齢者医療広域連合の負担対象額の総額に一から同年度に係る後期高齢者負担率及び百分の五十を控除して得た率を乗じて得た額と、同年度における後期高齢者医療広域連合の特定費用額の総額に一から同年度に係る後期高齢者負担率を控除して得た率を乗じて得た額との合計額に同年度における後期高齢者医療広域連合の負担対象拠出金額（算定政令第四条第一項に規定する負担対象拠出金額をいう。第四十条の四において同じ。）の総額に一から同年度に係る後期高齢者負担率及び百分の五十を控除して得た率を乗じて得た額と、同年度に係る後期高齢者負担率及び百分の五十を控除して得た率を乗じて得た額と、同年度における後期高齢者医療広域連合の特定流行初期医療確保拠出金の額（算定政令第四条第一項に規定する特定流行初期医療確保拠出金の額をいう。第四十条の四において同じ。）の総額に一から同年度に係る後期高齢者負担率を控除して得た率を乗じて得た額との合計額を加えて得た額とする。

（確定後期高齢者支援金の算定に係る加入者一人当たり負担額の算定方法）

第三十九条の二 加入者一人当たり負担額は、当該年度の前々年度における前条の規定により算定した保険納付対象総額の総額を同年度における全ての保険者に係る加入者の総数で除して得た額を基礎として、年度ごとにあらかじめ厚生労働大臣が定める額とする。ただし、当該年度の前々年度の四月二日以降に新たに設立された保険者については、当該設立の日から同年度の三月三十一日までの間の日数に応じて算定した額とする。

（確定後期高齢者支援金の算定に係る総報酬割確定負担率の算定方法）

第三十九条の三 総報酬割確定負担率は、前条に規定する加入者一人当たり負担額に次条に規定する前々年度における全ての被用者保険等保険者に係る加入者数を乗じて得た額を法第百二十一条第一項第一号ロに規定する全ての被用者保険等保険者に係る標準報酬総額の合計額で除して得た率を基礎として、年度ごとにあらかじめ厚生労働大臣が定める率とする。

（被用者保険等保険者に係る加入者数の算定方法）

第四十条 法第百二十一条第一項第一号に規定する前々年度における全ての被用者保険等保険者に係る加入者の数は、当該年度の前々年度における全ての被用者保険等保険者に係る加入者の数

の総数とする。

（加算対象保険者の基準）

第四十条の二　算定政令第二十五条の三第一項第一号に規定する特定健康診査等（法第十八条第二項第一号に規定する特定健康診査等をいう。以下同じ。）の実施状況が著しく不十分なものとして厚生労働省令で定める基準は、次の各号のいずれかに該当することとする。

一　当該年度の前年度における特定健康診査の実施率が、同年度において、次の表の上欄に掲げる保険者（健康保険組合、共済組合、日本私立学校振興・共済事業団又は算定政令第二十五条の三第一項第一号の規定により厚生労働大臣が定める組合をいう。以下この条から第四十条の三まで、第四十四条第二項及び附則第二条から第五条までにおいて同じ。）の種類に応じ、同表の下欄に掲げる実施率に満たないこと。

保険者の種類	実施率
健康保険組合（健康保険法第十一条第一項の規定により設立されたものに限る。以下この条、次条及び附則第二条から第五条までにおいて「単一型健康保険組合」という。）又は共済組合	百分の七十
健康保険組合（健康保険法第十一条第二項の規定により設立されたものに限る。以下この条、次条及び附則第二条から第五条までにおいて「総合型健康保険組合」という。）、日本私立学校振興・共済事業団又は算定政令第二十五条の三第一項第一号の規定により厚生労働大臣が定める組合	百分の六十三・二

二　当該年度の前年度における特定保健指導の実施率が、同年度において、次の表の上欄に掲げる保険者の種類に応じ、同表の下欄に掲げる実施率に満たないこと。

保険者の種類	実施率
単一型健康保険組合	百分の十一・四
共済組合	百分の十三・五
総合型健康保険組合、日本私立学校振興・共済事業団又は算定政令第二十五条の三第一項第一号の規定により厚生労働大臣が定める組合	百分の五

2　前項第一号の特定健康診査の実施率（以下この条、次条及び附則第二条から第五条までにおいて単に「特定健康診査の実施率」という。）は、当該年度の前年度における当該保険者に係る法第十八条第一項に規定する特定健康診査（以下この条、次条及び附則第二条から第五条までにおいて「特定健康診査」という。）の受診者の数を同年度における当該保険者に係る特定健康診査の対象者の数で除して得た数とする。

3　第一項第二号の特定保健指導の実施率（次条及び附則第二条から第五条までにおいて単に「特定保健指導の実施率」という。）は、当該年度の前年度における当該保険者に係る法第十八条第一項に規定する特定保健指導（以下この条、次条及び附則第二条から第五条までにおいて「特定保健指導」という。）が終了した者その他これに準ずる者の数を同年度における当該保険者に係る特定保健指導の対象者の数で除して得た数とする。

4　算定政令第二十五条の三第一項第一号に規定する特定健康診査等の実施状況が不十分であることについてやむを得ない事由があるものとして厚生労働省令で定める基準は、次の各号に掲げる保険者の区分に応じ、それぞれ当該各号に定める基準とする。

一　第一項第一号に該当する保険者　次のイ又はロに該当すること。

イ　災害その他の特別の事情が生じたことにより、当該年度の前年度に当該保険者において、特定健康診査を実施できなかったこと。

ロ　当該年度の前年度に特定健康診査を実施した保険者において、当該保険者の責めに帰することができない事由があったこと。

二　第一項第二号に該当する保険者　次のイからハまでのいずれかに該当すること。

イ　災害その他の特別の事情が生じたことにより、当該年度の前年度に当該保険者において、特定保健指導を実施できなかったこと。

ロ　特定健康診査等の当該年度の前年度の対象者の数が千人未満の保険者であって当該特定健康診査等の実施体制その他の事項について厚生労働大臣が定める基準を満たすものに係る同年度の特定健康診査の実施率が、同年度において、次の表の上欄に掲げる保険者の種類に応じ、同表の下欄に掲げる平均値以上であること。

保険者の種類	平均値
算定政令第二十五条の三第一項第一号の規定により厚生労働大臣が定める組合	全ての国民健康保険組合に係る特定健康診査の実施率の平均値
単一型健康保険組合	全ての単一型健康保険組合に係る特定健康診査の実施率の平均値
総合型健康保険組合又は日本私立学校振興・共済事業団	全ての総合型健康保険組合及び日本私立学校振興・共済事業団に係る特定健康診査の実施率の平均値
共済組合	全ての共済組合に係る特定健

康診査の実施率の平均値

ハ　当該年度の前年度に特定保健指導を実施した保険者において、当該保険者の責めに帰することができない事由があったこと。

5　算定政令第二十五条の三第一項第一号に規定する各保険者に係る加入者の健康の保持増進のために必要な事業の実施状況が十分なものとして厚生労働省令で定める基準は、事業の取組状況及び改善状況等を勘案し、厚生労働大臣が定めるものとする。

6　保険者は、第四項各号に掲げる基準又は前項の基準のいずれかに該当すると見込まれると認めたときは、速やかに、厚生労働大臣に対し、その旨を申し出るものとする。

7　厚生労働大臣は、前項の規定による申出があった場合において、当該申出が第四項各号に掲げる基準又は第五項の基準に該当すると認めるときは、その旨を前項の規定による申出をした保険者に通知するものとする。

（算定政令第二十五条の三第一項第一号に規定する厚生労働省令で定める率）

第四十条の二の二　算定政令第二十五条の三第一項第一号に規定する厚生労働省令で定める率は、一に第一号及び第二号に掲げる率を加えた率（ただし、当該率が百分の百十を超えるときは、百分の百十）とする。

一　当該年度の前年度における特定健康診査の実施率が、同年度において、次の表の上欄に掲げる保険者の種類に応じ、同表の中欄に掲げる実施率に該当する保険者について、同表の下欄に掲げる率

保険者の種類	実施率	率
単一型健康保険組合又は共済組合	百分の五十未満	百分の十
	百分の五十以上百分の五十七・五未満	百分の四
	百分の五十七・五以上百分の六十未満	百分の二
	百分の六十以上百分の六十五未満	百分の一
	百分の六十五以上百分の七十未満	百分の〇・五
総合型健康保険組合、日本私立学校振興・共済事業団又は算定政令第二十五条の三第一項第一号の規定により厚生労働大臣が定める組合	百分の四十五未満	百分の十
	百分の四十五以上百分の五十未満	百分の四
	百分の五十以上百分の五十五未満	百分の二
	百分の五十五以上百分の六十未満	百分の一
	百分の六十以上百分の六十三・二未満	百分の〇・五

二　当該年度の前年度における特定保健指導の実施率が、同年度において、次の表の上欄に掲げる保険者の種類に応じ、同表の中欄に掲げる実施率に該当する保険者について、同表の下欄に掲げる率

保険者の種類	実施率	率
単一型健康保険組合	百分の一未満	百分の十
	百分の一以上百分の二・七五未満	百分の四
	百分の二・七五以上百分の五・五未満	百分の三
	百分の五・五以上百分の七・五未満	百分の二
	百分の七・五以上百分の十一未満	百分の一
	百分の十一以上百分の十一・四未満	百分の〇・五
共済組合	百分の一未満	百分の十
	百分の一以上百分の二・七五未満	百分の四
	百分の二・七五以上百分の	百分の三

	五・五未満	
	百分の五・五以上百分の七・五未満	百分の二
	百分の七・五以上百分の十一・七未満	百分の一
	百分の十一・七以上百分の十三・五未満	百分の〇・五
総合型健康保険組合、日本私立学校振興・共済事業団又は算定政令第二十五条の三第一項第一号の規定により厚生労働大臣が定める組合	百分の一未満	百分の十
	百分の一以上百分の一・五未満	百分の四
	百分の一・五以上百分の二・五未満	百分の三
	百分の二・五以上百分の三・五未満	百分の二
	百分の三・五以上百分の五未満	百分の一

（減算対象保険者の基準）

第四十条の三　算定政令第二十五条の三第一項第二号に規定する特定健康診査等及び各保険者に係る加入者の健康の保持増進のために必要な事業の実施状況が十分なものとして厚生労働省令で定める基準は、事業の取組状況及び改善状況等を勘案し、厚生労働大臣が定めるものとする。

（調整前確定後期高齢者支援金の算定に係る保険納付対象総額の総額の算定方法）

第四十条の四　算定政令第二十五条の三第二項に規定する保険納付対象総額の総額は、当該年度の後期高齢者医療広域連合の負担対象額の総額に一から同年度の後期高齢者負担率及び百分の五十を控除して得た率を乗じて得た額と、同年度の後期高齢者医療広域連合の特定費用額の総額に一から同年度の後期高齢者負担率を控除して得た率を乗じて得た額との合計額に同年度の後期高齢者医療広域連合の負担対象拠出金額の総額に一から同年度の後期高齢者負担率及び百分の五十を控除して得た率を乗じて得た額と、同年度の後期高齢者医療広域連合の特定流行初期医療確保拠出金の額の総額に一から同年度の後期高齢者負担率を控除して得た率を乗じて得た額との合計額を加えて得た額とする。

（調整前確定後期高齢者支援金の算定に係る加入者一人当たり負担額の算定方法）

第四十条の五　加入者一人当たり負担額は、当該年度の前条の規定により算定した保険納付対象総額の総額を同年度の全ての保険者に係る加入者の総数で除して得た額を基礎として、年度ごとにあらかじめ厚生労働大臣が定める額とする。ただし、当該年度の四月二日以降に新たに設立された保険者については、当該設立の日から同年度の三月三十一日までの間の日数に応じて算定した額とする。

（調整前確定後期高齢者支援金の算定に係る加入者の総数等の算定方法）

第四十条の六　算定政令第二十五条の三第二項に規定する当該各年度における全ての保険者に係る加入者の総数として厚生労働省令で定めるところにより算定したものは、当該各年度における全ての保険者に係る加入者の総数とする。

2　算定政令第二十五条の三第二項に規定する当該各年度における当該保険者に係る加入者の数として厚生労働省令で定めるところにより算定したものは、当該各年度における当該保険者に係る加入者の数とする。

（後期高齢者関係事務費拠出金の額の算定方法）

第四十一条　第二十一条の規定は、法第百二十二条に規定する後期高齢者関係事務費拠出金（以下「後期高齢者関係事務費拠出金」という。）の額の算定について準用する。この場合において、第二十一条中「法第百三十九条第一項第一号」とあるのは、「法第百三十九条第一項第二号」と読み替えるものとする。

（後期高齢者医療広域連合が行う支払基金に対する通知）

第四十二条　法第百二十三条第一項の規定により後期高齢者医療広域連合が支払基金に対して行う通知は、次の各号に掲げる事項について、それぞれ当該各号に定める期日までに行うものとする。

一　各月の保険納付対象額（法第百条第一項に規定する保険納付対象額をいう。次号において同じ。）及びその内訳　当該月の翌々月の十五日

二　各年度の保険納付対象額及びその内訳　当該年度の翌年度の六月一日

（後期高齢者支援金等に係る納付の猶予の申請）

第四十三条　第二十二条の規定は、法第百二十四条において準用する法第四十六条第一項の規定により後期高齢者支援金等（法第百十八条第一項に規定する後期高齢者支援金等をいう。第四十六条第一項において同じ。）の一部の納付の猶予を受けようとする保険者について準用する。

第七章　出産育児支援金等

（出産育児一時金等の支給に要する費用の額の総額の算定方法）

第四十三条の二　法第百二十四条の三第一項に規定する出産育児一時金等の支給に要する費用の額の総額を基礎として厚生労働省令で定める額は、医療保険各法（法第七条第一項に規定する医療保険各法をいう。）の規定による出産育児一時金、家族出産育児一時金、出産費及び家族出産費（第四十三条の四において「出産育児一時金等」という。）の支給に要する費用の総額とする。

（出産育児関係事務費拠出金の額の算定方法）

第四十三条の三　第二十一条の規定は、法第百二十四条の六に規定する出産育児関係事務費拠出金（以下「出産育児関係事務費拠出金」という。）の額の算定について準用する。この場合において、第二十一条中「法第百三十九条第一項第一号」とあるのは、「法第百三十九条第一項第三号」と読み替えるものとする。

（出産育児支援金等に係る支払基金に対する通知）

第四十三条の四　法第百二十四条の七第一項の規定により保険者が支払基金に対して行う通知は、各年度における当該保険者に係る出産育児一時金等の金額及び出産育児一時金等の支給に要した費用の額について、当該年度の翌年度の九月一日までに行うものとする。

2　法第百二十四条の七第二項の規定により後期高齢者医療広域連合が支払基金に対して行う通知は、各年度における当該後期高齢者医療広域連合に係る被保険者の数について、当該年度の翌年度の六月一日までに行うものとする。

（出産育児支援金等に係る納付の猶予の申請）

第四十三条の五　第二十二条の規定は、法第百二十四条の八において準用する法第四十六条第一項の規定により出産育児支援金及び出産育児関係事務費拠出金の一部の納付の猶予を受けようとする保険者及び後期高齢者医療広域連合について準用する。

第八章　雑則

（保険者が行う支払基金に対する報告）

第四十四条　保険者は、支払基金が集約し保険者に対して提供した情報を勘案し、支払基金に対し、毎年度、当該年度の各月末日における加入者の数及び前期高齢者である加入者の数を、同年度の翌年度の六月一日までに報告しなければならない。

2　保険者は、支払基金に対し、毎年度、当該年度の末日における特定健康診査等の実施状況に関する結果として厚生労働大臣が定める事項を、電子情報処理組織（保険者が使用する電子計算機（入出力装置を含む。以下同じ。）と支払基金が使用する電子計算機とを電気通信回線で接続した電子情報処理組織をいう。）を使用する方法又は当該事項を記録した光ディスクその他の電磁的記録（電子的方式、磁気的方式その他人の知覚によっては認識することができない方式で作られる記録であって、電子計算機による情報処理の用に供されるものをいう。）を提出する方法により、同年度の翌年度の十一月一日までに報告しなければならない。

3　保険者は、支払基金が集約し保険者に対して提供した情報を勘案し、支払基金に対し、毎年度、当該年度の各月における法第三十八条第一項第一号ロ(2)及び第二号ロ(2)に規定する保険者の給付に要する費用等の額（第五項において「法定給付費額」という。）を、同年度の翌年度の九月一日までに報告しなければならない。

4　保険者は、支払基金が集約し保険者に対して提供した情報を勘案し、支払基金に対し、各月ごとの当該保険者に係る前期高齢者給付費額及びその内訳を、当該月の翌々月の十五日までに報告しなければならない。

5　合併、分割又は解散が当該年度の四月二日以降に行われた場合における当該合併により成立した保険者、当該分割により成立した保険者（分割後存続する保険者がある場合を除く。）及び当該合併後存続する保険者並びに当該解散をした保険者の権利義務を承継した保険者又は清算法人は、前各項に定めるもののほか、支払基金に対し、当該合併、分割又は解散により消滅した保険者の同年度の各月末日（当該合併、分割又は解散が行われた日の属する月にあっては、当該合併、分割又は解散が行われた日とする。）における加入者の数、前期高齢者である加入者の数、法定給付費額及び前期高齢者給付費額を、当該合併、分割又は解散が行われた日から三月以内に文書により報告しなければならない。

（新設等の届出）

第四十五条　新たに設立された保険者又は合併若しくは分割により成立した保険者は、新たに設立された日又は合併若しくは分割があった日から十四日以内に、次の各号に掲げる事項を支払基金に届け出なければならない。

一　保険者の名称及び保険者番号

二　主たる事務所の所在地

三　代表者の氏名

2　保険者は、合併若しくは分割があったとき、若しくは解散した保険者の権利義務を承継したとき、又は前項各号に掲げる事項のいずれかについて変更があったときは、合併若しくは分割があった日若しくは解散した保険者の権利義務を承継した日又は同項各号に掲げる事項のいずれかについて変更があった日から十四日以内に、その旨を支払基金に届け出なければならない。

（被用者保険等保険者が行う支払基金に対する報告等）

第四十五条の二　被用者保険等保険者は、支払基金に対し、次の各号に掲げる事項について、それぞれ当該各号に定める期日までに報告しなければならない。

一　各年度の標準報酬総額の見込額　当該年度の前年度の二月末日

二　各年度の各月末日における被保険者の数　当該年度の翌年度の六月一日

三　各年度の標準報酬総額　当該年度の翌年度の八月末日

2　第四十四条第五項の規定は、合併、分割又は解散が行われた場合における被用者保険等保険者の支払基金に対する標準報酬総額の報告について準用する。この場合において、同項中「保険者」とあるのは「被用者保険等保険者」と、「各月末日（当該合併、分割又は解散が行われた日の属する月にあっては、当該合併、分割又は解散が行われた日とする。）における加入者の数、前期高齢者である加入者の数、法定給付費額及び前期高齢者給付費額」とあるのは「標準報酬総額」と読み替えるものとする。

（端数計算）

第四十六条　前期高齢者交付金、前期高齢者納付金等又は後期高齢者支援金等の額に一円未満の端数があるときは、これを切り捨てるものとする。

2　次の表の上欄に掲げる額等を算定する場合において、その額等に端数があるときは、同表の下欄に掲げるところにより計算するものとする。

第二条第一項に規定する前期高齢者交付控除対象保険者に係る前期高齢者交付調整金額	一円未満の端数を切り捨てる

第二条第二項に規定する前期高齢者交付加算対象保険者に係る前期高齢者交付調整金額

第十七条において準用する第二条第一項に規定する前期高齢者納付控除対象保険者に係る前期高齢者納付調整金額

第十七条において準用する第二条第二項に規定する前期高齢者納付加算対象保険者に係る前期高齢者納付調整金額

第十八条の二に規定する当該年度の前々年度における当該被用者保険等保険者の標準報酬総額を同年度における当該被用者保険等保険者の被保険者の数で除して得た額

第十八条の二ただし書に規定する当該年度の前々年度における当該被用者保険等保険者の標準報酬総額に相当する額を同年度における当該被用者保険等保険者の被保険者の数で除して得た額

第十八条の二ただし書に規定する当該年度の前年度における当該被用者保険等保険者の標準報酬総額に相当する額を同年度における当該被用者保険等保険者の被保険者の数で除して得た額

第十九条の二に規定する当該年度の前々年度における当該被用者保険等保険者の標準報酬総額を同年度における当該被用者保険等保険者の被保険者の数で除して得た額

第十九条の二ただし書に規定する当該年度の前々年度における当該被用者保険等保険者の標準報酬総額に相当する額を同年度における当該被用者保険等保険者の被保険者の数で除して得た額

第十九条の二ただし書に規定する当該年度の前年度における当該被用者保険等保険者の標準報酬総額に相当する額を同年度における当該被用者保険等保険者の被保険者の数で除して得た額

第三十六条において準用する第二条第一項に規定する後期高齢者支援控除対象保険者に係る後期高齢者調整金額

第三十六条において準用する第二条第二項に規定する後期高齢者支援加算対象保険者に係る後期高齢者調整金額

法第三十四条第一項第一号イ(2)に規定する前期高齢者に係る後期高齢者支援金の概算額

法第三十四条第三項に規定する概算調整対象基準額

法第三十四条第三項に規定する前期高齢者に係る後期高齢者支援金の概算額に概算額補正率を乗じて得た額

法第三十四条第四項第一号に規定する標準報酬総額の見込額

法第三十四条第五項第一号に規定する前期高齢者に係る後期高齢者支援金の概算額に概算加入者調整率を乗じて得た額

法第三十五条第一項第一号イ(2)に規定する前期高齢者に係る後期高齢者支援金の確定額

法第三十五条第一項第一号イ(3)に規定する前期高齢者に係る流行初期医療確保拠出金の額

法第三十五条第三項に規定する確定調整対象基準額

法第三十五条第三項に規定する前期高齢者に係る後期高齢者支援金の確定額に確定額補正率を乗じて得た額

法第三十五条第四項第一号に規定する標準報酬総額

法第三十五条第五項第一号に規定する前期高齢者に係る後期高齢者支援金の確定額に確定加入者調整率を乗じて得た額

法第三十八条第一項第一号イ(2)に掲げる額

法第三十八条第一項第一号ロ本文に掲げる額

法第三十八条第一項第二号イ(2)に掲げる額

法第三十八条第一項第二号ロ本文に掲げる額

法第三十八条第三項本文に規定する負担調整見込額	
法第三十九条第一項第一号イ(2)に掲げる額	
法第三十九条第一項第一号ロ本文に掲げる額	
法第三十九条第一項第二号イ(2)に掲げる額	
法第三十九条第一項第二号ロ本文に掲げる額	
法第三十九条第三項本文に規定する負担調整額	
算定政令第二十五条の三第一項第二号イ及びロに規定する調整前確定後期高齢者支援金の額	
第五条第一項に規定する前期高齢者給付費見込額	一円未満の端数を四捨五入する
第六条第一項に規定する調整対象外給付費見込額	
第七条に規定する一の保険者に係る前期高齢者である加入者一人当たりの前期高齢者給付費見込額	
第十三条第一項に規定する調整対象外給付費額	
第十四条に規定する一の保険者に係る前期高齢者である加入者一人当たりの前期高齢者給付費額	
第十八条第一項各号本文に掲げる額	
第三十七条に規定する保険納付対象額の見込額の総額	
第三十七条第一号本文に掲げる額	
第三十七条第二号本文に掲げる額	
第三十九条に規定する保険納付対象総額の総額	
第四十条の四に規定する調整前確定後期高齢者支援金の算定に係る保険納付対象総額の総額	
第三条の三第一項に規定する当該保険者に係る前期高齢者である加入者の見込数	一未満の端数を四捨五入する
第八条の三第一項各号列記以外の部分に規定する加入者見込数	
第九条第一項に規定する概算加入者調整率	小数点以下第五位未満を四捨五入する
第九条第二項に規定する粗概算加入者調整率	
第十五条において準用する第九条第一項に規定する確定加入者調整率	
第十五条において準用する第九条第二項に規定する粗確定加入者調整率	
第八条の二第一項に規定する算定政令第一条の二第一項第二号イに掲げる額を同号ロに掲げる額で除して得た率	少数点以下第八位未満を四捨五入する
第八条の二第三項に規定する算定政令第一条の二第一項第三号イに掲げる額を同号ロに掲げる額で除して得た率	
第十条第二項に規定する保険者別前期高齢者加入率見込値	
第十五条において準用する第十条第二項に規定する保険者別前期高齢者加入率	

（公示）

第四十七条 厚生労働大臣は、次に掲げる率又は額を定めたときは、年度ごとにあらかじめ公示するものとする。

一 第三条に規定する前期高齢者交付算定率

一の二 第三条の三第一項第二号に規定する厚生労働大臣が定める率

二 第五条第一項第二号に規定する厚生労働大臣が定める率

三 第八条の三第一項第二号に規定する厚生労働大臣が定める率

三の二 第八条の四に規定する厚生労働大臣が定める額

三の三 第八条の五に規定する厚生労働大臣が定める率

三の四 第八条の六に規定する厚生労働大臣が定める率

四 第九条第三項に規定する概算補正係数

五 第十一条に規定する一人平均前期高齢者給付費見込額

六 第十二条に規定する厚生労働大臣が定める率

六の二 第十四条の三に規定する厚生労働大臣が定める額

六の三 第十四条の四に規定する厚生労働大臣が定める率

六の四 第十四条の五に規定する厚生労働大臣が定める率

七 第十五条において準用する第九条第三項に規定する確定補正係数

八 第十六条に規定する一人平均前期高齢者給付費額

九　第十七条において準用する第三条に規定する前期高齢者納付算定率
十　第十八条第一項第一号ロに規定する厚生労働大臣が定める率
十一　第十八条第一項第二号ロに規定する厚生労働大臣が定める率
十二　算定政令第一条の四第一号に規定する厚生労働大臣が定める額
十三　第十九条に規定する加入者一人当たり調整前負担調整見込額
十三の二　算定政令第一条の九第一号に規定する厚生労働大臣が定める額
十三の三　第二十条に規定する加入者一人当たり調整前負担調整額
十三の四　算定政令第一条の十第一項第一号に規定する厚生労働大臣が定める額
十三の五　算定政令第一条の十第一項第一号に規定する厚生労働大臣が定める率
十三の六　算定政令第一条の十第一項第二号に規定する厚生労働大臣が定める率
十四　第二十一条に規定する厚生労働大臣が定める額
十五　第三十六条において準用する第三条に規定する後期高齢者支援算定率
十六　第三十七条第一号ロに規定する厚生労働大臣が定める率
十七　第三十七条第二号ロに規定する厚生労働大臣が定める率
十八　第三十八条に規定する加入者一人当たり負担見込額
十八の二　第三十八条の二に規定する総報酬割概算負担率
十九　第三十九条に規定する加入者一人当たり負担額
十九の二　第三十九条の三に規定する総報酬割確定負担率
二十　第四十一条において準用する第二十一条に規定する厚生労働大臣が定める額
二十一　第四十三条の三において準用する第二十一条に規定する厚生労働大臣が定める額

2　厚生労働大臣は、次に掲げる率又は額を年度ごとにあらかじめ公示するものとする。
一　第十条第一項に規定する全保険者平均前期高齢者加入率見込値
二　第十五条において準用する第十条第一項に規定する全保険者平均前期高齢者加入率

附　則

（施行期日）

第一条　この省令は、平成二十年四月一日から施行する。

（令和三年度の確定後期高齢者支援金に係る加算対象保険者の基準）

第二条　令和三年度の確定後期高齢者支援金に係る算定政令第二十五条の三第一項第一号に規定する特定健康診査等の実施状況が不十分なものとして厚生労働省令で定める基準は、第四十条の二第一項の規定にかかわらず、次の各号のいずれかに該当することとする。
一　令和二年度における特定健康診査の実施率が、同年度において、次の表の上欄に掲げる保険者の種類に応じ、同表の下欄に掲げる実施率に満たないこと。

保険者の種類	実施率
単一型健康保険組合又は共済組合	百分の五十七・五
総合型健康保険組合、日本私立学校振興・共済事業団又は算定政令第二十五条の三第一項第一号の規定により厚生労働大臣が定める組合	百分の五十

二　令和二年度における特定保健指導の実施率が、同年度において、次の表の上欄に掲げる保険者の種類に応じ、同表の下欄に掲げる実施率に満たないこと。

保険者の種類	実施率
単一型健康保険組合又は共済組合	百分の十
総合型健康保険組合、日本私立学校振興・共済事業団又は算定政令第二十五条の三第一項第一号の規定により厚生労働大臣が定める組合	百分の五

（令和四年度の確定後期高齢者支援金に係る加算対象保険者の基準）

第三条　令和四年度の確定後期高齢者支援金に係る算定政令第二十五条の三第一項第一号に規定する特定健康診査等の実施状況が不十分なものとして厚生労働省令で定める基準は、第四十条の二第一項の規定にかかわらず、次の各号のいずれかに該当することとする。
一　令和三年度における特定健康診査の実施率が、同年度において、次の表の上欄に掲げる保険者の種類に応じ、同表の下欄に掲げる実施率に満たないこと。

保険者の種類	実施率
単一型健康保険組合又は共済組合	百分の六十五
総合型健康保険組合、日本私立学校振興・共済事業団又は算定政令第二十五条の三第一項第一号の規定により厚生労働大臣が定める組合	百分の六十

二　令和三年度における特定保健指導の実施率が、同年度において、次の表の上欄に掲げる保険者の種類に応じ、同表の下欄に掲げる実施率に満たないこと。

保険者の種類	実施率
単一型健康保険組合	百分の十

共済組合	百分の十一・七
総合型健康保険組合、日本私立学校振興・共済事業団又は算定政令第二十五条の三第一項第一号の規定により厚生労働大臣が定める組合	百分の五

（令和三年度の確定後期高齢者支援金に係る算定政令第二十五条の三第一項第一号に規定する厚生労働省令で定める率）

第四条 令和三年度の確定後期高齢者支援金に係る算定政令第二十五条の三第一項第一号に規定する厚生労働省令で定める率は、第四十条の二の二の規定にかかわらず、一に第一号及び第二号に掲げる率を加えた率とする。

一 令和二年度における特定健康診査の実施率が、同年度において、次の表の上欄に掲げる保険者の種類に応じ、同表の中欄に掲げる実施率に該当する保険者について、同表の下欄に掲げる率

保険者の種類	実施率	率
単一型健康保険組合又は共済組合	百分の四十五未満	百分の五
	百分の四十五以上百分の五十七・五未満	百分の一
総合型健康保険組合、日本私立学校振興・共済事業団又は算定政令第二十五条の三第一項第一号の規定により厚生労働大臣が定める組合	百分の四十二・五未満	百分の五
	百分の四十二・五以上百分の五十未満	百分の一

二 令和二年度における特定保健指導の実施率が、同年度において、次の表の上欄に掲げる保険者の種類に応じ、同表の中欄に掲げる実施率に該当する保険者について、同表の下欄に掲げる率

保険者の種類	実施率	率
単一型健康保険組合又は共済組合	百分の〇・一未満	百分の五
	百分の〇・一以上百分の五・五未満	百分の一
	百分の五・五以上百分の十未満	百分の〇・五
総合型健康保険組合、日本私立学校振興・共済事業団又は算定政令第二十五条の三第一項第一号の規定により厚生労働大臣が定める組合	百分の〇・一未満	百分の五
	百分の〇・一以上百分の二・五未満	百分の一
	百分の二・五以上百分の五未満	百分の〇・五

（令和四年度の確定後期高齢者支援金に係る算定政令第二十五条の三第一項第一号に規定する厚生労働省令で定める率）

第五条 令和四年度の確定後期高齢者支援金に係る算定政令第二十五条の三第一項第一号に規定する厚生労働省令で定める率は、第四十条の二の二の規定にかかわらず、一に第一号及び第二号に掲げる率を加えた率（ただし、当該率が百分の百十を超えるときは、百分の百十）とする。

一 令和三年度における特定健康診査の実施率が、同年度において、次の表の上欄に掲げる保険者の種類に応じ、同表の中欄に掲げる実施率に該当する保険者について、同表の下欄に掲げる率

保険者の種類	実施率	率
単一型健康保険組合又は共済組合	百分の四十五未満	百分の十
	百分の四十五以上百分の五十七・五未満	百分の三
	百分の五十七・五以上百分の六十未満	百分の一
	百分の六十以上百分の六十五未満	百分の〇・五
総合型健康保険組合、日本私立学校振興・共済事業団又は算定政令第二十五条の三第一項第一号の規定により厚生労働大臣が定める組合	百分の四十二・五未満	百分の十
	百分の四十二・五以上百分の五十未満	百分の三
	百分の五十以上百分の五十五未満	百分の一
	百分の五十五	百分の〇・五

	以上百分の六十未満	

二　令和三年度における特定保健指導の実施率が、同年度において、次の表の上欄に掲げる保険者の種類に応じ、同表の中欄に掲げる実施率に該当する保険者について、同表の下欄に掲げる率

保険者の種類	実施率	率
単一型健康保険組合	百分の〇・一未満	百分の十
	百分の〇・一以上百分の二・七五未満	百分の二
	百分の二・七五以上百分の五・五未満	百分の二
	百分の五・五以上百分の七・五未満	百分の一
	百分の七・五以上百分の十未満	百分の〇・五
共済組合	百分の〇・一未満	百分の十
	百分の〇・一以上百分の二・七五未満	百分の三
	百分の二・七五以上百分の五・五未満	百分の二
	百分の五・五以上百分の七・五未満	百分の一
	百分の七・五以上百分の十未満	百分の〇・五
総合型健康保険組合、日本私立学校振興・共済事業団又は算定政令第二十五条の三第一項第一号の規定により厚生労働大臣が定める組合	百分の〇・一未満	百分の十
	百分の〇・一以上百分の一・五未満	百分の三
	百分の一・五以上百分の二・五未満	百分の二
	百分の二・五以上百分の三・五未満	百分の一
	百分の三・五以上百分の五未満	百分の〇・五

（法附則第二条の厚生労働省令で定める者）

第六条　法附則第二条の厚生労働省令で定める者は、次に掲げる者とする。

一　医療法（昭和二十三年法律第二百五号）第三十九条第二項に規定する医療法人

二　医療法第七条の規定により病院又は診療所の開設の許可を受けた者（前号に該当する者を除く。）

三　医療法第八条の規定により診療所の開設の届出をした者

（法附則第二条の厚生労働省令で定める病床の種別）

第七条　法附則第二条の厚生労働省令で定める病床の種別は、次に掲げる病床とする。

一　医療法第七条第二項第四号に規定する療養病床

二　医療の効率的な提供の推進のために病床の転換（法附則第二条に規定する病床の転換をいう。）が必要と認められる病床

（法附則第二条の厚生労働省令で定める施設）

第八条　法附則第二条の厚生労働省令で定める施設は、介護保険法（平成九年法律第百二十三号）第八条第二十九項に規定する介護医療院その他の厚生労働大臣が定めるものとする。

（病床転換支援金に係る加入者見込数等の算定方法）

第九条　第八条の三第一項の規定は、法附則第八条に規定する当該年度における当該保険者に係る加入者の見込数の算定について準用する。

2　第八条の三第二項の規定は、法附則第八条に規定する当該年度における全ての保険者に係る加入者の見込総数の算定について準用する。

3　新設保険者等に係る法附則第八条に規定する当該年度における当該保険者に係る加入者の見込数の算定については、前項の規定にかかわらず、第八条の三第三項の規定を準用する。

（病床転換支援金の算定に係る加入者一人当たり負担見込額の算定方法）

第十条　加入者一人当たり負担見込額は、当該年度における病床転換助成事業に要する費用の二十七分の十二に相当する額を加入者見込総数で除して得た額を基礎として、年度ごとにあらかじめ厚生労働大臣が定める額とする。

（病床転換助成関係事務費拠出金の額の算定方法）

第十一条　第二十一条の規定は、法附則第九条に規定する病床転換助成関係事務費拠出金の額の算定について準用する。この場合において、第二十一条中「第百三十九条第一項第一号」とあ

るのは、「附則第十一条第一項」と読み替えるものとする。

（公示）

第十二条 厚生労働大臣が、附則第十条に規定する加入者一人当たり負担見込額及び前条において準用する第二十一条に規定する厚生労働大臣が定める額を定めたときは、年度ごとにあらかじめ公示するものとする。

（病床転換支援金等に係る納付の猶予の申請）

第十三条 第二十二条の規定は、法附則第十条において準用する法第四十六条第一項の規定により病床転換支援金等（法附則第七条第一項に規定する病床転換支援金等をいう。以下同じ。）の一部の納付の猶予を受けようとする保険者について準用する。

（病床転換支援金等に係る端数計算）

第十四条 病床転換支援金等の額に一円未満の端数があるときは、これを切り捨てるものとする。

附 則（平二〇・三・三一厚労令七七）（抄）

（施行期日）

第一条 この省令は、平成二十年四月一日から施行する。

附 則（平二一・八・二八厚労令一三七）

この省令は、公布の日から施行する。

附 則（平二一・一二・二八厚労令一六八）（抄）

（施行期日）

第一条 この省令は、平成二十二年一月一日から施行する。

附 則（平二二・五・一九厚労令七一）（抄）

（施行期日）

第一条 この省令は、公布の日から施行〔中略〕する。

附 則（平二二・六・三〇厚労令八五）

（施行期日）

第一条 この省令は、平成二十二年七月一日から施行する。

（平成二十四年度における改正後省令の規定の適用）

第二条 平成二十四年度において、被用者保険等保険者（高齢者の医療の確保に関する法律（昭和五十七年法律第八十号）附則第十三条の二に規定する被用者保険等保険者をいう。）について、この省令による改正後の高齢者の医療の確保に関する法律による保険者の前期高齢者交付金等の額の算定等に関する省令（以下「改正後省令」という。）附則第五条の二の規定により読み替えられた改正後省令第二条、第十七条及び第三十六条の規定を適用する場合においては、これらの規定のうち次の表の上欄に掲げる字句は、それぞれ同表の下欄に掲げる字句とする。

法附則第十三条の二に規定する概算前期高齢者交付金	医療保険制度の安定的運営を図るための国民健康保険法等の一部を改正する法律（平成二十二年法律第三十五号。以下「平成二十二年国保法等改正法」という。）附則第十一条に規定する平成二十二年度の被用者保険等保険者に係る概算前期高齢者交付金
法附則第十三条の三に規定する確定前期高齢者交付金	平成二十二年国保法等改正法附則第十二条に規定する平成二十二年度の被用者保険等保険者に係る確定前期高齢者交付金
法第三十八条第一項に規定する概算前期高齢者納付金	平成二十二年国保法等改正法附則第十三条に規定する平成二十二年度の被用者保険等保険者に係る概算前期高齢者納付金
法第三十九条第一項に規定する確定前期高齢者納付金	平成二十二年国保法等改正法附則第十四条に規定する平成二十二年度の被用者保険等保険者に係る確定前期高齢者納付金
法附則第十四条の三第一項に規定する概算後期高齢者支援金	平成二十二年国保法等改正法附則第十五条に規定する平成二十二年度の被用者保険等保険者に係る概算後期高齢者支援金
法附則第十四条の四第一項に規定する確定後期高齢者支援金	平成二十二年国保法等改正法附則第十六条に規定する平成二十二年度の被用者保険等保険者に係る確定後期高齢者支援金

（経過措置）

第三条 厚生労働大臣は、この省令の施行後遅滞なく、平成二十二年度における改正後省令附則第二十四条第一号及び第三号の率を公示するものとする。

附 則（平二四・一・三〇厚労令一〇）（抄）

（施行期日）

第一条 この省令は、平成二十四年四月一日から施行する。〔ただし書略〕

附 則（平二五・三・二九厚労令四五）（抄）

この省令は、平成二十五年四月一日から施行する。〔ただし書略〕

附 則（平二五・五・三一厚労令七五）（抄）

（施行期日）

第一条 この省令は、公布の日から施行する。〔ただし書略〕

（高齢者の医療の確保に関する法律による保険者の前期高齢者交付金等の額の算定等に関する省令の一部改正に伴う経過措置）

第四条 厚生労働大臣は、この省令の施行後遅滞なく、平成二十五年度における高齢者の医療の確保に関する法律による保険者の前期高齢者交付金等の額の算定等に関する省令第四十七条第一項第十三号の二に掲げる額を公示するものとする。

2 厚生労働大臣は、この省令の施行後遅滞なく、平成二十五年度における第四条の規定による改正後の高齢者の医療の確保に関する法律による保険者の前期高齢者交付金等の額の算定等に関する省令附則第二十四条各号に掲げる率を公示するものとする。

附 則（平二七・五・二九厚労令一〇九）

この省令は、公布の日から施行する。

附 則（平二八・一・五厚労令二）

この省令は、平成二十八年四月一日から施行する。

附 則（平二八・一・一五厚労令五）

（施行期日）

第一条 この省令は、平成二十八年十月一日から施行する。ただし、次条の規定については、公布の日から施行する。

（準備行為）

第二条　第一条の規定による改正後の介護保険算定省令附則第五条第一項第二号イ及び第六条第二項、第二条の規定による改正後のなお効介護保険算定省令附則第四条第一項第二号イ及び第五条第二項並びに第三条の規定による改正後の高齢者算定省令附則第五条の二第一項、第五条の二の三第一項、第五条の二の七第二号イ、第五条の二の十第一項、第五条の二の十一第二項及び第五条の二の十三第一項第二号イの規定による申請及び承認並びにこれらに関して必要な手続その他の行為は、この省令の施行前においても行うことができる。

（平成二十八年度の第二号被保険者の数に係る算定の特例）

第三条　公的年金制度の財政基盤及び最低保障機能の強化等のための国民年金法等の一部を改正する法律（平成二十四年法律第六十二号。以下「年金機能強化法」という。）第二十八条の規定による改正前の介護保険法の規定により平成二十八年度の各被用者保険等保険者に係る確定納付金の額を算定する場合における当該被用者保険等保険者に係る第二号被保険者の数は、同年度の四月から九月までの当該被用者保険等保険者に係る第二号被保険者の数とし、改正後介護保険法（年金機能強化法附則第五十二条の二に規定する改正後介護保険法をいう。附則第十一条において同じ。）の規定により同年度の各被用者保険等保険者に係る確定納付金の額を算定する場合における当該被用者保険等保険者に係る第二号被保険者の数は、同年度の十月から三月までの当該被用者保険等保険者に係る第二号被保険者の数とする。

第四条　年金機能強化法第二十九条の規定による改正前の健康保険法等の一部を改正する法律附則第百三十条の二第一項の規定によりなおその効力を有するものとされた介護保険法の規定により平成二十八年度の各被用者保険等保険者に係る確定納付金の額を算定する場合における当該被用者保険等保険者に係る第二号被保険者の数は、同年度の四月から九月までの当該被用者保険等保険者に係る第二号被保険者の数とし、改正後平成十八年介護保険法（年金機能強化法附則第五十四条に規定する改正後平成十八年介護保険法をいう。附則第十一条において同じ。）の規定により同年度の各被用者保険等保険者に係る確定納付金の額を算定する場合における当該被用者保険等保険者に係る第二号被保険者の数は、同年度の十月から三月までの当該被用者保険等保険者に係る第二号被保険者の数とする。

（平成二十八年度の前期高齢者給付費額に係る算定の特例）

第五条　改正前高齢者医療確保法（年金機能強化法附則第五十一条の二に規定する改正前高齢者医療確保法をいう。以下同じ。）の規定により平成二十八年度の各被用者保険等保険者に係る確定前期高齢者交付金の額、確定前期高齢者納付金の額及び確定後期高齢者支援金の額を算定する場合における前期高齢者給付費額は、同年度の四月から九月までの当該被用者保険等保険者に係る前期高齢者給付費額に二を乗じて得た額に相当する額とし、改正後高齢者医療確保法（年金機能強化法附則第五十一条の二に規定する改正後高齢者医療確保法をいう。以下同じ。）の規定により同年度の各被用者保険等保険者に係る確定前期高齢者交付金の額、確定前期高齢者納付金の額及び確定後期高齢者支援金の額を算定する場合における前期高齢者給付費額は、同年度の十月から三月までの当該被用者保険等保険者に係る前期高齢者給付費額に二を乗じて得た額に相当する額とする。

（平成二十八年度の前期高齢者である加入者の数に係る算定の特例）

第六条　改正前高齢者医療確保法の規定により平成二十八年度の各被用者保険等保険者に係る確定前期高齢者交付金の額、確定前期高齢者納付金の額及び確定後期高齢者支援金の額を算定する場合における前期高齢者である加入者の数は、同年度の四月から九月までの当該被用者保険等保険者に係る前期高齢者である加入者の数とし、改正後高齢者医療確保法の規定により同年度の各被用者保険等保険者に係る確定前期高齢者交付金の額、確定前期高齢者納付金の額及び確定後期高齢者支援金の額を算定する場合における前期高齢者である加入者の数は、同年度の十月から三月までの当該被用者保険等保険者に係る前期高齢者である加入者の数とする。

（平成二十八年度の加入者の数に係る算定の特例）

第七条　改正前高齢者医療確保法の規定により平成二十八年度の各被用者保険等保険者に係る確定前期高齢者交付金の額、確定前期高齢者納付金の額及び確定後期高齢者支援金の額を算定する場合における加入者の数は、同年度の四月から九月までの当該被用者保険等保険者に係る加入者の数とし、改正後高齢者医療確保法の規定により同年度の各被用者保険等保険者に係る確定前期高齢者交付金の額、確定前期高齢者納付金の額及び確定後期高齢者支援金の額を算定する場合における加入者の数は、同年度の十月から三月までの当該被用者保険等保険者に係る加入者の数とする。

（平成二十八年度の前期高齢者関係事務費拠出金の額に係る算定の特例）

第八条　平成二十八年度の前期高齢者関係事務費拠出金の額は、第三条の規定による改正後の高齢者算定省令第二十一条の規定にかかわらず、同条の規定により算定される額の十二分の六に相当する額と同年度において第三条の規定による改正前の高齢者算定省令第二十一条の規定により算定されることとなる額の十二分の六に相当する額との合計額とする。

（平成二十八年度の後期高齢者関係事務費拠出金の額に係る算定の特例）

第九条　平成二十八年度の後期高齢者関係事務費拠出金の額は、第三条の規定による改正後の高齢者算定省令第四十一条において読み替えて準用する第二十一条の規定にかかわらず、同条の規定により算定される額の十二分の六に相当する額と同年度において第三条の規定による改正前の高齢者算定省令第四十一条において読み替えて準用する第二十一条の規定により算定されることとなる額の十二分の六に相当する額との合計額とする。

（平成二十八年度の病床転換助成関係事務費拠出金の額に係る算定の特例）

第十条　平成二十八年度の病床転換助成関係事務費拠出金の額は、第三条の規定による改正後の高齢者算定省令附則第十九条において読み替えて準用する第二十一条の規定にかかわらず、同条の規定により算定される額の十二分の六に相当する額と同年度において第三条の規定による改正前の高齢者算定省令附則第十九条において読み替えて準用する第二十一条の規定により算定されることとなる額の十二分の六に相当する額との合計額とする。

（端数処理）

第十一条 平成二十八年度において、被用者保険等保険者について、次の表の上欄に掲げる額を算定する場合において、その額に端数があるときは、同表の下欄に掲げるところにより計算するものとする。

年金機能強化法附則第五十一条の二に規定する改正後高齢者医療確保法附則第十三条の六第一項の規定により算定される概算前期高齢者交付金の額の十二分の六に相当する額	一円未満の端数を切り捨てる
年金機能強化法附則第五十一条の二に規定する平成二十八年度において改正前高齢者医療確保法附則第十三条の六の規定により算定されることとなる概算前期高齢者交付金の額の十二分の六に相当する額	
年金機能強化法附則第五十一条の三に規定する改正後高齢者医療確保法附則第十三条の七第一項の規定により算定される確定前期高齢者交付金の額の十二分の六に相当する額	
年金機能強化法附則第五十一条の三に規定する平成二十八年度において改正前高齢者医療確保法附則第十三条の七の規定により算定されることとなる確定前期高齢者交付金の額の十二分の六に相当する額	
年金機能強化法附則第五十一条の四に規定する法第三十八条第一項及び改正後高齢者医療確保法附則第十三条の八第一項の規定により算定される概算前期高齢者納付金の額の十二分の六に相当する額	
年金機能強化法附則第五十一条の四に規定する平成二十八年度において法第三十八条第一項及び改正前高齢者医療確保法附則第十三条の八第一項の規定を適用するとしたならばこれらの規定により算定されることとなる概算前期高齢者納付金の額の十二分の六に相当する額	
年金機能強化法附則第五十一条の五に規定する法第三十九条第一項及び改正後高齢者医療確保法附則第十三条の九第一項の規定により算定される確定前期高齢者納付金の額の十二分の六に相当する額	
年金機能強化法附則第五十一条の五に規定する平成二十八年度において法第三十九条第一項及び改正前高齢者医療確保法附則第十三条の九第一項の規定を適用するとしたならばこれらの規定により算定されることとなる確定前期高齢者納付金の額の十二分の六に相当する額	
年金機能強化法附則第五十一条の六に規定する改正後高齢者医療確保法附則第十四条の九第一項の規定により算定される概算後期高齢者支援金の額の十二分の六に相当する額	
年金機能強化法附則第五十一条の六に規定する平成二十八年度において改正前高齢者医療確保法附則第十四条の九第一項の規定により算定されることとなる概算後期高齢者支援金の額の十二分の六に相当する額	
年金機能強化法附則第五十一条の七に規定する改正後高齢者医療確保法附則第十四条の十第一項の規定により算定される確定後期高齢者支援金の額の十二分の六に相当する額	
年金機能強化法附則第五十一条の七に規定する平成二十八年度において改正前高齢者医療確保法附則第十四条の十第一項の規定により算定されることとなる確定後期高齢者支援金の額の十二分の六に相当する額	
年金機能強化法附則第五十二条の二に規定する改正後介護保険法附則第十一条第一項の規定により算定される概算納付金の額の十二分の六に相当する額	
年金機能強化法附則第五十二条の二に規定する平成二十八年度において改正後介護保険法附則第十一条の規定の適用がないものとして改正後介護保険法第百五十二条の規定を当該被用者保険等保険者に適用するとしたならば同条第一項の規定により算定されることとなる概算納付金の額の十二分の六に相当する額	
年金機能強化法附則第五十二条の三に規定する改正後介護保険法附則第十二条第一項の規定により算定される確定納付金の額の十二分の六に相当する額	
年金機能強化法附則第五十二条の三に規定する平成二十八年度において改正後介護保険法附則第十二条の規定の適用がないもの	

として改正後介護保険法第百五十三条の規定を当該被用者保険等保険者に適用するとしたならば同条第一項の規定により算定されることとなる確定納付金の額の十二分の六に相当する額	
年金機能強化法附則第五十四条に規定する改正後平成十八年介護保険法附則第九条第一項の規定により算定される概算納付金の額の十二分の六に相当する額	
年金機能強化法附則第五十四条に規定する平成二十八年度において改正後平成十八年介護保険法附則第九条の規定の適用がないものとして改正後平成十八年介護保険法第百五十二条の規定を当該被用者保険等保険者に適用するとしたならば同条第一項の規定により算定されることとなる概算納付金の額の十二分の六に相当する額	
年金機能強化法附則第五十五条に規定する改正後平成十八年介護保険法附則第十条第一項の規定により算定される確定納付金の額の十二分の六に相当する額	
年金機能強化法附則第五十五条に規定する平成二十八年度において改正後平成十八年介護保険法附則第十条の規定の適用がないものとして改正後平成十八年介護保険法第百五十三条の規定を当該被用者保険等保険者に適用するとしたならば同条第一項の規定により算定されることとなる確定納付金の額の十二分の六に相当する額	

附　則（平二八・一二・二〇厚労令一七七）

この省令は、平成二十九年四月一日から施行する。

附　則（平二九・三・三一厚労令四〇）

この省令は、平成二十九年四月一日から施行する。

附　則（平二九・三・三一厚労令五三）（抄）

（施行期日）

第一条　この省令は、平成二十九年四月一日から施行する。

（高齢者の医療の確保に関する法律による保険者の前期高齢者交付金等の額の算定等に関する省令の一部改正に伴う経過措置）

第四条　平成二十七年度の保険者に係る確定前期高齢者交付金及び確定前期高齢者納付金並びに確定後期高齢者支援金の算定については、なお従前の例による。

附　則（平三〇・二・五厚労令一二）

この省令は、平成三十年四月一日から施行する。ただし、第三十三条の改正規定は、公布の日から施行する。

附　則（平三〇・三・一六厚労令二四）（抄）

（施行期日）

第一条　この省令は、平成三十年四月一日から施行する。

附　則（平三〇・三・二二厚労令三〇）（抄）

（施行期日）

第一条　この省令は、平成三十年四月一日から施行する。

附　則（平三一・二・八厚労令一〇）

この省令は、平成三十一年四月一日から施行する。

附　則（平三一・三・二七厚労令三九）

この省令は、平成三十一年四月一日から施行する。

附　則（平三一・四・二四厚労令七一）

この省令は、平成三十二年四月一日から施行する。

附　則（令三・三・三一厚労令七三）

この省令は、公布の日から施行する。

附　則（令三・七・一二厚労令一二一）

この省令は、公布の日から施行する。

附　則（令四・一・四厚労令一）

この省令は、令和四年十月一日から施行する。

附　則（令四・四・一厚労令七六）

（施行期日）

1　この省令は、公布の日から施行する。

（経過措置）

2　この省令による改正後の高齢者の医療の確保に関する法律による保険者の前期高齢者交付金等の額の算定等に関する省令第四十四条第二項の規定は、令和三年度以降に実施される特定健康診査等（高齢者の医療の確保に関する法律（昭和五十七年法律第八十号）第十八条第二項第一号に規定する特定健康診査等をいう。以下同じ。）の実施状況に係る報告について適用し、令和二年度以前に実施された特定健康診査等の実施状況に係る報告については、なお従前の例による。

附　則（令四・四・一厚労令七七）

この省令は、令和五年四月一日から施行する。

附　則（令五・七・四厚労令九三）（抄）

（施行期日）

1　この省令は、公布の日から施行する。

（高齢者の医療の確保に関する法律による保険者の前期高齢者交付金等の額の算定等に関する省令の一部改正に伴う経過措置）

3　第二条の規定による改正後の高齢者の医療の確保に関する法律による保険者の前期高齢者交付金等の額の算定等に関する省令第三十四条第二項及び第三項の規定は、令和五年度に係る前期高齢者交付金及び後期高齢者医療の国庫負担金の算定等に関する政令第二十一条に規定する特別高額医療費共同事業交付金から適用する。

附　則（令六・一・一七厚労令四）（抄）

（施行期日）

第一条　この省令は、令和六年四月一日から施行する。〔ただし書略〕

附　則（令六・一・一七厚労令五）

この省令は、令和六年四月一日から施行する。

○後期高齢者医療の調整交付金の交付額の算定に関する省令

平一九・一一・二二
厚労令一四一

最終改正　令六・一・一七厚労令五

（趣旨）

第一条　後期高齢者医療の調整交付金（高齢者の医療の確保に関する法律（昭和五十七年法律第八十号。以下「法」という。）第九十五条第一項に規定する調整交付金をいう。以下同じ。）の交付額の算定に関しては、この省令の定めるところによる。

（普通調整交付金の交付）

第二条　普通調整交付金（前期高齢者交付金及び後期高齢者医療の国庫負担金の算定等に関する政令（平成十九年政令第三百二十五号。以下「算定政令」という。）第六条第一項に規定する普通調整交付金をいう。以下同じ。）は、調整対象需要額（第四条第一項に規定する調整対象需要額をいう。同項を除き、以下同じ。）が調整対象収入額（第五条第一項に規定する調整対象収入額をいう。同項を除き、以下同じ。）を超える後期高齢者医療広域連合（法第四十八条に規定する後期高齢者医療広域連合をいう。以下同じ。）に対して交付する。

（普通調整交付金の額の算定）

第三条　普通調整交付金の額は、当該後期高齢者医療広域連合の調整対象需要額から当該後期高齢者医療広域連合の調整対象収入額を控除した額とする。

（調整対象需要額の算定方法）

第四条　調整対象需要額は、第一号に掲げる額に十二分の一に普通調整係数を乗じて得た率に後期高齢者負担率（法第百条第一項に規定する後期高齢者負担率をいう。以下同じ。）を加えた率を乗じて得た額と第二号に掲げる額に後期高齢者負担率を乗じて得た額との合計額から特別調整控除額並びに算定政令第四条第二項及び第七条第二項の規定により算定された当該年度の当該後期高齢者医療広域連合に対する負担金の合計額（以下「高額医療費公費負担額」という。）を控除して得た額（その額に一円未満の端数があるときは、これを四捨五入して得た額とする。以下「補正前調整対象需要額」という。）に補正係数を乗じて得た額とする。

一　被保険者（法第五十条に規定する被保険者をいう。以下同じ。）のうち、法第六十七条第一項第一号又は第二号に掲げる場合に該当する者（以下この号において「第一号・第二号被保険者」という。）に係るイ及びロに掲げる額の合計額

イ　次の(1)から(5)までに掲げる額の合計額

(1)　前年度の十二月十一日から当該年度の十二月十日までの間（以下このイ及び次号イにおいて「請求費用算定期間」という。）における請求に係る第一号・第二号被保険者に係る療養の給付に要した費用の額であって当該年度の十二月末日現在において審査決定しているものの額から当該給付に係る一部負担金に相当する額を控除した額

(2)　請求費用算定期間における請求に係る第一号・第二号被保険者に係る入院時食事療養費の支給（高齢者の医療の確保に関する法律施行規則（平成十九年厚生労働省令第百二十九号。以下「規則」という。）第三十七条の規定によるものを除く。）に要した費用の額であって当該年度の十二月末日現在において審査決定しているものの額

(3)　請求費用算定期間における請求に係る第一号・第二号被保険者に係る入院時生活療養費の支給（規則第四十二条の規定によるものを除く。）に要した費用の額であって当該年度の十二月末日現在において審査決定しているものの額

(4)　請求費用算定期間における請求に係る第一号・第二号被保険者に係る保険外併用療養費の支給（規則第三十七条及び第四十二条の規定によるものを除く。）に要した費用の額であって当該年度の十二月末日現在において審査決定しているものの額

(5)　請求費用算定期間における請求に係る第一号・第二号被保険者に係る訪問看護療養費の支給に要した費用の額であって当該年度の十二月末日現在において審査決定しているものの額

ロ　次の(1)から(8)までに掲げる額の合計額

(1)　前年度の一月一日から当該年度の十二月三十一日までの間（以下このロ及び次号ロにおいて「支給等費用算定期間」という。）における第一号・第二号被保険者に係る入院時食事療養費の支給（規則第三十七条の規定によるものに限る。）に要した費用の額

(2)　支給等費用算定期間における第一号・第二号被保険者に係る入院時生活療養費の支給（規則第四十二条の規定によるものに限る。）に要した費用の額

(3)　支給等費用算定期間における第一号・第二号被保険者に係る保険外併用療養費の支給（規則第三十七条及び第四十二条の規定によるものに限る。）に要した費用の額

(4)　支給等費用算定期間における第一号・第二号被保険者に係る療養費及び特別療養費の支給に要した費用の額

(5)　支給等費用算定期間における第一号・第二号被保険者に係る移送費の支給に要した費用の額

(6)　支給等費用算定期間における第一号・第二号被保険者に係る高額療養費の支給に要した費用の額

(7)　支給等費用算定期間における第一号・第二号被保険者に係る高額介護合算療養費の支給に要した費用の額

(8)　支給等費用算定期間における第一号・第二号被保険者に係る感染症の予防及び感染症の患者に対する医療に関する法律（平成十年法律第百十四号）の規定による流行初期医療確保拠出金の納付に要した費用の額

二　被保険者のうち、法第六十七条第一項第三号に掲げる場合に該当する者（以下この号において「第三号被保険者」という。）に係るイ及びロに掲げる額の合計額

イ　次の(1)から(5)までに掲げる額の合計額

(1)　請求費用算定期間における請求に係る第三号被保険者に係る療養の給付に要した費用の額であって当該年度の十二月末日現在において審査決定しているものの額から

当該給付に係る一部負担金に相当する額を控除した額

(2) 請求費用算定期間における請求に係る第三号被保険者に係る入院時食事療養費の支給（規則第三十七条の規定によるものを除く。）に要した費用の額であって当該年度の十二月末日現在において審査決定しているものの額

(3) 請求費用算定期間における請求に係る第三号被保険者に係る入院時生活療養費の支給（規則第四十二条の規定によるものを除く。）に要した費用の額であって当該年度の十二月末日現在において審査決定しているものの額

(4) 請求費用算定期間における請求に係る第三号被保険者に係る保険外併用療養費の支給（規則第三十七条及び第四十二条の規定によるものを除く。）に要した費用の額であって当該年度の十二月末日現在において審査決定しているものの額

(5) 請求費用算定期間における請求に係る第三号被保険者に係る訪問看護療養費の支給に要した費用の額であって当該年度の十二月末日現在において審査決定しているものの額

ロ 次の(1)から(8)までに掲げる額の合計額

(1) 支給等費用算定期間における第三号被保険者に係る入院時食事療養費の支給（規則第三十七条の規定によるものに限る。）に要した費用の額

(2) 支給等費用算定期間における第三号被保険者に係る入院時生活療養費の支給（規則第四十二条の規定によるものに限る。）に要した費用の額

(3) 支給等費用算定期間における第三号被保険者に係る保険外併用療養費の支給（規則第三十七条及び第四十二条の規定によるものに限る。）に要した費用の額

(4) 支給等費用算定期間における第三号被保険者に係る療養費及び特別療養費の支給に要した費用の額

(5) 支給等費用算定期間における第三号被保険者に係る移送費の支給に要した費用の額

(6) 支給等費用算定期間における第三号被保険者に係る高額療養費の支給に要した費用の額

(7) 支給等費用算定期間における第三号被保険者に係る高額介護合算療養費の支給に要した費用の額

(8) 支給等費用算定期間における第三号被保険者に係る法の規定による特定流行初期医療確保拠出金の納付に要した費用の額

2 前項の普通調整係数は、第一号に掲げる額を第二号に掲げる額で除して得た率を基準として、毎年度、厚生労働大臣が定める率とする。

一 各後期高齢者医療広域連合ごとに算定した前項第一号に掲げる額に十二分の一を乗じて得た額の合計額から第六条の規定により算定された当該年度の各後期高齢者医療広域連合に係る特別調整交付金（算定政令第六条第一項に規定する特別調整交付金をいう。以下同じ。）の額の合計額を控除して得た額

二 各後期高齢者医療広域連合ごとに算定した前項第一号に掲げる額に十二分の一を乗じて得た額の合計額

3 第一項の特別調整控除額は、第一号に掲げる額に第二号に掲げる額を第三号に掲げる額で除して得た率を乗じて得た額（その額に一円未満の端数があるときは、これを四捨五入して得た額とする。）とする。

一 第六条第四号から第九号までの規定により算定された当該年度の当該後期高齢者医療広域連合に係る特別調整交付金の額（同号に掲げる額については、第一項第一号及び第二号に掲げる額を基礎として算定された額に限る。）

二 第一項第一号に掲げる額に十二分の一に普通調整係数を乗じて得た率に後期高齢者負担率を加えた率を乗じて得た額と同項第二号に掲げる額に後期高齢者負担率を乗じて得た額との合計額から高額医療費公費負担額を控除して得た額（その額に一円未満の端数があるときは、これを四捨五入して得た額とする。次号において「控除前調整対象需要額」という。）から次条第一項各号に掲げる額の合計額を控除して得た額

三 控除前調整対象需要額

4 第一項の補正係数は、第一号に掲げる額を第二号に掲げる額で除して得た率を基準として、毎年度、厚生労働大臣が定める率とする。

一 当該年度において交付する調整交付金の総額から当該年度において各後期高齢者医療広域連合に対して交付する特別調整交付金の総額を控除して得た額

二 各後期高齢者医療広域連合ごとに算定したイに掲げる額からロに掲げる額を控除した額の合計額

イ 補正前調整対象需要額

ロ 次条第一項各号に掲げる額の合計額

（調整対象収入額の算定方法）

第五条 調整対象収入額は、次の各号に掲げる額の合計額に前条第一項に規定する補正係数を乗じて得た額とする。

一 前条第一項各号に掲げる額の合計額に後期高齢者負担率を乗じて得た額から高額医療費公費負担額を控除して得た額の百分の四十八に相当する額

二 前条第一項各号に掲げる額の合計額に後期高齢者負担率を乗じて得た額から高額医療費公費負担額を控除して得た額の百分の五十二に相当する額に所得係数を乗じて得た額

2 前項第二号の所得係数は、一人当たり所得額を一人平均所得額で除して得た率（小数点以下第十一位未満は四捨五入するものとする。）とする。

3 前項の一人当たり所得額は、当該後期高齢者医療広域連合につき、賦課期日（法第百六条に規定する賦課期日をいう。以下同じ。）における被保険者に係る基礎控除後の総所得金額等（高齢者の医療の確保に関する法律施行令（平成十九年政令第三百十八号。以下「施行令」という。）第十八条第一項第二号に規定する基礎控除後の総所得金額等をいう。以下同じ。）の合計額を前年度の一月から当該年度の十二月までの各月末における被保険者の数の合計数を十二で除して得た数（その数に一未満の端数があるときは、これを四捨五入して得た数とする。以下「平均被保険者数」という。）で除して得た額（その額に一円未満の端数があるときは、これを四捨五入して得た額とする。）とする。

4 第二項の一人平均所得額は、各後期高齢者医療広域連合の賦課期日における被保険者に係る基礎控除後の総所得金額等の合計額を各後期高齢者医療広域連合の平均被保険者数の合計数で除して得た額を基礎として、毎年度、厚生労働大臣が

定める額とする。

（特別調整交付金の額）

第六条　算定政令第六条第三項の規定に基づき交付する特別調整交付金の額は、次の各号に掲げる場合に該当する場合において、当該各号に掲げる額の合計額とする。

一　後期高齢者医療広域連合を組織する市町村（特別区を含む。以下「構成市町村」という。）につき、前年度の一月一日から当該年度の十二月三十一日までの間に災害その他特別の理由により減免の措置を採った被保険者に係る保険料の額の合計額が、当該構成市町村につき算定した第四条第一項第一号に掲げる額に十二分の一に後期高齢者負担率を加えた率を乗じて得た額と同項第二号に掲げる額に後期高齢者負担率を乗じて得た額との合計額（その額に一円未満の端数があるときは、これを四捨五入して得た額とする。以下「調整前調整対象需要額」という。）の百分の一に相当する額以上である場合　当該後期高齢者医療広域連合における当該場合に該当する構成市町村ごとに算定した当該被保険者に係る保険料の減免額の合計額の十分の八以内の額の合計額

二　前年度の一月一日から当該年度の十二月三十一日までの間に、その属する世帯の世帯主及び全ての世帯員（以下この号において「世帯主等」という。）の収入の額の合計額が当該世帯主等について生活保護法（昭和二十五年法律第百四十四号）の規定の適用があるものとして同法第十一条第一項第一号から第三号までに掲げる扶助について同法第八条第一項の規定に基づき厚生労働大臣が定める基準の例により測定したその世帯の需要の額に千分の千百五十五を乗じて得た額（以下この号において「基準額」という。）以下であって、その属する世帯の世帯主等の預貯金の額の合計額が基準額の三月分に相当する額以下である被保険者に対し、災害その他特別の理由による療養の給付に係る一部負担金の減免（以下「一部負担金減免」という。）による減免額がある場合　当該一部負担金減免による減免額（施行令第十四条第一項第二号に規定する特定給付対象療養を受ける被保険者については、当該被保険者がなお負担すべき額について行った一部負担金減免による減免額に限る。）並びに当該一部負担金減免により加算された保険外併用療養費、訪問看護療養費及び特別療養費の額の合計額の二分の一以内の額

三　構成市町村につき、前年度の一月一日から当該年度の十二月三十一日までの間におけるイに掲げる額がロに掲げる額の百分の一に相当する額以上である場合　当該後期高齢者医療広域連合における当該場合に該当する構成市町村の当該一部負担金減免による減免額（施行令第十四条第一項第二号に規定する特定給付対象療養を受ける被保険者については、当該被保険者がなお負担すべき額について行った一部負担金減免による減免額に限る。）並びに当該一部負担金減免により加算された保険外併用療養費、訪問看護療養費及び特別療養費の額の合計額の十分の八以内の額の合計額

イ　次の(1)から(4)までに掲げる額の合計額

(1)　一部負担金減免（前号に掲げる場合に該当する一部負担金減免を除く。以下このイにおいて同じ。）による減免額

(2)　一部負担金減免により加算された保険外併用療養費の額

(3)　一部負担金減免により加算された訪問看護療養費の額

(4)　一部負担金減免により加算された特別療養費の額

ロ　次の(1)から(4)までに掲げる額の合計額

(1)　イに掲げる額

(2)　療養の給付に係る一部負担金の額

(3)　保険外併用療養費又は特別療養費の支給についての療養（食事療養及び生活療養を除く。）につき算定した費用の額（その額が現に当該療養に要した費用の額を超えるときは、当該現に療養に要した費用の額とする。）からこれらの療養に要した費用につき保険外併用療養費又は特別療養費として支給される額に相当する額を控除した額

(4)　訪問看護療養費の支給についての療養につき算定した費用の額からその療養に要した費用につき訪問看護療養費として支給される額に相当する額を控除した額

四　構成市町村につき算定した調整前調整対象需要額のうち、流行病、災害を原因とする疾病若しくは負傷又は地域的に発生する特殊疾病に係る額の占める割合が百分の五を超える場合　当該後期高齢者医療広域連合における当該場合に該当する構成市町村につき算定した調整前調整対象需要額に当該割合から百分の五を控除した割合を乗じて得た額の十分の五以内の額の合計額

五　構成市町村につき算定した調整前調整対象需要額のうち、原子爆弾被爆者に対する援護に関する法律（平成六年法律第百十七号）にいう被爆者に係る額の占める割合が百分の三を超える場合　当該後期高齢者医療広域連合における当該場合に該当する構成市町村につき算定した当該被爆者に係る額の十分の八以内の額の合計額

六　構成市町村につき算定した調整前調整対象需要額のうち、原子爆弾被爆者に対する援護に関する法律施行規則（平成七年厚生労働省令第三十三号）附則第二条の規定により第二種健康診断受診者証の交付を受けた者であって、原子爆弾被爆者に対する援護に関する法律施行令（平成七年政令第二十六号）別表第一若しくは別表第三に掲げる区域（長崎県の区域内に限る。）又は別表第四に掲げる区域（原子爆弾が投下された際の爆心地から十二キロメートルの区域内に限る。）に居住するもの（以下「対象被爆者」という。）に係る額の占める割合が百分の三を超える場合　当該後期高齢者医療広域連合における当該場合に該当する構成市町村につき算定した当該対象被爆者に係る額の十分の五以内の額

七　調整前調整対象需要額のうち、診療報酬の算定方法（平成二十年厚生労働省告示第五十九号）第五号の規定に基づき定められた療養担当手当に係る額がある場合　当該療養担当手当に係る額の四分の三以内の額

八　構成市町村につき算定した調整前調整対象需要額のうち、結核性疾病及び精神病に係る額の占める割合が百分の十五を超える場合　当該後期高齢者医療広域連合における当該場合に該当する構成市町村につき算定した調整前調整対象需要額に当該割合から百分の十五を控除した割合を乗じて得た額の十分の八以内の額の合計額

九　その他特別の事情がある場合　別に定める額

（端数計算）

第七条　調整交付金の額、調整対象需要額又は調整対象収入額を算定する場合において、その算定した金額に五百円未満の端数があるときは、その端数を切り捨て、五百円以上千円未満の端数があるときは、その端数を千円に切り上げるものとする。

附　則

（施行期日）

第一条　この省令は、平成二十年四月一日から施行する。

（平成二十年度の調整対象需要額及び調整対象収入額の算定の特例）

第二条　平成二十年度の調整対象需要額の算定については、第四条第一項第一号イ(1)中「前年度の十二月十一日から当該年度の」とあるのは「平成二十年四月一日から」と、同号イ(1)及び同項第二号イ(1)中「当該年度の十二月末日」とあるのは「平成二十年十二月末日」と、同項第一号ロ(1)中「前年度の一月一日から当該年度の」とあるのは「平成二十年四月一日から」とする。

2　平成二十年度の調整対象収入額の算定については、第五条第三項中「前年度の一月から当該年度の」とあるのは「平成二十年四月から」と、「十二で」とあるのは「九で」とする。

（平成二十二年度及び平成二十三年度における特別調整交付金の額の算定の特例）

第三条　平成二十二年度及び平成二十三年度における特別調整交付金の額の算定については、第六条中「当該各号に掲げる額」とあるのは、「次の第一号、第三号から第六号まで及び第八号に掲げる額の合計額に十二分の十一を乗じて得た額並びに第二号、第七号及び第九号に掲げる額の合計額」とする。

附　則（平二〇・三・三一厚労令七七）（抄）

（施行期日）

第一条　この省令は、平成二十年四月一日から施行する。

附　則（平二〇・七・二三厚労令一三一）

この省令は、公布の日から施行する。

附　則（平二一・二・一〇厚労令一二）

この省令は、公布の日から施行する。

附　則（平二三・三・二八厚労令二八）（抄）

（施行期日）

第一条　この省令は、公布の日から施行する。

（後期高齢者医療の調整交付金の交付額の算定に関する省令の一部改正に伴う経過措置）

第三条　この省令による改正後の規定は、平成二十二年度分の調整交付金から適用し、平成二十一年度分以前の調整交付金については、なお従前の例による。この場合において、平成二十二年度分の調整交付金の算定に当たっては、改正後の後期高齢者医療の調整交付金の交付額の算定に関する省令第六条第二号中「前年度の一月一日から当該年度の十二月三十一日まで」とあるのは「平成二十二年十一月九日から同年十二月三十一日まで」とする。

附　則（平二四・一・三一厚労令一二）

（施行期日）

第一条　この省令は、平成二十四年四月一日から施行する。

（経過措置）

第二条　この省令による改正後の規定は、平成二十四年度分の調整交付金から適用し、平成二十三年度分以前の調整交付金については、なお従前の例による。

附　則（平二八・三・三一厚労令六三）

（施行期日）

1　この省令は、平成二十八年四月一日から施行する。

（経過措置）

2　この省令による改正後の規定は、平成二十八年度分の特別調整交付金から適用し、平成二十七年度分以前の特別調整交付金については、なお従前の例による。

附　則（平三一・一・三一厚労令八）（抄）

（施行期日）

第一条　この省令は、公布の日から施行する。

（後期高齢者医療の調整交付金の交付額の算定に関する省令の一部改正に伴う経過措置）

第三条　この省令による改正後の規定は、平成三十年度分の特別調整交付金から適用し、平成二十九年度分以前の特別調整交付金については、なお従前の例による。この場合において、平成三十年度分の特別調整交付金の額の算定については、改正後の後期高齢者医療の調整交付金の交付額の算定に関する省令第六条第二号中「千分の千百五十五」とあるのは「十分の十一（平成三十年十月一日から同年十二月三十一日までの間に行われた一部負担金の減免に関して交付する特別調整交付金の額の算定にあっては、八百八十五分の九百九十）」と、平成三十一年度分の特別調整交付金の額の算定については、同号中「千分の千百五十五」とあるのは「八百八十五分の九百九十（平成三十一年十月一日から同年十二月三十一日までの間に行われた一部負担金の減免に関して交付する特別調整交付金の額の算定にあっては、八百七十分の九百九十）」と、平成三十二年度分の特別調整交付金（平成三十二年一月一日から同年九月三十日までの間における特別調整交付金に限る。）の額の算定については、同号中「千分の千百五十五」とあるのは「八百七十分の九百九十」とする。

附　則（令四・一・四厚労令一）

この省令は、令和四年十月一日から施行する。

附　則（令六・一・一七厚労令四）（抄）

（施行期日）

第一条　この省令は、令和六年四月一日から施行する。〔ただし書略〕

附　則（令六・一・一七厚労令五）

この省令は、令和六年四月一日から施行する。

○介護保険法（抄）

（平九・一二・一七法一二三）
最終改正　令五・五・一九法三一

目次〔略〕

第一章　総則

（目的）

第一条　この法律は、加齢に伴って生ずる心身の変化に起因する疾病等により要介護状態となり、入浴、排せつ、食事等の介護、機能訓練並びに看護及び療養上の管理その他の医療を要する者等について、これらの者が尊厳を保持し、その有する能力に応じ自立した日常生活を営むことができるよう、必要な保健医療サービス及び福祉サービスに係る給付を行うため、国民の共同連帯の理念に基づき介護保険制度を設け、その行う保険給付等に関して必要な事項を定め、もって国民の保健医療の向上及び福祉の増進を図ることを目的とする。

（介護保険）

第二条　介護保険は、被保険者の要介護状態又は要支援状態（以下「要介護状態等」という。）に関し、必要な保険給付を行うものとする。

2　前項の保険給付は、要介護状態等の軽減又は悪化の防止に資するよう行われるとともに、医療との連携に十分配慮して行われなければならない。

3　第一項の保険給付は、被保険者の心身の状況、その置かれている環境等に応じて、被保険者の選択に基づき、適切な保健医療サービス及び福祉サービスが、多様な事業者又は施設から、総合的かつ効率的に提供されるよう配慮して行われなければならない。

4　第一項の保険給付の内容及び水準は、被保険者が要介護状態となった場合においても、可能な限り、その居宅において、その有する能力に応じ自立した日常生活を営むことができるように配慮されなければならない。

（保険者）

第三条　市町村及び特別区は、この法律の定めるところにより、介護保険を行うものとする。

2　市町村及び特別区は、介護保険に関する収入及び支出について、政令で定めるところにより、特別会計を設けなければならない。

（国民の努力及び義務）

第四条　国民は、自ら要介護状態となることを予防するため、加齢に伴って生ずる心身の変化を自覚して常に健康の保持増進に努めるとともに、要介護状態となった場合においても、進んでリハビリテーションその他の適切な保健医療サービス及び福祉サービスを利用することにより、その有する能力の維持向上に努めるものとする。

2　国民は、共同連帯の理念に基づき、介護保険事業に要する費用を公平に負担するものとする。

（国及び地方公共団体の責務）

第五条　国は、介護保険事業の運営が健全かつ円滑に行われるよう保健医療サービス及び福祉サービスを提供する体制の確保に関する施策その他の必要な各般の措置を講じなければならない。

2　都道府県は、介護保険事業の運営が健全かつ円滑に行われるように、必要な助言及び適切な援助をしなければならない。

3　都道府県は、前項の助言及び援助をするに当たっては、介護サービスを提供する事業所又は施設における業務の効率化、介護サービスの質の向上その他の生産性の向上に資する取組が促進されるよう努めなければならない。

4　国及び地方公共団体は、被保険者が、可能な限り、住み慣れた地域でその有する能力に応じ自立した日常生活を営むことができるよう、保険給付に係る保健医療サービス及び福祉サービスに関する施策、要介護状態等となることの予防又は要介護状態等の軽減若しくは悪化の防止のための施策並びに地域における自立した日常生活の支援のための施策を、医療及び居住に関する施策との有機的な連携を図りつつ包括的に推進するよう努めなければならない。

5　国及び地方公共団体は、前項の規定により同項に掲げる施策を包括的に推進するに当たっては、障害者その他の者の福祉に関する施策との有機的な連携を図るよう努めるとともに、地域住民が相互に人格と個性を尊重し合いながら、参加し、共生する地域社会の実現に資するよう努めなければならない。

（認知症に関する施策の総合的な推進等）

第五条の二　国及び地方公共団体は、認知症（アルツハイマー病その他の神経変性疾患、脳血管疾患その他の疾患により日常生活に支障が生じる程度にまで認知機能が低下した状態として政令で定める状態をいう。以下同じ。）に対する国民の関心及び理解を深め、認知症である者への支援が適切に行われるよう、認知症に関する知識の普及及び啓発に努めなければならない。

2　国及び地方公共団体は、被保険者に対して認知症に係る適切な保健医療サービス及び福祉サービスを提供するため、研究機関、医療機関、介護サービス事業者（第百十五条の三十二第一項に規定する介護サービス事業者をいう。）等と連携し、認知症の予防、診断及び治療並びに認知症である者の心身の特性に応じたリハビリテーション及び介護方法に関する調査研究の推進に努めるとともに、その成果を普及し、活用し、及び発展させるよう努めなければならない。

3　国及び地方公共団体は、地域における認知症である者への支援体制を整備すること、認知症である者を現に介護する者の支援並びに認知症である者の支援に係る人材の確保及び資質の向上を図るために必要な措置を講ずることその他の認知症に関する施策を総合的に推進するよう努めなければならない。

4　国及び地方公共団体は、前三項の施策の推進に当たっては、認知症である者及びその家族の意向の尊重に配慮するとともに、認知症である者が地域社会において尊厳を保持しつつ他の人々と共生することができるように努めなければならない。

（医療保険者の協力）

第六条　医療保険者は、介護保険事業が健全かつ円滑に行われるよう協力しなければならない。

（定義）

第七条　この法律において「要介護状態」とは、身体上又は精神上の障害があるために、入浴、排せつ、食事等の日常生活における基本的な動作の全部又は一部について、厚生労働省令で定める期間にわたり継続して、常時介護を要すると見込まれる状態であって、その介護の必要の程度に応じて厚生労働省令で定める区分（以下「要介護状態区分」という。）のいずれかに該当するもの（要支援状態に該当するものを除く。）をいう。

2 この法律において「要支援状態」とは、身体上若しくは精神上の障害があるために入浴、排せつ、食事等の日常生活における基本的な動作の全部若しくは一部について厚生労働省令で定める期間にわたり継続して常時介護を要する状態の軽減若しくは悪化の防止に特に資する支援を要すると見込まれ、又は身体上若しくは精神上の障害があるために厚生労働省令で定める期間にわたり継続して日常生活を営むのに支障があると見込まれる状態であって、支援の必要の程度に応じて厚生労働省令で定める区分（以下「要支援状態区分」という。）のいずれかに該当するものをいう。

3 この法律において「要介護者」とは、次の各号のいずれかに該当する者をいう。

一 要介護状態にある六十五歳以上の者

二 要介護状態にある四十歳以上六十五歳未満の者であって、その要介護状態の原因である身体上又は精神上の障害が加齢に伴って生ずる心身の変化に起因する疾病であって政令で定めるもの（以下「特定疾病」という。）によって生じたものであるもの

4 この法律において「要支援者」とは、次の各号のいずれかに該当する者をいう。

一 要支援状態にある六十五歳以上の者

二 要支援状態にある四十歳以上六十五歳未満の者であって、その要支援状態の原因である身体上又は精神上の障害が特定疾病によって生じたものであるもの

5 この法律において「介護支援専門員」とは、要介護者又は要支援者（以下「要介護者等」という。）からの相談に応じ、及び要介護者等がその心身の状況等に応じ適切な居宅サービス、地域密着型サービス、施設サービス、介護予防サービス若しくは地域密着型介護予防サービス又は特定介護予防・日常生活支援総合事業（第百十五条の四十五第一項第一号イに規定する第一号訪問事業、同号ロに規定する第一号通所事業又は同号ハに規定する第一号生活支援事業をいう。以下同じ。）を利用できるよう市町村、居宅サービス事業を行う者、地域密着型サービス事業を行う者、介護保険施設、介護予防サービス事業を行う者、地域密着型介護予防サービス事業を行う者、特定介護予防・日常生活支援総合事業を行う者等との連絡調整等を行う者であって、要介護者等が自立した日常生活を営むのに必要な援助に関する専門的知識及び技術を有するものとして第六十九条の七第一項の介護支援専門員証の交付を受けたものをいう。

6 この法律において「医療保険各法」とは、次に掲げる法律をいう。

一 健康保険法（大正十一年法律第七十号）

二 船員保険法（昭和十四年法律第七十三号）

三 国民健康保険法（昭和三十三年法律第百九十二号）

四 国家公務員共済組合法（昭和三十三年法律第百二十八号）

五 地方公務員等共済組合法（昭和三十七年法律第百五十二号）

六 私立学校教職員共済法（昭和二十八年法律第二百四十五号）

7 この法律において「医療保険者」とは、医療保険各法の規定により医療に関する給付を行う全国健康保険協会、健康保険組合、都道府県及び市町村（特別区を含む。）、国民健康保険組合、共済組合又は日本私立学校振興・共済事業団をいう。

8 この法律において「医療保険加入者」とは、次に掲げる者をいう。

一 健康保険法の規定による被保険者。ただし、同法第三条第二項の規定による日雇特例被保険者を除く。

二 船員保険法の規定による被保険者

三 国民健康保険法の規定による被保険者

四 国家公務員共済組合法又は地方公務員等共済組合法に基づく共済組合の組合員

五 私立学校教職員共済法の規定による私立学校教職員共済制度の加入者

六 健康保険法、船員保険法、国家公務員共済組合法（他の法律において準用する場合を含む。）又は地方公務員等共済組合法の規定による被扶養者。ただし、健康保険法第三条第二項の規定による日雇特例被保険者の同法の規定による被扶養者を除く。

七 健康保険法第百二十六条の規定により日雇特例被保険者手帳の交付を受け、その手帳に健康保険印紙をはり付けるべき余白がなくなるに至るまでの間にある者及び同法の規定によるその者の被扶養者。ただし、同法第三条第二項ただし書の規定による承認を受けて同項の規定による日雇特例被保険者とならない期間内にある者及び同法第百二十六条第三項の規定により当該日雇特例被保険者手帳を返納した者並びに同法の規定によるその者の被扶養者を除く。

9 この法律において「社会保険各法」とは、次に掲げる法律をいう。

一 この法律

二 第六項各号（第四号を除く。）に掲げる法律

三 厚生年金保険法（昭和二十九年法律第百十五号）

四 国民年金法（昭和三十四年法律第百四十一号）

第八条 この法律において「居宅サービス」とは、訪問介護、訪問入浴介護、訪問看護、訪問リハビリテーション、居宅療養管理指導、通所介護、通所リハビリテーション、短期入所生活介護、短期入所療養介護、特定施設入居者生活介護、福祉用具貸与及び特定福祉用具販売をいい、「居宅サービス事業」とは、居宅サービスを行う事業をいう。

2 この法律において「訪問介護」とは、要介護者であって、居宅（老人福祉法（昭和三十八年法律第百三十三号）第二十条の六に規定する軽費老人ホーム、同法第二十九条第一項に規定する有料老人ホーム（以下「有料老人ホーム」という。）その他の厚生労働省令で定める施設における居室を含む。以下同じ。）において介護を受けるもの（以下「居宅要介護者」という。）について、その者の居宅において介護福祉士その他政令で定める者により行われる入浴、排せつ、食事等の介護その他の日常生活上の世話であって、厚生労働省令で定めるもの（定期巡回・随時対応型訪問介護看護（第十五項第二号に掲げるものに限る。）又は夜間対応型訪問介護に該当するものを除く。）をいう。

3 この法律において「訪問入浴介護」とは、居宅要介護者について、その者の居宅を訪問し、浴槽を提供して行われる入浴の

介護をいう。

4　この法律において「訪問看護」とは、居宅要介護者（主治の医師がその治療の必要の程度につき厚生労働省令で定める基準に適合していると認めたものに限る。）について、その者の居宅において看護師その他厚生労働省令で定める者により行われる療養上の世話又は必要な診療の補助をいう。

5　この法律において「訪問リハビリテーション」とは、居宅要介護者（主治の医師がその治療の必要の程度につき厚生労働省令で定める基準に適合していると認めたものに限る。）について、その者の居宅において、その心身の機能の維持回復を図り、日常生活の自立を助けるために行われる理学療法、作業療法その他必要なリハビリテーションをいう。

6　この法律において「居宅療養管理指導」とは、居宅要介護者について、病院、診療所又は薬局（以下「病院等」という。）の医師、歯科医師、薬剤師その他厚生労働省令で定める者により行われる療養上の管理及び指導であって、厚生労働省令で定めるものをいう。

7　この法律において「通所介護」とは、居宅要介護者について、老人福祉法第五条の二第三項の厚生労働省令で定める施設又は同法第二十条の二の二に規定する老人デイサービスセンターに通わせ、当該施設において入浴、排せつ、食事等の介護その他の日常生活上の世話であって厚生労働省令で定めるもの及び機能訓練を行うこと（利用定員が厚生労働省令で定める数以上であるものに限り、認知症対応型通所介護に該当するものを除く。）をいう。

8　この法律において「通所リハビリテーション」とは、居宅要介護者（主治の医師がその治療の必要の程度につき厚生労働省令で定める基準に適合していると認めたものに限る。）について、介護老人保健施設、介護医療院、病院、診療所その他の厚生労働省令で定める施設に通わせ、当該施設において、その心身の機能の維持回復を図り、日常生活の自立を助けるために行われる理学療法、作業療法その他必要なリハビリテーションをいう。

9　この法律において「短期入所生活介護」とは、居宅要介護者について、老人福祉法第五条の二第四項の厚生労働省令で定める施設又は同法第二十条の三に規定する老人短期入所施設に短期間入所させ、当該施設において入浴、排せつ、食事等の介護その他の日常生活上の世話及び機能訓練を行うことをいう。

10　この法律において「短期入所療養介護」とは、居宅要介護者（その治療の必要の程度につき厚生労働省令で定めるものに限る。）について、介護老人保健施設、介護医療院その他の厚生労働省令で定める施設に短期間入所させ、当該施設において看護、医学的管理の下における介護及び機能訓練その他必要な医療並びに日常生活上の世話を行うことをいう。

11　この法律において「特定施設」とは、有料老人ホームその他厚生労働省令で定める施設であって、第二十一項に規定する地域密着型特定施設でないものをいい、「特定施設入居者生活介護」とは、特定施設に入居している要介護者について、当該特定施設が提供するサービスの内容、これを担当する者その他厚生労働省令で定める事項を定めた計画に基づき行われる入浴、排せつ、食事等の介護その他の日常生活上の世話であって厚生労働省令で定めるもの、機能訓練及び療養上の世話をいう。

12　この法律において「福祉用具貸与」とは、居宅要介護者について福祉用具（心身の機能が低下し日常生活を営むのに支障がある要介護者等の日常生活上の便宜を図るための用具及び要介護者等の機能訓練のための用具であって、要介護者等の日常生活の自立を助けるためのものをいう。次項並びに次条第十項及び第十一項において同じ。）のうち厚生労働大臣が定めるものの政令で定めるところにより行われる貸与をいう。

13　この法律において「特定福祉用具販売」とは、居宅要介護者について福祉用具のうち入浴又は排せつの用に供するものその他の厚生労働大臣が定めるもの（以下「特定福祉用具」という。）の政令で定めるところにより行われる販売をいう。

14　この法律において「地域密着型サービス」とは、定期巡回・随時対応型訪問介護看護、夜間対応型訪問介護、地域密着型通所介護、認知症対応型通所介護、小規模多機能型居宅介護、認知症対応型共同生活介護、地域密着型特定施設入居者生活介護、地域密着型介護老人福祉施設入所者生活介護及び複合型サービスをいい、「特定地域密着型サービス」とは、定期巡回・随時対応型訪問介護看護、夜間対応型訪問介護、地域密着型通所介護、認知症対応型通所介護、小規模多機能型居宅介護及び複合型サービスをいい、「地域密着型サービス事業」とは、地域密着型サービスを行う事業をいう。

15　この法律において「定期巡回・随時対応型訪問介護看護」とは、次の各号のいずれかに該当するものをいう。

一　居宅要介護者について、定期的な巡回訪問により、又は随時通報を受け、その者の居宅において、介護福祉士その他第二項の政令で定める者により行われる入浴、排せつ、食事等の介護その他の日常生活上の世話であって、厚生労働省令で定めるものを行うとともに、看護師その他厚生労働省令で定める者により行われる療養上の世話又は必要な診療の補助を行うこと。ただし、療養上の世話又は必要な診療の補助にあっては、主治の医師がその治療の必要の程度につき厚生労働省令で定める基準に適合していると認めた居宅要介護者についてのものに限る。

二　居宅要介護者について、定期的な巡回訪問により、又は随時通報を受け、訪問看護を行う事業所と連携しつつ、その者の居宅において介護福祉士その他第二項の政令で定める者により行われる入浴、排せつ、食事等の介護その他の日常生活上の世話であって、厚生労働省令で定めるものを行うこと。

16　この法律において「夜間対応型訪問介護」とは、居宅要介護者について、夜間において、定期的な巡回訪問により、又は随時通報を受け、その者の居宅において介護福祉士その他第二項の政令で定める者により行われる入浴、排せつ、食事等の介護その他の日常生活上の世話であって、厚生労働省令で定めるもの（定期巡回・随時対応型訪問介護看護に該当するものを除く。）をいう。

17　この法律において「地域密着型通所介護」とは、居宅要介護者について、老人福祉法第五条の二第三項の厚生労働省令で定める施設又は同法第二十条の二の二に規定する老人デイサービスセンターに通わせ、当該施設において入浴、排せつ、食事等の介護その他の日常生活上の世話であって厚生労働省令で定めるもの及び機能訓練を行うこと（利用定員が第七項の厚生労働省令で定める数未満であるものに限り、認知症対応型通所介護に該当するものを除く。）をいう。

18　この法律において「認知症対応型通所介護」とは、居宅要介護者であって、認知症であるものについて、老人福祉法第五条の二第三項の厚生労働省令で定める施設又は同法第二十条の二の二に規定する老人デイサービスセンターに通わせ、当該施設において入浴、排せつ、食事等の介護その他の日常生活上の世話であって厚生労働省令で定めるもの及び機能訓練を行うことをいう。

19　この法律において「小規模多機能型居宅介護」とは、居宅要介護者について、その者の心身の状況、その置かれている環境等に応じて、その者の選択に基づき、その者の居宅において、又は厚生労働省令で定めるサービスの拠点に通わせ、若しくは短期間宿泊させ、当該拠点において、入浴、排せつ、食事等の介護その他の日常生活上の世話であって厚生労働省令で定めるもの及び機能訓練を行うことをいう。

20　この法律において「認知症対応型共同生活介護」とは、要介護者であって認知症であるもの（その者の認知症の原因となる疾患が急性の状態にある者を除く。）について、その共同生活を営むべき住居において、入浴、排せつ、食事等の介護その他の日常生活上の世話及び機能訓練を行うことをいう。

21　この法律において「地域密着型特定施設入居者生活介護」とは、有料老人ホームその他第十一項の厚生労働省令で定める施設であって、その入居者が要介護者、その配偶者その他厚生労働省令で定める者に限られるもの（以下「介護専用型特定施設」という。）のうち、その入居定員が二十九人以下であるもの（以下この項において「地域密着型特定施設」という。）に入居している要介護者について、当該地域密着型特定施設が提供するサービスの内容、これを担当する者その他厚生労働省令で定める事項を定めた計画に基づき行われる入浴、排せつ、食事等の介護その他の日常生活上の世話であって厚生労働省令で定めるもの、機能訓練及び療養上の世話をいう。

22　この法律において「地域密着型介護老人福祉施設」とは、老人福祉法第二十条の五に規定する特別養護老人ホーム（入所定員が二十九人以下であるものに限る。以下この項において同じ。）であって、当該特別養護老人ホームに入所する要介護者（厚生労働省令で定める要介護状態区分に該当する状態である者その他居宅において日常生活を営むことが困難な者として厚生労働省令で定めるものに限る。以下この項及び第二十七項において同じ。）に対し、地域密着型施設サービス計画（地域密着型介護老人福祉施設に入所している要介護者について、当該施設が提供するサービスの内容、これを担当する者その他厚生労働省令で定める事項を定めた計画をいう。以下この項において同じ。）に基づいて、入浴、排せつ、食事等の介護その他の日常生活上の世話、機能訓練、健康管理及び療養上の世話を行うことを目的とする施設をいい、「地域密着型介護老人福祉施設入所者生活介護」とは、地域密着型介護老人福祉施設に入所する要介護者に対し、地域密着型施設サービス計画に基づいて行われる入浴、排せつ、食事等の介護その他の日常生活上の世話、機能訓練、健康管理及び療養上の世話をいう。

23　この法律において「複合型サービス」とは、居宅要介護者について、訪問介護、訪問入浴介護、訪問看護、訪問リハビリテーション、居宅療養管理指導、通所介護、通所リハビリテーション、短期入所生活介護、短期入所療養介護、定期巡回・随時対応型訪問介護看護、夜間対応型訪問介護、地域密着型通所介護、認知症対応型通所介護又は小規模多機能型居宅介護を二種類以上組み合わせることにより提供されるサービスのうち、次に掲げるものをいう。

一　訪問看護及び小規模多機能型居宅介護を一体的に提供することにより、居宅要介護者について、その者の居宅において、又は第十九項の厚生労働省令で定めるサービスの拠点に通わせ、若しくは短期間宿泊させ、日常生活上の世話及び機能訓練並びに療養上の世話又は必要な診療の補助を行うもの

二　前号に掲げるもののほか、居宅要介護者について一体的に提供されることが特に効果的かつ効率的なサービスの組合せにより提供されるサービスとして厚生労働省令で定めるもの

24　この法律において「居宅介護支援」とは、居宅要介護者が第四十一条第一項に規定する指定居宅サービス又は特例居宅介護サービス費に係る居宅サービス若しくはこれに相当するサービス、第四十二条の二第一項に規定する指定地域密着型サービス又は特例地域密着型介護サービス費に係る地域密着型サービス若しくはこれに相当するサービス及びその他の居宅において日常生活を営むために必要な保健医療サービス又は福祉サービス（以下この項において「指定居宅サービス等」という。）の適切な利用等をすることができるよう、当該居宅要介護者の依頼を受けて、その心身の状況、その置かれている環境、当該居宅要介護者及びその家族の希望等を勘案し、利用する指定居宅サービス等の種類及び内容、これを担当する者その他厚生労働省令で定める事項を定めた計画（以下この項、第百十五条の四十五第二項第三号及び別表において「居宅サービス計画」という。）を作成するとともに、当該居宅サービス計画に基づく指定居宅サービス等の提供が確保されるよう、第四十一条第一項に規定する指定居宅サービス事業者、第四十二条の二第一項に規定する指定地域密着型サービス事業者その他の者との連絡調整その他の便宜の提供を行い、並びに当該居宅要介護者が地域密着型介護老人福祉施設又は介護保険施設への入所を要する場合にあっては、地域密着型介護老人福祉施設又は介護保険施設への紹介その他の便宜の提供を行うことをいい、「居宅介護支援事業」とは、居宅介護支援を行う事業をいう。

25　この法律において「介護保険施設」とは、第四十八条第一項第一号に規定する指定介護老人福祉施設、介護老人保健施設及び介護医療院をいう。

26　この法律において「施設サービス」とは、介護福祉施設サービス、介護保健施設サービス及び介護医療院サービスをいい、「施設サービス計画」とは、介護老人福祉施設、介護老人保健施設又は介護医療院に入所している要介護者について、これらの施設が提供するサービスの内容、これを担当する者その他厚生労働省令で定める事項を定めた計画をいう。

27　この法律において「介護老人福祉施設」とは、老人福祉法第二十条の五に規定する特別養護老人ホーム（入所定員が三十人以上であるものに限る。以下この項において同じ。）であって、当該特別養護老人ホームに入所する要介護者に対し、施設サービス計画に基づいて、入浴、排せつ、食事等の介護その他の日常生活上の世話、機能訓練、健康管理及び療養上の世話を行うことを目的とする施設をいい、「介護福祉施設サービス」とは、介護老人福祉施設に入所する要介護者に対し、施設サービス計画に基づいて行われる入浴、排せつ、食事等の介護その

他の日常生活上の世話、機能訓練、健康管理及び療養上の世話をいう。

28 この法律において「介護老人保健施設」とは、要介護者であって、主としてその心身の機能の維持回復を図り、居宅における生活を営むことができるようにするための支援が必要である者（その治療の必要の程度につき厚生労働省令で定めるものに限る。以下この項において単に「要介護者」という。）に対し、施設サービス計画に基づいて、看護、医学的管理の下における介護及び機能訓練その他必要な医療並びに日常生活上の世話を行うことを目的とする施設として、第九十四条第一項の都道府県知事の許可を受けたものをいい、「介護保健施設サービス」とは、介護老人保健施設に入所する要介護者に対し、施設サービス計画に基づいて行われる看護、医学的管理の下における介護及び機能訓練その他必要な医療並びに日常生活上の世話をいう。

29 この法律において「介護医療院」とは、要介護者であって、主として長期にわたり療養が必要である者（その治療の必要の程度につき厚生労働省令で定めるものに限る。以下この項において単に「要介護者」という。）に対し、施設サービス計画に基づいて、療養上の管理、看護、医学的管理の下における介護及び機能訓練その他必要な医療並びに日常生活上の世話を行うことを目的とする施設として、第百七条第一項の都道府県知事の許可を受けたものをいい、「介護医療院サービス」とは、介護医療院に入所する要介護者に対し、施設サービス計画に基づいて行われる療養上の管理、看護、医学的管理の下における介護及び機能訓練その他必要な医療並びに日常生活上の世話をいう。

第八条の二 この法律において「介護予防サービス」とは、介護予防訪問入浴介護、介護予防訪問看護、介護予防訪問リハビリテーション、介護予防居宅療養管理指導、介護予防通所リハビリテーション、介護予防短期入所生活介護、介護予防短期入所療養介護、介護予防特定施設入居者生活介護、介護予防福祉用具貸与及び特定介護予防福祉用具販売をいい、「介護予防サービス事業」とは、介護予防サービスを行う事業をいう。

2 この法律において「介護予防訪問入浴介護」とは、要支援者であって、居宅において支援を受けるもの（以下「居宅要支援者」という。）について、その介護予防（身体上又は精神上の障害があるために入浴、排せつ、食事等の日常生活における基本的な動作の全部若しくは一部について常時介護を要し、又は日常生活を営むのに支障がある状態の軽減又は悪化の防止をいう。以下同じ。）を目的として、厚生労働省令で定める場合に、その者の居宅を訪問し、厚生労働省令で定める期間にわたり浴槽を提供して行われる入浴の介護をいう。

3 この法律において「介護予防訪問看護」とは、居宅要支援者（主治の医師がその治療の必要の程度につき厚生労働省令で定める基準に適合していると認めたものに限る。）について、その者の居宅において、その介護予防を目的として、看護師その他厚生労働省令で定める者により、厚生労働省令で定める期間にわたり行われる療養上の世話又は必要な診療の補助をいう。

4 この法律において「介護予防訪問リハビリテーション」とは、居宅要支援者（主治の医師がその治療の必要の程度につき厚生労働省令で定める基準に適合していると認めたものに限る。）について、その者の居宅において、その介護予防を目的として、厚生労働省令で定める期間にわたり行われる理学療法、作業療法その他必要なリハビリテーションをいう。

5 この法律において「介護予防居宅療養管理指導」とは、居宅要支援者について、その介護予防を目的として、病院等の医師、歯科医師、薬剤師その他厚生労働省令で定める者により行われる療養上の管理及び指導であって、厚生労働省令で定めるものをいう。

6 この法律において「介護予防通所リハビリテーション」とは、居宅要支援者（主治の医師がその治療の必要の程度につき厚生労働省令で定める基準に適合していると認めたものに限る。）について、介護老人保健施設、介護医療院、病院、診療所その他の厚生労働省令で定める施設に通わせ、当該施設において、その介護予防を目的として、厚生労働省令で定める期間にわたり行われる理学療法、作業療法その他必要なリハビリテーションをいう。

7 この法律において「介護予防短期入所生活介護」とは、居宅要支援者について、老人福祉法第五条の二第四項の厚生労働省令で定める施設又は同法第二十条の三に規定する老人短期入所施設に短期間入所させ、その介護予防を目的として、厚生労働省令で定める期間にわたり、当該施設において入浴、排せつ、食事等の介護その他の日常生活上の支援及び機能訓練を行うことをいう。

8 この法律において「介護予防短期入所療養介護」とは、居宅要支援者（その治療の必要の程度につき厚生労働省令で定めるものに限る。）について、介護老人保健施設、介護医療院、介護療養型医療施設その他の厚生労働省令で定める施設に短期間入所させ、その介護予防を目的として、厚生労働省令で定める期間にわたり、当該施設において看護、医学的管理の下における介護及び機能訓練その他必要な医療並びに日常生活上の支援を行うことをいう。

9 この法律において「介護予防特定施設入居者生活介護」とは、特定施設（介護専用型特定施設を除く。）に入居している要支援者について、その介護予防を目的として、当該特定施設が提供するサービスの内容、これを担当する者その他厚生労働省令で定める事項を定めた計画に基づき行われる入浴、排せつ、食事等の介護その他の日常生活上の支援であって厚生労働省令で定めるもの、機能訓練及び療養上の世話をいう。

10 この法律において「介護予防福祉用具貸与」とは、居宅要支援者について福祉用具のうちその介護予防に資するものとして厚生労働大臣が定めるものの政令で定めるところにより行われる貸与をいう。

11 この法律において「特定介護予防福祉用具販売」とは、居宅要支援者について福祉用具のうちその介護予防に資するものであって入浴又は排せつの用に供するものその他の厚生労働大臣が定めるもの（以下「特定介護予防福祉用具」という。）の政令で定めるところにより行われる販売をいう。

12 この法律において「地域密着型介護予防サービス」とは、介護予防認知症対応型通所介護、介護予防小規模多機能型居宅介護及び介護予防認知症対応型共同生活介護をいい、「特定地域密着型介護予防サービス」とは、介護予防認知症対応型通所介護及び介護予防小規模多機能型居宅介護をいい、「地域密着型介護予防サービス事業」とは、地域密着型介護予防サービスを行う事業をいう。

13　この法律において「介護予防認知症対応型通所介護」とは、居宅要支援者であって、認知症であるものについて、その介護予防を目的として、老人福祉法第五条の二第三項の厚生労働省令で定める施設又は同法第二十条の二の二に規定する老人デイサービスセンターに通わせ、当該施設において、厚生労働省令で定める期間にわたり、入浴、排せつ、食事等の介護その他の日常生活上の支援であって厚生労働省令で定めるもの及び機能訓練を行うことをいう。

14　この法律において「介護予防小規模多機能型居宅介護」とは、居宅要支援者について、その者の心身の状況、その置かれている環境等に応じて、その者の選択に基づき、その者の居宅において、又は厚生労働省令で定めるサービスの拠点に通わせ、若しくは短期間宿泊させ、当該拠点において、その介護予防を目的として、入浴、排せつ、食事等の介護その他の日常生活上の支援であって厚生労働省令で定めるもの及び機能訓練を行うことをいう。

15　この法律において「介護予防認知症対応型共同生活介護」とは、要支援者（厚生労働省令で定める要支援状態区分に該当する状態である者に限る。）であって認知症であるもの（その者の認知症の原因となる疾患が急性の状態にある者を除く。）について、その共同生活を営むべき住居において、その介護予防を目的として、入浴、排せつ、食事等の介護その他の日常生活上の支援及び機能訓練を行うことをいう。

16　この法律において「介護予防支援」とは、居宅要支援者が第五十三条第一項に規定する指定介護予防サービス又は特例介護予防サービス費に係る介護予防サービス若しくはこれに相当するサービス、第五十四条の二第一項に規定する指定地域密着型介護予防サービス又は特例地域密着型介護予防サービス費に係る地域密着型介護予防サービス若しくはこれに相当するサービス、特定介護予防・日常生活支援総合事業（市町村、第百十五条の四十五の三第一項に規定する指定事業者又は第百十五条の四十七第七項の受託者が行うものに限る。以下この項及び第三十二条第四項第二号において同じ。）及びその他の介護予防に資する保健医療サービス又は福祉サービス（以下この項において「指定介護予防サービス等」という。）の適切な利用等をすることができるよう、第百十五条の四十六第一項に規定する地域包括支援センターの職員及び第四十六条第一項に規定する指定居宅介護支援を行う事業所の従業者のうち厚生労働省令で定める者が、当該居宅要支援者の依頼を受けて、その心身の状況、その置かれている環境、当該居宅要支援者及びその家族の希望等を勘案し、利用する指定介護予防サービス等の種類及び内容、これを担当する者その他厚生労働省令で定める事項を定めた計画（以下この項、第百十五条の三十の二第一項、第百十五条の四十五第二項第三号及び別表において「介護予防サービス計画」という。）を作成するとともに、当該介護予防サービス計画に基づく指定介護予防サービス等の提供が確保されるよう、第五十三条第一項に規定する指定介護予防サービス事業者、第五十四条の二第一項に規定する指定地域密着型介護予防サービス事業者、特定介護予防・日常生活支援総合事業を行う者その他の者との連絡調整その他の便宜の提供を行うことをいい、「介護予防支援事業」とは、介護予防支援を行う事業をいう。

第二章　被保険者

（被保険者）

第九条　次の各号のいずれかに該当する者は、市町村又は特別区（以下単に「市町村」という。）が行う介護保険の被保険者とする。

一　市町村の区域内に住所を有する六十五歳以上の者（以下「第一号被保険者」という。）

二　市町村の区域内に住所を有する四十歳以上六十五歳未満の医療保険加入者（以下「第二号被保険者」という。）

（資格取得の時期）

第十条　前条の規定による当該市町村が行う介護保険の被保険者は、次の各号のいずれかに該当するに至った日から、その資格を取得する。

一　当該市町村の区域内に住所を有する医療保険加入者が四十歳に達したとき。

二　四十歳以上六十五歳未満の医療保険加入者又は六十五歳以上の者が当該市町村の区域内に住所を有するに至ったとき。

三　当該市町村の区域内に住所を有する四十歳以上六十五歳未満の者が医療保険加入者となったとき。

四　当該市町村の区域内に住所を有する者（医療保険加入者を除く。）が六十五歳に達したとき。

（資格喪失の時期）

第十一条　第九条の規定による当該市町村が行う介護保険の被保険者は、当該市町村の区域内に住所を有しなくなった日の翌日から、その資格を喪失する。ただし、当該市町村の区域内に住所を有しなくなった日に他の市町村の区域内に住所を有するに至ったときは、その日から、その資格を喪失する。

2　第二号被保険者は、医療保険加入者でなくなった日から、その資格を喪失する。

（届出等）

第十二条　第一号被保険者は、厚生労働省令で定めるところにより、被保険者の資格の取得及び喪失に関する事項その他必要な事項を市町村に届け出なければならない。ただし、第十条第四号に該当するに至ったことにより被保険者の資格を取得した場合（厚生労働省令で定める場合を除く。）については、この限りでない。

2　第一号被保険者の属する世帯の世帯主は、その世帯に属する第一号被保険者に代わって、当該第一号被保険者に係る前項の規定による届出をすることができる。

3　被保険者は、市町村に対し、当該被保険者に係る被保険者証の交付を求めることができる。

4　被保険者は、その資格を喪失したときは、厚生労働省令で定めるところにより、速やかに、被保険者証を返還しなければならない。

5　住民基本台帳法（昭和四十二年法律第八十一号）第二十二条から第二十四条まで、第二十五条、第三十条の四十六又は第三十条の四十七の規定による届出があったとき（当該届出に係る書面に同法第二十八条の三の規定による付記がされたときに限る。）は、その届出と同一の事由に基づく第一項本文の規定による届出があったものとみなす。

6　前各項に規定するもののほか、被保険者に関する届出及び被保険者証に関して必要な事項は、厚生労働省令で定める。

（住所地特例対象施設に入所又は入居中の被保険者の特例）

第十三条　次に掲げる施設（以下「住所地特例対象施設」という。）に入所又は入居（以下「入所等」という。）をすることにより当該住所地特例対象施設の所在する場所に住所を変更したと認められる被保険者（第三号に掲げる施設に入所することにより当該施設の所在する場所に住所を変更したと認められる被保険者にあっては、老人福祉法第十一条第一項第一号の規定による入所措置がとられた者に限る。以下この項及び次項において「住所地特例対象被保険者」という。）であって、当該住所地特例対象施設に入所等をした際他の市町村（当該住所地特例対象施設が所在する市町村以外の市町村をいう。）の区域内に住所を有していたと認められるものは、第九条の規定にかかわらず、当該他の市町村が行う介護保険の被保険者とする。ただし、二以上の住所地特例対象施設に継続して入所等をしている住所地特例対象被保険者であって、現に入所等をしている住所地特例対象施設（以下この項及び次項において「現入所施設」という。）に入所等をする直前に入所等をしていた住所地特例対象施設（以下この項において「直前入所施設」という。）及び現入所施設のそれぞれに入所等をすることにより直前入所施設及び現入所施設のそれぞれの所在する場所に順次住所を変更したと認められるもの（次項において「特定継続入所被保険者」という。）については、この限りでない。

一　介護保険施設

二　特定施設

三　老人福祉法第二十条の四に規定する養護老人ホーム

2　特定継続入所被保険者のうち、次の各号に掲げるものは、第九条の規定にかかわらず、当該各号に定める市町村が行う介護保険の被保険者とする。

一　継続して入所等をしている二以上の住所地特例対象施設のそれぞれに入所等をすることによりそれぞれの住所地特例対象施設の所在する場所に順次住所を変更したと認められる住所地特例対象被保険者であって、当該二以上の住所地特例対象施設のうち最初の住所地特例対象施設に入所等をした際他の市町村（現入所施設が所在する市町村以外の市町村をいう。）の区域内に住所を有していたと認められるもの　当該他の市町村

二　継続して入所等をしている二以上の住所地特例対象施設のうち一の住所地特例対象施設から継続して他の住所地特例対象施設に入所等をすること（以下この号において「継続入所等」という。）により当該一の住所地特例対象施設の所在する場所以外の場所から当該他の住所地特例対象施設の所在する場所への住所の変更（以下この号において「特定住所変更」という。）を行ったと認められる住所地特例対象被保険者であって、最後に行った特定住所変更に係る継続入所等の際他の市町村（現入所施設が所在する市町村以外の市町村をいう。）の区域内に住所を有していたと認められるもの　当該他の市町村

3　第一項の規定により同項に規定する当該他の市町村が行う介護保険の被保険者とされた者又は前項の規定により同項各号に定める当該他の市町村が行う介護保険の被保険者とされた者（以下「住所地特例適用被保険者」という。）が入所等をしている住所地特例対象施設は、当該住所地特例対象施設の所在する市町村（以下「施設所在市町村」という。）及び当該住所地特例適用被保険者に対し介護保険を行う市町村に、必要な協力をしなければならない。

第四章　保険給付

第一節　通則

（保険給付の種類）

第十八条　この法律による保険給付は、次に掲げる保険給付とする。

一　被保険者の要介護状態に関する保険給付（以下「介護給付」という。）

二　被保険者の要支援状態に関する保険給付（以下「予防給付」という。）

三　前二号に掲げるもののほか、要介護状態等の軽減又は悪化の防止に資する保険給付として条例で定めるもの（第五節において「市町村特別給付」という。）

（市町村の認定）

第十九条　介護給付を受けようとする被保険者は、要介護者に該当すること及びその該当する要介護状態区分について、市町村の認定（以下「要介護認定」という。）を受けなければならない。

2　予防給付を受けようとする被保険者は、要支援者に該当すること及びその該当する要支援状態区分について、市町村の認定（以下「要支援認定」という。）を受けなければならない。

（他の法令による給付との調整）

第二十条　介護給付又は予防給付（以下「介護給付等」という。）は、当該要介護状態等につき、労働者災害補償保険法（昭和二十二年法律第五十号）の規定による療養補償給付、複数事業労働者療養給付若しくは療養給付その他の法令に基づく給付であって政令で定めるもののうち介護給付等に相当するものを受けることができるときは政令で定める限度において、又は当該政令で定める給付以外の給付であって国若しくは地方公共団体の負担において介護給付等に相当するものが行われたときはその限度において、行わない。

第三節　介護給付

（介護給付の種類）

第四十条　介護給付は、次に掲げる保険給付とする。

一　居宅介護サービス費の支給

二　特例居宅介護サービス費の支給

三　地域密着型介護サービス費の支給

四　特例地域密着型介護サービス費の支給

五　居宅介護福祉用具購入費の支給

六　居宅介護住宅改修費の支給

七　居宅介護サービス計画費の支給

八　特例居宅介護サービス計画費の支給

九　施設介護サービス費の支給

十　特例施設介護サービス費の支給

十一　高額介護サービス費の支給

十一の二　高額医療合算介護サービス費の支給

十二　特定入所者介護サービス費の支給

十三　特例特定入所者介護サービス費の支給

（居宅介護サービス費の支給）

第四十一条　市町村は、要介護認定を受けた被保険者（以下「要介護被保険者」という。）のうち居宅において介護を受けるもの（以下「居宅要介護被保険者」という。）が、都道府県知事

が指定する者（以下「指定居宅サービス事業者」という。）から当該指定に係る居宅サービス事業を行う事業所により行われる居宅サービス（以下「指定居宅サービス」という。）を受けたときは、当該居宅要介護被保険者に対し、当該指定居宅サービスに要した費用（特定福祉用具の購入に要した費用を除き、通所介護、通所リハビリテーション、短期入所生活介護、短期入所療養介護及び特定施設入居者生活介護に要した費用については、食事の提供に要する費用、滞在に要する費用その他の日常生活に要する費用として厚生労働省令で定める費用を除く。以下この条において同じ。）について、居宅介護サービス費を支給する。ただし、当該居宅要介護被保険者が、第三十七条第一項の規定による指定を受けている場合において、当該指定に係る種類以外の居宅サービスを受けたときは、この限りでない。

2 居宅介護サービス費は、厚生労働省令で定めるところにより、市町村が必要と認める場合に限り、支給するものとする。

3 指定居宅サービスを受けようとする居宅要介護被保険者は、厚生労働省令で定めるところにより、自己の選定する指定居宅サービス事業者について、被保険者証を提示して、当該指定居宅サービスを受けるものとする。

4 居宅介護サービス費の額は、次の各号に掲げる居宅サービスの区分に応じ、当該各号に定める額とする。

一 訪問介護、訪問入浴介護、訪問看護、訪問リハビリテーション、居宅療養管理指導、通所介護、通所リハビリテーション及び福祉用具貸与　これらの居宅サービスの種類ごとに、当該居宅サービスの種類に係る指定居宅サービスの内容、当該指定居宅サービスの事業を行う事業所の所在する地域等を勘案して算定される当該指定居宅サービスに要する平均的な費用（通所介護及び通所リハビリテーションに要する費用については、食事の提供に要する費用その他の日常生活に要する費用として厚生労働省令で定める費用を除く。）の額を勘案して厚生労働大臣が定める基準により算定した費用の額（その額が現に当該指定居宅サービスに要した費用の額を超えるときは、当該現に指定居宅サービスに要した費用の額とする。）の百分の九十に相当する額

二 短期入所生活介護、短期入所療養介護及び特定施設入居者生活介護　これらの居宅サービスの種類ごとに、要介護状態区分、当該居宅サービスの種類に係る指定居宅サービスの事業を行う事業所の所在する地域等を勘案して算定される当該指定居宅サービスに要する平均的な費用（食事の提供に要する費用、滞在に要する費用その他の日常生活に要する費用として厚生労働省令で定める費用を除く。）の額を勘案して厚生労働大臣が定める基準により算定した費用の額（その額が現に当該指定居宅サービスに要した費用の額を超えるときは、当該現に指定居宅サービスに要した費用の額とする。）の百分の九十に相当する額

5 厚生労働大臣は、前項各号の基準を定めようとするときは、あらかじめ社会保障審議会の意見を聴かなければならない。

6 居宅要介護被保険者が指定居宅サービス事業者から指定居宅サービスを受けたとき（当該居宅要介護被保険者が第四十六条第四項の規定により指定居宅介護支援を受けることにつきあらかじめ市町村に届け出ている場合であって、当該指定居宅サービスが当該指定居宅介護支援の対象となっている場合その他の厚生労働省令で定める場合に限る。）は、市町村は、当該居宅要介護被保険者が当該指定居宅サービス事業者に支払うべき当該指定居宅サービスに要した費用について、居宅介護サービス費として当該居宅要介護被保険者に対し支給すべき額の限度において、当該居宅要介護被保険者に代わり、当該指定居宅サービス事業者に支払うことができる。

7 前項の規定による支払があったときは、居宅要介護被保険者に対し居宅介護サービス費の支給があったものとみなす。

8 指定居宅サービス事業者は、指定居宅サービスその他のサービスの提供に要した費用につき、その支払を受ける際、当該支払をした居宅要介護被保険者に対し、厚生労働省令で定めるところにより、領収証を交付しなければならない。

9 市町村は、指定居宅サービス事業者から居宅介護サービス費の請求があったときは、第四項各号の厚生労働大臣が定める基準及び第七十四条第二項に規定する指定居宅サービスの事業の設備及び運営に関する基準（指定居宅サービスの取扱いに関する部分に限る。）に照らして審査した上、支払うものとする。

10 市町村は、前項の規定による審査及び支払に関する事務を連合会に委託することができる。

11 前項の規定による委託を受けた連合会は、当該委託をした市町村の同意を得て、厚生労働省令で定めるところにより、当該委託を受けた事務の一部を、営利を目的としない法人であって厚生労働省令で定める要件に該当するものに委託することができる。

12 前各項に規定するもののほか、居宅介護サービス費の支給及び指定居宅サービス事業者の居宅介護サービス費の請求に関して必要な事項は、厚生労働省令で定める。

（特例居宅介護サービス費の支給）

第四十二条 市町村は、次に掲げる場合には、居宅要介護被保険者に対し、特例居宅介護サービス費を支給する。

一 居宅要介護被保険者が、当該要介護認定の効力が生じた日前に、緊急その他やむを得ない理由により指定居宅サービスを受けた場合において、必要があると認めるとき。

二 居宅要介護被保険者が、指定居宅サービス以外の居宅サービス又はこれに相当するサービス（指定居宅サービスの事業に係る第七十四条第一項の都道府県の条例で定める基準及び同項の都道府県の条例で定める員数並びに同条第二項に規定する指定居宅サービスの事業の設備及び運営に関する基準のうち、都道府県の条例で定めるものを満たすと認められる事業を行う事業所により行われるものに限る。次号及び次項において「基準該当居宅サービス」という。）を受けた場合において、必要があると認めるとき。

三 指定居宅サービス及び基準該当居宅サービスの確保が著しく困難である離島その他の地域であって厚生労働大臣が定める基準に該当するものに住所を有する居宅要介護被保険者が、指定居宅サービス及び基準該当居宅サービス以外の居宅サービス又はこれに相当するサービスを受けた場合において、必要があると認めるとき。

四 その他政令で定めるとき。

2 都道府県が前項第二号の条例を定めるに当たっては、第一号から第三号までに掲げる事項については厚生労働省令で定める基準に従い定めるものとし、第四号に掲げる事項については厚

生労働省令で定める基準を標準として定めるものとし、その他の事項については厚生労働省令で定める基準を参酌するものとする。

一 基準該当居宅サービスに従事する従業者に係る基準及び当該従業者の員数

二 基準該当居宅サービスの事業に係る居室の床面積

三 基準該当居宅サービスの事業の運営に関する事項であって、利用する要介護者のサービスの適切な利用、適切な処遇及び安全の確保並びに秘密の保持等に密接に関連するものとして厚生労働省令で定めるもの

四 基準該当居宅サービスの事業に係る利用定員

3 特例居宅介護サービス費の額は、当該居宅サービス又はこれに相当するサービスについて前条第四項各号の厚生労働大臣が定める基準により算定した費用の額（その額が現に当該居宅サービス又はこれに相当するサービスに要した費用（特定福祉用具の購入に要した費用を除き、通所介護、通所リハビリテーション、短期入所生活介護、短期入所療養介護及び特定施設入居者生活介護並びにこれらに相当するサービスに要した費用については、食事の提供に要する費用、滞在に要する費用その他の日常生活に要する費用として厚生労働省令で定める費用を除く。）の額を超えるときは、当該現に居宅サービス又はこれに相当するサービスに要した費用の額とする。）の百分の九十に相当する額を基準として、市町村が定める。

4 市町村長は、特例居宅介護サービス費の支給に関して必要があると認めるときは、当該支給に係る居宅サービス若しくはこれに相当するサービスを担当する者若しくは担当した者（以下この項において「居宅サービス等を担当する者等」という。）に対し、報告若しくは帳簿書類の提出若しくは提示を命じ、若しくは出頭を求め、又は当該職員に関係者に対して質問させ、若しくは当該居宅サービス等を担当する者等の当該支給に係る事業所に立ち入り、その設備若しくは帳簿書類その他の物件を検査させることができる。

5 第二十四条第三項の規定は前項の規定による質問又は検査について、同条第四項の規定は前項の規定による権限について準用する。

（地域密着型介護サービス費の支給）

第四十二条の二 市町村は、要介護被保険者が、当該市町村（住所地特例適用被保険者である要介護被保険者（以下「住所地特例適用要介護被保険者」という。）に係る特定地域密着型サービスにあっては、施設所在市町村を含む。）の長が指定する者（以下「指定地域密着型サービス事業者」という。）から当該指定に係る地域密着型サービス事業を行う事業所により行われる地域密着型サービス（以下「指定地域密着型サービス」という。）を受けたときは、当該要介護被保険者に対し、当該指定地域密着型サービスに要した費用（地域密着型通所介護、認知症対応型通所介護、小規模多機能型居宅介護、認知症対応型共同生活介護、地域密着型特定施設入居者生活介護及び地域密着型介護老人福祉施設入所者生活介護に要した費用については、食事の提供に要する費用、居住に要する費用その他の日常生活に要する費用として厚生労働省令で定める費用を除く。以下この条において同じ。）について、地域密着型介護サービス費を支給する。ただし、当該要介護被保険者が、第三十七条第一項の規定による指定を受けている場合において、当該指定に係る種類以外の地域密着型サービスを受けたときは、この限りでない。

2 地域密着型介護サービス費の額は、次の各号に掲げる地域密着型サービスの区分に応じ、当該各号に定める額とする。

一 定期巡回・随時対応型訪問介護看護及び複合型サービス　これらの地域密着型サービスの種類ごとに、当該地域密着型サービスの種類に係る指定地域密着型サービスの内容、要介護状態区分、当該指定地域密着型サービスの事業を行う事業所の所在する地域等を勘案して算定される当該指定地域密着型サービスに要する平均的な費用（複合型サービス（厚生労働省令で定めるものに限る。次条第二項において同じ。）に要する費用については、食事の提供に要する費用、宿泊に要する費用その他の日常生活に要する費用として厚生労働省令で定める費用を除く。）の額を勘案して厚生労働大臣が定める基準により算定した費用の額（その額が現に当該指定地域密着型サービスに要した費用の額を超えるときは、当該現に指定地域密着型サービスに要した費用の額とする。）の百分の九十に相当する額

二 夜間対応型訪問介護、地域密着型通所介護及び認知症対応型通所介護　これらの地域密着型サービスの種類ごとに、当該地域密着型サービスの種類に係る指定地域密着型サービスの内容、当該指定地域密着型サービスの事業を行う事業所の所在する地域等を勘案して算定される当該指定地域密着型サービスに要する平均的な費用（地域密着型通所介護及び認知症対応型通所介護に要する費用については、食事の提供に要する費用その他の日常生活に要する費用として厚生労働省令で定める費用を除く。）の額を勘案して厚生労働大臣が定める基準により算定した費用の額（その額が現に当該指定地域密着型サービスに要した費用の額を超えるときは、当該現に指定地域密着型サービスに要した費用の額とする。）の百分の九十に相当する額

三 小規模多機能型居宅介護、認知症対応型共同生活介護、地域密着型特定施設入居者生活介護及び地域密着型介護老人福祉施設入所者生活介護　これらの地域密着型サービスの種類ごとに、要介護状態区分、当該地域密着型サービスの種類に係る指定地域密着型サービスの事業を行う事業所の所在する地域等を勘案して算定される当該指定地域密着型サービスに要する平均的な費用（食事の提供に要する費用、居住に要する費用その他の日常生活に要する費用として厚生労働省令で定める費用を除く。）の額を勘案して厚生労働大臣が定める基準により算定した費用の額（その額が現に当該指定地域密着型サービスに要した費用の額を超えるときは、当該現に指定地域密着型サービスに要した費用の額とする。）の百分の九十に相当する額

3 厚生労働大臣は、前項各号の基準を定めようとするときは、あらかじめ社会保障審議会の意見を聴かなければならない。

4 市町村は、第二項各号の規定にかかわらず、地域密着型サービスの種類その他の事情を勘案して厚生労働大臣が定める基準により算定した額を限度として、同項各号に定める地域密着型介護サービス費の額に代えて、当該市町村（施設所在市町村の長が第一項本文の指定をした指定地域密着型サービス事業者から指定地域密着型サービスを受けた住所地特例適用要介護被保

険者に係る地域密着型介護サービス費（特定地域密着型サービスに係るものに限る。）の額にあっては、施設所在市町村）が定める額を、当該市町村における地域密着型介護サービス費の額とすることができる。

5　市町村は、前項の当該市町村における地域密着型介護サービス費の額を定めようとするときは、あらかじめ、当該市町村が行う介護保険の被保険者その他の関係者の意見を反映させ、及び学識経験を有する者の知見の活用を図るために必要な措置を講じなければならない。

6　要介護被保険者が指定地域密着型サービス事業者から指定地域密着型サービスを受けたとき（当該要介護被保険者が第四十六条第四項の規定により指定居宅介護支援を受けることにつきあらかじめ市町村に届け出ている場合であって、当該指定地域密着型サービスが当該指定居宅介護支援の対象となっている場合その他の厚生労働省令で定める場合に限る。）は、市町村は、当該要介護被保険者が当該指定地域密着型サービス事業者に支払うべき当該指定地域密着型サービスに要した費用について、地域密着型介護サービス費として当該要介護被保険者に対し支給すべき額の限度において、当該要介護被保険者に代わり、当該指定地域密着型サービス事業者に支払うことができる。

7　前項の規定による支払があったときは、要介護被保険者に対し地域密着型介護サービス費の支給があったものとみなす。

8　市町村は、指定地域密着型サービス事業者から地域密着型介護サービス費の請求があったときは、第二項各号の厚生労働大臣が定める基準又は第四項の規定により市町村（施設所在市町村の長が第一項本文の指定をした指定地域密着型サービス事業者から指定地域密着型サービスを受けた住所地特例適用要介護被保険者に係る地域密着型介護サービス費（特定地域密着型サービスに係るものに限る。）の請求にあっては、施設所在市町村）が定める額及び第七十八条の四第二項又は第五項の規定により市町村（施設所在市町村の長が第一項本文の指定をした指定地域密着型サービス事業者から指定地域密着型サービスを受けた住所地特例適用要介護被保険者に係る地域密着型介護サービス費（特定地域密着型サービスに係るものに限る。）の請求にあっては、施設所在市町村）が定める指定地域密着型サービスの事業の設備及び運営に関する基準（指定地域密着型サービスの取扱いに関する部分に限る。）に照らして審査した上、支払うものとする。

9　第四十一条第二項、第三項、第十項及び第十一項の規定は地域密着型介護サービス費の支給について、同条第八項の規定は指定地域密着型サービス事業者について準用する。この場合において、これらの規定に関し必要な技術的読替えは、政令で定める。

10　前各項に規定するもののほか、地域密着型介護サービス費の支給及び指定地域密着型サービス事業者の地域密着型介護サービス費の請求に関して必要な事項は、厚生労働省令で定める。

（特例地域密着型介護サービス費の支給）

第四十二条の三　市町村は、次に掲げる場合には、要介護被保険者に対し、特例地域密着型介護サービス費を支給する。

一　要介護被保険者が、当該要介護認定の効力が生じた日前に、緊急その他やむを得ない理由により指定地域密着型サービスを受けた場合において、必要があると認めるとき。

二　指定地域密着型サービス（地域密着型介護老人福祉施設入所者生活介護を除く。以下この号において同じ。）の確保が著しく困難である離島その他の地域であって厚生労働大臣が定める基準に該当するものに住所を有する要介護被保険者が、指定地域密着型サービス以外の地域密着型サービス（地域密着型介護老人福祉施設入所者生活介護を除く。）又はこれに相当するサービスを受けた場合において、必要があると認めるとき。

三　その他政令で定めるとき。

2　特例地域密着型介護サービス費の額は、当該地域密着型サービス又はこれに相当するサービスについて前条第二項各号の厚生労働大臣が定める基準により算定した費用の額（その額が現に当該地域密着型サービス又はこれに相当するサービスに要した費用（地域密着型通所介護、認知症対応型通所介護、小規模多機能型居宅介護、認知症対応型共同生活介護、地域密着型特定施設入居者生活介護、地域密着型介護老人福祉施設入所者生活介護及び複合型サービス並びにこれらに相当するサービスに要した費用については、食事の提供に要する費用、居住に要する費用その他の日常生活に要する費用として厚生労働省令で定める費用を除く。）の額を超えるときは、当該現に地域密着型サービス又はこれに相当するサービスに要した費用の額とする。）の百分の九十に相当する額又は同条第四項の規定により市町村（施設所在市町村の長が同条第一項本文の指定をした指定地域密着型サービス事業者から指定地域密着型サービスを受けた住所地特例適用要介護被保険者その他の厚生労働省令で定める者に係る特例地域密着型介護サービス費（特定地域密着型サービスに係るものに限る。）の額にあっては、施設所在市町村）が定めた額を基準として、市町村が定める。

3　市町村長は、特例地域密着型介護サービス費の支給に関して必要があると認めるときは、当該支給に係る地域密着型サービス若しくはこれに相当するサービスを担当する者若しくは担当した者（以下この項において「地域密着型サービス等を担当する者等」という。）に対し、報告若しくは帳簿書類の提出若しくは提示を命じ、若しくは出頭を求め、又は当該職員に関係者に対して質問させ、若しくは当該地域密着型サービス等を担当する者等の当該支給に係る事業所に立ち入り、その設備若しくは帳簿書類その他の物件を検査させることができる。

4　第二十四条第三項の規定は前項の規定による質問又は検査について、同条第四項の規定は前項の規定による権限について準用する。

（居宅介護サービス費等に係る支給限度額）

第四十三条　居宅要介護被保険者が居宅サービス等区分（居宅サービス（これに相当するサービスを含む。以下この条において同じ。）及び地域密着型サービス（これに相当するサービスを含み、地域密着型介護老人福祉施設入所者生活介護を除く。以下この条において同じ。）について、その種類ごとの相互の代替性の有無等を勘案して厚生労働大臣が定める二以上の種類からなる区分をいう。以下同じ。）ごとに月を単位として厚生労働省令で定める期間において受けた一の居宅サービス等区分に係る居宅サービスにつき支給する居宅介護サービス費の額の総額及び特例居宅介護サービス費の額の総額並びに地域密着型サービスにつき支給する地域密着型介護サービス費の額の総額及び特例地域密着型介護サービス費の額の総額の合計額は、居宅介護サービス費等区分支給限度基準額を基礎として、厚生労働省令で定めるところにより算定した額の百分の九十に相当する額を超えることができない。

2 前項の居宅介護サービス費等区分支給限度基準額は、居宅サービス等区分ごとに、同項に規定する厚生労働省令で定める期間における当該居宅サービス等区分に係る居宅サービス及び地域密着型サービスの要介護状態区分に応じた標準的な利用の態様、当該居宅サービス及び地域密着型サービスに係る第四十一条第四項各号及び第四十二条の二第二項各号の厚生労働大臣が定める基準等を勘案して厚生労働大臣が定める額とする。

3 市町村は、前項の規定にかかわらず、条例で定めるところにより、第一項の居宅介護サービス費等区分支給限度基準額に代えて、その額を超える額を、当該市町村における居宅介護サービス費等区分支給限度基準額とすることができる。

4 市町村は、居宅要介護被保険者が居宅サービス及び地域密着型サービスの種類（居宅サービス等区分に含まれるものであって厚生労働大臣が定めるものに限る。次項において同じ。）ごとに月を単位として厚生労働省令で定める期間において受けた一の種類の居宅サービスにつき支給する居宅介護サービス費の額の総額及び特例居宅介護サービス費の額の総額の合計額並びに一の種類の地域密着型サービスにつき支給する地域密着型介護サービス費の額の総額及び特例地域密着型介護サービス費の額の総額の合計額について、居宅介護サービス費等種類支給限度基準額を基礎として、厚生労働省令で定めるところにより算定した額の百分の九十に相当する額を超えることができないこととすることができる。

5 前項の居宅介護サービス費等種類支給限度基準額は、居宅サービス及び地域密着型サービスの種類ごとに、同項に規定する厚生労働省令で定める期間における当該居宅サービス及び地域密着型サービスの要介護状態区分に応じた標準的な利用の態様、当該居宅サービス及び地域密着型サービスに係る第四十一条第四項各号及び第四十二条の二第二項各号の厚生労働大臣が定める基準等を勘案し、当該居宅サービス及び地域密着型サービスを含む居宅サービス等区分に係る第一項の居宅介護サービス費等区分支給限度基準額（第三項の規定に基づき条例を定めている市町村にあっては、当該条例による措置が講じられた額とする。）の範囲内において、市町村が条例で定める額とする。

6 居宅介護サービス費若しくは特例居宅介護サービス費又は地域密着型介護サービス費若しくは特例地域密着型介護サービス費を支給することにより第一項に規定する合計額が同項に規定する百分の九十に相当する額を超える場合又は第四項に規定する合計額が同項に規定する百分の九十に相当する額を超える場合における当該居宅介護サービス費若しくは特例居宅介護サービス費又は地域密着型介護サービス費若しくは特例地域密着型介護サービス費の額は、第四十一条第四項各号若しくは第四十二条第三項又は第四十二条の二第二項各号若しくは第四項若しくは前条第二項の規定にかかわらず、政令で定めるところにより算定した額とする。

（施設介護サービス費の支給）

第四十八条 市町村は、要介護被保険者が、次に掲げる施設サービス（以下「指定施設サービス等」という。）を受けたときは、当該要介護被保険者に対し、当該指定施設サービス等に要した費用（食事の提供に要する費用、居住に要する費用その他の日常生活に要する費用として厚生労働省令で定める費用を除く。以下この条において同じ。）について、施設介護サービス費を支給する。ただし、当該要介護被保険者が、第三十七条第一項の規定による指定を受けている場合において、当該指定に係る種類以外の施設サービスを受けたときは、この限りでない。

一 都道府県知事が指定する介護老人福祉施設（以下「指定介護老人福祉施設」という。）により行われる介護福祉施設サービス（以下「指定介護福祉施設サービス」という。）

二 介護保健施設サービス

三 介護医療院サービス

2 施設介護サービス費の額は、施設サービスの種類ごとに、要介護状態区分、当該施設サービスの種類に係る指定施設サービス等を行う介護保険施設の所在する地域等を勘案して算定される当該指定施設サービス等に要する平均的な費用（食事の提供に要する費用、居住に要する費用その他の日常生活に要する費用として厚生労働省令で定める費用を除く。）の額を勘案して厚生労働大臣が定める基準により算定した費用の額（その額が現に当該指定施設サービス等に要した費用の額を超えるときは、当該現に指定施設サービス等に要した費用の額とする。）の百分の九十に相当する額とする。

3 厚生労働大臣は、前項の基準を定めようとするときは、あらかじめ社会保障審議会の意見を聴かなければならない。

4 要介護被保険者が、介護保険施設から指定施設サービス等を受けたときは、市町村は、当該要介護被保険者が当該介護保険施設に支払うべき当該指定施設サービス等に要した費用について、施設介護サービス費として当該要介護被保険者に支給すべき額の限度において、当該要介護被保険者に代わり、当該介護保険施設に支払うことができる。

5 前項の規定による支払があったときは、要介護被保険者に対し施設介護サービス費の支給があったものとみなす。

6 市町村は、介護保険施設から施設介護サービス費の請求があったときは、第二項の厚生労働大臣が定める基準及び第八十八条第二項に規定する指定介護老人福祉施設の設備及び運営に関する基準（指定介護福祉施設サービスの取扱いに関する部分に限る。）、第九十七条第三項に規定する介護老人保険施設の設備及び運営に関する基準（介護保険施設サービスの取扱いに関する部分に限る。）又は第百十一条第三項に規定する介護医療院の設備及び運営に関する基準（介護医療院サービスの取扱いに関する部分に限る。）に照らして審査した上、支払うものとする。

7 第四十一条第三項、第十項及び第十一項の規定は、施設介護サービス費の支給について、同条第八項の規定は、介護保険施設について準用する。この場合において、これらの規定に関し必要な技術的読替えは、政令で定める。

8 前各項に規定するもののほか、施設介護サービス費の支給及び介護保険施設の施設介護サービス費の請求に関して必要な事項は、厚生労働省令で定める。

（特例施設介護サービス費の支給）

第四十九条 市町村は、次に掲げる場合には、要介護被保険者に対し、特例施設介護サービス費を支給する。

一　要介護被保険者が、当該要介護認定の効力が生じた日前に、緊急その他やむを得ない理由により指定施設サービス等を受けた場合において、必要があると認めるとき。

二　その他政令で定めるとき。

2　特例施設介護サービス費の額は、当該施設サービスについて前条第二項の厚生労働大臣が定める基準により算定した費用の額（その額が現に当該施設サービスに要した費用（食事の提供に要する費用、居住に要する費用その他の日常生活に要する費用として厚生労働省令で定める費用を除く。）の額を超えるときは、当該現に施設サービスに要した費用の額とする。）の百分の九十に相当する額を基準として、市町村が定める。

3　市町村長は、特例施設介護サービス費の支給に関して必要があると認めるときは、当該支給に係る施設サービスを担当する者若しくは担当した者（以下この項において「施設サービスを担当する者等」という。）に対し、報告若しくは帳簿書類の提出若しくは提示を命じ、若しくは出頭を求め、又は当該職員に関係者に対して質問させ、若しくは当該施設サービスを担当する者等の当該支給に係る施設に立ち入り、その設備若しくは帳簿書類その他の物件を検査させることができる。

4　第二十四条第三項の規定は前項の規定による質問又は検査について、同条第四項の規定は前項の規定による権限について準用する。

（一定以上の所得を有する要介護被保険者に係る居宅介護サービス費等の額）

第四十九条の二　第一号被保険者であって政令で定めるところにより算定した所得の額が政令で定める額以上である要介護被保険者（次項に規定する要介護被保険者を除く。）が受ける次の各号に掲げる介護給付について当該各号に定める規定を適用する場合においては、これらの規定中「百分の九十」とあるのは、「百分の八十」とする。

一　居宅介護サービス費の支給　第四十一条第四項第一号及び第二号並びに第四十三条第一項、第四項及び第六項

二　特例居宅介護サービス費の支給　第四十二条第三項並びに第四十三条第一項、第四項及び第六項

三　地域密着型介護サービス費の支給　第四十二条の二第二項各号並びに第四十三条第一項、第四項及び第六項

四　特例地域密着型介護サービス費の支給　第四十二条の三第二項並びに第四十三条第一項、第四項及び第六項

五　施設介護サービス費の支給　第四十八条第二項

六　特例施設介護サービス費の支給　前条第二項

七　居宅介護福祉用具購入費の支給　第四十四条第三項、第四項及び第七項

八　居宅介護住宅改修費の支給　第四十五条第三項、第四項及び第七項

2　第一号被保険者であって政令で定めるところにより算定した所得の額が前項の政令で定める額を超える政令で定める額以上である要介護被保険者が受ける同項各号に掲げる介護給付について当該各号に定める規定を適用する場合においては、これらの規定中「百分の九十」とあるのは、「百分の七十」とする。

（居宅介護サービス費等の額の特例）

第五十条　市町村が、災害その他の厚生労働省令で定める特別の事情があることにより、居宅サービス（これに相当するサービスを含む。以下この条において同じ。）、地域密着型サービス（これに相当するサービスを含む。以下この条において同じ。）若しくは施設サービス又は住宅改修に必要な費用を負担することが困難であると認めた要介護被保険者が受ける前条第一項各号に掲げる介護給付について当該各号に定める規定を適用する場合（同条の規定により読み替えて適用する場合を除く。）においては、これらの規定中「百分の九十」とあるのは、「百分の九十を超え百分の百以下の範囲内において市町村が定めた割合」とする。

2　市町村が、災害その他の厚生労働省令で定める特別の事情があることにより、居宅サービス、地域密着型サービス若しくは施設サービス又は住宅改修に必要な費用を負担することが困難であると認めた要介護被保険者が受ける前条第一項各号に掲げる介護給付について当該各号に定める規定を適用する場合（同項の規定により読み替えて適用する場合に限る。）においては、同項の規定により読み替えて適用するこれらの規定中「百分の八十」とあるのは、「百分の八十を超え百分の百以下の範囲内において市町村が定めた割合」とする。

3　市町村が、災害その他の厚生労働省令で定める特別の事情があることにより、居宅サービス、地域密着型サービス若しくは施設サービス又は住宅改修に必要な費用を負担することが困難であると認めた要介護被保険者が受ける前条第一項各号に掲げる介護給付について当該各号に定める規定を適用する場合（同条第二項の規定により読み替えて適用する場合に限る。）においては、同条第二項の規定により読み替えて適用するこれらの規定中「百分の七十」とあるのは、「百分の七十を超え百分の百以下の範囲内において市町村が定めた割合」とする。

（高額介護サービス費の支給）

第五十一条　市町村は、要介護被保険者が受けた居宅サービス（これに相当するサービスを含む。）、地域密着型サービス（これに相当するサービスを含む。）又は施設サービスに要した費用の合計額として政令で定めるところにより算定した額から、当該費用につき支給された居宅介護サービス費、特例居宅介護サービス費、地域密着型介護サービス費、特例地域密着型介護サービス費、施設介護サービス費及び特例施設介護サービス費の合計額を控除して得た額（次条第一項において「介護サービス利用者負担額」という。）が、著しく高額であるときは、当該要介護被保険者に対し、高額介護サービス費を支給する。

2　前項に規定するもののほか、高額介護サービス費の支給要件、支給額その他高額介護サービス費の支給に関して必要な事項は、居宅サービス、地域密着型サービス又は施設サービスに必要な費用の負担の家計に与える影響を考慮して、政令で定める。

（高額医療合算介護サービス費の支給）

第五十一条の二　市町村は、要介護被保険者の介護サービス利用者負担額（前条第一項の高額介護サービス費が支給される場合にあっては、当該支給額に相当する額を控除して得た額）及び当該要介護被保険者に係る健康保険法第百十五条第一項に規定する一部負担金等の額（同項の高額療養費が支給される場合にあっては、当該支給額に相当する額を控除して得た額）その他の医療保険各法又は高齢者の医療の確保に関する法律（昭和五十七年法律第八十号）に規定するこれに相当する額として政令

で定める額の合計額が、著しく高額であるときは、当該要介護被保険者に対し、高額医療合算介護サービス費を支給する。

2　前条第二項の規定は、高額医療合算介護サービス費の支給について準用する。

（特定入所者介護サービス費の支給）

第五十一条の三　市町村は、要介護被保険者のうち所得及び資産の状況その他の事情をしん酌して厚生労働省令で定めるものが、次に掲げる指定施設サービス等、指定地域密着型サービス又は指定居宅サービス（以下この条及び次条第一項において「特定介護サービス」という。）を受けたときは、当該要介護被保険者（以下この条及び次条第一項において「特定入所者」という。）に対し、当該特定介護サービスを行う介護保険施設、指定地域密着型サービス事業者又は指定居宅サービス事業者（以下この条において「特定介護保険施設等」という。）における食事の提供に要した費用及び居住又は滞在（以下「居住等」という。）に要した費用について、特定入所者介護サービス費を支給する。ただし、当該特定入所者が、第三十七条第一項の規定による指定を受けている場合において、当該指定に係る種類以外の特定介護サービスを受けたときは、この限りでない。

一　指定介護福祉施設サービス
二　介護保健施設サービス
三　介護医療院サービス
四　地域密着型介護老人福祉施設入所者生活介護
五　短期入所生活介護
六　短期入所療養介護

2　特定入所者介護サービス費の額は、第一号に規定する額及び第二号に規定する額の合計額とする。

一　特定介護保険施設等における食事の提供に要する平均的な費用の額を勘案して厚生労働大臣が定める費用の額（その額が現に当該食事の提供に要した費用の額を超えるときは、当該現に食事の提供に要した費用の額とする。以下この条及び次条第二項において「食費の基準費用額」という。）から、平均的な家計における食費の状況及び特定入所者の所得の状況その他の事情を勘案して厚生労働大臣が定める額（以下この条及び次条第二項において「食費の負担限度額」という。）を控除した額

二　特定介護保険施設等における居住等に要する平均的な費用の額及び施設の状況その他の事情を勘案して厚生労働大臣が定める費用の額（その額が現に当該居住等に要した費用の額を超えるときは、当該現に居住等に要した費用の額とする。以下この条及び次条第二項において「居住費の基準費用額」という。）から、特定入所者の所得の状況その他の事情を勘案して厚生労働大臣が定める額（以下この条及び次条第二項において「居住費の負担限度額」という。）を控除した額

3　厚生労働大臣は、食費の基準費用額若しくは食費の負担限度額又は居住費の基準費用額若しくは居住費の負担限度額を定めた後に、特定介護保険施設等における食事の提供に要する費用又は居住等に要する費用の状況その他の事情が著しく変動したときは、速やかにそれらの額を改定しなければならない。

4　特定入所者が、特定介護保険施設等から特定介護サービスを受けたときは、市町村は、当該特定入所者が当該特定介護保険施設等に支払うべき食事の提供に要した費用及び居住等に要した費用について、特定入所者介護サービス費として当該特定入所者に対し支給すべき額の限度において、当該特定入所者に代わり、当該特定介護保険施設等に支払うことができる。

5　前項の規定による支払があったときは、特定入所者に対し特定入所者介護サービス費の支給があったものとみなす。

6　市町村は、第一項の規定にかかわらず、特定入所者が特定介護保険施設等に対し、食事の提供に要する費用又は居住等に要する費用として、食費の基準費用額又は居住費の基準費用額（前項の規定により特定入所者介護サービス費の支給があったものとみなされた特定入所者にあっては、食費の負担限度額又は居住費の負担限度額）を超える金額を支払った場合には、特定入所者介護サービス費を支給しない。

7　市町村は、特定介護保険施設等から特定入所者介護サービス費の請求があったときは、第一項、第二項及び前項の定めに照らして審査の上、支払うものとする。

8　第四十一条第三項、第十項及び第十一項の規定は特定入所者介護サービス費の支給について、同条第八項の規定は特定介護保険施設等について準用する。この場合において、これらの規定に関し必要な技術的読替えは、政令で定める。

9　前各項に規定するもののほか、特定入所者介護サービス費の支給及び特定介護保険施設等の特定入所者介護サービス費の請求に関して必要な事項は、厚生労働省令で定める。

（特例特定入所者介護サービス費の支給）

第五十一条の四　市町村は、次に掲げる場合には、特定入所者に対し、特例特定入所者介護サービス費を支給する。

一　特定入所者が、当該要介護認定の効力が生じた日前に、緊急その他やむを得ない理由により特定介護サービスを受けた場合において、必要があると認めるとき。
二　その他政令で定めるとき。

2　特例特定入所者介護サービス費の額は、当該食事の提供に要した費用について食費の基準費用額から食費の負担限度額を控除した額及び当該居住等に要した費用について居住費の基準費用額から居住費の負担限度額を控除した額の合計額を基準として、市町村が定める。

第四節　予防給付

（予防給付の種類）

第五十二条　予防給付は、次に掲げる保険給付とする。

一　介護予防サービス費の支給
二　特例介護予防サービス費の支給
三　地域密着型介護予防サービス費の支給
四　特例地域密着型介護予防サービス費の支給
五　介護予防福祉用具購入費の支給
六　介護予防住宅改修費の支給
七　介護予防サービス計画費の支給
八　特例介護予防サービス計画費の支給
九　高額介護予防サービス費の支給
九の二　高額医療合算介護予防サービス費の支給
十　特定入所者介護予防サービス費の支給
十一　特例特定入所者介護予防サービス費の支給

（介護予防サービス費の支給）

第五十三条　市町村は、要支援認定を受けた被保険者のうち居宅において支援を受けるもの（以下「居宅要支援被保険者」という。）が、都道府県知事が指定する者（以下「指定介護予防サ

ービス事業者」という。）から当該指定に係る介護予防サービス事業所により行われる介護予防サービス（以下「指定介護予防サービス」という。）を受けたとき（当該居宅要支援被保険者が、第五十八条第四項の規定により同条第一項に規定する指定介護予防支援を受けることにつきあらかじめ市町村に届け出ている場合であって、当該指定介護予防サービスが当該指定介護予防支援の対象となっているときその他の厚生労働省令で定めるときに限る。）は、当該居宅要支援被保険者に対し、当該指定介護予防サービスに要した費用（特定介護予防福祉用具の購入に要した費用を除き、介護予防通所リハビリテーション、介護予防短期入所生活介護、介護予防短期入所療養介護及び介護予防特定施設入居者生活介護に要した費用については、食事の提供に要する費用、滞在に要する費用その他の日常生活に要する費用として厚生労働省令で定める費用を除く。以下この条において同じ。）について、介護予防サービス費を支給する。ただし、当該居宅要支援被保険者が、第三十七条第一項の規定による指定を受けている場合において、当該指定に係る種類以外の介護予防サービスを受けたときは、この限りでない。

2　介護予防サービス費の額は、次の各号に掲げる介護予防サービスの区分に応じ、当該各号に定める額とする。

一　介護予防訪問入浴介護、介護予防訪問看護、介護予防訪問リハビリテーション、介護予防居宅療養管理指導、介護予防通所リハビリテーション、介護予防福祉用具貸与、これらの介護予防サービスの種類ごとに、当該介護予防サービスの種類に係る指定介護予防サービスの内容、当該指定介護予防サービスの事業を行う事業所の所在する地域等を勘案して算定される当該指定介護予防サービスに要する平均的な費用（介護予防通所リハビリテーションに要する費用については、食事の提供に要する費用その他の日常生活に要する費用として厚生労働省令で定める費用を除く。）の額を勘案して厚生労働大臣が定める基準により算定した費用の額（その額が現に当該指定介護予防サービスに要した費用の額を超えるときは、当該現に指定介護予防サービスに要した費用の額とする。）の百分の九十に相当する額

二　介護予防短期入所生活介護、介護予防短期入所療養介護及び介護予防特定施設入居者生活介護　これらの介護予防サービスの種類ごとに、要支援状態区分、当該介護予防サービスの種類に係る指定介護予防サービスの事業を行う事業所の所在する地域等を勘案して算定される当該指定介護予防サービスに要する平均的な費用（食事の提供に要する費用、滞在に要する費用その他の日常生活に要する費用として厚生労働省令で定める費用を除く。）の額を勘案して厚生労働大臣が定める基準により算定した費用の額（その額が現に当該指定介護予防サービスに要した費用の額を超えるときは、当該現に指定介護予防サービスに要した費用の額とする。）の百分の九十に相当する額

3　厚生労働大臣は、前項各号の基準を定めようとするときは、あらかじめ社会保障審議会の意見を聴かなければならない。

4　居宅要支援被保険者が指定介護予防サービス事業者から指定介護予防サービスを受けたときは、市町村は、当該居宅要支援被保険者が当該指定介護予防サービス事業者に支払うべき当該指定介護予防サービスに要した費用について、介護予防サービス費として当該居宅要支援被保険者に対し支給すべき額の限度において、当該居宅要支援被保険者に代わり、当該指定介護予防サービス事業者に支払うことができる。

5　前項の規定による支払があったときは、居宅要支援被保険者に対し介護予防サービス費の支給があったものとみなす。

6　市町村は、指定介護予防サービス事業者から介護予防サービス費の請求があったときは、第二項各号の厚生労働大臣が定める基準並びに第百十五条の四第二項に規定する指定介護予防サービスに係る介護予防のための効果的な支援の方法に関する基準及び指定介護予防サービスの事業の設備及び運営に関する基準（指定介護予防サービスの取扱いに関する部分に限る。）に照らして審査した上、支払うものとする。

7　第四十一条第二項、第三項、第十項及び第十一項の規定は、介護予防サービス費の支給について、同条第八項の規定は、指定介護予防サービス事業者について準用する。この場合において、これらの規定に関し必要な技術的読替えは、政令で定める。

8　前各項に規定するもののほか、介護予防サービス費の支給及び指定介護予防サービス事業者の介護予防サービス費の請求に関して必要な事項は、厚生労働省令で定める。

（特例介護予防サービス費の支給）

第五十四条　市町村は、次に掲げる場合には、居宅要支援被保険者に対し、特例介護予防サービス費を支給する。

一　居宅要支援被保険者が、当該要支援認定の効力が生じた日前に、緊急その他やむを得ない理由により指定介護予防サービスを受けた場合において、必要があると認めるとき。

二　居宅要支援被保険者が、指定介護予防サービス以外の介護予防サービス又はこれに相当するサービス（指定介護予防サービスの事業に係る第百十五条の四第一項の都道府県の条例で定める基準及び同項の都道府県の条例で定める員数並びに同条第二項に規定する指定介護予防サービスに係る介護予防のための効果的な支援の方法に関する基準及び指定介護予防サービスの事業の設備及び運営に関する基準のうち、都道府県の条例で定めるものを満たすと認められる事業を行う事業所により行われるものに限る。次号及び次項において「基準該当介護予防サービス」という。）を受けた場合において、必要があると認めるとき。

三　指定介護予防サービス及び基準該当介護予防サービスの確保が著しく困難である離島その他の地域であって厚生労働大臣が定める基準に該当するものに住所を有する居宅要支援被保険者が、指定介護予防サービス及び基準該当介護予防サービス以外の介護予防サービス又はこれに相当するサービスを受けた場合において、必要があると認めるとき。

四　その他政令で定めるとき。

2　都道府県が前項第二号の条例を定めるに当たっては、第一号から第三号までに掲げる事項については厚生労働省令で定める基準に従い定めるものとし、第四号に掲げる事項については厚生労働省令で定める基準を標準として定めるものとし、その他の事項については厚生労働省令で定める基準を参酌するものとする。

一　基準該当介護予防サービスに従事する従業者に係る基準及び当該従業者の員数

二　基準該当介護予防サービスの事業に係る居室の床面積

三　基準該当介護予防サービスの事業の運営に関する事項であって、利用する要支援者のサービスの適切な利用、適切な処遇及び安全の確保並びに秘密の保持等に密接に関連するものとして厚生労働省令で定めるもの

四　基準該当介護予防サービスの事業に係る利用定員

3　特例介護予防サービス費の額は、当該介護予防サービス又はこれに相当するサービスについて前条第二項各号の厚生労働大臣が定める基準により算定した費用の額（その額が現に当該介護予防サービス又はこれに相当するサービスに要した費用（特定介護予防福祉用具の購入に要した費用を除き、介護予防通所リハビリテーション、介護予防短期入所生活介護、介護予防短期入所療養介護及び介護予防特定施設入居者生活介護並びにこれらに相当するサービスに要した費用については、食事の提供に要する費用、滞在に要する費用その他の日常生活に要する費用として厚生労働省令で定める費用を除く。）の額を超えるときは、当該現に介護予防サービス又はこれに相当するサービスに要した費用の額とする。）の百分の九十に相当する額を基準として、市町村が定める。

4　市町村長は、特例介護予防サービス費の支給に関して必要があると認めるときは、当該支給に係る介護予防サービス若しくはこれに相当するサービスを担当する者若しくは担当した者（以下この項において「介護予防サービス等を担当する者等」という。）に対し、報告若しくは帳簿書類の提出若しくは提示を命じ、若しくは出頭を求め、又は当該職員に関係者に対して質問させ、若しくは当該介護予防サービス等を担当する者等の当該支給に係る事業所に立ち入り、その設備若しくは帳簿書類その他の物件を検査させることができる。

5　第二十四条第三項の規定は前項の規定による質問又は検査について、同条第四項の規定は前項の規定による権限について準用する。

（地域密着型介護予防サービス費の支給）

第五十四条の二　市町村は、居宅要支援被保険者が、当該市町村（住所地特例適用被保険者である居宅要支援被保険者（以下「住所地特例適用居宅要支援被保険者」という。）に係る特定地域密着型介護予防サービスにあっては、施設所在市町村を含む。）の長が指定する者（以下「指定地域密着型介護予防サービス事業者」という。）から当該指定に係る地域密着型介護予防サービス事業を行う事業所により行われる地域密着型介護予防サービス（以下「指定地域密着型介護予防サービス」という。）を受けたとき（当該居宅要支援被保険者が、第五十八条第四項の規定により同条第一項に規定する指定介護予防支援を受けることにつきあらかじめ市町村に届け出ている場合であって、当該指定地域密着型介護予防サービスが当該指定介護予防支援の対象となっているときその他の厚生労働省令で定めるときに限る。）は、当該居宅要支援被保険者に対し、当該指定地域密着型介護予防サービスに要した費用（食事の提供に要する費用その他の日常生活に要する費用として厚生労働省令で定める費用を除く。以下この条において同じ。）について、地域密着型介護予防サービス費を支給する。ただし、当該居宅要支援被保険者が、第三十七条第一項の規定による指定を受けている場合において、当該指定に係る種類以外の地域密着型介護予防サービスを受けたときは、この限りでない。

2　地域密着型介護予防サービス費の額は、次の各号に掲げる地域密着型介護予防サービスの区分に応じ、当該各号に定める額とする。

一　介護予防認知症対応型通所介護　介護予防認知症対応型通所介護に係る指定地域密着型介護予防サービスの内容、当該指定地域密着型介護予防サービスの事業を行う事業所の所在する地域等を勘案して算定される当該指定地域密着型介護予防サービスに要する平均的な費用（食事の提供に要する費用その他の日常生活に要する費用として厚生労働省令で定める費用を除く。）の額を勘案して厚生労働大臣が定める基準により算定した費用の額（その額が現に当該指定地域密着型介護予防サービスに要した費用の額を超えるときは、当該現に指定地域密着型介護予防サービスに要した費用の額とする。）の百分の九十に相当する額

二　介護予防小規模多機能型居宅介護及び介護予防認知症対応型共同生活介護　これらの地域密着型介護予防サービスの種類ごとに、要支援状態区分、当該地域密着型介護予防サービスの種類に係る指定地域密着型介護予防サービスの事業を行う事業所の所在する地域等を勘案して算定される当該指定地域密着型介護予防サービスに要する平均的な費用（食事の提供に要する費用その他の日常生活に要する費用として厚生労働省令で定める費用を除く。）の額を勘案して厚生労働大臣が定める基準により算定した費用の額（その額が現に当該指定地域密着型介護予防サービスに要した費用の額を超えるときは、当該現に指定地域密着型介護予防サービスに要した費用の額とする。）の百分の九十に相当する額

3　厚生労働大臣は、前項各号の基準を定めようとするときは、あらかじめ社会保障審議会の意見を聴かなければならない。

4　市町村は、第二項各号の規定にかかわらず、地域密着型介護予防サービスの種類その他の事情を勘案して厚生労働大臣が定める基準により算定した額を限度として、同項各号に定める地域密着型介護予防サービス費の額に代えて、当該市町村（施設所在市町村の長が第一項本文の指定をした指定地域密着型介護予防サービス事業者から指定地域密着型介護予防サービスを受けた住所地特例適用居宅要支援被保険者に係る地域密着型介護予防サービス費（特定地域密着型介護予防サービスに係るものに限る。）の額にあっては、施設所在市町村）が定める額を、当該市町村における地域密着型介護予防サービス費の額とすることができる。

5　市町村は、前項の当該市町村における地域密着型介護予防サービス費の額を定めようとするときは、あらかじめ、当該市町村が行う介護保険の被保険者その他の関係者の意見を反映させ、及び学識経験を有する者の知見の活用を図るために必要な措置を講じなければならない。

6　居宅要支援被保険者が指定地域密着型介護予防サービス事業者から指定地域密着型介護予防サービスを受けたときは、市町村は、当該居宅要支援被保険者が当該指定地域密着型介護予防サービス事業者に支払うべき当該指定地域密着型介護予防サービスに要した費用について、地域密着型介護予防サービス費として当該居宅要支援被保険者に対し支給すべき額の限度において、当該居宅要支援被保険者に代わり、当該指定地域密着型介護予防サービス事業者に支払うことができる。

7　前項の規定による支払があったときは、居宅要支援被保険者に対し地域密着型介護予防サービス費の支給があったものとみなす。

8　市町村は、指定地域密着型介護予防サービス事業者から地域密着型介護予防サービス費の請求があったときは、第二項各号の厚生労働大臣が定める基準又は第四項の規定により市町村（施設所在市町村の長が第一項本文の指定をした指定地域密着型介護予防サービス事業者から指定地域密着型介護予防サービスを受けた住所地特例適用居宅要支援被保険者に係る地域密着型介護予防サービス費（特定地域密着型介護予防サービスに係るものに限る。）の請求にあっては、施設所在市町村）が定める額並びに第百十五条の十四第二項又は第五項の規定により市町村（施設所在市町村の長が第一項本文の指定をした指定地域密着型介護予防サービス事業者から指定地域密着型介護予防サービスを受けた住所地特例適用居宅要支援被保険者に係る地域密着型介護予防サービス費（特定地域密着型介護予防サービスに係るものに限る。）の請求にあっては、施設所在市町村）が定める指定地域密着型介護予防サービスに係る介護予防のための効果的な支援の方法に関する基準及び指定地域密着型介護予防サービスの事業の設備及び運営に関する基準（指定地域密着型介護予防サービスの取扱いに関する部分に限る。）に照らして審査した上、支払うものとする。

9　第四十一条第二項、第三項、第十項及び第十一項の規定は地域密着型介護予防サービス費の支給について、同条第八項の規定は指定地域密着型介護予防サービス事業者について準用する。この場合において、これらの規定に関し必要な技術的読替えは、政令で定める。

10　前各項に規定するもののほか、地域密着型介護予防サービス費の支給及び指定地域密着型介護予防サービス事業者の地域密着型介護予防サービス費の請求に関して必要な事項は、厚生労働省令で定める。

（特例地域密着型介護予防サービス費の支給）

第五十四条の三　市町村は、次に掲げる場合には、居宅要支援被保険者に対し、特例地域密着型介護予防サービス費を支給する。

一　居宅要支援被保険者が、当該要支援認定の効力が生じた日前に、緊急その他やむを得ない理由により指定地域密着型介護予防サービスを受けた場合において、必要があると認めるとき。

二　指定地域密着型介護予防サービスの確保が著しく困難である離島その他の地域であって厚生労働大臣が定める基準に該当するものに住所を有する居宅要支援被保険者が、指定地域密着型介護予防サービス以外の地域密着型介護予防サービス又はこれに相当するサービスを受けた場合において、必要があると認めるとき。

三　その他政令で定めるとき。

2　特例地域密着型介護予防サービス費の額は、当該地域密着型介護予防サービス又はこれに相当するサービスについて前条第二項各号の厚生労働大臣が定める基準により算定した費用の額（その額が現に当該地域密着型介護予防サービス又はこれに相当するサービスに要した費用（食事の提供に要する費用その他の日常生活に要する費用として厚生労働省令で定める費用を除く。）の額を超えるときは、当該現に地域密着型介護予防サービス又はこれに相当するサービスに要した費用の額とする。）の百分の九十に相当する額又は同条第四項の規定により市町村（施設所在市町村の長が同条第一項本文の指定をした指定地域密着型介護予防サービス事業者から指定地域密着型介護予防サービスを受けた住所地特例適用居宅要支援被保険者その他の厚生労働省令で定める者に係る特例地域密着型介護予防サービス費（特定地域密着型介護予防サービスに係るものに限る。）の額にあっては、施設所在市町村）が定めた額を基準として、市町村が定める。

3　市町村長は、特例地域密着型介護予防サービス費の支給に関して必要があると認めるときは、当該支給に係る地域密着型介護予防サービス若しくはこれに相当するサービスを担当する者若しくは担当した者（以下この項において「地域密着型介護予防サービス等を担当する者等」という。）に対し、報告若しくは帳簿書類の提出若しくは提示を命じ、若しくは出頭を求め、又は当該職員に関係者に対して質問させ、若しくは当該地域密着型介護予防サービス等を担当する者等の当該支給に係る事業所に立ち入り、その設備若しくは帳簿書類その他の物件を検査させることができる。

4　第二十四条第三項の規定は前項の規定による質問又は検査について、同条第四項の規定は前項の規定による権限について準用する。

（介護予防サービス費等に係る支給限度額）

第五十五条　居宅要支援被保険者が介護予防サービス等区分（介護予防サービス（これに相当するサービスを含む。以下この条において同じ。）及び地域密着型介護予防サービス（これに相当するサービスを含む。以下この条において同じ。）について、その種類ごとの相互の代替性の有無等を勘案して厚生労働大臣が定める二以上の種類からなる区分をいう。以下この条において同じ。）ごとに月を単位として厚生労働省令で定める期間において受けた一の介護予防サービス等区分に係る介護予防サービスにつき支給する介護予防サービス費の額の総額及び特例介護予防サービス費の額の総額並びに地域密着型介護予防サービスにつき支給する地域密着型介護予防サービス費の額の総額及び特例地域密着型介護予防サービス費の額の総額の合計額は、介護予防サービス費等区分支給限度基準額を基礎として、厚生労働省令で定めるところにより算定した額の百分の九十に相当する額を超えることができない。

2　前項の介護予防サービス費等区分支給限度基準額は、介護予防サービス等区分ごとに、同項に規定する厚生労働省令で定める期間における当該介護予防サービス等区分に係る介護予防サービス及び地域密着型介護予防サービスの要支援状態区分に応じた標準的な利用の態様、当該介護予防サービス及び地域密着型介護予防サービスに係る第五十三条第二項各号及び第五十四条の二第二項各号の厚生労働大臣が定める基準等を勘案して厚生労働大臣が定める額とする。

3　市町村は、前項の規定にかかわらず、条例で定めるところにより、第一項の介護予防サービス費等区分支給限度基準額に代えて、その額を超える額を、当該市町村における介護予防サービス費等区分支給限度基準額とすることができる。

4　市町村は、居宅要支援被保険者が介護予防サービス及び地域密着型介護予防サービスの種類（介護予防サービス等区分に含まれるものであって厚生労働大臣が定めるものに限る。次項において同じ。）ごとに月を単位として厚生労働省令で定める期間において受けた一の種類の介護予防サービスにつき支給する介護予防サービス費の額の総額及び特例介護予防サービス費の額の総額の合計額並びに一の種類の地域密着型介護予防サービスにつき支給する地域密着型介護予防サービス費の額の総額及び特例地域密着型介護予防サービス費の額の総額の合計額について、介護予防サービス費等種類支給限度基準額を基礎として、厚生労働省令で定めるところにより算定した額の百分の九十に相当する額を超えることができないこととすることができる。

5　前項の介護予防サービス費等種類支給限度基準額は、介護予防サービス及び地域密着型介護予防サービスの種類ごとに、同項に規定する厚生労働省令で定める期間における当該介護予防サービス及び地域密着型介護予防サービスの要支援状態区分に応じた標準的な利用の態様、当該介護予防サービス及び地域密着型介護予防サービスに係る第五十三条第二項各号及び第五十四条の二第二項各号の厚生労働大臣が定める基準等を勘案し、当該介護予防サービス及び地域密着型介護予防サービスを含む介護予防サービス等区分に係る第一項の介護予防サービス費等区分支給限度基準額（第三項の規定に基づき条例を定めている市町村にあっては、当該条例による措置が講じられた額とする。）の範囲内において、市町村が条例で定める額とする。

6　介護予防サービス費若しくは特例介護予防サービス費又は地域密着型介護予防サービス費若しくは特例地域密着型介護予防サービス費を支給することにより第一項に規定する合計額が同項に規定する百分の九十に相当する額を超える場合又は第四項に規定する合計額が同項に規定する百分の九十に相当する額を超える場合における当該介護予防サービス費若しくは特例介護予防サービス費又は地域密着型介護予防サービス費若しくは特例地域密着型介護予防サービス費の額は、第五十三条第二項各号若しくは第五十四条第三項又は第五十四条の二第二項各号若しくは第四項若しくは前条第二項の規定にかかわらず、政令で定めるところにより算定した額とする。

（介護予防サービス費等の額の特例）

第六十条　市町村が、災害その他の厚生労働省令で定める特別の事情があることにより、介護予防サービス（これに相当するサービスを含む。以下この条において同じ。）、地域密着型介護予防サービス（これに相当するサービスを含む。以下この条において同じ。）又は住宅改修に必要な費用を負担することが困難であると認めた居宅要支援被保険者が受ける前条第一項各号に掲げる予防給付について当該各号に定める規定を適用する場合（同条の規定により読み替えて適用する場合を除く。）においては、これらの規定中「百分の九十」とあるのは、「百分の九十を超え百分の百以下の範囲内において市町村が定めた割合」とする。

2　市町村が、災害その他の厚生労働省令で定める特別の事情があることにより、介護予防サービス、地域密着型介護予防サービス又は住宅改修に必要な費用を負担することが困難であると認めた居宅要支援被保険者が受ける前条第一項各号に掲げる予防給付について当該各号に定める規定を適用する場合（同項の規定により読み替えて適用する場合に限る。）においては、同条の規定により読み替えて適用するこれらの規定中「百分の八十」とあるのは、「百分の八十を超え百分の百以下の範囲内において市町村が定めた割合」とする。

3　市町村が、災害その他の厚生労働省令で定める特別の事情があることにより、介護予防サービス、地域密着型介護予防サービス又は住宅改修に必要な費用を負担することが困難であると認めた居宅要支援被保険者が受ける前条第一項各号に掲げる予防給付について当該各号に定める規定を適用する場合（同条第二項の規定により読み替えて適用する場合に限る。）においては、同条第二項の規定により読み替えて適用するこれらの規定中「百分の七十」とあるのは、「百分の七十を超え百分の百以下の範囲内において市町村が定めた割合」とする。

（高額介護予防サービス費の支給）

第六十一条　市町村は、居宅要支援被保険者が受けた介護予防サービス（これに相当するサービスを含む。）又は地域密着型介護予防サービス（これに相当するサービスを含む。）に要した費用の合計額として政令で定めるところにより算定した額から、当該費用につき支給された介護予防サービス費、特例介護予防サービス費、地域密着型介護予防サービス費及び特例地域密着型介護予防サービス費の合計額を控除して得た額（次条第一項において「介護予防サービス利用者負担額」という。）が、著しく高額であるときは、当該居宅要支援被保険者に対し、高額介護予防サービス費を支給する。

2　前項に規定するもののほか、高額介護予防サービス費の支給要件、支給額その他高額介護予防サービス費の支給に関して必要な事項は、介護予防サービス又は地域密着型介護予防サービスに必要な費用の負担の家計に与える影響を考慮して、政令で定める。

（高額医療合算介護予防サービス費の支給）

第六十一条の二　市町村は、居宅要支援被保険者の介護予防サービス利用者負担額（前条第一項の高額介護予防サービス費が支給される場合にあっては、当該支給額に相当する額を控除して得た額）及び当該居宅要支援被保険者に係る健康保険法第百十五条第一項に規定する一部負担金等の額（同項の高額療養費が支給される場合にあっては、当該支給額に相当する額を控除して得た額）その他の医療保険各法又は高齢者の医療の確保に関する法律に規定するこれに相当する額として政令で定める額の合計額が、著しく高額であるときは、当該居宅要支援被保険者に対し、高額医療合算介護予防サービス費を支給する。

2　前条第二項の規定は、高額医療合算介護予防サービス費の支給について準用する。

（特定入所者介護予防サービス費の支給）

第六十一条の三　市町村は、居宅要支援被保険者のうち所得及び資産の状況その他の事情をしん酌して厚生労働省令で定めるものが、次に掲げる指定介護予防サービス（以下この条及び次条第一項において「特定介護予防サービス」という。）を受けたときは、当該居宅要支援被保険者（以下この条及び次条第一項において「特定入所者」という。）に対し、当該特定介護予防サービスを行う指定介護予防サービス事業者（以下この条において「特定介護予防サービス事業者」という。）における食事の提供に要した費用及び滞在に要した費用について、特定入所者介護予防サービス費を支給する。ただし、当該特定入所者が、第三十七条第一項の規定による指定を受けている場合において、当該指定に係る種類以外の特定介護予防サービスを受けたときは、この限りでない。

一 介護予防短期入所生活介護

二 介護予防短期入所療養介護

2 特定入所者介護予防サービス費の額は、第一号に規定する額及び第二号に規定する額の合計額とする。

一 特定介護予防サービス事業者における食事の提供に要する平均的な費用の額を勘案して厚生労働大臣が定める費用の額（その額が現に当該食事の提供に要した費用の額を超えるときは、当該現に食事の提供に要した費用の額とする。以下この条及び次条第二項において「食費の基準費用額」という。）から、平均的な家計における食費の状況及び特定入所者の所得の状況その他の事情を勘案して厚生労働大臣が定める額（以下この条及び次条第二項において「食費の負担限度額」という。）を控除した額

二 特定介護予防サービス事業者における滞在に要する平均的な費用の額及び事業所の状況その他の事情を勘案して厚生労働大臣が定める費用の額（その額が現に当該滞在に要した費用の額を超えるときは、当該現に滞在に要した費用の額とする。以下この条及び次条第二項において「滞在費の基準費用額」という。）から、特定入所者の所得の状況その他の事情を勘案して厚生労働大臣が定める額（以下この条及び次条第二項において「滞在費の負担限度額」という。）を控除した額

3 厚生労働大臣は、食費の基準費用額若しくは食費の負担限度額又は滞在費の基準費用額若しくは滞在費の負担限度額を定めた後に、特定介護予防サービス事業者における食事の提供に要する費用又は滞在に要する費用の状況その他の事情が著しく変動したときは、速やかにそれらの額を改定しなければならない。

4 特定入所者が、特定介護予防サービス事業者から特定介護予防サービスを受けたときは、市町村は、当該特定入所者が当該特定介護予防サービス事業者に支払うべき食事の提供に要した費用及び滞在に要した費用について、特定入所者介護予防サービス費として当該特定入所者に対し支給すべき額の限度において、当該特定入所者に代わり、当該特定介護予防サービス事業者に支払うことができる。

5 前項の規定による支払があったときは、特定入所者に対し特定入所者介護予防サービス費の支給があったものとみなす。

6 市町村は、第一項の規定にかかわらず、特定入所者が特定介護予防サービス事業者に対し、食事の提供に要する費用又は滞在に要する費用として、食費の基準費用額又は滞在費の基準費用額（前項の規定により特定入所者介護予防サービス費の支給があったものとみなされた特定入所者にあっては、食費の負担限度額又は滞在費の負担限度額）を超える金額を支払った場合には、特定入所者介護予防サービス費を支給しない。

7 市町村は、特定介護予防サービス事業者から特定入所者介護予防サービス費の請求があったときは、第一項、第二項及び前項の定めに照らして審査の上、支払うものとする。

8 第四十一条第三項、第十項及び第十一項の規定は特定入所者介護予防サービス費の支給について、同条第八項の規定は特定介護予防サービス事業者について準用する。この場合において、これらの規定に関し必要な技術的読替えは、政令で定める。

9 前各項に規定するもののほか、特定入所者介護予防サービス費の支給及び特定介護予防サービス事業者の特定入所者介護予防サービス費の請求に関して必要な事項は、厚生労働省令で定める。

（特例特定入所者介護予防サービス費の支給）

第六十一条の四 市町村は、次に掲げる場合には、特定入所者に対し、特例特定入所者介護予防サービス費を支給する。

一 特定入所者が、当該要支援認定の効力が生じた日前に、緊急その他やむを得ない理由により特定介護予防サービスを受けた場合において、必要があると認めるとき。

二 その他政令で定めるとき。

2 特例特定入所者介護予防サービス費の額は、当該食事の提供に要した費用について食費の基準費用額から食費の負担限度額を控除した額及び当該滞在に要した費用について滞在費の基準費用額から滞在費の負担限度額を控除した額の合計額を基準として、市町村が定める。

第五節 市町村特別給付

第六十二条 市町村は、要介護被保険者又は居宅要支援被保険者（以下「要介護被保険者等」という。）に対し、前二節の保険給付のほか、条例で定めるところにより、市町村特別給付を行うことができる。

第六節 保険給付の制限等

（保険給付の制限）

第六十三条 監獄、労役場その他これらに準ずる施設に拘禁された者については、その期間に係る介護給付等は、行わない。

第六十四条 市町村は、自己の故意の犯罪行為若しくは重大な過失により、又は正当な理由なしに介護給付等対象サービスの利用若しくは居宅介護住宅改修費若しくは介護予防住宅改修費に係る住宅改修の実施に関する指示に従わないことにより、要介護状態等若しくはその原因となった事故を生じさせ、又は要介護状態等の程度を増進させた被保険者の当該要介護状態等については、これを支給事由とする介護給付等は、その全部又は一部を行わないことができる。

第六十五条 市町村は、介護給付等を受ける者が、正当な理由なしに、第二十三条の規定による求め（第二十四条の二第一項第一号の規定により委託された場合にあっては、当該委託に係る求めを含む。）に応ぜず、又は答弁を拒んだときは、介護給付等の全部又は一部を行わないことができる。

（保険料滞納者に係る支払方法の変更）

第六十六条 市町村は、保険料を滞納している第一号被保険者である要介護被保険者等（原子爆弾被爆者に対する援護に関する法律（平成六年法律第百十七号）による一般疾病医療費の支給その他厚生労働省令で定める医療に関する給付を受けることができるものを除く。）が、当該保険料の納期限から厚生労働省令で定める期間が経過するまでの間に当該保険料を納付しない場合においては、当該保険料の滞納につき災害その他の政令で定める特別の事情があると認める場合を除き、厚生労働省令で定めるところにより、当該要介護被保険者等に対し被保険者証の提出を求め、当該被保険者証に、第四十一条第六項、第四十二条の二第六項、第四十六条第四項、第四十八条第四項、第五十一条の三第四項、第五十三条第四項、第五十四条の二第六

項、第五十八条第四項及び第六十一条の三第四項の規定を適用しない旨の記載（以下この条及び次条第三項において「支払方法変更の記載」という。）をするものとする。

2　市町村は、前項に規定する厚生労働省令で定める期間が経過しない場合においても、同項に規定する政令で定める特別の事情があると認める場合を除き、同項に規定する要介護被保険者等に対し被保険者証の提出を求め、当該被保険者証に支払方法変更の記載をすることができる。

3　市町村は、前二項の規定により支払方法変更の記載を受けた要介護被保険者等が滞納している保険料を完納したとき、又は当該要介護被保険者等に係る滞納額の著しい減少、災害その他の政令で定める特別の事情があると認めるときは、当該支払方法変更の記載を消除するものとする。

4　第一項又は第二項の規定により支払方法の変更の記載を受けた要介護被保険者等が、当該支払方法の変更の記載がなされている間に受けた指定居宅サービス、指定地域密着型サービス、指定居宅介護支援、指定施設サービス等、指定介護予防サービス、指定地域密着型介護予防サービス及び指定介護予防支援に係る居宅介護サービス費の支給、地域密着型介護サービス費の支給、居宅介護サービス計画費の支給、施設介護サービス費の支給、特定入所者介護サービス費の支給、介護予防サービス費の支給、地域密着型介護予防サービス費の支給、介護予防サービス計画費の支給及び特定入所者介護予防サービス費の支給については、第四十一条第六項、第四十二条の二第六項、第四十六条第四項、第四十八条第四項、第五十一条の三第四項、第五十三条第四項、第五十四条の二第六項、第五十八条第四項及び第六十一条の三第四項の規定は適用しない。

（保険給付の支払の一時差止）

第六十七条　市町村は、保険給付を受けることができる第一号被保険者である要介護被保険者等が保険料を滞納しており、かつ、当該保険料の納期限から厚生労働省令で定める期間が経過するまでの間に当該保険料を納付しない場合においては、当該保険料の滞納につき災害その他の政令で定める特別の事情があると認める場合を除き、厚生労働省令で定めるところにより、保険給付の全部又は一部の支払を一時差し止めるものとする。

2　市町村は、前項に規定する厚生労働省令で定める期間が経過しない場合においても、保険給付を受けることができる第一号被保険者である要介護被保険者等が保険料を滞納している場合においては、当該保険料の滞納につき災害その他の政令で定める特別の事情があると認める場合を除き、厚生労働省令で定めるところにより、保険給付の全部又は一部の支払を一時差し止めることができる。

3　市町村は、前条第一項又は第二項の規定により支払方法変更の記載を受けている要介護被保険者等であって、前二項の規定による保険給付の全部又は一部の支払の一時差止がなされているものが、なお滞納している保険料を納付しない場合においては、厚生労働省令で定めるところにより、あらかじめ、当該要介護被保険者等に通知して、当該一時差止に係る保険給付の額から当該要介護被保険者等が滞納している保険料額を控除することができる。

（医療保険各法の規定による保険料等に未納がある者に対する保険給付の一時差止）

第六十八条　市町村は、保険給付を受けることができる第二号被保険者である要介護被保険者等について、医療保険各法の定めるところにより当該要介護被保険者等が納付義務又は払込義務を負う保険料（地方税法（昭和二十五年法律第二百二十六号）の規定による国民健康保険税を含む。）又は掛金であってその納期限又は払込期限までに納付しなかったもの（以下この項及び次項において「未納医療保険料等」という。）がある場合においては、未納医療保険料等があることにつき災害その他の政令で定める特別の事情があると認める場合を除き、厚生労働省令で定めるところにより、当該要介護被保険者等に対し被保険者証の提出を求め、当該被保険者証に、第四十一条第六項、第四十二条の二第六項、第四十六条第四項、第四十八条第四項、第五十一条の三第四項、第五十三条第四項、第五十四条の二第六項、第五十八条第四項及び第六十一条の三第四項の規定を適用しない旨並びに保険給付の全部又は一部の支払を差し止める旨の記載（以下この条において「保険給付差止の記載」という。）をすることができる。

2　市町村は、前項の規定により保険給付差止の記載を受けた要介護被保険者等が、未納医療保険料等を完納したとき、又は当該要介護被保険者等に係る未納医療保険料等の著しい減少、災害その他の政令で定める特別の事情があると認めるときは、当該保険給付差止の記載を消除するものとする。

3　第六十六条第四項の規定は、第一項の規定により保険給付差止の記載を受けた要介護被保険者等について準用する。

4　市町村は、第一項の規定により保険給付差止の記載を受けた要介護被保険者等について、保険給付の全部又は一部の支払を一時差し止めるものとする。

5　市町村は、要介護被保険者等についての保険給付差止の記載に関し必要があると認めるときは、当該要介護被保険者等の加入する医療保険者（当該要介護被保険者等が全国健康保険協会の管掌する健康保険の被保険者（健康保険法第三条第四項に規定する任意継続被保険者を除く。）若しくはその被扶養者又は船員保険の被保険者（船員保険法第二条第二項に規定する疾病任意継続被保険者を除く。）若しくはその被扶養者である場合には、厚生労働大臣とし、当該要介護被保険者等が国民健康保険法の定めるところにより都道府県が当該都道府県内の市町村とともに行う国民健康保険（以下「国民健康保険」という。）の被保険者である場合には、市町村とする。以下この条において同じ。）に対し、当該要介護被保険者等に係る医療保険各法の規定により徴収される保険料（地方税法の規定により徴収される国民健康保険税を含む。）又は掛金の納付状況その他厚生労働省令で定める事項について、厚生労働省令で定めるところにより、当該要介護被保険者等の加入する医療保険者に対し、情報の提供を求めることができる。

（保険料を徴収する権利が消滅した場合の保険給付の特例）

第六十九条　市町村は、要介護認定、要介護更新認定、第二十九条第二項において準用する第二十七条第七項若しくは第三十条第一項の規定による要介護状態区分の変更の認定、要支援認定、要支援更新認定、第三十三条の二第二項において準用する第三十二条第六項若しくは第三十三条の三第一項の規定による要支援状態区分の変更の認定（以下この項において単に「認定」という。）をした場合において、当該認定に係る第一号被保険者である要介護被保険者等について保険料徴収権消滅期間

（当該期間に係る保険料を徴収する権利が時効によって消滅している期間につき政令で定めるところにより算定された期間をいう。以下この項において同じ。）があるときは、厚生労働省令で定めるところにより、当該要介護被保険者等の被保険者証に、当該認定に係る第二十七条第七項後段（第二十八条第四項及び第二十九条第二項において準用する場合を含む。）、第三十条第一項後段若しくは第三十五条第四項後段又は第三十二条第六項後段（第三十三条第四項及び第三十三条の二第二項において準用する場合を含む。）、第三十三条の三第一項後段若しくは第三十五条第二項後段若しくは第六項後段の規定による記載に併せて、介護給付等（居宅介護サービス計画費の支給、特例居宅介護サービス計画費の支給、介護予防サービス計画費の支給及び特例介護予防サービス計画費の支給、高額介護サービス費の支給、高額医療合算介護サービス費の支給、高額介護予防サービス費の支給及び高額医療合算介護予防サービス費の支給並びに特定入所者介護サービス費の支給、特例特定入所者介護サービス費の支給、特定入所者介護予防サービス費の支給及び特例特定入所者介護予防サービス費の支給を除く。）の額の減額を行う旨並びに高額介護サービス費、高額医療合算介護サービス費、高額介護予防サービス費及び高額医療合算介護予防サービス費並びに特定入所者介護サービス費、特例特定入所者介護サービス費、特定入所者介護予防サービス費及び特例特定入所者介護予防サービス費の支給を行わない旨並びにこれらの措置がとられる期間（市町村が、政令で定めるところにより、保険料徴収権消滅期間に応じて定める期間をいう。以下この条において「給付額減額期間」という。）の記載（以下この条において「給付額減額等の記載」という。）をするものとする。ただし、当該要介護被保険者等について、災害その他の政令で定める特別の事情があると認めるときは、この限りでない。

2　市町村は、前項の規定により給付額減額等の記載を受けた要介護被保険者等について、同項ただし書の政令で定める特別の事情があると認めるとき、又は給付額減額期間が経過したときは、当該給付額減額等の記載を消除するものとする。

3　第一項の規定により給付額減額等の記載を受けた要介護被保険者等が、当該記載を受けた日の属する月の翌月の初日から当該給付額減額期間が経過するまでの間に利用した居宅サービス（これに相当するサービスを含む。以下この条において同じ。）、地域密着型サービス（これに相当するサービスを含む。以下この条において同じ。）、施設サービス、介護予防サービス（これに相当するサービスを含む。以下この条において同じ。）及び地域密着型介護予防サービス（これに相当するサービスを含む。以下この条において同じ。）並びに行った住宅改修に係る次の各号に掲げる介護給付等について当該各号に定める規定を適用する場合（第四十九条の二又は第五十九条の二の規定により読み替えて適用する場合を除く。）においては、これらの規定中「百分の九十」とあるのは、「百分の七十」とする。

一　居宅介護サービス費の支給　第四十一条第四項第一号及び第二号並びに第四十三条第一項、第四項及び第六項

二　特例居宅介護サービス費の支給　第四十二条第三項並びに第四十三条第一項、第四項及び第六項

三　地域密着型介護サービス費の支給　第四十二条の二第二項各号並びに第四十三条第一項、第四項及び第六項

四　特例地域密着型介護サービス費の支給　第四十二条の三第二項並びに第四十三条第一項、第四項及び第六項

五　施設介護サービス費の支給　第四十八条第二項

六　特例施設介護サービス費の支給　第四十九条第二項

七　介護予防サービス費の支給　第五十三条第二項第一号及び第二号並びに第五十五条第一項、第四項及び第六項

八　特例介護予防サービス費の支給　第五十四条第三項並びに第五十五条第一項、第四項及び第六項

九　地域密着型介護予防サービス費の支給　第五十四条の二第二項第一号及び第二号並びに第五十五条第一項、第四項及び第六項

十　特例地域密着型介護予防サービス費の支給　第五十四条の三第二項並びに第五十五条第一項、第四項及び第六項

十一　居宅介護福祉用具購入費の支給　第四十四条第三項、第四項及び第七項

十二　介護予防福祉用具購入費の支給　第五十六条第三項、第四項及び第七項

十三　居宅介護住宅改修費の支給　第四十五条第三項、第四項及び第七項

十四　介護予防住宅改修費の支給　第五十七条第三項、第四項及び第七項

4　第一項の規定により給付額減額等の記載を受けた要介護被保険者等が、当該記載を受けた日の属する月の翌月の初日から当該給付額減額期間が経過するまでの間に利用した居宅サービス、地域密着型サービス、施設サービス、介護予防サービス及び地域密着型介護予防サービス並びに行った住宅改修に係る前項各号に掲げる介護給付等について当該各号に定める規定を適用する場合（第四十九条の二第一項又は第五十九条の二第一項の規定により読み替えて適用する場合に限る。）においては、第四十九条の二第一項又は第五十九条の二第一項の規定により読み替えて適用するこれらの規定中「百分の八十」とあるのは、「百分の七十」とする。

5　第一項の規定により給付額減額等の記載を受けた要介護被保険者等が、当該記載を受けた日の属する月の翌月の初日から当該給付額減額期間が経過するまでの間に利用した居宅サービス、地域密着型サービス、施設サービス、介護予防サービス及び地域密着型介護予防サービス並びに行った住宅改修に係る第三項各号に掲げる介護給付等について当該各号に定める規定を適用する場合（第四十九条の二第二項又は第五十九条の二第二項の規定により読み替えて適用する場合に限る。）においては、第四十九条の二第二項又は第五十九条の二第二項の規定により読み替えて適用するこれらの規定中「百分の七十」とあるのは、「百分の六十」とする。

6　第一項の規定により給付額減額等の記載を受けた要介護被保険者等が、当該記載を受けた日の属する月の翌月の初日から当該給付額減額期間が経過するまでの間に受けた居宅サービス、地域密着型サービス、施設サービス、介護予防サービス及び地域密着型介護予防サービスに要する費用については、第五十一条第一項、第五十一条の二第一項、第五十一条の三第一項、第五十一条の四第一項、第六十一条第一項、第六十一条の二第一項、第六十一条の三第一項及び第六十一条の四第一項の規定は、適用しない。

第八章　費用等

第一節　費用の負担

（国の負担）

第百二十一条　国は、政令で定めるところにより、市町村に対し、介護給付及び予防給付に要する費用の額について、次の各号に掲げる費用の区分に応じ、当該各号に定める割合に相当する額を負担する。

一　介護給付（次号に掲げるものを除く。）及び予防給付（同号に掲げるものを除く。）に要する費用　百分の二十

二　介護給付（介護保険施設及び特定施設入居者生活介護に係るものに限る。）及び予防給付（介護予防特定施設入居者生活介護に係るものに限る。）に要する費用　百分の十五

2　第四十三条第三項、第四十四条第六項、第四十五条第六項、第五十五条第三項、第五十六条第六項又は第五十七条第六項の規定に基づき条例を定めている市町村に対する前項の規定の適用については、同項に規定する介護給付及び予防給付に要する費用の額は、当該条例による措置が講ぜられないものとして、政令で定めるところにより算定した当該介護給付及び予防給付に要する費用の額に相当する額とする。

（調整交付金等）

第百二十二条　国は、介護保険の財政の調整を行うため、第一号被保険者の年齢階級別の分布状況、第一号被保険者の所得の分布状況等を考慮して、政令で定めるところにより、市町村に対して調整交付金を交付する。

2　前項の規定による調整交付金の総額は、各市町村の前条第一項に規定する介護給付及び予防給付に要する費用の額（同条第二項の規定の適用がある場合にあっては、同項の規定を適用して算定した額。次項において同じ。）の総額の百分の五に相当する額とする。

3　毎年度分として交付すべき調整交付金の総額は、当該年度における各市町村の前条第一項に規定する介護給付及び予防給付に要する費用の額の見込額の総額の百分の五に相当する額に当該年度の前年度以前の年度における調整交付金で、まだ交付していない額を加算し、又は当該前年度以前の年度において交付すべきであった額を超えて交付した額を当該見込額の総額の百分の五に相当する額から減額した額とする。

第百二十二条の二　国は、政令で定めるところにより、市町村に対し、介護予防・日常生活支援総合事業に要する費用の額の百分の二十に相当する額を交付する。

2　国は、介護保険の財政の調整を行うため、市町村に対し、介護予防・日常生活支援総合事業に要する費用の額について、第一号被保険者の年齢階級別の分布状況、第一号被保険者の所得の分布状況等を考慮して、政令で定めるところにより算定した額を交付する。

3　前項の規定により交付する額（社会福祉法第百六条の八（第二号に係る部分に限る。）の規定により交付する額を含む。）の総額は、各市町村の介護予防・日常生活支援総合事業に要する費用の額の総額の百分の五に相当する額とする。

4　国は、政令で定めるところにより、市町村に対し、地域支援事業（介護予防・日常生活支援総合事業を除く。）に要する費用の額に、第百二十五条第一項の第二号被保険者負担率に百分の五十を加えた率を乗じて得た額（以下「特定地域支援事業支援額」という。）の百分の五十に相当する額を交付する。

第百二十二条の三　国は、前二条に定めるもののほか、市町村によるその被保険者の地域における自立した日常生活の支援、要介護状態等となることの予防又は要介護状態等の軽減若しくは悪化の防止及び介護給付等に要する費用の適正化に関する取組を支援するため、政令で定めるところにより、市町村に対し、予算の範囲内において、交付金を交付する。

2　国は、都道府県による第百二十条の二第一項の規定による支援及び同条第二項の規定による事業に係る取組を支援するため、政令で定めるところにより、都道府県に対し、予算の範囲内において、交付金を交付する。

（都道府県の負担等）

第百二十三条　都道府県は、政令で定めるところにより、市町村に対し、介護給付及び予防給付に要する費用の額について、次の各号に掲げる費用の区分に応じ、当該各号に定める割合に相当する額を負担する。

一　介護給付（次号に掲げるものを除く。）及び予防給付（同号に掲げるものを除く。）に要する費用　百分の十二・五

二　介護給付（介護保険施設及び特定施設入居者生活介護に係るものに限る。）及び予防給付（介護予防特定施設入居者生活介護に係るものに限る。）に要する費用　百分の十七・五

2　第百二十一条第二項の規定は、前項に規定する介護給付及び予防給付に要する費用の額について準用する。

3　都道府県は、政令で定めるところにより、市町村に対し、介護予防・日常生活支援総合事業に要する費用の額の百分の十二・五に相当する額を交付する。

4　都道府県は、政令で定めるところにより、市町村に対し、特定地域支援事業支援額の百分の二十五に相当する額を交付する。

（市町村の一般会計における負担）

第百二十四条　市町村は、政令で定めるところにより、その一般会計において、介護給付及び予防給付に要する費用の額の百分の十二・五に相当する額を負担する。

2　第百二十一条第二項の規定は、前項に規定する介護給付及び予防給付に要する費用の額について準用する。

3　市町村は、政令で定めるところにより、その一般会計において、介護予防・日常生活支援総合事業に要する費用の額の百分の十二・五に相当する額を負担する。

4　市町村は、政令で定めるところにより、その一般会計において、特定地域支援事業支援額の百分の二十五に相当する額を負担する。

（市町村の特別会計への繰入れ等）

第百二十四条の二　市町村は、政令で定めるところにより、一般会計から、所得の少ない者について条例の定めるところにより行う保険料の減額賦課に基づき第一号被保険者に係る保険料につき減額した額の総額を基礎として政令で定めるところにより算定した額を介護保険に関する特別会計に繰り入れなければならない。

2　国は、政令で定めるところにより、前項の規定による繰入金の二分の一に相当する額を負担する。

3　都道府県は、政令で定めるところにより、第一項の規定による繰入金の四分の一に相当する額を負担する。

（住所地特例適用被保険者に係る地域支援事業に要する費用の負担金）

第百二十四条の三　市町村は、政令で定めるところにより、当該市町村が行う介護保険の住所地特例適用被保険者に対して、当該住所地特例適用被保険者が入所等をしている住所地特例対象施設の所在する施設所在市町村が行う地域支援事業に要する費用について、政令で定めるところにより算定した額を、地域支援事業に要する費用として負担するものとする。

（介護給付費交付金）

第百二十五条　市町村の介護保険に関する特別会計において負担する費用のうち、介護給付及び予防給付に要する費用の額に第二号被保険者負担率を乗じて得た額（以下「医療保険納付対象額」という。）については、政令で定めるところにより、支払基金が市町村に対して交付する介護給付費交付金をもって充てる。

2　前項の第二号被保険者負担率は、すべての市町村に係る被保険者の見込数の総数に対するすべての市町村に係る第二号被保険者の見込数の総数の割合に二分の一を乗じて得た率を基準として設定するものとし、三年ごとに、当該割合の推移を勘案して政令で定める。

3　第百二十一条第二項の規定は、第一項に規定する介護給付及び予防給付に要する費用の額について準用する。

4　第一項の介護給付費交付金は、第百五十条第一項の規定により支払基金が徴収する納付金をもって充てる。

（地域支援事業支援交付金）

第百二十六条　市町村の介護保険に関する特別会計において負担する費用のうち、介護予防・日常生活支援総合事業に要する費用の額に前条第一項の第二号被保険者負担率を乗じて得た額（以下「介護予防・日常生活支援総合事業医療保険納付対象額」という。）については、政令で定めるところにより、支払基金が市町村に対して交付する地域支援事業支援交付金をもって充てる。

2　前項の地域支援事業支援交付金は、第百五十条第一項の規定により支払基金が徴収する納付金をもって充てる。

（国の補助）

第百二十七条　国は、第百二十一条から第百二十二条の三まで及び第百二十四条の二に規定するもののほか、予算の範囲内において、介護保険事業に要する費用の一部を補助することができる。

（都道府県の補助）

第百二十八条　都道府県は、第百二十三条及び第百二十四条の二に規定するもののほか、介護保険事業に要する費用の一部を補助することができる。

（保険料）

第百二十九条　市町村は、介護保険事業に要する費用（財政安定化基金拠出金の納付に要する費用を含む。）に充てるため、保険料を徴収しなければならない。

2　前項の保険料は、第一号被保険者に対し、政令で定める基準に従い条例で定めるところにより算定された保険料率により算定された保険料額によって課する。

3　前項の保険料率は、市町村介護保険事業計画に定める介護給付等対象サービスの見込量等に基づいて算定した保険給付に要する費用の予想額、財政安定化基金拠出金の納付に要する費用の予想額、第百四十七条第一項第二号の規定による都道府県からの借入金の償還に要する費用の予定額並びに地域支援事業及び保健福祉事業に要する費用の予定額、第一号被保険者の所得の分布状況及びその見通し並びに国庫負担等の額等に照らし、おおむね三年を通じ財政の均衡を保つことができるものでなければならない。

4　市町村は、第一項の規定にかかわらず、第二号被保険者からは保険料を徴収しない。

（賦課期日）

第百三十条　保険料の賦課期日は、当該年度の初日とする。

（保険料の徴収の方法）

第百三十一条　第百二十九条の保険料の徴収については、第百三十五条の規定により特別徴収（国民年金法による老齢基礎年金その他の同法又は厚生年金保険法による老齢、障害又は死亡を支給事由とする年金たる給付であって政令で定めるもの及びその他これらの年金たる給付に類する老齢若しくは退職、障害又は死亡を支給事由とする年金たる給付であって政令で定めるものの（以下「老齢等年金給付」という。）の支払をする者（以下「年金保険者」という。）に保険料を徴収させ、かつ、その徴収すべき保険料を納入させることをいう。以下同じ。）の方法による場合を除くほか、普通徴収（市町村が、保険料を課せられた第一号被保険者又は当該第一号被保険者の属する世帯の世帯主若しくは当該第一号被保険者の配偶者（婚姻の届出をしていないが、事実上婚姻関係と同様の事情にある者を含む。以下同じ。）に対し、地方自治法第二百三十一条の規定により納入の通知をすることによって保険料を徴収することをいう。以下同じ。）の方法によらなければならない。

（普通徴収に係る保険料の納付義務）

第百三十二条　第一号被保険者は、市町村がその者の保険料を普通徴収の方法によって徴収しようとする場合においては、当該保険料を納付しなければならない。

2　世帯主は、市町村が当該世帯に属する第一号被保険者の保険料を普通徴収の方法によって徴収しようとする場合において、当該保険料を連帯して納付する義務を負う。

3　配偶者の一方は、市町村が第一号被保険者たる他方の保険料を普通徴収の方法によって徴収しようとする場合において、当該保険料を連帯して納付する義務を負う。

（普通徴収に係る保険料の納期）

第百三十三条　普通徴収の方法によって徴収する保険料の納期は、当該市町村の条例で定める。

（年金保険者の市町村に対する通知）

第百三十四条　年金保険者は、毎年厚生労働省令で定める期日までに、当該年の四月一日現在において当該年金保険者から老齢等年金給付の支払を受けている者であって六十五歳以上のもの（次に掲げるものを除く。）の氏名、住所その他厚生労働省令で定める事項を、その者が同日現在において住所を有する市町村（第十三条第一項又は第二項の規定によりその者が他の市町村が行う介護保険の第一号被保険者であるときは、当該他の市町村とする。次項（第三号を除く。）から第六項まで及び第九項において同じ。）に通知しなければならない。

一　当該年の六月一日から翌年の五月三十一日までの間に支払を受けるべき当該老齢等年金給付の額の総額が、当該年の四

月一日の現況において政令で定める額未満である者

二　当該老齢等年金給付の支給が停止されていることその他の厚生労働省令で定める特別の事情を有する者

2　年金保険者は、毎年厚生労働省令で定める期日までに、当該年の四月二日から六月一日までの間に次の各号のいずれかに該当するに至った者（当該年の三月一日から四月一日までの間に第一号に該当するに至った者であって、当該年の四月一日現在において当該年金保険者から老齢等年金給付の支払を受けていないものを含み、当該年の八月一日から翌年の五月三十一日までの間に支払を受けるべき当該老齢等年金給付の額の総額を基礎として厚生労働省令で定めるところにより算定した年金額の見込額が、当該年の六月一日の現況において政令で定める額未満である者及び前項第二号に該当する者を除く。）の氏名、住所その他厚生労働省令で定める事項を、その者が当該年の六月一日現在において住所を有する市町村に通知しなければならない。

一　老齢等年金給付を受ける権利の裁定を受け、当該年金保険者から当該老齢等年金給付の支払を受けることとなった六十五歳以上の者

二　当該年金保険者から老齢等年金給付の支払を受けている者のうち六十五歳に達したもの（六十五歳以後も引き続き当該老齢等年金給付の受給権を有する者に限る。）

三　当該年金保険者から老齢等年金給付の支払を受けている者のうち、当該年金保険者に対し市町村の区域を越える住所の変更の届出を行った六十五歳以上のもの

3　年金保険者は、毎年厚生労働省令で定める期日までに、当該年の六月二日から八月一日までの間に前項各号のいずれかに該当するに至った者（当該年の十月一日から翌年の五月三十一日までの間に支払を受けるべき当該老齢等年金給付の額の総額を基礎として厚生労働省令で定めるところにより算定した年金額の見込額が、当該年の八月一日の現況において政令で定める額未満である者及び第一項第二号に該当する者を除く。）の氏名、住所その他厚生労働省令で定める事項を、その者が当該年の八月一日現在において住所を有する市町村に通知しなければならない。

4　年金保険者は、毎年厚生労働省令で定める期日までに、当該年の八月二日から十月一日までの間に第二項各号のいずれかに該当するに至った者（当該年の十二月一日から翌年の五月三十一日までの間に支払を受けるべき当該老齢等年金給付の額の総額を基礎として厚生労働省令で定めるところにより算定した年金額の見込額が、当該年の十月一日の現況において政令で定める額未満である者及び第一項第二号に該当する者を除く。）の氏名、住所その他厚生労働省令で定める事項を、その者が当該年の十月一日現在において住所を有する市町村に通知しなければならない。

5　年金保険者は、毎年厚生労働省令で定める期日までに、当該年の前年の十月二日から十二月一日までの間に第二項各号のいずれかに該当するに至った者（当該年の二月一日から五月三十一日までの間に支払を受けるべき当該老齢等年金給付の額の総額を基礎として厚生労働省令で定めるところにより算定した年金額の見込額が、当該年の前年の十二月一日の現況において政令で定める額未満である者及び第一項第二号に該当する者を除く。）の氏名、住所その他厚生労働省令で定める事項を、その者が当該年の前年の十二月一日現在において住所を有する市町村に通知しなければならない。

6　年金保険者は、毎年厚生労働省令で定める期日までに、当該年の前年の十二月二日から当該年の二月一日までの間に第二項各号のいずれかに該当するに至った者（当該年の四月一日から五月三十一日までの間に支払を受けるべき当該老齢等年金給付の額の総額を基礎として厚生労働省令で定めるところにより算定した年金額の見込額が、当該年の二月一日の現況において政令で定める額未満である者及び第一項第二号に該当する者を除く。）の氏名、住所その他厚生労働省令で定める事項を、その者が当該年の二月一日現在において住所を有する市町村に通知しなければならない。

7　年金保険者（厚生労働大臣に限る。）は、前各項の規定による通知を行う場合においては、政令で定めるところにより、連合会及び国民健康保険法第四十五条第六項に規定する厚生労働大臣が指定する法人（以下「指定法人」という。）を経由して行うものとする。

8　年金保険者（厚生労働大臣及び地方公務員共済組合（全国市町村職員共済組合連合会を含む。第十項、第百三十六条第三項及び第六項並びに第百三十七条第二項において同じ。）を除く。）は、第一項から第六項までの規定による通知を行う場合においては、厚生労働大臣の同意を得て、当該年金保険者が行う当該通知の全部を厚生労働大臣を経由して行うことができる。

9　前項において、厚生労働大臣を経由して市町村に通知を行う場合においては、政令で定めるところにより、連合会及び指定法人を経由して行うものとする。

10　地方公務員共済組合は、第一項から第六項までの規定による通知を行う場合においては、政令で定めるところにより、連合会、指定法人及び地方公務員共済組合連合会を経由して行うものとする。

11　厚生労働大臣は、第八項の同意をしたときは、当該同意に係る年金保険者（第百三十六条において「特定年金保険者」という。）を公示しなければならない。

12　年金保険者（厚生労働大臣に限る。）は、日本年金機構に、第一項から第六項までの規定による通知に係る事務（第八項の規定による経由に係る事務を含み、当該通知を除く。）を行わせるものとする。

13　厚生年金保険法第百条の十第二項及び第三項の規定は、前項に規定する事務について準用する。

（保険料の特別徴収）

第百三十五条　市町村は、前条第一項の規定による通知が行われた場合においては、当該通知に係る第一号被保険者（災害その他の特別の事情があることにより、特別徴収の方法によって保険料を徴収することが著しく困難であると認めるものその他政令で定めるものを除く。次項及び第三項において同じ。）に対して課する当該年度の保険料の全部（厚生労働省令で定める場合にあっては、その一部）を、特別徴収の方法によって徴収するものとする。ただし、当該通知に係る第一号被保険者が少ないことその他の特別の事情があることにより、特別徴収を行うことが適当でないと認められる市町村においては、特別徴収の方法によらないことができる。

2　市町村（前項ただし書に規定する市町村を除く。次項において同じ。）は、前条第二項又は第三項の規定による通知が行われた場合においては、当該通知に係る第一号被保険者に対して課する当該年度の保険料の一部を、特別徴収の方法によって徴収することができる。

3　市町村は、前条第二項若しくは第三項の規定による通知が行われた場合（前項の規定により当該通知に係る第一号被保険者に対して課する当該年度の保険料の一部を特別徴収の方法によって徴収する場合を除く。）又は同条第四項から第六項までの規定による通知が行われた場合において、当該通知に係る第一号被保険者について、翌年度の初日から九月三十日までの間において当該通知に係る老齢等年金給付が支払われるときは、その支払に係る保険料額として、支払回数割保険料額の見込額（当該額によることが適当でないと認められる特別な事情がある場合においては、所得の状況その他の事情を勘案して市町村が定める額とする。）を、厚生労働省令で定めるところにより、特別徴収の方法によって徴収するものとする。

4　前項の支払回数割保険料額の見込額は、当該第一号被保険者につき、当該年度の保険料額を基礎として厚生労働省令で定めるところにより算定した額を、当該年度の翌年度の初日（前条第五項の規定による通知に係る第一号被保険者については同年度の六月一日とし、同条第六項の規定による通知に係る第一号被保険者については同年度の八月一日とする。）から九月三十日までの間における当該老齢等年金給付の支払の回数で除して得た額とする。

5　市町村は、第一項本文、第二項又は第三項の規定により特別徴収の方法によって保険料を徴収しようとする場合においては、第一項本文、第二項又は第三項に規定する第一号被保険者（以下「特別徴収対象被保険者」という。）について、当該特別徴収対象被保険者に係る年金保険者（以下「特別徴収義務者」という。）に当該保険料を徴収させなければならない。

6　市町村は、同一の特別徴収対象被保険者について前条第一項から第六項までの規定による通知に係る老齢等年金給付（以下「特別徴収対象年金給付」という。）が二以上ある場合においては、政令で定めるところにより一の特別徴収対象年金給付について保険料を徴収させるものとする。

（特別徴収額の通知等）

第百三十六条　市町村は、第百三十四条第一項の規定による通知が行われた場合において、前条第一項並びに第五項及び第六項（同条第一項に係る部分に限る。）の規定により特別徴収の方法によって保険料を徴収しようとするときは、特別徴収対象被保険者に係る保険料を特別徴収の方法によって徴収する旨、当該特別徴収対象被保険者に係る支払回数割保険料額その他厚生労働省令で定める事項を、特別徴収義務者及び特別徴収対象被保険者に通知しなければならない。

2　前項の支払回数割保険料額は、厚生労働省令で定めるところにより、当該特別徴収対象被保険者につき、特別徴収の方法によって徴収する保険料額（以下「特別徴収対象保険料額」という。）から、前条第三項並びに第百四十条第一項及び第二項の規定により当該年の四月一日から九月三十日までの間に徴収される保険料額の合計額を控除して得た額を、当該年の十月一日から翌年三月三十一日までの間における当該特別徴収対象年金給付の支払の回数で除して得た額とする。

3　第一項の規定による特別徴収義務者に対する通知（厚生労働大臣及び特定年金保険者並びに地方公務員共済組合に係るものを除く。）は、当該年度の初日の属する年の八月三十一日までにしなければならない。

4　第一項の規定による特別徴収義務者に対する通知（厚生労働大臣に係るものに限る。）は、当該年度の初日の属する年の七月三十一日までに、政令で定めるところにより、連合会及び指定法人を経由してしなければならない。

5　第一項の規定による特別徴収義務者に対する通知（特定年金保険者に係るものに限る。）は、当該年度の初日の属する年の七月三十一日までに、政令で定めるところにより、連合会、指定法人及び厚生労働大臣を経由してしなければならない。

6　第一項の規定による特別徴収義務者に対する通知（地方公務員共済組合に係るものに限る。）は、当該年度の初日の属する年の七月三十一日までに、政令で定めるところにより、連合会、指定法人及び地方公務員共済組合連合会を経由してしなければならない。

7　厚生労働大臣は、日本年金機構に、第一項の規定による通知の受理に係る事務（第五項の規定による経由に係る事務を含み、当該受理を除く。）を行わせるものとする。

8　厚生年金保険法第百条の十第二項及び第三項の規定は、前項に規定する事務について準用する。

（特別徴収の方法によって徴収した保険料額の納入の義務等）

第百三十七条　特別徴収義務者は、前条第一項の規定による通知を受けた場合においては、同項に規定する支払回数割保険料額を、厚生労働省令で定めるところにより、当該年の十月一日から翌年三月三十一日までの間において特別徴収対象年金給付の支払をする際徴収し、その徴収した日の属する月の翌月の十日までに、これを当該市町村に納入する義務を負う。

2　地方公務員共済組合は、前項の規定により市町村に納入する場合においては、地方公務員共済組合連合会を経由して行うものとする。

3　特別徴収義務者が、特別徴収対象年金給付の支払をする際特別徴収対象被保険者から徴収しなかった保険料額に相当する額を第一項の規定により市町村に納入した場合においては、その徴収しなかった保険料額に相当する額を、当該納入をしたとき以後に当該特別徴収対象被保険者に支払うべき当該特別徴収対象年金給付から控除することができる。

4　特別徴収義務者は、第百三十五条の規定により当該特別徴収義務者が徴収すべき保険料に係る特別徴収対象被保険者が当該特別徴収義務者から特別徴収対象年金給付の支払を受けないこととなった場合その他厚生労働省令で定める場合においては、その事由が発生した日の属する月の翌月以降徴収すべき保険料額は、これを徴収して納入する義務を負わない。

5　前項に規定する場合においては、特別徴収義務者は、厚生労働省令で定めるところにより、特別徴収対象年金給付の支払を受けないこととなった特別徴収対象被保険者その他厚生労働省令で定める者の氏名、当該特別徴収対象被保険者に係る保険料徴収の実績その他必要な事項を、特別徴収に係る納入金を納入すべき市町村に通知しなければならない。

6　特別徴収義務者は、厚生労働省令で定めるところにより、第一項の規定により徴収する支払回数割保険料額を、特別徴収対象被保険者に対し通知するものとする。

7　特別徴収義務者（厚生労働大臣に限る。）は、日本年金機構に、第一項及び第四項の規定による徴収及び納入に係る事務（当該徴収及び納入を除く。）を行わせるものとする。

8　厚生年金保険法第百条の十第二項及び第三項の規定は、前項に規定する事務について準用する。

9　第百三十四条第七項から第十三項までの規定は第五項の規定による通知について、同条第十二項及び第十三項の規定は第六項の規定による特別徴収義務者（厚生労働大臣に限る。）の通知について準用する。

（被保険者資格喪失等の場合の市町村の特別徴収義務者等に対する通知）

第百三十八条　市町村は、第百三十六条第一項の規定により支払回数割保険料額を特別徴収義務者に通知した後に当該通知に係る特別徴収対象被保険者が被保険者資格を喪失した場合その他厚生労働省令で定める場合においては、厚生労働省令で定めるところにより、その旨を当該特別徴収義務者及び当該特別徴収対象被保険者に通知しなければならない。

2　第百三十六条第四項から第八項までの規定は、前項の規定による特別徴収義務者に対する通知について準用する。この場合において、これらの規定に関し必要な技術的読替えは、政令で定める。

3　特別徴収義務者は、第一項の規定による通知を受けた場合においては、その通知を受けた日以降特別徴収対象保険料額を徴収して納入する義務を負わない。この場合において、特別徴収義務者は、直ちに当該通知に係る特別徴収対象被保険者に係る保険料徴収の実績その他必要な事項を当該通知をした市町村に通知しなければならない。

4　第百三十四条第七項から第十三項までの規定は、前項の規定による通知について準用する。

（普通徴収保険料額への繰入）

第百三十九条　市町村は、第一号被保険者が特別徴収対象年金給付の支払を受けなくなったこと等により保険料を特別徴収の方法によって徴収されないこととなった場合においては、特別徴収の方法によって徴収されないこととなった額に相当する保険料額を、その特別徴収の方法によって徴収されないこととなった日以後において到来する第百三十三条の納期がある場合においてはそのそれぞれの納期において、その日以後に到来する同条の納期がない場合においては直ちに、普通徴収の方法によって徴収しなければならない。

2　特別徴収義務者から当該市町村に納入された第一号被保険者についての保険料額の合計額が当該第一号被保険者について特別徴収の方法によって徴収すべき保険料額を超える場合（特別徴収の方法によって徴収すべき保険料額がない場合を含む。）においては、市町村は、当該過納又は誤納に係る保険料額（当該過納又は誤納に係る保険料額が当該第一号被保険者が死亡したことにより生じたものであるときは、当該過納又は誤納に係る保険料額から厚生労働省令で定めるところにより算定した額を控除した額とする。次項において「過誤納額」という。）を当該第一号被保険者に還付しなければならない。

3　市町村は、前項の規定により過誤納額を還付すべき場合において、当該第一号被保険者の未納に係る保険料その他この法律の規定による徴収金があるときは、同項の規定にかかわらず、厚生労働省令で定めるところにより、当該過誤納額をこれに充当することができる。

（仮徴収）

第百四十条　市町村は、前年度の初日の属する年の十月一日から翌年の三月三十一日までの間における特別徴収対象年金給付の支払の際第百三十六条第一項に規定する支払回数割保険料額を徴収されていた第一号被保険者について、当該年度の初日からその日の属する年の五月三十一日までの間において当該支払回数割保険料額の徴収に係る老齢等年金給付が支払われるときは、その支払に係る保険料額として、当該支払回数割保険料額に相当する額を、厚生労働省令で定めるところにより、特別徴収の方法によって徴収するものとする。

2　市町村は、前項に規定する第一号被保険者について、当該年度の初日の属する年の六月一日から九月三十日までの間において同項に規定する老齢等年金給付が支払われるときは、それぞれの支払に係る保険料額として、当該第一号被保険者に係る同項に規定する支払回数割保険料額に相当する額（当該額によることが適当でないと認められる特別な事情がある場合においては、所得の状況その他の事情を勘案して市町村が定める額とする。）を、厚生労働省令で定めるところにより、特別徴収の方法によって徴収するものとする。

3　第百三十六条から前条まで（第百三十六条第二項を除く。）の規定は、前二項の規定による特別徴収について準用する。この場合において、これらの規定に関し必要な技術的読替えは、政令で定める。

4　第一項の規定による特別徴収については、前項において準用する第百三十六条の規定による通知があったものとみなし、第二項による特別徴収については、前項において準用する同条の規定による通知が期日までに行われないときは、第一項に規定する老齢等年金給付のそれぞれの支払に係る保険料額として、第二項に規定する支払回数割保険料額に相当する額を特別徴収の方法によって徴収する旨の同条の規定による通知があったものとみなす。

（住所地特例対象施設に入所等中の被保険者の特例に係る特別徴収義務者への通知）

第百四十一条　市町村は、その行う介護保険の特別徴収対象被保険者が住所地特例適用被保険者に該当するに至ったときは、速やかに、当該特別徴収対象被保険者に係る特別徴収義務者に、その旨を通知するものとする。

2　第百三十六条第四項から第八項までの規定は、前項の規定による特別徴収義務者に対する通知について準用する。この場合において、これらの規定に関し必要な技術的読替えは、政令で定める。

（政令への委任）

第百四十一条の二　第百三十四条第二項から第六項までの規定により通知が行われた場合において、市町村が第百三十五条第二項から第六項までの規定により特別徴収の方法によって保険料を徴収しようとするときの特別徴収額の通知、特別徴収の方法によって徴収した保険料額の納入の義務その他の取扱いについては、政令で定める。

（保険料の減免等）

第百四十二条　市町村は、条例で定めるところにより、特別の理由がある者に対し、保険料を減免し、又はその徴収を猶予することができる。

（地方税法の準用）

第百四十三条　保険料その他この法律の規定による徴収金（第百五十条第一項に規定する納付金及び第百五十七条第一項に規定する延滞金を除く。）については、地方税法第九条、第十三条の二、第二十条、第二十条の二及び第二十条の四の規定を準用する。

（滞納処分）

第百四十四条　市町村が徴収する保険料その他この法律の規定による徴収金は、地方自治法第二百三十一条の三第三項に規定する法律で定める歳入とする。

（保険料納付原簿）

第百四十五条　市町村は、保険料納付原簿を備え、これに第一号被保険者の氏名、住所、保険料の納付状況その他厚生労働省令で定める事項を記録するものとする。

（条例等への委任）

第百四十六条　この節に規定するもののほか、保険料の賦課及び徴収等に関する事項（特別徴収に関するものを除く。）は政令で定める基準に従って条例で、特別徴収に関して必要な事項は政令又は政令で定める基準に従って条例で定める。

第三節　医療保険者の納付金

（納付金の徴収及び納付義務）

第百五十条　支払基金は、第百六十条第一項に規定する業務に要する費用に充てるため、年度（毎年四月一日から翌年三月三十一日までをいう。以下この節及び次章において同じ。）ごとに、医療保険者（国民健康保険にあっては、都道府県。次項及び第百六十一条を除き、以下同じ。）から、介護給付費・地域支援事業支援納付金（以下「納付金」という。）を徴収する。

2　医療保険者（国民健康保険にあっては、市町村）は、納付金の納付に充てるため医療保険各法又は地方税法の規定により保険料若しくは掛金又は国民健康保険税を徴収する義務を負う。

3　医療保険者は、納付金を納付する義務を負う。

（納付金の額）

第百五十一条　前条第一項の規定により各医療保険者から徴収する納付金の額は、当該年度の概算納付金の額とする。ただし、前々年度の概算納付金の額が前々年度の確定納付金の額を超えるときは、当該年度の概算納付金の額からその超える額とその超える額に係る調整金額との合計額を控除して得た額とするものとし、前々年度の概算納付金の額が前々年度の確定納付金の額に満たないときは、当該年度の概算納付金の額にその満たない額とその満たない額に係る調整金額との合計額を加算して得た額とする。

2　前項ただし書の調整金額は、前々年度におけるすべての医療保険者に係る概算納付金の額と確定納付金の額との過不足額につき生ずる利子その他の事情を勘案して厚生労働省令で定めるところにより各医療保険者ごとに算定される額とする。

（概算納付金）

第百五十二条　前条第一項の概算納付金の額は、次の各号に掲げる医療保険者の区分に応じ、当該各号に定める額とする。

一　被用者保険等保険者（高齢者の医療の確保に関する法律第七条第三項に規定する被用者保険等保険者をいう。以下同じ。）　当該年度における全ての市町村の医療保険納付対象額及び介護予防・日常生活支援総合事業医療保険納付対象額の見込額の総額を厚生労働省令で定めるところにより算定した同年度における全ての医療保険者に係る第二号被保険者の見込数の総数で除して得た額に、厚生労働省令で定めるところにより算定した同年度における全ての被用者保険等保険者に係る第二号被保険者の見込数の総数を乗じて得た額を同年度におけるイに掲げる額で除して得た数に、同年度におけるロに掲げる額を乗じて得た額

イ　全ての被用者保険等保険者に係る第二号被保険者標準報酬総額の見込額（第二号被保険者標準報酬総額の見込額として厚生労働省令で定めるところにより算定される額をいう。ロにおいて同じ。）の合計額

ロ　当該被用者保険等保険者に係る第二号被保険者標準報酬総額の見込額

二　被用者保険等保険者以外の医療保険者　当該年度における全ての市町村の医療保険納付対象額及び介護予防・日常生活支援総合事業医療保険納付対象額の見込額の総額を厚生労働省令で定めるところにより算定した同年度における全ての医療保険者に係る第二号被保険者の見込数の総数で除して得た額に、厚生労働省令で定めるところにより算定した同年度における当該医療保険者に係る第二号被保険者の見込数を乗じて得た額

2　前項第一号イの第二号被保険者標準報酬総額は、次の各号に掲げる被用者保険等保険者の区分に応じ、各年度の当該各号に定める額の合計額の総額を、それぞれ政令で定めるところにより補正して得た額とする。

一　全国健康保険協会及び健康保険組合　第二号被保険者である被保険者ごとの健康保険法又は船員保険法に規定する標準報酬月額及び標準賞与額

二　共済組合　第二号被保険者である組合員ごとの国家公務員共済組合法又は地方公務員等共済組合法に規定する標準報酬の月額及び標準期末手当等の額

三　日本私立学校振興・共済事業団　第二号被保険者である加入者ごとの私立学校教職員共済法に規定する標準報酬月額及び標準賞与額

四　国民健康保険組合（被用者保険等保険者であるものに限る。）　第二号被保険者である組合員ごとの前三号に定める額に相当するものとして厚生労働省令で定める額

（確定納付金）

第百五十三条　第百五十一条第一項ただし書の確定納付金の額は、次の各号に掲げる医療保険者の区分に応じ、当該各号に定める額とする。

一　被用者保険等保険者　前々年度における全ての市町村の医療保険納付対象額及び介護予防・日常生活支援総合事業医療保険納付対象額の総額を厚生労働省令で定めるところにより算定した同年度における全ての医療保険者に係る第二号被保険者の総数で除して得た額に、厚生労働省令で定めるところにより算定した同年度における全ての被用者保険等保険者に係る第二号被保険者の総数を乗じて得た額を同年度におけるイに掲げる額で除して得た数に、同年度におけるロに掲げる額を乗じて得た額

イ　全ての被用者保険等保険者に係る第二号被保険者標準報

酬総額（前条第二項に規定する第二号被保険者標準報酬総額をいう。ロにおいて同じ。）の合計額

ロ 当該被用者保険等保険者に係る第二号被保険者標準報酬総額

二 被用者保険等保険者以外の医療保険者 前々年度における全ての市町村の医療保険納付対象額及び介護予防・日常生活支援総合事業医療保険納付対象額の総額を厚生労働省令で定めるところにより算定した同年度における全ての医療保険者に係る第二号被保険者の総数で除して得た額に、厚生労働省令で定めるところにより算定した同年度における当該医療保険者に係る第二号被保険者の数を乗じて得た額

（医療保険者が合併、分割及び解散をした場合における納付金の額の特例）

第百五十四条 合併又は分割により成立した医療保険者、合併又は分割後存続する医療保険者及び解散をした医療保険者の権利義務を承継した医療保険者に係る納付金の額の算定の特例については、政令で定める。

（納付金の額の決定、通知等）

第百五十五条 支払基金は、各年度につき、各医療保険者が納付すべき納付金の額を決定し、当該各医療保険者に対し、その者が納付すべき納付金の額、納付の方法及び納付すべき期限その他必要な事項を通知しなければならない。

2 前項の規定により納付金の額が定められた後、納付金の額を変更する必要が生じたときは、支払基金は、当該各医療保険者が納付すべき納付金の額を変更し、当該各医療保険者に対し、変更後の納付金の額を通知しなければならない。

3 支払基金は、医療保険者が納付した納付金の額が、前項の規定による変更後の納付金の額に満たない場合には、その不足する額について、同項の規定による通知とともに納付の方法及び納付すべき期限その他必要な事項を通知し、同項の規定による変更後の納付金の額を超える場合には、その超える額について、未納の納付金その他この法律の規定による支払基金の徴収金があるときはこれに充当し、なお残余があれば還付し、未納の徴収金がないときはこれを還付しなければならない。

（督促及び滞納処分）

第百五十六条 支払基金は、医療保険者が、納付すべき期限までに納付金を納付しないときは、期限を指定してこれを督促しなければならない。

2 支払基金は、前項の規定により督促をするときは、当該医療保険者に対し、督促状を発する。この場合において、督促状により指定すべき期限は、督促状を発する日から起算して十日以上経過した日でなければならない。

3 支払基金は、第一項の規定による督促を受けた医療保険者がその指定期限までにその督促状に係る納付金及び次条の規定による延滞金を完納しないときは、政令で定めるところにより、その徴収を、厚生労働大臣又は都道府県知事に請求するものとする。

4 前項の規定による徴収の請求を受けたときは、厚生労働大臣又は都道府県知事は、国税滞納処分の例により処分することができる。

（延滞金）

第百五十七条 前条第一項の規定により納付金の納付を督促したときは、支払基金は、その督促に係る納付金の額につき年十四・五パーセントの割合で、納付期日の翌日からその完納又は財産差押えの日の前日までの日数により計算した延滞金を徴収する。ただし、督促に係る納付金の額が千円未満であるときは、この限りでない。

2 前項の場合において、納付金の額の一部につき納付があったときは、その納付の日以降の期間に係る延滞金の額の計算の基礎となる納付金の額は、その納付のあった納付金の額を控除した額とする。

3 延滞金の計算において、前二項の納付金の額に千円未満の端数があるときは、その端数は、切り捨てる。

4 前三項の規定によって計算した延滞金の額に百円未満の端数があるときは、その端数は、切り捨てる。

5 延滞金は、次の各号のいずれかに該当する場合には、徴収しない。ただし、第三号の場合には、その執行を停止し、又は猶予した期間に対応する部分の金額に限る。

一 督促状に指定した期限までに納付金を完納したとき。

二 延滞金の額が百円未満であるとき。

三 納付金について滞納処分の執行を停止し、又は猶予したとき。

四 納付金を納付しないことについてやむを得ない理由があると認められるとき。

（納付の猶予）

第百五十八条 支払基金は、やむを得ない事情により、医療保険者が納付金を納付することが著しく困難であると認められるときは、厚生労働省令で定めるところにより、当該医療保険者の申請に基づき、厚生労働大臣の承認を受けて、その納付すべき期限から一年以内の期間を限り、その一部の納付を猶予することができる。

2 支払基金は、前項の規定による猶予をしたときは、その旨、猶予に係る納付金の額、猶予期間その他必要な事項を医療保険者に通知しなければならない。

3 支払基金は、第一項の規定による猶予をしたときは、その猶予期間内は、その猶予に係る納付金につき新たに第百五十六条第一項の規定による督促及び同条第三項の規定による徴収の請求をすることができない。

（通知）

第百五十九条 市町村は、厚生労働省令で定めるところにより、支払基金に対し、各年度における医療保険納付対象額その他厚生労働省令で定める事項を通知しなければならない。

2 市町村は、前項の規定による通知の事務を連合会に委託することができる。

第十二章 審査請求

（審査請求）

第百八十三条 保険給付に関する処分（被保険者証の交付の請求に関する処分及び要介護認定又は要支援認定に関する処分を含む。）又は保険料その他この法律の規定による徴収金（財政安定化基金拠出金、納付金及び第百五十七条第一項に規定する延滞金を除く。）に関する処分に不服がある者は、介護保険審査会に審査請求をすることができる。

2 前項の審査請求は、時効の完成猶予及び更新に関しては、裁判上の請求とみなす。

（介護保険審査会の設置）
第百八十四条 介護保険審査会（以下「保険審査会」という。）は、各都道府県に置く。

（管轄保険審査会）
第百九十一条 審査請求は、当該処分をした市町村をその区域に含む都道府県の保険審査会に対してしなければならない。
2 審査請求が管轄違いであるときは、保険審査会は、速やかに、事件を所轄の保険審査会に移送し、かつ、その旨を審査請求人に通知しなければならない。
3 事件が移送されたときは、はじめから、移送を受けた保険審査会に審査請求があったものとみなす。

（審査請求の期間及び方式）
第百九十二条 審査請求は、処分があったことを知った日の翌日から起算して三月以内に、文書又は口頭でしなければならない。ただし、正当な理由により、この期間内に審査請求をすることができなかったことを疎明したときは、この限りでない。

（市町村に対する通知）
第百九十三条 保険審査会は、審査請求がされたときは、行政不服審査法第二十四条の規定により当該審査請求を却下する場合を除き、原処分をした市町村及びその他の利害関係人に通知しなければならない。

（審理のための処分）
第百九十四条 保険審査会は、審理を行うため必要があると認めるときは、審査請求人若しくは関係人に対して報告若しくは意見を求め、その出頭を命じて審問し、又は医師その他保険審査会の指定する者（次項において「医師等」という。）に診断その他の調査をさせることができる。
2 都道府県は、前項の規定により保険審査会に出頭した関係人又は診断その他の調査をした医師等に対し、政令で定めるところにより、旅費、日当及び宿泊料又は報酬を支給しなければならない。

（政令への委任）
第百九十五条 この章及び行政不服審査法に規定するもののほか、審査請求の手続及び保険審査会に関して必要な事項は、政令で定める。

（審査請求と訴訟との関係）
第百九十六条 第百八十三条第一項に規定する処分の取消しの訴えは、当該処分についての審査請求に対する裁決を経た後でなければ、提起することができない。

第十三章　雑則

（報告の徴収等）
第百九十七条 厚生労働大臣又は都道府県知事は、市町村に対し、保険給付の効果に関する評価のためその他必要があると認めるときは、その事業の実施の状況に関する報告を求めることができる。
2 厚生労働大臣は、都道府県知事又は市町村長に対し、当該都道府県知事又は市町村長が第五章の規定により行う事務に関し必要があると認めるときは、報告を求め、又は助言若しくは勧告をすることができる。
3 都道府県知事は、市町村長（指定都市及び中核市の長を除く。以下この項において同じ。）に対し、当該市町村長が第五章の規定により行う事務に関し必要があると認めるときは、報告を求め、又は助言若しくは勧告をすることができる。
4 厚生労働大臣又は都道府県知事は、医療保険者に対し、納付金の額の算定に関して必要があると認めるときは、その業務に関する報告を徴し、又は当該職員に実地にその状況を検査させることができる。
5 第二十四条第三項の規定は、前項の規定による検査について、同条第四項の規定は、前項の規定による権限について準用する。

第百九十七条の二 市町村長は、政令で定めるところにより、その事業の実施の状況を厚生労働大臣に報告しなければならない。

（資料の提供等）
第二百三条 市町村は、保険給付、地域支援事業及び保険料に関して必要があると認めるときは、被保険者、被保険者の配偶者若しくは被保険者の属する世帯の世帯主その他その世帯に属する者の資産若しくは収入の状況又は被保険者に対する老齢等年金給付の支給状況につき、官公署若しくは年金保険者に対し必要な文書の閲覧若しくは資料の提供を求め、又は銀行、信託会社その他の機関若しくは被保険者の雇用主その他の関係人に報告を求めることができる。
2 都道府県知事又は市町村長は、第四十一条第一項本文、第四十二条の二第一項本文、第四十六条第一項、第四十八条第一項第一号、第五十三条第一項本文、第五十四条の二第一項本文、第五十八条第一項若しくは第百十五条の四十五の三第一項の指定又は第九十四条第一項若しくは第百七条第一項の許可に関し必要があると認めるときは、これらの指定又は許可に係る申請者若しくはその役員等若しくは開設者若しくはその役員又は病院等の管理者、特別養護老人ホームの長若しくは第九十四条第三項第十一号若しくは第百七条第三項第十四号に規定する使用人の保険料等の納付状況につき、当該保険料等を徴収する者に対し、必要な書類の閲覧又は資料の提供を求めることができる。

（大都市等の特例）
第二百三条の二 この法律中都道府県が処理することとされている事務で政令で定めるものは、地方自治法第二百五十二条の十九第一項の指定都市（以下この条において「指定都市」という。）及び同法第二百五十二条の二十二第一項の中核市（以下この条において「中核市」という。）においては、政令の定めるところにより、指定都市又は中核市（以下「指定都市等」という。）が処理するものとする。この場合においては、この法律中都道府県に関する規定は、指定都市等に関する規定として、指定都市等に適用があるものとする。

（緊急時における厚生労働大臣の事務執行）
第二百三条の三 第百条第一項又は第百十四条の二第一項の規定により都道府県知事又は市町村長の権限に属するものとされている事務は、介護老人保健施設又は介護医療院に入所している者の生命又は身体の安全を確保するため緊急の必要があると厚生労働大臣が認める場合にあっては、厚生労働大臣又は都道府県知事若しくは市町村長が行うものとする。この場合においては、この法律の規定中都道府県知事に関する規定（当該事務に係るものに限る。）は、厚生労働大臣に関する規定として厚生労働大臣に適用があるものとする。

2　前項の場合において、厚生労働大臣又は都道府県知事若しくは市町村長が当該事務を行うときは、相互に密接な連携の下に行うものとする。

第二百三条の四　第百五十六条第四項、第百七十二条第一項及び第三項並びに第百九十七条第三項の規定により都道府県が処理することとされている事務は、地方自治法第二条第九項第一号に規定する第一号法定受託事務とする。

（権限の委任）

第二百三条の五　この法律に規定する厚生労働大臣の権限は、厚生労働省令で定めるところにより、地方厚生局長に委任することができる。

2　前項の規定により地方厚生局長に委任された権限は、厚生労働省令で定めるところにより、地方厚生支局長に委任することができる。

第十四章　罰則

第二百七条　次の各号の一に該当する場合には、その違反行為をした健康保険組合、国民健康保険組合、共済組合又は日本私立学校振興・共済事業団の役員、清算人又は職員は、三十万円以下の罰金に処する。

一　第百六十三条の規定による報告若しくは文書その他の物件の提出をせず、又は虚偽の報告をし、若しくは虚偽の記載をした文書を提出したとき。

二　第百九十七条第三項の規定による報告をせず、若しくは虚偽の報告をし、又は同項の規定による検査を拒み、妨げ、若しくは忌避したとき。

2　第百七十二条第一項の規定による報告をせず、若しくは虚偽の報告をし、又は同項の規定による検査を拒み、妨げ、若しくは忌避した場合には、その違反行為をした支払基金又は受託者の役員又は職員は、三十万円以下の罰金に処する。

第二百八条　介護給付等を受けた者が、第二十四条第二項の規定による報告をせず、若しくは虚偽の報告をし、又は同項の規定による当該職員の質問若しくは第二十四条の三第一項の規定により委託を受けた指定都道府県事務受託法人の職員の第二十四条第二項の規定による質問に対して、答弁せず、若しくは虚偽の答弁をしたときは、三十万円以下の罰金に処する。

第二百九条　次の各号のいずれかに該当する場合には、その違反行為をした者は、三十万円以下の罰金に処する。

一　第四十二条第四項、第四十二条の三第三項、第四十五条第八項、第四十七条第四項、第四十九条第三項、第五十四条第四項、第五十四条の三第三項、第五十七条第八項、第五十九条第四項、第七十六条第一項、第七十八条の七第一項、第八十三条第一項、第九十条第一項、第百条第一項、第百十四条の二第一項、第百十五条の七第一項、第百十五条の十七第一項、第百十五条の二十七第一項又は第百十五条の三十三第一項の規定による報告若しくは帳簿書類の提出若しくは提示をせず、若しくは虚偽の報告若しくは虚偽の帳簿書類の提出若しくは提示をし、又はこれらの規定による質問に対して答弁をせず、若しくは虚偽の答弁をし、若しくはこれらの規定による検査を拒み、妨げ、若しくは忌避したとき。

二　第九十五条の規定に違反したとき。

三　第九十九条第二項又は第百五条において準用する医療法第九条第二項の規定に違反したとき。

四　第百九条の規定に違反したとき。

五　第百十三条第二項又は第百十四条の八において準用する医療法第九条第二項の規定に違反したとき。

第二百十条　正当な理由なしに、第百九十四条第一項の規定による処分に違反して、出頭せず、陳述をせず、報告をせず、若しくは虚偽の陳述若しくは報告をし、又は診断その他の調査をしなかった者は、二十万円以下の罰金に処する。ただし、保険審査会の行う審査の手続における請求人又は第百九十三条の規定により通知を受けた市町村その他の利害関係人は、この限りでない。

第二百十条の二　第二百五条の三の罪は、日本国外において同条の罪を犯した者にも適用する。

第二百十一条　法人の代表者又は法人若しくは人の代理人、使用人その他の従業者が、その法人又は人の業務に関して第二百五条の二から第二百六条の二まで又は第二百九条の違反行為をしたときは、行為者を罰するほか、その法人又は人に対しても、各本条の罰金刑を科する。

第二百十一条の二　第六十九条の十九第一項の規定に違反して財務諸表等を備えて置かず、財務諸表等に記載すべき事項を記載せず、若しくは虚偽の記載をし、又は正当な理由がないのに同条第二項各号の規定による請求を拒んだ者は、二十万円以下の過料に処する。

第二百十二条　次の各号の一に該当する場合には、その違反行為をした支払基金の役員は、二十万円以下の過料に処する。

一　この法律により厚生労働大臣の認可又は承認を受けなければならない場合において、その認可又は承認を受けなかったとき。

二　第百七十条の規定に違反して業務上の余裕金を運用したとき。

第二百十三条　居宅サービス等を行った者又はこれを使用する者が、第二十四条第一項の規定による報告若しくは提示をせず、若しくは虚偽の報告をし、又は同項の規定による当該職員の質問若しくは第二十四条の三第一項の規定により委託を受けた指定都道府県事務受託法人の職員の第二十四条第一項の規定による質問に対して、答弁せず、若しくは虚偽の答弁をしたときは、十万円以下の過料に処する。

2　第六十九条の七第六項又は第七項の規定に違反した者は、十万円以下の過料に処する。

第二百十四条　市町村は、条例で、第一号被保険者が第十二条第一項本文の規定による届出をしないとき（同条第二項の規定により当該第一号被保険者の属する世帯の世帯主から届出がなされたときを除く。）又は虚偽の届出をしたときは、十万円以下の過料を科する規定を設けることができる。

2　市町村は、条例で、第三十条第一項後段、第三十一条第一項後段、第三十三条の三第一項後段、第三十四条第一項後段、第三十五条第六項後段、第六十六条第一項若しくは第二項又は第六十八条第一項の規定により被保険者証の提出を求められてこれに応じない者に対し十万円以下の過料を科する規定を設けることができる。

3　市町村は、条例で、被保険者、被保険者の配偶者若しくは被保険者の属する世帯の世帯主その他その世帯に属する者又はこれらであった者が正当な理由なしに、第二百二条第一項の規定により文書その他の物件の提出若しくは提示を命ぜられてこれに従わず、又は同項の規定による当該職員の質問に対して答弁せず、若しくは虚偽の答弁をしたときは、十万円以下の過料を科する規定を設けることができる。

4　市町村は、条例で、偽りその他不正の行為により保険料その他この法律の規定による徴収金（納付金及び第百五十七条第一項に規定する延滞金を除く。）の徴収を免れた者に対し、その徴収を免れた金額の五倍に相当する金額以下の過料を科する規定を設けることができる。

5　地方自治法第二百五十五条の三の規定は、前各項の規定による過料の処分について準用する。

第二百十五条　連合会は、規約の定めるところにより、その施設（介護保険事業関係業務に限る。）の使用に関し十万円以下の過怠金を徴収することができる。

附　則

（施行期日）

第一条　この法律は、平成十二年四月一日から施行する。ただし、次の各号に掲げる規定は、当該各号に定める日から施行する。

一　第八条の規定　公布の日から起算して三月を超えない範囲内において政令で定める日〔平一〇・一一・一〇〕

二　〔前略〕第二百七条第二項及び第二百十二条の規定　平成十二年一月一日

（検討）

第二条　介護保険制度については、要介護者等に係る保険医療サービス及び福祉サービスを提供する体制の状況、保険給付に要する費用の状況、国民負担の推移、社会経済の情勢等を勘案し、並びに障害者の福祉に係る施策、医療保険制度等との整合性及び市町村が行う介護保険事業の円滑な実施に配意し、被保険者及び保険給付を受けられる者の範囲、保険給付の内容及び水準並びに保険料及び納付金（その納付に充てるため医療保険各法の規定により徴収する保険料（地方税法の規定により徴収する国民健康保険税を含む。）又は掛金を含む。）の負担の在り方を含め、この法律の施行後五年を目途としてその全般に関し検討が加えられ、その結果に基づき、必要な見直し等の措置が講ぜられるべきものとする。

第三条　政府は、この法律の施行後、保険給付に要する費用の動向、保険料負担の状況等を勘案し、必要があると認めるときは、居宅サービス、施設サービス等に要する費用に占める介護給付等の割合について、検討を加え、その結果に基づいて所要の措置を講ずるものとする。

第四条　政府は、この法律の施行後十年を経過した場合において、第五章の規定の施行の状況について検討を加え、その結果に基づいて必要な措置を講ずるものとする。

第五条　政府は、前三条の規定による検討をするに当たって、地方公共団体その他の関係者から、当該検討に係る事項に関する意見の提出があったときは、当該意見を十分に考慮しなければならない。

（国の無利子貸付け等）

第六条　国は、当分の間、地方公共団体に対し、介護老人保健施設の整備で日本電信電話株式会社の株式の売払収入の活用による社会資本の整備の促進に関する特別措置法（昭和六十二年法律第八十六号。以下「社会資本整備特別措置法」という。）第二条第一項第二号に該当するものに要する費用に充てる資金の一部を、予算の範囲内において、無利子で貸し付けることができる。

2　国は、当分の間、都道府県又は指定都市等に対し、介護老人保健施設の整備で社会資本整備特別措置法第二条第一項第二号に該当するものにつき、第九十四条第三項第一号に掲げる医療法人、社会福祉法人その他厚生労働大臣が定める者に対し当該都道府県又は指定都市等が補助する費用に充てる資金の一部を、予算の範囲内において、無利子で貸し付けることができる。

3　前二項の国の貸付金の償還期間は、五年（二年以内の据置期間を含む。）以内で政令で定める期間とする。

4　前項に定めるもののほか、第一項及び第二項の規定による貸付金の償還方法、償還期限の繰上げその他償還に関し必要な事項は、政令で定める。

5　国は、第一項又は第二項の規定により地方公共団体に対し貸付けを行った場合には、当該貸付けの対象である施設の整備について、当該貸付金に相当する金額の補助を行うものとし、当該補助については、当該貸付金の償還時において、当該貸付金の償還金に相当する金額を交付することにより行うものとする。

6　地方公共団体が、第一項又は第二項の規定による貸付けを受けた無利子貸付金について、第三項及び第四項の規定に基づき定められる償還期限を繰り上げて償還を行った場合（政令で定める場合を除く。）における前項の規定の適用については、当該償還は、当該償還期限の到来時に行われたものとみなす。

（病床転換の円滑化への配慮）

第七条　厚生労働大臣は、基本指針を定めるに当たっては、医療に要する費用の適正化及び良質かつ効率的な介護サービスの確保の観点から高齢者の医療の確保に関する法律附則第二条に規定する病床の転換が円滑に行われるよう、介護医療院その他の厚生労働省令で定める施設の入所定員の増加について適切に配慮するものとする。

（郵政会社等に関する経過措置）

第八条　国家公務員共済組合法附則第二十条の二第二項に規定する郵政会社等又は同法附則第二十条の七第一項に規定する適用法人が指定居宅サービス事業者、指定地域密着型サービス事業者、指定居宅介護支援事業者、指定介護予防サービス事業者、指定地域密着型介護予防サービス事業者若しくは指定介護予防支援事業者の指定の申請を行う場合又は介護老人保健施設の開設の許可の申請を行う場合におけるこの法律の規定の適用については、次の表の上欄に掲げる規定中同表の中欄に掲げる字句は、それぞれ同表の下欄に掲げる字句とする。

第七条第九項第二号	第六項各号（第四号を除く。）	第六項各号
第七十九条第二項第四号の三	船員保険法	船員保険法、国家公務員共済組合法

（指定介護老人福祉施設に入所中の被保険者の特例）

第九条　指定介護老人福祉施設に入所することにより当該指定介

護老人福祉施設の所在する場所に住所を変更したと認められる被保険者であって、当該指定介護老人福祉施設に入所した際他の市町村（当該指定介護老人福祉施設が所在する市町村以外の市町村をいう。）の区域内に住所を有していたと認められるものは、当該指定介護老人福祉施設が入所定員の減少により地域密着型介護老人福祉施設（地域密着型介護老人福祉施設入所者生活介護の事業を行う事業所に係る第四十二条の二第一項本文の指定を受けているものに限る。以下この条において「変更後地域密着型介護老人福祉施設」という。）となった場合においても、当該変更後地域密着型介護老人福祉施設に継続して入所している間は、第九条の規定にかかわらず、当該他の市町村が行う介護保険の被保険者とする。ただし、変更後地域密着型介護老人福祉施設となった指定介護老人福祉施設（以下この条において「変更前介護老人福祉施設」という。）を含む二以上の住所地特例対象施設に継続して入所等をしていた被保険者（当該変更後地域密着型介護老人福祉施設に継続して入所している者に限る。）であって、当該変更前介護老人福祉施設に入所する直前に入所等をしていた住所地特例対象施設（以下この項において「直前入所施設」という。）及び変更前介護老人福祉施設のそれぞれに入所等をすることにより直前入所施設及び変更前介護老人福祉施設のそれぞれの所在する場所に順次住所を変更したと認められるもの（次項において「特定継続入所被保険者」という。）については、この限りでない。

2　特定継続入所被保険者のうち、次の各号に掲げるものは、第九条の規定にかかわらず、当該各号に定める市町村が行う介護保険の被保険者とする。

一　継続して入所等をしていた二以上の住所地特例対象施設のそれぞれに入所等をすることによりそれぞれの住所地特例対象施設の所在する場所に順次住所を変更したと認められる被保険者であって、当該二以上の住所地特例対象施設のうち最初の住所地特例対象施設に入所等をした際他の市町村（変更前介護老人福祉施設が所在する市町村以外の市町村をいう。）の区域内に住所を有していたと認められるもの　当該他の市町村

二　継続して入所等をしていた二以上の住所地特例対象施設のうち一の住所地特例対象施設から継続して他の住所地特例対象施設に入所等をすること（以下この号において「継続入所等」という。）により当該一の住所地特例対象施設の所在する場所以外の場所から当該他の住所地特例対象施設の所在する場所への住所の変更（以下この号において「特定住所変更」という。）を行ったと認められる被保険者であって、最後に行った特定住所変更に係る継続入所等の際他の市町村（変更前介護老人福祉施設が所在する市町村以外の市町村をいう。）の区域内に住所を有していたと認められるもの　当該他の市町村

3　前二項の規定の適用を受ける被保険者については、変更後地域密着型介護老人福祉施設を住所地特例対象施設とみなして、第十三条の規定を適用する。

（医療法の準用等）

第十条　医療法第七条、第百八条及び第百十条から第百十二条までの規定は、介護老人保健施設及び介護医療院について準用する。この場合において、これらの規定に関し必要な技術的読替えは、政令で定める。

2　第百五条及び第百十四条の八の規定の適用については、当分の間、第百五条中「及び第百四条第一項」とあるのは「、第百四条第一項及び附則第十条第一項において準用する同法第百十一条」と、第百十四条の八中「及び第百十四条の六第一項」とあるのは「、第百十四条の六第一項及び附則第十条第一項において準用する同法第百十一条」とする。

（財政安定化基金の特例）

第十一条　都道府県は、平成二十四年度に限り、第百四十七条第一項の規定にかかわらず、政令で定めるところにより、財政安定化基金の一部を取り崩すことができる。

2　都道府県は、前項の規定により財政安定化基金を取り崩したときは、保険料率（平成二十四年度から平成二十六年度までの間のものに限る。）の増加の抑制を図るため、政令で定めるところにより、その取り崩した額の三分の一に相当する額を市町村に交付しなければならない。

3　都道府県は、第一項の規定により財政安定化基金を取り崩したときは、その取り崩した額の三分の一に相当する額を国に納付しなければならない。

4　国は、前項の規定による納付があった場合においては、その納付された額に相当する額を介護保険に関する事業に要する経費に充てるよう努めるものとする。

5　都道府県は、第一項の規定により財政安定化基金を取り崩したときは、その取り崩した額から第二項及び第三項の規定による額の合計額を控除した額に相当する額を介護保険に関する事業に要する経費に充てるよう努めるものとする。

（平成二十九年度及び平成三十年度の各年度の被用者保険等保険者に係る概算納付金の額の算定の特例）

第十二条　平成二十九年度及び平成三十年度の各年度における被用者保険等保険者に係る第百五十一条第一項の概算納付金の額は、第百五十二条第一項第一号の規定にかかわらず、次の各号に掲げる被用者保険等保険者の区分に応じ、当該各号に定める額とする。

一　概算負担調整基準超過保険者（概算総報酬割納付金の額を厚生労働省令で定めるところにより算定した当該各年度における当該被用者保険等保険者に係る第二号被保険者の見込数で除して得た額が概算負担調整基準額を超える被用者保険等保険者をいう。次号及び第五項において同じ。）　概算総報酬割納付金の額から負担調整対象見込額を控除して得た額と負担調整見込額との合計額と補正後概算加入者割納付金の額との合計額

二　概算負担調整基準超過保険者以外の被用者保険等保険者　概算総報酬割納付金の額と負担調整見込額との合計額と補正後概算加入者割納付金の額との合計額

2　前項各号の概算総報酬割納付金の額は、当該各年度における被用者保険等保険者に係る補正前概算納付金総額に二分の一を乗じて得た額を当該各年度における第一号に掲げる額で除して得た数に、当該各年度における第二号に掲げる額を乗じて得た額とする。

一　全ての被用者保険等保険者に係る第二号被保険者標準報酬総額の見込額（第百五十二条第一項第一号イに規定する第二号被保険者標準報酬総額の見込額をいう。次号及び次項並びに附則第十四条第二項各号及び第三項において同じ。）の合

計額

二　当該被用者保険等保険者に係る第二号被保険者標準報酬総額の見込額

3　第一項第一号の概算負担調整基準額は、当該各年度における各被用者保険等保険者に係る第二号被保険者標準報酬総額の見込額、厚生労働省令で定めるところにより算定した当該各年度における各被用者保険等保険者に係る第二号被保険者の見込数及び保険給付に要する費用等の動向を勘案し、年度ごとに政令で定める額とする。

4　第一項第一号の負担調整対象見込額は、第二項に規定する概算総報酬割納付金の額から厚生労働省令で定めるところにより算定した当該各年度における当該被用者保険等保険者に係る第二号被保険者の見込数に前項に規定する概算負担調整基準額を乗じて得た額を控除して得た額とする。

5　第一項各号の負担調整見込額は、当該各年度における全ての概算負担調整基準超過保険者に係る前項に規定する負担調整対象見込額の総額を厚生労働省令で定めるところにより算定した当該各年度における全ての被用者保険等保険者に係る補正後第二号被保険者見込数の総数で除して得た額に、厚生労働省令で定めるところにより算定した当該各年度における当該被用者保険等保険者に係る補正後第二号被保険者見込数を乗じて得た額とする。

6　第一項各号の補正後概算加入者割納付金の額は、当該各年度における被用者保険等保険者に係る補正前概算納付金総額に二分の一を乗じて得た額を厚生労働省令で定めるところにより算定した当該各年度における全ての被用者保険等保険者に係る補正後第二号被保険者見込数の総数で除して得た額に、厚生労働省令で定めるところにより算定した当該各年度における当該被用者保険等保険者に係る補正後第二号被保険者見込数を乗じて得た額とする。

7　第二項及び前項の被用者保険等保険者に係る補正前概算納付金総額は、当該各年度における全ての市町村の医療保険納付対象額及び介護予防・日常生活支援総合事業医療保険納付対象額の見込額の総額を厚生労働省令で定めるところにより算定した当該各年度における全ての医療保険者に係る第二号被保険者の見込数の総数で除して得た額に、厚生労働省令で定めるところにより算定した当該各年度における全ての被用者保険等保険者に係る第二号被保険者の見込数の総数を乗じて得た額とする。

8　第五項及び第六項の補正後第二号被保険者見込数は、第二号被保険者（第二号被保険者のうち、次の各号に掲げる区分に応じ、当該各号に定める者であるもの（以下「特定第二号被保険者」という。）を除く。）の見込数と特定第二号被保険者である者の見込数に年度ごとに特定第二号被保険者である者の数及び納付金の額の状況を勘案して政令で定める割合を乗じて得た数との合計とする。

一　健康保険法の規定による被保険者　その同法に規定する標準報酬月額と、同法に規定する標準賞与額の当該各年度の合計額を当該各年度の加入月数で除して得た額との合計額が、十万千円に満たない者及びその被扶養者

二　船員保険法の規定による被保険者　その同法に規定する標準報酬月額と、同法に規定する標準賞与額の当該各年度の合計額を当該各年度の加入月数で除して得た額との合計額が、十万千円に満たない者及びその被扶養者

三　国家公務員共済組合法に基づく共済組合の組合員　その同法に規定する標準報酬の月額と、同法に規定する標準期末手当等の額の当該各年度の合計額を当該各年度の加入月数で除して得た額との合計額が、十万千円に満たない者及びその被扶養者

四　地方公務員等共済組合法に基づく共済組合の組合員　その同法に規定する標準報酬の月額と、同法に規定する標準期末手当等の額の当該各年度の合計額を当該各年度の加入月数で除して得た額との合計額が、十万千円に満たない者及びその被扶養者

五　私立学校教職員共済法の規定による私立学校教職員共済制度の加入者　その同法に規定する標準報酬月額と、同法に規定する標準賞与額の当該各年度の合計額を当該各年度の加入月数で除して得た額との合計額が、十万千円に満たない者及びその被扶養者

六　高齢者の医療の確保に関する法律第七条第三項の規定により厚生労働大臣が定める国民健康保険組合の組合員　その健康保険法に規定する標準報酬月額に相当するものとして厚生労働省令で定めるものと、同法に規定する標準賞与額に相当するものとして厚生労働省令で定めるものの当該各年度の合計額を当該各年度の加入月数で除して得た額との合計額が、十万千円に満たない者及びその被扶養者

9　前項の加入月数は、健康保険法の規定による被保険者、船員保険法の規定による被保険者、国家公務員共済組合法に基づく共済組合の組合員、地方公務員等共済組合法に基づく共済組合の組合員、私立学校教職員共済法の規定による私立学校教職員共済制度の加入者又は高齢者の医療の確保に関する法律第七条第三項の規定により厚生労働大臣が定める国民健康保険組合の組合員であった期間として、それぞれ厚生労働省令で定めるところにより算定した月数とする。

（平成二十九年度及び平成三十年度の各年度の被用者保険等保険者に係る確定納付金の額の算定の特例）

第十三条　平成二十九年度及び平成三十年度の各年度における被用者保険等保険者に係る第百五十一条第一項ただし書の確定納付金の額は、第百五十三条第一号の規定にかかわらず、次の各号に掲げる被用者保険等保険者の区分に応じ、当該各号に定める額とする。

一　確定負担調整基準超過保険者（確定総報酬割納付金の額を厚生労働省令で定めるところにより算定した当該各年度における当該被用者保険等保険者に係る第二号被保険者の数で除して得た額が確定負担調整基準額を超える被用者保険等保険者をいう。次号及び第五項において同じ。）　確定総報酬割納付金の額から負担調整対象額を控除して得た額と負担調整額との合計額と補正後確定加入者割納付金の額との合計額

二　確定負担調整基準超過保険者以外の被用者保険等保険者　確定総報酬割納付金の額と負担調整額との合計額と補正後確定加入者割納付金の額との合計額

2　前項各号の確定総報酬割納付金の額は、当該各年度における被用者保険等保険者に係る補正前確定納付金総額に二分の一を乗じて得た額を当該各年度における第一号に掲げる額で除して得た数に、当該各年度における第二号に掲げる額を乗じて得た額とする。

一　全ての被用者保険等保険者に係る第二号被保険者標準報酬総額（第百五十二条第二項に規定する第二号被保険者標準報酬総額をいう。次号及び次項並びに附則第十五条第二項各号及び第三項において同じ。）の合計額
二　当該被用者保険等保険者に係る第二号被保険者標準報酬総額

3　第一項第一号の確定負担調整基準額は、当該各年度における各被用者保険等保険者に係る第二号被保険者標準報酬総額、厚生労働省令で定めるところにより算定した当該各年度における各被用者保険等保険者に係る第二号被保険者の数及び保険給付に要する費用等の動向を勘案し、年度ごとに政令で定める額とする。

4　第一項第一号の負担調整対象額は、第二項に規定する確定総報酬割納付金の額から厚生労働省令で定めるところにより算定した当該各年度における当該被用者保険等保険者に係る第二号被保険者の数に前項に規定する確定負担調整基準額を乗じて得た額を控除して得た額とする。

5　第一項各号の負担調整額は、当該各年度における全ての確定負担調整基準超過保険者に係る前項に規定する負担調整対象額の総額を厚生労働省令で定めるところにより算定した当該各年度における全ての被用者保険等保険者に係る補正後第二号被保険者数の総数で除して得た額に、厚生労働省令で定めるところにより算定した当該各年度における当該被用者保険等保険者に係る補正後第二号被保険者数を乗じて得た額とする。

6　第一項各号の補正後確定加入者割納付金の額は、当該各年度における被用者保険等保険者に係る補正前確定納付金総額に二分の一を乗じて得た額を厚生労働省令で定めるところにより算定した当該各年度における全ての被用者保険等保険者に係る補正後第二号被保険者数の総数で除して得た額に、厚生労働省令で定めるところにより算定した当該各年度における当該被用者保険等保険者に係る補正後第二号被保険者数を乗じて得た額とする。

7　第二項及び前項の被用者保険等保険者に係る補正前確定納付金総額は、当該各年度における全ての市町村の医療保険納付対象額及び介護予防・日常生活支援総合事業医療保険納付対象額の総額を厚生労働省令で定めるところにより算定した当該各年度における全ての医療保険者に係る第二号被保険者の総数で除して得た額に、厚生労働省令で定めるところにより算定した当該各年度における全ての被用者保険等保険者に係る第二号被保険者の総数を乗じて得た額とする。

8　第五項及び第六項の補正後第二号被保険者数は、第二号被保険者（特定第二号被保険者を除く。）の数と特定第二号被保険者である者の数に年度ごとに特定第二号被保険者である者の数及び納付金の額の状況を勘案して政令で定める割合を乗じて得た数との合計とする。

（令和元年度の被用者保険等保険者に係る概算納付金の額の算定の特例）

第十四条　令和元年度における被用者保険等保険者に係る第百五十一条第一項の概算納付金の額は、第百五十二条第一項第一号の規定にかかわらず、次の各号に掲げる被用者保険等保険者の区分に応じ、当該各号に定める額とする。
一　概算負担調整基準超過保険者（概算総報酬割納付金の額を厚生労働省令で定めるところにより算定した令和元年度における当該被用者保険等保険者に係る第二号被保険者の見込数で除して得た額が概算負担調整基準額を超える被用者保険等保険者をいう。次号及び第五項において同じ。）　概算総報酬割納付金の額から負担調整対象見込額を控除して得た額と負担調整見込額との合計額と補正後概算加入者割納付金の額との合計額
二　概算負担調整基準超過保険者以外の被用者保険等保険者　概算総報酬割納付金の額と負担調整見込額との合計額と補正後概算加入者割納付金の額との合計額

2　前項各号の概算総報酬割納付金の額は、令和元年度における被用者保険等保険者に係る補正前概算納付金総額（附則第十二条第七項に規定する被用者保険等保険者に係る補正前概算納付金総額をいう。第六項において同じ。）に四分の三を乗じて得た額を同年度における第一号に掲げる額で除して得た数に、同年度における第二号に掲げる額を乗じて得た額とする。
一　全ての被用者保険等保険者に係る第二号被保険者標準報酬総額の見込額の合計額
二　当該被用者保険等保険者に係る第二号被保険者標準報酬総額の見込額

3　第一項第一号の概算負担調整基準額は、令和元年度における各被用者保険等保険者に係る第二号被保険者標準報酬総額の見込額、厚生労働省令で定めるところにより算定した同年度における各被用者保険等保険者に係る第二号被保険者の見込数及び保険給付に要する費用等の動向を勘案し、政令で定める額とする。

4　第一項第一号の負担調整対象見込額は、第二項に規定する概算総報酬割納付金の額から厚生労働省令で定めるところにより算定した令和元年度における当該被用者保険等保険者に係る第二号被保険者の見込数に前項に規定する概算負担調整基準額を乗じて得た額を控除して得た額とする。

5　第一項各号の負担調整見込額は、令和元年度における全ての概算負担調整基準超過保険者に係る前項に規定する負担調整対象見込額の総額を厚生労働省令で定めるところにより算定した同年度における全ての被用者保険等保険者に係る補正後第二号被保険者見込数（附則第十二条第八項に規定する補正後第二号被保険者見込数をいう。以下この項及び次項において同じ。）の総数で除して得た額に、厚生労働省令で定めるところにより算定した同年度における当該被用者保険等保険者に係る補正後第二号被保険者見込数を乗じて得た額とする。

6　第一項各号の補正後概算加入者割納付金の額は、令和元年度における被用者保険等保険者に係る補正前概算納付金総額に四分の一を乗じて得た額を厚生労働省令で定めるところにより算定した同年度における全ての被用者保険等保険者に係る補正後第二号被保険者見込数の総数で除して得た額に、厚生労働省令で定めるところにより算定した同年度における当該被用者保険等保険者に係る補正後第二号被保険者見込数を乗じて得た額とする。

（令和元年度の被用者保険等保険者に係る確定納付金の額の算定の特例）

第十五条　令和元年度における被用者保険等保険者に係る第百五十一条第一項ただし書の確定納付金の額は、第百五十三条第一号の規定にかかわらず、次の各号に掲げる被用者保険等保険者

の区分に応じ、当該各号に定める額とする。

一　確定負担調整基準超過保険者（確定総報酬割納付金の額を厚生労働省令で定めるところにより算定した令和元年度における当該被用者保険等保険者に係る第二号被保険者の数で除して得た額が確定負担調整基準額を超える被用者保険等保険者をいう。次号及び第五項において同じ。）　確定総報酬割納付金の額から負担調整対象額を控除して得た額と負担調整額との合計額と補正後確定加入者割納付金の額との合計額

二　確定負担調整基準超過保険者以外の被用者保険等保険者　確定総報酬割納付金の額と負担調整額との合計額と補正後確定加入者割納付金の額との合計額

2　前項各号の確定総報酬割納付金の額は、令和元年度における被用者保険等保険者に係る補正前確定納付金総額（附則第十三条第七項に規定する被用者保険等保険者に係る補正前確定納付金総額をいう。第六項において同じ。）に四分の三を乗じて得た額を同年度における第一号に掲げる額で除して得た数に、同年度における第二号に掲げる額を乗じて得た額とする。

一　全ての被用者保険等保険者に係る第二号被保険者標準報酬総額の合計額

二　当該被用者保険等保険者に係る第二号被保険者標準報酬総額

3　第一項第一号の確定負担調整基準額は、令和元年度における各被用者保険等保険者に係る第二号被保険者標準報酬総額、厚生労働省令で定めるところにより算定した同年度における各被用者保険等保険者に係る第二号被保険者の数及び保険給付に要する費用等の動向を勘案し、政令で定める額とする。

4　第一項第一号の負担調整対象額は、第二項に規定する確定総報酬割納付金の額から厚生労働省令で定めるところにより算定した令和元年度における当該被用者保険等保険者に係る第二号被保険者の数に前項に規定する確定負担調整基準額を乗じて得た額を控除して得た額とする。

5　第一項各号の負担調整額は、令和元年度における全ての確定負担調整基準超過保険者に係る前項に規定する負担調整対象額の総額を厚生労働省令で定めるところにより算定した同年度における全ての被用者保険等保険者に係る補正後第二号被保険者数（附則第十三条第八項に規定する補正後第二号被保険者数をいう。以下この項及び次項において同じ。）の総数で除して得た額に、厚生労働省令で定めるところにより算定した同年度における当該被用者保険等保険者に係る補正後第二号被保険者数を乗じて得た額とする。

6　第一項各号の補正後確定加入者割納付金の額は、令和元年度における被用者保険等保険者に係る補正前確定納付金総額に四分の一を乗じて得た額を厚生労働省令で定めるところにより算定した同年度における全ての被用者保険等保険者に係る補正後第二号被保険者数の総数で除して得た額に、厚生労働省令で定めるところにより算定した同年度における当該被用者保険等保険者に係る補正後第二号被保険者数を乗じて得た額とする。

（延滞金の割合の特例）

第十六条　第百五十七条第一項に規定する延滞金の年十四・五パーセントの割合は、当分の間、同項の規定にかかわらず、各年の延滞税特例基準割合（租税特別措置法（昭和三十二年法律第二十六号）第九十四条第一項に規定する延滞税特例基準割合をいう。以下この条において同じ。）が年七・三パーセントの割合に満たない場合には、その年中においては、当該延滞税特例基準割合に年七・三パーセントの割合を加算した割合とする。

（罰則）

第十七条　附則第十条第一項において準用する医療法第百十一条の規定に基づく命令に違反した場合には、当該違反行為をした者は、六月以下の懲役又は三十万円以下の罰金に処する。

第十八条　法人の代表者又は法人若しくは人の代理人、使用人その他の従業者が、その法人又は人の業務に関して前条の違反行為をしたときは、行為者を罰するほか、その法人又は人に対しても、同条の罰金刑を科する。

附　則（平一八・六・二一法八三）（抄）

最終改正　令二・六・一二法五二

（健康保険法等の一部改正に伴う経過措置）

第百三十条の二　第二十六条の規定の施行の際現に同条の規定による改正前の介護保険法（以下この条において「旧介護保険法」という。）第四十八条第一項第三号の指定を受けている旧介護保険法第八条第二十六項に規定する介護療養型医療施設については、〔中略〕旧介護保険法の規定（〔中略〕（これらの規定に基づく命令の規定を含む。））は、令和六年三月三十一日までの間、なおその効力を有する。

2　前項の規定によりなおその効力を有するものとされた旧介護保険法第四十八条第一項第三号の規定により令和六年三月三十一日までに行われた指定介護療養施設サービスに係る保険給付については、同日後も、なお従前の例による。

3　第二十六条の規定の施行の日前にされた旧介護保険法第百七条第一項の指定の申請であって、第二十六条の規定の施行の際、指定をするかどうかの処分がなされていないものについての当該処分については、なお従前の例による。この場合において、同条の規定の施行の日以後に旧介護保険法第八条第二十六項に規定する介護療養型医療施設について旧介護保険法第四十八条第一項第三号の指定があったときは、第一項の介護療養型医療施設とみなして、同項の規定によりなおその効力を有するものとされた規定を適用する。

附　則（平二一・七・一五法七七）（抄）

（施行期日）

第一条　この法律は、公布の日から起算して三年を超えない範囲内において政令で定める日〔平二四・七・九〕から施行する。ただし、次の各号に掲げる規定は、当該各号に定める日から施行する。

一　〔前略〕附則〔中略〕第十三条から第二十条までの規定〔中略〕　出入国管理及び難民認定法及び日本国との平和条約に基づき日本の国籍を離脱した者等の出入国管理に関する特例法の一部を改正する等の法律（平成二十一年法律第七十九号。以下「入管法等改正法」という。）の施行の日〔平二四・七・九〕

二　〔略〕

（附則第五条第一項の届出に係る介護保険法の届出の特例）

第二十条　附則第五条第一項の規定による届出及び同条第二項の規定により適用するものとされた新法第二十八条の三の規定による付記は、それぞれ新法第三十条の四十七の規定による届出及び新法第二十八条の三の規定による付記とみなして、前条の規定による改正後の介護保険法第十二条第五項の規定を適用す

る。

附　則（平二三・六・二二法七二）（抄）

（施行期日）

第一条　この法律は、平成二十四年四月一日から施行する。ただし、次の各号に掲げる規定は、当該各号に定める日から施行する。

一　〔前略〕第四条〔中略〕の規定並びに附則第九条〔中略〕の規定　公布の日

二　第一条（介護保険法第十三条第一項第二号の改正規定に限る。）の規定並びに附則第三条〔中略〕の規定　この法律の施行の日又は高齢者の居住の安定確保に関する法律等の一部を改正する法律（平成二十三年法律第三十二号）の施行の日のいずれか遅い日

（検討）

第二条　政府は、この法律の施行後五年を目途として、この法律の規定による改正後の規定の施行の状況について検討を加え、必要があると認めるときは、その結果に基づいて所要の措置を講ずるものとする。

（介護保険法の一部改正に伴う経過措置）

第三条　附則第一条第二号に掲げる規定の施行の際現に第一条の規定による改正前の介護保険法（以下「旧介護保険法」という。）第十三条第一項第二号に掲げる特定施設（第一条の規定による改正後の介護保険法（以下「新介護保険法」という。）第十三条第一項第二号に掲げる特定施設に該当するものを除く。）に入居している旧介護保険法第十三条第一項に規定する住所地特例対象被保険者については、なお従前の例による。

第四条　この法律の施行の日（以下「施行日」という。）前にされた旧介護保険法第七十条第一項（旧介護保険法第七十条の二第四項（旧介護保険法第七十八条の十二、第百十五条の十一、第百十五条の二十一及び第百十五条の三十一において準用する場合を含む。）において準用する場合を含む。）、第七十八条の二第一項、第七十九条第一項（旧介護保険法第七十九条の二第四項において準用する場合を含む。）、第八十六条第一項（旧介護保険法第八十六条の二第四項において準用する場合を含む。）、第九十四条第一項（旧介護保険法第九十四条の二第四項において準用する場合を含む。）、第百十五条の二第一項、第百十五条の十二第一項又は第百十五条の二十二第一項の指定若しくは指定の更新の申請又は許可若しくは許可の更新の申請であって、この法律の施行の際、指定若しくは指定の更新又は許可若しくは許可の更新をするかどうかの処分がなされていないものについてのこれらの処分については、なお従前の例による。

第五条　新介護保険法第七十条第二項（新介護保険法第七十条の二第四項（新介護保険法第七十八条の十二、第百十五条の十一、第百十五条の二十一及び第百十五条の三十一において準用する場合を含む。）において準用する場合を含む。）、第七十八条の二第四項（新介護保険法第七十八条の十四第三項において準用する場合を含む。）、第七十八条の十（新介護保険法第七十八条の十七の規定により読み替えて適用される場合を含む。）、第七十九条第二項（新介護保険法第七十九条の二第四項において準用する場合を含む。）、第八十四条第一項、第八十六条第二項（新介護保険法第八十六条の二第四項において準用する場合を含む。）、第九十二条第一項、第九十四条第三項（新介護保険法第九十四条の二第四項において準用する場合を含む。）、第百四条第一項、第百十五条の二第二項、第百十五条の九第一項、第百十五条の十二第二項、第百十五条の十九、第百十五条の二十二第二項及び第百十五条の二十九の規定は、施行日前にした行為によりこれらの規定に規定する労働に関する法律の規定であって政令で定めるものにより刑に処せられた者については、適用しない。

第六条　新介護保険法第七十条第二項（新介護保険法第七十条の二第四項（新介護保険法第七十八条の十二、第百十五条の十一、第百十五条の二十一及び第百十五条の三十一において準用する場合を含む。）において準用する場合を含む。）、第七十八条の二第四項（新介護保険法第七十八条の十四第三項において準用する場合を含む。）、第七十九条第二項（新介護保険法第七十九条の二第四項において準用する場合を含む。）、第八十六条第二項（新介護保険法第八十六条の二第四項において準用する場合を含む。）、第九十四条第三項（新介護保険法第九十四条の二第四項において準用する場合を含む。）、第百十五条の二第二項、第百十五条の十二第二項及び第百十五条の二十二第二項の規定は、施行日前に受けた労働保険の保険料の徴収等に関する法律（昭和四十四年法律第八十四号）に基づく保険料の滞納処分については、適用しない。

第七条　施行日から起算して一年を超えない期間内において、新介護保険法第七十条第二項第一号に規定する都道府県の条例が制定施行されるまでの間は、同条第三項に規定する厚生労働省令で定める基準を満たす者は、当該都道府県の条例で定める者とみなす。

2　施行日から起算して一年を超えない期間内において、新介護保険法第七十八条の二第一項の規定に基づく市町村（特別区を含む。以下同じ。）の条例が制定施行されるまでの間における当該市町村に係る新介護保険法第四十二条の二第一項本文の指定に対する新介護保険法第七十八条の二第一項の規定の適用については、同項中「二十九人以下であって市町村の条例で定める数であるもの」とあるのは、「二十九人以下であるもの」とする。

3　施行日から起算して一年を超えない期間内において、新介護保険法第七十八条の二第四項第一号に規定する市町村の条例が制定施行されるまでの間は、同条第五項に規定する厚生労働省令で定める基準を満たす者は、当該市町村の条例で定める者とみなす。

4　施行日から起算して一年を超えない期間内において、新介護保険法第八十六条第一項の規定に基づく都道府県の条例が制定施行されるまでの間における当該都道府県に係る新介護保険法第四十八条第一項第一号の指定に対する新介護保険法第八十六条第一項の規定の適用については、同項中「三十人以上であって都道府県の条例で定める数であるもの」とあるのは、「三十人以上であるもの」とする。

5　施行日から起算して一年を超えない期間内において、新介護保険法第百十五条の二第二項第一号に規定する都道府県の条例が制定施行されるまでの間は、同条第三項に規定する厚生労働省令で定める基準を満たす者は、当該都道府県の条例で定める者とみなす。

6　施行日から起算して一年を超えない期間内において、新介護保険法第百十五条の十二第二項第一号に規定する市町村の条例

が制定施行されるまでの間は、同条第三項に規定する厚生労働省令で定める基準を満たす者は、当該市町村の条例で定める者とみなす。

第八条　新介護保険法附則第九条の規定は、同条第一項に規定する変更後地域密着型介護老人福祉施設に施行日以後になったものに入所している介護保険の被保険者（同項に規定する変更前介護老人福祉施設に入所することにより、当該変更前介護老人福祉施設の所在する場所に住所を変更したと認められる者に限る。）であって、当該変更前介護老人福祉施設に入所した際、当該変更前介護老人福祉施設が所在する市町村以外の市町村の区域内に住所を有していたと認められるものについて、適用する。

第九条　この法律の施行のために必要な条例の制定又は改正、新介護保険法第二十四条の三第一項の指定の手続、新介護保険法第七十八条の二の規定による新介護保険法第四十二条の二第一項本文の指定の手続（定期巡回・随時対応型訪問介護看護及び複合型サービスに係るものに限る。）、新介護保険法第七十八条の十三第一項の規定による新介護保険法第四十二条の二第一項本文の指定の手続その他の行為は、施行日前においても行うことができる。

附　則（平二四・八・二二法六二）（抄）

最終改正　平二八・一二・二六法一一四

（施行期日）

第一条　この法律は、平成二十九年八月一日から施行する。ただし、次の各号に掲げる規定は、当該各号に定める日から施行する。

一〜四　〔略〕

五　〔前略〕第二十七条から第二十九条までの規定〔中略〕並びに附則〔中略〕第五十一条から第五十六条まで〔中略〕の規定　平成二十八年十月一日

六　〔略〕

（介護保険法の一部改正に伴う経過措置）

第五十二条　平成二十七年度以前の年度の被用者保険等保険者（国保法等一部改正法第三条の規定による改正前の国民健康保険法附則第十条第一項に規定する被用者保険等保険者をいう。以下同じ。）に係る介護保険法の規定による概算納付金及び確定納付金については、なお従前の例による。

第五十二条の二　平成二十八年度の被用者保険等保険者に係る介護保険法の規定による概算納付金の額は、第二十八条の規定による改正後の介護保険法（以下「改正後介護保険法」という。）附則第十一条第一項の規定にかかわらず、同項の規定により算定される額の十二分の六に相当する額と同年度において同条の規定の適用がないものとして改正後介護保険法第百五十二条の規定を当該被用者保険等保険者に適用するとしたならば同条第一項の規定により算定されることとなる額の十二分の六に相当する額との合計額とする。

第五十二条の三　平成二十八年度の被用者保険等保険者に係る介護保険法の規定による確定納付金の額は、改正後介護保険法附則第十二条第一項の規定にかかわらず、同項の規定により算定される額の十二分の六に相当する額と同年度において同条の規定の適用がないものとして改正後介護保険法第百五十三条の規定を当該被用者保険等保険者に適用するとしたならば同条第一項の規定により算定されることとなる額の十二分の六に相当する額との合計額とする。

第五十二条の四　社会保険診療報酬支払基金法による社会保険診療報酬支払基金は、附則第一条第五号に規定する規定の施行後遅滞なく、平成二十八年度における各医療保険者に係る介護保険法の規定による納付金（次項において「納付金」という。）の額を変更し、当該変更後の額を通知しなければならない。

2　改正後介護保険法第百五十五条第三項の規定は、前項の規定により納付金の額の変更がされた場合について準用する。

第五十二条の五　地域における医療及び介護の総合的な確保を推進するための関係法律の整備等に関する法律（平成二十六年法律第八十三号）附則第十四条第一項の場合にあっては、第五号施行日から同項に規定する当該特定市町村の同項の条例で定める日までの間は、当該特定市町村が行う介護保険法の規定による地域支援事業については、改正後介護保険法附則第十一条第二項及び第十二条第二項中「介護予防・日常生活支援総合事業医療保険納付対象額」とあるのは、「介護予防等事業医療保険納付対象額」とする。

附　則（平二四・八・二二法六三）（抄）

（施行期日）

第一条　この法律は、平成二十七年十月一日から施行する。〔ただし書略〕

附　則（平二五・六・一四法四四）（抄）

（施行期日）

第一条　この法律は、公布の日から施行する。ただし、次の各号に掲げる規定は、当該各号に定める日から施行する。

一　〔略〕

二　〔前略〕第三十六条〔中略〕の規定　平成二十六年四月一日

三　〔略〕

附　則（平二六・六・一三法六九）（抄）

（施行期日）

第一条　この法律は、行政不服審査法（平成二十六年法律第六十八号）の施行の日〔平二八・四・一〕から施行する。

附　則（平二六・六・二五法八三）（抄）

（施行期日）

第一条　この法律は、公布の日又は平成二十六年四月一日のいずれか遅い日から施行する。ただし、次の各号に掲げる規定は、当該各号に定める日から施行する。

一・二　〔略〕

三　〔前略〕第五条のうち、介護保険法〔中略〕第七条第五項、第八条、第八条の二、第十三条、〔中略〕第四十二条の二、第四十二条の三第二項、第五十三条、第五十四条第三項、第五十四条の二、第五十四条の三第二項、〔中略〕第六十八条第五項、〔中略〕百二十二条の二、第百二十三条第三項及び第百二十四条第三項の改正規定、同法第百二十四条の次に二条を加える改正規定、同法第百二十六条第一項、第百二十七条、第百二十八条、第百四十一条の見出し及び同条第一項、〔中略〕第百五十二条及び第百五十三条並びに〔中略〕第二百三条〔中略〕並びに附則第九条第一項ただし書の改正規定並びに同法附則に一条を加える改正規定〔中略〕　平成二十七年四月一日

四　第五条中介護保険法〔中略〕第四十九条の次に一条を加え

る改正規定、同法第五十条及び第五十一条の三第一項の改正規定、〔中略〕同法第六十条、第六十一条の三第一項及び第六十九条の改正規定〔中略〕　平成二十七年八月一日

五　〔略〕

六　第六条の規定（次号に掲げる改正規定を除く。）〔中略〕　平成二十八年四月一日までの間において政令で定める日〔平二八・四・一〕

七　〔略〕

附　則（平二七・五・二九法三一）（抄）

（施行期日）

第一条　この法律は、平成三十年四月一日から施行する。ただし、次の各号に掲げる規定は、それぞれ当該各号に定める日から施行する。

一・二　〔略〕

三　〔前略〕附則第五十三条中介護保険法附則第十一条の改正規定〔中略〕並びに附則〔中略〕第六十三条〔中略〕の規定　平成二十九年四月一日

（介護保険法の一部改正に伴う経過措置）

第五十四条　平成二十九年度以前の各年度の市町村に係る概算納付金及び平成二十七年度以前の各年度の市町村に係る確定納付金については、なお従前の例による。

第五十五条　平成三十年度及び平成三十一年度の各年度の都道府県に係る納付金の額は、介護保険法第百五十一条第一項の規定にかかわらず、当該各年度の概算納付金の額（以下この項において「都道府県概算納付金額」という。）とする。ただし、前々年度の当該都道府県の区域に属する市町村に係る概算納付金の額の合計額（以下この項において「区域内市町村概算納付金合計額」という。）が同年度の当該都道府県の区域に属する市町村に係る確定納付金の額（当該市町村に同法第百五十三条の規定を適用するとしたならば、同条の規定により算定されることとなる額をいう。）の合計額（以下この項において「区域内市町村確定納付金合計額」という。）を超えるときは、当該各年度の都道府県概算納付金額からその超える額とその超える額に係る調整金額（同法第百五十一条第一項ただし書に規定する調整金額をいう。以下この項において同じ。）との合計額を控除して得た額とするものとし、前々年度の区域内市町村概算納付金合計額が同年度の区域内市町村確定納付金合計額に満たないときは、当該各年度の都道府県概算納付金額にその満たない額とその満たない額に係る調整金額との合計額を加算して得た額とする。

附　則（平二八・五・二〇法四七）（抄）

（施行期日）

第一条　この法律は、平成二十九年四月一日から施行する。ただし、次の各号に掲げる規定は、当該各号に定める日から施行する。

一　〔略〕

二　〔前略〕附則〔中略〕第三十三条〔中略〕の規定　公布の日から起算して三月を経過した日

三　〔略〕

○民法の一部を改正する法律の施行に伴う関係法律の整備等に関する法律（抄）

平二九・六・二
法　四五

（介護保険法の一部改正に伴う経過措置）

第二百十八条　施行日前に前条の規定による改正前の介護保険法第百八十三条第二項〔中略〕に規定する時効の中断の事由が生じた場合におけるその事由の効力については、なお従前の例による。

附　則（抄）

この法律は、民法改正法の施行の日〔平三二・四・一〕から施行する。〔ただし書略〕

附　則（平二九・六・二法五二）（抄）

（施行期日）

第一条　この法律は、平成三十年四月一日から施行する。ただし、次の各号に掲げる規定は、当該各号に定める日から施行する。

一　第三条の規定並びに次条〔中略〕の規定　公布の日

二　第一条中介護保険法第百五十二条及び第百五十三条の改正規定、同法〔中略〕第二百三条第一項及び第二百十四条第三項の改正規定、同法附則第十一条及び第十二条の改正規定並びに同法附則第十三条を同法附則第十五条とし、同法附則第十二条の次に二条を加える改正規定〔中略〕並びに附則第三条から第六条まで〔中略〕の規定　平成二十九年七月一日

三　第一条中介護保険法第四十九条の二、第五十条〔中略〕、第六十条及び第六十九条の改正規定〔中略〕並びに附則第十七条〔中略〕の規定　平成三十年八月一日

（検討）

第二条　政府は、この法律の公布後三年を目途として、第八条の規定による改正後の社会福祉法第百六条の三第一項に規定する体制を全国的に整備するための方策について検討を加え、必要があると認めるときは、その結果に基づいて所要の措置を講ずるものとする。

2　政府は、前項に定める事項のほか、この法律の施行後五年を目途として、この法律の規定による改正後の規定の施行の状況について検討を加え、必要があると認めるときは、その結果に基づいて所要の措置を講ずるものとする。

（被用者保険等保険者等に係る介護給付費・地域支援事業支援納付金に関する経過措置）

第三条　平成二十八年度以前の各年度における被用者保険等保険者（高齢者の医療の確保に関する法律第七条第三項に規定する被用者保険等保険者をいう。以下同じ。）及び健康保険法第百二十三条第一項の規定による保険者としての全国健康保険協会（以下「日雇特例被保険者の保険の保険者としての協会」という。）に係る介護保険法の規定による概算納付金及び確定納付金については、なお従前の例による。

第四条　平成二十九年度における被用者保険等保険者に係る介護保険法の規定による概算納付金の額は、第一条の規定（附則第一条第二号に掲げる改正規定に限る。以下この項において同じ。）による改正後の介護保険法（以下「第二号新介護保険法」という。）第百五十二条第一項第一号及び附則第十一条第一項の規定にかかわらず、同項の規定により算定される額の十二分の八に相当する額と同年度において第一条の規定による改

正前の介護保険法（以下「第二号旧介護保険法」という。）附則第十一条第一項の規定により算定されることとなる額の十二分の四に相当する額との合計額とする。

２　平成二十九年度における日雇特例被保険者の保険の保険者としての協会に係る介護保険法の規定による概算納付金の額は、第二号新介護保険法第百五十二条第一項第二号の規定にかかわらず、同号の規定により算定される額の十二分の八に相当する額と同年度において第二号旧介護保険法附則第十一条第一項の規定により算定されることとなる額の十二分の四に相当する額との合計額とする。

第五条　平成二十九年度における被用者保険等保険者に係る介護保険法の規定による確定納付金の額は、第二号新介護保険法第百五十三条第一号及び附則第十二条第一項の規定にかかわらず、同項の規定により算定される額の十二分の八に相当する額と同年度において第二号旧介護保険法附則第十二条第一項の規定により算定されることとなる額の十二分の四に相当する額との合計額とする。

２　平成二十九年度における日雇特例被保険者の保険の保険者としての協会に係る介護保険法の規定による確定納付金の額は、第二号新介護保険法第百五十三条第二号の規定にかかわらず、同号の規定により算定される額の十二分の八に相当する額と同年度において第二号旧介護保険法附則第十二条第一項の規定により算定されることとなる額の十二分の四に相当する額との合計額とする。

第六条　社会保険診療報酬支払基金法（昭和二十三年法律第百二十九号）による社会保険診療報酬支払基金（附則第二十一条第一項において「支払基金」という。）は、附則第一条第二号に掲げる規定の施行後遅滞なく、平成二十九年度における各被用者保険等保険者及び日雇特例被保険者の保険の保険者としての協会に係る介護保険法の規定による介護給付費・地域支援事業支援納付金（次項において「納付金」という。）の額を変更し、当該変更後の額を通知しなければならない。

２　介護保険法第百五十五条第三項の規定は、前項の規定により納付金の額の変更がされた場合について準用する。

（保険給付に関する経過措置）

第十七条　附則第一条第三号に掲げる規定の施行の日（附則第二十二条において「第三号施行日」という。）前に行われた第一条の規定（同号に掲げる改正規定に限る。）による改正前の介護保険法の規定による居宅サービス（これに相当するサービスを含む。）、地域密着型サービス（これに相当するサービスを含む。）、施設サービス、介護予防サービス（これに相当するサービスを含む。）、地域密着型介護予防サービス（これに相当するサービスを含む。）又は住宅改修に係る保険給付については、なお従前の例による。

附　則（平三〇・六・二七法六六）（抄）

（施行期日）

第一条　この法律は、公布の日から起算して一年を超えない範囲内において政令で定める日〔平三一・六・一〕から施行する。ただし、次の各号に掲げる規定は、当該各号に定める日から施行する。

一　〔前略〕第十三条の規定〔中略〕　公布の日

二～五　〔略〕

附　則（令元・五・二二法九）（抄）

改正　令二・六・一二法五二

（施行期日）

第一条　この法律は、令和二年四月一日から施行する。ただし、次の各号に掲げる規定は、当該各号に定める日から施行する。

一・二　〔略〕

三　〔前略〕第十二条の規定（第五号に掲げる改正規定並びに介護保険法第百十五条の四十五中第五項を第九項とし、第四項の次に四項を加える改正規定及び同法第百十七条第三項第六号の改正規定を除く。）〔中略〕　令和二年十月一日

四～六　〔略〕

附　則（令元・六・七法二六）（抄）

（施行期日）

第一条　この法律は、公布の日から施行する。ただし、次の各号に掲げる規定は、当該各号に定める日から施行する。

一～三　〔略〕

四　第十条の規定及び次条の規定　平成三十三年四月一日

（介護保険法の一部改正に伴う経過措置）

第二条　前条第四号に掲げる規定の施行の日（以下この条において「第四号施行日」という。）前に第十条の規定による改正前の介護保険法（以下この条において「旧介護保険法」という。）の規定によりされた命令その他の行為（以下この項において「命令等の行為」という。）又は同号に掲げる規定の施行の際現に旧介護保険法の規定によりされている届出その他の行為（以下この項において「届出等の行為」という。）で、第四号施行日においてこれらの行為に係る行政事務を行うべき者が異なることとなるものは、第四号施行日以後における第十条の規定による改正後の介護保険法（以下この条において「新介護保険法」という。）の適用については、新介護保険法の相当規定によりされた命令等の行為又は届出等の行為とみなす。

２　第四号施行日前に旧介護保険法の規定により都道府県に対し、届出その他の手続をしなければならない事項で、第四号施行日前にその手続がされていないものについては、これを、新介護保険法の相当規定により地方自治法（昭和二十二年法律第六十七号）第二百五十二条の二十二第一項の中核市に対して届出その他の手続をしなければならない事項についてその手続がされていないものとみなして、新介護保険法の規定を適用する。

附　則（令元・六・一四法三七）（抄）

（施行期日）

第一条　この法律は、公布の日から起算して三月を経過した日から施行する。ただし、次の各号に掲げる規定は、当該各号に定める日から施行する。

一　〔略〕

二　〔前略〕第九十八条から第百条まで〔中略〕の規定　公布の日から起算して六月を経過した日

三・四　〔略〕

附　則（令二・三・三一法八）（抄）

（施行期日）

第一条　この法律は、令和二年四月一日から施行する。ただし、次の各号に掲げる規定は、当該各号に定める日から施行する。

一　〔略〕

二　次に掲げる規定　令和三年一月一日

イ・ロ　〔略〕
ハ　〔前略〕附則〔中略〕第百四十九条の規定
ニ〜ヘ　〔略〕
三〜十二　〔略〕

附　則（令二・三・三一法一四）（抄）

（施行期日）
第一条　この法律は、令和二年四月一日から施行する。ただし、次の各号に掲げる規定は、当該各号に定める日から施行する。
一・二　〔略〕
三　〔前略〕附則第十七条〔中略〕の規定　公布の日から起算して六月を超えない範囲内において政令で定める日〔令二・九・一〕
四〜六　〔略〕

附　則（令二・六・一二法五二）（抄）

（施行期日）
第一条　この法律は、令和三年四月一日から施行する。ただし、次の各号に掲げる規定は、当該各号に定める日から施行する。
一　第三条中介護保険法附則第十三条（見出しを含む。）及び第十四条（見出しを含む。）の改正規定〔中略〕並びに附則第六条の規定〔中略〕並びに附則第八条及び第九条の規定　公布の日
二　〔略〕

（検討）
第二条　政府は、この法律の施行後五年を目途として、この法律による改正後のそれぞれの法律の規定について、その施行の状況等を勘案しつつ検討を加え、必要があると認めるときは、その結果に基づいて所要の措置を講ずるものとする。

（政令への委任）
第九条　この法律の施行に関し必要な経過措置は、政令で定める。

附　則（令二・六・五法四〇）（抄）

（施行期日）
第一条　この法律は、令和四年四月一日から施行する。〔ただし書略〕

（年金保険者の市町村に対する通知に関する経過措置）
第八十四条　老齢等年金給付（介護保険法第百三十一条に規定する老齢等年金給付をいう。）を受ける権利を担保に供している者に係る年金保険者（同条に規定する年金保険者をいう。）については、前条の規定による改正前の介護保険法第百三十四条第一項の規定は、なおその効力を有する。
2　前項の場合における国民健康保険法（昭和三十三年法律第百九十二号）第七十六条の四及び高齢者の医療の確保に関する法律（昭和五十七年法律第八十号）第百十条の規定の適用については、これらの規定中「までの規定」とあるのは、「までの規定（年金制度の機能強化のための国民年金法等の一部を改正する法律附則第八十四条第一項の規定によりなおその効力を有するものとされた同法附則第八十三条の規定による改正前の介護保険法第百三十四条第一項の規定を含む。）」とする。

附　則（令三・五・二八法四九）（抄）

（施行期日）
第一条　この法律は、令和六年四月一日から施行する。〔ただし書略〕

附　則（令三・六・一一法六六）（抄）

（施行期日）
第一条　この法律は、令和四年一月一日から施行する。〔ただし書略〕

附　則（令四・六・一七法六八）（抄）

（施行期日）
1　この法律は、刑法等一部改正法施行日〔令七・六・一〕から施行する。〔ただし書略〕

附　則（令五・五・八法一九）（抄）

（施行期日）
第一条　この法律は、令和六年四月一日から施行する。〔ただし書略〕

附　則（令五・五・一九法三一）（抄）

（施行期日）
第一条　この法律は、令和六年四月一日から施行する。ただし、次の各号に掲げる規定は、当該各号に定める日から施行する。
一　〔前略〕次条第一項並びに附則〔中略〕第十五条、第十七条及び第十八条の規定　公布の日
二〜七　〔略〕

（検討）
第二条　政府は、この法律の公布後、全世代対応型の持続可能な社会保障制度を構築するため、経済社会情勢の変化と社会の要請に対応し、受益と負担の均衡がとれた社会保障制度の確立を図るための更なる改革について速やかに検討を加え、その結果に基づいて所要の措置を講ずるものとする。
2　政府は、この法律の施行後五年を目途として、この法律による改正後のそれぞれの法律（以下この項において「改正後の各法律」という。）の施行の状況等を勘案し、必要があると認めるときは、改正後の各法律の規定について検討を加え、その結果に基づいて所要の措置を講ずるものとする。

（介護保険法の一部改正に伴う経過措置）
第十五条　第十三条の規定（附則第一条第四号に掲げる改正規定を除く。）による改正後の介護保険法（以下この条及び次条において「新介護保険法」という。）の施行のために必要な条例の制定又は改正、新介護保険法第百十五条の二十二第一項の規定による介護保険法第五十八条第一項の指定（同法第四十六条第一項に規定する指定居宅介護支援事業者の申請に係るものに限る。）の手続その他の行為は、施行日前においても行うことができる。
第十六条　新介護保険法第百十五条の四十四の二第二項の規定は、令和五年四月一日以後に始まる会計年度に係る事項について適用する。
第十七条　支払基金は、附則第一条第六号に掲げる規定の施行日前においても、第十四条の規定による改正後の介護保険法第百六十条第二項に規定する業務の実施に必要な準備行為をすることができる。

（政令への委任）
第十八条　附則第三条から前条までに規定するもののほか、この法律の施行に伴い必要な経過措置（罰則に関する経過措置を含む。）は、政令で定める。

＊　介護保険法は、全世代対応型の持続可能な社会保障制度を構築するための健康保険法等の一部を改正する法律（令和五年法三一）により一部改正されたが、このうち公布の日から起算して四年を超えない範囲内において政令で定める日から施行される部分については、一部改正法の形で掲載した。

○全世代対応型の持続可能な社会保障制度を構築するための健康保険法等の一部を改正する法律（抄）

令五・五・一九
法　三　一

第十四条　介護保険法の一部を次のように改正する。

第二百十一条中「法人の代表者」を「法人（法人でない社団又は財団で代表者又は管理人の定めがあるもの（以下この条において「人格のない社団等」という。）を含む。以下この項において同じ。）の代表者（人格のない社団等の管理人を含む。）」に、「又は第二百九条」を「、第二百九条又は第二百九条の二」に改め、同条に次の一項を加える。

２　人格のない社団等について前項の規定の適用がある場合には、その代表者又は管理人がその訴訟行為につき当該人格のない社団等を代表するほか、法人を被告人又は被疑者とする場合の刑事訴訟に関する法律の規定を準用する。

附　則（抄）

（施行期日）

第一条　この法律は、令和六年四月一日から施行する。ただし、次の各号に掲げる規定は、当該各号に定める日から施行する。

一～五　〔略〕

六　〔前略〕第十四条の規定〔中略〕公布の日から起算して四年を超えない範囲内において政令で定める日

七　〔略〕

○介護保険法施行法（抄）

平九・一二・一七
法　一　二　四

最終改正　平二九・六・二法五二

目次〔略〕

第一章　経過措置

（法定居宅給付支給限度基準額に関する経過措置）

第一条　市町村及び特別区（以下この章において単に「市町村」という。）は、当該市町村が行う介護保険の保険給付に係る居宅サービス（介護保険法（平成九年法律第百二十三号）第七条第五項に規定する居宅サービスをいう。以下この章において同じ。）及びこれに相当するサービスの必要量の見込み、当該居宅サービス及びこれに相当するサービスを提供する体制の確保の状況その他の諸般の状況を考慮して特に必要と認める場合においては、政令で定める日までの間は、同法第四十三条第二項、第四十四条第五項若しくは第四十五条第五項又は第五十五条第二項、第五十六条第五項若しくは第五十七条第五項の規定にかかわらず、同法第四十三条第一項の居宅介護サービス費区分支給限度基準額、同法第四十四条第四項の居宅介護福祉用具購入費支給限度基準額若しくは同法第四十五条第四項の居宅介護住宅改修費支給限度基準額又は同法第五十五条第一項の居宅支援サービス費区分支給限度基準額、同法第五十六条第四項の居宅支援福祉用具購入費支給限度基準額若しくは同法第五十七条第四項の居宅支援住宅改修費支給限度基準額（以下この条において「法定居宅給付支給限度基準額」と総称する。）に代えて、当該法定居宅給付支給限度基準額のそれぞれの額を下回る額を、当該市町村における居宅介護サービス費区分支給限度基準額、居宅介護福祉用具購入費支給限度基準額若しくは居宅介護住宅改修費支給限度基準額又は居宅支援サービス費区分支給限度基準額、居宅支援福祉用具購入費支給限度基準額若しくは居宅支援住宅改修費支給限度基準額（以下この条及び次条において「経過的居宅給付支給限度基準額」と総称する。）とすることができる。

２　厚生労働大臣が法定居宅給付支給限度基準額のそれぞれの額を基礎として経過的居宅給付支給限度基準額のそれぞれの額の下限の額を定めた場合においては、経過的居宅給付支給限度基準額は、当該下限の額を下回ることができない。

３　前二項の規定により経過的居宅給付支給限度基準額を定める市町村（以下この章において「特定市町村」という。）は、厚生労働省令で定めるところにより、当該経過的居宅給付支給限度基準額のそれぞれの額又は当該経過的居宅給付支給限度基準額のそれぞれの額の法定居宅給付支給限度基準額のそれぞれの額に対する割合を条例において定めるものとする。

４　第一項の政令で定める日を指定するに当たっては、介護保険法の施行の日（以下この章において「施行日」という。）から起算して五年を経過した日以後の日で、居宅サービス及びこれに相当するサービスの必要量の見込み、特定市町村が定める同法第百十七条に規定する市町村介護保険事業計画（第三条第一項において単に「市町村介護保険事業計画」という。）及び特定市町村をその区域内に含む都道府県が定める同法第百十八条に規定する都道府県介護保険事業支援計画（第三条第二項において単に「都道府県介護保険事業支援計画」という。）の達成状況その他の諸般の状況を考慮して、特定市町村において、法定居宅給付支給限度基準額に基づく介護給付等（同法第二十条に規定する介護給付等をいう。次項において同じ。）を円滑に行うことができると認められる日を選定するものとし、当該政令は、当該日から起算して六月前までに公布するものとする。

５　第一項の政令で定める日までの間は、特定市町村が行う介護保険の介護給付等について介護保険法第四十三条第二項、第四十四条第五項、第四十五条第五項、第五十五条第二項、第五十六条第五項及び第五十七条第五項の規定を適用する場合においては、これらの規定中「厚生労働大臣が定める額」とあるのは、「介護保険法施行法（平成九年法律第百二十四号）第一条第三項に規定する特定市町村が定める同条第一項に規定する経過的居宅給付支給限度基準額」とする。

（特例居宅介護サービス費等の支給の経過的特例）

第二条　特定市町村（介護保険法に規定する居宅介護サービス費

及び特例居宅介護サービス費又は居宅支援サービス費及び特例居宅支援サービス費に係る経過的居宅給付支給限度基準額を定めているものに限る。次条において同じ。）は、同法第四十二条第一項各号及び第五十四条第一項各号に規定する場合のほか、前条第一項の政令で定める日までの間は、居宅要介護被保険者（同法第四十一条第一項に規定する居宅要介護被保険者をいう。以下この条において同じ。）又は居宅要支援被保険者（同法第五十三条第一項に規定する居宅要支援被保険者をいう。以下この条において同じ。）であって同法第四十二条第一項第三号又は同法第五十四条第一項第三号の厚生労働大臣が定める基準に該当する地域以外の地域に住所を有するものについても、これらの者が指定居宅サービス（同法第四十一条第一項に規定する指定居宅サービスをいう。以下この条において同じ。）及び基準該当居宅サービス（同法第四十二条第一項第二号に規定する基準該当居宅サービスをいう。）以外の居宅サービス（これらの者のうち居宅要支援被保険者であるものについては、認知症対応型共同生活介護（同法第七条第十五項に規定する認知症対応型共同生活介護をいう。以下この条において同じ。）を除く。）又はこれに相当するサービスを受けた場合において、必要があると認めるときは、同法に規定する特例居宅介護サービス費又は特例居宅支援サービス費を支給するものとする。居宅要介護被保険者又は居宅要支援被保険者が、同法第十九条第一項に規定する要介護認定又は同条第二項に規定する要支援認定の効力が生じた日前に、緊急その他やむを得ない理由により指定居宅サービス以外の居宅サービス（居宅要支援被保険者については、認知症対応型共同生活介護を除く。）又はこれに相当するサービスを受けた場合において、必要があると認めるときも、同様とする。

（特定市町村、都道府県及び国の措置等）

第三条　特定市町村は、市町村介護保険事業計画に従い、当該市町村介護保険事業計画に定められた介護保険法第百十七条第二項第二号に規定する方策その他の同法第二十四条第二項に規定する介護給付等対象サービスを提供する体制の確保に必要な措置を講ずるよう努めるものとする。

2　都道府県は、特定市町村に対して都道府県介護保険事業支援計画に基づき特定市町村の支援に必要な施策を実施するよう努めるものとする。

3　国は、特定市町村及び都道府県に対し、第一項に規定する措置及び前項に規定する施策に関し必要な助言、指導その他の措置を講ずるよう努めるものとする。

（指定居宅サービス事業者に関する経過措置）

第四条　介護保険法の施行の際現に健康保険法（大正十一年法律第七十号）第四十三条ノ三第一項の規定による保険医療機関若しくは保険薬局の指定を受けている病院若しくは診療所若しくは薬局又は同法第四十四条第一項第一号の規定による特定承認保険医療機関の承認を受けている病院若しくは診療所の開設者については、施行日に、当該病院、診療所又は薬局により行われる居宅サービス（病院又は診療所にあっては居宅療養管理指導（介護保険法第七条第十項に規定する居宅療養管理指導をいう。以下この条において同じ。）その他介護保険法第七十一条第一項の厚生省令で定める種類の居宅サービスに限り、薬局にあっては居宅療養管理指導に限る。）に係る介護保険法第四十一条第一項本文の指定があったものとみなす。ただし、当該病院、診療所又は薬局の開設者が施行日の前日までに、厚生省令で定めるところにより、別段の申出をしたときは、この限りでない。

第五条　介護保険法の施行の際現に第二十四条の規定による改正前の老人保健法（昭和五十七年法律第八十号。以下「旧老健法」という。）第四十六条の五の二第一項に規定する指定老人訪問看護事業者（以下この条及び次条第一項において「指定老人訪問看護事業者」という。）であるものについては、施行日に、居宅サービス（介護保険法第七条第八項に規定する訪問看護に限る。）に係る介護保険法第四十一条第一項本文の指定があったものとみなす。ただし、指定老人訪問看護事業者が施行日の前日までに、厚生省令で定めるところにより、別段の申出をしたときは、この限りでない。

第六条　施行日前に旧老健法第四十六条の十七の八各号のいずれかに該当するに至ったみなし指定居宅サービス事業者（前条の規定により介護保険法第四十一条第一項本文の指定があったものとみなされた指定老人訪問看護事業者をいう。第三項において同じ。）については、介護保険法第七十七条第一項各号のいずれかに該当したものとみなして、同条の規定を適用する。

2　施行前にされた旧老健法第四十六条の十七の七第一項の規定による報告若しくは帳簿書類の提出の命令又は出頭の求め（当該報告若しくは提出の期限又は出頭の期日が施行日以後に到来するものに限る。）は、介護保険法第七十六条第一項の規定による同項に規定する報告若しくは帳簿書類の提出を命ずる処分又は出頭を求める処分とみなす。

3　みなし指定居宅サービス事業者が施行日前に行った旧老健法第四十六条の五の二第一項に規定する指定老人訪問看護に係る同項に規定する老人訪問看護療養費の請求（施行日以後に行われるものに限る。）に関し不正があったときは、介護保険法第七十七条第一項第三号に該当したものとみなして、当該みなし指定居宅サービス事業者について、同条の規定を適用する。

（指定介護老人福祉施設に関する経過措置）

第七条　介護保険法の施行の際現に存する特別養護老人ホーム（第二十条の規定による改正前の老人福祉法（昭和三十八年法律第百三十三号。以下「旧老福法」という。）第二十条の五に規定する特別養護老人ホームをいう。第十三条第一項において同じ。）については、施行日に、介護保険法第七条第二十一項に規定する介護老人福祉施設に係る同法第四十八条第一項第一号の指定があったものとみなす。

（介護老人保健施設に関する経過措置）

第八条　介護保険法の施行の際現に存する老人保健施設（旧老健法第六条第四項に規定する老人保健施設をいう。次項及び次条第六項において同じ。）に係る旧老健法第四十六条の六第一項の開設の許可を受けている者は、施行日に、当該施設について介護保険法第七条第二十二項に規定する介護老人保健施設（次項において単に「介護老人保健施設」という。）に係る同法第九十四条第一項の開設の許可を受けた者とみなす。

2　前項の規定により介護保険法第九十四条第一項の開設の許可を受けた者とみなされた老人保健施設の開設者は、同法の施行の際に当該老人保健施設を管理している者（旧老健法第四十六条の七第一項又は第二項の承認に係るものに限る。）について、施行日に、当該介護老人保健施設を管理させることができる旨の介護保険法第九十五条第一項又は第二項の承認を受けたものとみなす。

第九条　施行日前にされた旧老健法第四十六条の五において準用する旧老健法第四十四条第二項の規定による報告の命令（当該報告の期限が施行日以後に到来するものに限る。）は、介護保険法第二十四条第二項の規定による同項に規定する報告を命ずる処分とみなす。

2　施行日前にされた旧老健法第四十六条の十一第一項の規定による報告若しくは診療録その他の帳簿書類の提出の命令又は出頭の求め（当該報告若しくは提出の期限又は出頭の期日が施行日以後に到来するものに限る。）は、介護保険法第百条第一項の規定による同項に規定する報告若しくは診療録その他の帳簿書類の提出を命ずる処分又は出頭を求める処分とみなす。

3　施行日前にされた旧老健法第四十六条の十二の規定による老人保健施設の使用の制限若しくは禁止の命令（当該制限又は禁止の期間が施行日において満了していないものに限る。）又は修繕若しくは改築の命令（当該修繕又は改築の期限が施行日以後に到来するものに限る。）は、介護保険法第百一条の規定による同条に規定する介護老人保健施設の使用の制限若しくは禁止又は修繕若しくは改築を命ずる処分とみなす。

4　施行日前にされた旧老健法第四十六条の十三の規定による管理者の変更の命令（当該変更の期限が施行日以後に到来するものに限る。）は、介護保険法第百二条の規定による同条に規定する管理者の変更を命ずる処分とみなす。

5　施行日前にされた旧老健法第四十六条の十四の規定による業務運営の改善の命令（当該改善の期限が施行日以後に到来するものに限る。）又は業務の停止の命令（当該停止の期間が施行日において満了していないものに限る。）は、介護保険法第百三条第一項の規定による同項に規定する業務運営の改善又は業務の停止を命ずる処分とみなす。

6　施行日前に旧老健法第四十六条の十五第一項各号のいずれかに該当するに至った特定老人保健施設（その開設者が前条第一項の規定により介護保険法第九十四条第一項の開設の許可を受けた者とみなされた老人保健施設をいう。以下この条において同じ。）については、介護保険法第百四条第一項各号（同項第四号を除く。）のいずれかに該当したものとみなして、当該特定老人保健施設の開設者が受けたものとみなされた同法第九十四条第一項の開設の許可（第八項において「みなし開設許可」という。）について、同法第百四条の規定を適用する。

7　特定老人保健施設の開設者（施行日前六月以内に当該特定老人保健施設に係る旧老健法第四十六条の六第一項の開設の許可を受けたものに限る。）であって、介護保険法の施行の際当該特定老人保健施設の業務を開始していないものについての同法第百四条の規定の適用については、同条第一項第一号中「介護老人保健施設の開設者が、第九十四条第一項」とあるのは、「介護保険法施行法（平成九年法律第百二十四号）第八条第一項の規定により介護老人保健施設に係る第九十四条第一項の開設の許可を受けた者とみなされた者が、同法第二十四条の規定による改正前の老人保健法（昭和五十七年法律第八十号）第四十六条の六第一項」とする。

8　特定老人保健施設が施行日前に行った旧老健法第四十六条の二第一項に規定する施設療養に係る同項に規定する老人保健施設療養費の請求（施行日以後に行われるものに限る。）に関し不正があったときは、介護保険法第百四条第一項第五号に該当したものとみなして、当該特定老人保健施設に係るみなし開設許可について、同条の規定を適用する。

（介護療養型医療施設に関する経過措置）

第十条　施行日から起算して三年を超えない範囲内において政令で定める日までの間は、介護保険法第七条第二十三項中「痴呆の状態にある要介護者」とあるのは、「要介護者」とする。

（適用除外に関する経過措置）

第十一条　介護保険法第九条の規定にかかわらず、当分の間、四十歳以上六十五歳未満の同法第七条第八項に規定する医療保険加入者又は六十五歳以上の者であって、障害者の日常生活及び社会生活を総合的に支援するための法律（平成十七年法律第百二十三号）第十九条第一項の規定による支給決定（同法第五条第七項に規定する生活介護（以下この項において「生活介護」という。）及び同条第十項に規定する施設入所支援に係るものに限る。第三項において「支給決定」という。）を受けて同法第二十九条第一項に規定する指定障害者支援施設（第三項において「指定障害者支援施設」という。）に入所しているもの又は身体障害者福祉法（昭和二十四年法律第二百八十三号）第十八条第二項の規定により障害者の日常生活及び社会生活を総合的に支援するための法律第五条第十一項に規定する障害者支援施設（生活介護を行うものに限る。第三項において「障害者支援施設」という。）に入所しているもののうち厚生労働省令で定めるものその他特別の理由がある者で厚生労働省令で定めるものは、介護保険の被保険者としない。

2　当分の間、介護保険法第十条第二号の規定の適用については、同号中「又は」とあるのは「若しくは」と、「至ったとき」とあるのは「至ったとき又は当該市町村の区域内に住所を有する四十歳以上六十五歳未満の医療保険加入者若しくは六十五歳以上の者が介護保険法施行法（平成九年法律第百二十四号）第十一条第一項に該当しなくなったとき」とし、同法第十一条第一項の規定の適用については、同項中「翌日」とあるのは、「翌日又は介護保険法施行法（平成九年法律第百二十四号）第十一条第一項に該当するに至った日の翌日」とする。

3　当分の間、第一項の規定により介護保険の被保険者としないこととされた者（支給決定を受けて指定障害者支援施設に入所している者又は身体障害者福祉法第十八条第二項の規定により障害者支援施設に入所している者のうち厚生労働省令で定めるものその他特別の理由がある者で厚生労働省令で定めるものに限る。）であった介護保険の被保険者に係る介護保険法第十三条及び附則第九条の規定の適用については、次の表の上欄に掲げる同法の規定中同表の中欄に掲げる字句は、それぞれ同表の下欄に掲げる字句とするほか、同法の規定の適用に関し必要な技術的読替えは、政令で定める。

第十三条第一項ただし書	二以上の住所地特例対象施設に継続して	住所地特例対象施設又は特定適用除外施設（介護保険法施行法（平成九年法律第百二十四号）第十一条第一項の規定により介護保険の被保険者としないこととされた者（障

		害者の日常生活及び社会生活を総合的に支援するための法律（平成十七年法律第百二十三号）第十九条第一項の規定による支給決定（同法第五条第七項に規定する生活介護及び同条第十項に規定する施設入所支援に係るものに限る。以下「支給決定」という。）を受けて同法第二十九条第一項に規定する指定障害者支援施設（以下「指定障害者支援施設」という。）に入所している者又は身体障害者福祉法（昭和二十四年法律第二百八十三号）第十八条第二項の規定により障害者の日常生活及び社会生活を総合的に支援するための法律第五条第十一項に規定する障害者支援施設（同条第七項に規定する生活介護を行うものに限る。以下「障害者支援施設」という。）に入所している者のうち厚生労働省令で定めるものその他特別の理由がある者で厚生労働省令で定めるものに限る。）の入所する指定障害者支援施設及び障害者支援施設その他厚生労働省令で定める施設をいう。以下同じ。）（以下「住所地特例対象施設等」という。）から継続して他の住所地特例対象施設に
	していた住所地特例対象施設	していた住所地特例対象施設等
第十三条第二項	とする。 一　継続して入所等をしている二以上の住所地特例対象施設のそれぞれに入所等をすることによりそれぞれの住所地特例対象施設の所在する場所に順次住所を変更したと認められる住所地特例対象被保険者であって、当該二以上の住所地特例対象施設のうち最初の住所地特例対象施設に入所等をした際他の市町村（現入所施設が所在する市町村以外の市町村をいう。）の区域内に住所を有していたと認められるもの　当該他の市町村 二　継続して入所等をしている二以上の住所地特例対象施設のうち一の住所地特例対象施設から継続して他の住所地特例対象施設に入所等をすること（以下この号において「継続入所等」という。）により当該一の住所地特例対象施設の所在する場所以外の場所から当該他の住所地特例対象施設の所在する場所への住所の変更（以下この号において「特定住所変更」という。）を行ったと認められる住所地特例対象被保険者であって、最後に行った特定住所変更に係る継続入所等の際他の市町村（現入所施設が所在する市町村以外の市町村をいう。）の区域内に住所を有していたと認められるもの　当該他の	とする。 一　二以上の住所地特例対象施設に継続して入所等をしている住所地特例対象被保険者のうち、当該二以上の住所地特例対象施設のそれぞれに入所等をすることによりそれぞれの住所地特例対象施設の所在する場所に順次住所を変更したと認められる者であって、当該二以上の住所地特例対象施設のうち最初の住所地特例対象施設に入所等をした際他の市町村（現入所施設が所在する市町村以外の市町村をいう。）の区域内に住所を有していたと認められるもの　当該他の市町村 二　二以上の住所地特例対象施設に継続して入所等をしている住所地特例対象被保険者のうち、当該二以上の住所地特例対象施設のうち一の住所地特例対象施設から継続して他の住所地特例対象施設に入所等をすること（以下この項において「継続入所等」という。）により当該一の住所地特例対象施設の所在する場所以外の場所から当該他の住所地特例対象施設の所在する場所への住所の変更（以下この項において「特定住所変更」という。）を行ったと認められる者であって、最後に行った特定住所変更に係る継続入所等の際他の市町村（現入所施設が所在する市町村以外の市町村をいう。）の区域内に住所を有していたと認められるもの　当該他の市町村 三　二以上の住所地特例対象施設等に継続して入所等をしている住所地特例対象被保険者（前二号に掲げる者を除く。）のうち、特定適用除外施設に入所す

	市町村	ることにより当該特定適用除外施設の所在する場所以外の場所から当該特定適用除外施設の所在する場所への住所の変更（以下「適用除外施設住所変更」という。）を行ったと認められる者であって、最後に行った適用除外施設住所変更に係る特定適用除外施設への入所に係る支給決定等（当該特定適用除外施設が指定障害者支援施設である場合にあっては支給決定をいい、当該特定適用除外施設が障害者支援施設である場合にあっては身体障害者福祉法第十八条の規定による措置をいい、当該特定適用除外施設が指定障害者支援施設又は障害者支援施設以外の施設である場合にあっては厚生労働省令で定める手続をいう。）を行った市町村（以下「最終適用除外施設住所変更時支給決定等実施市町村」という。）が現入所施設が所在する市町村以外の市町村であるもの（最後に行った適用除外施設住所変更後に特定住所変更を行ったと認められる者を除く。）　最終適用除外施設住所変更時支給決定等実施市町村 四　二以上の住所地特例対象施設等に継続して入所等をしている住所地特例対象被保険者（第一号及び第二号に掲げる者を除く。）のうち、適用除外施設住所変更及び特定住所変更（最後に行った適用除外施設住所変更後に行ったと認められるものに限る。以下この号において同じ。）を行ったと認められる者であって、最後に行ったと認められる特定住所変更に係る継続入所等の際他の市町村（現入所施設が所在する市町村以外の市町村をいう。）の区域内に住所を有していたと認められるもの　当該他の市町村
第十三条第三項	定める当該他の市町村	定める当該他の市町村又は最終適用除外施設住所変更時支給決定等実施市町村
附則第九条第一項ただし書	住所地特例対象施設	住所地特例対象施設等
附則第九条第二項	とする。 一　継続して入所等をしていた二以上の住所地特例対象施設のそれぞれに入所等をすることによりそれぞれの住所地特例対象施設の所在する場所に順次住所を変更したと認められる被保険者であって、当該二以上の住所地特例対象施設のうち最初の住所地特例対象施設に入所等をした際他の市町村（変更前介護老人福祉施設が所在する市町村以外の市町村をいう。）の区域内に住所を有していたと認められるもの　当該他の市町村 二　継続して入所等をしていた二以上の住所地特例対象	とする。 一　二以上の住所地特例対象施設に継続して入所等をしていた被保険者のうち、当該二以上の住所地特例対象施設のそれぞれに入所等をすることによりそれぞれの住所地特例対象施設の所在する場所に順次住所を変更したと認められる者であって、当該二以上の住所地特例対象施設のうち最初の住所地特例対象施設に入所等をした際他の市町村（変更前介護老人福祉施設が所在する市町村以外の市町村をいう。）の区域内に住所を有していたと認められるもの　当該他の市町村 二　二以上の住所地特例対象施設に継続して入所等をしていた被保険者のうち、当該二以上の住所地特例対象施設のうち一の住所地特例

	施設のうち一の住所地特例対象施設から継続して他の住所地特例対象施設に入所等をすること（以下この号において「継続入所等」という。）により当該一の住所地特例対象施設の所在する場所以外の場所から当該他の住所地特例対象施設の所在する場所への住所の変更（以下この号において「特定住所変更」という。）を行ったと認められる被保険者であって、最後に行った特定住所変更に係る継続入所等の際他の市町村（変更前介護老人福祉施設が所在する市町村以外の市町村をいう。）の区域内に住所を有していたと認められるもの　当該他の市町村	対象施設から継続して他の住所地特例対象施設に入所等をすること（以下この項において「継続入所等」という。）により当該一の住所地特例対象施設の所在する場所以外の場所から当該他の住所地特例対象施設の所在する場所への住所の変更（以下この項において「特定住所変更」という。）を行ったと認められる者であって、最後に行った特定住所変更に係る継続入所等の際他の市町村（変更前介護老人福祉施設が所在する市町村以外の市町村をいう。）の区域内に住所を有していたと認められるもの　当該他の市町村 三　二以上の住所地特例対象施設等に継続して入所等をしていた被保険者（前二号に掲げる者を除く。）のうち、適用除外施設住所変更を行ったと認められる者であって、最終適用除外施設住所変更時支給決定等実施市町村が変更前介護老人福祉施
		設が所在する市町村以外の市町村であるもの（最後に行った適用除外施設住所変更後に特定住所変更を行ったと認められる者を除く。）　最終適用除外施設住所変更時支給決定等実施市町村 四　二以上の住所地特例対象施設等に継続して入所等をしていた被保険者（第一号及び第二号に掲げる者を除く。）のうち、適用除外施設住所変更及び特定住所変更（最後に行った適用除外施設住所変更後に行ったと認められるものに限る。以下この号において同じ。）を行ったと認められる者であって、最後に行った特定住所変更に係る継続入所等の際他の市町村（変更前介護老人福祉施設が所在する市町村以外の市町村をいう。）の区域内に住所を有していたと認められるもの　当該他の市町村

（損害賠償請求権に関する経過措置）

第十二条　介護保険法第二十一条の規定は、給付事由が第三者の同法の施行前の行為によって生じた場合についても、適用するものとする。

2　介護保険法の施行前に第三者の行為によって給付事由が生じ、同法の施行前に第三者から同一の事由について損害賠償を受けた者については、同法の施行後は、市町村は、その価額の限度において、保険給付を行う責を負わない。

（特別養護老人ホームの旧措置入所者に関する経過措置）

第十三条　施行日において第七条の規定により介護保険法第四十八条第一項第一号の指定があったものとみなされた特別養護老人ホームに入所している旧老人福祉法第十一条第一項第二号の措置に係る者（以下この条において「旧措置入所者」という。）は、施行日以後引き続き当該特別養護老人ホーム（介護保険法第九十二条第一項又は第百十五条の三十五第六項の規定により当該指定を取り消されたものを除く。以下この条において「特定介護老人福祉施設」という。）に入所している間（当該特定介護老人福祉施設に継続して一以上の他の介護保険法第八条第二十五項に規定する介護保険施設（以下この条において単に「介護保険施設」という。）に入所することにより当該一以上の他の介護保険施設のそれぞれの所在する場所に順次住所を有するに至った旧措置入所者にあっては、当該一以上の他の介護保険施設に継続して入所している間を含む。）は、介護保険法第九条及び第十三条の規定にかかわらず、当該措置をとった市町村が行う介護保険の被保険者とする。

2　前項の規定の適用を受ける被保険者が入所している介護保険施設は、当該介護保険施設の所在する市町村及び当該被保険者に対し介護保険を行う市町村に、必要な協力をしなければならない。

3　介護保険法第四十一条第一項に規定する要介護被保険者である旧措置入所者（以下この条において「要介護旧措置入所者」という。）に対し支給する同法に規定する施設介護サービス費の額は、当分の間、同法第四十八条第二項の規定にかかわらず、要介護旧措置入所者に係る要介護状態区分（同法第七条第一項に規定する要介護状態区分をいう。）、特定介護老人福祉施設（当該特定介護老人福祉施設に係る同法第九十二条第一項又は第百十五条の三十五第六項の規定による指定の取消しその他やむを得ない理由により、当該特定介護老人福祉施設に継続して一以上の他の指定介護老人福祉施設（同法第四十八条第一項第一号に規定する指定介護老人福祉施設をいう。以下この項において同じ。）に入所した要介護旧措置入所者にあっては、当該一以上の他の指定介護老人福祉施設を含む。以下この条において同じ。）の所在する地域等を勘案して算定される指定介護福祉施設サービス（同法第四十八条第一項第一号に規定する指定介護福祉施設サービスをいう。以下この項において同じ。）に要する平均的な費用（同条第二項の厚生労働省令で定める費用を除く。）の額を勘案して厚生労働大臣が定める基準により算定した費用の額（その額が現に当該指定介護福祉施設サービスに要した費用の額を超えるときは、当該現に指定介護福祉施設サービスに要した費用の額とする。）に、厚生労働大臣が定める要介護旧措置入所者の所得の区分ごとに百分の九十以上百分の百以下の範囲内において厚生労働大臣が定める割合を乗じて得た額とする。

4　介護保険法第四十八条第三項の規定は、前項の基準について準用する。

5　要介護旧措置入所者のうち所得の状況その他の事情をしん酌して厚生労働省令で定める者（第七項において「特定要介護旧措置入所者」という。）に対し支給する介護保険法第五十一条の三第一項の特定入所者介護サービス費の額は、当分の間、同条第二項の規定にかかわらず、第一号に規定する額及び第二号に規定する額の合計額とする。

一　特定介護老人福祉施設における食事の提供に要する平均的な費用の額を勘案して厚生労働大臣が定める費用の額（その額が現に当該食事の提供に要した費用の額を超えるときは、当該現に食事の提供に要した費用の額とする。以下この条において「食費の特定基準費用額」という。）から、平均的な家計における食費の状況及び要介護旧措置入所者の所得の状況その他の事情を勘案して厚生労働大臣が定める額（以下この条において「食費の特定負担限度額」という。）を控除した額

二　特定介護老人福祉施設における居住に要する平均的な費用の額及び施設の状況その他の事情を勘案して厚生労働大臣が定める費用の額（その額が現に当該居住に要した費用の額を超えるときは、当該現に居住に要した費用の額とする。以下この条において「居住費の特定基準費用額」という。）から、要介護旧措置入所者の所得の状況その他の事情を勘案して厚生労働大臣が定める額（以下この条において「居住費の特定負担限度額」という。）を控除した額

6　介護保険法第五十一条の三第三項の規定は、食費の特定基準費用額若しくは食費の特定負担限度額又は居住費の特定基準費用額若しくは居住費の特定負担限度額について準用する。

7　介護保険法第五十一条の三第六項の規定を特定要介護旧措置入所者に適用する場合には、同項中「食費の基準費用額又は居住費の基準費用額」とあるのは「食費の特定基準費用額又は居住費の特定基準費用額」と、「食費の負担限度額又は居住費の負担限度額」とあるのは「食費の特定負担限度額又は居住費の特定負担限度額」とし、同条第七項の規定を特定要介護旧措置入所者に適用する場合には、同項中「第一項、第二項及び前項」とあるのは「第一項、介護保険法施行法（平成九年法律第百二十四号）第十三条第五項及び同条第七項の規定により読み替えて適用される前項」とする。

8　要介護旧措置入所者は、特定介護老人福祉施設が行う機能訓練を進んで利用することにより、その有する能力の維持向上に努めるとともに、その心身の状況に応じて最も適切な保健医療サービス及び福祉サービスを利用するように努めなければならない。

（介護保険法及びこの法律の施行のために必要な準備）

第十四条　厚生大臣は、介護保険法第四十八条第二項第二号に規定する標準負担額、同法第百二十五条第一項の第二号被保険者負担率その他同法に基づく制度に関する重要事項を定めようとするときは、施行日前においても同法第八条に規定する政令で定める審議会に諮問することができる。

第十五条　厚生大臣は、介護保険法第二十七条第八項の基準、同法第三十二条第四項の基準、同法第四十一条第四項各号の基準、同法第四十三条第一項の居宅介護サービス費区分支給限度基準額、同法第四十四条第四項の居宅介護福祉用具購入費支給限度基準額、同法第四十五条第四項の居宅介護住宅改修費支給限度基準額、同法第四十六条第二項の基準、同法第四十八条第二項各号の基準、同法第五十三条第二項各号の基準、同法第五十五条第一項の居宅支援サービス費区分支給限度基準額、同法第五十六条第四項の居宅支援福祉用具購入費支給限度基準額、同法第五十七条第四項の居宅支援住宅改修費支給限度基準額、同法第五十八条第二項の基準、同法第七十四条第一項の厚生省令及び同条第二項に規定する指定居宅サービスの事業の設備及び運営に関する基準、同法第八十一条第一項の厚生省令及び同条第二項に規定する指定居宅介護支援の事業の運営に関する基準、同法第八十八条第一項の厚生省令及び同条第二項に規定する指定介護老人福祉施設の設備及び運営に関する基準、同法第九十七条第一項及び第二項の厚生省令並びに同条第三項に規定する介護老人保健施設の設備及び運営に関する基準、同法第百十条第一項の厚生省令及び同条第二項に規定する指定介護療養型医療施設の設備及び運営に関する基準並びに第十三条第四項各号の基準を定めようとするときは、施行日前においても同法第八条に規定する政令で定める審議会の意見を聴くことができる。

第十六条　年金保険者（介護保険法第百三十一条に規定する年金保険者をいう。以下この項において同じ。）は、施行日前の厚生省令で定める期日までに、厚生大臣が定める日（以下この項において「基準日」という。）現在において当該年金保険者から老齢退職年金給付（同条に規定する老齢退職年金給付をいう。以下この条において同じ。）の支払を受けている者であって六十五歳以上のもの（施行日までの間において六十五歳に達するものを含み、次に掲げるものを除く。）の氏名、住所その他厚生省令で定める事項を、その者が基準日現在において住所を有する市町村に通知しなければならない。

一　厚生大臣が定める日から当該日の属する年の翌年における当該日に応当する日の前日までの間に支払を受けるべき当該老齢退職年金給付の額の総額が、基準日の現況において政令で定める額未満である者

二　当該老齢退職年金給付を受ける権利を別に法律で定めると

ころにより担保に供していることその他の厚生省令で定める特別の事情を有する者

2 介護保険法第百三十四条第二項から第四項までの規定は、前項の規定による通知について準用する。この場合において、これらの規定に関し必要な技術的読替えは、政令で定める。

3 市町村は、第一項の規定による通知が行われた場合においては、当該通知に係る介護保険法第九条第一号に規定する第一号被保険者（災害その他の特別な事情があることにより、特別徴収（同法第百三十一条に規定する特別徴収をいう。以下この条において同じ。）の方法によって保険料を徴収することが著しく困難であると認めるものを除く。）について、施行日から施行日の属する年の九月三十日までの間において老齢退職年金給付が支払われるときは、その支払に係る同法の規定による保険料の額として、政令で定めるところにより算定した額を、厚生省令で定めるところにより、特別徴収の方法によって徴収することができる。

4 介護保険法第百三十五条から第百三十九条まで（第百三十五条第一項及び第百三十六条第二項を除く。）の規定は、前項の規定による特別徴収について準用する。この場合において、これらの規定に関し必要な技術的読替えは、政令で定める。

第十七条 前三条に規定するもののほか、介護保険法及びこの法律を施行するために必要な条例の制定又は改正、介護保険法第二十七条又は同法第三十二条の規定による要介護認定又は要支援認定の手続、同法第七十条の規定による同法第四十一条第一項本文の指定の手続、同法第七十九条の規定による同法第四十六条第一項の指定の手続、同法第八十六条の規定による同法第四十八条第一項第一号の指定の手続、同法第九十四条の規定による開設の許可の手続、同法第百七条の規定による同法第四十八条第一項第三号の指定の手続、同法第百十七条の規定による市町村介護保険事業計画の策定の準備、同法第百十八条の規定による都道府県介護保険事業支援計画の策定の準備、同法第百八十条の規定による介護給付費審査委員会の委員の委嘱の手続その他の行為は、施行日前においても行うことができる。

（罰則に関する経過措置）

第十八条 介護保険法（同法附則第一条各号に掲げる規定については、当該規定。以下この条において同じ。）及びこの法律（附則各号に掲げる規定については、当該規定。以下この条において同じ。）の施行前にした行為並びにこの法律において従前の例によることとされる場合における介護保険法及びこの法律の施行後にした行為に対する罰則の適用については、なお従前の例による。

（その他の経過措置の政令への委任）

第十九条 この法律に規定するもののほか、介護保険法及びこの法律の施行に伴い必要な経過措置（罰則に関する経過措置を含む。）は、政令で定める。

附　則

この法律は、介護保険法の施行の日〔平一二・四・一〕から施行する。ただし、次の各号に掲げる規定は、当該各号に定める日から施行する。

一 第十七条及び第十九条の規定　公布の日

二 第十四条及び第十五条の規定　公布の日から起算して三月を超えない範囲内において政令で定める日〔平一〇・一・一〇〕

三 第四条ただし書、第五条ただし書、第十六条及び第三十条ただし書の規定　平成十一年十月一日

四 〔略〕

附　則（平二九・六・二法五二）（抄）

（施行期日）

第一条 この法律は、平成三十年四月一日から施行する。〔ただし書略〕

（介護保険法施行法の一部改正に伴う経過措置）

第二十三条 第四条の規定による改正後の介護保険法施行法第十一条第三項の規定は、同項に規定する介護保険の被保険者としないこととされた者であった介護保険の被保険者のうち、施行日以後に特定適用除外施設（同項の規定により読み替えられた介護保険法第十三条第一項ただし書に規定する特定適用除外施設をいう。以下この条において同じ。）から継続して住所地特例対象施設（介護保険法第十三条第一項に規定する住所地特例対象施設をいう。以下この条において同じ。）に入所又は入居（以下この条において「入所等」という。）をすることにより当該住所地特例対象施設の所在する場所に住所を変更したと認められる者について適用し、施行日前に特定適用除外施設に該当する施設から継続して住所地特例対象施設に該当する施設に入所等をしたことにより当該住所地特例対象施設に該当する施設の所在する場所に住所を変更したと認められる者については、なお従前の例による。

○介護保険の国庫負担金の算定等に関する政令（抄）

平一〇・一二・二四
政令四一三

最終改正　令五・一二・二七政令三八三

（国の介護給付費に対する負担金の額）

第一条　介護保険法（以下「法」という。）第百二十一条第一項の規定により、毎年度国が市町村（特別区を含む。以下同じ。）に対して負担する額は、各市町村につき、当該年度における第一号及び第三号に掲げる額の合算額の百分の二十に相当する額並びに第二号及び第四号に掲げる額の合算額の百分の十五に相当する額の合算額とする。

一　法第四十一条第一項に規定する要介護被保険者に係る居宅介護サービス費（次号に掲げるものを除く。）、特例居宅介護サービス費（同号に掲げるものを除く。）、地域密着型介護サービス費、特例地域密着型介護サービス費、居宅介護福祉用具購入費、居宅介護住宅改修費、居宅介護サービス計画費、特例居宅介護サービス計画費、高額介護サービス費、高額医療合算介護サービス費、特定入所者介護サービス費（同号に掲げるものを除く。）及び特例特定入所者介護サービス費（同号に掲げるものを除く。）の支給に要した費用の額

二　法第四十一条第一項に規定する要介護被保険者に係る居宅介護サービス費（特定施設入居者生活介護に係るものに限る。）、特例居宅介護サービス費（特定施設入居者生活介護に係るものに限る。）、施設介護サービス費、特例施設介護サービス費、特定入所者介護サービス費（法第四十八条第一項に規定する指定施設サービス等に係るものに限る。）及び特例特定入所者介護サービス費（同項に規定する指定施設サービス等に係るものに限る。）の支給に要した費用の額

三　法第五十三条第一項に規定する居宅要支援被保険者に係る介護予防サービス費（次号に掲げるものを除く。）、特例介護予防サービス費（同号に掲げるものを除く。）、地域密着型介護予防サービス費、特例地域密着型介護予防サービス費、介護予防福祉用具購入費、介護予防住宅改修費、介護予防サービス計画費、特例介護予防サービス計画費、高額介護予防サービス費、高額医療合算介護予防サービス費、特定入所者介護予防サービス費及び特例特定入所者介護予防サービス費の支給に要した費用の額

四　法第五十三条第一項に規定する居宅要支援被保険者に係る介護予防サービス費（介護予防特定施設入居者生活介護に係るものに限る。）及び特例介護予防サービス費（介護予防特定施設入居者生活介護に係るものに限る。）の支給に要した費用の額

2　法第百二十一条第二項に規定する市町村について前項の規定を適用する場合においては、居宅介護サービス費、特例居宅介護サービス費、居宅介護福祉用具購入費、居宅介護住宅改修費、介護予防サービス費、特例介護予防サービス費、介護予防福祉用具購入費又は介護予防住宅改修費の支給に要した費用の額は、法第四十三条第三項、第四十四条第六項、第四十五条第六項、第五十五条第三項、第五十六条第六項又は第五十七条第六項の規定に基づく条例による措置が講ぜられないものとして算定するものとする。

（調整交付金）

第一条の二　法第百二十二条第一項に規定する調整交付金は、普通調整交付金及び特別調整交付金とする。

2　普通調整交付金は、厚生労働省令で定めるところにより、次に掲げる事項の市町村間における格差による介護保険の財政の不均衡を是正することを目的として交付する。

一　当該市町村における第一号被保険者の総数に対する当該市町村に係る第一号被保険者のうち七十五歳以上である者の割合

二　当該市町村における介護保険法施行令（平成十年政令第四百十二号。以下「令」という。）第三十八条第一項各号に掲げる区分ごとの第一号被保険者の分布状況

3　特別調整交付金は、災害その他特別の事情がある市町村に対し、厚生労働省令で定めるところにより交付する。

4　特別調整交付金の総額は、法第百二十二条第二項に規定する調整交付金の総額から第二項の規定により各市町村に対して普通調整交付金として交付すべき額の合計額を控除して得た額とする。

5　第三項の規定により各市町村に対して特別調整交付金として交付すべき額の合計額が前項に規定する特別調整交付金の総額に満たないときは、その満たない額は、厚生労働省令で定めるところにより、普通調整交付金として交付するものとする。

（国の地域支援事業に要する費用に対する交付金の額）

第一条の三　法第百二十二条の二第一項の規定により、毎年度国が市町村に対して交付する額は、各市町村につき、当該年度における法第百十五条の四十五第一項に規定する介護予防・日常生活支援総合事業（以下「介護予防・日常生活支援総合事業」という。）に要する費用の額の百分の二十に相当する額とする。

2　法第百二十二条の二第二項の規定による交付金は、介護予防・日常生活支援総合事業普通調整交付金及び介護予防・日常生活支援総合事業特別調整交付金とする。

3　介護予防・日常生活支援総合事業普通調整交付金の額は、次に掲げる事項を勘案して厚生労働省令で定めるところにより算定する。

一　当該市町村における第一号被保険者の総数に対する当該市町村に係る第一号被保険者のうち七十五歳以上である者の割合

二　当該市町村における令第三十八条第一項各号に掲げる区分ごとの第一号被保険者の分布状況

4　介護予防・日常生活支援総合事業特別調整交付金は、災害その他特別の事情がある市町村に対し、厚生労働省令で定めるところにより交付する。

5　介護予防・日常生活支援総合事業特別調整交付金の総額は、法第百二十二条の二第三項に規定する交付金の総額から第三項の規定により算定された各市町村に対して介護予防・日常生活支援総合事業普通調整交付金として交付すべき額の合計額を控除して得た額とする。

6　第四項の規定により各市町村に対して介護予防・日常生活支援総合事業特別調整交付金として交付すべき額の合計額が前項

に規定する介護予防・日常生活支援総合事業特別調整交付金の総額に満たないときは、その満たない額は、厚生労働省令で定めるところにより、介護予防・日常生活支援総合事業普通調整交付金として交付するものとする。

7　法第百二十二条の二第四項の規定により、毎年度国が市町村に対して交付する額は、各市町村につき、当該年度における同項に規定する特定地域支援事業支援額（以下「特定地域支援事業支援額」という。）の百分の五十に相当する額とする。

（自立支援等施策等の支援に関する交付金）

第一条の四　法第百二十二条の三第一項に規定する交付金は、市町村保険者機能強化推進交付金及び市町村介護保険保険者努力支援交付金とする。

2　前項の市町村保険者機能強化推進交付金は、毎年度、被保険者の地域における自立した日常生活の支援、要介護状態等（法第二条第一項に規定する要介護状態等をいう。以下この条において同じ。）となることの予防又は要介護状態等の軽減若しくは悪化の防止及び介護給付等（法第二十条に規定する介護給付等をいう。）に要する費用の適正化に関する取組を支援するため、当該取組を行う市町村に対し、厚生労働省令で定めるところにより、当該取組の状況に応じて交付する。

3　第一項の市町村介護保険保険者努力支援交付金は、毎年度、被保険者の要介護状態等となることの予防又は要介護状態等の軽減若しくは悪化の防止に関する取組のうち、法第百十五条の四十五第一項に規定する介護予防・日常生活支援総合事業及び同条第二項第三号から第六号までに掲げる事業に係る取組を支援するため、当該取組を行う市町村に対し、厚生労働省令で定めるところにより、当該取組の状況に応じて交付する。

4　法第百二十二条の三第二項に規定する交付金は、都道府県保険者機能強化推進交付金及び都道府県介護保険保険者努力支援交付金とする。

5　前項の都道府県保険者機能強化推進交付金は、毎年度、法第百二十条の二第一項の規定による支援及び同条第二項の規定による事業を支援するため、当該支援及び事業を行う都道府県に対し、厚生労働省令で定めるところにより、当該支援及び事業に係る取組の状況に応じて交付する。

6　第四項の都道府県介護保険保険者努力支援交付金は、毎年度、法第百二十条の二第一項の規定による支援及び同条第二項の規定による事業（市町村が行う第三項に規定する取組を支援するものに限る。）を支援するため、当該支援及び事業を行う都道府県に対し、厚生労働省令で定めるところにより、当該支援及び事業に係る取組の状況に応じて交付する。

（都道府県の介護給付費等に対する負担金等の額）

第二条　法第百二十三条第一項の規定により、毎年度都道府県が市町村に対して負担する額は、各市町村につき、当該年度における第一条第一項第一号及び第三号に掲げる額の合算額の百分の十二・五に相当する額並びに同項第二号及び第四号に掲げる額の百分の十七・五に相当する額の合算額とする。

2　第一条第二項の規定は、前項の規定により都道府県が市町村に対して負担する額の算定について準用する。

3　法第百二十三条第三項の規定により、毎年度都道府県が市町村に対して交付する額は、各市町村につき、当該年度における介護予防・日常生活支援総合事業に要する費用の額の百分の十二・五に相当する額とする。

4　法第百二十三条第四項の規定により、毎年度都道府県が市町村に対して交付する額は、各市町村につき、当該年度における特定地域支援事業支援額の百分の二十五に相当する額とする。

（市町村の一般会計における介護給付費等に対する負担金の額）

第三条　法第百二十四条第一項の規定により、毎年度市町村が一般会計において負担する額は、当該市町村につき、当該年度における第一条第一項各号に掲げる額の合算額の百分の十二・五に相当する額とする。

2　第一条第二項の規定は、前項の規定により市町村が一般会計において負担する額の算定について準用する。

3　法第百二十四条第三項の規定により、毎年度市町村が一般会計において負担する額は、当該市町村につき、当該年度における介護予防・日常生活支援総合事業に要する費用の額の百分の十二・五に相当する額とする。

4　法第百二十四条第四項の規定により、毎年度市町村が一般会計において負担する額は、当該市町村につき、当該年度における特定地域支援事業支援額の百分の二十五に相当する額とする。

（市町村の特別会計への繰入れ等）

第三条の二　法第百二十四条の二第一項の規定により、毎年度市町村が介護保険に関する特別会計に繰り入れる額は、厚生労働省令で定めるところにより、当該市町村が徴収する当該年度分の保険料について、当該市町村が令第三十八条第十項から第十二項までに定める基準に従い同条第一項の規定に基づき算定される保険料を賦課し、又は令第三十九条第五項から第七項までに定める基準に従い同条第一項の規定に基づき算定される保険料を賦課することにより減額することとなる保険料の額を合計した額（その額が現に当該年度分の保険料について令第三十八条第十項から第十二項までに定める基準に従い同条第一項の規定に基づき算定される保険料を賦課し、又は令第三十九条第五項から第七項までに定める基準に従い同条第一項の規定に基づき算定される保険料を賦課することにより減額した保険料の額の合計額を超えるときは、当該合計額）とする。

2　法第百二十四条の二第一項の規定による繰入れは、市町村の介護保険に関する特別会計（当該特別会計が保険事業勘定及び介護サービス事業勘定に区分されているときは、当該特別会計保険事業勘定）に繰り入れるものとする。

3　法第百二十四条の二第二項及び第三項の規定による国及び都道府県の負担は、同条第一項の規定による繰入れが行われた年度において行うものとする。

（介護給付費交付金の額）

第四条　法第百二十五条第一項の規定により、毎年度同項に規定する社会保険診療報酬支払基金（以下「支払基金」という。）が市町村に対して交付する介護給付費交付金の額は、各市町村につき、当該年度における第一条第一項各号に掲げる額の合算額に法第百二十五条第二項に規定する第二号被保険者負担率を乗じて得た額とする。

2　第一条第二項の規定は、前項の規定により支払基金が市町村に対して交付する介護給付費交付金の額の算定について準用する。

（令和六年度から令和八年度までの第二号被保険者負担率）

第五条　令和三年度から令和五年度までの法第百二十五条第二項に規定する第二号被保険者負担率は、百分の二十七とする。

（地域支援事業支援交付金の額）

第五条の二　法第百二十六条第一項の規定により、毎年度支払基金が市町村に対して交付する地域支援事業支援交付金の額は、各市町村につき、当該年度における介護予防・日常生活支援総合事業に要する費用の額に法第百二十五条第二項に規定する第二号被保険者負担率を乗じて得た額とする。

（医療保険者の合併等の場合における納付金の額の算定の特例）

第十八条　前期高齢者交付金及び後期高齢者医療の国庫負担金の算定等に関する政令（平成十九年政令第三百二十五号）第二条第一項（同項第二号イ及び第三号イを除く。）から第四項までの規定は、医療保険者が合併、分割又は解散をした場合における法第百五十四条に規定する納付金の額の算定の特例について準用する。この場合において、次の表の上欄に掲げる同令の規定中同表の中欄に掲げる字句は、それぞれ同表の下欄に掲げる字句に読み替えるものとする。

第二条第一項	した保険者、	した医療保険者（介護保険法（平成九年法律第百二十三号）第七条第七項に規定する医療保険者をいう。以下同じ。）、
	保険者又は解散をした保険者の権利義務を承継した保険者（以下「成立保険者等	医療保険者又は解散をした医療保険者の権利義務を承継した医療保険者（以下「成立医療保険者等
	前期高齢者交付金及び法第三十六条第一項に規定する前期高齢者納付金等（以下「前期高齢者納付金等」という。）	同法第百五十一条の規定による納付金（以下「納付金」という。）
	成立保険者等の	成立医療保険者等の
第二条第一項第一号	保険者	医療保険者
	前期高齢者交付金に係る債権の額又は前期高齢者納付金等に係る債務	納付金に係る債務
第二条第一項第二号	保険者	医療保険者
	次のイ及びロに掲げる額の区分に応じ、それぞれイ及びロ	介護保険の国庫負担金の算定等に関する政令（平成十年政令第四百十三号。以下「算定政令」という。）第十八条において準用するロ
第二条第一項第三号	保険者	医療保険者
	次のイ及びロに掲げる額の区分に応じ、それぞれイ及びロ	算定政令第十八条において準用するロ
第二条第二項	前項ただし書	算定政令第十八条において準用する前項ただし書
	成立保険者等	成立医療保険者等
	の前期高齢者交付金	の納付金
	法第三十三条第一項ただし書	介護保険法第百五十一条第一項ただし書
	概算前期高齢者交付金	概算納付金
	確定前期高齢者交付金	確定納付金
	した保険者	した医療保険者
	する保険者	する医療保険者
	当該保険者	当該医療保険者
第二条第三項	前項	算定政令第十八条において準用する前項
	同項	同条において準用する同項
	成立保険者等	成立医療保険者等
	前期高齢者交付金	納付金
第二条第四項	成立保険者等	成立医療保険者等
	の前期高齢者交付金	の納付金
	法第三十三条第一項ただし書	介護保険法第百五十一条第一項ただし書
	概算前期高齢者交付金	概算納付金
	確定前期高齢者交付金	確定納付金

した保険者	した医療保険者
当該保険者	当該医療保険者
する保険者	する医療保険者

（納付金等の徴収の請求）

第十九条　法第百五十六条第三項の規定による法第百五十条第一項に規定する納付金及び法第百五十七条に規定する延滞金の徴収の請求は、当該医療保険者の主たる事務所の所在地の都道府県知事に対して行うものとする。ただし、厚生労働大臣の指定する医療保険者に係る当該請求は、厚生労働大臣に対して行うものとする。

附　則

（施行期日）

第一条　この政令は、平成十二年四月一日から施行する。

（平成十二年度から平成十四年度までの基金事業貸付金の償還期限の特例）

第二条　平成十二年度から平成十四年度までの事業運営期間における基金事業貸付金（以下この条において「貸付金」という。）の償還期限は、当該償還によって平成十五年度から平成十七年度までの事業運営期間における保険料の額が著しく高くなると見込まれる市町村であって、都道府県が適当と認めるものに対する貸付金については、第七条第六項の規定にかかわらず、平成二十年度の末日とする。

2　貸付金の償還期限は、前項の規定によっても平成十五年度から平成十七年度までの事業運営期間における保険料の額が著しく高くなると見込まれる市町村であって、都道府県が適当と認めるものに対する貸付金については、第七条第六項及び前項の規定にかかわらず、平成二十三年度の末日とする。

（令和三年度から令和五年度までの基金事業貸付金の償還期限の特例）

第二条の二　令和三年度から令和五年度までの計画期間における基金事業貸付金（以下この条において「貸付金」という。）の償還期限は、当該償還によって令和六年度から令和八年度までの計画期間における保険料の額が著しく高くなると見込まれる市町村であって、都道府県が適当と認めるものに対する貸付金については、第七条第六項の規定にかかわらず、令和十一年度の末日とする。

2　貸付金の償還期限は、前項の規定によっても令和六年度から令和八年度までの計画期間における保険料の額が著しく高くなると見込まれる市町村であって、都道府県が適当と認めるものに対する貸付金については、第七条第六項及び前項の規定にかかわらず、令和十四年度の末日とする。

（令和六年度から令和八年度までの基金事業貸付金の償還期限の特例）

第二条の三　令和六年度から令和八年度までの計画期間における基金事業貸付金（以下この条において「貸付金」という。）の償還期限は、当該償還によって令和九年度から令和十一年度までの計画期間における保険料の額が著しく高くなると見込まれる市町村であって、都道府県が適当と認めるものに対する貸付金については、第七条第六項の規定にかかわらず、令和十四年度の末日とする。

2　貸付金の償還期限は、前項の規定によっても令和九年度から令和十一年度までの計画期間における保険料の額が著しく高くなると見込まれる市町村であって、都道府県が適当と認めるものに対する貸付金については、第七条第六項及び前項の規定にかかわらず、令和十七年度の末日とする。

（平成二十七年度から平成二十九年度までの計画期間における財政安定化基金拠出金の額の算定方法等に関する特例）

第三条　平成二十七年度から平成二十九年度までの計画期間における平成二十八年度基金残高不足都道府県に係る第十二条第一項、第二項、第四項及び第六項の規定の適用については、同条第一項中「第一号」とあるのは「当初見込拠出金の額（第一号」と、「とする」とあるのは「をいう。）及び期中追加拠出金の額（当該都道府県の附則第三条第二項に規定する不足する額の三分の一に相当する額を勘案して厚生労働大臣が定める額に第二号に掲げる率を乗じて得た額をいう。）の合算額とする」と、同項各号中「見込額」とあるのは「見込額（平成二十六年度において見込まれる額とする。）」と、「都道府県内標準給付費等総額」とあるのは「当初見込都道府県内標準給付費等総額」と、同条第二項中「市町村の拠出金の額」とあるのは「市町村の同項に規定する当初見込拠出金の額」と、同条第四項及び第六項中「第一項第一号に掲げる額」とあるのは「第一項の厚生労働大臣が定める額及び同項第一号に掲げる額の合算額」とする。

2　前項の平成二十八年度基金残高不足都道府県は、第一号及び第二号に掲げる額の合算額が第三号に掲げる額に不足する都道府県であって、当該不足する額を厚生労働大臣に申し出たものとする。

一　平成二十八年度の末日における財政安定化基金の残高の見込額（同年度において見込まれる額とする。）

二　次のイからハまでに掲げる額の合算額

イ　平成二十九年度中に都道府県が法第百四十七条第五項の規定により財政安定化基金に繰り入れる額の見込額（前項の規定を適用しないとしたならば、平成二十八年度において見込まれる額とする。）

ロ　平成二十九年度中の都道府県内の各市町村の基金事業借入金の償還見込額（平成二十八年度において見込まれる額とする。）の総額

ハ　平成二十九年度中の法第百四十七条第七項に規定する収入の見込額（平成二十八年度において見込まれる額とする。）

三　次のイ及びロに掲げる額の合算額

イ　平成二十九年度中の都道府県内の各市町村に対する基金事業交付金の見込額（平成二十八年度において見込まれる額とする。）の総額

ロ　平成二十九年度中の都道府県内の各市町村に対する基金事業貸付金の見込額（平成二十八年度において見込まれる額とする。）の総額

3　両年度基金残高不足都道府県に係る第一項の規定の適用については、同項中「得た額」とあるのは「得た額及び同条第四項に規定する不足する額の三分の一に相当する額を勘案して厚生労働大臣が定める額に同号に掲げる率を乗じて得た額の合算額」と、「厚生労働大臣が定める額及び同項第一号」とあるの

は「附則第三条第二項に規定する不足する額の三分の一に相当する額を勘案して厚生労働大臣が定める額及び第一項の同条第四項に規定する不足する額の三分の一に相当する額を勘案して厚生労働大臣が定める額の合算額並びに第一項第一号」とする。

4 前項の両年度基金残高不足都道府県は、第二項に規定する平成二十八年度基金残高不足都道府県のうち、第一号及び第二号に掲げる額の合算額が第三号に掲げる額に不足するものであって、当該不足する額を厚生労働大臣に申し出たものとする。

一 平成二十八年度の末日における財政安定化基金の残高

二 次のイからハまでに掲げる額の合算額

イ 平成二十九年度中に都道府県が法第百四十七条第五項の規定により財政安定化基金に繰り入れる額の見込額（前項の規定を適用しないとしたならば、同年度において見込まれる額とする。）

ロ 平成二十九年度中の都道府県内の各市町村の基金事業借入金の償還見込額（同年度において見込まれる額とする。）の総額

ハ 平成二十九年度中の法第百四十七条第七項に規定する収入の見込額（同年度において見込まれる額とする。）

三 次のイ及びロに掲げる額の合算額

イ 平成二十九年度中の都道府県内の各市町村に対する基金事業交付金の見込額（同年度において見込まれる額とする。）の総額

ロ 平成二十九年度中の都道府県内の各市町村に対する基金事業貸付金の見込額（同年度において見込まれる額とする。）の総額

5 平成二十七年度から平成二十九年度までの計画期間における平成二十九年度基金残高不足都道府県に係る第十二条第一項、第二項、第四項及び第六項の規定の適用については、同条第一項中「第一号」とあるのは「当初見込拠出金の額（第一号」と、「とする」とあるのは「をいう。）及び期中追加拠出金の額（当該都道府県の附則第三条第六項に規定する不足する額の三分の一に相当する額を勘案して厚生労働大臣が定める額に第二号に掲げる率を乗じて得た額をいう。）の合算額とする」と、同項各号中「見込額」とあるのは「見込額（平成二十六年度において見込まれる額とする。）」と、「都道府県内標準給付費等総額」とあるのは「当初見込都道府県内標準給付費等総額」と、同条第二項中「市町村の拠出金の額」とあるのは「市町村の同項に規定する当初見込拠出金の額」と、同条第四項及び第六項中「第一項第一号に掲げる額」とあるのは「第一項の厚生労働大臣が定める額及び同項第一号に掲げる額の合算額」とする。

6 前項の平成二十九年度基金残高不足都道府県は、第一号及び第二号に掲げる額の合算額が第三号に掲げる額に不足する都道府県であって、当該不足する額を厚生労働大臣に申し出たもの（第二項に規定する平成二十八年度基金残高不足都道府県を除く。）とする。

一 平成二十八年度の末日における財政安定化基金の残高

二 次のイからハまでに掲げる額の合算額

イ 平成二十九年度中に都道府県が法第百四十七条第五項の規定により財政安定化基金に繰り入れる額の見込額（前項の規定を適用しないとしたならば、同年度において見込まれる額とする。）

ロ 平成二十九年度中の都道府県内の各市町村の基金事業借入金の償還見込額（同年度において見込まれる額とする。）の総額

ハ 平成二十九年度中の法第百四十七条第七項に規定する収入の見込額（同年度において見込まれる額とする。）

三 次のイ及びロに掲げる額の合算額

イ 平成二十九年度中の都道府県内の各市町村に対する基金事業交付金の見込額（同年度において見込まれる額とする。）の総額

ロ 平成二十九年度中の都道府県内の各市町村に対する基金事業貸付金の見込額（同年度において見込まれる額とする。）の総額

（法附則第十一条第一項の取り崩すことができる額）

第四条 法附則第十一条第一項の規定により都道府県が取り崩すことができる財政安定化基金の額は、平成二十三年度の末日における財政安定化基金の残高から、平成二十四年度から平成二十六年度までの間における財政安定化基金に係る基金事業交付金の見込額及び基金事業貸付金の見込額の合計額を控除して得た額を限度とする。

（平成二十九年度の概算負担調整基準額）

第五条 平成二十九年度の法附則第十二条第三項に規定する政令で定める額は、四万千二百二十円とする。

（平成三十年度の概算負担調整基準額）

第六条 平成三十年度の法附則第十二条第三項に規定する政令で定める額は、四万三千八十四円とする。

（平成二十九年度の法附則第十二条第八項に規定する政令で定める割合）

第七条 平成二十九年度の法附則第十二条第八項に規定する政令で定める割合は、百分の一とする。

（平成三十年度の法附則第十二条第八項に規定する政令で定める割合）

第八条 平成三十年度の法附則第十二条第八項に規定する政令で定める割合は、百分の一とする。

（平成二十九年度の確定負担調整基準額）

第九条 平成二十九年度の法附則第十三条第三項に規定する政令で定める額は、三万九千三百四十八円とする。

（平成三十年度の確定負担調整基準額）

第十条 平成三十年度の法附則第十三条第三項に規定する政令で定める額は、四万百二十九円とする。

（平成二十九年度の法附則第十三条第八項に規定する政令で定める割合）

第十一条 平成二十九年度の法附則第十三条第八項に規定する政令で定める割合は、百分の一とする。

（平成三十年度の法附則第十三条第八項に規定する政令で定める割合）

第十二条 平成三十年度の法附則第十三条第八項に規定する政令で定める割合は、百分の一とする。

（令和元年度の概算負担調整基準額）

第十三条 令和元年度の法附則第十四条第三項に規定する政令で定める額は、七万二千百十五円とする。

（令和元年度の確定負担調整基準額）

第十四条　令和元年度の法附則第十五条第三項に規定する政令で定める額は、六万六千八百七十七円とする。

○国民年金法（抄）

昭三四・四・一六
法　一　四　一

最終改正　令五・六・九法四八

目次〔略〕

第一章　総則

（国民年金制度の目的）

第一条　国民年金制度は、日本国憲法第二十五条第二項に規定する理念に基き、老齢、障害又は死亡によつて国民生活の安定がそこなわれることを国民の共同連帯によつて防止し、もつて健全な国民生活の維持及び向上に寄与することを目的とする。

（国民年金の給付）

第二条　国民年金は、前条の目的を達成するため、国民の老齢、障害又は死亡に関して必要な給付を行うものとする。

（管掌）

第三条　国民年金事業は、政府が、管掌する。

2　国民年金事業の事務の一部は、政令の定めるところにより、法律によつて組織された共済組合（以下単に「共済組合」という。）、国家公務員共済組合連合会、全国市町村職員共済組合連合会、地方公務員共済組合連合会又は私立学校教職員共済法（昭和二十八年法律第二百四十五号）の規定により私立学校教職員共済制度を管掌することとされた日本私立学校振興・共済事業団（以下「共済組合等」という。）に行わせることができる。

3　国民年金事業の事務の一部は、政令の定めるところにより、市町村長（特別区の区長を含む。以下同じ。）が行うこととすることができる。

（年金額の改定）

第四条　この法律による年金の額は、国民の生活水準その他の諸事情に著しい変動が生じた場合には、変動後の諸事情に応ずるため、速やかに改定の措置が講ぜられなければならない。

（財政の均衡）

第四条の二　国民年金事業の財政は、長期的にその均衡が保たれたものでなければならず、著しくその均衡を失すると見込まれる場合には、速やかに所要の措置が講ぜられなければならない。

（財政の現況及び見通しの作成）

第四条の三　政府は、少なくとも五年ごとに、保険料及び国庫負担の額並びにこの法律による給付に要する費用の額その他の国民年金事業の財政に係る収支についてその現況及び財政均衡期間における見通し（以下「財政の現況及び見通し」という。）を作成しなければならない。

2　前項の財政均衡期間（第十六条の二第一項において「財政均衡期間」という。）は、財政の現況及び見通しが作成される年以降おおむね百年間とする。

3　政府は、第一項の規定により財政の現況及び見通しを作成したときは、遅滞なく、これを公表しなければならない。

（用語の定義）

第五条　この法律において、「保険料納付済期間」とは、第七条第一項第一号に規定する被保険者としての被保険者期間のうち納付された保険料（第九十六条の規定により徴収された保険料を含み、第九十条の二第一項から第三項までの規定によりその一部の額につき納付することを要しないものとされた保険料につきその残余の額が納付又は徴収されたものを除く。以下同じ。）に係るもの及び第八十八条の二の規定により納付することを要しないものとされた保険料に係るもの、第七条第一項第二号に規定する被保険者としての被保険者期間並びに同項第三号に規定する被保険者としての被保険者期間を合算した期間をいう。

2　この法律において、「保険料免除期間」とは、保険料全額免除期間、保険料四分の三免除期間、保険料半額免除期間及び保険料四分の一免除期間を合算した期間をいう。

3　この法律において、「保険料全額免除期間」とは、第七条第一項第一号に規定する被保険者としての被保険者期間であつて第八十九条第一項、第九十条第一項又は第九十条の三第一項の規定により納付することを要しないものとされた保険料に係るもののうち、第九十四条第四項の規定により納付されたものとみなされる保険料に係る被保険者期間を除いたものを合算した期間をいう。

4　この法律において、「保険料四分の三免除期間」とは、第七条第一項第一号に規定する被保険者としての被保険者期間であつて第九十条の二第一項の規定によりその四分の三の額につき納付することを要しないものとされた保険料（納付することを要しないものとされた四分の三の額以外の四分の一の額につき納付されたものに限る。）に係るもののうち、第九十四条第四項の規定により納付されたものとみなされる保険料に係る被保険者期間を除いたものを合算した期間をいう。

5　この法律において、「保険料半額免除期間」とは、第七条第一項第一号に規定する被保険者としての被保険者期間であつて第九十条の二第二項の規定によりその半額につき納付することを要しないものとされた保険料（納付することを要しないものとされた半額以外の半額につき納付されたものに限る。）に係るもののうち、第九十四条第四項の規定により納付されたものとみなされる保険料に係る被保険者期間を除いたものを合算した期間をいう。

6　この法律において、「保険料四分の一免除期間」とは、第七条第一項第一号に規定する被保険者としての被保険者期間であつて第九十条の二第三項の規定によりその四分の一の額につき納付することを要しないものとされた保険料（納付することを要しないものとされた四分の一の額以外の四分の三の額につき納付されたものに限る。）に係るもののうち、第九十四条第四項の規定により納付されたものとみなされる保険料に係る被保険者期間を除いたものを合算した期間をいう。

7　この法律において、「配偶者」、「夫」及び「妻」には、婚姻の届出をしていないが、事実上婚姻関係と同様の事情にある者を含むものとする。

8　この法律において、「政府及び実施機関」とは、厚生年金保険の実施者たる政府及び実施機関たる共済組合等をいう。

9　この法律において、「実施機関たる共済組合等」とは、厚生年金保険の実施機関たる国家公務員共済組合連合会、地方公務員共済組合連合会又は日本私立学校振興・共済事業団をいう。

（事務の区分）

第六条　第十二条第一項及び第四項（第百五条第二項において準用する場合を含む。）並びに第百五条第一項及び第四項の規定により市町村が処理することとされている事務は、地方自治法（昭和二十二年法律第六十七号）第二条第九項第一号に規定する第一号法定受託事務とする。

第二章　被保険者

（被保険者の資格）

第七条　次の各号のいずれかに該当する者は、国民年金の被保険者とする。

一　日本国内に住所を有する二十歳以上六十歳未満の者であつて次号及び第三号のいずれにも該当しないもの（厚生年金保険法（昭和二十九年法律第百十五号）に基づく老齢を支給事由とする年金たる保険給付その他の老齢又は退職を支給事由とする給付であつて政令で定めるもの（以下「厚生年金保険法に基づく老齢給付等」という。）を受けることができる者その他この法律の適用を除外すべき特別の理由がある者として厚生労働省令で定める者を除く。以下「第一号被保険者」という。）

二　厚生年金保険の被保険者（以下「第二号被保険者」という。）

三　第二号被保険者の配偶者（日本国内に住所を有する者又は外国において留学をする学生その他の日本国内に住所を有しないが渡航目的その他の事情を考慮して日本国内に生活の基礎があると認められる者として厚生労働省令で定める者に限る。）であつて主として第二号被保険者の収入により生計を維持するもの（第二号被保険者である者その他この法律の適用を除外すべき特別の理由がある者として厚生労働省令で定める者を除く。以下「被扶養配偶者」という。）のうち二十歳以上六十歳未満のもの（以下「第三号被保険者」という。）

2　前項第三号の規定の適用上、主として第二号被保険者の収入により生計を維持することの認定に関し必要な事項は、政令で定める。

3　前項の認定については、行政手続法（平成五年法律第八十八号）第三章（第十二条及び第十四条を除く。）の規定は、適用しない。

（資格取得の時期）

第八条　前条の規定による被保険者は、同条第一項第二号及び第三号のいずれにも該当しない者については第一号から第三号までのいずれかに該当するに至つた日に、二十歳未満の者又は六十歳以上の者については第四号に該当するに至つた日に、その他の者については同号又は第五号のいずれかに該当するに至つた日に、それぞれ被保険者の資格を取得する。

一　二十歳に達したとき。

二　日本国内に住所を有するに至つたとき。

三　厚生年金保険法に基づく老齢給付等を受けることができる者その他この法律の適用を除外すべき特別の理由がある者として厚生労働省令で定める者でなくなつたとき。

四　厚生年金保険の被保険者の資格を取得したとき。

五　被扶養配偶者となつたとき。

（資格喪失の時期）

第九条　第七条の規定による被保険者は、次の各号のいずれかに該当するに至つた日の翌日（第二号に該当するに至つた日に更に第七条第一項第二号若しくは第三号に該当するに至つたとき又は第三号から第五号までのいずれかに該当するに至つたとき（第四号については、厚生年金保険法に基づく老齢給付等を受けることができる者となつたときに限る。）は、その日）に、被保険者の資格を喪失する。

一　死亡したとき。

二　日本国内に住所を有しなくなつたとき（第七条第一項第二号又は第三号に該当するときを除く。）。

三　六十歳に達したとき（第七条第一項第二号に該当するときを除く。）。

四　厚生年金保険法に基づく老齢給付等を受けることができる者その他この法律の適用を除外すべき特別の理由がある者として厚生労働省令で定める者となつたとき（第七条第一項第二号又は第三号に該当するときを除く。）。

五　厚生年金保険の被保険者の資格を喪失したとき（第七条第一項各号のいずれかに該当するときを除く。）。

六　被扶養配偶者でなくなつたとき（第七条第一項第一号又は第二号に該当するときを除く。）。

第十条　削除

（被保険者期間の計算）

第十一条　被保険者期間を計算する場合には、月によるものとし、被保険者の資格を取得した日の属する月からその資格を喪失した日の属する月の前月までをこれに算入する。

2　被保険者がその資格を取得した日の属する月にその資格を喪失したときは、その月を一箇月として被保険者期間に算入する。ただし、その月にさらに被保険者の資格を取得したときは、この限りでない。

3　被保険者の資格を喪失した後、さらにその資格を取得した者については、前後の被保険者期間を合算する。

第十一条の二　第一号被保険者としての被保険者期間、第二号被保険者としての被保険者期間又は第三号被保険者としての被保険者期間を計算する場合には、被保険者の種別（第一号被保険者、第二号被保険者又は第三号被保険者のいずれであるかの区別をいう。以下同じ。）に変更があつた月は、変更後の種別の被保険者であつた月とみなす。同一の月において、二回以上にわたり被保険者の種別に変更があつたときは、その月は最後の種別の被保険者であつた月とみなす。

（届出）

第十二条　被保険者（第三号被保険者を除く。次項において同じ。）は、厚生労働省令の定めるところにより、その資格の取得及び喪失並びに種別の変更に関する事項並びに氏名及び住所の変更に関する事項を市町村長に届け出なければならない。

2　被保険者の属する世帯の世帯主（以下単に「世帯主」という。）は、被保険者に代つて、前項の届出をすることができる。

3　住民基本台帳法（昭和四十二年法律第八十一号）第二十二条から第二十四条まで、第三十条の四十六又は第三十条の四十七の規定による届出があつたとき（当該届出に係る書面に同法第二十九条の規定による付記がされたときに限る。）は、その届出と同一の事由に基づく第一項の規定による届出があつたものとみなす。

4　市町村長は、第一項又は第二項の規定による届出を受理したとき（氏名及び住所の変更に関する事項の届出であつて厚生労働省令で定めるものを受理したときを除く。）は、厚生労働省令の定めるところにより、厚生労働大臣にこれを報告しなければならない。

5　第三号被保険者は、厚生労働省令の定めるところにより、その資格の取得及び喪失並びに種別の変更に関する事項並びに氏名及び住所の変更に関する事項を厚生労働大臣に届け出なければならない。ただし、氏名及び住所の変更に関する事項であつて厚生労働省令で定めるものについては、この限りでない。

6　前項の届出は、厚生労働省令で定める場合を除き、厚生年金保険法第二条の五第一項第一号に規定する第一号厚生年金被保険者（以下「第一号厚生年金被保険者」という。）である第二号被保険者の被扶養配偶者である第三号被保険者にあつては、その配偶者である第二号被保険者を使用する事業主を経由して行うものとし、同項第二号に規定する第二号厚生年金被保険者（以下「第二号厚生年金被保険者」という。）、同項第三号に規定する第三号厚生年金被保険者（以下「第三号厚生年金被保険者」という。）又は同項第四号に規定する第四号厚生年金被保険者（以下「第四号厚生年金被保険者」という。）である第二号被保険者の被扶養配偶者である第三号被保険者にあつては、その配偶者である第二号被保険者を組合員又は加入者とする国家公務員共済組合、地方公務員共済組合又は日本私立学校振興・共済事業団を経由して行うものとする。

7　前項に規定する第二号被保険者を使用する事業主とは、第一号厚生年金被保険者である第二号被保険者を使用する事業所（厚生年金保険法第六条第一項に規定する事業所をいう。）の事業主（同法第二十七条に規定する事業主をいう。第百八条第三項において同じ。）をいう。

8　第六項に規定する第二号被保険者を使用する事業主は、同項の経由に係る事務の一部を当該事業主が設立する健康保険組合に委託することができる。

9　第六項の規定により、第五項の届出が第二号被保険者を使用する事業主又は国家公務員共済組合、地方公務員共済組合若しくは日本私立学校振興・共済事業団に受理されたときは、その受理されたときに厚生労働大臣に届出があつたものとみなす。

第十二条の二　第三号被保険者であつた者は、第二号被保険者の被扶養配偶者でなくなつたことについて、厚生労働省令の定めるところにより、その旨を厚生労働大臣に届け出なければならない。

2　前条第六項から第九項までの規定は、前項の届出について準用する。この場合において、必要な技術的読替えは、政令で定める。

第十三条　削除

（国民年金原簿）

第十四条　厚生労働大臣は、国民年金原簿を備え、これに被保険者の氏名、資格の取得及び喪失、種別の変更、保険料の納付状況、基礎年金番号（政府管掌年金事業（政府が管掌する国民年金事業及び厚生年金保険事業をいう。）の運営に関する事務その他当該事業に関連する事務であつて厚生労働省令で定めるものを遂行するために用いる記号及び番号であつて厚生労働省令で定めるものをいう。）その他厚生労働省令で定める事項を記録するものとする。

（訂正の請求）

第十四条の二　被保険者又は被保険者であつた者は、国民年金原簿に記録された自己に係る特定国民年金原簿記録（被保険者の資格の取得及び喪失、種別の変更、保険料の納付状況その他厚生労働省令で定める事項の内容をいう。以下この項において同じ。）が事実でない、又は国民年金原簿に自己に係る特定国民年金原簿記録が記録されていないと思料するときは、厚生労働省令で定めるところにより、厚生労働大臣に対し、国民年金原簿の訂正の請求をすることができる。

2　前項の規定は、被保険者又は被保険者であつた者が死亡した場合において、次の表の上欄に掲げる者について準用する。この場合において、同項中「自己」とあるのは、同表の上欄に掲げる者の区分に応じ、同表の下欄に掲げる字句に読み替えるものとする。

第十九条の規定により未支給の年金の支給を請求することがで	死亡した年金給付の受給権者

きる者	
遺族基礎年金を受けることができる配偶者又は子	死亡した被保険者又は被保険者であつた者
寡婦年金を受けることができる妻	死亡した夫
死亡一時金を受けることができる遺族	死亡した被保険者又は被保険者であつた者

（訂正に関する方針）

第十四条の三　厚生労働大臣は、前条第一項（同条第二項において準用する場合を含む。）の規定による請求（次条において「訂正請求」という。）に係る国民年金原簿の訂正に関する方針を定めなければならない。

２　厚生労働大臣は、前項の方針を定め、又は変更しようとするときは、あらかじめ、社会保障審議会に諮問しなければならない。

（訂正請求に対する措置）

第十四条の四　厚生労働大臣は、訂正請求に理由があると認めるときは、当該訂正請求に係る国民年金原簿の訂正をする旨を決定しなければならない。

２　厚生労働大臣は、前項の規定による決定をする場合を除き、訂正請求に係る国民年金原簿の訂正をしない旨を決定しなければならない。

３　厚生労働大臣は、前二項の規定による決定をしようとするときは、あらかじめ、社会保障審議会に諮問しなければならない。

（被保険者に対する情報の提供）

第十四条の五　厚生労働大臣は、国民年金制度に対する国民の理解を増進させ、及びその信頼を向上させるため、厚生労働省令で定めるところにより、被保険者に対し、当該被保険者の保険料納付の実績及び将来の給付に関する必要な情報を分かりやすい形で通知するものとする。

第三章　給付

第一節　通則

（給付の種類）

第十五条　この法律による給付（以下単に「給付」という。）は、次のとおりとする。

一　老齢基礎年金

二　障害基礎年金

三　遺族基礎年金

四　付加年金、寡婦年金及び死亡一時金

（裁定）

第十六条　給付を受ける権利は、その権利を有する者（以下「受給権者」という。）の請求に基いて、厚生労働大臣が裁定する。

（調整期間）

第十六条の二　政府は、第四条の三第一項の規定により財政の現況及び見通しを作成するに当たり、国民年金事業の財政が、財政均衡期間の終了時に給付の支給に支障が生じないようにするために必要な積立金（年金特別会計の国民年金勘定の積立金をいう。第五章において同じ。）を保有しつつ当該財政均衡期間にわたつてその均衡を保つことができないと見込まれる場合には、年金たる給付（付加年金を除く。）の額（以下この項において「給付額」という。）を調整するものとし、政令で、給付額を調整する期間（以下「調整期間」という。）の開始年度を定めるものとする。

２　財政の現況及び見通しにおいて、前項の調整を行う必要がなくなつたと認められるときは、政令で、調整期間の終了年度を定めるものとする。

３　政府は、調整期間において財政の現況及び見通しを作成するときは、調整期間の終了年度の見通しについても作成し、併せて、これを公表しなければならない。

（端数処理）

第十七条　年金たる給付（以下「年金給付」という。）を受ける権利を裁定する場合又は年金給付の額を改定する場合において、年金給付の額に五十銭未満の端数が生じたときは、これを切り捨て、五十銭以上一円未満の端数が生じたときは、これを一円に切り上げるものとする。

２　前項に規定するもののほか、年金給付の額を計算する場合において生じる一円未満の端数の処理については、政令で定める。

（年金の支給期間及び支払期月）

第十八条　年金給付の支給は、これを支給すべき事由が生じた日の属する月の翌月から始め、権利が消滅した日の属する月で終るものとする。

２　年金給付は、その支給を停止すべき事由が生じたときは、その事由が生じた日の属する月の翌月からその事由が消滅した日の属する月までの分の支給を停止する。ただし、これらの日が同じ月に属する場合は、支給を停止しない。

３　年金給付は、毎年二月、四月、六月、八月、十月及び十二月の六期に、それぞれの前月までの分を支払う。ただし、前支払期月に支払うべきであつた年金又は権利が消滅した場合若しくは年金の支給を停止した場合におけるその期の年金は、その支払期月でない月であつても、支払うものとする。

（二月期支払の年金の加算）

第十八条の二　前条第三項の規定による支払額に一円未満の端数が生じたときは、これを切り捨てるものとする。

２　毎年三月から翌年二月までの間において前項の規定により切り捨てた金額の合計額（一円未満の端数が生じたときは、これを切り捨てた額）については、これを当該二月の支払期月の年金額に加算するものとする。

（死亡の推定）

第十八条の三　船舶が沈没し、転覆し、滅失し、若しくは行方不明となつた際現にその船舶に乗つていた者若しくは船舶に乗つていてその船舶の航行中に行方不明となつた者の生死が三箇月間分らない場合又はこれらの者の死亡が三箇月以内に明らかとなり、かつ、その死亡の時期が分らない場合には、死亡を支給事由とする給付の支給に関する規定の適用については、その船舶が沈没し、転覆し、滅失し、若しくは行方不明となつた日又はその者が行方不明となつた日に、その者は、死亡したものと推定する。航空機が墜落し、滅失し、若しくは行方不明となつた際現にその航空機に乗つていた者若しくは航空機に乗つていてその航空機の航行中に行方不明となつた者の生死が三箇月間分らない場合又はこれらの者の死亡が三箇月以内に明らかとなり、かつ、その死亡の時期が分らない場合にも、同様とする。

（失踪宣告の場合の取扱い）

第十八条の四 失踪の宣告を受けたことにより死亡したとみなされた者に係る死亡を支給事由とする給付の支給に関する規定の適用については、第三十七条、第三十七条の二、第四十九条第一項、第五十二条の二第一項及び第五十二条の三第一項中「死亡日」とあるのは「行方不明となつた日」とし、「死亡の当時」とあるのは「行方不明となつた当時」とする。ただし、受給権者又は給付の支給の要件となり、若しくはその額の加算の対象となる者の身分関係、年齢及び障害の状態に係るこれらの規定の適用については、この限りでない。

（未支給年金）

第十九条 年金給付の受給権者が死亡した場合において、その死亡した者に支給すべき年金給付でまだその者に支給しなかつたものがあるときは、その者の配偶者、子、父母、孫、祖父母、兄弟姉妹又はこれらの者以外の三親等内の親族であつて、その者の死亡の当時その者と生計を同じくしていたものは、自己の名で、その未支給の年金の支給を請求することができる。

2 前項の場合において、死亡した者が遺族基礎年金の受給権者であつたときは、その者の死亡の当時当該遺族基礎年金の支給の要件となり、又はその額の加算の対象となつていた被保険者又は被保険者であつた者の子は、同項に規定する子とみなす。

3 第一項の場合において、死亡した受給権者が死亡前にその年金を請求していなかつたときは、同項に規定する者は、自己の名で、その年金を請求することができる。

4 未支給の年金を受けるべき者の順位は、政令で定める。

5 未支給の年金を受けるべき同順位者が二人以上あるときは、その一人のした請求は、全員のためその全額につきしたものとみなし、その一人に対してした支給は、全員に対してしたものとみなす。

（併給の調整）

第二十条 遺族基礎年金又は寡婦年金は、その受給権者が他の年金給付（付加年金を除く。）又は厚生年金保険法による年金たる保険給付（当該年金給付と同一の支給事由に基づいて支給されるものを除く。以下この条において同じ。）を受けることができるときは、その間、その支給を停止する。老齢基礎年金の受給権者が他の年金給付（付加年金を除く。）又は同法による年金たる保険給付（遺族厚生年金を除く。）を受けることができる場合における当該老齢基礎年金及び障害基礎年金の受給権者が他の年金給付（付加年金を除く。）を受けることができる場合における当該障害基礎年金についても、同様とする。

2 前項の規定によりその支給を停止するものとされた年金給付の受給権者は、同項の規定にかかわらず、その支給の停止の解除を申請することができる。ただし、その者に係る同項に規定する他の年金給付又は厚生年金保険法による年金たる保険給付について、この項の本文若しくは次項又は他の法令の規定でこれらに相当するものとして政令で定めるものによりその支給の停止が解除されているときは、この限りでない。

3 第一項の規定によりその支給を停止するものとされた年金給付について、その支給を停止すべき事由が生じた日の属する月分の支給が行われる場合は、その事由が生じたときにおいて、当該年金給付に係る前項の申請があつたものとみなす。

4 第二項の申請（前項の規定により第二項の申請があつたものとみなされた場合における当該申請を含む。）は、いつでも、将来に向かつて撤回することができる。

（受給権者の申出による支給停止）

第二十条の二 年金給付（この法律の他の規定又は他の法令の規定によりその全額につき支給を停止されている年金給付を除く。）は、その受給権者の申出により、その全額の支給を停止する。ただし、この法律の他の規定又は他の法令の規定によりその額の一部につき支給を停止されているときは、停止されていない部分の額の支給を停止する。

2 前項ただし書のその額の一部につき支給を停止されている年金給付について、この法律の他の規定又は他の法令の規定による支給停止が解除されたときは、前項本文の年金給付の全額の支給を停止する。

3 第一項の申出は、いつでも、将来に向かつて撤回することができる。

4 第一項又は第二項の規定により支給を停止されている年金給付は、政令で定める法令の規定の適用については、その支給を停止されていないものとみなす。

5 第一項の規定による支給停止の方法その他前各項の規定の適用に関し必要な事項は、政令で定める。

（年金の支払の調整）

第二十一条 乙年金の受給権者が甲年金の受給権を取得したため乙年金の受給権が消滅し、又は同一人に対して乙年金の支給を停止して甲年金を支給すべき場合において、乙年金の受給権が消滅し、又は乙年金の支給を停止すべき事由が生じた日の属する月の翌月以降の分として、乙年金の支払が行われたときは、その支払われた乙年金は、甲年金の内払とみなす。

2 年金の支給を停止すべき事由が生じたにもかかわらず、その停止すべき期間の分として年金が支払われたときは、その支払われた年金は、その後に支払うべき年金の内払とみなすことができる。障害基礎年金又は遺族基礎年金を減額して改定すべき事由が生じたにもかかわらず、その事由が生じた日の属する月の翌月以降の分として減額しない額の障害基礎年金又は遺族基礎年金が支払われた場合における当該障害基礎年金又は遺族基礎年金の当該減額すべきであつた部分についても、同様とする。

3 同一人に対して厚生年金保険法による年金たる保険給付（厚生労働大臣が支給するものに限る。以下この項において同じ。）の支給を停止して年金給付を支給すべき場合において、年金給付を支給すべき事由が生じた日の属する月の翌月以降の分として同法による年金たる保険給付の支払が行われたときは、その支払われた同法による年金たる保険給付は、年金給付の内払とみなすことができる。

第二十一条の二 年金給付の受給権者が死亡したためその受給権が消滅したにもかかわらず、その死亡の日の属する月の翌月以降の分として当該年金給付の過誤払が行われた場合において、当該過誤払による返還金に係る債権（以下この条において「返還金債権」という。）に係る債務の弁済をすべき者に支払うべき年金給付があるときは、厚生労働省令で定めるところにより、当該年金給付の支払金の金額を当該過誤払による返還金債権の金額に充当することができる。

（損害賠償請求権）

第二十二条　政府は、障害若しくは死亡又はこれらの直接の原因となつた事故が第三者の行為によつて生じた場合において、給付をしたときは、その給付の価額の限度で、受給権者が第三者に対して有する損害賠償の請求権を取得する。

２　前項の場合において、受給権者が第三者から同一の事由について損害賠償を受けたときは、政府は、その価額の限度で、給付を行う責を免かれる。

（不正利得の徴収）

第二十三条　偽りその他不正の手段により給付を受けた者があるときは、厚生労働大臣は、受給額に相当する金額の全部又は一部をその者から徴収することができる。

（受給権の保護）

第二十四条　給付を受ける権利は、譲り渡し、担保に供し、又は差し押えることができない。ただし、老齢基礎年金又は付加年金を受ける権利を国税滞納処分（その例による処分を含む。）により差し押える場合は、この限りでない。

（公課の禁止）

第二十五条　租税その他の公課は、給付として支給を受けた金銭を標準として、課することができない。ただし、老齢基礎年金及び付加年金については、この限りでない。

第二節　老齢基礎年金

（支給要件）

第二十六条　老齢基礎年金は、保険料納付済期間又は保険料免除期間（第九十条の三第一項の規定により納付することを要しないものとされた保険料に係るものを除く。）を有する者が六十五歳に達したときに、その者に支給する。ただし、その者の保険料納付済期間と保険料免除期間とを合算した期間が十年に満たないときは、この限りでない。

（年金額）

第二十七条　老齢基礎年金の額は、七十八万九百円に改定率（次条第一項の規定により設定し、同条（第一項を除く。）から第二十七条の五までの規定により改定した率をいう。以下同じ。）を乗じて得た額（その額に五十円未満の端数が生じたときは、これを切り捨て、五十円以上百円未満の端数が生じたときは、これを百円に切り上げるものとする。）とする。ただし、保険料納付済期間の月数が四百八十に満たない者に支給する場合は、当該額に、次の各号に掲げる月数を合算した月数（四百八十を限度とする。）を四百八十で除して得た数を乗じて得た額とする。

一　保険料納付済期間の月数

二　保険料四分の一免除期間の月数（四百八十から保険料納付済期間の月数を控除して得た月数を限度とする。）の八分の七に相当する月数

三　保険料四分の一免除期間の月数から前号に規定する保険料四分の一免除期間の月数を控除して得た月数の八分の三に相当する月数

四　保険料半額免除期間の月数（四百八十から保険料納付済期間の月数及び保険料四分の一免除期間の月数を合算した月数を控除して得た月数を限度とする。）の四分の三に相当する月数

五　保険料半額免除期間の月数から前号に規定する保険料半額免除期間の月数を控除して得た月数の四分の一に相当する月数

六　保険料四分の三免除期間の月数（四百八十から保険料納付済期間の月数、保険料四分の一免除期間の月数及び保険料半額免除期間の月数を合算した月数を控除して得た月数を限度とする。）の八分の五に相当する月数

七　保険料四分の三免除期間の月数から前号に規定する保険料四分の三免除期間の月数を控除して得た月数の八分の一に相当する月数

八　保険料全額免除期間（第九十条の三第一項の規定により納付することを要しないものとされた保険料に係るものを除く。）の月数（四百八十から保険料納付済期間の月数、保険料四分の一免除期間の月数、保険料半額免除期間の月数及び保険料四分の三免除期間の月数を合算した月数を控除して得た月数を限度とする。）の二分の一に相当する月数

（改定率の改定等）

第二十七条の二　平成十六年度における改定率は、一とする。

２　改定率については、毎年度、第一号に掲げる率（以下「物価変動率」という。）に第二号及び第三号に掲げる率を乗じて得た率（以下「名目手取り賃金変動率」という。）を基準として改定し、当該年度の四月以降の年金たる給付について適用する。

一　当該年度の初日の属する年の前々年の物価指数（総務省において作成する年平均の全国消費者物価指数をいう。以下同じ。）に対する当該年度の初日の属する年の前年の物価指数の比率

二　イに掲げる率をロに掲げる率で除して得た率の三乗根となる率

イ　当該年度の初日の属する年の五年前の年の四月一日の属する年度における厚生年金保険の被保険者に係る標準報酬平均額（厚生年金保険法第四十三条の二第一項第二号イに規定する標準報酬平均額をいう。以下この号及び第八十七条第五項第二号イにおいて同じ。）に対する当該年度の前々年度における厚生年金保険の被保険者に係る標準報酬平均額の比率

ロ　当該年度の初日の属する年の五年前の年における物価指数に対する当該年度の初日の属する年の前々年における物価指数の比率

三　イに掲げる率をロに掲げる率で除して得た率

イ　〇・九一〇から当該年度の初日の属する年の三年前の年の九月一日における厚生年金保険法の規定による保険料率（以下「保険料率」という。）の二分の一に相当する率を控除して得た率

ロ　〇・九一〇から当該年度の初日の属する年の四年前の年の九月一日における保険料率の二分の一に相当する率を控除して得た率

３　前項の規定による改定率の改定の措置は、政令で定める。

第二十七条の三　受給権者が六十五歳に達した日の属する年度の初日の属する年の三年後の年の四月一日の属する年度（第二十七条の五第一項第二号及び第三項第一号において「基準年度」という。）以後において適用される改定率（以下「基準年度以

後改定率」という。）の改定については、前条の規定にかかわらず、物価変動率（物価変動率が名目手取り賃金変動率を上回るときは、名目手取り賃金変動率）を基準とする。

2 前項の規定による基準年度以後改定率の改定の措置は、政令で定める。

（調整期間における改定率の改定の特例）

第二十七条の四 調整期間における改定率の改定については、前二条の規定にかかわらず、名目手取り賃金変動率に、調整率（第一号に掲げる率に第二号に掲げる率を乗じて得た率（当該率が一を上回るときは、一）をいう。以下同じ。）に当該年度の前年度の特別調整率を乗じて得た率を乗じて得た率（当該率が一を下回るときは、一。第三項第二号において「算出率」という。）を基準とする。

一 当該年度の初日の属する年の五年前の年の四月一日の属する年度における公的年金の被保険者（この法律又は厚生年金保険法の被保険者をいう。）の総数として政令で定めるところにより算定した数（以下「公的年金被保険者総数」という。）に対する当該年度の前々年度における公的年金被保険者総数の比率の三乗根となる率

二 〇・九九七

2 名目手取り賃金変動率が一を下回る場合の調整期間における改定率の改定については、前項の規定にかかわらず、名目手取り賃金変動率を基準とする。

3 第一項の特別調整率とは、第一号の規定により設定し、第二号の規定により改定した率をいう。

一 平成二十九年度における特別調整率は、一とする。

二 特別調整率については、毎年度、名目手取り賃金変動率に調整率を乗じて得た率を算出率で除して得た率（名目手取り賃金変動率が一を下回るときは、調整率）を基準として改定する。

4 前三項の規定による改定率の改定の措置は、政令で定める。

第二十七条の五 調整期間における基準年度以後改定率の改定については、前条の規定にかかわらず、第一号に掲げる率に第二号に掲げる率を乗じて得た率（当該率が一を下回るときは、一。第三項第一号ロにおいて「基準年度以後算出率」という。）を基準とする。

一 物価変動率（物価変動率が名目手取り賃金変動率を上回るときは、名目手取り賃金変動率）

二 調整率に当該年度の前年度の基準年度以後特別調整率（当該年度が基準年度である場合にあつては、当該年度の前年度の前条第三項に規定する特別調整率）を乗じて得た率

2 次の各号に掲げる場合の調整期間における基準年度以後改定率の改定については、前項の規定にかかわらず、当該各号に定める率を基準とする。

一 物価変動率が一を下回るとき（次号に掲げる場合を除く。） 物価変動率

二 物価変動率が名目手取り賃金変動率を上回り、かつ、名目手取り賃金変動率が一を下回るとき 名目手取り賃金変動率

3 第一項の基準年度以後特別調整率とは、第一号の規定により設定し、第二号の規定により改定した率をいう。

一 基準年度における基準年度以後特別調整率は、イに掲げる率にロに掲げる率を乗じて得た率とする。

イ 基準年度の前年度の前条第三項に規定する特別調整率

ロ 物価変動率（物価変動率が名目手取り賃金変動率を上回るときは、名目手取り賃金変動率）に調整率を乗じて得た率を基準年度以後算出率で除して得た率（物価変動率又は名目手取り賃金変動率が一を下回るときは、調整率）

二 基準年度以後特別調整率については、毎年度、前号ロに掲げる率を基準として改定する。

4 前三項の規定による基準年度以後改定率の改定の措置は、政令で定める。

（支給の繰下げ）

第二十八条 老齢基礎年金の受給権を有する者であつて六十六歳に達する前に当該老齢基礎年金を請求していなかつたものは、厚生労働大臣に当該老齢基礎年金の支給繰下げの申出をすることができる。ただし、その者が六十五歳に達したときに、他の年金たる給付（他の年金給付（付加年金を除く。）又は厚生年金保険法による年金たる保険給付（老齢を支給事由とするものを除く。）をいう。以下この条において同じ。）の受給権者であつたとき、又は六十五歳に達した日から六十六歳に達した日までの間において他の年金たる給付の受給権者となつたときは、この限りでない。

2 六十六歳に達した日後に次の各号に掲げる者が前項の申出（第五項の規定により前項の申出があつたものとみなされた場合における当該申出を除く。以下この項において同じ。）をしたときは、当該各号に定める日において、前項の申出があつたものとみなす。

一 七十五歳に達する日前に他の年金たる給付の受給権者となつた者 他の年金たる給付を支給すべき事由が生じた日

二 七十五歳に達した日後にある者（前号に該当する者を除く。） 七十五歳に達した日

3 第一項の申出（第五項の規定により第一項の申出があつたものとみなされた場合における当該申出を含む。次項において同じ。）をした者に対する老齢基礎年金の支給は、第十八条第一項の規定にかかわらず、当該申出のあつた日の属する月の翌月から始めるものとする。

4 第一項の申出をした者に支給する老齢基礎年金の額は、第二十七条の規定にかかわらず、同条に定める額に政令で定める額を加算した額とする。

5 第一項の規定により老齢基礎年金の支給繰下げの申出をすることができる者が、七十歳に達した日後に当該老齢基礎年金を請求し、かつ、当該請求の際に同項の申出をしないときは、当該請求をした日の五年前の日に同項の申出があつたものとみなす。ただし、その者が次の各号のいずれかに該当する場合は、この限りでない。

一 八十歳に達した日以後にあるとき。

二 当該請求をした日の五年前の日以前に他の年金たる給付の受給権者であつたとき。

（失権）

第二十九条 老齢基礎年金の受給権は、受給権者が死亡したときは、消滅する。

第三節 障害基礎年金

（支給要件）

第三十条 障害基礎年金は、疾病にかかり、又は負傷し、かつ、その疾病又は負傷及びこれらに起因する疾病（以下「傷病」と

いう。）について初めて医師又は歯科医師の診療を受けた日（以下「初診日」という。）において次の各号のいずれかに該当した者が、当該初診日から起算して一年六月を経過した日（その期間内にその傷病が治つた場合においては、その治つた日（その症状が固定し治療の効果が期待できない状態に至つた日を含む。）とし、以下「障害認定日」という。）において、その傷病により次項に規定する障害等級に該当する程度の障害の状態にあるときは、その者に支給する。ただし、当該傷病に係る初診日の前日において、当該初診日の属する月の前々月までに被保険者期間があり、かつ、当該被保険者期間に係る保険料納付済期間と保険料免除期間とを合算した期間が当該被保険者期間の三分の二に満たないときは、この限りでない。

一　被保険者であること。

二　被保険者であつた者であつて、日本国内に住所を有し、かつ、六十歳以上六十五歳未満であること。

2　障害等級は、障害の程度に応じて重度のものから一級及び二級とし、各級の障害の状態は、政令で定める。

第三十条の二　疾病にかかり、又は負傷し、かつ、当該傷病に係る初診日において前条第一項各号のいずれかに該当した者であつて、障害認定日において同条第二項に規定する障害等級（以下単に「障害等級」という。）に該当する程度の障害の状態になかつたものが、同日後六十五歳に達する日の前日までの間において、その傷病により障害等級に該当する程度の障害の状態に該当するに至つたときは、その者は、その期間内に同条第一項の障害基礎年金の支給を請求することができる。

2　前条第一項ただし書の規定は、前項の場合に準用する。

3　第一項の請求があつたときは、前条第一項の規定にかかわらず、その請求をした者に同項の障害基礎年金を支給する。

4　第一項の障害基礎年金と同一の支給事由に基づく厚生年金保険法第四十七条又は第四十七条の二の規定による障害厚生年金について、同法第五十二条の規定によりその額が改定されたときは、そのときに同項の請求があつたものとみなす。

第三十条の三　疾病にかかり、又は負傷し、かつ、その傷病（以下この条において「基準傷病」という。）に係る初診日において第三十条第一項各号のいずれかに該当した者であつて、基準傷病以外の傷病により障害の状態にあるものが、基準傷病に係る障害認定日以後六十五歳に達する日の前日までの間において、初めて、基準傷病による障害（以下この条において「基準障害」という。）と他の障害とを併合して障害等級に該当する程度の障害の状態に該当するに至つたとき（基準傷病の初診日が、基準傷病以外の傷病（基準傷病以外の傷病が二以上ある場合は、基準傷病以外のすべての傷病）の初診日以降であるときに限る。）は、その者に基準障害と他の障害とを併合した障害の程度による障害基礎年金を支給する。

2　第三十条第一項ただし書の規定は、前項の場合に準用する。この場合において、同条第一項ただし書中「当該傷病」とあるのは、「基準傷病」と読み替えるものとする。

3　第一項の障害基礎年金の支給は、第十八条第一項の規定にかかわらず、当該障害基礎年金の請求があつた月の翌月から始めるものとする。

第三十条の四　疾病にかかり、又は負傷し、その初診日において二十歳未満であつた者が、障害認定日以後に二十歳に達したときは二十歳に達した日において、障害認定日が二十歳に達した日後であるときはその障害認定日において、障害等級に該当する程度の障害の状態にあるときは、その者に障害基礎年金を支給する。

2　疾病にかかり、又は負傷し、その初診日において二十歳未満であつた者（同日において被保険者でなかつた者に限る。）が、障害認定日以後に二十歳に達したときは二十歳に達した日後において、障害認定日が二十歳に達した日後であるときはその障害認定日後において、その傷病により、六十五歳に達する日の前日までの間に、障害等級に該当する程度の障害の状態に該当するに至つたときは、その者は、その期間内に前項の障害基礎年金の支給を請求することができる。

3　第三十条の二第三項の規定は、前項の場合に準用する。

（併給の調整）

第三十一条　障害基礎年金の受給権者に対して更に障害基礎年金を支給すべき事由が生じたときは、前後の障害を併合した障害の程度による障害基礎年金を支給する。

2　障害基礎年金の受給権者が前項の規定により前後の障害を併合した障害の程度による障害基礎年金の受給権を取得したときは、従前の障害基礎年金の受給権は、消滅する。

第三十二条　期間を定めて支給を停止されている障害基礎年金の受給権者に対して更に障害基礎年金を支給すべき事由が生じたときは、前条第一項の規定により支給する前後の障害を併合した障害の程度による障害基礎年金は、従前の障害基礎年金の支給を停止すべきであつた期間、その支給を停止するものとし、その間、その者に従前の障害を併合しない障害の程度による障害基礎年金を支給する。

2　障害基礎年金の受給権者が更に障害基礎年金の受給権を取得した場合において、新たに取得した障害基礎年金が第三十六条第一項の規定によりその支給を停止すべきものであるときは、前条第二項の規定にかかわらず、その停止すべき期間、その者に対して従前の障害基礎年金を支給する。

（年金額）

第三十三条　障害基礎年金の額は、七十八万九百円に改定率を乗じて得た額（その額に五十円未満の端数が生じたときは、これを切り捨て、五十円以上百円未満の端数が生じたときは、これを百円に切り上げるものとする。）とする。

2　障害の程度が障害等級の一級に該当する者に支給する障害基礎年金の額は、前項の規定にかかわらず、同項に定める額の百分の百二十五に相当する額とする。

第三十三条の二　障害基礎年金の額は、受給権者によつて生計を維持しているその者の子（十八歳に達する日以後の最初の三月三十一日までの間にある子及び二十歳未満であつて障害等級に該当する障害の状態にある子に限る。）があるときは、前条の規定にかかわらず、同条に定める額にその子一人につきそれぞれ七万四千九百円に改定率（第二十七条の三及び第二十七条の五の規定の適用がないものとして改定した改定率とする。以下この項において同じ。）を乗じて得た額（そのうち二人までについては、それぞれ二十二万四千七百円に改定率を乗じて得た額とし、それらの額に五十円未満の端数が生じたときは、これを切り捨て、五十円以上百円未満の端数が生じたときは、これを百円に切り上げるものとする。）を加算した額とする。

2　受給権者がその権利を取得した日の翌日以後にその者によつ

て生計を維持しているその者の子（十八歳に達する日以後の最初の三月三十一日までの間にある子及び二十歳未満であつて障害等級に該当する障害の状態にある子に限る。）を有するに至つたことにより、前項の規定によりその額を加算することとなつたときは、当該子を有するに至つた日の属する月の翌月から、障害基礎年金の額を改定する。

3　第一項の規定によりその額が加算された障害基礎年金については、子のうちの一人又は二人以上が次の各号のいずれかに該当するに至つたときは、その該当するに至つた日の属する月の翌月から、その該当するに至つた子の数に応じて、年金額を改定する。

一　死亡したとき。
二　受給権者による生計維持の状態がやんだとき。
三　婚姻をしたとき。
四　受給権者の配偶者以外の者の養子となつたとき。
五　離縁によつて、受給権者の子でなくなつたとき。
六　十八歳に達した日以後の最初の三月三十一日が終了したとき。ただし、障害等級に該当する障害の状態にあるときを除く。
七　障害等級に該当する障害の状態にある子について、その事情がやんだとき。ただし、その子が十八歳に達する日以後の最初の三月三十一日までの間にあるときを除く。
八　二十歳に達したとき。

4　第一項又は前項第二号の規定の適用上、障害基礎年金の受給権者によつて生計を維持していること又はその者による生計維持の状態がやんだことの認定に関し必要な事項は、政令で定める。

（障害の程度が変わつた場合の年金額の改定）

第三十四条　厚生労働大臣は、障害基礎年金の受給権者について、その障害の程度を診査し、その程度が従前の障害等級以外の障害等級に該当すると認めるときは、障害基礎年金の額を改定することができる。

2　障害基礎年金の受給権者は、厚生労働大臣に対し、障害の程度が増進したことによる障害基礎年金の額の改定を請求することができる。

3　前項の請求は、障害基礎年金の受給権者の障害の程度が増進したことが明らかである場合として厚生労働省令で定める場合を除き、当該障害基礎年金の受給権を取得した日又は第一項の規定による厚生労働大臣の診査を受けた日から起算して一年を経過した日後でなければ行うことができない。

4　障害基礎年金の受給権者であつて、疾病にかかり、又は負傷し、かつ、その傷病（当該障害基礎年金の支給事由となつた障害に係る傷病の初診日後に初診日があるものに限る。以下この項及び第三十六条第二項ただし書において同じ。）に係る当該初診日において第三十条第一項各号のいずれかに該当したものが、当該傷病により障害（障害等級に該当しない程度のものに限る。以下この項及び第三十六条第二項ただし書において「その他障害」という。）の状態にあり、かつ、当該傷病に係る障害認定日以後六十五歳に達する日の前日までの間において、当該障害基礎年金の支給事由となつた障害とその他障害（その他障害が二以上ある場合は、すべてのその他障害を併合した障害）とを併合した障害の程度が当該障害基礎年金の支給事由となつた障害の程度より増進したときは、その者は、厚生労働大臣に対し、その期間内に当該障害基礎年金の額の改定を請求することができる。

5　第三十条第一項ただし書の規定は、前項の場合に準用する。

6　第一項の規定により障害基礎年金の額が改定されたときは、改定後の額による障害基礎年金の支給は、改定が行われた日の属する月の翌月から始めるものとする。

（失権）

第三十五条　障害基礎年金の受給権は、第三十一条第二項の規定によつて消滅するほか、受給権者が次の各号のいずれかに該当するに至つたときは、消滅する。

一　死亡したとき。
二　厚生年金保険法第四十七条第二項に規定する障害等級に該当する程度の障害の状態にない者が、六十五歳に達したとき。ただし、六十五歳に達した日において、同項に規定する障害等級に該当する程度の障害の状態に該当しなくなつた日から起算して同項に規定する障害等級に該当する程度の障害の状態に該当することなく三年を経過していないときを除く。
三　厚生年金保険法第四十七条第二項に規定する障害等級に該当する程度の障害の状態に該当しなくなつた日から起算して同項に規定する障害等級に該当する程度の障害の状態に該当することなく三年を経過したとき。ただし、三年を経過した日において、当該受給権者が六十五歳未満であるときを除く。

（支給停止）

第三十六条　障害基礎年金は、その受給権者が当該傷病による障害について、労働基準法（昭和二十二年法律第四十九号）の規定による障害補償を受けることができるときは、六年間、その支給を停止する。

2　障害基礎年金は、受給権者が障害等級に該当する程度の障害の状態に該当しなくなつたときは、その障害の状態に該当しない間、その支給を停止する。ただし、その支給を停止された障害基礎年金の受給権者が疾病にかかり、又は負傷し、かつ、その傷病に係る初診日において第三十条第一項各号のいずれかに該当した場合であつて、当該傷病によりその他障害の状態にあり、かつ、当該傷病に係る障害認定日以後六十五歳に達する日の前日までの間において、当該障害基礎年金の支給事由となつた障害とその他障害（その他障害が二以上ある場合は、すべてのその他障害を併合した障害）とを併合した障害の程度が障害等級に該当するに至つたときは、この限りでない。

3　第三十条第一項ただし書の規定は、前項ただし書の場合に準用する。

第三十六条の二　第三十条の四の規定による障害基礎年金は、受給権者が次の各号のいずれかに該当するとき（第二号及び第三号に該当する場合にあつては、厚生労働省令で定める場合に限る。）は、その該当する期間、その支給を停止する。

一　恩給法（大正十二年法律第四十八号。他の法律において準用する場合を含む。）に基づく年金たる給付、労働者災害補償保険法（昭和二十二年法律第五十号）の規定による年金たる給付その他の年金たる給付であつて政令で定めるものを受けることができるとき。
二　刑事施設、労役場その他これらに準ずる施設に拘禁されているとき。

三　少年院その他これに準ずる施設に収容されているとき。

四　日本国内に住所を有しないとき。

2　前項第一号に規定する給付が、その全額につき支給を停止されているときは、同項の規定を適用しない。ただし、その支給の停止が前条第一項又は第四十一条第一項に規定する給付が行われることによるものであるときは、この限りでない。

3　第一項に規定する障害基礎年金の額及び同項第一号に規定する給付の額（その給付が、その額の一部につき支給を停止されているときは、停止されていない部分の額。次項において同じ。）が、いずれも政令で定める額に満たないときは、第一項の規定を適用しない。ただし、これらの額を合算した額が当該政令で定める額を超えるときは、当該障害基礎年金のうちその超える額に相当する部分については、この限りでない。

4　第一項に規定する障害基礎年金の額が、前項に規定する政令で定める額以上であり、かつ、第一項第一号に規定する給付の額を超えるときは、その超える部分については、同項の規定にかかわらず、当該障害基礎年金の支給を停止しない。

5　第一項第一号に規定する給付が、恩給法による増加恩給、同法第七十五条第一項第二号に規定する扶助料その他政令で定めるこれらに準ずる給付であつて、障害又は死亡を事由として政令で定める者に支給されるものであるときは、第一項、第三項及び前項の規定を適用しない。

6　第一項第一号に規定する給付の額の計算方法は、政令で定める。

第三十六条の三　第三十条の四の規定による障害基礎年金は、受給権者の前年の所得が、その者の所得税法（昭和四十年法律第三十三号）に規定する同一生計配偶者及び扶養親族（以下「扶養親族等」という。）の有無及び数に応じて、政令で定める額を超えるときは、その年の十月から翌年の九月まで、政令で定めるところにより、その全部又は二分の一（第三十三条の二第一項の規定によりその額が加算された障害基礎年金にあつては、その額から同項の規定により加算する額を控除した額の二分の一）に相当する部分の支給を停止する。

2　前項に規定する所得の範囲及びその額の計算方法は、政令で定める。

第三十六条の四　震災、風水害、火災その他これらに類する災害により、自己又は所得税法に規定する同一生計配偶者若しくは扶養親族の所有に係る住宅、家財又は政令で定めるその他の財産につき被害金額（保険金、損害賠償金等により補充された金額を除く。）がその価格のおおむね二分の一以上である損害を受けた者（以下「被災者」という。）がある場合においては、その損害を受けた月から翌年の九月までの第三十条の四の規定による障害基礎年金については、その損害を受けた年の前年又は前々年における当該被災者の所得を理由とする前条の規定による支給の停止は、行わない。

2　前項の規定により第三十条の四の規定による障害基礎年金の支給の停止が行われなかつた場合において、当該被災者の当該損害を受けた年の所得が、その者の扶養親族等の有無及び数に応じて、前条第一項に規定する政令で定める額を超えるときは、当該被災者に支給する第三十条の四の規定による障害基礎年金で、前項に規定する期間に係るものは、当該被災者が損害を受けた月に遡つて、その支給を停止する。

3　前項に規定する所得の範囲及びその額の計算方法については、前条第一項に規定する所得の範囲及びその額の計算方法の例による。

第四節　遺族基礎年金

（支給要件）

第三十七条　遺族基礎年金は、被保険者又は被保険者であつた者が次の各号のいずれかに該当する場合に、その者の配偶者又は子に支給する。ただし、第一号又は第二号に該当する場合にあつては、死亡した者につき、死亡日の前日において、死亡日の属する月の前々月までに被保険者期間があり、かつ、当該被保険者期間に係る保険料納付済期間と保険料免除期間とを合算した期間が当該被保険者期間の三分の二に満たないときは、この限りでない。

一　被保険者が、死亡したとき。

二　被保険者であつた者であつて、日本国内に住所を有し、かつ、六十歳以上六十五歳未満であるものが、死亡したとき。

三　老齢基礎年金の受給権者（保険料納付済期間と保険料免除期間とを合算した期間が二十五年以上である者に限る。）が、死亡したとき。

四　保険料納付済期間と保険料免除期間とを合算した期間が二十五年以上である者が、死亡したとき。

（遺族の範囲）

第三十七条の二　遺族基礎年金を受けることができる配偶者又は子は、被保険者又は被保険者であつた者の配偶者又は子（以下単に「配偶者」又は「子」という。）であつて、被保険者又は被保険者であつた者の死亡の当時その者によつて生計を維持し、かつ、次に掲げる要件に該当したものとする。

一　配偶者については、被保険者又は被保険者であつた者の死亡の当時その者によつて生計を維持し、かつ、次号に掲げる要件に該当する子と生計を同じくすること。

二　子については、十八歳に達する日以後の最初の三月三十一日までの間にあるか又は二十歳未満であつて障害等級に該当する障害の状態にあり、かつ、現に婚姻をしていないこと。

2　被保険者又は被保険者であつた者の死亡の当時胎児であつた子が生まれたときは、前項の規定の適用については、将来に向かつて、その子は、被保険者又は被保険者であつた者の死亡の当時その者によつて生計を維持していたものとみなし、配偶者は、その者の死亡の当時その子と生計を同じくしていたものとみなす。

3　第一項の規定の適用上、被保険者又は被保険者であつた者によつて生計を維持していたことの認定に関し必要な事項は、政令で定める。

（年金額）

第三十八条　遺族基礎年金の額は、七十八万九百円に改定率を乗じて得た額（その額に五十円未満の端数が生じたときは、これを切り捨て、五十円以上百円未満の端数が生じたときは、これを百円に切り上げるものとする。）とする。

第三十九条　配偶者に支給する遺族基礎年金の額は、前条の規定にかかわらず、同条に定める額に配偶者が遺族基礎年金の受給権を取得した当時第三十七条の二第一項に規定する要件に該当し、かつ、その者と生計を同じくした子につきそれぞれ七万四千九百円に改定率（第二十七条の三及び第二十七条の五の規定の適用がないものとして改定した改定率とする。以下この項において同じ。）を乗じて得た額（そのうち二人までについては、それぞれ二十二万四千七百円に改定率を乗じて得た額とし、それらの額に五十円未満の端数が生じたときは、これを切り捨て、五十円以上百円未満の端数が生じたときは、これを百円に切り上げるものとする。）を加算した額とする。

2 配偶者が遺族基礎年金の受給権を取得した当時胎児であつた子が生まれたときは、前項の規定の適用については、その子は、配偶者がその権利を取得した当時第三十九条の二第一項に規定する要件に該当し、かつ、その者と生計を同じくした子とみなし、その生まれた日の属する月の翌月から、遺族基礎年金の額を改定する。

3 配偶者に支給する遺族基礎年金については、第一項に規定する子が二人以上ある場合であつて、その子のうち一人を除いた子の一人又は二人以上が次の各号のいずれかに該当するに至つたときは、その該当するに至つた日の属する月の翌月から、その該当するに至つた子の数に応じて、年金額を改定する。

一 死亡したとき。
二 婚姻（届出をしていないが、事実上婚姻関係と同様の事情にある場合を含む。以下同じ。）をしたとき。
三 配偶者以外の者の養子（届出をしていないが、事実上養子縁組関係と同様の事情にある者を含む。以下同じ。）となつたとき。
四 離縁によつて、死亡した被保険者又は被保険者であつた者の子でなくなつたとき。
五 配偶者と生計を同じくしなくなつたとき。
六 十八歳に達した日以後の最初の三月三十一日が終了したとき。ただし、障害等級に該当する障害の状態にあるときを除く。
七 障害等級に該当する障害の状態にある子について、その事情がやんだとき。ただし、その子が十八歳に達する日以後の最初の三月三十一日までの間にあるときを除く。
八 二十歳に達したとき。

第三十九条の二 子に支給する遺族基礎年金の額は、当該被保険者又は被保険者であつた者の死亡について遺族基礎年金の受給権を取得した子が二人以上あるときは、第三十八条の規定にかかわらず、同条に定める額にその子のうち一人を除いた子につきそれぞれ七万四千九百円に改定率（第二十七条の三及び第二十七条の五の規定の適用がないものとして改定した改定率とする。以下この項において同じ。）を乗じて得た額（そのうち一人については、二十二万四千七百円に改定率を乗じて得た額とし、それらの額に五十円未満の端数が生じたときは、これを切り捨て、五十円以上百円未満の端数が生じたときは、これを百円に切り上げるものとする。）を加算した額を、その子の数で除して得た額とする。

2 前項の場合において、遺族基礎年金の受給権を有する子の数に増減を生じたときは、増減を生じた日の属する月の翌月から、遺族基礎年金の額を改定する。

（失権）
第四十条 遺族基礎年金の受給権は、受給権者が次の各号のいずれかに該当するに至つたときは、消滅する。
一 死亡したとき。
二 婚姻をしたとき。
三 養子となつたとき（直系血族又は直系姻族の養子となつたときを除く。）。

2 配偶者の有する遺族基礎年金の受給権は、前項の規定によつて消滅するほか、第三十九条第一項に規定する子が一人であるときはその子が、同項に規定する子が二人以上であるときは同時に又は時を異にしてその全ての子が、同条第三項各号のいずれかに該当するに至つたときは、消滅する。

3 子の有する遺族基礎年金の受給権は、第一項の規定によつて消滅するほか、子が次の各号のいずれかに該当するに至つたときは、消滅する。
一 離縁によつて、死亡した被保険者又は被保険者であつた者の子でなくなつたとき。
二 十八歳に達した日以後の最初の三月三十一日が終了したとき。ただし、障害等級に該当する障害の状態にあるときを除く。
三 障害等級に該当する障害の状態にある子について、その事情がやんだとき。ただし、その子が十八歳に達する日以後の最初の三月三十一日までの間にあるときを除く。
四 二十歳に達したとき。

（支給停止）
第四十一条 遺族基礎年金は、当該被保険者又は被保険者であつた者の死亡について、労働基準法の規定による遺族補償が行われるべきものであるときは、死亡日から六年間、その支給を停止する。

2 子に対する遺族基礎年金は、配偶者が遺族基礎年金の受給権を有するとき（配偶者に対する遺族基礎年金が第二十条の二第一項若しくは第二項又は次条第一項の規定によりその支給を停止されているときを除く。）、又は生計を同じくするその子の父若しくは母があるときは、その間、その支給を停止する。

第四十一条の二 配偶者に対する遺族基礎年金は、その者の所在が一年以上明らかでないときは、遺族基礎年金の受給権を有する子の申請によつて、その所在が明らかでなくなつた時に遡つて、その支給を停止する。

2 配偶者は、いつでも、前項の規定による支給の停止の解除を申請することができる。

第四十二条 遺族基礎年金の受給権を有する子が二人以上ある場合において、その子のうち一人以上の子の所在が一年以上明らかでないときは、その子に対する遺族基礎年金は、他の子の申請によつて、その所在が明らかでなくなつた時にさかのぼつて、その支給を停止する。

2 前項の規定によつて遺族基礎年金の支給を停止された子は、いつでも、その支給の停止の解除を申請することができる。

3 第三十九条の二第二項の規定は、第一項の規定によりその停止が解除された場合に準用する。この場合において、同条第二項中「増減を生じた日」とあるのは、「支給が停止され、又はその停止が解除された日」と読み替えるものとする。

第五節 付加年金、寡婦年金及び死亡一時金

第一款 付加年金

（支給要件）
第四十三条 付加年金は、第八十七条の二第一項の規定による保険料に係る保険料納付済期間を有する者が老齢基礎年金の受給

権を取得したときに、その者に支給する。

（年金額）

第四十四条　付加年金の額は、二百円に第八十七条の二第一項の規定による保険料に係る保険料納付済期間の月数を乗じて得た額とする。

（支給の繰下げ）

第四十六条　付加年金の支給は、その受給権者が第二十八条第一項に規定する支給繰下げの申出（同条第五項の規定により同条第一項の申出があつたものとみなされた場合における当該申出を含む。）を行つたときは、第十八条第一項の規定にかかわらず、当該申出のあつた日の属する月の翌月から始めるものとする。

2　第二十八条第四項の規定は、前項の規定によつて支給する付加年金の額について準用する。この場合において、同条第四項中「第二十七条」とあるのは、「第四十四条」と読み替えるものとする。

（支給停止）

第四十七条　付加年金は、老齢基礎年金がその全額につき支給を停止されているときは、その間、その支給を停止する。

（失権）

第四十八条　付加年金の受給権は、受給権者が死亡したときは、消滅する。

第二款　寡婦年金

（支給要件）

第四十九条　寡婦年金は、死亡日の前日において死亡日の属する月の前月までの第一号被保険者としての被保険者期間に係る保険料納付済期間と保険料免除期間とを合算した期間が十年以上である夫（保険料納付済期間又は第九十条の三第一項の規定により納付することを要しないものとされた保険料に係る期間以外の保険料免除期間を有する者に限る。）が死亡した場合において、夫の死亡の当時夫によつて生計を維持し、かつ、夫との婚姻関係（届出をしていないが、事実上婚姻関係と同様の事情にある場合を含む。）が十年以上継続した六十五歳未満の妻があるときに、その者に支給する。ただし、老齢基礎年金又は障害基礎年金の支給を受けたことがある夫が死亡したときは、この限りでない。

2　第三十七条の二第三項の規定は、前項の場合に準用する。この場合において、同条第三項中「被保険者又は被保険者であつた者」とあるのは、「夫」と読み替えるものとする。

3　六十歳未満の妻に支給する寡婦年金は、第十八条第一項の規定にかかわらず、妻が六十歳に達した日の属する月の翌月から、その支給を始める。

（年金額）

第五十条　寡婦年金の額は、死亡日の属する月の前月までの第一号被保険者としての被保険者期間に係る死亡日の前日における保険料納付済期間及び保険料免除期間につき、第二十七条の規定の例によつて計算した額の四分の三に相当する額とする。

（失権）

第五十一条　寡婦年金の受給権は、受給権者が六十五歳に達したとき、又は第四十条第一項各号のいずれかに該当するに至つたときは、消滅する。

（支給停止）

第五十二条　寡婦年金は、当該夫の死亡について第四十一条第一項に規定する給付が行われるべきものであるときは、死亡日から六年間、その支給を停止する。

第三款　死亡一時金

（支給要件）

第五十二条の二　死亡一時金は、死亡日の前日において死亡日の属する月の前月までの第一号被保険者としての被保険者期間に係る保険料納付済期間の月数、保険料四分の一免除期間の月数の四分の三に相当する月数、保険料半額免除期間の月数の二分の一に相当する月数及び保険料四分の三免除期間の月数の四分の一に相当する月数を合算した月数が三十六月以上である者が死亡した場合において、その者に遺族があるときに、その遺族に支給する。ただし、老齢基礎年金又は障害基礎年金の支給を受けたことがある者が死亡したときは、この限りでない。

2　前項の規定にかかわらず、死亡一時金は、次の各号のいずれかに該当するときは、支給しない。

一　死亡した者の死亡日においてその者の死亡により遺族基礎年金を受けることができる者があるとき。ただし、当該死亡日の属する月に当該遺族基礎年金の受給権が消滅したときを除く。

二　死亡した者の死亡日において胎児である子がある場合であつて、当該胎児であつた子が生まれた日においてその子又は死亡した者の配偶者が死亡した者の死亡により遺族基礎年金を受けることができるに至つたとき。ただし、当該胎児であつた子が生まれた日の属する月に当該遺族基礎年金の受給権が消滅したときを除く。

3　第一項に規定する死亡した者の子がその者の死亡により遺族基礎年金の受給権を取得した場合（その者の死亡によりその者の配偶者が遺族基礎年金の受給権を取得した場合を除く。）であつて、その受給権を取得した当時その子と生計を同じくするその子の父又は母があることにより第四十一条第二項の規定によつて当該遺族基礎年金の支給が停止されるものであるときは、前項の規定は適用しない。

（遺族の範囲及び順位等）

第五十二条の三　死亡一時金を受けることができる遺族は、死亡した者の配偶者、子、父母、孫、祖父母又は兄弟姉妹であつて、その者の死亡の当時その者と生計を同じくしていたものとする。ただし、前条第三項の規定に該当する場合において支給する死亡一時金を受けることができる遺族は、死亡した者の配偶者であつて、その者の死亡の当時その者と生計を同じくしていたものとする。

2　死亡一時金（前項ただし書に規定するものを除く。次項において同じ。）を受けるべき者の順位は、前項に規定する順序による。

3　死亡一時金を受けるべき同順位の遺族が二人以上あるときは、その一人のした請求は、全員のためその全額につきしたものとみなし、その一人に対してした支給は、全員に対してしたものとみなす。

（金額）

第五十二条の四　死亡一時金の額は、死亡日の属する月の前月までの第一号被保険者としての被保険者期間に係る死亡日の前日における保険料納付済期間の月数、保険料四分の一免除期間の月数の四分の三に相当する月数、保険料半額免除期間の月数の二分の一に相当する月数及び保険料四分の三免除期間の月数の四分の一に相当する月数を合算した月数に応じて、それぞれ次の表の下欄に定める額とする。

死亡日の属する月の前月までの被保険者期間に係る死亡日の前日における保険料納付済期間の月数と保険料半額免除期間の月数の二分の一に相当する月数とを合算した月数	金額
三六月以上一八〇月未満	一二〇、〇〇〇円
一八〇月以上二四〇月未満	一四五、〇〇〇円
二四〇月以上三〇〇月未満	一七〇、〇〇〇円
三〇〇月以上三六〇月未満	二二〇、〇〇〇円
三六〇月以上四二〇月未満	二七〇、〇〇〇円
四二〇月以上	三二〇、〇〇〇円

2　死亡日の属する月の前月までの第一号被保険者としての被保険者期間に係る死亡日の前日における第八十七条の二第一項の規定による保険料に係る保険料納付済期間が三年以上である者の遺族に支給する死亡一時金の額は、前項の規定にかかわらず、同項に定める額に八千五百円を加算した額とする。

第五十二条の五　第四十五条第一項の規定は、死亡一時金について準用する。この場合において、同項中「前二条」とあるのは、「第五十二条の四第二項」と読み替えるものとする。

（支給の調整）

第五十二条の六　第五十二条の三の規定により死亡一時金の支給を受ける者が、第五十二条の二第一項に規定する者の死亡により寡婦年金を受けることができるときは、その者の選択により、死亡一時金と寡婦年金とのうち、その一を支給し、他は支給しない。

第四章　国民年金事業の円滑な実施を図るための措置

第七十四条　政府は、国民年金事業の円滑な実施を図るため、国民年金に関し、次に掲げる事業を行うことができる。

一　教育及び広報を行うこと。

二　被保険者、受給権者その他の関係者（以下この条において「被保険者等」という。）に対し、相談その他の援助を行うこと。

三　被保険者等に対し、被保険者等が行う手続に関する情報その他の被保険者等の利便の向上に資する情報を提供すること。

2　政府は、国民年金事業の実施に必要な事務を円滑に処理し、被保険者等の利便の向上に資するため、電子情報処理組織の運用を行うものとする。

3　政府は、第一項各号に掲げる事業及び前項に規定する運用の全部又は一部を日本年金機構（以下「機構」という。）に行わせることができる。

第六章　費用

（国庫負担）

第八十五条　国庫は、毎年度、国民年金事業に要する費用（次項に規定する費用を除く。）に充てるため、次に掲げる額を負担する。

一　当該年度における基礎年金（老齢基礎年金、障害基礎年金及び遺族基礎年金をいう。以下同じ。）の給付に要する費用の総額（次号及び第三号に掲げる額を除く。以下「保険料・拠出金算定対象額」という。）から第二十七条第三号、第五号及び第七号に規定する月数を基礎として計算したものを控除して得た額に、一から各政府及び実施機関に係る第九十四条の三第一項に規定する政令で定めるところにより算定した率を合算した率を控除して得た率を乗じて得た額の二分の一に相当する額

二　当該年度における保険料免除期間を有する者に係る老齢基礎年金（第二十七条ただし書の規定によつてその額が計算されるものに限る。）の給付に要する費用の額に、イに掲げる数をロに掲げる数で除して得た数を乗じて得た額の合算額

イ　次に掲げる数を合算した数

(1)　当該保険料四分の一免除期間の月数（四百八十から当該保険料納付済期間の月数を控除して得た月数を限度とする。）に八分の一を乗じて得た数

(2)　当該保険料半額免除期間の月数（四百八十から当該保険料納付済期間の月数及び当該保険料四分の一免除期間の月数を合算した月数を控除して得た月数を限度とする。）に四分の一を乗じて得た数

(3)　当該保険料四分の三免除期間の月数（四百八十から当該保険料納付済期間の月数、当該保険料四分の一免除期間の月数及び当該保険料半額免除期間の月数を合算した月数を控除して得た月数を限度とする。）に八分の三を乗じて得た数

(4)　当該保険料全額免除期間（第九十条の三第一項の規定により納付することを要しないものとされた保険料に係るものを除く。）の月数（四百八十から当該保険料納付済期間の月数、当該保険料四分の一免除期間の月数、当該保険料半額免除期間の月数及び当該保険料四分の三免除期間の月数を合算した月数を控除して得た月数を限度とする。）に二分の一を乗じて得た数

ロ　第二十七条各号に掲げる月数を合算した数

三　当該年度における第三十条の四の規定による障害基礎年金の給付に要する費用の百分の二十に相当する額

2　国庫は、毎年度、予算の範囲内で、国民年金事業の事務の執行に要する費用を負担する。

（事務費の交付）

第八十六条　政府は、政令の定めるところにより、市町村（特別区を含む。以下同じ。）に対し、市町村長がこの法律又はこの法律に基づく政令の規定によつて行う事務の処理に必要な費用を交付する。

（保険料）

第八十七条　政府は、国民年金事業に要する費用に充てるため、

保険料を徴収する。

2　保険料は、被保険者期間の計算の基礎となる各月につき、徴収するものとする。

3　保険料の額は、次の表の上欄に掲げる月分についてそれぞれ同表の下欄に定める額に保険料改定率を乗じて得た額（その額に五円未満の端数が生じたときは、これを切り捨て、五円以上十円未満の端数が生じたときは、これを十円に切り上げるものとする。）とする。

平成十七年度に属する月の月分	一万三千五百八十円
平成十八年度に属する月の月分	一万三千八百六十円
平成十九年度に属する月の月分	一万四千百四十円
平成二十年度に属する月の月分	一万四千四百二十円
平成二十一年度に属する月の月分	一万四千七百円
平成二十二年度に属する月の月分	一万四千九百八十円
平成二十三年度に属する月の月分	一万五千二百六十円
平成二十四年度に属する月の月分	一万五千五百四十円
平成二十五年度に属する月の月分	一万五千八百二十円
平成二十六年度に属する月の月分	一万六千百円
平成二十七年度に属する月の月分	一万六千三百八十円
平成二十八年度に属する月の月分	一万六千六百六十円
平成二十九年度及び平成三十年度に属する月の月分	一万六千九百円
令和元年度以後の年度に属する月の月分	一万七千円

4　平成十七年度における前項の保険料改定率は、一とする。

5　第三項の保険料改定率は、毎年度、当該年度の前年度の保険料改定率に次に掲げる率を乗じて得た率を基準として改定し、当該年度に属する月の月分の保険料について適用する。

一　当該年度の初日の属する年の三年前の年の物価指数に対する当該年度の初日の属する年の前々年の物価指数の比率

二　イに掲げる率をロに掲げる率で除して得た率の三乗根となる率

イ　当該年度の初日の属する年の六年前の年の四月一日の属する年度における厚生年金保険の被保険者に係る標準報酬平均額に対する当該年度の初日の属する年の三年前の年の四月一日の属する年度における厚生年金保険の被保険者に係る標準報酬平均額の比率

ロ　当該年度の初日の属する年の六年前の年における物価指数に対する当該年度の初日の属する年の三年前の年における物価指数の比率

6　前項の規定による保険料改定率の改定の措置は、政令で定める。

第八十七条の二　第一号被保険者（第八十九条第一項、第九十条第一項又は第九十条の三第一項の規定により保険料を納付することを要しないものとされている者、第九十条の二第一項から第三項までの規定によりその一部の額につき保険料を納付することを要しないものとされている者及び国民年金基金の加入員を除く。）は、厚生労働大臣に申し出て、その申出をした日の属する月以後の各月につき、前条第三項に定める額の保険料のほか、四百円の保険料を納付する者となることができる。

2　前項の規定による保険料の納付は、前条第三項に定める額の保険料の納付が行われた月（第九十四条第四項の規定により保険料が納付されたものとみなされた月を除く。）又は第八十八条の二の規定により納付することを要しないものとされた保険料に係る期間の各月についてのみ行うことができる。

3　第一項の規定により保険料を納付する者となつたものは、いつでも、厚生労働大臣に申し出て、その申出をした日の属する月の前月以後の各月に係る保険料（既に納付されたもの及び第九十三条第一項の規定により前納されたもの（国民年金基金の加入員となつた日の属する月以後の各月に係るものを除く。）を除く。）につき第一項の規定により保険料を納付する者でなくなることができる。

4　第一項の規定により保険料を納付する者となつたものが、国民年金基金の加入員となつたときは、その加入員となつた日に、前項の申出をしたものとみなす。

（保険料の納付義務）

第八十八条　被保険者は、保険料を納付しなければならない。

2　世帯主は、その世帯に属する被保険者の保険料を連帯して納付する義務を負う。

3　配偶者の一方は、被保険者たる他方の保険料を連帯して納付する義務を負う。

第八十八条の二　被保険者は、出産の予定日（厚生労働省令で定める場合にあつては、出産の日。第百六条第一項及び第百八条第二項において「出産予定日」という。）の属する月（以下この条において「出産予定月」という。）の前月（多胎妊娠の場合においては、三月前）から出産予定月の翌々月までの期間に係る保険料は、納付することを要しない。

第八十九条　被保険者（前条及び第九十条の二第一項から第三項までの規定の適用を受ける被保険者を除く。）が次の各号のいずれかに該当するに至つたときは、その該当するに至つた日の属する月の前月からこれに該当しなくなる日の属する月までの期間に係る保険料は、既に納付されたものを除き、納付することを要しない。

一　障害基礎年金又は厚生年金保険法に基づく障害を支給事由とする年金たる給付その他の障害を支給事由とする給付であつて政令で定めるものの受給権者（最後に同法第四十七条第二項に規定する障害等級に該当する程度の障害の状態（以下この号において「障害状態」という。）に該当しなくなつた日から起算して障害状態に該当することなく三年を経過した障害基礎年金の受給権者（現に障害状態に該当しない者に限る。）その他の政令で定める者を除く。）であるとき。

二　生活保護法（昭和二十五年法律第百四十四号）による生活扶助その他の援助であつて厚生労働省令で定めるものを受けるとき。

三　前二号に掲げるもののほか、厚生労働省令で定める施設に入所しているとき。

2　前項の規定により納付することを要しないものとされた保険料について、被保険者又は被保険者であつた者（次条から第九十条の三までにおいて「被保険者等」という。）から当該保険料に係る期間の各月につき、保険料を納付する旨の申出があつたときは、当該申出のあつた期間に係る保険料に限り、同項の規定は適用しない。

第九十条　次の各号のいずれかに該当する被保険者等から申請があつたときは、厚生労働大臣は、その指定する期間（次条第一項から第三項までの規定の適用を受ける期間又は学校教育法（昭和二十二年法律第二十六号）第五十条に規定する高等学校の生徒、同法第八十三条に規定する大学の学生その他の生徒若しくは学生であつて政令で定めるもの（以下「学生等」という。）である期間若しくは学生等であつた期間を除く。）に係る保険料につき、既に納付されたものを除き、これを納付することを要しないものとし、申請のあつた日以後、当該保険料に係る期間を第五条第三項に規定する保険料全額免除期間（第九十四条第一項の規定により追納が行われた場合にあつては、当該追納に係る期間を除く。）に算入することができる。ただし、世帯主又は配偶者のいずれかが次の各号のいずれにも該当しないときは、この限りでない。

一　当該保険料を納付することを要しないものとすべき月の属する年の前年の所得（一月から厚生労働省令で定める月までの月分の保険料については、前々年の所得とする。以下この章において同じ。）が、その者の扶養親族等の有無及び数に応じて、政令で定める額以下であるとき。

二　被保険者又は被保険者の属する世帯の他の世帯員が生活保護法による生活扶助以外の扶助その他の援助であつて厚生労働省令で定めるものを受けるとき。

三　地方税法（昭和二十五年法律第二百二十六号）に定める障害者、寡婦その他の同法の規定による市町村民税が課されない者として政令で定める者であつて、当該保険料を納付することを要しないものとすべき月の属する年の前年の所得が政令で定める額以下であるとき。

四　保険料を納付することが著しく困難である場合として天災その他の厚生労働省令で定める事由があるとき。

2　前項の規定による処分があつたときは、年金給付の支給要件及び額に関する規定の適用については、その処分は、当該申請のあつた日にされたものとみなす。

3　第一項の規定による処分を受けた被保険者から当該処分の取消しの申請があつたときは、厚生労働大臣は、当該申請があつた日の属する月の前月以後の各月の保険料について、当該処分を取り消すことができる。

4　第一項第一号及び第三号に規定する所得の範囲及びその額の計算方法は、政令で定める。

第九十条の二　次の各号のいずれかに該当する被保険者等から申請があつたときは、厚生労働大臣は、その指定する期間（前条第一項若しくは次項若しくは第三項の規定の適用を受ける期間又は学生等である期間若しくは学生等であつた期間を除く。）に係る保険料につき、既に納付されたものを除き、その四分の三を納付することを要しないものとし、申請のあつた日以後、当該保険料に係る期間を第五条第四項に規定する保険料四分の三免除期間（第九十四条第一項の規定により追納が行われた場合にあつては、当該追納に係る期間を除く。）に算入することができる。ただし、世帯主又は配偶者のいずれかが次の各号のいずれにも該当しないときは、この限りでない。

一　当該保険料を納付することを要しないものとすべき月の属する年の前年の所得が、その者の扶養親族等の有無及び数に応じて、政令で定める額以下であるとき。

二　前条第一項第二号及び第三号に該当するとき。

三　保険料を納付することが著しく困難である場合として天災その他の厚生労働省令で定める事由があるとき。

2　次の各号のいずれかに該当する被保険者等から申請があつたときは、厚生労働大臣は、その指定する期間（前条第一項若しくは前項若しくは次項の規定の適用を受ける期間又は学生等である期間若しくは学生等であつた期間を除く。）に係る保険料につき、既に納付されたものを除き、その半額を納付することを要しないものとし、申請のあつた日以後、当該保険料に係る期間を第五条第五項に規定する保険料半額免除期間（第九十四条第一項の規定により追納が行われた場合にあつては、当該追納に係る期間を除く。）に算入することができる。ただし、世帯主又は配偶者のいずれかが次の各号のいずれにも該当しないときは、この限りでない。

一　当該保険料を納付することを要しないものとすべき月の属する年の前年の所得が、その者の扶養親族等の有無及び数に応じて、政令で定める額以下であるとき。

二　前条第一項第二号及び第三号に該当するとき。

三　保険料を納付することが著しく困難である場合として天災その他の厚生労働省令で定める事由があるとき。

3　次の各号のいずれかに該当する被保険者等から申請があつたときは、厚生労働大臣は、その指定する期間（前条第一項若しくは前二項の規定の適用を受ける期間又は学生等である期間若しくは学生等であつた期間を除く。）に係る保険料につき、既に納付されたものを除き、その四分の一を納付することを要しないものとし、申請のあつた日以後、当該保険料に係る期間を第五条第六項に規定する保険料四分の一免除期間（第九十四条第一項の規定により追納が行われた場合にあつては、当該追納に係る期間を除く。）に算入することができる。ただし、世帯主又は配偶者のいずれかが次の各号のいずれにも該当しないときは、この限りでない。

一　当該保険料を納付することを要しないものとすべき月の属する年の前年の所得が、その者の扶養親族等の有無及び数に応じて、政令で定める額以下であるとき。

二　前条第一項第二号及び第三号に該当するとき。

三　保険料を納付することが著しく困難である場合として天災その他の厚生労働省令で定める事由があるとき。

4　前条第三項の規定は、前三項の規定による処分を受けた被保険者から当該処分の取消しの申請があつたときに準用する。

5　第一項第一号、第二項第一号及び第三項第一号に規定する所得の範囲及びその額の計算方法は、政令で定める。

6　第一項から第三項までの規定により納付することを要しない

ものとされたその一部の額以外の残余の額に五円未満の端数が生じたときは、これを切り捨て、五円以上十円未満の端数が生じたときは、これを十円に切り上げるものとする。

第九十条の三　次の各号のいずれかに該当する学生等である被保険者又は学生等であつた被保険者等から申請があつたときは、厚生労働大臣は、その指定する期間（学生等である期間又は学生等であつた期間に限る。）に係る保険料につき、既に納付されたものを除き、これを納付することを要しないものとし、申請のあつた日以後、当該保険料に係る期間を第五条第三項に規定する保険料全額免除期間（第九十四条第一項の規定により追納が行われた場合にあつては、当該追納に係る期間を除く。）に算入することができる。

一　当該保険料を納付することを要しないものとすべき月の属する年の前年の所得が、その者の扶養親族等の有無及び数に応じて、政令で定める額以下であるとき。

二　第九十条第一項第二号及び第三号に該当するとき。

三　保険料を納付することが著しく困難である場合として天災その他の厚生労働省令で定める事由があるとき。

2　第九十条第二項の規定は、前項の場合に準用する。

3　第一項第一号に規定する所得の範囲及びその額の計算方法は、政令で定める。

（保険料の納期限）

第九十一条　毎月の保険料は、翌月末日までに納付しなければならない。

（保険料の通知及び納付）

第九十二条　厚生労働大臣は、毎年度、被保険者に対し、各年度の各月に係る保険料について、保険料の額、納期限その他厚生労働省令で定める事項を通知するものとする。

2　前項に定めるもののほか、保険料の納付方法について必要な事項は、政令で定める。

（口座振替による納付）

第九十二条の二　厚生労働大臣は、被保険者から、預金又は貯金の払出しとその払い出した金銭による保険料の納付をその預金口座又は貯金口座のある金融機関に委託して行うこと（附則第五条第二項において「口座振替納付」という。）を委望する旨の申出があつた場合には、その納付が確実と認められ、かつ、その申出を承認することが保険料の徴収上有利と認められるときに限り、その申出を承認することができる。

（指定代理納付者による納付）

第九十二条の二の二　被保険者は、厚生労働大臣に対し、被保険者の保険料を立て替えて納付する事務を適正かつ確実に実施することができると認められる者であつて、政令で定める要件に該当する者として厚生労働大臣が指定するもの（以下この条において「指定代理納付者」という。）から付与される番号、記号その他の符号を通知することにより、当該指定代理納付者をして当該被保険者の保険料を立て替えて納付させることを希望する旨の申出をすることができる。

2　厚生労働大臣は、前項の申出を受けたときは、その納付が確実と認められ、かつ、その申出を承認することが保険料の徴収上有利と認められるときに限り、その申出を承認することができる。

3　第一項の指定の手続その他指定代理納付者による納付に関し必要な事項は、厚生労働省令で定める。

（保険料の納付委託）

第九十二条の三　次に掲げる者は、被保険者（第一号に掲げる者にあつては、国民年金基金の加入員に限る。）の委託を受けて、保険料の納付に関する事務（以下「納付事務」という。）を行うことができる。

一　国民年金基金又は国民年金基金連合会

二　納付事務を適正かつ確実に実施することができると認められ、かつ、政令で定める要件に該当する者として厚生労働大臣が指定するもの

2　国民年金基金又は国民年金基金連合会が前項の委託を受けて納付事務を行う場合には、第百四十五条第五号中「この章」とあるのは、「第九十二条の三第一項又はこの章」とするほか、この法律の規定の適用に関し必要な事項は、政令で定める。

3　厚生労働大臣は、第一項第二号の規定による指定をしたときは、当該指定を受けた者の名称及び住所並びに事務所の所在地を公示しなければならない。

4　第一項第二号の規定による指定を受けた者は、その名称及び住所並びに事務所の所在地を変更しようとするときは、あらかじめ、その旨を厚生労働大臣に届け出なければならない。

5　厚生労働大臣は、前項の規定による届出があつたときは、当該届出に係る事項を公示しなければならない。

（保険料の前納）

第九十三条　被保険者は、将来の一定期間の保険料を前納することができる。

2　前項の場合において前納すべき額は、当該期間の各月の保険料の額から政令で定める額を控除した額とする。

3　第一項の規定により前納された保険料について保険料納付済期間又は保険料四分の三免除期間、保険料半額免除期間若しくは保険料四分の一免除期間を計算する場合においては、前納に係る期間の各月が経過した際に、それぞれその月の保険料が納付されたものとみなす。

4　前三項に定めるもののほか、保険料の前納手続、前納された保険料の還付その他保険料の前納について必要な事項は、政令で定める。

（保険料の追納）

第九十四条　被保険者又は被保険者であつた者（老齢基礎年金の受給権者を除く。）は、厚生労働大臣の承認を受け、第八十九条第一項、第九十条第一項又は第九十条の三第一項の規定により納付することを要しないものとされた保険料及び第九十条の二第一項から第三項までの規定によりその一部の額につき納付することを要しないものとされた保険料（承認の日の属する月前十年以内の期間に係るものに限る。）の全部又は一部につき追納をすることができる。ただし、同条第一項から第三項までの規定によりその一部の額につき納付することを要しないものとされた保険料については、その残余の額につき納付されたときに限る。

2　前項の場合において、その一部につき追納をするときは、追納は、第九十条の三第一項の規定により納付することを要しないものとされた保険料につき行い、次いで第八十九条第一項若しくは第九十条第一項の規定により納付することを要しないものとされた保険料又は第九十条の二第一項から第三項までの規定によりその一部の額につき納付することを要しないものとさ

れた保険料につき行うものとし、これらの保険料のうちにあつては、先に経過した月の分から順次に行うものとする。ただし、第九十条の三第一項の規定により納付することを要しないものとされた保険料より前に納付義務が生じ、第八十九条第一項若しくは第九十条第一項の規定により納付することを要しないものとされた保険料又は第九十条の二第一項から第三項までの規定によりその一部の額につき納付することを要しないものとされた保険料があるときは、当該保険料について、先に経過した月の分の保険料から追納をすることができるものとする。

3　第一項の場合において追納すべき額は、当該追納に係る期間の各月の保険料の額に政令で定める額を加算した額とする。

4　第一項の規定により追納が行われたときは、追納が行われた日に、追納に係る月の保険料が納付されたものとみなす。

5　前各項に定めるもののほか、保険料の追納手続その他保険料の追納について必要な事項は、政令で定める。

（基礎年金拠出金）

第九十四条の二　厚生年金保険の実施者たる政府は、毎年度、基礎年金の給付に要する費用に充てるため、基礎年金拠出金を負担する。

2　実施機関たる共済組合等は、毎年度、基礎年金の給付に要する費用に充てるため、基礎年金拠出金を納付する。

3　財政の現況及び見通しが作成されるときは、厚生労働大臣は、厚生年金保険の実施者たる政府が負担し、又は実施機関たる共済組合等が納付すべき基礎年金拠出金について、その将来にわたる予想額を算定するものとする。

第九十四条の三　基礎年金拠出金の額は、保険料・拠出金算定対象額に当該年度における被保険者の総数に対する当該年度における当該政府及び実施機関に係る被保険者（厚生年金保険の実施者たる政府にあつては、第一号厚生年金被保険者である第二号被保険者及びその被扶養配偶者である第三号被保険者とし、実施機関たる共済組合等にあつては、当該実施機関たる共済組合等に係る被保険者（国家公務員共済組合連合会にあつては当該連合会を組織する共済組合に係る第二号厚生年金被保険者である第二号被保険者及びその被扶養配偶者である第三号被保険者とし、地方公務員共済組合連合会にあつては当該連合会を組織する共済組合に係る第三号厚生年金被保険者である第二号被保険者及びその被扶養配偶者である第三号被保険者とし、日本私立学校振興・共済事業団にあつては第四号厚生年金被保険者である第二号被保険者及びその被扶養配偶者である第三号被保険者とする。以下同じ。）とする。）の総数の比率に相当するものとして毎年度政令で定めるところにより算定した率を乗じて得た額とする。

2　前項の場合において被保険者の総数並びに政府及び実施機関に係る被保険者の総数は、第一号被保険者、第二号被保険者及び第三号被保険者の適用の態様の均衡を考慮して、これらの被保険者のうち政令で定める者を基礎として計算するものとする。

3　前二項に規定するもののほか、実施機関たる共済組合等に係る基礎年金拠出金の納付に関し必要な事項は、政令で定める。

第九十四条の四　各地方公務員共済組合（指定都市職員共済組合、市町村職員共済組合及び都市職員共済組合にあつては、全国市町村職員共済組合連合会）は、毎年度、政令で定めるところにより、地方公務員共済組合連合会が納付すべき基礎年金拠出金の額のうち各地方公務員共済組合における厚生年金保険法第二十八条に規定する標準報酬（以下この条において「標準報酬」という。）の総額（全国市町村職員共済組合連合会にあつては、全ての指定都市職員共済組合、市町村職員共済組合及び都市職員共済組合における標準報酬の総額）を考慮して政令で定めるところにより算定した額を負担する。

（報告）

第九十四条の五　厚生労働大臣は、実施機関たる共済組合等に対し、当該実施機関たる共済組合等を所管する大臣を経由して、当該実施機関たる共済組合等に係る被保険者の数その他の厚生労働省令で定める事項について報告を求めることができる。

2　各実施機関たる共済組合等は、厚生労働省令の定めるところにより、当該実施機関たる共済組合等を所管する大臣を経由して前項の報告を行うものとする。

3　実施機関たる共済組合等は、厚生労働省令の定めるところにより、当該実施機関たる共済組合等を所管する大臣を経由して、第九十四条の二第三項に規定する予想額の算定のために必要な事項として厚生労働省令で定める事項について厚生労働大臣に報告を行うものとする。

4　厚生労働大臣は、厚生労働省令の定めるところにより、前項に規定する予想額その他これに関連する事項で厚生労働省令で定めるものについて、実施機関たる共済組合等を所管する大臣に報告を行うものとする。

5　厚生労働大臣は、前各項に規定する厚生労働省令を定めるときは、実施機関たる共済組合等を所管する大臣に協議しなければならない。

（第二号被保険者及び第三号被保険者に係る特例）

第九十四条の六　第八十七条第一項及び第二項並びに第八十八条第一項の規定にかかわらず、第二号被保険者としての被保険者期間及び第三号被保険者としての被保険者期間については、政府は、保険料を徴収せず、被保険者は、保険料を納付することを要しない。

（徴収）

第九十五条　保険料その他この法律（第十章を除く。以下この章から第八章までにおいて同じ。）の規定による徴収金は、この法律に別段の規定があるものを除くほか、国税徴収の例によつて徴収する。

（督促及び滞納処分）

第九十六条　保険料その他この法律の規定による徴収金を滞納する者があるときは、厚生労働大臣は、期限を指定して、これを督促することができる。

2　前項の規定によつて督促をしようとするときは、厚生労働大臣は、納付義務者に対して、督促状を発する。

3　前項の督促状により指定する期限は、督促状を発する日から起算して十日以上を経過した日でなければならない。

4　厚生労働大臣は、第一項の規定による督促を受けた者がその指定の期限までに保険料その他この法律の規定による徴収金を納付しないときは、国税滞納処分の例によつてこれを処分し、又は滞納者の居住地若しくはその者の財産所在地の市町村に対して、その処分を請求することができる。

5　市町村は、前項の規定による処分の請求を受けたときは、市町村税の例によつてこれを処分することができる。この場合においては、厚生労働大臣は、徴収金の百分の四に相当する額を当該市町村に交付しなければならない。

6 前二項の規定による処分によつて受け入れた金額を保険料に充当する場合においては、さきに経過した月の保険料から順次これに充当し、一箇月の保険料の額に満たない端数は、納付義務者に交付するものとする。

（延滞金）

第九十七条 前条第一項の規定によつて督促をしたときは、厚生労働大臣は、徴収金額に、納期限の翌日から徴収金完納又は財産差押の日の前日までの期間の日数に応じ、年十四・六パーセント（当該督促が保険料に係るものであるときは、当該納期限の翌日から三月を経過する日までの期間については、年七・三パーセント）の割合を乗じて計算した延滞金を徴収する。ただし、徴収金額が五百円未満であるとき、又は滞納につきやむを得ない事情があると認められるときは、この限りでない。

2 前項の場合において、徴収金額の一部につき納付があつたときは、その納付の日以後の期間に係る延滞金の計算の基礎となる徴収金は、その納付のあつた徴収金額を控除した金額による。

3 延滞金を計算するに当り、徴収金額に五百円未満の端数があるときは、その端数は、切り捨てる。

4 督促状に指定した期限までに徴収金を完納したとき、又は前三項の規定によつて計算した金額が五十円未満であるときは、延滞金は、徴収しない。

5 延滞金の金額に五十円未満の端数があるときは、その端数は、切り捨てる。

（先取特権）

第九十八条 保険料その他この法律の規定による徴収金の先取特権の順位は、国税及び地方税に次ぐものとする。

第七章 不服申立て

（不服申立て）

第百一条 被保険者の資格に関する処分、給付に関する処分（共済組合等が行つた障害基礎年金に係る障害の程度の診査に関する処分を除く。）又は保険料その他この法律の規定による徴収金に関する処分に不服がある者は、社会保険審査官に対して審査請求をし、その決定に不服がある者は、社会保険審査会に対して再審査請求をすることができる。ただし、第十四条の四第一項又は第二項の規定による決定については、この限りでない。

2 審査請求をした日から二月以内に決定がないときは、審査請求人は、社会保険審査官が審査請求を棄却したものとみなすことができる。

3 第一項の審査請求及び再審査請求は、時効の完成猶予及び更新に関しては、裁判上の請求とみなす。

4 被保険者の資格に関する処分が確定したときは、その処分についての不服を当該処分に基づく給付に関する処分の不服の理由とすることができない。

5 第一項の審査請求及び再審査請求については、行政不服審査法（平成二十六年法律第六十八号）第二章（第二十二条を除く。）及び第四章の規定は、適用しない。

6 共済組合等が行つた障害基礎年金に係る障害の程度の診査に関する処分に不服がある者は、当該共済組合等に係る共済各法（国家公務員共済組合法（昭和三十三年法律第百二十八号）、地方公務員等共済組合法（昭和三十七年法律第百五十二号）及び私立学校教職員共済法をいう。以下この項において同じ。）の定めるところにより、当該共済各法に定める審査機関に審査請求をすることができる。

7 前項の規定による共済組合等が行つた障害の程度の診査に関する処分が確定したときは、その処分についての不服を当該処分に基づく障害基礎年金に関する処分についての不服の理由とすることができない。

（審査請求と訴訟との関係）

第百一条の二 前条第一項に規定する処分（被保険者の資格に関する処分又は給付に関する処分（共済組合等が行つた障害基礎年金に係る障害の程度の診査に関する処分を除く。）に限る。）の取消しの訴えは、当該処分についての審査請求に対する社会保険審査官の決定を経た後でなければ、提起することができない。

第八章 雑則

（時効）

第百二条 年金給付を受ける権利は、その支給すべき事由が生じた日から五年を経過したとき、当該権利に基づき支払期月ごとに支払うものとされる年金給付の支給を受ける権利は、当該日の属する月の翌月以後に到来する当該年金給付の支給に係る第十八条第三項本文に規定する支払期月の翌月の初日から五年を経過したときは、時効によつて、消滅する。

2 前項の時効は、当該年金給付がその全額につき支給を停止されている間は、進行しない。

3 第一項に規定する年金給付を受ける権利又は当該権利に基づき支払期月ごとに支払うものとされる年金給付の支給を受ける権利については、会計法（昭和二十二年法律第三十五号）第三十一条の規定を適用しない。

4 保険料その他この法律の規定による徴収金を徴収し、又はその還付を受ける権利及び死亡一時金を受ける権利は、これらを行使することができる時から二年を経過したときは、時効によつて消滅する。

5 保険料その他この法律の規定による徴収金についての第九十六条第一項の規定による督促は、時効の更新の効力を有する。

6 保険料その他この法律の規定による徴収金については、会計法第三十二条の規定を適用しない。

（期間の計算）

第百三条 この法律又はこの法律に基づく命令に規定する期間の計算については、この法律に別段の規定がある場合を除くほか、民法（明治二十九年法律第八十九号）の期間に関する規定を準用する。

（戸籍事項の無料証明）

第百四条 市町村長（地方自治法第二百五十二条の十九第一項の指定都市においては、区長又は総合区長とする。）は、厚生労働大臣又は被保険者、被保険者であつた者若しくは受給権者に対して、当該市町村の条例の定めるところにより、被保険者、被保険者であつた者若しくは受給権者又は遺族基礎年金の支給若しくは障害基礎年金若しくは遺族基礎年金の額の加算の要件に該当する子の戸籍に関し、無料で証明を行うことができる。

（届出等）

第百五条　被保険者は、厚生労働省令の定めるところにより、第十二条第一項又は第五項に規定する事項を除くほか、厚生労働省令の定める事項を第三号被保険者以外の被保険者にあつては市町村長に、第三号被保険者にあつては厚生労働大臣に届け出なければならない。

２　第十二条第二項及び第四項の規定は、第三号被保険者以外の被保険者に係る前項の届出について、同条第六項から第九項までの規定は、第三号被保険者に係る前項の届出について準用する。

３　受給権者又は受給権者の属する世帯の世帯主その他その世帯に属する者は、厚生労働省令の定めるところにより、厚生労働大臣に対し、厚生労働省令の定める事項を届け出、かつ、厚生労働省令の定める書類その他の物件を提出しなければならない。

４　被保険者又は受給権者が死亡したときは、戸籍法（昭和二十二年法律第二百二十四号）の規定による死亡の届出義務者は、厚生労働省令の定めるところにより、その旨を第三号被保険者以外の被保険者に係るものにあつては市町村長に、第三号被保険者又は受給権者に係るものにあつては厚生労働大臣に届け出なければならない。ただし、厚生労働省令で定める被保険者又は受給権者の死亡について、同法の規定による死亡の届出をした場合（厚生労働省令で定める場合に限る。）は、この限りでない。

５　第十二条第六項から第九項までの規定は、第三号被保険者に係る前項の届出について準用する。この場合において、同条第六項中「第三号被保険者」とあるのは、「第三号被保険者の死亡に係るもの」と読み替えるものとする。

（被保険者に関する調査）

第百六条　厚生労働大臣は、必要があると認めるときは、被保険者の資格又は保険料に関する処分に関し、被保険者に対し、出産予定日に関する書類、被保険者若しくは被保険者の配偶者若しくは世帯主若しくはこれらの者であつた者の資産若しくは収入の状況に関する書類その他の物件の提出を命じ、又は当該職員をして被保険者に質問させることができる。

２　前項の規定によつて質問を行う当該職員は、その身分を示す証票を携帯し、かつ、関係人の請求があるときは、これを提示しなければならない。

（受給権者に関する調査）

第百七条　厚生労働大臣は、必要があると認めるときは、受給権者に対して、その者の身分関係、障害の状態その他受給権の消滅、年金額の改定若しくは支給の停止に係る事項に関する書類その他の物件を提出すべきことを命じ、又は当該職員をしてこれらの事項に関し受給権者に質問させることができる。

２　厚生労働大臣は、必要があると認めるときは、障害基礎年金の受給権者若しくは障害等級に該当する障害の状態にあることによりその額が加算されている子又は障害等級に該当する障害の状態にあることにより遺族基礎年金の受給権を有し、若しくは遺族基礎年金が支給され、若しくはその額が加算されている子に対して、その指定する医師若しくは歯科医師の診断を受けるべきことを命じ、又は当該職員をしてこれらの者の障害の状態を診断させることができる。

３　前条第二項の規定は、前二項の規定による質問又は診断について準用する。

（資料の提供等）

第百八条　厚生労働大臣は、被保険者の資格又は保険料に関し必要があると認めるときは、被保険者若しくは被保険者であつた者（以下この項において「被保険者等」という。）、国民年金基金の加入員若しくは加入員であつた者、農業者年金の被保険者若しくは被保険者であつた者、国家公務員共済組合法若しくは地方公務員等共済組合法の短期給付に関する規定の適用を受ける組合員若しくは組合員であつた者、私立学校教職員共済法の短期給付に関する規定の適用を受ける加入者若しくは加入者であつた者又は健康保険若しくは国民健康保険の被保険者若しくは被保険者であつた者の氏名及び住所、個人番号（行政手続における特定の個人を識別するための番号の利用等に関する法律（平成二十五年法律第二十七号）第二条第五項に規定する個人番号をいう。次項において同じ。）、資格の取得及び喪失の年月日、保険料若しくは掛金の納付状況その他の事項につき、官公署、第百九条第二項に規定する国民年金事務組合、国民年金基金、国民年金基金連合会、独立行政法人農業者年金基金、共済組合等、健康保険組合若しくは国民健康保険組合に対し必要な書類の閲覧若しくは資料の提供を求め、又は銀行、信託会社その他の機関若しくは被保険者等の配偶者若しくは世帯主その他の関係人に報告を求めることができる。

２　厚生労働大臣は、年金給付又は保険料に関する処分に関し必要があると認めるときは、受給権者、被保険者若しくは被保険者の配偶者若しくは世帯主の資産若しくは収入の状況、受給権者に対する厚生年金保険法による年金たる保険給付の支給状況若しくは第三十六条の二第一項第一号に規定する政令で定める給付の支給状況、被保険者の出産予定日又は第八十九条第一項第一号に規定する政令で定める給付の受給権者若しくは受給権者であつた者、同項第二号に規定する厚生労働省令で定める援助（厚生労働省令で定める援助を除く。）を受けている者若しくは受けていた者、同項第三号に規定する厚生労働省令で定める施設（厚生労働省令で定める施設を除く。）に入所している者若しくは入所していた者、第九十条第一項第二号に規定する厚生労働省令で定める援助を受けている者若しくは介護保険法（平成九年法律第百二十三号）第七条第六項第一号及び第四号から第六号までに掲げる法律の規定による被扶養者の氏名及び住所、個人番号その他の事項につき、官公署、共済組合等、厚生年金保険法附則第二十八条に規定する共済組合若しくは健康保険組合に対し必要な書類の閲覧若しくは資料の提供を求め、又は銀行、信託会社その他の機関若しくは被保険者の雇用主その他の関係人に報告を求めることができる。

３　厚生労働大臣は、被保険者の資格又は保険料に関し必要があると認めるときは、事業主に対し、その使用する者に対するこの法律の規定の周知その他の必要な協力を求めることができる。

第百八条の二　厚生労働大臣は、必要があると認めるときは、実施機関たる共済組合等を所管する大臣に対し、その大臣が所管する実施機関たる共済組合等に係る第九十四条の五第一項に規定する報告に関し監督上必要な命令を発し、又は当該職員に当該実施機関たる共済組合等の業務の状況を監査させることを求めることができる。

第百八条の二の二　共済組合等は、厚生労働大臣に対し、その組合員又は加入者が第二号被保険者でなくなつたことに関して必要な情報の提供を行うものとする。

（統計調査）

第百八条の三　厚生労働大臣は、第一条の目的を達成するため、被保険者若しくは被保険者であつた者又は受給権者に係る保険料の納付に関する実態その他の厚生労働省令で定める事項に関し必要な統計調査を行うものとする。

2　厚生労働大臣は、前項に規定する統計調査に関し必要があると認めるときは、官公署に対し、必要な情報の提供を求めることができる。

3　前項の規定により情報の提供を求めるに当たつては、被調査者を識別することができない方法による情報の提供を求めるものとする。

（基礎年金番号の利用制限等）

第百八条の四　第十四条に規定する基礎年金番号については、住民基本台帳法第三十条の三十七第一項及び第二項、第三十条の三十八並びに第三十条の三十九の規定を準用する。この場合において、同法第三十条の三十七第二項中「都道府県知事」とあるのは「厚生労働大臣及び日本年金機構」と、同法第三十条の三十八第一項から第三項までの規定中「何人も」とあるのは「国民年金法第十四条に規定する政府管掌年金事業の運営に関する事務又は当該事業に関連する事務の遂行のため同条に規定する基礎年金番号の利用が特に必要な場合として厚生労働省令で定める場合を除き、何人も」と、同条第四項及び第五項並びに同法第三十条の三十九第一項中「都道府県知事」とあるのは「厚生労働大臣」と読み替えるものとするほか、必要な技術的読替えは、政令で定める。

第百八条の五　全国健康保険協会、第三条第二項に規定する共済組合等その他の厚生労働省令で定める者は、第十四条に規定する政府管掌年金事業の運営に関する事務又は当該事業に関連する事務（当該厚生労働省令で定める者のうち厚生労働省令で定める者にあつては、同条に規定する政府管掌年金事業に関連する事務）の遂行のため必要がある場合を除き、何人に対しても、その者又はその者以外の者に係る基礎年金番号を告知することを求めてはならない。

（全額免除申請の事務手続に関する特例）

第百九条の二　第九十条第一項の申請（以下この条において「全額免除申請」という。）に関する事務を適正かつ確実に実施することができると認められる者であつて、厚生労働大臣が当該者からの申請に基づき指定するもの（以下この条において「指定全額免除申請事務取扱者」という。）は、同項各号のいずれかに該当する被保険者又は被保険者であつた者（厚生労働省令で定める者に限る。以下この条において「全額免除要件該当被保険者等」という。）の委託を受けて、全額免除要件該当被保険者等に係る全額免除申請をすることができる。

2　全額免除要件該当被保険者等が指定全額免除申請事務取扱者に全額免除申請の委託をしたときは、第九十条第一項及び第二項の規定の適用については、当該委託をした日に、全額免除申請があつたものとみなす。

3　指定全額免除申請事務取扱者は、全額免除要件該当被保険者等から全額免除申請の委託を受けたときは、遅滞なく、厚生労働省令で定めるところにより、当該全額免除申請をしなければならない。

4　厚生労働大臣は、指定全額免除申請事務取扱者が第一項の事務を適正かつ確実に実施するために必要な限度において、全額免除要件該当被保険者等が第九十条第一項各号のいずれかに該当することの事実に関する情報を提供することができる。

5　厚生労働大臣は、指定全額免除申請事務取扱者がその行うべき事務の処理を怠り、又はその処理が著しく不当であると認めるときは、指定全額免除申請事務取扱者に対し、その改善に必要な措置を採るべきことを命ずることができる。

6　厚生労働大臣は、指定全額免除申請事務取扱者が前項の規定による命令に違反したときは、第一項の指定を取り消すことができる。

7　指定全額免除申請事務取扱者（その者が法人である場合にあつては、その役員）若しくはその職員又はこれらの者であつた者は、正当な理由なく、第一項の事務に関して知り得た秘密を漏らしてはならない。

8　第一項の指定の手続その他前各項の規定の実施に関し必要な事項は、厚生労働省令で定める。

（学生納付特例の事務手続に関する特例）

第百九条の二の二　国及び地方公共団体並びに国立大学法人法（平成十五年法律第百十二号）第二条第一項に規定する国立大学法人、地方独立行政法人法（平成十五年法律第百十八号）第六十八条第一項に規定する公立大学法人及び私立学校法（昭和二十四年法律第二百七十号）第三条に規定する学校法人その他の政令で定める法人であつて、厚生労働大臣がこれらの法人からの申請に基づき、第九十条の三第一項の申請（以下この条において「学生納付特例申請」という。）に関する事務を適正かつ確実に実施することができると認められるものとして指定するもの（以下この条において「学生納付特例事務法人」という。）は、その設置する学校教育法第八十三条に規定する大学その他の政令で定める教育施設において当該教育施設の学生等である被保険者（以下この条において「学生等被保険者」という。）の委託を受けて、学生等被保険者に係る学生納付特例申請をすることができる。

2　学生等被保険者が学生納付特例事務法人に学生納付特例申請の委託をしたときは、第九十条の三第一項の規定及び同条第二項において準用する第九十条第三項の規定の適用については、当該委託をした日に、学生納付特例申請があつたものとみなす。

3　学生納付特例事務法人は、学生等被保険者から学生納付特例申請の委託を受けたときは、遅滞なく、厚生労働省令で定めるところにより、当該学生納付特例申請をしなければならない。

4　厚生労働大臣は、学生納付特例事務法人がその行うべき事務の処理を怠り、又はその処理が著しく不当であると認めるときは、学生納付特例事務法人に対し、その改善に必要な措置を採るべきことを命ずることができる。

5　厚生労働大臣は、学生納付特例事務法人が前項の規定による命令に違反したときは、第一項の指定を取り消すことができる。

6　第一項の指定の手続その他前各項の規定の実施に関し必要な事項は、厚生労働省令で定める。

（保険料納付確認団体）

第百九条の三　同種の事業又は業務に従事する被保険者を構成員とする団体その他これに類する団体で政令で定めるものであつて、厚生労働大臣がこれらの団体からの申請に基づき、次項の業務を適正かつ確実に行うことができると認められるものとして指定するもの（以下この条において「保険料納付確認団体」という。）は、同項の業務を行うことができる。

２　保険料納付確認団体は、当該団体の構成員その他これに類する者である被保険者からの委託により、当該被保険者に係る保険料が納期限までに納付されていない事実（次項において「保険料滞納事実」という。）の有無について確認し、その結果を当該被保険者に通知する業務を行うものとする。

３　厚生労働大臣は、保険料納付確認団体の求めに応じ、保険料納付確認団体が前項の業務を適正に行うために必要な限度において、保険料滞納事実に関する情報を提供することができる。

４　厚生労働大臣は、保険料納付確認団体がその行うべき業務の処理を怠り、又はその処理が著しく不当であると認めるときは、保険料納付確認団体に対し、その改善に必要な措置を採るべきことを命ずることができる。

５　厚生労働大臣は、保険料納付確認団体が前項の規定による命令に違反したときは、第一項の指定を取り消すことができる。

６　保険料納付確認団体の役員若しくは職員又はこれらの職にあつた者は、正当な理由なく、第二項の業務に関して知り得た秘密を漏らしてはならない。

７　第一項の指定の手続その他保険料納付確認団体に関し必要な事項は、厚生労働省令で定める。

（機構への厚生労働大臣の権限に係る事務の委任）

第百九条の四　次に掲げる厚生労働大臣の権限に係る事務（第三条第二項の規定により共済組合等が行うこととされたもの及び同条第三項の規定により市町村長が行うこととされたものを除く。）は、機構に行わせるものとする。ただし、第二十一号、第二十六号、第二十八号から第三十号まで、第三十一号、第三十二号及び第三十五号に掲げる権限は、厚生労働大臣が自ら行うことを妨げない。

一　第七条第二項の規定による認定並びに附則第五条第一項及び第二項の規定による申出の受理

二　削除

三　第十二条第四項（第百五条第二項において準用する場合を含む。）の規定による報告の受理及び第十二条第五項の規定による届出の受理

三の二　第十二条の二第一項（同条第二項において準用する場合を含む。）の規定による届出の受理

四　第十四条の二第一項の規定による請求の受理

五　第十六条（附則第九条の三の二第七項において準用する場合を含む。）の規定による請求の受理

六　第二十条第二項の規定による申請の受理

七　第二十条の二第一項の規定による申出の受理

八　第二十八条第一項（附則第九条の三第四項において準用する場合を含む。）の規定による申出の受理並びに附則第九条の二第一項（附則第九条の三第四項において準用する場合を含む。）及び第九条の二の二第一項の規定による請求の受理

九　第三十条の二第一項及び第三十条の四第二項の規定による請求の受理

十　第三十三条の二第四項の規定による認定

十一　第三十四条第二項及び第四項の規定による請求の受理

十二　第三十七条の二第三項（第四十九条第二項において準用する場合を含む。）の規定による認定

十三　第四十一条の二並びに第四十二条第一項及び第二項の規定による申請の受理

十四　第四十六条第一項の規定による申出の受理

十五　第八十七条の二第一項及び第三項の規定による申出の受理

十五の二　第八十九条第二項の規定による申出の受理

十六　第九十条第一項、第九十条の二第一項から第三項まで及び第九十条の三第一項の規定による申請（第百九条の二第一項の規定による被保険者又は被保険者であつた者の委託に係る申請及び第百九条の二の二第一項の規定による被保険者の委託に係る申請を含む。）の受理及び処分（これらの規定による指定を除く。）並びに第九十条第三項（第九十条の二第四項において準用する場合を含む。）の規定による申請の受理及び処分の取消し

十七　第九十二条の二の規定による申出の受理及び承認

十八　第九十二条の二の二第一項の規定による申出の受理及び同条第二項の規定による承認

十九　第九十二条の三第四項の規定による届出の受理

二十　第九十二条の四第二項の規定による報告の受理

二十一　第九十二条の五第二項の規定による報告徴収及び同条第三項の規定による立入検査

二十二　第九十四条第一項の規定による承認

二十三　第九十五条の規定により国税徴収の例によるものとされる徴収に係る権限（国税通則法（昭和三十七年法律第六十六号）第四十二条において準用する民法第四百二十三条第一項の規定の例による納付義務者に属する権利の行使、国税通則法第四十六条の規定の例による納付の猶予その他の厚生労働省令で定める権限並びに次号に掲げる質問、検査及び提示又は提出の要求、物件の留置き並びに捜索を除く。）

二十四　第九十五条の規定によりその例によるものとされる国税徴収法（昭和三十四年法律第百四十七号）第百四十一条の規定による質問、検査及び提示又は提出の要求、同法第百四十二条の規定による捜索

二十五　第九十六条第四項の規定による国税滞納処分の例による処分及び同項の規定による市町村に対する処分の請求

二十六　第百四条の規定による戸籍事項に関する証明書の受領

二十七　第百五条第一項、第三項及び第四項（附則第九条の三の二第七項において準用する場合を含む。）の規定による届出の受理並びに第百五条第三項の規定による書類その他の物件の受領

二十八　第百六条第一項の規定による命令及び質問

二十九　第百七条第一項（附則第九条の三の二第七項において準用する場合を含む。）の規定による命令及び質問並びに第百七条第二項の規定による命令及び診断

三十　第百八条第一項及び第二項の規定による書類の閲覧及び資料の提供の求め、同項の規定による報告の求め並びに同条第三項の規定による協力の求め並びに附則第八条の規定によ

る資料の提供の求め（第二十六号に掲げる証明書の受領を除く。）

三十の二　第百八条の二の二の規定による情報の受領

三十一　第百八条の三第二項の規定による情報の提供の求め

三十二　第百八条の四において読み替えて準用する住民基本台帳法第三十条の三十九第一項の規定による報告の求め及び立入検査

三十三　第百九条の二第一項の規定による指定の申請の受理

三十三の二　第百九条の二の二第一項の規定による指定の申請の受理

三十四　前条第一項の規定による申請の受理

三十五　次条第二項の規定による報告の受理

三十五の二　附則第五条第四項の規定による申出の受理

三十六　附則第七条の三第二項の規定による届出の受理

三十七　附則第九条の三の二第一項の規定による請求の受理

三十七の二　附則第九条の四の二第一項の規定による届出の受理

三十七の三　附則第九条の四の三第一項の規定による承認

三十七の四　附則第九条の四の七第一項、第九条の四の九第一項、第九条の四の十第一項及び第九条の四の十一第一項の規定による申出の受理並びに附則第九条の四の七第二項、第九条の四の九第二項、第九条の四の十第二項及び第九条の四の十一第二項の規定による承認

三十八　前各号に掲げるもののほか、厚生労働省令で定める権限

2　機構は、前項第二十四号に掲げる権限及び同項第二十五号に掲げる国税滞納処分の例による処分（以下「滞納処分等」という。）その他同項各号に掲げる権限のうち厚生労働省令で定める権限に係る事務を効果的に行うため必要があると認めるときは、厚生労働省令で定めるところにより、厚生労働大臣に当該権限の行使に必要な情報を提供するとともに、厚生労働大臣自らその権限を行うよう求めることができる。

3　厚生労働大臣は、前項の規定による求めがあつた場合において必要があると認めるとき、又は機構が天災その他の事由により第一項各号に掲げる権限に係る事務の全部若しくは一部を行うことが困難若しくは不適当となつたと認めるときは、同項各号に掲げる権限の全部又は一部を自ら行うものとする。

4　厚生労働大臣は、前項の規定により第一項各号に掲げる権限の全部若しくは一部を自ら行うこととし、又は前項の規定により自ら行つている第一項各号に掲げる権限の全部若しくは一部を行わないこととするとき（次項に規定する場合を除く。）は、あらかじめ、その旨を公示しなければならない。

5　厚生労働大臣は、第三項の規定により自ら行うこととした滞納処分等について、機構から引き継いだ当該滞納処分等の対象となる者が特定されている場合には、当該者に対し、厚生労働大臣が当該者に係る滞納処分等を行うこととなる旨その他の厚生労働省令で定める事項を通知しなければならない。

6　厚生労働大臣が、第三項の規定により第一項各号に掲げる権限の全部若しくは一部を自ら行うこととし、又は第三項の規定により自ら行つている第一項各号に掲げる権限の全部若しくは一部を行わないこととする場合における同項各号に掲げる権限に係る事務の引継ぎその他の必要な事項は、厚生労働省令で定める。

7　前各項に定めるもののほか、機構による第一項各号に掲げる権限に係る事務の実施又は厚生労働大臣による同項各号に掲げる権限の行使に関し必要な事項は、厚生労働省令で定める。

（財務大臣への権限の委任）

第百九条の五　厚生労働大臣は、前条第三項の規定により滞納処分等及び同条第一項第二十三号に掲げる権限の全部又は一部を自らが行うこととした場合におけるこれらの権限並びに同号に規定する厚生労働省令で定める権限のうち厚生労働省令で定めるもの（以下この条において「滞納処分等その他の処分」という。）に係る納付義務者が滞納処分等その他の処分の執行を免れる目的でその財産について隠ぺいしているおそれがあることその他の政令で定める事情があるため保険料その他この法律の規定による徴収金の効果的な徴収を行う上で必要があると認めるときは、政令で定めるところにより、財務大臣に、当該納付義務者に関する情報その他必要な情報を提供するとともに、当該納付義務者に係る滞納処分等その他の処分の権限の全部又は一部を委任することができる。

2　財務大臣は、前項の委任に基づき、滞納処分等その他の処分の権限の全部又は一部を行つたときは、厚生労働省令で定めるところにより、滞納処分等その他の処分の執行の状況及びその結果を厚生労働大臣に報告するものとする。

3　前条第五項の規定は、第一項の委任に基づき、財務大臣が滞納処分等その他の処分の権限の全部又は一部を行う場合の財務大臣による通知について準用する。この場合において、必要な技術的読替えその他滞納処分等その他の処分の対象となる者に対する通知に関し必要な事項は、厚生労働省令で定める。

4　財務大臣が、第一項の委任に基づき、滞納処分等その他の処分の権限の全部若しくは一部を行うこととし、又は同項の委任に基づき行つている滞納処分等その他の処分の権限の全部若しくは一部を行わないこととする場合における滞納処分等その他の処分の権限に係る事務の引継ぎその他の必要な事項は、厚生労働省令で定める。

5　財務大臣は、第一項の規定により委任された権限、第二項の規定による権限及び第三項において準用する前条第五項の規定による権限を国税庁長官に委任する。

6　国税庁長官は、政令で定めるところにより、前項の規定により委任された権限の全部又は一部を納付義務者の居住地を管轄する国税局長に委任することができる。

7　国税局長は、政令で定めるところにより、前項の規定により委任された権限の全部又は一部を納付義務者の居住地を管轄する税務署長に委任することができる。

（機構が行う滞納処分等に係る認可等）

第百九条の六　機構は、滞納処分等を行う場合には、あらかじめ、厚生労働大臣の認可を受けるとともに、次条第一項に規定する滞納処分等実施規程に従い、徴収職員に行わせなければならない。

2　前項の徴収職員は、滞納処分等に係る法令に関する知識並びに実務に必要な知識及び能力を有する機構の職員のうちから、厚生労働大臣の認可を受けて、機構の理事長が任命する。

3　機構は、滞納処分等をしたときは、厚生労働省令で定めるところにより、速やかに、その結果を厚生労働大臣に報告しなければならない。

（滞納処分等実施規程の認可等）

第百九条の七 機構は、滞納処分等の実施に関する規程（以下この条において「滞納処分等実施規程」という。）を定め、厚生労働大臣の認可を受けなければならない。これを変更しようとするときも、同様とする。

2 滞納処分等実施規程には、差押えを行う時期、差押えに係る財産の選定方法その他の滞納処分等の公正かつ確実な実施を確保するために必要なものとして厚生労働省令で定める事項を記載しなければならない。

3 厚生労働大臣は、第一項の認可をした滞納処分等実施規程が滞納処分等の公正かつ確実な実施上不適当となつたと認めるときは、機構に対し、その滞納処分等実施規程を変更すべきことを命ずることができる。

（機構が行う立入検査等に係る認可等）

第百九条の八 機構は、第百九条の四第一項第二十一号、第二十八号、第二十九号又は第三十二号に掲げる権限に係る事務を行う場合には、あらかじめ、厚生労働大臣の認可を受けなければならない。

2 機構が第百九条の四第一項第二十一号、第二十八号、第二十九号又は第三十二号に掲げる権限に係る事務を行う場合における第七十二条各号、第百六条並びに第百七条第一項及び第二項の規定の適用については、これらの規定中「当該職員」とあるのは、「機構の職員」とする。

（地方厚生局長等への権限の委任）

第百九条の九 この法律に規定する厚生労働大臣の権限（第百九条の五第一項及び第二項並びに第十章に規定する厚生労働大臣の権限を除く。）は、厚生労働省令（第十四条の四に規定する厚生労働大臣の権限にあつては、政令）で定めるところにより、地方厚生局長に委任することができる。

2 前項の規定により地方厚生局長に委任された権限は、厚生労働省令で定めるところにより、地方厚生支局長に委任することができる。

3 第一項の規定により第十四条の四に規定する厚生労働大臣の権限が地方厚生局長に委任された場合（前項の規定により同条に規定する厚生労働大臣の権限が地方厚生支局長に委任された場合を含む。）には、同条第三項中「社会保障審議会」とあるのは、「地方厚生局に置かれる政令で定める審議会」とする。

（機構への事務の委託）

第百九条の十 厚生労働大臣は、機構に、次に掲げる事務（第三条第二項の規定により共済組合等が行うこととされたもの及び同条第三項の規定により市町村長が行うこととされたものを除く。）を行わせるものとする。

一 第十四条の規定による記録に係る事務（当該記録を除く。）

二 第十四条の五の規定による情報の通知に係る事務（当該通知を除く。）

三 第十六条（附則第九条の三の二第七項において準用する場合を含む。）の規定による裁定に係る事務（第百九条の四第一項第五号に掲げる請求の受理及び当該裁定を除く。）

四 第十九条第一項（附則第九条の三の二第七項において準用する場合を含む。）及び第三項の規定による請求の内容の確認に係る事務

五 第二十条第一項及び第二項の規定による年金給付の支給の停止に係る事務（第百九条の四第一項第六号に掲げる申請の受理及び当該支給の停止に係る決定を除く。）

六 第二十条の二第一項及び第二項の規定による年金給付の支給の停止に係る事務（第百九条の四第一項第七号に掲げる申出の受理及び当該支給の停止に係る決定を除く。）

七 第二十三条（附則第九条の三の二第七項において準用する場合を含む。）の規定による不正利得の徴収に係る事務（第百九条の四第一項第二十三号から第二十五号までに掲げる権限を行使する事務及び次条第一項の規定により機構が行う収納、第九十六条第一項の規定による督促その他の厚生労働省令で定める権限を行使する事務並びに第三十一号及び第三十八号に掲げる事務を除く。）

八 第二十六条並びに附則第九条の二第三項（附則第九条の三第四項において準用する場合を含む。）、第九条の二の二第三項及び第九条の三第一項の規定による老齢基礎年金又は老齢年金の支給に係る事務（第百九条の四第一項第八号に掲げる申出及び請求の受理並びに当該老齢基礎年金又は老齢年金の裁定を除く。）

九 第三十条第一項、第三十条の二第三項（第三十条の四第三項において準用する場合を含む。）、第三十条の三第一項、第三十条の四第一項、第三十一条第一項及び第三十二条の規定による障害基礎年金の支給に係る事務（第百九条の四第一項第九号に掲げる請求の受理及び当該障害基礎年金の裁定を除く。）

十 第三十二条第一項、第三十六条第一項及び第二項、第三十六条の二第一項及び第四項、第三十六条の三第一項並びに第三十六条の四第一項及び第二項の規定による障害基礎年金の支給の停止に係る事務（当該支給の停止に係る決定を除く。）

十一 第三十三条の二第二項及び第三項並びに第三十四条第一項の規定による障害基礎年金の額の改定に係る事務（第百九条の四第一項第十号に掲げる認定及び同項第十一号に掲げる請求の受理並びに当該改定に係る決定を除く。）

十二 第三十七条の規定による遺族基礎年金の支給に係る事務（当該遺族基礎年金の裁定を除く。）

十三 第三十九条第二項及び第三項並びに第三十九条の二第二項（第四十二条第三項において準用する場合を含む。）の規定による遺族基礎年金の額の改定に係る事務（当該改定に係る決定を除く。）

十四 第四十一条、第四十一条の二並びに第四十二条第一項及び第二項の規定による遺族基礎年金の支給の停止に係る事務（第百九条の四第一項第十二号に掲げる申請の受理及び当該支給の停止に係る決定を除く。）

十五 第四十三条の規定による付加年金の支給に係る事務（第百九条の四第一項第十四号に掲げる申出の受理及び当該付加年金の裁定を除く。）

十六 第四十五条第二項の規定による付加年金の額の改定に係る事務（当該改定に係る決定を除く。）

十七 第四十七条の規定による付加年金の支給の停止に係る事務（当該支給の停止に係る決定を除く。）

十八 第四十九条第一項及び第五十二条の六の規定による寡婦年金の支給に係る事務（当該寡婦年金の裁定を除く。）

十九　第五十二条の規定による寡婦年金の支給の停止に係る事務（当該支給の停止に係る決定を除く。）

二十　第五十二条の二第一項及び第二項並びに第五十二条の六の規定による死亡一時金の支給に係る事務（当該死亡一時金の裁定を除く。）

二十一　第六十九条の規定による障害基礎年金の支給に係る事務（当該障害基礎年金の裁定を除く。）

二十二　第七十条の規定による給付の支給に係る事務（当該給付の裁定を除く。）

二十三　第七十一条第一項の規定による遺族基礎年金、寡婦年金又は死亡一時金の支給に係る事務（当該遺族基礎年金、寡婦年金又は死亡一時金の裁定を除く。）

二十四　第七十二条の規定による年金給付の支給の停止に係る事務（当該支給の停止に係る決定を除く。）

二十五　第七十三条の規定による年金給付の支払の一時差止めに係る事務（当該支払の一時差止めに係る決定を除く。）

二十六　第八十七条第一項及び第九十二条の四第六項の規定による保険料の徴収に係る事務（第百九条の四第一項第十七号から第二十号まで及び第二十三号から第二十五号までに掲げる権限を行使する事務並びに次条第一項の規定により機構が行う収納、第九十六条第一項の規定による督促その他の厚生労働省令で定める権限を行使する事務並びに第三十一号及び第三十八号に掲げる事務を除く。）

二十七　第九十二条第一項の規定による保険料の通知に係る事務（当該通知を除く。）

二十八　第九十二条の二の二第一項の規定による指定に係る事務（第百九条の四第一項第十八号に掲げる申出の受理及び当該指定を除く。）

二十九　第九十二条の三第一項第二号の規定による指定に係る事務（当該指定を除く。）

三十　第九十二条の六第一項の規定による指定の取消しに係る事務（当該取消しを除く。）

三十一　第九十六条第一項及び第二項の規定による督促に係る事務（当該督促及び督促状を発すること（督促状の発送に係る事務を除く。）を除く。）

三十二　第九十七条第一項及び第四項の規定による延滞金の徴収に係る事務（第百九条の四第一項第二十三号から第二十五号までに掲げる権限を行使する事務及び次条第一項の規定により機構が行う収納、第九十六条第一項の規定による督促その他の厚生労働省令で定める権限を行使する事務並びに前号及び第三十八号に掲げる事務を除く。）

三十三　第百八条の三第一項の規定による統計調査に係る事務（第百九条の四第一項第三十一号に掲げる情報の提供の求め並びに当該統計調査に係る企画及び立案、総合調整並びに結果の提供を除く。）

三十四　第百八条の四において読み替えて準用する住民基本台帳法第三十条の三十八第四項の規定による勧告及び同条第五項の規定による命令に係る事務（当該勧告及び命令を除く。）

三十五　第百九条第二項の規定による認可及び同条第三項の規定による認可の取消しに係る事務（当該認可及び認可の取消しを除く。）

三十六　第百九条の二第一項の規定による指定に係る事務（第百九条の四第一項第三十三号に掲げる申請の受理及び当該指定を除く。）、第百九条の二第四項の規定による情報の提供に係る事務（当該情報の提供を除く。）、同条第五項の規定による命令に係る事務（当該命令を除く。）及び同条第六項の規定による指定の取消しに係る事務（当該指定の取消しを除く。）

三十六の二　第百九条の二の二第一項の規定による指定に係る事務（第百九条の四第一項第三十三号の二に掲げる申請の受理及び当該指定を除く。）、第百九条の二の二第四項の規定による命令に係る事務（当該命令を除く。）及び同条第五項の規定による指定の取消しに係る事務（当該指定の取消しを除く。）

三十七　第百九条の三第一項の規定による指定に係る事務（第百九条の四第一項第三十四号に掲げる申請の受理及び当該指定を除く。）、第百九条の三第三項の規定による情報の提供に係る事務（当該情報の提供を除く。）、同条第四項の規定による命令に係る事務（当該命令を除く。）及び同条第五項の規定による指定の取消しに係る事務（当該指定の取消しを除く。）

三十八　第百九条の四第一項第二十三号に規定する厚生労働省令で定める権限に係る事務（当該権限を行使する事務を除く。）

三十九　附則第七条の三第四項及び第九条の二の二第五項の規定による老齢基礎年金の額の改定に係る事務（第百九条の四第一項第三十六号に掲げる届出の受理及び当該改定に係る決定を除く。）

四十　附則第九条の三の二第二項の規定による脱退一時金の支給に係る事務（第百九条の四第一項第三十七号に掲げる請求の受理及び当該脱退一時金の裁定を除く。）

四十一　介護保険法第二百三条その他の厚生労働省令で定める法律の規定による求めに応じたこの法律の実施に関し厚生労働大臣が保有する情報の提供に係る事務（当該情報の提供及び厚生労働省令で定める事務を除く。）

四十二　前各号に掲げるもののほか、厚生労働省令で定める事務

2　厚生労働大臣は、機構が天災その他の事由により前項各号に掲げる事務の全部又は一部を実施することが困難又は不適当となつたと認めるときは、同項各号に掲げる事務の全部又は一部を自ら行うものとする。

3　前二項に定めるもののほか、機構又は厚生労働大臣による第一項各号に掲げる事務の実施に関し必要な事項は、厚生労働省令で定める。

（機構が行う収納）

第百九条の十一　厚生労働大臣は、会計法第七条第一項の規定にかかわらず、政令で定める場合における保険料その他この法律の規定による徴収金、年金給付の過誤払による返還金その他の厚生労働省令で定めるもの（以下この条において「保険料等」という。）の収納を、政令で定めるところにより、機構に行わせることができる。

2　前項の収納を行う機構の職員は、収納に係る法令に関する知識並びに実務に必要な知識及び能力を有する機構の職員のうちから、厚生労働大臣の認可を受けて、機構の理事長が任命す

る。

3　機構は、第一項の規定により保険料等の収納をしたときは、遅滞なく、これを日本銀行に送付しなければならない。

4　機構は、厚生労働省令で定めるところにより、収納に係る事務の実施状況及びその結果を厚生労働大臣に報告するものとする。

5　機構は、前二項に定めるもののほか、厚生労働大臣が定める収納に係る事務の実施に関する規程に従つて収納を行わなければならない。

6　前各項に定めるもののほか、第一項の規定による保険料等の収納について必要な事項は、政令で定める。

（情報の提供）

第百九条の十二　機構は、厚生労働大臣に対し、厚生労働省令で定めるところにより、被保険者の資格に関する事項、保険料の免除に関する事項その他厚生労働大臣の権限の行使に関して必要な情報の提供を行うものとする。

（厚生労働大臣と機構の密接な連携）

第百九条の十三　厚生労働大臣及び機構は、国民年金事業が、適正かつ円滑に行われるよう、必要な情報交換を行うことその他相互の密接な連携を確保しなければならない。

（研修）

第百九条の十四　厚生労働大臣は、機構の協力の下に、国民年金事業に関する事務に従事する厚生労働省の職員に対し、当該事務を適正かつ円滑に行うために必要な知識及び技能を習得させ、及び向上させるために必要な研修を行うものとする。

（経過措置）

第百九条の十五　この法律に基づき政令を制定し、又は改廃する場合においては、政令で、その制定又は改廃に伴い合理的に必要と判断される範囲内において、所要の経過措置を定めることができる。

（実施命令）

第百十条　この法律に特別の規定があるものを除くほか、この法律の実施のための手続その他その執行について必要な細則は、省令で定める。

附　則（抄）

（施行期日）

第一条　この法律は、昭和三十四年十一月一日から施行する。ただし、第二章、第七十四条、第七十五条及び附則第四条から附則第八条までの規定は昭和三十五年十月一日から、第七十六条から第七十九条まで、第六章中保険料に関する部分及び附則第二条の規定は昭和三十六年四月一日から、附則第三条第一項の規定は公布の日から施行する。

（基礎年金についての検討）

第一条の二　基礎年金の水準、費用負担のあり方等については、社会経済情勢の推移、世帯の類型等を考慮して、今後検討が加えられるべきものとする。

（被保険者に関する経過措置）

第二条　昭和三十五年十月一日から昭和三十六年三月三十一日までの間において被保険者であつた者について、給付に関する規定を適用する場合においては、その者は、その期間、被保険者でなかつたものとみなす。

（被保険者の資格の特例）

第三条　第七条第一項第一号の規定の適用については、当分の間、同号中「の被保険者」とあるのは、「の被保険者（六十五歳以上の者にあつては、厚生年金保険法附則第四条の三第一項に規定する政令で定める給付の受給権を有しない被保険者に限る。）」とする。

（被保険者の資格の喪失に関する経過措置）

第四条　当分の間、第九条第五号の規定の適用については、同号中「該当するときを除く。）」とあるのは「該当するときを除く。）又は六十五歳に達したとき（附則第三条の規定により読み替えられた第七条第一項第二号に該当するときを除く。）」とする。

（任意加入被保険者）

第五条　次の各号のいずれかに該当する者（第二号被保険者及び第三号被保険者を除く。）は、第七条第一項の規定にかかわらず、厚生労働大臣に申し出て、被保険者となることができる。

一　日本国内に住所を有する二十歳以上六十歳未満の者であつて、厚生年金保険法に基づく老齢給付等を受けることができるもの（この法律の適用を除外すべき特別の理由がある者として厚生労働省令で定める者を除く。）

二　日本国内に住所を有する六十歳以上六十五歳未満の者（この法律の適用を除外すべき特別の理由がある者として厚生労働省令で定める者を除く。）

三　日本国籍を有する者その他政令で定める者であつて、日本国内に住所を有しない二十歳以上六十五歳未満のもの

2　前項第一号又は第二号に該当する者が同項の規定による申出を行おうとする場合には、口座振替納付を希望する旨の申出又は口座振替納付によらない正当な事由がある場合として厚生労働省令で定める場合に該当する旨の申出を厚生労働大臣に対してしなければならない。

3　前項（第一項第三号に掲げる者にあつては、同項）の規定による申出をした者は、その申出をした日に被保険者の資格を取得するものとする。

4　第一項の規定による被保険者は、いつでも、厚生労働大臣に申し出て、被保険者の資格を喪失することができる。

5　第一項の規定による被保険者は、第九条第一号に該当するに至つた日の翌日又は次の各号のいずれかに該当するに至つた日に、被保険者の資格を喪失する。

一　六十五歳に達したとき。

二　厚生年金保険の被保険者の資格を取得したとき。

三　前項の申出が受理されたとき。

四　第二十七条各号に掲げる月数を合算した月数が四百八十に達したとき。

6　第一項第一号に掲げる者である被保険者は、前項の規定によつて被保険者の資格を喪失するほか、次の各号のいずれかに該当するに至つた日の翌日（第一号に該当するに至つた日に更に被保険者の資格を取得したとき、又は第二号若しくは第三号に該当するに至つたときは、その日）に、被保険者の資格を喪失する。

一　日本国内に住所を有しなくなつたとき。

二　厚生年金保険法に基づく老齢給付等を受けることができる者に該当しなくなつたとき。

三　被扶養配偶者となつたとき。

四　保険料を滞納し、第九十六条第一項の規定による指定の期

限までに、その保険料を納付しないとき。

五　この法律の適用を除外すべき特別の理由がある者として厚生労働省令で定める者となつたとき。

7　第一項第二号に掲げる者である被保険者は、第五項の規定によつて被保険者の資格を喪失するほか、前項第一号、第四号及び第五号のいずれかに該当するに至つた日の翌日（同項第一号に該当するに至つた日に更に被保険者の資格を取得したときは、その日）に、被保険者の資格を喪失する。

8　第一項第三号に掲げる者である被保険者は、第五項の規定によつて被保険者の資格を喪失するほか、次の各号のいずれかに該当するに至つた日の翌日（その事実があつた日に更に被保険者の資格を取得したときは、その日）に、被保険者の資格を喪失する。

一　日本国内に住所を有するに至つたとき。

二　日本国籍を有する者及び第一項第三号に規定する政令で定める者のいずれにも該当しなくなつたとき。

三　被扶養配偶者となつたとき（六十歳未満であるときに限る。）。

四　保険料を滞納し、その後、保険料を納付することなく二年間が経過したとき。

9　第一項の規定による被保険者は、第八十七条の二の規定の適用については、第一号被保険者とみなし、当該被保険者としての被保険者期間は、第五条第一項の規定の適用については第七条第一項第一号に規定する被保険者としての被保険者期間と、第四十九条から第五十二条の六まで、附則第九条の三及び第九条の三の二の規定の適用については第一号被保険者としての被保険者期間と、それぞれみなす。

10　第一項の規定による被保険者については、第八十八条の二から第九十条の三までの規定を適用しない。

11　第一項の規定による被保険者（同項第一号に掲げる者を除く。第十三項において同じ。）は、第百十六条第一項及び第二項並びに第百二十七条第一項の規定の適用については、第一号被保険者とみなす。

12　第一項の規定による被保険者（同項第三号に掲げる者に限る。）は、第百二十七条第一項の規定にかかわらず、その者が住所を有していた地区に係る地域型基金又はその者が加入していた職能型基金に申し出て、地域型基金又は職能型基金の加入員となることができる。この場合における第百十六条第一項及び第二項並びに第百二十七条第三項の規定の適用については、第百十六条第一項中「有する者」とあるのは「有する者及び有していた者」と、同条第二項中「従事する者」とあるのは「従事する者及び従事していた者」と、第百二十七条第三項第二号中「地域型基金の加入員」とあるのは「地域型基金の加入員（附則第五条第十二項の規定により加入員となつた者を除く。）」と、「職能型基金の加入員」とあるのは「職能型基金の加入員（同項の規定により加入員となつた者を除く。）」とする。

13　第一項の規定による被保険者が中途脱退者であつて再びもとの基金の加入員となつた場合における第百三十条第二項（第百三十七条の十七第五項において準用する場合を除く。）及び国民年金法等の一部を改正する法律（昭和六十年法律第三十四号。以下「昭和六十年改正法」という。）附則第三十四条第四項第一号の規定の適用については、第百三十条第二項中「当該基金の加入員であつた期間」とあるのは「当該基金の加入員であつた期間であつて、連合会（第百三十七条の四に規定する連合会をいう。）がその支給に関する義務を負つている年金又は一時金の額の計算の基礎となる期間を除いたもの」と、昭和六十年改正法附則第三十四条第四項第一号中「同法第百三十条第二項に規定する加入員期間をいう。以下この号において同じ」とあるのは「同法附則第五条第十三項の規定により読み替えて適用する同法第百三十条第二項に規定する加入員期間をいう」と、「加入員期間の月数」とあるのは「加入員であつた期間の月数」とする。この場合においては、第百三十七条の十八の規定は、適用しない。

第六条　第一号被保険者である者が厚生年金保険法に基づく老齢給付等を受けることができる者に該当するに至つた場合において、その者がこれに該当するに至らなかつたならば納付すべき保険料を、その該当するに至つた日の属する月以降の期間について、第九十三条第一項の規定により前納しているとき、又はその該当するに至つた日の属する月後における最初の四月の末日までに納付したときは、その該当するに至つた日において、前条第一項の申出をしたものとみなす。

第七条　削除

（被保険者期間に関する特例）

第七条の二　厚生年金保険の被保険者期間につき厚生年金保険法による保険料を徴収する権利が時効によつて消滅したとき（同法第七十五条ただし書に該当するときを除く。）は、当該保険料に係る厚生年金保険の被保険者期間の計算の基礎となつた月に係る第二号被保険者としての被保険者期間は、第五条第一項の規定にかかわらず、保険料納付済期間に算入しない。その者の配偶者が第三号被保険者である場合における当該厚生年金保険の被保険者期間の計算の基礎となつた月に係る当該配偶者の第三号被保険者としての被保険者期間についても、同様とする。

第七条の三　第七条第一項第三号に該当しなかつた者が同号の規定に該当する被保険者となつたことに関する第十二条第五項から第八項までの規定による届出又は同号に該当する被保険者の配偶者が厚生年金保険の被保険者の資格を喪失した後引き続き厚生年金保険の被保険者となつたことに関する第百五条第一項（同条第二項において第十二条第六項から第八項までの規定を準用する場合を含む。）の規定による届出が行われた日の属する月前の当該届出に係る第三号被保険者としての被保険者期間（当該届出が行われた日の属する月の前々月までの二年間のうちにあるものを除く。）は、第五条第一項の規定にかかわらず、保険料納付済期間に算入しない。

2　第三号被保険者又は第三号被保険者であつた者は、その者の第三号被保険者としての被保険者期間のうち、前項の規定により保険料納付済期間に算入されない第三号被保険者としての被保険者期間（前条の規定により保険料納付済期間に算入されない第三号被保険者としての被保険者期間を除く。）について、前項に規定する届出を遅滞したことについてやむを得ない事由があると認められるときは、厚生労働大臣にその旨の届出をすることができる。

3　前項の規定により届出が行われたときは、第一項の規定にかかわらず、当該届出が行われた日以後、当該届出に係る期間は保険料納付済期間に算入する。

4　老齢基礎年金の受給権者が第二項の規定による届出を行い、前項の規定により当該届出に係る期間が保険料納付済期間に算入されたときは、当該届出のあつた日の属する月の翌月から、年金額を改定する。

5　第三項の規定により第二項の届出に係る期間が保険料納付済期間に算入された者に対する昭和六十年改正法附則第十八条の規定の適用については、同条第一項中「同日以後の国民年金の被保険者期間」とあるのは、「同日以後に保険料納付済期間に算入される期間」とする。

第七条の三の二　前条第一項の規定は、次の各号のいずれかに該当する場合において、当該各号に規定する被保険者期間については、適用しない。

一　第三号被保険者としての被保険者期間（保険料納付済期間（政令で定める期間を除く。）に限る。以下この条において「対象第三号被保険者期間」という。）を有する者の当該対象第三号被保険者期間の一部について、第三号被保険者としての被保険者期間以外の期間として第十四条の規定により記録した事項の訂正がなされた場合　当該第三号被保険者としての被保険者期間以外の期間に引き続く第三号被保険者としての被保険者期間

二　対象第三号被保険者期間を有する者の当該対象第三号被保険者期間の一部の期間（以下この号において「対象一部第三号被保険者期間」という。）におけるその者の配偶者の被保険者期間が、直近の厚生年金保険の被保険者である期間に引き続く他の厚生年金保険の被保険者である期間となつたことにより、当該対象一部第三号被保険者期間について、保険料納付済期間でないものとして第十四条の規定により記録した事項の訂正がなされた場合　当該訂正がなされた第三号被保険者としての被保険者期間

第七条の四　第二号被保険者については、第十二条及び第百五条の規定を適用しない。

（国民年金原簿の特例等）

第七条の五　第十四条及び第十四条の二の規定の適用については、当分の間、第十四条中「被保険者」とあるのは、「被保険者（第二号被保険者のうち第二号厚生年金被保険者、第三号厚生年金被保険者又は第四号厚生年金被保険者であるものを除く。次条において同じ。）」とする。

2　第二号被保険者であつた期間のうち厚生年金保険法第二条の五第一項第二号に規定する第二号厚生年金被保険者期間（以下この条において「第二号厚生年金被保険者期間」という。）、同項第三号に規定する第三号厚生年金被保険者期間（以下この条において「第三号厚生年金被保険者期間」という。）又は同項第四号に規定する第四号厚生年金被保険者期間（以下この条において「第四号厚生年金被保険者期間」という。）につき第二十六条、第三十条第一項、第三十条の三第一項、第三十四条第四項、第三十六条第二項ただし書、第三十七条、附則第九条の二第一項又は第九条の二の二第一項の規定の適用を受けようとする者についての当該厚生年金保険の被保険者であつた期間については、当分の間、第二号厚生年金被保険者期間については国家公務員共済組合連合会の確認を、第三号厚生年金被保険者期間については地方公務員共済組合の確認を、第四号厚生年金被保険者期間については日本私立学校振興・共済事業団の確認を受けたところによる。

3　前項の規定による確認に関する処分に不服がある者は、厚生年金保険法第九十条第二項及び第四項から第六項までの定めるところにより、同条第二項各号に定める審査機関に審査請求をすることができる。

4　第二項の場合において、当該第二号厚生年金被保険者期間、第三号厚生年金被保険者期間又は第四号厚生年金被保険者期間に係る同項の規定による確認の処分についての不服を、当該厚生年金保険の被保険者であつた期間に基づく老齢基礎年金、障害基礎年金又は遺族基礎年金に関する処分についての不服の理由とすることができない。

（資料の提供）

第八条　厚生労働大臣は、被保険者の資格に関し必要があるときは、共済組合、日本私立学校振興・共済事業団その他厚生年金保険法に基づく老齢給付等に係る制度の管掌機関に対し、必要な資料の提供を求めることができる。

（老齢基礎年金等の支給要件の特例）

第九条　保険料納付済期間又は保険料免除期間（第九十条の三第一項の規定により納付することを要しないものとされた保険料に係るものを除く。次条第一項及び附則第九条の二の二第一項において同じ。）を有する者（以下この項において「保険料納付済期間等を有する者」という。）のうち、第二十六条ただし書に該当する者であつて保険料納付済期間、保険料免除期間及び合算対象期間（附則第五条第一項第一号又は第三号に該当した期間（第二号被保険者又は第三号被保険者であつた期間、保険料納付済期間及び六十歳以上であつた期間を除く。）をいう。以下同じ。）を合算した期間が十年以上であるものは、第二十六条、次条第一項、附則第九条の二第一項、第九条の三第一項及び第九条の三の二第一項の規定の適用については、第二十六条ただし書に該当しないものとみなし、保険料納付済期間等を有する者のうち、保険料納付済期間と保険料免除期間とを合算した期間が二十五年に満たない者であつて保険料納付済期間、保険料免除期間及び合算対象期間を合算した期間が二十五年以上であるものは、第三十七条（第三号及び第四号に限る。）の規定の適用については、保険料納付済期間と保険料免除期間とを合算した期間が二十五年以上であるものとみなす。

2　合算対象期間の計算については、第十一条の規定の例による。

（老齢基礎年金の支給の繰上げ）

第九条の二　保険料納付済期間又は保険料免除期間を有する者であつて、六十歳以上六十五歳未満であるもの（附則第五条第一項の規定による被保険者でないものに限るものとし、次条第一項に規定する支給繰上げの請求をすることができるものを除く。）は、当分の間、六十五歳に達する前に、厚生労働大臣に老齢基礎年金の支給繰上げの請求をすることができる。ただし、その者が、その請求があつた日の前日において、第二十六条ただし書に該当したときは、この限りでない。

2　前項の請求は、厚生年金保険法附則第七条の三第一項又は第十三条の四第一項の規定により支給繰上げの請求をすることができる者にあつては、当該請求と同時に行わなければならない。

3　第一項の請求があつたときは、第二十六条の規定にかかわらず、その請求があつた日から、その者に老齢基礎年金を支給す

る。

4　前項の規定により支給する老齢基礎年金の額は、第二十七条の規定にかかわらず、同条に定める額から政令で定める額を減じた額とする。

5　寡婦年金の受給権は、受給権者が第三項の規定による老齢基礎年金の受給権を取得したときに、消滅する。

6　第四項の規定は、第三項の規定による老齢基礎年金の受給権者が第八十七条の二の規定による保険料に係る保険料納付済期間を有する場合における付加年金の額について準用する。この場合において、第四項中「第二十七条」とあるのは、「第四十四条」と読み替えるものとする。

（老齢厚生年金の支給繰上げの請求ができる者等に係る老齢基礎年金の支給の繰上げの特例）

第九条の二の二　保険料納付済期間又は保険料免除期間を有する者であつて、厚生年金保険法附則第八条の二各項に規定する者（同条第三項に規定する者その他政令で定めるものに限るものとし、同条各項の表の下欄に掲げる年齢に達していないものに限る。）に該当するもの（六十歳以上の者であつて、かつ、附則第五条第一項の規定による被保険者でないものに限る。）は、当分の間、厚生労働大臣に老齢基礎年金の一部の支給繰上げの請求をすることができる。ただし、その者が、その請求があつた日の前日において、第二十六条ただし書に該当したときは、この限りでない。

2　前項の請求は、厚生年金保険法附則第七条の三第一項又は第十三条の四第一項の規定により支給繰上げの請求をすることができる者にあつては、当該請求と同時に行わなければならない。

3　第一項の請求があつたときは、第二十六条の規定にかかわらず、その請求があつた日から、その者に老齢基礎年金を支給する。

4　前項の規定により支給する老齢基礎年金の額は、第二十七条の規定にかかわらず、同条に定める額に政令で定める率を乗じて得た額から政令で定める額を減じた額とする。

5　第三項の規定による老齢基礎年金の受給権者が六十五歳に達したときは、前項の規定にかかわらず、当該老齢基礎年金の額に、第二十七条に定める額に一から前項に規定する政令で定める率を控除して得た率を乗じて得た額を加算するものとし、六十五歳に達した日の属する月の翌月から、年金の額を改定する。

6　前条第五項及び第六項の規定は、第三項の規定による老齢基礎年金について準用する。この場合において、同条第六項中「第四項の規定」とあるのは「次条第四項及び第五項の規定」と、「第四項中」とあるのは「次条第四項及び第五項の規定中」と読み替えるものとする。

（障害基礎年金等の特例）

第九条の二の三　第三十条第一項（第二号に限る。）、第三十条の二、第三十条の三、第三十条の四第二項、第三十四条第四項、第三十六条第二項ただし書及び第四十九条並びに附則第五条の規定は、当分の間、附則第九条の二第三項若しくは前条第三項の規定による老齢基礎年金の受給権者又は厚生年金保険法附則第七条の三第三項若しくは第十三条の四第三項の規定による老齢厚生年金の受給権者については、適用しない。

（併給調整の特例）

第九条の二の四　第二十条第一項の規定の適用については、当分の間、同項中「遺族基礎年金又は寡婦年金」とあるのは「年金給付（老齢基礎年金及び障害基礎年金（その受給権者が六十五歳に達しているものに限る。）並びに付加年金を除く。）」と、「老齢基礎年金の受給権者」とあるのは「老齢基礎年金の受給権者（六十五歳に達している者に限る。）」と、「障害基礎年金の受給権者」とあるのは「障害基礎年金の受給権者（六十五歳に達している者に限る。）」とする。

（延滞金の割合の特例）

第九条の二の五　第九十七条第一項（第百三十四条の二第一項において準用する場合及び第百三十七条の二十一第二項において読み替えて準用する場合を含む。以下この条において同じ。）に規定する延滞金の年十四・六パーセントの割合及び年七・三パーセントの割合は、当分の間、第九十七条第一項の規定にかかわらず、各年の延滞税特例基準割合（租税特別措置法（昭和三十二年法律第二十六号）第九十四条第一項に規定する延滞税特例基準割合をいう。以下この条において同じ。）が年七・三パーセントの割合に満たない場合には、その年中においては、年十四・六パーセントの割合にあつては当該延滞税特例基準割合に年七・三パーセントの割合を加算した割合とし、年七・三パーセントの割合にあつては当該延滞税特例基準割合に年一パーセントの割合を加算した割合（当該加算した割合が年七・三パーセントの割合を超える場合には、年七・三パーセントの割合）とする。

（旧陸軍共済組合等の組合員であつた期間を有する者に対する老齢年金の支給）

第九条の三　第一号被保険者としての被保険者期間に係る保険料納付済期間、保険料免除期間及び旧陸軍共済組合令（昭和十五年勅令第九百四十七号）に基づく旧陸軍共済組合その他政令で定める共済組合の組合員であつた期間であつて政令で定める期間を合算した期間が十年以上である者が六十五歳に達したときは、その者に老齢年金を支給する。ただし、当該保険料納付済期間と当該保険料免除期間とを合算した期間が一年以上であり、かつ、第二十六条ただし書に該当する場合に限る。

2　前項の規定により支給する老齢年金の額は、第一号被保険者としての被保険者期間に係る保険料納付済期間及び保険料免除期間につき、第二十七条の規定の例によつて計算した額とする。

3　第一項の規定による老齢年金は、第三章（第二節及び第三十七条の規定を除く。）及び第七章から第十章まで並びに厚生年金保険法第三十八条の規定の適用については、老齢基礎年金とみなす。

4　第二十八条、附則第九条の二（同条第一項ただし書を除く。）、第九条の二の三及び第九条の二の四の規定は、第一項に規定する要件に該当する者について準用する。この場合において、附則第九条の二第一項中「保険料納付済期間又は保険料免除期間を有する」とあるのは「附則第九条の三第一項に規定する要件に該当する」と、同条三項中「第二十六条」とあるのは「附則第九条の三第一項」と読み替えるものとする。

5　第一項の規定による老齢年金の受給権は、受給権者が死亡したときは、消滅する。

（日本国籍を有しない者に対する脱退一時金の支給）

第九条の三の二　当分の間、保険料納付済期間等の月数（請求の日の前日において請求の日の属する月の前月までの第一号被保険者としての被保険者期間に係る保険料納付済期間の月数、保険料四分の一免除期間の月数の四分の三に相当する月数、保険料半額免除期間の月数の二分の一に相当する月数及び保険料四分の三免除期間の月数の四分の一に相当する月数を合算した月数をいう。第三項において同じ。）が六月以上である日本国籍を有しない者（被保険者でない者に限る。）であつて、第二十六条ただし書に該当するものその他これに準ずるものとして政令で定めるものは、脱退一時金の支給を請求することができる。ただし、その者が次の各号のいずれかに該当するときは、この限りでない。

一　日本国内に住所を有するとき。

二　障害基礎年金その他政令で定める給付の受給権を有したことがあるとき。

三　最後に被保険者の資格を喪失した日（同日において日本国内に住所を有していた者にあつては、同日後初めて、日本国内に住所を有しなくなつた日）から起算して二年を経過しているとき。

2　前項の請求があつたときは、その請求をした者に脱退一時金を支給する。

3　脱退一時金の額は、基準月（請求の日の属する月の前月までの第一号被保険者としての被保険者期間に係る保険料納付済期間、保険料四分の一免除期間、保険料半額免除期間又は保険料四分の三免除期間のうち請求の日の前日までに当該期間の各月の保険料として納付された保険料に係る月のうち直近の月をいう。）の属する年度における保険料の額に二分の一を乗じて得た額に保険料納付済期間等の月数に応じて政令で定める数を乗じて得た額とする。

4　脱退一時金の支給を受けたときは、支給を受けた者は、その額の計算の基礎となつた第一号被保険者としての被保険者であつた期間は、被保険者でなかつたものとみなす。

5　脱退一時金に関する処分に不服がある者は、社会保険審査会に対して審査請求をすることができる。

6　第百一条第三項から第五項まで及び第百一条の二の規定は、前項の審査請求について準用する。この場合において、これらの規定に関し必要な技術的読替えは、政令で定める。

7　第十六条、第十九条第一項、第四項及び第五項、第二十三条、第二十四条、第百五条第四項、第百七条第一項並びに第百十一条の規定は、脱退一時金について準用する。この場合において、これらの規定に関し必要な技術的読替えは、政令で定める。

（基礎年金の支払）

第九条の四　基礎年金の支払に関する事務は、政令で定めるところにより、政令で定める者に行わせることができる。

（第三号被保険者としての被保険者期間の特例）

第九条の四の二　被保険者又は被保険者であつた者は、第三号被保険者としての被保険者期間（昭和六十一年四月から公的年金制度の健全性及び信頼性の確保のための厚生年金保険法等の一部を改正する法律（平成二十五年法律第六十三号。次条第一項において「平成二十五年改正法」という。）附則第一条第二号に掲げる規定の施行の日（以下「平成二十五年改正法一部施行日」という。）の属する月の前月までの間にある保険料納付済期間（政令で定める期間を除く。）に限る。）のうち、第一号被保険者としての被保険者期間として第十四条の規定により記録した事項の訂正がなされた期間（附則第九条の四の六第一項及び第二項において「不整合期間」という。）であつて、当該訂正がなされたときにおいて保険料を徴収する権利が時効によつて消滅しているもの（以下「時効消滅不整合期間」という。）について、厚生労働大臣に届出をすることができる。

2　前項の規定により届出が行われたときは、当該届出に係る時効消滅不整合期間（第四項及び次条第一項において「特定期間」という。）については、この法律その他の政令で定める法令の規定を適用する場合においては、当該届出が行われた日以後、第九十条の三第一項の規定により納付することを要しないものとされた保険料に係る期間とみなすほか、これらの規定の適用に関し必要な事項は、政令で定める。

3　次条第一項の規定その他政令で定める規定により保険料の納付が行われたときは、納付が行われた日以後、当該納付に係る月については、前項の規定は、適用しない。

4　特定期間を有する者に対する昭和六十年改正法附則第十八条の規定の適用については、同条第一項中「同日以後の国民年金の被保険者期間」とあるのは、「同日以後に同法附則第九条の四の二第二項の規定により同法第九十条の三第一項の規定により納付することを要しないものとされた保険料に係る期間とみなされた期間」とする。

（特定保険料の納付）

第九条の四の三　平成二十五年改正法附則第九十八条の政令で定める日の翌日から起算して三年を経過する日（以下「特定保険料納付期限日」という。）までの間において、被保険者又は被保険者であつた者（特定期間を有する者に限る。）は、厚生労働大臣の承認を受け、特定期間のうち、保険料納付済期間以外の期間であつて、その者が五十歳以上六十歳未満であつた期間（その者が六十歳未満である場合にあつては、承認の日の属する月前十年以内の期間）の各月につき、承認の日の属する月前十年以内の期間の各月の保険料に相当する額に政令で定める額を加算した額のうち最も高い額（承認の日の属する月前十年以内の期間にあつては、当該加算した額）の保険料（以下この条及び附則第九条の四の九第四項において「特定保険料」という。）を納付することができる。

2　前項の規定による特定保険料の納付は、先に経過した月の保険料に係る特定保険料から順次に行うものとする。

3　第一項の規定により特定保険料の納付が行われたときは、納付が行われた日に、納付に係る月の保険料が納付されたものとみなす。

4　老齢基礎年金の受給権者が第一項の規定による特定保険料の納付を行つたときは、納付が行われた日の属する月の翌月から、年金額を改定する。ただし、次条に規定する特定受給者については、特定保険料納付期限日の属する月の翌月から、年金額を改定する。

5　前各項に定めるもののほか、特定保険料の納付手続その他特定保険料の納付について必要な事項は、政令で定める。

（特定受給者の老齢基礎年金等の特例）

第九条の四の四　平成二十五年改正法一部施行日以後に第十四条の規定により記録した事項の訂正がなされたことにより時効消

減不整合期間となつた期間を有する者であつて、平成二十五年改正法一部施行日において当該時効消滅不整合期間となつた期間が保険料納付済期間であるものとして老齢基礎年金又は被用者年金各法に基づく老齢給付等を受けているもの（これらの給付の全部につき支給が停止されている者を含む。次条において「特定受給者」という。）が有する当該時効消滅不整合期間となつた期間については、この法律その他の政令で定める法令の規定（老齢基礎年金又は被用者年金各法に基づく老齢給付等に係るものに限る。）を適用する場合においては、特定保険料納付期限日までの間、保険料納付済期間とみなす。この場合において、附則第九条の四の二第二項の規定は、適用しない。

（特定保険料納付期限日の属する月の翌月以後の特定受給者の老齢基礎年金の額）

第九条の四の五　特定受給者に支給する特定保険料納付期限日の属する月の翌月以後の月分の老齢基礎年金の額については、訂正後年金額（第二十七条及び第二十八条並びに附則第九条の二及び第九条の二の二並びに昭和六十年改正法附則第十七条の規定に定める額をいう。）が訂正前年金額（前条に規定する時効消滅不整合期間となつた期間を保険料納付済期間とみなして第二十七条及び第二十八条並びに附則第九条の二及び第九条の二の二並びに昭和六十年改正法附則第十七条の規定を適用した場合におけるこれらの規定に定める額をいう。）に百分の九十を乗じて得た額（以下この条において「減額下限額」という。）に満たないときは、第二十七条及び第二十八条並びに附則第九条の二及び第九条の二の二並びに昭和六十年改正法附則第十七条の規定にかかわらず、減額下限額に相当する額とする。

（不整合期間を有する者の障害基礎年金等に係る特例）

第九条の四の六　平成二十五年改正法一部施行日以後に第十四条の規定により記録した事項の訂正がなされたことにより不整合期間となつた期間を有する者であつて、平成二十五年改正法一部施行日において当該不整合期間となつた期間が保険料納付済期間であるものとして障害基礎年金又は被用者年金各法その他の政令で定める法令に基づく障害を支給事由とする年金たる給付を受けているもの（これらの給付の全部につき支給が停止されている者を含む。）の当該不整合期間となつた期間については、この法律その他の政令で定める法令の規定（これらの給付に係るものに限る。）を適用する場合においては、保険料納付済期間とみなす。

2　平成二十五年改正法一部施行日以後に第十四条の規定により記録した事項の訂正がなされたことにより不整合期間となつた期間を有する者の死亡に係る遺族基礎年金又は被用者年金各法その他の政令で定める法令に基づく死亡を支給事由とする年金たる給付であつて、平成二十五年改正法一部施行日において当該不整合期間となつた期間が保険料納付済期間であるものとして支給されているもの（これらの給付の全部につき支給が停止されているものを含む。）の受給資格要件たる期間の計算の基礎となる当該不整合期間となつた期間については、この法律その他の政令で定める法令の規定（これらの給付に係るものに限る。）を適用する場合においては、保険料納付済期間とみなす。

3　附則第九条の四の二第一項の規定により届出が行われたときは、当該届出が行われた日以後、当該届出に係る期間については、第一項の規定は、適用しない。

（特定事由に係る申出等の特例）

第九条の四の七　被保険者又は被保険者であつた者は、次の各号のいずれかに該当するときは、厚生労働大臣にその旨の申出をすることができる。

一　特定事由（この法律その他の政令で定める法令の規定に基づいて行われるべき事務の処理が行われなかつたこと又はその処理が著しく不当であることをいう。以下この条及び附則第九条の四の九から第九条の四の十一までにおいて同じ。）により特定手続（第八十七条の二第一項の申出その他の政令で定める手続をいう。以下この条において同じ。）をすることができなくなつたとき。

二　特定事由により特定手続を遅滞したとき。

2　厚生労働大臣は、前項の申出に理由があると認めるときは、その申出を承認するものとする。

3　第一項の申出をした者が前項の規定による承認を受けた場合において、特定事由がなければ特定手続が行われていたと認められるときに当該特定手続が行われていたとしたならば当該特定手続に係る規定により当該申出をした者が被保険者となる期間があるときは、当該期間は、この法律その他の政令で定める法令の規定（第八十七条第一項及び第二項並びに第八十八条第一項の規定その他政令で定める規定を除く。）を適用する場合においては、当該申出のあつた日以後、当該特定手続に係る規定による被保険者としての被保険者期間（附則第九条の四の九第一項第二号において「特定被保険者期間」という。）とみなす。

4　第一項の申出をした者が第二項の規定による承認を受けた場合において、特定事由がなければ特定手続が行われていたと認められるときに当該特定手続が行われていたとしたならば当該特定手続に係る規定によりその一部の額につき保険料を納付することを要しないものとされる期間があるときは、当該期間は、この法律その他の政令で定める法令の規定を適用する場合においては、当該申出のあつた日以後、当該特定手続に係る規定によりその一部の額につき納付することを要しないものとされた保険料に係る期間（附則第九条の四の九第一項第三号及び第九条の四の十一第一項第二号において「特定一部免除期間」という。）とみなす。ただし、当該申出をした者がこれを希望しない期間については、この限りでない。

5　第一項の申出をした者が第二項の規定による承認を受けた場合において、特定事由がなければ特定手続が行われていたと認められるときに当該特定手続が行われていたとしたならば当該特定手続に係る規定により当該申出をした者が付加保険料（第八十七条の二第一項の規定による保険料をいう。以下この条並びに附則第九条の四の九第一項第一号及び第九条の四の十において同じ。）を納付する者となる期間があるときは、当該期間は、この法律その他の政令で定める法令の規定（第八十七条第一項及び第二項並びに第八十八条第一項の規定その他政令で定める規定を除く。）を適用する場合においては、当該申出のあつた日以後、当該特定手続に係る規定により付加保険料を納付する者である期間（附則第九条の四の十第一項第二号において「特定付加納付期間」という。）とみなす。

6　第一項の申出をした者が第二項の規定による承認を受けた場合において、特定事由がなければ特定手続が行われていたと認められるときに当該特定手続が行われていたとしたならば当該特定手続に係る規定により保険料を納付することを要しないものとされる期間（以下この項から第八項までにおいて「全額免除対象期間」という。）があるときは、当該全額免除対象期間は、この法律その他の政令で定める法令の規定を適用する場合においては、当該申出のあつた日以後、当該特定手続に係る規定により納付することを要しないものとされた保険料に係る期間（次項及び第八項並びに附則第九条の四の十一第一項第三号において「特定全額免除期間」という。）とみなす。ただし、当該申出をした者がこれを希望しない期間については、この限りでない。

7　老齢基礎年金の受給権者が第二項の規定による承認を受けた場合において、前項の規定により全額免除対象期間（第九十条の三第一項の規定により納付することを要しないものとされた保険料に係るものを除く。）が特定全額免除期間とみなされたときは、第一項の申出のあつた日の属する月の翌月から、年金額を改定する。

8　第六項の規定により全額免除対象期間が特定全額免除期間とみなされた者に対する昭和六十年改正法附則第十八条の規定の適用については、同条第一項中「同日以後の国民年金の被保険者期間」とあるのは、「同日以後に同法附則第九条の四の七第六項の規定により保険料免除期間」とする。

9　厚生労働大臣は、厚生労働省令で、第二項の規定による承認の基準を定めるものとする。

10　厚生労働大臣は、前項の厚生労働省令を定め、又は変更しようとするときは、あらかじめ、社会保障審議会に諮問しなければならない。

11　前各項に定めるもののほか、第一項の申出の手続その他前各項の規定の適用に関し必要な事項は、政令で定める。

（昭和六十一年三月三十一日以前の期間についての特定事由に係る申出等）

第九条の四の八　昭和六十一年三月三十一日以前の期間について、前条の規定を適用する場合においては、同条第六項中「当該特定手続に係る規定により納付することを要しないものとされた保険料に係る期間」とあるのは「昭和六十年改正法第一条の規定による改正前の第五条第四項に規定する保険料免除期間」とするほか、同条の規定の適用に関し必要な事項は、政令で定める。

（特定事由に係る保険料の納付の特例）

第九条の四の九　被保険者又は被保険者であつた者は、次の各号のいずれかに該当する期間（保険料納付済期間を除く。第三項において「対象期間」という。）を有するときは、厚生労働大臣にその旨の申出をすることができる。

一　特定事由により保険料（第九十条の二第一項から第三項までの規定によりその一部の額につき納付することを要しないものとされた保険料にあつてはその一部の額以外の残余の額とし、付加保険料を除く。以下この条において同じ。）を納付することができなくなつたと認められる期間

二　附則第九条の四の七第三項の規定により特定被保険者期間とみなされた期間

三　附則第九条の四の七第四項の規定により特定一部免除期間とみなされた期間

2　厚生労働大臣は、前項の申出（同項第一号に係るものに限る。）に理由があると認めるとき、又は同項の申出（同項第二号又は第三号に係るものに限る。）があつたときは、その申出を承認するものとする。

3　第一項の申出をした者は、前項の規定による承認を受けたときは、当該承認に係る対象期間の各月につき、当該各月の保険料に相当する額の保険料（以下この条において「特例保険料」という。）を納付することができる。

4　第一項の申出（同項第一号に係るものに限る。）をした者が特定事由により納付することができなくなつた保険料が、特定保険料その他の政令で定める保険料であるときは、特例保険料の額は、前項の規定にかかわらず、政令で定める額とする。

5　第三項の規定による特例保険料の納付は、先に経過した月の保険料に係る特例保険料から順次に行うものとする。

6　第三項の規定により特例保険料の納付が行われたときは、第一項の申出のあつた日に、納付に係る月の保険料が納付されたものとみなす。

7　老齢基礎年金の受給権者が第三項の規定による特例保険料の納付を行つたときは、第一項の申出のあつた日の属する月の翌月から、年金額を改定する。

8　第三項の規定により特例保険料を納付した者に対する昭和六十年改正法附則第十八条の規定の適用については、同条第一項中「同日以後の国民年金の被保険者期間」とあるのは、「同日以後に同法附則第九条の四の九第三項の規定による納付が行われたことにより保険料納付済期間又は保険料免除期間」とする。

9　附則第九条の四の七第九項及び第十項の規定は、第二項の規定による承認について準用する。

10　前各項に定めるもののほか、第一項の申出の手続その他前各項の規定の適用に関し必要な事項は、政令で定める。

（特定事由に係る付加保険料の納付の特例）

第九条の四の十　被保険者又は被保険者であつた者は、次の各号のいずれかに該当する期間（付加保険料に係る保険料納付済期間を除く。第三項において「付加対象期間」という。）を有するときは、厚生労働大臣にその旨の申出をすることができる。

一　特定事由により付加保険料を納付することができなくなつたと認められる期間

二　附則第九条の四の七第五項の規定により特定付加納付期間とみなされた期間

2　厚生労働大臣は、前項の申出（同項第一号に係るものに限る。）に理由があると認めるとき、又は同項の申出（同項第二号に係るものに限る。）があつたときは、その申出を承認するものとする。

3　第一項の申出をした者は、前項の規定による承認を受けたときは、当該承認に係る付加対象期間の各月につき、当該各月の付加保険料に相当する額の保険料（次項及び第六項において「特例付加保険料」という。）を納付することができる。

4　前項の規定による特例付加保険料の納付は、保険料の納付が行われた月についてのみ行うことができる。

5　前条第五項から第七項までの規定は、第三項の場合に準用する。

6　老齢基礎年金の受給権者（付加保険料に係る保険料納付済期間を有する者を除く。）が第三項の規定による特例付加保険料

の納付を行つた場合における第四十三条の規定の適用については、同条中「老齢基礎年金の受給権を取得した」とあるのは、「附則第九条の四の十第一項の規定による申出をした」とする。

7　附則第九条の四の七第九項及び第十項の規定は、第二項の規定による承認について準用する。

8　前各項に定めるもののほか、第一項の申出の手続その他前各項の規定の適用に関し必要な事項は、政令で定める。

（特定事由に係る保険料の追納の特例）

第九条の四の十一　被保険者又は被保険者であつた者は、次の各号のいずれかに該当する期間（保険料納付済期間を除く。第三項において「追納対象期間」という。）を有するときは、厚生労働大臣にその旨の申出をすることができる。

一　特定事由により第九十四条の規定による追納をすることができなくなつたと認められる期間

二　附則第九条の四の七第四項の規定により特定一部免除期間とみなされた期間

三　附則第九条の四の七第六項の規定により特定全額免除期間とみなされた期間

2　厚生労働大臣は、前項の申出（同項第一号に係るものに限る。）に理由があると認めるとき、又は同項の申出（同項第二号又は第三号に係るものに限る。）があつたときは、その申出を承認するものとする。

3　第一項の申出をした者は、前項の規定による承認を受けたときは、当該承認に係る追納対象期間の各月の保険料（第八十九条第一項、第九十条第一項又は第九十条の三第一項の規定により納付することを要しないものとされた保険料及び第九十条の二第一項から第三項までの規定によりその一部の額につき納付することを要しないものとされた保険料に限る。）の全部又は一部につき追納をすることができる。ただし、同条第一項から第三項までの規定によりその一部の額につき納付することを要しないものとされた保険料については、その残余の額につき納付されたときに限る。

4　前項の規定による追納は、先に経過した月の分の保険料から順次に行うものとする。

5　第三項の場合において追納すべき額は、当該追納に係る期間の各月の保険料の額に政令で定める額を加算した額とする。

6　附則第九条の四の九第六項から第八項までの規定は、第三項の場合に準用する。この場合において、必要な読替えは、政令で定める。

7　附則第九条の四の七第九項及び第十項の規定は、第二項の規定による承認について準用する。

8　前各項に定めるもののほか、第一項の申出の手続その他前各項の規定の適用に関し必要な事項は、政令で定める。

（昭和六十一年三月三十一日以前の期間についての特定事由に係る保険料の納付等）

第九条の四の十二　昭和六十一年三月三十一日以前の期間について、前三条の規定を適用する場合においては、附則第九条の四の九第六項の規定により保険料が納付されたものとみなされた期間は、同条第一項の申出のあつた日以後、昭和六十年改正法第一条の規定による改正前の第五条第三項に規定する保険料納付済期間とみなすほか、前三条の規定の適用に関し必要な事項は、政令で定める。

（独立行政法人福祉医療機構による債権の管理及び回収の業務）

第九条の五　政府は、国民年金事業の円滑な実施を図るため、年金積立金管理運用独立行政法人法附則第十四条の規定による廃止前の年金福祉事業団の解散及び業務の承継等に関する法律（平成十二年法律第二十号）第十二条第一項に規定する債権の管理及び回収の業務を、当該債権の回収が終了するまでの間、独立行政法人福祉医療機構に行わせるものとする。

2　政府は、国民年金事業の円滑な実施を図るため、年金制度の機能強化のための国民年金法等の一部を改正する法律（令和二年法律第四十号）第二十八条の規定による改正前の独立行政法人福祉医療機構法（平成十四年法律第百六十六号）第十二条第一項第十二号に規定する小口の資金の貸付けに係る債権の管理及び回収の業務を、当該債権の回収が終了するまでの間、独立行政法人福祉医療機構に行わせるものとする。

（機構への厚生労働大臣の権限に係る事務の委任等）

第十条　国民年金法等の一部を改正する法律（平成十六年法律第百四号）附則第十九条その他この法律の改正に伴う経過措置を定める規定であつて厚生労働省令で定めるものによる厚生労働大臣の権限については、日本年金機構法（平成十九年法律第百九号）附則第二十条の規定による改正後の国民年金法（次項において「新国民年金法」という。）第百九条の四から第百九条の十二までの規定の例により、当該権限に係る事務を機構に行わせるものとする。

2　前項の場合において、新国民年金法第百九条の四から第百九条の十二までの規定の適用についての技術的読替えその他これらの規定の適用に関し必要な事項は、厚生労働省令で定める。

附　則（昭六〇・五・一法三四）（抄）

最終改正　令二・六・五法四〇

（施行期日）

第一条　この法律は、昭和六十一年四月一日（以下「施行日」という。）から施行する。〔ただし書略〕

（通算年金通則法等の廃止）

第二条　次に掲げる法律は、廃止する。

一　通算年金通則法（昭和三十六年法律第百八十一号）

二　厚生年金保険及び船員保険交渉法（昭和二十九年法律第百十七号）

2　前項の規定による廃止前の通算年金通則法（以下この条において「旧通則法」という。）は、地方公務員等共済組合法の長期給付等に関する施行法（昭和三十七年法律第百五十三号）第二条第一項第三号イに規定する旧市町村共済法の規定の例による通算退職年金又は旧通則法附則第五条の規定により同法第三条に定める公的年金各法とされた退職年金条例の規定による通算退職年金の支給については、なおその効力を有する。

3　前項に規定する通算退職年金に関し、同項の規定によりなおその効力を有するものとされた旧通則法を適用する場合における同法の規定の技術的読替えその他必要な事項については、政令で定める。

（自営業者等の保険料）

第三条　自営業者等の保険料については、国民年金の費用負担、所得比例制等との関連を考慮のうえ、今後、総合的に検討が加えられ、必要な措置が講ぜられるものとする。

（二十歳未満の自営業者等の取扱い）

第四条 国民年金制度における二十歳未満の自営業者等の取扱いについては、厚生年金保険の適用事業所に使用される者との均衡を考慮して、今後検討が加えられ、必要な措置が講ぜられるものとする。

（用語の定義）

第五条 この条から附則第三十八条の二まで、附則第四十一条から第九十条まで及び附則第九十二条から第九十四条までにおいて、次の各号に掲げる用語の意義は、それぞれ当該各号に定めるところによる。

一 新国民年金法 第一条の規定による改正後の国民年金法をいう。

二 旧国民年金法 第一条の規定による改正前の国民年金法をいう。

三 新厚生年金保険法 第三条の規定による改正後の厚生年金保険法をいう。

四 旧厚生年金保険法 第三条の規定による改正前の厚生年金保険法をいう。

五 新船員保険法 第五条の規定による改正後の船員保険法をいう。

六 旧船員保険法 第五条の規定による改正前の船員保険法をいう。

七 旧通則法 附則第二条第一項の規定による廃止前の通算年金通則法をいう。

八 旧交渉法 附則第二条第一項の規定による廃止前の厚生年金保険及び船員保険交渉法をいう。

九 保険料納付済期間、保険料免除期間、政府及び実施機関、実施機関たる共済組合等、第一号被保険者、第二号被保険者又は合算対象期間 それぞれ国民年金法第五条第一項、同条第二項、同条第八項、同条第九項、同法第七条第一項第一号、同項第二号又は同法附則第九条第一項に規定する保険料納付済期間、保険料免除期間、政府及び実施機関、実施機関たる共済組合等、第一号被保険者、第二号被保険者又は合算対象期間をいう。

十 第一種被保険者 男子である厚生年金保険法による被保険者（同法第二条の五第一項第一号に規定する第一号厚生年金被保険者（以下「第一号厚生年金被保険者」という。）に限る。）であつて、第三種被保険者、第四種被保険者及び船員任意継続被保険者以外のものをいう。

十一 第二種被保険者 女子である厚生年金保険法による被保険者（第一号厚生年金被保険者に限る。）であつて、第三種被保険者、第四種被保険者及び船員任意継続被保険者以外のものをいう。

十二 第三種被保険者 鉱業法（昭和二十五年法律第二百八十九号）第四条に規定する事業の事業場に使用され、かつ、常時坑内作業に従事する厚生年金保険法による被保険者（第一号厚生年金被保険者に限る。）又は船員法（昭和二十二年法律第百号）第一条に規定する船員として厚生年金保険法第六条第一項第三号に規定する船舶に使用される同法による被保険者（第一号厚生年金被保険者に限る。）であつて、第四種被保険者及び船員任意継続被保険者以外のものをいう。

十三 第四種被保険者 附則第四十三条第一項の規定によりなおその効力を有するものとされた旧厚生年金保険法第十五条第一項の規定によつて厚生年金保険法による被保険者となつた者及び附則第四十三条第二項又は第五項の規定によつて同法による被保険者となつた者をいう。

十四 船員任意継続被保険者 附則第四十四条第一項の規定によつて厚生年金保険法による被保険者となつた者をいう。

十五 通算対象期間 旧通則法に規定する通算対象期間並びに法令の規定により当該通算対象期間に算入された期間及び当該通算対象期間とみなされた期間をいう。

十六 物価指数 総務庁において作成する全国消費者物価指数又は総理府において作成した全国消費者物価指数をいう。

十七 老齢基礎年金、障害基礎年金又は遺族基礎年金 それぞれ国民年金法による老齢基礎年金、障害基礎年金又は遺族基礎年金をいう。

十八 老齢厚生年金、障害厚生年金又は遺族厚生年金 それぞれ厚生年金保険法による老齢厚生年金、障害厚生年金又は遺族厚生年金をいう。

十九 退職共済年金、障害共済年金又は遺族共済年金 それぞれ被用者年金制度の一元化等を図るための厚生年金保険法等の一部を改正する法律（平成二十四年法律第六十三号。以下「平成二十四年一元化法」という。）附則第三十七条第一項の規定によりなおその効力を有するものとされた平成二十四年一元化法第二条の規定による改正前の国家公務員共済組合法（昭和三十三年法律第百二十八号）の長期給付に関する規定その他の法律の規定、平成二十四年一元化法附則第六十一条第一項の規定によりなおその効力を有するものとされた平成二十四年一元化法第三条の規定による改正前の地方公務員等共済組合法（昭和三十七年法律第百五十二号）の長期給付に関する規定その他の法律の規定又は平成二十四年一元化法附則第七十九条の規定によりなおその効力を有するものとされた平成二十四年一元化法第四条の規定による改正前の私立学校教職員共済法（昭和二十八年法律第二百四十五号）の長期給付に関する規定その他の法律の規定による退職共済年金、障害共済年金又は遺族共済年金をいう。

（国民年金の被保険者資格の取得及び喪失の経過措置）

第六条 施行日の前日において、旧国民年金法第七条第二項各号のいずれかに該当した者（同日において同法附則第六条第一項の規定による被保険者であつた者を除く。）が、施行日において新国民年金法第七条第一項各号のいずれかに該当するとき（同法附則第四条第一項に規定する政令で定める者であるときを除く。）は、その者は、同日に、国民年金の被保険者の資格を取得する。ただし、その者が、同日に、同法第八条の規定により国民年金の被保険者の資格を取得するときは、この限りでない。

2 施行日の前日において国民年金の被保険者（旧国民年金法附則第六条第一項の規定による被保険者を除く。）であつた者が、施行日において、新国民年金法第七条第一項第一号イに規定する政令で定める生徒又は学生であるときは、その者は、同日に、当該被保険者の資格を喪失する。

3 新国民年金法附則第六条の規定は、前項の規定により国民年金の被保険者の資格を喪失した者について準用する。

4 施行日の前日において旧国民年金法附則第六条第一項の規定による被保険者であつた者は、施行日に、当該被保険者の資格を喪失する。この場合において、その者が、同日において、新国民年金法第七条第一項第一号又は第三号に該当するとき（同法附則第四条第一項に規定する政令で定める者であるときを除く。）は、同法第八条に該当しない場合においても、同日に国民年金の被保険者の資格を取得するものとし、同法附則第五条第一項に該当するときは、同日に同項の申出をしたものとみなす。

第七条　削除

（国民年金の被保険者期間等の特例）

第八条　施行日前の国民年金の被保険者期間（他の法令の規定により国民年金の被保険者であつた期間とみなされた期間に係るものを含む。以下この条、附則第三十二条第六項、第七十八条第七項及び第八十七条第八項において同じ。）は、国民年金法の適用については、第一号被保険者としての国民年金の被保険者期間とみなす。この場合において、当該被保険者期間のうち、旧国民年金法第五条第三項に規定する保険料納付済期間であつた期間に係るもの（他の法令の規定により当該保険料納付済期間とみなされたものを含む。以下この条及び附則第二十七条において「旧保険料納付済期間」という。）は保険料納付済期間と、旧国民年金法第五条第四項に規定する保険料免除期間であつた期間に係るもの（他の法令の規定により当該保険料免除期間とみなされたものを含む。以下この条及び附則第二十七条において「旧保険料免除期間」という。）は保険料免除期間と、旧国民年金法第八十七条の二の規定による保険料に係る旧保険料納付済期間であつた期間に係るものは国民年金法第八十七条の二の規定による保険料に係る保険料納付済期間とみなす。

2　次の各号に掲げる期間のうち、昭和三十六年四月一日から施行日の前日までの期間に係るもの（第五項第四号の二及び第七号の二に掲げる期間並びに二十歳に達した日の属する月前の期間及び六十歳に達した日の属する月以後の期間に係るものを除く。）は、国民年金法第二十六条、第二十七条第三号及び第四号並びに同法附則第九条第一項、第九条の二第一項及び第九条の二の二第一項の規定の適用については、保険料納付済期間とみなす。この場合において、同一の月が同時に二以上の次の各号に掲げる期間又は施行日前の国民年金の被保険者期間の計算の基礎となつているときは、その月は、政令で定めるところにより、一の期間についてのみ国民年金の被保険者期間又は保険料納付済期間とみなす。

一　厚生年金保険法第二条の五第一項第一号に規定する第一号厚生年金被保険者期間（附則第四十七条第一項の規定又は他の法令の規定により当該第一号厚生年金被保険者期間とみなされた期間に係るものを含む。）

二　厚生年金保険法第二条の五第一項第二号に規定する第二号厚生年金被保険者期間（他の法令の規定により当該第二号厚生年金被保険者期間とみなされる期間に係るもの、他の法令の規定により平成二十四年一元化法附則第三十七条第一項の規定によりなおその効力を有するものとされた平成二十四年一元化法第二条の規定による改正前の国家公務員共済組合法（以下「平成二十四年改正前国共済法」という。）による国家公務員共済組合の組合員期間に算入される期間その他政令で定める期間を含む。）

三　厚生年金保険法第二条の五第一項第三号に規定する第三号厚生年金被保険者期間（他の法令の規定により当該第三号厚生年金被保険者期間とみなされる期間に係るもの、他の法令の規定により平成二十四年一元化法附則第六十一条第一項の規定によりなおその効力を有するものとされた平成二十四年一元化法第三条の規定による改正前の地方公務員等共済組合法（以下「平成二十四年改正前地共済法」という。）による地方公務員共済組合の組合員期間に算入される期間その他政令で定める期間を含む。）

四　厚生年金保険法第二条の五第一項第四号に規定する第四号厚生年金被保険者期間（他の法令の規定により当該第四号厚生年金被保険者期間とみなされる期間に係るものを含む。）

3　前項の規定により国民年金の保険料納付済期間とみなされた同項各号に掲げる期間（同項第一号に掲げる被保険者期間の計算について附則第四十七条第二項若しくは第三項又は厚生年金保険法等の一部を改正する法律（平成八年法律第八十二号。以下「平成八年改正法」という。）附則第五条第二項若しくは第三項の規定の適用があつた場合には、その適用がないものとして計算した被保険者期間とし、前項第二号に掲げる組合員期間の計算について国家公務員等共済組合法等の一部を改正する法律（昭和六十年法律第百五号。以下「昭和六十年国家公務員共済改正法」という。）附則第三十二条第一項又は平成二十四年一元化法附則第七条第二項の規定の適用があつた場合には、その適用がないものとして計算した組合員期間とし、前項第三号に掲げる組合員期間の計算について地方公務員等共済組合法等の一部を改正する法律（昭和六十年法律第百八号。以下「昭和六十年地方公務員共済改正法」という。）附則第三十五条第一項又は平成二十四年一元化法附則第七条第二項の規定の適用があつた場合には、その適用がないものとして計算した組合員期間とする。）は、国民年金法第二十七条の規定の適用については、保険料納付済期間に算入する。

4　当分の間、第二号被保険者としての国民年金の被保険者期間に係る保険料納付済期間を有する者の二十歳に達した日の属する月前の期間及び六十歳に達した日の属する月以後の期間に係る当該保険料納付済期間は、国民年金法第二十六条及び第二十七条並びに同法附則第九条第一項、第九条の二第一項及び第九条の二の二第一項の規定の適用については、同法第五条第一項の規定にかかわらず、保険料納付済期間に算入せず、同法附則第九条第一項の規定の適用については、合算対象期間に算入する。

5　次の各号に掲げる期間は、国民年金法附則第九条第一項の規定の適用については合算対象期間に算入する。

一　旧国民年金法附則第六条第一項の規定により国民年金の被保険者となることができた者が、同項に規定する申出を行わなかつたため、国民年金の被保険者とならなかつた期間

二　旧国民年金法第十条第一項の規定による都道府県知事の承認に基づき国民年金の被保険者とされなかつた期間

三　通算対象期間のうち、昭和三十六年四月一日前の期間に係るもの

四　昭和三十六年四月一日から施行日の前日までの間に通算対象期間（旧通則法第四条第二項に規定するもの（他の法令の規定により同項に規定する通算対象期間とみなされるものを含む。）を除く。第五号において同じ。）を有しない者が、施

行日以後に保険料納付済期間又は保険料免除期間を有するに至つた場合におけるその者の第二項第一号の第一号厚生年金被保険者期間のうち、昭和三十六年四月一日前の期間に係るもの

四の二　第二項各号（第一号を除く。）に掲げる期間のうち、施行日の前日において法律によつて組織された共済組合（以下単に「共済組合」という。）が支給する退職年金（同日においてその受給権者が五十五歳に達していないものに限る。）又は減額退職年金（同日においてその受給権者が五十五歳に達していないものに限る。）の年金額の計算の基礎となつた期間であつて、昭和三十六年四月一日以後の期間に係るもの

五　通算対象期間のうち、旧保険料納付済期間及び旧保険料免除期間並びに第二項各号に掲げる期間である通算対象期間以外のものであつて昭和三十六年四月一日から施行日の前日までの期間に係るもの

六　施行日前の第二項各号に掲げる期間のうち、二十歳に達した日の属する月前の期間及び六十歳に達した日の属する月以後の期間に係るもの（昭和三十六年四月一日以後の期間に係るものに限る。）

七　施行日前に旧厚生年金保険法又は旧船員保険法による脱退手当金（通算年金制度を創設するための関係法律の一部を改正する法律（昭和三十六年法律第百八十二号。以下「法律第百八十二号」という。）附則第九条又は第十五条の規定、厚生年金保険法の一部を改正する法律（昭和四十年法律第百四号）附則第十七条の規定及び船員保険法の一部を改正する法律（昭和四十年法律第百五号。附則第四十七条第一項において「法律第百五号」という。）附則第十九条の規定による脱退手当金を含む。）の支給を受けた者が、施行日から六十五歳に達する日の前日までの間に保険料納付済期間又は保険料免除期間を有するに至つた場合におけるその者の当該脱退手当金の計算の基礎となつた期間に係る厚生年金保険又は船員保険の被保険者であつた期間のうち、昭和三十六年四月一日以後の期間に係るもの

七の二　共済組合が支給した退職一時金であつて政令で定めるものの計算の基礎となつた第二項各号（第一号を除く。）に掲げる期間のうち、昭和三十六年四月一日から施行日の前日までの期間に係るもの（第四号の二から第六号までに掲げる期間を除く。）

八　国会議員であつた期間（六十歳以上であつた期間に係るものを除く。）のうち、昭和三十六年四月一日から昭和五十五年三月三十一日までの期間に係るもの（第三項に規定する第二項各号に掲げる期間並びに第四号の二、第五号、第七号及び前号に掲げる期間を除く。）

九　日本国内に住所を有さず、かつ、日本国籍を有していた期間（二十歳に達した日の属する月前の期間及び六十歳に達した日の属する月以後の期間に係るものを除く。）のうち、昭和三十六年四月一日から施行日の前日までの期間に係るもの（第三項に規定する第二項各号に掲げる期間並びに第四号の二、第五号、第七号及び第七号の二に掲げる期間を除く。）

十　昭和三十六年五月一日以後国籍法（昭和二十五年法律第百四十七号）の規定により日本の国籍を取得した者（二十歳に達した日の翌日から六十五歳に達した日の前日までの間に日本の国籍を取得した者に限る。）その他政令で定める者の日本国内に住所を有していた期間であつて、難民の地位に関する条約等への加入に伴う出入国管理令その他関係法律の整備に関する法律（昭和五十六年法律第八十六号）による改正前の国民年金法第七条第一項に該当しなかつたため国民年金の被保険者とならなかつた期間（二十歳に達した日の属する月前の期間及び六十歳に達した日の属する月以後の期間に係るもの並びに第三項に規定する第二項各号に掲げる期間並びに第四号の二、第五号、第七号及び第七号の二に掲げる期間を除く。）

十一　前号に掲げる者の日本国内に住所を有しなかつた期間（二十歳未満であつた期間及び六十歳以上であつた期間に係るものを除く。）のうち、昭和三十六年四月一日から当該日本の国籍を取得した日の前日（同号に規定する政令で定める者にあつては、政令で定める日）までの期間に係るもの（国民年金の被保険者期間、第三項に規定する第二項各号に掲げる期間並びに第四号の二、第五号、第七号及び第七号の二に掲げる期間を除く。）

6　前項各号（第三号から第六号までを除く。）に掲げる期間の計算については、新国民年金法第十一条の規定の例による。

7　第五項の規定により一又は二以上の同項各号に掲げる期間を合算対象期間に算入する場合における当該期間の計算については、旧通則法第六条の規定を参酌して政令で定めるところによる。

8　附則第十八条第一項並びに国民年金法第二十六条（同法附則第九条の二第一項及び第九条の二の二第一項において適用する場合を含む。）、第三十七条第三号及び第四号並びに同法附則第九条第一項の規定の適用について、平成三年四月一日前の第三種被保険者等（第三種被保険者及び船員任意継続被保険者をいう。以下この項、附則第四十七条第四項、第五十二条及び第八十二条第一項において同じ。）若しくは新船員組合員（昭和六十年国家公務員共済改正法附則第三十二条第二項に規定する新船員組合員及び昭和六十年地方公務員共済改正法附則第三十五条第二項に規定する新船員組合員をいう。以下この項において同じ。）である国民年金の被保険者であつた期間又は平成八年改正法附則第五条第一項の規定により厚生年金保険の被保険者であつた期間とみなされた同条第三項に規定する新船員組合員（以下この項において「旧適用法人船員組合員」という。）であつた期間につき第二号被保険者としての国民年金の被保険者期間を計算する場合には、新国民年金法第十一条第一項及び第二項並びに第十一条の二の規定にかかわらず、これらの規定によつて計算した期間に五分の六を乗じて得た期間をもつて第二号被保険者としての国民年金の被保険者期間とする。この場合において、第三種被保険者等、新船員組合員又は旧適用法人船員組合員であるかないかの区別に変更があつた月は、変更後の区別（同一の月において二回以上にわたり第三種被保険者等、新船員組合員又は旧適用法人船員組合員であるかないかの区別に変更があつたときは、最後の区別）の国民年金の被保険者であつた月とみなす。

9　第三項に規定する第二項各号に掲げる期間及び第五項第三号から第六号までに掲げる期間は、国民年金法第三十条第一項ただし書（同法第三十条の二第二項、同法第三十条の三第二項、

同法第三十四条第五項及び同法第三十六条第三項において準用する場合を含む。）並びに第三十七条ただし書の規定の適用については、保険料納付済期間である国民年金の被保険者期間とみなす。この場合において、同一の月が同時に二以上の第三項に規定する第二項各号に掲げる期間又は第五項第三号から第六号までに掲げる期間の基礎となつているときは、その月は、政令で定めるところにより、一の期間についてのみ保険料納付済期間である国民年金の被保険者期間とみなす。

10　前項の規定により第五項第三号から第六号までに掲げる期間を保険料納付済期間である国民年金の被保険者期間とみなす場合における当該期間の計算については、第三項の規定により第二項各号に掲げる期間を保険料納付済期間に算入する場合における同項各号に掲げる期間の計算の方法を参酌して政令で定めるところによる。

11　第二項第一号の第一号厚生年金被保険者期間につき厚生年金保険又は船員保険の保険料を徴収する権利が時効によつて消滅したとき（新厚生年金保険法第七十五条ただし書に該当するとき、旧厚生年金保険法第七十五条第一項ただし書に該当するとき及び旧船員保険法第五十一条ノ二ただし書に該当するときを除く。）は、当該保険料に係る当該第一号厚生年金被保険者期間については、第二項の規定を適用せず、当該第一号厚生年金被保険者期間は、国民年金法附則第九条第一項の規定の適用については、第五項の規定にかかわらず、合算対象期間に算入せず、第九項に規定する同法の規定の適用については、同項の規定にかかわらず、保険料納付済期間（旧保険料納付済期間を含む。）及び保険料免除期間（旧保険料免除期間を含む。）以外の国民年金の被保険者期間とみなす。

12　平成三年四月三十日までに行われる新国民年金法附則第七条の三に規定する届出については、同条中「月の前々月」とあるのは、「月前における直近の基準月（一月、四月、七月及び十月をいう。）の前月」とする。

（厚生年金保険の被保険者であつた期間及び共済組合の組合員又は私学教職員共済制度の加入者であつた期間の確認の特例）

第八条の二　国民年金法附則第七条の五第二項の規定の適用については、当分の間、同項中「又は同項第四号に規定する第四号厚生年金被保険者期間（以下この条において「第四号厚生年金被保険者期間」という。）」とあるのは「若しくは同項第四号に規定する第四号厚生年金被保険者期間（以下この条において「第四号厚生年金被保険者期間」という。）又は国民年金法等の一部を改正する法律（昭和六十年法律第三十四号。以下「昭和六十年改正法」という。）附則第八条第二項各号（第一号を除く。）に掲げる期間であつて昭和六十一年四月一日前の期間に係るもの」と、「又は第九条の二の二第一項」とあるのは「若しくは第九条の二の二第一項又は昭和六十年改正法附則第十五条第一項若しくは第二項、第十八条第一項若しくは第三十二条第六項」と、「厚生年金保険の被保険者であつた期間」とあるのは「厚生年金保険の被保険者であつた期間又は昭和六十年改正法附則第八条第二項各号（第一号を除く。）に掲げる期間であつて昭和六十一年四月一日前の期間に係るもの」と、「日本私立学校振興・共済事業団の確認」とあるのは「日本私立学校振興・共済事業団の確認を、当該昭和六十年改正法附則第八条第二項各号（第一号を除く。）に掲げる期間であつて昭和六十一年四月一日前の期間に係るものについては、当該各号に掲げる期間の区分に応じそれぞれ当該国家公務員共済組合連合会、地方公務員共済組合又は日本私立学校振興・共済事業団の確認」とする。

（新国民年金法による年金たる給付の額の改定の特例）

第九条　次の各号に掲げる年金たる給付の額又は加算額に関する当該各号に掲げる規定の適用については、昭和六十年の年平均の物価指数が昭和五十八年度の年度平均の物価指数の百分の百を超えるに至つた場合においては、昭和六十一年四月以降の月分の当該各号に掲げる規定に定める年金たる給付の額又は加算額は、その上昇した比率を基準として政令で定めるところにより改定した額とする。

一　老齢基礎年金（第八号に掲げるもの及び附則第十七条第一項の規定に該当したことによりその額が計算されるものを除く。）の額（第十号に掲げる額を除く。）　新国民年金法第二十七条（同法第二十八条第四項及び附則第九条の二第三項並びに他の法令において適用する場合を含む。）

二　障害基礎年金の額（次号に掲げる額を除く。）　新国民年金法第三十三条第一項（同条第二項において適用する場合を含む。）

三　障害基礎年金の額のうち新国民年金法第三十三条の二第一項に規定する加算額　同項

四　遺族基礎年金の額（次号に掲げる額を除く。）　新国民年金法第三十八条

五　遺族基礎年金の額のうち新国民年金法第三十九条第一項又は第三十九条の二第一項に規定する加算額　同法第三十九条第一項又は第三十九条の二第一項

六　新国民年金法による寡婦年金の額　同法第五十条において適用する同法第二十七条

七　新国民年金法附則第九条の三第一項の規定による老齢年金の額　同条第二項において適用する同法第二十七条

八　附則第十五条の規定により支給される老齢基礎年金の額　同条第三項

九　附則第十七条第一項の規定に該当したことによりその額が計算される老齢基礎年金の額（同項に規定する加算額を除く。）　同項において適用する新国民年金法第二十七条

十　老齢基礎年金の額のうち附則第十四条第一項に規定する加算額　同項（同条第二項並びに附則第十八条第二項及び第三項において適用する場合を含む。）

（新国民年金法による年金たる給付の支払期月の特例）

第十条　新国民年金法附則第九条の三第一項の規定に該当することにより支給される老齢年金の支払については、政令で定める日までの間は、同法第十八条第三項の規定にかかわらず、旧通則法第十条の規定の例による。

2　前項の規定の施行に伴い必要な経過措置については、政令で定める。

（国民年金の年金たる給付に係る併給調整の経過措置）

第十一条　旧国民年金法による寡婦年金については、国民年金法第二十条の規定は適用しない。

2　国民年金法による年金たる給付（老齢基礎年金、同法附則第九条の三の規定による老齢年金、付加年金、附則第二十五条の規定により支給される障害基礎年金及び附則第二十八条の規定により支給される遺族基礎年金を除く。）は、その受給権者が

旧国民年金法による年金たる給付（附則第三十一条第一項の規定によりなおその効力を有するものとされた旧国民年金法の規定により支給される年金たる給付を含む。以下この条において同じ。）又は附則第八十七条第二項の規定により厚生年金保険の実施者たる政府が支給するものとされた年金たる保険給付を受けることができるときは、その間、その支給を停止する。老齢基礎年金又は国民年金法附則第九条の三の規定による老齢年金の受給権者が旧国民年金法による年金たる給付又は附則第八十七条第二項の規定による厚生年金保険の実施者たる政府が支給するものとされた年金たる保険給付（死亡を支給事由とするものを除く。）を受けることができる場合における当該老齢基礎年金及び老齢年金並びに附則第二十五条の規定により支給される障害基礎年金の受給権者が旧国民年金法による年金たる給付を受けることができる場合における当該障害基礎年金についても、同様とする。

3　旧国民年金法による年金たる給付（老齢年金及び通算老齢年金（その受給権者が六十五歳に達しているものに限る。）並びに障害年金（その受給権者が六十五歳に達しているものに限る。）を除く。）は、その受給権者が国民年金法による年金たる給付（付加年金及び附則第二十八条の規定により支給される遺族基礎年金を除く。以下この項において同じ。）又は厚生年金保険法による年金たる保険給付若しくは平成二十四年改正前共済各法による年金たる給付（平成二十四年一元化法附則第三十七条第一項の規定によりなおその効力を有するものとされた平成二十四年改正前国共済法の長期給付に関する規定その他の法律の規定、平成二十四年一元化法附則第六十一条第一項の規定によりなおその効力を有するものとされた平成二十四年改正前地共済法の長期給付に関する規定その他の法律の規定又は平成二十四年一元化法附則第七十九条の規定によりなおその効力を有するものとされた平成二十四年一元化法第四条の規定による改正前の私立学校教職員共済法の長期給付に関する規定その他の法律の規定による年金たる給付をいう。以下同じ。）のうち附則第三十一条第一項に規定する者に支給される退職共済年金以外のもの（以下この項において「厚生年金保険法による年金たる保険給付等」という。）を受けることができるときは、その間、その支給を停止する。旧国民年金法による老齢年金（老齢福祉年金を除く。）若しくは通算老齢年金の受給権者（六十五歳に達している者に限る。）が国民年金法による年金たる給付又は厚生年金保険法による年金たる保険給付等（遺族厚生年金及び特例遺族年金並びに遺族共済年金を除く。）を受けることができる場合における当該老齢年金及び通算老齢年金並びに旧国民年金法による障害年金の受給権者（六十五歳に達している者に限る。）が国民年金法による年金たる給付又は厚生年金保険法による年金たる保険給付等（老齢厚生年金、遺族厚生年金及び特例遺族年金並びに退職共済年金及び遺族共済年金を除く。）を受けることができる場合における当該障害年金並びに旧国民年金法による老齢福祉年金の受給権者が国民年金法による年金たる給付を受けることができる場合における当該老齢福祉年金についても、同様とする。

4　新国民年金法第二十条第二項から第四項までの規定は、前二項の場合に準用する。

5　老齢基礎年金及び国民年金法附則第九条の三の規定による老齢年金については、同法第二十条第一項中「（遺族厚生年金を除く」とあるのは、「（遺族厚生年金及び国民年金法等の一部を改正する法律（昭和六十年法律第三十四号）第三条の規定による改正前の厚生年金保険法による年金たる保険給付（死亡を支給事由とするものに限る。）を除く。）若しくは国民年金法等の一部を改正する法律附則第十一条第三項に規定する平成二十四年改正前共済各法による年金たる給付（実施機関たる共済組合等が支給する退職共済年金、遺族共済年金、退職年金、減額退職年金、遺族年金及び通算遺族年金（平成八年改正法附則第十六条第三項の規定により厚生年金保険の実施者たる政府が支給するものとされたこれらの年金たる給付を含む。）を除く」とする。

6　附則第二十五条の規定により支給される障害基礎年金については、国民年金法第二十条第一項中「が他の年金給付（付加年金を除く。）を受けることができる場合」とあるのは、「（その者が六十五歳に達していないものに限る。）が他の年金給付（付加年金を除く。）又は国民年金法等の一部を改正する法律（昭和六十年法律第三十四号。以下「昭和六十年改正法」という。）附則第十一条第三項に規定する平成二十四年改正前共済各法による年金たる給付（昭和六十年改正法第三条の規定による改正前の厚生年金保険法による年金たる保険給付並びに実施機関たる共済組合等が支給する退職共済年金（その受給権者が昭和六十年改正法附則第三十一条第一項に規定する者であるものに限る。）、退職年金、減額退職年金、通算退職年金、障害年金、遺族年金及び通算遺族年金（平成八年改正法附則第十六条第三項の規定により厚生年金保険の実施者たる政府が支給するものとされたこれらの年金たる給付を含む。）を除く。）を受けることができる場合」とする。

7　附則第二十八条の規定により支給される遺族基礎年金については、国民年金法第二十条第一項中「支給されるものを除く」とあるのは「支給されるもの並びに国民年金法等の一部を改正する法律（昭和六十年法律第三十四号。以下「昭和六十年改正法」という。）第三条の規定による改正前の厚生年金保険法による年金たる保険給付を除く。以下この条において同じ。）若しくは昭和六十年改正法附則第十一条第三項に規定する平成二十四年改正前共済各法による年金たる給付（実施機関たる共済組合等が支給する退職共済年金（その受給権者が昭和六十年改正法附則第三十一条第一項に規定する者であるものに限る。）、退職年金、減額退職年金、通算退職年金、障害年金、遺族年金及び通算遺族年金（平成八年改正法附則第十六条第三項の規定により厚生年金保険の実施者たる政府が支給するものとされたこれらの年金たる給付を含む。）を除く」と、同条第二項中「厚生年金保険法による年金たる保険給付」とあるのは「厚生年金保険法による年金たる保険給付若しくは昭和六十年改正法附則第十一条第三項に規定する平成二十四年改正前共済各法による年金たる給付」とする。

（老齢基礎年金等の支給要件の特例）

第十二条　保険料納付済期間（附則第八条第一項又は第二項の規定により保険料納付済期間とみなすこととされたものを含み、同条第四項に規定するものを除く。以下この条において同じ。）又は保険料免除期間（附則第八条第一項の規定により保険料免除期間とみなすこととされたものを含み、国民年金法第九十条の三第一項の規定により納付することを要しないものとされた保険料に係るものを除く。）を有する者（以下この項において「保険料納付済期間等を有する者」という。）のうち、同法第二十六条ただし書に該当する者（同法附則第九条第一項の規定により同法第二十六条ただし書に該当しないものとみなされる者を除く。）であつて第二号から第七号まで及び第十八号から第二十号までのいずれかに該当するものは、同条並びに同法附則第九条の二第一項、第九条の二の二第一項、第九条の三第一項及び第九条の三の二第一項の規定の適用については、同法第二十六条ただし書に該当しないものとみなし、保険料納付済期間等を有する者のうち、保険料納付済期間と保険料免除期間（附則第八条第一項の規定により保険料免除期間とみなすこととされたものを含む。）とを合算した期間が二十五年に満たない者（同法附則第九条第一項の規定により保険料納付済期間と保険料免除期間とを合算した期間が二十五年以上であるものとみなされた者を除く。）であつて第一号から第十九号までのいずれかに該当するものは、同法第三十七条（第三号及び第四号に限る。）の規定の適用については、保険料納付済期間と保険料免除期間とを合算した期間が二十五年以上であるものとみなす。

一　附則別表第一の上欄に掲げる者であつて、保険料納付済期間、保険料免除期間（附則第八条第一項の規定により保険料免除期間とみなすこととされたものを含む。）及び合算対象期間（同条第四項及び第五項の規定により当該期間に算入することとされたものを含む。）を合算した期間が、それぞれ同表の下欄に掲げる期間以上であること。

二　附則別表第二の上欄に掲げる者であつて、附則第八条第二項各号のいずれかに掲げる期間（同項第一号に掲げる期間にあつては、附則第四十七条第一項の規定又は他の法令の規定により厚生年金保険の被保険者であつた期間とみなされた期間に係るものを含む。次号において同じ。）が、それぞれ同表の下欄に掲げる期間以上であること。

三　附則別表第二の上欄に掲げる者であつて、附則第八条第二項各号に掲げる期間（昭和三十六年四月一日以後の期間に係るものに限る。）及び附則第八条第五項の規定により合算対象期間に算入することとされたもののうち同項第三号から第五号までに掲げるものを合算した期間が、それぞれ同表の下欄に掲げる期間以上であること。

四　附則別表第三の上欄に掲げる者であつて、四十歳（女子については、三十五歳）に達した月以後の厚生年金保険の被保険者期間（附則第四十七条第一項の規定又は他の法令の規定により厚生年金保険の被保険者であつた期間とみなされた期間に係るものを含み、厚生年金保険法第二条の五第一項第一号に規定する第一号厚生年金被保険者期間（以下「第一号厚生年金被保険者期間」という。）に係るものに限る。）が、それぞれ同表の下欄に掲げる期間以上であること（そのうち、七年六月以上は、第四種被保険者又は船員任意継続被保険者としての厚生年金保険の被保険者期間（旧厚生年金保険法第三条第一項第七号に規定する第四種被保険者であつた期間及び旧船員保険法第二十条第一項の規定による船員保険の被保険者であつた期間に係るものを含む。）以外のものでなければならない。）。

五　附則別表第三の上欄に掲げる者であつて、三十五歳に達した月以後の第三種被保険者又は船員任意継続被保険者としての厚生年金保険の被保険者期間（旧厚生年金保険法第三条第一項第五号に規定する第三種被保険者であつた期間に係るもの及び附則第四十七条第一項の規定により厚生年金保険の被保険者であつた期間とみなされた期間に係るものを含む。）が、それぞれ同表の下欄に掲げる期間以上であること（そのうち、十年以上は、船員任意継続被保険者としての厚生年金保険の被保険者期間（旧船員保険法第二十条第一項の規定による船員保険の被保険者であつた期間に係るものを含む。）以外のものでなければならない。）。

六　継続した十五年間における旧厚生年金保険法附則第四条第二項の規定により同法第三条第一項第五号に規定する第三種被保険者であつた期間とみなされた期間に基づく厚生年金保険の被保険者期間又は継続した十五年間における当該第三種被保険者であつた期間とみなされた期間と当該第三種被保険者であつた期間とに基づく厚生年金保険の被保険者期間が、十六年以上であること。

七　昭和二十七年四月一日以前に生まれた者であつて、施行日の前日において旧船員保険法第三十四条第一項第二号に規定する船員保険の被保険者期間を満たしていたこと。

八　平成二十四年一元化法附則第三十五条第二項に規定する基準日前の同項に規定する衛視等（以下この号において単に「衛視等」という。）であつた期間に係る国家公務員共済組合の組合員期間（昭和三十六年四月一日前の期間に係るものについては、通算対象期間であるものに限る。以下この号において同じ。）が十五年以上であること若しくは同項第二号イからホまでのいずれかに掲げる者であつて衛視等であつた期間に係る国家公務員共済組合の組合員期間がそれぞれ同号イからホまでに掲げる年数以上であること又は同条第四項に規定する者であつて同項に規定する組合員期間（昭和三十六年四月一日前の期間に係るものについては、通算対象期間であるものに限る。）が十五年以上であること。

九　その者の遺族（厚生年金保険法第五十九条第一項に規定する遺族をいう。以下この項において同じ。）が平成二十四年一元化法附則第三十五条第一項の規定により読み替えられた厚生年金保険法による遺族厚生年金（当該者の死亡に係るものに限る。以下この号において同じ。）を受けることができること又は同条第四項若しくは第五項の規定の適用を受けることにより同法による遺族厚生年金を受けることができること。

十　国家公務員共済組合法の長期給付に関する施行法（昭和三十三年法律第百二十九号。以下「国の施行法」という。）第八条第一号（同法第二十二条第一項、第二十三条第一項及び第四十八条第一項において準用する場合を含む。以下この号において同じ。）の規定に該当すること（昭和三十六年四月一日前の期間に係る同法第八条第一号に規定する在職年及び組合員期間のうち通算対象期間以外のものを除いて同号の規定に該当する場合に限る。）又は同法第二十五条第一号（同法第二十七条において準用する場合を含む。以下この号において同じ。）の規定に該当すること（昭和三十六年四月一日前の期間に係る同法第二十五条第一号に規定する警察在職年及び衛視等であつた期間のうち通算対象期間以外のものを除いて同号の規定に該当する場合に限る。）

十一　その者の遺族が平成二十四年一元化法附則第四十一条第一項の規定による遺族共済年金（当該者の死亡に係るものに限る。）を受けることができること（前号に該当する場合を除く。）。

十二　平成二十四年一元化法附則第五十九条第一項に規定する基準日前の同項に規定する警察職員（以下この号において単に「警察職員」という。）であつた期間（地方公務員等共済組合法の長期給付等に関する施行法（第十四号において「地方の施行法」という。）の規定により当該警察職員であつた期間に算入される期間を含む。以下この号において同じ。）に係る地方公務員共済組合の組合員期間（昭和三十六年四月一日前の期間に係るものについては、通算対象期間であるものに限る。以下この号において同じ。）が十五年以上であること若しくは同項第二号イからホまでのいずれかに掲げる者であつて警察職員であつた期間に係る地方公務員共済組合の組合員期間がそれぞれ同号イからホまでに掲げる年数以上であること又は同条第五項に規定する者であつて同項に規定する組合員期間（昭和三十六年四月一日前の期間に係るものについては、通算対象期間であるものに限る。）が十五年以上であること。

十三　平成二十四年一元化法附則第五十九条第一項又は同条第五項若しくは第六項の規定の適用を受けることによりその者の遺族が厚生年金保険法による遺族厚生年金（当該者の死亡に係るものに限る。）を受けることができること。

十四　地方の施行法第八条第一項又は第二項（地方の施行法第三十六条第一項において準用する場合を含む。以下この号において同じ。）の規定に該当すること（昭和三十六年四月一日前の期間に係る地方の施行法第八条第一項又は第二項に規定する条例在職年のうち通算対象期間以外のものを除いてこれらの規定に該当する場合に限る。）、地方の施行法第四十八条第一項（地方の施行法第五十二条において準用する場合を含む。以下この号において同じ。）の規定に該当すること（昭和三十六年四月一日前の期間に係る地方の施行法第四十八条第一項に規定する地方公共団体の長であつた期間に算入され、又は地方公共団体の長であつた期間とみなされた期間に係る条例在職年のうち通算対象期間以外のものを除いて同項の規定に該当する場合に限る。）、地方の施行法第五十五条第一項（地方の施行法第五十九条において準用する場合を含む。以下この号において同じ。）の規定に該当すること（昭和三十六年四月一日前の期間に係る同項に規定する警察在職年のうち通算対象期間以外のものを除いて同項の規定に該当する場合に限る。）又は地方の施行法第六十二条第一項（地方の施行法第六十六条において準用する場合を含む。以下この号において同じ。）の規定に該当すること（昭和三十六年四月一日前の期間に係る同項に規定する消防職員としての年金条例職員期間に係る条例在職年のうち通算対象期間以外のものを除いて同項の規定に該当する場合に限る。）。

十五　その者の遺族が平成二十四年一元化法附則第六十五条第一項の規定による遺族共済年金（当該者の死亡に係るものに限る。）を受けることができること（前号に該当する場合を除く。）。

十六　施行日前の昭和六十年地方公務員共済改正法附則第十三条第二項に規定する地方公共団体の長であつた期間に係る地方公務員共済組合の組合員期間（昭和三十六年四月一日前の期間に係るものについては、通算対象期間であるものに限る。以下この号において同じ。）が十二年以上であること若しくは昭和六十年地方公務員共済改正法附則別表第二の上欄に掲げる者であつて同項に規定する地方公共団体の長であつた期間に係る地方公務員共済組合の組合員期間がそれぞれ同表の下欄に掲げる期間以上であること。

十七　その者の遺族が私立学校教職員共済法の規定により私立学校教職員共済制度を管掌することとされた日本私立学校振興・共済事業団が支給する遺族厚生年金（当該者の死亡に係るものであつて政令で定めるものに限る。）を受けることができること。

十八　施行日の前日において、共済組合が支給する退職年金又は減額退職年金の受給権を有していたこと。

十九　旧通則法第五条第二号に掲げる年金たる給付のうち、老齢又は退職を支給事由とする給付を受けることができること。

二十　共済組合又は日本私立学校振興・共済事業団が支給する退職共済年金を受けることができること（その受給権者が大正十五年四月二日以後に生まれた者である場合に限り、第二号から第七号まで、第十八号及び前号のいずれかに該当する場合を除く。）。

2　国民年金法附則第九条第二項の規定は、前項第一号に規定する合算対象期間の計算について準用する。

3　第一項第三号の規定を適用する場合における同号に規定する期間の計算については、旧通則法第六条の規定を参酌して政令で定めるところによる。

4　厚生年金保険の被保険者期間（他の法令の規定により厚生年金保険の被保険者であつた期間とみなされた期間に係るものを含む。）につき厚生年金保険の保険料を徴収する権利が時効によつて消滅したとき（新厚生年金保険法第七十五条ただし書に該当するとき及び旧厚生年金保険法第七十五条第一項ただし書に該当するときを除く。）又は船員保険の被保険者期間につき船員保険の保険料を徴収する権利が時効によつて消滅したとき（旧船員保険法第五十一条ノ二ただし書に該当するときを除く。）における当該保険料に係る厚生年金保険の被保険者期間（附則第四十七条第一項の規定又は他の法令の規定により厚生年金保険の被保険者であつた期間とみなされた期間に係るものを含む。）は、第一項第二号及び第三号の規定の適用については、附則第八条第二項各号に掲げる期間に算入せず、第一項第四号から第六号までの規定の適用については、これらの規定に規定する厚生年金保険の被保険者期間に算入せず、同項第七号の規定の適用については、同号に規定する船員保険の被保険者期間に算入しない。

（老齢基礎年金の額の計算の特例）

第十三条　附則別表第四の上欄に掲げる者については、国民年金法第二十七条（同法第二十八条第四項及び附則第九条の二第四項において適用する場合並びに同法第五十条及び附則第九条の三第二項においてその例による場合を含む。）中「四百八十」とあるのは、それぞれ同表の下欄のように読み替えるものとする。

（老齢基礎年金の額の加算等）

第十四条　老齢基礎年金の額は、受給権者（次条第一項若しくは第二項又は附則第十八条第一項に該当する者を除く。）が、大正十五年四月二日から昭和四十一年四月一日までの間に生まれた者であつて、六十五歳に達した日において、次の各号のいずれかに該当するその者の配偶者（婚姻の届出をしていないが事実上婚姻関係と同様の事情にある者を含む。以下この条、次条及び附則第十八条において同じ。）によつて生計を維持していたとき（当該六十五歳に達した日の前日において当該配偶者がその受給権を有する次の各号に掲げる年金たる給付の加給年金額の計算の基礎となつていた場合に限る。）は、附則第十七条並びに国民年金法第二十七条及び第二十八条並びに附則第九条の二、第九条の二の二及び第九条の四の五の規定にかかわらず、これらの規定に定める額に、二十二万四千七百円に同法第二十七条に規定する改定率（以下「改定率」という。）を乗じて得た額（その額に五十円未満の端数が生じたときは、これを切り捨て、五十円以上百円未満の端数が生じたときは、これを百円に切り上げるものとする。）にその者の生年月日に応じて政令で定める率を乗じて得た額を加算した額とする。ただし、その者が老齢厚生年金、退職共済年金その他の老齢又は退職を支給事由とする給付であつて政令で定めるものを受けることができるときは、この限りでない。

一　老齢厚生年金又は退職共済年金（その額の計算の基礎となる附則第八条第二項各号のいずれかに掲げる期間（同項第一号に掲げる期間にあつては、附則第四十七条第一項の規定又は他の法令の規定により厚生年金保険の被保険者であつた期間とみなされた期間に係るものを含む。）の月数が二百四十以上であるもの（他の法令の規定により当該附則第八条第二項各号のいずれかに掲げる期間の月数が二百四十以上であるものとみなされるものその他の政令で定めるものを含む。）に限る。）の受給権者（附則第三十一条第一項に規定する者並びに厚生年金保険法附則第七条の三第三項の規定による老齢厚生年金の受給権者（その者が六十五歳に達していないものに限る。）、同法附則第八条の規定による老齢厚生年金であつて同法第四十三条第一項及び附則第九条の規定によりその額が計算されているもの（政令で定める老齢厚生年金を除く。）の受給権者及び同法附則第十三条の四第三項の規定による老齢厚生年金の受給権者（その者が六十五歳に達していないもの（政令で定めるものを除く。）に限る。）並びに政令で定める退職共済年金の受給権者を除く。）

二　障害厚生年金又は障害共済年金の受給権者（当該障害厚生年金又は当該障害共済年金と同一の支給事由に基づく障害基礎年金の受給権を有する者に限る。）

2　大正十五年四月二日から昭和四十一年四月一日までの間に生まれた者が六十五歳に達した日以後にその者の配偶者が前項各号のいずれかに該当するに至つた場合において、その当時その者がその者の配偶者によつて生計を維持していたときは、その者に対する老齢基礎年金の額は、附則第十七条並びに国民年金法第二十七条及び第二十八条並びに附則第九条の二、第九条の二の二及び第九条の四の五の規定にかかわらず、これらの規定に定める額に同項に規定する加算額を加算した額とする。ただし、その者が同項ただし書に該当するときは、この限りでない。

3　前二項の規定の適用上、老齢基礎年金の受給権者の配偶者によつて生計を維持していたことの認定に関し必要な事項は、政令で定める。

4　第一項又は第二項の加算を開始すべき事由又は廃止すべき事由が生じた場合における老齢基礎年金の額の改定は、それぞれ当該事由が生じた月の翌月から行う。

第十五条　大正十五年四月二日から昭和四十一年四月一日までの間に生まれた者であつて、六十五歳に達した日において、保険料納付済期間（附則第八条第一項又は第二項の規定により保険料納付済期間とみなすこととされたものを含み、同条第四項に規定するものを除く。次項において同じ。）及び保険料免除期間（同条第一項の規定により保険料免除期間とみなすこととされたものを含み、国民年金法第九十条の三第一項の規定により納付することを要しないものとされた保険料に係るものを除く。次項において同じ。）を有さず、かつ、次の各号のいずれかに該当するものが、同日において前条第一項各号のいずれかに該当するその者の配偶者によつて生計を維持していたとき（当該六十五歳に達した日の前日において当該配偶者がその受給権を有する同項各号に掲げる年金たる給付の加給年金額の計算の基礎となつていた場合に限る。）は、同法第二十六条に定める老齢基礎年金の支給要件に該当するものとみなして、その者に老齢基礎年金を支給する。ただし、その者が前条第一項ただし書に該当するときは、この限りでない。

一　合算対象期間（附則第八条第四項及び第五項の規定により当該期間に算入することとされたものを含む。）と保険料免除期間（国民年金法第九十条の三第一項の規定により納付することを要しないものとされた保険料に係るものに限る。）とを合算した期間が、十年以上であること。

二　附則第十二条第一項第二号から第七号まで及び第十八号から第二十号までのいずれかに該当すること。

2　大正十五年四月二日から昭和四十一年四月一日までの間に生まれた者が六十五歳に達した日以後にその者の配偶者が前条第一項各号のいずれかに該当するに至つた場合において、その当時その者が保険料納付済期間及び保険料免除期間を有さず、前項各号のいずれかに該当し、かつ、その者の配偶者によつて生計を維持していたときは、新国民年金法第二十六条に定める老齢基礎年金の支給要件に該当するものとみなして、その者に老齢基礎年金を支給する。ただし、その者が前条第一項ただし書に該当するときは、この限りでない。

3　前二項の規定による老齢基礎年金の額は、国民年金法第二十七条の規定にかかわらず、前条第一項に規定する加算額に相当する額とする。

4　国民年金法第二十八条の規定は、第一項又は第二項の規定により支給する老齢基礎年金については、適用しない。

5　国民年金法附則第九条第二項の規定は、第一項第一号に規定する合算対象期間の計算について準用する。

6　前条第三項の規定は、第一項又は第二項の場合に準用する。この場合において、同条第三項中「老齢基礎年金の受給権者の配偶者」とあるのは、「前条第一項各号に該当する者」と読み替えるものとする。

第十六条　附則第十四条第一項又は第二項の規定によりその額が加算された老齢基礎年金は、その受給権者が障害基礎年金、障害厚生年金、障害共済年金その他の障害を支給事由とする年金たる給付であつて政令で定めるものの支給を受けることができるときは、その間、同条第一項又は第二項の規定により加算する額に相当する部分の支給を停止する。

2 前条第一項又は第二項の規定による老齢基礎年金は、その受給権者が前項に規定する政令で定める年金たる給付の支給を受けることができるときは、その間、その支給を停止する。

第十七条 附則別表第五の上欄に掲げる者であつて、第一号被保険者としての国民年金の被保険者期間（附則第八条第一項の規定により当該被保険者期間とみなすこととされたもの及び国民年金法附則第五条第一項の規定による被保険者としての国民年金の被保険者期間を含む。以下この条において同じ。）が二十五年未満であり、かつ、第一号被保険者としての国民年金の被保険者期間に係る保険料納付済期間（附則第八条第一項の規定により当該保険料納付済期間とみなすこととされたものを含む。以下この条において同じ。）と保険料免除期間（附則第八条第一項の規定により当該保険料免除期間とみなすこととされたものを含む。以下この条において同じ。）とを合算した期間がそれぞれ同表の中欄に掲げる期間以上であるものに支給する老齢基礎年金の額は、第一号に掲げる額が第二号に掲げる額を超えるときは、同法第二十七条の規定にかかわらず、同条に定める額に第一号に掲げる額から第二号に掲げる額を控除して得た額を加算した額とする。ただし、その者が、六十五歳以上七十歳未満であつて同法第三十条第二項に規定する障害等級に該当する程度の障害の状態にあるとき、又は七十歳以上であるときに限る。

一 附則第三十二条第二項の規定によりなおその効力を有するものとされた旧国民年金法による老齢福祉年金の額

二 国民年金法第二十七条本文に規定する老齢基礎年金の額にイに掲げる数をロに掲げる数で除して得た数を乗じて得た額

イ 第一号被保険者としての国民年金の被保険者期間に係る保険料納付済期間の月数と保険料免除期間の月数の三分の一に相当する月数とを合算した月数

ロ その者に係る附則別表第五の下欄に掲げる月数

2 前項の規定によつて老齢基礎年金の額が計算される者については、国民年金法第二十八条第四項中「同条に定める額」とあるのは「国民年金法等の一部を改正する法律（昭和六十年法律第三十四号。以下「昭和六十年改正法」という。）附則第十七条第一項に定める額」と、同法附則第九条の二第四項中「同条に定める額」とあるのは「昭和六十年改正法附則第十七条第一項に定める額」とする。

3 第一項の加算を開始すべき事由又は廃止すべき事由が生じた場合における老齢基礎年金の額の改定は、それぞれ当該事由が生じた月の翌月から行う。

（六十五歳以上の国民年金の被保険者等に係る老齢基礎年金の特例）

第十八条 六十五歳に達した日において、保険料納付済期間（附則第八条第一項又は第二項の規定により保険料納付済期間とみなすこととされたものを含み、同条第四項に規定するものを除く。以下この項において同じ。）又は保険料免除期間（同条第一項の規定により保険料免除期間とみなすこととされたものを含み、国民年金法第九十条の三第一項の規定により納付することを要しないものとされた保険料に係るものを除く。）を有する者であつて次の各号のいずれにも該当しなかつたものが、同日以後の国民年金の被保険者期間を有するに至つたことにより次の各号のいずれかに該当することとなつたときは、同法第二十六条に定める老齢基礎年金の支給要件に該当するものとみなして、その者に老齢基礎年金を支給する。

一 保険料納付済期間、保険料免除期間（附則第八条第一項の規定により保険料免除期間とみなすこととされたものを含む。）及び合算対象期間（同条第四項及び第五項の規定により当該期間に算入することとされたものを含む。）を合算した期間が、十年以上であること。

二 附則第十二条第一項第二号から第七号まで及び第十八号から第二十号までのいずれかに該当すること。

2 前項の規定による老齢基礎年金の額は、受給権者が、大正十五年四月二日から昭和四十一年四月一日までの間に生まれた者であつて、その権利を取得した当時附則第十四条第一項各号のいずれかに該当するその者の配偶者によつて生計を維持していたときは、国民年金法第二十七条及び第五項において読み替えられた同法第二十八条の規定にかかわらず、これらの規定に定める額に附則第十四条第一項に規定する加算額を加算した額とする。ただし、その者が同項ただし書に該当するときは、この限りでない。

3 第一項の規定による老齢基礎年金の額は、受給権者が、大正十五年四月二日から昭和四十一年四月一日までの間に生まれた者であつて、その権利を取得した日後にその者の配偶者が附則第十四条第一項各号のいずれかに該当するに至り、かつ、その当時その者がその者の配偶者によつて生計を維持していたときは、国民年金法第二十七条及び第五項において読み替えられた同法第二十八条の規定にかかわらず、これらの規定に定める額に附則第十四条第一項に規定する加算額を加算した額とする。ただし、同項ただし書に該当するときは、この限りでない。

4 附則第十四条第三項及び第四項並びに第十六条第一項の規定は、前二項の場合に準用する。

5 第一項の規定による老齢基礎年金の受給権者に対する国民年金法第二十八条の規定の適用については、同条第一項中「六十六歳に達する」とあるのは「その受給権を取得した日から起算して一年を経過した日（以下この条において「一年を経過した日」という。）」と、「六十五歳に達した」とあるのは「当該老齢基礎年金の受給権を取得した」と、「六十六歳に達した」とあるのは「一年を経過した」と、同条第二項中「六十六歳に達した」とあるのは「一年を経過した」と、「七十五歳に達する日」とあるのは「老齢基礎年金の受給権を取得した日から起算して十年を経過した日（次号において「十年を経過した日」という。）」と、「七十五歳に達した日」とあるのは「十年を経過した日」と、同条第五項中「七十歳に達した日」とあるのは「その受給権を取得した日から起算して五年を経過した日」と、「八十歳に達した日」とあるのは「当該老齢基礎年金の受給権を取得した日から起算して十五年を経過した日」とする。

6 国民年金法附則第九条第二項の規定は、第一項第一号に規定する合算対象期間の計算について準用する。

7 新国民年金法附則第九条の三第一項の規定による老齢年金の受給権は、受給権者が第一項の規定による老齢基礎年金の受給権を取得したときは、消滅する。

第十九条 削除

（障害基礎年金等の支給要件の特例）

第二十条　初診日が令和八年四月一日前にある傷病による障害について国民年金法第三十条第一項ただし書（同法第三十条の二第二項、同法第三十条の三第二項、同法第三十四条第五項及び同法第三十六条第三項において準用する場合を含む。）の規定を適用する場合においては、同法第三十条第一項ただし書中「三分の二に満たないとき」とあるのは、「三分の二に満たないとき（当該初診日の前日において当該初診日の属する月の前々月までの一年間（当該初診日において被保険者でなかつた者については、当該初診日の属する月の前々月以前における直近の被保険者期間に係る月までの一年間）のうちに保険料納付済期間及び保険料免除期間以外の被保険者期間がないときを除く。）」とする。ただし、当該障害に係る者が当該初診日において六十五歳以上であるときは、この限りでない。

2　令和八年四月一日前に死亡した者について国民年金法第三十七条ただし書の規定を適用する場合においては、同条ただし書中「三分の二に満たないとき」とあるのは、「三分の二に満たないとき（当該死亡日の前日において当該死亡日の属する月の前々月までの一年間（当該死亡日において被保険者でなかつた者については、当該死亡日の属する月の前々月以前における直近の被保険者期間に係る月までの一年間）のうちに保険料納付済期間及び保険料免除期間以外の被保険者期間がないときを除く。）」とする。ただし、当該死亡に係る者が当該死亡日において六十五歳以上であるときは、この限りでない。

第二十一条　初診日が平成三年五月一日前にある傷病による障害について、又は同日前に死亡した者について前条並びに国民年金法第三十条第一項ただし書（同法第三十条の二第二項、同法第三十条の三第二項、同法第三十四条第五項及び同法第三十六条第三項において準用する場合を含む。）及び第三十七条ただし書の規定を適用する場合においては、これらの規定中「月の前々月」とあるのは、「月前における直近の基準月（一月、四月、七月及び十月をいう。）の前月」とする。

（障害基礎年金の支給要件の特例）

第二十二条　新国民年金法第三十条の二第一項の規定による障害基礎年金は、同一の傷病による障害について旧国民年金法による障害年金、旧厚生年金保険法による障害年金（附則第八十七条第二項の規定により厚生年金保険の実施者たる政府が支給するものとされたものを含む。附則第二十六条及び第二十七条において同じ。）又は共済組合若しくは日本私立学校振興・共済事業団が支給する障害年金（平成八年改正法附則第十六条第三項及び厚生年金保険制度及び農林漁業団体職員共済組合制度の統合を図るための農林漁業団体職員共済組合法等を廃止する等の法律（平成十三年法律第百一号。以下「平成十三年統合法」という。）附則第十六条第三項の規定により厚生年金保険の実施者たる政府が支給するものとされたものを含む。附則第二十六条において同じ。）の受給権を有していたことがある者については、新国民年金法第三十条の二第一項の規定にかかわらず、支給しない。

第二十三条　疾病にかかり、又は負傷した日が施行日前にある傷病による障害又は初診日が施行日前にある傷病による障害について新国民年金法第三十条から第三十条の四までの規定を適用する場合における必要な経過措置は、政令で定める。

2　初診日が昭和三十六年四月一日前である傷病が治らないで、昭和三十九年八月一日において旧国民年金法別表に定める程度の障害の状態になかつた者が、施行日以後七十歳に達する日の前日までの間に、当該傷病により初めて新国民年金法第三十条第二項に規定する障害等級に該当する程度の障害の状態に該当するに至つたときは、同法第三十条の四第一項に該当するものとみなして、同項の障害基礎年金を支給する。ただし、初診日において二十歳未満であつた者及び昭和三十四年十一月一日以後におけるその初診日において旧国民年金法第七条第二項第一号から第四号までのいずれかに該当した者については、この限りでない。

第二十四条　船員保険の被保険者であつた間に職務上の事由又は通勤により疾病にかかり、又は負傷した者が、施行日前に既に当該傷病に係る初診日から起算して一年六月を経過し、かつ、当該傷病が治つていない場合であつて、施行日において、新国民年金法第三十条第二項に規定する障害等級に該当する程度の障害の状態にあるときは、同条の規定に該当するものとみなして、その者に同条の障害基礎年金を支給する。

2　前項の規定により支給される障害基礎年金は、その受給権者が旧船員保険法第四十条第二項に規定する障害年金の受給権を有するときは、その間、その支給を停止する。

（従前の障害福祉年金）

第二十五条　施行日の前日において旧国民年金法による障害福祉年金を受ける権利を有していた者のうち、施行日において新国民年金法第三十条第二項に規定する障害等級（以下この条において単に「障害等級」という。）に該当する程度の障害の状態にある者については、同法第三十条の四第一項に該当するものとみなして、同項の障害基礎年金を支給する。

2　施行日の前日において旧国民年金法による障害福祉年金を受ける権利を有していた者のうち、施行日において障害等級に該当する程度の障害の状態にない者については、同日後、障害等級に該当する程度の障害の状態に該当するに至つたとき（同日前の同法別表に定める程度の障害の状態に該当しなくなつた日から起算して三年を経過する日までの間に限る。）は、新国民年金法第三十条の四第一項に該当するものとみなして、同項の障害基礎年金を支給する。

3　旧国民年金法による障害福祉年金を受ける権利を有する者が、前二項の規定により新国民年金法第三十条の四第一項の障害基礎年金の受給権を取得したときは、当該障害福祉年金を受ける権利は消滅する。この場合において、当該障害福祉年金の支給は、当該権利の消滅した日の属する月の前月で終わるものとする。

4　第一項の規定による障害基礎年金の支給は、新国民年金法第十八条第一項の規定にかかわらず、施行日の属する月から始めるものとする。

5　昭和六十一年四月分の第一項の規定による障害基礎年金については、新国民年金法第十八条第三項本文の規定にかかわらず、同年八月に支払うものとする。

（障害基礎年金の併給の調整の特例）

第二十六条　新国民年金法第三十一条第一項及び第三十二条第一項の規定は、施行日前に支給事由の生じた旧国民年金法による障害年金、施行日前に支給事由の生じた旧厚生年金保険法による障害年金又は共済組合若しくは日本私立学校振興・共済事業団が支給する障害年金であつて障害基礎年金に相当するものとして政令で定めるものの支給を受けることができる者に対して更に障害基礎年金を支給すべき事由が生じた場合（前条の規定により支給すべき事由が生じた場合を除く。）について準用する。施行日前に支給事由の生じた旧国民年金法による障害年金（障害福祉年金を除く。）を受けることができる者に対して更に同条の規定により障害基礎年金を支給すべき事由が生じた場合においても、同様とする。

2　前条の規定により支給される障害基礎年金の受給権者に対して更に障害基礎年金を支給すべき事由が生じたときは、新国民年金法第三十一条第二項及び第三十二条第二項の規定は、適用しない。

（遺族基礎年金の支給要件の特例）

第二十七条　大正十五年四月一日以前に生まれた者のうち、旧厚生年金保険法による障害年金又は共済組合若しくは日本私立学校振興・共済事業団が支給する障害年金の受給権を有するもの、厚生年金保険の被保険者の資格を喪失した後に厚生年金保険の被保険者である間に初診日のある傷病により当該初診日から五年を経過する日前に死亡したもの、旧厚生年金保険法による老齢年金若しくは通算老齢年金であつて旧保険料納付済期間、旧保険料免除期間及び通算対象期間を合算した期間が二十五年以上であるものその他政令で定めるもの又は共済組合若しくは日本私立学校振興・共済事業団が支給する退職年金、減額退職年金若しくは通算退職年金であつて旧保険料納付済期間、旧保険料免除期間及び通算対象期間を合算した期間が二十五年以上であるものその他政令で定めるもの（平成八年改正法附則第十六条第三項及び平成十三年統合法附則第十六条第三項の規定により厚生年金保険の実施者たる政府が支給するものとされたこれらの年金たる給付を含む。）の受給権者その他の者であつて政令で定めるものが、施行日以後に死亡した場合における遺族基礎年金の支給に関し必要な経過措置は、政令で定める。

（従前の母子福祉年金及び準母子福祉年金）

第二十八条　施行日の前日において旧国民年金法による母子福祉年金又は準母子福祉年金の受給権を有する者については、新国民年金法第三十七条に該当するものとみなして、同条の遺族基礎年金を支給する。

2　旧国民年金法による母子福祉年金又は準母子福祉年金の受給権を有する者が、前項の規定による新国民年金法第三十七条の遺族基礎年金の受給権を取得したときは、当該母子福祉年金及び準母子福祉年金の受給権は消滅する。この場合において、当該母子福祉年金及び準母子福祉年金の支給は、当該権利の消滅した日の属する月の前月で終わるものとする。

3　第一項の規定による遺族基礎年金の支給は、新国民年金法第十八条第一項の規定にかかわらず、施行日の属する月から始めるものとする。

4　昭和六十一年四月分の第一項の規定による遺族基礎年金については、新国民年金法第十八条第三項本文の規定にかかわらず、同年八月に支払うものとする。

5　第一項の場合における国民年金法第三十九条の規定の適用については、旧国民年金法による母子福祉年金又は準母子福祉年金の受給権を有していた者は、国民年金法第三十九条第一項に規定する妻とみなす。

6　第一項の場合における国民年金法第三十九条及び第百七条第二項の規定の適用については、旧国民年金法による母子福祉年金若しくは準母子福祉年金の支給の要件となり、又はその額の加算の対象となつていた子、孫又は弟妹は、国民年金法第三十九条第一項に規定する子とみなす。

7　第一項の規定により支給する遺族基礎年金に対する国民年金法第三十九条第三項（同法第四十条第二項において適用する場合を含む。）の規定の適用については、同法第三十九条第三項第四号中「死亡した被保険者又は被保険者であつた者の子で」とあるのは、「夫又は妻のいずれの子でも」とする。

8　第一項に規定する準母子福祉年金の受給権を有していた者に支給する同項の規定による遺族基礎年金については、国民年金法第三十九条第二項及び第三項の規定によつて年金額を改定するほか、第六項に規定する孫又は弟妹のうちの一人又は二人以上がその母又は父の妻と生計を同じくするに至つたときは、その生計を同じくするに至つた日の属する月の翌月からその生計を同じくするに至つた孫又は弟妹の数に応じて、年金額を改定する。

9　第一項に規定する準母子福祉年金の受給権を有していた者に支給する同項の規定による遺族基礎年金の受給権は、新国民年金法第四十条第一項及び第二項の規定によつて消滅するほか、第六項に規定する孫又は弟妹が一人であるときはその孫又は弟妹が、同項に規定する孫又は弟妹が二人以上であるときは同時に又は時を異にしてそのすべての孫又は弟妹が、その母又は父の妻と生計を同じくするに至つたときは、消滅する。

10　第一項の規定により支給する遺族基礎年金に係る支給の停止及び支給の調整については、この附則及び新国民年金法に別段の定めがあるもののほか、旧国民年金法第二十条、第四十一条の四第一項から第四項まで、第四十一条の五第一項及び第二項、第六十四条の五から第六十五条まで、第六十六条第三項から第五項まで並びに第六十七条並びに国家公務員災害補償法の一部を改正する法律（昭和四十一年法律第六十七号）附則第二十五条第三項の規定の例による。この場合において、旧国民年金法第六十五条第一項中「該当するとき」とあるのは「該当するとき（第二号及び第三号に該当する場合にあつては、厚生労働省令で定める場合に限る。）」と、同項第二号中「監獄」とあるのは「刑事施設」と読み替えるものとする。

11　施行日前に支給事由の生じた旧国民年金法による遺児年金については、旧国民年金法第四十七条の規定は、なおその効力を有する。この場合において、必要な技術的読替えは、政令で定める。

（寡婦年金及び死亡一時金の特例）

第二十九条　国民年金法第四十九条第一項の規定の適用については、旧国民年金法による障害年金（障害福祉年金を除く。）は障害基礎年金とみなす。

2　国民年金法第五十二条の二第一項の規定の適用については、旧国民年金法による老齢年金、通算老齢年金、障害年金（障害福祉年金を除く。）、母子年金（母子福祉年金を除く。）若しくは準母子年金（準母子福祉年金を除く。）又は前条第一項の規定による遺族基礎年金の支給を受けたことがある者は、老齢基礎年金又は障害基礎年金の支給を受けたことがある者とみなす。

第三十条　削除

（施行日において六十歳以上の者に係る国民年金の年金たる給付の特例）

第三十一条　大正十五年四月一日以前に生まれた者又は大正十五年四月二日以後に生まれた者であつて施行日の前日において旧厚生年金保険法による老齢年金、旧船員保険法による老齢年金又は共済組合が支給する退職年金（同日においてその受給権者が五十五歳に達しているものに限る。）若しくは減額退職年金（同日においてその受給権者が五十五歳に達しているものに限る。）の受給権を有していたもの（寡婦年金にあつては、死亡したこれらの者の妻）については、附則第十五条及び第十八条並びに国民年金法第三章第二節、同章第五節第一款及び第二款並びに同法第三十七条第四号、附則第九条の二及び附則第九条の三の規定を適用せず、旧国民年金法中同法による老齢年金、通算老齢年金及び寡婦年金の支給要件に関する規定並びにこれらの年金たる給付の支給要件に関する規定であつてこの法律によつて廃止され又は改正されたその他の法律の規定（これらの規定に基づく命令の規定を含む。）は、これらの者について、なおその効力を有する。

２　前項の規定によりなおその効力を有するものとされた旧国民年金法第二十九条の三の規定を適用する場合においては、同条第一号中「二十五年」とあるのは、「十年」とするほか、同項の規定によりなおその効力を有するものとされた規定の適用に関し必要な技術的読替えは、政令で定める。

（国民年金事業に要する費用の負担の特例）

第三十四条　国庫は、当分の間、毎年度、国民年金事業に要する費用に充てるため、国民年金法第八十五条第一項各号及び第二項に規定する額のほか、同法による年金たる給付及び旧国民年金法による年金たる給付に要する費用のうち、次の各号に掲げる額を負担する。

一　当該年度における国民年金法による付加年金の給付に要する費用及び同法による死亡一時金の給付に要する費用（同法第五十二条の四第一項に定める額に相当する部分の給付に要する費用を除く。）の総額の四分の一に相当する額

二　当該年度における附則第二十五条の規定により支給される障害基礎年金及び附則第二十八条の規定により支給される遺族基礎年金の給付に要する費用の総額に障害基礎年金の額又は遺族基礎年金の額に対する旧国民年金法第五十八条に規定する額又は同法第六十二条及び第六十三条第一項に規定する額の割合を参酌して政令で定める割合を乗じて得た額

三　当該年度における老齢基礎年金の給付に要する費用のうち、附則第十七条の規定による加算額の総額

四　当該年度における旧国民年金法第五条第四項に規定する保険料免除期間（他の法令により当該保険料免除期間とみなされるものを含む。）を有する者に係る同法による年金たる給付（同法附則第九条の三第一項の規定に該当することにより支給される老齢年金及び老齢福祉年金を除く。）に要する費用（同法第七十七条第一項又は第二項の規定によつてその額が計算される老齢年金の給付に要する費用及び第六号に掲げる費用を除く。）の額に、イに掲げる数をロに掲げる数で除して得た数を乗じて得た額の合算額

イ　当該保険料免除期間の月数を三で除して得た数

ロ　イに掲げる数と当該保険料納付済期間の月数とを合算した数

五　当該年度における旧国民年金法第七十七条第一項又は第二項の規定によつてその額が計算される老齢年金の給付に要する費用（次に掲げる額に相当する部分の給付に要する費用を除く。）の総額

イ　旧国民年金法第二十七条第一項第一号に掲げる額

ロ　旧国民年金法第七十七条第一項第一号に掲げる額に同号の被保険者期間に係る保険料納付済期間の月数を当該被保険者期間の月数で除して得た数を乗じて得た額の四分の三に相当する額

ハ　二百円に旧国民年金法第八十七条の二第一項の規定による保険料に係る保険料納付済期間の月数を乗じて得た額の四分の三に相当する額

六　当該年度における旧国民年金法による老齢年金（前号に掲げる老齢年金及び老齢福祉年金を除く。）及び通算老齢年金の給付に要する費用（同法第二十七条第一項（同法第二十九条の四第一項においてその例による場合を含む。）に定める額に相当する部分の給付に要する費用を除く。）の総額の四分の一に相当する額

七　当該年度における改正前の法律第八十六号附則第十六条第一項又は改正前の法律第九十二号附則第二十条第一項の規定により支給する老齢年金の給付に要する費用の総額の八分の一に相当する額

八　当該年度における改正前の法律第九十二号附則第十二条第二項の規定によつてその額が計算される年金の給付に要する費用のうち、八百四十円に当該年金の額の計算の基礎となつた保険料納付済期間の月数を乗じて得た額に相当する部分の給付に要する費用の総額の四分の一に相当する額

九　当該年度における旧国民年金法による老齢福祉年金の給付に要する費用の総額

２　国民年金法第八十五条第一項の規定の適用については、当分の間、同項中「次号及び第三号に掲げる額」とあるのは「次号及び第三号に掲げる額並びに国民年金法等の一部を改正する法律（昭和六十年法律第三十四号。以下「昭和六十年改正法」という。）附則第三十四条第一項各号（第一号、第六号及び第九号を除く。）に掲げる費用（同項第五号に規定する老齢年金の給付に要する費用に係る同号ハに規定する額の三分の一に相当する額に相当する部分の費用を除く。）の額」と、「四百八十」とあるのは「四百八十（昭和六十年改正法附則別表第四の上欄に掲げる者については、それぞれ同表の下欄に掲げる数）」と読み替えるものとする。

３　国民年金法第八十五条第一項の規定の適用については、同項第三号中「障害基礎年金」とあるのは、「障害基礎年金（国民年金法等の一部を改正する法律（昭和六十年法律第三十四号）附則第二十五条の規定による障害基礎年金を除く。）」とする。

４　国庫は、毎年度、次の各号に掲げる費用について、それぞれ当該各号に定める額を負担する。

一　当該年度における老齢基礎年金（その全額につき支給を停止されているものを除く。）の受給権者に国民年金基金又は国民年金基金連合会が支給する年金に要する費用　二百円（国民年金法第二十八条又は附則第九条の二若しくは第九条の二の二の規定による老齢基礎年金の受給権者に基金が支給する年金については、政令で定める額）に当該国民年金基金

の加入員期間（同法第百三十条第二項に規定する加入員期間をいう。以下この号において同じ。）又は当該国民年金基金連合会がその支給に関する義務を負つている年金の額の計算の基礎となる国民年金基金の加入員期間の月数を乗じて得た額の四分の一に相当する額

二　当該年度における国民年金基金又は国民年金基金連合会が支給する一時金に要する費用　新国民年金法第五十二条の四第二項の加算額の四分の一に相当する額

5　新国民年金法第八十六条の規定の適用については、同条中「この法律又は」とあるのは、「この法律（国民年金法等の一部を改正する法律（昭和六十年法律第三十四号。以下「昭和六十年改正法」という。）の規定によりなお従前の例によるものとされた場合における同法第一条の規定による改正前のこの法律及び昭和六十年改正法の規定によりなおその効力を有するものとされた同法第一条の規定による改正前のこの法律を含む。以下この条において同じ。）又は」とする。

第三十五条　旧厚生年金保険法による年金たる保険給付（附則第六十三条第一項の規定によりなおその効力を有するものとされた同法による老齢年金及び通算老齢年金を含む。）、附則第八十七条第二項の規定により厚生年金保険の実施者たる政府が支給するものとされた年金たる保険給付、平成八年改正法附則第十六条第三項の規定により厚生年金保険の実施者たる政府が支給するものとされた年金たる給付及び平成十三年統合法附則第十六条第三項の規定により厚生年金保険の実施者たる政府が支給するものとされた年金である給付に要する費用のうち、次の各号に掲げる費用その他老齢基礎年金、障害基礎年金又は遺族基礎年金に相当する給付に要する費用として政令で定める費用については、政令で定めるところにより、老齢基礎年金、障害基礎年金又は遺族基礎年金の給付に要する費用として、国民年金の管掌者たる政府が負担する。

一　六十五歳以上の者に支給する老齢年金又は通算老齢年金の給付に要する費用のうち、昭和三十六年四月一日以後の当該被保険者期間に係る部分の給付に要する費用であつて老齢基礎年金又は旧国民年金法による老齢年金（老齢福祉年金を除く。）の額に相当する部分（附則第七十九条第二号に掲げる額に相当する部分を除く。）

二　障害年金（平成八年改正法附則第十六条第三項及び平成十三年統合法附則第十六条第三項の規定により厚生年金保険の実施者たる政府が支給するものとされたものを除く。）の給付に要する費用のうち、昭和三十六年四月一日以後に支給事由の生じた給付であつて障害基礎年金の額に相当する部分

三　死亡した被保険者又は被保険者であつた者の妻又は子に支給する遺族年金（平成八年改正法附則第十六条第三項及び平成十三年統合法附則第十六条第三項の規定により厚生年金保険の実施者たる政府が支給するものとされたものを除く。）の給付に要する費用のうち、昭和三十六年四月一日以後に支給事由の生じた給付であつて遺族基礎年金の額に相当する部分

2　国民年金の管掌者たる政府は、共済組合又は日本私立学校振興・共済事業団が支給する退職年金、減額退職年金、通算退職年金、障害年金、遺族年金及び通算遺族年金の給付に要する費用のうち、次の各号に掲げる費用その他老齢基礎年金、障害基礎年金又は遺族基礎年金に相当する給付に要する費用として政令で定める費用を、毎年度、政令で定めるところにより、実施機関たる共済組合等に対して交付する。

一　六十五歳以上の者に支給する退職年金、減額退職年金又は通算退職年金の給付に要する費用のうち、昭和三十六年四月一日以後の当該組合員期間又は加入者期間に係る部分の給付に要する費用であつて老齢基礎年金又は旧国民年金法による老齢年金（老齢福祉年金を除く。）の額に相当する部分（昭和六十年国家公務員共済改正法附則第三十一条第一項第二号、昭和六十年地方公務員共済改正法附則第三十三条第一項第二号及び私立学校教職員共済組合法等の一部を改正する法律（昭和六十年法律第百六号）附則第六条第一項第二号に掲げる額に相当する部分を除く。）

二　障害年金の給付に要する費用のうち、昭和三十六年四月一日以後に支給事由の生じた給付であつて障害基礎年金の額に相当する部分

三　死亡した共済組合の組合員（農林漁業団体職員共済組合の任意継続組合員を含む。以下この号において同じ。）又は共済組合の組合員であつた者の妻又は子に支給する遺族年金の給付に要する費用のうち、昭和三十六年四月一日以後に支給事由の生じた給付であつて遺族基礎年金の額に相当する部分

3　第一項の規定により国民年金の管掌者たる政府が負担する費用及び前項の規定により国民年金の管掌者たる政府が交付する費用は、附則第三十八条の二第一項並びに国民年金法第八十五条第一項及び第九十四条の二の規定の適用については、基礎年金の給付に要する費用とみなす。

4　旧国民年金法による年金たる給付（附則第三十一条第一項の規定によりなおその効力を有するものとされた同法による老齢年金及び通算老齢年金を含む。）に要する費用（老齢年金又は通算老齢年金の給付に要する費用のうち同法第二十七条第二項（同法第二十九条の四においてその例による場合を含む。）に定める額に相当する部分並びに寡婦年金、老齢福祉年金及び同法附則第九条の三第一項の規定に該当することにより支給される老齢年金の給付に要する費用を除く。）は、附則第三十八条の二第一項並びに国民年金法第八十五条第一項及び第九十四条の二の規定の適用については、基礎年金の給付に要する費用とみなす。

第三十六条　昭和六十一年四月から昭和六十二年三月までの月分の新国民年金法による保険料については、同法第八十七条第四項中「六千八百円」とあるのは、「六千八百円（昭和五十八年度の年度平均の物価指数（総務庁において作成する全国消費者物価指数又は総理府において作成した全国消費者物価指数をいう。以下この項において同じ。）に対する昭和六十年の年平均の物価指数の割合が一を超えるときは、その割合を六千八百円に乗じて得た額とし、その額に五十円未満の端数が生じたときはこれを切り捨て、五十円以上百円未満の端数が生じたときはこれを百円に切り上げるものとする。）」と読み替えるものとする。

2　昭和六十二年四月から昭和六十三年三月までの月分の新国民年金法による保険料については、同法第八十七条第四項中「六千八百円」とあるのは、「七千百円（昭和五十八年度の年度平均の物価指数（総務庁において作成する全国消費者物価指数又は総理府において作成した全国消費者物価指数をいう。以下こ

の項において同じ。）に対する昭和六十年の年平均の物価指数の割合が一を超えたときは、その割合を七千百円に乗じて得た額とし、その額に五十円未満の端数が生じたときはこれを切り捨て、五十円以上百円未満の端数が生じたときはこれを百円に切り上げるものとする。」」と読み替えるものとする。

3　次の表の上欄に掲げる月分の新国民年金法による保険料については、同法第八十七条第四項中「六千八百円」とあるのは、それぞれ同表の中欄に掲げる額（昭和五十八年度の年度平均の物価指数（総務庁において作成する全国消費者物価指数又は総理府において作成した全国消費者物価指数をいう。以下この項において同じ。）に対する昭和六十年の年平均の物価指数の割合が一を超えたときは、その割合を同表の中欄に掲げる額に乗じて得た額（同表の下欄に掲げる年の前年までの間において第十六条の二の規定により年金たる給付の額の改定の措置が講ぜられたときは、昭和五十八年度の年度平均の物価指数に対する同表の下欄に掲げる年前における直近の同条の規定により年金たる給付の額の改定の措置が講ぜられた年の前年の年平均の物価指数の割合を同表の中欄に掲げる額に乗じて得た額とする。）とし、その額に五十円未満の端数が生じたときはこれを切り捨て、五十円以上百円未満の端数が生じたときはこれを百円に切り上げるものとする。）」と読み替えるものとする。

昭和六十三年四月から平成元年三月までの月分	七千四百円	昭和六十三年
平成元年四月から平成二年三月までの月分	七千七百円	平成元年

第三十八条の二　施行日の前日における特別会計に関する法律（平成十九年法律第二十三号）附則第六十六条第二十三号の規定による廃止前の国民年金特別会計法（昭和三十六年法律第六十三号）に基づく国民年金特別会計の国民年金勘定の積立金（旧国民年金法第八十七条の二第一項に規定する保険料に係る部分を除く。）のうち旧国民年金法第七条第二項第一号に掲げる者の配偶者であつて同時に旧国民年金法附則第六条第一項の規定による被保険者であつた期間を有する者の当該期間に係る保険料納付済期間に係る部分として政令で定めるところにより算定した部分（当該部分から生じる運用収入を含み、政令で定める部分を除く。）については、政令で定めるところにより、各年度における基礎年金の給付に要する費用に充てることができる。

2　前項の規定により基礎年金の給付に要する費用に充てられた額のうち、政令で定めるところにより各政府及び実施機関ごとに算定した額に相当する部分については、各政府及び実施機関が当該年度において国民年金法第九十四条の二第一項又は第二項の規定により負担又は納付した基礎年金拠出金とみなす。

3　第一項に規定する積立金の額の計算については、政令で定める。

4　第一項の規定により同項に規定する算定した部分について基礎年金の給付に要する費用に充てられる会計年度における特別会計に関する法律の規定の適用に関し必要な読替えは、政令で定める。

（特別一時金の支給）

第九十四条　施行日において附則第二十五条の規定による障害基礎年金、旧国民年金法による障害年金、旧厚生年金保険法による障害年金その他の障害を支給事由とする年金たる給付であつて政令で定めるもの（以下この項において「障害年金等」という。）を受ける権利を有し、かつ、当該障害年金等を受ける権利を有するに至つた日（当該障害年金等が附則第二十五条の規定による障害基礎年金その他の政令で定める給付であるときは、政令で定める日とする。第二号において同じ。）から施行日の前日までの期間に係る旧国民年金法第五条第三項に規定する保険料納付済期間（以下この条において「対象旧保険料納付済期間」という。）を有する者（附則第二十五条の規定による障害基礎年金又は旧国民年金法による障害福祉年金を受ける権利を有する者以外の者であつて、附則第三十一条第一項に規定するものを除く。）は、政令で定めるところにより、特別一時金の支給を請求することができる。ただし、その者が次の各号のいずれかに該当する場合は、この限りでない。

一　施行日から特別一時金の支給を請求する日の前日までの間に、当該障害年金等を受ける権利（当該障害年金等が旧国民年金法による障害福祉年金である場合であつて、施行日以後その者が附則第二十五条第二項の規定によつて障害基礎年金を受ける権利を有するに至つたときは、当該障害基礎年金を受ける権利）が消滅したこと。

二　当該障害年金等を受ける権利を有するに至つた日から特別一時金の支給を請求する日までの間に障害基礎年金（附則第二十五条の規定によつて支給されるものを除く。）又は旧国民年金法による障害年金（障害福祉年金を除く。）、母子年金（母子福祉年金を除く。）若しくは準母子年金（準母子福祉年金を除く。）の支給を受けたことがあること。

三　特別一時金の支給を請求する日において老齢基礎年金又は旧国民年金法による老齢年金若しくは通算老齢年金の受給資格要件たる期間を満たしていないこと。

四　特別一時金の支給を請求する日前に老齢基礎年金又は旧国民年金法による老齢年金若しくは通算老齢年金の支給を請求したこと。

2　前項の請求があつたときは、その請求をした者に特別一時金を支給する。

3　特別一時金の額は、昭和三十六年四月一日から施行日の前日までの期間に係る国民年金の保険料の額の合計額を基準として、対象旧保険料納付済期間に応じて政令で定めるところにより算定した額とする。

4　第二項の規定により特別一時金の支給を受けた場合における対象旧保険料納付済期間は、老齢基礎年金又は国民年金法による付加年金の額の計算については旧国民年金法第五条第三項に規定する保険料納付済期間である国民年金の被保険者期間でないものと、国民年金法第三十条第一項ただし書（同法第三十条の三第二項、同法第三十四条第五項及び同法第三十六条第三項において準用する場合を含む。）及び同法第三十七条ただし書並びに新厚生年金保険法第五十八条第一項ただし書の規定の適用については国民年金の被保険者期間でないものと、それぞれみなす。

5　第二項の規定により特別一時金の支給を受けた場合における

旧国民年金法による老齢年金又は通算老齢年金の額は、附則第三十二条第二項の規定によりなおその効力を有するものとされた同法の規定にかかわらず、対象旧保険料納付済期間につき同法第二十七条の規定の例により計算した額を減じた額とする。

6　前各項に定めるもののほか、特別一時金の支給に関し必要な事項（その支給に伴い必要な事項を含む。）は、政令で定める。

（その他の経過措置の政令への委任）

第百一条　この附則に規定するもののほか、この法律の施行に伴い必要な経過措置は、政令で定める。

附則別表第一

大正十五年四月二日から昭和二年四月一日までの間に生まれた者	二十一年
昭和二年四月二日から昭和三年四月一日までの間に生まれた者	二十二年
昭和三年四月二日から昭和四年四月一日までの間に生まれた者	二十三年
昭和四年四月二日から昭和五年四月一日までの間に生まれた者	二十四年

附則別表第二

昭和二十七年四月一日以前に生まれた者	二十年
昭和二十七年四月二日から昭和二十八年四月一日までの間に生まれた者	二十一年
昭和二十八年四月二日から昭和二十九年四月一日までの間に生まれた者	二十二年
昭和二十九年四月二日から昭和三十年四月一日までの間に生まれた者	二十三年
昭和三十年四月二日から昭和三十一年四月一日までの間に生まれた者	二十四年

附則別表第三

昭和二十二年四月一日以前に生まれた者	十五年
昭和二十二年四月二日から昭和二十三年四月一日までの間に生まれた者	十六年
昭和二十三年四月二日から昭和二十四年四月一日までの間に生まれた者	十七年
昭和二十四年四月二日から昭和二十五年四月一日までの間に生まれた者	十八年
昭和二十五年四月二日から昭和二十六年四月一日までの間に生まれた者	十九年

附則別表第四

大正十五年四月二日から昭和二年四月一日までの間に生まれた者	三百
昭和二年四月二日から昭和三年四月一日までの間に生まれた者	三百十二
昭和三年四月二日から昭和四年四月一日までの間に生まれた者	三百二十四
昭和四年四月二日から昭和五年四月一日までの間に生まれた者	三百三十六
昭和五年四月二日から昭和六年四月一日までの間に生まれた者	三百四十八
昭和六年四月二日から昭和七年四月一日までの間に生まれた者	三百六十
昭和七年四月二日から昭和八年四月一日までの間に生まれた者	三百七十二
昭和八年四月二日から昭和九年四月一日までの間に生まれた者	三百八十四
昭和九年四月二日から昭和十年四月一日までの間に生まれた者	三百九十六
昭和十年四月二日から昭和十一年四月一日までの間に生まれた者	四百八
昭和十一年四月二日から昭和十二年四月一日までの間に生まれた者	四百二十
昭和十二年四月二日から昭和十三年四月一日までの間に生まれた者	四百三十二
昭和十三年四月二日から昭和十四年四月一日までの間に生まれた者	四百四十四
昭和十四年四月二日から昭和十五年四月一日までの間に生まれた者	四百五十六
昭和十五年四月二日から昭和十六年四月一日までの間に生まれた者	四百六十八

附則別表第五

大正十五年四月二日から昭和二年四月一日までの間に生まれた者	二十一年	三百
昭和二年四月二日から昭和三年四月一日までの間に生まれた者	二十二年	三百十二
昭和三年四月二日から昭和四年四月一日までの間に生まれた者	二十三年	三百二十四
昭和四年四月二日から昭和五年四月一日までの間に生まれた者	二十四年	三百三十六

附　則（平元・一二・二二法八六）（抄）

最終改正　平二四・八・二二法六三

（施行期日等）

第一条　この法律は、公布の日から施行する。ただし、次の各号に掲げる規定は、それぞれ当該各号に定める日から施行する。

一　〔略〕

二　第一条中国民年金法第十八条の改正規定〔中略〕　平成二年二月一日

三　第一条中国民年金法第八十七条の改正規定、〔中略〕第四条中国民年金法等の一部を改正する法律附則第三十六条の改正規定並びに附則第五条の規定〔中略〕　平成二年四月一日

四　第一条中国民年金法〔中略〕第七条から第九条まで〔中略〕の改正規定〔中略〕附則第五条、第六条及び第八条の改正規定並びに第四条中国民年金法等の一部を改正する法律附則第四条、第五条第九号〔中略〕及び第三十四条第四項の改正規定並びに附則第三条、第四条、第六条〔中略〕の規定　平成三年四月一日

2　次の各号に掲げる規定は、それぞれ当該各号に定める日から適用する。

一　第一条の規定による改正後の国民年金法（以下「改正後の国民年金法」という。）第十六条の二、第二十七条、第三十三条、第三十三条の二、第三十八条、第三十九条及び第三十九条の二の規定、〔中略〕第四条の規定による改正後の国民年金法等の一部を改正する法律附則第五条第十七号から第十九号まで、附則第八条第一項、第三項及び第四項、附則第十一条、附則第十三条から第十五条まで、附則第十七条、附則第十八条、附則第二十八条、附則第三十一条、〔中略〕附則第三十四条第一項〔中略〕の規定　平成元年四月一日

二　〔略〕

（国民年金の年金たる給付に関する経過措置）

第二条　平成元年三月以前の月分の国民年金法による年金たる給付（付加年金を除く。）及び国民年金法等の一部を改正する法律（昭和六十年法律第三十四号。以下「昭和六十年改正法」という。）附則第三十二条第一項に規定する年金たる給付の額については、なお従前の例による。

（国民年金の被保険者資格の取得及び喪失の経過措置）

第三条　平成三年三月三十一日において、第一条の規定による改正前の国民年金法（以下「改正前の国民年金法」という。）第七条第一項第一号イに該当した者（同日において同項第二号又は第三号に該当した者及び改正前の国民年金法附則第五条第一項の規定による被保険者であった者を除く。）が、同年四月一日において改正後の国民年金法第七条第一項第一号に該当するとき（国民年金法附則第四条第一項に規定する政令で定める者であるときを除く。）は、その者は、同日に、国民年金の被保険者の資格を取得する。ただし、その者が、同日に、改正後の国民年金法第八条の規定により国民年金の被保険者の資格を取得するときは、この限りでない。

2　平成三年三月三十一日において、改正前の国民年金法第七条第一項第一号イに該当した者（同号ロに該当しない者に限る。）であって改正前の国民年金法附則第五条第一項の規定による被保険者であったものは、同年四月一日に、当該被保険者の資格を喪失する。この場合において、その者が、同日において改正後の国民年金法第七条第一項第一号に該当するとき（国民年金法附則第四条第一項に規定する政令で定める者であるときを除く。）は、改正後の国民年金法第八条に該当しない場合においても、同日に、国民年金の被保険者の資格を取得する。

（国民年金の被保険者期間の特例）

第四条　改正前の国民年金法第七条第一項第一号イに該当した期間（同項第二号又は第三号に該当した期間及び改正前の国民年金法附則第五条第一項の規定による被保険者であった期間並びに二十歳未満であった期間及び六十歳以上であった期間を除く。）を有する者に係る当該期間は、国民年金法附則第九条第一項の規定を適用する場合にあっては、合算対象期間に算入する。

2　前項の規定により合算対象期間に算入される期間の計算については、国民年金法第十一条の規定の例による。

3　改正前の国民年金法第七条第一項第一号イに該当した者（同号ロに該当しない者に限る。）であって、改正前の国民年金法附則第五条第一項の規定による被保険者であったものの当該被保険者期間は、改正後の国民年金法の適用については、改正後の国民年金法附則第五条第一項に規定する被保険者としての被保険者期間とみなす。この場合において、当該被保険者期間のうち、改正前の国民年金法第五条第二項に規定する保険料納付済期間であった期間は国民年金法第五条第一項の規定による保険料納付済期間と、改正前の国民年金法第八十七条の二の規定による保険料に係る保険料納付済期間は改正後の国民年金法第八十七条の二の規定による保険料に係る保険料納付済期間とみなす。

附　則（平六・一一・九法九五）（抄）

最終改正　令二・六・五法四〇

（施行期日等）

第一条　この法律は、公布の日から施行する。ただし、次の各号に掲げる規定は、それぞれ当該各号に定める日から施行する。

一　〔略〕

二　第一条中国民年金法第三十三条の二第一項の改正規定（「十八歳未満の子又は二十歳未満であつて障害等級に該当する障害の状態にある子」を「子（十八歳に達する日以後の最初の三月三十一日までの間にある子及び二十歳未満であつて障害等級に該当する障害の状態にある子に限る。）」に改める部分に限る。）、同条第三項、同法第三十七条の二第一項、第三十九条第三項、第四十条第三項及び第八十七条第四項並びに同法附則第五条第九項、第九条第一項及び第九条の二の改

正規定並びに同法附則第九条の三の次に一条を加える改正規定〔中略〕、第十一条の規定（国民年金法等の一部を改正する法律附則第六十二条の次に見出し及び二条を加える改正規定を除く。）〔中略〕並びに附則第七条から第十一条まで〔中略〕の規定〔以下略〕　平成七年四月一日

三　第一条中国民年金法第三十六条の三第一項の改正規定及び附則第五条の規定　平成七年八月一日

四・五　〔略〕

2　次の各号に掲げる規定は、それぞれ当該各号に定める日から適用する。

一　第一条の規定（国民年金法第三十三条の二第一項中「十八歳未満の子又は二十歳未満であつて障害等級に該当する障害の状態にある子」を「子（十八歳に達する日以後の最初の三月三十一日までの間にある子及び二十歳未満であつて障害等級に該当する障害の状態にある子に限る。）」に改める改正規定を除く。）による改正後の国民年金法第十六条の二、第二十七条、第三十三条、第三十三条の二第一項、第三十八条、第三十九条第一項及び第三十九条の二の規定、〔中略〕第十条の規定による改正後の国民年金法等の一部を改正する法律附則第十四条、附則第三十二条第二項、附則第五十九条、附則第六十条、附則第七十八条第二項及び附則第八十七条第三項の規定〔中略〕　平成六年十月一日

二　〔略〕

第二条　削除

（国民年金の年金たる給付に関する経過措置）

第三条　平成六年九月以前の月分の国民年金法による年金たる給付（付加年金を除く。）及び国民年金法等の一部を改正する法律（昭和六十年法律第三十四号。以下「昭和六十年改正法」という。）附則第三十二条第一項に規定する年金たる給付の額については、なお従前の例による。

（障害基礎年金の支給に関する経過措置）

第四条　施行日前に国民年金法による障害基礎年金（同法第三十条の四の規定による障害基礎年金を除く。）の受給権を有していたことがある者（施行日において当該障害基礎年金の受給権を有する者を除く。）が、当該障害基礎年金の支給事由となった傷病により、施行日において同法第三十条第二項に規定する障害等級（以下この条において単に「障害等級」という。）に該当する程度の障害の状態にあるとき、又は施行日の翌日から六十五歳に達する日の前日までの間において、障害等級に該当する程度の障害の状態に該当するに至ったときは、その者は、施行日（施行日において障害等級に該当する程度の障害の状態にない者にあっては、障害等級に該当する程度の障害の状態に該当するに至ったとき）から六十五歳に達する日の前日までの間に、同法第三十条第一項の障害基礎年金の支給を請求することができる。

2　施行日前に昭和六十年改正法第一条の規定による改正前の国民年金法（以下「旧国民年金法」という。）による障害年金（旧国民年金法による障害福祉年金を除く。以下この項において「旧法障害年金」という。）の受給権を有していたことがある者（施行日において当該旧法障害年金の受給権を有する者を除く。）が、当該旧法障害年金の支給事由となった傷病により、施行日において障害等級に該当する程度の障害の状態にあるとき、又は施行日の翌日から六十五歳に達する日の前日までの間において、障害等級に該当する程度の障害の状態に該当するに至ったときは、その者は、施行日（施行日において障害等級に該当する程度の障害の状態にない者にあっては、障害等級に該当する程度の障害の状態に該当するに至ったとき）から六十五歳に達する日の前日までの間に、国民年金法第三十条第一項の障害基礎年金の支給を請求することができる。

3　施行日前に厚生年金保険法による障害厚生年金若しくは昭和六十年改正法第三条の規定による改正前の厚生年金保険法（以下「旧厚生年金保険法」という。）による障害年金（昭和六十年改正法附則第八十七条第二項の規定により厚生年金保険の管掌者たる政府が支給するものとされたもの及びこれに準ずるものとして政令で定めるものを含む。）又は法律によって組織された共済組合（以下単に「共済組合」という。）が支給する障害共済年金若しくは障害年金（以下この項において「障害厚生年金等」という。）の受給権を有していたことがある者（施行日において当該障害厚生年金等の受給権を有する者を除く。）が、当該障害厚生年金等の支給事由となった傷病により、施行日において障害等級に該当する程度の障害の状態にあるとき、又は施行日の翌日から六十五歳に達する日の前日までの間において、障害等級に該当する程度の障害の状態に該当するに至ったとき（第一項に該当する場合を除く。）は、その者は、施行日（施行日において障害等級に該当する程度の障害の状態にない者にあっては、障害等級に該当する程度の障害の状態に該当するに至ったとき）から六十五歳に達する日の前日までの間に、国民年金法第三十条第一項の障害基礎年金の支給を請求することができる。

4　前三項の請求があったときは、国民年金法第三十条第一項の規定にかかわらず、その請求をした者に同項の障害基礎年金を支給する。

5　第一項の規定は、施行日前に国民年金法第三十条の四の規定による障害基礎年金の受給権を有していたことがある者について準用する。

6　第二項の規定は、旧国民年金法による障害福祉年金の受給権（昭和六十年改正法附則第二十五条第三項の規定により消滅したものを除く。）を有していたことがある者について準用する。

7　前二項において準用する第一項又は第二項の請求があったときは、国民年金法第三十条の四第一項の規定にかかわらず、その請求をした者に同項の障害基礎年金を支給する。

第五条　平成七年七月以前の月分の障害基礎年金の支給の停止については、なお従前の例による。

（障害基礎年金の支給に関する特例措置）

第六条　疾病にかかり、又は負傷し、かつ、その疾病又は負傷及びこれらに起因する疾病（以下この項において「傷病」という。）について初めて医師又は歯科医師の診療を受けた日（その日が昭和三十六年四月一日から昭和六十一年三月三十一日までの間にあるものに限る。以下この項において「初診日」という。）において、国民年金の被保険者、厚生年金保険の被保険者、船員保険の被保険者（昭和六十年改正法第五条の規定による改正前の船員保険法（昭和十四年法律第七十三号）第十九条ノ三の規定による被保険者を除く。）又は共済組合の組合員（農林漁業団体職員共済組合の任意継続組合員を含む。）であっ

た者であって、当該傷病による障害について障害基礎年金又は昭和六十年改正法附則第十一条第三項に規定する平成二十四年改正前共済各法による年金たる給付のうち障害を支給事由とする年金たる給付その他の障害を支給事由とする年金たる給付であって政令で定めるものの受給権を有していたことがないものが、当該傷病により、施行日において国民年金法第三十条第二項に規定する障害等級（以下この項において単に「障害等級」という。）に該当する程度の障害の状態にあるとき、又は施行日の翌日から六十五歳に達する日の前日までの間において障害等級に該当する程度の障害の状態に該当するに至ったときは、その者は、施行日（施行日において障害等級に該当する程度の障害の状態にない者にあっては、障害等級に該当する程度の障害の状態に該当するに至ったとき）から六十五歳に達する日の前日までの間に、同法第三十条の四第一項の障害基礎年金の支給を請求することができる。ただし、当該傷病に係る初診日の前日において、当該初診日の属する月の前々月までの国民年金の被保険者期間（他の法令の規定により国民年金の被保険者であった期間とみなされた期間に係るもの及び昭和六十年改正法附則第八条第二項の規定により国民年金の被保険者期間とみなされた期間に係るものを含む。）があり、かつ、当該被保険者期間に係る昭和六十年改正法附則第八条第一項に規定する旧保険料納付済期間（同条第二項の規定により保険料納付済期間とみなされた期間を含む。）と同条第一項に規定する旧保険料免除期間とを合算した期間が当該被保険者期間の三分の二に満たないときは、この限りでない。

2　前項の請求があったときは、国民年金法第三十条の四第一項の規定にかかわらず、その請求をした者に同項の障害基礎年金を支給する。

（老齢基礎年金の支給の繰上げに関する経過措置）

第七条　国民年金法附則第九条の二第一項の規定は、昭和十六年四月一日以前に生まれた者であって国民年金の被保険者であるものについては、適用しない。

2　国民年金法附則第九条の二第三項の規定による老齢基礎年金は、その受給権者（昭和十六年四月一日以前に生まれた者に限る。）が国民年金の被保険者であるときは、その間、その支給を停止する。

（国民年金法による脱退一時金に関する経過措置）

第八条　第一条の規定による改正後の国民年金法（以下「改正後の国民年金法」という。）附則第九条の三の二の規定は、この法律の公布の日において日本国内に住所を有しない者（同日において国民年金の被保険者であった者及び同日以後国民年金の被保険者となった者を除く。）については、適用しない。

2　この法律の公布の日から平成七年三月三十一日までの間に、最後に国民年金の被保険者の資格を喪失した日（同日において日本国内に住所を有していた者にあっては、同日後初めて、日本国内に住所を有しなくなった日）がある者（同年四月一日において国民年金の被保険者であった者及び同日以後国民年金の被保険者となった者を除く。）について改正後の国民年金法附則第九条の三の二第一項の規定を適用する場合においては、同条第一項第三号中「最後に被保険者の資格を喪失した日（同日において日本国内に住所を有していた者にあつては、同日後初めて、日本国内に住所を有しなくなつた日）」とあるのは、「平成七年四月一日」とする。

（国民年金の保険料に関する経過措置）

第九条　次の表の上欄に掲げる月分の国民年金法による保険料については、国民年金法等の一部を改正する法律（平成十二年法律第十八号）第一条の規定による改正前の国民年金法第八十七条第四項中「一万千七百円」とあるのは、それぞれ同表の中欄に掲げる額（同表の下欄に掲げる年の前年までの間において同法第十六条の二の規定により年金たる給付の額の改定の措置が講ぜられたときは、平成五年の年平均の物価指数（総務庁において作成する全国消費者物価指数をいう。以下同じ。）に対する同表の下欄に掲げる年前における直近の同条の規定による年金たる給付の額の改定の措置が講ぜられた年の前年の年平均の物価指数の割合を同表の中欄に掲げる額に乗じて得た額とし、その額に五十円未満の端数が生じたときはこれを切り捨て、五十円以上百円未満の端数が生じたときは、これを百円に切り上げるものとする。）に読み替えるものとする。

上欄	中欄	下欄
平成八年四月から平成九年三月までの月分	一万二千二百円	平成八年
平成九年四月から平成十年三月までの月分	一万二千七百円	平成九年
平成十年四月から平成十一年三月までの月分	一万三千二百円	平成十年

（第三号被保険者の届出の特例）

第十条　国民年金法第七条第一項第三号に規定する第三号被保険者（以下この項において単に「第三号被保険者」という。）又は第三号被保険者であった者は、平成七年四月一日前のその者の第三号被保険者としての国民年金の被保険者期間のうち、同法附則第七条の三の規定により同法第五条第二項に規定する保険料納付済期間（以下単に「保険料納付済期間」という。）に算入されない期間（同法附則第七条の二の規定により保険料納付済期間に算入されない第三号被保険者としての国民年金の被保険者期間を除く。）について、都道府県知事に届出をすることができる。

2　前項の規定による届出は、平成九年三月三十一日までに行わなければならない。

3　第一項の規定により届出が行われたときは、国民年金法附則第七条の三の規定にかかわらず、届出が行われた日以後、届出に係る期間は保険料納付済期間に算入する。

4　国民年金法による老齢基礎年金又は旧国民年金法による老齢年金若しくは通算老齢年金の受給権者が第一項の規定による届出を行い、前項の規定により届出に係る期間が保険料納付済期間に算入されたときは、当該届出のあった日の属する月の翌月から、年金額を改定する。

5　第三項の規定により第一項の届出に係る期間が保険料納付済期間に算入された者に対する昭和六十年改正法附則第十八条及び厚生年金保険法附則第十五条の規定の適用については、昭和六十年改正法附則第十八条第一項中「同日以後の国民年金の被保険者期間」とあるのは「同日以後に保険料納付済期間に算入される期間」と、厚生年金保険法附則第十五条中「保険料納付済期間」とあるのは「保険料納付済期間に算入される期間」とする。

6 第一項の規定による都道府県知事に対する届出は、当該届出をする者の住所地の市町村長（特別区の区長を含む。）を経由してしなければならない。

（任意加入被保険者の特例）

第十一条 昭和三十年四月一日以前に生まれた者であって、次の各号のいずれかに該当するもの（国民年金法第七条第一項第二号に規定する第二号被保険者を除く。）は、同法第七条第一項の規定にかかわらず、厚生労働大臣に申し出て、国民年金の被保険者となることができる。ただし、その者が同法による老齢基礎年金、厚生年金保険法による老齢厚生年金その他の老齢又は退職を支給事由とする年金たる給付であって政令で定める給付の受給権を有する場合は、この限りでない。

一 日本国内に住所を有する六十五歳以上七十歳未満の者（国民年金法の適用を除外すべき特別の理由がある者として厚生労働省令で定める者を除く。）

二 日本国籍を有する者であって、日本国内に住所を有しない六十五歳以上七十歳未満のもの

2 前項第一号に該当する者が同項の規定による申出を行おうとする場合には、預金若しくは貯金の払出しとその払い出した金銭による保険料の納付をその預金口座若しくは貯金口座のある金融機関に委託して行うこと（以下この項において「口座振替納付」という。）を希望する旨の申出又は口座振替納付によらない正当な事由がある場合として厚生労働省令で定める場合に該当する旨の申出を厚生労働大臣に対してしなければならない。

3 国民年金法附則第五条第一項の規定による被保険者（昭和三十年四月一日以前に生まれた者に限る。）が六十五歳に達した場合において、第一項ただし書に規定する政令で定める給付の受給権を有しないときは、前二項の申出があったものとみなす。

4 第二項（第一項第二号に掲げる者にあっては、同項）の規定による申出をした者は、その申出をした日（前項の規定により申出があったものとみなされた者にあっては、六十五歳に達した日）に国民年金の被保険者の資格を取得するものとする。

5 第一項の規定による国民年金の被保険者は、いつでも、厚生労働大臣に申し出て、当該被保険者の資格を喪失することができる。

6 第一項の規定による国民年金の被保険者は、次の各号のいずれかに該当するに至った日の翌日（第二号、第四号又は第五号に該当するに至ったときは、その日）に、当該被保険者の資格を喪失する。

一 死亡したとき。

二 厚生年金保険の被保険者の資格を取得したとき。

三 第一項ただし書に規定する政令で定める給付の受給権を取得したとき。

四 七十歳に達したとき。

五 前項の申出が受理されたとき。

7 第一項第一号に掲げる者である国民年金の被保険者は、前項の規定によって当該被保険者の資格を喪失するほか、次の各号のいずれかに該当するに至った日の翌日（第一号に該当するに至った日に更に国民年金の被保険者の資格を取得したときは、その日）に、当該被保険者の資格を喪失する。

一 日本国内に住所を有しなくなったとき。

二 保険料を滞納し、国民年金法第九十六条第一項の規定による指定の期限までに、その保険料を納付しないとき。

三 国民年金法の適用を除外すべき特別の理由がある者として厚生労働省令で定める者となったとき。

8 第一項第二号に掲げる者である国民年金の被保険者は、第六項の規定によって当該被保険者の資格を喪失するほか、次の各号のいずれかに該当するに至った日の翌日（その事実があった日に更に国民年金の被保険者の資格を取得したときは、その日）に、当該被保険者の資格を喪失する。

一 日本国内に住所を有するに至ったとき。

二 日本国籍を有しなくなったとき。

三 保険料を滞納し、その後、保険料を納付することなく二年間が経過したとき。

9 第一項の規定による国民年金の被保険者としての国民年金の被保険者期間は、国民年金法第五条第一項の規定の適用については同法第七条第一項第一号に規定する被保険者としての国民年金の被保険者期間と、同法第五十二条の二から第五十二条の五まで並びに同法附則第九条の三及び第九条の三の二の規定の適用については第一号被保険者としての国民年金の被保険者期間と、それぞれみなす。

10 第一項の規定による国民年金の被保険者については、国民年金法第八十八条の二から第九十条の三までの規定を適用しない。

附 則（平八・六・一四法八二）（抄）

最終改正 平二四・八・二二法六三

（施行期日）

第一条 この法律は、平成九年四月一日から施行する。〔ただし書略〕

（国民年金の被保険者期間の特例に関する経過措置）

第十二条 施行日の前日において他の法令の規定により旧適用法人共済組合の組合員であった期間に算入するものとされた期間は、昭和六十年国民年金等改正法附則第八条第二項の規定の適用については、平成二十四年一元化法改正前国共済法第三条第一項に規定する国家公務員共済組合の組合員であった期間とみなす。

（老齢基礎年金等の支給要件の特例）

第十三条 旧適用法人共済組合員期間を有し、かつ、施行日の前日において昭和六十年国民年金等改正法附則第十二条第一項第八号から第十一号までのいずれかに該当した者であって、施行日において国民年金法（昭和三十四年法律第百四十一号）第二十六条ただし書に該当する者（同法附則第九条第一項の規定により同法第二十六条ただし書に該当しないものとみなされる者及び昭和六十年国民年金等改正法附則第十二条第一項各号のいずれかに該当する者を除く。）は、昭和六十年国民年金等改正法附則第七条第二項、第十二条第一項、第十八条第一項及び第五十七条の規定の適用については、昭和六十年国民年金等改正法附則第十二条第一項第八号から第十一号までのいずれかに該当するものとみなす。

（旧適用法人共済組合の平成八年度以前の基礎年金拠出金等に関する経過措置）

第二十一条　旧適用法人共済組合の平成八年度以前の年度の国民年金法第九十四条の二第二項に規定する基礎年金拠出金及び昭和六十年国民年金等改正法附則第三十五条第二項の規定により国民年金の管掌者たる政府が交付する費用については、なお従前の例による。

（存続組合に係る基礎年金拠出金等）

第三十四条　平成九年度における基礎年金拠出金について国民年金法第九十四条の二第二項の規定を適用する場合には、同項中「年金保険者たる共済組合」とあるのは、「年金保険者たる共済組合（厚生年金保険法等の一部を改正する法律（平成八年法律第八十二号）附則第三十二条第二項に規定する存続組合及び同法附則第四十八条第一項に規定する指定基金を含む。）」とする。

2　前項の規定により読み替えられた国民年金法第九十四条の二第二項の規定により基礎年金拠出金を納付するものとされた存続組合又は指定基金が納付する基礎年金拠出金について同法第九十四条の三及び第九十四条の五の規定を適用する場合には、次の表の上欄に掲げる同法の規定中同表の中欄に掲げる字句は、それぞれ同表の下欄に掲げる字句に読み替えるものとする。

第九十四条の三第一項	対する当該年度	対する平成九年三月末日
	当該被用者年金保険者	当該存続組合（厚生年金保険法等の一部を改正する法律（平成八年法律第八十二号）附則第三十二条第二項に規定する存続組合をいう。以下同じ。）又は当該指定基金（同法附則第四十八条第一項に規定する指定基金をいう。以下同じ。）に係る旧適用法人共済組合（同法附則第三条第八号に規定する旧適用法人共済組合をいう。以下同じ。）
	年金保険者たる共済組合にあつては	存続組合又は指定基金にあつては
	当該年金保険者たる共済組合	当該存続組合又は当該指定基金に係る旧適用法人共済組合
	当該共済組合の組合員である	当該存続組合又は当該指定基金に係る旧適用法人共済組合の組合員であつた
	比率	比率に六分の一を乗じて得た率
第九十四条の三第三項及び第九十四条の五	年金保険者たる共済組合	存続組合又は指定基金

3　平成九年度において厚生年金保険の管掌者たる政府が負担する基礎年金拠出金の額は、国民年金法第九十四条の三の規定にかかわらず、同条の規定により算定された額から、第一項の規定により読み替えられた同法第九十四条の二の規定により各存続組合又は各指定基金が納付する基礎年金拠出金の額の合計額を控除して得た額とする。

第三十五条　平成九年度において昭和六十年国民年金等改正法附則第三十五条第二項の規定により国民年金の管掌者たる政府が交付する費用について同項の規定を適用する場合には、同項中「、共済組合」とあるのは「、共済組合（厚生年金保険法等の一部を改正する法律（平成八年法律第八十二号）附則第三十二条第二項に規定する存続組合（以下この条において単に「存続組合」という。）及び同法附則第四十八条第一項に規定する指定基金（以下この条において単に「指定基金」という。）を含む。）」と、「年金保険者たる共済組合等」とあるのは「年金保険者たる共済組合等（存続組合及び指定基金を含む。）」と、同項第三号中「組合員で」とあるのは「組合員（存続組合又は指定基金に係る厚生年金保険法等の一部を改正する法律附則第三条第八号に規定する旧適用法人共済組合の組合員を含む。）で」とする。

（その他の経過措置の政令への委任）

第七十条　この附則に規定するもののほか、この法律の施行に伴い必要な経過措置は、政令で定める。

附　則（平一一・七・一六法八七）（抄）

（施行期日）

第一条　この法律〔中略〕は、当該各号に定める日から施行する。

一　〔略〕

二　第二百条〔中略〕の規定　平成十四年四月一日

三～六　〔略〕

附　則（平一一・一二・二二法一六〇）（抄）

（施行期日）

第一条　この法律〔中略〕は、平成十三年一月六日から施行する。〔ただし書略〕

附　則（平一二・三・三一法一八）（抄）

最終改正　平一六・六・一一法一〇四

（施行期日）

第一条　この法律は、平成十二年四月一日から施行する。ただし、次の各号に掲げる規定は、それぞれ当該各号に定める日から施行する。

一・二　〔略〕

三　第二条〔中略〕の規定　平成十四年四月一日

四・五　〔略〕

六　第三条〔中略〕の改正規定〔中略〕　平成十三年四月一日

2　〔略〕

（基礎年金の在り方）

第二条　基礎年金については、給付水準及び財政方式を含めてその在り方を幅広く検討し、当面平成十六年までの間に、安定した財源を確保し、国庫負担の割合の二分の一への引上げを図るものとする。

（国民年金の年金たる給付等の額に関する経過措置）

第三条　平成十二年三月以前の月分の国民年金法による年金たる給付（付加年金を除く。）及び国民年金法等の一部を改正する法律（昭和六十年法律第三十四号。以下「昭和六十年改正法」という。）附則第三十二条第一項に規定する年金たる給付の額については、なお従前の例による。

2　平成十二年四月前の保険料納付済期間（第一号被保険者に係るものに限る。）のみに係る国民年金法による脱退一時金の額については、なお従前の例による。

（その他の経過措置の政令への委任）

第四十条　この附則に規定するもののほか、この法律の施行に伴い必要な経過措置は、政令で定める。

附　則（平一二・三・三一法二〇）（抄）

（施行期日）

第一条　この法律は、国民年金法等の一部を改正する法律（平成十二年法律第十八号）附則第一条第六号に掲げる規定の施行の日〔平一三・四・一〕から施行する。

附　則（平一二・五・三一法九九）（抄）

（施行期日）

第一条　この法律は、平成十三年四月一日から施行する。ただし、附則〔中略〕第二十八条（国民年金法等の一部を改正する法律（平成十二年法律第十八号）附則第一条の改正規定に限る。）の規定は、公布の日から施行する。

附　則（平一三・六・二九法九四）（抄）

（施行期日）

第一条　この法律は、平成十四年一月一日から施行する。〔ただし書略〕

附　則（平一三・七・四法一〇一）（抄）

最終改正　平三〇・五・二五法三一

（施行期日）

第一条　この法律は、平成十四年一月一日から施行する。

（国民年金法の一部改正に伴う経過措置）

第六十九条　前条の規定による改正後の国民年金法（以下この条において「新法」という。）第二十条第一項及び第二項の規定は、施行日以後の月分として支給される国民年金法による年金たる給付について適用し、施行日前の月分として支給される同法による年金たる給付については、なお従前の例による。

2　国民年金法第二十八条第一項の規定の適用については、移行農林共済年金又は移行農林年金を同項に規定する厚生年金保険法による年金たる保険給付とみなす。

3　新法附則第七条の二の規定は、旧農林共済組合員期間につき旧農林共済組合の掛金を徴収する権利が時効によって消滅した場合（旧農林共済法第十八条第五項ただし書に該当する場合を除く。）について準用する。

（国民年金法等の一部を改正する法律の一部改正に伴う経過措置）

第七十三条　前条の規定による改正後の昭和六十年国民年金等改正法（以下この条において「新法」という。）附則第八条第十一項及び第四十八条第七項の規定は、旧農林共済組合員期間につき旧農林共済組合の掛金を徴収する権利が時効によって消滅した場合（旧農林共済法第十八条第五項ただし書に該当する場合を除く。）について準用する。

2　新法附則第十一条第三項、第五項及び第六項の規定は、施行日以後の月分として支給される旧国民年金法による年金たる給付（同条第二項に規定する旧国民年金法による年金たる給付をいう。以下この項において同じ。）について適用し、施行日前の月分として支給される旧国民年金法による年金たる給付については、なお従前の例による。

3　旧農林共済組合員期間につき旧農林共済組合の掛金を徴収する権利が時効によって消滅した場合（旧農林共済法第十八条第五項ただし書に該当する場合を除く。）における当該旧農林共済組合員期間は、新法附則第十二条第一項第二号及び第三号の規定の適用については、新法附則第八条第二項各号に掲げる期間に算入しない。

4　新法附則第十四条第一項及び第二項並びに第十五条第一項及び第二項の規定の適用については、移行農林共済年金のうち退職共済年金を新法附則第十四条第一項第一号に規定する退職共済年金と、移行農林共済年金のうち障害共済年金を同項第二号に規定する障害共済年金とみなす。

5　新法附則第五十六条第二項から第四項まで及び第六項の規定は、施行日以後の月分として支給される旧厚生年金保険法による年金たる保険給付（同条第一項に規定する旧厚生年金保険法による年金たる保険給付をいう。以下この項において同じ。）について適用し、施行日前の月分として支給される旧厚生年金保険法による年金たる保険給付については、なお従前の例による。

附　則（平一四・七・三一法九八）（抄）

（施行期日）

第一条　この法律は、公社法の施行の日〔平一五・四・一〕から施行する。〔ただし書略〕

附　則（平一六・六・一一法一〇四）（抄）

最終改正　令二・六・五法四〇

（施行期日）

第一条　この法律は、平成十六年十月一日から施行する。ただし、次の各号に掲げる規定は、それぞれ当該各号に定める日から施行する。

一　第二条〔中略〕並びに附則〔中略〕第十七条から第二十四条まで〔中略〕の規定　平成十七年四月一日

二　〔略〕

三　第三条、〔中略〕第十七条の規定　平成十八年四月一日

四　第四条、〔中略〕第十八条〔中略〕並びに附則第九条第二項、第十条、第十三条第六項、第十四条〔中略〕の規定　平成十八年七月一日

五　〔略〕

六　第五条〔中略〕の規定　平成十九年四月一日

七　第六条〔中略〕の規定　平成二十年四月一日

（給付水準の下限）

第二条　国民年金法による年金たる給付及び厚生年金保険法による年金たる保険給付については、第一号に掲げる額と第二号に掲げる額とを合算して得た額の第三号に掲げる額に対する比率が百分の五十を上回ることとなるような給付水準を将来にわたり確保するものとする。

一　当該年度における国民年金法による老齢基礎年金の額（当該年度において六十五歳に達し、かつ、保険料納付済期間の月数が四百八十である受給権者について計算される額とす

る。）を当該年度の前年度までの標準報酬平均額（厚生年金保険法第四十三条の二第一項第二号イに規定する標準報酬平均額をいう。）の推移を勘案して調整した額を十二で除して得た額に二を乗じて得た額に相当する額

二　当該年度における厚生年金保険法による老齢厚生年金の額（当該年度の前年度における男子である同法による被保険者（次号において「男子被保険者」という。）の平均的な標準報酬額（同法による標準報酬月額と標準賞与額の総額を十二で除して得た額とを合算して得た額をいう。次号において同じ。）に相当する額に当該年度の前年度に属する月の標準報酬月額又は標準賞与額に係る再評価率（同法第四十三条第一項に規定する再評価率をいい、当該年度に六十五歳に達する受給権者に適用されるものとする。）を乗じて得た額を平均標準報酬額とし、被保険者期間の月数を四百八十として同項の規定の例により計算した額とする。）を十二で除して得た額に相当する額

三　当該年度の前年度における男子被保険者の平均的な標準報酬額に相当する額から当該額に係る公租公課の額を控除して得た額に相当する額

2　政府は、第一条の規定による改正後の国民年金法第四条の三第一項の規定による国民年金事業に関する財政の現況及び見通し又は第七条の規定による改正後の厚生年金保険法第二条の四第一項の規定による厚生年金保険事業に関する財政の現況及び見通しの作成に当たり、次の財政の現況及び見通しが作成されるまでの間に前項に規定する比率が百分の五十を下回ることが見込まれる場合には、同項の規定の趣旨にのっとり、第一条の規定による改正後の国民年金法第十六条の二第一項又は第七条の規定による改正後の厚生年金保険法第三十四条第一項に規定する調整期間の終了について検討を行い、その結果に基づいて調整期間の終了その他の措置を講ずるものとする。

3　政府は、前項の措置を講ずる場合には、給付及び費用負担の在り方について検討を行い、所要の措置を講ずるものとする。

（検討）

第三条　政府は、社会保障制度に関する国会の審議を踏まえ、社会保障制度全般について、税、保険料等の負担と給付の在り方を含め、一体的な見直しを行いつつ、これとの整合を図り、公的年金制度について必要な見直しを行うものとする。

2　前項の公的年金制度についての見直しを行うに当たっては、公的年金制度の一元化を展望し、体系の在り方について検討を行うものとする。

（国民年金事業に関する財政の現況及び見通しの作成に関する経過措置）

第五条　第一条の規定による改正後の国民年金法第十六条の二第一項及び第七十七条第四項の規定の適用については、平成十六年における第一条の規定による改正前の国民年金法第八十七条第三項の規定による再計算を第一条の規定による改正後の国民年金法第四条の三第一項の規定による財政の現況及び見通しの作成とみなす。

（国民年金法による年金たる給付等の額に関する経過措置）

第六条　平成十六年九月以前の月分の国民年金法による年金たる給付（付加年金を除く。）及び国民年金法等の一部を改正する法律（昭和六十年法律第三十四号。以下「昭和六十年改正法」という。）附則第三十二条第一項に規定する年金たる給付の額については、なお従前の例による。

（国民年金法による年金たる給付等の額の計算に関する経過措置）

第七条　平成二十六年度までの各年度における国民年金法による年金たる給付（付加年金を除く。）及び昭和六十年改正法附則第三十二条第五項に規定する障害年金については、第一条の規定による改正後の国民年金法又は第十四条の規定による改正後の昭和六十年改正法の規定（以下この項において「改正後の国民年金法等の規定」という。）により計算した額が、次項の規定により読み替えられた第一条の規定による改正前の国民年金法又は第十四条の規定による改正前の昭和六十年改正法の規定（以下この条において「改正前の国民年金法等の規定」という。）により計算した額に満たない場合は、改正前の国民年金法等の規定はなおその効力を有するものとし、改正後の国民年金法等の規定にかかわらず、当該額をこれらの給付の額とする。

2　前項の場合においては、次の表の上欄に掲げる改正前の国民年金法等の規定中同表の中欄に掲げる字句は、それぞれ同表の下欄に掲げる字句に読み替えるものとするほか、必要な読替えは、政令で定める。

第一条の規定による改正前の国民年金法第二十七条	八十万四千二百円	八十万四千二百円に〇・九八八（総務省において作成する年平均の全国消費者物価指数（以下「物価指数」という。）が平成十五年（この条の規定による率の改定が行われたときは、直近の当該改定が行われた年の前年）の物価指数を下回るに至った場合においては、その翌年の四月以降、〇・九八八（この条の規定による率の改定が行われたときは、当該改定後の率）にその低下した比率を基準として政令で定める率とする。以下同じ。）を乗じて得た額（その額に五十円未満の端数が生じたときは、これを切り捨て、五十円以上百円未満の端数が生じたときは、これを百円に切り上げるものとする。）
第一条の規定による改正前の国民年金法第三十三条第一項及び第三十八条	八十万四千二百円	八十万四千二百円に〇・九八八を乗じて得た額（その額に五十円未満の端数が生じたときは、これを切り捨て、五十円以上百円未満の端数が生じたときは、これを百円に切り上げるものとする。）
第一条の規定による改正前の国民年金法第三十三条の	七万七千百円	七万七千百円に〇・九八八を乗じて得た額（その額に五十円未満の端数が生じたときは、これを切り捨て、五十円以上百円未満の端数

二第一項、第三十九条第一項及び第三十九条の二第一項		が生じたときは、これを百円に切り上げるものとする。）
	二十三万千四百円	二十三万千四百円に〇・九八八を乗じて得た額（その額に五十円未満の端数が生じたときは、これを切り捨て、五十円以上百円未満の端数が生じたときは、これを百円に切り上げるものとする。）
第十四条の規定による改正前の昭和六十年改正法附則第十四条第一項	二十三万千四百円	二十三万千四百円に〇・九八八（総務省において作成する年平均の全国消費者物価指数（以下「物価指数」という。）が平成十五年（この項の規定による率の改定が行われたときは、直近の当該改定が行われた年の前年）の物価指数を下回るに至つた場合においては、その翌年の四月以降、〇・九八八（この項の規定による率の改定が行われたときは、当該改定後の率）にその低下した比率を乗じて得た率を基準として政令で定める率とする。）を乗じて得た額（その額に五十円未満の端数が生じたときは、これを切り捨て、五十円以上百円未満の端数が生じたときは、これを百円に切り上げるものとする。）

（平成二十五年度及び平成二十六年度における国民年金法による年金たる給付等の額の計算に関する経過措置の特例）

第七条の二　平成二十五年度及び平成二十六年度の各年度における前条の規定の適用については、同条第一項中「次項の規定」とあるのは「次条の規定により読み替えられた次項の規定」と、同条第二項の表下欄中「〇・九八八（総務省において作成する年平均の全国消費者物価指数（以下「物価指数」という。）が平成十五年（この条の規定による率の改定が行われたときは、直近の当該改定が行われた年の前年）の物価指数を下回るに至つた場合においては、その翌年の四月以降、〇・九八八（この条の規定による率の改定が行われたときは、当該改定後の率）にその低下した比率」とあるのは「〇・九七八（当該年度の改定率（国民年金法等の一部を改正する法律（平成十六年法律第百四号）第一条の規定による改正後の第二十七条に規定する改定率をいう。）の改定の基準となる率に〇・九九〇を乗じて得た率として政令で定める率が一を下回る場合においては、当該年度の四月以降、〇・九七八（この条の規定による率の改定が行われたときは、当該改定後の率）に当該政令で定める率」と、「〇・九八八を」とあるのは「〇・九七八を」と、「〇・九八八（総務省において作成する年平均の全国消費者物価指数（以下「物価指数」という。）が平成十五年（この項の規定による率の改定が行われたときは、直近の当該改定が行われた年の前年）の物価指数を下回るに至つた場合においては、その翌年の四月以降、〇・九八八（この項の規定による率の改定が行われたときは、当該改定後の率）にその低下した比率」とあるのは「〇・九七八（当該年度の改定率（国民年金法等の一部を改正する法律（平成十六年法律第百四号）第一条の規定による改正後の国民年金法第二十七条に規定する改定率をいう。）の改定の基準となる率に〇・九九〇を乗じて得た率として政令で定める率が一を下回る場合においては、当該年度の四月以降、〇・九七八（この項の規定による率の改定が行われたときは、当該改定後の率）に当該政令で定める率」とする。

（昭和六十年改正法附則第三十二条第一項に規定する年金たる給付の額の計算に関する経過措置）

第八条　平成二十六年度までの各年度における昭和六十年改正法附則第三十二条第一項に規定する年金たる給付（障害年金を除く。）については、第十四条の規定による改正後の昭和六十年改正法附則第三十二条第二項（以下この項において「改正後の附則第三十二条第二項」という。）の規定によりなおその効力を有するものとされた法令の規定により計算した額が、次項の規定により読み替えられた第十四条の規定による改正前の昭和六十年改正法附則第三十二条第二項（次項において「改正前の附則第三十二条第二項」という。）の規定によりなおその効力を有するものとされた法令の規定により計算した額に満たない場合は、これらの規定はなおその効力を有するものとし、改正後の附則第三十二条第二項の規定によりなおその効力を有するものとされた法令の規定にかかわらず、当該額をこれらの給付の額とする。

2　前項の場合においては、次の表の上欄に掲げる改正前の附則第三十二条第二項の規定により読み替えられてなおその効力を有するものとされた法律の規定中同表の中欄に掲げる字句は、それぞれ同表の下欄に掲げる字句に読み替えるものとするほか、必要な読替えは、政令で定める。

昭和六十年改正法第一条の規定による改正前の国民年金法第二十七条第一項	合算した額	合算した額に〇・九八八（総務省において作成する年平均の全国消費者物価指数（以下「物価指数」という。）が平成十五年（この項の規定による率の改定が行われたときは、直近の当該改定が行われた年の前年）の物価指数を下回るに至つた場合においては、その翌年の四月以降、〇・九八八（この項の規定による率の改定が行われたときは、当該改定後の率）にその低下した比率を乗じて得た率を基準として政令で定める率とする。以下同じ。）を乗じて得た額
	八十万四千二百円	八十万四千二百円に〇・九八八を乗じて得た額（その額に五十円未満の端数が生じたときは、これを切り捨て、五十円以上百円未満の端数が生じたときは、これを百円に切り上げるものとする。）

昭和六十年改正法第一条の規定による改正前の国民年金法第三十八条及び第四十三条	八十万四千二百円	八十万四千二百円に〇・九八八を乗じて得た額（その額に五十円未満の端数が生じたときは、これを切り捨て、五十円以上百円未満の端数が生じたときは、これを百円に切り上げるものとする。）
昭和六十年改正法第一条の規定による改正前の国民年金法第三十九条第一項及び第四十四条第一項	七万七千百円	七万七千百円に〇・九八八を乗じて得た額（その額に五十円未満の端数が生じたときは、これを切り捨て、五十円以上百円未満の端数が生じたときは、これを百円に切り上げるものとする。）
	二十三万千四百円	二十三万千四百円に〇・九八八を乗じて得た額（その額に五十円未満の端数が生じたときは、これを切り捨て、五十円以上百円未満の端数が生じたときは、これを百円に切り上げるものとする。）
昭和六十年改正法第一条の規定による改正前の国民年金法第三十九条の二第一項	二十三万千四百円	二十三万千四百円に〇・九八八を乗じて得た額（その額に五十円未満の端数が生じたときは、これを切り捨て、五十円以上百円未満の端数が生じたときは、これを百円に切り上げるものとする。）
昭和六十年改正法第一条の規定による改正前の国民年金法第七十七条第一項ただし書、第七十八条第二項及び第七十九条の二第四項	四十一万二千円	四十一万二千円に〇・九八八を乗じて得た額（その額に五十円未満の端数が生じたときは、これを切り捨て、五十円以上百円未満の端数が生じたときは、これを百円に切り上げるものとする。）
昭和六十年改正法第一条の規定による改正前の国民年金法第七十七条第一項第一号	額	額に〇・九八八を乗じて得た額
昭和六十年改正法附則第百九条の規定による改正前の国民年金法の一部を改正する法律（昭和四十四年法律第八十六号）附則第十六条第二項	四十一万五千八百円	四十一万五千八百円に〇・九八八（総務省において作成する年平均の全国消費者物価指数（以下「物価指数」という。）が平成十五年（この項の規定による率の改定が行われたときは、直近の当該改定が行われた年の前年）の物価指数を下回るに至つた場合においては、その翌年の四月以降、〇・九八八（この項の規定による率の改定が行われたときは、当該改定後の率）にその低下した比率を乗じて得た率を基準として政令で定める率とする。）を乗じて得た額（その額に五十円未満の端数が生じたときは、これを切り捨て、五十円以上百円未満の端数が生じたときは、これを百円に切り上げるものとする。）
昭和六十年改正法第六条の規定による改正前の厚生年金保険法等の一部を改正する法律（昭和四十八年法律第九十二号。以下「改正前の法律第九十二号」という。）附則第二十条第二項	四十一万五千八百円	四十一万五千八百円に〇・九八八（総務省において作成する年平均の全国消費者物価指数（以下「物価指数」という。）が平成十五年（この項の規定による率の改定が行われたときは、直近の当該改定が行われた年の前年）の物価指数を下回るに至つた場合においては、その翌年の四月以降、〇・九八八（この項の規定による率の改定が行われたときは、当該改定後の率）にその低下した比率を乗じて得た率を基準として政令で定める率とする。）を乗じて得た額（その額に五十円未満の端数が生じたときは、これを切り捨て、五十円以上百円未満の端数が生じたときは、これを百円に切り上げるものとする。）

（平成二十五年度及び平成二十六年度における昭和六十年改正法附則第三十二条第一項に規定する年金たる給付の額の計算に関する経過措置の特例）

第八条の二　平成二十五年度及び平成二十六年度の各年度における前条の規定の適用については、同条第一項中「次項の規定」とあるのは「次条の規定により読み替えられた次項の規定」と、「次項において」とあるのは「次条の規定により読み替えられた次項において」と、同条第二項の表下欄中「額に〇・九八八（総務省において作成する年平均の全国消費者物価指数（以下「物価指数」という。）が平成十五年（この項の規定による率の改定が行われたときは、直近の当該改定が行われた年の前年）の物価指数を下回るに至つた場合においては、その翌年の四月以降、〇・九八八（この項の規定による率の改定が行われたときは、当該改定後の率）にその低下した比率」とあるのは「額に〇・九七八（当該年度の改定率（国民年金法等の一部を改正する法律（平成十六年法律第百四号）第一条の規定による改正後の第二十七条に規定する改定率をいう。）の改定の基準となる率に〇・九九〇を乗じて得た率として政令で定める率が一を下回る場合においては、当該年度の四月以降、〇・九七八（この項の規定による率の改定が行われたときは、当該改定後の率）に当該政令で定める率」と、「〇・九八八を」とあるのは「〇・九七八を」と、「四十一万五千八百円に〇・九八八（総務省において作成する年平均の全国消費者物価指数（以下「物価指数」という。）が平成十五年（この項の規定による率の改定が行われたときは、直近の当該改定が行われた年の前年）の物価指数を下回るに至つた場合においては、その翌年の四月以降、〇・九八八（この項の規定による率の改定が行われたときは、当該改定後の率）にその低下した比率）」とあるのは「四十一万五千八百円に〇・九七八（当該年度の改定率（国民年金法等の一部を改正する法律（平成十六年法律第百四号）第一条の規定による改正後の国民年金法第二十七条に規定する改定率をいう。）の改定の基準となる率に〇・九九〇を乗じて得た率として政令で定める率が一を下回る場合においては、当該年度の四月以降、〇・九七八（この項の規定による率の改定が行われたときは、当該改定後の率）に当該政令で定める率」とする。

（老齢基礎年金の額の計算に関する経過措置）

第九条　平成十六年十月から平成十八年六月までの月分として支給される国民年金法による老齢基礎年金の額については、第一条の規定による改正後の国民年金法第二十七条第二号中「四分の三」とあるのは「三分の二」と、同条第三号中「四分の一」とあるのは「三分の一」と、同条第四号中「二分の一」とあるのは「三分の一」とする。

２　平成十八年七月から平成二十一年三月までの月分として支給される国民年金法による老齢基礎年金の額については、第四条の規定による改正後の国民年金法第二十七条第二号中「八分の七」とあるのは「六分の五」と、同条第三号中「八分の三」とあるのは「二分の一」と、同条第四号中「四分の三」とあるのは「三分の二」と、同条第五号中「四分の一」とあるのは「三分の一」と、同条第六号中「八分の五」とあるのは「二分の一」と、同条第七号中「八分の一」とあるのは「六分の一」と、同条第八号中「二分の一」とあるのは「三分の一」とする。

第十条　平成二十六年四月（以下「特定月」という。）の前月以前の期間に係る保険料免除期間を有する者であつて、第四条の規定による改正後の国民年金法第二十七条ただし書に該当するものに支給する平成二十一年四月以後の月分の国民年金法による老齢基礎年金の額については、同条ただし書（同法第二十八条第四項、附則第九条の二第四項並びに第九条の二の二第四項及び第五項並びに他の法令において適用する場合を含む。）の規定にかかわらず、七十八万九百円に同法第二十七条に規定する改定率を乗じて得た額（その額に五十円未満の端数が生じたときは、これを切り捨て、五十円以上百円未満の端数が生じたときは、これを百円に切り上げるものとする。）に、次の各号に掲げる月数を合算した月数（四百八十を限度とする。）を四百八十で除して得た数を乗じて得た額とする。

一　保険料納付済期間の月数

二　平成二十一年四月から平成二十六年三月までの期間及び特定月以後の期間に係る保険料四分の一免除期間の月数（四百八十から保険料納付済期間の月数を控除して得た月数を限度とする。）の八分の七に相当する月数

三　平成二十一年四月から平成二十六年三月までの期間及び特定月以後の期間に係る保険料四分の一免除期間の月数から前号に規定する保険料四分の一免除期間の月数を控除して得た月数の八分の三に相当する月数

四　特定月の前月以前の期間（平成二十一年四月から平成二十六年三月までの期間を除く。）に係る保険料四分の一免除期間の月数（四百八十から保険料納付済期間の月数並びに平成二十一年四月から平成二十六年三月までの期間及び特定月以後の期間に係る保険料四分の一免除期間の月数を合算した月数を控除して得た月数を限度とする。）の六分の五に相当する月数

五　特定月の前月以前の期間（平成二十一年四月から平成二十六年三月までの期間を除く。）に係る保険料四分の一免除期間の月数から前号に規定する保険料四分の一免除期間の月数を控除して得た月数の二分の一に相当する月数

六　平成二十一年四月から平成二十六年三月までの期間及び特定月以後の期間に係る保険料半額免除期間の月数（四百八十から保険料納付済期間の月数及び保険料四分の一免除期間の月数を合算した月数を控除して得た月数を限度とする。）の四分の三に相当する月数

七　平成二十一年四月から平成二十六年三月までの期間及び特定月以後の期間に係る保険料半額免除期間の月数から前号に規定する保険料半額免除期間の月数を控除して得た月数の四分の一に相当する月数

八　特定月の前月以前の期間（平成二十一年四月から平成二十六年三月までの期間を除く。）に係る保険料半額免除期間の月数（四百八十から保険料納付済期間の月数、保険料四分の一免除期間の月数並びに平成二十一年四月から平成二十六年三月までの期間及び特定月以後の期間に係る保険料半額免除期間の月数を合算した月数を控除して得た月数を限度とする。）の三分の二に相当する月数

九　特定月の前月以前の期間（平成二十一年四月から平成二十六年三月までの期間を除く。）に係る保険料半額免除期間の月数から前号に規定する保険料半額免除期間の月数を控除して得た月数の三分の一に相当する月数

十　平成二十一年四月から平成二十六年三月までの期間及び特定月以後の期間に係る保険料四分の三免除期間の月数（四百八十から保険料納付済期間の月数、保険料四分の一免除期間の月数及び保険料半額免除期間の月数を合算した月数を控除して得た月数を限度とする。）の八分の五に相当する月数

十一　平成二十一年四月から平成二十六年三月までの期間及び特定月以後の期間に係る保険料四分の三免除期間の月数から前号に規定する保険料四分の三免除期間の月数を控除して得た月数の八分の一に相当する月数

十二　特定月の前月以前の期間（平成二十一年四月から平成二十六年三月までの期間を除く。）に係る保険料四分の三免除期間の月数（四百八十から保険料納付済期間の月数、保険料四分の一免除期間の月数、保険料半額免除期間の月数並びに平成二十一年四月から平成二十六年三月までの期間及び特定月以後の期間に係る保険料四分の三免除期間の月数を合算し

た月数を控除して得た月数を限度とする。）の二分の一に相当する月数

十三　特定月の前月以前の期間（平成二十一年四月から平成二十六年三月までの期間を除く。）に係る保険料四分の三免除期間の月数から前号に規定する保険料四分の三免除期間の月数を控除して得た月数の六分の一に相当する月数

十四　平成二十一年四月から平成二十六年三月までの期間及び特定月以後の期間に係る保険料全額免除期間（国民年金法第九十条の三第一項又は附則第十九条第一項若しくは第二項の規定により納付することを要しないものとされた保険料に係るものを除く。次号において同じ。）の月数（四百八十から保険料納付済期間の月数、保険料四分の一免除期間の月数、保険料半額免除期間の月数及び保険料四分の三免除期間の月数を合算した月数を控除して得た月数を限度とする。）の二分の一に相当する月数

十五　特定月の前月以前の期間（平成二十一年四月から平成二十六年三月までの期間を除く。）に係る保険料全額免除期間の月数（四百八十から保険料納付済期間の月数、保険料四分の一免除期間の月数、保険料半額免除期間の月数、保険料四分の三免除期間の月数並びに平成二十一年四月から平成二十六年三月までの期間及び特定月以後の期間に係る保険料全額免除期間の月数を合算した月数を控除して得た月数を限度とする。）の三分の一に相当する月数

2　昭和六十年改正法附則別表第四の上欄に掲げる者について前項の規定を適用する場合においては、同項中「四百八十」とあるのは、それぞれ同表の下欄のように読み替えるものとする。

（平成十七年度から平成二十年度までにおける改定率の改定に関する経過措置）

第十一条　平成十七年度及び平成十八年度における第一条の規定による改正後の国民年金法第二十七条の二から第二十七条の五までの規定の適用については、同法第二十七条の二第二項第二号及び第三号に掲げる率をそれぞれ一とみなす。

2　平成十九年度における第一条の規定による改正後の国民年金法第二十七条の二第二項第三号の規定の適用については、同号イ中「九月一日」とあるのは、「十月一日」とする。

3　平成二十年度における第一条の規定による改正後の国民年金法第二十七条の二第二項第三号の規定の適用については、同号ロ中「九月一日」とあるのは、「十月一日」とする。

（改定率の改定の特例）

第十二条　国民年金法による年金たる給付その他政令で定める給付の受給権者（以下この条及び次条において「受給権者」という。）のうち、当該年度において第一号に掲げる額が第二号に掲げる額以下となる区分（同一の改定率（第一条の規定による改正後の国民年金法第二十七条に規定する改定率をいう。以下この条及び次条において同じ。）が適用される受給権者ごとの区分をいう。次項及び次条において同じ。）に属するものに適用される改定率の改定については、平成二十六年度までの間は、同法第二十七条の四及び第二十七条の五の規定は、適用しない。

一　第一条の規定による改正後の国民年金法第二十七条本文に規定する老齢基礎年金の額（同法第二十七条の四及び第二十七条の五の規定の適用がないものとして改定した改定率を基礎として計算した額とする。）

二　附則第七条の二の規定により読み替えられた附則第七条の規定により読み替えられてなおその効力を有するものとされた第一条の規定による改正前の国民年金法第二十七条本文に規定する老齢基礎年金の額

2　受給権者のうち、当該年度において、前項第一号に掲げる額が同項第二号に掲げる額を上回り、かつ、第一条の規定による改正後の国民年金法第二十七条の四第二項第一号に規定する調整率（以下この項及び次条第二項において「調整率」という。）が前項第一号に掲げる額に対する同項第二号に掲げる額の比率を下回る区分に属するものに適用される改定率の改定に対する同法第二十七条の四及び第二十七条の五の規定の適用については、当該比率を調整率とみなす。

（平成二十七年度における改定率の改定の特例）

第十二条の二　平成二十七年度において、受給権者のうち、第一号に掲げる額が第二号に掲げる額以下となる区分に属するものに適用される改定率の改定については、第一条の規定による改正後の国民年金法第二十七条の四及び第二十七条の五の規定は、適用しない。

一　平成二十七年度における第一条の規定による改正後の国民年金法第二十七条本文に規定する老齢基礎年金の額（同法第二十七条の四及び第二十七条の五の規定の適用がないものとして改定した改定率を基礎として計算した額とする。）

二　平成二十六年度における附則第七条の二の規定により読み替えられた附則第七条の規定により読み替えられてなおその効力を有するものとされた第一条の規定による改正前の国民年金法第二十七条本文に規定する老齢基礎年金の額

2　受給権者のうち、平成二十七年度において、前項第一号に掲げる額が同項第二号に掲げる額を上回り、かつ、調整率が同項第一号に掲げる額に対する同項第二号に掲げる額の比率を下回る区分に属するものに適用される改定率の改定に対する第一条の規定による改正後の国民年金法第二十七条の四及び第二十七条の五の規定の適用については、当該比率を調整率とみなす。

（基礎年金の国庫負担に関する経過措置）

第十三条　平成十六年度における第一条の規定による改正後の国民年金法第八十五条第一項の規定の適用については、同項第一号中「第二十七条第三号に規定する月数」とあるのは「国民年金法等の一部を改正する法律（平成十六年法律第百四号）附則第九条第一項の規定により読み替えられた第二十七条第三号に規定する月数」と、「二分の一」とあるのは「三分の一」と、同項第二号イ中「四で除して」とあるのは「六で除して」と、「二で除して」とあるのは「三で除して」と、同項第三号中「百分の二十」とあるのは「百分の四十」とする。

2　国庫は、平成十六年度における国民年金事業に要する費用のうち基礎年金の給付に要する費用の一部に充てるため、前項並びに昭和六十年改正法附則第三十四条第二項及び第三項の規定により読み替えられた第一条の規定による改正後の国民年金法第八十五条第一項各号に掲げる額及び昭和六十年改正法附則第三十四条第一項各号（第一号、第六号及び第九号を除く。）に掲げる額（同項第四号に規定する者に係る寡婦年金の給付に要する費用の額に同号イに掲げる数を同号ロに掲げる数で除して得た数を乗じて得た額の合算額及び同項第五号に規定する老齢年金の給付に要する費用に係る同号ハに規定する額の三分の一

に相当する額を除く。）のほか、五十七億五千五百七十一万六千円を負担する。

3　平成十七年度における第一条の規定による改正後の国民年金法第八十五条第一項の規定の適用については、同項第一号中「第二十七条第三号に規定する月数」とあるのは「国民年金法等の一部を改正する法律（平成十六年法律第百四号）附則第九条第一項の規定により読み替えられた第二十七条第三号に規定する月数」と、「の二分の一に相当する額」とあるのは「に、三分の一に千分の十一を加えた率を乗じて得た額」と、同項第二号イ中「四で除して」とあるのは「六で除して」と、「二で除して」とあるのは「三で除して」と、同項第三号中「百分の二十」とあるのは「百分の四十」とする。

4　国庫は、平成十七年度における国民年金事業に要する費用のうち基礎年金の給付に要する費用の一部に充てるため、前項並びに昭和六十年改正法附則第三十四条第二項及び第三項の規定により読み替えられた第一条の規定による改正後の国民年金法第八十五条第一項各号に掲げる額及び昭和六十年改正法附則第三十四条第一項各号（第一号、第六号及び第九号を除く。）に掲げる額（同項第四号に規定する者に係る寡婦年金の給付に要する費用の額に同号イに掲げる数を同号ロに掲げる数で除して得た数を乗じて得た額の合算額及び同項第五号に規定する老齢年金の給付に要する費用に係る同号ハに規定する額の三分の一に相当する額を除く。）のほか、二百四十七億五千九十六万六千円を負担する。

5　平成十八年度（附則第一条第四号に掲げる規定の施行の日の属する月の前月までの期間に限る。）における第一条の規定による改正後の国民年金法第八十五条第一項の規定の適用については、同項第一号中「第二十七条第三号に規定する月数」とあるのは「国民年金法等の一部を改正する法律（平成十六年法律第百四号）附則第九条第一項の規定により読み替えられた第二十七条第三号に規定する月数」と、「の二分の一に相当する額」とあるのは「に、三分の一に千分の二十五を加えた率を乗じて得た額」と、同項第二号イ中「四で除して」とあるのは「六で除して」と、「二で除して」とあるのは「三で除して」と、同項第三号中「百分の二十」とあるのは「百分の三十八」とする。

6　平成十八年度（附則第一条第四号に掲げる規定の施行の日の属する月以後の期間に限る。）における第四条の規定による改正後の国民年金法第八十五条第一項の規定の適用については、同項第一号中「第二十七条第三号、第五号及び第七号に規定する月数」とあるのは「国民年金法等の一部を改正する法律（平成十六年法律第百四号）附則第九条第二項の規定により読み替えられた第二十七条第三号、第五号及び第七号に規定する月数」と、「の二分の一に相当する額」とあるのは「に、三分の一に千分の二十五を加えた率を乗じて得た額」と、同項第二号イ(1)中「八分の一を乗じて」とあるのは「十二分の一を乗じて」と、同号イ(2)中「四分の一を乗じて」とあるのは「六分の一を乗じて」と、同号イ(3)中「八分の三を乗じて」とあるのは「四分の一を乗じて」と、同号イ(4)中「二分の一を乗じて」とあるのは「三分の一を乗じて」と、同項第三号中「百分の二十」とあるのは「百分の三十八」とする。

7　平成十九年度から平成二十六年度（以下「特定年度」という。）の前年度までの各年度における第四条の規定による改正後の国民年金法第八十五条第一項の規定の適用については、同項第一号中「第二十七条第三号、第五号及び第七号に規定する月数」とあるのは「第二十七条第三号、第五号及び第七号（平成十九年度及び平成二十年度にあつては、国民年金法等の一部を改正する法律（平成十六年法律第百四号）附則第九条第二項の規定により読み替えられた第二十七条第三号、第五号及び第七号）に規定する月数」と、「の二分の一に相当する額」とあるのは「に、三分の一に千分の三十二を加えた率を乗じて得た額」と、同項第二号イ(1)中「八分の一を乗じて」とあるのは「十二分の一を乗じて」と、同号イ(2)中「四分の一を乗じて」とあるのは「六分の一を乗じて」と、同号イ(3)中「八分の三を乗じて」とあるのは「四分の一を乗じて」と、同号イ(4)中「二分の一を乗じて」とあるのは「三分の一を乗じて」と、同項第三号中「百分の二十」とあるのは「百分の三十七」とする。

第十四条　平成二十一年度以後の各年度における第四条の規定による改正後の国民年金法第八十五条第一項第一号（前条第七項の規定により読み替えて適用する場合を含む。）の規定の適用については、当分の間、同号中「から第二十七条第三号、第五号及び第七号」とあるのは、「から第二十七条第三号、第五号及び第七号並びに国民年金法等の一部を改正する法律（平成十六年法律第百四号）附則第十条第一項第三号、第五号、第七号、第九号、第十一号及び第十三号」とする。

2　平成二十一年度以後の各年度における第四条の規定による改正後の国民年金法第八十五条第一項第二号（前条第七項の規定により読み替えて適用する場合を含む。）に掲げる額は、当分の間、同号の規定にかかわらず、当該年度における保険料免除期間を有する者に係る国民年金法による老齢基礎年金（同法第二十七条ただし書（附則第十条第一項において適用する場合を含む。）の規定によつてその額が計算されるものに限る。）の給付に要する費用の額に、第一号に掲げる数を第二号に掲げる数で除して得た数を乗じて得た額の合算額とする。

一　次に掲げる数を合算した数

イ　当該平成二十一年四月から平成二十六年三月までの期間及び当該特定月以後の期間に係る保険料四分の一免除期間の月数（四百八十から当該保険料納付済期間の月数を控除して得た月数を限度とする。）に八分の一を乗じて得た数

ロ　当該特定月の前月以前の期間（平成二十一年四月から平成二十六年三月までの期間を除く。）に係る保険料四分の一免除期間の月数（四百八十から当該保険料納付済期間の月数並びに当該平成二十一年四月から平成二十六年三月までの期間及び当該特定月以後の期間に係る保険料四分の一免除期間の月数を合算した月数を控除して得た月数を限度とする。）に十二分の一を乗じて得た数

ハ　当該平成二十一年四月から平成二十六年三月までの期間及び当該特定月以後の期間に係る保険料半額免除期間の月数（四百八十から当該保険料納付済期間の月数及び当該保険料四分の一免除期間の月数を合算した月数を控除して得た月数を限度とする。）に四分の一を乗じて得た数

ニ　当該特定月の前月以前の期間（平成二十一年四月から平成二十六年三月までの期間を除く。）に係る保険料半額免除期間の月数（四百八十から当該保険料納付済期間の月数、当該保険料四分の一免除期間の月数並びに当該平成二

十一年四月から平成二十六年三月までの期間及び当該特定月以後の期間に係る保険料半額免除期間の月数を合算した月数を控除して得た月数を限度とする。）に六分の一を乗じて得た数

ホ　当該平成二十一年四月から平成二十六年三月までの期間及び当該特定月以後の期間に係る保険料四分の三免除期間の月数（四百八十から当該保険料納付済期間の月数、当該保険料四分の一免除期間の月数及び当該保険料半額免除期間の月数を合算した月数を控除して得た月数を限度とする。）に八分の三を乗じて得た数

ヘ　当該特定月の前月以前の期間（平成二十一年四月から平成二十六年三月までの期間を除く。）に係る保険料四分の三免除期間の月数（四百八十から当該保険料納付済期間の月数、当該保険料四分の一免除期間の月数、当該保険料半額免除期間の月数並びに当該平成二十一年四月から平成二十六年三月までの期間及び当該特定月以後の期間に係る保険料四分の三免除期間の月数を合算した月数を控除して得た月数を限度とする。）に四分の一を乗じて得た数

ト　当該平成二十一年四月から平成二十六年三月までの期間及び当該特定月以後の期間に係る保険料全額免除期間（国民年金法第九十条の三第一項又は附則第十九条第一項若しくは第二項の規定により納付することを要しないものとされた保険料に係るものを除く。チにおいて同じ。）の月数（四百八十から当該保険料納付済期間の月数、当該保険料四分の一免除期間の月数、当該保険料半額免除期間の月数及び当該保険料四分の三免除期間の月数を合算した月数を控除して得た月数を限度とする。）に二分の一を乗じて得た数

チ　当該特定月の前月以前の期間（平成二十一年四月から平成二十六年三月までの期間を除く。）に係る保険料全額免除期間の月数（四百八十から当該保険料納付済期間の月数、当該保険料四分の一免除期間の月数、当該保険料半額免除期間の月数、当該保険料四分の三免除期間の月数並びに当該平成二十一年四月から平成二十六年三月までの期間及び当該特定月以後の期間に係る保険料全額免除期間の月数を合算した月数を控除して得た月数を限度とする。）に三分の一を乗じて得た数

二　附則第十条第一項各号に掲げる月数を合算した数

3　前項の規定の適用については、当分の間、同項中「四百八十」とあるのは、「四百八十（国民年金法等の一部を改正する法律（昭和六十年法律第三十四号）附則別表第四の上欄に掲げる者については、それぞれ同表の下欄に掲げる数）」と読み替えるものとする。

（平成二十一年度から平成二十五年度までにおける基礎年金の国庫負担に関する経過措置の特例）

第十四条の二　国庫は、平成二十一年度から平成二十五年度までの各年度における国民年金事業に要する費用のうち基礎年金の給付に要する費用の一部に充てるため、当該各年度について、附則第十三条第七項及び前条第一項並びに昭和六十年改正法附則第三十四条第二項及び第三項の規定により読み替えられた第四条の規定による改正後の国民年金法第八十五条第一項第一号及び第三号に掲げる額、前条第二項に規定する額並びに昭和六十年改正法附則第三十四条第一項各号（第一号、第六号及び第九号を除く。）に掲げる額（同項第四号に規定する者に係る寡婦年金の給付に要する費用の額に同号イに掲げる数を同号ロに掲げる数で除して得た数を乗じて得た額の合算額及び同項第五号に規定する老齢年金の給付に要する費用に係る同号ハに規定する額の三分の一に相当する額を除く。）の合算額のほか、前条第一項並びに昭和六十年改正法附則第三十四条第二項及び第三項の規定により読み替えられた第四条の規定による改正後の国民年金法第八十五条第一項第一号及び第三号に掲げる額並びに前条第二項に規定する額の合算額と附則第十三条第七項及び前条第一項並びに昭和六十年改正法附則第三十四条第二項及び第三項の規定により読み替えられた第四条の規定による改正後の国民年金法第八十五条第一項第一号及び第三号に掲げる額並びに前条第二項に規定する額の合算額との差額に相当する額を負担する。この場合において、当該額については、平成二十一年度にあっては財政運営に必要な財源の確保を図るための公債の発行及び財政投融資特別会計からの繰入れの特例に関する法律（平成二十一年法律第十七号）第三条第一項の規定により、平成二十二年度にあっては平成二十二年度における財政運営のための公債の発行の特例等に関する法律（平成二十二年法律第七号）第三条第一項の規定により、財政投融資特別会計財政融資資金勘定から一般会計に繰り入れられる繰入金を活用して、確保するものとし、平成二十三年度にあっては東日本大震災からの復興のための施策を実施するために必要な財源の確保に関する特別措置法（平成二十三年法律第百十七号）第六十九条第二項の規定により適用する同条第一項の規定により発行する公債の発行による収入金を活用して、確保するものとし、平成二十四年度及び平成二十五年度にあっては財政運営に必要な財源の確保を図るための公債の発行の特例に関する法律（平成二十四年法律第百一号）第四条第一項の規定により発行する公債の発行による収入金を活用して、確保するものとする。

第十五条　削除

（基礎年金の国庫負担に要する費用の財源）

第十六条　特定年度以後の各年度において、附則第十四条第一項並びに昭和六十年改正法附則第三十四条第二項及び第三項の規定により読み替えられた第四条の規定による改正後の国民年金法第八十五条第一項（附則第十四条第二項において適用する場合を含む。）の規定により国庫が負担する費用のうち附則第十四条の二前段の規定の例により算定した額に相当する費用の財源については、社会保障の安定財源の確保等を図る税制の抜本的な改革を行うための消費税法の一部を改正する等の法律（平成二十四年法律第六十八号）の施行により増加する消費税の収入を活用して、確保するものとする。

（老齢基礎年金の支給の繰下げに関する経過措置）

第十七条　第二条の規定による改正後の国民年金法第二十八条の規定は、平成十七年四月一日前において国民年金法による年金たる給付（老齢基礎年金及び付加年金を除く。）又は被用者年金各法による年金たる給付（老齢又は退職を支給事由とするものを除く。）の受給権を有する者については、適用しない。

（平成十八年度及び平成十九年度における保険料改定率の改定に関する経過措置）

第十八条　平成十八年度及び平成十九年度における第二条の規定による改正後の国民年金法第八十七条第三項の保険料改定率の

改定については、同条第五項第二号に掲げる率を一とみなして、同項の規定を適用する。

（国民年金の保険料の免除の特例）

第十九条　平成十七年四月から平成十八年六月までの期間において、三十歳に達する日の属する月の前月までの被保険者期間がある第一号被保険者等（国民年金法第七条第一項第一号に規定する第一号被保険者又は第一号被保険者であった者をいう。以下この条において同じ。）であって次の各号のいずれかに該当するものから申請があったときは、厚生労働大臣は、当該被保険者期間のうちその指定する期間（第二条の規定による改正後の国民年金法第九十条第一項若しくは第九十条の二第一項の規定の適用を受ける期間又は同法第九十条第一項に規定する学生等（以下「学生等」という。）である期間若しくは学生等であった期間を除く。）に係る国民年金の保険料については、国民年金法第八十八条第一項の規定にかかわらず、既に納付されたもの及び同法第九十三条第一項の規定により前納されたものを除き、これを納付することを要しないものとし、申請のあった日以後、当該保険料に係る期間を同法第五条第四項に規定する保険料全額免除期間（同法第九十四条第一項の規定により追納が行われた場合にあっては、当該追納に係る期間を除く。）に算入することができる。ただし、配偶者が次の各号のいずれにも該当しないときは、この限りでない。

一　当該保険料を納付することを要しないものとすべき月の属する年の前年の所得（一月から厚生労働省令で定める月までの月分の保険料については、前々年の所得とする。）が、その者の所得税法（昭和四十年法律第三十三号）に規定する控除対象配偶者及び扶養親族の有無及び数に応じて、政令で定める額以下であるとき。

二　第二条の規定による改正後の国民年金法第九十条第一項第二号から第四号までに該当するとき。

三　国民年金の保険料を納付することが著しく困難である場合として天災その他の厚生労働省令で定める事由があるとき。

2　平成十八年七月から令和十二年六月までの期間において、三十歳に達する日の属する月の前月までの被保険者期間がある第一号被保険者等であって次の各号のいずれかに該当するものから申請があったときは、厚生労働大臣は、当該被保険者期間のうちその指定する期間（国民年金法第九十条第一項若しくは第九十条の二第一項から第三項までの規定の適用を受ける期間又は学生等である期間若しくは学生等であった期間を除く。）に係る国民年金の保険料については、同法第八十八条第一項の規定にかかわらず、既に納付されたものを除き、これを納付することを要しないものとし、申請のあった日以後、当該保険料に係る期間を同法第五条第三項に規定する保険料全額免除期間（第四条の規定による改正後の国民年金法第九十四条第一項の規定により追納が行われた場合にあっては、当該追納に係る期間を除く。）に算入することができる。ただし、配偶者が次の各号のいずれにも該当しないときは、この限りでない。

一　当該保険料を納付することを要しないものとすべき月の属する年の前年の所得（一月から厚生労働省令で定める月までの月分の保険料については、前々年の所得とする。）が、その者の所得税法に規定する同一生計配偶者及び扶養親族の有無及び数に応じて、政令で定める額以下であるとき。

二　国民年金法第九十条第一項第二号及び第三号に該当するとき。

三　国民年金の保険料を納付することが著しく困難である場合として天災その他の厚生労働省令で定める事由があるとき。

3　国民年金法第九十条第二項及び第三項の規定は、前二項の場合に準用する。

4　第一項又は第二項の規定により保険料を納付することを要しないものとされた者及びこれらの規定により納付することを要しないものとされた保険料については、国民年金法その他の法令の規定を適用する場合においては、同法第九十条の三第一項の規定により保険料を納付することを要しないものとされた者及び同項の規定により納付することを要しないものとされた保険料とみなすほか、これらの規定の適用に関し必要な事項は、政令で定める。

5　国民年金法附則第五条第一項の規定による被保険者については、第一項及び第二項の規定を適用しない。

6　第一項第一号及び第二項第一号に規定する所得の範囲及びその額の計算方法は、政令で定める。

（指定全額免除申請事務取扱者の事務の特例）

第十九条の二　国民年金法第百九条の二第一項に規定する指定全額免除申請事務取扱者は、同項に規定する事務のほか、前条第二項各号のいずれかに該当する同法第七条第一項第一号に規定する第一号被保険者又は第一号被保険者であった者（厚生労働省令で定める者に限る。以下この条において「納付猶予要件該当被保険者等」という。）の委託を受けて、納付猶予要件該当被保険者等に係る前条第二項の申請（以下この条において「納付猶予申請」という。）を行うことができる。

2　納付猶予要件該当被保険者等が指定全額免除申請事務取扱者に納付猶予申請の委託をしたときは、前条第二項の規定及び同条第三項において準用する国民年金法第九十条第二項の規定の適用については、当該委託をした日に、納付猶予申請があったものとみなす。

3　指定全額免除申請事務取扱者は、納付猶予要件該当被保険者等から納付猶予申請の委託を受けたときは、遅滞なく、厚生労働省令で定めるところにより、当該納付猶予申請をしなければならない。

4　指定全額免除申請事務取扱者が行う納付猶予申請に関する事務は、国民年金法第百九条の二第一項の事務とみなして、同条第四項から第八項までの規定（これらの規定に係る罰則を含む。）を適用する。この場合において、必要な技術的読替えは、政令で定める。

（第三号被保険者の届出の経過措置）

第二十条　第二条の規定による改正後の国民年金法附則第七条の三第二項の規定は、平成十七年四月一日前の期間については、適用しない。

（第三号被保険者の届出の特例）

第二十一条　国民年金法第七条第一項第三号に規定する第三号被保険者（以下この項において「第三号被保険者」という。）又は第三号被保険者であった者は、平成十七年四月一日前のその者の第三号被保険者としての国民年金の被保険者期間のうち、第二条の規定による改正前の国民年金法附則第七条の三の規定により国民年金法第五条第一項に規定する保険料納付済期間（以下「保険料納付済期間」という。）に算入されない期間（同法附則第七条の二の規定により保険料納付済期間に算入されない第三号被保険者としての国民年金の被保険者期間を除く。）について、厚生労働大臣に届出をすることができる。

2　前項の規定により届出が行われたときは、第二条の規定にかかわらず、届出が行われた日以後、届出に係る期間は保険料納付済期間に算入する。

3　国民年金法による老齢基礎年金又は昭和六十年改正法第一条の規定による改正前の国民年金法による老齢年金若しくは通算老齢年金の受給権者が第一項の規定による届出を行い、前項の規定により届出に係る期間が保険料納付済期間に算入されたときは、当該届出のあった日の属する月の翌月から、年金額を改定する。

4　第二項の規定により第一項の届出に係る期間が保険料納付済期間に算入された者に対する昭和六十年改正法附則第十八条の規定の適用については、同条第一項中「同日以後の国民年金の被保険者期間」とあるのは、「同日以後に保険料納付済期間に算入される期間」とする。

（任意加入被保険者の資格の喪失に関する経過措置）

第二十二条　平成十七年三月三十一日において国民年金法附則第五条第一項の規定の適用を受ける被保険者であった者が、同年四月一日において第二条の規定による改正後の国民年金法附則第五条第五項第四号の規定に該当するときは、その者は、同日に、当該被保険者の資格を喪失する。

（任意加入被保険者の特例）

第二十三条　昭和三十年四月二日から昭和四十年四月一日までの間に生まれた者であって、次の各号のいずれかに該当するもの（国民年金法第七条第一項第二号に規定する第二号被保険者を除く。）は、同法第七条第一項の規定にかかわらず、厚生労働大臣に申し出て、国民年金の被保険者となることができる。ただし、その者が同法による老齢基礎年金、厚生年金保険法による老齢厚生年金その他の老齢又は退職を支給事由とする年金たる給付であって政令で定める給付の受給権を有する場合は、この限りでない。

一　日本国内に住所を有する六十五歳以上七十歳未満の者（国民年金法の適用を除外すべき特別の理由がある者として厚生労働省令で定める者を除く。）

二　日本国籍を有する者であって、日本国内に住所を有しない六十五歳以上七十歳未満のもの

2　前項第一号に該当する者が同項の規定による申出を行おうとする場合には、預金若しくは貯金の払出しとその払い出した金銭による保険料の納付をその預金口座若しくは貯金口座のある金融機関に委託して行うこと（以下この項において「口座振替納付」という。）を希望する旨の申出又は口座振替納付によらない正当な事由がある場合として厚生労働省令で定める場合に該当する旨の申出を厚生労働大臣に対してしなければならない。

3　国民年金法附則第五条第一項の規定による被保険者（昭和三十年四月二日から昭和四十年四月一日までの間に生まれた者に限る。）が六十五歳に達した場合において、第一項ただし書に規定する政令で定める給付の受給権を有しないときは、前二項の申出があったものとみなす。

4　第二項（第一項第二号に掲げる者にあっては、同項）の規定による申出をした者は、その申出をした日（前項の規定により申出があったものとみなされた者にあっては、六十五歳に達した日）に国民年金の被保険者の資格を取得するものとする。

5　第一項の規定による国民年金の被保険者は、いつでも、厚生労働大臣に申し出て、当該被保険者の資格を喪失することができる。

6　第一項の規定による国民年金の被保険者は、次の各号のいずれかに該当するに至った日の翌日（第二号、第四号又は第五号に該当するに至ったときは、その日）に、当該被保険者の資格を喪失する。

一　死亡したとき。

二　国民年金法第七条第一項第二号に規定する厚生年金保険の被保険者の資格を取得したとき。

三　第一項ただし書に規定する政令で定める給付の受給権を取得したとき。

四　七十歳に達したとき。

五　前項の申出が受理されたとき。

7　第一項第一号に掲げる者である国民年金の被保険者は、前項の規定によって当該被保険者の資格を喪失するほか、次の各号のいずれかに該当するに至った日の翌日（第一号に該当するに至った日に更に国民年金の被保険者の資格を取得したときは、その日）に、当該被保険者の資格を喪失する。

一　日本国内に住所を有しなくなったとき。

二　保険料を滞納し、国民年金法第九十六条第一項の規定による指定の期限までに、その保険料を納付しないとき。

三　国民年金法の適用を除外すべき特別の理由がある者として厚生労働省令で定める者となったとき。

8　第一項第二号に掲げる者である国民年金の被保険者は、第六項の規定によって当該被保険者の資格を喪失するほか、次の各号のいずれかに該当するに至った日の翌日（その事実があった日に更に国民年金の被保険者の資格を取得したときは、その日）に、当該被保険者の資格を喪失する。

一　日本国内に住所を有するに至ったとき。

二　日本国籍を有しなくなったとき。

三　保険料を滞納し、その後、保険料を納付することなく二年間が経過したとき。

9　第一項の規定による国民年金の被保険者としての国民年金の被保険者期間は、国民年金法第五条第一項の規定の適用については同法第七条第一項第一号に規定する被保険者としての国民年金の被保険者期間と、同法第五十二条の二から第五十二条の五まで並びに同法附則第九条の三及び第九条の三の二の規定の適用については第一号被保険者としての国民年金の被保険者期間と、それぞれみなす。

10　第一項の規定による国民年金の被保険者については、国民年金法第八十八条の二から第九十条の三までの規定を適用しない。

（国民年金法による脱退一時金の額に関する経過措置）

第二十四条　平成十七年四月前の保険料納付済期間（第一号被保険者に係るものに限る。）及び保険料半額免除期間のみに係る国民年金法による脱退一時金の額については、なお従前の例による。

附　則（平一六・六・二三法一三二）（抄）

（施行期日）

第一条　この法律は、平成十六年十月一日から施行する。ただし、次の各号に掲げる規定は、当該各号に定める日から施行する。

一・二　〔略〕

三　〔前略〕附則〔中略〕第二十八条から第四十五条まで〔中略〕の規定　平成十九年四月一日

四～八　〔略〕

附　則（平一七・五・二五法五〇）（抄）

（施行期日）

第一条　この法律は、公布の日から起算して一年を超えない範囲内において政令で定める日〔平一八・五・二四〕から施行する。〔ただし書略〕

附　則（平一七・七・二六法八七）（抄）

この法律は、会社法の施行の日〔平一八・五・一〕から施行する。〔ただし書略〕

附　則（平一七・一〇・二一法一〇二）（抄）

（施行期日）

第一条　この法律は、郵政民営化法の施行の日〔平一九・一〇・一〕から施行する。〔ただし書略〕

附　則（平一八・六・二法五〇）（抄）

改正　平二三・六・二四法七四

この法律は、一般社団・財団法人法の施行の日〔平二〇・一二・一〕から施行する。〔ただし書略〕

附　則（平一九・三・三一法二三）（抄）

（施行期日）

第一条　この法律は、平成十九年四月一日から施行し、平成十九年度の予算から適用する。〔ただし書略〕

附　則（平一九・六・二七法九六）（抄）

（施行期日）

第一条　この法律は、公布の日から起算して六月を超えない範囲内において政令で定める日〔平一九・一二・二六〕から施行する。〔ただし書略〕

附　則（平一九・七・六法一〇九）（抄）

（施行期日）

第一条　この法律は、平成二十二年四月一日までの間において政令で定める日〔平二二・一・一〕から施行する。〔ただし書略〕

附　則（平一九・七・六法一一〇）（抄）

（施行期日）

第一条　この法律は、平成二十年四月一日から施行する。ただし、次の各号に掲げる規定は、それぞれ当該各号に定める日から施行する。

一　第一条〔中略〕規定　公布の日

二　第二条の規定　平成二十年三月三十一日までの日で政令で定める日〔平二〇・二・一〕

三・四　〔略〕

五　第四条〔中略〕の規定　日本年金機構法（平成十九年法律第百九号）の施行の日〔平二二・一・一〕

六　第五条〔中略〕の規定　平成二十三年四月一日

七　〔略〕

（検討）

第二条　政府は、この法律の施行後五年を目途として、この法律の施行の状況等を勘案し、この法律により改正された国民年金法等の規定に基づく規制の在り方について検討を加え、必要があると認めるときは、その結果に基づいて必要な措置を講ずるものとする。

（国民年金法の一部改正に伴う経過措置）

第三条　この法律の施行の日（次条並びに附則第五条及び第十二条において「施行日」という。）前に国民年金法附則第五条第一項の規定による申出をした者についての国民年金の被保険者の資格の取得については、なお従前の例による。

（国民年金法等の一部を改正する法律の一部改正に伴う経過措置）

第五条　施行日前に国民年金法等の一部を改正する法律（平成六年法律第九十五号）附則第十一条第一項の規定による申出をした者及び同条第二項の規定により同条第一項の申出があったものとみなされた者についての国民年金の被保険者の資格の取得については、なお従前の例による。

附　則（平一九・七・六法一一一）（抄）

（施行期日）

第一条　この法律は、公布の日から施行する。

（国民年金法の一部改正に伴う経過措置）

第六条　前条の規定による改正後の国民年金法第百二条第一項及び第三項の規定は、施行日後において同法による給付を受ける権利を取得した者について適用する。

附　則（平二一・五・一法三六）（抄）

（施行期日）

第一条　この法律は、平成二十二年一月一日から施行する。〔ただし書略〕

附　則（平二一・七・一五法七七）（抄）

（施行期日）

第一条　この法律は、公布の日から起算して三年を超えない範囲内において政令で定める日〔平二四・七・九〕から施行する。ただし、次の各号に掲げる規定は、当該各号に定める日から施行する。

一　〔前略〕附則〔中略〕第十三条から第二十条までの規定〔中略〕出入国管理及び難民認定法及び日本国との平和条約に基づき日本の国籍を離脱した者等の出入国管理に関する特例法の一部を改正する等の法律（平成二十一年法律第七十九号。以下「入管法等改正法」という。）の施行の日〔平二四・七・九〕

二　〔略〕

（附則第五条第一項の届出に係る国民年金法の届出の特例）

第十六条　附則第五条第一項の規定による届出及び同条第二項の規定により適用するものとされた新法第二十九条の規定による付記は、それぞれ新法第三十条の四十七の規定による届出及び新法第二十九条の規定による付記とみなして、前条の規定による改正後の国民年金法第十二条第三項の規定を適用する。

附　則（平二二・四・二八法二七）（抄）

（施行期日）

第一条　この法律は、平成二十三年四月一日から施行する。

（経過措置）

第二条　この法律の施行の日（以下「施行日」という。）において、現に国民年金法の規定による障害基礎年金の受給権者によって生計を維持しているその者の同法第三十三条の二第一項に規定する子（当該受給権者がその権利を取得した日の翌日以後に有するに至った当該子（第一条の規定による改正前の国民年金法第三十三条の二第二項の規定により当該受給権者がその権利を取得した当時その者によって生計を維持していたとみなされ、同条第一項の規定により加算が行われている当該子を除く。）に限る。）がある場合における第一条の規定による改正後の国民年金法第三十三条の二第二項の規定の適用については、同項中「当該子を有するに至つた日の属する月の翌月」とあるのは、「国民年金法等の一部を改正する法律（平成二十二年法律第二十七号）の施行の日の属する月」とする。

2〜4　〔略〕

5　施行日において、現に昭和六十年改正法第一条の規定による改正前の国民年金法の規定による障害年金の受給権者によって生計を維持しているその者の国民年金法第三十三条の二第一項に規定する子（当該受給権者が昭和六十一年四月一日後に有するに至った当該子に限る。）がある場合における第五条の規定による改正後の昭和六十年改正法附則第三十二条第五項において準用する同法第三十三条の二第二項の規定の適用については、同項中「当該子を有するに至つた日の属する月の翌月」とあるのは、「国民年金法等の一部を改正する法律（平成二十二年法律第二十七号）の施行の日の属する月」とする。

6　〔略〕

附　則（平二三・五・二七法五六）（抄）

（施行期日）

第一条　この法律は、平成二十三年六月一日から施行する。〔ただし書略〕

（国民年金法の一部改正に伴う経過措置）

第三十八条　存続共済会に対する前条の規定による改正後の国民年金法第百八条第二項の規定の適用については、同項中「共済組合若しくは」とあるのは、「共済組合、地方公務員等共済組合法の一部を改正する法律（平成二十三年法律第五十六号）附則第二十三条第一項第三号に規定する存続共済会若しくは」とする。

附　則（平二三・六・二四法七三）（抄）

（施行期日）

第一条　この法律は、公布の日から起算して三年を超えない範囲内において政令で定める日〔平二六・四・一〕から施行する。〔ただし書略〕

附　則（平二三・八・一〇法九三）（抄）

改正　平二三・一二・一四法一二二

（施行期日）

第一条　この法律は、公布の日から施行する。ただし、次の各号に掲げる規定は、それぞれ当該各号に定める日から施行する。

一・二　〔略〕

三　次条の規定　平成二十四年十月一日までの間において政令で定める日〔平二四・一〇・一〕

四　第一条中国民年金法附則第五条に二項を加える改正規定及び同法附則第七条の三第五項の改正規定　公布の日から起算して二年を超えない範囲内において政令で定める日〔平二五・四・一〕

五　〔略〕

（国民年金の保険料の納付の特例）

第二条　前条第三号に規定する政令で定める日から起算して三年を経過する日までの間において、国民年金の被保険者又は被保険者であった者（国民年金法による老齢基礎年金の受給権者を除く。）は、厚生労働大臣の承認を受け、その者の国民年金の被保険者期間のうち、国民年金の保険料納付済期間及び保険料免除期間以外の期間（承認の日の属する月前十年以内の期間であって、当該期間に係る国民年金の保険料を徴収する権利が時効によって消滅しているものに限る。）の各月につき、当該各月の国民年金の保険料に相当する額に政令で定める額を加算した額の国民年金の保険料（以下この条において「後納保険料」という。）を納付することができる。

2　厚生労働大臣は、前項の承認を行うに際して、同項の承認を受けようとする者が納期限までに納付しなかった国民年金の保険料であってこれを徴収する権利が時効によって消滅していないもの（以下この項において「滞納保険料」という。）の全部又は一部を納付していないときは、当該滞納保険料の納付を求めるものとする。

3　第一項の規定による後納保険料の納付は、先に経過した月の国民年金の保険料に係る後納保険料から順次に行うものとする。

4　第一項の規定により後納保険料の納付が行われたときは、納付が行われた日に、納付に係る月の国民年金の保険料が納付されたものとみなす。

5　前項の場合における国民年金法第八十七条の二第二項の規定の適用については、同項中「第九十四条第四項」とあるのは、「第九十四条第四項又は国民年金及び企業年金等による高齢期における所得の確保を支援するための国民年金法等の一部を改正する法律（平成二十三年法律第九十三号）附則第二条第四項」とする。

6　第一項の規定により後納保険料を納付した者に対する国民年金法等の一部を改正する法律（昭和六十年法律第三十四号）附則第十八条の規定の適用については、同条第一項中「同日以後の国民年金の被保険者期間」とあるのは、「同日以後に国民年金及び企業年金等による高齢期における所得の確保を支援するための国民年金法等の一部を改正する法律（平成二十三年法律第九十三号）附則第二条第一項の規定による納付が行われたことにより保険料納付済期間」とする。

7　第一項の規定による厚生労働大臣の承認の権限に係る事務は、日本年金機構に行わせるものとする。この場合において、日本年金機構法（平成十九年法律第百九号）第二十三条第三項中「国民年金法」とあるのは「国民年金法若しくは国民年金及び企業年金等による高齢期における所得の確保を支援するための国民年金法等の一部を改正する法律（平成二十三年法律第九十三号）」と、同法第二十六条第二項中「国民年金法」とあるのは「国民年金法若しくは国民年金及び企業年金等による高齢期における所得の確保を支援するための国民年金法等の一部を改正する法律」と、同法第二十七条第一項第二号中「に規定する権限に係る事務、同法」とあるのは「及び国民年金及び企業年金等による高齢期における所得の確保を支援するための国民年金法等の一部を改正する法律附則第二条第七項に規定する権限に係る事務、国民年金法」と、同法第四十八条第一項中「国民年金法」とあるのは「国民年金法若しくは国民年金及び企業年金等による高齢期における所得の確保を支援するための国民年金法等の一部を改正する法律」とする。

8　国民年金法第百九条の四第三項、第四項、第六項及び第七項の規定は、前項の承認の権限について準用する。この場合において、必要な技術的読替えは、政令で定める。

9　第一項の規定による厚生労働大臣の承認の権限は、厚生労働省令で定めるところにより、地方厚生局長に委任することができる。

10　前項の規定により地方厚生局長に委任された権限は、厚生労働省令で定めるところにより、地方厚生支局長に委任することができる。

11　前各項に定めるもののほか、後納保険料の納付手続その他後納保険料の納付について必要な事項は、政令で定める。

（国民年金の第三号被保険者期間の特例に関する経過措置）

第三条　第一条の規定による改正後の国民年金法附則第七条の三の二の規定は、この法律の施行前に同条各号に規定する訂正に相当する訂正がなされた場合における当該訂正に係る第三号被保険者としての被保険者期間についても、適用する。

附　則（平二四・八・二二法六二）（抄）

最終改正　平二八・一二・二六法一一四

（施行期日）

第一条　この法律は、平成二十九年八月一日から施行する。ただし、次の各号に掲げる規定は、当該各号に定める日から施行する。

一　附則第二条の二から第二条の四まで、第五十七条及び第七十一条の規定　公布の日

二　削除

三　第一条中国民年金法第三十七条、第三十七条の二、第三十九条、第四十条第二項、第四十一条第二項、第四十一条の二及び第五十二条の二の改正規定（中略）、第八条中国民年金法等の一部を改正する法律（平成十六年法律第百四号。以下「平成十六年国民年金等改正法」という。）附則第十条第一項及び第十三条第七項の改正規定、平成十六年国民年金等改正法附則第十五条の前の見出しを削る改正規定、同条及び平成十六年国民年金等改正法附則第十六条の改正規定、平成十六年国民年金等改正法附則第十六条の二を削る改正規定（中略）及び第八条の規定　社会保障の安定財源の確保等を図る税制の抜本的な改革を行うための消費税法の一部を改正する等の法律（平成二十四年法律第六十八号）の施行の日（平二六・四・一）

四　第一条の規定（前号に掲げる改正規定を除く。）、第四条中昭和六十年国民年金等改正法附則第十八条第五項（中略）の改正規定、第八条中平成十六年国民年金等改正法附則第十九条第二項の改正規定（中略）並びに次条第一項並びに附則第四条から第七条まで、第九条から第十二条まで（中略）、第二十二条から第三十四条までの規定　公布の日から起算して二年を超えない範囲内において政令で定める日（平二六・四・一）

五　（前略）第八条中平成十六年国民年金等改正法附則第三条第三項を削る改正規定（中略）並びに次条第二項（中略）の規定　平成二十八年十月一日

六　（略）

（検討等）

第二条　政府は、この法律の施行後三年を目途として、この法律の施行の状況等を勘案し、基礎年金の最低保障機能の強化その他の事項について総合的に検討を加え、必要があると認めるときは、その結果に基づいて所要の措置を講ずるものとする。

2　政府は、短時間労働者に対する厚生年金保険及び健康保険の適用範囲について、平成三十一年九月三十日までに検討を加え、その結果に基づき、必要な措置を講ずる。

第二条の二　社会保障の安定財源の確保等を図る税制の抜本的な改革を行うための消費税法の一部を改正する等の法律の趣旨にのっとり、同法附則第一条第二号に掲げる規定の施行の日から、公的年金制度の年金受給者のうち、低所得である高齢者又は所得が一定額以下である障害者等に対する福祉的措置としての給付に係る制度を実施するため、同法の公布の日から六月以内に必要な法制上の措置が講ぜられるものとする。この場合において、その財源は、同法の施行により増加する消費税の収入を活用して確保するものとする。

第二条の三　高額所得による老齢基礎年金の支給停止については、引き続き検討が加えられるものとする。

第二条の四　国民年金の第一号被保険者に対する出産前六週間及び出産後八週間に係る国民年金の保険料の納付義務を免除する措置については、検討が行われるものとする。

（国の負担等に係る費用の財源）

第三条　次に掲げる費用の財源は、社会保障の安定財源の確保等を図る税制の抜本的な改革を行うための消費税法の一部を改正する等の法律の施行により増加する消費税の収入を活用して、確保するものとする。

一　この法律による改正により受給権が発生する老齢基礎年金（昭和六十年国民年金等改正法附則第三十五条第一項及び第四項に規定する給付を含む。）に要する費用のうち国の負担又は補助に係るもの

二　この法律による改正により受給権が発生する遺族基礎年金に要する費用のうち国の負担又は補助に係るもの

（未支給年金に関する経過措置）

第四条　第一条の規定による改正後の国民年金法第十九条の規定は、附則第一条第四号に掲げる規定の施行の日（以下「第四号施行日」という。）以後に第一条の規定による改正後の国民年金法第十九条第一項に規定する年金給付の受給権者が死亡した場合について適用する。

第五条　第四号施行日以後に昭和六十年国民年金等改正法附則第三十二条第一項に規定する年金たる給付の受給権者が死亡した場合において、その死亡した者に支給すべき年金たる給付でまだその者に支給しなかったものがあるときは、その未支給の年金たる給付の支給の請求については、同項の規定にかかわらず、同項の規定によりなお従前の例によるものとされた昭和六十年国民年金等改正法第一条の規定による改正前の国民年金法第十九条の規定は適用せず、第一条の規定による改正後の国民年金法第十九条の規定を準用する。

（支給の繰下げに関する経過措置）

第六条　第一条の規定による改正後の国民年金法第二十八条の規定は、第四号施行日の前日において、同条第二項各号のいずれにも該当しない者について適用する。ただし、第四号施行日前

に第一条の規定による改正後の国民年金法第二十八条第二項各号のいずれかに該当する者に対する同条の規定の適用については、同項中「ときは」とあるのは「ときは、次項の規定を適用する場合を除き」と、「同項」とあるのは「前項」と、同条第三項中「当該申出のあつた日」とあるのは「公的年金制度の財政基盤及び最低保障機能の強化等のための国民年金法等の一部を改正する法律（平成二十四年法律第六十二号）附則第一条第四号に掲げる規定の施行の日」とする。

（障害年金の額の改定請求に関する経過措置）

第七条　昭和六十年国民年金等改正法附則第三十二条第一項に規定する年金たる給付のうち障害年金については、同項の規定にかかわらず、同項の規定によりなお従前の例によるものとされた昭和六十年国民年金等改正法第一条の規定による改正前の国民年金法第三十四条第三項の規定は適用せず、第一条の規定による改正後の国民年金法第三十四条第三項の規定を準用する。

（遺族基礎年金に関する経過措置）

第八条　第一条の規定による改正後の国民年金法中遺族基礎年金に関する規定は、附則第一条第三号に掲げる規定の施行の日以後に死亡した第一条の規定による改正後の国民年金法第三十七条第一項に規定する被保険者又は被保険者であつた者について適用し、同日前に死亡した同項に規定する被保険者又は被保険者であつた者に係る支給要件に関する事項については、なお従前の例による。

（国民年金保険料の免除に関する経過措置）

第九条　第一条の規定による改正後の国民年金法第八十九条第二項の規定は、第一条の規定による改正前の国民年金法第八十九条の規定により納付することを要しないものとされた保険料（以下この条において「改正前法定免除保険料」という。）のうち、第四号施行日の属する月以後の期間に係る保険料についても適用し、改正前法定免除保険料のうち、第四号施行日の属する月前の期間に係る保険料については、なお従前の例による。

（国民年金任意加入期間の合算対象期間算入に関する経過措置）

第十条　第一条の規定による改正後の国民年金法附則第七条第一項（第二条の規定による改正後にあっては、同条の規定による改正後の国民年金法附則第九条第一項）の規定は、第四号施行日の前日において国民年金法附則第五条第一項の規定による被保険者であつた期間（国民年金法第五条第二項に規定する保険料納付済期間及び六十歳以上であつた期間を除く。以下この項において同じ。）を有する者に係る当該被保険者であつた期間については、適用しない。

2　前項に規定する被保険者であつた期間は、国民年金法附則第七条第一項及び第九条第一項の規定を適用する場合（第二条の規定による改正後にあっては、同条の規定による改正後の国民年金法附則第九条第一項の規定を適用する場合）にあっては、第四号施行日において、第一条の規定による改正後の国民年金法附則第七条第一項（第二条の規定による改正後にあっては、同条の規定による改正後の国民年金法附則第九条第一項）に規定する合算対象期間（以下「合算対象期間」という。）に算入する。

3　前項の規定により合算対象期間に算入される期間の計算については、国民年金法第十一条の規定の例による。

4　第二項の規定により合算対象期間に算入された期間を有する者に対する昭和六十年国民年金等改正法附則第十八条の規定の適用については、同条第一項中「同日以後の国民年金の被保険者期間」とあるのは「同日以後に公的年金制度の財政基盤及び最低保障機能の強化等のための国民年金法等の一部を改正する法律（平成二十四年法律第六十二号）附則第十条第二項の規定により合算対象期間に算入された期間」と、「同法」とあるのは「国民年金法」とする。

第十一条　昭和六十年国民年金等改正法第一条の規定による改正前の国民年金法附則第六条第一項の規定による被保険者であった期間（昭和六十年国民年金等改正法第一条の規定による改正前の国民年金法第五条第三項に規定する保険料納付済期間及び六十歳以上であった期間を除く。以下この項において同じ。）を有する者に係る当該被保険者であった期間は、国民年金法附則第九条第一項の規定を適用する場合にあっては、第四号施行日において、合算対象期間に算入する。

2　前条第三項及び第四項の規定は、前項の規定により合算対象期間に算入される期間について準用する。この場合において、同条第四項中「附則第十条第二項」とあるのは、「附則第十一条第一項」と読み替えるものとする。

第十二条　国民年金法等の一部を改正する法律（平成元年法律第八十六号）第一条の規定による改正前の国民年金法附則第五条第一項の規定による被保険者であった期間（国民年金法等の一部を改正する法律（平成元年法律第八十六号）第一条の規定による改正前の国民年金法第七条第一項第一号イに該当するものに限り、国民年金法第五条第二項に規定する保険料納付済期間及び六十歳以上であった期間を除く。以下この項において同じ。）を有する者に係る当該被保険者であった期間は、国民年金法附則第九条第一項の規定を適用する場合にあっては、第四号施行日において、合算対象期間に算入する。

2　附則第十条第三項及び第四項の規定は、前項の規定により合算対象期間に算入される期間について準用する。この場合において、同条第四項中「附則第十条第二項」とあるのは、「附則第十二条第一項」と読み替えるものとする。

（国民年金の任意脱退に関する経過措置）

第十三条　第二条の規定による改正前の国民年金法第十条第一項の規定による厚生労働大臣の承認を受けて国民年金の被保険者の資格を喪失した者が、この法律の施行の日（以下「施行日」という。）において国民年金法第七条第一項第一号に該当するときは、その者は、施行日に、国民年金の被保険者の資格を取得する。ただし、その者が、施行日に、国民年金法第八条の規定により国民年金の被保険者の資格を取得するときは、この限りでない。

2　第二条の規定による改正前の国民年金法第十条第一項の規定による厚生労働大臣の承認に基づき国民年金の被保険者とされなかった期間は、第二条の規定による改正後の国民年金法附則第九条第一項の規定を適用する場合にあっては、合算対象期間に算入する。

3　前項の規定により合算対象期間に算入される期間の計算については、国民年金法第十一条の規定の例による。

（老齢基礎年金等の支給に関する経過措置）

第十四条　施行日の前日において現に国民年金法による老齢基礎年金その他老齢又は退職を支給事由とする年金たる給付又は年

金たる保険給付であって政令で定めるものの受給権を有しない者であって、第二条の規定による改正後の国民年金法第二十六条その他政令で定める規定による老齢基礎年金その他老齢を支給事由とする年金たる給付（以下この条において「老齢基礎年金等」という。）の支給要件に該当するものについては、施行日においてこれらの規定による老齢基礎年金等の支給要件に該当するに至ったものとみなして、施行日以後、その者に対し、これらの規定による老齢基礎年金等を支給する。この場合において、これらの規定の適用に関し必要な事項は、政令で定める。

（支給の繰下げに関する経過措置）

第二十九条　第四条の規定による改正後の昭和六十年国民年金等改正法附則第十八条第五項の規定は、第四号施行日の前日において、同項の規定により読み替えられた国民年金法第二十八条第二項各号のいずれにも該当しない者について適用する。ただし、第四号施行日前に第四条の規定による改正後の昭和六十年国民年金等改正法附則第十八条第五項の規定により読み替えられた国民年金法第二十八条第二項各号のいずれかに該当する者に対する第四条の規定による改正後の昭和六十年国民年金等改正法附則第十八条の規定の適用については、同条第五項中「経過した」と、「七十歳」とあるのは「経過した」と、「ときは」とあるのは「ときは、次項の規定を適用する場合を除き」と、「同項」とあるのは「前項」と、「七十歳」と、「日」とする」とあるのは「日」と、同条第三項中「当該申出のあつた日」とあるのは「公的年金制度の財政基盤及び最低保障機能の強化等のための国民年金法等の一部を改正する法律（平成二十四年法律第六十二号）附則第一条第四号に掲げる規定の施行の日」とする」とする。

附　則（平二四・八・二二法六三）（抄）

改正　平二七・三・三一法九

（施行期日）

第一条　この法律は、平成二十七年十月一日から施行する。ただし、次の各号に掲げる規定は、それぞれ当該各号に定める日から施行する。

一　〔略〕

二　附則第八十七条中国民年金法（昭和三十四年法律第百四十一号）第二十七条の五第二項第四号の改正規定〔中略〕　平成二十五年四月一日

三～五　〔略〕

附　則（平二五・五・三一法二八）（抄）

この法律は、番号利用法〔平二五法二七〕の施行の日〔平二七・一〇・五〕から施行する。ただし、次の各号に掲げる規定は、当該各号に定める日から施行する。

一・二　〔略〕

三　〔前略〕第十条〔中略〕の規定　番号利用法附則第一条第四号に掲げる規定の施行の日〔平二八・一・一〕

四　〔略〕

附　則（平二五・六・二六法六三）（抄）

（施行期日）

第一条　この法律は、公布の日から起算して一年を超えない範囲内において政令で定める日〔平二六・四・一〕から施行する。ただし、次の各号に掲げる規定は、当該各号に定める日から施行する。

一　第四条中国民年金法等の一部を改正する法律附則第二十条及び第六十四条の改正規定、第五条中国民年金法等の一部を改正する法律附則第十九条第二項の改正規定並びに〔中略〕附則〔中略〕第百四十三条〔中略〕の規定　公布の日

二　第三条中国民年金法第百八条第一項の改正規定、同法第百八条の二の次に一条を加える改正規定、同法第百九条の四第一項ただし書の改正規定、同項第三十号の次に一号を加える改正規定、同項第三十七号の次に二号を加える改正規定、同法附則第五条第十三項の改正規定及び同法附則第九条の四の二を同法附則第九条の四の七とし、同法附則第九条の四の次に五条を加える改正規定、第四条中国民年金法等の一部を改正する法律附則第十四条第一項及び第二項の改正規定〔中略〕　公布の日から起算して一月を超えない範囲内において政令で定める日〔平二五・七・一〕

三　第三条中国民年金法第十二条の見出しを削り、同条の前に見出しを付する改正規定、同条の次に一条を加える改正規定、同法第十三条第一項の改正規定及び同法第百九条の四第一項第三号の次に一号を加える改正規定並びに附則第九十六条の規定　公布の日から起算して一年六月を超えない範囲内において政令で定める日〔平二六・一二・一〕

四　〔略〕

（第三号被保険者であった者の届出に関する経過措置）

第九十六条　改正後国民年金法第十二条の二第一項の規定は、附則第一条第三号に掲げる規定の施行の日以後において改正後国民年金法第七条第一項第三号に規定する第三号被保険者でなくなった者について適用する。

附　則（平二六・五・三〇法四二）（抄）

（施行期日）

第一条　この法律は、公布の日から起算して二年を超えない範囲内において政令で定める日〔平二八・四・一〕から施行する。〔ただし書略〕

附　則（平二六・六・一一法六四）（抄）

最終改正　令二・六・五法四〇

（施行期日）

第一条　この法律は、平成二十六年十月一日から施行する。ただし、次の各号に掲げる規定は、当該各号に定める日から施行する。

一　〔略〕

二　第一条中国民年金法附則第九条の二の五の改正規定〔中略〕並びに附則第三条及び第十七条の規定　平成二十七年一月一日

三　第一条のうち国民年金法の目次の改正規定、同法第二章中同法第十四条の二を同法第十四条の五とする改正規定、同法第十四条の次に三条を加える改正規定、同法第百一条第一項にただし書を加える改正規定、同法第百八条第一項の改正規定、同法第百九条の四第一項第四号の次に一号を加える改正規定、同法第百九条の九の改正規定、同条に一項を加える改正規定、同法第百九条の十第一項第二号の改正規定及び同法附則第七条の五第一項の改正規定〔中略〕並びに附則第四条から第七条までの規定〔中略〕　平成二十七年三月一日

四　〔略〕

五　第二条中国民年金法第百九条の二を同法第百九条の二の二

とし、同法第百九条の次に一条を加える改正規定、同法第百九条の四第一項第十六号の改正規定、同項第三十三号の次に一号を加える改正規定、同法第百九条の十第一項第三十六号の改正規定、同号の次に一号を加える改正規定、同法第百十三条の二の改正規定及び同法第百十三条の三第一項の改正規定、〔中略〕第四条の規定〔中略〕並びに次条の規定　平成二十七年七月一日

六　附則第十条及び第十一条の規定　平成二十七年十月一日

七　第二条の規定（第五号に掲げる改正規定を除く。）並びに附則第十二条及び第十三条の規定　公布の日から起算して二年を超えない範囲内において政令で定める日〔平二八・四・一〕

八　附則第十四条及び第十五条の規定　平成二十八年七月一日

（検討）

第二条　政府は、前条第五号に掲げる規定の施行後五年を目途として、この法律の施行の状況を勘案し、この法律により改正された国民年金法の規定に基づく規制の在り方について検討を加え、必要があると認めるときは、その結果に基づいて所要の措置を講ずるものとする。

（社会保障審議会への諮問）

第三条　厚生労働大臣は、第一条の規定（附則第一条第三号に掲げる改正規定に限る。）による改正後の国民年金法（次条及び附則第五条において「第三号改正後国民年金法」という。）第十四条の三第一項又は第三条の規定（同号に掲げる改正規定に限る。）による改正後の厚生年金保険法（以下「第三号改正後厚生年金保険法」という。）第二十八条の三第一項の方針を定めようとするときは、同号に掲げる規定の施行の日前においても、社会保障審議会に諮問することができる。

2　厚生労働大臣は、第二条の規定（附則第一条第七号に掲げる改正規定に限る。）による改正後の国民年金法（以下この項において「第七号改正後国民年金法」という。）附則第九条の四の七第九項（第七号改正後国民年金法附則第九条の四の九第九項、第九条の四の十第七項及び第九条の四の十一第七項において準用する場合を含む。）の厚生労働省令を定めようとするときは、同号に掲げる規定の施行の日（以下「第七号施行日」という。）前においても、社会保障審議会に諮問することができる。

3　厚生労働大臣は、第五条の規定による改正後の厚生年金保険の保険給付及び保険料の納付の特例等に関する法律（附則第九条において「改正後厚生年金特例法」という。）第一条第二項又は附則第三条第二項の厚生労働省令を定めようとするときは、附則第一条第四号に掲げる規定の施行の日（以下「第四号施行日」という。）前においても、社会保障審議会に諮問することができる。

（国民年金法の訂正の決定等に関する経過措置）

第四条　第三号改正後国民年金法第十四条の四の規定は、平成二十七年三月三十一日までは、適用しない。

（旧国民年金法による給付の受給権者等に係る経過措置）

第五条　国民年金法等の一部を改正する法律（昭和六十年法律第三十四号。以下「昭和六十年改正法」という。）附則第三十二条第十二項の規定によりなお従前の例によるものとされた昭和六十年改正法第一条の規定による改正前の国民年金法（次項において「旧国民年金法」という。）第十九条の規定その他未支給の年金の支給に関する規定であって政令で定めるものにより未支給の年金の支給を請求することができる者については、国民年金法第十九条の規定により未支給の年金の支給を請求することができる者とみなして、第三号改正後国民年金法第十四条の二第二項の規定を適用する。

2　昭和六十年改正法附則第三十二条第一項の規定によりなお従前の例によるものとされた旧国民年金法による遺児年金その他死亡を支給事由とする年金たる給付であって政令で定めるものを受けることができる者については、国民年金法による遺族基礎年金を受けることができる配偶者又は子とみなして、第三号改正後国民年金法第十四条の二第二項の規定を適用する。

3　前二項の場合において、第三号改正後国民年金法第十四条の二第二項の規定の適用に関し必要な読替えその他必要な事項は、政令で定める。

（厚生年金保険法の訂正の決定等に関する経過措置）

第六条　第三号改正後厚生年金保険法第二十八条の四の規定は、平成二十七年三月三十一日までは、適用しない。

（旧厚生年金保険法による給付の受給権者等に係る経過措置）

第七条　昭和六十年改正法附則第七十八条第十一項の規定によりなお従前の例によるものとされた昭和六十年改正法第三条の規定による改正前の厚生年金保険法（次項において「旧厚生年金保険法」という。）第三十七条の規定その他未支給の保険給付の支給に関する規定であって政令で定めるものにより未支給の保険給付の支給を請求することができる者については、厚生年金保険法第三十七条の規定により未支給の保険給付の支給を請求することができる者とみなして、第三号改正後厚生年金保険法第二十八条の二第二項の規定を適用する。

2　昭和六十年改正法附則第七十八条第一項の規定によりなお従前の例によるものとされた旧厚生年金保険法による遺族年金その他死亡を支給事由とする年金たる保険給付であって政令で定めるものを受けることができる者については、厚生年金保険法による遺族厚生年金を受けることができる遺族とみなして、第三号改正後厚生年金保険法第二十八条の二第二項の規定を適用する。

3　前二項の場合において、第三号改正後厚生年金保険法第二十八条の二第二項の規定の適用に関し必要な読替えその他必要な事項は、政令で定める。

（国民年金の保険料の納付の特例）

第十条　平成二十七年十月一日から平成三十年九月三十日までの間、国民年金の被保険者又は被保険者であった者（国民年金法による老齢基礎年金の受給権者を除く。）は、厚生労働大臣の承認を受け、その者の国民年金の被保険者期間のうち、国民年金の保険料納付済期間（同法第五条第一項に規定する保険料納付済期間をいう。以下同じ。）及び保険料免除期間（同条第二項に規定する保険料免除期間をいう。）以外の期間（承認の日の属する月前五年以内の期間であって、当該期間に係る国民年金の保険料を徴収する権利が時効によって消滅しているものに限る。）の各月につき、当該各月の国民年金の保険料に相当する額に政令で定める額を加算した額の国民年金の保険料（以下この条において「後納保険料」という。）を納付することができる。

2　厚生労働大臣は、前項の承認を行うに際して、同項の承認を

受けようとする者が納期限までに納付しなかった国民年金の保険料であってこれを徴収する権利が時効によって消滅していないもの（以下この項において「滞納保険料」という。）の全部又は一部を納付していないときは、当該滞納保険料の納付を求めるものとする。

3　第一項の規定による後納保険料の納付は、先に経過した月の国民年金の保険料に係る後納保険料から順次に行うものとする。

4　第一項の規定により後納保険料の納付が行われたときは、納付が行われた日に、納付に係る月の国民年金の保険料が納付されたものとみなす。

5　前項の場合における国民年金法第八十七条の二第二項の規定の適用については、同項中「第九十四条第四項」とあるのは、「第九十四条第四項又は政府管掌年金事業等の運営の改善のための国民年金法等の一部を改正する法律（平成二十六年法律第六十四号）附則第十条第四項」とする。

6　第一項の規定により後納保険料を納付した者に対する昭和六十年改正法附則第十八条の規定の適用については、同条第一項中「同日以後の国民年金の被保険者期間」とあるのは、「同日以後に政府管掌年金事業等の運営の改善のための国民年金法等の一部を改正する法律（平成二十六年法律第六十四号）附則第十条第一項の規定による納付が行われたことにより保険料納付済期間」とする。

7　第一項の規定による厚生労働大臣の承認の権限に係る事務は、日本年金機構に行わせるものとする。この場合において、日本年金機構法第二十三条第三項中「国民年金法」とあるのは「国民年金法若しくは政府管掌年金事業等の運営の改善のための国民年金法等の一部を改正する法律（平成二十六年法律第六十四号）」と、同法第二十六条第二項中「国民年金法」とあるのは「国民年金法若しくは政府管掌年金事業等の運営の改善のための国民年金法等の一部を改正する法律」と、同法第二十七条第一項第二号中「に規定する権限に係る事務、同法」とあるのは「及び政府管掌年金事業等の運営の改善のための国民年金法等の一部を改正する法律附則第十条第七項に規定する権限に係る事務、国民年金法」と、同法第四十八条第一項中「国民年金法」とあるのは「国民年金法若しくは政府管掌年金事業等の運営の改善のための国民年金法等の一部を改正する法律」とする。

8　国民年金法第百九条の四第三項、第四項、第六項及び第七項の規定は、前項の承認の権限について準用する。この場合において、必要な技術的読替えは、政令で定める。

9　第一項の規定による厚生労働大臣の承認の権限は、厚生労働省令で定めるところにより、地方厚生局長に委任することができる。

10　前項の規定により地方厚生局長に委任された権限は、厚生労働省令で定めるところにより、地方厚生支局長に委任することができる。

11　前各項に定めるもののほか、後納保険料の納付手続その他後納保険料の納付について必要な事項は、政令で定める。

（国民年金の保険料の納付の特例に関する経過措置）

第十一条　国民年金法附則第九条の四の三第一項に規定する特定保険料納付期限日までの間における前条の規定の適用については、同条第一項中「限る」とあるのは、「限り、同法附則第九条の四の二第二項に規定する特定期間を除く」とする。

（特定付加保険料の納付）

第十二条　第七号施行日から起算して三年を経過する日（以下「特定付加保険料納付期限日」という。）までの間において、国民年金の被保険者又は被保険者であった者（国民年金法第八十七条の二第一項の規定による保険料（以下この条及び次条において「付加保険料」という。）を納付する者となった期間を有する者であって、付加保険料を納期限までに納付しなかったことにより公的年金制度の財政基盤及び最低保障機能の強化等のための国民年金法等の一部を改正する法律（平成二十四年法律第六十二号）第一条の規定による改正前の国民年金法（以下この項において「平成二十四年改正前国民年金法」という。）第八十七条の二第四項の規定の適用を受けたものに限る。）は、厚生労働大臣の承認を受け、その者の国民年金法第七条第一項第一号に規定する第一号被保険者（附則第十四条第一項において「第一号被保険者」という。）としての被保険者期間（政令で定める期間を除く。）であって、付加保険料に係る保険料納付済期間以外の保険料納付済期間のうち、付加保険料を納期限までに納付しなかったことによる平成二十四年改正前国民年金法第八十七条の二第四項の規定の適用をしなかったとしたならば付加保険料を納付する者となった期間（承認の日の属する月前十年以内の期間に限る。次条において「特定付加対象期間」という。）の各月につき、当該各月の付加保険料に相当する額の国民年金の保険料（以下「特定付加保険料」という。）を納付することができる。

2　前項の規定による特定付加保険料の納付は、先に経過した月の付加保険料に係る特定付加保険料から順次に行うものとする。

3　第一項の規定により特定付加保険料の納付が行われたときは、納付が行われた日に、納付に係る月の付加保険料が納付されたものとみなす。

4　国民年金法による老齢基礎年金の受給権者（付加保険料に係る保険料納付済期間を有する者を除く。）が第一項の規定による特定付加保険料の納付を行った場合における同法第四十三条の規定の適用については、同条中「老齢基礎年金の受給権を取得した」とあるのは、「政府管掌年金事業等の運営の改善のための国民年金法等の一部を改正する法律（平成二十六年法律第六十四号）附則第十二条第一項の規定により同項に規定する特定付加保険料を納付した」とする。

5　国民年金法による付加年金（次条において「付加年金」という。）の受給権者が第一項の規定による特定付加保険料の納付を行ったときは、納付が行われた日の属する月の翌月から、年金額を改定する。ただし、当該受給権者が同条第一項に規定する特定受給者である場合であって、当該受給権者について、第三項の規定により付加保険料が納付されたものとみなされた当該納付に係る月数が、同条第一項に規定する特例付加納付済期間の月数に満たないときは、この限りでない。

6　前各項に定めるもののほか、特定付加保険料の納付手続その他特定付加保険料の納付について必要な事項は、政令で定める。

（特定受給者の付加年金の特例）

第十三条　特定付加対象期間を有する者であって、第七号施行日において当該特定付加対象期間が付加保険料に係る保険料納付済期間であるものとして付加年金を受けているもの（付加年金の全部につき支給が停止されている者を含む。次項において「特定受給者」という。）が有する特例付加納付済期間（特定付加対象期間のうち、第七号施行日において付加保険料に係る保険料納付済期間であるものとされていた特定付加対象期間をいう。）は、国民年金法その他の政令で定める法令の規定（付加年金に係るものに限る。）を適用する場合においては、特定付加保険料納付期限日までの間、付加保険料に係る保険料納付済期間とみなす。

2　特定受給者の付加年金については、前条第五項の規定により改定された場合を除き、特定付加保険料納付期限日の属する月の翌月に、年金額を改定する。

（国民年金の保険料の免除の特例）

第十四条　平成二十八年七月から令和十二年六月までの期間において、五十歳に達する日の属する月の前月までの被保険者期間（三十歳に達した日の属する月以後の期間に限る。以下この項において同じ。）がある第一号被保険者又は第一号被保険者であった者であって次の各号のいずれかに該当するものから申請があったときは、厚生労働大臣は、当該被保険者期間のうちその指定する期間（国民年金法第九十条第一項若しくは第九十条の二第一項から第三項までの規定の適用を受ける期間又は同法第九十条第一項に規定する学生等（以下この項において「学生等」という。）である期間若しくは学生等であった期間を除く。）に係る国民年金の保険料については、同法第八十八条第一項の規定にかかわらず、既に納付されたものを除き、これを納付することを要しないものとし、申請のあった日以後、当該保険料に係る期間を同法第五条第三項に規定する保険料全額免除期間（同法第九十四条第一項の規定により追納が行われた場合にあっては、当該追納に係る期間を除く。）に算入することができる。ただし、配偶者が次の各号のいずれにも該当しないときは、この限りでない。

一　当該保険料を納付することを要しないものとすべき月の属する年の前年の所得（一月から厚生労働省令で定める月までの月分の保険料については、前々年の所得とする。）が、その者の所得税法（昭和四十年法律第三十三号）に規定する同一生計配偶者及び扶養親族の有無及び数に応じて、政令で定める額以下であるとき。

二　国民年金法第九十条第一項第二号及び第三号に該当するとき。

三　国民年金の保険料を納付することが著しく困難である場合として天災その他の厚生労働省令で定める事由があるとき。

2　国民年金法第九十条第二項及び第三項の規定は、前項の場合に準用する。

3　第一項の規定により保険料を納付することを要しないものとされた者及び同項の規定により納付することを要しないものとされた保険料については、国民年金法その他の法令の規定を適用する場合においては、同法第九十条の三第一項の規定により保険料を納付することを要しないものとされた者及び同項の規定により納付することを要しないものとされた保険料とみなすほか、これらの規定の適用に関し必要な事項は、政令で定める。

4　国民年金法附則第五条第一項の規定による被保険者については、第一項の規定を適用しない。

5　第一項の規定による厚生労働大臣の申請の受理及び処分の権限に係る事務は、日本年金機構に行わせるものとする。この場合において、日本年金機構法第二十三条第三項中「国民年金法」とあるのは「国民年金法若しくは政府管掌年金事業等の運営の改善のための国民年金法等の一部を改正する法律（平成二十六年法律第六十四号）」と、同法第二十六条第二項中「国民年金法」とあるのは「国民年金法若しくは政府管掌年金事業等の運営の改善のための国民年金法等の一部を改正する法律」と、同法第二十七条第一項第二号中「に規定する権限に係る事務、同法」とあるのは「及び政府管掌年金事業等の運営の改善のための国民年金法等の一部を改正する法律附則第十四条第五項に規定する権限に係る事務、国民年金法」と、同法第四十八条第一項中「国民年金法」とあるのは「国民年金法若しくは政府管掌年金事業等の運営の改善のための国民年金法等の一部を改正する法律」とする。

6　国民年金法第百九条の四第三項、第四項、第六項及び第七項の規定は、前項の申請の受理及び処分の権限について準用する。この場合において、必要な技術的読替えは、政令で定める。

7　第一項の規定による厚生労働大臣の権限は、厚生労働省令で定めるところにより、地方厚生局長に委任することができる。

8　前項の規定により地方厚生局長に委任された権限は、厚生労働省令で定めるところにより、地方厚生支局長に委任することができる。

9　第一項第一号に規定する所得の範囲及びその額の計算方法は、政令で定める。

（指定全額免除申請事務取扱者の事務の特例）

第十五条　第二条の規定（附則第一条第五号に掲げる改正規定に限る。）による改正後の国民年金法（第四項において「第五号改正後国民年金法」という。）第百九条の二第一項に規定する指定全額免除申請事務取扱者は、同項に規定する事務のほか、前条第一項各号のいずれかに該当する国民年金法第七条第一項第一号に規定する第一号被保険者又は第一号被保険者であった者（厚生労働省令で定める者に限る。以下この条において「納付猶予要件該当被保険者等」という。）の委託を受けて、納付猶予要件該当被保険者等に係る前条第一項の申請（以下この条において「納付猶予申請」という。）を行うことができる。

2　納付猶予要件該当被保険者等が指定全額免除申請事務取扱者に納付猶予申請の委託をしたときは、前条第一項の規定及び同条第二項において準用する国民年金法第九十条第二項の規定の適用については、当該委託をした日に、納付猶予申請があったものとみなす。

3　指定全額免除申請事務取扱者は、納付猶予要件該当被保険者等から納付猶予申請の委託を受けたときは、遅滞なく、厚生労働省令で定めるところにより、当該納付猶予申請をしなければならない。

4　指定全額免除申請事務取扱者が行う納付猶予申請に関する事務は、第五号改正後国民年金法第百九条の二第一項の事務とみなして、同条第四項から第八項までの規定（これらの規定に係る罰則を含む。）を適用する。この場合において、必要な技術的読替えは、政令で定める。

（延滞金の割合の特例等に関する経過措置）

第十七条 次の各号に掲げる規定は、当該各号に定める規定に規定する延滞金（第十五号にあっては、加算金。以下この条において同じ。）のうち平成二十七年一月一日以後の期間に対応するものについて適用し、当該延滞金のうち同日前の期間に対応するものについては、なお従前の例による。

一 第一条の規定による改正後の国民年金法附則第九条の二の五（厚生年金保険の保険給付及び国民年金の給付の支払の遅延に係る加算金の支給に関する法律（平成二十一年法律第三十七号。以下この条において「年金給付遅延加算金支給法」という。）第六条第二項の規定により国民年金法の規定の例によることとされる場合を含む。） 国民年金法第九十七条第一項（同法第百三十四条の二第一項において準用する場合及び第百三十七条の二十一第二項において読み替えて準用する場合並びに年金給付遅延加算金支給法第六条第二項の規定により国民年金法の規定の例によることとされる場合を含む。）

二～十八 〔略〕

附 則 （平二六・六・一三法六九）（抄）

（施行期日）

第一条 この法律は、行政不服審査法（平成二十六年法律第六十八号）の施行の日〔平二八・四・一〕から施行する。

附 則 （平二七・九・九法六五）（抄）

（施行期日）

第一条 この法律は、公布の日から起算して二年を超えない範囲内において政令で定める日〔平二九・五・三〇〕から施行する。ただし、次の各号に掲げる規定は、当該各号に定める日から施行する。

一・二 〔略〕

三 〔前略〕附則〔中略〕第十六条〔中略〕の規定 番号利用法附則第一条第四号に掲げる規定の施行の日〔平二八・一・一〕

四～六 〔略〕

附 則 （平二八・六・三法六六）（抄）

（施行期日）

第一条 この法律は、平成二十九年一月一日から施行する。〔ただし書略〕

（国民年金法の一部改正に伴う経過措置）

第八条 この法律の施行の際現に第七条の規定による改正前の国民年金法（以下この条において「改正前国民年金法」という。）第百二十四条第二項ただし書の規定により選挙された国民年金基金の理事である者は、施行日に、第七条の規定による改正後の国民年金法（次項において「改正後国民年金法」という。）第百二十四条第二項ただし書の規定により国民年金基金の理事として選挙されたものとみなす。この場合において、その選挙されたものとみなされる者の任期は、同条第七項の規定にかかわらず、施行日における改正前国民年金法第百二十四条第二項ただし書の規定により選挙された国民年金基金の理事としての任期の残任期間と同一の期間とする。

2 この法律の施行の際現に改正前国民年金法第百三十七条の十二第二項ただし書の規定により選任された国民年金基金連合会の理事である者は、施行日に、改正後国民年金法第百三十七条の十二第二項ただし書の規定により国民年金基金連合会の理事として選任されたものとみなす。この場合において、その選任されたものとみなされる者の任期は、同条第七項の規定にかかわらず、施行日における改正前国民年金法第百三十七条の十二第二項ただし書の規定により選任された国民年金基金連合会の理事としての任期の残任期間と同一の期間とする。

附 則 （平二八・一二・二六法一一四）（抄）

改正 令二・六・五法四〇

（施行期日）

第一条 この法律は、公布の日から施行する。ただし、次の各号に掲げる規定は、当該各号に定める日から施行する。

一 〔略〕

二 第七条の規定 平成二十九年四月一日

三 〔前略〕次条第二項〔中略〕の規定 平成二十九年十月一日

四 第一条中国民年金法第二十七条の三第一項、第二十七条の四及び第二十七条の五の改正規定並びに第三条中厚生年金保険法第四十三条の三第一項、第四十三条の四及び第四十三条の五の改正規定並びに同法附則第十七条の七第四項の改正規定並びに附則第三条〔中略〕の規定〔中略〕 平成三十年四月一日

五 第一条中国民年金法第五条第一項の改正規定、同法第八十七条第三項の表の改正規定、同法第八十七条の二第二項の改正規定、同法第八十八条の次に一条を加える改正規定並びに同法第八十九条第一項、第百六条第一項及び第百八条第二項の改正規定並びに同法附則第五条第十一項の改正規定並びに附則第四条及び第十一条の規定 平成三十一年四月一日

六 第二条〔中略〕の規定〔中略〕 令和三年四月一日

（検討）

第二条 政府は、この法律の施行後速やかに、この法律の施行の状況等を勘案し、公的年金制度を長期的に持続可能な制度とする取組を更に進め、社会経済情勢の変化に対応した保障機能を一層強化し、並びに世代間及び世代内の公平性を確保する観点から、公的年金制度及びこれに関連する制度について、持続可能な社会保障制度の確立を図るための改革の推進に関する法律（平成二十五年法律第百十二号）第六条第二項各号に掲げる事項その他必要な事項（次項に定める事項を除く。）について検討を加え、その結果に基づいて必要な措置を講ずるものとする。

2 政府は、年金積立金管理運用独立行政法人（以下「管理運用法人」という。）による年金積立金の運用の状況その他第五条の規定による改正後の年金積立金管理運用独立行政法人法（以下「新管理運用法人法」という。）の施行の状況、その運用についての国民の意識、委任を受けて他人のために資産の管理及び運用を行う者による投資先の事業者に対する株主としての関与の動向等を勘案し、管理運用法人による年金積立金の運用が市場その他民間活動に与える影響を踏まえつつ、その運用の在り方について検討を加え、必要があると認めるときは、その結果に基づき、前条第三号に掲げる規定の施行後三年を目途として、必要な措置を講ずるものとする。

（改定率の改定に関する経過措置）

第三条 第一条の規定による改正後の国民年金法（以下この条及び次条において「改正後国民年金法」という。）第二十七条の

三第一項に規定する基準年度が平成三十年度前である者に対する改正後国民年金法第二十七条の五（改正後国民年金法又は他の法令において、同条の規定を引用し、準用し、又はその例による場合を含む。以下この条において同じ。）の規定の適用については、改正後国民年金法第二十七条の五第一項第二号中「基準年度である」とあるのは「平成三十年度である」と、同条第三項第一号中「基準年度における」とあるのは「平成三十年度における」と、同号イ中「基準年度」とあるのは「平成三十年度」とする。

（国民年金保険料の免除に関する経過措置）

第四条　改正後国民年金法第八十八条の二の規定は、平成三十一年四月以後の期間に係る国民年金法第八十七条第一項に規定する保険料について適用する。

附　則（平二九・三・三一法四）（抄）

改正　令二・三・三一法八

（施行期日）

第一条　この法律は、平成二十九年四月一日から施行する。ただし、次の各号に掲げる規定は、当該各号に定める日から施行する。

一～三　〔略〕

四　次に掲げる規定　平成三十年一月一日

イ　〔前略〕附則〔中略〕第百二十二条及び第百二十三条の規定

ロ～ホ　〔略〕

五～十八　〔略〕

（国民年金法等の一部改正に伴う経過措置）

第百二十三条　前条（第一号に係る部分に限る。）の規定による改正後の国民年金法第三十六条の三第一項の規定は、令和元年八月以後の月分の国民年金法第三十条の四の規定による障害基礎年金の支給停止について適用し、同年七月以前の月分の当該障害基礎年金の支給停止については、なお従前の例による。

2・3　〔略〕

4　前条（第五号に係る部分に限る。）の規定による改正後の国民年金法等の一部を改正する法律附則第十九条第二項（第一号に係る部分に限る。）の規定は、国民年金の保険料を納付することを要しないものとすべき月が令和元年における同号の厚生労働省令で定める月（以下この項において「基準月」という。）の翌月以後である場合における当該保険料の免除の特例について適用し、当該保険料を納付することを要しないものとすべき月が基準月以前である場合における当該保険料の免除の特例については、なお従前の例による。

5　前条（第八号に係る部分に限る。）の規定による改正後の政府管掌年金事業等の運営の改善のための国民年金法等の一部を改正する法律附則第十四条第一項（第一号に係る部分に限る。）の規定は、国民年金の保険料を納付することを要しないものとすべき月が令和元年における同号の厚生労働省令で定める月（以下この項において「基準月」という。）の翌月以後である場合における当該保険料の免除の特例について適用し、当該保険料を納付することを要しないものとすべき月が基準月以前である場合における当該保険料の免除の特例については、なお従前の例による。

○民法の一部を改正する法律の施行に伴う関係法律の整備等に関する法律（抄）

平二九・六・二
法　四　五

（国民年金法の一部改正に伴う経過措置）

第百八十三条　施行日前に前条の規定による改正前の国民年金法（以下この項において「旧国民年金法」という。）第百一条第三項（旧国民年金法第百三十八条及び附則第九条の三の二第六項において準用する場合を含む。）又は第百二条第五項（旧国民年金法第百三十八条において準用する場合を含む。）に規定する時効の中断の事由が生じた場合におけるその事由の効力については、なお従前の例による。

2　施行日前に年金給付を受ける権利（当該権利に基づき支払期月ごとに又は一時金として支払うものとされる給付の支給を受ける権利を含む。）が生じた場合におけるこれらの権利の消滅時効の期間については、前条の規定による改正後の国民年金法（以下この項において「新国民年金法」という。）第百二条第一項（新国民年金法第百三十八条において準用する場合を含む。）の規定にかかわらず、なお従前の例による。

附　則（抄）

この法律は、民法改正法の施行の日（平三二・四・一）から施行する。〔ただし書略〕

附　則（令元・五・二二法九）（抄）

改正　令二・六・一二法五二

（施行期日）

第一条　この法律は、令和二年四月一日から施行する。〔ただし書略〕

附　則（令二・三・三一法八）（抄）

（施行期日）

第一条　この法律は、令和二年四月一日から施行する。ただし、次の各号に掲げる規定は、当該各号に定める日から施行する。

一　〔略〕

二　次に掲げる規定　令和三年一月一日

イ・ロ　〔略〕

ハ　〔前略〕附則〔中略〕第百四十九条の規定

ニ～ヘ　〔略〕

三～十一　〔略〕

附　則（令二・六・五法四〇）（抄）

（施行期日）

第一条　この法律は、令和四年四月一日から施行する。ただし、次の各号に掲げる規定は、当該各号に定める日から施行する。

一　第一条中国民年金法第八十七条第三項の改正規定（中略）、第六条の規定、第十一条の規定（第五号に掲げる改正規定を除く。）〔中略〕、次条第二項から第五項まで〔中略〕、附則第四十二条中国民年金法等の一部を改正する法律（昭和六十年法律第三十四号。次号及び附則第四十二条から第四十五条までにおいて「昭和六十年国民年金等改正法」という。）附則第二十条〔中略〕の改正規定〔中略〕、附則第五十六条の規定〔中略〕　公布の日

二～四　〔略〕

五　第一条の規定（第一号に掲げる改正規定を除く。）〔中

略）、第七条の規定、第十一条中政府管掌年金事業等の運営の改善のための国民年金法等の一部を改正する法律附則第十四条第一項第二号の改正規定〔中略〕、附則第三条から第五条まで〔中略〕及び第四十七条の規定〔中略〕　令和三年四月一日

六　第二条中国民年金法第三十六条の三第一項及び第三十六条の四の改正規定〔中略〕　令和三年八月一日

七・八　〔略〕

九　第三条〔中略〕並びに附則第七条〔中略〕、第四十三条〔中略〕の規定〔中略〕　令和五年四月一日

十・十一　〔略〕

（検討）

第二条　政府は、この法律の施行後速やかに、この法律による改正後のそれぞれの法律の施行の状況等を勘案し、公的年金制度を長期的に持続可能な制度とする取組を更に進め、社会経済情勢の変化に対応した保障機能を一層強化し、並びに世代間及び世代内の公平性を確保する観点から、公的年金制度及びこれに関連する制度について、持続可能な社会保障制度の確立を図るための改革の推進に関する法律（平成二十五年法律第百十二号）第六条第二項各号に掲げる事項及び公的年金制度の所得再分配機能の強化その他必要な事項（次項及び第四項に定める事項を除く。）について検討を加え、その結果に基づいて必要な措置を講ずるものとする。

2　政府は、この法律の公布の日以後初めて作成される国民年金法第四条の三第一項に規定する財政の現況及び見通し、厚生年金保険法第二条の四第一項に規定する財政の現況及び見通し等を踏まえ、厚生年金保険及び健康保険の適用範囲について検討を加え、その結果に基づいて必要な措置を講ずるものとする。

3　前二項の検討は、これまでの国民年金法第四条の三第一項に規定する財政の現況及び見通し及び厚生年金保険法第二条の四第一項に規定する財政の現況及び見通しにおいて、国民年金法第十六条の二第一項に規定する調整期間の見通しが厚生年金保険法第三十四条第一項に規定する調整期間の見通しと比較して長期化し、国民年金法等の一部を改正する法律（平成十六年法律第百四号）附則第二条第一項第一号に掲げる額と同項第二号に掲げる額とを合算して得た額の同項第三号に掲げる額に対する比率に占める同項第一号に掲げる額に相当する部分に係るものが減少していることが示されていることを踏まえて行うものとする。

4　政府は、国民年金の第一号被保険者に占める雇用者の割合の増加の状況、雇用によらない働き方をする者の就労及び育児の実態等を踏まえ、国民年金の第一号被保険者の育児期間に係る保険料負担に対する配慮の必要性並びに当該育児期間について措置を講ずることとした場合におけるその内容及び財源確保の在り方等について検討を行うものとする。

5・6　〔略〕

（寡婦年金に関する経過措置）

第三条　第一条の規定による改正後の国民年金法第四十九条第一項の規定は、附則第一条第五号に掲げる規定の施行の日（以下「第五号施行日」という。）以後に死亡した同項に規定する夫について適用し、第五号施行日前に死亡した第一条の規定による改正前の国民年金法第四十九条第一項に規定する夫に係る寡婦年金の支給要件については、なお従前の例による。

（国民年金保険料の免除に関する経過措置）

第四条　第一条の規定による改正後の国民年金法第九十条から第九十条の三までの規定、第七条の規定による改正後の国民年金法等の一部を改正する法律附則第十九条の規定及び第十一条の規定による改正後の政府管掌年金事業等の運営の改善のための国民年金法等の一部を改正する法律附則第十四条の規定は、令和三年における国民年金法第九十条第一項第一号、国民年金法等の一部を改正する法律附則第十九条第二項第一号及び政府管掌年金事業等の運営の改善のための国民年金法等の一部を改正する法律附則第十四条第一項第一号の厚生労働省令で定める月の翌月以後の期間に係る国民年金法第八十七条第一項に規定する保険料について適用する。

（国民年金法による脱退一時金の額に関する経過措置）

第五条　国民年金法第五条第一項に規定する保険料納付済期間（同法第七条第一項第一号に規定する第一号被保険者に係るものに限る。）、同法第五条第四項に規定する保険料四分の三免除期間、同条第五項に規定する保険料半額免除期間及び同条第六項に規定する保険料四分の一免除期間が令和三年四月前のみの期間である場合における同法による脱退一時金の額については、なお従前の例による。

（老齢基礎年金の支給の繰下げに関する経過措置）

第六条　第二条の規定による改正後の国民年金法第二十八条の規定は、この法律の施行の日（以下「施行日」という。）の前日において、七十歳に達していない者について適用する。

（七十歳に達した日後の老齢基礎年金の請求に関する経過措置）

第七条　第三条の規定による改正後の国民年金法第二十八条の規定は、附則第一条第九号に掲げる規定の施行の日（以下「第九号施行日」という。）の前日において、七十一歳に達していない者について適用する。

（昭和六十年国民年金等改正法による支給の繰下げに関する経過措置）

第四十四条　附則第四十二条の規定による改正後の昭和六十年国民年金等改正法附則第十八条第五項の規定は、施行日の前日において、老齢基礎年金の受給権を取得した日から起算して五年を経過していない者について適用する。

（受給権を取得した日から起算して五年を経過した日後の昭和六十年国民年金等改正法による老齢基礎年金の請求に関する経過措置）

第四十五条　附則第四十三条の規定による改正後の昭和六十年国民年金等改正法附則第十八条第五項の規定は、第九号施行日の前日において、老齢基礎年金の受給権を取得した日から起算して六年を経過していない者について適用する。

附　則（令三・五・一九法三七）（抄）

（施行期日）

第一条　この法律は、令和三年九月一日から施行する。〔ただし書略〕

附　則（令四・六・一七法六八）（抄）

（施行期日）

1　この法律は、刑法等一部改正法施行日〔令七・六・一〕から施行する。〔ただし書略〕

附　則（令五・三・三一法三）（抄）

（施行期日）
第一条　この法律は、令和五年四月一日から施行する。ただし、次の各号に掲げる規定は、当該各号に定める日から施行する。
一・二　〔略〕
三　次に掲げる規定　令和六年一月一日
イ・ロ　〔略〕
ハ　〔前略〕附則〔中略〕第六十九条〔中略〕の規定
ニ～ト　〔略〕
四～十三　〔略〕

附　則（令五・六・九法四八）（抄）

（施行期日）
第一条　この法律は、公布の日から起算して一年三月を超えない範囲内において政令で定める日〔令六・五・二七〕から施行する。ただし、次の各号に掲げる規定は、当該各号に定める日から施行する。
一　〔略〕
二　〔前略〕附則〔中略〕第二十二条から第二十五条まで〔中略〕の規定　公布の日から起算して一年六月を超えない範囲内において政令で定める日〔令六・一二・二〕
三・四　〔略〕

＊　国民年金法は、子ども・子育て支援法等の一部を改正する法律（令和六年法四七）により一部改正されたが、令和八年十月一日から施行となるため、一部改正法の形で掲載した。

○子ども・子育て支援法等の一部を改正する法律（抄）

令六・六・一二
法　四　七

（国民年金法の一部改正）

第九条　国民年金法（昭和三十四年法律第百四十一号）の一部を次のように改正する。

第五条第一項中「第八十八条の二」の下に「又は第八十八条の三第一項若しくは第二項」を加える。

第八十七条の二第二項中「第八十八条の二」の下に「若しくは第八十八条の三第一項若しくは第二項」を加える。

第八十八条の二中「日。」の下に「次条第一項、」を加え、同条の次に次の一条を加える。

第八十八条の三　前条の規定の適用を受けた被保険者が同条の出産に係る子を養育する場合においては、当該被保険者は、当該出産予定日から起算して三月を経過した日の属する月から当該出産予定日から起算して十二月を経過した日（当該日の前日までに、当該子が死亡したときその他当該被保険者が当該子を養育しないこととなつた事由として厚生労働省令で定める事由が生じたときは、当該事由が生じた日の翌日）が属する月の前月までの期間（当該子以外の子に係る同条の規定の適用を受ける期間を除く。）に係る保険料は、納付することを要しない。
2　被保険者（前項に規定する被保険者を除く。）は、その子（民法（明治二十九年法律第八十九号）第八百十七条の二第一項の規定により被保険者が当該被保険者との間における同項に規定する特別養子縁組の成立について家庭裁判所に請求した者（当該請求に係る家事審判事件が裁判所に係属している場合に限る。）であつて当該被保険者が現に監護するもの、児童福祉法（昭和二十二年法律第百六十四号）第二十七条第一項（第三号に係る部分に限る。）の規定により同法第六条の四第二号に規定する養子縁組里親である被保険者に委託されている児童及びこれらの被保険者に準ずる者として厚生労働省令で定めるところにより委託されている者を含む。以下この項、第百六条第一項及び第百八条第二項において同じ。）を養育することとなつた日の属する月から当該子が一歳に達する日（当該子が一歳に達する日の前日までに、当該子が死亡したときその他当該被保険者が当該子を養育しないこととなつた事由として厚生労働省令で定める事由が生じたときは、当該事由が生じた日）の翌日が属する月の前月までの期間（当該子以外の子に係る前条の規定の適用を受ける期間を除く。）に係る保険料は、納付することを要しない。
3　前二項の規定により納付することを要しないものとされた保険料に相当する額については、政令で定めるところにより、子ども・子育て支援法（平成二十四年法律第六十五号）の規定により政府が徴収する子ども・子育て支援納付金により補塡するものとする。
第八十九条第一項中「前条及び」を「第八十八条の二、前条第一項及び第二項並びに」に改める。

第百三条中「（明治二十九年法律第八十九号）」を削る。

第百六条第一項中「出産予定日に関する書類」の下に「、子の養育の状況に関する書類」を加える。

第百八条第二項中「出産予定日」の下に「若しくは子の養育の状況」を加える。

附則第九条の二の五の次に次の一条を加える。

（保険料の免除に要する費用の財源の特例）

第九条の二の六　令和八年度から令和十年度までの間における第八十八条の三第三項の規定の適用については、同項中「子ども・子育て支援納付金」とあるのは、「子ども・子育て支援納付金及び同法第七十一条の二十六第二項に規定する子ども・子育て支援特例公債の発行収入金」とする。

附　則（抄）

（施行期日）
第一条　この法律は、令和六年十月一日から施行する。ただし、次の各号に掲げる規定は、当該各号に定める日から施行する。
一～五　〔略〕

六　次に掲げる規定　令和八年十月一日
イ　〔略〕
ロ　第九条及び附則第十条の規定
ハ　〔略〕

（国民年金法の一部改正に伴う経過措置）
第十条　第九条の規定による改正後の国民年金法第八十八条の三の規定は、令和八年十月以後の各月の同法第八十七条第一項に規定する保険料について適用する。

＊　国民年金法は、事業性融資の推進等に関する法律（令和六年法五二）の附則により一部改正されたが、公布の日から起算して二年六月を超えない範囲内において政令で定める日から施行となるため、一部改正法の形で掲載した。

○事業性融資の推進等に関する法律（抄）

令六・六・一四
法　五　二

（医療法及び国民年金法の一部改正）
第三十二条　次に掲げる法律の規定中「及び第二項」の下に「並びに事業性融資の推進等に関する法律（令和六年法律第五十二号）第二十六条第一項」を加え、「同法」を「民法」に改める。
一　〔略〕
二　国民年金法（昭和三十四年法律第百四十一号）第百三十七条の三の十四

附　則（抄）

（施行期日）
第一条　この法律は、公布の日から起算して二年六月を超えない範囲内において政令で定める日から施行する。〔ただし書略〕

○国民年金法施行令（抄）

昭三四・五・二五
政令一八四

最終改正　令六・六・一四政令二〇九

（共済組合等に行わせる事務）
第一条　国民年金法（以下「法」という。）第三条第二項の規定により、次に掲げる事務は、同項に規定する共済組合（国家公務員共済組合連合会又は全国市町村職員共済組合連合会を組織する共済組合にあつては、それぞれ当該連合会）又は日本私立学校振興・共済事業団に行わせる。
一　厚生年金保険法（昭和二十九年法律第百十五号）第七十八条の二十二に規定する各号の厚生年金被保険者期間のうち同条に規定する一の期間（同法第二条の五第一項第二号に規定する第二号厚生年金被保険者期間（以下この号において「第二号厚生年金被保険者期間」という。）、同項第三号に規定する第三号厚生年金被保険者期間（以下この号において「第三号厚生年金被保険者期間」という。）又は同項第四号に規定する第四号厚生年金被保険者期間に限る。）のみを有する者（第二号厚生年金被保険者期間又は第三号厚生年金被保険者期間のみを有する者にあつては、第二号厚生年金被保険者期間又は第三号厚生年金被保険者期間のうちに一の法第三条第二項に規定する共済組合（以下単に「共済組合」という。）の組合員（以下「組合員」という。）であつた期間のみを有する者（国家公務員共済組合連合会又は全国市町村職員共済組合連合会を組織する共済組合の組合員であつた期間のみを有する者を含む。）に限る。）その他これに準ずる者として厚生労働省令で定める者に係る老齢基礎年金（法附則第九条の二第三項の規定により支給するものを除く。）を受ける権利の裁定の請求の受理及びその請求に係る事実についての審査に関する事務
二　組合員又は私立学校教職員共済法（昭和二十八年法律第二百四十五号）の規定による私立学校教職員共済制度の加入者（以下この号及び第二条第二項において「私学教職員共済制

度の加入者」という。）であつた間に初診日がある傷病による障害に係る障害基礎年金（法第三十一条の規定による障害基礎年金については、組合員又は私学教職員共済制度の加入者であつた間に後の障害に係る初診日がある傷病による障害に係るものに限る。）、国民年金法等の一部を改正する法律の施行に伴う経過措置に関する政令（昭和六十一年政令第五十四号。以下「経過措置政令」という。）第二十九条第五項又は第三十四条から第三十八条までの規定の適用を受けることにより支給される障害基礎年金その他これらに準ずるものとして厚生労働省令で定める障害基礎年金を受ける権利の裁定の請求の受理及びその請求に係る事実についての審査、当該障害基礎年金の額の改定の請求の受理、当該障害基礎年金に係る障害の程度の診査並びに法第三十四条第四項（国民年金法等の一部を改正する法律の施行に伴う経過措置に関する政令（平成元年政令第三百三十七号）第二条の規定により読み替えて適用する場合を含む。）の規定による当該障害基礎年金の額の改定の請求に係る事実についての審査に関する事務

三　第一号に規定する者の死亡に係る遺族基礎年金を受ける権利の裁定の請求の受理及びその請求に係る事実についての審査に関する事務

四　第十五条第一項の規定により同項に規定する共済払いの基礎年金の支払に関する事務を行わせる場合にあつては、法第百五条第三項及び第四項に規定する届出等（第十五条第一項に規定する共済払いの基礎年金の受給権者に係るものに限る。）の受理及びその届出に係る事実についての審査に関する事務

五　厚生年金保険法施行令（昭和二十九年政令第百十号）第四条の二の十四第一項の規定により厚生年金保険法第二条の五第一項に規定する実施機関（厚生労働大臣を除く。）が受理及び事実についての審査に関する事務を行うものとされた同令第四条の二の十四第一項に規定する申請等に併せて行われる法及び法に基づく又は法を実施するための命令（これらの法令の改正の際の経過措置を含む。）の規定による申請、請求、申出及び届出（厚生労働省令で定めるものに限る。以下この号において「申請等」という。）の受理及び当該申請等に係る事実についての審査に関する事務

2　厚生労働大臣は、前項第一号、第二号又は第五号に規定する厚生労働省令を定めるときは、共済組合（国家公務員共済組合連合会及び全国市町村職員共済組合連合会を組織するものを除く。）、国家公務員共済組合連合会及び全国市町村職員共済組合連合会並びに日本私立学校振興・共済事業団を所管する大臣に協議しなければならない。

（市町村が処理する事務）

第一条の二　法第三条第三項の規定により、次に掲げる事務は、市町村長（特別区の区長を含む。以下同じ。）が行うこととする。この場合においては、法の規定中当該事務に係る厚生労働大臣に関する規定は、市町村長に関する規定として市町村長に適用があるものとする。

一　法附則第五条第一項、第二項及び第四項、国民年金法等の一部を改正する法律（平成六年法律第九十五号。以下「平成六年改正法」という。）附則第十一条第一項、第二項及び第五項並びに国民年金法等の一部を改正する法律（平成十六年法律第百四号。以下「平成十六年改正法」という。）附則第二十三条第一項、第二項及び第五項に規定する申出の受理及びその申出（法附則第五条第二項、平成六年改正法附則第十一条第二項及び平成十六年改正法附則第二十三条第二項に規定する申出を除く。）に係る事実についての審査に関する事務

二　削除

三　法第十六条に規定する給付を受ける権利の裁定（次に掲げる給付を受ける権利の裁定に限る。）の請求の受理及びその請求に係る事実についての審査に関する事務

イ　法第七条第一項第一号に規定する第一号被保険者（法附則第五条第一項の規定による被保険者、平成六年改正法附則第十一条第一項の規定による被保険者、平成十六年改正法附則第二十三条第一項の規定による被保険者及び国民年金法等の一部を改正する法律（昭和六十年法律第三十四号。以下「昭和六十年改正法」という。）第一条の規定による改正前の法（以下「旧法」という。）による被保険者を含む。以下「第一号被保険者」という。）としての被保険者期間のみを有する者（厚生年金保険法第七十八条の七に規定する離婚時みなし被保険者期間を有する者を除く。）に支給する老齢基礎年金（昭和六十年改正法附則第十五条第一項又は第二項の規定により支給するものを除く。）

ロ　法附則第九条の三の規定による老齢年金

ハ　第一号被保険者であつた間に初診日がある傷病又は法第三十条第一項第二号に規定する者であつた間に初診日がある傷病（当該初診日が昭和六十一年四月一日以後にあるものに限る。）による障害に係る障害基礎年金（法第三十一条第一項の規定によるものを除く。）、経過措置政令第二十九条第三項又は第三十一条の規定の適用を受けることにより支給される障害基礎年金（法第三十一条第一項の規定によるものを除く。）、法第三十条の四の規定による障害基礎年金及び法第三十一条第一項の規定による障害基礎年金（当該障害基礎年金と同一の支給事由に基づく厚生年金保険法による障害厚生年金若しくは平成二十四年一元化法改正前共済年金（被用者年金制度の一元化等を図るための厚生年金保険法等の一部を改正する法律（平成二十四年法律第六十三号。以下「平成二十四年一元化法」という。）附則第三十七条第一項に規定する改正前国共済法による年金である給付（以下「平成二十四年一元化法改正前国共済年金」という。）、平成二十四年一元化法改正前地共済年金（平成二十四年一元化法附則第六十一条第一項に規定する改正前地共済法による年金である給付をいう。以下同じ。）及び平成二十四年一元化法改正前私学共済年金（平成二十四年一元化法附則第七十九条に規定する改正前私学共済法による年金である給付をいう。以下同じ。）をいう。以下同じ。）のうち障害共済年金若しくは平成二十四年一元化法附則第四十一条第一項若しくは第六十五条第一項の規定による障害共済年金の受給権を有することとなる者又は経過措置政令第四十三条に規定する障害年金の受給権者に係るものを除く。）

ニ　第一号被保険者の死亡により法第三十七条の規定による遺族基礎年金の受給権を有することとなる者に係る遺族基

礎年金（当該遺族基礎年金と同一の支給事由に基づく厚生年金保険法による遺族厚生年金又は平成二十四年一元化法改正前共済年金のうち遺族共済年金若しくは平成二十四年一元化法附則第四十一条第一項若しくは第六十五条第一項の規定による遺族共済年金の受給権を有することとなる者に係るものを除く。）

ホ　寡婦年金

ヘ　死亡一時金

ト　昭和六十年改正法附則第九十四条第二項の規定により支給する特別一時金

四　法第十九条第一項に規定する請求（次に掲げる年金たる給付に係るものに限る。）の受理及びその請求に係る事実についての審査に関する事務

イ　第一号被保険者若しくは法第七条第一項第三号に規定する第三号被保険者（以下「第三号被保険者」という。）であつた間に初診日がある傷病又は法第三十条第一項第二号に規定する者であつた間に初診日がある傷病（当該初診日が昭和六十一年四月一日以後にあるものに限る。）による障害に係る障害基礎年金（法第三十一条第一項の規定によるものを除く。）、経過措置政令第二十九条第三項又は第三十一条の規定の適用を受けることにより支給される障害基礎年金（法第三十一条第一項の規定によるものを除く。）、法第三十条の四の規定による障害基礎年金及び法第三十一条第一項の規定による障害基礎年金（当該障害基礎年金と同一の支給事由に基づく厚生年金保険法による障害厚生年金若しくは平成二十四年一元化法改正前共済年金のうち障害共済年金若しくは平成二十四年一元化法附則第四十一条第一項若しくは第六十五条第一項の規定による障害共済年金の受給権を有することとなる者又は経過措置政令第四十三条に規定する障害年金の受給権者に係るものを除く。）

ロ　遺族基礎年金（当該遺族基礎年金と同一の支給事由に基づく厚生年金保険法による遺族厚生年金又は平成二十四年一元化法改正前共済年金のうち遺族共済年金若しくは平成二十四年一元化法附則第四十一条第一項若しくは第六十五条第一項の規定による遺族共済年金の受給権を有することとなる者に係るものを除く。）

ハ　寡婦年金

五　法第二十条第二項（昭和六十年改正法附則第十一条第四項において準用する場合を含む。）、第四十一条の二並びに第四十二条第一項及び第二項に規定する申請（前号イからハまでに掲げる年金たる給付の受給権者に係るものに限る。）の受理に関する事務

六　第四号イに規定する障害基礎年金の額の改定の請求の受理に関する事務

七　法第八十七条の二第一項及び第三項に規定する申出の受理及びその申出に係る事実についての審査に関する事務

八　法第八十九条第二項に規定する申出の受理及びその申出に係る事実についての審査に関する事務

九　法第九十条第一項及び第三項（法第九十条の二第四項、平成十六年改正法附則第十九条第三項及び政府管掌年金事業等の運営の改善のための国民年金法等の一部を改正する法律（平成二十六年法律第六十四号。以下「平成二十六年改正法」という。）附則第十四条第二項において準用する場合を含む。）、第九十条の二第一項から第三項まで並びに第九十条の三第一項、平成十六年改正法附則第十九条第一項及び第二項並びに平成二十六年改正法附則第十四条第一項に規定する申請の受理及びその申請に係る事実についての審査に関する事務

十　法第百五条第一項、第三項及び第四項に規定する届出等（同条第三項及び第四項に規定する届出等については、第四号イからハまでに掲げる年金たる給付の受給権者に係るものに限る。）の受理及びその届出に係る事実についての審査に関する事務

十一　旧法第十六条及び第八十三条に規定する裁定の請求の受理及びその請求に係る事実についての審査に関する事務

十二　旧法による障害年金の額の改定の請求の受理に関する事務

（管轄）

第二条　法及び第一条の二の規定により市町村（特別区を含む。以下同じ。）が処理することとされている事務は、第一号被保険者若しくは第一号被保険者であつた者の住所地（日本国内に住所がない第一号被保険者であつた者にあつては、厚生労働大臣が定める地）又は受給権者の住所地（日本国内に住所がないときは、受給権者の日本国内における最後の住所地）の市町村長が行うものとする。

2　第一条第一項第二号に掲げる事務は、受給権者が同号に規定する障害基礎年金の支給事由となつた障害（法第三十一条第一項の規定による障害基礎年金については、後の障害とする。以下この項において同じ。）に係る初診日（昭和六十一年四月一日前に発した傷病による障害にあつては、当該傷病が発した日）に組合員であつた場合にあつてはその属する共済組合（受給権者がその日に国家公務員共済組合連合会を組織する共済組合の組合員又は全国市町村職員共済組合連合会を組織する共済組合の組合員であつた場合にあつては、それぞれ当該連合会）が行うものとし、私学教職員共済制度の加入者であつた場合にあつては日本私立学校振興・共済事業団が行うものとする。

（法第七条第一項第一号の政令で定める老齢又は退職を支給事由とする給付）

第三条　法第七条第一項第一号に規定する老齢又は退職を支給事由とする給付であつて政令で定めるものは、次のとおりとする。

一　厚生年金保険法による老齢厚生年金及び昭和六十年改正法第三条の規定による改正前の厚生年金保険法（以下「旧厚生年金保険法」という。）による老齢年金

二　昭和六十年改正法第五条の規定による改正前の船員保険法（昭和十四年法律第七十三号。以下「旧船員保険法」という。）による老齢年金

三　平成二十四年一元化法改正前国共済年金のうち退職共済年金（国家公務員共済組合法の長期給付に関する施行法（昭和三十三年法律第百二十九号）第十条第二項の規定によりその全額につき支給を停止されているものを除く。）並びに国家公務員等共済組合法等の一部を改正する法律（昭和六十年法律第百五号。以下「昭和六十年国家公務員共済改正法」という。）第一条の規定による改正前の国家公務員共済組合法（昭和三十三年法律第百二十八号。以下「旧国家公務員等共

済組合法」という。）及び昭和六十年国家公務員共済改正法第二条の規定による改正前の国家公務員共済組合法の長期給付に関する施行法（以下「旧国の施行法」という。）による退職年金（旧国家公務員等共済組合法第七十七条第二項の規定によりその全額につき支給を停止されているものを除く。）及び減額退職年金

三の二　平成二十四年一元化法附則第四十一条第一項の規定による退職共済年金

四　平成二十四年一元化法改正前地共済年金のうち退職共済年金（地方公務員等共済組合法の長期給付等に関する施行法（昭和三十七年法律第百五十三号）第十七条の規定によりその全額につき支給を停止されているものを除く。）並びに地方公務員等共済組合法等の一部を改正する法律（昭和六十年法律第百八号。以下「昭和六十年地方公務員共済改正法」という。）第一条の規定による改正前の地方公務員等共済組合法（昭和三十七年法律第百五十二号。第十一章を除く。以下「旧地方公務員等共済組合法」という。）及び昭和六十年地方公務員共済改正法第二条の規定による改正前の地方公務員等共済組合法の長期給付等に関する施行法（以下「旧地方の施行法」という。）による退職年金（旧地方公務員等共済組合法第七十九条第二項の規定によりその全額につき支給を停止されているものを除く。）及び減額退職年金

四の二　平成二十四年一元化法附則第六十五条第一項の規定による退職共済年金

五　平成二十四年一元化法改正前私学共済年金のうち退職共済年金（私立学校教職員共済組合法等の一部を改正する法律（昭和三十六年法律第百四十号）附則第十五項の規定によりその全額につき支給を停止されているものを除く。）並びに私立学校教職員共済組合法等の一部を改正する法律（昭和六十年法律第百六号）第一条の規定による改正前の私立学校教職員共済組合法（昭和二十八年法律第二百四十五号。以下「旧私立学校教職員共済組合法」という。）による退職年金（旧私立学校教職員共済組合法第二十五条第一項において準用する旧国家公務員等共済組合法第七十七条第二項の規定によりその全額につき支給を停止されているものを除く。）及び減額退職年金

六　移行農林共済年金（厚生年金保険制度及び農林漁業団体職員共済組合制度の統合を図るための農林漁業団体職員共済組合法等を廃止する等の法律（平成十三年法律第百一号。以下「平成十三年統合法」という。）附則第十六条第四項に規定する移行農林共済年金をいう。第六条の五第一項第二号において同じ。）のうち退職共済年金並びに移行農林年金（平成十三年統合法附則第十六条第六項に規定する移行農林年金をいう。第四条の八第二項第七号及び第六条の五第二項第八号において同じ。）のうち退職年金（旧制度農林共済法（平成十三年統合法附則第二条第一項第五号に規定する旧制度農林共済法をいう。第六条の五第二項第八号において同じ。）第三十六条第一項ただし書の規定によりその全額につき支給を停止されているものを除く。）及び減額退職年金

七　恩給法（大正十二年法律第四十八号。他の法律において準用する場合を含む。）による給付であつて退職を支給事由とするもの

八　地方公務員の退職年金に関する条例による年金たる給付であつて退職を支給事由とするもの（年齢を理由としてその全額につき支給を停止されているものを除く。）

九　執行官法の一部を改正する法律（平成十九年法律第十八号）による改正前の執行官法（昭和四十一年法律第百十一号。以下「旧執行官法」という。）附則第十三条の規定による年金たる給付であつて退職を支給事由とするもの（年齢を理由としてその全額につき支給を停止されているものを除く。）

十　国会議員互助年金法を廃止する法律（平成十八年法律第一号。以下この号、第四条の八第一項第六号及び第六条の五第一項第十一号において「互助年金廃止法」という。）附則第七条第一項の普通退職年金（互助年金廃止法附則第七条第二項の規定によりその例によることとされる互助年金廃止法による廃止前の国会議員互助年金法（昭和三十三年法律第七十号）第十五条第一項の規定によりその支給を停止されているものを除く。）及び旧国会議員互助年金法（互助年金廃止法附則第二条第一項の規定によりなおその効力を有することとされる互助年金廃止法による廃止前の国会議員互助年金法をいう。以下この号、第四条の八第一項第六号及び第六条の五第一項第十一号において同じ。）第九条第一項の普通退職年金（旧国会議員互助年金法第十五条第一項の規定によりその支給を停止されているものを除く。）

十一　地方公務員等共済組合法の一部を改正する法律（平成二十三年法律第五十六号。以下この号及び第六条の五第一項第十二号において「平成二十三年地共済改正法」という。）附則第二十三条第一項第三号に規定する存続共済会（第四条の八第一項第七号及び第六条の五第一項第十二号において「存続共済会」という。）が支給する平成二十三年地共済改正法附則第二条の旧退職年金（同条の規定によりなお従前の例によることとされる平成二十三年地共済改正法による改正前の地方公務員等共済組合法第百六十四条第一項の規定によりその支給を停止されているものを除く。）及び平成二十三年地共済改正法附則第十二条第一項の特例退職年金（同条第二項の規定によりその例によることとされる平成二十三年地共済改正法附則第二条の規定によりなお従前の例によることとされる平成二十三年地共済改正法による改正前の地方公務員等共済組合法第百六十四条第一項の規定によりその支給を停止されているものを除く。）

（被扶養配偶者の認定）

第四条　法第七条第二項に規定する主として第二号被保険者の収入により生計を維持することの認定は、健康保険法（大正十一年法律第七十号）、国家公務員共済組合法（昭和三十三年法律第百二十八号）、地方公務員等共済組合法及び私立学校教職員共済法における被扶養者の認定の取扱いを勘案して日本年金機構（以下「機構」という。）が行う。

（被扶養配偶者でなくなつたことの届出に関する技術的読替え）

第四条の二　法第十二条の二第二項の規定により法第十二条第六項から第九項までの規定を準用する場合には、次の表の上欄に掲げる同条の規定中同表の中欄に掲げる字句は、それぞれ同表の下欄に掲げる字句に読み替えるものとする。

第六項	前項	次条第一項
	第三号被保険者	第三号被保険者であった者
	使用する	使用し、又は使用していた
	組合員又は加入者とする	組合員若しくは加入者とし、又は組合員若しくは加入者としていた
第七項及び第八項	使用する	使用し、又は使用していた
第九項	第五項	次条第一項
	使用する	使用し、又は使用していた

（調整期間の開始年度）

第四条の二の二　法第十六条の二第一項に規定する調整期間の開始年度は、平成十七年度とする。

（端数処理）

第四条の三　年金たる給付の額を計算する過程において、五十銭未満の端数が生じたときは、これを切り捨て、五十銭以上一円未満の端数が生じたときは、これを一円に切り上げることができる。

（未支給の年金を受けるべき者の順位）

第四条の三の二　法第十九条第四項に規定する未支給の年金を受けるべき者の順位は、死亡した者の配偶者、子、父母、孫、祖父母、兄弟姉妹及びこれらの者以外の三親等内の親族の順序とする。

（法第二十条第二項の政令で定める規定）

第四条の四　法第二十条第二項に規定する政令で定める規定は、次のとおりとする。

一　昭和六十年改正法附則第十一条第四項において準用する法第二十条第二項本文及び第三項

二　厚生年金保険法第三十八条第二項本文及び第三項（昭和六十年改正法附則第五十六条第三項において準用する場合を含む。）

（法第二十条の二第四項の政令で定める法令の規定等）

第四条の四の二　法第二十条の二第四項に規定する政令で定める法令の規定は、次のとおりとする。

一　労働者災害補償保険法（昭和二十二年法律第五十号）別表第一第一号及び第三号

二　厚生年金保険法第四十四条第一項ただし書

三　国家公務員共済組合法の長期給付に関する施行法第十一条第一項第一号、第十二条、第十三条、第十三条の二第一項及び第四項、第十三条の三第一項及び第四項並びに第十三条の四第一項及び第四項

四　法第四十九条第一項ただし書及び第五十二条の二第一項ただし書

五　児童扶養手当法（昭和三十六年法律第二百三十八号）第十三条の二第一項第一号ただし書、第二項第一号ただし書及び第三項

六　地方公務員等共済組合法の長期給付等に関する施行法第十三条第一項第一号、第十三条の二第一項及び第四項、第二十二条、第二十二条の二第一項及び第四項、第二十七条並びに第二十七条の二第一項及び第四項

七　特別児童扶養手当等の支給に関する法律（昭和三十九年法律第百三十四号）第三条第三項第二号ただし書及び第十七条第一号ただし書

八　国家公務員災害補償法の一部を改正する法律（昭和四十一年法律第六十七号）附則第八条第一項及び第二項

九　地方公務員災害補償法（昭和四十二年法律第百二十一号）附則第八条第一項及び第二項

十　恩給法等の一部を改正する法律（昭和五十一年法律第五十一号）附則第十四条の二第一項

十一　昭和六十年改正法附則第七十三条第一項ただし書

十二　昭和六十年国家公務員共済改正法附則第二十条第二項（私立学校教職員共済法第四十八条の二の規定によりその例によることとされる場合を含む。）、第二十一条第一項（私立学校教職員共済法第四十八条の二の規定によりその例によることとされる場合を含む。）、第二項及び第五項並びに第三十条第二項（私立学校教職員共済法第四十八条の二の規定によりその例によることとされる場合を含む。）

十三　平成十三年統合法附則第十六条第一項及び第二項の規定によりなおその効力を有するものとされた廃止前昭和六十年農林共済改正法（平成十三年統合法附則第二条第一項第三号に規定する廃止前昭和六十年農林共済改正法をいう。）附則第二十六条

十四　昭和六十年地方公務員共済改正法附則第二十条第二項、第二十一条第一項、第二項及び第五項並びに第三十一条第一項

十五　特定障害者に対する特別障害給付金の支給に関する法律（平成十六年法律第百六十六号）第十六条ただし書

十六　健康保険法施行令（大正十五年勅令第二百四十三号）第三十八条ただし書（同条第一号に係る部分に限る。）

十七　船員保険法施行令（昭和二十八年政令第二百四十号）第五条ただし書（同条第一号に係る部分に限る。）、第十四条、第十五条及び第十六条

十八　厚生年金保険法施行令第三条の七ただし書（同条第一号の二に係る部分に限る。）

十九　非常勤消防団員等に係る損害補償の基準を定める政令（昭和三十一年政令第三百三十五号）附則第三条第一項、第二項、第四項及び第五項

二十　公立学校の学校医、学校歯科医及び学校薬剤師の公務災害補償の基準を定める政令（昭和三十二年政令第二百八十三号）附則第三条

二十一　国家公務員共済組合法施行令（昭和三十三年政令第二百七号）第十一条の三の九第二項（同項第一号に係る部分に限る。）（私立学校教職員共済法施行令（昭和二十八年政令第四百二十五号）第六条において準用する場合を含む。）

二十二　地方公務員等共済組合法施行令（昭和三十七年政令第三百五十二号）第二十三条の六第二項（同項第一号に係る部分に限る。）

二十三　経過措置政令第二十八条ただし書（同条第一号に係る部分に限る。）

二十四　国家公務員等共済組合法等の一部を改正する法律の施行に伴う経過措置に関する政令（昭和六十一年政令第五十六号）第二十一条第一項（私立学校教職員共済法第四十八条の二の規定によりその例によることとされる場合を含む。）

二十五　地方公務員等共済組合法等の一部を改正する法律の施行に伴う経過措置に関する政令（昭和六十一年政令第五十八号）第二十五条第一項、第二十五条の二第一項及び第四項並びに第三十一条の二第一項及び第四項

二十六　平成十九年十月以後における旧令による共済組合等からの年金受給者のための特別措置法等の規定による年金の額の改定に関する政令（平成十二年政令第二百四十一号）第二条第七項（同項第三号に係る部分に限る。）

二十七　平成十九年十月以後における旧私立学校教職員共済組合法の規定による年金等の額の改定に関する政令（平成十二年政令第三百四十一号）第三条第三項（同項第二号に係る部分に限る。）

二十八　厚生年金保険制度及び農林漁業団体職員共済組合制度の統合を図るための農林漁業団体職員共済組合法等を廃止する等の法律の施行に伴う移行農林共済年金等に関する経過措置に関する政令（平成十四年政令第四十四号）第十九条第一項第一号、第二項及び第三項

2　前項第四号に掲げる法令の規定について、法第二十条の二第四項の規定を適用する場合においては、同項中「停止されている」とあるのは「停止されていた」と、「停止されていない」とあるのは「受けていた」とする。

（公的年金被保険者総数の算定方法）

第四条の四の三　法第二十七条の四第一項第一号に規定する公的年金被保険者総数は、次に掲げる数を合算した数を十二で除して得た数とする。

一　各年度の各月の末日における第一号被保険者（旧法による被保険者を除く。）の数の総数

二　各年度の各月の末日における厚生年金保険法の被保険者の数の総数

三　各年度の各月の末日における第三号被保険者の数の総数

（支給の繰下げの際に加算する額）

第四条の五　法第二十八条第四項（法附則第九条の三第四項において準用する場合を含む。）に規定する政令で定める額は、法第二十七条（法附則第九条の三第二項においてその例による場合を含む。）の規定（昭和六十年改正法附則第十七条の規定が適用される場合にあつては、同条第一項の規定）によつて計算した額に増額率（千分の七に当該年金の受給権を取得した日の属する月から当該年金の支給の繰下げの申出（法第二十八条第五項の規定により同条第一項の申出があつたものとみなされた場合における当該申出を含む。）をした日の属する月の前月までの月数（当該月数が百二十を超えるときは、百二十）を乗じて得た率をいう。次項において同じ。）を乗じて得た額とする。

2　法第四十六条第二項において準用する法第二十八条第四項に規定する政令で定める額は、法第四十四条の規定によつて計算した額に増額率を乗じて得た額とする。

（障害基礎年金の加算額に係る生計維持の認定）

第四条の七　法第三十三条の二第一項に規定する障害基礎年金の受給権者によつて生計を維持している子は、当該障害基礎年金の受給権者がその権利を取得した当時その者と生計を同じくする者であつて厚生労働大臣の定める金額以上の収入を有すると認められる者以外のものその他これに準ずる者として厚生労働大臣が定める者とする。

2　法第三十三条の二第一項に規定する子が当該障害基礎年金の受給権者と生計を同じくする者であつて前項の厚生労働大臣の定める金額以上の収入を有すると認められる者以外のものその他これに準ずる者として同項の厚生労働大臣が定める者でなくなつたときは、同条第三項第二号に該当するものとする。

（遺族基礎年金等の生計維持の認定）

第六条の四　法第三十七条の二第一項に規定する被保険者又は被保険者であつた者の死亡の当時その者によつて生計を維持していた配偶者又は子及び法第四十九条第一項に規定する夫の死亡の当時その者によつて生計を維持していた妻は、当該被保険者又は被保険者であつた者及び夫の死亡の当時その者と生計を同じくしていた者であつて厚生労働大臣の定める金額以上の収入を将来にわたつて有すると認められる者以外のものその他これに準ずる者として厚生労働大臣が定める者とする。

（指定代理納付者の指定要件）

第六条の十四　法第九十二条の二の二第一項に規定する政令で定める要件は、次に掲げるものとする。

一　指定代理納付者（法第九十二条の二の二第一項に規定する指定代理納付者をいう。）として同項に規定する被保険者の保険料を立て替えて納付する事務（以下この条において「立替納付事務」という。）を適正かつ確実に遂行するに足りる財産的基礎を有すること。

二　その人的構成等に照らして、立替納付事務を適正かつ確実に遂行するに足りる知識及び経験を有し、かつ、十分な社会的信用を有すること。

三　被保険者がクレジットカード等（それを提示し又は通知して、特定の販売業者から商品若しくは権利を購入し、又は特定の役務の提供の事業を営む者から有償で役務の提供を受けることができるカードその他の物又は番号、記号その他の符号をいう。）を提示し又は通知して、商品若しくは権利の購入又は役務の提供を受けることにより支払うこととなる当該商品若しくは権利の代金又は当該役務の対価に相当する額が当該被保険者の支払能力を超えることがないよう必要な措置を講じていること。

（保険料・拠出金算定対象額に乗じる率の計算方法）

第十一条の二　法第九十四条の三第一項に規定する保険料・拠出金算定対象額に乗じる率（以下「拠出金按分率」という。）は、第一号に掲げる数と第二号に掲げる数とを合算した数を、第三号に掲げる数で除して得た率とする。

一　当該年度の各月の末日における当該政府及び実施機関に係る第二号被保険者の数の合計数に、当該年度の九月末日における当該政府及び実施機関に係る第二号被保険者の数に対する同日における当該政府及び実施機関に係る第二号被保険者のうち次条に規定する者の数の比率を乗じて得た数

二　当該年度の各月の末日における第三号被保険者の数の合計数と当該年度において第三号被保険者となつたことに関する法第十二条第五項から第八項までの規定による届出、法附則第七条の三第二項の規定による届出及び平成十六年改正法附則第二十一条第一項の規定による届出が行われた者の当該届出に係る第三号被保険者としての被保険者期間（当該届出が行われた日以後の期間に係るもの及び法附則第七条の三第一項の規定により保険料納付済期間に算入しないものとされた期間（同条第三項及び平成十六年改正法附則第二十一条第二項の規定により保険料納付済期間に算入するものとされた期間を除く。）に係るものを除く。）の総月数とを合算した数から当該年度において法附則第九条の四の二第一項に規定する不整合期間となつた期間の総月数を減じた数に、当該年度の九月末日における当該政府及び実施機関に係る被保険者のうち第三号被保険者である者の数を同日における第三号被保険者の数で除して得た率を乗じて得た数

三　政府及び実施機関ごとに算定される前二号に掲げる数の合計数、当該年度において第一号被保険者又は第一号被保険者であつた者が納付した保険料に係る保険料納付済期間の総月数、保険料四分の一免除期間の総月数の四分の三に相当する月数、保険料半額免除期間の総月数の二分の一に相当する月数及び保険料四分の三免除期間の総月数の四分の一に相当する月数並びに法第八十八条の二の規定により納付することを要しないものとされた保険料に係る保険料納付済期間の総月数を合算した数

（法第九十四条の三第二項の政令で定める者）

第十一条の三　法第九十四条の三第二項に規定する政令で定める者は、第一号被保険者にあつては保険料納付済期間、保険料四分の一免除期間、保険料半額免除期間又は保険料四分の三免除期間を有する者、第二号被保険者にあつては二十歳以上六十歳未満の者、第三号被保険者にあつてはすべての者とする。

（実施機関たる共済組合等に係る基礎年金拠出金の納付）

第十一条の四　各実施機関たる共済組合等は、毎年度、当該年度における保険料・拠出金算定対象額の見込額に当該年度における当該実施機関たる共済組合等に係る拠出金按分率の見込値（以下「概算拠出金按分率」という。）を乗じて得た額の基礎年金拠出金（第四項において「概算基礎年金拠出金」という。）を、厚生労働省令の定めるところにより、国民年金の管掌者たる政府に納付しなければならない。

2　前項の保険料・拠出金算定対象額の見込額及び概算拠出金按分率は、各年度につき、厚生労働大臣が定める。

3　厚生労働大臣は、前項の規定により定めた保険料・拠出金算定対象額の見込額が当該年度における基礎年金の支払状況に照らして過少であることが明らかであり、かつ、当該年度における基礎年金の給付に支障が生じると認めるときは、第一項の保険料・拠出金算定対象額の見込額を変更することができる。

4　前項の規定により厚生労働大臣が保険料・拠出金算定対象額の見込額を変更したときは、各実施機関たる共済組合等は、変更後の保険料・拠出金算定対象額の見込額に第二項の規定により厚生労働大臣が定めた当該年度における当該実施機関たる共済組合等に係る概算拠出金按分率を乗じて得た額から概算基礎年金拠出金の額を控除して得た額の基礎年金拠出金を、厚生労働省令の定めるところにより国民年金の管掌者たる政府に納付しなければならない。

5　厚生労働大臣は、第一項及び前項に規定する厚生労働省令を定めるときは、実施機関たる共済組合等を所管する大臣に協議しなければならない。

6　厚生労働大臣は、第二項の規定により第一項の保険料・拠出金算定対象額の見込額及び概算拠出金按分率を定めるとき、又は第三項の規定により第一項の保険料・拠出金算定対象額の見込額を変更しようとするときは、年金保険者たる共済組合等を所管する大臣に協議しなければならない。

第十一条の五　実施機関たる共済組合等は、毎年度において前条第一項又は第四項の規定により納付した基礎年金拠出金の額を合算した額が法第九十四条の三第一項の規定により計算した当該年度における基礎年金拠出金の額に満たないとき（次項第一号に掲げる場合を除く。）は、厚生労働省令の定めるところにより、その満たない額から当該年度における年金特別会計の基礎年金勘定において生じた運用収入の額（特別会計に関する法律（平成十九年法律第二十三号）第百十四条第一項及び第二項の規定による年金特別会計の国民年金勘定及び厚生年金勘定からの繰入金並びに実施機関たる共済組合等が納付した基礎年金拠出金から生じたものに限る。）に当該実施機関たる共済組合等に係る拠出金按分率を乗じて得た額（次項において「調整額」という。）を控除した額の基礎年金拠出金を翌々年度までに国民年金の管掌者たる政府に納付しなければならない。

2　国民年金の管掌者たる政府は、毎年度において次の各号に掲げる場合の区分に応じ、厚生労働省令の定めるところにより、当該各号に定める額を翌々年度までに前条第一項の規定により実施機関たる共済組合等が納付すべき基礎年金拠出金に充当し、なお残余があるときは、還付するものとする。

一　実施機関たる共済組合等が前条第一項又は第四項の規定により納付した基礎年金拠出金の額を合算した額が法第九十四条の三第一項の規定により計算した当該年度における基礎年金拠出金の額に満たない場合であつて、その満たない額から調整額を控除した額が零を下回るとき　調整額からその満たない額を控除した額

二　実施機関たる共済組合等が前条第一項又は第四項の規定により納付した基礎年金拠出金の額を合算した額が法第九十四条の三第一項の規定により計算した当該年度における基礎年金拠出金の額を超えるとき　その超える額に調整額を加えた額

3　厚生労働大臣は、前二項に規定する厚生労働省令を定めるときは、実施機関たる共済組合等を所管する大臣に協議しなければならない。

（地方公務員共済組合の基礎年金拠出金の負担）

第十一条の六　法第九十四条の四の規定による地方公務員共済組合（指定都市職員共済組合、市町村職員共済組合及び都市職員共済組合にあつては、全国市町村職員共済組合連合会）の負担は、総務省令の定めるところにより、当該年度における法第九十四条の三第一項の規定により計算した地方公務員共済組合連合会に係る基礎年金拠出金の額に、当該年度における地方公務員共済組合の組合員に係る厚生年金保険法第二十八条に規定する標準報酬（以下この条において「標準報酬」という。）の総額に対する当該年度における当該地方公務員共済組合の組合員

に係る標準報酬の総額（全国市町村職員共済組合連合会にあっては、全ての指定都市職員共済組合、市町村職員共済組合及び都市職員共済組合の組合員に係る標準報酬の総額）の割合を乗じて得た額について行う。

（基礎年金番号の利用制限等に関する住民基本台帳法の規定の技術的読替え）

第十一条の六の二　法第百八条の四において住民基本台帳法（昭和四十二年法律第八十一号）第三十条の三十七第一項及び第二項、第三十条の三十八並びに第三十条の三十九の規定を準用する場合には、法第百八条の四の規定によるほか、次の表の上欄に掲げる同法の規定中同表の中欄に掲げる字句は、それぞれ同表の下欄に掲げる字句に読み替えるものとする。

第三十条の三十七第一項	この法律の規定による事務	国民年金法第十四条に規定する政府管掌年金事業の運営に関する事務又は当該事業に関連する事務
	当該市町村の住民以外の者に係る住民票に記載された住民票コード	その者又はその者以外の者に係る基礎年金番号（同条に規定する基礎年金番号をいう。以下この条において同じ。）
第三十条の三十七第二項	この法律の規定による事務	国民年金法第十四条に規定する政府管掌年金事業の運営に関する事務又は当該事業に関連する事務
	住民票に記載された住民票コード	基礎年金番号
第三十条の三十八第一項	市町村長、都道府県知事、機構又は総務省	厚生労働大臣、日本年金機構、市町村長又は国民年金法第百八条の五に規定する全国健康保険協会、共済組合等その他の厚生労働省で定める者
	市町村長等	厚生労働大臣等
	自己と同一の世帯に属する者以外の者（以下この条において「第三者」という。）	他人
	当該第三者	当該他人
	住民票に記載された住民票コード	同条に規定する基礎年金番号
第三十条の三十八第二項	市町村長等	厚生労働大臣等
	第三者	他人
	住民票に記載された住民票コード	同条に規定する基礎年金番号
第三十条の三十八第三項	市町村長等	厚生労働大臣等
	、住民票コード	、同条に規定する基礎年金番号
	第三者	他人
	住民票に記載された住民票コード	同条に規定する基礎年金番号
第三十条の三十八第四項	前二項	国民年金法第百八条の四において読み替えて準用する前二項
第三十条の三十八第五項	前項	国民年金法第百八条の四において読み替えて準用する前項
	第三十条の四十第一項に規定する都道府県の審議会の意見を聴いて、その者	その者
第三十条の三十九第一項	前条第四項	国民年金法第百八条の四において読み替えて準用する前条第四項
	同条第二項	同法第百八条の四の規定により読み替えて準用する前条第二項
第三十条の三十九第二項	前項	国民年金法第百八条の四において読み替えて準用する前項
第三十条の三十九第三項	第一項	国民年金法第百八条の四において読み替えて準用する第一項

（法第百九条の二の二第一項の政令で定める法人）
第十一条の七　法第百九条の二の二第一項に規定する政令で定める法人は、次のとおりとする。
一　国立大学法人法（平成十五年法律第百十二号）第二条第一項に規定する国立大学法人及び独立行政法人国立高等専門学校機構
二　地方独立行政法人法（平成十五年法律第百十八号）第六十八条第一項に規定する公立大学法人
三　私立学校法（昭和二十四年法律第二百七十号）第三条に規定する学校法人（同法第百五十二条第五項の規定により設立された法人を含む。）
四　構造改革特別区域法（平成十四年法律第百八十九号）第十二条第二項に規定する学校設置会社及び同法第十三条第二項に規定する学校設置非営利法人
五　次条第八号から第十号までに掲げる教育施設を設置する法人

（法第百九条の二の二第一項の政令で定める教育施設）
第十一条の八　法第百九条の二の二第一項に規定する政令で定める教育施設は、次のとおりとする。
一　学校教育法第四十五条に規定する中学校（夜間その他特別の時間において授業を行うものに限る。）
二　学校教育法第五十条に規定する高等学校
三　学校教育法第六十三条に規定する中等教育学校
四　学校教育法第七十二条に規定する特別支援学校（同法第七十六条第二項に規定する高等部に限る。）
五　学校教育法第八十三条に規定する大学（同法第九十七条に規定する大学院を含む。）
六　学校教育法第百八条第二項に規定する短期大学
七　学校教育法第百十五条に規定する高等専門学校
八　学校教育法第百二十四条に規定する専修学校
九　学校教育法第百三十四条第一項に規定する各種学校（修業年限が一年以上である課程を有するものに限る。）
十　前各号に掲げる教育施設に準ずるものとして厚生労働省令で定める教育施設

（法第百九条の三第一項の政令で定める団体）
第十一条の九　法第百九条の三第一項に規定する政令で定める団体は、次のとおりとする。
一　同種の事業又は業務に従事する被保険者を構成員とする団体
二　同種の事業を行う法人を構成員とする団体

（法第百九条の五第一項に規定する政令で定める事情）
第十一条の十　法第百九条の五第一項に規定する政令で定める事情は、次の各号のいずれにも該当するものであることとする。
一　納付義務者が厚生労働省令で定める月数分以上の保険料を滞納していること。
二　納付義務者が法第百九条の五第一項に規定する滞納処分等その他の処分（以下「滞納処分等その他の処分」という。）の執行を免れる目的でその財産について隠ぺいしているおそれがあること。
三　納付義務者の前年の所得（一月から厚生労働省令で定める月までにおいては、前々年の所得）が厚生労働省令で定める額以上であること。
四　滞納処分等その他の処分を受けたにもかかわらず、納付義務者が滞納している保険料その他法（第十章を除く。第十一条の十三において同じ。）の規定による徴収金の納付について誠実な意思を有すると認められないこと。

（財務大臣への権限の委任）
第十一条の十一　厚生労働大臣は、法第百九条の五第一項の規定により滞納処分等その他の処分の権限を委任する場合においては、次に掲げるものを除き、その全部を財務大臣に委任する。
一　法第九十五条の規定によりその例によるものとされる国税徴収法（昭和三十四年法律第百四十七号）第百三十八条の規定による告知
二　法第九十五条の規定によりその例によるものとされる国税徴収法第百五十三条第一項の規定による滞納処分の執行の停止
三　法第九十五条の規定によりその例によるものとされる国税通則法（昭和三十七年法律第六十六号）第十一条の規定による延長
四　法第九十五条の規定によりその例によるものとされる国税通則法第三十六条第一項の規定による告知
五　法第九十五条の規定によりその例によるものとされる国税通則法第五十五条第一項の規定による受託
六　法第九十五条の規定によりその例によるものとされる国税通則法第六十三条の規定による免除
七　法第九十五条の規定によりその例によるものとされる国税通則法第百二十三条第一項の規定による交付
八　前各号に掲げるもののほか、厚生労働省令で定める権限

（国税局長又は税務署長への権限の委任）
第十一条の十二　国税庁長官は、法第百九条の五第五項の規定により委任された権限の全部を納付義務者の居住地を管轄する国税局長に委任する。
2　国税局長は、必要があると認めるときは、法第百九条の五第六項の規定により委任された権限の全部を納付義務者の居住地を管轄する税務署長に委任する。

（地方厚生局長等への権限の委任）
第十一条の十二の二　法第十四条の四に規定する厚生労働大臣の権限は、法第十四条の二第一項（同条第二項において準用する場合を含む。次項において同じ。）の規定による請求を受理した日本年金機構の事務所（年金事務所（日本年金機構法（平成十九年法律第百九号）第二十九条に規定する年金事務所をいう。以下同じ。）を含む。次項において同じ。）の所在地を管轄する地方厚生局長に委任する。ただし、厚生労働大臣が自らその権限を行うことを妨げない。
2　前項の規定により地方厚生局長に委任された権限は、法第十四条の二第一項の規定による請求を受理した日本年金機構の事務所の所在地を管轄する地方厚生支局長に委任する。ただし、地方厚生局長が自らその権限を行うことを妨げない。

（機構が収納を行う場合）
第十一条の十三　法第百九条の十一第一項に規定する政令で定める場合は、次に掲げる場合とする。
一　法第九十六条第二項の規定による督促を受けた納付義務者が保険料その他法の規定による徴収金の納付を年金事務所において行うことを希望する旨の申出があつた場合
二　法第百九条の十一第二項の規定により任命された同条第一

項の収納を行う機構の職員（第四号及び第十一条の十七において「収納職員」という。）であつて併せて法第百九条の六第一項の徴収職員として同条第二項の規定により任命された者（以下この号及び次号において「職員」という。）が、保険料その他法の規定による徴収金を徴収するため、前号に規定する納付義務者を訪問した際に、当該納付義務者が当該職員による保険料その他の法の規定による徴収金の収納を希望した場合

三　職員が、保険料その他の法の規定による徴収金を徴収するため法第百九条の四第一項第二十五号に掲げる国税滞納処分の例による処分により金銭を取得した場合

四　前三号に掲げる場合のほか、法第百九条の十一第一項に規定する保険料等（この号及び次条から第十一条の十七までにおいて「保険料等」という。）の収納職員による収納が納付義務者の利便に資する場合その他の保険料等の収納職員による収納が適切かつ効果的な場合として厚生労働省令で定める場合

（公示）

第十一条の十四　厚生労働大臣は、法第百九条の十一第一項の規定により機構に保険料等の収納を行わせるに当たり、その旨を公示しなければならない。

2　機構は、前項の公示があつたときは、遅滞なく、年金事務所の名称及び所在地その他の保険料等の収納に関し必要な事項として厚生労働省令で定めるものを公表しなければならない。これを変更したときも、同様とする。

（保険料等の収納期限）

第十一条の十五　機構において国の毎会計年度所属の保険料等を収納するのは、翌年度の四月三十日限りとする。

（機構による収納手続）

第十一条の十六　機構は、保険料等につき、法第百九条の十一第一項の規定による収納を行つたときは、当該保険料等の納付をした者に対し、厚生労働省令で定めるところにより、領収証書を交付しなければならない。この場合において、機構は、厚生労働省令で定めるところにより、遅滞なく、当該収納を行つた旨を年金特別会計の歳入徴収官に報告しなければならない。

2　厚生労働大臣は、前項に規定する厚生労働省令を定めるときは、あらかじめ、財務大臣に協議しなければならない。

（帳簿の備付け）

第十一条の十七　機構は、収納職員による保険料等の収納及び当該収納をした保険料等の日本銀行への送付に関する帳簿を備え、当該保険料等の収納及び送付に関する事項を記録しなければならない。

（厚生労働省令への委任）

第十一条の十八　第十一条の十三から前条までに定めるもののほか、法第百九条の十一の規定による機構の収納に関し必要な事項は、厚生労働省令で定める。

2　厚生労働大臣は、前項に規定する厚生労働省令を定めるときは、あらかじめ、財務大臣に協議しなければならない。

（法附則第七条の三の二第一号の政令で定める期間）

第十一条の十九　法附則第七条の三の二第一号に規定する政令で定める期間は、次のとおりとする。

一　法附則第七条の三第三項の規定により保険料納付済期間に算入された期間

二　平成六年改正法附則第十条第三項の規定により保険料納付済期間に算入された期間

三　平成十六年改正法附則第二十一条第二項の規定により保険料納付済期間に算入された期間

（支給の繰上げの際に減ずる額）

第十二条　法附則第九条の二第四項（法附則第九条の三第四項において準用する場合を含む。）に規定する政令で定める額は、法第二十七条（法附則第九条の三第二項においてその例による場合を含む。）の規定（昭和六十年改正法附則第十七条の規定が適用される場合にあつては、同条第一項の規定）によつて計算した額に減額率（千分の四に当該年金の支給の繰上げを請求した日の属する月から六十五歳に達する日の属する月の前月までの月数を乗じて得た率をいう。次項において同じ。）を乗じて得た額とする。

2　法附則第九条の二第六項において準用する同条第四項に規定する政令で定める額は、法第四十四条の規定によつて計算した額に減額率を乗じて得た額とする。

（法附則第九条の二の二第一項の政令で定める者）

第十二条の二　法附則第九条の二の二第一項に規定する政令で定める者は、厚生年金保険法附則第八条の二第一項、第二項又は第四項に規定する者であつて、同法附則第十三条の四第一項の請求があつた当時、厚生年金保険の被保険者でなく、かつ、同法第四十七条第二項に規定する障害等級に該当する程度の障害の状態にあるもの又はその者の厚生年金保険の被保険者期間が四十四年以上あるものとする。

（法附則第九条の二の二第四項の政令で定める率）

第十二条の三　法附則第九条の二の二第四項（同条第六項において読み替えて準用する法附則第九条の二第六項において準用する場合を含む。次項及び次条において同じ。）に規定する政令で定める率は、法附則第九条の二の二第一項の請求を行う者（次項に規定する者を除く。）が当該請求をした日（以下この条及び次条において「請求日」という。）の属する月からそれぞれ厚生年金保険法附則第八条の二各項の表の下欄に掲げる年齢（次項において「特例支給開始年齢」という。）に達する日の属する月の前月までの月数を、請求日の属する月から六十五歳に達する日の属する月の前月までの月数で除して得た率とする。

2　法附則第九条の二の二第一項の請求を行う者が、厚生年金保険法第七十八条の二十二に規定する二以上の種別の被保険者であつた期間を有する者である場合は、法附則第九条の二の二第四項に規定する政令で定める率は、厚生年金保険法第七十八条の二十二に規定する一の期間（以下この項において「一の期間」という。）に基づく老齢厚生年金ごとに第一号に掲げる率に第二号に掲げる率を乗じて得た率を合算して得た率とする。

一　前項に規定する率（当該一の期間に基づく老齢厚生年金がイに掲げるものである場合には、一、請求日の属する月と当該一の期間に基づく老齢厚生年金に係る特例支給開始年齢に達する日の属する月が同一の場合又は当該一の期間に基づく老齢厚生年金がロに掲げるものである場合には零

イ　厚生年金保険法第四十二条の規定による老齢厚生年金（同法附則第七条の三第一項各号に掲げる者がその受給資格期間を満たしているものに限る。）又は同法附則第八条の規定による老齢厚生年金（同法第四十三条第一項及び同

法附則第九条の規定によりその額が計算されるものに限る。）

ロ　厚生年金保険法附則第八条の規定による老齢厚生年金（イに掲げるもの（同法附則第八条の二各項に規定する者で特例支給開始年齢に達していないものがその受給資格期間を満たしているものを除く。）を除く。）

二　当該一の期間に基づく老齢厚生年金の額の計算の基礎となる厚生年金保険の被保険者であつた期間の月数を、当該月数と厚生年金保険法第七十八条の二十二に規定する他の期間に基づく老齢厚生年金の額の計算の基礎となる厚生年金保険の被保険者であつた期間の月数とを合算した月数で除して得た率

（法附則第九条の二の二第四項の政令で定める額）

第十二条の四　法附則第九条の二の二第四項に規定する政令で定める額は、法第二十七条の規定によつて計算した額に前条の規定により算定した率を乗じて得た額に減額率（千分の四に請求日の属する月から六十五歳に達する日の属する月の前月までの月数を乗じて得た率をいう。）を乗じて得た額とする。

（法附則第九条の三に規定する政令で定める共済組合）

第十三条　法附則第九条の三第一項に規定する政令で定める共済組合は、次に掲げる命令に基づく共済組合とする。

一　旧海軍共済組合令（大正十一年勅令第六十号）

二　朝鮮総督府逓信官署共済組合令（昭和十六年勅令第三百五十七号）

三　朝鮮総督府交通局共済組合令（昭和十六年勅令第三百五十八号）

四　台湾総督府専売局共済組合令（大正十四年勅令第二百十四号）

五　台湾総督府営林共済組合令（昭和五年勅令第五十九号）

六　台湾総督府交通局逓信共済組合令（昭和十六年勅令第二百八十六号）

七　台湾総督府交通局鉄道共済組合令（昭和十六年勅令第二百八十七号）

（法附則第九条の三に規定する政令で定める期間）

第十四条　法附則第九条の三第一項に規定する政令で定める期間は、同項に規定する旧陸軍共済組合令及び前条各号に規定する命令（以下「旧共済組合令」という。）に基づく命令の規定のうち、旧共済組合に基づく共済組合が支給する退職を支給理由とする給付に関する規定の適用を受ける組合員であつた期間につき、国民年金の被保険者期間の計算の例により算定した期間とする。ただし、次に掲げる期間を除く。

一　法律によつて組織された共済組合（国家公務員共済組合連合会及び全国市町村職員共済組合連合会を含む。）が支給する退職を支給理由とする年金たる給付（旧令による共済組合等からの年金受給者のための特別措置法に基づく退職を支給理由とする年金たる給付並びに平成八年改正法附則第十六条第三項の規定により厚生年金保険の実施者たる政府が支給するものとされた年金たる給付のうち退職を支給事由とするもの並びに平成八年改正法附則第三十二条第二項に規定する存続組合及び平成八年改正法附則第四十八条第一項に規定する指定基金が支給する退職を支給事由とする年金たる給付を含む。）の基礎となつた期間につき、国民年金の被保険者期間の計算の例により算定した期間

二　厚生年金保険法による老齢厚生年金の支給要件たる期間の計算の基礎となる昭和六十年改正法附則第四十七条第一項の規定により厚生年金保険法第二条の五第一項第一号に規定する第一号厚生年金被保険者期間とみなされた船員保険の被保険者であつた期間

（法附則第九条の三の二第一項の政令で定める者）

第十四条の二　法附則第九条の三の二第一項に規定する法第二十六条ただし書に該当する者に準ずるものとして政令で定めるものは、昭和六十年改正法附則第三十一条第一項に規定する者であつて、旧法による老齢年金又は通算老齢年金の受給資格要件たる期間を満たしていないものとする。

（法附則第九条の三の二第一項第二号の政令で定める給付）

第十四条の三　法附則第九条の三の二第一項第二号に規定する政令で定める給付は、次のとおりとする。

一　法附則第九条の三第一項の規定による老齢年金

二　昭和六十年改正法附則第二十八条の規定により支給される遺族基礎年金

三　旧法による障害年金、母子年金、準母子年金及び老齢福祉年金（老齢特別給付金を含む。）

（法附則第九条の三の二第三項の政令で定める数）

第十四条の三の二　法附則第九条の三の二第三項に規定する政令で定める数は、次の表の上欄に掲げる同条第一項に規定する保険料納付済期間等の月数の区分に応じて、それぞれ同表の下欄に定める数とする。

六月以上一二月未満	六
一二月以上一八月未満	一二
一八月以上二四月未満	一八
二四月以上三〇月未満	二四
三〇月以上三六月未満	三〇
三六月以上四二月未満	三六
四二月以上四八月未満	四二
四八月以上五四月未満	四八
五四月以上六〇月未満	五四
六〇月以上	六〇

（脱退一時金に関する処分の審査請求に関する技術的読替え）

第十四条の四　法附則第九条の三の二第六項において法の規定を準用する場合には、次の表の上欄に掲げる法の規定中同表の中欄に掲げる字句は、それぞれ同表の下欄に掲げる字句に読み替えるものとする。

第百一条第	第一項の審査請求及び	附則第九条の三の二第

五項	再審査請求	五項の審査請求
	除く。）及び第四章	除く。）
第百一条の二	前条第一項に規定する処分（被保険者の資格に関する処分又は給付に関する処分（共済組合等が行つた障害基礎年金に係る障害の程度の診査に関する処分を除く。）に限る。）	附則第九条の三の二第五項に規定する処分
	社会保険審査官の決定	社会保険審査会の裁決

（脱退一時金に関する技術的読替え等）

第十四条の五 法附則第九条の三の二第七項の規定により法の規定を準用する場合には、次の表の上欄に掲げる法の規定中同表の中欄に掲げる字句は、それぞれ同表の下欄に掲げる字句に読み替えるものとする。

第二十四条	老齢基礎年金又は付加年金	脱退一時金
第百五条第四項	第三号被保険者以外の被保険者に係るものにあつては市町村長に、第三号被保険者又は受給権者に係るものにあつては厚生労働大臣	厚生労働大臣

（法附則第九条の四の二第一項の政令で定める期間）

第十四条の六 法附則第九条の四の二第一項に規定する政令で定める期間は、次のとおりとする。

一　法附則第七条の三第三項の規定により保険料納付済期間に算入された期間

二　平成六年改正法附則第十条第三項の規定により保険料納付済期間に算入された期間

三　平成十六年改正法附則第二十一条第二項の規定により保険料納付済期間に算入された期間

（法附則第九条の四の二第二項の政令で定める法令）

第十四条の七 法附則第九条の四の二第二項に規定する政令で定める法令は、次に掲げる法律及びこれに基づく又はこれを実施するための命令（これらの法令の改正の際の経過措置を含む。）とする。

一　法

二　厚生年金保険法

三　なお効力を有する平成二十四年一元化法改正前国共済法（平成二十四年一元化法附則第三十六条第一項、第三項若しくは第五項又は第三十七条第一項（私立学校教職員共済法第四十八条の二の規定によりこれらの規定の例によることとされる場合を含む。）の規定によりなおその効力を有するものとされた平成二十四年一元化法第二条の規定による改正前の国家公務員共済組合法をいう。以下同じ。）

四　なお効力を有する平成二十四年一元化法改正前地共済法（平成二十四年一元化法附則第六十条第一項、第三項若しくは第五項又は第六十一条第一項の規定によりなおその効力を有するものとされた平成二十四年一元化法第三条の規定による改正前の地方公務員等共済組合法をいう。以下同じ。）

五　なお効力を有する平成二十四年一元化法改正前私学共済法（平成二十四年一元化法附則第七十八条又は第七十九条の規定によりなおその効力を有するものとされた平成二十四年一元化法第四条の規定による改正前の私立学校教職員共済法をいう。以下同じ。）

六　平成十三年統合法（平成十三年統合法の規定によりなおその効力を有するものとされた廃止前農林共済法（平成十三年統合法附則第二条第一項第一号に規定する廃止前農林共済法をいう。）を含む。第十四条の十一第六号、第十四条の十二第二項第六号及び第十四条の十三第二項第六号において同じ。）

七　社会保障協定の実施に伴う厚生年金保険法等の特例等に関する法律（平成十九年法律第百四号。以下「協定実施特例法」という。）

（特定期間を有する者に関する特例）

第十四条の七の二 特定期間（法附則第九条の四の二第二項に規定する特定期間をいう。次項において同じ。）を有する者に対する昭和六十年改正法附則第十七条第一項の規定の適用については、同項中「保険料免除期間とみなすこととされたものを含む」とあるのは、「保険料免除期間とみなすこととされたものを含み、同法第九十条の三第一項の規定により納付することを要しないものとされた保険料に係るものを除く」とする。

2　法第九十四条の規定は、特定期間を有する者については、適用しない。

（法附則第九条の四の二第三項の政令で定める規定）

第十四条の八 法附則第九条の四の二第三項に規定する政令で定める規定は、法附則第九条の四の九第三項、国民年金及び企業年金等による高齢期における所得の確保を支援するための国民年金法等の一部を改正する法律（平成二十三年法律第九十三号。第十四条の二十三第二号において「平成二十三年年金確保支援法」という。）附則第二条第一項及び平成二十六年改正法附則第十条第一項とする。

（法附則第九条の四の三第一項の政令で定める額）

第十四条の九 法附則第九条の四の三第一項に規定する政令で定める額は、同項の規定により同項に規定する特定保険料（以下「特定保険料」という。）を納付する月（以下この項において「納付対象月」という。）が次の表の上欄に掲げる年度に属する場合において、当該納付対象月に係る保険料に相当する額にそれぞれ同表の下欄に定める率を乗じて得た額（この額に十円未満の端数がある場合においては、その端数金額が五円未満であるときは、これを切り捨て、その端数金額が五円以上であるときは、これを十円として計算する。）とする。

平成十八年度	〇・〇八二
平成十九年度	〇・〇六六

平成二十年度	○・○五一
平成二十一年度	○・○三九
平成二十二年度	○・○二六
平成二十三年度	○・○一七
平成二十四年度	○・○一○
平成二十五年度	○・○○四

2 厚生労働大臣は、次の各号に掲げる場合に納付すべき当該各号に定める額を告示するものとする。

一 前項の表の上欄に掲げる年度に属する各月（法附則第九条の四の三第一項の承認の日の属する月前十年以内の期間の各月に限る。）について特定保険料を納付する場合 当該納付に係る期間の各月の保険料に相当する額に前項に規定する額を加算した額

二 平成十八年度以前の年度に属する各月及び平成十九年度に属する各月（法附則第九条の四の三第一項の承認の日の属する月前十年以内の期間の各月を除く。）について特定保険料を納付する場合 前号に定める額のうち最も高い額

（法附則第九条の四の三第五項に規定する特定保険料の納付手続等）

第十四条の十 法附則第九条の四の三第一項の規定により特定保険料の納付の承認を受けようとする被保険者又は被保険者であつた者は、特定保険料納付申込書を機構に提出しなければならない。

2 前項に定めるもののほか、特定保険料の納付の手続その他特定保険料の納付について必要な事項は、厚生労働省令で定める。

（法附則第九条の四の四の政令で定める法令）

第十四条の十一 法附則第九条の四の四に規定する政令で定める法令は、次に掲げる法律及びこれに基づく又はこれを実施するための命令（これらの法令の改正の際の経過措置を含む。）とする。

一 法

二 厚生年金保険法

三 なお効力を有する平成二十四年一元化法改正前国共済法

四 なお効力を有する平成二十四年一元化法改正前地共済法

五 なお効力を有する平成二十四年一元化法改正前私学共済法

六 平成十三年統合法

七 協定実施特例法

（特定受給者に係る厚生年金保険法に基づく老齢給付等の範囲）

第十四条の十一の二 特定受給者（法附則第九条の四の四に規定する特定受給者をいう。次条において同じ。）について法附則第九条の四の四の規定を適用する場合においては、厚生年金保険法に基づく老齢給付等（同条に規定する厚生年金保険法に基づく老齢給付等をいう。次条において同じ。）には、平成二十四年一元化法附則第三十六条第五項に規定する改正前国共済法による職域加算額のうち退職を給付事由とするもの、平成二十四年一元化法附則第六十条第五項に規定する改正前地共済法による職域加算額のうち退職を給付事由とするもの及び平成二十四年一元化法附則第七十八条第三項に規定する給付のうち退職を給付事由とするものを含むものとする。

（特定受給者の老齢基礎年金等の支給停止等）

第十四条の十一の三 特定受給者であつて、特定保険料納付期限日（法附則第九条の四の三第一項に規定する特定保険料納付期限日をいう。）の翌日以後に次の各号に掲げる者に該当するものは、第十四条の十一に規定する法令の規定の適用については、その該当する間、当該各号に定める者とみなす。この場合において、第一号に掲げる特定受給者に支給する老齢基礎年金又は厚生年金保険法に基づく老齢給付等の額については、当該特定受給者の有する保険料納付済期間及び保険料免除期間は、計算の基礎としない。

一 保険料納付済期間、保険料免除期間及び合算対象期間（法附則第九条第一項に規定する合算対象期間をいう。）を合算した期間が十年未満である特定受給者 保険料納付済期間と保険料免除期間とを合算した期間が十年以上である者

二 保険料納付済期間（昭和六十年改正法附則第八条第四項に規定するものを除く。以下この号において同じ。）及び保険料免除期間（法第九十条の三第一項の規定により納付することを要しないものとされた保険料に係るものを除く。以下この号において同じ。）を有しない特定受給者（前号に該当する者を除く。） 保険料納付済期間又は保険料免除期間を有する者

2 前項各号に掲げる者に該当する特定受給者に対する老齢基礎年金又は厚生年金保険法に基づく老齢給付等は、その該当する間、その支給を停止する。

3 前二項の規定を適用する場合においては、前条の規定を準用する。

（法附則第九条の四の六第一項の政令で定める法令）

第十四条の十二 法附則第九条の四の六第一項に規定する厚生年金保険法その他の政令で定める法令は、次に掲げる法律とする。

一 厚生年金保険法

二 なお効力を有する平成二十四年一元化法改正前国共済法

三 なお効力を有する平成二十四年一元化法改正前地共済法

四 なお効力を有する平成二十四年一元化法改正前私学共済法

五 旧農林共済法（平成十三年統合法附則第二条第一項第二号に規定する旧農林共済法をいう。次条第一項第五号において同じ。）

2 法附則第九条の四の六第一項に規定する法その他の政令で定める法令は、次に掲げる法律及びこれに基づく又はこれを実施するための命令（これらの法令の改正の際の経過措置を含む。）とする。

一 法

二 厚生年金保険法

三 なお効力を有する平成二十四年一元化法改正前国共済法

四 なお効力を有する平成二十四年一元化法改正前地共済法

五 なお効力を有する平成二十四年一元化法改正前私学共済法

六 平成十三年統合法

七　協定実施特例法

（法附則第九条の四の六第二項の政令で定める法令）

第十四条の十三　法附則第九条の四の六第二項に規定する厚生年金保険法その他の政令で定める法令は、次に掲げる法律とする。

一　厚生年金保険法
二　なお効力を有する平成二十四年一元化法改正前国共済法
三　なお効力を有する平成二十四年一元化法改正前地共済法
四　なお効力を有する平成二十四年一元化法改正前私学共済法
五　旧農林共済法

2　法附則第九条の四の六第二項に規定する法その他の政令で定める法令は、次に掲げる法律及びこれに基づく又はこれを実施するための命令（これらの法令の改正の際の経過措置を含む。）とする。

一　法
二　厚生年金保険法
三　なお効力を有する平成二十四年一元化法改正前国共済法
四　なお効力を有する平成二十四年一元化法改正前地共済法
五　なお効力を有する平成二十四年一元化法改正前私学共済法
六　平成十三年統合法
七　協定実施特例法

（共済払いの基礎年金の支払）

第十五条　第一条第一項第一号から第三号までに規定する老齢基礎年金、障害基礎年金及び遺族基礎年金であつて厚生労働省令で定めるもの（以下「共済払いの基礎年金」という。）の支払に関する事務は、共済組合（国家公務員共済組合連合会又は全国市町村職員共済組合連合会を組織する共済組合にあつては、それぞれ当該連合会とする。）又は日本私立学校振興・共済事業団（以下「共済組合等」という。）に行わせることができる。

2　前項の規定により共済組合等に共済払いの基礎年金の支払に関する事務を行わせる場合の手続は、厚生労働省令で定める。

3　厚生労働大臣は、前二項に規定する厚生労働省令を定めるときは、財務大臣並びに共済組合（国家公務員共済組合連合会及び全国市町村職員共済組合連合会を組織するものを除く。）、国家公務員共済組合連合会及び全国市町村職員共済組合連合会並びに日本私立学校振興・共済事業団を所管する大臣に協議しなければならない。

（資金の交付）

第十六条　政府は、前条第一項の規定により共済組合等が共済払いの基礎年金の支払に関する事務を行う場合には、その支払に必要な資金を当該共済組合等に交付するものとする。

2　政府は、前項の規定による資金の交付をするときは、必要な資金を日本銀行に交付して、同項の規定による資金の交付をさせることができる。

3　前項に定めるもののほか、第一項の規定による資金の交付に関し必要な手続及び前条第一項の規定により共済払いの基礎年金の支払に関する事務を行う共済組合等が取り扱う第一項の規定により交付された資金の受払に関する手続は、財務省令で定める。

（監査）

第十七条　財務大臣は、国の予算の執行の適正を期するため必要があると認めるときは、第十五条第一項の規定により共済払いの基礎年金の支払に関する事務を行う共済組合等を所管する大臣を長とする行政機関の職員に、当該共済組合等が取り扱う前条第一項の規定により交付された資金の受払の状況について実地監査を行わせることができる。この場合において、財務大臣は、当該実地監査を行わせる職員（当該行政機関に置かれた官職を指定することによりその官職にある者に当該実地監査を行わせる場合には、その官職）及びその行わせる実地監査の範囲について、あらかじめ、当該共済組合等を所管する大臣の同意を経なければならない。

2　財務大臣は、国の予算の執行の適正を期するため特に必要があると認めるときは、第十五条第一項の規定により共済払いの基礎年金の支払に関する事務を行う共済組合等に対し、当該共済組合等が取り扱う前条第一項の規定により交付された資金の受払の状況について実地監査を行うことができる。

（事務の区分）

第十八条　第一条の二の規定により市町村が処理することとされている事務は、地方自治法（昭和二十二年法律第六十七号）第二条第九項第一号に規定する第一号法定受託事務とする。

附　則（抄）

1　この政令は、昭和三十四年十一月一日から施行する。〔ただし書略〕

附　則（昭六一・三・二八政令五三）（抄）

（国民年金法施行令の一部改正に伴う経過措置）

第二条　次の各号に掲げる年度における各被用者年金保険者に係る基礎年金拠出金の額の計算については、各被用者年金保険者に係る第一条の規定による改正後の国民年金法施行令（以下「新国民年金法施行令」という。）第十一条の二第二号に定める数は、同号の規定にかかわらず、当該各号に定める数とする。

一　昭和六十一年度　昭和六十二年三月三十一日における当該被用者年金保険者に係る被保険者のうち第三号被保険者である者の数の十二倍に相当する数
二　昭和六十二年度　昭和六十三年三月三十一日における当該被用者年金保険者に係る被保険者のうち第三号被保険者である者の数の二十四倍に相当する数から、前号に定める数を控除して得た数

2　新国民年金法施行令第十一条の二の規定の適用については、当分の間、同条第三号中「保険料納付済期間」とあるのは、「保険料納付済期間（昭和六十一年四月一日以後の期間に係るものに限る。）」とする。

附　則（平二五・六・二八政令二一〇）

（施行期日）

1　この政令は、公的年金制度の健全性及び信頼性の確保のための厚生年金保険法等の一部を改正する法律附則第一条第二号に掲げる規定の施行の日（平成二十五年七月一日）から施行する。ただし、次項の規定は、平成二十七年二月一日から施行する。

（経過措置）

2　国民年金法附則第九条の四の三第一項の規定により同項に規定する特定保険料の納付の承認を受けようとする国民年金の被保険者又は被保険者であつた者は、平成二十七年四月一日前においても、第一条の規定による改正後の国民年金法施行令第十四条の十の規定の例により、特定保険料納付申込書の提出を行

うことができる。この場合において、当該申込書の提出は、同日において、同条の規定によりされたものとみなす。

附　則（平二六・九・二五政令三一三）（抄）

（施行期日）

1　この政令は、平成二十六年十月一日から施行する。ただし、（中略）第六条（中略）の規定は、同年十二月一日から施行する。

附　則（平二七・七・三一政令二八六）

この政令は、行政手続における特定の個人を識別するための番号の利用等に関する法律の施行に伴う関係法律の整備等に関する法律の施行の日（平成二十七年十月五日）から施行する。

附　則（平二七・九・三〇政令三四二）（抄）

（施行期日）

第一条　この政令は、平成二十七年十月一日から施行する。

（国民年金法施行令の一部改正に伴う経過措置）

第三条　第二条の規定による改正後の国民年金法施行令第四条の三の規定は、施行日以後に生じた事由に基づいて行う国民年金法（昭和三十四年法律第百四十一号）による給付を受ける権利の裁定又は給付の額の改定について適用し、施行日前に生じた事由に基づいて行う同法による給付を受ける権利の裁定又は給付の額の改定については、なお従前の例による。

附　則（平二七・一一・二六政令三九二）（抄）

（施行期日）

第一条　この政令は、行政不服審査法の施行の日（平成二十八年四月一日）から施行する。

（経過措置の原則）

第二条　行政庁の処分その他の行為又は不作為についての不服申立てであってこの政令の施行前にされた行政庁の処分その他の行為又はこの政令の施行前にされた申請に係る行政庁の不作為に係るものについては、この附則に特別の定めがある場合を除き、なお従前の例による。

附　則（平二七・一二・四政令四〇六）

この政令は、行政手続における特定の個人を識別するための番号の利用等に関する法律の施行に伴う関係法律の整備等に関する法律附則第三号に掲げる規定の施行の日（平成二十八年一月一日）から施行する。

附　則（平二八・三・二政令五三）

この政令は、政府管掌年金事業等の運営の改善のための国民年金法等の一部を改正する法律附則第一条第七号に掲げる規定の施行の日（平成二十八年四月一日）から施行する。

附　則（平二八・三・三一政令一二八）（抄）

（施行期日）

第一条　この政令は、平成二十八年四月一日から施行する。

附　則（平二八・五・二五政令二二六）（抄）

（施行期日）

第一条　この政令は、所得税法等の一部を改正する法律（平成二十八年法律第十五号。次条第二項及び附則第四条第二項において「改正法」という。）附則第一条第五号に掲げる規定の施行の日（平成二八年三月三一日から起算して一年以内において政令で定める日）から施行する。〔ただし書略〕

附　則（平二八・六・三政令二三五）

この政令は、平成二十八年七月一日から施行する。

附　則（平二八・六・一七政令二三八）（抄）

（施行期日）

1　この政令は、平成二十八年六月二十一日から施行する。

附　則（平二九・二・一五政令二一）

この政令は、行政手続における特定の個人を識別するための番号の利用等に関する法律の施行に伴う関係法律の整備等に関する法律附則第四号に掲げる規定の施行の日（平成二十九年五月三十日）から施行する。

附　則（平二九・三・三一政令一〇〇）（抄）

（施行期日）

第一条　この政令は、平成二十九年四月一日から施行する。

附　則（平二九・七・七政令一八五）（抄）

（施行期日）

第一条　この政令は、平成二十九年七月十一日から施行する。

附　則（平二九・七・二八政令二一四）（抄）

（施行期日）

第一条　この政令は、平成二十九年八月一日から施行する。〔ただし書略〕

附　則（平二九・一一・二九政令二九四）（抄）

（施行期日）

第一条　この政令は、平成三十年一月一日から施行する。〔ただし書略〕

附　則（平二九・一二・二七政令三二九）

この政令は、平成三十年三月五日から施行する。

附　則（平三〇・一・一七政令四）（抄）

この政令は、平成三十年四月一日から施行する。ただし、第一条中国民年金法施行令第十四条の七の次に一条を加える改正規定（同令第十四条の七の二第一項に係る部分に限る。）及び同令第十四条の十一の次に二条を加える改正規定（同令第十四条の十一の二に係る部分に限る。）〔中略〕は、公布の日から施行する。

附　則（平三〇・三・三〇政令一一五）（抄）

（施行期日）

第一条　この政令は、平成三十年四月一日から施行する。

附　則（平三〇・八・一政令二三六）

この政令は、平成三十一年四月一日から施行する。

附　則（平三一・三・二九政令八三）（抄）

（施行期日）

第一条　この政令は、平成三十一年四月一日から施行する。

附　則（平三一・三・二九政令一二〇）（抄）

（施行期日）

第一条　この政令は、平成三十一年四月一日から施行する。

附　則（平三一・四・五政令一四六）（抄）

改正　令二・三・三一政令一三八

（施行期日）

第一条　この政令は、平成三十年改正法の施行の日（令和二年四月一日）から施行する。

附　則（令二・三・三〇政令一〇一）（抄）

（施行期日）

第一条　この政令は、令和二年四月一日から施行する。

附　則（令二・八・五政令二三三）（抄）

（施行期日）

1　この政令は、令和二年八月七日から施行する。

附　則（令二・一〇・三〇政令三一八）（抄）

（施行期日）

1 この政令は、令和三年三月一日から施行する。

附　則（令二・一二・二三政令三六九）（抄）

（施行期日）

第一条 この政令は、令和三年四月一日から施行する。〔ただし書略〕

附　則（令三・八・六政令二二九）（抄）

（施行期日）

第一条 この政令は、令和四年四月一日から施行する。ただし、次の各号に掲げる規定は、当該各号に定める日から施行する。

一・二〔略〕

三 第二条〔中略〕の規定〔中略〕 令和五年四月一日

四〔略〕

（老齢基礎年金の支給の繰下げの際に加算する額等に関する経過措置）

第二条 第一条の規定による改正後の国民年金法施行令第四条の五第一項の規定は、この政令の施行の日（以下「施行日」という。）の前日において、七十歳に達していない者（六十五歳に達した日後に老齢基礎年金の受給権を取得した場合にあっては、当該受給権を取得した日から起算して五年を経過していない者）について適用する。

2 第一条の規定による改正後の国民年金法施行令第十二条第一項及び第十二条の四の規定は、施行日の前日において、六十歳に達していない者について適用する。

附　則（令三・一〇・二九政令三〇三）（抄）

（施行期日）

第一条 この政令は、令和四年一月一日から施行する。

附　則（令四・三・二五政令一一五）（抄）

（施行期日）

第一条 この政令は、令和四年四月一日から施行する。

附　則（令四・六・二四政令二三五）（抄）

（施行期日）

第一条 この政令は、令和四年六月二十八日から施行する。

附　則（令四・一二・七政令三七三）

この政令は、令和六年一月一日から施行する。

附　則（令五・三・二三政令七二）（抄）

（施行期日）

第一条 この政令は、令和六年四月一日から施行する。

附　則（令五・三・三〇政令一一七）（抄）

（施行期日）

第一条 この政令は、令和五年四月一日から施行する。

附　則（令五・八・三〇政令二六三）（抄）

（施行期日）

第一条 この政令は、令和五年九月一日から施行する。

附　則（令六・三・二九政令一二七）（抄）

（施行期日）

第一条 この政令は、令和六年四月一日から施行する。

附　則（令六・六・一四政令二〇九）（抄）

（施行期日）

1 この政令は、令和七年四月一日から施行する。

別表〔略〕

○国民年金法施行規則（抄）

昭三五・四・二三
厚生令一二

最終改正　令六・五・二四厚労令八九

第三章　費用負担

（指定代理納付による納付の申出）

第七十一条の二 法第九十二条の二の二第一項の規定による被保険者の申出は、次に掲げる事項を記載した申出書を機構に提出することによつて行わなければならない。

一 氏名、生年月日、住所及び個人番号又は基礎年金番号

二 指定代理納付者から付与された番号、記号その他の符号（次号において「番号等」という。）

三 番号等の名義人の氏名及び有効期限

四 法第九十一条による納付又は令第七条に規定する六月若しくは年を単位とする前納保険料の納付の別

（指定代理納付者の指定の申出）

第七十一条の三 法第九十二条の二の二第一項に規定する厚生労働大臣の指定を受けようとする者は、その名称及び住所並びに事務所の所在地を記載した申出書を機構に提出しなければならない。

2 前項の申出書には、定款、商業登記簿の謄本並びに最終の貸借対照表、損益計算書及び事業報告書（法人でない者にあつては、資産又は納税に関する証明書）又はこれらに準ずるもの並びに令第六条の十四第二号及び第三号に規定する基準を満たしていることを明らかにすることができる書類を添えなければならない。ただし、厚生労働大臣が、インターネットにおいて識別するための文字、記号その他の符号又はこれらの結合をその使用に係る電子計算機に入力することによつて、自動公衆送信装置（著作権法（昭和四十五年法律第四十八号）第二条第一項第九号の五イに規定する自動公衆送信装置をいう。以下同じ。）に記録されている情報のうち法第九十二条の二の二第一項に規定する措置を執るための用に供するものの内容を閲覧

し、かつ、当該電子計算機に備えられたファイルに当該情報を記録することができる場合については、この限りではない。

（指定代理納付者の名称等の変更の申出）

第七十一条の四　指定代理納付者は、その名称及び住所並びに事務所の所在地に変更が生じた場合は、速やかに、その旨を記載した申出書を厚生労働大臣に提出しなければならない。

（指定代理納付者による保険料の納付）

第七十一条の五　法第九十二条の二の二第一項の規定により指定代理納付者が、被保険者の保険料を立て替えて納付しようとするときは、国民年金法等に基づく保険料の納付手続の特例に関する省令（昭和四十年大蔵省令第四十五号。以下「納付手続特例省令」という。）別紙書式により納付しなければならない。

（承認の取消し等）

第七十一条の六　厚生労働大臣は、法第九十二条の二の二第二項の規定による承認を受けた者が同項の承認の要件に該当しなくなつたと認められるときは、その承認を取り消すことができる。

2　厚生労働大臣は、前項の規定により承認を取り消したときは、文書で、その旨及び取消しの理由を被保険者に通知しなければならない。

（指定の取消し等）

第七十一条の七　厚生労働大臣は、法第九十二条の二の二第一項の規定による指定を受けた者が同項に規定する指定の要件に該当しなくなつたと認められるときは、その指定を取り消すことができる。

2　厚生労働大臣は、前項の規定により指定を取り消したときは、文書で、その旨及び取消しの理由を指定代理納付者に通知しなければならない。

（実施機関たる共済組合等に係る基礎年金拠出金の納付）

第八十二条の二　令第十一条の四第一項の規定による各実施機関たる共済組合等の基礎年金拠出金の納付は、毎年度、四月七日（日曜日に当たるときは四月八日とし、金曜日又は土曜日に当たるときは四月六日とする。）、六月七日（日曜日又は土曜日に当たるときは六月五日とし、金曜日に当たるときは六月六日とする。）、八月七日（日曜日又は土曜日に当たるときは八月五日とし、金曜日に当たるときは八月六日とする。）、十月六日（日曜日、金曜日又は土曜日に当たるときは十月四日とし、火曜日に当たるときは十月七日とし、木曜日に当たるときは十月五日とする。次条において同じ。）及び十二月七日（日曜日又は土曜日に当たるときは十二月五日とし、金曜日に当たるときは十二月六日とする。次条において同じ。）までに、それぞれ同項の規定により納付しなければならないものとされた額の六分の一に相当する額（五百円未満の端数があるときはこれを切り捨て、五百円以上千円未満の端数があるときはこれを千円に切り上げた額）を、二月六日（日曜日、金曜日又は土曜日に当たるときは二月四日とし、月曜日に当たるときは二月七日とし、木曜日に当たるときは二月五日とする。次条及び第八十二条の七において同じ。）までに残余の額を納付することにより行わなければならない。

2　令第十一条の四第四項の規定による各実施機関たる共済組合等の基礎年金拠出金の納付は、同条第三項の規定により厚生労働大臣が保険料・拠出金算定対象額の見込額を変更した日の属する年度における前項に規定する日（当該変更した日以前の日を除く。）までに、それぞれ同条第四項の規定により納付しなければならないものとされた額を均等に分割した額を納付することにより行わなければならない。

第八十二条の三　令第十一条の五第一項の規定による実施機関たる共済組合等の基礎年金拠出金の納付は、翌々年度の十月六日までに納付することにより行わなければならない。

2　令第十一条の五第二項の規定による実施機関たる共済組合等が納付する基礎年金拠出金への充当は、当該実施機関たる共済組合等が前条の規定により翌々年度の十月六日、十二月七日及び二月六日までにそれぞれ納付すべき基礎年金拠出金に、順次充当することにより行うものとし、令第十一条の五第二項の規定による還付は、翌々年度の二月十四日（日曜日又は土曜日に当たるときは二月十二日とし、金曜日に当たるときは二月十三日とする。第八十二条の七において同じ。）までに行うものとする。

（昭和六十年改正法附則第三十五条第二項の規定による国民年金の管掌者たる政府の費用の交付）

第八十二条の四　経過措置政令第五十八条第三項第一号ハに規定する厚生労働省令の定めるところにより算定した率は、当該年度の九月三十日における経過措置政令第五十五条第二号に規定する加給年金額に相当する部分がある旧厚生年金保険法による老齢年金（その全額につき支給を停止されているものを除く。以下この条において同じ。）の受給権者の人数を同日における同法による老齢年金の受給権者の人数で除して得た率とする。

第八十二条の五　経過措置政令第五十八条第三項第四号ロに規定する厚生労働省令の定めるところにより算定した額は、当該年度の九月三十日における旧厚生年金保険法による障害年金（その全額につき支給を停止されているものを除く。）の受給権者について算定した経過措置政令第五十六条第三項第三号ロに掲げる額の総額を同日における当該障害年金の受給権者の人数で除して得た額（一円未満の端数があるときは、これを四捨五入して得た額）とする。

第八十二条の六　経過措置政令第五十八条第三項第四号ハに規定する厚生労働省令の定めるところにより算定した率は、当該年度の九月三十日における経過措置政令第五十五条第二号に規定する加給年金額に相当する部分がある旧厚生年金保険法による障害年金（その全額につき支給を停止されているものを除く。以下この条において同じ。）の受給権者の人数を同日における同法による障害年金の受給権者の人数で除して得た率とする。

第八十二条の七　経過措置政令第五十九条第一項に規定する基礎年金交付金（同令第五十八条第一項の規定による基礎年金交付金という。以下同じ。）の交付は、毎年度、四月十四日（日曜日又は土曜日に当たるときは、四月十二日とし、金曜日に当たるときは、四月十三日とする。）、六月十四日（日曜日又は土曜日に当たるときは六月十二日とし、金曜日に当たるときは六月十三日とする。）、八月十四日（日曜日又は土曜日に当たるときは八月十二日とし、金曜日に当たるときは八月十三日とする。）、十月十四日（日曜日又は土曜日に当たるときは十月十二日とし、金曜日に当たるときは十月十三日とする。以下この条において同じ。）及び十二月十四日（日曜日又は土曜日に当たるときは十二月十二日とし、金曜日に当たるときは十二月十三日とする。第三項において同じ。）までに、それぞれ同令第五十九条第一項の規定により交付すべき額の六分の一に相当する額（五百円未満の端数があるときはこれを切り捨て、五百円以上千円未満の端数があるときはこれを切り上げた額）を、二月十四日までに残余の額を交付することにより行うものとする。

2　経過措置政令第五十九条第二項の規定による基礎年金交付金の交付は、翌々年度の十月十四日までに交付することにより行うものとする。

3　経過措置政令第五十九条第三項の規定による基礎年金交付金への充当は、第一項の規定により翌々年度の十月十四日及び十二月十四日までにそれぞれ交付すべき基礎年金交付金に、順次充当することにより行うものとし、同条第三項の規定による返還は、翌々年度の二月六日までに行うものとする。

（実施機関たる共済組合等に係る被保険者の数等の報告）

第八十二条の八　各実施機関たる共済組合等は、毎年度、厚生労働大臣に対し、当該実施機関たる共済組合等を所管する大臣を経由して、次の各号に掲げる事項を九月十六日（日曜日に当たるときは九月十四日とし、土曜日に当たるときは九月十五日とする。）までに文書により報告しなければならない。

一　前年度の各月の末日における当該実施機関たる共済組合等に係る被保険者（第二号被保険者である者に限る。以下この項において同じ。）の数及び前年度の九月三十日における当該実施機関たる共済組合等に係る被保険者のうち二十歳以上六十歳未満の者の数

二　翌年度における当該実施機関たる共済組合等に係る被保険者の見込数及び当該被保険者のうち令第十一条の二に規定する拠出金按分率の計算の基礎となる者の見込数

三　前年度における経過措置政令第五十八条の規定により算定した基礎年金交付金の額並びに同条第三項各号に掲げる給付の区分に応じ、それぞれ前年度において当該給付に要した費用及び前年度における当該給付に係る同条第一項に規定する基礎年金相当率

四　翌年度における経過措置政令第五十八条の規定により算定した基礎年金交付金の見込額並びに同条第三項各号に掲げる給付の区分に応じ、それぞれ翌年度において当該給付に要する費用の見込額及び翌年度における当該給付に係る同条第一項に規定する基礎年金相当率の見込値

2　各実施機関たる共済組合等は、前項の規定によるほか、厚生労働大臣に対し、当該実施機関たる共済組合等を所管する大臣を経由して、基礎年金の給付に要する費用及び各政府及び実施機関が負担し、又は納付する基礎年金拠出金の額並びに翌年度以降におけるこれらの額の見込額の算定のため必要な事項として厚生労働大臣が実施機関たる共済組合等を所管する大臣と協議して定める事項を報告するものとする。

（法第九十四条の二第三項に規定する予想額の算定のために必要な事項の報告等）

第八十二条の九　各実施機関たる共済組合等は、毎年度、厚生労働大臣に対し、当該実施機関たる共済組合等を所管する大臣を経由して、厚生年金保険法施行規則第八十八条の十第一項第一号イ及びヲ、第二号イ及びチ並びに第三号イ⑴及び⑾、ロ⑴、ハ⑴、ニ⑴及び⑾、ホ（ニ⑴及び⑾に掲げる事項に限る。）、ヘ⑴、ト⑴、チ⑴及び⑼、リ⑴及び⑼、ヌ⑴、ル⑴、ヲ（イ⑴及び⑾に掲げる事項に限る。）、ワ（ロ⑴に掲げる事項に限る。）並びにカ（ハ⑴に掲げる事項に限る。）に掲げる事項を、一月三十一日（日曜日に当たるときは一月二十九日とし、土曜日に当たるときは一月三十日とする。）までに光ディスクにより報告しなければならない。

2　厚生労働大臣は、法第四条の三第一項の規定により財政の現況及び見通しを作成したときは速やかに、各実施機関たる共済組合等を所管する大臣に対し、次の各号に掲げる事項を文書により報告しなければならない。

一　一の年度における保険料・拠出金算定対象額を当該年度における被保険者の総数で除して得た額の将来にわたる予想額

二　法第九十四条の二第一項又は第二項の規定により厚生年金保険の実施者たる政府が負担し、又は実施機関たる共済組合等が納付すべき基礎年金拠出金の将来にわたる予想額

三　政府及び実施機関に係る被保険者の総数の将来にわたる予想数

3　厚生労働大臣及び実施機関たる共済組合等を所管する大臣は、第一項の規定による報告については、電子情報処理組織（厚生労働大臣の使用に係る電子計算機（入出力装置を含む。以下同じ。）、実施機関たる共済組合等を所管する大臣の使用に係る電子計算機及び実施機関たる共済組合等の使用に係る電子計算機を電気通信回線で接続した電子情報処理組織をいう。以下同じ。）を使用して行わせることができる。

4　前項の規定により電子情報処理組織を使用して報告を行う実施機関たる共済組合等は、第一項各号に定める事項を、当該実施機関たる共済組合等の使用に係る電子計算機から、当該実施機関たる共済組合等を所管する大臣の定めるところにより入力して、当該大臣の使用に係る電子計算機に送信しなければならない。

5　実施機関たる共済組合等を所管する大臣は、前項の規定による送信が行われた場合には、当該送信が行われた事項を、厚生労働大臣の定めるところにより、速やかに、当該実施機関たる共済組合等を所管する大臣の使用に係る電子計算機から、厚生労働大臣の使用に係る電子計算機に送信しなければならない。

6　第三項の規定により行われた報告は、厚生労働大臣の使用に係る電子計算機に備えられたファイルへの記録がされた時に厚生労働大臣に到達したものとみなす。

附　則（抄）

（平成元年度における基礎年金拠出金の納付の特例）

2　平成二年二月六日までに納付すべき基礎年金拠出金の額は、第八十二条の二第一項の規定にかかわらず、同項第十号に定める額から厚生労働大臣が定める額（以下「特例拠出額」という。）を控除して得た額とする。

3　各年金保険者たる共済組合は、平成二年三月二十七日までに特例拠出額に相当する基礎年金拠出金を、国民年金の管掌者たる政府に納付しなければならない。

（平成元年度における基礎年金交付金の交付の特例）

4　平成二年一月三十一日までに交付すべき基礎年金交付金の額は、第八十二条の七第一項の規定にかかわらず、同項に規定する残余の額から厚生労働大臣が定める額（以下「特例交付額」という。）を控除して得た額とする。

5　国民年金の管掌者たる政府は、平成二年三月三十日までに特例交付額に相当する基礎年金交付金を、年金保険者たる共済組

合に交付するものとする。

（第三号被保険者の住所変更の届出の特例）

6　法第十二条第五項の規定による第三号被保険者（第一号厚生年金被保険者である第二号被保険者の被扶養配偶者（法第七条第一項第三号に規定する被扶養配偶者をいう。）である第三号被保険者に限る。）の住所の変更の届出は、当分の間、第八条第二項の規定にかかわらず、法第十二条第六項の規定により当該届出を経由して行うこととされている事業主に対して厚生労働大臣が当該第三号被保険者の住所の確認のため交付する書類に、変更後の住所及び変更の年月日を記載して提出することにより行うことができる。この場合において、国民年金手帳を添えることを要しないものとする。

7　法附則第十条第一項に規定する厚生労働省令で定める規定は、日本年金機構法の施行の際現に効力を有する法の改正に伴う経過措置を定める法令の規定のうち厚生労働大臣がすべき裁定、承認、指定、認可その他の処分若しくは通知その他の行為又は厚生労働大臣に対してすべき申請、届出、その他の行為に関するもの及び法の改正に伴う経過措置を定める法令の規定によりなお効力を有することとされた規定のうち、社会保険庁長官、地方社会保険事務局長又は社会保険事務所長（以下「社会保険庁長官等」という。）がすべき裁定、承認、指定、認可その他の処分若しくは通知その他の行為又は社会保険庁長官等に対してすべき申請、届出、その他の行為に関するものとする。

8　前項に規定する社会保険庁長官等がすべき裁定、承認、指定、認可その他の処分若しくは通知その他の行為又は社会保険庁長官等に対してすべき申請、届出、その他の行為については、法令に別段の定めがあるもののほか、日本年金機構法の施行後は、同法の施行後の法令に基づく権限又は権限に係る事務の区分に応じ、それぞれ厚生労働大臣がすべきものとし、又は厚生労働大臣に対してすべきものとする。

（政府管掌年金事業の運営に関する事務の特例）

9　法第十四条に規定する政府管掌年金事業の運営に関する事務その他当該事業に関連する事務であつて厚生労働省令で定めるものは、第一条第二項各号に掲げるもののほか、平成二十八年度の一般会計予算における年金生活者等支援臨時福祉給付金給付事業費補助金を財源として市町村又は特別区から給付される給付金（次項において「年金生活者等支援臨時福祉給付金」という。）の支給に関する事務とする。

（機構への事務の委託の特例）

10　法第百九条の十第一項第四十二号に規定する厚生労働省令で定める事務は、第百十六条各号に掲げるもののほか、年金生活者等支援臨時福祉給付金の支給の事務に関し厚生労働大臣が保有する情報の提供に係る事務（当該情報の提供を除く。）とする。

附　則（昭六一・三・三一厚生令二四）

（施行期日）

1　この省令は、昭和六十一年四月一日から施行する。

（年金保険者たる共済組合に係る基礎年金拠出金の納付に関する経過措置）

2　昭和六十一年度における国民年金法施行令等の一部を改正する等の政令（昭和六十一年政令第五十三号）第一条の規定による改正後の国民年金法施行令（昭和三十四年政令第百八十四号。以下「新国民年金法施行令」という。）第十一条の四第一項の規定による各年金保険者たる共済組合の基礎年金拠出金の納付については、この省令による改正後の国民年金法施行規則（以下「新規則」という。）第八十二条の二第一項の規定にかかわらず、次の各号に掲げる日までに、それぞれ当該各号に定める額を納付することにより行わなければならない。

一　四月二十三日　概算保険料・拠出金算定対象額（新国民年金法施行令第十一条の四第二項の規定により社会保険庁長官が定めた当該年度における保険料・拠出金算定対象額の見込額をいう。第三号において同じ。）から概算旧国民年金給付費（新規則第八十二条の二第一項第一号に規定する概算旧国民年金給付費をいう。以下この項において同じ。）を控除して得た額の十分の一に相当する額に、概算拠出金按分率（同号に規定する概算拠出金按分率をいう。以下この項において同じ。）を乗じて得た額（五百円未満の端数があるときはこれを切り捨て、五百円以上千円未満の端数があるときはこれを千円に切り上げた額）

二　五月二十六日　概算旧国民年金給付費の十一分の二に相当する額に概算拠出金按分率を乗じて得た額（五百円未満の端数があるときはこれを切り捨て、五百円以上千円未満の端数があるときはこれを千円に切り上げた額）

三　七月二十五日　概算保険料・拠出金算定対象額から概算旧国民年金給付費を控除して得た額の十分の三に相当する額に概算拠出金按分率を乗じて得た額（五百円未満の端数があるときはこれを切り捨て、五百円以上千円未満の端数があるときはこれを千円に切り上げた額）

四　八月二十五日　概算旧国民年金給付費の十一分の三に相当する額に概算拠出金按分率を乗じて得た額（五百円未満の端数があるときはこれを切り捨て、五百円以上千円未満の端数があるときはこれを千円に切り上げた額）

五　十月二十五日　前二号に定める額の合算額

六　一月二十六日　第三号に定める額

七　二月二十三日　昭和六十一年度において新国民年金法施行令第十一条の四第一項の規定により当該年金保険者たる共済組合が納付すべき基礎年金拠出金の額から前各号に定める額を合算した額を控除して得た額

（基礎年金交付金の交付に関する経過措置）

3　昭和六十一年度における国民年金法等の一部を改正する法律の施行に伴う経過措置に関する政令（昭和六十一年政令第五十四号。以下この項において「経過措置政令」という。）第五十九条第一項の規定による基礎年金交付金（同令第五十八条第一項に規定する基礎年金交付金をいう。）の交付は、新規則第八十二条の七第一項の規定にかかわらず、四月三十日までに同年度において経過措置政令第五十九条第一項の規定により交付すべき額の十分の一に相当する額（五百円未満の端数があるときはこれを切り捨て、五百円以上千円未満の端数があるときはこれを千円に切り上げた額）を、七月三十一日及び十月三十一日までに、それぞれ同項の規定により当該交付すべき額の十分の三に相当する額（五百円未満の端数があるときはこれを切り捨て、五百円以上千円未満の端数があるときはこれを千円に切り上げた額）を、一月三十一日までに残余の額を交付することにより行うものとする。

（年金保険者たる共済組合の報告に関する経過措置）

4　昭和六十一年度における新規則第八十二条の八第一項の規定による報告については、各年金保険者たる共済組合は、同項の規定にかかわらず、同項第一号及び第三号に掲げる事項についての報告を要しないものとする。

附　則（昭六三・一・二六厚生令五）

1　この省令は、公布の日から施行する。

2　昭和六十二年度におけるこの省令による改正後の国民年金法施行規則第八十二条の二第一項の規定の適用については、同項第十三号中「第一号に定める額」とあるのは「概算旧国民年金老齢年金給付費の十一分の二に相当する額に概算拠出金按分率を乗じて得た額（五百円未満の端数があるときはこれを切り捨て、五百円以上千円未満の端数があるときはこれを千円に切り上げた額）」と、同項第十四号中「前各号」とあるのは「第十三号及び国民年金法施行規則の一部を改正する省令（昭和六十三年厚生省令第五号）による改正前の国民年金法施行規則第八十二条の二第一項第一号から第六号まで」とする。

附　則（平元・二・一厚生令三）

1　この省令は、公布の日から施行する。

2　昭和六十三年度におけるこの省令による改正後の国民年金法施行規則第八十二条の二第一項の規定の適用については、同項第十号中「前各号」とあるのは「国民年金法施行規則の一部を改正する省令（平成元年厚生省令第三号）による改正前の国民年金法施行規則第八十二条の二第一項第一号から第十二号まで」とする。

附　則（平一九・一〇・一一厚労令一二三）

第一条　この省令は、平成二十年二月一日から施行する。ただし、次条の規定は、公布の日から施行する。

第二条　国民年金事業等の運営の改善のための国民年金法等の一部を改正する法律第二条の規定による改正後の国民年金法第九十二条の二の二第一項の指定の申出に関し必要な手続その他の行為は、この省令の施行の日前においても、この省令による改正後の規定の例によりすることができる。

附　則（平三〇・一・三一厚労令一〇）（抄）

（施行期日）

第一条　この省令は、平成三十年三月五日から施行する。〔ただし書略〕

（経過措置）

第二条　この省令の施行日前に住所の変更又は死亡があった場合における住所の変更の届出又は死亡の届出については、なお従前の例による。

第三条　この省令の施行の際現にあるこの省令による改正前の様式による用紙については、当分の間、これを取り繕って使用することができる。

附　則（令六・五・二四厚労令八九）

この省令は、行政手続における特定の個人を識別するための番号の利用等に関する法律等の一部を改正する法律の施行の日（令和六年五月二十七日）から施行する。

別表〔略〕

様式〔略〕

○国民年金法等の一部を改正する法律の施行に伴う経過措置に関する政令（抄）

昭六一・三・二八
政令五四

最終改正　令六・三・二九政令一一七

目次〔略〕

第一章　総則

（趣旨）

第一条　この政令は、国民年金法等の一部を改正する法律（昭和六十年法律第三十四号）の施行に伴い、同法の施行の日前の期間を有する者の国民年金法（昭和三十四年法律第百四十一号）及び厚生年金保険法（昭和二十九年法律第百十五号）の適用、老齢基礎年金、老齢厚生年金等の年金額、国民年金事業及び厚生年金保険事業に要する費用の負担等に関し必要な経過措置を定めるものとする。

第三章　国民年金の被保険者期間等に関する経過措置

（老齢基礎年金の支給要件に係る重複期間の取扱い等）

第九条　昭和六十年改正法附則第八条第二項の規定により、国民年金の被保険者期間又は保険料納付済期間とみなす月は、次の各号に掲げる期間（施行日前の期間に係るものに限る。）の計算の基礎となつている月であつて当該各号に定める場合に該当するものとする。

一　昭和六十年改正法附則第八条第二項第一号に掲げる期間のうち船員保険の被保険者であつた期間（他の法令の規定により船員保険の被保険者であつた期間とみなされた期間を含む

ものとし、同条第十一項の規定に該当する期間を除く。）　同条第一項に規定する旧保険料納付済期間（以下単に「旧保険料納付済期間」という。）又は同項に規定する旧保険料免除期間（以下単に「旧保険料免除期間」という。）の計算の基礎となつていないとき。

二　昭和六十年改正法附則第八条第二項第一号に掲げる期間（前号、次号及び第四号に掲げる期間並びに同条第十一項の規定に該当する期間を除く。）　旧保険料納付済期間若しくは旧保険料免除期間又は前号に掲げる期間の計算の基礎となつていないとき。

三　昭和六十年改正法附則第八条第二項第一号に掲げる期間のうち厚生年金保険法等の一部を改正する法律（平成八年法律第八十二号。以下「平成八年改正法」という。）附則第三条第八号に規定する旧適用法人共済組合員期間（以下単に「旧適用法人共済組合員期間」という。）　旧保険料納付済期間若しくは旧保険料免除期間又は前二号に掲げる期間の計算の基礎となつていないとき。

四　昭和六十年改正法附則第八条第二項第一号に掲げる期間のうち厚生年金保険制度及び農林漁業団体職員共済組合制度の統合を図るための農林漁業団体職員共済組合法等を廃止する等の法律（平成十三年法律第百一号。以下「平成十三年統合法」という。）附則第二条第一項第七号に規定する旧農林共済組合員期間（以下「旧農林共済組合員期間」といい、平成十三年統合法附則第七十三条第一項の規定により準用するものとされた昭和六十年改正法附則第八条第十一項の規定に該当する期間を除く。）　旧保険料納付済期間若しくは旧保険料免除期間又は前三号に掲げる期間の計算の基礎となつていないとき。

五　昭和六十年改正法附則第八条第二項第二号に掲げる期間（昭和六十年国家公務員共済改正法附則第六条第四項に規定する旧公企体組合員期間（以下単に「旧公企体組合員期間」という。）を除く。）　旧保険料納付済期間若しくは旧保険料免除期間又は前各号に掲げる期間の計算の基礎となつていないとき。

六　昭和六十年改正法附則第八条第二項第三号に掲げる期間（昭和六十年地方公務員共済改正法附則第六条第四項に規定する旧団体共済組合員期間（以下単に「旧団体共済組合員期間」という。）を除く。）　旧保険料納付済期間若しくは旧保険料免除期間又は前各号に掲げる期間の計算の基礎となつていないとき。

七　旧団体共済組合員期間　旧保険料納付済期間若しくは旧保険料免除期間又は前各号に掲げる期間の計算の基礎となつていないとき。

八　旧公企体組合員期間　旧保険料納付済期間若しくは旧保険料免除期間又は前各号に掲げる期間の計算の基礎となつていないとき。

九　昭和六十年改正法附則第八条第二項第四号に掲げる期間　旧保険料納付済期間若しくは旧保険料免除期間又は前各号に掲げる期間の計算の基礎となつていないとき。

（昭和六十年改正法附則第八条第二項第二号及び第三号に規定する政令で定める期間）

第十条　昭和六十年改正法附則第八条第二項第二号に規定する政令で定める期間は、昭和六十年国家公務員共済改正法附則第三十二条第一項に規定する組合員でない船員であつた期間の月数に三分の四を乗じて得た期間とする。

２　昭和六十年改正法附則第八条第二項第三号に規定する政令で定める期間は、昭和六十年地方公務員共済改正法附則第三十五条第一項に規定する組合員でない船員であつた期間の月数に三分の四を乗じて得た期間とする。

（昭和六十年改正法附則第八条第五項第七号の二に規定する政令で定める退職一時金）

第十一条　昭和六十年改正法附則第八条第五項第七号の二に規定する退職一時金であつて政令で定めるものは、次のとおりとする。ただし、当該退職一時金の支給を受けた者が六十五歳に達する日の前日（国民年金法附則第九条の二第一項若しくは第九条の二の二第一項の請求又は国民年金法等の一部を改正する法律（平成六年法律第九十五号。以下「平成六年改正法」という。）附則第二十七条第一項の請求を行う者にあつては、その請求をした日）までになお効力を有する平成二十四年一元化法改正前国共済法（被用者年金制度の一元化等を図るための厚生年金保険法等の一部を改正する法律（平成二十四年法律第六十三号。以下「平成二十四年一元化法」という。）附則第三十七条第一項の規定によりなおその効力を有するものとされた平成二十四年一元化法第二条の規定による改正前の国家公務員共済組合法をいう。以下同じ。）附則第十二条の十二第一項（なお効力を有する平成二十四年一元化法改正前私学共済法（平成二十四年一元化法附則第七十九条の規定によりなおその効力を有するものとされた平成二十四年一元化法第四条の規定による改正前の私立学校教職員共済法をいう。以下同じ。）第二十五条において準用する例による平成二十四年一元化法改正前国共済法（私立学校教職員共済法第四十八条の二の規定によりその例によることとされる平成二十四年一元化法附則第三十七条第一項の規定によりなおその効力を有するものとされた平成二十四年一元化法第二条の規定による改正前の国家公務員共済組合法をいう。以下同じ。）附則第十二条の十二第一項の規定を適用する場合を含む。）若しくは昭和六十年国家公務員共済改正法附則第六十二条第一項（私立学校教職員共済法第四十八条の二の規定によりその例によることとされる場合を含む。）、なお効力を有する平成二十四年一元化法改正前地共済法（平成二十四年一元化法附則第六十一条第一項の規定によりなおその効力を有するものとされた平成二十四年一元化法第三条の規定による改正前の地方公務員等共済組合法をいう。以下同じ。）附則第二十八条の二第一項若しくは昭和六十年地方公務員共済改正法附則第百十三条第一項又は平成二十四年一元化法附則第三十九条第一項（被用者年金制度の一元化等を図るための厚生年金保険法等の一部を改正する法律の施行及び国家公務員の退職給付の給付水準の見直し等のための国家公務員退職手当法等の一部を改正する法律の一部の施行に伴う国家公務員共済組合法による長期給付等に関する経過措置に関する政令（平成二十七年政令第三百四十五号）第十四条第一項（私立学校教職員共済法第四十八条の二の規定によりその例によることとされる場合を含む。）の規定により読み替えて適用する場合及び私立学校教職員共済法第四十八条の二の規定によりその例によることとされる場合を含む。）若しくは平成二十四年一元化法附則第六十三条第一項（被用者年金制度の一元化等を図るための厚生年金保険法等の一部を改正する法律及び地方公務員等共済組合法及び被用者年金制度の一元化等を図るための厚生年金保険法等の一部を改正する法律の一部を改正する法律の施行に伴う地方公務員等共済組合法による長期給付等に関する経過措置に関する政令（平成二十七年政令第三百四十七号）第十三条第一項の規定により読み替えて適用する場合を含む。）の規定により当該退職一時金として支給を受けた金額を返還すべきこととなつたものを除く。

一　昭和四十二年度以後における国家公務員共済組合等からの年金の額の改定に関する法律等の一部を改正する法律（昭和五十四年法律第七十二号）第二条の規定による改正前の国家公務員共済組合法第八十条第三項の規定による退職一時金

二　昭和四十二年度以後における地方公務員等共済組合法の年金の額の改定等に関する法律等の一部を改正する法律（昭和五十四年法律第七十三号）第二条の規定による改正前の地方公務員等共済組合法第八十三条第三項（同法第二百二条において準用する場合を含む。）の規定による退職一時金

三　昭和四十四年度以後における私立学校教職員共済組合からの年金の額の改定に関する法律等の一部を改正する法律（昭和五十四年法律第七十四号）第二条の規定による改正前の私立学校教職員共済組合法第二十五条において準用する国家公務員共済組合法第八十条第三項又は私立学校教職員共済組合法等の一部を改正する法律（昭和三十六年法律第百四十号）第一条の規定による改正前の私立学校教職員共済組合法第二十五条の三第三項の規定による退職一時金

四　昭和四十二年度以後における公共企業体職員等共済組合法に規定する共済組合が支給する年金の額の改定に関する法律及び公共企業体職員等共済組合法の一部を改正する法律（昭和五十四年法律第七十六号）第二条の規定による改正前の公共企業体職員等共済組合法（昭和三十一年法律第百三十四号）第五十四条第五項の規定による退職一時金

（昭和六十年改正法附則第八条第五項各号に掲げる期間の計算）

第十四条　昭和六十年改正法附則第八条第五項各号に掲げる期間については、当該期間の計算の基礎となつている月が国民年金の保険料納付済期間（同条第一項又は第二項の規定により保険料納付済期間とみなされた期間を含む。）又は保険料免除期間（同条第一項の規定により保険料免除期間とみなされた期間を含む。）の計算の基礎となつているときは、同条第五項の規定を適用しない。

2　昭和六十年改正法附則第八条第五項の規定により同項各号に掲げる期間を合算対象期間に算入する場合において、同一の月が同時に二以上の同項各号に掲げる期間の計算の基礎となつているときは、その月は、国民年金法附則第九条第一項の規定の適用に関し最も有利となる一の期間についてのみ、その計算の基礎とする。

3　昭和六十年改正法附則第八条第五項の規定により同項第三号及び第四号に掲げる期間のうち第一号厚生年金被保険者期間（厚生年金保険法第二条の五第一項第一号に規定する第一号厚生年金被保険者期間をいう。以下同じ。）（昭和六十年改正法附則第四十七条第一項の規定により第一号厚生年金被保険者期間とみなされた期間を含む。以下この項において同じ。）を合算対象期間に算入する場合において、一年に満たない期間は、その計算の基礎としない。ただし、当該期間と昭和三十六年四月一日以後の期間に係る第一号厚生年金被保険者期間とを合算して一年以上であるときは、この限りでない。

（障害基礎年金及び遺族基礎年金の支給要件に係る重複期間の取扱い）

第十五条　昭和六十年改正法附則第八条第九項の規定により保険料納付済期間である国民年金の被保険者期間とみなす月は、第九条各号に掲げる期間（施行日前の期間に係るものに限る。）の計算の基礎となつている月であつて当該各号に定める場合に該当するものとする。

（障害基礎年金及び遺族基礎年金の支給要件に係る期間の計算）

第十六条　次の各号に掲げる期間を昭和六十年改正法附則第八条第十項の規定により保険料納付済期間である国民年金の被保険者期間とみなす場合における当該期間の計算については、当該期間につきそれぞれ当該各号に定める規定の適用があつた場合においても、その適用がないものとして計算する。

一　昭和六十年改正法附則第八条第五項第三号及び第四号に掲げる期間のうち第一号厚生年金被保険者期間であるもの　旧厚生年金保険法第十九条第三項又は附則第二十四条

二　昭和六十年改正法附則第八条第五項第三号及び第四号に掲げる期間のうち船員保険の被保険者であつた期間であるもの　船員保険法中改正法律（昭和二十年法律第二十四号。第三十三条第一項において「法律第二十四号」という。）附則第二条第二項又は船員保険法の一部を改正する法律（昭和二十二年法律第百三号）附則第三条

三　昭和六十年改正法附則第八条第五項第三号に掲げる期間のうち旧通則法附則第十五条の規定により通算対象期間とされるもの　国家公務員及び公共企業体職員に係る共済組合制度の統合等を図るための国家公務員共済組合法等の一部を改正する法律（昭和五十八年法律第八十二号）附則第二条の規定による廃止前の公共企業体職員等共済組合法（以下「旧公企体共済法」という。）第七十七条第二項

四　昭和六十年改正法附則第八条第五項第六号に掲げる期間　昭和六十年改正法附則第四十七条第二項若しくは第三項、昭和六十年国家公務員共済改正法附則第三十二条第一項、昭和六十年地方公務員共済改正法附則第三十五条第一項又は平成八年改正法附則第五条第二項

第四章　国民年金の年金たる給付に関する経過措置

第一節　給付の通則に関する事項

（新国民年金法による年金たる給付の額の改定）

第十七条　昭和六十一年四月以降の月分の次の表の第一欄に掲げる年金たる給付の額又は加算額については、同表の第二欄に掲げる規定中同表の第三欄に掲げる字句は、それぞれ同表の第四欄に掲げる字句に読み替えて、当該年金たる給付の額又は加算額に関する昭和六十年改正法附則第九条各号に掲げる規定を適用する。

昭和六十年改正法附則第九条第	新国民年金法第二十七条	六十万円	六十二万二千八百円

一号に掲げる年金たる給付の額			
昭和六十年改正法附則第九条第二号に掲げる年金たる給付の額	新国民年金法第三十三条第一項	六十万円	六十二万二千八百円
昭和六十年改正法附則第九条第三号に掲げる加算額	新国民年金法第三十三条の二第一項	六万円	六万二千三百円
		十八万円	十八万六千八百円
昭和六十年改正法附則第九条第四号に掲げる年金たる給付の額	新国民年金法第三十八条	六十万円	六十二万二千八百円
昭和六十年改正法附則第九条第五号に掲げる加算額	新国民年金法第三十九条第一項及び第三十九条の二第一項	六万円	六万二千三百円
		十八万円	十八万六千八百円
昭和六十年改正法附則第九条第六号に掲げる年金たる給付の額	新国民年金法第五十条において適用する同法第二十七条	六十万円	六十二万二千八百円
昭和六十年改正法附則第九条第七号に掲げる年金たる給付の額	新国民年金法附則第九条の三第二項において適用する同法第二十七条	六十万円	六十二万二千八百円
昭和六十年改正法附則第九条第八号に掲げる年金たる給付の額	昭和六十年改正法附則第十五条第三項において適用する同法附則第十四条第一項	十八万円	十八万六千八百円
昭和六十年改正法附則第九条第九号に掲げる年金たる給付の額	昭和六十年改正法附則第十七条第一項において適用する新国民年金法第二十七条	六十万円	六十二万二千八百円
昭和六十年改正法附則第九条第十号に掲げる加算額	昭和六十年改正法附則第十四条第一項	十八万円	十八万六千八百円

（老齢基礎年金の額の端数処理に関する特例）

第十八条 国民年金法第十七条第一項の規定の適用については、当分の間、同項中「年金給付の額に」とあるのは、「年金給付の額（国民年金法等の一部を改正する法律（昭和六十年法律第三十四号）附則第十四条第一項若しくは第二項、第十七条第一項又は第十八条第二項若しくは第三項の規定により加算する額を除く。）又は当該加算する額に」とする。

第二節 老齢基礎年金に関する事項

（老齢基礎年金等の支給要件の特例に係る期間の計算）

第二十二条 施行日以後の期間に係る第一号厚生年金被保険者期間を昭和六十年改正法附則第十二条第一項第三号に規定する期間に算入する場合において、被保険者期間の計算の基礎となつている月が、厚生年金保険法第二条の五第一項第一号に規定する第一号厚生年金被保険者（以下「第一号厚生年金被保険者」という。）の資格を取得し、かつ、喪失した月であつて、かつ、当該第一号厚生年金被保険者の資格を喪失した日以後に同項第二号に規定する第二号厚生年金被保険者（以下「第二号厚生年金被保険者」という。）、同項第三号に規定する第三号厚生年金被保険者（以下「第三号厚生年金被保険者」という。）又は同項第四号に規定する第四号厚生年金被保険者（以下「第四号厚生年金被保険者」という。）の資格を取得した月であるときは、その計算の基礎としない。

2　昭和六十年改正法附則第十二条第一項第三号の規定を適用する場合において、次の各号に掲げる期間の計算の基礎となつている月が、当該各号に定める場合に該当するときは、その月は同項第三号に規定する期間に算入する。

一　第九条第二号に掲げる期間（昭和三十六年四月一日前の期間に係るものにあつては、昭和六十年改正法附則第八条第五項第三号及び第四号に掲げる期間に限るものとし、前項及び第十四条第三項の規定によりその計算の基礎としないこととされる期間を除く。）　第九条第一号に掲げる期間（同日前の期間に係るものにあつては、同法附則第八条第五項第三号及び第四号に掲げる期間に限るものとし、第十四条第三項の規定によりその計算の基礎としないこととされる期間を除く。以下この項において同じ。）の計算の基礎となつていないとき。

二　第九条第三号に掲げる期間（昭和三十六年四月一日前の期間に係るものにあつては、昭和六十年改正法附則第八条第五項第三号に掲げる期間に限る。）　第九条第一号に掲げる期間又は前号に掲げる期間の計算の基礎となつていないとき。

三　第九条第四号に掲げる期間（昭和三十六年四月一日前の期間に係るものにあつては、昭和六十年改正法附則第八条第五項第三号に掲げる期間に限る。）　第九条第一号に掲げる期間又は前二号に掲げる期間の計算の基礎となつていないとき。

四　第九条第五号に掲げる期間（昭和三十六年四月一日前の期間に係るものにあつては、昭和六十年改正法附則第八条第五項第三号に掲げる期間に限る。）　第九条第一号に掲げる期間又は前三号に掲げる期間の計算の基礎となつていないとき。

五　第九条第六号に掲げる期間（昭和三十六年四月一日前の期間に係るものにあつては、昭和六十年改正法附則第八条第五項第三号に掲げる期間に限る。）　第九条第一号に掲げる期間又は前各号に掲げる期間の計算の基礎となつていないとき。

六　第九条第七号に掲げる期間（昭和三十六年四月一日前の期間に係るものにあつては、昭和六十年改正法附則第八条第五項第三号に掲げる期間に限る。）　第九条第一号に掲げる期間又は前各号に掲げる期間の計算の基礎となつていないとき。

七　第九条第八号に掲げる期間（昭和三十六年四月一日前の期間に係るものにあつては、昭和六十年改正法附則第八条第五項第三号に掲げる期間に限る。）　第九条第一号に掲げる期間又は前各号に掲げる期間の計算の基礎となつていないとき。

八　第九条第九号に掲げる期間（昭和三十六年四月一日前の期間に係るものにあつては、昭和六十年改正法附則第八条第五項第三号に掲げる期間に限る。）　第九条第一号に掲げる期間又は前各号に掲げる期間の計算の基礎となつていないとき。

九　昭和六十年改正法附則第八条第五項第五号に掲げる期間　第九条第一号に掲げる期間又は前各号に掲げる期間の計算の基礎となつていないとき。

（昭和六十年改正法附則第十四条第一項に規定する政令で定める率）

第二十四条　次の表の上欄に掲げる者に係る昭和六十年改正法附則第十四条第一項に規定する政令で定める率は、それぞれ同表の下欄に定める率とする。

大正十五年四月二日から昭和二年四月一日までの間に生まれた者	一・〇〇〇
昭和二年四月二日から昭和三年四月一日までの間に生まれた者	〇・九七三
昭和三年四月二日から昭和四年四月一日までの間に生まれた者	〇・九四七
昭和四年四月二日から昭和五年四月一日までの間に生まれた者	〇・九二〇
昭和五年四月二日から昭和六年四月一日までの間に生まれた者	〇・八九三
昭和六年四月二日から昭和七年四月一日までの間に生まれた者	〇・八六七
昭和七年四月二日から昭和八年四月一日までの間に生まれた者	〇・八四〇
昭和八年四月二日から昭和九年四月一日までの間に生まれた者	〇・八一三
昭和九年四月二日から昭和十年四月一日までの間に生まれた者	〇・七八七
昭和十年四月二日から昭和十一年四月一日までの間に生まれた者	〇・七六〇
昭和十一年四月二日から昭和十二年四月一日までの間に生まれた者	〇・七三三
昭和十二年四月二日から昭和十三年四月一日までの間に生まれた者	〇・七〇七
昭和十三年四月二日から昭和十四年四月一日までの間に生まれた者	〇・六八〇
昭和十四年四月二日から昭和十五年四月一日までの間に生まれた者	〇・六五三
昭和十五年四月二日から昭和十六年四月一日までの間に生まれた者	〇・六二七
昭和十六年四月二日から昭和十七年四月一日までの間に生まれた者	〇・六〇〇
昭和十七年四月二日から昭和十八年四月一日までの間に生まれた者	〇・五七三
昭和十八年四月二日から昭和十九年四月一日までの間に生まれた者	〇・五四七
昭和十九年四月二日から昭和二十年四月一日までの間に生まれた者	〇・五二〇
昭和二十年四月二日から昭和二十一年四月一日までの間に生まれた者	〇・四九三
昭和二十一年四月二日から昭和二十二年四月一日までの間に生まれた者	〇・四六七
昭和二十二年四月二日から昭和二十三年四月一日までの間に生まれた者	〇・四四〇
昭和二十三年四月二日から昭和二十四年四月一日までの間に生まれた者	〇・四一三
昭和二十四年四月二日から昭和二十五年四月一日までの間に生まれた者	〇・三八七
昭和二十五年四月二日から昭和二十六年四月一日までの間に生まれた者	〇・三六〇

昭和二十六年四月二日から昭和二十七年四月一日までの間に生まれた者	○・三三三
昭和二十七年四月二日から昭和二十八年四月一日までの間に生まれた者	○・三○七
昭和二十八年四月二日から昭和二十九年四月一日までの間に生まれた者	○・二八○
昭和二十九年四月二日から昭和三十年四月一日までの間に生まれた者	○・二五三
昭和三十年四月二日から昭和三十一年四月一日までの間に生まれた者	○・二二七
昭和三十一年四月二日から昭和三十二年四月一日までの間に生まれた者	○・二○○
昭和三十二年四月二日から昭和三十三年四月一日までの間に生まれた者	○・一七三
昭和三十三年四月二日から昭和三十四年四月一日までの間に生まれた者	○・一四七
昭和三十四年四月二日から昭和三十五年四月一日までの間に生まれた者	○・一二○
昭和三十五年四月二日から昭和三十六年四月一日までの間に生まれた者	○・○九三
昭和三十六年四月二日から昭和四十一年四月一日までの間に生まれた者	○・○六七

（昭和六十年改正法附則第十四条第一項に規定する政令で定める給付）

第二十五条 昭和六十年改正法附則第十四条第一項に規定する老齢又は退職を支給事由とする給付であつて政令で定めるものは、次のとおりとする。

一 厚生年金保険法による老齢厚生年金（その額の計算の基礎となる被保険者期間の月数が二百四十以上であるもの又は昭和六十年改正法附則第十二条第一項第四号から第七号までのいずれかに該当する者に支給されるもの若しくは平成二十四年一元化法附則第三十五条第一項の規定により読み替えられた厚生年金保険法の規定により支給されるもの若しくは平成二十四年一元化法附則第五十九条第一項（同条第二項の規定により適用する場合を含む。）の規定の適用を受けることにより支給されるものに限る。）

二 平成二十四年一元化法改正前国共済年金（平成二十四年一元化法附則第三十七条第一項に規定する改正前国共済法による年金である給付をいう。以下同じ。）のうち退職共済年金（その額の計算の基礎となる組合員期間の月数が二百四十以上であるもの又は次条第一号若しくは第二号に掲げるものに限る。）並びに昭和六十年国家公務員共済改正法第一条の規定による改正前の国家公務員等共済組合法（以下「旧国家公務員等共済組合法」という。）による退職年金及び減額退職年金並びに昭和六十年国家公務員共済改正法第二条の規定による改正前の国家公務員等共済組合法の長期給付に関する施行法（昭和三十三年法律第百二十九号。以下「旧国の施行法」という。）による年金たる給付であつて退職を支給事由とするもの

二の二 平成二十四年一元化法附則第四十一条第一項の規定による退職共済年金（その額の計算の基礎となる同項に規定する国共済組合員等期間の月数が二百四十以上であるものに限る。）

三 平成二十四年一元化法改正前地共済年金（平成二十四年一元化法附則第六十一条第一項に規定する改正前地共済法による年金である給付をいう。以下同じ。）のうち退職共済年金（その額の計算の基礎となる組合員期間の月数が二百四十以上であるもの又は次条第三号から第五号までに掲げるものに限る。）並びに昭和六十年地方公務員共済改正法第一条の規定による改正前の地方公務員等共済組合法（以下「旧地方公務員等共済組合法」という。）（第十一章を除く。以下同じ。）による退職年金及び減額退職年金並びに昭和六十年地方公務員共済改正法第二条の規定による改正前の地方公務員等共済組合法の長期給付等に関する施行法（第十三章を除く。以下「旧地方の施行法」という。）による年金たる給付であつて退職を支給事由とするもの（通算退職年金を除く。）

三の二 平成二十四年一元化法附則第六十五条第一項の規定による退職共済年金（その額の計算の基礎となる同項に規定する地共済組合員等期間の月数が二百四十以上であるものに限る。）

四 平成二十四年一元化法改正前私学共済年金（平成二十四年一元化法附則第七十九条に規定する改正前私学共済法による年金である給付をいう。以下同じ。）のうち退職共済年金（その額の計算の基礎となる加入者期間の月数が二百四十以上であるもの又は次条第六号に掲げるものに限る。）並びに私立学校教職員共済組合法等の一部を改正する法律（昭和六十年法律第百六号。以下「昭和六十年私立学校教職員共済改正法」という。）第一条の規定による改正前の私立学校教職員共済組合法（以下「旧私立学校教職員共済組合法」という。）による退職年金及び減額退職年金

五 移行農林共済年金（平成十三年統合法附則第十六条第四項に規定する移行農林共済年金をいう。以下同じ。）のうち退職共済年金（以下「移行退職共済年金」といい、その額の計算の基礎となる旧農林共済組合員期間の月数が二百四十以上であるものに限る。）並びに移行農林年金（同条第六項に規定する移行農林年金をいう。以下同じ。）のうち退職年金及び減額退職年金（以下それぞれ「移行退職年金」及び「移行減額退職年金」という。）

六 恩給法（大正十二年法律第四十八号。他の法律において準用する場合を含む。）による年金たる給付であつて退職を支給事由とするもの

七 地方公務員の退職年金に関する条例による年金たる給付であつて退職を支給事由とするもの（通算退職年金を除く。）

八　執行官法の一部を改正する法律（平成十九年法律第十八号）による改正前の執行官法（昭和四十一年法律第百十一号。第二十八条第十号において「旧執行官法」という。）附則第十三条の規定による年金たる給付であつて退職を支給事由とするもの

（昭和六十年改正法附則第十四条第一項第一号に規定する退職共済年金であつて政令で定めるもの）

第二十六条　昭和六十年改正法附則第十四条第一項第一号に規定する退職共済年金であつて政令で定めるものは、次の各号に該当するものとする。

一　平成二十四年一元化法改正前国共済年金のうち退職共済年金（平成二十四年一元化法改正前国共済法附則第十三条第一項の規定により読み替えられた平成二十四年一元化法改正前国共済法によるものに限る。）

二　平成二十四年一元化法改正前国共済年金のうち退職共済年金（国家公務員共済組合法の長期給付に関する施行法第八条若しくは第九条（同法第二十二条第一項、第二十三条第一項及び第四十八条第一項において準用する場合を含む。）又は第二十五条（第二十七条において準用する場合を含む。）の規定により読み替えられた平成二十四年一元化法改正前国共済法によるものに限る。）

三　平成二十四年一元化法改正前地共済年金のうち退職共済年金（平成二十四年一元化法改正前地共済法（平成二十四年一元化法第三条の規定による改正前の地方公務員等共済組合法をいう。以下同じ。）附則第二十八条の四第一項の規定の適用を受けることにより支給されるものに限る。）

四　平成二十四年一元化法改正前地共済年金のうち退職共済年金（新地方の施行法第八条第一項から第三項まで、第九条第二項若しくは第十条第一項から第三項まで（これらの規定を新地方の施行法第三十六条第一項において準用する場合を含む。）、第四十八条第一項若しくは第二項（新地方の施行法第五十二条において準用する場合を含む。）、第五十五条第一項若しくは第二項（新地方の施行法第五十九条において準用する場合を含む。）又は第六十二条第一項若しくは第二項（新地方の施行法第六十六条において準用する場合を含む。）の規定の適用を受けることにより支給されるものに限る。）

五　平成二十四年一元化法改正前地共済年金のうち退職共済年金（昭和六十年地方公務員共済改正法附則第十三条第二項の規定の適用を受けることにより支給されるものに限る。）

六　平成二十四年一元化法改正前私学共済年金のうち退職共済年金（私立学校教職員共済組合法等の一部を改正する法律（昭和三十六年法律第百四十号）附則第十項（同法附則第十八項において準用する場合を含む。）の規定により読み替えられた平成二十四年一元化法改正前私学共済法第二十五条において準用する平成二十四年一元化法改正前国共済法によるものに限る。）

（昭和六十年改正法附則第十四条第一項第一号に規定する政令で定める老齢厚生年金）

第二十六条の二　昭和六十年改正法附則第十四条第一項第一号に規定する政令で定める老齢厚生年金は、平成六年改正法附則第二十七条第六項に規定する繰上げ調整額が加算された老齢厚生年金であつて、その受給権者が次の各号のいずれかに該当する者であるものとする。

一　男子又は女子（第二号厚生年金被保険者であり、若しくは厚生年金保険法第二条の五第一項第二号に規定する第二号厚生年金被保険者期間（以下「第二号厚生年金被保険者期間」という。）を有する者、第三号厚生年金被保険者であり、若しくは同項第三号に規定する第三号厚生年金被保険者期間（以下「第三号厚生年金被保険者期間」という。）を有する者又は第四号厚生年金被保険者であり、若しくは同項第四号に規定する第四号厚生年金被保険者期間（以下「第四号厚生年金被保険者期間」という。）を有する者に限る。）であつて、平成六年改正法附則第十九条第一項の表の上欄に掲げる者（平成六年改正法附則第二十条の二第一項に規定する者を除き、同表の下欄に掲げる年齢に達した者に限る。）

二　女子（第一号厚生年金被保険者であり、又は第一号厚生年金被保険者期間を有する者に限る。）であつて、平成六年改正法附則第二十条第一項の表の上欄に掲げる者（平成六年改正法附則第二十条の二第一項に規定する者を除き、同表の下欄に掲げる年齢に達した者に限る。）

三　厚生年金保険法附則第七条の三第一項第四号に規定する特定警察職員等（次条第四号において「特定警察職員等」という。）であつて、平成六年改正法附則第二十条の二第一項の表の上欄に掲げる者（平成二十四年一元化法附則第三十三条第一項又は第五十七条第一項若しくは第二項に規定する者を除き、同表の下欄に掲げる年齢に達したものに限る。）

（昭和六十年改正法附則第十四条第一項第一号に規定する厚生年金保険法附則第十三条の四第三項の政令で定める老齢厚生年金）

第二十六条の三　昭和六十年改正法附則第十四条第一項第一号に規定する厚生年金保険法附則第十三条の四第三項の政令で定める老齢厚生年金は、同法附則第十三条の五第一項に規定する繰上げ調整額が加算された老齢厚生年金であつて、その受給権者が次の各号のいずれかに該当する者（同条第五項本文の規定の適用を受ける者を除く。）であるものとする。

一　男子又は女子（第二号厚生年金被保険者であり、若しくは第二号厚生年金被保険者期間を有する者、第三号厚生年金被保険者であり、若しくは第三号厚生年金被保険者期間を有する者又は第四号厚生年金被保険者であり、若しくは第四号厚生年金被保険者期間を有する者に限る。）であつて、厚生年金保険法附則第八条の二第一項の表の上欄に掲げる者（同条第三項及び第四項に規定する者を除き、同表の下欄に掲げる年齢に達した者に限る。）

二　女子（第一号厚生年金被保険者であり、又は第一号厚生年金被保険者期間を有する者に限る。）であつて、厚生年金保険法附則第八条の二第二項の表の上欄に掲げる者（同条第三項及び第四項に規定する者を除き、同表の下欄に掲げる年齢に達した者に限る。）

三　昭和六十年改正法附則第四十八条第四項の規定により読み替えられた厚生年金保険法附則第七条の三第一項第三号に規定する坑内員たる被保険者であつた期間と船員たる被保険者であつた期間とを合算した期間が十五年以上である者であつて、同法附則第八条の二第三項の表の上欄に掲げる者（同条第四項に規定する者を除き、同表の下欄に掲げる年齢に達した者に限る。）

四　特定警察職員等であつて、厚生年金保険法附則第八条の二第四項の表の上欄に掲げる者（同表の下欄に掲げる年齢に達した者に限る。）

（昭和六十年改正法附則第十四条第一項第一号に規定する政令で定める退職共済年金）

第二十六条の四　昭和六十年改正法附則第十四条第一項第一号に規定する政令で定める退職共済年金は、次のとおりとする。

一　平成二十四年一元化法改正前国共済年金のうち平成二十四年一元化法改正前国共済法附則第十二条の三の規定による退職共済年金であつてなお効力を有する平成二十四年一元化法改正前国共済法第七十七条の規定によりその額が算定されているもの（なお効力を有する平成二十四年一元化法改正前国共済法附則第十二条の七の五第一項に規定する繰上げ調整額が加算された退職共済年金であつて、その受給権者がなお効力を有する平成二十四年一元化法改正前国共済法附則第十二条の七の三第一項の表の上欄に掲げる者（同表の下欄に掲げる年齢に達した者に限る。）であるものを除く。）

二　平成二十四年一元化法改正前国共済年金のうち平成二十四年一元化法改正前国共済法附則第十二条の六の二第三項の規定による退職共済年金であつてその受給権者が六十五歳に達していないもの（なお効力を有する平成二十四年一元化法改正前国共済法附則第十二条の六の三第一項に規定する繰上げ調整額が加算された退職共済年金であつて、その受給権者が平成二十四年一元化法改正前国共済法附則第十二条の三の二の表の上欄に掲げる者（同表の下欄に掲げる年齢に達した者に限り、なお効力を有する平成二十四年一元化法改正前国共済法附則第十二条の六の三第五項本文の規定の適用を受ける者を除く。）であるものを除く。）

三　平成二十四年一元化法改正前地共済年金のうち平成二十四年一元化法改正前地共済法附則第十九条の規定による退職共済年金であつてなお効力を有する平成二十四年一元化法改正前地共済法第七十九条の規定によりその額が算定されるもの（なお効力を有する平成二十四年一元化法改正前地共済法附則第二十五条の六第一項に規定する繰上げ調整額が加算された退職共済年金であつて、その受給権者が次のいずれかに該当する者であるものを除く。）

イ　平成二十四年一元化法改正前地共済法附則第十八条の二第一項第一号に規定する特定警察職員等（以下この条において「特定警察職員等」という。）以外の者であつて、なお効力を有する平成二十四年一元化法改正前地共済法附則第二十五条の三第一項の表の上欄に掲げるもの（同表の下欄に掲げる年齢に達した者に限る。）

ロ　特定警察職員等である者であつて、なお効力を有する平成二十四年一元化法改正前地共済法附則第二十五条の四第一項の表の上欄に掲げるもの（同表の下欄に掲げる年齢に達した者に限る。）

四　平成二十四年一元化法改正前地共済年金のうち平成二十四年一元化法改正前地共済法附則第二十四条の二第三項の規定による退職共済年金であつてその受給権者が六十五歳に達していないもの（なお効力を有する平成二十四年一元化法改正前地共済法附則第二十四条の三第一項に規定する繰上げ調整額が加算された退職共済年金であつて、その受給権者が次のいずれかに該当する者（同条第五項本文の規定の適用を受ける者を除く。）であるものを除く。）

イ　特定警察職員等以外の者であつて、平成二十四年一元化法改正前地共済法附則第十九条の二第一項の表の上欄に掲げるもの（同表の下欄に掲げる年齢に達した者に限る。）

ロ　特定警察職員等である者であつて、平成二十四年一元化法改正前地共済法附則第十九条の二第二項の表の上欄に掲げるもの（同表の下欄に掲げる年齢に達した者に限る。）

五　平成二十四年一元化法改正前私学共済年金のうち平成二十四年一元化法改正前私学共済法第二十五条において準用する平成二十四年一元化法改正前国共済法附則第十二条の三の規定による退職共済年金であつてなお効力を有する平成二十四年一元化法改正前私学共済法第二十五条において準用する例による平成二十四年一元化法改正前国共済法第七十七条の規定によりその額が算定されているもの（なお効力を有する平成二十四年一元化法改正前私学共済法第二十五条において準用する例による平成二十四年一元化法改正前国共済法附則第十二条の七の五第一項に規定する繰上げ調整額が加算された退職共済年金であつて、その受給権者がなお効力を有する平成二十四年一元化法改正前私学共済法第二十五条において準用する例による平成二十四年一元化法改正前国共済法附則第十二条の七の三第一項の表の上欄に掲げる者（同表の下欄に掲げる年齢に達した者に限る。）であるものを除く。）

六　平成二十四年一元化法改正前私学共済年金のうち平成二十四年一元化法改正前私学共済法第二十五条において準用する平成二十四年一元化法改正前国共済法附則第十二条の六の二第三項の規定による退職共済年金であつてその受給権者が六十五歳に達していないもの（なお効力を有する平成二十四年一元化法改正前私学共済法第二十五条において準用する例による平成二十四年一元化法改正前国共済法附則第十二条の六の三第一項に規定する繰上げ調整額が加算された退職共済年金であつて、その受給権者が平成二十四年一元化法改正前私学共済法第二十五条において準用する平成二十四年一元化法改正前国共済法附則第十二条の三の二の表の上欄に掲げる者（同表の下欄に掲げる年齢に達した者に限り、なお効力を有する平成二十四年一元化法改正前私学共済法第二十五条において準用する例による平成二十四年一元化法改正前国共済法附則第十二条の六の三第五項本文の規定の適用を受ける者を除く。）であるものを除く。）

（昭和六十年改正法附則第十四条第一項及び第二項に規定する生計維持の認定）

第二十七条　昭和六十年改正法附則第十四条第一項及び第二項、第十五条第一項及び第二項並びに第十八条第二項及び第三項に規定する老齢基礎年金の受給権者がその権利を取得した当時（老齢基礎年金の受給権者が同法附則第十四条第二項、第十五条第二項及び第十八条第三項の規定に該当するときは、その者の配偶者が同法附則第十四条第一項各号のいずれかに該当するに至つた当時。以下この条において同じ。）同項各号のいずれかに該当する者と生計を同じくしていた者であつて厚生労働大臣が定める金額以上の収入を将来にわたつて有すると認められる者以外のものその他これに準ずる者である場合には、その者は、その権利を取得した当時同項各号のいずれかに該当する者によつて生計を維持していたものとする。

（昭和六十年改正法附則第十六条第一項に規定する政令で定める年金たる給付）

第二十八条　昭和六十年改正法附則第十六条第一項（昭和六十年改正法附則第十八条第四項において準用する場合を含む。）に規定する障害を支給事由とする年金たる給付であつて政令で定めるものは、次のとおりとする。ただし、その全額につき支給を停止されている給付を除く。

一　国民年金法による障害基礎年金及び旧国民年金法による障害年金

二　厚生年金保険法による障害厚生年金及び旧厚生年金保険法による障害年金

三　旧船員保険法による障害年金

四　平成二十四年一元化法改正前国共済年金のうち障害共済年金並びに旧国家公務員等共済組合法による障害年金及び旧国の施行法による年金たる給付であつて障害を支給事由とするもの

四の二　平成二十四年一元化法附則第四十一条第一項の規定による障害共済年金

五　平成二十四年一元化法改正前地共済年金のうち障害共済年金並びに旧地方公務員等共済組合法による障害年金及び旧地方の施行法による年金たる給付であつて障害を支給事由とするもの

五の二　平成二十四年一元化法附則第六十五条第一項の規定による障害共済年金

六　平成二十四年一元化法改正前私学共済年金のうち障害共済年金及び旧私立学校教職員共済組合法による障害年金

七　移行農林共済年金のうち障害共済年金（以下「移行障害共済年金」という。）及び移行農林年金のうち障害年金（以下「移行障害年金」という。）

八　恩給法（他の法律において準用する場合を含む。）による年金たる給付であつて障害を支給事由とするもの

九　地方公務員の退職年金に関する条例による年金たる給付であつて障害を支給事由とするもの

十　旧執行官法附則第十三条の規定による年金たる給付であつて障害を支給事由とするもの

十一　旧令による共済組合等からの年金受給者のための特別措置法（昭和二十五年法律第二百五十六号）による国家公務員共済組合連合会が支給する年金たる給付であつて障害を支給事由とするもの

十二　戦傷病者戦没者遺族等援護法（昭和二十七年法律第百二十七号）による障害年金

第三節　障害基礎年金に関する事項

（障害基礎年金の支給要件の特例に関する経過措置）

第二十八条の二　初診日が平成八年四月一日前にある傷病による障害であつて、当該初診日において平成六年改正法附則第十一条第一項の規定による被保険者でなかつた者に係るものについては、昭和六十年改正法附則第二十条第一項ただし書の規定は適用しない。

（障害基礎年金の支給要件に関する経過措置等）

第二十九条　施行日前に発した傷病による障害について、新国民年金法第三十条第一項及び第三十条の二第一項の規定を適用する場合においては、これらの規定中「該当した者」とあるのは、「該当した者又は初診日（その日が昭和六十一年四月一日前である場合に限る。）において国民年金の被保険者であつた者であつて当該初診日において六十五歳未満であるもの若しくは厚生年金保険の被保険者である間（昭和四十年五月一日前における国民年金法等の一部を改正する法律（昭和六十年法律第三十四号。以下「昭和六十年改正法」という。）第三条の規定による改正前の厚生年金保険法第三条第一項第七号に規定する第四種被保険者である間を除く。）、船員保険の被保険者（昭和六十年改正法第五条の規定による改正前の船員保険法（昭和十四年法律第七十三号。以下「旧船員保険法」という。）第十九条ノ三の規定による被保険者を除く。）である間（同日前における旧船員保険法第二十条の規定による被保険者である間を除く。）若しくは共済組合の組合員（昭和六十年農林共済改正法（厚生年金保険制度及び農林漁業団体職員共済組合制度の統合を図るための農林漁業団体職員共済組合法等を廃止する等の法律（平成十三年法律第百一号）附則第二条第一項第四号に規定する昭和六十年農林共済改正法をいう。）附則第三条第一項に規定する任意継続組合員を含む。）である間に疾病にかかり、若しくは負傷した者」とする。

2　初診日が昭和五十九年十月一日から施行日の前日までの間にある傷病による障害であつて、当該初診日において国民年金の被保険者であつた者に係るものについて、昭和六十年改正法附則第二十条第一項の規定により読み替えられた新国民年金法第三十条第一項ただし書（同法第三十条の二第二項において準用する場合を含む。）の規定を適用する場合においては、昭和六十年改正法附則第二十条第一項ただし書中「被保険者期間がないとき」とあるのは、「被保険者期間がないとき並びに国民年金法等の一部を改正する法律（昭和六十年法律第三十四号）第一条の規定による改正前のこの項第一号の要件に該当するとき」とする。

3　初診日が昭和五十九年十月一日から施行日の前日までの間にある傷病による障害であつて、当該初診日において国民年金の被保険者でなく、かつ、六十五歳未満であつた者に係るものについては、その者が当該初診日の前日において旧国民年金法第二十六条（同法第七十六条の規定により読み替えられる場合を含む。）に規定する要件に該当しないときは、新国民年金法第三十条第一項及び第三十条の二第一項の規定は適用せず、当該要件に該当するときは、新国民年金法第三十条第一項ただし書（同法第三十条の二第二項において準用する場合を含む。）の規定は適用しない。

4　初診日が昭和五十九年十月一日から施行日の前日までの間にある傷病による障害であつて、厚生年金保険の被保険者であつた間（昭和四十年五月一日前における旧厚生年金保険法第三条第一項第七号に規定する第四種被保険者であつた間を除く。）に発した傷病及び船員保険の被保険者（旧船員保険法第十九条ノ三の規定による被保険者を除く。以下「船員保険被保険者」という。）であつた間（昭和四十年五月一日前における旧船員保険法第二十条の規定による被保険者であつた間を除く。）に発した傷病によるものについて、昭和六十年改正法附則第二十条第一項の規定により読み替えられた新国民年金法第三十条第一項ただし書（同法第三十条の二第二項において準用する場合を含む。）の規定を適用する場合においては、同法第三十条第

一項ただし書中「被保険者期間がないとき」とあるのは、「被保険者期間がないとき並びに当該初診日の属する月前の旧通算年金通則法（昭和三十六年法律第百八十一号）第四条第一項各号に掲げる期間を合算した期間が六月以上あるとき」とする。

5 初診日が昭和五十九年十月一日から施行日の前日までの間にある傷病による障害であつて、共済組合の組合員（昭和六十年農林共済改正法（平成十三年統合法附則第二条第一項第四号に規定する昭和六十年農林共済改正法をいう。以下同じ。）附則第三条第一項に規定する任意継続組合員を含む。）であつた間に発した傷病によるものについて、昭和六十年改正法附則第二十条第一項の規定により読み替えられた新国民年金法第三十条第一項ただし書（同法第三十条の二第二項において準用する場合を含む。）の規定を適用する場合においては、同法第三十条第一項ただし書中「被保険者期間がないとき」とあるのは、「被保険者期間がないとき並びに当該傷病が発する日前に旧通算年金通則法（昭和三十六年法律第百八十一号）第四条第一項各号に掲げる期間を合算した期間が一年以上あるとき」とする。

6 前二項の規定により読み替えられた新国民年金法第三十条第一項ただし書（同法第三十条の二第二項において準用する場合を含む。）の規定を適用する場合においては、旧通則法第六条第一項及び第三項、第七条並びに第九条第一項の規定の例による。

第三十四条 国家公務員共済組合の組合員であつた間に発した傷病（第三十八条第一項に規定する傷病を除く。）による障害であつて施行日前に発した傷病によるものについて、新国民年金法第三十条の二第一項の規定を適用する場合においては、同項中「障害認定日」とあるのは「当該傷病による障害につき被用者年金制度の一元化等を図るための厚生年金保険法等の一部を改正する法律（平成二十四年法律第六十三号）第二条の規定による改正前の国家公務員共済組合法（昭和三十三年法律第百二十八号）第八十一条第一項の規定による障害共済年金が支給されるものとした場合に障害の程度を認定すべきとき」と、「同日後六十五歳に達する日の前日」とあるのは「その後六十五歳に達する日の前日又は当該障害の程度を認定すべきときから五年を経過する日のうちいずれか遅い日」とする。

2 前項に規定する障害であつて、次の表の上欄に掲げる傷病によるものについて、新国民年金法第三十条の二第二項において準用する同法第三十条第一項の規定を適用する場合においては、同項ただし書は、それぞれ次の表の下欄のように読み替えるものとする。

昭和五十一年九月三十日までの間に発した傷病	ただし、国家公務員共済組合の組合員となつて一年を経過する前に発した傷病による障害については、この限りでない。
昭和五十一年十月一日以後に発した傷病であつて初診日が昭和五十九年九月三十日以前にあるもの	ただし、当該傷病が発する日前に旧通算年金通則法（昭和三十六年法律第百八十一号）第四条第一項各号に掲げる期間を合算した期間が一年未満であるときは、この限りでない。

3 第二十九条第六項の規定は、前項の場合に準用する。

第三十八条 旧公企体共済法第三条第一項の規定により設けられた共済組合の組合員であつた間に発した傷病による障害であつて施行日前に発した傷病によるものについて、新国民年金法第三十条の二第一項の規定を適用する場合においては、同項中「障害認定日」とあるのは「当該傷病による障害につき国家公務員共済組合法第八十一条第一項の規定による障害共済年金が支給されるものとした場合に障害の程度を認定すべきとき」と、「同日後六十五歳に達する日の前日」とあるのは「その後六十五歳に達する日の前日又は当該障害の程度を認定すべきときから五年を経過する日のうちいずれか遅い日」とする。

2 前項に規定する障害であつて、次の表の上欄に掲げる傷病によるものについて、新国民年金法第三十条の二第二項において準用する同法第三十条第一項の規定を適用する場合においては、同項ただし書は、それぞれ次の表の下欄のように読み替えるものとする。

昭和五十一年九月三十日までの間に発した傷病	ただし、国家公務員及び公共企業体職員に係る共済組合制度の統合等を図るための国家公務員共済組合法等の一部を改正する法律（昭和五十八年法律第八十二号）附則第二条の規定による廃止前の公共企業体職員等共済組合法（昭和三十一年法律第百三十四号）第三条第一項の規定により設けられた共済組合の組合員となつて二年を経過する前に発した傷病による障害については、この限りでない。
昭和五十一年十月一日から昭和五十九年三月三十一日までの間に発した傷病（同日以前に退職した者に係るものに限る。）	ただし、当該傷病が発する日前に旧通算年金通則法（昭和三十六年法律第百八十一号）第四条第一項各号に掲げる期間を合算した期間が二年未満であるときは、この限りでない。

3 第二十九条第六項の規定は、前項の場合に準用する。

第三十九条 初診日が施行日前にある傷病による障害について、新国民年金法第三十条の三第一項の規定を適用する場合においては、同項中「該当した者」とあるのは「該当した者又は初診日において厚生年金保険の被保険者若しくは船員保険の被保険者（国民年金法等の一部を改正する法律（昭和六十年法律第三十四号）第五条の規定による改正前の船員保険法（昭和十四年法律第七十三号）第十九条ノ三の規定による被保険者を除く。）又は共済組合の組合員（昭和六十年農林共済改正法（厚生年金保険制度及び農林漁業団体職員共済組合制度の統合を図るための農林漁業団体職員共済組合法等を廃止する等の法律（平成十三年法律第百一号）附則第二条第一項第四号に規定する昭和六十年農林共済改正法をいう。）附則第三条第一項に規定する任意継続組合員を含む。）である者」とする。

第四十一条　初診日が施行日以後にある傷病による障害について、新国民年金法第三十条から第三十条の三までの規定を適用する場合においては、当分の間、同法第三十条第一項第二号中「被保険者であつた者」とあるのは、「被保険者であつた者（昭和六十一年四月一日前に、厚生年金保険又は船員保険の被保険者（国民年金法等の一部を改正する法律（昭和六十年法律第三十四号）第五条の規定による改正前の船員保険法（昭和十四年法律第七十三号）第十九条ノ三の規定による被保険者を除く。）及び共済組合の組合員（昭和六十年農林共済改正法（厚生年金保険制度及び農林漁業団体職員共済組合制度の統合を図るための農林漁業団体職員共済組合法等を廃止する等の法律（平成十三年法律第百一号）附則第二条第一項第四号に規定する昭和六十年農林共済改正法をいう。）附則第三条第一項に規定する任意継続組合員を含む。）であつた者を含む。）」とする。

第四十二条　新国民年金法第三十条の三第三項の規定は、昭和六十年改正法附則第二十三条第二項に規定する障害基礎年金について準用する。

（昭和六十年改正法附則第二十六条第一項に規定する政令で定める障害年金）

第四十三条　昭和六十年改正法附則第二十六条第一項に規定する政令で定める障害年金は、次に掲げる障害年金であつて、昭和三十六年四月一日以後に支給事由の生じたものとする。

一　旧厚生年金保険法による障害年金（その権利を取得した当時から引き続き同法別表第一に定める一級又は二級に該当しない程度の障害の状態にある受給権者に係るものを除く。）

二　旧船員保険法による障害年金（職務上の事由によるものについてはその権利を取得した当時から引き続き同法別表第四の上欄に定める一級から五級までのいずれにも該当しない程度の障害の状態にある受給権者に係るものを除き、職務外の事由によるものについてはその権利を取得した当時から引き続き同表の下欄に定める一級又は二級に該当しない程度の障害の状態にある受給権者に係るものを除く。）

三　国家公務員共済組合が支給する障害年金（平成八年改正法附則第十六条第三項の規定により厚生年金保険の実施者たる政府が支給するものとされたものを含み、その権利を取得した当時から引き続き旧国家公務員等共済組合法別表第三に定める一級又は二級に該当しない程度の障害の状態にある受給権者に係るものを除く。）

四　地方公務員共済組合が支給する障害年金（その権利を取得した当時から引き続き旧地方公務員等共済組合法別表第三に定める一級又は二級に該当しない程度の障害の状態にある受給権者に係るものを除く。）

五　日本私立学校振興・共済事業団が支給する障害年金（その権利を取得した当時から引き続き旧私立学校教職員共済組合法第二十五条第一項において準用する旧国家公務員等共済組合法別表第三に定める一級又は二級に該当しない程度の障害の状態にある受給権者に係るものを除く。）

第四節　遺族基礎年金に関する事項

（遺族基礎年金の支給要件の特例に関する経過措置）

第四十三条の二　平成八年四月一日前に死亡した者であつて、当該死亡日において平成六年改正法附則第十一条第一項の規定による被保険者でなかつたものについては、昭和六十年改正法附則第二十条第二項ただし書の規定は適用しない。

（遺族基礎年金の支給要件に関する経過措置）

第四十四条　昭和六十年改正法附則第二十七条に規定する政令で定める通算老齢年金は、通算老齢年金であつて、次の各号に掲げる者に支給されるものとする。

一　旧厚生年金保険法第四十六条の三第一号ロからニまでのいずれかに該当する者

二　他の法令の規定により旧厚生年金保険法第四十六条の三第一号イからニまでのいずれかに該当する者とみなされた者

2　昭和六十年改正法附則第二十七条に規定する政令で定める通算退職年金は、通算退職年金であつて通算対象期間を合算した期間が二十五年未満であるものとする。

第四十四条の二　昭和六十年改正法附則第二十七条に規定する政令で定める者は、次のとおりとする。

一　大正十五年四月一日以前に生まれた者であつて次に掲げる障害年金の受給権者

イ　旧厚生年金保険法による障害年金（旧厚生年金保険法別表第一に定める一級又は二級に該当する程度の障害の状態にある受給権者に係るものに限る。）

ロ　旧船員保険法による障害年金（職務上の事由によるものについては旧船員保険法別表第四の上欄に定める一級から五級までのいずれかに該当する程度の障害の状態にある受給権者に係るものに限り、職務外の事由によるものについては同表の下欄に定める一級又は二級に該当する程度の障害の状態にある受給権者に係るものに限る。）

ハ　国家公務員共済組合が支給する障害年金（平成八年改正法附則第十六条第三項の規定により厚生年金保険の実施者たる政府が支給するものとされたものを含み、旧国家公務員等共済組合法別表第三に定める一級又は二級に該当する程度の障害の状態にある受給権者に係るものに限る。）

ニ　地方公務員共済組合が支給する障害年金（旧地方公務員等共済組合法別表第三に定める一級又は二級に該当する程度の障害の状態にある受給権者に係るものに限るものとし、旧地方の施行法第三条の規定により支給される旧地方の施行法第二条第十六号に規定する共済法の障害年金を除く。）

ホ　日本私立学校振興・共済事業団が支給する障害年金（旧私立学校教職員共済組合法第二十五条第一項において準用する旧国家公務員等共済組合法別表第三に定める一級又は二級に該当する程度の障害の状態にある受給権者に係るものに限る。）

ヘ　移行障害年金（旧制度農林共済法別表第二に定める一級又は二級に該当する程度の障害の状態にある受給権者に係るものに限る。）

二　大正十五年四月一日以前に生まれた者であつて厚生年金保険の被保険者、共済組合の組合員（昭和六十年農林共済改正法附則第三条第一項に規定する任意継続組合員を含む。以下この号において同じ。）又は私学教職員共済制度の加入者の資格を喪失した後に厚生年金保険の被保険者、共済組合の組合員又は私学教職員共済制度の加入者である間に初診日のある傷病（当該初診日が施行日以後にあるものに限る。）により当該初診日から五年を経過する日前に死亡したもの

三　大正十五年四月一日以前に生まれた者であつて厚生年金保険の被保険者又は船員保険被保険者であつた間に発した傷病（当該傷病の発した日が施行日前であるものに限る。）に係る初診日から起算して五年を経過する日前に、その傷病により死亡したもの

四　大正十五年四月一日以前に生まれた者であつて旧厚生年金保険法若しくは旧船員保険法による老齢年金若しくは通算老齢年金（通算対象期間を合算した期間が二十五年以上である者又は前条第一項各号に掲げる者に支給されるものに限る。）又は共済組合若しくは日本私立学校振興・共済事業団が支給する退職年金、減額退職年金若しくは通算退職年金（平成八年改正法附則第十六条第三項の規定により厚生年金保険の実施者たる政府が支給するものとされたこれらの年金たる給付又は平成十三年統合法附則第十六条第三項の規定により厚生年金保険の実施者たる政府が支給するものとされたこれらの年金である給付を含む。）の受給資格要件たる期間を満たしているもの

五　大正十五年四月一日以前に生まれた者であつて旧国民年金法による老齢年金（旧国民年金法第七十八条の規定による老齢年金、昭和六十年改正法附則第百九条の規定による改正前の国民年金法の一部を改正する法律（昭和四十四年法律第八十六号。以下「改正前の法律第八十六号」という。）附則第十六条の規定によつて支給される老齢年金、昭和六十年改正法第六条の規定による改正前の厚生年金保険法等の一部を改正する法律（昭和四十八年法律第九十二号。以下「改正前の法律第九十二号」という。）附則第二十条の規定によつて支給される老齢年金、旧国民年金法附則第九条の三第一項の規定に該当することにより支給される老齢年金及び老齢福祉年金を除く。）又は通算老齢年金（通算対象期間を合算した期間が二十五年以上である者、旧国民年金法第二十九条の三第二号から第四号までのいずれかに該当する者又は他の法令の規定により同条各号のいずれかに該当する者とみなされた者に支給されるものに限る。）の受給資格要件たる期間を満たしているもの

六　大正十五年四月二日以後に生まれた者であつて旧厚生年金保険法若しくは旧船員保険法による老齢年金又は共済組合若しくは日本私立学校振興・共済事業団が支給する退職年金若しくは減額退職年金（平成八年改正法附則第十六条第三項の規定により厚生年金保険の実施者たる政府が支給するものとされたこれらの年金たる給付又は平成十三年統合法附則第十六条第三項の規定により厚生年金保険の実施者たる政府が支給するものとされたこれらの年金である給付を含む。）の受給権者

2　第二十九条第六項の規定は、前項第四号及び第五号の規定を適用する場合に準用する。

3　第一項各号に掲げる者が施行日以後に死亡したときは、その者は新国民年金法第三十七条本文に規定する被保険者又は被保険者であつた者とみなし、第一項第一号又は第四号から第六号までに掲げる者が死亡した場合は、同条第四号に該当する場合と、同項第二号又は第三号に掲げる者が死亡した場合は、同条第一号に該当する場合とみなす。

第四十五条　新国民年金法第三十七条の規定の適用については、当分の間、同条中「又は被保険者であつた者」とあるのは、「又は被保険者であつた者（昭和六十一年四月一日前に、厚生年金保険の被保険者であつた者及び船員保険の被保険者（国民年金法等の一部を改正する法律（昭和六十年法律第三十四号）第五条の規定による改正前の船員保険法（昭和十四年法律第七十三号）第十九条ノ三の規定による被保険者を除く。）であつた者及び共済組合の組合員（昭和六十年農林共済改正法（厚生年金保険制度及び農林漁業団体職員共済組合制度の統合を図るための農林漁業団体職員共済組合法等を廃止する等の法律（平成十三年法律第百一号）附則第二条第一項第四号に規定する昭和六十年農林共済改正法をいう。）附則第三条第一項に規定する任意継続組合員を含む。）であつた者を含む。以下この節において同じ。）」とする。

第五章　国民年金の費用負担に関する経過措置

（昭和六十年改正法附則第三十四条第一項第二号に規定する政令で定める割合）

第五十四条　昭和六十年改正法附則第三十四条第一項第二号に規定する政令で定める割合は、百分の二十とする。

（昭和六十年改正法附則第三十五条第二項の規定による国民年金の管掌者たる政府の費用の交付等）

第五十七条　昭和六十年改正法附則第三十五条第二項の規定により国民年金の管掌者たる政府が実施機関たる共済組合等に対して交付する費用は、同項各号に掲げるもののほか、次のとおりとする。

一　死亡した共済組合の組合員（以下この号、第五号及び次条第三項第五号において「組合員」という。）若しくは私学教職員共済制度の加入者又は組合員若しくは私学教職員共済制度の加入者であつた者の妻又は子に共済組合又は日本私立学校振興・共済事業団が支給する通算遺族年金の給付に要する費用のうち、昭和三十六年四月一日以後の当該組合員期間若しくは加入者期間又は組合員若しくは私学教職員共済制度の加入者であつた期間（以下この条及び次条において「組合員期間等」という。）に係る部分の給付に要する費用であつて遺族基礎年金の額に相当する部分

二　共済組合又は日本私立学校振興・共済事業団が支給する退職年金若しくは減額退職年金又は障害年金（その額の計算の基礎となつた組合員期間等のうちに昭和三十六年四月一日以後の期間に係る当該組合員期間等がないものを除くものとし、障害年金にあつては、旧厚生年金保険法別表第一に定める一級又は二級に相当する程度の障害の状態にある者に支給されるものに限る。）の給付に要する費用のうち、第五十五条第二号に規定する部分に相当する部分

三　共済組合又は日本私立学校振興・共済事業団が支給する平成二十四年一元化法改正前共済年金（平成二十四年一元化法改正前国共済年金、平成二十四年一元化法改正前地共済年金及び平成二十四年一元化法改正前私学共済年金をいう。以下この条及び第八十六条において同じ。）のうち退職共済年金（次号並びに次条第三項第一号、第二号及び第七号において「退職共済年金」といい、昭和六十年改正法附則第三十一条第一項に規定する者であつて、六十五歳以上であるものに支給されるものに限る。）の給付に要する費用のうち、昭和三

十六年四月一日以後の組合員期間等に係る部分の給付に要する費用であつて老齢基礎年金又は旧国民年金法による老齢年金（老齢福祉年金を除く。）の額に相当する部分（昭和六十年国家公務員共済改正法附則第三十一条第一項第二号、昭和六十年地方公務員共済改正法附則第三十三条第一項第二号及び昭和六十年私立学校教職員共済改正法附則第六条第一項第二号に掲げる額に相当する部分を除く。）

四　共済組合又は日本私立学校振興・共済事業団が支給する退職共済年金又は平成二十四年一元化法改正前共済年金のうち障害共済年金（次条第三項第八号、第九号及び第十二号において「障害共済年金」といい、その額の計算の基礎となつた組合員期間等のうちに昭和三十六年四月一日以後の期間に係る当該組合員期間等がないものを除く。）の給付に要する費用のうち、加給年金額（当該退職共済年金又は障害共済年金の受給権者の配偶者であつて、六十五歳以上である者を計算の基礎とするものに限る。）に相当する部分

五　死亡した組合員若しくは私学教職員共済制度の加入者又は組合員若しくは私学教職員共済制度の加入者であつた者の配偶者に共済組合又は日本私立学校振興・共済事業団が支給する平成二十四年一元化法改正前共済年金のうち遺族共済年金（次条第九号において「遺族共済年金」という。）又は遺族年金の給付に要する費用のうち、昭和六十年改正法附則第十四条第一項に規定する加算額に相当する部分

六　共済組合又は日本私立学校振興・共済事業団が支給する老齢厚生年金又は障害厚生年金（その額の計算の基礎となつた厚生年金保険の被保険者期間（平成二十四年一元化法附則第七条第一項の規定により厚生年金保険の被保険者期間とみなされた平成二十四年一元化法附則第四条第十一号に規定する旧国家公務員共済組合員期間、同条第十二号に規定する旧地方公務員共済組合員期間及び同条第十三号に規定する旧私立学校教職員共済加入者期間を含む。以下この号及び次条第十二号において同じ。）のうちに昭和三十六年四月一日以後の期間に係る当該被保険者期間がないものを除く。）の給付に要する費用のうち、加給年金額（当該老齢厚生年金又は障害厚生年金の受給権者の配偶者であつて、六十五歳以上である者を計算の基礎とするものに限る。）に相当する部分

七　死亡した組合員若しくは私学教職員共済制度の加入者又は組合員若しくは私学教職員共済制度の加入者であつた者の配偶者に共済組合又は日本私立学校振興・共済事業団が支給する遺族厚生年金の給付に要する費用のうち、昭和六十年改正法附則第十四条第一項に規定する加算額に相当する部分

八　共済組合が支給する平成二十四年一元化法附則第四十一条第一項又は第六十五条第一項の規定による退職共済年金又は障害共済年金（その額の計算の基礎となつた平成二十四年一元化法附則第四十一条第一項に規定する国共済組合員等期間又は平成二十四年一元化法附則第六十五条第一項に規定する地共済組合員等期間のうちに昭和三十六年四月一日以後の期間に係るこれらの期間がないものを除く。）の給付に要する費用のうち、加給年金額（当該退職共済年金又は障害共済年金の受給権者の配偶者であつて、六十五歳以上である者を計算の基礎とするものに限る。）に相当する部分

九　死亡した組合員又は組合員であつた者の配偶者に共済組合が支給する平成二十四年一元化法附則第四十一条第一項又は第六十五条第一項の規定による遺族共済年金の給付に要する費用のうち、昭和六十年改正法附則第十四条第一項に規定する加算額に相当する部分

第五十八条　昭和六十年改正法附則第三十五条第二項の規定により、各年度において、国民年金の管掌者たる政府が各実施機関たる共済組合等に対して交付する交付金（以下「基礎年金交付金」という。）の額は、第三項各号に掲げる給付の区分に応じ、それぞれ当該年度における当該給付に要する費用の総額（地方公務員共済組合連合会にあつては、当該連合会を組織する共済組合及び全国市町村職員共済組合連合会が支給する当該給付に要する費用の総額を合算した額）に当該年度における当該給付に係る基礎年金相当率を乗じて得た額（一円未満の端数があるときは、これを四捨五入して得た額）を合算した額とする。

2　前項の基礎年金相当率は、当該年度の九月三十日における当該給付（その全額につき支給を停止されているものを除く。以下この項において同じ。）の受給権者に係る当該給付の額の総額のうち基礎年金に相当する部分の額を当該給付の額の総額で除して得た率とする。

3　前項の基礎年金に相当する部分の額は、次の各号に掲げる給付の区分に応じ、それぞれ当該各号に定める額とする。

一　退職年金及び退職年金の受給権者（昭和六十年改正法附則第三十一条第一項に規定する者に限る。）に支給される退職共済年金　六十五歳以上の各受給権者について算定したイ及びロに掲げる額の合算額とハに掲げる額とを合算した額

イ　当該給付の額の計算の基礎となつた昭和三十六年四月一日以後の組合員期間等（その計算につき昭和六十年国家公務員共済改正法附則第三十二条第一項又は昭和六十年地方公務員共済改正法附則第三十五条第一項の規定の適用があつた場合には、その適用がないものとして計算した組合員期間等とする。）を合算した期間（その月数が三百を超えるときは、三百月とする。）を昭和六十年改正法附則第三十二条第二項の規定により読み替えられてなおその効力を有するものとされた旧国民年金法第二十七条第一項第一号に規定する保険料納付済期間とみなして、同号の規定の例により計算した額

ロ　当該給付の受給権者が第五十六条第三項第一号ロの表の上欄に掲げる者であつて、イに規定する期間が二十五年未満であり、かつ、同表の下欄に掲げる期間以上である場合には、当該期間を昭和六十年改正法附則第三十二条第二項の規定により読み替えられてなおその効力を有するものとされた旧国民年金法第七十七条第一項第一号に規定する被保険者期間とみなして同号の規定の例により計算した額の四分の三に相当する額

ハ　退職年金の受給権者の人数に、第五十五条第二号に規定する加給年金額に相当する部分がある旧厚生年金保険法による老齢年金の受給権者の人数を同法による老齢年金の受給権者の人数で除して得た率を勘案して厚生労働省令の定めるところにより算定した率を乗じて得た数を昭和六十年改正法附則第七十八条第二項の規定により読み替えられてなおその効力を有するものとされた旧厚生年金保険法第三十四条第五項に規定する加給年金額であつて配偶者につい

て計算されるもの（以下「旧厚生年金保険の配偶者加給年金額」という。）に乗じて得た額

二　減額退職年金及び減額退職年金の受給権者（昭和六十年改正法附則第三十一条第一項に規定する者に限る。）に支給される退職共済年金　次に掲げる額の合算額

イ　六十五歳以上の各受給権者について前号イ及びロの規定の例により計算した額の合算額

ロ　減額退職年金の受給権者の人数に、前号ハの厚生労働省令の定めるところにより算定した率を乗じて得た数を旧厚生年金保険の配偶者加給年金額に乗じて得た額

三　通算退職年金　六十五歳以上の各受給権者について第一号イ及びロの規定の例により計算した額の合算額

四　障害年金　各受給権者について算定したイに掲げる額の合算額とロ及びハに掲げる額とを合算した額

イ　当該障害年金が昭和三十六年四月一日以後に支給事由が生じたものであり、かつ、旧厚生年金保険法別表第一に定める一級又は二級に相当する程度の障害の状態にある者に支給されるものである場合には、国民年金法第三十三条第一項に規定する障害基礎年金の額（同表に定める一級に相当する程度の障害の状態にある者に支給される障害年金にあつては、同条第二項に規定する障害基礎年金の額）

ロ　当該障害年金の受給権者の人数を、旧厚生年金保険法による障害年金に係る第五十六条第三項第三号ロに掲げる額の総額を同法による障害年金の受給権者の人数で除して得た額として厚生労働省令の定めるところにより算定した額に乗じて得た額

ハ　当該障害年金の受給権者の人数に、第五十五条第二号に規定する加給年金額に相当する部分がある旧厚生年金保険法による障害年金の受給権者の人数を同法による障害年金の受給権者の人数で除して得た率を勘案して厚生労働省令の定めるところにより算定した率を乗じて得た数を旧厚生年金保険の配偶者加給年金額に乗じて得た額

五　遺族年金　次に掲げる額の合算額

イ　昭和三十六年四月一日以後に支給事由が生じた当該遺族年金の受給権者である死亡した組合員若しくは私学教職員共済制度の加入者又は組合員若しくは私学教職員共済制度の加入者であつた者の妻（当該組合員若しくは私学教職員共済制度の加入者又は組合員若しくは私学教職員共済制度の加入者であつた者の遺族である二十歳未満の子（以下この号及び次号において「子」という。）と生計を同じくする妻に限る。以下この号及び次号において「妻」という。）の人数を国民年金法第三十八条に規定する遺族基礎年金の額に乗じて得た額

ロ　昭和三十六年四月一日以後に支給事由が生じた当該遺族年金の受給権者である子（同一の事由により支給される当該遺族年金の受給権者である子が二人以上あるときは、そのうちの一人に限る。）の人数を国民年金法第三十八条に規定する遺族基礎年金の額に乗じて得た額

ハ　昭和三十六年四月一日以後に支給事由が生じた妻又は子に支給される当該遺族年金の加算額（旧厚生年金保険法による遺族年金の加給年金額に相当するものであつて、子に支給される遺族年金にあつては、一人を除いた子とする。）について計算されるものに限る。）の合算額

ニ　当該共済組合又は日本私立学校振興・共済事業団が支給する退職年金、減額退職年金又は障害年金（障害の程度が旧厚生年金保険法別表第一に定める一級又は二級に該当する者に支給されるものに限る。）の受給権者が死亡したことにより支給される当該遺族年金（その額の計算の基礎となつた組合員期間等のうちに昭和三十六年四月一日以後の期間に係る当該組合員期間等がないものを除く。）の受給権者である死亡した組合員若しくは私学教職員共済制度の加入者又は組合員若しくは私学教職員共済制度の加入者であつた者の配偶者（当該遺族年金の受給権を取得した当時六十五歳以上であつた者に限るものとし、子と生計を同じくする当該遺族年金の受給権者である妻を除く。）の人数を、老齢基礎年金の加算額に相当する額に乗じて得た額

六　通算遺族年金　イに掲げる額にロに掲げる月数を乗じて得た数

イ　当該通算遺族年金（その全額につき支給を停止されているものを除く。）の額を合算した額を、その計算の基礎となつた組合員期間等の月数を合算した月数で除して得た額（その額が国民年金法第三十八条に規定する遺族基礎年金の額を三百で除して得た額を超えるときは、当該額とし、その額に一円未満の端数があるときは、これを四捨五入して得た額とする。）

ロ　妻又は子に支給される当該通算遺族年金の額の計算の基礎となつた昭和三十六年四月一日以後の組合員期間等の月数を合算した月数

七　退職共済年金（第一号及び第二号に掲げるものを除く。）六十五歳以上の各受給権者（昭和六十年改正法附則第三十一条第一項に規定する者に限る。）について算定したイ及びロに掲げる額の合算額とハに掲げる額とを合算した額

イ　当該退職共済年金の額の計算の基礎となつた昭和三十六年四月一日以後の組合員期間等（その計算につき昭和六十年国家公務員共済改正法附則第三十五条第一項又は昭和六十年地方公務員共済改正法附則第三十二条第一項の規定の適用があつた場合には、その適用がないものとして計算した組合員期間等とし、その月数が三百を超えるときは、三百月とする。）を昭和六十年改正法附則第三十二条第二項の規定により読み替えられてなおその効力を有するものとされた旧国民年金法第二十七条第一項第一号に規定する保険料納付済期間とみなして、同号の規定の例により計算した額

ロ　当該退職共済年金の受給権者が第五十六条第三項第一号ロの表の上欄に掲げる者であつて、イに規定する組合員期間等が二十五年未満であり、かつ、同表の下欄に掲げる期間以上である場合には、当該組合員期間等を昭和六十年改正法附則第三十二条第二項の規定により読み替えられてなおその効力を有するものとされた旧国民年金法第七十七条第一項第一号に規定する被保険者期間とみなして同号の規定の例により計算した額の四分の三に相当する額

ハ　当該退職共済年金に係る前条第四号に掲げる費用の額の合算額

八　障害共済年金　当該障害共済年金に係る前条第四号に掲げる費用の額の合算額

九　遺族共済年金　当該共済組合又は日本私立学校振興・共済事業団が支給する第二十五条第二号、第三号若しくは第四号に掲げる年金たる給付、障害共済年金（障害の程度が国民年金法施行令別表に定める一級又は二級に該当する者に支給されるものに限る。）又は第五号ニに規定する障害年金の受給権者が死亡したことにより支給される当該遺族共済年金（その額の計算の基礎となつた組合員期間等のうちに昭和三十六年四月一日以後の期間に係る当該組合員期間等がないものを除く。）の受給権者である死亡した組合員若しくは私学教職員共済制度の加入者又は組合員若しくは私学教職員共済制度の加入者であつた者の配偶者（昭和六十年改正法附則第三十一条第一項に規定する者であつて、当該遺族共済年金の受給権を取得した当時六十五歳以上であつたものに限るものとし、遺族基礎年金の受給権者である者を除く。）の人数を、老齢基礎年金の加算額に相当する額に乗じて得た額

十　老齢厚生年金　当該老齢厚生年金に係る前条第六号に掲げる費用の額の合算額

十一　障害厚生年金　当該障害厚生年金に係る前条第六号に掲げる費用の額の合算額

十二　遺族厚生年金　当該共済組合又は日本私立学校振興・共済事業団が支給する第二十五条第二号、第三号若しくは第四号に掲げる年金たる給付、障害共済年金（障害の程度が国民年金法施行令別表に定める一級又は二級に該当する者に支給されるものに限る。）、第五号ニに規定する障害年金、老齢厚生年金（その額の計算の基礎となつた厚生年金保険の被保険者期間の月数が二百四十以上であるもの、平成二十四年一元化法附則第三十五条第一項の規定により読み替えられた厚生年金保険法の規定により支給されるもの若しくは平成二十四年一元化法附則第五十九条第一項（同条第二項の規定により適用する場合を含む。）の規定の適用を受けることにより支給されるもの又は二以上の種別の被保険者であつた期間を有する者に支給されるものであつて加給年金額（当該老齢厚生年金の受給権者の配偶者を計算の基礎とするものに限る。）が加算されているものに限る。）又は障害厚生年金（障害の程度が同表に定める一級又は二級に該当する者に支給されるものに限る。）の受給権者が死亡したことにより支給される当該遺族厚生年金（その額の計算の基礎となつた厚生年金保険の被保険者期間のうちに昭和三十六年四月一日以後の期間に係る当該被保険者期間がないものを除く。）の受給権者である死亡した組合員若しくは私学教職員共済制度の加入者又は組合員若しくは私学教職員共済制度の加入者であつた者の配偶者（昭和六十年改正法附則第三十一条第一項に規定する者であつて、当該遺族厚生年金の受給権を取得した当時六十五歳以上であつたものに限るものとし、遺族基礎年金の受給権者である者を除く。）の人数を、老齢基礎年金の加算額に相当する額に乗じて得た額

十三　平成二十四年一元化法附則第四十一条第一項又は第六十五条第一項の規定による退職共済年金　当該退職共済年金に係る前条第八号に掲げる費用の額の合算額

十四　平成二十四年一元化法附則第四十一条第一項又は第六十五条第一項の規定による障害共済年金　当該障害共済年金に係る前条第八号に掲げる費用の額の合算額

十五　平成二十四年一元化法附則第四十一条第一項又は第六十五条第一項の規定による遺族共済年金　当該共済組合が支給する第二十五条第二号若しくは第三号に掲げる年金たる給付、前条第四号に規定する障害共済年金（障害の程度が国民年金法施行令別表に定める一級又は二級に該当する者に支給されるものに限る。）、第五号ニに規定する障害年金、第十三号に掲げる退職共済年金（その額の計算の基礎となつた平成二十四年一元化法附則第四十一条第一項に規定する国共済組合員等期間若しくは平成二十四年一元化法附則第六十五条第一項に規定する地共済組合員等期間の月数が二百四十以上であるもの、平成二十四年一元化法附則第三十五条第一項の規定により読み替えられた厚生年金保険法の規定により支給されるもの若しくは平成二十四年一元化法附則第五十九条第一項（同条第二項の規定により適用する場合を含む。）の規定の適用を受けることにより支給されるもの又は二以上の種別の被保険者であつた期間を有する者に支給されるものであつて加給年金額（当該退職共済年金の受給権者の配偶者を計算の基礎とするものに限る。）が加算されているものに限る。）又は前号に掲げる障害共済年金（障害の程度が同表に定める一級又は二級に該当する者に支給されるものに限る。）の受給権者が死亡したことにより支給される当該遺族共済年金（その額の計算の基礎となつた平成二十四年一元化法附則第四十一条第一項に規定する国共済組合員等期間又は平成二十四年一元化法附則第六十五条第一項に規定する地共済組合員等期間のうちに昭和三十六年四月一日以後の期間に係るこれらの期間がないものを除く。）の受給権者である死亡した組合員又は組合員であつた者の配偶者（昭和六十年改正法附則第三十一条第一項に規定する者であつて、当該遺族共済年金の受給権を取得した当時六十五歳以上であつたものに限るものとし、遺族基礎年金の受給権者である者を除く。）の人数を、老齢基礎年金の加算額に相当する額に乗じて得た額

第五十九条　国民年金の管掌者たる政府は、毎年度、実施機関たる共済組合等に係る当該年度における基礎年金交付金の見込額として厚生労働大臣が当該実施機関たる共済組合等を所管する大臣と協議して定める額を、厚生労働省令の定めるところにより、当該実施機関たる共済組合等に交付するものとする。

2　国民年金の管掌者たる政府は、毎年度において前項の規定により実施機関たる共済組合等に交付した額が前条第一項の規定により計算した当該年度における当該実施機関たる共済組合等に係る基礎年金交付金の額に満たないときは、厚生労働省令の定めるところにより、その満たない額を翌々年度までに当該実施機関たる共済組合等に交付するものとする。

3　実施機関たる共済組合等は、毎年度において第一項の規定により交付を受けた額が前条第一項の規定により計算した当該年度における当該実施機関たる共済組合等に係る基礎年金交付金の額を超えるときは、厚生労働省令の定めるところにより、その超える額を国民年金の管掌者たる政府が翌々年度までに当該実施機関たる共済組合等に交付すべき基礎年金交付金に充当し、なお残余があるときは、返還しなければならない。

4　厚生労働大臣は、前三項に規定する厚生労働省令を定めるときは、実施機関たる共済組合等を所管する大臣に協議しなければならない。

（施行日の前日における旧国民年金特別会計国民年金勘定の積

（立金の取扱い）

第六十一条　昭和六十年改正法附則第三十八条の二第一項に規定する積立金の額は、施行日の前日における特別会計に関する法律（平成十九年法律第二十三号）附則第六十六条第二十三号の規定による廃止前の国民年金特別会計法（昭和三十六年法律第六十三号）に基づく国民年金特別会計の国民年金勘定（以下この条において「旧国民年金特別会計国民年金勘定」という。）の積立金（昭和六十年度決算により旧国民年金特別会計国民年金勘定の積立金として積み立てられるべき額を含む。）のうち旧国民年金法第八十七条の二第一項に規定する保険料に係る部分を除いた部分の額に、昭和五十八年度から昭和六十年度までの各年度において国民年金特別会計への国庫負担金の繰入れの平準化を図るための一般会計からする繰入れの特例に関する法律（昭和五十八年法律第四十六号。以下この条において「繰入特例法」という。）第二条の規定により旧国民年金法第八十五条第一項及び第二項の規定による国庫負担金の額から控除することとされた額及び繰入特例法第二条の規定による国庫負担金の繰入れの平準化のための措置がとられたことにより旧国民年金特別会計国民年金勘定において生じないこととなつたと見込まれる施行日の前日における運用収入に相当する額を加算した額とする。

第六十二条　昭和六十年改正法附則第三十八条の二第一項に規定する政令で定めるところにより算定した部分は、同項に規定する積立金の額に、旧国民年金法第七条第二項第一号に掲げる者の配偶者であつて同時に旧国民年金法附則第六条第一項の規定による被保険者であつた期間を有する者の当該期間に係る旧国民年金法第五条第三項に規定する保険料納付済期間の月数の総数を旧国民年金法による被保険者であつた期間を有する者の同項に規定する保険料納付済期間の月数の総数で除して得た率を乗じて得た額（一円未満の端数があるときは、これを四捨五入して得た額）に相当する部分とする。

第六十二条の二　昭和六十年改正法附則第三十八条の二第一項に規定する政令で定めるところにより算定した部分（以下この条において「充当に係る積立金」という。）については、平成二十七年度から令和六年度までの各年度において、次の各号に掲げる年度の区分に応じ、当該各号に定める額を基礎年金の給付に要する費用に充てるものとする。

一　平成二十七年度から令和五年度まで　イに掲げる額とロに掲げる額との合算額

イ　平成二十六年度の末日における充当に係る積立金の額を十で除して得た額（一円未満の端数があるときは、これを四捨五入して得た額）

ロ　各年度における年金特別会計の基礎年金勘定において生じる運用収入の額（充当に係る積立金に係るものに限る。次号ロにおいて同じ。）

二　令和六年度　イに掲げる額とロに掲げる額との合算額

イ　平成二十六年度の末日における充当に係る積立金の額から平成二十七年度から令和五年度までの各年度における前号イに掲げる額の合算額を控除した額

ロ　令和六年度における年金特別会計の基礎年金勘定において生じる運用収入の額

第六十二条の三　平成二十七年度から令和六年度までの各年度における昭和六十年改正法附則第三十八条の二第二項に規定する政令で定めるところにより各政府及び実施機関ごとに算定した額は、当該年度における前条の規定により基礎年金の給付に要する費用に充てられる額の二分の一に相当する額に政府及び実施機関ごとに算定した次に掲げる率をそれぞれ乗じて得た額（一円未満の端数があるときは、これを四捨五入して得た額）の合算額とする。

一　国民年金法施行令第十一条の二に規定する拠出金按分率

二　国民年金法施行令第十一条の二第一号に掲げる数と同条第二号に掲げる数とを合算した数を、政府及び実施機関ごとに算定される当該合算した数の合計数で除して得た率

第六十二条の四　平成二十七年度から令和六年度までの各年度における厚生年金保険法第八十条第一項に規定する厚生年金保険の実施者たる政府が負担する基礎年金拠出金の額の二分の一に相当する額及び同法第八十四条の五第二項に規定する基礎年金拠出金保険料相当分（他の法令のこれらに相当する規定に規定するこれらに相当する額を含む。）は、国民年金法第九十四条の二第一項又は第二項に規定する基礎年金拠出金の額（昭和六十年改正法附則第三十八条の二第二項の規定により国民年金法第九十四条の二第一項又は第二項の規定により負担又は納付した基礎年金拠出金とみなされるものを含む。）により算定するものとする。

第六十二条の五　平成二十七年度から令和六年度までの各年度における特別会計に関する法律第百十四条第一項第一号中「合算した額」とあるのは「合算した額及び国民年金法等の一部を改正する法律の施行に伴う経過措置に関する政令（昭和六十一年政令第五十四号。以下「昭和六十一年経過措置政令」という。）第六十二条の二の規定により基礎年金の給付に要する費用に充てられる額（以下この号において「基礎年金給付費充当対象額」という。）から基礎年金給付費充当対象額の二分の一に相当する額に厚生年金保険の実施者たる政府及び各実施機関たる共済組合等に係る昭和六十一年経過措置政令第六十二条の三各号に掲げる率をそれぞれ乗じて得た額の合算額を合算した額を控除した額」と、同条第二項中「相当する金額」とあるのは「相当する金額から基礎年金給付費充当対象額の二分の一に相当する額に厚生年金保険の実施者たる政府に係る昭和六十一年経過措置政令第六十二条の三各号に掲げる率をそれぞれ乗じて得た額の合算額を控除した額」と、同法第百二十条第一項中「における第百十四条第一項」とあるのは「における第百十四条第一項の規定により国民年金勘定から受け入れるべき金額又は」と、「又は第二項（」とあるのは「若しくは第二項（」と、「国民年金勘定等から受け入れるべき金額」とあるのは「厚生年金勘定若しくは各実施機関たる共済組合等から受け入れるべき金額からそれぞれ基礎年金給付費充当対象額の二分の一に相当する額に厚生年金保険の実施者たる政府及び各実施機関たる共済組合等に係る昭和六十一年経過措置政令第六十二条の三各号に掲げる率をそれぞれ乗じて得た額の合算額を控除した金額」と、同項第一号中「第百十四条第一項」とあるのは「第百十四条第一項の規定により基礎年金勘定において国民年金勘定から受け入れる金額又は」と、「又は第二項」とあるのは「若しくは第二項」と、「国民年金勘定等から受け入れる金額」とあるのは「厚生年金勘定若しくは各実施機関たる共済組合等から

受け入れる金額（昭和六十年国民年金等改正法附則第三十八条の二第一項の規定により同項に規定する政令で定めるところにより算定した部分が基礎年金勘定の給付に要する費用に充てられる年度にあっては、当該金額からそれぞれ基礎年金給付費充当対象額の二分の一に相当する額に厚生年金保険の実施者たる政府及び各実施機関たる共済組合等に係る昭和六十一年経過措置政令第六十二条の三各号に掲げる率をそれぞれ乗じて得た額の合算額を控除した金額）」とする。

第六十二条の六 平成二十七年度から令和六年度までの各年度における基礎年金拠出金について、国民年金法施行令第十一条の四及び第十一条の五の規定を適用する場合においては、同令第十一条の四第一項中「を、厚生労働省令」とあるのは「の額から当該年度における国民年金法等の一部を改正する法律の施行に伴う経過措置に関する政令（昭和六十一年政令第五十四号。以下「昭和六十一年経過措置政令」という。）第六十二条の二の規定により基礎年金の給付に要する費用に充てられる額（以下「基礎年金給付費充当対象額」という。）の見込額（第三項の規定により基礎年金給付費充当対象額の見込額を変更したときは変更後の基礎年金給付費充当対象額の見込額。以下この項において同じ。）の二分の一に相当する額に当該年度における当該実施機関たる共済組合等に係る概算拠出金按分率及び昭和六十一年経過措置政令第六十二条の三第二号に掲げる率の見込値をそれぞれ乗じて得た額の合算額を控除した額の基礎年金拠出金を、厚生労働省令」と、同条第二項中「概算拠出金按分率」とあるのは「基礎年金給付費充当対象額の見込額並びに概算拠出金按分率及び昭和六十一年経過措置政令第六十二条の三第二号に掲げる率の見込値」と、同条第三項中「変更する」とあるのは「、必要があると認めるときは、同項の基礎年金給付費充当対象額の見込額を変更する」と、同条第六項中「概算拠出金按分率」とあるのは「基礎年金給付費充当対象額の見込額並びに概算拠出金按分率及び昭和六十一年経過措置政令第六十二条の三第二号に掲げる率の見込値」と、「を変更しよう」とあるのは「及び同項の基礎年金給付費充当対象額の見込額を変更しよう」と、同令第十一条の五第一項中「合算した額が」とあるのは「合算した額が当該年度における」と、「当該年度における基礎年金拠出金の額」とあるのは「基礎年金拠出金の額から基礎年金給付費充当対象額の二分の一に相当する額に当該年度における当該実施機関たる共済組合等に係る拠出金按分率及び昭和六十一年経過措置政令第六十二条の三第二号に掲げる率をそれぞれ乗じて得た額の合算額を控除した額」と、同条第二項各号中「合算した額が」とあるのは「合算した額が当該年度における」と、「当該年度における基礎年金拠出金の額」とあるのは「基礎年金拠出金の額から基礎年金給付費充当対象額の二分の一に相当する額に当該年度における当該実施機関たる共済組合等に係る拠出金按分率及び昭和六十一年経過措置政令第六十二条の三第二号に掲げる率をそれぞれ乗じて得た額の合算額を控除した額」とする。

附　則

この政令は、昭和六十一年四月一日から施行する。

○国民年金法等の一部を改正する法律の施行に伴う経過措置に関する政令（抄）

平元・一二・一二
政令三三七

最終改正　令三・八・六政令二二九

（国民年金の被保険者期間の計算に関する経過措置）

第一条 国民年金法等の一部を改正する法律（平成元年法律第八十六号）附則第三条第二項後段の規定により国民年金法（昭和三十四年法律第百四十一号）第七条第一項第一号に規定する第一号被保険者としての国民年金の被保険者の資格を取得した者であって、平成三年四月に当該被保険者の資格を喪失したものについて同法第十一条の規定を適用する場合においては、当該被保険者の資格を取得しなかったものとみなす。

（その他障害に係る障害基礎年金の年金額の改定及び支給停止に関する経過措置）

第二条 初診日が昭和六十一年四月一日前にある傷病によるその他障害（国民年金法第三十四条第四項に規定するその他障害をいう。次条、第十条及び第十一条において同じ。）について、同項及び同法第三十六条第二項ただし書の規定を適用する場合においては、同法第三十四条第四項中「該当したもの」とあるのは「該当したもの又は当該初診日において厚生年金保険の被保険者、船員保険の被保険者（国民年金法等の一部を改正する法律（昭和六十年法律第三十四号）第五条の規定による改正前の船員保険法（昭和十四年法律第七十三号）第十九条ノ三の規定による被保険者を除く。以下同じ。）若しくは共済組合の組合員（昭和六十年農林共済改正法（厚生年金保険制度及び農林漁業団体職員共済組合制度の統合を図るための農林漁業団体職員共済組合法等を廃止する等の法律（平成十三年法律第百一号）附則第二条第一項第四号に規定する昭和六十年農林共済改正法をいう。）附則第三条第一項に規定する任意継続組合員を含む。以下同じ。）であるもの」と、同法第三十六条第二項ただし書中「該当した場合」とあるのは「該当した場合又は初診日において厚生年金保険の被保険者、船員保険の被保険者若しくは共済組合の組合員である場合」とする。

第三条　初診日が昭和六十一年四月一日以後にある傷病によるその他障害について、国民年金法第三十条、第三十四条第一項及び第四項並びに第三十六条第二項ただし書の規定を適用する場合においては、当分の間、同法第三十条第一項第二号中「被保険者であつた者」とあるのは、「被保険者であつた者（昭和六十一年四月一日前に、厚生年金保険の被保険者、船員保険の被保険者（国民年金法等の一部を改正する法律（昭和六十年法律第三十四号）第五条の規定による改正前の船員保険法（昭和十四年法律第七十三号）第十九条ノ三の規定による被保険者を除く。）又は共済組合の組合員（昭和六十年農林共済改正法（厚生年金保険制度及び農林漁業団体職員共済組合制度の統合を図るための農林漁業団体職員共済組合法等を廃止する等の法律（平成十三年法律第百一号）附則第二条第一項第四号に規定する昭和六十年農林共済改正法をいう。）附則第三条第一項に規定する任意継続組合員を含む。）であつた者を含む。）」とする。

（その他障害に係る法律第三十四号第一条の規定による改正前の国民年金法による障害年金の年金額の改定及び支給停止に関する経過措置）

第十条　法律第三十四号附則第三十二条第六項の規定により障害基礎年金の受給権者であつてその他障害の初診日において国民年金法第三十条第一項各号のいずれかに該当する者であつたものとみなされた者について、同法第三十四条第一項及び第三十六条第二項ただし書の規定を適用する場合においては、同法第三十四条第一項中「障害等級以外」とあるのは「国民年金法等の一部を改正する法律（昭和六十年法律第三十四号）第一条の規定による改正前のこの法律別表に定める障害の等級（以下「旧法障害等級」という。）以外」と、「障害等級に」とあるのは「旧法障害等級に」と、同法第三十六条第二項ただし書中「障害等級」とあるのは「旧法障害等級」とする。

第十一条　法律第三十四号附則第三十二条第六項に規定する障害年金を受けることができる者であつて、その他障害に係る傷病の初診日（その日が昭和六十一年四月一日以後のものに限る。）において、国民年金法第三十条第一項各号のいずれかに該当した者は、同法第三十四条第一項及び第四項並びに第三十六条第二項ただし書の規定の適用については、障害基礎年金の受給権者であつたものとみなす。

2　前条の規定は、前項の規定により障害基礎年金の受給権者であつたものとみなされた者について準用する。

（基金が支給する年金に要する費用の負担に関する経過措置）

第十一条の二　法律第三十四号附則第三十四条第四項第一号の政令で定める額は、国民年金法第二十八条の規定による老齢基礎年金の受給権者に同号の基金が支給する年金については国民年金基金令（平成二年政令第三百四号）第二十四条第一項に定める額とし、同法附則第九条の二の規定による老齢基礎年金の受給権者に同号の基金が支給する年金については同令第二十四条第二項に定める額とし、同法附則第九条の二の二の規定による老齢基礎年金の受給権者に同号の基金が支給する年金については同令第二十四条第三項に定める額とする。

（その他障害に係る旧厚生年金保険法による障害年金の年金額の改定及び支給停止に関する経過措置）

第十三条　法律第三十四号附則第七十八条第七項に規定する政令で定める障害年金は、旧厚生年金保険法による障害年金（その権利を取得した当時から引き続き同法別表第一に定める一級又は二級に該当しない程度の障害の状態にある受給権者に係るものを除く。）とする。

第十四条　法律第三十四号附則第七十八条第七項の規定により障害厚生年金の受給権者であつてその他障害（厚生年金保険法第五十二条第四項に規定するその他障害をいう。次条、第十八条及び第十九条において同じ。）の初診日において厚生年金保険の被保険者であつたものとみなされた者について、厚生年金保険法第五十二条第一項及び第四項並びに第五十四条第二項ただし書の規定を適用する場合においては、当分の間、同法第五十二条第一項中「障害等級以外」とあるのは「国民年金法等の一部を改正する法律（昭和六十年法律第三十四号）第三条の規定による改正前のこの法律別表第一に定める障害の等級（以下「旧法障害等級」という。）以外」と、「障害等級に」とあるのは「旧法障害等級に」と、同法第五十四条第二項ただし書中「障害等級」とあるのは「旧法障害等級」とする。

第十五条　第十三条に規定する障害年金を受けることができる者であつて、その他障害に係る傷病の初診日（その日が昭和六十一年四月一日以後のものに限る。）において、国民年金法第三十条第一項第一号又は第三条の規定により読み替えられた同法第三十条第一項第二号に該当したものは、厚生年金保険法第五十二条第一項及び第四項並びに第五十四条第二項ただし書の規定の適用については、障害厚生年金の受給権者であつて、当該初診日において被保険者であつたものとみなす。

2　前条の規定は、前項の規定により障害厚生年金の受給権者であつて、当該初診日において被保険者であつたものとみなされた者について準用する。

附　則

1　この政令は、公布の日から施行する。ただし、第一条の規定は、平成三年四月一日から施行する。

2　第四条から第九条まで、第十二条及び第十六条の規定は、平成元年四月一日から適用する。

○国民年金法等の一部を改正する法律の施行に伴う経過措置に関する政令（抄）

平六・一一・九
政令三四八

最終改正　令三・八・六政令二二九

（平成六年改正法附則第四条第三項の政令で定める障害年金）

第一条　国民年金法等の一部を改正する法律（平成六年法律第九十五号。以下「平成六年改正法」という。）附則第四条第三項の政令で定める障害年金は、国民年金法等の一部を改正する法律（昭和六十年法律第三十四号。以下「昭和六十年改正法」という。）第五条の規定による改正前の船員保険法（昭和十四年法律第七十三号。以下「旧船員保険法」という。）による障害年金（昭和六十年改正法附則第八十七条第二項の規定により厚生年金保険の実施者たる政府が支給するものとされたものを除く。）とする。

（平成六年改正法附則第六条第一項の政令で定める障害を支給事由とする年金たる給付）

第二条　平成六年改正法附則第六条第一項の障害を支給事由とする年金たる給付であって政令で定めるものは、次のとおりとする。

一　国民年金法（昭和三十四年法律第百四十一号）による障害基礎年金及び昭和六十年改正法第一条の規定による改正前の国民年金法（以下「旧国民年金法」という。）による障害年金

二　厚生年金保険法（昭和二十九年法律第百十五号）による障害厚生年金及び昭和六十年改正法第三条の規定による改正前の厚生年金保険法（以下「旧厚生年金保険法」という。）による障害年金

三　旧船員保険法による障害年金

四　平成二十四年一元化法改正前国共済年金（被用者年金制度の一元化等を図るための厚生年金保険法等の一部を改正する法律（平成二十四年法律第六十三号。以下「平成二十四年一元化法」という。）附則第三十七条第一項に規定する改正前国共済法による年金である給付をいう。第五条第一項第四号において同じ。）のうち障害共済年金及び国家公務員等共済組合法等の一部を改正する法律（昭和六十年法律第百五号。以下「昭和六十年国家公務員共済改正法」という。）第一条の規定による改正前の国家公務員等共済組合法（昭和三十三年法律第百二十八号。以下「旧国家公務員等共済組合法」という。）による障害年金

四の二　平成二十四年一元化法附則第四十一条第一項の規定による障害共済年金

五　平成二十四年一元化法改正前地共済年金（平成二十四年一元化法附則第六十一条第一項に規定する改正前地共済法による年金である給付をいう。第五条第一項第五号において同じ。）のうち障害共済年金及び地方公務員等共済組合法等の一部を改正する法律（昭和六十年法律第百八号。以下「昭和六十年地方公務員共済改正法」という。）第一条の規定による改正前の地方公務員等共済組合法（昭和三十七年法律第百五十二号。以下「旧地方公務員等共済組合法」という。）による障害年金

五の二　平成二十四年一元化法附則第六十五条第一項の規定による障害共済年金

六　平成二十四年一元化法改正前私学共済年金（平成二十四年一元化法附則第七十九条に規定する改正前私学共済法による年金である給付をいう。第五条第一項第六号において同じ。）のうち障害共済年金及び私立学校教職員共済組合法等の一部を改正する法律（昭和六十年法律第百六号）第一条の規定による改正前の私立学校教職員共済組合法（昭和二十八年法律第二百四十五号。以下「旧私立学校教職員共済組合法」という。）による障害年金

七　国家公務員及び公共企業体職員に係る共済組合制度の統合等を図るための国家公務員共済組合法等の一部を改正する法律（昭和五十八年法律第八十二号）附則第二条の規定による廃止前の公共企業体職員等共済組合法（昭和三十一年法律第百三十四号）による障害年金

八　移行農林共済年金（厚生年金保険制度及び農林漁業団体職員共済組合制度の統合を図るための農林漁業団体職員共済組合法等を廃止する等の法律（平成十三年法律第百一号）附則第十六条第四項に規定する移行農林共済年金をいう。第五条第一項第七号において同じ。）のうち障害共済年金及び移行農林年金（同法附則第十六条第六項に規定する移行農林年金をいう。第五条第一項第七号において同じ。）のうち障害年金

（第三号被保険者の届出の特例に係る旧国民年金法による老齢年金の支給要件の特例）

第三条　昭和六十年改正法附則第三十一条第一項に規定する者であって、六十五歳に達した日において昭和六十年改正法附則第八条第一項に規定する旧保険料納付済期間（国民年金法第七条第一項第一号に規定する第一号被保険者（同法附則第五条第一項及び平成六年改正法附則第十一条第一項の規定による被保険者を含む。第六条において単に「第一号被保険者」という。）又は国民年金法第七条第一項第三号に規定する第三号被保険者としての国民年金の被保険者期間に係る保険料納付済期間を含む。以下この条、第七条及び第八条において「旧保険料納付済期間等」という。）と昭和六十年改正法附則第八条第一項に規定する旧保険料免除期間（国民年金法第五条第二項に規定する保険料免除期間を含む。以下この条、第七条及び第八条において「旧保険料免除期間等」という。）とを合算した期間が二十五年（旧国民年金法第七十六条の表の上欄に掲げる者にあっては、それぞれ同表の下欄に掲げる期間とする。以下この条及び第七条において同じ。）に満たないものが、同日以後に平成六年改正法附則第十条第三項の規定により国民年金法第五条第一項に規定する保険料納付済期間に算入された期間を有するに至ったことにより旧保険料納付済期間等と旧保険料免除期間等とを合算した期間が二十五年以上となったときは、昭和六十年改正法附則第三十一条第一項の規定によりなおその効力を有するものとされた旧国民年金法第二十六条に定める老齢年金の支給要件に該当するものとみなして、その者に旧国民年金法による

老齢年金を支給する。

（第三号被保険者の届出の特例に係る保険料・拠出金算定対象額に乗じる率の計算方法の経過措置）

第四条 国民年金法施行令（昭和三十四年政令第百八十四号）第十一条の二第二号の規定の適用については、当分の間、同号中「規定による届出」とあるのは「規定による届出及び平成六年改正法附則第十条第一項の規定による届出」と、「算入しないものとされた期間」とあるのは「算入しないものとされた期間（平成六年改正法附則第十条第三項の規定により保険料納付済期間に算入するものとされた期間を除く。）」とする。

（任意加入被保険者の特例に係る資格の取得及び喪失）

第五条 平成六年改正法附則第十一条第一項の老齢又は退職を支給事由とする年金たる給付であって政令で定めるものは、次のとおりとする。

一 国民年金法による老齢基礎年金及び同法附則第九条の三第一項の規定による老齢年金並びに旧国民年金法による老齢年金及び通算老齢年金

二 厚生年金保険法による老齢厚生年金及び特例老齢年金並びに旧厚生年金保険法による老齢年金、通算老齢年金及び特例老齢年金

三 旧船員保険法による老齢年金、通算老齢年金及び特例老齢年金

四 平成二十四年一元化法改正前国共済年金のうち退職共済年金並びに旧国家公務員等共済組合法及び昭和六十年国家公務員共済改正法第二条の規定による改正前の国家公務員等共済組合法の長期給付に関する施行法（昭和三十三年法律第百二十九号）による退職年金、減額退職年金及び通算退職年金

四の二 平成二十四年一元化法附則第四十一条第一項の規定による退職共済年金

五 平成二十四年一元化法改正前地共済年金のうち退職共済年金並びに旧地方公務員等共済組合法及び昭和六十年地方公務員共済改正法第二条の規定による改正前の地方公務員等共済組合法の長期給付等に関する施行法（昭和三十七年法律第百五十三号）による年金たる給付であって退職を支給事由とするもの

五の二 平成二十四年一元化法附則第六十五条第一項の規定による退職共済年金

六 平成二十四年一元化法改正前私学共済年金のうち退職共済年金並びに旧私立学校教職員共済組合法による退職年金、減額退職年金及び通算退職年金

七 移行農林共済年金のうち退職共済年金並びに移行農林年金のうち退職年金、減額退職年金及び通算退職年金

八 恩給法（大正十二年法律第四十八号。他の法律において準用する場合を含む。）による年金たる給付であって退職を支給事由とするもの

九 地方公務員の退職年金に関する条例による年金たる給付であって退職を支給事由とするもの

十 厚生年金保険法附則第二十八条に規定する共済組合が支給する年金たる給付であって退職を支給事由とするもの

十一 執行官法の一部を改正する法律（平成十九年法律第十八号）による改正前の執行官法（昭和四十一年法律第百十一号）附則第十三条の規定による年金たる給付であって退職を支給事由とするもの

十二 旧令による共済組合等からの年金受給者のための特別措置法（昭和二十五年法律第二百五十六号）によって国家公務員共済組合連合会が支給する年金たる給付であって退職を支給事由とするもの

十三 国会議員互助年金法を廃止する法律（平成十八年法律第一号。以下この号において「廃止法」という。）附則第七条第一項の普通退職年金及び廃止法附則第二条第一項の規定によりなおその効力を有することとされる廃止法による廃止前の国会議員互助年金法（昭和三十三年法律第七十号）第九条第一項の普通退職年金

十四 地方公務員等共済組合法の一部を改正する法律（平成二十三年法律第五十六号）附則第二十三条第一項第三号に規定する存続共済会が支給する同法附則第二条の旧退職年金及び同法附則第十二条第一項の特例退職年金

2 厚生労働大臣は、平成六年改正法附則第十一条第一項の規定による被保険者の資格の取得及び喪失に関し必要があると認めるときは、前項各号（第一号、第三号及び第七号を除く。）に掲げる給付（同項第二号に掲げる給付にあっては、厚生年金保険法第二条の五第一項第一号に規定する第一号厚生年金被保険者期間に基づくものを除く。）の支給状況につき国民年金法第五条第九項に規定する実施機関たる共済組合等（以下この項において「実施機関たる共済組合等」という。）及び当該給付に係る制度の管掌機関に対し、前項第二号に掲げる給付（厚生年金保険法第二条の五第一項第二号に規定する第二号厚生年金被保険者期間、同項第三号に規定する第三号厚生年金被保険者期間及び同項第四号に規定する第四号厚生年金被保険者期間に基づくものに限る。）に係る制度の加入状況につき実施機関たる共済組合等に対し、必要な資料の提供を求めることができる。

（任意加入被保険者の特例に係る国民年金法による老齢年金の支給要件の特例）

第六条 六十五歳に達した日において、第一号被保険者としての国民年金の被保険者期間に係る保険料納付済期間（他の法令の規定により国民年金法による保険料納付済期間とみなされたものを含む。以上この条において同じ。）、保険料免除期間（他の法令の規定により同法による保険料免除期間とみなされたものを含む。以下この条において同じ。）及び旧陸軍共済組合令（昭和十五年勅令第九百四十七号）に基づく旧陸軍共済組合その他国民年金法施行令第十三条に規定する共済組合の組合員であった期間であって同令第十四条に規定するもの（以下この条及び第八条において「旧共済組合員期間」という。）を合算した期間が十年に満たない者が、同日以後に平成六年改正法附則第十一条第十項の規定により国民年金の被保険者期間とみなされた期間を有するに至ったことにより第一号被保険者としての国民年金の被保険者期間に係る保険料納付済期間、保険料免除期間及び旧共済組合員期間を合算した期間が十年以上となったときは、国民年金法附則第九条の三第一項に定める老齢年金の支給要件に該当するものとみなして、その者（同法附則第九条第一項及び昭和六十年改正法附則第十二条第一項に規定する者を除く。）に国民年金法附則第九条の三第一項の規定による老齢年金を支給する。ただし、当該保険料納付済期間と当該保険料免除期間とを合算した期間が一年以上であり、かつ、同法第二十六条ただし書に該当する場合に限る。

（任意加入被保険者の特例に係る旧国民年金法による老齢年金の支給要件等の特例）

第七条　昭和六十年改正法附則第三十一条第一項に規定する者であって、六十五歳に達した日において旧保険料納付済期間等と旧保険料免除期間等とを合算した期間が二十五年に満たないものが、同日以後に平成六年改正法附則第十一条第九項の規定により国民年金の被保険者期間とみなされた期間を有するに至ったことにより旧保険料納付済期間等と旧保険料免除期間等とを合算した期間が二十五年以上となったときは、昭和六十年改正法附則第三十一条第一項の規定によりなおその効力を有するものとされた旧国民年金法第二十六条に定める老齢年金の支給要件に該当するものとみなして、その者に旧国民年金法による老齢年金を支給する。

第八条　旧共済組合員期間は、前条の規定の適用については、旧保険料免除期間等とみなす。ただし、旧保険料納付済期間等と旧保険料免除期間等とを合算した期間が一年以上であり、かつ、旧国民年金法による老齢年金又は通算老齢年金の受給資格期間を満たしていない場合に限る。

２　前項の規定に該当することにより支給する前条の規定による老齢年金は、旧国民年金法附則第九条の三第一項の規定に該当することにより支給する老齢年金とみなす。

第九条　平成六年改正法附則第十一条第一項の規定による国民年金の被保険者であった者についての国民年金法等の一部を改正する法律の施行に伴う経過措置に関する政令（昭和六十一年政令第五十四号）第四十九条の規定の適用については、同条の表旧国民年金法の項中「附則第五条第一項」とあるのは、「附則第五条第一項及び平成六年改正法附則第十一条第一項」とする。

（厚生年金保険法による年金たる保険給付の額に関する経過措置）

第十条　平成六年十月一日から同年十一月八日までの間のいずれかの日において厚生年金保険法による年金たる保険給付を受ける権利を有する者の当該保険給付については、平成六年改正法による改正後のその額（同法第四十四条第二項（平成六年改正法附則第三十一条第三項の規定によりなおその効力を有するものとされた平成六年改正法第三条の規定による改正前の厚生年金保険法（以下「改正前の厚生年金保険法」という。）附則第九条第四項において準用する場合を含む。以下この項において同じ。）に規定する加給年金額、厚生年金保険法第五十条の二第二項に規定する加給年金額及び同法第六十二条第一項の規定により加算する額並びに昭和六十年改正法附則第七十三条第一項の規定により加算する額、昭和六十年改正法附則第七十四条第一項の規定により加算する額及び同条第二項の規定により加算する額を除く。）が従前の当該保険給付の額（厚生年金保険法第四十四条第二項に規定する加給年金額、同法第五十条の二第二項に規定する加給年金額及び同法第六十二条第一項の規定により加算する額並びに昭和六十年改正法附則第七十三条第一項の規定により加算する額、昭和六十年改正法附則第七十四条第一項の規定により加算する額及び同条第二項の規定により加算する額を除く。以下この項において同じ。）に満たないときは、これを従前の当該保険給付の額に相当する額とする。

２　平成六年十一月八日において平成六年改正法附則第三十一条第一項に規定する改正前の老齢厚生年金を受ける権利を有する者であって、同月九日以後に厚生年金保険法第四十二条の規定による老齢厚生年金を受ける権利を有することとなるものの当該老齢厚生年金については、その額（同法第四十四条第二項に規定する加給年金額を除く。）が、従前の平成六年改正法附則第三十一条第一項に規定する改正前の老齢厚生年金の額（平成六年改正法附則第三十一条第三項の規定によりなおその効力を有するものとされた改正前の厚生年金保険法附則第九条第四項において準用する厚生年金保険法第四十四条第二項に規定する加給年金額を除く。）から当該受給権者に係る平成六年改正法第十条の規定による改正後の昭和六十年改正法附則第五十九条第二項第二号に掲げる額を控除して得た額に満たないときは、これを当該控除して得た額に相当する額とする。

（平成六年改正法附則第十四条第二項の政令で定める障害年金）

第十一条　平成六年改正法附則第十四条第二項の政令で定める障害年金は、第一条に規定する障害年金とする。

（平成六年改正法附則第二十二条の政令で定める老齢厚生年金）

第十二条　平成六年改正法附則第二十二条の政令で定める老齢厚生年金は、厚生年金保険法附則第十一条の二第一項に規定する障害者・長期加入者の老齢厚生年金であって、同法附則第十一条の三第三項の規定により同法附則第十一条の二、第十一条の三第一項及び第二項並びに第十一条の四の規定の適用について同法附則第十一条の三第一項に規定する坑内員・船員の老齢厚生年金とみなされたものとする。

（平成六年改正法附則第二十三条第一項の規定によりなおその効力を有するものとされた改正前の厚生年金保険法の支給の停止に関する規定の技術的読替え）

第十三条　平成六年改正法附則第二十三条第一項の規定によりなおその効力を有するものとされた改正前の厚生年金保険法附則第十一条、第十三条第三項及び第十三条の二の規定の適用については、これらの規定のうち次の表の上欄に掲げる規定中同表の中欄に掲げる字句は、それぞれ同表の下欄に掲げる字句に読み替えるものとする。

附則第十一条	被保険者である	被保険者（前月以前の月に属する日から引き続き当該被保険者の資格を有する者に限る。以下この条において同じ。）である
	同条第一項第三号に規定する政令で定める等級	第十五級
	当該標準報酬等級の高低に応じて政令で定めるところにより、それぞれ、老齢厚生年金の額（附則第九条第四項において準用する第四十四条第一項に規定する加給年金額を除く。）の百分の八十、	次の表の上欄に掲げる当該標準報酬等級に応じて、それぞれ、老齢厚生年金の額（国民年金法等の一部を改正する法律（平成六年法律第九十五号。以下「平成六年改正法」という。）附則第十

	百分の七十、百分の六十、百分の五十、百分の四十、百分の三十又は百分の二十に相当する部分に限り支給を停止する。	八条第三項において準用する平成六年改正法第三条の規定による改正後の第四十四条第一項に規定する加給年金額を除く。）の同表の下欄に定める割合に相当する部分に限り支給を停止する。

第十四級及び第十五級	百分の八十
第十二級及び第十三級	百分の七十
第十級及び第十一級	百分の六十
第七級から第九級まで	百分の五十
第四級から第六級まで	百分の四十
第一級から第三級まで	百分の三十

附則第十三条第三項	第百三十三条	公的年金制度の健全性及び信頼性の確保のための厚生年金保険法等の一部を改正する法律（平成二十五年法律第六十三号）附則第五条第一項の規定によりなおその効力を有するものとされた同法第一条の規定による改正前の第百三十三条
	附則第十一条の規定により	国民年金法等の一部を改正する法律（平成六年法律第九十五号）附則第二十三条第一項の規定によりなおその効力を有するものとされた同法第三条の規定による改正前の附則第十一条の規定により
	附則第十一条の規定を	同法附則第二十三条第一項の規定によりなおその効力を有するものとされた同法第三条の規定による改正前の附則第十一条の規定を
附則第十三条の二	附則第八条第四項及び第十一条	平成六年改正法附則第二十四条第二項及び平成六年改正法附則第二十三条第一項の規定によりなおその効力を有するものとされた平成六年改正法第三条の規定による改正前の附則第十一条
	附則第九条第四項において準用する第四十四条第一項	国民年金法等の一部を改正する法律（平成六年法律第九十五号。以下「平成六年改正法」という。）附則第十八条第三項において準用する平成六年改正法第三条の規定による改正後の第四十四条第一項

（平成六年改正法附則第二十四条第三項に規定する厚生年金保険法附則第九条の二第二項第一号に規定する額等の端数処理）

第十四条 平成六年改正法附則第二十四条第三項に規定する厚生年金保険法附則第九条の二第二項第一号に規定する額又は平成六年改正法附則第二十四条第四項に規定する厚生年金保険法附則第九条の二第二項第二号に規定する額若しくは同項第一号に規定する額に五十銭未満の端数が生じたときは、これを切り捨て、五十銭以上一円未満の端数が生じたときは、これを一円に切り上げるものとする。

（平成六年改正法附則第二十六条第六項の調整額等の一円未満の端数処理）

第十四条の二 平成六年改正法附則第二十六条第六項の調整額及び基礎年金を受給する者の調整額に五十銭未満の端数が生じたときは、これを切り捨て、五十銭以上一円未満の端数が生じたときは、これを一円に切り上げるものとする。

２ 前項の規定は、平成六年改正法附則第二十六条第八項から第十項までにおいて同条第六項の規定を準用する場合について準用する。

（高年齢雇用継続基本給付金の支給を受けることができる者に支給する障害者・長期加入者の老齢厚生年金等の支給停止等に関する規定の技術的読替え等）

第十四条の三 平成六年改正法附則第二十六条第九項において同条第一項から第八項までの規定を準用する場合には、次の表の上欄に掲げる同条の規定中同表の中欄に掲げる字句は、それぞれ同表の下欄に掲げる字句に読み替えるものとする。

附則第二十六条第一項	附則第二十一条	附則第二十二条において読み替えて準用する附則第二十一条
	附則第十八条第三項、第	改正後の厚生年金保険法

	十九条第三項若しくは第五項、第二十条第三項若しくは第五項又は第二十条の二第三項若しくは第五項	附則第九条の二第三項又は第九条の三第二項若しくは第四項（同条第五項においてその例による場合を含む。）
附則第二十六条第二項	附則第十八条第三項、第十九条第三項若しくは第五項又は第二十条第三項若しくは第五項	改正後の厚生年金保険法附則第九条の二第三項又は第九条の三第二項若しくは第四項（同条第五項においてその例による場合を含む。）
附則第二十六条第四項	附則第十八条第三項、第十九条第三項若しくは第五項、第二十条第三項若しくは第五項又は第二十条の二第三項若しくは第五項	改正後の厚生年金保険法附則第九条の二第三項又は第九条の三第二項若しくは第四項（同条第五項においてその例による場合を含む。）

第十四条の四　平成六年改正法附則第二十六条第十項において同条第一項、第二項及び第五項から第八項までの規定を準用する場合には、次の表の上欄に掲げる同条の規定中同表の中欄に掲げる字句は、それぞれ同表の下欄に掲げる字句に読み替えるものとする。

附則第二十六条第一項	附則第二十一条	次条第十八項において読み替えて準用する附則第二十一条
	附則第十八条第三項、第十九条第三項若しくは第五項、第二十条第三項若しくは第五項又は第二十条の二第三項若しくは第五項	次条第十五項から第十七項まで
附則第二十六条第二項	附則第十八条第三項、第十九条第三項若しくは第五項又は第二十条第三項若しくは第五項において準用する平成二十五年改正法附則第八十六条第一項の規定によりなおその効力を有するものとされた平成二十五年改正法第一条の規定による改正前の厚生年金保険法第四十四条の二第一項	平成二十五年改正法附則第八十六条第一項の規定によりなおその効力を有するものとされた平成二十五年改正法第一条の規定による改正前の厚生年金保険法第四十四条の二第一項

第十四条の五　平成六年改正法附則第二十六条第十三項の規定により厚生年金保険法の規定を準用する場合には、次の表の上欄に掲げる同法の規定中同表の中欄に掲げる字句は、それぞれ同表の下欄に掲げる字句に読み替えるものとする。

附則第十一条の六第二項	高年齢雇用継続基本給付金	雇用保険法等の一部を改正する法律（平成十九年法律第三十号）附則第四十二条第四項又は第五項の規定によりなお従前の例によるものとされた同法第四条の規定による改正前の船員保険法（以下この条において「平成二十二年改正前船員保険法」という。）の規定による高齢雇用継続基本給付金又は高齢再就職給付金
附則第十一条の六第六項第一号	みなし賃金日額	平成二十二年改正前船員保険法第三十四条第一項、第三項及び第四項の規定による看做給付基礎日額又は同法の規定による失業保険金の日額の算定の基礎となった給付基礎日額

第十四条の六　厚生年金保険法施行令（昭和二十九年政令第百十号）第八条の二の二第一項の規定は、平成六年改正法附則第二十六条第十三項において厚生年金保険法附則第十一条の六第七項の規定を準用する場合について準用する。

（平成六年改正法附則第二十七条第三項の政令で定める率）

第十五条　平成六年改正法附則第二十七条第三項（同条第五項において読み替えて準用する国民年金法附則第九条の二第六項において準用する場合を含む。次条において同じ。）の政令で定める率は、平成六年改正法附則第二十七条第一項の請求を行う者が、当該請求をした日（以下この条から第十六条の二までにおいて「請求日」という。）の属する月から平成六年改正法附則第十九条第一項、第二十条第一項又は第二十条の二第一項の表の下欄に掲げる年齢（以下この条及び第十六条の二において「特定支給開始年齢」という。）に達する日の属する月の前月までの月数を、請求日の属する月から六十五歳に達する日の属する月の前月までの月数で除して得た率とする。

（平成六年改正法附則第二十七条第三項の政令で定める額）

第十六条　平成六年改正法附則第二十七条第三項の政令で定める額は、国民年金法第二十七条に定める額に前条の規定により算定した率を乗じて得た額に減額率（千分の五に請求日の属する月から六十五歳に達する日の属する月の前月までの月数を乗じて得た率をいう。）を乗じて得た額とする。

（平成六年改正法附則第二十七条第六項の政令で定める額）

第十六条の二　平成六年改正法附則第二十七条第六項の政令で定める額は、同項に規定する厚生年金保険の被保険者期間を基礎として厚生年金保険法附則第九条の二第二項第一号の規定によって計算した額に、請求日の属する月から特例支給開始年齢に達する日の属する月の前月までの月数を、請求日の属する月から六十五歳に達する日の属する月の前月までの月数で除して得た率（請求日の属する月と特例支給開始年齢に達する日の属する月が同一の場合には、零）を乗じて得た額とする。

（平成六年改正法附則第二十七条の規定が適用される間の老齢厚生年金の支給停止に関する経過措置）

第十六条の三　当分の間、平成六年改正法附則第二十七条の規定が適用される間における次の表の上欄に掲げる規定の適用については、これらの規定中同表の中欄に掲げる字句は、それぞれ同表の下欄に掲げる字句に読み替えるものとする。

厚生年金保険法附則第十一条の四第一項	国民年金法による老齢基礎年金	国民年金法による老齢基礎年金（国民年金法等の一部を改正する法律（平成六年法律第九十五号）附則第二十七条第二項の規定による老齢基礎年金を除く。次項及び附則第十一条の六第四項において同じ。）
平成六年改正法附則第二十四条第三項	国民年金法による老齢基礎年金	国民年金法による老齢基礎年金（附則第二十七条第二項の規定による老齢基礎年金を除く。次項及び附則第二十六条第三項において同じ。）

（平成六年改正法附則第二十七条の規定が適用される間の国民年金基金及び国民年金基金連合会が支給する年金に関する経過措置）

第十六条の四　平成六年改正法附則第二十七条の規定が適用される間における次の表の上欄に掲げる規定の適用については、これらの規定中同表の中欄に掲げる字句は、それぞれ同表の下欄に掲げる字句に読み替えるものとする。

国民年金法第百三十条第二項（同法第百三十七条の十七第五項において準用する場合を含む。）	又は附則第九条の二若しくは第九条の二の二	若しくは附則第九条の二若しくは第九条の二の二又は国民年金法等の一部を改正する法律（平成六年法律第九十五号）附則第二十七条
昭和六十年改正法附則第三十四条第四項第一号	又は附則第九条の二若しくは第九条の二の二	若しくは附則第九条の二若しくは第九条の二の二又は国民年金法等の一部を改正する法律（平成六年法律第九十五号）附則第二十七条
	同法	国民年金法
国民年金基金令（平成二年政令第三百四号）第二十四条第二項（同令第五十一条において準用する場合を含む。）	附則第九条の二の	附則第九条の二及び国民年金法等の一部を改正する法律（平成六年法律第九十五号。以下この項において「平成六年改正法」という。）附則第二十七条の
	二百円に	二百円（平成六年改正法附則第二十七条の規定による老齢基礎年金の受給権者にあっては、その者について国民年金法等の一部を改正する法律の施行に伴う経過措置に関する政令（平成六年政令第三百四十八号）第十五条の規定の例により算定した率を二百円に乗じて得た額）に
	附則第九条の二第一項	附則第九条の二第一項又は平成六年改正法附則第二十七条第一項
	二百円から	二百円（平成六年改正法附則第二十七条の規定による老齢基礎年金（同条第四項の規定によりその額が加算されたものを除く。）の受給権者にあっては、その者について同令第十六条の二の規定の例により算定した率を二百円に乗じて得た額）から
国民年金法等の一部を改正する法律の施行に伴う経過措置に関する政令（平成元年政令第	附則第九条の二の規定	附則第九条の二又は国民年金法等の一部を改正する法律（平成六年法律第九十五号）附則第二十七条の規定
	同令第二十四条第二項	国民年金法等の一部を改正する法律の施行に伴う経過措置に関する政令（平成六年政令第三百四

三百三十七号）第十一条の二		十八号）第十六条の四の規定により読み替えられた国民年金基金令第二十四条第二項
	同法附則第九条の二の二	国民年金法附則第九条の二の二

（平成六年改正法附則第二十八条第一項の規定による存続厚生年金基金が支給する年金給付の支給の停止に関する規定の技術的読替え）

第十七条　平成六年改正法附則第二十八条第一項の規定による厚生年金保険法附則第十三条第二項から第四項までの規定の適用については、これらの規定のうち次の表の上欄に掲げる規定中同表の中欄に掲げる字句は、それぞれ同表の下欄に掲げる字句に読み替えるものとする。

附則第十三条第二項	附則第十一条から第十一条の三まで、第十一条の四第二項及び第三項又は第十一条の六	国民年金法等の一部を改正する法律（平成六年法律第九十五号。以下「平成六年改正法」という。）附則第二十一条（平成六年改正法附則第二十二条及び第二十七条第十八項において準用する場合を含む。）、平成六年改正法附則第二十四条第四項及び同条第五項において準用する附則第十一条の四第三項又は平成六年改正法附則第二十六条
附則第十三条第三項第二号	附則第九条の四第三項又は第五項（同条第六項においてその例による場合を含む。）において準用する第四十四条第一項	附則第九条の二第三項若しくは第九条の三第二項若しくは第四項（同条第五項においてその例による場合を含む。）又は平成六年改正法附則第十八条第三項、第十九条第三項若しくは第五項、第二十条第三項若しくは第五項、第二十条の二第三項若しくは第五項若しくは第二十七条第十五項から第十七項までにおいて準用する第四十四条第一項
	「坑内員・船員の加給年金額」	単に「加給年金額」
	附則第十一条の三の	平成六年改正法附則第二十一条（平成六年改正法附則第二十二条及び第二十七条第十八項において準用する場合を含む。）の
	附則第十一条の三第二項において読み替えられた同条第一項	平成六年改正法附則第二十一条第二項（平成六年改正法附則第二十二条及び第二十七条第十八項において準用する場合を含む。）において読み替えられた平成六年改正法附則第二十一条第一項
	附則第九条の四第三項又は第五項（同条第六項においてその例による場合を含む。）において準用する平成二十五年改正法附則第八十六条第一項の規定によりなおその効力を有するものとされた平成二十五年改正法第一条の規定による改正前の第四十四条の二第一項	平成二十五年改正法附則第八十六条第一項の規定によりなおその効力を有するものとされた平成二十五年改正法第一条の規定による改正前の第四十四条の二第一項（附則第九条の二第三項若しくは第九条の三第二項若しくは第四項（同条第五項においてその例による場合を含む。）又は平成六年改正法附則第十八条第三項、第十九条第三項若しくは第五項、第二十条第三項若しくは第五項、第二十条の二第三項若しくは第五項において準用する場合を含む。）
	坑内員・船員の老齢厚生年金の総額	当該老齢厚生年金の総額
附則第十三条第三項第三号	坑内員・船員の加給年金額	加給年金額
	附則第十一条の四第二項及び第三項	平成六年改正法附則第二十四条第四項及び同条第五項において準用する附則第十一条の四第三項
	同条第二項において	平成六年改正法附則第二十四条第四項において
	附則第十一条の三第二項において読み替えられた同条第一項	平成六年改正法附則第二十一条第二項（平成六年改正法附則第二十二条において準用する場合を含む。）において読み替え

		られた平成六年改正法附則第二十一条第一項
	附則第十一条の四第二項に	平成六年改正法附則第二十四条第四項に
	坑内員・船員の老齢厚生年金の総額	当該老齢厚生年金の総額
附則第十三条第三項第五号	坑内員・船員の加給年金額	加給年金額
	附則第十一条の六第三項において読み替えられた同条第二項及び同条第七項（同条第八項	平成六年改正法附則第二十六条第二項において読み替えられた同条第一項及び同条第六項（同条第八項から第十項まで
	坑内員・船員の老齢厚生年金の総額	当該老齢厚生年金の総額
附則第十三条第三項第六号	坑内員・船員の加給年金額	加給年金額
	附則第十一条の六第五項において読み替えられた同条第四項及び同条第七項（同条第八項	平成六年改正法附則第二十六条第四項において読み替えられた同条第三項及び同条第六項（同条第八項及び第九項
	坑内員・船員の老齢厚生年金の総額	当該老齢厚生年金の総額
附則第十三条第四項第二号	坑内員・船員の加給年金額	加給年金額
	附則第十一条の三又は第十一条の四第二項及び第三項	平成六年改正法附則第二十一条（平成六年改正法附則第二十二条及び第二十七条第十八項において準用する場合を含む。）又は平成六年改正法附則第二十四条第四項及び同条第五項において準用する附則第十一条の四第三項
	附則第十一条の四第二項及び第三項	平成六年改正法附則第二十四条第四項及び同条第五項において準用する附則第十一条の四第三項
	同条第二項	平成六年改正法附則第二十四条第四項
	坑内員・船員の老齢厚生年金の総額	当該老齢厚生年金の総額
	坑内員・船員の代行部分の総額	代行部分の総額
附則第十三条第四項第四号	坑内員・船員の加給年金額	加給年金額
	附則第十一条の六の	平成六年改正法附則第二十六条の
	附則第十一条の六第三項において読み替えられた同条第二項又は同条第五項において読み替えられた同条第四項及び同条第七項（同条第八項	平成六年改正法附則第二十六条第二項において読み替えられた同条第一項又は同条第四項において読み替えられた同条第三項及び同条第六項（同条第八項から第十項まで
	坑内員・船員の代行部分の総額	代行部分の総額

（平成六年改正法附則第二十八条第二項の規定による解散基金加入員に支給する年金給付の支給の停止に関する規定の技術的読替え）

第十八条　平成六年改正法附則第二十八条第二項の規定による厚生年金保険法附則第十三条の二の規定の適用については、次の表の上欄に掲げる規定中同表の中欄に掲げる字句は、それぞれ同表の下欄に掲げる字句に読み替えるものとする。

附則第十三条の二第二項	附則第十一条の三又は第十一条の四第二項及び第三項	国民年金法等の一部を改正する法律（平成六年法律第九十五号。以下「平成六年改正法」という。）附則第二十一条（平成六年改正法附則第二十二条及び第二十七条第十八項において準用する場合を含む。）又は平成六年改正法附則第二十四条第四項及び同条第五項において準用する附則第十一条の四第三項
	坑内員・船員の加給年金額が	附則第九条の二第三項若しくは第九条の三第二項若しくは第四項（同条第五項においてその例による場合を含む。）又は平

		成六年改正法附則第十八条第三項、第十九条第三項若しくは第五項、第二十条第三項若しくは第五項、第二十条の二第三項若しくは第五項若しくは第二十七条第十五項から第十七項までにおいて準用する第四十四条第一項に規定する加給年金額（以下「加給年金額」という。）が
	坑内員・船員の加給年金額を	加給年金額を
	前条第四項第二号	平成六年改正法附則第二十八条第一項の規定により適用するものとされた前条第四項第二号
	坑内員・船員の加給年金額及び附則第十一条の四第二項及び第三項	加給年金額及び平成六年改正法附則第二十四条第四項及び同条第五項において準用する附則第十一条の四第三項
	同条第二項	平成六年改正法附則第二十四条第四項
	坑内員・船員の代行部分の総額	平成二十五年改正法附則第八十六条第一項の規定によりなおその効力を有するものとされた平成二十五年改正法第一条の規

		定による改正前の第四十四条の二第一項（附則第九条の二第三項若しくは第九条の三第二項若しくは第四項（同条第五項においてその例による場合を含む。）又は平成六年改正法附則第十八条第三項、第十九条第三項若しくは第五項、第二十条第三項若しくは第五項若しくは第二十条の二第三項若しくは第五項において準用する場合を含む。第四項において同じ。）の規定の適用がないものとして計算した老齢厚生年金の額から老齢厚生年金の額を控除して得た額
附則第十三条の二第四項	附則第十一条の六第三項において読み替えられた同条第二項又は同条第五項において読み替えられた同条第四項及び同条第七項（同条第八項	平成六年改正法附則第二十六条第二項において読み替えられた同条第一項又は同条第四項において読み替えられた同条第三項及び同条第六項（同条第八項から第十項まで
	坑内員・船員の加給年金額	加給年金額
	前条第四項第四号	平成六年改正法附則第二十八条第一項の規定により適用するものとされた前条第四項第四号

	坑内員・船員の代行部分の総額	平成二十五年改正法附則第八十六条第一項の規定によりなおその効力を有するものとされた平成二十五年改正法第一条の規定による改正前の第四十四条の二第一項の規定の適用がないものとして計算した老齢厚生年金の額から老齢厚生年金の額を控除して得た額

（改正前の老齢厚生年金の額の計算に関する規定の技術的読替え）

第十九条　平成六年改正法附則第三十一条第三項の規定によりなおその効力を有するものとされた規定の適用については、これらの規定のうち次の表の上欄に掲げる規定中同表の中欄に掲げる字句は、それぞれ同表の下欄に掲げる字句に読み替えるものとする。

改正前の厚生年金保険法第四十四条第一項	、十八歳未満の子又は二十歳未満で第四十七条第二項に規定する障害等級（以下この条において単に「障害等級」という。）の一級若しくは二級に該当する障害の状態にある子	又は子（十八歳に達する日以後の最初の三月三十一日までの間にある子及び二十歳未満で第四十七条第二項に規定する障害等級（以下この条において単に「障害等級」という。）の一級若しくは二級に該当する障害の状態にある子に限る。）
改正前の厚生年金保険法第	が、十八歳に達した	について、十八歳に達した日以後の最初の三月三十一日が終了した

四十四条第四項	未満の	に達する日以後の最初の三月三十一日までの間にある
改正前の厚生年金保険法附則第九条第一項第一号	千六百二十五円	千六百二十八円に国民年金法第二十七条に規定する改定率を乗じて得た額（その額に五十銭未満の端数が生じたときは、これを切り捨て、五十銭以上一円未満の端数が生じたときは、これを一円に切り上げるものとする。）
改正前の厚生年金保険法附則第九条第一項第二号	千分の七・五	千分の七・一二五
改正前の昭和六十年改正法附則第五十九条第一項	附則別表第七	国民年金法等の一部を改正する法律（平成十二年法律第十八号）第十五条の規定による改正前の昭和六十年改正法附則別表第七
	千分の七・五	千分の七・一二五

（改正前の老齢厚生年金の額の計算に関する経過措置）

第十九条の二 平成六年改正法附則第三十一条第一項に規定する改正前の老齢厚生年金の受給権を有する者であつて、平成十五年四月一日以後の厚生年金保険の被保険者期間を有するものに支給する同項に規定する改正前の老齢厚生年金の額を計算する場合においては、同条第三項の規定によりなおその効力を有するものとされた前条の規定による読み替え後の改正前の厚生年金保険法附則第九条第一項第二号に定める額は、これらの規定にかかわらず、次に掲げる額を合算して得た額とする。

一 平成十五年四月一日前の厚生年金保険の被保険者であつた期間の平均標準報酬月額（国民年金法等の一部を改正する法律（平成十二年法律第十八号。以下「平成十二年改正法」という。）第六条の規定による改正前の厚生年金保険法第四十三条第一項に規定する平均標準報酬月額をいう。）の千分の七・一二五に相当する額に当該被保険者期間の月数を乗じて得た額

二 平成十五年四月一日以後の厚生年金保険の被保険者であつた期間の平均標準報酬額（厚生年金保険法第四十三条第一項に規定する平均標準報酬額をいう。）の千分の五・四八一に相当する額に当該被保険者期間の月数を乗じて得た額

2 前項第一号に掲げる額を計算する場合においては、平成十二年改正法第十五条の規定による改正前の昭和六十年改正法附則別表第七の上欄に掲げる者については、同号中「千分の七・一二五」とあるのは、それぞれ同表の下欄のように読み替えるものとする。

3 第一項第二号に掲げる額を計算する場合においては、昭和六十年改正法附則別表第七の上欄に掲げる者については、同号中「千分の五・四八一」とあるのは、それぞれ同表の下欄のように読み替えるものとする。

（改正前の老齢厚生年金等の支給の停止に関する規定の技術的読替え）

第二十条 平成六年改正法附則第三十一条第四項の規定により適用するものとされた厚生年金保険法附則第十三条第二項から第四項まで及び第十三条の二並びに平成六年改正法附則第二十一条、第二十三条、第二十四条第二項及び第二十八条の規定の適用については、これらの規定のうち次の表の上欄に掲げる規定中同表の中欄に掲げる字句は、それぞれ同表の下欄に掲げる字句に読み替えるものとする。

厚生年金保険法附則第十三条第二項	附則第十一条から第十一条の三まで又は第十一条の四第二項及び第三項	国民年金法等の一部を改正する法律（平成六年法律第九十五号。以下「平成六年改正法」という。）附則第三十一条第四項の規定により適用するものとされた平成六年改正法附則第二十一条
厚生年金保険法附則第十三条第三項第二号	附則第九条の四第三項又は第五項（同条第六項において準用する場合を含む。）において準用する第四十四条第一項	平成六年改正法附則第三十一条第三項の規定によりなおその効力を有するものとされた平成六年改正法第三条の規定による改正前の附則第九条第四項において準用する平成六年改正法第三条の規定による改正前の第四十四条第一項
	「坑内員・船員の加給年金額」	単に「加給年金額」
	附則第十一条の三の	平成六年改正法附則第三十一条第四項の規定により適用するものとされた平成六年改正法附則第二十一条の
	附則第十一条の三第二項	平成六年改正法附則第三十一条第四項の規定により適用するものとされた平成六年改正法附則第二十一条第三項

	附則第九条の四第三項又は第五項（同条第六項においてその例による場合を含む。）において準用する平成二十五年改正法附則第八十六条第一項の規定によりなおその効力を有するものとされた平成二十五年改正法第一条の規定による改正前の第四十四条の二第一項	平成六年改正法附則第三十一条第三項の規定によりなおその効力を有するものとされた平成六年改正法第三条の規定による改正前の附則第九条第四項において準用する平成二十五年改正法附則第八十六条第一項の規定によりなおその効力を有するものとされた平成二十五年改正法第一条の規定による改正前の第四十四条の二第一項
	坑内員・船員の老齢厚生年金の総額	代行部分の総額
厚生年金保険法附則第十三条第四項第一号	附則第十一条から第十一条の三まで又は第十一条の四第二項及び第三項	平成六年改正法附則第三十一条第四項の規定により適用するものとされた平成六年改正法附則第二十一条
	坑内員・船員の加給年金額	加給年金額
厚生年金保険法附則第十三条第四項第三号	坑内員・船員の加給年金額	加給年金額
	附則第十一条の三又は第十一条の四第二項及び第三項	平成六年改正法附則第三十一条第四項の規定により適用するものとされた平成六年改正法附則第二十一条
	並びに附則第十一条の四第二項及び第三項の規定の適用を受ける老齢厚生年金に係る同条第二項に規定する附則第九条の二第二項第一号に規定する額を除く	を除く
	坑内員・船員の代行部分の総額	代行部分の総額
厚生年金保険法附則第十三条の二第一項	附則第十一条から第十一条の三まで又は第十一条の四第二項及び第三項	平成六年改正法附則第三十一条第四項の規定により適用するものとされた平成六年改正法附則第二十一条
	坑内員・船員の加給年金額	加給年金額
厚生年金保険法附則第十三条の二第三項	坑内員・船員の加給年金額	加給年金額
	附則第十一条の三又は第十一条の四第二項及び第三項	平成六年改正法附則第三十一条第四項の規定により適用するものとされた平成六年改正法附則第二十一条
	及び附則第十一条の四第二項及び第三項の規定の適用を受ける老齢厚生年金に係る同条第二項に規定する附則第九条の二第二項第一号に規定する額を除く	を除く
	坑内員・船員の代行部分の総額	代行部分の総額
平成六年改正法附則第二十一条第一項	附則第十八条第三項、第十九条第三項若しくは第五項、第二十条第三項若しくは第五項又は前条第三項若しくは第五項	附則第三十一条第三項の規定によりなおその効力を有するものとされた第三条の規定による改正前の厚生年金保険法附則第九条第四項
平成六年改正法附則第二十一条第二項	附則第十八条第三項、第十九条第三項若しくは第五項、第二十条第三項若しくは第五項又は前条第三項若しくは第五項	附則第三十一条第三項の規定によりなおその効力を有するものとされた第三条の規定による改正前の厚生年金保険法附則第九条第四項
平成六年改正法附則第二十三条第一項第二号	附則第十八条第三項において準用する改正後の	附則第三十一条第三項の規定によりなおその効力を有するものとされた改正前の厚生年金保険法附則第九条第四項において準用する改正前の
平成六年改正法附則第二十三条第二項	附則第十八条第三項において準用する平成二十五年改正法附則第八十六条第一項の規定によりなおその効力を有するものとされた平成二十五年改正法第一条の規定による改	附則第三十一条第三項の規定によりなおその効力を有するものとされた改正前の厚生年金保険法附則第九条第四項において準用する平成二十五年改正法附則第八十六条第一

	正前の厚生年金保険法第四十四条の二第一項	項の規定によりなおその効力を有するものとされた平成二十五年改正法第一条の規定による改正前の厚生年金保険法第四十四条の二第一項
	附則第十八条第三項において準用する改正後の厚生年金保険法第四十四条第一項	附則第三十一条第三項の規定によりなおその効力を有するものとされた改正前の厚生年金保険法附則第九条第四項において準用する改正前の厚生年金保険法第四十四条第一項

2　平成六年改正法附則第三十一条第四項の規定により適用するものとされた平成六年改正法附則第二十三条第一項の規定によりなおその効力を有するものとされた規定の適用については、これらの規定のうち次の表の上欄に掲げる規定中同表の中欄に掲げる字句は、それぞれ同表の下欄に掲げる字句に読み替えるものとする。

改正前の厚生年金保険法附則第十一条	被保険者である	被保険者（前月以前の月に属する日から引き続き当該被保険者の資格を有する者に限る。以下この条において同じ。）である
	同条第一項第三号に規定する政令で定める等級	第十五級
	当該標準報酬等級の高低に応じて政令で定めるところにより、それぞれ、老齢厚生年金の額（附則第九条第四項において準用する第四十四条第一項に規定する加給年金額を除く。）の百分の八十、百分の七十、百分の六十、百分の五十、百分の四十、百分の三十又は百分の二十に相当する部分に限り支給を停止する。	次の表の上欄に掲げる当該標準報酬等級に応じて、それぞれ、老齢厚生年金の額（国民年金法等の一部を改正する法律（平成六年法律第九十五号。以下「平成六年改正法」という。）附則第三十一条第三項の規定によりなおその効力を有するものとされた平成六年改正法第三条の規定による改正前の附則第九条第四項において準用する平成六年改正法第三条の規定による改正前の第四十四条第一項に規定する加給年金額を除く。）の同表の下欄に定める割合に相当する部分に限り支給を停止する。

第十四級及び第十五級	百分の八十
第十二級及び第十三級	百分の七十
第十級及び第十一級	百分の六十
第七級から第九級まで	百分の五十
第四級から第六級まで	百分の四十
第一級から第三級まで	百分の三十

改正前の厚生年金保険法附則第十三条第三項	第百三十三条	公的年金制度の健全性及び信頼性の確保のための厚生年金保険法等の一部を改正する法律（平成二十五年法律第六十三号）附則第五条第一項の規定によりなおその効力を有するものとされた同法第一条の規定による改正前の第百三十三条
	附則第十一条の規定により	国民年金法等の一部を改正する法律（平成六年法律第九十五号。以下「平成六年改正法」という。）附則第三十一条第四項の規定により適用するものとされた平成六年改正法附則第二十三条第一項の規定によりなおその効力を有するものとされた平成六年改正法第三条の規定による改正前の附則第十一条の規定により
	附則第十一条の規定を	平成六年改正法附則第三十一条第四項の規定により適用するものとされた平成六年改正法附則第二

		十三条第一項の規定によりなおその効力を有するものとされた平成六年改正法第三条の規定による改正前の附則第十一条の規定を
改正前の厚生年金保険法附則第十三条の二	附則第八条第四項及び第十一条	平成六年改正法附則第三十一条第四項の規定により適用するものとされた平成六年改正法附則第二十四条第二項及び平成六年改正法附則第二十三条第一項の規定によりなおその効力を有するものとされた平成六年改正法第三条の規定による改正前の附則第十一条
	附則第九条第四項において準用する	国民年金法等の一部を改正する法律（平成六年法律第九十五号。以下「平成六年改正法」という。）附則第三十一条第三項の規定によりなおその効力を有するものとされた平成六年改正法第三条の規定による改正前の附則第九条第四項において準用する平成六年改正法第三条の規定による改正前の

（免除保険料率の決定に関する経過措置）

第二十二条　平成六年改正法附則第三十五条第六項の規定により読み替えて適用される公的年金制度の健全性及び信頼性の確保のための厚生年金保険法等の一部を改正する法律（平成二十五年法律第六十三号。以下この条において「平成二十五年改正法」という。）附則第五条第一項の規定によりなおその効力を有するものとされた平成二十五年改正法第一条の規定による改正前の厚生年金保険法（次項において「平成二十五年改正前厚生年金保険法」という。）第八十一条の三第一項の政令で定める範囲（次項において「免除保険料率の範囲」という。）は、千分の二十四から千分の五十までとする。

２　前項の規定にかかわらず、平成二十五年改正法附則第五条第一項の規定によりなおその効力を有するものとされた平成二十五年改正前厚生年金保険法附則第三十一条の規定により読み替えて適用される同項の規定によりなおその効力を有するものとされた平成二十五年改正前厚生年金保険法第八十一条の三第二項の規定により代行保険料率が算定される場合における免除保険料率の範囲は、零から千分の五十までとする。

（旧厚生年金保険法による年金たる保険給付の額に関する経過措置）

第二十三条　平成六年十月一日から同年十一月八日までの間のいずれかの日において旧厚生年金保険法による年金たる保険給付を受ける権利を有する者の当該保険給付については、平成六年改正法による改正後のその額（加給年金額及び旧厚生年金保険法第六十二条の二の規定により加算する額を除く。）が従前の当該保険給付の額（加給年金額及び旧厚生年金保険法第六十二条の二の規定により加算する額を除く。以下この条において同じ。）に満たないときは、これを従前の当該保険給付の額に相当する額とする。

附　則

１　この政令は、公布の日から施行する。

２　第三条、第五条及び第六条の規定は、平成六年十月一日から適用する。

○厚生年金保険法

昭二九・五・一九
法一一五

最終改正 令五・三・三一法三

目次〔略〕

第一章 総則

（この法律の目的）

第一条 この法律は、労働者の老齢、障害又は死亡について保険給付を行い、労働者及びその遺族の生活の安定と福祉の向上に寄与することを目的とする。

（管掌）

第二条 厚生年金保険は、政府が、管掌する。

（年金額の改定）

第二条の二 この法律による年金たる保険給付の額は、国民の生活水準、賃金その他の諸事情に著しい変動が生じた場合には、変動後の諸事情に応ずるため、速やかに改定の措置が講ぜられなければならない。

（財政の均衡）

第二条の三 厚生年金保険事業の財政は、長期的にその均衡が保たれたものでなければならず、著しくその均衡を失すると見込まれる場合には、速やかに所要の措置が講ぜられなければならない。

（財政の現況及び見通しの作成）

第二条の四 政府は、少なくとも五年ごとに、保険料及び国庫負担の額並びにこの法律による保険給付に要する費用の額その他の厚生年金保険事業の財政に係る収支についてその現況及び財政均衡期間における見通し（以下「財政の現況及び見通し」という。）を作成しなければならない。

2 前項の財政均衡期間（第三十四条第一項及び第八十四条の六第三項第二号において「財政均衡期間」という。）は、財政の現況及び見通しが作成される年以降おおむね百年間とする。

3 政府は、第一項の規定により財政の現況及び見通しを作成したときは、遅滞なく、これを公表しなければならない。

（実施機関）

第二条の五 この法律における実施機関は、次の各号に掲げる事務の区分に応じ、当該各号に定める者とする。

一 次号から第四号までに規定する被保険者以外の厚生年金保険の被保険者（以下「第一号厚生年金被保険者」という。）の資格、第一号厚生年金被保険者に係る標準報酬（第二十八条に規定する標準報酬をいう。以下この項において同じ。）、事業所及び被保険者期間、第一号厚生年金被保険者であつた期間（以下「第一号厚生年金被保険者期間」という。）に基づくこの法律による保険給付、当該保険給付の受給権者、第一号厚生年金被保険者に係る国民年金法（昭和三十四年法律第百四十一号）第九十四条の二第一項の規定による基礎年金拠出金の負担、第一号厚生年金被保険者期間に係る保険料その他この法律の規定による徴収金並びに第一号厚生年金被保険者の保険料に係る運用に関する事務 厚生労働大臣

二 国家公務員共済組合の組合員たる厚生年金保険の被保険者（以下「第二号厚生年金被保険者」という。）の資格、第二号厚生年金被保険者に係る標準報酬、事業所及び被保険者期間、第二号厚生年金被保険者であつた期間（以下「第二号厚生年金被保険者期間」という。）に基づくこの法律による保険給付、当該保険給付の受給権者、第二号厚生年金被保険者に係る国民年金法第九十四条の二第二項の規定による基礎年金拠出金の納付及び第八十四条の五第一項の規定による拠出金の納付、第二号厚生年金被保険者期間に係る保険料その他この法律の規定による徴収金並びに第二号厚生年金被保険者の保険料に係る運用に関する事務 国家公務員共済組合及び国家公務員共済組合連合会

三 地方公務員共済組合の組合員たる厚生年金保険の被保険者（以下「第三号厚生年金被保険者」という。）の資格、第三号厚生年金被保険者に係る標準報酬、事業所及び被保険者期間、第三号厚生年金被保険者であつた期間（以下「第三号厚生年金被保険者期間」という。）に基づくこの法律による保険給付、当該保険給付の受給権者、第三号厚生年金被保険者に係る国民年金法第九十四条の二第二項の規定による基礎年金拠出金の納付及び第八十四条の五第一項の規定による拠出金の納付、第三号厚生年金被保険者期間に係る保険料その他この法律の規定による徴収金並びに第三号厚生年金被保険者の保険料に係る運用に関する事務 地方公務員共済組合、全国市町村職員共済組合連合会及び地方公務員共済組合連合会

四 私立学校教職員共済法（昭和二十八年法律第二百四十五号）の規定による私立学校教職員共済制度の加入者たる厚生年金保険の被保険者（以下「第四号厚生年金被保険者」という。）の資格、第四号厚生年金被保険者に係る標準報酬、事業所及び被保険者期間、第四号厚生年金被保険者であつた期間（以下「第四号厚生年金被保険者期間」という。）に基づくこの法律による保険給付、当該保険給付の受給権者、第四号厚生年金被保険者に係る国民年金法第九十四条の二第二項の規定による基礎年金拠出金の納付及び第八十四条の五第一項の規定による拠出金の納付、第四号厚生年金被保険者期間に係る保険料その他この法律の規定による徴収金並びに第四号厚生年金被保険者の保険料に係る運用に関する事務 日本私立学校振興・共済事業団

2 前項第二号又は第三号に掲げる事務のうち、第八十四条の三、第八十四条の五、第八十四条の六、第八十四条の八及び第八十四条の九の規定に係るものについては、国家公務員共済組合連合会又は地方公務員共済組合連合会が行い、その他の規定に係るものについては、政令で定めるところにより、同項第二号又は第三号に定める者のうち政令で定めるものが行う。

（用語の定義）

第三条 この法律において、次の各号に掲げる用語の意義は、それぞれ当該各号に定めるところによる。

一 保険料納付済期間 国民年金法第五条第一項に規定する保険料納付済期間をいう。

二 保険料免除期間 国民年金法第五条第二項に規定する保険料免除期間をいう。

三 報酬 賃金、給料、俸給、手当、賞与その他いかなる名称であるかを問わず、労働者が、労働の対償として受ける全てのものをいう。ただし、臨時に受けるもの及び三月を超える期間ごとに受けるものは、この限りでない。

四　賞与　賃金、給料、俸給、手当、賞与その他いかなる名称であるかを問わず、労働者が労働の対償として受ける全てのもののうち、三月を超える期間ごとに受けるものをいう。

2　この法律において、「配偶者」、「夫」及び「妻」には、婚姻の届出をしていないが、事実上婚姻関係と同様の事情にある者を含むものとする。

第四条及び第五条　削除

第二章　被保険者

第一節　資格

（適用事業所）

第六条　次の各号のいずれかに該当する事業所若しくは事務所（以下単に「事業所」という。）又は船舶を適用事業所とする。

一　次に掲げる事業の事業所又は事務所であつて、常時五人以上の従業員を使用するもの

イ　物の製造、加工、選別、包装、修理又は解体の事業

ロ　土木、建築その他工作物の建設、改造、保存、修理、変更、破壊、解体又はその準備の事業

ハ　鉱物の採掘又は採取の事業

ニ　電気又は動力の発生、伝導又は供給の事業

ホ　貨物又は旅客の運送の事業

ヘ　貨物積卸しの事業

ト　焼却、清掃又はと殺の事業

チ　物の販売又は配給の事業

リ　金融又は保険の事業

ヌ　物の保管又は賃貸の事業

ル　媒介周旋の事業

ヲ　集金、案内又は広告の事業

ワ　教育、研究又は調査の事業

カ　疾病の治療、助産その他医療の事業

ヨ　通信又は報道の事業

タ　社会福祉法（昭和二十六年法律第四十五号）に定める社会福祉事業及び更生保護事業法（平成七年法律第八十六号）に定める更生保護事業

レ　弁護士、公認会計士その他政令で定める者が法令の規定に基づき行うこととされている法律又は会計に係る業務を行う事業

二　前号に掲げるもののほか、国、地方公共団体又は法人の事業所又は事務所であつて、常時従業員を使用するもの

三　船員法（昭和二十二年法律第百号）第一条に規定する船員（以下単に「船員」という。）として船舶所有者（船員保険法（昭和十四年法律第七十三号）第三条に規定する場合にあつては、同条の規定により船舶所有者とされる者。以下単に「船舶所有者」という。）に使用される者が乗り組む船舶（第五十九条の二を除き、以下単に「船舶」という。）

2　前項第三号に規定する船舶の船舶所有者は、適用事業所の事業主とみなす。

3　第一項の事業所以外の事業所の事業主は、厚生労働大臣の認可を受けて、当該事業所を適用事業所とすることができる。

4　前項の認可を受けようとするときは、当該事業所の事業主は、当該事業所に使用される者（第十二条に規定する者を除く。）の二分の一以上の同意を得て、厚生労働大臣に申請しなければならない。

第七条　前条第一項第一号又は第二号の適用事業所が、それぞれ当該各号に該当しなくなつたときは、その事業所について同条第三項の認可があつたものとみなす。

第八条　第六条第三項の適用事業所の事業主は、厚生労働大臣の認可を受けて、当該事業所を適用事業所でなくすることができる。

2　前項の認可を受けようとするときは、当該事業所の事業主は、当該事業所に使用される者（第十二条に規定する者を除く。）の四分の三以上の同意を得て、厚生労働大臣に申請しなければならない。

第八条の二　二以上の適用事業所（船舶を除く。）の事業主が同一である場合には、当該事業主は、厚生労働大臣の承認を受けて、当該二以上の事業所を一の適用事業所とすることができる。

2　前項の承認があつたときは、当該二以上の適用事業所は、第六条の適用事業所でなくなつたものとみなす。

第八条の三　二以上の船舶の船舶所有者が同一である場合には、当該二以上の船舶は、一の適用事業所とする。この場合において、当該二以上の船舶は、第六条の適用事業所でないものとみなす。

（被保険者）

第九条　適用事業所に使用される七十歳未満の者は、厚生年金保険の被保険者とする。

第十条　適用事業所以外の事業所に使用される七十歳未満の者は、厚生労働大臣の認可を受けて、厚生年金保険の被保険者となることができる。

2　前項の認可を受けるには、その事業所の事業主の同意を得なければならない。

第十一条　前条の規定による被保険者は、厚生労働大臣の認可を受けて、被保険者の資格を喪失することができる。

（適用除外）

第十二条　次の各号のいずれかに該当する者は、第九条及び第十条第一項の規定にかかわらず、厚生年金保険の被保険者としない。

一　臨時に使用される者（船舶所有者に使用される船員を除く。）であつて、次に掲げるもの。ただし、イに掲げる者にあつては一月を超え、ロに掲げる者にあつては定めた期間を超え、引き続き使用されるに至つた場合を除く。

イ　日々雇い入れられる者

ロ　二月以内の期間を定めて使用される者であつて、当該定めた期間を超えて使用されることが見込まれないもの

二　所在地が一定しない事業所に使用される者

三　季節的業務に使用される者（船舶所有者に使用される船員を除く。）。ただし、継続して四月を超えて使用されるべき場合は、この限りでない。

四　臨時的事業の事業所に使用される者。ただし、継続して六月を超えて使用されるべき場合は、この限りでない。

五　事業所に使用される者であつて、その一週間の所定労働時間が同一の事業所に使用される通常の労働者（当該事業所に使用される通常の労働者と同種の業務に従事する当該事業所に使用される者にあつては、厚生労働省令で定める場合を除き、当該者と同種の業務に従事する当該通常の労働者。以下

この号において単に「通常の労働者」という。）の一週間の所定労働時間の四分の三未満である短時間労働者（一週間の所定労働時間が同一の事業所に使用される通常の労働者の一週間の所定労働時間に比し短い者をいう。以下この号において同じ。）又はその一月間の所定労働日数が同一の事業所に使用される通常の労働者の一月間の所定労働日数の四分の三未満である短時間労働者に該当し、かつ、イからハまでのいずれかの要件に該当するもの

イ　一週間の所定労働時間が二十時間未満であること。

ロ　報酬（最低賃金法（昭和三十四年法律第百三十七号）第四条第三項各号に掲げる賃金に相当するものとして厚生労働省令で定めるものを除く。）について、厚生労働省令で定めるところにより、第二十二条第一項の規定の例により算定した額が、八万八千円未満であること。

ハ　学校教育法（昭和二十二年法律第二十六号）第五十条に規定する高等学校の生徒、同法第八十三条に規定する大学の学生その他の厚生労働省令で定める者であること。

（資格取得の時期）

第十三条　第九条の規定による被保険者は、適用事業所に使用されるに至つた日若しくはその使用される事業所が適用事業所となつた日又は前条の規定に該当しなくなつた日に、被保険者の資格を取得する。

2　第十条第一項の規定による被保険者は、同項の認可があつた日に、被保険者の資格を取得する。

（資格喪失の時期）

第十四条　第九条又は第十条第一項の規定による被保険者は、次の各号のいずれかに該当するに至つた日の翌日（その事実があつた日に更に前条に該当するに至つたとき、又は第五号に該当するに至つたときは、その日）に、被保険者の資格を喪失する。

一　死亡したとき。

二　その事業所又は船舶に使用されなくなつたとき。

三　第八条第一項又は第十一条の認可があつたとき。

四　第十二条の規定に該当するに至つたとき。

五　七十歳に達したとき。

（被保険者の種別の変更に係る資格の得喪）

第十五条　同一の適用事業所において使用される被保険者について、被保険者の種別（第一号厚生年金被保険者、第二号厚生年金被保険者、第三号厚生年金被保険者又は第四号厚生年金被保険者のいずれであるかの区別をいう。以下同じ。）に変更があつた場合には、前二条の規定は、被保険者の種別ごとに適用する。

第十六条及び第十七条　削除

（資格の得喪の確認）

第十八条　被保険者の資格の取得及び喪失は、厚生労働大臣の確認によつて、その効力を生ずる。ただし、第十条第一項の規定による被保険者の資格の取得及び第十四条第三号に該当したことによる被保険者の資格の喪失は、この限りでない。

2　前項の確認は、第二十七条の規定による届出若しくは第三十一条第一項の規定による請求により、又は職権で行うものとする。

3　第一項の確認については、行政手続法（平成五年法律第八十八号）第三章（第十二条及び第十四条を除く。）の規定は、適用しない。

4　第二号厚生年金被保険者、第三号厚生年金被保険者及び第四号厚生年金被保険者の資格の取得及び喪失については、前三項の規定は、適用しない。

（異なる被保険者の種別に係る資格の得喪）

第十八条の二　第二号厚生年金被保険者、第三号厚生年金被保険者又は第四号厚生年金被保険者は、第十三条の規定にかかわらず、同時に、第一号厚生年金被保険者の資格を取得しない。

2　第一号厚生年金被保険者が同時に第二号厚生年金被保険者、第三号厚生年金被保険者又は第四号厚生年金被保険者の資格を有するに至つたときは、その日に、当該第一号厚生年金被保険者の資格を喪失する。

第二節　被保険者期間

第十九条　被保険者期間を計算する場合には、月によるものとし、被保険者の資格を取得した月からその資格を喪失した月の前月までをこれに算入する。

2　被保険者の資格を取得した月にその資格を喪失したときは、その月を一箇月として被保険者期間に算入する。ただし、その月に更に被保険者又は国民年金の被保険者（国民年金法第七条第一項第二号に規定する第二号被保険者を除く。）の資格を取得したときは、この限りでない。

3　被保険者の資格を喪失した後、更にその資格を取得した者については、前後の被保険者期間を合算する。

4　前三項の規定は、被保険者の種別ごとに適用する。

5　同一の月において被保険者の種別に変更があつたときは、前項の規定により適用するものとされた第二項の規定にかかわらず、その月は変更後の被保険者の種別の被保険者であつた月（二回以上にわたり被保険者の種別に変更があつたときは、最後の被保険者の種別の被保険者であつた月）とみなす。

第三節　標準報酬月額及び標準賞与額

（標準報酬月額）

第二十条　標準報酬月額は、被保険者の報酬月額に基づき、次の等級区分（次項の規定により等級区分の改定が行われたときは、改定後の等級区分）によつて定める。

標準報酬月額等級	標準報酬月額	報酬月額
第一級	八八、〇〇〇円	九三、〇〇〇円未満
第二級	九八、〇〇〇円	九三、〇〇〇円以上 一〇一、〇〇〇円未満
第三級	一〇四、〇〇〇円	一〇一、〇〇〇円以上 一〇七、〇〇〇円未満
第四級	一一〇、〇〇〇円	一〇七、〇〇〇円以上 一一四、〇〇〇円未満
第五級	一一八、〇〇〇円	一一四、〇〇〇円以上 一二二、〇〇〇円未満

第六級	一二六、〇〇〇円	一二二、〇〇〇円以上 一三〇、〇〇〇円未満
第七級	一三四、〇〇〇円	一三〇、〇〇〇円以上 一三八、〇〇〇円未満
第八級	一四二、〇〇〇円	一三八、〇〇〇円以上 一四六、〇〇〇円未満
第九級	一五〇、〇〇〇円	一四六、〇〇〇円以上 一五五、〇〇〇円未満
第一〇級	一六〇、〇〇〇円	一五五、〇〇〇円以上 一六五、〇〇〇円未満
第一一級	一七〇、〇〇〇円	一六五、〇〇〇円以上 一七五、〇〇〇円未満
第一二級	一八〇、〇〇〇円	一七五、〇〇〇円以上 一八五、〇〇〇円未満
第一三級	一九〇、〇〇〇円	一八五、〇〇〇円以上 一九五、〇〇〇円未満
第一四級	二〇〇、〇〇〇円	一九五、〇〇〇円以上 二一〇、〇〇〇円未満
第一五級	二二〇、〇〇〇円	二一〇、〇〇〇円以上 二三〇、〇〇〇円未満
第一六級	二四〇、〇〇〇円	二三〇、〇〇〇円以上 二五〇、〇〇〇円未満
第一七級	二六〇、〇〇〇円	二五〇、〇〇〇円以上 二七〇、〇〇〇円未満
第一八級	二八〇、〇〇〇円	二七〇、〇〇〇円以上 二九〇、〇〇〇円未満
第一九級	三〇〇、〇〇〇円	二九〇、〇〇〇円以上 三一〇、〇〇〇円未満
第二〇級	三二〇、〇〇〇円	三一〇、〇〇〇円以上 三三〇、〇〇〇円未満
第二一級	三四〇、〇〇〇円	三三〇、〇〇〇円以上 三五〇、〇〇〇円未満
第二二級	三六〇、〇〇〇円	三五〇、〇〇〇円以上 三七〇、〇〇〇円未満
第二三級	三八〇、〇〇〇円	三七〇、〇〇〇円以上 三九五、〇〇〇円未満
第二四級	四一〇、〇〇〇円	三九五、〇〇〇円以上 四二五、〇〇〇円未満
第二五級	四四〇、〇〇〇円	四二五、〇〇〇円以上 四五五、〇〇〇円未満
第二六級	四七〇、〇〇〇円	四五五、〇〇〇円以上 四八五、〇〇〇円未満
第二七級	五〇〇、〇〇〇円	四八五、〇〇〇円以上 五一五、〇〇〇円未満
第二八級	五三〇、〇〇〇円	五一五、〇〇〇円以上 五四五、〇〇〇円未満
第二九級	五六〇、〇〇〇円	五四五、〇〇〇円以上 五七五、〇〇〇円未満
第三〇級	五九〇、〇〇〇円	五七五、〇〇〇円以上 六〇五、〇〇〇円未満
第三一級	六二〇、〇〇〇円	六〇五、〇〇〇円以上

2　毎年三月三十一日における全被保険者の標準報酬月額を平均した額の百分の二百に相当する額が標準報酬月額等級の最高等級の標準報酬月額を超える場合において、その状態が継続すると認められるときは、その年の九月一日から、健康保険法（大正十一年法律第七十号）第四十条第一項に規定する標準報酬月額の等級区分を参酌して、政令で、当該最高等級の上に更に等級を加える標準報酬月額の等級区分の改定を行うことができる。

（定時決定）

第二十一条　実施機関は、被保険者が毎年七月一日現に使用される事業所において同日前三月間（その事業所で継続して使用された期間に限るものとし、かつ、報酬支払の基礎となつた日数が十七日（厚生労働省令で定める者にあつては、十一日。第二十三条第一項、第二十三条の二第一項及び第二十三条の三第一項において同じ。）未満である月があるときは、その月を除く。）に受けた報酬の総額をその期間の月数で除して得た額を報酬月額として、標準報酬月額を決定する。

2　前項の規定によつて決定された標準報酬月額は、その年の九月から翌年の八月までの各月の標準報酬月額とする。

3　第一項の規定は、六月一日から七月一日までの間に被保険者の資格を取得した者及び第二十三条、第二十三条の二又は第二十三条の三の規定により七月から九月までのいずれかの月から標準報酬月額を改定され、又は改定されるべき被保険者については、その年に限り適用しない。

（被保険者の資格を取得した際の決定）

第二十二条　実施機関は、被保険者の資格を取得した者があるときは、次の各号に規定する額を報酬月額として、標準報酬月額を決定する。

一　月、週その他一定期間によつて報酬が定められる場合には、被保険者の資格を取得した日の現在の報酬の額をその期間の総日数で除して得た額の三十倍に相当する額

二　日、時間、出来高又は請負によつて報酬が定められる場合には、被保険者の資格を取得した月前一月間に当該事業所で、同様の業務に従事し、かつ、同様の報酬を受ける者が受けた報酬の額を平均した額

三　前二号の規定によつて算定することが困難であるものについては、被保険者の資格を取得した月前一月間に、その地方で、同様の業務に従事し、かつ、同様の報酬を受ける者が受けた報酬の額

四　前三号の二以上に該当する報酬を受ける場合には、それぞれについて、前三号の規定によつて算定した額の合算額

2　前項の規定によつて決定された標準報酬月額は、被保険者の資格を取得した月からその年の八月（六月一日から十二月三十一日までの間に被保険者の資格を取得した者については、翌年の八月）までの各月の標準報酬とする。

（改定）

第二十三条　実施機関は、被保険者が現に使用される事業所において継続した三月間（各月とも、報酬支払の基礎となつた日数が、十七日以上でなければならない。）に受けた報酬の総額を三で除して得た額が、その者の標準報酬月額の基礎となつた報酬月額に比べて、著しく高低を生じた場合において、必要があると認めるときは、その額を報酬月額として、その著しく高低を生じた月の翌月から、標準報酬月額を改定することができる。

2　前項の規定によつて改定された標準報酬月額は、その年の八月（七月から十二月までのいずれかの月から改定されたものについては、翌年の八月）までの各月の標準報酬月額とする。

（育児休業等を終了した際の改定）

第二十三条の二　実施機関は、育児休業、介護休業等育児又は家族介護を行う労働者の福祉に関する法律（平成三年法律第七十六号。以下この項において「育児・介護休業法」という。）第二条第一号に規定する育児休業若しくは育児・介護休業法第二十三条第二項の育児休業に関する制度に準ずる措置若しくは育児・介護休業法第二十四条第一項（第二号に係る部分に限る。）の規定により同項第二号に規定する育児休業に関する制度に準じて講ずる措置による休業、国会職員の育児休業等に関する法律（平成三年法律第百八号）第三条第一項の規定による育児休業、国家公務員の育児休業等に関する法律（平成三年法律第百九号）第三条第一項（同法第二十七条第一項及び裁判所職員臨時措置法（昭和二十六年法律第二百九十九号）（第七号に係る部分に限る。）において準用する場合を含む。）の規定による育児休業、地方公務員の育児休業等に関する法律（平成三年法律第百十号）第二条第一項の規定による育児休業又は裁判官の育児休業に関する法律（平成三年法律第百十一号）第二条第一項の規定による育児休業（以下「育児休業等」という。）を終了した被保険者が、当該育児休業等を終了した日（以下この条において「育児休業等終了日」という。）において育児・介護休業法第二条第一号に規定する子その他これに類する者として政令で定めるもの（第二十六条において「子」という。）であつて、当該育児休業等に係る三歳に満たないものを養育する場合において、その使用される事業所の事業主を経由して主務省令で定めるところにより実施機関に申出をしたときは、第二十一条の規定にかかわらず、育児休業等終了日の翌日が属する月以後三月間（育児休業等終了日の翌日において使用される事業所で継続して使用された期間に限るものとし、かつ、報酬支払の基礎となつた日数が十七日未満である月があるときは、その月を除く。）に受けた報酬の総額をその期間の月数で除して得た額を報酬月額として、標準報酬月額を改定する。ただし、育児休業等終了日の翌日に次条第一項に規定する産前産後休業を開始している被保険者は、この限りでない。

2　前項の規定によつて改定された標準報酬月額は、育児休業等終了日の翌日から起算して二月を経過した日の属する月の翌月からその年の八月（当該翌月が七月から十二月までのいずれかの月である場合は、翌年の八月）までの各月の標準報酬月額とする。

3　第二号厚生年金被保険者及び第三号厚生年金被保険者について、第一項の規定を適用する場合においては、同項中「その使用される事業所の事業主を経由して主務省令」とあるのは、「主務省令」とする。

（産前産後休業を終了した際の改定）

第二十三条の三　実施機関は、産前産後休業（出産の日（出産の日が出産の予定日後であるときは、出産の予定日）以前四十二日（多胎妊娠の場合においては、九十八日）から出産の日後五十六日までの間において労務に従事しないこと（妊娠又は出産に関する事由を理由として労務に従事しない場合に限る。）をいい、船員（国家公務員共済組合の組合員たる船員及び地方公務員共済組合の組合員たる船員を除く。以下同じ。）たる被保険者にあつては、船員法第八十七条第一項又は第二項の規定により職務に服さないことをいう。以下同じ。）を終了した被保険者が、当該産前産後休業を終了した日（以下この条において「産前産後休業終了日」という。）において当該産前産後休業に係る子を養育する場合において、その使用される事業所の事業主を経由して主務省令で定めるところにより実施機関に申出をしたときは、第二十一条の規定にかかわらず、産前産後休業終了日の翌日が属する月以後三月間（産前産後休業終了日の翌日において使用される事業所で継続して使用された期間に限るものとし、かつ、報酬支払の基礎となつた日数が十七日未満である月があるときは、その月を除く。）に受けた報酬の総額をその期間の月数で除して得た額を報酬月額として、標準報酬月額を改定する。ただし、産前産後休業終了日の翌日に育児休業等を開始している被保険者は、この限りでない。

2　前項の規定によつて改定された標準報酬月額は、産前産後休業終了日の翌日から起算して二月を経過した日の属する月の翌月からその年の八月（当該翌月が七月から十二月までのいずれかの月である場合は、翌年の八月）までの各月の標準報酬月額とする。

3　第二号厚生年金被保険者及び第三号厚生年金被保険者について、第一項の規定を適用する場合においては、同項中「その使用される事業所の事業主を経由して主務省令」とあるのは、「主務省令」とする。

（報酬月額の算定の特例）

第二十四条　被保険者の報酬月額が、第二十一条第一項、第二十

二条第一項、第二十三条の二第一項若しくは前条第一項の規定によつて算定することが困難であるとき、又は第二十一条第一項、第二十二条第一項、第二十三条第一項、第二十三条の二第一項若しくは前条第一項の規定によつて算定した額が著しく不当であるときは、これらの規定にかかわらず、実施機関が算定する額を当該被保険者の報酬月額とする。

２　同時に二以上の事業所で報酬を受ける被保険者について報酬月額を算定する場合においては、各事業所について、第二十一条第一項、第二十二条第一項、第二十三条第一項、第二十三条の二第一項若しくは前条第一項又は前項の規定によつて算定した額の合算額をその者の報酬月額とする。

（船員たる被保険者の標準報酬月額）

第二十四条の二　船員たる被保険者の標準報酬月額の決定及び改定については、第二十一条から前条までの規定にかかわらず、船員保険法第十七条から第二十条まで及び第二十三条の規定の例による。

（政令への委任）

第二十四条の三　第二十一条から第二十四条までに定めるもののほか、報酬月額の算定に関し必要な事項は、政令で定める。

（標準賞与額の決定）

第二十四条の四　実施機関は、被保険者が賞与を受けた月において、その月に当該被保険者が受けた賞与額に基づき、これに千円未満の端数を生じたときはこれを切り捨てて、その月における標準賞与額を決定する。この場合において、当該標準賞与額が百五十万円（第二十条第二項の規定による標準報酬月額の等級区分の改定が行われたときは、政令で定める額。以下この項において同じ。）を超えるときは、これを百五十万円とする。

２　第二十四条の規定は、標準賞与額の算定について準用する。

（現物給与の価額）

第二十五条　報酬又は賞与の全部又は一部が、通貨以外のもので支払われる場合においては、その価額は、その地方の時価によつて、厚生労働大臣が定める。

（三歳に満たない子を養育する被保険者等の標準報酬月額の特例）

第二十六条　三歳に満たない子を養育し、又は養育していた被保険者又は被保険者であつた者が、主務省令で定めるところにより実施機関に申出（被保険者にあつては、その使用される事業所の事業主を経由して行うものとする。）をしたときは、当該子を養育することとなつた日（厚生労働省令で定める事実が生じた日にあつては、その日）の属する月から次の各号のいずれかに該当するに至つた日の翌日の属する月の前月までの各月のうち、その標準報酬月額が当該子を養育することとなつた日の属する月の前月（当該月において被保険者でない場合にあつては、当該月前一年以内における被保険者であつた月のうち直近の月。以下この条において「基準月」という。）の標準報酬月額（この項の規定により当該子以外の子に係る基準月の標準報酬月額が標準報酬月額とみなされている場合にあつては、当該みなされた基準月の標準報酬月額。以下この項において「従前標準報酬月額」という。）を下回る月（当該申出が行われた日の属する月前の月にあつては、当該申出が行われた日の属する月の前月までの二年間のうちにあるものに限る。）については、従前標準報酬月額を当該下回る月の第四十三条第一項に規定する平均標準報酬額の計算の基礎となる標準報酬月額とみなす。

一　当該子が三歳に達したとき。

二　第十四条各号のいずれかに該当するに至つたとき。

三　当該子以外の子についてこの条の規定の適用を受ける場合における当該子以外の子を養育することとなつたときその他これに準ずる事実として厚生労働省令で定めるものが生じたとき。

四　当該子が死亡したときその他当該被保険者が当該子を養育しないこととなつたとき。

五　当該被保険者に係る第八十一条の二第一項の規定の適用を受ける育児休業等を開始したとき。

六　当該被保険者に係る第八十一条の二の二第一項の規定の適用を受ける産前産後休業を開始したとき。

２　前項の規定の適用による年金たる保険給付の額の改定その他前項の規定の適用に関し必要な事項は、政令で定める。

３　第一項第六号の規定に該当した者（同項の規定により当該子以外の子に係る基準月の標準報酬月額が基準月の標準報酬月額とみなされている場合を除く。）に対する同項の規定の適用については、同項中「この項の規定により当該子以外の子に係る基準月の標準報酬月額が標準報酬月額とみなされている場合にあつては、当該みなされた基準月の標準報酬月額」とあるのは、「第六号の規定の適用がなかつたとしたならば、この項の規定により当該子以外の子に係る基準月の標準報酬月額が標準報酬月額とみなされる場合にあつては、当該みなされることとなる基準月の標準報酬月額」とする。

４　第二号厚生年金被保険者であり、若しくはあつた者又は第三号厚生年金被保険者であり、若しくはあつた者について、第一項の規定を適用する場合においては、同項中「申出（被保険者にあつては、その使用される事業所の事業主を経由して行うものとする。）」とあるのは、「申出」とする。

第四節　届出、記録等

（届出）

第二十七条　適用事業所の事業主又は第十条第二項の同意をした事業主（第百条第一項及び第四項、第百二条第二項並びに第百三条を除き、以下単に「事業主」という。）は、厚生労働省令で定めるところにより、被保険者（被保険者であつた七十歳以上の者であつて当該適用事業所に使用されるものとして厚生労働省令で定める要件に該当するもの（以下「七十歳以上の使用される者」という。）を含む。）の資格の取得及び喪失（七十歳以上の使用される者にあつては、厚生労働省令で定める要件に該当するに至つた日及び当該要件に該当しなくなつた日）並びに報酬月額及び賞与額に関する事項を厚生労働大臣に届け出なければならない。

（記録）

第二十八条　実施機関は、被保険者に関する原簿を備え、これに被保険者の氏名、資格の取得及び喪失の年月日、標準報酬（標準報酬月額及び標準賞与額をいう。以下同じ。）、基礎年金番号（国民年金法第十四条に規定する基礎年金番号をいう。）その他主務省令で定める事項を記録しなければならない。

（訂正の請求）

第二十八条の二　第一号厚生年金被保険者であり、又はあつた者は、前条の原簿（以下「厚生年金保険原簿」という。）に記録された自己に係る特定厚生年金保険原簿記録（第一号厚生年金被保険者の資格の取得及び喪失の年月日、標準報酬その他厚生労働省令で定める事項の内容をいう。以下この項において同じ。）が事実でない、又は厚生年金保険原簿に自己に係る特定厚生年金保険原簿記録が記録されていないと思料するときは、厚生労働省令で定めるところにより、厚生労働大臣に対し、厚生年金保険原簿の訂正の請求をすることができる。

2　前項の規定は、第一号厚生年金被保険者であり、又はあつた者が死亡した場合において、次の表の上欄に掲げる者について準用する。この場合において、同項中「自己」とあるのは、同表の上欄に掲げる者の区分に応じ、同表の下欄に掲げる字句に読み替えるものとする。

第三十七条の規定により未支給の保険給付の支給を請求することができる者	死亡した保険給付の受給権者
遺族厚生年金を受けることができる遺族	死亡した第一号厚生年金被保険者であり、又はあつた者

3　第一項の規定は、第七十八条の六第三項又は第七十八条の十四第四項の規定により被保険者期間であつたものとみなされた期間（第一号厚生年金被保険者期間に係るものに限る。）を有する者（第一号厚生年金被保険者であり、又はあつた者を除く。）について準用する。

（訂正に関する方針）

第二十八条の三　厚生労働大臣は、前条第一項（同条第二項及び第三項において準用する場合を含む。）の規定による請求（次条において「訂正請求」という。）に係る厚生年金保険原簿の訂正に関する方針を定めなければならない。

2　厚生労働大臣は、前項の方針を定め、又は変更しようとするときは、あらかじめ、社会保障審議会に諮問しなければならない。

（訂正請求に対する措置）

第二十八条の四　厚生労働大臣は、訂正請求に理由があると認めるときは、当該訂正請求に係る厚生年金保険原簿の訂正をする旨を決定しなければならない。

2　厚生労働大臣は、前項の規定による決定をする場合を除き、訂正請求に係る厚生年金保険原簿の訂正をしない旨を決定しなければならない。

3　厚生労働大臣は、前二項の規定による決定をしようとするときは、あらかじめ、社会保障審議会に諮問しなければならない。

（通知）

第二十九条　厚生労働大臣は、第八条第一項、第十条第一項若しくは第十一条の規定による認可、第十八条第一項の規定による確認又は標準報酬の決定若しくは改定（第七十八条の六第一項及び第二項並びに第七十八条の十四第二項及び第三項の規定による標準報酬の改定又は決定を除く。）を行つたときは、その旨を当該事業主に通知しなければならない。

2　事業主は、前項の通知があつたときは、すみやかに、これを被保険者又は被保険者であつた者に通知しなければならない。

3　被保険者が被保険者の資格を喪失した場合において、その者の所在が明らかでないため前項の通知をすることができないときは、事業主は、厚生労働大臣にその旨を届け出なければならない。

4　厚生労働大臣は、前項の届出があつたときは、所在が明らかでない者について第一項の規定により事業主に通知した事項を公告しなければならない。

5　厚生労働大臣は、事業所が廃止された場合その他やむを得ない事情のため第一項の通知をすることができない場合においては、同項の通知に代えて、その通知すべき事項を公告しなければならない。

第三十条　厚生労働大臣は、第二十七条の規定による届出があつた場合において、その届出に係る事実がないと認めるときは、その旨をその届出をした事業主に通知しなければならない。

2　前条第二項から第五項までの規定は、前項の通知について準用する。

（確認の請求）

第三十一条　被保険者又は被保険者であつた者は、いつでも、第十八条第一項の規定による確認を請求することができる。

2　厚生労働大臣は、前項の規定による請求があつた場合において、その請求に係る事実がないと認めるときは、その請求を却下しなければならない。

（被保険者に対する情報の提供）

第三十一条の二　実施機関は、厚生年金保険制度に対する国民の理解を増進させ、及びその信頼を向上させるため、主務省令で定めるところにより、被保険者に対し、当該被保険者の保険料納付の実績及び将来の給付に関する必要な情報を分かりやすい形で通知するものとする。

（適用除外）

第三十一条の三　第二号厚生年金被保険者であり、若しくはあつた者、第三号厚生年金被保険者であり、若しくはあつた者又は第四号厚生年金被保険者であり、若しくはあつた者及びこれらの者に係る事業主については、この節の規定（第二十八条及び前条を除く。）は、適用しない。

第三章　保険給付

第一節　通則

（保険給付の種類）

第三十二条　この法律による保険給付は、次のとおりとし、政府及び実施機関（厚生労働大臣を除く。第三十四条第一項、第四十条、第七十九条第一項及び第二項、第八十一条第一項、第八十四条の五第二項並びに第八十四条の六第二項並びに附則第二十三条の三において「政府等」という。）が行う。

一　老齢厚生年金
二　障害厚生年金及び障害手当金
三　遺族厚生年金

（裁定）

第三十三条　保険給付を受ける権利は、その権利を有する者（以下「受給権者」という。）の請求に基づいて、実施機関が裁定する。

（調整期間）

第三十四条　政府は、第二条の四第一項の規定により財政の現況及び見通しを作成するに当たり、厚生年金保険事業の財政が、財政均衡期間の終了時に保険給付の支給に支障が生じないようにするために必要な積立金（年金特別会計の厚生年金勘定の積立金及び第七十九条の二に規定する実施機関積立金をいう。）を政府等が保有しつつ当該財政均衡期間にわたつてその均衡を保つことができないと見込まれる場合には、保険給付の額を調整するものとし、政令で、保険給付の額を調整する期間（以下「調整期間」という。）の開始年度を定めるものとする。

2　財政の現況及び見通しにおいて、前項の調整を行う必要がなくなつたと認められるときは、政令で、調整期間の終了年度を定めるものとする。

3　政府は、調整期間において財政の現況及び見通しを作成するときは、調整期間の終了年度の見通しについても作成し、併せて、これを公表しなければならない。

（端数処理）

第三十五条　保険給付を受ける権利を裁定する場合又は保険給付の額を改定する場合において、保険給付の額に五十銭未満の端数が生じたときは、これを切り捨て、五十銭以上一円未満の端数が生じたときは、これを一円に切り上げるものとする。

3　前項に規定するもののほか、保険給付の額を計算する場合において生じる一円未満の端数の処理については、政令で定める。

（年金の支給期間及び支払期月）

第三十六条　年金の支給は、年金を支給すべき事由が生じた月の翌月から始め、権利が消滅した月で終るものとする。

2　年金は、その支給を停止すべき事由が生じたときは、その事由が生じた月の翌月からその事由が消滅した月までの間は、支給しない。

3　年金は、毎年二月、四月、六月、八月、十月及び十二月の六期に、それぞれその前月分までを支払う。ただし、前支払期月に支払うべきであつた年金又は権利が消滅した場合若しくは年金の支給を停止した場合におけるその期の年金は、支払期月でない月であつても、支払うものとする。

（二月期支払の年金の加算）

第三十六条の二　前条第三項の規定による支払額に一円未満の端数が生じたときは、これを切り捨てるものとする。

2　毎年三月から翌年二月までの間において前項の規定により切り捨てた金額の合計額（一円未満の端数が生じたときは、これを切り捨てた額）については、これを当該二月の支払期月の年金額に加算するものとする。

（未支給の保険給付）

第三十七条　保険給付の受給権者が死亡した場合において、その死亡した者に支給すべき保険給付でまだその者に支給しなかつたものがあるときは、その者の配偶者、子、父母、孫、祖父母、兄弟姉妹又はこれらの者以外の三親等内の親族であつて、その者の死亡の当時その者と生計を同じくしていたものは、自己の名で、その未支給の保険給付の支給を請求することができる。

2　前項の場合において、死亡した者が遺族厚生年金の受給権者である妻であつたときは、その者の死亡の当時その者と生計を同じくしていた被保険者又は被保険者であつた者の子であつて、その者の死亡によつて遺族厚生年金の支給の停止が解除されたものは、同項に規定する子とみなす。

3　第一項の場合において、死亡した受給権者が死亡前にその保険給付を請求していなかつたときは、同項に規定する者は、自己の名で、その保険給付を請求することができる。

4　未支給の保険給付を受けるべき者の順位は、政令で定める。

5　未支給の保険給付を受けるべき同順位者が二人以上あるときは、その一人のした請求は、全員のためその全額につきしたものとみなし、その一人に対してした支給は、全員に対してしたものとみなす。

（併給の調整）

第三十八条　障害厚生年金は、その受給権者が他の年金たる保険給付又は国民年金法による年金たる給付（当該障害厚生年金と同一の支給事由に基づいて支給される障害基礎年金を除く。）を受けることができるときは、その間、その支給を停止する。老齢厚生年金の受給権者が他の年金たる保険給付（遺族厚生年金を除く。）又は同法による年金たる給付（老齢基礎年金及び付加年金並びに障害基礎年金を除く。）を受けることができる場合における当該老齢厚生年金及び遺族厚生年金の受給権者が他の年金たる保険給付（老齢厚生年金を除く。）又は同法による年金たる給付（老齢基礎年金及び付加年金、障害基礎年金並びに当該遺族厚生年金と同一の支給事由に基づいて支給される遺族基礎年金を除く。）を受けることができる場合における当該遺族厚生年金についても、同様とする。

2　前項の規定によりその支給を停止するものとされた年金たる保険給付の受給権者は、同項の規定にかかわらず、その支給の停止の解除を申請することができる。ただし、その者に係る同項に規定する他の年金たる保険給付又は国民年金法による年金たる給付について、この項の本文若しくは次項又は他の法令の規定でこれらに相当するものとして政令で定めるものによりその支給の停止が解除されているときは、この限りでない。

3　第一項の規定によりその支給を停止するものとされた年金たる保険給付について、その支給を停止すべき事由が生じた日の属する月分の支給が行われる場合は、その事由が生じたときにおいて、当該年金たる保険給付に係る前項の申請があつたものとみなす。

4　第二項の申請（前項の規定により第二項の申請があつたものとみなされた場合における当該申請を含む。）は、いつでも、将来に向かつて撤回することができる。

（受給権者の申出による支給停止）

第三十八条の二　年金たる保険給付（この法律の他の規定又は他の法令の規定によりその全額につき支給を停止されている年金たる保険給付を除く。）は、その受給権者の申出により、その全額の支給を停止する。ただし、この法律の他の規定又は他の法令の規定によりその額の一部につき支給を停止されているときは、停止されていない部分の額の支給を停止する。

2　前項ただし書のその額の一部につき支給を停止されている年金たる保険給付について、この法律の他の規定又は他の法令の規定による支給停止が解除されたときは、前項本文の年金たる保険給付の全額の支給を停止する。

3　第一項の申出は、いつでも、将来に向かつて撤回することができる。

4　第一項又は第二項の規定により支給を停止されている年金給付は、政令で定める法令の規定の適用については、その支給を停止されていないものとみなす。

5　第一項の規定による支給停止の方法その他前各項の規定の適

用に関し必要な事項は、政令で定める。

（年金の支払の調整）

第三十九条 乙年金の受給権者が甲年金の受給権を取得したため乙年金の受給権が消滅し、又は同一人に対して乙年金の支給を停止して甲年金を支給すべき場合において、乙年金の受給権が消滅し、又は乙年金の支給を停止すべき事由が生じた月の翌月以後の分として、乙年金の支払が行われたときは、その支払われた乙年金は、甲年金の内払とみなす。

2 年金の支給を停止すべき事由が生じたにもかかわらず、その停止すべき期間の分として年金が支払われたときは、その支払われた年金は、その後に支払うべき年金の内払とみなすことができる。年金を減額して改定すべき事由が生じたにもかかわらず、その事由が生じた月の翌月以後の分として減額しない額の年金が支払われた場合における当該年金の当該減額すべきであつた部分についても、同様とする。

3 同一人に対して国民年金法による年金たる給付の支給を停止して年金たる保険給付（厚生労働大臣が支給するものに限る。以下この項において同じ。）を支給すべき場合において、年金たる保険給付を支給すべき事由が生じた月の翌月以後の分として同法による年金たる給付の支払が行われたときは、その支払われた同法による年金たる給付は、年金たる保険給付の内払とみなすことができる。

第三十九条の二 年金たる保険給付の受給権者が死亡したためその受給権が消滅したにもかかわらず、その死亡の日の属する月の翌月以後の分として当該年金たる保険給付の過誤払が行われた場合において、当該過誤払による返還金に係る債権（以下「返還金債権」という。）に係る債務の弁済をすべき者に支払うべき年金たる保険給付があるときは、厚生労働省令で定めるところにより、当該年金たる保険給付の支払金の金額を当該過誤払による返還金債権の金額に充当することができる。

（損害賠償請求権）

第四十条 政府等は、事故が第三者の行為によつて生じた場合において、保険給付をしたときは、その給付の価額の限度で、受給権者が第三者に対して有する損害賠償の請求権を取得する。

2 前項の場合において、受給権者が、当該第三者から同一の事由について損害賠償を受けたときは、政府等は、その価額の限度で、保険給付をしないことができる。

（不正利得の徴収）

第四十条の二 偽りその他不正の手段により保険給付を受けた者があるときは、実施機関は、受給額に相当する金額の全部又は一部をその者から徴収することができる。

（受給権の保護及び公課の禁止）

第四十一条 保険給付を受ける権利は、譲り渡し、担保に供し、又は差し押えることができない。ただし、老齢厚生年金を受ける権利を国税滞納処分（その例による処分を含む。）により差し押える場合は、この限りでない。

2 租税その他の公課は、保険給付として支給を受けた金銭を標準として、課することができない。ただし、老齢厚生年金については、この限りでない。

第二節 老齢厚生年金

（受給権者）

第四十二条 老齢厚生年金は、被保険者期間を有する者が、次の各号のいずれにも該当するに至つたときに、その者に支給する。

一 六十五歳以上であること。

二 保険料納付済期間と保険料免除期間とを合算した期間が十年以上であること。

（年金額）

第四十三条 老齢厚生年金の額は、被保険者であつた全期間の平均標準報酬額（被保険者期間の計算の基礎となる各月の標準報酬月額と標準賞与額に、別表各号に掲げる受給権者の区分に応じてそれぞれ当該各号に定める率（以下「再評価率」という。）を乗じて得た額の総額を、当該被保険者期間の月数で除して得た額をいう。附則第十七条の六第一項及び第二十九条第三項を除き、以下同じ。）の千分の五・四八一に相当する額に被保険者期間の月数を乗じて得た額とする。

2 受給権者が毎年九月一日（以下この項において「基準日」という。）において被保険者である場合（基準日に被保険者の資格を取得した場合を除く。）の老齢厚生年金の額は、基準日の属する月前の被保険者であつた期間をその計算の基礎とするものとし、基準日の属する月の翌月から、年金の額を改定する。ただし、基準日が被保険者の資格を喪失した日から再び被保険者の資格を取得した日までの間に到来し、かつ、当該被保険者の資格を喪失した日から再び被保険者の資格を取得した日までの期間が一月以内である場合は、基準日の属する月前の被保険者であつた期間を老齢厚生年金の額の計算の基礎とするものとし、基準日の属する月の翌月から、年金の額を改定する。

3 被保険者である受給権者がその被保険者の資格を喪失し、かつ、被保険者となることなくして被保険者の資格を喪失した日から起算して一月を経過したときは、その被保険者の資格を喪失した月前における被保険者であつた期間を老齢厚生年金の額の計算の基礎とするものとし、資格を喪失した日（第十四条第二号から第四号までのいずれかに該当するに至つた日にあつては、その日）から起算して一月を経過した日の属する月から、年金の額を改定する。

（再評価率の改定等）

第四十三条の二 再評価率については、毎年度、第一号に掲げる率（以下「物価変動率」という。）に第二号及び第三号に掲げる率を乗じて得た率（以下「名目手取り賃金変動率」という。）を基準として改定し、当該年度の四月以降の保険給付について適用する。

一 当該年度の初日の属する年の前々年の物価指数（総務省において作成する年平均の全国消費者物価指数をいう。以下同じ。）に対する当該年度の初日の属する年の前年の物価指数の比率

二 イに掲げる率をロに掲げる率で除して得た率の三乗根となる率

イ 当該年度の初日の属する年の五年前の年の四月一日の属する年度における被保険者に係る標準報酬平均額（各年度における標準報酬の総額を各年度における被保険者の数で除して得た額を十二で除して得た額に相当する額として、被保険者の性別構成及び年齢別構成並びに標準報酬の分布状況の変動を参酌して政令で定めるところにより算定した額をいう。以下この号において同じ。）に対する当該年度の前々年度における被保険者に係る標準報酬平均額の比率

ロ　当該年度の初日の属する年の五年前の年における物価指数に対する当該年度の初日の属する年の前々年における物価指数の比率

三　イに掲げる率をロに掲げる率で除して得た率

イ　〇・九一〇から当該年度の初日の属する年の三年前の年の九月一日におけるこの法律の規定による保険料率（以下「保険料率」という。）の二分の一に相当する率を控除して得た率

ロ　〇・九一〇から当該年度の初日の属する年の四年前の年の九月一日における保険料率の二分の一に相当する率を控除して得た率

2　次の各号に掲げる再評価率の改定については、前項の規定にかかわらず、当該各号に定める率を基準とする。

一　当該年度の前年度に属する月の標準報酬（以下「前年度の標準報酬」という。）に係る再評価率　前項第三号に掲げる率（以下「可処分所得割合変化率」という。）

二　当該年度の前々年度又は当該年度の初日の属する年の三年前の年の四月一日の属する年度に属する月の標準報酬（以下「前々年度等の標準報酬」という。）に係る再評価率　物価変動率に可処分所得割合変化率を乗じて得た率

3　当該年度に属する月の標準報酬に係る再評価率については、当該年度の前年度におけるその年度に属する月の標準報酬に係る再評価率に可処分所得割合変化率を乗じて得た率を基準として設定する。

4　前三項の規定による再評価率の改定又は設定の措置は、政令で定める。

第四十三条の三　受給権者が六十五歳に達した日の属する年度の初日の属する年の三年後の年の四月一日の属する年度（第四十三条の五において「基準年度」という。）以後において適用される再評価率（以下「基準年度以後再評価率」という。）の改定については、前条の規定にかかわらず、物価変動率（物価変動率が名目手取り賃金変動率を上回るときは、名目手取り賃金変動率）を基準とする。

2　前年度の標準報酬及び前々年度等の標準報酬に係る基準年度以後再評価率の改定については、前項の規定にかかわらず、前条第二項各号の規定を適用する。

3　前二項の規定による基準年度以後再評価率の改定の措置は、政令で定める。

（調整期間における再評価率の改定等の特例）

第四十三条の四　調整期間における再評価率の改定については、前二条の規定にかかわらず、名目手取り賃金変動率に、調整率（第一号に掲げる率に第二号に掲げる率を乗じて得た率（当該率が一を上回るときは、一）をいう。以下この条及び次条において同じ。）に当該年度の前年度の特別調整率を乗じて得た率を乗じて得た率（当該率が一を下回るときは、一。以下この条において「算出率」という。）を基準とする。

一　当該年度の初日の属する年の五年前の年の四月一日の属する年度における公的年金の被保険者（この法律又は国民年金法の被保険者をいう。）の総数として政令で定めるところにより算定した数（以下この号において「公的年金被保険者総数」という。）に対する当該年度の前々年度における公的年金被保険者総数の比率の三乗根となる率

二　〇・九九七

2　調整期間における次の各号に掲げる再評価率の改定については、前項の規定にかかわらず、当該各号に定める率を基準とする。

一　前年度の標準報酬に係る再評価率　イに掲げる率にロに掲げる率を乗じて得た率（算出率が一となる場合にあつては、当該乗じて得た率に、一をハに掲げる率にロに掲げる率を乗じて得た率で除して得た率を乗じて得た率）

イ　可処分所得割合変化率

ロ　調整率に当該年度の前年度の特別調整率を乗じて得た率

ハ　名目手取り賃金変動率

二　前々年度等の標準報酬に係る再評価率　物価変動率に前号イに掲げる率及び同号ロに掲げる率を乗じて得た率（算出率が一となる場合にあつては、当該乗じて得た率に、一を同号ハに掲げる率に同号ロに掲げる率を乗じて得た率で除して得た率を乗じて得た率）

3　調整期間における当該年度に属する月の標準報酬に係る再評価率の設定については、第四十三条の二第三項の規定にかかわらず、当該年度の前年度におけるその年度に属する月の標準報酬に係る再評価率に、第一号に掲げる率及び第二号に掲げる率を乗じて得た率（算出率が一となる場合にあつては、当該乗じて得た率に、一を第三号に掲げる率に第二号に掲げる率を乗じて得た率で除して得た率を乗じて得た率）を基準とする。

一　可処分所得割合変化率

二　調整率に当該年度の前年度の特別調整率を乗じて得た率

三　名目手取り賃金変動率

4　名目手取り賃金変動率が一を下回る場合の調整期間における再評価率の改定又は設定については、前三項の規定にかかわらず、第四十三条の二第一項から第三項までの規定を適用する。

5　第一項から第三項までの特別調整率とは、第一号の規定により設定し、第二号の規定により改定した率をいう。

一　平成二十九年度における特別調整率は、一とする。

二　特別調整率については、毎年度、名目手取り賃金変動率に調整率を乗じて得た率を算出率で除して得た率（名目手取り賃金変動率が一を下回るときは、調整率）を基準として改定する。

6　前各項の規定による再評価率の改定又は設定の措置は、政令で定める。

第四十三条の五　調整期間における基準年度以後再評価率の改定については、前条の規定にかかわらず、第一号に掲げる率に第二号に掲げる率を乗じて得た率（当該率が一を下回るときは、一。以下この条において「基準年度以後算出率」という。）を基準とする。

一　物価変動率（物価変動率が名目手取り賃金変動率を上回るときは、名目手取り賃金変動率）

二　調整率に当該年度の前年度の基準年度以後特別調整率（当該年度が基準年度である場合にあつては、当該年度の前年度の前条第五項に規定する特別調整率。次項第一号ロ及び第三項第二号において同じ。）を乗じて得た率

2　調整期間における次の各号に掲げる基準年度以後再評価率の改定については、前項の規定にかかわらず、当該各号に定める率を基準とする。

一　前年度の標準報酬に係る基準年度以後再評価率　イに掲げ

る率にロに掲げる率を乗じて得た率（基準年度以後算出率が一となる場合にあつては、当該乗じて得た率に、一をハに掲げる率にロに掲げる率を乗じて得た率で除して得た率を乗じて得た率）

イ　可処分所得割合変化率

ロ　調整率に当該年度の前年度の基準年度以後特別調整率を乗じて得た率

ハ　物価変動率（物価変動率が名目手取り賃金変動率を上回るときは、名目手取り賃金変動率）

二　前々年度等の標準報酬に係る基準年度以後再評価率　物価変動率に前号イに掲げる率及び同号ロに掲げる率を乗じて得た率（基準年度以後算出率が一となる場合にあつては、当該乗じて得た率に、一を同号ハに掲げる率に同号ロに掲げる率を乗じて得た率で除して得た率を乗じて得た率）

3　調整期間における当該年度に属する月の標準報酬に係る基準年度以後再評価率の設定については、前条第三項の規定にかかわらず、当該年度の前年度におけるその年度に属する月の標準報酬に係る基準年度以後再評価率（当該年度が基準年度である場合にあつては、再評価率）に、第一号に掲げる率及び第二号に掲げる率を乗じて得た率（基準年度以後算出率が一となる場合にあつては、当該乗じて得た率に、一を第三号に掲げる率に第二号に掲げる率を乗じて得た率で除して得た率を乗じて得た率）を基準とする。

一　可処分所得割合変化率

二　調整率に当該年度の前年度の基準年度以後特別調整率を乗じて得た率

三　物価変動率（物価変動率が名目手取り賃金変動率を上回るときは、名目手取り賃金変動率）

4　物価変動率又は名目手取り賃金変動率が一を下回る場合の調整期間における基準年度以後再評価率の改定又は設定については、前三項の規定にかかわらず、第四十三条の二第三項並びに第四十三条の三第一項及び第二項の規定を適用する。

5　第一項から第三項までの基準年度以後特別調整率とは、第一号の規定により設定し、第二号の規定により改定した率をいう。

一　基準年度における基準年度以後特別調整率は、イに掲げる率にロに掲げる率を乗じて得た率とする。

イ　基準年度の前年度の前条第五項に規定する特別調整率

ロ　物価変動率（物価変動率が名目手取り賃金変動率を上回るときは、名目手取り賃金変動率）に調整率を乗じて得た率を基準年度以後算出率で除して得た率（物価変動率又は名目手取り賃金変動率が一を下回るときは、調整率）

二　基準年度以後特別調整率については、毎年度、前号ロに掲げる率を基準として改定する。

6　前各項の規定による基準年度以後再評価率の改定又は設定の措置は、政令で定める。

（加給年金額）

第四十四条　老齢厚生年金（その年金額の計算の基礎となる被保険者期間の月数が二百四十以上であるものに限る。）の額は、受給権者がその権利を取得した当時（その権利を取得した当時、当該老齢厚生年金の額の計算の基礎となる被保険者期間の月数が二百四十未満であつたときは、第四十三条第二項又は第三項の規定により当該月数が二百四十以上となるに至つた当時。第三項において同じ。）その者によつて生計を維持していたその者の六十五歳未満の配偶者又は子（十八歳に達する日以後の最初の三月三十一日までの間にある子及び二十歳未満で第四十七条第二項に規定する障害等級（以下この条において単に「障害等級」という。）の一級若しくは二級に該当する障害の状態にある子に限る。）があるときは、第四十三条の規定にかかわらず、同条に定める額に加給年金額を加算した額とする。ただし、国民年金法第三十三条の二第一項の規定により加算が行われている子があるとき（当該子について加算する額に相当する部分の全額につき支給を停止されているときを除く。）は、その間、当該子について加算する額に相当する部分の支給を停止する。

2　前項に規定する加給年金額は、同項に規定する配偶者については二十二万四千七百円に国民年金法第二十七条に規定する改定率であつて同法第二十七条の三及び第二十七条の五の規定の適用がないものとして改定したもの（以下この章において「改定率」という。）を乗じて得た額（その額に五十円未満の端数が生じたときは、これを切り捨て、五十円以上百円未満の端数が生じたときは、これを百円に切り上げるものとする。）とし、同項に規定する子については一人につき七万四千九百円に改定率を乗じて得た額（そのうち二人までについては、それぞれ二十二万四千七百円に改定率を乗じて得た額とし、それらの額に五十円未満の端数が生じたときは、これを切り捨て、五十円以上百円未満の端数が生じたときは、これを百円に切り上げるものとする。）とする。

3　受給権者がその権利を取得した当時胎児であつた子が出生したときは、第一項の規定の適用については、その子は、受給権者がその権利を取得した当時その者によつて生計を維持していた子とみなし、その出生の月の翌月から、年金の額を改定する。

4　第一項の規定によりその額が加算された老齢厚生年金については、配偶者又は子が次の各号のいずれかに該当するに至つたときは、同項の規定にかかわらず、その者に係る同項の加給年金額を加算しないものとし、次の各号のいずれかに該当するに至つた月の翌月から、年金の額を改定する。

一　死亡したとき。

二　受給権者による生計維持の状態がやんだとき。

三　配偶者が、離婚又は婚姻の取消しをしたとき。

四　配偶者が、六十五歳に達したとき。

五　子が、養子縁組によつて受給権者の配偶者以外の者の養子となつたとき。

六　養子縁組による子が、離縁をしたとき。

七　子が、婚姻をしたとき。

八　子（障害等級の一級又は二級に該当する障害の状態にある子を除く。）について、十八歳に達した日以後の最初の三月三十一日が終了したとき。

九　障害等級の一級又は二級に該当する障害の状態にある子（十八歳に達する日以後の最初の三月三十一日までの間にある子を除く。）について、その事情がやんだとき。

十　子が、二十歳に達したとき。

5　第一項又は前項第二号の規定の適用上、老齢厚生年金の受給権者によつて生計を維持していたこと又はその者による生計維持の状態がやんだことの認定に関し必要な事項は、政令で定める。

第四十四条の二　削除

（支給の繰下げ）

第四十四条の三　老齢厚生年金の受給権を有する者であつてその受給権を取得した日から起算して一年を経過した日（以下この条において「一年を経過した日」という。）前に当該老齢厚生年金を請求していなかつたものは、実施機関に当該老齢厚生年金の支給繰下げの申出をすることができる。ただし、その者が当該老齢厚生年金の受給権を取得したときに、他の年金たる給付（他の年金たる保険給付又は国民年金法による年金たる給付（老齢基礎年金及び付加年金並びに障害基礎年金を除く。）をいう。以下この条において同じ。）の受給権者であつたとき、又は当該老齢厚生年金の受給権を取得した日から一年を経過した日までの間において他の年金たる給付の受給権者となつたときは、この限りでない。

2　一年を経過した日後に次の各号に掲げる者が前項の申出（第五項の規定により前項の申出があつたものとみなされた場合における当該申出を除く。以下この項において同じ。）をしたときは、当該各号に定める日において、前項の申出があつたものとみなす。

一　老齢厚生年金の受給権を取得した日から起算して十年を経過した日（次号において「十年を経過した日」という。）前に他の年金たる給付の受給権者となつた者　他の年金たる給付を支給すべき事由が生じた日

二　十年を経過した日後にある者（前号に該当する者を除く。）　十年を経過した日

3　第一項の申出（第五項の規定により第一項の申出があつたものとみなされた場合における当該申出を含む。次項において同じ。）をした者に対する老齢厚生年金の支給は、第三十六条第一項の規定にかかわらず、当該申出のあつた月の翌月から始めるものとする。

4　第一項の申出をした者に支給する老齢厚生年金の額は、第四十三条第一項及び第四十四条の規定にかかわらず、これらの規定により計算した額に、老齢厚生年金の受給権を取得した日の属する月の前月までの被保険者期間を基礎として第四十三条第一項の規定の例により計算した額及び第四十六条第一項の規定の例により計算したその支給を停止するものとされた額を勘案して政令で定める額を加算した額とする。

5　第一項の規定により老齢厚生年金の支給繰下げの申出をすることができる者が、その受給権を取得した日から起算して五年を経過した日後に当該老齢厚生年金を請求し、かつ、当該請求の際に同項の申出をしないときは、当該請求をした日の五年前の日に同項の申出があつたものとみなす。ただし、その者が次の各号のいずれかに該当する場合は、この限りではない。

一　当該老齢厚生年金の受給権を取得した日から起算して十五年を経過した日以後にあるとき。

二　当該請求をした日の五年前の日以前に他の年金たる給付の受給権者であつたとき。

（失権）

第四十五条　老齢厚生年金の受給権は、受給権者が死亡したときは、消滅する。

（支給停止）

第四十六条　老齢厚生年金の受給権者が被保険者（前月以前の月に属する日から引き続き当該被保険者の資格を有する者に限る。）である日（厚生労働省令で定める日を除く。）、国会議員若しくは地方公共団体の議会の議員（前月以前の月に属する日から引き続き当該国会議員又は地方公共団体の議会の議員である者に限る。）である日又は七十歳以上の使用される者（前月以前の月に属する日から引き続き当該適用事業所において第二十七条の厚生労働省令で定める要件に該当する者に限る。）である日が属する月において、その者の標準報酬月額とその月以前の一年間の標準賞与額の総額を十二で除して得た額とを合算して得た額（国会議員又は地方公共団体の議会の議員については、その者の標準報酬月額に相当する額として政令で定める額とその月以前の一年間の標準賞与額及び標準賞与額に相当する額として政令で定める額の総額を十二で除して得た額とを合算して得た額とし、七十歳以上の使用される者（国会議員又は地方公共団体の議会の議員を除く。次項において同じ。）については、その者の標準報酬月額に相当する額とその月以前の一年間の標準賞与額及び標準賞与額に相当する額の総額を十二で除して得た額とを合算して得た額とする。以下「総報酬月額相当額」という。）及び老齢厚生年金の額（第四十四条第一項に規定する加給年金額及び第四十四条の三第四項に規定する加算額を除く。以下この項において同じ。）を十二で除して得た額（以下この項において「基本月額」という。）との合計額が支給停止調整額を超えるときは、その月の分の当該老齢厚生年金について、総報酬月額相当額と基本月額との合計額から支給停止調整額を控除して得た額の二分の一に相当する額に十二を乗じて得た額（以下この項において「支給停止基準額」という。）に相当する部分の支給を停止する。ただし、支給停止基準額が老齢厚生年金の額以上であるときは、老齢厚生年金の全部（同条第四項に規定する加算額を除く。）の支給を停止するものとする。

2　第二十条から第二十五条までの規定は、前項の七十歳以上の使用される者の標準報酬月額に相当する額及び標準賞与額に相当する額を算定する場合に準用する。この場合において、これらの規定に関し必要な技術的読替えは、政令で定める。

3　第一項の支給停止調整額は、四十八万円とする。ただし、四十八万円に平成十七年度以後の各年度の物価変動率に第四十三条の二第一項第二号に掲げる率を乗じて得た率をそれぞれ乗じて得た額（その額に五千円未満の端数が生じたときは、これを切り捨て、五千円以上一万円未満の端数が生じたときは、これを一万円に切り上げるものとする。以下この項において同じ。）が四十八万円（この項の規定による支給停止調整額の改定の措置が講ぜられたときは、直近の当該措置により改定した額）を超え、又は下るに至つた場合においては、当該年度の四月以後の支給停止調整額を当該乗じて得た額に改定する。

4　前項ただし書の規定による支給停止調整額の改定の措置は、政令で定める。

5　第一項の規定により老齢厚生年金の全部又は一部の支給を停止する場合においては、第三十六条第二項の規定は適用しない。

6　第四十四条第一項の規定によりその額が加算された老齢厚生年金については、同項の規定によりその者について加算が行わ

れている配偶者が、老齢厚生年金（その年金額の計算の基礎となる被保険者期間の月数が二百四十以上であるものに限る。）、障害厚生年金、国民年金法による障害基礎年金その他の年金たる給付のうち、老齢若しくは退職又は障害を支給事由とする給付であつて政令で定めるものの支給を受けることができるときは、その間、同項の規定により当該配偶者について加算する額に相当する部分の支給を停止する。

第三節　障害厚生年金及び障害手当金

（障害厚生年金の受給権者）

第四十七条　障害厚生年金は、疾病にかかり、又は負傷し、その疾病又は負傷及びこれらに起因する疾病（以下「傷病」という。）につき初めて医師又は歯科医師の診療を受けた日（以下「初診日」という。）において被保険者であつた者が、当該初診日から起算して一年六月を経過した日（その期間内にその傷病が治つた日（その症状が固定し治療の効果が期待できない状態に至つた日を含む。以下同じ。）があるときは、その日とし、以下「障害認定日」という。）において、その傷病により次項に規定する障害等級に該当する程度の障害の状態にある場合に、その障害の程度に応じて、その者に支給する。ただし、当該傷病に係る初診日の前日において、当該初診日の属する月の前々月までに国民年金の被保険者期間があり、かつ、当該被保険者期間に係る保険料納付済期間と保険料免除期間とを合算した期間が当該被保険者期間の三分の二に満たないときは、この限りでない。

２　障害等級は、障害の程度に応じて重度のものから一級、二級及び三級とし、各級の障害の状態は、政令で定める。

第四十七条の二　疾病にかかり、又は負傷し、かつ、その傷病に係る初診日において被保険者であつた者であつて、障害認定日において前条第二項に規定する障害等級（以下単に「障害等級」という。）に該当する程度の障害の状態になかつたものが、同日後六十五歳に達する日の前日までの間において、その傷病により障害等級に該当する程度の障害の状態に該当するに至つたときは、その者は、その期間内に同条第一項の障害厚生年金の支給を請求することができる。

２　前条第一項ただし書の規定は、前項の場合に準用する。

３　第一項の請求があつたときは、前条第一項の規定にかかわらず、その請求をした者に同項の障害厚生年金を支給する。

第四十七条の三　疾病にかかり、又は負傷し、かつ、その傷病（以下この条において「基準傷病」という。）に係る初診日において被保険者であつた者であつて、基準傷病以外の傷病により障害の状態にあるものが、基準傷病に係る障害認定日以後六十五歳に達する日の前日までの間において、初めて、基準傷病による障害（以下この条において「基準障害」という。）と他の障害とを併合して障害等級の一級又は二級に該当する程度の障害の状態に該当するに至つたとき（基準傷病の初診日が、基準傷病以外の傷病（基準傷病以外の傷病が二以上ある場合は、基準傷病以外のすべての傷病）に係る初診日以降であるときに限る。）は、その者に基準障害と他の障害とを併合した障害の程度による障害厚生年金を支給する。

２　第四十七条第一項ただし書の規定は、前項の場合に準用する。この場合において、同条第一項ただし書中「当該傷病」とあるのは、「基準傷病」と読み替えるものとする。

３　第一項の障害厚生年金の支給は、第三十六条第一項の規定にかかわらず、当該障害厚生年金の請求があつた月の翌月から始めるものとする。

（障害厚生年金の併給の調整）

第四十八条　障害厚生年金（その権利を取得した当時から引き続き障害等級の一級又は二級に該当しない程度の障害の状態にある受給権者に係るものを除く。以下この条、次条、第五十二条第四項、第五十二条の二及び第五十四条第二項ただし書において同じ。）の受給権者に対して更に障害厚生年金を支給すべき事由が生じたときは、前後の障害を併合した障害の程度による障害厚生年金を支給する。

２　障害厚生年金の受給権者が前項の規定により前後の障害を併合した障害の程度による障害厚生年金の受給権を取得したときは、従前の障害厚生年金の受給権は、消滅する。

第四十九条　期間を定めて支給を停止されている障害厚生年金の受給権者に対して更に障害厚生年金を支給すべき事由が生じたときは、前条第一項の規定により支給する前後の障害を併合した障害の程度による障害厚生年金は、従前の障害厚生年金の支給を停止すべきであつた期間、その支給を停止するものとし、その間、その者に従前の障害を併合しない障害の程度による障害厚生年金を支給する。

２　障害厚生年金の受給権者が更に障害厚生年金の受給権を取得した場合において、新たに取得した障害厚生年金が第五十四条第一項の規定によりその支給を停止すべきものであるときは、前条第二項の規定にかかわらず、その停止すべき期間、その者に対して従前の障害厚生年金を支給する。

（障害厚生年金の額）

第五十条　障害厚生年金の額は、第四十三条第一項の規定の例により計算した額とする。この場合において、当該障害厚生年金の額の計算の基礎となる被保険者期間の月数が三百に満たないときは、これを三百とする。

２　障害の程度が障害等級の一級に該当する者に支給する障害厚生年金の額は、前項の規定にかかわらず、同項に定める額の百分の百二十五に相当する額とする。

３　障害厚生年金の給付事由となつた障害について国民年金法による障害基礎年金を受けることができない場合において、障害厚生年金の額が国民年金法第三十三条第一項に規定する障害基礎年金の額に四分の三を乗じて得た額（その額に五十円未満の端数が生じたときは、これを切り捨て、五十円以上百円未満の端数が生じたときは、これを百円に切り上げるものとする。）に満たないときは、前二項の規定にかかわらず、当該額をこれらの項に定める額とする。

４　第四十八条第一項の規定による障害厚生年金の額は、その額が同条第二項の規定により消滅した障害厚生年金の額より低額であるときは、第一項及び第二項の規定にかかわらず、従前の障害厚生年金の額に相当する額とする。

第五十条の二　障害の程度が障害等級の一級又は二級に該当する者に支給する障害厚生年金の額は、受給権者によつて生計を維持しているその者の六十五歳未満の配偶者があるときは、前条の規定にかかわらず、同条に定める額に加給年金額を加算した額とする。

２　前項に規定する加給年金額は、二十二万四千七百円に改定率を乗じて得た額（その額に五十円未満の端数が生じたときは、これを切り捨て、五十円以上百円未満の端数が生じたときは、これを百円に切り上げるものとする。）とする。

3　受給権者がその権利を取得した日の翌日以後にその者によつて生計を維持しているその者の六十五歳未満の配偶者を有するに至つたことにより第一項に規定する加給年金額を加算することとなつたときは、当該配偶者を有するに至つた日の属する月の翌月から、障害厚生年金の額を改定する。

4　第四十四条第四項（第五号から第十号までを除く。）の規定は、第一項の規定によりその額が加算された障害厚生年金について準用する。

5　第一項又は前項において準用する第四十四条第四項第二号の規定の適用上、障害厚生年金の受給権者によつて生計を維持していること又はその者による生計維持の状態がやんだことの認定に関し必要な事項は、政令で定める。

第五十一条　第五十条第一項に定める障害厚生年金の額については、当該障害厚生年金の支給事由となつた障害に係る障害認定日（第四十七条の三第一項の規定による障害厚生年金については同項に規定する基準傷病に係る障害認定日とし、第四十八条第一項の規定による障害厚生年金については併合されたそれぞれの障害に係る障害認定日（第四十七条の三第一項に規定する障害については、同項に規定する基準障害に係る障害認定日）のうちいずれか遅い日とする。）の属する月後における被保険者であつた期間は、その計算の基礎としない。

第五十二条　実施機関は、障害厚生年金の受給権者について、その障害の程度を診査し、その程度が従前の障害等級以外の障害等級に該当すると認めるときは、その程度に応じて、障害厚生年金の額を改定することができる。

2　障害厚生年金の受給権者は、実施機関に対し、障害の程度が増進したことによる障害厚生年金の額の改定を請求することができる。

3　前項の請求は、障害厚生年金の受給権者の障害の程度が増進したことが明らかである場合として厚生労働省令で定める場合を除き、当該障害厚生年金の受給権を取得した日又は第一項の規定による実施機関の診査を受けた日から起算して一年を経過した日後でなければ行うことができない。

4　障害厚生年金の受給権者であつて、疾病にかかり、又は負傷し、かつ、その傷病（当該障害厚生年金の支給事由となつた障害に係る傷病の初診日後に初診日があるものに限る。以下この項及び第五十四条第二項ただし書において同じ。）に係る当該初診日において被保険者であつたものが、当該傷病により障害（障害等級の一級又は二級に該当しない程度のものに限る。以下この項及び同条第二項ただし書において「その他障害」という。）の状態にあり、かつ、当該傷病に係る障害認定日以後六十五歳に達する日の前日までの間において、当該障害厚生年金の支給事由となつた障害とその他障害（その他障害が二以上ある場合は、全てのその他障害を併合した障害）とを併合した障害の程度が当該障害厚生年金の支給事由となつた障害の程度より増進したときは、その者は、実施機関に対し、その期間内に障害厚生年金の額の改定を請求することができる。

5　第四十七条第一項ただし書の規定は、前項の場合に準用する。

6　第一項の規定により障害厚生年金の額が改定されたときは、改定後の額による障害厚生年金の支給は、改定が行われた月の翌月から始めるものとする。

7　第一項から第三項まで及び前項の規定は、六十五歳以上の者であつて、かつ、障害厚生年金の受給権者（当該障害厚生年金と同一の支給事由に基づく国民年金法による障害基礎年金の受給権を有しないものに限る。）については、適用しない。

第五十二条の二　障害厚生年金の受給権者が、国民年金法による障害基礎年金（当該障害厚生年金と同一の支給事由に基づいて支給されるものを除く。）の受給権を有するに至つたときは、当該障害厚生年金の支給事由となつた障害と当該障害基礎年金の支給事由となつた障害とを併合した障害の程度に応じて、当該障害厚生年金の額を改定する。

2　障害厚生年金の受給権者が、国民年金法による障害基礎年金の受給権を有する場合において、同法第三十四条第四項及び第三十六条第二項ただし書の規定により併合された障害の程度が当該障害基礎年金の支給事由となつた障害の程度より増進したときは、これらの規定により併合された障害の程度に応じて、当該障害厚生年金の額を改定する。

（失権）

第五十三条　障害厚生年金の受給権は、第四十八条第二項の規定によつて消滅するほか、受給権者が次の各号のいずれかに該当するに至つたときは、消滅する。

一　死亡したとき。

二　障害等級に該当する程度の障害の状態にない者が、六十五歳に達したとき。ただし、六十五歳に達した日において、障害等級に該当する程度の障害の状態に該当しなくなつた日から起算して障害等級に該当する程度の障害の状態に該当することなく三年を経過していないときを除く。

三　障害等級に該当する程度の障害の状態に該当しなくなつた日から起算して障害等級に該当する程度の障害の状態に該当することなく三年を経過したとき。ただし、三年を経過した日において、当該受給権者が六十五歳未満であるときを除く。

（支給停止）

第五十四条　障害厚生年金は、その受給権者が当該傷病について労働基準法（昭和二十二年法律第四十九号）第七十七条の規定による障害補償を受ける権利を取得したときは、六年間、その支給を停止する。

2　障害厚生年金は、受給権者が障害等級に該当する程度の障害の状態に該当しなくなつたときは、その障害の状態に該当しない間、その支給を停止する。ただし、その支給を停止された障害厚生年金の受給権者が疾病にかかり、又は負傷し、かつ、その傷病に係る初診日において被保険者であつた場合であつて、当該傷病によりその他障害の状態にあり、かつ、当該傷病に係る障害認定日以後六十五歳に達する日の前日までの間において、当該障害厚生年金の支給事由となつた障害とその他障害（その他障害が二以上ある場合は、すべてのその他障害を併合した障害）とを併合した障害の程度が障害等級の一級又は二級に該当するに至つたときは、この限りでない。

3　第四十六条第六項の規定は、障害厚生年金について、第四十七条第一項ただし書の規定は、前項ただし書の場合について準用する。

（障害手当金の受給権者）

第五十五条 障害手当金は、疾病にかかり、又は負傷し、その傷病に係る初診日において被保険者であつた者が、当該初診日から起算して五年を経過する日までの間におけるその傷病の治つた日において、その傷病により政令で定める程度の障害の状態にある場合に、その者に支給する。

2 第四十七条第一項ただし書の規定は、前項の場合に準用する。

第五十六条 前条の規定により障害の程度を定めるべき日において次の各号のいずれかに該当する者には、同条の規定にかかわらず、障害手当金を支給しない。

一 年金たる保険給付の受給権者（最後に障害等級に該当する程度の障害の状態（以下この条において「障害状態」という。）に該当しなくなつた日から起算して障害状態に該当することなく三年を経過した障害厚生年金の受給権者（現に障害状態に該当しない者に限る。）を除く。）

二 国民年金法による年金たる給付の受給権者（最後に障害状態に該当しなくなつた日から起算して障害状態に該当することなく三年を経過した障害基礎年金の受給権者（現に障害状態に該当しない者に限る。）その他の政令で定める者を除く。）

三 当該傷病について国家公務員災害補償法（昭和二十六年法律第百九十一号。他の法律において準用する場合を含む。）、地方公務員災害補償法（昭和四十二年法律第百二十一号）若しくは同法に基づく条例、公立学校の学校医、学校歯科医及び学校薬剤師の公務災害補償に関する法律（昭和三十二年法律第百四十三号）若しくは労働基準法第七十七条の規定による障害補償、労働者災害補償保険法（昭和二十二年法律第五十号）の規定による障害補償給付、複数事業労働者障害給付若しくは障害給付又は船員保険法による障害を支給事由とする給付を受ける権利を有する者

（障害手当金の額）

第五十七条 障害手当金の額は、第五十条第一項の規定の例により計算した額の百分の二百に相当する額とする。ただし、その額が同条第三項に定める額に二を乗じて得た額に満たないときは、当該額とする。

第四節 遺族厚生年金

（受給権者）

第五十八条 遺族厚生年金は、被保険者又は被保険者であつた者が次の各号のいずれかに該当する場合に、その者の遺族に支給する。ただし、第一号又は第二号に該当する場合にあつては、死亡した者につき、死亡日の前日において、死亡日の属する月の前々月までに国民年金の被保険者期間があり、かつ、当該被保険者期間に係る保険料納付済期間と保険料免除期間とを合算した期間が当該被保険者期間の三分の二に満たないときは、この限りでない。

一 被保険者（失踪の宣告を受けた被保険者であつた者であつて、行方不明となつた当時被保険者であつたものを含む。）が、死亡したとき。

二 被保険者であつた者が、被保険者の資格を喪失した後に、被保険者であつた間に初診日がある傷病により当該初診日から起算して五年を経過する日前に死亡したとき。

三 障害等級の一級又は二級に該当する障害の状態にある障害厚生年金の受給権者が、死亡したとき。

四 老齢厚生年金の受給権者（保険料納付済期間と保険料免除期間とを合算した期間が二十五年以上である者に限る。）又は保険料納付済期間と保険料免除期間とを合算した期間が二十五年以上である者が、死亡したとき。

2 前項の場合において、死亡した被保険者又は被保険者であつた者が同項第一号から第三号までのいずれかに該当し、かつ、同項第四号にも該当するときは、その遺族が遺族厚生年金を請求したときに別段の申出をした場合を除き、同項第一号から第三号までのいずれかのみに該当し、同項第四号には該当しないものとみなす。

（遺族）

第五十九条 遺族厚生年金を受けることができる遺族は、被保険者又は被保険者であつた者の配偶者、子、父母、孫又は祖父母（以下単に「配偶者」、「子」、「父母」、「孫」又は「祖父母」という。）であつて、被保険者又は被保険者であつた者の死亡の当時（失踪の宣告を受けた被保険者であつた者にあつては、行方不明となつた当時。以下この条において同じ。）その者によつて生計を維持したものとする。ただし、妻以外の者にあつては、次に掲げる要件に該当した場合に限るものとする。

一 夫、父母又は祖父母については、五十五歳以上であること。

二 子又は孫については、十八歳に達する日以後の最初の三月三十一日までの間にあるか、又は二十歳未満で障害等級の一級若しくは二級に該当する障害の状態にあり、かつ、現に婚姻をしていないこと。

2 前項の規定にかかわらず、父母は、配偶者又は子が、孫は、配偶者、子又は父母が、祖父母は、配偶者、子、父母又は孫が遺族厚生年金の受給権を取得したときは、それぞれ遺族厚生年金を受けることができる遺族としない。

3 被保険者又は被保険者であつた者の死亡の当時胎児であつた子が出生したときは、第一項の規定の適用については、将来に向つて、その子は、被保険者又は被保険者であつた者の死亡の当時その者によつて生計を維持していた子とみなす。

4 第一項の規定の適用上、被保険者又は被保険者であつた者によつて生計を維持していたことの認定に関し必要な事項は、政令で定める。

（死亡の推定）

第五十九条の二 船舶が沈没し、転覆し、滅失し、若しくは行方不明となつた際現にその船舶に乗つていた被保険者若しくは被保険者であつた者若しくは船舶に乗つていてその船舶の航行中に行方不明となつた被保険者若しくは被保険者であつた者の生死が三月間わからない場合又はこれらの者の死亡が三月以内に明らかとなり、かつ、その死亡の時期がわからない場合には、遺族厚生年金の支給に関する規定の適用については、その船舶が沈没し、転覆し、滅失し、若しくは行方不明となつた日又はその者が行方不明となつた日に、その者は、死亡したものと推定する。航空機が墜落し、滅失し、若しくは行方不明となつた際現にその航空機に乗つていた被保険者若しくは被保険者であつた者若しくは航空機に乗つていてその航空機の航行中に行方不明となつた被保険者若しくは被保険者であつた者の生死が三月間わからない場合又はこれらの者の死亡が三月以内に明らかとなり、かつ、その死亡の時期がわからない場合にも、同様と

する。

（年金額）

第六十条　遺族厚生年金の額は、次の各号に掲げる区分に応じ、当該各号に定める額とする。ただし、遺族厚生年金の受給権者が当該遺族厚生年金と同一の支給事由に基づく国民年金法による遺族基礎年金の支給を受けるときは、第一号に定める額とする。

一　第五十九条第一項に規定する遺族（次号に掲げる遺族を除く。）が遺族厚生年金の受給権を取得したとき　死亡した被保険者又は被保険者であつた者の被保険者期間を基礎として第四十三条第一項の規定の例により計算した額の四分の三に相当する額。ただし、第五十八条第一項第一号から第三号までのいずれかに該当することにより支給される遺族厚生年金については、その額の計算の基礎となる被保険者期間の月数が三百に満たないときは、これを三百として計算した額とする。

二　第五十九条第一項に規定する遺族のうち、老齢厚生年金の受給権を有する配偶者が遺族厚生年金の受給権を取得したとき　前号に定める額又は次のイ及びロに掲げる額を合算した額のうちいずれか多い額

イ　前号に定める額に三分の二を乗じて得た額

ロ　当該遺族厚生年金の受給権者の老齢厚生年金の額（第四十四条第一項の規定により加給年金額が加算された老齢厚生年金にあつては、同項の規定を適用しない額とする。次条第三項及び第六十四条の二において同じ。）に二分の一を乗じて得た額

2　配偶者以外の者に遺族厚生年金を支給する場合において、受給権者が二人以上であるときは、それぞれの遺族厚生年金の額は、前項第一号の規定にかかわらず、受給権者ごとに同号の規定により算定した額を受給権者の数で除して得た額とする。

3　前二項に定めるもののほか、遺族厚生年金の額の計算について必要な事項は、政令で定める。

第六十一条　配偶者以外の者に遺族厚生年金を支給する場合において、受給権者の数に増減を生じたときは、増減を生じた月の翌月から、年金の額を改定する。

2　前条第一項第一号の規定によりその額が計算される遺族厚生年金（配偶者に対するものに限る。）の受給権者が老齢厚生年金の受給権を取得した日において、同項第二号イ及びロに掲げる額を合算した額が同項第一号に定める額を上回るときは、当該合算した額に、当該老齢厚生年金の受給権を取得した日の属する月の翌月から、年金の額を改定する。

3　前条第一項第二号の規定によりその額が計算される遺族厚生年金は、その額の算定の基礎となる老齢厚生年金の額が第四十三条第二項又は第三項の規定により改定されたときは、当該老齢厚生年金の額が改定された月から当該遺族厚生年金の額を改定する。ただし、前条第一項第一号の規定により計算される額が、当該改定後の老齢厚生年金の額を基礎として算定した同項第二号イ及びロに掲げる額を合算した額以上であるときは、この限りでない。

第六十二条　遺族厚生年金（第五十八条第一項第四号に該当することにより支給されるものであつて、その額の計算の基礎となる被保険者期間の月数が二百四十未満であるものを除く。）の受給権者である妻であつてその権利を取得した当時四十歳以上六十五歳未満であつたもの又は四十歳に達した当時当該被保険者若しくは被保険者であつた者の子で国民年金法第三十七条の二第一項に規定する要件に該当するもの（当該被保険者又は被保険者であつた者の死亡後に同法第三十九条第三項第二号から第八号までのいずれかに該当したことがあるものを除く。）と生計を同じくしていたものが六十五歳未満であるときは、第六十条第一項第一号の遺族厚生年金の額に同法第三十八条に規定する遺族基礎年金の額に四分の三を乗じて得た額（その額に五十円未満の端数が生じたときは、これを切り捨て、五十円以上百円未満の端数が生じたときは、これを百円に切り上げるものとする。）を加算する。

2　前項の加算を開始すべき事由又は同項の加算を廃止すべき事由が生じた場合における年金の額の改定は、それぞれ当該事由が生じた月の翌月から行う。

（失権）

第六十三条　遺族厚生年金の受給権は、受給権者が次の各号のいずれかに該当するに至つたときは、消滅する。

一　死亡したとき。

二　婚姻（届出をしていないが、事実上婚姻関係と同様の事情にある場合を含む。）をしたとき。

三　直系血族及び直系姻族以外の者の養子（届出をしていないが、事実上養子縁組関係と同様の事情にある者を含む。）となつたとき。

四　離縁によつて、死亡した被保険者又は被保険者であつた者との親族関係が終了したとき。

五　次のイ又はロに掲げる区分に応じ、当該イ又はロに定める日から起算して五年を経過したとき。

イ　遺族厚生年金の受給権を取得した当時三十歳未満である妻が当該遺族厚生年金と同一の支給事由に基づく国民年金法による遺族基礎年金の受給権を取得しないとき　当該遺族厚生年金の受給権を取得した日

ロ　遺族厚生年金と当該遺族厚生年金と同一の支給事由に基づく国民年金法による遺族基礎年金の受給権を有する妻が三十歳に到達する日前に当該遺族基礎年金の受給権が消滅したとき　当該遺族基礎年金の受給権が消滅した日

2　子又は孫の有する遺族厚生年金の受給権は、次の各号のいずれかに該当するに至つたときは、消滅する。

一　子又は孫について、十八歳に達した日以後の最初の三月三十一日が終了したとき。ただし、子又は孫が障害等級の一級又は二級に該当する障害の状態にあるときを除く。

二　障害等級の一級又は二級に該当する障害の状態にある子又は孫について、その事情がやんだとき。ただし、子又は孫が十八歳に達する日以後の最初の三月三十一日までの間にあるときを除く。

三　子又は孫が、二十歳に達したとき。

3　父母、孫又は祖父母の有する遺族厚生年金の受給権は、被保険者又は被保険者であつた者の死亡の当時胎児であつた子が出生したときは、消滅する。

（支給停止）

第六十四条　遺族厚生年金は、当該被保険者又は被保険者であつた者の死亡について労働基準法第七十九条の規定による遺族補償の支給が行われるべきものであるときは、死亡の日から六年

間、その支給を停止する。

第六十四条の二　遺族厚生年金（その受給権者が六十五歳に達しているものに限る。）は、その受給権者が老齢厚生年金の受給権を有するときは、当該老齢厚生年金の額に相当する部分の支給を停止する。

第六十五条　第六十二条第一項の規定によりその額が加算された遺族厚生年金は、その受給権者である妻が当該被保険者又は被保険者であつた者の死亡について国民年金法による遺族基礎年金の支給を受けることができるときは、その間、同項の規定により加算する額に相当する部分の支給を停止する。

第六十五条の二　夫、父母又は祖父母に対する遺族厚生年金は、受給権者が六十歳に達するまでの期間、その支給を停止する。ただし、夫に対する遺族厚生年金については、当該被保険者又は被保険者であつた者の死亡について、夫が国民年金法による遺族基礎年金の受給権を有するときは、この限りでない。

第六十六条　子に対する遺族厚生年金は、配偶者が遺族厚生年金の受給権を有する期間、その支給を停止する。ただし、配偶者に対する遺族厚生年金が前条本文、次項本文又は次条の規定によりその支給を停止されている間は、この限りでない。

２　配偶者に対する遺族厚生年金は、当該被保険者又は被保険者であつた者の死亡について、配偶者が国民年金法による遺族基礎年金の受給権を有しない場合であつて子が当該遺族基礎年金の受給権を有するときは、その間、その支給を停止する。ただし、子に対する遺族厚生年金が次条の規定によりその支給を停止されている間は、この限りでない。

第六十七条　配偶者又は子に対する遺族厚生年金は、その配偶者又は子の所在が一年以上明らかでないときは、遺族厚生年金の受給権を有する子又は配偶者の申請によつて、その所在が明らかでなくなつた時にさかのぼつて、その支給を停止する。

２　配偶者又は子は、いつでも、前項の規定による支給の停止の解除を申請することができる。

第六十八条　配偶者以外の者に対する遺族厚生年金の受給権者が二人以上である場合において、受給権者のうち一人以上の者の所在が一年以上明らかでないときは、その者に対する遺族厚生年金は、他の受給権者の申請によつて、その所在が明らかでなくなつた時にさかのぼつて、その支給を停止する。

２　前項の規定によつて遺族厚生年金の支給を停止された者は、いつでも、その支給の停止の解除を申請することができる。

３　第六十一条第一項の規定は、第一項の規定によりその停止が解除された場合に準用する。この場合において、同条第一項中「増減を生じた月」とあるのは、「支給が停止され、又はその停止が解除された月」と読み替えるものとする。

第六十九条から第七十二条まで　削除

第五節　保険給付の制限

第七十三条　被保険者又は被保険者であつた者が、故意に、障害又はその直接の原因となつた事故を生ぜしめたときは、当該障害を支給事由とする障害厚生年金又は障害手当金は、支給しない。

第七十三条の二　被保険者又は被保険者であつた者が、自己の故意の犯罪行為若しくは重大な過失により、又は正当な理由がなくて療養に関する指示に従わないことにより、障害若しくは死亡若しくはこれらの原因となつた事故を生ぜしめ、若しくはその障害の程度を増進させ、又はその回復を妨げたときは、保険給付の全部又は一部を行なわないことができる。

第七十四条　障害厚生年金の受給権者が、故意若しくは重大な過失により、又は正当な理由がなくて療養に関する指示に従わないことにより、その障害の程度を増進させ、又はその回復を妨げたときは、第五十二条第一項の規定による改定を行わず、又はその者の障害の程度が現に該当する障害等級以下の障害等級に該当するものとして、同項の規定による改定を行うことができる。

第七十五条　保険料を徴収する権利が時効によつて消滅したときは、当該保険料に係る被保険者であつた期間に基づく保険給付は、行わない。ただし、当該被保険者であつた期間に係る被保険者の資格の取得について第二十七条の規定による届出若しくは第三十一条第一項の規定による確認の請求又は第二十八条の二第一項（同条第二項及び第三項において準用する場合を含む。）の規定による訂正の請求があつた後に、保険料を徴収する権利が時効によつて消滅したものであるときは、この限りでない。

第七十六条　遺族厚生年金は、被保険者又は被保険者であつた者を故意に死亡させた者には、支給しない。被保険者又は被保険者であつた者の死亡前に、その者の死亡によつて遺族厚生年金の受給権者となるべき者を故意に死亡させた者についても、同様とする。

２　遺族厚生年金の受給権は、受給権者が他の受給権者を故意に死亡させたときは、消滅する。

第七十七条　年金たる保険給付は、次の各号のいずれかに該当する場合には、その額の全部又は一部につき、その支給を停止することができる。

一　受給権者が、正当な理由がなくて、第九十六条第一項の規定による命令に従わず、又は同項の規定による当該職員の質問に応じなかつたとき。

二　障害等級に該当する程度の障害の状態にあることにより、年金たる保険給付の受給権を有し、又は第四十四条第一項の規定によりその者について加算が行われている子が、正当な理由がなくて、第九十七条第一項の規定による命令に従わず、又は同項の規定による診断を拒んだとき。

三　前号に規定する者が、故意若しくは重大な過失により、又は正当な理由がなくて療養に関する指示に従わないことにより、その障害の回復を妨げたとき。

第七十八条　受給権者が、正当な理由がなくて、第九十八条第三項の規定による届出をせず、又は書類その他の物件を提出しないときは、保険給付の支払を一時差し止めることができる。

２　第二号厚生年金被保険者期間、第三号厚生年金被保険者期間又は第四号厚生年金被保険者期間に基づく保険給付については、前項の規定は、適用しない。

第三章の二　離婚等をした場合における特例

（離婚等をした場合における標準報酬の改定の特例）

第七十八条の二　第一号改定者（被保険者又は被保険者であつた者であつて、第七十八条の六第一項第一号及び第二項第一号の規定により標準報酬が改定されるものをいう。以下同じ。）又は第二号改定者（第一号改定者の配偶者であつた者であつて、同条第一項第二号及び第二項第二号の規定により標準報酬が改定され、又は決定されるものをいう。以下同じ。）は、離婚等（離婚（婚姻の届出をしていないが事実上婚姻関係と同様の事情にあつた者について、当該事情が解消した場合を除く。）、婚姻の取消しその他厚生労働省令で定める事由をいう。以下この章において同じ。）をした場合であつて、次の各号のいずれかに該当するときは、実施機関に対し、当該離婚等について対象期間（婚姻期間その他の厚生労働省令で定める期間をいう。以下同じ。）に係る被保険者期間の標準報酬（第一号改定者及び第二号改定者（以下これらの者を「当事者」という。）の標準報酬をいう。以下この章において同じ。）の改定又は決定を請求することができる。ただし、当該離婚等をしたときから二年を経過したときその他の厚生労働省令で定める場合に該当するときは、この限りでない。

一　当事者が標準報酬の改定又は決定の請求をすること及び請求すべき按分割合（当該改定又は決定後の当事者の次条第一項に規定する対象期間標準報酬総額の合計額に対する第二号改定者の対象期間標準報酬総額の割合をいう。以下同じ。）について合意しているとき。

二　次項の規定により家庭裁判所が請求すべき按分割合を定めたとき。

2　前項の規定による標準報酬の改定又は決定の請求（以下「標準報酬改定請求」という。）について、同項第一号の当事者の合意のための協議が調わないとき、又は協議をすることができないときは、当事者の一方の申立てにより、家庭裁判所は、当該対象期間における保険料納付に対する当事者の寄与の程度その他一切の事情を考慮して、請求すべき按分割合を定めることができる。

3　標準報酬改定請求は、当事者が標準報酬の改定又は決定の請求をすること及び請求すべき按分割合について合意している旨が記載された公正証書の添付その他の厚生労働省令で定める方法によりしなければならない。

（請求すべき按分割合）

第七十八条の三　請求すべき按分割合は、当事者それぞれの対象期間標準報酬総額（対象期間に係る被保険者期間の各月の標準報酬月額（第二十六条第一項の規定により同項に規定する従前標準報酬月額が当該月の標準報酬月額とみなされた月にあつては、従前標準報酬月額）と標準賞与額に当事者を受給権者とみなして対象期間の末日において適用される再評価率を乗じて得た額の総額をいう。以下同じ。）の合計額に対する第二号改定者の対象期間標準報酬総額の割合を超え二分の一以下の範囲（以下「按分割合の範囲」という。）内で定められなければならない。

2　次条第一項の規定により按分割合の範囲について情報の提供（第七十八条の五の規定により裁判所又は受命裁判官若しくは受託裁判官が受けた資料の提供を含み、これが複数あるときは、その最後のもの。以下この項において同じ。）を受けた日が対象期間の末日前であつて対象期間の末日までの間が一年を超えない場合その他の厚生労働省令で定める場合における標準報酬改定請求については、前項の規定にかかわらず、当該情報の提供を受けた按分割合の範囲を、同項の按分割合の範囲とすることができる。

（当事者等への情報の提供等）

第七十八条の四　当事者又はその一方は、実施機関に対し、主務省令で定めるところにより、標準報酬改定請求を行うために必要な情報であつて次項に規定するものの提供を請求することができる。ただし、当該請求が標準報酬改定請求後に行われた場合又は第七十八条の二第一項ただし書に該当する場合その他厚生労働省令で定める場合においては、この限りでない。

2　前項の情報は、対象期間標準報酬総額、按分割合の範囲、これらの算定の基礎となる期間その他厚生労働省令で定めるものとし、同項の請求があつた日において対象期間の末日が到来していないときは、同項の請求があつた日を対象期間の末日とみなして算定したものとする。

第七十八条の五　実施機関は、裁判所又は受命裁判官若しくは受託裁判官に対し、その求めに応じて、第七十八条の二第二項の規定による請求すべき按分割合に関する処分を行うために必要な資料を提供しなければならない。

（標準報酬の改定又は決定）

第七十八条の六　実施機関は、標準報酬改定請求があつた場合において、第一号改定者が標準報酬月額を有する対象期間に係る被保険者期間の各月ごとに、当事者の標準報酬月額をそれぞれ次の各号に定める額に改定し、又は決定することができる。

一　第一号改定者　改定前の標準報酬月額（第二十六条第一項の規定により同項に規定する従前標準報酬月額が当該月の標準報酬月額とみなされた月にあつては、従前標準報酬月額。次号において同じ。）に一から改定割合（按分割合を基礎として厚生労働省令で定めるところにより算定した率をいう。以下同じ。）を控除して得た率を乗じて得た額

二　第二号改定者　改定前の標準報酬月額（標準報酬月額を有しない月にあつては、零）に、第一号改定者の改定前の標準報酬月額に改定割合を乗じて得た額を加えて得た額

2　実施機関は、標準報酬改定請求があつた場合において、第一号改定者が標準賞与額を有する対象期間に係る被保険者期間の各月ごとに、当事者の標準賞与額をそれぞれ次の各号に定める額に改定し、又は決定することができる。

一　第一号改定者　改定前の標準賞与額に一から改定割合を控除して得た率を乗じて得た額

二　第二号改定者　改定前の標準賞与額（標準賞与額を有しない月にあつては、零）に、第一号改定者の改定前の標準賞与額に改定割合を乗じて得た額を加えて得た額

3　前二項の場合において、対象期間のうち第一号改定者の被保険者期間であつて第二号改定者の被保険者期間でない期間については、第二号改定者の被保険者期間であつたものとみなす。

4　第一項及び第二項の規定により改定され、又は決定された標準報酬は、当該標準報酬改定請求のあつた日から将来に向かつてのみその効力を有する。

（記録）

第七十八条の七　実施機関は、厚生年金保険原簿に前条第三項の規定により被保険者期間であつたものとみなされた期間（以下「離婚時みなし被保険者期間」という。）を有する者の氏名、離婚時みなし被保険者期間、離婚時みなし被保険者期間に係る標準報酬その他主務省令で定める事項を記録しなければならない。

（通知）

第七十八条の八　実施機関は、第七十八条の六第一項及び第二項の規定により標準報酬の改定又は決定を行つたときは、その旨を当事者に通知しなければならない。

（省令への委任）

第七十八条の九　第七十八条の二から前条までに定めるもののほか、標準報酬改定請求及び標準報酬の改定又は決定の手続に関し必要な事項は、主務省令で定める。

（老齢厚生年金等の額の改定）

第七十八条の十　老齢厚生年金の受給権者について、第七十八条の六第一項及び第二項の規定により標準報酬の改定又は決定が行われたときは、第四十三条第一項の規定にかかわらず、対象期間に係る被保険者期間の最後の月以前における被保険者期間（対象期間の末日後に当該老齢厚生年金を支給すべき事由が生じた場合その他の政令で定める場合にあつては、政令で定める期間）及び改定又は決定後の標準報酬を老齢厚生年金の額の計算の基礎とするものとし、当該標準報酬改定請求のあつた日の属する月の翌月から、年金の額を改定する。

2　障害厚生年金の受給権者について、当該障害厚生年金の額の計算の基礎となる被保険者期間に係る標準報酬が第七十八条の六第一項及び第二項の規定により改定され、又は決定されたときは、改定又は決定後の標準報酬を基礎として、当該標準報酬改定請求のあつた日の属する月の翌月から、年金の額を改定する。ただし、第五十条第一項後段の規定が適用されている障害厚生年金については、離婚時みなし被保険者期間は、その計算の基礎としない。

（標準報酬が改定され、又は決定された者に対する保険給付の特例）

第七十八条の十一　第七十八条の六第一項及び第二項の規定により標準報酬が改定され、又は決定された者に対する保険給付についてこの法律を適用する場合においては、次の表の上欄に掲げる規定（他の法令において、これらの規定を引用し、準用し、又はその例による場合を含む。）中同表の中欄に掲げる字句は、それぞれ同表の下欄に掲げる字句に読み替えるものとするほか、当該保険給付の額の計算及びその支給停止に関する規定その他政令で定める規定の適用に関し必要な読替えは、政令で定める。

第四十四条第一項	被保険者期間の月数が二百四十以上	被保険者期間（第七十八条の七に規定する離婚時みなし被保険者期間（以下「離婚時みなし被保険者期間」という。）を除く。以下この項において同じ。）の月数が二百四十以上
第四十六条第一項	の標準賞与額	の標準賞与額（第七十八条の六第二項の規定による改定前の標準賞与額とし、同項の規定により決定された標準賞与額を除く。）
第五十八条第一項	被保険者であつた者が次の	被保険者であつた者（第四号に該当する場合にあつては、離婚時みなし被保険者期間を有する者を含む。）が次の

（政令への委任）

第七十八条の十二　この章に定めるもののほか、離婚等をした場合における特例に関し必要な事項は、政令で定める。

第三章の三　被扶養配偶者である期間についての特例

（被扶養配偶者に対する年金たる保険給付の基本的認識）

第七十八条の十三　被扶養配偶者に対する年金たる保険給付に関しては、第三章に定めるもののほか、被扶養配偶者を有する被保険者が負担した保険料について、当該被扶養配偶者が共同して負担したものであるという基本的認識の下に、この章の定めるところによる。

（特定被保険者及び被扶養配偶者についての標準報酬の特例）

第七十八条の十四　被保険者（被保険者であつた者を含む。以下「特定被保険者」という。）が被保険者であつた期間中に被扶養配偶者（当該特定被保険者の配偶者として国民年金法第七条第一項第三号に該当していたものをいう。以下同じ。）を有する場合において、当該特定被保険者の被扶養配偶者は、当該特定被保険者と離婚又は婚姻の取消しをしたときその他これに準ずるものとして厚生労働省令で定めるときは、実施機関に対し、特定期間（当該特定被保険者が被保険者であつた期間であり、かつ、その被扶養配偶者が当該特定被保険者の配偶者として同号に規定する第三号被保険者であつた期間をいう。以下同じ。）に係る被保険者期間（次項及び第三項の規定により既に標準報酬が改定され、及び決定された被保険者期間を除く。以下この条において同じ。）の標準報酬（特定被保険者及び被扶養配偶者の標準報酬をいう。以下この章において同じ。）の改定及び決定を請求することができる。ただし、当該請求をした日において当該特定被保険者が障害厚生年金（当該特定期間の全部又は一部をその額の計算の基礎とするものに限る。第七十八条の二十において同じ。）の受給権者であるときその他の厚生労働省令で定めるときは、この限りでない。

2　実施機関は、前項の請求があつた場合において、特定期間に係る被保険者期間の各月ごとに、当該特定被保険者及び被扶養配偶者の標準報酬月額を当該特定被保険者の標準報酬月額（第二十六条第一項の規定により同項に規定する従前標準報酬月額が当該月の標準報酬月額とみなされた月にあつては、従前標準報酬月額）に二分の一を乗じて得た額にそれぞれ改定し、及び決定することができる。

3　実施機関は、第一項の請求があつた場合において、当該特定被保険者が標準賞与額を有する特定期間に係る被保険者期間の各月ごとに、当該特定被保険者及び被扶養配偶者の標準賞与額を当該特定被保険者の標準賞与額に二分の一を乗じて得た額にそれぞれ改定し、及び決定することができる。

4　前二項の場合において、特定期間に係る被保険者期間については、被扶養配偶者の被保険者期間であつたものとみなす。

5　第二項及び第三項の規定により改定され、及び決定された標準報酬は、第一項の請求のあつた日から将来に向かつてのみその効力を有する。

（記録）

第七十八条の十五　実施機関は、厚生年金保険原簿に前条第四項の規定により被保険者期間であつたものとみなされた期間（以下「被扶養配偶者みなし被保険者期間」という。）を有する者の氏名、被扶養配偶者みなし被保険者期間、被扶養配偶者みなし被保険者期間に係る標準報酬その他主務省令で定める事項を記録しなければならない。

（通知）

第七十八条の十六　実施機関は、第七十八条の十四第二項及び第三項の規定により標準報酬の改定及び決定を行つたときは、その旨を特定被保険者及び被扶養配偶者に通知しなければならない。

（省令への委任）

第七十八条の十七　前三条に定めるもののほか、第七十八条の十四第一項の規定による請求並びに同条第二項及び第三項の規定による標準報酬の改定及び決定の手続に関し必要な事項は、主務省令で定める。

（老齢厚生年金等の額の改定の特例）

第七十八条の十八　老齢厚生年金の受給権者について、第七十八条の十四第二項及び第三項の規定により標準報酬の改定又は決定が行われたときは、第四十三条第一項の規定にかかわらず、改定又は決定後の標準報酬を老齢厚生年金の額の計算の基礎とするものとし、第七十八条の十四第一項の請求のあつた日の属する月の翌月から、年金の額を改定する。

2　第七十八条の十第二項の規定は、障害厚生年金の受給権者である被扶養配偶者について第七十八条の十四第二項及び第三項の規定により標準報酬の決定が行われた場合に準用する。この場合において、必要な読替えは、政令で定める。

（標準報酬が改定され、及び決定された者に対する保険給付の特例）

第七十八条の十九　第七十八条の十四第二項及び第三項の規定により標準報酬が改定され、及び決定された者に対する保険給付についてこの法律を適用する場合においては、次の表の上欄に掲げる規定（他の法令において、これらの規定を引用し、準用し、又はその例による場合を含む。）中同表の中欄に掲げる字句は、それぞれ同表の下欄に掲げる字句に読み替えるものとするほか、当該保険給付の額の計算及びその支給停止に関する規定その他政令で定める規定の適用に関し必要な読替えは、政令で定める。

第四十四条第一項	被保険者期間の月数が二百四十以上	被保険者期間（第七十八条の十五に規定する被扶養配偶者みなし被保険者期間（以下「被扶養配偶者みなし被保険者期間」という。）を除く。以下この項において同じ。）の月数が二百四十以上
第四十六条第一項	の標準賞与額	の標準賞与額（第七十八条の十四第三項の規定による改定前の標準賞与額とし、同項の規定により決定された標準賞与額を除く。）
第五十八条第一項	被保険者であつた者が次の	被保険者であつた者（第四号に該当する場合にあつては、被扶養配偶者みなし被保険者期間を有する者を含む。）が次の

（標準報酬改定請求を行う場合の特例）

第七十八条の二十　特定被保険者又は被扶養配偶者が、離婚等（第七十八条の二第一項に規定する離婚等をいう。）をした場合において、第七十八条の十四第二項及び第三項の規定による標準報酬の改定及び決定が行われていない特定期間の全部又は一部を対象期間として第七十八条の二第一項の規定による標準報酬の改定又は決定の請求をしたときは、当該請求をしたときに、第七十八条の十四第一項の請求があつたものとみなす。ただし、当該請求をした日において当該特定被保険者が障害厚生年金の受給権者であるときは、この限りでない。

2　前項の場合において、第七十八条の三第一項の対象期間標準報酬総額の基礎となる当該特定期間に係る被保険者期間の標準報酬（標準報酬月額について、第二十六条第一項の規定により同項に規定する従前標準報酬月額が当該月の標準報酬月額とみなされた月にあつては、従前標準報酬月額）並びに第七十八条の六第一項及び第二項の当該特定期間に係る被保険者期間の改定前の標準報酬（標準報酬月額について、第二十六条第一項の規定により同項に規定する従前標準報酬月額が当該月の標準報酬月額とみなされた月にあつては、従前標準報酬月額）については、第七十八条の十四第二項及び第三項の規定による改定及び決定後の標準報酬とする。

3　第七十八条の十四第二項及び第三項の規定による標準報酬の改定及び決定が行われていない特定期間の全部又は一部を対象期間として第七十八条の四第一項の請求があつた場合において、同項の請求があつた日に特定被保険者が障害厚生年金の受給権を有しないときは、同条第二項に規定する情報は、第七十八条の十四第二項及び第三項の規定により当該対象期間中の特定期間に係る被保険者期間の標準報酬の改定及び決定が行われたとみなして算定したものとする。

4　前項の規定は、第七十八条の五の求めがあつた場合に準用する。

5　第二十六条第一項の規定により同項に規定する従前標準報酬月額が当該月の標準報酬月額とみなされた月の標準報酬月額について第七十八条の十四第二項の規定により改定された場合における第七十八条の三第一項及び第七十八条の六第一項の規定の適用については、第七十八条の三第一項中「標準報酬月額（第二十六条第一項の規定により同項に規定する従前標準報酬月額が当該月の標準報酬月額とみなされた月にあつては、従前標準報酬月額）」とあるのは「標準報酬月額」と、第七十八条の六第一項第一号中「標準報酬月額（第二十六条第一項の規定により同項に規定する従前標準報酬月額が当該月の標準報酬月額とみなされた月にあつては、従前標準報酬月額。次号において同じ。）」とあるのは「標準報酬月額」とする。

（政令への委任）

第七十八条の二十一　この章に定めるもののほか、被扶養配偶者である期間についての特例に関し必要な事項は、政令で定める。

第三章の四　二以上の種別の被保険者であつた期間を有する者の特例

（年金たる保険給付の併給の調整の特例）

第七十八条の二十二　第一号厚生年金被保険者期間、第二号厚生年金被保険者期間、第三号厚生年金被保険者期間又は第四号厚生年金被保険者期間（以下「各号の厚生年金被保険者期間」という。）のうち二以上の被保険者の種別に係る被保険者であつた期間を有する者（以下「二以上の種別の被保険者であつた期間を有する者」という。）であつて、一の被保険者の種別に係る被保険者であつた期間（以下「一の期間」という。）に基づく年金たる保険給付と同一の支給事由に基づく当該一の被保険者の種別と異なる他の被保険者の種別に係る被保険者であつた期間（以下「他の期間」という。）に基づく年金たる保険給付を受けることができるものについて、第三十八条の規定を適用する場合においては、同条第一項中「遺族厚生年金を除く」とあるのは「当該老齢厚生年金と同一の支給事由に基づいて支給される老齢厚生年金及び遺族厚生年金を除く」と、「老齢厚生年金を除く」とあるのは「老齢厚生年金及び当該遺族厚生年金と同一の支給事由に基づいて支給される遺族厚生年金を除く」とする。

（年金たる保険給付の申出による支給停止の特例）

第七十八条の二十三　二以上の種別の被保険者であつた期間を有する者に係る年金たる保険給付の受給権者について、一の期間に基づく第三十八条の二第一項に規定する年金たる保険給付についての同項の規定による申出又は同条第三項の規定による撤回は、当該一の期間に基づく年金たる保険給付と同一の支給事由に基づく他の期間に基づく年金たる保険給付についての当該申出又は当該撤回と同時に行わなければならない。

（年金の支払の調整の特例）

第七十八条の二十四　二以上の種別の被保険者であつた期間を有する者に係る保険給付の受給権者について、第三十九条第一項及び第二項の規定を適用する場合においては、同条第一項中「乙年金の受給権者」とあるのは「第七十八条の二十二に規定する各号の厚生年金被保険者期間（以下この条において「各号の厚生年金被保険者期間」という。）のうち第七十八条の二十二に規定する一の期間（以下この条において「一の期間」という。）に基づく乙年金（以下この項において「乙年金」という。）の受給権者」と、「甲年金の受給権」とあるのは「当該一の期間に基づく甲年金（以下この項において「甲年金」という。）の受給権」と、同条第二項中「年金の支給」とあるのは「各号の厚生年金被保険者期間のうち一の期間に基づく年金の支給」と、「年金が支払われたとき」とあるのは「当該年金が支払われたとき」と、「年金の内払」とあるのは「当該一の期間に基づく年金の内払」と、「年金を減額して」とあるのは「各号の厚生年金被保険者期間のうち一の期間に基づく年金を減額して」と、「年金が支払われた場合」とあるのは「当該一の期間に基づく年金が支払われた場合」とする。

（損害賠償請求権の特例）

第七十八条の二十五　二以上の種別の被保険者であつた期間を有する者に係る保険給付について、第四十条第二項の規定を適用する場合においては、同項中「その価額」とあるのは、「その価額をそれぞれの保険給付の価額に応じて按分した価額」とする。

（老齢厚生年金の受給権者及び年金額の特例）

第七十八条の二十六　二以上の種別の被保険者であつた期間を有する者に係る老齢厚生年金について、第四十二条（この法律及び他の法令において、引用し、準用し、又はその例による場合を含む。）の規定を適用する場合においては、各号の厚生年金被保険者期間に係る被保険者期間ごとに適用する。

2　二以上の種別の被保険者であつた期間を有する者に係る老齢厚生年金について、第四十三条（この法律及び他の法令において、引用し、準用し、又はその例による場合を含む。）の規定を適用する場合においては、同条第一項に規定する被保険者であつた全期間並びに同条第二項及び第三項に規定する被保険者であつた期間は、各号の厚生年金被保険者期間ごとに適用し、同条第一項に規定する被保険者期間は、各号の厚生年金被保険者期間に係る被保険者期間ごとに適用し、同条第二項及び第三項に規定する被保険者の資格は、被保険者の種別ごとに適用する。

（老齢厚生年金に係る加給年金額の特例）

第七十八条の二十七　二以上の種別の被保険者であつた期間を有する者に係る老齢厚生年金の額については、その者の二以上の被保険者の種別に係る被保険者であつた期間に係る被保険者期間を合算し、一の期間に係る被保険者期間のみを有するものとみなして第四十四条（この法律及び他の法令において、引用し、準用し、又はその例による場合を含む。）の規定を適用する。この場合において、同条第一項に規定する加給年金額は、政令で定めるところにより、各号の厚生年金被保険者期間のうち一の期間に係る被保険者期間を計算の基礎とする老齢厚生年金の額に加算するものとする。

（老齢厚生年金の支給の繰下げの特例）

第七十八条の二十八　第四十四条の三の規定は、二以上の種別の被保険者であつた期間を有する者に係る老齢厚生年金について適用する。この場合において、同条第一項ただし書中「他の年金たる保険給付」とあるのは「他の年金たる保険給付（当該老齢厚生年金と同一の支給事由に基づいて支給される老齢厚生年金を除く。）」と、同条第四項中「第四十六条第一項」とあるのは「第七十八条の二十九の規定により読み替えて適用する第四十六条第一項」とするほか、同条の規定の適用に関し必要な読替えその他必要な事項は、政令で定める。

2　前項の規定により第四十四条の三第一項の規定を適用する場合においては、一の期間に基づく老齢厚生年金についての同項の規定による申出は、他の期間に基づく老齢厚生年金についての当該申出と同時に行わなければならない。

3　第一項の規定により第四十四条の三第五項の規定を適用する場合においては、一の期間に基づく老齢厚生年金の受給権を取得した日から起算して五年を経過した日後の同条第一項の申出をしないで行う当該一の期間に基づく老齢厚生年金の請求は、他の期間に基づく老齢厚生年金の受給権を取得した日から起算して五年を経過した日後に同項の申出をしないで行う当該他の期間に基づく老齢厚生年金の請求と同時に行わなければならない。

（**老齢厚生年金の支給停止の特例**）

第七十八条の二十九　二以上の種別の被保険者であつた期間を有する者について、第四十六条の規定を適用する場合においては、同条第一項中「老齢厚生年金の受給権者」とあるのは「第七十八条の二十二に規定する各号の厚生年金被保険者期間（以下この項において「各号の厚生年金被保険者期間」という。）のうち同条に規定する一の期間（第六項において「一の期間」という。）に係る被保険者期間を計算の基礎とする老齢厚生年金の受給権者」と、「及び老齢厚生年金の額」とあるのは「及び各号の厚生年金被保険者期間に係る被保険者期間を計算の基礎とする老齢厚生年金の額を合算して得た額」と、「第四十四条の三第四項に規定する加算額を除く。以下この項において同じ」とあるのは「各号の厚生年金被保険者期間に係る被保険者期間を計算の基礎とする第四十四条の三第四項に規定する加算額を合算して得た額を除く」と、「当該老齢厚生年金」とあるのは「当該一の期間に係る被保険者期間を計算の基礎とする老齢厚生年金」と、「控除して得た額」とあるのは「控除して得た額に当該一の期間に係る被保険者期間を計算の基礎とする老齢厚生年金の額（第四十四条第一項に規定する加給年金額及び第四十四条の三第四項に規定する加算額を除く。以下この項において同じ。）を十二で除して得た額を基本月額で除して得た数を乗じて得た額」と、「老齢厚生年金の額以上」とあるのは「当該一の期間に係る被保険者期間を計算の基礎とする老齢厚生年金の額以上」と、「老齢厚生年金の全部」とあるのは「当該一の期間に係る被保険者期間を計算の基礎とする老齢厚生年金の全部」と、同条第六項中「被保険者期間の月数」とあるのは「被保険者期間の月数（その者の二以上の被保険者の種別に係る被保険者であつた期間に係る被保険者期間を合算し、一の期間に係る被保険者期間のみを有するものとみなした場合における当該被保険者期間の月数とする。）」とするほか、同条の規定の適用に関し必要な読替えその他必要な事項は、政令で定める。

（**障害厚生年金の額の特例**）

第七十八条の三十　障害厚生年金の受給権者であつて、当該障害に係る障害認定日において二以上の種別の被保険者であつた期間を有する者に係る当該障害厚生年金の額については、その者の二以上の被保険者の種別に係る被保険者であつた期間を合算し、一の期間に係る被保険者期間のみを有するものとみなして、障害厚生年金の額の計算及びその支給停止に関する規定その他政令で定める規定を適用する。この場合において、必要な読替えその他必要な事項は、政令で定める。

（**障害手当金の額の特例**）

第七十八条の三十一　障害手当金の受給権者であつて、当該障害に係る障害認定日において二以上の種別の被保険者であつた期間を有する者に係る当該障害手当金の額については、前条の規定を準用する。この場合において、必要な読替えその他必要な事項は、政令で定める。

（**遺族厚生年金の額の特例**）

第七十八条の三十二　二以上の種別の被保険者であつた期間を有する者の遺族に係る遺族厚生年金（第五十八条第一項第一号から第三号までのいずれかに該当することにより支給されるものに限る。）の額については、死亡した者に係る二以上の被保険者の種別に係る被保険者であつた期間を合算し、一の期間に係る被保険者期間のみを有するものとみなして、遺族厚生年金の額の計算及びその支給停止に関する規定その他政令で定める規定を適用する。この場合において、必要な読替えその他必要な事項は、政令で定める。

2　二以上の種別の被保険者であつた期間を有する者の遺族に係る遺族厚生年金（第五十八条第一項第四号に該当することにより支給されるものに限る。）については、各号の厚生年金被保険者期間に係る被保険者期間ごとに支給するものとし、そのそれぞれの額は、死亡した者に係る二以上の被保険者の種別に係る被保険者であつた期間を合算し、一の期間に係る被保険者期間のみを有するものとみなして、遺族厚生年金の額の計算に関する規定により計算した額をそれぞれ一の期間に係る被保険者期間を計算の基礎として第六十条第一項第一号の規定の例により計算した額に応じて按分した額とする。この場合において、必要な読替えその他必要な事項は、政令で定める。

3　前項の場合において、第六十二条第一項の規定による加算額は、政令で定めるところにより、各号の厚生年金被保険者期間のうち一の期間に係る被保険者期間を計算の基礎とする遺族厚生年金の額に加算するものとする。

4　前三項に定めるもののほか、遺族厚生年金の額の計算及びその支給の停止に関し必要な事項は、政令で定める。

（**障害厚生年金等に関する事務の特例**）

第七十八条の三十三　第七十八条の三十の規定による障害厚生年金及び第七十八条の三十一の規定による障害手当金の支給に関する事務は、政令で定めるところにより、当該障害に係る初診日における被保険者の種別に応じて、第二条の五第一項各号に定める者が行う。

2　前項の規定は、前条第一項の規定による遺族厚生年金の支給に関する事務について準用する。

（**遺族厚生年金の支給停止に係る申請の特例**）

第七十八条の三十四　二以上の種別の被保険者であつた期間を有する者の遺族について、二以上の被保険者の種別に係る被保険者であつた期間に基づく遺族厚生年金を受けることができる場合には、一の期間に基づく遺族厚生年金についての第六十七条又は第六十八条第一項若しくは第二項の規定による申請は、当該一の期間に基づく遺族厚生年金と同一の支給事由に基づく他の期間に基づく遺族厚生年金についての当該申請と同時に行わなければならない。

（**離婚等をした場合の特例**）

第七十八条の三十五　二以上の種別の被保険者であつた期間を有する者について、第七十八条の二第一項の規定を適用する場合においては、各号の厚生年金被保険者期間のうち一の期間に係る標準報酬についての同項の規定による請求は、他の期間に係る標準報酬についての当該請求と同時に行わなければならない。

2　前項の場合においては、その者の二以上の被保険者の種別に係る被保険者であつた期間を合算し、一の期間に係る被保険者期間のみを有する者とみなして第七十八条の二及び第七十八条の三の規定を適用し、各号の厚生年金被保険者期間に係る被保険者期間ごとに第七十八条の六及び附則第十七条の十の規定を適用する。この場合において、必要な読替えその他必要な事項は、政令で定める。

（被扶養配偶者である期間についての特例）

第七十八条の三十六　二以上の種別の被保険者であつた期間を有する者について、第七十八条の十四第一項の規定を適用する場合においては、各号の厚生年金被保険者期間のうち一の期間に係る標準報酬についての同項の規定による請求は、他の期間に係る標準報酬についての当該請求と同時に行わなければならない。

２　前項の場合においては、その者の二以上の被保険者の種別に係る被保険者であつた期間を合算し、一の期間又は当該一の期間に係る被保険者期間のみを有する者とみなして第七十八条の十四第一項及び第七十八条の二十第一項の規定を適用し、各号の厚生年金被保険者期間に係る被保険者期間ごとに第七十八条の十四第二項及び第三項、第七十八条の二十第二項及び第五項並びに附則第十七条の十一から第十七条の十三までの規定を適用する。この場合において、必要な読替えその他必要な事項は、政令で定める。

（政令への委任）

第七十八条の三十七　この章に定めるもののほか、二以上の種別の被保険者であつた期間を有する者に係る保険給付の額の計算及びその支給停止その他この法律の規定の適用に関し必要な事項は、政令で定める。

第四章　厚生年金保険事業の円滑な実施を図るための措置

第七十九条　政府等は、厚生年金保険事業の円滑な実施を図るため、厚生年金保険に関し、次に掲げる事業を行うことができる。

一　教育及び広報を行うこと。

二　被保険者、受給権者その他の関係者（以下この条及び第百条の三の二第一項において「被保険者等」という。）に対し、相談その他の援助を行うこと。

三　被保険者等に対し、被保険者等が行う手続に関する情報その他の被保険者等の利便の向上に資する情報を提供すること。

２　政府等は、厚生年金保険事業の実施に必要な事務（国民年金法第九十四条の二第一項及び第二項の規定による基礎年金拠出金（以下「基礎年金拠出金」という。）の負担及び納付に伴う事務を含む。）を円滑に処理し、被保険者等の利便の向上に資するため、電子情報処理組織の運用を行うものとする。

３　政府は、第一項各号に掲げる事業及び前項に規定する運用の全部又は一部を日本年金機構（以下「機構」という。）に行わせることができる。

第四章の二　積立金の運用

（運用の目的）

第七十九条の二　積立金（年金特別会計の厚生年金勘定の積立金（以下この章において「特別会計積立金」という。）及び実施機関（厚生労働大臣を除く。次条第三項において同じ。）の積立金のうち厚生年金保険事業（基礎年金拠出金の納付を含む。）に係る部分に相当する部分として政令で定める部分（以下「実施機関積立金」という。）をいう。以下この章において同じ。）の運用は、積立金が厚生年金保険の被保険者から徴収された保険料の一部であり、かつ、将来の保険給付の貴重な財源となるものであることに特に留意し、専ら厚生年金保険の被保険者の利益のために、長期的な観点から、安全かつ効率的に行うことにより、将来にわたつて、厚生年金保険事業の運営の安定に資することを目的として行うものとする。

（積立金の運用）

第七十九条の三　特別会計積立金の運用は、厚生労働大臣が、前条の目的に沿つた運用に基づく納付金の納付を目的として、年金積立金管理運用独立行政法人に対し、特別会計積立金を寄託することにより行うものとする。

２　厚生労働大臣は、前項の規定にかかわらず、同項の規定に基づく寄託をするまでの間、財政融資資金に特別会計積立金を預託することができる。

３　実施機関積立金の運用は、前条の目的に沿つて、実施機関が行うものとする。ただし、実施機関積立金の一部については、政令で定めるところにより、国家公務員共済組合法（昭和三十三年法律第百二十八号）、地方公務員等共済組合法（昭和三十七年法律第百五十二号）又は私立学校教職員共済法（以下「共済各法」という。）の目的に沿つて運用することができるものとし、この場合における同条の規定の適用については、同条中「専ら厚生年金保険」とあるのは、「厚生年金保険」とする。

（積立金基本指針）

第七十九条の四　主務大臣は、積立金の管理及び運用が長期的な観点から安全かつ効率的に行われるようにするための基本的な指針（以下「積立金基本指針」という。）を定めるものとする。

２　積立金基本指針においては、次に掲げる事項を定めるものとする。

一　積立金の管理及び運用に関する基本的な方針

二　積立金の資産の構成の目標に関する基本的な事項

三　積立金の管理及び運用に関し管理運用主体（年金積立金管理運用独立行政法人、国家公務員共済組合連合会、地方公務員共済組合連合会及び日本私立学校振興・共済事業団をいう。以下同じ。）が遵守すべき基本的な事項

四　その他積立金の管理及び運用に関する重要事項

３　主務大臣は、財政の現況及び見通しが作成されたときその他必要があると認めるときは、積立金基本指針に検討を加え、必要に応じ、これを変更するものとする。

４　積立金基本指針を定め、又は変更しようとするときは、厚生労働大臣は、あらかじめ、積立金基本指針の案又はその変更の案を作成し、財務大臣、総務大臣及び文部科学大臣に協議するものとする。

５　財務大臣、総務大臣及び文部科学大臣は、必要があると認めるときは、厚生労働大臣に対し、積立金基本指針の変更の案の作成を求めることができる。

６　主務大臣は、積立金基本指針を定め、又は変更したときは、速やかに、これを公表するものとする。

（積立金の資産の構成の目標）

第七十九条の五　管理運用主体は、積立金基本指針に適合するよう、共同して、次条第一項に規定する管理運用の方針において同条第二項第三号の資産の構成を定めるに当たつて参酌すべき積立金の資産の構成の目標を定めなければならない。

2　管理運用主体は、財政の現況及び見通しが作成されたときその他必要があると認めるときは、共同して、前項に規定する積立金の資産の構成の目標に検討を加え、必要に応じ、これを変更しなければならない。

3　管理運用主体は、第一項に規定する積立金の資産の構成の目標を定め、又は変更したときは、遅滞なく、共同して、これを公表するとともに、主務大臣に送付しなければならない。

4　主務大臣は、第一項に規定する積立金の資産の構成の目標が積立金基本指針に適合しないと認めるときは、管理運用主体に対し、当該目標の変更を命ずることができる。

5　前項の規定による命令をしようとするときは、厚生労働大臣は、あらかじめ、積立金基本指針に適合するよう変更させるべき内容の案を作成し、財務大臣、総務大臣及び文部科学大臣に協議するものとする。

（管理運用の方針）

第七十九条の六　管理運用主体は、その管理する積立金（地方公務員共済組合連合会にあつては、地方公務員共済組合連合会が運用状況を管理する実施機関の実施機関積立金を含む。以下この章において「管理積立金」という。）の管理及び運用（地方公務員共済組合連合会にあつては、管理積立金の運用状況の管理を含む。以下この章において同じ。）を適切に行うため、積立金基本指針に適合するように、かつ、前条第一項に規定する積立金の資産の構成の目標に即して、管理及び運用の方針（以下この章において「管理運用の方針」という。）を定めなければならない。

2　管理運用の方針においては、次に掲げる事項を定めるものとする。

一　管理積立金の管理及び運用の基本的な方針
二　管理積立金の管理及び運用に関し遵守すべき事項
三　管理積立金の管理及び運用における長期的な観点からの資産の構成に関する事項
四　その他管理積立金の適切な管理及び運用に関し必要な事項

3　管理運用主体は、積立金基本指針が変更されたときその他必要があると認めるときは、管理運用の方針に検討を加え、必要に応じ、これを変更しなければならない。

4　管理運用主体は、管理運用の方針を定め、又は変更しようとするときは、あらかじめ、当該管理運用主体を所管する大臣（以下この章並びに第百条の三の三第二項第一号及び第三項において「所管大臣」という。）の承認を得なければならない。

5　管理運用主体は、管理運用の方針を定め、又は変更したときは、遅滞なく、これを公表しなければならない。

6　管理運用主体は、積立金基本指針及び管理運用の方針に従つて管理積立金の管理及び運用を行わなければならない。

7　所管大臣は、その所管する管理運用主体の管理運用の方針が積立金基本指針に適合しなくなつたと認めるときは、当該管理運用主体に対し、その管理運用の方針の変更を命ずることができる。

（管理運用主体に対する措置命令）

第七十九条の七　所管大臣は、その所管する管理運用主体が、管理積立金の管理及び運用に係る業務に関しこの法律の規定若しくはこれに基づく命令の規定に違反し、又は当該管理運用主体の管理積立金の管理及び運用の状況が、積立金基本指針若しくは当該管理運用主体の管理運用の方針に適合しないと認めるときは、当該管理運用主体に対し、当該業務の運営を改善するために必要な措置又は当該管理積立金の管理及び運用の状況を積立金基本指針若しくは当該管理運用の方針に適合させるために必要な措置をとることを命ずることができる。

（管理積立金の管理及び運用の状況に関する公表及び評価）

第七十九条の八　管理運用主体は、各事業年度の決算完結後、遅滞なく、当該事業年度における管理積立金の資産の額、その構成割合、運用収入の額その他の主務省令で定める事項を記載した業務概況書を作成し、これを公表するとともに、所管大臣に送付しなければならない。

2　所管大臣は、その所管する管理運用主体の業務概況書の送付を受けたときは、速やかに、当該管理運用主体について、管理積立金の管理及び運用の状況（第七十九条の三第三項ただし書の規定による運用の状況を含む。）その他の管理積立金の管理及び運用に関する主務省令で定める事項について評価を行い、その結果を公表するものとする。

3　所管大臣は、第一項の規定による業務概況書の送付を受けたときは、前項の規定による評価の結果を添えて、当該業務概況書を主務大臣に送付するものとする。

4　年金積立金管理運用独立行政法人について第一項の規定を適用する場合においては、同項中「決算完結後」とあるのは、「独立行政法人通則法（平成十一年法律第百三号）第三十八条第一項の規定による同項に規定する財務諸表の提出後」とする。

（積立金の管理及び運用の状況に関する公表及び評価）

第七十九条の九　主務大臣は、毎年度、主務省令で定めるところにより、積立金の資産の額、その構成割合、運用収入の額、積立金の運用の状況の評価その他の積立金の管理及び運用に関する事項を記載した報告書を作成し、これを公表するものとする。

2　前項の報告書を作成しようとするときは、厚生労働大臣は、あらかじめ、その案を作成し、財務大臣、総務大臣及び文部科学大臣に協議するものとする。

3　主務大臣は、第一項の報告書における評価の結果に基づき、管理運用主体の管理積立金の管理及び運用の状況が積立金基本指針に適合しないと認めるときは、当該管理運用主体の所管大臣に対し、当該管理運用主体の管理積立金の管理及び運用の状況を積立金基本指針に適合させるために必要な措置をとるよう求めることができる。

4　前項の規定による措置を求めようとするときは、厚生労働大臣は、あらかじめ、積立金基本指針に適合させるために必要な措置の案を作成し、財務大臣、総務大臣及び文部科学大臣に協議するものとする。

（運用職員の責務）

第七十九条の十　積立金の運用に係る行政事務に従事する厚生労働省、財務省、総務省及び文部科学省の職員（政令で定める者に限る。以下「運用職員」という。）は、積立金の運用の目的に沿つて、慎重かつ細心の注意を払い、全力を挙げてその職務を遂行しなければならない。

（秘密保持義務）

第七十九条の十一　運用職員は、その職務に関して知り得た秘密を漏らし、又は盗用してはならない。

（懲戒処分）

第七十九条の十二　運用職員が前条の規定に違反したと認めるときは、その職員の任命権者は、その職員に対し国家公務員法（昭和二十二年法律第百二十号）に基づく懲戒処分をしなければならない。

（年金積立金管理運用独立行政法人法等との関係）

第七十九条の十三　積立金の運用については、この法律に定めるもののほか、年金積立金管理運用独立行政法人法（平成十六年法律第百五号）、国家公務員共済組合法、地方公務員等共済組合法又は日本私立学校振興・共済事業団法（平成九年法律第四十八号）の定めるところによる。

（政令への委任）

第七十九条の十四　この章に定めるもののほか、積立金の運用に関し必要な事項は、政令で定める。

第五章　費用の負担

（国庫負担等）

第八十条　国庫は、毎年度、厚生年金保険の実施者たる政府が負担する基礎年金拠出金の額の二分の一に相当する額を負担する。

2　国庫は、前項に規定する費用のほか、毎年度、予算の範囲内で、厚生年金保険事業の事務（基礎年金拠出金の負担に関する事務を含む。次項において同じ。）の執行（実施機関（厚生労働大臣を除く。）によるものを除く。）に要する費用を負担する。

3　実施機関（厚生労働大臣を除く。以下この項において同じ。）が納付する基礎年金拠出金及び実施機関による厚生年金保険事業の事務の執行に要する費用の負担については、この法律に定めるもののほか、共済各法の定めるところによる。

（保険料）

第八十一条　政府等は、厚生年金保険事業に要する費用（基礎年金拠出金を含む。）に充てるため、保険料を徴収する。

2　保険料は、被保険者期間の計算の基礎となる各月につき、徴収するものとする。

3　保険料額は、標準報酬月額及び標準賞与額にそれぞれ保険料率を乗じて得た額とする。

4　保険料率は、次の表の上欄に掲げる月分の保険料について、それぞれ同表の下欄に定める率とする。

平成十六年十月から平成十七年八月までの月分	千分の百三十九・三四
平成十七年九月から平成十八年八月までの月分	千分の百四十二・八八
平成十八年九月から平成十九年八月までの月分	千分の百四十六・四二
平成十九年九月から平成二十年八月までの月分	千分の百四十九・九六
平成二十年九月から平成二十一年八月までの月分	千分の百五十三・五〇
平成二十一年九月から平成二十二年八月までの月分	千分の百五十七・〇四
平成二十二年九月から平成二十三年八月までの月分	千分の百六十・五八
平成二十三年九月から平成二十四年八月までの月分	千分の百六十四・一二
平成二十四年九月から平成二十五年八月までの月分	千分の百六十七・六六
平成二十五年九月から平成二十六年八月までの月分	千分の百七十一・二〇
平成二十六年九月から平成二十七年八月までの月分	千分の百七十四・七四
平成二十七年九月から平成二十八年八月までの月分	千分の百七十八・二八
平成二十八年九月から平成二十九年八月までの月分	千分の百八十一・八二
平成二十九年九月以後の月分	千分の百八十三・〇〇

（育児休業期間中の保険料の徴収の特例）

第八十一条の二　育児休業等をしている被保険者（次条の規定の適用を受けている被保険者を除く。第三項において同じ。）が使用される事業所の事業主が、主務省令で定めるところにより実施機関に申出をしたときは、前条第二項の規定にかかわらず、次の各号に掲げる場合の区分に応じ、当該各号に定める月の当該被保険者に係る保険料（その育児休業等の期間が一月以下である者については、標準報酬月額に係る保険料に限る。）の徴収は行わない。

一　その育児休業等を開始した日の属する月とその育児休業等が終了する日の翌日が属する月とが異なる場合　その育児休業等を開始した日の属する月からその育児休業等が終了する日の翌日が属する月の前月までの月

二　その育児休業等を開始した日の属する月とその育児休業等が終了する日の翌日が属する月とが同一であり、かつ、当該月における育児休業等の日数として厚生労働省令で定めるところにより計算した日数が十四日以上である場合　当該月

2　第二号厚生年金被保険者又は第三号厚生年金被保険者に係る保険料について、前項の規定を適用する場合においては、同項中「同じ。）」とあるのは、「同じ。）が使用される事業所の事業主」とする。

3　被保険者が連続する二以上の育児休業等をしている場合（これに準ずる場合として厚生労働省令で定める場合を含む。）における第一項の規定の適用については、その全部を一の育児休

業等とみなす。

（産前産後休業期間中の保険料の徴収の特例）

第八十一条の二の二　産前産後休業をしている被保険者が使用される事業所の事業主が、主務省令で定めるところにより実施機関に申出をしたときは、第八十一条第二項の規定にかかわらず、当該被保険者に係る保険料であつてその産前産後休業を開始した日の属する月からその産前産後休業が終了する日の翌日が属する月の前月までの期間に係るものの徴収は行わない。

２　第二号厚生年金被保険者又は第三号厚生年金被保険者に係る保険料について、前項の規定を適用する場合においては、同項中「被保険者が使用される事業所の事業主」とあるのは、「被保険者」とする。

第八十一条の三　削除

（保険料の負担及び納付義務）

第八十二条　被保険者及び被保険者を使用する事業主は、それぞれ保険料の半額を負担する。

２　事業主は、その使用する被保険者及び自己の負担する保険料を納付する義務を負う。

３　被保険者が同時に二以上の事業所又は船舶に使用される場合における各事業主の負担すべき保険料の額及び保険料の納付義務については、政令の定めるところによる。

４　第二号厚生年金被保険者についての第一項の規定の適用については、同項中「事業主は」とあるのは、「事業主（国家公務員共済組合法第九十九条第六項に規定する職員団体その他政令で定める者を含む。）は、政令で定めるところにより」とする。

５　第三号厚生年金被保険者についての第一項の規定の適用については、同項中「事業主は」とあるのは、「事業主（市町村立学校職員給与負担法（昭和二十三年法律第百三十五号）第一条又は第二条の規定により給与を負担する都道府県その他政令で定める者を含む。）は、政令で定めるところにより」とする。

（保険料の納付）

第八十三条　毎月の保険料は、翌月末日までに、納付しなければならない。

２　厚生労働大臣は、納入の告知をした保険料額が当該納付義務者が納付すべき保険料額をこえていることを知つたとき、又は納付した保険料額が当該納付義務者が納付すべき保険料額をこえていることを知つたときは、そのこえている部分に関する納入の告知又は納付を、その納入の告知又は納付の日の翌日から六箇月以内の期日に納付されるべき保険料について納期を繰り上げてしたものとみなすことができる。

３　前項の規定によつて、納期を繰り上げて納入の告知又は納付をしたものとみなしたときは、厚生労働大臣は、その旨を当該納付義務者に通知しなければならない。

（口座振替による納付）

第八十三条の二　厚生労働大臣は、納付義務者から、預金又は貯金の払出しとその払い出した金銭による保険料の納付をその預金口座又は貯金口座のある金融機関に委託して行うことを希望する旨の申出があつた場合には、その納付が確実と認められ、かつ、その申出を承認することが保険料の徴収上有利と認められるときに限り、その申出を承認することができる。

（保険料の源泉控除）

第八十四条　事業主は、被保険者に対して通貨をもつて報酬を支払う場合においては、被保険者の負担すべき前月の標準報酬月額に係る保険料（被保険者がその事業所又は船舶に使用されなくなつた場合においては、前月及びその月の標準報酬月額に係る保険料）を報酬から控除することができる。

２　事業主は、被保険者に対して通貨をもつて賞与を支払う場合においては、被保険者の負担すべき標準賞与額に係る保険料に相当する額を当該賞与から控除することができる。

３　事業主は、前二項の規定によつて保険料を控除したときは、保険料の控除に関する計算書を作成し、その控除額を被保険者に通知しなければならない。

（保険料の徴収等の特例）

第八十四条の二　第二号厚生年金被保険者、第三号厚生年金被保険者又は第四号厚生年金被保険者に係る保険料の徴収、納付及び源泉控除については、第八十一条の二第一項及び第三項、第八十一条の二の二第一項、第八十二条第二項及び第三項並びに前三条の規定にかかわらず、共済各法の定めるところによる。

（交付金）

第八十四条の三　政府は、政令で定めるところにより、毎年度、実施機関（厚生労働大臣を除く。以下この条、第八十四条の五、第八十四条の六、第八十四条の八及び第八十四条の九において同じ。）ごとに実施機関に係るこの法律の規定による保険給付に要する費用として政令で定めるものその他これに相当する給付として政令で定めるものに要する費用（以下「厚生年金保険給付費等」という。）として算定した金額を、当該実施機関に対して交付金として交付する。

第八十四条の四　地方公務員共済組合連合会は、政令で定めるところにより、毎年度、地方公務員共済組合（指定都市職員共済組合、市町村職員共済組合及び都市職員共済組合にあつては、全国市町村職員共済組合連合会。以下この条及び第八十四条の七において同じ。）ごとに地方公務員共済組合に係る厚生年金保険給付費等として算定した金額を、当該地方公務員共済組合に対して交付する。

（拠出金及び政府の負担）

第八十四条の五　実施機関は、毎年度、拠出金を納付する。

２　次条第一項に規定する拠出金算定対象額から前項の規定により実施機関が納付する拠出金の合計額及び政府等が負担し、又は納付する基礎年金拠出金保険料相当分（基礎年金拠出金から第八十条第一項、国家公務員共済組合法第九十九条第四項第三号、地方公務員等共済組合法第百十三条第四項第二号又は私立学校教職員共済法第三十五条第一項に規定する基礎年金拠出金の額の二分の一に相当する額を控除した額をいう。次条第一項及び第二項並びに附則第二十三条第二項第一号において同じ。）の合計額を控除した額については、厚生年金保険の実施者たる政府の負担とする。

３　財政の現況及び見通しが作成されるときは、厚生労働大臣は、第一項の規定による実施機関が納付すべき拠出金及び前項の規定による政府の負担について、その将来にわたる予想額を算定するものとする。

（拠出金の額）

第八十四条の六　前条第一項の規定により実施機関が納付する拠出金の額は、当該年度における拠出金算定対象額に、それぞれ次に掲げる率を乗じて得た額の合計額から、当該実施機関が納付する基礎年金拠出金保険料相当分の額を控除した額とする。

一　標準報酬按分率

二　積立金按分率

2　前項の拠出金算定対象額は、当該年度における厚生年金保険給付費等の総額に、当該年度において政府等が負担し、又は納付する基礎年金拠出金保険料相当分の合計額を加えた額とする。

3　第一項第一号の標準報酬按分率は、第一号に掲げる率に第二号に掲げる率を乗じて得た率とする。

一　実施機関ごとに、当該年度における当該実施機関の組合員（国家公務員共済組合連合会及び地方公務員共済組合連合会にあつては、当該連合会を組織する共済組合の組合員）たる被保険者又は私立学校教職員共済制度の加入者たる被保険者に係る標準報酬の総額として政令で定めるところにより算定した額（第八十四条の八第一項において「実施機関における標準報酬の総額」という。）を、当該年度における厚生年金保険の被保険者に係る標準報酬の総額として政令で定めるところにより算定した額で除して得た率を基準として、厚生労働省令で定めるところにより、実施機関ごとに算定した率

二　当該年度以前の直近の財政の現況及び見通しにおける財政均衡期間における各年度の拠出金算定対象額の合計額の予想額に対する保険料、この法律に定める徴収金その他政令で定めるものの合計額の予想額の占める割合を平均したものとして厚生労働省令で定めるところにより算定した率（次項第二号において「保険料財源比率」という。）

4　第一項第二号の積立金按分率は、第一号に掲げる率に第二号に掲げる率を乗じて得た率とする。

一　実施機関ごとに、当該年度の前年度における実施機関積立金の額及びこれに相当するものとして政令で定めるものの額の合計額（以下この号において「実施機関の積立金額」という。）を、当該年度の前年度における年金特別会計の厚生年金勘定の積立金の額及びこれに相当するものとして政令で定めるものの額の合計額（以下「厚生年金勘定の積立金額」という。）と実施機関の積立金額との合計額で除して得た率を基準として、厚生労働省令で定めるところにより、実施機関ごとに算定した率

二　一から保険料財源比率を控除した率

5　厚生労働大臣は、第三項各号及び前項第一号に規定する厚生労働省令を定めるときは、実施機関を所管する大臣に協議しなければならない。

第八十四条の七　地方公務員共済組合は、政令で定めるところにより、毎年度、地方公務員共済組合連合会が納付すべき拠出金の額のうち、前条の規定により算定した額に準ずるものとして政令で定めるところにより算定した額を負担する。

（報告等）

第八十四条の八　厚生労働大臣は、実施機関に対し、当該実施機関を所管する大臣を経由して、当該実施機関における標準報酬の総額その他の厚生労働省令で定める事項について報告を求めることができる。

2　実施機関は、厚生労働省令で定めるところにより、当該実施機関を所管する大臣を経由して、前項の報告を行うものとする。

3　実施機関は、厚生労働省令で定めるところにより、当該実施機関を所管する大臣を経由して、第八十四条の五第三項に規定する予想額の算定のために必要な事項として厚生労働省令で定める事項について厚生労働大臣に報告を行うものとする。

4　厚生労働大臣は、厚生労働省令で定めるところにより、第八十四条の五第三項に規定する予想額その他これに関連する事項で厚生労働省令で定めるものについて、実施機関を所管する大臣に報告を行うものとする。

5　厚生労働大臣は、前各項に規定する厚生労働省令を定めるときは、実施機関を所管する大臣に協議しなければならない。

第八十四条の九　厚生労働大臣は、第八十四条の三から前条までの規定の適用に関し必要があると認めるときは、実施機関を所管する大臣に対し、当該実施機関に係る同条第一項の報告に関し監督上必要な命令を発し、又は当該職員に当該実施機関の業務の状況を監査させることを求めることができる。

（政令への委任）

第八十四条の十　第八十四条の三から前条までに定めるもののほか、交付金の交付及び拠出金の納付に関し必要な事項は、政令で定める。

（保険料の繰上徴収）

第八十五条　保険料は、次の各号に掲げる場合においては、納期前であつても、すべて徴収することができる。

一　納付義務者が、次のいずれかに該当する場合

イ　国税、地方税その他の公課の滞納によつて、滞納処分を受けるとき。

ロ　強制執行を受けるとき。

ハ　破産手続開始の決定を受けたとき。

ニ　企業担保権の実行手続の開始があつたとき。

ホ　競売の開始があつたとき。

二　法人たる納付義務者が、解散をした場合

三　被保険者の使用される事業所が、廃止された場合

四　被保険者の使用される船舶について船舶所有者の変更があつた場合、又は当該船舶が滅失し、沈没し、若しくは全く運航に堪えなくなるに至つた場合

（保険料等の督促及び滞納処分）

第八十六条　保険料その他この法律の規定による徴収金を滞納する者があるときは、厚生労働大臣は、期限を指定して、これを督促しなければならない。ただし、前条の規定により保険料を徴収するときは、この限りでない。

2　前項の規定によつて督促をしようとするときは、厚生労働大臣は、納付義務者に対して、督促状を発する。

3　前項の規定による督促状は、納付義務者が、健康保険法第百八十条の規定によつて督促を受ける者であるときは、同法同条の規定による督促状に併記して、発することができる。

4　第二項の督促状により指定する期限は、督促状を発する日から起算して十日以上を経過した日でなければならない。ただし、前条各号のいずれかに該当する場合は、この限りでない。

5　厚生労働大臣は、納付義務者が次の各号のいずれかに該当する場合においては、国税滞納処分の例によつてこれを処分し、又は納付義務者の居住地若しくはその者の財産所在地の市町村（特別区を含むものとし、地方自治法（昭和二十二年法律第六十七号）第二百五十二条の十九第一項の指定都市にあつては、区又は総合区とする。以下同じ。）に対して、その処分を請求

することができる。

一　第二項の規定による督促を受けた者がその指定の期限までに保険料その他この法律の規定による徴収金を納付しないとき。

二　前条各号のいずれかに該当したことにより納期を繰り上げて保険料納入の告知を受けた者がその指定の期限までに保険料を納付しないとき。

6　市町村は、前項の規定による処分の請求を受けたときは、市町村税の例によつてこれを処分することができる。この場合においては、厚生労働大臣は、徴収金の百分の四に相当する額を当該市町村に交付しなければならない。

（延滞金）

第八十七条　前条第二項の規定によつて督促をしたときは、厚生労働大臣は、保険料額に、納期限の翌日から保険料完納又は財産差押の日の前日までの期間の日数に応じ、年十四・六パーセント（当該納期限の翌日から三月を経過する日までの期間については、年七・三パーセント）の割合を乗じて計算した延滞金を徴収する。ただし、次の各号のいずれかに該当する場合又は滞納につきやむを得ない事情があると認められる場合は、この限りでない。

一　保険料額が千円未満であるとき。

二　納期を繰り上げて徴収するとき。

三　納付義務者の住所若しくは居所が国内にないため、又はその住所及び居所がともに明らかでないため、公示送達の方法によつて督促したとき。

2　前項の場合において、保険料額の一部につき納付があつたときは、その納付の日以後の期間に係る延滞金の計算の基礎となる保険料は、その納付のあつた保険料額を控除した金額による。

3　延滞金を計算するにあたり、保険料額に千円未満の端数があるときは、その端数は、切り捨てる。

4　督促状に指定した期限までに保険料を完納したとき、又は前三項の規定によつて計算した金額が百円未満であるときは、延滞金は、徴収しない。

5　延滞金の金額に百円未満の端数があるときは、その端数は、切り捨てる。

6　第四十条の二の規定による徴収金は、前各項の規定の適用については、保険料とみなす。この場合において、第一項中「年十四・六パーセント（当該納期限の翌日から三月を経過する日までの期間については、年七・三パーセント）」とあるのは、「年十四・六パーセント」とする。

（保険料の滞納処分等の特例）

第八十七条の二　第二号厚生年金被保険者、第三号厚生年金被保険者及び第四号厚生年金被保険者に係る保険料の繰上徴収、保険料その他この法律の規定による徴収金の督促及び滞納処分並びに延滞金の徴収については、前三条の規定にかかわらず、共済各法の定めるところによる。

（先取特権の順位）

第八十八条　保険料その他この法律の規定による徴収金の先取特権の順位は、国税及び地方税に次ぐものとする。

（徴収に関する通則）

第八十九条　保険料その他この法律の規定による徴収金は、この法律に別段の規定があるものを除き、国税徴収の例により徴収する。

（適用除外）

第八十九条の二　第二号厚生年金被保険者、第三号厚生年金被保険者及び第四号厚生年金被保険者に係る保険料その他この法律の規定による徴収金については、前二条の規定は、適用しない。

第六章　不服申立て

（審査請求及び再審査請求）

第九十条　厚生労働大臣による被保険者の資格、標準報酬又は保険給付に関する処分に不服がある者は、社会保険審査官に対して審査請求をし、その決定に不服がある者は、社会保険審査会に対して再審査請求をすることができる。ただし、第二十八条の四第一項又は第二項の規定による決定については、この限りでない。

2　次の各号に掲げる者による被保険者の資格又は保険給付に関する処分に不服がある者は、当該各号に定める者に対して審査請求をすることができる。

一　第二条の五第一項第二号に定める者　国家公務員共済組合法に規定する国家公務員共済組合審査会

二　第二条の五第一項第三号に定める者　地方公務員等共済組合法に規定する地方公務員共済組合審査会

三　第二条の五第一項第四号に定める者　私立学校教職員共済法に規定する日本私立学校振興・共済事業団の共済審査会

3　第一項の審査請求をした日から二月以内に決定がないときは、審査請求人は、社会保険審査官が審査請求を棄却したものとみなすことができる。

4　第一項及び第二項の審査請求並びに第一項の再審査請求は、時効の完成猶予及び更新に関しては、裁判上の請求とみなす。

5　被保険者の資格又は標準報酬に関する処分が確定したときは、その処分についての不服を当該処分に基づく保険給付に関する処分についての不服の理由とすることができない。

6　第二項、第四項及び前項に定めるもののほか、第二項に規定する処分についての審査請求については、共済各法の定めるところによる。

第九十一条　厚生労働大臣による保険料その他この法律の規定による徴収金の賦課若しくは徴収の処分又は第八十六条の規定による処分に不服がある者は、社会保険審査会に対して審査請求をすることができる。

2　前条第二項第一号及び第二号に掲げる者による保険料その他この法律の規定による徴収金の賦課又は徴収の処分に不服がある者は、当該各号に定める者に対して審査請求をすることができる。

3　前条第二項第三号に掲げる者による保険料その他この法律の規定による徴収金の賦課若しくは徴収の処分又は督促若しくは国税滞納処分の例による処分に不服がある者は、同号に定める者に対して審査請求をすることができる。

4　前二項に定めるもののほか、前二項の審査請求については、共済各法の定めるところによる。

（行政不服審査法の適用関係）

第九十一条の二　第九十条第一項及び前条第一項に規定する処分についての前二条の審査請求及び第九十条第一項の再審査請求

については、行政不服審査法（平成二十六年法律第六十八号）第二章（第二十二条を除く。）及び第四章の規定は、適用しない。

（審査請求と訴訟との関係）

第九十一条の三　第九十条第一項に規定する処分の取消しの訴えは、当該処分についての審査請求に対する社会保険審査官の決定を経た後でなければ、提起することができない。

第七章　雑則

（時効）

第九十二条　保険料その他この法律の規定による徴収金を徴収し、又はその還付を受ける権利は、これらを行使することができる時から二年を経過したとき、保険給付を受ける権利は、その支給すべき事由が生じた日から五年を経過したとき、当該権利に基づき支払期月ごとに支払うものとされる保険給付の支給を受ける権利は、当該日の属する月の翌月以後に到来する当該保険給付の支給に係る第三十六条第三項本文に規定する支払期月の翌月の初日から五年を経過したとき、保険給付の返還を受ける権利は、これを行使することができる時から五年を経過したときは、時効によつて、消滅する。

2　保険料その他この法律の規定による徴収金を徴収し、若しくはその還付を受ける権利又は保険給付の返還を受ける権利の時効については、その援用を要せず、また、その利益を放棄することができないものとする。

3　年金たる保険給付を受ける権利の時効は、当該年金たる保険給付がその全額につき支給を停止されている間は、進行しない。

4　保険料その他この法律の規定による徴収金の納入の告知又は第八十六条第一項の規定による督促は、時効の更新の効力を有する。

5　第一項に規定する保険給付を受ける権利又は当該権利に基づき支払期月ごとに支払うものとされる保険給付の支給を受ける権利については、会計法（昭和二十二年法律第三十五号）第三十一条の規定を適用しない。

（期間の計算）

第九十三条　この法律又はこの法律に基づく命令に規定する期間の計算については、この法律に別段の規定がある場合を除くほか、民法（明治二十九年法律第八十九号）の期間に関する規定を準用する。

第九十四条　削除

（戸籍事項の無料証明）

第九十五条　市町村長は、実施機関又は受給権者に対して、当該市町村の条例の定めるところにより、被保険者、被保険者であつた者又は受給権者の戸籍に関し、無料で証明を行うことができる。

（受給権者に関する調査）

第九十六条　実施機関は、必要があると認めるときは、年金たる保険給付の受給権者に対して、その者の身分関係、障害の状態その他受給権の消滅、年金額の改定若しくは支給の停止に係る事項に関する書類その他の物件の提出を命じ、又は当該職員をしてこれらの事項に関し受給権者に質問させることができる。

2　前項の規定によつて質問を行なう当該職員は、その身分を示す証票を携帯し、かつ、関係者の請求があるときは、これを提示しなければならない。

（診断）

第九十七条　実施機関は、必要があると認めるときは、障害等級に該当する程度の障害の状態にあることにより、年金たる保険給付の受給権を有し、又は第四十四条第一項の規定によりその者について加算が行われている子に対して、その指定する医師の診断を受けるべきことを命じ、又は当該職員をしてこれらの者の障害の状態を診断させることができる。

2　前条第二項の規定は、前項の規定による当該職員の診断について準用する。

（届出等）

第九十八条　事業主は、厚生労働省令の定めるところにより、第二十七条に規定する事項を除くほか、厚生労働省令の定める事項を厚生労働大臣に届け出なければならない。

2　被保険者は、厚生労働省令の定めるところにより、厚生労働省令の定める事項を厚生労働大臣に届け出、又は事業主に申し出なければならない。

3　受給権者又は受給権者の属する世帯の世帯主その他その世帯に属する者は、厚生労働省令の定めるところにより、厚生労働大臣に対し、厚生労働省令の定める事項を届け出、かつ、厚生労働省令の定める書類その他の物件を提出しなければならない。

4　受給権者が死亡したときは、戸籍法（昭和二十二年法律第二百二十四号）の規定による死亡の届出義務者は、十日以内に、その旨を厚生労働大臣に届け出なければならない。ただし、厚生労働省令で定める受給権者の死亡について、同法の規定による死亡の届出をした場合（厚生労働省令で定める場合に限る。）は、この限りでない。

5　第二号厚生年金被保険者、第三号厚生年金被保険者又は第四号厚生年金被保険者、これらの者に係る事業主及び第二号厚生年金被保険者期間、第三号厚生年金被保険者期間又は第四号厚生年金被保険者期間に基づく保険給付の受給権者については、前各項の規定は、適用しない。

（事業主の事務）

第九十九条　厚生年金保険の施行に必要な事務は、厚生労働省令の定めるところにより、その一部を事業主に行わせることができる。

2　第二号厚生年金被保険者、第三号厚生年金被保険者又は第四号厚生年金被保険者に係る事業主については、前項の規定は、適用しない。

（立入検査等）

第百条　厚生労働大臣は、被保険者の資格、標準報酬、保険料又は保険給付に関する決定に関し、必要があると認めるときは、適用事業所若しくは適用事業所であると認められる事業所の事業主又は第十条第二項の同意をした事業主（第四項、第百二条第二項及び第百三条において「適用事業所等の事業主」という。）に対して、文書その他の物件を提出すべきことを命じ、若しくは当該職員をして事業所に立ち入つて関係者に質問し、若しくは帳簿、書類その他の物件を検査させることができる。

2　第九十六条第二項の規定は、前項の規定による質問及び検査について準用する。

3　第一項の規定による権限は、犯罪捜査のために認められたものと解釈してはならない。

４　第二号厚生年金被保険者、第三号厚生年金被保険者又は第四号厚生年金被保険者及びこれらの者に係る適用事業所等の事業主については、前三項の規定は、適用しない。

（資料の提供）

第百条の二　実施機関は、相互に、被保険者の資格に関する事項、標準報酬に関する事項、受給権者に対する保険給付の支給状況その他実施機関の業務の実施に関して必要な情報の提供を行うものとする。

２　実施機関は、被保険者の資格、標準報酬又は保険料に関し必要があると認めるときは、官公署（実施機関を除く。）に対し、法人の事業所の名称、所在地その他の事項につき、必要な資料の提供を求めることができる。

３　実施機関は、年金たる保険給付に関する処分に関し必要があると認めるときは、受給権者に対する国民年金法による年金たる給付又は受給権者の配偶者に対する第四十六条第六項に規定する政令で定める給付の支給状況につき、これらの給付に係る制度の管掌機関に対し、必要な資料の提供を求めることができる。

４　実施機関は、年金たる保険給付に関する処分に関し必要があると認めるときは、衆議院議長、参議院議長又は地方公共団体の議会の議長に対し、必要な資料の提供を求めることができる。

５　厚生労働大臣は、第一号厚生年金被保険者の資格、標準報酬又は保険料に関し必要があると認めるときは、第一号厚生年金被保険者であり、若しくはあつた者（以下この項において「被保険者等」という。）又は健康保険若しくは国民健康保険の被保険者若しくは被保険者であつた者の氏名及び住所、個人番号（行政手続における特定の個人を識別するための番号の利用等に関する法律（平成二十五年法律第二十七号）第二条第五項に規定する個人番号をいう。）、資格の取得及び喪失の年月日、被保険者等の勤務又は収入の状況その他の事項につき、官公署、健康保険組合若しくは国民健康保険組合に対し必要な資料の提供を求め、又は銀行、信託会社その他の機関若しくは事業主その他の関係者に報告を求めることができる。

（報告）

第百条の三　実施機関（厚生労働大臣を除く。以下この条において同じ。）は、厚生労働省令で定めるところにより、当該実施機関を所管する大臣を経由して、第四十三条の二第一項第二号イに規定する標準報酬平均額の算定のために必要な事項として厚生労働省令で定める事項について厚生労働大臣に報告を行うものとする。

２　厚生労働大臣は、厚生労働省令で定めるところにより、前項に規定する標準報酬平均額その他これに関連する事項で厚生労働省令で定めるものについて、実施機関を所管する大臣に報告を行うものとする。

３　実施機関は、厚生労働省令で定めるところにより、当該実施機関を所管する大臣を経由して、厚生年金保険に関する事業状況を把握するために必要な事項として厚生労働省令で定める事項について厚生労働大臣に報告を行うものとする。

４　前項の規定による報告は、厚生労働大臣及び実施機関を所管する大臣が適当と認める場合には、実施機関を所管する大臣を経由しないで行うことができる。

５　第三項の厚生年金保険に関する事業状況を把握するために必要な事項について、実施機関を所管する行政機関が保有する統計法（平成十九年法律第五十三号）第二条第十項に規定する行政記録情報を用いることにより把握することができる場合には、厚生労働大臣は、厚生労働省令で定めるところにより、当該事項について、当該行政機関の長に報告を求めることができる。この場合において、実施機関は、当該行政機関の長が報告を行つた事項については、第三項の規定による報告を行うことを要しない。

（実施機関相互間の連絡調整）

第百条の三の二　実施機関は、被保険者等の利便の向上に資するため、政令で定めるところにより、他の実施機関の処理する事務の一部を行うものとする。

２　前項の場合において、実施機関相互間の連絡及び調整に関し必要な事項は、主務省令で定める。

（主務大臣等）

第百条の三の三　第四章の二及び第三項における主務大臣は、厚生労働大臣、財務大臣、総務大臣及び文部科学大臣とする。

２　この法律における主務省令は、政令で定めるところにより、厚生労働大臣、財務大臣、文部科学大臣又は地方公務員等共済組合法第百四十四条の二十九第一項の規定による主務大臣の発する命令とする。ただし、次の各号に掲げる主務省令については、当該各号に定めるとおりとする。

一　第七十九条の八第一項及び第二項の主務省令　所管大臣の発する命令

二　第七十九条の九第一項の主務省令　厚生労働大臣、財務大臣、総務大臣及び文部科学大臣の発する命令

３　所管大臣は、前項第一号に掲げる主務省令を制定し、又は改廃する場合においては、あらかじめ、主務大臣に協議するものとする。

（国家公務員法及び地方公務員法との関係）

第百条の三の四　厚生年金保険は、国家公務員法第二条に規定する一般職に属する国家公務員又は地方公務員法（昭和二十五年法律第二百六十一号）第三条に規定する一般職に属する地方公務員については、それぞれ国家公務員法第百七条に規定する年金制度又は地方公務員法第四十三条に規定する共済制度の一部とする。

（機構への厚生労働大臣の権限に係る事務の委任）

第百条の四　次に掲げる厚生労働大臣の権限に係る事務は、機構に行わせるものとする。ただし、第三十二号から第三十四号まで及び第三十六号から第三十八号までに掲げる権限は、厚生労働大臣が自ら行うことを妨げない。

一　第六条第三項及び第八条第一項の規定による認可、第八条の二第一項の規定による承認並びに第六条第四項及び第八条第二項の規定による申請の受理

二　第十条第一項、第十一条（附則第四条の五第一項において準用する場合を含む。）及び附則第四条の五第一項の規定による認可

三　第十八条第一項の規定による確認

四　第二十一条第一項、第二十二条第一項、第二十三条第一項、第二十三条の二第一項及び第二十三条の三第一項（これらの規定を第四十六条第二項において準用する場合を含

む。）の規定による標準報酬月額の決定又は改定（第二十三条の二第一項、第二十三条の三第一項及び第二十六条第一項の規定による申出の受理を含み、第二十四条第一項（第四十六条第二項において準用する場合を含む。）の規定により算定する額を報酬月額として決定又は改定する場合を含む。）

五　第二十四条の二（第四十六条第二項において準用する場合を含む。）の規定によりその例によるものとされる船員保険法第十七条から第二十条まで及び第二十三条の規定による標準報酬月額の決定又は改定（同法第十九条第一項の規定による申出の受理を含み、同法第二十条第二項の規定により算定する額を報酬月額として決定又は改定する場合を含む。）

六　第二十四条の四第一項（第四十六条第二項において準用する場合を含む。）の規定による標準賞与額の決定（第二十四条の四第二項において準用する第二十四条第一項の規定により算定する額を標準賞与額として決定する場合を含む。）

七　第二十七条（附則第四条の五第一項において準用する場合を含む。）の規定による届出の受理及び第三十条第一項（附則第四条の五第一項において準用する場合を含む。）の規定による通知

七の二　第二十八条の二第一項（同条第二項及び第三項において準用する場合を含む。）の規定による請求の受理

八　第二十九条第一項（附則第四条の五第一項において準用する場合を含む。）の規定による通知、第二十九条第三項（第三十条第二項（附則第四条の五第一項において準用する場合を含む。以下この号において同じ。）及び附則第四条の五第一項において準用する場合を含む。）の規定による届出の受理並びに第二十九条第四項及び第五項（これらの規定を第三十条第二項及び附則第四条の五第一項において準用する場合を含む。）の規定による公告

九　第三十一条第一項の規定による請求の受理及び同条第二項の規定による請求の却下

十　第三十三条の規定による請求の受理

十一　第三十八条第二項の規定による申請の受理

十二　第三十八条の二第一項の規定による申出の受理

十三　第四十四条第五項の規定による認定

十四　第四十四条の三第一項の規定による申出の受理並びに附則第七条の三第一項及び第十三条の四第一項の規定による請求の受理

十五　第四十七条の二第一項の規定による請求の受理

十五の二　第五十条の二第五項の規定による認定

十六　第五十二条第二項及び第四項の規定による請求の受理

十七　第五十八条第二項の規定による申出の受理

十八　第五十九条第四項の規定による認定

十九　第六十七条並びに第六十八条第一項及び第二項の規定による申請の受理

二十　削除

二十一　第七十八条の二第一項及び第七十八条の四第一項の規定による請求の受理

二十二　第七十八条の五の規定による資料の提供

二十三　第七十八条の六第一項の規定による標準報酬月額の改定又は決定及び同条第二項の規定による標準賞与額の改定又は決定

二十四　第七十八条の八の規定による通知

二十五　第七十八条の十四第一項の規定による請求の受理、同条第二項の規定による標準報酬月額の改定及び決定並びに同条第三項の規定による標準賞与額の改定及び決定

二十六　第七十八条の十六の規定による通知

二十七　第八十一条の二第一項及び第八十一条の二の二第一項の規定による申出の受理

二十八　第八十三条の二の規定による申出の受理及び承認

二十九　第八十六条第五項の規定による国税滞納処分の例による処分及び同項の規定による市町村に対する処分の請求

三十　第八十九条の規定により国税徴収の例によるものとされる徴収に係る権限（国税通則法（昭和三十七年法律第六十六号）第三十六条第一項の規定の例による納入の告知、同法第四十二条において準用する民法第四百二十三条第一項の規定の例による納付義務者に属する権利の行使、国税通則法第四十六条の規定の例による納付の猶予その他の厚生労働省令で定める権限並びに次号に掲げる質問、検査及び提示又は提出の要求、物件の留置き並びに捜索を除く。）

三十一　第八十九条の規定によりその例によるものとされる国税徴収法（昭和三十四年法律第百四十七号）第百四十一条の規定による質問、検査及び提示又は提出の要求、同法第百四十一条の二の規定による物件の留置き並びに同法第百四十二条の規定による捜索

三十二　第九十五条の規定による戸籍事項に関する証明書の受領

三十三　第九十六条第一項（附則第二十九条第九項において準用する場合を含む。）の規定による命令及び質問

三十四　第九十七条第一項の規定による命令及び診断

三十五　第九十八条第一項から第四項まで（同項を附則第二十九条第九項において準用する場合を含む。）の規定による届出の受理及び第九十八条第三項の規定による書類その他の物件の受領

三十六　第百条第一項（附則第二十九条第九項において準用する場合を含む。）の規定による命令並びに質問及び検査

三十七　第百条の二第一項から第四項までの規定による資料の提供の求め（第三十二号に掲げる証明書の受領を除く。）

三十八　次条第二項の規定による報告の受理

三十九　附則第四条の三第一項及び第四項の規定による申出の受理

四十　附則第七条の二第一項及び第二項の規定による確認

四十一　附則第九条の二第一項の規定による請求の受理

四十二　附則第二十九条第一項の規定による請求の受理

四十三　前各号に掲げるもののほか、厚生労働省令で定める権限

2　機構は、前項第二十九号に掲げる国税滞納処分の例による処分及び同項第三十一号に掲げる権限（以下「滞納処分等」という。）その他同項各号に掲げる権限のうち厚生労働省令で定める権限に係る事務を効果的に行うため必要があると認めるときは、厚生労働省令で定めるところにより、厚生労働大臣に当該権限の行使に必要な情報を提供するとともに、厚生労働大臣自らその権限を行うよう求めることができる。

3　厚生労働大臣は、前項の規定による求めがあつた場合において必要があると認めるとき、又は機構が天災その他の事由によ

り第一項各号に掲げる権限に係る事務の全部若しくは一部を行うことが困難若しくは不適当となつたと認めるときは、同項各号に掲げる権限の全部又は一部を自ら行うものとする。

4　厚生労働大臣は、前項の規定により第一項各号に掲げる権限の全部若しくは一部を自ら行うこととし、又は前項の規定により自ら行つている第一項各号に掲げる権限の全部若しくは一部を行わないこととするとき（次項に規定する場合を除く。）は、あらかじめ、その旨を公示しなければならない。

5　厚生労働大臣は、第三項の規定により自ら行うこととした滞納処分等について、機構から引き継いだ当該滞納処分等の対象となる者が特定されている場合には、当該者に対し、厚生労働大臣が当該者に係る滞納処分等を行うこととなる旨その他の厚生労働省令で定める事項を通知しなければならない。

6　厚生労働大臣が、第三項の規定により第一項各号に掲げる権限の全部若しくは一部を自ら行うこととし、又は第三項の規定により自ら行つている第一項各号に掲げる権限の全部若しくは一部を行わないこととする場合における同項各号に掲げる権限に係る事務の引継ぎその他の必要な事項は、厚生労働省令で定める。

7　前各項に定めるもののほか、機構による第一項各号に掲げる権限に係る事務の実施又は厚生労働大臣による同項各号に掲げる権限の行使に関し必要な事項は、厚生労働省令で定める。

（財務大臣への権限の委任）

第百条の五　厚生労働大臣は、前条第三項の規定により滞納処分等及び同条第一項第三十号に掲げる権限の全部又は一部を自らが行うこととした場合におけるこれらの権限並びに同号に規定する厚生労働省令で定める権限のうち厚生労働省令で定めるもの（以下この条において「滞納処分等その他の処分」という。）に係る納付義務者が滞納処分等その他の処分の執行を免れる目的でその財産について隠ぺいしているおそれがあることその他の政令で定める事情があるため保険料その他この法律の規定による徴収金の効果的な徴収を行う上で必要があると認めるときは、政令で定めるところにより、財務大臣に、当該納付義務者に関する情報その他必要な情報を提供するとともに、当該納付義務者に係る滞納処分等その他の処分の権限の全部又は一部を委任することができる。

2　財務大臣は、前項の委任に基づき、滞納処分等その他の処分の権限の全部又は一部を行つたときは、厚生労働省令で定めるところにより、滞納処分等その他の処分の執行の状況及びその結果を厚生労働大臣に報告するものとする。

3　前条第五項の規定は、第一項の委任に基づき、財務大臣が滞納処分等その他の処分の権限の全部又は一部を行う場合の財務大臣による通知について準用する。この場合において、必要な技術的読替えその他滞納処分等その他の処分の対象となる者に対する通知に関し必要な事項は、厚生労働省令で定める。

4　財務大臣が、第一項の委任に基づき、滞納処分等その他の処分の権限の全部若しくは一部を行うこととし、又は同項の委任に基づき行つている滞納処分等その他の処分の権限の全部若しくは一部を行わないこととする場合における滞納処分等その他の処分の権限に係る事務の引継ぎその他の必要な事項は、厚生労働省令で定める。

5　財務大臣は、第一項の規定により委任された権限、第二項の規定による権限及び第三項において準用する前条第五項の規定による権限を国税庁長官に委任する。

6　国税庁長官は、政令で定めるところにより、前項の規定により委任された権限の全部又は一部を納付義務者の事業所又は事務所の所在地を管轄する国税局長に委任することができる。

7　国税局長は、政令で定めるところにより、前項の規定により委任された権限の全部又は一部を納付義務者の事業所又は事務所の所在地を管轄する税務署長に委任することができる。

（機構が行う滞納処分等に係る認可等）

第百条の六　機構は、滞納処分等を行う場合には、あらかじめ、厚生労働大臣の認可を受けるとともに、次条第一項に規定する滞納処分等実施規程に従い、徴収職員に行わせなければならない。

2　前項の徴収職員は、滞納処分等に係る法令に関する知識並びに実務に必要な知識及び能力を有する機構の職員のうちから、厚生労働大臣の認可を受けて、機構の理事長が任命する。

3　機構は、滞納処分等をしたときは、厚生労働省令で定めるところにより、速やかに、その結果を厚生労働大臣に報告しなければならない。

（滞納処分等実施規程の認可等）

第百条の七　機構は、滞納処分等の実施に関する規程（以下この条において「滞納処分等実施規程」という。）を定め、厚生労働大臣の認可を受けなければならない。これを変更しようとするときも、同様とする。

2　滞納処分等実施規程には、差押えを行う時期、差押えに係る財産の選定方法その他の滞納処分等の公正かつ確実な実施を確保するために必要なものとして厚生労働省令で定める事項を記載しなければならない。

3　厚生労働大臣は、第一項の認可をした滞納処分等実施規程が滞納処分等の公正かつ確実な実施上不適当となつたと認めるときは、機構に対し、その滞納処分等実施規程を変更すべきことを命ずることができる。

（機構が行う立入検査等に係る認可等）

第百条の八　機構は、第百条の四第一項第三十三号、第三十四号又は第三十六号に掲げる権限に係る事務を行う場合には、あらかじめ、厚生労働大臣の認可を受けなければならない。

2　機構が第百条の四第一項第三十三号、第三十四号又は第三十六号に掲げる権限に係る事務を行う場合における第七十七条第一号、第九十六条、第九十七条及び第百条第一項の規定の適用については、これらの規定中「当該職員」とあるのは、「機構の職員」とする。

（地方厚生局長等への権限の委任）

第百条の九　この法律に規定する厚生労働大臣の権限（第百条の五第一項及び第二項に規定する厚生労働大臣の権限を除く。）は、厚生労働省令（第二十八条の四に規定する厚生労働大臣の権限にあつては、政令）で定めるところにより、地方厚生局長に委任することができる。

2　前項の規定により地方厚生局長に委任された権限は、厚生労働省令で定めるところにより、地方厚生支局長に委任することができる。

3　第一項の規定により第二十八条の四に規定する厚生労働大臣の権限が地方厚生局長に委任された場合（前項の規定により同条に規定する厚生労働大臣の権限が地方厚生支局長に委任され

た場合を含む。）には、同条第三項中「社会保障審議会」とあるのは、「地方厚生局に置かれる政令で定める審議会」とする。

（機構への事務の委託）

第百条の十　厚生労働大臣は、機構に、次に掲げる事務を行わせるものとする。ただし、第三十二号の三に掲げる事務は、厚生労働大臣が自ら行うことを妨げない。

一　第二十五条の規定による価額の決定に係る事務（当該決定を除く。）

二　第二十八条の規定による記録に係る事務（当該記録を除く。）

三　第三十一条の二の規定による情報の通知に係る事務（当該通知を除く。）

四　第三十三条（附則第二十九条第九項において準用する場合を含む。）の規定による裁定に係る事務（第百条の四第一項第十号に掲げる請求の受理及び当該裁定を除く。）

五　第三十七条第一項（附則第二十九条第九項において準用する場合を含む。）及び第三十七条第三項の規定による請求の内容の確認に係る事務

六　第三十八条第一項及び第二項の規定による年金たる保険給付の支給の停止に係る事務（第百条の四第一項第十一号に掲げる申請の受理及び当該支給の停止に係る決定を除く。）

七　第三十八条の二第一項及び第二項の規定による年金たる保険給付の支給の停止に係る事務（第百条の四第一項第十二号に掲げる申出の受理及び当該支給の停止に係る決定を除く。）

八　第四十条の二（附則第二十九条第九項において準用する場合を含む。）の規定による不正利得の徴収に係る事務（第百条の四第一項第二十九号から第三十一号までに掲げる権限を行使する事務及び次条第一項の規定により機構が行う収納、第八十六条第一項の規定による督促その他の厚生労働省令で定める権限を行使する事務並びに第三十一号及び第三十三号に掲げる事務を除く。）

九　第四十二条並びに附則第七条の三第三項、第八条及び第十三条の四第三項の規定による老齢厚生年金の支給に係る事務（第百条の四第一項第十四号に掲げる申出及び請求の受理並びに当該老齢厚生年金の裁定を除く。）

十　第四十三条第二項及び第三項、第四十四条第三項及び第四項（これらの規定を附則第九条の二第三項、第九条の三第二項及び第四項並びに第九条の四第三項及び第五項において準用する場合を含む。）並びに附則第七条の三第五項、第九条の二第二項及び第四項、第九条の三第三項及び第五項、第九条の四第四項及び第六項、第十三条の四第五項及び第六項並びに第十三条の五第三項、第四項及び第九項の規定による老齢厚生年金の額の改定に係る事務（第百条の四第一項第十四号に掲げる申出及び請求の受理並びに同項第四十一号に掲げる請求の受理並びに当該改定に係る決定を除く。）

十一　第四十四条第一項ただし書（附則第九条の二第三項、第九条の三第二項及び第四項並びに第九条の四第三項及び第五項において準用する場合を含む。以下この号において同じ。）の規定による第四十四条第一項ただし書に規定する当該子について加算する額に相当する部分の支給の停止に係る事務（当該支給の停止に係る決定を除く。）並びに第四十六条第一項及び第六項並びに附則第七条の四第一項及び第四項（これらの規定を附則第十一条の五及び第十三条の六第三項において準用する場合を含む。）、第七条の五第一項及び第二項（これらの規定を同条第五項において準用する場合を含む。）、第十一条第一項、第十一条の二第一項及び第二項、第十一条の三第一項、第十一条の四第一項及び第二項、第十一条の六第一項、第二項及び第四項（これらの規定を同条第八項において準用する場合を含む。）、第十三条の四第八項、第十三条の五第五項及び第六項並びに第十三条の六第一項及び第四項（同条第八項において準用する場合を含む。）の規定による老齢厚生年金の支給の停止に係る事務（当該支給の停止に係る決定を除く。）

十二　第四十七条第一項、第四十七条の二第三項、第四十七条の三第一項、第四十八条第一項及び第四十九条の規定による障害厚生年金の支給に係る事務（第百条の四第一項第十五号に掲げる請求の受理及び当該障害厚生年金の裁定を除く。）

十三　第四十九条第一項、第五十四条第一項及び第二項並びに同条第三項において準用する第四十六条第六項の規定による障害厚生年金の支給の停止に係る事務（第百条の四第一項第十一号に掲げる申請の受理及び当該支給の停止に係る決定を除く。）

十四　第五十条の二第三項、同条第四項において準用する第四十四条第四項、第五十二条第一項及び第五十二条の二の規定による障害厚生年金の額の改定に係る事務（第百条の四第一項第十五号の二に掲げる認定及び同項第十六号に掲げる請求の受理並びに当該改定に係る決定を除く。）

十五　第五十五条第一項及び第五十六条の規定による障害手当金の支給に係る事務（当該障害手当金の裁定を除く。）

十六　第五十八条第一項の規定による遺族厚生年金の支給に係る事務（当該遺族厚生年金の裁定を除く。）

十七　第六十一条（同条第一項を第六十八条第三項において準用する場合を含む。）の規定による遺族厚生年金の額の改定に係る事務（当該改定に係る決定を除く。）

十八　第六十四条から第六十七条まで並びに第六十八条第一項及び第二項の規定による遺族厚生年金の支給の停止に係る事務（第百条の四第一項第十一号及び第十九号に掲げる申請の受理並びに当該支給の停止に係る決定を除く。）

十九　第七十三条の規定による障害厚生年金又は障害手当金の支給に係る事務（当該障害厚生年金又は障害手当金の裁定を除く。）

二十　第七十三条の二及び第七十五条（附則第二十九条第九項において準用する場合を含む。）の規定による保険給付の支給に係る事務（当該保険給付の裁定を除く。）

二十一　第七十四条の規定による障害厚生年金の額の改定に係る事務（当該改定に係る決定を除く。）

二十二　第七十六条第一項の規定による遺族厚生年金の支給に係る事務（当該遺族厚生年金の裁定を除く。）

二十三　第七十七条の規定による年金たる保険給付の支給の停止に係る事務（当該支給の停止に係る決定を除く。）

二十四　第七十八条第一項の規定による保険給付の支払の一時差止めに係る事務（当該支払の一時差止めに係る決定を除く。）

二十五　第七十八条の七の規定による記録に係る事務（当該記録を除く。）
二十六　第七十八条の十第一項の規定による老齢厚生年金及び同条第二項の規定による障害厚生年金の額の改定に係る事務（当該改定に係る決定を除く。）
二十七　第七十八条の十五の規定による記録に係る事務（当該記録を除く。）
二十八　第七十八条の十八第一項の規定による老齢厚生年金及び同条第二項において準用する第七十八条の十第二項の規定による障害厚生年金の額の改定に係る事務（当該改定に係る決定を除く。）
二十九　第八十一条第一項、第八十一条の二第一項及び第三項、第八十一条の二の二第一項並びに第八十五条の規定による保険料の徴収に係る事務（第百条の四第一項第二十七号から第三十一号までに掲げる権限を行使する事務及び次条第一項の規定により機構が行う収納、第八十六条第一項の規定による督促その他の厚生労働省令で定める権限を行使する事務並びに次号、第三十一号及び第三十三号に掲げる事務を除く。）
三十　第八十三条第二項及び第三項の規定による納付に係る事務（納期を繰り上げて納入の告知又は納付をしたものとみなす決定及びその旨の通知を除く。）
三十一　第八十六条第一項及び第二項の規定による督促に係る事務（当該督促及び督促状を発すること（督促状の発送に係る事務を除く。）を除く。）
三十二　第八十七条第一項及び第四項の規定による延滞金（同条第六項の規定により保険料とみなされた第四十条の二の規定による徴収金に係るものを含む。）の徴収に係る事務（第百条の四第一項第二十九号から第三十一号までに掲げる権限を行使する事務及び次条第一項の規定により機構が行う収納、第八十六条第一項の規定による督促その他の厚生労働省令で定める権限を行使する事務並びに前号及び第三十三号に掲げる事務を除く。）
三十二の二　第百条の二第一項の規定による情報の提供に係る事務（当該情報の提供を除く。）
三十二の三　第百条の三第三項の厚生年金保険に関する事業状況の把握に係る事務
三十三　第百条の四第一項第三十号に規定する厚生労働省令で定める権限に係る事務（当該権限を行使する事務を除く。）
三十四　削除
三十五　附則第二十八条の三第一項の規定による特例老齢年金の支給に係る事務（当該特例老齢年金の裁定を除く。）
三十六　附則第二十八条の四第一項の規定による特例遺族年金の支給に係る事務（当該特例遺族年金の裁定を除く。）
三十七　附則第二十九条第二項の規定による脱退一時金の支給に係る事務（第百条の四第一項第四十二号に掲げる請求の受理及び当該脱退一時金の裁定を除く。）
三十八　介護保険法（平成九年法律第百二十三号）第二百三条その他の厚生労働省令で定める法律の規定による求めに応じたこの法律の実施に関し厚生労働大臣が保有する情報の提供に係る事務（当該情報の提供及び厚生労働省令で定める事務を除く。）
三十九　前各号に掲げるもののほか、厚生労働省令で定める事務

2　厚生労働大臣は、機構が天災その他の事由により前項各号に掲げる事務の全部又は一部を実施することが困難又は不適当となつたと認めるときは、同項各号に掲げる事務の全部又は一部を自ら行うものとする。
3　前二項に定めるもののほか、機構又は厚生労働大臣による第一項各号に掲げる事務の実施に関し必要な事項は、厚生労働省令で定める。

（機構が行う収納）
第百条の十一　厚生労働大臣は、会計法（昭和二十二年法律第三十五号）第七条第一項の規定にかかわらず、政令で定める場合における保険料その他この法律の規定による徴収金、年金たる保険給付の過誤払による返還金その他の厚生労働省令で定めるもの（以下この条において「保険料等」という。）の収納を、政令で定めるところにより、機構に行わせることができる。
2　前項の収納を行う機構の職員は、収納に係る法令に関する知識並びに実務に必要な知識及び能力を有する機構の職員のうちから、厚生労働大臣の認可を受けて、機構の理事長が任命する。
3　機構は、第一項の規定により保険料等の収納をしたときは、遅滞なく、これを日本銀行に送付しなければならない。
4　機構は、厚生労働省令で定めるところにより、収納に係る事務の実施状況及びその結果を厚生労働大臣に報告するものとする。
5　機構は、前二項に定めるもののほか、厚生労働大臣が定める収納に係る事務の実施に関する規程に従つて収納を行わなければならない。
6　前各項に定めるもののほか、第一項の規定による保険料等の収納について必要な事項は、政令で定める。

（情報の提供）
第百条の十二　機構は、厚生労働大臣に対し、厚生労働省令で定めるところにより、被保険者の資格に関する事項、標準報酬に関する事項その他厚生労働大臣の権限の行使に関して必要な情報の提供を行うものとする。

（厚生労働大臣と機構の密接な連携）
第百条の十三　厚生労働大臣及び機構は、厚生年金保険事業が、適正かつ円滑に行われるよう、必要な情報交換を行うことその他相互の密接な連携を確保しなければならない。

（研修）
第百条の十四　厚生労働大臣は、機構の協力の下に、厚生年金保険事業に関する事務に従事する厚生労働省の職員に対し、当該事務を適正かつ円滑に行うために必要な知識及び技能を習得させ、及び向上させるために必要な研修を行うものとする。

（経過措置）
第百条の十五　この法律に基づき政令を制定し、又は改廃する場合においては、政令で、その制定又は改廃に伴い合理的に必要と判断される範囲内において、所要の経過措置を定めることができる。

（実施規定）
第百一条　この法律に特別の規定があるものを除くほか、この法律の実施のための手続その他その執行について必要な細則は、厚生労働省令又は主務省令で定める。

第八章　罰則

第百二条　事業主が、正当な理由がなくて次の各号のいずれかに該当するときは、六月以下の懲役又は五十万円以下の罰金に処する。

一　第二十七条の規定に違反して、届出をせず、又は虚偽の届出をしたとき。

二　第二十九条第二項（第三十条第二項において準用する場合を含む。）の規定に違反して、通知をしないとき。

三　第八十二条第二項の規定に違反して、督促状に指定する期限までに保険料を納付しないとき。

2　適用事業所等の事業主が、正当な理由がなくて、第百条第一項の規定に違反して、文書その他の物件を提出せず、又は当該職員（第百条の八第二項において読み替えて適用される第百条第一項に規定する機構の職員を含む。次条において同じ。）の質問に対して答弁せず、若しくは虚偽の陳述をし、若しくは検査を拒み、妨げ、若しくは忌避したときは、六月以下の懲役又は五十万円以下の罰金に処する。

第百三条　適用事業所等の事業主以外の者が、第百条第一項の規定に違反して、当該職員の質問に対して答弁せず、若しくは虚偽の陳述をし、又は検査を拒み、妨げ、若しくは忌避したときは、六月以下の懲役又は三十万円以下の罰金に処する。

第百三条の二　次の各号のいずれかに該当する場合には、当該違反行為をした者は、五十万円以下の罰金に処する。

一　第八十九条の規定によりその例によるものとされる国税徴収法第百四十一条の規定による徴収職員の質問に対して答弁をせず、又は偽りの陳述をしたとき。

二　第八十九条の規定によりその例によるものとされる国税徴収法第百四十一条の規定による検査を拒み、妨げ、又は忌避したとき。

三　第八十九条の規定によりその例によるものとされる国税徴収法第百四十一条の規定による物件の提示又は提出の要求に対し、正当な理由がなくこれに応じず、又は偽りの記載若しくは記録をした帳簿書類その他の物件を提示し、若しくは提出したとき。

第百四条　法人（法人でない社団又は財団で代表者又は管理人の定めがあるもの（以下この条において「人格のない社団等」という。）を含む。以下この項において同じ。）の代表者（人格のない社団等の管理人を含む。）又は法人若しくは人の代理人、使用人その他の従業者が、その法人又は人の業務又は財産に関して、第百二条から前条までの違反行為をしたときは、行為者を罰するほか、その法人又は人に対しても、各本条の罰金刑を科する。

2　人格のない社団等について前項の規定の適用がある場合においては、その代表者又は管理人がその訴訟行為につき当該人格のない社団等を代表するほか、法人を被告人又は被疑者とする場合の刑事訴訟に関する法律の規定を準用する。

第百四条の二　次の各号のいずれかに該当する場合には、その違反行為をした管理運用主体の役員又は職員は、二十万円以下の過料に処する。

一　第七十九条の五第三項、第七十九条の六第五項又は第七十九条の八第一項の規定により公表をしなければならない場合において、その公表をせず、又は虚偽の公表をしたとき。

二　第七十九条の五第四項の規定による主務大臣の命令又は第七十九条の六第七項若しくは第七十九条の七の規定による所管大臣の命令に違反したとき。

三　第七十九条の六第四項の規定により承認を受けなければならない場合において、その承認を受けないで管理運用の方針を定め、又は変更したとき。

第百四条の三　機構の役員は、次の各号のいずれかに該当する場合には、二十万円以下の過料に処する。

一　第百条の六第一項及び第二項、第百条の七第一項、第百条の八第一項並びに第百条の十一第二項の規定により厚生労働大臣の認可を受けなければならない場合において、その認可を受けなかつたとき。

二　第百条の七第三項の規定による命令に違反したとき。

第百五条　左の各号に掲げる場合には、十万円以下の過料に処する。

一　第九十八条第一項の規定に違反して、事業主が届出をせず、又は虚偽の届出をしたとき。

二　第九十八条第二項の規定に違反して、被保険者が届出をせず、若しくは虚偽の届出をし、又は申出をせず、若しくは虚偽の申出をしたとき。

三　第九十八条第四項の規定に違反して、戸籍法の規定による死亡の届出義務者が、届出をしないとき。

附　則（抄）

（施行期日）

第一条　この法律は、公布の日から施行し、昭和二十九年五月一日から適用する。

（厚生年金保険法特例の廃止）

第二条　厚生年金保険法特例（昭和二十六年法律第三十八号）は、廃止する。

（適用事業所の範囲の拡大）

第二条の二　政府は、常時五人以上の従業員を使用しないことにより厚生年金保険の適用事業所とされていない事業所について、他の社会保険制度との関連も考慮しつつ、適用事業所とするための効率的方策を調査研究し、その結果に基づいて、すみやかに、必要な措置を講ずるものとする。

（適用事業所に関する経過措置等）

第二条の三　私立学校教職員共済法附則第十項の規定により学校法人とみなされる私立の幼稚園を設置する者、同項に規定するみなし幼保連携型認定こども園を設置する者又は特例設置幼保連携型認定こども園（就学前の子どもに関する教育、保育等の総合的な提供の推進に関する法律の一部を改正する法律（平成二十四年法律第六十六号）附則第四条第一項の規定により設置された幼保連携型認定こども園（就学前の子どもに関する教育、保育等の総合的な提供の推進に関する法律（平成十八年法律第七十七号）第二条第七項に規定する幼保連携型認定こども園をいう。）をいう。以下この項において同じ。）を設置する者（法人を除き、その設置する一の幼稚園、みなし幼保連携型認定こども園又は特例設置幼保連携型認定こども園において常時使用する従業員の数が五人未満であるものに限る。）は、この法律の適用については、当分の間、第六条第一項第二号に規定する法人とみなす。

2　適用事業所に使用されない七十歳未満の者であつて、第二条の五第一項第二号又は第三号に規定する組合員であるものは、この法律の適用については、当分の間、第九条に規定する適用事業所に使用される七十歳未満の者とみなす。

3　前項の規定により適用事業所に使用される七十歳未満の者とみなされた者を使用する事業所の事業主は、この法律の適用については、第六条に規定する適用事業所の事業主とみなす。

（被保険者の資格に関する経過措置）

第三条　昭和二十九年五月一日において現に従前の厚生年金保険法（以下「旧法」という。）による被保険者である者が、引き続きこの法律による被保険者となつたときは、その引き続く資格の取得については、第十八条第一項の規定による都道府県知事の確認を要しない。

第四条　旧法による被保険者であつた期間は、この法律による被保険者であつた期間とみなす。但し、旧法による脱退手当金（附則第十六条第四項の規定により支給する旧法による脱退手当金を含む。）の計算の基礎となつた期間は、この限りでない。

（被保険者の資格の特例）

第四条の二　国家公務員共済組合法第七十二条第二項の規定により同法による長期給付に関する規定の適用を受けない同項に規定する職員は、第二号厚生年金被保険者としない。

2　地方公務員等共済組合法第七十四条第二項の規定により同法による長期給付に関する規定の適用を受けない同項に規定する職員は、第三号厚生年金被保険者としない。

（高齢任意加入被保険者）

第四条の三　適用事業所に使用される七十歳以上の者であつて、老齢厚生年金、国民年金法による老齢基礎年金その他の老齢又は退職を支給事由とする年金たる給付であつて政令で定める給付の受給権を有しないもの（第十二条各号に該当する者を除く。）は、第九条の規定にかかわらず、実施機関に申し出て、被保険者となることができる。

2　前項の申出をした者は、その申出が受理されたときは、その日に、被保険者の資格を取得する。

3　前項に規定する者が、初めて納付すべき保険料を滞納し、第八十六条第一項の規定による指定の期限までに、その保険料を納付しないときは、第一項の規定による被保険者とならなかつたものとみなす。ただし、第七項ただし書に規定する事業主の同意がある場合は、この限りでない。

4　第一項の規定による被保険者は、いつでも、実施機関に申し出て、被保険者の資格を喪失することができる。

5　第一項の規定による被保険者は、第十四条第一号、第二号若しくは第四号又は次の各号のいずれかに該当するに至つた日の翌日（その事実があつた日に更に被保険者の資格を取得したときは、その日）に、被保険者の資格を喪失する。

一　第八条第一項の認可があつたとき。

二　第一項に規定する政令で定める給付の受給権を取得したとき。

三　前項の申出が受理されたとき。

6　第一項の規定による被保険者は、保険料（初めて納付すべき保険料を除く。）を滞納し、第八十六条第一項の規定による指定の期限までに、その保険料を納付しないとき（次項ただし書に規定する事業主の同意があるときを除く。）は、前項の規定にかかわらず、第八十三条第一項に規定する当該保険料の納期限の属する月の前月の末日に、被保険者の資格を喪失する。

7　第一項の規定による被保険者は、第八十二条第一項及び第二項の規定にかかわらず、保険料の全額を負担し、自己の負担する保険料を納付する義務を負うものとし、その者については、第八十四条の規定は、適用しない。ただし、その者の事業主が、当該保険料の半額を負担し、かつ、その被保険者及び自己の負担する保険料を納付する義務を負うことにつき同意をしたときは、この限りでない。

8　事業主は、第一項の規定による被保険者の同意を得て、将来に向かつて前項ただし書に規定する同意を撤回することができる。

9　第一項から第六項までに規定するもののほか、第一項の規定による被保険者の資格の取得及び喪失に関し必要な事項は、政令で定める。

10　第二号厚生年金被保険者又は第三号厚生年金被保険者に係る事業主については、第三項及び第六項から第八項までの規定は、適用しない。

第四条の四　適用事業所に使用される被保険者のうち、前条第一項の規定による被保険者であつてその者に係る保険料の負担及び納付につき同条第七項ただし書に規定する事業主の同意がないものは、公的年金制度の健全性及び信頼性の確保のための厚生年金保険法等の一部を改正する法律（平成二十五年法律第六十三号。以下「平成二十五年改正法」という。）附則第五条第一項の規定によりなおその効力を有するものとされた平成二十五年改正法第一条の規定による改正前の第百十条及び第百四十四条の規定の適用については、被保険者でないものとみなす。

2　平成二十五年改正法附則第三条第十一号に規定する存続厚生年金基金（以下「基金」という。）の設立事業所に使用される被保険者のうち、前条第一項の規定による被保険者であつてその者に係る保険料の負担及び納付につき同条第七項ただし書に規定する事業主の同意がないものは、平成二十五年改正法附則第五条第一項の規定によりなおその効力を有するものとされた平成二十五年改正法第一条の規定による改正前の第百二十二条の規定にかかわらず、当該基金の加入員としない。

3　前条第一項の規定による被保険者（同条第七項ただし書に規定する事業主の同意がある者に限る。）である加入員は、当該事業主の同意があつた日又はその使用される事業所が設立事業所となつた日のいずれか遅い日に、加入員の資格を取得する。

4　前項の規定により加入員の資格を取得した者は、平成二十五年改正法附則第五条第一項の規定によりなおその効力を有するものとされた平成二十五年改正法第一条の規定による改正前の第百二十四条第一号から第四号まで若しくは前条第五項第二号若しくは第三号のいずれかに該当するに至つた日又は同条第七項ただし書に規定する事業主の同意が撤回された日の翌日（その事実があつた日に更に前項に該当するに至つたときは、その日）に、加入員の資格を喪失する。

第四条の五　適用事業所以外の事業所に使用される七十歳以上の者であつて、附則第四条の三第一項に規定する政令で定める給付の受給権を有しないものは、厚生労働大臣の認可を受けて、被保険者となることができる。この場合において、第十条第二項、第十一条、第十二条、第十三条第二項、第十四条、第十八条第一項ただし書、第二十七条、第二十九条、第三十条、第百二条第一項（第一号及び第二号に限る。）及び第百四条の規定を準用する。

2　前項の規定により被保険者となつたものは、同項において準用する第十四条の規定によるほか、附則第四条の三第一項に規定する政令で定める給付の受給権を取得した日の翌日に、被保険者の資格を喪失する。

（標準報酬に関する経過措置）

第五条　昭和二十九年五月一日において現に旧法による被保険者であり、引き続きこの法律による被保険者となつた者のうち、左の各号に該当する者については、その引き続く資格の取得に関しては、第二十二条第一項の規定による標準報酬の決定を行わず、それぞれ当該各号に定める額をその者の昭和二十九年五月から同年九月までの各月の標準報酬月額とする。

一　昭和二十九年四月の標準報酬月額が七千円以下である者については、同月の標準報酬月額に相当する額

二　昭和二十九年四月の標準報酬月額が八千円である者であつて、健康保険の被保険者であるものについては、その者の同年五月の健康保険法による標準報酬月額に相当する額。但し、その額が一万八千円をこえるときは、一万八千円とする。

2　第二十三条第一項の規定の適用については、前項の規定による標準報酬は、第二十二条の規定によつて決定された標準報酬とみなし、昭和二十九年四月の標準報酬月額又は同年五月の健康保険法による標準報酬の基礎となつた報酬月額は、標準報酬の基礎となつた報酬月額とみなす。

第六条　旧法による標準報酬は、この法律による標準報酬とみなす。

（事業主の届出に関する経過措置）

第六条の二　第二十七条の規定の適用については、当分の間、同条中「被保険者であつた七十歳以上の者」とあるのは、「被保険者であつた七十歳以上の者（附則第四条又は他の法令の規定により被保険者であつた期間とみなされた期間を有する七十歳以上の者を含む。）」とする。

（従前の処分等）

第七条　この附則に別段の規定があるものを除くほか、旧法又はこれに基く命令によつてした処分、手続その他の行為は、この法律又はこれに基く命令中の相当する規定によつてした処分、手続その他の行為とみなす。

（他の被保険者の種別に係る被保険者であつた期間の確認等）

第七条の二　二以上の種別の被保険者であつた期間を有する者であつて、第四十二条、第四十七条第一項、第四十七条の二第一項、第四十七条の三第一項、第五十二条第四項、第五十四条第二項ただし書、第五十五条第一項、第五十八条第一項、次条第一項、附則第八条又は第十三条の四第一項の規定の適用を受けようとするものの被保険者であつた期間については、各号の厚生年金被保険者期間に応じ、第二条の五第一項各号に定める者の確認を受けたところによる。

2　第二号厚生年金被保険者期間、第三号厚生年金被保険者期間又は第四号厚生年金被保険者期間を有する者であつて、第四十二条、第四十七条第一項、第四十七条の二第一項、第四十七条の三第一項、第五十二条第四項、第五十四条第二項ただし書、第五十五条第一項、第五十八条第一項、次条第一項又は附則第八条若しくは第十三条の四第一項の規定の適用を受けようとするものの保険料納付済期間（第二号厚生年金被保険者期間、第三号厚生年金被保険者期間又は第四号厚生年金被保険者期間に係るものを除く。）、保険料免除期間及び合算対象期間（国民年金法附則第九条第一項に規定する合算対象期間をいう。）については、当分の間、厚生労働大臣の確認を受けたところによる。

3　第九十条第一項及び第三項から第五項まで、第九十一条の二並びに第九十一条の三の規定は、第一号厚生年金被保険者期間を有する者に係る第一項の規定による確認に関する処分について準用する。

4　国民年金法附則第七条の五第三項及び第四項の規定は、第二号厚生年金被保険者期間、第三号厚生年金被保険者期間又は第四号厚生年金被保険者期間を有する者に係る第一項の規定による確認に関する処分について準用する。この場合において、同条第四項中「老齢基礎年金、障害基礎年金又は遺族基礎年金」とあるのは、「老齢厚生年金、障害厚生年金又は遺族厚生年金」と読み替えるものとする。

5　国民年金法第百一条第一項から第五項まで及び第百一条の二の規定は、第二項の規定による確認に関する処分について準用する。

（老齢厚生年金の支給の繰上げ）

第七条の三　当分の間、次の各号に掲げる者であつて、被保険者期間を有し、かつ、六十歳以上六十五歳未満であるもの（国民年金法附則第五条第一項の規定による国民年金の被保険者でないものに限る。）は、政令で定めるところにより、六十五歳に達する前に、実施機関に当該各号に掲げる者の区分に応じ当該者の被保険者の種別に係る被保険者期間に基づく老齢厚生年金の支給繰上げの請求をすることができる。ただし、その者が、その請求があつた日の前日において、第四十二条第二号に該当しないときは、この限りでない。

一　男子又は女子（第二号厚生年金被保険者であり、若しくは第二号厚生年金被保険者期間を有する者、第三号厚生年金被保険者であり、若しくは第三号厚生年金被保険者期間を有する者又は第四号厚生年金被保険者であり、若しくは第四号厚生年金被保険者期間を有する者に限る。）であつて昭和三十六年四月二日以後に生まれた者（第三号及び第四号に掲げる者を除く。）

二　女子（第一号厚生年金被保険者であり、又は第一号厚生年金被保険者期間を有する者に限る。）であつて昭和四十一年四月二日以後に生まれた者（次号及び第四号に掲げる者を除く。）

三　鉱業法（昭和二十五年法律第二百八十九号）第四条に規定する事業の事業場に使用され、かつ、常時坑内作業に従事する被保険者（以下「坑内員たる被保険者」という。）であつた期間と船員として船舶に使用される被保険者（以下「船員たる被保険者」という。）であつた期間とを合算した期間が十五年以上である者であつて、昭和四十一年四月二日以後に生まれたもの（次号に掲げる者を除く。）

四　特定警察職員等（警察官若しくは皇宮護衛官又は消防吏員若しくは常勤の消防団員（これらの者のうち政令で定める階級以下の階級である者に限る。）である被保険者又は被保険者であつた者のうち、附則第八条各号のいずれにも該当する

に至つたとき（そのときにおいて既に被保険者の資格を喪失している者にあつては、当該被保険者の資格を喪失した日の前日）において、引き続き二十年以上警察官若しくは皇宮護衛官又は消防吏員若しくは常勤の消防団員として在職していた者その他これらに準ずる者として政令で定める者をいう。以下同じ。）である者で昭和四十二年四月二日以後に生まれたもの

2 前項の請求は、国民年金法附則第九条の二第一項又は第九条の二の二第一項に規定する支給繰上げの請求を行うことができる者にあつては、これらの請求と同時に行わなければならない。

3 第一項の請求があつたときは、第四十二条の規定にかかわらず、その請求があつた日の属する月から、その者に老齢厚生年金を支給する。

4 前項の規定による老齢厚生年金の額は、第四十三条第一項の規定にかかわらず、同項の規定により計算した額から政令で定める額を減じた額とする。

5 第三項の規定による老齢厚生年金の受給権者であつて、第一項の請求があつた日以後の被保険者期間を有するものが六十五歳に達したときは、六十五歳に達した日の属する月前における被保険者であつた期間を当該老齢厚生年金の額の計算の基礎とするものとし、六十五歳に達した日の属する月の翌月から、年金の額を改定する。

6 第三項の規定による老齢厚生年金の額について、第四十四条及び平成二十五年改正法附則第八十六条第一項の規定によりなおその効力を有するものとされた平成二十五年改正法第一条の規定による改正前の第四十四条の二の規定を適用する場合には、第四十四条第一項中「受給権者がその権利を取得した当時（その権利を取得した当時」とあるのは「附則第七条の三第三項の規定による老齢厚生年金の受給権者が六十五歳に達した当時（六十五歳に達した当時」と、「又は第三項」とあるのは「若しくは第三項又は附則第七条の三第五項」と、「第四十三条の規定にかかわらず、同条に定める額に加給年金額を加算した額とする」とあるのは「第四十三条第二項及び第三項並びに附則第七条の三第四項及び第五項の規定にかかわらず、これらの規定に定める額に加給年金額を加算するものとし、六十五歳に達した日の属する月の翌月又は第四十三条第二項若しくは第三項の規定により当該月数が二百四十以上となるに至つた月から、年金の額を改定する」と、同条第三項中「受給権者がその権利を取得した当時」とあるのは「附則第七条の三第三項の規定による老齢厚生年金の受給権者が六十五歳に達した当時」と、平成二十五年改正法附則第八十六条第一項の規定によりなおその効力を有するものとされた平成二十五年改正法第一条の規定による改正前の第四十四条の二第一項中「第四十三条第一項」とあるのは「附則第七条の三第四項」と、「第百三十二条第二項」とあるのは「附則第七条の六第一項の規定により読み替えられた公的年金制度の健全性及び信頼性の確保のための厚生年金保険法等の一部を改正する法律（平成二十五年法律第六十三号）附則第五条第一項の規定によりなおその効力を有するものとされた同法第一条の規定による改正前の第百三十二条第二項」とする。

（繰上げ支給の老齢厚生年金と基本手当等との調整）

第七条の四 前条第三項の規定による老齢厚生年金は、その受給権者（雇用保険法（昭和四十九年法律第百十六号）第十四条第二項第一号に規定する受給資格を有する者であつて六十五歳未満であるものに限る。）が同法第十五条第二項の規定による求職の申込みをしたときは、当該求職の申込みがあつた月の翌月から次の各号のいずれかに該当するに至つた月までの各月において、その支給を停止する。

一 当該受給資格に係る雇用保険法第二十四条第二項に規定する受給期間が経過したとき。

二 当該受給権者が当該受給資格に係る雇用保険法第二十二条第一項に規定する所定給付日数に相当する日数分の基本手当（同法の規定による基本手当をいう。以下この条において同じ。）の支給を受け終わつたとき（同法第二十八条第一項に規定する延長給付を受ける者にあつては、当該延長給付が終わつたとき。）。

2 前項に規定する求職の申込みがあつた月の翌月から同項各号のいずれかに該当するに至つた月までの各月について、次の各号のいずれかに該当する月があつたときは、同項の規定は、その月の分の老齢厚生年金については、適用しない。

一 その月において、厚生労働省令で定めるところにより、当該老齢厚生年金の受給権者が基本手当の支給を受けた日とみなされる日及びこれに準ずる日として政令で定める日がないこと。

二 その月の分の老齢厚生年金について、第四十六条第一項及び平成二十五年改正法附則第八十六条第一項の規定によりなおその効力を有するものとされた平成二十五年改正法第一条の規定による改正前の第四十六条第五項の規定により、その全部又は一部の支給が停止されていること。

3 第一項各号のいずれかに該当するに至つた場合において、同項に規定する求職の申込みがあつた月の翌月から同項各号のいずれかに該当するに至つた月までの各月のうち同項の規定により老齢厚生年金の支給が停止された月（以下この項において「年金停止月」という。）の数から前項第一号に規定する厚生労働省令で定めるところにより当該老齢厚生年金の受給権者が基本手当の支給を受けた日とみなされる日の数を三十で除して得た数（一未満の端数が生じたときは、これを一に切り上げるものとする。）を控除して得た数が一以上であるときは、年金停止月のうち、当該控除して得た数に相当する月数分の直近の各月については、第一項の規定による老齢厚生年金の支給停止が行われなかつたものとみなす。

4 雇用保険法第十四条第二項第一号に規定する受給資格を有する者であつて、同法第十五条第二項の規定による求職の申込みをしたもの（第一項各号のいずれにも該当するに至つていない者に限る。）が、前条第三項の規定による老齢厚生年金の受給権を取得したときは、当該受給権を取得した月の翌月から第一項各号のいずれかに該当するに至つた月までの各月において、当該老齢厚生年金の支給を停止する。

5 第二項及び第三項の規定は、前項の場合について準用する。この場合において、第二項中「前項に規定する求職の申込みがあつた月」とあるのは「第四項に規定する者が前条第三項の規定による老齢厚生年金の受給権を取得した月」と、「同項各号」とあるのは「前項各号」と、「同項の規定」とあるのは「第四項の規定」と、第三項中「同項に規定する求職の申込み

があつた月」とあるのは「次項に規定する者が前条第三項の規定による老齢厚生年金の受給権を取得した月」と、「同項各号」とあるのは「第一項各号」と、「同項の規定」とあるのは「次項の規定」と、「第一項の規定」とあるのは「次項の規定」と読み替えるものとする。

第七条の五　附則第七条の三第三項の規定による老齢厚生年金の受給権者であつて、第四十六条第一項及び平成二十五年改正法附則第八十六条第一項の規定によりなおその効力を有するものとされた平成二十五年改正法第一条の規定による改正前の第四十六条第五項の規定の適用を受けるものが被保険者（前月以前の月に属する日から引き続き当該被保険者の資格を有する者に限る。）である日（被保険者に係る第四十六条第一項に規定する厚生労働省令で定める日を除く。次項及び第五項並びに附則第十一条第一項、第十一条の六第一項、第二項、第四項及び第八項並びに第十三条の六第四項及び第八項において「被保険者である日」という。）が属する月において、その者が雇用保険法の規定による高年齢雇用継続基本給付金（以下「高年齢雇用継続基本給付金」という。）の支給を受けることができるときは、第四十六条第一項及び第五項の規定にかかわらず、その月の分の当該老齢厚生年金について、次の各号に掲げる場合に応じ、それぞれ当該老齢厚生年金につき第四十六条第一項及び平成二十五年改正法附則第八十六条第一項の規定によりなおその効力を有するものとされた平成二十五年改正法第一条の規定による改正前の第四十六条第五項の規定を適用した場合におけるこれらの規定による支給停止基準額と当該各号に定める額（その額に四分の十を乗じて得た額に当該受給権者に係る標準報酬月額を加えた額が雇用保険法第六十一条第一項第二号に規定する支給限度額（以下「支給限度額」という。）を超えるときは、支給限度額から当該標準報酬月額を減じて得た額に十分の四を乗じて得た額とする。次項において同じ。）に十二を乗じて得た額（第四項において「在職支給停止調整額」という。）との合計額（以下この項において「調整後の支給停止基準額」という。）に相当する部分の支給を停止する。ただし、調整後の支給停止基準額が老齢厚生年金の額以上であるときは、老齢厚生年金の全部の支給を停止するものとする。

一　当該受給権者に係る標準報酬月額が、雇用保険法第六十一条第一項、第三項及び第四項の規定によるみなし賃金日額（以下「みなし賃金日額」という。）に三十を乗じて得た額の百分の六十四に相当する額未満であるとき　当該受給権者に係る標準報酬月額に百分の四を乗じて得た額

二　前号に該当しないとき　当該受給権者に係る標準報酬月額に、みなし賃金日額に三十を乗じて得た額に対する当該受給権者に係る標準報酬月額の割合が逓増する程度に応じ、百分の四から一定の割合で逓減するように厚生労働省令で定める率を乗じて得た額

2　附則第七条の三第三項の規定による老齢厚生年金の受給権者であつて、前項に規定する者以外のものが被保険者である日が属する月について、その者が高年齢雇用継続基本給付金の支給を受けることができるときは、その月の分の当該老齢厚生年金について、同項各号に掲げる場合に応じ、それぞれ当該老齢厚生年金につき同項各号に定める額に十二を乗じて得た額（以下この項及び第四項において「調整額」という。）に相当する部分の支給を停止する。ただし、調整額が老齢厚生年金の額以上であるときは、老齢厚生年金の全部の支給を停止するものとする。

3　附則第七条の三第三項の規定による老齢厚生年金については、次の各号のいずれかに該当するときは、前二項の規定は適用しない。

一　当該老齢厚生年金の受給権者に係る標準報酬月額がみなし賃金日額に三十を乗じて得た額の百分の七十五に相当する額以上であるとき。

二　当該老齢厚生年金の受給権者に係る標準報酬月額が支給限度額以上であるとき。

4　在職支給停止調整額及び調整額を計算する場合において生じる一円未満の端数の処理については、政令で定める。

5　前各項の規定は、附則第七条の三第三項の規定による老齢厚生年金の受給権者が被保険者である日が属する月について、その者が雇用保険法の規定による高年齢再就職給付金の支給を受けることができる場合について準用する。この場合において、第一項第一号中「第六十一条第一項、第三項及び第四項の規定によるみなし賃金日額（以下「みなし賃金日額」という。）」とあるのは「第六十一条の二第一項の賃金日額（以下この条において「賃金日額」という。）」と、同項第二号及び第三項第一号中「みなし賃金日額」とあるのは「賃金日額」と読み替えるものとする。

（繰上げ支給の老齢厚生年金の受給権者に基金及び存続連合会が支給する老齢年金給付の特例）

第七条の六　附則第七条の三第三項の規定による老齢厚生年金の受給権者に基金が支給する平成二十五年改正法附則第五条第一項の規定によりなおその効力を有するものとされた平成二十五年改正法第一条の規定による改正前の第百三十条第一項に規定する老齢年金給付（次条第一項を除き、以下「老齢年金給付」という。）については、平成二十五年改正法附則第五条第一項の規定によりなおその効力を有するものとされた平成二十五年改正法第一条の規定による改正前の第百三十一条第一項第二号中「第四十三条第三項」とあるのは「年金制度の機能強化のための国民年金法等の一部を改正する法律（令和二年法律第四十号）第四条の規定による改正後の厚生年金保険法第四十三条第二項若しくは第三項又は附則第七条の三第五項」と、平成二十五年改正法附則第五条第一項の規定によりなおその効力を有するものとされた平成二十五年改正法第一条の規定による改正前の第百三十二条第二項中「加入員であつた期間」とあるのは「加入員であつた期間（当該受給権者がその権利を取得した月以後における当該基金の加入員であつた期間（以下この項において「改定対象期間」という。）を除く。）」と、「乗じて得た額」とあるのは「乗じて得た額から政令で定める額を減じた額（改定対象期間を基礎として政令の定めるところにより計算した額を含む。）」と、平成二十五年改正法附則第五条第一項の規定によりなおその効力を有するものとされた平成二十五年改正法第一条の規定による改正前の第百三十三条中「前条第二項」とあるのは「附則第七条の六第一項において読み替えられた前条第二項」とする。

2　附則第七条の三第三項の規定による老齢厚生年金（平成二十五年改正法附則第八十六条第一項の規定によりなおその効力を有するものとされた平成二十五年改正法第一条の規定による改

正前の第四十六条第五項において読み替えられた第四十六条第一項の規定によりその全部又は一部の支給が停止されているものに限る。）の受給権者に基金が支給する老齢年金給付については、平成二十五年改正法附則第五条第一項の規定によりなおその効力を有するものとされた平成二十五年改正法第一条の規定による改正前の第百三十三条の二第二項及び第三項中「第百三十二条第二項」とあるのは、「附則第七条の六第一項において読み替えられた第百三十二条第二項」とする。

3　附則第七条の三第三項の規定による老齢厚生年金（前条の規定によりその全部又は一部の支給が停止されているものに限る。以下この条において同じ。）の受給権者に基金が支給する老齢年金給付については、平成二十五年改正法附則第五条第一項の規定によりなおその効力を有するものとされた平成二十五年改正法第一条の規定による改正前の第百三十三条の規定は適用しない。

4　附則第七条の三第三項の規定による老齢厚生年金（第一号厚生年金被保険者期間又は第四号厚生年金被保険者期間に基づくものに限る。）の受給権者に基金が支給する老齢年金給付は、当該老齢厚生年金がその全額につき支給を停止されている場合（次の各号のいずれかに該当する場合を除く。）を除いては、その支給を停止することができない。ただし、当該老齢年金給付の額のうち、第一項において読み替えられた平成二十五年改正法附則第五条第一項の規定によりなおその効力を有するものとされた平成二十五年改正法第一条の規定による改正前の第百三十二条第二項に規定する額を超える部分については、この限りでない。

一　当該老齢厚生年金が前条第一項（同条第五項において準用する場合を含む。）の規定によりその全額につき支給を停止されている場合であつて、これらの規定による調整後の支給停止基準額が、平成二十五年改正法附則第八十六条第一項の規定によりなおその効力を有するものとされた平成二十五年改正法第一条の規定による改正前の第四十四条の二第一項の規定の適用がないものとして計算した老齢厚生年金の額（以下この条において「基金に加入しなかつた場合の老齢厚生年金の額」という。）に満たないとき。

二　当該老齢厚生年金が前条第二項（同条第五項において準用する場合を含む。）の規定によりその全額につき支給を停止されている場合であつて、これらの規定による調整額が、基金に加入しなかつた場合の老齢厚生年金の額に満たないとき。

5　前項の規定にかかわらず、附則第七条の三第三項の規定による老齢厚生年金の受給権者に基金が支給する老齢年金給付については、次の各号に掲げる場合に応じ、その額のうち、当該各号に定める額を超える部分については、その支給を停止することができる。

一　前項第一号に該当するとき　その受給権者の当該老齢年金給付を支給する基金の加入員であつた期間に係る第一項において読み替えられた平成二十五年改正法附則第五条第一項の規定によりなおその効力を有するものとされた平成二十五年改正法第一条の規定による改正前の第百三十二条第二項に規定する額（以下この項において「当該基金の代行部分の額」という。）から、調整後の支給停止基準額（前条第一項（同条第五項において準用する場合を含む。）の規定による調整後の支給停止基準額をいう。次条第三項において同じ。）から当該老齢厚生年金の額を控除して得た額に当該基金の代行部分の額を基金に加入しなかつた場合の老齢厚生年金の額から老齢厚生年金の額を控除して得た額（以下この項及び次条において「代行部分の総額」という。）で除して得た率を乗じて得た額（次項において「在職支給停止がある者の支給停止額」という。）を控除して得た額

二　前項第二号に該当するとき　当該基金の代行部分の額から、調整額（前条第二項（同条第五項において準用する場合を含む。）の規定による調整額をいう。次条第四項において同じ。）から当該老齢厚生年金の額を控除して得た額に当該基金の代行部分の額を代行部分の総額で除して得た率を乗じて得た額（次項において「在職支給停止がない者の支給停止額」という。）を控除して得た額

6　在職支給停止がある者の支給停止額及び在職支給停止がない者の支給停止額を計算する場合において生じる一円未満の端数の処理については、政令で定める。

第七条の七　附則第七条の三第三項の規定による老齢厚生年金の受給権者である解散基金加入員（平成二十五年改正法附則第三十八条第一項の規定によりなおその効力を有するものとされた平成二十五年改正法第一条の規定による改正前の第百四十九条第一項に規定する解散基金加入員をいう。以下同じ。）に平成二十五年改正法附則第三条第十三号に規定する存続連合会（以下「存続連合会」という。）が平成二十五年改正法附則第六十一条第三項の規定によりなおその効力を有するものとされた平成二十五年改正法第一条の規定による改正前の第百六十一条第二項の規定により支給する老齢年金給付（以下「解散基金に係る老齢年金給付」という。）については、平成二十五年改正法附則第六十一条第三項の規定によりなおその効力を有するものとされた平成二十五年改正法第一条の規定による改正前の第百六十一条第三項中「係る第百三十二条第二項」とあるのは「係る附則第七条の六第一項において読み替えられた公的年金制度の健全性及び信頼性の確保のための厚生年金保険法等の一部を改正する法律（平成二十五年法律第六十三号）附則第五条第一項の規定によりなおその効力を有するものとされた同法第一条の規定による改正前の第百三十二条第二項」と、「、第百三十二条第二項」とあるのは「、附則第七条の六第一項において読み替えられた同法附則第五条第一項の規定によりなおその効力を有するものとされた同法第一条の規定による改正前の第百三十二条第二項」とする。

2　附則第七条の四の規定は、附則第七条の三第三項の規定による老齢厚生年金の受給権者が解散基金に係る老齢年金給付の受給権を有する者である場合に係る当該解散基金に係る老齢年金給付（平成二十五年改正法附則第六十一条第三項の規定によりなおその効力を有するものとされた平成二十五年改正法第一条の規定による改正前の第百六十一条第五項の規定により加算された額に相当する部分を除く。以下この条において「解散基金に係る代行部分」という。）について準用する。この場合において、附則第七条の四第一項から第三項までの規定中「受給権者」とあるのは、「受給権を有する者」と読み替えるものとする。

3　附則第七条の三第三項の規定による老齢厚生年金（第一号厚生年金被保険者期間又は第四号厚生年金被保険者期間に基づく

ものに限る。）の受給権者が解散基金に係る老齢年金給付の受給権を有する者である場合であつて、附則第七条の五第一項（同条第五項において準用する場合を含む。）の規定により当該老齢厚生年金がその全額につき支給を停止されているときは、解散基金に係る代行部分について、調整後の支給停止基準額から当該老齢厚生年金の額を控除して得た額に解散基金に係る代行部分の額を代行部分の総額で除して得た率を乗じて得た額（第五項において「在職支給停止がある者の支給停止額」という。）に相当する部分（その額が解散基金に係る代行部分の額以上であるときは、解散基金に係る代行部分の全部）の支給を停止する。

4 附則第七条の三第三項の規定による老齢厚生年金（第一号厚生年金被保険者期間又は第四号厚生年金被保険者期間に基づくものに限る。）の受給権者が解散基金に係る老齢年金給付の受給権を有する者である場合であつて、附則第七条の五第二項（同条第五項において準用する場合を含む。）の規定により当該老齢厚生年金がその全額につき支給を停止されているときは、解散基金に係る代行部分について、調整額から当該老齢厚生年金の額を控除して得た額に解散基金に係る代行部分の額を代行部分の総額で除して得た率を乗じて得た額（次項において「在職支給停止がない者の支給停止額」という。）に相当する部分（その額が解散基金に係る代行部分の額以上であるときは、解散基金に係る代行部分の全部）の支給を停止する。

5 在職支給停止がある者の支給停止額及び在職支給停止がない者の支給停止額を計算する場合において生じる一円未満の端数の処理については、政令で定める。

（老齢厚生年金の特例）

第八条 当分の間、六十五歳未満の者（附則第七条の三第一項各号に掲げる者を除く。）が、次の各号のいずれにも該当するに至つたときは、その者に老齢厚生年金を支給する。

一 六十歳以上であること。

二 一年以上の被保険者期間を有すること。

三 第四十二条第二号に該当すること。

（特例による老齢厚生年金の支給開始年齢の特例）

第八条の二 男子又は女子（第二号厚生年金被保険者であり、若しくは第二号厚生年金被保険者期間を有する者、第三号厚生年金被保険者であり、若しくは第三号厚生年金被保険者期間を有する者又は第四号厚生年金被保険者であり、若しくは第四号厚生年金被保険者期間を有する者に限る。）であつて次の表の上欄に掲げる者（第三項及び第四項に規定する者を除く。）について前条の規定を適用する場合においては、同条第一号中「六十歳」とあるのは、それぞれ同表の下欄に掲げる字句に読み替えるものとする。

昭和二十八年四月二日から昭和三十年四月一日までの間に生まれた者	六十一歳
昭和三十年四月二日から昭和三十二年四月一日までの間に生まれた者	六十二歳
昭和三十二年四月二日から昭和三十四年四月一日までの間に生まれた者	六十三歳
昭和三十四年四月二日から昭和三十六年四月一日までの間に生まれた者	六十四歳

2 女子（第一号厚生年金被保険者であり、又は第一号厚生年金被保険者期間を有する者に限る。）であつて次の表の上欄に掲げる者（次項及び第四項に規定する者を除く。）について前条の規定を適用する場合においては、同条第一号中「六十歳」とあるのは、それぞれ同表の下欄に掲げる字句に読み替えるものとする。

昭和三十三年四月二日から昭和三十五年四月一日までの間に生まれた者	六十一歳
昭和三十五年四月二日から昭和三十七年四月一日までの間に生まれた者	六十二歳
昭和三十七年四月二日から昭和三十九年四月一日までの間に生まれた者	六十三歳
昭和三十九年四月二日から昭和四十一年四月一日までの間に生まれた者	六十四歳

3 坑内員たる被保険者であつた期間と船員たる被保険者であつた期間とを合算した期間が十五年以上である者であつて、次の表の上欄に掲げるもの（次項に規定する者を除く。）について前条の規定を適用する場合においては、同条第一号中「六十歳」とあるのはそれぞれ同表の下欄に掲げる字句に、同条第二号中「一年以上の被保険者期間を有する」とあるのは「坑内員たる被保険者であつた期間と船員たる被保険者であつた期間とを合算した期間が十五年以上である」と読み替えるものとする。

昭和三十三年四月二日から昭和三十五年四月一日までの間に生まれた者	六十一歳
昭和三十五年四月二日から昭和三十七年四月一日までの間に生まれた者	六十二歳
昭和三十七年四月二日から昭和三十九年四月一日までの間に生まれた者	六十三歳
昭和三十九年四月二日から昭和四十一年四月一日までの間に生まれた者	六十四歳

4 特定警察職員等である者であつて次の表の上欄に掲げるものについて前条の規定を適用する場合においては、同条第一号中「六十歳」とあるのは、それぞれ同表の下欄に掲げる字句に読み替えるものとする。

昭和三十四年四月二日から昭和三十六年四月一日までの間に生まれた者	六十一歳

昭和三十六年四月二日から昭和三十八年四月一日までの間に生まれた者	六十二歳
昭和三十八年四月二日から昭和四十年四月一日までの間に生まれた者	六十三歳
昭和四十年四月二日から昭和四十二年四月一日までの間に生まれた者	六十四歳

（特例による老齢厚生年金の額の計算等の特例）

第九条　第四十三条第二項及び第四十四条の規定は、附則第八条の規定による老齢厚生年金の額については、適用しない。

第九条の二　附則第八条の規定による老齢厚生年金（第四十三条第一項及び前条の規定によりその額が計算されているものに限る。）の受給権者（第五項において「老齢厚生年金の受給権者」という。）が、被保険者でなく、かつ、傷病により障害等級に該当する程度の障害の状態（以下この項、第四項、第五項、次条第五項、附則第九条の四第六項並びに第十三条の五第一項及び第五項において「障害状態」という。）にあるとき（その傷病が治らない場合（その症状が固定し治療の効果が期待できない状態にある場合を除く。）にあつては、その傷病に係る初診日から起算して一年六月を経過した日以後においてその傷病により障害状態にあるとき。第五項及び附則第十三条の五第一項において同じ。）は、その者は、老齢厚生年金の額の計算に係る特例の適用を請求することができる。

2　前項の請求があつたときは、当該請求に係る老齢厚生年金の額は、第四十三条第一項の規定にかかわらず、次の各号に掲げる額を合算した額とするものとし、当該請求があつた月の翌月から、年金の額を改定する。

一　千六百二十八円に国民年金法第二十七条に規定する改定率（以下「改定率」という。）を乗じて得た額（その額に五十銭未満の端数が生じたときは、これを切り捨て、五十銭以上一円未満の端数が生じたときは、これを一円に切り上げるものとする。）に被保険者期間の月数（当該月数が四百八十を超えるときは、四百八十とする。）を乗じて得た額

二　被保険者であつた全期間の平均標準報酬額の千分の五・四八一に相当する額に被保険者期間の月数を乗じて得た額

3　第四十四条及び平成二十五年改正法附則第八十六条第一項の規定によりなおその効力を有するものとされた平成二十五年改正法第一条の規定による改正前の第四十四条の二の規定は、前項の規定により老齢厚生年金の額を改定する場合に準用する。この場合において、第四十四条第一項中「受給権者がその権利を取得した当時（その権利を取得した当時」とあるのは「受給権者から附則第九条の二第一項の請求があつた当時（当該請求があつた当時」と、「第四十三条第二項又は第三項」とあるのは「第四十三条第三項」と、「第四十三条の規定」とあるのは「附則第九条及び第九条の二第二項の規定」と、「同条」とあるのは「これらの規定」と、同条第三項中「受給権者がその権利を取得した当時胎児」とあるのは「受給権者から附則第九条の二第一項の請求があつた当時胎児」と、「、受給権者がその権利を取得した当時」とあるのは「、受給権者から同条第一項の請求があつた当時」と、平成二十五年改正法附則第八十六条第一項の規定によりなおその効力を有するものとされた平成二十五年改正法第一条の規定による改正前の第四十四条の二第一項中「第四十三条第一項に規定する額」とあるのは「附則第九条の二第二項第二号に規定する額」と、「同項に定める額から」とあるのは「同号に定める額（以下この条において「報酬比例部分の額」という。）から」と、「第百三十二条第二項」とあるのは「国民年金法等の一部を改正する法律（昭和六十年法律第三十四号。以下「昭和六十年改正法」という。）附則第八十二条第一項若しくは第八十三条の二第一項、昭和六十年改正法附則第八十三条第一項の規定によりなおその効力を有するものとされた昭和六十年改正法第三条の規定による改正前の第百三十二条第二項、国民年金法等の一部を改正する法律（平成十二年法律第十八号。以下「平成十二年改正法」という。）附則第九条第一項の規定によりなおその効力を有するものとされた平成十二年改正法第四条の規定による改正前の第百三十二条第二項若しくは平成十二年改正法第十三条の規定による改正前の昭和六十年改正法附則第八十二条第一項、平成十二年改正法附則第二十三条第一項若しくは第二十四条第一項又は公的年金制度の健全性及び信頼性の確保のための厚生年金保険法等の一部を改正する法律（平成二十五年法律第六十三号）附則第五条第一項の規定によりなおその効力を有するものとされた同法第一条の規定による改正前の第百三十二条第二項」と、「第四十三条第一項に定める額」とあるのは「報酬比例部分の額」と、「同項に定める額」とあるのは「報酬比例部分の額」と読み替えるものとする。

4　前三項の規定によりその額が計算されている附則第八条の規定による老齢厚生年金の受給権者が、障害状態に該当しなくなつたときは、前三項の規定にかかわらず、第四十三条第一項の規定により当該老齢厚生年金の額を計算するものとし、障害状態に該当しなくなつた月の翌月から、年金の額を改定する。ただし、障害状態に該当しなくなつた当時、次の各号のいずれかに該当した場合においては、この限りでない。

一　当該老齢厚生年金の額の計算の基礎となる被保険者期間が四十四年以上であること。

二　当該老齢厚生年金が、附則第十一条の三第三項の規定により、附則第十一条の二、第十一条の三第一項及び第二項、第十一条の四、第十一条の六、第十三条第二項から第四項まで並びに第十三条の二の規定の適用について、附則第十一条の三第一項に規定する坑内員・船員の老齢厚生年金とみなされているものであること。

5　老齢厚生年金の受給権者又は老齢厚生年金の受給権者であつた者が、次の各号のいずれかに該当するときは、第一項の規定にかかわらず、同項の規定による請求をすることができる。この場合において、当該各号に規定する日に同項の規定による請求があつたものとみなす。

一　老齢厚生年金の受給権者となつた日において、被保険者でなく、かつ、障害状態にあるとき（障害厚生年金その他の障害を支給事由とする年金たる給付であつて政令で定めるもの（次号及び第三号において「障害厚生年金等」という。）を受けることができるときに限る。）。

二　障害厚生年金等を受けることができることとなつた日において、老齢厚生年金の受給権者であつて、かつ、被保険者で

ないとき。

三　被保険者の資格を喪失した日（引き続き被保険者であつた場合には、引き続く被保険者の資格を喪失した日）において、老齢厚生年金の受給権者であつて、かつ、障害状態にあるとき（障害厚生年金等を受けることができるときに限る。）。

第九条の三　附則第八条の規定による老齢厚生年金の受給権者が、その権利を取得した当時、被保険者でなく、かつ、その者の被保険者期間が四十四年以上であるとき（次条第一項の規定が適用される場合を除く。）は、当該老齢厚生年金の額は、第四十三条第一項の規定にかかわらず、前条第二項の規定の例により計算する。

2　第四十四条及び平成二十五年改正法附則第八十六条第一項の規定によりなおその効力を有するものとされた平成二十五年改正法第一条の規定による改正前の第四十四条の二の規定は、附則第八条の規定による老齢厚生年金の額について前項の規定を適用する場合に準用する。この場合において、第四十四条第一項中「当時（その権利を取得した当時、当該老齢厚生年金の額の計算の基礎となる被保険者期間の月数が二百四十未満であつたときは、第四十三条第二項又は第三項の規定により当該月数が二百四十以上となるに至つた当時。第三項において同じ。）」とあるのは「当時」と、「第四十三条の規定」とあるのは「附則第九条及び第九条の三第一項においてその例によるものとされた附則第九条の二第二項の規定」と、「同条」とあるのは「これらの規定」と、平成二十五年改正法附則第八十六条第一項の規定によりなおその効力を有するものとされた平成二十五年改正法第一条の規定による改正前の第四十四条の二第一項中「第四十三条第一項に規定する額」とあるのは「附則第九条の二第二項第二号に規定する額」と、「同項に定める額から」とあるのは「同号に定める額（以下この条において「報酬比例部分の額」という。）から」と、「第百三十二条第二項」とあるのは「国民年金法等の一部を改正する法律（昭和六十年法律第三十四号。以下「昭和六十年改正法」という。）附則第八十二条第一項若しくは第八十三条の二第一項、昭和六十年改正法附則第八十三条第一項の規定によりなおその効力を有するものとされた昭和六十年改正法第三条の規定による改正前の第百三十二条第二項、国民年金法等の一部を改正する法律（平成十二年法律第十八号。以下「平成十二年改正法」という。）附則第九条第一項の規定によりなおその効力を有するものとされた平成十二年改正法第四条の規定による改正前の第百三十二条第二項若しくは平成十二年改正法第十三条の規定による改正前の昭和六十年改正法附則第八十二条第一項、平成十二年改正法附則第二十三条第一項若しくは第二十四条第一項又は公的年金制度の健全性及び信頼性の確保のための厚生年金保険法等の一部を改正する法律（平成二十五年法律第六十三号）附則第五条第一項の規定によりなおその効力を有するものとされた同法第一条の規定による改正前の第百三十二条第二項」と、「第四十三条第一項に定める額」とあるのは「報酬比例部分の額」と、「同項に定める額」とあるのは「報酬比例部分の額」と読み替えるものとする。

3　被保険者である附則第八条の規定による老齢厚生年金（第四十三条第一項及び附則第九条の規定によりその額が計算されているものに限る。）の受給権者（被保険者期間が四十四年以上である者に限る。）が、被保険者の資格を喪失した場合において、第四十三条第三項の規定を適用するとき（次条第四項の規定が適用される場合を除く。）は、第四十三条第一項の規定にかかわらず、前条第二項の規定の例により老齢厚生年金の額を計算し、年金の額を改定する。

4　第四十四条及び平成二十五年改正法附則第八十六条第一項の規定によりなおその効力を有するものとされた平成二十五年改正法第一条の規定による改正前の第四十四条の二の規定は、前項の規定により老齢厚生年金の額を改定する場合に準用する。この場合において、第四十四条第一項中「その権利を取得した当時（その権利を取得した当時、当該老齢厚生年金の額の計算の基礎となる被保険者期間の月数が二百四十未満であつたときは、第四十三条第二項又は第三項の規定により当該月数が二百四十以上となるに至つた当時。第三項において同じ。）」とあるのは「附則第九条の三第三項の規定による老齢厚生年金の額の改定に係る被保険者の資格を喪失した日（第十四条第二号から第四号までのいずれかに該当するに至つた日にあつては、その日）から起算して一月を経過した当時」と、「第四十三条の規定」とあるのは「附則第九条及び第九条の三第三項においてその例によるものとされた附則第九条の二第二項の規定」と、「同条」とあるのは「これらの規定」と、同条第三項中「その権利を取得した当時」とあるのは「附則第九条の三第三項の規定による老齢厚生年金の額の改定に係る被保険者の資格を喪失した日（第十四条第二号から第四号までのいずれかに該当するに至つた日にあつては、その日）から起算して一月を経過した当時」と、平成二十五年改正法附則第八十六条第一項の規定によりなおその効力を有するものとされた平成二十五年改正法第一条の規定による改正前の第四十四条の二第一項中「第四十三条第一項に規定する額」とあるのは「附則第九条の二第二項第二号に規定する額」と、「同項に定める額から」とあるのは「同号に定める額（以下この条において「報酬比例部分の額」という。）から」と、「第百三十二条第二項」とあるのは「国民年金法等の一部を改正する法律（昭和六十年法律第三十四号。以下「昭和六十年改正法」という。）附則第八十二条第一項若しくは第八十三条の二第一項、昭和六十年改正法附則第八十三条第一項の規定によりなおその効力を有するものとされた昭和六十年改正法第三条の規定による改正前の第百三十二条第二項、国民年金法等の一部を改正する法律（平成十二年法律第十八号。以下「平成十二年改正法」という。）附則第九条第一項の規定によりなおその効力を有するものとされた平成十二年改正法第四条の規定による改正前の第百三十二条第二項若しくは平成十二年改正法第十三条の規定による改正前の昭和六十年改正法附則第八十二条第一項、平成十二年改正法附則第二十三条第一項若しくは第二十四条第一項又は公的年金制度の健全性及び信頼性の確保のための厚生年金保険法等の一部を改正する法律（平成二十五年法律第六十三号）附則第五条第一項の規定によりなおその効力を有するものとされた同法第一条の規定による改正前の第百三十二条第二項」と、「第四十三条第一項に定める額」とあるのは「報酬比例部分の額」と、「同項に定める額」とあるのは「報酬比例部分の額」と読み替えるものとする。

5　前条第四項本文に規定する場合において、当該受給権者（被保険者期間が四十四年以上である者であつて、その者に係る老齢厚生年金が同項各号のいずれにも該当しないものであるものに限る。）が障害状態に該当しなくなつた後、当該障害状態に該当しなくなつた月以前における被保険者の資格の喪失により第四十三条第三項の規定を適用するとき（次条第六項の規定が適用される場合を除く。）は、前二項の規定の例により、年金の額を改定するものとする。

第九条の四　附則第八条の規定による老齢厚生年金の受給権者がその権利を取得した当時、その者に係る坑内員たる被保険者であつた期間と船員たる被保険者であつた期間とを合算した期間が十五年以上であるときは、当該老齢厚生年金の額は、第四十三条第一項の規定にかかわらず、附則第九条の二第二項の規定の例により計算する。

2　前項に規定する坑内員たる被保険者であつた期間又は船員たる被保険者であつた期間の計算については、平成二十五年改正法附則第三条第十二号に規定する厚生年金基金（以下「厚生年金基金」という。）の加入員であつた期間に係る被保険者期間の計算の例による。

3　第四十四条及び平成二十五年改正法附則第八十六条第一項の規定によりなおその効力を有するものとされた平成二十五年改正法第一条の規定による改正前の第四十四条の二の規定は、附則第八条の規定による老齢厚生年金の額について第一項の規定を適用する場合に準用する。この場合において、第四十四条第一項中「第四十三条第二項又は第三項」とあるのは「第四十三条第三項」と、「第四十三条の規定」とあるのは「附則第九条及び第九条の四第一項においてその例によるものとされた附則第九条の二第二項の規定」と、「同条」とあるのは「これらの規定」と、平成二十五年改正法附則第八十六条第一項の規定によりなおその効力を有するものとされた平成二十五年改正法第一条の規定による改正前の第四十四条の二第一項中「第四十三条第一項に規定する額」とあるのは「附則第九条の二第二項第二号に規定する額」と、「同項に定める額から」とあるのは「同号に定める額（以下この条において「報酬比例部分の額」という。）から」と、「第百三十二条第二項」とあるのは「国民年金法等の一部を改正する法律（昭和六十年法律第三十四号。以下「昭和六十年改正法」という。）附則第八十二条第一項若しくは第八十三条の二第一項、昭和六十年改正法附則第八十三条第一項の規定によりなおその効力を有するものとされた昭和六十年改正法第三条の規定による改正前の第百三十二条第二項、国民年金法等の一部を改正する法律（平成十二年法律第十八号。以下「平成十二年改正法」という。）附則第九条第一項の規定によりなおその効力を有するものとされた平成十二年改正法第四条の規定による改正前の第百三十二条第二項若しくは平成十二年改正法第十三条の規定による改正前の昭和六十年改正法附則第八十二条第一項、平成十二年改正法附則第二十三条第一項若しくは第二十四条第一項又は公的年金制度の健全性及び信頼性の確保のための厚生年金保険法等の一部を改正する法律（平成二十五年法律第六十三号）附則第五条第一項の規定によりなおその効力を有するものとされた同法第一条の規定による改正前の第百三十二条第二項」と、「第四十三条第一項に定める額」とあるのは「報酬比例部分の額」と、「同項に定める額」とあるのは「報酬比例部分の額」と読み替えるものとする。

4　被保険者である附則第八条の規定による老齢厚生年金（第四十三条第一項及び附則第九条の規定によりその額が計算されているものに限る。）の受給権者（坑内員たる被保険者であつた期間と船員たる被保険者であつた期間とを合算した期間が十五年以上である者に限る。）が、被保険者の資格を喪失した場合において、第四十三条第三項の規定を適用するときは、同条第一項の規定にかかわらず、附則第九条の二第二項の規定の例により老齢厚生年金の額を計算し、年金の額を改定する。

5　第四十四条及び平成二十五年改正法附則第八十六条第一項の規定によりなおその効力を有するものとされた平成二十五年改正法第一条の規定による改正前の第四十四条の二の規定は、前項の規定により老齢厚生年金の額を改定する場合に準用する。この場合において、第四十四条第一項中「その権利を取得した当時」とあるのは「附則第九条の四第四項の規定による老齢厚生年金の額の改定に係る被保険者の資格を喪失した日（第十四条第二号から第四号までのいずれかに該当するに至つた日にあつては、その日）から起算して一月を経過した当時（当該一月を経過した当時」と、「第四十三条第二項又は第三項」とあるのは「第四十三条第三項」と、「第四十三条の規定」とあるのは「附則第九条及び附則第九条の四第四項においてその例によるものとされた附則第九条の二第二項の規定」と、「同条」とあるのは「これらの規定」と、同条第三項中「その権利を取得した当時」とあるのは「附則第九条の四第四項の規定による老齢厚生年金の額の改定に係る被保険者の資格を喪失した日（第十四条第二号から第四号までのいずれかに該当するに至つた日にあつては、その日）から起算して一月を経過した当時」と、平成二十五年改正法附則第八十六条第一項の規定によりなおその効力を有するものとされた平成二十五年改正法第一条の規定による改正前の第四十四条の二第一項中「第四十三条第一項に規定する額」とあるのは「附則第九条の二第二項第二号に規定する額」と、「同項に定める額から」とあるのは「同号に定める額（以下この条において「報酬比例部分の額」という。）から」と、「第百三十二条第二項」とあるのは「国民年金法等の一部を改正する法律（昭和六十年法律第三十四号。以下「昭和六十年改正法」という。）附則第八十二条第一項若しくは第八十三条の二第一項、昭和六十年改正法附則第八十三条第一項の規定によりなおその効力を有するものとされた昭和六十年改正法第三条の規定による改正前の第百三十二条第二項、国民年金法等の一部を改正する法律（平成十二年法律第十八号。以下「平成十二年改正法」という。）附則第九条第一項の規定によりなおその効力を有するものとされた平成十二年改正法第四条の規定による改正前の第百三十二条第二項若しくは平成十二年改正法第十三条の規定による改正前の昭和六十年改正法附則第八十二条第一項、平成十二年改正法附則第二十三条第一項若しくは第二十四条第一項又は公的年金制度の健全性及び信頼性の確保のための厚生年金保険法等の一部を改正する法律（平成二十五年法律第六十三号）附則第五条第一項の規定によりなおその効力を有するものとされた同法第一条の規定による改正前の第百三十二条第二項」と、「第四十三条第一項に定める額」とあるのは「報酬比例部分の額」と、「同項に定める額」とあるのは「報酬比例部分の額」と読み替えるものとする。

6　附則第九条の二第四項本文に規定する場合において、当該受給権者（坑内員たる被保険者であつた期間と船員たる被保険者であつた期間とを合算した期間が十五年以上である者であつて、その者に係る老齢厚生年金が同項各号のいずれにも該当しないものであるものに限る。）が障害状態に該当しなくなつた後、障害状態に該当しなくなつた月以前における被保険者の資格の喪失により第四十三条第三項の規定を適用するときは、前二項の規定の例により、年金の額を改定するものとする。

第十条　附則第八条の規定による老齢厚生年金の受給権は、第四十五条の規定により消滅するほか、受給権者が六十五歳に達したときに消滅する。

第十条の二　第四十六条第一項及び平成二十五年改正法附則第八十六条第一項の規定によりなおその効力を有するものとされた平成二十五年改正法第一条の規定による改正前の第四十六条第五項の規定は、附則第八条の規定による老齢厚生年金については、適用しない。

第十一条　附則第八条の規定による老齢厚生年金（第四十三条第一項及び附則第九条の規定によりその額が計算されているものに限る。次項において同じ。）の受給権者が被保険者である日又は国会議員若しくは地方公共団体の議会の議員（前月以前の月に属する日から引き続き当該国会議員又は地方公共団体の議会の議員である者に限る。）である日（次条第一項及び第二項並びに附則第十一条の三第一項、第十一条の四第一項及び第二項、第十三条の五第六項並びに第十三条の六第一項において「被保険者等である日」という。）が属する月において、その者の総報酬月額相当額と老齢厚生年金の額を十二で除して得た額（以下この項において「基本月額」という。）との合計額が第四十六条第三項に規定する支給停止調整額（以下「支給停止調整額」という。）を超えるときは、その月の分の当該老齢厚生年金について、総報酬月額相当額と基本月額との合計額から支給停止調整額を控除して得た額の二分の一に相当する額に十二を乗じて得た額（以下この項において「支給停止基準額」という。）に相当する部分の支給を停止する。ただし、支給停止基準額が老齢厚生年金の額以上であるときは、老齢厚生年金の全部の支給を停止するものとする。

2　被保険者であつた期間の全部又は一部が厚生年金基金の加入員であつた期間である者に支給する附則第八条の規定による老齢厚生年金については、前項中「老齢厚生年金の額を」とあるのは、「平成二十五年改正法附則第八十六条第一項の規定によりなおその効力を有するものとされた平成二十五年改正法第一条の規定による改正前の第四十四条の二第一項の規定の適用がないものとして計算した老齢厚生年金の額を」とする。

第十一条の二　附則第八条の規定による老齢厚生年金（附則第九条及び第九条の二第一項から第三項まで又は第九条の三の規定によりその額が計算されているものに限る。以下「障害者・長期加入者の老齢厚生年金」という。）の受給権者が被保険者等である日が属する月において、その者の総報酬月額相当額と当該老齢厚生年金に係る附則第九条の二第二項第二号に規定する額（第四項において「報酬比例部分の額」という。）を十二で除して得た額（次項において「基本月額」という。）との合計額が支給停止調整額以下であるときは、その月の分の当該老齢厚生年金について、当該老齢厚生年金に係る附則第九条の二第二項第一号に規定する額（当該老齢厚生年金について、同条第三項又は附則第九条の三第二項若しくは第四項（同条第五項においてその例による場合を含む。）において準用する第四十四条第一項に規定する加給年金額（以下この項において単に「加給年金額」という。）が加算されているときは、当該附則第九条の二第二項第一号に規定する額に加給年金額を加えた額。次項において「基本支給停止額」という。）に相当する部分の支給を停止する。

2　障害者・長期加入者の老齢厚生年金の受給権者が被保険者等である日が属する月において、その者の総報酬月額相当額と基本月額との合計額が支給停止調整額を超えるときは、その月の分の当該老齢厚生年金について、基本支給停止額と総報酬月額相当額及び基本月額の合計額から支給停止調整額を控除して得た額の二分の一に相当する額に十二を乗じて得た額との合計額（以下この項において「支給停止基準額」という。）に相当する部分の支給を停止する。ただし、支給停止基準額が老齢厚生年金の額以上であるときは、老齢厚生年金の全部の支給を停止するものとする。

3　被保険者であつた期間の全部又は一部が厚生年金基金の加入員であつた期間である者に支給する障害者・長期加入者の老齢厚生年金については、第一項中「当該老齢厚生年金に係る附則第九条の二第二項第二号に規定する額（第四項において「報酬比例部分の額」という。）」とあるのは「附則第九条の二第三項又は第九条の三第二項若しくは第四項（同条第五項においてその例による場合を含む。）において準用する平成二十五年改正法附則第八十六条第一項の規定によりなおその効力を有するものとされた平成二十五年改正法第一条の規定による改正前の第四十四条の二第一項の規定の適用がないものとして計算した当該老齢厚生年金に係る附則第九条の二第二項第二号に規定する額（第四項において「基金に加入しなかつた場合の報酬比例部分の額」という。）」とする。

4　第一項に規定する報酬比例部分の額及び附則第九条の二第二項第一号に規定する額並びに前項において読み替えられた第一項に規定する基金に加入しなかつた場合の報酬比例部分の額を計算する場合において生じる一円未満の端数の処理については、政令で定める。

第十一条の三　附則第八条の規定による老齢厚生年金（附則第九条及び第九条の四の規定によりその額が計算されているものに限る。以下「坑内員・船員の老齢厚生年金」という。）の受給権者が被保険者等である日が属する月において、その者の総報酬月額相当額と老齢厚生年金の額（附則第九条の四第三項又は第五項（同条第六項においてその例による場合を含む。）において準用する第四十四条第一項に規定する加給年金額を除く。以下この項において同じ。）を十二で除して得た額（以下この項において「基本月額」という。）との合計額が支給停止調整額を超えるときは、その月の分の当該老齢厚生年金について、総報酬月額相当額と基本月額との合計額から支給停止調整額を控除して得た額の二分の一に相当する額に十二を乗じて得た額（以下この項において「支給停止基準額」という。）に相当する部分の支給を停止する。ただし、支給停止基準額が老齢厚生年金の額以上であるときは、老齢厚生年金の全部の支給を停止するものとする。

2　被保険者であつた期間の全部又は一部が厚生年金基金の加入

員であつた期間である者に支給する坑内員・船員の老齢厚生年金については、前項中「総報酬月額相当額と老齢厚生年金の額」とあるのは「総報酬月額相当額と附則第九条の四第三項又は第五項（同条第六項においてその例による場合を含む。）において準用する平成二十五年改正法附則第八十六条第一項の規定によりなおその効力を有するものとされた平成二十五年改正法第一条の規定による改正前の第四十四条の二第一項の規定の適用がないものとして計算した老齢厚生年金の額」と、「加給年金額を除く。以下この項において同じ」とあるのは「加給年金額（以下この項において単に「加給年金額」という。）を除く。以下この項において「基金に加入しなかつた場合の老齢厚生年金の額」という」と、「老齢厚生年金の額以上」とあるのは「老齢厚生年金の額（加給年金額を除く。）以上」と、「全部」とあるのは「全部（支給停止基準額が、基金に加入しなかつた場合の老齢厚生年金の額に満たないときは、加給年金額を除く。）」とする。

3　被保険者である障害者・長期加入者の老齢厚生年金の受給権者（坑内員たる被保険者であつた期間と船員たる被保険者であつた期間とを合算した期間が十五年以上である者に限る。）が被保険者の資格を喪失した場合において、第四十三条第三項の規定による年金の額の改定が行われたときは、当該改定が行われた月以後においては、当該老齢厚生年金は、前条、前二項、次条、附則第十一条の六、第十三条第二項から第四項まで及び第十三条の二の規定の適用については、坑内員・船員の老齢厚生年金とみなす。この場合において、これらの規定の適用に関し必要な技術的読替えは、政令で定める。

第十一条の四　障害者・長期加入者の老齢厚生年金又は坑内員・船員の老齢厚生年金は、その受給権者が国民年金法による老齢基礎年金の支給を受けることができる月（その者が当該老齢基礎年金の受給権を取得した月及びその者が被保険者等である日が属する月を除く。）においては、当該老齢厚生年金に係る附則第九条の二第二項第一号に規定する額に相当する部分の支給を停止する。

2　坑内員・船員の老齢厚生年金の受給権者であつて国民年金法による老齢基礎年金の支給を受けることができるものが被保険者等である日が属する月（その者が当該老齢基礎年金の受給権を取得した月を除く。）においては、前条の規定にかかわらず、その月の分の当該老齢厚生年金について、当該老齢厚生年金に係る附則第九条の二第二項第二号に規定する額（当該老齢厚生年金について、附則第九条の四第三項又は第五項（同条第六項においてその例による場合を含む。）において準用する第四十四条第一項に規定する加給年金額が加算されているときは、当該加給年金額を含む。以下この項において「報酬比例部分等の額」という。）につき前条の規定を適用して計算した場合におけるその支給が停止される部分の額と当該老齢厚生年金に係る附則第九条の二第二項第一号に規定する額との合計額に相当する部分（報酬比例部分等の額につき前条の規定を適用して計算した場合において、報酬比例部分等の額の全額につき支給が停止されるときは、当該老齢厚生年金の全部）の支給を停止するものとする。

3　第一項に規定する附則第九条の二第二項第一号に規定する額並びに前項に規定する同条第二項第二号に規定する額及び同項第一号に規定する額を計算する場合において生じる一円未満の端数の処理については、政令で定める。

第十一条の五　附則第七条の四の規定は、附則第八条の規定による老齢厚生年金について準用する。この場合において、附則第七条の四第二項第二号中「第四十六条第一項及び平成二十五年改正法附則第八十六条第一項の規定によりなおその効力を有するものとされた平成二十五年改正法第一条の規定による改正前の第四十六条第五項」とあるのは、「附則第十一条から第十一条の三まで又は第十一条の四第二項及び第三項」と読み替えるものとする。

第十一条の六　附則第八条の規定による老齢厚生年金（第四十三条第一項、附則第九条の二第一項から第三項まで又は附則第九条の三及び附則第九条の規定によりその額が計算されているものに限る。）の受給権者が被保険者である日が属する月について、その者が高年齢雇用継続基本給付金の支給を受けることができるときは、附則第十一条及び第十一条の二の規定にかかわらず、その月の分の当該老齢厚生年金について、次の各号に掲げる場合に応じ、それぞれ当該老齢厚生年金につき附則第十一条又は第十一条の二の規定を適用した場合におけるこれらの規定による支給停止基準額と当該各号に定める額（その額に四分の十を乗じて得た額に当該受給権者に係る標準報酬月額を加えた額が支給限度額を超えるときは、支給限度額から当該標準報酬月額を減じて得た額に十分の四を乗じて得た額）に十二を乗じて得た額（第七項において「調整額」という。）との合計額（以下この項において「調整後の支給停止基準額」という。）に相当する部分の支給を停止する。ただし、調整後の支給停止基準額が老齢厚生年金の額以上であるときは、老齢厚生年金の全部の支給を停止するものとする。

一　当該受給権者に係る標準報酬月額が、みなし賃金日額に三十を乗じて得た額の百分の六十四に相当する額未満であるとき　当該受給権者に係る標準報酬月額に百分の四を乗じて得た額

二　前号に該当しないとき　当該受給権者に係る標準報酬月額に、みなし賃金日額に三十を乗じて得た額に対する当該受給権者に係る標準報酬月額の割合が逓増する程度に応じ、百分の四から一定の割合で逓減するように厚生労働省令で定める率を乗じて得た額

2　坑内員・船員の老齢厚生年金の受給権者が被保険者である日が属する月について、その者が高年齢雇用継続基本給付金の支給を受けることができるときは、附則第十一条の三の規定にかかわらず、その月の分の当該老齢厚生年金について、前項各号に掲げる場合に応じ、それぞれ当該老齢厚生年金につき同条の規定を適用した場合における同条第一項の規定による支給停止基準額と前項各号に定める額（その額に四分の十を乗じて得た額に当該受給権者に係る標準報酬月額を加えた額が支給限度額を超えるときは、支給限度額から当該標準報酬月額を減じて得た額に十分の四を乗じて得た額）に十二を乗じて得た額（第七項において「坑内員・船員の調整額」という。）との合計額（以下この項において「調整後の支給停止基準額」という。）に相当する部分の支給を停止する。ただし、調整後の支給停止基準額が老齢厚生年金の額（附則第九条の四第三項又は第五項（同条第六項においてその例による場合を含む。）において準用する第四十四条第一項に規定する加給年金額（以下この条におい

て単に「加給年金額」という。）を除く。）以上であるときは、老齢厚生年金の全部の支給を停止するものとする。

3　被保険者であつた期間の全部又は一部が厚生年金基金の加入員であつた期間である者に支給する坑内員・船員の老齢厚生年金については、前項中「同条第一項」とあるのは「同条第二項において読み替えられた同条第一項」と、「全部」とあるのは「全部（調整後の支給停止基準額が、附則第九条の四第三項又は第五項（同条第六項においてその例による場合を含む。）において準用する平成二十五年改正法附則第八十六条第一項の規定によりなおその効力を有するものとされた平成二十五年改正法第一条の規定による改正前の第四十四条の二第一項の規定の適用がないものとして計算した老齢厚生年金の額（加給年金額を除く。）に満たないときは、加給年金額を除く。）」とする。

4　坑内員・船員の老齢厚生年金の受給権者（国民年金法による老齢基礎年金の支給を受けることができる者に限る。）が被保険者である日が属する月（その者が当該老齢基礎年金の受給権を取得した月を除く。）について、その者が高年齢雇用継続基本給付金の支給を受けることができるときは、前二項の規定にかかわらず、その月の分の当該老齢厚生年金について、第一項各号に掲げる場合に応じ、それぞれ当該老齢厚生年金につき附則第十一条の四第二項及び第三項の規定を適用した場合における支給停止基準額（同条第二項の規定により同項に規定する報酬比例部分等の額につき適用する場合における附則第十一条の三第一項の規定による支給停止基準額をいう。）に附則第十一条の四第二項に規定する附則第九条の二第二項第一号に規定する額を加えた額と第一項各号に定める額（その額に四分の十を乗じて得た額に当該受給権者に係る標準報酬月額を加えた額が支給限度額を超えるときは、支給限度額から当該標準報酬月額を減じて得た額に十分の四を乗じて得た額）に十二を乗じて得た額（第七項において「基礎年金を受給する坑内員・船員の調整額」という。）との合計額（以下この項において「調整後の支給停止基準額」という。）に相当する部分の支給を停止する。ただし、調整後の支給停止基準額が老齢厚生年金の額（加給年金額を除く。）以上であるときは、老齢厚生年金の全部の支給を停止するものとする。

5　被保険者であつた期間の全部又は一部が厚生年金基金の加入員であつた期間である者に支給する坑内員・船員の老齢厚生年金については、前項中「附則第十一条の三第一項」とあるのは「附則第十一条の三第二項において読み替えられた同条第一項」と、「全部」とあるのは「全部（調整後の支給停止基準額が、附則第九条の四第三項又は第五項（同条第六項においてその例による場合を含む。）において準用する平成二十五年改正法附則第八十六条第一項の規定によりなおその効力を有するものとされた平成二十五年改正法第一条の規定による改正前の第四十四条の二第一項の規定の適用がないものとして計算した老齢厚生年金の額（加給年金額を除く。）に満たないときは、加給年金額を除く。）」とする。

6　附則第八条の規定による老齢厚生年金については、次の各号のいずれかに該当するときは、前各項の規定は適用しない。

一　当該老齢厚生年金の受給権者に係る標準報酬月額がみなし賃金日額に三十を乗じて得た額の百分の七十五に相当する額以上であるとき。

二　当該老齢厚生年金の受給権者に係る標準報酬月額が支給限度額以上であるとき。

7　調整額、坑内員・船員の調整額及び基礎年金を受給する坑内員・船員の調整額を計算する場合において生じる一円未満の端数の処理については、政令で定める。

8　前各項の規定は、附則第八条の規定による老齢厚生年金の受給権者が被保険者である日が属する月について、その者が雇用保険法の規定による高年齢再就職給付金の支給を受けることができる場合について準用する。この場合において、第一項第一号中「みなし賃金日額」とあるのは「雇用保険法第六十一条の二第一項の賃金日額（以下この条において単に「賃金日額」という。）」と、同項第二号及び第六項第一号中「みなし賃金日額」とあるのは「賃金日額」と読み替えるものとする。

第十二条　第四十四条の三の規定は、附則第八条の規定による老齢厚生年金については、適用しない。

第十三条　附則第八条の規定による老齢厚生年金の受給権者に基金が支給する老齢年金給付は、当該老齢厚生年金の受給権の消滅理由（当該老齢厚生年金の受給権者が六十五歳に達したときを除く。）以外の理由によつて、その受給権を消滅させるものであつてはならない。

2　附則第八条の規定による老齢厚生年金（附則第十一条から第十一条の三まで、第十一条の四第二項及び第三項又は第十一条の六の規定によりその全額又は一部の支給が停止されているものに限る。以下この条において同じ。）の受給権者に基金が支給する老齢年金給付については、平成二十五年改正法附則第五条第一項の規定によりなおその効力を有するものとされた平成二十五年改正法第一条の規定による改正前の第百三十三条の規定は適用しない。

3　附則第八条の規定による老齢厚生年金（第一号厚生年金被保険者期間又は第四号厚生年金被保険者期間に基づくものに限る。）の受給権者に基金が支給する老齢年金給付は、当該老齢厚生年金がその全額につき支給を停止されている場合（次の各号のいずれかに該当する場合を除く。）を除いては、その支給を停止することができない。ただし、当該老齢年金給付の額のうち、平成二十五年改正法附則第五条第一項の規定によりなおその効力を有するものとされた平成二十五年改正法第一条の規定による改正前の第百三十二条第二項に規定する額を超える部分については、この限りでない。

一　当該老齢厚生年金が附則第十一条又は第十一条の二の規定によりその全額につき支給を停止されている場合であつて、支給停止基準額（附則第十一条第一項又は附則第十一条の二第二項の規定による支給停止基準額をいう。）が、平成二十五年改正法附則第八十六条第一項の規定によりなおその効力を有するものとされた平成二十五年改正法第一条の規定による改正前の第四十四条の二第一項（附則第九条の二第三項又は第九条の三第二項若しくは第四項（同条第五項においてその例による場合を含む。）において準用する場合を含む。）の規定の適用がないものとして計算した老齢厚生年金の額（以下この項及び次項において「老齢厚生年金の総額」という。）に満たないとき。

二　当該老齢厚生年金（附則第九条の四第三項又は第五項（同条第六項においてその例による場合を含む。）において準用する第四十四条第一項に規定する加給年金額（以下「坑内員・船員の加給年金額」という。）が加算されているものを除く。）が附則第十一条の三の規定によりその全額につき支給を停止されている場合であつて、支給停止基準額（附則第十一条の三第二項において読み替えられた同条第一項の規定による支給停止基準額をいう。）が、附則第九条の四第三項又は第五項（同条第六項においてその例による場合を含む。）において準用する平成二十五年改正法附則第八十六条第一項の規定によりなおその効力を有するものとされた平成二十五年改正法第一条の規定による改正前の第四十四条の二第一項の規定の適用がないものとして計算した老齢厚生年金の額（以下この項及び次項において「坑内員・船員の老齢厚生年金の総額」という。）に満たないとき。

三　当該老齢厚生年金（坑内員・船員の加給年金額が加算されているものを除く。）が附則第十一条の四第二項及び第三項の規定によりその全額につき支給を停止されている場合であつて、支給停止基準額（同条第二項において、同項に規定する報酬比例部分等の額につき適用する場合における附則第十一条の三第二項において読み替えられた同条第一項の規定による支給停止基準額をいう。）に附則第十一条の四第二項に規定する附則第九条の二第二項第一号に規定する額を加えた額が、坑内員・船員の老齢厚生年金の総額に満たないとき。

四　当該老齢厚生年金が附則第十一条の六第一項及び第七項（同条第八項においてこれらの規定を準用する場合を含む。）の規定によりその全額につき支給を停止されている場合であつて、これらの規定による調整後の支給停止基準額が、老齢厚生年金の総額に満たないとき。

五　当該老齢厚生年金（坑内員・船員の加給年金額が加算されているものを除く。）が附則第十一条の六第三項において読み替えられた同条第二項及び同条第七項（同条第八項においてこれらの規定を準用する場合を含む。）の規定によりその全額につき支給を停止されている場合であつて、これらの規定による調整後の支給停止基準額が、坑内員・船員の老齢厚生年金の総額に満たないとき。

六　当該老齢厚生年金（坑内員・船員の加給年金額が加算されているものを除く。）が附則第十一条の六第五項において読み替えられた同条第四項及び同条第七項（同条第八項においてこれらの規定を準用する場合を含む。）の規定によりその全額につき支給を停止されている場合であつて、これらの規定による調整後の支給停止基準額が、坑内員・船員の老齢厚生年金の総額に満たないとき。

4　前項の規定にかかわらず、附則第八条の規定による老齢厚生年金の受給権者に基金が支給する老齢年金給付については、次の各号に掲げる場合に応じ、その額のうち、当該各号に定める額を超える部分については、その支給を停止することができる。

一　前項第一号に該当するとき　その受給権者の当該老齢年金給付を支給する基金の加入員であつた期間に係る平成二十五年改正法附則第五条第一項の規定によりなおその効力を有するものとされた平成二十五年改正法第一条の規定による改正前の第百三十二条第二項に規定する額（以下この項において「当該基金の代行部分の額」という。）から、支給停止基準額（前項第一号に規定する支給停止基準額をいう。）から当該老齢厚生年金の額を控除して得た額に当該基金の代行部分の額を老齢厚生年金の総額から老齢厚生年金の額を控除して得た額（以下この項及び次条において「代行部分の総額」という。）で除して得た率を乗じて得た額を控除して得た額

二　前項第二号若しくは第三号のいずれかに該当するとき又は当該老齢厚生年金（坑内員・船員の加給年金額が加算されているものに限る。）が附則第十一条の三又は第十一条の四第二項及び第三項の規定により当該老齢厚生年金の額から坑内員・船員の加給年金額を控除して得た額に相当する部分の全額につき支給を停止されているとき　当該基金の代行部分の額から、支給停止基準額（前項第二号又は第三号に規定する支給停止基準額をいう。）から当該老齢厚生年金の額（坑内員・船員の加給年金額並びに附則第十一条の四第二項及び第三項の規定の適用を受ける老齢厚生年金に係る同条第二項に規定する附則第九条の二第二項第一号に規定する額を除く。）を控除して得た額に当該基金の代行部分の額を坑内員・船員の老齢厚生年金の総額から老齢厚生年金の額を控除して得た額（以下この項及び次条において「坑内員・船員の代行部分の総額」という。）で除して得た率を乗じて得た額を控除して得た額

三　前項第四号に該当するとき　当該基金の代行部分の額から、調整後の支給停止基準額（附則第十一条の六第一項及び第七項（同条第八項においてこれらの規定を準用する場合を含む。）の規定による調整後の支給停止基準額をいう。）から当該老齢厚生年金の額を控除して得た額に当該基金の代行部分の額を代行部分の総額で除して得た率を乗じて得た額を控除して得た額

四　前項第五号又は第六号のいずれかに該当するとき又は当該老齢厚生年金（坑内員・船員の加給年金額が加算されているものに限る。）が附則第十一条の六の規定により当該老齢厚生年金の額から坑内員・船員の加給年金額を控除した額に相当する部分の全額につき支給を停止されているとき　当該基金の代行部分の額から、調整後の支給停止基準額（附則第十一条の六第三項において読み替えられた同条第二項又は同条第五項において読み替えられた同条第四項及び同条第七項（同条第八項においてこれらの規定を準用する場合を含む。）の規定による調整後の支給停止基準額をいう。）から当該老齢厚生年金の額（坑内員・船員の加給年金額を除く。）を控除して得た額に当該基金の代行部分の額を坑内員・船員の代行部分の総額で除して得た率を乗じて得た額を控除して得た額

第十三条の二　附則第八条の規定による老齢厚生年金（第一号厚生年金被保険者期間又は第四号厚生年金被保険者期間に基づくものに限る。）の受給権者が解散基金に係る老齢年金給付の受給権を有する者である場合であつて、附則第十一条又は第十一条の二の規定により当該老齢厚生年金がその全額につき支給を停止されているときは、解散基金に係る老齢年金給付（平成二十五年改正法附則第六十一条第三項の規定によりなおその効力を有するものとされた平成二十五年改正法第一条の規定による改正前の第百六十一条第五項の規定により加算された額に相当する部分を除く。以下この条及び次条において「解散基金に係る代行部分」という。）について、支給停止基準額（前条第三項第一号に規定する支給停止基準額をいう。）から当該老齢厚

生年金の額を控除して得た額に解散基金に係る代行部分の額を代行部分の総額で除して得た率を乗じて得た額（第五項において「支給停止額」という。）に相当する部分（その額が解散基金に係る代行部分の額以上であるときは、解散基金に係る代行部分の全部）の支給を停止する。

2　坑内員・船員の老齢厚生年金（第一号厚生年金被保険者期間又は第四号厚生年金被保険者期間に基づくものに限る。）の受給権者が解散基金に係る老齢年金給付の受給権を有する者である場合であつて、附則第十一条の三又は第十一条の四第二項及び第三項の規定により当該老齢厚生年金がその全額又は当該老齢厚生年金（坑内員・船員の加給年金額が加算されているものに限る。）の額から坑内員・船員の加給年金額を控除して得た額に相当する部分の全額につき支給を停止されているときは、解散基金に係る代行部分について、支給停止基準額（前条第四項第二号に規定する支給停止基準額をいう。）から当該老齢厚生年金の額（坑内員・船員の加給年金額及び附則第十一条の四第二項及び第三項の規定の適用を受ける老齢厚生年金に係る同条第二項に規定する附則第九条の二第二項第一号に規定する額を除く。）を控除して得た額に解散基金に係る代行部分の額を坑内員・船員の代行部分の総額で除して得た率を乗じて得た額（第五項において「坑内員・船員の支給停止額」という。）に相当する部分（その額が解散基金に係る代行部分の額以上であるときは、解散基金に係る代行部分の全部）の支給を停止する。

3　附則第八条の規定による老齢厚生年金（第一号厚生年金被保険者期間又は第四号厚生年金被保険者期間に基づくものに限る。）の受給権者が解散基金に係る老齢年金給付の受給権を有する者である場合であつて、附則第十一条の六第一項及び第七項（同条第八項においてこれらの規定を準用する場合を含む。）の規定により当該老齢厚生年金がその全額につき支給を停止されているときは、解散基金に係る代行部分について、調整後の支給停止基準額（前条第四項第三号に規定する調整後の支給停止基準額をいう。）から当該老齢厚生年金の額を控除して得た額に解散基金に係る代行部分の額を代行部分の総額で除して得た率を乗じて得た額（第五項において「高年齢雇用継続給付を受給する者の支給停止額」という。）に相当する部分（その額が解散基金に係る代行部分の額以上であるときは、解散基金に係る代行部分の全部）の支給を停止する。

4　坑内員・船員の老齢厚生年金（第一号厚生年金被保険者期間又は第四号厚生年金被保険者期間に基づくものに限る。）の受給権者が解散基金に係る老齢年金給付の受給権を有する者である場合であつて、附則第十一条の六第三項において読み替えられた同条第二項又は同条第五項において読み替えられた同条第四項及び同条第七項（同条第八項においてこれらの規定を準用する場合を含む。）の規定により当該老齢厚生年金の全額又は当該老齢厚生年金（坑内員・船員の加給年金額が加算されているものに限る。）の額から坑内員・船員の加給年金額を控除して得た額に相当する部分の全額につき支給を停止されているときは、解散基金に係る代行部分について、調整後の支給停止基準額（前条第四項第四号に規定する調整後の支給停止基準額をいう。）から当該老齢厚生年金の額（坑内員・船員の加給年金額を除く。）を控除して得た額に解散基金に係る代行部分の額を坑内員・船員の代行部分の総額で除して得た率を乗じて得た額（次項において「高年齢雇用継続給付を受給する坑内員・船員の支給停止額」という。）に相当する部分（その額が解散基金に係る代行部分の額以上であるときは、解散基金に係る代行部分の全部）の支給を停止する。

5　支給停止額、坑内員・船員の支給停止額、高年齢雇用継続給付を受給する者の支給停止額及び高年齢雇用継続給付を受給する坑内員・船員の支給停止額を計算する場合において生じる一円未満の端数の処理については、政令で定める。

第十三条の三　附則第七条の四の規定は、附則第八条の規定による老齢厚生年金の受給権者が解散基金に係る老齢年金給付の受給権を有する者である場合に係る解散基金に係る代行部分について準用する。この場合において、附則第七条の四第一項から第三項までの規定中「受給権者」とあるのは「受給権を有する者」と、同条第二項第二号中「第四十六条第一項及び平成二十五年改正法附則第八十六条第一項の規定によりなおその効力を有するものとされた平成二十五年改正法第一条の規定による改正前の第四十六条第五項」とあるのは「附則第十一条から第十一条の三まで又は第十一条の四第二項及び第三項」と読み替えるものとする。

（老齢厚生年金の支給の繰上げの特例）

第十三条の四　附則第八条の二各項に規定する者であつて、附則第八条各号のいずれにも該当するもの（国民年金法附則第五条第一項の規定による国民年金の被保険者でないものに限る。）は、それぞれ附則第八条の二各項の表の下欄に掲げる年齢に達する前に、実施機関に老齢厚生年金の支給繰上げの請求をすることができる。

2　前項の請求は、国民年金法附則第九条の二第一項又は第九条の二の二第一項に規定する支給繰上げの請求を行うことができる者にあつては、これらの請求と同時に行わなければならない。

3　第一項の請求があつたときは、第四十二条の規定にかかわらず、その請求があつた日の属する月から、その者に老齢厚生年金を支給する。

4　前項の規定による老齢厚生年金の額は、第四十三条第一項の規定にかかわらず、同項の規定により計算した額から政令で定める額を減じた額とする。

5　第三項の規定による老齢厚生年金の受給権者であつて、第一項の請求があつた日以後の被保険者期間を有するものが附則第八条の二各項の表の下欄に掲げる年齢に達したときは、当該年齢に達した日の属する月前における被保険者であつた期間を当該老齢厚生年金の額の計算の基礎とするものとし、当該年齢に達した日の属する月の翌月から、年金の額を改定する。

6　第三項の規定による老齢厚生年金の受給権者であつて、附則第八条の二各項の表の下欄に掲げる年齢に達した日以後の被保険者期間を有するものが六十五歳に達したときは、六十五歳に達した日の属する月前における被保険者であつた期間を当該老齢厚生年金の額の計算の基礎とするものとし、六十五歳に達した日の属する月の翌月から、年金の額を改定する。

7　第三項の規定による老齢厚生年金の額について、第四十四条及び平成二十五年改正法附則第八十六条第一項の規定によりなおその効力を有するものとされた平成二十五年改正法第一条の規定による改正前の第四十四条の二の規定を適用する場合には、第四十四条第一項中「受給権者がその権利を取得した当時

（その権利を取得した当時」とあるのは「附則第十三条の四第三項の規定による老齢厚生年金の受給権者が六十五歳（その者が附則第十三条の五第一項に規定する繰上げ調整額（以下この項において「繰上げ調整額」という。）が加算されている老齢厚生年金の受給権者であるときは、附則第八条の二各項の表の下欄に掲げる年齢（以下この項において「特例支給開始年齢」という。）とする。第三項において同じ。）に達した当時（六十五歳（その者が繰上げ調整額が加算されている老齢厚生年金の受給権者であるときは、特例支給開始年齢）に達した当時」と、「又は第三項」とあるのは「若しくは第三項又は附則第十三条の四第六項（その者が繰上げ調整額が加算されている老齢厚生年金の受給権者であるときは、第四十三条第三項又は附則第十三条の四第五項若しくは第六項）」と、「第四十三条の規定にかかわらず、同条に定める額に加給年金額を加算した額とする」とあるのは「第四十三条第二項及び第三項並びに附則第十三条の四第四項から第六項までの規定にかかわらず、これらの規定に定める額に加給年金額を加算するものとし、六十五歳（その者が繰上げ調整額が加算されている老齢厚生年金の受給権者であるときは、特例支給開始年齢）に達した日の属する月の翌月又は第四十三条第二項若しくは第三項の規定により当該月数が二百四十以上となるに至つた月から、年金の額を改定する」と、同条第三項中「受給権者がその権利を取得した当時」とあるのは「附則第十三条の四第三項の規定による老齢厚生年金の受給権者が六十五歳に達した当時」と、平成二十五年改正法附則第八十六条第一項の規定によりなおその効力を有するものとされた平成二十五年改正法第一条の規定による改正前の第四十四条の二第一項中「第四十三条第一項」とあるのは「附則第十三条の四第四項」と、「第百三十二条第二項」とあるのは「附則第十三条の七第一項の規定により読み替えられた公的年金制度の健全性及び信頼性の確保のための厚生年金保険法等の一部を改正する法律（平成二十五年法律第六十三号）附則第五条第一項の規定によりなおその効力を有するものとされた同法第一条の規定による改正前の第百三十二条第二項」とする。

8　前項の規定により読み替えられた第四十四条第一項の規定によりその額が加算された第三項の規定による老齢厚生年金（附則第八条の二第三項に規定する者であることにより次条第一項に規定する繰上げ調整額が加算されているものを除く。）の受給権者（その者が六十五歳に達していないものに限る。）が同条第五項又は第六項の規定の適用を受ける間は、前項の規定により読み替えられた第四十四条第一項の規定により加算する額に相当する部分の支給を停止する。

9　附則第八条の二各項に規定する者が、第三項の規定による老齢厚生年金の受給権を取得したときは、附則第八条の規定は、その者については、適用しない。

第十三条の五　附則第八条の二各項に規定する者が、前条第三項の規定による老齢厚生年金の受給権を取得したとき（附則第八条の二第一項、第二項又は第四項に規定する者にあつては、前条第一項の請求があつた当時、被保険者でなく、かつ、障害状態にあるとき又はその者の被保険者期間が四十四年以上であるときに限る。）は、当該老齢厚生年金の額に、当該老齢厚生年金の額の計算の基礎となる被保険者期間を基礎として計算した附則第九条の二第二項第一号に規定する額から政令で定める額を減じた額（以下この条において「繰上げ調整額」という。）を加算する。

2　繰上げ調整額については、第四十三条第三項の規定は、適用しない。

3　繰上げ調整額（その計算の基礎となる被保険者期間の月数が四百八十に満たないものに限る。次項において同じ。）が加算された老齢厚生年金の受給権者が、附則第八条の二各項の表の下欄に掲げる年齢に達した日の属する月において、当該年齢に達した日の属する月前の被保険者期間の月数（当該月数が四百八十を超えるときは四百八十とする。）が当該繰上げ調整額の計算の基礎となる被保険者期間の月数を超えるときは、第一項の規定にかかわらず、同項の規定により計算した額に、当該超える月数の被保険者期間を基礎として計算した附則第九条の二第二項第一号に規定する額を加算した額を繰上げ調整額とするものとし、当該年齢に達した日の属する月の翌月から、その額を改定する。

4　繰上げ調整額が加算された老齢厚生年金の受給権者が、附則第八条の二各項の表の下欄に掲げる年齢に達した日の属する月の翌月以後において、その額（繰上げ調整額を除く。）を第四十三条第三項の規定により改定するときは、第一項及び第三項の規定にかかわらず、当該繰上げ調整額について、当該改定に係る老齢厚生年金の額（繰上げ調整額を除く。）の計算の基礎となる被保険者期間の月数（当該月数が四百八十を超えるときは四百八十とする。）から当該繰上げ調整額の計算の基礎となる被保険者期間の月数を控除して得た月数の被保険者期間を基礎として計算した附則第九条の二第二項第一号に規定する額を加算するものとし、当該改定と同時に、その額を改定する。

5　障害状態にあることにより繰上げ調整額が加算された老齢厚生年金については、その受給権者が、障害状態に該当しなくなつたときは、その障害状態に該当しない間、当該繰上げ調整額に相当する部分の支給を停止する。ただし、障害状態に該当しなくなつた当時、次の各号のいずれかに該当した場合においては、この限りでない。

一　当該老齢厚生年金の額の計算の基礎となる被保険者期間が四十四年以上であること。

二　当該老齢厚生年金が、第七項（第八項において準用する場合を含む。）の規定により、附則第八条の二第三項に規定する者であることにより繰上げ調整額が加算されている老齢厚生年金とみなされているものであること。

6　繰上げ調整額が加算された老齢厚生年金（附則第八条の二第三項に規定する者であることにより繰上げ調整額が加算されているものを除く。次項及び第八項において同じ。）は、その受給権者が被保険者等である日が属する月においては、当該繰上げ調整額に相当する部分の支給を停止する。

7　繰上げ調整額が加算された老齢厚生年金の受給権者（坑内員たる被保険者であつた期間と船員たる被保険者であつた期間とを合算した期間が十五年以上である者に限る。次項において同じ。）が、附則第八条の二第一項又は第二項の表の下欄に掲げる年齢に達した場合において、前条第五項の規定による年金の額の改定が行われたときは、当該改定が行われた月以後においては、当該老齢厚生年金は、前条第八項及び前項の規定の適用については、附則第八条の二第三項に規定する者であることにより繰上げ調整額が加算されている老齢厚生年金とみなす。

8　前項の規定は、繰上げ調整額が加算された老齢厚生年金の受給権者が、第四十三条第三項の規定による年金の額の改定が行われた場合について準用する。

9　第一項の規定によりその額が加算された老齢厚生年金については、その受給権者が六十五歳に達したときは、同項の規定にかかわらず、その者に係る同項の繰上げ調整額を加算しないものとし、六十五歳に達した日の属する月の翌月から、年金の額を改定する。

第十三条の六　附則第十三条の四第三項の規定による老齢厚生年金の受給権者（その者が六十五歳に達していないものに限る。）が被保険者等である日が属する月において、その者の総報酬月額相当額と老齢厚生年金の額（第四十四条第一項に規定する加給年金額を除く。以下この項において同じ。）を十二で除して得た額（以下この項において「基本月額」という。）との合計額が支給停止調整額を超えるときは、第四十六条第一項の規定にかかわらず、その月の分の当該老齢厚生年金について、総報酬月額相当額と基本月額との合計額から支給停止調整額を控除して得た額の二分の一に相当する額に十二を乗じて得た額（以下この項において「支給停止基準額」という。）に相当する部分の支給を停止する。ただし、支給停止基準額が老齢厚生年金の額以上であるときは、老齢厚生年金の全部の支給を停止するものとする。

2　被保険者であつた期間の全部又は一部が厚生年金基金の加入員であつた期間である者に支給する附則第十三条の四第三項の規定による老齢厚生年金については、前項中「総報酬月額相当額と老齢厚生年金の額」とあるのは「総報酬月額相当額と平成二十五年改正法附則第八十六条第一項の規定によりなおその効力を有するものとされた平成二十五年改正法第一条の規定による改正前の第四十四条の二第一項の規定の適用がないものとして計算した老齢厚生年金の額」と、「加給年金額を除く。以下この項において同じ」とあるのは「加給年金額（以下この項において「加給年金額」という。）を除く。以下この項において「基金に加入しなかつた場合の老齢厚生年金の額」という」と、「第四十六条第一項」とあるのは「第四十六条第一項及び平成二十五年改正法附則第八十六条第一項の規定によりなおその効力を有するものとされた平成二十五年改正法第一条の規定による改正前の第四十六条第五項」と、「老齢厚生年金の額以上」とあるのは「老齢厚生年金の額（加給年金額を除く。）以上」と、「全部」とあるのは「全部（支給停止基準額が、基金に加入しなかつた場合の老齢厚生年金の額に満たないときは、加給年金額を除く。）」とする。

3　附則第七条の四の規定は、附則第十三条の四第三項の規定による老齢厚生年金について準用する。この場合において、附則第七条の四第二項第二号中「第四十六条第一項及び平成二十五年改正法附則第八十六条第一項の規定によりなおその効力を有するものとされた平成二十五年改正法第一条の規定による改正前の第四十六条第五項」とあるのは、「附則第十三条の六第一項及び第二項」と読み替えるものとする。

4　附則第十三条の四第三項の規定による老齢厚生年金の受給権者が被保険者である日が属する月について、その者が高年齢雇用継続基本給付金の支給を受けることができるときは、第一項及び第二項の規定にかかわらず、その月の分の当該老齢厚生年金について、次の各号に掲げる場合に応じ、それぞれ当該老齢厚生年金につき第一項及び第二項の規定を適用した場合におけるこれらの規定による支給停止基準額と当該各号に定める額（その額に四分の十を乗じて得た額に当該受給権者に係る標準報酬月額を加えた額が支給限度額を超えるときは、支給限度額から当該標準報酬月額を減じて得た額に十分の四を乗じて得た額）に十二を乗じて得た額（第七項において「調整額」という。）との合計額（以下この項において「調整後の支給停止基準額」という。）に相当する部分の支給を停止する。ただし、調整後の支給停止基準額が老齢厚生年金の額（第四十四条第一項に規定する加給年金額を除く。）以上であるときは、老齢厚生年金の全部の支給を停止するものとする。

一　当該受給権者に係る標準報酬月額が、みなし賃金日額に三十を乗じて得た額の百分の六十四に相当する額未満であるとき　当該受給権者に係る標準報酬月額に百分の四を乗じて得た額

二　前号に該当しないとき　当該受給権者に係る標準報酬月額に、みなし賃金日額に三十を乗じて得た額に対する当該受給権者に係る標準報酬月額の割合が逓増する程度に応じ、百分の四から一定の割合で逓減するように厚生労働省令で定める率を乗じて得た額

5　被保険者であつた期間の全部又は一部が厚生年金基金の加入員であつた期間である者に支給する附則第十三条の四第三項の規定による老齢厚生年金については、前項中「加給年金額」とあるのは「加給年金額（以下この項において「加給年金額」という。）」と、「全部」とあるのは「全部（調整後の支給停止基準額が、平成二十五年改正法附則第八十六条第一項の規定によりなおその効力を有するものとされた平成二十五年改正法第一条の規定による改正前の第四十四条の二第一項の規定の適用がないものとして計算した老齢厚生年金の額（加給年金額を除く。）に満たないときは、加給年金額を除く。）」とする。

6　附則第十三条の四第三項の規定による老齢厚生年金については、次の各号のいずれかに該当するときは、前二項の規定は適用しない。

一　当該老齢厚生年金の受給権者に係る標準報酬月額がみなし賃金日額に三十を乗じて得た額の百分の七十五に相当する額以上であるとき。

二　当該老齢厚生年金の受給権者に係る標準報酬月額が支給限度額以上であるとき。

7　調整額を計算する場合に生じる一円未満の端数の処理については、政令で定める。

8　第四項から前項までの規定は、附則第十三条の四第三項の規定による老齢厚生年金の受給権者が被保険者である日が属する月について、その者が雇用保険法の規定による高年齢再就職給付金の支給を受けることができる場合について準用する。この場合において、第四項第一号中「みなし賃金日額」とあるのは「雇用保険法第六十一条の二第一項の賃金日額（以下この条において「賃金日額」という。）」と、同項第二号及び第六項第一号中「みなし賃金日額」とあるのは「賃金日額」と読み替えるものとする。

第十三条の七　附則第十三条の四第三項の規定による老齢厚生年金の受給権者に基金が支給する老齢年金給付については、平成二十五年改正法附則第五条第一項の規定によりなおその効力を

有するものとされた平成二十五年改正法第一条の規定による改正前の第百三十一条第一項第二号中「第四十三条第三項」とあるのは「年金制度の機能強化のための国民年金法等の一部を改正する法律（令和二年法律第四十号）第四条の規定による改正後の厚生年金保険法第四十三条第二項若しくは第三項又は附則第十三条の四第五項若しくは第六項」と、平成二十五年改正法附則第五条第一項の規定によりなおその効力を有するものとされた平成二十五年改正法第一条の規定による改正前の第百三十二条第二項中「加入員であつた期間（」とあるのは「加入員であつた期間（当該受給権者がその権利を取得した月以後における当該基金の加入員であつた期間（以下この項において「改定対象期間」という。）を除く。」と、「乗じて得た額」とあるのは「乗じて得た額から政令で定める額を減じた額（改定対象期間を基礎として政令の定めるところにより計算した額を含む。）」と、平成二十五年改正法附則第五条第一項の規定によりなおその効力を有するものとされた平成二十五年改正法第一条の規定による改正前の第百三十三条中「前条第二項」とあるのは「附則第十三条の七第一項において読み替えられた前条第二項」とする。

2　附則第十三条の四第三項の規定による老齢厚生年金（平成二十五年改正法附則第八十六条第一項の規定によりなおその効力を有するものとされた平成二十五年改正法第一条の規定による改正前の第四十六条第五項において読み替えられた第四十六条第一項の規定によりその全部又は一部の支給が停止されているものに限る。）の受給権者に基金が支給する老齢年金給付については、平成二十五年改正法附則第五条第一項の規定によりなおその効力を有するものとされた平成二十五年改正法第一条の規定による改正前の第百三十三条の二第二項及び第三項中「第百三十二条第二項」とあるのは、「附則第十三条の七第一項において読み替えられた第百三十二条第二項」とする。

3　附則第十三条の四第三項の規定による老齢厚生年金（前条（第三項を除く。）の規定によりその全部又は一部の支給が停止されているものに限る。以下この条において同じ。）の受給権者に基金が支給する老齢年金給付については、平成二十五年改正法附則第五条第一項の規定によりなおその効力を有するものとされた平成二十五年改正法第一条の規定による改正前の第百三十三条の規定は適用しない。

4　附則第十三条の四第三項の規定による老齢厚生年金（第一号厚生年金被保険者期間又は第四号厚生年金被保険者期間に基づくものに限る。）の受給権者に基金が支給する老齢年金給付は、当該老齢厚生年金がその全額につき支給を停止されている場合（次の各号のいずれかに該当する場合を除く。）を除いては、その支給を停止することができない。ただし、当該老齢年金給付の額のうち、第一項において読み替えられた平成二十五年改正法附則第五条第一項の規定によりなおその効力を有するものとされた平成二十五年改正法第一条の規定による改正前の第百三十二条第二項に規定する額を超える部分については、この限りでない。

一　当該老齢厚生年金（第四十四条第一項に規定する加給年金額（以下この条及び次条において「加給年金額」という。）が加算されているものを除く。）が前条第二項において読み替えられた同条第一項の規定によりその全額につき支給を停止されている場合であつて、支給停止基準額（同条第二項において読み替えられた同条第一項の規定による支給停止基準額をいう。次項第一号及び次条第二項において同じ。）が、平成二十五年改正法附則第八十六条第一項の規定によりなおその効力を有するものとされた平成二十五年改正法第一条の規定による改正前の第四十四条の二第一項の規定の適用がないものとして計算した老齢厚生年金の額（以下この項及び次項において「老齢厚生年金の総額」という。）に満たないとき。

二　当該老齢厚生年金（加給年金額が加算されているものを除く。）が前条第五項において読み替えられた同条第四項（同条第八項において準用する場合を含む。）の規定によりその全額につき支給を停止されている場合であつて、これらの規定による調整後の支給停止基準額が、老齢厚生年金の総額に満たないとき。

5　前項の規定にかかわらず、附則第十三条の四第三項の規定による老齢厚生年金の受給権者に基金が支給する老齢年金給付については、次の各号に掲げる場合に応じ、その額のうち、当該各号に定める額を超える部分については、その支給を停止することができる。

一　前項第一号に該当するとき又は当該老齢厚生年金（加給年金額が加算されているものに限る。）が前条第二項において読み替えられた同条第一項の規定により当該老齢厚生年金の額から加給年金額を控除して得た額に相当する部分の全額につき支給を停止されているとき　その受給権者の当該老齢年金給付を支給する基金の加入員であつた期間に係る第一項において読み替えられた平成二十五年改正法附則第五条第一項の規定によりなおその効力を有するものとされた平成二十五年改正法第一条の規定による改正前の第百三十二条第二項に規定する額（以下この項において「当該基金の代行部分の額」という。）から、支給停止基準額から当該老齢厚生年金の額（加給年金額を除く。）を控除して得た額に当該基金の代行部分の額を老齢厚生年金の総額から老齢厚生年金の額を控除して得た額（以下この項及び次条において「代行部分の総額」という。）で除して得た率を乗じて得た額（次項において「支給停止額」という。）を控除して得た額

二　前項第二号に該当するとき又は当該老齢厚生年金（加給年金額が加算されているものに限る。）が前条第五項において読み替えられた同条第四項（同条第八項において準用する場合を含む。）の規定により当該老齢厚生年金の額から加給年金額を控除して得た額に相当する部分の全額につき支給を停止されているとき　当該基金の代行部分の額から、調整後の支給停止基準額（前条第五項において読み替えられた同条第四項（同条第八項において準用する場合を含む。）の規定による調整後の支給停止基準額をいう。次条第三項において同じ。）から当該老齢厚生年金の額（加給年金額を除く。）を控除して得た額に当該基金の代行部分の額を代行部分の総額で除して得た率を乗じて得た額（次項において「高年齢雇用継続給付を受給する者の支給停止額」という。）を控除して得た額

6　支給停止額及び高年齢雇用継続給付を受給する者の支給停止額を計算する場合において生じる一円未満の端数の処理については、政令で定める。

第十三条の八　附則第十三条の四第三項の規定による老齢厚生年金の受給権者である解散基金加入員に存続連合会が支給する解散基金に係る老齢年金給付については、平成二十五年改正法附則第六十一条第三項の規定によりなおその効力を有するものとされた平成二十五年改正法第一条の規定による改正前の第百六十一条第三項中「係る第百三十二条第二項」とあるのは「係る附則第十三条の七第一項において読み替えられた公的年金制度の健全性及び信頼性の確保のための厚生年金保険法等の一部を改正する法律（平成二十五年法律第六十三号）附則第五条第一項の規定によりなおその効力を有するものとされた同法第一条の規定による改正前の第百三十二条第二項」と、「、第百三十二条第二項」とあるのは「、附則第十三条の七第一項において読み替えられた同法附則第五条第一項の規定によりなおその効力を有するものとされた同法第一条の規定による改正前の第百三十二条第二項」とする。

2　附則第十三条の四第三項の規定による老齢厚生年金（第一号厚生年金被保険者期間又は第四号厚生年金被保険者期間に基づくものに限る。）の受給権者が解散基金に係る老齢年金給付の受給権を有する者である場合であつて、附則第十三条の六第二項において読み替えられた同条第一項の規定により当該老齢厚生年金がその全額又は当該老齢厚生年金（加給年金額が加算されているものに限る。）の額から加給年金額を控除して得た額に相当する部分の全額につき支給を停止されているときは、解散基金に係る老齢年金給付（平成二十五年改正法附則第六十一条第三項の規定によりなおその効力を有するものとされた平成二十五年改正法第一条の規定による改正前の第百六十一条第五項の規定により加算された額に相当する部分を除く。以下この条において「解散基金に係る代行部分」という。）について、支給停止基準額から当該老齢厚生年金の額（加給年金額を除く。）を控除して得た額に解散基金に係る代行部分の額を代行部分の総額で除して得た率を乗じて得た額（第四項において「支給停止額」という。）を加えた額に相当する部分（その額が解散基金に係る代行部分の額以上であるときは、解散基金に係る代行部分の全部）の支給を停止する。

3　附則第十三条の四第三項の規定による老齢厚生年金（第一号厚生年金被保険者期間又は第四号厚生年金被保険者期間に基づくものに限る。）の受給権者が解散基金に係る老齢年金給付の受給権を有する者である場合であつて、附則第十三条の六第五項において読み替えられた同条第四項（同条第八項において準用する場合を含む。）の規定により当該老齢厚生年金の全額又は当該老齢厚生年金（加給年金額が加算されているものに限る。）の額から加給年金額を控除して得た額に相当する部分の全額につき支給を停止されているときは、解散基金に係る代行部分について、調整後の支給停止基準額から当該老齢厚生年金の額（加給年金額を除く。）を控除して得た額に解散基金に係る代行部分の額を代行部分の総額で除して得た率を乗じて得た額（次項において「高年齢雇用継続給付を受給する者の支給停止額」という。）に相当する部分（その額が解散基金に係る代行部分の額以上であるときは、解散基金に係る代行部分の全部）の支給を停止する。

4　支給停止額及び高年齢雇用継続給付を受給する者の支給停止額を計算する場合において生じる一円未満の端数の処理については、政令で定める。

5　附則第七条の四の規定は、附則第十三条の四第三項の規定による老齢厚生年金の受給権者が解散基金に係る老齢年金給付の受給権を有する者である場合に係る解散基金に係る代行部分について準用する。この場合において、附則第七条の四第一項から第三項までの規定中「受給権者」とあるのは「受給権を有する者」と、同条第二項第二号中「第四十六条第一項及び平成二十五年改正法附則第八十六条第一項の規定によりなおその効力を有するものとされた平成二十五年改正法第一条の規定による改正前の第四十六条第五項」とあるのは「附則第十三条の六第一項及び第二項」と読み替えるものとする。

（**老齢厚生年金の支給要件等の特例**）

第十四条　被保険者期間を有する者のうち、その者の保険料納付済期間、保険料免除期間及び国民年金法附則第九条第一項に規定する合算対象期間（以下この条において「合算対象期間」という。）を合算した期間が十年以上である者は、第四十二条並びに附則第七条の三第一項、第八条、第十三条の四第一項、第二十八条の三第一項及び第二十九条第一項の規定の適用については、第四十二条第二号に該当するものとみなし、被保険者期間を有する者のうち、その者の保険料納付済期間、保険料免除期間及び合算対象期間を合算した期間が二十五年以上である者は、第五十八条第一項（第四号に限る。）及び附則第二十八条の四第一項の規定の適用については、保険料納付済期間と保険料免除期間とを合算した期間が二十五年以上であるものとみなす。

2　国民年金法附則第九条第二項の規定は、合算対象期間の計算について準用する。

第十五条　削除

第十五条の二　第四十三条第二項及び第三項の規定の適用については、当分の間、同条第二項中「受給権者」とあるのは「受給権者（附則第七条の三第三項又は第十三条の四第三項の規定による老齢厚生年金の受給権者にあつては、六十五歳に達しているものに限る。）」と、同条第三項中「受給権者」とあるのは「受給権者（附則第七条の三第三項の規定による老齢厚生年金の受給権者にあつては六十五歳に達しているものに限るものとし、附則第十三条の四第三項の規定による老齢厚生年金の受給権者にあつては附則第八条の二各項の表の下欄に掲げる年齢に達しているものに限る。）」とする。

第十五条の三　附則第七条の四（附則第十一条の五及び第十三条の六第三項において準用する場合を含む。）、第七条の五、第十一条から第十一条の四まで、第十一条の六並びに第十三条の六第一項、第二項、第四項及び第五項（同条第八項において準用する場合を含む。）の規定により老齢厚生年金の全部又は一部の支給を停止する場合においては、第三十六条第二項の規定は、適用しない。

（**加給年金額に関する経過措置**）

第十六条　附則第八条の規定による老齢厚生年金（附則第九条及び第九条の二第一項から第三項までの規定によりその額が計算されているものであつて、かつ、その年金額の計算の基礎となる被保険者期間の月数が二百四十以上であるものに限る。）の受給権者であつた者が六十五歳に達したときに支給する老齢厚生年金については、第四十四条第一項中「受給権者がその権利を取得した当時（その権利を取得した当時、当該老齢厚生年金の額の計算の基礎となる被保険者期間の月数が二百四十未満であつたときは、第四十三条第二項又は第三項の規定により当該月数が二百四十以上となるに至つた当時。第三項において同じ。）」とあるのは「受給権者から附則第八条の規定による老齢厚生年金に係る附則第九条の二第一項の請求があつたときから引き続き（当該請求があつた当時、当時老齢厚生年金の額の計算の基礎となる被保険者期間の月数が二百四十未満であつたときは、当該被保険者期間の月数が二百四十以上となるに至つたときから引き続き。第三項において同じ。）」と、同条第三項中「受給権者がその権利を取得した当時」とあるのは「受給権者から附則第八条の規定による老齢厚生年金に係る附則第九条の二第一項の請求があつたときから引き続き」とする。

2　附則第八条の規定による老齢厚生年金（附則第九条並びに附則第九条の三第一項及び第二項又は第九条の四第一項及び第三項の規定によりその額が計算されているものであつて、かつ、その年金額の計算の基礎となる被保険者期間の月数が二百四十以上であるものに限る。）の受給権者であつた者が六十五歳に達したときに支給する老齢厚生年金については、第四十四条第一項中「その権利を取得した当時（その権利を取得した当時、当該老齢厚生年金の額の計算の基礎となる被保険者期間の月数が二百四十未満であつたときは、第四十三条第二項又は第三項の規定により当該月数が二百四十以上となるに至つた当時。第三項において同じ。）」とあるのは「附則第八条の規定による老齢厚生年金の受給権を取得したときから引き続き（当該受給権を取得した当時当該老齢厚生年金の額の計算の基礎となる被保険者期間の月数が二百四十未満であつたときは、当該被保険者期間の月数が二百四十以上となるに至つたときから引き続き。第三項において同じ。）」と、同条第三項中「その権利を取得した当時胎児」とあるのは「附則第八条の規定による老齢厚生年金の受給権を取得したときから引き続き胎児」と、「その権利を取得した当時その者」とあるのは「同条の規定による老齢厚生年金の受給権を取得したときから引き続きその者」とする。

3　附則第八条の規定による老齢厚生年金（附則第九条並びに附則第九条の三第三項及び第四項（同条第五項においてその例による場合を含む。）又は第九条の四第四項及び第五項（同条第六項においてその例による場合を含む。）の規定によりその額が計算されているものであつて、かつ、その年金額の計算の基礎となる被保険者期間の月数が二百四十以上であるものに限る。）の受給権者であつた者が六十五歳に達したときに支給する老齢厚生年金については、第四十四条第一項中「その権利を取得した当時（その権利を取得した当時、当該老齢厚生年金の額の計算の基礎となる被保険者期間の月数が二百四十未満であつたときは、第四十三条第二項又は第三項の規定により当該月数が二百四十以上となるに至つた当時。第三項において同じ。）」とあるのは「附則第八条の規定による老齢厚生年金に係る附則第九条の三第三項若しくは第五項又は第九条の四第四項若しくは第六項の規定による年金額の改定に係る被保険者の資格を喪失した日（第十四条第二号から第四号までのいずれかに該当するに至つた日にあつては、その日）から起算して一月を経過したときから引き続き（当該一月を経過した当時、当該老齢厚生年金の額の計算の基礎となる被保険者期間の月数が二百四十未満であつたときは、当該被保険者期間の月数が二百四十以上となるに至つたときから引き続き。第三項において同じ。）」と、同条第三項中「その権利を取得した当時」とあるのは「附則第八条の規定による老齢厚生年金に係る附則第九条の三第三項若しくは第五項又は第九条の四第四項若しくは第六項の規定による年金額の改定に係る被保険者の資格を喪失した日（第十四条第二号から第四号までのいずれかに該当するに至つた日にあつては、その日）から起算して一月を経過したときから引き続き」とする。

第十六条の二　削除

（障害厚生年金の特例）

第十六条の三　第四十七条の二、第四十七条の三、第五十二条第四項、第五十二条の二第二項及び第五十四条第二項ただし書の規定は、当分の間、附則第七条の三第三項若しくは第十三条の四第三項の規定による老齢厚生年金の受給権者又は国民年金法附則第九条の二第三項若しくは第九条の二の二第三項の規定による老齢基礎年金の受給権者については、適用しない。

2　第五十二条第七項の規定の適用については、当分の間、同項中「六十五歳以上の者」とあるのは、「六十五歳以上の者又は国民年金法による老齢基礎年金の受給権者」とする。

（併給の調整の特例）

第十七条　第三十八条第一項（第七十八条の二十二の規定により読み替えて適用する場合を含む。）の規定の適用については、当分の間、同項中「遺族厚生年金を」とあるのは「遺族厚生年金（その受給権者が六十五歳に達しているものに限る。）を」と、「並びに障害基礎年金」とあるのは「並びに障害基礎年金（その受給権者が六十五歳に達しているものに限る。）」と、「老齢厚生年金を」とあるのは「老齢厚生年金（その受給権者が六十五歳に達しているものに限る。）を」と、「老齢基礎年金及び付加年金、障害基礎年金」とあるのは「老齢基礎年金及び付加年金（その受給権者が六十五歳に達しているものに限る。）、障害基礎年金（その受給権者が六十五歳に達しているものに限る。）」とする。

（遺族厚生年金の額の特例）

第十七条の二　第六十条第一項の規定の適用については、当分の間、同項中「受給権を有する配偶者」とあるのは、「受給権を有する配偶者（六十五歳に達している者に限る。）」とする。

（遺族厚生年金の額の改定の特例）

第十七条の三　第六十一条第二項の規定の適用については、当分の間、同項中「老齢厚生年金の受給権を取得した日に」とあるのは「六十五歳に達した日以後に老齢厚生年金の受給権を取得した日（附則第七条の三第三項又は第十三条の四第三項の規定による老齢厚生年金の受給権を有する者にあつては、六十五歳に達した日）に」と、「同項第二号イ」とあるのは「前条第一項第二号イ」と、「当該老齢厚生年金の受給権を取得した日の」とあるのは「当該老齢厚生年金の受給権を取得した日（附則第七条の三第三項又は第十三条の四第三項の規定による老齢厚生年金の受給権を有する者にあつては、六十五歳に達した日）の」とする。

（平均標準報酬月額の改定）

第十七条の四　国民年金法等の一部を改正する法律（平成十二年法律第十八号。以下「平成十二年改正法」という。）第六条の規定による改正前の第四十三条第一項（以下この条において「改正前の第四十三条第一項」という。）に規定する平均標準報酬月額の計算の基礎となる標準報酬月額については、平成十二年改正法附則第二十条第一項第一号及び改正前の第四十三条第一項の規定にかかわらず、被保険者であつた期間の各月の標準報酬月額に再評価率を乗じて得た額とする。ただし、国民年金法等の一部を改正する法律（昭和六十年法律第三十四号。以下「昭和六十年改正法」という。）附則第七十八条第一項の規定によりなお従前の例によるものとされた昭和六十年改正法第三条の規定による改正前の第七十条第一項、昭和六十年改正法附則第八十二条第一項、昭和六十年改正法附則第八十三条第一項の規定によりなおその効力を有するものとされた昭和六十年改正法第三条の規定による改正前の第百三十二条第二項、平成十二年改正法附則第九条第一項の規定によりなおその効力を有するものとされた平成十二年改正法第四条の規定による改正前の第百三十二条第二項及び平成十二年改正法第十三条の規定による改正前の昭和六十年改正法附則第八十二条第一項並びに平成十二年改正法附則第二十三条第一項の規定を適用する場合においては、この限りでない。

2　昭和六十年改正法附則第四十七条第一項の規定により厚生年金保険の被保険者であつた期間とみなされた昭和六十年改正法第五条の規定による改正前の船員保険法による船員保険の被保険者であつた期間（以下この項及び附則第十七条の九第一項において「船員保険の被保険者であつた期間」という。）の平均標準報酬月額の計算の基礎となる標準報酬月額については、前項並びに平成十二年改正法附則第二十条第一項第一号及び改正前の第四十三条第一項の規定にかかわらず、船員保険の被保険者であつた期間の各月の標準報酬月額に、附則別表第一の各号に掲げる受給権者の区分に応じてそれぞれ当該各号に定める率を乗じて得た額とする。この場合において、前項ただし書の規定を準用する。

3　昭和六十年九月以前の期間に属する旧適用法人共済組合員期間（厚生年金保険法等の一部を改正する法律（平成八年法律第八十二号）附則第三条第八号に規定する旧適用法人共済組合員期間をいう。以下この項及び附則第十七条の九第二項において同じ。）の平均標準報酬月額の計算の基礎となる標準報酬月額については、第一項並びに平成十二年改正法附則第二十条第一項第一号及び改正前の第四十三条第一項の規定にかかわらず、当該旧適用法人共済組合員期間の各月の標準報酬月額に、附則別表第二の上欄に掲げる受給権者の区分に応じてそれぞれ同表の下欄に定める率を乗じて得た額とする。ただし、国家公務員等共済組合法等の一部を改正する法律（昭和六十年法律第百五号）附則第三十二条第一項の規定により当該旧適用法人共済組合員期間に合算された期間に属する各月の標準報酬月額については、この限りでない。

4　昭和六十年九月以前の期間に属する旧農林共済組合員期間（厚生年金保険制度及び農林漁業団体職員共済組合制度の統合を図るための農林漁業団体職員共済組合法等を廃止する等の法律（平成十三年法律第百一号）附則第二条第一項第七号に規定する旧農林共済組合員期間をいう。以下この項及び附則第十七条の九第三項において同じ。）の平均標準報酬月額の計算の基礎となる標準報酬月額については、第一項並びに平成十二年改正法附則第二十条第一項第一号及び改正前の第四十三条第一項の規定にかかわらず、当該旧農林共済組合員期間の各月の標準報酬月額に、附則別表第二の上欄に掲げる受給権者の区分に応じてそれぞれ同表の下欄に定める率を乗じて得た額とする。

5　昭和六十年九月以前の期間に属する旧国家公務員共済組合員期間（被用者年金制度の一元化等を図るための厚生年金保険法等の一部を改正する法律（平成二十四年法律第六十三号。以下「平成二十四年一元化法」という。）附則第四条第十一号に規定する旧国家公務員共済組合員期間をいう。以下この項及び附則第十七条の九第四項において同じ。）の平均標準報酬月額の計算の基礎となる標準報酬月額については、第一項並びに平成十二年改正法附則第二十条第一項第一号及び改正前の第四十三条第一項の規定にかかわらず、当該旧国家公務員共済組合員期間の各月の標準報酬月額に、附則別表第二の上欄に掲げる受給権者の区分に応じてそれぞれ同表の下欄に定める率を乗じて得た額とする。ただし、国家公務員等共済組合法等の一部を改正する法律附則第三十二条第一項の規定により当該旧国家公務員共済組合員期間に合算された期間に属する各月の標準報酬月額については、この限りでない。

6　昭和六十年九月以前の期間に属する旧地方公務員共済組合員期間（平成二十四年一元化法附則第四条第十二号に規定する旧地方公務員共済組合員期間をいう。以下この項及び附則第十七条の九第五項において同じ。）の平均標準報酬月額の計算の基礎となる標準報酬月額については、第一項並びに平成十二年改正法附則第二十条第一項第一号及び改正前の第四十三条第一項の規定にかかわらず、当該旧地方公務員共済組合員期間の各月の標準報酬月額に、附則別表第二の上欄に掲げる受給権者の区分に応じてそれぞれ同表の下欄に定める率を乗じて得た額とする。ただし、地方公務員等共済組合法等の一部を改正する法律（昭和六十年法律第百八号）附則第三十五条第一項の規定により当該旧地方公務員共済組合員期間に合算された期間に属する各月の標準報酬月額については、この限りでない。

7　昭和六十年九月以前の期間に属する旧私立学校教職員共済加入者期間（平成二十四年一元化法附則第四条第十三号に規定する旧私立学校教職員共済加入者期間をいう。以下この項及び附則第十七条の九第六項において同じ。）の平均標準報酬月額の計算の基礎となる標準報酬月額については、第一項並びに平成十二年改正法附則第二十条第一項第一号及び改正前の第四十三条第一項の規定にかかわらず、当該旧私立学校教職員共済加入者期間の各月の標準報酬月額に、附則別表第二の上欄に掲げる受給権者の区分に応じてそれぞれ同表の下欄に定める率を乗じて得た額とする。

8　平成十五年四月一日前に被保険者であつた者（第七十八条の六第一項及び第二項の規定により標準報酬が改定され、又は決定された者を除く。）の平均標準報酬月額が七万四百七十七円（当該被保険者であつた者（第七十八条の六第一項及び第二項の規定により標準報酬が改定され、又は決定された者を除く。）が昭和十年四月一日以前に生まれた者であるときは六万九千百二十五円とし、その者が昭和十年四月二日から昭和十一年四月一日までに生まれた者であるときは六万九千四百九十円とし、その者が昭和十一年四月二日から昭和十二年四月一日までに生まれた者であるときは六万九千九百八円とする。次項において同じ。）に改定率を乗じて得た額（その額に五十銭未満の端数が生じたとき、これを切り捨て、五十銭以上一円未満の端数が生じたときは、これを一円に切り上げるものとする。次項において同じ。）に満たないときは、これを当該額とする。ただし、昭和六十年改正法附則第七十八条第一項の規定によりなお従前の例によるものとされた昭和六十年改正法第三条の規定による改正前の第七十条第一項、昭和六十年改正法附則第八十三条第一項の規定によりなおその効力を有するものとされた昭和六十年改正法第三条の規定による改正前の第百三十二条第二項、平成十二年改正法附則第九条第一項の規定によりなおその効力を有するものとされた平成十二年改正法第四条の規定による改正前の第百三十二条第二項及び平成二十五年改正法附則第五条第一項の規定によりなおその効力を有するものとされた平成二十五年改正法第一条の規定による改正前の第百三十二条第二項の規定を適用する場合においては、この限りでない。

9　第七十八条の六第一項及び第二項の規定により標準報酬が改定され、又は決定された者に係る平均標準報酬月額を計算する場合においては、平成十五年四月一日前の被保険者であつた期間のうち、第七十八条の六第一項及び第二項の規定により標準報酬の改定又は決定が行われた期間以外の期間の平均標準報酬月額が七万四百七十七円に改定率を乗じて得た額に満たないときは、第一項の規定にかかわらず、当該額を当該期間の各月の標準報酬月額とする。この場合において、前項ただし書の規定を準用する。

10　第四十三条の二から第四十三条の五までの規定（第四十三条の二第二項及び第三項、第四十三条の三第二項、第四十三条の四第二項及び第三項並びに第四十三条の五第二項及び第三項を除く。）は、第二項に規定する率及び第三項から第七項までに規定する率の改定について準用する。

11　基金の加入員たる被保険者であつた期間（老齢厚生年金の額の計算の基礎となつた厚生年金保険の被保険者であつた期間のうち、同時に当該基金の加入員であつた期間をいう。以下この項及び附則第十七条の六第一項において同じ。）の全部又は一部が平成十五年四月一日前の期間である場合であつて、第七十八条の六第一項の規定により第二号改定者の標準報酬月額の改定が行われた場合における昭和六十年改正法附則第八十二条第一項、昭和六十年改正法附則第八十三条第一項の規定によりなおその効力を有するものとされた昭和六十年改正法第三条の規定による改正前の第百三十二条第二項、平成十二年改正法附則第九条第一項の規定によりなおその効力を有するものとされた平成十二年改正法第四条の規定による改正前の第百三十二条第二項及び平成十二年改正法第十三条の規定による改正前の昭和六十年改正法附則第八十二条第一項並びに平成十二年改正法附則第二十三条第一項に規定する平均標準報酬月額の計算の基礎となる標準報酬月額については、加入員たる被保険者であつた期間の各月の第七十八条の六第一項の規定による改定前の標準報酬月額の総額を、当該加入員たる被保険者であつた期間の月数で除して得た額とする。

第十七条の五　平成二十五年改正法附則第八十六条第一項の規定によりなおその効力を有するものとされた平成二十五年改正法第一条の規定による改正前の第四十四条の二の規定の適用については、当分の間、同条第一項中「第百三十二条第二項」とあるのは、「国民年金法等の一部を改正する法律（昭和六十年法律第三十四号。以下「昭和六十年改正法」という。）附則第八十二条第一項若しくは第八十三条の二第一項、昭和六十年改正法附則第八十三条第一項の規定によりなおその効力を有するものとされた昭和六十年改正法第三条の規定による改正前の第百三十二条第二項、国民年金法等の一部を改正する法律（平成十二年法律第十八号。以下「平成十二年改正法」という。）附則第九条第一項の規定によりなおその効力を有するものとされた平成十二年改正法第四条の規定による改正前の第百三十二条第二項若しくは平成十二年改正法第十三条の規定による改正前の昭和六十年改正法附則第八十二条第一項、平成十二年改正法附則第二十三条第一項若しくは第二十四条第一項又は公的年金制度の健全性及び信頼性の確保のための厚生年金保険法等の一部を改正する法律（平成二十五年法律第六十三号）附則第五条第一項の規定によりなおその効力を有するものとされた同法第一条の規定による改正前の第百三十二条第二項」とする。

第十七条の六　昭和六十年改正法附則第八十二条第一項第四号及び第八十三条の二第一項第二号並びに平成十二年改正法附則第二十三条第一項第二号及び第二十四条第一項に規定する平均標準報酬額については、第四十三条第一項の規定にかかわらず、加入員たる被保険者であつた期間の各月の標準報酬月額（第二十六条第一項の規定により同項に規定する従前標準報酬月額が当該月の標準報酬月額とみなされた月にあつては、従前標準報酬月額）と標準賞与額の総額を、当該加入員たる被保険者であつた期間の月数で除して得た額とする。

2　第七十八条の六第一項及び第二項の規定により第二号改定者の標準報酬の改定が行われた場合における前項の規定の適用については、同項中「各月の標準報酬月額」とあるのは「各月の第七十八条の六第一項の規定による改定前の標準報酬月額」と、「標準賞与額」とあるのは「同条第二項の規定による改定前の標準賞与額」とする。

（年金たる保険給付の額の改定の特例）

第十七条の七　当該年度の前年度に属する三月三十一日において年金たる保険給付（第四十三条第一項、附則第九条の二第二項第二号又は平成十二年改正法附則第二十条第一項の規定（この法律又は他の法令において、これらの規定を引用し、又はその例による場合を含む。以下この項において同じ。）によりその額が計算されたものに限る。）の受給権を有する者について、第四十三条の二から第四十三条の五までの規定による再評価率の改定により、当該年度において第四十三条第一項、附則第九条の二第二項第二号又は平成十二年改正法附則第二十条第一項の規定により計算した額（以下この条において「当該年度額」という。）が、当該年度の前年度に属する三月三十一日においてこれらの規定により計算した額（以下この条において「前年度額」という。）に満たない場合には、これらの規定にかかわらず、前年度額を当該年度額とする。

2　前項の規定にかかわらず、名目手取り賃金変動率が一を下回る場合において、第四十三条の二（第四十三条の三から第四十三条の五までにおいて適用される場合を除く。）の規定による再評価率の改定により、当該年度額が、前年度額に名目手取り賃金変動率を乗じて得た額に満たないときは、当該額を当該年度額とする。

3　第一項の規定にかかわらず、物価変動率（物価変動率が名目手取り賃金変動率を上回るときは、名目手取り賃金変動率。以下この項及び第五項において同じ。）が一を下回る場合において、第四十三条の三（第四十三条の五において適用される場合を除く。）の規定による再評価率の改定により、当該年度額が、前年度額に物価変動率を乗じて得た額に満たないときは、当該額を当該年度額とする。

4　第一項の規定にかかわらず、名目手取り賃金変動率が一を下回る場合において、第四十三条の四（第四十三条の五において適用される場合を除く。）の規定による再評価率の改定により、当該年度額が、前年度額に名目手取り賃金変動率を乗じて得た額に満たないときは、当該額を当該年度額とする。

5　第一項の規定にかかわらず、物価変動率が一を下回る場合において、第四十三条の五の規定による再評価率の改定により、当該年度額が、前年度額に物価変動率を乗じて得た額に満たないときは、当該額を当該年度額とする。

（第一号改定者の特例）

第十七条の八　第七十八条の二第一項の規定の適用については、当分の間、同項中「又は被保険者であつた者」とあるのは、「若しくは被保険者であつた者又は附則第四条若しくは他の法令の規定により被保険者であつた期間とみなされた期間を有する者」とする。

（対象期間標準報酬総額の計算の特例）

第十七条の九　対象期間標準報酬総額を計算する場合において、船員保険の被保険者であつた期間については、第七十八条の三第一項の規定にかかわらず、船員保険の被保険者であつた期間の各月の標準報酬月額に、附則別表第一の各号に掲げる当事者の区分に応じてそれぞれ当該各号に定める率を乗じて計算する。

2　対象期間標準報酬総額を計算する場合において、昭和六十年九月以前の期間に属する旧適用法人共済組合員期間については、第七十八条の三第一項の規定にかかわらず、当該旧適用法人共済組合員期間の各月の標準報酬月額に、附則別表第二の上欄に掲げる当事者の区分に応じてそれぞれ同表の下欄に定める率を乗じて計算する。ただし、国家公務員等共済組合法等の一部を改正する法律附則第三十二条第一項の規定により当該旧適用法人共済組合員期間に合算された期間に属する各月の標準報酬月額については、この限りでない。

3　対象期間標準報酬総額を計算する場合において、昭和六十年九月以前の期間に属する旧農林共済組合員期間については、第七十八条の三第一項の規定にかかわらず、当該旧農林共済組合員期間の各月の標準報酬月額に、附則別表第二の上欄に掲げる当事者の区分に応じてそれぞれ同表の下欄に定める率を乗じて計算する。

4　対象期間標準報酬総額を計算する場合において、昭和六十年九月以前の期間に属する旧国家公務員共済組合員期間については、第七十八条の三第一項の規定にかかわらず、当該旧国家公務員共済組合員期間の各月の標準報酬月額に、附則別表第二の上欄に掲げる当事者の区分に応じてそれぞれ同表の下欄に定める率を乗じて計算する。ただし、国家公務員等共済組合法等の一部を改正する法律附則第三十二条第一項の規定により当該旧国家公務員共済組合員期間に合算された期間に属する各月の標準報酬月額については、この限りでない。

5　対象期間標準報酬総額を計算する場合において、昭和六十年九月以前の期間に属する旧地方公務員共済組合員期間については、第七十八条の三第一項の規定にかかわらず、当該旧地方公務員共済組合員期間の各月の標準報酬月額に、附則別表第二の上欄に掲げる当事者の区分に応じてそれぞれ同表の下欄に定める率を乗じて計算する。ただし、地方公務員等共済組合法等の一部を改正する法律附則第三十五条第一項の規定により当該旧地方公務員共済組合員期間に合算された期間に属する各月の標準報酬月額については、この限りでない。

6　対象期間標準報酬総額を計算する場合において、昭和六十年九月以前の期間に属する旧私立学校教職員共済加入者期間については、第七十八条の三第一項の規定にかかわらず、当該旧私立学校教職員共済加入者期間の各月の標準報酬月額に、附則別表第二の上欄に掲げる当事者の区分に応じてそれぞれ同表の下欄に定める率を乗じて計算する。

（標準報酬が改定され、又は決定された者に対する保険給付の支給要件等の特例）

第十七条の十　第七十八条の六第一項及び第二項の規定により標準報酬が改定され、又は決定された者に対する保険給付について、附則第八条第二号、第九条の二第二項第一号、第九条の三第一項、第二十八条の二第一項、第二十八条の三第一項、第二十八条の四第一項及び第二十九条第一項の規定（他の法令において、これらの規定を引用し、又はその例による場合を含む。）を適用する場合においては、「被保険者期間」とあるのは、「被保険者期間（離婚時みなし被保険者期間を除く。）」とする。

（被扶養配偶者である期間についての特例の規定の適用）

第十七条の十一　第七十八条の十八第一項の規定の適用については、当分の間、「、改定又は」とあるのは、「、特定期間に係る被保険者期間の最後の月以前における被保険者期間（特定期間の末日後に当該老齢厚生年金を支給すべき事由が生じた場合その他の政令で定める場合にあつては、政令で定める期間）及び改定又は」とする。

第十七条の十二　第七十八条の十四第二項及び第三項の規定により標準報酬が改定され、及び決定された者に対する保険給付について、附則第八条第二号、第九条の二第二項第一号、第九条の三第一項、第二十八条の二第一項、第二十八条の三第一項、第二十八条の四第一項及び第二十九条第一項の規定（他の法令において、これらの規定を引用し、又はその例による場合を含む。）を適用する場合においては、「被保険者期間」とあるのは、「被保険者期間（被扶養配偶者みなし被保険者期間を除く。）」とする。

第十七条の十三　国民年金法附則第七条の三第一項の規定により保険料納付済期間に算入される特定期間に係る被保険者期間についての第七十八条の十四第二項及び第三項の規定による標準報酬の改定及び決定並びに保険給付の額の計算及び改定に関し必要な事項は、政令で定める。

（延滞金の割合の特例）

第十七条の十四　第八十七条第一項（同条第六項の規定により読み替えて適用する場合を含む。）及び平成二十五年改正法附則第五条第一項の規定によりなおその効力を有するものとされた平成二十五年改正法第一条の規定による改正前の第百四十一条第一項において準用する平成二十五年改正法第一条の規定による改正前の第八十七条第一項（同条第六項の規定により読み替えて適用する場合（平成二十五年改正法附則第五条第一項の規定によりなおその効力を有するものとされた平成二十五年改正法第一条の規定による改正前の第百三十六条において準用する平成二十五年改正法第一条の規定による改正前の第四十条の二の規定による徴収金について適用する場合に限る。）を含む。）に規定する延滞金の年十四・六パーセントの割合及び年七・三パーセントの割合は、当分の間、これらの規定にかかわらず、各年の延滞税特例基準割合（租税特別措置法（昭和三十二年法律第二十六号）第九十四条第一項に規定する延滞税特例基準割合をいう。以下この条において同じ。）が年七・三パーセントの割合に満たない場合には、その年中においては、年十四・六パーセントの割合にあつては当該延滞税特例基準割合に年七・三パーセントの割合を加算した割合とし、年七・三パーセントの割合にあつては当該延滞税特例基準割合に年一パーセントの割合を加算した割合（当該加算した割合が年七・三パーセントの割合を超える場合には、年七・三パーセントの割合）とする。

（二以上の種別の被保険者であつた期間を有する者に係る老齢厚生年金の支給の繰上げの特例）

第十八条　二以上の種別の被保険者であつた期間を有する者について、附則第七条の三第一項の規定を適用する場合においては、当該二以上の被保険者の種別に係る被保険者であつた期間のうち一の期間に基づく老齢厚生年金についての同項の請求は、他の期間に基づく老齢厚生年金についての当該請求と同時に行わなければならない。

2　前項の場合においては、各号の厚生年金被保険者期間ごとに附則第七条の三の規定を適用する。この場合において、同条の規定の適用に関し必要な読替えその他必要な事項は、政令で定める。

（二以上の種別の被保険者であつた期間を有する者に係る老齢厚生年金の基本手当等との調整の特例）

第十九条　前条の規定を適用して支給する附則第七条の三第三項の規定による老齢厚生年金については、各号の厚生年金被保険者期間ごとに附則第七条の四及び第七条の五の規定を適用する。この場合において、附則第七条の四第二項第二号及び第七条の五第一項中「第四十六条第一項及び平成二十五年改正法附則第八十六条第一項の規定によりなおその効力を有するものとされた平成二十五年改正法第一条の規定による改正前の第四十六条第五項」とあるのは「第七十八条の二十九の規定により読み替えて適用する第四十六条第一項」とするほか、これらの規定の適用に関し必要な読替えその他必要な事項は、政令で定める。

（二以上の種別の被保険者であつた期間を有する者に係る特例による老齢厚生年金の特例）

第二十条　二以上の種別の被保険者であつた期間を有する者については、附則第八条（附則第八条の二において読み替えて適用する場合を含む。）の規定を適用する場合においては、各号の厚生年金被保険者期間に係る被保険者期間ごとに適用する。ただし、附則第八条第二号の規定については、その者の二以上の被保険者の種別に係る被保険者であつた期間に係る被保険者期間を合算し、一の期間に係る被保険者期間のみを有するものとみなして適用する。

2　前項に規定する者であつて、附則第八条の規定による老齢厚生年金の受給権者であるものについては、各号の厚生年金被保険者期間ごとに附則第九条の二から第九条の四まで及び第十一条から第十一条の六までの規定を適用する。この場合において、附則第十一条第一項中「附則第八条の規定による老齢厚生年金」とあるのは「各号の厚生年金被保険者期間のうち一の期間に基づく附則第八条の規定による老齢厚生年金」と、「老齢厚生年金の額を」とあるのは「各号の厚生年金被保険者期間に基づく老齢厚生年金の額を合算して得た額を」と、「当該老齢厚生年金」とあるのは「当該一の期間に基づく老齢厚生年金」と、「控除して得た額」とあるのは「控除して得た額に当該一の期間に基づく老齢厚生年金の額を十二で除して得た額を基本月額で除して得た数を乗じて得た額」と、「老齢厚生年金の額以上」とあるのは「当該一の期間に基づく老齢厚生年金の額以上」と、「老齢厚生年金の全部」とあるのは「当該一の期間に基づく老齢厚生年金の全部」とするほか、当該受給権者に係る保険給付の額の計算及びその支給停止に関するこの法律その他政令で定める規定の適用に関し必要な読替えその他必要な事項は、政令で定める。

（二以上の種別の被保険者であつた期間を有する者に係る特例による老齢厚生年金の支給の繰上げの特例）

第二十一条　二以上の種別の被保険者であつた期間を有する者について、附則第十三条の四第一項の規定を適用する場合においては、当該二以上の被保険者の種別に係る被保険者であつた期間のうち一の期間に基づく老齢厚生年金についての同項の請求は、他の期間に基づく老齢厚生年金についての当該請求と同時に行わなければならない。

2　前項の場合においては、各号の厚生年金被保険者期間ごとに附則第十三条の四から第十三条の六までの規定を適用する。この場合において、同条第一項中「附則第十三条の四第三項」とあるのは「各号の厚生年金被保険者期間のうち一の期間に基づく附則第十三条の四第三項」と、「老齢厚生年金の額（」とあるのは「各号の厚生年金被保険者期間に基づく老齢厚生年金の額を合算して得た額（」と、「第四十六条第一項」とあるのは「第七十八条の二十九の規定により読み替えて適用する第四十六条第一項」と、「当該老齢厚生年金」とあるのは「当該一の期間に基づく老齢厚生年金」と、「控除して得た額」とあるのは「控除して得た額に当該一の期間に基づく老齢厚生年金の額を十二で除して得た額を基本月額で除して得た数を乗じて得た額」と、「老齢厚生年金の額以上」とあるのは「当該一の期間に基づく老齢厚生年金の額以上」と、「老齢厚生年金の全部」とあるのは「当該一の期間に基づく老齢厚生年金の全部」とするほか、これらの規定の適用に関し必要な読替えその他必要な事項は、政令で定める。

（二以上の種別の被保険者であつた期間を有する者に係る加給年金額に関する経過措置の特例）

第二十二条　二以上の種別の被保険者であつた期間を有する者については、その者の二以上の被保険者の種別に係る被保険者であつた期間に係る被保険者期間を合算し、一の期間に係る被保険者期間のみを有するものとみなして附則第十六条の規定により読み替えて適用する第四十四条第一項及び第三項の規定を適用する。

（拠出金の額の算定に関する特例）

第二十三条　当分の間、第八十四条の六の規定の適用については、同条第一項中「拠出金算定対象額に、」とあるのは「拠出金算定対象額に」と、「合計額」とあるのは「合計額に、当該拠出金算定対象額に支出費按分率を乗じて得た額を加えて得た額」と、同条第三項第二号中「という。）」とあるのは「という。）に百分の五十を乗じて得た率」と、同条第四項第二号中「控除した率」とあるのは「控除した率に百分の五十を乗じて得た率」とする。

2　前項の規定により読み替えて適用する第八十四条の六第一項に規定する支出費按分率は、第一号に掲げる率に第二号に掲げる率を乗じて得た率とする。

一　実施機関（厚生労働大臣を除く。以下この号、次条及び附則第二十三条の三において同じ。）ごとに、当該実施機関に係る当該年度における厚生年金保険給付費等として算定した額に基礎年金拠出金保険料相当分を加えた額を、当該年度における第八十四条の六第一項に規定する拠出金算定対象額で除して得た率を基準として、厚生労働省令で定めるところにより、実施機関ごとに算定した率

二　百分の五十

第二十三条の二　平成二十七年度から令和八年度までの間、第八十四条の六第三項第一号に掲げる率は、同号の規定にかかわらず、実施機関ごとに、当該年度における保険料の各月の保険料率（第二号厚生年金被保険者にあつては平成二十四年一元化法附則第八十四条の表の上欄に掲げる月分の保険料率については、それぞれ同表の下欄に定める率とし、第三号厚生年金被保険者にあつては平成二十四年一元化法附則第八十四条の表の上欄に掲げる月分の保険料率については、それぞれ同表の下欄に定める率とし、第四号厚生年金被保険者にあつては平成二十四年一元化法附則第八十五条第一項の表の上欄に掲げる月分の保険料率については、それぞれ同表の下欄に定める率とする。）を、当該各月に応じ、当該実施機関の組合員（国家公務員共済組合連合会及び地方公務員共済組合連合会にあつては、当該連合会を組織する共済組合の組合員）たる被保険者又は私立学校教職員共済制度の加入者たる被保険者に係る当該年度の各月ごとの標準報酬の総額に乗じて得た額の合計額（以下この項において「実施機関保険料相当額」という。）を、当該年度における保険料の各月分に応じ第八十一条第四項の表の下欄に定める保険料率を、当該各月に応じ、第一号厚生年金被保険者に係る当該年度の各月ごとの標準報酬の総額に乗じて得た額の合計額に各実施機関ごとの実施機関保険料相当額の合計額を加えて得た額で除して得た率を基準として、厚生労働省令で定めるところにより、実施機関ごとに算定した率とする。

2　厚生労働大臣は、前条第二項第一号及び前項に規定する厚生労働省令を定めるときは、実施機関を所管する大臣に協議しなければならない。

第二十三条の三　政府は、政府等に係る当該年度の厚生年金保険給付費等のそれぞれの額に対する当該政府等に係る当該年度の前年度における第八十四条の六第四項第一号に規定する厚生年金勘定の積立金額若しくは実施機関の積立金額のそれぞれの比率のいずれかが現に一を下回つている場合又は財政の現況及び見通しの作成に当たり次の財政の現況及び見通しが作成されるまでの間に当該比率のいずれかが一を下回ることが見込まれる場合には、同条の規定による拠出金の額の算定の在り方について検討を加え、その結果に基づいて、必要な措置を講ずるものとする。

第二十三条の四　政府は、附則第二十三条の規定による特例について、附則第二十三条の二の規定の施行の状況を勘案しつつ検討を加え、その結果に基づいて、必要な措置を講ずるものとする。

（地方公共団体の長の退職の取扱いに関する特例）

第二十三条の五　都道府県知事又は市町村長（特別区の区長（地方自治法第二百八十三条第一項の規定により選挙された特別区の区長に限る。）を含む。）である被保険者が、次の各号のいずれかに該当する場合においては、前後の第三号厚生年金被保険者期間は引き続いたものとみなす。

一　任期満了による選挙の期日の告示がなされた後、その任期の満了すべき日前に退職した場合において、当該任期満了による選挙において当選人となり、再び地方公共団体の長となつたとき。

二　退職の申立てを行つたことにより告示された選挙において当選人となり、再び地方公共団体の長となつたとき。

（戦時特例）

第二十四条　昭和十九年一月一日から昭和二十年八月三十一日までの間において、鉱業法第四条に規定する事業の事業場に使用され、且つ、常時坑内作業に従事する被保険者であつた者のその期間における被保険者期間の加算については、なお従前の例による。

（被保険者の資格等に関する旧法による報告）

第二十五条　旧法による被保険者であつた期間に関して第七十五条の規定を適用する場合においては、同条第一項但書中「第二十七条の規定による届出」とあるのは、「旧法第九条の規定による報告」と読み替えるものとする。

（従前の保険料）

第二十六条　昭和二十九年四月以前の月に係る保険料の徴収については、なお従前の例による。

（従前の行為に対する罰則の適用）

第二十七条　この法律の施行前にした行為に対する罰則の適用については、なお従前の例による。

（指定共済組合の組合員）

第二十八条　旧法第七十四条の規定に基く旧厚生年金保険法施行令（昭和十六年勅令第千二百五十号）第三十二条の規定によつて指定された共済組合の組合員である者に関しては、この法律の適用についても、なお従前の例による。

（旧陸軍共済組合等の組合員であつた期間に関する特例）

第二十八条の二　被保険者期間（第一号厚生年金被保険者期間に限る。次条第一項及び附則第二十八条の四第一項において同じ。）が一年以上である者について、旧陸軍共済組合令（昭和十五年勅令第九百四十七号）に基づく旧陸軍共済組合その他政令で定める共済組合の組合員であつた期間であつて政令で定める期間（以下「旧共済組合員期間」という。）のうちに昭和十七年六月から昭和二十年八月までの期間がある場合においては、当該期間は、その者の老齢又は死亡に関し支給する保険給付については、この法律による坑内員たる被保険者及び船員たる被保険者以外の被保険者であつた期間とみなす。ただし、第四十三条第一項及び第三項並びに附則第九条の二第二項第二号（附則第九条の三第一項及び第三項（同条第五項においてその例による場合を含む。）並びに第九条の四第一項（次条第二項及び附則第二

十八条の四第二項においてその例による場合を含む。）及び第四項（附則第九条の四第六項においてその例による場合を含む。）においてその例による場合を含む。）並びに第五十八条第一項（第四号を除く。）及び第六十条第一項の規定を適用する場合にあつては、この限りでない。

2　第四十四条第一項及び第六十二条第一項の規定の適用については、当分の間、これらの規定中「月数」とあるのは、「月数（附則第二十八条の二第一項に規定する旧共済組合員期間（昭和十七年六月から昭和二十年八月までの期間に係るものに限る。）を含む。）」とする。

（旧共済組合員期間を有する者に対する特例老齢年金の支給）

第二十八条の三　第四十二条第二号に該当しない者が、次の各号のいずれにも該当するに至つたときは、その者に特例老齢年金を支給する。

一　六十歳以上であること。

二　一年以上の被保険者期間を有すること。

三　被保険者期間と旧共済組合員期間とを合算した期間が二十年以上であること。

2　特例老齢年金の額は、附則第九条並びに第九条の四第一項及び第三項の規定の例により計算した額とする。

3　特例老齢年金は、この法律の規定（第五十八条第一項（第四号に限る。）及び附則第八条から第十条までの規定を除く。）の適用については、附則第八条の規定による老齢厚生年金（附則第九条並びに附則第九条の四第一項及び第三項の規定によりその額が計算されているものに限る。）とみなす。

4　特例老齢年金の受給権は、受給権者が死亡したとき、又は老齢厚生年金の受給権を取得したときは、消滅する。

（旧共済組合員期間を有する者の遺族に対する特例遺族年金の支給）

第二十八条の四　被保険者期間が一年以上であり、かつ、保険料納付済期間と保険料免除期間とを合算した期間が二十五年に満たない者で、被保険者期間と旧共済組合員期間とを合算した期間が二十年以上であるものが死亡した場合において、その者の遺族が遺族厚生年金の受給権を取得しないときは、その遺族に特例遺族年金を支給する。

2　特例遺族年金の額は、附則第九条の四第一項の規定の例により計算した額の百分の五十に相当する額とする。

3　特例遺族年金は、この法律（第五十八条、第六十条第一項及び第六十四条の二を除く。）及び国民年金法第二十条の規定の適用については、第五十八条第一項第四号に該当することにより支給される遺族厚生年金とみなす。

（日本国籍を有しない者に対する脱退一時金の支給）

第二十九条　当分の間、被保険者期間が六月以上である日本国籍を有しない者（国民年金の被保険者でないものに限る。）であつて、第四十二条第二号に該当しないものその他これに準ずるものとして政令で定めるものは、脱退一時金の支給を請求することができる。ただし、その者が次の各号のいずれかに該当するときは、この限りでない。

一　日本国内に住所を有するとき。

二　障害厚生年金その他政令で定める保険給付の受給権を有したことがあるとき。

三　最後に国民年金の被保険者の資格を喪失した日（同日において日本国内に住所を有していた者にあつては、同日後初めて、日本国内に住所を有しなくなつた日）から起算して二年を経過しているとき。

2　前項の請求があつたときは、その請求をした者に脱退一時金を支給する。

3　脱退一時金の額は、被保険者であつた期間に応じて、その期間の平均標準報酬額（被保険者期間の計算の基礎となる各月の標準報酬月額と標準賞与額の総額を、当該被保険者期間の月数で除して得た額をいう。）に支給率を乗じて得た額とする。

4　前項の支給率は、最終月（最後に被保険者の資格を喪失した日の属する月の前月をいう。以下この項において同じ。）の属する年の前年十月の保険料率（最終月が一月から八月までの場合にあつては、前々年十月の保険料率）に二分の一を乗じて得た率に、被保険者であつた期間に応じて政令で定める数を乗じて得た率とし、その率に小数点以下一位未満の端数があるときは、これを四捨五入する。

5　脱退一時金の支給を受けたときは、支給を受けた者は、その額の計算の基礎となつた被保険者であつた期間は、被保険者でなかつたものとみなす。

6　厚生労働大臣による脱退一時金に関する処分に不服がある者は、社会保険審査会に対して審査請求をすることができる。

7　第九十条第二項各号に掲げる者による脱退一時金に関する処分に不服がある者は、当該各号に定める者に対して審査請求をすることができる。

8　第九十条第四項及び第五項、第九十一条の二並びに第九十一条の三の規定は、前二項の審査請求について準用する。この場合において、これらの規定に関し必要な技術的読替えは、政令で定める。

9　第二条の五、第三十三条、第三十五条、第三十七条第一項、第四項及び第五項、第四十条の二、第四十一条第一項、第七十五条、第九十六条、第九十八条第四項並びに第百条の規定は、脱退一時金について準用する。この場合において、これらの規定に関し必要な技術的読替えは、政令で定める。

（二以上の種別の被保険者であつた期間を有する者に係る脱退一時金の支給要件等）

第三十条　二以上の種別の被保険者であつた期間を有する者に係る脱退一時金については、その者の二以上の被保険者の種別に係る被保険者であつた期間に係る被保険者期間を合算し、一の期間に係る被保険者期間のみを有する者に係るものとみなして前条第一項の規定を適用する。ただし、当該脱退一時金の額は、各号の厚生年金被保険者期間に係る被保険者期間ごとに、同条第三項及び第四項の規定の例により計算した額とする。この場合において、同条の規定の適用に関し必要な読替えその他必要な事項は、政令で定める。

（独立行政法人福祉医療機構による債権の管理及び回収の業務）

第三十一条　政府は、厚生年金保険事業の円滑な実施を図るため、年金積立金管理運用独立行政法人法附則第十四条の規定による廃止前の年金福祉事業団の解散及び業務の承継等に関する法律（平成十二年法律第二十号）第十二条第一項に規定する債権の管理及び回収の業務を、当該債権の回収が終了するまでの間、独立行政法人福祉医療機構に行わせるものとする。

2　政府は、厚生年金保険事業の円滑な実施を図るため、年金制度の機能強化のための国民年金法等の一部を改正する法律（令和二年法律第四十号）第二十八条の規定による改正前の独立行政法人福祉医療機構法（平成十四年法律第百六十六号）第十二条第一項第十二号に規定する小口の資金の貸付けに係る債権の管理及び回収の業務を、当該債権の回収が終了するまでの間、独立行政法人福祉医療機構に行わせるものとする。

（機構への厚生労働大臣の権限に係る事務の委任等）

第三十二条 国民年金法等の一部を改正する法律（平成六年法律第九十五号）附則第二十七条その他この法律の改正に伴う経過措置を定める規定であつて厚生労働省令で定めるものによる厚生労働大臣の権限については、日本年金機構法（平成十九年法律第百九号）附則第十九条の規定による改正後の厚生年金保険法（次項において「新厚生年金保険法」という。）第百条の四から第百条の十二までの規定の例により、当該権限に係る事務を機構に行わせるものとする。

2 前項の場合において、新厚生年金保険法第百条の四から第百条の十二までの規定の適用についての技術的読替えその他これらの規定の適用に関し必要な事項は、厚生労働省令で定める。

附則別表第一

一 昭和五年四月一日以前に生まれた者 被保険者であつた月が属する次の表の上欄に掲げる期間の区分に応じて、それぞれ同表の下欄に掲げる率

昭和三十三年三月以前	一三・七九五
昭和三十三年四月から昭和三十四年三月まで	一三・一六五
昭和三十四年四月から昭和三十五年三月まで	一二・八〇四
昭和三十五年四月から昭和三十六年三月まで	一一・九三四
昭和三十六年四月から昭和三十七年三月まで	一〇・一一一
昭和三十七年四月から昭和三十八年三月まで	八・九八〇
昭和三十八年四月から昭和三十九年三月まで	八・〇七九
昭和三十九年四月から昭和四十年四月まで	七・三二八
昭和四十年五月から昭和四十一年三月まで	六・九二八
昭和四十一年四月から昭和四十二年三月まで	六・〇五七
昭和四十二年四月から昭和四十三年三月まで	五・七六七
昭和四十三年四月から昭和四十四年十月まで	五・〇六六
昭和四十四年十一月から昭和四十六年九月まで	四・〇三五
昭和四十六年十月から昭和四十八年九月まで	三・六四四
昭和四十八年十月から昭和五十年三月まで	二・四九三
昭和五十年四月から昭和五十一年七月まで	二・一三二
昭和五十一年八月から昭和五十二年十二月まで	一・七六二
昭和五十三年一月から昭和五十四年三月まで	一・六七二
昭和五十四年四月から昭和五十五年九月まで	一・六一二
昭和五十五年十月から昭和五十七年三月まで	一・四八二
昭和五十七年四月から昭和五十八年三月まで	一・三九一
昭和五十八年四月から昭和五十九年三月まで	一・三七一
昭和五十九年四月から昭和六十年九月まで	一・二七一
昭和六十年十月から昭和六十一年三月まで	一・二二一

二 昭和五年四月二日から昭和六年四月一日までの間に生まれた者 被保険者であつた月が属する次の表の上欄に掲げる期間の区分に応じて、それぞれ同表の下欄に掲げる率

昭和三十三年三月以前	一三・九三四
昭和三十三年四月から昭和三十四年三月まで	一三・二九七
昭和三十四年四月から昭和三十五年三月まで	一二・九三三
昭和三十五年四月から昭和三十六年三月まで	一二・〇五三

で	
昭和三十六年四月から昭和三十七年三月まで	一〇・二一三
昭和三十七年四月から昭和三十八年三月まで	九・〇七〇
昭和三十八年四月から昭和三十九年三月まで	八・一六〇
昭和三十九年四月から昭和四十年四月まで	七・四〇二
昭和四十年五月から昭和四十一年三月まで	六・九九七
昭和四十一年四月から昭和四十二年三月まで	六・一一七
昭和四十二年四月から昭和四十三年三月まで	五・八二四
昭和四十三年四月から昭和四十四年十月まで	五・一一六
昭和四十四年十一月から昭和四十六年九月まで	四・〇七五
昭和四十六年十月から昭和四十八年九月まで	三・六八一
昭和四十八年十月から昭和五十年三月まで	二・五一八
昭和五十年四月から昭和五十一年七月まで	二・一五四
昭和五十一年八月から昭和五十二年十二月	一・七八〇

まで	
昭和五十三年一月から昭和五十四年三月まで	一・六八九
昭和五十四年四月から昭和五十五年九月まで	一・六二八
昭和五十五年十月から昭和五十七年三月まで	一・四九六
昭和五十七年四月から昭和五十八年三月まで	一・四〇六
昭和五十八年四月から昭和五十九年三月まで	一・三八六
昭和五十九年四月から昭和六十年九月まで	一・二八五
昭和六十年十月から昭和六十一年三月まで	一・二三三

三　昭和六年四月二日から昭和七年四月一日までの間に生まれた者　被保険者であつた月が属する次の表の上欄に掲げる期間の区分に応じて、それぞれ同表の下欄に掲げる率

昭和三十三年三月以前	一四・二三四
昭和三十三年四月から昭和三十四年三月まで	一三・五八三
昭和三十四年四月から昭和三十五年三月まで	一三・二一一
昭和三十五年四月から昭和三十六年三月まで	一二・三一二
昭和三十六年四月から昭和三十七年三月まで	一〇・四三二
昭和三十七年四月から昭和三十八年三月まで	九・二六五
昭和三十八年四月から昭和三十九年三月まで	八・三三六
昭和三十九年四月から昭和四十年四月まで	七・五六一
昭和四十年五月から昭和四十一年三月まで	七・一四八
昭和四十一年四月から昭和四十二年三月まで	六・二四九
昭和四十二年四月から昭和四十三年三月まで	五・九四九
昭和四十三年四月から昭和四十四年十月まで	五・二二七
昭和四十四年十一月から昭和四十六年九月まで	四・一六三
昭和四十六年十月から昭和四十八年九月まで	三・七六〇
昭和四十八年十月から昭和五十年三月まで	二・五七二
昭和五十年四月から昭和五十一年七月まで	二・二〇〇
昭和五十一年八月から昭和五十二年十二月まで	一・八一八

昭和五十三年一月から昭和五十四年三月まで	一・七二五
昭和五十四年四月から昭和五十五年九月まで	一・六六三
昭和五十五年十月から昭和五十七年三月まで	一・五二八
昭和五十七年四月から昭和五十八年三月まで	一・四三六
昭和五十八年四月から昭和五十九年三月まで	一・四一五
昭和五十九年四月から昭和六十年九月まで	一・三一二
昭和六十年十月から昭和六十一年三月まで	一・二六〇

四　昭和七年四月二日から昭和十年四月一日までの間に生まれた者　被保険者であつた月が属する次の表の上欄に掲げる期間の区分に応じて、それぞれ同表の下欄に掲げる率

昭和三十三年三月以前	一四・三〇七
昭和三十三年四月から昭和三十四年三月まで	一三・六五二
昭和三十四年四月から昭和三十五年三月まで	一三・二七八
昭和三十五年四月から昭和三十六年三月まで	一二・三七五
昭和三十六年四月から昭和三十七年三月まで	一〇・四八六
昭和三十七年四月から昭和三十八年三月まで	九・三一三
昭和三十八年四月から昭和三十九年三月まで	八・三七八
昭和三十九年四月から昭和四十年四月まで	七・六〇〇
昭和四十年五月から昭和四十一年三月まで	七・一八四
昭和四十一年四月から昭和四十二年三月まで	六・二八一
昭和四十二年四月から昭和四十三年三月まで	五・九八〇
昭和四十三年四月から昭和四十四年十月まで	五・二五三
昭和四十四年十一月から昭和四十六年九月まで	四・一八四
昭和四十六年十月から昭和四十八年九月まで	三・七七九
昭和四十八年十月から昭和五十年三月まで	二・五八五
昭和五十年四月から昭和五十一年七月まで	二・二一一
昭和五十一年八月から昭和五十二年十二月まで	一・八二七
昭和五十三年一月から昭和五十四年三月まで	一・七三四
昭和五十四年四月から昭和五十五年九月まで	一・六七一
昭和五十五年十月から昭和五十七年三月まで	一・五三六
昭和五十七年四月から昭和五十八年三月まで	一・四四三
昭和五十八年四月から昭和五十九年三月まで	一・四二三
昭和五十九年四月から昭和六十年九月まで	一・三一九
昭和六十年十月から昭和六十一年三月まで	一・二六六

五　昭和十年四月二日から昭和十一年四月一日までの間に生まれた者　被保険者であつた月が属する次の表の上欄に掲げる期間の区分に応じて、それぞれ同表の下欄に掲げる率

昭和三十三年三月以前	一四・三六六
昭和三十三年四月から昭和三十四年三月まで	一三・七〇九
昭和三十四年四月から昭和三十五年三月まで	一三・三三三
昭和三十五年四月から昭和三十六年三月まで	一二・四二六
昭和三十六年四月から昭和三十七年三月まで	一〇・五二九

で	
昭和三十七年四月から昭和三十八年三月まで	九・三五一
昭和三十八年四月から昭和三十九年三月まで	八・四一二
昭和三十九年四月から昭和四十年四月まで	七・六三一
昭和四十年五月から昭和四十一年三月まで	七・二一四
昭和四十一年四月から昭和四十二年三月まで	六・三〇七
昭和四十二年四月から昭和四十三年三月まで	六・〇〇五
昭和四十三年四月から昭和四十四年十月まで	五・二七五
昭和四十四年十一月から昭和四十六年九月まで	四・二〇一
昭和四十六年十月から昭和四十八年九月まで	三・七九五
昭和四十八年十月から昭和五十年三月まで	二・五九五
昭和五十年四月から昭和五十一年七月まで	二・二二〇
昭和五十一年八月から昭和五十二年十二月まで	一・八三五
昭和五十三年一月から昭和五十四年三月まで	一・七四一
昭和五十四年四月から昭和五十五年九月まで	一・六七八
昭和五十五年十月から昭和五十七年三月まで	一・五四二
昭和五十七年四月から昭和五十八年三月まで	一・四四九
昭和五十八年四月から昭和五十九年三月まで	一・四二八
昭和五十九年四月から昭和六十年九月まで	一・三二四
昭和六十年十月から昭和六十一年三月まで	一・二七一

六　昭和十一年四月二日から昭和十二年四月一日までの間に生まれた者　被保険者であつた月が属する次の表の上欄に掲げる期間の区分に応じて、それぞれ同表の下欄に掲げる率

昭和三十三年三月以前	一四・四六九
昭和三十三年四月から昭和三十四年三月まで	一三・八〇七
昭和三十四年四月から昭和三十五年三月まで	一三・四二九
昭和三十五年四月から昭和三十六年三月まで	一二・五一六
昭和三十六年四月から昭和三十七年三月まで	一〇・六〇五
昭和三十七年四月から昭和三十八年三月まで	九・四一八
昭和三十八年四月から昭和三十九年三月まで	八・四七三
昭和三十九年四月から昭和四十年四月まで	七・六八六
昭和四十年五月から昭和四十一年三月まで	七・二六六
昭和四十一年四月から昭和四十二年三月まで	六・三五三
昭和四十二年四月から昭和四十三年三月まで	六・〇四八
昭和四十三年四月から昭和四十四年十月まで	五・三一三
昭和四十四年十一月から昭和四十六年九月まで	四・二三一
昭和四十六年十月から昭和四十八年九月まで	三・八二二
昭和四十八年十月から昭和五十年三月まで	二・六一四
昭和五十年四月から昭和五十一年七月まで	二・二三六
昭和五十一年八月から昭和五十二年十二月まで	一・八四八
昭和五十三年一月から昭和五十四年三月まで	一・七五四

で	
昭和五十四年四月から昭和五十五年九月まで	一・六九〇
昭和五十五年十月から昭和五十七年三月まで	一・五五四
昭和五十七年四月から昭和五十八年三月まで	一・四五九
昭和五十八年四月から昭和五十九年三月まで	一・四三九
昭和五十九年四月から昭和六十年九月まで	一・三三四
昭和六十年十月から昭和六十一年三月まで	一・二八一

七　昭和十二年四月二日以後に生まれた者　被保険者であつた月が属する次の表の上欄に掲げる期間の区分に応じて、それぞれ同表の下欄に掲げる率

昭和三十三年三月以前	一四・五八七
昭和三十三年四月から昭和三十四年三月まで	一三・九一九
昭和三十四年四月から昭和三十五年三月まで	一三・五三八
昭和三十五年四月から昭和三十六年三月まで	一二・六一八
昭和三十六年四月から昭和三十七年三月まで	一〇・六九一
昭和三十七年四月から昭和三十八年三月まで	九・四九五
昭和三十八年四月から昭和三十九年三月まで	八・五四二
昭和三十九年四月から昭和四十年四月まで	七・七四九
昭和四十年五月から昭和四十一年三月まで	七・三二五
昭和四十一年四月から昭和四十二年三月まで	六・四〇四
昭和四十二年四月から昭和四十三年三月まで	六・〇九七
昭和四十三年四月から昭和四十四年十月まで	五・三五六
昭和四十四年十一月から昭和四十六年九月まで	四・二六六
昭和四十六年十月から昭和四十八年九月まで	三・八五三
昭和四十八年十月から昭和五十年三月まで	二・六三五
昭和五十年四月から昭和五十一年七月まで	二・二五四
昭和五十一年八月から昭和五十二年十二月まで	一・八六三
昭和五十三年一月から昭和五十四年三月まで	一・七六八
昭和五十四年四月から昭和五十五年九月まで	一・七〇四
昭和五十五年十月から昭和五十七年三月まで	一・五六六
昭和五十七年四月から昭和五十八年三月まで	一・四七一
昭和五十八年四月から昭和五十九年三月まで	一・四五〇
昭和五十九年四月から昭和六十年九月まで	一・三四四
昭和六十年十月から昭和六十一年三月まで	一・二九一

附則別表第二

昭和五年四月一日以前に生まれた者	一・二二二
昭和五年四月二日から昭和六年四月一日までの間に生まれた者	一・二三三
昭和六年四月二日から昭和七年四月一日までの間に生まれた者	一・二六〇
昭和七年四月二日から昭和十年四月一日までの間に生まれた者	一・二六六
昭和十年四月二日から昭和十一年四月一日までの間に生まれた者	一・二七一

昭和十一年四月二日から昭和十二年四月一日までの間に生まれた者	一・二八一
昭和十二年四月二日以後に生まれた者	一・二九一

附　則（昭四四・一二・六法七八）（抄）
最終改正　平一六・六・二三法一三二

第四条　昭和三十二年十月一日前に被保険者であつた者であつて、同日から昭和五十一年七月三十一日までの被保険者であつた期間（国民年金法等の一部を改正する法律（昭和六十年法律第三十四号。以下「昭和六十年改正法」という。）附則第四十七条第一項、厚生年金保険法等の一部を改正する法律（平成八年法律第八十二号）附則第五条第一項又は厚生年金保険制度及び農林漁業団体職員共済組合制度の統合を図るための農林漁業団体職員共済組合法等を廃止する等の法律（平成十三年法律第百一号）附則第六条の規定により厚生年金保険の被保険者であつた期間とみなされる期間を含む。以下この条において同じ。）が三年以上であるもの（厚生年金保険法第五十一条の規定により障害厚生年金の額の計算の基礎としない被保険者であつた期間があるときは、当該期間を除いた期間が三年以上であるもの）に関し、昭和四十四年十一月一日以後に保険給付を受ける権利を有するに至つた者（国民年金法等の一部を改正する法律（平成十二年法律第十八号。以下この条において「平成十二年改正法」という。）附則第二十条第一項に規定するものに限る。次項において同じ。）に支給する保険給付につきその年金額を計算する場合においては、同項第一号の規定にかかわらず、昭和三十二年十月一日前の被保険者であつた期間は、平均標準報酬月額（平成十二年改正法第六条の規定による改正前の厚生年金保険法第四十三条第一項に規定する平均標準報酬月額をいう。次項において同じ。）の計算の基礎としない。

2　昭和三十二年十月一日から昭和五十一年七月三十一日までの被保険者であつた期間が三年未満であり、かつ、同日までの被保険者であつた期間が三年以上である者に関し、昭和四十四年十一月一日以後に保険給付を受ける権利を有するに至つた者に支給する保険給付につきその年金額を計算する場合においては、平成十二年改正法附則第二十条第一項第一号の規定にかかわらず、昭和五十一年七月三十一日までの被保険者であつた期間のうち直近の三年間以外の被保険者であつた期間は、平均標準報酬月額の計算の基礎としない。

第十五条　昭和四十五年一月一日前に同日以後の期間に係る保険料を前納した第四種被保険者が当該前納に係る期間の各月につき追加して納付すべき保険料の額は、当該期間の各月につき、その者が前納しなかつたとしたならば、この法律による改正後の厚生年金保険法の規定により納付すべきこととなる保険料の額からこの法律による改正前の同法の規定を適用したとした場合において納付すべきこととなる保険料の額を控除した額とする。

2　前項の期間を有する者について、老齢厚生年金の額を計算する場合において、同項に規定する額による保険料の納付が行われなかつた月があるときは、厚生年金保険法第四十三条（同法第四十四条第一項において適用する場合を含む。）又は同法附則第九条第一項に定める額は、これらの規定にかかわらず、これらの規定に規定する額から百五十円に当該保険料の納付が行われなかつた月に係る被保険者期間の月数を乗じて得た額を控除した額とする。

3　前項の規定は、昭和六十年改正法附則第百八条の規定による改正前の附則（以下この項において「改正前の附則」という。）第三十二条第一項の期間を有する者について、当該期間のうち同法附則第四十七条第一項の規定により厚生年金保険の被保険者であつた期間とみなされた期間に基づいて老齢厚生年金の額を計算する場合において、改正前の附則第三十二条第一項に規定する額による保険料の納付が行われなかつた月があるときに準用する。

附　則（昭四八・九・二六法九二）（抄）
最終改正　平一二・三・三一法一八

第四条　昭和四十八年十一月一日前に同日以後の期間に係る保険料を前納した厚生年金保険の第四種被保険者が当該前納に係る期間の各月につき追加して納付すべき保険料の額は、当該期間の各月につき、その者が前納しなかつたとしたならば、この法律による改正後の厚生年金保険法の規定により納付すべきこととなる保険料の額からこの法律による改正前の同法の規定を適用したとした場合において納付すべきこととなる保険料の額を控除した額とする。

2　前項の期間を有する者について、厚生年金保険法による老齢厚生年金の額を計算する場合において、同項に規定する額による保険料の納付が行われなかつた月があるときは、同法第四十三条（同法第四十四条第一項において適用する場合を含む。）又は同法附則第九条第一項に定める額は、これらの規定にかかわらず、これらの規定に規定する額から五百四十円に当該保険料の納付が行われなかつた月に係る厚生年金保険の被保険者期間の月数を乗じて得た額を控除した額とする。

3　前項の規定は、国民年金法等の一部を改正する法律（昭和六十年法律第三十四号。以下「昭和六十年改正法」という。）第六条の規定による改正前の附則（以下この項において「改正前の附則」という。）第九条第一項の期間を有する者について、当該期間のうち同法附則第四十七条第一項の規定により厚生年金保険の被保険者であつた期間とみなされた期間に基づいて老齢厚生年金の額を計算する場合において、改正前の附則第九条第一項に規定する額による保険料の納付が行われなかつた月があるときに準用する。

附　則（昭五一・六・五法六三）（抄）
最終改正　平一三・七・四法一〇一

第五条　削除

（厚生年金保険法による平均標準報酬月額の計算の特例）

第三十五条　国民年金法等の一部を改正する法律（平成十二年法律第十八号。以下この項において「平成十二年改正法」という。）第九条の規定による改正後の厚生年金保険法及び船員保険法の一部を改正する法律（昭和四十四年法律第七十八号。以下「改正後の法律第七十八号」という。）附則第四条に規定する者のうち、第二号に規定する被保険者であつた期間がある者の厚生年金保険法による平均標準報酬月額（平成十二年改正法第六条の規定による改正前の厚生年金保険法第四十三条第一項（以下この項において「改正前の第四十三条第一項」という。）に規定する平均標準報酬月額をいうものとし、同法第百三十二条第二項及び附則第二十九条第三項並びに国民年金法等の一部を改正する法律（昭和六十年法律第三十四号）附則第七十八条第一項の規定によりなお従前の例によるものとされた同法第三条の規定による改正前の厚生年金保険法第七十条第一項に規定する平均標準報酬月額を除く。）は、平成十二年改正法附則第二十条第一項第一号及び改正前の第四十三条第一項の規定にかかわらず、次に掲げる額を合算した額をその者の厚生年金保険の被保険者期間の月数で除して得た額とする。

一　昭和五十一年八月一日前の厚生年金保険の被保険者であつた期間（改正後の法律第七十八号附則第四条の規定により平均標準報酬月額の計算の基礎とされない期間を除く。）の被保険者期間の計算の基礎となる各月の標準報酬月額を平均した額に同日前の厚生年金保険の被保険者期間の月数を乗じて得た額

二　昭和五十一年八月一日以後の厚生年金保険の被保険者であつた期間の被保険者期間の計算の基礎となる各月の標準報酬月額を平均した額に同日以後の厚生年金保険の被保険者期間の月数を乗じて得た額

2　法律第七十八号附則第四条第一項又は第二項に規定する者であつて、国民年金法等の一部を改正する法律附則第四十七条第一項の規定により厚生年金保険の被保険者であつた期間とみなされた同法第五条の規定による改正前の船員保険法による船員保険の被保険者であつた期間を有するものに対する前項の規定の適用については、同項各号列記以外の部分中「厚生年金保険法第七十条第一項」とあるのは「厚生年金保険法第七十条第一項及び国民年金法等の一部を改正する法律附則第八十七条第一項の規定によりなお従前の例によるものとされた同法第五条の規定による改正前の船員保険法第四十七条」と、「被保険者期間」とあるのは「被保険者期間（国民年金法等の一部を改正する法律附則第四十七条第一項の規定により厚生年金保険の被保険者であつた期間とみなされた期間に係るものを含む。以下この条において同じ。）」と読み替えるものとする。

3　法律第七十八号附則第四条第一項又は第二項に規定する者であつて、厚生年金保険法等の一部を改正する法律（平成八年法律第八十二号）附則第五条第一項の規定により厚生年金保険の被保険者であつた期間とみなされた期間を有するものに対する第一項の規定の適用については、同項各号列記以外の部分中「被保険者期間」とあるのは、「被保険者期間（厚生年金保険法等の一部を改正する法律（平成八年法律第八十二号）附則第五条第一項の規定により厚生年金保険の被保険者であつた期間とみなされた期間に係るものを含む。以下この条において同じ。）」と読み替えるものとする。

4　法律第七十八号附則第四条第一項又は第二項に規定する者であつて、厚生年金保険制度及び農林漁業団体職員共済組合制度の統合を図るための農林漁業団体職員共済組合法等を廃止する等の法律（平成十三年法律第百一号）附則第六条の規定により厚生年金保険の被保険者であつた期間とみなされた期間を有するものに対する第一項の規定の適用については、同項各号列記以外の部分中「被保険者期間」とあるのは、「被保険者期間（厚生年金保険制度及び農林漁業団体職員共済組合制度の統合を図るための農林漁業団体職員共済組合法等を廃止する等の法律（平成十三年法律第百一号）附則第六条の規定により厚生年金保険の被保険者であつた期間とみなされた期間に係るものを含む。以下この条において同じ。）」と読み替えるものとする。

附　則（昭五五・一〇・三一法八二）（抄）

最終改正　平八・六・一四法八二

（厚生年金保険法による年金額の計算の特例）

第六十三条　厚生年金保険法及び船員保険法の一部を改正する法律（昭和四十四年法律第七十八号）附則第四条第一項又は第二項に規定する者であつて、昭和三十二年十月前の厚生年金保険の被保険者であつた期間の一部が国民年金法等の一部を改正する法律（昭和六十年法律第三十四号。以下この条において「昭和六十年改正法」という。）第三条の規定による改正前の厚生年金保険法第三条第一項第五号に規定する第三種被保険者であつた期間（同法附則第四条第二項の規定により当該第三種被保険者であつた期間とみなされ、又は当該期間に関する規定を準用することとされた期間、昭和六十年改正法附則第四十七条第一項の規定により厚生年金保険の被保険者であつた期間とみなされた期間及び厚生年金保険法等の一部を改正する法律（平成八年法律第八十二号）附則第五条第一項の規定により厚生年金保険の被保険者であつた期間とみなされた期間（同条第二項に規定する旧船員組合員であつた期間に限る。）を含む。以下この条において「旧第三種被保険者等であつた期間」という。）であるものの厚生年金保険法による老齢、障害又は死亡に関し支給する保険給付（老齢厚生年金、障害厚生年金又は遺族厚生年金に限る。）については、当該保険給付の額（同法第四十四条（同法附則第九条の二第三項、第九条の三第二項及び第四項（同条第五項においてその例による場合を含む。）並びに第九条の四第三項及び第五項（同条第六項においてその例による場合を含む。）並びに国民年金法等の一部を改正する法律（平成六年法律第九十五号）附則第十八条第三項、第十九条第三項及び第五項、第二十条第三項及び第五項並びに第二十七条第十三項及び第十四項において準用する場合を含む。以下この条において同じ。）及び同法第五十条の二に規定する加給年金額、同法第六十二条第一項の規定により加算する額並びに昭和六十年改正法附則第七十三条第一項並びに同法附則第七十四条第一項及び第二項の規定により加算する額を除く。）が、施行日の属する月前の旧第三種被保険者等であつた期間を同法第三条の規定による改正前の厚生年金保険法第三条第一項第一号に規定する第一種被保険者（以下この条において「旧第一種被保険者」という。）であつた期間とみなして計算した当該保険給付の額（厚生年金保険法第四十四条及び同法第五十条の二に規定する加給年金額、同法第六十二条第一項の規定により加算する額並びに昭和六十年改正法附則第七十三条第一項並びに同法附則第七十四条第一項及び第二項の規定により加算する額を除く。）に満たないときは、その者の請求により、同日前の旧第三種被保険者等であつた期間を旧第一種被保険者であつた期間とみなして当該保険給付の額を計算するものとし、その請求をした日の属する月の翌月から、当該保険給付の額を改定する。ただし、老齢厚生年金及び遺族厚生年金（同法第五十八条第一項第四号に該当することにより支給されるものに限る。）であつて、その額の計算の基礎となる厚生年金保険の被保険者期間の月数が二百四十未満であるもの（昭和六十年改正法附則第十二条第一項第四号から第七号までのいずれかに該当することにより支給されるものを除く。）については、この限りでない。

附　則（昭六〇・五・一法三四）（抄）

最終改正　令二・六・五法四〇

（施行期日）

第一条　この法律は、昭和六十一年四月一日（以下「施行日」という。）から施行する。〔ただし書略〕

（用語の定義）

第五条　この条から附則第三十八条の二まで、附則第四十一条から第九十条まで及び附則第九十二条から第九十四条までにおいて、次の各号に掲げる用語の意義は、それぞれ当該各号に定めるところによる。

一　新国民年金法　第一条の規定による改正後の国民年金法をいう。

二　旧国民年金法　第一条の規定による改正前の国民年金法をいう。

三　新厚生年金保険法　第三条の規定による改正後の厚生年金保険法をいう。

四　旧厚生年金保険法　第三条の規定による改正前の厚生年金保険法をいう。

五　新船員保険法　第五条の規定による改正後の船員保険法をいう。

六　旧船員保険法　第五条の規定による改正前の船員保険法をいう。

七　旧通則法　附則第二条第一項の規定による廃止前の通算年金通則法をいう。

八　旧交渉法　附則第二条第一項の規定による廃止前の厚生年金保険及び船員保険交渉法をいう。

九　保険料納付済期間、保険料免除期間、政府及び実施機関、実施機関たる共済組合等、第一号被保険者、第二号被保険者又は合算対象期間　それぞれ国民年金法第五条第一項、同条第二項、同条第八項、同条第九項、同法第七条第一項第一号、同項第二号又は同法附則第九条第一項に規定する保険料納付済期間、保険料免除期間、政府及び実施機関、実施機関たる共済組合等、第一号被保険者、第二号被保険者又は合算対象期間をいう。

十　第一種被保険者　男子である厚生年金保険法による被保険者（同法第二条の五第一項第一号に規定する第一号厚生年金被保険者（以下「第一号厚生年金被保険者」という。）に限る。）であつて、第三種被保険者、第四種被保険者及び船員任意継続被保険者以外のものをいう。

十一　第二種被保険者　女子である厚生年金保険法による被保険者（第一号厚生年金被保険者に限る。）であつて、第三種被保険者、第四種被保険者及び船員任意継続被保険者以外のものをいう。

十二　第三種被保険者　鉱業法（昭和二十五年法律第二百八十九号）第四条に規定する事業の事業場に使用され、かつ、常時坑内作業に従事する厚生年金保険法による被保険者（第一号厚生年金被保険者に限る。）又は船員法（昭和二十二年法律第百号）第一条に規定する船員として厚生年金保険法第六条第一項第三号に規定する船舶に使用される同法による被保険者であつて、第四種被保険者及び船員任意継続被保険者以外のものをいう。

十三　第四種被保険者　附則第四十三条第一項の規定によりなおその効力を有するものとされた旧厚生年金保険法第十五条第一項の規定によつて厚生年金保険法による被保険者となつた者及び附則第四十三条第二項又は第五項の規定によつて同法による被保険者となつた者をいう。

十四　船員任意継続被保険者　附則第四十四条第一項の規定によつて厚生年金保険法による被保険者となつた者をいう。

十五　通算対象期間　旧通則法に規定する通算対象期間並びに法令の規定により当該通算対象期間に算入された期間及び当該通算対象期間とみなされた期間をいう。

十六　物価指数　総務庁において作成する全国消費者物価指数又は総理府において作成した全国消費者物価指数をいう。

十七　老齢基礎年金、障害基礎年金又は遺族基礎年金　それぞれ国民年金法による老齢基礎年金、障害基礎年金又は遺族基礎年金をいう。

十八　老齢厚生年金、障害厚生年金又は遺族厚生年金　それぞれ厚生年金保険法による老齢厚生年金、障害厚生年金又は遺族厚生年金をいう。

十九　退職共済年金、障害共済年金又は遺族共済年金　それぞれ被用者年金制度の一元化等を図るための厚生年金保険法等の一部を改正する法律（平成二十四年法律第六十三号。以下「平成二十四年一元化法」という。）附則第三十七条第一項の規定によりなおその効力を有するものとされた平成二十四年一元化法第二条の規定による改正前の国家公務員共済組合法（昭和三十三年法律第百二十八号）の長期給付に関する規定その他の法律の規定、平成二十四年一元化法附則第六十一条第一項の規定によりなおその効力を有するものとされた平成二十四年一元化法第三条の規定による改正前の地方公務員等共済組合法（昭和三十七年法律第百五十二号）の長期給付に関する規定その他の法律の規定又は平成二十四年一元化法附則第七十九条の規定によりなおその効力を有するものとされた平成二十四年一元化法第四条の規定による改正前の私立学校教職員共済法（昭和二十八年法律第二百四十五号）の長期給付に関する規定その他の法律の規定による退職共済年金、障害共済年金又は遺族共済年金をいう。

（厚生年金保険の適用事業所の経過措置）

第四十一条　新厚生年金保険法第六条第一項第二号に掲げる事業所又は事務所であつて、常時五人以上の従業員を使用するもの以外のものについては、同項（同条第三項及び同法第七条において適用する場合を含む。）の規定は、平成元年三月三十一日までの間は、政令で定めるところにより、段階的に適用するものとする。

（厚生年金保険の被保険者資格の取得及び喪失の経過措置）

第四十二条　大正十年四月二日以後に生まれた者であり、かつ、施行日の前日において旧船員保険法第十七条の規定による船員保険の被保険者であつた者であつて、施行日において新厚生年金保険法第六条第一項第三号に規定する船舶に使用されるもの（同日に同法第十三条の規定により厚生年金保険の被保険者の資格を取得する者を除く。）は、同日に、厚生年金保険の被保険者の資格を取得する。この場合において、同法第十八条の規定による都道府県知事の確認を要しない。

2　大正十年四月一日以前に生まれた者であつて、施行日の前日において旧厚生年金保険法第九条又は第十条第一項の規定による厚生年金保険の被保険者であつたものは、施行日に、当該被保険者の資格を喪失する。

（第四種被保険者に関する経過措置）

第四十三条　旧厚生年金保険法第十五条第一項の規定は、施行日の前日において同項の規定による厚生年金保険の被保険者であつた者であつて、次の各号のいずれにも該当しないものについては、なおその効力を有する。ただし、その者が第九項の規定により厚生年金保険の被保険者の資格を喪失したとき以後は、この限りでない。

一　施行日の前日において旧厚生年金保険法第十七条第二号、第四号又は第五号のいずれかに該当したこと。

二　施行日において共済組合の組合員（平成二十四年改正前国共済法附則第十三条の三に規定する特例継続組合員及び平成二十四年改正前地共済法附則第二十八条の七に規定する特例継続組合員を除く。以下「組合員」という。）又は次条第一項の規定による被保険者であること。

三　施行日において附則第十二条第一項第七号に該当すること。

2　次の各号のいずれかに該当する者であつて、厚生年金保険の被保険者期間（附則第四十七条第一項又は他の法令の規定により厚生年金保険の被保険者であつた期間とみなされた期間に係るものを含む。以下この条において同じ。）が十年以上であるものが、厚生年金保険の被保険者でなくなつた場合において、当該被保険者期間が二十年に達していないとき（附則第十二条第一項第四号から第七号までに該当するときを除く。）は、その者は、厚生労働大臣に申し出て、厚生年金保険の被保険者となることができる。ただし、第一号、第二号又は第四号のいずれかに該当する者にあつては、施行日の属する月から厚生年金保険の被保険者でなくなつた日の属する月の前月までの期間の全部が厚生年金保険の被保険者期間である場合（厚生年金保険の被保険者でなくなつた日の属する月が施行日の属する月である場合を含む。）に限る。

一　昭和十六年四月一日以前に生まれた者であつて、施行日において厚生年金保険の被保険者であつたもの（第三号に掲げる者を除く。）

二　前条第二項の規定により厚生年金保険の被保険者の資格を喪失した者

三　施行日の前日において旧厚生年金保険法第十五条第一項の規定による被保険者であつた者（前項第一号又は第三号に該当した者を除く。）

四　第五項の規定によつて厚生年金保険の被保険者となつた者

3　前項の申出は、厚生年金保険の被保険者の資格を喪失した日から起算して六月以内にしなければならない。ただし、厚生労働大臣は、正当な事由があると認めるときは、この期間を経過した後の申出であつても、受理することができる。

4　第二項の申出をした者は、その申出が受理されたときは、当該申出に係る厚生年金保険の被保険者の資格を喪失した日又は当該申出が受理された日のうち、その者の選択する日に厚生年金保険の被保険者の資格を取得するものとする。ただし、その者が当該申出が受理された日において厚生年金保険の被保険者であつたときは、当該申出に係る厚生年金保険の被保険者の資格を喪失した日に、厚生年金保険の被保険者の資格を取得するものとする。

5　施行日の前日において旧厚生年金保険法第十五条第一項の申出をすることができた者（同条第二項の規定により同日までに同条第一項の申出をしなければならないものとされていたものを除く。）であつて同項の申出をしていなかつたものが、施行日において厚生年金保険の被保険者及び組合員でなかつたときは、その者は、厚生労働大臣に申し出て、厚生年金保険の被保険者となることができる。

6　第三項の規定は前項の申出について、第四項の規定は前項の申出をした者について、それぞれ準用する。この場合において、第四項中「当該申出に係る厚生年金保険の被保険者の資格を喪失した日」とあるのは、「施行日」と読み替えるものとする。

7　第一項の規定による厚生年金保険の被保険者及び第二項又は第五項の規定により厚生年金保険の被保険者の資格を取得した者については、旧厚生年金保険法第十五条第四項の規定は、なおその効力を有する。

8　第四種被保険者は、いつでも、厚生労働大臣に申し出て、厚生年金保険の被保険者の資格を喪失することができる。

9　第四種被保険者は、次の各号のいずれかに該当するに至つた日の翌日（第三号に該当するに至つたときは、その日）に、厚生年金保険の被保険者の資格を喪失する。

一　死亡したとき。

二　厚生年金保険の被保険者期間が二十年に達したとき、又は附則第十二条第一項第四号又は第五号に該当するに至つたとき。

三　厚生年金保険法第九条又は第十条第一項の規定による被保険者となつたとき。

四　前項の申出が受理されたとき。

五　厚生年金保険の保険料（初めて納付すべき保険料を除く。）を滞納し、新厚生年金保険法第八十六条第一項の規定による指定の期限までに、その保険料を納付しないとき。

10　第四種被保険者については、旧厚生年金保険法第十八条第一項ただし書の規定は、なおその効力を有する。

11　大正十年四月一日以前に生まれた者のうち施行日の前日において船員保険の被保険者であつた者であつて施行日において新厚生年金保険法第六条第一項第三号に規定する船舶に使用されるもの又は施行日の前日において旧船員保険法第二十条の規定による船員保険の被保険者であつて次条第一項第二号に該当したもの（同項第一号に該当した者を除く。）は、第二項の規定の適用については、施行日に厚生年金保険の被保険者の資格を取得し、かつ、同日に当該被保険者の資格を喪失したものとみなす。

12　第四種被保険者については、厚生年金保険法第八十一条の二及び第八十一条の二の二の規定は適用しない。

（船員任意継続被保険者に関する経過措置）

第四十四条　施行日の前日において旧船員保険法第二十条の規定による船員保険の被保険者であつた者であつて次の各号のいずれにも該当しないものは、施行日に厚生年金保険の被保険者の資格を取得する。この場合において、新厚生年金保険法第十八条の規定による都道府県知事の確認を要しない。

一　施行日の前日において旧船員保険法第二十一条第二号、第四号又は第五号のいずれかに該当したこと。

二　施行日において組合員であること。

2　前項に規定する者については、旧船員保険法第二十条第四項の規定はなおその効力を有するものとし、その者が同項の規定によつて同条第一項の規定による船員保険の被保険者とならなかつたものとみなされたときは、その者は、前項の規定による厚生年金保険の被保険者とならなかつたものとみなす。

3　船員任意継続被保険者は、いつでも、都道府県知事に申し出て、厚生年金保険の被保険者の資格を喪失することができる。

4　船員任意継続被保険者は、前条第九項第一号、第二号若しくは第四号又は次の各号のいずれかに該当するに至つた日の翌日（第一号又は同項第四号に該当するに至つたときは、その日）に、厚生年金保険の被保険者の資格を喪失する。

一　新厚生年金保険法第六条第一項第三号に規定する船舶に使用されるに至つたとき（六十五歳に達しているときを除く。）。

二　前項の申出が受理されたとき。

三　厚生年金保険の保険料を滞納し、新厚生年金保険法第八十六条第一項の規定による指定の期限までに、その保険料を納付しないとき。

5　前項の規定の適用については、船員任意継続被保険者のうち、旧厚生年金保険法第三条第一項第一号に規定する第一種被保険者又は同項第七号に規定する第四種被保険者であつた期間が、旧交渉法第三条第一項又は第四条第一項の規定により船員保険の被保険者であつた期間とみなされることにより、旧船員保険法第三十四条第一項第一号又は第三号に規定する期間を満たすに至つたにもかかわらず、同法第二十一条第二号に該当することなく、施行日の前日まで引き続き同法第二十条の規定による船員保険の被保険者であつた者は、前条第九項第二号に該当しないものとし、その者は、附則第四十七条第一項の規定により厚生年金保険の被保険者であつた期間とみなされた期間、旧厚生年金保険法第三条第一項第五号に規定する第三種被保険者であつた期間及び船員任意継続被保険者であつた期間を合算して十五年となるに至つた日又は附則第十二条第一項第五号に該当するに至つた日に、厚生年金保険の被保険者の資格を喪失する。

6　前条第十項の規定によりなおその効力を有するものとされた旧厚生年金保険法第十八条第一項ただし書の規定は、船員任意継続被保険者について準用する。

7　新厚生年金保険法第九条及び第十三条第一項の規定の適用については、当分の間、同法第九条中「適用事業所に使用される六十五歳未満の者」とあるのは「適用事業所に使用される六十五歳未満の者（国民年金法等の一部を改正する法律（昭和六十年法律第三十四号）附則第五条第十四号に規定する船員任意継続被保険者（以下単に「船員任意継続被保険者」という。）を除く。）」と、同法第十三条第一項中「前条の規定に該当しなくなつた日」とあるのは「前条の規定に該当しなくなつた日若しくは船員任意継続被保険者でなくなつた日」とする。

8　船員任意継続被保険者については、厚生年金保険法第十条第一項及び第八十二条の二の規定は適用しない。

（第四種被保険者及び船員任意継続被保険者に係る厚生年金保険の被保険者の資格の特例）

第四十五条　第四種被保険者及び船員任意継続被保険者は、公的年金制度の健全性及び信頼性の確保のための厚生年金保険法等の一部を改正する法律（平成二十五年法律第六十三号。以下「平成二十五年改正法」という。）附則第五条第一項の規定によりなおその効力を有するものとされた平成二十五年改正法第一条の規定による改正前の厚生年金保険法第百十条、第百二十二条及び第百四十四条の規定の適用については、厚生年金保険の被保険者でないものとみなす。

2　第四種被保険者及び船員任意継続被保険者については、厚生年金保険法附則第四条の三第一項及び第四条の五第一項の規定は適用しない。

（厚生年金保険の被保険者の種別の変更）

第四十六条　厚生年金保険法第十八条、第二十七条、第二十九条から第三十一条まで、第百二条第一項（第一号及び第二号に限る。）及び第百四条、平成二十五年改正法附則第八十五条の規定によりなおその効力を有するものとされた平成二十五年改正法第一条の規定による改正前の厚生年金保険法第十九条の二、平成二十五年改正法附則第五条第一項の規定によりなおその効力を有するものとされた平成二十五年改正法第一条の規定による改正前の厚生年金保険法第百二十八条並びに平成二十五年改正法附則第九十四条（第一号に限る。）の規定は、厚生年金保険の被保険者の種別の変更（第一種被保険者（旧厚生年金保険法第三条第一項第一号に規定する第一種被保険者を含む。）と第三種被保険者（旧厚生年金保険法第三条第一項第五号に規定する第三種被保険者を含む。）との間の変更をいう。）について準用する。

（厚生年金保険の被保険者期間等に関する経過措置）

第四十七条　旧船員保険法による船員保険の被保険者であつた期間（他の法令の規定により当該被保険者であつた期間に加算された期間を含み、又は当該被保険者であつた期間とみなされた期間を含む。）は、第一号厚生年金被保険者期間とみなす。ただし、次の各号に掲げる期間は、この限りでない。

一　旧船員保険法による脱退手当金（法律第百八十二号附則第十五条又は法律第百五号附則第十九条の規定による脱退手当金を含む。）の支給を受けた場合におけるその脱退手当金の計算の基礎となつた期間

二　附則第百三十五条の規定による改正前の国家公務員等共済組合法又は附則第百三十九条の規定による改正前の地方公務員等共済組合法に基づく共済組合の組合員たる船員保険の被保険者であつた期間

三　前号に規定する組合員たる船員保険の被保険者となる前の船員保険の被保険者であつた期間

2　施行日前の旧厚生年金保険法第三条第一項第五号に規定する第三種被保険者であつた期間（同法附則第四条第二項の規定により当該第三種被保険者であつた期間とみなされ、又は当該期間に関する規定を準用することとされた期間を含む。）に係る厚生年金保険の被保険者期間の計算については、旧厚生年金保険法第十九条第三項及び第十九条の二の規定の例による。

3　第一項の規定により第一号厚生年金被保険者期間とみなされた旧船員保険法による船員保険の被保険者であつた期間につき厚生年金保険の被保険者期間を計算する場合には、その期間に三分の四を乗じて得た期間をもつて厚生年金保険の被保険者期間とする。

4　平成三年四月一日前の第三種被保険者等であつた期間につき厚生年金保険の被保険者期間を計算する場合には、新厚生年金保険法第十九条第一項及び第二項の規定にかかわらず、これら

の規定によつて計算した期間に五分の六を乗じて得た期間をもつて厚生年金保険の被保険者期間とする。

第四十八条　附則第八条第一項の規定は、施行日前の国民年金の被保険者期間（他の法令の規定により国民年金の被保険者であつた期間とみなされた期間に係るものを含む。）に係る厚生年金保険法の適用について準用する。

2　附則第八条第二項の規定により国民年金の保険料納付済期間とみなされた期間は、厚生年金保険法第四十二条第二号（同法附則第七条の三第一項、第八条、第十三条の四第一項、第二十八条の三及び第二十九条並びに国民年金法等の一部を改正する法律（平成六年法律第九十五号。以下「平成六年改正法」という。）附則第十五条第一項（同条第三項において準用する場合を含む。次項において同じ。）において適用する場合を含む。）及び第五十八条第一項第四号並びに同法附則第十四条第一項及び第二十八条の四の規定の適用については、保険料納付済期間とみなす。

3　附則第八条第八項の規定は、厚生年金保険法第四十二条第二号及び第五十八条第一項第四号並びに同法附則第十四条第一項及び第二十八条の四の規定を適用する場合における第二号被保険者としての国民年金の被保険者期間の計算について準用する。

4　厚生年金保険法附則第七条の三第一項第三号の規定の適用については、当分の間、同号中「従事する被保険者（」とあるのは「従事する被保険者（国民年金法等の一部を改正する法律（昭和六十年法律第三十四号。以下「昭和六十年改正法」という。）附則第五条第十三号に規定する第四種被保険者、同条第十四号に規定する船員任意継続被保険者、同法第三条の規定による改正前の厚生年金保険法第三条第一項第七号に規定する第四種被保険者及び旧法第二十二条の規定による被保険者を除く。」と、「船舶に使用される被保険者（」とあるのは「船舶に使用される被保険者（昭和六十年改正法附則第五条第十四号に規定する船員任意継続被保険者を含む。」と、「「船員たる被保険者」という。）であつた期間」とあるのは「「船員たる被保険者」という。）であつた期間（昭和六十年改正法附則第四十七条第一項の規定により厚生年金保険の被保険者であつた期間とみなされた同法第五条の規定による改正前の船員保険法による被保険者であつた期間を含む。以下この項において同じ。）」とする。

5　附則第八条第五項各号に掲げる期間は、厚生年金保険法附則第十四条第一項の規定の適用については、合算対象期間に算入する。この場合において、附則第八条第六項及び第七項の規定を準用する。

6　附則第八条第九項の規定により保険料納付済期間である国民年金の被保険者期間とみなされた期間は、厚生年金保険法第四十七条第一項ただし書（同法第四十七条の二第二項、第四十七条の三第二項、第五十二条第五項、第五十四条第三項及び第五十五条第二項において準用する場合を含む。）及び第五十八条第一項ただし書の規定の適用については、保険料納付済期間である国民年金の被保険者期間とみなす。

7　厚生年金保険の被保険者期間（前条第一項の規定又は他の法令の規定により厚生年金保険の被保険者であつた期間とみなされた期間に係るものを含む。）につき厚生年金保険又は施行日前の期間に係る船員保険の保険料を徴収する権利が時効によつて消滅したとき（新厚生年金保険法第七十五条ただし書に該当するとき、旧厚生年金保険法第七十五条第一項ただし書に該当するとき及び旧船員保険法第五十一条ノ二ただし書に該当するときを除く。）は、当該保険料に係る厚生年金保険の被保険者期間については、第二項の規定を適用せず、当該被保険者期間は、厚生年金保険法附則第十四条第一項の規定の適用については、第五項の規定にかかわらず、合算対象期間に算入せず、前項に規定する同法の規定の適用については、同項の規定にかかわらず、附則第八条第十一項に規定する保険料納付済期間及び保険料免除期間以外の国民年金の被保険者期間とみなす。

（共済組合の組合員又は私学教職員共済制度の加入者であつた期間の確認の特例）

第四十八条の二　厚生年金保険法附則第七条の二第一項の規定の適用については、当分の間、同項中「二以上の種別の被保険者であつた期間」とあるのは「二以上の種別の被保険者であつた期間又は国民年金法等の一部を改正する法律（昭和六十年法律第三十四号）附則第八条第二項各号（第一号を除く。）に掲げる期間であつて昭和六十一年四月一日前の期間に係るもの（以下この項において「組合員であつた期間等」という。）」と、「又は第十三条の四第一項」とあるのは「若しくは第十三条の四第一項又は国民年金法等の一部を改正する法律附則第七十八条第七項若しくは第八十七条第八項」と、「ものの被保険者であつた期間」とあるのは「ものの当該組合員であつた期間等」と、「確認」とあるのは「確認（国民年金法等の一部を改正する法律附則第八条第二項各号（第一号を除く。）に掲げる期間のうち昭和六十一年四月一日前の期間に係るものにあつては、当該各号に掲げる期間に応じそれぞれ共済組合又は私立学校教職員共済法の規定により私立学校教職員共済制度を管掌することとされた日本私立学校振興・共済事業団の確認）」とする。

（厚生年金保険の標準報酬に関する経過措置）

第四十九条　施行日前の船員保険の被保険者であつた期間の各月の旧船員保険法による標準報酬月額は、それぞれその各月の厚生年金保険法による標準報酬月額とみなす。

第五十条　第四種被保険者については、旧厚生年金保険法第二十六条の規定は、なおその効力を有する。

2　前項の規定によりなおその効力を有するものとされた旧厚生年金保険法第二十六条の規定に基づく標準報酬月額が六万八千円未満である第四種被保険者の昭和六十一年四月以後の標準報酬月額については、附則第三十九条第三項の規定を準用する。

3　船員任意継続被保険者の各月の標準報酬は、新厚生年金保険法第二十一条から第二十四条までの規定にかかわらず、旧船員保険法第四条第七項の規定に基づくその者の施行日の前日の属する月における標準報酬によるものとする。

（旧船員保険法による従前の処分）

第五十一条　この附則に別段の規定があるものを除くほか、旧船員保険法又はこれに基づく命令によつてした処分、手続その他の行為は、新厚生年金保険法又はこれに基づく命令中の相当する規定によつてした処分、手続その他の行為とみなす。

（厚生年金保険の平均標準報酬月額の計算に関する経過措置）

第五十二条　厚生年金保険の被保険者であつた期間の一部が、附則第四十七条第二項に規定する第三種被保険者であつた期間（同条第一項の規定により第一号厚生年金被保険者期間とみなされた期間を含む。以下この条において「旧第三種被保険者等であつた期間」という。）若しくは同条第四項に規定する第三種被保険者等であつた期間（以下この条において「第三種被保険者等であつた期間」という。）又は平成八年改正法附則第五条第二項若しくは平成二十四年一元化法附則第七条第二項に規定する旧船員組合員であつた期間（以下この条において「旧船員組合員であつた期間」という。）若しくは平成八年改正法附則第五条第三項若しくは平成二十四年一元化法附則第七条第三項に規定する新船員組合員であつた期間（以下この条において「新船員組合員であつた期間」という。）であるときは、国民年金法等の一部を改正する法律（平成十二年法律第十八号。以下「平成十二年改正法」という。）附則第二十条第一項第一号に定める額は、同号の規定にかかわらず、次の各号に掲げる額を合算した額とする。ただし、老齢厚生年金及び遺族厚生年金（厚生年金保険法第五十八条第一項第四号に該当することにより支給されるものに限る。）の額を計算する場合においてその計算の基礎となる厚生年金保険の被保険者期間の月数が二百四十未満であるとき（附則第十二条第一項第四号から第七号までのいずれかに該当するときを除く。）、障害厚生年金の額を計算する場合において同法第五十条第一項後段の規定の適用があるとき又は遺族厚生年金（同法第五十八条第一項第四号に該当することにより支給されるものを除く。）の額を計算する場合において同法第六十条第一項第一号ただし書の規定の適用があるときは、この限りでない。

一　旧第三種被保険者等であつた期間及び旧船員組合員であつた期間（以下この号及び第三号において「旧第三種被保険者等であつた期間等」という。）の平成十二年改正法第六条の規定による改正前の厚生年金保険法第四十三条第一項に規定する平均標準報酬月額（当該期間が厚生年金保険法及び船員保険法の一部を改正する法律（昭和四十四年法律第七十八号）附則第四条の規定に該当するものである場合にあつては、同条の規定により計算した平均標準報酬月額とし、厚生年金保険法等の一部を改正する法律（昭和五十一年法律第六十三号）附則第三十五条の規定に該当するものである場合にあつては、同条の規定により計算した平均標準報酬月額とする。第三号において同じ。）の千分の七・一二五に相当する額に旧第三種被保険者等であつた期間等に係る厚生年金保険の被保険者期間の月数を乗じて得た額

二　第三種被保険者等であつた期間及び新船員組合員であつた期間（以下この号及び次号において「第三種被保険者等であつた期間等」という。）の平均標準報酬月額の千分の七・一二五に相当する額に第三種被保険者等であつた期間等に係る厚生年金保険の被保険者期間の月数を乗じて得た額

三　旧第三種被保険者等であつた期間等及び第三種被保険者等であつた期間等以外の厚生年金保険の被保険者であつた期間の平均標準報酬月額の千分の七・一二五に相当する額に旧第三種被保険者等であつた期間等及び第三種被保険者等であつた期間等以外の期間に係る厚生年金保険の被保険者期間の月数を乗じて得た額

第五十三条　附則第四十九条の規定により旧船員保険法による標準報酬月額を厚生年金保険法による標準報酬月額とみなす場合において、昭和四十四年十一月一日前に船員保険の被保険者であつた者であつて施行日以後に厚生年金保険法による保険給付を受ける権利を有するに至つたものに支給する当該保険給付につき平均標準報酬月額を計算する場合には、その計算の基礎となる標準報酬月額に一万二千円に満たないものがあるときは、これを一万二千円とする。

（新厚生年金保険法による保険給付の額の改定の特例）

第五十四条　次の各号に掲げる保険給付の額、加給年金額又は加算額に関する当該各号に掲げる規定の適用については、昭和六十年の年平均の物価指数が昭和五十八年度の年度平均の物価指数の百分の百を超えるに至つた場合においては、昭和六十一年四月以降の月分の当該各号に掲げる規定に定める保険給付の額、加給年金額又は加算額は、その上昇した比率を基準として政令で定めるところにより改定した額とする。

一　老齢厚生年金の額のうち新厚生年金保険法第四十四条第二項に規定する加給年金額　同項

二　障害厚生年金の額のうち新厚生年金保険法第五十条第三項に規定する額　同項

三　障害厚生年金の額のうち新厚生年金保険法第五十条の二第二項に規定する加給年金額　同項

四　障害手当金の額のうち新厚生年金保険法第五十七条ただし書に規定する額　同条ただし書

五　遺族厚生年金の額のうち新厚生年金保険法第六十二条第一項に規定する加算額　同項

六　老齢厚生年金の額のうち新厚生年金保険法附則第九条第一項第一号に規定する額　同項（第一号に限る。）

七　老齢厚生年金の額のうち附則第五十九条第二項第一号に規定する額　同項（第一号に限る。）

八　老齢厚生年金の額のうち附則第六十条第二項に規定する加算額　同項

九　遺族厚生年金の額のうち附則第七十四条の規定による加算額　新国民年金法第三十八条、第三十九条第一項及び第三十九条の二第一項

（新厚生年金保険法による年金たる保険給付の支払期月の特例）

第五十五条　新厚生年金保険法附則第二十八条の三の規定による特例老齢年金及び同法附則第二十八条の四の規定による特例遺族年金の支払については、政令で定める日までの間は、同法第三十六条第三項の規定にかかわらず、旧通則法第十条の規定の例による。

2　前項の規定の施行に伴い必要な経過措置については、政令で定める。

（厚生年金保険の年金たる保険給付に係る併給調整の経過措置）

第五十六条　厚生年金保険法による年金たる保険給付は、その受給権者が旧厚生年金保険法による年金たる保険給付（附則第六十三条第一項の規定によりなおその効力を有するものとされた同法の規定により支給される年金たる保険給付及び附則第八十七条第二項の規定により厚生年金保険の実施者たる政府が支給するものとされた年金たる保険給付を含む。以下この条において同じ。）を受けることができるときは、その間、その支給を停止する。

2　旧厚生年金保険法による年金たる保険給付（死亡を支給事由とするものを除く。）は、その受給権者が厚生年金保険法によ

る年金たる保険給付、国民年金法による年金たる給付（附則第二十五条の規定により支給される障害基礎年金及び附則第二十八条の規定により支給される遺族基礎年金を除く。以下この条において同じ。）又は平成二十四年改正前共済各法による年金たる給付（附則第三十一条第一項に規定する者に支給される退職共済年金を除く。以下この項において同じ。）を受けることができるときは、その間、その支給を停止する。旧厚生年金保険法による年金たる保険給付のうち死亡を支給事由とする給付の受給権者が厚生年金保険法による年金たる保険給付、国民年金法による年金たる給付（老齢基礎年金及び同法附則第九条の三の規定による老齢年金（その受給権者が六十五歳に達しているものに限る。）を除く。）又は同法第五条第一項第二号から第四号までに掲げる法律による年金たる給付を受けることができる場合における当該死亡を支給事由とする年金たる保険給付についても、同様とする。

3　新厚生年金保険法第三十八条第二項から第四項までの規定は、前二項の場合に準用する。

4　老齢厚生年金について、厚生年金保険法第三十八条第一項の規定を適用する場合においては、同項中「並びに障害基礎年金を除く」とあるのは、「並びに障害基礎年金及び国民年金法等の一部を改正する法律（昭和六十年法律第三十四号）第一条の規定による改正前の国民年金法による障害年金（その受給権者が六十五歳に達しているものに限る。）を除く。）又は国民年金法等の一部を改正する法律附則第十一条第三項に規定する平成二十四年改正前共済各法による年金たる給付（退職共済年金、退職年金及び減額退職年金（平成八年改正法附則第十六条第三項の規定により厚生年金保険の実施者たる政府が支給するものとされたこれらの年金たる給付を含む。）及び遺族共済年金を除く」とする。

5　遺族厚生年金については、厚生年金保険法第三十八条第一項中「遺族基礎年金を除く。」とあるのは、「遺族基礎年金並びに国民年金法等の一部を改正する法律（昭和六十年法律第三十四号）第一条の規定による改正前の国民年金法による老齢年金及び通算老齢年金（その受給権者が六十五歳に達しているものに限る。）並びに障害年金（その受給権者が六十五歳に達しているものに限る。）を除く。」とする。

6　旧厚生年金保険法による年金たる保険給付のうち老齢年金、通算老齢年金及び特例老齢年金は、その受給権者（六十五歳に達している者に限る。）が遺族厚生年金若しくは厚生年金保険法による特例遺族年金又は遺族共済年金の支給を受けるときは、第二項の規定にかかわらず、当該老齢年金、通算老齢年金及び特例老齢年金の額の二分の一に相当する部分の支給の停止を行わない。

7　附則第八十七条第二項の規定により厚生年金保険の実施者たる政府が支給するものとされた年金たる保険給付のうち職務上の事由による障害年金は、第二項の規定にかかわらず、当該障害年金の額から旧船員保険法第四十一条第一項第一号ロの額の二倍に相当する額（旧船員保険法第四十一条ノ二の規定により加給すべき金額があるときはその金額に相当する額を加えた額）を控除した額に相当する部分の支給の停止を行わない。

8　附則第八十七条第二項の規定により厚生年金保険の実施者たる政府が支給するものとされた年金たる保険給付のうち職務上の事由による遺族年金は、第二項の規定にかかわらず、当該遺族年金の額から旧船員保険法第五十条ノ二第一項第三号ロ及びハの額を合算した額の二倍に相当する額（旧船員保険法第五十条ノ三の規定により加給すべき金額があるときは、その金額のうち旧船員保険法別表第三ノ二中欄に掲げる額に相当する額を、旧船員保険法第五十条ノ三ノ二の規定により加給すべき金額があるときは、その金額に相当する額をそれぞれ加えた額）を控除した額に相当する部分の支給の停止を行わない。

（老齢厚生年金の支給要件の特例）

第五十七条　厚生年金保険の被保険者期間（附則第四十七条第一項の規定又は他の法令の規定により厚生年金保険の被保険者であつた期間とみなされた期間に係るものを含む。以下この条において同じ。）を有する者のうち、厚生年金保険法第四十二条第二号に該当しない者（同法附則第十四条第一項の規定により同法第四十二条第二号に該当するものとみなされる者を除く。）であつて附則第十二条第一項第二号から第七号まで及び第十八号から第二十号までのいずれかに該当するものは、同法第四十二条並びに附則第七条の三第一項、第八条、第十三条の四第一項、第二十八条の三第一項及び第二十九条第一項並びに平成六年改正法附則第十五条第一項（同条第三項において準用する場合を含む。）の規定の適用については、厚生年金保険法第四十二条第二号に該当するものとみなし、厚生年金保険の被保険者期間を有する者のうち、保険料納付済期間（附則第八条第一項又は第二項の規定により保険料納付済期間とみなすこととされたものを含む。）と保険料免除期間（附則第八条第一項の規定により保険料免除期間とみなすこととされたものを含む。）とを合算した期間が二十五年に満たない者（同法附則第十四条第一項の規定により保険料納付済期間と保険料免除期間とを合算した期間が二十五年以上であるものとみなされる者を除く。）であつて附則第十二条第一項第一号から第十九号までのいずれかに該当するものは、同法第五十八条第一項（第四号に限る。）及び同法附則第二十八条の四第一項の規定の適用については、保険料納付済期間と保険料免除期間とを合算した期間が二十五年以上であるものとみなす。

（老齢厚生年金の支給開始年齢等の特例）

第五十八条　女子であつて附則別表第六の上欄に掲げる者については、厚生年金保険法附則第八条第一号中「六十歳」とあるのは、それぞれ同表の下欄のように読み替えるものとする。ただし、附則第十二条第一項第二号又は第四号に該当しない者については、この限りでない。

2　附則第十二条第一項第五号から第七号までのいずれかに該当する者は、厚生年金保険法附則第七条の三第一項第三号、第八条の二第三項、第九条の四第一項、第四項及び第六項、第十一条の三第三項並びに第十三条の五第七項並びに平成六年改正法附則第十五条第一項及び第三項の規定の適用については、これらの規定に規定する坑内員たる被保険者であつた期間と船員たる被保険者であつた期間とを合算した期間が十五年以上であるものとみなす。

（老齢厚生年金の額の計算の特例）

第五十九条　附則別表第七の上欄に掲げる者については、厚生年金保険法第四十三条第一項（同法第四十四条第一項及び第四十四条の三第四項（平成二十五年改正法附則第八十七条の規定により読み替えて適用する場合を含む。第五項において同じ。）

並びに平成十二年改正法附則第十七条第一項の規定によりなおその効力を有するものとされた平成十二年改正法第五条の規定による改正前の厚生年金保険法第四十四条の三第四項において適用する場合並びに厚生年金保険法第六十条第一項第一号においてその例による場合（同法第五十八条第一項第四号に該当する場合に限る。）を含む。）及び附則第九条の二第二項（同法附則第九条の三第一項及び第三項（同条第五項においてその例による場合を含む。）並びに第九条の四第一項（同法附則第二十八条の三第二項及び第二十八条の四第二項においてその例による場合を含む。）及び第四項（同法附則第九条の四第六項においてその例による場合を含む。）並びに平成六年改正法附則第十八条第二項、第十九条第二項及び第四項、第二十条第二項及び第四項並びに第二十条の二第二項及び第四項においてその例による場合を含む。）並びに平成十二年改正法附則第二十条第一項第二号（老齢厚生年金及び遺族厚生年金（厚生年金保険法第五十八条第一項第四号に該当することにより支給されるものに限る。）の額を計算する場合に限る。）中「千分の五・四八一」とあるのは、それぞれ同表の下欄のように読み替えるものとする。

2　老齢厚生年金（厚生年金保険法附則第八条又は平成六年改正法附則第十五条第一項若しくは第三項の規定により支給する老齢厚生年金を除く。）の額は、当分の間、第一号に掲げる額が第二号に掲げる額を超えるときは、同法第四十三条第一項及び第四十四条第一項の規定にかかわらず、これらの規定に定める額に第一号に掲げる額から第二号に掲げる額を控除して得た額を加算した額とする。

一　千六百二十八円に改定率を乗じて得た額（その額に五十銭未満の端数が生じたときは、これを切り捨て、五十銭以上一円未満の端数が生じたときは、これを一円に切り上げるものとする。）に厚生年金保険の被保険者期間（附則第四十七条第一項の規定又は他の法令の規定により厚生年金保険の被保険者であつた期間とみなされた期間に係るものを含む。以下この項において同じ。）の月数（当該月数が四百八十を超えるときは、四百八十とする。）を乗じて得た額

二　国民年金法第二十七条本文に規定する老齢基礎年金の額にイに掲げる数をロに掲げる数で除して得た数を乗じて得た額

イ　厚生年金保険の被保険者期間のうち昭和三十六年四月一日以後の期間に係るもの（当該被保険者期間の計算について附則第四十七条第二項から第四項まで、平成八年改正法附則第五条第二項若しくは第三項又は平成二十四年一元化法附則第七条第二項若しくは第三項の規定の適用があつた場合にはその適用がないものとして計算した被保険者期間とし、二十歳に達した日の属する月前の期間及び六十歳に達した日の属する月以後の期間に係るものその他政令で定める期間に係るものを除く。）の月数

ロ　附則別表第八の上欄に掲げる区分に応じて同表の下欄に定める月数

3　附則別表第七の上欄に掲げる者については、前項第一号及び厚生年金保険法附則第九条の二第二項第一号（同法附則第九条の三第一項及び第三項（同条第五項においてその例による場合を含む。）並びに第九条の四第一項（同法附則第二十八条の三第二項及び第二十八条の四第二項においてその例による場合を含む。）及び第四項（同法附則第九条の四第六項においてその例による場合を含む。）並びに平成六年改正法附則第十八条第二項、第十九条第二項及び第四項、第二十条第二項及び第四項並びに第二十条の二第二項及び第四項においてその例による場合を含む。次項において同じ。）中「切り上げるものとする。）」とあるのは、「切り上げるものとする。）に政令で定める率を乗じて得た額」とする。

4　前項の規定により読み替えられた第二項第一号及び厚生年金保険法附則第九条の二第二項第一号に規定する政令で定める率は、附則別表第七の上欄に掲げる者の生年月日に応じて定めるものとし、かつ、千六百二十八円に改定率を乗じて得た額にその率を乗じて得た額（その額に五十銭未満の端数が生じたときは、これを切り捨て、五十銭以上一円未満の端数が生じたときは、これを一円に切り上げるものとする。）が三千五十三円に改定率を乗じて得た額（その額に五十銭未満の端数が生じたときは、これを切り捨て、五十銭以上一円未満の端数が生じたときは、これを一円に切り上げるものとする。）から千六百二十八円に改定率を乗じて得た額（その額に五十銭未満の端数が生じたときは、これを切り捨て、五十銭以上一円未満の端数が生じたときは、これを一円に切り上げるものとする。）までの間を一定の割合で逓減するように定められるものとする。

5　第二項の規定により老齢厚生年金の額が計算される者については、厚生年金保険法第四十四条の三第四項中「これらの規定」とあるのは、「国民年金法等の一部を改正する法律（昭和六十年法律第三十四号）附則第五十九条第二項の規定」とする。

（老齢厚生年金の加給年金額等の特例）

第六十条　老齢厚生年金及び障害厚生年金の受給権者の配偶者が大正十五年四月一日以前に生まれた者である場合においては、厚生年金保険法第四十四条第一項（同法附則第九条の二第三項、第九条の三第二項及び第四項（同条第五項においてその例による場合を含む。）並びに第九条の四第三項及び第五項（同条第六項においてその例による場合を含む。）並びに平成六年改正法附則第十八条第三項、第十九条第三項及び第五項、第二十条第三項及び第五項、第二十条の二第三項及び第五項並びに第二十七条第十五項から第十七項までにおいて準用する場合を含む。）、同法第五十条の二第一項及び第三項並びに国民年金法等の一部を改正する法律（平成二十二年法律第二十七号）附則第二条第二項中「六十五歳未満の配偶者」とあるのは「配偶者」とし、厚生年金保険法第四十四条第四項第四号（同法第五十条の二第四項において準用する場合を含む。）の規定は適用しない。

2　次の表の上欄に掲げる者に支給する老齢厚生年金の配偶者に係る加給年金額については、厚生年金保険法第四十四条第二項（同法附則第九条の二第三項、第九条の三第二項及び第四項（同条第五項においてその例による場合を含む。）並びに第九条の四第三項及び第五項（同条第六項においてその例による場合を含む。）並びに平成六年改正法附則第十八条第三項、第十九条第三項及び第五項、第二十条第三項及び第五項並びに第二十七条第十三項及び第十四項において準用する場合を含む。）の規定にかかわらず、同法第四十四条第二項に定める額に、それぞれ同表の下欄に掲げる額（その額に五十円未満の端数が生じたときは、これを切り捨て、五十円以上百円未満の端数が生じ

たときは、これを百円に切り上げるものとする。）を加算した額とする。

昭和九年四月二日から昭和十五年四月一日までの間に生まれた者	三万三千二百円に改定率（国民年金法第二十七条の三及び第二十七条の五の規定の適用がないものとして改定した改定率とする。以下この表において同じ。）を乗じて得た額
昭和十五年四月二日から昭和十六年四月一日までの間に生まれた者	六万六千三百円に改定率を乗じて得た額
昭和十六年四月二日から昭和十七年四月一日までの間に生まれた者	九万九千五百円に改定率を乗じて得た額
昭和十七年四月二日から昭和十八年四月一日までの間に生まれた者	十三万二千六百円に改定率を乗じて得た額
昭和十八年四月二日以後に生まれた者	十六万五千八百円に改定率を乗じて得た額

（中高齢者等に係る老齢厚生年金の加給年金額等の特例）

第六十一条 附則第十二条第一項第四号から第七号までのいずれかに該当する者について、附則第十四条第一項（第一号に限る。）、厚生年金保険法第四十四条第一項若しくは第三項（同法附則第九条の二第三項、第九条の三第二項及び第四項（同条第五項においてその例による場合を含む。）並びに第九条の四第三項及び第五項（同条第六項においてその例による場合を含む。）並びに平成六年改正法附則第十八条第三項、第十九条第三項及び第五項、第二十条第三項及び第五項、第二十条の二第三項及び第五項並びに第二十七条第十五項から第十七項までにおいて準用する場合を含む。）、第四十六条第六項若しくは第六十二条第一項の規定又は同法附則第十六条の規定を適用する場合において、その者の老齢厚生年金の額の計算の基礎となる被保険者期間の月数が二百四十に満たないときは、当該月数は二百四十であるものとみなす。

2 附則第十二条第一項第四号から第七号までのいずれかに該当する者に支給する老齢厚生年金の額のうち附則第五十九条第二項第一号に掲げる額及び厚生年金保険法附則第九条の二第二項第一号（同法附則第九条の三第一項及び第三項（同条第五項においてその例による場合を含む。）並びに第九条の四第一項（同法附則第二十八条の三第二項及び第二十八条の四第二項においてその例による場合を含む。）及び第四項（同法附則第九条の四第六項においてその例による場合を含む。）並びに平成六年改正法附則第十八条第二項、第十九条第二項及び第四項、第二十条第二項及び第四項並びに第二十条の二第二項及び第四項においてその例による場合を含む。）に掲げる額を計算する場合において、その者の老齢厚生年金の額の計算の基礎となる被保険者期間の月数が二百四十に満たないときは、当該月数を二百四十とする。

（老齢厚生年金の支給停止の特例）

第六十二条 老齢厚生年金（厚生年金保険法附則第八条の規定によるもの及び政令で定めるものを除く。）に係る同法第四十六条第一項、平成二十五年改正法附則第八十六条第一項の規定によりなおその効力を有するものとされた平成二十五年改正法第一条の規定による改正前の厚生年金保険法第四十六条第五項、平成二十五年改正法附則第五条第一項の規定によりなおその効力を有するものとされた平成二十五年改正法第一条の規定による改正前の厚生年金保険法第百三十三条の二第二項及び第三項並びに平成二十五年改正法附則第六十一条第三項の規定によりなおその効力を有するものとされた平成二十五年改正法第一条の規定による改正前の厚生年金保険法第百六十三条の三第一項の規定の適用については、当分の間、厚生年金保険法第四十六条第一項中「及び第四十四条の三第四項に規定する加算額」とあるのは「、第四十四条の三第四項に規定する加算額（以下「繰下げ加算額」という。）及び国民年金法等の一部を改正する法律（昭和六十年法律第三十四号）附則第五十九条第二項に規定する加算額（以下「経過的加算額」という。）」と、「同条第四項に規定する加算額を除く。」」とあるのは「（繰下げ加算額及び経過的加算額を除く。）」と、平成二十五年改正法附則第八十六条第一項の規定によりなおその効力を有するものとされた平成二十五年改正法第一条の規定による改正前の厚生年金保険法第四十六条第五項中「及び第四十四条の三第四項に規定する加算額を」とあるのは「、第四十四条の三第四項に規定する加算額（以下「繰下げ加算額」という。）及び国民年金法等の一部を改正する法律（昭和六十年法律第三十四号）附則第五十九条第二項に規定する加算額（以下「経過的加算額」という。）を」と、「及び第四十四条の三第四項に規定する加算額（以下この項において「繰下げ加算額」という。）」とあるのは「、第四十四条の三第四項（公的年金制度の健全性及び信頼性の確保のための厚生年金保険法等の一部を改正する法律（平成二十五年法律第六十三号）附則第八十七条の規定により読み替えて適用する場合を含む。）に規定する加算額（以下「繰下げ加算額」という。）及び国民年金法等の一部を改正する法律（昭和六十年法律第三十四号）附則第五十九条第二項に規定する加算額（以下「経過的加算額」という。）」と、「及び繰下げ加算額」とあるのは「、繰下げ加算額及び経過的加算額」と、「同項に規定する加算額」とあるのは繰下げ加算額及び経過的加算額」と、「（繰下げ加算額」とあるのは「（繰下げ加算額及び経過的加算額」と、平成二十五年改正法附則第五条第一項の規定によりなおその効力を有するものとされた平成二十五年改正法第一条の規定による改正前の厚生年金保険法第百三十三条の二第二項中「又は第四十四条の三第四項に規定する加算額（以下この項及び次項において「繰下げ加算額」という。）」とあるのは「、繰下げ加算額又は経過的加算額」と、「及び繰下げ加算額」とあるのは「、繰下げ加算額及び経過的加算額」と、平成二十五年改正法附則第五条第一項の規定によりなおその効力を有するものとされた平成二十五年改正法第一条の規定による改正前の厚生年金保険法第百三十三条の二第三項中「及び繰下げ加算額」とあるのは「、繰下げ加算額及び経過的加算額」と、「又は繰下げ加算額」とあるのは「、繰下げ加算額又は経過的加算額」と、平成二十五年改正法附則第六十一条第三項の規定によりなおその効力を有するものとされた平成二十五年改正法第一条の規定による改正前の厚生年金保険法第百六十三条の三第一項中「又は第四十四条の三第四項に規定する加算額（以下この項において「繰下げ加算額」という。）」とあるのは「、繰下げ加算額又は経過的加算額」と、「及び繰下げ加算額」とあるのは「、繰下げ加算額及び経過的加算額」とする。

2　厚生年金保険法附則第八条の規定による老齢厚生年金（当該老齢厚生年金に係る同法附則第九条の二第二項第一号に規定する額が当該老齢厚生年金の額の計算の基礎となる厚生年金保険の被保険者期間（当該被保険者期間について附則第六十一条の規定の適用があつた場合には、その適用がないものとした場合の当該被保険者期間とする。）を基礎として計算した附則第五十九条第二項第二号に規定する額を超えるものに限る。）に係る同法附則第十一条の四、第十一条の六第四項、第五項及び第八項、第十三条第三項及び第四項並びに第十三条の二第二項並びに平成六年改正法附則第二十四条第三項から第五項まで、第二十六条第三項、第四項、第八項及び第九項並びに第二十八条第一項及び第二項の規定の適用については、当分の間、次の表の上欄に掲げる規定中同表の中欄に掲げる字句は、それぞれ同表の下欄に掲げる字句に読み替えるものとする。

厚生年金保険法附則第十一条の四第一項	当該老齢厚生年金に係る附則第九条の二第二項第一号に規定する額	当該老齢厚生年金の額の計算の基礎となる被保険者期間（当該被保険者期間について国民年金法等の一部を改正する法律（昭和六十年法律第三十四号）附則第六十一条の規定の適用があつた場合には、その適用がないものとした場合の当該被保険者期間とする。）を基礎として計算した同法附則第五十九条第二項第二号に規定する額（以下この条において「基礎年金相当部分の額」という。）
厚生年金保険法附則第十一条の四第二項	附則第九条の二第二項第二号に規定する額	附則第九条の二第二項第二号に規定する額に、当該老齢厚生年金に係る同項第一号に規定する額から基礎年金相当部分の額を控除して得た額（次項において「経過的加算相当額」という。）を加算した額
	附則第九条の二第二項第一号に規定する額	基礎年金相当部分の額
厚生年金保険法附則第十一条の四第三項	第一項に規定する附則第九条の二第二項第一号に規定する額並びに前項に規定する同条第二項第二号に規定する額及び同項第一号に規定する額	基礎年金相当部分の額及び前項に規定する附則第九条の二第二項第二号に規定する額に経過的加算相当額を加算した額
平成六年改正法附則第二十四条第三項	当該老齢厚生年金に係る厚生年金保険法附則第九条の二第二項第一号に規定する額	当該老齢厚生年金の額の計算の基礎となる被保険者期間（当該被保険者期間について昭和六十年改正法附則第六十一条の規定の適用があつた場合には、その適用がないものとした場合の当該被保険者期間とする。）を基礎として計算した同法附則第五十九条第二項第二号に規定する額（以下この条において「基礎年金相当部分の額」という。）
平成六年改正法附則第二十四条第四項	附則第九条の二第二項第二号に規定する額	附則第九条の二第二項第二号に規定する額に、当該老齢厚生年金に係る同項第一号に規定する額から基礎年金相当部分の額を控除して得た額（次項において「経過的加算相当額」という。）を加算した額
	同法附則第九条の二第二項第一号に規定する額	基礎年金相当部分の額
平成六年改正法附則第二十四条第五項	第三項に規定する同法附則第九条の二第二項第一号に	基礎年金相当部分の額及び前項に規定する同法附則第九条の二第二

	規定する額並びに前項に規定する同条第二項第二号に規定する額及び同項第一号に規定する額	項第二号に規定する額に経過的加算相当額を加算した額

第六十二条の二　平成六年改正法附則第二十六条第一項、第二項、第五項から第七項まで及び第十四項の規定は、同条第一項に規定する老齢厚生年金の受給権者（女子に限る。）が厚生年金保険の被保険者（前月以前の月に属する日から引き続き当該被保険者の資格を有する者に限る。）である日が属する月について、その者が雇用保険法等の一部を改正する法律（平成十九年法律第三十号）附則第四十二条第四項又は第五項の規定によりなお従前の例によるものとされた同法第四条の規定による改正前の船員保険法の規定による高齢雇用継続基本給付金又は高齢再就職給付金の支給を受けることができる場合について準用する。この場合において、これらの規定に関し必要な技術的読替えは、政令で定める。

（施行日において六十歳以上である者に係る厚生年金保険の年金たる保険給付の特例）

第六十三条　大正十五年四月一日以前に生まれた者又は施行日の前日において旧厚生年金保険法による老齢年金、旧船員保険法による老齢年金若しくは共済組合が支給する退職年金（同日においてその受給権者が五十五歳に達しているものに限る。）若しくは減額退職年金（同日においてその受給権者が五十五歳に達しているものに限る。）の受給権を有していた者については、厚生年金保険法第三章第二節及び第五十八条第一項第四号の規定、同法附則第八条及び第二十八条の三並びに平成六年改正法附則第十五条及び第十六条の規定を適用せず、旧厚生年金保険法中同法による老齢年金、通算老齢年金及び特例老齢年金の支給要件に関する規定並びにこれらの年金たる保険給付の支給要件に関する規定であつてこの法律によつて廃止され又は改正されたその他の法律の規定（これらの規定に基づく命令の規定を含む。）は、これらの者について、なおその効力を有する。

2　前項の規定によりなおその効力を有するものとされた旧厚生年金保険法第四十六条の三の規定を適用する場合においては、同条第一号イ中「二十五年」とあるのは、「十年」とするほか、同項の規定によりなおその効力を有するものとされた規定の適用に関し必要な技術的読替えは、政令で定める。

3　第一項に規定する者であつて厚生年金保険法第七十八条の六第一項及び第二項の規定により標準報酬が改定され、又は決定されたものについて、第一項の規定によりなおその効力を有するものとされた旧厚生年金保険法第四十二条第一項及び旧通則法第四条第一項の規定を適用する場合においては、旧厚生年金保険法第四十二条第一項中「被保険者期間」とあるのは「被保険者期間（厚生年金保険法第七十八条の六第三項の規定により被保険者期間であつたものとみなされた期間を除く。）」と、旧通則法第四条第一項中「みなされる期間」とあるのは「みなされる期間（厚生年金保険法第七十八条の六第三項の規定により被保険者期間であつたものとみなされた期間を除く。）」とするほか、第一項の規定によりなおその効力を有するものとされた規定の適用に関し必要な読替えその他必要な事項は、政令で定める。

（障害厚生年金等の支給要件の特例）

第六十四条　初診日が令和八年四月一日前にある傷病による障害について厚生年金保険法第四十七条第一項ただし書（同法第四十七条の二第二項、第四十七条の三第二項、第五十二条第五項、第五十四条第三項及び第五十五条第二項において準用する場合を含む。）の規定を適用する場合においては、同法第四十七条第一項ただし書中「三分の二に満たないとき」とあるのは、「三分の二に満たないとき（当該初診日の前日において当該初診日の属する月の前々月までの一年間のうちに保険料納付済期間及び保険料免除期間以外の国民年金の被保険者期間がないときを除く。）」とする。ただし、当該障害に係る者が当該初診日において六十五歳以上であるときは、この限りでない。

2　令和八年四月一日前に死亡した者の死亡について厚生年金保険法第五十八条第一項ただし書の規定を適用する場合においては、同項ただし書中「三分の二に満たないとき」とあるのは、「三分の二に満たないとき（当該死亡日の前日において当該死亡日の属する月の前々月までの一年間（当該死亡日において国民年金の被保険者でなかつた者については、当該死亡日の属する月の前々月以前における直近の国民年金の被保険者期間に係る月までの一年間）のうちに保険料納付済期間及び保険料免除期間以外の国民年金の被保険者期間がないときを除く。）」とする。ただし、当該死亡に係る者が当該死亡日において六十五歳以上であるときは、この限りでない。

第六十五条　初診日が平成三年五月一日前にある傷病による障害について、又は同日前に死亡した者について前条、厚生年金保険法第四十七条第一項ただし書（同法第四十七条の二第二項、同法第五十二条第五項、同法第五十四条第三項及び同法第五十五条第二項において準用する場合を含む。以下この条において同じ。）及び第五十八条第一項ただし書の規定を適用する場合においては、前条並びに同法第四十七条第一項ただし書及び同法第五十八条第一項ただし書中「月の前々月」とあるのは、「月前における直近の基準月（一月、四月、七月及び十月をいう。）の前月」とする。

（障害厚生年金の支給要件の特例）

第六十六条　新厚生年金保険法第四十七条の二第一項の規定による障害厚生年金は、同一の傷病による障害について旧厚生年金保険法による障害年金（附則第八十七条第二項の規定により厚生年金保険の実施者たる政府が支給するものとされたものを含む。）又は旧国民年金法による障害年金の受給権を有していたことがある者については、新厚生年金保険法第四十七条の二第一項の規定にかかわらず、支給しない。

第六十七条　疾病にかかり、又は負傷した日が施行日前にある傷病による障害又は初診日が施行日前にある傷病による障害について新厚生年金保険法第四十七条から第四十七条の三まで及び第五十五条の規定を適用する場合における必要な経過措置は、政令で定める。

第六十八条　船員保険の被保険者であつた間に職務上の事由又は通勤により疾病にかかり、又は負傷した者が、施行日前に既に当該傷病に係る初診日から起算して一年六月を経過し、かつ、当該傷病が治つていない場合であつて、施行日において、新厚生年金保険法第四十七条第二項に規定する障害等級に該当する程度の障害の状態にあるときは、同条の規定に該当するものとみなして、その者に同条の障害厚生年金を支給する。この場合において、同法第五十一条中「当該障害厚生年金の支給事由となつた障害に係る障害認定日」とあるのは、「昭和六十一年四月一日」とする。

2　前項の規定により支給される障害厚生年金は、その受給権者が旧船員保険法第四十条第二項に規定する障害年金の受給権を有するときは、その間、その支給を停止する。

（障害厚生年金の併給の調整の特例）

第六十九条　厚生年金保険法第四十八条第一項、第四十九条第一項及び第五十一条の規定は、施行日前に支給事由の生じた旧厚生年金保険法による障害年金（附則第八十七条第二項の規定により厚生年金保険の実施者たる政府が支給するものとされたものを含む。次項において同じ。）であつて障害基礎年金に相当するものとして政令で定めるものの支給を受けることができる者に対して更に障害厚生年金（厚生年金保険法第四十七条第二項に規定する障害等級の一級又は二級に該当する程度の障害の状態に該当する場合に限る。次項において同じ。）を支給すべき事由が生じた場合に準用する。

2　昭和三十六年四月一日前に支給事由の生じた旧厚生年金保険法による障害年金であつて障害基礎年金に相当するものとして政令で定めるものの支給を受けることができる者に対して更に障害基礎年金又は障害厚生年金を支給すべき事由が生じたときは、前後の障害を併合した障害の程度に応じて、同法第五十二条の規定の例により当該政令で定める障害年金の額を改定する。ただし、新たに取得した障害基礎年金又は障害厚生年金が新国民年金法第三十六条第一項又は新厚生年金保険法第五十四条第一項の規定によりその支給を停止すべきものであるときは、その停止すべき期間が経過するまでの間は、この限りでない。

（障害厚生年金の額の計算の特例）

第七十条　新厚生年金保険法第五十一条の規定の適用については、当分の間、同条中「となつた障害に係る障害認定日（」とあるのは「となつた障害に係る障害認定日（第四十七条の二第一項の規定による障害厚生年金については当該障害認定日又は昭和六十一年三月三十一日のうちいずれか遅い日とし、」と、「それぞれの障害に係る障害認定日（」とあるのは「それぞれの障害に係る障害認定日（第四十七条の二第一項に規定する障害については、当該障害認定日が昭和六十一年四月一日前にあるときは、昭和六十一年三月三十一日とし、」と、「基準障害に係る障害認定日）」とあるのは「基準障害に係る障害認定日とする。）」とする。

（厚生年金保険の障害手当金の支給要件の特例）

第七十一条　厚生年金保険法第五十六条の規定の適用については、旧厚生年金保険法による年金たる保険給付（附則第八十七条第二項の規定により厚生年金保険の実施者たる政府が支給するものとされた年金たる保険給付を含む。）は、厚生年金保険法第五十六条第一号の年金たる保険給付とみなす。

2　前項の規定により厚生年金保険法第五十六条第一号の年金たる保険給付とみなされた旧厚生年金保険法による障害年金（附則第八十七条第二項の規定により厚生年金保険の実施者たる政府が支給するものとされた障害年金を除く。）の受給権者について平成六年改正法第二条の規定による改正後の厚生年金保険法第五十六条の規定を適用する場合においては、同条第一号中「障害等級に該当する程度の障害の状態（以下この条」とあるのは「国民年金法等の一部を改正する法律（昭和六十年法律第三十四号。以下この号において「昭和六十年改正法」という。）第三条の規定による改正前の厚生年金保険法（以下この号において「旧厚生年金保険法」という。）別表第一に定める程度の障害の状態（以下この号」と、「障害厚生年金」とあるのは「旧厚生年金保険法による障害年金（昭和六十年改正法附則第八十七条第二項の規定により厚生年金保険の実施者たる政府が支給するものとされた障害年金を除く。）」とする。

3　第一項の規定により厚生年金保険法第五十六条第一号の年金たる保険給付とみなされた附則第八十七条第二項の規定により厚生年金保険の実施者たる政府が支給するものとされた障害年金の受給権者について平成六年改正法第二条の規定による改正後の厚生年金保険法第五十六条の規定を適用する場合においては、同条第一号中「障害等級に該当する程度の障害の状態（以下この条」とあるのは「国民年金法等の一部を改正する法律（昭和六十年法律第三十四号。以下この号において「昭和六十年改正法」という。）第五条の規定による改正前の船員保険法の障害年金を受ける程度の障害の状態（以下この号」と、「障害厚生年金」とあるのは「昭和六十年改正法附則第八十七条第二項の規定により厚生年金保険の実施者たる政府が支給するものとされた障害年金」とする。

4　厚生年金保険法第五十六条の規定の適用については、当分の間、同条第三号中「船員保険法による障害を支給事由とする給付」とあるのは、「船員保険法による障害を支給事由とする給付（国民年金法等の一部を改正する法律（昭和六十年法律第三十四号）附則第八十七条第二項の規定により厚生年金保険の実施者たる政府が支給するものとされたものを除く。）」とする。

（遺族厚生年金の支給要件の特例）

第七十二条　旧厚生年金保険法別表第一に定める一級又は二級の障害の状態にある同法による障害年金の受給権者、厚生年金保険の被保険者の資格を喪失した後に厚生年金保険の被保険者であつた間に発した傷病（施行日前に発したものに限る。）により初診日から起算して五年を経過する日前に死亡した者、大正十五年四月一日以前に生まれた者であつて同法第四十二条第一項第一号から第三号までのいずれかに規定する被保険者期間を満たしているものその他の者であつて政令で定めるものが、施行日以後に死亡した場合における遺族厚生年金の支給に関し必要な経過措置は、政令で定める。

2　平成八年四月一日前に死亡した者の死亡について新厚生年金保険法第五十九条第一項の規定を適用する場合においては、同項第一号中「であること」とあるのは、「であるか、又は障害等級の一級若しくは二級に該当する障害の状態にあること」とする。

3　前項の規定により読み替えられた新厚生年金保険法第五十九条第一項に規定する遺族に対する遺族厚生年金の失権については、旧厚生年金保険法第六十三条第三項の規定は、なおその効力を有する。この場合において、同項中「別表第一に定める一級又は二級の」とあるのは「障害等級の一級又は二級に該当する」と、「六十歳」とあるのは「五十五歳」と読み替えるものとする。

4　第二項の規定により読み替えられた新厚生年金保険法第五十九条第一項に規定する遺族である夫、父母又は祖父母が遺族厚生年金の受給権を取得した当時から引き続き障害等級の一級又は二級に該当する障害の状態にある間は、その者については、同法第六十五条の二の規定は適用しない。

（遺族厚生年金の加算の特例）

第七十三条　厚生年金保険法第六十二条第一項に規定する遺族厚生年金の受給権者であつて附則別表第九の上欄に掲げるもの（死亡した厚生年金保険の被保険者又は被保険者であつた者の妻であつた者に限る。）がその権利を取得した当時六十五歳以上であつたとき、又は同項の規定によりその額が加算された遺族厚生年金の受給権者であつて同表の上欄に掲げるものが六十五歳に達したときは、当該遺族厚生年金の額は、厚生年金保険法第六十条第一項の規定にかかわらず、同項第一号に定める額を、当該額に第一号に掲げる額から第二号に掲げる額を控除して得た額を加算した額として同項の規定を適用した額とする。ただし、当該遺族厚生年金の受給権者が、国民年金法による障害基礎年金又は旧国民年金法による障害年金の受給権を有するとき（その支給を停止されているときを除く。）は、その間、当該加算する額に相当する部分の支給を停止する。

一　厚生年金保険法第六十二条第一項に規定する加算額

二　国民年金法第二十七条本文に規定する老齢基礎年金の額にそれぞれ附則別表第九の下欄に掲げる数を乗じて得た額

2　前項の場合においては、厚生年金保険法第六十五条の規定を準用する。

3　厚生年金保険法第六十二条第一項の規定によりその額が加算された遺族厚生年金の受給権者が六十五歳に達した場合における第一項の規定による年金の額の改定は、その者が六十五歳に達した日の属する月の翌月から行う。

第七十四条　配偶者に支給する遺族厚生年金の額は、当該厚生年金保険の被保険者又は被保険者であつた者の死亡の当時その配偶者が厚生年金保険法第五十九条第一項に規定する要件に該当した子と生計を同じくしていた場合であつて、当該厚生年金保険の被保険者又は被保険者であつた者の死亡につきその配偶者が遺族基礎年金の受給権を取得しないときは、同法第六十条第一項第一号及び第六十二条第一項の規定にかかわらず、これらの規定の例により計算した額に国民年金法第三十八条及び第三十九条第一項の規定の例により計算した額を加算した額とする。

2　子に支給する遺族厚生年金の額は、当該厚生年金保険の被保険者又は被保険者であつた者の死亡につきその子が遺族基礎年金の受給権を取得しないときは、厚生年金保険法第六十条第一項第一号及び第二項の規定にかかわらず、これらの規定の例により計算した額に国民年金法第三十八条及び第三十九条の二第一項の規定の例により計算した額を加算した額とする。

3　新国民年金法第三十九条第二項及び第三項、第三十九条の二第二項、第四十条、第四十一条第二項及び第四十一条の二の規定は、遺族厚生年金のうち前二項の加算額に相当する部分について準用する。

4　第一項の規定によりその額が加算された遺族厚生年金に対する新厚生年金保険法第六十五条（前条第二項において準用する場合を含む。）の規定の適用については、同法第六十五条中「その受給権者である妻が当該被保険者又は被保険者であつた者の死亡について国民年金法による遺族基礎年金の支給を受けることができるとき」とあるのは、「当該遺族厚生年金が国民年金法等の一部を改正する法律（昭和六十年法律第三十四号）附則第七十四条第一項の規定によりその額が加算されたものであるとき」とする。

5　厚生年金保険法第六十六条第二項の規定の適用については、当分の間、同項中「配偶者に対する遺族厚生年金」とあるのは「配偶者に対する遺族厚生年金（国民年金法等の一部を改正する法律（昭和六十年法律第三十四号。以下「昭和六十年改正法」という。）附則第七十四条第一項の規定によりその額が加算されたものであるものを除く。）」と、「当該遺族基礎年金」とあるのは「当該遺族基礎年金又は昭和六十年改正法附則第七十四条第二項の規定によりその額が加算された遺族厚生年金」とする。

6　第一項又は第二項の規定によりその額が加算された遺族厚生年金のうち、第一項又は第二項の規定による加算額に相当する部分は、国民年金法第二十条、厚生年金保険法第三十八条その他これらの規定に相当する併給の調整に関する規定であつて政令で定めるものの適用及び同法第六十三条第一項第五号の適用については、遺族基礎年金とみなし、遺族厚生年金でないものとみなす。

（厚生年金保険の脱退手当金の経過措置）

第七十五条　昭和十六年四月一日以前に生まれた者については、旧厚生年金保険法中同法による脱退手当金の支給要件、額及び失権に関する規定は、その者について、なおその効力を有する。この場合において、老齢厚生年金は旧厚生年金保険法による老齢年金又は通算老齢年金と、障害厚生年金は同法による障害年金と、それぞれみなすものとするほか、これらの規定の適用に関し必要な技術的読替えは、政令で定める。

（厚生年金保険の保険給付の制限の特例）

第七十六条　新厚生年金保険法第七十五条の規定は、第三種被保険者について第一種被保険者としての保険料の徴収が行われた場合における第三種被保険者であつた期間又は旧厚生年金保険法第三条第一項第五号に規定する第三種被保険者について同項第一号に規定する第一種被保険者としての保険料の徴収が行われた場合における当該第三種被保険者であつた期間に基づく新厚生年金保険法による保険給付について準用する。この場合において、同法第七十五条ただし書中「被保険者の資格の取得」とあるのは、「国民年金法等の一部を改正する法律（昭和六十年法律第三十四号）附則第四十六条に規定する被保険者の種別の変更」と読み替えるものとする。

（厚生年金保険法による特例遺族年金の支給要件の特例）

第七十七条　大正十五年四月一日以前に生まれた者であつて旧厚生年金保険法附則第二十八条の三第一項第一号イ又はロのいずれかに該当する者その他の者であつて政令で定めるものが、施行日以後に死亡した場合における厚生年金保険法による特例遺族年金の支給に関し必要な経過措置は、政令で定める。

（旧厚生年金保険法による給付）

第七十八条　旧厚生年金保険法による年金たる保険給付（附則第六十三条第一項の規定によりなおその効力を有するものとされた同法による年金たる保険給付を含む。）及び附則第七十五条の規定によりなおその効力を有するものとされた同法による脱退手当金については、次項から第十項まで及び第十二項並びに附則第三十五条第一項及び第三項、第五十六条第二項及び第六項、第六十三条、第六十九条第二項並びに第七十五条の規定を適用する場合並びに当該給付に要する費用に関する事項を除き、なお従前の例による。旧厚生年金保険法附則第十六条第一項の規定により従前の遺族年金、寡婦年金、鰥夫年金又は遺児年金の例によつて支給する保険給付を受ける権利を取得した者又はその者の遺族が、死亡し、失権し、又は所在不明となつた場合におけるその者の遺族又は同順位若しくは次順位の遺族についても、同様とする。ただし、その者が死亡した場合において、その者の遺族が厚生年金保険法第五十八条の遺族厚生年金を受けることができるときは、この限りでない。

2　前項に規定する年金たる保険給付については、次項、第六項及び第九項並びに附則第五十六条第二項及び第六項の規定を適用する場合を除き、旧厚生年金保険法中当該保険給付の額の計算及びその支給の停止に関する規定並びに当該保険給付の額の計算及びその支給の停止に関する規定であつてこの法律によつて廃止され又は改正されたその他の法律の規定（これらの規定に基づく命令の規定を含む。）は、なおその効力を有する。この場合において、次の表の上欄に掲げる規定（他の法令において、これらの規定を引用し、又はこれらの規定の例による場合を含む。）中同表の中欄に掲げる字句は、それぞれ同表の下欄に掲げる字句と読み替えるものとするほか、この項の規定によりなおその効力を有するものとされた規定の適用に関し必要な技術的読替えは、政令で定める。

旧厚生年金保険法第三十四条第一項第一号	二千五十円	三千五十三円に国民年金法（昭和三十四年法律第百四十一号）第二十七条に規定する改定率（以下「改定率」という。）を乗じて得た額（その額に五十銭未満の端数が生じたときは、これを切り捨て、五十銭以上一円未満の端数が生じたときは、これを一円に切り上げるものとする。）
旧厚生年金保険法第三十四条第一項第二号	千分の十	千分の九・五
旧厚生年金保険法第三十四条第五項	十八万円	二十二万四千七百円に改定率（国民年金法第二十七条の三及び第二十七条の五の規定の適用がないものとして改定した改定率とする。以下この項において同じ。）を乗じて得た額（その額に五十円未満の端数が生じたときは、これを切り捨て、五十円以上百円未満の端数が生じたときは、これを百円に切り上げるものとする。）
	二万四千円	七万四千九百円に改定率を乗じて得た額（その額に五十円未満の端数が生じたときは、これを切り捨て、五十円以上百円未満の端数が生じたときは、これを百円に切り上げるものとする。）
	六万円	二十二万四千七百円に改定率を乗じて得た額（その額に五十円未満の端数が生じたときは、これを切り捨て、五十円以上百円未満の端数が生じたときは、これを百円に切り上げるものとする。）
旧厚生年金保険法第五十条第一項第三号	五十万千六百円に	七十八万九百円に改定率を乗じて得た額（その額に五十円未満の端数が生じたときは、これを切り捨て、五十円以上百円未満の端数が生じたときは、これを百円に切り上げるものとする。）に
	五十万千六百円）	当該額）
旧厚生年金保険法第六十条第二項	五十万千六百円に	七十八万九百円に改定率を乗じて得た額（その額に五十円未満の端数が生じたときは、これを切り捨て、五十円以上百円未満の端数が生じたときは、これを百円に切り上げるものとする。）に
	五十万千六百円と	当該額と
旧厚生年金保険法第六十二条の二第一項第一号	十二万円	十四万九千七百円に改定率（国民年金法第二十七条の三及び第二十七条の五の規定の適用がないものとして改定した改定率とする。以下この号において同じ。）を乗じて得た額（その額に五十円未満の端数が生じたときは、これを切り捨て、五十円以上百円未満の端数が生じたときは、これを百円に切り上げるものと

		する。）
	二十一万円	二十六万二千百円に改定率を乗じて得た額（その額に五十円未満の端数が生じたときは、これを切り捨て、五十円以上百円未満の端数が生じたときは、これを百円に切り上げるものとする。）
旧厚生年金保険法第六十二条の二第一項第二号	十二万円	十四万九千七百円に改定率を乗じて得た額（その額に五十円未満の端数が生じたときは、これを切り捨て、五十円以上百円未満の端数が生じたときは、これを百円に切り上げるものとする。）
旧厚生年金保険法附則第十六条第二項	九万八千四百円	政令で定める額（その額が十一万四千五百円に満たないときは、十一万四千五百円）
旧交渉法第二十五条の二	五十万千六百円に	七十八万九百円に国民年金法（昭和三十四年法律第百四十一号）二十七条に規定する改定率を乗じて得た額（その額に五十円未満の端数が生じたときは、これを切り捨て、五十円以上百円未満の端数が生じたときは、これを百円に切り上げるものとする。）に
	五十万千六百円）	当該額）

改正前の法律第九十二号附則第三条第二項	五十万千六百円	七十八万九百円に国民年金法第二十七条に規定する改定率（以下「改定率」という。）を乗じて得た額（その額に五十円未満の端数が生じたときは、これを切り捨て、五十円以上百円未満の端数が生じたときは、これを百円に切り上げるものとする。）
改正前の法律第九十二号附則第三条第三項	十八万円	二十二万四千七百円に改定率（国民年金法第二十七条の三及び第二十七条の五の規定の適用がないものとして改定した改定率とする。以下この項において同じ。）を乗じて得た額（その額に五十円未満の端数が生じたときは、これを切り捨て、五十円以上百円未満の端数が生じたときは、これを百円に切り上げるものとする。）
	二万四千円	七万四千九百円に改定率を乗じて得た額（その額に五十円未満の端数が生じたときは、これを切り捨て、五十円以上百円未満の端数が生じたときは、これを百円に切り上げるものとする。）
	六万円	二十二万四千七百円に改定率を乗じて得た額（その額に五十円未満の端数が生じたときは、これを切り捨て、五十円以上百円未満の端数が生じたときは、これを百円に切り上げるものとする。）

3　厚生年金保険法第三十五条の規定は、第一項に規定する年金たる保険給付について準用する。

4　第一項に規定する年金たる保険給付の支払については、厚生年金保険法第三十六条第三項の規定の例による。

5　旧厚生年金保険法第四十四条第一項及び第三項（同法第五十一条第二項において準用する場合を含む。）の規定は同法による老齢年金及び障害年金について、同法第五十九条第一項、第六十二条第一項及び第六十三条第二項（同法第六十八条の六において準用する場合を含む。以下この項において同じ。）の規定は同法による遺族年金及び通算遺族年金について、それぞれなおその効力を有する。この場合において、同法第四十四条第一項及び同条第三項第七号中「十八歳未満の」とあるのは「十八歳に達する日以後の最初の三月三十一日までの間にある」と、同項第六号及び同法第六十三条第二項第一号中「十八歳に達した」とあるのは「十八歳に達した日以後の最初の三月三十一日が終了した」と、同法第五十一条第二項において準用する同法第四十四条第一項中「受給権者がその権利を取得した当時その者」とあるのは「受給権者」と、「維持していた」とあるのは「維持している」と、「十八歳未満の」とあるのは「十八歳に達する日以後の最初の三月三十一日までの間にある」と、「計算する」とあるのは「計算するものとし、受給権者がその権利を取得した日の翌日以後にその者によつて生計を維持している当該配偶者又は当該子を有するに至つたことにより当該加給年金額を加算することとなつたときは、当該配偶者又は当該子を有するに至つた日の属する月の翌月から、年金の額を改定する」と、同法第五十一条第二項において準用する同法第四十四条第三項第六号中「受給権者がその権利を取得した当時から引き続き別表第一」とあるのは「別表第一」と、「十八歳に達した」とあるのは「十八歳に達した日以後の最初の三月三十一日が終了した」と、同法第五十一条第二項において準用する同法第四十四条第三項第七号中「十八歳未満の」とあるのは「十八歳に達する日以後の最初の三月三十一日までの間にある」と、同法第五十九条第一項第二号及び第六十三条第二項第二号中「十八歳未満である」とあるのは「十八歳に達する日以後の最初の三月三十一日までの間にある」と読み替えるものとする。

6　第一項に規定する年金たる保険給付のうち次の表の第一欄に掲げるものについては、同表の第二欄に掲げる老齢厚生年金とみなして、同表の第三欄の法律の同表の第四欄に掲げる規定を適用する。この場合において、必要な読替えその他必要な事項は、政令で定める。

老齢年金、通算老齢年金及び特例老齢年金（その受給権者が六十五歳未満であるものに限る。）	厚生年金保険法附則第八条の規定による老齢厚生年金（平成六年改正法附則第十八条の規定によりその額が計算されているものに限る。）	厚生年金保険法	附則第十三条第二項から第四項まで及び第十三条の二
		平成六年改正法	附則第二十一条、第二十三条並びに第二十八条第一項及び第二項
老齢年金、通算老齢年金及び特例老齢年金（その受給権者が六十五歳以上であるものに限る。）	厚生年金保険法第四十二条の規定による老齢厚生年金	厚生年金保険法	第四十六条第一項
		平成二十五年改正法第一条の規定による改正前の厚生年金保険法	平成二十五年改正法附則第八十六条第一項の規定によりなおその効力を有するものとされた平成二十五年改正法第一条の規定による改正前の厚生年金保険法第四十六条第五項
			平成二十五年改正法附則第五条第一項の規定によりなおその効力を有するものとされた平成二十五年改正法第一条の規定による改正前の厚生年金保険法第百三十三条の二
			平成二十五年改正法附則第六十一条第三項の規定によりなおその効力を有するものとされた平成二十五年改正法第一条の規定による改正前の厚生年金保険法第百六十三条の三

7　第一項に規定する年金たる保険給付のうち障害年金であつて政令で定めるものを受けることができる者であつて、厚生年金保険法第五十二条第四項及び同法第五十四条第二項ただし書に規定するその他障害に係る傷病の初診日（その日が昭和六十一年四月一日前のものに限る。）において、国民年金の被保険者であつた者（当該初診日前における国民年金の被保険者期間を有する者であつて、当該初診日において日本国内に住所を有し、かつ、六十歳以上六十五歳未満であつたものを含む。）、厚生年金保険の被保険者若しくは船員保険の被保険者（旧船員保険法第十九条ノ三の規定による被保険者を除く。）であつた者又は共済組合の組合員（農林漁業団体職員共済組合の任意継続組合員を含む。）であつた者は、厚生年金保険法第五十二条第一項及び第四項並びに第五十四条第二項ただし書の規定の適用については、障害厚生年金の受給権者であつて、当該初診日において被保険者であつたものとみなす。

8　厚生年金保険法第五十三条の規定は、第一項に規定する年金たる保険給付のうち障害年金について準用する。この場合において、同条中「第四十八条第二項」とあるのは「国民年金法等の一部を改正する法律（昭和六十年法律第三十四号）第三条の規定による改正前の厚生年金保険法第四十八条第二項」と、「障害等級に該当する」とあるのは「同法別表第一に定める」と読み替えるものとする。

9　厚生年金保険法第七十八条の十の規定は、第一項に規定する年金たる保険給付の受給権者について準用する。この場合において、必要な読替えは、政令で定める。

10　第一項に規定する年金たる保険給付の受給権者の標準報酬が改定され、又は決定された場合について、第二項の規定によりなおその効力を有するものとされた旧厚生年金保険法第三十四条第一項第一号の規定の適用については、同号中「被保険者期間」とあるのは「被保険者期間（厚生年金保険法第七十八条の六第三項の規定により被保険者期間であつたものとみなされた期間を除く。）」とするほか、第二項の規定によりなおその効力を有するものとされた規定（他の法令において、これらの規定を引用する場合を含む。）の適用に関し必要な読替えその他必要な事項は、政令で定める。

11　旧厚生年金保険法による年金たる保険給付のうち施行日前に支給すべきであつたもの及び同法による一時金たる保険給付であつて同日においてまだ支給していないものについては、なお従前の例による。

12　第一項に規定する旧厚生年金保険法による年金たる保険給付若しくは脱退手当金又は前項に規定する同法による年金たる保険給付若しくは脱退手当金又は一時金たる保険給付を受ける権利を有する者が施行日以後に死亡した場合における新厚生年金保険法第九十八条第四項の規定の適用については、その者は、同項に規定する受給権者とみなし、同法第百条第一項の規定の適用については、これらの給付は、同項に規定する保険給付とみなす。

第七十八条の二　附則第六十三条第一項に規定する者であつて、平成十五年四月一日以後の厚生年金保険の被保険者であつた期間を有するものに支給する旧厚生年金保険法による老齢年金、通算老齢年金又は特例老齢年金の額を計算する場合においては、前条第二項の規定によりなおその効力を有するものとされた旧厚生年金保険法第三十四条第一項第二号に定める額は、これらの規定にかかわらず、次の各号に掲げる額を合算して得た額とする。

一　平成十五年四月一日前の厚生年金保険の被保険者であった期間の平均標準報酬月額（旧厚生年金保険法第三十四条第一項第二号に規定する平均標準報酬月額をいう。）の千分の九・五に相当する額に当該被保険者期間の月数を乗じて得た額

二　平成十五年四月一日以後の厚生年金保険の被保険者であつた期間の平均標準報酬額の千分の七・三〇八に相当する額に当該被保険者期間の月数を乗じて得た額

第七十八条の三　厚生年金保険法附則第十七条の七の規定は、附則第六十三条第一項に規定する者に支給する旧厚生年金保険法による老齢年金、通算老齢年金又は特例老齢年金について準用する。この場合において、必要な技術的読替えは、政令で定める。

（厚生年金保険事業に要する費用の負担の特例）

第七十九条　国庫は、毎年度、厚生年金保険法第八十条の規定によるほか、同法による保険給付、旧厚生年金保険法による保険給付、附則第八十七条第二項の規定により厚生年金保険の実施者たる政府が支給するものとされた保険給付、平成八年改正法附則第十六条第三項の規定により厚生年金保険の実施者たる政府が支給するものとされた年金たる給付及び平成十三年統合法附則第十六条第三項の規定により厚生年金保険の実施者たる政府が支給するものとされた年金である給付に要する費用のうち、次の各号に掲げる額を負担する。

一　昭和三十六年四月一日前の厚生年金保険の被保険者期間（附則第四十七条第一項の規定又は他の法令の規定により厚生年金保険の被保険者であつた期間とみなされた期間に係るものを含み、第一号厚生年金被保険者期間に係るものに限る。以下この条において同じ。）を計算の基礎とする費用に相当するものとして政令で定める部分に相当する額の百分の二十（同月前の附則第五十二条に規定する旧第三種被保険者等であつた期間に係る厚生年金保険の被保険者期間を計算の基礎とする費用に相当するものとして政令で定める部分（他の法令の規定により国庫の負担すべき費用が定められた部分を除く。）に相当する額については、その額の百分の二十五とし、同月前の平成八年改正法附則第三条第八号に規定する旧適用法人共済組合員期間に係る厚生年金保険の被保険者期間を計算の基礎とする費用に相当するものとして政令で定める部分（他の法令の規定により国庫の負担すべき費用が定められた部分を除く。）及び同月前の平成十三年統合法附則第二条第一項第七号に規定する旧農林共済組合員期間に係る厚生年金保険の被保険者期間を計算の基礎とする費用に相当するものとして政令で定める部分（他の法令の規定により国庫の負担すべき費用が定められた部分を除く。）に相当する額については、その額の百分の二十の範囲内で政令で定める割合とする。）に相当する額

二　附則第三十五条第一項第一号に規定する旧国民年金法による老齢年金の額に相当する部分（同法第二十七条第一項及び第二項に規定する額に相当する部分を除く。）として政令で定める部分に相当する額の四分の一

第八十条　次の表の上欄に掲げる月分の第二種被保険者の新厚生年金保険法による保険料率については、同法第八十一条第五項中「千分の百二十四」とあるのは同表の中欄に掲げる字句に、「千分の九十二」とあるのは同表の下欄に掲げる字句に、それぞれ読み替えるものとする。

昭和六十一年四月から昭和六十一年九月までの月分	千分の百十三	千分の八十三
昭和六十一年十月から昭和六十二年九月までの月分	千分の百十四・五	千分の八十四・五
昭和六十二年十月から昭和六十三年九月までの月分	千分の百十六	千分の八十六
昭和六十三年十月から平成元年九月までの月分	千分の百十七・五	千分の八十七・五
平成元年十月から国民年金法等の一部を改正する法律（平成元年法律第八十六号）の施行の日の属する月までの月分	千分の百十九	千分の八十九

2　第三種被保険者及び船員任意継続被保険者の新厚生年金保険法による保険料率は、同法第八十一条第五項の規定にかかわらず、千分の百三十六（厚生年金基金の加入員である第三種被保険者にあつては、千分の百四）とする。

3　第四種被保険者については、旧厚生年金保険法第八十二条第一項ただし書及び第三項、第八十三条第一項並びに第八十三条の二の規定は、なおその効力を有する。

4　前項の規定によりなおその効力を有するものとされた旧厚生

年金保険法の規定は、船員任意継続被保険者について準用する。

（厚生年金基金の加入員及び代議員等の資格に関する経過措置）

第八十一条　大正十年四月一日以前に生まれた者であつて、施行日の前日において厚生年金基金の加入員であつた者（施行日に新厚生年金保険法第百二十四条の規定により当該加入員の資格を喪失する者を除く。）は、施行日に、当該加入員の資格を喪失する。

2　基金の代議員及び役員の資格については、基金の業務の運営状況を勘案して政令で定める日（同日において現に基金の代議員又は役員である者については、その任期が終了する日）までの間、新厚生年金保険法第百十七条第三項並びに第百十九条第二項及び第四項中「加入員」とあるのは、「加入員（国民年金法等の一部を改正する法律（昭和六十年法律第三十四号。以下「昭和六十年改正法」という。）附則第八十一条第二項に規定する政令で定める日までの間に第百二十四条第五号に該当することにより加入員の資格を喪失した者及び昭和六十年改正法附則第八十一条第一項の規定により加入員の資格を喪失した者であつて、当該資格を喪失したときから引き続き設立事業所に使用されているものを含む。）」とする。

3　厚生年金保険法第六条第一項第三号に規定する船舶に使用される厚生年金保険の被保険者については、当分の間、平成二十五年改正法附則第五条第一項の規定によりなおその効力を有するものとされた平成二十五年改正法第一条の規定による改正前の厚生年金保険法第百十条第一項中「被保険者」とあるのは、「被保険者（船舶に使用される被保険者を除く。次項、第百二十二条並びに第百四十四条第一項及び第二項において同じ。）」とする。

（厚生年金基金の老齢年金給付の基準の特例）

第八十二条　老齢厚生年金（その額の計算の基礎となる厚生年金保険の被保険者期間の月数が二百四十未満であるとき（附則第十二条第一項第四号から第七号までのいずれかに該当するときを除く。）を除く。）の受給権者に平成二十五年改正法附則第三条第十一号に規定する存続厚生年金基金（以下「基金」という。）が支給する平成二十五年改正法附則第五条第一項の規定によりなおその効力を有するものとされた平成二十五年改正法第一条の規定による改正前の厚生年金保険法第百三十条第一項に規定する老齢年金給付（附則第八十五条を除き、以下「老齢年金給付」という。）であつて、当該老齢厚生年金の額の計算の基礎となつた厚生年金保険の被保険者であつた期間のうち、同時に当該基金の加入員であつた期間（以下この項及び附則第八十四条において「加入員たる被保険者であつた期間」という。）の一部が旧厚生年金保険法第三条第一項第六号に規定する特例第三種被保険者（以下この項において「旧特例第三種被保険者」という。）であつた期間又は附則第四十七条第四項に規定する第三種被保険者等であつた期間（以下この項において「特例第三種被保険者等であつた期間」という。）である者に支給するものの額は、平成二十五年改正法附則第五条第一項の規定によりなおその効力を有するものとされた平成二十五年改正法第一条の規定による改正前の厚生年金保険法第百三十二条第二項の規定にかかわらず、次の各号に掲げる額を合算した額を超えるものでなければならない。

一　当該旧特例第三種被保険者であつた期間の平均標準報酬月額の千分の七・一二五に相当する額に当該旧特例第三種被保険者であつた期間に係る厚生年金保険の被保険者期間の月数を乗じて得た額（厚生年金保険法附則第七条の三第三項又は第十三条の四第三項の規定による老齢厚生年金の受給権者にあつては、当該額から政令で定める額を減じた額）

二　当該特例第三種被保険者等であつた期間の平均標準報酬月額の千分の七・一二五に相当する額に当該特例第三種被保険者等であつた期間に係る厚生年金保険の被保険者期間の月数を乗じて得た額（厚生年金保険法附則第七条の三第三項又は第十三条の四第三項の規定による老齢厚生年金の受給権者にあつては、当該額から政令で定める額を減じた額）

三　平成十五年四月一日前の当該旧特例第三種被保険者であつた期間及び当該特例第三種被保険者等であつた期間（以下この項において「当該特例期間」という。）以外の加入員たる被保険者であつた期間の平均標準報酬月額の千分の七・一二五に相当する額に同日前の当該特例期間以外の加入員たる被保険者であつた期間に係る厚生年金保険の被保険者期間の月数を乗じて得た額（厚生年金保険法附則第七条の三第三項又は第十三条の四第三項の規定による老齢厚生年金の受給権者にあつては、当該額から政令で定める額を減じた額）

四　平成十五年四月一日以後の当該特例期間以外の加入員たる被保険者であつた期間（厚生年金保険法附則第七条の三第三項又は第十三条の四第三項の規定による老齢厚生年金の受給権者にあつては、当該受給権者がその権利を取得した月以後における当該特例期間以外の加入員たる被保険者であつた期間（以下この号において「改定対象期間」という。）を除く。以下この号において同じ。）の平均標準報酬額の千分の五・四八一に相当する額に同日以後の当該特例期間以外の加入員たる被保険者であつた期間に係る厚生年金保険の被保険者期間の月数を乗じて得た額から政令で定める額を減じた額（改定対象期間を基礎として政令の定めるところにより計算した額を含む。）

2　老齢厚生年金の受給権者に基金が支給する老齢年金給付のうち、附則別表第七の上欄に掲げる者に支給するものについて前項、平成二十五年改正法附則第五条第一項の規定によりなおその効力を有するものとされた平成二十五年改正法第一条の規定による改正前の厚生年金保険法第百三十二条第二項及び平成十二年改正法附則第二十三条第一項の規定を適用する場合においては、前項第一号から第三号まで及び平成十二年改正法附則第二十三条第一項第一号中「千分の七・一二五」とあるのは平成十二年改正法第十五条の規定による改正前の附則別表第七の下欄のように、前項第四号、平成二十五年改正法附則第五条第一項の規定によりなおその効力を有するものとされた平成二十五年改正法第一条の規定による改正前の厚生年金保険法第百三十二条第二項及び平成十二年改正法附則第二十三条第一項第二号中「千分の五・四八一」とあるのは附則別表第七の下欄のように、それぞれ読み替えるものとする。

3　第一項に規定する者であつて、厚生年金保険法第四十四条の三第一項の規定による申出（同条第五項の規定により同条第一項の申出があつたものとみなされた場合における当該申出を含む。附則第八十四条第三項及び第四項において同じ。）をしたものに基金が支給する老齢年金給付については、第一項中「合算した額」とあるのは、「合算した額に政令で定める額を加算した額」とする。

第八十三条　大正十五年四月一日以前に生まれた者及び施行日前に支給事由の生じた旧厚生年金保険法による老齢年金の受給権者については、平成二十五年改正法附則第五条第一項の規定によりなおその効力を有するものとされた平成二十五年改正法第一条の規定による改正前の厚生年金保険法第百三十一条から第百三十三条まで及び第百三十五条の規定を適用せず、旧厚生年金保険法第百三十一条から第百三十三条まで及び第百三十五条の規定は、なおその効力を有する。この場合において、旧厚生年金保険法第百三十一条第一項第二号中「第四十三条第四項から第六項までのいずれか」とあるのは、「第四十三条第四項」と読み替えるものとする。

2　基金が支給する老齢年金給付であつて、施行日前に支給事由の生じたもの（前項に規定する者に支給するものを含む。）については、前項、次条及び附則第八十四条の規定を適用する場合を除き、なお従前の例による。

3　第一項に規定する者であつて、厚生年金保険法第四十四条の三第一項の規定による申出をしたものに基金が支給する老齢年金給付については、第一項の規定によりなおその効力を有するものとされた旧厚生年金保険法第百三十二条第二項中「規定する額」とあるのは、「規定する額に政令で定める額を加算した額」とする。

第八十三条の二　前条第一項に規定する者である旧厚生年金保険法による老齢年金、通算老齢年金又は特例老齢年金の受給権者に基金が支給する老齢年金給付であつて、当該老齢年金、通算老齢年金又は特例老齢年金の額の計算の基礎となつた厚生年金保険の被保険者であつた期間のうち、同時に当該基金の加入員であつた期間（以下この条において「加入員たる被保険者であつた期間」という。）の一部が平成十五年四月一日以後の期間であつた者に支給するものの額は、同項の規定によりなおその効力を有するものとされた旧厚生年金保険法第百三十二条第二項の規定にかかわらず、次の各号に掲げる額を合算した額を超えるものでなければならない。

一　平成十五年四月一日前の加入員たる被保険者であつた期間につき旧厚生年金保険法第百三十二条第二項の規定の例により計算した額

二　平成十五年四月一日以後の加入員たる被保険者であつた期間の平均標準報酬額の千分の七・六九二に相当する額に当該加入員たる被保険者であつた期間に係る厚生年金保険の被保険者期間の月数を乗じて得た額

2　前項に規定する者であつて、厚生年金保険法第四十四条の三第一項の規定による申出をしたものに基金が支給する老齢年金給付については、前項中「合算した額」とあるのは、「合算した額に政令で定める額を加算した額」とする。

（厚生年金基金の老齢年金給付の費用の負担に関する経過措置）

第八十四条　基金が支給する老齢年金給付のうち施行日の属する月前の月分の給付の費用の負担については、なお従前の例による。

2　厚生年金保険の実施者たる政府は、基金が支給する老齢年金給付に要する費用の一部を負担する。

3　前項の規定による厚生年金保険の実施者たる政府の負担は、老齢厚生年金若しくは厚生年金保険法による特例老齢年金又は旧厚生年金保険法による老齢年金、通算老齢年金若しくは特例老齢年金（その全額につき支給を停止されているものを除く。）の受給権者に基金が支給する老齢年金給付に要する費用について行うものとし、その額は、次の各号に定める額とする。

一　老齢厚生年金の受給権者であつて昭和十五年四月一日以前に生まれたもの（平成十二年改正法附則第九条第一項に規定する者を含む。）に支給する老齢年金給付に要する費用については、イに掲げる額からロに掲げる額を控除して得た額（厚生年金保険法第四十四条の三第一項の規定による申出をした者に支給する老齢年金給付に要する費用にあつては、当該額に政令で定める額を加算した額）

イ　平成十二年改正法附則第二十四条第一項及び第二項に規定する額

ロ　当該受給権者の加入員たる被保険者であつた期間のうち施行日前の期間につき旧厚生年金保険法第百三十二条第二項の規定の例により計算した額に十分の八を乗じて得た額（当該受給権者が昭和十七年四月二日以後に生まれた者であるときは、当該施行日前の期間につきイの規定の例により計算した額）と当該加入員たる被保険者であつた期間のうち施行日から平成十五年四月一日前までの期間につき平成十二年改正法第四条の規定による改正前の厚生年金保険法第百三十二条第二項の規定の例により計算した額と当該加入員たる被保険者であつた期間のうち同日から平成十七年四月一日前までの期間につき平成十二年改正法附則第二十四条第一項第一号ロの規定の例により計算した額と同日以後の期間につき平成二十五年改正法附則第五条第一項の規定によりなおその効力を有するものとされた平成二十五年改正法第一条の規定による改正前の厚生年金保険法第百三十二条第二項の規定の例により計算した額（厚生年金保険法附則第八条の規定による老齢厚生年金の受給権者に基金が支給する老齢年金給付であつて六十五歳未満の者に支給するものの額に相当する額を除く。）とを合算した額

二　老齢厚生年金の受給権者であつて昭和十五年四月二日から昭和十八年四月一日までの間に生まれ、かつ、施行日以後の加入員たる被保険者であつた期間を有するもの（平成十二年改正法附則第九条第一項に規定する者を除く。）に支給する老齢年金給付に要する費用については、イに掲げる額からロに掲げる額を控除して得た額（厚生年金保険法第四十四条の三第一項の規定による申出をした者に支給する老齢年金給付に要する費用にあつては、当該額に政令で定める額を加算した額）

イ　当該受給権者の加入員たる被保険者であつた期間のうち施行日以後の期間につき附則第八十二条第二項の規定により読み替えて適用する平成十二年改正法附則第二十三条第一項の規定の例により計算した額

ロ　イに掲げる期間のうち平成十五年四月一日前の期間につき平成十二年改正法第四条の規定による改正前の厚生年金保険法第百三十二条第二項の規定の例により計算した額とイに掲げる期間のうち同日から平成十七年四月一日前まで

の期間につき平成十二年改正法附則第二十四条第一項第一号ロの規定の例により計算した額と同日以後の期間につき平成二十五年改正法附則第五条第一項の規定によりなおその効力を有するものとされた平成二十五年改正法第一条の規定による改正前の厚生年金保険法第百三十二条第二項の規定の例により計算した額（厚生年金保険法附則第八条の規定による老齢厚生年金の受給権者に基金が支給する老齢年金給付であつて六十五歳未満の者に支給するものの額に相当する額を除く。）とを合算した額

三　老齢厚生年金の受給権者であつて昭和十八年四月二日以後に生まれ、かつ、平成十七年四月一日以後の加入員たる被保険者であつた期間を有するもの（平成十二年改正法附則第九条第一項に規定する者を除く。）に支給する老齢年金給付に要する費用については、イに掲げる額からロに掲げる額を控除して得た額（厚生年金保険法第四十四条の三第一項の規定による申出をした者に支給する老齢年金給付に要する費用にあつては、当該額に政令で定める額を加算した額）

イ　当該受給権者の加入員たる被保険者であつた期間のうち施行日以後の期間につき平成十二年改正法附則第二十三条第一項（附則第八十二条第二項の規定により読み替えて適用する場合を含む。）の規定の例により計算した額

ロ　イに掲げる期間につき平成二十五年改正法附則第五条第一項の規定によりなおその効力を有するものとされた平成二十五年改正法第一条の規定による改正前の厚生年金保険法第百三十二条第二項の規定の例により計算した額（厚生年金保険法附則第八条の規定による老齢厚生年金の受給権者に基金が支給する老齢年金給付であつて六十五歳未満の者に支給するものの額に相当する額を除く。）

四　厚生年金保険法附則第二十八条の三第一項の規定による特例老齢年金又は旧厚生年金保険法による老齢年金、通算老齢年金若しくは特例老齢年金の受給権者に支給する老齢年金給付に要する費用については、前三号に準じて、政令で定めるところにより算定した額

4　前項の規定にかかわらず、厚生年金保険の実施者たる政府は、基金の申出により、第二項の規定による負担を、当該基金の加入員又は加入員であつた者のうち、厚生年金保険法第四十二条第二号に該当する者（同法附則第十四条の規定又は法令の規定により同法第四十二条第二号に該当するものとみなされる者を含む。）であつて老齢厚生年金の支給開始年齢に達しているもの、同法附則第二十八条の三第一項に規定する特例老齢年金の受給資格要件たる期間を満たしている者であつて当該特例老齢年金の支給開始年齢に達しているもの又は旧厚生年金保険法による老齢年金、通算老齢年金若しくは特例老齢年金の受給資格要件たる期間を満たしている者であつて当該老齢年金、通算老齢年金若しくは特例老齢年金の支給開始年齢に達しているものに当該基金が支給する老齢年金給付に要する費用について行うものとすることができる。この場合における厚生年金保険の実施者たる政府の負担の額は、前項各号に定める額（厚生年金保険法第四十四条の三第一項の規定による申出をした者に支給する老齢年金給付に要する費用については、当該額から政令で定める額を控除した額）に政令で定める率を乗じて得た額とする。

5　第二項又は前項の規定による厚生年金保険の実施者たる政府が負担すべき額については、これらの規定にかかわらず、昭和十七年四月二日以後に生まれ、かつ、施行日前の加入員たる被保険者であつた期間を有する者に係る当該基金が施行日において保有する積立金（旧厚生年金保険法第百三十二条第二項に定める額に相当する部分の老齢年金給付に充てるべきものに限る。）の額に、千分の八からその者に係る平成十二年改正法第十三条の規定による改正前の附則別表第七の表の下欄に掲げる率を控除して得た率の千分の八に対する割合を乗じて得た額の総額を、政令で定めるところにより、これらの規定により算定した額から控除するものとする。

6　平成二十五年改正法附則第五条第一項の規定によりなおその効力を有するものとされた平成二十五年改正法第一条の規定による改正前の厚生年金保険法第八十一条の三第二項の規定の適用については、当分の間、同項中「いう。）」とあるのは「いう。）から国民年金法等の一部を改正する法律（昭和六十年法律第三十四号）附則第八十四条第二項の規定により当該厚生年金基金について厚生年金保険の実施者たる政府が負担する費用（当該代行給付費の算定の基礎となる被保険者期間に係るものに限る。以下この項において「政府負担金」という。）を控除したもの」と、「当該代行給付費の予想額及び」とあるのは「当該代行給付費及び政府負担金の予想額並びに」とする。

（存続連合会への準用）

第八十五条　附則第八十二条から前条までの規定は、平成二十五年改正法附則第三条第十三号に規定する存続連合会が支給する老齢年金給付（平成二十五年改正法附則第六十一条第一項の規定によりなおその効力を有するものとされた平成二十五年改正法第一条の規定による改正前の厚生年金保険法第百六十条第五項又は平成二十五年改正法附則第六十一条第三項の規定によりなおその効力を有するものとされた平成二十五年改正法第一条の規定による改正前の厚生年金保険法第百六十一条第二項の老齢年金給付をいう。）について準用する。

第九十条　新厚生年金保険法附則第二十八条の規定によりなお従前の例によることとされた者に対する年金たる給付のうち政令で定めるものについては、施行日以後、旧厚生年金保険法の規定による年金たる保険給付（同法附則第十六条の規定によりなお従前の例によることとされた保険給付を含む。）として支給する。

2　前項の措置に伴い必要な事項は、政令で定める。

（その他の経過措置の政令への委任）

第百一条　この附則に規定するもののほか、この法律の施行に伴い必要な経過措置は、政令で定める。

附則別表第六

昭和七年四月一日以前に生まれた者	五十五歳
昭和七年四月二日から昭和九年四月一日までの間に生まれた者	五十六歳
昭和九年四月二日から昭和十一年四月一日までの間に生まれた者	五十七歳
昭和十一年四月二日から昭和十三年	五十八歳

四月一日までの間に生まれた者	
昭和十三年四月二日から昭和十五年四月一日までの間に生まれた者	五十九歳

附則別表第七

昭和二年四月一日以前に生まれた者	千分の七・三〇八
昭和二年四月二日から昭和三年四月一日までの間に生まれた者	千分の七・二〇五
昭和三年四月二日から昭和四年四月一日までの間に生まれた者	千分の七・一〇三
昭和四年四月二日から昭和五年四月一日までの間に生まれた者	千分の七・〇〇一
昭和五年四月二日から昭和六年四月一日までの間に生まれた者	千分の六・八九八
昭和六年四月二日から昭和七年四月一日までの間に生まれた者	千分の六・八〇四
昭和七年四月二日から昭和八年四月一日までの間に生まれた者	千分の六・七〇二
昭和八年四月二日から昭和九年四月一日までの間に生まれた者	千分の六・六〇六
昭和九年四月二日から昭和十年四月一日までの間に生まれた者	千分の六・五一二
昭和十年四月二日から昭和十一年四月一日までの間に生まれた者	千分の六・四二四
昭和十一年四月二日から昭和十二年四月一日までの間に生まれた者	千分の六・三二八
昭和十二年四月二日から昭和十三年四月一日までの間に生まれた者	千分の六・二四一
昭和十三年四月二日から昭和十四年四月一日までの間に生まれた者	千分の六・一四六
昭和十四年四月二日から昭和十五年四月一日までの間に生まれた者	千分の六・〇五八
昭和十五年四月二日から昭和十六年四月一日までの間に生まれた者	千分の五・九七八
昭和十六年四月二日から昭和十七年四月一日までの間に生まれた者	千分の五・八九〇
昭和十七年四月二日から昭和十八年四月一日までの間に生まれた者	千分の五・八〇二
昭和十八年四月二日から昭和十九年四月一日までの間に生まれた者	千分の五・七二二
昭和十九年四月二日から昭和二十年四月一日までの間に生まれた者	千分の五・六四二
昭和二十年四月二日から昭和二十一年四月一日までの間に生まれた者	千分の五・五六二

附則別表第八

大正十五年四月二日から昭和二年四月一日までの間に生まれた者	三百
昭和二年四月二日から昭和三年四月一日までの間に生まれた者	三百十二
昭和三年四月二日から昭和四年四月一日までの間に生まれた者	三百二十四
昭和四年四月二日から昭和五年四月一日までの間に生まれた者	三百三十六
昭和五年四月二日から昭和六年四月一日までの間に生まれた者	三百四十八
昭和六年四月二日から昭和七年四月一日までの間に生まれた者	三百六十
昭和七年四月二日から昭和八年四月一日までの間に生まれた者	三百七十二
昭和八年四月二日から昭和九年四月一日までの間に生まれた者	三百八十四
昭和九年四月二日から昭和十年四月一日までの間に生まれた者	三百九十六
昭和十年四月二日から昭和十一年四月一日までの間に生まれた者	四百八
昭和十一年四月二日から昭和十二年四月一日までの間に生まれた者	四百二十
昭和十二年四月二日から昭和十三年四月一日までの間に生まれた者	四百三十二

昭和十三年四月二日から昭和十四年四月一日までの間に生まれた者	四百四十四
昭和十四年四月二日から昭和十五年四月一日までの間に生まれた者	四百五十六
昭和十五年四月二日から昭和十六年四月一日までの間に生まれた者	四百六十八
昭和十六年四月二日以後に生まれた者	四百八十

附則別表第九

昭和二年四月一日以前に生まれた者	○
昭和二年四月二日から昭和三年四月一日までの間に生まれた者	三百十二分の十二
昭和三年四月二日から昭和四年四月一日までの間に生まれた者	三百二十四分の二十四
昭和四年四月二日から昭和五年四月一日までの間に生まれた者	三百三十六分の三十六
昭和五年四月二日から昭和六年四月一日までの間に生まれた者	三百四十八分の四十八
昭和六年四月二日から昭和七年四月一日までの間に生まれた者	三百六十分の六十
昭和七年四月二日から昭和八年四月一日までの間に生まれた者	三百七十二分の七十二
昭和八年四月二日から昭和九年四月一日までの間に生まれた者	三百八十四分の八十四
昭和九年四月二日から昭和十年四月一日までの間に生まれた者	三百九十六分の九十六
昭和十年四月二日から昭和十一年四月一日までの間に生まれた者	四百八分の百八
昭和十一年四月二日から昭和十二年四月一日までの間に生まれた者	四百二十分の百二十
昭和十二年四月二日から昭和十三年四月一日までの間に生まれた者	四百三十二分の百三十二
昭和十三年四月二日から昭和十四年四月一日までの間に生まれた者	四百四十四分の百四十四
昭和十四年四月二日から昭和十五年四月一日までの間に生まれた者	四百五十六分の百五十六
昭和十五年四月二日から昭和十六年四月一日までの間に生まれた者	四百六十八分の百六十八
昭和十六年四月二日から昭和十七年四月一日までの間に生まれた者	四百八十分の百八十
昭和十七年四月二日から昭和十八年四月一日までの間に生まれた者	四百八十分の百九十二
昭和十八年四月二日から昭和十九年四月一日までの間に生まれた者	四百八十分の二百四
昭和十九年四月二日から昭和二十年四月一日までの間に生まれた者	四百八十分の二百十六
昭和二十年四月二日から昭和二十一年四月一日までの間に生まれた者	四百八十分の二百二十八
昭和二十一年四月二日から昭和二十二年四月一日までの間に生まれた者	四百八十分の二百四十
昭和二十二年四月二日から昭和二十三年四月一日までの間に生まれた者	四百八十分の二百五十二
昭和二十三年四月二日から昭和二十四年四月一日までの間に生まれた者	四百八十分の二百六十四
昭和二十四年四月二日から昭和二十五年四月一日までの間に生まれた者	四百八十分の二百七十六
昭和二十五年四月二日から昭和二十六年四月一日までの間に生まれた者	四百八十分の二百八十八
昭和二十六年四月二日から昭和二十七年四月一日までの間に生まれた者	四百八十分の三百
昭和二十七年四月二日から昭和二十八年四月一日までの間に生まれた者	四百八十分の三百十二
昭和二十八年四月二日から昭和二十九年四月一日までの間に生まれた者	四百八十分の三百二十四
昭和二十九年四月二日から昭和三十年四月一日までの間に生まれた者	四百八十分の三百三十六
昭和三十年四月二日から昭和三十一年四月一日までの間に生まれた者	四百八十分の三百四十八

附　則（平元・一二・二二法八六）（抄）

（施行期日等）

第一条　この法律は、公布の日から施行する。ただし、次の各号に掲げる規定は、それぞれ当該各号に定める日から施行する。

一　第二条中厚生年金保険法第八十一条の改正規定（中略）並びに附則第十条の規定　この法律の公布の日の属する月の翌月の初日

二　（前略）第二条中厚生年金保険法第三十六条の改正規定、（中略）　平成二年二月一日

三　（前略）第二条中厚生年金保険法（中略）第百十五条及び第百二十条の改正規定、同条の次に三条を加える改正規定、同法第百三十条の改正規定、同法第百三十条の二を第百三十条の三とし、第百三十条の次に一条を加える改正規定、同法第九章第一節第五款中第百三十六条の次に二条を加える改正規定、同法第百四十九条の改正規定、同条の前に款名を付する改正規定、同法第百五十一条の次に款名を付する改正規定、同法第百五十三条及び第百五十八条の改正規定、同条の次に三条及び款名を加える改正規定、同法第百五十九条の改正規定、同法第百五十九条の二を第百五十九条の三とし、第百五十九条の次に一条を加える改正規定、同法第百六十四条の改正規定、同法第百六十五条の次に款名を付する改正規定並びに同法第百七十五条及び第百七十六条の改正規定（中略）　平成二年四月一日

2　次の各号に掲げる規定は、それぞれ当該各号に定める日から適用する。

一　（前略）第二条の規定による改正後の厚生年金保険法（以下「改正後の厚生年金保険法」という。）第三十四条、第四十四条、第五十条、第五十条の二、第六十二条及び附則第九条の規定、第三条の規定による改正後の厚生年金保険法等の一部を改正する法律附則第五条の規定（中略）　平成元年四月一日

二　改正後の厚生年金保険法第二十条及び附則第十一条の規定（中略）　この法律の施行の日（以下「施行日」という。）の属する月の初日

（厚生年金保険の年金たる保険給付の額に関する経過措置）

第八条　平成元年三月以前の月分の厚生年金保険法による年金たる保険給付並びに昭和六十年改正法附則第七十八条第一項及び第八十七条第一項に規定する年金たる保険給付の額については、なお従前の例による。

（標準報酬月額に関する経過措置）

第九条　施行日の属する月の初日前に厚生年金保険の被保険者の資格を取得して、同日まで引き続き厚生年金保険の被保険者の資格を有する者（昭和六十年改正法附則第四十三条第一項の規定によりなおその効力を有するものとされた昭和六十年改正法第三条の規定による改正前の厚生年金保険法第十五条第一項又は昭和六十年改正法附則第四十三条第二項若しくは第五項の規定により当該被保険者の資格を有する者（以下「第四種被保険者」という。）及び昭和六十年改正法附則第四十四条第一項の規定により当該被保険者の資格を有する者（以下「船員任意継続被保険者」という。）を除く。）であつて、施行日の属する月の前月の標準報酬月額が七万六千円以下であるもの又は四十七万円であるもの（当該標準報酬月額の基礎となつた報酬月額が四十八万五千円未満であるものを除く。）の標準報酬は、当該標準報酬月額の基礎となつた報酬月額を改正後の厚生年金保険法第二十条の規定による標準報酬の基礎となる報酬月額とみなして、都道府県知事が改定する。

2　前項の規定により改定された標準報酬は、施行日の属する月から平成二年九月までの各月の標準報酬とする。

3　標準報酬月額が八万円未満である第四種被保険者又は船員任意継続被保険者の施行日の属する月の翌月以後の標準報酬月額は、昭和六十年改正法附則第五十条第一項の規定によりなおその効力を有するものとされた昭和六十年改正法第三条の規定による改正前の厚生年金保険法第二十六条又は昭和六十年改正法附則第五十条第三項の規定にかかわらず、八万円とする。

（厚生年金保険の保険料に関する経過措置）

第十条　施行日の属する月の翌月から平成二年十二月までの月分の厚生年金保険法による保険料率については、改正後の厚生年金保険法第八十一条第五項中「千分の百四十五」とあるのは、「千分の百四十三」とする。

2　改正後の昭和六十年改正法附則第五条第十一号に規定する第二種被保険者の次の表の上欄に掲げる月分の厚生年金保険法による保険料率については、改正後の厚生年金保険法第八十一条第五項中「千分の百四十五」とあるのは同表の下欄のように、「千分の三十二」とあるのは「千分の三十」と、それぞれ読み替えるものとする。

施行日の属する月の翌月から平成二年十二月までの月分	千分の百三十八
平成三年一月から同年十二月までの月分	千分の百四十一・五
平成四年一月から同年十二月までの月分	千分の百四十三
平成五年一月から同年十二月までの月分	千分の百四十四・五

3　改正後の昭和六十年改正法附則第五条第十二号に規定する第三種被保険者及び船員任意継続被保険者の厚生年金保険法による保険料率については、改正後の厚生年金保険法第八十一条第五項中「千分の百四十五」とあるのは、「千分の百六十三（国民年金法等の一部を改正する法律（平成元年法律第八十六号）の施行の日の属する月の翌月から平成二年十二月までの月分にあつては、千分の百六十一）」とする。

4　第四種被保険者の施行日の属する月の翌月分の厚生年金保険法による保険料率は、改正後の厚生年金保険法第八十一条第五項の規定にかかわらず、千分の百二十四とする。

5　船員任意継続被保険者の施行日の属する月の翌月分の厚生年金保険法による保険料率は、第三項の規定にかかわらず、千分の百三十六とする。

附　則（平六・一一・九法九五）（抄）

最終改正　令二・六・五法四〇

（施行期日等）

第一条　この法律は、公布の日から施行する。ただし、次の各号

に掲げる規定は、それぞれ当該各号に定める日から施行する。

一　〔前略〕第二条中厚生年金保険法第百二条第一項の改正規定、同条の次に一条を加える改正規定、第百四条、第百八十五条及び第百八十六条の改正規定〔中略〕並びに附則第三十八条の規定　公布の日から起算して二十日を経過した日

二　〔前略〕第三条の規定（厚生年金保険法第百三十六条の三の改正規定、同法附則第十一条の次に五条を加える改正規定（同法附則第十一条の五に係る部分に限る。）及び同法附則第十三条の二の次に一条を加える改正規定を除く。）、第五条の規定、第七条の規定、第八条中厚生年金保険法等の一部を改正する法律附則第三十五条第一項の改正規定（「第百三十二条第二項及び」の下に「附則第二十九条第三項並びに」を加える部分に限る。）、第九条の規定、第十一条の規定（国民年金法等の一部を改正する法律附則第六十二条の次に見出し及び二条を加える改正規定を除く。）〔中略〕並びに附則〔中略〕第十五条、第十六条、第十八条から第二十四条まで、第二十七条から第三十四条まで〔中略〕の規定〔中略〕　平成七年四月一日

三　〔略〕

四　第三条中厚生年金保険法第百三十六条の三の改正規定及び第十三条の規定　平成八年四月一日

五　第四条の規定及び第十一条中国民年金法等の一部を改正する法律附則第六十二条の次に見出し及び二条を加える改正規定並びに附則第二十五条及び第二十六条の規定　平成十年四月一日

2　次の各号に掲げる規定は、それぞれ当該各号に定める日から適用する。

一　〔前略〕第二条の規定による改正後の厚生年金保険法第三十四条、第四十四条、第五十条、第五十条の二、第六十二条及び附則第九条の規定、第六条の規定による改正後の厚生年金保険法等の一部を改正する法律附則第五条の規定、第八条の規定（厚生年金保険法等の一部を改正する法律附則第三十五条第一項中「第百三十二条第二項及び」の下に「附則第二十九条第三項並びに」を加える改正規定を除く。）による改正後の厚生年金保険法等の一部を改正する法律附則第三十五条の規定、第十条の規定による改正後の国民年金法等の一部を改正する法律附則第十四条、附則第三十二条第二項、附則第五十九条、附則第六十条、附則第七十八条第二項及び附則第八十七条第三項の規定〔中略〕並びに附則第十七条の規定　平成六年十月一日

二　第二条の規定による改正後の厚生年金保険法第二十条及び第八十一条の規定並びに附則第十三条第一項及び第二項並びに附則第三十五条第一項から第五項までの規定　この法律の施行の日（以下「施行日」という。）の属する月の初日

（厚生年金保険の年金たる保険給付の額に関する経過措置）

第十二条　平成六年九月以前の月分の厚生年金保険法による年金たる保険給付並びに昭和六十年改正法附則第七十八条第一項及び第八十七条第一項に規定する年金たる保険給付の額については、なお従前の例による。

（標準報酬月額に関する経過措置）

第十三条　施行日の属する月の初日前に厚生年金保険の被保険者の資格を取得して、同日まで引き続き厚生年金保険の被保険者の資格を有する者（昭和六十年改正法附則第四十三条第一項の規定によりなお効力を有するものとされた旧厚生年金保険法第十五条第一項又は昭和六十年改正法附則第四十三条第二項若しくは第五項の規定により当該被保険者の資格を有する者（以下「第四種被保険者」という。）及び昭和六十年改正法附則第四十四条第一項の規定により当該被保険者の資格を有する者（以下「船員任意継続被保険者」という。）を除く。）であって、施行日の属する月の前月の標準報酬月額が八万六千円以下であるもの又は五十三万円であるもの（当該標準報酬月額の基礎となった報酬月額が五十四万五千円未満であるものを除く。）の標準報酬は、当該標準報酬月額の基礎となった報酬月額を第二条の規定による改正後の厚生年金保険法第二十条の規定による標準報酬の基礎となる報酬月額とみなして、都道府県知事が改定する。

2　前項の規定により改定された標準報酬は、施行日の属する月から平成七年九月までの各月の標準報酬とする。

3　標準報酬月額が九万二千円未満である第四種被保険者又は船員任意継続被保険者の施行日の属する月の翌月以後の標準報酬月額は、昭和六十年改正法附則第五十条第一項の規定によりなおその効力を有するものとされた旧厚生年金保険法第二十六条又は昭和六十年改正法附則第五十条第三項の規定にかかわらず、九万二千円とする。

（障害厚生年金の支給に関する経過措置）

第十四条　施行日前に厚生年金保険法による障害厚生年金の受給権を有していたことがある者（施行日において当該障害厚生年金の受給権を有する者を除く。）が、当該障害厚生年金の支給事由となった傷病により、施行日において同法第四十七条第二項に規定する障害等級（以下この条において単に「障害等級」という。）に該当する程度の障害の状態にあるとき、又は施行日の翌日から六十五歳に達する日の前日までの間において、障害等級に該当する程度の障害の状態に該当するに至ったときは、その者は、施行日（施行日において障害等級に該当する程度の障害の状態にない者にあっては、障害等級に該当する程度の障害の状態に該当するに至ったとき）から六十五歳に達する日の前日までの間に、同法第四十七条第一項の障害厚生年金の支給を請求することができる。

2　施行日前に旧厚生年金保険法による障害年金（昭和六十年改正法附則第八十七条第二項の規定により厚生年金保険の管掌者たる政府が支給するものとされたもの及びこれに準ずるものとして政令で定めるものを含む。以下この項において「旧法障害年金」という。）の受給権を有していたことがある者（施行日において当該旧法障害年金の受給権を有する者を除く。）が、当該旧法障害年金の支給事由となった傷病により、施行日において障害等級に該当する程度の障害の状態にあるとき、又は施行日の翌日から六十五歳に達する日の前日までの間において、障害等級に該当する程度の障害の状態に該当するに至ったときは、その者は、施行日（施行日において障害等級に該当する程度の障害の状態にない者にあっては、障害等級に該当する程度の障害の状態に該当するに至ったとき）から六十五歳に達する日の前日までの間に、厚生年金保険法第四十七条第一項の障害厚生年金の支給を請求することができる。

3　前二項の請求があったときは、厚生年金保険法第四十七条第一項の規定にかかわらず、その請求をした者に同項の障害厚生

年金を支給する。

（老齢厚生年金の支給開始年齢の特例）

第十五条 厚生年金保険法附則第七条の三第一項第三号に規定する坑内員たる被保険者（以下単に「坑内員たる被保険者」という。）であった期間又は同号に規定する船員たる被保険者（以下単に「船員たる被保険者」という。）であった期間を有する六十歳未満の者（昭和二十一年四月一日以前に生まれた者に限る。）が、次の各号のいずれにも該当するに至ったときは、その者については、同法附則第八条に該当するものとみなして同条の老齢厚生年金を支給する。

一 五十五歳以上であること。

二 坑内員たる被保険者であった期間と船員たる被保険者であった期間とを合算した期間が十五年以上であること。

三 厚生年金保険法第四十二条第二号に該当すること。

2 前項に規定する坑内員たる被保険者であった期間又は船員たる被保険者であった期間の計算については、厚生年金保険法附則第九条の四第二項の規定を準用する。

3 第一項の規定は、坑内員たる被保険者であった期間又は船員たる被保険者であった期間を有する六十歳未満の者（昭和二十一年四月二日から昭和二十九年四月一日までの間に生まれた者に限る。）について準用する。この場合において、第一項第一号中「五十五歳」とあるのは、次の表の上欄に掲げる者について、それぞれ同表の下欄に掲げる字句に読み替えるものとする。

昭和二十一年四月二日から昭和二十三年四月一日までの間に生まれた者	五十六歳
昭和二十三年四月二日から昭和二十五年四月一日までの間に生まれた者	五十七歳
昭和二十五年四月二日から昭和二十七年四月一日までの間に生まれた者	五十八歳
昭和二十七年四月二日から昭和二十九年四月一日までの間に生まれた者	五十九歳

第十六条 削除

（老齢厚生年金の額の計算に関する経過措置）

第十七条 第二条の規定による改正後の厚生年金保険法附則第九条第一項第一号の規定の適用については、当分の間、同号中「四百四十四」とあるのは、「四百四十四（当該老齢厚生年金の受給権者が昭和九年四月一日以前に生まれた者であるときは、四百三十二とする。）」とする。

第十八条 厚生年金保険法附則第八条の規定による老齢厚生年金（附則第十五条の規定によるものを除く。以下この条において同じ。）の受給権者（被用者年金制度の一元化等を図るための厚生年金保険法等の一部を改正する法律（平成二十四年法律第六十三号。以下「平成二十四年一元化法」という。）附則第三十三条第一項（私立学校教職員共済法（昭和二十八年法律第二百四十五号）第四十八条の二の規定によりその例によることとされる場合を含む。以下同じ。）又は第五十七条第一項若しくは第二項の規定の適用を受けるものを除く。）が次の各号のいずれかに該当する者であるときは、厚生年金保険法第四十三条第一項及び附則第九条の二から第九条の四までの規定は、当該老齢厚生年金については、適用しない。

一 男子又は女子（厚生年金保険法第二条の五第一項第二号に規定する第二号厚生年金被保険者（以下「第二号厚生年金被保険者」という。）であり、若しくは同号に規定する第二号厚生年金被保険者期間（以下「第二号厚生年金被保険者期間」という。）を有する者、同項第三号に規定する第三号厚生年金被保険者（以下「第三号厚生年金被保険者」という。）であり、若しくは同号に規定する第三号厚生年金被保険者期間（以下「第三号厚生年金被保険者期間」という。）を有する者又は同項第四号に規定する第四号厚生年金被保険者（以下「第四号厚生年金被保険者」という。）であり、若しくは同号に規定する第四号厚生年金被保険者期間（以下「第四号厚生年金被保険者期間」という。）を有する者に限る。）であって昭和十六年四月一日以前に生まれた者（第三号に掲げる者を除く。）

二 女子（厚生年金保険法第二条の五第一項第一号に規定する第一号厚生年金被保険者（以下「第一号厚生年金被保険者」という。）であり、又は同号に規定する第一号厚生年金被保険者期間（以下「第一号厚生年金被保険者期間」という。）を有する者に限る。）であって昭和二十一年四月一日以前に生まれた者（次号に掲げる者を除く。）

三 厚生年金保険法附則第七条の三第一項第四号に規定する特定警察職員等（附則第二十条の二第一項、第四項及び第八項並びに第二十四条第三項第二号において「特定警察職員等」という。）である者であって昭和二十二年四月一日以前に生まれたもの

2 前項に規定する場合においては、当該老齢厚生年金の額は、厚生年金保険法附則第九条の二第二項の規定の例により計算する。この場合において、同項第一号中「四百八十」とあるのは、「四百八十（当該老齢厚生年金の受給権者が昭和九年四月一日以前に生まれた者であるときは、四百三十二とし、その者が昭和九年四月二日から昭和十九年四月一日までの間に生まれた者であるときは四百四十四とし、その者が昭和十九年四月二日から昭和二十年四月一日までの間に生まれた者であるときは四百五十六とし、その者が昭和二十年四月二日から昭和二十一年四月一日までの間に生まれた者であるときは四百六十八とする。）」と読み替えるものとする。

3 厚生年金保険法第四十四条及び公的年金制度の健全性及び信頼性の確保のための厚生年金保険法等の一部を改正する法律（平成二十五年法律第六十三号。以下「平成二十五年改正法」という。）附則第八十六条第一項の規定によりなおその効力を有するものとされた平成二十五年改正法第一条の規定による改正前の厚生年金保険法第四十四条の二の規定は、厚生年金保険法附則第八条の規定による老齢厚生年金について前項の規定を適用する場合に準用する。この場合において、同法第四十四条第一項中「第四十三条第二項又は第三項」とあるのは「第四十三条第三項」と、「第四十三条の規定」とあるのは「附則第九条及び国民年金法等の一部を改正する法律（平成六年法律第九十五号）附則第十八条第二項においてその例によるものとされた附則第九条の二第二項の規定」と、「同条」とあるのは「こ

れらの規定」と、平成二十五年改正法附則第八十六条第一項の規定によりなおその効力を有するものとされた平成二十五年改正法第一条の規定による改正前の厚生年金保険法第四十四条の二第一項中「第四十三条第一項に規定する額」とあるのは「国民年金法等の一部を改正する法律附則第十八条第二項においてその例によるものとされた附則第九条の二第二項第二号に規定する額」と、「同項に定める額から」とあるのは「同号に定める額（以下この条において「報酬比例部分の額」という。）から」と、「第百三十二条第二項」とあるのは「国民年金法等の一部を改正する法律（昭和六十年法律第三十四号。以下「昭和六十年改正法」という。）附則第八十二条第一項若しくは第八十三条の二第一項、昭和六十年改正法附則第八十三条第一項の規定によりなおその効力を有するものとされた昭和六十年改正法第三条の規定による改正前の第百三十二条第二項、国民年金法等の一部を改正する法律（平成十二年法律第十八号。以下「平成十二年改正法」という。）附則第九条第一項の規定によりなおその効力を有するものとされた平成十二年改正法第四条の規定による改正前の第百三十二条第二項若しくは平成十二年改正法第十三条の規定による改正前の昭和六十年改正法附則第八十二条第一項、平成十二年改正法附則第二十三条第一項若しくは第二十四条第一項又は公的年金制度の健全性及び信頼性の確保のための厚生年金保険法等の一部を改正する法律（平成二十五年法律第六十三号）附則第五条第一項の規定によりなおその効力を有するものとされた同法第一条の規定による改正前の第百三十二条第二項」と、「第四十三条第一項に定める額」とあるのは「報酬比例部分の額」と、「同項に定める額」とあるのは「報酬比例部分の額」と読み替えるものとする。

4　第三条の規定による改正後の厚生年金保険法（以下「改正後の厚生年金保険法」という。）附則第二十八条の二第二項の規定の適用については、当分の間、同項中「第四十四条第一項」とあるのは、「第四十四条第一項（国民年金法等の一部を改正する法律（平成六年法律第九十五号）附則第十八条第三項において準用する場合を含む。）」とする。

第十九条　男子又は女子（第二号厚生年金被保険者であり、若しくは第二号厚生年金被保険者期間を有する者、第三号厚生年金被保険者であり、若しくは第三号厚生年金被保険者期間を有する者又は第四号厚生年金被保険者であり、若しくは第四号厚生年金被保険者期間を有する者に限る。）であって次の表の上欄に掲げる者（附則第二十条の二第一項又は平成二十四年一元化法附則第三十三条第一項若しくは第五十七条第一項若しくは第二項に規定する者を除く。）が、同表の下欄に掲げる年齢以上六十五歳未満である間において、厚生年金保険法附則第八条の規定による老齢厚生年金の受給権を取得した場合においては、同法第四十三条第一項及び附則第九条の二から第九条の四までの規定は、当該老齢厚生年金については、適用しない。

昭和十六年四月二日から昭和十八年四月一日までの間に生まれた者	六十一歳
昭和十八年四月二日から昭和二十年四月一日までの間に生まれた者	六十二歳
昭和二十年四月二日から昭和二十二年四月一日までの間に生まれた者	六十三歳
昭和二十二年四月二日から昭和二十四年四月一日までの間に生まれた者	六十四歳

2　前項に規定する場合においては、当該老齢厚生年金の額は、厚生年金保険法附則第九条の二第二項の規定の例により計算する。この場合において、同項第一号中「四百八十」とあるのは、「四百八十（当該老齢厚生年金の受給権者が昭和十九年四月一日以前に生まれた者であるときは四百四十四とし、その者が昭和十九年四月二日から昭和二十年四月一日までの間に生まれた者であるときは四百五十六とし、その者が昭和二十年四月二日から昭和二十一年四月一日までの間に生まれた者であるときは四百六十八とする。）」と読み替えるものとする。

3　厚生年金保険法第四十四条及び平成二十五年改正法附則第八十六条第一項の規定によりなおその効力を有するものとされた平成二十五年改正法第一条の規定による改正前の厚生年金保険法第四十四条の二の規定は、厚生年金保険法附則第八条の規定による老齢厚生年金について前項の規定を適用する場合に準用する。この場合において、同法第四十四条第一項中「第四十三条第二項又は第三項」とあるのは「第四十三条第三項」と、「第四十三条の規定」とあるのは「附則第九条及び国民年金法等の一部を改正する法律（平成六年法律第九十五号）附則第十九条第二項においてその例によるものとされた附則第九条の二第二項の規定」と、「同条」とあるのは「これらの規定」と、平成二十五年改正法附則第八十六条第一項の規定によりなおその効力を有するものとされた平成二十五年改正法第一条の規定による改正前の厚生年金保険法第四十四条の二第一項中「第四十三条第一項に規定する額」とあるのは「附則第九条の二第二項第二号に規定する額」と、「同項に定める額から」とあるのは「同号に定める額（以下この条において「報酬比例部分の額」という。）から」と、「第百三十二条第二項」とあるのは「国民年金法等の一部を改正する法律（昭和六十年法律第三十四号。以下「昭和六十年改正法」という。）附則第八十二条第一項若しくは第八十三条の二第一項、昭和六十年改正法附則第八十三条第一項の規定によりなおその効力を有するものとされた昭和六十年改正法第三条の規定による改正前の第百三十二条第二項、国民年金法等の一部を改正する法律（平成十二年法律第十八号。以下「平成十二年改正法」という。）附則第九条第一項の規定によりなおその効力を有するものとされた平成十二年改正法第四条の規定による改正前の第百三十二条第二項若しくは平成十二年改正法第十三条の規定による改正前の昭和六十年改正法附則第八十二条第一項、平成十二年改正法附則第二十三条第一項若しくは第二十四条第一項又は公的年金制度の健全性及び信頼性の確保のための厚生年金保険法等の一部を改正する法律（平成二十五年法律第六十三号）附則第五条第一項の規定によりなおその効力を有するものとされた同法第一条の規定による改正前の第百三十二条第二項」と、「第四十三条第一項に定める額」とあるのは「報酬比例部分の額」と、「同項に定める額」とあるのは「報酬比例部分の額」と読み替えるものとする。

4　男子又は女子（第二号厚生年金被保険者であり、若しくは第二号厚生年金被保険者期間を有する者、第三号厚生年金被保険者であり、若しくは第三号厚生年金被保険者期間を有する者又は第四号厚生年金被保険者であり、若しくは第四号厚生年金被保険者期間を有する者に限る。）である厚生年金保険法附則第八条の規定による老齢厚生年金（同法第四十三条第一項及び附則第九条の規定によりその額が計算されているものに限る。）の受給権者（第一項の表の上欄に掲げる者（附則第二十条の二第一項又は平成二十四年一元化法附則第三十三条第一項若しくは第五十七条第一項若しくは第二項に規定する者を除く。）に限る。）が同表の下欄に掲げる年齢に達したときは、同法附則第九条の二第二項の規定の例により老齢厚生年金の額を計算するものとし、その年齢に達した月の翌月から、年金の額を改定する。この場合において、第二項後段の規定を準用する。

5　厚生年金保険法第四十四条及び平成二十五年改正法附則第八十六条第一項の規定によりなおその効力を有するものとされた平成二十五年改正法第一条の規定による改正前の厚生年金保険法第四十四条の二の規定は、厚生年金保険法附則第八条の規定による老齢厚生年金について前項の規定を適用する場合に準用する。この場合において、同法第四十四条第一項中「その権利を取得した当時（その権利を取得した当時」とあるのは「国民年金法等の一部を改正する法律（平成六年法律第九十五号）附則第十九条第一項の表の下欄に掲げる年齢に達した当時（その年齢に達した当時」と、「第四十三条第二項又は第三項」とあるのは「第四十三条第三項」と、「第四十三条の規定」とあるのは「附則第九条及び同法附則第十九条第四項においてその例によるものとされた附則第九条の二第二項の規定」と、「同条」とあるのは「これらの規定」と、「加算した額とする」とあるのは「加算するものとし、その年齢に達した月の翌月又は第四十三条第三項の規定により当該月数が二百四十以上となるに至つた月から、年金の額を改定する」と、同条第三項中「その権利を取得した当時」とあるのは「国民年金法等の一部を改正する法律附則第十九条第一項の表の下欄に掲げる年齢に達した当時」と、平成二十五年改正法附則第八十六条第一項の規定によりなおその効力を有するものとされた平成二十五年改正法第一条の規定による改正前の厚生年金保険法第四十四条の二第一項中「第四十三条第一項に規定する額」とあるのは「附則第九条の二第二項第二号に規定する額」と、「同項に定める額から」とあるのは「同号に定める額（以下この条において「報酬比例部分の額」という。）から」と、「第百三十二条第二項」とあるのは「国民年金法等の一部を改正する法律（昭和六十年法律第三十四号。以下「昭和六十年改正法」という。）附則第八十二条第一項若しくは第八十三条の二第一項、昭和六十年改正法附則第八十三条第一項の規定によりなおその効力を有するものとされた昭和六十年改正法第三条の規定による改正前の第百三十二条第二項、国民年金法等の一部を改正する法律（平成十二年法律第十八号。以下「平成十二年改正法」という。）附則第九条第一項の規定によりなおその効力を有するものとされた平成十二年改正法第四条の規定による改正前の第百三十二条第二項若しくは平成十二年改正法第十三条の規定による改正前の昭和六十年改正法附則第八十二条第一項、平成十二年改正法附則第二十三条第一項若しくは第二十四条第一項又は公的年金制度の健全性及び信頼性の確保のための厚生年金保険法等の一部を改正する法律（平成二十五年法律第六十三号）附則第五条第一項の規定によりなおその効力を有するものとされた同法第一条の規定による改正前の第百三十二条第二項」と、「第四十三条第一項に定める額」とあるのは「報酬比例部分の額」と、「同項に定める額」」とあるのは「報酬比例部分の額」」と読み替えるものとする。

6　第四項に規定する受給権者が第一項の表の下欄に掲げる年齢に達した月において、厚生年金保険法附則第九条の三第三項及び第四項又は第九条の四第四項及び第五項の規定により当該老齢厚生年金の額が改定されたときは、前二項の規定は、適用しない。

7　第四項に規定する受給権者が第一項の表の下欄に掲げる年齢に達した月の翌月以後においては、厚生年金保険法附則第九条の二第一項から第三項まで、第九条の三第三項及び第四項並びに第九条の四第四項及び第五項の規定による老齢厚生年金の額の改定は行わない。

8　男子又は女子（第二号厚生年金被保険者であり、若しくは第二号厚生年金被保険者期間を有する者、第三号厚生年金被保険者であり、若しくは第三号厚生年金被保険者期間を有する者又は第四号厚生年金被保険者であり、若しくは第四号厚生年金被保険者期間を有する者に限る。）である厚生年金保険法附則第八条の規定による老齢厚生年金（同法附則第九条の二第一項から第三項までの規定によりその額が計算されているものに限る。）の受給権者（第一項の表の上欄に掲げる者（附則第二十条の二第一項又は平成二十四年一元化法附則第三十三条第一項若しくは第五十七条第一項若しくは第二項に規定する者を除く。）に限る。）が、同表の下欄に掲げる年齢に達した月以後において、同法附則第九条の二第一項に規定する障害状態に該当しなくなつた場合においては、同条第四項の規定は、適用しない。

第二十条　女子（第一号厚生年金被保険者であり、又は第一号厚生年金被保険者期間を有する者に限る。）であつて次の表の上欄に掲げる者（次条第一項に規定する者を除く。）が、同表の下欄に掲げる年齢以上六十五歳未満である間において、厚生年金保険法附則第八条の規定による老齢厚生年金の受給権を取得した場合においては、同法第四十三条第一項及び附則第九条の二から第九条の四までの規定は、当該老齢厚生年金については、適用しない。

昭和二十一年四月二日から昭和二十三年四月一日までの間に生まれた者	六十一歳
昭和二十三年四月二日から昭和二十五年四月一日までの間に生まれた者	六十二歳
昭和二十五年四月二日から昭和二十七年四月一日までの間に生まれた者	六十三歳
昭和二十七年四月二日から昭和二十九年四月一日までの間に生まれた者	六十四歳

2　前項に規定する場合においては、当該老齢厚生年金の額は、厚生年金保険法附則第九条の二第二項の規定の例により計算す

る。

3　厚生年金保険法第四十四条及び平成二十五年改正法附則第八十六条第一項の規定によりなおその効力を有するものとされた平成二十五年改正法第一条の規定による改正前の厚生年金保険法第四十四条の二の規定は、厚生年金保険法附則第八条の規定による老齢厚生年金について前項の規定を適用する場合に準用する。この場合において、同法第四十四条第一項中「第四十三条第二項又は第三項」とあるのは「第四十三条第三項」と、「第四十三条の規定」とあるのは「附則第九条及び国民年金法等の一部を改正する法律（平成六年法律第九十五号）附則第二十条第二項においてその例によるものとされた附則第九条の二第二項の規定」と、「同条」とあるのは「これらの規定」と、平成二十五年改正法附則第八十六条第一項の規定によりなおその効力を有するものとされた平成二十五年改正法第一条の規定による改正前の厚生年金保険法第四十四条の二第一項中「第四十三条第一項に規定する額」とあるのは「附則第九条の二第二項第二号に規定する額」と、「同項に定める額から」とあるのは「同号に定める額（以下この条において「報酬比例部分の額」という。）から」と、「第百三十二条第二項」とあるのは「国民年金法等の一部を改正する法律（昭和六十年法律第三十四号。以下「昭和六十年改正法」という。）附則第八十二条第一項若しくは第八十三条の二第一項、昭和六十年改正法附則第八十三条第一項の規定によりなおその効力を有するものとされた昭和六十年改正法第三条の規定による改正前の第百三十二条第二項、国民年金法等の一部を改正する法律（平成十二年法律第十八号。以下「平成十二年改正法」という。）附則第九条第一項の規定によりなおその効力を有するものとされた平成十二年改正法第四条の規定による改正前の第百三十二条第二項若しくは平成十二年改正法第十三条の規定による改正前の昭和六十年改正法附則第八十二条第一項、平成十二年改正法附則第二十三条第一項若しくは第二十四条第一項又は公的年金制度の健全性及び信頼性の確保のための厚生年金保険法等の一部を改正する法律（平成二十五年法律第六十三号）附則第五条第一項の規定によりなおその効力を有するものとされた同法第一条の規定による改正前の第百三十二条第二項」と、「第四十三条第一項に定める額」とあるのは「報酬比例部分の額」と、「同項に定める額」とあるのは「報酬比例部分の額」」と読み替えるものとする。

4　女子（第一号厚生年金被保険者であり、又は第一号厚生年金被保険者期間を有する者に限る。）である厚生年金保険法附則第八条の規定による老齢厚生年金（同法第四十三条第一項及び附則第九条の規定によりその額が計算されているものに限る。）の受給権者（第一項の表の上欄に掲げる者（次条第一項に規定する者を除く。）に限る。）が同表の下欄に掲げる年齢に達したときは、同法附則第九条の二第二項の規定の例により老齢厚生年金の額を計算するものとし、その年齢に達した月の翌月から、年金の額を改定する。

5　厚生年金保険法第四十四条及び平成二十五年改正法附則第八十六条第一項の規定によりなおその効力を有するものとされた平成二十五年改正法第一条の規定による改正前の厚生年金保険法第四十四条の二の規定は、厚生年金保険法附則第八条の規定による老齢厚生年金について前項の規定を適用する場合に準用する。この場合において、同法第四十四条第一項中「その権利を取得した当時（その権利を取得した当時」とあるのは「国民年金法等の一部を改正する法律（平成六年法律第九十五号）附則第二十条第一項の表の下欄に掲げる年齢に達した当時（その年齢に達した当時」と、「第四十三条第二項又は第三項」とあるのは「第四十三条第三項」と、「第四十三条の規定」とあるのは「附則第九条及び同法附則第二十条第四項においてその例によるものとされた附則第九条の二第二項の規定」と、「同条」とあるのは「これらの規定」と、「加算した額とする」とあるのは「加算するものとし、その年齢に達した月の翌月又は第四十三条第三項の規定により当該月数が二百四十以上となるに至つた月から、年金の額を改定する」と、同条第三項中「その権利を取得した当時」とあるのは「国民年金法等の一部を改正する法律附則第二十条第一項の表の下欄に掲げる年齢に達した当時」と、平成二十五年改正法附則第八十六条第一項の規定によりなおその効力を有するものとされた平成二十五年改正法第一条の規定による改正前の厚生年金保険法第四十四条の二第一項中「第四十三条第一項に規定する額」とあるのは「附則第九条の二第二項第二号に規定する額」と、「同項に定める額から」とあるのは「同号に定める額（以下この条において「報酬比例部分の額」という。）から」と、「第百三十二条第二項」とあるのは「国民年金法等の一部を改正する法律（昭和六十年法律第三十四号。以下「昭和六十年改正法」という。）附則第八十二条第一項若しくは第八十三条の二第一項、昭和六十年改正法附則第八十三条第一項の規定によりなおその効力を有するものとされた昭和六十年改正法第三条の規定による改正前の第百三十二条第二項、国民年金法等の一部を改正する法律（平成十二年法律第十八号。以下「平成十二年改正法」という。）附則第九条第一項の規定によりなおその効力を有するものとされた平成十二年改正法第四条の規定による改正前の第百三十二条第二項若しくは平成十二年改正法第十三条の規定による改正前の昭和六十年改正法附則第八十二条第一項、平成十二年改正法附則第二十三条第一項若しくは第二十四条第一項又は公的年金制度の健全性及び信頼性の確保のための厚生年金保険法等の一部を改正する法律（平成二十五年法律第六十三号）附則第五条第一項の規定によりなおその効力を有するものとされた同法第一条の規定による改正前の第百三十二条第二項」と、「第四十三条第一項に定める額」とあるのは「報酬比例部分の額」と、「同項に定める額」とあるのは「報酬比例部分の額」」と読み替えるものとする。

6　第四項に規定する受給権者が第一項の表の下欄に掲げる年齢に達した月において、厚生年金保険法附則第九条の三第三項及び第四項又は第九条の四第四項及び第五項の規定により当該老齢厚生年金の額が改定されたときは、前二項の規定は、適用しない。

7　第四項に規定する受給権者が第一項の表の下欄に掲げる年齢に達した月の翌月以後においては、厚生年金保険法附則第九条の二第一項から第三項まで、第九条の三第三項及び第四項並びに第九条の四第四項及び第五項の規定による老齢厚生年金の額の改定は行わない。

8　女子（第一号厚生年金被保険者であり、又は第一号厚生年金被保険者期間を有する者に限る。）である厚生年金保険法附則第八条の規定による老齢厚生年金（同法附則第九条の二第一項から第三項までの規定によりその額が計算されているものに限る。）の受給権者（第一項の表の上欄に掲げる者（次条第一項に規定する者を除く。）に限る。）が、同表の下欄に掲げる年齢に達した月以後において、同法附則第九条の二第一項に規定する障害状態に該当しなくなった場合においては、同条第四項の規定は、適用しない。

第二十条の二　特定警察職員等であって次の表の上欄に掲げる者（平成二十四年一元化法附則第三十三条第一項又は第五十七条第一項若しくは第二項に規定する者を除く。）が、同表の下欄に掲げる年齢以上六十五歳未満である間において、厚生年金保険法附則第八条の規定による老齢厚生年金の受給権を取得した場合においては、同法第四十三条第一項及び附則第九条の二から第九条の四までの規定は、当該老齢厚生年金については、適用しない。

昭和二十二年四月二日から昭和二十四年四月一日までの間に生まれた者	六十一歳
昭和二十四年四月二日から昭和二十六年四月一日までの間に生まれた者	六十二歳
昭和二十六年四月二日から昭和二十八年四月一日までの間に生まれた者	六十三歳
昭和二十八年四月二日から昭和三十年四月一日までの間に生まれた者	六十四歳

2　前項に規定する場合においては、当該老齢厚生年金の額は、厚生年金保険法附則第九条の二第二項の規定の例により計算する。

3　厚生年金保険法第四十四条及び平成二十五年改正法附則第八十六条第一項の規定によりなおその効力を有するものとされた平成二十五年改正法第一条の規定による改正前の厚生年金保険法第四十四条の二の規定は、厚生年金保険法附則第八条の規定による老齢厚生年金について前項の規定を適用する場合に準用する。この場合において、同法第四十四条第一項中「第四十三条第二項又は第三項」とあるのは「第四十三条第三項」と、「第四十三条の規定」とあるのは「附則第九条及び国民年金法等の一部を改正する法律（平成六年法律第九十五号）附則第二十条の二第二項においてその例によるものとされた附則第九条の二第二項の規定」と、「同条」とあるのは「これらの規定」と、平成二十五年改正法附則第八十六条第一項の規定によりなおその効力を有するものとされた平成二十五年改正法第一条の規定による改正前の厚生年金保険法第四十四条の二第一項中「第四十三条第一項に規定する額」とあるのは「附則第九条の二第二項第二号に規定する額」と、「同項に定める額から」とあるのは「同号に定める額（以下この条において「報酬比例部分の額」という。）から」と、「第百三十二条第二項」とあるのは「国民年金法等の一部を改正する法律（昭和六十年法律第三十四号。以下「昭和六十年改正法」という。）附則第八十二条第一項若しくは第八十三条の二第一項、昭和六十年改正法附則第八十三条第一項の規定によりなおその効力を有するものとされた昭和六十年改正法第三条の規定による改正前の第百三十二条第二項、国民年金法等の一部を改正する法律（平成十二年法律第十八号。以下「平成十二年改正法」という。）附則第九条第一項の規定によりなおその効力を有するものとされた平成十二年改正法第四条の規定による改正前の第百三十二条第二項若しくは平成十二年改正法第十三条の規定による改正前の昭和六十年改正法附則第八十二条第一項、平成十二年改正法附則第二十三条第一項若しくは第二十四条第一項又は公的年金制度の健全性及び信頼性の確保のための厚生年金保険法等の一部を改正する法律（平成二十五年法律第六十三号）附則第五条第一項の規定によりなおその効力を有するものとされた同法第一条の規定による改正前の第百三十二条第二項」と、「第四十三条第一項に定める額」とあるのは「報酬比例部分の額」と、「同項に定める額」とあるのは「報酬比例部分の額」と読み替えるものとする。

4　特定警察職員等である厚生年金保険法附則第八条の規定による老齢厚生年金（同法第四十三条第一項及び附則第九条の規定によりその額が計算されているものに限る。）の受給権者（第一項の表の上欄に掲げる者（平成二十四年一元化法附則第三十三条第一項又は第五十七条第一項若しくは第二項に規定する者を除く。）に限る。）が同表の下欄に掲げる年齢に達したときは、厚生年金保険法附則第九条の二第二項の規定の例により老齢厚生年金の額を計算するものとし、その年齢に達した月の翌月から、年金の額を改定する。

5　厚生年金保険法第四十四条及び平成二十五年改正法附則第八十六条第一項の規定によりなおその効力を有するものとされた平成二十五年改正法第一条の規定による改正前の厚生年金保険法第四十四条の二の規定は、厚生年金保険法附則第八条の規定による老齢厚生年金について前項の規定を適用する場合に準用する。この場合において、同法第四十四条第一項中「その権利を取得した当時（その権利を取得した当時）」とあるのは「国民年金法等の一部を改正する法律（平成六年法律第九十五号）附則第二十条の二第一項の表の下欄に掲げる年齢に達した当時（その年齢に達した当時）」と、「第四十三条第二項又は第三項」とあるのは「第四十三条第三項」と、「第四十三条の規定」とあるのは「附則第九条及び同法附則第二十条の二第四項においてその例によるものとされた附則第九条の二第二項の規定」と、「同条」とあるのは「これらの規定」と、「加算した額とする」とあるのは「加算するものとし、その年齢に達した月の翌月又は第四十三条第三項の規定により当該月数が二百四十以上となるに至つた月から、年金の額を改定する」と、同条第三項中「その権利を取得した当時」とあるのは「国民年金法等の一部を改正する法律附則第二十条の二第一項の表の下欄に掲げる年齢に達した当時」と、平成二十五年改正法附則第八十六条第一項の規定によりなおその効力を有するものとされた平成二十五年改正法第一条の規定による改正前の厚生年金保険法第四十四条の二第一項中「第四十三条第一項に規定する額」とあるのは「附則第九条の二第二項第二号に規定する額」と、「同項に定める額から」とあるのは「同号に定める額（以下この条において「報酬比例部分の額」という。）から」と、「第百三十二条第二項」とあるのは「国民年金法等の一部を改正する法律（昭和六十年法律第三十四号。以下「昭和六十年改正法」という。）附則第八十二条第一項若しくは第八十三条の二第一項、昭和六十年改正法附則第八十三条第一項の規定によりなおその効力を有するものとされた昭和六十年改正法第三条の規定による改正前の第百三十二条第二項、国民年金法等の一部を改正する法律（平成十二年法律第十八号。以下「平成十二年改正法」という。）附則第九条第一項の規定によりなおその効力を有するものとされた平成十二年改正法第四条の規定による改正前の第百三十二条第二項若しくは平成十二年改正法第十三条の規定による改正前の昭和六十年改正法附則第八十二条第一項、平成十二年改正法附則第二十三条第一項若しくは第二十四条第一項又は公的年金制度の健全性及び信頼性の確保のための厚生年金保険法等の一部を改正する法律（平成二十五年法律第六十三号）附則第五条第一項の規定によりなおその効力を有するものとされた同法第一条の規定による改正前の第百三十二条第二項」と、「第四十三条第一項に定める額」とあるのは「報酬比例部分の額」と、「同項に定める額」とあるのは「報酬比例部分の額」と読み替えるものとする。

6　第四項に規定する受給権者が第一項の表の下欄に掲げる年齢に達した月において、厚生年金保険法附則第九条の三第三項及び第四項又は第九条の四第四項及び第五項の規定により当該老齢厚生年金の額が改定されたときは、前二項の規定は、適用しない。

7　第四項に規定する受給権者が第一項の表の下欄に掲げる年齢に達した月の翌月以後においては、厚生年金保険法附則第九条の二第一項から第三項まで、第九条の三第三項及び第四項並びに第九条の四第四項及び第五項の規定による老齢厚生年金の額の改定は行わない。

8　特定警察職員等である厚生年金保険法附則第八条の規定による老齢厚生年金（同法附則第九条の二第一項から第三項までの規定によりその額が計算されているものに限る。）の受給権者（第一項の表の上欄に掲げる者（平成二十四年一元化法附則第三十三条第一項又は第五十七条第一項若しくは第二項に規定する者を除く。）に限る。）が、同表の下欄に掲げる年齢に達した月以後において、厚生年金保険法附則第九条の二第一項に規定する障害状態に該当しなくなった場合においては、同条第四項の規定は、適用しない。

（老齢厚生年金の支給停止に関する経過措置）

第二十一条　厚生年金保険法附則第八条の規定による老齢厚生年金（附則第十八条、第十九条第一項から第五項まで、第二十条第一項から第五項まで又は前条第一項から第五項まで及び同法附則第九条の規定によりその額が計算されているものに限る。）の受給権者が厚生年金保険の被保険者（前月以前の月に属する日から引き続き当該被保険者の資格を有する者に限る。）である日（同法第四十六条第一項に規定する厚生労働省令で定める日を除く。附則第二十三条第一項並びに第二十六条第一項、第三項、第八項、第十一項及び第十三項において「被保険者である日」という。）又は国会議員若しくは地方公共団体の議会の議員（前月以前の月に属する日から引き続き当該国会議員又は地方公共団体の議会の議員である者に限る。）である日（附則第二十四条第三項及び第四項において「被保険者等である日」という。）が属する月において、その者の総報酬月額相当額（同法第四十六条第一項に規定する総報酬月額相当額をいう。以下同じ。）と老齢厚生年金の額（附則第十八条第三項、第十九条第三項若しくは第五項、第二十条第三項若しくは第五項又は前条第三項若しくは第五項において準用する同法第四十四条第一項に規定する加給年金額を除く。以下この項において同じ。）を十二で除して得た額（以下この項において「基本月額」という。）との合計額が同法第四十六条第三項に規定する支給停止調整額（以下この項において「支給停止調整額」という。）を超えるときは、その月の分の当該老齢厚生年金について、総報酬月額相当額と基本月額との合計額から支給停止調整額を控除して得た額の二分の一に相当する額に十二を乗じて得た額（以下この項において「支給停止基準額」という。）に相当する部分の支給を停止する。ただし、支給停止基準額が老齢厚生年金の額以上であるときは、老齢厚生年金の全部の支給を停止するものとする。

2　前項に規定する厚生年金保険法附則第八条の規定による老齢厚生年金（厚生年金保険の被保険者であった期間の全部又は一部が平成二十五年改正法附則第三条第十二号に規定する厚生年金基金（以下「厚生年金基金」という。）の加入員であった期間である者に支給するものであって、第一号厚生年金被保険者期間又は第四号厚生年金被保険者期間に基づくものに限る。）については、同項中「と老齢厚生年金の額」とあるのは「及び附則第十八条第三項、第十九条第三項若しくは第五項、第二十条第三項若しくは第五項又は前条第三項若しくは第五項において準用する平成二十五年改正法附則第八十六条第一項の規定によりなおその効力を有するものとされた平成二十五年改正法第一条の規定による改正前の厚生年金保険法第四十四条の二第一項の規定の適用がないものとして計算した老齢厚生年金の額」と、「同法第四十四条第一項に規定する加給年金額を除く。以下この項において同じ」とあるのは「厚生年金保険法第四十四条第一項に規定する加給年金額（以下この項において単に「加給年金額」という。）を除く。以下この項において「基金に加入しなかった場合の老齢厚生年金の額」という」と、「老齢厚生年金の額以上」とあるのは「老齢厚生年金の額（加給年金額を除く。）以上」と、「全部」とあるのは「全部（支給停止基準額が、基金に加入しなかった場合の老齢厚生年金の額に満たないときは、加給年金額を除く。）」とする。

3　前二項の規定により厚生年金保険法附則第八条の規定による老齢厚生年金の全部又は一部の支給を停止する場合においては、同法第三十六条第二項の規定は、適用しない。

第二十二条　厚生年金保険法附則第十一条の二第一項に規定する障害者・長期加入者の老齢厚生年金（政令で定めるものを除く。以下同じ。）の受給権者が、附則第十九条第一項に規定する者（前月以前の月に属する日において同項の表の下欄に掲げる年齢に達した者に限る。）であるとき、附則第二十条第一項に規定する者（前月以前の月に属する日において同項の表の下欄に掲げる年齢に達した者に限る。）であるとき、又は附則第二十条の二第一項に規定する者（前月以前の月に属する日において同項の表の下欄に掲げる年齢に達した者に限る。）であるときは、当該老齢厚生年金については、同法附則第十一条の二の規定は適用せず、前条の規定を準用する。この場合において、同条第一項及び第二項中「附則第十八条第三項、第十九条第三項若しくは第五項、第二十条第三項若しくは第五項又は前条第三項若しくは第五項」とあるのは、「同法附則第九条の二第三項又は第九条の三第二項若しくは第四項（同条第五項においてその例による場合を含む。）」と読み替えるものとする。

第二十三条　改正後の厚生年金保険法附則第八条の規定による老齢厚生年金（その受給権者が、昭和十年四月一日以前に生まれた者であるものに限る。）及びその受給権者については、その者が厚生年金保険の被保険者である日が属する月において、第一号に掲げる額が第二号に掲げる額を超えるときは、国民年金法等の一部を改正する法律（平成十六年法律第百四号。以下この項において「平成十六年改正法」という。）第八条の規定による改正後の厚生年金保険法附則第十三条第三項及び第四項並びに第十三条の二並びに附則第二十一条及び第二十八条の規定は適用せず、第三条の規定による改正前の厚生年金保険法（以下「改正前の厚生年金保険法」という。）附則第十一条、第十三条第三項及び第十三条の二の規定は、なおその効力を有する。この場合において、これらの規定の適用に関し必要な技術的読替えは、政令で定める。

一　当該老齢厚生年金の額につき附則第二十一条の規定を適用して計算した場合におけるその支給が停止される部分の額（当該老齢厚生年金の全部の支給が停止されるときは、当該老齢厚生年金の額）

二　当該老齢厚生年金の額（附則第十八条第三項において準用する改正後の厚生年金保険法第四十四条第一項に規定する加給年金額（以下この号において単に「加給年金額」という。）を除く。）につき改正前の厚生年金保険法附則第十一条の規定を適用して計算した場合におけるその支給が停止される部分の額（当該老齢厚生年金の全部の支給が停止されるときは、当該老齢厚生年金の額（加給年金額を含む。））

2　前項に規定する老齢厚生年金の受給権者が、厚生年金保険の被保険者であった期間の全部又は一部が厚生年金基金の加入員であった期間である者である場合においては、同項第一号中「その支給が停止される部分の額（当該老齢厚生年金の全部の支給が停止されるときは、当該老齢厚生年金の額）」とあるのは「支給停止基準額（附則第二十一条第二項において読み替えられた同条第一項の規定による支給停止基準額をいい、当該支給停止基準額が当該老齢厚生年金の額（附則第十八条第三項において準用する改正後の厚生年金保険法第四十四条第一項に規定する加給年金額（以下単に「加給年金額」という。）を除く。）に附則第十八条第三項において準用する平成二十五年改正法附則第八十六条第一項の規定によりなおその効力を有するものとされた平成二十五年改正法第一条の規定による改正前の厚生年金保険法第四十四条の二第一項の規定の適用がないものとして計算した老齢厚生年金の額から老齢厚生年金の額を控除して得た額（以下この号及び次号において「代行部分の総額」という。）を加えた額以上であるときは、当該老齢厚生年金の額（加給年金額を含む。）に代行部分の総額を加えた額）」と、同項第二号中「（附則第十八条第三項において準用する改正後の厚生年金保険法第四十四条第一項に規定する加給年金額（以下この号において単に「加給年金額」という。）を除く。）」とあるのは「（加給年金額を除く。）」と、「その支給が停止される部分の額（当該老齢厚生年金の全部の支給が停止されるときは、当該老齢厚生年金の額（加給年金額を含む。））」とあるのは「その支給が停止される部分の額に、代行部分の総額につき同条の規定を適用して計算した場合におけるその支給が停止される部分の額を加えた額（当該老齢厚生年金の全部の支給が停止されるときは、当該老齢厚生年金の額（加給年金額を含む。）に代行部分の総額を加えた額）」とする。

3　前二項の規定により改正後の厚生年金保険法附則第八条の規定による老齢厚生年金の一部の支給を停止する場合においては、厚生年金保険法第三十六条第二項の規定は、適用しない。

第二十四条　厚生年金保険法附則第十一条の四の規定は、同法附則第八条の規定による老齢厚生年金（その受給権者が昭和十六年四月一日以前に生まれた者であるものに限る。）については、適用しない。

2　厚生年金保険法附則第八条の規定による老齢厚生年金（その受給権者が昭和十六年四月一日以前に生まれた者であるものに限る。）は、その受給権者が国民年金法による老齢基礎年金（附則第七条第二項の規定によりその支給が停止されているものを除く。）の支給を受けることができるときは、その間、その支給を停止する。

3　厚生年金保険法附則第八条の規定による老齢厚生年金（次の各号のいずれかに該当するものに限る。）は、その受給権者（平成二十四年一元化法附則第三十三条第一項又は第五十七条第一項若しくは第二項に規定する者を除く。）が国民年金法による老齢基礎年金の支給を受けることができる月（その者が当該老齢基礎年金の受給権を取得した月及びその者が厚生年金保険の被保険者等である日が属する月を除く。）においては、当該老齢厚生年金に係る厚生年金保険法附則第九条の二第二項第一号に規定する額に相当する部分に限り支給を停止する。

一　その額が附則第十八条及び厚生年金保険法附則第九条の規定により計算されているものであり、かつ、その受給権者が女子（第一号厚生年金被保険者であり、又は第一号厚生年金被保険者期間を有する者に限る。）であって昭和十六年四月二日から昭和二十一年四月一日までの間に生まれた者であるものであること。

二　その額が附則第十八条及び厚生年金保険法附則第九条の規定により計算されているものであり、かつ、その受給権者が特定警察職員等であって昭和十六年四月二日から昭和二十二年四月一日までの間に生まれた者であるものであること。

三　その額が附則第十九条第一項から第五項まで、第二十条第一項から第五項まで又は第二十条の二第一項及び厚生年金保険法附則第九条の規定により計算されていること。

4　厚生年金保険法附則第八条の規定による老齢厚生年金（前項各号のいずれかに該当するもの及び同法附則第十一条の二第一項に規定する障害者・長期加入者の老齢厚生年金（その受給権者が附則第二十二条に該当する者であるものに限る。）に限る。）の受給権者であって国民年金法による老齢基礎年金の支給を受けることができるものが厚生年金保険の被保険者等である日が属する月（その者が当該老齢基礎年金の受給権を取得した月を除く。）においては、附則第二十一条及び第二十二条の規定にかかわらず、その月の分の当該老齢厚生年金について、当該老齢厚生年金に係る厚生年金保険法附則第九条の二第二項第二号に規定する額（当該老齢厚生年金について、附則第十八条第三項、第十九条第三項若しくは第五項、第二十条第三項若しくは第五項、第二十条の二第三項若しくは第五項又は同法附則第九条の二第三項若しくは第九条の三第二項若しくは第四項（同条第五項においてその例による場合を含む。）において準用する同法第四十四条第一項に規定する加給年金額が加算されているときは、当該加給年金額を含む。以下この項において「報酬比例部分等の額」という。）につき附則第二十一条（附則第二十二条において準用する場合を含む。以下この項において同じ。）の規定を適用して計算した場合におけるその支給が停止される部分の額と当該老齢厚生年金に係る同法附則第九条の二第二項第一号に規定する額との合計額に相当する部分（報酬比例部分等の額につき附則第二十一条の規定を適用して計算した場合において、報酬比例部分等の全額につき支給が停止されるときは、当該老齢厚生年金の全部）の支給を停止するものとする。

5　厚生年金保険法附則第十一条の四第三項の規定は、第三項に規定する同法附則第九条の二第二項第一号に規定する額並びに前項に規定する同条第二項第二号に規定する額及び同項第一号に規定する額を計算する場合について準用する。

6　前三項の規定により厚生年金保険法附則第八条の規定による老齢厚生年金の全部又は一部の支給を停止する場合においては、同法第三十六条第二項の規定は、適用しない。

第二十五条　厚生年金保険法附則第十一条の五の規定は、改正後の厚生年金保険法附則第八条の規定による老齢厚生年金（その受給権者が、平成十年四月一日前にその権利を取得したものに限る。）については、適用しない。

2　厚生年金保険法附則第八条の規定による老齢厚生年金（附則第十八条、第十九条第一項から第五項まで、第二十条第一項から第五項まで又は第二十条の二第一項から第五項まで及び同法附則第九条の規定によりその額が計算されているもの、附則第二十七条第六項に規定する繰上げ調整額が加算されたもの並びに同法附則第十一条の二第一項に規定する障害者・長期加入者の老齢厚生年金（その受給権者が附則第二十二条に該当する者であるものに限る。）に限る。）について同法附則第十一条の五において読み替えて準用する同法附則第七条の四の規定を適用する場合においては、附則第二十一条（附則第二十二条又は第二十七条第十八項において準用する場合を含む。）、第二十三条又は前条第四項及び第五項の規定により当該老齢厚生年金の全部又は一部の支給が停止されている月については、同法附則第十一条の五において読み替えて準用する同法附則第七条の四第二項第二号（同条第五項において準用する場合を含む。）に該当するものとみなす。

第二十六条　厚生年金保険法附則第八条の規定による老齢厚生年金（附則第十八条、第十九条第一項から第五項まで、第二十条第一項から第五項まで又は第二十条の二第一項から第五項まで及び同法附則第九条の規定によりその額が計算されているものに限る。）の受給権者が厚生年金保険の被保険者である日が属する月について、その者が雇用保険法（昭和四十九年法律第百十六号）の規定による高年齢雇用継続基本給付金（以下この条において単に「高年齢雇用継続基本給付金」という。）の支給を受けることができるときは、附則第二十一条の規定にかかわらず、その月の分の当該老齢厚生年金について、次の各号に掲げる場合に応じ、それぞれ当該老齢厚生年金につき同条の規定を適用した場合における同条第一項の規定による支給停止基準額と当該各号に定める額（その額に六分の十五を乗じて得た額に当該受給権者に係る標準報酬月額を加えた額が同法第六十一条第一項第二号に規定する支給限度額（以下この条において単に「支給限度額」という。）を超えるときは、支給限度額から当該標準報酬月額を減じて得た額に十五分の六を乗じて得た額）に十二を乗じて得た額（第六項において「調整額」という。）との合計額（以下この項において「調整後の支給停止基準額」という。）に相当する部分の支給を停止する。ただし、調整後の支給停止基準額が老齢厚生年金の額（附則第十八条第三項、第十九条第三項若しくは第五項、第二十条第三項若しくは第五項又は第二十条の二第三項若しくは第五項において準用する厚生年金保険法第四十四条第一項に規定する加給年金額（以下この条において単に「加給年金額」という。）を除く。）以上であるときは、老齢厚生年金の全部の支給を停止するものとする。

一　当該受給権者に係る標準報酬月額が、雇用保険法第六十一条第一項、第三項及び第四項の規定によるみなし賃金日額（以下この条において単に「みなし賃金日額」という。）に三十を乗じて得た額の百分の六十一に相当する額未満であるとき。　当該受給権者に係る標準報酬月額に百分の六を乗じて得た額

二　前号に該当しないとき。　当該受給権者に係る標準報酬月額に、みなし賃金日額に三十を乗じて得た額に対する当該受給権者に係る標準報酬月額の割合が逓増する程度に応じ、百分の六から一定の割合で逓減するように厚生労働省令で定める率を乗じて得た額

2　厚生年金保険の被保険者であった期間の全部又は一部が厚生年金基金の加入員であった期間である者に支給する前項に規定する老齢厚生年金については、前項中「同条第一項」とあるのは「同条第二項において読み替えられた同条第一項」と、「全部」とあるのは「全部（調整後の支給停止基準額が、老齢厚生年金の額（加給年金額を除く。）に、附則第十八条第三項、第十九条第三項若しくは第五項又は第二十条第三項若しくは第五項において準用する平成二十五年改正法附則第八十六条第一項の規定によりなおその効力を有するものとされた平成二十五年改正法第一条の規定による改正前の厚生年金保険法第四十四条の二第一項の規定の適用がないものとして計算した老齢厚生年金の額から老齢厚生年金の額を控除して得た額を加えた額に満たないときは、加給年金額を除く。）」とする。

3　第一項に規定する老齢厚生年金の受給権者（昭和十六年四月二日以後に生まれた者であって、国民年金法による老齢基礎年金の支給を受けることができるものに限る。）が厚生年金保険の被保険者である日が属する月（その者が当該老齢基礎年金の受給権を取得した月を除く。）について、その者が高年齢雇用継続基本給付金の支給を受けることができるときは、前二項の規定にかかわらず、その月の分の当該老齢厚生年金について、第一項各号に掲げる場合に応じ、それぞれ当該老齢厚生年金につき附則第二十四条第四項及び第五項の規定を適用した場合における支給停止基準額（同条第四項の規定により同項に規定する報酬比例部分等の額につき適用する場合における附則第二十一条第一項の規定による支給停止基準額をいう。）に附則第二十四条第四項に規定する厚生年金保険法附則第九条の二第二項第一号に規定する額を加えた額と第一項各号に定める額（その額に六分の十五を乗じて得た額に当該受給権者に係る標準報酬月額を加えた額が支給限度額を超えるときは、支給限度額から

当該標準報酬月額を減じて得た額に十五分の六を乗じて得た額）に十二を乗じて得た額（第六項において「基礎年金を受給する者の調整額」という。）との合計額（以下この項において「調整後の支給停止基準額」という。）に相当する部分の支給を停止する。ただし、調整後の支給停止基準額が老齢厚生年金の額（加給年金額を除く。）以上であるときは、老齢厚生年金の全部の支給を停止するものとする。

4 厚生年金保険の被保険者であった期間の全部又は一部が厚生年金基金の加入員であった期間である者に支給する第一項に規定する老齢厚生年金については、前項中「附則第二十一条第一項」とあるのは「附則第二十一条第二項において読み替えられた同条第一項」と、「全部」とあるのは「全部（調整後の支給停止基準額が、老齢厚生年金の額（加給年金額を除く。）に、附則第十八条第三項、第十九条第三項若しくは第五項、第二十条第三項若しくは第五項又は第二十条の二第三項若しくは第五項において準用する平成二十五年改正法附則第八十六条第一項の規定によりなおその効力を有するものとされた平成二十五年改正法第一条の規定による改正前の厚生年金保険法第四十四条の二第一項の規定の適用がないものとして計算した老齢厚生年金の額から老齢厚生年金の額を控除して得た額を加えた額に満たないときは、加給年金額を除く。）」とする。

5 第一項に規定する老齢厚生年金については、次の各号のいずれかに該当するときは、前各項の規定は適用しない。

一 当該老齢厚生年金の受給権者に係る標準報酬月額がみなし賃金日額に三十を乗じて得た額の百分の七十五に相当する額以上であるとき。

二 当該老齢厚生年金の受給権者に係る標準報酬月額が支給限度額以上であるとき。

6 調整額及び基礎年金を受給する者の調整額を計算する場合において生じる一円未満の端数の処理については、政令で定める。

7 第一項から第四項まで及び前項の規定により第一項に規定する老齢厚生年金の全部又は一部の支給を停止する場合においては、厚生年金保険法第三十六条第二項の規定は、適用しない。

8 前各項の規定は、第一項に規定する老齢厚生年金の受給権者が厚生年金保険の被保険者である日が属する月について、その者が雇用保険法の規定による高年齢再就職給付金（以下この条において単に「高年齢再就職給付金」という。）の支給を受けることができる場合について準用する。この場合において、第一項第一号中「第六十一条第一項、第三項及び第四項の規定によるみなし賃金日額（以下この条において単に「みなし賃金日額」という。）」とあるのは「第六十一条の二第一項の賃金日額（以下この条において単に「賃金日額」という。）」と、同項第二号及び第五項第一号中「みなし賃金日額」とあるのは「賃金日額」と読み替えるものとする。

9 厚生年金保険法附則第十一条の二第一項に規定する障害者・長期加入者の老齢厚生年金（その受給権者が附則第二十二条に該当する者であるものに限る。）については、同法附則第十一条の六の規定は適用せず、前各項の規定を準用する。この場合において、これらの規定に関し必要な技術的読替えは、政令で定める。

10 次条第六項に規定する繰上げ調整額が加算された老齢厚生年金については、厚生年金保険法附則第十一条の六の規定は適用せず、第一項、第二項及び第五項から第八項までの規定を準用する。この場合において、これらの規定に関し必要な技術的読替えは、政令で定める。

11 改正後の厚生年金保険法附則第八条の規定による老齢厚生年金の受給権者（昭和十年四月一日以前に生まれた者に限る。）が厚生年金保険の被保険者である日が属する月について、その者が高年齢雇用継続基本給付金又は高年齢再就職給付金の支給を受けることができ、かつ、当該老齢厚生年金が附則第二十三条第一項（同条第二項において読み替えられる場合を含む。）に該当するとき（第五項（第八項において準用する場合を含む。）に該当する場合を除く。）は、その月の分の当該老齢厚生年金については、同条の規定は適用しない。

12 前項に規定する場合における第一項、第二項及び第六項から第八項までの規定の適用については、第一項中「当該老齢厚生年金につき同条の規定を適用した場合における同条第一項の規定による支給停止基準額」とあるのは「当該老齢厚生年金に係る附則第二十三条第一項第二号に掲げる額」と、第二項中「前項中「同条第一項」とあるのは「同条第二項において読み替えられた同条第一項」と、」とあるのは「前項中」と、「額を加えた額」とあるのは「額（以下「代行部分の総額」という。）から代行部分の総額につき改正前の厚生年金保険法附則第十一条の規定を適用して計算した場合におけるその支給が停止される部分の額を控除して得た額を加えた額」とする。

13 厚生年金保険法附則第十一条の六第二項、第三項、第六項及び第七項並びに第十五条の三の規定は、同法附則第八条の規定による老齢厚生年金の受給権者が厚生年金保険の被保険者である日が属する月について、その者が雇用保険法等の一部を改正する法律（平成十九年法律第三十号）附則第四十二条第四項又は第五項の規定によりなお従前の例によるものとされた同法第四条の規定による改正前の船員保険法の規定による高齢雇用継続基本給付金又は高齢再就職給付金の支給を受けることができる場合について準用する。この場合において、これらの規定に関し必要な技術的読替えは、政令で定める。

14 厚生年金保険法附則第十一条の六及び前各項の規定は、改正後の厚生年金保険法附則第八条の規定による老齢厚生年金（その受給権者が、平成十年四月一日前にその権利を取得したものに限る。）については、適用しない。

（老齢厚生年金等の受給権者に係る老齢基礎年金の支給の繰上げの特例等）

第二十七条 厚生年金保険法附則第八条の規定による老齢厚生年金（同法第四十三条第一項及び附則第九条の規定によりその額が計算されているものに限る。）の受給権者（附則第十九条第一項に規定する者であって同項の表の下欄に掲げる年齢に達していないものであるもの、附則第二十条第一項に規定する者であって同項の表の下欄に掲げる年齢に達していないものであるもの又は附則第二十条の二第一項に規定する者であって同項の表の下欄に掲げる年齢に達していないものであるものに限る。）（国民年金法附則第五条第一項の規定による国民年金の被保険者でないものに限る。）は、厚生労働大臣に同法による老齢基礎年金（以下この条において単に「老齢基礎年金」という。）の一部の支給繰上げの請求をすることができる。ただし、その者が同法附則第九条の二第一項の請求をしているときは、この限りでない。

2　前項の請求があったときは、国民年金法第二十六条の規定にかかわらず、その請求があった日から、その者に老齢基礎年金を支給する。

3　前項の規定により支給する老齢基礎年金の額は、国民年金法第二十七条の規定にかかわらず、同条に定める額に政令で定める率を乗じて得た額から政令で定める額を減じた額とする。

4　第二項の規定による老齢基礎年金の受給権者が六十五歳に達したときは、前項の規定にかかわらず、当該老齢基礎年金の額に、国民年金法第二十七条に定める額に一から前項に規定する政令で定める率を控除して得た率を乗じて得た額を加算するものとし、六十五歳に達した月の翌月から、年金の額を改定する。

5　国民年金法附則第九条の二第五項及び第六項並びに第九条の二の三並びに厚生年金保険法附則第十六条の三第一項の規定は、第二項の規定による老齢基礎年金について準用する。この場合において、国民年金法附則第九条の二第六項中「第四項の規定」とあるのは「国民年金法等の一部を改正する法律（平成六年法律第九十五号）附則第二十七条第三項及び第四項の規定」と、「第四項中」とあるのは「同法附則第二十七条第三項及び第四項中」と読み替えるものとする。

6　第一項に規定する老齢厚生年金の受給権者が第二項の規定による老齢基礎年金の受給権を取得したときは、当該老齢厚生年金の額に、当該老齢厚生年金の額の計算の基礎となる厚生年金保険の被保険者期間（当該月数が二百四十未満であって、かつ、当該受給権者が昭和六十年改正法附則第十二条第一項第四号から第七号までのいずれかに該当するときは二百四十とする。）を基礎として計算した厚生年金保険法附則第九条の二第二項第一号に規定する額から政令で定める額を減じた額（以下この条において「繰上げ調整額」という。）を加算するものとし、当該老齢基礎年金の受給権を取得した月の翌月から、年金の額を改定する。

7　繰上げ調整額については、厚生年金保険法第四十三条第三項の規定は、適用しない。

8　第一項に規定する老齢厚生年金の受給権者が第二項の規定による老齢基礎年金の受給権を取得したときは、厚生年金保険法附則第九条の二第一項から第三項まで、第九条の三第三項及び第四項並びに第九条の四第四項及び第五項並びに附則第十九条第四項及び第五項、第二十条第四項及び第五項並びに第二十条の二第四項及び第五項の規定は、その者については、適用しない。

9　繰上げ調整額（その計算の基礎となる厚生年金保険の被保険者期間の月数が四百八十（昭和十九年四月一日以前に生まれた者にあっては四百四十四とし、昭和十九年四月二日から昭和二十年四月一日までの間に生まれた者にあっては四百五十六とし、昭和二十年四月二日から昭和二十一年四月一日までの間に生まれた者にあっては四百六十八とする。以下この項及び第十二項において同じ。）に満たないものに限る。）が加算された老齢厚生年金の受給権者（附則第十九条第一項に規定する者に限る。）が同条第一項の表の下欄に掲げる年齢に達した月において、当該老齢厚生年金の額（繰上げ調整額を除く。）の計算の基礎となる厚生年金保険の被保険者期間の月数（当該月数が四百八十を超えるときは四百八十とし、当該月数が二百四十未満であって、かつ、当該受給権者が昭和六十年改正法附則第十二条第一項第四号から第七号までのいずれかに該当するときは二百四十とする。次項及び第十一項において同じ。）が繰上げ調整額の計算の基礎となる厚生年金保険の被保険者期間の月数を超えるときは、第六項の規定にかかわらず、同項の規定により計算した額に、当該超える月数の厚生年金保険の被保険者期間を基礎として計算した厚生年金保険法附則第九条の二第二項第一号に規定する額（その額の計算について昭和六十年改正法附則第六十一条第二項の規定の適用があった場合にはその適用がないものとして計算した額とする。第十二項において同じ。）を加算した額を繰上げ調整額とするものとし、当該年齢に達した月の翌月から、その額を改定する。

10　前項の規定は、繰上げ調整額（その計算の基礎となる厚生年金保険の被保険者期間の月数が四百八十に満たないものに限る。）が加算された老齢厚生年金の受給権者（附則第二十条第一項に規定する者に限る。）が同条第一項の表の下欄に掲げる年齢に達した月において、当該老齢厚生年金の額（繰上げ調整額を除く。）の計算の基礎となる厚生年金保険の被保険者期間の月数が繰上げ調整額の計算の基礎となる厚生年金保険の被保険者期間の月数を超える場合について準用する。

11　第九項の規定は、繰上げ調整額（その計算の基礎となる厚生年金保険の被保険者期間の月数が四百八十に満たないものに限る。）が加算された老齢厚生年金の受給権者（附則第二十条の二第一項に規定する者に限る。）が同条第一項の表の下欄に掲げる年齢に達した月において、当該老齢厚生年金（繰上げ調整額を除く。）の計算の基礎となる厚生年金保険の被保険者期間の月数が繰上げ調整額の計算の基礎となる厚生年金保険の被保険者期間の月数を超える場合について準用する。

12　繰上げ調整額（その計算の基礎となる厚生年金保険の被保険者期間の月数が四百八十に満たないものに限る。）が加算された老齢厚生年金の受給権者（附則第十九条第一項に規定する者に限る。）が同条第一項の表の下欄に掲げる年齢に達した月の翌月以後において、その額（繰上げ調整額を除く。）を厚生年金保険法第四十三条第三項の規定により改定するときは、第六項及び第九項の規定にかかわらず、当該繰上げ調整額について、当該改定に係る老齢厚生年金の額（繰上げ調整額を除く。）の計算の基礎となる厚生年金保険の被保険者期間の月数（当該月数が四百八十を超えるときは四百八十とし、当該月数が二百四十未満であって、かつ、当該受給権者が昭和六十年改正法附則第十二条第一項第四号から第七号までのいずれかに該当するときは二百四十とする。以下この項において同じ。）から当該繰上げ調整額の計算の基礎となる厚生年金保険の被保険者期間の月数を控除して得た月数の厚生年金保険の被保険者期間を基礎として計算した厚生年金保険法附則第九条の二第二項第一号に規定する額を加算するものとし、当該改定と同時に、その額を改定する。ただし、当該改定に係る老齢厚生年金の額（繰上げ調整額を除く。）の計算の基礎となる厚生年金保険の被保険者期間の月数が当該繰上げ調整額の計算の基礎となる厚生年金保険の被保険者期間の月数以下であるときは、この限りでない。

13　前項の規定は、繰上げ調整額（その計算の基礎となる厚生年金保険の被保険者期間の月数が四百八十に満たないものに限る。）が加算された老齢厚生年金の受給権者（附則第二十条第一項に規定する者に限る。）が同条第一項の表の下欄に掲げる年齢に達した月の翌月以後において、その額（繰上げ調整額を除く。）を厚生年金保険法第四十三条第三項の規定により改定する場合について準用する。この場合において、前項中「第九項」とあるのは、「第十項」と読み替えるものとする。

14　第十二項の規定は、繰上げ調整額（その計算の基礎となる厚生年金保険の被保険者期間の月数が四百八十に満たないものに限る。）が加算された老齢厚生年金の受給権者（附則第二十条の二第一項に規定する者に限る。）が同条第一項の表の下欄に掲げる年齢に達した月の翌月以後において、その額（繰上げ調整額を除く。）を厚生年金保険法第四十三条第三項の規定により改定する場合について準用する。この場合において、第十二項中「第九項」とあるのは、「第十一項」と読み替えるものとする。

15　厚生年金保険法第四十四条の規定は、繰上げ調整額が加算された老齢厚生年金（その受給権者が附則第十九条第一項に規定する者であるものに限る。）の額について準用する。この場合において、同法第四十四条第一項中「その権利を取得した当時（その権利を取得した当時」とあるのは「国民年金法等の一部を改正する法律（平成六年法律第九十五号）附則第十九条第一項の表の下欄に掲げる年齢に達した当時（その年齢に達した当時」と、「第四十三条第二項又は第三項」とあるのは「第四十三条第三項又は同法附則第二十七条第六項、第九項若しくは第十二項」と、「第四十三条の規定」とあるのは「第四十三条第一項及び附則第九条並びに同法附則第二十七条第六項、第九項及び第十二項の規定」と、「同条」とあるのは「これらの規定」と、「加算した額とする」とあるのは「加算するものとし、その年齢に達した月の翌月又は第四十三条第三項若しくは同法附則第二十七条第六項、第九項若しくは第十二項の規定により当該月数が二百四十以上となるに至つた月から、年金の額を改定する」と、同条第三項中「その権利を取得した当時」とあるのは「国民年金法等の一部を改正する法律附則第十九条第一項の表の下欄に掲げる年齢に達した当時」と読み替えるものとする。

16　厚生年金保険法第四十四条の規定は、繰上げ調整額が加算された老齢厚生年金（その受給権者が附則第二十条第一項に規定する者であるものに限る。）の額について準用する。この場合において、同法第四十四条第一項中「その権利を取得した当時（その権利を取得した当時」とあるのは「国民年金法等の一部を改正する法律（平成六年法律第九十五号）附則第二十条第一項の表の下欄に掲げる年齢に達した当時（その年齢に達した当時」と、「第四十三条第二項又は第三項」とあるのは「第四十三条第三項又は同法附則第二十七条第六項、第十項若しくは第十三項」と、「第四十三条の規定」とあるのは「第四十三条第一項及び附則第九条並びに同法附則第二十七条第六項、第十項及び第十三項の規定」と、「同条」とあるのは「これらの規定」と、「加算した額とする」とあるのは「加算するものとし、その年齢に達した月の翌月又は第四十三条第三項若しくは同法附則第二十七条第六項、第十項若しくは第十三項の規定により当該月数が二百四十以上となるに至つた月から、年金の額を改定する」と、同条第三項中「その権利を取得した当時」とあるのは「国民年金法等の一部を改正する法律附則第二十条第一項の表の下欄に掲げる年齢に達した当時」と読み替えるものとする。

17　厚生年金保険法第四十四条の規定は、繰上げ調整額が加算された老齢厚生年金（その受給権者が附則第二十条の二第一項に規定する者であるものに限る。）の額について準用する。この場合において、同法第四十四条第一項中「その権利を取得した当時（その権利を取得した当時」とあるのは「国民年金法等の一部を改正する法律（平成六年法律第九十五号）附則第二十条の二第一項の表の下欄に掲げる年齢に達した当時（その年齢に達した当時」と、「第四十三条第二項又は第三項」とあるのは「第四十三条第三項又は同法附則第二十七条第六項、第十一項若しくは第十四項」と、「第四十三条の規定」とあるのは「第四十三条第一項及び附則第九条並びに同法附則第二十七条第六項、第十一項及び第十四項の規定」と、「同条」とあるのは「これらの規定」と、「加算した額とする」とあるのは「加算するものとし、その年齢に達した月の翌月又は第四十三条第三項若しくは同法附則第二十七条第六項、第十一項若しくは第十四項の規定により当該月数が二百四十以上となるに至つた月から、年金の額を改定する」と、同条第三項中「その権利を取得した当時」とあるのは「国民年金法等の一部を改正する法律附則第二十条の二第一項の表の下欄に掲げる年齢に達した当時」と読み替えるものとする。

18　繰上げ調整額が加算された老齢厚生年金については、厚生年金保険法附則第十一条の規定にかかわらず、附則第二十一条の規定を準用する。この場合において、同条第一項中「附則第十八条第三項、第十九条第三項若しくは第五項、第二十条第三項若しくは第五項又は前条第三項若しくは第五項」とあるのは「附則第二十七条第十五項から第十七項まで」と、同条第二項中「附則第十八条第三項、第十九条第三項若しくは第五項、第二十条第三項若しくは第五項又は前条第三項若しくは第五項において準用する平成二十五年改正法附則第八十六条第一項の規定によりなおその効力を有するものとされた平成二十五年改正法第一条の規定による改正前の厚生年金保険法第四十四条の二第一項」とあるのは「平成二十五年改正法附則第八十六条第一項の規定によりなおその効力を有するものとされた平成二十五年改正法第一条の規定による改正前の厚生年金保険法第四十四条の二第一項」と読み替えるものとする。

19　国民年金法附則第九条の二の規定は、第一項の請求をした者については、適用しない。

（厚生年金基金等の老齢年金給付に関する経過措置）

第二十八条　厚生年金保険法附則第八条の規定による老齢厚生年金（附則第十八条、第十九条第一項から第五項まで、第二十条第一項から第五項まで又は第二十条の二第一項から第五項まで及び改正後の同法附則第九条の規定によりその額が計算されているもの、前条第六項に規定する繰上げ調整額が加算されたもの並びに同法附則第十一条の二第一項に規定する障害者・長期加入者の老齢厚生年金（その受給権者が附則第二十二条に該当する者であるものに限る。）に限る。）の受給権者に平成二十五年改正法附則第三条第十一号に規定する存続厚生年金基金が支給する平成二十五年改正法附則第五条第一項の規定によりなおその効力を有するものとされた平成二十五年改正法第一条の規定による改正前の厚生年金保険法第百三十条第一項に規定する老齢年金給付についての厚生年金保険法附則第十三条第二項から第四項までの規定の適用に関し必要な技術的読替えは、政令で定める。

2　前項に規定する老齢厚生年金の受給権者がその受給権を有する解散基金に係る老齢年金給付（平成二十五年改正法附則第六十一条第三項の規定によりなおその効力を有するものとされた平成二十五年改正法第一条の規定による改正前の厚生年金保険法第百六十一条第二項の規定により平成二十五年改正法附則第三条第十三号に規定する存続連合会が平成二十五年改正法附則第三十八条第一項の規定によりなおその効力を有するものとされた平成二十五年改正法第一条の規定による改正前の厚生年金保険法第百四十九条第一項に規定する解散基金加入員に支給する老齢年金給付をいう。以下この条において同じ。）についての厚生年金保険法附則第十三条の二の規定の適用に関し必要な技術的読替えは、政令で定める。

3　附則第二十四条第二項の規定は、解散基金に係る老齢年金給付（平成二十五年改正法附則第六十一条第三項の規定によりなおその効力を有するものとされた平成二十五年改正法第一条の規定による改正前の厚生年金保険法附則第百六十一条第五項の規定により加算された額に相当する部分を除く。）について準用する。この場合において、附則第二十四条第二項中「受給権者」とあるのは、「受給権を有する者」と読み替えるものとする。

（老齢厚生年金の支給要件に関する経過措置）

第二十九条　厚生年金保険法附則第十四条第一項の規定の適用については、当分の間、同項中「並びに附則第七条の三第一項」とあるのは「、附則第七条の三第一項」と、「第二十九条第一項」とあるのは「第二十九条第一項並びに国民年金法等の一部を改正する法律（平成六年法律第九十五号）附則第十五条第一項（同条第三項において準用する場合を含む。）」とする。

（加給年金額に関する経過措置）

第三十条　厚生年金保険法附則第十六条の規定の適用については、当分の間、同条第二項中「又は第九条の四第一項及び第三項又は」とあるのは、「若しくは第九条の四第一項及び第三項又は国民年金法等の一部を改正する法律（平成六年法律第九十五号）附則第十八条第二項及び第三項、第十九条第二項及び第三項、第二十条第二項及び第三項若しくは第二十条の二第二項及び第三項」とする。

2　附則第十九条第四項及び第五項の規定によりその額が計算されている厚生年金保険法附則第八条の規定による老齢厚生年金又は附則第二十七条第六項に規定する繰上げ調整額が加算された老齢厚生年金（その受給権者が附則第十九条第一項に規定する者であるものに限る。）であつてその年金額の計算の基礎となる被保険者期間の月数が二百四十以上であるものの受給権者であつた者が六十五歳に達したときに支給する老齢厚生年金については、同法第四十四条第一項中「その権利を取得した当時（その権利を取得した当時、当該老齢厚生年金の額の計算の基礎となる被保険者期間の月数が二百四十未満であつたときは、第四十三条第二項又は第三項の規定により当該月数が二百四十以上となるに至つた当時」とあるのは「国民年金法等の一部を改正する法律（平成六年法律第九十五号）附則第十九条第一項の表の下欄に掲げる年齢に達したときから引き続き（その年齢に達した当時、附則第八条の規定による老齢厚生年金の額の計算の基礎となる被保険者期間の月数が二百四十未満であつたときは、第四十三条第三項又は同法附則第二十七条第六項、第九項若しくは第十二項の規定により当該月数が二百四十以上となるに至つたときから引き続き」と、同条第三項中「その権利を取得した当時」とあるのは「国民年金法等の一部を改正する法律附則第十九条第一項の表の下欄に掲げる年齢に達したときから引き続き」とする。

3　附則第二十条第四項及び第五項の規定によりその額が計算されている厚生年金保険法附則第八条の規定による老齢厚生年金又は附則第二十七条第六項に規定する繰上げ調整額が加算された老齢厚生年金（その受給権者が附則第二十条第一項に規定する者であるものに限る。）であつてその年金額の計算の基礎となる被保険者期間の月数が二百四十以上であるものの受給権者であつた者が六十五歳に達したときに支給する老齢厚生年金については、同法第四十四条第一項中「その権利を取得した当時（その権利を取得した当時、当該老齢厚生年金の額の計算の基礎となる被保険者期間の月数が二百四十未満であつたときは、第四十三条第二項又は第三項の規定により当該月数が二百四十以上となるに至つた当時」とあるのは「国民年金法等の一部を改正する法律（平成六年法律第九十五号）附則第二十条第一項の表の下欄に掲げる年齢に達したときから引き続き（その年齢に達した当時、附則第八条の規定による老齢厚生年金の額の計算の基礎となる被保険者期間の月数が二百四十未満であつたときは、第四十三条第三項又は同法附則第二十七条第六項、第十項若しくは第十三項の規定により当該月数が二百四十以上となるに至つたときから引き続き」と、同条第三項中「その権利を取得した当時」とあるのは「国民年金法等の一部を改正する法律附則第二十条第一項の表の下欄に掲げる年齢に達したときから引き続き」とする。

4　附則第二十条の二第四項及び第五項の規定によりその額が計算されている厚生年金保険法附則第八条の規定による老齢厚生年金又は附則第二十七条第六項に規定する繰上げ調整額が加算された老齢厚生年金（その受給権者が附則第二十条の二第一項に規定する者であるものに限る。）であつてその年金額の計算の基礎となる被保険者期間の月数が二百四十以上であるものの受給権者であつた者が六十五歳に達したときに支給する老齢厚生年金については、同法第四十四条第一項中「その権利を取得した当時（その権利を取得した当時、当該老齢厚生年金の額の計算の基礎となる被保険者期間の月数が二百四十未満であつたときは、第四十三条第二項又は第三項の規定により当該月数が二百四十以上となるに至つた当時」とあるのは「国民年金法等の一部を改正する法律（平成六年法律第九十五号）附則第二十条の二第一項の表の下欄に掲げる年齢に達したときから引き続き（その年齢に達した当時、附則第八条の規定による老齢厚生年金の額の計算の基礎となる被保険者期間の月数が二百四十未満であつたときは、第四十三条第三項又は同法附則第二十七条第六項、第十一項若しくは第十四項の規定により当該月数が二百四十以上となるに至つたときから引き続き」と、同条第三項中「その権利を取得した当時」とあるのは「国民年金法等の一部を改正する法律附則第二十条の二第一項の表の下欄に掲げる年齢に達したときから引き続き」とする。

（改正前の厚生年金保険法による老齢厚生年金等）

第三十一条 平成七年四月一日前において改正前の厚生年金保険法附則第八条の規定による老齢厚生年金（以下この条において「改正前の老齢厚生年金」という。）の受給権を有していた者については、改正後の厚生年金保険法附則第八条及び附則第十五条第一項の規定は適用しない。

２ 改正前の老齢厚生年金については、次項及び第四項の規定を適用する場合を除き、なお従前の例による。

３ 改正前の老齢厚生年金については、その額の計算に関する規定は、なおその効力を有する。この場合において、これらの規定の適用に関し必要な技術的読替えは、政令で定める。

４ 改正前の老齢厚生年金については、改正前の厚生年金保険法附則第八条第四項、第十一条、第十三条第三項及び第十三条の二の規定を適用せず、改正後の厚生年金保険法附則第八条の規定による老齢厚生年金（附則第十八条の規定によりその額が計算されているものに限る。）とみなして、厚生年金保険法附則第十三条第二項から第四項まで及び第十三条の二並びに附則第二十一条、第二十三条、第二十四条第二項及び第二十八条の規定を適用する。この場合において、これらの規定の適用に関し必要な技術的読替えは、政令で定める。

第三十二条 平成七年四月一日前において改正前の厚生年金保険法附則第二十八条の三第一項の規定による特例老齢年金（以下この条において「改正前の特例老齢年金」という。）の受給権を有していた者については、厚生年金保険法附則第二十八条の三第一項の規定は適用しない。

２ 改正前の特例老齢年金については、次項及び第四項の規定を適用する場合を除き、なお従前の例による。

３ 改正前の特例老齢年金については、その額の計算に関する規定は、なおその効力を有する。

４ 改正前の特例老齢年金については、改正前の厚生年金保険法附則第十一条、第十三条第三項及び第十三条の二の規定を適用せず、厚生年金保険法附則第八条の規定による老齢厚生年金（附則第十八条の規定によりその額が計算されているものに限る。）とみなして、同法附則第十三条第二項から第四項まで及び第十三条の二並びに附則第二十一条、第二十三条並びに第二十八条第一項及び第二項の規定を適用する。この場合において、これらの規定の適用に関し必要な技術的読替えは、政令で定める。

第三十三条 改正前の厚生年金保険法附則第二十八条の四第一項の規定による特例遺族年金については、その額の計算に関する規定は、なおその効力を有する。

（厚生年金保険法による脱退一時金に関する経過措置）

第三十四条 厚生年金保険法附則第二十九条の規定は、この法律の公布の日において日本国内に住所を有しない者（同日において国民年金の被保険者であった者及び同日以後国民年金の被保険者となった者を除く。）については、適用しない。

２ この法律の公布の日から平成七年三月三十一日までの間に、最後に国民年金の被保険者の資格を喪失した日（同日において日本国内に住所を有していた者にあっては、同日後初めて、日本国内に住所を有しなくなった日）がある者（同年四月一日において国民年金の被保険者であった者及び同日以後国民年金の被保険者となった者を除く。）について厚生年金保険法附則第二十九条第一項の規定を適用する場合においては、同条第一項第三号中「最後に国民年金の被保険者の資格を喪失した日（同日において日本国内に住所を有していた者にあつては、同日後初めて、日本国内に住所を有しなくなつた日）」とあるのは、「平成七年四月一日」とする。

（厚生年金保険の保険料に関する経過措置）

第三十五条 施行日の属する月から平成八年九月までの月分の厚生年金保険法による保険料率については、第二条の規定による改正後の厚生年金保険法第八十一条第五項中「千分の百七十三・五」とあるのは、「千分の百六十五」とする。

２ 昭和六十年改正法附則第五条第十二号に規定する第三種被保険者及び船員任意継続被保険者の厚生年金保険法による保険料率については、第二条の規定による改正後の厚生年金保険法第八十一条第五項中「千分の百七十三・五」とあるのは、「千分の百九十一・五（国民年金法等の一部を改正する法律（平成六年法律第九十五号）の施行の日の属する月から平成八年九月までの月分にあつては千分の百八十三）」とする。

３ 第四種被保険者の施行日の属する月分の厚生年金保険法による保険料率は、第二条の規定による改正後の厚生年金保険法第八十一条第五項の規定にかかわらず、千分の百四十五とする。

４ 船員任意継続被保険者の施行日の属する月分の厚生年金保険法による保険料率は、第二項の規定にかかわらず、千分の百六十三とする。

５ 施行日の属する月から平成八年三月までの間の第二条の規定による改正後の厚生年金保険法第八十一条第五項の規定の適用については、同項中「次条第一項に規定する免除保険料率」とあるのは、「千分の三十五」とする。

６ 平成二十五年改正法附則第五条第一項の規定によりなおその効力を有するものとされた平成二十五年改正法第一条の規定による改正前の厚生年金保険法第八十一条の三第一項の規定の適用については、当分の間、同項中「を基準として」とあるのは、「に基づき、全ての公的年金制度の健全性及び信頼性の確保のための厚生年金保険法等の一部を改正する法律（平成二十五年法律第六十三号）附則第三条第十一号に規定する存続厚生年金基金（以下「厚生年金基金」という。）に係る代行保険料率の分布状況を勘案して政令で定める範囲内において」とする。

７ 平成七年三月三十一日までに厚生年金基金の設立の認可の申請を行った適用事業所の事業主については、厚生年金保険法第八十一条の三第四項の規定は適用しない。

附 則（平七・五・八法八七）

この法律は、平成七年六月一日から施行する。

附 則（平七・六・九法一〇七）（抄）

改正 平九・五・九法四八

（施行期日）

第一条 この法律は、平成七年十月一日から施行する。〔ただし書略〕

附 則（平八・六・一四法八二）（抄）

最終改正 令二・六・五法四〇

（施行期日）

第一条 この法律は、平成九年四月一日から施行する。〔ただし書略〕

（用語の定義）

第三条 この条から附則第十条まで、附則第十二条、第十三条、

第十五条から第十九条まで、第二十一条から第二十七条まで、第二十九条から第三十三条まで、第三十五条、第三十七条、第三十八条、第四十条から第四十三条まで、第四十五条、第四十六条、第四十九条、第五十四条、第五十九条、第六十一条、第六十四条、第六十六条、第六十七条及び第百十九条において、次の各号に掲げる用語の意義は、それぞれ当該各号に定めるところによる。

一　改正後国共済法　第二条の規定による改正後の国家公務員共済組合法をいう。

二　改正後国共済施行法　附則第七十六条の規定による改正後の国家公務員共済組合法の長期給付に関する施行法（昭和三十三年法律第百二十九号）をいう。

三　改正前国共済法　第二条の規定による改正前の国家公務員等共済組合法をいう。

四　改正前国共済施行法　附則第七十六条の規定による改正前の国家公務員等共済組合法の長期給付に関する施行法をいう。

五　旧国共済法　国家公務員等共済組合法等の一部を改正する法律（昭和六十年法律第百五号。以下「昭和六十年国共済改正法」という。）第一条の規定による改正前の国家公務員等共済組合法をいう。

六　昭和六十年国民年金等改正法　国民年金法等の一部を改正する法律（昭和六十年法律第三十四号）をいう。

七　日本たばこ産業共済組合、日本電信電話共済組合又は日本鉄道共済組合　それぞれ改正前国共済法第八条第二項に規定する日本たばこ産業共済組合、日本電信電話共済組合又は日本鉄道共済組合をいう。

八　旧適用法人共済組合員期間　日本たばこ産業共済組合、日本電信電話共済組合及び日本鉄道共済組合（以下「旧適用法人共済組合」という。）の組合員であった者の当該組合員であった期間（他の法令の規定により当該組合員であった期間とみなされた期間及び他の法令の規定により当該組合員であった期間に合算された期間を含む。）をいう。

（厚生年金保険の被保険者資格の取得の経過措置）

第四条　昭和七年四月二日以後に生まれた者であり、かつ、この法律の施行の日（以下「施行日」という。）の前日において旧適用法人共済組合の組合員であった者であって、施行日において旧適用法人（改正前国共済法第二条第一項第七号に規定する適用法人をいう。以下同じ。）又は改正前国共済法第百十一条の六第一項に規定する指定法人の事業所又は事務所のうち厚生年金保険法第六条第一項又は第三項に規定する適用事業所であるものに使用されるもの（施行日に同法第十三条の規定により厚生年金保険の被保険者の資格を取得する者を除く。）は、施行日に、厚生年金保険の被保険者の資格を取得する。

（厚生年金保険の被保険者期間等に関する経過措置）

第五条　旧適用法人共済組合員期間は、厚生年金保険法第二条の五第一項第一号に規定する第一号厚生年金被保険者期間（以下「第一号厚生年金被保険者期間」という。）とみなす。ただし、次に掲げる期間は、この限りでない。

一　改正前国共済法附則第十三条の十の規定による脱退一時金の支給を受けた場合におけるその脱退一時金の計算の基礎となった期間

二　旧国共済法第八十条第一項の規定による脱退一時金（他の法令の規定により当該脱退一時金とみなされたものを含む。）の支給を受けた場合におけるその脱退一時金の計算の基礎となった期間

三　国家公務員及び公共企業体職員に係る共済組合制度の統合等を図るための国家公務員共済組合法等の一部を改正する法律（昭和五十八年法律第八十二号）附則第二条の規定による廃止前の公共企業体職員等共済組合法（昭和三十一年法律第百三十四号）第六十一条の三第一項の規定による脱退一時金の支給を受けた場合におけるその脱退一時金の計算の基礎となった期間

四　昭和六十年国共済改正法附則第六十一条の規定による脱退一時金の支給を受けた場合におけるその脱退一時金の計算の基礎となった期間

2　前項の規定により第一号厚生年金被保険者期間とみなされた旧適用法人共済組合員期間のうち、昭和六十年国共済改正法の施行の日の前日の昭和六十年国共済改正法附則第三十二条第一項に規定する旧船員組合員であった期間につき厚生年金保険の被保険者期間を計算する場合には、その期間に三分の四を乗じて得た期間をもって厚生年金保険の被保険者期間とする。

3　第一項の規定により第一号厚生年金被保険者期間とみなされた旧適用法人共済組合員期間のうち、昭和六十年国共済改正法の施行の日以後平成三年三月三十一日までの間の昭和六十年国共済改正法附則第三十二条第二項に規定する新船員組合員であった期間につき厚生年金保険の被保険者期間を計算する場合には、その期間に五分の六を乗じて得た期間をもって厚生年金保険の被保険者期間とする。

（厚生年金保険の標準報酬に関する経過措置）

第六条　施行日前の旧適用法人共済組合員期間（昭和六十年国共済改正法附則第三十二条第一項の規定により旧適用法人共済組合員期間に合算された期間を除く。）の各月の改正前国共済法による標準報酬月額（昭和六十一年四月一日前の期間にあっては、昭和六十年国共済改正法附則第九条の規定の例により算定した額とする。）は、それぞれその各月の厚生年金保険法による標準報酬月額とみなす。

（旧適用法人共済組合による従前の処分等）

第七条　この附則に別段の規定があるものを除くほか、次に掲げる処分、手続その他の行為（旧適用法人共済組合員期間を有する者に係る処分、手続その他の行為に限る。）は、厚生年金保険法又はこれに基づく命令中の相当する規定によってした処分、手続その他の行為とみなす。

一　附則第十五条第一項又は第十六条第一項の規定により適用するものとされた被用者年金制度の一元化等を図るための厚生年金保険法等の一部を改正する法律（平成二十四年法律第六十三号。以下「平成二十四年一元化法」という。）附則第三十七条第一項の規定によりなおその効力を有するものとされた平成二十四年一元化法第二条の規定による改正前の国家公務員共済組合法（以下「平成二十四年一元化法改正前国共済法」という。）又はこれに基づく命令の規定によってした処分、手続その他の行為

二　改正前国共済法又はこれに基づく命令の規定によってした処分、手続その他の行為

三　旧国共済法又はこれに基づく命令の規定によってした処

分、手続その他の行為

2　前項の規定により厚生年金保険法に基づく処分とみなされた同項各号に掲げる処分について社会保険審査官及び社会保険審査会法（昭和二十八年法律第二百六号）第三条第一項第一号及び第三号の規定を適用する場合には、同項第一号中「日本年金機構（以下「機構」という。）がした」とあるのは「厚生年金保険法等の一部を改正する法律（平成八年法律第八十二号。以下「平成八年改正法」という。）附則第七条第一項の規定により日本年金機構（以下「機構」という。）がしたものとみなされた」と、「その処分に関する事務を処理した機構の事務所（年金事務所（日本年金機構法（平成十九年法律第百九号）第二十九条に規定する年金事務所をいう。以下この項及び第五条第二項において同じ。）が当該事務を処理した場合にあつては、当該年金事務所がその業務の一部を分掌する従たる事務所（同法第四条第二項に規定する従たる事務所をいう。以下この項及び第五条第二項において同じ。）とし、審査請求人が当該処分につき経由した機構の事務所がある場合にあつては、当該経由した機構の事務所（年金事務所を経由した場合にあつては、当該年金事務所がその業務の一部を分掌する従たる事務所）とする。）の所在地を管轄する地方厚生局」とあるのは「審査請求人の住所地を管轄する地方厚生局」と、同項第三号中「厚生労働大臣がした」とあるのは「平成八年改正法附則第七条第一項の規定により厚生労働大臣がしたものとみなされた」と、「審査請求人が当該処分につき経由した地方厚生局又は機構の事務所（従たる事務所を経由した場合にあつては、その従たる事務所（年金事務所を経由した場合にあつては、当該年金事務所がその業務の一部を分掌する従たる事務所））若しくは」とあるのは「審査請求人の住所地を管轄する地方厚生局又は」とする。

（老齢厚生年金の額の計算の特例）

第八条　施行日の前日において次に掲げる年金たる給付の受給権を有していた者に支給する厚生年金保険法による老齢厚生年金の額については、当該年金たる給付の額の計算の基礎となった旧適用法人共済組合員期間（第一号に掲げる年金たる給付の受給権を有する者にあっては、当該旧適用法人共済組合員期間に引き続く厚生年金保険の被保険者期間であって政令で定める要件に該当するものを含む。）は、計算の基礎としない。

一　旧適用法人共済組合が支給する改正前国共済法の規定による退職共済年金（他の法令の規定により当該退職共済年金とみなされたものを含む。）

二　旧適用法人共済組合が支給する旧国共済法の規定による退職年金又は減額退職年金（他の法令の規定によりこれらの年金とみなされたものを含む。）

2　施行日の前日において次の各号のいずれかに該当した者（同日において前項各号のいずれかに該当した者を除く。）に支給する厚生年金保険法による老齢厚生年金の額については、旧適用法人共済組合員期間は計算の基礎としない。ただし、第一号又は第二号に該当した者にあっては、施行日から六十日以内に旧適用法人共済組合員期間を厚生年金保険法による老齢厚生年金の額の計算の基礎とすることを希望する旨を社会保険庁長官に申し出たときは、この限りでない。

一　改正前国共済法附則第十二条の八第二項に規定する者（平成七年六月三十日以前に退職した日本電信電話共済組合の組合員又は平成二年四月一日前に退職した日本たばこ産業共済組合若しくは日本鉄道共済組合の組合員に限る。）

二　改正前国共済法附則第十二条の八第九項に規定する者（日本電信電話共済組合の組合員（施行日の前日以前に退職した者を含む。）又は平成二年四月一日前に退職した日本たばこ産業共済組合若しくは日本鉄道共済組合の組合員に限る。）（前号に掲げる者を除く。）

三　厚生年金保険法附則第八条の規定による老齢厚生年金の受給権を有する者（前二号に掲げる者を除く。）

（障害厚生年金等の支給要件の特例）

第九条　厚生年金保険法第四十七条の二第一項の規定による障害厚生年金は、同一の傷病による障害について改正前国共済法又は旧国共済法による年金たる給付（他の法令の規定によりこれらの年金とみなされたものを含む。以下同じ。）のうち障害を支給事由とするものの受給権を有していたことがある者その他政令で定める者については、同項の規定にかかわらず、支給しない。

2　施行日前に改正前国共済法又は旧国共済法による年金たる給付のうち障害を支給事由とするものの受給権を有していたことがある者であって旧適用法人共済組合員期間を有するもの（施行日において当該給付の受給権を有する者及び当該給付の支給事由となった傷病について国家公務員等共済組合法等の一部を改正する法律（平成六年法律第九十八号）附則第八条第一項又は第二項の規定により支給される改正前国共済法による障害共済年金の受給権を有する者を除く。）が、当該給付の支給事由となった傷病により、施行日において厚生年金保険法第四十七条第二項に規定する障害等級（以下この項において単に「障害等級」という。）に該当する程度の障害の状態にあるとき、又は施行日の翌日から六十五歳に達する日の前日までの間において、障害等級に該当する程度の障害の状態に至ったときは、その者は、施行日（施行日において障害等級に該当する程度の障害の状態にない者にあっては、障害等級に該当する程度の障害の状態に至ったとき）から六十五歳に達する日の前日までの間に、同条第一項の障害厚生年金の支給を請求することができる。

3　前項の請求があったときは、厚生年金保険法第四十七条第一項の規定にかかわらず、その請求をした者に同項の障害厚生年金を支給する。

第十条　疾病にかかり、若しくは負傷した日が施行日前にある傷病又は初診日が施行日前にある傷病による障害（旧適用法人共済組合員期間中の傷病による障害に限る。）について厚生年金保険法第四十七条から第四十七条の三まで及び第五十五条の規定を適用する場合における必要な経過措置は、政令で定める。

（遺族厚生年金の支給要件の特例）

第十一条　附則第十六条第三項の規定により厚生年金保険の実施者たる政府が支給するものとされた年金たる給付（死亡を支給事由とするものを除く。）の受給権者その他の者であって政令で定めるものが、施行日以後に死亡した場合における厚生年金保険法による遺族厚生年金の支給に関し必要な経過措置は、政令で定める。

2　平成十九年四月一日前に死亡した者（前項の政令で定める者に限る。）の死亡について厚生年金保険法第五十九条第一項の規定を適用する場合においては、同項第一号中「であること」とあるのは、「であるか、又は障害等級の一級若しくは二級に該当する程度の障害の状態にあること」とする。

3　前項の規定により読み替えられた厚生年金保険法第五十九条第一項に規定する遺族である夫、父母又は祖父母の有する同法による遺族厚生年金の受給権は、同法第四十七条第二項に規定する障害等級の一級又は二級に該当する程度の障害の状態にある夫、父母又は祖父母について、その事情がやんだときは、消滅する。ただし、夫、父母又は祖父母が受給権を取得した当時五十五歳以上であったときを除く。

4　第二項の規定により読み替えられた厚生年金保険法第五十九条第一項に規定する遺族である夫、父母又は祖父母が同法による遺族厚生年金の受給権を取得した当時から引き続き同法第四十七条第二項に規定する障害等級の一級又は二級に該当する程度の障害の状態にある間は、その者については、同法第六十五条の二の規定は適用しない。

（厚生年金保険事業に要する費用の負担の特例）

第十四条　附則第十六条第三項の規定により厚生年金保険の実施者たる政府が支給するものとされた年金たる給付に要する費用のうち、厚生年金相当給付費用（厚生年金保険法による年金たる保険給付に相当する給付に要する費用として政令で定めるところにより算定した費用をいう。附則第十九条及び第二十条において同じ。）は、厚生年金保険法第二条の四第一項の規定の適用については、同法による保険給付に要する費用とみなし、同法第八十四条の三の規定の適用については同条に規定する政令で定める保険給付に要する費用とみなす。

（平成二十四年一元化法改正前国共済法による給付）

第十五条　旧適用法人共済組合員期間を有する者が次の各号のいずれかに該当する者であるときは、平成二十四年一元化法改正前国共済法中退職共済年金の支給要件に関する規定は、その者について適用する。この場合において、必要な技術的読替えは、政令で定める。

一　改正前国共済法附則第十二条の三又は第十二条の八の規定による退職共済年金の受給権を有している者

二　厚生年金保険法附則第八条の規定による老齢厚生年金の受給権を有している者（前号に掲げる者を除く。）

三　附則第八条第二項第一号又は第二号に掲げる者（前二号に掲げる者を除く。）

2　前項の規定により適用するものとされた平成二十四年一元化法改正前国共済法による年金たる給付（日本たばこ産業共済組合又は日本鉄道共済組合の組合員であった者に係るものに限る。）については、附則第七十八条による改正前の昭和六十年国共済改正法附則第三十四条の規定は、なおその効力を有する。この場合において、同条第一項中「日本鉄道共済組合（新共済法第八条第二項に規定する日本鉄道共済組合をいう。以下同じ。）又は日本たばこ産業共済組合（新共済法第八条第二項に規定する日本たばこ産業共済組合をいう。以下同じ。）」とあり、及び同条第二項中「日本鉄道共済組合又は日本たばこ産業共済組合」とあるのは、「厚生年金保険の実施者たる政府」と読み替えるものとする。

（改正前国共済法による給付等）

第十六条　旧適用法人共済組合員期間を有する者に係る改正前国共済法による年金たる給付（前条第一項の規定により適用するものとされた平成二十四年一元化法改正前国共済法による年金たる給付を含む。）については、第四項、第五項、第十項、第十一項及び第十三項から第十五項まで並びに次条第一項及び第二項の規定を適用する場合並びに当該給付の費用に関する事項を除き、平成二十四年一元化法改正前国共済法及び改正後国共済施行法の長期給付に関する規定を適用する。この場合において、これらの規定の適用に関し必要な技術的読替えは、政令で定める。

2　旧適用法人共済組合員期間を有する者に係る旧国共済法による年金たる給付については、第六項から第八項まで、第十項、第十一項、第十四項及び第十五項並びに次条第三項の規定を適用する場合並びに当該給付の費用に関する事項を除き、なお従前の例による。

3　前二項に規定する年金たる給付は、厚生年金保険の実施者たる政府が支給する。

4　第一項に規定する年金たる給付のうち障害共済年金については、同項の規定にかかわらず、改正後国共済法第八十四条第二項、第八十五条第一項及び第八十七条第四項ただし書の規定は適用しない。

5　第一項に規定する年金たる給付のうち遺族共済年金については、平成二十四年一元化法附則第三十一条第一項の規定を適用する。

6　第二項に規定する年金たる給付のうち障害年金については、同項の規定にかかわらず、昭和六十年国共済改正法附則第二十四条の規定は適用しない。

7　第二項に規定する年金たる給付のうち遺族年金については、平成二十四年一元化法附則第三十一条第二項の規定を適用する。

8　第二項に規定する年金たる給付については、昭和六十年国共済改正法附則第十一条及び第三十五条から第六十条までの規定その他当該年金たる給付の額の計算及びその支給の停止に関する他の法令の規定であって政令で定めるものを適用する。この場合において、これらの規定の適用に関し必要な技術的読替えは、政令で定める。

9　旧適用法人共済組合が施行日前に支給すべきであった改正前国共済法及び旧国共済法による年金たる給付であって同日においてまだ支給していないものについては、当該給付の費用に関する事項を除き、なお従前の例によるものとし、当該年金たる給付は厚生年金保険の実施者たる政府が支給する。

10　第一項及び第二項に規定する年金たる給付に関し、国民年金法又は厚生年金保険法の支給の停止に関する規定その他の規定であって政令で定めるものを適用する場合におけるこれらの規定の読替えその他必要な事項は、政令で定める。

11　厚生年金保険法第七十八条の十の規定は、第一項及び第二項に規定する年金たる給付の受給権者について準用する。この場合において、必要な読替えは、政令で定める。

12　第三項の規定により厚生年金保険の実施者たる政府が支給するものとされた年金たる給付の受給権者の附則第六条の規定により厚生年金保険法による標準報酬月額とみなされた改正前国共済法による標準報酬月額が厚生年金保険法第七十八条の六第一項及び第二項の規定により改定された場合における第一項及び第六項の規定により適用するものとされた規定（他の法令に

おいて、これらの規定を引用し、又はその例による場合を含む。）の適用に関し必要な読替えその他必要な事項は、政令で定める。

13　第一項に規定する年金たる給付のうち退職共済年金（平成二十年四月一日以後の特定期間（厚生年金保険法第七十八条の十四第一項に規定する特定期間をいう。）に係る旧適用法人共済組合員期間をその額の算定の基礎とするものに限る。）の額の算定及び改定その他必要な事項は、政令で定める。

14　第一項及び第二項に規定する年金たる給付は、厚生年金保険法第七十七条第一項、第七十八条第一項、第九十二条第三項、第九十六条第一項、第九十七条第一項及び第百条の二の規定の適用については、これらの規定に規定する年金たる保険給付とみなし、同法第九十条第一項及び第五項、第九十二条第一項並びに第百条第一項の規定の適用については、これらの規定に規定する保険給付とみなす。

15　第一項及び第二項に規定する年金たる給付を受ける権利を有する者は、厚生年金保険法第九十五条、第九十六条第一項、第九十八条第三項及び第四項並びに第百条の二の規定の適用については、これらの規定に規定する受給権者とみなす。

第十七条　前条第一項に規定する年金たる給付（日本たばこ産業共済組合又は日本鉄道共済組合の組合員期間を有する者に係るものに限る。）については、改正前国共済法附則第二十条の二第二項の規定は、なおその効力を有する。この場合において、同項中「日本鉄道共済組合又は日本たばこ産業共済組合が支給する」とあるのは、「厚生年金保険法等の一部を改正する法律（平成八年法律第八十二号）附則第十六条第三項の規定により厚生年金保険の実施者たる政府が支給するものとされた」と読み替えるものとする。

2　旧適用法人共済組合の組合員であった者については、改正前国共済法附則第二十条の二第三項及び第四項の規定はなおその効力を有する。この場合において、同条第三項中「日本鉄道共済組合又は日本たばこ産業共済組合から」とあるのは「厚生年金保険の実施者たる政府から」と、「日本電信電話共済組合（地方）」とあるのは「厚生年金保険法等の一部を改正する法律（平成八年法律第八十二号）附則第三十二条第二項に規定する存続組合のうち日本電信電話共済組合若しくは同法附則第四十八条第一項に規定する指定基金であつて当該指定基金に係る同法附則第三条第八号に規定する旧適用法人共済組合が日本電信電話共済組合であるもの（地方）」と、「前項」とあるのは「同法附則第十七条第一項の規定によりなおその効力を有するものとされた同法第二条の規定による改正前の国家公務員等共済組合法（昭和三十三年法律第百二十八号。次項において「改正前国共済法」という。）附則第二十条の二第二項」と、同条第四項中「前項」とあるのは「厚生年金保険法等の一部を改正する法律附則第十七条第二項の規定によりなおその効力を有するものとされた改正前国共済法附則第二十条の二第三項」と、「第二項」とあるのは「厚生年金保険法等の一部を改正する法律附則第十七条第一項の規定によりなおその効力を有するものとされた改正前国共済法附則第二十条の二第二項」と、「日本鉄道共済組合又は日本たばこ産業共済組合」とあるのは「厚生年金保険の実施者たる政府」と読み替えるものとする。

3　前条第二項に規定する年金たる給付（日本たばこ産業共済組合又は日本鉄道共済組合の組合員期間を有する者に係るものに限る。）については、附則第七十八条の規定による改正前の昭和六十年国共済改正法附則第五十一条の規定は、なおその効力を有する。この場合において、当該年金たる給付の額の改定に伴う必要な措置については、政令で定める。

（保険料率の特例）

第十八条　日本たばこ産業株式会社及び改正前国共済法第百十一条の六第一項に規定する指定法人（当該指定に係る旧適用法人が日本たばこ産業株式会社であるものに限る。）の事業所又は事務所のうち厚生年金保険法第六条第一項又は第三項に規定する適用事業所であるものに使用される同法による被保険者の同法による保険料率については、同法第八十一条第四項の表の下欄中「千分の百三十九・三四」、「千分の百四十二・八八」、「千分の百四十六・四二」、「千分の百四十九・九六」及び「千分の百五十三・五〇」とあるのは、「千分の百五十五・五」とする。ただし、施行日の前日以前の日から引き続き厚生年金保険の被保険者の資格を有する者（施行日の前日以前の日から引き続き当該事業所又は事務所に使用される者に限る。）の厚生年金保険法による保険料率については、この限りでない。

2　旅客鉄道会社等（改正前国共済法第二条第一項第八号に規定する法人をいう。以下この項並びに附則第三十二条及び第五十四条において同じ。）及び改正前国共済法第百十一条の六第一項に規定する指定法人（当該指定に係る旧適用法人が旅客鉄道会社等であるものに限る。）の事業所又は事務所のうち厚生年金保険法第六条第一項又は第三項に規定する適用事業所であるものに使用される同法による被保険者の同法による保険料率については、同法第八十一条第四項の表の下欄中「千分の百三十九・三四」、「千分の百四十二・八八」、「千分の百四十六・四二」、「千分の百四十九・九六」及び「千分の百五十三・五〇」とあるのは「千分の百五十六・九」とする。この場合において、前項ただし書の規定を準用する。

3　前二項に規定する者（昭和六十年国民年金等改正法附則第五条第十二号に規定する第三種被保険者であるものに限る。）に対する国民年金法等の一部を改正する法律（平成十六年法律第百四号）附則第三十三条の規定（同条に規定する施行日の属する月から平成十八年八月までの月分の保険料率に係る部分に限る。）の適用については、同条中「第三種被保険者」とあるのは、「第三種被保険者（厚生年金保険法等の一部を改正する法律（平成八年法律第八十二号）附則第十八条第一項本文又は第二項前段に規定する者を除く。）」とする。

（旧適用法人共済組合の厚生年金保険への統合に伴う費用負担の特例等）

第十九条　附則第三十二条第二項に規定する存続組合は、附則第十六条第三項の規定により厚生年金保険の実施者たる政府が支給するものとされた年金たる給付に要する費用（厚生年金相当給付費用に限る。）及び附則第五条第一項の規定により厚生年金保険の被保険者であった期間とみなされた旧適用法人共済組合員期間を計算の基礎とする厚生年金保険法による年金たる保険給付に要する費用（当該旧適用法人共済組合員期間のみに基づく部分の額に限る。）に係る積立金に相当する額として、政令で定めるところにより算定した額を厚生年金保険の実施者たる政府に納付するものとする。

第二十条　附則第十六条第三項の規定により厚生年金保険の実施

者たる政府が支給するものとされた年金たる給付に要する費用（厚生年金相当給付費用を除く。）及び同条第七項の規定により厚生年金保険の実施者たる政府が支給するものとされた年金たる給付に要する費用については、政令で定めるところにより、毎年度、附則第三十二条第二項に規定する存続組合が納付する。

（従前の給付等に関する経過措置）

第二十六条 施行日前に支給事由が生じた改正前国共済法による給付又は旧国共済法による給付については、この法律及びこれに基づく政令に別段の定めがあるもののほか、なお従前の例による。

2 旧適用法人共済組合がした改正前国共済法第百三条第一項に規定する決定、徴収、確認又は診査に係る同項の審査請求で施行日の前日までに裁決が行われていないものについては、なお従前の例による。

（存続組合に係る基礎年金拠出金等）

第三十四条 平成九年度における基礎年金拠出金について国民年金法第九十四条の二第二項の規定を適用する場合には、同項中「年金保険者たる共済組合」とあるのは、「年金保険者たる共済組合（厚生年金保険法等の一部を改正する法律（平成八年法律第八十二号）附則第三十二条第二項に規定する存続組合及び同法附則第四十八条第一項に規定する指定基金を含む。）」とする。

2 前項の規定により読み替えられた国民年金法第九十四条の二第二項の規定により基礎年金拠出金を納付するものとされた存続組合又は指定基金が納付する基礎年金拠出金について同法第九十四条の三及び第九十四条の五の規定を適用する場合には、次の表の上欄に掲げる同法の規定中同表の中欄に掲げる字句は、それぞれ同表の下欄に掲げる字句に読み替えるものとする。

第九十四条の三第一項	対する当該年度	対する平成九年三月末日
	当該被用者年金保険者	当該存続組合（厚生年金保険法等の一部を改正する法律（平成八年法律第八十二号）附則第三十二条第二項に規定する存続組合をいう。以下同じ。）又は当該指定基金（同法附則第四十八条第一項に規定する指定基金をいう。以下同じ。）に係る旧適用法人共済組合（同法附則第三条第八号に規定する旧適用法人共済組合をいう。以下同じ。）
	年金保険者たる共済組合にあつては	存続組合又は指定基金にあつては
	当該年金保険者たる共済組合	当該存続組合又は当該指定基金に係る旧適用法人共済組合
	当該共済組合の組合員である	当該存続組合又は当該指定基金に係る旧適用法人共済組合の組合員であつた
	比率	比率に六分の一を乗じて得た率
第九十四条の三第三項及び第九十四条の五	年金保険者たる共済組合	存続組合又は指定基金

3 平成九年度において厚生年金保険の管掌者たる政府が負担する基礎年金拠出金の額は、国民年金法第九十四条の三の規定にかかわらず、同条の規定により算定された額から、第一項の規定により読み替えられた同法第九十四条の二の規定により各存続組合又は各指定基金が納付する基礎年金拠出金の額の合計額を控除して得た額とする。

（基金の指定等）

第四十七条 財務大臣は、公的年金制度の健全性及び信頼性の確保のための厚生年金保険法等の一部を改正する法律（平成二十五年法律第六十三号。以下「平成二十五年改正法」という。）附則第三条第十一号に規定する存続厚生年金基金（以下「基金」という。）であつて、附則第三十二条第二項各号に掲げる業務（以下「特例業務」という。）を適正かつ確実に行うことができると認められるものを、その申請（当該申請が基金の成立前であるときは、当該基金を設立しようとする厚生年金保険法第六条第一項第一号に規定する適用事業所の事業主の申請）により、特例業務を行う者として指定することができる。

2 財務大臣は、前項の規定による指定をしたときは、当該指定を受けた基金の名称、住所及び事務所の所在地を公示しなければならない。

3 第一項の規定による指定を受けた基金は、その名称、住所又は事務所の所在地を変更しようとするときは、あらかじめ、その旨を財務大臣に届け出なければならない。

4 財務大臣は、前項の規定による届出があつたときは、当該届出に係る事項を公示しなければならない。

（指定の取消し）

第五十二条 財務大臣は、指定基金が合併し、若しくは分割したとき、指定基金が平成二十五年改正法附則第五条第一項の規定によりなおその効力を有するものとされた平成二十五年改正法第二条の規定による改正前の確定給付企業年金法（平成十三年法律第五十号）第百十二条第一項の規定により同項に規定する企業年金基金（以下「企業年金基金」という。）となつたとき又は指定基金が解散したときは、附則第四十七条第一項の規定による指定を取り消すものとする。

2 財務大臣は、指定基金が次の各号のいずれかに該当するときは、附則第四十七条第一項の規定による指定を取り消すことができる。

一　指定に関し不正な行為があったとき。

二　附則第四十七条から前条までの規定又はこれらの規定に基づく命令若しくは処分に違反したとき。

三　附則第五十条第一項の認可を受けた業務規程によらないで特例業務を行ったときその他特例業務を適正かつ確実に実施することができないと認められるとき。

3　財務大臣は、前二項の規定により指定を取り消したときは、その旨を公示しなければならない。

4　財務大臣は、指定基金が合併し、若しくは分割したことにより、又は指定基金が平成二十五年改正法附則第五条第一項の規定によりなおその効力を有するものとされた平成二十五年改正法第二条の規定による改正前の確定給付企業年金法第百十二条第一項の規定により企業年金基金となったことにより、附則第四十七条第一項の規定による指定を取り消したときは、合併により設立され、若しくは合併後存続する基金若しくは分割により設立され、若しくは分割後存続する基金又は当該企業年金基金（以下「新基金」という。）を新たに指定するものとする。

5　財務大臣が前項の場合に該当して新基金を指定したときは、当該指定に係る新基金は、財務大臣が同項の場合に該当して指定を取り消した基金の特例業務に関する一切の権利及び義務を承継する。

6　財務大臣が第四項の規定に該当して企業年金基金を新たに指定する場合における附則第四十七条第一項、第四十九条第一項及び第五十五条第一項の規定の適用については、附則第四十七条第一項中「厚生年金基金」とあるのは「厚生年金基金又は企業年金基金」と、附則第四十九条第一項中「厚生年金保険法第百三十条に規定する業務」とあるのは「厚生年金保険法第百三十条に規定する業務又は確定給付企業年金法の規定に基づく企業年金基金の業務」と、附則第五十五条第一項中「指定基金は」とあるのは「指定基金（当該指定基金が厚生年金基金であるものに限る。以下この条、次条、附則第五十七条、第五十九条及び第六十三条において同じ。）は」とする。

7　指定基金が解散したことにより又は第二項各号のいずれかに該当したことにより、附則第四十七条第一項の規定による指定が取り消された場合における当該指定が取り消された基金の特例業務に関する権利及び義務の取扱いその他必要な措置については、別に法律で定める。

8　指定基金が解散したことにより又は第二項各号のいずれかに該当したことにより、附則第四十七条第一項の規定による指定が取り消された場合において、前項の法律に基づく必要な措置がとられるまでの間は、財務大臣が指定する者が、政令で定めるところにより、特例業務に係る財産の管理その他の業務を行うものとする。

（指定基金の給付の特例）

第五十五条　附則第四十七条第一項又は第五十二条第四項の規定による指定があったときは、指定基金は、この条から附則第五十八条までの規定に基づき、政令で定めるところにより、当該指定基金の加入員又は加入員であった者の障害又は死亡に関し、年金たる給付の支給を行うことができる。

2　厚生年金保険法第三十六条第一項及び第二項、第三十七条、第三十九条第二項前段、第四十条、第四十条の二並びに第四十一条並びに平成二十五年改正法附則第五条第一項の規定によりなおその効力を有するものとされた平成二十五年改正前厚年法第百三十条の二、第百三十二条第一項及び第三項、第百三十四条、第百三十五条、第百三十六条の二、第百三十六条の三、第百三十六条の四第一項から第三項まで及び第五項、第百四十六条、第百七十条第一項及び第二項、第百七十二条並びに第百七十三条並びに平成二十五年改正法附則第三十四条第四項の規定は、前項に規定する年金たる給付（以下「障害等年金たる給付」という。）について準用する。この場合において、厚生年金保険法第三十七条第一項から第三項まで及び第四十条中「受給権者」とあるのは「受給権を有する者」と、同条中「政府等」とあり、及び同法第四十条の二中「実施機関」とあるのは「厚生年金保険法等の一部を改正する法律（平成八年法律第八十二号）附則第四十八条第一項に規定する指定基金」と、平成二十五年改正法附則第五条第一項の規定によりなおその効力を有するものとされた平成二十五年改正前厚年法第百三十条の二第一項中「年金たる給付」とあるのは「年金たる給付（厚生年金保険法等の一部を改正する法律附則第五十五条第一項に規定する年金たる給付を含む。次項、第百三十二条第一項及び第三項、第百三十四条、第百三十五条、第百四十六条、第百七十条第一項及び第二項、第百七十二条並びに第百七十三条において同じ。）」と、平成二十五年改正法附則第三十四条第四項中「年金たる給付」とあるのは「年金たる給付（厚生年金保険法等の一部を改正する法律（平成八年法律第八十二号）附則第五十五条第一項に規定する年金たる給付を含む。）」と、それぞれ読み替えるものとする。

3　厚生年金保険法第九十八条第三項の規定は、障害等年金給付の受給権を有する者について、同条第四項の規定は、障害等年金給付の受給権を有する者が死亡した場合について準用する。この場合において、同条第三項及び第四項中「厚生労働大臣」とあるのは、「厚生年金保険法等の一部を改正する法律（平成八年法律第八十二号）附則第四十八条第一項に規定する指定基金」と読み替えるものとする。

（掛金）

第五十六条　指定基金は、指定基金が支給する障害等年金給付に関する事業に要する費用に充てるため、掛金を徴収する。

2　厚生年金保険法第八十三条、第八十四条、第八十五条から第八十七条まで、第八十八条及び第八十九条並びに平成二十五年改正法附則第五条第一項の規定によりなおその効力を有するものとされた平成二十五年改正前厚年法第百三十八条第二項から第六項まで、第百三十九条第一項から第六項まで、第百四十一条第二項及び第三項並びに第百七十条第一項及び第三項の規定は、前項に規定する掛金について準用する。この場合において、厚生年金保険法第八十三条第二項及び第三項、第八十六条第一項、第二項、第五項及び第六項並びに第八十七条第一項中「厚生労働大臣」とあるのは「厚生年金保険法等の一部を改正する法律（平成八年法律第八十二号）附則第四十八条第一項に規定する指定基金」と、厚生年金保険法第八十三条第二項中「納付した保険料額」とあるのは「納付した厚生年金保険法等の一部を改正する法律附則第五十六条第一項に規定する掛金（金融商品取引法（昭和二十三年法律第二十五号）第二条第十六項に規定する金融商品取引所に上場されている株式で納付した掛金を除く。）の額」と、同法第八十四条中「被保険者」とあるのは「加入員」と、同法第八十五条第三号中「被保険者の使用される事業所」とあるのは「設立事業所」と、同条第四号中「船舶」とあるのは「設立事業所である船舶」と、同法第八十七条第一項から第三項までの規定中「保険料額」とあるのは「厚生年金保険法等の一部を改正する法律附則第五十六条第一項に規定する掛金の額」と、同法第八十七条第一項、第二項、第四項及び第六項中「保険料」とあるのは「厚生年金保険法等の一部を改正する法律附則第五十六条第一項に規定する掛金」と、それぞれ読み替えるものとする。

（徴収金）

第五十七条　指定基金は、平成二十五年改正法附則第五条第一項の規定によりなおその効力を有するものとされた平成二十五年改正前厚年法第百二十九条第二項に規定する加入員に係る障害等年金給付の支給に要する費用の一部に充てるため、当該加入員につき前条第二項において準用する平成二十五年改正法附則第五条第一項の規定によりなおその効力を有するものとされた平成二十五年改正前厚年法第百三十八条第三項の規定により算定した額から当該加入員に係る掛金の額を控除した額に相当する金額を徴収する。

2　厚生年金保険法第八十三条、第八十四条、第八十五条から第八十七条まで、第八十八条及び第八十九条並びに平成二十五年改正法附則第五条第一項の規定によりなおその効力を有するものとされた平成二十五年改正前厚年法第百四十条第二項から第七項まで、第百四十一条第三項並びに第百七十条第一項及び第三項の規定は、前項の規定による徴収金について準用する。この場合において、厚生年金保険法第八十三条第二項及び第三項、第八十六条第一項、第二項、第五項及び第六項並びに第八十七条第一項中「厚生労働大臣」とあるのは「厚生年金保険法等の一部を改正する法律（平成八年法律第八十二号）附則第四十八条第一項に規定する指定基金」と、同法第八十四条中「事業主」とあるのは「当該基金の設立事業所以外の適用事業所の事業主（第十条第二項の同意をした事業主を含む。）」と、「被保険者」とあるのは「当該基金の設立事業所以外の適用事業所に使用される加入員である被保険者」と、同法第八十五条第三号中「被保険者の使用される事業所」とあるのは「設立事業所以外の事業所」と、同条第四号中「船舶」とあるのは「設立事業所以外の船舶」と、同法第八十七条第一項から第三項までの規定中「保険料額」とあるのは「厚生年金保険法等の一部を改正する法律附則第五十七条第一項の規定による徴収金の金額」と、同法第八十七条第一項、第二項、第四項及び第六項中「保険料」とあるのは「厚生年金保険法等の一部を改正する法律附則第五十七条第一項の規定による徴収金」と、それぞれ読み替えるものとする。

（不服申立て）

第五十八条　障害等年金給付に関する処分又は附則第五十六条第一項の規定による掛金若しくは前条第一項の規定による徴収金の賦課若しくは徴収の処分若しくは附則第五十六条第二項及び前条第二項において準用する厚生年金保険法第八十六条の規定による処分に不服がある者については、同法第六章の規定を準用する。この場合において、同法第九十一条の三中「第九十条第一項又は第九十一条第一項」とあるのは、「厚生年金保険法等の一部を改正する法律（平成八年法律第八十二号）附則第五十八条において準用する第九十条第一項又は第九十一条第一項」と読み替えるものとする。

（指定基金の加入員に関する特例）

第五十九条　附則第四十七条第一項又は第五十二条第四項の規定による指定があったときは、施行日の前日において指定基金に係る旧適用法人共済組合の組合員であった者については、昭和六十年国民年金等改正法附則第八十一条第三項の規定は適用しないものとする。ただし、その者が指定基金の加入員でなくなった場合には、この限りでない。

第六十条　削除

第六十三条　指定基金の設立事業所の事業主が、正当な理由がなくて附則第五十六条第二項において準用する平成二十五年改正法附則第五条第一項の規定によりなおその効力を有するものとされた平成二十五年改正前厚年法第百三十九条第四項の規定に違反して、督促状に指定する期限までに掛金を納付しないときは、六月以下の懲役又は二十万円以下の罰金に処する。

2　指定基金の設立事業所以外の適用事業所の事業主が、正当な理由がなくて附則第五十七条第二項において準用する厚生年金保険法第百四十条第六項の規定に違反して、督促状に指定する期限までに徴収金を納付しないときは、六月以下の懲役又は二十万円以下の罰金に処する。

第六十五条　法人の代表者又は法人若しくは人の代理人、使用人その他の従業者が、その法人又は人の業務に関して、附則第六十二条及び第六十三条の違反行為をしたときは、行為者を罰するほか、その法人又は人に対しても、各本条の罰金刑を科する。

第六十八条　戸籍法（昭和二十二年法律第二百二十四号）の規定による死亡の届出義務者が、附則第五十五条第三項において準用する厚生年金保険法第九十八条第四項の規定に違反して、届出をしないときは、十万円以下の過料に処する。

（罰則に関する経過措置）

第六十九条　施行日前にした行為及びこの法律の規定によりなお従前の例によることとされる場合における施行日以後にした行為に対する罰則の適用については、なお従前の例による。

（その他の経過措置の政令への委任）

第七十条　この附則に規定するもののほか、この法律の施行に伴い必要な経過措置は、政令で定める。

附　則（平八・六・二六法一〇七）（抄）

（施行期日）

第一条　この法律は、公布の日から施行する。ただし、次の各号に掲げる規定は、当該各号に定める日から施行する。

一　〔略〕

二　第十三条〔中略〕の規定　平成十一年四月一日

三～五　〔略〕

（罰則に関する経過措置）

第五条　この法律の施行前にした行為に対する罰則の適用については、なお従前の例による。

（政令への委任）

第十四条　この附則に規定するもののほか、この法律の施行に伴い必要な経過措置は、政令で定める。

附　則（平九・五・九法四八）（抄）

（施行期日）

第一条　この法律は、平成十年一月一日から施行する。〔ただし

書略〕

附　則（平一一・七・一六法八七）（抄）

（施行期日）

第一条　この法律は、平成十二年四月一日から施行する。〔ただし書略〕

附　則（平一一・一二・八法一五二）（抄）

（施行期日）

第一条　この法律は、平成十二年四月一日から施行する。〔ただし書略〕

附　則（平一一・一二・二二法一六〇）（抄）

（施行期日）

第一条　この法律〔中略〕は、平成十三年一月六日から施行する。〔ただし書略〕

附　則（平一二・三・三一法一八）（抄）

最終改正　令二・六・五法四〇

（施行期日）

第一条　この法律は、平成十二年四月一日から施行する。ただし、次の各号に掲げる規定は、それぞれ当該各号に定める日から施行する。

一　〔前略〕第四条（厚生年金保険法第八十一条の二第二項の改正規定（「第百三十九条第五項又は第六項」を「第百三十九条第六項又は第七項」に改める部分及び「同条第五項又は第六項」を「同条第六項又は第七項」に改める部分に限る。）、同法第百十九条第四項、第百二十条の四、第百三十条第四項及び第百三十条の二の改正規定、同法第百三十六条の三の改正規定及び同条を第百三十六条の四とする改正規定、同法第百三十六条の二の次に一条を加える改正規定、同法第百三十九条第六項を同条第七項とする改正規定、同条第五項を同条第六項とし、同条第四項を同条第五項とし、同条第三項の次に一項を加える改正規定、同法第百四十条第八項の改正規定（「前条第六項」を「前条第七項」に改める部分に限る。）並びに同法第百四十一条、第百五十九条第五項、第百五十九条の二、第百六十四条第三項及び第百七十六条の改正規定に限る。）並びに第二十一条中厚生年金保険法等の一部を改正する法律附則第五十五条第二項、第五十六条第二項、第五十七条第二項及び第六十条の改正規定並びに附則第八条、第十二条、第十三条〔中略〕及び第三十八条の規定　公布の日から起算して三月以内の政令で定める日（平一二・四・一）（平一二・六・一）

二　第四条中厚生年金保険法第二十条の改正規定及び附則第五条の規定　平成十二年十月一日

三　〔前略〕第五条〔中略〕並びに附則第十四条から第十八条まで〔中略〕の規定　平成十四年四月一日

四　第六条（厚生年金保険法第四十六条第一項及び第二項の改正規定、同法附則第十一条から第十一条の三までの改正規定並びに同法附則第十三条の六の改正規定を除く。）〔中略〕並びに附則第十九条から第二十八条まで〔中略〕の規定　平成十五年四月一日

五　第六条中厚生年金保険法第四十六条第一項及び第二項並びに附則第十一条から第十一条の三まで及び第十三条の六の改正規定〔中略〕　平成十六年四月一日

六　〔前略〕第七条〔中略〕及び附則第三十七条の規定　平成十三年四月一日

2　〔前略〕第七条の規定による改正後の厚生年金保険法第七十九条の四第一項に規定する基本方針の策定のため必要な手続その他の行為は、施行日前においても行うことができる。

（厚生年金保険の年金たる保険給付等の額に関する経過措置）

第四条　平成十二年三月以前の月分の厚生年金保険法による年金たる保険給付、昭和六十年改正法附則第七十八条第一項及び第八十七条第一項に規定する年金たる保険給付並びに厚生年金保険法等の一部を改正する法律（平成八年法律第八十二号。以下「平成八年改正法」という。）附則第十六条第一項及び第二項に規定する年金たる給付の額については、なお従前の例による。

（標準報酬月額に関する経過措置）

第五条　平成十二年十月一日前に厚生年金保険の被保険者の資格を取得して、同日まで引き続き厚生年金保険の被保険者の資格を有する者（昭和六十年改正法附則第四十三条第一項の規定によりなおその効力を有するものとされた昭和六十年改正法第三条の規定による改正前の厚生年金保険法（以下「旧厚生年金保険法」という。）第十五条第一項又は昭和六十年改正法附則第四十三条第二項若しくは第五項の規定により当該被保険者の資格を有する者（以下「第四種被保険者」という。）を除く。）のうち、平成十二年七月一日から同年九月三十日までの間に厚生年金保険の被保険者の資格を取得した者又は厚生年金保険法第二十三条第一項の規定により同年八月若しくは同年九月から標準報酬が改定された者であって、同年同月の標準報酬月額が九万二千円であるもの又は五十九万円であるもの（当該標準報酬月額の基礎となった報酬月額が六十万五千円未満であるものを除く。）の標準報酬は、当該標準報酬月額の基礎となった報酬月額を第四条の規定による改正後の厚生年金保険法第二十条の規定による標準報酬の基礎となる報酬月額とみなして、社会保険庁長官が改定する。

2　前項の規定により改定された標準報酬は、平成十二年十月から平成十三年九月までの各月の標準報酬とする。

3　標準報酬月額が九万八千円未満である第四種被保険者の平成十二年十月以後の標準報酬月額は、昭和六十年改正法附則第五十条第一項の規定によりなおその効力を有するものとされた旧厚生年金保険法第二十六条の規定にかかわらず、九万八千円とする。

（厚生年金保険法による年金たる保険給付等の額に関する経過措置）

第六条　平成十二年度から平成十四年度までの各年度における厚生年金保険法による年金たる保険給付の額については、第一号に掲げる額が第二号に掲げる額に満たないときは、第四条の規定による改正後の厚生年金保険法第四十三条（厚生年金保険法第五十条第一項及び第六十条第一項においてその例による場合並びに同法第四十四条第一項及び第四十四条の三第四項、第十三条の規定による改正後の昭和六十年改正法附則第五十九条第二項並びに厚生年金保険法附則第十七条の二第六項の規定により読み替えられた厚生年金保険法第四十四条の二第一項において適用する場合を含む。）及び第四条の規定による改正後の厚生年金保険法附則第九条の二第二項第二号（同法附則第九条の三第一項及び第三項（同条第五項においてその例による場合を含む。）並びに厚生年金保険法附則第九条の四第一項（同法附則第二十八条の三第二項及び第二十八条の四第二項においてそ

の例による場合を含む。）及び第四項（同法附則第九条の四第六項においてその例による場合を含む。）並びに国民年金法等の一部を改正する法律（平成六年法律第九十五号。以下「平成六年改正法」という。）附則第十八条第二項、第十九条第二項及び第四項並びに第二十条第二項及び第四項においてその例による場合を含む。）に定める額は、これらの規定にかかわらず、第二号に掲げる額とする。

一　第四条の規定による改正後の厚生年金保険法第四十三条並びに第十三条の規定による改正後の昭和六十年改正法附則第五十九条第一項及び附則別表第七の規定の例により計算される額

二　第四条の規定による改正前の厚生年金保険法第四十三条並びに第十三条の規定による改正前の昭和六十年改正法附則第五十九条第一項及び附則別表第七の規定の例により計算される額に、一・〇三一を乗じて得た額

2　前項第二号に掲げる額を計算する場合における平均標準報酬月額の計算の基礎となる標準報酬月額については、同号の規定によりその例によるものとされた第四条の規定による改正前の厚生年金保険法第四十三条及び厚生年金保険法附則第十七条の二第一項から第四項までの規定にかかわらず、被保険者であった期間の各月の標準報酬月額に、附則別表第一の上欄に掲げる期間の区分に応じてそれぞれ同表の下欄に掲げる率を乗じて得た額とする。

3　第一項第二号に掲げる額を計算する場合における昭和六十年改正法附則第四十七条第一項の規定により厚生年金保険の被保険者であった期間とみなされた昭和六十年改正法第五条の規定による改正前の船員保険法（昭和十四年法律第七十三号。以下「旧船員保険法」という。）による船員保険の被保険者であった期間（以下「船員保険の被保険者であった期間」という。）の平均標準報酬月額の計算の基礎となる標準報酬月額については、前項、同号の規定によりその例によるものとされた第四条の規定による改正前の厚生年金保険法第四十三条並びに第四条の規定による改正後の厚生年金保険法附則第十七条の二第一項及び第二項の規定にかかわらず、船員保険の被保険者であった期間の各月の標準報酬月額に、附則別表第二の上欄に掲げる期間の区分に応じてそれぞれ同表の下欄に掲げる率を乗じて得た額とする。

4　昭和六十年九月以前の期間に属する旧適用法人共済組合員期間（平成八年改正法附則第三条第八号に規定する旧適用法人共済組合員期間をいう。以下同じ。）を有する者に対する第二項の規定の適用については、同項中「得た額」とあるのは、「得た額（その月が昭和六十年九月以前の期間に属する平成八年改正法附則第三条第八号に規定する旧適用法人共済組合員期間（国家公務員等共済組合法等の一部を改正する法律（昭和六十年法律第百五号）附則第三十二条第一項の規定により旧適用法人共済組合員期間に合算された期間を除く。）の計算の基礎となった月である場合は、その月の標準報酬月額に一・二二を乗じて得た額）」と読み替えるものとする。

5　昭和六十年九月以前の期間に属する旧農林共済組合員期間（厚生年金保険制度及び農林漁業団体職員共済組合制度の統合を図るための農林漁業団体職員共済組合法等を廃止する等の法律（平成十三年法律第百一号）附則第二条第一項第七号に規定する旧農林共済組合員期間をいう。以下同じ。）を有する者に対する第二項の規定の適用については、同項中「得た額」とあるのは、「得た額（その月が昭和六十年九月以前の期間に属する厚生年金保険制度及び農林漁業団体職員共済組合制度の統合を図るための農林漁業団体職員共済組合法等を廃止する等の法律（平成十三年法律第百一号）附則第二条第一項第七号に規定する旧農林共済組合員期間の計算の基礎となった月である場合は、その月の標準報酬月額に一・二二を乗じて得た額）」とする。

6　前各項の規定は、厚生年金保険法による障害手当金、旧厚生年金保険法による年金たる保険給付及び障害手当金並びに旧船員保険法による年金たる保険給付及び障害手当金について準用する。この場合において、これらの規定に関し必要な技術的読替えは、政令で定める。

第七条　削除

（厚生年金基金の学識経験を有する者のうちから選任された監事に関する経過措置）

第八条　附則第一条第一号に掲げる規定の施行の際現に厚生年金基金の学識経験を有する者のうちから選任された監事である者については、第四条の規定による改正後の厚生年金保険法第百十九条第四項の規定にかかわらず、その者の当該監事としての残任期間に限り、なお従前の例による。

（厚生年金基金の老齢年金給付に関する経過措置）

第九条　公的年金制度の健全性及び信頼性の確保のための厚生年金保険法等の一部を改正する法律（平成二十五年法律第六十三号。以下「平成二十五年改正法」という。）附則第三条第十一号に規定する存続厚生年金基金（以下「基金」という。）が支給する平成二十五年改正法附則第五条第一項の規定によりなおその効力を有するものとされた平成二十五年改正法第一条の規定による改正前の厚生年金保険法第百三十条第一項に規定する老齢年金給付（次条及び附則第二十六条を除き、以下「老齢年金給付」という。）であって、昭和十五年四月一日以前に生まれた者及び平成十二年四月一日前に支給事由の生じた老齢厚生年金の受給権者（昭和六十年改正法附則第六十三条第一項に規定する者を除く。）に支給するものについては、平成二十五年改正法附則第五条第一項の規定によりなおその効力を有するものとされた平成二十五年改正法第一条の規定による改正前の厚生年金保険法第百三十二条第二項及び第三項並びに第十三条の規定による改正後の昭和六十年改正法附則第八十二条第一項及び第二項並びに附則別表第七の規定を適用せず、第四条の規定による改正前の厚生年金保険法第百三十二条第二項及び第三項並びに第十三条の規定による改正前の昭和六十年改正法附則第八十二条第一項及び第二項並びに附則別表第七の規定は、なおその効力を有する。

2　昭和六十年改正法附則第八十二条第三項の規定にかかわらず、前項に規定する者について厚生年金保険法附則第十三条第四項及び第五項の規定を適用する場合においては、平成十二年四月一日から平成十四年三月三十一日までの間は、これらの規定中「第百三十二条第二項」とあるのは、「国民年金法等の一部を改正する法律（平成十二年法律第十八号）附則第九条第一項の規定によりなおその効力を有するものとされた同法第四条の規定による改正前の第百三十二条第二項又は同法第十三条の規定による改正前の国民年金法等の一部を改正する法律（昭和

六十年法律第三十四号）附則第八十二条第一項」とする。

3　第十四条の規定による改正後の昭和六十年改正法附則第八十二条第三項の規定にかかわらず、第一項に規定する者について第五条の規定による改正後の厚生年金保険法第百三十三条の二第二項及び第三項並びに同法附則第十三条第三項及び第四項の規定を適用する場合においては、平成十四年四月一日から平成十五年三月三十一日までの間は、これらの規定中「第百三十二条第二項」とあるのは、「国民年金法等の一部を改正する法律（平成十二年法律第十八号）附則第九条第一項の規定によりなおその効力を有するものとされた同法第四条の規定による改正前の第百三十二条第二項又は同法第十三条の規定による改正前の国民年金法等の一部を改正する法律（昭和六十年法律第三十四号）附則第八十二条第一項」とする。

4　第一項に規定する者であって、厚生年金保険法第四十四条の三第一項の規定による申出（同条第五項の規定により同条第一項の申出があったものとみなされた場合における当該申出を含む。附則第二十三条第三項及び第二十四条第五項において同じ。）をしたものに基金が支給する老齢年金給付については、第一項の規定によりなおその効力を有するものとされた第四条の規定による改正前の厚生年金保険法第百三十二条第二項中「乗じて得た額」とあるのは「乗じて得た額に政令で定める額を加算した額」と、第十三条の規定による改正前の昭和六十年改正法附則第八十二条第一項中「合算した額」とあるのは「合算した額に政令で定める額を加算した額」とする。

（存続連合会への準用）

第十条　前条第一項の規定は、平成二十五年改正法附則第三条第十三号に規定する存続連合会（以下「連合会」という。）が支給する老齢年金給付（平成二十五年改正法附則第六十一条第一項の規定によりなおその効力を有するものとされた平成二十五年改正法第一条の規定による改正前の厚生年金保険法第百六十条第五項又は平成二十五年改正法附則第六十一条第三項の規定によりなおその効力を有するものとされた平成二十五年改正法第一条の規定による改正前の厚生年金保険法第百六十一条第二項の老齢年金給付をいう。附則第二十六条第一項において同じ。）について準用する。

2　前条第一項に規定する者であって、厚生年金保険法の一部を改正する法律（昭和六十三年法律第六十一号）附則第一条ただし書に規定する一部施行日（附則第二十六条第二項において「一部施行日」という。）以後に解散した平成二十五年改正法附則第三条第十号に規定する旧厚生年金基金（以下「旧厚生年金基金」という。）に係る平成二十五年改正法附則第三十八条第一項の規定によりなおその効力を有するものとされた平成二十五年改正法第一条の規定による改正前の厚生年金保険法第百四十九条第一項に規定する解散基金加入員（以下「解散基金加入員」という。）である者が老齢厚生年金の受給権を取得したとき又は旧厚生年金基金が解散した日において当該旧厚生年金基金に係る解散基金加入員が当該老齢厚生年金の受給権を有していたときに連合会が平成二十五年改正法附則第六十一条第三項の規定によりなおその効力を有するものとされた平成二十五年改正法第一条の規定による改正前の厚生年金保険法第百六十一条第二項の規定により当該解散基金加入員に支給する老齢年金給付の額については、同条第三項中「第百三十二条第二項に規定する額」とあるのは、「国民年金法等の一部を改正する法律（平成十二年法律第十八号）第四条の規定による改正前の第百三十二条第二項又は同法第十三条の規定による改正前の国民年金法等の一部を改正する法律（昭和六十年法律第三十四号）附則第八十二条第一項の規定の例により計算した額」とする。

（育児休業期間中の被保険者及び加入員の特例に関する経過措置）

第十一条　平成十二年四月一日前に第四条の規定による改正前の厚生年金保険法第八十二条の二の規定に基づく申出をした者であって、同月末日以後に育児休業、介護休業等育児又は家族介護を行う労働者の福祉に関する法律（平成三年法律第七十六号）第二条第一号に規定する育児休業が終了したものについては、同月一日に、第四条の規定による改正後の厚生年金保険法第八十一条の二（同法第八十九条の二第五項において準用する場合を含む。）の規定に基づく申出があったものとみなして、同月以後の期間のその者に係る保険料について、同法第八十一条の二（同項において準用する場合を含む。）の規定を適用する。

2　前項の規定は、基金の加入員に係る掛金及び厚生年金保険法第百四十条第一項の規定による徴収金について準用する。この場合において、前項中「第八十二条の二」とあるのは「第百三十九条第七項又は第八項」と、「第八十一条の二（同法第八十九条の二第五項において準用する場合を含む。）の規定に基づく」とあるのは「第百三十九条第七項又は第八項に規定する」と、「同法第八十一条の二（同項において準用する場合を含む。）」とあるのは「同条第七項若しくは第八項又は同法第百四十条第八項」と読み替えるものとする。

（厚生年金基金及び厚生年金基金連合会の業務の委託の認可に関する経過措置）

第十二条　附則第一条第一号に掲げる規定の施行の際現に第四条の規定による改正前の厚生年金保険法第百三十条第四項の規定により認可を受けている基金若しくはその申請を行っている基金又は第四条の規定による改正前の厚生年金保険法第百五十九条第五項の規定により認可を受けている連合会若しくはその申請を行っている連合会は、第四条の規定による改正後の厚生年金保険法第百七十六条第一項の規定による届出を行ったものとみなす。

（厚生年金基金及び厚生年金基金連合会の年金給付等積立金の管理及び運用の認定に関する経過措置）

第十三条　附則第一条第一号に掲げる規定の施行の際現に第四条の規定による改正前の厚生年金保険法第百三十条の二第三項の規定により認定を受けている基金（第二十一条の規定による改正前の平成八年改正法附則第六十条の規定により認定を受けたものとみなされた基金を含む。）若しくはその申請を行っている基金又は第四条の規定による改正前の厚生年金保険法第百五十九条の二第三項の規定により認定を受けている連合会若しくはその申請を行っている連合会は、第四条の規定による改正後の厚生年金保険法第百三十六条の三第一項第五号イ及びヘ（同号イの方法により運用するものに限る。）に掲げる運用の方法に係る同法第百七十六条第二項の規定による届出を行ったものとみなす。

（厚生年金保険の被保険者資格の取得及び喪失に関する経過措置）

第十四条　昭和七年四月二日以後に生まれた者であり、かつ、平成十四年三月三十一日において第五条の規定による改正前の厚生年金保険法附則第四条の三第一項の規定による被保険者（以下この項において「高齢任意加入被保険者」という。）であった者であって、同年四月一日において厚生年金保険法第六条第一項又は第三項に規定する適用事業所（次項及び次条において「適用事業所」という。）に使用されるもの（同日前から引き続き当該事業所に使用されるものに限る。）は、同日に、第五条の規定による改正後の厚生年金保険法第九条の規定による被保険者の資格を取得し、当該高齢任意加入被保険者の資格を喪失する。この場合において、厚生年金保険法第十八条の規定による社会保険庁長官の確認を要しない。

2　昭和七年四月二日以後に生まれた者であり、かつ、平成十四年三月三十一日において第五条の規定による改正前の厚生年金保険法附則第四条の五第一項の規定による被保険者（以下この項において「高齢任意単独加入被保険者」という。）であった者であって、同年四月一日において適用事業所以外の事業所に使用されるもの（同日前から引き続き当該事業所に使用されるものに限る。）は、同日に、第五条の規定による改正後の厚生年金保険法第十条第一項の規定による被保険者の資格を取得し、当該高齢任意単独加入被保険者の資格を喪失する。この場合において、同条第二項の規定による事業主の同意及び厚生年金保険法第十八条の規定による社会保険庁長官の確認を要しないものとする。

第十五条　昭和七年四月二日以後に生まれた者であり、かつ、平成十四年三月三十一日において第四種被保険者であった者であって、同年四月一日において適用事業所に使用されるものは、同日に、第五条の規定による改正後の厚生年金保険法第九条の規定による被保険者の資格を取得し、当該第四種被保険者の資格を喪失する。

（厚生年金保険の被保険者期間の計算の特例）

第十六条　前二条の規定により厚生年金保険の被保険者の資格を取得した者であって平成十四年四月に当該被保険者の資格を喪失したものについて、厚生年金保険法第十九条第二項本文の規定を適用する場合においては、当該被保険者の資格を取得しなかったものとみなす。

（老齢厚生年金の支給の繰下げに関する経過措置）

第十七条　平成十四年四月一日前において厚生年金保険法第四十二条の規定による老齢厚生年金の受給権を有する者については、第五条の規定による改正前の厚生年金保険法第四十四条の三の規定は、なおその効力を有する。この場合において、同条の規定の適用に関し必要な事項は、政令で定める。

2　前項に規定する場合において、国民年金法による老齢基礎年金の受給権を有する者にあっては、第二条の規定による改正前の国民年金法第二十八条第二項の規定は、なおその効力を有する。

第十八条　削除

（定時決定等に関する経過措置）

第十九条　平成十五年四月一日前の各月の標準報酬については、なお従前の例による。

2　平成十五年四月一日前に第六条の規定による改正前の厚生年金保険法第二十一条第一項、第二十二条第一項又は第二十三条第一項の規定により決定され、又は改定された同年三月における標準報酬は、同年八月までの各月の標準報酬月額とする。

（老齢厚生年金等の額の計算に関する経過措置）

第二十条　厚生年金保険の被保険者であった期間の全部又は一部が平成十五年四月一日前であるときは、厚生年金保険法第四十三条第一項（同法第五十条第一項及び第六十条第一項第一号においてその例による場合並びに同法第四十四条第一項及び第四十四条の三第四項（平成二十五年改正法附則第八十七条の規定により読み替えて適用する場合を含む。）、昭和六十年改正法附則第五十九条第二項、附則第十七条第一項の規定によりなおその効力を有するものとされた第五条の規定による改正前の厚生年金保険法第四十四条の三第四項並びに厚生年金保険法附則第十七条の五の規定により読み替えられた平成二十五年改正法附則第八十六条第一項の規定によりなおその効力を有するものとされた平成二十五年改正法第一条の規定による改正前の厚生年金保険法第四十四条の二第一項並びに厚生年金保険法附則第七条の三第四項及び第十三条の四第四項において適用する場合を含む。）及び同法附則第九条の二第二項第二号（同法附則第九条の三第一項及び第三項（同条第五項においてその例による場合を含む。）並びに同法附則第九条の四第一項（同法附則第二十八条の三第二項及び第二十八条の四第二項においてその例による場合を含む。）及び第四項（同法附則第九条の四第六項においてその例による場合を含む。）並びに平成六年改正法附則第十八条第二項、第十九条第二項及び第四項、第二十条第二項及び第四項並びに第二十条の二第二項及び第四項においてその例による場合を含む。）に定める額は、これらの規定にかかわらず、次の各号に掲げる額を合算した額とする。

一　平成十五年四月一日前の被保険者であった期間の平均標準報酬月額（第六条の規定による改正前の厚生年金保険法第四十三条第一項に規定する平均標準報酬月額をいう。以下同じ。）の千分の七・一二五に相当する額に当該被保険者期間の月数を乗じて得た額

二　平成十五年四月一日以後の被保険者であった期間の平均標準報酬額の千分の五・四八一に相当する額に当該被保険者期間の月数を乗じて得た額

2　前項第一号に掲げる額を計算する場合においては、第十五条の規定による改正前の昭和六十年改正法附則第五十九条第一項及び附則別表第七の規定はなおその効力を有する。この場合において、同項の規定の適用に関し必要な技術的読替えは、政令で定める。

3　第一項の規定によりその額が計算される障害厚生年金（その額の計算の基礎となる被保険者期間の月数が三百未満であるものに限る。）又は遺族厚生年金（厚生年金保険法第五十八条第一項第四号に該当することにより支給されるものを除くものとし、その額の計算の基礎となる被保険者期間が三百未満であるものに限る。）の額を計算する場合においては、第一項に定める額は、同項の規定にかかわらず、同項に定める額に、三百を被保険者であった期間の月数で除して得た数を乗じて得た額とする。

第二十一条　厚生年金保険法による年金たる保険給付の額については、前条の規定により計算した額が次の各号に掲げる額を合算して得た額に従前額改定率を乗じて得た額に満たないときは、同条の規定にかかわらず、当該各号に掲げる額を合算して

得た額に従前額改定率を乗じて得た額を、同条に定める額とする。

一　平成十五年四月一日前の被保険者であった期間の平均標準報酬月額の千分の七・五に相当する額に当該被保険者期間の月数を乗じて得た額

二　平成十五年四月一日以後の被保険者であった期間の平均標準報酬額の千分の五・七六九に相当する額に当該被保険者期間の月数を乗じて得た額

2　厚生年金保険の被保険者であった期間の全部が平成十五年四月一日以後であるときは、厚生年金保険法第四十三条第一項（同法第五十条第一項及び第六十条第一項第一号においてその例による場合並びに同法第四十四条第一項及び第四十四条の三第四項（平成二十五年改正法附則第八十七条の規定により読み替えて適用する場合を含む。）、昭和六十年改正法附則第五十九条第二項、附則第十七条第一項の規定によりなおその効力を有するものとされた第五条の規定による改正前の厚生年金保険法第四十四条の三第四項並びに厚生年金保険法附則第十七条の五の規定により読み替えられた平成二十五年改正法附則第八十六条第一項の規定によりなおその効力を有するものとされた平成二十五年改正法第一条の規定による改正前の厚生年金保険法第四十四条の二第一項並びに厚生年金保険法附則第七条の三第四項及び第十三条の四第四項において適用する場合を含む。）及び同法附則第九条の二第二項第二号（同法附則第九条の三第一項及び第三項（同条第五項においてその例による場合を含む。）並びに同法附則第九条の四第一項（同法附則第二十八条の三第二項及び第二十八条の四第二項においてその例による場合を含む。）及び第四項（同法附則第九条の四第六項においてその例による場合を含む。）並びに平成六年改正法附則第十八条第二項、第十九条第二項及び第四項、第二十条第二項及び第四項並びに第二十条の二第二項及び第四項においてその例による場合を含む。）の規定により計算した額が、被保険者であった期間の平均標準報酬額の千分の五・七六九に相当する額に当該被保険者期間の月数を乗じて得た額に従前額改定率を乗じて得た額に満たないときは、これらの規定にかかわらず、当該得た額をこれらの規定に定める額とする。

3　平成十六年度における前二項の従前額改定率は、一・〇〇一とする。

4　第一項及び第二項の従前額改定率は、毎年度、厚生年金保険法第四十三条の三第一項（同法第三十四条第一項に規定する調整期間にあっては、同法第四十三条の五第一項、第四項又は第五項）の規定の例により改定する。

5　第一項各号に掲げる額又は第二項に定める額を計算する場合における平均標準報酬月額及び平均標準報酬額の計算の基礎となる標準報酬月額及び標準賞与額については、第六条の規定による改正前の厚生年金保険法第四十三条第一項、国民年金法等の一部を改正する法律（平成十六年法律第百四号。以下「平成十六年改正法」という。）第七条の規定による改正後の厚生年金保険法附則第十七条の二第一項から第四項までの規定にかかわらず、被保険者であった期間の各月の標準報酬月額及び標準賞与額に、附則別表第一の上欄に掲げる期間の区分に応じてそれぞれ同表の下欄に掲げる率を乗じて得た額とする。

6　第一項第一号に掲げる額を計算する場合における船員保険の被保険者であった期間の平均標準報酬月額の計算の基礎となる標準報酬月額については、前項、第六条の規定による改正前の厚生年金保険法第四十三条第一項並びに厚生年金保険法附則第十七条の二第一項及び第二項の規定にかかわらず、船員保険の被保険者であった期間の各月の標準報酬月額に、附則別表第二の上欄に掲げる期間の区分に応じてそれぞれ同表の下欄に掲げる率を乗じて得た額とする。

7　昭和六十年九月以前の期間に属する旧適用法人共済組合員期間を有する者に対する第五項の規定の適用については、同項中「得た額」とあるのは、「得た額（その月が昭和六十年九月以前の期間に属する旧適用法人共済組合員期間（国家公務員等共済組合法等の一部を改正する法律（昭和六十年法律第百五号）附則第三十二条第一項の規定により旧適用法人共済組合員期間に合算された期間を除く。）の計算の基礎となった月である場合は、その月の標準報酬月額に一・二二を乗じて得た額）」と読み替えるものとする。

8　昭和六十年九月以前の期間に属する旧農林共済組合員期間を有する者に対する第五項の規定の適用については、同項中「得た額」とあるのは、「得た額（その月が昭和六十年九月以前の期間に属する旧農林共済組合員期間の計算の基礎となった月である場合は、その月の標準報酬月額に一・二二を乗じて得た額）」とする。

9　昭和六十年九月以前の期間に属する旧国家公務員共済組合員期間（被用者年金制度の一元化等を図るための厚生年金保険法等の一部を改正する法律（平成二十四年法律第六十三号。以下「平成二十四年一元化法」という。）附則第四条第十一号に規定する旧国家公務員共済組合員期間をいう。）を有する者に対する第五項の規定の適用については、同項中「得た額」とあるのは、「得た額（その月が昭和六十年九月以前の期間に属する第九項に規定する旧国家公務員共済組合員期間（国家公務員等共済組合法等の一部を改正する法律（昭和六十年法律第百五号）附則第三十二条第一項の規定により当該旧国家公務員共済組合員期間に合算された期間を除く。）の計算の基礎となった月である場合は、その月の標準報酬月額に一・二二を乗じて得た額）」とする。

10　昭和六十年九月以前の期間に属する旧地方公務員共済組合員期間（平成二十四年一元化法附則第四条第十二号に規定する旧地方公務員共済組合員期間をいう。）を有する者に対する第五項の規定の適用については、同項中「得た額」とあるのは、「得た額（その月が昭和六十年九月以前の期間に属する第十項に規定する旧地方公務員共済組合員期間（地方公務員等共済組合法等の一部を改正する法律（昭和六十年法律第百八号）附則第三十五条第一項の規定により当該旧地方公務員共済組合員期間に合算された期間を除く。）の計算の基礎となった月である場合は、その月の標準報酬月額に一・二二を乗じて得た額）」とする。

11　昭和六十年九月以前の期間に属する旧私立学校教職員共済加入者期間（平成二十四年一元化法附則第四条第十三号に規定する旧私立学校教職員共済加入者期間をいう。）を有する者に対する第五項の規定の適用については、同項中「得た額」とあるのは、「得た額（その月が昭和六十年九月以前の期間に属する第十一項に規定する旧私立学校教職員共済加入者期間の計算の基礎となった月である場合は、その月の標準報酬月額に一・二二を乗じて得た額）」とする。

12　前条第三項の規定は、第一項の規定により厚生年金保険法による年金たる保険給付の額を計算する場合について準用する。

13　前各項の規定は、厚生年金保険法による障害手当金、旧厚生年金保険法による年金たる保険給付及び障害手当金並びに旧船員保険法による年金たる保険給付及び障害手当金について準用する。この場合において、これらの規定に関し必要な技術的読替えは、政令で定める。

14　第一項各号に掲げる額を計算する場合においては、第十三条の規定による改正前の昭和六十年改正法附則第五十九条第一項（以下この項及び次項において「改正前の昭和六十年改正法附則第五十九条第一項」という。）及び附則別表第七の規定はなおその効力を有する。この場合において、改正前の昭和六十年改正法附則第五十九条第一項中「附則第五十二条並びに厚生年金保険法第四十三条（同法第四十四条第一項及び第四十四条の三第四項において適用する場合並びに同法第六十条第一項においてその例による場合（同法第五十八条第一項第四号に該当する場合に限る。）を含む。）及び同法附則第九条の二第二項（同法附則第九条の三第一項及び第三項（同条第五項においてその例による場合を含む。）並びに第九条の四第一項（同法附則第二十八条の三第二項及び第二十八条の四第二項においてその例による場合を含む。）及び第四項（同法附則第九条の四第六項においてその例による場合を含む。）並びに平成六年改正法附則第十八条第二項、第十九条第二項及び第四項、第二十条第二項及び第四項並びに第二十条の二第二項及び第四項においてその例による場合を含む。）」とあるのは、「国民年金法等の一部を改正する法律（平成十二年法律第十八号）附則第二十一条第一項各号」と読み替えるものとするほか、第一項第二号に掲げる額を計算する場合における改正前の昭和六十年改正法附則第五十九条第一項の規定の適用については、改正前の昭和六十年改正法附則第五十九条第一項中「千分の七・五」とあるのは「千分の五・七六九」と、「同表の下欄のように」とあるのは「政令で定める率に」と読み替えるものとする。

15　前項の規定により読み替えられた改正前の昭和六十年改正法附則第五十九条第一項に規定する政令で定める率は、第十三条の規定による改正前の昭和六十年改正法附則別表第七の下欄に掲げる率を一・三で除して得た率を基準として定められるものとする。

16　第四項の規定による従前額改定率の改定の措置は、政令で定める。

17　前各項に規定するほか、従前の厚生年金保険法による年金たる保険給付の額について必要な経過措置は、政令で定める。

（厚生年金保険法による脱退一時金等に関する経過措置）

第二十二条　厚生年金保険法の被保険者であった期間の全部又は一部が平成十五年四月一日前である者に支給する脱退一時金につき、その額を計算する場合においては、厚生年金保険法附則第二十九条第三項に定める額は、同項の規定にかかわらず、同日前の被保険者期間の各月の標準報酬月額に一・三を乗じて得た額並びに同日以後の被保険者期間の各月の標準報酬月額及び標準賞与額を合算して得た額を、被保険者期間の月数で除して得た額に、被保険者であった期間に応じて、支給率（同条第四項に規定する支給率をいう。）を乗じて得た額とする。

2　厚生年金保険の被保険者であった期間の全部又は一部が平成十五年四月一日前である者に支給する昭和六十年改正法附則第七十五条の規定によりなおその効力を有するものとされた旧厚生年金保険法による脱退手当金につき、その額を計算する場合においては、昭和六十年改正法附則第七十五条の規定によりなおその効力を有するものとされた旧厚生年金保険法第七十条第一項に定める額は、同項の規定にかかわらず、同日前の被保険者期間の各月の標準報酬月額並びに同日以後の被保険者期間の各月の標準報酬月額及び標準賞与額を一・三で除して得た額を合算して得た額を、被保険者期間の月数で除して得た額に、被保険者であった期間に応じて、昭和六十年改正法附則第七十五条の規定によりなおその効力を有するものとされた旧厚生年金保険法別表第三に定める率を乗じて得た額とする。

（厚生年金基金の老齢年金給付の額等に関する経過措置）

第二十三条　老齢厚生年金の受給権者（附則第九条第一項に規定する者及び第十五条の規定による改正後の昭和六十年改正法附則第八十二条第一項に規定する者を除く。）に基金が支給する老齢年金給付であって、加入員たる被保険者であった期間（当該老齢厚生年金の額の計算の基礎となった厚生年金保険の被保険者であった期間のうち、同時に当該基金の加入員であった期間をいう。以下同じ。）の全部又は一部が平成十五年四月一日前の期間であった者に支給するものの額は、平成二十五年改正法附則第五条第一項の規定によりなおその効力を有するものとされた平成二十五年改正法第一条の規定による改正前の厚生年金保険法第百三十二条第二項の規定にかかわらず、次の各号に掲げる額を合算した額を超えるものでなければならない。

一　平成十五年四月一日前の加入員たる被保険者であった期間の平均標準報酬月額の千分の七・一二五に相当する額に当該加入員たる被保険者であった期間に係る厚生年金保険の被保険者期間の月数を乗じて得た額（厚生年金保険法附則第七条の三第三項又は第十三条の四第三項の規定による老齢厚生年金の受給権者にあっては、当該額から政令で定める額を減じた額）

二　平成十五年四月一日以後の加入員たる被保険者であった期間（厚生年金保険法附則第七条の三第三項又は第十三条の四第三項の規定による老齢厚生年金の受給権者にあっては、当該受給権者がその権利を取得した月以後における加入員たる被保険者であった期間（以下この号において「改定対象期間」という。）を除く。以下この号において同じ。）の平均標準報酬額の千分の五・四八一に相当する額に当該加入員たる被保険者であった期間に係る厚生年金保険の被保険者期間の月数を乗じて得た額から政令で定める額を減じた額（改定対象期間を基礎として政令の定めるところにより計算した額を含む。）

2　平成二十五年改正法附則第五条第一項の規定によりなおその効力を有するものとされた平成二十五年改正法第一条の規定による改正前の厚生年金保険法第百三十三条、第百三十三条の二第二項及び第三項並びに厚生年金保険法附則第七条の六第四項及び第五項、第十三条第三項及び第四項並びに第十三条の七第四項及び第五項の適用については、当分の間、平成二十五年改正法附則第五条第一項の規定によりなおその効力を有するものとされた平成二十五年改正法第一条の規定による改正前の厚生年金保険法第百三十三条中「前条第二項」とあるのは「前条第二項に規定する額、国民年金法等の一部を改正する法律（昭和六十年法律第三十四号。以下「昭和六十年改正法」という。）附則第八十二条第一項に規定する額又は国民年金法等の一部を改正する法律（平成十二年法律第十八号。以下「平成十二年改正法」という。）附則第二十三条第一項」と、平成二十五年改正法附則第五条第一項の規定によりなおその効力を有するものとされた平成二十五年改正法第一条の規定による改正前の厚生年金保険法第百三十三条の二第二項及び第三項並びに厚生年金保険法附則第七条の六第四項及び第五項、第十三条第三項及び第四項並びに第十三条の七第四項及び第五項中「第百三十二条第二項」とあるのは「第百三十条第二項に規定する額、昭和六十年改正法附則第八十二条第一項に規定する額又は平成十二年改正法附則第二十三条第一項」とする。

3　第一項に規定する者であつて、厚生年金保険法第四十四条の三第一項の規定による申出をしたものに基金が支給する老齢年金給付については、第一項（昭和六十年改正法附則第八十二条第二項の規定により読み替えて適用する場合を含む。）中「合算した額」とあるのは、「合算した額に政令で定める額を加算した額」とする。

4　平成二十五年改正法附則第五条第一項の規定によりなおその効力を有するものとされた平成二十五年改正法第一条の規定による改正前の厚生年金保険法第百三十三条並びに第百三十三条の二第二項及び第三項の規定の適用については、当分の間、平成二十五年改正法附則第五条第一項の規定によりなおその効力を有するものとされた平成二十五年改正法第一条の規定による改正前の厚生年金保険法第百三十三条中「前条第四項」とあるのは「前条第四項に規定する額、国民年金法等の一部を改正する法律（昭和六十年法律第三十四号。次条において「昭和六十年改正法」という。）附則第八十二条第三項の規定により読み替えられた同条第一項に規定する額又は国民年金法等の一部を改正する法律（平成十二年法律第十八号。次条において「平成十二年改正法」という。）附則第二十三条第三項の規定により読み替えられた同条第一項」と、平成二十五年改正法附則第五条第一項の規定によりなおその効力を有するものとされた平成二十五年改正法第一条の規定による改正前の厚生年金保険法第百三十三条の二第二項中「第百三十二条第四項」とあるのは「第百三十二条第四項に規定する額、昭和六十年改正法附則第八十二条第三項の規定により読み替えられた同条第一項に規定する額又は平成十二年改正法附則第二十三条第三項の規定により読み替えられた同条第一項」と、同条第三項中「政令で定める額」とあるのは「政令で定める額、昭和六十年改正法附則第八十二条第三項の規定により読み替えられた同条第一項の政令で定める額又は平成十二年改正法附則第二十三条第三項の規定により読み替えられた同条第一項の政令で定める額」とする。

第二十四条　老齢厚生年金の受給権者（附則第九条第一項に規定する者に限る。以下この項において同じ。）に基金が支給する老齢年金給付であつて、加入員たる被保険者であつた期間の全部又は一部が平成十五年四月一日以後の期間であつた者に支給するものの額は、同条第一項の規定によりなおその効力を有するものとされた第四条の規定による改正前の厚生年金保険法第百三十二条第二項及び第十三条の規定による改正前の昭和六十年改正法附則第八十二条第一項の規定にかかわらず、次の各号に規定する額を超えるものでなければならない。

一　老齢厚生年金の受給権者（次号に掲げる者を除く。）に支給する老齢年金給付にあつては、次に掲げる額を合算した額

イ　平成十五年四月一日前の加入員たる被保険者であつた期間につき第十三条の規定による改正前の昭和六十年改正法附則第八十二条第二項及び附則別表第七の規定により読み替えて適用する第四条の規定による改正前の厚生年金保険法第百三十二条第二項の規定の例により計算した額

ロ　平成十五年四月一日以後の加入員たる被保険者であつた期間の平均標準報酬額の千分の五・七六九に相当する額に当該加入員たる被保険者であつた期間に係る厚生年金保険の被保険者期間の月数を乗じて得た額

二　老齢厚生年金の受給権者であつて、附則第九条第一項の規定によりなおその効力を有するものとされた第十三条の規定による改正前の昭和六十年改正法附則第八十二条第一項に規定するものに支給する老齢年金給付にあつては、次に掲げる額を合算した額

イ　平成十五年四月一日前の加入員たる被保険者であつた期間につき第十三条の規定による改正前の昭和六十年改正法附則第八十二条第二項及び附則別表第七の規定により読み替えて適用する第十三条の規定による改正前の昭和六十年改正法附則第八十二条第一項の規定の例により計算した額

ロ　平成十五年四月一日以後の加入員たる被保険者であつた期間の平均標準報酬額の千分の五・七六九に相当する額に当該加入員たる被保険者であつた期間に係る厚生年金保険の被保険者期間の月数を乗じて得た額

2　前項第一号ロ及び第二号ロに掲げる額を計算する場合においては、附則第九条第一項の規定によりなおその効力を有するものとされた第十三条の規定による改正前の昭和六十年改正法附則第八十二条第二項の規定の適用については、同項中「前項及び新厚生年金保険法第百三十二条第二項」とあるのは「国民年金法等の一部を改正する法律（平成十二年法律第十八号）附則第二十四条第一項第一号ロ及び第二号ロ」と、「千分の七・五」とあるのは「千分の五・七六九」と、「同表の下欄のように」とあるのは「政令で定める率に」と読み替えるものとする。

3　前項の規定により読み替えられた第十三条の規定による改正前の昭和六十年改正法附則第八十二条第二項に規定する政令で定める率は、附則第九条第一項の規定によりなおその効力を有するものとされた第十三条の規定による改正前の昭和六十年改正法附則別表第七の下欄に掲げる率を一・三で除して得た率を基準として定められるものとする。

4　前条第二項の規定にかかわらず、附則第九条第一項に規定する者について平成二十五年改正法附則第五条第一項の規定によりなおその効力を有するものとされた平成二十五年改正法第一条の規定による改正前の厚生年金保険法第百三十三条、第百三十三条の二第二項及び第三項並びに厚生年金保険法附則第十三条第三項及び第四項の規定を適用する場合においては、平成二十五年改正法附則第五条第一項の規定によりなおその効力を有するものとされた平成二十五年改正法第一条の規定による改正前の厚生年金保険法第百三十三条中「前条第二項」とあるのは「国民年金法等の一部を改正する法律（平成十二年法律第十八

号。以下「平成十二年改正法」という。）附則第九条第一項の規定によりなおその効力を有するものとされた平成十二年改正法第四条の規定による改正前の前条第二項若しくは平成十二年改正法第十三条の規定による改正前の国民年金法等の一部を改正する法律（昭和六十年法律第三十四号。以下「昭和六十年改正法」という。）附則第八十二条第一項又は平成十二年改正法附則第二十四条第一項」と、平成二十五年改正法附則第五条第一項の規定によりなおその効力を有するものとされた平成二十五年改正法第一条の規定による改正前の厚生年金保険法第百三十三条の二第二項及び第三項中「第百三十二条第二項」とあり、及び厚生年金保険法附則第十三条第三項及び第四項中「平成二十五年改正法附則第五条第一項の規定によりなおその効力を有するものとされた平成二十五年改正法第一条の規定による改正前の厚生年金保険法第百三十二条第二項」とあるのは「平成十二年改正法附則第九条第一項の規定によりなおその効力を有するものとされた平成十二年改正法第四条の規定による改正前の第百三十二条第二項若しくは平成十二年改正法第十三条の規定による改正前の昭和六十年改正法附則第八十二条第一項又は平成十二年改正法附則第二十四条第一項」とする。

5　第一項各号に規定する者であって、厚生年金保険法第四十四条の三第一項の規定による申出をしたものに基金が支給する老齢年金給付については、第一項（第二項の規定により、附則第九条第一項の規定によりなおその効力を有するものとされた第十三条の規定による改正前の昭和六十年改正法附則第八十二条第二項の規定が読み替えて適用される場合を含む。）中「合算した額」とあるのは、「合算した額に政令で定める額を加算した額」とする。

6　前条第四項の規定にかかわらず、附則第九条第一項に規定する者について、平成二十五年改正法附則第五条第一項の規定によりなおその効力を有するものとされた平成二十五年改正法第一条の規定による改正前の厚生年金保険法第百三十三条並びに第百三十三条の二第二項及び第三項の規定を適用する場合においては、平成二十五年改正法附則第五条第一項の規定によりなおその効力を有するものとされた平成二十五年改正法第一条の規定による改正前の厚生年金保険法第百三十三条中「前条第四項」とあるのは「国民年金法等の一部を改正する法律（平成十二年法律第十八号。以下「平成十二年改正法」という。）附則第九条第四項の規定により読み替えられた同条第一項の規定によりなおその効力を有するものとされた平成十二年改正法第四条の規定による改正前の前条第二項に規定する額若しくは平成十二年改正法第十三条の規定による改正前の国民年金法等の一部を改正する法律（昭和六十年法律第三十四号。次条において「昭和六十年改正法」という。）附則第八十二条第一項に規定する額又は平成十二年改正法附則第二十四条第五項の規定により読み替えられた同条第一項」と、平成二十五年改正法附則第五条第一項の規定によりなおその効力を有するものとされた平成二十五年改正法第一条の規定による改正前の厚生年金保険法第百三十三条の二第二項中「第百三十二条第四項」とあるのは「平成十二年改正法附則第九条第四項の規定により読み替えられた同条第一項の規定によりなおその効力を有するものとされた平成十二年改正法第四条の規定による改正前の第百三十二条第二項に規定する額若しくは平成十二年改正法第十三条の規定による改正前の昭和六十年改正法附則第八十二条第一項に規定する額又は平成十二年改正法附則第二十四条第五項の規定により読み替えられた同条第一項」と、同条第三項中「第百三十二条第四項」とあるのは「平成十二年改正法附則第九条第四項の規定により読み替えられた同条第一項の規定によりなおその効力を有するものとされた平成十二年改正法第四条の規定による改正前の第百三十二条第二項の政令で定める額若しくは平成十二年改正法第十三条の規定による改正前の昭和六十年改正法附則第八十二条第一項の政令で定める額又は平成十二年改正法附則第二十四条第五項の規定により読み替えられた同条第一項」とする。

第二十五条　削除

（存続連合会への準用）

第二十六条　附則第二十三条及び第二十四条の規定は、連合会が支給する老齢年金給付について準用する。

2　附則第二十三条第一項又は第二十四条第一項に規定する者であって、一部施行日以後に解散した旧厚生年金基金に係る解散基金加入員である者が老齢厚生年金の受給権を取得したとき又は旧厚生年金基金が解散した日において当該旧厚生年金基金に係る解散基金加入員が当該老齢厚生年金の受給権を有していたときに連合会が平成二十五年改正法附則第六十一条第三項の規定によりなおその効力を有するものとされた平成二十五年改正法第一条の規定による改正前の厚生年金保険法第百六十一条第二項の規定により当該解散基金加入員に支給する老齢年金給付の額については、附則第十条第二項の規定にかかわらず、平成二十五年改正法附則第六十一条第三項の規定によりなおその効力を有するものとされた平成二十五年改正法第一条の規定による改正前の厚生年金保険法第百六十一条第三項中「第百三十二条第二項」とあるのは、「国民年金法等の一部を改正する法律（平成十二年法律第十八号）附則第二十三条第一項又は第二十四条第一項」とする。

（保険料率に関する経過措置）

第二十七条　昭和六十年改正法附則第五条第十二号に規定する第三種被保険者の厚生年金保険法による保険料率については、第六条の規定による改正後の厚生年金保険法第八十一条第五項中「千分の百三十五・八」とあるのは、「千分の百四十九・六」とする。

（従前の特別保険料）

第二十八条　平成十五年四月前の賞与等（第六条の規定による改正前の厚生年金保険法第八十九条の二第一項に規定する賞与等をいう。）に係る特別保険料については、なお従前の例による。

（積立金の運用に関する経過措置）

第三十七条　厚生労働大臣は、平成十二年度末現在資金運用部に預託している年金積立金（特別会計に関する法律（平成十九年法律第二十三号）附則第六十六条第二十三号の規定による廃止前の国民年金特別会計法（昭和三十六年法律第六十三号）に基づく国民年金特別会計の国民年金勘定及び同条第五号の規定による廃止前の厚生保険特別会計法（昭和十九年法律第十号）に基づく厚生保険特別会計の年金勘定に係る積立金をいう。）については、第三条の規定による改正後の国民年金法第五章又は第七条の規定による改正後の厚生年金保険法第四章の二の規定（次項において「改正後の運用規定」という。）にかかわらず、年金積立金管理運用独立行政法人に対し、特別会計に関する法律第六十二条第一項の規定による公債を引き受けることを目的として寄託することができる。

２　前項に規定する年金積立金の運用については、国民年金事業及び厚生年金保険事業の財政の安定的運営に配慮しつつ、資金運用部の既往の貸付けの継続にかかわる資金繰り及び市場に与える影響に配慮して、同項の規定による寄託その他の所要の措置を講ずるものとする。この場合において、年金積立金管理運用独立行政法人に対し改正後の運用規定により寄託した各年度末の年金特別会計の国民年金勘定及び厚生年金勘定の積立金の額が漸次増加するよう行うものとする。

（罰則に関する経過措置）

第三十八条　この法律の施行前にした行為及び附則第八条の規定によりなお従前の例によることとされる場合における附則第一条第一号に掲げる規定の施行後にした行為に対する罰則の適用については、なお従前の例による。

（その他の経過措置の政令への委任）

第四十条　この附則に規定するもののほか、この法律の施行に伴い必要な経過措置は、政令で定める。

附則別表第一

昭和三十三年三月以前	一三・九六
昭和三十三年四月から昭和三十四年三月まで	一三・六六
昭和三十四年四月から昭和三十五年四月まで	一三・四七
昭和三十五年五月から昭和三十六年三月まで	一一・一四
昭和三十六年四月から昭和三十七年三月まで	一〇・三〇
昭和三十七年四月から昭和三十八年三月まで	九・三〇
昭和三十八年四月から昭和三十九年三月まで	八・五四
昭和三十九年四月から昭和四十年四月まで	七・八五
昭和四十年五月から昭和四十一年三月まで	六・八七
昭和四十一年四月から昭和四十二年三月まで	六・三一
昭和四十二年四月から昭和四十三年三月まで	六・一四
昭和四十三年四月から昭和四十四年十月まで	五・四三
昭和四十四年十一月から昭和四十六年十月まで	四・一五
昭和四十六年十一月から昭和四十八年十月まで	三・六〇
昭和四十八年十一月から昭和五十年三月まで	二・六四
昭和五十年四月から昭和五十一年七月まで	二・二五
昭和五十一年八月から昭和五十三年三月まで	一・八六
昭和五十三年四月から昭和五十四年三月まで	一・七一
昭和五十四年四月から昭和五十五年九月まで	一・六二
昭和五十五年十月から昭和五十七年三月まで	一・四六
昭和五十七年四月から昭和五十八年三月まで	一・三九
昭和五十八年四月から昭和五十九年三月まで	一・三四
昭和五十九年四月から昭和六十年九月まで	一・二九
昭和六十年十月から昭和六十二年三月まで	一・二二
昭和六十二年四月から昭和六十三年三月まで	一・一九
昭和六十三年四月から平成元年十一月まで	一・一六
平成元年十二月から平成三年三月まで	一・〇九
平成三年四月から平成四年三月まで	一・〇四
平成四年四月から平成五年三月まで	一・〇一
平成五年四月から平成十二年三月まで	〇・九九
平成十二年四月から平成十七年三月まで	〇・九一七
平成十七年度以後の各年度に属する月	政令で定める率

備考　平成十七年度以後の各年度に属する月の項の政令で定める率は、当該年度の前年度に属する月に係る率を、厚生年金保険法第四十三条の二第一項第一号に掲げる率に同項第二号に掲げる率を乗じて得た率で除して得た率を基準として定めるものとする。

附則別表第二

昭和三十三年三月以前	一三・七八
昭和三十三年四月から昭和三十四年三月まで	一三・一五
昭和三十四年四月から昭和三十五年三月まで	一二・七九
昭和三十五年四月から昭和三十六年三月まで	一一・九二
昭和三十六年四月から昭和三十七年三月まで	一〇・一〇
昭和三十七年四月から昭和三十八年三月まで	八・九七

昭和三十八年四月から昭和三十九年三月まで	八・〇七
昭和三十九年四月から昭和四十年四月まで	七・三二
昭和四十年五月から昭和四十一年三月まで	六・九二
昭和四十一年四月から昭和四十二年三月まで	六・〇五
昭和四十二年四月から昭和四十三年三月まで	五・七六
昭和四十三年四月から昭和四十四年十月まで	五・〇六
昭和四十四年十一月から昭和四十六年九月まで	四・四五
昭和四十六年十月から昭和四十八年九月まで	三・六四
昭和四十八年十月から昭和五十年三月まで	二・四九
昭和五十年四月から昭和五十一年七月まで	二・一三
昭和五十一年八月から昭和五十二年十二月まで	一・七六
昭和五十三年一月から昭和五十四年三月まで	一・六七
昭和五十四年四月から昭和五十五年九月まで	一・六一
昭和五十五年十月から昭和五十七年三月まで	一・四八
昭和五十七年四月から昭和五十八年三月まで	一・三九
昭和五十八年四月から昭和五十九年三月まで	一・三七
昭和五十九年四月から昭和六十年九月まで	一・二七
昭和六十年十月から昭和六十一年三月まで	一・二二

附　則（平一二・三・三一法二〇）（抄）

（施行期日）

第一条　この法律は、国民年金法等の一部を改正する法律（平成十二年法律第十八号）附則第一条第六号に掲げる規定の施行の日〔平一三・四・一〕から施行する。

附　則（平一二・五・一二法五九）（抄）

（施行期日）

第一条　この法律は、平成十三年四月一日から施行する。〔ただし書略〕

（厚生年金保険法の一部改正に伴う経過措置）

第二十条　旧受給資格者であって附則第五条の規定により同条に規定する個別延長給付の支給についてなお従前の例によることとされたものに係る前条の規定による改正後の厚生年金保険法附則第十一条の五第一項の規定の適用については、なお従前の例による。

附　則（平一二・五・三一法九六）（抄）

（施行期日）

第一条　この法律は、平成十二年十二月一日（以下「施行日」という。）から施行する。〔ただし書略〕

附　則（平一二・五・三一法九七）（抄）

（施行期日）

第一条　この法律は、公布の日から起算して六月を超えない範囲内において政令で定める日〔平一二・一一・三〇〕（以下「施行日」という。）から施行する。〔ただし書略〕

附　則（平一二・五・三一法九九）（抄）

（施行期日）

第一条　この法律は、平成十三年四月一日から施行する。〔ただし書略〕

附　則（平一二・六・七法一一一）（抄）

（施行期日）

第一条　この法律は、公布の日から施行する。〔ただし書略〕

附　則（平一三・六・一五法五〇）（抄）

最終改正　令二・三・三一法一四

（施行期日）

第一条　この法律は、平成十四年四月一日から施行する。ただし、次の各号に掲げる規定は、それぞれ当該各号に定める日から施行する。

一　附則第九条の規定　公布の日

二　附則第七条の規定　公布の日から起算して一年を超えない範囲内において政令で定める日〔平一三・一〇・一〕

三　〔前略〕附則〔中略〕第十条〔中略〕の規定　公布の日から起算して二年六月を超えない範囲内において政令で定める日〔平一五・九・一〕

（検討）

第六条　政府は、この法律の施行後五年を経過した場合において、この法律の施行の状況を勘案し、必要があると認めるときは、この法律の規定について検討を加え、その結果に基づいて必要な措置を講ずるものとする。

（改正規定の施行のために必要な準備）

第九条　前条の規定による改正後の厚生年金保険法附則第三十条第一項の規定による認可の手続は、この法律の施行の日前においても行うことができる。

附　則（平一三・六・二九法八八）（抄）

最終改正　平一四・七・三一法九八

（施行期日）

第一条　この法律は、平成十三年十月一日から施行する。〔ただし書略〕

（経過措置）

第二条　この法律の施行の日（以下「施行日」という。）から国民年金法等の一部を改正する法律（平成十二年法律第十八号）附則第一条第三号に定める日前までの間における第六十二条第一項及び第三項の規定の適用については、同条第一項第一号中「第九十条の三第一項」とあるのは「第九十条の二第一項」と、「されている者及び第九十条の二第一項の規定によりその半額につき同法の保険料を納付することを要しないものとされている者」とあるのは「されている者」と、同条第三項第六号中「若しくは第九十条の三第一項」とあるのは「又は第九十条の二第一項の規定によりその半額につき同法の保険料を納付することを要しないものとされたとき」とあるのは「されたとき」とする。

2　施行日から平成十四年三月三十一日までの間における第七十九条第一項の規定の適用については、同項中「第百五条（第二項（第十二条第二項を準用する部分を除く。）及び第五項を除く。）」とあるのは、「第百五条」とする。

（検討）

第四条　政府は、この法律の施行後五年を経過した場合において、この法律の施行の状況を勘案し、必要があると認めるときは、この法律の規定について検討を加え、その結果に基づいて必要な措置を講ずるものとする。

附　則（平一三・七・四法一〇一）（抄）

最終改正　令二・六・五法四〇

（施行期日）

第一条　この法律は、平成十四年四月一日から施行する。

（定義）

第二条　この法律において、次の各号に掲げる用語の意義は、それぞれ当該各号に定めるところによる。

一　廃止前農林共済法　第一条の規定による廃止前の農林漁業団体職員共済組合法（農林漁業団体職員共済組合法等の一部を改正する法律（平成十二年法律第二十四号。以下「平成十二年農林共済改正法」という。）第二条の規定による改正後の農林漁業団体職員共済組合法をいう。）をいう。

二　旧農林共済法　平成十二年農林共済改正法第二条の規定による改正前の農林漁業団体職員共済組合法をいう。

三　廃止前昭和六十年農林共済改正法　平成十二年農林共済改正法第五条の規定による改正後の農林漁業団体職員共済組合法の一部を改正する法律（昭和六十年法律第百七号）をいう。

四　昭和六十年農林共済改正法　平成十二年農林共済改正法第五条の規定による改正前の農林漁業団体職員共済組合法の一部を改正する法律（昭和六十年法律第百七号）をいう。

五　旧制度農林共済法　昭和六十年農林共済改正法による改正前の農林漁業団体職員共済組合法をいう。

六　昭和六十年国民年金等改正法　国民年金法等の一部を改正する法律（昭和六十年法律第三十四号）をいう。

七　旧農林共済組合員期間　廃止前農林共済法第一条第一項に規定する農林漁業団体職員共済組合（以下「旧農林共済組合」という。）の組合員であった者の当該組合員であった期間（旧農林共済法又は他の法令の規定により当該組合員であった期間とみなされた期間を含む。）をいう。

2　この条から附則第三十条までにおいて、次の各号に掲げる用語の意義は、それぞれ当該各号に定めるところによる。

一　退職共済年金　旧農林共済法による退職共済年金（附則第十五条の規定によりなおその効力を有するものとされた廃止前農林共済法による退職共済年金を含む。）をいう。

二　障害共済年金又は遺族共済年金　それぞれ旧農林共済法による障害共済年金又は遺族共済年金をいう。

三　退職年金、減額退職年金、通算退職年金、障害年金又は遺族年金　それぞれ旧制度農林共済法による退職年金、減額退職年金、通算退職年金、障害年金又は遺族年金をいう。

四　特例年金給付　厚生年金保険制度及び農林漁業団体職員共済組合制度の統合を図るための農林漁業団体職員共済組合法等を廃止する等の法律の一部を改正する法律（平成三十年法律第三十一号。以下「平成三十年改正法」という。）による改正前の附則第二十五条第四項に規定する特例年金給付をいう。

五　特例老齢農林年金　平成三十年改正法による改正前の附則第四十四条第一項又は第六項に規定する特例老齢農林年金をいう。

（厚生年金保険法の一部改正に伴う経過措置）

第三条　第二条の規定による改正後の厚生年金保険法第三十八条第一項及び第二項、第三十八条の二第一項から第三項まで並びに第五十四条の二の規定は、この法律の施行の日（以下「施行日」という。）以後の月分として支給される厚生年金保険法による年金たる保険給付について適用し、施行日前の月分として支給される同法による年金たる保険給付については、なお従前の例による。

（厚生年金保険の被保険者資格の取得の経過措置）

第四条　昭和七年四月二日以後に生まれた者であり、かつ、施行日の前日において旧農林共済組合の組合員であった者であって、施行日において農林漁業団体等（廃止前農林共済法第一条第一項各号に掲げる法律若しくは法律の規定に基づき設立された法人（同条第二項の規定により同条第一項各号に掲げる法律に基づいて設立された法人とみなされたものを含む。）又は旧農林共済組合をいう。以下同じ。）のうち厚生年金保険法第六条第一項又は第三項に規定する適用事業所であるものに使用されるもの（施行日に同法第十三条の規定により厚生年金保険の被保険者の資格を取得する者を除く。）は、施行日に、厚生年金保険の被保険者の資格を取得する。

（厚生年金保険の被保険者期間の計算の特例）

第五条　前条の規定により厚生年金保険の被保険者の資格を取得した者であって平成十四年四月に当該被保険者の資格を喪失したものについて、厚生年金保険法第十九条第二項本文の規定を適用する場合においては、当該被保険者の資格を取得しなかったものとみなす。

（厚生年金保険の被保険者期間等に関する経過措置）

第六条　旧農林共済組合員期間は、厚生年金保険法第二条の五第一項第一号に規定する第一号厚生年金被保険者期間とみなす。ただし、次に掲げる期間は、この限りでない。

一　旧農林共済法附則第十八条の二の規定による脱退一時金の支給を受けた場合におけるその脱退一時金の算定の基礎となった期間

二　旧制度農林共済法第三十八条第一項の規定による脱退一時金の支給を受けた場合におけるその脱退一時金の算定の基礎となった期間

三　昭和六十年農林共済改正法附則第五十三条の規定による脱退一時金の支給を受けた場合におけるその脱退一時金の算定の基礎となった期間

四　その他前三号に掲げる期間に準ずる期間として政令で定めるもの

第七条　旧農林共済組合員期間を有する者について、昭和六十年国民年金等改正法附則第八条第五項第四号の二及び第七号の二の規定を適用する場合においては、これらの規定中「第二項各号（第一号を除く。）に掲げる期間」とあるのは、「第二項第二号から第四号までに掲げる期間及び厚生年金保険制度及び農林漁業団体職員共済組合制度の統合を図るための農林漁業団体職員共済組合法等を廃止する等の法律（平成十三年法律第百一号）附則第二条第一項第七号に規定する旧農林共済組合員期間」とする。

（厚生年金保険の標準報酬等に関する経過措置）

第八条　旧農林共済組合員期間（沖縄の復帰に伴う特別措置に関する法律（昭和四十六年法律第百二十九号）第百六条第二項の規定により当該旧農林共済組合員期間とみなされた期間（第三項及び附則第十六条第九項において「沖縄農林共済通算期間」という。）を除く。次項において同じ。）の各月の旧農林共済法による標準給与の月額は、それぞれ当該各月の厚生年金保険法による標準報酬月額とみなす。

2　前項の規定にかかわらず、昭和六十一年四月一日前の旧農林共済組合員期間（昭和三十四年一月一日前の期間を除く。）における各月の旧農林共済法による標準給与の月額（その月が附則別表の上欄に掲げる期間に属するときは、その月の標準給与の月額にそれぞれ同表の下欄に掲げる率を乗じて得た額）を平均した額（その額が四十七万円を超えるときは、四十七万円）を、昭和六十一年四月一日前の旧農林共済組合員期間における各月の厚生年金保険法による標準報酬月額とみなす。

3　附則第六条の規定により厚生年金保険の被保険者期間とみなされた沖縄農林共済通算期間を有する者に支給する厚生年金保険法による年金たる保険給付の額を算定する場合においては、当該沖縄農林共済通算期間は、平均標準報酬月額の算定の基礎としない。

（旧農林共済組合による従前の処分等）

第九条　この附則に別段の規定があるものを除くほか、次に掲げる処分、手続その他の行為は、厚生年金保険法又はこれに基づく命令中の相当する規定によってした処分、手続その他の行為とみなす。

一　附則第十五条若しくは第十六条第一項若しくは第二項の規定によりなおその効力を有するものとされた廃止前農林共済法の規定若しくはこの法律によって廃止され、廃止されたものとされ、若しくは改正されたその他の法律の規定又はこれに基づく命令の規定によってした処分、手続その他の行為

二　旧農林共済法又はこれに基づく命令の規定によってした処分、手続その他の行為

三　旧制度農林共済法又はこれに基づく命令の規定によってした処分、手続その他の行為

2　前項の規定により厚生年金保険法に基づく処分とみなされた同項各号に掲げる処分について社会保険審査官及び社会保険審査会法（昭和二十八年法律第二百六号）第三条第一項第一号及び第三号の規定を適用する場合には、同項第一号中「日本年金機構（以下「機構」という。）がした」とあるのは「厚生年金保険制度及び農林漁業団体職員共済組合制度の統合を図るための農林漁業団体職員共済組合法等を廃止する等の法律（平成十三年法律第百一号。以下「平成十三年統合法」という。）附則第九条第一項の規定により日本年金機構（以下「機構」という。）がしたものとみなされた」と、「その処分に関する事務を処理した機構の事務所（年金事務所（日本年金機構法（平成十九年法律第百九号）第二十九条に規定する年金事務所をいう。以下この項及び第五条第二項において同じ。）が当該事務を処理した場合にあつては、当該年金事務所がその業務の一部を分掌する従たる事務所（同法第四条第二項に規定する従たる事務所をいう。以下この項及び第五条第二項において同じ。）とし、審査請求人が当該処分につき経由した機構の事務所がある場合にあつては、当該経由した機構の事務所（年金事務所を経由した場合にあつては、当該年金事務所がその業務の一部を分掌する従たる事務所とする。）の所在地を管轄する地方厚生局」とあるのは「審査請求人の住所地を管轄する地方厚生局」と、同項第三号中「厚生労働大臣がした」とあるのは「平成十三年統合法附則第九条第一項の規定により厚生労働大臣がしたものとみなされた」と、「審査請求人が当該処分につき経由した地方厚生局又は機構の事務所（従たる事務所を経由した場合にあつては、その従たる事務所（年金事務所を経由した場合にあつては、当該年金事務所がその業務の一部を分掌する従たる事務所））若しくは」とあるのは「審査請求人の住所地を管轄する地方厚生局又は」とする。

（老齢厚生年金等の額の算定等の特例）

第十条　施行日の前日において退職共済年金若しくは通算退職年金（以下この項から第三項までにおいて「退職共済年金等」という。）の受給権を有していた者（通算退職年金の受給権を有していた者にあっては、同日において厚生年金保険法による老齢厚生年金の受給権を有していた者に限る。第三項において同じ。）に支給する同法による老齢厚生年金の額については、当該退職共済年金等の額の算定の基礎となった旧農林共済組合員期間（退職共済年金の受給権を有する者にあっては、当該旧農林共済組合員期間に引き続く厚生年金保険の被保険者期間であって政令で定める要件に該当するもの（以下「継続厚生年金期間」という。）を含む。）は、算定の基礎としない。

2　施行日の前日において退職共済年金等の受給権を有していた者に支給する昭和六十年国民年金等改正法第三条の規定による改正前の厚生年金保険法の規定による老齢年金、通算老齢年金及び特例老齢年金（第四項において「旧厚生年金保険法による老齢年金等」という。）の額については、当該退職共済年金等の額の算定の基礎となった旧農林共済組合員期間は、算定の基礎としない。

3　施行日の前日において次の各号のいずれかに該当した者（退職共済年金等の受給権を有していた者を除く。）に支給する厚生年金保険法による老齢厚生年金の額については、旧農林共済組合員期間は、算定の基礎としない。ただし、第一号に該当した者にあっては、施行日から六十日以内に旧農林共済組合員期間を同法による老齢厚生年金の額の算定の基礎とすることを希望する旨を社会保険庁長官に申し出たときは、この限りでない。

一　旧農林共済法附則第十三条第二項に規定する者（次号に掲げる者を除く。）

二　厚生年金保険法附則第八条の規定による老齢厚生年金の受給権を有する者

4　旧農林共済組合員期間を有する者に係る厚生年金保険法による老齢厚生年金又は旧厚生年金保険法による老齢年金等の支給の停止に関し必要な経過措置は、政令で定める。

（障害厚生年金の支給要件の特例）

第十一条　厚生年金保険法第四十七条の二第一項の規定による障害厚生年金は、同一の傷病による障害について旧農林共済法又は旧制度農林共済法による年金である給付のうち障害を支給事由とするものの受給権を有していたことがある者については、同項の規定にかかわらず、支給しない。

2　施行日前に旧農林共済法又は旧制度農林共済法による年金である給付のうち障害を支給事由とするものの受給権を有していたことがある者（施行日において当該給付の受給権を有する者及び当該給付の支給事由となった傷病について農林漁業団体職員共済組合法等の一部を改正する法律（平成六年法律第百一号。附則第十六条第五項において「平成六年農林共済改正法」という。）附則第七条第一項又は第二項の規定により支給される障害共済年金の受給権を有する者を除く。）が、当該給付の支給事由となった傷病により、施行日において厚生年金保険法第四十七条第二項に規定する障害等級（以下この項において単に「障害等級」という。）に該当する程度の障害の状態にあるとき、又は施行日の翌日から六十五歳に達する日の前日までの間において障害等級に該当する程度の障害の状態に至ったときは、その者は、施行日（施行日において障害等級に該当する程度の障害の状態にない者にあっては、障害等級に該当する程度の障害の状態に該当するに至ったとき）から六十五歳に達する日の前日までの間に、同条第一項の障害厚生年金の支給を請求することができる。

3　前項の請求があったときは、厚生年金保険法第四十七条第一項の規定にかかわらず、その請求した者に同項の障害厚生年金を支給する。

第十二条　疾病にかかり、若しくは負傷した日が施行日前にある傷病又は初診日が施行日前にある傷病による障害（旧農林共済組合員期間中の傷病による障害に限る。）について厚生年金保険法第四十七条から第四十七条の三まで及び第五十五条の規定を適用する場合における必要な経過措置は、政令で定める。

（遺族厚生年金の支給要件の特例）

第十三条　附則第十六条第三項の規定により厚生年金保険の実施者たる政府が支給するものとされた年金である給付（死亡を支給事由とするものを除く。）の受給権者その他の者であって政令で定めるものが、施行日以後に死亡した場合における厚生年金保険法による遺族厚生年金の支給に関し必要な経過措置は、政令で定める。

2　前項の政令で定める者（平成二十四年四月一日前に死亡した者に限る。）の死亡について厚生年金保険法第五十九条第一項の規定を適用する場合においては、同項第一号中「であること」とあるのは、「であるか、又は障害等級の一級若しくは二級に該当する程度の障害の状態にあること」とする。

3　前項の規定により読み替えて適用される厚生年金保険法第五十九条第一項に規定する遺族である夫、父母又は祖父母の有する同法による遺族厚生年金の受給権は、これらの者の障害の状態が同法第四十七条第二項に規定する障害等級の一級又は二級に該当しなくなったときは、消滅する。ただし、これらの者が当該遺族厚生年金の受給権を取得した当時五十五歳以上であったときを除く。

4　第二項の規定により読み替えて適用される厚生年金保険法第五十九条第一項に規定する遺族である夫、父母又は祖父母が同法による遺族厚生年金の受給権を取得した当時から引き続き同法第四十七条第二項に規定する障害等級の一級又は二級に該当する程度の障害の状態にある間は、これらの者については、同法第六十五条の二の規定は、適用しない。

（厚生年金保険事業に要する費用の負担の特例）

第十四条　附則第十六条第三項の規定により厚生年金保険の実施者たる政府が支給するものとされた年金である給付に要する費用は、厚生年金保険法第二条の四第一項の規定の適用については同法による保険給付に要する費用とみなし、同法第八十四条の三の規定の適用については同条に規定する政令で定める保険給付に要する費用とみなす。

（廃止前農林共済法による退職共済年金の支給）

第十五条　旧農林共済組合員期間を有する者が次の各号のいずれかに該当する者であるときは、廃止前農林共済法中退職共済年金の支給要件に関する規定及び退職共済年金の支給要件に関する規定であってこの法律によって廃止され、廃止されたものとされ、又は改正されたその他の法律の規定（これらの規定に基づく命令の規定を含む。以下この項において「廃止前支給要件規定」という。）は、これらの者について、なおその効力を有する。この場合において、廃止前支給要件規定の適用に関し必要な技術的読替えその他廃止前支給要件規定の適用に関し必要な事項は、政令で定める。

一　施行日の前日において旧農林共済法附則第七条又は第十三条の規定による退職共済年金の受給権を有していた者

二　施行日の前日において厚生年金保険法附則第八条の規定による老齢厚生年金の受給権を有していた者（前号に掲げる者を除く。）

三　施行日の前日において附則第十条第三項第一号に掲げる者であって施行日以後同項ただし書の規定による社会保険庁長官への申出をしないもの（前二号に掲げる者を除く。）

（移行年金給付）

第十六条　旧農林共済法による年金である給付（前条の規定によりなおその効力を有するものとされた廃止前農林共済法による年金である給付を含む。）については、第四項、第五項、第九項から第十五項まで、第十七項及び第十九項から第二十二項までの規定並びにこの法律に規定する当該給付の費用に関する規定を適用する場合を除き、廃止前農林共済法の規定及びこの法律によって廃止され、廃止されたものとされ、又は改正されたその他の法律の規定（これらの規定に基づく命令の規定を含む。以下この項において「廃止前農林共済法等の規定」という。）は、なおその効力を有する。この場合において、廃止前農林共済法等の規定の適用に関し必要な技術的読替えその他廃止前農林共済法等の規定の適用に関し必要な事項は、政令で定める。

2　旧制度農林共済法による年金である給付については、第六項から第八項まで、第十二項、第十六項、第十七項及び第二十項から第二十二項までの規定並びにこの法律に規定する当該給付の費用に関する規定を適用する場合を除き、廃止前昭和六十年農林共済改正法附則の規定及びこの法律によって廃止され、廃止されたものとされ、又は改正された法律の規定（これらの規定に基づく命令の規定を含む。以下この項において「廃止前昭和六十年農林共済改正法等の規定」という。）は、なおその効力を有する。この場合において、廃止前昭和六十年農林共済改正法等の規定の適用に関し必要な技術的読替えその他廃止前昭和六十年農林共済改正法等の規定の適用に関し必要な事項は、政令で定める。

3　前二項に規定する年金である給付は、厚生年金保険の実施者たる政府が支給する。

4　第一項に規定する年金である給付（以下「移行農林共済年金」という。）については、次の表の上欄に掲げる規定中同表の中欄に掲げる字句を、それぞれ同表の下欄に掲げる字句に読み替えて同表の上欄に掲げる規定を適用する。

廃止前農林共済法第三十八条第二項	二十三万千四百円とし	二十二万四千七百円に国民年金法第二十七条に規定する改定率であつて同法第二十七条の三及び第二十七条の五の規定の適用がないものとして改定したもの（以下「改定率」という。）を乗じて得た額（その額に五十円未満の端数が生じたときは、これを切り捨て、五十円以上百円未満の端数が生じたときは、これを百円に切り上げるものとする。）とし
	七万七千百円	七万四千九百円に改定率を乗じて得た額（その額に五十円未満の端数が生じたときは、これを切り捨て、五十円以上百円未満の端数が生じたときは、これを百円に切り上げるものとする。）
	二十三万千四百円）	二十二万四千七百円に改定率を乗じて得た額（その額に五十円未満の端数が生じたときは、これを切り捨て、五十円以上百円未満の端数が生じたときは、これを百円に切り上げるものとする。））
廃止前農林共済法第四十二条第三項及び第四十五条の九	六十万三千二百円より	国民年金法第三十三条第一項に規定する障害基礎年金の額に四分の三を乗じて得た額（その額に五十円未満の端数が生じたときは、これを切り捨て、五十円以上百円未満の端数が生じたときは、これを百円に切り上げるものとする。）より
	六十万三千二百円を	当該額を
廃止前農林共済法第四十三条第二項	二十三万千四百円	二十二万四千七百円に改定率を乗じて得た額（その額に五十円未満の端数が生じたときは、これを切り捨て、五十円以上百円未満の端数が生じたときは、これを百円に切り上げるものとする。）
廃止前農林共済法第四十八条	六十万三千二百円	国民年金法第三十八条に規定する遺族基礎年金の額の四分の三に相当する額（その額に五十円未満の端数が生じたときは、これを切り捨て、五十円以上百円未満の端数が生じたときは、これを百円に切り上げるものとする。）
廃止前農林共済法附則第九条第二項第一号	千六百七十六円	千六百二十八円に改定率を乗じて得た額（その額に五十銭未満の端数が生じたときは、これを切り捨て、五十銭以上一円未満の端数が生じたときは、これを一円に切り上げるものとする。）
廃止前昭和六十年農林共済改正法附則第十五条第一項第一号及び第二項	千六百七十六円	千六百二十八円に国民年金法第二十七条に規定する改定率（以下「改定率」という。）を乗じて得た額（その額に五十銭未満の端数が生じたときは、これを切り捨て、五十銭以上一円未満の端数が生じたときは、これを一円に切り上げるものとする。）
廃止前昭和六十年農林共済改正法附則第十五条第一項第二号	額（新国民年金法第十六条の二の規定による年金の額の改定の措置が講ぜられたときは、当該改定後の額）	額
廃止前昭和六十年農林共済改正法附則第十五条第三項	千六百七十六円にその率を乗じて得た額が三千百四十三円から千六百七十六円まで	千六百二十八円に改定率を乗じて得た額にその率を乗じて得た額（その額に五十銭未満の端数が生じたときは、これを切り捨て、五十銭以上一円未満の端数が生じたときは、これを一円に切り上げるものとする。）が三千五十三円に

		改定率を乗じて得た額（その額に五十銭未満の端数が生じたときは、これを切り捨て、五十銭以上一円未満の端数が生じたときは、これを一円に切り上げるものとする。）から千六百二十八円に改定率を乗じて得た額（その額に五十銭未満の端数が生じたときは、これを切り捨て、五十銭以上一円未満の端数が生じたときは、これを一円に切り上げるものとする。）まで
廃止前昭和六十年農林共済改正法附則第十五条第四項	三千百四十三円	三千五十三円に改定率を乗じて得た額（その額に五十銭未満の端数が生じたときは、これを切り捨て、五十銭以上一円未満の端数が生じたときは、これを一円に切り上げるものとする。）
廃止前昭和六十年農林共済改正法附則第十五条第五項	千六百七十六円	千六百二十八円に改定率を乗じて得た額（その額に五十銭未満の端数が生じたときは、これを切り捨て、五十銭以上一円未満の端数が生じたときは、これを一円に切り上げるものとする。）
	三千百四十三円	三千五十三円に改定率を乗じて得た額（その額に五十銭未満の端数が生じたときは、これを切り捨て、五十銭以上一円未満の端数が生じたときは、これを一円に切り上げるものとする。）
廃止前昭和六十年農林共済改正法附則第二十六条第二号	額（新国民年金法第十六条の二の規定による年金の額の改定の措置が講ぜられたときは、当該改定後の額）	額
廃止前昭和六十年農林共済改正法附則別表第四	三万四千百円	三万三千二百円に改定率（国民年金法第二十七条の三及び第二十七条の五の規定の適用がないものとして改定した改定率とする。以下この表において同じ。）を乗じて得た額（その額に五十円未満の端数が生じたときは、これを切り捨て、五十円以上百円未満の端数が生じたときは、これを百円に切り上げるものとする。）
	六万八千三百円	六万六千三百円に改定率を乗じて得た額（その額に五十円未満の端数が生じたときは、これを切り捨て、五十円以上百円未満の端数が生じたときは、これを百円に切り上げるものとする。）
	十万二千五百円	九万九千五百円に改定率を乗じて得た額（その額に五十円未満の端数が生じたときは、これを切り捨て、五十円以上百円未満の端数が生じたときは、これを百円に切り上げるものとする。）
	十三万六千六百円	十三万二千六百円に改定率を乗じて得た額（その額に五十円未満の端数が生じたときは、これを切り捨て、五十円以上百円未満の端数が生じたときは、これを百円に切り上げるものとする。）
	十七万七百円	十六万五千八百円に改定率を乗じて得た額（その額に五十円未満の端数が生じたときは、これを切り捨て、五十円以上百円未満の端数が生じたときは、これを百円に切り上げるものとする。）

5　移行農林共済年金については、廃止前農林共済法第三十三条第二項、第三十七条第一項第二号、第四十二条第一項第二号、第二項第二号及び第四項、第四十五条第二項ただし書、第四十五条の三第一項及び第二項、第四十五条の四、第四十五条の六、第四十七条第一項第一号ロ及び第二号ロ、第二項第二号並びに第三項、第五十二条の二、附則第九条第二項第三号（廃止前農林共済法附則第九条の二第一項及び第三項、第十二条の二第二項、第十二条の三第二項及び第四項並びに第十三条第三項並びに廃止前昭和六十年農林共済改正法附則第五十条第一項においてその例によるものとされた場合を含む。）並びに附則第十八条、廃止前昭和六十年農林共済改正法附則第七条、第十四条第二項、第十七条第二項から第四項まで、第十八条及び第二十八条並びに平成六年農林共済改正法附則第六条の規定（これ

らの規定に基づく命令の規定を含む。）は、適用しない。

6　第二項の規定による年金である給付（以下「移行農林年金」という。）については、次の表の上欄に掲げる廃止前昭和六十年農林共済改正法の規定中同表の中欄に掲げる字句を、それぞれ同表の下欄に掲げる字句に読み替えて同表の上欄に掲げる規定を適用する。

附則第三十条第一項	合算額	合算額に百十分の百を乗じて得た額
附則第三十条第一項第一号	七十五万四千三百二十円（	七十三万二千七百二十円に国民年金法第二十七条に規定する改定率（以下「改定率」という。）を乗じて得た額（その額に五円未満の端数が生じたときは、これを切り捨て、五円以上十円未満の端数が生じたときは、これを十円に切り上げるものとする。以下「定額部分基本額」という。ただし、
	七十五万四千三百二十円に	定額部分基本額に
	三万七千七百十六円を加算した額	三万六千六百三十六円に改定率を乗じて得た額（その額に五十銭未満の端数が生じたときは、これを切り捨て、五十銭以上一円未満の端数が生じたときは、これを一円に切り上げるものとする。以下「定額部分加算額」という。）を加算した額とする。
附則第三十条第一項第二号	附則別表第六	厚生年金保険法附則別表第二
附則第三十条第二項	政令で定める額	政令で定める額に百十分の百を乗じて得た額
	相当する額	相当する額に百十分の百を乗じて得た額
附則第三十四条第一項	月数を乗じて得た額	月数を乗じて得た額に百十分の百を乗じて得た額
附則第三十四条第一項第一号	七十五万四千三百二十円	定額部分基本額
附則第三十五条第一項	相当する額に平均標準給与の年額の百分の九・五（同欄の一級に該当する者にあっては百分の二十八・五とし、同欄の二級に該当する者にあっては百分の十九とする。）を加算した額	相当する額に百十分の百を乗じて得た額
附則第三十五条第一項第一号	七十五万四千三百二十円	定額部分基本額
	三万七千七百十六円	定額部分加算額
附則第三十五条第二項	百分の七十五に相当する額	百分の七十五に相当する額に百十分の百を乗じて得た額（当該障害年金の受給権者が平成十四年三月三十一日において同一の障害に関し労働者災害補償保険法（昭和二十二年法律第五十号）の規定による障害年金又は傷病年金を受けている場合にあっては、政令で定める額）
附則第三十五条第二項第一号	七十五万四千三百二十円	定額部分基本額
附則第三十五条第三項	政令で定める額	政令で定める額に百十分の百を乗じて得た額
	百分の九十七・二五に相当する額	百分の九十七・二五（第一項の規定により算定した障害年金の額にあっては、百分の八十七・七五（同表の上欄の一級に該当する者にあっては百分の六十八・七五とし、同欄の二級に該当する者にあっては百分の七十八・二五とする。））に相当する額に百十分の百を乗じて得た額

附則第三十八条第一号	七十五万四千三百二十円	定額部分基本額
	「遺族年金基礎額」という。）	「遺族年金基礎額」という。）から平均標準給与の年額の百分の十九に相当する額を控除した額
	加算した額）	加算した額）に百十分の百を乗じて得た額
附則第三十八条第二号	相当する額	相当する額（当該遺族年金の受給権者が平成十四年三月三十一日において同一の事由に関し労働者災害補償保険法の規定による遺族年金を受けている場合（以下この条において「労災遺族年金受給の場合」という。）にあつては、政令で定める額）
附則第三十八条第三号	加算した額）	加算した額）に百十分の百を乗じて得た額（労災遺族年金受給の場合にあつては、政令で定める額）
附則第三十八条第四号	相当する額	相当する額に百十分の百を乗じて得た額（労災遺族年金受給の場合にあつては、政令で定める額）
附則第四十条	政令で定める額	政令で定める額に百十分の百を乗じて得た額
	百分の六十八・〇七五に相当する額	百分の四十九・〇七五に相当する額に百十分の百を乗じて得た額
附則第四十一条第一項第一号	十五万四千二百円	十四万九千七百円に改定率（国民年金法第二十七条の三及び第二十七条の五の規定の適用がないものとして改定した改定率とする。次号において同じ。）を乗じて得た額（その額に五十円未満の端数が生じたときは、これを切り捨て、五十円以上百円未満の端数が生じたときは、これを百円に切り上げるものとする。）
附則第四十一条第一項第二号	二十六万九千九百円	二十六万二千百円に改定率を乗じて得た額（その額に五十円未満の端数が生じたときは、これを切り捨て、五十円以上百円未満の端数が生じたときは、これを百円に切り上げるものとする。）
附則第四十一条第一項第三号	十五万四千二百円	十四万九千七百円に改定率を乗じて得た額（その額に五十円未満の端数が生じたときは、これを切り捨て、五十円以上百円未満の端数が生じたときは、これを百円に切り上げるものとする。）

7　移行農林年金については、廃止前昭和六十年農林共済改正法附則第五条第一項の規定によりなお従前の例によることとされた旧制度農林共済法第三十三条第二項、第四十三条及び第四十九条の二並びに廃止前昭和六十年農林共済改正法附則第七条、第三十条第三項、第三十一条第二項、第三十五条第四項、第四十三条、第四十五条第三項、第四十六条、第四十八条第三項、第四十九条第二項及び第三項並びに第五十条第二項及び第三項（廃止前昭和六十年農林共済改正法附則第五十一条第一項において準用する場合を含む。）の規定（これらの規定に基づく命令の規定を含む。）は、適用しない。

8　前項に規定するもののほか、移行農林年金のうち障害年金については、廃止前昭和六十年農林共済改正法附則第四十九条第一項の規定（同項の規定に基づく命令の規定を含む。）は、適用しない。

9　移行農林共済年金に係る廃止前農林共済法による平均標準給与月額は、廃止前農林共済法第二十一条の規定にかかわらず、次の各号に掲げる額の合算額をその者の旧農林共済組合員期間（昭和三十四年一月一日前の期間及び沖縄農林共済通算期間を除く。以下この項及び次項において同じ。）の月数で除して得た額とする。

一　昭和六十年十月以後の旧農林共済組合員期間の各月の旧農林共済法による標準給与の月額に、厚生年金保険法第四十三条第一項に規定する再評価率を乗じて得た額の合算額

二　昭和六十年九月以前の旧農林共済組合員期間の各月の旧農林共済法による標準給与の月額に、厚生年金保険法附則別表第二の上欄に掲げる受給権者の区分に応じてそれぞれ同表の下欄に定める率を乗じて得た額の合算額

10　前項の平均標準給与月額を算定する場合においては、昭和六十一年四月一日前の旧農林共済組合員期間における各月の標準給与の月額（その月が附則別表の上欄に掲げる期間に属するときは、その月の標準給与の月額にそれぞれ同表の下欄に掲げる率を乗じて得た額）を平均した額（その額が四十七万円を超え

るときは、四十七万円）を、同日前の旧農林共済組合員期間における各月の標準給与の月額とみなす。

11　移行農林共済年金のうち退職共済年金（平成十五年四月一日以後の継続厚生年金期間をその額の算定の基礎とするものに限る。）の額の算定及びその支給の停止に関し必要な事項は、政令で定める。

12　移行農林共済年金のうち退職共済年金並びに移行農林年金のうち退職年金、減額退職年金及び通算退職年金（平成十七年四月以後の月分として支給されるものに限る。）の受給権者が厚生年金保険の被保険者（厚生年金保険法第二十七条に規定する七十歳以上の使用される者を含む。）であるときのその支給の停止に関し必要な事項は、政令で定める。

13　厚生年金保険法第四十四条の三の規定は、移行農林共済年金のうち退職共済年金の受給権者（平成十九年四月一日以後に廃止前農林共済法第三十六条の規定による退職共済年金の受給権を取得した者に限る。）について準用する。この場合において、必要な読替えその他必要な事項は、政令で定める。

14　移行農林共済年金のうち遺族共済年金（その受給権者が昭和十七年四月二日以後に生まれた者であるものに限る。）の額の算定及び改定並びにその支給の停止に関し必要な事項は、政令で定める。

15　被用者年金制度の一元化等を図るための厚生年金保険法等の一部を改正する法律（平成二十四年法律第六十三号。以下この項及び次項において「平成二十四年一元化法」という。）の施行の日の前日において遺族である配偶者、子、父母又は孫が移行農林共済年金のうち遺族共済年金の支給を受けている場合において、その者が配偶者又は子であるときは父母、孫及び祖父母、その者が父母であるときは孫及び祖父母、その者が孫であるときは祖父母は、平成二十四年一元化法の施行の日においてそれぞれ当該遺族共済年金の支給を受けることができる遺族でなくなるものとする。

16　平成二十四年一元化法の施行の日の前日において遺族である配偶者、子、父母又は孫が移行農林年金のうち遺族年金の支給を受けている場合において、その者が配偶者又は子であるときは父母、孫及び祖父母、その者が父母であるときは孫及び祖父母、その者が孫であるときは祖父母は、平成二十四年一元化法の施行の日においてそれぞれ当該遺族年金の支給を受けることができる遺族でなくなるものとする。

17　厚生年金保険法第七十八条の十の規定は、移行農林共済年金及び移行農林年金の受給権者について準用する。この場合において、必要な読替えは、政令で定める。

18　移行農林共済年金及び移行農林年金の受給権者の附則第八条第一項及び第二項の規定により厚生年金保険法による標準報酬月額とみなされた旧農林共済法による標準給与の月額が厚生年金保険法第七十八条の六第一項の規定により改定された場合における第一項及び第二項の規定によりなおその効力を有するものとされた規定（他の法令において、これらの規定を引用し、又はその例による場合を含む。）の適用に関し必要な読替えその他必要な事項は、政令で定める。

19　移行農林共済年金のうち退職共済年金（平成二十年四月一日以後の特定期間（厚生年金保険法第七十八条の十四第一項に規定する特定期間をいう。）に係る継続厚生年金期間をその額の算定の基礎とするものに限る。）の額の算定及び改定その他必要な事項は、政令で定める。

20　移行農林共済年金及び移行農林年金に関し、国民年金法（昭和三十四年法律第百四十一号）又は厚生年金保険法の支給の停止に関する規定、資料の提供に関する規定その他の規定であって政令で定めるものを適用する場合におけるこれらの規定の読替えその他必要な事項は、政令で定める。

21　移行農林共済年金及び移行農林年金は、厚生年金保険法第七十七条第一項、第九十二条第三項、第九十六条第一項、第九十七条第一項及び第百条の二の規定の適用についてはこれらの規定に規定する年金たる保険給付とみなし、同法第七十八条第一項、第九十条第一項及び第五項、第九十二条第一項並びに第百条第一項の規定の適用についてはこれらの規定に規定する保険給付とみなす。

22　移行農林共済年金及び移行農林年金を受ける権利を有する者は、厚生年金保険法第七十八条第一項、第九十五条、第九十六条第一項、第九十八条第三項及び第四項並びに第百条の二の規定の適用については、これらの規定に規定する受給権者とみなす。

（退職年金等の受給権者が老齢厚生年金の受給権を取得した場合の取扱い）

第十七条　前条第一項及び第二項の規定によりなおその効力を有するものとされた廃止前昭和六十年農林共済改正法（以下単に「廃止前昭和六十年農林共済改正法」という。）附則第十七条第一項の規定は、移行農林年金のうち通算退職年金の受給権者が施行日以後、厚生年金保険法による老齢厚生年金（旧農林共済組合員期間をその額の算定の基礎とするものに限る。）の受給権を取得した場合について準用する。

2　廃止前昭和六十年農林共済改正法附則第五十条第一項（廃止前昭和六十年農林共済改正法附則第五十一条第一項において準用する場合を含む。）の規定は、移行農林年金のうち退職年金又は減額退職年金の受給権者が施行日以後、厚生年金保険法による老齢厚生年金（旧農林共済組合員期間をその額の算定の基礎とするものに限る。）の受給権を取得した場合について準用する。この場合において、廃止前昭和六十年農林共済改正法附則第五十条第一項中「退職」とあるのは、「老齢厚生年金の受給権を取得した」と読み替えるものとする。

（障害基礎年金の支給要件の特例）

第十八条　国民年金法第三十条の二第一項の規定による障害基礎年金と同一の支給事由に基づく移行農林共済年金のうち附則第十六条第一項の規定によりなおその効力を有するものとされた廃止前農林共済法（以下この条及び附則第三十条第七項において単に「廃止前農林共済法」という。）第三十九条又は第四十四条の規定による障害共済年金について廃止前農林共済法第四十条の規定によりその額が改定されたときは、そのときに国民年金法第三十条の二第一項の請求があったものとみなす。

（保険料率の特例）

第十九条　農林漁業団体等の事業所又は事務所のうち厚生年金保険法第六条第一項又は第三項に規定する適用事業所であるものに使用される同法による被保険者の次の各号に掲げる月分の同法による保険料率については、それぞれ当該各号に定めるところによる。

一　施行日の属する月から平成十五年三月まで　厚生年金保険

法第八十一条第五項に規定する保険料率に千分の二十一・四を加算した率とする。

二 平成十五年四月から平成十六年九月まで 国民年金法等の一部を改正する法律（平成十二年法律第十八号）第六条の規定による改正後の厚生年金保険法（次号において「改正後厚生年金保険法」という。）第八十一条第五項に規定する保険料率に千分の十六・四を加算した率とする。

三 平成十六年十月から平成二十年九月まで 改正後厚生年金保険法第八十一条第五項に規定する保険料率に千分の七・七を加算した率とする。

（存続組合の納付金）

第二十条 附則第二十五条第三項に規定する存続組合は、政令で定めるところにより、附則第十六条第三項の規定により厚生年金保険の管掌者たる政府が支給するものとされた年金である給付に要する費用及び附則第六条の規定により厚生年金保険の被保険者であった期間とみなされた旧農林共済組合員期間を算定の基礎とする厚生年金保険法による年金たる保険給付に要する費用（当該旧農林共済組合員期間を算定の基礎とする部分の額に限る。）に係る積立金に相当する額として政令で定めるところにより算定した額を厚生年金保険の管掌者たる政府に納付するものとする。

（存続組合に係る基礎年金拠出金等）

第五十三条 平成十四年度における基礎年金拠出について国民年金法第九十四条の二第二項の規定を適用する場合には、同項中「年金保険者たる共済組合等」とあるのは、「年金保険者たる共済組合等（厚生年金保険制度及び農林漁業団体職員共済組合制度の統合を図るための農林漁業団体職員共済組合法等を廃止する等の法律（平成十三年法律第百一号）附則第二十五条第三項に規定する存続組合を含む。）」とする。

2 前項の規定により読み替えて適用される国民年金法第九十四条の二第二項の規定により基礎年金拠出金を納付するものとされた存続組合が納付する基礎年金拠出金について同法第九十四条の三及び第九十四条の五の規定を適用する場合には、次の表の上欄に掲げる同法の規定中同表の中欄に掲げる字句は、それぞれ同表の下欄に掲げる字句に読み替えるものとする。

上欄	中欄	下欄
第九十四条の三第一項	対する当該年度	対する平成十四年三月末日
	当該被用者年金保険者	旧農林共組合（厚生年金保険制度及び農林漁業団体職員共済組合制度の統合を図るための農林漁業団体職員共済組合法等を廃止する等の法律（平成十三年法律第百一号。以下「平成十三年統合法」という。）附則第二条第一項第七号に規定する旧農林共済組合をいう。以下同じ。）
	年金保険者たる共済組合等にあつては、当該年金保険者たる共済組合等	存続組合（平成十三年統合法附則第二十五条第三項に規定する存続組合をいう。以下同じ。）にあつては、旧農林共済組合
	比率	比率に六分の一を乗じて得た率
第九十四条の三第三項及び第九十四条の五第一項	年金保険者たる共済組合等	存続組合
第九十四条の五第二項	各年金保険者たる共済組合等	存続組合
	当該年金保険者たる共済組合等	当該存続組合
第九十四条の五第三項から第五項まで	年金保険者たる共済組合等	存続組合

3 平成十四年度において厚生年金保険の管掌者たる政府が負担する基礎年金拠出金の額は、国民年金法第九十四条の三の規定にかかわらず、同条の規定により算定された額から、第一項の規定により読み替えて適用される同法第九十四条の二の規定により存続組合が納付する基礎年金拠出金の額を控除した額とする。

（存続組合に行わせる事務）

第六十条 厚生年金保険の管掌者たる政府は、政令で定める日までの間、厚生年金保険法第九十八条の規定による届出の受理に関する事務その他の事務であって厚生労働省令で定めるもの及び附則第六条の規定により厚生年金保険の被保険者であった期間とみなされた旧農林共済組合員期間を算定の基礎とする同法による年金たる保険給付に係る事務のうち厚生労働省令で定めるものを存続組合に行わせるものとする。

2 厚生年金保険の実施者たる政府は、政令で定める日までの間、附則第十六条第三項の規定により厚生年金保険の実施者たる政府が支給するものとされた年金である給付に関する事務のうち厚生労働省令で定めるものを存続組合に行わせるものとする。

（実施規定）

第六十一条 この法律に特別の規定があるものを除くほか、この法律の実施のための手続その他その執行に必要な細則は、主務省令で定める。

2 前項における主務省令は、政令で定める。

（その他の経過措置の政令への委任）

第六十七条 この附則に規定するもののほか、この法律の施行に伴い必要な経過措置は、政令で定める。

附　則（平一四・八・二法一〇二）（抄）

（施行期日）

第一条　この法律は、平成十四年十月一日から施行する。〔ただし書略〕

附　則（平一五・四・三〇法三一）（抄）

（施行期日）

第一条　この法律は、平成十五年五月一日から施行する。

（厚生年金保険法の一部改正に伴う経過措置）

第二十六条　附則第十一条第一項の規定により高年齢雇用継続基本給付金の支給についてなお従前の例によることとされた者及び同条第二項の規定により高年齢再就職給付金の支給についてなお従前の例によることとされた者に係る前条の規定による改正後の厚生年金保険法附則第十一条の六の規定の適用については、なお従前の例による。

2　附則第二十一条第一項の規定により高齢雇用継続基本給付金の支給についてなお従前の例によることとされた者及び同条第二項の規定により高齢再就職給付金の支給についてなお従前の例によることとされた者に係る国民年金法等の一部を改正する法律（平成六年法律第九十五号）附則第二十六条第十三項において準用する前条の規定による改正後の厚生年金保険法附則第十一条の六の規定の適用については、なお従前の例による。

3　施行日以後に安定した職業に就くことにより雇用保険の被保険者となった旧受給資格者に対する前条の規定による改正後の厚生年金保険法附則第十一条の六の規定の適用については、同条第八項中「雇用保険法第六十一条の二第一項の賃金日額」とあるのは「雇用保険法等の一部を改正する法律（平成十五年法律第三十一号）附則第三条の規定によりなお従前の例によることとされた賃金日額」とする。

附　則（平一五・五・三〇法五四）（抄）

（施行期日）

第一条　この法律は、平成十六年四月一日から施行する。〔ただし書略〕

附　則（平一六・六・二法七六）（抄）

（施行期日）

第一条　この法律は、破産法（平成十六年法律第七十五号〔中略〕）の施行の日（平一七・一・一）から施行する。〔ただし書略〕

附　則（平一六・六・一一法一〇四）（抄）

最終改正　平二五・六・二六法六三

（施行期日）

第一条　この法律は、平成十六年十月一日から施行する。ただし、次の各号に掲げる規定は、それぞれ当該各号に定める日から施行する。

一　〔前略〕第八条、〔中略〕第三十二条〔中略〕並びに附則第四条、〔中略〕第三十四条から第三十八条〔中略〕までの規定　平成十七年四月一日

二　第九条、第十六条、〔中略〕第二十三条、第二十九条〔中略〕並びに附則第三十九条、第四十条〔中略〕の規定　平成十七年十月一日

三　〔前略〕第十条及び第十七条の規定　平成十八年四月一日

四　〔前略〕第十一条、第十八条〔中略〕の規定　平成十八年七月一日

五　附則第四十七条の規定　平成十八年十月一日

六　〔前略〕第十二条、第十九条、〔中略〕第二十三条の二、第二十五条、第三十条、第三十三条〔中略〕並びに附則第四十一条から第四十六条まで、第四十八条及び第五十五条の規定　平成十九年四月一日

七　〔前略〕第十三条〔中略〕並びに附則第四十九条及び第五十条の規定　平成二十年四月一日

（給付水準の下限）

第二条　国民年金法による年金たる給付及び厚生年金保険法による年金たる保険給付については、第一号に掲げる額と第二号に掲げる額とを合算して得た額の第三号に掲げる額に対する比率が百分の五十を上回ることとなるような給付水準を将来にわたり確保するものとする。

一　当該年度における国民年金法による老齢基礎年金の額（当該年度において六十五歳に達し、かつ、保険料納付済期間の月数が四百八十である受給権者について計算される額とする。）を当該年度の前年度までの標準報酬平均額（厚生年金保険法第四十三条の二第一項第二号イに規定する標準報酬平均額をいう。）の推移を勘案して調整した額を十二で除して得た額に二を乗じて得た額に相当する額

二　当該年度における厚生年金保険法による老齢厚生年金の額（当該年度の前年度における男子である同法による被保険者（次号において「男子被保険者」という。）の平均的な標準報酬額（同法による標準報酬月額と標準賞与額の総額を十二で除して得た額とを合算して得た額をいう。次号において同じ。）に相当する額に当該年度の前年度に属する月の標準報酬月額又は標準賞与額に係る再評価率（同法第四十三条第一項に規定する再評価率をいい、当該年度に六十五歳に達する受給権者に適用されるものとする。）を乗じて得た額を平均標準報酬額とし、被保険者期間の月数を四百八十として同項の規定の例により計算した額とする。）を十二で除して得た額に相当する額

三　当該年度の前年度における男子被保険者の平均的な標準報酬額に相当する額から当該額に係る公租公課の額を控除して得た額に相当する額

2　政府は、第一条の規定による改正後の国民年金法第四条の三第一項の規定による国民年金事業に関する財政の現況及び見通し又は第七条の規定による改正後の厚生年金保険法第二条の四第一項の規定による厚生年金保険事業に関する財政の現況及び見通しの作成に当たり、次の財政の現況及び見通しが作成されるまでの間に前項に規定する比率が百分の五十を下回ることが見込まれる場合には、同項の規定の趣旨にのっとり、第一条の規定による改正後の国民年金法第十六条の二第一項又は第七条の規定による改正後の厚生年金保険法第三十四条第一項に規定する調整期間の終了について検討を行い、その結果に基づいて調整期間の終了その他の措置を講ずるものとする。

3　政府は、前項の措置を講ずる場合には、給付及び費用負担の在り方について検討を行い、所要の措置を講ずるものとする。

（検討）

第三条　政府は、社会保障制度に関する国会の審議を踏まえ、社会保障制度全般について、税、保険料等の負担と給付の在り方を含め、一体的な見直しを行いつつ、これとの整合を図り、公

的年金制度について必要な見直しを行うものとする。

2　前項の公的年金制度についての見直しを行うに当たっては、公的年金制度の一元化を展望し、体系の在り方について検討を行うものとする。

第四条　削除

（厚生年金保険事業に関する財政の現況及び見通しの作成に関する経過措置）

第二十五条　第七条の規定による改正後の厚生年金保険法第三十四条第一項及び第七十九条の四第四項の規定の適用については、平成十六年における第七条の規定による改正前の厚生年金保険法第八十一条第四項の規定による再計算を第七条の規定による改正後の厚生年金保険法第二条の四第一項の規定による財政の現況及び見通しの作成とみなす。

（厚生年金保険法による年金たる保険給付等の額に関する経過措置）

第二十六条　平成十六年九月以前の月分の厚生年金保険法による年金たる保険給付、昭和六十年改正法附則第七十八条第一項及び第八十七条第一項に規定する年金たる保険給付、厚生年金保険法等の一部を改正する法律附則第十六条第一項及び第二項に規定する年金たる給付並びに厚生年金保険制度及び農林漁業団体職員共済組合制度の統合を図るための農林漁業団体職員共済組合法等を廃止する等の法律（以下「平成十三年統合法」という。）附則第十六条第一項及び第二項に規定する年金である給付及び平成十三年統合法附則第二十五条第四項に規定する特例年金給付の額については、なお従前の例による。

（厚生年金保険法による年金たる保険給付の額の計算に関する経過措置）

第二十七条　平成二十六年度までの各年度における厚生年金保険法による年金たる保険給付については、第七条の規定による改正後の厚生年金保険法、第十四条の規定による改正後の昭和六十年改正法又は第二十七条の規定による改正後の国民年金法等の一部を改正する法律（平成十二年法律第十八号。以下「平成十二年改正法」という。）の規定（他の法令において引用し、準用し、又はその例による場合を含む。以下この項において「改正後の厚生年金保険法等の規定」という。）により計算した額が、次項の規定により読み替えられた第七条の規定による改正前の厚生年金保険法、第十四条の規定による改正前の昭和六十年改正法又は第二十七条の規定による改正前の平成十二年改正法の規定（他の法令において引用し、準用し、又はその例による場合を含む。以下この条において「改正前の厚生年金保険法等の規定」という。）により計算した額に満たない場合は、改正前の厚生年金保険法等の規定はなおその効力を有するものとし、改正後の厚生年金保険法等の規定にかかわらず、当該額をこれらの給付の額とする。

2　前項の場合においては、次の表の上欄に掲げる改正前の厚生年金保険法等の規定中同表の中欄に掲げる字句は、それぞれ同表の下欄に掲げる字句に読み替えるものとするほか、必要な読替えは、政令で定める。

第七条の規定による改正前の厚生年金保険法第四十四条第二項	二十三万千四百円	二十三万千四百円に〇・九八八（総務省において作成する年平均の全国消費者物価指数（以下「物価指数」という。）が平成十五年（この項の規定による率の改定が行われたときは、直近の当該改定が行われた年の前年）の物価指数を下回るに至った場合においては、その翌年の四月以降、〇・九八八（この項の規定による率の改定が行われたときは、当該改定後の率）にその低下した比率を乗じて得た率を基準として政令で定める率とする。以下同じ。）を乗じて得た額（その額に五十円未満の端数が生じたときは、これを切り捨て、五十円以上百円未満の端数が生じたときは、これを百円に切り上げるものとする。）
	七万七千百円	七万七千百円に〇・九八八を乗じて得た額（その額に五十円未満の端数が生じたときは、これを切り捨て、五十円以上百円未満の端数が生じたときは、これを百円に切り上げるものとする。）
第七条の規定による改正前の厚生年金保険法第五十条第三項及び第六十二条第一項	六十万三千二百円	六十万三千二百円に〇・九八八を乗じて得た額（その額に五十円未満の端数が生じたときは、これを切り捨て、五十円以上百円未満の端数が生じたときは、これを百円に切り上げるものとする。）
第七条の規定による改正前の厚生年金保険法第五十条の二第二項	二十三万千四百円	二十三万千四百円に〇・九八八を乗じて得た額（その額に五十円未満の端数が生じたときは、これを切り捨て、五十円以上百円未満の端数が生じたときは、これを百円に切り上げるものとする。）
第七条の規定による改正前の厚生年金保険法附則第九条の二第二項第一号	乗じて得た額	乗じて得た額に〇・九八八を乗じて得た額
第十四条の規定による改正前の昭和六十年改正	合算した額	合算した額に〇・九八八（総務省において作成する年平均の全国消費者物価指数（以下

法附則第五十二条		「物価指数」という。）が平成十五年（この条の規定による率の改定が行われたときは、直近の当該改定が行われた年の前年）の物価指数を下回るに至つた場合においては、その翌年の四月以降、〇・九八八（この条の規定による率の改定が行われたときは、当該改定後の率）にその低下した比率を乗じて得た率を基準として政令で定める率とする。以下同じ。）を乗じて得た額
第十四条の規定による改正前の昭和六十年改正法附則第五十九条第二項第一号	乗じて得た額	乗じて得た額に〇・九八八を乗じて得た額
第十四条の規定による改正前の昭和六十年改正法附則第六十条第二項	三万四千百円	三万四千百円に〇・九八八を乗じて得た額（その額に五十円未満の端数が生じたときは、これを切り捨て、五十円以上百円未満の端数が生じたときは、これを百円に切り上げるものとする。）
	六万八千三百円	六万八千三百円に〇・九八八を乗じて得た額（その額に五十円未満の端数が生じたときは、これを切り捨て、五十円以上百円未満の端数が生じたときは、これを百円に切り上げるものとする。）

	十万二千五百円	十万二千五百円に〇・九八八を乗じて得た額（その額に五十円未満の端数が生じたときは、これを切り捨て、五十円以上百円未満の端数が生じたときは、これを百円に切り上げるものとする。）
	十三万六千六百円	十三万六千六百円に〇・九八八を乗じて得た額（その額に五十円未満の端数が生じたときは、これを切り捨て、五十円以上百円未満の端数が生じたときは、これを百円に切り上げるものとする。）
	十七万七百円	十七万七百円に〇・九八八を乗じて得た額（その額に五十円未満の端数が生じたときは、これを切り捨て、五十円以上百円未満の端数が生じたときは、これを百円に切り上げるものとする。）
第二十七条の規定による改正前の平成十二年改正法附則第二十一条第一項	一・〇三一を乗じて得た額	一・〇三一を乗じて得た額に〇・九八八（総務省において作成する年平均の全国消費者物価指数（以下「物価指数」という。）が平成十五年（この項の規定による率の改定が行われたときは、直近の当該改定が行われた年の前年）の物価指数を下回るに至つた場合においては、その翌年の四月以降、〇・九八八（この項の規定による率の改定が行われたときは、当該改定後の率）にその低下した比率を乗じて得た率を基準として政令で定める率とする。）を乗じて得た額

（平成二十五年度及び平成二十六年度における厚生年金保険法による年金たる保険給付の額の計算に関する経過措置の特例）

第二十七条の二　平成二十五年度及び平成二十六年度の各年度における前条の規定の適用については、同条第一項中「次項の規定」とあるのは「次条の規定により読み替えられた次項の規定」と、同条第二項の表下欄中「〇・九八八（総務省において作成する年平均の全国消費者物価指数（以下「物価指数」という。）が平成十五年（この項の規定による率の改定が行われたときは、直近の当該改定が行われた年の前年）の物価指数を下回るに至つた場合においては、その翌年の四月以降、〇・九八八（この項の規定による率の改定が行われたときは、当該改定後の率）にその低下した比率」とあるのは「〇・九七八（当該年度の改定率（国民年金法等の一部を改正する法律（平成十六年法律第百四号）第一条の規定による改正後の国民年金法第二十七条に規定する改定率をいう。）の改定の基準となる率に〇・九九〇を乗じて得た率として政令で定める率が一を下回る場合においては、当該年度の四月以降、〇・九七八（この項の規定による率の改定が行われたときは、当該改定後の率）に当該政令で定める率」と、「〇・九八八を」とあるのは「〇・九七八を」と、「〇・九八八（総務省において作成する年平均の全国消費者物価指数（以下「物価指数」という。）が平成十五年（この条の規定による率の改定が行われたときは、直近の当該改定が行われた年の前年）の物価指数を下回るに至つた場合においては、その翌年の四月以降、〇・九八八（この条の規定による率の改定が行われたときは、当該改定後の率）にその低下した比率」とあるのは「〇・九七八（当該年度の改定率（国民年金法等の一部を改正する法律（平成十六年法律第百四号）

第一条の規定による改正後の国民年金法第二十七条に規定する改定率をいう。）の改定の基準となる率に〇・九九〇を乗じて得た率として政令で定める率が一を下回る場合においては、当該年度の四月以降、〇・九七八（この条の規定による率の改定が行われたときは、当該改定後の率）に当該政令で定める率」と、「〇・九八八（総務省において作成する年平均の全国消費者物価指数（以下「物価指数」という。）が平成十五年（この項の規定による率の改定が行われたときは、直近の当該改定が行われた年の前年）の物価指数を下回るに至った場合においては、その翌年の四月以降、〇・九八八（この項の規定による率の改定が行われたときは、当該改定後の率）にその低下した比率」とあるのは「〇・九七八（当該年度の改定率（国民年金法等の一部を改正する法律（平成十六年法律第百四号）第一条の規定による改正後の国民年金法第二十七条に規定する改定率をいう。）の改定の基準となる率に〇・九九〇を乗じて得た率として政令で定める率が一を下回る場合においては、当該年度の四月以降、〇・九七八（この項の規定による率の改定が行われたときは、当該改定後の率）に当該政令で定める率」とする。

（昭和六十年改正法附則第七十八条第一項に規定する年金たる保険給付の額の計算に関する経過措置）

第二十八条　平成二十六年度までの各年度における昭和六十年改正法附則第七十八条第一項に規定する年金たる保険給付については、第十四条の規定による改正後の昭和六十年改正法附則第七十八条第二項（以下この項において「改正後の附則第七十八条第二項」という。）の規定によりなおその効力を有するものとされた法令の規定により計算した額が、次項の規定により読み替えられた第十四条の規定による改正前の昭和六十年改正法附則第七十八条第二項（次項において「改正前の附則第七十八条第二項」という。）の規定によりなおその効力を有するものとされた法令の規定により計算した額に満たない場合は、これらの規定はなおその効力を有するものとし、改正後の附則第七十八条第二項の規定によりなおその効力を有するものとされた法令の規定にかかわらず、当該額をこれらの給付の額とする。

2　前項の場合において、次の表の上欄に掲げる改正前の附則第七十八条第二項の規定により読み替えられてなおその効力を有するものとされた法律の規定中同表の中欄に掲げる字句は、それぞれ同表の下欄に掲げる字句に読み替えるものとするほか、必要な読替えは、政令で定める。

昭和六十年改正法第三条の規定による改正前の厚生年金保険法第三十四条第一項第一号	乗じて得た額	乗じて得た額に〇・九八八（総務省において作成する年平均の全国消費者物価指数（以下「物価指数」という。）が平成十五年（この号の規定による率の改定が行われたときは、直近の当該改定が行われた年の前年）の物価指数を下回るに至つた場合においては、その翌年の四月以降、〇・九八八（この号の規定による率の改定が行われたときは、当該改定後の率）にその低下した比率を基準として政令で定める率とする。以下同じ。）を乗じて得た額
昭和六十年改正法第三条の規定による改正前の厚生年金保険法第三十四条第一項第二号	乗じて得た額	乗じて得た額に〇・九八八を乗じて得た額
昭和六十年改正法第三条の規定による改正前の厚生年金保険法第三十四条第四項	合算額	合算額に〇・九八八を乗じて得た額
昭和六十年改正法第三条の規定による改正前の厚生年金保険法第三十四条第五項	二十三万千四百円	二十三万千四百円に〇・九八八を乗じて得た額（その額に五十円未満の端数が生じたときは、これを切り捨て、五十円以上百円未満の端数が生じたときは、これを百円に切り上げるものとする。）
	七万七千百円	七万七千百円に〇・九八八を乗じて得た額（その額に五十円未満の端数が生じたときは、これを切り捨て、五十円以上百円未満の端数が生じたときは、これを百円に切り上げるものとする。）
昭和六十年改正法第三条の規定による改正前の厚生年金保険法第五十条第一項第三号及び第六十条第二項	八十万四千二百円	八十万四千二百円に〇・九八八を乗じて得た額（その額に五十円未満の端数が生じたときは、これを切り捨て、五十円以上百円未満の端数が生じたときは、これを百円に切り上げるものとする。）
昭和六十年改正法第三条の規定による改正前の厚生年金保険法第六十二条の二第一項	十五万四千二百円	十五万四千二百円に〇・九八八を乗じて得た額（その額に五十円未満の端数が生じたときは、これを切り捨て、五十円以上百円未満の端数が生じたときは、これを百円に切り上げるものとする。）
	二十六万九千九百円	二十六万九千九百円に〇・九八八を乗じて得た額（その額

		に五十円未満の端数が生じたときは、これを切り捨て、五十円以上百円未満の端数が生じたときは、これを百円に切り上げるものとする。）
昭和六十年改正法附則第二条第一項の規定による廃止前の厚生年金保険及び船員保険交渉法（昭和二十九年法律第百十七号。以下「旧交渉法」という。）第二十五条の二	八十万四千二百円	八十万四千二百円に〇・九八八（総務省において作成する年平均の全国消費者物価指数（以下「物価指数」という。）が平成十五年（この条の規定による率の改定が行われたときは、直近の当該改定が行われた年の前年）の物価指数を下回るに至つた場合においては、その翌年の四月以降、〇・九八八（この条の規定による率の改定が行われたときは、当該改定後の率）にその低下した比率を乗じて得た率を基準として政令で定める率とする。）を乗じて得た額（その額に五十円未満の端数が生じたときは、これを切り捨て、五十円以上百円未満の端数が生じたときは、これを百円に切り上げるものとする。）
改正前の法律第九十二号附則第三条第二項	八十万四千二百円	八十万四千二百円に〇・九八八（総務省において作成する年平均の全国消費者物価指数（以下「物価指数」という。）が平成十五年（この項の規定による率の改定が行われたときは、直近の当該改定が行われた年の前年）の物価指数を下回るに至つた場合においては、その翌年の四月以降、〇・九八八（この項の規定による率の改定が行われたときは、当該改定後の率）にその低下した比率を乗じて得た率を基準として政令で定める率とする。以下同じ。）を乗じて得た額（その額に五十円未満の端数が生じたときは、これを切り捨て、五十円以上百円未満の端数が生じたときは、これを百円に切り上げるものとする。）
改正前の法律第九十二号附則第三条第三項	二十三万千四百円	二十三万千四百円に〇・九八八を乗じて得た額（その額に五十円未満の端数が生じたときは、これを切り捨て、五十円以上百円未満の端数が生じたときは、これを百円に切り上げるものとする。）
	七万七千百円	七万七千百円に〇・九八八を乗じて得た額（その額に五十円未満の端数が生じたときは、これを切り捨て、五十円以上百円未満の端数が生じたときは、これを百円に切り上げるものとする。）

（平成二十五年度及び平成二十六年度における昭和六十年改正法附則第七十八条第一項に規定する年金たる保険給付の額の計算に関する経過措置の特例）

第二十八条の二　平成二十五年度及び平成二十六年度の各年度における前条の規定の適用については、同条第一項中「次項の規定」とあるのは「次条の規定により読み替えられた次項の規定」と、「次項において」とあるのは「次条の規定により読み替えられた次項において」と、同条第二項の表下欄中「〇・九八八（総務省において作成する年平均の全国消費者物価指数（以下「物価指数」という。）が平成十五年（この号の規定による率の改定が行われたときは、直近の当該改定が行われた年の前年）の物価指数を下回るに至つた場合においては、その翌年の四月以降、〇・九八八（この号の規定による率の改定が行われたときは、当該改定後の率）にその低下した比率」とあるのは「〇・九七八（当該年度の改定率（国民年金法等の一部を改正する法律（平成十六年法律第百四号）第一条の規定による改正後の国民年金法第二十七条に規定する改定率をいう。）の改定の基準となる率に〇・九九〇を乗じて得た率として政令で定める率が一を下回る場合においては、当該年度の四月以降、〇・九七八（この号の規定による率の改定が行われたときは、当該改定後の率）に当該政令で定める率」と、「〇・九八八を」とあるのは「〇・九七八を」と、「〇・九八八（総務省において作成する年平均の全国消費者物価指数（以下「物価指数」という。）が平成十五年（この条の規定による率の改定が行われたときは、直近の当該改定が行われた年の前年）の物価指数を下回るに至つた場合においては、その翌年の四月以降、〇・九八八（この条の規定による率の改定が行われたときは、当該改定後の率）にその低下した比率」とあるのは「〇・九七八（当該年度の改定率（国民年金法等の一部を改正する法律（平成十六年法律第百四号）第一条の規定による改正後の国民年金法第二十七条に規定する改定率をいう。）の改定の基準となる率に〇・九九〇を乗じて得た率として政令で定める率が一を下回る場合においては、当該年度の四月以降、〇・九七八（この条の規定による率の改定が行われたときは、当該改定後の率）に当該政令で定める率」と、「〇・九八八（総務省において作成する年平均の全国消費者物価指数（以下「物価指数」という。）が平成十五年（この項の規定による率の改定が行われたときは、直近の当該改定が行われた年の前年）の物価指数を下回るに至つた場合においては、その翌年の四月以降、〇・九八八（この項の規定による率の改定が行われたときは、当該改定後の率）にその低下した比率」とあるのは「〇・九七八（当該年度の改定率（国民年金法等の一部を改正する法律（平成十六年法律第百四号）第一条の規定による改正後の国民年金法第二十七条に規定する改定率をいう。）の改定の基準となる率に〇・九九〇を乗じて得た率として政令で定める率が一を下回る場合においては、当該年度の四月以降、〇・九七八（この項の規定による率の改定が行われたときは、当該改定後の率）に当該政令で定める率」とする。

（昭和六十年改正法附則第八十七条第一項に規定する年金たる保険給付の額の計算に関する経過措置）

第二十九条　平成二十六年度までの各年度における昭和六十年改正法附則第八十七条第一項に規定する年金たる保険給付については、第十四条の規定による改正後の昭和六十年改正法附則第八十七条第三項（以下この項において「改正後の附則第八十七条第三項」という。）の規定によりなおその効力を有するものとされた法令の規定により計算した額が、次項の規定により読み替えられた第十四条の規定による改正前の昭和六十年改正法附則第八十七条第三項（次項において「改正前の附則第八十七条第三項」という。）の規定によりなおその効力を有するものとされた法令の規定により計算した額に満たない場合は、これらの規定はなおその効力を有するものとし、改正後の附則第八十七条第三項の規定によりなおその効力を有するものとされた法令の規定にかかわらず、当該額をこれらの給付の額とする。

2　前項の場合において、次の表の上欄に掲げる改正前の附則第八十七条第三項の規定により読み替えられてなおその効力を有するものとされた法律の規定中同表の中欄に掲げる字句は、それぞれ同表の下欄に掲げる字句に読み替えるものとするほか、必要な読替えは、政令で定める。

昭和六十年改正法第五条の規定による改正前の船員保険法（以下「旧船員保険法」という。）第三十五条第一号	五十六万五千七百四十円トス）	五十六万五千七百四十円トス）ニ〇・九八八（総務省ニ於テ作成スル年平均ノ全国消費者物価指数（以下「物価指数」ト称ス）ガ平成十五年（此ノ号ノ規定ニ依ル率ノ改定ガ行ハレタルトキハ直近ノ当該改定ガ行ハレタル年ノ前年）ノ物価指数ヲ下ルニ至リタル場合ニ於テハ其ノ翌年ノ四月以降、〇・九八八（此ノ号ノ規定ニ依ル率ノ改定ガ行ハレタルトキハ当該改定後ノ率）ニ其ノ低下シタル比率ヲ乗ジテ得タル率ヲ基準トシテ政令ヲ以テ定ムル率トス以下之ニ同ジ）ヲ乗ジテ得タル額
旧船員保険法第三十五条第二号	乗ジテ得タル額	乗ジテ得タル額ニ〇・九八八ヲ乗ジテ得タル額
旧船員保険法第三十六条第一項及び第四十一条ノ二第一項	二十三万千四百円	二十三万千四百円ニ〇・九八八ヲ乗ジテ得タル額（其ノ額ニ五十円未満ノ端数アルトキハ之ヲ切捨テ五十円以上百円未満ノ端数アルトキハ之ヲ百円ニ切上グルモノトス）
	四十六万二千八百円	四十六万二千八百円ニ〇・九八八ヲ乗ジテ得タル額（其ノ額ニ五十円未満ノ端数アルトキハ之ヲ切捨テ五十円以上百円未満ノ端数アルトキハ之ヲ百円ニ切上グルモノトス）
	七万七千百円	七万七千百円ニ〇・九八八ヲ乗ジテ得タル額（其ノ額ニ五十円未満ノ端数アルトキハ之ヲ切捨テ五十円以上百円未満ノ端数アルトキハ之ヲ百円ニ切上グルモノトス）
旧船員保険法第四十一条第二項及び第五十条ノ二第三項	八十万四千二百円	八十万四千二百円ニ〇・九八八ヲ乗ジテ得タル額（其ノ額ニ五十円未満ノ端数アルトキハ之ヲ切捨テ五十円以上百円未満ノ端数アルトキハ之ヲ百円ニ切上グルモノトス）
旧船員保険法第五十条ノ二第一項第二号イ及びハ並びに第五十条ノ三ノ三	相当スル額	相当スル額ニ〇・九八八ヲ乗ジテ得タル額
旧船員保険法第五十条ノ二第一項第二号ロ	九万四千二百九十円	九万四千二百九十円ニ〇・九八八ヲ乗ジテ得タル額（其ノ額ニ五十銭未満ノ端数アルトキハ之ヲ切捨テ五十銭以上一円未満ノ端数アルトキハ之ヲ一円ニ切上グルモノトス）
旧船員保険法第五十条ノ二第二項	相当スル金額	相当スル金額ニ〇・九八八ヲ乗ジテ得タル額
旧船員保険法第五十条ノ三ノ二	十五万四千二百円	十五万四千二百円ニ〇・九八八ヲ乗ジテ得タル額（其ノ額ニ五十円未満ノ端数アルトキハ之ヲ切捨テ五十円以上百円未満ノ端数アルトキハ之ヲ百円ニ切上グルモノトス）

	二十六万九千九百円	二十六万九千九百円ニ〇・九八八ヲ乗ジテ得タル額（其ノ額ニ五十円未満ノ端数アルトキハ之ヲ切捨テ五十円以上百円未満ノ端数アルトキハ之ヲ百円ニ切上グルモノトス）
旧船員保険法別表第三ノ二	二三一、四〇〇円	二三一、四〇〇円ニ〇・九八八ヲ乗ジテ得タル額（其ノ額ニ五〇円未満ノ端数アルトキハ之ヲ切捨テ五〇円以上一〇〇円未満ノ端数アルトキハ之ヲ一〇〇円ニ切上グルモノトス）
	四六二、八〇〇円	四六二、八〇〇円ニ〇・九八八ヲ乗ジテ得タル額（其ノ額ニ五〇円未満ノ端数アルトキハ之ヲ切捨テ五〇円以上一〇〇円未満ノ端数アルトキハ之ヲ一〇〇円ニ切上グルモノトス）
	五三九、九〇〇円	五三九、九〇〇円ニ〇・九八八ヲ乗ジテ得タル額（其ノ額ニ五〇円未満ノ端数アルトキハ之ヲ切捨テ五〇円以上一〇〇円未満ノ端数アルトキハ之ヲ一〇〇円ニ切上グルモノトス）
	七七、一〇〇円	七七、一〇〇円ニ〇・九八八ヲ乗ジテ得タル額（其ノ額ニ五〇円未満ノ端数アルトキハ之ヲ切捨テ五〇円以上一〇〇円未満ノ端数アルトキハ之ヲ一〇〇円ニ切上グルモノトス）
	相当スル金額	相当スル金額ニ〇・九八八ヲ乗ジテ得タル額
旧交渉法第二十六条	八十万四千二百円	八十万四千二百円ニ〇・九八八（総務省ニ於テ作成スル年平均ノ全国消費者物価指数（以下「物価指数」ト称ス）ガ平成十五年（此ノ条ノ規定ニ依ル率ノ改定ガ行ハレタルトキハ直近ノ当該改定ガ行ハレタル年ノ前年）ノ物価指数ヲ下ルニ至リタル場合ニ於テハ其ノ翌年ノ四月以降、〇・九八八（此ノ条ノ規定ニ依ル率ノ改定ガ行ハレタルトキハ当該改定後ノ率）ニ其ノ低下シタル比率ヲ乗ジテ得タル率ヲ基準トシテ政令ヲ以テ定ムル率トス）ヲ乗ジテ得タル額（其ノ額ニ五十円未満ノ端数アルトキハ之ヲ切捨テ五十円以上百円未満ノ端数アルトキハ之ヲ百円ニ切上グルモノトス）
昭和六十年改正法附則第百七条の規定による改正前の船員保険法の一部を改正する法律（昭和四十年法律第百五号）附則第十六条第三項	乗じて得た額	乗じて得た額に〇・九八八（総務省において作成する年平均の全国消費者物価指数（以下「物価指数」という。）が平成十五年（この項の規定による率の改定が行われたときは、直近の当該改定が行われた年の前年）の物価指数を下回るに至つた場合においては、その翌年の四月以降、〇・九八八（この項の規定による率の改定が行われたときは、当該改定後の率）にその低下した比率を乗じて得た率を基準として政令で定める率とする。以下同じ。）を乗じて得た額
昭和六十年改正法附則第百七条の規定による改正前の船員保険法の一部を改正する法律附則第十六条第四項第一号	乗じて得た額	乗じて得た額に〇・九八八を乗じて得た額
	百三十二万六十円	百三十二万六十円に〇・九八八を乗じて得た額（その額に五十銭未満の端数が生じたときは、これを切り捨て、五十銭以上一円未満の端数が生じたときは、これを一円に切り上げるものとする。）
改正前の法律第九十二号附則第八条第四項	八十万四千二百円	八十万四千二百円に〇・九八八（総務省において作成する年平均の全国消費者物価指数（以下「物価指数」という。）が平成十五年（この項の規定による率の改定が行われたときは、直近の当該改定が行われた年の前年）の物価指数を下回るに至つた場合においては、その翌年の四月以降、〇・九八八（この項の規定による率の改定が行われたとき

は、当該改定後の率）にその低下した比率を乗じて得た率を基準として政令で定める率とする。）を乗じて得た額（その額に五十円未満の端数が生じたときは、これを切り捨て、五十円以上百円未満の端数が生じたときは、これを百円に切り上げるものとする。）

（平成二十五年度及び平成二十六年度における昭和六十年改正法附則第八十七条第一項に規定する年金たる保険給付の額の計算に関する経過措置の特例）

第二十九条の二　平成二十五年度及び平成二十六年度の各年度における前条の規定の適用については、同条第一項中「次項の規定」とあるのは「次条の規定により読み替えられた次項の規定」と、「次項において」とあるのは「次条の規定により読み替えられた次項において」と、同条第二項の表下欄中「〇・九八八（総務省ニ於テ作成スル年平均ノ全国消費者物価指数（以下「物価指数」ト称ス）ガ平成十五年（此ノ号ノ規定ニ依ル率ノ改定ガ行ハレタルトキハ直近ノ当該改定ガ行ハレタル年ノ前年）ノ物価指数ヲ下ルニ至リタル場合ニ於テハ其ノ翌年ノ四月以降、〇・九八八（此ノ号ノ規定ニ依ル率ノ改定ガ行ハレタルトキハ当該改定後ノ率）ニ其ノ低下シタル比率」とあるのは「〇・九七八（当該年度ノ改定率（国民年金法等の一部を改正する法律（平成十六年法律第百四号）第一条ノ規定ニ依ル改正後ノ国民年金法第二十七条ニ規定スル改定率ヲ謂フ）ノ改定ノ基準トナル率ニ〇・九九〇ヲ乗ジテ得タル率トシテ政令ヲ以テ定ムル率ガ一ヲ下ル場合ニ於テハ当該年度ノ四月以降、〇・九七八（此ノ号ノ規定ニ依ル率ノ改定ガ行ハレタルトキハ当該改定後ノ率）ニ当該政令ヲ以テ定ムル率」と、「〇・九八八ヲ」とあるのは「〇・九七八ヲ」と、「〇・九八八（総務省ニ於テ作成スル年平均ノ全国消費者物価指数（以下「物価指数」ト称ス）ガ平成十五年（此ノ条ノ規定ニ依ル率ノ改定ガ行ハレタルトキハ直近ノ当該改定ガ行ハレタル年ノ前年）ノ物価指数ヲ下ルニ至リタル場合ニ於テハ其ノ翌年ノ四月以降、〇・九八八（此ノ条ノ規定ニ依ル率ノ改定ガ行ハレタルトキハ当該改定後ノ率）ニ其ノ低下シタル比率」とあるのは「〇・九七八（当該年度ノ改定率（国民年金法等の一部を改正する法律（平成十六年法律第百四号）第一条ノ規定ニ依ル改正後ノ国民年金法第二十七条ニ規定スル改定率ヲ謂フ）ノ改定ノ基準トナル率ニ〇・九九〇ヲ乗ジテ得タル率トシテ政令ヲ以テ定ムル率ガ一ヲ下ル場合ニ於テハ当該年度ノ四月以降、〇・九七八（此ノ条ノ規定ニ依ル率ノ改定ガ行ハレタルトキハ当該改定後ノ率）ニ当該政令ヲ以テ定ムル率」と、「〇・九八八（総務省において作成する年平均の全国消費者物価指数（以下「物価指数」という。）が平成十五年（この項の規定による率の改定が行われたときは、直近の当該改定が行われた年の前年）の物価指数を下回るに至った場合においては、その翌年の四月以降、〇・九八八（この項の規定による率の改定が行われたときは、当該改定後の率）にその低下した比率」とあるのは「〇・九七八（当該年度の改定率（国民年金法等の一部を改正する法律（平成十六年法律第百四号）第一条の規定による改正後の国民年金法第二十七条に規定する改定率をいう。）の改定の基準となる率に〇・九九〇を乗じて得た率として政令で定める率が一を下回る場合においては、当該年度の四月以降、〇・九七八（この項の規定による率の改定が行われたときは、当該改定後の率）に当該政令で定める率」と、「〇・九八八を」とあるのは「〇・九七八を」とする。

（平成十七年度から平成二十年度までにおける再評価率の改定等に関する経過措置）

第三十条　平成十七年度及び平成十八年度における第七条の規定による改正後の厚生年金保険法第四十三条の二から第四十三条の五までの規定の適用については、同法第四十三条の二第一項第三号に掲げる率を一とみなす。

2　平成十九年度における第七条の規定による改正後の厚生年金保険法第四十三条の二第一項第三号の規定の適用については、同号イ中「九月一日」とあるのは、「十月一日」とする。

3　平成二十年度における第七条の規定による改正後の厚生年金保険法第四十三条の二第一項第三号の規定の適用については、同号ロ中「九月一日」とあるのは、「十月一日」とする。

（再評価率等の改定等の特例）

第三十一条　厚生年金保険法による年金たる保険給付（政令で定めるものに限る。）その他政令で定める給付の受給権者（以下この条及び次条において「受給権者」という。）のうち、当該年度において第一号に掲げる指数が第二号に掲げる指数以下となる区分（第七条の規定による改正後の厚生年金保険法別表各号に掲げる受給権者の区分をいう。以下この項及び次条において同じ。）に属するものに適用される再評価率（同法第四十三条第一項に規定する再評価率をいう。以下この項及び次条第一項第一号において同じ。）又は従前額改定率（第二十七条の規定による改正後の平成十二年改正法附則第二十一条第二項の従前額改定率をいう。以下この項及び次条第一項第一号において同じ。）その他政令で定める率（以下この条及び次条において「再評価率等」という。）の改定又は設定については、平成二十六年度までの間は、第七条の規定による改正後の厚生年金保険法第四十三条の四及び第四十三条の五の規定（これらの規定を同法附則第十七条の二第六項において準用し、又は第二十七条の規定による改正後の平成十二年改正法附則第二十一条第四項においてその例による場合を含む。以下この条及び次条において同じ。）は、適用しない。

一　第七条の規定による改正後の厚生年金保険法第四十三条第一項又は第二十七条の規定による改正後の平成十二年改正法附則第二十一条第二項の規定により計算した額（第七条の規定による改正後の厚生年金保険法第四十三条の四及び第四十三条の五の規定の適用がないものとして改定し、又は設定した再評価率又は従前額改定率を基礎として計算した額とする。）の水準を表すものとして政令で定めるところにより計算した指数

二　附則第二十七条の二の規定により読み替えられた附則第二十七条の規定によりなおその効力を有するものとされた第二十七条の規定による改正前の平成十二年改正法附則第二十一条第一項の規定により計算した額の水準を表すものとして政令で定めるところにより計算した指数

2　受給権者のうち、当該年度において、前項第一号に掲げる指数が同項第二号に掲げる指数を上回り、かつ、第七条の規定による改正後の厚生年金保険法第四十三条の四第四項第一号に規定する調整率（以下この項及び次条第二項において「調整率」という。）が前項第一号に掲げる指数に対する同項第二号に掲げる指数の比率を下回る区分に属するものに適用される再評価率等の改定又は設定に対する同法第四十三条の四及び第四十三条の五の規定の適用については、当該比率を調整率とみなす。

（平成二十七年度における再評価率等の改定等の特例）

第三十一条の二　平成二十七年度において、受給権者のうち、第一号に掲げる指数が第二号に掲げる指数以下となる区分に属するものに適用される再評価率等の改定又は設定については、第七条の規定による改正後の厚生年金保険法第四十三条の四及び第四十三条の五の規定は、適用しない。

一　平成二十七年度における第七条の規定による改正後の厚生年金保険法第四十三条第一項又は第二十七条の規定による改正後の平成十二年改正法附則第二十一条第二項の規定により計算した額（第七条の規定による改正後の厚生年金保険法第四十三条の四及び第四十三条の五の規定の適用がないものとして改定し、又は設定した再評価率又は従前額改定率を基礎として計算した額とする。）の水準を表すものとして政令で定めるところにより計算した指数

二　平成二十六年度における附則第二十七条の二の規定により読み替えられた附則第二十七条の規定により読み替えられてなおその効力を有するものとされた第二十七条の規定による改正前の平成十二年改正法附則第二十一条第一項の規定により計算した額の水準を表すものとして政令で定めるところにより計算した指数

2　受給権者のうち、平成二十七年度において、前項第一号に掲げる指数が同項第二号に掲げる指数を上回り、かつ、調整率が同項第一号に掲げる指数に対する同項第二号に掲げる指数の比率を下回る区分に属するものに適用される再評価率等の改定又は設定に対する第七条の規定による改正後の厚生年金保険法第四十三条の四及び第四十三条の五の規定の適用については、当該比率を調整率とみなす。

（厚生年金保険の基礎年金拠出金の国庫負担に関する経過措置）

第三十二条　平成十六年度における第七条の規定による改正後の厚生年金保険法第八十条第一項の規定の適用については、同項中「二分の一」とあるのは、「三分の一」とする。

2　国庫は、平成十六年度における厚生年金保険の管掌者である政府が国民年金法第九十四条の二第一項の規定により負担する基礎年金拠出金の一部に充てるため、前項の規定により読み替えられた第七条の規定による改正後の厚生年金保険法第八十条第一項に規定する額のほか、二百六億二千八百五十七万六千円を負担する。

3　平成十七年度における第七条の規定による改正後の厚生年金保険法第八十条第一項の規定の適用については、同項中「の二分の一に相当する額」とあるのは、「に、三分の一に千分の十一を加えた率を乗じて得た額」とする。

4　国庫は、平成十七年度における厚生年金保険の管掌者である政府が国民年金法第九十四条の二第一項の規定により負担する基礎年金拠出金の一部に充てるため、前項の規定により読み替えられた第七条の規定による改正後の厚生年金保険法第八十条第一項に規定する額のほか、八百二十一億六千三十五万五千円を負担する。

5　平成十八年度における第七条の規定による改正後の厚生年金保険法第八十条第一項の規定の適用については、同項中「の二分の一に相当する額」とあるのは、「に、三分の一に千分の二十五を加えた率を乗じて得た額」とする。

6　平成十九年度から特定年度の前年度までの各年度における第七条の規定による改正後の厚生年金保険法第八十条第一項の規定の適用については、同項中「の二分の一に相当する額」とあるのは、「に、三分の一に千分の三十二を加えた率を乗じて得た額」とする。

（平成二十一年度から平成二十五年度までの厚生年金保険の基礎年金拠出金の国庫負担に関する経過措置の特例）

第三十二条の二　国庫は、平成二十一年度から平成二十五年度までの各年度における厚生年金保険の管掌者である政府が国民年金法第九十四条の二第一項の規定により負担する基礎年金拠出金の一部に充てるため、当該各年度について、前条第六項の規定により読み替えられた第七条の規定による改正後の厚生年金保険法第八十条第一項に規定する額のほか、第七条の規定による改正後の厚生年金保険法第八十条第一項に規定する額と前条第六項の規定により読み替えられた第七条の規定による改正後の厚生年金保険法第八十条第一項に規定する額との差額に相当する額を負担する。この場合において、当該額については、平成二十一年度にあっては財政運営に必要な財源の確保を図るための公債の発行及び財政投融資特別会計からの繰入れの特例に関する法律第三条第一項の規定により、平成二十二年度にあっては平成二十二年度における財政運営のための公債の発行の特例等に関する法律第三条第一項の規定により、財政投融資特別会計財政融資資金勘定から一般会計に繰り入れられる繰入金を活用して、確保するものとし、平成二十三年度にあっては東日本大震災からの復興のための施策を実施するために必要な財源の確保に関する特別措置法第六十九条第二項の規定により適用する同条第一項の規定により発行する公債の発行による収入金を活用して、確保するものとし、平成二十四年度及び平成二十五年度にあっては財政運営に必要な財源の確保を図るための公債の発行の特例に関する法律第四条第一項の規定により発行する公債の発行による収入金を活用して、確保するものとする。

（厚生年金保険の基礎年金拠出金の国庫負担に要する費用の財源）

第三十二条の三　特定年度以後の各年度において、第七条の規定による改正後の厚生年金保険法第八十条第一項の規定により国庫が負担する費用のうち前条前段の規定の例により算定した額に相当する費用の財源については、社会保障の安定財源の確保等を図る税制の抜本的な改革を行うための消費税法の一部を改正する等の法律の施行により増加する消費税の収入を活用して、確保するものとする。

（厚生年金保険の保険料に関する経過措置）

第三十三条　この法律の施行の日（以下この条において「施行日」という。）の属する月から平成二十九年八月までの月分の昭和六十年改正法附則第五条第十二号に規定する第三種被保険者の厚生年金保険法による保険料率については、第七条の規定による改正後の厚生年金保険法第八十一条第四項の規定にかか

わらず、次の表の上欄に掲げる月分の保険料について、それぞれ同表の下欄に定める率（公的年金制度の健全性及び信頼性の確保のための厚生年金保険法等の一部を改正する法律（平成二十五年法律第六十三号。以下「平成二十五年改正法」という。）附則第三条第十一号に規定する存続厚生年金基金の加入員である被保険者にあっては、当該率から平成二十五年改正法附則第五条第一項の規定によりなおその効力を有するものとされた平成二十五年改正法第一条の規定による改正前の厚生年金保険法第八十一条の三第一項に規定する免除保険料率を控除して得た率）とする。

施行日の属する月から平成十七年八月までの月分	千分の百五十二・〇八
平成十七年九月から平成十八年八月までの月分	千分の百五十四・五六
平成十八年九月から平成十九年八月までの月分	千分の百五十七・〇四
平成十九年九月から平成二十年八月までの月分	千分の百五十九・五二
平成二十年九月から平成二十一年八月までの月分	千分の百六十二・〇〇
平成二十一年九月から平成二十二年八月までの月分	千分の百六十四・四八
平成二十二年九月から平成二十三年八月までの月分	千分の百六十六・九六
平成二十三年九月から平成二十四年八月までの月分	千分の百六十九・四四
平成二十四年九月から平成二十五年八月までの月分	千分の百七十一・九二
平成二十五年九月から平成二十六年八月までの月分	千分の百七十四・四〇
平成二十六年九月から平成二十七年八月までの月分	千分の百七十六・八八
平成二十七年九月から平成二十八年八月までの月分	千分の百七十九・三六
平成二十八年九月から平成二十九年八月までの月分	千分の百八十一・八四

（育児休業等を終了した際の標準報酬月額の改定に関する経過措置）

第三十四条 第八条の規定による改正後の厚生年金保険法第二十三条の二の規定は、平成十七年四月一日以後に終了した同条第一項に規定する育児休業等（附則第三十七条第二項において「育児休業等」という。）について適用する。

（三歳に満たない子を養育する被保険者等の標準報酬月額の特例に関する経過措置）

第三十五条 第八条の規定による改正後の厚生年金保険法第二十六条第一項の規定は、平成十七年四月以後の標準報酬月額について適用する。

（老齢厚生年金の額の計算に関する経過措置）

第三十六条 第八条の規定による改正後の厚生年金保険法附則第九条の二第二項第一号（同法附則第九条の三第一項及び第三項（同条第五項においてその例による場合を含む。）並びに第九条の四第一項及び第四項（同条第六項においてその例による場合を含む。）においてその例による場合を含む。）の規定の適用については、当分の間、同号中「四百八十」とあるのは、「四百八十（当該老齢厚生年金の受給権者が昭和十九年四月一日までの間に生まれた者であるときは四百四十四とし、その者が昭和十九年四月二日から昭和二十年四月一日までの間に生まれた者であるときは四百五十六とし、その者が昭和二十年四月二日から昭和二十一年四月一日までの間に生まれた者であるときは四百六十八とする。）」とする。

2 第十五条の規定による改正後の昭和六十年改正法附則第五十九条第二項第一号の規定の適用については、当分の間、同号中「四百八十」とあるのは、「四百八十（当該老齢厚生年金の受給権者が昭和四年四月一日以前に生まれた者であるときは四百二十とし、その者が昭和四年四月二日から昭和九年四月一日までの間に生まれた者であるときは四百三十二とし、その者が昭和九年四月二日から昭和十九年四月一日までの間に生まれた者であるときは四百四十四とし、その者が昭和十九年四月二日から昭和二十年四月一日までの間に生まれた者であるときは四百五十六とし、その者が昭和二十年四月二日から昭和二十一年四月一日までの間に生まれた者であるときは四百六十八とする。）」とする。

（育児休業等期間中の被保険者及び加入員の特例に関する経過措置）

第三十七条 平成十七年四月一日前に第八条の規定による改正前の厚生年金保険法第八十一条の二又は第百三十九条第七項若しくは第八項の規定に基づく申出をした者については、なお従前の例による。

2 平成十七年四月一日前に育児休業等を開始した者（平成十七年四月一日前に第八条の規定による改正前の厚生年金保険法第八十一条の二又は第百三十九条第七項若しくは第八項の規定に基づく申出をした者を除く。）については、その育児休業等を開始した日を平成十七年四月一日とみなして、第八条の規定による改正後の厚生年金保険法第八十一条の二、第百三十九条第七項若しくは第八項又は第百四十条第八項の規定を適用する。

（厚生年金保険法による脱退一時金の額に関する経過措置）

第三十八条 平成十七年四月前の被保険者期間のみに係る厚生年金保険法による脱退一時金の額については、なお従前の例による。

（企業年金連合会への移行）

第三十九条 厚生年金基金連合会は、附則第一条第二号に掲げる規定の施行の時において、企業年金連合会となるものとする。

（名称の使用制限に関する経過措置）

第四十条　附則第一条第二号に掲げる規定の施行の日において現に企業年金連合会という名称を使用している者については、第九条の規定による改正後の厚生年金保険法第百五十一条第二項の規定は、同日以後六月間は、適用しない。

第四十一条　削除

（老齢厚生年金の支給の繰下げに関する経過措置）

第四十二条　第十二条の規定による改正後の厚生年金保険法第四十四条の三の規定は、平成十九年四月一日前において同法第四十二条の規定による老齢厚生年金の受給権を有する者については、適用しない。

第四十三条　削除

（遺族厚生年金の支給に関する経過措置）

第四十四条　平成十九年四月一日前において支給事由の生じた遺族厚生年金（その受給権者が昭和十七年四月一日以前に生まれたものに限る。）の額の計算及び支給の停止については、なお従前の例による。

２　平成十九年四月一日前において昭和六十年改正法附則第七十八条第一項の規定により支給される年金たる保険給付（老齢を支給事由とするものに限る。）その他これに相当するものとして政令で定めるものの受給権を有する者が平成十九年四月一日以後に遺族厚生年金の受給権を取得した場合にあっては、当該遺族厚生年金の額の計算及び支給の停止については、なお従前の例による。

３　平成十九年四月一日前に遺族厚生年金の受給権を取得した者に対する第十二条の規定による改正後の厚生年金保険法第六十二条第一項の規定の適用については、同項中「四十歳」とあるのは「三十五歳」と、「六十五歳未満であるとき」とあるのは「四十歳以上六十五歳未満であるとき」とする。

４　第十二条の規定による改正後の厚生年金保険法第六十三条第一項第五号の規定は、平成十九年四月一日以後に支給事由の生じた遺族厚生年金について適用する。

第四十五条　前条第一項又は第二項の規定によりなお従前の例によることとされた第十二条の規定による改正前の厚生年金保険法第三十八条の二第一項の規定による申請に基づきその一部の支給の停止が解除されている老齢厚生年金の受給権者に平成二十五年改正法附則第三条第十一号に規定する存続厚生年金基金が支給する平成二十五年改正法附則第五条第一項の規定によりなおその効力を有するものとされた平成二十五年改正法第一条の規定による改正前の厚生年金保険法第百三十条第一項に規定する老齢年金給付又は平成二十五年改正法附則第三条第十三号に規定する存続連合会が支給する老齢年金給付（平成二十五年改正法附則第六十一条第一項の規定によりなおその効力を有するものとされた平成二十五年改正法第一条の規定による改正前の厚生年金保険法第百六十条第五項又は平成二十五年改正法附則第六十一条第三項の規定によりなおその効力を有するものとされた平成二十五年改正法第一条の規定による改正前の厚生年金保険法第百六十一条第二項の老齢年金給付をいう。）の支給の停止については、なお従前の例による。

（対象となる離婚等）

第四十六条　第十二条の規定による改正後の厚生年金保険法第七十八条の二第一項の規定は、平成十九年四月一日前に離婚等（同項に規定する離婚等をいう。）をした場合（厚生労働省令で定める場合を除く。）については、適用しない。

（当事者への情報提供の特例）

第四十七条　第十二条の規定による改正後の厚生年金保険法第七十八条の二第一項に規定する当事者又はその一方は、附則第一条第六号に掲げる規定の施行の日前においても、同法第七十八条の四第一項の規定による請求をすることができる。

（標準報酬が改定され、又は決定された者に対する保険給付の特例）

第四十八条　第十二条の規定による改正後の厚生年金保険法第七十八条の六第一項及び第二項の規定により標準報酬が改定され、又は決定された者について次の表の上欄に掲げる規定（他の法令において、これらの規定を引用する場合を含む。）を適用する場合においては、同表の上欄に掲げる規定中同表の中欄に掲げる字句は、それぞれ同表の下欄に掲げる字句に読み替えるものとするほか、厚生年金保険法による保険給付の額の計算及びその支給停止に関する規定その他政令で定める規定の適用に関し必要な読替えは、政令で定める。

昭和六十年改正法附則第八条第二項第一号	含む。	含み、厚生年金保険法第七十八条の六第三項の規定により被保険者期間であったものとみなされた期間（以下「離婚時みなし被保険者期間」という。）を除く。
昭和六十年改正法附則第十二条第一項第二号及び第四号	含む。	含み、離婚時みなし被保険者期間を除く。
昭和六十年改正法附則第十四条第一項第一号	含む。）の月数	含み、離婚時みなし被保険者期間を除く。）の月数
国民年金法等の一部を改正する法律（平成六年法律第九十五号）附則第二十一条第一項	標準賞与額	標準賞与額（厚生年金保険法第七十八条の六第二項の規定による改定前の標準賞与額とし、同項の規定により決定された標準賞与額を除く。）

（対象となる特定期間）

第四十九条　第十三条の規定による改正後の厚生年金保険法第七十八条の十四第一項の規定の適用については、平成二十年四月一日前の期間については、同項に規定する特定期間に算入しない。

（標準報酬が改定され、及び決定された者に対する保険給付の特例）

第五十条　第十三条の規定による改正後の厚生年金保険法第七十

八条の十四第二項及び第三項の規定により標準報酬が改定され、及び決定された者について次の表の上欄に掲げる規定（他の法令において、これらの規定を引用する場合を含む。）を適用する場合においては、同表の上欄に掲げる規定中同表の中欄に掲げる字句は、それぞれ同表の下欄に掲げる字句に読み替えるものとするほか、厚生年金保険法による保険給付の額の計算及びその支給停止に関する規定その他政令で定める規定の適用に関し必要な読替えは、政令で定める。

昭和六十年改正法附則第十四条第一項第一号	含む。）の月数	含み、被扶養配偶者みなし被保険者期間（厚生年金保険法第七十八条の十五に規定する被扶養配偶者みなし被保険者期間をいう。）を除く。）の月数
国民年金法等の一部を改正する法律（平成六年法律第九十五号）附則第二十一条第一項	標準賞与額	標準賞与額（厚生年金保険法第七十八条の十四第三項の規定による改定前の標準賞与額とし、同項の規定により決定された標準賞与額を除く。）

（平成十二年改正法附則別表第一に規定する率の設定に関する経過措置）

第五十一条 平成十七年度における第二十七条の規定による改正後の平成十二年改正法附則別表第一の備考の規定の適用については、同備考中「当該年度の前年度に属する月に係る率」とあるのは、「〇・九二六」と読み替えるものとする。

（移行農林共済年金の額の計算に関する経過措置）

第五十二条 平成二十六年度までの各年度における移行農林共済年金（第三十一条の規定による改正後の平成十三年統合法附則第十六条第四項に規定する移行農林共済年金をいう。以下同じ。）については、第三十一条の規定による改正後の平成十三年統合法附則第十六条第一項（以下この項において「改正後の附則第十六条第一項」という。）の規定によりなおその効力を有するものとされた法令の規定により計算した額が、次項の規定により読み替えられた第三十一条の規定による改正前の平成十三年統合法附則第十六条第一項（次項において「改正前の附則第十六条第一項」という。）の規定によりなおその効力を有するものとされた法令の規定により計算した額に満たない場合は、これらの規定はなおその効力を有するものとし、改正後の附則第十六条第一項の規定によりなおその効力を有するものとされた法令の規定にかかわらず、当該額をこれらの給付の額とする。

2 前項の場合において、次の表の上欄に掲げる改正前の附則第十六条第一項の規定によりなおその効力を有するものとされた法律の規定中同表の中欄に掲げる字句は、それぞれ同表の下欄に掲げる字句に読み替えるものとするほか、必要な読替えは、政令で定める。

廃止前農林共済法（平成十三年統合法附則第二条第一項第一号に規定する廃止前農林共済法をいう。以下同じ。）第三十七条第一項第一号	乗じて得た額	乗じて得た額に〇・九八八（総務省において作成する年平均の全国消費者物価指数（以下「物価指数」という。）が平成十五年（この号の規定による率の改定が行われたときは、直近の当該改定が行われた年の前年）の物価指数を下回るに至つた場合においては、その翌年の四月以降、〇・九八八（この号の規定による率の改定が行われたときは、当該改定後の率）にその低下した比率を乗じて得た率を基準として政令で定める率とする。以下同じ。）を乗じて得た額
廃止前農林共済法第三十八条第二項	二十三万千四百円	二十三万千四百円に〇・九八八を乗じて得た額（その額に五十円未満の端数が生じたときは、これを切り捨て、五十円以上百円未満の端数が生じたときは、これを百円に切り上げるものとする。）
	七万七千百円	七万七千百円に〇・九八八を乗じて得た額（その額に五十円未満の端数が生じたときは、これを切り捨て、五十円以上百円未満の端数が生じたときは、これを百円に切り上げるものとする。）
廃止前農林共済法第四十二条第一項第一号及び第二項第一号、第四十七条第一項第一号イ及び第二号イ並びに第二項第一号並びに附則第九条第二項第一号及び第二号	乗じて得た額	乗じて得た額に〇・九八八を乗じて得た額
廃止前農林共済法第四十二条第三項及び第四十八条	六十万三千二百円	六十万三千二百円に〇・九八八を乗じて得た額（その額に五十円未満の端数が生じたときは、これを切り捨て、五十円以上百円未満の端数が生じたときは、これを百円に切り

		上げるものとする。）
廃止前農林共済法第四十三条第二項	二十三万千四百円	二十三万千四百円に〇・九八八を乗じて得た額（その額に五十円未満の端数が生じたときは、これを切り捨て、五十円以上百円未満の端数が生じたときは、これを百円に切り上げるものとする。）
廃止前昭和六十年農林共済改正法（平成十三年統合法附則第二条第一項第三号に規定する廃止前昭和六十年農林共済改正法をいう。以下同じ。）附則第十五条第一項第一号	乗じて得た額	乗じて得た額に〇・九八八（総務省において作成する年平均の全国消費者物価指数（以下「物価指数」という。）が平成十五年（この号の規定による率の改定が行われたときは、直近の当該改定が行われた年の前年）の物価指数を下回るに至つた場合においては、その翌年の四月以降、〇・九八八（この号の規定による率の改定が行われたときは、当該改定後の率）にその低下した比率を乗じて得た率を基準として政令で定める率とする。以下同じ。）を乗じて得た額
廃止前昭和六十年農林共済改正法附則第十五条第四項	乗じて得た額	乗じて得た額に〇・九八八を乗じて得た額
廃止前昭和六十年農林共済改正法附則別表第四の下欄	三万四千百円	三万四千百円に〇・九八八を乗じて得た額（その額に五十円未満の端数が生じたときは、これを切り捨て、五十円以上百円未満の端数が生じたときは、これを百円に切り上げるものとする。）
	六万八千三百円	六万八千三百円に〇・九八八を乗じて得た額（その額に五十円未満の端数が生じたときは、これを切り捨て、五十円以上百円未満の端数が生じたときは、これを百円に切り上げるものとする。）
	十万二千五百円	十万二千五百円に〇・九八八を乗じて得た額（その額に五十円未満の端数が生じたときは、これを切り捨て、五十円以上百円未満の端数が生じたときは、これを百円に切り上げるものとする。）
	十三万六千六百円	十三万六千六百円に〇・九八八を乗じて得た額（その額に五十円未満の端数が生じたときは、これを切り捨て、五十円以上百円未満の端数が生じたときは、これを百円に切り上げるものとする。）
	十七万七百円	十七万七百円に〇・九八八を乗じて得た額（その額に五十円未満の端数が生じたときは、これを切り捨て、五十円以上百円未満の端数が生じたときは、これを百円に切り上げるものとする。）
農林漁業団体職員共済組合法等の一部を改正する法律（平成十二年法律第二十四号）附則第四条第一項第二号	乗じて得た額	乗じて得た額に〇・九八八（総務省において作成する年平均の全国消費者物価指数（以下「物価指数」という。）が平成十五年（この号の規定による率の改定が行われたときは、直近の当該改定が行われた年の前年）の物価指数を下回るに至った場合においては、その翌年の四月以降、〇・九八八（この号の規定による率の改定が行われたときは、当該改定後の率）にその低下した比率を乗じて得た率を基準として政令で定める率とする。以下同じ。）を乗じて得た額

（平成二十五年度及び平成二十六年度における移行農林共済年金の額の計算に関する経過措置の特例）

第五十二条の二　平成二十五年度及び平成二十六年度の各年度における前条の規定の適用については、同条第一項中「次項の規定」とあるのは「次条の規定により読み替えられた次項の規定」と、「次項において」とあるのは「次条の規定により読み替えられた次項において」と、同条第二項の表下欄中「〇・九八八（総務省において作成する年平均の全国消費者物価指数（以下「物価指数」という。）が平成十五年（この号の規定による率の改定が行われたときは、直近の当該改定が行われた年の前年）の物価指数を下回るに至つた場合においては、その翌年の四月以降、〇・九八八（この号の規定による率の改定が行われたときは、当該改定後の率）にその低下した比率」とあるのは「〇・九七八（当該年度の改定率（国民年金法等の一部を改正する法律（平成十六年法律第百四号）第一条の規定による改正後の国民年金法第二十七条に規定する改定率をいう。）の改定の基準となる率に〇・九九〇を乗じて得た率として政令で定める率が一を下回る場合においては、当該年度の四月以降、〇・九七八（この号の規定による率の改定が行われたときは、当該改定後の率）に当該政令で定める率」と、「〇・九八八を」とあるのは「〇・九七八を」と、「〇・九八八（総務省において作成する年平均の全国消費者物価指数（以下「物価指数」という。）が平成十五年（この号の規定による率の改定が行われたときは、直近の当該改定が行われた年の前年）の物価指数を下回るに至った場合においては、その翌年の四月以降、〇・九八八（この号の規定による率の改定が行われたときは、当該改定後の率）にその低下した比率」とあるのは「〇・九七八（当該年度の改定率（国民年金法等の一部を改正する法律（平成十六年法律第百四号）第一条の規定による改正後の国民年金法第二十七条に規定する改定率をいう。）の改定の基準となる率に〇・九九〇を乗じて得た率として政令で定める率が一を下回る場合においては、当該年度の四月以降、〇・九七八（この号の規定による率の改定が行われたときは、当該改定後の率）に当該政令で定める率」とする。

（移行農林年金の額の計算に関する経過措置）

第五十三条　平成二十六年度までの各年度における移行農林年金（第三十一条の規定による改正後の平成十三年統合法附則第十六条第六項に規定する移行農林年金をいう。以下同じ。）については、第三十一条の規定による改正後の平成十三年統合法附則第十六条第二項（以下この項において「改正後の附則第十六条第二項」という。）の規定によりなおその効力を有するものとされた法令の規定により計算した額が、次項の規定により読み替えられた第三十一条の規定による改正前の平成十三年統合法附則第十六条第二項の規定によりなおその効力を有するものとされた法令の規定により計算した額に満たない場合は、これらの規定はなおその効力を有するものとし、改正後の附則第十六条第二項の規定によりなおその効力を有するものとされた法令の規定にかかわらず、当該額をこれらの給付の額とする。

2　前項の場合において、次の表の上欄に掲げる第三十一条の規定による改正前の平成十三年統合法附則第十六条第五項の規定により読み替えられてなおその効力を有するものとされた廃止前昭和六十年農林共済改正法の規定中同表の中欄に掲げる字句は、それぞれ同表の下欄に掲げる字句に読み替えるものとするほか、必要な読替えは、政令で定める。

附則第三十条第一項	百十分の百を乗じて得た額	百十分の百を乗じて得た額に〇・九八八（総務省において作成する年平均の全国消費者物価指数（以下「物価指数」という。）が平成十五年（この項の規定による率の改定が行われたときは、直近の当該改定が行われた年の前年）の物価指数を下回るに至つた場合においては、その翌年の四月以降、〇・九八八（この項の規定による率の改定が行われたときは、当該改定後の率）にその低下した比率を乗じて得た率を基準として政令で定める率とする。以下同じ。）を乗じて得た額
附則第三十条第二項、第三十四条第一項、第三十五条第一項から第三項まで及び第四十条	百十分の百を乗じて得た額	百十分の百を乗じて得た額に〇・九八八を乗じて得た額
附則第三十八条第一号	七十五万四千三百二十円	七十五万四千三百二十円に〇・九八八を乗じて得た額
	百分の十九に相当する額	百分の十九に相当する額に〇・九八八を乗じて得た額
	百分の〇・九五に相当する額	百分の〇・九五に相当する額に〇・九八八を乗じて得た額
附則第三十九条第一項	政令で定める額	政令で定める額に〇・九八八を乗じて得た額（その額に五十円未満の端数が生じたときは、これを切り捨て、五十円以上百円未満の端数が生じたときは、これを百円に切り上げるものとする。）
附則第四十一条第一項第一号及び第三号	十五万四千二百円	十五万四千二百円に〇・九八八を乗じて得た額（その額に五十円未満の端数が生じたときは、これを切り捨て、五十円以上百円未満の端数が生じたときは、これを百円に切り上げるものとする。）
附則第四十一条第一項第二号	二十六万九千九百円	二十六万九千九百円に〇・九八八を乗じて得た額（その額に五十円未満の端数が生じたときは、これを切り捨て、五十円以上百円未満の端数が生じたときは、これを百円に切り上げるものとする。）

（平成二十五年度及び平成二十六年度における移行農林年金の額の計算に関する経過措置の特例）

第五十三条の二　平成二十五年度及び平成二十六年度の各年度に

おける前条の規定の適用については、同条第一項中「次項の規定」とあるのは「次条の規定により読み替えられた次項の規定」と、同条第二項の表下欄中「〇・九八八（総務省において作成する年平均の全国消費者物価指数（以下「物価指数」という。）が平成十五年（この項の規定による率の改定が行われたときは、直近の当該改定が行われた年の前年）の物価指数を下回るに至つた場合においては、その翌年の四月以降、〇・九八八（この項の規定による率の改定が行われたときは、当該改定後の率）にその低下した比率」とあるのは「〇・九七八（当該年度の改定率（国民年金法等の一部を改正する法律（平成十六年法律第百四号）第一条の規定による改正後の国民年金法第二十七条に規定する改定率をいう。）の改定の基準となる率に〇・九九〇を乗じて得た率として政令で定める率が一を下回る場合においては、当該年度の四月以降、〇・九七八（この項の規定による率の改定が行われたときは、当該改定後の率）に当該政令で定める率」と、「〇・九八八を」とあるのは「〇・九七八を」とする。

（特例障害農林年金等の額の計算に関する経過措置）

第五十四条　平成二十六年度までの各年度における特例障害農林年金（第三十一条の規定による改正後の平成十三年統合法附則第四十五条第一項に規定する特例障害農林年金をいう。）及び特例遺族農林年金（第三十一条の規定による改正後の平成十三年統合法附則第四十六条第一項に規定する特例遺族農林年金をいう。附則第五十五条において同じ。）については、第三十一条の規定による改正後の平成十三年統合法附則第四十五条第二項及び第四十六条第二項の規定により算定した額が、次項の規定により読み替えられた第三十一条の規定による改正前の平成十三年統合法附則第四十五条第二項及び第四十六条第二項の規定により算定した額に満たない場合は、これらの規定はなおその効力を有するものとし、第三十一条の規定による改正後の平成十三年統合法附則第四十五条第二項及び第四十六条第二項の規定にかかわらず、当該額をこれらの給付の額とする。

2　前項の場合において、第三十一条の規定による改正前の平成十三年統合法附則第四十五条第二項及び第四十六条第二項の規定中「乗じて得た額」とあるのは、「乗じて得た額に〇・九八八（総務省において作成する年平均の全国消費者物価指数（以下「物価指数」という。）が平成十五年（この項の規定による率の改定が行われたときは、直近の当該改定が行われた年の前年）の物価指数を下回るに至つた場合においては、その翌年の四月以降、〇・九八八（この項の規定による率の改定が行われたときは、当該改定後の率）にその低下した比率を乗じて得た率を基準として政令で定める率）を乗じて得た額」と読み替えるものとするほか、必要な読替えは、政令で定める。

（平成二十五年度及び平成二十六年度における特例障害農林年金等の額の計算に関する経過措置の特例）

第五十四条の二　平成二十五年度及び平成二十六年度の各年度における前条の規定の適用については、同条第一項中「次項の規定」とあるのは「次条の規定により読み替えられた次項の規定」と、同条第二項中「〇・九八八（総務省において作成する年平均の全国消費者物価指数（以下「物価指数」という。）が平成十五年（この項の規定による率の改定が行われたときは、直近の当該改定が行われた年の前年）の物価指数を下回るに至つた場合においては、その翌年の四月以降、〇・九八八（この項の規定による率の改定が行われたときは、当該改定後の率）にその低下した比率」とあるのは「〇・九七八（当該年度の改定率（国民年金法等の一部を改正する法律（平成十六年法律第百四号）第一条の規定による改正後の国民年金法第二十七条に規定する改定率をいう。）の改定の基準となる率に〇・九九〇を乗じて得た率として政令で定める率が一を下回る場合においては、当該年度の四月以降、〇・九七八（この項の規定による率の改定が行われたときは、当該改定後の率）に当該政令で定める率」とする。

（特例遺族農林年金の支給に関する経過措置）

第五十五条　附則第四十四条第三項及び第四項の規定は、特例遺族農林年金について準用する。

附　則（平一六・六・一一法一〇五）（抄）

（施行期日）

第一条　この法律は、平成十八年四月一日から施行する。〔ただし書略〕

附　則（平一六・六・二三法一三二）（抄）

（施行期日）

第一条　この法律は、平成十六年十月一日から施行する。ただし、次の各号に掲げる規定は、当該各号に定める日から施行する。

一・二　〔略〕

三　〔前略〕附則〔中略〕第二十八条〔中略〕の規定　平成十九年四月一日

四～八　〔略〕

附　則（平一六・一二・三法一五四）（抄）

（施行期日）

第一条　この法律は、公布の日から起算して六月を超えない範囲内において政令で定める日（平一六・一二・三〇）（以下「施行日」という。）から施行する。〔ただし書略〕

附　則（平一七・六・二二法七一）（抄）

（施行期日）

第一条　この法律は、公布の日から施行する。ただし、附則第五条から第七条までの規定は、平成十七年十月一日から施行する。

附　則（平一七・七・二六法八七）（抄）

この法律は、会社法の施行の日（平一八・五・一）から施行する。〔ただし書略〕

附　則（平一八・六・二法五〇）（抄）

改正　平二三・六・二四法七四

この法律は、一般社団・財団法人法の施行の日（平二〇・一二・一）から施行する。〔ただし書略〕

附　則（平一八・六・一四法六六）（抄）

この法律は、平成十八年証券取引法改正法の施行の日（平一九・九・三〇）から施行する。〔ただし書略〕

附　則（平一九・三・三一法二三）（抄）

（施行期日）

第一条　この法律は、平成十九年四月一日から施行し、平成十九年度の予算から適用する。〔ただし書略〕

附　則（平一九・四・二三法三〇）（抄）

改正　平一九・七・六法一〇九

（施行期日）

第一条　この法律は、公布の日から施行する。ただし、次の各号に掲げる規定は、当該各号に定める日から施行する。

一　〔略〕

一の二　〔前略〕附則〔中略〕第六十六条〔中略〕の規定〔中略〕　平成十九年十月一日

二　〔略〕

三　〔前略〕附則〔中略〕第六十七条、第六十八条〔中略〕の規定　日本年金機構法の施行の日〔平二二・一・一〕

（厚生年金保険法の一部改正に伴う経過措置）

第六十八条　厚生年金保険法附則第十一条の五、第十三条の三、第十三条の六第三項及び第十三条の八第五項において準用する同法附則第七条の四第一項から第三項までの規定は、同法附則第八条の規定による老齢厚生年金の受給権者（附則第四十二条第一項の規定によりなお従前の例によるものとされた平成二十二年改正前船員保険法の規定による求職者等給付のうち平成二十二年改正前船員保険法第三十三条ノ三の規定により平成二十二年改正前船員保険法の規定による失業保険金の支給を受けることができる者に限る。）が平成二十二年改正前船員保険法第三十三条ノ四第一項の規定による求職の申込みをした場合について準用する。この場合において、これらの規定に関し必要な技術的読替えは、政令で定める。

2　厚生年金保険法附則第十一条の五、第十三条の三、第十三条の六第三項及び第十三条の八第五項において準用する前条の規定による改正後の同法附則第七条の四第四項及び第五項の規定は、附則第四十二条第一項の規定によりなお従前の例によるものとされた平成二十二年改正前船員保険法の規定による求職者等給付のうち平成二十二年改正前船員保険法第三十三条ノ三の規定により平成二十二年改正前船員保険法の規定による失業保険金の支給を受けることができる者であって平成二十二年改正前船員保険法第三十三条ノ四第一項の規定による求職の申込みをしたもの（前項において準用する厚生年金保険法附則第七条の四第一項各号のいずれにも該当するに至っていない者に限る。）が厚生年金保険法附則第八条の規定による老齢厚生年金の受給権を取得した場合について準用する。この場合において、これらの規定に関し必要な技術的読替えは、政令で定める。

附　則（平一九・七・六法一〇九）（抄）

（施行期日）

第一条　この法律は、平成二十二年四月一日までの間において政令で定める日〔平二二・一・一〕から施行する。〔ただし書略〕

附　則（平一九・七・六法一一〇）（抄）

（施行期日）

第一条　この法律は、平成二十年四月一日から施行する。ただし、次の各号に掲げる規定は、それぞれ当該各号に定める日から施行する。

一　〔前略〕第六条〔中略〕の規定　公布の日

二・三　〔略〕

四　第八条〔中略〕の規定　平成二十一年四月一日

五　〔前略〕第九条の規定　日本年金機構法（平成十九年法律第百九号）の施行の日〔平二二・一・一〕

六　〔前略〕第十条〔中略〕の規定　平成二十三年四月一日

七　〔略〕

（厚生年金保険法の一部改正に伴う経過措置）

第四条　第七条の規定による改正前の厚生年金保険法第七十九条の施設のうち、施行日において現に政府が運営又は管理を行うものについては、第七条の規定による改正後の厚生年金保険法第七十九条の規定にかかわらず、政府は、施行日から日本年金機構法の施行の日の前日までの間、当該施設の運営又は管理を引き続き行うことができる。

附　則（平一九・七・六法一一一）（抄）

（施行期日）

第一条　この法律は、公布の日から施行する。

（厚生年金保険法の一部改正に伴う経過措置）

第四条　前条の規定による改正後の厚生年金保険法第九十二条第一項及び第四項の規定は、施行日後において同法による保険給付を受ける権利を取得した者について適用する。

附　則（平二一・五・一法三六）（抄）

最終改正　平二五・六・二六法六三

（施行期日）

第一条　この法律は、平成二十二年一月一日から施行する。〔ただし書略〕

（適用区分）

第二条　この法律による改正後の厚生年金保険法第八十七条第一項及び附則第十七条の十四並びに公的年金制度の健全性及び信頼性の確保のための厚生年金保険法等の一部を改正する法律（平成二十五年法律第六十三号。以下「平成二十五年改正法」という。）附則第五条第一項の規定によりなおその効力を有するものとされた平成二十五年改正法第一条の規定による改正前の厚生年金保険法第百四十一条第一項において準用する平成二十五年改正法第一条の規定による改正前の厚生年金保険法第八十七条第一項（厚生年金保険の保険給付及び保険料の納付の特例等に関する法律（平成十九年法律第百三十一号。以下「厚生年金特例法」という。）第二条第八項、平成二十五年改正法附則第百四十一条第一項の規定によりなおその効力を有するものとされた平成二十五年改正法附則第百四十条の規定による改正前の厚生年金特例法第五条第八項若しくは平成二十五年改正法附則第百四十一条第二項の規定によりなおその効力を有するものとされた平成二十五年改正法附則第百四十条の規定による改正前の厚生年金特例法第八条第八項又は児童手当法（昭和四十六年法律第七十三号）第二十二条第一項の規定に基づきこれらの規定の例によることとされる場合を含む。）〔中略〕の規定は、それぞれ、この法律の施行の日以後に納期限又は納付期限の到来する厚生年金保険の保険料及び平成二十五年改正法附則第三条第十二号に規定する厚生年金基金の掛金（平成二十五年改正法附則第五条第一項の規定によりなおその効力を有するものとされた平成二十五年改正法第一条の規定による改正前の厚生年金保険法第百四十条第一項の規定による徴収金を含む。）、厚生年金特例法第二条第二項に規定する特例納付保険料、平成二十五年改正法附則第百四十一条第一項の規定によりなおその効力を有するものとされた平成二十五年改正法附則第百四十条の規定による改正前の厚生年金特例法第四条第一項に規定する未納掛金に相当する額及び平成二十五年改正法附則第百四十一条第二項の規定によりなおその効力を有するものとされた平成二十五年改正法附則第百四十条の規定による改正前の厚生年金特例法第八条第二項に規定する特例掛金〔中略〕に係る延滞金について適用し、同日前に納期限又は納付期限の到来する保険料等に係る延滞金については、なお従前の例による。

附　則（平二一・七・一法六五）（抄）

（施行期日）

第一条　この法律は、公布の日から起算して一年を超えない範囲内において政令で定める日〔平二二・六・三〇〕から施行する。〔ただし書略〕

附　則（平二二・四・二八法二七）（抄）

改正　平三〇・五・二五法三二

（施行期日）

第一条　この法律は、平成二十三年四月一日から施行する。

（経過措置）

第二条　〔略〕

2　施行日において、現に厚生年金保険法の規定による障害厚生年金の受給権者によって生計を維持しているその者の六十五歳未満の配偶者（婚姻の届出をしていないが事実上婚姻関係と同様の事情にある者を含み、当該受給権者がその権利を取得した日の翌日以後に有するに至った当該配偶者に限る。）がある場合における同法第五十条の二第三項（国民年金法等の一部を改正する法律（昭和六十年法律第三十四号。以下この条において「昭和六十年改正法」という。）附則第六十条第一項の規定により読み替えて適用する場合を含む。）の規定の適用については、厚生年金保険法第五十条の二第三項中「当該配偶者を有するに至つた日の属する月の翌月」とあるのは、「国民年金法等の一部を改正する法律（平成二十二年法律第二十七号）の施行の日の属する月」とする。

3〜5　〔略〕

6　施行日において、現に昭和六十年改正法第三条の規定による改正前の厚生年金保険法（以下この項において「旧厚生年金保険法」という。）の規定又は昭和六十年改正法第五条の規定による改正前の船員保険法（昭和十四年法律第七十三号。以下この項において「旧船員保険法」という。）の規定による障害年金の受給権者によって生計を維持しているその者の配偶者（婚姻の届出をしていないが事実上婚姻関係と同様の事情にある者を含み、当該受給権者がその権利を取得した日の翌日以後に有するに至った当該配偶者に限る。）又はその者の第五条の規定による改正後の昭和六十年改正法附則第七十八条第五項の規定により読み替えられた旧厚生年金保険法第五十一条第二項において準用する旧厚生年金保険法第四十四条第一項若しくは第五条の規定による改正後の昭和六十年改正法附則第八十七条第六項の規定により読み替えられた旧船員保険法第四十一条ノ二第一項に規定する子（当該受給権者がその権利を取得した日の翌日以後に有するに至った当該子に限る。）がある場合における第五条の規定による改正後の昭和六十年改正法附則第七十八条第五項及び第八十七条第六項の規定の適用については、第五条の規定による改正後の昭和六十年改正法附則第七十八条第五項中「当該配偶者又は当該子を有するに至つた日の属する月の翌月」とあるのは「国民年金法等の一部を改正する法律（平成二十二年法律第二十七号）の施行の日の属する月」と、第五条の規定による改正後の昭和六十年改正法附則第八十七条第六項中「当該配偶者又ハ当該子ヲ有スルニ至リタル日ノ属スル月ノ翌月」とあるのは「国民年金法等の一部を改正する法律（平成二十二年法律第二十七号）ノ施行ノ日ノ属スル月」とする。

附　則（平二二・一二・三法六一）（抄）

（施行期日）

第一条　この法律は、平成二十三年四月一日から施行する。

附　則（平二二・一二・三法六二）（抄）

（施行期日）

第一条　この法律は、平成二十三年四月一日から施行する。

附　則（平二三・五・二五法五三）

この法律は、新非訟事件手続法の施行の日〔平二五・一・一〕から施行する。

附　則（平二三・六・二四法七三）（抄）

（施行期日）

第一条　この法律は、公布の日から起算して三年を超えない範囲内において政令で定める日〔平二六・四・一〕から施行する。〔ただし書略〕

附　則（平二三・八・一〇法九三）（抄）

（施行期日）

第一条　この法律は、公布の日から施行する。〔ただし書略〕

附　則（平二四・八・二二法六二）（抄）

最終改正　令二・六・五法四〇

（施行期日）

第一条　この法律は、平成二十九年八月一日から施行する。ただし、次の各号に掲げる規定は、当該各号に定める日から施行する。

一　〔前略〕及び第七十一条の規定　公布の日

二　削除

三　〔前略〕第三条中厚生年金保険法第六十五条の二にただし書を加える改正規定及び同法第六十六条の改正規定、第四条中国民年金法等の一部を改正する法律（昭和六十年法律第三十四号。以下「昭和六十年国民年金等改正法」という。）附則第七十四条の改正規定、第八条中国民年金法等の一部を改正する法律（平成十六年法律第百四号。以下「平成十六年国民年金等改正法」という。）〔中略〕附則第三十二条の三の改正規定〔中略〕並びに附則第三条（同条第二号に係る部分に限る。）〔中略〕の規定　社会保障の安定財源の確保等を図る税制の抜本的な改革を行うための消費税法の一部を改正する等の法律（平成二十四年法律第六十八号）の施行の日〔平二六・四・一〕

四　〔前略〕第三条中厚生年金保険法第二十一条第三項の改正規定、同法第二十三条の二第一項にただし書を加える改正規定、同条の次に一条を加える改正規定、同法第二十四条、第二十六条、第三十七条、第四十四条の三、第五十二条第三項及び第八十一条の二の改正規定、同条の次に一条を加える改正規定、同法第八十一条の三第二項、第九十八条第三項、第百条の四第一項、第百条の十第一項第二十九号、第百三十九条及び第百四十条の改正規定、同法附則第四条の二、第四条の三第一項、第四条の五第一項及び第九条の二の改正規定、同法附則第二十九条第一項第四号を削る改正規定並びに同法附則第三十二条第二項第三号の改正規定、第四条中昭和六十年国民年金等改正法附則〔中略〕第四十三条第十二項の改正規定〔中略〕並びに次条第一項並びに附則〔中略〕第十八条から第二十条まで、第二十二条から第三十四条まで〔中略〕の規定　公布の日から起算して二年を超えない範囲内において政令で定める日〔平二六・四・一〕

五　第三条中厚生年金保険法第十二条に一号を加える改正規定並びに同法第二十条第一項及び第二十一条第一項の改正規定、第八条中平成十六年国民年金等改正法附則第三条第三項を削る改正規定〔中略〕並びに次条第二項並びに附則第十六条、第十七条〔中略〕の規定　平成二十八年十月一日

六　附則第十七条の二から第十七条の四まで〔中略〕の規定　平成二十九年四月一日

（検討等）

第二条　政府は、この法律の施行後三年を目途として、この法律の施行の状況等を勘案し、基礎年金の最低保障機能の強化その他の事項について総合的に検討を加え、必要があると認めるときは、その結果に基づいて所要の措置を講ずるものとする。

2　政府は、短時間労働者に対する厚生年金保険及び健康保険の適用範囲について、平成三十一年九月三十日までに検討を加え、その結果に基づき、必要な措置を講ずる。

（国の負担等に係る費用の財源）

第三条　次に掲げる費用の財源は、社会保障の安定財源の確保等を図る税制の抜本的な改革を行うための消費税法の一部を改正する等の法律の施行により増加する消費税の収入を活用して、確保するものとする。

一　この法律による改正により受給権が発生する老齢基礎年金（昭和六十年国民年金等改正法附則第三十五条第一項及び第四項に規定する給付を含む。）に要する費用のうち国の負担又は補助に係るもの

二　この法律による改正により受給権が発生する遺族基礎年金に要する費用のうち国の負担又は補助に係るもの

（厚生年金保険の短時間労働者への適用に関する経過措置）

第十六条　附則第一条第五号に掲げる規定の施行の日（以下「第五号施行日」という。）前に厚生年金保険の被保険者の資格を取得して、第五号施行日まで引き続き被保険者の資格を有する者については、厚生年金保険法第十二条（同条第五号に係る部分に限る。）の規定は、第五号施行日以降引き続き第五号施行日において使用されていた事業所に使用されている間は、適用しない。

第十七条　当分の間、特定適用事業所以外の適用事業所（厚生年金保険法第六条の適用事業所をいう。以下この条及び附則第十七条の三において同じ。）（国又は地方公共団体の適用事業所を除く。以下この条において同じ。）に使用される第一号又は第二号に掲げる者であって同法第十二条各号のいずれにも該当しないもの（前条の規定により同法第十二条（第五号に係る部分に限る。）の規定が適用されない者を除く。以下この条及び附則第十七条の三において「特定四分の三未満短時間労働者」という。）については、同法第九条及び附則第四条の三第一項の規定にかかわらず、厚生年金保険の被保険者としない。

一　その一週間の所定労働時間が同一の事業所又は事務所（以下単に「事業所」という。）に使用される通常の労働者（厚生年金保険法第十二条第五号に規定する通常の労働者をいう。次号において同じ。）の一週間の所定労働時間の四分の三未満である短時間労働者（同条第五号に規定する短時間労働者をいう。次号において同じ。）

二　その一月間の所定労働日数が同一の事業所に使用される通常の労働者の一月間の所定労働日数の四分の三未満である短時間労働者

2　特定適用事業所に該当しなくなった適用事業所に使用される特定四分の三未満短時間労働者については、前項の規定は、適用しない。ただし、当該適用事業所の事業主が、次の各号に掲げる場合に応じ、当該各号に定める同意を得て、実施機関（厚生年金保険法第二条の五第一項に規定する実施機関をいい、厚生労働大臣及び日本私立学校振興・共済事業団に限る。以下同じ。）に当該特定四分の三未満短時間労働者について前項の規定の適用を受ける旨の申出をした場合は、この限りでない。

一　当該事業主の一又は二以上の適用事業所に使用される厚生年金保険の被保険者及び七十歳以上の使用される者（厚生年金保険法第二十七条に規定する七十歳以上の使用される者をいう。第五項第一号において同じ。）（以下「四分の三以上同意対象者」という。）の四分の三以上で組織する労働組合があるとき　当該労働組合の同意

二　前号に規定する労働組合がないとき　イ又はロに掲げる同意

イ　当該事業主の一又は二以上の適用事業所に使用される四分の三以上同意対象者の四分の三以上を代表する者の同意

ロ　当該事業主の一又は二以上の適用事業所に使用される四分の三以上同意対象者の四分の三以上の同意

3　前項ただし書の申出は、附則第四十六条第二項ただし書の規定により同項ただし書の申出をすることができる事業主にあっては、当該申出と同時に行わなければならない。

4　第二項ただし書の申出があったときは、当該特定四分の三未満短時間労働者（厚生年金保険の被保険者の資格を有する者に限る。）は、当該申出が受理された日の翌日に、厚生年金保険の被保険者の資格を喪失する。

5　特定適用事業所（第二項本文の規定により第一項の規定が適用されない特定四分の三未満短時間労働者を使用する適用事業所を含む。）以外の適用事業所の事業主は、次の各号に掲げる場合に応じ、当該各号に定める同意を得て、実施機関に当該事業主の一又は二以上の適用事業所に使用される特定四分の三未満短時間労働者について同項の規定の適用を受けない旨の申出をすることができる。

一　当該事業主の一又は二以上の適用事業所に使用される厚生年金保険の被保険者、七十歳以上の使用される者及び特定四分の三未満短時間労働者（次号及び附則第四十六条第五項において「二分の一以上同意対象者」という。）の過半数で組織する労働組合があるとき　当該労働組合の同意

二　前号に規定する労働組合がないとき　イ又はロに掲げる同意

イ　当該事業主の一又は二以上の適用事業所に使用される二分の一以上同意対象者の過半数を代表する者の同意

ロ　当該事業主の一又は二以上の適用事業所に使用される二分の一以上同意対象者の二分の一以上の同意

6　前項の申出は、附則第四十六条第五項の規定により同項の申出をすることができる事業主にあっては、当該申出と同時に行わなければならない。

7　第五項の申出があったときは、当該特定四分の三未満短時間

労働者については、当該申出が受理された日以後においては、第一項の規定は、適用しない。この場合において、当該特定四分の三未満短時間労働者についての厚生年金保険法第十三条第一項の規定の適用については、同項中「適用事業所に使用されるに至つた日若しくはその使用される事業所が適用事業所となつた日又は前条の規定に該当しなくなつた」とあるのは、「公的年金制度の財政基盤及び最低保障機能の強化等のための国民年金法等の一部を改正する法律（平成二十四年法律第六十二号）附則第十七条第五項の申出が受理された」とする。

8　第五項の申出をした事業主は、次の各号に掲げる場合に応じ、当該各号に定める同意を得て、実施機関に当該事業主の一又は二以上の適用事業所に使用される特定四分の三未満短時間労働者について第一項の規定の適用を受ける旨の申出をすることができる。ただし、当該事業主の適用事業所が特定適用事業所に該当する場合は、この限りでない。

一　当該事業主の一又は二以上の適用事業所に使用される四分の三以上同意対象者の四分の三以上で組織する労働組合があるとき　当該労働組合の同意

二　前号に規定する労働組合がないとき　イ又はロに掲げる同意

イ　当該事業主の一又は二以上の適用事業所に使用される四分の三以上同意対象者の四分の三以上を代表する者の同意

ロ　当該事業主の一又は二以上の適用事業所に使用される四分の三以上同意対象者の四分の三以上の同意

9　前項の申出は、附則第四十六条第八項の規定により同項の申出をすることができる事業主にあつては、当該申出と同時に行わなければならない。

10　第八項の申出があつたときは、当該特定四分の三未満短時間労働者（厚生年金保険の被保険者の資格を有する者に限る。）は、当該申出が受理された日の翌日に、厚生年金保険の被保険者の資格を喪失する。

11　第二項ただし書、第五項及び第八項の規定による実施機関（厚生労働大臣に限る。）の申出の受理の権限に係る事務は、日本年金機構に行わせるものとする。この場合において、日本年金機構法（平成十九年法律第百九号）第二十三条第三項中「厚生年金保険法」とあるのは「厚生年金保険法若しくは公的年金制度の財政基盤及び最低保障機能の強化等のための国民年金法等の一部を改正する法律（平成二十四年法律第六十二号）」と、同法第二十六条第二項中「厚生年金保険法」とあるのは「厚生年金保険法若しくは公的年金制度の財政基盤及び最低保障機能の強化等のための国民年金法等の一部を改正する法律」と、同法第二十七条第一項第一号中「に規定する権限に係る事務、同法」とあるのは「並びに公的年金制度の財政基盤及び最低保障機能の強化等のための国民年金法等の一部を改正する法律附則第十七条第二項ただし書、第五項及び第八項に規定する権限に係る事務、厚生年金保険法」と、同法第四十八条第一項中「厚生年金保険法」とあるのは「厚生年金保険法若しくは公的年金制度の財政基盤及び最低保障機能の強化等のための国民年金法等の一部を改正する法律」とする。

12　この条において特定適用事業所とは、事業主が同一である一又は二以上の適用事業所であつて、当該一又は二以上の適用事業所に使用される特定労働者（七十歳未満の者のうち、厚生年金保険法第十二条各号のいずれにも該当しないものであつて、特定四分の三未満短時間労働者以外のものをいう。附則第四十六条第十二項において同じ。）の総数が常時五十人を超えるものの各適用事業所をいう。

第十七条の二　当分の間、厚生年金保険法第六条第四項及び第八条第二項の規定の適用については、同法第六条第四項中「を除く」とあるのは「（公的年金制度の財政基盤及び最低保障機能の強化等のための国民年金法等の一部を改正する法律（平成二十四年法律第六十二号）附則第十六条の規定により第十二条（第五号に係る部分に限る。）の規定が適用されない者を除く。第八条第二項において同じ。）及び特定四分の三未満短時間労働者（同法附則第十七条第一項に規定する特定四分の三未満短時間労働者をいう。第八条第二項において同じ。）を除く」と、同法第八条第二項中「を除く」とあるのは「及び特定四分の三未満短時間労働者を除く」とする。

2　令和六年度から令和九年度までの間における厚生年金保険法第四十三条の二の規定の適用については、同条第一項第二号イ中「及び年齢別構成」とあるのは、「、年齢別構成及び所定労働時間別構成（被保険者における特定適用事業所（公的年金制度の財政基盤及び最低保障機能の強化等のための国民年金法等の一部を改正する法律附則第十七条第十二項に規定する特定適用事業所をいい、当該特定適用事業所の事業主の一又は二以上の適用事業所に使用される特定労働者（同項に規定する特定労働者をいう。）の総数が五百人以下であるものに限る。）に使用される特定四分の三未満短時間労働者（同条第一項に規定する特定四分の三未満短時間労働者をいい、被保険者の資格を有する者に限る。）に相当する者又はその者以外の者の構成をいう。）」とする。

3　令和十年度及び令和十一年度における厚生年金保険法第四十三条の二の規定の適用については、同条第一項第二号イ中「及び年齢別構成」とあるのは、「、年齢別構成及び所定労働時間別構成（被保険者における特定適用事業所（公的年金制度の財政基盤及び最低保障機能の強化等のための国民年金法等の一部を改正する法律附則第十七条第十二項に規定する特定適用事業所をいい、当該特定適用事業所の事業主の一又は二以上の適用事業所に使用される特定労働者（同項に規定する特定労働者をいう。）の総数が百人以下であるものに限る。）に使用される特定四分の三未満短時間労働者（同条第一項に規定する特定四分の三未満短時間労働者をいい、被保険者の資格を有する者に限る。）に相当する者又はその者以外の者の構成をいう。）」とする。

第十七条の三　当分の間、適用事業所以外の事業所に使用される特定四分の三未満短時間労働者については、厚生年金保険法第十条第一項及び第三条の規定による改正後の同法附則第四条の五第一項の規定にかかわらず、厚生年金保険の被保険者としない。

（標準報酬月額に関する経過措置）

第十七条の四　第五号施行日前に厚生年金保険の被保険者（厚生年金保険法第二条の五第一項第二号に規定する第二号厚生年金被保険者及び同項第三号に規定する第三号厚生年金被保険者を除く。以下この項において同じ。）の資格を取得して、第五号施行日まで引き続き厚生年金保険の被保険者の資格を有する者（平成二十八年十月から標準報酬月額（同法第二十条第一項に規定する標準報酬月額をいう。以下この条において同じ。）を改定されるべき者を除く。）のうち、同年九月の標準報酬月額が九万八千円であるもの（当該標準報酬月額の基礎となった報酬月額が九万三千円以上である者を除く。）の標準報酬月額は、当該標準報酬月額の基礎となった報酬月額を第三条の規定による改正後の同法第二十条第一項の規定による標準報酬月額の基礎となる報酬月額とみなして、実施機関が改定する。

2 前項の規定により改定された標準報酬月額は、平成二十八年十月から平成二十九年八月までの各月の標準報酬月額とする。

3 前二項の規定は、厚生年金保険法第四十六条第一項の標準報酬月額に相当する額を算定する場合に準用する。この場合において、第一項中「厚生年金保険の被保険者（厚生年金保険法第二条の五第一項第二号に規定する第二号厚生年金被保険者及び同項第三号に規定する第三号厚生年金被保険者を除く。以下この項において同じ。）の資格を取得して」とあるのは「厚生年金保険法第二十七条の厚生労働省令で定める要件に該当して」と、「厚生年金保険の被保険者の資格を有する」とあるのは「当該要件に該当する厚生年金保険の被保険者であった七十歳以上の」と読み替えるものとする。

4 第一項（前項において準用する場合を含む。）の規定による実施機関（厚生労働大臣に限る。）の標準報酬月額の改定に係る事務は、日本年金機構に行わせるものとする。この場合において、日本年金機構法第二十三条第三項中「厚生年金保険法」とあるのは「厚生年金保険法若しくは公的年金制度の財政基盤及び最低保障機能の強化等のための国民年金法等の一部を改正する法律（平成二十四年法律第六十二号）」と、同法第二十六条第二項中「厚生年金保険法」とあるのは「厚生年金保険法若しくは公的年金制度の財政基盤及び最低保障機能の強化等のための国民年金法等の一部を改正する法律」と、同法第二十七条第一項第一号中「に規定する権限に係る事務、同法」とあるのは「及び公的年金制度の財政基盤及び最低保障機能の強化等のための国民年金法等の一部を改正する法律附則第十七条の四第一項（同条第三項において準用する場合を含む。）に規定する権限に係る事務、厚生年金保険法」と、同法第四十八条第一項中「厚生年金保険法」とあるのは「厚生年金保険法若しくは公的年金制度の財政基盤及び最低保障機能の強化等のための国民年金法等の一部を改正する法律」とする。

（厚生年金保険の産前産後休業を終了した際の改定に関する経過措置）

第十八条 第三条の規定による改正後の厚生年金保険法第二十三条の三の規定は、第四号施行日以後に終了した同条第一項に規定する産前産後休業（次条及び附則第二十条において「産前産後休業」という。）について適用する。

（厚生年金保険の三歳に満たない子を養育する被保険者等の標準報酬月額の特例に関する経過措置）

第十九条 第四号施行日において、厚生年金保険法第二十六条の規定の適用を受けている者であって、第三条の規定による改正後の厚生年金保険法第八十一条の二の二の規定の適用を受ける産前産後休業をしているものについては、第四号施行日に産前産後休業を開始したものとみなして、第三条の規定による改正後の厚生年金保険法第二十六条第一項第六号の規定を適用する。

（厚生年金保険の産前産後休業期間中の被保険者及び加入員の特例に関する経過措置）

第二十条 第四号施行日前に産前産後休業に相当する休業を開始した者については、第四号施行日をその産前産後休業を開始した日とみなして、厚生年金保険法第八十一条の二の二又は公的年金制度の健全性及び信頼性の確保のための厚生年金保険法等の一部を改正する法律（平成二十五年法律第六十三号）附則第五条第一項の規定によりなおその効力を有するものとされた同法第一条の規定による改正前の厚生年金保険法第百三十九条第九項若しくは第百四十条第十項の規定を適用する。

（老齢厚生年金等の支給に関する経過措置）

第二十一条 施行日の前日において現に厚生年金保険法による老齢厚生年金その他老齢又は退職を支給事由とする年金たる給付又は年金たる保険給付であって政令で定めるものの受給権を有しない者であって、第三条の規定による改正後の厚生年金保険法第四十二条その他政令で定める規定による老齢厚生年金その他老齢を支給事由とする年金たる保険給付（以下この条において「老齢厚生年金等」という。）の支給要件に該当するものについては、施行日においてこれらの規定による老齢厚生年金等の支給要件に該当するに至ったものとみなして、施行日以後、その者に対し、これらの規定による老齢厚生年金等を支給する。この場合において、これらの規定の適用に関し必要な事項は、政令で定める。

（未支給の保険給付に関する経過措置）

第二十二条 第三条の規定による改正後の厚生年金保険法第三十七条の規定は、第四号施行日以後に同条第一項に規定する保険給付の受給権者が死亡した場合について適用する。

第二十三条 第四号施行日以後に昭和六十年国民年金等改正法附則第七十八条第一項に規定する年金たる保険給付の受給権者が死亡した場合において、その死亡した者に支給すべき年金たる保険給付でまだその者に支給しなかったものがあるときは、その未支給の年金たる保険給付の支給の請求については、同項の規定にかかわらず、同項の規定によりなお従前の例によるものとされた昭和六十年国民年金等改正法第三条の規定による改正前の厚生年金保険法第三十七条の規定は適用せず、第三条の規定による改正後の厚生年金保険法第三十七条の規定を準用する。

第二十四条 第四号施行日以後に昭和六十年国民年金等改正法附則第八十七条第一項に規定する年金たる保険給付の受給権者が死亡した場合において、その死亡した者に支給すべき年金たる保険給付でまだその者に支給しなかったものがあるときは、その未支給の年金たる保険給付の支給の請求については、同項の規定にかかわらず、同項の規定によりなお従前の例によるものとされた昭和六十年国民年金等改正法第五条の規定による改正前の船員保険法第二十七条ノ二の規定は適用せず、第三条の規定による改正後の厚生年金保険法第三十七条の規定を準用する。

（支給の繰下げに関する経過措置）

第二十五条 第三条の規定による改正後の厚生年金保険法第四十四条の三の規定は、第四号施行日の前日において、同条第二項各号のいずれにも該当しない者について適用する。ただし、第四号施行日前に第三条の規定による改正後の厚生年金保険法第四十四条の三第二項各号のいずれかに該当する者に対する同条の規定の適用については、同項中「ときは」とあるのは「ときは、次項の規定を適用する場合を除き」と、「同項」とあるのは「前項」と、同条第三項中「当該申出のあった」とあるのは「公的年金制度の財政基盤及び最低保障機能の強化等のための国民年金法等の一部を改正する法律（平成二十四年法律第六十二号）附則第一条第四号に掲げる規定の施行の日の属する」とする。

（障害年金の額の改定請求に関する経過措置）

第二十六条　昭和六十年国民年金等改正法附則第七十八条第一項に規定する年金たる保険給付のうち障害年金については、同項の規定にかかわらず、同項の規定によりなお従前の例によるものとされた昭和六十年国民年金等改正法第三条の規定による改正前の厚生年金保険法第五十二条第三項の規定は適用せず、第三条の規定による改正後の厚生年金保険法第五十二条第三項の規定を準用する。

第二十七条　昭和六十年国民年金等改正法附則第八十七条第一項に規定する年金たる保険給付のうち障害年金については、同項の規定にかかわらず、同項の規定によりなお従前の例によるものとされた昭和六十年国民年金等改正法第五条の規定による改正前の船員保険法第四十五条ノ三第三項の規定は適用せず、第三条の規定による改正後の厚生年金保険法第五十二条第三項の規定を準用する。

（特例による老齢厚生年金の額の計算等の特例の経過措置）

第二十八条　第三条の規定による改正後の厚生年金保険法附則第九条の二第五項の規定は、同条第一項に規定する老齢厚生年金の受給権者（以下この条において「老齢厚生年金の受給権者」という。）又は老齢厚生年金の受給権者であった者が、第四号施行日以後に第三条の規定による改正後の厚生年金保険法附則第九条の二第五項各号のいずれかに該当する場合について適用する。ただし、第四号施行日において老齢厚生年金の受給権者であった者であって、被保険者でなく、かつ、同項第一号に規定する障害厚生年金等を受けることができるものについては、第四号施行日に同項各号のいずれかに該当したものとみなして、同項の規定を適用する。この場合において、同項中「当該各号に規定する日」とあるのは、「公的年金制度の財政基盤及び最低保障機能の強化等のための国民年金法等の一部を改正する法律（平成二十四年法律第六十二号）附則第一条第四号に掲げる規定の施行の日」とする。

（その他の経過措置の政令への委任）

第七十一条　この附則に規定するもののほか、この法律の施行に伴い必要な経過措置は、政令で定める。

附　則（平二四・八・二二法六三）（抄）

最終改正　令二・六・五法四〇

（施行期日）

第一条　この法律は、平成二十七年十月一日から施行する。ただし、次の各号に掲げる規定は、それぞれ当該各号に定める日から施行する。

一　〔前略〕附則〔中略〕第二十八条、〔中略〕及び第百六十条の規定　公布の日

二　〔略〕

三　附則第二十四条の規定〔中略〕　公布の日から起算して一年を超えない範囲内において政令で定める日〔平二五・八・一〕

四・五　〔略〕

（用語の定義）

第四条　この条から附則第八十条までの規定において、次の各号に掲げる用語の意義は、それぞれ当該各号に定めるところによる。

一　改正前厚生年金保険法　第一条の規定による改正前の厚生年金保険法をいう。

二　旧厚生年金保険法　国民年金法等の一部を改正する法律（昭和六十年法律第三十四号。以下附則第七十五条までにおいて「昭和六十年国民年金等改正法」という。）第三条の規定による改正前の厚生年金保険法をいう。

三　改正前国共済法　第二条の規定による改正前の国家公務員共済組合法をいう。

四　改正前国共済施行法　附則第九十七条の規定による改正前の国家公務員共済組合法の長期給付に関する施行法（昭和三十三年法律第百二十九号）をいう。

五　旧国共済法　国家公務員等共済組合法等の一部を改正する法律（昭和六十年法律第百五号。以下附則第四十九条までにおいて「昭和六十年国共済改正法」という。）第一条の規定による改正前の国家公務員等共済組合法をいう。

六　改正前地共済法　第三条の規定による改正前の地方公務員等共済組合法をいう。

七　改正前地共済施行法　附則第百一条の規定による改正前の地方公務員等共済組合法の長期給付等に関する施行法（昭和三十七年法律第百五十三号）をいう。

八　旧地共済法　地方公務員等共済組合法等の一部を改正する法律（昭和六十年法律第百八号。以下附則第七十五条までにおいて「昭和六十年地共済改正法」という。）第一条の規定による改正前の地方公務員等共済組合法をいう。

九　改正前私学共済法　第四条の規定による改正前の私立学校教職員共済法をいう。

十　旧私学共済法　私立学校教職員共済組合法等の一部を改正する法律（昭和六十年法律第百六号。附則第八条第一項において「昭和六十年私学共済改正法」という。）第一条の規定による改正前の私立学校教職員共済組合法をいう。

十一　旧国家公務員共済組合員期間　国家公務員共済組合の組合員であった者のこの法律の施行の日（以下「施行日」という。）前における当該組合員であった期間（改正前国共済法又は他の法令の規定により当該組合員であった期間とみなされた期間及び他の法令の規定により当該組合員であった期間に合算された期間を含む。）をいう。

十二　旧地方公務員共済組合員期間　地方公務員共済組合の組合員であった者の施行日前における当該組合員であった期間（改正前地共済法又は他の法令の規定により当該組合員であった期間とみなされた期間及び他の法令の規定により当該組合員であった期間に合算された期間を含む。）をいう。

十三　旧私立学校教職員共済加入者期間　私立学校教職員共済法の規定による私立学校教職員共済制度の加入者であった者の施行日前における当該加入者であった期間（改正前私学共済法又は他の法令の規定により当該加入者であった期間とみなされた期間を含む。）をいう。

（厚生年金保険の被保険者資格の取得の経過措置）

第五条　昭和二十年十月二日以後に生まれた者であり、かつ、施

行日の前日において国家公務員共済組合の組合員、地方公務員共済組合の組合員又は私立学校教職員共済法の規定による私立学校教職員共済制度の加入者であった者であって、施行日において改正前厚生年金保険法第十二条第一号に掲げる者に該当するもののうち厚生年金保険法第六条第一項又は第三項に規定する適用事業所であるものに使用されるもの（施行日に同法第十三条の規定により厚生年金保険の被保険者の資格を取得する者を除く。）は、施行日に、厚生年金保険の被保険者の資格を取得する。

（厚生年金保険の被保険者期間の計算の特例）

第六条 前条の規定により厚生年金保険の被保険者の資格を取得した者であって、平成二十七年十月に当該被保険者の資格を喪失したものについて、厚生年金保険法第十九条第二項本文の規定を適用する場合においては、当該被保険者の資格を取得しなかったものとみなす。

（厚生年金保険の被保険者期間等に関する経過措置）

第七条 旧国家公務員共済組合員期間、旧地方公務員共済組合員期間又は旧私立学校教職員共済加入者期間は、それぞれ第一条の規定による改正後の厚生年金保険法（以下「改正後厚生年金保険法」という。）第二条の五第一項第二号に規定する第二号厚生年金被保険者期間（以下「第二号厚生年金被保険者期間」という。）、同項第三号に規定する第三号厚生年金被保険者期間（以下「第三号厚生年金被保険者期間」という。）又は同項第四号に規定する第四号厚生年金被保険者期間（以下「第四号厚生年金被保険者期間」という。）とみなす。ただし、次に掲げる期間は、この限りでない。

一 改正前国共済法附則第十三条の十の規定による脱退一時金の支給を受けた場合におけるその脱退一時金の計算の基礎となった期間

二 改正前地共済法附則第二十八条の十三の規定による脱退一時金の支給を受けた場合におけるその脱退一時金の計算の基礎となった期間

三 改正前私学共済法第二十五条において準用する改正前国共済法附則第十三条の十の規定による脱退一時金の支給を受けた場合におけるその脱退一時金の計算の基礎となった期間

四 旧国共済法第八十条第一項の規定による脱退一時金（他の法令の規定により当該脱退一時金とみなされたものを含む。）の支給を受けた場合におけるその脱退一時金の計算の基礎となった期間

五 旧地共済法第八十三条第一項の規定による脱退一時金（他の法令の規定により当該脱退一時金とみなされたものを含む。）の支給を受けた場合におけるその脱退一時金の計算の基礎となった期間

六 旧私学共済法第二十五条において準用する旧国共済法第八十条第一項の規定による脱退一時金（他の法令の規定により当該脱退一時金とみなされたものを含む。）の支給を受けた場合におけるその脱退一時金の計算の基礎となった期間

七 昭和六十年国共済改正法附則第六十一条の規定による脱退一時金の支給を受けた場合におけるその脱退一時金の計算の基礎となった期間

八 昭和六十年地共済改正法附則第四十二条第一項の規定による脱退一時金の支給を受けた場合におけるその脱退一時金の計算の基礎となった期間

九 改正前私学共済法第四十八条の二の規定によりその例によることとされる昭和六十年国共済改正法附則第六十一条の規定による脱退一時金の支給を受けた場合におけるその脱退一時金の計算の基礎となった期間

十 前各号に掲げる期間に準ずる期間として政令で定めるもの

2 前項の規定により第二号厚生年金被保険者期間とみなされた旧国家公務員共済組合員期間のうち、昭和六十一年四月一日前の昭和六十年国共済改正法附則第三十二条第一項に規定する旧船員組合員であった期間又は前項の規定により第三号厚生年金被保険者期間とみなされた旧地方公務員共済組合員期間のうち、同日前の昭和六十年地共済改正法附則第三十五条第一項に規定する旧船員組合員であった期間につき厚生年金保険の被保険者期間を計算する場合には、それぞれ当該期間に三分の四を乗じて得た期間をもって第二号厚生年金被保険者期間又は第三号厚生年金被保険者期間とする。

3 第一項の規定により第二号厚生年金被保険者期間とみなされた旧国家公務員共済組合員期間のうち、昭和六十一年四月一日以後平成三年三月三十一日までの間の昭和六十年国共済改正法附則第三十二条第二項に規定する新船員組合員であった期間又は第一項の規定により第三号厚生年金被保険者期間とみなされた旧地方公務員共済組合員期間のうち、昭和六十一年四月一日以後平成三年三月三十一日までの間の昭和六十年地共済改正法附則第三十五条第二項に規定する新船員組合員であった期間につき厚生年金保険の被保険者期間を計算する場合には、それぞれ当該期間に五分の六を乗じて得た期間をもって第二号厚生年金被保険者期間又は第三号厚生年金被保険者期間とする。

（厚生年金保険の標準報酬に関する経過措置）

第八条 旧国家公務員共済組合員期間（昭和六十年国共済改正法附則第三十二条第一項の規定により旧国家公務員共済組合員期間に合算された期間を除く。）の各月の改正前国共済法による標準報酬の月額（昭和六十一年四月一日前の期間にあっては、昭和六十年国共済改正法附則第九条の規定の例により計算した額とする。）、旧地方公務員共済組合員期間（昭和六十年地共済改正法附則第三十五条第一項の規定により旧地方公務員共済組合員期間に合算された期間を除く。）の各月の改正前地共済法による掛金の標準となった給料の額（同日前の期間にあっては、昭和六十年地共済改正法附則第八条の規定の例により計算した額とする。）に政令で定める数値を乗じて得た額又は旧私立学校教職員共済加入者期間の各月の改正前私学共済法による標準給与の月額（同日前の期間にあっては、昭和六十年私学共済改正法附則第四条の規定の例により計算した額とする。）は、それぞれ第二号厚生年金被保険者期間、第三号厚生年金被保険者期間又は第四号厚生年金被保険者期間の各月の厚生年金保険法による標準報酬月額とみなす。

2 旧国家公務員共済組合員期間の期末手当等（改正前国共済法第二条第一項第六号に規定する期末手当等をいう。）を受けた月における改正前国共済法による標準期末手当等の額、旧地方公務員共済組合員期間の期末手当等（改正前地共済法第二条第一項第六号に規定する期末手当等をいう。）を受けた月における改正前地共済法による掛金の標準となった期末手当等の額又は旧私立学校教職員共済加入者期間の賞与（改正前私学共済法第二十一条第二項に規定する賞与をいう。）を受けた月におけ

る改正前私学共済法による標準賞与の額は、それぞれ第二号厚生年金被保険者期間、第三号厚生年金被保険者期間又は第四号厚生年金被保険者期間の賞与（厚生年金保険法第三条第一項第四号に規定する賞与をいう。）を受けた月における厚生年金保険法による標準賞与額とみなす。

（端数処理に関する経過措置）

第九条　改正後厚生年金保険法第三十五条第一項の規定は、施行日以後に生じた事由に基づいて行う保険給付を受ける権利の裁定又は保険給付の額の改定について適用し、施行日前に生じた事由に基づいて行う保険給付を受ける権利の裁定若しくは保険給付の額の改定又は長期給付を受ける権利の決定若しくは長期給付の額の改定については、なお従前の例による。

2　附則第八十七条の規定による改正後の国民年金法第十七条第一項の規定は、施行日以後に生じた事由に基づいて行う給付を受ける権利の裁定又は給付の額の改定について適用し、施行日前に生じた事由に基づいて行う給付を受ける権利の裁定又は給付の額の改定については、なお従前の例による。

（改正前国共済法等による従前の処分）

第十条　この附則に別段の規定があるものを除くほか、次に掲げる処分、手続その他の行為は、厚生年金保険法又はこれに基づく命令中の相当する規定によってした処分、手続その他の行為とみなす。

一　改正前国共済法、旧国共済法又はこれらに基づく命令の規定によってした処分、手続その他の行為

二　改正前地共済法、旧地共済法又はこれらに基づく命令の規定によってした処分、手続その他の行為

三　改正前私学共済法、旧私学共済法又はこれらに基づく命令の規定によってした処分、手続その他の行為

（老齢厚生年金等の額の計算等の特例）

第十一条　施行日の前日において次に掲げる年金たる給付の受給権を有していた者に支給する厚生年金保険法による老齢厚生年金の額については、当該年金たる給付の額の計算の基礎となった旧国家公務員共済組合員期間、旧地方公務員共済組合員期間及び旧私立学校教職員共済加入者期間は、計算の基礎としない。

一　改正前国共済法による退職共済年金（他の法令の規定により当該退職共済年金とみなされたものを含む。）又は旧国共済法による退職年金、減額退職年金若しくは通算退職年金（他の法令の規定によりこれらの年金とみなされたものを含む。）

二　改正前地共済法による退職共済年金（他の法令の規定により当該退職共済年金とみなされたものを含む。）又は旧地共済法による退職年金、減額退職年金若しくは通算退職年金（他の法令の規定によりこれらの年金とみなされたものを含む。）

三　改正前私学共済法による退職共済年金又は旧私学共済法による退職年金、減額退職年金若しくは通算退職年金

2　施行日の前日において前項各号に掲げる年金たる給付の受給権を有していた者に支給する旧厚生年金保険法による老齢年金、通算老齢年金及び特例老齢年金の額については、当該年金たる給付の額の計算の基礎となった旧国家公務員共済組合員期間、旧地方公務員共済組合員期間及び旧私立学校教職員共済加入者期間は、計算の基礎としない。

3　施行日の前日において次に掲げる年金たる給付の受給権を有していた者に支給する厚生年金保険法第四十二条の規定による老齢厚生年金の額については、当該年金たる給付の額の計算の基礎となった旧国家公務員共済組合員期間、旧地方公務員共済組合員期間及び旧私立学校教職員共済加入者期間は、第一項の規定にかかわらず、計算の基礎とする。

一　改正前国共済法附則第十二条の三又は第十二条の八の規定による退職共済年金

二　改正前地共済法附則第十九条又は第二十六条の規定による退職共済年金

三　改正前私学共済法第二十五条において準用する改正前国共済法附則第十二条の三又は第十二条の八の規定による退職共済年金

（改正前厚生年金保険法等による保険給付に関する経過措置）

第十二条　改正前厚生年金保険法による年金たる保険給付並びに昭和六十年国民年金等改正法附則第七十八条第一項及び第八十七条第一項に規定する年金たる保険給付については、この法律及びこれに基づく政令に別段の定めがあるもののほか、なお従前の例による。

2　前項に規定する年金たる保険給付については、次条から附則第十六条までの規定を適用する場合を除き、改正前厚生年金保険法中当該保険給付の額の計算及びその支給停止に関する規定並びに当該保険給付の額の計算及びその支給停止に関する規定であってこの法律（附則第一条各号に掲げる規定を除く。）によって改正されたその他の法律の規定（これらの規定に基づく命令の規定を含む。以下この項において「改正前厚生年金保険法等の規定」という。）は、なおその効力を有する。この場合において、この項の規定によりなおその効力を有するものとされた改正前厚生年金保険法等の規定の適用に関し必要な読替えその他改正前厚生年金保険法等の規定の適用に関し必要な事項は、政令で定める。

（老齢厚生年金等の支給の停止に関する特例）

第十三条　施行日前において支給事由の生じた改正前厚生年金保険法による老齢厚生年金の受給権者（次条第一項及び附則第十六条に規定する者を除く。）が厚生年金保険法の被保険者（施行日前から引き続き当該被保険者たる国家公務員共済組合の組合員、地方公務員共済組合の組合員又は私立学校教職員共済法の規定による私立学校教職員共済制度の加入者である者に限る。）である日（改正後厚生年金保険法第四十六条第一項に規定する厚生労働省令で定める日を除く。次項において「被保険者である日」という。）、国会議員若しくは地方公共団体の議会の議員（施行日前から引き続き国会議員又は地方公共団体の議会の議員である者に限る。）である日（次項において「国会議員等である日」という。）又は改正後厚生年金保険法第四十六条第一項に規定する七十歳以上の使用される者（施行日前から引き続き国家公務員共済組合の組合員、地方公務員共済組合の組合員又は私立学校教職員共済法の規定による私立学校教職員共済制度の加入者である者に限る。）である日が属する月（施行日の属する月以後の月に限る。）において、同項に規定する総報酬月額相当額（次項、次条第二項及び附則第十五条第二項において「総報酬月額相当額」という。）と改正後厚生年金保険法第四十六条第一項に規定する基本月額（次条第二項におい

て「基本月額」という。）との合計額から支給停止調整額（改正後厚生年金保険法第四十六条第三項に規定する支給停止調整額をいう。以下同じ。）を控除して得た額の二分の一に相当する額が、当該合計額の十分の一に相当する額を超えるときは、当該合計額の十分の一に相当する額に十二を乗じて得た額に相当する部分の支給を停止する。この場合において、必要な事項は、政令で定める。

2　施行日前において支給事由の生じた改正前厚生年金保険法附則第八条の規定による老齢厚生年金の受給権者（附則第十五条第一項及び第十六条に規定する者を除く。）が被保険者である日又は国会議員等である日が属する月（施行日の属する月以後の月に限る。）において、総報酬月額相当額と厚生年金保険法附則第十一条第一項に規定する基本月額（以下この項及び附則第十五条第二項において「基本月額」という。）との合計額から支給停止調整額を控除して得た額の二分の一に相当する額が、当該合計額の十分の一に相当する額を超えるときは、当該合計額の十分の一に相当する額（その額が、総報酬月額相当額と基本月額の合計額から三十五万円を控除した額を超えるときは、総報酬月額相当額と基本月額の合計額から三十五万円を控除した額とする。）に十二を乗じて得た額に相当する部分の支給を停止する。この場合において、必要な事項は、政令で定める。

第十四条　厚生年金保険法による老齢厚生年金の受給権者（附則第十六条に規定する者を除く。）であって、改正前国共済法の規定による退職共済年金その他の退職を支給事由とする年金たる給付であって政令で定めるものの受給権者（昭和二十五年十月一日以前に生まれた者に限る。）であるものについて、改正後厚生年金保険法第四十六条第一項及び公的年金制度の健全性及び信頼性の確保のための厚生年金保険法等の一部を改正する法律（平成二十五年法律第六十三号。以下「平成二十五年改正法」という。）附則第八十六条第一項の規定によりなおその効力を有するものとされた平成二十五年改正法第一条の規定による改正前の厚生年金保険法第四十六条第五項の規定を適用する場合においては、改正後厚生年金保険法第四十六条第一項中「老齢厚生年金の額（第四十四条第一項に規定する加給年金額及び第四十四条の三第四項に規定する加算額を除く。以下この項において同じ」とあるのは「老齢厚生年金等の額の合計額（当該老齢厚生年金の額と被用者年金制度の一元化等を図るための厚生年金保険法等の一部を改正する法律（平成二十四年法律第六十三号）附則第十四条第一項の政令で定める年金たる給付の額との合計額をいい、第四十四条の三第四項（公的年金制度の健全性及び信頼性の確保のための厚生年金保険法等の一部を改正する法律（平成二十五年法律第六十三号）附則第八十七条の規定により読み替えて適用する場合を含む。以下この項において同じ。）の規定又は他の法令の規定で同項の規定に相当するものとして政令で定めるものに規定する加給年金額及び第四十四条の三第四項の規定又は他の法令の規定で同項の規定に相当するものとして政令で定めるものに規定する加算額を合算して得た額を除く」と、「控除して得た額」とあるのは「控除して得た額に当該老齢厚生年金の額（第四十四条第一項に規定する加給年金額及び第四十四条の三第四項に規定する加算額を除く。以下この項において同じ。）を十二で除して得た額を基本月額で除して得た数を乗じて得た額」とするほか、これらの規定の適用に関し必要な読替えその他必要な事項は、政令で定める。

2　前項の場合において、同項の規定により読み替えられた改正後厚生年金保険法第四十六条第一項の規定による総報酬月額相当額と基本月額との合計額から支給停止調整額を控除して得た額の二分の一に相当する額が、当該合計額から改正後厚生年金保険法第四十六条第一項の規定の適用があるものとした場合に支給を停止するものとされる部分に相当する額（以下この項において「調整前支給停止額」という。）を控除した額の十分の一に相当する額に調整前支給停止額を合算して得た額（以下この項において「支給停止相当額」という。）を超えるときは、支給停止相当額に十二を乗じて得た額に前項の規定により読み替えられた同条第一項の規定による当該老齢厚生年金の額を十二で除して得た額を当該基本月額で除して得た数を乗じて得た額に相当する部分の支給を停止する。

3　第一項に規定する受給権者であって、施行日前から引き続き国家公務員共済組合の組合員、地方公務員共済組合の組合員若しくは私立学校教職員共済法の規定による私立学校教職員共済制度の加入者又は国会議員若しくは地方公共団体の議会の議員であるものについて、改正後厚生年金保険法第四十六条第一項及び平成二十五年改正法附則第八十六条第一項の規定によりなおその効力を有するものとされた平成二十五年改正法第一条の規定による改正前の厚生年金保険法第四十六条第五項の規定を適用する場合においては、前二項の規定の例による。この場合において、必要な事項は、政令で定める。

第十五条　厚生年金保険法附則第八条の規定による老齢厚生年金の受給権者であって、改正前国共済法の規定による退職共済年金その他の退職を支給事由とする年金たる給付であって政令で定めるものの受給権者（昭和二十五年十月二日から昭和三十年十月一日までの間に生まれた者に限る。）であるものについて、厚生年金保険法附則第十一条の規定を適用する場合においては、同条第一項中「と老齢厚生年金の額」とあるのは「と老齢厚生年金等の額の合計額（附則第八条の規定による老齢厚生年金の額と被用者年金制度の一元化等を図るための厚生年金保険法等の一部を改正する法律（平成二十四年法律第六十三号）附則第十五条第一項の政令で定める年金たる給付の額との合計額をいう。）」と、「相当する額に」とあるのは「相当する額に当該老齢厚生年金の額を十二で除して得た額を基本月額で除して得た数を乗じて得た額に」とするほか、同条の規定の適用に関し必要な読替えその他必要な事項は、政令で定める。

2　前項の場合において、同項の規定により読み替えられた厚生年金保険法附則第十一条第一項の規定による総報酬月額相当額と基本月額との合計額から支給停止調整額を控除して得た額の二分の一に相当する額が、前項の規定により読み替えられた同条第一項の規定による総報酬月額相当額と基本月額との合計額から同項の規定その他の政令で定める規定の適用があるものとした場合に支給を停止するものとされる部分に相当する額（以下この項において「調整前特例支給停止額」という。）を控除した額（以下この項において「調整前老齢厚生年金等合計額」という。）の十分の一に相当する額に調整前特例支給停止額を合算して得た額（以下この項において「特例支給停止相当額」という。）を超えるときは、特例支給停止相当額に十二を乗じて得た額に前項の規定により読み替えられた同条第一項の規定による当該老齢厚生年金の額を十二で除して得た額を当該基本月額で除して得た数を乗じて得た額に相当する部分の支給を停止する。この場合において、前項の規定により読み替えられた同条第一項の規定による総報酬月額相当額と基本月額との合計額から支給停止調整額を控除して得た額の二分の一に相当する額が調整前老齢厚生年金等合計額から三十五万円を控除した額に調整前特例支給停止額を合算して得た額（以下この項において「特定支給停止相当額」という。）を超えるときは、特例支給停止相当額又は特定支給停止相当額のいずれか低い額に十二を乗じて得た額に前項の規定により読み替えられた同条第一項の規定による当該老齢厚生年金の額を十二で除して得た額を当該基本月額で除して得た数を乗じて得た額に相当する部分の支給を停止する。

3　第一項に規定する受給権者であって、施行日前から引き続き国家公務員共済組合の組合員、地方公務員共済組合の組合員若しくは私立学校教職員共済法の規定による私立学校教職員共済制度の加入者又は国会議員若しくは地方公共団体の議会の議員であるものについて、厚生年金保険法附則第十一条の規定を適用する場合においては、前二項の規定の例による。この場合において、必要な事項は、政令で定める。

第十六条　附則第九十四条の規定による改正前の国民年金法等の一部を改正する法律（平成十六年法律第百四号。次項において「改正前平成十六年改正法」という。）附則第四十三条第一項に規定する老齢厚生年金の受給権者について、改正後厚生年金保険法第四十六条第一項及び平成二十五年改正法附則第八十六条第一項の規定によりなおその効力を有するものとされた平成二十五年改正法第一条の規定による改正前の厚生年金保険法第四十六条第五項の規定を適用する場合においては、附則第十三条第一項及び第十四条の規定を準用する。この場合において、必要な読替えその他必要な事項は、政令で定める。

2　改正前平成十六年改正法附則第四十三条第二項に規定する年金たる保険給付の受給権者について、昭和六十年国民年金等改正法附則第七十八条第六項（昭和六十年国民年金等改正法附則第八十七条第七項において準用する場合を含む。）の規定を適用する場合においては、附則第十三条第一項及び第十四条の規定を準用する。この場合において、必要な読替えその他必要な事項は、政令で定める。

（改正前国共済法による退職共済年金等の支給の停止に関する特例）

第十七条　改正後厚生年金保険法第四十六条の規定並びに附則第十三条第一項及び第十四条の規定は、同条第一項の政令で定める年金たる給付の支給の停止について準用する。この場合において、必要な読替えその他必要な事項は、政令で定める。

2　厚生年金保険法附則第十一条の規定並びに附則第十三条第二項及び第十五条の規定は、同条第一項の政令で定める年金たる給付の支給の停止について準用する。この場合において、必要な読替えその他必要な事項は、政令で定める。

（障害厚生年金の支給要件の特例）

第十八条　厚生年金保険法第四十七条の二第一項の規定による障害厚生年金は、同一の傷病による障害について、改正前国共済法若しくは旧国共済法、改正前地共済法若しくは旧地共済法又は改正前私学共済法若しくは旧私学共済法による年金たる給付（他の法令の規定によりこれらの年金たる給付とみなされたものを含む。）のうち障害を支給事由とするものの受給権を有していたことがある者その他政令で定める者については、同項の規定にかかわらず、支給しない。

2　施行日前に改正前国共済法若しくは旧国共済法、改正前地共済法若しくは旧地共済法又は改正前私学共済法若しくは旧私学共済法による年金たる給付のうち障害を支給事由とするものの受給権を有していたことがある者であって旧国家公務員共済組合員期間、旧地方公務員共済組合員期間又は旧私立学校教職員共済加入者期間を有するもの（施行日において当該給付の受給権を有するもの及び当該給付の支給事由となった傷病について国家公務員等共済組合法等の一部を改正する法律（平成六年法律第九十八号。以下この項において「平成六年国共済改正法」という。）附則第八条第三項の規定により支給される改正前国共済法による障害共済年金、地方公務員等共済組合法等の一部を改正する法律（平成六年法律第九十九号）附則第八条第三項の規定により支給される改正前地共済法による障害共済年金又は改正前私学共済法第四十八条の二の規定によりその例によることとされる平成六年国共済改正法附則第八条第三項の規定により支給される改正前私学共済法による障害共済年金の受給権を有する者を除く。）が、当該給付の支給事由となった傷病により、施行日において厚生年金保険法第四十七条第二項に規定する障害等級（以下この項において単に「障害等級」という。）に該当する程度の障害の状態にあるとき、又は施行日の翌日から六十五歳に達する日の前日までの間において、障害等級に該当する程度の障害の状態に至ったときは、その者は、施行日（施行日において障害等級に該当する程度の障害の状態にない者にあっては、障害等級に該当する程度の障害の状態に至ったとき）から六十五歳に達する日の前日までの間に、同条第一項の障害厚生年金の支給を請求することができる。

3　前項の規定による請求があったときは、厚生年金保険法第四十七条第一項の規定にかかわらず、その請求をした者に同項の障害厚生年金を支給する。

（初診日が施行日前にある傷病による障害等の場合における経過措置）

第十九条　疾病にかかり、若しくは負傷した日が施行日前にある傷病又は初診日が施行日前にある傷病による障害（旧国家公務員共済組合員期間、旧地方公務員共済組合員期間又は旧私立学校教職員共済加入者期間中の傷病による障害に限る。）について厚生年金保険法第四十七条から第四十七条の三まで及び第五十五条の規定を適用する場合における必要な経過措置は、政令で定める。

（遺族厚生年金の支給要件の特例）

第二十条　次に掲げる年金たる給付（死亡を支給事由とするものを除く。）の受給権者その他の者であって政令で定めるものが、施行日以後に死亡した場合における厚生年金保険法による遺族厚生年金の支給に関し必要な経過措置は、政令で定める。

一　改正前国共済法による年金たる給付（他の法令の規定により当該年金たる給付とみなされたものを含む。）又は旧国共済法による年金たる給付（他の法令の規定により当該年金たる給付とみなされたものを含む。）

二　改正前地共済法による年金たる給付（他の法令の規定によ

り当該年金たる給付とみなされたものを含む。）又は旧地共済法による年金たる給付（他の法令の規定により当該年金たる給付とみなされたものを含む。）

三 改正前私学共済法による年金たる給付又は旧私学共済法による年金たる給付

（老齢厚生年金に係る加給年金額等の特例）

第二十一条 施行日の前日において附則第十一条第一項各号に掲げる年金たる給付の受給権を有していた者（当該年金たる給付の額の計算の基礎となる期間の月数が二百四十に満たない者に限る。）であって、施行日以後に老齢厚生年金の受給権を取得したものについて、厚生年金保険法第四十四条及び第六十二条の規定その他の法令の規定でこれらの規定に相当するものとして政令で定めるものを適用する場合においては、同法第四十四条第一項中「被保険者期間の月数が二百四十以上」とあるのは「被保険者期間（被用者年金制度の一元化等を図るための厚生年金保険法等の一部を改正する法律（平成二十四年法律第六十三号。以下「平成二十四年一元化法」という。）附則第七条第一項の規定により被保険者期間とみなされた旧国家公務員共済組合員期間（他の法令の規定により当該旧国家公務員共済組合員期間に算入された期間を含む。）、旧地方公務員共済組合員期間（他の法令の規定により当該旧地方公務員共済組合員期間に算入された期間を含む。）又は旧私立学校教職員共済加入者期間と当該老齢厚生年金の額の計算の基礎となる被保険者期間とを合算して得た被保険者期間とする。以下この項において同じ。）の月数が二百四十以上」と、同法第六十二条第一項中「被保険者期間」とあるのは「被保険者期間（平成二十四年一元化法附則第七条第一項の規定により被保険者期間とみなされた旧国家公務員共済組合員期間（他の法令の規定により当該旧国家公務員共済組合員期間に算入された期間を含む。）、旧地方公務員共済組合員期間（他の法令の規定により当該旧地方公務員共済組合員期間に算入された期間を含む。）又は旧私立学校教職員共済加入者期間と当該遺族厚生年金の額の計算の基礎となる被保険者期間とを合算して得た被保険者期間とする。）」とするほか、これらの規定の適用に関し必要な読替えその他必要な事項は、政令で定める。

（二以上の種別の被保険者であった期間を有する者に係る給付に関する規定の適用）

第二十二条 附則第十四条及び第十五条に定めるもののほか、改正後厚生年金保険法第七十八条の二十二に規定する二以上の種別の被保険者であった期間を有する者に係る厚生年金保険法、旧厚生年金保険法その他の法律で政令で定めるものによる給付の額の計算及びその支給停止に関する規定の適用に関し必要な経過措置は、政令で定める。

（脱退一時金の額の計算に係る経過措置）

第二十三条 第二号厚生年金被保険者期間を有する者について、厚生年金保険法の規定による脱退一時金の額を計算する場合においては、同法附則第二十九条第四項に規定する最終月の属する年の前年十月（当該最終月が一月から八月までの場合にあっては、前々年十月）が平成二十五年から平成二十九年までの間に該当するときは、当該脱退一時金の計算の基礎となる保険料率については、同法第八十一条第四項の規定にかかわらず、平成二十五年十月分にあっては同月分の国共済の掛金率（改正前国共済法第百条第三項の規定により国家公務員共済組合連合会の定款で定める同項に規定する割合をいう。以下この項において同じ。）に二を乗じて得た率と、平成二十六年十月分にあっては同月分の国共済の掛金率に二を乗じて得た率と、平成二十七年十月から平成二十九年十月までの月分にあっては附則第八十三条の表の上欄に掲げる月分の区分に応じて、それぞれ同表の下欄に定める率とする。

2 第三号厚生年金被保険者期間を有する者について、厚生年金保険法の規定による脱退一時金の額を計算する場合においては、同法附則第二十九条第四項に規定する最終月の属する年の前年十月（当該最終月が一月から八月までの場合にあっては、前々年十月）が平成二十五年から平成二十九年までの間に該当するときは、当該脱退一時金の計算の基礎となる保険料率については、同法第八十一条第四項の規定にかかわらず、平成二十五年十月分にあっては同月分の地共済の掛金率（改正前地共済法第百十四条第三項の規定により地方公務員共済組合連合会の定款で定める同項に規定する長期給付に係る組合員の給料と掛金との割合及び期末手当等と掛金との割合に基づき政令で定めるところにより計算した割合をいう。以下この項において同じ。）に二を乗じて得た率と、平成二十六年十月分にあっては同月分の地共済の掛金率に二を乗じて得た率と、平成二十七年十月から平成二十九年十月までの月分にあっては附則第八十四条の表の上欄に掲げる月分の区分に応じて、それぞれ同表の下欄に定める率とする。

3 第四号厚生年金被保険者期間を有する者について、厚生年金保険法の規定による脱退一時金の額を計算する場合においては、同法附則第二十九条第四項に規定する最終月の属する年の前年十月（当該最終月が一月から八月までの場合にあっては、前々年十月）が平成二十五年から令和十年までの間に該当するときは、当該脱退一時金の計算の基礎となる保険料率については、同法第八十一条第四項の規定にかかわらず、平成二十五年十月分にあっては同月分の私学共済の掛金率（改正前私学共済法第二十七条第三項の規定により共済規程（私立学校教職員共済法第四条第一項に規定する共済規程をいう。以下この項及び附則第八十五条第二項において同じ。）で定める改正前私学共済法第二十七条第三項に規定する割合をいう。以下この項において同じ。）と、平成二十六年十月分にあっては同月分の私学共済の掛金率と、平成二十七年十月から令和八年十月までの月分にあっては附則第八十五条第一項の表の上欄に掲げる月分の区分に応じて、それぞれ同表の下欄に定める率（同条第二項の規定が適用される場合には、同項の規定により共済規程で定める率）と、令和九年十月分及び令和十年十月分にあってはそれぞれ厚生年金保険法第八十一条第四項に規定する率（附則第八十五条第二項の規定が適用される場合には、同項の規定により共済規程で定める率）とする。

（追加費用対象期間を有する者に係る退職共済年金等の額の特例）

第二十四条 附則第九十六条の規定による改正後の国家公務員共済組合法の長期給付に関する施行法（以下この条において「改正後施行法」という。）第十三条の二から第十三条の四までの規定並びに附則第九十八条の規定による改正後の昭和六十年国共済改正法附則第十六条第八項、第十七条第三項、第二十一条第二項から第六項まで、第二十八条第二項、第二十九条第三項及び第五十七条の二から第五十七条の四までの規定は、厚生年金保険法等の一部を改正する法律附則第十六条第一項及び第二項に規定する年金たる給付並びに同法附則第三十二条第二項第一号に規定する特例年金給付の受給権者（改正後施行法第十三条の二第一項に規定する追加費用対象期間を有する者に限る。）については、附則第一条第三号に掲げる規定の施行の日から施行日の前日までの間、適用しない。

（給付水準の下限に関する経過措置）

第二十五条　平成二十七年度（施行日の属する月以後の期間に限る。）及び平成二十八年度における附則第九十四条の規定による改正後の国民年金法等の一部を改正する法律附則第二条の規定の適用については、同条第一項第一号中「標準報酬平均額」とあるのは「標準報酬額等平均額」と、「厚生年金保険法」とあるのは「被用者年金制度の一元化等を図るための厚生年金保険法等の一部を改正する法律（平成二十四年法律第六十三号）第一条の規定による改正前の厚生年金保険法（次号において「改正前厚生年金保険法」という。）」と、同項第二号中「同法による」とあるのは「改正前厚生年金保険法による」とする。

（厚生年金保険事業に要する費用の特例）

第二十六条　附則第二十条各号に掲げる年金たる給付に要する費用のうち、厚生年金相当給付費用（厚生年金保険法による年金たる保険給付に要する費用として政令で定めるところにより計算した費用をいう。）は、同法第二条の四第一項の規定の適用については、同法による保険給付に要する費用とみなし、改正後厚生年金保険法第八十一条第一項の規定の適用については、同項に規定する厚生年金保険事業に要する費用とみなし、改正後厚生年金保険法第八十四条の三の規定の適用については、同条に規定するこれに相当する給付として政令で定めるものに要する費用とみなす。

（実施機関積立金の当初額）

第二十七条　各実施機関（改正後厚生年金保険法第七十九条の二に規定する実施機関をいう。以下この項において同じ。）の積立金のうち、平成二十七年度の実施機関厚生年金保険事業費等（各実施機関に係る厚生年金保険法による保険給付に要する費用（改正後厚生年金保険法第八十四条の五第二項に規定する基礎年金拠出金保険料相当分を含む。）及びこれに相当する給付に要する費用その他の政令で定める費用をいう。次項において同じ。）の額に、平成二十七年度において厚生年金保険の実施者たる政府が負担すべき厚生年金保険法による保険給付に要する費用（同条第二項に規定する基礎年金拠出金保険料相当分を含む。）及びこれに相当する給付に要する費用その他の政令で定める費用に対する平成二十六年度の末日における改正後厚生年金保険法第八十四条の六第四項第一号に規定する厚生年金勘定の積立金額の比率（次項において「政府積立比率」という。）を乗じて得た額に相当する部分は、政令で定めるところにより、施行日において、それぞれ実施機関積立金（改正後厚生年金保険法第七十九条の二に規定する実施機関積立金をいう。次項において同じ。）として積み立てられたものとみなす。

2　前項の規定にかかわらず、地方公務員共済組合（地方公務員等共済組合法第二十七条第二項に規定する構成組合を除く。以下この項において同じ。）、全国市町村職員共済組合連合会及び地方公務員共済組合連合会の実施機関積立金については、その総額は、地方公務員共済組合、全国市町村職員共済組合連合会及び地方公務員共済組合連合会に係る実施機関厚生年金保険事業費等の合計額に政府積立比率を乗じて得た額に相当するものとし、当該総額のうち政令で定めるところにより地方公務員共済組合、全国市町村職員共済組合連合会及び地方公務員共済組合連合会ごとに定めた額に相当する部分は、施行日において、それぞれ地方公務員共済組合、全国市町村職員共済組合連合会及び地方公務員共済組合連合会の実施機関積立金として積み立てられたものとみなす。

（積立金基本指針等に関する経過措置）

第二十八条　主務大臣（改正後厚生年金保険法第百条の三の三第一項に規定する主務大臣をいう。）は、施行日前においても、改正後厚生年金保険法第七十九条の四の規定の例により、同条第一項に規定する積立金基本指針を定め、これを公表することができる。

2　管理運用主体（改正後厚生年金保険法第七十九条の四第二項第三号に規定する管理運用主体をいう。次項において同じ。）は、前項の規定により積立金基本指針が定められたときは、施行日前においても、改正後厚生年金保険法第七十九条の五の規定の例により、同条第一項に規定する資産の構成の目標を定め、これを公表することができる。

3　管理運用主体は、前項の規定により資産の構成の目標が定められたときは、施行日前においても、改正後厚生年金保険法第七十九条の六の規定の例により、同条第一項に規定する管理運用の方針を定め、これを公表することができる。

4　第一項の規定により定められた積立金基本指針、第二項の規定により定められた資産の構成の目標及び前項の規定により定められた管理運用の方針は、施行日においてそれぞれ改正後厚生年金保険法第七十九条の四、第七十九条の五及び第七十九条の六の規定により定められたものとみなす。

（懲戒処分に関する経過措置）

第二十九条　改正後厚生年金保険法第七十九条の十二の規定は、改正後厚生年金保険法第七十九条の十に規定する運用職員による施行日以後の改正後厚生年金保険法第七十九条の十一の規定の違反について適用し、施行日前の同条の規定の違反に相当する違反に対する懲戒処分については、なお従前の例による。

（その他の経過措置の政令への委任）

第百六十条　この附則に規定するもののほか、この法律の施行に伴い必要な経過措置は、政令で定める。

附　則（平二五・六・二六法六三）（抄）

最終改正　令三・六・一一法六六

（施行期日）

第一条　この法律は、公布の日から起算して一年を超えない範囲内において政令で定める日〔平二六・四・一〕から施行する。ただし、次の各号に掲げる規定は、当該各号に定める日から施行する。

一　〔前略〕次条並びに附則〔中略〕第百四十六条及び第百五十三条の規定　公布の日

二〜四　〔略〕

（法制上の措置等）

第二条　政府は、この法律の施行の日（以下「施行日」という。）から起算して十年を経過する日までに、存続厚生年金基金が解散し又は他の企業年金制度等に移行し、及び存続連合会が解散するよう検討し、速やかに必要な法制上の措置を講ずるものとする。

2　政府は、この法律の施行後五年を目途として、この法律の施行の状況を勘案し、この法律により改正された国民年金法の規定に基づく規制の在り方について検討を加え、必要があると認めるときは、その結果に基づいて所要の措置を講ずるものとする。

（定義）

第三条　この附則において、次の各号に掲げる用語の意義は、それぞれ当該各号に定めるところによる。

一　改正前厚生年金保険法　第一条の規定による改正前の厚生年金保険法をいう。

二　改正後厚生年金保険法　第一条の規定による改正後の厚生年金保険法をいう。

三　改正前確定給付企業年金法　第二条の規定による改正前の確定給付企業年金法をいう。

四　改正後確定給付企業年金法　第二条の規定による改正後の確定給付企業年金法をいう。

五　改正後国民年金法　第三条の規定による改正後の国民年金法をいう。

六　改正前確定拠出年金法　附則第百二条の規定による改正前の確定拠出年金法（平成十三年法律第八十八号）をいう。

七　改正後確定拠出年金法　附則第百二条の規定による改正後の確定拠出年金法をいう。

八　改正前保険業法　附則第百三十一条の規定による改正前の保険業法（平成七年法律第百五号）をいう。

九　改正後特別会計法　附則第百三十五条の規定による改正後の特別会計に関する法律（平成十九年法律第二十三号）をいう。

十　旧厚生年金基金　改正前厚生年金保険法の規定により設立された厚生年金基金をいう。

十一　存続厚生年金基金　次条の規定によりなお存続する厚生年金基金及び附則第六条の規定により従前の例により施行日以後に設立された厚生年金基金をいう。

十二　厚生年金基金　旧厚生年金基金又は存続厚生年金基金をいう。

十三　存続連合会　附則第三十七条の規定によりなお存続する企業年金連合会をいう。

十四　確定給付企業年金　改正後確定給付企業年金法第二条第一項に規定する確定給付企業年金をいう。

十五　連合会　改正後確定給付企業年金法第九十一条の二第一項に規定する企業年金連合会をいう。

（旧厚生年金基金の存続）

第四条　旧厚生年金基金であってこの法律の施行の際現に存するものは、施行日以後も、改正前厚生年金保険法の規定により設立された厚生年金基金としてなお存続するものとする。

（存続厚生年金基金に係る改正前厚生年金保険法等の効力等）

第五条　存続厚生年金基金については、次に掲げる規定は、なおその効力を有する。

一　改正前厚生年金保険法第八十一条の三、第八十五条の三、第百条の十第一項（第三十四号に係る部分に限る。）、第百六条から第百十条まで、第百十四条から第百二十条の四まで、第百二十一条（改正前厚生年金保険法第百四十七条の五第一項において準用する場合を含む。）、第百二十二条から第百三十条まで、第百三十条の二第一項、第二項（改正前厚生年金保険法第百三十六条の三第二項において準用する場合を含む。）及び第三項、第百三十条の三から第百三十六条の五まで、第百三十八条から第百四十六条の二まで、第百四十七条の二から第百四十八条まで、第百七十条から第百七十四条まで、第百七十六条から第百七十七条まで、第百七十七条の二第一項、第百七十八条、第百七十九条第一項から第四項まで及び第五項（第一号及び第四号に係る部分に限る。）並びに第百八十条から第百八十一条まで並びに附則第三十条第一項及び第二項、第三十一条並びに第三十二条の規定、改正前厚生年金保険法第百三十六条において準用する改正前厚生年金保険法第三十六条第一項及び第二項、第三十七条、第三十九条第二項前段並びに第四十条から第四十一条までの規定、改正前厚生年金保険法第百四十一条第一項において準用する改正前厚生年金保険法第八十三条、第八十四条、第八十五条及び第八十六条から第八十九条までの規定、改正前厚生年金保険法第百四十八条第二項及び第百七十八条第二項において準用する改正前厚生年金保険法第百条第二項において準用する改正前厚生年金保険法第九十六条第二項の規定、改正前厚生年金保険法第百四十八条第二項及び第百七十八条第二項において準用する改正前厚生年金保険法第百条第三項の規定並びに改正前厚生年金保険法第百七十四条において準用する改正前厚生年金保険法第九十八条第一項から第三項まで及び第四項本文の規定

二　改正前確定給付企業年金法第百七条第一項、第二項、第三項（改正前確定給付企業年金法第百十一条第五項及び第百十二条第七項において準用する場合を含む。）、第四項及び第五項、第百十条から第百十五条の三まで並びに第百十六条（改正前厚生年金保険法の規定により設立された企業年金連合会からの積立金の移換に係る部分を除く。）の規定、改正前確定給付企業年金法第百七条第五項、第百十条の二第五項及び第百十一条第五項において準用する改正前確定給付企業年金法第七十四条第二項及び第三項の規定並びに改正前確定給付企業年金法第百七条第五項及び第百十条の二第五項において準用する改正前確定給付企業年金法第七十六条第二項の規定

2　前項の規定によりなおその効力を有するものとされた同項各号に掲げる規定を適用する場合においては、次の表の上欄に掲げる規定中同表の中欄に掲げる字句は、それぞれ同表の下欄に掲げる字句に読み替えるものとする。

改正前厚生年金保険法第八十一条の三第一項	厚生年金基金	公的年金制度の健全性及び信頼性の確保のための厚生年金保険法等の一部を改正する法律（平成二十五年法律第六十三号。以下「平成二十五年改正法」という。）附則第三条第十一号に規定する存続厚生年金基金（以下「厚

		生年金基金」という。）
改正前厚生年金保険法第八十一条の三第二項	第百三十九条第七項又は第八項（これらの規定を同条第九項において準用する場合を含む。以下この項において同じ。）	第百三十九条第七項から第九項まで
	同条第七項又は第八項	同条第七項各号に定める月、同条第八項に規定する月又は同条第九項
	係るもの	係るもの（同条第七項又は第八項に規定する申出に係る加入員であつてその育児休業等（加入員が連続する二以上の育児休業等をしている場合（これに準ずる場合として厚生労働省令で定める場合を含む。）は、その全部を一の育児休業等とみなす。以下同じ。）の期間が一月以下である者については、標準報酬月額に係る部分に限る。）
改正前厚生年金保険法第八十五条の三	厚生年金基金又は企業年金連合会	厚生年金基金
改正前厚生年金保険法第百十五条第一項	解散	解散（平成二十五年改正法附則第十九条第九項の規定による解散を含む。第百四十五条第一項第三号及び第百七十九条第五項を除き、以下同じ。）
改正前厚生年金保険法第百三十条第五項	企業年金連合会	平成二十五年改正法附則第三条第十三号に規定する存続連合会（以下「企業年金連合会」という。）又は同条第十五号に規定する連合会
改正前厚生年金保険法第百三十一条第一項第二号	第四十三条第三項	年金制度の機能強化のための国民年金法等の一部を改正する法律（令和二年法律第四十号。以下「令和二年改正法」という。）第四条の規定による改正後の厚生年金保険法第四十三条第二項又は第三項
改正前厚生年金保険法第百三十一条第二項	申出をした者に	申出（令和二年改正法第五条の規定による改正後の厚生年金保険法第四十四条の三第五項
		の規定により同条第一項の申出があつたものとみなされた場合における当該申出を含む。以下この項において同じ。）をした者に
	申出の月	申出のあつた月
	第四十三条第三項	令和二年改正法第四条の規定による改正後の厚生年金保険法第四十三条第二項又は第三項
改正前厚生年金保険法第百三十二条第四項及び第百三十三条	申出	申出（令和二年改正法第五条の規定による改正後の厚生年金保険法第四十四条の三第五項の規定により同条第一項の申出があつたものとみなされた場合における当該申出を含む。）
改正前厚生年金保険法第百三十三条の二第二項	申出	申出（令和二年改正法第五条の規定による改正後の厚生年金保険法第四十四条の三第五項の規定により同条第一項の申出があつたものとみなされた場合における当該申出を含む。次項において同じ。）
改正前厚生年金保険法第百三十八条第六	解散する場合	第百四十五条第一項又は平成二十五年改正法

項		附則第十九条第九項の規定により解散する場合
	年金給付等積立金の額	平成二十五年改正法附則第十一条第一項に規定する年金給付等積立金の額
改正前厚生年金保険法第百三十九条第七項	第九項において準用することの項の規定の適用を受けている産前産後休業をしている	第九項の規定の適用を受けている
	その育児休業等を開始した日の属する月からその育児休業等が終了する日の翌日が属する月の前月までの期間	次の各号に掲げる場合の区分に応じ、当該各号に定める月
	を免除する。	（その育児休業等の期間が一月以下である者については、標準報酬月額に係る免除保険料額に限る。次項及び次条第八項において同じ。）を免除する。 一 その育児休業等を開始した日の属する月とその育児休業等が終了する日の翌日が属する月とが異なる場合 その育児休業等を開始した日の属する月からその育児休業等が終了する日の翌日が属する月の前月までの月 二 その育児休業等を開始した日の属する月とその育児休業等が終了する日の翌日が属する月とが同一であり、かつ、当該月における育児休業等の日数として厚生労働省令で定めるところにより計算した日数が十四日以上である場合 当該月
改正前厚生年金保険法第百三十九条第八項	次項において準用するこの項の規定の適用を受けている産前産後休業をしている	次項の規定の適用を受けている
	その育児休業等を開始した日の属する月からその育児休業等が終了する日の翌日が属する月の前月までの期間	前項各号に掲げる場合の区分に応じ、それぞれ当該各号に定める月
改正前厚生年金保険法第百三十九条第九項	加入員が産前産後休業をしている場合においては、前二項の規定を準用する。この場合において、必要な技術的読替えは、政令で定める。	産前産後休業をしている加入員を使用する設立事業所の事業主が、厚生労働省令の定めるところにより基金に申出をしたときは、第一項及び第二項の規定にかかわらず、その産前産後休業を開始した日の属する月からその産前産後休業が終了する日の翌日が属する月の前月までの期間に係る掛金のうち、次の各号に掲げる加入員の区分に応じ、当該各号に定める額を免除する。 一 加入員（第百二十九条第二項に規定する加入員を除く。） 免除保険料額 二 第百二十九条第二項に規定する加入員 免除保険料額に前条第四項に規定する割合を乗じて得た額
改正前厚生年金保険法第百四十条第八項	その育児休業等を開始した日の属する月	同条第八項に規定する月

	からその育児休業等が終了する日の翌日が属する月の前月までの期間	
	前条第八項の	同条第八項の
改正前厚生年金保険法第百四十条第十項	前条第九項において準用する同条第八項	前条第九項
	「前条第八項の」とあるのは「同条第九項において準用する同条第八項の」と	「同条第八項に規定する月」とあるのは「同条第九項に規定する期間」と、「同条第八項の」とあるのは「同条第九項の」と
改正前厚生年金保険法第百四十二条第一項、第百四十三条第一項並びに第百四十四条の二第二項及び第四項	四分の三	三分の二
改正前厚生年金保険法第百四十四条の五第四項	解散した基金は	第百四十五条第一項又は平成二十五年改正法附則第十九条第九項の規定により解散した基金は
	第百四十七条第四項	平成二十五年改正法附則第三十四条第四項

	残余財産（	残余財産（附則第五条第一項の規定によりなおその効力を有するものとされた改正前厚生年金保険法
改正前厚生年金保険法第百四十五条第一項第一号	四分の三	三分の二
改正前厚生年金保険法第百四十六条	解散したとき	前条第一項又は平成二十五年改正法附則第十九条第九項の規定により解散したとき
	解散した日	当該解散した日
改正前厚生年金保険法第百四十六条の二、第百四十七条の五第二項並びに第百四十八条第一項、第三項及び第四項	解散した	第百四十五条第一項又は平成二十五年改正法附則第十九条第九項の規定により解散した
改正前厚生年金保険法第百七十条第一項	二年	これらを行使することができる時から二年
	五年を経過したとき	その支給すべき事由が生じた日から五年を経過したとき、当該年金たる給付を受ける権利に基づき支払期月ごとに支払うものとされる年金たる給付の支給を

		受ける権利は、当該日の属する月の翌月以降に到来する当該年金たる給付の支給に係る支払期月の翌月の初日から五年を経過したとき
改正前厚生年金保険法第百七十条第三項	民法第百五十三条の規定にかかわらず、時効中断	時効の更新
改正前厚生年金保険法第百七十三条及び第百七十三条の二	基金又は連合会	基金
改正前厚生年金保険法第百七十六条第一項	基金及び連合会	基金
	第百三十条第五項又は第百五十九条第七項	第百三十条第五項
改正前厚生年金保険法第百七十六条第二項	基金及び連合会	基金
改正前厚生年金保険法第百七十六条の二第一項	基金（第百十一条第一項若しくは	基金（
	含む。）又は連合会	含む。）

	署名押印した	記名した
改正前厚生年金保険法第百七十七条	基金及び連合会	基金
改正前厚生年金保険法第百七十七条の二第一項	加入員	加入員及び加入員以外の者であつて基金が年金たる給付又は一時金たる給付の支給義務を負つているもの
改正前厚生年金保険法第百七十八条第一項	基金又は連合会	基金
	基金若しくは連合会	基金
改正前厚生年金保険法第百七十九条第一項	基金若しくは連合会	基金
改正前厚生年金保険法第百七十九条第二項	基金又は連合会	基金
改正前厚生年金保険法第百七十九条第三項	基金若しくは連合会	基金
	基金又は連合会	基金
改正前厚生年金保険法第百七十九条第四項	基金又は連合会	基金
改正前厚生年金保険法第百八十条の二	厚生年金基金又は企業年金連合会	基金
改正前厚生年金保険法附則第三十二条第一項	四分の三	三分の二
改正前厚生年金保険法附則第三十二条第二項第三号	第百三十九条第七項及び第八項（これらの規定を同条第九項において準用する場合を含む。）	第百三十九条第七項から第九項まで
改正前確定給付企業年金法第百七条第一項	が厚生年金基金	が公的年金制度の健全性及び信頼性の確保のための厚生年金保険法等の一部を改正する法律（平成二十五年法律第六十三号）附則第三条第十一号に規定する存続厚生年金基金（以下「厚生年金基金」という。）
改正前確定給付企業年金法第百七条第三項及び第百十条の二第二項	四分の三	三分の二
改正前確定給付企業年金法第百十三条第二項	第八十五条の二の規定により政府が解散した連合会から徴収する徴収金	の規定による保険料
	第八十七条第六項	第八十七条（第六項を除く。）
	適用する	適用する。この場合において、同法第八十七条第一項中「年十四・六パーセント（当該納期限の翌日から三月を経過する日までの期間については、年七・三パーセント）」とあるのは、「年十四・六パーセント」とする

3 存続厚生年金基金について次の表の上欄に掲げる規定を適用する場合においては、同欄に掲げる規定中同表の中欄に掲げる字句は、それぞれ同表の下欄に掲げる字句に読み替えるものとする。

改正後厚生年金保険法第三十四条第一項	の積立金	の積立金及び公的年金制度の健全性及び信頼性の確保のための厚生年金保険法等の一部を改正する法律（平成二十五年法律第六十三号。以下「平成二十五年改正法」という。）附則第八条に規定する責任準備金
改正後厚生年金保険	定める率	定める率（平成二十五

法第八十一条第四項		年改正法附則第三条第十一号に規定する存続厚生年金基金の加入員である被保険者にあつては、当該率から平成二十五年改正法附則第五条第一項の規定によりなおその効力を有するものとされた平成二十五年改正法第一条の規定による改正前の第八十一条の三第一項に規定する免除保険料率を控除して得た率）
厚生年金保険法第百条の十第一項第十号	第九項	第九項並びに平成二十五年改正法附則第八十六条第一項の規定によりなおその効力を有するものとされた平成二十五年改正法第一条の規定による改正前の第四十四条の二第三項（附則第九条の二第三項、第九条の三第二項及び第四項並びに第九条の四第三項及び第五項において準用する場合を含む。）
改正後確定給付企業年金法第五条第一項第二号	という。）その他	という。）、公的年金制度の健全性及び信頼性の確保のための厚生年金保険法等の一部を改正する法律（平成二十

		五年法律第六十三号。以下「平成二十五年改正法」という。）附則第三条第十一号に規定する存続厚生年金基金その他
改正後確定給付企業年金法第八十八条	若しくは第八十二条の三第二項	、第八十二条の三第二項若しくは平成二十五年改正法附則第五条第一項の規定によりなおその効力を有するものとされた平成二十五年改正法第二条の規定による改正前の第百十五条の二第二項
確定拠出年金法第三条第四項第三号	以下同じ。）	以下同じ。）、公的年金制度の健全性及び信頼性の確保のための厚生年金保険法等の一部を改正する法律（平成二十五年法律第六十三号。以下「平成二十五年改正法」という。）附則第三条第十一号に規定する存続厚生年金基金（以下「存続厚生年金基金」という。）
	当該確定給付企業年金	当該確定給付企業年金、存続厚生年金基金
確定拠出年金法第四条第一項第二号	確定給付企業年金	確定給付企業年金、存続厚生年金基金

改正後確定拠出年金法第八条第一項第一号	又は企業年金基金	、企業年金基金又は存続厚生年金基金
改正後確定拠出年金法第二十条	資格の有無	資格の有無及び存続厚生年金基金の加入員の資格の有無、平成二十五年改正法附則第五条第一項の規定によりなおその効力を有するものとされた平成二十五年改正法第一条の規定による改正前の厚生年金保険法第百三十二条第三項に規定する相当する水準
改正後確定拠出年金法第五十三条第一項及び第二項	企業年金基金	企業年金基金及び存続厚生年金基金
確定拠出年金法第五十四条第一項	確定給付企業年金	確定給付企業年金、存続厚生年金基金
改正後確定拠出年金法第五十四条の二第一項	又は企業年金連合会	、企業年金連合会
	）をいう	）又は存続厚生年金基金の平成二十五年改正法附則第四十条第一項第一号に規定する基金脱退一時金相当額をいう

改正後確定拠出年金法第五十四条の二第二項	確定給付企業年金の実施事業所	確定給付企業年金の実施事業所又は当該存続厚生年金基金の設立事業所
確定拠出年金法第五十五条第二項第四号の二	及び確定給付企業年金	、確定給付企業年金及び存続厚生年金基金
確定拠出年金法第六十九条	有無	有無、存続厚生年金基金の加入員の資格の有無
確定拠出年金法第七十四条の二第二項	確定給付企業年金の実施事業所	確定給付企業年金の実施事業所又は当該存続厚生年金基金の設立事業所
改正後確定拠出年金法第百八条第一項及び第二項	及び国民年金基金	、国民年金基金及び存続厚生年金基金

4　前二項に定めるもののほか、存続厚生年金基金についての第一項の規定によりなおその効力を有するものとされた同項各号に掲げる規定並びに改正後厚生年金保険法、改正後確定給付企業年金法及び改正後確定拠出年金法の規定の適用に関し必要な読替えその他必要な事項は、政令で定める。

（厚生年金基金の設立に関する経過措置）

第六条　施行日前にされた改正前厚生年金保険法第百十一条第一項の認可の申請であって、この法律の施行の際認可をするかどうかの処分がなされていないものについての認可の処分については、なお従前の例による。

（厚生年金基金の清算に関する経過措置）

第七条　施行日前に旧厚生年金基金が解散した場合における存続厚生年金基金の清算については、この附則及びこれに基づく政令に別段の定めがあるもののほか、なお従前の例による。

（存続厚生年金基金の解散に伴う責任準備金相当額の徴収）

第八条　政府は、存続厚生年金基金が解散したときは、その解散した日において当該存続厚生年金基金が年金たる給付の支給に関する義務を負っている者に係る責任準備金相当額（政令で定めるところにより算出した責任準備金に相当する額をいう。以下同じ。）を当該存続厚生年金基金から徴収する。

（責任準備金相当額の一部の物納）

第九条　附則第五条第一項の規定によりなおその効力を有するものとされた改正前確定給付企業年金法第百十四条の規定は、前条の規定により政府が当該存続厚生年金基金から責任準備金相当額を徴収する場合について準用する。この場合において、附則第五条第一項の規定によりなおその効力を有するものとされた改正前確定給付企業年金法第百十四条第二項中「第百十一条第二項の厚生労働大臣の承認又は第百十二条第一項の厚生労働大臣の認可の申請と同時に」とあるのは、「公的年金制度の健全性及び信頼性の確保のための厚生年金保険法等の一部を改正する法律（平成二十五年法律第六十三号。以下「平成二十五年改正法」という。）附則第五条第一項の規定によりなおその効力を有するものとされた平成二十五年改正法第一条の規定による改正前の厚生年金保険法第百四十五条第二項の認可若しくは平成二十五年改正法附則第十九条第七項の承認の申請と同時に又は平成二十五年改正法附則第五条第一項の規定によりなおその効力を有するものとされた平成二十五年改正法第一条の規定による改正前の厚生年金保険法第百四十五条第一項第三号の規定による解散後速やかに」と読み替えるものとするほか、必要な技術的読替えは、政令で定める。

2　附則第百三十二条の規定によりなおその効力を有するものとされた改正前保険業法附則第一条の十三の規定は、前項の規定により附則第五条第一項の規定によりなおその効力を有するものとされた改正前確定給付企業年金法第百十四条の規定を準用して責任準備金相当額の一部について、国債、株式その他の有価証券であって政令で定めるものによる物納（以下単に「物納」という。）をする場合について準用する。この場合において、必要な技術的読替えは、政令で定める。

（責任準備金相当額の前納）

第十条　附則第五条第一項の規定によりなおその効力を有するものとされた改正前厚生年金保険法附則第三十二条第一項の認可を受けた存続厚生年金基金は、次の各号に掲げる認可又は承認前においても、当該各号に定める規定により政府が徴収することとなる責任準備金相当額の全部又は一部を前納することができる。

一　附則第五条第一項の規定によりなおその効力を有するものとされた改正前厚生年金保険法第百四十五条第二項の認可　附則第八条

二　附則第五条第一項の規定によりなおその効力を有するものとされた改正前確定給付企業年金法第百十一条第二項の承認又は附則第五条第一項の規定によりなおその効力を有するものとされた改正前確定給付企業年金法第百十二条第一項の認可　附則第五条第一項の規定によりなおその効力を有するものとされた改正前確定給付企業年金法第百十三条第一項

2　前項の場合において納付すべき額は、政令で定める基準に従い当該存続厚生年金基金の規約で定めるところにより算定した額とする。

3　前二項に定めるもののほか、責任準備金相当額の前納の手続、前納された責任準備金相当額の還付その他責任準備金相当額の全部又は一部の前納について必要な事項は、政令で定める。

（自主解散型基金が解散する場合における責任準備金相当額の特例）

第十一条　附則第五条第一項の規定によりなおその効力を有するものとされた改正前厚生年金保険法第百四十五条第一項第一号又は第二号に掲げる理由により解散をしようとする存続厚生年金基金であって、当該解散をしようとする日において年金給付等積立金（附則第五条第一項の規定によりなおその効力を有するものとされた改正前厚生年金保険法第百三十条第一項から第三項までに規定する給付（以下「老齢年金給付等」という。）に充てるべき積立金をいう。附則第四十条第二項第三号及び第三項第三号、第五十三条、第五十五条第一項、第六十条、第七十条第二項並びに第七十一条第二項を除き、以下同じ。）の額

（前条第一項（第九項若しくは次条第十項又は附則第十九条第十項、第二十条第五項若しくは第二十一条第九項の規定により読み替えて適用される場合を含む。）の規定により前納された場合にあっては、当該前納された額を加えて得た額。以下同じ。）が責任準備金相当額を下回っていると見込まれるもの（以下「自主解散型基金」という。）は、厚生労働省令で定めるところにより、厚生労働大臣に対し、責任準備金相当額の減額を可とする旨の認定を申請することができる。

2　前項の規定による認定の申請は、施行日から起算して五年を経過する日までの間に限り行うことができる。

3　第一項の規定による認定の申請をした自主解散型基金は、次に掲げる給付について、当該申請をした日の属する月の翌月からその全額につき支給を停止しなければならない。

一　附則第五条第一項の規定によりなおその効力を有するものとされた改正前厚生年金保険法第百三十条第一項の規定により支給する同項に規定する老齢年金給付（附則第五条第一項の規定によりなおその効力を有するものとされた改正前厚生年金保険法第百三十二条第二項に規定する額（改正後厚生年金保険法第四十四条の三第一項の規定による申出をした者に当該自主解散型基金が支給する老齢年金給付（附則第五条第一項の規定によりなおその効力を有するものとされた改正前厚生年金保険法第百三十条第一項に規定する老齢年金給付をいう。附則第十九条第四項、第三十六条第一項及び第四十条第一項第一号において同じ。）については、附則第五条第一項の規定によりなおその効力を有するものとされた改正前厚生年金保険法第百三十二条第四項に規定する額）に相当する部分を除く。）

二　附則第五条第一項の規定によりなおその効力を有するものとされた改正前厚生年金保険法第百三十条第二項の規定により支給する一時金たる給付

三　附則第五条第一項の規定によりなおその効力を有するものとされた改正前厚生年金保険法第百三十条第三項の規定により支給する年金たる給付又は一時金たる給付

4　第一項の規定による認定の申請をした自主解散型基金は、当該申請を取り下げたとき、又は厚生労働大臣が次項の認定をしない旨の決定をしたときは、当該取下げをした日の属する月の翌月又は当該決定があった日の属する月の翌月から、前項の規定による支給の停止を解除しなければならない。

5　厚生労働大臣は、第一項の規定による認定の申請があった場合において、当該申請をした自主解散型基金が当該申請の日までに業務の運営について相当の努力をしたものとして政令で定める要件に適合すると認めるときは、その認定をするものとする。

6　厚生労働大臣は、前項の認定をしようとするときは、あらかじめ、社会保障審議会の意見を聴かなければならない。

7　政府は、第五項の認定を受けた自主解散型基金が附則第五条第一項の規定によりなおその効力を有するものとされた改正前厚生年金保険法第百四十五条第一項第一号又は第二号の規定により解散したとき（当該解散した日における年金給付等積立金の額が責任準備金相当額を下回る場合に限る。）は、附則第八条の規定にかかわらず、責任準備金相当額に代えて、減額責任準備金相当額（存続厚生年金基金の加入員及び加入員であった者が加入員でなかったとしたときに年金特別会計の厚生年金勘定の積立金が増加する額として政令で定めるところにより算定した額又は当該存続厚生年金基金の年金給付等積立金の額のうちいずれか大きい方の額をいう。附則第二十七条第二項及び第三十条第一項を除き、以下同じ。）を、当該自主解散型基金から徴収する。この場合において、附則第三十四条第四項の規定は適用せず、附則第五条第一項の規定によりなおその効力を有するものとされた改正前厚生年金保険法第百三十八条第六項の規定の適用については、同項中「政令で定める額」とあるのは、「公的年金制度の健全性及び信頼性の確保のための厚生年金保険法等の一部を改正する法律（平成二十五年法律第六十三号）附則第十一条第七項に規定する減額責任準備金相当額」とする。

8　厚生労働大臣は、前項の規定により政府が当該自主解散型基金から減額責任準備金相当額を徴収するときは、次に掲げる事項を公表するものとする。

一　当該自主解散型基金の名称

二　当該自主解散型基金の責任準備金相当額及び減額責任準備金相当額

三　その他厚生労働省令で定める事項

9　第一項の規定による認定の申請をした自主解散型基金について前条の規定を適用する場合においては、同条第一項中「存続厚生年金基金」とあるのは「次条第一項に規定する自主解散型基金であって、同項の規定による認定の申請をしたもの」と、「次の各号に掲げる認可又は承認前においても、当該各号に定める」とあるのは「第一号に掲げる認可前においても、同条第七項の」と、「責任準備金相当額」とあるのは「減額責任準備金相当額（同項に規定する減額責任準備金相当額をいう。第三項において同じ。）」と、同条第三項中「責任準備金相当額」とあるのは「減額責任準備金相当額」とする。

（自主解散型納付計画の承認）

第十二条　自主解散型基金及びその設立事業所（附則第五条第一項の規定によりなおその効力を有するものとされた改正前厚生年金保険法第百十七条第三項に規定する設立事業所をいう。以下同じ。）の事業主（当該自主解散型基金を共同して設立している場合にあっては、当該自主解散型基金を設立している各事業主。次項及び第七項において同じ。）は、それぞれ、責任準備金相当額のうち自らが納付すべき額について、その納付に関する計画（以下「自主解散型納付計画」という。）を作成し、厚生労働省令で定めるところにより、これを厚生労働大臣に提出して、当該自主解散型納付計画について適当である旨の承認を受けることができる。

2　前項の承認の申請は、施行日から起算して五年を経過する日までの間において、当該自主解散型基金及びその設立事業所の事業主が同時に行わなければならない。

3　自主解散型基金の自主解散型納付計画には、次に掲げる事項を記載しなければならない。

一　附則第五条第一項の規定によりなおその効力を有するものとされた改正前厚生年金保険法第百四十五条第一項第一号又は第二号に掲げる理由により解散をしようとする日

二　当該自主解散型基金が納付すべき年金給付等積立金の額

三　第一項の承認の申請の日までの業務の状況に関する事項

四　その他厚生労働省令で定める事項

4　自主解散型基金の設立事業所の事業主の自主解散型納付計画には、次に掲げる事項を記載しなければならない。

一　当該事業主が納付すべき額

二　当該事業主が納付の猶予を受けようとする期間及び額

三　その他厚生労働省令で定める事項

5　第一項の承認の申請を行う場合において、当該自主解散型基金の自主解散型納付計画に記載された第三項第二号に掲げる額と当該自主解散型基金の設立事業所の事業主の自主解散型納付計画に記載された前項第一号に掲げる額（当該自主解散型基金の設立事業所の事業主が当該自主解散型基金を共同して設立している場合にあっては、当該自主解散型納付計画に記載された同号に掲げる額の合計額）とを合算して得た額は、当該自主解散型基金の責任準備金相当額でなければならない。

6　前条第三項及び第四項の規定は、第一項の承認の申請をした自主解散型基金について準用する。この場合において、同条第四項中「次項の認定」とあるのは、「次条第一項の承認」と読み替えるものとする。

7　厚生労働大臣は、第一項の承認の申請があった場合において、当該申請が次に掲げる全ての要件に適合すると認めるときは、その承認をするものとする。この場合において、当該自主解散型基金及びその設立事業所の事業主の自主解散型納付計画の承認は、同時に行うものとする。

一　当該自主解散型基金が当該申請の日までに業務の運営について相当の努力をしたものとして政令で定める要件に適合するものであること。

二　当該自主解散型基金の設立事業所の事業主が第一項の規定により提出した自主解散型納付計画が、第四項第二号に掲げる納付の猶予を受けようとする期間が五年以内（五年以内に納付することができないやむを得ない理由があると認められるときは、十年以内）であることその他当該事業主が同項第一号に掲げる額を確実に納付するために必要なものとして厚生労働省令で定める要件に適合するものであること。

8　厚生労働大臣は、前項の規定により承認をするに当たり、当該自主解散型基金が、当該承認の申請の日までに業務の運営について著しく努力をし、かつ、当該承認の申請の日においてその事業の継続が極めて困難な状況にあるものとして政令で定める要件に適合すると認めるときは、その旨の認定をするものとする。

9　厚生労働大臣は、第七項の規定により承認をしようとするとき、及び前項の認定をしようとするときは、あらかじめ、社会保障審議会の意見を聴かなければならない。

10　第一項の承認の申請をした自主解散型基金について附則第十条の規定を適用する場合においては、同条第一項中「存続厚生年金基金」とあるのは「次条第一項に規定する自主解散型基金であって、附則第十二条第一項の承認の申請をしたもの」と、「次の各号に掲げる認可又は承認前においても、当該各号に定める」とあるのは「第一号に掲げる認可前においても、附則第十三条第一項の」と、「責任準備金相当額」とあるのは「年金給付等積立金の額（次条第一項に規定する年金給付等積立金の額をいう。第三項において同じ。）」と、同条第三項中「責任準備金相当額」とあるのは「年金給付等積立金の額」とする。

（自主解散型納付計画の承認を受けて解散した場合における責任準備金相当額の納付の猶予等）

第十三条　自主解散型基金及びその設立事業所の事業主が前条第一項の承認を受けた場合において、当該自主解散型基金が附則第五条第一項の規定によりなおその効力を有するものとされた改正前厚生年金保険法第百四十五条第一項第一号又は第二号の規定により解散したとき（当該解散した日における年金給付等積立金の額が責任準備金相当額を下回る場合に限る。）は、政府は、附則第八条の規定にかかわらず、責任準備金相当額を徴収するに当たり、当該自主解散型基金から当該解散した日における年金給付等積立金の額を徴収し、その設立事業所の事業主から責任準備金相当額から当該年金給付等積立金の額を控除した額を当該事業主の自主解散型納付計画に基づき徴収する。この場合において、附則第五条第一項の規定によりなおその効力を有するものとされた改正前厚生年金保険法第百三十八条第六項の規定及び附則第三十四条第四項の規定は、適用しない。

2　政府は、前項の規定による徴収を行うに当たり、当該自主解散型基金の設立事業所の事業主の自主解散型納付計画に基づいて、納付の猶予をするものとする。

3　附則第十一条第八項の規定は、第一項の規定により政府が当該自主解散型基金から年金給付等積立金の額を徴収し、その設立事業所の事業主から責任準備金相当額から当該年金給付等積立金の額を控除した額を徴収する場合について準用する。この場合において、同条第八項第二号中「及び減額責任準備金相当額」とあるのは、「並びにその設立事業所の事業主の次条第一項に規定する自主解散型納付計画に記載された同条第四項第二号に掲げる納付の猶予を受けようとする期間及び額」と読み替えるものとする。

4　政府は、第二項の規定による納付の猶予をしたときは、その旨、当該自主解散型基金の設立事業所の事業主に係る猶予期間及び猶予に係る額その他必要な事項を当該事業主に通知しなければならない。

（自主解散型納付計画の変更）

第十四条　厚生労働大臣は、政府が前条第二項の規定により納付の猶予をした場合において、その猶予がされた期間内にその猶予がされた額を納付することができないやむを得ない理由があると認めるときは、当該自主解散型基金の設立事業所の事業主の申請に基づき、その納付の猶予を受けようとする期間の延長その他の当該事業主の自主解散型納付計画の変更を承認することができる。ただし、その期間は、既に当該事業主につき自主解散型納付計画に基づいて猶予をした期間と併せて十五年（附則第十二条第八項の認定を受けた自主解散型基金の設立事業所の事業主にあっては、三十年）を超えることができない。

2　厚生労働大臣は、前項の規定により承認をしようとするときは、あらかじめ、社会保障審議会の意見を聴かなければならない。

3　厚生労働大臣は、政府が前条第二項の規定により納付の猶予をした場合において、その財産の状況その他の事情の変化により必要があると認めるときは、当該自主解散型基金の設立事業所の事業主に対し、期限を定めて、その納付の猶予を受けようとする期間の短縮その他の自主解散型納付計画の変更をし、厚生労働大臣に提出することを求めることができる。

4　第一項の規定は、厚生労働大臣が前項の規定により自主解散型納付計画の変更をし、提出することを求めた場合について準用する。この場合において、第一項中「その猶予がされた期間内にその猶予がされた額を納付することができないやむを得ない理由がある」とあるのは「当該自主解散型基金の設立事業所の事業主の財産の状況その他の事情の変化により必要がある」と、「当該自主解散型基金の設立事業所の事業主」とあるのは「当該事業主」と、「延長」とあるのは「短縮」と読み替えるものとする。

5　政府は、第一項（前項において準用する場合を含む。）の規定により自主解散型納付計画の変更の承認がされた場合には、その変更後の自主解散型納付計画に基づいて、納付の猶予をするものとする。

6　前条第四項の規定は、前項の規定により政府が納付の猶予をした場合について準用する。この場合において、必要な技術的読替えは、政令で定める。

（自主解散型納付計画の承認の取消し）

第十五条　自主解散型納付計画の承認を受けた自主解散型基金の設立事業所の事業主が次の各号のいずれかに該当する場合には、厚生労働大臣は、当該事業主の自主解散型納付計画の承認を取り消すことができる。

一　附則第十三条第二項又は前条第五項の規定により納付の猶予がされた期間内にその猶予がされた額を納付しないとき。

二　前条第三項の規定による求めに応じないとき。

三　前二号に掲げる場合のほか、当該事業主の財産の状況その他の事情の変化によりその猶予を継続することが適当でないと認められるとき。

2　政府は、厚生労働大臣が前項の規定により自主解散型納付計画の承認を取り消したときは、これに基づいて納付の猶予を取り消すものとする。

3　政府は、前項の規定により納付の猶予を取り消したときは、その旨を当該自主解散型基金の設立事業所の事業主に通知しなければならない。

（納付の猶予の場合の加算金）

第十六条　政府は、附則第十三条第二項又は第十四条第五項の規定により納付の猶予をしたときは、当該猶予をした徴収金額について、次の各号に掲げる区分に応じ、それぞれ当該各号に定めるところにより計算した加算金を当該自主解散型基金の設立事業所の事業主から徴収する。

一　当該猶予期間の終了日又は督促状により指定する期限までに納付される徴収金額（督促状により指定する期限までに納付されないことについて、やむを得ない事情があると認められる場合は、当該納付されない徴収金額を含む。）　当該徴収金額につき自主解散型加算金利率で、納期限の翌日から、徴収金完納の日の前日までの日数によって計算した額

二　督促状により指定する期限までに納付されない徴収金額（督促状により指定する期限までに納付されないことについて、やむを得ない事情があると認められる場合は、当該納付されない徴収金額を除く。）　イに掲げる額とロに掲げる額とを合算した額

イ　当該徴収金額につき自主解散型加算金利率で、納期限の翌日から、猶予期間の終了日又は猶予の取消しがあった日までの日数によって計算した額

ロ　当該徴収金額とイに掲げる額とを合算した額につき、年十四・六パーセントの割合で、当該猶予期間の終了日又は当該猶予の取消しがあった日の翌日から、徴収金完納又は財産差押えの日の前日までの日数によって計算した額

2　前項第一号及び第二号イの自主解散型加算金利率は、当該自主解散型基金が附則第五条第一項の規定によりなおその効力を有するものとされた改正前厚生年金保険法第百四十五条第一項第一号又は第二号の規定による解散をした年度における国債の利回りを勘案して厚生労働大臣が定める率とする。

3　第一項の場合において、徴収金額の一部につき納付があったときは、その納付の日以後の期間に係る加算金の計算の基礎となる徴収金は、その納付のあった徴収金額を控除した金額による。

4　加算金を計算するに当たり、徴収金額に千円未満の端数があるときは、その端数は、切り捨てる。

5　前各項の規定により計算した金額が百円未満であるときは、加算金は、徴収しない。

6　加算金の金額に百円未満の端数があるときは、その端数は、切り捨てる。

7　自主解散型基金の設立事業所の事業主は、加算金をその額の計算の基礎となる徴収金に併せて納付しなければならない。

（責任準備金相当額の特例の適用を受ける自主解散型基金に対する納付の猶予に関する特例）

第十七条　自主解散型基金が附則第十一条第一項の規定による認定の申請及び附則第十二条第一項の承認の申請を行う場合においては、当該認定の申請と当該承認の申請は同時に行わなければならない。

2　自主解散型基金が附則第十一条第一項の規定による認定の申請及び附則第十二条第一項の承認の申請をし、かつ、附則第十一条第五項の認定を受けた場合においては、同条第七項から第九項まで及び附則第十二条第六項の規定は適用せず、同条第一項及び第五項並びに附則第十三条第一項及び第三項並びに第六十九条第一項の規定の適用については、附則第十二条第一項中「自主解散型基金及び」とあるのは「自主解散型基金であって、前条第五項の認定を受けたもの及び」と、同項及び同条第五項中「責任準備金相当額」とあるのは「減額責任準備金相当額」と、附則第十三条第一項中「、責任準備金相当額」とあるのは「、減額責任準備金相当額」と、同項及び同条第三項中「から責任準備金相当額」とあるのは「から減額責任準備金相当額」と、同項中「及び減額責任準備金相当額」とあるのは「」とあるのは「減額責任準備金相当額」とあるのは、「減額責任準備金相当額」と、附則第六十九条第一項中「責任準備金相当額から当該年金給付等積立金の額を控除した額をそれぞれ徴収する場合、」とあるのは「減額責任準備金相当額から当該年金給付等積立金の額を控除した額をそれぞれ徴収する場合、」とする。

（自主解散型基金に係る減額責任準備金相当額等の一部の物納）

第十八条　附則第五条第一項の規定によりなおその効力を有するものとされた改正前確定給付企業年金法第百十四条の規定は、附則第十一条第七項の規定により政府が当該自主解散型基金から減額責任準備金相当額を徴収する場合及び附則第十三条第一項の規定により政府が当該自主解散型基金から年金給付等積立

金の額を徴収する場合について準用する。この場合において、附則第五条第一項の規定によりなおその効力を有するものとされた改正前確定給付企業年金法第百十四条第二項中「第百十一条第二項の厚生労働大臣の承認又は第百十二条第一項の厚生労働大臣の認可」とあるのは、「公的年金制度の健全性及び信頼性の確保のための厚生年金保険法等の一部を改正する法律（平成二十五年法律第六十三号）附則第五条第一項の規定によりなおその効力を有するものとされた同法第一条の規定による改正前の厚生年金保険法第百四十五条第二項の認可」と読み替えるものとするほか、必要な技術的読替えは、政令で定める。

2　附則第百三十二条の規定によりなおその効力を有するものとされた改正前保険業法附則第一条の十三の規定は、前項の規定により附則第五条第一項の規定によりなおその効力を有するものとされた改正前確定給付企業年金法第百十四条の規定を準用して物納をする場合について準用する。この場合において、必要な技術的読替えは、政令で定める。

（清算型基金の指定）

第十九条　厚生労働大臣は、事業年度の末日における年金給付等積立金の額が責任準備金相当額に政令で定める率を乗じて得た額を下回ることその他その事業の継続が著しく困難なものとして政令で定める要件に適合する存続厚生年金基金であって、この項の規定による指定の日までに業務の運営について相当の努力をしたものとして政令で定める要件に適合すると認めたものを清算型基金として指定することができる。

2　前項の規定による指定は、施行日から起算して五年を経過する日までの間に限り行うことができる。

3　厚生労働大臣は、第一項の規定による指定をしようとするときは、あらかじめ、社会保障審議会の意見を聴かなければならない。

4　清算型基金は、第一項の規定による指定を受けた日以降の当該清算型基金の加入員であった期間に係る附則第五条第一項の規定によりなおその効力を有するものとされた改正前厚生年金保険法第百三十二条第二項に規定する額に相当する老齢年金給付の支給に関する義務を免れる。

5　附則第五条第一項の規定によりなおその効力を有するものとされた改正前厚生年金保険法附則第三十二条第二項の規定は、清算型基金について準用する。この場合において、同項第一号中「認可を受けた日」とあるのは「公的年金制度の健全性及び信頼性の確保のための厚生年金保険法等の一部を改正する法律（平成二十五年法律第六十三号。以下「平成二十五年改正法」という。）附則第十九条第一項の規定による指定を受けた日」と、同項第二号中「認可を受けた日」とあるのは「平成二十五年改正法附則第十九条第一項の規定による指定を受けた日」と、同項第四号中「附則第三十二条第一項の認可を受けた基金であるとした場合における当該基金の」とあるのは「公的年金制度の健全性及び信頼性の確保のための厚生年金保険法等の一部を改正する法律（平成二十五年法律第六十三号）附則第十九条第一項の規定による指定を受けた基金であるとした場合における当該基金の」と読み替えるものとする。

6　附則第十一条第三項の規定は、清算型基金について準用する。この場合において、同項中「当該申請をした」とあるのは、「附則第十九条第一項の規定による指定を受けた」と読み替えるものとする。

7　清算型基金は、当該清算型基金の清算に関する計画（以下「清算計画」という。）を作成し、厚生労働省令で定めるところにより、これを厚生労働大臣に提出して、その承認を受けなければならない。

8　清算計画には、次に掲げる事項を記載しなければならない。

一　当該清算型基金の解散に必要な行為が完了すると見込まれる日

二　次条第一項の規定による認定の申請又は附則第二十一条第一項の承認の申請をする意思の有無

三　当該清算型基金の清算人の氏名又は名称及び住所

四　その他厚生労働省令で定める事項

9　清算型基金は、第七項の承認を受けたときは、附則第五条第一項の規定によりなおその効力を有するものとされた改正前厚生年金保険法第百四十五条第一項の規定にかかわらず、解散する。

10　清算型基金（次条第一項の規定による認定の申請をしたもの及び附則第二十一条第一項の承認の申請をしたものを除く。）について附則第十条の規定を適用する場合においては、同条第一項中「附則第五条第一項の規定によりなおその効力を有するものとされた改正前厚生年金保険法附則第三十二条第一項の認可を受けた存続厚生年金基金」とあるのは「清算型基金（附則第二十条第一項の規定による認定の申請をしたもの及び附則第二十一条第一項の承認の申請をしたものを除く。）」と、「次の各号に掲げる認可又は承認前においても、当該各号に定める」とあるのは「附則第十九条第七項の承認前においても、附則第八条の」とする。

（清算型基金が解散する場合における責任準備金相当額の特例）

第二十条　清算型基金は、前条第七項の承認の申請をする際に、厚生労働省令で定めるところにより、厚生労働大臣に対し、責任準備金相当額の減額を可とする旨の認定を申請することができる。

2　厚生労働大臣は、前項の規定による認定の申請があった場合において、当該申請をした清算型基金が当該申請の日までに業務の運営について相当の努力をしたものとして政令で定める要件に適合すると認めるときは、その認定をするものとする。

3　政府は、前項の認定を受けた清算型基金が前条第九項の規定により解散したとき（当該解散した日における年金給付等積立金の額が責任準備金相当額を下回る場合に限る。）は、附則第八条の規定にかかわらず、責任準備金相当額に代えて、減額責任準備金相当額を当該清算型基金から徴収する。この場合において、附則第三十四条第四項の規定は適用せず、附則第五条第一項の規定によりなおその効力を有するものとされた改正前厚生年金保険法第百三十八条第六項の規定の適用については、同項中「政令で定める額」とあるのは、「公的年金制度の健全性及び信頼性の確保のための厚生年金保険法等の一部を改正する法律（平成二十五年法律第六十三号）附則第十一条第七項に規定する減額責任準備金相当額」とする。

4　附則第十一条第八項の規定は、前項の規定により政府が当該清算型基金から減額責任準備金相当額を徴収する場合について準用する。この場合において、必要な技術的読替えは、政令で定める。

5　第一項の規定による認定の申請をした清算型基金について附則第十条の規定を適用する場合においては、同条第一項中「附則第五条第一項の規定によりなおその効力を有するものとされた改正前厚生年金保険法附則第三十二条第一項の認可を受けた存続厚生年金基金」とあるのは「清算型基金であって、附則第二十条第一項の規定による認定の申請をしたもの」と、「次の各号に掲げる認可又は承認前においても、当該各号に定める」とあるのは「附則第十九条第七項の承認前においても、附則第二十条第三項の」と、「責任準備金相当額」とあるのは「減額責任準備金相当額（次条第七項に規定する減額責任準備金相当額をいう。第三項において同じ。）」と、同条第三項中「責任準備金相当額」とあるのは「減額責任準備金相当額」とする。

（清算型納付計画の承認）

第二十一条　清算型基金及びその設立事業所の事業主（当該清算型基金を共同して設立している場合にあっては、当該清算型基金を設立している各事業主。次項及び第六項において同じ。）は、それぞれ、責任準備金相当額のうち自らが納付すべき額について、その納付に関する計画（以下「清算型納付計画」という。）を作成し、厚生労働省令で定めるところにより、これを厚生労働大臣に提出して、当該清算型納付計画について適当である旨の承認を受けることができる。

2　前項の承認の申請は、附則第十九条第七項の承認の申請をする際に、当該清算型基金及びその設立事業所の事業主が同時に行わなければならない。

3　清算型基金の清算型納付計画には、次に掲げる事項を記載しなければならない。

一　当該清算型基金が納付すべき年金給付等積立金の額

二　第一項の承認の申請の日までの業務の状況に関する事項

三　その他厚生労働省令で定める事項

4　清算型基金の設立事業所の事業主の清算型納付計画には、次に掲げる事項を記載しなければならない。

一　当該事業主が納付すべき額

二　当該事業主が納付の猶予を受けようとする期間及び額

三　その他厚生労働省令で定める事項

5　第一項の承認の申請を行う場合において、当該清算型基金の清算型納付計画に記載された第三項第一号に掲げる額と当該清算型基金の設立事業所の事業主の清算型納付計画に記載された前項第一号に掲げる額（当該清算型基金の設立事業所の事業主が当該清算型基金を共同して設立している場合にあっては、当該清算型基金を設立している各事業主の清算型納付計画に記載された同号に掲げる額の合計額）とを合算して得た額は、当該清算型基金の責任準備金相当額でなければならない。

6　厚生労働大臣は、第一項の承認の申請があった場合において、当該申請が次に掲げる全ての要件に適合すると認めるときは、その承認をするものとする。この場合において、当該清算型基金及びその設立事業所の事業主の清算型納付計画の承認は、同時に行うものとする。

一　当該清算型基金が当該申請の日までに業務の運営について相当の努力をしたものとして政令で定める要件に適合するものであること。

二　当該清算型基金の設立事業所の事業主が第一項の規定により提出した清算型納付計画が、第四項第二号に掲げる納付の猶予を受けようとする期間が五年以内（五年以内に納付することができないやむを得ない理由があると認められるときは、十年以内）であることその他当該事業主が同項第一号に掲げる額を確実に納付するために必要なものとして厚生労働省令で定める要件に適合するものであること。

7　厚生労働大臣は、前項の規定により承認をするに当たり、当該清算型基金が、当該承認の申請の日までに業務の運営について著しく努力をし、かつ、当該承認の申請の日においてその事業の継続が極めて困難な状況にあるものとして政令で定める要件に適合すると認めるときは、その旨の認定をするものとする。

8　厚生労働大臣は、前項の規定により認定をしようとするときは、あらかじめ、社会保障審議会の意見を聴かなければならない。

9　第一項の承認の申請をした清算型基金について附則第十条の規定を適用する場合においては、同条第一項中「附則第五条第一項の規定によりなおその効力を有するものとされた改正前厚生年金保険法附則第三十二条第一項の認可を受けた存続厚生年金基金」とあるのは「清算型基金であって、附則第二十一条第一項の承認の申請をしたもの」と、「次の各号に掲げる認可又は承認前においても、当該各号に定める」とあるのは「附則第十九条第七項の承認前においても、附則第二十二条第一項の」と、「責任準備金相当額」とあるのは「年金給付等積立金の額（次条第一項に規定する年金給付等積立金の額をいう。第三項において同じ。）」と、同条第三項中「責任準備金相当額」とあるのは「年金給付等積立金の額」とする。

（清算型納付計画の承認を受けて解散した場合における責任準備金相当額の納付の猶予等）

第二十二条　清算型基金及びその設立事業所の事業主が前条第一項の承認を受けた場合において、当該清算型基金が附則第十九条第九項の規定により解散したとき（当該解散した日における年金給付等積立金の額が責任準備金相当額を下回る場合に限る。）は、政府は、附則第八条の規定にかかわらず、責任準備金相当額を徴収するに当たり、当該清算型基金から当該解散した日における年金給付等積立金の額を徴収し、その設立事業所の事業主から責任準備金相当額から当該年金給付等積立金の額を控除した額を当該事業主の清算型納付計画に基づき徴収する。この場合において、附則第五条第一項の規定によりなおその効力を有するものとされた改正前厚生年金保険法第百三十八条第六項の規定及び附則第三十四条第四項の規定は、適用しない。

2　政府は、前項の規定による徴収を行うに当たり、当該清算型基金の設立事業所の事業主の清算型納付計画に基づいて、納付の猶予をするものとする。

3　附則第十一条第八項の規定は、第一項の規定により政府が当該清算型基金から年金給付等積立金の額を徴収し、その設立事業所の事業主から責任準備金相当額から当該年金給付等積立金の額を控除した額を徴収する場合について準用する。この場合において、同条第八項第二号中「及び減額責任準備金相当額」とあるのは、「並びにその設立事業所の事業主の附則第二十一条第一項に規定する清算型納付計画に記載された同条第四項第二号に掲げる納付の猶予を受けようとする期間及び額」と読み替えるものとする。

4　附則第十三条第四項の規定は、第二項の規定により政府が納付の猶予をした場合について準用する。この場合において、必要な技術的読替えは、政令で定める。

（準用規定）

第二十三条　附則第十四条から第十六条までの規定は、政府が前条第二項の規定による納付の猶予をした場合について準用する。この場合において、附則第十四条第一項、第三項及び第四項、第十五条第一項及び第三項並びに第十六条第一項、第二項及び第七項中「自主解散型基金」とあるのは「清算型基金」と、附則第十四条第一項中「自主解散型納付計画の」とあるのは「清算型納付計画（附則第二十一条第一項に規定する清算型納付計画をいう。以下同じ。）の」と、「自主解散型納付計画に」とあるのは「清算型納付計画に」と、「附則第十二条第八項」とあるのは「附則第二十一条第七項」と、同条第三項から第五項まで並びに附則第十五条第一項及び第二項中「自主解散型納付計画」とあるのは「清算型納付計画」と、附則第十六条第一項及び第二項中「自主解散型加算金利率」とあるのは「清算型加算金利率」と、同項中「附則第五条第一項の規定によりなおその効力を有するものとされた改正前厚生年金保険法第百四十五条第一項第一号又は第二号」とあるのは「附則第十九条第九項」と読み替えるものとするほか、必要な技術的読替えは、政令で定める。

（責任準備金相当額の特例の適用を受ける清算型基金に対する納付の猶予に関する特例）

第二十四条　清算型基金が附則第二十条第一項の規定による認定の申請及び附則第二十一条第一項の承認の申請をし、かつ、附則第二十条第二項の認定を受けた場合においては、同条第三項から第五項までの規定は適用せず、附則第二十一条第一項及び第五項、第二十二条第一項及び第三項並びに第六十九条第一項の規定の適用については、附則第二十一条第一項中「清算型基金及び」とあるのは「清算型基金であって、前条第二項の認定を受けたもの及び」と、同項及び同条第五項中「責任準備金相当額」とあるのは「減額責任準備金相当額」と、附則第二十二条第一項中「、責任準備金相当額」とあるのは「、減額責任準備金相当額」と、同項及び同条第三項中「から責任準備金相当額」とあるのは「から減額責任準備金相当額」と、同項中「及び減額責任準備金相当額」とあるのは、「」とあるのは「減額責任準備金相当額」とあるのは、「減額責任準備金相当額」と、附則第六十九条第一項中「責任準備金相当額から当該年金給付等積立金の額を控除した額をそれぞれ徴収する場合及び」とあるのは「減額責任準備金相当額から当該年金給付等積立金の額を控除した額をそれぞれ徴収する場合及び」とする。

（清算型基金に係る減額責任準備金相当額等の一部の物納）

第二十五条　附則第五条第一項の規定によりなおその効力を有するものとされた改正前確定給付企業年金法第百十四条の規定は、附則第二十条第三項の規定により政府が当該清算型基金から減額責任準備金相当額を徴収する場合及び附則第二十二条第一項の規定により政府が当該清算型基金から年金給付等積立金の額を徴収する場合について準用する。この場合において、附則第五条第一項の規定によりなおその効力を有するものとされた改正前確定給付企業年金法第百十四条第二項中「第百十一条第二項の厚生労働大臣の承認又は第百十二条第一項の厚生労働大臣の認可」とあるのは、「公的年金制度の健全性及び信頼性の確保のための厚生年金保険法等の一部を改正する法律（平成二十五年法律第六十三号）附則第十九条第七項の承認」と読み替えるものとするほか、必要な技術的読替えは、政令で定める。

2　附則第百三十二条の規定によりなおその効力を有するものとされた改正前保険業法附則第一条の十三の規定は、前項の規定によりなおその効力を有するものとされた改正前確定給付企業年金法第百十四条の規定を準用して物納をする場合について準用する。この場合において、必要な技術的読替えは、政令で定める。

（政令への委任）

第二十六条　附則第十一条から前条までに定めるもののほか、自主解散型基金及び清算型基金に関し必要な事項は、政令で定める。

（特定基金に関する経過措置）

第二十七条　この法律の施行の際現に改正前厚生年金保険法附則第三十三条第一項の規定によりされている申出は、附則第十一条第一項の規定によりされた認定の申請とみなす。この場合において、同条第三項中「当該申請をした日」とあるのは、「施行日」とする。

2　施行日前に改正前厚生年金保険法附則第三十三条第三項の規定により同項に規定する減額責任準備金相当額を徴収することとされた特定基金（同条第一項に規定する特定基金をいう。以下同じ。）であって清算中のものについては、同条第三項から第七項まで並びに改正前厚生年金保険法附則第三十八条、第三十九条第一項及び第四十条の規定、改正前厚生年金保険法附則第三十八条第一項において準用する改正前確定給付企業年金法第百十四条の規定並びに改正前厚生年金保険法附則第三十八条第三項において準用する改正前保険業法附則第一条の十三の規定は、なおその効力を有する。この場合において、改正前厚生年金保険法附則第三十九条第一項中「連合会」とあるのは、「公的年金制度の健全性及び信頼性の確保のための厚生年金保険法等の一部を改正する法律（平成二十五年法律第六十三号）附則第三条第十三号に規定する存続連合会又は同条第十五号に規定する連合会」とするほか、この項の規定によりなおその効力を有するものとされた改正前厚生年金保険法の規定の適用に関し必要な読替えその他必要な事項は、政令で定める。

第二十八条　施行日前に改正前厚生年金保険法附則第三十四条第一項の承認の申請をした特定基金（施行日前に解散したものを除く。）については、同条（第二項を除く。）並びに改正前厚生年金保険法附則第三十五条、第三十六条、第三十八条、第三十九条第一項及び第四十条の規定、改正前厚生年金保険法附則第三十四条第六項において準用する改正前厚生年金保険法附則第三十三条第四項及び第五項の規定、改正前厚生年金保険法附則第三十四条第八項及び第三十六条第八項において準用する改正前厚生年金保険法附則第三十三条第七項の規定、改正前厚生年金保険法附則第三十四条第七項の規定、改正前厚生年金保険法附則第三十八条第一項において準用する改正前確定給付企業年金法第百十四条の規定並びに改正前厚生年金保険法附則第三十八条第三項において準用する改正前保険業法附則第一条の十三の規定は、なおその効力を有する。この場合において、改正前厚生年金保険法附則第三十九条第一項中「連合会」とあるのは、「公的年金制度の健全性及び信頼性の確保のための厚生年金保険法等の一部を改正する法律（平成二十五年法律第六十三号）附則第三条第十三号に規定する存続連合会又は同条第十五号に規定する連合会」とする。

2　前項の規定によりなおその効力を有するものとされた改正前厚生年金保険法附則第三十四条第一項の承認を受けた特定基金が附則第十一条第七項の規定により減額責任準備金相当額を徴収される場合においては、同項後段並びに附則第八十二条第一項第二号及び第八十三条第一項の規定は適用せず、前項の規定によりなおその効力を有するものとされた改正前厚生年金保険法附則第三十四条第一項、第五項、第六項及び第八項の規定の適用については、同条第一項、第五項及び第八項中「責任準備金相当額」とあるのは「減額責任準備金相当額」と、同条第六項中「責任準備金相当額を」とあるのは「減額責任準備金相当額を」と、「次条第五項」と、「減額責任準備金相当額」とあるのは「責任準備金相当額」と、それぞれ」とあるのは「、「次条第五項」と」とする。

3　施行日前に改正前厚生年金保険法附則第三十四条第五項の規定により納付の猶予がされた特定基金であって清算中のもの（以下「清算未了特定基金」という。）については、同条第一項、第三項及び第五項から第八項まで並びに改正前厚生年金保険法附則第三十五条から第三十八条まで、第三十九条第一項及び第四十条の規定、改正前厚生年金保険法附則第三十四条第六項において準用する改正前厚生年金保険法附則第三十三条第四項及び第五項の規定、改正前厚生年金保険法附則第三十四条第八項及び第三十六条第八項において準用する改正前厚生年金保険法附則第三十三条第七項の規定、改正前厚生年金保険法附則第三十六条第八項において準用する改正前厚生年金保険法附則第三十四条第七項の規定、改正前厚生年金保険法附則第三十八条第一項において準用する改正前確定給付企業年金法第百十四条の規定並びに改正前厚生年金保険法附則第三十八条第三項において準用する改正前保険業法附則第一条の十三の規定は、なおその効力を有する。この場合において、改正前厚生年金保険法附則第三十九条第一項中「連合会」とあるのは、「公的年金制度の健全性及び信頼性の確保のための厚生年金保険法等の一部を改正する法律（平成二十五年法律第六十三号）附則第三条第十三号に規定する存続連合会又は同条第十五号に規定する連合会」とする。

4　前三項に定めるもののほか、第一項又は前項の規定によりなおその効力を有するものとされた改正前厚生年金保険法の規定の適用に関し必要な読替えその他必要な事項は、政令で定める。

第二十九条　附則第二十七条第二項又は前条第一項若しくは第三項の規定によりなおその効力を有するものとされた改正前厚生年金保険法附則第三十九条第一項の規定により存続連合会が同項の業務を行う場合においては、附則第九十二条第五号中「この附則」とあるのは、「この附則又は附則第二十七条第二項若しくは第二十八条第一項若しくは第三項の規定によりなおその効力を有するものとされた改正前厚生年金保険法附則第三十九条第一項」とする。

2　附則第二十七条第二項又は前条第一項若しくは第三項の規定によりなおその効力を有するものとされた改正前厚生年金保険法附則第三十九条第一項の規定により連合会が同項の業務を行う場合においては、改正後確定給付企業年金法第百二十一条中「この法律」とあるのは、「この法律又は公的年金制度の健全性及び信頼性の確保のための厚生年金保険法等の一部を改正する法律（平成二十五年法律第六十三号）附則第二十七条第二項若しくは第二十八条第一項若しくは第三項の規定によりなおその効力を有するものとされた同法第一条の規定による改正前の厚生年金保険法附則第三十九条第一項」とする。

3　前二項に定めるもののほか、前二項に規定する場合におけるこの附則又は改正後確定給付企業年金法の規定の適用に関し必要な読替えその他必要な事項は、政令で定める。

（清算未了特定基金型納付計画の承認）

第三十条　清算未了特定基金（附則第二十八条第三項の規定によりなおその効力を有するものとされた改正前厚生年金保険法附則第三十六条第一項第二号の規定の適用を受けたことがないものに限る。以下この条及び次条において同じ。）の設立事業所の事業主（当該清算未了特定基金を共同して設立している場合にあっては、当該清算未了特定基金を設立している各事業主。第七項第一号において同じ。）は、それぞれ、責任準備金相当額（当該清算未了特定基金が改正前厚生年金保険法附則第三十三条第三項の規定により同項に規定する減額責任準備金相当額を徴収することとされた場合にあっては、当該減額責任準備金相当額。次条第一項において同じ。）のうち自らが納付すべき額について、その納付に関する計画（以下「清算未了特定基金型納付計画」という。）を作成し、当該清算未了特定基金の同意を得た上で、厚生労働省令で定めるところにより、これを厚生労働大臣に提出して、当該清算未了特定基金型納付計画について適当である旨の承認を受けることができる。

2　前項の承認の申請は、施行日から起算して一年を経過する日までの間に限り行うことができる。

3　第一項の承認の申請は、当該清算未了特定基金の設立事業所の事業主が当該清算未了特定基金を共同して設立している場合にあっては、当該清算未了特定基金を設立している各事業主が同時に行わなければならない。

4　清算未了特定基金型納付計画には、次に掲げる事項を記載しなければならない。

一　当該事業主が納付すべき額

二　当該事業主が納付の猶予を受けようとする期間及び額

三　その他厚生労働省令で定める事項

5　第一項の承認の申請を行う場合において、当該清算未了特定基金型納付計画に記載された前項第一号に掲げる額は、第一号に掲げる額と第二号に掲げる額とを合算した額から第三号に掲げる額と第四号に掲げる額とを合算した額を控除した額でなければならない。

一　当該清算未了特定基金が附則第二十八条第三項の規定によりなおその効力を有するものとされた改正前厚生年金保険法附則第三十四条第一項に規定する納付計画（当該納付計画が附則第二十八条第三項の規定によりなおその効力を有するものとされた改正前厚生年金保険法附則第三十五条第一項又は第二項の規定により変更されている場合にあっては、当該変更前の当該納付計画。第三号において単に「納付計画」という。）に基づき、改正前厚生年金保険法附則第三十四条第五項の規定により読み替えて適用する改正前厚生年金保険法第百三十八条第六項の規定により当該事業主から徴収することとした額に相当する額

二　前号に掲げる額につき調整利率で、附則第二十八条第三項の規定によりなおその効力を有するものとされた改正前厚生年金保険法附則第三十四条第五項の規定による徴収金の納期限（第七項第一号において単に「納期限」という。）の翌日から、第一項の承認の申請の日の前日までの日数によって計算した額

三　清算未了特定基金が既に納付した徴収金額のうち、当該清算未了特定基金が、その納付計画に基づき、附則第二十八条第三項の規定によりなおその効力を有するものとされた改正前厚生年金保険法附則第三十四条第五項の規定により読み替えて適用する附則第五条第一項の規定によりなおその効力を有するものとされた改正前厚生年金保険法第百三十八条第六項の規定により当該事業主から徴収した額に相当する額

四　前号に掲げる額につき調整利率で、清算未了特定基金が当該額を納付した日の翌日から、第一項の承認の申請の日の前日までの日数によって計算した額

6　前項第二号及び第四号の調整利率は、平成十七年度以後の各年度における年金特別会計の厚生年金勘定の積立金の運用の実績を勘案して厚生労働大臣が定める率とする。

7　厚生労働大臣は、第一項の承認の申請があった場合において、当該申請が次に掲げる全ての要件に適合すると認めるときは、その承認をするものとする。この場合において、当該清算未了特定基金の設立事業所の事業主が当該清算未了特定基金を共同して設立しているときは、当該清算未了特定基金を設立している各事業主の清算未了特定基金型納付計画の承認は、同時に行うものとする。

一　当該清算未了特定基金の設立事業所の事業主が第一項の規定により提出した清算未了特定基金型納付計画が、第四項第二号に掲げる納付の猶予を受けようとする期間の全部が当該清算未了特定基金の納期限の翌日から起算して三十年以内にあることその他当該事業主が同項第一号に掲げる額を確実に納付するために必要なものとして厚生労働省令で定める要件に適合するものであること。

二　当該清算未了特定基金について、その猶予がされた額を納付することができないやむを得ない理由があること。

8　厚生労働大臣は、前項の規定により承認をしようとするときは、あらかじめ、社会保障審議会の意見を聴かなければならない。

（清算未了特定基金型納付計画の承認を受けて解散した場合における責任準備金相当額の納付の猶予等）

第三十一条　厚生労働大臣が前条第七項の規定により承認をしたときは、政府は、附則第二十八条第三項の規定によりなおその効力を有するものとされた改正前厚生年金保険法附則第三十四条第五項の規定により当該清算未了特定基金から徴収する責任準備金相当額（当該清算未了特定基金が既に納付した額を除く。第三項において同じ。）を免除し、その設立事業所の事業主から前条第四項第一号に掲げる額を当該事業主の清算未了特定基金型納付計画に基づき徴収する。この場合において、附則第二十七条第二項の規定によりなおその効力を有するものとされた改正前厚生年金保険法附則第三十三条第三項から第七項まで並びに附則第二十八条第三項の規定によりなおその効力を有するものとされた改正前厚生年金保険法附則第三十四条第一項、第三項及び第五項から第八項まで、第三十五条から第三十八条まで、第三十九条第一項並びに第四十条の規定は、適用しない。

2　政府は、前項の規定による徴収を行うに当たり、当該清算未了特定基金の設立事業所の事業主の清算未了特定基金型納付計画に基づいて、納付の猶予をするものとする。

3　附則第十一条第八項の規定は、第一項の規定により政府が当該清算未了特定基金から徴収する責任準備金相当額を免除し、その設立事業所の事業主から前条第四項第一号に掲げる額を徴収する場合について準用する。この場合において、附則第十一条第八項第二号中「及び減額責任準備金相当額」とあるのは、「（当該清算未了特定基金が改正前厚生年金保険法附則第三十三条第三項の規定により同項に規定する減額責任準備金相当額を徴収することとされた場合にあっては、当該減額責任準備金相当額）並びにその設立事業所の事業主の附則第三十条第一項に規定する清算未了特定基金型納付計画に記載された同条第四項第二号に掲げる納付の猶予を受けようとする期間及び額」と読み替えるものとする。

4　附則第十三条第四項の規定は、第二項の規定により政府が納付の猶予をした場合について準用する。この場合において、必要な技術的読替えは、政令で定める。

（準用規定）

第三十二条　附則第十四条から第十六条までの規定は、政府が前条第二項の規定による納付の猶予をした場合について準用する。この場合において、附則第十四条第一項中「当該自主解散型基金」とあるのは「その猶予を受けた清算未了特定基金（附則第三十条第一項に規定する清算未了特定基金をいう。以下同じ。）」と、「の自主解散型納付計画」とあるのは「の清算未了特定基金型納付計画（附則第三十条第一項に規定する清算未了特定基金型納付計画をいう。以下同じ。）」と、「既に当該事業主につき自主解散型納付計画に基づいて猶予をした期間と併せて十五年（附則第十二条第八項の認定を受けた自主解散型基金の設立事業所の事業主にあっては、三十年）」とあるのは「附則第二十八条第三項の規定によりなおその効力を有するものとされた改正前厚生年金保険法附則第三十四条第五項の規定による徴収金の納期限の翌日から起算して三十年」と、同条第三項並びに附則第十五条第一項及び第三項並びに第十六条第一項、第二項及び第七項中「自主解散型基金」とあるのは「清算未了特定基金」と、附則第十四条第三項から第五項まで並びに第十五条第一項及び第二項中「自主解散型納付計画」とあるのは「清算未了特定基金型納付計画」と、附則第十四条第四項中「当該自主解散型基金の設立事業所の事業主の財産」とあるのは「その猶予を受けた清算未了特定基金（附則第三十条第一項に規定する清算未了特定基金をいう。以下同じ。）の設立事業所の事業主の財産」と、「当該自主解散型基金の設立事業所の事業主」とあるのは「その猶予を受けた清算未了特定基金（附則第三十条第一項に規定する清算未了特定基金をいう。以下同じ。）の設立事業所の事業主」と、附則第十六条第一項及び第二項中「自主解散型加算金利率」とあるのは「清算未了特定基金型加算金利率」と、同項中「附則第五条第一項の規定に

よりなおその効力を有するものとされた改正前厚生年金保険法第百四十五条第一項第一号又は第二号の規定による解散をした」とあるのは「附則第三十条第一項の承認を受けた」と読み替えるものとするほか、必要な技術的読替えは、政令で定める。

（施行日から五年を経過した日以後における解散命令の特例）

第三十三条　施行日から起算して五年を経過した日以後において、存続厚生年金基金（附則第十一条第一項の規定による認定の申請又は附則第十二条第一項の承認の申請をしている自主解散型基金及び清算型基金を除く。以下この条において同じ。）が次の各号のいずれにも該当するときは、厚生労働大臣は、当該存続厚生年金基金が附則第五条第一項の規定によりなおその効力を有するものとされた改正前厚生年金保険法第百七十九条第五項第四号に該当するものとみなすことができる。

一　存続厚生年金基金の事業年度の末日（以下この項において「基準日」という。）における年金給付等積立金の額が、当該基準日における当該存続厚生年金基金の加入員及び加入員であった者に係る責任準備金相当額に一・五を乗じて得た額を下回るとき。

二　基準日における年金給付等積立金の額が、次に掲げる額の合計額を下回るとき。

イ　当該基準日における当該存続厚生年金基金の加入員及び加入員であった者に係る責任準備金相当額

ロ　当該存続厚生年金基金の加入員及び加入員であった者について当該基準日までの加入員であった期間（当該存続厚生年金基金の加入員となる前の期間その他の政令で定める期間を含む。）に係る年金たる給付（附則第五条第一項の規定によりなおその効力を有するものとされた改正前厚生年金保険法第百三十二条第二項に規定する額に相当する部分を除く。）又は一時金たる給付に要する費用の額の予想額を計算し、これらの予想額の合計額の現価として厚生労働大臣の定めるところにより計算した額

2　前項第二号ロに掲げる額の計算の基礎となる予定利率及び予定死亡率は、厚生労働大臣が定める。

3　厚生労働大臣は、第一項の規定により存続厚生年金基金が附則第五条第一項の規定によりなおその効力を有するものとされた改正前厚生年金保険法第百七十九条第五項第四号に該当するものとみなして、同項の規定により当該存続厚生年金基金の解散を命じようとするときは、あらかじめ、社会保障審議会の意見を聴かなければならない。

（清算人等）

第三十四条　存続厚生年金基金が解散したときは、理事が、その清算人となる。ただし、代議員会において他人を選任したときは、この限りでない。

2　次に掲げる場合には、厚生労働大臣が清算人を選任する。

一　前項の規定により清算人となる者がないとき。

二　清算人が欠けたため損害を生ずるおそれがあるとき。

3　前項の場合において、清算人の職務の執行に要する費用は、存続厚生年金基金が負担する。

4　解散した存続厚生年金基金の残余財産は、規約で定めるところにより、その解散した日において当該存続厚生年金基金が年金たる給付の支給に関する義務を負っていた者に分配しなければならない。

5　前項の規定により残余財産を分配する場合においては、同項に規定する者に、その全額を支払うものとし、当該残余財産を事業主に引き渡してはならない。

（解散存続厚生年金基金の残余財産の確定給付企業年金への交付）

第三十五条　施行日以後に解散した存続厚生年金基金（当該解散した日における年金給付等積立金の額が責任準備金相当額を下回るものを除く。）は、規約で定めるところにより、その設立事業所（政令で定める場合にあっては、設立事業所の一部。以下この項及び次条において同じ。）が確定給付企業年金の実施事業所（改正後確定給付企業年金法第四条第一号に規定する実施事業所をいう。以下この項において同じ。）となっている場合又は実施事業所となる場合であって、当該確定給付企業年金の規約において、あらかじめ、当該存続厚生年金基金から前条第四項の規定により当該設立事業所に使用される解散基金加入員等（解散した厚生年金基金がその解散した日において年金たる給付の支給に関する義務を負っていた者をいう。以下同じ。）に分配すべき残余財産（以下この条において「残余財産」という。）の交付を受けることができる旨が定められているときは、当該確定給付企業年金の事業主等（改正後確定給付企業年金法第二十九条第一項に規定する事業主等をいう。以下同じ。）に残余財産の当該確定給付企業年金の資産管理運用機関等（改正後確定給付企業年金法第三十条第三項に規定する資産管理運用機関等をいう。以下同じ。）への交付を申し出ることができる。

2　当該確定給付企業年金の事業主等は、当該確定給付企業年金の資産管理運用機関等が前項の規定による申出に従い残余財産の交付を受けたときは、当該交付金を原資として、規約で定めるところにより、当該解散基金加入員等に対し、改正後確定給付企業年金法第二十九条第一項各号及び第二項各号に掲げる給付（以下「老齢給付金等」という。）の支給を行うものとする。

3　当該確定給付企業年金の資産管理運用機関等が第一項の規定による申出に従い残余財産の交付を受けたときは、前条第四項の規定の適用については、当該残余財産は、当該解散基金加入員等に分配されたものとみなす。

4　当該確定給付企業年金の事業主等は、第二項の規定により老齢給付金等の支給を行うこととなったときは、その旨を当該解散基金加入員等に通知しなければならない。

5　当該確定給付企業年金の事業主等は、解散基金加入員等の所在が明らかでないため前項の規定による通知をすることができないときは、当該通知に代えて、その通知すべき事項を公告しなければならない。

（解散存続厚生年金基金の残余財産の独立行政法人勤労者退職金共済機構への交付）

第三十六条　施行日以後に解散した存続厚生年金基金（当該解散した日における年金給付等積立金の額が責任準備金相当額を下回るものを除く。）は、規約で定めるところにより、その設立事業所の事業主（当該事業主が中小企業退職金共済法（昭和三十四年法律第百六十号）第二条第一項に規定する中小企業者である場合に限る。以下この条において同じ。）がその雇用する解散基金加入員（解散した厚生年金基金がその解散した日にお

いて老齢年金給付の支給に関する義務を負っていた者をいう。以下同じ。）を中小企業退職金共済法第二条第七項に規定する被共済者として同条第三項に規定する退職金共済契約（以下この条において単に「退職金共済契約」という。）を締結した場合には、附則第三十四条第四項の規定により当該退職金共済契約の被共済者となった解散基金加入員に分配すべき残余財産（以下この条において「残余財産」という。）のうち被共済者持分額（当該残余財産のうち、当該被共済者となった解散基金加入員の持分として厚生労働省令で定める方法により算定した額をいう。）の範囲内の額の交付を独立行政法人勤労者退職金共済機構（以下この条において「機構」という。）に申し出ることができる。この場合において、同項中「残余財産」とあるのは、「残余財産（附則第三十六条第一項の規定による申出に従い交付されたものを除く。）」とする。

2　機構が前項の規定による申出に従い残余財産のうち被共済者持分額の範囲内の額の交付を受けた場合において、当該交付された額（以下この条において「交付額」という。）のうち、当該退職金共済契約の効力が生じた日における掛金月額その他の事情を勘案して政令で定める額については、厚生労働省令で定めるところにより、政令で定める月数を当該退職金共済契約の被共済者に係る掛金納付月数（掛金の納付があった月数をいう。次項において同じ。）に通算するものとする。この場合において、その通算すべき月数は、当該退職金共済契約の被共済者が存続厚生年金基金の加入員であった期間の月数を超えることができない。

3　交付額から前項の政令で定める額を控除した残余の額を有する当該退職金共済契約の被共済者が退職したときにおける退職金の額は、中小企業退職金共済法第十条第一項ただし書及び第二項の規定にかかわらず、次の各号に掲げる前項の規定による通算後の掛金納付月数の区分に応じ、当該各号に定める額とする。

一　十一月以下　当該交付のあった日の属する月の翌月から当該被共済者が退職した日の属する月までの期間につき、当該残余の額に対し、政令で定める利率に厚生労働大臣が定める利率を加えた利率の複利による計算をして得た元利合計額（当該交付のあった日の属する月に当該被共済者が退職したときは、当該残余の額。次号において「計算後残余額」という。）

二　十二月以上　中小企業退職金共済法第十条第二項の規定により算定した額に計算後残余額を加算した額

4　前項の残余の額を有する当該退職金共済契約の被共済者に係る当該退職金共済契約が解除されたときにおける解約手当金の額は、中小企業退職金共済法第十六条第三項の規定にかかわらず、前項の規定の例により計算して得た額とする。

5　第一項の規定による申出に従い交付額が機構に交付された退職金共済契約の被共済者については、当該事業主は、中小企業退職金共済法第二十七条第一項の規定にかかわらず、同項の申出をすることができない。

6　第一項の規定による申出に従い交付額が機構に交付されたときは、当該事業主は、その旨を当該交付額に係る被共済者となった当該解散基金加入員に通知しなければならない。

7　第一項の規定は、施行日以後に解散した存続厚生年金基金の設立事業所の事業主がその雇用する解散基金加入員を被共済者とする退職金共済契約を当該解散する前から引き続き締結している場合について準用する。この場合において、同項中「被共済者となった」とあるのは、「被共済者である」と読み替えるものとするほか、必要な技術的読替えは、政令で定める。

8　前項において準用する第一項の規定による申出に従い交付額が機構に交付された退職金共済契約の被共済者が退職したときにおける退職金の額は、中小企業退職金共済法の規定にかかわらず、同項の規定による交付額の交付がなかったものとみなして同法の規定により算定した退職金額に、当該交付のあった日の属する月の翌月から当該被共済者が退職した日の属する月までの期間につき、当該交付額に対し、政令で定める利率に厚生労働大臣が定める利率を加えた利率の複利による計算をして得た元利合計額（当該交付のあった日の属する月に当該被共済者が退職したときは、当該交付額）を加算した額とする。

9　第七項において準用する第一項の規定による申出に従い交付額が機構に交付された退職金共済契約が解除されたときにおける解約手当金の額は、中小企業退職金共済法の規定にかかわらず、前項の規定の例により計算して得た額とする。

10　第六項の規定は、第七項の場合について準用する。この場合において、第六項中「被共済者となった」とあるのは、「被共済者である」と読み替えるものとするほか、必要な技術的読替えは、政令で定める。

（改正前厚生年金保険法の規定により設立された企業年金連合会の存続）

第三十七条　改正前厚生年金保険法の規定により設立された企業年金連合会であってこの法律の施行の際現に存するものは、附則第四十条第一項各号に掲げる業務を行うため、施行日以後も、改正前厚生年金保険法の規定により設立された企業年金連合会としてなお存続するものとする。

（存続連合会に係る改正前厚生年金保険法の効力等）

第三十八条　存続連合会については、改正前厚生年金保険法第八十五条の三、第百四十九条、第百五十条、第百五十一条第一項、第百五十二条第四項、第百五十三条から第百五十八条の五まで、第百五十九条の二、第百五十九条の三、第百六十四条第三項、第百六十八条第三項、第百七十三条から第百七十四条まで、第百七十六条から第百七十七条まで、第百七十八条、第百七十九条（第五項及び第六項を除く。）及び第百八十一条並びに附則第三十条第三項の規定、改正前厚生年金保険法第百五十三条第二項において準用する改正前厚生年金保険法第百十五条第二項及び第三項の規定、改正前厚生年金保険法第百五十四条において準用する改正前厚生年金保険法第百十六条の規定、改正前厚生年金保険法第百五十八条第六項において準用する改正前厚生年金保険法第百二十一条の規定、改正前厚生年金保険法第百五十九条の二第三項において準用する改正前厚生年金保険法第百三十条の二第三項の規定、改正前厚生年金保険法第百六十四条第三項において準用する改正前厚生年金保険法第百三十六条の二から第百三十六条の五までの規定、改正前厚生年金保険法第百六十八条第三項において準用する改正前厚生年金保険法第百四十六条の二及び第百四十七条の二から第百四十八条までの規定、改正前厚生年金保険法第百七十四条において準用する改正前厚生年金保険法第九十八条第三項及び第四項本文の規定、改正前厚生年金保険法第百七十八条第二項において準用する改正前厚生年金保険法第百条第二項において準用する改正前厚生年金保険法第九十六条第二項の規定、改正前厚生年金保険法第百七十八条第二項において準用する改正前厚生年金保険法第百条第三項の規定並びに改正前厚生年金保険法附則第三十条第三項において準用する同条第一項及び第二項の規定は、なおその効力を有する。

2　前項の規定によりなおその効力を有するものとされた改正前厚生年金保険法の規定を適用する場合においては、次の表の上欄に掲げる改正前厚生年金保険法の規定中同表の中欄に掲げる字句は、それぞれ同表の下欄に掲げる字句に読み替えるものとする。

第八十五条の三	厚生年金基金又は企業年金連合会	公的年金制度の健全性及び信頼性の確保のための厚生年金保険法等の一部を改正する法律（平成二十五年法律第六十三号。以下「平成二十五年改正法」という。）附則第三条第十三号に規定する存続連合会
第百四十九条第一項	基金は、中途脱退者及び解散した基金が老齢年金給付の支給に関する義務を負つていた者（以下「解散基金加入員」という。）に係る老齢年金給付の支給を共同して行うとともに、第百六十五条から第百六十五条の三までに規定する年金給付等積立金の移換	平成二十五年改正法附則第三条第十一号に規定する存続厚生年金基金（以下「基金」という。）は、中途脱退者、解散した基金が老齢年金給付の支給に関する義務を負つていた者（以下「解散基金加入員」という。）、確定給付企業年金法第八十一条の二第一項に規定する中途脱退者及び同法第九十一条の二十第一項に規定する終了制度加入者等に係る平成二十五年改正法附則の規定による存続連合会老齢給付金の支給を共同して行うとともに、平成二十五年改正法附則第五十三条から第五十九条までに規定する年金給付等積立金又は積立金の移換
	企業年金連合会	平成二十五年改正法附則第三条第十三号に規定する存続連合会
第百五十三条第一項第八号	年金給付等積立金	年金給付等積立金及び積立金（平成二十五年改正法附則の規定により存続連合会が支給する確定給付企業年金法第八十一条の二第一項に規定する中途脱退者、同法第八十九条第六項に規定する終了制度加入者等及び同法第九十一条の二十三第一項に規定する企業型年金加入者であつた者に係る年金たる給付及び一時金たる給付に充てるべき積立金をいう。以下同じ。）
第百五十八条第三項、第百五十八条の三第一項、第百五十九条の二第二項及び第百六十四条第三項	年金給付等積立金	年金給付等積立金及び積立金
第百七十三条及び第百七十三条の二	基金又は連合会	連合会
第百七十六条第一項	基金及び連合会	連合会
	第百三十条第五項又は第百五十九条第七項	平成二十五年改正法附則第四十条第九項
第百七十六条第二項	基金及び連合会	連合会
	年金給付等積立金	年金給付等積立金及び積立金
第百七十六条の二第一項	基金（第百十一条第一項若しくは第百四十三条第四項の規定に基づき基金を設立しようとする事業主又は第百四十二条第二項の規定に基づき合併に	連合会

	より基金を設立しようとする設立委員を含む。）又は連合会	
	署名押印した	記名した
第百七十七条	基金及び連合会	連合会
第百七十八条第一項	基金又は連合会	連合会
	基金若しくは連合会	連合会
第百七十九条第一項	基金若しくは連合会	連合会
第百七十九条第二項	基金又は連合会	連合会
第百七十九条第三項	基金若しくは連合会	連合会
	基金又は連合会	連合会
第百七十九条第四項	基金又は連合会	連合会

3　存続連合会について次の表の上欄に掲げる規定を適用する場合においては、同欄に掲げる規定中同表の中欄に掲げる字句は、それぞれ同表の下欄に掲げる字句に読み替えるものとする。

改正後厚生年金保険法第三十四条第一項	の積立金	の積立金及び公的年金制度の健全性及び信頼性の確保のための厚生年金保険法等の一部を改正する法律（平成二十五年法律第六十三号。以下「平成二十五年改正法」という。）附則第七十二条において準用する平成二十五年改正法附則第八条に規定する責任準備金
厚生年金保険法第百条の十第一項第十号	第九項	第九項並びに平成二十五年改正法附則第八十六条第一項の規定によりなおその効力を有するものとされた平成二十五年改正法第一条の規定による改正前の第四十四条の二第四項（附則第九条の二第三項、第九条の三第二項及び第四項並びに第九条の四第三項及び第五項において準用する場合を含む。）
改正後確定給付企業年金法第九十三条	、連合会	、公的年金制度の健全性及び信頼性の確保のための厚生年金保険法等の一部を改正する法律（平成二十五年法律第六十三号）附則第三条第十三号に規定する存続連合会
確定拠出年金法第四十八条の二（同法第七十三条において準用する場合を含む。）	企業年金連合会（確定給付企業年金法第九十一条の二第一項に規定する企業年金連合会をいう。以下同じ。）	公的年金制度の健全性及び信頼性の確保のための厚生年金保険法等の一部を改正する法律（平成二十五年法律第六十三号。以下「平成二十五年改正法」という。）附則第三条第十三号に規定する存続連合会（以下「存続連合会」という。）
改正後確定拠出年金法第五十四条の二第一項	企業年金連合会の規約で定める積立金（確定給付企業年金法第五十九条	存続連合会の規約で定める年金給付等積立金（平成二十五年改正法附則第五十五条第一項に規定する年金給付等積立金をいう。）若しくは積立金（平成二十五年改正法附則第五十七条第一項
確定拠出年金法第五十四条の五及び第五十四条の七	企業年金連合会	存続連合会

4　前二項に定めるもののほか、存続連合会についての第一項の規定によりなおその効力を有するものとされた改正前厚生年金保険法の規定並びに改正後厚生年金保険法、改正後確定給付企業年金法及び改正後確定拠出年金法の規定の適用に関し必要な読替えその他必要な事項は、政令で定める。

（名称の使用制限に関する経過措置）
第三十九条　改正後確定給付企業年金法第九十一条の四第二項の規定は、存続連合会については、適用しない。

（存続連合会の業務）
第四十条　存続連合会は、次に掲げる業務を行うものとする。
一　附則第四十二条第二項の規定により脱退一時金（附則第五条第一項の規定によりなおその効力を有するものとされた改正前厚生年金保険法第百四十四条の三第五項に規定する脱退一時金をいう。附則第四十二条第四項において同じ。）の額に相当する額（附則第四十二条において「基金脱退一時金相当額」という。）の移換を受け、附則第四十二条第三項の規定により基金中途脱退者（厚生年金基金の加入員の資格を喪失した者（当該加入員の資格を喪失した日において当該厚生年金基金が支給する老齢年金給付の受給権を有する者を除く。）であって、政令で定めるところにより計算したその者の当該厚生年金基金の加入員であった期間が政令で定める期間に満たないものをいう。以下同じ。）又はその遺族について存続連合会老齢給付金又は存続連合会遺族給付金（一時金として支給するものに限る。次項第二号及び第五号並びに附則第四十五条第三項から第六項まで、第四十九条第三項から第六項まで、第五十条、第五十一条及び第百十二条第二項を除き、以下同じ。）の支給を行うこと。
二　附則第四十三条第二項の規定により同条第一項に規定する残余財産の移換を受け、同条第三項の規定により解散基金加入員又はその遺族について存続連合会老齢給付金又は存続連合会遺族給付金の支給を行うこと。
三　附則第四十六条第二項の規定により脱退一時金（改正後確定給付企業年金法第二十九条第一項第二号に規定する脱退一時金をいう。附則第四十六条第四項において同じ。）の額に相当する額（附則第四十六条において「確定給付企業年金脱退一時金相当額」という。）の移換を受け、附則第四十六条第三項の規定により改正後確定給付企業年金法第八十一条の二第一項に規定する中途脱退者（以下「確定給付企業年金中途脱退者」という。）又はその遺族について存続連合会老齢給付金又は存続連合会遺族給付金の支給を行うこと。
四　附則第四十七条第二項の規定により同条第一項に規定する残余財産の移換を受け、同条第三項の規定により同条第一項に規定する終了制度加入者等又はその遺族について存続連合会老齢給付金又は存続連合会遺族給付金の支給を行うこと。

2　存続連合会は、前項に規定する業務のほか、次に掲げる業務を行うことができる。
一　附則第四十四条第二項の規定により同条第一項に規定する残余財産の移換を受け、同条第三項の規定により同条第一項に規定する解散基金加入員等又はその遺族について存続連合会障害給付金又は存続連合会遺族給付金の支給を行うこと。
二　附則第四十五条第二項の規定により同条第一項に規定する残余財産の移換を受け、同条第三項又は第五項の規定により同条第一項に規定する解散基金加入員等又はその遺族について存続連合会遺族給付金の支給を行うこと。
三　附則第五十三条第四項若しくは第六項、第五十四条第二項、第五十五条第二項又は第五十六条第二項の規定により年金給付等積立金又は積立金の移換を行うこと。
四　附則第四十八条第二項の規定により同条第一項に規定する残余財産の移換を受け、同条第三項の規定により同条第一項に規定する終了制度加入者等又はその遺族について存続連合会障害給付金又は存続連合会遺族給付金の支給を行うこと。
五　附則第四十九条第二項の規定により同条第一項に規定する残余財産の移換を受け、同条第三項又は第五項の規定により同条第一項に規定する終了制度加入者等又はその遺族について存続連合会遺族給付金の支給を行うこと。
六　附則第三十八条第三項の規定により読み替えて適用する確定拠出年金法第五十四条の五第二項の規定により同項に規定する個人別管理資産の移換を受け、附則第四十九条の二第一項の規定により同項に規定する企業型年金加入者であった者又はその遺族について存続連合会老齢給付金又は存続連合会遺族給付金の支給を行うこと。
七　附則第五十七条第二項、第五十八条第二項又は第五十九条第二項の規定により積立金の移換を行うこと。

3　存続連合会は、前二項に規定する業務のほか、次に掲げる業務を行うものとする。
一　附則第六十一条第一項の規定によりなおその効力を有するものとされた改正前厚生年金保険法第百六十条第五項の規定により老齢年金給付の支給に関する義務を承継している基金中途脱退者について老齢年金給付の支給を行い、及び附則第六十一条第二項の規定によりなおその効力を有するものとされた改正前厚生年金保険法第百六十条の二第三項の規定により基金中途脱退者に係る老齢年金給付の額を加算し、又は死亡一時金その他の一時金たる給付の支給を行うこと。
二　附則第六十一条第三項の規定によりなおその効力を有するものとされた改正前厚生年金保険法第百六十一条第二項又は第五項の規定により解散基金加入員に対する老齢年金給付の支給又は解散基金加入員に係る老齢年金給付の額の加算若しくは死亡一時金その他の一時金たる給付の支給を行い、及び附則第六十一条第四項の規定によりなおその効力を有するものとされた改正前厚生年金保険法第百六十二条第二項の規定により解散基金加入員等について死亡又は障害を支給理由とする年金たる給付又は一時金たる給付の支給を行うこと。
三　附則第六十二条第一項の規定によりなおその効力を有するものとされた改正前厚生年金保険法第百六十五条第四項若しくは第六項、附則第六十二条第二項の規定によりなおその効力を有するものとされた改正前厚生年金保険法第百六十五条の二第二項又は附則第六十二条第三項の規定によりなおその効力を有するものとされた改正前厚生年金保険法第百六十五条の三第二項の規定により年金給付等積立金の移換を行うこと。
四　附則第六十三条第一項の規定によりなおその効力を有するものとされた改正前確定給付企業年金法第九十一条の二第三項の規定により確定給付企業年金中途脱退者又はその遺族について同項の老齢給付金又は遺族給付金の支給を行うこと。
五　附則第六十三条第二項の規定によりなおその効力を有するものとされた改正前確定給付企業年金法第九十一条の三第三項の規定により同条第一項に規定する終了制度加入者等又はその遺族について同条第三項の老齢給付金又は遺族給付金の支給を行うこと。
六　附則第六十三条第三項の規定によりなおその効力を有する

ものとされた改正前確定給付企業年金法第九十一条の四第三項の規定により同条第一項に規定する終了制度加入者等又はその遺族について同条第三項の障害給付金又は遺族給付金の支給を行うこと。

七　附則第六十三条第四項の規定によりなおその効力を有するものとされた改正前確定給付企業年金法第九十一条の五第三項又は第五項の規定により同条第一項に規定する終了制度加入者等又はその遺族について同条第三項の遺族給付金又は同条第五項の遺族給付金の支給を行うこと。

八　附則第六十四条第一項の規定によりなおその効力を有するものとされた改正前確定給付企業年金法第百十五条の四第二項、附則第六十四条第二項の規定によりなおその効力を有するものとされた改正前確定給付企業年金法第百十五条の五第二項又は附則第六十四条第三項の規定によりなおその効力を有するものとされた改正前確定給付企業年金法第百十七条の三第二項の規定により積立金の移換を行うこと。

4　存続連合会は、次に掲げる事業を行うことができる。ただし、第一号又は第二号に掲げる事業を行う場合には、厚生労働大臣の認可を受けなければならない。

一　厚生年金基金の拠出金等を原資として行う次に掲げる事業

イ　解散基金加入員に支給する老齢年金給付（附則第六十一条第三項の規定によりなおその効力を有するものとされた改正前厚生年金保険法第百六十一条第二項の老齢年金給付をいう。以下このイにおいて同じ。）又は存続連合会老齢給付金につき一定額が確保されるよう、老齢年金給付又は存続連合会老齢給付金の額を付加する事業

ロ　存続厚生年金基金に対し、附則第五条第一項の規定によりなおその効力を有するものとされた改正前確定給付企業年金法第百十一条第二項の承認若しくは附則第五条第一項の規定によりなおその効力を有するものとされた改正前確定給付企業年金法第百十二条第一項の認可を受けるために要する費用又は附則第五条第一項の規定によりなおその効力を有するものとされた改正前厚生年金保険法第百四十四条の五第一項の規定による年金給付等積立金の一部の移換若しくは同条第四項の規定による残余財産の全部若しくは一部の移換に要する費用を助成する事業

ハ　存続厚生年金基金が支給する老齢年金給付等につき一定額が確保されるよう、存続厚生年金基金の年金給付等積立金の額を付加する事業

二　事業主等が支給する老齢給付金等につき一定額が確保されるよう、事業主等の拠出金等を原資として、事業主等の積立金（改正後確定給付企業年金法第五十九条に規定する積立金をいう。）の額を付加する事業

三　会員の行う事業の健全な発展を図るために必要な事業であって政令で定めるもの

5　存続連合会は、厚生年金基金の加入員及び加入員であった者並びに確定給付企業年金その他附則第三十八条第一項の規定によりなおその効力を有するものとされた改正前厚生年金保険法第百五十八条の五第二号に規定する年金制度の加入者及び加入者であった者（以下この項において「厚生年金基金の加入員等」という。）の福祉を増進するため、規約で定めるところにより、厚生年金基金の加入員等の福利及び厚生に関する事業を行うことができる。

6　存続連合会は、附則第五条第一項の規定によりなおその効力を有するものとされた改正前厚生年金保険法第百三十条第五項の規定による委託を受けて、存続厚生年金基金の業務の一部を行うことができる。

7　存続連合会は、附則第三十八条第三項の規定により読み替えて適用する改正後確定給付企業年金法第九十三条の規定による委託を受けて、事業主等の業務の一部を行うことができる。

8　存続連合会は、附則第三十八条第三項の規定により読み替えて適用する確定拠出年金法第四十八条の二（同法第七十三条において準用する場合を含む。）の規定による委託を受けて、情報収集等業務（同法第四十八条の二に規定する情報収集等業務をいう。次条第三号において同じ。）及び資料提供等業務（同法第四十八条の二に規定する資料提供等業務をいう。次条第三号において同じ。）を行うことができる。

9　存続連合会は、その業務の一部を、政令で定めるところにより、信託会社（信託業法（平成十六年法律第百五十四号）第三条又は第五十三条第一項の免許を受けたものに限る。）、信託業務を営む金融機関、生命保険会社（附則第百三十一条の規定による改正後の保険業法第二条第三項に規定する生命保険会社及び同条第八項に規定する外国生命保険会社等をいう。）、農業協同組合連合会（全国を地区とし、農業協同組合法（昭和二十二年法律第百三十二号）第十条第一項第十号の事業のうち生命共済の事業を行うものに限る。）その他の法人に委託することができる。

（区分経理）

第四十一条　存続連合会は、次に掲げる業務ごとに経理を区分して整理しなければならない。

一　前条第一項第一号及び第二号、第二項第一号から第三号まで、第三項第一号から第三号まで、第四項第一号及び第三号、第五項並びに第六項の規定により行う業務

二　前条第一項第三号及び第四号、第二項第四号から第七号まで、第三項第四号から第八号まで、第四項第二号並びに第七項の規定により行う業務

三　前条第八項の規定により行う情報収集等業務及び資料提供等業務

（基金中途脱退者に係る措置）

第四十二条　基金中途脱退者は、存続厚生年金基金に基金脱退一時金相当額の存続連合会への移換を申し出ることができる。

2　当該存続厚生年金基金は、前項の規定による申出があったときは、存続連合会に当該申出に係る基金脱退一時金相当額を移換するものとする。

3　存続連合会は、前項の規定により基金脱退一時金相当額の移換を受けたときは、当該移換金を原資として、政令で定めるところにより、当該基金中途脱退者又はその遺族に対し、存続連合会老齢給付金又は存続連合会遺族給付金の支給を行うものとする。

4　存続厚生年金基金は、第二項の規定により基金脱退一時金相当額を移換したときは、当該基金中途脱退者に係る脱退一時金の支給に関する義務を免れる。

5　存続連合会は、第三項の規定により存続連合会老齢給付金又は存続連合会遺族給付金の支給を行うこととなったときは、その旨を当該基金中途脱退者又はその遺族に通知しなければなら

ない。

6　存続連合会は、基金中途脱退者又はその遺族の所在が明らかでないため前項の規定による通知をすることができないときは、当該通知に代えて、その通知すべき事項を公告しなければならない。

（解散基金加入員等に係る措置）

第四十三条　解散基金加入員は、解散した存続厚生年金基金の清算人に附則第三十四条第四項の規定により解散基金加入員に分配すべき残余財産（以下この条において「残余財産」という。）の存続連合会への移換を申し出ることができる。

2　当該存続厚生年金基金は、前項の規定による申出があったときは、存続連合会に当該申出に係る残余財産を移換するものとする。

3　存続連合会は、前項の規定により残余財産の移換を受けたときは、当該移換金を原資として、政令で定めるところにより、当該解散基金加入員又はその遺族に対し、存続連合会老齢給付金又は存続連合会遺族給付金の支給を行うものとする。

4　存続連合会が第二項の規定により残余財産の移換を受けたときは、附則第三十四条第四項の規定の適用については、当該残余財産は、当該解散基金加入員に分配されたものとみなす。

5　存続連合会は、第三項の規定により存続連合会老齢給付金又は存続連合会遺族給付金の支給を行うこととなったときは、その旨を当該解散基金加入員又はその遺族に通知しなければならない。

6　前条第六項の規定は、前項の規定による通知について準用する。

第四十四条　存続連合会が附則第四十条第二項第一号に掲げる業務を行っている場合にあっては、解散基金加入員等（当該存続厚生年金基金が解散した日において附則第五条第一項の規定によりなおその効力を有するものとされた改正前厚生年金保険法第百三十条第三項の規定により支給する障害を支給理由とする年金たる給付の受給権を有していた者に限る。以下この条において同じ。）は、当該存続厚生年金基金の清算人に附則第三十四条第四項の規定により解散基金加入員等に分配すべき残余財産（以下この条において「残余財産」という。）の存続連合会への移換を申し出ることができる。

2　当該存続厚生年金基金は、前項の規定による申出があったときは、存続連合会に当該申出に係る残余財産を移換するものとする。

3　存続連合会は、前項の規定により残余財産の移換を受けたときは、当該移換金を原資として、政令で定めるところにより、当該解散基金加入員等又はその遺族に対し、存続連合会障害給付金又は存続連合会遺族給付金の支給を行うものとする。

4　前条第四項及び第五項の規定は、前三項の場合について準用する。この場合において、同条第四項中「第二項」とあるのは「次条第二項」と、同条第五項中「第三項」とあるのは「次条第三項」と、「存続連合会老齢給付金」とあるのは「存続連合会障害給付金」と読み替えるものとする。

5　附則第四十二条第六項の規定は、前項において読み替えて準用する前条第五項の規定による通知について準用する。

第四十五条　存続連合会が附則第四十条第二項第二号に掲げる業務を行っている場合にあっては、解散基金加入員等（当該存続厚生年金基金が解散した日において附則第五条第一項の規定によりなおその効力を有するものとされた改正前厚生年金保険法第百三十条第三項の規定により支給する死亡を支給理由とする年金たる給付の受給権を有していた者に限る。以下この条において同じ。）は、当該存続厚生年金基金の清算人に附則第三十四条第四項の規定により解散基金加入員等に分配すべき残余財産（以下この条において「残余財産」という。）の存続連合会への移換を申し出ることができる。

2　当該存続厚生年金基金は、前項の規定による申出があったときは、存続連合会に当該申出に係る残余財産を移換するものとする。

3　存続連合会は、前項の規定により残余財産の移換を受けたときは、当該移換金を原資として、政令で定めるところにより、当該解散基金加入員等に対し、存続連合会遺族給付金の支給を行うものとする。

4　改正後確定給付企業年金法第四十九条、第五十一条第一項及び第三項、第五十三条並びに第五十四条の規定は、前項の存続連合会遺族給付金について準用する。この場合において、必要な技術的読替えは、政令で定める。

5　前項において準用する改正後確定給付企業年金法第五十一条第一項の規定にかかわらず、当該解散基金加入員等が死亡したときは、存続連合会の規約で定めるところにより、当該解散基金加入員等の次の順位の遺族に存続連合会遺族給付金（一時金として支給するものに限る。次項において同じ。）を支給することができる。

6　前項の遺族は、当該解散基金加入員等に係る改正後確定給付企業年金法第四十八条各号に掲げる者とし、存続連合会遺族給付金を受けることができる遺族の順位は、存続連合会の規約で定めるところによる。この場合において、同条第一号中「給付対象者」とあるのは「公的年金制度の健全性及び信頼性の確保のための厚生年金保険法等の一部を改正する法律（平成二十五年法律第六十三号）附則第四十五条第一項に規定する解散基金加入員等（以下この条において「解散基金加入員等」という。）」と、同条第二号及び第三号中「給付対象者」とあるのは「解散基金加入員等」とする。

7　附則第四十三条第四項及び第五項の規定は、第一項から第三項までの場合について準用する。この場合において、同条第四項中「第二項」とあるのは「附則第四十五条第二項」と、同条第五項中「第三項」とあるのは「附則第四十五条第三項」と、「存続連合会老齢給付金又は存続連合会遺族給付金」とあるのは「存続連合会遺族給付金」と読み替えるものとする。

8　附則第四十二条第六項の規定は、前項において読み替えて準用する附則第四十三条第五項の規定による通知について準用する。

（確定給付企業年金中途脱退者に係る措置）

第四十六条　確定給付企業年金中途脱退者は、確定給付企業年金の事業主等に確定給付企業年金脱退一時金相当額の存続連合会への移換を申し出ることができる。

2　当該確定給付企業年金の資産管理運用機関等は、前項の規定による申出があったときは、存続連合会に当該申出に係る確定給付企業年金脱退一時金相当額を移換するものとする。

3　存続連合会は、前項の規定により確定給付企業年金脱退一時金相当額の移換を受けたときは、当該移換金を原資として、政令令で定めるところにより、当該確定給付企業年金中途脱退者又はその遺族に対し、存続連合会老齢給付金又は存続連合会遺族給付金の支給を行うものとする。

4 当該確定給付企業年金の事業主等は、第二項の規定により当該確定給付企業年金の資産管理運用機関等が確定給付企業年金脱退一時金相当額を移換したときは、当該確定給付企業年金中途脱退者に係る脱退一時金の支給に関する義務を免れる。

5 存続連合会は、第三項の規定により存続連合会老齢給付金又は存続連合会遺族給付金の支給を行うこととなったときは、その旨を当該確定給付企業年金中途脱退者又はその遺族に通知しなければならない。

6 存続連合会は、確定給付企業年金中途脱退者又はその遺族の所在が明らかでないため前項の規定による通知をすることができないときは、当該通知に代えて、その通知すべき事項を公告しなければならない。

（終了制度加入者等に係る措置）

第四十七条 終了制度加入者等（改正後確定給付企業年金法第九十一条の二十第一項に規定する終了制度加入者等をいう。以下この条において同じ。）は、終了した確定給付企業年金の清算人に改正後確定給付企業年金法第八十九条第六項の規定により終了制度加入者等に分配すべき残余財産（以下この条において「残余財産」という。）の存続連合会への移換を申し出ることができる。

2 当該確定給付企業年金の資産管理運用機関等は、前項の規定による申出があったときは、存続連合会に当該申出に係る残余財産を移換するものとする。

3 存続連合会は、前項の規定により残余財産の移換を受けたときは、当該移換金を原資として、政令で定めるところにより、当該終了制度加入者等又はその遺族に対し、存続連合会老齢給付金又は存続連合会遺族給付金の支給を行うものとする。

4 存続連合会が第二項の規定により残余財産の移換を受けたときは、改正後確定給付企業年金法第八十九条第六項の規定の適用については、当該残余財産は、当該終了制度加入者等に分配されたものとみなす。

5 存続連合会は、第三項の規定により存続連合会老齢給付金又は存続連合会遺族給付金の支給を行うこととなったときは、その旨を当該終了制度加入者等又はその遺族に通知しなければならない。

6 前条第六項の規定は、前項の規定による通知について準用する。

第四十八条 存続連合会が附則第四十条第二項第四号に掲げる業務を行っている場合にあっては、終了制度加入者等（改正後確定給付企業年金法第九十一条の二十一第一項に規定する終了制度加入者等をいう。以下この条において同じ。）は、当該確定給付企業年金の清算人に改正後確定給付企業年金法第八十九条第六項の規定により終了制度加入者等に分配すべき残余財産（以下この条において「残余財産」という。）の存続連合会への移換を申し出ることができる。

2 当該確定給付企業年金の資産管理運用機関等は、前項の規定による申出があったときは、存続連合会に当該申出に係る残余財産を移換するものとする。

3 存続連合会は、前項の規定により残余財産の移換を受けたときは、当該移換金を原資として、政令で定めるところにより、当該終了制度加入者等又はその遺族に対し、存続連合会障害給付金又は存続連合会遺族給付金の支給を行うものとする。

4 前条第四項及び第五項の規定は、前三項の場合について準用する。この場合において、同条第四項中「第二項」とあるのは「次条第二項」と、同条第五項中「第三項」とあるのは「次条第三項」と、「存続連合会老齢給付金」とあるのは「存続連合会障害給付金」と読み替えるものとする。

5 附則第四十六条第六項の規定は、前項において読み替えて準用する前条第五項の規定による通知について準用する。

第四十九条 存続連合会が附則第四十条第二項第五号に掲げる業務を行っている場合にあっては、終了制度加入者等（改正後確定給付企業年金法第九十一条の二十二第一項に規定する終了制度加入者等をいう。以下この条において同じ。）は、当該確定給付企業年金の清算人に改正後確定給付企業年金法第八十九条第六項の規定により終了制度加入者等に分配すべき残余財産（以下この条において「残余財産」という。）の存続連合会への移換を申し出ることができる。

2 当該確定給付企業年金の資産管理運用機関等は、前項の規定による申出があったときは、存続連合会に当該申出に係る残余財産を移換するものとする。

3 存続連合会は、前項の規定により残余財産の移換を受けたときは、当該移換金を原資として、政令で定めるところにより、当該終了制度加入者等に対し、存続連合会遺族給付金の支給を行うものとする。

4 改正後確定給付企業年金法第四十九条、第五十一条第一項及び第三項、第五十三条並びに第五十四条の規定は、前項の存続連合会遺族給付金について準用する。この場合において、必要な技術的読替えは、政令で定める。

5 前項において準用する改正後確定給付企業年金法第五十一条第一項の規定にかかわらず、当該終了制度加入者等が死亡したときは、存続連合会の規約で定めるところにより、当該終了制度加入者等の次の順位の遺族に存続連合会遺族給付金（一時金として支給するものに限る。次項において同じ。）を支給することができる。

6 前項の遺族は、当該終了制度加入者等に係る改正後確定給付企業年金法第四十八条各号に掲げる者とし、存続連合会遺族給付金を受けることができる遺族の順位は、存続連合会の規約で定めるところによる。この場合において、同条第一号中「給付対象者」とあるのは「第九十一条の二十二第一項に規定する終了制度加入者等（以下この条において「終了制度加入者等」という。）」と、同条第二号及び第三号中「給付対象者」とあるのは「終了制度加入者等」とする。

7 附則第四十七条第四項及び第五項の規定は、第一項から第三項までの場合について準用する。この場合において、同条第四項中「第二項」とあるのは「附則第四十九条第二項」と、同条第五項中「第三項」とあるのは「附則第四十九条第三項」と、「存続連合会老齢給付金又は存続連合会遺族給付金」とあるのは「存続連合会遺族給付金」と読み替えるものとする。

8 附則第四十六条第六項の規定は、前項において読み替えて準用する附則第四十七条第五項の規定による通知について準用する。

（企業型年金加入者であった者に係る措置）

第四十九条の二　存続連合会が附則第四十条第二項第六号に掲げる業務を行っている場合にあっては、存続連合会は、附則第三十八条第三項の規定により読み替えて適用する確定拠出年金法第五十四条の五第二項の規定により同項に規定する個人別管理資産の移換を受けたときは、当該移換金を原資として、政令で定めるところにより、同条第一項に規定する企業型年金加入者であった者（以下「企業型年金加入者であった者」という。）又はその遺族に対し、存続連合会老齢給付金又は存続連合会遺族給付金の支給を行うものとする。

2　存続連合会は、前項の規定により存続連合会老齢給付金又は存続連合会遺族給付金の支給を行うこととなったときは、その旨を当該企業型年金加入者であった者又はその遺族に通知しなければならない。

3　附則第四十六条第六項の規定は、前項の規定による通知について準用する。

（裁定）

第五十条　存続連合会老齢給付金、存続連合会障害給付金及び存続連合会遺族給付金を受ける権利は、その権利を有する者の請求に基づいて、存続連合会が裁定する。

2　存続連合会は、前項の規定による裁定に基づき、その請求をした者に存続連合会老齢給付金、存続連合会障害給付金又は存続連合会遺族給付金の支給を行う。

（準用規定）

第五十一条　改正後確定給付企業年金法第三十一条、第三十三条、第三十四条第一項及び第三十五条の規定は存続連合会老齢給付金、存続連合会障害給付金及び存続連合会遺族給付金について、改正後確定給付企業年金法第三十六条第一項及び第二項（第二号を除く。）、第三十七条、第三十八条並びに第四十条の規定は存続連合会老齢給付金について、改正後確定給付企業年金法第四十七条、第四十八条、第五十三条及び第五十四条の規定は附則第四十二条第三項、第四十三条第三項、第四十四条第三項、第四十六条第三項、第四十七条第三項、第四十八条第三項及び第四十九条の二第一項の存続連合会遺族給付金について、改正後確定給付企業年金法第三十四条第二項、第四十四条、第四十六条、第五十二条及び第五十四条の規定は存続連合会障害給付金について準用する。この場合において、必要な技術的読替えは、政令で定める。

（政令への委任）

第五十二条　附則第四十二条から前条までに定めるもののほか、存続連合会による基金中途脱退者、解散基金加入員等、確定給付企業年金中途脱退者、改正後確定給付企業年金法第八十九条第六項に規定する終了制度加入者等及び企業型年金加入者であった者に係る措置に関し必要な事項は、政令で定める。

（存続連合会から存続厚生年金基金への年金給付等積立金又は積立金の移換）

第五十三条　存続連合会が附則第六十一条第一項の規定によりなおその効力を有するものとされた改正前厚生年金保険法第百六十条第五項、附則第六十一条第二項の規定によりなおその効力を有するものとされた改正前厚生年金保険法第百六十条の二第三項又は附則第六十一条第三項の規定によりなおその効力を有するものとされた改正前厚生年金保険法第百六十一条第二項若しくは第五項の規定により給付の支給に関する義務を負っている者（以下この条及び附則第五十五条第一項において「施行前基金中途脱退者等」という。）は、存続厚生年金基金の加入員の資格を取得した場合であって、存続連合会及び当該存続厚生年金基金の規約において、あらかじめ、存続連合会から当該存続厚生年金基金に老齢年金給付（附則第六十一条第一項の規定によりなおその効力を有するものとされた改正前厚生年金保険法第百六十条第五項又は附則第六十一条第三項の規定によりなおその効力を有するものとされた改正前厚生年金保険法第百六十一条第二項の老齢年金給付をいう。以下この項ただし書及び第八項並びに附則第五十五条第一項ただし書、第五十六条第一項ただし書及び第六十五条第一項ただし書において同じ。）のうち、附則第六十一条第二項の規定によりなおその効力を有するものとされた改正前厚生年金保険法第百六十条の二第三項又は附則第六十一条第三項の規定によりなおその効力を有するものとされた改正前厚生年金保険法第百六十一条第五項の規定により加算された額に相当する部分以外のもの（次項から第五項まで及び第九項において「老齢年金給付」という。）の支給に関する権利義務の移転ができる旨が定められているときは、存続連合会に当該権利義務の移転を申し出ることができる。ただし、施行前基金中途脱退者等が存続連合会が支給する老齢年金給付の受給権を有するときは、この限りでない。

2　存続連合会は、前項の規定による申出があったときは、当該存続厚生年金基金に当該老齢年金給付の支給に関する権利義務の移転を申し出るものとする。

3　当該存続厚生年金基金は、前項の規定による申出があったときは、当該老齢年金給付の支給に関する権利義務を承継するものとする。

4　前項の規定により当該存続厚生年金基金が当該老齢年金給付の支給に関する権利義務を承継する場合においては、存続連合会から当該存続厚生年金基金に年金給付等積立金（当該老齢年金給付に充てるべき積立金をいう。）を移換するものとする。

5　第一項の規定による申出を行う施行前基金中途脱退者等は、存続連合会及び当該存続厚生年金基金の規約において、あらかじめ、存続連合会から当該存続厚生年金基金に存続連合会の規約で定める年金給付等積立金（附則第六十一条第一項の規定によりなおその効力を有するものとされた改正前厚生年金保険法第百六十条第五項、附則第六十一条第二項の規定によりなおその効力を有するものとされた改正前厚生年金保険法第百六十条の二第三項又は附則第六十一条第三項の規定によりなおその効力を有するものとされた改正前厚生年金保険法第百六十一条第二項若しくは第五項の給付に充てるべき積立金をいい、第一項の老齢年金給付に充てるべき積立金を除く。以下この条及び附則第五十五条第一項において同じ。）の移換ができる旨が定められている場合においては、当該申出に併せて、存続連合会に当該年金給付等積立金の移換を申し出ることができる。

6　存続連合会は、前項の規定による申出があったときは、当該存続厚生年金基金に当該申出に係る年金給付等積立金を移換するものとする。

7　当該存続厚生年金基金は、前項の規定により年金給付等積立金の移換を受けたときは、当該移換金を原資として、規約で定めるところにより、当該施行前基金中途脱退者等に対し、老齢年金給付等の支給を行うものとする。

8　存続連合会は、第六項の規定により年金給付等積立金を移換したときは、当該施行前基金中途脱退者等に係る老齢年金給付（附則第六十一条第二項の規定によりなおその効力を有するものとされた改正前厚生年金保険法第百六十条の二第三項又は附則第六十一条第三項の規定によりなおその効力を有するものとされた改正前厚生年金保険法第百六十一条第五項の規定（以下この項において「なお効力を有する改正前厚生年金保険法第百六十条の二第三項等の規定」という。）により加算された額に相当する部分に限る。附則第五十五条第四項及び第五十六条第三項において同じ。）又は死亡一時金その他の一時金たる給付（なお効力を有する改正前厚生年金保険法第百六十条の二第三項等の規定により支給する死亡一時金その他の一時金たる給付をいう。附則第五十五条第四項及び第五十六条第三項において同じ。）の支給に関する義務を免れる。

9 当該存続厚生年金基金は、第三項の規定により当該老齢年金給付の支給に関する権利義務を承継したとき、又は第七項の規定により老齢年金給付等の支給を行うこととなったときは、その旨を当該施行前基金中途脱退者等に通知しなければならない。

第五十四条 存続連合会が附則第四十二条第三項又は第四十三条第三項の規定により存続連合会老齢給付金の支給に関する義務を負っている者（以下この条及び次条第一項において「施行後基金中途脱退者等」という。）は、存続厚生年金基金の加入員の資格を取得した場合であって、存続連合会及び当該存続厚生年金基金の規約において、あらかじめ、存続連合会から当該存続厚生年金基金に存続連合会の規約で定める積立金（附則第四十二条第三項又は第四十三条第三項の存続連合会老齢給付金に充てるべき積立金をいう。以下この条及び次条第一項において同じ。）の移換ができる旨が定められているときは、存続連合会に当該積立金の移換を申し出ることができる。ただし、施行後基金中途脱退者等が附則第四十二条第三項又は第四十三条第三項の存続連合会老齢給付金の受給権を有するときは、この限りでない。

2 存続連合会は、前項の規定による申出があったときは、当該存続厚生年金基金に当該申出に係る積立金を移換するものとする。

3 当該存続厚生年金基金は、前項の規定により積立金の移換を受けたときは、当該移換金を原資として、規約で定めるところにより、当該施行後基金中途脱退者等に対し、老齢年金給付等の支給を行うものとする。

4 存続連合会は、第二項の規定により積立金を移換したときは、当該施行後基金中途脱退者等に係る附則第四十二条第三項又は第四十三条第三項の存続連合会老齢給付金又は存続連合会遺族給付金の支給に関する義務を免れる。

5 当該存続厚生年金基金は、第三項の規定により老齢年金給付等の支給を行うこととなったときは、その旨を当該施行後基金中途脱退者等に通知しなければならない。

（存続連合会から確定給付企業年金への年金給付等積立金等の移換）

第五十五条 施行前基金中途脱退者等又は施行後基金中途脱退者等（以下この条及び次条において「老齢基金中途脱退者等」という。）は、確定給付企業年金の加入者の資格を取得した場合であって、存続連合会及び当該確定給付企業年金の規約において、あらかじめ、存続連合会から当該確定給付企業年金の資産管理運用機関等に存続連合会の規約で定める年金給付等積立金等（施行前基金中途脱退者等にあっては年金給付等積立金、施行後基金中途脱退者等にあっては積立金をいう。以下この条及び次条において同じ。）の移換ができる旨が定められているときは、存続連合会に当該年金給付等積立金等の移換を申し出ることができる。ただし、老齢基金中途脱退者等が存続連合会が支給する老齢年金給付又は附則第四十二条第三項若しくは第四十三条第三項の存続連合会老齢給付金の受給権を有するときは、この限りでない。

2 存続連合会は、前項の規定による申出があったときは、当該確定給付企業年金の資産管理運用機関等に当該申出に係る年金給付等積立金等を移換するものとする。

3 当該確定給付企業年金の事業主等は、前項の規定により当該確定給付企業年金の資産管理運用機関等が年金給付等積立金等の移換を受けたときは、当該移換金を原資として、規約で定めるところにより、当該老齢基金中途脱退者等に対し、老齢給付金等の支給を行うものとする。

4 存続連合会は、第二項の規定により年金給付等積立金等を移換したときは、当該老齢基金中途脱退者等に係る老齢年金給付、死亡一時金その他の一時金たる給付又は附則第四十二条第三項若しくは第四十三条第三項の存続連合会老齢給付金若しくは存続連合会遺族給付金の支給に関する義務を免れる。

5 当該確定給付企業年金の事業主等は、第三項の規定により老齢給付金等の支給を行うこととなったときは、その旨を当該老齢基金中途脱退者等に通知しなければならない。

（存続連合会から確定拠出年金への年金給付等積立金等の移換）

第五十六条 老齢基金中途脱退者等は、企業型年金加入者（改正後確定拠出年金法第二条第八項に規定する企業型年金加入者をいう。附則第五十九条第一項において同じ。）又は個人型年金加入者（改正後確定拠出年金法第二条第十項に規定する個人型年金加入者をいう。附則第五十九条第一項において同じ。）の資格を取得した場合であって、存続連合会の規約において、あらかじめ、当該企業型年金加入者の加入する企業型年金（改正後確定拠出年金法第二条第二項に規定する企業型年金をいう。以下この条及び附則第五十九条において同じ。）の資産管理機関（改正後確定拠出年金法第二条第七項第一号ロに規定する資産管理機関をいう。以下この条及び附則第五十九条において同じ。）又は改正後確定拠出年金法第二条第五項に規定する連合会（以下「国民年金基金連合会」という。）に存続連合会の規約で定める年金給付等積立金等の移換ができる旨が定められているときは、存続連合会に当該企業型年金の資産管理機関又は国民年金基金連合会への当該年金給付等積立金等の移換を申し出ることができる。ただし、老齢基金中途脱退者等が存続連合会が支給する老齢年金給付又は附則第四十二条第三項若しくは第四十三条第三項の存続連合会老齢給付金の受給権を有するときは、この限りでない。

2 存続連合会は、前項の規定による申出があったときは、当該企業型年金の資産管理機関又は国民年金基金連合会に当該申出に係る年金給付等積立金等を移換するものとする。

3 存続連合会は、前項の規定により年金給付等積立金等を移換したときは、当該老齢基金中途脱退者等に係る老齢年金給付、死亡一時金その他の一時金たる給付又は附則第四十二条第三項若しくは第四十三条第三項の存続連合会老齢給付金若しくは存続連合会遺族給付金の支給に関する義務を免れる。

4　当該企業型年金の企業型記録関連運営管理機関等（改正後確定拠出年金法第十七条に規定する企業型記録関連運営管理機関等をいう。附則第五十九条第四項において同じ。）又は国民年金基金連合会は、第二項の規定により年金給付等積立金等が当該企業型年金の資産管理機関又は国民年金基金連合会に移換されたときは、その旨を当該老齢基金中途脱退者等に通知しなければならない。

（存続連合会から存続厚生年金基金への積立金の移換）

第五十七条　老齢確定給付企業年金中途脱退者等（存続連合会が附則第六十三条第一項の規定によりなおその効力を有するものとされた改正前確定給付企業年金法第九十一条の二第三項若しくは附則第六十三条第二項の規定によりなおその効力を有するものとされた改正前確定給付企業年金法第九十一条の三第三項の規定（以下この条から附則第五十九条までにおいて「なお効力を有する改正前確定給付企業年金法第九十一条の二第三項等の規定」という。）により老齢給付金の支給に関する義務を負っている者又は附則第四十六条第三項、第四十七条第三項若しくは第四十九条の二第一項の規定により存続連合会老齢給付金の支給に関する義務を負っている者をいう。以下この条から附則第五十九条までにおいて同じ。）は、存続厚生年金基金の加入員の資格を取得した場合であって、存続連合会及び当該存続厚生年金基金の規約において、あらかじめ、存続連合会から当該存続厚生年金基金に存続連合会の規約で定める積立金（存続連合会が支給するなお効力を有する改正前確定給付企業年金法第九十一条の二第三項等の規定の老齢給付金又は附則第四十六条第三項、第四十七条第三項若しくは第四十九条の二第一項の存続連合会老齢給付金に充てるべき積立金をいう。以下この条から附則第五十九条までにおいて同じ。）の移換ができる旨が定められているときは、存続連合会に当該積立金の移換を申し出ることができる。ただし、老齢確定給付企業年金中途脱退者等がなお効力を有する改正前確定給付企業年金法第九十一条の二第三項等の規定の老齢給付金又は附則第四十六条第三項、第四十七条第三項若しくは第四十九条の二第一項の存続連合会老齢給付金の受給権を有するときは、この限りでない。

2　存続連合会は、前項の規定による申出があったときは、当該存続厚生年金基金に当該申出に係る積立金を移換するものとする。

3　当該存続厚生年金基金は、前項の規定により積立金の移換を受けたときは、当該移換金を原資として、規約で定めるところにより、当該老齢確定給付企業年金中途脱退者等に対し、老齢年金給付等の支給を行うものとする。

4　存続連合会は、第二項の規定により積立金を移換したときは、当該老齢確定給付企業年金中途脱退者等に係るなお効力を有する改正前確定給付企業年金法第九十一条の二第三項等の規定の老齢給付金若しくは遺族給付金又は附則第四十六条第三項、第四十七条第三項若しくは第四十九条の二第一項の存続連合会老齢給付金若しくは存続連合会遺族給付金の支給に関する義務を免れる。

5　当該存続厚生年金基金は、第三項の規定により老齢年金給付等の支給を行うこととなったときは、その旨を当該老齢確定給付企業年金中途脱退者等に通知しなければならない。

（存続連合会から確定給付企業年金への積立金の移換）

第五十八条　老齢確定給付企業年金中途脱退者等は、確定給付企業年金の加入者の資格を取得した場合であって、存続連合会及び当該確定給付企業年金の規約において、あらかじめ、存続連合会から当該確定給付企業年金の資産管理運用機関等に存続連合会の規約で定める積立金の移換ができる旨が定められているときは、存続連合会に当該積立金の移換を申し出ることができる。ただし、老齢確定給付企業年金中途脱退者等がなお効力を有する改正前確定給付企業年金法第九十一条の二第三項等の規定の老齢給付金又は附則第四十六条第三項、第四十七条第三項若しくは第四十九条の二第一項の存続連合会老齢給付金の受給権を有するときは、この限りでない。

2　存続連合会は、前項の規定による申出があったときは、当該確定給付企業年金の資産管理運用機関等に当該申出に係る積立金を移換するものとする。

3　当該確定給付企業年金の事業主等は、前項の規定により当該確定給付企業年金の資産管理運用機関等が積立金の移換を受けたときは、当該移換金を原資として、規約で定めるところにより、当該老齢確定給付企業年金中途脱退者等に対し、老齢給付金等の支給を行うものとする。

4　存続連合会は、第二項の規定により積立金を移換したときは、当該老齢確定給付企業年金中途脱退者等に係るなお効力を有する改正前確定給付企業年金法第九十一条の二第三項等の規定の老齢給付金若しくは遺族給付金又は附則第四十六条第三項、第四十七条第三項若しくは第四十九条の二第一項の存続連合会老齢給付金若しくは存続連合会遺族給付金の支給に関する義務を免れる。

5　当該確定給付企業年金の事業主等は、第三項の規定により老齢給付金等の支給を行うこととなったときは、その旨を当該老齢確定給付企業年金中途脱退者等に通知しなければならない。

（存続連合会から確定拠出年金への積立金の移換）

第五十九条　老齢確定給付企業年金中途脱退者等は、企業型年金加入者又は個人型年金加入者の資格を取得した場合であって、存続連合会の規約において、あらかじめ、当該企業型年金の資産管理機関又は国民年金基金連合会に存続連合会の規約で定める積立金の移換ができる旨が定められているときは、存続連合会に当該企業型年金の資産管理機関又は国民年金基金連合会への当該積立金の移換を申し出ることができる。ただし、老齢確定給付企業年金中途脱退者等がなお効力を有する改正前確定給付企業年金法第九十一条の二第三項等の規定の老齢給付金又は附則第四十六条第三項、第四十七条第三項若しくは第四十九条の二第一項の存続連合会老齢給付金の受給権を有するときは、この限りでない。

2　存続連合会は、前項の規定による申出があったときは、当該企業型年金の資産管理機関又は国民年金基金連合会に当該申出に係る積立金を移換するものとする。

3　存続連合会は、前項の規定により積立金を移換したときは、当該老齢確定給付企業年金中途脱退者等に係るなお効力を有する改正前確定給付企業年金法第九十一条の二第三項等の規定の老齢給付金若しくは遺族給付金又は附則第四十六条第三項、第四十七条第三項若しくは第四十九条の二第一項の存続連合会老齢給付金若しくは存続連合会遺族給付金の支給に関する義務を免れる。

4　当該企業型年金の企業型記録関連運営管理機関等又は国民年金基金連合会は、第二項の規定により積立金が当該企業型年金の資産管理機関又は国民年金基金連合会に移換されたときは、その旨を当該老齢確定給付企業年金中途脱退者等に通知しなければならない。

（政令への委任）

第六十条　附則第五十三条から前条までに定めるもののほか、存続連合会からの年金給付等積立金（附則第五十三条第四項又は第五項に規定する年金給付等積立金をいう。附則第七十条第二項及び第七十一条第二項において同じ。）又は積立金（附則第五十四条第一項又は第五十七条第一項に規定する積立金をいう。附則第七十条第二項及び第七十一条第二項において同じ。）の移換に関し必要な事項は、政令で定める。

（老齢年金給付の支給に関する義務の移転等に関する経過措置）

第六十一条　施行日前に改正前厚生年金保険法第百六十条第一項の規定による申出があった場合においては、同条並びに改正前厚生年金保険法第百六十三条、第百六十三条の四、第百六十四条第一項及び第二項、第百七十条から第百七十二条まで並びに第百八十条の二の規定、改正前厚生年金保険法第百六十三条の四第二項において準用する改正前厚生年金保険法第百三十三条の三第二項及び第三項の規定、改正前厚生年金保険法第百六十四条第一項において準用する改正前厚生年金保険法第三十六条第一項及び第二項、第三十七条、第三十九条第二項前段、第四十条、第四十条の二、第四十一条第一項並びに第百三十五条の規定並びに改正前厚生年金保険法第百六十四条第二項において準用する改正前厚生年金保険法第八十六条から第八十九条までの規定は、なおその効力を有する。

2　施行日前に改正前厚生年金保険法第百六十条の二第一項の規定による申出があった場合においては、同条並びに改正前厚生年金保険法第百六十三条、第百六十四条第一項及び第二項並びに第百七十条から第百七十二条までの規定、改正前厚生年金保険法第百六十条の二第六項において準用する改正前厚生年金保険法第百六十条第二項及び第七項の規定、改正前厚生年金保険法第三十六条第一項及び第二項、第三十七条、第三十九条第二項前段、第四十条から第四十一条まで並びに第百三十五条の規定並びに改正前厚生年金保険法第百六十四条第二項において準用する改正前厚生年金保険法第八十六条から第八十九条までの規定は、なおその効力を有する。

3　施行日前に旧厚生年金基金が改正前厚生年金保険法第百四十五条第一項の規定により解散した場合においては、改正前厚生年金保険法第百六十一条、第百六十三条から第百六十三条の四まで、第百六十四条第一項及び第二項、第百七十条から第百七十二条まで並びに第百八十条の二の規定、改正前厚生年金保険法第百六十一条第八項において準用する改正前厚生年金保険法第百六十条第二項及び第七項の規定、改正前厚生年金保険法第百六十三条の四第二項において準用する改正前厚生年金保険法第百三十三条の三第二項及び第三項の規定、改正前厚生年金保険法第百六十四条第一項において準用する改正前厚生年金保険法第三十五条、第三十六条第一項及び第二項、第三十七条、第三十九条第二項前段、第四十条から第四十一条まで、第四十五条並びに第百三十五条の規定並びに改正前厚生年金保険法第百六十四条第二項において準用する改正前厚生年金保険法第八十六条から第八十九条までの規定は、なおその効力を有する。

4　施行日前に改正前厚生年金保険法第百六十二条第一項の規定による申出があった場合においては、同条並びに改正前厚生年金保険法第百六十三条、第百六十四条第一項及び第二項並びに第百七十条から第百七十二条までの規定、改正前厚生年金保険法第百六十二条第三項において準用する改正前厚生年金保険法第百六十一条第六項及び第七項の規定、改正前厚生年金保険法第百六十二条第四項において準用する改正前厚生年金保険法第百六十条第二項及び第七項の規定、改正前厚生年金保険法第百六十四条第一項において準用する改正前厚生年金保険法第三十六条第一項及び第二項、第三十七条、第三十九条第二項前段並びに第四十条から第四十一条までの規定並びに改正前厚生年金保険法第百六十四条第二項において準用する改正前厚生年金保険法第八十六条から第八十九条までの規定は、なおその効力を有する。

5　前各項の場合において、これらの規定によりなおその効力を有するものとされた改正前厚生年金保険法の規定の適用に関し必要な読替えその他必要な事項は、政令で定める。

（移換に関する経過措置）

第六十二条　施行日前に改正前厚生年金保険法第百六十五条第一項の規定による申出があった場合においては、同条及び改正前厚生年金保険法第百六十五条の四の規定は、なおその効力を有する。

2　施行日前に改正前厚生年金保険法第百六十五条の二第一項の規定による申出があった場合においては、同条及び改正前厚生年金保険法第百六十五条の四の規定は、なおその効力を有する。

3　施行日前に改正前厚生年金保険法第百六十五条の三第一項の規定による申出があった場合においては、同条及び改正前厚生年金保険法第百六十五条の四の規定は、なおその効力を有する。

4　前三項の場合において、これらの規定によりなおその効力を有するものとされた改正前厚生年金保険法の規定の適用に関し必要な読替えその他必要な事項は、政令で定める。

（確定給付企業年金中途脱退者等に係る措置に関する経過措置）

第六十三条　施行日前に改正前確定給付企業年金法第九十一条の二第一項の規定による申出があった場合においては、同条及び改正前確定給付企業年金法第九十一条の六から第九十一条の八までの規定並びに改正前確定給付企業年金法第九十一条の七において準用する改正前確定給付企業年金法第三十一条、第三十三条、第三十四条第一項、第三十五条、第三十六条第一項及び第二項（第二号を除く。）、第三十七条、第三十八条、第四十条、第四十七条、第四十八条、第五十三条並びに第五十四条の規定は、なおその効力を有する。

2　施行日前に改正前確定給付企業年金法第九十一条の三第一項の規定による申出があった場合においては、同条及び改正前確定給付企業年金法第九十一条の六から第九十一条の八までの規定、改正前確定給付企業年金法第九十一条の三第六項において準用する改正前確定給付企業年金法第九十一条の二第六項の規定並びに改正前確定給付企業年金法第九十一条の七において準用する改正前確定給付企業年金法第三十一条、第三十三条、第三十四条第一項、第三十五条、第三十六条第一項及び第二項（第二号を除く。）、第三十七条、第三十八条、第四十条、第四十七条、第四十八条、第五十三条並びに第五十四条の規定は、なおその効力を有する。

3　施行日前に改正前確定給付企業年金法第九十一条の四第一項の規定による申出があった場合においては、同条及び改正前確定給付企業年金法第九十一条の六から第九十一条の八までの規定、改正前確定給付企業年金法第九十一条の四第四項において準用する改正前確定給付企業年金法第九十一条の三第四項及び第五項の規定、改正前確定給付企業年金法第九十一条の四第五項において準用する改正前確定給付企業年金法第九十一条の二第六項の規定並びに改正前確定給付企業年金法第九十一条の七において準用する改正前確定給付企業年金法第三十一条、第三十三条から第三十五条まで、第四十四条、第四十六条から第四十八条まで及び第五十二条から第五十四条までの規定は、なおその効力を有する。

4　施行日前に改正前確定給付企業年金法第九十一条の五第一項の規定による申出があった場合においては、同条及び改正前確定給付企業年金法第九十一条の六から第九十一条の八までの規定、改正前確定給付企業年金法第九十一条の五第四項において準用する改正前確定給付企業年金法第四十九条、第五十一条第一項及び第三項、第五十三条並びに第五十四条の規定、改正前確定給付企業年金法第九十一条の五第七項において準用する改正前確定給付企業年金法第九十一条の三第四項及び第五項の規定、改正前確定給付企業年金法第九十一条の五第八項において準用する改正前確定給付企業年金法第九十一条の二第六項の規定並びに改正前確定給付企業年金法第九十一条の七において準用する改正前確定給付企業年金法第三十一条、第三十三条、第三十四条第一項及び第三十五条の規定は、なおその効力を有する。

5　前各項の場合において、これらの規定によりなおその効力を有するものとされた改正前確定給付企業年金法の規定の適用に関し必要な読替えその他必要な事項は、政令で定める。

（移換金に関する経過措置）

第六十四条　施行日前に改正前確定給付企業年金法第百十五条の四第一項の規定による申出があった場合においては、同条及び改正前確定給付企業年金法第百十六条の規定は、なおその効力を有する。

2　施行日前に改正前確定給付企業年金法第百十五条の五第一項の規定による申出があった場合においては、同条及び改正前確定給付企業年金法第百十六条の規定は、なおその効力を有する。

3　施行日前に改正前確定給付企業年金法第百十七条の三第一項の規定による申出があった場合においては、同条及び改正前確定給付企業年金法第百十七条の四の規定は、なおその効力を有する。

4　前三項の場合において、これらの規定によりなおその効力を有するものとされた改正前確定給付企業年金法の規定の適用に関し必要な読替えその他必要な事項は、政令で定める。

（存続連合会に係る老齢年金給付の支給義務等の特例）

第六十五条　存続連合会は、政令で定めるところにより、評議員会の定数の四分の三以上の多数により議決し、厚生労働大臣の認可を受けて、存続連合会が附則第六十一条第一項の規定によりなおその効力を有するものとされた改正前厚生年金保険法第百六十条第五項及び附則第六十一条第三項の規定によりなおその効力を有するものとされた改正前厚生年金保険法第百六十一条第二項の規定により老齢年金給付の支給に関する義務を負っている者（以下この条及び次条において「老齢年金給付支給対象者」という。）の全部又は一部に係る改正前厚生年金保険法第百三十二条第二項に規定する額に相当する老齢年金給付の支給に関する義務（以下この条及び次条において「代行給付支給義務」という。）を免れることができる。ただし、当該認可を受けた日までに支給すべきであった老齢年金給付でまだ支給していないものの支給に関する義務については、この限りでない。

2　前項の認可は、存続連合会が代行給付支給義務を免れようとする老齢年金給付支給対象者ごとに、受けなければならない。

3　存続連合会が、老齢年金給付支給対象者が厚生年金保険法による老齢厚生年金（以下単に「老齢厚生年金」という。）の受給権を取得する前に第一項の認可を受けて当該老齢年金給付支給対象者に係る代行給付支給義務を免れた場合においては、附則第八十六条第一項の規定によりなおその効力を有するものとされた改正前厚生年金保険法第四十四条の二第一項の規定は、当該存続連合会がその代行給付支給義務を負っていた年金たる給付の額の計算の基礎となる厚生年金基金の加入員であった期間（他の存続厚生年金基金がその支給に関する義務を承継している年金たる給付の額の計算の基礎となる加入員であった期間を除く。）については、適用しない。

4　存続連合会が第一項の規定により代行給付支給義務を免れた老齢年金給付支給対象者が老齢厚生年金の受給権者であるときは、附則第八十六条第一項の規定によりなおその効力を有するものとされた改正前厚生年金保険法第四十四条の二第一項の規定にかかわらず、当該老齢厚生年金の額は当該代行給付支給義務に係る年金たる給付の額の計算の基礎となる厚生年金基金の加入員であった期間（他の存続厚生年金基金がその支給に関する義務を承継している年金たる給付の額の計算の基礎となる加入員であった期間を除く。）が厚生年金基金の加入員であった期間でないものとして同項の規定の例により計算した額とするものとし、当該存続連合会が第一項の認可を受けた日の属する月の翌月から、当該老齢厚生年金の額を改定する。

（老齢年金給付支給対象者に係る責任準備金相当額の徴収）

第六十六条　政府は、前条第一項の認可があったときは、当該認可により存続連合会が代行給付支給義務を免れた老齢年金給付支給対象者に係る責任準備金相当額を当該存続連合会から徴収する。

（老齢年金給付支給対象者に係る責任準備金相当額の一部の物納）

第六十七条　前条の規定により政府が存続連合会から責任準備金相当額を徴収する場合においては、存続連合会を解散厚生年金基金等（改正前確定給付企業年金法第百十三条第一項に規定する解散厚生年金基金等をいう。以下同じ。）とみなして、改正前確定給付企業年金法第百十四条の規定の例による。この場合において、同条第二項中「第百十一条第二項の厚生労働大臣の承認又は第百十二条第一項」とあるのは、「公的年金制度の健全性及び信頼性の確保のための厚生年金保険法等の一部を改正する法律（平成二十五年法律第六十三号）附則第六十五条第一項」と読み替えるものとするほか、必要な技術的読替えは、政令で定める。

2　前項の規定により存続連合会が改正前確定給付企業年金法第百十四条の規定の例により物納をする場合においては、存続連合会を解散厚生年金基金等とみなして、改正前保険業法附則第一条の十三の規定の例による。この場合において、必要な技術的読替えは、政令で定める。

（審査請求及び再審査請求に関する経過措置）

第六十八条　改正前厚生年金保険法の規定により設立された企業年金連合会が行った処分又は賦課に関する改正前厚生年金保険法第百六十九条において準用する改正前厚生年金保険法第九十条第一項及び第二項又は第九十一条の規定による審査請求又は再審査請求で施行日の前日までに裁決が行われていないものについては、なお従前の例による。

（存続連合会への事務委託）

第六十九条　厚生年金保険の実施者たる政府は、附則第八条の規定により政府が当該存続厚生年金基金から責任準備金相当額を徴収する場合、附則第十一条第七項の規定により政府が当該自主解散型基金から減額責任準備金相当額を徴収する場合、附則第十三条第一項の規定により政府が当該自主解散型基金から年金給付等積立金の額を、その設立事業所の事業主から責任準備金相当額から当該年金給付等積立金の額を控除した額をそれぞれ徴収する場合、附則第二十条第三項の規定により政府が当該清算型基金から減額責任準備金相当額を徴収する場合、附則第二十二条第一項の規定により政府が当該清算型基金から年金給付等積立金の額を、その設立事業所の事業主から責任準備金相当額から当該年金給付等積立金の額を控除した額をそれぞれ徴収する場合及び附則第三十一条第一項の規定により政府が当該清算未了特定基金の設立事業所の事業主から附則第三十条第四項第一号に掲げる額を徴収する場合において、これらの徴収のために必要な事務及び厚生年金保険の実施者たる政府が支給する年金たる給付に係る事務のうち、政令で定めるものを存続連合会に行わせることができる。

2　厚生年金保険の実施者たる政府は、附則第五条第一項の規定によりなおその効力を有するものとされた改正前確定給付企業年金法第百十三条第一項の規定に基づき、解散厚生年金基金等から責任準備金相当額を徴収する場合（附則第五条第一項の規定によりなおその効力を有するものとされた改正前厚生年金保険法附則第三十二条第三項の規定により同条第一項の認可を受けた存続厚生年金基金が解散（附則第五条第一項の規定によりなおその効力を有するものとされた改正前確定給付企業年金法第百十一条第三項の規定による解散に限る。）に必要な行為又は企業年金基金（改正後確定給付企業年金法第二条第四項に規定する企業年金基金をいう。）となるために必要な行為をする場合を含む。）において、当該徴収のために必要な事務及び厚生年金保険の実施者たる政府が支給する年金たる給付に係る事務のうち、政令で定めるものを存続連合会に行わせることができる。

（存続連合会の解散等）

第七十条　存続連合会は、連合会の成立の時において、解散する。

2　存続連合会は、前項の規定により解散したときは、基金中途脱退者及び解散基金加入員等（以下この条、次条第二項並びに附則第七十五条及び第七十八条第一項第二号において「基金中途脱退者等」という。）に係る年金たる給付及び一時金たる給付の支給に関する義務を免れる。ただし、当該解散した日までに支給すべきであった年金たる給付若しくは一時金たる給付でまだ支給していないものの支給又は附則第五十三条第四項若しくは第六項、第五十四条第二項、第五十五条第二項、第五十六条第二項、第五十七条第二項、第五十八条第二項若しくは第五十九条第二項の規定により当該解散した日までに移換すべきであった年金給付等積立金若しくは積立金でまだ移換していないものの移換に関する義務については、この限りでない。

3　存続連合会は、第一項の規定により解散したときは、規約で定めるところにより、当該存続連合会の残余財産（附則第四十条第一項第一号及び第二号、第二項第一号及び第二号並びに第三項第一号及び第二号の規定により行う業務に係るものに限る。第五項及び附則第七十五条において同じ。）を基金中途脱退者等に分配しなければならない。

4　存続連合会が第一項の規定により解散したときは、第二項ただし書に規定する義務及び前項の規定により基金中途脱退者等に分配する義務を除き、その一切の権利及び義務は、その時において連合会が承継する。

5　附則第三十八条第一項の規定によりなおその効力を有するものとされた改正前厚生年金保険法第百四十六条の二の規定によりなお存続するものとみなされた存続連合会は、第三項の規定による残余財産の分配に関する事務を連合会に委託することができる。

6　第四項の規定により連合会が権利を承継する場合における当該承継に伴う登記又は登録については、当該承継の日から一年以内に登記又は登録を受けるものに限り、登録免許税を課さない。

7　第四項の規定により連合会が権利を承継する場合における当該承継に係る不動産の取得に対しては、不動産取得税を課することができない。

第七十一条　厚生労働大臣は、前条第一項の規定にかかわらず、存続連合会が次の各号のいずれかに該当するときは、存続連合会の解散を命ずることができる。

一　存続連合会が附則第三十八条第一項の規定によりなおその効力を有するものとされた改正前厚生年金保険法第百七十九条第一項の規定による命令に違反したとき。

二　その事業の状況によりその事業の継続が困難であると認めるとき。

2　存続連合会は、前項の規定により解散したときは、基金中途脱退者等、確定給付企業年金中途脱退者、改正後確定給付企業年金法第八十九条第六項に規定する終了制度加入者等及び企業型年金加入者であった者に係る年金たる給付及び一時金たる給付の支給に関する義務を免れる。ただし、当該解散した日までに支給すべきであった年金たる給付若しくは一時金たる給付でまだ支給していないものの支給又は附則第五十三条第四項若しくは第六項、第五十四条第二項、第五十五条第二項、第五十六条第二項、第五十七条第二項、第五十八条第二項若しくは第五十九条第二項の規定により当該解散した日までに移換すべきであった年金給付等積立金若しくは積立金でまだ移換していないものの移換に関する義務については、この限りでない。

（存続連合会の解散に伴う責任準備金相当額の徴収）

第七十二条　附則第八条の規定は、存続連合会が解散した場合について準用する。

（責任準備金相当額の一部の物納）

第七十三条　前条において準用する附則第八条の規定により政府が存続連合会から責任準備金相当額を徴収する場合においては、存続連合会を解散厚生年金基金等とみなして、改正前確定給付企業年金法第百十四条の規定の例による。この場合において、同条第二項中「第百十一条第二項の厚生労働大臣の承認又は第百十二条第一項の厚生労働大臣の認可の申請と同時に」とあるのは、「公的年金制度の健全性及び信頼性の確保のための厚生年金保険法等の一部を改正する法律（平成二十五年法律第六十三号）附則第七十条第一項又は第七十一条第一項の規定による解散後速やかに」と読み替えるものとするほか、必要な技術的読替えは、政令で定める。

2　前項の規定により存続連合会が改正前確定給付企業年金法第百十四条の規定の例により物納をする場合においては、存続連合会を解散厚生年金基金等とみなして、改正前保険業法附則第一条の十三の規定の例による。この場合において、必要な技術的読替えは、政令で定める。

（清算）

第七十四条　存続連合会が解散したときは、理事が、その清算人となる。ただし、評議員会において他人を選任したときは、この限りでない。

2　附則第三十四条第二項及び第三項の規定は、存続連合会の清算について準用する。

3　附則第三十四条第四項の規定は、存続連合会の清算（附則第七十一条第一項の規定により解散した場合に限る。）について準用する。

（解散存続連合会の残余財産の連合会への交付）

第七十五条　附則第七十条第一項の規定により解散した存続連合会は、規約で定めるところにより、同条第三項の規定により基金中途脱退者等に分配すべき残余財産の交付を連合会に申し出ることができる。

2　連合会は、前項に規定する残余財産の交付を受けたときは、当該交付金を原資として、政令で定めるところにより、当該基金中途脱退者等に対し、老齢を支給理由とする年金たる給付又は一時金たる給付の支給を行うものとする。

3　連合会が第一項に規定する残余財産の交付を受けたときは、附則第七十条第三項の規定の適用については、当該残余財産は、当該基金中途脱退者等に分配されたものとみなす。

4　連合会は、第二項の規定により年金たる給付又は一時金たる給付の支給を行うこととなったときは、その旨を基金中途脱退者等に通知しなければならない。

5　連合会は、基金中途脱退者等の所在が明らかでないため前項の規定による通知をすることができないときは、当該通知に代えて、その通知すべき事項を公告しなければならない。

（裁定）

第七十六条　連合会が支給する前条第二項の年金たる給付及び一時金たる給付を受ける権利は、その権利を有する者の請求に基づいて、連合会が裁定する。

2　連合会は、前項の規定による裁定に基づき、その請求をした者に前条第二項の年金たる給付又は一時金たる給付の支給を行う。

（準用規定）

第七十七条　改正後確定給付企業年金法第三十一条、第三十三条、第三十四条第一項、第三十五条、第三十六条第一項及び第二項（第二号を除く。）、第三十七条、第三十八条並びに第四十条の規定は、連合会が支給する附則第七十五条第二項の年金たる給付又は一時金たる給付について準用する。この場合において、必要な技術的読替えは、政令で定める。

（連合会の業務の特例）

第七十八条　連合会は、改正後確定給付企業年金法の規定による業務のほか、次に掲げる業務を行うことができる。

一　附則第七十条第五項の規定による委託を受けて、同条第三項に規定する残余財産の分配を行うこと。

二　附則第七十五条第一項に規定する残余財産の交付を受け、当該残余財産に係る基金中途脱退者等について同条第二項の規定により年金たる給付又は一時金たる給付の支給を行うこと。

2　連合会は、厚生労働大臣の認可を受けて、厚生年金基金の拠出金等を原資として、次に掲げる事業を行うことができる。

一　解散基金加入員に支給する附則第七十五条第二項の年金たる給付又は一時金たる給付につき一定額が確保されるよう、当該年金たる給付又は一時金たる給付の額を付加する事業

二　存続厚生年金基金に対し、附則第五条第一項の規定によりなおその効力を有するものとされた改正前確定給付企業年金法第百十一条第二項の承認若しくは附則第五条第一項の規定によりなおその効力を有するものとされた改正前確定給付企業年金法第百十二条第一項の認可を受けるために要する費用又は附則第五条第一項の規定によりなおその効力を有するものとされた改正前厚生年金保険法第百四十四条の五第一項の規定による年金給付等積立金の一部の移換若しくは同条第四項の規定による残余財産の全部若しくは一部の移換に要する費用を助成する事業

三　存続厚生年金基金が支給する老齢年金給付等につき一定額が確保されるよう、存続厚生年金基金の年金給付等積立金の額を付加する事業

3　連合会は、附則第五条第一項の規定によりなおその効力を有するものとされた改正前厚生年金保険法第百三十条第五項の規定による委託を受けて、存続厚生年金基金の業務の一部を行うことができる。

（区分経理）

第七十九条　連合会は、前条の規定により行う業務に係る経理については、その他の経理と区分して整理しなければならない。

（連合会への事務委託）

第八十条　厚生年金保険の実施者たる政府は、附則第六十九条に規定する政令で定める事務を連合会に行わせることができる。

（確定給付企業年金法の適用）

第八十一条　連合会が附則第七十八条又は前条の規定による業務

を行う場合においては、改正後確定給付企業年金法第百二十一条中「この法律」とあるのは、「この法律又は公的年金制度の健全性及び信頼性の確保のための厚生年金保険法等の一部を改正する法律（平成二十五年法律第六十三号）」とするほか、改正後確定給付企業年金法の規定の適用に関し必要な読替えその他必要な事項は、政令で定める。

（徴収金の督促及び滞納処分等）

第八十二条 次に掲げる徴収金については、厚生年金保険法の規定による保険料とみなして、同法第八十六条（第三項を除く。）、第八十七条（第六項を除く。）、第八十八条、第八十九条、第九十一条第一項、第九十一条の二、第九十一条の三、第九十二条第一項、第二項及び第四項、第百三条の二並びに第百四条の規定を適用する。この場合において、改正後厚生年金保険法第八十七条第一項中「年十四・六パーセント（当該納期限の翌日から三月を経過する日までの期間については、年七・三パーセント）」とあるのは、「年十四・六パーセント」とする。

一 附則第五条第一項の規定によりなおその効力を有するものとされた改正前厚生年金保険法第八十五条の三又は附則第八条の規定により政府が当該存続厚生年金基金から徴収する徴収金

二 附則第十一条第七項又は第十三条第一項の規定により政府が当該自主解散型基金から徴収する徴収金

三 附則第二十条第三項又は第二十二条第一項の規定により政府が当該清算型基金から徴収する徴収金

四 附則第三十八条第一項の規定によりなおその効力を有するものとされた改正前厚生年金保険法第八十五条の三、附則第六十六条又は附則第七十二条において準用する附則第八条の規定により政府が当該存続連合会から徴収する徴収金

2 次に掲げる徴収金又は加算金については、改正後厚生年金保険法の規定による保険料とみなして、改正後厚生年金保険法第八十三条の二、第八十六条（第三項を除く。）、第八十八条、第八十九条、第九十一条第一項、第九十一条の二、第九十一条の三、第九十二条第一項及び第三項、第百条の四第一項（第二十八号から第三十一号までに係る部分に限る。）及び第二項から第七項まで、第百条の五から第百条の七まで、第百条の九、第百条の十第一項（第三十一号及び第三十三号に係る部分に限る。）、第二項及び第三項、第百条の十一、第百三条の二並びに第百四条の規定を適用する。

一 附則第十三条第一項の規定により政府が当該自主解散型基金の設立事業所の事業主から徴収する徴収金

二 附則第二十二条第一項の規定により政府が当該清算型基金の設立事業所の事業主から徴収する徴収金

三 附則第三十一条第一項の規定により政府が当該清算未了特定基金の設立事業所の事業主から徴収する徴収金

四 附則第十六条第一項（附則第二十三条及び第三十二条において準用する場合を含む。）の規定により政府が当該自主解散型基金の設立事業所の事業主、当該清算型基金の設立事業所の事業主又は当該清算未了特定基金の設立事業所の事業主から徴収する加算金

（徴収金等の帰属する会計）

第八十三条 改正後特別会計法附則第二十八条の三第一項及び第二項の規定によるほか、前条第一項各号に掲げる徴収金並びに同条第二項各号に掲げる徴収金及び加算金は、年金特別会計の厚生年金勘定の歳入とする。

2 附則第九条第一項、第十八条第一項又は第二十五条第一項の規定により附則第五条第一項の規定によりなおその効力を有するものとされた改正前確定給付企業年金法第百十四条の規定を準用する場合において、同条第五項に規定する有価証券の価額として算定した額は、政令で定めるところにより、年金特別会計の厚生年金勘定の積立金として積み立てられたものとみなす。

3 附則第六十七条第一項又は第七十三条第一項の規定により改正前確定給付企業年金法第百十四条の規定の例による場合において、同条第五項に規定する有価証券の価額として算定した額は、政令で定めるところにより、年金特別会計の厚生年金勘定の積立金として積み立てられたものとみなす。

（不服申立て）

第八十四条 次に掲げる処分に不服がある者については、改正後厚生年金保険法第六章の規定を準用する。この場合において、必要な技術的読替えは、政令で定める。

一 附則第五条第一項の規定によりなおその効力を有するものとされた改正前厚生年金保険法第百二十九条第一項に規定する標準給与又は老齢年金給付等若しくは附則第四十条第三項第一号若しくは第二号に規定する給付に関する処分

二 附則第五条第一項の規定によりなおその効力を有するものとされた改正前厚生年金保険法第百三十八条第一項に規定する掛金その他附則第五条第一項の規定によりなおその効力を有するものとされた改正前厚生年金保険法第百四十条第一項の規定、附則第五条第一項の規定によりなおその効力を有するものとされた改正前厚生年金保険法第百三十六条及び附則第六十一条第一項から第四項までの規定によりなおその効力を有するものとされた改正前厚生年金保険法第百六十四条第一項において準用する改正前厚生年金保険法第四十条の二の規定又は附則第六十一条第三項の規定によりなおその効力を有するものとされた改正前厚生年金保険法第百六十一条第一項の規定による徴収金の賦課又は徴収の処分

三 附則第五条第一項の規定によりなおその効力を有するものとされた改正前厚生年金保険法第百四十一条第一項及び附則第六十一条第一項から第四項までの規定によりなおその効力を有するものとされた改正前厚生年金保険法第百六十四条第二項において準用する改正前厚生年金保険法第八十六条の規定による処分

（厚生年金基金の加入員又は加入員であった者に係る被保険者期間の経過措置）

第八十五条 厚生年金基金の加入員又は加入員であった者に係る厚生年金保険の被保険者期間を計算する場合においては、改正前厚生年金保険法第十九条の二の規定は、なおその効力を有する。

（改正前厚生年金保険法による給付）

第八十六条 厚生年金保険の被保険者であった期間の全部又は一部が厚生年金基金の加入員であった期間である者に支給する厚生年金保険法による年金たる保険給付の額の計算及びその支給の停止については、改正前厚生年金保険法第四十四条の二、第四十六条第五項及び第六十条第三項の規定は、なおその効力を有する。この場合において、次の表の上欄に掲げる改正前厚生

年金保険法の規定中同表の中欄に掲げる字句は、それぞれ同表の下欄に掲げる字句に読み替えるものとするほか、この項の規定によりなおその効力を有するものとされた改正前厚生年金保険法の規定の適用に関し必要な読替えその他必要な事項は、政令で定める。

第四十四条の二第一項	が厚生年金基金	が公的年金制度の健全性及び信頼性の確保のための厚生年金保険法等の一部を改正する法律（平成二十五年法律第六十三号。以下「平成二十五年改正法」という。）附則第三条第十二号に規定する厚生年金基金（以下「厚生年金基金」という。）
第四十四条の二第二項第一号	企業年金連合会	平成二十五年改正法附則第三条第十三号に規定する存続連合会（以下「存続連合会」という。）
第四十四条の二第二項第二号	企業年金連合会	存続連合会
	解散した	平成二十五年改正法附則第七十条第一項又は第七十一条第一項の規定により解散した
第四十四条の二第三項	企業年金連合会	存続連合会
第四十四条の二第四項	企業年金連合会	存続連合会
	解散した	平成二十五年改正法附則第七十条第一項又は第七十一条第一項の規定により解散した

2　前項の規定によりなおその効力を有するものとされた改正前厚生年金保険法第四十四条の二第一項の規定は、厚生年金保険の被保険者であった期間の全部又は一部が厚生年金基金の加入員であった期間である者が老齢厚生年金の受給権を取得する前に存続厚生年金基金が解散した場合における当該存続厚生年金基金の加入員であった期間（存続連合会又は他の存続厚生年金基金がその支給に関する義務を承継している年金たる給付の額の計算の基礎となる加入員であった期間を除く。）については、適用しない。

3　前項に規定する場合において、当該存続厚生年金基金の加入員又は加入員であった者が老齢厚生年金の受給権者であるときは、第一項の規定によりなおその効力を有するものとされた改正前厚生年金保険法第四十四条の二第一項の規定にかかわらず、当該老齢厚生年金の額は当該存続厚生年金基金の加入員であった期間（存続連合会又は他の存続厚生年金基金がその支給に関する義務を承継している年金たる給付の額の計算の基礎となる加入員であった期間を除く。）が厚生年金基金の加入員であった期間でないものとして同項の規定の例により計算した額とするものとし、当該存続厚生年金基金が解散した月の翌月から、当該老齢厚生年金の額を改定する。

第八十七条　厚生年金保険の被保険者であった期間の全部又は一部が厚生年金基金の加入員であった期間である者に支給する老齢厚生年金に係る改正後厚生年金保険法第四十四条の三第四項の規定の適用については、同項中「及び第四十六条第一項」とあるのは、「並びに第四十六条第一項及び公的年金制度の健全性及び信頼性の確保のための厚生年金保険法等の一部を改正する法律（平成二十五年法律第六十三号）附則第八十六条第一項の規定によりなおその効力を有するものとされた同法第一条の規定による改正前の第四十六条第五項」とする。

（罰則）

第八十八条　存続厚生年金基金の設立事業所の事業主が、正当な理由がなくて次の各号のいずれかに該当する場合には、六月以下の懲役又は五十万円以下の罰金に処する。

一　附則第五条第一項の規定によりなおその効力を有するものとされた改正前厚生年金保険法第八十一条の三第七項の規定に違反して、通知をしないとき。

二　附則第五条第一項の規定によりなおその効力を有するものとされた改正前厚生年金保険法第百二十九条第四項の規定に違反して、届出をせず、又は虚偽の届出をしたとき。

三　附則第五条第一項の規定によりなおその効力を有するものとされた改正前厚生年金保険法第百二十九条第六項の規定に違反して、通知をしないとき。

四　附則第五条第一項の規定によりなおその効力を有するものとされた改正前厚生年金保険法第百三十九条第四項の規定に違反して、督促状に指定する期限までに掛金を納付しないとき。

2　附則第五条第一項の規定によりなおその効力を有するものとされた改正前厚生年金保険法第百二十九条第二項に規定する設立事業所以外の適用事業所の事業主が、正当な理由がなくて次の各号のいずれかに該当する場合には、六月以下の懲役又は五十万円以下の罰金に処する。

一　附則第五条第一項の規定によりなおその効力を有するものとされた改正前厚生年金保険法第百二十九条第七項の規定に違反して、届出をせず、又は虚偽の届出をしたとき。

二　附則第五条第一項の規定によりなおその効力を有するものとされた改正前厚生年金保険法第百四十条第六項の規定に違反して、督促状に指定する期限までに徴収金を納付しないとき。

3　解散した存続厚生年金基金が、正当な理由がなくて、附則第八条、第十一条第七項、第十三条第一項、第二十条第三項、第二十二条第一項又は附則第六十一条第三項の規定によりなおその効力を有するものとされた改正前厚生年金保険法第百六十一条第一項の規定により負担すべき徴収金を督促状に指定する期限までに納付しないときは、その代表者、代理人又は使用人その他の従業者でその違反行為をした者は、六月以下の懲役又は五十万円以下の罰金に処する。

4 存続連合会が、正当な理由がなくて、附則第六十六条の規定により負担すべき徴収金を督促状に指定する期限までに納付しないときは、その代表者、代理人又は使用人その他の従業者でその違反行為をした者は、六月以下の懲役又は五十万円以下の罰金に処する。

5 解散した存続連合会が、正当な理由がなくて、附則第七十二条において準用する附則第八条の規定により負担すべき徴収金を督促状に指定する期限までに納付しないときは、その代表者、代理人又は使用人その他の従業者でその違反行為をした者は、六月以下の懲役又は五十万円以下の罰金に処する。

6 存続厚生年金基金又は存続連合会が、正当な理由がなくて、附則第五条第一項又は第三十八条第一項の規定によりなおその効力を有するものとされた改正前厚生年金保険法第八十五条の三の規定により負担すべき徴収金を督促状に指定する期限までに納付しないときは、その代表者、代理人又は使用人その他の従業者でその違反行為をした者は、六月以下の懲役又は五十万円以下の罰金に処する。

7 自主解散型基金の設立事業所の事業主、清算型基金の設立事業所の事業主又は清算未了特定基金の設立事業所の事業主が、正当な理由がなくて、附則第十三条第一項、第二十二条第一項又は第三十一条第一項の規定により負担すべき徴収金を督促状に指定する期限までに納付しないときは、六月以下の懲役又は五十万円以下の罰金に処する。

8 自主解散型基金の設立事業所の事業主、清算型基金の設立事業所の事業主又は清算未了特定基金の設立事業所の事業主が、正当な理由がなくて、附則第十六条第一項（附則第二十三条及び第三十二条において準用する場合を含む。）の規定により負担すべき加算金を督促状に指定する期限までに納付しないときは、六月以下の懲役又は五十万円以下の罰金に処する。

第八十九条 附則第五条第一項の規定によりなおその効力を有するものとされた改正前厚生年金保険法第八十一条の三第三項又は第四項の規定に違反して、同条第三項又は第四項に規定する厚生労働省令で定める事項につき、届出をせず、又は虚偽の届出をした者は、六月以下の懲役又は五十万円以下の罰金に処する。

2 附則第五条第一項の規定によりなおその効力を有するものとされた改正前厚生年金保険法第八十一条の三第六項の規定に違反したときは、同項の規定による通知をしなかった者は、六月以下の懲役又は五十万円以下の罰金に処する。

第九十条 附則第五条第一項の規定によりなおその効力を有するものとされた改正前厚生年金保険法第百四十八条第一項、附則第五条第一項若しくは第三十八条第一項の規定によりなおその効力を有するものとされた改正前厚生年金保険法第百七十八条又は附則第三十八条第一項の規定によりなおその効力を有するものとされた改正前厚生年金保険法第百六十八条第三項において準用する改正前厚生年金保険法第百四十八条第一項の規定による報告をせず、若しくは虚偽の報告をし、又はこれらの規定による当該職員の質問に対して答弁せず、若しくは虚偽の陳述をし、若しくはこれらの規定による検査を拒み、妨げ、若しくは忌避した者は、六月以下の懲役又は五十万円以下の罰金に処する。

2 附則第五条第一項の規定によりなおその効力を有するものとされた改正前厚生年金保険法第百二十九条第五項の規定に違反したときは、同項の規定による通知をしなかった者は、六月以下の懲役又は五十万円以下の罰金に処する。

第九十一条 法人の代表者又は法人若しくは人の代理人、使用人その他の従業者が、その法人又は人の業務に関して、前三条の違反行為をしたときは、行為者を罰するほか、その法人又は人に対しても、各本条の罰金刑を科する。

第九十二条 次の各号のいずれかに該当する場合には、その違反行為をした存続厚生年金基金又は存続連合会の役員、代理人若しくは使用人その他の従業者又は清算人は、二十万円以下の過料に処する。

一 附則第五条第一項の規定によりなおその効力を有するものとされた改正前厚生年金保険法第百十五条第三項又は附則第三十八条第一項の規定によりなおその効力を有するものとされた改正前厚生年金保険法第百五十三条第二項において準用する改正前厚生年金保険法第百十五条第三項の規定に違反して、届出をせず、又は虚偽の届出をしたとき。

二 附則第五条第一項の規定によりなおその効力を有するものとされた改正前厚生年金保険法第百四十八条第三項又は附則第三十八条第一項の規定によりなおその効力を有するものとされた改正前厚生年金保険法第百六十八条第三項において準用する改正前厚生年金保険法第百四十八条第三項の規定による命令に違反したとき。

三 附則第五条第一項又は第三十八条第一項の規定によりなおその効力を有するものとされた改正前厚生年金保険法第百七十七条の規定に違反して、報告をせず、又は虚偽の報告をしたとき。

四 附則第五条第一項又は第三十八条第一項の規定によりなおその効力を有するものとされた改正前厚生年金保険法第百七十九条第一項の規定による命令に違反したとき。

五 この附則の規定により存続厚生年金基金又は存続連合会が行うものとされた事業以外の事業を行ったとき。

第九十三条 存続厚生年金基金、存続連合会又は連合会が、次の各号のいずれかに該当する場合には、その役員は、二十万円以下の過料に処する。

一 附則第五条第一項の規定によりなおその効力を有するものとされた改正前厚生年金保険法第百十六条又は附則第三十八条第一項の規定によりなおその効力を有するものとされた改正前厚生年金保険法第百五十四条において準用する改正前厚生年金保険法第百十六条の規定に違反して、公告を怠り、又は虚偽の公告をしたとき。

二 附則第四十二条第五項、附則第四十三条第五項（附則第四十四条第四項及び第四十五条第七項において準用する場合を含む。）、附則第四十六条第五項、附則第四十七条第五項（附則第四十八条第四項及び第四十九条第七項において準用する場合を含む。）、附則第四十九条の二第二項、附則第七十五条第四項、附則第五条第一項の規定によりなおその効力を有するものとされた改正前厚生年金保険法第百三十三条の三第二項、附則第六十一条第一項の規定によりなおその効力を有するものとされた改正前厚生年金保険法第百六十条第六項、附則第六十一条第一項若しくは第三項の規定によりなおその効力を有するものとされた改正前厚生年金保険法第百六十三条の四第二項において準用する改正前厚生年金保険法第百三十三条の三第二項、附則第六十一条第二項の規定によりなおその効力を有するものとされた改正前厚生年金保険法第百六十条の二第五項、附則第六十一条第三項の規定によりなおその効力を有するものとされた改正前厚生年金保険法第百六十一条第七項、附則第六十三条第一項の規定によりなおその効力を有するものとされた改正前確定給付企業年金法第九十一条の二第五項又は附則第六十三条第二項の規定によりなおその効力を有するものとされた改正前確定給付企業年金法第九十一条の三第五項（附則第六十三条第三項の規定によりなおその効力を有するものとされた改正前確定給付企業年金法第九十一条の四第四項及び附則第六十三条第四項の規定によりなおその効力を有するものとされた改正前確定給付企業年金法第九十一条の五第七項において準用する場合を含む。）の規定に違反して、通知をしないとき。

三　附則第四十二条第六項（附則第四十三条第六項、第四十四条第五項及び第四十五条第八項において準用する場合を含む。）、附則第四十六条第六項（附則第四十七条第六項、第四十八条第五項、第四十九条第八項及び第四十九条の二第三項において準用する場合を含む。）、附則第七十五条第五項、附則第五条第一項の規定によりなおその効力を有するものとされた改正前厚生年金保険法第百三十三条の三第三項、附則第六十一条第一項の規定によりなおその効力を有するものとされた改正前厚生年金保険法第百六十条第七項、附則第六十一条第一項若しくは第三項の規定によりなおその効力を有するものとされた改正前厚生年金保険法第百六十三条の四第二項において準用する改正前厚生年金保険法第百三十三条の三第三項、附則第六十一条第二項の規定によりなおその効力を有するものとされた改正前厚生年金保険法第百六十条の二第六項において準用する改正前厚生年金保険法第百六十条第七項、附則第六十一条第三項の規定によりなおその効力を有するものとされた改正前厚生年金保険法第百六十一条第八項において準用する改正前厚生年金保険法第百六十条第七項又は附則第六十三条第一項の規定によりなおその効力を有するものとされた改正前確定給付企業年金法第九十一条の二第六項（附則第六十三条第二項の規定によりなおその効力を有するものとされた改正前確定給付企業年金法第九十一条の三第六項、附則第六十三条第三項の規定によりなおその効力を有するものとされた改正前確定給付企業年金法第九十一条の四第五項及び附則第六十三条第四項の規定によりなおその効力を有するものとされた改正前確定給付企業年金法第九十一条の五第八項において準用する場合を含む。）の規定に違反して、公告を怠り、又は虚偽の公告をしたとき。

四　附則第五条第一項又は第三十八条第一項の規定によりなおその効力を有するものとされた改正前厚生年金保険法第百七十六条の規定に違反して、届出をせず、又は虚偽の届出をしたとき。

第九十四条　次の各号のいずれかに該当する場合には、十万円以下の過料に処する。

一　存続厚生年金基金の設立事業所の事業主が、附則第五条第一項の規定によりなおその効力を有するものとされた改正前厚生年金保険法第百二十八条の規定に違反して、届出をせず、又は虚偽の届出をしたとき。

二　存続厚生年金基金の設立事業所の事業主が、附則第五条第一項の規定によりなおその効力を有するものとされた改正前厚生年金保険法第百七十四条において準用する改正前厚生年金保険法第九十八条第一項の規定に違反して、届出をせず、又は虚偽の届出をしたとき。

三　存続厚生年金基金の加入員が、附則第五条第一項の規定によりなおその効力を有するものとされた改正前厚生年金保険法第百七十四条において準用する改正前厚生年金保険法第九十八条第二項の規定に違反して、届出をせず、若しくは虚偽の届出をし、又は申出をせず、若しくは虚偽の申出をしたとき。

四　戸籍法（昭和二十二年法律第二百二十四号）の規定による死亡の届出義務者が、附則第五条第一項又は第三十八条第一項の規定によりなおその効力を有するものとされた改正前厚生年金保険法第百七十四条において準用する改正前厚生年金保険法第九十八条第四項本文の規定に違反して、届出をしないとき。

第九十五条　附則第五条第一項の規定によりなおその効力を有するものとされた改正前厚生年金保険法第百九条第二項の規定に違反して、厚生年金基金という名称を用いた者は、十万円以下の過料に処する。

（調整規定）

第百一条　施行日が独立行政法人年金・健康保険福祉施設整理機構法の一部を改正する法律（平成二十三年法律第七十三号）の施行の日前である場合には、同法附則第十一条のうち厚生年金保険法附則第二十九条の三の改正規定中「附則第二十九条の三」とあるのは「附則第三十一条」と、「第二十九条の三　削除」とあるのは「第三十一条　削除」とする。

（その他の経過措置の政令への委任）

第百五十三条　この附則に定めるもののほか、この法律の施行に関し必要な経過措置（罰則に関する経過措置を含む。）は、政令で定める。

附　則（平二六・五・三〇法四二）（抄）

（施行期日）

第一条　この法律は、公布の日から起算して二年を超えない範囲内において政令で定める日〔平二八・四・一〕から施行する。〔ただし書略〕

附　則（平二六・六・一一法六四）（抄）

（施行期日）

第一条　この法律は、平成二十六年十月一日から施行する。ただし、次の各号に掲げる規定は、当該各号に定める日から施行する。

一　〔略〕

二　〔前略〕第三条中厚生年金保険法附則第十七条の十四の改正規定〔中略〕並びに附則〔中略〕第十七条の規定　平成二十七年一月一日

三　〔前略〕第三条中厚生年金保険法第二十八条の次に三条を加える改正規定、同法第七十五条の改正規定、同法第七十八条の七及び第七十八条の十五の改正規定、同法第九十条第一項にただし書を加える改正規定、同法第百条の二の改正規定、同法第百条の四第一項第七号の次に一号を加える改正規定、同法第百条の九の改正規定及び同条に一項を加える改正規定並びに附則第四条から第七条までの規定〔中略〕 平成二十七年三月一日

四～八 〔略〕

（厚生年金保険法の訂正の決定等に関する経過措置）

第六条 第三号改正後厚生年金保険法第二十八条の四の規定は、平成二十七年三月三十一日までは、適用しない。

（旧厚生年金保険法による給付の受給権者等に係る経過措置）

第七条 昭和六十年改正法附則第七十八条第十一項の規定によりなお従前の例によるものとされた昭和六十年改正法第三条の規定による改正前の厚生年金保険法（次項において「旧厚生年金保険法」という。）第三十七条の規定その他未支給の保険給付の支給に関する規定であって政令で定めるものにより未支給の保険給付の支給を請求することができる者については、厚生年金保険法第三十七条の規定により未支給の保険給付の支給を請求することができる者とみなして、第三号改正後厚生年金保険法第二十八条の二第二項の規定を適用する。

2 昭和六十年改正法附則第七十八条第一項の規定によりなお従前の例によるものとされた旧厚生年金保険法による遺族年金その他死亡を支給事由とする年金たる保険給付であって政令で定めるものを受けることができる者については、厚生年金保険法による遺族厚生年金を受けることができる遺族とみなして、第三号改正後厚生年金保険法第二十八条の二第二項の規定を適用する。

3 前二項の場合において、第三号改正後厚生年金保険法第二十八条の二第二項の規定の適用に関し必要な読替えその他必要な事項は、政令で定める。

（延滞金の割合の特例等に関する経過措置）

第十七条 次の各号に掲げる規定は、当該各号に定める規定に規定する延滞金（第十五号にあっては、加算金。以下この条において同じ。）のうち平成二十七年一月一日以後の期間に対応するものについて適用し、当該延滞金のうち同日前の期間に対応するものについては、なお従前の例による。

一 〔略〕

二 第三条の規定による改正後の厚生年金保険法附則第十七条の十四（厚生年金特例法第二条第八項、公的年金制度の健全性及び信頼性の確保のための厚生年金保険法等の一部を改正する法律（以下この条において「平成二十五年厚生年金等改正法」という。）附則第百四十一条第一項の規定によりなおその効力を有するものとされた平成二十五年厚生年金等改正法附則第百四十条の規定による改正前の厚生年金特例法第五条第八項及び平成二十五年厚生年金等改正法附則第百四十一条第二項の規定によりなおその効力を有するものとされた平成二十五年厚生年金等改正法附則第百四十条の規定による改正前の厚生年金特例法第八条第八項、年金給付遅延加算金支給法第六条第二項並びに児童手当法（昭和四十六年法律第七十三号）第二十二条第一項の規定により厚生年金保険法の規定の例によることとされる場合を含む。） 厚生年金保険法第八十七条第一項（同条第六項の規定により読み替えて適用する場合並びに厚生年金特例法第二条第八項、平成二十五年厚生年金等改正法附則第百四十一条第一項の規定によりなおその効力を有するものとされた平成二十五年厚生年金等改正法附則第百四十条の規定による改正前の厚生年金特例法第五条第八項及び平成二十五年厚生年金等改正法附則第百四十一条第二項の規定によりなおその効力を有するものとされた平成二十五年厚生年金等改正法附則第百四十条の規定による改正前の厚生年金特例法第八条第八項、年金給付遅延加算金支給法第六条第二項並びに児童手当法第二十二条第一項の規定により厚生年金保険法の規定の例によることとされる場合を含む。）及び平成二十五年厚生年金等改正法附則第五条第一項の規定によりなおその効力を有するものとされた平成二十五年厚生年金等改正法第一条の規定による改正前の厚生年金保険法第百四十一条第一項において準用する平成二十五年厚生年金等改正法第一条の規定による改正前の厚生年金保険法第八十七条第一項（同条第六項の規定により読み替えて適用する場合（平成二十五年厚生年金等改正法附則第五条第一項の規定によりなおその効力を有するものとされた平成二十五年厚生年金等改正法第一条の規定による改正前の厚生年金保険法第百三十六条において準用する平成二十五年厚生年金等改正法第一条の規定による改正前の厚生年金保険法第四十条の二の規定による徴収金について適用する場合に限る。）を含む。）

三～十八 〔略〕

附 則（平二六・六・一三法六九）（抄）

（施行期日）

第一条 この法律は、行政不服審査法（平成二十六年法律第六十八号）の施行の日〔平二八・四・一〕から施行する。

附 則（平二七・九・九法六五）（抄）

（施行期日）

第一条 この法律は、公布の日から起算して二年を超えない範囲内において政令で定める日〔平二九・五・三〇〕から施行する。ただし、次の各号に掲げる規定は、当該各号に定める日から施行する。

一・二 〔略〕

三 〔前略〕附則第十五条〔中略〕の規定 番号利用法附則第一条第四号に掲げる規定の施行の日〔平二八・一・一〕

四～六 〔略〕

附 則（平二八・三・三一法一七）（抄）

（施行期日）

第一条 この法律は、平成二十九年一月一日から施行する。〔ただし書略〕

附 則（平二八・六・三法六六）（抄）

（施行期日）

第一条 この法律は、平成二十九年一月一日から施行する。ただし、次の各号に掲げる規定は、当該各号に定める日から施行する。

一～三 〔略〕

四 〔前略〕第六条中公的年金制度の健全性及び信頼性の確保のための厚生年金保険法等の一部を改正する法律附則第五条第三項の表改正後確定給付企業年金法第八十八条の項の次に一項を加える改正規定、同表改正後確定拠出年金法第四条第一項第二号の項を改める改正規定及び同表改正後確定拠出年金法第五十四条の二第二項の項の次に一項を加える改正規定

〔中略〕　公布の日から起算して二年を超えない範囲内において政令で定める日〔平三〇・五・一〕

附　則（平二八・一二・二六法一一四）（抄）

改正　令二・六・五法四〇

（施行期日）

第一条　この法律は、公布の日から施行する。ただし、次の各号に掲げる規定は、当該各号に定める日から施行する。

一　〔略〕

二　第七条の規定　平成二十九年四月一日

三　〔略〕

四　〔前略〕第三条中厚生年金保険法第四十三条の三第一項、第四十三条の四及び第四十三条の五の改正規定並びに同法附則第十七条の七第四項の改正規定並びに附則第三条及び第五条の規定、附則第十二条の規定（第六号に掲げる改正規定を除く。）〔中略〕　平成三十年四月一日

五　〔略〕

六　〔前略〕第四条の規定〔中略〕附則第十二条中国民年金法等の一部を改正する法律（平成十二年法律第十八号）附則第二十一条第四項の改正規定（同項中「又は第三項」を削る部分に限る。）〔中略〕　令和三年四月一日

（再評価率の改定に関する経過措置）

第五条　第三条の規定による改正後の厚生年金保険法（以下この条において「改正後厚生年金保険法」という。）第四十三条の三第一項に規定する基準年度が平成三十年度前である者に対する改正後厚生年金保険法第四十三条の五（改正後厚生年金保険法又は他の法令において、同条の規定を引用し、準用し、又はその例による場合を含む。以下この条において同じ。）の規定の適用については、改正後厚生年金保険法第四十三条の五第一項第二号及び第三項中「基準年度である」とあるのは「平成三十年度である」と、同条第五項第一号中「基準年度における」とあるのは「平成三十年度における」と、同号イ中「基準年度」とあるのは「平成三十年度」とする。

○民法の一部を改正する法律の施行に伴う関係法律の整備等に関する法律（抄）

平二九・六・二
法　四　五

（厚生年金保険法の一部改正に伴う経過措置）

第百七十四条　施行日前に前条の規定による改正前の厚生年金保険法（以下この項において「旧厚生年金保険法」という。）第九十条第四項（旧厚生年金保険法附則第七条の二第三項及び第二十九条第八項において準用する場合を含む。）又は第九十二条第三項に規定する時効の中断の事由が生じた場合におけるその事由の効力については、なお従前の例による。

2　施行日前に保険給付を受ける権利（当該権利に基づき支払期月ごとに又は一時金として支払うものとされる保険給付の支給を受ける権利を含む。）が生じた場合におけるこれらの権利の消滅時効の期間については、前条の規定による改正後の厚生年金保険法第九十二条第一項の規定にかかわらず、なお従前の例による。

（公的年金制度の健全性及び信頼性の確保のための厚生年金保険法等の一部を改正する法律の一部改正に伴う経過措置）

第二百三十八条　施行日前に年金たる給付及び一時金たる給付を受ける権利又は当該年金たる給付を受ける権利に基づき支払期月ごとに支払うものとされる年金たる給付を受ける権利が生じた場合におけるこれらの権利の消滅時効の期間については、前条の規定による改正後の公的年金制度の健全性及び信頼性の確保のための厚生年金保険法等の一部を改正する法律附則第五条第一項の規定によりなおその効力を有するものとされた同法第一条の規定による改正前の厚生年金保険法（次項において「平成二十五年改正前厚生年金保険法」という。）第百七十条第一項の規定にかかわらず、なお従前の例による。

2　施行日前に前条の規定による改正前の公的年金制度の健全性及び信頼性の確保のための厚生年金保険法等の一部を改正する法律附則第五条第一項の規定によりなおその効力を有するものとされた平成二十五年改正前厚生年金保険法第百七十条第三項に規定する時効の中断の事由が生じた場合におけるその事由の効力については、なお従前の例による。

附　則（抄）

この法律は、民法改正法の施行の日〔平三二・四・一〕から施行する。〔ただし書略〕

附　則（平三〇・七・六法七一）（抄）

改正　令二・三・三一法一四

（施行期日）

第一条　この法律は、平成三十一年四月一日から施行する。ただし、次の各号に掲げる規定は、当該各号に定める日から施行する。

一　〔略〕

二　〔前略〕附則〔中略〕第十七条の規定〔中略〕　令和二年四月一日

三　〔略〕

附　則（令二・三・三一法八）（抄）

（施行期日）

第一条　この法律は、令和二年四月一日から施行する。ただし、次の各号に掲げる規定は、当該各号に定める日から施行する。

一　〔略〕

二　次に掲げる規定　令和三年一月一日

イ・ロ　〔略〕

ハ　〔前略〕附則〔中略〕第百四十九条の規定

ニ～ヘ　〔略〕

三～十二　〔略〕

附　則（令二・三・三一法一四）（抄）

（施行期日）

第一条　この法律は、令和二年四月一日から施行する。ただし、次の各号に掲げる規定は、当該各号に定める日から施行する。

一　〔前略〕附則〔中略〕第二十八条から第三十二条までの規定　公布の日

二　〔略〕

三　〔前略〕附則第十三条中厚生年金保険法（昭和二十九年法律第百十五号）第五十六条第三号の改正規定〔中略〕　公布の日から起算して六月を超えない範囲内において政令で定め

る日〔令二・九・一〕

四・五　〔略〕

六　〔前略〕附則〔中略〕第十三条（厚生年金保険法第五十六条第三号の改正規定を除く。）及び第十四条の規定　令和七年四月一日

（厚生年金保険法の一部改正に伴う経過措置）

第十四条　前条の規定による改正後の厚生年金保険法附則第七条の五、第十一条の六及び第十三条の六の規定は、改正後雇用保険法第六十一条第五項（雇用保険法第六十一条の二第三項において準用する場合を含む。）の規定の適用を受ける被保険者に係る老齢厚生年金の支給の停止について適用し、附則第三条の規定によりなお従前の例によることとされた被保険者に係る老齢厚生年金の支給の停止については、なお従前の例による。

附　則（令二・六・五法四〇）（抄）

（施行期日）

第一条　この法律は、令和四年四月一日から施行する。ただし、次の各号に掲げる規定は、当該各号に定める日から施行する。

一　〔前略〕第四条中厚生年金保険法第百条の三の改正規定、同法第百条の十第一項の改正規定（同項第十号の改正規定を除く。）及び同法附則第二十三条の二第一項の改正規定〔中略〕、第二十四条中公的年金制度の健全性及び信頼性の確保のための厚生年金保険法等の一部を改正する法律附則第三十八条第三項の表改正後確定拠出年金法第四十八条の二の項及び第四十条第八項の改正規定〔中略〕、附則第四十二条中国民年金法等の一部を改正する法律（昭和六十年法律第三十四号。次号及び附則第四十二条から第四十五条までにおいて「昭和六十年国民年金等改正法」という。）附則〔中略〕第六十四条の改正規定、附則第五十五条中被用者年金制度の一元化等を図るための厚生年金保険法等の一部を改正する法律（平成二十四年法律第六十三号。以下「平成二十四年一元化法」という。）附則第二十三条第三項〔中略〕の改正規定、附則第五十六条の規定〔中略〕並びに附則第九十七条の規定　公布の日

二　第四条中厚生年金保険法第二十七条、第百条、第百二条及び第百三条並びに附則第四条の五第一項の改正規定並びに附則第四十二条中昭和六十年国民年金等改正法附則第四十六条の改正規定　公布の日から起算して二十日を経過した日

三・四　〔略〕

五　〔前略〕第四条中厚生年金保険法附則第二十九条第四項の改正規定〔中略〕附則〔中略〕第十条〔中略〕の規定〔中略〕　令和三年四月一日

六　〔略〕

七　〔前略〕第二十四条中公的年金制度の健全性及び信頼性の確保のための厚生年金保険法等の一部を改正する法律附則第五条第三項の表の改正規定（同表改正後厚生年金保険法第百条の十第一項第十号の項の改正規定を除く。）、同法附則第三十八条第二項の表の改正規定、同条第三項の表の改正規定（同表改正後厚生年金保険法第百条の十第一項第十号の項及び改正後確定拠出年金法第四十八条の二の項の改正規定を除く。）、同法附則第四十条第二項及び第四十一条第二号の改正規定、同法附則第四十九条の次に一条を加える改正規定並びに同法附則第五十一条、第五十二条、第五十七条から第五十九条まで、第七十一条第二項及び第九十三条の改正規定〔中略〕　令和四年五月一日

八　第四条中厚生年金保険法第六条第一項第一号及び第十二条並びに附則第四条の二の改正規定、第九条の規定〔中略〕　令和四年十月一日

九　〔前略〕第五条〔中略〕並びに附則〔中略〕第十一条〔中略〕、第四十三条〔中略〕の規定〔中略〕並びに附則第五十条〔中略〕の規定　令和五年四月一日

十　〔略〕

十一　第十条の規定　令和六年十月一日

（検討）

第二条　政府は、この法律の施行後速やかに、この法律による改正後のそれぞれの法律の施行の状況等を勘案し、公的年金制度を長期的に持続可能な制度とする取組を更に進め、社会経済情勢の変化に対応した保障機能を一層強化し、並びに世代間及び世代内の公平性を確保する観点から、公的年金制度及びこれに関連する制度について、持続可能な社会保障制度の確立を図るための改革の推進に関する法律（平成二十五年法律第百十二号）第六条第二項各号に掲げる事項及び公的年金制度の所得再分配機能の強化その他必要な事項（次項及び第四項に定める事項を除く。）について検討を加え、その結果に基づいて必要な措置を講ずるものとする。

２～６　〔略〕

（老齢厚生年金の支給の繰下げに関する経過措置）

第八条　第四条の規定による改正後の厚生年金保険法第四十四条の三の規定は、施行日の前日において、老齢厚生年金の受給権を取得した日から起算して五年を経過していない者について適用する。

（改正後の厚生年金保険法における時効に関する経過措置）

第九条　第四条の規定による改正後の厚生年金保険法第九十二条第一項（保険給付の返還を受ける権利に係る部分に限る。）及び第二項の規定は、施行日以後に生ずる当該権利及び同項に規定する権利について適用する。

（厚生年金保険法による脱退一時金の額に関する経過措置）

第十条　被保険者期間が令和三年四月前のみの期間である場合における厚生年金保険法による脱退一時金の額については、なお従前の例による。

（受給権を取得した日から起算して五年を経過した日後の老齢厚生年金の請求に関する経過措置）

第十一条　第五条の規定による改正後の厚生年金保険法第四十四条の三の規定は、第九号施行日の前日において、老齢厚生年金の受給権を取得した日から起算して六年を経過していない者について適用する。

（政令への委任）

第九十七条　この附則に定めるもののほか、この法律の施行に伴い必要な経過措置（罰則に関する経過措置を含む。）は、政令で定める。

附　則（令三・六・一一法六六）（抄）

（施行期日）

第一条　この法律は、令和四年一月一日から施行する。ただし、次の各号に掲げる規定は、当該各号に定める日から施行する。

一・二　〔略〕

三　〔前略〕第三条及び第四条の規定並びに附則〔中略〕第五

条〔中略〕の規定〔中略〕　令和四年十月一日

四～六　〔略〕

（厚生年金保険法の一部改正に伴う経過措置）

第五条　第三条の規定による改正後の厚生年金保険法第八十一条の二の規定は、第三号施行日以後に開始する厚生年金保険法第二十三条の二第一項に規定する育児休業等について適用し、第三号施行日前に開始した同項に規定する育児休業等については、なお従前の例による。

附　則（令五・三・三一法三）（抄）

（施行期日）

第一条　この法律は、令和五年四月一日から施行する。ただし、次の各号に掲げる規定は、当該各号に定める日から施行する。

一・二　〔略〕

三　次に掲げる規定　令和六年一月一日

イ・ロ　〔略〕

ハ　〔前略〕附則〔中略〕第六十六条から第六十九条まで〔中略〕の規定

ニ～ト　〔略〕

四～十三　〔略〕

附　則（令六・六・一二法四七）（抄）

（施行期日）

第一条　この法律は、令和六年十月一日から施行する。ただし、次の各号に掲げる規定は、当該各号に定める日から施行する。

一～三　〔略〕

四　次に掲げる規定　令和七年四月一日

イ～チ　〔略〕

リ　附則〔中略〕第二十五条〔中略〕の規定

ヌ～ツ　〔略〕

五・六　〔略〕

別表（第四十三条第一項関係）

一　昭和五年四月一日以前に生まれた者　被保険者であつた月が属する次の表の上欄に掲げる期間の区分に応じて、それぞれ同表の下欄に掲げる率

昭和三十三年三月以前	一三・九七六
昭和三十三年四月から昭和三十四年三月まで	一三・六七五
昭和三十四年四月から昭和三十五年四月まで	一三・四八五
昭和三十五年五月から昭和三十六年三月まで	一一・一五二
昭和三十六年四月から昭和三十七年三月まで	一〇・三一一
昭和三十七年四月から昭和三十八年三月まで	九・三一〇
昭和三十八年四月から昭和三十九年三月まで	八・五五〇
昭和三十九年四月から昭和四十年四月まで	七・八五八
昭和四十年五月から昭和四十一年三月まで	六・八七八
昭和四十一年四月から昭和四十二年三月まで	六・三一七
昭和四十二年四月から昭和四十三年三月まで	六・一四六
昭和四十三年四月から昭和四十四年十月まで	五・四三六
昭和四十四年十一月から昭和四十六年十月まで	四・一五五
昭和四十六年十一月から昭和四十八年十月まで	三・六〇四
昭和四十八年十一月から昭和五十年三月まで	二・六四三
昭和五十年四月から昭和五十一年七月まで	二・二五三
昭和五十一年八月から昭和五十三年三月まで	一・八六二
昭和五十三年四月から昭和五十四年三月まで	一・七一二
昭和五十四年四月から昭和五十五年九月まで	一・六二二
昭和五十五年十月から昭和五十七年三月まで	一・四六一
昭和五十七年四月から昭和五十八年三月まで	一・三九一
昭和五十八年四月から昭和五十九年三月まで	一・三四二

昭和五十九年四月から昭和六十年九月まで	一・二九一
昭和六十年十月から昭和六十二年三月まで	一・二二三
昭和六十二年四月から昭和六十三年三月まで	一・一九一
昭和六十三年四月から平成元年十一月まで	一・一六一
平成元年十二月から平成三年三月まで	一・〇九一
平成三年四月から平成四年三月まで	一・〇四一
平成四年四月から平成五年三月まで	一・〇一一
平成五年四月から平成六年三月まで	〇・九九一
平成六年四月から平成七年三月まで	〇・九八三
平成七年四月から平成八年三月まで	〇・九八二
平成八年四月から平成九年三月まで	〇・九七九
平成九年四月から平成十年三月まで	〇・九五九
平成十年四月から平成十一年三月まで	〇・九五二
平成十一年四月から平成十二年三月まで	〇・九五五
平成十二年四月から平成十三年三月まで	〇・九六一
平成十三年四月から平成十四年三月まで	〇・九六八
平成十四年四月から平成十五年三月まで	〇・九七七
平成十五年四月から平成十六年三月まで	〇・九八〇
平成十六年四月から平成十七年三月まで	〇・九八〇

二　昭和五年四月二日から昭和六年四月一日までの間に生まれた者　被保険者であつた月が属する次の表の上欄に掲げる期間の区分に応じて、それぞれ同表の下欄に掲げる率

昭和三十三年三月以前	一四・一一六
昭和三十三年四月から昭和三十四年三月まで	一三・八一二
昭和三十四年四月から昭和三十五年四月まで	一三・六二〇
昭和三十五年五月から昭和三十六年三月まで	一一・二六五
昭和三十六年四月から昭和三十七年三月まで	一〇・四一五
昭和三十七年四月から昭和三十八年三月まで	九・四〇四
昭和三十八年四月から昭和三十九年三月まで	八・六三五
昭和三十九年四月から昭和四十年四月まで	七・九三八
昭和四十年五月から昭和四十一年三月まで	六・九四七
昭和四十一年四月から昭和四十二年三月まで	六・三八〇
昭和四十二年四月から昭和四十三年三月まで	六・二〇九
昭和四十三年四月から昭和四十四年十月まで	五・四九一
昭和四十四年十一月から昭和四十六年十月まで	四・一九七
昭和四十六年十一月から昭和四十八年十月まで	三・六四〇
昭和四十八年十一月から昭和五十年三月まで	二・六六九
昭和五十年四月から昭和五十一年七月まで	二・二七五
昭和五十一年八月から昭和五十三年三月まで	一・八八一

昭和五十三年四月から昭和五十四年三月まで	一・七二九
昭和五十四年四月から昭和五十五年九月まで	一・六三八
昭和五十五年十月から昭和五十七年三月まで	一・四七六
昭和五十七年四月から昭和五十八年三月まで	一・四〇六
昭和五十八年四月から昭和五十九年三月まで	一・三五五
昭和五十九年四月から昭和六十年九月まで	一・三〇四
昭和六十年十月から昭和六十二年三月まで	一・二三三
昭和六十二年四月から昭和六十三年三月まで	一・二〇三
昭和六十三年四月から平成元年十一月まで	一・一七三
平成元年十二月から平成三年三月まで	一・一〇二
平成三年四月から平成四年三月まで	一・〇五二
平成四年四月から平成五年三月まで	一・〇二一
平成五年四月から平成六年三月まで	一・〇〇一
平成六年四月から平成七年三月まで	〇・九八三
平成七年四月から平成八年三月まで	〇・九八二
平成八年四月から平成九年三月まで	〇・九七九
平成九年四月から平成十年三月まで	〇・九五九
平成十年四月から平成十一年三月まで	〇・九五二
平成十一年四月から平成十二年三月まで	〇・九五五
平成十二年四月から平成十三年三月まで	〇・九六一
平成十三年四月から平成十四年三月まで	〇・九六八
平成十四年四月から平成十五年三月まで	〇・九七七
平成十五年四月から平成十六年三月まで	〇・九八〇
平成十六年四月から平成十七年三月まで	〇・九八〇

三　昭和六年四月二日から昭和七年四月一日までの間に生まれた者　被保険者であつた月が属する次の表の上欄に掲げる期間の区分に応じて、それぞれ同表の下欄に掲げる率

昭和三十三年三月以前	一四・四一九
昭和三十三年四月から昭和三十四年三月まで	一四・一一〇
昭和三十四年四月から昭和三十五年四月まで	一三・九一三
昭和三十五年五月から昭和三十六年三月まで	一一・五〇六
昭和三十六年四月から昭和三十七年三月まで	一〇・六三九
昭和三十七年四月から昭和三十八年三月まで	九・六〇六
昭和三十八年四月から昭和三十九年三月まで	八・八二三
昭和三十九年四月から昭和四十年四月まで	八・一〇九
昭和四十年五月から昭和四十一年三月まで	七・〇九六
昭和四十一年四月から昭和四十二年三月まで	六・五一七
昭和四十二年四月から昭和四十三年三月まで	六・三四三
昭和四十三年四月から昭和四十四年十月まで	五・六〇八

昭和四十四年十一月から昭和四十六年十月まで	四・二八七
昭和四十六年十一月から昭和四十八年十月まで	三・七一九
昭和四十八年十一月から昭和五十年三月まで	二・七二七
昭和五十年四月から昭和五十一年七月まで	二・三二五
昭和五十一年八月から昭和五十三年三月まで	一・九二二
昭和五十三年四月から昭和五十四年三月まで	一・七六六
昭和五十四年四月から昭和五十五年九月まで	一・六七三
昭和五十五年十月から昭和五十七年三月まで	一・五〇八
昭和五十七年四月から昭和五十八年三月まで	一・四三六
昭和五十八年四月から昭和五十九年三月まで	一・三八四
昭和五十九年四月から昭和六十年九月まで	一・三三二
昭和六十年十月から昭和六十二年三月まで	一・二六〇
昭和六十二年四月から昭和六十三年三月まで	一・二二九
昭和六十三年四月から平成元年十一月まで	一・一九八
平成元年十二月から平成三年三月まで	一・一二六
平成三年四月から平成四年三月まで	一・〇七四
平成四年四月から平成五年三月まで	一・〇四三
平成五年四月から平成六年三月まで	一・〇二三
平成六年四月から平成七年三月まで	一・〇〇三
平成七年四月から平成八年三月まで	〇・九八二
平成八年四月から平成九年三月まで	〇・九七九
平成九年四月から平成十年三月まで	〇・九五九
平成十年四月から平成十一年三月まで	〇・九五二
平成十一年四月から平成十二年三月まで	〇・九五五
平成十二年四月から平成十三年三月まで	〇・九六一
平成十三年四月から平成十四年三月まで	〇・九六八
平成十四年四月から平成十五年三月まで	〇・九七七
平成十五年四月から平成十六年三月まで	〇・九八〇
平成十六年四月から平成十七年三月まで	〇・九八〇

四　昭和七年四月二日から昭和八年四月一日までの間に生まれた者　被保険者であつた月が属する次の表の上欄に掲げる期間の区分に応じて、それぞれ同表の下欄に掲げる率

昭和三十三年三月以前	一四・四九三
昭和三十三年四月から昭和三十四年三月まで	一四・一八一
昭和三十四年四月から昭和三十五年四月まで	一三・九八四
昭和三十五年五月から昭和三十六年三月まで	一一・五六六
昭和三十六年四月から昭和三十七年三月まで	一〇・六九四
昭和三十七年四月から昭和三十八年三月まで	九・六五六
昭和三十八年四月から昭和三十九年三月まで	八・八六六

昭和三十九年四月から昭和四十年四月まで	八・一五〇
昭和四十年五月から昭和四十一年三月まで	七・一三二
昭和四十一年四月から昭和四十二年三月まで	六・五五一
昭和四十二年四月から昭和四十三年三月まで	六・三七五
昭和四十三年四月から昭和四十四年十月まで	五・六三八
昭和四十四年十一月から昭和四十六年十月まで	四・三〇八
昭和四十六年十一月から昭和四十八年十月まで	三・七三七
昭和四十八年十一月から昭和五十年三月まで	二・七四一
昭和五十年四月から昭和五十一年七月まで	二・三三六
昭和五十一年八月から昭和五十三年三月まで	一・九三一
昭和五十三年四月から昭和五十四年三月まで	一・七七五
昭和五十四年四月から昭和五十五年九月まで	一・六八二
昭和五十五年十月から昭和五十七年三月まで	一・五一六
昭和五十七年四月から昭和五十八年三月まで	一・四四三
昭和五十八年四月から昭和五十九年三月まで	一・三九一
昭和五十九年四月から昭和六十年九月まで	一・三三九
昭和六十年十月から昭和六十二年三月まで	一・二六六
昭和六十二年四月から昭和六十三年三月まで	一・二三五
昭和六十三年四月から平成元年十一月まで	一・二〇四
平成元年十二月から平成三年三月まで	一・一三一
平成三年四月から平成四年三月まで	一・〇八〇
平成四年四月から平成五年三月まで	一・〇四九
平成五年四月から平成六年三月まで	一・〇二八
平成六年四月から平成七年三月まで	一・〇〇八
平成七年四月から平成八年三月まで	〇・九八七
平成八年四月から平成九年三月まで	〇・九七五
平成九年四月から平成十年三月まで	〇・九五九
平成十年四月から平成十一年三月まで	〇・九五二
平成十一年四月から平成十二年三月まで	〇・九五五
平成十二年四月から平成十三年三月まで	〇・九六一
平成十三年四月から平成十四年三月まで	〇・九六八
平成十四年四月から平成十五年三月まで	〇・九七七
平成十五年四月から平成十六年三月まで	〇・九八〇
平成十六年四月から平成十七年三月まで	〇・九八〇

五　昭和八年四月二日から昭和十年四月一日までの間に生まれた者　被保険者であつた月が属する次の表の上欄に掲げる期間の区分に応じて、それぞれ同表の下欄に掲げる率

昭和三十三年三月以前	一四・四九三
昭和三十三年四月から昭和三十四年三月まで	一四・一八一

昭和三十四年四月から昭和三十五年四月まで	一三・九八四
昭和三十五年五月から昭和三十六年三月まで	一一・五六六
昭和三十六年四月から昭和三十七年三月まで	一〇・六九四
昭和三十七年四月から昭和三十八年三月まで	九・六五六
昭和三十八年四月から昭和三十九年三月まで	八・八六六
昭和三十九年四月から昭和四十年四月まで	八・一五〇
昭和四十年五月から昭和四十一年三月まで	七・一三二
昭和四十一年四月から昭和四十二年三月まで	六・五五一
昭和四十二年四月から昭和四十三年三月まで	六・三七五
昭和四十三年四月から昭和四十四年十月まで	五・六三八
昭和四十四年十一月から昭和四十六年十月まで	四・三〇八
昭和四十六年十一月から昭和四十八年十月まで	三・七三七
昭和四十八年十一月から昭和五十年三月まで	二・七四一
昭和五十年四月から昭和五十一年七月まで	二・三三六
昭和五十一年八月から昭和五十三年三月まで	一・九三一
昭和五十三年四月から昭和五十四年三月まで	一・七七五
昭和五十四年四月から昭和五十五年九月まで	一・六八二
昭和五十五年十月から昭和五十七年三月まで	一・五一六
昭和五十七年四月から昭和五十八年三月まで	一・四四三
昭和五十八年四月から昭和五十九年三月まで	一・三九一
昭和五十九年四月から昭和六十年九月まで	一・三三九
昭和六十年十月から昭和六十二年三月まで	一・二六六
昭和六十二年四月から昭和六十三年三月まで	一・二三五
昭和六十三年四月から平成元年十一月まで	一・二〇四
平成元年十二月から平成三年三月まで	一・一三一
平成三年四月から平成四年三月まで	一・〇八〇
平成四年四月から平成五年三月まで	一・〇四九
平成五年四月から平成六年三月まで	一・〇二八
平成六年四月から平成七年三月まで	一・〇〇八
平成七年四月から平成八年三月まで	〇・九八七
平成八年四月から平成九年三月まで	〇・九七五
平成九年四月から平成十年三月まで	〇・九六二
平成十年四月から平成十一年三月まで	〇・九五二
平成十一年四月から平成十二年三月まで	〇・九五五
平成十二年四月から平成十三年三月まで	〇・九六一
平成十三年四月から平成十四年三月まで	〇・九六八
平成十四年四月から平成十五年三月まで	〇・九七七

平成十五年四月から平成十六年三月まで	〇・九八〇
平成十六年四月から平成十七年三月まで	〇・九八〇

六　昭和十年四月二日から昭和十一年四月一日までの間に生まれた者　被保険者であつた月が属する次の表の上欄に掲げる期間の区分に応じて、それぞれ同表の下欄に掲げる率

昭和三十三年三月以前	一四・五五三
昭和三十三年四月から昭和三十四年三月まで	一四・二四〇
昭和三十四年四月から昭和三十五年四月まで	一四・〇四二
昭和三十五年五月から昭和三十六年三月まで	一一・六一三
昭和三十六年四月から昭和三十七年三月まで	一〇・七三八
昭和三十七年四月から昭和三十八年三月まで	九・六九五
昭和三十八年四月から昭和三十九年三月まで	八・九〇三
昭和三十九年四月から昭和四十年四月まで	八・一八三
昭和四十年五月から昭和四十一年三月まで	七・一六一
昭和四十一年四月から昭和四十二年三月まで	六・五七八
昭和四十二年四月から昭和四十三年三月まで	六・四〇一
昭和四十三年四月から昭和四十四年十月まで	五・六六一
昭和四十四年十一月から昭和四十六年十月まで	四・三二六
昭和四十六年十一月から昭和四十八年十月まで	三・七五三
昭和四十八年十一月から昭和五十年三月まで	二・七五二
昭和五十年四月から昭和五十一年七月まで	二・三四六
昭和五十一年八月から昭和五十三年三月まで	一・九三九
昭和五十三年四月から昭和五十四年三月まで	一・七八二
昭和五十四年四月から昭和五十五年九月まで	一・六八九
昭和五十五年十月から昭和五十七年三月まで	一・五二三
昭和五十七年四月から昭和五十八年三月まで	一・四四九
昭和五十八年四月から昭和五十九年三月まで	一・三九七
昭和五十九年四月から昭和六十年九月まで	一・三四五
昭和六十年十月から昭和六十二年三月まで	一・二七一
昭和六十二年四月から昭和六十三年三月まで	一・二四〇
昭和六十三年四月から平成元年十一月まで	一・二〇九
平成元年十二月から平成三年三月まで	一・一三六
平成三年四月から平成四年三月まで	一・〇八四
平成四年四月から平成五年三月まで	一・〇五三
平成五年四月から平成六年三月まで	一・〇三三
平成六年四月から平成七年三月まで	一・〇一二
平成七年四月から平成八年三月まで	〇・九九一
平成八年四月から平成九年三月まで	〇・九七九
平成九年四月から平成十年三月まで	〇・九六六

平成十年四月から平成十一年三月まで	○・九五六
平成十一年四月から平成十二年三月まで	○・九五五
平成十二年四月から平成十三年三月まで	○・九六一
平成十三年四月から平成十四年三月まで	○・九六八
平成十四年四月から平成十五年三月まで	○・九七七
平成十五年四月から平成十六年三月まで	○・九八○
平成十六年四月から平成十七年三月まで	○・九八○

七　昭和十一年四月二日から昭和十二年四月一日までの間に生まれた者　被保険者であつた月が属する次の表の上欄に掲げる期間の区分に応じて、それぞれ同表の下欄に掲げる率

昭和三十三年三月以前	一四・六五七
昭和三十三年四月から昭和三十四年三月まで	一四・三四二
昭和三十四年四月から昭和三十五年四月まで	一四・一四三
昭和三十五年五月から昭和三十六年三月まで	一一・六九七
昭和三十六年四月から昭和三十七年三月まで	一○・八一五
昭和三十七年四月から昭和三十八年三月まで	九・七六五
昭和三十八年四月から昭和三十九年三月まで	八・九六七
昭和三十九年四月から昭和四十年四月まで	八・二四二
昭和四十年五月から昭和四十一年三月まで	七・二一三
昭和四十一年四月から昭和四十二年三月まで	六・六二六
昭和四十二年四月から昭和四十三年三月まで	六・四四七
昭和四十三年四月から昭和四十四年十月まで	五・七○一
昭和四十四年十一月から昭和四十六年十月まで	四・三五七
昭和四十六年十一月から昭和四十八年十月まで	三・七八○
昭和四十八年十一月から昭和五十年三月まで	二・七七二
昭和五十年四月から昭和五十一年七月まで	二・三六三
昭和五十一年八月から昭和五十三年三月まで	一・九五三
昭和五十三年四月から昭和五十四年三月まで	一・七九五
昭和五十四年四月から昭和五十五年九月まで	一・七○一
昭和五十五年十月から昭和五十七年三月まで	一・五三三
昭和五十七年四月から昭和五十八年三月まで	一・四五九
昭和五十八年四月から昭和五十九年三月まで	一・四○七
昭和五十九年四月から昭和六十年九月まで	一・三五四
昭和六十年十月から昭和六十二年三月まで	一・二八一
昭和六十二年四月から昭和六十三年三月まで	一・二四九
昭和六十三年四月から平成元年十一月まで	一・二一八

平成元年十二月から平成三年三月まで	一・一四四
平成三年四月から平成四年三月まで	一・〇九二
平成四年四月から平成五年三月まで	一・〇六一
平成五年四月から平成六年三月まで	一・〇四〇
平成六年四月から平成七年三月まで	一・〇一九
平成七年四月から平成八年三月まで	〇・九九八
平成八年四月から平成九年三月まで	〇・九八六
平成九年四月から平成十年三月まで	〇・九七三
平成十年四月から平成十一年三月まで	〇・九六二
平成十一年四月から平成十二年三月まで	〇・九六一
平成十二年四月から平成十三年三月まで	〇・九六一
平成十三年四月から平成十四年三月まで	〇・九六八
平成十四年四月から平成十五年三月まで	〇・九七七
平成十五年四月から平成十六年三月まで	〇・九八〇
平成十六年四月から平成十七年三月まで	〇・九八〇

八　昭和十二年四月二日以後に生まれた者　被保険者であった月が属する次の表の上欄に掲げる期間の区分に応じて、それぞれ同表の下欄に掲げる率

昭和三十三年三月以前	一四・七七七
昭和三十三年四月から昭和三十四年三月まで	一四・四五九
昭和三十四年四月から昭和三十五年四月まで	一四・二五八
昭和三十五年五月から昭和三十六年三月まで	一一・七九二
昭和三十六年四月から昭和三十七年三月まで	一〇・九〇三
昭和三十七年四月から昭和三十八年三月まで	九・八四五
昭和三十八年四月から昭和三十九年三月まで	九・〇四〇
昭和三十九年四月から昭和四十年四月まで	八・三〇九
昭和四十年五月から昭和四十一年三月まで	七・二七二
昭和四十一年四月から昭和四十二年三月まで	六・六八〇
昭和四十二年四月から昭和四十三年三月まで	六・四九九
昭和四十三年四月から昭和四十四年十月まで	五・七四八
昭和四十四年十一月から昭和四十六年十月まで	四・三九三
昭和四十六年十一月から昭和四十八年十月まで	三・八一一
昭和四十八年十一月から昭和五十年三月まで	二・七九五
昭和五十年四月から昭和五十一年七月まで	二・三八二
昭和五十一年八月から昭和五十三年三月まで	一・九六九
昭和五十三年四月から昭和五十四年三月まで	一・八一〇
昭和五十四年四月から昭和五十五年九月まで	一・七一五
昭和五十五年十月から昭和五十七年三月まで	一・五四五
昭和五十七年四月から昭和五十八年三月まで	一・四七一

昭和五十八年四月から昭和五十九年三月まで	一・四一九
昭和五十九年四月から昭和六十年九月まで	一・三六五
昭和六十年十月から昭和六十二年三月まで	一・二九一
昭和六十二年四月から昭和六十三年三月まで	一・二五九
昭和六十三年四月から平成元年十一月まで	一・二二八
平成元年十二月から平成三年三月まで	一・一五三
平成三年四月から平成四年三月まで	一・一〇一
平成四年四月から平成五年三月まで	一・〇六九
平成五年四月から平成六年三月まで	一・〇四八
平成六年四月から平成七年三月まで	一・〇二八
平成七年四月から平成八年三月まで	一・〇〇六
平成八年四月から平成九年三月まで	〇・九九四
平成九年四月から平成十年三月まで	〇・九八一
平成十年四月から平成十一年三月まで	〇・九七〇
平成十一年四月から平成十二年三月まで	〇・九六九
平成十二年四月から平成十三年三月まで	〇・九六九
平成十三年四月から平成十四年三月まで	〇・九六八
平成十四年四月から平成十五年三月まで	〇・九七七
平成十五年四月から平成十六年三月まで	〇・九八〇
平成十六年四月から平成十七年三月まで	〇・九八〇

＊　厚生年金保険法は、刑法等の一部を改正する法律の施行に伴う関係法律の整理等に関する法律（令和四年法六八）により一部改正されたが、刑法等一部改正法施行日〔令七・六・一〕から施行となるため、一部改正法の形で掲載した。

○刑法等の一部を改正する法律の施行に伴う関係法律の整理等に関する法律（抄）

令四・六・一七
法　六　八

（船員保険法等の一部改正）

第二百二十一条　次に掲げる法律の規定中「懲役」を「拘禁刑」に改める。

一～十七　〔略〕

十八　厚生年金保険法（昭和二十九年法律第百十五号）第百二条及び第百三条

十九～八十八　〔略〕

附　則（抄）

（施行期日）

1　この法律は、刑法等一部改正法施行日〔令七・六・一〕から施行する。〔ただし書略〕

＊　厚生年金保険法は、民事関係手続等における情報通信技術の活用等の推進を図るための関係法律の整備に関する法律（令和五年法五三）により一部改正されたが、公布の日から起算して二年六月を超えない範囲内において政令で定める日から施行となるため、一部改正法の形で掲載した。

○民事関係手続等における情報通信技術の活用等の推進を図るための関係法律の整備に関する法律（抄）

令五・六・一四
法　五　三

第四章　公証人法の一部改正等

第三節　公証人法の一部改正に伴う関係法律の整備

（厚生年金保険法の一部改正）

第五十六条　厚生年金保険法（昭和二十九年法律第百十五号）の一部を次のように改正する。

第七十八条の二第三項中「添付」を「謄本の添付」に改める。

附　則（抄）

この法律は、公布の日から起算して五年を超えない範囲内において政令で定める日から施行する。ただし、次の各号に掲げる規定は、当該各号に定める日から施行する。

一　〔略〕

二　〔前略〕第四章の規定〔中略〕　公布の日から起算して二年六月を超えない範囲内において政令で定める日

三　〔略〕

＊　厚生年金保険法は、事業性融資の推進等に関する法律（令和六年法五二）の附則により一部改正されたが、公布の日から起算して二年六月を超えない範囲内において政令で定める日から施行となるため、一部改正法の形で掲載した。

○事業性融資の推進等に関する法律（抄）

令六・六・一四
法　五　二

（厚生年金保険法の一部改正）

第三十五条　厚生年金保険法（昭和二十九年法律第百十五号）の一部を次のように改正する。

第八十五条中「すべて」を「全て」に改め、同条第一号中ホをヘとし、ニの次に次のように加える。

ホ　企業価値担保権の実行手続の開始があつたとき。

附　則（抄）

（施行期日）

第一条　この法律は、公布の日から起算して二年六月を超えない範囲内において政令で定める日から施行する。〔ただし書略〕

＊　公的年金制度の健全性及び信頼性の確保のための厚生年金保険法等の一部を改正する法律（平二五法六三）は、刑法等の一部を改正する法律の施行に伴う関係法律の整理等に関する法律（令和四年法六八）により一部改正されたが、刑法等一部改正法施行日（令七・六・一）から施行となるため、一部改正法の形で掲載した。

○刑法等の一部を改正する法律の施行に伴う関係法律の整理等に関する法律（抄）

令四・六・一七
法　六　八

（船員保険法等の一部改正）

第二百二十一条　次に掲げる法律の規定中「懲役」を「拘禁刑」に改める。

一～八十三　〔略〕

八十四　公的年金制度の健全性及び信頼性の確保のための厚生年金保険法等の一部を改正する法律（平成二十五年法律第六十三号）附則第八十八条から第九十条まで

八十五～八十八　〔略〕

附　則（抄）

（施行期日）

1　この法律は、刑法等一部改正法施行日〔令七・六・一〕から施行する。〔ただし書略〕

○厚生年金保険法施行令（抄）

昭二九・五・二四
政令一一〇

最終改正　令五・八・三〇政令二六三

（二以上の種別の被保険者であつた期間を有する者に係る老齢厚生年金の支給の繰上げの特例の適用に関する読替え等）

第八条の三　二以上の種別の被保険者であつた期間を有する者について、法附則第七条の三の規定を適用する場合においては、同条第一項中「老齢厚生年金」とあるのは「老齢厚生年金（第三号に該当する者については第一号厚生年金被保険者期間に基づく老齢厚生年金に限り、第四号に該当する者については第三号厚生年金被保険者期間に基づく老齢厚生年金に限る。）」と、同条第六項中「第四十四条及び」とあるのは「厚生年金保険法施行令（昭和二十九年政令第百十号）第三条の十三第一項の規定により読み替えられた第四十四条及び」と、「第四十四条第一項」とあるのは「同令第三条の十三第一項の規定により読み替えられた第四十四条第一項」と、「附則第七条の三第三項の規定による老齢厚生年金の受給権者が六十五歳に達した当時」とあるのは「当該一の期間に基づく附則第七条の三第三項の規定による老齢厚生年金の受給権者が六十五歳に達した当時」と、「又は第三項」とあるのは「若しくは第三項」と、「又は附則第七条の三第五項」とあるのは「若しくは附則第七条の三第五項」と、「により当該」とあるのは「若しくは第七十八条の二十二に規定する他の期間に基づく老齢厚生年金の受給権を取得したことにより当該」と、「」とあるのは「附則第七条の三第三項の規定による老齢厚生年金の受給権者が六十五歳に達した当時」とあるのは「胎児」とあるのは「第七十八条の二十二に規定する各号の厚生年金被保険者期間のうち同条に規定する一の期間に基づく附則第七条の三第三項の規定による老齢厚生年金の受給権者が六十五歳に達した当時胎児」と、「子は、受給権者がその権利を取得した」とあるのは「子は、一の期間に基づく同条第三項の規定による老齢厚生年金の受給権者が六十五歳に達した」と、第六条の三中「厚生年金保険の」とあるのは「各号の厚生年金被保険者期間のうち一の期間に係る」とする。

2　前項の場合（法附則第七条の三第三項の規定による老齢厚生年金の受給権者が六十五歳未満である場合に限る。）における法第七十八条の二十九の規定により読み替えられた法第四十六条第一項の規定の適用については、同項中「各号の厚生年金被保険者期間に係る被保険者期間を計算の基礎とする老齢厚生年金の額」とあるのは、「各号の厚生年金被保険者期間に係る被保険者期間を計算の基礎とする老齢厚生年金の額（当該老齢厚生年金について、在職支給停止規定（老齢厚生年金の受給権者が第七十八条の二十二に規定する二以上の種別の被保険者であつた期間を有する者でないものとした場合に当該受給権者が附則第十一条第一項に規定する被保険者等である日が属する月において適用される同項その他の当該老齢厚生年金の支給の停止に関する規定をいう。）により支給を停止する額を計算する場合において、その計算の基礎となる基本月額に十二を乗じて得た額に相当する額に限る。）」とする。

（二以上の種別の被保険者であつた期間を有する者に係る老齢厚生年金の基本手当等との調整の特例の適用に関する読替え）

第八条の四　二以上の種別の被保険者であつた期間を有する者に支給する法附則第七条の三第三項の規定による老齢厚生年金について、法附則第十九条の規定により法附則第七条の四及び第七条の五の規定を適用する場合においては、法附則第十九条の規定によるほか、次の表の上欄に掲げる法の規定中同表の中欄に掲げる字句は、それぞれ同表の下欄に掲げる字句とする。

附則第七条の四第二項第二号	について、	について、厚生年金保険法施行令（昭和二十九年政令第百十号）第八条の三第二項の規定により読み替えられた
附則第七条の五第一項	附則第七条の三第三項	各号の厚生年金被保険者期間のうち一の期間に基づく附則第七条の三第三項
	であつて、	であつて、厚生年金保険法施行令第八条の三第二項の規定により読み替えられた
	できるときは、	できるときは、厚生年金保険法施行令第八条の三第二項の規定により読み替えられた
	当該老齢厚生年金	当該一の期間に基づく老齢厚生年金
	につき	につき同令第八条の三第二項の規定により読み替えられた
	これら	同項
	雇用保険法第六十一条第一項第二号	同法第六十一条第一項第二号
	同じ。）	同じ。）に同令第八条の三第二項の規定により読み替えられた第七十八条の二十九の規定により読み替えられた第四十六条第一項の規定による当該一の期間に係る被保険者期間を計算の基礎とする老齢

		厚生年金の額を十二で除して得た額を同項の規定による基本月額で除して得た数を乗じて得た額
	老齢厚生年金の額以上	当該一の期間に基づく老齢厚生年金の額以上
	老齢厚生年金の全部	当該一の期間に基づく老齢厚生年金の全部
附則第七条の五第二項	附則第七条の三第三項	各号の厚生年金被保険者期間のうち一の期間に基づく附則第七条の三第三項
	額に	額に厚生年金保険法施行令第八条の三第二項の規定により読み替えられた第七十八条の二十九の規定により読み替えられた第四十六条第一項の規定による一の期間に係る被保険者期間を計算の基礎とする老齢厚生年金の額を十二で除して得た額を同項の規定による基本月額で除して得た数を乗じて得た額に
	老齢厚生年金の額以上	当該一の期間に基づく老齢厚生年金の額以上
	老齢厚生年金の全部	当該一の期間に基づく老齢厚生年金の全部

2　二以上の種別の被保険者であった期間を有する者であって各号の厚生年金被保険者期間のうち第一号厚生年金被保険者期間の全部又は一部が厚生年金基金の加入員であった期間である当該第一号厚生年金被保険者期間に基づく法附則第七条の三第三項の規定による老齢厚生年金の受給権者に存続厚生年金基金が支給する法附則第七条の六第一項に規定する老齢年金給付（以下「老齢年金給付」という。）について同条の規定を適用する場合においては、次の表の上欄に掲げる同条の規定中同表の中欄に掲げる字句は、それぞれ同表の下欄に掲げる字句とする。

第一項から第三項まで	附則第七条の三第三項	各号の厚生年金被保険者期間のうち第一号厚生年金被保険者期間に基づく附則第七条の三第三項
第四項	附則第七条の三第三項	各号の厚生年金被保険者期間のうち第一号厚生年金被保険者期間に基づく附則第七条の三第三項
	老齢厚生年金（第一号厚生年金被保険者期間又は第四号厚生年金被保険者期間に基づくものに限る。）	老齢厚生年金
	老齢厚生年金がその	第一号厚生年金被保険者期間に基づく老齢厚生年金がその
第四項第一号	当該老齢厚生年金	当該第一号厚生年金被保険者期間に基づく老齢厚生年金
	老齢厚生年金の額（	当該第一号厚生年金被保険者期間に基づく老齢厚生年金の額（
第四項第二号	当該老齢厚生年金	当該第一号厚生年金被保険者期間に基づく老齢厚生年金
第五項	附則第七条の三第三項	各号の厚生年金被保険者期間のうち第一号厚生年金被保険者期間に基づく附則第七条の三第三項
第五項第一号	当該老齢厚生年金	当該第一号厚生年金被保険者期間に基づく老齢厚生年金
	から老齢厚生年金	から当該第一号厚生年金被保険者期間に基づく老齢厚生年金
第五項第二号	老齢厚生年金	第一号厚生年金被保険者期間に基づく老齢厚生年金

3　二以上の種別の被保険者であった期間を有する者であって各号の厚生年金被保険者期間のうち第一号厚生年金被保険者期間の全部又は一部が厚生年金基金の加入員であった期間である当該第一号厚生年金被保険者期間に基づく法附則第七条の三第三

項の規定による老齢厚生年金の受給権者である平成二十五年改正法附則第三十六条第一項に規定する解散基金加入員（第八条の六第四項において「解散基金加入員」という。）に存続連合会が支給する法附則第七条の七第一項に規定する解散基金に係る老齢年金給付（以下「解散基金に係る老齢年金給付」という。）について同条の規定を適用する場合においては、次の表の上欄に掲げる同条の規定中同表の中欄に掲げる字句は、それぞれ同表の下欄に掲げる字句とする。

第一項及び第二項	附則第七条の三第三項	各号の厚生年金被保険者期間のうち第一号厚生年金被保険者期間に基づく附則第七条の三第三項
第三項及び第四項	附則第七条の三第三項	各号の厚生年金被保険者期間のうち第一号厚生年金被保険者期間に基づく附則第七条の三第三項
	老齢厚生年金（第一号厚生年金被保険者期間又は第四号厚生年金被保険者期間に基づくものに限る。）	老齢厚生年金
	当該老齢厚生年金	当該第一号厚生年金被保険者期間に基づく老齢厚生年金

（二以上の種別の被保険者であつた期間を有する者に係る特例による老齢厚生年金の特例の適用に関する読替え等）

第八条の五　二以上の種別の被保険者であつた期間を有する者について、法附則第八条（法附則第八条の二の規定により読み替えて適用する場合を含む。）の規定を適用する場合においては、当該者の各号の厚生年金被保険者期間に基づく老齢厚生年金ごとに法附則第八条の二の規定を適用する。この場合において、同条第三項中「同条第一号」とあるのは「同条中「老齢厚生年金」とあるのは「第一号厚生年金被保険者期間に基づく老齢厚生年金」と、同条第一号」と、同条第四項中「同条第一号」とあるのは「同条中「老齢厚生年金」とあるのは「第三号厚生年金被保険者期間に基づく老齢厚生年金」と、同条第一号」と、「、それぞれ」とあるのは「それぞれ」とする。

2　二以上の種別の被保険者であつた期間を有する者であつて、法附則第八条の規定による老齢厚生年金の受給権者であるものについて、法附則第九条の二から第九条の四まで及び第十一条から第十一条の六までの規定を適用する場合においては、法附則第二十条第二項の規定により読み替えられた法附則第十一条第一項中「次条第一項」とあるのは「以下この項、次条第一項」と、「各号の厚生年金被保険者期間に基づく老齢厚生年金の額」とあるのは「各号の厚生年金被保険者期間に基づく老齢厚生年金の額（当該老齢厚生年金について、在職支給停止規定（老齢厚生年金の受給権者が二以上の種別の被保険者であつた期間を有する者でないものとした場合に当該受給権者が被保険者等である日が属する月において適用される第四十六条第一項その他の当該老齢厚生年金の支給の停止に関する規定をいう。）により支給を停止する額を計算する場合において、その計算の基礎となる基本月額に十二を乗じて得た額に相当する額に限る。）」とする。

3　前項の場合においては、次の表の上欄に掲げる法の規定中同表の中欄に掲げる字句は、それぞれ同表の下欄に掲げる字句とする。

附則第十一条の二第一項	附則第八条	各号の厚生年金被保険者期間のうち一の期間に基づく附則第八条
	当該老齢厚生年金	当該一の期間に基づく老齢厚生年金
	第四項において	次項及び第四項において
	を十二	及び他の期間に基づく老齢厚生年金の額（当該老齢厚生年金について、在職支給停止規定（老齢厚生年金の受給権者が二以上の種別の被保険者であつた期間を有する者でないものとした場合に当該受給権者が被保険者等である日が属する月において適用される第四十六条第一項その他の当該老齢厚生年金の支給の停止に関する規定をいう。）により支給を停止する額を計算する場合において、その計算の基礎となる基本月額に十二を乗じて得た額に相当する額に限る。以下同じ。）を合算して得た額を十二
附則第十一条の二第二項	障害者・長期加入者	各号の厚生年金被保険者期間のうち一の期間に基づく障害者・長期加入者

	当該老齢厚生年金	当該一の期間に基づく老齢厚生年金
	控除して得た額	控除して得た額に当該一の期間に基づく老齢厚生年金に係る報酬比例部分の額を十二で除して得た額を基本月額で除して得た数を乗じて得た額
	老齢厚生年金の額	当該一の期間に基づく老齢厚生年金の額
	老齢厚生年金の全部	当該一の期間に基づく老齢厚生年金の全部
附則第十一条の三第一項	附則第八条	各号の厚生年金被保険者期間のうち一の期間に基づく附則第八条
	老齢厚生年金の額	当該一の期間に基づく老齢厚生年金の額
	を十二	及び他の期間に基づく老齢厚生年金の額を合算して得た額を十二
	当該老齢厚生年金	当該一の期間に基づく老齢厚生年金
	控除して得た額	控除して得た額に当該一の期間に基づく老齢厚生年金の額を十二で除して得た額を基本月額で除して得た数を乗じて得た額
	老齢厚生年金の全部	当該一の期間に基づく老齢厚生年金の全部
附則第十一条の四第二項	坑内員・船員	各号の厚生年金被保険者期間のうち一の期間に基づく坑内員・船員
	当該老齢厚生年金	当該一の期間に基づく老齢厚生年金
附則第十一条の五	附則第八条	各号の厚生年金被保険者期間のうち一の期間に基づく附則第八条
	附則第十一条から第十一条の三まで又は	厚生年金保険法施行令（昭和二十九年政令第百十号）第八条の五第二項の規定により読み替えられた附則第二十条第二項の規定により読み替えられた附則第十一条又は同令第八条の五第三項の規定により読み替えられた附則第十一条の二、第十一条の三若しくは
附則第十一条の六第一項	附則第八条	各号の厚生年金被保険者期間のうち一の期間に基づく附則第八条
	当該老齢厚生年金	当該一の期間に基づく老齢厚生年金
	十二	当該一の期間に基づく老齢厚生年金につき、附則第十一条の規定を適用した場合における当該一の期間に基づく老齢厚生年金の額を十二で除して得た額を同条第一項の規定による基本月額で除して得た数又は当該一の期間に基づく老齢厚生年金につき附則第十一条の二の規定を適用した場合における同条第一項の規定による当該一の期間に基づく老齢厚生年金に係る報酬比例部分の額を十二で除して得た額を同項の規定による基本月額で除して得た数を乗じて得た額に十二
	老齢厚生年金の額以上	当該一の期間に基づく老齢厚生年金の額以上
	老齢厚生年金の全部	当該一の期間に基づく老齢厚生年金の全部
附則第十一条の六第二項	坑内員・船員の老齢厚生年金	各号の厚生年金被保険者期間のうち一の期間に基づく坑内員・船員の老齢厚生年金

	当該老齢厚生年金	当該一の期間に基づく老齢厚生年金
	十二	当該一の期間に基づく老齢厚生年金につき同条の規定を適用した場合における同条第一項の規定による当該一の期間に基づく老齢厚生年金の額を十二で除して得た額を同項の規定による基本月額で除して得た数を乗じて得た額に十二
	老齢厚生年金の額	当該一の期間に基づく老齢厚生年金の額
	老齢厚生年金の全部	当該一の期間に基づく老齢厚生年金の全部
附則第十一条の六第四項	坑内員・船員の老齢厚生年金	各号の厚生年金被保険者期間のうち一の期間に基づく坑内員・船員の老齢厚生年金
	当該老齢厚生年金	当該一の期間に基づく老齢厚生年金
	規定により	規定により当該一の期間に基づく老齢厚生年金に係る
	十二	当該一の期間に基づく老齢厚生年金につき附則第十一条の四第二項及び第三項の規定を適用した場合における当該一の期間に基づく老齢厚生年金の額（同条第二項の規定により当該一の期間に基づく老齢厚生年金に係る同項に規定する報酬比例部分等の額につき適用する場合における附則第十一条の三第一項の規定による当該一の期間に基づく老齢厚生年金の額とする。）を十二で除して得た額を附則第十一条の三第一項の規定による基本月額で除して得た数を乗じて得た額に十二
	老齢厚生年金の額	当該一の期間に基づく老齢厚生年金の額
	老齢厚生年金の全部	当該一の期間に基づく老齢厚生年金の全部

4　二以上の種別の被保険者であつた期間を有する者であつて各号の厚生年金被保険者期間のうち第一号厚生年金被保険者期間の全部又は一部が厚生年金基金の加入員であつた期間である当該第一号厚生年金被保険者期間に基づく法附則第八条の規定による老齢厚生年金の受給権者に存続厚生年金基金が支給する老齢年金給付について法附則第十三条の規定を適用する場合においては、次の表の上欄に掲げる同条の規定中同表の中欄に掲げる字句は、それぞれ同表の下欄に掲げる字句とする。

第一項	附則第八条	各号の厚生年金被保険者期間のうち第一号厚生年金被保険者期間に基づく附則第八条
	当該老齢厚生年金	当該第一号厚生年金被保険者期間に基づく老齢厚生年金
第二項	附則第八条	各号の厚生年金被保険者期間のうち第一号厚生年金被保険者期間に基づく附則第八条
第三項	附則第八条	各号の厚生年金被保険者期間のうち第一号厚生年金被保険者期間に基づく附則第八条
	老齢厚生年金（第一号厚生年金被保険者期間又は第四号厚生年金被保険者期間に基づくものに限る。）	老齢厚生年金
	老齢厚生年金がその	第一号厚生年金被保険者期間に基づく老齢厚生年金がその
第三項第一号	当該老齢厚生年金	当該第一号厚生年金被保険者期間に基づく老齢厚生年金

	老齢厚生年金の額	当該第一号厚生年金被保険者期間に基づく老齢厚生年金の額
	老齢厚生年金の総額	第一号厚生年金被保険者期間に基づく老齢厚生年金の総額
第三項第二号	当該老齢厚生年金	当該第一号厚生年金被保険者期間に基づく老齢厚生年金
	老齢厚生年金の額	当該第一号厚生年金被保険者期間に基づく老齢厚生年金の額
	坑内員・船員の老齢厚生年金の総額	第一号厚生年金被保険者期間に基づく坑内員・船員の老齢厚生年金の総額
第三項第三号	当該老齢厚生年金	当該第一号厚生年金被保険者期間に基づく老齢厚生年金
	坑内員・船員の老齢厚生年金の総額	第一号厚生年金被保険者期間に基づく坑内員・船員の老齢厚生年金の総額
第三項第四号	当該老齢厚生年金	当該第一号厚生年金被保険者期間に基づく老齢厚生年金
	老齢厚生年金の総額	第一号厚生年金被保険者期間に基づく老齢厚生年金の総額
第三項第五号及び第六号	当該老齢厚生年金	当該第一号厚生年金被保険者期間に基づく老齢厚生年金
	坑内員・船員の老齢厚生年金の総額	第一号厚生年金被保険者期間に基づく坑内員・船員の老齢厚生年金の総額
第四項	附則第八条	各号の厚生年金被保険者期間のうち第一号厚生年金被保険者期間に基づく附則第八条
第四項第一号	当該老齢厚生年金	当該第一号厚生年金被保険者期間に基づく老齢厚生年金
	老齢厚生年金の総額から	第一号厚生年金被保険者期間に基づく老齢厚生年金の総額から当該第一号厚生年金被保険者期間に基づく
第四項第二号	当該老齢厚生年金	当該第一号厚生年金被保険者期間に基づく老齢厚生年金
	老齢厚生年金に係る	当該第一号厚生年金被保険者期間に基づく老齢厚生年金に係る
	坑内員・船員の老齢厚生年金の総額から	第一号厚生年金被保険者期間に基づく坑内員・船員の老齢厚生年金の総額から当該第一号厚生年金被保険者期間に基づく
第四項第三号及び第四号	老齢厚生年金	第一号厚生年金被保険者期間に基づく老齢厚生年金

5　二以上の種別の被保険者であつた期間を有する者であつて各号の厚生年金被保険者期間のうち第一号厚生年金被保険者期間の全部又は一部が厚生年金基金の加入員であつた期間である当該第一号厚生年金被保険者期間に基づく法附則第八条の規定による老齢厚生年金の受給権者に存続連合会が支給する解散基金に係る老齢年金給付について法附則第十三条の二及び第十三条の三の規定を適用する場合においては、次の表の上欄に掲げる法の規定中同表の中欄に掲げる字句は、それぞれ同表の下欄に掲げる字句とする。

附則第十三条の二第一項	附則第八条	各号の厚生年金被保険者期間のうち第一号厚生年金被保険者期間に基づく附則第八条
	老齢厚生年金（第一号厚生年金被保険者期間又は第四号厚生年金被保険者期間に基づくものに限る。）	老齢厚生年金

	当該老齢厚生年金	当該第一号厚生年金被保険者期間に基づく老齢厚生年金
附則第十三条の二第二項	坑内員・船員の老齢厚生年金（第一号厚生年金被保険者期間又は第四号厚生年金被保険者期間に基づくものに限る。）	各号の厚生年金被保険者期間のうち第一号厚生年金被保険者期間に基づく坑内員・船員の老齢厚生年金
	当該老齢厚生年金	当該第一号厚生年金被保険者期間に基づく老齢厚生年金
	老齢厚生年金に	当該第一号厚生年金被保険者期間に基づく老齢厚生年金に
附則第十三条の二第三項	附則第八条	各号の厚生年金被保険者期間のうち第一号厚生年金被保険者期間に基づく附則第八条
	老齢厚生年金（第一号厚生年金被保険者期間又は第四号厚生年金被保険者期間に基づくものに限る。）	老齢厚生年金
	当該老齢厚生年金	当該第一号厚生年金被保険者期間に基づく老齢厚生年金
附則第十三条の二第四項	坑内員・船員の老齢厚生年金（第一号厚生年金被保険者期間又は第四号厚生年金被保険者期間に基づくものに限る。）	各号の厚生年金被保険者期間のうち第一号厚生年金被保険者期間に基づく坑内員・船員の老齢厚生年金
	当該老齢厚生年金	当該第一号厚生年金被保険者期間に基づく老齢厚生年金
附則第十三条の三	附則第八条	各号の厚生年金被保険者期間のうち第一号厚生年金被保険者期間に基づく附則第八条
	附則第十一条から第十一条の三まで又は	厚生年金保険法施行令（昭和二十九年政令第百十号）第八条の五第二項の規定により読み替えられた附則第二十条第二項の規定により読み替えられた附則第十一条又は同令第八条の五第三項の規定により読み替えられた附則第十一条の二、第十一条の三若しくは

（二以上の種別の被保険者であつた期間を有する者に係る特例による老齢厚生年金の支給の繰上げの特例の適用に関する読替え）

第八条の六　二以上の種別の被保険者であつた期間を有する者に係る法附則第十三条の四第三項の規定による老齢厚生年金について、同条から法附則第十三条の六までの規定を適用する場合においては、法附則第二十一条第二項の規定によるほか、次の表の上欄に掲げる法の規定中同表の中欄に掲げる字句は、それぞれ同表の下欄に掲げる字句とする。

附則第十三条の五第一項	前条第三項の規定による老齢厚生年金	各号の厚生年金被保険者期間のうち一の期間に基づく前条第三項の規定による老齢厚生年金
	者の	者の当該一の期間に係る
	当該老齢厚生年金	当該一の期間に基づく老齢厚生年金
附則第十三条の五第三項	繰上げ調整額（	各号の厚生年金被保険者期間のうち一の期間に基づく繰上げ調整額（
	被保険者期間	当該一の期間に係る被保険者期間
附則第十三条の五第四項	繰上げ調整額	各号の厚生年金被保険者期間のうち一の期間に基づく繰上げ調整額
	老齢厚生年金の額	当該一の期間に基づく老齢厚生年金の額
	被保険者期間	一の期間に係る被保険者期間

附則第十三条の六第一項	第四十四条第一項	当該一の期間に基づく老齢厚生年金の額（厚生年金保険法施行令（昭和二十九年政令第百十号）第三条の十三第一項の規定により読み替えられた第四十四条第一項
	を十二	と他の期間に基づく老齢厚生年金の額（当該他の期間に基づく老齢厚生年金について、在職支給停止規定（老齢厚生年金の受給権者が二以上の種別の被保険者であつた期間を有する者でないものとした場合に当該受給権者が被保険者等である日が属する月において適用される第四十六条第一項その他の当該老齢厚生年金の支給の停止に関する規定をいう。）により支給を停止する額を計算する場合において、その計算の基礎となる基本月額に十二を乗じて得た額に相当する額に限る。）を合算して得た額をいう。）を十二

附則第十三条の六第三項	附則第十三条の六第一項	附則第二十一条第二項及び厚生年金保険法施行令（昭和二十九年政令第百十号）第八条の六第一項の規定により読み替えられた附則第十三条の六第一項
附則第十三条の六第四項	附則第十三条の四第三項	各号の厚生年金被保険者期間のうち一の期間に基づく附則第十三条の四第三項
	当該老齢厚生年金	当該一の期間に基づく老齢厚生年金
	十二	当該一の期間に基づく老齢厚生年金の額（厚生年金保険法施行令第三条の十三第一項の規定により読み替えられた第四十四条第一項に規定する加給年金額を除く。以下この項において同じ。）を十二で除して得た額を第一項（第二項の規定により読み替えて適用する場合を含む。）の規定による基本月額で除して得た数を乗じて得た額に十二
	老齢厚生年金の額（第四十四条第一項に規定する加給年金額を除く。）	当該一の期間に基づく老齢厚生年金の額
	老齢厚生年金の全部	当該一の期間に基づく老齢厚生年金の全部

2　前項の場合における第八条の二の四の規定の適用については、同条中「法附則第十三条の五第一項」とあるのは「第八条の六第一項の規定により読み替えられた法附則第十三条の五第一項」と、「被保険者期間」とあるのは「一の期間に基づく老齢厚生年金の額の計算の基礎となる被保険者期間」とする。

3　二以上の種別の被保険者であつた期間を有する者であつて各号の厚生年金被保険者期間のうち第一号厚生年金被保険者期間の全部又は一部が厚生年金基金の加入員であつた期間である当該第一号厚生年金被保険者期間に基づく法附則第十三条の四第三項の規定による老齢厚生年金の受給権者に存続厚生年金基金が支給する老齢年金給付について法附則第十三条の七の規定を適用する場合においては、次の表の上欄に掲げる同条の規定中同表の中欄に掲げる字句は、それぞれ同表の下欄に掲げる字句とする。

第一項から第三項まで	附則第十三条の四第三項	各号の厚生年金被保険者期間のうち第一号厚生年金被保険者期間に基づく附則第十三条の四第三項
第四項	附則第十三条の四第三項	各号の厚生年金被保険者期間のうち第一号厚生年金被保険者期間に基づく附則第十三条の四第三項
	老齢厚生年金（第一号厚生年金被保	老齢厚生年金

	険者期間又は第四号厚生年金被保険者期間に基づくものに限る。）	
	当該老齢厚生年金が	当該第一号厚生年金被保険者期間に基づく老齢厚生年金が
第四項第一号	当該老齢厚生年金	当該第一号厚生年金被保険者期間に基づく老齢厚生年金
	老齢厚生年金の額	当該第一号厚生年金被保険者期間に基づく老齢厚生年金の額
	老齢厚生年金の総額	第一号厚生年金被保険者期間に基づく老齢厚生年金の総額
第四項第二号	当該老齢厚生年金	当該第一号厚生年金被保険者期間に基づく老齢厚生年金
	老齢厚生年金の総額	第一号厚生年金被保険者期間に基づく老齢厚生年金の総額
第五項	附則第十三条の四第三項	各号の厚生年金被保険者期間のうち第一号厚生年金被保険者期間に基づく附則第十三条の四第三項
第五項第一号	当該老齢厚生年金	当該第一号厚生年金被保険者期間に基づく老齢厚生年金
	老齢厚生年金の総額から	第一号厚生年金被保険者期間に基づく老齢厚生年金の総額から当該第一号厚生年金被保険者期間に基づく
第五項第二号	老齢厚生年金	第一号厚生年金被保険者期間に基づく老齢厚生年金

4　二以上の種別の被保険者であった期間を有する者であって各号の厚生年金被保険者期間のうち第一号厚生年金被保険者期間の全部又は一部が厚生年金基金の加入員であった期間である当該第一号厚生年金被保険者期間に基づく法附則第十三条の四第三項の規定による老齢厚生年金の受給権者である解散基金加入員に存続連合会が支給する解散基金に係る老齢年金給付について法附則第十三条の八の規定を適用する場合においては、次の表の上欄に掲げる同条の規定中同表の中欄に掲げる字句は、それぞれ同表の下欄に掲げる字句とする。

第一項	附則第十三条の四第三項	各号の厚生年金被保険者期間のうち第一号厚生年金被保険者期間に基づく附則第十三条の四第三項
第二項	附則第十三条の四第三項	各号の厚生年金被保険者期間のうち第一号厚生年金被保険者期間に基づく附則第十三条の四第三項
	老齢厚生年金（第一号厚生年金被保険者期間又は第四号厚生年金被保険者期間に基づくものに限る。）	老齢厚生年金
	当該老齢厚生年金	当該第一号厚生年金被保険者期間に基づく老齢厚生年金
第三項	附則第十三条の四第三項	各号の厚生年金被保険者期間のうち第一号厚生年金被保険者期間に基づく附則第十三条の四第三項
	老齢厚生年金（第一号厚生年金被保険者期間又は第四号厚生年金被保険者期間に基づくものに限る。）	老齢厚生年金
	当該老齢厚生年金	当該第一号厚生年金被保険者期間に基づく老齢厚生年金
第五項	附則第十三条の四第三項	各号の厚生年金被保険者期間のうち第一号厚生年金被保険者期間に基づく附則第十三条の四第三項

	附則第十三条の六第一項	附則第二十一条第二項及び厚生年金保険法施行令（昭和二十九年政令第百十号）第八条の六第一項の規定により読み替えられた附則第十三条の六第一項

（二以上の種別の被保険者であつた期間を有する者に係る加給年金額に関する経過措置の特例の適用に関する読替え）

第八条の七　二以上の種別の被保険者であつた期間を有する者に係る老齢厚生年金の額の計算について、法附則第十六条の規定により読み替えられた法第四十四条第一項及び第三項（法及びこの政令並びに他の法令において、引用し、準用し、又はその例による場合を含む。）の規定を適用する場合においては、次の表の上欄に掲げる法附則第十六条の規定中同表の中欄に掲げる字句は、それぞれ同表の下欄に掲げる字句とする。

第一項	附則第八条の規定による老齢厚生年金（	各号の厚生年金被保険者期間のうち一の期間に基づく附則第八条の規定による老齢厚生年金（
	その年金額の計算の基礎となる被保険者期間の	当該一の期間に基づく附則第八条の規定による老齢厚生年金の額の計算の基礎となる被保険者期間の月数と他の期間に基づく老齢厚生年金の額の計算の基礎となる被保険者期間の月数とを合算した
	老齢厚生年金について	当該一の期間に基づく老齢厚生年金について
	第四十四条第一項中	厚生年金保険法施行令（昭和二十九年政令第百十号）第三条の十三第一項の規定により読み替えられた第四十四条第一項中「規定する一の期間」とあるのは「規定する一の期間（以下この項及び第三項において「一の期間」という。）」と、
	取得した当時、当該老齢厚生年金の額の計算の基礎となる被保険者期間の	取得した当時、当該
	又は第三項の規定	若しくは第三項の規定又は他の期間に基づく老齢厚生年金の受給権を取得したこと
	附則第八条の規定による老齢厚生年金に	当該一の期間に基づく附則第八条の規定による老齢厚生年金に
	請求があつた当時、当該老齢厚生年金の額の計算の基礎となる被保険者期間の	請求があつた当時、当該一の期間に基づく附則第八条の規定による老齢厚生年金の額の計算の基礎となる被保険者期間の月数と他の期間に基づく老齢厚生年金の額の計算の基礎となる被保険者期間の月数とを合算した
	当該被保険者期間の	当該
第二項	附則第八条の規定による老齢厚生年金（	各号の厚生年金被保険者期間のうち一の期間に基づく附則第八条の規定による老齢厚生年金（
	その年金額の計算の基礎となる被保険者期間の	当該一の期間に基づく附則第八条の規定による老齢厚生年金の額の計算の基礎となる被保険者期間の月数と他の期間に基づく老齢厚生年金の額の計算の基礎となる被保険者期間の月数とを合算した
	老齢厚生年金について	当該一の期間に基づく老齢厚生年金について
	第四十四条第一項中	厚生年金保険法施行令第三条の十三第一項の規定により読み替えられた第四十四条第一項中「規定する一の期間」とあるのは「規定する一の期間（以下この項及び第三項におい

		て「一の期間」という。）」と、
	当時、当該老齢厚生年金の額の計算の基礎となる被保険者期間の	当時、当該
	又は第三項の規定	若しくは第三項の規定又は他の期間に基づく老齢厚生年金の受給権を取得したこと
	附則第八条の規定による老齢厚生年金の	当該一の期間に基づく附則第八条の規定による老齢厚生年金の
	当時当該老齢厚生年金の額の計算の基礎となる被保険者期間の	当時当該一の期間に基づく同条の規定による老齢厚生年金の額の計算の基礎となる被保険者期間の月数と他の期間に基づく老齢厚生年金の額の計算の基礎となる被保険者期間の月数とを合算した
	当該被保険者期間の	当該
	同条の	当該一の期間に基づく同条の
第三項	附則第八条の規定による老齢厚生年金	各号の厚生年金被保険者期間のうち一の期間に基づく附則第八条の規定による老齢厚生年金
	金（	金（
	その年金額の計算の基礎となる被保険者期間の	当該一の期間に基づく附則第八条の規定による老齢厚生年金の額の計算の基礎となる被保険者期間の月数と他の期間に基づく老齢厚生年金の額の計算の基礎となる被保険者期間の月数とを合算した
	老齢厚生年金について	当該一の期間に基づく老齢厚生年金について
	第四十四条第一項中	厚生年金保険法施行令第三条の十三第一項の規定により読み替えられた第四十四条第一項中「規定する一の期間」とあるのは「規定する一の期間（以下この項及び第三項において「一の期間」という。）」と、
	取得した当時、当該老齢厚生年金の額の計算の基礎となる被保険者期間の	取得した当時、当該
	又は第三項の規定	若しくは第三項の規定又は他の期間に基づく老齢厚生年金の受給権を取得したこと
	附則第八条の規定による老齢厚生年金に	当該一の期間に基づく附則第八条の規定による老齢厚生年金に
	経過した当時、当該老齢厚生年金の額の計算の基礎となる被保険者期間の	経過した当時、当該一の期間に基づく附則第八条の規定による老齢厚生年金の額の計算の基礎となる被保険者期間の月数と他の期間に基づく老齢厚生年金の額の計算の基礎となる被保険者期間の月数とを合算した
	当該被保険者期間の	当該

2　前項の規定により読み替えられた法附則第十六条の規定を適用する場合において、同条に規定する他の期間に基づく老齢厚生年金のいずれかが法附則第七条の三第三項の規定による老齢厚生年金であるときには、当該老齢厚生年金の額の計算の基礎となる被保険者期間の月数は、その受給権者が六十五歳に達する日の前日までの間、法附則第十六条に規定する他の期間に基づく老齢厚生年金の額の計算の基礎となる被保険者期間の月数から除くものとする。

（拠出金の額の算定に関する特例に係る技術的読替え）

第八条の八　法附則第二十三条第一項の規定により読み替えられた法第八十四条の六の規定を適用する場合における第四条の二の十一及び第四条の二の十三の規定の適用については、第四条の二の十一第一項中「拠出金算定対象額（」とあるのは「拠出金算定対象額（法附則第二十三条第一項の規定により読み替えられた」と、「合算して得た額」とあるのは「合算して得た額に、当該年度における拠出金算定対象額の見込額に当該年度における支出費按分率（同項に規定する支出費按分率をいう。以下同じ。）の見込値（以下「概算支出費按分率」という。）を乗じて得た額を加えて得た額」と、同条第二項中「及び概算積立金按分率」とあるのは「、概算積立金按分率及び概算支出費按分率」と、同条第四項中「合算して得た額」とあるのは「合算して得た額に、変更後の拠出金算定対象額の見込額に同項の規定により厚生労働大臣が定めた当該年度における当該実施機関に係る概算支出費按分率を乗じて得た額を加えて得た額」と、同条第六項中「及び概算積立金按分率」とあるのは「、概算積立金按分率及び概算支出費按分率」と、第四条の二の十三第一項中「合算した額に、」とあるのは「合算した額に」と、「合計額」とあるのは「合計額に、当該合算した額に組合の支出費按分率を乗じて得た額を加えて得た額」と、同条第二項第二号中「同じ。）」とあるのは「同じ。）に百分の五十を乗じて得た率」と、同条第三項第二号中「控除した率」とあるのは「控除した率に百分の五十を乗じて得た率」とする。

2　前項の規定により読み替えられた第四条の二の十三第一項に規定する組合の支出費按分率は、第一号に掲げる率に第二号に掲げる率を乗じて得た率とする。

一　地方公務員共済組合ごとに、当該地方公務員共済組合に係る当該年度における法第八十四条の三に規定する厚生年金保険給付費等として算定した額に当該地方公務員共済組合が負担する基礎年金拠出金保険料相当分を加えて得た額を、当該年度における地方公務員共済組合の厚生年金保険給付費等として算定した額の総額と当該年度において地方公務員共済組合連合会が納付する基礎年金拠出金保険料相当分を合算した額で除して得た率を基準として、総務省令で定めるところにより、地方公務員共済組合ごとに算定した率

二　百分の五十

3　平成二十七年度から令和八年度までの間において法附則第二十三条の二の規定を適用する場合における第四条の二の十二の規定の適用及び第一項の規定により読み替えられた第四条の二の十三の規定の適用については、これらの規定中「の規定により計算した」とあるのは、「及び法附則第二十三条の二第一項の規定により計算した」とする。

○厚生年金保険の保険給付及び国民年金の給付に係る時効の特例等に関する法律

平一九・七・六
法一一一

改正　平一九・七・六法一〇九

（厚生年金保険法による保険給付に係る時効の特例）

第一条　厚生労働大臣は、この法律の施行の日（以下「施行日」という。）において厚生年金保険法（昭和二十九年法律第百十五号）による保険給付（これに相当する給付を含む。以下この条並びに附則第二条及び第四条において同じ。）を受ける権利を有する者又は施行日前において当該権利を有していた者（同法第三十七条の規定により未支給の保険給付の支給を請求する権利を有する者を含む。）について、同法第二十八条の規定により記録した事項の訂正がなされた上で当該保険給付を受ける権利に係る裁定（裁定の訂正を含む。以下この条において同じ。）が行われた場合においては、その裁定による当該記録した事項の訂正に係る保険給付を受ける権利に基づき支払期月ごとに又は一時金として支払うものとされる保険給付の支給を受ける権利について当該裁定の日までに消滅時効が完成した場合においても、当該権利に基づく保険給付を支払うものとする。

（国民年金法による給付に係る時効の特例）

第二条　厚生労働大臣は、施行日において国民年金法（昭和三十四年法律第百四十一号）による給付（これに相当する給付を含む。以下この条並びに附則第二条及び第六条において同じ。）を受ける権利を有する者又は施行日前において当該権利を有していた者（同法第十九条の規定により未支給の年金の支給を請求する権利を有する者を含む。）について、同法第十四条の規

定により記録した事項の訂正がなされた上で当該給付を受ける権利に係る裁定（裁定の訂正を含む。以下この条において同じ。）が行われた場合においては、その裁定による当該記録した事項の訂正に係る給付を受ける権利に基づき支払期月ごとに又は一時金として支払うものとされる給付の支給を受ける権利について当該裁定の日までに消滅時効が完成した場合においても、当該権利に基づく給付を支払うものとする。

（基礎年金の国庫負担等に係る読替え）

第三条 前二条（附則第二条において準用する場合を含む。）の規定を適用する場合における国民年金法第八十五条第一項及び厚生年金保険法第八十条第一項の規定（他の法令のこれらに相当する規定を含む。）の適用に関し必要な読替えは、政令で定める。

（政府の責務）

第四条 政府は、年金個人情報（厚生年金保険法第二十八条に規定する原簿又は国民年金法第十四条に規定する国民年金原簿に記録された個人情報その他政府が管掌する厚生年金保険事業又は国民年金事業の運営に当たって厚生労働省及び日本年金機構が保有する個人情報をいう。）について、厚生年金保険又は国民年金の被保険者、受給権者その他の関係者の協力を得つつ、正確な内容とするよう万全の措置を講ずるものとする。

（実施命令）

第五条 この法律の実施のための手続その他その執行について必要な細則は、厚生労働省令で定める。

附 則（抄）

（施行期日）

第一条 この法律は、公布の日から施行する。

（時効の特例に関する経過措置）

第二条 第一条及び第二条の規定は、施行日前に厚生年金保険法第二十八条又は国民年金法第十四条の規定により記録した事項の訂正がなされた場合における当該訂正に係る保険給付又は給付について準用する。

（政令への委任）

第八条 この附則に定めるもののほか、この法律の施行に関し必要な経過措置は、政令で定める。

○厚生年金保険の保険給付及び国民年金の給付に係る時効の特例等に関する法律施行令（抄）

平一九・七・六
政令二〇六

最終改正 令三・三・三一政令一〇三

（国民年金法の規定の読替え）

第一条 厚生年金保険の保険給付及び国民年金の給付に係る時効の特例等に関する法律（以下「法」という。）第一条及び第二条（法附則第二条においてこれらの規定を準用する場合を含む。以下同じ。）の規定を適用する場合における国民年金法（昭和三十四年法律第百四十一号）第八十五条第一項の規定の適用については、同項第一号中「乗じて得た額の二分の一に相当する額」とあるのは「乗じて得た額（以下この号において「国民年金算定対象額」という。）の二分の一に相当する額（厚生年金保険の保険給付及び国民年金の給付に係る時効の特例等に関する法律（平成十九年法律第百十一号）第二条（同法附則第二条において準用する場合を含む。以下この号において同じ。）の規定により支払うものとされる同法第二条に規定する当該権利に基づく給付（以下この号及び次号において「特例給付」という。）に要する費用（同法第一条（同法附則第二条において準用する場合を含む。以下この号において同じ。）の規定により支払うものとされる同法第一条に規定する当該権利に基づく保険給付に要する費用のうち国民年金法等の一部を改正する法律（昭和六十年法律第三十四号）附則第三十五条第三項の規定により基礎年金の給付に要する費用とみなされるものを含む。以下この号において同じ。）については、平成十六年度以前の各年度分とされるべき特例給付に要する費用にあつては当該各年度の当該費用の総額についてこの号の規定の例により当該各年度分として計算して得た国民年金算定対象額の三分の一に相当する額とし、平成十七年度分とされるべき特例給付に要する費用にあつては当該費用の総額についてこの号の規定の例により当該年度分として計算して得た国民年金算定対象額に三分の一に千分の十一を加えた率を乗じて得た額とし、平成十八年度分とされるべき特例給付に要する費用にあつては当該費用の総額についてこの号の規定の例により当該年度分として計算して得た国民年金算定対象額に三分の一に千分の二十五を加えた率を乗じて得た額とし、平成十九年度から特定年度（国民年金法等の一部を改正する法律（平成十六年法律第百四号。次号において「平成十六年国民年金等改正法」という。）附則第十三条第七項に規定する特定年度をいう。）の前年度まで（平成二十一年度から平成二十五年度までを除く。）の各年度分とされるべき特例給付に要する費用にあつては当該各年度の当該費用の総額についてこの号の規定の例により当該各年度分として計算して得た国民年金算定対象額に三分の一に千分の三十二を加えた率を乗じて得た額とする。」と、同項第二号イ(1)中「八分の一」とあるのは「八分の一（当該保険料四分の一免除期間の月数のうち特例給付に係る当該保険料四分の一免除期間（特定月（平成十六年国民年金等改正法附則第十条第一項に規定する特定月をいう。以下この号において同じ。）の前月以前の期間（平成二十一年四月から平成二十六年三月までの期間を除く。）に係るものに限る。）の月数にあつては、十二分の一）」と、同号イ(2)中「四分の一を」とあるのは「四分の一（当該保険料半額免除期間の月数のうち特例給付に係る当該保険料半額免除期間（特定月の前月以前の期間（平成二十一年四月から平成二十六年三月までの期間を除く。）に係るものに限る。）の月数にあつては、六分の一）を」と、同号イ(3)中「八分の三」とあるのは「八分の三（当該保険料四分の三免除期間の月数のうち特例給付に係る当該保険料四分の三免除期間（特定月の前月以前の期間（平成二十一年四月から平成二十六年三月までの期間を除く。）に係るものに限る。）の月数にあつては、四分の一）」と、同号イ(4)中「二分の一」とあるのは「二分の一（当該保険料全額免除期間の月数のうち特例給付に係る当該保険料全額免除期間（特定月の前月以前の期間（平成二十一年四月から平成二十六年三月までの期間を除く。）に係るものに限る。）の月数にあつては、三分の一）」とする。

（厚生年金保険法の規定の読替え）

第二条　法第一条及び第二条の規定を適用する場合における厚生年金保険法（昭和二十九年法律第百十五号）第八十条第一項の規定の適用については、同項中「相当する額」とあるのは、「相当する額（特例給付基礎年金拠出金相当額（基礎年金拠出金の額のうち、厚生年金保険の保険給付及び国民年金の給付に係る時効の特例等に関する法律（平成十九年法律第百十一号）第二条（同法附則第二条において準用する場合を含む。以下この項において同じ。）の規定により支払うものとされる同法第二条に規定する当該権利に基づく給付（以下この項において「特例給付」という。）に要する費用（同法第一条（同法附則第二条において準用する場合を含む。以下この項において同じ。）の規定により支払うものとされる同法第一条に規定する当該権利に基づく保険給付（以下この項において「特例保険給付」という。）に要する費用のうち国民年金法等の一部を改正する法律（昭和六十年法律第三十四号）附則第三十五条第三項の規定により基礎年金の給付に要する費用とみなされるものを含む。）に係る部分に相当するものとして、特例給付又は特例保険給付に係る給付が支払われるべきであつた年度分として国民年金法第八十五条第一項及び第九十四条の三の規定の例により算定した額をいう。以下この項において同じ。）については、平成十六年度以前の各年度分として算定した特例給付基礎年金拠出金相当額にあつては当該特例給付基礎年金拠出金相当額の三分の一に相当する額とし、平成十七年度分として算定した特例給付基礎年金拠出金相当額にあつては当該特例給付基礎年金拠出金相当額に三分の一に千分の十一を加えた率を乗じて得た額とし、平成十八年度分として算定した特例給付基礎年金拠出金相当額にあつては当該特例給付基礎年金拠出金相当額に三分の一に千分の二十五を加えた率を乗じて得た額とし、平成十九年度から特定年度（国民年金法等の一部を改正する法律（平成十六年法律第百四号）附則第十三条第七項に規定する特定年度をいう。）の前年度まで（平成二十一年度から平成二十五年度までを除く。）の各年度分として算定した特例給付基礎年金拠出金相当額にあつては当該特例給付基礎年金拠出金相当額に三分の一に千分の三十二を加えた率を乗じて得た額とする。」とする。

（国家公務員共済組合法の規定の読替え）

第三条　法第一条及び第二条の規定を適用する場合における国家公務員共済組合法（昭和三十三年法律第百二十八号）第九十九条第四項第二号の規定の適用については、同号中「相当する額」とあるのは、「相当する額（特例給付基礎年金拠出金相当額（基礎年金拠出金の額のうち、厚生年金保険の保険給付及び国民年金の給付に係る時効の特例等に関する法律（平成十九年法律第百十一号）第二条（同法附則第二条において準用する場合を含む。以下この号において同じ。）の規定により支払うものとされる同法第二条に規定する当該権利に基づく給付（以下この号において「特例給付」という。）に要する費用（同法第一条（同法附則第二条において準用する場合を含む。以下この号において同じ。）の規定により支払うものとされる同法第一条に規定する当該権利に基づく保険給付（以下この号において「特例保険給付」という。）に要する費用のうち国民年金法等の一部を改正する法律（昭和六十年法律第三十四号）附則第三十五条第三項の規定により基礎年金の給付に要する費用とみなされるものを含む。）に係る部分に相当するものとして、特例給付又は特例保険給付に係る給付が支払われるべきであつた年度分として国民年金法第八十五条第一項及び第九十四条の三の規定の例により算定した額をいう。以下この号において同じ。）については、平成十六年度以前の各年度分として算定した特例給付基礎年金拠出金相当額の納付に要する費用にあつては当該特例給付基礎年金拠出金相当額の三分の一に相当する額とし、平成十七年度分として算定した特例給付基礎年金拠出金相当額の納付に要する費用にあつては当該特例給付基礎年金拠出金相当額に三分の一に千分の十一を加えた率を乗じて得た額とし、平成十八年度分として算定した特例給付基礎年金拠出金相当額の納付に要する費用にあつては当該特例給付基礎年金拠出金相当額に三分の一に千分の二十五を加えた率を乗じて得た額とし、平成十九年度から特定年度（国民年金法等の一部を改正する法律（平成十六年法律第百四号）附則第十三条第七項に規定する特定年度をいう。）の前年度まで（平成二十一年度から平成二十五年度までを除く。）の各年度分として算定した特例給付基礎年金拠出金相当額の納付に要する費用にあつては当該特例給付基礎年金拠出金相当額に三分の一に千分の三十二を加えた率を乗じて得た額とする。」とする。

第四条・第五条　〔略〕

附　則

この政令は、公布の日から施行する。

附　則（平一九・八・三政令二三五）（抄）

（施行期日）

第一条　この政令は、平成十九年十月一日から施行する。〔ただし書略〕

附　則（平二一・六・二六政令一六八）

この政令は、公布の日から施行する。

附　則（平二三・一二・一四政令三九三）

この政令は、公布の日から施行する。

附　則（平二四・一一・二六政令二七九）

この政令は、公布の日から施行する。

附　則（平三一・三・二〇政令四〇）

この政令は、平成三十一年四月一日から施行する。

附　則（令三・三・三一政令一〇三）（抄）

（施行期日）

第一条　この政令は、令和三年四月一日から施行する。

○恩給法（抄）

大一二・四・一四
法　四　八

最終改正　平二六・六・一三法六九

注　†印を附したものは、昭和二十一年法律第三十一号による改正前の条文を示す。

第一章　総則

第一条　公務員及其ノ遺族ハ本法ノ定ムル所ニ依リ恩給ヲ受クルノ権利ヲ有ス

第二条　本法ニ於テ恩給トハ普通恩給、増加恩給、傷病賜金、一時恩給、扶助料及一時扶助料ヲ謂フ

②普通恩給、増加恩給及扶助料ハ年金トシ傷病賜金、一時恩給及一時扶助料ハ一時金トス

第二条ノ二　年金タル恩給ノ額ニ付テハ国民ノ生活水準、国家公務員ノ給与、物価其ノ他ノ諸事情ニ著シキ変動ガ生ジタル場合ニ於テハ変動後ノ諸事情ヲ総合勘案シ速ニ改定ノ措置ヲ講ズルモノトス

第四条　恩給年額並一時恩給及一時扶助料ノ額ノ円位未満ハ之ヲ円位ニ満タシム

第五条　恩給ヲ受クルノ権利ハ之ヲ給スヘキ事由ノ生シタル日ヨリ七年間請求セサルトキハ時効ニ因リテ消滅ス

第六条　普通恩給又ハ増加恩給ヲ受クルノ権利ヲ有スル者退職後一年内ニ再就職スルトキハ前条ノ期間ハ再就職ニ係ル官職ノ退職ノ日ヨリ進行ス

第八条　公務員又ハ其ノ遺族互ニ通算セラレ得ヘキ在職年又ハ同一ノ傷病ヲ理由トシテ二以上ノ恩給ヲ併給セラルヘキ場合ニ於テハ其ノ者ノ選択ニ依リ其ノ一ヲ給ス但シ特ニ併給スヘキコトヲ定メタル場合ハ此ノ限ニ在ラス

②公務員ノ扶養家族又ハ扶養遺族第六十五条第二項又ハ第七十五条第二項ノ規定ニ依リ二以上ノ恩給ニ付共通ニ加給ノ原因タルベキトキハ最初ニ給与事由ノ生ジタル恩給ニ付テノミ加給ノ原因タルベキモノトス

第九条　年金タル恩給ヲ受クルノ権利ヲ有スル者左ノ各号ノ一ニ該当スルトキハ其ノ権利消滅ス

一　死亡シタルトキ

二　死刑又ハ無期若ハ三年ヲ超ユル懲役若ハ禁錮ノ刑ニ処セラレタルトキ

三　国籍ヲ失ヒタルトキ

②在職中ノ職務ニ関スル犯罪（過失犯ヲ除ク）ニ因リ禁錮以上ノ刑ニ処セラレタルトキハ其ノ権利消滅ス但シ其ノ在職カ普通恩給ヲ受ケタル後ニ為サレタルモノナルトキハ其ノ再在職ニ因リテ生シタル権利ノミ消滅ス

第十一条　恩給ヲ受クルノ権利ハ之ヲ譲渡シ又ハ担保ニ供スルコトヲ得ス但シ株式会社日本政策金融公庫及別ニ法律ヲ以テ定ムル金融機関ニ担保ニ供スルハ此ノ限ニ在ラズ

②前項ノ規定ニ違反シタルトキハ裁定庁ハ支給庁ニ通知シ恩給ノ支給ヲ差止ムヘシ

③恩給ヲ受クルノ権利ハ之ヲ差押フルコトヲ得ス但シ普通恩給（増加恩給ト併給スルモノヲ除ク）及一時恩給ヲ受クルノ権利ニ付テハ滞納処分ニ依ル場合ハ此ノ限ニ在ラス

第十二条　恩給ヲ受クルノ権利ハ総務大臣之ヲ裁定ス

第十六条　恩給ハ国庫之ヲ負担ス

第二章　公務員

第一節　通則

第十九条　本法ニ於テ公務員トハ文官及警察監獄職員ヲ謂フ

†第十九条　本法ニ於テ公務員トハ文官、軍人、教育職員及警察監獄職員並第二十四条ニ掲クル待遇職員ヲ謂フ

②本法ニ於テ公務員ニ準スヘキ者トハ準文官、準軍人及準教育職員ヲ謂フ

第二十条　文官トハ官ニ在ル者又ハ国会職員（国会職員法（昭和二十二年法律第八十五号）第一条第一号乃至第四号ニ掲グル者ヲ謂フ）ニシテ警察監獄職員ニ非ザルモノヲ謂フ

②前項ノ官ニ在ル者トハ左ニ掲グル官職ニ在ル者ヲ謂フ

一　天皇ガ任命シ又ハ任免ヲ認証スル官職

二　内閣官房長官、内閣官房副長官、法制局長官、法制局次長、事務次官又ハ秘書官

三　法制局参事官若ハ法制局事務官又ハ府、省、裁判所、会計検査院若ハ人事院ニ置カレタル事務官、技官若ハ教官

四　検察官（第一号ニ掲グル官職ヲ除ク）

五　警察官

六　海上保安官

七　自衛官

八　削除

九　裁判官（第一号ニ掲グル官職ヲ除ク）

十　第二号又ハ第三号ニ掲グル官職ニ相当スル官職（委員会ノ委員長及委員並法令ニ依ル公団ノ役員及職員中別ニ法律ヲ以テ定ムルモノ以外ノモノヲ含マザルモノトス）

③前項第十号ニ規定スル官職ニ該当スルヤ否ヤ疑ハシキモノニ付テハ総務大臣之ヲ定ム

†第二十条　文官トハ武官又ハ宮内官以外ノ官ニ在ル者ヲ謂フ但シ勅令ヲ以テ定ムルモノヲ除クノ外国庫ヨリ俸給ヲ給セサル官ニ在ル者ハ此ノ限ニ在ラス

②準文官トハ高等文官ノ試補、判任官見習及国庫ヨリ俸給ヲ給セサル官ニ在ル者ニシテ前項但書ノ規定ニ基ク勅令ヲ以テ指定セラレサルモノヲ謂フ

第二十一条及第二十二条　削除

†第二十一条　軍人トハ左ニ掲クル者ヲ謂フ

一　陸軍又ハ海軍ノ現役、予備役又ハ補充兵役ニ在ル者

二　国民兵役ニ在ル者ニシテ召集セラレタルモノ及志願ニ依リ国民軍ニ編入セラレタル者

②準軍人トハ左ニ掲クル者ヲ謂フ

一　陸軍ノ見習士官並海軍ノ候補生及見習尉官

二　勅令ヲ以テ指定スル陸軍又ハ海軍ノ学生生徒

†第二十二条　教育職員トハ公立ノ学校、幼稚園若ハ図書館又ハ在外指定学校ノ職員ニシテ国庫ヨリ俸給ヲ給セサル官ニ在ルモノ及判任官以上ノ待遇ヲ受クルモノヲ謂フ

②前項ノ在外指定学校トハ在外国本邦人ノ為メニ設置シタル学校ニシテ勅令ノ定ムル所ニ依リ政府ノ指定シタルモノヲ謂フ

③準教育職員トハ官立又ハ公立ノ学校又ハ幼稚園ノ職員ニシテ勅令ヲ以テ指定スルモノヲ謂フ

第二十三条　警察監獄職員トハ左ニ掲クル者ヲ謂フ
一　警部補、巡査部長又ハ巡査タル警察官
二　衛視タル国会職員
三　副看守長、看守部長又ハ看守タル法務事務官
四　皇宮警部補、皇宮巡査部長又ハ皇宮巡査タル皇宮護衛官
五　海上保安士タル海上保安官
六　一等陸曹、一等海曹若ハ一等空曹、二等陸曹、二等海曹若ハ二等空曹、三等陸曹、三等海曹若ハ三等空曹、陸士長、海士長若ハ空士長、一等陸士、一等海士若ハ一等空士又ハ二等陸士、二等海士若ハ二等空士タル自衛官

†**第二十三条**　警察監獄職員トハ左ニ掲クル者ヲ謂フ
一　警部補、巡査、陸軍警査、海軍警査、貴族院守衛及衆議院守衛
二　副看守長、看守、教導、陸軍監獄看守及海軍監獄看守
三　消防士補、消防機関士補、判任官タル消防手及判任官ノ待遇ヲ受クル消防手

第二十四条　削除

†**第二十四条**　待遇職員トハ左ニ掲クル者ヲ謂フ
一　判任官以上ノ待遇ヲ受クル神宮司庁職員、神宮神部署職員及官国幣社ノ神職
二　判任官以上ノ待遇ヲ受クル監獄ノ職員（前条第二号ニ掲クル者ヲ除ク）、少年教護院職員及矯正院職員
三　地方待遇職員令ニ依リ判任官以上ノ待遇ヲ受クル者ニシテ勅令ヲ以テ指定スルモノ
四　前三号ニ掲クル者ヲ除クノ外国庫ヨリ俸給又ハ給料ヲ給スル待遇職員ニシテ勅令ヲ以テ指定スルモノ
五　在満学校組合待遇職員令ニ依リ判任官以上ノ待遇ヲ受クル者

第二十五条　本法ニ於テ就職トハ公務員タル官職ニ在ラザル者ガ公務員タル官職ニ任命セラルルコトヲ謂フ
②廃庁、廃校、官職廃止若ハ官職名改定ノ際其ノ廃改ニ係ル官職ニ在リタル者又ハ定員ノ減少ニ因リ退職シタル者即日又ハ翌日他ノ官職ニ就職シタルトキハ之ヲ転任ト看做ス但シ之ニ依リ第二十六条第二項ノ規定ニ該当スルニ至ル場合ハ此ノ限ニ在ラス

†**第二十五条**　本法ニ於テ就職トハ左ノ各号ノ一ニ該当スルコトヲ謂フ
一　文官ニ在リテハ任官但シ終身官タル文官ニ在リテハ任官ノ外復職
二　現役軍人ニ在リテハ任官又ハ入営若ハ入団、非現役軍人ニ在リテハ召集ニ依ル部隊編入又ハ志願ニ依リ軍人タル勤務ニ就クコト
三　教育職員ニシテ官吏タルモノニ在リテハ任官、其ノ他ノモノニ在リテハ任命
四　警察監獄職員ニシテ官吏タルモノニ在リテハ任官、其ノ他ノモノニ在リテハ任命但シ左ノ場合ニ於テハ之ヲ転任ト看做ス
(イ)　判任官ノ待遇ヲ受クル巡査又ハ消防手警部補、消防士補、消防機関士補又ハ判任官タル巡査若ハ消防手ニ任シタルトキ
(ロ)　警部補、消防士補、消防機関士補又ハ判任官タル巡査若ハ消防手判任官ノ待遇ヲ受クル巡査又ハ消防手ニ就職スルトキ
(ハ)　判任官ノ待遇ヲ受クル看守又ハ教導副看守長又ハ判任官タル看守若ハ教導ニ任シタルトキ
(ニ)　副看守長又ハ判任官タル看守若ハ教導判任官ノ待遇ヲ受クル看守又ハ教導ニ就職スルトキ
(ホ)　其ノ他勅令ヲ以テ定ムル場合
五　待遇職員ニ在リテハ任命

第二十六条　本法ニ於テ退職トハ免職、退職又ハ失職ヲ謂フ
②警察監獄職員ガ文官ニ転ジタル場合ハ之ヲ退職ト看做ス

†**第二十六条**　本法ニ於テ退職トハ左ノ各号ノ一ニ該当スルコトヲ謂フ
一　文官ニ在リテハ免官、退官又ハ失官但シ終身官タル文官ニ在リテハ免官、退官、失官ノ外退職
二　現役軍人ニ在リテハ現役ヲ離ルルコト、非現役軍人ニ在リテハ召集セラレタル者ニ付テハ召集解除志願ニ依リ軍人タル勤務ニ服スル者ニ付テハ解職但シ下士官、准士官以上ノ軍人ト為リタルトキハ普通恩給ニ付テノ最短恩給年限ノ計算ニ関シテハ之ヲ退職ト看做ス
三　教育職員ニシテ官吏タルモノニ在リテハ免官、退官又ハ失官、其ノ他ノモノニ在リテハ免職、退職、解職又ハ失職
四　警察監獄職員ニシテ官吏タルモノニ在リテハ免官、退官又ハ失官、其ノ他ノモノニ在リテハ免職、退職又ハ失職但シ左ノ場合ニ於テハ之ヲ退職ト看做ス
(イ)　警部補、消防士補、消防機関士補、副看守長又ハ判任官タル巡査、消防手、看守若ハ教導他ノ官ニ転シタルトキ
(ロ)　他ノ官ヨリ警部補、消防士補、消防機関士補、副看守長又ハ判任官タル巡査、消防手、看守若ハ教導ニ転シタルトキ
(ハ)　其ノ他勅令ヲ以テ定ムル場合
五　待遇職員ニ在リテハ免職、退職又ハ失職

第二十七条　削除

†**第二十七条**　第二十五条第一号及前条第一号ノ規定ハ準文官ノ就職及退職ニ付之ヲ準用ス
②第二十五条第三号及前条第三号ノ規定ハ準教育職員ノ就職及退職ニ付之ヲ準用ス
③準軍人ノ就職トハ戦務、戒厳地境内ノ勤務又ハ外国ノ鎮戍ニ服スルコトヲ謂ヒ退職トハ其ノ勤務ヲ終ルコトヲ謂フ

第二十八条　公務員ノ在職年ハ就職ノ月ヨリ之ヲ起算シ退職又ハ死亡ノ月ヲ以テ終ル
②退職シタル後再就職シタルトキハ前後ノ在職年月数ハ之ヲ合算ス但シ一時恩給又ハ第八十二条ニ規定スル一時扶助料ノ基礎ト為ルヘキ在職年ニ付テハ前ニ一時恩給ノ基礎ト為リタル在職年其ノ他ノ前在職年ノ年月数ハ之ヲ合算セス
③退職シタル月ニ於テ再就職シタルトキハ再在職ノ在職年ハ再就職ノ月ノ翌月ヨリ之ヲ起算ス

†**第二十八条ノ二**　防衛召集ニ依リ部隊ニ編入セラレタル軍人ノ在職年ノ計算ニ関シテハ本法中ノ在職年ノ計算ニ関スル規定ニ拘ラス勅令ヲ以テ別段ノ定ヲ為スコトヲ得

第二十九条　公務員ニ以上ノ官職ヲ併有スル場合ニ於テ其ノ重複スル在職年ニ付テハ年数計算ニ関シ利益ナル一官職ノ在職年ニ依ル

第三十条　警察監獄職員ノ恩給権ニ付其ノ在職年ヲ計算スル場合

ニ於テハ十二年ニ達スル迄ハ警察監獄職員以外ノ公務員トシテノ在職年ハ其ノ十分ノ七ニ当ル年月数ヲ以テ之ヲ計算ス

†**第三十条** 軍人又ハ警察監獄職員ノ恩給権ニ付其ノ在職年ヲ計算スル場合ニ於テハ准士官以上ノ軍人ニ付テハ十三年ニ達スル迄、下士官以下ノ軍人及警察監獄職員ニ付テハ十二年ニ達スル迄ハ軍人又ハ警察監獄職員以外ノ公務員トシテノ在職年ハ其ノ十分ノ七ニ当ル年月数ヲ以テ之ヲ計算ス

第三十一条乃至第四十条 削除

†**第三十二条** 戦争又ハ戦争ニ準スヘキ事変ニ際シ公務員其ノ職務ヲ以テ戦務ニ服シタルトキハ其ノ期間ノ一月ニ付三月以内ヲ加算ス

②戦争又ハ戦争ニ準スヘキ事変、加算ノ程度、加算ノ認メラルヘキ期間及地域並戦務ノ範囲ハ勅裁ヲ以テ之ヲ定ム

†**第三十三条** 公務員外国ノ交戦又ハ擾乱ノ地域内ニ於テ危険ヲ顧ミス其ノ職務ヲ以テ勤務シタルトキハ在勤期間ノ一月ニ付二月ヲ加算ス

②前項ノ外国ノ交戦又ハ擾乱ノ地域及期間ハ勅裁ヲ以テ之ヲ定ム

†**第三十三条ノ二** 公務員内国ノ交戦ノ地域内ニ於テ危険ヲ顧ミス其ノ職務ヲ以テ勤務シタルトキハ其ノ期間ノ一月ニ付二月以内ヲ加算ス

②前項ノ内国ノ交戦ノ地域及期間並加算ノ程度ハ勅裁ヲ以テ之ヲ定ム

†**第三十四条** 公務員戒厳地境内ニ於テ危険ヲ顧ミス其ノ職務ヲ以テ勤務シタルトキハ其ノ期間ノ一月ニ付二月ヲ加算ス

②前項ノ場合ニ於テ其ノ勤務ノ場所カ内国ナルトキハ加算年ハ其ノ二分ノ一トス

†**第三十五条** 公務員外国鎮戍ニ服シタルトキハ其ノ期間ノ一月ニ付一月半以内ヲ加算ス

†**第三十六条** 航空機乗員タル公務員其ノ職務ヲ以テ航空勤務ニ服シタルトキハ其ノ期間ノ一月ニ付二月以内ヲ加算ス

†**第三十七条** 潜水艦乗員タル公務員其ノ職務ヲ以テ在役潜水艦ノ勤務ニ服シタルトキハ其ノ期間ノ一月ニ付一月ヲ加算ス

†**第三十七条ノ二** 戦車乗員タル公務員其ノ職務ヲ以テ戦車ニ搭乗シ戦車勤務ニ服シタルトキハ其ノ期間ノ一月ニ付半月以内ヲ加算ス

†**第三十八条** 公務員其ノ職務ヲ以テ辺陬又ハ不健康ノ地域ニ引続キ一年以上在勤シタルトキハ其ノ期間ノ一月ニ付一月以内ヲ加算ス不健康ナル業務ニ引続キ六月以上服務シタルトキ亦同シ

②前項ノ地域相互間ノ転勤ハ之ヲ引続キタル在勤ト看做ス

③第一項ノ地域及業務ハ勅令ヲ以テ之ヲ定ム

†**第三十九条** 海上勤務ニ服スル公務員其ノ職務ヲ以テ遠洋航海ヲ為シタルトキハ其ノ期間ノ一月ニ付三分ノ一月ヲ加算ス一年以上引続キ編隊艦船ニ乗シテ上陸制限ノ下ニ準戦訓練ニ服シタルトキ亦同シ

②前項ノ遠洋航海ノ範囲ハ勅令ヲ以テ之ヲ定ム

†**第四十条** 第三十二条乃至前条ノ規定ニ依リ附スヘキ加算年ハ在職年ノ計算ニ付勅令ノ定ムル所ニ依リ実在職年ニ従トシテ之ヲ算入ス

②加算年ヲ附スヘキ基礎在職年ハ加算事由ノ生シタル月ヨリ之ヲ起算シ其ノ事由ノ止ミタル月ヲ以テ終ル

③二種以上ノ加算年ヲ附セラルヘキ期間ニ対シテハ最モ利益ナルモノニ依リ其ノ一ヲ附ス

第四十条ノ二 休職、待命、停職其ノ他現実ニ職務ヲ執ルヲ要セサル在職期間ニシテ一月以上ニ亘ルモノハ在職年ノ計算ニ於テ之ヲ半減ス

②前項ニ規定スル期間一月以上ニ亘ルトキトハ其ノ期間カ在職年ノ計算ニ於テ一月以上ニ計算セラルル総テノ場合ヲ謂フ但シ現実ニ職務ヲ執ルヲ要スル日ノアリタル月ハ在職年ノ計算ニ於テ之ヲ半減セス

第四十一条 左ニ掲クル年月数ハ在職年ヨリ之ヲ除算ス

一 普通恩給又ハ増加恩給ヲ受クルノ権利消滅シタル場合ニ於テ其ノ恩給権ノ基礎ト為リタル在職年

二 第五十一条ノ規定ニ依リ公務員カ恩給ヲ受クルノ資格ヲ失ヒタル在職年

三 削除

四 公務員退職後在職中ノ職務ニ関スル犯罪（過失犯ヲ除ク）ニ付禁錮以上ノ刑ニ処セラレタルトキハ其ノ犯罪ノ時ヲ含ム引続キタル在職年月数

五 公務員ノ不法ニ其ノ職務ヲ離レタル月ヨリ職務ニ復シタル月迄ノ在職年月数

第四十二条及第四十三条 削除

†**第四十二条** 左ニ掲クル年月数ハ之ヲ在職年数ニ通算ス

一 宮内官ノ恩給規程ニ依リ宮内官恩給権ノ基礎ト為ルヘキ宮内職員トシテノ在職年月数

二 準軍人ノ在職年月数

三 高等文官ノ試補又ハ判任官見習引続キ公務員ト為リタルトキハ公務員トシテノ就職ニ接続スル其ノ勤続年月数ノ二分ノ一ニ相当スル年月数

四 準教育職員引続キ教育職員ト為リタルトキハ教育職員トシテノ就職ニ接続スル其ノ勤続年月数ノ二分ノ一ニ相当スル年月数

②第二十八条、第二十九条及第三十条ノ規定ハ前項ノ規定ニ依リ在職年ニ通算セラルヘキ年月数ノ計算ニ付之ヲ準用ス此ノ場合ニ於テハ準軍人又ハ皇宮警手トシテノ在職年ハ夫々之ヲ軍人又ハ警察監獄職員トシテノ在職年ト看做ス

†**第四十三条** 第三十二条乃至第四十条ノ規定ハ準軍人ノ在職年ノ計算ニ付之ヲ準用ス

②第四十条ノ二及第四十一条ノ規定ハ前条第一項ノ規定ニ依リ在職年ニ通算セラルヘキ年月ニ付之ヲ準用ス

第四十四条 本法ニ於テ俸給トハ本俸ヲ謂フ

②公務員二以上ノ官職ヲ併有シ各官職ニ付俸給ヲ給セラルル場合ニ於テハ俸給額ヲ合算シタルモノヲ以テ其ノ者ノ俸給額トス

第四十五条 公務員所定ノ年数在職シ退職シタルトキハ之ニ普通恩給又ハ一時恩給ヲ給ス

第四十六条 公務員公務ノ為傷痍ヲ受ケ又ハ疾病ニ罹リ重度障害ノ状態ト為リ失格原因ナクシテ退職シタルトキハ之ニ普通恩給及増加恩給ヲ給ス

②公務員公務ノ為傷痍ヲ受ケ又ハ疾病ニ罹リ失格原因ナクシテ退職シタル後五年内ニ之カ為重度障害ノ状態ト為リ又ハ其ノ程度増進シタル場合ニ於テ其ノ期間内ニ請求シタルトキハ新ニ普通恩給及増加恩給ヲ給シ又ハ現ニ受クル増加恩給ヲ重度障害ノ程度ニ相応スル増加恩給ニ改定ス

③前項ノ期間ヲ経過シタルトキト雖裁定庁ニ於テ審議会等ノ議ニ付スルヲ相当ト認メ且審議会等ニ於テ重度障害カ公務ニ起因シタルコト顕著ナリト議決シタルトキハ議決シタル月ノ翌月ヨリ之ニ相当ノ恩給ヲ給シ又ハ之ヲ改定ス

④公務員公務ノ為傷痍ヲ受ケ又ハ疾病ニ罹リ重度障害ノ状態ト為ルモ公務員ニ重大ナル過失アリタルトキハ前三項ニ規定スル恩給ヲ給セス

第四十六条ノ二　公務員公務ノ為傷痍ヲ受ケ又ハ疾病ニ罹リ重度障害ノ程度ニ至ラザルモ第四十九条ノ三ニ規定スル程度ニ達シ失格原因ナクシテ退職シタルトキハ之ニ傷病賜金ヲ給ス

②公務員公務ノ為傷痍ヲ受ケ又ハ疾病ニ罹リ失格原因ナクシテ退職シタル後五年内ニ之ガ為重度障害ノ程度ニ至ラザルモ第四十九条ノ三ニ規定スル程度ニ達シタル場合ニ於テ其ノ期間内ニ請求シタルトキハ之ニ傷病賜金ヲ給ス

③前項ノ期間ヲ経過シタルトキト雖裁定庁ニ於テ審議会等ノ議ニ付スルヲ相当ト認メ且審議会等ニ於テ其ノ障害ノ程度ガ公務ニ起因シタルコト顕著ナリト議決シタルトキハ之ニ傷病賜金ヲ給ス

④前条第四項ノ規定ハ前三項ノ規定ニ依リ給スベキ傷病賜金ニ付之ヲ準用ス

⑤傷病賜金ハ国家公務員災害補償法（昭和二十六年法律第百九十一号）第十三条若ハ労働基準法（昭和二十二年法律第四十九号）第七十七条ノ規定ニ依ル障害補償又ハ之ニ相当スル給付ニシテ同法第八十四条第一項ノ規定ニ該当スルモノヲ受ケタル者ニハ之ヲ給セズ但シ当該補償又ハ給付ノ金額ガ傷病賜金ノ金額ヨリ少キトキハ此ノ限ニ在ラズ

⑥傷病賜金ハ之ヲ普通恩給又ハ一時恩給ト併給スルヲ妨ゲズ

第四十八条　公務員左ノ各号ノ一ニ該当スルトキハ公務ノ為傷痍ヲ受ケ又ハ疾病ニ罹リタルモノト看做ス

一　削除

二　公務旅行中別表第一号表ニ掲クル流行病ニ罹リタルトキ

三　公務員タル特別ノ事情ニ関聯シテ生シタル不慮ノ災厄ニ因リ傷痍ヲ受ケ又ハ疾病ニ罹リ審議会等ニ於テ公務ニ起因シタルト同視スヘキモノト議決セラレタルトキ

第四十九条ノ二　公務傷病ニ因ル重度障害ノ程度ハ別表第一号表ノ二ニ掲グル七項トス

第四十九条ノ三　傷病賜金ヲ給スベキ障害ノ程度ハ別表第一号表ノ三ニ掲グル五款トス

第五十条　裁定庁ハ増加恩給ノ裁定ヲ為スニ当リ将来重度障害ノ回復シ又ハ其ノ程度低下スルコトアルヘキコトヲ認メタルトキハ五年間之ニ普通恩給及増加恩給ヲ給ス

②前項ノ期間満了ノ六月前迄傷痍疾病回復セサル者ハ再審査ヲ請求スルコトヲ得再審査ノ結果恩給ヲ給スヘキモノナルトキハ之ニ相当ノ恩給ヲ給ス

第五十一条　公務員左ノ各号ノ一ニ該当スルトキハ其ノ引続キタル在職ニ付恩給ヲ受クルノ資格ヲ失フ

一　懲戒、懲罰又ハ教員免許状褫奪ノ処分ニ因リ退職シタルトキ

二　在職中禁錮以上ノ刑ニ処セラレタルトキ

三　弾劾ニ関スル法令ノ適用ニ依リ退職シタルトキ

四　会計検査院検査官職務上ノ義務ニ違反スル事実ニ付会計検査院法第六条ノ規定ニ依リ退職シタルトキ

②第二十六条第二項ノ規定ハ前項ノ規定ノ適用ニ関シテハ之ヲ適用セス

第五十二条　公務員ニシテ其ノ退職ノ当日仍他ノ公務員トシテ在職スルモノニ付テハ総テノ公務員ヲ退職スルニ非サレハ之ニ恩給ヲ給セス

②公務員ニシテ退職ノ当日又ハ翌日他ノ公務員ニ就職シ之ヲ勤続ト看做サルルモノニ付テハ後ノ公務員ヲ退職スルニ非サレハ之ニ恩給ヲ給セス

③公務員ニシテ恩給ヲ給セサル官職ニ転シ退職シタルモノニ付テハ其ノ転任ヲ退職ト看做シ之ニ恩給ヲ給ス

第五十四条　普通恩給ヲ受クル者再就職シ失格原因ナクシテ退職シ左ノ各号ノ一ニ該当スルトキハ其ノ恩給ヲ改定ス

一　再就職後在職一年以上ニシテ退職シタルトキ

二　再就職後公務ノ為傷痍ヲ受ケ又ハ疾病ニ罹リ重度障害ノ状態ト為リ退職シタルトキ

三　再就職後公務ノ為傷痍ヲ受ケ又ハ疾病ニ罹リ退職シタル後五年内ニ之カ為重度障害ノ状態ト為リ又ハ其ノ程度増進シタル場合ニ於テ其ノ期間内ニ請求シタルトキ

②前項第三号ノ場合ニ於テハ第四十六条第三項ノ規定ヲ準用ス

第五十五条　前条ノ規定ニ依リ普通恩給ヲ改定スルニハ前後ノ在職年ヲ合算シ其ノ年額ヲ定メ増加恩給ヲ改定スルニハ前後ノ傷痍又ハ疾病ヲ合シタルモノヲ以テ重度障害ノ程度トシ其ノ恩給年額ヲ定ム

第五十六条　前二条ノ規定ニ依リ恩給ヲ改定スル場合ニ於テ其ノ年額従前ノ恩給年額ヨリ少キトキハ従前ノ恩給年額ヲ以テ改定恩給ノ年額トス

第五十八条　普通恩給ハ之ヲ受クル者公務員トシテ就職スルトキハ就職ノ月ノ翌月ヨリ退職ノ月迄之ヲ停止ス但シ実在職期間一月未満ナルトキハ此ノ限ニ在ラズ

第五十八条ノ二　普通恩給及増加恩給ハ之ヲ受クル者三年以下ノ懲役又ハ禁錮ノ刑ニ処セラレタルトキハ其ノ月ノ翌月ヨリ其ノ執行ヲ終リ又ハ執行ヲ受クルコトナキニ至リタル月迄之ヲ停止ス但シ刑ノ全部ノ執行猶予ノ言渡ヲ受ケタルトキハ之ヲ停止セズ刑ノ一部ノ執行猶予ノ言渡ヲ受ケタルトキハ其ノ刑ノ内執行ガ猶予サレザリシ部分ノ期間ノ執行ヲ終リ又ハ執行ヲ受クルコトナキニ至リタル月ノ翌月以降ハ之ヲ停止セズ之等ノ言渡ヲ猶予ノ期間中ニ取消サレタルトキハ取消ノ月ノ翌月ヨリ刑ノ執行ヲ終リ又ハ執行ヲ受クルコトナキニ至リタル月迄之ヲ停止ス

第五十八条ノ三　普通恩給ハ之ヲ受クル者四十五歳ニ満ツル月迄ハ其ノ全額、四十五歳ニ満ツル月ノ翌月ヨリ五十歳ニ満ツル月迄ハ其ノ十分ノ五、五十歳ニ満ツル月ノ翌月ヨリ五十五歳ニ満ツル月迄ハ其ノ十分ノ三ヲ停止ス

②普通恩給ニ増加恩給又ハ第四十六条ノ二ニ規定スル傷病賜金ヲ併給スル場合ニハ前項ノ規定ニ依ル停止ハ之ヲ為サズ

③公務ニ起因セザル傷痍疾病第四十九条ノ二又ハ第四十九条ノ三ニ規定スル程度ニ達シ之ガ為退職シタル場合ニハ退職後五年間第一項ノ規定ニ依ル停止ハ之ヲ為サズ

④前項ノ期間満了ノ六月前迄傷痍疾病回復セザル者ハ同項ノ期間ノ延長ヲ請求スルコトヲ得此ノ場合ニ於テ傷痍疾病仍前項ニ規定スル程度ニ達スルモノナルトキハ第一項ノ規定ニ依ル停止ハ引続キ之ヲ為サズ

第五十八条ノ四　普通恩給ハ恩給年額百七十万円以上ニシテ之ヲ受クル者ノ前年ニ於ケル恩給外ノ所得ノ年額七百万円ヲ超ユル

トキハ左ノ区分ニ依リ恩給年額ノ一部ヲ停止ス但シ恩給ノ支給年額百七十万円ヲ下ラシムルコトナク其ノ停止年額ハ恩給年額ノ五割ヲ超ユルコトナシ

一　恩給年額ト恩給外ノ所得ノ年額トノ合計額ガ千四十万円以下ナルトキハ八百七十万円ヲ超ユル金額ノ三割五分ノ金額ニ相当スル金額

二　恩給年額ト恩給外ノ所得ノ年額トノ合計額ガ千四十万円ヲ超エ千二百十万円以下ナルトキハ八百七十万円ヲ超エ千四十万円以下ノ金額ノ三割五分ノ金額及千四十万円ヲ超ユル金額ノ四割ノ金額ノ合計額ニ相当スル金額

三　恩給年額ト恩給外ノ所得ノ年額トノ合計額ガ千二百十万円ヲ超エ千三百八十万円以下ナルトキハ八百七十万円ヲ超エ千四十万円以下ノ金額ノ三割五分ノ金額、千四十万円ヲ超エ千二百十万円以下ノ金額ノ四割ノ金額及千二百十万円ヲ超ユル金額ノ四割五分ノ金額ノ合計額ニ相当スル金額

四　恩給年額ト恩給外ノ所得ノ年額トノ合計額ガ千三百八十万円ヲ超ユルトキハ八百七十万円ヲ超エ千四十万円以下ノ金額ノ三割五分ノ金額、千四十万円ヲ超エ千二百十万円以下ノ金額ノ四割ノ金額、千二百十万円ヲ超エ千三百八十万円以下ノ金額ノ四割五分ノ金額及千三百八十万円ヲ超ユル金額ノ五割ノ金額ノ合計額ニ相当スル金額

②前項ノ恩給外ノ所得ノ計算ニ付テハ所得税法（昭和四十年法律第三十三号）ノ課税総所得金額ノ計算ニ関スル規定ヲ準用ス

③第一項ノ恩給外ノ所得ハ毎年税務署長ノ調査ニ依リ裁定庁之ヲ決定ス

④第一項ニ規定スル恩給ノ停止ハ前項ノ決定ニ基キ其ノ年ノ七月ヨリ翌年六月ニ至ル期間分ノ恩給ニ付之ヲ為ス但シ恩給ヲ受クベキ事由ノ生ジタル月ノ翌月ヨリ翌年六月ニ至ル期間分ニ付テハ此ノ限ニ在ラズ

⑤恩給ノ請求又ハ裁定ノ遅延ニ依リ前年以前ノ分ノ恩給ニ付第一項ノ規定ニ依ル停止ヲ為スベキ場合ニ於テハ其ノ停止額ハ前項ノ規定ニ拘ラズ同項ノ期間後ノ期間分ノ恩給支給額中ヨリ之ヲ控除スルコトヲ得

第五十八条ノ五　増加恩給（第六十五条第二項乃至第六項ノ規定ニ依ル加給ヲ含ム）ハ之ヲ受クル者国家公務員災害補償法第十三条若ハ労働基準法第七十七条ノ規定ニ依ル障害補償又ハ之ニ相当スル給付ニシテ同法第八十四条第一項ノ規定ニ該当スルモノヲ受ケタル者ナルトキハ当該補償又ハ給付ヲ受クル事由ノ生ジタル月ノ翌月ヨリ六年間之ヲ停止ス但シ其ノ年額中当該補償又ハ給付ノ金額ノ六分ノ一ニ相当スル金額ヲ超ユル部分ハ之ヲ停止セズ

第二節　恩給金額

第五十九条ノ二　本節ニ於ケル退職当時ノ俸給年額ノ計算ニ付テハ左ノ特例ニ従フ

一　公務ノ為傷痍ヲ受ケ又ハ疾病ニ罹リ之ガ為退職シ又ハ死亡シタル者ニ付退職又ハ死亡前一年内ニ昇給アリタル場合ニ於テハ退職又ハ死亡ノ一年前ノ号俸ヨリ二号俸ヲ超ユル上位ノ号俸ニ昇給シタルトキハ二号俸上位ノ号俸ニ昇給シタルモノトス

二　前号ニ規定スル者以外ノ者ニ付退職又ハ死亡前一年内ニ昇給アリタル場合ニ於テハ退職又ハ死亡ノ一年前ノ号俸ヨリ一号俸ヲ超ユル上位ノ号俸ニ昇給シタルトキハ一号俸上位ノ号俸ニ昇給シタルモノトス

②転官職ニ依ル俸給ノ増額ハ之ヲ昇給ト看做ス

③実在職期間一年未満ナルトキハ俸給ノ関係ニ於テハ就職前モ就職当時ノ俸給ヲ以テ在職シタルモノト看做ス

④本節ニ於テ退職当時ノ俸給月額トハ退職当時ノ俸給年額ノ十二分ノ一ニ相当スル金額ヲ謂フ

第五十九条ノ三　前条第一項ニ規定スル一号俸又ハ二号俸上位ノ号俸ヘノ昇給ニ付テハ転官職ニ依リ昇給ヲ来ス場合ニ於テハ新官職ニ付定メラレタル俸給中前ノ官職ニ付給セラレタル俸給ニ直近ニ多額ナルモノヲ以テ一号俸上位ノ号俸トシテ之ニ直近スル上位ノ号俸ヲ以テ二号俸上位ノ号俸トス

第六十条　文官在職年十七年以上ニシテ退職シタルトキハ之ニ普通恩給ヲ給ス

②前項ノ普通恩給ノ年額ハ在職年十七年以上十八年未満ニ対シ退職当時ノ俸給年額ノ百五十分ノ五十ニ相当スル金額トシ十七年以上一年ヲ増ス毎ニ其ノ一年ニ対シ退職当時ノ俸給年額ノ百五十分ノ一ニ相当スル金額ヲ加ヘタル金額トス

③在職年四十年ヲ超ユル者ニ給スヘキ恩給年額ハ之ヲ在職年四十年トシテ計算ス

④第一項ノ在職年ハ国務大臣トシテ退官スル者ニ付テハ国務大臣トシテノ在職年七年以上ナルヲ以テ足ル

⑤第四十六条、第五十四条第一項第二号若ハ第三号又ハ前項ノ規定ニ依リ在職年十七年未満ノ者ニ給スヘキ普通恩給ノ年額ハ在職年十七年ノ者ニ給スヘキ普通恩給ノ額トス

†第六十条　文官在職年十七年以上ニシテ退職シタルトキハ之ニ普通恩給ヲ給ス

②前項ノ普通恩給ノ年額ハ在職年十七年以上十八年未満ニ対シ退職当時ノ俸給年額ノ百五十分ノ五十ニ相当スル金額トシ十七年以上一年ヲ増ス毎ニ其ノ一年ニ対シ退職当時ノ俸給年額ノ百五十分ノ一ニ相当スル金額ヲ加ヘタル金額トス

③前項ノ場合ニ於テ其ノ在職年中ニ外国実勤続在職年十七年以上ノモノヲ含ムトキハ其ノ勤続在職年中十七年ヲ控除シタル残ノ勤続在職年一年ニ付退職当時ノ俸給年額三百分ノ一ノ割合ヲ以テ之ニ加給ス

④在職年四十年ヲ超ユル者ニ給スヘキ恩給年額ハ之ヲ在職年四十年トシテ計算ス

⑤第一項ノ在職年ハ国務大臣トシテ退官スル者ニ付テハ国務大臣トシテノ在職年七年以上ナルヲ以テ足ル

⑥第四十六条、第五十四条第一項第二号若ハ第三号、第五十五条ノ二又ハ前項ノ規定ニ依リ在職年十七年未満ノ者ニ給スヘキ普通恩給ノ年額ハ在職年十七年ノ者ニ給スヘキ普通恩給ノ額トス

⑦第四十七条ノ規定ニ依リ準文官ニ給スヘキ普通恩給ノ年額ハ退職当時ノ俸給年額ノ百五十分ノ五十ニ相当スル金額トス

第六十一条及第六十二条　削除

†第六十一条　准士官以上ノ軍人在職年十三年以上ニシテ退職シタルトキハ之ニ普通恩給ヲ給ス

②前項ノ規定ハ第二十一条第二項第一号ノ準軍人在職年十三年以上ニシテ退職シ且其ノ身分ヲ免セラレタル場合ニ付之ヲ準用ス

③前二項ノ普通恩給ノ年額ハ在職年十三年以上十四年未満ニ対シ退職当時ノ俸給年額ノ百五十分ノ五十ニ相当スル金額

トシ十三年以上一年ヲ増ス毎ニ其ノ一年ニ対シ退職当時ノ俸給年額ノ百五十分ノ一ニ相当スル金額ヲ加ヘタル金額トス

④前条第三項ノ規定ハ准士官以上ノ軍人ニ付之ヲ準用ス

⑤在職年五十年ヲ超ユル者ニ給スヘキ恩給年額ハ之ヲ在職年五十年トシテ計算ス

⑥陸海軍准士官ニシテ其ノ官ニ二年以上実在職シ最高ノ俸給ヲ受ケタル者ニハ高等官八等ノ額ヲ給ス

⑦第四十六条、第四十七条、第五十四条第一項第二号若ハ第三号又ハ第五十五条ノ二ノ規定ニ依リ在職年十三年未満ノ者ニ給スヘキ普通恩給ノ年額ハ在職年十三年ノ者ニ給スヘキ普通恩給ノ額トス

⑧準軍人ノ階等ハ勅令ヲ以テ之ヲ定ム

†第六十一条ノ二　下士官以下ノ軍人在職年十二年以上ニシテ退職シタルトキハ之ニ普通恩給ヲ給ス

②前項ノ規定ハ第二十一条第二項第二号ノ準軍人在職年十二年以上ニシテ退職シ且其ノ身分ヲ免セラレタル場合ニ付之ヲ準用ス

③前二項ノ普通恩給ノ年額ハ在職年十二年以上十三年未満ニ対シ退職当時ノ俸給年額ノ百五十分ノ五十ニ相当スル金額トシ十二年以上一年ヲ増ス毎ニ其ノ一年ニ対シ下士官ノ俸給年額ヲ以テ普通恩給額ヲ計算スル場合ニ在リテハ七円、兵ノ俸給年額ヲ以テ之ヲ計算スル場合ニ在リテハ六円ヲ加ヘタル金額トス

④第六十条第三項並前条第五項、第七項及第八項ノ規定ハ下士官以下ノ軍人ニ付之ヲ準用ス

†第六十二条　教育職員在職年十七年以上ニシテ退職シタルトキハ之ニ普通恩給ヲ給ス

②前項ノ普通恩給ノ年額ハ在職年十七年以上十八年未満ニ対シ退職当時ノ俸給年額百五十分ノ五十ニ相当スル金額トシ十七年以上一年ヲ増ス毎ニ其ノ一年ニ対シ退職当時ノ俸給年額ノ百五十分ノ一ニ相当スル金額ヲ加ヘタル金額トス

③前項ノ場合ニ於テ其ノ在職年中ニ国民学校、青年学校、実業補習学校、幼稚園、盲学校、聾唖学校又ハ国民学校ニ類スル各種学校ノ教育職員トシテノ勤続在職年十七年以上ノモノヲ含ムトキハ其ノ勤続在職年中十七年ヲ控除シタル残ノ勤続在職年一年ニ付退職当時ノ俸給年額ノ百五十分ノ一ノ割合ヲ以テ之ニ加給ス

④第二項ノ場合ニ於テ其ノ在職年中ニ中学校又ハ之ト同等以下ノ程度ノ学校ノ教育職員トシテノ勤続在職年十七年以上ノモノヲ含ムトキハ其ノ勤続在職年中十七年ヲ控除シタル残ノ勤続在職年一年ニ付退職当時ノ俸給年額ノ三百分ノ一ノ割合ヲ以テ之ニ加給ス

⑤前項ノ中学校ト同等以下ノ程度ノ学校ハ勅令ヲ以テ之ヲ定ム

⑥第四十六条、第五十四条第一項第二号若ハ第三号又ハ第五十五条ノ二ノ規定ニ依リ在職年十七年未満ノ者ニ給スヘキ普通恩給ノ年額ハ在職年十七年ノ者ニ給スヘキ普通恩給ノ額トス

⑦第六十条第三項及第四項ノ規定ハ教育職員ニ付之ヲ準用ス

⑧第四十七条ノ規定ニ依リ準教育職員ニ給スヘキ普通恩給ノ年額ハ退職当時ノ俸給年額ノ百五十分ノ五十ニ相当スル金額トス

第六十三条　警察監獄職員在職年十二年以上ニシテ退職シタルトキハ之ニ普通恩給ヲ給ス

②前項ノ普通恩給ノ年額ハ在職年十二年以上十三年未満ニ対シ退職当時ノ俸給年額ノ百五十分ノ五十ニ相当スル金額トシ十二年以上一年ヲ増ス毎ニ其ノ一年ニ対シ退職当時ノ俸給年額ノ百五十分ノ一ニ相当スル金額ヲ加ヘタル金額トス

③第四十六条又ハ第五十四条第一項第二号若ハ第三号ノ規定ニ依リ在職年十二年未満ノ者ニ給スヘキ普通恩給ノ年額ハ在職年十二年ノ者ニ給スヘキ普通恩給ノ額トス

④第六十条第三項ノ規定ハ警察監獄職員ニ付之ヲ準用ス

†第六十三条　警察監獄職員在職年十二年以上ニシテ退職シタルトキハ之ニ普通恩給ヲ給ス

②前項ノ普通恩給ノ年額ハ在職年十二年以上十三年未満ニ対シ退職当時ノ俸給年額ノ百五十分ノ五十ニ相当スル金額トシ十二年以上一年ヲ増ス毎ニ其ノ一年ニ対シ退職当時ノ俸給年額ノ百五十分ノ一ニ相当スル金額ヲ加ヘタル金額トス

③前項ノ場合ニ於テ其ノ在職年中ニ警察監獄職員トシテノ勤続在職年十二年以上ノモノヲ含ムトキハ其ノ勤続在職年中十二年ヲ控除シタル残ノ勤続在職年一年ニ付退職当時ノ俸給年額ノ三百分ノ一ノ割合ヲ以テ之ニ加給ス

④第四十六条、第五十四条第一項第二号若ハ第三号又ハ第五十五条ノ二ノ規定ニ依リ在職年十二年未満ノ者ニ給スヘキ普通恩給ノ年額ハ在職年十二年ノ者ニ給スヘキ普通恩給ノ額トス

⑤第六十条第三項及第四項ノ規定ハ警察監獄職員ニ付之ヲ準用ス

第六十四条　削除

†第六十四条　待遇職員在職年十七年以上ニシテ退職シタルトキハ之ニ普通恩給ヲ給ス

②前項ノ普通恩給ノ年額ハ在職年十七年以上十八年未満ニ対シ退職当時ノ俸給年額ノ百五十分ノ五十ニ相当スル金額トシ十七年以上一年ヲ増ス毎ニ其ノ一年ニ対シ退職当時ノ俸給年額ノ百五十分ノ一ニ相当スル金額ヲ加ヘタル金額トス

③第六十条第三項及第四項並第六十二条第六項ノ規定ハ待遇職員ニ付之ヲ準用ス

第六十四条ノ二　一時恩給ヲ受ケタル後其ノ一時恩給ノ基礎ト為リタル在職年数一年ヲ二月ニ換算シタル月数内ニ再就職シタル者ニ普通恩給ヲ給スル場合ニ於テハ当該換算月数ト退職ノ翌月ヨリ再就職ノ月迄ノ月数トノ差月数ヲ一時恩給額算出ノ基礎ト為リタル俸給月額ノ二分ノ一ニ乗シタル金額ノ十五分ノ一ニ相当スル金額ヲ控除シタルモノヲ以テ其ノ普通恩給ノ年額トス但シ差月数一月ニ付一時恩給額算出ノ基礎ト為リタル俸給月額ノ二分ノ一ノ割合ヲ以テ計算シタル金額ヲ返還シタルトキハ此ノ限ニ在ラス

第六十四条ノ三　前条但書ノ規定ニ依ル一時恩給ノ返還ハ之ヲ負担シタル国庫又ハ都道府県若ハ市町村ニ対シ再就職ノ月（再就職後一時恩給給与ノ裁定アリタル場合ハ其ノ裁定アリタル月）ノ翌月ヨリ一年内ニ一時ニ又ハ分割シテ之ヲ完了スヘシ

②前項ノ規定ニ依リ一時恩給ノ全部又ハ一部ヲ返還シ失格原因ナクシテ再在職ヲ退職シタルニ拘ラス普通恩給ヲ受クルノ権利ヲ生セサル場合ニ於テハ一時恩給ノ返還ヲ受ケタル国庫又ハ都道府県若ハ市町村ハ之ヲ返還者ニ還付スヘシ

第六十五条　増加恩給ノ年額ハ重度障害ノ程度ニ依リ定メタル別表第二号表ノ金額トス
②前項ノ場合ニ於テ増加恩給ヲ受クル者ニ妻又ハ扶養家族アルトキハ妻ニ付テハ十九万三千二百円ニ調整改定率（恩給改定率（第六十六条第一項ノ規定ニ依リ設定シ同条第二項乃至第五項ノ規定ニ依リ改定シタル率ヲ謂フ以下同ジ）ヲ謂フ但シ恩給改定率ガ一ヲ下ル場合ハ之ヲ一トス以下同ジ）ヲ乗ジテ得タル額（其ノ額ニ五十円未満ノ端数ヲ生ジタルトキハ之ヲ切捨テ五十円以上百円未満ノ端数ヲ生ジタルトキハ之ヲ百円トス）扶養家族ノ中二人迄ニ付テハ一人ニ付七万二千円（増加恩給ヲ受クル者ニ妻ナキトキハ其ノ中一人ニ付テハ十三万二千円）ニ調整改定率ヲ乗ジテ得タル額（其ノ額ニ五十円未満ノ端数ヲ生ジタルトキハ之ヲ切捨テ五十円以上百円未満ノ端数ヲ生ジタルトキハ之ヲ百円トス）其ノ他ノ扶養家族ニ付テハ一人ニ付三万六千円ニ調整改定率ヲ乗ジテ得タル額（其ノ額ニ五十円未満ノ端数ヲ生ジタルトキハ之ヲ切捨テ五十円以上百円未満ノ端数ヲ生ジタルトキハ之ヲ百円トス）ヲ増加恩給ノ年額ニ加給ス
③前項ノ扶養家族トハ増加恩給ヲ受クル者ノ退職当時ヨリ引続キ之ニ依リ生計ヲ維持シ又ハ之ト生計ヲ共ニスル祖父母、父母、未成年ノ子及重度障害ノ状態ニシテ生活資料ヲ得ルノ途ナキ成年ノ子ヲ謂フ
④前項ノ規定ニ拘ラズ増加恩給ヲ受クル者ノ退職後出生シタル未成年ノ子又ハ重度障害ノ状態ニシテ生活資料ヲ得ルノ途ナキ成年ノ子ニシテ出生当時ヨリ引続キ増加恩給ヲ受クル者ニ依リ生計ヲ維持シ又ハ之ト生計ヲ共ニスルモノアルトキハ之ヲ扶養家族トス
⑤第三項ノ規定ニ拘ラズ増加恩給ヲ受クル者（公務ノ為傷痍ヲ受ケ又ハ疾病ニ罹リ之ガ為生殖機能ヲ廃シタル者ニ限ル）ノ退職後養子ト為リタル未成年ノ子又ハ重度障害ノ状態ニシテ生活資料ヲ得ルノ途ナキ成年ノ子ニシテ縁組当時ヨリ引続キ増加恩給ヲ受クル者ニ依リ生計ヲ維持シ又ハ之ト生計ヲ共ニスルモノアルトキハ当該養子以外ノ子ナキトキニ限リ其ノ一人ヲ扶養家族トス
⑥第一項ノ場合ニ於テ増加恩給ヲ受クル者ノ重度障害ノ程度特別項症ニ該当スルトキハ二十七万円ニ調整改定率ヲ乗ジテ得タル額（其ノ額ニ五十円未満ノ端数ヲ生ジタルトキハ之ヲ切捨テ五十円以上百円未満ノ端数ヲ生ジタルトキハ之ヲ百円トス）第一項症又ハ第二項症ニ該当スルトキハ二十一万円ニ調整改定率ヲ乗ジテ得タル額（其ノ額ニ五十円未満ノ端数ヲ生ジタルトキハ之ヲ切捨テ五十円以上百円未満ノ端数ヲ生ジタルトキハ之ヲ百円トス）ヲ増加恩給ノ年額ニ加給ス

第六十五条ノ二　傷病賜金ノ金額ハ障害ノ程度ニ依リ定メタル別表第三号表ノ金額トス
②第四十六条ノ二第五項但書ノ規定ニ依リ給スベキ傷病賜金ノ金額ハ第一項ノ規定ニ依ル金額ト其ノ者ノ受ケタル国家公務員災害補償法第十三条若ハ労働基準法第七十七条ノ規定ニ依ル障害補償又ハ之ニ相当スル給付ニシテ同法第八十四条第一項ノ規定ニ該当スルモノノ金額トノ差額トス

第六十五条ノ三　傷病賜金ヲ受ケタル後四年内ニ第四十六条第二項又ハ第三項ノ規定ニ依リ増加恩給ヲ受クルニ至リタルトキハ傷病賜金ノ金額ノ六十四分ノ一ニ相当スル金額ニ傷病賜金ヲ受ケタル月ヨリ起算シ増加恩給ヲ受クルニ至リタル月迄ノ月数ト四十八月トノ差月数ヲ乗ジタル金額ノ傷病賜金ヲ之ヲ負担シタル国庫又ハ都道府県ニ返還セシム
②前項ニ規定スル場合ニ於テハ増加恩給ノ支給ニ際シ其ノ返還額ニ達スル迄支給額ノ三分ノ一ニ相当スル金額ヲ控除シテ返還セシム
③第一項ノ場合ニ於テ都道府県傷病賜金ヲ負担シ国庫増加恩給ヲ負担シタルトキ若ハ国庫傷病賜金ヲ負担シ都道府県増加恩給ヲ負担シタルトキ又ハ一ノ都道府県傷病賜金ヲ負担シ他ノ都道府県増加恩給ヲ負担シタルトキハ前項ノ規定ニ依リ傷病賜金ノ返還ヲ受ケタル国庫又ハ都道府県ハ其ノ返還額ヲ傷病賜金ヲ負担シタル都道府県又ハ国庫ニ還付スベシ

第六十七条　文官在職年三年以上十七年未満ニシテ退職シタルトキハ之ニ一時恩給ヲ給ス
②前項ノ一時恩給ノ金額ハ退職当時ノ俸給月額ニ相当スル金額ニ在職年ノ年数ヲ乗シタル金額トス

第六十八条及第六十九条　削除

†**第六十八条**　准士官以上ノ軍人在職年三年以上十三年未満ニシテ又ハ下士官在職年三年以上十二年未満ニシテ退職シタルトキハ之ニ一時恩給ヲ給ス但シ下士官以上トシテノ在職年一年未満ナルトキハ此ノ限ニ在ラス
②前項ノ一時恩給ノ金額ハ退職当時ノ俸給月額ニ相当スル金額ニ在職年ノ年数ヲ乗シタル金額トス

第七十条　警察監獄職員在職年三年以上十二年未満ニシテ退職シタルトキハ之ニ一時恩給ヲ給ス
②前項ノ一時恩給ノ金額ハ退職当時ノ俸給月額ニ相当スル金額ニ在職年ノ年数ヲ乗シタル金額トス

第三章　遺族

第七十二条　本法ニ於テ遺族トハ公務員ノ祖父母、父母、配偶者、子及兄弟姉妹ニシテ公務員ノ死亡ノ当時之ニ依リ生計ヲ維持シ又ハ之ト生計ヲ共ニシタルモノヲ謂フ
②公務員ノ死亡ノ当時胎児タル子出生シタルトキハ前項ノ規定ノ適用ニ付テハ公務員ノ死亡ノ当時之ニ依リ生計ヲ維持シ又ハ之ト生計ヲ共ニシタルモノト看做ス

第七十三条　公務員左ノ各号ノ一ニ該当スルトキハ其ノ遺族ニハ配偶者、未成年ノ子、父母、成年ノ子、祖父母ノ順位ニ依リ之ニ扶助料ヲ給ス
一　在職中死亡シ其ノ死亡ヲ退職ト看做ストキハ之ニ普通恩給ヲ給スヘキトキ
二　普通恩給ヲ給セラルル者死亡シタルトキ
②父母ニ付テハ養父母ヲ先ニシ実父母ヲ後ニス祖父母ニ付テハ養父母ノ父母ヲ先ニシ実父母ノ父母ヲ後ニシ父母ノ養父母ヲ先ニシ実父母ヲ後ニス
③先順位者タルヘキ者後順位者タル者ヨリ後ニ生スルニ至リタルトキハ前二項ノ規定ハ当該後順位者失権シタル後ニ限リ之ヲ適用ス但シ第七十四条ノ二第一項ニ規定スル者ニ付テハ此ノ限ニ在ラス

第七十三条ノ二　前条第一項及第二項ノ規定ニ依ル同順位ノ遺族二人以上アルトキハ其ノ中一人ヲ総代者トシテ扶助料ノ請求又ハ扶助料支給ノ請求ヲ為スヘシ

第七十四条　成年ノ子ハ公務員ノ死亡ノ当時ヨリ重度障害ノ状態ニ在リ且生活資料ヲ得ルノ途ナキトキニ限リ之ニ扶助料ヲ給ス

第七十四条ノ二　公務員ノ死亡当時之ニ依リ生計ヲ維持シ又ハ之

ト生計ヲ共ニシタル者ニシテ公務員ノ死亡後戸籍ノ届出カ受理セラレ其ノ届出ニ因リ公務員ノ祖父母、父母、配偶者又ハ子ナルコトト為リタルモノニ給スル扶助料ハ当該戸籍届出受理ノ日ヨリ之ヲ給ス

②前項ニ規定スル者ニ給スル一時扶助料ハ公務員ノ死亡ノ時ニ於テ他ニ其ノ一時扶助料ヲ受クヘキ権利ヲ有スル者ナキトキニ限リ之ヲ給ス

③公務員ノ死亡ノ時ニ於テ扶助料ヲ受クヘキ権利ヲ有シタル者カ第一項ニ規定スル者ノ生シタルカ為扶助料ヲ受クルノ権利ヲ有セサリシコトトナル場合ニ於テモ其ノ者ハ同項ニ規定スル戸籍届出ノ受理ノ時迄ノ分ニ付当該扶助料ヲ受クルノ権利ヲ有スルモノト看做ス

④公務員ノ死亡ノ時ニ於テ一時扶助料ヲ受クヘキ権利ヲ有シタル者カ第一項ニ規定スル者ノ生シタルカ為一時扶助料ヲ受クルノ権利ヲ有セサリシコトトナル場合ニ於テモ其ノ者ハ当該一時扶助料ヲ受クルノ権利ヲ有スルモノト看做ス

第七十五条　扶助料ノ年額ハ之ヲ受クル者ノ人員ニ拘ラス左ノ各号ニ依ル

一　第二号及第三号ニ特ニ規定スル場合ノ外ハ公務員ニ給セラルル普通恩給年額ノ十分ノ五ニ相当スル金額

二　公務員公務ニ因ル傷痍疾病ノ為死亡シタルトキハ前号ノ規定ニ依ル金額ニ退職当時ノ俸給年額ニ依リ定メタル別表第四号表ノ率ヲ乗ジタル金額

三　増加恩給ヲ併給セラルル者公務ニ起因スル傷痍疾病ニ因ラズシテ死亡シタルトキハ第一号ノ規定ニ依ル金額ニ退職当時ノ俸給年額ニ依リ定メタル別表第五号表ノ率ヲ乗ジタル金額

②前項第二号及第三号ニ規定スル場合ニ於テ扶助料ヲ受クル者ニ扶養遺族アルトキハ其ノ中二人迄ニ付テハ一人ニ付七万二千円ニ調整改定率ヲ乗ジテ得タル額（其ノ額ニ五十円未満ノ端数ヲ生ジタルトキハ之ヲ切捨テ五十円以上百円未満ノ端数ヲ生ジタルトキハ之ヲ百円トス）其ノ他ノ扶養遺族ニ付テハ一人ニ付三万六千円ニ調整改定率ヲ乗ジテ得タル額（其ノ額ニ五十円未満ノ端数ヲ生ジタルトキハ之ヲ切捨テ五十円以上百円未満ノ端数ヲ生ジタルトキハ之ヲ百円トス）ヲ扶助料ノ年額ニ加給ス

③前項ノ扶養遺族トハ扶助料ヲ受クル者ニ依リ生計ヲ維持シ又ハ之ト生計ヲ共ニスル公務員ノ祖父母、父母、未成年ノ子又ハ重度障害ノ状態ニシテ生活資料ヲ得ルノ途ナキ成年ノ子ニシテ扶助料ヲ受クベキ要件ヲ具フルモノヲ謂フ

第七十六条　公務員ノ死亡後遺族左ノ各号ノ一ニ該当スルトキハ扶助料ヲ受クル資格ヲ失フ

一　子婚姻シタルトキ若ハ遺族以外ノ者ノ養子ト為リタルトキ又ハ子カ公務員ノ養子ナル場合ニ於テ離縁シタルトキ

二　父母又ハ祖父母婚姻ニ因リ其ノ氏ヲ改メタルトキ

第七十七条　扶助料ヲ受クル者三年以下ノ懲役又ハ禁錮ノ刑ニ処セラレタルトキハ其ノ月ノ翌月ヨリ其ノ刑ノ執行ヲ終リ又ハ其ノ執行ヲ受クルコトナキニ至リタル月迄扶助料ヲ停止ス但シ刑ノ全部ノ執行猶予ノ言渡ヲ受ケタルトキハ扶助料ハ之ヲ停止セス刑ノ一部ノ執行猶予ノ言渡ヲ受ケタルトキハ其ノ刑ノ内執行ガ猶予サレザリシ部分ノ期間ノ執行ヲ終リ又ハ執行ヲ受クルコトナキニ至リタル月ノ翌月以降ハ之ヲ停止セズ之等ノ言渡ヲ猶予ノ期間中ニ取消サレタルトキハ取消ノ月ノ翌月ヨリ刑ノ執行ヲ終リ又ハ執行ヲ受クルコトナキニ至リタル月迄之ヲ停止ス

②前項ノ規定ハ禁錮以上ノ刑ニ処セラレ刑ノ執行中又ハ其ノ執行前ニ在ル者ニ扶助料ヲ給スヘキ事由発生シタル場合ニ付之ヲ準用ス

第七十八条　扶助料ヲ給セラルヘキ者一年以上所在不明ナルトキハ同順位者又ハ次順位者ノ申請ニ依リ裁定庁ハ所在不明中扶助料ノ停止ヲ命スルコトヲ得

第七十八条ノ二　夫ニ給スル扶助料ハ其ノ者六十歳ニ満ツル月迄之ヲ停止ス但シ重度障害ノ状態ニシテ生活資料ヲ得ルノ途ナキ者又ハ公務員ノ死亡ノ当時ヨリ重度障害ノ状態ニ在ル者ニ付テハ此等ノ事情ノ継続スル間ハ此ノ限ニ在ラズ

第七十九条　前三条ノ扶助料停止ノ事由アル場合ニ於テハ停止期間中扶助料ハ同順位者アルトキハ当該同順位者ニ、同順位者ナク次順位者アルトキハ当該次順位者ニ之ヲ転給ス

第七十九条ノ二　第七十三条ノ二ノ規定ハ第七十八条ノ扶助料停止ノ申請並前条ノ扶助料転給ノ請求及其ノ支給ノ請求ニ付之ヲ準用ス

第七十九条ノ三　第七十五条第一項第二号又ハ第三号ノ規定ニ依ル扶助料ヲ受クル者国家公務員災害補償法第十五条若ハ労働基準法第七十九条ノ規定ニ依ル遺族補償又ハ之ニ相当スル給付ニシテ同法第八十四条第一項ノ規定ニ該当スルモノヲ受ケタル者ナルトキハ当該補償又ハ給付ヲ受クル事由ノ生ジタル月ノ翌月ヨリ六年間其ノ扶助料ノ年額ト第七十五条第一項第一号ノ規定ニ依ル金額トノ差額ニ同条第二項ノ規定ニ依ル加給年額ヲ加ヘタル金額ヲ停止ス但シ停止年額ハ当該補償又ハ給付ノ金額ノ六分ノ一ニ相当スル金額ヲ超ユルコトナシ

第八十条　遺族左ノ各号ノ一ニ該当シタルトキハ扶助料ヲ受クルノ権利ヲ失フ

一　配偶者婚姻シタルトキ又ハ遺族以外ノ者ノ養子ト為リタルトキ

二　子婚姻シタルトキ若ハ遺族以外ノ者ノ養子ト為リタルトキ又ハ子カ公務員ノ養子ナル場合ニ於テ離縁シタルトキ

三　父母又ハ祖父母婚姻ニ因リ其ノ氏ヲ改メタルトキ

四　成年ノ子第七十四条ニ規定スル事情止ミタルトキ

②届出ヲ為ササルモ事実上婚姻関係ト同様ノ事情ニ入リタリト認メラルル遺族ニ付テハ裁定庁ハ其ノ者ノ扶助料ヲ受クルノ権利ヲ失ハシムルコトヲ得

③裁定庁ハ前項ニ規定スル事情ヲ調査スル為必要アルトキハ他ノ官庁又ハ公署ノ援助ヲ求ムルコトヲ得

第八十一条　公務員第七十三条第一項各号ノ一ニ該当シ兄弟姉妹以外ニ扶助料ヲ受クル者ナキトキハ其ノ兄弟姉妹未成年又ハ重度障害ノ状態ニシテ生活資料ヲ得ルノ途ナキ場合ニ限リ之ニ一時扶助料ヲ給ス

②前項ノ一時扶助料ノ金額ハ兄弟姉妹ノ人員ニ拘ラス扶助料年額ノ一年分乃至五年分ニ相当スル金額トス

③第七十三条ノ二ノ規定ハ前二項ノ一時扶助料ノ請求及其ノ支給ノ請求ニ付之ヲ準用ス

第八十二条　文官在職年三年以上十七年未満、警察監獄職員在職年三年以上十二年未満ニシテ在職中死亡シタル場合ニハ其ノ遺族ニ一時扶助料ヲ給ス

②前項ノ一時扶助料ノ金額ハ之ヲ受クヘキ者ノ人員ニ拘ラス公務員ノ死亡当時ノ俸給月額ニ相当スル金額ニ其ノ公務員ノ在職年ノ年数ヲ乗シタル金額トス

③第五十九条ノ二第四項ノ規定ハ死亡当時ノ俸給月額ニ付之ヲ準

用ス

④第七十三条中遺族ノ順位ニ関スル規定並第七十三条ノ二及第七十四条ノ規定ハ第一項ノ一時扶助料ヲ給スル場合ニ付之ヲ準用ス

第四章　雑則

第八十二条ノ二　昭和二十三年七月一日以後ニ於テハ本法ノ中国家公務員法（昭和二十二年法律第百二十号）又ハ同法ニ基ク法律、政令若ハ人事院規則ノ規定ニ矛盾スル規定ハ其ノ効力ヲ失フ

†第八十二条ノ二　公務員ニシテ本属庁ノ承認ヲ受ケ外国政府又ハ之ニ準スルモノノ官吏其ノ他ノ職員（以下外国政府職員ト称ス）ト為ル為退職シタル後二年以上外国政府職員トシテ在職シタルモノ公務員トシテ再就職シ其ノ後一年以上在職シタル場合ニ於テハ其ノ外国政府職員トシテノ在職年月数ハ之ヲ普通恩給ノ基礎タル在職年ニ通算ス但シ恩給権者ニ於テ反対ノ意思ヲ表示シタルトキハ此ノ限ニ在ラス

②前項ノ規定ハ公務員カ本属庁ノ承認ヲ受ケ外国政府職員ト為ル為退職スル際普通恩給ヲ給スヘキ場合ニ於テハ之ヲ適用セス外国政府職員在職中普通恩給ヲ給スヘキ事由ノ生シタルトキ亦同シ

③第一項ノ場合ニ於テ必要ナル事項ハ勅令ヲ以テ之ヲ定ム

附　則（抄）

第八十三条　本法ハ大正十二年十月一日ヨリ之ヲ施行ス

第八十三条ノ二　第六十六条第二項ニ規定スル恩給改定率ノ改定ノ基準トナル率ガ一ヲ下ル場合ニ於テ同項ノ規定ニ依リ難キモノト認メラルル特段ノ事情ガ生ジタルトキハ恩給改定率ノ改定ノ在リ方ニ付テ検討ヲ行ヒ其ノ結果ニ基キ適切ナル措置ヲ講ズルモノトス

第八十四条　左ノ法令ハ之ヲ廃止ス

一　官吏恩給法
一　官吏遺族扶助法
一　軍人恩給法
一　市町村立小学校教員退隠料及遺族扶助料法
一　府県立師範学校長俸給並公立学校職員退隠料及遺族扶助料法
一　明治二十四年法律第四号
一　明治二十九年法律第十三号
一　明治二十九年法律第七十八号
一　官吏恩給法及官吏遺族扶助法補則
一　明治三十三年法律第七十五号
一　明治三十三年法律第七十六号
一　明治三十三年法律第七十七号
一　巡査看守退隠料及遺族扶助料法
一　明治三十五年法律第二十九号
一　在外指定学校職員退隠料及遺族扶助料法
一　明治四十年法律第四十八号
一　明治四十年法律第四十九号
一　明治四十一年法律第三十五号
一　明治四十三年法律第三十号
一　明治四十四年法律第六十一号
一　明治四十四年法律第六十七号
一　明治四十五年法律第十一号
一　明治四十五年法律第十二号
一　大正七年法律第三十号
一　大正十年法律第三十五号
一　大正十年法律第九十四号
一　大正十一年法律第十八号
一　大正十一年法律第十九号
一　明治二十二年勅令第百三十三号
一　明治二十三年勅令第九十八号
一　明治二十五年勅令第十八号
一　明治二十五年勅令第三十二号
一　明治三十二年勅令第百九十六号
一　明治三十八年勅令第二百二十九号
一　明治四十年勅令第百八十八号
一　明治四十年勅令第百八十九号
一　明治四十一年勅令第七十一号
一　明治四十五年勅令第七十号
一　大正七年勅令第六十二号
一　大正十年勅令第二百六十八号
一　大正十一年勅令第八十七号
一　大正十一年勅令第二百八十四号
一　明治九年第九十九号達陸軍恩給令
一　明治十五年第四十一号達巡査看守給助例
一　明治十六年第三十八号達海軍恩給令
一　明治十七年第一号達官吏恩給令

第八十五条　本法施行前給与事由ノ生シタル恩給、退隠料、遺族扶助料其ノ他之ニ準スヘキモノニ付テハ従前ノ規定ニ依ル

②従前ノ規定ニ依ル恩給、退隠料、遺族扶助料其ノ他之ニ準スヘキモノハ之ヲ本法ニ依リ受ケ又ハ受クヘキ恩給ト看做ス

③前項ノ場合ニ於テ従前ノ規定ニ依ル恩給、退隠料、遺族扶助料其ノ他之ニ準スヘキモノカ本法ニ依リ給与スル恩給ノ何レノ種類ニ属スヘキカハ公務員及其ノ遺族ノ種類並給与ノ事由ニ依リ之ヲ定ム

④従前ノ規定ニ依ル恩給、退隠料、遺族扶助料其ノ他之ニ準スヘキモノニシテ本法ニ依ル恩給ニ該当セサルモノアルトキハ本法ニ依ル恩給中最近キ性質ヲ有スルモノニ依ル

第九十条　本法施行前ノ在職ニ付在職年ヲ計算スル場合ハ従前ノ規定ニ依ル但シ本法施行ノ際現ニ在職スル者ニ付テハ其ノ在職ニ継続スル在職ニ限リ本法施行前ノ在職ト雖加算年ニ関スル規定ヲ除クノ外本法ニ依リ其ノ在職年ヲ計算ス

②前項但書ノ場合ニ於テ従前ノ規定ニ依リ特ニ通算シ得ヘキコトヲ定メラレタル年月数アルトキハ前項但書ノ規定ニ拘ラス之ヲ在職年ニ通算ス

第九十一条　削除

†第九十一条　公務員其ノ職務ヲ以テ台湾、朝鮮、関東州、樺太又ハ南洋群島ニ一定ノ期間引続キ在勤シタルトキハ当分ノ内在勤期間ノ一月ニ付半月以内ヲ加算ス但シ台湾又ハ朝鮮ニ本籍ヲ有スル公務員其ノ本籍ノ存スル地域ニ在勤シタルトキ其ノ在勤期間ニ付テハ此ノ限ニ在ラス

②関東局部内ノ職員ニシテ満洲国新京特別市ニ在勤スルモノハ前項ノ規定ノ適用ニ付テハ関東州ニ在勤スルモノト看做ス

③第一項ノ引続キ在勤スヘキ期間ハ軍人ニ在リテハ一年、警

察監獄職員ニ在リテハ三年、其ノ他ノ公務員ニ在リテハ四年トス

④第四十条ノ規定ハ第一項ノ場合ニ付之ヲ準用ス

第九十二条　削除

†第九十二条　公務員其ノ職務ヲ以テ帝国若ハ満洲国ノ国境警備又ハ理藩ノ為危険地域内ニ勤務シタルトキハ当分ノ内在勤期間ノ一月ニ付二月以内ヲ加算ス

②前項ノ危険地域及期間ハ勅裁ヲ以テ之ヲ定ム

③第四十条ノ規定ハ第一項ノ場合ニ付之ヲ準用ス

第九十三条　海軍警吏補ヨリ海軍巡査ト為リシ者ニシテ本法施行ノ際迄引続キ現ニ南洋庁巡査ノ職ニ在ルモノニ付テハ其ノ海軍警吏補トシテノ在職年月数ハ本法ノ適用ニ関シテハ之ヲ巡査トシテ在職シタルモノト看做ス

第九十四条　朝鮮総督府巡査補ヨリ朝鮮総督府巡査ト為リシ者ニシテ本法施行ノ際迄引続キ在職スルモノニ付テハ其ノ統監府巡査補及朝鮮総督府巡査補トシテノ在職年月数ハ本法ノ適用ニ関シテハ之ヲ巡査トシテ在職シタルモノト看做ス

第九十五条　台湾総督府巡査補ヨリ台湾総督府巡査ト為リシ者ニシテ本法施行ノ際迄引続キ在職スルモノニ付テハ其ノ台湾総督府巡査補トシテノ在職年月数ハ本法ノ適用ニ関シテハ之ヲ巡査トシテ在職シタルモノト看做ス

第百三条　北海道屯田兵ノ現役ニ服シタル年月日数ハ之ヲ公務員ノ在職年ニ通算シ本法施行ノ日ヨリ其ノ者ノ受クル年金タル恩給ヲ改定シ又ハ新ニ之ニ普通恩給ヲ給ス

②前項ノ規定ハ前項ニ規定スル者ノ遺族ノ年金タル扶助料ニ付之ヲ準用ス

③前二項ノ場合ニ於テハ第五条ニ規定スル請求期間ハ本法施行ノ日ヨリ之ヲ起算ス

（別表）

第一号表（第四十八条関係）

マラリア（黒水熱ヲ含ム）
猩紅熱
痘瘡
コレラ
発疹チフス
腸チフス
パラチフス
ペスト
回帰熱
赤痢
流行性脳脊髄膜炎
流行性感冒
肺ヂストマ病
トリパノゾーム病
黄疸出血性スピロヘータ病
カラアザール
黄熱
発疹熱
流行性出血熱
デング熱
フイラリア病
フランベジア
流行性脳炎

第一号表ノ二（第四十九条ノ二関係）

重度障害ノ程度	重度障害ノ状態
特別項症	一　心身障害ノ為自己身辺ノ日常生活活動ガ全ク不能ニシテ常時複雑ナル介護ヲ要スルモノ 二　両眼ノ視力カ明暗ヲ弁別シ得サルモノ 三　両上肢又ハ両下肢ヲ全ク失ヒタルモノ 四　身体諸部ノ障碍ヲ綜合シテ其ノ程度第一項症ニ第一項症乃至第六項症ヲ加ヘタルモノ
第一項症	一　心身障害ノ為自己身辺ノ日常生活活動ガ著シク妨ゲラレ常時介護ヲ要スルモノ 二　咀嚼及言語ノ機能ヲ併セ廃シタルモノ 三　両眼ノ視力カ視標〇・一ヲ〇・五メートル以上ニテハ弁別シ得サルモノ 四　レ線像ニ示サレタル肺結核ノ病型ガ広汎空洞型ニシテ結核菌ヲ大量且継続的ニ排出シ常時高度ノ安静ヲ要スルモノ 五　呼吸困難ノ為換気機能検査モ実施シ得ザルモノ 六　肘関節以上ニテ両上肢ヲ失ヒタルモノ 七　膝関節以上ニテ両下肢ヲ失ヒタルモノ
第二項症	一　咀嚼又ハ言語ノ機能ヲ廃シタルモノ 二　両眼ノ視力カ視標〇・一ヲ一メートル以上ニテハ弁別シ得サルモノ 三　両耳全ク聾シタルモノ 四　大動脈瘤、鎖骨下動脈瘤、総頸動脈瘤、無名動脈瘤又ハ腸骨動脈瘤ヲ発シタルモノ 五　腕関節以上ニテ両上肢ヲ失ヒタルモノ 六　一上肢又ハ一下肢ヲ全ク失ヒタルモノ 七　足関節以上ニテ両下肢ヲ失ヒタルモノ
第三項症	一　心身障害ノ為家庭内ニ於ケル日常生活活動ガ著シク妨ゲラルルモノ 二　両眼ノ視力ガ視標〇・一ヲ一・五メートル以上ニテハ弁別シ得ザルモノ 三　レ線像ニ示サレタル肺結核ノ病型ガ非広汎空洞型ニシテ結核菌ヲ継続的ニ排出シ常時中等度ノ安静ヲ要スルモノ 四　呼吸機能ヲ高度ニ妨グルモノ 五　心臓ノ機能ノ著シキ障害ノ為家庭内ニ於ケル日常生活活動ニ於テ心不全症状又ハ狭心症症状ヲ来スモノ 六　腎臓若ハ肝臓ノ機能又ハ造血機能ヲ著シク妨グルモノ 七　肘関節以上ニテ一上肢ヲ失ヒタルモノ

	八 膝関節以上ニテ一下肢ヲ失ヒタルモノ
第四項症	一 咀嚼又ハ言語ノ機能ヲ著シク妨クルモノ 二 両眼ノ視力カ視標〇・一ヲ二メートル以上ニテハ弁別シ得サルモノ 三 両耳ノ聴力カ〇・〇五メートル以上ニテハ大声ヲ解シ得サルモノ 四 両睾丸ヲ全ク失ヒタルモノニシテ脱落症状ノ著シカラサルモノ 五 腕関節以上ニテ一上肢ヲ失ヒタルモノ 六 足関節以上ニテ一下肢ヲ失ヒタルモノ
第五項症	一 心身障害ノ為社会ニ於ケル日常生活活動ガ著シク妨ゲラルルモノ 二 頭部、顔面等ニ大ナル醜形ヲ残シタルモノ 三 一眼ノ視力カ視標〇・一ヲ〇・五メートル以上ニテハ弁別シ得サルモノ 四 レ線像ニ示サレタル肺結核ノ病型ガ不安定非空洞型ニシテ病巣ガ活動性ヲ有シ常時軽度ノ安静ヲ要スルモノ 五 呼吸機能ヲ中等度ニ妨グルモノ 六 心臓ノ機能ノ中等度ノ障害ノ為社会生活活動ニ於テ心不全症状又ハ狭心症症状ヲ来スモノ 七 腎臓若ハ肝臓ノ機能又ハ造血機能ヲ中等度ニ妨グルモノ 八 一側総指ヲ全ク失ヒタルモノ
第六項症	一 頸部又ハ軀幹ノ運動ニ著シク妨クルモノ 二 一眼ノ視力カ視標〇・一ヲ一メートル以上ニテハ弁別シ得サルモノ 三 脾臓ヲ失ヒタルモノ 四 一側拇指及示指ヲ全ク失ヒタルモノ 五 一側総指ノ機能ヲ廃シタルモノ

右ニ掲グル各症ニ該当セザル傷痍疾病ノ症項ハ右ニ掲グル各症ニ準ジ之ヲ査定ス
レ線像ニ示サレタル肺結核ノ病型ハ「日本結核病学会病型分類」ニ依ル
視力ヲ測定スル場合ニ於テハ屈折異常ノモノニ付テハ矯正視力ニ依リ視標ハ万国共通視力標ニ依ル

第一号表ノ三（第四十九条ノ三関係）

障害ノ程度	障害ノ状態
第一款症	一 一眼ノ視力ガ視標〇・一ヲ二メートル以上ニテハ弁別シ得ザルモノ 二 一耳全ク聾シ他耳尋常ノ話声ヲ一・五メートル以上ニテハ解シ得ザルモノ 三 一側腎臓ヲ失ヒタルモノ 四 一側拇指ヲ全ク失ヒタルモノ 五 一側示指乃至小指ノ全ク失ヒタルモノ 六 一側足関節ガ直角位ニ於テ強剛シタルモノ 七 一側総趾ヲ全ク失ヒタルモノ
第二款症	一 一眼ノ視力カ視標〇・一ヲ二・五メートル以上ニテハ弁別シ得サルモノ 二 一耳全ク聾シタルモノ 三 一側拇指ノ機能ヲ廃シタルモノ 四 一側示指乃至小指ノ機能ヲ廃シタルモノ 五 一側総趾ノ機能ヲ廃シタルモノ
第三款症	一 心身障害ノ為社会ニ於ケル日常生活活動ガ中等度ニ妨ゲラルルモノ 二 一眼ノ視力カ視標〇・一ヲ三・五メートル以上ニテハ弁別シ得サルモノ 三 一耳ノ聴力カ〇・〇五メートル以上ニテハ大声ヲ解シ得サルモノ 四 レ線像ニ示サレタル肺結核ノ病型ガ安定非空洞型ナルモ再悪化ノ虞アル為経過観察ヲ要スルモノ 五 呼吸機能ヲ軽度ニ妨グルモノ 六 一側睾丸ヲ全ク失ヒタルモノ 七 一側示指ヲ全ク失ヒタルモノ 八 一側第一趾ヲ全ク失ヒタルモノ
第四款症	一 一側示指ノ機能ヲ廃シタルモノ 二 一側中指ヲ全ク失ヒタルモノ 三 一側第一趾ノ機能ヲ廃シタルモノ 四 一側第二趾ヲ全ク失ヒタルモノ
第五款症	一 一眼ノ視力カ〇・一ニ満タサルモノ 二 一耳ノ聴力カ尋常ノ話声ヲ〇・五メートル以上ニテハ解シ得サルモノ 三 一側中指ノ機能ヲ廃シタルモノ 四 一側環指ヲ全ク失ヒタルモノ 五 一側第二趾ノ機能ヲ廃シタルモノ 六 一側第三趾乃至第五趾ノ中二趾ヲ全ク失ヒタルモノ

右ニ掲グル各症ニ該当セザル傷痍疾病ノ程度ハ右ニ掲グル各症ニ準ジ之ヲ査定ス
レ線像ニ示サレタル肺結核ノ病型ハ「日本結核病学会病型分類」ニ依ル
視力ヲ測定スル場合ニ於テハ屈折異常ノモノニ付テハ矯正視力ニ依リ視標ハ万国共通視力標ニ依ル

第二号表（第六十五条関係）

重度障害ノ程度	金額

特別項症	第一項症ノ額ニ其ノ十分ノ七以内ノ額ヲ加ヘタル額
第一項症	五、七三三、〇〇〇円ニ調整改定率ヲ乗ジテ得タル額
第二項症	四、七六九、〇〇〇円ニ調整改定率ヲ乗ジテ得タル額
第三項症	三、九二七、〇〇〇円ニ調整改定率ヲ乗ジテ得タル額
第四項症	三、一〇八、〇〇〇円ニ調整改定率ヲ乗ジテ得タル額
第五項症	二、五一四、〇〇〇円ニ調整改定率ヲ乗ジテ得タル額
第六項症	二、〇三三、〇〇〇円ニ調整改定率ヲ乗ジテ得タル額

此ノ表ノ下欄ニ掲グル額ニ五十円未満ノ端数ヲ生ジタルトキハ之ヲ切捨テ五十円以上百円未満ノ端数ヲ生ジタルトキハ之ヲ百円トス

第三号表（第六十五条ノ二関係）

障害ノ程度	金額
第一款症	六、〇八八、〇〇〇円ニ調整改定率ヲ乗ジテ得タル額
第二款症	五、〇五〇、〇〇〇円ニ調整改定率ヲ乗ジテ得タル額
第三款症	四、三三二、〇〇〇円ニ調整改定率ヲ乗ジテ得タル額
第四款症	三、五五九、〇〇〇円ニ調整改定率ヲ乗ジテ得タル額
第五款症	二、八五五、〇〇〇円ニ調整改定率ヲ乗ジテ得タル額

此ノ表ノ下欄ニ掲グル額ニ五十円未満ノ端数ヲ生ジタルトキハ之ヲ切捨テ五十円以上百円未満ノ端数ヲ生ジタルトキハ之ヲ百円トス

第四号表（第七十五条関係）

退職当時ノ俸給年額	率
五、三七四、二〇〇円ニ調整改定率ヲ乗ジテ得タル額以上ノモノ	二三・〇割
四、九六四、六〇〇円ニ調整改定率ヲ乗ジテ得タル額ヲ超エ五、三七四、二〇〇円ニ調整改定率ヲ乗ジテ得タル額未満ノモノ	二三・八割
四、七五八、〇〇〇円ニ調整改定率ヲ乗ジテ得タル額ヲ超エ四、九六四、六〇〇円ニ調整改定率ヲ乗ジテ得タル額以下ノモノ	二四・五割
四、五九四、二〇〇円ニ調整改定率ヲ乗ジテ得タル額ヲ超エ四、七五八、〇〇〇円ニ調整改定率ヲ乗ジテ得タル額以下ノモノ	二四・八割
三、二四一、四〇〇円ニ調整改定率ヲ乗ジテ得タル額ヲ超エ四、五九四、二〇〇円ニ調整改定率ヲ乗ジテ得タル額以下ノモノ	二五・〇割
三、〇九〇、九〇〇円ニ調整改定率ヲ乗ジテ得タル額ヲ超エ三、二四一、四〇〇円ニ調整改定率ヲ乗ジテ得タル額以下ノモノ	二五・五割
二、七八七、三〇〇円ニ調整改定率ヲ乗ジテ得タル額ヲ超エ三、〇九〇、九〇〇円ニ調整改定率ヲ乗ジテ得タル額以下ノモノ	二六・一割
二、二七七、八〇〇円ニ調整改定率ヲ乗ジテ得タル額ヲ超エ二、七八七、三〇〇円ニ調整改定率ヲ乗ジテ得タル額以下ノモノ	二六・九割
二、一九一、二〇〇円ニ調整改定率ヲ乗ジテ得タル額ヲ超エ二、二七七、八〇〇円ニ調整改定率ヲ乗ジテ得タル額以下ノモノ	二七・四割
二、〇四八、七〇〇円ニ調整改定率ヲ乗ジテ得タル額ヲ超エ二、一九一、二〇〇円ニ調整改定率ヲ乗ジテ得タル額以下ノモノ	二七・八割
一、九九二、〇〇〇円ニ調整改定率ヲ乗ジテ得タル額ヲ超エ二、〇四八、七〇〇円ニ調整改定率ヲ乗ジテ得タル額以下ノモノ	二九・〇割
一、九三三、九〇〇円ニ調整改定率ヲ乗ジテ得タル額ヲ超エ一、九九二、〇〇〇円ニ調整改定率ヲ乗ジテ得タル額以下ノモノ	二九・三割
一、七〇三、一〇〇円ニ調整改定率ヲ乗ジテ得タル額ヲ超エ一、九三三、九〇〇円ニ調整改定率ヲ乗ジテ得タル額以下ノモノ	二九・八割
一、五一〇、八〇〇円ニ調整改定率ヲ乗ジテ得タル額ヲ超エ一、七〇三、一〇〇円ニ調整改定率ヲ乗ジテ得タル額以下ノモノ	三〇・二割
一、四五七、六〇〇円ニ調整改定率ヲ乗ジテ得タル額ヲ超エ一、五一〇、八〇〇円ニ調整改定率ヲ乗ジテ得タル額以下ノモノ	三〇・九割

一、四二〇、三〇〇円ニ調整改定率ヲ乗ジテ得タル額ヲ超エ一、四五七、六〇〇円ニ調整改定率ヲ乗ジテ得タル額以下ノモノ	三一・九割
一、三八七、四〇〇円ニ調整改定率ヲ乗ジテ得タル額ヲ超エ一、四二〇、三〇〇円ニ調整改定率ヲ乗ジテ得タル額以下ノモノ	三二・七割
一、三五四、六〇〇円ニ調整改定率ヲ乗ジテ得タル額ヲ超エ一、三八七、四〇〇円ニ調整改定率ヲ乗ジテ得タル額以下ノモノ	三三・〇割
一、三〇一、七〇〇円ニ調整改定率ヲ乗ジテ得タル額ヲ超エ一、三五四、六〇〇円ニ調整改定率ヲ乗ジテ得タル額以下ノモノ	三三・四割
一、三〇一、七〇〇円ニ調整改定率ヲ乗ジテ得タル額ノモノ	三四・五割

此ノ表ノ上欄ニ掲グル額ニ五十円未満ノ端数ヲ生ジタルトキハ之ヲ切捨テ五十円以上百円未満ノ端数ヲ生ジタルトキハ之ヲ百円トス

此ノ表ノ下欄ニ掲グル率ニ依リ計算シタル年額ガ一、八一四、〇〇〇円ニ調整改定率ヲ乗ジテ得タル額（其ノ額ニ五十円未満ノ端数ヲ生ジタルトキハ之ヲ切捨テ五十円以上百円未満ノ端数ヲ生ジタルトキハ之ヲ百円トス）未満ト為ルトキニ於ケル第七十五条第一項第二号ニ規定スル扶助料ノ年額ハ当該額トス

第五号表（第七十五条関係）

退職当時ノ俸給年額	率
五、三七四、二〇〇円ニ調整改定率ヲ乗ジテ得タル額以上ノモノ	一七・三割
四、九六四、六〇〇円ニ調整改定率ヲ乗ジテ得タル額ヲ超エ五、三七四、二〇〇円ニ調整改定率ヲ乗ジテ得タル額未満ノモノ	一七・八割
四、七五八、〇〇〇円ニ調整改定率ヲ乗ジテ得タル額ヲ超エ四、九六四、六〇〇円ニ調整改定率ヲ乗ジテ得タル額以下ノモノ	一八・〇割
四、五九四、二〇〇円ニ調整改定率ヲ乗ジテ得タル額ヲ超エ四、七五八、〇〇〇円ニ調整改定率ヲ乗ジテ得タル額以下ノモノ	一八・二割
三、二四一、四〇〇円ニ調整改定率ヲ乗ジテ得タル額ヲ超エ四、五九四、二〇〇円ニ調整改定率ヲ乗ジテ得タル額以下ノモノ	一八・八割
二、七八七、三〇〇円ニ調整改定率ヲ乗ジテ得タル額ヲ超エ三、二四一、四〇〇円ニ調整改定率ヲ乗ジテ得タル額以下ノモノ	一九・五割
二、六四六、八〇〇円ニ調整改定率ヲ乗ジテ得タル額ヲ超エ二、七八七、三〇〇円ニ調整改定率ヲ乗ジテ得タル額以下ノモノ	二〇・二割
二、一九一、二〇〇円ニ調整改定率ヲ乗ジテ得タル額ヲ超エ二、六四六、八〇〇円ニ調整改定率ヲ乗ジテ得タル額以下ノモノ	二〇・四割
二、〇四八、七〇〇円ニ調整改定率ヲ乗ジテ得タル額ヲ超エ二、一九一、二〇〇円ニ調整改定率ヲ乗ジテ得タル額以下ノモノ	二〇・九割
一、九三三、九〇〇円ニ調整改定率ヲ乗ジテ得タル額ヲ超エ二、〇四八、七〇〇円ニ調整改定率ヲ乗ジテ得タル額以下ノモノ	二一・〇割
一、八一七、二〇〇円ニ調整改定率ヲ乗ジテ得タル額ヲ超エ一、九三三、九〇〇円ニ調整改定率ヲ乗ジテ得タル額以下ノモノ	二一・四割
一、七〇三、一〇〇円ニ調整改定率ヲ乗ジテ得タル額ヲ超エ一、八一七、二〇〇円ニ調整改定率ヲ乗ジテ得タル額以下ノモノ	二一・七割
一、六五一、〇〇〇円ニ調整改定率ヲ乗ジテ得タル額ヲ超エ一、七〇三、一〇〇円ニ調整改定率ヲ乗ジテ得タル額以下ノモノ	二三・〇割
一、五五六、六〇〇円ニ調整改定率ヲ乗ジテ得タル額ヲ超エ一、六五一、〇〇〇円ニ調整改定率ヲ乗ジテ得タル額以下ノモノ	二三・七割
一、三八七、四〇〇円ニ調整改定率ヲ乗ジテ得タル額ヲ超エ一、五五六、六〇〇円ニ調整改定率ヲ乗ジテ得タル額以下ノモノ	二三・九割
一、三五四、六〇〇円ニ調整改定率ヲ乗ジテ得タル額ヲ超エ一、三八七、四〇〇円ニ調整改定率ヲ乗ジテ得タル額以下ノモノ	二四・三割
一、三〇一、七〇〇円ニ調整改定率ヲ乗ジテ得タル額ヲ超エ一、三五四、六〇〇円ニ調整改定率ヲ乗ジテ得タル額以下ノモノ	二四・九割
一、三〇一、七〇〇円ニ調整改定率ヲ乗ジテ得タル額ノモノ	二五・八割

此ノ表ノ上欄ニ掲グル額ニ五十円未満ノ端数ヲ生ジタルトキハ之ヲ切捨テ五十円以上百円未満ノ端数ヲ生ジタルトキハ之ヲ百円トス

此ノ表ノ下欄ニ掲グル率ニ依リ計算シタル年額ガ一、四二〇、七〇〇円ニ調整改定率ヲ乗ジテ得タル額（其ノ額ニ五十円未満ノ端数ヲ生ジタルトキハ之ヲ切捨テ五十円以上百円未満ノ端数ヲ生ジタルトキハ之ヲ百円トス）未満ト為ルトキニ於ケル第七十五条第一項第三号ニ規定スル扶助料ノ年額ハ当該額トス

附　則（昭八・四・一〇法五〇）（抄）

第一条　本法ハ昭和八年十月一日ヨリ之ヲ施行ス但シ第四十六条ノ二、第五十八条第一項第四号及第五十九条ノ改正規定ハ昭和九年四月一日ヨリ之ヲ施行ス

第五条　本法施行前ノ在職ニ付在職年ヲ計算スル場合ニ於テハ加算年又ハ休職等ノ減算ニ関スル改正規定ニ拘ラズ仍従前ノ規定ニ依ル

第六条　第四十条ノ二ノ改正規定ハ本法施行ノ際現ニ進行中ニ属スル休職、待命、帰休、停職其ノ他同条ニ規定スル在職期間ニ付テハ其ノ期間ノ終了ニ至ル迄本法施行後ト雖モ同条ノ規定ヲ適用セズ

附　則（昭一三・四・一法五六）（抄）

第一条　本法施行ノ期日ハ各条ニ付勅令ヲ以テ之ヲ定ム

（昭和一三年勅令第三八一号ヲ以テ昭和一三年六月一日ヨリ施行）

②第十一条第二項ノ規定ハ恩給金庫設立後三年間之ヲ適用セズ

第七条　北海道庁森林監守ヨリ引続キ同庁森林主事ト為リ恩給法施行後退職シタル者ニハ其ノ在職年ニ森林監守ノ勤続年月数ヲ通算シ昭和十三年四月一日ヨリ其ノ者ノ受クル年金タル恩給ヲ改定シ又ハ新ニ之ニ普通恩給ヲ給ス

②前項ノ規定ハ前項ニ規定スル者ノ遺族ノ年金タル扶助料ニ付之ヲ準用ス

③前二項ノ場合ニ於テハ恩給法第五条ニ規定スル請求期間ハ昭和十三年四月一日ヨリ之ヲ起算ス

附　則（昭一六・三・一法一二）（抄）

①本法ハ昭和十六年四月一日ヨリ之ヲ施行ス

②恩給法第六十二条第三項ノ改正規定ノ適用ニ付テハ小学校又ハ小学校ニ類スル各種学校ノ教育職員トシテノ勤続在職年ハ夫々之ヲ国民学校又ハ国民学校ニ類スル各種学校ノ教育職員トシテノ勤続在職年ト看做ス

附　則（昭一八・三・二〇法七八）（抄）

第一条　本法施行ノ期日ハ各規定ニ付勅令ヲ以テ之ヲ定ム但シ恩給法第二十三条、第二十五条及第二十六条ノ改正規定ハ勅令ヲ以テ定ムル日ヨリ、同法第二十八条ノ二ノ改正規定ハ昭和十七年十二月一日ヨリ之ヲ適用ス

第六条　公務員ニシテ恩給法第八十二条ノ二ノ改正規定施行前外国政府職員ト為ル為退職シタル後二年以上外国政府職員タリシモノ公務員トシテ再就職シ一年以上在職シテ同改正規定施行後退職スル場合ニ於テハ同法第八十二条ノ二ノ改正規定ニ準ジ外国政府職員トシテノ在職年月数ヲ通算ス

②恩給法第八十二条ノ三ノ改正規定ハ前項ノ場合ニ付之ヲ準用ス但シ昭和八年九月三十日以前ニ給与事由ノ生ジタル一時恩給ニ付テハ此ノ限ニ在ラズ

第八条　従前ノ規定ニ依ル道府県立師範学校長ニ付テハ仍従前ノ例ニ依ル

②恩給法第二十二条ノ改正規定施行ノ際道府県立師範学校職員ヨリ官立師範学校職員ニ転任シ同条ノ改正規定施行後之ヲ退職スル者ニ普通恩給ヲ給スル場合ニ於テ其ノ在職年中ニ同条ノ改正規定施行前ノ同法第六十二条第三項又ハ第四項ニ掲グル学校ノ教育職員トシテノ勤続在職年十七年以上ノモノヲ含ムトキハ当該勤続在職年中十七年ヲ控除シタル残ノ勤続在職年一年ニ付同条ノ規定ニ依リ加給ス

附　則（昭二一・九・三〇法三一）（抄）

第一条　この法律施行の期日は、勅令で、これを定める。但し、第十六条、第二十条、第二十二条乃至第二十七条、第四十二条、第四十九条、第五十一条第二項、第五十五条、第六十五条、第六十五条ノ二及び第七十五条並びに別表第二号表、第三号表及び第五号表乃至第八号表の改正規定は、昭和二十一年四月一日から、これを適用する。

第六条　第四十二条第一項第三号の改正規定の適用については、二級官試補には、高等文官の試補を、三級官見習には、判任官見習を含むものとする。

附　則（昭二二・四・二五法七七）（抄）

最終改正　昭三一・六・三〇法一六三

第一条　この法律は、日本国憲法施行の日から、これを施行する。但し、第二十三条第四号及び第四十二条第二項後段の改正規定は、昭和二十二年一月一日から、これを適用する。

第十条　この法律施行の際、現に公務員たる者が、引き続いて都道府県たる普通地方公共団体又は特別区たる特別地方公共団体の職員となつた場合（その公務員が引き続いて公務員又は公務員とみなされる者として在職し、更に引き続いて都道府県たる普通地方公共団体又は特別区たる特別地方公共団体の職員となつた場合を含む。）には、これを文官として勤続するものとみなし、当分の間、これに恩給法の規定を準用する。

②前項の都道府県たる普通地方公共団体又は特別区たる特別地方公共団体の職員とは、これらの地方公共団体の職員で左の各号に掲げるものをいう。

一　知事若しくは区長、副知事若しくは助役、出納長若しくは収入役又は副出納長若しくは副収入役

二　地方自治法（昭和二十二年法律第六十七号）第百七十二条に規定する吏員又は同法第二百八十三条の規定により同法第百七十二条の規定が適用される吏員（これらの吏員のうち公立図書館又は都道府県立の教護院の職員である者を除く。）

三　議会の事務局長若しくは書記長又は書記

四　選挙管理委員会の書記

五　監査委員の事務を補助する書記

六　地方教育行政の組織及び運営に関する法律（昭和三十一年法律第百六十二号）による教育委員会の教育長又は同法第十九条に規定する職員

七　地方公務員法（昭和二十五年法律第二百六十一号）第十二条第一項及び第五項に規定する事務職員

③第一項の規定により恩給法第十二条、第十六条、第十八条又は第五十九条の規定を準用する場合においては、国庫から俸給を受ける公務員、国庫から俸給を受ける公務員とみなされる者又は同法第十二条第二号に掲げる公立学校以外の公立学校若しくは公立図書館の職員が前項各号に掲げる職員となつたときは、その職員は、これを国庫から俸給を受ける者とみなし、都道府県から俸給を受ける公務員、都道府県から俸給を受ける公務員とみなされる者又は同法第十二条第二号に掲げる公立学校の職員が前項各号に掲げる職員となつたときは、その職員は、現にこれに俸給を給する都道府県から俸給を受ける者とみなす。

附　則（昭二二・一二・二六法一五〇）（抄）

第一条　この法律は、公布の日から、これを施行する。〔但し書略〕

第三条　第六十二条第三項又は第四項の改正規定の適用については、同条第三項の改正規定による勤続在職年には、従前の同項の規定による勤続在職年を、同条第四項の改正規定による勤続在職年には、従前の同項の規定による勤続在職年を含むものとする。

第四条　昭和二十二年五月二日において現に公務員たる者が、引き続いて国会職員になつた場合には、これを勤続とみなす。

第五条　従前の親任官については、別表第二号表又は第五号表乃至第八号表の改正規定にかかわらず、なお従前の例による。

附　則（昭二三・七・二二法一八五）（抄）

最終改正　昭二六・三・三一法八七

第一条　この法律は、公布の日から、これを施行する。〔但し書略〕

第十条　昭和二十三年四月二日現に都道府県の保健衛生に関する事務に従事する職員で恩給法の一部を改正する法律（昭和二十二年法律第七十七号）附則第十条の規定の適用を受ける者が引続いて市立保健所の職員となつた場合（その都道府県の保健衛生に関する事務に従事する職員が引き続いて都道府県の保健衛生に関する事務に従事する職員又は市立保健所の職員として在職し、更に引き続いて市立保健所の職員となつた場合を含む。）には、これを文官として勤続するものとみなし、当分の間、これに恩給法の規定を準用する。

②　警察法（昭和二十二年法律第百九十六号）附則第七条第四項の規定のうち同法同条第二項第四号に掲げる職員に関する部分及び同条第五項の規定は、前項の規定を適用する場合に準用する。

附　則（昭二五・五・一六法一八四）（抄）

（施行期日）

1　この法律は、公布の日から施行する。〔但し書略〕

（特定郵便局長の旧在職年の通算）

8　昭和二十二年十二月三十一日現在において恩給法第二十条第二項に規定する準文官としての特定郵便局長であつた者が引き続いて同条第一項に規定する文官としての特定郵便局長となつた場合においては、その文官としての就職に接続する当該準文官としての勤続年月数の二分の一に相当する年月数を同法第十九条第一項に規定する公務員としての在職年数に通算する。

（公立図書館の職員に対する恩給法の準用）

9　昭和二十二年五月二日現在において恩給法第十九条第一項に規定する公務員であつた者が引き続いて公立図書館の館長、司書又は司書補若しくは書記となつた場合（その公務員が引き続いて同法第十九条第一項に規定する公務員又は公務員とみなされる者として在職し、更に引き続いて公立図書館の館長、司書又は司書補若しくは書記となつた場合を含む。）においては、同法第二十二条第一項に規定する教育職員として勤続するものとみなし、当分の間、これに同法の規定を準用する。

（都道府県の職員に対する恩給法の準用の特例）

10　昭和二十三年八月三十一日現在において建設省建築出張所に勤務する官吏であつた者が引き続いて都道府県たる普通地方公共団体の職員となつた場合においては、恩給法の一部を改正する法律（昭和二十二年法律第七十七号）附則第十条の規定の適用がある場合を除き、同条の規定を準用する。

（都道府県立の教護院の職員に対する恩給法の準用）

11　昭和二十五年三月三十一日現在において都道府県立の教護院に勤務する恩給法第十九条第一項に規定する公務員であつた者が引き続いて都道府県立の教護院の院長、教護、医師、教母又は書記となつた場合（その公務員が引き続いて同法第十九条第一項に規定する公務員又は公務員とみなされる者として在職し、更に引き続いて都道府県立の教護院の院長、教護、医師、教母又は書記となつた場合を含む。）においては、同法第二十四条に規定する待遇職員であつて都道府県から俸給を受ける者として勤続するものとみなし、当分の間、これに同法の規定を準用する。

附　則（昭二六・三・三一法八七）（抄）

最終改正　平一一・一二・二二法一六〇

（施行期日）

1　この法律は、昭和二十六年四月一日から施行する。但し、恩給法第五十八条ノ四の改正規定は、昭和二十六年七月分の恩給から適用する。

（経過的措置）

6　改正前の恩給法第二十二条第一項に規定する教育職員及び改正前の同法第二十四条に規定する待遇職員並びに改正前の同法第二十条第二項に規定する準文官及び改正前の同法第二十二条第二項に規定する準教育職員としての在職については、なお、従前の例による。

8　昭和二十三年六月三十日以前に給与事由の生じた普通恩給については、恩給法第五十八条ノ三第三項及び第四項の改正規定は、適用しない。

附　則（昭二八・八・一法一五五）（抄）

最終改正　平二六・四・一八法二二

（施行期日）

第一条　この法律は、昭和二十八年八月一日から施行する。但し、附則第二十二条の規定は、昭和二十九年四月一日から施行し、恩給法第五十八条ノ四の改正規定は昭和二十八年七月分の恩給から、附則第三十七条の規定は昭和二十七年六月十日から、附則第四十条の規定は昭和二十八年四月一日から適用する。

（法令の廃止）

第二条　左に掲げる法令は、廃止する。

一　恩給法の特例に関する件（昭和二十一年勅令第六十八号）

二　恩給法の特例に関する件の措置に関する法律（昭和二十七年法律第二百五号）

（この法律施行前に給与事由の生じた恩給の取扱）

第三条　この法律施行前に給与事由の生じた恩給については、この法律の附則に定める場合を除く外、なお、従前の例による。

（現に在職する者の在職年に附すべき加算年の取扱）

第四条　この法律施行の際現に在職する者のこの法律施行後八月を経過する日の属する月までの在職年の計算については、この法律の附則に定める場合を除く外、恩給法第三十八条から第四十条までの改正規定にかかわらず、なお、従前の例による。

2　改正前の恩給法第三十八条ノ四に規定する勤務に係る者に対する前項の規定の適用については、同項中「八月」とあるのは「三年八月」と読み替えるものとする。

（勤続在職年についての加給に関する改正規定の適用）

第七条　この法律施行の際現に在職する公務員でこの法律施行後退職するものに普通恩給を給する場合において、その在職年のうちに、この法律施行後八月を経過する日の属する月までの実勤続在職年で改正前の恩給法第六十条第三項（改正前の同法第六十三条第五項において準用する場合を含む。以下本項において同じ。）の規定に該当するものを含むときは、当該実勤続在職年の年数から十七年を控除した残りの実勤続在職年について、同項の規定による割合をもつて加給するものとする。

2　この法律施行の際現に在職する警察監獄職員でこの法律施行後退職するものに普通恩給を給する場合において、その在職年のうちに、この法律施行後八月を経過する日の属する月までの勤続在職年で改正前の恩給法第六十三条第三項の規定に該当するものを含むときは、当該勤続在職年の年数から普通恩給についての所要最短在職年の年数を控除した残りの勤続在職年について、同項の規定による割合をもつて加給するものとする。

（旧軍人若しくは旧準軍人又はこれらの者の遺族の恩給を受ける権利又は資格の取得）

第十条　恩給法の一部を改正する法律（昭和二十一年法律第三十一号。以下「法律第三十一号」という。）による改正前の恩給法第二十一条に規定する軍人（以下「旧軍人」という。）若しくは準軍人（以下「旧準軍人」という。）又はこれらの者の遺族のうち、左の各号に掲げる者は、この法律施行の時から、それぞれ当該各号に掲げる恩給を受ける権利又は資格を取得するものとする。

一　左に掲げる者の一に該当する旧軍人又は旧準軍人で、失格原因がなくて退職し、且つ、退職後恩給法に規定する普通恩給を受ける権利を失うべき事由に該当しなかつたものについては、旧軍人又は旧準軍人の普通恩給を受ける権利

イ　旧軍人又は旧準軍人としての在職年（附則第二十四条の規定により恩給の基礎在職年に算入されない実在職年及び加算年を除く。以下本号において同じ。）が旧軍人又は旧準軍人の普通恩給についての最短恩給年限に達する者

ロ　旧軍人又は旧準軍人としての在職年に旧軍人以外の公務員としての在職年（附則第二十四条の規定により恩給の基礎在職年に算入されない実在職年及び加算年を除く。）を通算するときは旧軍人又は旧準軍人の普通恩給についての最短恩給年限に達する者

ハ　本号イ及びロに掲げる者以外の者で、この法律施行の際現に増加恩給を受けるもの

二　左に掲げる者の一に該当する旧軍人又は旧準軍人の遺族で、当該旧軍人又は旧準軍人の死亡後恩給法に規定する扶助料を受ける権利又は資格を失うべき事由（旧軍人又は旧準軍人の父母及び祖父母については、昭和二十三年一月一日以後の婚姻（氏を改めなかつた場合に限る。）を除く。以下附則第二十九条までにおいて同じ。）に該当しなかつたもの（旧軍人又は旧準軍人の子については、この法律施行の際未成年である者又は重度障害の状態にあつて生活資料を得るみちのない者に限る。）については、旧軍人又は旧準軍人の遺族の扶助料を受ける権利又は資格

イ　旧勅令第六十八号施行前に扶助料を受ける権利の裁定を受けた者及びその後順位者たる遺族

ロ　本号イに掲げる者以外の者で、この法律施行前に公務に起因する傷病のため死亡した旧軍人又は旧準軍人の遺族であるもの

ハ　この法律施行前に公務に起因する傷病に因らないで死亡した旧軍人又は旧準軍人で、この法律施行の日まで生存していたならば前号に掲げる者に該当すべきであつたものの遺族（本号イに掲げる者を除く。）

三　下士官以上の旧軍人で、旧軍人若しくは旧準軍人としての引き続く実在職年（旧勅令第六十八号施行前に恩給を受ける権利の裁定を受けた者の当該恩給の基礎在職年に算入されていた実在職年を除く。）又は、旧勅令第六十八号第一条に規定する軍人軍属のうち旧軍人及び旧準軍人以外の者（以下「旧軍属」という。）から旧軍人に転じた者並びに旧軍属から引き続いて旧軍人になつた者で旧軍属から旧軍人になつた場合が恩給法第五十二条第一項の規定に該当するものにあつては、その旧軍属及び旧軍人としての引き続く実在職年（旧勅令第六十八号施行前に恩給を受ける権利の裁定を受けた者の当該恩給の基礎在職年に算入されていた実在職年を除く。）が、七年以上であり、且つ、旧軍人の普通恩給についての最短恩給年限に達しないもの（以下本条において「実在職年七年以上の旧軍人」という。）のうち、失格原因がなくて退職し、且つ、退職後恩給法に規定する普通恩給を受ける権利を失うべき事由に該当しなかつた者については、旧軍人の一時恩給を受ける権利

四　在職中公務に起因する傷病に因らないで死亡した実在職年七年以上の旧軍人の遺族（第二号ハに掲げる者を除く。）で、当該旧軍人の死亡後恩給法に規定する扶助料を受ける権利又は資格を失うべき事由に該当しなかつたもの（実在職年七年以上の旧軍人の子については、この法律施行の際未成年である者又は重度障害の状態にあつて生活資料を得るみちのない者に限る。）については、旧軍人の遺族の一時扶助料を受ける権利

2　退職後この法律施行前に公務に起因する傷病に因らないで死亡した実在職年七年以上の旧軍人の遺族については、当該旧軍人がその退職の日において死亡したものとみなして前項（第一号から第三号までを除く。）の規定を適用する。

第十条の二　下士官以上の旧軍人（下士官以上としての在職年が六月未満の者に限る。）で、旧軍人若しくは旧準軍人としての引き続く実在職年（旧勅令第六十八号施行前に恩給を受ける権利の裁定を受けた者の当該恩給の基礎在職年に算入されていた実在職年を除く。）又は、旧軍属から旧軍人に転じた者及び旧軍属から引き続いて旧軍人になつた者で旧軍属から旧軍人になつた場合が恩給法第五十二条第一項の規定に該当するものにあつては、その旧軍属及び旧軍人としての引き続く実在職年（旧勅令第六十八号施行前に恩給を受ける権利の裁定を受けた者の当該恩給の基礎在職年に算入されていた実在職年を除く。）が、三年以上七年未満であるもの（以下この条において「実在職年三年以上七年未満の旧軍人」という。）のうち、失格原因がなくて退職し、かつ、退職後恩給法に規定する普通恩給を受ける権利を失うべき事由に該当しなかつた者に対しては、一時恩給を給するものとする。

2　在職中公務に起因する傷病によらないで死亡した実在職年三年以上七年未満の旧軍人の遺族で、当該旧軍人の死亡後恩給法に規定する扶助料を受ける権利又は資格を失うべき事由に該当しなかつたもの（実在職年三年以上七年未満の旧軍人の子については、昭和五十年八月一日において未成年である者又は重度

障害の状態にあつて生活資料を得るみちのない者に限る。）に対しては、一時扶助料を給するものとする。

3 退職後昭和五十年八月一日前に公務に起因する傷病によらないで死亡した実在職年三年以上七年未満の旧軍人の遺族については、当該旧軍人がその退職の日において死亡したものとみなして前項の規定を適用する。

4 前三項の規定による一時恩給又は一時扶助料は、昭和五十年八月一日において現に普通恩給若しくは扶助料又は退職年金に関する恩給法以外の法令の規定により旧軍人としての実在職年を算入した期間に基づく退職年金若しくは遺族年金を受ける権利を有している者に対しては、給しないものとする。

5 恩給法等の一部を改正する法律（昭和四十九年法律第九十三号。以下「法律第九十三号」という。）による改正前の第一項又は第二項の規定による一時恩給又は一時扶助料については、なお従前の例による。

6 恩給法等の一部を改正する法律（昭和五十年法律第七十号）による改正前の第一項又は第二項の規定による一時恩給又は一時扶助料については、なお従前の例による。

（兵たる旧軍人又はその遺族に対する一時恩給又は一時扶助料）

第十一条 兵たる旧軍人で、兵たる旧軍人としての引き続く実在職年が七年以上であり、且つ、普通恩給を給されないもののうち、失格原因がなくて退職し、且つ、退職後恩給法に規定する普通恩給を受ける権利を失うべき事由に該当しなかつた者に対しては、一時恩給を給するものとする。

第十二条 在職中公務に起因する傷病に因らないで死亡した兵たる旧軍人で、その死亡を退職とみなすときは前条の規定により一時恩給を給されるべきものの遺族のうち、当該兵たる旧軍人の死亡後恩給法に規定する扶助料を受ける権利又は資格を失うべき事由に該当しなかつた者（兵たる旧軍人の子については、この法律施行の際未成年である者又は重度障害の状態にあつて生活資料を得るみちのない者に限る。）に対しては、一時扶助料を給するものとする。

2 前条に規定する兵たる旧軍人で、退職後この法律施行前に公務に起因する傷病に因らないで死亡したものの遺族については、当該兵たる旧軍人が退職の日において死亡したものとみなして前項の規定を適用する。

第十二条の二 兵たる旧軍人で、兵たる旧軍人としての引き続く実在職年が三年以上七年未満であるもののうち、失格原因がなくて退職し、かつ、退職後恩給法に規定する普通恩給を受ける権利を失うべき事由に該当しなかつた者に対しては、一時恩給を給するものとする。

2 附則第十条の二第二項及び第三項の規定は、前項に規定する兵たる旧軍人の遺族について準用する。

3 前二項の規定による一時恩給又は一時扶助料は、昭和五十年八月一日において現に普通恩給若しくは扶助料又は退職年金に関する恩給法以外の法令の規定により旧軍人としての実在職年を算入した期間に基づく退職年金若しくは遺族年金を受ける権利を有している者に対しては、給しないものとする。

（旧軍人若しくは旧準軍人又はこれらの者の遺族に給する恩給の金額を計算する場合における俸給年額）

第十三条 旧軍人若しくは旧準軍人又はこれらの者の遺族に給する恩給の金額を計算する場合においては、附則別表第一に定める旧軍人又は旧準軍人の各階級に対応する仮定俸給年額をもつて、それぞれその階級に対応する俸給年額とする。

2 下士官として在職していたことのある旧海軍の旧軍人又はその遺族に給する普通恩給又は扶助料（その基礎在職年に算入されている昭和二十年十一月三十日以前の旧軍人としての実在職年の年数が普通恩給についての所要最短在職年数以上であるものに限る。）で、准士官以上大尉以下の各階級に対応する仮定俸給年額の適用を受ける者に係るものについては、第一項中「仮定俸給年額」とあるのは、「仮定俸給年額にそれぞれ対応する附則別表第六の下欄に掲げる金額」とする。

3 旧軍人若しくは旧準軍人又はこれらの者の遺族に給する恩給の金額を計算する場合におけるその計算の基礎となるべき俸給年額の計算については、第一項の俸給年額をもつて恩給の金額の計算の基礎となるべき俸給年額の計算に関する恩給法の規定の号俸又は級俸とする。

（旧軍人又は旧準軍人に給する普通恩給の年額）

第十四条 旧軍人又は旧準軍人に給する普通恩給の年額は、実在職年の年数に応じ、左の各号に定める率を前条の規定により計算した恩給の金額の計算の基礎となるべき俸給年額（昭和八年九月三十日以前に退職し、又は死亡した旧軍人又は旧準軍人にあつては、退職又は死亡当時の階級に対応する同条第一項の俸給年額）に乗じたものとする。

一 実在職年の年数が旧軍人又は旧準軍人の普通恩給についての所要最短在職年数である場合にあつては、百五十分の五十

二 実在職年の年数が旧軍人又は旧準軍人の普通恩給についての所要最短在職年数をこえる場合にあつては、百五十分の五十に所要最短在職年数をこえる一年ごとに百五十分の一を加えたもの

三 実在職年の年数が旧軍人又は旧準軍人の普通恩給についての所要最短在職年数未満である場合にあつては、百五十分の五十から所要最短在職年数に不足する一年ごとに百五十分の三・五を減じたもの。但し、百五十分の二十五を下らないものとする。

2 実在職年の年数が四十年未満の旧軍人又は旧準軍人で、六十歳以上のもの又は増加恩給、傷病年金若しくは特例傷病恩給を受ける六十歳未満のものに給する普通恩給及び実在職年の年数が四十年未満の旧軍人又は旧準軍人の遺族で、六十歳以上のもの又は六十歳未満の妻若しくは子に給する扶助料の年額の算定の基礎となる普通恩給についての前項の規定の適用に関しては、同項中「実在職年」とあるのは「在職年」と、同項第二号中「所要最短在職年数をこえる一年ごとに」とあるのは「所要最短在職年数をこえ在職年の年数が四十年に達するまでの一年ごとに」とし、同項第三号に定める率は、百五十分の五十とする。

3 前項に規定する普通恩給を除き、実在職年の年数が普通恩給についての所要最短在職年数未満の旧軍人又は旧準軍人で、五十五歳以上のものに給する普通恩給及び実在職年の年数が普通恩給についての所要最短在職年数未満の旧軍人又は旧準軍人の遺族で、五十五歳以上のものに給する扶助料の年額の算定の基礎となる普通恩給についての第一項第三号の規定の適用に関しては、同号に定める率は、百五十分の五十とする。

（旧軍人又はその遺族に給する一時恩給又は一時扶助料の金

額）

第十五条　附則第十条から第十二条の二までの規定により旧軍人又はその遺族に給する一時恩給又は一時扶助料の金額は、恩給法の一部を改正する法律の一部を改正する法律（昭和三十年法律第百四十三号）による改正前の附則第十三条及び附則別表第一の規定により計算した恩給の金額の計算の基礎となるべき俸給年額の十二分の一に相当する金額に実在職年の年数を乗じたものとする。

（下士官以下の旧軍人に給する傷病賜金）

第十六条　第一目症から第四目症までに係る傷病賜金については、この法律施行後給与事由の生ずるものについても、次項から第四項までに規定する場合を除き、なお従前の例による。

2　公務のため負傷し、又は疾病にかかつた下士官以下の旧軍人で、その障害の程度が第一目症又は第二目症に該当するもののうち、退職後恩給法に規定する普通恩給を受ける権利を失うべき事由に該当しなかつた者に対しては、次の各号に掲げる恩給を受け又は受けることができたとき及び第二号に掲げる傷病賜金を受けることができるときを除き、その障害の程度に応じて傷病賜金を給するものとする。

一　法律第三十一号による改正前の恩給法第六十六条第一項の規定による傷病賜金

二　法律第三十一号附則第三条又は前項の規定により従前の例によることとされる傷病賜金

三　増加恩給、傷病年金、特例傷病恩給又は第一款症から第五款症までに係る傷病賜金

四　旧勅令第六十八号第六条第一項（附則第二十一条の規定により従前の例によることとされる場合を含む。）の規定による傷病賜金

3　前項の規定による傷病賜金は、普通恩給又は一時恩給と併給することができる。

4　第一目症又は第二目症に係る傷病賜金（昭和二十八年三月三十一日以前に給与事由の生じたものを除く。）の金額は、障害の程度により定めた附則別表第二の金額とする。

（旧軍属及びその遺族の恩給を受ける権利又は資格の取得）

第十七条　附則第十条の規定は、旧軍属及びその遺族の恩給を受ける権利又は資格の取得について準用する。この場合において、左の表の上欄に掲げる条項の中欄に掲げる字句は、下欄に掲げる字句と読み替えるものとする。

条項	読み替えられる字句	読み替える字句
附則第十条第一項第一号イ	旧軍人又は旧準軍人の普通恩給についての最短恩給年限	旧勅令第六十八号第一条に規定する軍人軍属のうち旧軍人及び旧準軍人以外の者（以下「旧軍属」という。）で警察監獄職員以外の公務員たるものにあつては警察監獄職員以外の公務員（旧軍人を除く。）の普通恩給、警察監獄職員たる旧軍属にあつては警察監獄職員の普通恩給についてのそれぞれの最短恩給年限
附則第十条第一項第一号ロ	旧軍人以外の公務員としての在職年	旧軍属でない公務員としての在職年
	旧軍人又は旧準軍人の普通恩給についての最短恩給年限	警察監獄職員以外の公務員たる旧軍属にあつては警察監獄職員以外の公務員（旧軍人を除く。）の普通恩給、警察監獄職員たる旧軍属にあつては警察監獄職員の普通恩給についてのそれぞれの最短恩給年限
附則第十条第一項第三号	下士官以上の旧軍人で、旧軍人若しくは旧準軍人としての引き続く実在職年（旧勅令第六十八号施行前に恩給を受ける権利の裁定を受けた者の当該恩給の基礎在職年に算入されていた実在職年を除く。）又は、旧勅令第六十八号第一条に規定する軍人軍属のうち旧軍人及び旧準軍人以外の者（以下「旧軍属」という。）から旧軍人に転じた者並びに旧軍属から引き続いて旧軍人になつた者で旧軍属から旧軍人になつた場合が恩給法第五十二条第一項の規定に該当するものにあつては、その旧軍属及び旧軍人としての引き続く実在職年（旧勅令第六十八号施行前に恩給を受ける権利の裁定を受けた者の当該恩給の基礎在職年に算入されていた実在職年を除く。）が、七年以上であり、且つ、旧軍人の普通恩給についての最短恩給年限に達しないもの（以	旧軍属で、旧軍属としての引き続く実在職年（旧勅令第六十八号施行前に恩給を受ける権利の裁定を受けた者の当該恩給の基礎在職年に算入されていた実在職年を除く。）又は、旧軍属から下士官以上の旧軍人に転じた者並びに下士官以上の旧軍人から引き続いて旧軍属になつた者で下士官以上の旧軍人から旧軍属になつた場合が恩給法第五十二条第一項の規定に該当するものにあつては、その旧軍人及び旧軍属としての引き続く実在職年（旧勅令第六十八号施行前に恩給を受ける権利の裁定を受けた者の当該恩給の基礎在職年に算入されていた実在職年を除く。）が、七年以上であり、且つ、警察監獄職員以外の公務員たる旧軍属にあつては警察監獄職員以外の公務員（旧軍人を除く。）の普通恩給、警察監獄職員たる旧軍属にあつては警察監獄職員の普

	下本条において「実在職年七年以上の旧軍人」という。）	通恩給についてのそれぞれの最短恩給年限に達しないもの（以下本条において「実在職年七年以上の旧軍属」という。）
附則第十条第一項第四号及び第二項	実在職年七年以上の旧軍人	実在職年七年以上の旧軍属

第十七条の二 旧軍属で、旧軍属としての引き続く実在職年（旧勅令第六十八号施行前に恩給を受ける権利の裁定を受けた者の当該恩給の基礎在職年に算入されていた実在職年を除く。）又は、下士官以上の旧軍人から引き続いて旧軍属になつた者で下士官以上の旧軍人から旧軍属に転じた者及び下士官以上の旧軍人から引き続いて旧軍属になつた場合が恩給法第五十二条第一項の規定に該当するものにあつては、その旧軍人及び旧軍属としての引き続く実在職年（旧勅令第六十八号施行前に恩給を受ける権利の裁定を受けた者の当該恩給の基礎在職年に算入されていた実在職年を除く。）が、三年以上七年未満であるもの（以下この条において「実在職年三年以上七年未満の旧軍属」という。）のうち、失格原因がなくて退職し、かつ、退職後恩給法に規定する普通恩給を受ける権利を失うべき事由に該当しなかつた者に対しては、一時恩給を給するものとする。

2 附則第十条の二第二項及び第三項の規定は、実在職年三年以上七年未満の旧軍属の遺族について準用する。この場合において、これらの規定中「旧軍人」とあるのは「旧軍属」と、「昭和五十年八月一日」とあるのは「昭和四十六年十月一日」と読み替えるものとする。

3 附則第十条の二第四項の規定は、前二項の規定による一時恩給又は一時扶助料について準用する。この場合において、附則第十条の二第四項中「旧軍人」とあるのは「旧軍属」と、「昭和五十年八月一日」とあるのは「昭和四十六年十月一日」と読み替えるものとする。

（旧軍属又はその遺族に給する年金たる恩給の年額）

第十八条 旧軍属又はその遺族に給する年金たる恩給の年額の計算の基礎となるべき俸給年額は、これらの者が、当該旧軍属の退職又は死亡の時からこの法律施行の日（この法律施行後給与事由が生じたときは、その給与事由発生の日）まで年金たる恩給を給されていたものとしたならばこの法律施行の際（この法律施行後給与事由が生じたときは、その給与事由発生の際）受けるべきであつた恩給の年額の計算の基礎となるべき俸給年額とする。

2 附則第十四条の規定は、旧軍属に給する普通恩給の年額について準用する。この場合において、同条中「前条の規定により計算した恩給の金額の計算の基礎となるべき俸給年額（昭和八年九月三十日以前に退職し、又は死亡した旧軍人又は旧準軍人にあつては、退職又は死亡当時の階級に対応する同条第一項の俸給年額）」とあるのは「附則第十八条第一項の規定による恩給の年額の計算の基礎となるべき俸給年額」と、「百五十分の三・五」とあるのは「百五十分の二・五（警察監獄職員たる旧軍属にあつては、百五十分の三・五）」と読み替えるものとする。

（旧軍属又はその遺族に給する一時恩給又は一時扶助料の金額）

第十九条 附則第十七条の規定により旧軍属又はその遺族に給する一時恩給又は一時扶助料の金額は、当該旧軍属に普通恩給を給するものとしたならば前条第一項の規定により普通恩給の年額の計算の基礎となるべきであつた俸給年額の十二分の一に相当する金額に実在職年の年数を乗じたものとする。

第十九条の二 附則第十七条の二の規定により旧軍属又はその遺族に給する一時恩給又は一時扶助料の金額は、これらの者が、当該旧軍属の退職又は死亡の時からこの法律施行の日まで年金たる恩給を給されていたものとしたならば同日において受けるべきであつた恩給の年額の計算の基礎となるべき俸給年額の十二分の一に相当する金額に実在職年の年数を乗じたものとする。

（旧軍人、旧準軍人及び旧軍属の公務傷病恩給の特例）

第二十一条 この法律施行の日から昭和二十九年三月三十一日までに、旧勅令第六十八号第六条第一項に規定する傷病賜金を受けるべき事由に該当した者のその恩給については、附則第二十二条に規定する場合を除く外、なお、この法律施行の際の従前の例による。

第二十二条 この法律施行前に公務のため負傷し、又は疾病にかかつた旧軍人、旧準軍人又は旧軍属で、失格原因がなくて退職し、かつ、その障害の程度が恩給法等の一部を改正する法律（昭和四十四年法律第九十一号）による改正後の恩給法別表第一号表ノ三に掲げる第一款症から第五款症までに該当するもののうち、退職後恩給法に規定する普通恩給を受ける権利を失うべき事由に該当しなかつた者に対しては、改正後の恩給法第四十六条ノ二の規定にかかわらず、これに相当する障害の程度により定めた附則別表第四の年額の第七項症の増加恩給及び普通恩給（附則第十条第一項（附則第十七条において準用する場合を含む。）又は第二十四条の四の規定により普通恩給を受ける権利を取得した者にあつては、その普通恩給）又は障害の程度により定めた附則別表第五の年額の第一款症から第四款症までの傷病年金を給するものとする。ただし、その者の請求により、改正後の恩給法第六十五条ノ二の規定により計算して得た金額の傷病賜金を給することができるものとする。

2 前項但書の規定により傷病賜金を給する場合においては、これを受ける者に対しては、同項本文に規定する増加恩給（第三項の規定による加給を含む。）及び普通恩給（附則第十条第一項（附則第十七条において準用する場合を含む。）又は第二十四条の四の規定により普通恩給を受ける権利を取得した者の普通恩給を除く。）又は傷病年金は、給しないものとする。

3 第一項本文の規定により給する増加恩給及び傷病年金については、前二項に規定する場合を除く外、なお、改正前の恩給法（第六十五条第二項及び第三項並びに第六十五条ノ二第三項を除く。）の規定の例による。但し、増加恩給については、恩給法第六十五条第二項から第五項までの規定を準用する。

4 旧勅令第六十八号施行の際法律第三十一号による改正前の恩給法第四十六条及び第四十九条第二項の規定による第七項症の増加恩給並びに同法第四十六条ノ二及び第四十九条第二項の規

定による第一款症から第四款症までの傷病年金（同法第五十条第一項又は第三項の規定の適用を受けたものを除く。）を受けていた者に、第一項の規定を適用する場合には、その者が旧勅令第六十八号施行の際受けていた当該恩給の裁定に係る障害の程度をその者の昭和二十九年四月一日における障害の程度とみなす。但し、その者が、その障害の程度につきこれと異なる意思を表示した場合は、この限りでない。

第二十二条の二　恩給法第四十六条第三項の規定により、又は改正前の恩給法第四十六条第三項（改正前の恩給法第四十六条ノ二第二項の規定により準用される場合を含む。）の規定の例により、旧軍人、旧準軍人又は旧軍属に給する増加恩給又は傷病年金を給し、又は改定する場合においては、当該恩給の給与の始期は、これらの規定にかかわらず、恩給法第十五条に規定する審議会等の議決によりその議決をする月以前の月とすることができる。

第二十二条の三　附則第二十二条第一項本文の規定により傷病年金を受ける者に妻があるときは、十九万三千二百円に調整改定率（恩給法第六十五条第二項に規定する調整改定率をいう。以下同じ。）を乗じて得た額（その額に五十円未満の端数があるときはこれを切り捨て、五十円以上百円未満の端数があるときはこれを百円に切り上げる。）を傷病年金の年額に加給するものとする。

（旧勅令第六十八号第二条の規定の適用を受けた公務員及びその遺族の恩給）

第二十三条　旧軍人以外の公務員（旧軍属を除く。以下第五項までにおいて「一般公務員」という。）で旧勅令第六十八号施行前に普通恩給を受ける権利の裁定を受けたもの又は一般公務員の遺族で旧勅令第六十八号施行前に扶助料を受ける権利の裁定を受けたもののうち、旧勅令第六十八号第二条の規定の適用を受けた者については、同条の規定により恩給の基礎在職年から除算された在職年を通算して、この法律施行の時から普通恩給若しくは扶助料を給し、又はこの法律施行の日の属する月分以降現に受ける普通恩給若しくは扶助料を改定する。

２　この法律施行前に死亡した一般公務員でこの法律施行の日まで生存していたならば前項に規定する一般公務員に該当すべきであつたものの遺族又はこの法律施行前に恩給法に規定する扶助料を受ける権利を失うべき事由に該当した一般公務員の遺族でその事由に該当しなかつたならば同項に規定する一般公務員の遺族に該当すべきであつたものの後順位者たる遺族については、この法律施行の時から、当該死亡した一般公務員が同項の規定により給されるべきであつた普通恩給に基く扶助料若しくは当該先順位者たる一般公務員の遺族が同項の規定により給されるべきであつた扶助料を給し、又はこの法律施行の日の属する月分以降、現に受ける扶助料を当該死亡した一般公務員が同項の規定により給されるべきであつた普通恩給に基く扶助料若しくは当該先順位者たる一般公務員の遺族が同項の規定により給されるべきであつた扶助料に改定する。

３　前二項の規定は、旧勅令第六十八号施行後この法律施行前に退職した一般公務員及び旧勅令第六十八号施行前に退職した一般公務員で旧勅令第六十八号施行前に普通恩給を受ける権利の裁定を受けなかつたもののうち、旧勅令第六十八号第二条の規定の適用を受けた者若しくはその遺族又は旧勅令第六十八号施行後この法律施行前に死亡した一般公務員の遺族及び旧勅令第六十八号施行前に扶助料を受ける権利の裁定を受けなかつたもの（前項に規定する遺族を除く。）のうち、旧勅令第六十八号第二条の規定の適用を受けた者若しくはその後順位者たる遺族について準用する。この場合において、第一項中「同条の規定により恩給の基礎在職年から除算された在職年を通算して、」とあるのは、「旧勅令第六十八号第二条の規定により恩給の基礎在職年から除算された在職年（附則第二十四条の規定により恩給の基礎在職年に算入されない在職年を除く。）を通算して、」と読み替えるものとする。

４　第一項（前項において準用する場合を含む。）及び第二項（前項において準用する場合を含む。）の規定は、この法律施行の際現に普通恩給又は扶助料を受けない者で、左の各号に掲げるものについては、適用しないものとする。

一　旧勅令第六十八号施行後恩給法に規定する普通恩給を受ける権利を失うべき事由に該当した一般公務員

二　旧勅令第六十八号施行後恩給法に規定する普通恩給を受ける権利を失うべき事由（死亡を除く。）に該当した一般公務員の遺族

三　前号に掲げる者以外の一般公務員の遺族で、当該一般公務員の死亡後恩給法に規定する扶助料を受ける権利又は資格を失うべき事由に該当したもの

四　前二号に掲げる者以外の一般公務員の子で、この法律施行前に成年に達したもの（重度障害の状態にあつて生活資料を得るみちのない子を除く。）

５　この法律施行の際現に普通恩給又は扶助料を受けない一般公務員又はその遺族に第一項（第三項において準用する場合を含む。）又は第二項（第三項において準用する場合を含む。）の規定により給すべき恩給の年額の計算の基礎となるべき俸給年額は、これらの者が、当該一般公務員の退職又は死亡の時からこの法律施行の日まで年金たる恩給を給されていたものとしたならばこの法律施行の際受けるべきであつた恩給の年額の計算の基礎となるべき俸給年額とする。

６　附則第十四条の規定は、第一項（第三項において準用する場合を含む。）及び第二項（第三項において準用する場合を含む。）の規定により給する恩給の年額について準用する。この場合において、同条中「実在職年」とあるのは「在職年（旧軍人、旧準軍人又は旧軍属としての在職年にあつては実在職年とし、旧軍人以外の公務員（旧軍属を除く。）の在職年にあつては旧勅令第六十八号第二条第二項に規定する加算年を除いた在職年とする。）」と、「前条の規定により計算した恩給の金額の計算の基礎となるべき俸給年額（昭和八年九月三十日以前に退職し、又は死亡した旧軍人又は旧準軍人にあつては、退職又は死亡当時の階級に対応する同条第一項の俸給年額）」とあるのは「この法律施行の際現に普通恩給又は扶助料を受けない一般公務員又はその遺族にあつては附則第二十三条第五項の規定による恩給の年額の計算の基礎となるべき俸給年額、この法律施行の際現に普通恩給又は扶助料を受ける一般公務員又はその遺族にあつては当該恩給の年額の計算の基礎となつている俸給年額」と、「百五十分の三・五」とあるのは「百五十分の二・五（警察監獄職員にあつては、百五十分の三・五）」と読み替えるものとする。

（在職年の計算）

第二十四条　旧軍人、旧準軍人又は旧軍属としての実在職年は、左の各号に掲げるものを除く外、昭和三十五年六月三十日までの間は、恩給の基礎在職年に算入しないものとする。

一　旧勅令第六十八号施行前に普通恩給を受ける権利の裁定を受けた者の当該普通恩給の基礎在職年に算入されていた実在職年

二　前号に掲げる実在職年以外の引き続く七年以上の実在職年

三　前二号に掲げる実在職年を除く外、旧陸軍又は海軍部内の旧軍人以外の公務員（旧軍属を除く。）としての引き続く実在職年にこれに引き続く旧軍人、旧準軍人又は旧軍属としての引き続く実在職年を加えたものが七年以上である者のその旧軍人、旧準軍人又は旧軍属としての引き続く実在職年

四　前三号に掲げる実在職年を除く外、旧軍人以外の公務員（旧軍属を除く。）としての引き続く実在職年にこれに引き続く旧軍人、旧準軍人又は旧軍属としての引き続く実在職年及び更にこれに引き続く旧軍人以外の公務員（旧軍属を除く。）としての引き続く実在職年を加えたものが七年以上である者のその旧軍人、旧準軍人又は旧軍属としての引き続く実在職年

2　旧軍人、旧準軍人又は旧軍属としての実在職年に附すべき加算年は、旧勅令第六十八号施行前に普通恩給を受ける権利の裁定を受けた者の当該普通恩給の基礎在職年に算入されていたものを除く外、恩給の基礎在職年に算入しないものとする。

3　旧軍人以外の公務員（旧軍属を除く。）として実在職年に附すべき加算年のうち、旧勅令第六十八号第二条第二項に規定する加算年は、旧勅令第六十八号施行前に普通恩給を受ける権利の裁定を受けた者の当該普通恩給の基礎在職年に算入されていたものを除く外、恩給の基礎在職年に算入しないものとする。

4　旧軍人、旧準軍人又は旧軍属の恩給の基礎在職年を計算する場合においては、第二項の規定にかかわらず、旧軍人、旧準軍人又は旧軍属としての実在職年に附すべき加算年のうち、次の各号に掲げるものは、恩給の基礎在職年に算入するものとする。

一　法律第三十一号による改正前の恩給法第三十二条の規定により附すべき加算年（恩給法の一部を改正する法律（昭和十七年法律第三十四号）による改正前の同条第一項第二号及び第三号の規定により附すべき加算年並びにこれらに相当する加算年を除く。）

二　法律第三十一号による改正前の恩給法第三十三条の規定により附すべき加算年

三　法律第三十一号による改正前の恩給法第三十五条の規定により附すべき加算年

四　法律第三十一号による改正前の恩給法第九十一条の規定により附すべき加算年

五　法律第三十一号による改正前の恩給法第九十二条の規定により附すべき加算年

5　法律第三十一号による改正前の恩給法第三十二条第一項に規定する服務をした旧軍人、旧準軍人又は旧軍属の服務期間（当該期間の在職年につき前項第一号に掲げる加算年が附せられることとなつている場合を除く。）で政令で定めるものについて在職年を計算する場合においては、政令で定めるところにより、当該在職期間の一月につき三月以内の月数を加えたものによる。

6　旧軍人、旧準軍人又は旧軍属として昭和二十年九月二日から引き続き海外にあつた者の旧軍人、旧準軍人又は旧軍属としての在職年を計算する場合においては、同日後帰国するまでの在職期間の一月につき一月の月数を加えたものによる。

7　旧軍人、旧準軍人又は旧軍属として昭和二十年九月二日から引き続き政令で定める地域にあつた者で、前項に規定する在職期間と同視すべき在職期間を有するものの旧軍人、旧準軍人又は旧軍属としての在職年を計算する場合においては、当該在職期間の一月につき一月の月数を加えたものによる。

8　第五項又は前二項の規定により在職期間に加えられることとなる年月数は、それぞれ第四項第一号又は第三号に規定する加算年の年月数とみなす。

9　旧軍人、旧準軍人又は旧軍属の恩給の基礎在職年を計算する場合においては、第二項の規定にかかわらず、旧軍人、旧準軍人又は旧軍属としての実在職年に附すべき加算年のうち、次の各号に掲げるものは、恩給の基礎在職年に算入するものとする。

一　法律第三十一号による改正前の恩給法第三十二条の規定により附すべき加算年（第四項第一号に掲げる加算年を除く。）

二　法律第三十一号による改正前の恩給法第三十六条から第三十九条までの規定により附すべき加算年

10　旧軍人以外の公務員（旧軍属を除く。）の恩給の基礎在職年を計算する場合においては、第二項及び第三項の規定にかかわらず、これらの規定により恩給の基礎在職年に算入されないこととされている加算年のうち第四項各号及び前項各号に掲げるもの並びに第五項から第七項まで及び附則第二十四条の三第二項の規定により在職年に加えられることとされている年月数は、恩給の基礎在職年に算入するものとする。

11　第五項の規定は、法律第三十一号による改正前の恩給法第三十二条第一項に規定する服務をした旧軍人以外の公務員（旧軍属を除く。）の服務期間で政令で定めるものにつき在職年を計算する場合について準用する。

12　旧軍人以外の公務員（旧軍属を除く。）として昭和二十年九月二日から引き続き海外又は第七項の政令で定める地域にあつた者の当該公務員としての在職年を計算する場合においては、同日後帰国するまでの在職期間又はこれと同視すべき在職期間の一月につき一月の月数を加えたものによる。

13　前二項の規定により在職期間に加えられることとなる年月数は、旧勅令第六十八号第二条第二項に規定する加算年の年月数とみなす。

14　旧軍人、旧準軍人又は旧軍属の恩給の基礎在職年を計算する場合においては、第三項の規定にかかわらず、同項の規定により恩給の基礎在職年に算入されないこととされている加算年並びに第十一項及び第十二項の規定により在職年に加えられることとされている年月数は、恩給の基礎在職年に算入するものとする。

第二十四条の二　旧軍人、旧準軍人又は旧軍属の恩給の基礎在職年を計算する場合においては、前条第一項の規定にかかわらず、同条同項第一号に掲げる実在職年以外の旧軍人、旧準軍人又は旧軍属としての引き続く一年以上七年未満の実在職年は、

恩給の基礎在職年に算入するものとする。ただし、同条同項同号に掲げる実在職年以外の旧軍人、旧準軍人又は旧軍属としての引き続く一年以上七年未満の実在職年を算入しなくても、旧軍人、旧準軍人又は旧軍属の普通恩給を受ける権利を取得する者については、この限りでない。

2 前項本文の規定の適用がある場合において、恩給の基礎在職年数が旧軍人、旧準軍人又は旧軍属の普通恩給についての所要最短在職年数をこえることとなるときは、当該所要最短在職年数をこえる年数は、恩給の基礎在職年に算入しないものとする。

（旧勅令第六十八号第八条第一項に規定する抑留又は逮捕により拘禁された者の在職年の計算についての特例）

第二十四条の三 旧恩給法の特例に関する件の措置に関する法律による改正前の旧勅令第六十八号第八条第一項（以下「改正前の旧勅令第六十八号第八条第一項」という。）に規定する抑留又は逮捕により拘禁された者（在職中の職務に関連して拘禁された者をいう。）の拘禁前の公務員（公務員に準ずる者を含む。以下本条において同じ。）としての在職年の計算については、当該公務員としての在職年数に、拘禁された日の属する月（その日の属する月において公務員として在職していた場合においては、その月の翌月）から当該拘禁が解かれた日の属する月（その日の属する月において公務員として在職していた場合においては、その月の前月）までの年月数を加えたものによる。

2 前項の規定により拘禁前の公務員としての在職年に加えられることとなる年月数中に海外において拘禁された期間がある場合における在職年の計算については、同項の規定により計算された在職年に、当該海外において拘禁された期間の一月につき一月の月数を加えたものによる。

3 前項の規定により在職年の計算に関して加えられることとなる年月数は、普通恩給の年額の計算については、旧軍人、旧準軍人又は旧軍属にあつては附則第二十四条第四項第三号に規定する加算年の年月数と、旧軍人以外の公務員（旧軍属を除く。）にあつては旧勅令第六十八号第二条第二項に規定する加算年の年月数とみなす。

（除算された実在職年の算入に伴う措置）

第二十四条の四 附則第二十四条第一項又は第二十四条の二の規定により恩給の基礎在職年に算入されなかつた実在職年を算入することによつてその在職年が普通恩給についての最短恩給年額に達することとなる公務員又はその遺族については、昭和三十五年七月から普通恩給又は扶助料を給し、附則第二十四条第一項又は第二十四条の二の規定の適用を受けて計算された在職年を基礎とする普通恩給又は扶助料を受ける公務員又はその遺族については、同年七月分以降、これらの規定により恩給の基礎在職年に算入されなかつた実在職年を通算して、その年額を改定する。

2 前項の規定は、次の各号に掲げる公務員又はその遺族については、適用しないものとする。

一 旧勅令第六十八号施行後恩給法に規定する普通恩給を受ける権利を失うべき事由に該当した公務員

二 旧勅令第六十八号施行後恩給法に規定する普通恩給を受ける権利を失うべき事由（死亡を除く。）に該当した公務員の遺族

三 前号に掲げる者以外の公務員の遺族で、当該公務員の死亡後恩給法に規定する扶助料を受ける権利又は資格を失うべき事由に該当したもの

四 前二号に掲げる者以外の公務員の子で、昭和三十五年七月一日前に成年に達したもの（重度障害の状態にあつて生活資料を得るみちのない子を除く。）

3 第一項の規定により新たに普通恩給又は扶助料を給されることとなる者が、同一の公務員に係る一時恩給又は一時扶助料で昭和二十八年八月一日以後に給与事由の生じたものを受けた者である場合においては、当該普通恩給又は扶助料の年額は、当該一時恩給又は一時扶助料の金額（その者が二以上の一時恩給又は一若しくは二以上の一時恩給と一時扶助料を受けた者であるときは、その合算額とし、すでに国庫又は都道府県に返還されたものは、控除するものとする。以下本項において同じ。）の十五分の一に相当する金額をその年額から控除した額とする。ただし、当該一時恩給又は一時扶助料が国庫又は都道府県に返還された場合は、この限りでない。

（加算年等の算入に伴う措置）

第二十四条の五 附則第二十四条第二項の規定により加算年が恩給の基礎在職年に算入されなかつたためその在職年が普通恩給についての最短恩給年限に達しないものとされていた旧軍人、旧準軍人若しくは旧軍属で同条第四項の規定の適用によりその在職年が当該最短恩給年限に達することとなるもの又はその遺族は、昭和三十六年十月一日から普通恩給を受ける権利又は扶助料を受ける権利若しくは資格を取得するものとする。

2 前条第二項の規定は、前項の場合に準用する。

3 第一項の規定により普通恩給を受ける権利を取得した者の当該普通恩給の給与は昭和三十七年十月から、同項の規定により扶助料を受ける権利を取得した者の当該扶助料の給与は昭和三十六年十月から始めるものとする。ただし、旧軍人、旧準軍人又は旧軍属を退職した時（退職したものとみなされた時を含む。）に当該普通恩給を受ける権利を取得したものとしたならば、恩給法以外の法令によりその権利が消滅すべきであつた者又はその遺族については、当該普通恩給又はこれに基づく扶助料の給与は、行なわないものとする。

4 前条第三項の規定は、前三項の規定により給すべき普通恩給又は扶助料の年額について準用する。

第二十四条の六 前条の規定は、旧軍人、旧準軍人又は旧軍属で附則第二十四条第五項及び第八項の規定の適用によりその在職年が普通恩給についての最短恩給年限に達することとなるもの又はその遺族について準用する。この場合において、前条第一項中「昭和三十六年十月一日」とあるのは「昭和三十九年十月一日」と、同条第三項中「普通恩給を受ける権利を取得した者の当該普通恩給の給与は昭和三十七年十月から、同項の規定により扶助料を受ける権利を取得した者の当該扶助料の給与は昭和三十六年十月から」とあるのは「普通恩給又は扶助料を受ける権利を取得した者の当該普通恩給又は扶助料の給与は、昭和三十九年十月から」と読み替えるものとする。

第二十四条の七 附則第二十四条の五の規定は、旧軍人、旧準軍人若しくは旧軍属で附則第二十四条第六項及び第八項の規定の適用によりその在職年が普通恩給についての最短恩給年限に達することとなるもの又はこれらの者の遺族について準用する。

この場合において、附則第二十四条の五第一項中「昭和三十六年十月一日」とあるのは「昭和四十年十月一日」と、同条第三項中「普通恩給を受ける権利を取得した者の当該普通恩給の給与は昭和三十七年十月から、同項の規定により扶助料を受ける権利を取得した者の当該扶助料の給与は昭和三十六年十月から」とあるのは「普通恩給又は扶助料を受ける権利を取得した者の当該普通恩給又は扶助料の給与は、昭和四十年十月から」と読み替えるものとする。

第二十四条の八　附則第二十四条の五第一項の規定は、旧軍人以外の公務員（旧軍属を除く。）で恩給法等の一部を改正する法律（昭和四十五年法律第九十九号）による改正前の附則第二十四条第八項の規定の適用によりその在職年が普通恩給についての最短恩給年限に達することとなるもの又はこれらの者の遺族について準用する。この場合において、附則第二十四条の五第一項中「昭和三十六年十月一日」とあるのは、「昭和四十二年一月一日」と読み替えるものとする。

2　附則第二十四条の四第二項及び第三項並びに附則第二十四条の五第三項の規定は、前項の場合に準用する。この場合において、附則第二十四条の四第二項第四号中「昭和三十五年七月一日」とあるのは「昭和四十二年一月一日」と、附則第二十四条の五第三項中「普通恩給を受ける権利を取得した者の当該普通恩給の給与は昭和三十七年十月から、同項の規定により扶助料を受ける権利を取得した者の当該扶助料の給与は昭和三十六年十月から」とあるのは「普通恩給又は扶助料を受ける権利を取得した者の当該普通恩給又は扶助料の給与は、昭和四十二年一月から」と、「旧軍人、旧準軍人又は旧軍属」とあるのは「旧軍人以外の公務員（旧軍属を除く。）」と読み替えるものとする。

第二十四条の九　附則第二十四条の五第一項の規定は、公務員若しくは公務員に準ずる者で、附則第二十四条第七項及び第八項の規定、同条第十項の規定（同条第七項及び恩給法等の一部を改正する法律（昭和四十八年法律第六十号。以下「法律第六十号」という。）による改正前の附則第二十四条の三第二項に係る部分に限る。）若しくは法律第六十号による改正前の附則第二十四条の三第二項及び第三項の規定の適用によりその在職年が普通恩給についての最短恩給年限に達することとなるもの又はこれらの者の遺族について準用する。この場合において、附則第二十四条の五第一項中「昭和三十六年十月一日」とあるのは、「昭和四十五年十月一日」と読み替えるものとする。

2　附則第二十四条の四第二項及び第三項並びに第二十四条の五第三項の規定は、前項の場合に準用する。この場合において、附則第二十四条の四第二項第四号中「昭和三十五年七月一日」とあるのは「昭和四十五年十月一日」と、附則第二十四条の五第三項中「普通恩給を受ける権利を取得した者の当該普通恩給の給与は昭和三十七年十月から、同項の規定により扶助料を受ける権利を取得した者の当該扶助料の給与は昭和三十六年十月から」とあるのは「普通恩給又は扶助料を受ける権利を取得した者の当該普通恩給又は扶助料の給与は、昭和四十五年十月から」と、「旧軍人、旧準軍人又は旧軍属」とあるのは「公務員又は公務員に準ずる者」と読み替えるものとする。

第二十四条の十　附則第二十四条の五第一項の規定は、公務員若しくは公務員に準ずる者で、附則第二十四条第九項若しくは第十項（同条第九項に係る部分に限る。）の規定の適用によりその在職年が普通恩給についての最短恩給年限に達することとなるもの又はこれらの者の遺族について準用する。この場合において、附則第二十四条の五第一項中「昭和三十六年十月一日」とあるのは、「昭和四十六年十月一日」と読み替えるものとする。

2　附則第二十四条の四第二項及び第三項並びに第二十四条の五第三項の規定は、前項の場合に準用する。この場合において、附則第二十四条の四第二項第四号中「昭和三十五年七月一日」とあるのは「昭和四十六年十月一日」と、附則第二十四条の五第三項中「普通恩給を受ける権利を取得した者の当該普通恩給の給与は昭和三十七年十月から、同項の規定により扶助料を受ける権利を取得した者の当該扶助料の給与は昭和三十六年十月から」とあるのは「普通恩給又は扶助料を受ける権利を取得した者の当該普通恩給又は扶助料の給与は、昭和四十六年十月から」と、「旧軍人、旧準軍人又は旧軍属」とあるのは「公務員又は公務員に準ずる者」と読み替えるものとする。

第二十四条の十一　附則第二十四条の五第一項の規定は、旧軍人以外の公務員（旧軍属を除く。）で、附則第二十四条第十一項及び第十三項の規定の適用によりその在職年が普通恩給についての最短恩給年限に達することとなるもの又はこれらの者の遺族について準用する。この場合において、附則第二十四条の五第一項中「昭和三十六年十月一日」とあるのは、「琉球諸島及び大東諸島に関する日本国とアメリカ合衆国との間の協定の効力発生の日」と読み替えるものとする。

2　附則第二十四条の四第二項及び第三項並びに第二十四条の五第三項の規定は、前項の場合に準用する。この場合において、附則第二十四条の四第二項第四号中「昭和三十五年七月一日」とあるのは「琉球諸島及び大東諸島に関する日本国とアメリカ合衆国との間の協定の効力発生の日」と、附則第二十四条の五第三項中「普通恩給を受ける権利を取得した者の当該普通恩給の給与は昭和三十七年十月から、同項の規定により扶助料を受ける権利を取得した者の当該扶助料の給与は昭和三十六年十月から」とあるのは「普通恩給又は扶助料を受ける権利を取得した者の当該普通恩給又は扶助料の給与は、琉球諸島及び大東諸島に関する日本国とアメリカ合衆国との間の協定の効力発生の日の属する月から」と、「旧軍人、旧準軍人又は旧軍属」とあるのは「旧軍人以外の公務員（旧軍属を除く。）」と読み替えるものとする。

第二十四条の十二　附則第二十四条の五第一項の規定は、公務員若しくは公務員に準ずる者で、附則第二十四条第十項の規定（法律第六十号による改正後の附則第二十四条の三第二項に係る部分に限る。）、附則第二十四条第十二項及び第十三項の規定、同条第十四項の規定若しくは法律第六十号による改正後の附則第二十四条の三の規定の適用によりその在職年が普通恩給についての最短恩給年限に達することとなるもの又はこれらの者の遺族について準用する。この場合において、附則第二十四条の五第一項中「昭和三十六年十月一日」とあるのは、「昭和四十八年十月一日」と読み替えるものとする。

2　附則第二十四条の四第二項及び第三項並びに第二十四条の五第三項の規定は、前項の場合に準用する。この場合において、附則第二十四条の四第二項第四号中「昭和三十五年七月一日」とあるのは「昭和四十八年十月一日」と、附則第二十四条の五第三項中「普通恩給を受ける権利を取得した者の当該普通恩給の給与は昭和三十七年十月から、同項の規定により扶助料を受ける権利を取得した者の当該扶助料の給与は昭和三十六年十月から」とあるのは「普通恩給又は扶助料を受ける権利を取得した者の当該普通恩給又は扶助料の給与は、昭和四十八年十月から」と、「旧軍人、旧準軍人又は旧軍属」とあるのは「公務員又は公務員に準ずる者」と読み替えるものとする。

（昭和二十年八月十五日以後退職した旧軍人の恩給についての特例）

第二十四条の十三　昭和二十年八月十五日以後に退職した准士官以上の旧軍人で、旧軍人又は旧準軍人としての在職年の年月数が十二年以上十三年未満のもの（下士官以下の旧軍人又は旧準軍人としての在職年の年数が十二年以上のものを除く。）は、恩給法及びこの法律の附則の規定の適用については、退職時まで下士官以下の最終の階級をもつて在職したものとみなす。

2　前項に規定する者又はその遺族は、昭和四十二年十月一日から普通恩給を受ける権利又は扶助料を受ける権利若しくは資格を取得するものとする。

3　附則第二十四条の四第二項及び第三項並びに附則第二十四条の五第三項の規定は、前項の場合に準用する。この場合において、附則第二十四条の四第二項第四号中「昭和三十五年七月一日」とあるのは「昭和四十二年十月一日」と、附則第二十四条の五第三項中「普通恩給を受ける権利を取得した者の当該普通恩給の給与は昭和三十七年十月から、同項の規定により扶助料を受ける権利を取得した者の当該扶助料の給与は昭和三十六年十月から」とあるのは「普通恩給又は扶助料を受ける権利を取得した者の当該普通恩給又は扶助料の給与は、昭和四十二年十月から」と読み替えるものとする。

（再就職した者等の取扱）

第二十五条　附則第十条、第十七条又は第二十三条の規定により普通恩給を給されるべき者（この法律施行前に死亡した者で、この法律施行の日まで生存していたならば普通恩給を給されるべきであつたものを含む。）が、この法律施行前に公務員に再就職していた場合においては、当該普通恩給を受ける者が再就職したものとみなし、これに恩給法第五十四条から第五十六条までの規定を適用する。

2　附則第十条、第十七条又は第二十三条の規定により普通恩給を給されるべき者が、この法律施行の際現に公務員として在職する場合においてはその公務員を退職する日の属する月まで、この法律施行の際現に恩給法第五十八条ノ二に規定する普通恩給を停止すべき事由に該当している場合においてはその事由の止む日の属する月まで、それぞれ当該普通恩給を停止する。

3　附則第十条又は第十一条の規定により旧軍人の一時恩給を給されるべき者で、この法律施行の際現に公務員として在職しているものに恩給法第六十四条ノ二及び第六十四条ノ三の規定を適用する場合においては、その者は、旧軍人を退職した月において公務員に再就職したものとみなす。

4　第一項及び第二項の規定は、附則第二十四条の四の規定により普通恩給を給されるべき者について準用する。この場合において、これらの規定中「この法律」とあるのは、「附則第二十四条の四の規定」と読み替えるものとする。

（恩給の選択）

第二十六条　附則第十条、第十七条、第二十三条、第二十四条の四、第二十四条の五（第二十四条の六から第二十四条の十二までにおいて準用する場合を含む。）、第二十四条の十三、第二十九条又は第三十九条の二の規定により二以上の年金たる恩給を給すべき場合及び年金たる恩給を受ける者にこれらの規定により年金たる恩給を給すべき場合においては、改正後の恩給法第八条の規定を適用する。

（旧軍人又は旧準軍人の遺族に給する扶助料の年額）

第二十七条　旧軍人又は旧準軍人の遺族に給する恩給法第七十五条第一項第二号又は第三号に規定する扶助料の年額は、同項第一号の規定による金額に退職当時の階級により定めた附則別表第三(イ)又は(ロ)の率（その率が二あるときは、附則第十三条第二項に規定する扶助料については上段の率、その他の扶助料については下段の率）を乗じた金額とする。ただし、恩給法第七十五条第一項第二号に規定する扶助料の年額が百八十一万四千円に調整改定率を乗じて得た額（その額に五十円未満の端数があるときはこれを切り捨て、五十円以上百円未満の端数があるときはこれを百円に切り上げる。）未満であるときは当該額とし、同項第三号に規定する扶助料の年額が百四十二万七百円に調整改定率を乗じて得た額（その額に五十円未満の端数があるときはこれを切り捨て、五十円以上百円未満の端数があるときはこれを百円に切り上げる。）未満であるときは当該額とする。

（旧軍人若しくは旧準軍人又はこれらの者の遺族に給する恩給についての恩給法の規定の適用）

第二十八条　旧軍人若しくは旧準軍人又はこれらの者の遺族に給する恩給については、この法律の附則に定める場合を除く外、恩給法の規定を適用する。

（旧勅令第六十八号第八条第一項の規定により恩給を受ける権利又は資格を失つた者等の当該権利又は資格の取得）

第二十九条　改正前の旧勅令第六十八号第八条第一項の規定により恩給を受ける権利若しくは資格を失つた公務員（公務員に準ずる者を含む。以下本条において同じ。）若しくはその遺族又は改正前の旧勅令第六十八号第八条第一項の規定により恩給を受ける権利若しくは資格を失つた公務員の遺族は、附則第十条又は第十七条の規定により恩給を受ける権利又は資格を取得する場合を除く外、この法律施行の時から、これらの者が失つた恩給を受ける権利又は資格に相当するこの法律の附則の規定及び改正後の恩給法の規定による恩給を受ける権利又は資格を取得するものとする。

2　前項の規定は、左の各号に掲げる公務員又はその遺族については、適用しないものとする。

一　旧勅令第六十八号施行後恩給法に規定する普通恩給を受ける権利を失うべき事由に該当した公務員

二　旧勅令第六十八号施行後恩給法に規定する普通恩給を受ける権利を失うべき事由（死亡を除く。）に該当した公務員の遺族

三　前号に掲げる者以外の公務員の遺族で、当該公務員の死亡後恩給法に規定する扶助料を受ける権利又は資格を失うべき事由に該当したもの

四　前二号に掲げる者以外の公務員の子で、この法律施行前に成年に達したもの（重度障害の状態にあつて生活資料を得るみちのない子を除く。）

3　第一項の規定により公務員又はその遺族に給する一時恩給又は一時扶助料の金額は、これらの者が当該公務員の退職又は死亡の時から年金たる恩給を給されていたものとしたならばこの法律施行の際受けるべきであつた恩給の年額の計算の基礎となるべき俸給年額の十二分の一に相当する金額に在職年（旧勅令第六十八号第二条第二項に規定する加算年を除く。）の年数を乗じたものとする。

4　改正前の旧勅令第六十八号第八条第一項の規定に該当して拘禁されている者については、その拘禁中は、年金たる恩給を停止し、又は一時金たる恩給の支給を差し止めるものとする。但し、その者に妻、子、父、母、祖父又は祖母があるときは、これらの者のうち、その者の指定する者に年金又は一時金を支給するものとする。

第二十九条の二　改正前の旧勅令第六十八号第八条第一項に規定する抑留又は逮捕により拘禁された者（在職中の職務に関連して拘禁された者をいう。）がその拘禁中に自己の責に帰することができない事由により負傷し、又は疾病にかかつた場合において、裁定庁がこれを在職中に公務のため負傷し、又は疾病にかかつた場合と同視することを相当と認めたときは、その者を在職中に公務のため負傷し、又は疾病にかかつたものとみなし、その者又はその遺族に対し相当の恩給を給するものとする。ただし、拘禁されている者に給する恩給は、当該拘禁が解かれた日の属する月の翌月から（一時金たる恩給にあつては、当該拘禁が解かれた時において）給するものとする。

（未帰還公務員）

第三十条　昭和二十年九月二日から引き続き公務員（公務員に準ずる者を含む。）として海外にあつてまだ帰国していない者（以下「未帰還公務員」という。）に対しては、その者が左の各号の一に該当する場合においては、それぞれ当該各号に掲げる日に退職したものとみなして恩給を給する。

一　未帰還公務員が昭和二十八年七月三十一日において普通恩給についての最短恩給年限に達している場合にあつては、同日

二　未帰還公務員が昭和二十八年七月三十一日において普通恩給についての最短恩給年限に達していない場合にあつては、当該最短恩給年限に達する日

三　未帰還公務員が普通恩給についての最短恩給年限に達しないで帰国した場合にあつては、その帰国した日

2　前項第一号又は第二号に該当する未帰還公務員に給する普通恩給の給与は、当該未帰還公務員が帰国した日の属する月から始めるものとする。但し、未帰還公務員の祖父母、父母、妻又は未成年の子で内地に居住しているものがある場合において、これらの者から請求があつたときは、同項第一号に該当する者に給する普通恩給の給与は昭和二十八年八月から、同項第二号に該当する者に給する普通恩給の給与は同号に規定する日の属する月の翌月から始めるものとする。

3　前項但書の規定による普通恩給の給与は、未帰還公務員が帰国した日（海外にある間に死亡した場合にあつては、死亡の判明した日）の属する月まで、妻、未成年の子、父母（養父母を先にして実父母を後にする。）、祖父母（養父母の父母を先にして実父母の父母を後にし、父母の養父母を先にして実父母を後にする。）の順位により、請求者に対し行うものとする。

4　未帰還公務員が帰国するまでの間に自己の責に帰することができない事由により負傷し、又は疾病にかかつた場合において、裁定庁がこれを在職中に公務のため負傷し、又は疾病にかかつた場合と同視することを相当と認めたときは、その者を在職中に公務のため負傷し、又は疾病にかかつたものとみなし、その者又はその遺族に対し相当の恩給を給するものとする。但し、未帰還公務員に給する恩給で当該未帰還公務員が帰国するまでの間に給与事由の生じたものは当該未帰還公務員が帰国した日の属する月の翌月から（一時金たる恩給にあつては、当該未帰還公務員が帰国した時において）、遺族に給する恩給は未帰還公務員の死亡した日の属する月の翌月（旧軍人、旧準軍人又は旧軍属であつた未帰還公務員の遺族については、当該未帰還公務員の死亡した日が昭和二十八年四月前であるときは同月、その他の未帰還公務員の遺族については、当該未帰還公務員の死亡した日が同年八月前であるときは同月）から給するものとする。

5　第一項の規定は、未帰還公務員が帰国後においても引き続いて公務員として在職する場合又は帰国後引き続いて公務員若しくは公務員とみなされる職員となつた場合においては、同項第一号及び第二号に掲げる者については適用がなかつたものとみなし、同項第三号に掲げる者については適用しないものとする。但し、第二項及び第三項の規定により給された普通恩給は、返還することを要しないものとする。

6　第四項の規定により未帰還公務員の遺族に扶助料を給する場合において、当該未帰還公務員に関し、当該扶助料の支給が始められる月から当該未帰還公務員の死亡が判明した日の属する月までの分として、未帰還者留守家族等援護法（昭和二十八年法律第百六十一号）による留守家族手当若しくは特別手当又は第二項及び第三項の規定による普通恩給が支給されたときは、その支給されたものの額を合算した額は、当該期間の分として支給する扶助料の額から、その額を限度として控除するものとする。

7　第一項（同項第三号を除く。）の規定は、未帰還公務員が同項第一号又は第二号に掲げる区分に従い退職したものとみなされた日後において帰国したとき、又は死亡したときは、第五項に規定する場合を除き、当該未帰還公務員については、適用がなかつたものとみなす。この場合においては、昭和四十四年九月以前の期間の分として支給された普通恩給は、返還することを要しないものとする。

8　前項の未帰還公務員に係る普通恩給の年額は、第二項ただし書の規定に基づき昭和四十四年十月分以後の期間の分として支給された普通恩給があるときは、その支給された普通恩給の額の十五分の一に相当する額をその年額から控除した額とする。

（この法律施行後給する文官等の普通恩給の年額）

第三十一条　附則第十四条の規定は、この法律施行後給与事由の生ずる旧軍人以外の公務員（旧軍属を除く。）の普通恩給で、その基礎在職年のうちに旧軍人、旧準軍人若しくは旧軍属としての在職年又は旧勅令第六十八号第二条第二項に規定する加算年を含むものの年額について準用する。この場合において、同条中「実在職年」とあるのは「在職年（旧軍人、旧準軍人又は旧軍属としての在職年にあつては実在職年とし、旧軍人以外の公務員（旧軍属を除く。）としての在職年にあつては旧勅令第六十八号第二条第二項に規定する加算年を除いた在職年とす

る。」」と、「前条の規定により計算した恩給の金額の計算の基礎となるべき俸給年額（昭和八年九月三十日以前に退職し、又は死亡した旧軍人又は旧準軍人にあつては、退職又は死亡当時の階級に対応する同条第一項の俸給年額）」とあるのは「退職当時の俸給年額」と、「百五十分の三・五」とあるのは「百五十分の二・五（警察監獄職員にあつては、百五十分の三・五）」と読み替えるものとする。

（戦傷病者戦没者遺族等援護法による弔慰金を受ける者がある場合の扶助料給与の特例）

第三十五条の三　公務員（公務員に準ずる者を含む。以下本条において同じ。）の死亡につき戦傷病者戦没者遺族等援護法の一部を改正する法律（昭和三十年法律第百四十四号）附則第十一項の規定により弔慰金を受ける者がある場合においては、当該公務員が普通恩給についての最短恩給年限に達しているときは、昭和二十八年四月分以降その公務員の遺族が受ける扶助料の年額を恩給法第七十五条第一項第二号に規定する場合の扶助料の年額に相当する年額に改定するものとし、当該公務員が普通恩給についての最短恩給年限に達していないときは、当該公務員が普通恩給についての最短恩給年限に達しているものとみなし、その公務員の遺族に対し、昭和二十八年四月から恩給法第七十五条第一項第二号に規定する場合の扶助料の年額に相当する金額の扶助料を給するものとする。

2　附則第二十三条第四項の規定は、前項の場合に準用する。

（戦傷病者戦没者遺族等援護法による遺族年金を受ける権利を取得した者の扶助料を受ける資格の喪失）

第三十五条の四　この法律の附則の規定により旧軍人、旧準軍人又は旧軍属の遺族の扶助料を受ける資格を取得した父、母、祖父又は祖母が、戦傷病者戦没者遺族等援護法等の一部を改正する法律（昭和四十六年法律第五十一号）附則第八条の規定により戦傷病者戦没者遺族等援護法による遺族年金を受ける権利を有するに至つたときは、その者は、当該扶助料を受ける資格を失う。

（恩給法を準用される者の勤続在職年についての加給に関する改正規定の適用）

第三十九条　附則第七条の規定は、恩給法以外の法律によつて恩給法の規定が準用される者に対して、前条の規定による改正後の恩給法の一部を改正する法律（昭和二十六年法律第八十七号。以下「法律第八十七号」という。）附則第十項の規定を適用する場合について準用する。この場合において、附則第七条第一項中「改正前の同法第六十三条第五項」とあるのは「恩給法の一部を改正する法律（昭和二十六年法律第八十七号）による改正前の恩給法第六十二条第六項又は第六十四条第三項（同法第六十条第三項を準用する部分に限る。）」と、同条第二項中「改正前の恩給法第六十二条第三項」とあるのは「恩給法の一部を改正する法律（昭和二十六年法律第八十七号）による改正前の恩給法第六十二条第三項又は第四項」と、「同項の規定」とあるのは「これらの規定」と読み替えるものとする。

（北海道開発関係職員に対する恩給法の準用）

第四十条　昭和二十八年三月三十一日において地方自治法（昭和二十二年法律第六十七号）附則第八条の規定に基く国の公共事業又は産業経済費の支弁に係る北海道開発に関する事務に従事する地方事務官又は地方技官であつた者が、引き続いて都道府県たる普通地方公共団体又は特別区たる特別地方公共団体の職員となつた場合（その地方事務官又は地方技官が引き続いて地方事務官又は地方技官として在職し、更に引き続いて都道府県たる普通地方公共団体又は特別区たる特別地方公共団体の職員となつた場合を含む。）においては、恩給法の一部を改正する法律（昭和二十二年法律第七十七号）附則第十条の規定の適用がある場合を除く外、これを文官として勤続するものとみなし、当分の間、これに恩給法の規定を準用する。

2　恩給法の一部を改正する法律（昭和二十二年法律第七十七号）附則第十条第二項から第四項までの規定は、前項の規定により恩給法の規定を準用する場合に準用する。

（旧日本医療団職員期間のある者についての特例）

第四十一条　旧国民医療法（昭和十七年法律第七十号）に規定する日本医療団（以下「医療団」という。）の職員（公務員に相当する職員として政令で定めるものに限る。以下「医療団職員」という。）であつた者で医療団の業務の政府への引継ぎに伴い公務員となつたものに係る普通恩給の基礎となるべき公務員としての在職年の計算については、医療団職員となつた月（公務員を退職した月に医療団職員となつた場合においては、その翌月）から公務員となつた月の前月までの年月数を加えたものによる。

2　公務員としての在職年が普通恩給についての最短恩給年限に達していない公務員で前項の規定の適用によりその在職年が当該最短恩給年限に達することとなるもののうち昭和三十六年九月三十日以前に退職し、若しくは死亡した者又はその遺族は、同年十月一日から普通恩給を受ける権利又は扶助料を受ける権利若しくは資格を取得するものとする。

3　附則第二十四条の四第二項の規定は、前項の場合に準用する。

4　前二項の規定により普通恩給又は扶助料を受ける権利を取得した者の普通恩給又は扶助料の給与は、昭和三十六年十月から始めるものとする。ただし、公務員を退職した時（退職したものとみなされた時を含む。）に当該普通恩給を受ける権利を取得したものとしたならば、恩給法以外の法令によりその権利が消滅すべきであつた者又はその遺族については、当該普通恩給又はこれに基づく扶助料の給与は、行なわないものとする。

5　附則第二十四条の四第三項の規定は、公務員としての在職年（医療団職員となる前の公務員としての在職年を除く。）に基づき一時恩給又は一時扶助料を受けた者がある場合における前四項の規定により給すべき普通恩給又は扶助料の年額について準用する。

（日本赤十字社救護員期間のある者についての特例）

第四十一条の二　旧日本赤十字社令（明治四十三年勅令第二百二十八号）の規定に基づき事変地又は戦地において旧陸軍又は海軍の戦時衛生勤務（以下「戦地勤務」という。）に服した日本赤十字社の救護員（公務員に相当する救護員として政令で定めるものに限る。以下「救護員」という。）であつた者で公務員となつたものに係る普通恩給の基礎となるべき公務員としての在職年の計算については、戦地勤務に服した月（公務員を退職した月に戦地勤務に服した場合においては、その翌月）から戦地勤務に服さなくなつた月（戦地勤務に服さなくなつた月に公務員となつた場合においては、その前月）までの年月数を加えたものによる。

2 前項の事変地又は戦地の区域及びその区域が事変地又は戦地であつた期間は、政令で定める。

3 附則第二十四条の四第二項並びに前条第二項及び第四項の規定は、第一項の規定の適用により給すべき普通恩給又は扶助料について準用する。この場合において、附則第二十四条の四第二項第四号中「昭和三十五年七月一日」とあるのは「昭和四十一年十月一日」と、前条第二項中「当該最短恩給年限に達することとなるもののうち昭和三十六年九月三十日以前に退職し、若しくは死亡した者又はその遺族は、同年十月一日から」とあるのは「当該最短恩給年限に達することとなるもの又はその遺族は、昭和四十一年十月一日から」と、同条第四項中「昭和三十六年十月」とあるのは「昭和四十一年十月」と読み替えるものとする。

4 附則第二十四条の四第三項の規定は、公務員としての在職年（日本赤十字社の救護員となる前の公務員としての在職年を除く。）に基づき一時恩給又は一時扶助料を受けた者がある場合における前三項の規定により給すべき普通恩給又は扶助料の年額について準用する。

第四十一条の三 公務員の在職年に加えられることとされている救護員としての在職年月数を有する者のうち、救護員として昭和二十年八月九日以後戦地勤務に服していた者で、当該戦地勤務に引き続き海外にあつたものの普通恩給の基礎となるべき公務員としての在職年の計算については、当該戦地勤務に服さなくなつた日の属する月の翌月から帰国した日の属する月（同月において公務員となつた場合においては、その前月）までの期間（未帰還者留守家族等援護法第二条に規定する未帰還者と認められる期間に限る。）の年月数を加えたものによる。

2 附則第二十四条の四第二項並びに第四十一条第二項及び第四項の規定は、前項の規定の適用により給すべき普通恩給又は扶助料について準用する。この場合において、附則第二十四条の四第二項第四号中「昭和三十五年七月一日」とあるのは「昭和五十二年八月一日」と、附則第四十一条第二項中「もののうち昭和三十六年九月三十日以前に退職し、若しくは死亡した者又はその遺族は、同年十月一日から」とあるのは「もの又はその遺族は、昭和五十二年八月一日から」と、同条第四項中「昭和三十六年十月」とあるのは「昭和五十二年八月」と読み替えるものとする。

3 附則第二十四条の四第三項の規定は、公務員としての在職年（救護員となる前の公務員としての在職年を除く。）に基づき一時恩給又は一時扶助料を受けた者がある場合における前二項の規定により給すべき普通恩給又は扶助料の年額について準用する。

（旧国際電気通信株式会社の社員期間のある者についての特例）

第四十一条の四 昭和十九年四月三十日において旧南洋庁に勤務していた公務員で、旧南洋庁の電気通信業務が旧国際電気通信株式会社に引き継がれたことに伴い、引き続き当該会社の社員（当該会社の職制による社員（準社員を除く。）をいう。以下同じ。）となつたもの（国際電気通信株式会社等の社員で公務員となつた者の在職年の計算に関する恩給法の特例等に関する法律（昭和二十二年法律第百五十一号）第一条第一項に規定する者を除く。）に係る普通恩給の基礎となるべき公務員としての在職年の計算については、当該旧国際電気通信株式会社の社員としての在職期間を加えたものによる。

2 附則第二十四条の四第二項並びに第四十一条第二項及び第四項の規定は、前項の規定の適用により給すべき普通恩給又は扶助料について準用する。この場合において、附則第二十四条の四第二項第四号中「昭和三十五年七月一日」とあるのは「昭和四十五年十月一日」と、附則第四十一条第二項中「当該最短恩給年限に達することとなるもののうち昭和三十六年九月三十日以前に退職し、若しくは死亡した者又はその遺族は、同年十月一日から」とあるのは「当該最短恩給年限に達することとなるもの又はその遺族は、昭和四十五年十月一日から」と、同条第四項中「昭和三十六年十月」とあるのは「昭和四十五年十月」と読み替えるものとする。

3 附則第二十四条の四第三項の規定は、公務員としての在職年（旧国際電気通信株式会社の社員となる前の公務員としての在職年を除く。）に基づき一時恩給又は一時扶助料を受けた者がある場合における前二項の規定により給すべき普通恩給又は扶助料の年額について準用する。

（旧特別調達庁の職員期間のある者についての特例）

第四十一条の五 旧特別調達庁法（昭和二十二年法律第七十八号）に規定する特別調達庁の役員、参事又は主事（以下「旧特別調達庁の職員」という。）であつた者で引き続き公務員となつたもの（旧調達庁設置法（昭和二十四年法律第百二十九号）附則第六項の規定により公務員としての在職年の計算について旧特別調達庁の職員としての在職年月数に相当する年月数を加えられることとなる者を除く。）に係る普通恩給の基礎となるべき公務員としての在職年の計算については、旧特別調達庁の職員としての在職年月数に相当する年月数を加えたものによる。

2 附則第二十四条の四第二項並びに第四十一条第二項及び第四項の規定は、前項の規定の適用により給すべき普通恩給又は扶助料について準用する。この場合において、附則第二十四条の四第二項第四号中「昭和三十五年七月一日」とあるのは「昭和五十六年十月一日」と、附則第四十一条第二項中「もののうち昭和三十六年九月三十日以前に退職し、若しくは死亡した者又はその遺族は、同年十月一日から」とあるのは「もの又はその遺族は、昭和五十六年十月一日から」と、同条第四項中「昭和三十六年十月」とあるのは「昭和五十六年十月」と読み替えるものとする。

3 附則第二十四条の四第三項の規定は、公務員としての在職年に基づき一時恩給又は一時扶助料（恩給法等の一部を改正する法律（昭和五十三年法律第三十七号。以下「法律第三十七号」という。）附則第十五条に規定する一時金を含む。）を受けた者がある場合における前二項の規定により給すべき普通恩給又は扶助料の年額について準用する。

（外国政府職員期間のある者についての特例）

第四十二条 外国政府の官吏又は待遇官吏（以下「外国政府職員」という。）として在職したことのある公務員で次の各号の一に該当するものの普通恩給の基礎となるべき公務員としての在職年の計算については、法律第三十一号による改正前の恩給法第八十二条ノ二の規定の適用がある場合（これに準ずる場合を含む。）を除き、それぞれ当該各号に掲げる外国政府職員としての在職年月数を加えたものによる。ただし、昭和四十六年九月三十日までの間は、外国政府職員となる前の公務員としての在職年が普通恩給についての最短恩給年限に達している者の場合は、この限りでない。

一　外国政府職員となるため公務員を退職し、外国政府職員として引き続き昭和二十年八月八日まで在職し、再び公務員となつた者　当該外国政府職員としての在職年月数

二　外国政府職員となるため公務員を退職し、外国政府職員として引き続き昭和二十年八月八日まで在職した者（前号に該当する者を除く。）　当該外国政府職員としての在職年月数

三　外国政府職員として昭和二十年八月八日まで在職し、公務員となつた者（前二号に該当する者を除く。）　当該外国政府職員としての在職年月数（昭和四十三年十二月三十一日までの間は、その年月数を公務員としての在職年に加えたものが普通恩給についての最短恩給年限をこえることとなる場合におけるそのこえる年月数を除く。）

四　外国政府職員を退職し、引き続き公務員となり昭和二十年八月八日まで引き続き在職していた者　当該外国政府職員としての在職年月数

五　外国政府職員となるため公務員を退職し外国政府職員として引き続き在職した者又は外国政府職員として引き続き在職しその後において公務員となつた者で、次に掲げる者のいずれかに該当するもの　当該外国政府職員としての在職年月数

イ　任命権者又はその委任を受けた者の要請に応じ、外国政府又は日本政府がその運営に関与していた法人その他の団体の職員となるため外国政府職員を退職し、当該法人その他の団体の職員として昭和二十年八月八日まで引き続き在職していた者

ロ　外国政府職員としての職務に起因する負傷又は疾病のため、外国政府職員として引き続き昭和二十年八月八日まで在職することができなかつた者

2　前項の規定により加えられる外国政府職員としての在職年月数（旧軍人又は警察監獄職員に相当する外国政府職員としての在職年月数を除く。）の計算については、これを恩給法第二十条に規定する文官としての在職年月数とみなして、同法第三十条の規定を適用する。

3　第一項第二号又は第五号に掲げる者（第五号に掲げる者にあつては、外国政府職員を退職した後公務員とならなかつた者に限る。）に係る恩給の年額の計算の基礎となる俸給年額の計算については、公務員を退職した当時の俸給年額が政令で定める額以上の者の場合を除き、公務員を退職した当時において、その当時受けていた俸給の年額とその額の千分の四十五に相当する額に外国政府職員としての在職年数（年未満の端数は、切り捨てる。）を乗じた額との合計額に相当する年額の俸給を受けていたものとみなす。ただし、その合計額に相当する年額が政令で定める額をこえることとなる場合においては、その額を俸給の年額とみなす。

4　附則第四十一条第二項及び第四項の規定は、恩給法等の一部を改正する法律（昭和四十六年法律第八十一号。以下「法律第八十一号」という。）による改正前の第一項及び第二項の規定の適用により給すべき普通恩給又は扶助料について準用する。

5　附則第二十四条の四第二項の規定は、前項において準用する附則第四十一条第二項の場合に準用し、附則第二十四条の四第三項の規定は、公務員としての在職年（外国政府職員となる前の公務員としての在職年を除く。）に基づき一時恩給又は一時扶助料を受けた者がある場合における前四項の規定の適用により給すべき普通恩給又は扶助料の年額について準用する。

6　現役満期、召集解除、解職等の事由により旧軍人を退職し外国政府職員となつた者で外国政府職員となるため公務員を退職した者と同視すべき事情にあるもの又は公務員を退職した後本属庁その他の官公署の要請に応じ外国政府職員となつた者は、第一項及び第二項の規定の適用については、外国政府職員となるため公務員を退職した者とみなす。

第四十二条の二　公務員の在職年に加えられることとされている外国政府職員としての在職年月数を有する者のうち、外国政府職員として昭和二十年八月八日まで在職し、同日以後引き続き海外にあつた者の在職年の計算については、外国政府職員としての在職年月数を加えた在職年に、さらに、当該外国政府職員でなくなつた日の属する月の翌月から帰国した日の属する月（同月において公務員となつた場合においては、その前月）までの期間（未帰還者留守家族等援護法第二条に規定する未帰還者と認められる期間に限る。）の年月数を加えたものによる。

2　前条第二項の規定は、前項の規定により加えられる年月数の計算について準用する。

第四十二条の三　附則第二十四条の四第二項並びに第四十一条第二項及び第四項の規定は、法律第八十一号による改正後の附則第四十二条又は前条の規定の適用により給すべき普通恩給又は扶助料について準用する。この場合において、附則第二十四条の四第二項第四号中「昭和三十五年七月一日」とあるのは「昭和四十六年十月一日」と、附則第四十一条第二項中「もののうち昭和三十六年九月三十日以前に退職し、若しくは死亡した者又はその遺族は、同年十月一日から」とあるのは「もの又はその遺族は、昭和四十六年十月一日から」と、同条第四項中「昭和三十六年十月」とあるのは「昭和四十六年十月」と読み替えるものとする。

2　附則第二十四条の四第三項の規定は、公務員としての在職年（外国政府職員となる前の公務員としての在職年を除く。）に基づき一時恩給又は一時扶助料を受けた者がある場合における法律第八十一号による改正後の附則第四十二条又は前条の規定により給すべき普通恩給又は扶助料の年額について準用する。

第四十二条の四　附則第二十四条の四第二項並びに第四十一条第二項及び第四項の規定は、恩給法等の一部を改正する法律（昭和四十七年法律第八十号。以下「法律第八十号」という。）による改正後の附則第四十二条の規定の適用により給すべき普通恩給又は扶助料について準用する。この場合において、附則第二十四条の四第二項第四号中「昭和三十五年七月一日」とあるのは「昭和四十七年十月一日」と、附則第四十一条第二項中「もののうち昭和三十六年九月三十日以前に退職し、若しくは死亡した者又はその遺族は、同年十月一日から」とあるのは「もの又はその遺族は、昭和四十七年十月一日から」と、同条第四項中「昭和三十六年十月」とあるのは「昭和四十七年十月」と読み替えるものとする。

2　附則第二十四条の四第三項の規定は、公務員としての在職年（外国政府職員となる前の公務員としての在職年を除く。）に基づき一時恩給又は一時扶助料を受けた者がある場合における法律第八十号による改正後の附則第四十二条の規定により給すべ

き普通恩給又は扶助料の年額について準用する。

第四十二条の五 附則第二十四条の四第二項並びに第四十一条第二項及び第四項の規定は、法律第九十三号による改正後の附則第四十二条の規定の適用により給すべき普通恩給又は扶助料について準用する。この場合において、附則第二十四条の四第二項第四号中「昭和三十五年七月一日」とあるのは「昭和四十九年九月一日」と、附則第四十一条第二項中「もののうち昭和三十六年九月三十日以前に退職し、若しくは死亡した者又はその遺族は、同年十月一日から」とあるのは「もの又はその遺族は、昭和四十九年九月一日から」と、同条第四項中「昭和三十六年十月」とあるのは「昭和四十九年九月」と読み替えるものとする。

2 附則第二十四条の四第三項の規定は、公務員としての在職年（外国政府職員となる前の公務員としての在職年を除く。）に基づき一時恩給又は一時扶助料を受けた者がある場合における法律第九十三号による改正後の附則第四十二条の規定により給すべき普通恩給又は扶助料の年額について準用する。

（外国特殊法人職員期間のある者についての特例）

第四十三条 附則第四十二条から前条までの規定は、日本政府又は外国政府と特殊の関係があつた法人で外国において日本たばこ産業株式会社法（昭和五十九年法律第六十九号）附則第十二条第一項の規定による解散前の日本専売公社、日本国有鉄道改革法（昭和六十一年法律第八十七号）附則第二項の規定による廃止前の日本国有鉄道法（昭和二十三年法律第二百五十六号）第一条の規定により設立された日本国有鉄道又は日本電信電話株式会社法（昭和五十九年法律第八十五号）附則第四条第一項の規定による解散前の日本電信電話公社の事業と同種の事業を行つていたもので政令で定めるものの職員（公務員に相当する職員として政令で定めるものに限る。以下「外国特殊法人職員」という。）として在職したことのある公務員について準用する。この場合において、これらの規定中「外国政府職員」とあるのは「外国特殊法人職員」と、附則第四十二条第四項において準用する附則第四十一条第二項中「もののうち昭和三十六年九月三十日以前に退職し、若しくは死亡した者又はその遺族は、同年十月一日から」とあるのは「もの又はその遺族は、昭和三十八年十月一日から」と、附則第四十二条第四項において準用する附則第四十一条第四項中「昭和三十六年十月」とあるのは「昭和三十八年十月」と読み替えるものとする。

（外国特殊機関の職員期間のある者についての特例）

第四十三条の二 附則第四十二条第一項から第三項まで及び第六項、第四十二条の二並びに第四十二条の五の規定は、附則第四十二条又は前条に規定する外国政府職員又は外国特殊法人職員に準ずべきものとして政令で定める外国にあつた特殊機関の職員（以下「外国特殊機関職員」という。）として在職したことのある公務員について準用する。この場合において、附則第四十二条第一項から第三項まで及び第六項、第四十二条の二並びに第四十二条の五中「外国政府職員」とあるのは、「外国特殊機関職員」と読み替えるものとする。

2 附則第二十四条の四第二項並びに第四十一条第二項及び第四項の規定は、前項の規定の適用により給すべき普通恩給又は扶助料について準用する。この場合において、附則第二十四条の四第二項第四号中「昭和三十五年七月一日」とあるのは「昭和四十八年十月一日（政令で定める職員（以下「政令指定職員」という。）にあつては、昭和五十一年七月一日）」と、附則第四十一条第二項中「もののうち昭和三十六年九月三十日以前に退職し、若しくは死亡した者又はその遺族は、同年十月一日から」とあるのは「もの又はその遺族は、昭和四十八年十月一日（政令指定職員にあつては、昭和五十一年七月一日）から」と、同条第四項中「昭和三十六年十月」とあるのは「昭和四十八年十月（政令指定職員にあつては、昭和五十一年七月）」と読み替えるものとする。

3 附則第二十四条の四第三項の規定は、公務員としての在職年（外国特殊機関職員となる前の公務員としての在職年を除く。）に基づき一時恩給又は一時扶助料を受けた者がある場合における前二項の規定により給すべき普通恩給又は扶助料の年額について準用する。

（準公務員期間のある者についての特例）

第四十四条 恩給法等の一部を改正する法律（昭和二十五年法律第百八十四号）附則第八項又は法律第八十七号附則第六項若しくは第十項の規定により公務員に準ずる者（公務員に準ずる者とみなされる者を含む。）としての勤続年月数の二分の一に相当する年月数を公務員（公務員とみなされる者を含む。）としての在職年数に通算されている者の普通恩給の基礎となるべき公務員としての在職年の計算については、当該通算されている年月数に相当する年月数を加えたものによる。

2 前条第二項の規定は、前項の規定により給すべき普通恩給又は扶助料について準用する。

3 附則第二十四条の四第三項の規定は、公務員としての在職年に基づき一時恩給又は一時扶助料を受けた者がある場合における前二項の規定により給すべき普通恩給又は扶助料の年額について準用する。

第四十四条の二 法律第八十七号による改正前の恩給法第二十条第二項に規定する二級官試補若しくは三級官見習（高等文官の試補その他これらに相当するものを含む。以下この条において同じ。）を退職した後において文官となつた者、同項に規定する準文官としての特定郵便局長を退職した後において文官としての特定郵便局長となつた者又は同法第二十二条第二項に規定する準教育職員を退職した後において同条第一項に規定する教育職員（教育職員とみなされる者及び学校教育法（昭和二十二年法律第二十六号）第一条に規定する学校又はこれに相当する学校において教育事務に従事する文官を含む。以下この条において同じ。）となつた者のうち、当該二級官試補、三級官見習、準文官としての特定郵便局長又は準教育職員（以下この条において「二級官試補等」という。）を入営、組織の改廃その他その者の事情によらないで引き続いて勤務することを困難とする理由により退職した者及び教育職員となるため準教育職員を退職した者の普通恩給の基礎となるべき公務員としての在職年の計算については、当該二級官試補等の在職年月数を加えたものによる。

2 附則第二十四条の四第二項並びに第四十一条第二項及び第四項の規定は、前項の規定の適用により給すべき普通恩給又は扶助料について準用する。この場合において、附則第二十四条の四第二項第四号中「昭和三十五年七月一日」とあるのは「昭和五十年八月一日」と、附則第四十一条第二項中「もののうち昭和三十六年九月三十日以前に退職し、若しくは死亡した者又はその遺族は、同年十月一日から」とあるのは「もの又はその遺族は、昭和五十年八月一日から」と、同条第四項中「昭和三十六年十月」とあるのは「昭和五十年八月」と読み替えるものとする。

3　附則第二十四条の四第三項の規定は、公務員としての在職年に基づき一時恩給又は一時扶助料を受けた者がある場合における前二項の規定により給すべき普通恩給又は扶助料の年額について準用する。

（代用教員等の期間のある者についての特例）

第四十四条の三　法律第八十七号による改正前の恩給法第六十二条第三項に規定する学校の教育職員を退職した者が、その後において旧小学校令（明治三十三年勅令第三百四十四号）第四十二条に規定する代用教員（旧国民学校令（昭和十六年勅令第百四十八号）第十九条の規定により准訓導の職務を行う者、旧幼稚園令（大正十五年勅令第七十四号）第十条の規定により保姆の代用とされる者その他これらに相当するものを含む。以下この項において「代用教員等」という。）となり引き続き同法第六十二条第三項に規定する学校の教育職員となつた場合（当該代用教員等が引き続き同項に規定する学校の準教育職員となり、更に引き続き同項に規定する学校の教育職員又は教育職員とみなされる者となつた場合を含む。）における普通恩給の基礎となるべき公務員としての在職年の計算については、当該代用教員等の在職年月数を加えたものによる。

2　附則第二十四条の四第二項並びに第四十一条第二項及び第四項の規定は、前項の規定の適用により給すべき普通恩給又は扶助料について準用する。この場合において、附則第二十四条の四第二項第四号中「昭和三十五年七月一日」とあるのは「昭和五十四年十月一日」と、附則第四十一条第二項中「もののうち昭和三十六年九月三十日以前に退職し、若しくは死亡した者又はその遺族は、同年十月一日から」とあるのは「もの又はその遺族は、昭和五十四年十月一日から」と、同条第四項中「昭和三十六年十月」とあるのは「昭和五十四年十月」と読み替えるものとする。

3　附則第二十四条の四第三項の規定は、公務員としての在職年に基づき一時恩給又は一時扶助料（法律第三十七号附則第十五条に規定する一時金を含む。）を受けた者がある場合における前二項の規定により給すべき普通恩給又は扶助料の年額について準用する。

（恩給法施行前の在職年を有する者等についての特例）

第四十五条　恩給法第八十五条第一項若しくは第九十条第一項又は恩給法の一部を改正する法律（昭和八年法律第五十号）附則第二条、第十八条若しくは第十九条の規定（以下この項において「在職年に関する経過規定」という。）により在職年の計算について従前の例によることとされた者で、恩給法の規定を適用したとしたならば恩給の基礎在職年に算入されることとなる在職年を有するものの普通恩給の基礎在職年の計算については、加算年に関する規定を除き、在職年に関する経過規定にかかわらず、恩給法の規定の例による。

2　附則第二十四条の四第二項並びに第四十一条第二項及び第四項の規定は、前項の規定の適用により給すべき普通恩給又は扶助料について準用する。この場合において、附則第二十四条の四第二項第四号中「昭和三十五年七月一日」とあるのは「昭和四十九年九月一日」と、附則第四十一条第二項中「もののうち昭和三十六年九月三十日以前に退職し、若しくは死亡した者又はその遺族は、同年十月一日から」とあるのは「もの又はその遺族は、昭和四十九年九月一日から」と、同条第四項中「昭和三十六年十月」とあるのは「昭和四十九年九月」と読み替えるものとする。

（刑に処せられたこと等により恩給を受ける権利又は資格を失つた者の年金たる恩給を受ける権利の取得）

第四十六条　禁錮以上の刑に処せられ、恩給法第九条又は第五十一条の規定により恩給を受ける権利又は資格を失つた公務員で次の各号の一に該当するもの（その処せられた刑が三年（昭和二十二年五月二日以前にあつては二年）以下の懲役又は禁錮の刑であつた者に限る。）のうち、その刑に処せられなかつたとしたならば年金たる恩給を受ける権利を有すべきであつた者又はその遺族は、昭和三十七年十月一日（同日以後次の各号の一に該当するに至つた者については、その該当するに至つた日の属する月の翌月の初日）から、当該年金たる恩給を受ける権利又はこれに基づく扶助料を受ける権利若しくは資格を取得するものとする。

一　恩赦法（昭和二十二年法律第二十号。同法施行前の恩赦に関する法令を含む。次条において同じ。）の規定により刑の言渡しの効力が失われたものとされた者

二　刑法（明治四十年法律第四十五号）第二十七条の規定により刑の言渡しの効力が失われたものとされた者

2　懲戒又は懲罰の処分により退職し、恩給法第五十一条の規定により恩給を受ける資格を失つた公務員で、公務員等の懲戒免除等に関する法律（昭和二十七年法律第百十七号）に基づく法令（同法施行前の懲戒又は懲罰の免除に関する法令を含む。）の規定により懲戒又は懲罰を免除されたもののうち、当該懲戒又は懲罰の処分がなかつたとしたならば年金たる恩給を受ける権利を有すべきであつた者又はその遺族は、昭和三十七年十月一日（同日以後懲戒又は懲罰の免除を受けた者については、その免除を受けた日の属する月の翌月の初日）から、当該年金たる恩給を受ける権利又はこれに基づく扶助料を受ける権利若しくは資格を取得するものとする。

第四十七条　昭和二十年八月十五日以後に犯した罪により、旧陸軍軍法会議法（大正十年法律第八十五号）又は旧海軍軍法会議法（大正十年法律第九十一号）に基づく軍法会議（昭和二十年勅令第六百五十八号に基づく復員裁判所並びに昭和二十一年勅令第二百七十八号により軍法会議及び復員裁判所の後継裁判所又は上訴裁判所とされた裁判所を含む。次条において同じ。）において禁錮以上の刑に処せられ、恩給法第九条又は第五十一条の規定により恩給を受ける権利又は資格を失つた公務員で、その刑に処せられなかつたとしたならば年金たる恩給を受ける権利を有すべきであつたもののうち、恩赦法の規定により刑の言渡しの効力が失われたものとされた者又はその遺族は、前条の規定の適用がある場合を除き、昭和四十九年九月一日から、当該年金たる恩給を受ける権利又はこれに基づく扶助料を受ける権利若しくは資格を取得するものとする。

第四十八条　併合罪について併合して禁錮以上の刑（前条に規定する罪により軍法会議において処せられた刑以外の刑にあつては、三年（昭和二十二年五月二日以前にあつては二年）以下の懲役又は禁錮の刑に限る。）に処せられ、恩給法第九条又は第五十一条の規定により恩給を受ける権利又は資格を失つた公務

員のうち、その刑に処せられなかつたとしたならば年金たる恩給を受ける権利を有すべきであつた者が、併合罪中ある罪について大赦を受けた場合において、大赦を受けなかつた罪に当たるすべての行為が大赦を受けた罪に当たる行為に通常随伴するものであるときは、当該公務員又はその遺族は、前二条の規定の適用がある場合を除き、昭和四十九年九月一日（同日以後併合罪中ある罪について大赦を受けた者については、大赦を受けた日の属する月の翌月の初日）から、当該年金たる恩給を受ける権利又はこれに基づく扶助料を受ける権利若しくは資格を取得するものとする。ただし、刑法第五十二条の規定により別に定められた刑が三年（昭和二十二年五月二日以前にあつては二年）を超える懲役又は禁錮の刑である場合は、この限りでない。

第四十九条　前三条の規定は、公務員の死亡後恩給法に規定する扶助料を受ける権利又は資格を失うべき事由に該当した遺族については、適用しない。

附則別表第一（附則第十三条関係）

階級	仮定俸給年額
大将	八、三三四、六〇〇円に調整改定率を乗じて得た額
中将	七、四三四、六〇〇円に調整改定率を乗じて得た額
少将	六、二九一、四〇〇円に調整改定率を乗じて得た額
大佐	五、五〇三、一〇〇円に調整改定率を乗じて得た額
中佐	五、一七〇、一〇〇円に調整改定率を乗じて得た額
少佐	四、一二六、七〇〇円に調整改定率を乗じて得た額
大尉	三、四三二、六〇〇円に調整改定率を乗じて得た額
中尉	二、七三五、二〇〇円に調整改定率を乗じて得た額
少尉	二、三九二、八〇〇円に調整改定率を乗じて得た額
准士官	二、一六一、〇〇〇円に調整改定率を乗じて得た額
曹長又は上等兵曹	一、七五九、八〇〇円に調整改定率を乗じて得た額
軍曹又は一等兵曹	一、六五一、〇〇〇円に調整改定率を乗じて得た額
伍長又は二等兵曹	一、五九九、四〇〇円に調整改定率を乗じて得た額
兵	一、四五七、六〇〇円に調整改定率を乗じて得た額

備考
一　各階級は、これに相当するものを含むものとする。
二　この表の下欄に掲げる額に五十円未満の端数があるときはこれを切り捨て、五十円以上百円未満の端数があるときはこれを百円に切り上げるものとする。

附則別表第三（附則第二十七条関係）

(イ)　恩給法第七十五条第一項第二号に規定する扶助料の場合

階級	率
大将 中将 少将	二三・〇割
大佐 中佐 少佐	二五・〇割
大尉	二六・二割
	二六・九割
中尉	二七・五割
	二七・八割
少尉	二八・五割
	二九・八割
准士官	二九・八割
	三一・七割
曹長 上等兵曹	三七・四割
軍曹 一等兵曹	三九・四割
伍長 二等兵曹	四二・三割
兵	四六・二割

右に掲げる率により計算した年額が附則第十四条に規定する率がその者と同一である直近下位の階級の者について計算した場合の年額に満たないときにおけるその者の恩給法第七十五条第一項に規定する扶助料の年額は、当該直近下位の階級の者の同条同項に規定する扶助料の年額と同額とする。

備考　各階級は、これに相当するものを含むものとする。

(ロ)　恩給法第七十五条第一項第三号に規定する扶助料の場合

階級	率
大将 中将 少将	一七・三割
大佐 中佐 少佐	一八・八割
大尉	一九・六割
	二〇・二割
中尉	二〇・七割
	二〇・九割
少尉	二一・四割
	二二・四割
准士官	二三・四割
	二三・八割
曹長 上等兵曹	二八・二割
軍曹 一等兵曹	二九・六割
伍長 二等兵曹	三一・〇割
兵	三四・六割

右に掲げる率により計算した年額が附則第十四条に規定する率がその者と同一である直近下位の階級の者について計算した場合の年額に満たないときにおけるその者の恩給法第七十五条第一項に規定する扶助料の年額は、当該直近下位の階級の者の同条同項に規定する扶助料の年額と同額とする。

備考 各階級は、これに相当するものを含むものとする。

附則別表第四(附則第二十二条関係)

障害の程度	年額
第七項症	一、八五三、〇〇〇円に調整改定率を乗じて得た額(その額に五十円未満の端数があるときはこれを切り捨て、五十円以上百円未満の端数があるときはこれを百円に切り上げる。)

附則別表第五(附則第二十二条関係)

障害の程度	年額
第一款症	一、六八六、〇〇〇円に調整改定率を乗じて得た額
第二款症	一、三五二、〇〇〇円に調整改定率を乗じて得た額
第三款症	一、〇八九、〇〇〇円に調整改定率を乗じて得た額
第四款症	九六一、〇〇〇円に調整改定率を乗じて得た額

備考 この表の下欄に掲げる額に五十円未満の端数があるときはこれを切り捨て、五十円以上百円未満の端数があるときはこれを百円に切り上げるものとする。

附則別表第六(附則第十三条関係)

仮定俸給年額	金額
三、四三二、六〇〇円に調整改定率を乗じて得た額	三、七三五、七〇〇円に調整改定率を乗じて得た額
二、七三五、二〇〇円に調整改定率を乗じて得た額	二、九三八、〇〇〇円に調整改定率を乗じて得た額
二、三九二、八〇〇円に調整改定率を乗じて得た額	二、六四六、八〇〇円に調整改定率を乗じて得た額
二、一六一、〇〇〇円に調整改定率を乗じて得た額	二、三九二、八〇〇円に調整改定率を乗じて得た額

備考 この表に掲げる額に五十円未満の端数があるときはこれを切り捨て、五十円以上百円未満の端数があるときはこれを百円に切り上げるものとする。

附 則(昭二九・六・三〇法二〇〇)(抄)

(施行期日)

1 この法律は、公布の日から施行する。

(戦傷病者戦没者遺族等援護法の一部を改正する法律附則第二十項の規定による遺族年金又は弔慰金を受ける者がある場合の扶助料給与の特例)

4 公務員(公務員に準ずる者を含む。以下同じ。)の死亡につき戦傷病者戦没者遺族等援護法の一部を改正する法律(昭和二十八年法律第百八十一号)附則第二十項の規定により遺族年金又は弔慰金を受ける者がある場合においては、当該公務員が普通恩給についての最短恩給年限に達しているときは、昭和二十八年四月(公務員が昭和二十八年四月一日以後死亡した場合においては、その死亡の日の属する月の翌月。以下本項において同じ。)分以降その公務員の遺族が受ける扶助料の年額を恩給法第七十五条第一項第二号に規定する場合の扶助料の年額に相当する年額に改正するものとし、当該公務員が普通恩給についての最短恩給年限に達していないときは、当該公務員が普通恩給についての最短恩給年限に達しているものとみなし、その公務員の遺族に対し、昭和二十八年四月から恩給法第七十五条第一項第二号に規定する場合の扶助料の年額に相当する金額の扶助料を給するものとする。

5 法律第百五十五号附則第二十三条第四項の規定は、前項の場合に準用する。

6 前二項の規定により扶助料を給する場合において、同一の事由により戦傷病者戦没者遺族等援護法の一部を改正する法律の規定により遺族年金の支給を受ける者があるときに給する扶助料の額は、この法律の規定により給すべき扶助料の額から当該遺族年金の額(遺族年金の支給を受ける者が二人以上あるときは、これらの者が受ける遺族年金の合算額）に相当する額を控除した額とする。但し、遺族年金の支給を受ける者のうちに、当該公務員と婚姻の届出をしていないが事実上婚姻関係と同様の事情にあつた者がある場合においては、これに一万円を加算した額とする。

附　則（昭三〇・八・八法一四三）（抄）

（施行期日）

1　この法律は、昭和三十年十月一日から施行する。ただし、附則第十三項及び第十四項の規定は、公布の日から施行し、附則第十一項及び第十二項の規定は、昭和二十九年七月一日から適用する。

（警察職員に関する恩給の特例）

11　次の各号に掲げる者がそれぞれ当該各号に掲げる場合に該当したときは、これらの者が警察法（昭和二十九年法律第百六十二号。以下「新法」という。）の施行の日から起算して政令で定める期間内に退職した場合に限り、恩給法（大正十二年法律第四十八号）第五十二条第一項の規定の適用については、これらの者は、同法第十九条に規定する公務員（以下「公務員」という。）として退職し、その退職の当日他の公務員に就職したものとみなす。

一　新法の施行の際改正前の警察法（昭和二十二年法律第百九十六号。以下「旧法」という。）附則第七条（旧法第五十三条において特別区の存する区域における自治体警察の職員に準用する場合を含む。以下同じ。）の規定の適用を受けていた者　引き続き公務員たる警察職員又は新法第七十七条第一項各号に掲げる地方警察職員となつた場合

二　新法の施行の際旧法附則第七条の規定の適用を受けていた者　引き続き新法附則第二十八項に規定する市警察の新法第七十七条第一項各号に掲げる職員となり、更に当該市警察が廃止される際引き続き公務員たる警察職員又は当該市を包括する府県の府県警察の新法第七十七条第一項各号に掲げる地方警察職員となつた場合

三　新法第七十七条第一項各号に掲げる地方警察職員　引き続き公務員たる警察職員となつた場合

12　旧法の施行の際警視庁又は道府県警察部に勤務する吏員で都道府県の退隠料に関する条例の規定の適用を受けるものが、引き続き自治体警察の新法附則第二十四項各号に掲げる職員となり、その際その条例の規定による退職給付を受けず、更に引き続き公務員たる警察職員又は新法第七十七条第一項各号に掲げる地方警察職員となつた場合においては、新法附則第二十四項の規定の適用については、同項中「その者が自治体警察の職員として引き続き在職した期間」とあるのは、「その者が警視庁又は道府県警察部に勤務する吏員として引き続き在職した期間及び自治体警察の職員として引き続き在職した期間」と読み替えるものとする。

附　則（昭四一・七・八法一二一）（抄）

最終改正　平一九・三・三一法一三

（施行期日）

第一条　この法律は、昭和四十一年十月一日から施行する。ただし、第二条（恩給法の一部を改正する法律（昭和二十八年法律第百五十五号。以下「法律第百五十五号」という。）附則第四十一条の次に一条を加える改正規定及び同法附則第四十二条の改正規定を除く。）の規定は、昭和四十二年一月一日から施行する。

（長期在職者等の恩給年額についての特例）

第八条　普通恩給又は扶助料で、次の表の上欄の区分に対応する同表の中欄に掲げる区分のいずれかに該当するものの平成十九年十月分以降の年額がそれぞれ同表の上欄及び中欄に掲げる区分に対応する同表の下欄に掲げる額に満たないときは、当該下欄に掲げる額をもつてその年額とする。

普通恩給又は扶助料	普通恩給又は扶助料の基礎在職年に算入されている実在職年の年数	金額
六十五歳以上の者に給する普通恩給	普通恩給についての最短恩給年限以上	一、一三三、七〇〇円に調整改定率（恩給法第六十五条第二項に規定する調整改定率をいう。以下同じ。）を乗じて得た額
	九年以上普通恩給についての最短恩給年限未満	八四九、五〇〇円に調整改定率を乗じて得た額
	六年以上九年未満	六七九、六〇〇円に調整改定率を乗じて得た額
	六年未満	五六八、四〇〇円に調整改定率を乗じて得た額
六十五歳未満の者に給する普通恩給（増加恩給、傷病年金又は特例傷病恩給に併給される普通恩給を除く。）	普通恩給についての最短恩給年限以上	八四九、五〇〇円に調整改定率を乗じて得た額
六十五歳未満の者で増加恩給、傷病年金又は特例傷病恩給を受ける者に給する普通恩給	九年以上	八四九、五〇〇円に調整改定率を乗じて得た額
	六年以上九年未満	六七九、六〇〇円に調整改定率を乗じて得た額
	六年未満	五六八、四〇〇円に

		調整改定率を乗じて得た額
扶助料	普通恩給についての最短恩給年限以上	七九二、〇〇〇円に調整改定率を乗じて得た額
	九年以上普通恩給についての最短恩給年限未満	五九四、〇〇〇円に調整改定率を乗じて得た額
	六年以上九年未満	四七五、二〇〇円に調整改定率を乗じて得た額
	六年未満	四〇四、八〇〇円に調整改定率を乗じて得た額

備考　この表の下欄に掲げる額に五十円未満の端数があるときはこれを切り捨て、五十円以上百円未満の端数があるときはこれを百円に切り上げるものとする。

2　普通恩給を受ける権利を取得した者が再び公務員となつた場合における当該普通恩給又はこれに基づく扶助料に関する前項の規定の適用については、同項の表の実在職年の年数は、当該普通恩給又は扶助料の基礎在職年に算入されている実在職年に再び公務員となつた後の実在職年を加えた年数とする。

3　第一項の規定は、前条第二項に規定する者については適用しない。

4　平成十九年九月三十日以前に給与事由の生じた第一項に規定する普通恩給又は扶助料の同月分までの年額については、なお従前の例による。

附　則（昭四五・五・二六法九九）（抄）

改正　昭四七・六・二二法八〇

（施行期日）

第一条　この法律は、昭和四十五年十月一日から施行する。

（教育職員の勤続在職年についての加給に関する特例）

第十一条　恩給法の一部を改正する法律（昭和二十六年法律第八十七号。以下「法律第八十七号」という。）による改正前の恩給法第六十二条第三項に規定する学校（以下「第三項の学校」という。）の教育職員（教育職員とみなされる者を含む。以下同じ。）が引き続き教育事務に従事する文官、文官とみなされる者若しくは待遇職員若しくは第三項の学校以外の学校の教育職員となり、さらに引き続き第三項の学校の教育職員となつた場合又は同条第四項に規定する学校（以下「第四項の学校」という。）の教育職員が引き続き教育事務に従事する文官、文官とみなされる者若しくは待遇職員若しくは第四項の学校以外の学校の教育職員となり、さらに引き続き第四項の学校の教育職員となつた場合における第三項の学校の教育職員としての在職年又は第四項の学校の教育職員としての在職年をそれぞれ勤続するものとみなして同条第三項若しくは第四項、法律第百五十五号による改正前の法律第八十七号附則第十項又は法律第百五十五号附則第三十九条の規定を適用したとしたならば、これらの規定により勤続在職年についての加給が附せられるべきであつた普通恩給については、これらの規定の例により加給するものとする。

2・3　〔略〕

附　則（昭四六・五・二九法八一）（抄）

最終改正　平一九・三・三一法一三

（施行期日）

第一条　この法律は、昭和四十六年十月一日から施行する。

（旧軍人等に対する特例傷病恩給）

第十三条　旧軍人又は旧準軍人が、昭和十六年十二月八日から昭和二十年十一月三十日（昭和二十年九月二日以後引き続き海外にあつて復員した者については、その復員の日）までの間に旧軍人等の遺族に対する恩給等の特例に関する法律（昭和三十一年法律第百七十七号）第二条第一項に規定する地域における同項に規定する在職期間内にその職務に関連して負傷し、又は疾病にかかつた場合（昭和二十年九月二日以後引き続き海外にあつて復員するまでの間に負傷し、又は疾病にかかり、裁定庁が在職期間内の職務に関連して負傷し、又は疾病にかかつたと同視することを相当と認めた場合を含む。）において、その者が当該負傷又は疾病により恩給法別表第一号表ノ二又は別表第一号表ノ三に規定する程度の重度障害又は障害の状態にあるときは、その者に対し、その重度障害又は障害の程度に応じて特例傷病恩給を年金たる恩給として給するものとする。ただし、退職後同法に規定する普通恩給を受ける権利を失うべき事由に該当した者に対しては、この限りでない。

2　前項の規定による特例傷病恩給の年額は、次の表のとおりとする。

重度障害又は障害の程度	年額
特別項症	第一項症の額にその十分の七以内の額を加えた額
第一項症	四、三六三、〇〇〇円に調整改定率（恩給法第六十五条第二項に規定する調整改定率をいう。以下同じ。）を乗じて得た額
第二項症	三、六三九、〇〇〇円に調整改定率を乗じて得た額
第三項症	三、〇〇七、五〇〇円に調整改定率を乗じて得た額
第四項症	二、三八三、九〇〇円に調整改定率を乗じて得た額
第五項症	一、九三八、七〇〇円に調整改定率を乗じて得た額
第六項症	一、五七一、一〇〇円に調整改定率を乗じて

	得た額
第一款症	一、四二八、二〇〇円に調整改定率を乗じて得た額
第二款症	一、二九九、八〇〇円に調整改定率を乗じて得た額
第三款症	一、〇四五、一〇〇円に調整改定率を乗じて得た額
第四款症	八四四、六〇〇円に調整改定率を乗じて得た額
第五款症	七四三、〇〇〇円に調整改定率を乗じて得た額

備考　この表の下欄に掲げる額に五十円未満の端数があるときはこれを切り捨て、五十円以上百円未満の端数があるときはこれを百円に切り上げるものとする。

3　第一項の規定により特例傷病恩給を受ける者に妻があるときは、十九万三千二百円に調整改定率を乗じて得た額（その額に五十円未満の端数があるときはこれを切り捨て、五十円以上百円未満の端数があるときはこれを百円に切り上げる。）を当該特例傷病恩給の年額に加給し、同項の規定により特別項症から第六項症まで又は第一款症の特例傷病恩給を受ける者に恩給法第六十五条第三項から第五項までに規定する扶養家族があるときは、そのうち二人までについては一人につき七万二千円（特例傷病恩給を受ける者に妻がないときは、そのうち一人については十三万二千円）に調整改定率を乗じて得た額（その額に五十円未満の端数があるときはこれを切り捨て、五十円以上百円未満の端数があるときはこれを百円に切り上げる。）、その他の扶養家族については一人につき三万六千円に調整改定率を乗じて得た額（その額に五十円未満の端数があるときはこれを切り捨て、五十円以上百円未満の端数があるときはこれを百円に切り上げる。）を当該特例傷病恩給の年額に加給する。

4　第一項の規定により特別項症から第二項症までの特例傷病恩給を受ける者が、次の各号の一に該当する場合には、当該各号に掲げる金額を当該特例傷病恩給の年額に加給する。

一　特別項症の特例傷病恩給を受ける場合（公務に起因する傷病により特別項症から第二項症までの増加恩給を受ける場合を除く。）　二十七万円に調整改定率を乗じて得た額（その額に五十円未満の端数があるときはこれを切り捨て、五十円以上百円未満の端数があるときはこれを百円に切り上げる。）

二　特別項症の特例傷病恩給及び公務に起因する傷病により第一項症又は第二項症の増加恩給を受ける場合　前号に掲げる金額から恩給法第六十五条第六項の規定により当該増加恩給の年額に加給されることとなる金額を控除した金額

三　第一項症又は第二項症の特例傷病恩給を受ける場合（公務に起因する傷病により特別項症から第二項症までの増加恩給を受ける場合を除く。）　二十一万円に調整改定率を乗じて得た額（その額に五十円未満の端数があるときはこれを切り捨て、五十円以上百円未満の端数があるときはこれを百円に切り上げる。）

5　第一項の規定により特例傷病恩給を受ける者について、公務に起因する傷病と職務に関連する傷病とがある場合における第二項に規定する特例傷病恩給の年額は、同項の規定にかかわらず、公務に起因する傷病を職務に関連する傷病とみなし、これらを併合して算定した特例傷病恩給の年額とする。ただし、その者が増加恩給又は傷病年金を受ける者である場合には、その併合して算定した特例傷病恩給の年額に相当する金額から当該増加恩給又は傷病年金に係る公務に起因する傷病を職務に関連する傷病とみなした場合における特例傷病恩給の年額に相当する金額を控除した金額とする。

6　第一項の規定により給する特例傷病恩給については、同項から前項までに規定する場合を除くほか、傷病年金に関する法令の規定を準用する。

7　第一項の規定により新たに特例傷病恩給を給されることとなる者の当該特例傷病恩給の給与は、昭和四十六年十月から始めるものとする。

附　則（昭四七・六・二二法八〇）（抄）

（施行期日等）

第一条　この法律は、昭和四十七年十月一日から施行する。〔ただし書略〕

（警察監獄職員の勤続在職年についての加給に関する特例）

第二十一条　警察監獄職員（警察監獄職員とみなされる者を含む。以下同じ。）が引き続き警察監獄事務に従事する文官又は文官とみなされる者となり、さらに引き続き警察監獄職員となつた場合における警察監獄職員としての在職年を勤続するものとみなして法律第百五十五号による改正前の恩給法第六十三条第三項又は法律第百五十五号附則第七条の規定を適用したとしたならば、これらの規定により勤続在職年についての加給が附せられるべきであつた普通恩給については、これらの規定の例により加給するものとする。

2　前項の規定に係る普通恩給又は扶助料については、昭和四十七年十月分以降、その年額を、改正後の恩給法及び法律第百五十五号附則並びに同項の規定によつて算出して得た年額に改定する。

附　則（昭四八・七・二四法六〇）（抄）

（施行期日）

第一条　この法律は、昭和四十八年十月一日から施行する。

（教育職員の勤続在職年についての加給に関する特例）

第十三条　恩給法の一部を改正する法律（昭和二十六年法律第八十七号。以下「法律第八十七号」という。）による改正前の恩給法第六十二条第四項に規定する学校（以下「第四項の学校」という。）の教育職員（教育職員とみなされる者を含む。以下同じ。）が学校教育法（昭和二十二年法律第二十六号）の施行に伴い、引き続き同条第三項に規定する学校（以下「第三項の学校」という。）の教育職員となつた場合における第三項の学校の教育職員としての在職年を第四項の学校の教育職員として勤続した在職年とみなして同条第四項、法律第百五十五号による改正前の法律第八十七号附則第十項、法律第百五十五号附則第三十九条又は恩給法等の一部を改正する法律（昭和四十五年法律第九十九号）附則第十一条の規定を適用したとしたならば、これらの規定により勤続在職年についての加給が附せられるべきであつた普通恩給については、これらの規定の例により加給するものとする。

2　前項の規定により加給される普通恩給又は扶助料については、昭和四十八年十月分以降、その年額を、改正後の恩給法、改正後の法律第百五十五号附則及び同項の規定によつて算出して得た年額に改定する。

附　則（昭四九・六・二五法九三）（抄）

最終改正　昭五四・九・一四法五四

（施行期日）

第一条　この法律は、昭和四十九年九月一日から施行する。

（老齢者等の恩給年額についての特例）

第十三条　七十歳以上の者又は増加恩給、傷病年金若しくは特例傷病恩給を受ける七十歳未満の者に給する普通恩給及び七十歳以上の者又は七十歳未満の妻若しくは子に給する扶助料の年額の算定の基礎となる普通恩給で、その基礎在職年に算入されている実在職年の年数が普通恩給についての最短恩給年限を超えるものの年額は、昭和五十三年六月分以降、その年額（恩給法等の一部を改正する法律（昭和四十一年法律第百二十一号）附則第八条第一項の規定により同項の表の下欄に掲げる額をもつてその年額とされている普通恩給及び扶助料については、同項の規定を適用しないこととした場合の普通恩給及び扶助料の年額の算定の基礎となる普通恩給の額）に、当該恩給の基礎在職年に算入されている実在職年の年数が普通恩給についての最短恩給年限を超える一年ごとに、その年額の計算の基礎となつている俸給年額の三百分の一（その超える年数が十三年に達するまでは、三百分の二）に相当する金額を加えた額とする。

2　前項に規定する普通恩給又は扶助料の昭和五十三年五月分までの年額については、なお従前の例による。

3　第一項に規定する普通恩給又は扶助料で、八十歳以上の者に給するものの昭和五十四年六月分以降の年額に関する同項の規定の適用については、同項中「三百分の一（その超える年数が十三年に達するまでは、三百分の二）」とあるのは、「三百分の二」とする。

（教育職員等の勤続在職年についての加給に関する特例）

第十四条　普通恩給で、次の各号に掲げる学校の教育職員としての在職年をそれぞれ当該各号に掲げる公務員としての在職年とみなし、恩給法の一部を改正する法律（昭和二十六年法律第八十七号。以下「法律第八十七号」という。）による改正前の恩給法第六十二条第三項若しくは第四項、法律第百五十五号による改正前の法律第八十七号附則第十項、法律第百五十五号附則第三十九条又は恩給法等の一部を改正する法律（昭和四十五年法律第九十九号）附則第十一条の規定を適用したとしたならば、これらの規定により勤続在職年についての加給が付せられることとなるものについては、これらの規定の例により加給する。

一　法律第八十七号による改正前の恩給法第六十二条第三項に規定する学校（以下「第三項の学校」という。）の教育職員（教育職員とみなされる者を含む。以下同じ。）が引き続き同条第四項に規定する学校（以下「第四項の学校」という。）の教育職員となつた場合又は第四項の学校の教育職員が引き続き第三項の学校の教育職員となつた場合における第三項の学校の教育職員としての在職年　第四項の学校

二　公立師範学校附属小学校の教育職員としての在職年　第三項の学校

三　第三項の学校（師範学校に附属する小学校その他これに相当する学校を含む。）において教育事務に従事した文官としての在職年　第三項の学校

四　第四項の学校（高等師範学校に附属する中等学校その他これに相当する学校を含む。）において教育事務に従事した文官としての在職年　第四項の学校

2　前項の規定により加給される普通恩給又は扶助料については、昭和四十九年九月分以降、その年額を、改正後の恩給法、法律第百五十五号附則及び同項の規定によつて算出して得た年額に改定する。

附　則（昭五一・六・三法五一）（抄）

最終改正　平三〇・六・二〇法五九

（施行期日）

第一条　この法律は、昭和五十一年七月一日から施行する。

（扶助料の年額に係る加算の特例）

第十四条　恩給法第七十五条第一項第一号に規定する扶助料を受ける者が妻であつて、その妻が次の各号のいずれかに該当する場合には、その年額に、当該各号に定める額を加えるものとする。

一　扶養遺族（恩給法第七十五条第三項に規定する扶養遺族をいう。次号において同じ。）である子が二人以上ある場合　二十六万七千五百円（国民年金法等の一部を改正する法律（昭和六十年法律第三十四号）附則第七十八条第二項の規定により読み替えられてなおその効力を有するものとされた同法による改正前の厚生年金保険法（昭和二十九年法律第百十五号）第六十二条の二第一項第一号に規定する子が二人以上あるときの加算額が二十六万七千五百円を上回る場合にあつては、当該加算額から二十六万七千五百円を控除して得た額を勘案して政令で定める額を二十六万七千五百円に加算した額）

二　扶養遺族である子が一人ある場合　十五万二千八百円（国民年金法等の一部を改正する法律附則第七十八条第二項の規定により読み替えられてなおその効力を有するものとされた同法による改正前の厚生年金保険法第六十二条の二第一項第一号に規定する子が一人あるときの加算額が十五万二千八百円を上回る場合にあつては、当該加算額から十五万二千八百円を控除して得た額を勘案して政令で定める額を十五万二千八百円に加算した額）

三　六十歳以上である場合（前二号に該当する場合を除く。）　十五万二千八百円（国民年金法等の一部を改正する法律附則第七十八条第二項の規定により読み替えられてなおその効力を有するものとされた同法による改正前の厚生年金保険法第六十二条の二第一項第二号に規定する加算額（国民年金法（昭和三十四年法律第百四十一号）第二十七条の三又は第二十七条の五の規定により改定した改定率を乗じて得たものに限る。以下この項、次項及び附則第十五条第四項において「厚生年金加算額」という。）が十五万二千八百円を上回る場合にあつては、当該厚生年金加算額から十五万二千八百円を控除して得た額を勘案して政令で定める額を十五万二千八百

円に加算した額）

2 恩給法第七十五条第一項第二号若しくは第三号又は旧軍人等の遺族に対する恩給等の特例に関する法律（昭和三十一年法律第百七十七号）第三条に規定する扶助料を受ける者については、その年額に十五万二千八百円（厚生年金加算額が十五万二千八百円を上回る場合にあつては、当該厚生年金加算額から十五万二千八百円を控除して得た額を勘案して政令で定める額を十五万二千八百円に加算した額）を加えるものとする。

3 前二項の規定は、恩給年額の計算の基礎となつた俸給と都道府県（これに準ずるものを含む。）の退職年金に関する条例上の職員の俸給又は給料とが併給されていた者であつて、恩給年額の計算の基礎となつた俸給の額が、これらの併給された俸給又は給料の合算額の二分の一以下であつたものについては適用しない。

4 同一の公務員又は公務員に準ずる者の死亡により二以上の扶助料を併給することができる者に係る第一項又は第二項に規定する加算は、その者の請求によりいずれか一の扶助料につき行うものとする。

5 第一項又は第二項の規定により新たに扶助料の年額に加算されることとなる者の当該加算は、昭和五十一年七月から始めるものとする。

第十四条の二 恩給法第七十五条第一項第一号に規定する扶助料を受ける妻で、前条第一項各号の一に該当するものが、旧通算年金通則法（昭和三十六年法律第百八十一号）第三条に規定する公的年金各法に基づく年金たる給付その他の年金たる給付のうち、老齢、退職又は障害を支給事由とする給付であつて政令で定めるもの（その全額を停止されている給付を除く。）の支給を受けることができるときは、その間、前条第一項の規定による加算は行わない。ただし、恩給法第七十五条第一項第一号に規定する扶助料の年額が政令で定める額に満たないときは、この限りでない。

2 前項ただし書の場合において、当該扶助料の年額に前条第一項の規定による加算額を加えた額が政令で定める額を超えるときにおける当該加算額は、当該政令で定める額から当該扶助料の年額を控除した額とする。

（傷病者遺族特別年金）

第十五条 傷病年金又は特例傷病恩給を受ける者が、当該傷病年金又は特例傷病恩給の給与事由である負傷又は疾病以外の事由により昭和二十九年四月一日以後死亡した場合においては、その者の遺族に対し、傷病者遺族特別年金を年金たる恩給として給するものとする。ただし、その遺族が当該死亡後恩給法に規定する扶助料を受ける権利又は資格を失うべき事由に該当した場合には、この限りでない。

2 傷病者遺族特別年金の年額は、四十万四千八百円（第二款症から第五款症までの特例傷病恩給を受けていた者に係るものにあつては、三十万三千六百円）に調整改定率（恩給法第六十五条第二項に規定する調整改定率をいう。）を乗じて得た額（その額に五十円未満の端数があるときはこれを切り捨て、五十円以上百円未満の端数があるときはこれを百円に切り上げる。）とする。

3 傷病者遺族特別年金は、当該死亡した者の死亡に関し、扶助料又は退職年金に関する恩給法以外の法令の規定により公務員又は公務員に準ずる者としての在職年を算入した期間に基づく遺族年金を受けることができる者に対しては、給しないものとする。

4 傷病者遺族特別年金を受ける者については、その年額に十五万二千八百円（厚生年金加算額が十五万二千八百円を上回る場合にあつては、当該厚生年金加算額から十五万二千八百円を控除して得た額を勘案して政令で定める額を十五万二千八百円に加算した額）を加えるものとする。

5 第三項の規定により傷病者遺族特別年金を給しないこととされる者の扶助料（附則第十四条第一項又は第二項の規定による年額の加算をされている扶助料を除く。）の年額が、その者が当該扶助料を受けることができないとしたならば給されることとなる前項の規定による年額の加算をされた傷病者遺族特別年金の年額に満たないときは、前三項の規定にかかわらず、その者に、当該加算をされた傷病者遺族特別年金の年額と当該扶助料の年額との差額に相当する額を年額とする傷病者遺族特別年金を給するものとする。

6 傷病者遺族特別年金については、前各項に規定する場合を除くほか、恩給法第七十五条第一項第一号に規定する扶助料に関する同法第一章、第三章及び第四章の規定を準用する。

7 第一項の規定により新たに傷病者遺族特別年金を給されることとなる者の当該傷病者遺族特別年金の給与は、昭和五十一年七月（第二款症から第五款症までの特例傷病恩給を受けていた者に係るものにあつては、昭和五十二年八月）から始めるものとする。

8 第四項の規定により新たに傷病者遺族特別年金の年額に加算されることとなる者の当該加算及び新たに第五項に規定する傷病者遺族特別年金を給されることとなる者の当該傷病者遺族特別年金の給与は、昭和五十八年十月から始めるものとする。

附 則（昭五二・四・三〇法二六）（抄）

（施行期日等）

第一条 この法律は、公布の日から施行する。ただし、〔中略〕附則第十五条から第十七条までの規定は、昭和五十二年八月一日から施行する。

2 〔略〕

（恩給法第七十四条の規定の適用等に関する特例）

第十六条 旧軍人、旧準軍人又は旧軍属に係る恩給法第七十五条第一項第二号及び第三号並びに法律第百七十七号第三条に規定する扶助料についての恩給法第七十四条並びに第七十五条第二項及び第三項の規定の適用に関しては、同法第七十六条第一号並びに第八十条第一項第二号及び第二項の規定にかかわらず、婚姻（届出をしないが事実上婚姻関係と同様の事情に入つていると認められる場合を含む。以下同じ。）をもつて扶助料を受ける資格又は権利を失うべき事由としないものとする。

2 前項の規定は、昭和五十二年八月一日前に婚姻により扶助料を受ける資格又は権利を失つた子についても、同日（祖父母がこの条の規定の施行の際現に扶助料を受ける権利を有する場合には、当該祖父母がその扶助料を受ける権利を失つた日）以後適用する。

3 前項の規定により新たに扶助料を給されることとなる者の当該扶助料の給与は、昭和五十二年八月（この条の規定の施行の際祖父母が扶助料を受ける権利を有する場合には、当該祖父母が扶助料を受ける権利を失つた日の属する月の翌月）から始めるものとする。

第十七条　前条第二項の規定により扶助料を受ける資格を取得した子に係る恩給法第七十五条第二項の規定による加給及び法律第五十一号附則第十四条第二項の規定による加算は、昭和五十二年八月分から始めるものとする。

（障害年金受給者の普通恩給についての特例）

第十八条　普通恩給を受ける者で、戦傷病者戦没者遺族等援護法（昭和二十七年法律第百二十七号）による障害年金を支給されるものに対する昭和五十二年八月分以降の普通恩給に関する恩給法第五十八条ノ三、法律第百五十五号附則第十三条及び第十四条（法律第百五十五号附則第十八条第二項、第二十三条第六項及び第三十一条において準用する場合を含む。）、法律第百二十一号附則第八条並びに恩給法等の一部を改正する法律（昭和四十九年法律第九十三号）附則第十三条の規定の適用については、当該普通恩給は、増加恩給又は傷病年金を併給されているものとみなす。

附　則（昭五三・五・一法三七）（抄）

改正　昭五七・七・一六法六六

（施行期日等）

第一条　この法律は、公布の日から施行する。ただし、次の各号に掲げる規定は、当該各号に掲げる日から施行する。

一　第一条中恩給法第六十五条第六項の改正規定、第二条中恩給法の一部を改正する法律（昭和二十八年法律第百五十五号。以下「法律第百五十五号」という。）附則第十三条第二項及び附則別表第七の改正規定、第五条中恩給法等の一部を改正する法律（昭和四十六年法律第八十一号。以下「法律第八十一号」という。）附則第十三条第四項の改正規定、第六条並びに第七条（恩給法等の一部を改正する法律（昭和五十一年法律第五十一号。以下「法律第五十一号」という。）附則第十五条第二項の改正規定を除く。）　昭和五十三年六月一日

二　第二条中法律第百五十五号附則第十四条第三項の改正規定及び同項を同条第四項とし、同条第二項の次に一項を加える改正規定並びに附則第十五条　昭和五十三年十月一日

2　第一条の規定による改正後の恩給法第五十八条ノ四第一項、第六十五条第二項、第七十五条第二項及び別表第二号表から別表第五号表までの規定、第二条の規定による改正後の法律第百五十五号附則第二十二条の三、第二十七条ただし書、附則別表第一及び附則別表第四から附則別表第六までの規定、第三条の規定による改正後の旧軍人等の遺族に対する恩給等の特例に関する法律（以下「法律第百七十七号」という。）第三条第二項ただし書の規定、第四条の規定による改正後の恩給法等の一部を改正する法律（昭和四十一年法律第百二十一号。以下「法律第百二十一号」という。）附則第八条第一項及び第四項の規定、第五条の規定による改正後の法律第八十一号附則第十三条第二項及び第三項の規定並びに第七条の規定による改正後の法律第五十一号附則第十五条第二項の規定並びに附則第十七条及び第十八条の規定は、昭和五十三年四月一日から適用する。

（旧軍人等に対する一時金の支給）

第十五条　旧軍人又は旧準軍人としての実在職年が三年以上である旧軍人又は旧準軍人で、失格原因がなくて退職し、かつ、退職後恩給法に規定する普通恩給を受ける権利を失うべき事由に該当しなかつたもののうち、次の各号のいずれにも該当しない者に対し、一万五千円の一時金を給するものとする。

一　昭和五十三年十月一日において現に普通恩給又は退職年金に関する恩給法以外の法令の規定により旧軍人又は旧準軍人としての実在職年を算入した期間に基づく退職年金を受ける権利を有している者

二　昭和五十三年十月一日前に旧軍人としての一時恩給を給することとされた者

2　前項の規定は、昭和五十三年十月一日前に死亡した旧軍人又は旧準軍人としての実在職年が三年以上である旧軍人又は旧準軍人の遺族（同項第二号に掲げる者の遺族を除く。）で、当該旧軍人又は旧準軍人の死亡後恩給法に規定する扶助料を受ける権利又は資格を失うべき事由に該当しなかつたもの（子については、昭和五十三年十月一日において未成年である者又は重度障害の状態にあつて生活資料を得るみちのない者に限る。）について準用する。この場合において、同項第一号中「普通恩給」とあるのは「扶助料」と、「基づく退職年金」とあるのは「基づく遺族年金」と、同項第二号中「一時恩給」とあるのは「一時扶助料」と読み替えるものとする。

3　前二項の規定により給する一時金については、前二項に規定する場合を除くほか、旧軍人又はその遺族についての一時恩給又は一時扶助料に関する恩給法（これに基づく命令を含む。）及び法律第百五十五号附則の規定を準用する。

附　則（昭五五・五・六法三九）（抄）

改正　昭五五・一〇・三一法八二

（施行期日等）

第一条　この法律は、公布の日から施行する。ただし、次の各号に掲げる規定は、当該各号に掲げる日から施行する。

一　第七条中恩給法等の一部を改正する法律（昭和五十一年法律第五十一号。以下「法律第五十一号」という。）附則第十四条第二項の改正規定　昭和五十五年六月一日

二　第七条中法律第五十一号附則第十四条第一項の改正規定　昭和五十五年八月一日

三　第二条の規定　昭和五十五年十月一日

四　第三条中恩給法の一部を改正する法律（昭和二十八年法律第百五十五号。以下「法律第百五十五号」という。）附則第十四条第三項、第十八条第二項、第二十三条第六項及び第三十一条の改正規定　昭和五十五年十二月一日

五　第七条中法律第五十一号附則第十四条の次に一条を加える改正規定及び附則第十六条の改正規定並びに附則第十条の規定　厚生年金保険法等の一部を改正する法律（昭和五十五年法律第八十二号）第一条中厚生年金保険法（昭和二十九年法律第百十五号）第六十五条の次に一条を加える改正規定の施行の日

2　第一条の規定による改正後の恩給法の規定、第三条の規定による改正後の法律第百五十五号附則第二十二条の三、第二十七条ただし書、附則別表第一及び附則別表第四から附則別表第七までの規定、第四条の規定による改正後の旧軍人等の遺族に対する恩給等の特例に関する法律（昭和三十一年法律第百七十七号。以下「法律第百七十七号」という。）の規定、第五条の規定による改正後の恩給法等の一部を改正する法律（昭和四十一年法律第百二十一号。以下「法律第百二十一号」という。）の規定、第六条の規定による改正後の恩給法等の一部を改正する

法律（昭和四十六年法律第八十一号。以下「法律第八十一号」という。）の規定並びに第七条の規定による改正後の法律第五十一号附則第十五条第二項の規定並びに附則第十八条及び第十九条の規定は、昭和五十五年四月一日から適用する。

第十条　改正後の法律第五十一号附則第十四条の二の規定は、附則第一条第五号に掲げる日前に給与事由の生じた恩給法第七十五条第一項第一号に規定する扶助料については、適用しない。

附　則（昭五七・四・二七法三五）（抄）

（施行期日）

第一条　この法律は、昭和五十七年五月一日から施行する。ただし、第一条中恩給法第五十八条ノ四第一項の改正規定及び附則第十五条第一項の規定は、同年七月一日から施行する。

（多額所得による恩給停止についての経過措置）

第十五条　改正後の恩給法第五十八条ノ四の規定は、昭和五十七年六月三十日以前に給与事由の生じた普通恩給についても、適用する。

2　昭和五十七年五月分及び同年六月分の普通恩給に関する恩給法第五十八条ノ四の規定の適用については、附則第二条第一項又は第九条第一項の規定による改定を行わないとした場合に受けることとなる普通恩給の年額をもつて恩給年額とする。

附　則（昭五七・七・一六法六六）

この法律は、昭和五十七年十月一日から施行する。

○障害に関する用語の整理に関する法律

昭五七・七・一六
法　六　六

（障害に係る従前の給付の呼称等）

第八十一条　この法律の施行前の国家公務員共済組合法その他の法令の規定（これらの法令の改正（従前の改正を含む。）前の規定及び廃止された法令の規定を含む。）により支給事由の生じた廃疾年金、廃疾一時金、廃疾給付及び特例廃疾年金は、この法律の施行後は、それぞれ障害年金、障害一時金、障害給付及び特例障害年金と称する。

2　この法律による改正後の法律の規定中の「障害年金」、「障害一時金」、「障害給付」又は「特例障害年金」には、それぞれ前項の規定により障害年金、障害一時金、障害給付又は特例障害年金と称されるもので当該法律の規定に係るものを含むものとする。

附　則（昭五八・一二・二法八〇）（抄）

（施行期日）

1　この法律は、総務庁設置法（昭和五十八年法律第七十九号）の施行の日から施行する。

（経過措置）

3　この法律の施行の際、現にこの法律による改正前の恩給法（恩給法の一部を改正する法律（昭和二十六年法律第八十七号）附則その他恩給に関する法令を含む。）、統計法、統計報告調整法、国会議員互助年金法及び行政相談委員法（以下「恩給法等」と総称する。）の規定により国の機関がした裁定、指定、承認その他の処分又は通知その他の行為は、この法律による改正後の恩給法等の相当規定に基づいて相当の国の機関がした裁定、指定、承認その他の処分又は通知その他の行為とみなす。

4　この法律の施行の際、現にこの法律による改正前の恩給法等の規定により国の機関に対してされている請求、申請、届出その他の行為は、この法律による改正後の恩給法等の相当規定に基づいて相当の国の機関に対してされている請求、申請、届出その他の行為とみなす。

○総理府設置法の一部を改正する等の法律

昭五八・一二・二
法　八　〇

（恩給法の一部改正に伴う経過措置）

第五条　従前の規定による総理府総務長官及び総理府総務副長官については、前条の規定による改正後の恩給法第二十条第二項の規定にかかわらず、なお従前の例による。

附　則（昭五九・五・一五法二九）（抄）

（施行期日等）

第一条　この法律は、公布の日から施行する。ただし、第一条中恩給法第五十八条ノ四第一項の改正規定及び附則第十五条第一項の規定は、昭和五十九年七月一日から施行する。

2　第一条の規定による改正後の恩給法の規定（第五十八条ノ四第一項を除く。）、第二条の規定による改正後の恩給法の一部を改正する法律の規定、第三条の規定による改正後の旧軍人等の遺族に対する恩給等の特例に関する法律の規定及び第四条から第六条までの規定による改正後の恩給法等の一部を改正する法律の規定並びに附則第十四条の規定は、昭和五十九年三月一日から適用する。

（多額所得による恩給停止についての経過措置）

第十五条　改正後の恩給法第五十八条ノ四の規定は、昭和五十九年六月三十日以前に給与事由の生じた普通恩給についても、適用する。この場合において、その普通恩給の支給年額は、附則第二条第一項又は第十二条第一項の規定による改定後の年額の普通恩給について改正前の恩給法第五十八条ノ四の規定を適用した場合の支給年額を下ることはない。

2　昭和五十九年三月分から同年六月分までの普通恩給に関する恩給法第五十八条ノ四の規定の適用については、附則第二条第一項又は第十二条第一項の規定による改定を行わないとした場合に受けることとなる普通恩給の年額をもつて恩給年額とする。

附　則（昭六〇・五・三一法四二）

（施行期日等）

第一条　この法律は、公布の日から施行する。ただし、次の各号に掲げる規定は、当該各号に定める日から施行する。

一　第一条中恩給法第五十八条ノ四第一項の改正規定及び附則第十五条第一項の規定　昭和六十年七月一日

二　第六条中恩給法等の一部を改正する法律（昭和五十一年法律第五十一号。以下「法律第五十一号」という。）附則第十五条第四項の改正規定　昭和六十年八月一日

2　第一条の規定による改正後の恩給法第六十五条第二項、第七十五条第二項及び別表第二号表から別表第五号表までの規定、第二条の規定による改正後の恩給法の一部を改正する法律（昭和二十八年法律第百五十五号。以下「法律第百五十五号」という。）の規定、第三条の規定による改正後の旧軍人等の遺族に対する恩給等の特例に関する法律（昭和三十一年法律第百七十七号。以下「法律第百七十七号」という。）の規定、第四条の

規定による改正後の恩給法等の一部を改正する法律（昭和四十一年法律第百二十一号。以下「法律第百二十一号」という。）の規定、第五条の規定による改正後の恩給法等の一部を改正する法律（昭和四十六年法律第八十一号。以下「法律第八十一号」という。）の規定並びに第六条の規定による改正後の法律第五十一号附則第十五条第二項の規定並びに附則第十四条の規定は、昭和六十年四月一日から適用する。

（多額所得による恩給停止についての経過措置）

第十五条　改正後の恩給法第五十八条ノ四の規定は、昭和六十年六月三十日以前に給与事由の生じた普通恩給についても、適用する。この場合において、昭和五十九年六月三十日以前に給与事由の生じた普通恩給の支給年額は、恩給法等の一部を改正する法律（昭和五十九年法律第二十九号）附則第二条第一項又は第十二条第一項の規定による改定後の年額をその恩給年額として同法による改正前の恩給法第五十八条ノ四の規定を適用した場合の支給年額を下ることはない。

2　昭和六十年四月分から同年六月分までの普通恩給に関する恩給法第五十八条ノ四の規定の適用については、附則第二条第一項又は第十二条第一項の規定による改定を行わないとした場合に受けることとなる普通恩給の年額をもつて恩給年額とする。

附　則（昭六一・四・二五法六〇）

（施行期日）

第一条　この法律は、昭和六十一年七月一日から施行する。ただし、第六条中恩給法等の一部を改正する法律（昭和五十一年法律第五十一号。以下「法律第五十一号」という。）附則第十五条第四項の改正規定は、昭和六十一年八月一日から施行する。

（多額所得による恩給停止についての経過措置）

第十五条　改正後の恩給法第五十八条ノ四の規定は、昭和六十一年六月三十日以前に給与事由の生じた普通恩給についても、適用する。この場合において、昭和五十九年六月三十日以前に給与事由の生じた普通恩給の支給年額は、恩給法等の一部を改正する法律（昭和五十九年法律第二十九号）附則第二条第一項又は第十二条第一項の規定による改定後の年額をその恩給年額として同法による改正前の恩給法第五十八条ノ四の規定を適用した場合の支給年額を下ることはない。

附　則（昭六一・五・二七法七一）（抄）

（施行期日）

1　この法律は、昭和六十一年七月一日から施行する。

（恩給法の一部改正に伴う経過措置）

6　従前の規定による国防会議事務局長及び国防会議事務局事務官については、前項の規定による改正後の恩給法第二十条第二項の規定にかかわらず、なお従前の例による。

附　則（昭六二・五・二九法三一）（抄）

（施行期日等）

第一条　この法律は、公布の日から施行する。ただし、次の各号に掲げる規定は、当該各号に定める日から施行する。

一　第一条中恩給法第五十八条ノ四第一項の改正規定及び附則第十五条第一項の規定　昭和六十二年七月一日

二　第六条中恩給法等の一部を改正する法律（昭和五十一年法律第五十一号。以下「法律第五十一号」という。）附則第十四条第一項及び第二項並びに第十五条第四項の改正規定　昭和六十二年八月一日

2　第一条の規定による改正後の恩給法第六十五条第二項及び別表第二号表から別表第五号表までの規定、第二条の規定による改正後の恩給法の一部を改正する法律（昭和二十八年法律第百五十五号。以下「法律第百五十五号」という。）の規定、第三条の規定による改正後の旧軍人等の遺族に対する恩給等の特例に関する法律の規定、第四条の規定による改正後の恩給法等の一部を改正する法律（昭和四十一年法律第百二十一号。以下「法律第百二十一号」という。）の規定、第五条の規定による改正後の恩給法等の一部を改正する法律（昭和四十六年法律第八十一号。以下「法律第八十一号」という。）の規定並びに第六条の規定による改正後の法律第五十一号附則第十五条第二項の規定並びに附則第十四条の規定は、昭和六十二年四月一日から適用する。

（多額所得による恩給停止についての経過措置）

第十五条　改正後の恩給法第五十八条ノ四の規定は、昭和六十二年六月三十日以前に給与事由の生じた普通恩給についても、適用する。この場合において、昭和五十九年六月三十日以前に給与事由の生じた普通恩給の支給年額は、次の各号に掲げる支給年額のうちいずれか多い支給年額を下ることはなく、同年七月一日以後に給与事由の生じた普通恩給の支給年額は、第一号に掲げる支給年額を下ることはない。

一　附則第二条又は第十二条の規定による改定後の年額の普通恩給について改正前の恩給法第五十八条ノ四の規定を適用した場合の支給年額

二　恩給法等の一部を改正する法律（昭和五十九年法律第二十九号）附則第二条第一項又は第十二条第一項の規定による改定後の年額をその恩給年額として同法による改正前の恩給法第五十八条ノ四の規定を適用した場合の支給年額

2　昭和六十二年四月分から同年六月分までの普通恩給に関する恩給法第五十八条ノ四の規定の適用については、附則第二条又は第十二条の規定による改定を行わないとした場合に受けることとなる普通恩給の年額をもつて恩給年額とする。

附　則（昭六三・四・二六法二〇）

（施行期日等）

第一条　この法律は、公布の日から施行する。

2　第一条の規定による改正後の恩給法の規定、第二条の規定による改正後の恩給法の一部を改正する法律（昭和二十八年法律第百五十五号。以下「法律第百五十五号」という。）の規定、第三条の規定による改正後の旧軍人等の遺族に対する恩給等の特例に関する法律の規定、第四条の規定による改正後の恩給法等の一部を改正する法律（昭和四十一年法律第百二十一号）の規定、第五条の規定による改正後の恩給法等の一部を改正する法律（昭和四十六年法律第八十一号。以下「法律第八十一号」という。）の規定及び第六条の規定による改正後の恩給法等の一部を改正する法律（昭和五十一年法律第五十一号。以下「法律第五十一号」という。）の規定並びに附則第十一条の規定は、昭和六十三年四月一日から適用する。

（多額所得による恩給停止についての経過措置）

第十二条　昭和六十三年四月分から同年六月分までの普通恩給に関する恩給法第五十八条ノ四の規定の適用については、附則第二条又は第八条の規定による改定を行わないとした場合に受けることとなる普通恩給の年額をもつて恩給年額とする。

附　則（平元・六・二八法三二）（抄）

（施行期日等）

第一条　この法律は、公布の日から施行する。ただし、第六条中恩給法等の一部を改正する法律（昭和五十一年法律第五十一号。以下「法律第五十一号」という。）附則第十四条第一項及び第二項並びに第十五条第四項の改正規定は、平成元年八月一日から施行する。

2　第一条の規定による改正後の恩給法の規定、第二条の規定による改正後の恩給法の一部を改正する法律（昭和二十八年法律第百五十五号。以下「法律第百五十五号」という。）の規定、第三条の規定による改正後の旧軍人等の遺族に対する恩給等の特例に関する法律の規定、第四条の規定による改正後の恩給法等の一部を改正する法律（昭和四十一年法律第百二十一号）の規定、第五条の規定による改正後の恩給法等の一部を改正する法律（昭和四十六年法律第八十一号。以下「法律第八十一号」という。）の規定及び第六条の規定による改正後の法律第五十一号附則第十五条第二項の規定並びに附則第十三条の規定は、平成元年四月一日から適用する。

（多額所得による恩給停止についての経過措置）

第十四条　平成元年四月分から同年六月分までの普通恩給に関する恩給法第五十八条ノ四の規定の適用については、附則第二条又は第十一条の規定による改定を行わないとした場合に受けることとなる普通恩給の年額をもって恩給年額とする。

附　則（平二・六・五法二五）（抄）

（施行期日等）

第一条　この法律は、公布の日から施行する。

2　第一条の規定による改正後の恩給法の規定、第二条の規定による改正後の恩給法の一部を改正する法律（昭和二十八年法律第百五十五号。以下「法律第百五十五号」という。）の規定、第三条の規定による改正後の旧軍人等の遺族に対する恩給等の特例に関する法律の規定、第四条の規定による改正後の恩給法等の一部を改正する法律（昭和四十一年法律第百二十一号）の規定、第五条の規定による改正後の恩給法等の一部を改正する法律（昭和四十六年法律第八十一号。以下「法律第八十一号」という。）の規定及び第六条の規定による改正後の恩給法等の一部を改正する法律（昭和五十一年法律第五十一号。以下「法律第五十一号」という。）の規定並びに附則第十二条の規定は、平成二年四月一日から適用する。

（多額所得による恩給停止についての経過措置）

第十三条　平成二年四月分から同年六月分までの普通恩給に関する恩給法第五十八条ノ四の規定の適用については、附則第二条又は第十条の規定による改定を行わないとした場合に受けることとなる普通恩給の年額をもって恩給年額とする。

附　則（平三・三・三〇法六）（抄）

（施行期日）

第一条　この法律は、平成三年四月一日から施行する。

（多額所得による恩給停止についての経過措置）

第十三条　平成三年四月分から同年六月分までの普通恩給に関する恩給法第五十八条ノ四の規定の適用については、附則第二条又は第十条の規定による改定を行わないとした場合に受けることとなる普通恩給の年額をもって恩給年額とする。

附　則（平四・三・三一法四）（抄）

（施行期日）

第一条　この法律は、平成四年四月一日から施行する。

（多額所得による恩給停止についての経過措置）

第十四条　平成四年四月分から同年六月分までの普通恩給に関する恩給法第五十八条ノ四の規定の適用については、附則第二条又は第十二条の規定による改定を行わないとした場合に受けることとなる普通恩給の年額をもって恩給年額とする。

附　則（平五・三・三一法三）（抄）

（施行期日）

第一条　この法律は、平成五年四月一日から施行する。

（多額所得による恩給停止についての経過措置）

第十二条　平成五年四月分から同年六月分までの普通恩給に関する恩給法第五十八条ノ四の規定の適用については、附則第二条又は第十条の規定による改定を行わないとした場合に受けることとなる普通恩給の年額をもって恩給年額とする。

附　則（平六・三・三一法一四）（抄）

（施行期日）

第一条　この法律は、平成六年四月一日から施行する。

（多額所得による恩給停止についての経過措置）

第十四条　平成六年四月分から同年六月分までの普通恩給に関する恩給法第五十八条ノ四の規定の適用については、附則第二条又は第十二条の規定による改定を行わないとした場合に受けることとなる普通恩給の年額をもって恩給年額とする。

附　則（平七・三・八法二一）（抄）

（施行期日）

第一条　この法律は、平成七年四月一日から施行する。ただし、第二条中恩給法の一部を改正する法律（昭和二十八年法律第百五十五号。以下「法律第百五十五号」という。）附則第十六条及び第三十二条第一項の改正規定は、平成七年七月一日から施行する。

（多額所得による恩給停止についての経過措置）

第十二条　平成七年四月分から同年六月分までの普通恩給に関する恩給法第五十八条ノ四の規定の適用については、附則第二条又は第十条の規定による改定を行わないとした場合に受けることとなる普通恩給の年額をもって恩給年額とする。

附　則（平八・三・三一法一一）（抄）

（施行期日）

第一条　この法律は、平成八年四月一日から施行する。

（多額所得による恩給停止についての経過措置）

第十二条　平成八年四月分から同年六月分までの普通恩給に関する恩給法第五十八条ノ四の規定の適用については、附則第二条又は第十条の規定による改定を行わないとした場合に受けることとなる普通恩給の年額をもって恩給年額とする。

附　則（平九・三・二六法四）（抄）

（施行期日）

第一条　この法律は、平成九年四月一日から施行する。

（多額所得による恩給停止についての経過措置）

第十二条　平成九年四月分から同年六月分までの普通恩給に関する恩給法第五十八条ノ四の規定の適用については、附則第二条又は第十条の規定による改定を行わないとした場合に受けることとなる普通恩給の年額をもって恩給年額とする。

附　則（平一〇・三・二七法八）（抄）

（施行期日）

第一条　この法律は、平成十年四月一日から施行する。

（多額所得による恩給停止についての経過措置）

第十二条　平成十年四月分から同年六月分までの普通恩給に関する恩給法第五十八条ノ四の規定の適用については、附則第二条又は第十条の規定による改定を行わないとした場合に受けることとなる普通恩給の年額をもって恩給年額とする。

附　則（平一一・三・三一法七）（抄）

（施行期日）

第一条　この法律は、平成十一年四月一日から施行する。

（多額所得による恩給停止についての経過措置）

第十三条　平成十一年四月分から同年六月分までの普通恩給に関する恩給法第五十八条ノ四の規定の適用については、附則第二条又は第十一条の規定による改定を行わないとした場合に受けることとなる普通恩給の年額をもって恩給年額とする。

附　則（平一一・七・一六法一〇二）（抄）

（施行期日）

第一条　この法律は、内閣法の一部を改正する法律（平成十一年法律第八十八号）の施行の日（平一三・一・六）から施行する。〔ただし書略〕

（恩給法の一部改正に伴う経過措置）

第二十九条　従前の規定による政務次官については、第三十一条の規定による改正後の恩給法第二十条第二項の規定にかかわらず、なお従前の例による。

附　則（平一二・三・三一法一一）

（施行期日）

第一条　この法律は、平成十二年四月一日から施行する。

（文官等に給する普通恩給等の年額の改定）

第二条　公務員（恩給法の一部を改正する法律（昭和二十八年法律第百五十五号。以下「法律第百五十五号」という。）附則第十条第一項に規定する旧軍人（附則第十条において「旧軍人」という。）を除く。）若しくは公務員に準ずる者（同項に規定する旧準軍人（附則第十条において「旧準軍人」という。）を除く。）に給する普通恩給又はこれらの者の遺族に給する扶助料については、平成十二年四月分以降、これらの年額を、これらの年額の計算の基礎となっている俸給年額にそれぞれ対応する附則別表の仮定俸給年額を退職又は死亡当時の俸給年額とみなし、改正後の恩給法（改正後の法律第百五十五号附則その他恩給に関する法令を含む。附則第十条において同じ。）の規定によって算出して得た年額（五十円未満の端数があるときはこれを切り捨て、五十円以上百円未満の端数があるときはこれを百円に切り上げる。）に改定する。

（傷病恩給に関する経過措置）

第三条　増加恩給（第七項症の増加恩給を除く。）については、平成十二年四月分以降、その年額（恩給法第六十五条第二項から第六項までの規定による加給の年額を除く。）を、改正後の同条第一項に規定する年額に改定する。

第四条　平成十二年三月三十一日以前に給与事由の生じた傷病賜金の金額については、なお従前の例による。

第五条　第七項症の増加恩給については、平成十二年四月分以降、その年額（法律第百五十五号附則第二十二条第三項ただし書において準用する恩給法第六十五条第二項から第五項までの規定による加給の年額を除く。）を、改正後の法律第百五十五号附則第二十二条第一項に規定する年額に改定する。

第六条　傷病年金については、平成十二年四月分以降、その年額（妻に係る加給の年額を除く。）を、改正後の法律第百五十五号附則第二十二条第一項に規定する年額に改定する。

第七条　特例傷病恩給については、平成十二年四月分以降、その年額（恩給法等の一部を改正する法律（昭和四十六年法律第八十一号）附則第十三条第三項及び第四項の規定による加給の年額を除く。）を、改正後の同条第二項に規定する年額に改定する。

（扶助料等に関する経過措置）

第八条　恩給法等の一部を改正する法律（昭和五十一年法律第五十一号。次条において「法律第五十一号」という。）附則第十四条第二項の規定による年額の加算をされた扶助料については、平成十二年四月分以降、その加算の年額を、改正後の同項に規定する年額に改定する。

第九条　傷病者遺族特別年金については、平成十二年四月分以降、その年額を、改正後の法律第五十一号附則第十五条の規定によって算出して得た年額に改定する。

（旧軍人等に給する普通恩給等の年額の改定）

第十条　旧軍人若しくは旧準軍人に給する普通恩給又はこれらの者の遺族に給する扶助料については、平成十二年四月分以降、これらの年額を、改正後の法律第百五十五号附則別表第一の仮定俸給年額（改正後の法律第百五十五号附則第十三条第二項に規定する普通恩給又は扶助料については当該仮定俸給年額にそれぞれ対応する改正後の法律第百五十五号附則別表第六の下欄に掲げる金額）を退職又は死亡当時の俸給年額とみなし、改正後の恩給法の規定によって算出して得た年額（五十円未満の端数があるときはこれを切り捨て、五十円以上百円未満の端数があるときはこれを百円に切り上げる。）に改定する。

（職権改定）

第十一条　この法律の附則の規定による恩給年額の改定は、裁定庁が受給者の請求を待たずに行う。

（多額所得による恩給停止についての経過措置）

第十二条　平成十二年四月分から同年六月分までの普通恩給に関する恩給法第五十八条ノ四の規定の適用については、附則第二条又は第十条の規定による改定を行わないとした場合に受けることとなる普通恩給の年額をもって恩給年額とする。

附則別表（附則第二条関係）

恩給年額の計算の基礎となっている俸給年額	仮定俸給年額
一、一四四、一〇〇円	一、一四七、〇〇〇円
一、一九四、八〇〇円	一、一九七、八〇〇円
一、二四六、九〇〇円	一、二五〇、〇〇〇円
一、二九八、五〇〇円	一、三〇一、七〇〇円
一、三五一、二〇〇円	一、三五四、六〇〇円
一、三八三、九〇〇円	一、三八七、四〇〇円

一、四一六、八〇〇円	一、四二〇、三〇〇円
一、四五四、〇〇〇円	一、四五七、六〇〇円
一、五〇七、〇〇〇円	一、五一〇、八〇〇円
一、五五二、七〇〇円	一、五五六、六〇〇円
一、五九五、四〇〇円	一、五九九、四〇〇円
一、六四六、九〇〇円	一、六五一、〇〇〇円
一、六九八、九〇〇円	一、七〇三、一〇〇円
一、七五五、四〇〇円	一、七五九、八〇〇円
一、八一二、七〇〇円	一、八一七、二〇〇円
一、八八四、〇〇〇円	一、八八八、七〇〇円
一、九二九、一〇〇円	一、九三三、九〇〇円
一、九八七、〇〇〇円	一、九九二、〇〇〇円
二、〇四三、六〇〇円	二、〇四八、七〇〇円
二、一五五、六〇〇円	二、一六一、〇〇〇円
二、一八五、七〇〇円	二、一九一、二〇〇円
二、二七二、一〇〇円	二、二七七、八〇〇円
二、三八六、八〇〇円	二、三九二、八〇〇円
二、五一三、七〇〇円	二、五二〇、〇〇〇円
二、五七八、五〇〇円	二、五八四、九〇〇円
二、六四〇、二〇〇円	二、六四六、八〇〇円
二、七二八、四〇〇円	二、七三五、二〇〇円
二、七八〇、三〇〇円	二、七八七、三〇〇円
二、九三〇、七〇〇円	二、九三八、〇〇〇円
三、〇〇五、四〇〇円	三、〇一二、九〇〇円
三、〇八三、二〇〇円	三、〇九〇、九〇〇円
三、二三三、三〇〇円	三、二四一、四〇〇円
三、三八四、五〇〇円	三、三九三、〇〇〇円
三、四二四、〇〇〇円	三、四三二、六〇〇円
三、五四九、〇〇〇円	三、五五七、九〇〇円
三、七二六、四〇〇円	三、七三五、七〇〇円
三、九〇二、一〇〇円	三、九一一、九〇〇円
四、〇一〇、六〇〇円	四、〇二〇、六〇〇円
四、一一六、四〇〇円	四、一二六、七〇〇円
四、三三一、二〇〇円	四、三四二、〇〇〇円
四、五四一、四〇〇円	四、五五二、八〇〇円
四、五八二、七〇〇円	四、五九四、二〇〇円
四、七四六、一〇〇円	四、七五八、〇〇〇円
四、九五二、二〇〇円	四、九六四、六〇〇円
五、一五七、二〇〇円	五、一七〇、一〇〇円
五、三六〇、八〇〇円	五、三七四、二〇〇円
五、四八九、四〇〇円	五、五〇三、一〇〇円
五、六二六、三〇〇円	五、六四〇、四〇〇円
五、八九〇、二〇〇円	五、九〇四、九〇〇円

恩給年額の計算の基礎となっている俸給年額が五、八九〇、二〇〇円を超える場合においては、当該俸給年額を、仮定俸給年額とする。

附　則（平一三・三・三一法一六）

（施行期日）

第一条　この法律は、平成十三年四月一日から施行する。

（傷病恩給の年額の改定）

第二条　扶養家族に係る年額の加給をされた増加恩給又は特例傷病恩給については、平成十三年四月分以降、その加給の年額を、それぞれ改正後の恩給法第六十五条第二項（恩給法の一部を改正する法律（昭和二十八年法律第百五十五号）附則第二十二条第三項ただし書において準用する場合を含む。）又は改正後の恩給法等の一部を改正する法律（昭和四十六年法律第八十一号）附則第十三条第三項の規定によって算出して得た年額に改定する。

（扶助料等の年額の改定）

第三条　扶養遺族に係る年額の加給をされた扶助料については、平成十三年四月分以降、その加給の年額を、改正後の恩給法第七十五条第二項の規定によって算出して得た年額に改定する。

第四条　恩給法等の一部を改正する法律（昭和五十一年法律第五十一号。次条において「法律第五十一号」という。）附則第十四条第二項の規定による年額の加算をされた扶助料については、平成十三年四月分以降、その加算の年額を、改正後の同項に規定する年額に改定する。

第五条　傷病者遺族特別年金については、平成十三年四月分以降、その年額を、改正後の法律第五十一号附則第十五条の規定によって算出して得た年額に改定する。

（職権改定）

第六条　この法律の附則の規定による恩給年額の改定は、裁定庁が受給者の請求を待たずに行う。

附　則（平一七・七・六法八二）（抄）

（施行期日）

第一条　この法律は、平成十九年四月一日から施行する。〔ただし書略〕

附　則（平一九・三・三一法一三）

改正　平二四・八・二二法六三

（施行期日）

第一条　この法律は、平成十九年十月一日から施行する。ただし、第一条中恩給法第十七条及び第十八条の改正規定は、公布の日から施行する。

（普通恩給等の年額の改定）

第二条　普通恩給又は扶助料については、平成十九年十月分以降、これらの年額を、これらの年額の計算の基礎となっている俸給年額にそれぞれ調整改定率（第一条の規定による改正後の恩給法（以下「新恩給法」という。）第六十五条第二項に規定する調整改定率をいう。）を乗じて得た額（その額に五十円未満の端数があるときはこれを切り捨て、五十円以上百円未満の端数があるときはこれを百円に切り上げる。）を退職又は死亡当時の俸給年額とみなし、新恩給法、第二条の規定による改正後の恩給法の一部を改正する法律（昭和二十八年法律第百五十五号。以下「新昭和二十八年改正法」という。）その他の恩給に関する法令の規定によって算出して得た年額（その額に五十円未満の端数があるときはこれを切り捨て、五十円以上百円未満の端数があるときはこれを百円に切り上げる。）に改定する。

（成年の子の扶助料に関する経過措置）

第三条　第一条の規定による改正前の恩給法第七十四条の規定は、この法律の施行の際現に扶助料を受ける権利又は資格を有する成年の子については、新恩給法第七十四条の規定にかかわらず、なおその効力を有する。

（恩給年額に関する経過措置）

第四条　恩給年額（普通恩給及び扶助料を除き、加給又は加算の年額を含む。）は、平成十九年十月分以降、新恩給法、新昭和二十八年改正法、第三条の規定による改正後の旧軍人等の遺族に対する恩給等の特例に関する法律（以下「新昭和三十一年特例法」という。）、第四条の規定による改正後の恩給法等の一部を改正する法律（昭和四十一年法律第百二十一号。以下「新昭和四十一年改正法」という。）、第五条の規定による改正後の恩給法等の一部を改正する法律（昭和四十六年法律第八十一号）、第六条の規定による改正後の恩給法等の一部を改正する法律（昭和五十一年法律第五十一号。以下「新昭和五十一年改正法」という。）及び第七条の規定による改正後の恩給法等の一部を改正する法律（平成十一年法律第七号）の規定によって算出して得た年額に改定する。

2　平成十九年十月分から平成二十年九月分までの扶助料の年額に関する新恩給法別表第五号表、新昭和二十八年改正法附則第二十七条ただし書及び新昭和三十一年特例法第三条第二項ただし書の規定の適用については、同表中「一、四二〇、七〇〇円」とあるのは「一、四一五、九〇〇円」と、新昭和二十八年改正法附則第二十七条ただし書及び新昭和三十一年特例法第三条第二項ただし書中「百四十二万七百円」とあるのは「百四十一万五千九百円」とする。

3　平成十九年十月分から平成二十三年九月分までの扶助料の年額に関する新昭和四十一年改正法附則第八条第一項の規定の適用については、同項の表扶助料の項中「四〇四、八〇〇円」とあるのは、平成十九年十月分から平成二十年九月分までにあっては「四〇一、〇〇〇円」と、平成二十年十月分から平成二十三年九月分までにあっては「四〇一、〇〇〇円以上四〇四、八〇〇円以下の範囲内で政令で定める額」とする。

4　平成十九年十月分から平成二十三年九月分までの傷病者遺族特別年金の年額に関する新昭和五十一年改正法附則第十五条第四項の規定の適用については、同項中「十五万二千八百円（厚生年金加算額が十五万二千八百円を上回る場合にあつては、当該厚生年金加算額から十五万二千八百円を控除して得た額を勘案して政令で定める額を十五万二千八百円に加算した額）」とあるのは、平成十九年十月分から平成二十年九月分までにあっては「十万九千七百五十円」と、平成二十年十月分から平成二十三年九月分までにあっては「十万九千七百五十円以上十五万二千八百円（厚生年金加算額が十五万二千八百円を上回る場合にあつては、当該厚生年金加算額）以下の範囲内で政令で定める額」とする。

（多額所得による恩給停止についての特例）

第五条　普通恩給の年額の改定が行われた場合における当該改定が行われた年の四月分から同年六月分までの普通恩給に関する新恩給法第五十八条ノ四の規定の適用については、当該改定を行わないとした場合に受けることとなる普通恩給の年額をもって恩給年額とする。

（文官等に給する普通恩給等の年額の特例）

第六条　被用者年金制度の一元化等を図るための厚生年金保険法等の一部を改正する法律（平成二十四年法律第六十三号）附則第一条第三号に定める日（以下「第三号施行日」という。）の属する月分以降の公務員（新昭和二十八年改正法附則第十条第一項に規定する旧軍人を除く。以下この条において同じ。）に給する普通恩給又はその遺族に給する扶助料（新恩給法第七十五条第一項第二号に規定する扶助料を除く。以下この条において同じ。）の年額（新恩給法第七十五条第二項又は新昭和五十一年改正法附則第十四条第一項若しくは第二項の規定による加給又は加算の年額を含む。以下この条において同じ。）は、これらの項の規定の適用がないものとした場合におけるこれらの年額が国家公務員共済組合法の長期給付に関する施行法（昭和三十三年法律第百二十九号）第十三条の二第一項に規定する控除調整下限額（以下「控除調整下限額」という。）を超えるときは、当該年額に〇・九を乗じて得た額（五十円未満の端数があるときはこれを切り捨て、五十円以上百円未満の端数があるときはこれを百円に切り上げる。）とする。ただし、その額が控除調整下限額に満たないときは、控除調整下限額とする。

2　前項に定めるもののほか、第三号施行日の属する月分以降の公務員に給する普通恩給又はその遺族に給する扶助料の年額の算定に関し必要な事項は、政令で定める。

（職権改定）

第七条　この法律の附則の規定による恩給年額の改定は、裁定庁が受給者の請求を待たずに行う。

附　則（平一九・五・二五法五八）（抄）

（施行期日）

第一条　この法律は、平成二十年十月一日から施行する。〔ただし書略〕

附　則（平二〇・一二・二六法九五）（抄）

（施行期日）

第一条　この法律は、公布の日から起算して六月を超えない範囲内において政令で定める日〔平二一・四・一〕から施行する。〔ただし書略〕

附　則（平二一・六・三法四四）（抄）

（施行期日）

第一条　この法律は、平成二十二年三月三十一日までの間において政令で定める日〔平二二・三・二六〕から施行する。ただし、次の各号に掲げる規定は、当該各号に定める日から施行する。

一〜三　〔略〕

四　〔前略〕附則第五条から第七条までの規定　平成二十二年十月一日

（恩給法の一部改正に伴う経過措置）

第七条　従前の規定による三等陸士、三等海士又は三等空士については、前条の規定による改正後の恩給法第二十三条第六号の規定にかかわらず、なお従前の例による。

附　則（平二五・六・一九法四九）（抄）

（施行期日）

第一条　この法律は、公布の日から起算して三年を超えない範囲内において政令で定める日〔平二八・六・一〕から施行する。〔ただし書略〕

＊　恩給法は、刑法等の一部を改正する法律の施行に伴う関係法律の整理等に関する法律（令和四年法六八）により一部改正されたが、刑法等一部改正法施行日〔令七・六・一〕から施行となるため、一部改正法の形で掲載した。

○刑法等の一部を改正する法律の施行に伴う関係法律の整理等に関する法律（抄）

令四・六・一七
法　六八

（恩給法の一部改正）

第百四十六条　恩給法（大正十二年法律第四十八号）の一部を次のように改正する。

第九条第一項第二号中「懲役若ハ禁錮ノ刑」を「拘禁刑」に改め、同条第二項中「禁錮」を「拘禁刑」に改める。

第四十一条第四号中「禁錮」を「拘禁刑」に改める。

第五十八条ノ二中「懲役又ハ禁錮ノ刑」を「拘禁刑」に改め、同条に次の一項を加える。

刑法（明治四十年法律第四十五号）第二十七条第三項（第二号ニ係ル部分ニ限ル）及第二十七条の七第三項（第二号ニ係ル部分ニ限ル）ノ規定ハ前項ノ規定ノ適用ニ関シテハ之ヲ適用セズ

第七十七条第一項中「懲役又ハ禁錮ノ刑」を「拘禁刑」に改め、同条第二項中「禁錮」を「拘禁刑」に改め、同条に次の一項を加える。

刑法第二十七条第三項（第二号ニ係ル部分ニ限ル）及第二十七条の七第三項（第二号ニ係ル部分ニ限ル）ノ規定ハ前二項ノ規定ノ適用ニ関シテハ之ヲ適用セズ

附　則（抄）

（施行期日）

1　この法律は、刑法等一部改正法施行日〔令七・六・一〕から施行する。〔ただし書略〕

○元南西諸島官公署職員等の身分、恩給等の特別措置に関する法律（抄）

昭二八・八・一
法一五六

最終改正　平二六・四・一八法二二

（目的）

第一条　この法律は、元南西諸島官公署職員等の身分、恩給、共済組合の長期給付等に関して、特別の措置を定めることを目的とする。

（定義）

第二条　この法律において、左の各号に掲げる用語の意義は、当該各号に定めるところによる。

一　南西諸島　北緯二十九度以南の南西諸島（琉球諸島及び大東諸島を含む。）をいう。

二　元南西諸島官公署職員　昭和二十一年一月二十八日において南西諸島にあつた国又は地方公共団体の機関（元陸軍又は海軍の機関を除く。）に所属していた職員をいう。但し、市町村に所属していた職員（市町村立の学校、幼稚園又は図書館に勤務し判任官以上の待遇を受けていた者及び準教育職員であつた者を除く。）、気象官署に所属していた職員その他政令で定める職員を除く。

三　琉球諸島民政府職員　昭和二十一年一月二十九日以後において南西諸島にあつた琉球政府（これにその事務を引き継がれた機関及びこれからその事務を引き継いだ機関で政令で定めるものを含む。）に所属していた職員をいう。但し、その就任について選挙によることを必要とする職員、常時勤務することを要しない職員その他政令で定める職員を除く。

四　本邦官公署職員　国又は地方公共団体の機関に所属する職員（日本電信電話株式会社等に関する法律（昭和五十九年法律第八十五号）附則第四条第一項の規定による解散前の日本電信電話公社又は政令で定める公団若しくは公庫の役員及び職員を含む。）をいう。

（元南西諸島官公署職員の退職）

第三条　元南西諸島官公署職員は、この法律に別段の定がある場合を除く外、昭和二十一年一月二十八日において退職したものとする。

（恩給に関する法令の適用）

第四条　恩給法の一部を改正する法律（昭和二十一年法律第三十一号）による改正前の恩給法（大正十二年法律第四十八号。第十条の二及び第十条の三において「改正前の恩給法」という。）第十九条に規定する公務員又は公務員に準ずべき者として在職していた元南西諸島官公署職員が、引き続き政令で定める琉球諸島民政府職員となつた場合においては、政令で定めるところにより、その琉球諸島民政府職員を同条に規定する公務員又は公務員に準ずべき者として勤続する者とみなし、その者について恩給に関する法令の規定（納金に関する部分の規定を除く。）を適用する。

2　前項の規定により恩給に関する法令の規定を適用して給する恩給の年額の計算の基礎となる俸給の年額は、琉球諸島民政府職員の退職当時（第六条第二項に規定する者にあつては、その退職とみなされた当時）の俸給年額に基づき政令で定める方法により算定して得た額とする。

3　第一項の規定により恩給に関する法令の規定の適用を受ける琉球諸島民政府職員が、引き続き本邦官公署職員となつた場合における恩給に関する法令の規定の適用について必要な事項は、政令で定める。

（共済組合に関する法令の適用）

第四条の二　国家公務員共済組合法（昭和二十三年法律第六十九号。以下「共済組合法」という。）の規定中退職給付、障害給付及び遺族給付（以下「長期給付」という。）に関する部分の規定（掛金に関する部分の規定を除く。）は、昭和二十一年一月二十八日において効力を有していた官署の職員の共済組合に関する法令（以下「旧組合令」という。）に基いて組織された共済組合で政令で指定するもの（以下「旧組合」という。）の組合員たる職員として在職していた元南西諸島官公署職員が、引き続き琉球諸島民政府職員となつたときは、その者のうち、政令で定める者を除き、昭和二十一年一月二十九日以後旧組合令並びに共済組合法及びこれに基く命令が南西諸島に適用されていたとした場合において、旧組合令又は共済組合法の規定中長期給付に関する部分の規定の適用を受ける職員として在職した者となるべきものを、その琉球諸島民政府職員としての在職の間、昭和二十一年一月二十八日においてその者が属していた旧組合及び当該旧組合の権利義務を承継した共済組合法に基いて組織された共済組合（以下「新組合」という。）の組合員たる職員として在職した者とみなし、且つ、昭和二十一年一月二十九日以後共済組合法の施行前に旧組合令が南西諸島に適用されていたとした場合において、共済組合法第九十条の規定の適用を受けるべき給付をその者が受けるべきこととなるときは、その受けるべきこととなる給付を同条の規定の適用を受ける給付とみなして、その者について昭和二十一年一月二十九日以後給付事由の生ずる長期給付から適用する。

2　前項の規定により共済組合法の規定を適用して支給する給付の額の計算の基礎となる俸給の額は、琉球諸島民政府職員の退職当時（第六条の二第二項に規定する者にあつては、その退職したものとみなされた当時）の俸給の額に基づき政令で定める方法により算定して得た額とする。

（退職年金等の額の特例）

第四条の三　前条第一項の規定により共済組合法の規定の適用を受ける琉球諸島民政府職員に係る退職年金、退職一時金又は遺族一時金（旧組合及び新組合の組合員であつた期間並びに前条第一項の規定によりこれらの組合の組合員たる職員として在職した者とみなされる期間が二十年以上の者に対する遺族一時金を除く。）の額は、昭和二十九年六月三十日までに給付事由の生じたものを除き、同年七月一日から引き続き琉球諸島民政府職員として在職した期間（以下本条において「改正法施行後の在職期間」という。）に応じ共済組合法の規定により算定した額から、左の各号に掲げる区別に従い算定した金額を控除した金額とする。

一　退職年金にあつては、俸給日額の二・七日分（改正法施行後の在職期間及び共済組合法第九十五条に規定する控除期間

を合算した期間が二十年をこえる部分については、一・八日分）に改正法施行後の在職期間を乗じて得た額

二　退職一時金又は遺族一時金にあつては、俸給日額に、改正法施行後の在職期間を組合員の期間とみなし、その期間に応じ共済組合法別表第一に定める日数を乗じて得た額の百分の四十五

2　前項第一号の額の計算については、年を単位として期間を計算するものとし、一年未満の端数は、切り捨てるものとする。

（在職年の通算の辞退）

第六条　第四条第一項の規定により恩給に関する法令の規定の適用を受ける琉球諸島民政府職員は、同項の規定による在職年の通算を辞退すべき旨を申し出ることができる。

2　前項の規定による申出をした者は、恩給に関する法令の規定の適用については、当該申出をした日前六月以内でその者の指定する日に退職したものとみなす。

3　第一項の規定による申出は、内閣総理大臣に対してしなければならない。

（在職期間の通算の辞退）

第六条の二　第四条の二第一項の規定により共済組合法の規定の適用を受ける琉球諸島民政府職員で、同項の規定による退職年金についての最短給付年限（以下この条において「最短給付年限」という。）に達したものは、同項の規定による在職期間の通算を辞退すべき旨を申し出ることができる。

2　前項の規定による申出をした者は、共済組合法の規定の適用については、当該申出をした日前六月以内でその者の指定する日（最短給付年限に達した日が当該申出をした日前六月以内にあるときは、その最短給付年限に達した日）に退職したものとみなす。

3　第一項の規定による申出は、内閣総理大臣を経由して当該新組合の代表者に対してしなければならない。

（引き続き他の職員として勤続するものとみなす場合）

第八条　元南西諸島官公署職員が昭和二十一年一月二十九日から百二十日以内に琉球諸島民政府職員となつた場合においては、第四条から第四条の三までの規定の適用については、引き続き琉球諸島民政府職員として勤続するものとみなす。

2　元南西諸島官公署職員が昭和二十一年一月二十九日から九十日以内に本邦官公署職員となつた場合においては、恩給、官署の職員の共済組合又は退職手当に関する法令の規定の適用については、引き続き本邦官公署職員として勤続するものとみなす。

3　第四条第一項又は第四条の二第一項の規定により恩給に関する法令又は共済組合法の規定の適用を受ける琉球諸島民政府職員が、その退職後（第六条又は第六条の二の規定により退職とみなされる場合を除く。）三十日（この法律の施行前に退職した場合にあつては、九十日）以内に本邦官公署職員となつた場合においては、恩給又は官署の職員の共済組合に関する法令の規定の適用については、その退職の日の翌日から引き続き本邦官公署職員として勤続するものとみなす。

（未帰還職員）

第九条　昭和二十年九月二日から引き続き海外にあつて昭和二十一年一月二十八日までに帰国しなかつた元南西諸島官公署職員（以下「未帰還職員」という。）については、第三条の規定は、適用しない。

2　昭和二十八年七月三十一日までに帰国した未帰還職員は、その帰国の日から百二十日以内に琉球諸島民政府職員となつた場合又はその帰国の日から九十日以内に本邦官公署職員となつた場合にあつては、その琉球諸島民政府職員又は本邦官公署職員となつた日の前日まで元南西諸島官公署職員として有していた身分を失わなかつたものとし、その他の場合にあつては、その帰国の日から三十日を経過した日において退職したものとする。

3　昭和二十八年七月三十一日までに帰国しなかつた未帰還職員は、恩給法の規定の適用を受ける者にあつては、恩給法の一部を改正する法律（昭和二十八年法律第百五十五号）附則第三十条の規定により退職したものとみなされる日又は死亡した日において、その他の者にあつては、恩給法の規定の適用を受ける者の例に準じ政令で定める日において退職したものとする。

4　元沖縄県がその俸給その他の給与を支給していた未帰還職員に対しては、本邦官公署職員の例に準じ政令で定めるところにより、俸給その他の給与及び退職手当を支給する。

（疎開学童担当教育関係職員）

第十条　元沖縄県の疎開学童の教育を担当するため他県の教育関係職員に転じ昭和二十一年一月二十九日から同年十二月三十一日までの間において南西諸島に復帰した元沖縄県の教育関係職員が、その復帰の日から百二十日以内に政令で定める琉球諸島民政府職員となつた場合において、まだ当該他県の教育関係職員の職を退いていないときは、その琉球諸島民政府職員となつた日の前日においてその職を退いたものとみなし、すでにその職を退いているときは、その退職の日の翌日から引き続き琉球諸島民政府職員として勤続するものとみなす。

2　前項の琉球諸島民政府職員については、第四条から第四条の三まで、第六条及び第六条の二に規定する場合の例に準じ政令で定めるところにより、恩給を給する。

（元一般官公署職員）

第十条の二　昭和二十年八月十五日において元陸軍又は海軍の官署以外の官公署に勤務していた改正前の恩給法第十九条第一項に規定する公務員で、政令で定める期間内に第四条第一項の政令で定める琉球諸島民政府職員となつたもの（同条、第八条又は前条の規定の適用を受ける者を除く。）については、その琉球諸島民政府職員を改正前の恩給法第十九条第一項に規定する公務員として在職するものとみなす。

2　前項の琉球諸島民政府職員については、第四条及び第六条に規定する場合の例に準じ政令で定めるところにより、恩給（年金たる恩給に限る。）を給する。

（公務員とみなされる在職）

第十条の三　第四条第一項の政令で定める琉球諸島民政府職員として在職していた者については、その琉球諸島民政府職員として在職していた期間（同条、第八条、第十条又は前条の規定により当該公務員として在職していたとみなされた期間を除く。）改正前の恩給法第十九条第一項に規定する公務員として在職していたものとみなす。

2　前条第二項の規定は、前項の規定により公務員として在職していたものとみなされた期間を有する同項の琉球諸島民政府職員について準用する。

第十条の四　旧琉球大学において教育事務に従事した職員で昭和

四十一年七月一日前に退職したものについては、旧琉球大学において教育事務に従事する職員として在職していた期間、第四条第一項の政令で定める琉球諸島民政府職員として在職していたものとみなす。

2　第十条の二第二項の規定は、前項の規定により琉球諸島民政府職員として在職していたものとみなされた期間を有する同項の旧琉球大学の職員について準用する。

第十一条　削除

（琉球諸島民政府職員期間を有する者の長期給付の特例）

第十一条の二　琉球諸島民政府職員として在職した者（政令で定める者を除く。）については、その在職した期間（その在職した者が昭和二十一年一月二十九日前において元南西諸島官公署職員として在職していた者（政令で定める者を除く。）である場合には、その在職していた期間を含む。以下「琉球等在職期間」という。）を共済組合法の組合員たる職員として在職した期間とみなし、かつ、同法の規定中長期給付に関する部分の規定（掛金に関する部分の規定を除く。）を適用するとしたならば同法に基づく年金たる長期給付を受ける権利を有することとなるときは、政令で定める共済組合が、その者又はその遺族に対し、当該年金たる長期給付を支給する。この場合においては、第四条の二の規定は、適用しない。

2　前項の規定により共済組合法の規定を適用して支給する給付の額の計算の基礎となる俸給の額については、第四条の二第二項の規定の例に準じ、政令で定める。

3　第一項の規定による年金たる長期給付の額は、次の各号に掲げる年金に応じ当該各号に掲げる金額とする。

一　退職年金　共済組合法の規定により算定した額から俸給日額の二・七日分（琉球等在職期間が二十年をこえる部分については、一・八日分）に琉球等在職期間を乗じて得た額を控除した金額

二　障害年金　共済組合法の規定により算定した額（琉球等在職期間が十年をこえるものにあつては、俸給日額の一・三五日分（琉球等在職期間が二十年をこえる部分については、一・八日分））に琉球等在職期間を乗じて得た額を控除した金額）

三　遺族年金　第一号の規定により算定した退職年金の額の二分の一に相当する金額

4　第四条の三第二項の規定は、前項各号の金額の計算について準用する。

（時効の特例）

第十二条　南西諸島の官公署の職員であつた者について、その職員たる身分に基きこの法律の施行前に生じた恩給を受ける権利その他国又は地方公共団体に対する権利で金銭の給付を目的とするものの消滅時効は、他の法令の規定にかかわらず、昭和二十年三月一日からこの法律の施行の日の前日までは進行しないものとする。

2　前項の規定は、官公署の職員の共済組合に対する権利で金銭の給付を目的とするものの消滅時効について準用する。この場合において、同項の規定中「この法律の施行前」とあるのは「昭和二十九年七月一日前」と、「この法律の施行の日の前日」とあるのは「昭和二十九年六月三十日」と読み替えるものとする。

（給与等の負担）

第十三条　元沖縄県がその俸給を負担していた職員について、昭和二十一年一月二十八日までに給与事由の生じた俸給その他の政令で定める給与でこの法律の施行の日までに支払われなかつたもの並びに昭和二十一年一月二十九日以後給与事由の生じた俸給その他の政令で定める給与及び退職手当は、国庫が負担する。

（恩給の裁定及び負担）

第十四条　琉球諸島民政府職員について第四条又は第十条から第十条の四までの規定により給すべき恩給は、総務大臣が裁定し、国庫が負担する。ただし、昭和二十一年一月二十八日に元南西諸島官公署職員として恩給の給与事由が生じたとした場合において、元沖縄県以外の都道府県の知事がその恩給を裁定し、当該都道府県がこれを負担すべきであつた職員に係るものは、当該都道府県の知事が裁定し、当該都道府県が負担するものとし、その経費（政令で定める日以後に支給すべき恩給に係るものを除く。）は、政令で定めるところにより、国庫が交付するものとする。

（実施規定）

第十五条　この法律に特別の定があるものの外、この法律の実施に関し必要な事項は、政令で定める。

附　則（昭三九・七・六法一五一）（抄）

改正　昭五七・七・一六法六六

（施行期日）

第一条　この法律は、昭和三十九年十月一日から施行する。

（元南西諸島官公署職員等の身分、恩給等の特別措置に関する法律の改正に伴う経過措置）

第三条　この法律の施行の際現にこの法律による改正前の元南西諸島官公署職員等の身分、恩給等の特別措置に関する法律（以下「特別措置法」という。）第四条の規定を適用して計算して得た年額の普通恩給又は扶助料を受けている者については、昭和三十九年十月分以降、その年額をこの法律による改正後の同条の規定を適用して計算して得た年額に改定する。

2　この法律の施行前に給与事由の生じた普通恩給又は扶助料の昭和三十九年九月分までの年額の計算については、この法律による改正後の特別措置法第四条の規定にかかわらず、なお従前の例による。

第四条　この法律の施行の際現にこの法律による改正前の特別措置法第四条の二の規定を適用して計算して得た額の退職年金、障害年金又は遺族年金を受けている者については、昭和三十九年十月分以降、その額をこの法律による改正後の同条の規定を適用して計算して得た額に改定する。

2　この法律の施行前に給付事由の生じた退職給付、障害給付又は遺族給付の昭和三十九年九月分までの額の計算については、この法律による改正後の特別措置法第四条の二の規定にかかわらず、なお従前の例による。

第五条　この法律による改正後の特別措置法第八条から第十条までの規定は、恩給に関する法令の規定の適用については、この法律の施行前に琉球諸島民政府職員を退職し、又は死亡した元南西諸島官公署職員についても適用する。ただし、これらの規定を適用した場合においても、その在職年が普通恩給について の最短恩給年限に達しない者については、この限りでない。

第六条　前条の規定により恩給に関する法令の規定による普通恩

給又は扶助料を受けることとなる場合における当該普通恩給又は扶助料の給与は、昭和三十九年十月から始めるものとする。

第七条　この法律の施行前に琉球諸島民政府職員を退職し、又は死亡した元南西諸島官公署職員で、この法律による改正後の特別措置法第八条又は第九条の規定を適用したならば、同法の規定により共済組合に関する法令の規定による退職年金、障害年金又は遺族年金を支給すべきこととなるものについては、同法の規定により、昭和三十九年十月分以降、その者又はその遺族に退職年金若しくは障害年金又は遺族年金を支給する。

2　前項の場合において、この法律による改正後の特別措置法第八条又は第九条の規定により新たに勤続するものとみなされる期間のうち元南西諸島官公署職員として在職した期間を基礎とした一時金である給付を受けた者に係る退職年金若しくは障害年金又は遺族年金の額は、同法第四条の二及び第四条の三の規定にかかわらず、これらの規定によつて計算した額から、政令で定める金額を減じた額とする。

3　前項の規定は、この法律による特別措置法第八条又は第九条の規定の改正により新たに同法の規定により共済組合に関する法令の規定の適用を受けることとなつた者についての共済組合に関する法令の規定による給付の額の計算について準用する。この場合において、同項中「退職年金若しくは障害年金又は遺族年金」とあるのは、「退職年金、障害年金、退職一時金若しくは障害一時金又は遺族年金若しくは遺族一時金」と読み替えるものとする。

（停止年額についての経過措置）

第八条　恩給法等の一部を改正する法律（昭和三十七年法律第百十四号）により年額を改定された普通恩給又は扶助料の改定年額と改定前の年額との差額の停止については、昭和三十九年九月分までは、この法律による改正前の同法附則第三条、第八条第二項、第九条第二項又は第十条第二項の規定の例による。

（旧勅令第六十八号第八条第二項の規定に該当した者に対する一時金の支給）

第九条　旧恩給法の特例に関する件の措置に関する法律（昭和二十七年法律第二百五号）による改正前の恩給法の特例に関する件（昭和二十一年勅令第六十八号。以下「旧勅令第六十八号」という。）第八条第二項の規定により一時恩給を受ける権利又は資格を失つたことのある恩給法上の公務員（以下この条において「恩給公務員」という。）で、恩給公務員としての在職年が七年以上普通恩給についての最短年限未満であるもの（その者が、この法律の施行前に死亡した者であるときは、その恩給法上の遺族）に対しては、当該恩給公務員が一時恩給を受ける権利又は資格を失つた時から普通恩給を受けていたとしたならば旧勅令第六十八号第八条第二項の規定の適用を除外することとした法令の規定により一時恩給を受ける権利を取得した時において当該普通恩給の年額の計算の基礎となるべきであつた俸給年額の十二分の一に相当する金額に恩給公務員としての在職年の年数を乗じて得た金額の一時金を給するものとする。ただし、次の各号のいずれかに該当する者については、この限りでない。

一　この法律の施行の際現に退職年金に関する恩給法以外の法令の規定により当該恩給公務員としての在職年を算入した期間に基づく退職年金又は遺族年金を受ける権利を有している者

二　この法律の施行の際現に当該恩給公務員としての在職年がその期間に算入されることとされている退職年金に関する恩給法以外の法令の規定の適用を受けている者

三　法律第百五十五号附則第二十九条第一項の規定の適用を受けた者

2　前項の規定による一時金の負担、裁定及び支給については、これを恩給法に規定する一時恩給（遺族に給するものは、同法に規定する一時扶助料）とみなす。

附　則（昭四一・七・一法一一一）（抄）

（施行期日）

第一条　この法律は、公布の日から起算して六月をこえない範囲内において政令で定める日（昭四一・一二・三一）から施行する。

附　則（昭四二・七・二七法八三）（抄）

（施行期日）

第一条　この法律は、昭和四十二年十月一日から施行する。

（元南西諸島官公署職員等の身分、恩給等の特別措置に関する法律の一部改正に伴う経過措置）

第十条　改正後の元南西諸島官公署職員等の身分、恩給等の特別措置に関する法律（以下「特別措置法」という。）第十条の二及び第十四条の規定は、この法律の施行前に特別措置法第四条第一項の政令で定める琉球諸島民政府職員を退職し、又は死亡した者についても適用する。

2　前項の規定により普通恩給又は扶助料を受けることとなる場合における当該普通恩給又は扶助料の給与は、昭和四十二年十月から始めるものとする。

附　則（昭四四・一二・一六法九一）（抄）

（施行期日等）

第一条　この法律は、公布の日から施行する。

2　第一条から第六条までの規定による改正後の恩給法、恩給法の一部を改正する法律、元南西諸島官公署職員等の身分、恩給等の特別措置に関する法律、旧軍人等の遺族に対する恩給等の特例に関する法律、恩給法等の一部を改正する法律及び国民年金法の規定並びに附則第十二条第一項、第十三条第二項、第十四条第一項、第十九条及び第二十二条の規定は、昭和四十四年十月一日から適用する。

（元南西諸島官公署職員等の身分、恩給等の特別措置に関する法律の一部改正に伴う経過措置）

第十三条　この法律の施行の日（以下「施行日」という。）の前日において現に普通恩給を受けている者が、施行日において改正後の元南西諸島官公署職員等の身分、恩給等の特別措置に関する法律（以下「特別措置法」という。）第十条の二第一項の規定により公務員とみなされる琉球諸島民政府職員として在職する場合においては、施行日の属する月の翌月からその琉球諸島民政府職員を退職する日の属する月まで、当該普通恩給を停止するものとする。

2　改正後の特別措置法第十条の二第一項の琉球諸島民政府職員に係る普通恩給の年額は、琉球諸島民政府職員としての在職期間（同項の規定により恩給法の一部を改正する法律（昭和二十一年法律第三十一号）による改正前の恩給法（以下「法律第三十一号」という。）第十九条第一項に規定する公務員として在職するものとみなされる期間に限る。）

中に支給された普通恩給があるときは、その支給された普通恩給の額の十五分の一に相当する額をその年額から控除した額とする。

第十四条　改正後の特別措置法第十条の二第一項の規定は、昭和二十年八月十五日において元陸軍又は海軍の官署以外の官公署に勤務していた法律第三十一号による改正前の恩給法第十九条第一項に規定する公務員で、改正後の特別措置法第十条の二第一項の政令で定める期間内に同法第四条第一項の政令で定める琉球諸島民政府職員となつたもの（同法同条、第八条又は第十条の規定の適用を受ける者を除く。）が、昭和四十四年九月三十日以前にその琉球諸島民政府職員を退職（在職中死亡の場合の死亡を含む。）した場合においても適用する。

2　前項の規定により改正後の特別措置法第十条の二第一項の規定の適用を受ける琉球諸島民政府職員（その者が死亡した場合にあつては、その遺族）で、同条第二項の規定により新たに普通恩給又は扶助料を受けることとなるものの当該普通恩給又は扶助料の給与は、昭和四十四年十月から始めるものとする。

3　第一項の規定により改正後の特別措置法第十条の二第一項の規定の適用を受ける琉球諸島民政府職員（その者が死亡した場合にあつては、その遺族）で、昭和四十四年九月三十日において現に普通恩給又は扶助料を受けているものについては、同年十月分以降、その年額を、同条第二項及び前条第二項の規定を適用して算出して得た年額に改定する。

第十五条　改正後の特別措置法第十条の二第一項の琉球諸島民政府職員又はその遺族については、これらの者が、施行日から起算して六月以内に、内閣総理大臣に対し申出をしたときは、同項の規定にかかわらず、なお従前の例によるものとする。

附　則（昭四六・一二・三一法一三〇）（抄）

（施行期日）

1　この法律は、琉球諸島及び大東諸島に関する日本国とアメリカ合衆国との間の協定の効力発生の日〔昭四七・五・一五〕から施行する。〔ただし書略〕

○沖縄の復帰に伴う関係法令の改廃に関する法律（抄）

昭四六・一二・三一
法　一　三　〇

（元南西諸島官公署職員等の身分、恩給等の特別措置に関する法律の一部改正）

第八条　〔本文中に収録〕

第九条　前条の規定による改正前の元南西諸島官公署職員等の身分、恩給等の特別措置に関する法律（以下この条において「改正前の法」という。）附則第五項の年金、恩給又は退職手当等で、昭和四十七年三月三十一日以前に支払を受けるべきであつたものについては、なお改正前の法附則第五項及び第六項の規定の例による。

2　この法律の施行前に給与事由の生じた改正前の法の規定による退職手当及び死亡賜金については、改正前の法附則第五項及び第六項に規定する事項を除き、なお従前の例による。

3　この法律の施行後に給与事由の生ずる国家公務員退職手当法の規定による退職手当で琉球諸島民政府職員であつた者に係るものに関し、その勤続期間を計算するについては、なお改正前の法第八条第三項の規定の例による。

○沖縄の復帰に伴う元南西諸島官公署職員等の身分、恩給等の特別措置に関する法律施行令の改正等に関する政令（抄）

昭四七・四・二七
政　令　九　四

（元南西諸島官公署職員等の身分、恩給等の特別措置に関する法律の一部改正に伴う経過措置）

第二条　沖縄の復帰に伴う関係法令の改廃に関する法律第九条第三項に定めるもののほか、同項に規定する退職手当に関する同法第八条による改正前の元南西諸島官公署職員等の身分、恩給等の特別措置に関する法律（昭和二十八年法律第百五十六号）の規定に係る事項については、なお従前の例による。

附　則（昭四七・六・二三法八〇）（抄）

（施行期日等）

第一条　この法律は、昭和四十七年十月一日から施行する。〔ただし書略〕

2　第三条の規定による改正後の元南西諸島官公署職員等の身分、恩給等の特別措置に関する法律（以下「特別措置法」という。）の規定並びに附則第十四条第二項及び第三項、第十五条、第十六条、第十七条第二項、第十八条第二項、第十九条第一項及び第三項並びに第二十条の規定は、琉球諸島及び大東諸島に関する日本国とアメリカ合衆国との間の協定の効力発生の日（以下「沖縄復帰の日」という。）から適用する。

（特別措置法の一部改正に伴う経過措置）

第十三条　改正前の特別措置法第四条、第十条又は第十条の二に規定する者に給するこれらの規定に基づく普通恩給又は扶助料については、沖縄復帰の日の属する月分以降、その年額を、改正後の恩給法及び特別措置法の規定を適用したとした場合における恩給の年額の計算の基礎となるべき仮定俸給年額を退職又は死亡当時の俸給年額とみなし、これらの法律の規定によつて算出して得た年額（その年額が、法律第八十一号附則第二条第一項の規定によりその退職又は死亡当時の俸給年額とみなされた同法附則別表第二の仮定俸給年額の三段階上位の仮定俸給年額を退職又は死亡当時の俸給年額とみなし、これらの法律の規定によつて算出して得た年額より少ないときは、当該年額）に改定する。

第十四条　改正後の特別措置法第四条又は第十条の三の規定の適用により新たに普通恩給又は扶助料を受ける権利を取得することとなる琉球諸島民政府職員又はその遺族の当該普通恩給又は扶助料の給与は、沖縄復帰の日の属する月から始めるものとする。

2　改正後の特別措置法第四条又は第十条の三の規定の適用により新たに給されることとなる普通恩給又は扶助料で、公務員として在職したことのある琉球諸島民政府職員の退職又は死亡に基づくものの恩給の年額の計算の基礎となる俸給の年額は、これらの規定に基づく恩給の年額の計算の基礎となる俸給の年額が、当該退職又は死亡の時から沖縄復帰の日の前日まで改正前の特別措置法の規定によりその普通恩給又は扶助料を給していたとした場合に前条の規定により沖縄復帰の日において給することとなる恩給の年額の計算の基礎となるべき俸給の年額より少ないときは、その年額とする。

3　第一項の規定により新たに普通恩給又は扶助料を給されることとなる者が、同一の在職年に基づき改正前の特別措置法第四条第一項の規定により一時恩給又は一時扶助料を受けた者である場合における普通恩給又は扶助料の年額は、当該一時恩給又は一時扶助料の金額の十五分の一に相当する金額をその年額から控除した額とする。ただし、当該一時恩給又は一時扶助料が国庫に返還された場合は、この限りでない。

第十五条　改正後の特別措置法第十条の三第一項に規定する在職期間を有する琉球諸島民政府職員に係る普通恩給の年額は、同項の規定により公務員として在職していたものとみなされた琉球諸島民政府職員としての在職期間中に支給された普通恩給があるときは、その支給された普通恩給の額の十五分の一に相当する額をその年額から控除した額とする。

第十六条　改正後の特別措置法第十条の三第一項の琉球諸島民政府職員又はその遺族に係る在職年については、これらの者が、この法律の施行の日（以下「施行日」という。）から起算して六月以内に、裁定庁に対して同項の規定による在職年の通算を希望しない旨の申出をしたときは、同項の規定にかかわらず、なお従前の例による。

第十七条　改正後の特別措置法第四条又は第十条の三の規定により普通恩給の基礎となるべき公務員としての在職年の計算において新たに加えられるべき在職年又は勤続在職年についての加給を附せられるべき在職年を有することとなる者に係る普通恩給又は扶助料については、沖縄復帰の日の属する月分以降、その年額を、これらの規定及び附則第十五条の規定によつて算出して得た年額に改定する。

2　附則第十四条第二項の規定は、前項の規定によりその年額が改定されることとなる普通恩給又は扶助料で、公務員として在職したことのある琉球諸島民政府職員の退職又は死亡に基づくものの年額の計算の基礎となる俸給の年額の計算について準用する。

第十八条　改正後の特別措置法第六条（同条の例に準ずることとされている場合を含む。）の規定の適用により普通恩給又は扶助料を受けている者は、施行日から起算して六月以内に、裁定庁に対して、琉球諸島民政府職員を退職したものとみなされた日後の在職年の通算を希望する旨を申し出ることができる。

2　改正後の特別措置法第六条第二項の規定は、前項の規定による申出をした者については、適用がなかつたものとみなす。

第十九条　前条第一項に規定する申出をした者に係る普通恩給の年額は、琉球諸島民政府職員を退職したものとみなされた日後の在職年を加えた在職年数に基づき算出して得た年額から、改正前の特別措置法第四条第一項、第十条第一項又は第十条の二第一項に規定する琉球諸島民政府職員としての在職期間中に支給された普通恩給の額の十五分の一に相当する額を控除した額とする。

2　前条第一項に規定する申出をした者については、沖縄復帰の日の属する月分以降、その普通恩給又は扶助料の年額を、前項及び改正後の特別措置法の規定によつて算出して得た年額に改定する。

3　附則第十四条第二項の規定は、前項の規定によりその年額が改定されることとなる普通恩給又は扶助料の年額の計算の基礎となる俸給の年額の計算について準用する。この場合において、同条第二項中「これらの規定」とあるのは、「同法第四条、第十条又は第十条の二」と読み替えるものとする。

第二十条　改正後の特別措置法第四条第一項の政令で定める琉球諸島民政府職員として在職していた期間のうち、次に掲げる期間は、同法第十条の三第一項の規定にかかわらず、同項に規定する公務員として在職していたものとみなされる期間に算入しない。

一　改正後の特別措置法第四条の二の規定の適用により年金たる給付を受けた者の当該給付の基礎となつた期間

二　元沖縄県吏員恩給規則の規定による恩給受給権者のための恩給支給に関する特別措置法（千九百六十八年立法第七十八号）の規定の適用により年金たる給付を受けた者の当該給付の基礎となつた期間

2　改正後の特別措置法第十条の三及び附則第十三条から前条までの規定は、公務員退職年金法（千九百六十五年立法第百号）、公立学校職員共済組合法（千九百六十八年立法第百四十七号）、公立学校職員共済組合法の長期給付に関する施行法（千九百六十八年立法第百四十八号）、公務員等共済組合法（千九百六十九年立法第百五十四号）又は公務員等共済組合法の長期給付に関する施行法（千九百六十九年立法第百五十五号）に係る年金たる給付を受ける者については、適用しない。

3　前項に規定する者のうち、改正前の特別措置法第四条、第十条又は第十条の二の規定の適用により年金たる恩給を受けていた者に対する恩給に関する法令の適用については、なおこれらの規定の例による。

附　則（昭四七・六・二二法八一）（抄）

改正　昭五七・七・一六法六六

（施行期日等）

第一条　この法律は、昭和四十七年十月一日から施行する。

2　第四条の規定による改正後の元南西諸島官公署職員等の身分、恩給等の特別措置に関する法律（以下「改正後の特別措置法」という。）の規定及び附則第五条から第九条までの規定は、琉球諸島及び大東諸島に関する日本国とアメリカ合衆国との間の協定の効力発生の日（以下「沖縄復帰の日」という。）から適用する。

（元南西諸島官公署職員等の身分、恩給等の特別措置に関する法律の一部改正に伴う経過措置）

第五条　第四条の規定による改正前の元南西諸島官公署職員等の身分、恩給等の特別措置に関する法律（以下「改正前の特別措置法」という。）第四条の二の規定の適用を受ける年金たる長期給付については、沖縄復帰の日の属する月分以後、その額を、改正後の特別措置法の規定及び年金の額の改定に関する法令の規定を適用したとした場合における年金たる長期給付の額の計算の基礎となるべき仮定俸給の額を退職又は死亡当時の俸給の額とみなし、これらの法令の規定により算定した額（その額が、昭和四十二年度以後における国家公務員共済組合等からの年金の額の改定に関する法律第三条の四において準用する第一条の四第二項の規定により年金額の算定の基礎となつている俸給とみなされた同法別表第一の六の仮定俸給の三段階上位の仮定俸給を俸給とみなし、これらの法令の規定により算定した額より少ないときは、当該算定した額）に改定する。

第六条　改正後の特別措置法第十一条の二第一項の規定の適用により新たに年金たる長期給付を受ける権利を有することとなる者には、沖縄復帰の日の属する月分以後、その年金たる長期給付を支給する。

2　改正後の特別措置法第十一条の二第一項の規定の適用により新たに支給されることとなる年金たる長期給付で、政令で定める琉球諸島民政府職員の退職又は死亡に基づくものの額の計算の基礎となる俸給の額は、同条第二項の規定に基づく年金たる長期給付の額の計算の基礎となる俸給の額が、当該退職又は死亡の日から沖縄復帰の日の前日まで改正前の特別措置法の規定によりその年金たる長期給付を支給されていたとした場合に前条の規定により沖縄復帰の日において受けることとなる年金たる長期給付の額の計算の基礎となるべき俸給の額より少ないときは、その俸給の額とする。

3　改正後の特別措置法第十一条の二の規定の適用により、新たに長期給付の基礎となるべき組合員期間に算入されるべき期間を有することとなる者に係る年金たる長期給付については、沖縄復帰の日の属する月分以後、その年金の額を、同条の規定を適用して算定した額に改定する。

4　第二項の規定は、前項の規定によりその年金の額が改定されることとなる年金たる長期給付で、第二項に規定する琉球諸島民政府職員の退職又は死亡に基づくものの額の計算の基礎となる俸給の額の計算について準用する。

5　改正後の特別措置法第十一条の二第一項に規定する琉球諸島民政府職員として在職した者で、同項に規定する共済組合法（以下「共済組合法」という。）に基づく退職年金又は障害年金を受けた同項に規定する琉球等在職期間（以下「琉球等在職期間」という。）を有するものに改正後の特別措置法に基づく退職年金又は障害年金を支給するときは、その受けたこれらの給付の額（次項において「退職年金等受給額」という。）に相当する額に達するまで、支給時に際し、その支給時に係る支給額の二分の一に相当する額を控除する。

6　前項に規定する者が死亡したことにより改正後の特別措置法に基づく遺族年金を支給するときは、退職年金等受給額（同項の規定により既に控除された額があるときは、その額を控除した額）の二分の一に相当する額に達するまで、支給時に際し、その支給時に係る支給額の二分の一に相当する額を控除する。

7　改正後の特別措置法第十一条の二第一項に規定する琉球諸島民政府職員として在職した者又はその遺族については、これらの者が、施行日から起算して六月以内に、同項に規定する政令で定める共済組合（次条第一項において「組合」という。）に対して、同法第十一条の二の規定の適用を受けることを希望しない旨の申出をしたときは、同条の規定は、適用しない。

第七条　改正後の特別措置法第六条の二の規定の適用により年金たる長期給付を受けている者は、施行日から起算して六月以内に、組合に対して、琉球諸島民政府職員を退職したものとみなされた日後の琉球等在職期間の通算を希望する旨を申し出ることができる。

2　改正後の特別措置法第六条の二第二項の規定は、前項の規定による申出をした者については、適用がなかつたものとみなす。

3　第一項の規定による申出をした者については、沖縄復帰の日の属する月分以後、その年金たる長期給付の額を、改正後の特別措置法の規定を適用して算定した年金の額に改定する。

4　前条第五項又は第六項の規定は、第一項の規定による申出をした者で共済組合法に基づく退職年金若しくは障害年金を受けた琉球等在職期間を有するもの又はその遺族に改正後の特別措置法に基づく退職年金若しくは障害年金又は遺族年金を支給する場合について準用する。

5　前条第二項の規定は、第三項の規定によりその額が改定されることとなる年金たる長期給付の額の計算の基礎となる俸給の額の計算について準用する。この場合において、同条第二項中「同条第二項」とあるのは、「同法第四条の二第二項」と読み替えるものとする。

第八条　改正後の特別措置法第四条の二及び第十一条の二並びに前三条の規定は、公務員退職年金法（千九百六十五年立法第百号）又は施行法第五十一条の四第二号に規定する沖縄の共済法に係る年金たる長期給付を受ける権利を有する者については、適用しない。

第九条　附則第五条から前条までに定めるもののほか、改正後の特別措置法の規定（共済組合法の適用に係る部分の規定に限る。）の適用に関し必要な事項は、政令で定める。

附　則（昭四九・六・二五法九三）（抄）

改正　昭四九・六・二七法一〇〇

（施行期日）

第一条　この法律は、昭和四十九年九月一日から施行する。

（元南西諸島官公署職員等の身分、恩給等の特別措置に関する法律の一部改正に伴う経過措置）

第十二条　改正後の元南西諸島官公署職員等の身分、恩給等の特別措置に関する法律（昭和二十八年法律第百五十六号）第十条の四の規定により普通恩給の基礎となるべき公務員としての在職年の計算において新たに加えられるべき期間を有することとなる者に係る普通恩給又は扶助料については、昭和四十九年九月分以降、その年額を、同法の規定によつて算出して得た年額に改定する。

附　則（昭五七・七・一六法六六）

この法律は、昭和五十七年十月一日から施行する。

○障害に関する用語の整理に関する法律

昭五七・七・一六
法　六六

（障害に係る従前の給付の呼称等）

第八十一条　この法律の施行前の国家公務員共済組合法その他の法令の規定（これらの法令の改正（従前の改正を含む。）前の規定及び廃止された法令の規定を含む。）により支給事由の生じた廃疾年金、廃疾一時金、廃疾給付及び特例廃疾年金は、この法律の施行後は、それぞれ障害年金、障害一時金、障害給付及び特例障害年金と称する。

2　この法律による改正後の法律の規定中の「障害年金」、「障害一時金」、「障害給付」又は「特例障害年金」には、それぞれ前項の規定により障害年金、障害一時金、障害給付又は特例障害年金と称されるもので当該法律の規定に係るものを含むものとする。

附　則（昭五八・一二・二法八〇）（抄）

（施行期日）

1　この法律は、総務庁設置法（昭和五十八年法律第七十九号）の施行の日から施行する。

（経過措置）

3　この法律の施行の際、現にこの法律による改正前の恩給法（恩給法の一部を改正する法律（昭和二十六年法律第八十七号）附則その他恩給に関する法令を含む。）、統計法、統計報告調整法、国会議員互助年金法及び行政相談委員法（以下「恩給法等」と総称する。）の規定により国の機関がした裁定、指定、承認その他の処分又は通知その他の行為は、この法律による改正後の恩給法等の相当規定に基づいて相当の国の機関がした裁定、指定、承認その他の処分又は通知その他の行為とみなす。

4　この法律の施行の際、現にこの法律による改正前の恩給法等の規定により国の機関に対してされている請求、申請、届出その他の行為は、この法律による改正後の恩給法等の相当規定に基づいて相当の国の機関に対してされている請求、申請、届出その他の行為とみなす。

附　則（昭五九・一二・二五法八七）（抄）

（施行期日）

第一条　この法律は、昭和六十年四月一日から施行する。

附　則（昭六一・一二・四法九三）（抄）

（施行期日）

第一条　この法律は、昭和六十二年四月一日から施行する。〔ただし書略〕

附　則（平九・六・二〇法九八）（抄）

（施行期日）

第一条　この法律は、公布の日から起算して二年六月を超えない範囲内において政令で定める日〔平一一・七・一〕から施行する。〔ただし書略〕

附　則（平一九・三・三一法一八）（抄）

（施行期日）

第一条　この法律は、平成十九年四月一日（以下「施行日」という。）から施行する。

附　則（平二六・四・一八法二二）（抄）

（施行期日）

第一条　この法律は、公布の日から起算して六月を超えない範囲内において、政令で定める日〔平二六・五・三〇〕から施行する。〔ただし書略〕

○鹿児島県大島郡十島村に関する国家公務員共済組合法等の適用及びこれに伴う経過措置に関する政令

昭二七・七・一
政令二二〇

改正　昭五七・九・二五政令二六三

（国家公務員共済組合法等の適用）

第一条　左に掲げる法律及びこれに基く命令は、昭和二十七年七月一日から、鹿児島県大島郡十島村の区域（以下「十島村」という。）に適用する。

一　国家公務員共済組合法（昭和二十三年法律第六十九号。以下「共済組合法」という。）

二　国家公務員共済組合法の規定による年金の額の改定に関する法律（昭和二十六年法律第三十三号）

三　旧令による共済組合等からの年金受給者のための特別措置法（昭和二十五年法律第二百五十六号。以下「特別措置法」という。）

（共済組合法の適用に伴う経過措置）

第二条　共済組合法（同法第六十八条を除く。）の規定中退職給付、障害給付及び遺族給付（以下「長期給付」という。）に関する部分は、前条の場合においては、昭和二十一年一月二十八日において効力を有していた国家公務員の共済組合に関する法令（以下「旧法令」という。）に基いて組織された共済組合（以下「旧組合」という。）の組合員たる職員として同日において在職していた者が、引き続いて十島村において勤務する琉球諸島民政府又はその機関の職員となつたときは、その者のうち、同日後昭和二十六年十二月四日までの間において旧法令並びに共済組合法及びこれに基く命令が十島村に適用されていたとした場合において、旧法令又は共済組合法の規定中長期給付に関する部分の適用を受ける職員として在職した者となるべきものを、その者が当該期間内において琉球諸島民政府又はその機関の職員として勤続した間、相当の旧組合又は共済組合法に基いて組織された国家公務員共済組合の組合員たる職員として勤続した者とみなし、且つ、昭和二十一年一月二十九日以後共済組合法施行前旧法令が十島村に適用されていたとした場合において、共済組合法第九十条の規定の適用を受けるべき給付をその者が受けるべきこととなるときは、その受けるべきこととなる給付を同条の規定の適用を受ける給付とみなして、その者について昭和二十一年一月二十九日以後給付事由の発生する長期給付から適用する。この場合において、その者が、十島村において勤務する琉球諸島民政府又はその機関の職員として在職していた間、昭和二十一年一月二十八日において受けていた俸給（昭和二十一年七月一日以後においては、当該俸給の額は、国家公務員の給与水準の改訂に伴う共済組合の年金の額の改定に関して定めた法令の規定による仮定俸給の額とする。）を受けていたものとみなす。

2　共済組合法（同法第六十八条を除く。）の規定中長期給付に関する部分は、前条の場合においては、昭和二十六年十二月五日以後この政令施行前十島村において官公署に勤務した者で、共済組合法及びこれに基く命令が同日から十島村に適用されていたとした場合において、共済組合法第一条に規定する職員として在職していた者となるべきものについては、その者を当該職員として在職していた者とみなして、その者についての同日以後給付事由の発生する長期給付から適用する。

3　前項の規定の適用を受ける者が、旧組合の組合員として昭和二十一年一月二十八日において在職し、引き続いて昭和二十六年十二月四日までの間、十島村において勤務する琉球諸島民政府の職員又はその機関の職員として勤続し、且つ、引き続いて十島村において官公署に勤務する職員となつた者であるときは、その者については、第一項前段及び前項の規定をあわせて適用する。

（特別措置法の適用に伴う経過措置）

第三条　この政令の施行に伴い特別措置法の規定による年金又は一時金の支給を受ける権利を有することとなつた者で、この政令施行の際十島村に居住するものについての同法第十七条第一項の規定の適用については、同項中「本邦に帰還した日」とあるのは、「昭和二十七年七月一日」と読み替えるものとする。

（時効の特例）

第四条　この政令の施行に伴い発生した共済組合法の規定による給付（共済組合法第九十条の規定により従前の例によることとされる給付を含む。）を受ける権利で、この政令の施行の際までに給付事由の発生しているものについては、その時効は、共済組合法の規定にかかわらず、この政令の施行の日の前日までは進行しないものとする。

（費用の負担）

第五条　この政令施行に伴い増加する国家公務員共済組合の給付に要する費用の負担については、共済組合法第六十九条第一項第二号中「百分の五十五」とあるのを「全額」と読み替えて、同条及び共済組合法第八十六条第二項の規定を適用する。

附　則

この政令は、公布の日から施行する。

附　則（昭五七・九・二五政令二六三）

この政令は、昭和五十七年十月一日から施行する。

○奄美群島の復帰に伴う法令の適用の暫定措置等に関する法律（抄）

昭二八・一二・一六
法二六七

最終改正　昭三九・七・二法一三二

（この法律の趣旨）

第一条　この法律は、旧鹿児島県大島郡の区域で北緯二十九度以南にあるもの（以下「奄美群島」という。）の復帰に伴い、法令の適用についての必要な暫定措置等を定めるものとする。

（必要な経過措置等の政令等への委任）

第十条　第二条から前条までに規定するものの外、奄美群島に関し左に掲げる事項については、他の法律の規定にかかわらず、政令（日本国憲法第七十七条第一項に規定する事項については、最高裁判所規則）で必要な規定を設けることができる。

一　通貨の交換及び債権債務の単位の切替に関する事項

二　本邦の法令の奄美群島における適用についての必要な経過措置に関する事項

三　前各号に掲げるものの外、奄美群島の復帰に伴い必要とされる事項

○旧令による共済組合等からの年金受給者のための特別措置法

昭二五・一二・一二
法　二五六

最終改正　令二・六・五法四〇

目次（略）

第一章　総則

（目的）

第一条　この法律は、国家公務員共済組合法（昭和三十三年法律第百二十八号。以下「共済組合法」という。）の規定による国家公務員共済組合連合会（以下「連合会」という。）をして旧陸軍共済組合、旧海軍共済組合の権利義務を承継した財団法人共済協会（以下「共済協会」という。）及び外地関係共済組合からの年金受給者に対する年金支給の事務を統一的に処理させるとともに、現行の恩給及び共済組合法の規定による年金の額との権衡を考慮して、これらの年金受給者及び財団法人日本製鉄八幡共済組合（昭和十八年十月一日に財団法人日本製鉄八幡共済組合という名称で設立された法人をいい、以下「日本製鉄八幡共済組合」という。）からの年金受給者等のために、その年金額の改定その他特別の措置を講ずることを目的とする。

（年金額の改定）

第一条の二　この法律による年金である給付の額については、年金である恩給の額を改定する措置が講じられる場合には、当該措置が講じられる月分以後、当該措置を参酌して、政令で定めるところにより改定する。

（外地関係共済組合の定義）

第二条　この法律において「外地関係共済組合」とは、もとの外地関係の政府職員の共済組合のうち年金給付を行つていたもので、左に掲げる命令の規定に基いて組織されたものをいう。

一　朝鮮総督府逓信官署共済組合令（昭和十六年勅令第三百五十七号）
二　朝鮮総督府交通局共済組合令（昭和十六年勅令第三百五十八号）
三　台湾総督府専売局共済組合令（大正十四年勅令第二百十四号）
四　台湾総督府営林共済組合令（昭和五年勅令第五十九号）
五　台湾総督府交通局逓信共済組合令（昭和十六年勅令第二百八十六号）
六　台湾総督府交通局鉄道共済組合令（昭和十六年勅令第二百八十七号）

第二章　年金受給者のための特別措置

（旧陸軍共済組合及び共済協会の権利義務の承継）

第三条　連合会は、この法律施行の日において、旧陸軍共済組合及び共済協会の権利義務を承継する。

2　連合会は、この法律施行の日において、旧陸軍共済組合が旧陸軍共済組合令（昭和十五年勅令第九百四十七号）に基く命令の規定により負担した、又は負担すべきであつた年金支給の義務で陸軍共済組合令及び海軍共済組合令廃止の件（昭和二十年勅令第六百八十八号）附則第二項の規定に基く主務大臣の措置により消滅したものを消滅しなかつたものとみなして、承継する。但し、当該主務大臣の措置に基き支給した一時金があるときは、当該一時金の限度において、連合会が承継した年金支給の義務（昭和二十六年一月以後の期間に係る年金支給の義務については、第六条の規定による改定後の年金支給の義務）は、履行されたものとみなす。

3　旧陸軍共済組合が前項に規定する主務大臣の措置により消滅した年金支給の義務に代るものとして負担した一時金支給の義務でこの法律施行の日までに履行されていないものは、その日において消滅したものとみなす。

（外地関係共済組合に係る年金の支給）

第四条　連合会は、外地関係共済組合のうち大蔵大臣の指定したものからの年金受給者に対し、当該指定の日以後当該共済組合が支給すべき年金を支給する。

2　前項の年金及び年金受給者のうちには、第二条各号に掲げる命令に基く命令の規定又は第五条第二項の規定により当該年金の支給の義務が消滅した場合において支給すべき一時金及び当該一時金の受給者を含むものとする。

3　第一項の規定により年金を支給すべき者は、戸籍法（昭和二十二年法律第二百二十四号）の規定の適用を受ける者で、かつ、本邦（本州、四国、九州及び北海道並びに財務省令で定めるその附属の島をいい、硫黄島及び伊平屋島並びに北緯二十七度十四秒以南の南西諸島（大東諸島を含む。）を含む。以下同じ。）内に住所又は居所を有する者に限る。

4　大蔵大臣は、外地関係共済組合について、その年金受給者の状況を調査し、その概況の明らかになつたものから第一項の指定をするものとする。

（前二条の年金の支給に関する調整）

第五条　連合会が第三条の規定により承継した義務に基き、及び前条第一項の規定により支給すべき年金のうち、国家公務員共済組合法（昭和二十三年法律第六十九号。以下「旧共済組合法」という。）の規定による退職年金、障害年金又は遺族年金に相当するものの支給については、それぞれ同法の規定による退職年金、障害年金又は遺族年金の支給の例による。

2　連合会は、前項に規定する年金の支給の義務が消滅した場合において、当該年金を旧共済組合法の規定によるこれに相当する年金とみなした場合に同法の規定により一時金を支給すべき場合に該当することとなるときは、当該一時金の支給の例により、これに相当する一時金を支給する。

3　第一項に規定する年金である給付の支給期月については、被用者年金制度の一元化等を図るための厚生年金保険法等の一部を改正する法律（平成二十四年法律第六十三号）第二条の規定による改正前の共済組合法第七十三条第四項の規定を準用する。

（年金額の改定）

第六条　連合会は、第三条の規定により承継した義務に基き、及び第四条第一項の規定により支給すべき年金の額を、昭和二十六年一月分以後、旧共済組合法の規定による退職年金、障害年金又は遺族年金に相当するものについては第一号に掲げる額に、公務に起因する疾病、負傷又は死亡を給付事由とするものについては第二号に掲げる額にそれぞれ改定する。

一　当該年金の算定の基準となつた俸給に対応する別表第一の仮定俸給を俸給とみなし、且つ、当該年金を旧共済組合法の規定によるこれに相当する退職年金、障害年金又は遺族年金とみなして同法の規定を適用して算定した額

二　当該年金の算定の基準となつた俸給に対応する別表第一の仮定俸給を俸給とみなし、且つ、それぞれ旧陸軍共済組合、共済協会又は外地関係共済組合が支給した当該年金に相当する年金の算定の例及び第三項の規定により算定した額

2　前項第一号の場合において、同号の年金のうちにその支給の条件又は額の算定の基準について旧共済組合法の規定による退職年金、障害年金又は遺族年金と異なるものがあるときは、当該年金は、大蔵大臣の定めるところにより、旧共済組合法の規定によるこれらの年金のうち当該条件又は基準の最も類似するものとみなして、同法の規定を適用する。

3　公務に起因する疾病、負傷又は死亡を給付事由とする年金については、その年金の額算定の際俸給月額に乗ずべき月数を労働基準法等の施行に伴う政府職員に係る給与の応急措置に関する法律（昭和二十二年法律第百六十七号）第二項の規定に基き大蔵大臣が定めた基準に従つて改定する。

（日本製鉄八幡共済組合に対する金額の交付）

第七条　国は、日本製鉄八幡共済組合が、旧製鉄所現業員共済組合に関する件（大正十一年勅令第四百九十五号）の規定に基づいて組織された製鉄所共済組合（以下「旧製鉄所共済組合」という。）の組合員であつた者に支給する年金の額を第一条の二若しくは前条の規定又は各年金額改定法の規定（次に掲げる規定をいう。第七条の三第四項において同じ。）に準じて改定した場合には、その年金の額の改定により増加する費用（旧日本製鉄株式会社の業務に起因する疾病、負傷又は死亡を給付事由とする年金の額の改定により増加する部分を除く。）に対し、当該年金受給者（旧日本製鉄株式会社の業務に起因する疾病、負傷又は死亡を給付事由とする年金の支給を受ける者を除く。）が旧製鉄所共済組合の組合員であつた期間に払い込んだ掛金の合計額の当該年金受給者が組合員であつた全期間に払い込んだ掛金の総額に対する割合とみなされる割合を乗じて得た金額の二分の一に相当する金額を、当該共済組合の請求に基づきこれに交付する。

一　旧令による共済組合等からの年金受給者のための特別措置法の規定による年金の額の改定に関する法律（昭和二十六年法律第三百七号）

二　昭和二十三年六月三十日以前に給付事由の生じた国家公務員共済組合法等の規定による年金の特別措置に関する法律（昭和二十八年法律第百五十九号）第二条

三　昭和二十七年度における給与の改訂に伴う国家公務員共済組合法等の規定による年金の額の改定に関する法律（昭和二十八年法律第百六十号）第三条

四　国家公務員共済組合法第九十条の規定による公務傷病年金等の額の改定に関する法律（昭和三十一年法律第百三十二号）第二条

五　昭和二十三年六月三十日以前に給付事由の生じた国家公務員共済組合法等の規定による年金の額の改定に関する法律（昭和三十一年法律第百三十三号）第二条

六　旧令による共済組合等からの年金受給者のための特別措置法等の規定による年金の額の改定に関する法律（昭和三十三年法律第百二十六号）第一条、第一条の二又は第二条

七　昭和三十七年度における旧令による共済組合等からの年金受給者のための特別措置法等の規定による年金の額の改定に関する法律（昭和三十七年法律第百十六号）第一条又は第二条

八　昭和四十年度における旧令による共済組合等からの年金受給者のための特別措置法等の規定による年金の額の改定に関する法律（昭和四十年法律第百一号）第一条又は第二条

九　昭和四十年度における旧令による共済組合等からの年金受給者のための特別措置法等の規定による年金の額の改定に関する法律等の一部を改正する法律（昭和四十一年法律第百二十二号）附則第二条

十　昭和四十二年度以後における国家公務員等共済組合等からの年金の額の改定に関する法律（昭和四十二年法律第百四号）第一条から第二条の十七まで又は第三条の四第三項から第六項まで

2　前項に規定する割合は、財務大臣の定めるところにより、保険数理に基いて算出するものとする。

3　第一項の金額は、日本製鉄八幡共済組合が年金額を改定した年度以後の年度において、各年度分を四分して、各四半期の期間中に当該四半期分を交付するものとする。

第七条の二　連合会は、昭和二十年八月十五日において旧陸軍共済組合令又は第二条第一号若しくは第三号から第六号までに掲げる命令に基く命令の規定中旧共済組合法による退職年金に相当する給付に関する部分の適用を受けていた組合員であつた者及び旧陸軍兵器廠職工扶助令（明治三十五年勅令第百九十一号）の規定中終身年金に関する部分の適用を受けていた者で、同日において、これらの組合を脱退したものとして旧共済組合法を適用したとすれば同法の規定による退職年金を受けることができたもの（第三条の規定により承継した義務に基き、及び第四条第一項の規定により支給する年金の受給者を除く。）又はその遺族に対し、旧共済組合法の規定による退職年金又は遺族年金の支給の例により、これらの年金に相当する年金を支給する。

2　前項の規定による年金の額は、昭和二十年八月十五日において現に受けていた俸給（旧陸軍兵器廠職工扶助令に規定する定期職工として満二十五年以上就業していた者については、退業の際現に受けていた俸給。以下別表第二において同じ。）に対応する別表第二の仮定俸給を俸給とみなし、旧共済組合法の規定を適用して算定した額とする。

3　第一項の規定により年金を支給すべき者に対し陸軍共済組合令及び海軍共済組合令廃止の件附則第二項の規定に基く主務大臣の措置により支給した一時金があるときは、当該一時金の限度において、第一項の規定による年金支給の義務は、履行されたものとみなす。

4　第四条第三項の規定は、第一項の規定により年金を支給すべき者（昭和二十年八月十五日において第二条第一号又は第三号から第五号までに掲げる命令に基く命令の規定中旧共済組合法による退職年金に相当する給付に関する部分の適用を受けてい

た組合員であつた者に限る。）について、第五条第二項の規定は、第一項の規定による年金の支給の義務が消滅した場合についてそれぞれ準用する。

第七条の三　連合会は、旧海軍共済組合の組合員（旧共済組合法の規定による退職年金、障害年金又は遺族年金に相当する給付（以下第三項において「長期給付」という。）に関する規定の適用を受けていた者に限る。以下この項及び次項において同じ。）で、昭和十六年十二月八日から昭和二十年三月三十一日までの間に戦時災害により職務上負傷し、又は疾病にかかり、これにより死亡したものの遺族に対しては、昭和三十八年十月分以後、旧海軍共済組合の組合員で昭和二十年四月一日以後職務上の傷病により死亡したものの遺族に対して第三条の規定により支給する年金の支給の例により、当該年金に相当する年金を支給する。

2　連合会は、旧海軍共済組合の組合員であつた者のうち、昭和十六年十二月八日から昭和二十年三月三十一日までの間における旧海軍共済組合の組合員であつた期間内に戦時災害により職務上負傷し、又は疾病にかかり、これにより旧海軍共済組合から公傷病年金の支給を受けていたもので、その職務上の傷病によらないで同日までに死亡したものの遺族に対しては、昭和三十八年十月分以後、旧海軍共済組合の組合員であつた者で昭和二十年四月一日以後公傷病年金の支給を受けることとなつた後その支給の事由となつた職務上の傷病によらないで死亡したものの遺族に対して第三条の規定により支給する年金の支給の例により、当該年金に相当する年金を支給する。

3　連合会は、旧海軍共済組合の組合員のうち、長期給付に関する規定の適用を受けなかつた者（恩給法（大正十二年法律第四十八号）の適用を受けていた者を除く。）で、昭和十六年十二月八日から昭和二十年八月十五日までの間に戦時災害により職務上負傷し、又は疾病にかかり、これにより障害の状態となり、若しくは死亡し、又は障害の状態となつた後その職務上の傷病によらないで死亡したものが、旧海軍共済組合の長期給付に関する規定の適用を受けていたものとすれば第三条又は前二項の規定により年金の支給を受けるべきこととなるときは、昭和三十八年十月分以後、その者又はその遺族に対して、第三条又は前二項の規定により支給する年金の支給の例により、当該年金に相当する年金を支給する。

4　前三項の規定による年金の額は、これらの年金を支給すべき事由の生じた月のその者の俸給につき、第六条第一項第二号及び各年金額改定法の規定を適用して得た仮定俸給を俸給とみなし、同条第三項及び各年金額改定法の規定により算定した額とする。

5　前条第三項の規定は、第一項又は第二項の規定による年金の支給について準用する。

第三章　連合会の業務

（業務）

第八条　連合会は、共済組合法の規定による業務の外、左に掲げる業務を行う。

一　第三条の規定により承継した義務に基き、年金及び一時金を支給し、その他その承継した債務の整理をすること。

二　第四条及び前二条の規定による年金及び一時金を支給すること。

三　前二号の業務に附帯する業務

（定款の変更）

第九条　連合会は、この法律施行の後、遅滞なく、大蔵大臣の認可を受けて、前条の規定による業務を行うこととなつたのに伴い必要とされる定款の変更をしなければならない。

（会計）

第十条　連合会は、第八条の規定による業務に関する会計については、共済組合法の規定による業務に関する会計と区分して、これを経理しなければならない。

第十一条　国は、予算の定めるところにより、連合会に対し、第八条第一号及び第二号に規定する年金及び一時金の支給その他その承継した債務の履行に要する費用並びに同条に規定する業務の執行に要する費用に充てるため必要な金額を交付する。

2　前項の金額は、毎年度分を四分して、各四半期の期間中に当該四半期分を交付するものとする。

第十二条　連合会は、毎年度第八条の規定による業務に関する収支計算書を作成して、これを翌年度五月末日までに財務大臣に提出しなければならない。

2　連合会は、毎年度第八条の規定による業務に関する決算において剰余金を生じたときは、これを翌年度五月末日までに国庫に納付しなければならない。

3　連合会の第八条の規定による業務に関する会計についての細目的事項については、前二条及び前二項に定めるものを除く外、財務大臣が定める。

（監督）

第十三条　連合会の第八条の規定による業務の執行は、財務大臣が監督する。

2　連合会は、財務大臣の定める手続により、毎月末日現在における第八条の規定による業務に関する詳細な報告を財務大臣に提出しなければならない。

3　財務大臣は、必要があると認めるときは、当該職員をして連合会の第八条の規定による業務及び当該業務に関する会計について監査させるものとする。

（特定財産の国への帰属）

第十四条　連合会が第三条第一項の規定により承継した財産のうち連合会が第八条の規定による業務を執行するために必要でないと認めて財務大臣が指定したものは、その指定の日において、国に帰属するものとする。

（無料証明）

第十五条　連合会及び連合会から第八条第一号又は第二号に規定する年金又は一時金の支給を受けるべき者は、これらの年金又は一時金の支給に関し必要な範囲内において、国又は地方公共団体の権限のある機関に対し、無料で証明を求めることができる。

（非課税）

第十六条　連合会が支給する第八条第一号及び第二号に規定する年金及び一時金については、旧共済組合法の規定による退職年金及び退職一時金に相当する年金及び一時金を除く外、これを標準として、租税その他の公課を課さない。

2　連合会が支給する第八条第一号及び第二号に規定する年金及び一時金に関する証書及び帳簿には、印紙税を課さない。

3　連合会が第三条第一項の規定により承継した不動産の取得の

登記で昭和四十二年十二月三十一日までに受けるものについては、登録免許税を課さない。

（給付を受ける権利の保護）

第十六条の二　給付を受ける権利は、譲り渡し、担保に供し、又は差し押えることができない。

2　連合会が支給する第八条第一号及び第二号に規定する年金及び一時金のうち、旧共済組合法に規定する退職年金及び退職一時金に相当するものを受ける権利は、国税滞納処分（その例による処分を含む。）による場合には、前項の規定にかかわらず、差し押えることができる。

第四章　年金受給者等の権利の確認

（公告）

第十七条　連合会は、第三条の規定により旧陸軍共済組合及び共済協会の権利義務を承継した後、第四条の規定により外地関係共済組合に係る年金及び一時金を支給すべきこととなつた後、第七条の二の規定により年金及び一時金を支給すべきこととなつた後並びに第七条の三の規定により年金を支給すべきこととなつた後、遅滞なく、連合会から年金又は一時金の支給を受ける権利を有する者に対し、一定の期間内に証拠書類を添えて連合会に対し当該権利の確認を求めるための申出をすべき旨の公告をしなければならない。但し、その期間は、三月（連合会がその権利義務を承継し、又は第四条、第七条の二若しくは第七条の三の規定により年金及び一時金を支給すべきこととなつた日現在において本邦にいない者については、本邦に帰還した日から三月）を下ることができない。

2　前項の規定による公告は、時事に関する事項を掲載する日刊新聞紙に掲げて少くとも三回以上しなければならない。但し、旧陸軍共済組合又は共済協会に係る年金又は一時金の支給を受ける権利を有する者に対する公告は、一回以上すれば足りる。

3　第一項の規定による公告には、同項の年金又は一時金の支給を受ける権利を有する者が同項の期間内に申出をしないときは、第十八条第一項の規定による権利の確認が得られないため第二十条の規定の適用を受けることがあるべき旨を附記しなければならない。

（権利の確認）

第十八条　連合会は、前条第一項の規定による公告に応じて権利の確認を求めるための申出をした者に対し、その提出した証拠書類その他連合会の調査した資料に基いて、その者が真正の権利者であるか否か並びにその者が真正の権利者である場合にはその年金又は一時金の種類及び額を確認しなければならない。

2　連合会は、前条第一項の規定による公告に応じて権利の確認を求めた者以外の者で同項の期間内に申出をしなかつたことについてやむを得ない事由があると認められるものについては、その者の申出に基き、前項の規定に準じてその者の権利を確認することができる。

（年金証書の交付）

第十九条　連合会は、前条の規定により年金の支給を受ける権利の確認をした者に対しては、当該年金に関する証書を作成して交付しなければならない。

2　連合会は、前条の規定による権利の確認を受けた者が旧陸軍共済組合、旧海軍共済組合、共済協会又は外地関係共済組合の発給に係る年金に関する証書を有するときは、これを返納させなければならない。

（年金又は一時金の受給権利者）

第二十条　連合会は、第十八条の規定による権利の確認を受けた者以外の者に対しては、第三条、第四条、第七条の二及び第七条の三の規定にかかわらず、年金又は一時金の支給の義務を負わない。

（細目）

第二十一条　第十八条の規定により権利の確認及び第十九条第一項の規定による年金に関する証書の作成、交付、書換、再交付等に関する細目的事項については、財務大臣が定める。

第五章　雑則

（事務の委任）

第二十二条　大蔵大臣は、第四条第四項の規定による外地関係共済組合に関する調査の事務を連合会に行わせることができる。

2　連合会は、前項の規定により委任された調査を行うため、第十七条の規定に準じて外地関係共済組合に係る年金又は一時金の支給を受ける権利を有する者に対し、当該権利の申出をすべき旨の公告をすることができる。この場合においては、当該公告には、当該公告が第三項の規定により第十七条第一項の規定により公告とみなされ、同条第三項に規定するところと同様の結果となることがあるべき旨を附記しなければならない。

3　連合会が前項の公告をした場合において、当該公告の結果に基いて大蔵大臣が第四条第一項の指定をしたときは、連合会は、当該公告を第十七条第一項の規定による公告とみなして当該公告に応じて権利の申出をした者に対し第十八条第一項の規定による権利の確認をすることができる。

（時効の特例）

第二十三条　左に掲げる権利については、その時効は、他の法令の規定にかかわらず、昭和二十年八月十五日から第十七条第一項の規定による公告（前条第三項の規定により権利の確認をする場合には、同条第二項の規定による公告）に応じて権利の申出をすべき期間終了の日までは、進行しないものとする。

一　旧陸軍共済組合から年金又は一時金の支給を受ける権利。但し、一時金の支給を受ける権利については、昭和二十年八月十五日現在において本邦以外の地域にいた者の有する権利に限る。

二　昭和二十年八月十五日現在において本邦以外の地域にいた者が共済協会から年金又は一時金の支給を受ける権利

三　外地関係共済組合から年金の支給を受ける権利

2　前項各号に規定する年金のうちには、旧陸軍共済組合令、旧海軍共済組合令若しくは第二条各号に掲げる命令に基く命令の規定又は第五条第二項の規定により当該年金の支給の義務が消滅した場合において支給すべき一時金を含むものとする。

附　則

1　この法律は、公布の日から施行する。

2　将来外地関係共済組合に帰属することが確定的となつた資産のうち、連合会が第四条又は第七条の二の規定により支給すべき年金及び一時金に係る責任準備金の金額に相当するものについては、別に法律で定めるところにより、連合会に帰属させるものとする。

3　連合会は、第三条第一項の規定により共済協会から承継した施設のうちに第八条の規定による業務以外の業務の用に供されるものがあるときは、当分の間、同条の規定による業務の外、引き続き当該施設を利用して当該業務を行うことができる。

4　第九条、第十条、第十二条第一項及び第三項、第十三条並びに共済組合法第十二条第二項の規定は、連合会が前項の規定による業務を行う場合に準用する。この場合において、これらの規定中「前条の規定による業務」とあるのは「第八条の規定による業務」又は「附則第三項の規定による業務」と、第十二条第一項中「収支計算書」とあるのは「財産目録、貸借対照表及び損益計算書」と、共済組合法第十二条第二項中「各省各庁の長」とあるのは「財務大臣」と読み替えるものとする。

5　連合会が附則第三項の規定による業務を行う間は、第十四条中「第八条の規定による業務」とあるのは、「第八条及び附則第三項の規定による業務」と読み替えるものとする。

6　共済協会は、この法律施行の日に解散する。この場合においては、法人の解散及び清算に関する民法（明治二十九年法律第八十九号）及び非訟事件手続法（明治三十一年法律第十四号）の規定は適用しない。

7　大蔵大臣は、共済協会が解散したときは、直ちに共済協会の事務所の所在地の登記所に、その解散の登記を嘱託しなければならない。

8　登記所は、前項の登記の嘱託を受けたときは、共済協会の解散の登記をし、その登記用紙を閉鎖しなければならない。

9　昭和二十六年一月一日において現に共済組合法の規定による共済組合の組合員である者に対し第二十四条の規定を適用する場合においては、同法第四十条第一項の規定にかかわらず、同月から当該年金の支給を停止するものとする。昭和二十六年一月一日において第二十四条後段に規定する共済組合の組合員である者についても、また同様とする。

附　則（昭二六・四・一六法一四八）

この法律は、昭和二十六年五月一日から施行し、昭和二十六年一月一日から適用する。但し、改正前の第七条の規定により交付した金額は、改正後の第七条の規定により昭和二十五年度分及び昭和二十六年度分として交付すべき金額の全額とみなす。

附　則（昭二六・一二・一五法三〇七）（抄）

1　この法律は、公布の日から施行する。

附　則（昭二八・八・一法一五八）

1　この法律は、公布の日から施行し、附則第三項の規定は、昭和二十八年四月一日から、附則第四項の規定は、昭和二十六年一月一日から適用する。

2　改正後の旧令による共済組合等からの年金受給者のための特別措置法（以下「改正後の特別措置法」という。）第七条の二の規定は、旧陸軍兵器廠職工扶助令（明治三十五年勅令第百九十一号）の規定中終身年金に関する部分の適用を受けていた者（昭和二十年八月十五日において同令に規定する定期職工として満二十五年以上就業していた者に限る。以下「二十五年以上就業の定期職工」という。）については、昭和二十六年一月分以後の年金から、その他の者については、昭和二十八年四月分以後の年金から適用する。この場合において、昭和二十六年一月一日以後同年九月三十日までの期間に係る年金額の算定の基準となる仮定俸給については、改正後の特別措置法別表第一に掲げる仮定俸給による。

3　昭和二十八年四月一日において現に国家公務員共済組合法の規定による共済組合の組合員である者（二十五年以上就業の定期職工に該当する者を除く。）が改正後の特別措置法第七条の二の規定による年金の支給を受けることとなる場合におけるその者に対する改正後の特別措置法第二十四条の規定の適用については、国家公務員共済組合法第四十条第一項の規定にかかわらず、同月から当該年金の支給を停止するものとする。昭和二十八年四月一日において改正後の特別措置法第二十四条後段に規定する共済組合の組合員である者（二十五年以上就業の定期職工に該当する者を除く。）についても、また同様とする。

4　前項の規定は、昭和二十六年一月一日において現に国家公務員共済組合法の規定による共済組合の組合員である者、又は改正後の特別措置法第二十四条後段に規定する共済組合の組合員である者で、二十五年以上就業の定期職工に該当するものについて準用する。この場合において、前項中「昭和二十八年四月一日」とあるのは、「昭和二十六年一月一日」と読み替えるものとする。

附　則（昭二八・八・一法一五九）（抄）

1　この法律は、公布の日から施行する。

附　則（昭二八・八・一法一六〇）（抄）

1　この法律は、公布の日から施行する。

附　則（昭二九・六・二四法一九七）（抄）

1　この法律は、昭和二十九年七月一日から施行し、〔中略〕昭和二十一年一月二十八日から適用する。

附　則（昭二九・七・一法二〇四）（抄）

（施行期日）

1　この法律は、昭和三十年一月一日から施行する。〔ただし書略〕

附　則（昭三一・六・六法一三二）（抄）

1　この法律は、公布の日から施行する。

附　則（昭三一・六・六法一三三）（抄）

1　この法律は、公布の日から施行する。

附　則（昭三三・五・一法一二六）（抄）

1　この法律は、公布の日から施行する。〔ただし書略〕

附　則（昭三三・五・一法一二八）（抄）

（施行期日）

第一条　この法律は、昭和三十三年七月一日から施行する。〔ただし書略〕

附　則（昭三四・四・二〇法一四八）（抄）

（施行期日）

1　この法律は、国税徴収法（昭和三十四年法律第百四十七号）の施行の日（昭三五・一・一）から施行する。

附　則（昭三四・五・一五法一六三）（抄）

（施行期日）

第一条　この法律は、公布の日から施行する。〔ただし書略〕

附　則（昭三六・六・一九法一五三）（抄）

1　この法律は、公布の日から施行する。

附　則（昭三七・五・一〇法一一六）（抄）

（施行期日）

第一条　この法律は、公布の日から施行する。〔ただし書略〕

附　則（昭三八・六・二七法一一四）（抄）

（施行期日）

第一条　この法律は、昭和三十八年十月一日から施行する。ただし、〔中略〕第十七条の改正規定〔中略〕は、公布の日から施行する。

（戦傷病者戦没者遺族等援護法との調整）

第二条　この法律の施行の際、現に戦傷病者戦没者遺族等援護法（昭和二十七年法律第百二十七号。以下この項において「遺族援護法」という。）第二十三条第二項の規定により遺族給与金を受ける権利を有する者で、他に同一の事由により第一条の規定による改正後の旧令による共済組合等からの年金受給者のための特別措置法（以下「改正後の特別措置法」という。）第七条の三の規定による年金を受ける権利を有する者があるに至つたものに支給する遺族給与金については、遺族援護法第三十二条の三の規定にかかわらず、当該年金を受けることができる者があることを理由とする支給の停止は、行なわない。

2　前項の場合においては、改正後の特別措置法第七条の三の規定による年金を受ける権利を有する者に昭和三十八年十月一日以後支給すべき当該年金の額は、同条の規定にかかわらず、前項に規定する遺族給与金を受ける権利を有する者に当該遺族給与金が支給される期間、同条の規定による年金の額から当該遺族給与金の額に相当する額（当該年金を受ける権利を有する者が二人以上あるときは、その額をその者の数で除して得た額）を控除した額とする。

附　則（昭三九・七・九法一五九）（抄）

（施行期日）

第一条　この法律は、昭和三十九年十月一日から施行する。

2　〔略〕

附　則（昭四〇・六・一法一〇一）（抄）

（施行期日）

第一条　この法律は、昭和四十年十月一日から施行する。ただし、附則第三条中特別措置法第七条の二の改正規定〔中略〕は、公布の日から施行する。

（特別措置法の改正に伴う経過措置）

第七条　附則第三条の規定による改正後の旧令による共済組合等からの年金受給者のための特別措置法第七条の二の規定による年金は、附則第一条ただし書に規定する日（以下「一部施行日」という。）の属する月分以後の年金から適用する。

附　則（昭四一・七・八法一二二）（抄）

（施行期日）

第一条　この法律は、昭和四十一年十月一日から施行する。〔ただし書略〕

附　則（昭四二・六・一二法三六）（抄）

1　この法律は、登録免許税法の施行の日（昭四二・八・一）から施行する。

附　則（昭四二・七・三一法一〇四）（抄）

（施行期日）

第一条　この法律は、昭和四十二年十月一日から施行する。〔ただし書略〕

附　則（昭四三・五・三一法八一）（抄）

（施行期日）

第一条　この法律は、昭和四十三年十月一日から施行する。〔ただし書略〕

附　則（昭四四・一二・一六法九二）（抄）

（施行期日等）

第一条　この法律は、公布の日から施行する。〔ただし書略〕

附　則（昭四五・五・二六法一〇〇）（抄）

（施行期日）

第一条　この法律は、昭和四十五年十月一日から施行する。

附　則（昭四六・五・二九法八二）（抄）

（施行期日）

第一条　この法律は、昭和四十六年十月一日から施行する。〔ただし書略〕

附　則（昭四七・五・一三法三一）（抄）

（施行期日）

第一条　この法律は、公布の日から施行する。

附　則（昭四七・六・二二法八一）（抄）

（施行期日等）

第一条　この法律は、昭和四十七年十月一日から施行する。

附　則（昭四八・七・二四法六二）（抄）

（施行期日）

第一条　この法律は、昭和四十八年十月一日から施行する。〔ただし書略〕

附　則（昭四九・六・二五法九四）（抄）

（施行期日）

第一条　この法律は、昭和四十九年九月一日から施行する。〔ただし書略〕

附　則（昭四九・六・二七法一〇〇）

この法律は、公布の日から施行する。

附　則（昭五〇・一一・二〇法七九）（抄）

（施行期日等）

第一条　この法律は、公布の日から施行する。

2　〔略〕

附　則（昭五一・六・三法五二）（抄）

（施行期日）

第一条　この法律は、昭和五十一年七月一日から施行する。〔ただし書略〕

附　則（昭五二・六・七法六四）（抄）

（施行期日等）

第一条　この法律は、公布の日から施行する。〔ただし書略〕

2　〔略〕

附　則（昭五三・五・三一法五八）（抄）

（施行期日等）

第一条　この法律は、公布の日から施行する。〔ただし書略〕

2　〔略〕

附　則（昭五四・一二・二八法七二）（抄）

（施行期日等）

第一条　この法律は、昭和五十五年一月一日から施行する。ただし、次の各号に掲げる規定は、当該各号に定める日から施行する。

一　〔前略〕第四条の規定〔中略〕　公布の日

二　〔略〕

2　次の各号に掲げる規定は、当該各号に定める日から適用する。

一　〔前略〕第四条の規定による改正後の旧令による共済組合等からの年金受給者のための特別措置法第七条第一項の規定〔中略〕　昭和五十四年四月一日

二・三　〔略〕

附 則（昭五五・五・三一法七四）（抄）

（施行期日等）

第一条 この法律は、公布の日から施行する。〔ただし書略〕

2 〔前略〕第四条の規定による改正後の旧令による共済組合等からの年金受給者のための特別措置法第七条第一項の規定〔中略〕は、昭和五十五年四月一日から適用する。

附 則（昭五六・五・三〇法五五）（抄）

（施行期日等）

第一条 この法律は、公布の日から施行する。

2 〔略〕

附 則（昭五七・五・二五法五六）（抄）

第一条 この法律は、公布の日から施行する。

2 〔略〕

附 則（昭五七・七・一六法六六）

この法律は、昭和五十七年十月一日から施行する。

○障害に関する用語の整理に関する法律

昭五七・七・一六
法 六 六

（障害に係る従前の給付の呼称等）

第八十一条 この法律の施行前の国家公務員共済組合法その他の法令の規定（これらの法令の改正（従前の改正を含む。）前の規定及び廃止された法令の規定を含む。）により支給事由の生じた廃疾年金、廃疾一時金、廃疾給付及び特例廃疾年金は、この法律の施行後は、それぞれ障害年金、障害一時金、障害給付及び特例障害年金と称する。

2 この法律による改正後の法律の規定中の「障害年金」、「障害一時金」、「障害給付」又は「特例障害年金」には、それぞれ前項の規定により障害年金、障害一時金、障害給付又は特例障害年金と称されるもので当該法律の規定に係るものを含むものとする。

附 則（昭五八・一二・三法八二）（抄）

（施行期日）

第一条 この法律は、昭和五十九年四月一日から施行する。〔ただし書略〕

附 則（昭五九・五・二二法三五）（抄）

（施行期日等）

第一条 この法律は、公布の日から施行する。

2 〔略〕

附 則（昭六〇・六・七法四九）（抄）

（施行期日等）

第一条 この法律は、公布の日から施行する。

2 〔略〕

附 則（昭六〇・一二・二七法一〇五）（抄）

最終改正 平九・五・九法四八

（施行期日）

第一条 この法律は、昭和六十一年四月一日から施行する。

附 則（平八・六・一四法八二）（抄）

最終改正 平一二・七・一六法八七

（施行期日）

第一条 この法律は、平成九年四月一日から施行する。〔ただし書略〕

附 則（平一一・五・二八法五六）（抄）

（施行期日）

第一条 この法律は、平成十一年十月一日から施行する。〔ただし書略〕

附 則（平一一・一二・二二法一六〇）（抄）

（施行期日）

第一条 この法律〔中略〕は、平成十三年一月六日から施行する。〔ただし書略〕

附 則（平一三・六・二〇法五三）（抄）

（施行期日）

第一条 この法律は、公布の日から起算して一年を超えない範囲内において政令で定める日〔平一四・四・一〕から施行する。

附 則（平一九・五・二五法五八）（抄）

（施行期日）

第一条 この法律は、平成二十年十月一日から施行する。〔ただし書略〕

附 則（平二四・八・二二法六二）（抄）

最終改正 平二八・一二・二六法一一四

（施行期日）

第一条 この法律は、平成二十九年八月一日から施行する。ただし、次の各号に掲げる規定は、当該各号に定める日から施行する。

一 附則〔中略〕第五十七条〔中略〕の規定 公布の日

二～六 〔略〕

附 則（平二四・八・二二法六三）（抄）

（施行期日）

第一条 この法律は、平成二十七年十月一日から施行する。〔ただし書略〕

附 則（令二・六・五法四〇）（抄）

（施行期日）

第一条 この法律は、令和四年四月一日から施行する。〔ただし書略〕

別表第一

年金の算定の基準となつた俸給	仮定俸給	年金の算定の基準となつた俸給	仮定俸給
五〇円	三、八五〇円	一五〇円	九、九〇〇円
五五	四、一五〇	一五八	一〇、五〇〇
六〇	四、四五〇	一六七	一一、一〇〇
六五	四、七五〇	一七五	一一、七〇〇
七〇	五、〇五〇	一八三	一二、五〇〇
七七	五、三五〇	一九二	一三、三〇〇
八三	五、七〇〇	二〇〇	一四、二〇〇
九〇	六、一〇〇	二一七	一五、二〇〇
九七	六、五〇〇	二三三	一六、二〇〇
一〇三	六、九〇〇	二五〇	一七、二〇〇
一一〇	七、三〇〇	二六七	一八、三〇〇
一一七	七、五〇〇	二八三	二〇、一〇〇
一二五	八、一〇〇	三〇〇	二一、五〇〇
一三三	八、七〇〇	三一七	二三、九〇〇
一四二	九、三〇〇	三三三	二五、〇〇〇

備考

一　年金の算定の基準となつた俸給が五〇円未満のときは、その俸給の七七倍に相当する金額（円位未満の端数は、切り捨てる。）を仮定俸給とし、俸給が三三三円をこえるときは、その俸給の七五・〇七倍に相当する金額（円位未満の端数は、切り捨てる。）を仮定俸給とする。

二　年金の算定の基準となつた俸給が五〇円以上三三三円未満のときにその俸給相当額がこの表記載の額に合致しないものについては、その直近多額の俸給に対応する仮定俸給による。

別表第二

昭和二十年八月十五日において現に受けていた俸給	仮定俸給	昭和二十年八月十五日において現に受けていた俸給	仮定俸給
五〇円	四、六〇〇円	一五〇円	一一、八〇〇円
五五	四、九〇〇	一五八	一二、六〇〇
六〇	五、二〇〇	一六七	一三、五〇〇
六五	五、五〇〇	一七五	一四、五〇〇
七〇	五、九〇〇	一八三	一五、五〇〇
七七	六、三〇〇	一九二	一六、六〇〇
八三	六、七〇〇	二〇〇	一七、八〇〇
九〇	七、一〇〇	二一七	一九、〇〇〇
九七	七、五五〇	二三三	二〇、四〇〇
一〇三	八、〇五〇	二五〇	二二、〇〇〇
一一〇	八、六〇〇	二六七	二三、六〇〇
一一七	八、九〇〇	二八三	二六、二〇〇
一二五	九、六〇〇	三〇〇	二八、二〇〇
一三三	一〇、三〇〇	三一七	三〇、三〇〇
一四二	一一、〇〇〇	三三三	三三、六〇〇

備考

一　昭和二十年八月十五日において現に受けていた俸給が五〇円未満のときは、その俸給の九二倍に相当する金額（円位未満の端数は、切り捨てる。）を仮定俸給とし、俸給が三三三円をこえるときは、その俸給の一〇〇・九倍に相当する金額（円位未満の端数は、切り捨てる。）を仮定俸給とする。

二　昭和二十年八月十五日において現に受けていた俸給が五〇円以上三三三円未満のときにその俸給がこの表記載の額に合致しないものについては、その直近多額の俸給に対応する仮定俸給による。

○平成十九年十月以後における旧令による共済組合等からの年金受給者のための特別措置法等の規定による年金の額の改定に関する政令

平一一・五・三一
政令一四一

最終改正　令六・六・一二政令二〇六

内閣は、旧令による共済組合等からの年金受給者のための特別措置法（昭和二十五年法律第二百五十六号）第一条の二、国家公務員共済組合法の長期給付に関する施行法（昭和三十三年法律第百二十九号）第三条の二第一項及び第二項並びに厚生年金保険法等の一部を改正する法律（平成八年法律第八十二号）附則第五十四条第四項の規定に基づき、この政令を制定する。

（定義）

第一条　この政令において、次の各号に掲げる用語の意義は、当該各号に定めるところによる。

一　旧令特別措置法　旧令による共済組合等からの年金受給者のための特別措置法をいう。

二　施行法　被用者年金制度の一元化等を図るための厚生年金保険法等の一部を改正する法律（平成二十四年法律第六十三号。以下「平成二十四年一元化法」という。）附則第九十七条の規定による改正前の国家公務員共済組合法の長期給付に関する施行法をいう。

三　旧法　施行法第二条第二号に規定する旧法をいう。

四　平成十一年度改定令　平成十一年度における旧令による共

済組合等からの年金受給者のための特別措置法等の規定による年金の額の改定に関する政令（平成十一年政令第百六十九号）をいう。

五　公務傷病年金、殉職年金又は公務傷病遺族年金　それぞれ公務による傷病を給付事由とする年金、公務による死亡を給付事由とする年金又は公務による傷病を給付事由とする年金を受ける権利を有する者の公務によらない死亡を給付事由とする年金をいう。

（旧令特別措置法による退職年金等の額の改定）

第二条　旧令特別措置法第六条第一項第一号の規定により改定された年金又は旧令特別措置法第七条の二第一項の規定により支給される年金のうち、旧法の規定による退職年金、障害年金又は遺族年金に相当するものについては、平成十九年十月分以後、その額を、平成十一年度改定令第二条の規定により改定された年金額の算定の基礎となっている平成十一年度改定令別表第一の仮定俸給（同条第四項又は第九項の規定により同条第四項各号に定める額をもって改定年金額とした年金については、同条第一項の規定により年金額を改定したものとした場合にその改定年金額の算定の基礎となるべき仮定俸給）に対応する別表第一の仮定俸給に調整改定率（恩給法（大正十二年法律第四十八号）第六十五条第二項に規定する調整改定率をいう。以下同じ。）を乗じて得た額を俸給とみなし、旧法の規定を適用して算定した額に改定する。

2　前項の規定の適用を受ける年金（その年金の額の算定の基礎となっている組合員期間のうち実在職した期間が最短年金年限（旧法の規定による退職年金に相当する年金を受ける最短年金年限をいう。以下同じ。）に達している年金に限る。次項において同じ。）を受ける者が七十歳以上の者又は旧法の規定による遺族年金に相当する年金を受ける七十歳未満の妻、子若しくは孫である場合には、前項の規定にかかわらず、その年金の額を、同項の規定に基づいて算定した額に、次の各号に掲げる年金の区分に応じ、当該各号に定める額の十二倍に相当する額を加えた額に改定する。この場合において、当該年金の支給を受ける者が二人以上あるときは、そのうちの年長者の年齢に応じ、この項の規定を適用するものとする。

一　旧法の規定による退職年金又は障害年金に相当する年金　当該年金の額の算定の基礎となっている組合員期間の年数から最短年金年限の年数を控除した年数（以下この項において「控除後の年数」という。）一年につき前項の規定により俸給とみなされた額の三百分の一（控除後の年数のうち十三年に達するまでの年数については、三百分の二）に相当する額

二　旧法の規定による遺族年金に相当する年金　控除後の年数一年につき前項の規定により俸給とみなされた額の六百分の一（控除後の年数のうち十三年に達するまでの年数については、六百分の二）に相当する額

3　第一項の規定の適用を受ける年金を受ける者が八十歳以上の者である場合におけるその者に対する前項の規定の適用については、同項第一号中「三百分の一（控除後の年数のうち十三年に達するまでの年数については、三百分の二）」とあるのは、「三百分の二」と、同項第二号中「六百分の一（控除後の年数のうち十三年に達するまでの年数については、六百分の二）」とあるのは「六百分の二」とする。

4　次の各号に掲げる年金については、前三項の規定の適用を受けて改定される額が当該各号に定める額に調整改定率を乗じて得た額に満たないときは、平成十九年十月分以後、その額を、当該乗じて得た額に改定する。

一　旧法の規定による退職年金に相当する年金　百十三万二千七百円

二　旧法の規定による障害年金に相当する年金　次のイからニまでに掲げる年金の区分に応じそれぞれイからニまでに定める額

イ　その実在職した組合員期間が最短年金年限に達している者に係る年金　百十三万二千七百円

ロ　その実在職した組合員期間が九年以上最短年金年限未満の者に係る年金　八十四万九千五百円

ハ　その実在職した組合員期間が六年以上九年未満の者に係る年金　六十七万九千六百円

ニ　その実在職した組合員期間が六年未満の者に係る年金　五十六万八千四百円

三　旧法の規定による遺族年金に相当する年金　七十九万二千円

5　前各項の規定の適用を受ける年金を受ける者が旧法の規定による遺族年金に相当する年金を受ける妻であり、かつ、次の各号のいずれかに該当する場合には、平成十九年十月分以後、これらの規定により算定した額に当該各号に定める額を加えた額をもって、当該年金の額とする。

一　遺族である子一人を有する場合　恩給法等の一部を改正する法律（昭和五十一年法律第五十一号。以下「昭和五十一年恩給法等改正法」という。）附則第十四条第一項第二号に定める額

二　遺族である子二人以上を有する場合　昭和五十一年恩給法等改正法附則第十四条第一項第一号に定める額

三　六十歳以上である場合（前二号に該当する場合を除く。）　昭和五十一年恩給法等改正法附則第十四条第一項第三号に定める額

6　前項の場合において、旧法の規定による遺族年金に相当する年金を受ける妻が当該遺族年金に相当する年金に係る組合員又は組合員であった者の死亡について次に掲げる場合に該当するときは、その該当する間は、同項の規定による加算は行わない。

一　恩給法の規定による扶助料又は施行法第三十一条第一項に規定する退職年金条例の規定による遺族年金の支給を受ける場合であって、昭和五十一年恩給法等改正法附則第十四条第一項若しくは第二項（平成二十四年恩給法等改正法附則第六十一条第一項の規定によりなおその効力を有するものとされた平成二十四年一元化法附則第百一条の規定による改正前の地方公務員等共済組合法の長期給付等に関する施行法（昭和三十七年法律第百五十三号）第三条の三第四項の規定によりその例によることとされる場合を含む。）の規定又はこれらの規定に相当する当該退職年金条例の規定により当該年金である給付に加えることとされている額が加えられる場合

二　旧令特別措置法の規定により国家公務員共済組合連合会が支給する年金のうち、殉職年金又は公務傷病遺族年金の支給を受ける場合

三　旧法の規定による殉職年金又は公務傷病遺族年金の支給を受ける場合

四　国家公務員等共済組合法等の一部を改正する法律（昭和六十年法律第百五号）第一条の規定による改正前の国家公務員等共済組合法（昭和三十三年法律第百二十八号）第八十八条第一号又は地方公務員等共済組合法等の一部を改正する法律（昭和六十年法律第百八号）第一条の規定による改正前の地方公務員等共済組合法（昭和三十七年法律第百五十二号）第九十三条第一号の規定による遺族年金の支給を受ける場合

7　第五項の場合において、旧法の規定による遺族年金に相当する年金を受ける妻で同項各号のいずれかに該当するもの（昭和五十五年十月三十一日前に給付事由が生じた旧法の規定による遺族年金に相当する年金を受ける者を除く。）が次に掲げる年金である給付（その全額の支給を停止されているものを除く。）の支給を受けることができるときは、その受けることができる間は、同項の規定による加算は行わない。ただし、第一項から第四項までの規定により算定した旧法の規定による遺族年金に相当する年金の額が八十二万円に満たないときは、この限りでない。

一　平成二十四年一元化法第二条の規定による改正前の国家公務員共済組合法（以下「平成二十四年一元化法改正前国共済法」という。）による退職共済年金のうち、その年金の額の算定の基礎となる組合員期間（当該退職共済年金の受給権者が、厚生年金保険法（昭和二十九年法律第百十五号）による老齢厚生年金の受給権を有する場合において、同法第二条の五第一項第二号に規定する第二号厚生年金被保険者期間を有するときは、当該組合員期間と当該第二号厚生年金被保険者期間とを合算して得た期間とする。）が二十年以上であるもの又は平成二十四年一元化法改正前国共済法附則第十三条第一項若しくは施行法第八条若しくは第九条（これらの規定を施行法第二十二条第一項、第二十三条第一項又は第四十八条第一項（施行法第四十九条又は第五十条第一項において準用する場合を含む。）において準用する場合を含む。）若しくは第二十五条（施行法第二十七条において準用する場合を含む。）の規定の適用を受ける者に支給されるもの

二　平成二十四年一元化法改正前国共済法による障害共済年金

三　国家公務員共済組合法施行令等の一部を改正する等の政令（平成二十七年政令第三百四十四号）第一条の規定による改正前の国家公務員共済組合法施行令（昭和三十三年政令第二百七号）第十一条の七の四各号に掲げる年金

8　前項ただし書の場合において、第五項の規定により当該旧法の規定による遺族年金に相当する年金の額に加算されるべき額は、同項の規定にかかわらず、八十二万円から当該旧法の規定による遺族年金に相当する年金の額を控除した額とする。

9　旧法の規定による退職年金、障害年金又は遺族年金に相当する年金を受ける者で、前各項の規定のうちその年金の額の算定に関し一定の年齢以上の者について特別の定めをしている規定（以下「年齢特例規定」という。）に規定する年齢に達していないものが、当該年齢特例規定に規定する年齢に達したときにおいては、その者は、当該年齢特例規定に規定する一定の年齢以上の者に該当するものとして、当該年齢特例規定を適用する。この場合において、当該年齢特例規定によりその年金の額を改定すべきこととなるときは、その達した日の属する月の翌月分以後、その年金の額を改定する。

（旧令特別措置法による公務傷病年金等の額の改定）

第三条　旧令特別措置法第六条第一項第二号の規定により改定された年金又は旧令特別措置法第七条の三第一項から第三項までの規定により支給される年金のうち、公務傷病年金、殉職年金又は公務傷病遺族年金については、平成十九年十月分以後、その額を、平成十一年度改定令第三条の規定により改定された年金額の算定の基礎となっている平成十一年度改定令別表第一の仮定俸給（同条第三項の規定により同項各号に定める額をもって改定年金額とした年金については、同条第一項の規定により改定年金額を改定したものとした場合にその改定年金額の算定の基礎となるべき仮定俸給）に対応する別表第一の仮定俸給に調整改定率を乗じて得た額を俸給とみなし、それぞれ旧陸軍共済組合、旧令特別措置法第一条に規定する共済協会又は旧令特別措置法第二条に規定する外地関係共済組合が支給した年金の算定の例（その算定の際俸給月額に乗ずべき月数は、公務傷病年金及び公務傷病遺族年金にあっては旧令特別措置法第六条第三項の規定により改定された月数によるものとし、殉職年金にあっては別表第二の上欄に掲げる仮定俸給に応じ同表の下欄に掲げる率を二月に乗じた月数によるものとする。）により算定した額に改定する。

2　前条第二項の規定は前項の規定の適用を受ける年金（その年金の額の算定の基礎となっている組合員期間のうち実在職した期間が最短年金年限に達している年金に限る。以下この項において同じ。）を受ける者が七十歳以上の者又は殉職年金若しくは公務傷病遺族年金を受ける七十歳未満の妻、子若しくは孫である場合について、同条第三項の規定は前項の規定の適用を受ける年金を受ける者が八十歳以上の者である場合について、それぞれ準用する。この場合において、同条第二項中「旧法の規定による遺族年金に相当する年金」とあるのは、「殉職年金又は公務傷病遺族年金」と読み替えるものとする。

3　次の各号に掲げる年金については、前二項の規定の適用を受けて改定される額が当該各号に定める額に満たないときは、平成十九年十月分以後、その額を、当該各号に定める額に改定する。

一　公務傷病年金　別表第三に定める障害の等級に対応する年金額に調整改定率を乗じて得た額（障害の等級が一級又は二級に該当するものにあっては、当該乗じて得た額に二十一万円に調整改定率を乗じて得た額を加えた額とする。）

二　殉職年金　百八十一万四千円に調整改定率を乗じて得た額

三　公務傷病遺族年金　百四十二万七百円に調整改定率を乗じて得た額

4　前三項の規定の適用を受ける年金を受ける権利を有する者のうち殉職年金又は公務傷病遺族年金を受ける権利を有する者については、これらの規定により算定した額に昭和五十一年恩給法等改正法附則第十四条第二項の規定により加えるものとされる額を加えた額をもって、これらの年金の額とする。

5　前項の場合において、殉職年金又は公務傷病遺族年金を受ける権利を有する者がこれらの年金に係る組合員又は組合員であった者の死亡について前条第六項第一号に掲げる場合に該当するときは、その該当する間は、前項の規定による加算は行わない。

6　公務傷病年金を受ける権利を有する者に扶養親族（戦傷病者

戦没者遺族等援護法（昭和二十七年法律第百二十七号）第八条第二項に規定する扶養親族（夫、子、父、母、孫、祖父又は祖母にあっては、同項各号の条件に該当するものに限る。）をいう。以下この項において同じ。）がある場合には、平成十九年十月分以後、第三項第一号に定める額に、配偶者である扶養親族については十九万三千二百円に調整改定率を乗じて得た額、配偶者以外の扶養親族については一人につき三万六千円（そのうち二人までについては、一人につき七万二千円（配偶者である扶養親族がない場合にあっては、そのうち一人に限り十三万二千円））に調整改定率を乗じて得た額を加えた額を同号に定める額として、同項の規定を適用する。

7　殉職年金又は公務傷病遺族年金を受ける権利を有する者に扶養遺族（戦傷病者戦没者遺族等援護法第二十四条に規定する遺族（夫、子、父、母、孫、祖父又は祖母にあっては、同法第二十五条第一項各号の条件に該当するものに限る。）をいう。以下この項において同じ。）がある場合には、平成十九年十月分以後、第三項第二号に定める額に第一号に掲げる額を加えた額又は同項第三号に定める額に第二号に掲げる額を加えた額を、それぞれ同項第二号又は第三号に定める額として、同項の規定を適用する。

一　扶養遺族一人につき三万六千円（そのうち二人までについては、一人につき七万二千円）に調整改定率を乗じて得た額

二　前号に掲げる額の十分の七・五に相当する額

8　前条第九項の規定は、公務傷病年金、殉職年金又は公務傷病遺族年金を受ける者で、前各項の規定のうち年齢特例規定に規定する年齢に達していないものについて準用する。

（旧法による年金の額の改定）

第四条　第二条の規定は旧法の規定による退職年金、障害年金又は遺族年金（旧法第九十四条の二の規定によりこれらの年金とみなされた年金を含む。）の額の改定について、前条の規定は旧法第九十条の規定による年金のうち、公務傷病年金、殉職年金又は公務傷病遺族年金の額の改定について、それぞれ準用する。この場合において、第二条第六項中「次に掲げる場合」とあるのは「次に掲げる場合又は旧令特別措置法の規定により国家公務員共済組合連合会が支給する旧法の規定による遺族年金に相当する年金の支給を受ける場合」と、前条第五項中「前条第六項第一号に掲げる場合」とあるのは「前条第六項第一号又は第二号に掲げる場合」と読み替えるものとする。

（存続組合である日本鉄道共済組合等が支給する旧法による年金の額の改定の特例）

第五条　厚生年金保険法等の一部を改正する法律（以下「平成八年改正法」という。）附則第三十二条第二項に規定する存続組合（以下「存続組合」という。）である日本鉄道共済組合（平成八年改正法第二条の規定による改正前の国家公務員等共済組合法第八条第二項に規定する日本鉄道共済組合をいう。以下同じ。）又は平成八年改正法附則第四十八条第一項に規定する指定基金（以下「指定基金」という。）で日本鉄道共済組合に係るものが支給する年金のうち、旧法の規定による退職年金、障害年金又は遺族年金（旧法第九十四条の二の規定によりこれらの年金とみなされた年金を含む。）については、前条の規定にかかわらず、平成十九年十月分以後、その額を、仮定俸給に百十分の百を乗じて得た額を俸給とみなし、旧法の規定を適用して算定した額に改定する。

2　存続組合である日本鉄道共済組合又は指定基金で日本鉄道共済組合に係るものが支給する旧法第九十条の規定による年金のうち、公務傷病年金、殉職年金又は公務傷病遺族年金については、前条の規定にかかわらず、平成十九年十月分以後、その額を、仮定俸給に百十分の百を乗じて得た額を俸給とみなし、旧法第九十条に規定する従前の法令の規定の例（殉職年金にあっては、その算定の際俸給月額に乗ずべき月数は、別表第二の上欄に掲げる仮定俸給に応じ同表の下欄に掲げる率を二月に乗じた月数によるものとする。）により算定した額に改定する。

3　前二項に規定する「仮定俸給」とは、次の各号に掲げる年金の区分に応じ、当該各号に定める額をいう。

一　第一項に規定する年金　平成十一年度改定令第五条第三項第一号に定める額を第二条第一項の規定の例により引き上げることとした場合の額

二　前項に規定する年金　平成十一年度改定令第五条第三項第二号に定める額を第三条第一項の規定の例により引き上げることとした場合の額

4　第二条第二項から第九項までの規定は第一項の規定の適用を受ける年金について、第三条第二項から第八項までの規定は第二項の規定の適用を受ける年金について、それぞれ準用する。この場合において、第二条第六項中「次に掲げる場合」とあるのは「次に掲げる場合又は旧令特別措置法の規定により国家公務員共済組合連合会が支給する旧法の規定による遺族年金に相当する年金の支給を受ける場合」と、第三条第五項中「前条第六項第一号に掲げる場合」とあるのは「前条第六項第一号又は第二号に掲げる場合」と読み替えるものとする。

（端数計算）

第六条　第二条から前条までの規定により年金額を改定する場合における端数計算は、次に定めるところによる。

一　第二条第一項、第三条第一項（これらの規定を第四条において準用する場合を含む。）又は前条第一項若しくは第二項の規定により俸給とみなされる額については、五円未満の端数があるときはこれを切り捨て、五円以上十円未満の端数があるときはこれを十円に切り上げるものとする。

二　第二条第一項から第五項まで若しくは第九項、第三条第一項から第四項まで（これらの規定を第四条及び前条第四項において準用する場合を含む。）又は前条第一項若しくは第二項の規定により改定される年金額及び第三条第三項第一号、第六項又は第七項（これらの規定を第四条及び前条第四項において準用する場合を含む。）の規定により加えるものとされる額については、五十円未満の端数があるときはこれを切り捨て、五十円以上百円未満の端数があるときはこれを百円に切り上げるものとする。この場合において、当該年金額及び当該加えるものとされる額の端数計算は、それぞれの額ごとに行うものとする。

（費用の負担）

第七条　第二条及び第三条の規定による年金額の改定により増加する費用は、国が負担する。

2　第四条の規定による年金額の改定により増加する費用（次項の規定により日本たばこ産業株式会社及び日本電信電話株式会社（日本電信電話株式会社等に関する法律（昭和五十九年法律第八十五号）第一条の二第一項に規定する日本電信電話株式会

社をいう。次項において同じ。）が負担する費用を除く。）は、国家公務員共済組合法の長期給付に関する施行法第三条の二第二項に規定する国等又は郵政会社等が負担する。この場合において、国が毎年度において負担すべき額は、当該年度の国の予算をもって定める額とし、独立行政法人造幣局、独立行政法人国立印刷局若しくは独立行政法人国立病院機構又は同項に規定する郵政会社等が毎年度において負担すべき額は、国家公務員共済組合連合会が当該事業年度にその予算に当該負担すべき額として計上した額とする。

3　第四条の規定による年金額の改定により増加する費用のうち存続組合である日本たばこ産業共済組合（平成八年改正法第二条の規定による改正前の国家公務員等共済組合法第八条第二項に規定する日本たばこ産業共済組合をいう。以下同じ。）若しくは指定基金で日本たばこ産業共済組合に係るもの又は指定基金で日本電信電話共済組合（同項に規定する日本電信電話共済組合をいう。以下同じ。）に係るものが支給する年金に係るものは、それぞれ日本たばこ産業株式会社又は日本電信電話株式会社が負担する。この場合において、日本たばこ産業株式会社又は日本電信電話株式会社が毎年度において負担すべき額は、存続組合である日本たばこ産業共済組合若しくは指定基金で日本たばこ産業共済組合に係るもの又は指定基金で日本電信電話共済組合に係るものが当該事業年度にその予算に当該負担すべき額として計上した額とする。

4　第五条の規定による年金額の改定により増加する費用は、独立行政法人鉄道建設・運輸施設整備支援機構が負担する。この場合において、独立行政法人鉄道建設・運輸施設整備支援機構が毎年度において負担すべき額は、存続組合である日本鉄道共済組合又は指定基金で日本鉄道共済組合に係るものが当該事業年度にその予算に当該負担すべき額として計上した額とする。

附　則

（施行期日）

1　この政令は、公布の日から施行する。

（戦傷病者戦没者遺族等援護法との調整）

2　この政令の施行の際、旧令特別措置法の規定による年金のうち公務による傷病又は死亡を給付事由とするものを受ける権利を有するもので、同一の事由により戦傷病者遺族等援護法の規定による年金を受ける権利を併せ有するものについては、この政令は、適用しない。

附　則（平一二・六・七政令三〇七）（抄）

（施行期日）

第一条　この政令は、平成十三年一月六日から施行する。〔ただし書略〕

附　則（平一三・五・二五政令一八八）（抄）

（施行期日）

1　この政令は、公布の日から施行する。

附　則（平一四・五・二四政令一七九）（抄）

（施行期日）

1　この政令は、公布の日から施行する。

附　則（平一五・三・三一政令一五五）（抄）

（施行期日）

1　この政令は、平成十五年四月一日から施行する。

附　則（平一五・六・二七政令二九三）（抄）

（施行期日）

第一条　この政令は、平成十五年十月一日から施行する。〔ただし書略〕

附　則（平一九・一一・二政令三二六）（抄）

（施行期日）

第一条　この政令は、公布の日から施行する。

（旧令による共済組合等からの年金受給者のための特別措置法による年金である給付の額等に関する経過措置）

第二条　平成十九年九月分以前の月分の旧令による共済組合等からの年金受給者のための特別措置法による年金である給付の額並びに旧法（国家公務員共済組合法の長期給付に関する施行法第二条第二号に規定する旧法をいう。以下この条において同じ。）の規定による退職年金、障害年金及び遺族年金（旧法第九十四条の二の規定によりこれらの年金とみなされた年金を含む。）並びに旧法第九十条の規定による年金のうち、公務傷病年金、殉職年金及び公務傷病遺族年金の額については、なお従前の例による。

（公務傷病遺族年金の最低保障額に関する経過措置）

第三条　平成十九年十月分から平成二十年九月分までの間におけるこの政令による改正後の第三条第三項第三号の規定の適用については、同号中「百四十二万七百円」とあるのは、「百四十一万五千九百円」とする。

附　則（平二七・九・三〇政令三四四）（抄）

（施行期日）

第一条　この政令は、平成二十七年十月一日から施行する。〔ただし書略〕

附　則（令六・四・二四政令一七四）

この政令は、日本電信電話株式会社等に関する法律の一部を改正する法律の施行の日〔令六・四・二五〕から施行する。

附　則（令六・六・一二政令二〇六）

この政令は、公布の日から施行し、改正後の第二条第七項及び第八項の規定は、令和六年四月一日から適用する。

別表第一（第二条、第三条、第五条関係）

平成十一年度改定令別表第一の仮定俸給	仮定俸給
一〇八、二一〇円	一〇八、四八〇円
一一二、六〇〇	一一二、八八〇
一一五、三三〇	一一五、六二〇
一一八、〇七〇	一一八、三六〇
一二一、一七〇	一二一、四七〇
一二五、五八〇	一二五、九〇〇
一二九、三九〇	一二九、七二〇
一三二、九五〇	一三三、二八〇
一三七、二四〇	一三七、五八〇
一四一、五八〇	一四一、九三〇
一四六、二八〇	一四六、六五〇
一五一、〇六〇	一五一、四三〇
一五七、〇〇〇	一五七、三九〇
一六〇、七六〇	一六一、一六〇
一六五、五八〇	一六六、〇〇〇
一七〇、三〇〇	一七〇、七三〇
一七九、六三〇	一八〇、〇八〇
一八二、一四〇	一八二、六〇〇
一八九、三四〇	一八九、八二〇
一九八、九〇〇	一九九、四〇〇
二〇九、四八〇	二一〇、〇〇〇
二一四、八八〇	二一五、四一〇
二二〇、〇二〇	二二〇、五七〇
二二七、三七〇	二二七、九三〇
二三一、六九〇	二三二、二八〇
二四四、二三〇	二四四、八三〇
二五〇、四五〇	二五一、〇八〇
二五六、九三〇	二五七、五八〇
二六九、四四〇	二七〇、一二〇
二八二、〇四〇	二八二、七五〇
二八五、三三〇	二八六、〇五〇
二九五、七五〇	二九六、四九〇
三一〇、五三〇	三一一、三一〇
三二五、一八〇	三二五、九九〇
三三四、二二〇	三三五、〇五〇
三四三、〇三〇	三四三、八九〇
三六〇、九三〇	三六一、八三〇
三七八、四五〇	三七九、四〇〇
三八一、八九〇	三八二、八五〇
三九五、五一〇	三九六、五〇〇
四一二、六八〇	四一三、七二〇
四二九、七七〇	四三〇、八四〇
四四六、七三〇	四四七、八五〇

備考
　年金額の算定の基礎となっている平成十一年度改定令別表第一の仮定俸給の額が四四六、七三〇円を超える場合においては、その額に一・〇〇二五を乗じて得た額（その額に、五円未満の端数があるときはこれを切り捨てるものとし、五円以上十円未満の端数があるときはこれを十円に切り上げるものとする。）をこの表の仮定俸給とする。

別表第二（第三条、第五条関係）

仮定俸給	率
四四七、八五〇円に調整改定率を乗じて得た額以上のもの	二三・〇割
四一三、七二〇円に調整改定率を乗じて得た額を超え四四七、八五〇円に調整改定率を乗じて得た額未満のもの	二三・八割
三九六、五〇〇円に調整改定率を乗じて得た額を超え四一三、七二〇円に調整改定率を乗じて得た額以下のもの	二四・五割
三八二、八五〇円に調整改定率を乗じて得た額を超え三九六、五〇〇円に調整改定率を乗じて得た額以下のもの	二四・八割
二七〇、一二〇円に調整改定率を乗じて得た額を超え三八二、八五〇円に調整改定率を乗じて得た額以下のもの	二五・〇割
二五七、五八〇円に調整改定率を乗じて得た額を超え二七〇、一二〇円に調整改定率を乗じて得た額以下のもの	二五・五割
二三二、二八〇円に調整改定率を乗じて得た額を超え二五七、五八〇円に調整改定率を乗じて得た額以下のもの	二六・一割
一八九、八二〇円に調整改定率を乗じて得た額を超え二三二、二八〇円に調整改定率を乗じて得た額以下のもの	二六・九割
一八二、六〇〇円に調整改定率を乗じて得た額を超え一八九、八二〇円に調整改定率を乗じて得た額以下のもの	二七・四割
一七〇、七三〇円に調整改定率を乗じて得た額を超え一八二、六〇〇円に調整改定率を乗じて得た額以下のもの	二七・八割
一六六、〇〇〇円に調整改定率を乗じて得た額を超え一七〇、七三〇円に調整改定率を乗じて得た額以下のもの	二九・〇割
一六一、一六〇円に調整改定率を乗じて得た額を超え一六六、〇〇〇円に調整改定率を乗じて得た額以下のもの	二九・三割
一四一、九三〇円に調整改定率を乗じて得た額を超え一六一、一六〇円に調整改定率を乗じて得た額以下のもの	二九・八割

一二五、九〇〇円に調整改定率を乗じて得た額を超え一四一、九三〇円に調整改定率を乗じて得た額以下のもの	三〇・二割
一二一、四七〇円に調整改定率を乗じて得た額を超え一二五、九〇〇円に調整改定率を乗じて得た額以下のもの	三〇・九割
一一八、三六〇円に調整改定率を乗じて得た額を超え一二一、四七〇円に調整改定率を乗じて得た額以下のもの	三一・九割
一一五、六二〇円に調整改定率を乗じて得た額を超え一一八、三六〇円に調整改定率を乗じて得た額以下のもの	三二・七割
一一二、八八〇円に調整改定率を乗じて得た額を超え一一五、六二〇円に調整改定率を乗じて得た額以下のもの	三三・〇割
一〇八、四八〇円に調整改定率を乗じて得た額を超え一一二、八八〇円に調整改定率を乗じて得た額以下のもの	三三・四割
一〇八、四八〇円に調整改定率を乗じて得た額のもの	三四・五割

備考
　この表の上欄に掲げる額に、五円未満の端数があるときはこれを切り捨てるものとし、五円以上十円未満の端数があるときはこれを十円に切り上げるものとする。

別表第三（第三条関係）

障害の等級	年金額
一級	五、七二三、〇〇〇円
二級	四、七六九、〇〇〇円
三級	三、九二七、〇〇〇円
四級	三、一〇八、〇〇〇円
五級	二、五一四、〇〇〇円
六級	二、〇三三、〇〇〇円

備考
一　障害の等級の区分は、昭和二十三年六月三十日以前に給付事由の生じた国家公務員共済組合法等の規定による年金の特別措置に関する法律（昭和二十八年法律第百五十九号）別表第二に基づいて大蔵大臣の定めたところによる。
二　この表の四級、五級又は六級に該当する障害で、それぞれ恩給法別表第一号表ノ二に定める第三項症、第四項症又は第五項症以上に相当するものに係る年金については、財務大臣の定めるところにより、それぞれその一級上位の等級に該当するものとみなす。

○〔旧〕国家公務員共済組合法

昭二三・六・三〇
法　六九

注　この法律は、昭和三三年五月一日法律一二八号（国家公務員共済組合法）により全改失効。ただし、同法附則第二条により、本法第三章第三節から第五節までの規定その他これらの規定に規定する給付に係る規定（これらの規定に基づく命令の規定を含む。）は、昭和三三年一二月三一日まで（これらの規定を他の法令において準用し、又は適用する場合については、当分の間）は、なおその効力を有するとされる。

目次〔略〕

第一章　総則

（目的及び組織）
第一条　国に使用される者で国庫から報酬を受けるもの（以下職員という。）は、この法律の定めるところにより、相互救済を目的とする共済組合（以下組合という。）を組織する。但し、左の各号に掲げるものを除く。
一　常時勤務に服しない者
二　臨時に使用される者
三　日本国とアメリカ合衆国との間の安全保障条約に基き駐留するアメリカ合衆国軍隊のために労務に服する者
四　日本国における国際連合の軍隊の地位に関する協定に基き本邦内にある国際連合の軍隊のために労務に服する者
五　日本国とアメリカ合衆国との間の相互防衛援助協定第七条の規定に基くアメリカ合衆国政府の責務を本邦において遂行する同国政府の職員のために労務に服する者

（組合の設置区分）
第二条　組合は、衆議院、参議院、内閣（総理府を含む。）、各省、裁判所及び会計検査院（以下各省各庁という。）ごとにそれぞれこれを設ける。

2 前項に定めるものの外、左の各号の一に該当する職員を単位として、当該各号に掲げる各省各庁に、それぞれ別に一組合を設ける。
一 警察庁に属する職員、都道府県警察に属する警視正以上の階級にある警察官及び国家消防本部に属する職員 総理府
一の二 防衛庁に属する職員 総理府
二 調達庁に属する職員 総理府
三 矯正管区、刑務所、少年刑務所、拘置所、少年院、少年鑑別所、婦人補導院、中央矯正研修所及び地方矯正研修所に属する職員 法務省
四 印刷局に属する職員 大蔵省
五 造幣局に属する職員 大蔵省
六 医務出張所、国立病院及び国立療養所に属する職員 厚生省
七 林野庁に属する職員 農林省
七の二 アルコール専売事業特別会計においてその俸給を支弁する職員 通商産業省
八 都道府県に属する職員 総理府
3 第一項及び前項各号の規定により設けられた組合の組合員の範囲は、当該組合の共済組合運営規則（以下運営規則という。）により、これを定める。
4 組合の廃合により廃止された組合に属する権利義務の承継に関する事項は、命令で定める。

（組合の管理）
第三条 組合は法人とする。
2 衆議院議長、参議院議長、内閣総理大臣、各省大臣、最高裁判所長官及び会計検査院長（以下各省各庁の長という。）は、この法律に基いて、それぞれその各省各庁に設けられた組合を代表し、その事業を執行する。
3 各省各庁の長は、前項の規定により、組合の事業を執行するに必要な運営規則を定めるものとする。
4 各省各庁の長が、運営規則を定める場合においては、あらかじめ大蔵大臣に協議しなければならない。
5 運営規則には、左に掲げる事項を規定するものとする。
一 組合の事業を執行する権限の一部を委任する場合においては、その委任に関する事項
二 組合員に関する事項
三 掛金に関する事項
四 資産の管理その他財務に関する事項
五 共済組合運営審議会及び共済組合審査会に関する事項
六 その他組合の事業執行に関して必要な事項

（組合の住所）
第四条 組合は、各省各庁の長の指定する地に主たる事務所を置く。
2 組合は、大蔵大臣の承認を受けて、その事業を執行するために従たる事務所を設けることができる。

（組合運営審議会）
第五条 組合の適正な運営を図るため、各組合に共済組合運営審議会（以下運営審議会という。）を置く。
2 運営審議会の委員は十名以内とし、当該組合の組合員のうちから、各省各庁の長が、これを命ずる。但し、当該組合の組合員以外の者でその組合の事務に従事する者がある場合においては、各省各庁の長は、委員のうち一人をその者のうちから命ずることができる。
3 各省各庁の長が、前項の規定により委員を命ずる場合においては、一部の者の利益に偏することのないように相当の注意を払わなければならない。
第六条 左に掲げる事項は、運営審議会の議を経なければならない。
一 運営規則のうち第三条第五項第二号から第六号までに掲げる事項に関する部分の制定及び改廃
二 組合の毎事業年度の予算及び決算
三 重要な財産の処分又は重大な義務の負担
四 訴訟、訴願の提起及び和解
五 その他各省各庁の長又は運営審議会において特に重要であると認めた事項
2 前項に定める事項の外、運営審議会は、各省各庁の長の諮問に応じ、又は必要と認める事項につき各省各庁の長に建議することができる。

（事務職員及び国の施設の利用）
第七条 各省各庁の長は、組合の運営に必要な範囲内において、大蔵大臣の承認を受けて、その各省各庁に所属する職員をして組合の事務に従事させ、又はその管理に係る施設を無償で組合の利用に供することができる。

（会計）
第八条 組合の事業年度は、毎年四月一日から翌年三月三十一日までとする。
2 組合の会計組織は、大蔵大臣がこれを定めるものとし、組合は、その財産目録、貸借対照表及び収支計算書に関する報告書を少くとも毎事業年度末及び大蔵大臣の指定するときに、大蔵大臣に提出しなければならない。
3 前項に規定する書類は、大蔵大臣の承認を受けることを要し、その承認を受けたときは、組合はその書類の写をすべての組合員の閲覧に供しなければならない。

（大蔵大臣の権限）
第九条 組合の事業の執行は、大蔵大臣が、これを監督する。
2 組合は、大蔵大臣の定めるところにより、毎月末日現在におけるその事業についての詳細な報告を、大蔵大臣と厚生大臣とに提出しなければならない。
3 大蔵大臣は、毎年少くとも一回、組合の資産及び会計について監査するものとする。

（非課税）
第十条 組合の給付として支給を受ける金品のうち、退職給付及び休業手当金以外の給付については、これを標準として、租税その他の公課を課さない。
2 第十七条に掲げる給付、第六十三条第二号の貸付並びに同条第三号及び第四号の事業に関する証書及び帳簿には、印紙税を課さない。
第十条の二 左に掲げるものについては、登録税を課さない。
一 組合が第二条第四項の規定により承継した不動産の登記
二 組合が第三章及び第六十三条の規定による事業の用に供する建物若しくは土地の権利の取得又は所有権の保存の登記

（無料証明）
第十一条 組合又はこの法律に基いて給付を受くべき者は、その行う給付又はその受ける給付に関し必要な範囲内において、

国、市町村長（東京都の特別区のある地域及び地方自治法（昭和二十二年法律第六十七号）第二百五十二条の十九第一項の指定都市にあつては区長。）又はその代理者に対し、無料で証明を求めることができる。

第二章　組合員

（組合員の資格の取得）

第十二条　職員は、第一条各号に掲げる者を除き、その職員となつた日（第一条各号の一に該当する者がこれに該当しない職員となつたときにはそのなつた日）から、各省各庁につき第二条の規定により設けられる組合の組合員たる資格を取得する。

（組合員の資格の喪失）

第十三条　組合員は、左に掲げる事由に該当するに至つたときはその翌日（第四号に該当する場合はその該当するに至つた日）から、その組合の組合員たる資格を喪失する。

一　死亡したとき。

二　退職したとき。

三　職員が第一条各号に掲げる職員となつたとき。

四　他の組合の組合員たる資格を取得したとき。

（期間計算の方法）

第十四条　組合員たる期間の計算は、組合員たる資格を取得した日の属する月からこれを起算し、その資格を喪失した日の前日の属する月をもつて終るものとする。

第十五条　組合員が、他の組合の組合員たる資格を取得したときは、もとの組合の組合員であつた期間（他の組合の組合員たる資格を取得した日の属する月を含まない。）は、これをその者があらたに組合員たる資格を取得した組合の組合員たる期間とみなす。

2　前項の規定は、市町村職員共済組合法（昭和二十九年法律第二百四号）による共済組合（以下市町村職員共済組合という。）の組合員（同法第四十一条の退職年金を受ける権利を有しない者に限る。）が組合の組合員たる資格を取得した場合に準用する。

（責任準備金の移換）

第十六条　組合員（第四十条の規定の適用を受ける者を含む。）が、他の組合の組合員たる資格を取得した場合は、もとの組合はその者に係る責任準備金に相当する金額を他の組合に移換しなければならない。

2　組合員で船員保険の被保険者であるもの（以下船員たる組合員という。）が組合員としての資格を喪失したときにおいて、なお船員保険法（昭和十四年法律第七十三号）の適用を受ける場合においては、その者につき同法第十五条ノ四の規定により計算した積立金に相当する金額を、船員保険特別会計に移換しなければならない。

3　第一項の規定は、組合員（退職年金を受ける権利を有しない者に限る。）が市町村職員共済組合の組合員たる資格を取得した場合に準用する。

4　第一項及び前項において準用する第一項の責任準備金の計算については、命令で、これを定める。

第三章　給付

第一節　通則

（組合の給付）

第十七条　組合は、この法律の定めるところにより、組合員の疾病、負傷、廃疾、死亡、分べん、退職、災厄若しくは休業又はその被扶養者の疾病、負傷、死亡、分べん、若しくは災厄に関して、左の各号に掲げる給付を行う。

一　保健給付

二　退職給付

三　廃疾給付

四　遺族給付

五　罹災給付

六　休業給付

（被扶養者の範囲）

第十八条　この法律において被扶養者とは、組合員の直系尊属、配偶者（届出をしないが事実上婚姻関係と同様の事情にある者を含む。以下同じ。）、子及び組合員と同一の世帯に属する者で主としてその収入により生計を維持するものとする。

（給付額の算定方法）

第十九条　給付額算定の基準となるべき俸給は、給付事由発生当時（給付事由が退職後に発生したものにあつては退職当時）の掛金の標準となつた俸給とし、その三十分の一（休業給付にあつてはその二十五分の一）をもつて俸給日額とする。

2　給付額に円位未満の端数を生じたときは、これを円位に満たしめる。

（年金の支給の始期及び終期）

第二十条　年金たる給付は、その給付事由の生じた月の翌月からその事由の止んだ月までこれを支給する。

2　年金の支給については、月割計算とし、毎年三月、六月、九月及び十二月においてその前月分までを支給する。但し、年金の給付事由が止んだとき又はその支給を停止したとき若しくはこれを受ける権利が消滅したときは、その支給期月にかかわらず、その時までの分を支給する。

（年金を受くべき遺族の範囲）

第二十一条　年金を受くべき遺族の範囲は、組合員又は組合員であつて引き続きこの法律によつて年金を受けていた者（組合員であつた者という。以下この節及び第六十二条において同じ。）の配偶者並びに子、父母、孫及び祖父母で、組合員又は組合員であつた者の死亡当時主としてその収入によつて生計を維持していた者とする。

2　組合員又は組合員であつた者の死亡当時胎児であつた子が出生したときは、前項の規定の適用については、組合員又は組合員であつた者の死亡当時主としてその収入によつて生計を維持していた者とみなす。

第二十二条　前条第一項に規定する遺族のうち組合員又は組合員であつた者の死亡当時年齢満十八歳未満の子又は孫にあつては、まだ婚姻（届出をしないが事実上婚姻関係と同様の事情に入つていると認められる場合を含む。以下同じ。）していない場合に限り、年齢満十八歳以上の子又は孫にあつては、組合員又は組合員であつた者の死亡当時から引き続き不具廃疾で生活資料を得る途がない場合に限り、年金を支給する。

（年金以外の給付を受くべき遺族の範囲）

第二十三条　年金以外の給付を受くべき組合員又は組合員であつた者の遺族の範囲は、左の各号に掲げる者とする。

一　組合員又は組合員であつた者の配偶者

二 組合員又は組合員であつた者の子、父母、孫及び祖父母で組合員又は組合員であつた者の死亡当時主としてその収入によつて生計を維持していたもの
三 前号に掲げる者を除く外組合員又は組合員であつた者の死亡当時主としてその収入によつて生計を維持していた者
四 組合員又は組合員であつた者の子、父母、孫及び祖父母で第二号に該当しないもの

（給付を受くべき遺族の順位）
第二十四条 組合員又は組合員であつた者が死亡した場合において給付を受くべき遺族の順位は、左の各号に掲げる者とする。
一 年金を受ける者の順位は、第二十一条第一項に掲げる順序
二 年金以外の給付を受ける者の順位は、前条各号の順序。但し、同条第二号又は第四号に掲げる者の間においては、それぞれ当該各号に掲げる順序
2 前項の場合において、父母については養父母を先にし実父母を後にし、祖父母については養父母の父母を先にし実父母の父母を後にし、父母の養父母を先にし父母の実父母を後にする。

（同順位者が二人以上ある場合の給付）
第二十四条の二 前条の規定により給付を受くべき遺族に同順位者が二人以上ある場合においては、その給付は、その人数によつて等分して支給する。
2 前項の規定により年金たる給付を等分して受ける同順位者のうちその権利を失つた者がある場合においては、残りの同順位者の人数によつてその年金を等分して支給する。

（支払未済の給付の受給者の特例）
第二十四条の三 第十七条各号に掲げる遺族給付以外の給付を受ける権利を有する組合員又は組合員であつた者が死亡した場合において、その者がその支給を受くべき給付でその者がその支払を受けなかつたものがあるときは、第二十一条から前条までの規定に準じて、これをその者の遺族に支給する。
2 遺族給付を受ける権利を有する組合員であつた者の遺族が当該権利を失つた場合において、当該遺族が支給を受けることができた給付で当該遺族が支払を受けなかつたものがあるときは、第二十一条から前条までの規定に準じて、これを当該遺族以外の当該組合員であつた者の遺族に支給する。

（給付の併給）
第二十五条 二以上の給付事由が同時に存したときは、左に掲げる場合を除くの外、当該各種の給付を併給するものとする。
一 出産手当金の支給をなす場合においては、その支給期間内は傷病手当金はこれを支給しない。
二 傷病手当金又は出産手当金を受ける期間については、休業手当金はこれを支給しない。
三 廃疾年金を受ける権利を有する者には、退職給付はこれを行わない。
四 退職年金を受ける権利を有する者には、廃疾一時金はこれを支給しない。

（給付金からの控除）
第二十六条 組合員が、組合員たる資格を喪失したときその者に支給すべき給付金がある場合において、その者が組合に対して支払うべき金額があるときは、給付金からこれを控除する。

（時効）
第二十七条 この法律に基く給付を受ける権利は、その給付事由発生の日から年金たる給付については五年間、その他の給付については二年間、これを行わないときは、時効に因り消滅する。

（給付を受ける権利の保護）
第二十八条 給付を受ける権利は、これを譲り渡し、担保に供し、又は差し押えることができない。
2 年金である給付を受ける権利は、前項の規定にかかわらず、国民金融公庫に担保に供することができる。

（損害賠償の請求権）
第二十九条 組合は、給付事由が第三者の行為に因て生じた場合においては、当該給付事由に対して行うべき給付の価額の限度で、給付を受ける権利を有する者が第三者に対して有する損害賠償の請求権を取得する。

第二節 保健給付

（療養）
第三十条 組合員が、公務に因らないで疾病にかかり、又は負傷した場合においては、組合は、左に掲げる療養を行う。
一 診察
二 薬剤又は治療材料の支給
三 処置、手術その他の治療
四 病院又は診療所への収容
五 看護
六 移送
2 前項第五号及び第六号の療養は、組合が必要と認めた場合に限りこれを行うものとする。

（療養の給付及び療養費）
第三十一条 組合員が前条第一項第一号から第四号までの療養を受けようとするときは、左の各号の定めるところによる。
一 組合の経営する医療機関から受けることができる。この場合において、組合は、その費用を負担する。
二 組合員の療養について組合が契約している医療機関から受けることができる。この場合において、組合は、厚生大臣の定める基準の範囲内で、当該医療機関にその費用を支払う。但し、組合は、厚生大臣の定める基準による初診料に相当する金額を組合員に支払わせることができる。
三 保険医又は保険薬剤師（健康保険法（大正十一年法律第七十号）の規定によつて指定された保険医又は保険薬剤師をいう。以下同じ。）から受けることができる。この場合において、組合は、厚生大臣の定める基準によつて、当該保険医又は保険薬剤師にその費用を支払う。但し、組合員は、厚生大臣の定める基準による初診料に相当する金額を支払わなければならない。
四 組合は、療養の給付をすることが困難であると認めたとき、又は組合員が緊急その他やむを得ない事情により前各号に規定する医療機関以外の医師、歯科医師、薬剤師又はその他の医療機関から診療又は手当を受けた場合において、組合が必要と認めたときは、厚生大臣の定める基準の範囲内で、その費用をその組合員に支払うことができる。但し、組合員は、厚生大臣の定める基準による初診料に相当する金額については、その支払を受けることができない。

（家族療養費）
第三十二条 組合員の被扶養者が、第三十条第一項第一号から第四号までに規定する療養を受けようとするときは、前条の規定

に準じ、任意の医療機関から受けることができる。この場合において、組合は、同条の規定（同条第二号但書、第三号但書及び第四号但書を除く。）に従つて負担し、又は支払わなければならない費用の半額を負担し、又は支払わなければならない。

2　第三十条第二項の規定は、組合員の被扶養者が同条第一項第五号及び第六号の療養を受けようとする場合に準用する。この場合において、組合は、組合員がその療養を受ける場合において組合が負担し、又は支払うべき額の半額を負担し、又は支払わなければならない。

（保険医等の療養費及び家族療養費）

第三十三条　組合員又はその被扶養者が、保険医又は保険薬剤師から第三十条第一項第一号から第四号までの療養を受け、緊急その他やむを得ない事情によりその費用を直接保険医又は保険薬剤師に支払つた場合において、組合が必要と認めたときは、組合は、第三十一条第三号又は第三十二条第一項の規定に従つて計算した費用を、保険医又は保険薬剤師に対する支払いに代えて組合員に支払うことができる。

（保険医又は保険薬剤師の療養担当）

第三十三条の二　保険医又は保険薬剤師は、健康保険法の規定に従つて組合員及びその被扶養者の療養を行わなければならない。

（給付の支給期間）

第三十四条　療養の給付、療養費及び家族療養費は、同一の疾病並びに負傷及びこれに因り発生した疾病に関し左に掲げる事由に該当するに至つたとき以後は、これを支給しない。

一　廃疾給付を受けるに至つたとき。

二　療養の給付、療養費及び家族療養費（公共企業体職員等共済組合法（昭和三十一年法律第百三十四号）又は市町村職員共済組合法によるこれらのものを含む。）支給開始後三年を経過したとき。

2　組合員がその資格を喪失した際、療養の給付、療養費及び家族療養費を受けている場合においては、組合員として受けることのできる期間、継続してこれを支給する。但し、その期間内に他の組合の組合員（専売共済組合、国鉄共済組合、日本電信電話公社共済組合若しくは市町村職員共済組合の組合員又は組合員でない健康保険若しくは船員保険の被保険者を含む。以下第三十五条第二項及び第五十六条第三項において同じ。）たる資格を取得したときは、その日以後は、この限りでない。

（分べん費及び配偶者分べん費）

第三十五条　組合員が分べんしたときは、分べん費として俸給の一月分を支給する。

2　組合員であつた者が、その資格喪失後六月以内に分べんしたときもまた前項と同様とする。但し、資格喪失後分べんするまでの間に他の組合の組合員たる資格を取得したときは、もとの組合は、分べん費を支給しない。

3　組合員の被扶養者である配偶者が分べんしたときは、配偶者分べん費として俸給の半月分を支給する。

（ほ育手当金）

第三十六条　組合員又はその被扶養者である配偶者が分べん（死産の場合を除く。）し、且つ、ほ育する場合においては、ほ育手当金として分べんの日から引き続き六月間ほ育している期間一月につき四百円を支給する。但し、その期間一月に満たないときは、これを一月とする。

2　前条第二項の規定は、ほ育手当金の支給に関して、これを準用する。

3　組合員がその資格を喪失した際、ほ育手当金を受けている場合においては、組合員として受けることのできる期間継続してこれを支給する。

（埋葬料及び家族埋葬料）

第三十七条　組合員が公務に因らないで死亡したときは、その埋葬を行う者に埋葬料として、俸給の一月分に相当する額を支給する。但し、その額が六千円に満たないときは六千円とする。

2　組合員の被扶養者が死亡したときは、家族埋葬料として前項に規定する額の二分の一を支給する。

第三十八条　第三十四条第二項の規定により給付を受ける者が死亡したとき、同項の規定により給付を受けた者がその給付を受けなくなつた日後三月以内に死亡したとき又は組合員の資格を喪失した日後三月以内に死亡したときは、その埋葬を行う者に、前条第一項の規定に準じ埋葬料を支給する。

2　第三十四条第二項但書の規定は、前項の場合に、これを準用する。

（日雇労働者健康保険法による給付との調整）

第三十八条の二　家族療養費、配偶者分べん費又は家族埋葬料は、同一の疾病、負傷、分べん又は死亡に関し、日雇労働者健康保険法（昭和二十八年法律第二百七号）の規定により療養の給付又は分べん費若しくは埋葬料の支給があつたときは、その限度において、支給しない。

第三節　退職給付

（退職年金）

第三十九条　組合員であつた期間二十年以上の者が、第十三条第二号又は第三号に規定する事由に該当し組合員たる資格を喪失したとき（退職年金を受ける権利を有しない組合員が市町村職員共済組合の組合員の資格を取得し市町村職員共済組合法第十三条第二項の規定の適用を受けるときを除く。）は、その者の死亡に至るまで退職年金を支給する。但し、年齢満五十歳に達するまではその支給を停止する。

2　退職年金の年額は、俸給の四月分とし、組合員であつた期間二十年以上一年を増すごとにその一年につき俸給日額の四日分を加算する。

第四十条　退職年金の支給を受ける者が再び組合員となつたときは、その組合員となつた日の属する月から退職年金の支給を停止する。

2　前項の規定により退職年金の支給を停止された組合員が、第十三条第二号又は第三号に規定する事由に該当したときは、前後の組合員であつた期間を合算して退職年金の額を改定する。

3　前項の規定により退職年金の額を改定した場合において、その改定額が従前の退職年金の額より少いときは、従前の退職年金の額をもつて改定退職年金の額とする。

（退職一時金）

第四十一条　組合員であつた期間六月以上二十年未満の者が、第十三条第二号又は第三号に規定する事由に該当したとき（退職年金を受ける権利を有しない組合員が市町村職員共済組合の組合員の資格を取得し市町村職員共済組合法第十三条第二項の規定の適用を受けるときを除く。）は、退職一時金を支給する。

2　退職一時金の額は、俸給日額に、組合員であつた期間に応じ別表第一に定める日数を乗じて得た金額とする。但し、廃疾一時金の支給を受ける者に支給すべき額は、廃疾一時金の額と合算して俸給の二十二月分を超えることができない。

第四節　廃疾給付

（廃疾年金）

第四十二条　組合員であつた期間六月以上の者が公務に因らないで疾病にかかり、又は負傷し、若しくはこれに因り発した疾病のため退職した場合において、療養の給付を受けた日又は療養費の給付事由の発生した日から起算し三年以内に治ゆしたとき又は治ゆしないがその期間を経過したとき別表第二に掲げる程度の廃疾の状態にある者には、その程度に応じて、その者の死亡に至るまで廃疾年金を支給する。

2　廃疾年金の額は、俸給に、別表第三に定める月数を乗じて得た金額とする。

3　組合員であつた期間十年以上の者に支給する廃疾年金の年額は、前項の金額に、その期間二十年に至るまでは十年以上一年を増すごとにその一年につき俸給日額の三日分を、二十年以上については二十年以上一年を増すごとにその一年につき俸給日額の四日分を加算する。

第四十三条　廃疾年金を受ける権利を有する者が、廃疾年金の支給を受ける程度の廃疾の状態に該当しなくなつたとき以後は、その廃疾年金は、これを支給しない。

第四十四条　組合員であつた期間二十年未満で廃疾年金を受ける権利を有する者が前条の規定により廃疾年金の支給を受けなくなつた場合において、すでに支給を受けた廃疾年金の総額が、その者が組合員の資格を喪失した際受けるべきであつた退職一時金と俸給十月分との合算額（その合算額が俸給二十二月分を超える場合は俸給二十二月分。）に満たないときは、その差額を支給する。

（廃疾一時金）

第四十五条　組合員であつた期間六月以上の者が公務に因らないで疾病にかかり、又は負傷し、若しくはこれに因り発した疾病のため退職した場合において、療養の給付を受けた日又は療養費の給付事由の発生した日から起算し三年以内に治ゆしたとき又は治ゆしないがその期間を経過したとき別表第四に掲げる程度の廃疾の状態にある者には、廃疾一時金を支給する。

2　廃疾一時金の額は、俸給の十月分とする。但し、退職一時金の支給を受ける者に支給すべき額は、退職一時金の額と合算して俸給の二十二月分を超えることができない。

第五節　遺族給付

（遺族年金）

第四十六条　組合員であつた期間二十年以上の者が死亡したときは、その者の遺族に対し遺族年金を支給する。

第四十七条　遺族年金の額は、左の区分による金額とする。

一　退職年金の支給を受ける者が死亡した場合においては、その退職年金の額の二分の一

二　組合員であつた期間二十年以上の者が、退職年金の支給を受けることなくして死亡した場合においては、その者が支給を受けるべきであつた退職年金の額の二分の一

三　組合員であつた期間二十年以上の者で、廃疾年金の支給を受ける権利を有する者が死亡した場合においては、その者が支給を受けるべきであつた退職年金の額の二分の一

（遺族年金の転給）

第四十八条　遺族年金を受ける者が左の各号の一に該当するに至つたときは、その年金を受ける権利を失う。

一　死亡したとき。

二　婚姻したとき又は養子縁組（届出をしないが事実上養子縁組と同様の事情に入つていると認められる場合を含む。）により養子となつたとき。

三　子又は孫（不具廃疾で生活資料を得る途がない者を除く。）が年齢満十八歳に達したとき。

四　不具廃疾で生活資料を得る途がないため遺族年金を受けていた者につき、その事情が止んだとき。

2　前項の規定において遺族年金を受くべき同順位者がなくて後順位者があるときは、その者にこれを支給する。

第四十九条　遺族年金を受ける者が一年以上所在不明であるときは、同順位者があるときは同順位者の、同順位者がないときは次順位者の申請により、所在不明中その者の受くべき年金の支給を停止することができる。

2　前項の規定により年金の支給を停止した場合においては、その停止期間中、その年金は、同順位者から申請があつたときは同順位者に、次順位者から申請があつたときは次順位者に、これを支給する。

（遺族一時金）

第五十条　組合員が死亡したときは、その遺族に、遺族一時金を支給する。

2　遺族一時金の額は、俸給日額に、組合員であつた期間に応じ別表第五に定める日数を乗じて得た金額とする。

（年金者遺族一時金）

第五十一条　左の各号の一に該当するときは、組合員であつた者の遺族に対し、年金者遺族一時金を支給する。

一　退職年金を受ける権利を有する者が死亡した場合において、遺族年金の支給を受くべき遺族がないとき。

二　組合員であつた期間二十年以上の者で、廃疾年金の支給を受ける権利を有するものが死亡した場合において、遺族年金の支給を受くべき遺族がないとき。

三　組合員であつた期間二十年未満の者で、廃疾年金の支給を受ける権利を有するものが死亡したとき。

四　遺族年金の支給を受ける者がその支給を受ける権利を失い、以後年金を受くべき遺族がないとき。

五　組合員であつた期間二十年以上の者が退職年金の支給を受けることなくして死亡した場合において、遺族年金の支給を受くべき遺族がないとき。

第五十二条　前条の一時金の額は、左の区分による。

一　前条第一号に該当する場合において、すでに支給を受けた年金の総額が、退職年金の額の六年分に満たないときは、その差額

二　前条第二号に該当する場合において、すでに支給を受けた年金の総額が、その組合員が退職の際受けるべきであつた退職年金の六年分に満たないときは、その差額

三　前条第三号に該当する場合においては、すでに支給を受けた年金の総額が、俸給日額に組合員であつた期間に応じ別表第一に定める日数を乗じて得た額と俸給の十月分との合算額（その合算額が俸給の二十二月分をこえるときは二十二月分）に満たないときは、その差額

四　前条第四号に該当する場合においては、すでに支給を受けた退職年金、廃疾年金及び遺族年金の総額が、その組合員が受けた退職年金又は受けるべきであつた退職年金の額の六年分に満たないときは、その差額

五　前条第五号に該当する場合においては、その組合員が死亡のときにおいて退職したとすれば受けるべきであつた退職年金の額の六年分

第六節　罹災給付

（弔慰金及び家族弔慰金）

第五十三条　組合員又はその被扶養者が水震火災その他の非常災害によつて死亡したときは、組合員については俸給の一月分の弔慰金をその遺族に、被扶養者については俸給の半月分の家族弔慰金を支給する。

（災害見舞金）

第五十四条　組合員がその住居又は家財に損害を受けたときは、別表第六に掲げる損害の程度に応じて、俸給に、同表に定める月数を乗じて得た金額を災害見舞金として支給する。

第七節　休業給付

（傷病手当金）

第五十五条　組合員が公務に因らないで疾病にかかり、又は負傷し療養のため引き続き勤務に服することができない場合においては、傷病手当金として、勤務に服することができなくなつた日以後三日を経過した日から、その後における勤務に服することができない期間一日につき俸給日額の十分の八に相当する金額を支給する。

2　組合員で被扶養者のないものが入院した場合において支給すべき傷病手当金は、前項の規定にかかわらず、俸給日額の十分の六に相当する金額とする。

3　傷病手当金の支給期間は、同一の疾病並びに負傷及びこれに因り発生した疾病に関しては、その支給を始めた日から起算し六月間とする。

4　結核性疾病に関しては、前項の期間をこえ通じて三年に至るまでの療養のため勤務に服することができなかつた期間について、継続して傷病手当金を支給する。

5　第三十四条第二項の規定は、前二項の場合に、これを準用する。

6　第三項若しくは第四項又は前項において準用する第三十四条第二項の場合において、傷病手当金の支給期間中に療養の給付又は療養費の支給期間が経過したときは、当該傷病手当金の支給期間は、これらの規定にかかわらず、当該傷病手当金の支給を始めた日から当該療養の給付又は療養費の支給期間が経過した日の前日までの期間とする。

（出産手当金）

第五十六条　組合員が分べんしたときは出産手当金として分べんの日前四十二日、分べんの日以後四十二日以内において勤務に服することができなかつた期間一日につき俸給日額の十分の八に相当する金額を支給する。組合員であつた者が、組合員の資格喪失後六月以内に分べんしたときもまた同様とする。

2　前条第二項の規定は、出産手当金の支給に関して、これを準用する。

3　組合員がその資格を喪失した際出産手当金を受けている場合においては、その給付は第一項に規定する期間内は、引き続きこれを支給する。但し、その期間内に他の組合の組合員たる資格を取得したときは、その日以後は、この限りでない。

（休業手当金）

第五十七条　組合員が、左の各号の一の事由に因り欠勤した場合においては、休業手当金としてその期間（第三号から第五号までの各号については当該各号に掲げる期間内）一日につき俸給日額の十分の六を支給する。

一　公務に因らない疾病又は負傷

二　組合員の被扶養者の疾病又は負傷

三　組合員又はその配偶者の分べん　十四日

四　組合員又はその被扶養者に係る公務に因らない不慮の災害　五日

五　組合員の婚姻又は配偶者の死亡、二親等内の血族、一親等の姻族若しくはその他の被扶養者で組合員の収入により主としてその生計を維持する者の婚姻又は葬祭　七日

六　前各号に掲げるものの外、所属機関の長が已むを得ないと認めた事由

第五十八条　傷病手当金、出産手当金又は休業手当金は、その支給期間に係る俸給の全部又は一部を受ける場合は、その受ける金額の限度において、その全部又は一部を支給しない。

第八節　給付の制限

第五十九条　この法律により給付を受くべき者が、故意に給付事由を生ぜしめたときは、当該給付事由に係る給付は、その全部又は一部を行わないことができる。その者が懲戒処分を受け、又は禁こ以上の刑に処せられたときも、また同様とする。

第六十条　組合員若しくは組合員であつた者又はその被扶養者が、正当の理由なくして療養に関する指揮に従わなかつたことにより、又は重大な過失により事故を生ぜしめたときは、その者に係る保健給付、廃疾給付又は休業給付の全部又は一部を行わないことができる。

第六十一条　保健給付、廃疾給付又は休業給付の支給に関し必要があると認めたときは、その支給に係る者につき診断を行うことができる。

2　正当の理由がなくて前項の診断を拒否した場合においては、その者に係る保健給付、廃疾給付又は休業給付の全部又は一部を支給しないことができる。

第六十二条　遺族給付の支給を受くべき者が、組合員又は組合員であつた者若しくは遺族給付の支給を受ける者を故意に死に致らしめたときは、その者については、その受くべき給付を支給しない。但し、この場合において後順位者があるときはその者に支給する。

第四章　福祉施設及び共済組合連合会

（福祉施設）

第六十三条　組合は、前章に規定する給付を行う外、組合員の福祉を増進するため、左の各号に掲げる福利及び厚生に関する事業を行うことができる。

一　組合員の保健及び保養並びに教養に資する施設の経営

二　組合員の利用に供する財産の取得、管理又は貸付

三　組合員の貯金の受入又はその運用

四　組合員の臨時の支出に対する貸付

五　組合員の需要する生活必需物資の買入又は売却

（共済組合連合会）

第六十三条の二 組合が前条に規定する事業を共同して行う必要がある場合においては、組合は、共済組合連合会（以下連合会という。）を設立することができる。

2 連合会は法人とする。

第六十四条 連合会は、主たる事務所を東京都に置く。

2 連合会は、大蔵大臣の認可を受けて前条に規定する事業を行うため、必要な地に従たる事務所を設けることができる。

3 連合会に加入している組合は、連合会の事業を執行するに要する費用に充てるためその組合に対し第六十九条第一項第一号に規定する負担金の百分の五に相当する金額を、その払込があるごとに、連合会に払い込まなければならない。

第六十四条の二 連合会に加入している組合は、退職給付、廃疾給付及び遺族給付の支給に関する事務を、連合会に委託することができる。

2 前項の規定により事務を委託した組合は、退職給付、廃疾給付及び遺族給付に要する費用を第六十八条の二又は第六十九条第一項の規定による払込があるごとに、連合会に払い込まなければならない。

第六十五条 連合会は、定款をもつて左に掲げる事項を規定し、大蔵大臣の認可を受けなければならない。

一 目的

二 名称

三 事務所の所在地

四 加入及び脱退に関する事項

五 役員に関する事項

六 資産の管理及び会計に関する事項

七 給付に関する事項

2 定款は、大蔵大臣の認可を受けなければ、これを変更することができない。

第六十六条 連合会は、前条の定款の認可の日に成立する。

第六十七条 第七条から第十条まで、第十条の二第二号及び第十一条の規定は、連合会に、これを準用する。この場合において、第七条中「各省各庁の長」とあるのは「大蔵大臣」と、「大蔵大臣の承認を受けて、その各省各庁」とあるのは「大蔵省」と、第十条の二第二号中「第三章及び第六十三条の規定による事業」とあるのは「第六十三条の二の規定により共同して行う事業及び第六十四条の二の規定により委託を受けた事務」と読み替えるものとする。

第五章 掛金及び国庫負担金

（掛金）

第六十八条 組合員は、組合の給付に要する費用に充てるため、掛金を負担する。

2 前項の掛金は、組合員の俸給を標準としてこれを算定するものとし、その俸給と掛金との割合は各組合につき、運営規則でこれを定める。

（掛金等の俸給等からの差引）

第六十八条の二 組合員の俸給支給機関は、毎月俸給支給の際組合員の俸給から掛金に相当する金額を控除して、その金額を組合員に代りその掛金としてその所属する組合に払い込まなければならない。

2 組合員の俸給支給機関は、掛金以外の組合員が組合に対して支払うべき金額があるときは、俸給その他の給与支給の際組合員の俸給その他の給与から当該金額に相当する金額を控除して、その金額を組合員に代りその所属する組合に払い込まなければならない。

（国庫負担金）

第六十九条 国庫は、左の各号に掲げる金額を負担し、各省各庁の長は、これを毎月組合に払い込むものとする。但し、当該組合が退職給付、廃疾給付及び遺族給付の支給に関する事務を連合会に委託している場合においては、第三号に掲げる費用のうち退職給付、廃疾給付及び遺族給付の支給に関する事務に要する費用は、国庫から直接連合会に交付することができる。

一 保健給付、罹災給付及び休業給付に要する費用の二分の一

二 退職給付、廃疾給付及び遺族給付に要する費用の百分の五十五

三 組合の事務に要する費用の全額

2 前項第三号に規定する組合の事務に要する費用は、毎年度予算をもつてこれを定める。

3 各省各庁の長は、第一項の規定により組合に国庫負担金を支払う場合において、組合員の推定数に基いて概算払をすることができる。この精算は、当該会計年度末において組合員の実数に基いて行われるものとする。

第七十条 削除

第六章 共済組合審査会

（審査の請求）

第七十一条 給付に関する決定又は掛金の徴収に対し異議のある者は、直接共済組合審査会（以下審査会という。）に対し、或は組合の地方支部を通じて文書又は口頭をもつて審査会に対し審査を請求することができる。

2 前項の規定による給付に関する決定に対する審査の請求は、時効の中断に関しては、これを裁判上の請求とみなす。

3 第一項の審査の請求は、決定又は徴収の通知があつた日から六十日以内にこれをなさなければならない。

（審査会）

第七十二条 審査会は、連合会にこれを置き、前条第一項の規定によりその権限に属せしめられた事項をつかさどる。但し、命令で定める組合にあつては、その組合ごとにこれを置くことができる。

第七十三条 審査会は、委員九人をもつて、これを組織する。

2 前項の委員は、組合員を代表する者、政府を代表する者及び公益を代表する者各〻三人とし、連合会に置かれる審査会にあつては大蔵大臣が、前条但書の規定により組合に置かれる審査会にあつては当該審査会の置かれる組合を代表する各省各庁の長が、それぞれこれを委嘱する。

3 委員の任期は、三年とする。

4 委員に欠員を生じた場合の補欠委員の任期は、前任者の残任期間とする。

第七十四条 審査会の委員は、公益を代表する委員のうちから、会長を選挙する。

2 会長は、会務を総理する。

3 会長に事故がある場合においては、委員は、公益を代表する他の委員のうちから会長の職務を代理する者を選挙する。

第七十五条　審査会は、会長が委員に対して適当な方法で通知をしてこれを招集し、その議事は、会長を除く出席委員の過半数でこれを決する。可否同数である場合には、会長の決するところによる。

2　審査会は、組合員を代表する委員、政府を代表する委員及び公益を代表する委員が各〻少くとも一人以上出席しなければ、議事を開き議決をすることができない。

3　会長は、第七十一条第一項の規定による請求があつた場合においては、遅滞なく審査会を招集しなければならない。

第七十六条　関係人及び証人は、審査会の会議に出席し、意見を述べることができる。

第七十七条　審査会は、審査のため必要があると認める場合においては、如何なる関係人に対しても意見を求め、又は審査を請求した者に対して報告をさせ、若しくは出頭を命じ、又は給付の決定に関する請求の場合には医師に診断若しくは検案をさせることができる。

第七十八条　審査会の決定は、審査の請求を受けた日から起算して六十日以内に、これをなさなければならない。

2　審査会の決定の通知は、決定のあつた日から起算して七日以内に、文書で、連合会又は組合及び請求者に対してこれを通知しなければならない。

第七十九条　審査会の委員及び第七十七条の規定により出頭を命じた関係人等の報酬及び旅費その他審査会に関し必要な事項は、政令で、これを定める。

第七章　雑則

（医療に関する事項）

第八十条　組合は、この法律の医療に関する事項については、随時厚生大臣に連絡をしなければならない。

（船員たる組合員に対する例外）

第八十一条　船員たる組合員の船員たる組合員としての資格の得喪及び期間の計算については、船員保険法の定めるところによる。

第八十二条　船員たる組合員又は船員たる組合員であつた組合員が、第十三条第一号から第三号に規定する事由に該当したときの退職給付又は遺族給付は、左の各号のうち組合員に有利ないずれか一つの給付とする。

一　組合員として受けるべき退職給付又は遺族給付と組合員でなかつた船員保険の被保険者であつた期間がある場合のその期間に対する船員保険法に規定する老齢年金又は脱退手当金若しくは遺族年金との併給

二　その者が組合員とならなかつたならば、船員として受けるべき船員保険法の規定する老齢年金、脱退手当金又は遺族年金と、船員たる組合員でない組合員であつた期間がある場合のその期間に対する組合員として受けるべき退職給付又は遺族給付との併給

2　前項に規定する場合の外、船員たる組合員若しくは船員たる組合員であつた者又はこれらの者の遺族に対する給付は、組合員若しくは組合員であつた者又はこれらの者の遺族として受けるべき給付と、その者が組合員とならなかつたならば、船員保険の被保険者若しくは被保険者であつた者又はこれらの者の遺族として受けるべき船員保険法に規定する給付（失業に関する給付を除く。）とのうち、これらの者に有利ないずれか一つを支給するものとする。

第八十三条　厚生年金保険及び船員保険交渉法（昭和二十九年法律第百十七号）第二条から第四条までの規定により厚生年金保険又は船員保険の老齢年金の受給資格期間を満たした者が、船員たる組合員となつたときは、船員たる組合員でない船員保険の被保険者であつた期間は、これを船員保険の被保険者でなかつたものとみなして、前条の規定を適用する。

第八十三条の二　国庫は、船員たる組合員若しくは船員たる組合員であつた者又はこれらの者の遺族に対する船員保険法に規定する給付に相当する給付に要する費用については、同法に規定する国庫の負担及び船舶所有者の負担と同一割合によつて算定した金額を負担し、各省各庁の長は、これを毎月組合に払い込むものとする。

（在外公館に勤務する組合員についての特例）

第八十三条の三　在外公館に勤務する組合員に対するこの法律の適用については、政令で特例を定めることができる。

2　前項の政令は、この法律の目的に合致するものでなければならない。

（休職者についての特例）

第八十三条の四　一般職の職員の給与に関する法律（昭和二十五年法律第九十五号）第二十三条の規定により俸給の全部又は一部の支給を受けている者（これに準ずる者を含む。）で、大蔵大臣の指定するものは、第一条第一号の規定にかかわらず、これを組合員とみなす。

（未帰還職員についての特例）

第八十三条の五　未帰還者留守家族等援護法（昭和二十八年法律第百六十一号）第二条第一項に規定する未帰還者であつて、昭和二十八年七月三十一日現在組合員であつた者（この条において以下「未帰還職員」という。）は、第一条及び第八十六条第一項の規定にかかわらず、これを組合員とみなす。

2　未帰還職員に係る留守家族手当又は特別手当（昭和二十八年七月三十一日現在第八十六条第一項の規定による組合員であつた未帰還職員については、これらに相当する給付を含むものとし、この条において以下「手当等」という。）は、この法律の適用については、これを未帰還職員の収入とみなす。

3　未帰還職員については、その者の昭和二十八年七月三十一日における俸給又は俸給に相当する給与の額をもつて、俸給又は俸給に相当する給与の額とみなす。

4　手当等の支給機関（二以上の機関が手当等を支給する場合には、そのうち大蔵大臣の定める機関）は、手当等を支給する際、掛金に相当する金額を控除して、その金額を組合員に代りその所属する組合に払い込まなければならない。

（国家公務員法との関係）

第八十四条　この法律は、国家公務員法（昭和二十二年法律第百二十号）に定める諸条項にすべての点において従属し、且つ、いかなる点においてもこれにてい触しないものとする。又、従つて、国家公務員法の規定又は同法に基く法律が施行せられたときは、これとてい触するこの法律の規定は、その効力を失うものとする。

（報告等の徴取及び立入検査）

第八十四条の二　大蔵大臣は、組合の保健給付についての第三十一条各号の規定による費用の負担又は支払の適正化を図るため

必要があると認めるときは、当該保健給付に係る第三十条第一項各号に掲げる療養を行つた医療機関から報告若しくは資料の提出を求め、又は当該職員をして当該医療機関の病院、診療所、助産所若しくは施術所に立ち入り、診療簿その他その業務に関する帳簿書類を検査させることができる。

2 当該職員は、前項の規定により立入検査をする場合には、その身分を示す証票を携帯し、関係人にこれを呈示しなければならない。

3 第一項の立入検査の権限は、犯罪捜査のために認められたものと解してはならない。

第八章 罰則

（罰則）

第八十四条の三 前条第一項の規定に違反して報告をせず、若しくは虚偽の報告をし、又は当該職員の立入若しくは検査を拒み、妨げ、若しくは忌避した者は、これを六月以下の懲役又は一万円以下の罰金に処する。

第八十四条の四 法人の代表者又は法人若しくは人の代理人、使用人その他の従業者が、その法人又は人の業務に関して、前条の違反行為をしたときは、行為者を罰する外、その法人又は人に対しても同条の罰金刑を課する。但し、法人又は人の代理人、使用人その他の従業者の当該違反行為を防止するため当該業務に対し相当の注意及び監督が尽されていることの証明があつたときは、その法人又は人については、この限りでない。

附 則（抄）

（施行期日）

第八十五条 この法律は、昭和二十三年七月一日から、これを施行する。

（地方職員の取扱）

第八十六条 国に使用される者で地方公共団体から報酬を受けるもの、地方公共団体の事務所に使用される者及び公立学校の職員（以下地方職員という。）は、命令の定めるところにより、当分の間、この法律に基いて設けられた組合（以下新組合という。）の組合員となる。

2 地方職員に対するこの法律の適用については、この法律中「職員」とあるのは「地方職員」と、第七条中「各省各庁の長」とあるのは「地方公共団体の長又は都道府県教育委員会」と、「大蔵大臣の承認を受けて、その各省各庁」とあるのは「その地方公共団体」と、第十三条第四号中「他の組合」とあるのは「他の組合又は市町村職員共済組合」と、第十九条、第六十八条第二項及び第六十八条の二中「俸給」とあるのは「俸給に相当する給与」と、第六十九条第一項中「国庫」とあるのは「地方公共団体」と、同条第三項中「国庫負担金」とあるのは「地方公共団体の負担金」と、第八十三条の二中「国庫は、」とあるのは「地方公共団体は、」と、第六十九条第一項及び第三項並びに第八十三条の二中「各省各庁の長」とあるのは「地方公共団体の長」と読み替えるものとする。

第八十六条の二 国庫は、予算の範囲内において、前条第一項に規定する公立学校の職員のうち義務教育に従事するもので新組合の組合員である者について地方公共団体が負担する組合の事務に要する費用に相当する金額を限度として、毎年度当該地方公共団体に補助金を交付することができる。

2 国庫は、予算の範囲内において、前項の組合員について地方公共団体が負担する給付に要する費用の二分の一に相当する金額を限度として、毎年度当該地方公共団体に補助金を交付することができる。

（旧法による共済組合の取扱）

第八十七条 この法律施行の際現に存する従前の法令に基いて組織された共済組合（以下旧組合という。）は、命令の定めるところにより、この法律に基いて組織されたものとみなす。但し、命令で指定する旧組合（以下廃止組合という。）については、この限りでない。

（旧組合の権利義務の承継）

第八十八条 廃止組合の管理に係る権利義務の承継に関しては、命令で、これを定める。

（旧組合員の取扱）

第八十九条 廃止組合の組合員で、新組合の組合員たる資格を有するものは、この法律施行の日において、その者の所属する各省各庁に設けられた組合の組合員となつたものとみなす。

2 廃止組合の組合員で新組合の組合員たる資格を有しないものは、この法律施行の日において、命令で指定する新組合の組合員となつたものとみなす。

3 廃止組合以外の旧組合の組合員で新組合の組合員たる資格を有しないものは、この法律施行の日において、命令で指定する新組合の組合員となつたものとみなす。

4 警察法（昭和二十九年法律第百六十二号）による改正前の警察法（昭和二十二年法律第百九十六号）及び消防組織法（昭和二十二年法律第二百二十六号）施行の日からこの法律施行の日まで自治体警察の職員又は自治体消防の職員であつた者は、その職員であつた期間これを従前の警察共済組合令（大正九年勅令第四十四号）に基いて組織された組合の組合員であつたものとする。

（すでに給付事由の発生している給付の取扱）

第九十条 この法律施行の日前に、すでに給付事由が発生している給付及びこの法律施行の日前に給付の原因たる事故が発生し、この法律施行の日以後にその給付事由が発生した給付については、なお従前の法令の規定により支給する。

（組合員たる期間計算の特例）

第九十一条 この法律施行の際新組合の組合員である者のこの法律施行の日前から引続き旧組合の職員であつた期間（第一条各号の一に該当する職員であつた期間及び恩給法（大正十二年法律第四十八号）に規定する公務員又は公務員に準ずべき者であつた期間を除く。）は、これを新組合の組合員であつた期間とみなす。

（期間計算の特例に伴う追加費用の負担）

第九十二条 前条の規定により生ずべき組合の追加費用は、国庫（第八十六条第一項の規定に該当する者については地方公共団体）が、これを負担する。

（施行の日現在における貸借対照表）

第九十三条 新組合は、大蔵大臣の定めるところにより、この法律施行の日現在における貸借対照表を作成し、これを大蔵大臣に提出しなければならない。

（退職給付等の経過措置）

第九十四条 退職給付、廃疾給付及び遺族給付に関する規定は、当分の間、左に掲げる者には適用しない。

一　恩給法の適用を受ける者（恩給に相当する給付に関する地方公共団体の条例の規定の適用を受ける者を含む。）
二　六月以内の期間を限つて使用される者
三　防衛大学校の学生
2　退職給付、廃疾給付及び遺族給付に関する規定の適用を受ける組合員が前項第一号に該当するに至つたときは、引き続きこれらの給付に関する規定の適用を受ける組合員たる期間二十年に至るまで運営規則の定めるところにより、なお、これらの給付に関する規定の適用を受ける組合員となることができる。
3　国庫は、前項の規定の適用を受ける組合員に対する第六十九条第一項第二号に掲げる費用を負担しない。

第九十四条の二　この法律施行の際、旧組合に関する従前の法令の規定により退職年金、廃疾年金又は遺族年金に相当する年金たる給付の支給を受けていた者については、その給付は、第九十条の規定にかかわらず、この法律の規定による退職年金、廃疾年金又は遺族年金とみなす。

第九十五条　この法律施行前の組合員であつた期間のうち退職給付、廃疾給付及び遺族給付に相当する給付に要する掛金を負担しなかつた期間（以下控除期間という。）を有する組合員に対する退職年金、退職一時金又は遺族一時金の額は、第三十九条第二項、第四十一条第二項又は第五十条第二項の規定により算定した額から左の各号によつて算定した額を控除した金額とする。但し、組合員であつた期間二十年以上の者に対する遺族一時金については、控除しない。
一　退職年金にあつては、俸給日額の二・七日分（控除期間二十年をこえる部分については一・八日分）に控除期間（一年未満の端数は切り捨てる。）を乗じて得た額
二　退職一時金又は遺族一時金にあつては、俸給日額に、控除期間を組合員の期間とみなしその期間に応じ別表第一に定める日数を乗じて得た額の百分の四十五

第九十六条　第九十四条第一項に規定する組合員以外の組合員が、同項に規定する組合員となつたときは、退職給付の支給については、これを退職とみなす。但し、退職年金は、その者が組合員である期間その支給を停止する。

第九十六条の二　国家公務員等退職手当暫定措置法（昭和二十八年法律第百八十二号）附則第十項の適用を受ける者（同法に相当する地方公共団体の退職手当に関する条例の規定の適用を受ける地方職員を含む。）に対する遺族一時金の額は、第五十条第二項の規定にかかわらず、俸給日額に、組合員であつた期間に応じ別表第五に定める日数から百二十日を減じて得た日数を乗じて得た金額とする。

第九十六条の三　昭和二十九年五月一日前に第十三条第一号から第三号に規定する事由に該当した船員たる組合員又は船員たる組合員であつた組合員について第八十二条第一項の規定を適用する場合においては、同条同項中「老齢年金」とあるのは、「養老年金」と読み替えるものとする。

（共済組合連合会の解散）
第九十七条　財団法人政府職員共済組合連合会は、第六十六条の規定により、連合会が成立した日に解散するものとする。
2　財団法人政府職員共済組合連合会がその解散の日現在において有する一切の権利義務は、その日に連合会がこれを承継するものとする。

（審査会の委員の任期に関する特例）
第九十八条　審査会の最初の委員のうち、組合員を代表する者、政府を代表する者及び公益を代表する者の各〻の三分の一の任期は、これを一年とし、他の三分の一の任期は、これを二年とする。その委員は、それぞれ大蔵大臣又は第三条第二項の規定により組合を代表する各省各庁の長が、これを命ずる。

第九十九条　（法令の廃止）〔略〕

附　則（昭二四・五・三〇法一一八）（抄）

1　この法律中第二条第二項の改正規定並びに附則第七項及び第八項の規定は、昭和二十四年六月一日から、第十六条、第八十一条、第八十二条、第九十四条第一項及び第九十六条の改正規定は、同年十月一日から、その他の規定は、公布の日から施行する。但し、第五十一条、第五十二条、第八十三条の二、第九十四条第二項及び第三項、第九十四条の二及び第九十五条の改正規定は、昭和二十三年七月一日から、第三十六条及び第三十七条の改正規定は、昭和二十四年五月一日から適用する。
2　従前の国家公務員共済組合法第二条第二項第六号の規定により設けられた組合が昭和二十四年六月一日現在において有する一切の権利義務は、その日に、同法第二条第一項の規定により文部省に設けられた組合が承継するものとする。
3　昭和二十四年十月一日現在、国家公務員共済組合法第九十四条第一項の改正規定により新たに退職給付、廃疾給付及び遺族給付に関する規定の適用を受ける組合員については、昭和二十三年七月一日から昭和二十四年九月三十日までの期間をも控除期間に算入して同法第九十五条の規定を適用する。
4　昭和二十三年十月分以降の国家公務員共済組合法第九十四条の二の規定の適用を受ける退職年金、廃疾年金又は遺族年金については、その算定の基準となつた俸給を二十四倍した額を俸給とみなし、この法律の規定を適用して算定した額に改定する。但し、退職年金については、年齢満五十歳に達するまでは、なお従前の額とする。
5　公務に因り疾病にかかり、若しくは負傷し、又は死亡したことにより、この法律施行の際国家公務員共済組合法第九十条の規定により受ける年金については、同条の規定にかかわらず、昭和二十三年十月分以降その年金額を二倍した額に改定する。
6　国庫は、前二項の規定により生ずべき組合の追加費用を負担する。

別表第一

組合員の期間	日数
六月以上	一〇日
一年 以上	二〇日
一年六月以上	三〇日
二年 以上	四〇日
二年六月以上	五〇日
三年 以上	六〇日
三年六月以上	七〇日
四年 以上	八〇日
四年六月以上	九〇日
五年 以上	一〇〇日
五年六月以上	一一〇日
六年 以上	一二〇日
六年六月以上	一三〇日
七年 以上	一四〇日
七年六月以上	一五〇日
八年 以上	一六〇日
八年六月以上	一七〇日
九年 以上	一八〇日
九年六月以上	一九〇日
十年 以上	二〇〇日
十年六月以上	二一五日
十一年 以上	二三〇日
十一年六月以上	二四五日
十二年 以上	二六〇日
十二年六月以上	二七五日
十三年 以上	二九〇日
十三年六月以上	三〇五日
十四年 以上	三二〇日
十四年六月以上	三三五日
十五年 以上	三五〇日
十五年六月以上	三六五日
十六年 以上	三八〇日
十六年六月以上	三九五日
十七年 以上	四一〇日
十七年六月以上	四二五日
十八年 以上	四四〇日
十八年六月以上	四五五日
十九年 以上	四七〇日
十九年六月以上	四八五日

別表第二

廃疾年金を支給すべき程度の廃疾の状態

廃疾の程度	番号	廃疾の状態
一級	一	両眼の視力〇・〇二以下に減じたもの又は一眼失明し他眼の視力〇・〇六以下に減じたもの
	二	そしゃく又は言語の機能を廃したもの
	三	両腕を腕関節以上にて失つたもの
	四	両足を足関節以上にて失つたもの
	五	両腕の用を全廃したもの
	六	両足の用を全廃したもの
	七	十指を失つたもの
	八	前各号の外負傷又は疾病に因り廃疾となり高度の精神障害を残し勤労能力を喪失したもの
二級	一	両眼の視力〇・一以下に減じたもの
	二	鼓膜の大部分の欠損その他に因り両耳の聴力耳かくに接しなければ大声を解し得ないもの
	三	せき柱に著るしい機能障害を残すもの
	四	そしゃく又は言語の機能に著るしい障害を残すもの
	五	一手のおや指及びひとさし指を併せて四指以上を失つたもの
	六	十指の用を廃したもの
	七	一腕の三大関節中二関節の用を廃したもの
	八	一足の三大関節中二関節の用を廃したもの
	九	一足を足関節以上で失つたもの
	十	十のあしゆびを失つたもの
	十一	前各号の外負傷又は疾病に因り廃疾となり精神障害又は身体障害を残し勤労能力に高度の制限を有するもの

備考

一 視力の測定は万国式視力表による屈折異状があるものについては矯正視力につき測定する。

二 指を失つたものとはおや指は指関節、その他の指は第一指関節以上を失つたものをいう。

三 指の用を廃したものとは指の末節の半以上を失い、又は掌指関節若しくは第一指関節（おや指にあつては指関節）に著るしい運動障害を残すものをいう。

四 あしゆびを失つたものとは、その全部を失つたものをいう。

別表第三

廃疾年金	
廃疾の程度	月数
一級	五月
二級	四月

別表第四

廃疾一時金を支給すべき程度の廃疾の状態

番号	廃疾の状態
一	一眼の視力〇・一以下に減じたもの又は両眼の視力〇・六以下に減じたもの
二	両眼のまぶたに著るしい欠損又は両眼に半盲症、視野狭さく若しくは視野変状を残すもの
三	そしやく又は言語の機能に著るしい障害を残すもの
四	鼓膜の大部分の欠損その他に因り一耳の聴力耳かくに接しなければ大声を解し得ないもの
五	鼻を欠損しその機能に著るしい障害を残すもの
六	せき柱に著るしい運動障害を残すもの
七	おや指又はひとさし指若しくはその他の二指以上を失つたもの
八	おや指の用を廃したもの又はひとさし指を併せて二指の用を廃したもの若しくはおや指及びひとさし指以外の三指の用を廃したもの
九	一腕の三大関節中一関節以上に著るしい機能障害を残すもの
十	一足の三大関節中一関節以上に著るしい機能障害を残すもの
十一	一腕の長管状骨に仮関節を残すもの
十二	一足の長管状骨に仮関節を残すもの
十三	一足を三センチメートル以上短縮したもの
十四	一足の第一のあしゆび又はその他の四のあしゆびを失つたもの
十五	一足の五のあしゆびの用を廃したもの
十六	前各号の外負傷又は疾病に因り廃疾となり精神障害、身体障害又は神経系統に障害を残し勤労能力に制限を有するもの

備考
一 視力測定は万国式視力表による屈折異状があるものについては矯正視力につき測定する。
二 指を失つたものとはおや指は指関節、その他の指は第一関節以上を失つたものをいう。
三 指の用を廃したものとは指の末節の半以上を失い、又は掌指関節若しくは第一指関節（おや指にあつては指関節）に著るしい運動障害を残すものをいう。
四 あしゆびを失つたものとはその全部を失つたものをいう。
五 あしゆびの用を廃したものとは第一のあしゆびは末節の半以上、その他のあしゆびは末節関節以上を失つたもの又はしよし関節若しくは第一し関節（第一のあしゆびにあつてはし関節）に著るしい運動障害を残すものをいう。

別表第五・六 〔略〕

○〔旧〕国家公務員共済組合法施行規則（抄）

昭二三・八・一一
大蔵令七七

注　この省令は、昭和三三年一〇月一一日大蔵省令第五四号（国家公務員共済組合法施行規則）附則二項により廃止。ただし、昭和三三年五月一日法律第一二八号（国家公務員共済組合法）附則二条により、旧法の一部がなお効力を有する間、この省令の関係条項は、なおその効力を有する。

第一条　国家公務員共済組合法（昭和二十三年法律第六十九号。以下法という。）に基いて組織する共済組合（以下組合という。）は、法第八条第二項に規定する財産目録、貸借対照表及び収支計算書に関する報告書を毎事業年度経過後二月以内に大蔵大臣に提出しなければならない。

第二条　削除

第三条　法第七十二条但書の規定により、左に掲げる組合について一の共済組合審議会を置く。

一　法第二条第一項の規定により、郵政省及び建設省に設けられた組合

二　法第二条第二項第一号、第四号、第五号、第七号及び第八号の規定により設けられた組合

三　第六条に規定する公立学校共済組合

第四条　法第八十三条の四の規定により組合員とみなされる者は、左の各号に掲げる者とする。

一　一般職の職員の給与に関する法律（昭和二十五年法律第九十五号）第二十三条第一項、第二項、第三項若しくは第四項の規定により給与の全部若しくは一部の支給を受ける休職者、人事院規則一一—四第三条第一項第三号に掲げる場合に該当して休職を命ぜられた者で給与の全部若しくは一部の支給を受ける者又は同規則第三条第二項の規定により休職を命ぜられた者で給与の全部若しくは一部の支給を受ける者

二　国家公務員法（昭和二十二年法律第百二十号）第二条第三項第十二号、第十三号及び第十五号に掲げる特別職の職員、法第八十六条第一項に規定する地方職員、教育公務員特例法（昭和二十四年法律第一号）第二条第一項に規定する教育公務員並びに公共企業体等労働関係法（昭和二十三年法律第二百五十七号）第二条第一項に規定する公共企業体等の職員で、前号に準ずる休職者

第四条の二　法第八十四条の二第二項の規定により、医療機関に立入検査を行う場合に携帯する証票は、左の様式によるものとする。

表

←12.8cm→

第4面	第1面
第84条の4　法人の代表者又は法人若しくは人の代理人、使用人その他の従業者が、その法人又は人の業務に関して前条の違反行為をしたときは、行為者を罰する外、その法人又は人に対しても同条の罰金刑を課する。但し、法人又は人の代理人、使用人その他の従業者の当該違反行為を防止するため当該業務に対し相当の注意及び監督が尽されていることの証明があつたときは、その法人又は人については、この限りでない。	第　　号 国家公務員共済組合法第84条の2に基く 立入検査証 所属部局 官職 氏名 年令 写真貼付（2.5cm×2.5cm） 大蔵大臣印（3cm×3cm） 昭和　年　月　日交付 （9.1cm）

（第4面）　（第1面）

裏

第2面	第3面
○国家公務員共済組合法（抄） **（報告等の徴取及び立入検査）** **第84条の2**　大蔵大臣は、組合の保健給付についての第31条各号の規定による費用の負担又は支払の適正化を図るため必要があると認めるときは、当該保健給付に係る第30条第1項各号に掲げる療養を行つた医療機関から報告若しくは資料の提出を求め、又は当該職員をして当該医療機関の病院、診療所、助産所若しくは施術所に立ち入り、診療簿その他その業務に関する帳簿書類を検査させることができる。	2　当該職員は、前項の規定により立入検査をする場合には、その身分を示す証票を携帯し、関係人にこれを呈示しなければならない。 3　第1項の立入検査の権限は、犯罪捜査のために認められたものと解してはならない。 **（罰則）** **第84条の3**　前条第1項の規定に違反して報告をせず若しくは虚偽の報告をし、又は当該職員の立入若しくは検査を拒み、妨げ、若しくは忌避した者は、これを6月以下の懲役又は1万円以下の罰金に処する。

（第2面）　（第3面）

備考　用紙は、厚紙白紙日本標準規格B7とし、中央点線のところから二つ折とする。

附　則

第五条　この省令は、公布の日から、これを施行し、昭和二十三年七月一日から、これを適用する。

第六条　法第八十七条本文の規定により、左の上欄に掲げる旧組合（同条に規定する旧組合をいう。）は、それぞれ当該下欄に掲げる新組合（法第八十六条第一項に規定する新組合をいう。）となつたものとする。

旧組合	新組合
内閣及び総理庁政府職員共済組合	総理庁共済組合
司法部政府職員共済組合	法務庁共済組合
外務省職員共済組合	外務省共済組合
大蔵省所管政府職員共済組合	大蔵省共済組合
文部部内政府職員共済組合	文部省共済組合
農林部内政府職員共済組合	農林省共済組合
商工省共済組合	商工省共済組合
運輸省政府職員共済組合	運輸省共済組合
厚生省職員共済組合	厚生省共済組合
逓信共済組合	逓信省共済組合
労働省職員共済組合	労働省共済組合
警察共済組合	警察共済組合
刑務共済組合	刑務共済組合
専売局共済組合	専売局共済組合
印刷局共済組合	印刷局共済組合
造幣局共済組合	造幣局共済組合
教職員共済組合	公立学校共済組合
営林局署共済組合	営林局署共済組合
国有鉄道共済組合	国鉄共済組合
土木共済組合	土木共済組合
内務職員共済組合	地方職員共済組合

2　前項の規定による公立学校共済組合は、文部省に、これを設けるものとする。

第七条　法第八十六条第一項の規定により、地方公共団体の事務所に使用される者のうち都道府県警察の職員（警視正以上の階級にある警察官を除く。）及び自治体消防（従前の警視庁官制（大正十二年勅令第百四十九号）及び特設消防署規定（大正八年勅令第三百五十号）により設置されていた消防に限る。）の職員は警察共済組合の、公立学校の職員は公立学校共済組合の都道府県の事務所に使用される者及び市町村立図書館に勤務する都道府県の吏員（政府管掌の健康保険の被保険者又は健康保険組合の被保険者を除く。）は、地方職員共済組合の組合員となるものとする。

第八条　法第八十七条但書の規定により、左に掲げる旧組合を指定する。

一　生糸検査所共済組合

二　北海道営林現業員共済組合

第九条　生糸検査所共済組合の管理に係る権利義務の一切は、法第八十八条の規定により、法施行の日において農林省共済組合が、これを承継する。

2　前項の規定により承継された生糸検査所共済組合の管理に係る権利義務のうち、脱退給与金に関する取扱については、運営規則で、これを定める。

第十条　削除

附　則（昭二四・五・三一大蔵令三八）（抄）

1　この省令は、昭和二十四年六月一日から施行する。

附　則（昭二四・七・二一大蔵令六八）

この省令中第二条、第四条及び第十条の改正規定は、昭和二十四年十月一日から施行し、第七条の改正規定は、昭和二十三年八月一日から、第三条の改正規定は、昭和二十四年五月三十日から適用する。

附　則（昭二五・八・一八大蔵令九三）

この省令は、公布の日から施行し、第三条第一号及び第二号の改正規定は、昭和二十五年四月一日から、附則第六条第二項の改正規定は、昭和二十四年六月一日から適用する。

附　則（昭二七・一〇・一〇大蔵令一二三）

この省令は、公布の日から施行する。但し、第四条の改正規定中日本電信電話公社法第三十二条第一項第一号に掲げる事由により休職の処分を受けた職員で給与の全部又は一部の支給を受ける休職者に関する部分は昭和二十七年八月一日から、その他の休職者に関する部分は昭和二十六年十一月三十日から、それぞれ適用する。

附　則（昭二九・七・一大蔵令六二）

この省令は、公布の日から施行する。但し、第七条の改正規定中「都道府県警察」とあるのは、この省令の施行後一年間は「都道府県警察及び市警察」と読み替えるものとする。

附　則（昭三〇・一一・一六大蔵令六七）

この省令は、公布の日から施行する。

附　則（昭三一・七・三一大蔵令四九）

この省令は、公布の日から施行し、昭和三十一年七月一日から適用する。

○国家公務員等共済組合法（昭和六十年改正前）（抄）

昭三三・五・一
法 一 二 八

注 †印を附したものは昭和五十四年法律第七十二号による改正前の条文を示す。

第四章 給付

第三節 長期給付

第一款 通則

（長期給付の種類等）

第七十二条 この法律による長期給付は、次のとおりとする。

一 退職年金
二 減額退職年金
三 通算退職年金
四 脱退一時金
五 障害年金
六 障害一時金
七 遺族年金
八 通算遺族年金

2 長期給付に関する規定は、次の各号の一に該当する職員（政令で定める職員を除く。）には適用しない。

一 任命について国会の両院の議決又は同意によることを必要とする職員
二 国会法（昭和二十二年法律第七十九号）第三十九条の規定により国会議員がその職を兼ねることを禁止されていない職にある職員

3 長期給付に関する規定の適用を受ける組合員がその適用を受けない組合員となつたときは、長期給付に関する規定の適用については、そのなつた日の前日に退職したものとみなす。

（年金の支給期間及び支給期月）

第七十三条 年金である給付は、その給付事由が生じた日の属する月の翌月からその事由のなくなつた日の属する月までの分を支給する。

2 年金である給付は、その支給を停止すべき事由が生じたときは、その事由が生じた日の属する月の翌月からその事由がなくなつた日の属する月までの分の支給を停止する。ただし、これらの日が同じ月に属する場合には、支給を停止しない。

3 年金である給付の額を改定する事由が生じたときは、その事由が生じた日の属する月の翌月分からその改定した金額を支給する。

4 年金である給付は、毎年三月、六月、九月及び十二月において、それぞれの前月までの分を支給する。ただし、その給付を受ける権利が消滅したとき、又はその支給を停止すべき事由が生じたときは、その支給期月にかかわらず、その際、その月までの分を支給する。

（退職給付と障害給付との調整等）

第七十四条 障害年金と退職年金、減額退職年金又は通算退職年金とを支給すべき事由に該当するときは、当該給付を受ける者に有利ないずれか一の給付を行うものとする。

2 退職年金又は減額退職年金を受ける権利を有する者には、障害一時金は、支給しない。

3 遺族年金を受ける権利を有する者には、通算遺族年金は、支給しない。

（年金受給者の書類の提出等）

第七十五条 連合会は、年金である給付の支給に関し必要な範囲内において、その支給を受ける者に対して、身分関係の移動、支給の停止及び障害の状態に関する書類その他の物件の提出を求めることができる。

2 連合会は、前項の要求をした場合において、正当な理由がなくてこれに応じない者があるときは、その者に対しては、これに応ずるまでの間、年金である給付の支払を差し止めることができる。

第二款 退職給付

（退職年金）

第七十六条 組合員期間が二十年以上である者が退職したときは、その者が死亡するまで、退職年金を支給する。

2 前項の退職年金の額は、俸給年額の百分の四十に相当する金額（組合員期間が二十年を超えるときは、その金額にその超える年数（一年未満の端数があるときは、これを切り捨てた年数。以下この節において同じ。）一年につき俸給年額の百分の一・五に相当する金額を加えた金額）とする。ただし、その額が六十八万四千円より少ないときは、六十八万四千円とし、その額が俸給年額の百分の七十に相当する金額を超えるときは、その金額に止める。

第七十六条の二 前条第二項の規定により算定した退職年金の額が次の各号に掲げる金額の合算額より少ないときは、その額を退職年金の額とする。

一 四十九万二千円（組合員期間が二十年を超えるときは、四十九万二千円にその超える年数（当該年数が十五年を超えるときは、十五年）一年につき二万四千六百円を加えた金額）
二 組合員期間の年数（当該年数が四十年を超えるときは、四十年）一年につき俸給年額の百分の一に相当する金額

2 前条第二項ただし書（俸給年額の百分の七十に相当する金額とする部分に限る。）の規定は、前項の場合について準用する。

†**第七十六条の三** 退職一時金又は廃疾一時金の支給を受けた者（第八十条第一項ただし書の規定の適用を受けた者を含む。第七十八条第四項、第八十条の二第一項、第八十条の三第一項、第八十二条の三、第八十五条第七項、第八十八条の四第二項及び第九十三条第一項において同じ。）でその後再び組合員となつたものに退職年金を支給する場合には、第七十六条第一項の退職年金の額は、同条第二項又は前条の規定により算定した金額からそれぞれ第一号又は第二号に掲げる金額を控除した金額とする。

一 当該退職一時金の基礎となつた期間の年数一年につき、俸給年額の百分の一・四に相当する金額
二 当該廃疾一時金の給付事由が生じた月の翌月から再び組合員となつた月までの月数を四で除して得た月数（一月未満の端数があるときはこれを一月とし、十二月を超えるときは十二月とする。）を十二月から控除した月数を当該廃疾一時金の額の算定の基礎となつた俸給の額に乗じて得た額の十五分の一に相当する金額

（退職年金の停止）

第七十七条　退職年金を受ける権利を有する者が再び組合員となつたときは、組合員である間、退職年金の支給を停止する。

2　退職年金は、前項の規定による場合のほか、これを受ける権利を有する者が六十歳未満であるときは、六十歳未満である間、その支給を停止する。

3　退職年金を受ける権利を有する者が六十歳未満であつても、その者が別表第三の上欄に掲げる程度の障害の状態にあるときは、その状態にある間、前項の規定による停止は、行わない。

4　退職年金で百二十万円を超える金額のものについては、当該退職年金を受ける権利を有する者の各年（その者が退職した日の属する年を除く。）における所得金額が六百万円を超えるときは、その者が七十歳未満である間、その超える年の翌年六月から翌々年五月までの分としてその者に支給されるべき退職年金の額のうち百二十万円を超える部分の金額の百分の五十に相当する金額の支給を停止する。

5　前項に規定する所得金額とは、所得税法（昭和四十年法律第三十三号）第二十八条第二項に規定する給与所得の金額（退職年金に係る所得の金額を除く。）から同法第二編第二章第四節の規定による所得控除の金額を控除した金額をいう。

6　前項に定めるもののほか、第四項に規定する所得金額の計算方法その他同項の規定による退職年金の支給の停止に関し必要な事項は、政令で定める。

（退職年金の額の改定）

第七十八条　前条第一項の規定により退職年金の支給を停止されている者が退職したときは、前後の組合員期間を合算して退職年金の額を改定する。

2　前項の場合において、その改定額が、改定前の退職年金の額（その額が、第七十六条の二の規定により算定した退職年金の額であるときは、第七十六条第二項本文の規定により算定するものとした場合の退職年金の額とし、改定前の退職年金の額について、同項ただし書の規定の適用があつたときは、その適用がないものとした場合の退職年金の額とする。）に、前後の組合員期間を合算した期間の年数から改定前の退職年金の基礎となつた組合員期間の年数を控除した年数一年につき再退職に係る俸給年額の百分の一・五に相当する額を加算して得た額より少ないときは、その加算して得た額をもつて、改定額とする。

3　前二項の場合において、その改定額が、改定前の退職年金の額（その額が、第七十六条第二項の規定により算定した退職年金の額であるときは、第七十六条の二第一項の規定により算定するものとした場合の退職年金の額とし、改定前の退職年金の額について、同条第二項において準用する第七十六条第二項ただし書の規定の適用があつたときは、その適用がないものとした場合の退職年金の額とする。）に、次の各号に掲げる金額の合算額を加えて得た額より少ないときは、その額をもつて改定額とする。

一　前後の組合員期間を合算した期間の年数（当該年数が三十五年を超えるときは、三十五年）から改定前の退職年金の基礎となつた組合員期間の年数を控除した年数一年につき、二万四千六百円

二　前後の組合員期間を合算した期間の年数（当該年数が四十年を超えるときは、四十年）から改定前の退職年金の基礎となつた組合員期間の年数を控除した年数一年につき、再退職に係る俸給年額の百分の一に相当する金額

4　前二項の規定による改定額が、改定前の退職年金の額の算定の基礎となつた俸給年額の百分の七十に相当する金額を超えるときは、第七十六条第二項ただし書（第七十六条の二第二項において準用する場合を含むものとし、俸給年額の百分の七十に相当する金額とする部分に限る。）の規定にかかわらず、当該金額をもつて、改定額とする。

（減額退職年金）

第七十九条　退職年金を受ける権利を有する者が五十五歳に達した後六十歳に達する前に年金である給付を受けることを希望することを連合会に申し出たときは、その者が死亡するまで、減額退職年金を支給する。この場合においては、退職年金は、支給しない。

2　減額退職年金の年額は、退職年金の年額から、その額に、六十歳と当該減額退職年金の支給を開始する月の前月の末日におけるその者の年齢との差に相当する年数に応じ保険数理を基礎として政令で定める率を乗じて得た金額を減じた金額とする。

3　第七十七条第一項及び第四項から第六項まで並びに前条第一項の規定は、減額退職年金について準用する。この場合において、第七十七条第四項中「退職年金」とあるのは「減額退職年金」と、「で百二十万円」とあるのは「で当該減額退職年金の額の算定の基礎となつた退職年金の額が百二十万円」と、「の額のうち」とあるのは「の額の算定の基礎となつた退職年金の額のうち」と、「金額の百分の五十」とあるのは「金額に当該減額退職年金の額のその算定の基礎となつた退職年金の額に対する割合を乗じて得た金額の百分の五十」と読み替えるものとする。

4　前項において準用する前条第一項の規定により改定した減額退職年金の額は、改定前の減額退職年金の額（その額の算定の基礎となつた退職年金の額が第七十六条の二の規定により算定した退職年金の額であるときは、第七十六条第二項本文の規定により算定するものとした場合の退職年金の額を基礎として算定した減額退職年金の額とし、改定前の減額退職年金の額の算定の基礎となつた退職年金の額について、同項ただし書の規定の適用があつたときは、その適用がないものとした場合の退職年金の額を基礎として算定した減額退職年金の額とする。）のその算定の基準となつた俸給年額に対する割合に、前後の組合員期間を合算した期間の年数から改定前の減額退職年金の基礎となつた組合員期間の年数を控除した年数一年につき百分の一・五を加え、これを再退職に係る俸給年額に乗じて得た金額とする。この場合においては、前条第二項及び第四項の規定を準用する。

5　前項の場合において、その改定額が、改定前の減額退職年金の額（その額の算定の基礎となつた退職年金の額が第七十六条第二項の規定により算定した退職年金の額であるときは、第七十六条の二第一項の規定により算定するものとした場合の退職年金の額を基礎として算定した減額退職年金の額とし、改定前の減額退職年金の額の算定の基礎となつた退職年金の額について、同条第二項において準用する第七十六条第二項ただし書の規定の適用があつたときは、その適用がないものとした場合の退職年金の額を基礎として算定した減額退職年金の額とする。）のうち第七十六条の二第一項第二号に係る額のその算定

の基準となつた俸給年額に対する割合を再退職に係る俸給年額に乗じて得た額と当該改定前の減額退職年金の額のうち同項第一号に係る額との合算額に、次の各号に掲げる金額の合算額を加えた額より少ないときは、その額をもつて、改定額とする。この場合においては、前条第三項及び第四項の規定を準用する。

一　前後の組合員期間を合算した期間の年数（当該年数が三十五年を超えるときは、三十五年）から改定前の減額退職年金の基礎となつた組合員期間の年数を控除した年数一年につき、二万四千六百円

二　前後の組合員期間を合算した期間の年数（当該年数が四十年を超えるときは、四十年）から改定前の減額退職年金の基礎となつた組合員期間の年数を控除した年数一年につき、再退職に係る俸給年額の百分の一に相当する金額

6　再び退職した日において六十歳未満である者に対する減額退職年金の額の算定について必要な事項は、政令で定める。

（通算退職年金）

第七十九条の二　通算退職年金に関しては、この法律によるほか、昭和六十年法律第三十四号附則第二条第二項の規定によりなおその効力を有するものとされた同条第一項の規定による廃止前の通算年金通則法（昭和三十六年法律第百八十一号。以下「旧通則法」という。）の定めるところによる。

2　組合員期間一年以上二十年未満の者が退職し、次の各号の一に該当するときは、その者が死亡するまで、通算退職年金を支給する。

一　通算対象期間を合算した期間が、二十五年以上であるとき。

二　国民年金以外の公的年金制度に係る通算対象期間を合算した期間が、二十年以上であるとき。

三　他の公的年金制度に係る通算対象期間が、当該制度において定める老齢・退職年金給付の受給資格要件たる期間に相当する期間以上であるとき。

四　他の制度に基づき老齢・退職年金給付を受けることができるとき。

3　通算退職年金の額は、次の各号に掲げる金額の合算額を二百四十で除し、これに組合員期間の月数を乗じて得た額とする。

一　四十九万二千円

二　俸給の千分の十に相当する額に二百四十を乗じて得た額

4　前項の規定にかかわらず、通算退職年金の支給を受ける者についてその退職時にその給付事由が生じていたとした場合においてその額がその時以後の法令の改正により改定されているならば、その改定された額と同一の額とする。

5　前二項の場合において、第二項の規定に該当する退職が二回以上あるときは、通算退職年金の額は、これらの退職についてそれぞれ前二項の規定により算定した額の合算額とする。

6　第七十七条第一項及び第二項の規定は、通算退職年金について準用する。

（通算退職年金）

†**第七十九条の二**

4　前項の場合において、その者に係る次条第二項第二号に掲げる金額（以下この項において「控除額」という。）が、同項第一号に掲げる金額をこえるときは、通算退職年金の額は、前項の規定にかかわらず、同条第二項第一号に掲げる金額を控除額で除して得た割合（その割合が百分の八十より少ないときは、百分の八十）を前項の例により算定した額に乗じて得た額とする。

（脱退一時金）

第八十条　組合員期間（第八十三条第三項の規定により障害年金を受ける権利が消滅した者の当該障害年金の額の算定の基礎となつた組合員期間を除く。）が一年以上二十年未満である者が、退職した後に六十歳に達した場合又は六十歳に達した後に退職した場合において、その者の請求があつたときは、脱退一時金を支給する。ただし、退職年金、減額退職年金、通算退職年金又は障害年金を受ける権利を有する者については、この限りでない。

2　脱退一時金の額は、次の各号に掲げる場合の区分に応じ、当該各号に掲げる金額とする。

一　退職した後に六十歳に達した場合　次のイ及びロに掲げる金額の合算額

イ　俸給日額に、前項の組合員期間に応じ別表第二に定める日数を乗じて得た金額

ロ　退職した日の属する月の翌月から六十歳に達した日の属する月の前月までの期間に応ずる利子に相当する金額

二　六十歳に達した後に退職した場合　前号イに掲げる金額

3　前項第一号ロに規定する利子は、複利計算の方法によるものとし、その利率は、政令で定める。

4　前二項の場合において、第一項の規定に該当する退職（当該退職につき脱退一時金が支給されているものを除く。）が二回以上あるときは、脱退一時金の額は、これらの退職についてそれぞれ前二項の規定により算定した額の合算額とする。

5　第一項に規定する者が同項の規定による請求を行うことなく死亡した場合には、当該請求は、その者の遺族（その死亡した者に係る遺族年金を受ける権利を有する者を除く。）が行うことができる。

6　脱退一時金の額の算定の基礎となつた組合員期間は、長期給付に関する規定の適用については、組合員期間でなかつたものとみなす。

（退職一時金）

†**第八十条**　組合員期間一年以上二十年未満の者が退職したときは、退職一時金を支給する。ただし、次項の規定により計算した金額がないときは、この限りでない。

2　退職一時金の額は、第一号に掲げる金額から第二号に掲げる金額を控除した金額とする。

一　俸給日額に、組合員期間に応じ別表第二に定める日数を乗じて得た金額

二　前条第三項に定める通算退職年金の額に、退職の日における年齢に応じ別表第二の二に定める率を乗じて得た金額

（返還一時金）

†**第八十条の二**　前条第二項の退職一時金の支給を受けた者が、再び組合員となつて退職した場合において、退職年金又は廃疾年金を受ける権利を有する者となつたときは、返還一時金を支給する。

2　返還一時金の額は、その退職した者に係る前条第二項第二号に掲げる金額（その額が同項第一号に掲げる金額をこえるときは、同号に掲げる金額。以下次条第一項及び第九

十三条第二項において同じ。）に、その者が前に退職した日の属する月の翌月から後に退職した日（退職の後に廃疾年金を受ける権利を有することとなつた者については、そのなつた日）の属する月の前月までの期間に応ずる利子に相当する金額を加えた額とする。

3　前項に規定する利子は、複利計算の方法によるものとし、その利率は、政令で定める。

4　第七十九条の二第六項の規定は、前条第二項の退職一時金の支給に係る退職が二回以上ある者の返還一時金の額について準用する。

5　前条第四項の規定は、廃疾年金を受ける権利を有する者となることにより返還一時金の支給を受けた者について準用する。

†**第八十条の三**　第八十条第二項の退職一時金の支給を受けた者が、退職した後に六十歳に達した場合又は六十歳に達した後に退職した場合（退職年金、通算退職年金又は廃疾年金を受ける権利を有する者となつた場合を除く。）において、六十歳に達した日（六十歳に達した後に退職した者については、当該退職の日）から六十日以内に、同項第二号に掲げる金額に相当する金額の支給を受けることを希望する旨を組合に申し出たときは、その者に返還一時金を支給する。

2　前条第二項から第五項までの規定は、前項の返還一時金について準用する。この場合において、同条第二項中「後に退職した日（退職の後に廃疾年金を受ける権利を有することとなつた者については、そのなつた日）」とあるのは「六十歳に達した日又は後に退職した日」と、同条第五項中「廃疾年金を受ける権利を有する者となることにより返還一時金」とあるのは「返還一時金」と読み替えるものとする。

第三款　障害給付

（障害年金）

第八十一条　次の各号に掲げる者が当該各号の場合に該当するときは、その者が死亡するまで、障害年金を支給する。

一　公務により病気にかかり、又は負傷した組合員　その公務による傷病（以下「公務傷病」という。）の結果として、退職の時に別表第三の上欄に掲げる程度の障害の状態にあるとき、又は退職の時から五年以内に同欄に掲げる程度の障害の状態になつた場合において、その期間内にその者の請求があつたとき。

二　組合員期間（旧通則法第四条第一項各号に掲げる期間（同項第四号に掲げる期間及び同項第五号に掲げる期間（地方公務員等共済組合法（昭和三十七年法律第百五十二号）第百四十四条の三第四項に規定する団体組合員期間を除いた期間とする。）を除く期間とし、政令で定める期間に限る。以下「公的年金期間」という。）を有する組合員で組合員期間が一年未満であるものにあつては、当該期間と組合員期間とを合算した期間（以下「公的年金合算期間」という。）。第八十七条第一項及び第二項において同じ。）が一年以上となつた日後組合員である間に公務によらないで病気にかかり、又は負傷した者　その傷病の結果として、退職の時に別表第三の上欄に掲げる程度の障害の状態にあるとき、又は退職の時から五年以内に同欄に掲げる程度の障害の状態になつた場合において、その期間内にその者の請求があつたとき。

2　前項各号中「退職の時」とあるのは、同項第一号の規定による障害年金（以下「公務による障害年金」という。）については、公務傷病について国家公務員災害補償法第十条の規定による療養補償又はこれに相当する補償を退職の際に受けている者のうち同法第十二条の二の規定による傷病補償年金又はこれに相当する補償を受けている者以外の者にあつては、「公務傷病が治つた時又は国家公務員災害補償法の規定による傷病補償年金若しくはこれに相当する補償が支給されることとなつた時」とし、同項第二号の規定による障害年金（以下「公務によらない障害年金」という。）については、療養の給付、特定療養費若しくは療養費の支給又は老人保健法の規定による医療若しくは医療費の支給の開始後一年六月を経過するまでの間に組合員の資格を喪失し、第五十九条第一項又は同法の規定により継続してこれらの給付を受けている者にあつては、「療養の給付、特定療養費若しくは療養費の支給又は老人保健法の規定による医療若しくは医療費の支給の開始後一年六月を経過するまでの間に治つた時又は治らないがその期間を経過した時」と、国家公務員災害補償法の規定による通勤による災害に係る療養補償又はこれに相当する補償の開始後一年六月を経過するまでの間に組合員の資格を喪失し、同一の傷病につき継続してこれらの補償を受けている者にあつては、「国家公務員災害補償法の規定による通勤による災害に係る療養補償又はこれに相当する補償の開始後一年六月を経過するまでの間に治つた時又は治らないがその期間を経過した時」とする。

3　障害の状態になつた時又は請求の時が第一項第一号に規定する期間を経過した後であつても、連合会が国家公務員等共済組合審査会の議に付することを適当と認め、かつ、国家公務員等共済組合審査会においてその障害が公務傷病によるものであることが顕著であると議決したときは、そのときから、障害年金を支給する。

（障害年金の額）

第八十二条　公務による障害年金の額は、障害の程度に応じ俸給年額に別表第三の中欄イに掲げる率を乗じて得た金額（組合員期間が二十年を超えるときは、その超える年数一年につき俸給年額の百分の一・五に相当する金額を加えた金額）とする。ただし、その額が同表の下欄に掲げる金額より少ないときは、当該金額とし、その額が俸給年額に相当する金額を超えるときは、当該金額とする。

2　公務によらない障害年金の額は、障害の程度に応じ俸給年額に別表第三の中欄ロに掲げる率を乗じて得た金額（組合員期間が十年を超えるときは、その二十年に達するまでの期間についてはその超える年数一年につき俸給年額の百分の一に相当する金額を、二十年を超える期間についてはその超える年数一年につき俸給年額の百分の一・五に相当する金額を加えた金額）とする。この場合においては、前項ただし書の規定を準用する。

第八十二条の二　前条第一項の規定により算定した障害年金の額が、次の各号に掲げる金額の合算額の百分の七十五（別表第三の上欄の一級に該当する者にあつては百分の百二十五とし、同欄の二級に該当する者にあつては百分の百とする。次項及び第八十五条第五項において同じ。）に相当する額に俸給年額の百分の十（同欄の一級に該当する者にあつては百分の三十とし、同欄の二級に該当する者にあつては百分の二十とする。）に相当する額を加えた額より少ないときは、その額を障害年金の額とする。この場合においては、前条第一項ただし書（俸給年額に相当する金額とする部分に限る。）の規定を準用する。

一　四十九万二千円（組合員期間が二十年を超えるときは、四十九万二千円にその超える年数（当該年数が十五年を超えるときは、十五年）一年につき二万四千六百円を加えた金額）

二　組合員期間の年数（当該年数が、二十年未満であるときは二十年とし、四十年を超えるときは四十年とする。）一年につき俸給年額の百分の一に相当する金額

2　前条第二項の規定により算定した障害年金の額が、次の各号に掲げる場合に応じ、当該各号に掲げる金額の百分の七十五に相当する額より少ないときは、その額を障害年金の額とする。この場合においては、同条第一項ただし書（俸給年額に相当する金額とする部分に限る。）の規定を準用する。

一　組合員期間の年数が一年以上十年以下である場合及び組合員期間が一年未満であり、かつ、公的年金合算期間が一年以上である場合　四十九万二千円に俸給年額の百分の二十に相当する額を加算して得た額（次号及び第三号において、「障害年金基礎額」という。）

二　組合員期間の年数が十年を超え二十年以下である場合　障害年金基礎額に組合員期間十年を超える年数一年につき障害年金基礎額の百分の二・五に相当する額を加算して得た額

三　組合員期間の年数が二十年を超え三十五年以下である場合　組合員期間の年数が二十年であるものとして前号の規定により求めた額に、二十年を超える年数一年につき障害年金基礎額の百分の五に相当する額を加算して得た額

四　組合員期間の年数が三十五年を超える場合　組合員期間の年数が三十五年であるものとして前号の規定により求めた額に、三十五年を超える年数（当該年数が五年を超えるときは、五年）一年につき俸給年額の百分の一に相当する額を加算して得た額

†**第八十二条の三**　退職一時金又は廃疾一時金の支給を受けた者でその後廃疾年金を支給すべき事由が生じたものに廃疾年金を支給する場合には、前二条の規定により算定した廃疾年金の額から、それぞれ第七十六条の三第一号又は第二号に掲げる金額を控除した金額を廃疾年金の額とする。

（障害の程度が変わつた場合の年金額の改定等）

第八十三条　障害年金を受ける権利を有する者の障害の程度が減退したとき、又は退職の時から五年以内に増進した場合において、その期間内にその者の請求があつたときは、その減退し、又は増進した後において該当する別表第三の上欄に掲げる障害の程度に応じて、その障害年金の額を改定する。

2　第八十一条第二項の規定は前項に規定する退職の時について、同条第三項の規定は前項の規定による障害年金の額の改定について、それぞれ準用する。

3　障害年金を受ける権利を有する者が別表第三の上欄に掲げる程度の障害の状態に該当しなくなつた場合において、その該当しなくなつた日から同欄に掲げる程度の障害の状態に該当することなく三年を経過したときは、その権利は、消滅する。

（二以上の障害がある場合の取扱い）

第八十四条　組合員又は組合員であつた者について同時に二以上の障害があるときは、第八十一条第一項各号の病気又は負傷によらないものを除き、公務による障害年金と公務によらない障害年金との別に応じ、これらの障害を併合した障害の程度を同条から前条までに規定する障害の程度として、これらの規定を適用する。

2　組合員又は組合員であつた者について、公務傷病による障害と公務傷病によらない障害とがあるときは、公務によらない障害年金については、次に定めるところによる。

一　当該年金の基礎となるべき障害の程度は、公務傷病による障害を公務によらないものとみなし、これらを併合した障害の程度による。

二　当該年金の第八十二条第二項の規定による額は、同項の規定にかかわらず、公務傷病による障害を公務傷病によらないものとみなし、これらを併合して算定した障害年金の額（当該公務傷病による障害の程度が別表第三の上欄に掲げる障害の程度に該当する場合には、当該障害が公務傷病によらないものであるとしたならば当該障害について支給されるべき障害年金の額を控除した金額）とする。

（再就職した場合の障害年金の停止等）

第八十五条　障害年金を受ける権利を有する者が再び組合員となつたときは、組合員である間、障害年金の支給を停止する。

2　前項の規定により障害年金の支給を停止された組合員が再び退職した場合において、その退職の時に別表第三の上欄に掲げる程度の障害の状態にあるときは、前後の組合員であつた期間を合算し、その障害の程度に応じて障害年金の額を改定する。

3　第八十一条第二項の規定は、前項に規定する退職の時について準用する。

4　前二項の規定により障害年金の額を改定した場合において、当該障害年金が公務による障害年金であるときのその改定額が、改定前の障害年金の額（その額が、第八十二条の二第一項の規定により算定した障害年金の額であるときは、第八十二条第一項本文の規定により算定するものとした場合の障害年金の額）に、前後の組合員期間を合算した期間の年数から改定前の障害年金の基礎となつた組合員期間の年数（当該年数が二十年未満であるときは、二十年）を控除した年数一年につき再退職に係る俸給年額の百分の一・五に相当する額を加算して得た額より少ないときは、その加算して得た額をもつて、改定額とする。

5　前三項の規定により障害年金の額を改定した場合において、当該障害年金が公務による障害年金であるときのその改定額が、改定前の障害年金の額（その額が第八十二条第一項の規定により算定した障害年金の額であるときは、第八十二条の二第一項前段の規定により算定するものとした場合の障害年金の額）に、次の各号に掲げる金額の合算額の百分の七十五に相当する額を加えた額より少ないときは、その額をもつて、改定額とする。

一　前後の組合員期間を合算した期間の年数（当該年数が三十五年を超えるときは、三十五年）から改定前の障害年金の基礎となつた組合員期間の年数（当該年数が二十年未満であるときは、二十年）を控除した年数一年につき、二万四千六百円

二　前後の組合員期間を合算した期間の年数（当該年数が四十

年を超えるときは、四十年）から改定前の障害年金の基礎となつた組合員期間の年数（当該年数が二十年未満であるときは、二十年）を控除した年数一年につき、再退職に係る俸給年額の百分の一に相当する金額

6　第二項及び第三項の規定により障害年金の額を改定した場合において、当該障害年金が公務によらない障害年金であるときのその改定額が、次の各号に掲げる場合に応じ当該各号に掲げる額より少ないときは、当該各号に掲げる額をもつて、改定額とする。

一　前後の組合員期間を合算した期間の年数が十年以下である場合において、その改定額が改定前の障害年金の額より少ないとき。　改定前の障害年金の額

二　前後の組合員期間を合算した期間の年数が十年を超え二十年以下である場合において、その改定額が、次のイ又はロに掲げる額より少ないとき。　当該イ又はロに掲げる額のうちいずれか多い額

イ　改定前の障害年金の額（その額が、第八十二条の二第二項の規定により算定した障害年金の額であるときは、第八十二条第二項前段の規定により算定するものとした場合の障害年金の額。次号イ及び第四号イにおいて同じ。）に、前後の組合員期間を合算した期間の年数から改定前の障害年金の基礎となつた組合員期間の年数（当該年数が十年未満であるときは、十年）を控除した年数一年につき再退職に係る俸給年額の百分の一に相当する額を加算して得た額

ロ　改定前の障害年金の額（その額が、第八十二条第二項の規定により算定した障害年金の額であるときは、第八十二条の二第二項前段の規定により算定するものとした場合の障害年金の額。次号ロ及び第四号ロにおいて同じ。）に、前後の組合員期間を合算した期間に基づき同項第二号の規定により算定した額から、その者の再退職に係る俸給年額を改定前の障害年金の基礎となつた俸給年額とみなして同項第一号又は第二号の規定により算定した改定前の障害年金の額に相当する額を控除した額を加算して得た額

三　前後の組合員期間を合算した期間の年数が二十年を超え、改定前の障害年金の基礎となつた組合員期間の年数が二十年未満である場合において、その改定額が、次のイ又はロに掲げる額より少ないとき。　当該イ又はロに掲げる額のうちいずれか多い額

イ　改定前の障害年金の額に、前後の組合員期間を合算した期間の年数のうち、二十年に達するまでの年数については組合員期間の年数が二十年であるものとして前号イの規定により求めた額を、二十年を超える年数についてはその超える年数一年につき再退職に係る俸給年額の百分の一・五に相当する額を、それぞれ加算して得た額

ロ　改定前の障害年金の額に、前後の組合員期間を合算した期間に基づき第八十二条の二第二項第三号又は第四号の規定により算定した額から、その者の再退職に係る俸給年額を改定前の障害年金の基礎となつた俸給年額とみなして同項第一号又は第二号の規定により算定した改定前の障害年金の額に相当する額を控除した額を加算して得た額

四　前後の組合員期間を合算した期間の年数が二十年を超え、改定前の障害年金の基礎となつた組合員期間の年数が二十年以上である場合において、その改定額が、次のイ又はロに掲げる額より少ないとき。　当該イ又はロに掲げる額のうちいずれか多い額

イ　改定前の障害年金の額に、前後の組合員期間を合算した期間の年数から改定前の障害年金の基礎となつた組合員期間の年数を控除した年数一年につき再退職に係る俸給年額の百分の一・五に相当する額を加算して得た額

ロ　改定前の障害年金の額に、前後の組合員期間を合算した期間に基づき第八十二条の二第二項第三号又は第四号の規定により算定した額から、その者の再退職に係る俸給年額を改定前の障害年金の基礎となつた俸給年額とみなしてこれらの規定により算定した改定前の障害年金の額に相当する額を控除した額を加算して得た額

7　前三項の改定額が、改定前の障害年金の額の算定の基礎となつた俸給年額に相当する金額を超えるときは、第八十二条第一項ただし書（俸給年額に相当する金額とする部分に限るものとし、同条第二項後段並びに第八十二条の二第一項後段及び第二項後段において準用する場合を含む。）の規定にかかわらず、当該金額をもつて、改定額とする。

8　第四項から前項までの場合における改定前の障害年金の額は、改定障害年金の基礎となる障害の程度が改定前の障害年金の基礎となつた障害の程度より低い場合には、改定前の障害年金の基礎となつた障害の程度が改定障害年金の基礎となる障害の程度に相当する程度であつたものとみなして算定した額とし、第四項から第六項までの場合における改定前の障害年金の額について、第八十二条第一項ただし書（同条第二項後段並びに第八十二条の二第一項後段及び第二項後段において準用する場合を含む。）の規定の適用があつたときは、これらの規定の適用がないものとした場合の額とする。

第八十五条の二　障害年金を受ける権利を有する者が別表第三の上欄に掲げる程度の障害の状態に該当しなくなつたときは、当該障害の状態に該当しない間、その支給を停止する。

（障害年金と傷病補償年金等との調整）

第八十六条　公務による障害年金は、国家公務員災害補償法の規定による傷病補償年金若しくは障害補償年金又はこれらに相当する補償が支給されることとなつたときは、これらが支給される間、次の各号に掲げる者の区分により、その額のうち、その算定の基礎となつた俸給年額に当該各号に掲げる割合を乗じて得た金額に相当する金額の支給を停止する。

一　別表第三の上欄の一級に該当する者　百分の三十

二　別表第三の上欄の二級に該当する者　百分の二十

三　別表第三の上欄の三級に該当する者　百分の十

2　公務による障害年金の支給を停止された組合員が再び退職した場合における前項の規定の適用については、同項中「その算定」とあるのは、「改定前の障害年金の算定」とする。

第八十六条の二　組合員期間が十年を超える者に支給する公務によらない障害年金は、同一の障害に関し、国家公務員災害補償法の規定による通勤による災害に係る傷病補償年金若しくは障害補償年金又はこれらに相当する補償が支給されることとなつたときは、これらが支給される間、次の各号に掲げる者の区分により、その額のうち、その算定の基礎となつた俸給年額に当該各号に掲げる割合を乗じて得た金額に相当する金額の支給を停止する。

一 組合員期間が二十年未満である者 組合員期間が十年を超える年数一年につき百分の一
二 組合員期間が二十年以上である者 百分の十

2 公務によらない障害年金のうち、同一の障害に関し、国家公務員災害補償法の規定による通勤による災害に係る傷病補償年金若しくは障害補償年金又はこれらに相当する補償が支給されることとなつた者に係るものの額は、その額が、当該公務傷病によらない障害が公務傷病によるものであるとしたならば当該障害について支給されるべき公務による障害年金の額を超えるときは、当該障害年金の額に相当する額とする。

（障害一時金）

第八十七条 組合員期間が一年以上であつた者で公務によらないで病気にかかり、又は負傷したものが退職した場合において、その退職の時（療養の給付、特定療養費若しくは療養費の支給又は老人保健法の規定による医療若しくは医療費の支給の開始後三年を経過しない組合員がその資格を喪失した後第五十九条第一項又は同法の規定により継続してこれらの給付を受けている場合においては、これらの給付の支給開始後三年を経過するまでの間に治つた時）に、その傷病の結果として、別表第四に掲げる障害の状態にあるときは、障害一時金として、俸給の十二月分を支給する。

2 組合員期間が一年以上であつた者で組合員期間が一年となる前に公務によらないで病気にかかり、又は負傷したものに対する前項の規定の適用については、「別表第四に掲げる障害の状態にあるとき」とあるのは、「別表第三又は別表第四に掲げる障害の状態にあるとき（当該療養の給付、特定療養費若しくは療養費又は老人保健法の規定による医療若しくは医療費を受けている場合には、これらの給付の支給開始後三年を経過するまでの間に治らないでその期間を経過した時に、その傷病の結果として、別表第三に掲げる障害の状態にあるときを含む。）」とする。

3 同時に二以上の障害があるときは、前二項の傷病によらないものを除き、これらの障害を併合した障害の状態をこれらの規定に規定する障害の状態として、これらの規定を適用する。

4 障害一時金は、同一の障害に関し、国家公務員災害補償法の規定による通勤による災害に係る障害補償又はこれに相当する補償が行なわれるときは、支給しない。

（公的年金合算期間保有組合員に係る障害給付）

第八十七条の二 組合員期間が一年未満であり、かつ、公的年金合算期間を一年以上有する組合員（以下「公的年金合算期間保有組合員」という。）であつた者に係る障害給付については、この款に定めるもののほか、政令で定めるところによる。

第四款 遺族給付

（遺族年金）

第八十八条 次の各号の一に該当するときは、当該各号に規定する者の遺族に、当該各号に掲げる額の遺族年金を支給する。

一 組合員が公務傷病により、組合員である間に、又は退職後に死亡した場合 俸給年額の百分の四十に相当する金額（組合員期間が二十年を超えるときは、その超える年数一年につき俸給年額の百分の一・五に相当する金額を加えた金額）

二 組合員期間が二十年以上である者が公務傷病によらないで死亡した場合 その者が受ける権利を有していた退職年金（退職年金を受ける権利を有していなかつた者については、減額退職年金若しくは障害年金を支給しなかつたものとした場合において支給すべきであつた退職年金又はその死亡を退職とみなした場合において支給すべきこととなる退職年金。次条第二号において同じ。）の額（その額が第七十六条の二の規定により算定した退職年金の額であるときは、第七十六条第二項の規定により算定するものとした場合の退職年金の額）の百分の五十に相当する金額

三 組合員期間が一年以上二十年未満である者が公務傷病によらないで組合員である間に死亡した場合、組合員期間が一年以上二十年未満である者で障害年金を受ける権利を有するものが公務傷病によらないで死亡した場合、公的年金合算期間保有組合員が公務傷病によらないで組合員である間に死亡した場合（その死亡した者に係る遺族が同一の事由により旧通則法第三条に規定する公的年金制度（同条第四号に掲げる法律に定める年金制度及び同条第五号に掲げる法律に定める年金制度（地方公務員等共済組合法第百四十四条の三第一項に規定する団体職員に関する年金制度を除く。）を除く。以下「他の公的年金制度」という。）からこの法律の規定による遺族年金に相当するものとして政令で定める年金を受ける権利を有する場合を除く。）又は公的年金合算期間保有組合員で障害年金を受ける権利を有するものが公務傷病によらないで死亡した場合（その死亡した者に係る遺族が同一の事由により他の公的年金制度からこの法律の規定による遺族年金に相当するものとして政令で定める年金を受ける権利を有する場合を除く。） 俸給年額の百分の十に相当する金額（組合員期間が十年を超えるときは、その超える年数一年につき俸給年額の百分の一に相当する金額を加えた金額）

四 組合員期間一年未満の者で公務による障害年金を受ける権利を有するものが公務によらないで死亡した場合 俸給年額の百分の十に相当する金額

第八十八条の二 前条各号の規定により算定した遺族年金の額が、次の各号に掲げる場合に応じ、当該各号の規定により算定した額より少ないときは、その額を遺族年金の額とする。

一 前条第一号に掲げる場合 四十九万二千円に俸給年額の百分の二十に相当する額を加えた金額（以下この条及び第九十二条の二第三項において「遺族年金基礎額」という。）（組合員期間が二十年を超えるときは、二十年を超え三十五年に達するまでの期間についてはその超える年数一年につき遺族年金基礎額の百分の五に相当する額を、三十五年を超える期間についてはその超える年数（当該年数が五年を超えるときは、五年）一年につき俸給年額の百分の一に相当する額を加えた金額）

二 前条第二号に掲げる場合 その者が受ける権利を有していた退職年金の額（その額が第七十六条第二項の規定により算定した退職年金の額であるときは、第七十六条の二の規定により算定するものとした場合の退職年金の額）の百分の五十に相当する金額

三 前条第三号に掲げる場合 遺族年金基礎額の百分の二十五に相当する金額（組合員期間が十年を超えるときは、その超える年数一年につき遺族年金基礎額の百分の二・五に相当する額を加えた金額）

四 前条第四号に掲げる場合 遺族年金基礎額の百分の二十五

に相当する金額

第八十八条の三　前二条の場合において、遺族年金を受ける者が次の各号に該当する場合には、これらの規定により算定した金額に、当該各号に掲げる額を加えた額を当該遺族年金の額とする。

一　当該遺族年金を受ける者が妻である配偶者であり、かつ、遺族である子がいる場合　その子一人につき四千八百円（そのうち二人までは、一人につき二万四千円）

二　当該遺族年金を受ける者が子であり、かつ、二人以上いる場合　その子のうち一人を除いた子一人につき四千八百円（そのうち二人までは、一人につき二万四千円）

2　前項各号の場合において、同項に規定する子が第九十一条各号の一に該当するに至つたときは、その子は、同項各号に規定する子に該当しないものとみなし、当該遺族年金の額を改定する。

3　第一項第一号の場合において、同項の妻である配偶者が遺族年金を受ける権利を取得した当時胎児であつた子が出生したときは、その出生した子は、同号に規定する子に該当するものとみなし、当該遺族年金の額を改定する。

第八十八条の四　第八十八条の規定による遺族年金の額が五十三万七千六百円に満たないときは、これを五十三万七千六百円とし、同条第一号の規定による遺族年金の額が俸給年額の百分の七十に相当する金額を超えるときは、当該金額とする。

第八十八条の五　第八十八条から前条までの場合において、遺族年金を受ける妻が、次の各号の一に該当する場合には、これらの規定により算定した額に当該各号に掲げる額を加えた額をもつて、当該遺族年金の額とする。ただし、その者が当該遺族年金に係る組合員又は組合員であつた者の死亡について、恩給法（大正十二年法律第四十八号）による扶助料、この法律による改正前の国家公務員共済組合法（昭和二十三年法律第六十九号）による遺族年金その他の年金たる給付の支給を受ける場合であつて政令で定める場合に該当するときは、その該当する間は、この限りでない。

一　遺族である子が一人いる場合　十二万円

二　遺族である子が二人以上いる場合　二十一万円

三　六十歳以上である場合（前二号に該当する場合を除く。）　十二万円

2　第八十八条の規定による遺族年金を受ける者が六十歳未満の妻であり、かつ、遺族である子を有しない者である場合において、その者が六十歳に達したときは、その者を前項第三号の規定に該当する者とみなして、同項の規定を適用する。

第八十八条の六　遺族年金を受ける妻で、前条第一項各号の一に該当するもの（同項ただし書に該当する者を除く。）が、旧通則法第三条に規定する公的年金各法に基づく年金たる給付その他の年金たる給付のうち、老齢、退職又は障害を支給事由とする給付であつて政令で定めるもの（その全額の支給を停止されている給付を除く。）の支給を受けることができるときは、その受けることができる間は、同項の規定による加算は行わない。

（遺族年金の停止）

第八十九条　夫、父母又は祖父母に対する遺族年金は、その者が六十歳に達するまでは、その支給を停止する。ただし、別表第三の上欄に掲げる程度の障害の状態にある場合には、その状態にある間は、この限りでない。

第九十条　遺族年金を受ける権利を有する者が一年以上所在不明である場合には、同順位者があるときは同順位者の、同順位者がないときは次順位者の申請により、その所在不明である間、当該権利を有する者の受けるべき遺族年金の支給を停止することができる。

2　前項の規定により年金の支給を停止した場合には、その停止している期間、その年金は、同順位者から申請があつたときは同順位者に、次順位者から申請があつたときは次順位者に支給する。

（遺族年金の失権）

第九十一条　遺族年金を受ける権利を有する者は、次の各号の一に該当するに至つたときは、その権利を失う。

一　死亡したとき。

二　婚姻したとき（届出をしていないが、事実上婚姻関係と同様の事情にある者となつたときを含む。）。

三　三親等内の親族以外の者の養子となつたとき。

四　死亡した組合員であつた者との親族関係が離縁によつて終了したとき。

五　子又は孫で別表第三の上欄に掲げる程度の障害の状態にある者以外の者が十八歳に達したとき。

六　別表第三の上欄に掲げる程度の障害の状態にあるため遺族年金を受けていた者につき、その事情がなくなつたとき。

（公務による遺族年金と遺族補償年金との調整等）

第九十二条　第八十八条第一号の規定による遺族年金は、国家公務員災害補償法の規定による遺族補償年金又はこれに相当する補償が支給されることとなつたときは、これらが支給される間、その額のうち、その算定の基礎となつた俸給年額の百分の二十に相当する金額の支給を停止する。

2　公務傷病によらない死亡に係る遺族年金のうち、同一の事由に関し、国家公務員災害補償法の規定による通勤による災害に係る遺族補償年金又はこれに相当する補償が支給されることとなつた者に係るものの額は、その額が、当該公務傷病によらない死亡が公務傷病によるものであるとしたならば当該死亡について支給されるべき第八十八条第一号の規定による遺族年金の額を超えるときは、同号の規定による遺族年金の額に相当する額とする。

第九十二条の二　組合員期間が一年以上十年未満である者が公務傷病によらないで組合員である間に死亡した場合（その死亡した者が障害年金を受ける権利を有していた者であつた場合を除く。）において、その死亡した者の遺族が同一の事由により他の公的年金制度から第八十八条第二号の規定による遺族年金に相当する年金として政令で定める年金の支給を受けるときは、同条第三号の規定による遺族年金の額は、同号及び第八十八条の二から第八十八条の五までの規定にかかわらず、当該支給を受けることができる間、その死亡した者の組合員期間の年数一年につき俸給年額の百分の一に相当する金額とする。

2　組合員期間が一年以上十年未満である者が公務傷病によらないで組合員である間に死亡した場合又は組合員期間が一年以上十年未満である者で公務によらない障害年金を受ける権利を有するものが公務傷病によらないで死亡した場合において、その死亡した者の遺族で同一の事由により他の公的年金制度から通算遺族年金に相当する年金の支給を受ける権利を有するもの

が、第八十八条第三号の規定による遺族年金と併せて当該通算遺族年金に相当する年金の支給を受けることを希望する旨を、政令で定めるところにより連合会に申し出たときは、同号の規定による遺族年金の額は、同号及び第八十八条の二から第八十八条の五までの規定にかかわらず、当該通算遺族年金に相当する年金の支給を受けることができる間、その死亡した者の組合員期間の年数一年につき俸給年額の百分の一に相当する金額とする。

3　第一項又は前項の規定により算定した遺族年金の額が、当該年金を受ける者に係る組合員期間の年数一年につき遺族年金基礎額の百分の二・五に相当する額より少ないときは、これらの規定にかかわらず、その額を遺族年金の額とする。

（通算遺族年金）

第九十二条の三　第七十九条の二第二項の規定により通算退職年金を受ける権利を有する者が死亡したときは、政令で定めるところにより、その者の遺族に通算遺族年金を支給する。ただし、その遺族が、同一の事由により他の公的年金制度から第八十八条第三号の規定による遺族年金に相当する年金として政令で定める年金を受ける権利を有する者（厚生年金保険法第三十八条第一項その他政令で定める法令の規定により当該年金の全部の支給が停止されている場合における当該年金を受ける権利を有する者を除く。）であるときは、この限りでない。

2　通算遺族年金の額は、その死亡した者に係る第七十九条の二第三項から第五項までの規定による通算退職年金の額の百分の五十に相当する金額とする。

3　通算遺族年金については、旧厚生年金保険法第五十九条、第五十九条の二、第六十条第三項、第六十一条、第六十三条、第六十四条及び第六十六条から第六十八条までの規定の例によるほか、旧通則法第四条から第十条までの規定を準用する。

（公的年金期間を有していた組合員等に係る遺族給付）

第九十三条　公的年金期間を有していた組合員又は組合員であつた者に係る遺族給付については、この款に定めるもののほか、政令で定めるところによる。

（死亡一時金）

†**第九十三条**　第八十条第二項の退職一時金の支給を受けた者が、通算退職年金又は返還一時金の支給を受けることなく死亡したときは、その者の遺族に死亡一時金を支給する。ただし、その者の死亡に係る通算遺族年金の支給を受ける権利を有する者があるときは、この限りでない。

2　死亡一時金の額は、その死亡した者に係る第八十条第二項第二号に掲げる金額に、その者が退職した日の属する月の翌月からその死亡した日の属する月の前月までの期間に応ずる利子に相当する金額を加えた額とする。

3　第八十条の二第三項及び第四項の規定は、死亡一時金の額について準用する。

（地方公務員等共済組合法との関係）

第百二十六条の二　組合員（公共企業体等の組合の組合員にあつては、政令で定める者を除く。次項及び第三項並びに次条第一項において同じ。）が退職し、引き続き地方公務員等共済組合法第三条第一項に規定する地方公務員共済組合（以下「地方の組合」という。）の組合員（同法第百四十四条の四第一項に規定する団体組合員を除く。以下次条までにおいて「地方の組合の組合員」という。）のうち、同法の長期給付に関する規定の適用を受ける者となつたときは、長期給付に関する規定の適用については、その退職は、なかつたものとみなす。

2　組合員が地方の組合の組合員となつたときは、当該地方の組合を他の組合と、当該地方の組合の組合員を他の組合の組合員とそれぞれみなして、第三十七条第三項の規定を適用する。

3　組合員又は組合員であつた者（退職年金、減額退職年金又は障害年金を受ける権利を有する者に限る。）が地方の組合の組合員となつたときは、連合会は、政令で定めるところにより、その者に係る責任準備金に相当する金額を当該地方の組合に移換しなければならない。

4　第百二十四条の二の規定は、第一項に規定する政令で定める者に該当する者が任命権者又はその委任を受けた者の要請に応じ、引き続いて地方の職員（地方公務員等共済組合法第二条第一項第一号に規定する職員（同法第百四十二条第一項の規定により当該職員とみなされる者を含む。）をいう。次項において同じ。）となるため退職した場合について準用する。

5　前項において準用する第百二十四条の二の規定により同条第二項に規定する継続長期組合員となつた者は、地方の職員であり、かつ、継続長期組合員である間、地方公務員等共済組合法第三十九条第一項の規定にかかわらず、同法の長期給付に関する規定の適用を受ける組合員としない。

6　前各項に定めるもののほか、第四項の規定により第百二十四条の二の規定を準用する場合における必要な技術的読替えその他組合員又は組合員であつた者が地方の組合の組合員となつた場合におけるこの法律の適用に関し必要な事項は、政令で定める。

第百二十六条の三　地方の組合の組合員であつた組合員に対するこの法律（第六章を除く。）の規定の適用については、その者の当該地方の組合の組合員であつた間組合員であつたものと、地方公務員等共済組合法の規定による給付はこの法律中の相当する規定による給付とみなす。ただし、長期給付に関する規定の適用については、地方公務員等共済組合法の長期給付に関する規定の適用を受けた地方の組合の組合員であつた間に限る。

2　前項に定めるもののほか、地方の組合の組合員であつた組合員のうち前条第一項に規定する政令で定める者に該当するものが地方の組合の組合員であつた間にこの法律の規定による長期給付の支給を受けた場合におけるその者に支給する長期給付の額の調整その他地方の組合の組合員であつた組合員に対するこの法律の適用に関し必要な事項は、政令で定める。

附　則（抄）

（死亡に関する給付の特例）

第十二条の七　組合員期間（第八十三条第三項の規定により障害年金を受ける権利が消滅した者の当該障害年金の額の算定の基礎となつた組合員期間を除く。）が一年以上二十年未満である者（昭和五十四年十二月三十一日において現に組合員である者に限る。）が、退職した後に六十歳未満で死亡したときは、その者の遺族に一時金（以下この条において「特例死亡一時金」という。）を支給する。ただし、その死亡した者の遺族がその死亡した者に係る遺族年金又は通算遺族年金を受ける権利を有する者であるときは、この限りでない。

2　特例死亡一時金の額は、俸給日額に前項の組合員期間に応じ別表第二に定める日数を乗じて得た金額に、退職した日の属する月の翌月から死亡した日の属する月の前月までの期間に応ずる利子に相当する金額を加えた金額とする。
3　前項に規定する利子は、複利計算の方法によるものとし、その利率は、政令で定める。
4　前二項の場合において、第一項の規定に該当する退職が二回以上あるときは、特例死亡一時金の額は、連合会又は各公共企業体等の組合ごとに、これらの退職についてそれぞれ前二項の規定により算定した金額の合算額とする。
5　特例死亡一時金は、脱退一時金とみなして、長期給付に関する規定（第八十条の規定を除く。）を適用する。
6　第二項から前項までに定めるもののほか、特例死亡一時金に関し必要な事項は、政令で定める。

○国家公務員共済組合法（平成二十四年改正前）（抄）

昭三三・五・一
法　一　二　八

（遺族の順位）
第四十三条　給付を受けるべき遺族の順位は、次の各号の順序とする。
一　配偶者及び子
二　父母
三　孫
四　祖父母
2　前項の場合において、父母については養父母、実父母の順とし、祖父母については養父母の養父母、養父母の実父母、実父母の養父母、実父母の実父母の順とする。
3　先順位者となることができる者が後順位者より後に生じ、又は同順位者となることができる者がその他の同順位者である者より後に生じたときは、その先順位者又は同順位者となることができる者については、前二項の規定は、その生じた日から適用する。

（同順位者が二人以上ある場合の給付）
第四十四条　前条の規定により給付を受けるべき遺族に同順位者が二人以上あるときは、その給付は、その人数によつて等分して支給する。

（支払未済の給付の受給者の特例）
第四十五条　受給権者が死亡した場合において、その者が支給を受けることができた給付でその支払を受けなかつたものがあるときは、前二条の規定に準じて、これをその者の遺族（弔慰金又は遺族共済年金については、これらの給付に係る組合員であつた者の他の遺族）に支給し、支給すべき遺族がないときは、当該死亡した者の相続人に支給する。
2　前項の規定による給付を受けるべき同順位者が二人以上あるときは、その全額をその一人に支給することができるものとし、この場合において、その一人にした支給は、全員に対してしたものとみなす。

（給付金からの控除）
第四十六条　組合員が第百一条第三項の規定により掛金に相当する金額を組合に払い込むべき場合において、その者に支給すべき給付金（家族埋葬料に係る給付金を除く。）があり、かつ、その者が同項の規定により払い込まなかつた金額があるときは、当該給付金からこれを控除することができる。
2　組合員が組合員の資格を喪失した場合において、その者又はその遺族若しくは相続人に支給すべき給付金（埋葬料及び家族埋葬料に係る給付金を除く。）があり、かつ、その者が組合に対して支払うべき金額があるときは、当該給付金からこれを控除する。

（不正受給者からの費用の徴収等）
第四十七条　偽りその他不正の行為により組合から給付を受けた者がある場合には、組合は、その者から、その給付に要した費用に相当する金額（その給付が療養の給付であるときは、第五十五条第二項又は第三項の規定により支払つた一部負担金（第五十五条の二第一項第一号の措置が採られるときは、当該減額された一部負担金）に相当する額を控除した金額）の全部又は一部を徴収することができる。
2　前項の場合において、第五十五条第一項第三号に掲げる保険医療機関において診療に従事する保険医（第五十八条第一項に規定する保険医をいう。）又は健康保険法（大正十一年法律第七十号）第八十八条第一項に規定する主治の医師が組合に提出されるべき診断書に虚偽の記載をしたため、その給付が行われたものであるときは、組合は、その保険医又は主治の医師に対し、給付を受けた者と連帯して前項の規定により徴収すべき金額を納付させることができる。
3　組合は、第五十五条第一項第三号に掲げる保険医療機関若しくは保険薬局又は第五十六条の二第一項に規定する指定訪問看護事業者が偽りその他不正の行為により組合員又は被扶養者の療養に関する費用の支払を受けたときは、当該保険医療機関若しくは保険薬局又は指定訪問看護事業者に対し、その支払つた額につき返還させるほか、その返還させる額に百分の四十を乗じて得た額を納付させることができる。

（損害賠償の請求権）

第四十八条 組合は、給付事由（第七十条又は第七十一条の規定による給付に係るものを除く。）が第三者の行為によつて生じた場合には、当該給付事由に対して行つた給付の価額の限度で、受給権者（当該給付事由が組合員の被扶養者について生じた場合には、当該被扶養者を含む。）が第三者に対して有する損害賠償の請求権を取得する。

2 前項の場合において、受給権者（同項の給付事由が組合員の被扶養者について生じた場合には、当該被扶養者を含む。）が第三者から同一の事由について損害賠償を受けたときは、組合は、その価額の限度で、給付をしないことができる。

（給付を受ける権利の保護）

第四十九条 この法律に基づく給付を受ける権利は、譲り渡し、担保に供し、又は差し押えることができない。ただし、年金である給付を受ける権利を株式会社日本政策金融公庫又は沖縄振興開発金融公庫に担保に供する場合及び退職共済年金又は休業手当金を受ける権利を国税滞納処分（その例による処分を含む。）により差し押える場合は、この限りでない。

（公課の禁止）

第五十条 租税その他の公課は、組合の給付として支給を受ける金品を標準として、課することができない。ただし、退職共済年金及び休業手当金については、この限りでない。

第三節 長期給付

第一款 通則

（長期給付の種類等）

第七十二条 この法律による長期給付は、次のとおりとする。

一 退職共済年金
二 障害共済年金
三 障害一時金
四 遺族共済年金

2 長期給付に関する規定は、次の各号の一に該当する職員（政令で定める職員を除く。）には適用しない。

一 任命について国会の両院の議決又は同意によることを必要とする職員

二 国会法（昭和二十二年法律第七十九号）第三十九条の規定により国会議員がその職を兼ねることを禁止されていない職にある職員

3 長期給付に関する規定の適用を受ける組合員がその適用を受けない組合員となつたときは、長期給付に関する規定の適用については、そのなつた日の前日に退職したものとみなす。

（長期給付の給付額の算定の基礎となる平均標準報酬額）

第七十二条の二 長期給付の給付額の算定の基準となるべき平均標準報酬額（以下「平均標準報酬額」という。）は、組合員期間の計算の基礎となる各月の掛金の標準となつた標準報酬の月額と標準期末手当等の額に、別表第二の各号に掲げる受給権者の区分に応じ、それぞれ当該各号に定める率（以下「再評価率」という。）を乗じて得た額の総額を、当該組合員期間の月数で除して得た額とする。

（再評価率の改定等）

第七十二条の三 再評価率については、毎年度、第一号に掲げる率（以下「物価変動率」という。）に第二号及び第三号に掲げる率を乗じて得た率（以下「名目手取り賃金変動率」という。）を基準として改定し、当該年度の四月分以後の長期給付について適用する。

一 当該年度の初日の属する年の前々年の物価指数（総務省において作成する年平均の全国消費者物価指数をいう。以下この項において同じ。）に対する当該年度の初日の属する年の前年の物価指数の比率

二 イに掲げる率をロに掲げる率で除して得た率の三乗根となる率

イ 当該年度の初日の属する年の五年前の年の四月一日の属する年度における標準報酬額等平均額（厚生年金保険法第四十三条の二第一項第二号イに規定する標準報酬額等平均額をいう。以下この号において同じ。）に対する当該年度の前々年度における標準報酬額等平均額の比率

ロ 当該年度の初日の属する年の五年前の年における物価指数に対する当該年度の初日の属する年の前々年における物価指数の比率

三 イに掲げる率をロに掲げる率で除して得た率

イ 〇・九一〇から当該年度の初日の属する年の三年前の年の九月一日における厚生年金保険法の規定による保険料率の二分の一に相当する率を控除して得た率

ロ 〇・九一〇から当該年度の初日の属する年の四年前の年の九月一日における厚生年金保険法の規定による保険料率の二分の一に相当する率を控除して得た率

2 次の各号に掲げる再評価率の改定については、前項の規定にかかわらず、当該各号に定める率を基準とする。

一 当該年度の前年度に属する月の標準報酬の月額と標準期末手当等の額（以下「前年度の標準報酬の月額等」という。）に係る再評価率 前項第三号に掲げる率（以下「可処分所得割合変化率」という。）

二 当該年度の前々年度又は当該年度の初日の属する年の三年前の年の四月一日の属する年度に属する月の標準報酬の月額と標準期末手当等の額（以下「前々年度等の標準報酬の月額等」という。）に係る再評価率 物価変動率に可処分所得割合変化率を乗じて得た率

3 名目手取り賃金変動率が一を下回り、かつ、物価変動率が名目手取り賃金変動率を上回る場合における再評価率（前項各号に掲げる再評価率を除く。）の改定については、第一項の規定にかかわらず、物価変動率を基準とする。ただし、物価変動率が一を上回る場合は、一を基準とする。

4 当該年度に属する月の標準報酬の月額と標準期末手当等の額に係る再評価率については、当該年度の前年度におけるその年度に属する月の標準報酬の月額と標準期末手当等の額に係る再評価率に可処分所得割合変化率を乗じて得た率を基準として設定する。

5 前各項の規定による再評価率の改定又は設定の措置は、政令で定める。

第七十二条の四 受給権者が六十五歳に達した日の属する年度の初日の属する年の三年後の年の四月一日の属する年度以後において適用される再評価率（以下「基準年度以後再評価率」という。）の改定については、前条の規定にかかわらず、物価変動率を基準とする。

2 前年度の標準報酬の月額等及び前々年度等の標準報酬の月額

等に係る基準年度以後再評価率の改定については、前項の規定にかかわらず、前条第二項各号の規定を適用する。

3　次の各号に掲げる場合における基準年度以後再評価率（前項に規定する基準年度以後再評価率を除く。）の改定については、第一項の規定にかかわらず、当該各号に定める率を基準とする。

一　物価変動率が名目手取り賃金変動率を上回り、かつ、名目手取り賃金変動率が一以上となる場合　名目手取り賃金変動率

二　物価変動率が一を上回り、かつ、名目手取り賃金変動率が一を下回る場合　一

4　前三項の規定による基準年度以後再評価率の改定の措置は、政令で定める。

（調整期間における再評価率の改定等の特例）

第七十二条の五　調整期間（厚生年金保険法第三十四条第一項に規定する調整期間をいう。以下同じ。）における再評価率の改定については、前二条の規定にかかわらず、名目手取り賃金変動率に第一号及び第二号に掲げる率を乗じて得た率を基準とする。ただし、当該基準による改定により当該年度の再評価率（次項各号に掲げる再評価率を除く。以下この項において同じ。）が当該年度の前年度の再評価率を下回ることとなるときは、一を基準とする。

一　当該年度の初日の属する年の五年前の年の四月一日の属する年度における公的年金被保険者等総数（厚生年金保険法第四十三条の四第一項第一号に規定する公的年金被保険者等総数をいう。以下この号において同じ。）に対する当該年度の前々年度における公的年金被保険者等総数の比率の三乗根となる率

二　〇・九九七

2　調整期間における次の各号に掲げる再評価率の改定については、前項の規定にかかわらず、当該各号に定める率を基準とする。

一　前年度の標準報酬の月額等に係る再評価率　可処分所得割合変化率に前項各号に掲げる率を乗じて得た率（同項ただし書の規定による改定が行われる場合にあつては、当該乗じて得た率に、一を同項本文に規定する率で除して得た率を乗じて得た率）

二　前々年度等の標準報酬の月額等に係る再評価率　物価変動率に可処分所得割合変化率及び前項各号に掲げる率を乗じて得た率（同項ただし書の規定による改定が行われる場合にあつては、当該乗じて得た率に、一を同項本文に規定する率で除して得た率を乗じて得た率）

3　調整期間における当該年度に属する月の標準報酬の月額と標準期末手当等の額に係る再評価率の設定については、第七十二条の三第四項の規定にかかわらず、当該年度の前年度におけるその年度に属する月の標準報酬の月額と標準期末手当等の額に係る再評価率に、可処分所得割合変化率及び第一項各号に掲げる率を乗じて得た率を基準とする。ただし、同項ただし書の規定による改定が行われる場合は、当該乗じて得た率に、一を同項本文に規定する率で除して得た率を基準とする。

4　次の各号に掲げる場合の調整期間における再評価率の改定又は設定については、前三項の規定にかかわらず、当該各号に定める規定を適用する。

一　名目手取り賃金変動率が一以上となり、かつ、第一項第一号に掲げる率に同項第二号に掲げる率を乗じて得た率（以下「調整率」という。）が一を上回る場合　第七十二条の三第一項、第二項及び第四項

二　名目手取り賃金変動率が一を下回り、かつ、物価変動率が名目手取り賃金変動率以下となる場合　第七十二条の三第一項、第二項及び第四項

三　名目手取り賃金変動率が一を下回り、かつ、物価変動率が名目手取り賃金変動率を上回る場合　第七十二条の三第二項から第四項まで

5　前各項の規定による再評価率の改定又は設定の措置は、政令で定める。

第七十二条の六　調整期間における基準年度以後再評価率の改定については、前条の規定にかかわらず、物価変動率に調整率を乗じて得た率を基準とする。ただし、当該基準による改定により当該年度の基準年度以後再評価率（次項各号に掲げる基準年度以後再評価率を除く。）が当該年度の前年度の基準年度以後再評価率（当該年度が六十五歳に達した日の属する年度の初日の属する年の三年後の年の四月一日の属する年度である場合にあつては、再評価率）を下回ることとなるときは、一を基準とする。

2　調整期間における次の各号に掲げる基準年度以後再評価率の改定については、前項の規定にかかわらず、当該各号に定める率を基準とする。

一　前年度の標準報酬の月額等に係る基準年度以後再評価率　可処分所得割合変化率に調整率を乗じて得た率（前項ただし書の規定による改定が行われる場合にあつては、当該乗じて得た率に、一を同項本文に規定する率で除して得た率を乗じて得た率）

二　前々年度等の標準報酬の月額等に係る基準年度以後再評価率　物価変動率に可処分所得割合変化率及び調整率を乗じて得た率（前項ただし書の規定による改定が行われる場合にあつては、当該乗じて得た率に、一を同項本文に規定する率で除して得た率）

3　調整期間における当該年度に属する月の標準報酬の月額と標準期末手当等の額に係る基準年度以後再評価率の設定については、前条第三項の規定にかかわらず、当該年度の前年度におけるその年度に属する月の標準報酬の月額と標準期末手当等の額に係る基準年度以後再評価率（当該年度が六十五歳に達した日の属する年度の初日の属する年の三年後の年の四月一日の属する年度である場合にあつては、再評価率）に、可処分所得割合変化率及び調整率を乗じて得た率を基準とする。ただし、第一項ただし書の規定による改定が行われる場合は、当該乗じて得た率に、一を同項本文に規定する率で除して得た率を基準とする。

4　次の各号に掲げる場合の調整期間における基準年度以後再評価率の改定又は設定については、前三項の規定にかかわらず、当該各号に定める規定を適用する。

一　物価変動率が一を下回る場合　第七十二条の三第四項並びに第七十二条の四第一項及び第二項

二　物価変動率が名目手取り賃金変動率以下となり、かつ、調

整率が一を上回る場合（前号に掲げる場合を除く。）　第七十二条の三第四項並びに第七十二条の四第一項及び第二項

三　物価変動率が名目手取り賃金変動率を上回り、名目手取り賃金変動率が一以上となり、かつ、調整率が一を上回る場合　第七十二条の三第一項、第二項及び第四項

四　物価変動率が名目手取り賃金変動率を上回り、名目手取り賃金変動率が一以上となり、かつ、調整率が一以下となる場合　前条第一項から第三項まで

五　物価変動率が一を上回り、かつ、名目手取り賃金変動率が一を下回る場合　第七十二条の三第二項、第三項ただし書及び第四項

5　前各項の規定による基準年度以後再評価率の改定又は設定の措置は、政令で定める。

（年金の支給期間及び支給期月）

第七十三条　年金である給付は、その給付事由が生じた日の属する月の翌月からその事由のなくなつた日の属する月までの分を支給する。

2　年金である給付は、その支給を停止すべき事由が生じたときは、その事由が生じた日の属する月の翌月からその事由がなくなつた日の属する月までの分の支給を停止する。ただし、これらの日が同じ月に属する場合には、支給を停止しない。

3　年金である給付の額を改定する事由が生じたときは、その事由が生じた日の属する月の翌月分からその改定した金額を支給する。

4　年金である給付は、毎年二月、四月、六月、八月、十月及び十二月において、それぞれの前月までの分を支給する。ただし、その給付を受ける権利が消滅したとき、又はその支給を停止すべき事由が生じたときは、その支給期月にかかわらず、その際、その月までの分を支給する。

（三歳に満たない子を養育する組合員等の平均標準報酬額の計算の特例）

第七十三条の二　三歳に満たない子を養育し、又は養育していた組合員又は組合員であつた者が、組合（組合員であつた者にあつては、連合会）に申出をしたときは、当該子を養育することとなつた日（財務省令で定める事由が生じた場合にあつては、その日）の属する月から次の各号のいずれかに該当するに至つた日の翌日の属する月の前月までの各月のうち、その標準報酬の月額が当該子を養育することとなつた日の属する月の前月（当該月において組合員でない場合にあつては、当該月前一年以内における組合員であつた月のうち直近の月。以下この条において「基準月」という。）の標準報酬の月額（この項の規定により当該子以外の子に係る基準月の標準報酬の月額が標準報酬の月額とみなされている場合にあつては、当該みなされた基準月の標準報酬の月額。以下この項において「従前標準報酬の月額」という。）を下回る月（当該申出が行われた日の属する月の前月までの二年間のうちにあるものに限る。）については、従前標準報酬の月額を当該下回る月の標準報酬の月額とみなして、第七十二条の二の規定を適用する。

一　当該子が三歳に達したとき。

二　当該組合員若しくは当該組合員であつた者が死亡したとき、又は当該組合員が退職したとき。

三　当該子以外の子についてこの条の規定の適用を受ける場合における当該子以外の子を養育することとなつたときその他これに準ずるものとして財務省令で定めるものが生じたとき。

四　当該子が死亡したときその他当該組合員が当該子を養育しないこととなつたとき。

五　当該組合員が第百条の二の規定の適用を受ける育児休業等を開始したとき。

六　当該組合員が第百条の二の二の規定の適用を受ける産前産後休業を開始したとき。

2　前項の規定による平均標準報酬額の計算その他同項の規定の適用に関し必要な事項は、政令で定める。

3　第一項第六号の規定に該当した組合員（同項の規定により当該子以外の子に係る基準月の標準報酬の月額が基準月の標準報酬の月額とみなされている場合を除く。）に対する同項の規定の適用については、同項中「この項の規定により当該子以外の子に係る基準月の標準報酬の月額が標準報酬の月額とみなされている場合にあつては、当該みなされた基準月の標準報酬の月額」とあるのは、「第六号の規定の適用がなかつたとしたならば、この項の規定により当該子以外の子に係る基準月の標準報酬の月額が標準報酬の月額とみなされる場合にあつては、当該みなされることとなる基準月の標準報酬の月額」とする。

（併給の調整）

第七十四条　次の各号に掲げるこの法律による年金である給付の受給権者が当該各号に定める場合に該当するときは、その該当する間、当該年金である給付は、その支給を停止する。

一　退職共済年金　障害共済年金若しくは遺族共済年金（その受給権者が六十五歳に達しているものを除く。）、地方公務員等共済組合法による年金である給付（退職を給付事由とする年金である給付及び同法による年金である給付で遺族共済年金に相当するもの（その受給権者が六十五歳に達しているものに限る。）を除く。）、私立学校教職員共済法による年金である給付（退職を給付事由とする年金である給付及び同法による年金である給付で遺族共済年金に相当するもの（その受給権者が六十五歳に達しているものに限る。）を除く。）、厚生年金保険法による年金である保険給付（老齢を給付事由とする年金である保険給付及び同法による遺族厚生年金（その受給権者が六十五歳に達しているものに限る。）を除く。）又は国民年金法による年金である給付（老齢を給付事由とする年金である給付及び障害を給付事由とする年金である給付（その受給権者が六十五歳に達しているものに限る。）を除く。）を受けることができるとき。

二　障害共済年金　退職共済年金、障害共済年金若しくは遺族共済年金、地方公務員等共済組合法による年金である給付、私立学校教職員共済法による年金である給付、厚生年金保険法による年金である保険給付又は国民年金法による年金である給付（当該障害共済年金と同一の給付事由に基づいて支給される障害基礎年金を除く。）を受けることができるとき。

三　遺族共済年金　退職共済年金（その受給権者が六十五歳に達しているものを除く。）、障害共済年金若しくは遺族共済年金、地方公務員等共済組合法による年金である給付、私立学校教職員共済法による年金である給付若しくは厚生年金保険法による年金である保険給付（地方公務員等共済組合法若しくは私立学校教職員共済法による年金である給付で退職共済

年金に相当するもの又は厚生年金保険法による老齢厚生年金（これらの受給権者が六十五歳に達しているものに限る。）を除くものとし、第八十八条第一項第四号に該当することにより支給される遺族共済年金の受給権者にあつては、当該遺族共済年金と同一の給付事由に基づいて支給されるもののうち同号の規定に相当する規定に該当することにより支給される年金である給付を除く。）又は国民年金法による年金である給付（老齢を給付事由とする年金である給付及び障害を給付事由とする年金である給付（これらの受給権者が六十五歳に達しているものに限る。）並びに当該遺族共済年金と同一の給付事由に基づいて支給される遺族基礎年金を除く。）を受けることができるとき。

2　前項の規定により、私立学校教職員共済法による年金である給付若しくは厚生年金保険法による年金である保険給付を受けることができる場合又は国民年金法による年金である給付を受けることができる場合（当該年金である給付と同一の給付事由に基づいてこの法律による年金である給付を受けることができる場合を除く。）に該当してこの法律による年金である給付の支給が停止されるときは、退職共済年金の額のうち第七十七条第二項の規定により加算する金額（以下「退職共済年金の職域加算額」という。）に相当する金額、障害共済年金の額のうち第八十二条第一項第二号に掲げる金額（同条第二項又は第八十五条第二項（同条第三項において準用する場合を含む。）の規定により算定する金額（当該障害共済年金の額が第八十二条第三項の規定により算定されたものであるときは、同項各号に掲げる金額のうち政令で定める金額）を含む。以下「障害共済年金の職域加算額」という。）に相当する金額又は遺族共済年金の額のうち第八十九条第一項第一号イ(2)若しくは同号ロ(2)に掲げる金額（同条第三項の規定により読み替えられたこれらの規定に掲げる金額（当該遺族共済年金の額が同条第四項の規定により算定されたものであるときは、同項に定める金額のうち政令で定める金額）を含む。以下「遺族共済年金の職域加算額」という。）に相当する金額については、その支給の停止を行わない。

3　第一項の規定によりその支給を停止するものとされたこの法律による年金である給付の受給権者は、同項の規定にかかわらず、その支給の停止の解除を申請することができる。

4　前項の申請があつた場合には、当該申請に係る年金である給付については、第一項の規定にかかわらず、同項の規定による支給の停止は、行わない。ただし、その者に係るこの法律による年金である給付、地方公務員等共済組合法による年金である給付、私立学校教職員共済法による年金である給付、厚生年金保険法による年金である保険給付又は国民年金法による年金である給付について、前項若しくは次項の規定又は他の法令の規定でこれらに相当するものとして政令で定めるものによりその支給の停止が解除されているときは、この限りでない。

5　現にその支給が行われているこの法律による年金である給付が第一項の規定によりその支給を停止するものとされた場合において、その支給を停止すべき事由が生じた日の属する月に当該年金である給付に係る第三項の申請がなされないときは、その支給を停止すべき事由が生じたときにおいて、当該年金である給付に係る同項の申請があつたものとみなす。

6　第三項の申請（前項の規定により第三項の申請があつたものとみなされた場合における当該申請を含む。）は、いつでも、将来に向かつて撤回することができる。

（受給権者の申出による支給停止）

第七十四条の二　この法律による年金である給付（この法律の他の規定又は他の法令の規定によりその全額につき支給を停止されているものを除く。）は、その受給権者の申出により、その全額の支給を停止する。ただし、この法律の他の規定又は他の法令の規定によりその金額の一部につき支給を停止されているときは、停止されていない部分の金額の支給を停止する。

2　前項ただし書のその金額の一部につき支給を停止されている年金である給付について、この法律の他の規定又は他の法令の規定による支給停止が解除されたときは、同項本文の年金である給付の全額の支給を停止する。

3　第一項の申出は、いつでも、将来に向かつて撤回することができる。

4　第一項又は第二項の規定により支給を停止されている年金である給付は、政令で定める法令の規定の適用については、その支給を停止されていないものとみなす。

5　第一項の規定による支給停止の方法その他前各項の規定の適用に関し必要な事項は、政令で定める。

（年金の支払の調整）

第七十四条の三　この法律による年金である給付（以下この項において「乙年金」という。）の受給権者がこの法律による他の年金である給付（以下この項において「甲年金」という。）を受ける権利を取得したため乙年金を受ける権利が消滅し、又は同一人に対して乙年金の支給を停止して甲年金を支給すべき場合において、乙年金を受ける権利が消滅し、又は乙年金の支給を停止すべき事由が生じた月の翌月以後の分として、乙年金の支払が行われたときは、その支払われた乙年金は、甲年金の内払とみなす。

2　年金の支給を停止すべき事由が生じたにもかかわらず、その停止すべき期間の分として年金が支払われたときは、その支払われた年金は、その後に支払うべき年金の内払とみなすことができる。年金を減額して改定すべき事由が生じたにもかかわらず、その事由が生じた月の翌月以後の分として減額しない額の年金が支払われた場合における当該年金の当該減額すべきであつた部分についても、同様とする。

第七十四条の四　この法律による年金である給付の受給権者が死亡したためその受ける権利が消滅したにもかかわらず、その死亡の日の属する月の翌月以後の分として当該年金である給付の過誤払が行われた場合において、当該過誤払による返還金に係る債権（以下この条において「返還金債権」という。）に係る債務の弁済をすべき者に支払うべきこの法律による年金である給付があるときは、財務省令で定めるところにより、当該年金である給付の支払金の金額を当該過誤払による返還金債権の金額に充当することができる。

（死亡の推定）

第七十四条の五　船舶が沈没し、転覆し、滅失し、若しくは行方不明となつた際現にその船舶に乗つていた組合員若しくは組合員であつた者若しくは船舶に乗つていてその船舶の航行中に行方不明となつた組合員若しくは組合員であつた者の生死が三月間わからない場合又はこれらの者の死亡が三月以内に明らかとなり、かつ、その死亡の時期がわからない場合には、遺族共済年金又はその他の長期給付に係る支払未済の給付の支給に関する規定の適用については、その船舶が沈没し、転覆し、滅失し、若しくは行方不明となつた日又はその者が行方不明となつた日に、その者は、死亡したものと推定する。航空機が墜落し、滅失し、若しくは行方不明となつた際現にその航空機に乗つていた組合員若しくは組合員であつた者若しくは航空機に乗つていてその航空機の航行中に行方不明となつた組合員若しくは組合員であつた者の生死が三月間わからない場合又はこれらの者の死亡が三月以内に明らかとなり、かつ、その死亡の時期がわからない場合にも、同様とする。

（年金受給者の書類の提出等）

第七十五条 連合会は、年金である給付の支給に関し必要な範囲内において、その支給を受ける者に対して、身分関係の移動、支給の停止及び障害の状態に関する書類その他の物件の提出を求めることができる。

2 連合会は、前項の要求をした場合において、正当な理由がなくてこれに応じない者があるときは、その者に対しては、これに応ずるまでの間、年金である給付の支払を差し止めることができる。

第二款 退職共済年金

（退職共済年金の受給権者）

第七十六条 組合員期間を有する者が次の各号のいずれかに該当するときは、その者に退職共済年金を支給する。

一 組合員期間等（組合員期間、組合員期間以外の国民年金法第五条第二項に規定する保険料納付済期間、同条第三項に規定する保険料免除期間及び同法附則第七条第一項に規定する合算対象期間を合算した期間をいう。以下同じ。）が二十五年以上である者が、退職した後に組合員となることなくして六十五歳に達したとき、又は六十五歳に達した日以後に退職したとき。

二 退職した後に六十五歳に達した者又は六十五歳に達した日以後に退職した者が、組合員となることなくして組合員期間等が二十五年以上である者となつたとき。

2 前項に定めるもののほか、組合員が、次の各号のいずれにも該当するに至つたときは、その者に退職共済年金を支給する。

一 六十五歳以上であること。

二 一年以上の組合員期間を有すること。

三 組合員期間等が二十五年以上であること。

（退職共済年金の額）

第七十七条 退職共済年金の額は、平均標準報酬額の千分の五・四八一に相当する金額に組合員期間の月数を乗じて得た金額とする。

2 一年以上の引き続く組合員期間を有する者に支給する退職共済年金の額は、前項の規定にかかわらず、同項の規定により算定した金額に次の各号に掲げる者の区分に応じ、それぞれ当該各号に定める金額を加算した金額とする。

一 組合員期間が二十年以上である者 平均標準報酬額の千分の一・〇九六に相当する金額に組合員期間の月数を乗じて得た金額

二 組合員期間が二十年未満である者 平均標準報酬額の千分の〇・五四八に相当する金額に組合員期間の月数を乗じて得た金額

3 退職共済年金の額については、当該退職共済年金の受給権者がその権利を取得した日の翌日の属する月以後における組合員期間は、その算定の基礎としない。

4 組合員である退職共済年金の受給権者が退職したとき（当該退職した日の翌日から起算して一月を経過するまでの間に再び組合員の資格を取得したときを除く。）は、前項の規定にかかわらず、当該退職した日の翌日の属する月の前月までの組合員期間を算定の基礎として、当該退職共済年金の額を改定する。

第七十八条 退職共済年金（その年金額の算定の基礎となる組合員期間が二十年以上であるものに限る。）の額は、当該退職共済年金の受給権者がその権利を取得した当時（退職共済年金を受ける権利を取得した当時、当該退職共済年金の額の算定の基礎となる組合員期間が二十年未満であつたときは、前条第四項の規定により当該退職共済年金の額が改定された場合において当該組合員期間が二十年以上となるに至つた当時。第三項において同じ。）その者によつて生計を維持していたその者の六十五歳未満の配偶者又は子（十八歳に達する日以後の最初の三月三十一日までの間にある子及び二十歳未満で第八十一条第二項に規定する障害等級（以下この条において「障害等級」という。）の一級若しくは二級に該当する障害の状態にある子に限る。）があるときは、前条の規定にかかわらず、同条の規定により算定した金額に加給年金額を加算した金額とする。

2 前項に規定する加給年金額は、同項に規定する配偶者については二十二万四千七百円に国民年金法第二十七条に規定する改定率（以下「改定率」という。）であつて同法第二十七条の三及び第二十七条の五の規定の適用がないものとして改定したもの（以下「賃金変動等改定率」という。）を乗じて得た金額（その金額に五十円未満の端数があるときは、これを切り捨て、五十円以上百円未満の端数があるときは、これを百円に切り上げるものとする。）とし、同項に規定する子については一人につき七万四千九百円に賃金変動等改定率を乗じて得た金額（そのうち二人までについては、それぞれ二十二万四千七百円に賃金変動等改定率を乗じて得た金額とし、これらの金額に五十円未満の端数があるときは、これを切り捨て、五十円以上百円未満の端数があるときは、これを百円に切り上げるものとする。）とする。

3 退職共済年金の受給権者がその権利を取得した当時胎児であつた子が出生したときは、第一項の規定の適用については、その子は、当該受給権者が退職共済年金を受ける権利を取得した当時その者によつて生計を維持していた子とみなして、退職共済年金の額を改定する。

4 第一項の規定により加給年金額が加算された退職共済年金については、同項に規定する配偶者又は子が次の各号のいずれかに該当するに至つたときは、同項の規定にかかわらず、その者は、同項に規定する配偶者又は子に該当しないものとして、当該退職共済年金の額を改定する。

一 死亡したとき。

二 退職共済年金の受給権者によつて生計を維持されている状態でなくなつたとき。

三 配偶者が、離婚又は婚姻の取消しをしたとき。

四 配偶者が、六十五歳に達したとき。

五 子が、養子縁組によつて退職共済年金の受給権者の配偶者以外の者の養子となつたとき。
六　養子縁組による子が、離縁をしたとき。
七　子が、婚姻をしたとき。
八　子（障害等級の一級又は二級に該当する障害の状態にある子を除く。）について、十八歳に達した日以後の最初の三月三十一日が終了したとき。
九　障害等級の一級又は二級に該当する障害の状態にある子（十八歳に達する日以後の最初の三月三十一日までの間にある子を除く。）について、その事情がなくなつたとき。
十　障害等級の一級又は二級に該当する障害の状態にある子が、二十歳に達したとき。

5　第一項、第三項又は前項の規定の適用上、退職共済年金の受給権者によつて生計を維持することの認定に関し必要な事項は、政令で定める。

（支給の繰下げ）

第七十八条の二　退職共済年金の受給権者であつてその受給権を取得した日から起算して一年を経過した日（以下この条において「一年を経過した日」という。）前に当該退職共済年金を請求していなかつたものは、連合会に当該退職共済年金の支給繰下げの申出をすることができる。ただし、その者が当該退職共済年金の受給権を取得したときに、他の年金である給付（障害共済年金若しくは遺族共済年金、地方公務員等共済組合法による年金である給付（退職を給付事由とする年金である給付を除く。）、私立学校教職員共済法による年金である給付（退職を給付事由とする年金である給付を除く。）、厚生年金保険法による年金である保険給付（老齢を給付事由とする年金である保険給付を除く。）又は国民年金法による年金である給付（老齢を給付事由とする年金である給付及び障害を給付事由とする年金である給付を除く。）をいう。以下この条において同じ。）の受給権者であつたとき、又は当該退職共済年金の受給権を取得した日から一年を経過した日までの間において他の年金である給付の受給権者となつたときは、この限りでない。

2　一年を経過した日後に次の各号に掲げる者が前項の申出をしたときは、それぞれ当該各号に定める日において、同項の申出があつたものとみなす。

一　退職共済年金の受給権を取得した日から起算して五年を経過した日（次号において「五年を経過した日」という。）前に他の年金である給付の受給権者となつた者　他の年金である給付を支給すべき事由が生じた日
二　五年を経過した日後にある者（前号に該当する者を除く。）　五年を経過した日

3　第一項の申出をした者に対する退職共済年金は、第七十三条第一項の規定にかかわらず、当該申出のあつた月の翌月から支給するものとする。

4　第一項の申出をした者に支給する退職共済年金の額は、第七十七条第一項及び第二項並びに前条の規定にかかわらず、これらの規定により算定した金額に、退職共済年金の受給権を取得した日の属する月の前月までの組合員期間を基礎として第七十七条第一項及び第二項の規定の例により算定した金額並びに次条第二項の規定の例により算定したその支給の停止を行わないものとされた金額又は第八十条第一項の規定の例により支給を停止するものとされた金額を勘案して政令で定める額を加算した金額とする。

（組合員である間の退職共済年金の支給の停止等）

第七十九条　退職共済年金の受給権者が組合員であるときは、組合員である間、退職共済年金の支給を停止する。

2　前項の規定にかかわらず、退職共済年金の受給権者が組合員である間において次の各号に掲げる場合に該当する期間があるときは、その期間については、退職共済年金の額のうち、当該各号に定める金額に相当する部分、第七十八条第一項に規定する加給年金額に相当する部分及び前条第四項の規定により加算される金額に相当する部分に限り、支給の停止は、行わない。

一　その者の組合員である日の属する月における標準報酬の月額とその月以前の一年間の標準期末手当等の額の総額を十二で除して得た額とを合算して得た額（以下この項及び第八十七条第二項において「総報酬月額相当額」という。）と当該退職共済年金の額（退職共済年金の職域加算額、第七十八条第一項に規定する加給年金額及び前条第四項の規定により加算される金額を除く。以下この項において「在職中支給基本額」という。）を十二で除して得た金額（以下この項において「基本月額」という。）との合計額が停止解除調整開始額以下である場合　在職中支給基本額に相当する金額
二　その者の総報酬月額相当額と基本月額との合計額が停止解除調整開始額を超え、かつ、次のイから二までに掲げる場合の区分に応じそれぞれイから二までに定める金額に十二を乗じて得た金額が在職中支給基本額に満たない場合　在職中支給基本額に相当する金額から、次のイから二までに掲げる場合の区分に応じ、それぞれイから二までに定める金額に十二を乗じて得た金額を控除して得た金額
イ　基本月額が停止解除調整開始額以下であり、かつ、その者の総報酬月額相当額が停止解除調整変更額以下である場合　その者の総報酬月額相当額と基本月額との合計額から停止解除調整開始額を控除して得た金額の二分の一に相当する金額
ロ　基本月額が停止解除調整開始額以下であり、かつ、その者の総報酬月額相当額が停止解除調整変更額を超える場合　停止解除調整変更額と基本月額との合計額から停止解除調整開始額を控除して得た金額の二分の一に相当する金額にその者の総報酬月額相当額から停止解除調整変更額を控除して得た金額を加えた金額
ハ　基本月額が停止解除調整開始額を超え、かつ、その者の総報酬月額相当額が停止解除調整変更額以下である場合　その者の総報酬月額相当額の二分の一に相当する金額
ニ　基本月額が停止解除調整開始額を超え、かつ、その者の総報酬月額相当額が停止解除調整変更額を超える場合　その者の総報酬月額相当額から停止解除調整変更額の二分の一に相当する金額を控除して得た金額

3　前項の停止解除調整開始額は、二十八万円とする。ただし、二十八万円に平成十七年度以後の各年度の再評価率の改定の基準となる率であつて政令で定める率をそれぞれ乗じて得た金額（その金額に五千円未満の端数があるときは、これを切り捨て、五千円以上一万円未満の端数があるときは、これを一万円に切り上げるものとする。以下この項において同じ。）が二十八万円（この項の規定による停止解除調整開始額の改定の措置が講じられたときは、直近の当該措置により改定した金額）を

超え、又は下るに至つた場合においては、当該年度の四月分以後の停止解除調整開始額を当該乗じて得た金額に改定する。

4　第二項の停止解除調整変更額は、四十八万円とする。ただし、四十八万円に平成十七年度以後の各年度の物価変動率に第七十二条の三第一項第二号に掲げる率を乗じて得た率をそれぞれ乗じて得た金額（その金額に五千円未満の端数があるときは、これを切り捨て、五千円以上一万円未満の端数があるときは、これを一万円に切り上げるものとする。以下この項において同じ。）が四十八万円（この項の規定による停止解除調整変更額の改定の措置が講じられたときは、直近の当該措置により改定した金額）を超え、又は下るに至つた場合においては、当該年度の四月分以後の停止解除調整変更額を当該乗じて得た金額に改定する。

5　第三項ただし書の規定による停止解除調整開始額の改定の措置及び前項ただし書の規定による停止解除調整変更額の改定の措置は、政令で定める。

6　第七十八条第一項の規定により加給年金額が加算された退職共済年金については、同項の規定によりその者について加算が行われている配偶者が、退職共済年金（その年金額の算定の基礎となる組合員期間が二十年以上であるものに限るものとし、その全額につき支給を停止されているものを除く。）若しくは障害共済年金（その全額につき支給を停止されているものを除く。）の支給を受けることができるとき、又は地方公務員等共済組合法による年金である給付、私立学校教職員共済法による年金である給付、厚生年金保険法による年金である保険給付、国民年金法による障害基礎年金その他の年金である給付のうち、退職、老齢若しくは障害を給付事由とする給付であつて政令で定めるものの支給を受けることができるときは、その間、同項の規定により当該配偶者について加算する金額に相当する部分の支給を停止する。

7　第七十八条第一項の規定により加給年金額が加算された退職共済年金については、当該退職共済年金の受給権者が国民年金法第三十三条の二第一項の規定により加算が行われた障害基礎年金又は厚生年金保険法第四十四条第一項の規定により同項に規定する加給年金額が加算された老齢厚生年金の支給を受けることができるときは、その間、第七十八条第一項の規定により加算する金額に相当する部分の支給を停止する。

（厚生年金保険の被保険者等である間の退職共済年金の支給の停止）

第八十条　退職共済年金の受給権者が厚生年金保険の被保険者（国民年金法等の一部を改正する法律（昭和六十年法律第三十四号）附則第五条第十三号に規定する第四種被保険者を除く。）若しくは厚生年金保険法附則第六条の二の規定により読み替えられた同法第二十七条に規定する七十歳以上の使用される者、私学共済制度の加入者で長期給付に相当する給付に関する規定の適用を受けるもの若しくは私立学校教職員共済法第二十五条の三第一項に規定する特定教職員等又は国会議員若しくは地方公共団体の議会の議員（第四項及び第八十七条の二において「厚生年金保険の被保険者等」という。）である場合において、その者の前条第二項第一号に規定する総報酬月額相当額に相当する額として政令で定める額（以下この条及び第八十七条の二において「総収入月額相当額」という。）と退職共済年金の額（退職共済年金の職域加算額、第七十八条第一項に規定する加給年金額及び第七十八条の二第四項の規定により加算される金額を除く。以下この項において同じ。）を十二で除して得た額（以下この項において「基本月額」という。）との合計額が支給停止調整額を超えるときは、当該退職共済年金の額のうち、総収入月額相当額と基本月額との合計額から支給停止調整額を控除して得た額の二分の一に相当する額に十二を乗じて得た金額（以下この項において「支給停止額」という。）に相当する金額の支給を停止する。ただし、支給停止額が当該退職共済年金の額を超える場合には、その支給を停止する金額は、当該退職共済年金の額に相当する金額を限度とする。

2　前項の支給停止調整額は、四十八万円とする。ただし、四十八万円に平成十七年度以後の各年度の物価変動率に第七十二条の三第一項第二号に掲げる率を乗じて得た率をそれぞれ乗じて得た金額（その金額に五千円未満の端数があるときは、これを切り捨て、五千円以上一万円未満の端数があるときは、これを一万円に切り上げるものとする。以下この項において同じ。）が四十八万円（この項の規定による支給停止調整額の改定の措置が講じられたときは、直近の当該措置により改定した金額）を超え、又は下るに至つた場合においては、当該年度の四月分以後の支給停止調整額を当該乗じて得た金額に改定する。

3　前項ただし書の規定による支給停止調整額の改定の措置は、政令で定める。

4　連合会は、第一項の規定による退職共済年金の支給の停止を行うため必要があると認めるときは、衆議院議長、参議院議長、厚生労働大臣、地方の組合若しくは地方公共団体の議会の議長又は日本私立学校振興・共済事業団（第八十七条の二第二項において「年金保険者等」という。）に対し、第一項の規定による退職共済年金の支給の停止が行われる厚生年金保険の被保険者等の総収入月額相当額に関して必要な資料の提供を求めることができる。

5　前各項に定めるもののほか、第一項の規定による退職共済年金の支給の停止に関し必要な事項は、政令で定める。

（退職共済年金の失権）

第八十条の二　退職共済年金を受ける権利は、その受給権者が死亡したときは、消滅する。

第三款　障害共済年金及び障害一時金

（障害共済年金の受給権者）

第八十一条　病気にかかり、又は負傷した者で、その病気又は負傷に係る傷病について初めて医師又は歯科医師の診療を受けた日（以下「初診日」という。）において組合員であつたものが、当該初診日から起算して一年六月を経過した日（その期間内にその傷病が治つたとき、又はその症状が固定し治療の効果が期待できない状態に至つたときは、当該治つた日又は当該状態に至つた日。以下「障害認定日」という。）において、その傷病により次項に規定する障害等級に該当する程度の障害の状態にある場合には、その障害の程度に応じて、その者に障害共済年金を支給する。

2　障害等級は、障害の程度に応じて重度のものから一級、二級及び三級とし、各級の障害の状態は、政令で定める。

3　病気にかかり、又は負傷した者で、その病気又は負傷に係る傷病の初診日において組合員であつたもののうち、障害認定日において前項に規定する障害等級（以下「障害等級」という。）

に該当する程度の障害の状態になかつた者が、障害認定日後六十五歳に達する日の前日までの間において、その傷病により障害等級に該当する程度の障害の状態になつたときは、その者は、その期間内に第一項の障害共済年金の支給を請求することができる。

4　前項の請求があつたときは、第一項の規定にかかわらず、その請求をした者に同項の障害共済年金を支給する。

5　病気にかかり、又は負傷した者で、その病気又は負傷に係る傷病の初診日において組合員であつたもののうち、その傷病（以下この項において「基準傷病」という。）以外の傷病により障害の状態にある者が、基準傷病に係る障害認定日以後六十五歳に達する日の前日までの間において、初めて、基準傷病による障害（以下この項において「基準障害」という。）と他の障害とを併合して障害等級の一級又は二級に該当する程度の障害の状態になつたとき（基準傷病の初診日が、基準傷病以外の傷病（基準傷病以外の傷病が二以上ある場合は、基準傷病以外のすべての傷病）に係る初診日以後であるときに限る。）は、その者に基準障害と他の障害とを併合した障害の程度による障害共済年金を支給する。

6　前項の障害共済年金の支給は、第七十三条第一項の規定にかかわらず、当該障害共済年金の請求のあつた月の翌月から始めるものとする。

（障害共済年金の額）

第八十二条　障害共済年金の額は、第一号に掲げる金額に第二号に掲げる金額を加算した金額とする。この場合において、障害共済年金の給付事由となつた障害について国民年金法による障害基礎年金が支給されない者に支給する障害共済年金については、第一号に掲げる金額が同法第三十三条第一項に規定する障害基礎年金の額に相当する額に四分の三を乗じて得た金額（その金額に五十円未満の端数があるときは、これを切り捨て、五十円以上百円未満の端数があるときは、これを百円に切り上げるものとする。）より少ないときは、当該金額を同号に掲げる金額とする。

一　平均標準報酬額の千分の五・四八一に相当する金額に組合員期間の月数（当該月数が三百月未満であるときは、三百月）を乗じて得た金額（障害の程度が障害等級の一級に該当する者にあつては、当該金額の百分の百二十五に相当する金額）

二　平均標準報酬額の千分の一・〇九六に相当する金額に組合員期間の月数（当該月数が三百月未満であるときは、三百月）を乗じて得た金額（障害の程度が障害等級の一級に該当する者にあつては、当該金額の百分の百二十五に相当する金額）

2　前条第一項若しくは第三項の場合において障害共済年金の給付事由となつた障害が公務若しくは通勤による傷病（以下「公務等傷病」という。）によるものであるとき、又は同条第五項の場合において同項に規定する基準障害と他の障害がいずれも公務等傷病によるものであるときにおけるこれらの規定による障害共済年金（以下「公務等による障害共済年金」という。）の額の算定については、前項第二号に掲げる金額は、同号の規定にかかわらず、平均標準報酬額に十二を乗じて得た金額の百分の十四・六一五（障害の程度が障害等級の一級に該当する者にあつては、百分の二十一・九二三）に相当する金額（組合員期間の月数が三百月を超えるときは、当該金額にその超える月数一月につき平均標準報酬額の千分の一・〇九六（障害の程度が障害等級の一級に該当する者にあつては、千分の一・三七）に相当する金額を加えた金額）とする。

3　公務等による障害共済年金（第八十五条第二項（同条第三項において準用する場合を含む。）の規定の適用によりその額が算定される障害共済年金を含む。）の額が、その受給権者の公務等傷病による障害の程度が次の各号に掲げる障害等級のいずれの区分に属するかに応じ当該各号に定める金額に改定率を乗じて得た金額（その金額に五十円未満の端数があるときは、これを切り捨て、五十円以上百円未満の端数があるときは、これを百円に切り上げるものとする。）より少ないときは、当該金額を当該障害共済年金の額とする。

一　障害等級一級　四百十五万二千六百円

二　障害等級二級　二百五十六万四千八百円

三　障害等級三級　二百三十二万六百円

4　障害共済年金の額については、当該障害共済年金の給付事由となつた障害に係る障害認定日（前条第五項の規定による障害共済年金については同項に規定する基準傷病に係る障害認定日とし、第八十五条の規定により前後の障害を併合して支給される障害共済年金についてはそれぞれの障害に係る障害認定日（同項に規定する障害については、同項に規定する基準障害に係る障害認定日）のうちいずれか遅い日とする。）の属する月後における組合員期間は、その算定の基礎としない。

第八十三条　障害の程度が障害等級の一級又は二級に該当する者に支給する障害共済年金の額は、当該障害共済年金の受給権者によつて生計を維持しているその者の六十五歳未満の配偶者があるときは、前条の規定にかかわらず、同条の規定により算定した金額に加給年金額を加算した金額とする。

2　前項の規定の適用上、障害共済年金の受給権者によつて生計を維持することの認定に関し必要な事項は、政令で定める。

3　第一項に規定する加給年金額は、二十二万四千七百円に賃金変動等改定率を乗じて得た金額（その金額に五十円未満の端数があるときは、これを切り捨て、五十円以上百円未満の端数があるときは、これを百円に切り上げるものとする。）とする。

4　障害共済年金の受給権者がその権利を取得した日の翌日以後にその者によつて生計を維持しているその者の六十五歳未満の配偶者を有するに至つたことにより第一項に規定する加給年金額を加算することとなつたときは、障害共済年金の額を改定する。

5　第七十八条第四項（第五号から第十号までを除く。）の規定は、第一項の規定により加給年金額が加算された障害共済年金について準用する。

（障害の程度が変わつた場合の障害共済年金の額の改定）

第八十四条　障害共済年金の受給権者の障害の程度が減退したとき、又は当該障害の程度が増進した場合においてその者の請求があつたときは、その減退し、又は増進した後における障害の程度に応じて、その障害共済年金の額を改定する。

2　障害共済年金（その権利を取得した当時から引き続き障害等級の一級又は二級に該当しない程度の障害の状態にある受給権者に係るものを除く。）の受給権者であつて、病気にかかり、又は負傷し、かつ、その病気又は負傷に係る傷病（当該障害共済年金の給付事由となつた障害に係る傷病の初診日後に初診日があるものに限る。以下この項及び第八十七条第四項ただし書において同じ。）の初診日において組合員であつたものが、当該傷病により障害（障害等級の一級又は二級に該当しない程度のものに限る。以下この項、第八十六条第二項及び第八十七条第四項ただし書において「その他障害」という。）の状態にあり、かつ、当該傷病に係る障害認定日以後六十五歳に達する日の前日までの間において、当該障害共済年金の給付事由となつた障害とその他障害（その他障害が二以上ある場合は、すべてのその他障害を併合した障害）とを併合した障害の程度が当該障害共済年金の給付事由となつた障害の程度より増進した場合においてその期間内にその者の請求があつたときは、その増進した後における障害の程度に応じて、その障害共済年金の額を改定する。

3　第一項の規定は、障害共済年金（障害等級の三級に該当する程度の障害の状態にある場合に限る。）の受給権者（当該障害共済年金の給付事由となつた障害について国民年金法による障害基礎年金が支給されない者に限る。）であつて、かつ、六十五歳以上の者については、適用しない。

（二以上の障害がある場合の取扱い）

第八十五条　障害共済年金（その権利を取得した当時から引き続き障害等級の一級又は二級に該当しない程度の障害の状態にある受給権者に係るものを除く。以下この条及び次条において同じ。）の受給権者に対して更に障害共済年金を支給すべき事由が生じたときは、前後の障害を併合した障害の程度を第八十一条に規定する障害の程度として同条の規定を適用する。

2　公務等による障害共済年金の受給権者に対して更に公務等によらない障害共済年金（障害共済年金のうち、公務等による障害共済年金以外の障害共済年金をいう。以下同じ。）を支給すべき事由が生じた場合又は公務等によらない障害共済年金の受給権者に対して更に公務等による障害共済年金を支給すべき事由が生じた場合における前項の規定により支給する前後の障害を併合した障害の程度による障害共済年金の額の算定については、第八十二条第一項第二号に掲げる金額は、同号及び同条第二項の規定にかかわらず、次の各号に掲げる金額の合算額とする。

一　その者の公務等傷病による障害について算定されるべき第八十二条第二項の金額

二　その者の公務等傷病による障害を公務等傷病によらないものとみなし、他の公務等傷病によらない障害と併合した障害の程度に応じ算定した第八十二条第一項第二号に掲げる金額から当該公務等傷病による障害が公務等傷病によらないものであるとしたならば当該障害について算定されるべき同号に掲げる金額を控除した金額

3　前項の規定は、同項の規定の適用によりその額が算定された障害共済年金の受給権者に対して更に公務等による障害共済年金又は公務等によらない障害共済年金を支給すべき事由が生じた場合について準用する。

4　障害共済年金の受給権者が第一項の規定により前後の障害を併合した障害の程度による障害共済年金を受ける権利を取得したときは、従前の障害共済年金を受ける権利は、消滅する。

5　第一項の規定による障害共済年金の額が前項の規定により消滅した障害共済年金の額に満たないときは、第二項（第三項において準用する場合を含む。）並びに第八十二条第一項及び第二項の規定にかかわらず、従前の障害共済年金の額に相当する額をもつて、第一項の規定による障害共済年金の額とする。

6　第一項の規定により前後の障害を併合して支給される障害共済年金の受給権者が、当該併合したいずれかの障害を給付事由とした国民年金法による障害基礎年金を受けることができることにより当該障害共済年金の支給が停止される場合においては、同項の規定にかかわらず、当該障害基礎年金の給付事由となつた障害とその他の障害とは併合しないことができる。この場合において、当該障害基礎年金と同一の給付事由により支給される障害共済年金の額の特例その他当該障害共済年金に関し必要な事項は、政令で定める。

第八十六条　障害共済年金の受給権者（当該障害共済年金の給付事由となつた障害について国民年金法による障害基礎年金が支給されない者を除く。次項において同じ。）が、同法による障害基礎年金（当該障害共済年金と同一の給付事由に基づいて支給されるものを除く。）を受ける権利を有するに至つたとき（当該障害基礎年金の給付事由となつた障害が前条第一項に規定する更に障害共済年金を支給すべき事由であるときを除く。）は、当該障害共済年金の給付事由となつた障害と当該障害基礎年金の給付事由となつた障害とを併合した障害の程度に応じて、当該障害共済年金の額を改定する。

2　障害共済年金の受給権者について、国民年金法第三十四条第四項の規定により併合された障害の程度が当該障害基礎年金の給付事由となつた障害の程度より増進したとき（当該併合された障害に係る同項に規定するその他障害が第八十四条第二項の規定による障害共済年金の額の改定の事由となつたその他障害に該当するものであるときを除く。）は、同法第三十四条第四項の規定により併合された障害の程度に応じて、当該障害共済年金の額を改定する。

（組合員である間の障害共済年金の支給の停止等）

第八十七条　障害共済年金の受給権者が組合員であるときは、組合員である間、障害共済年金の支給を停止する。

2　前項の規定にかかわらず、障害共済年金の受給権者が組合員である間において次の各号に掲げる場合に該当する期間があるときは、その期間については、障害共済年金の額のうち、当該各号に定める金額に相当する部分及び第八十三条第一項に規定する加給年金額に相当する部分に限り、支給の停止は、行わない。

一　その者の総報酬月額相当額と当該障害共済年金の額（障害共済年金の職域加算額及び第八十三条第一項に規定する加給年金額を除く。以下この項において「在職中支給基本額」という。）を十二で除して得た金額（以下この項において「基本月額」という。）との合計額が第七十九条第三項に規定する停止解除調整開始額（以下この項において「停止解除調整開始額」という。）以下である場合　在職中支給基本額に相当する金額

二　その者の総報酬月額相当額と基本月額との合計額が停止解除調整開始額を超え、かつ、次のイからニまでに掲げる場合の区分に応じそれぞれイからニまでに定める金額に十二を乗じて得た金額が在職中支給基本額に満たない場合　在職中支給基本額に相当する金額から、次のイからニまでに掲げる場合の区分に応じ、それぞれイからニまでに定める金額に十二を乗じて得た金額を控除して得た金額

イ　基本月額が停止解除調整開始額以下であり、かつ、その者の総報酬月額相当額が第七十九条第四項に規定する停止解除調整変更額（以下この項において「停止解除調整変更額」という。）以下である場合　その者の総報酬月額相当額と基本月額との合計額から停止解除調整開始額を控除して得た金額の二分の一に相当する金額

ロ　基本月額が停止解除調整開始額以下であり、かつ、その者の総報酬月額相当額が停止解除調整変更額を超える場合　停止解除調整変更額と基本月額との合計額から停止解除調整開始額を控除して得た金額の二分の一に相当する金額にその者の総報酬月額相当額から停止解除調整変更額を控除して得た金額を加えた金額

ハ　基本月額が停止解除調整開始額を超え、かつ、その者の総報酬月額相当額が停止解除調整変更額以下である場合　その者の総報酬月額相当額の二分の一に相当する金額

ニ　基本月額が停止解除調整開始額を超え、かつ、その者の総報酬月額相当額が停止解除調整変更額を超える場合　その者の総報酬月額相当額から停止解除調整変更額の二分の一に相当する金額を控除して得た金額

3　第七十九条第六項の規定は、第八十三条第一項の規定により加給年金額が加算された障害共済年金について準用する。この場合において、第七十九条第六項中「前条第一項」とあるのは、「第八十三条第一項」と読み替えるものとする。

4　障害共済年金の受給権者の障害の程度が障害等級に該当しなくなつたときは、その該当しない間、障害共済年金の支給を停止する。ただし、その支給を停止された障害共済年金（その権利を取得した当時から引き続き障害等級の一級又は二級に該当しない程度の障害の状態にある受給権者に係るものを除く。）の受給権者が病気にかかり、又は負傷し、かつ、その病気又は負傷に係る傷病の初診日において組合員であつた場合であつて、当該傷病によりその他障害の状態にあり、かつ、当該傷病に係る障害認定日以後六十五歳に達する日の前日までの間において、当該障害共済年金の給付事由となつた障害とその他障害（その他障害が二以上ある場合は、すべてのその他障害を併合した障害）とを併合した障害の程度が、障害等級の一級又は二級に該当するに至つたときは、この限りでない。

（厚生年金保険の被保険者等である間の障害共済年金の支給の停止）

第八十七条の二　障害共済年金の受給権者が厚生年金保険の被保険者等である場合において、その者の総収入月額相当額と障害共済年金の額（障害共済年金の職域加算額及び第八十三条第一項に規定する加給年金額を除く。以下この項において同じ。）を十二で除して得た額（以下この項において「基本月額」という。）との合計額が第八十条第二項に規定する支給停止調整額（以下この項において「支給停止調整額」という。）を超えるときは、当該障害共済年金の額のうち、総収入月額相当額と基本月額との合計額から支給停止調整額を控除して得た額の二分の一に相当する額に十二を乗じて得た金額（以下この項において「支給停止額」という。）に相当する金額の支給を停止する。ただし、支給停止額が当該障害共済年金の額を超える場合には、その支給を停止する金額は、当該障害共済年金の額に相当する金額を限度とする。

2　連合会は、前項の規定による障害共済年金の支給の停止を行うため必要があると認めるときは、年金保険者等に対し、同項の規定による障害共済年金の支給の停止が行われる厚生年金保険の被保険者等の総収入月額相当額に関して必要な資料の提供を求めることができる。

3　前二項に定めるもののほか、第一項の規定による障害共済年金の支給の停止に関し必要な事項は、政令で定める。

（障害共済年金の失権）

第八十七条の三　障害共済年金を受ける権利は、第八十五条第四項の規定によつて消滅するほか、障害共済年金の受給権者が次の各号のいずれかに該当するに至つたときは、消滅する。

一　死亡したとき。

二　障害等級に該当する程度の障害の状態にない者が六十五歳に達したとき。ただし、六十五歳に達した日において、障害等級に該当する程度の障害の状態に該当しなくなつた日から起算して障害等級に該当することなく三年を経過していないときを除く。

三　障害等級に該当する程度の障害の状態に該当しなくなつた日から起算して障害等級に該当することなく三年を経過したとき。ただし、三年を経過した日において、当該受給権者が六十五歳未満であるときを除く。

（障害共済年金と傷病補償年金等との調整）

第八十七条の四　公務等による障害共済年金（第八十五条第二項（同条第三項において準用する場合を含む。以下この条において同じ。）の規定の適用によりその額が算定される障害共済年金を含む。）については、国家公務員災害補償法の規定による傷病補償年金若しくは障害補償年金又はこれらに相当する補償が支給されることとなつたときは、これらが支給される間、その額のうち、その算定の基礎となつた平均標準報酬額に十二を乗じて得た金額の百分の十四・六一五（その受給権者の公務等傷病による障害の程度が障害等級の一級に該当する場合にあつては、百分の二十一・九二三）に相当する金額（第八十五条第二項の規定によりその額が算定される障害共済年金のうち政令で定める場合に該当するものにあつては、当該金額に政令で定める金額を加えた金額に相当する金額）の支給を停止する。

（障害一時金の受給権者）

第八十七条の五　公務によらないで病気にかかり、又は負傷した者で、その病気又は負傷に係る傷病の初診日において組合員であつたものが退職した場合において、その退職の日（療養の給付若しくは保険外併用療養費、療養費若しくは訪問看護療養費の支給若しくは高齢者の医療の確保に関する法律の規定による療養の給付若しくは保険外併用療養費、医療費若しくは訪問看護療養費の支給又は介護保険法の規定による居宅介護サービス費、特例居宅介護サービス費、地域密着型介護サービス費、特例地域密着型介護サービス費、施設介護サービス費、特例施設介護サービス費、介護予防サービス費若しくは特例介護予防サービス費の支給の開始後五年を経過しない組合員がその資格を喪失した後継続してこれらの給付を受けている場合においては、これらの給付の支給開始後五年を経過するまでの間にその傷病が治つた日又はその症状が固定し治療の効果が期待できない状態に至つた日。次条において同じ。）に、その傷病の結果として、政令で定める程度の障害の状態にあるときは、その者に障害一時金を支給する。

2　同時に二以上の障害があるときは、前項の傷病によらないものを除き、これらの障害を併合した障害の状態を同項に規定する障害の状態として、同項の規定を適用する。

第八十七条の六　前条の場合において、退職の日に次の各号のいずれかに該当する者には、同条の規定にかかわらず、障害一時金を支給しない。

一　この法律による年金である給付の受給権者（最後に障害等級に該当する程度の障害の状態（以下この条において「障害状態」という。）に該当しなくなつた日から起算して障害状態に該当することなく三年を経過した障害共済年金の受給権者（現に障害状態に該当しない者に限る。）を除く。）

二　国民年金法による年金である給付、厚生年金保険法による年金である保険給付その他の年金である給付で政令で定めるものの受給権者（最後に障害状態に該当しなくなつた日から起算して障害状態に該当することなく三年を経過した国民年金法による障害基礎年金の受給権者又は厚生年金保険法による障害厚生年金の受給権者（いずれも現に障害状態に該当しない者に限る。）その他の政令で定める者を除く。）

三　当該傷病について国家公務員災害補償法の規定による通勤による災害に係る障害補償又はこれに相当する補償を受ける権利を有する者

（障害一時金の額）

第八十七条の七　障害一時金の額は、第一号に掲げる金額に第二号に掲げる金額を加算して得た金額の百分の二百に相当する金額とする。この場合において、第一号に掲げる金額が国民年金法第三十三条第一項に規定する障害基礎年金の額に相当する額に四分の三を乗じて得た金額（その金額に五十円未満の端数があるときは、これを切り捨て、五十円以上百円未満の端数があるときは、これを百円に切り上げるものとする。）より少ないときは、当該金額を同号に掲げる金額とする。

一　平均標準報酬額の千分の五・四八一に相当する金額に組合員期間の月数（当該月数が三百月未満であるときは、三百月）を乗じて得た金額

二　平均標準報酬額の千分の一・〇九六に相当する金額に組合員期間の月数（当該月数が三百月未満であるときは、三百月）を乗じて得た金額

第四款　遺族共済年金

（遺族共済年金の受給権者）

第八十八条　組合員又は組合員であつた者が次の各号のいずれかに該当するときは、その者の遺族に遺族共済年金を支給する。

一　組合員（失踪の宣告を受けた組合員であつた者であつて、行方不明となつた当時組合員であつた者を含む。）が、死亡したとき。

二　組合員であつた者が、退職後に、組合員であつた間に初診日がある傷病により当該初診日から起算して五年を経過する日前に死亡したとき。

三　障害等級の一級又は二級に該当する障害の状態にある障害共済年金の受給権者が、死亡したとき。

四　退職共済年金の受給権者又は組合員期間等が二十五年以上である者が、死亡したとき。

2　前項の場合において、死亡した組合員又は組合員であつた者が同項第一号から第三号までのいずれかに該当し、かつ、同項第四号にも該当するときは、その遺族が遺族共済年金を請求したときに別段の申出をした場合を除き、同項第一号から第三号までのいずれかのみに該当するものとし、同項第四号には該当しないものとする。

（遺族共済年金の額）

第八十九条　遺族共済年金（次項の規定が適用される場合を除く。）の額は、次の各号に掲げる区分に応じ、当該各号に定める金額とする。ただし、遺族共済年金の受給権者が当該遺族共済年金と同一の給付事由に基づく国民年金法による遺族基礎年金の支給を受けるときは、第一号に定める金額とする。

一　遺族（次号に掲げる遺族を除く。）が遺族共済年金の支給を受けることとなるとき　次のイ又はロに掲げる年金の区分に応じ、当該イ又はロに定める金額

イ　前条第一項第一号から第三号までのいずれかに該当することにより支給されるもの　次の(1)に掲げる金額に(2)に掲げる金額を加算して得た金額

(1)　平均標準報酬額の千分の五・四八一に相当する金額に組合員期間の月数（当該月数が三百月未満であるときは、三百月）を乗じて得た金額の四分の三に相当する金額

(2)　平均標準報酬額の千分の一・〇九六に相当する金額に組合員期間の月数（当該月数が三百月未満であるときは、三百月）を乗じて得た金額の四分の三に相当する金額

ロ　前条第一項第四号に該当することにより支給されるもの　次の(1)に掲げる金額に(2)に掲げる金額を加算した金額

(1)　平均標準報酬額の千分の五・四八一に相当する金額に組合員期間の月数を乗じて得た金額の四分の三に相当する金額

(2)　次の(i)又は(ii)に掲げる者の区分に応じ、それぞれ(i)又は(ii)に定める金額の四分の三に相当する金額

(i)　組合員期間が二十年以上である者　平均標準報酬額の千分の一・〇九六に相当する金額に組合員期間の月数を乗じて得た金額

(ii)　組合員期間が二十年未満である者　平均標準報酬額の千分の〇・五四八に相当する金額に組合員期間の月数を乗じて得た金額

二　遺族のうち、退職共済年金その他の退職又は老齢を給付事由とする年金である給付であつて政令で定めるもの（以下この条、次条及び第九十一条の二において「退職共済年金等」という。）のいずれかの受給権を有する六十五歳に達している配偶者が遺族共済年金の支給を受けることとなるとき　前号に定める金額又は次のイ及びロに掲げる額を合算した金額のうちいずれか多い金額

イ　次の(1)又は(2)に掲げる場合の区分に応じ、それぞれ(1)又は(2)に定める額

(1)　当該遺族が退職共済年金又は地方公務員等共済組合法による年金である給付で退職共済年金に相当するものの受給権を有している場合　前号に定める金額の三分の二に相当する額

(2)　当該遺族が(1)に掲げる年金である給付の受給権を有していない場合　前号に定める金額から政令で定める額を控除した金額の三分の二に相当する金額に当該政令で定

める額を加算した額

ロ　当該遺族共済年金の受給権者の退職共済年金等の額の合計額（第七十八条第一項の規定又は他の法令の規定で同項の規定に相当するものとして政令で定めるものにより加給年金額が加算された退職共済年金等にあつては、これらの規定を適用しない額とする。以下同じ。）に相当する額から政令で定める額を控除した額の二分の一に相当する額に政令で定める額を加算した額

2　遺族共済年金（前条第一項第四号に該当することにより支給されるものであり、かつ、その受給権者（六十五歳に達している者であつて退職共済年金等のいずれかの受給権を有する配偶者に限る。）が当該遺族共済年金と同一の給付事由に基づいて支給される年金である給付であつて政令で定めるものの受給権を有する場合に限る。）の額は、次の各号に掲げる区分に応じ、当該各号に定める金額とする。

一　イに掲げる金額がロに掲げる金額以上であるとき　前項第一号ロに定める金額

イ　前項第一号ロの規定の例により算定した金額に、厚生年金保険法、私立学校教職員共済法その他の法令の規定であつて政令で定めるものの例により算定した金額を合算した金額（以下この項において「合算遺族給付額」という。）

ロ　合算遺族給付額から政令で定める額を控除した額の三分の二に相当する金額、当該遺族共済年金の受給権者の退職共済年金等の額の合計額から政令で定める額を控除した額の二分の一に相当する金額及び政令で定める額を加算した金額

二　前号イに掲げる金額が同号ロに掲げる金額に満たないとき　イに掲げる金額にロに掲げる比率を乗じて得た金額に、政令で定める額を加算した金額

イ　前号ロに掲げる金額から政令で定める額を控除した金額

ロ　合算遺族給付額から政令で定める額を控除した金額に対する前項第一号ロ(1)に掲げる金額の比率

3　組合員が公務等傷病により組合員である間又は退職した後に死亡した場合における遺族共済年金（以下「公務等による遺族共済年金」という。）の額を算定する場合における前二項の規定の適用については、第一項第一号イ(2)中「千分の一・〇九六」とあるのは「千分の二・四六六」と、「乗じて得た金額の四分の三に相当する金額」とあるのは「乗じて得た金額」と、同号ロ(2)中「次の(i)又は(ii)に掲げる者の区分に応じ、それぞれ(i)又は(ii)に定める金額の四分の三に相当する金額」とあるのは「(i)に定める金額」と、「組合員期間が二十年以上である者」とあるのは「第三項に規定する公務等による遺族共済年金の受給権者」と、「千分の一・〇九六」とあるのは「千分の二・四六六」と、「月数」とあるのは「月数（当該月数が三百月未満であるときは、三百月）」とする。

4　遺族共済年金が公務等による遺族共済年金である場合における第一項第一号に定める金額又は第二項第一号イに掲げる第一項第一号ロの規定の例により算定した金額が百三万八千百円に改定率を乗じて得た金額（その金額に五十円未満の端数があるときは、これを切り捨て、五十円以上百円未満の端数があるときは、これを百円に切り上げるものとする。）より少ないときは、当該金額をこれらの規定による金額とする。

5　第四十三条の規定により給付を受けるべき遺族（配偶者を除く。）に同順位者が二人以上ある場合における遺族共済年金の額は、第一項第一号及び前二項の規定にかかわらず、当該遺族ごとにこれらの規定を適用することとしたならば算定されることとなる遺族共済年金の額に相当する金額を、それぞれ当該遺族の数で除して得た金額の合計額とする。

6　前各項に定めるもののほか、遺族共済年金の額の算定について必要な事項は、政令で定める。

第八十九条の二　前条第一項第一号の規定によりその額が算定される遺族共済年金（配偶者に対するものに限る。）の受給権者が六十五歳に達した日以後に退職共済年金等のいずれかの受給権を取得した日において、同項第二号イ及びロに掲げる額を合算した金額が同項第一号に定める金額を上回るとき、又は同条第二項第一号ロに掲げる金額が同号イに定める金額を上回るときは、それぞれ同条第一項第二号イ及びロに掲げる額を合算した金額又は同条第二項第二号に定める金額に、当該遺族共済年金の額を改定する。

2　前条第一項第二号又は同条第二項の規定によりその額が算定される遺族共済年金は、その額の算定の基礎となる退職共済年金等の額が第七十七条第四項又は他の法令の規定でこれに相当するものとして政令で定めるものにより改定されたときは、第七十三条第三項の規定にかかわらず、当該退職共済年金等の額が改定された月から当該遺族共済年金の額を改定する。ただし、前条第一項第一号に定める金額又は同条第二項第一号イの規定により算定される金額が、それぞれ当該改定後の退職共済年金等の額を基礎として算定した同条第一項第二号イ及びロに掲げる額を合算した金額又は同条第二項第一号ロに掲げる金額以上であるときは、この限りでない。

3　遺族共済年金が公務等による遺族共済年金である場合における前二項の規定の適用については、第一項中「前条第一項第一号」とあるのは「前条第三項の規定の適用後の同条第一項第一号」と、「遺族共済年金（」とあるのは「遺族共済年金（同条第四項の規定の適用があるものを含み、」と、「同項第二号イ」とあるのは「同条第三項の規定の適用後の同条第一項第二号イ」と、「が同項第一号に定める金額」とあるのは「（同条第四項の規定の適用があつたときは、同項の規定の適用後の金額とする。）が同条第三項の規定の適用後の同条第一項第一号の規定により算定される金額（同条第四項の規定の適用があつたときは、同項の規定の適用後の金額とする。）」と、「金額に」とあるのは「金額（同条第四項の規定の適用があつたときは、同項の規定の適用後の金額とする。）に」と、前項中「前条第一項第二号」とあるのは「前条第三項の規定の適用後の同条第一項第二号」と、「遺族共済年金は」とあるのは「遺族共済年金（同条第四項の規定の適用があるものを含む。）は」と、「前条第一項第一号」とあるのは「前条第三項の規定の適用後の同条第一項第一号」と、「算定される金額」とあるのは「算定される金額（同条第四項の規定の適用があつたときは、同項の規定の適用後の金額とする。）」と、「同条第一項第二号イ」とあるのは「同条第三項の規定の適用後の同条第一項第二号イ」と、「掲げる金額」とあるのは「掲げる金額（同条第四項の規定の適用があつたときは、同項の規定の適用後の金額とする。）」とする。

第九十条　遺族共済年金（第八十八条第一項第四号に該当することにより支給される遺族共済年金でその額の算定の基礎となる

組合員期間が二十年未満であるものを除く。）の額は、当該遺族共済年金の受給権者が六十五歳未満の妻であるときは、六十五歳に達するまでの間、第八十九条の規定にかかわらず、同条の規定により算定した金額に国民年金法第三十八条に規定する遺族基礎年金の額に相当する額に四分の三を乗じて得た金額（その金額に五十円未満の端数があるときは、これを切り捨て、五十円以上百円未満の端数があるときは、これを百円に切り上げるものとする。）を加算した金額とする。

（遺族共済年金の支給の停止）

第九十一条　夫、父母又は祖父母（障害等級の一級又は二級に該当する障害の状態にある夫、父母又は祖父母を除く。以下この項において同じ。）に対する遺族共済年金は、その者が六十歳に達するまでは、その支給を停止する。ただし、夫に対する遺族共済年金については、当該組合員又は組合員であつた者の死亡について、夫が国民年金法による遺族基礎年金を受ける権利を有するときは、この限りでない。

2　子に対する遺族共済年金は、配偶者が遺族共済年金を受ける権利を有する間、その支給を停止する。ただし、配偶者に対する遺族共済年金が第七十四条の二第一項若しくは第二項、前項本文、次項本文又は次条第一項の規定によりその支給を停止されている間は、この限りでない。

3　配偶者に対する遺族共済年金は、当該組合員又は組合員であつた者の死亡について、配偶者が国民年金法による遺族基礎年金を受ける権利を有しない場合であつて子が当該遺族基礎年金を受ける権利を有するときは、その間、その支給を停止する。ただし、子に対する遺族共済年金が次条第一項の規定によりその支給を停止されている間は、この限りでない。

4　第二項本文の規定により年金の支給を停止した場合においては、その停止している期間、その年金は、配偶者に支給する。

5　第三項本文の規定により年金の支給を停止した場合においては、その停止している期間、その年金（前条の規定により加算する金額を除く。）は、子に支給する。

第九十一条の二　遺族共済年金（その受給権者が六十五歳に達しているものに限る。）は、その受給権者が退職共済年金等のいずれかの受給権を有するときは、当該退職共済年金等の額の合計額から政令で定める額を控除して得た金額（以下この項において「支給停止額」という。）に相当する金額の支給を停止する。ただし、支給停止額が当該遺族共済年金の額から政令で定める額を控除して得た金額を超える場合には、その支給を停止する金額は、当該遺族共済年金の額から当該政令で定める額を控除して得た金額に相当する金額を限度とする。

2　第八十九条第二項の規定によりその額が算定されている遺族共済年金の受給権者に対する前項の規定の適用については、同項中「退職共済年金等の額の合計額から政令で定める額を控除して得た金額（以下この項において「支給停止額」という。）に相当する金額」とあるのは「退職共済年金等の額の合計額から政令で定める額を控除して得た金額に第八十九条第二項第二号ロに掲げる比率を乗じて得た額（以下この項において「支給停止額」という。）に相当する金額に政令で定める額を加算した金額」と、「控除して得た金額に」とあるのは「控除して得た金額に当該比率を乗じて得た金額に」とする。

3　前二項に定めるもののほか、遺族共済年金の額の支給の停止について必要な事項は、政令で定める。

第九十二条　遺族共済年金の受給権者が一年以上所在不明である場合には、同順位者があるときは同順位者の、同順位者がないときは次順位者の申請により、その所在不明である間、当該受給権者の受けるべき遺族共済年金の支給を停止することができる。

2　前項の規定により年金の支給を停止した場合には、その停止している期間、その年金は、同順位者から申請があつたときは同順位者に、次順位者から申請があつたときは次順位者に支給する。

第九十三条　第九十条の規定によりその額が加算された遺族共済年金は、その受給権者である妻が、四十歳未満であるとき、又は当該組合員若しくは組合員であつた者の死亡について国民年金法による遺族基礎年金の支給を受けることができるときは、その間、同条の規定により加算する金額に相当する部分の支給を停止する。

2　第九十条の規定によりその額が加算された遺族共済年金は、その受給権者である妻が厚生年金保険法第六十二条第一項の規定によりその額が加算された遺族厚生年金の支給を受けることができるときは、その間、第九十条の規定により加算する金額に相当する部分の支給を停止する。

（遺族共済年金の失権）

第九十三条の二　遺族共済年金の受給権者は、次の各号のいずれかに該当するに至つたときは、その権利を失う。

一　死亡したとき。

二　婚姻をしたとき（届出をしていないが、事実上婚姻関係と同様の事情にある者となつたときを含む。）。

三　直系血族及び直系姻族以外の者の養子（届出をしていないが、事実上養子縁組関係と同様の事情にある者を含む。）となつたとき。

四　死亡した組合員であつた者との親族関係が離縁によつて終了したとき。

五　次のイ又はロに掲げる区分に応じ、当該イ又はロに定める日から起算して五年を経過したとき。

イ　遺族共済年金の受給権を取得した当時三十歳未満である妻が当該遺族共済年金と同一の給付事由に基づく国民年金法による遺族基礎年金の受給権を取得しないとき　当該遺族共済年金の受給権を取得した日

ロ　遺族共済年金と当該遺族共済年金と同一の給付事由に基づく国民年金法による遺族基礎年金の受給権を有する妻が三十歳に到達する日前に当該遺族基礎年金の受給権が消滅したとき　当該遺族基礎年金の受給権が消滅した日

2　遺族共済年金の受給権者である子又は孫は、次の各号のいずれかに該当するに至つたときは、その権利を失う。

一　子又は孫（障害等級の一級又は二級に該当する障害の状態にある子又は孫を除く。）について、十八歳に達した日以後の最初の三月三十一日が終了したとき。

二　障害等級の一級又は二級に該当する障害の状態にある子又は孫（十八歳に達する日以後の最初の三月三十一日までの間にある子又は孫を除く。）について、その事情がなくなつたとき。

（遺族共済年金と遺族補償年金との調整）

第九十三条の三　公務等による遺族共済年金については、国家公務員災害補償法の規定による遺族補償年金又はこれに相当する補償が支給されることとなつたときは、これらが支給される間、その額のうち、その算定の基礎となつた平均標準報酬額の千分の二・四六に相当する金額に三百を乗じて得た金額に相当する金額の支給を停止する。

（情報の提供）

第九十三条の四　厚生労働大臣、地方の組合及び日本私立学校振興・共済事業団は、連合会に対し、遺族共済年金の支給に関して必要な情報の提供を行うものとする。

第五款　離婚等をした場合における特例

（離婚等をした場合における標準報酬の月額等の改定の特例）

第九十三条の五　第一号改定者（組合員又は組合員であつた者であつて、第九十三条の九第一項第一号及び第二項第一号の規定により標準報酬の月額及び標準期末手当等の額が改定されるものをいう。以下同じ。）又は第二号改定者（第一号改定者の配偶者であつた者であつて、同条第一項第二号及び第二項第二号の規定により標準報酬の月額及び標準期末手当等の額が改定され、又は決定されるものをいう。以下同じ。）は、離婚等（離婚（婚姻の届出をしていないが事実上婚姻関係と同様の事情にあつた者について、当該事情が解消した場合を除く。）、婚姻の取消しその他財務省令で定める事由をいう。以下この款において同じ。）をした場合であつて、次の各号のいずれかに該当するときは、組合（組合員であつた者又はその配偶者であつた者にあつては、連合会。以下この款において同じ。）に対し、当該離婚等について対象期間（婚姻期間その他の財務省令で定める期間をいう。以下同じ。）に係る組合員期間の標準報酬の月額及び標準期末手当等の額（第一号改定者及び第二号改定者（以下これらの者を「当事者」という。）の標準報酬の月額及び標準期末手当等の額をいう。以下この款において同じ。）の改定又は決定を請求することができる。ただし、当該離婚等をしたときから二年を経過したときその他の財務省令で定める場合に該当するときは、この限りでない。

一　当事者が標準報酬の月額及び標準期末手当等の額の改定又は決定の請求をすること及び請求すべき按分割合（当該改定又は決定後の当事者の次条第一項に規定する対象期間標準報酬総額の合計額に対する第二号改定者の対象期間標準報酬総額の割合をいう。以下同じ。）について合意しているとき。

二　次項の規定により家庭裁判所が請求すべき按分割合を定めたとき。

2　前項の規定による標準報酬の月額及び標準期末手当等の額の改定又は決定の請求（以下「標準報酬改定請求」という。）について、同項第一号の当事者の合意のための協議が調わないとき、又は協議をすることができないときは、当事者の一方の申立てにより、家庭裁判所は、当該対象期間における掛金の払込みに対する当事者の寄与の程度その他一切の事情を考慮して、請求すべき按分割合を定めることができる。

3　標準報酬改定請求は、当事者が標準報酬の月額及び標準期末手当等の額の改定又は決定の請求をすること及び請求すべき按分割合について合意している旨が記載された公正証書の添付その他の財務省令で定める方法によりしなければならない。

（請求すべき按分割合）

第九十三条の六　請求すべき按分割合は、当事者それぞれの対象期間標準報酬総額（対象期間に係る組合員期間の各月の標準報酬の月額（第七十三条の二第一項の規定により同項に規定する従前標準報酬の月額が当該月の標準報酬の月額とみなされた月にあつては、従前標準報酬の月額）と標準期末手当等の額に当事者を受給権者とみなして対象期間の末日において適用される再評価率を乗じて得た額の総額をいう。以下同じ。）の合計額に対する第二号改定者の対象期間標準報酬総額の割合を超え二分の一以下の範囲（以下「按分割合の範囲」という。）内で定められなければならない。

2　次条第一項の規定により按分割合の範囲について情報の提供（第九十三条の八の規定により裁判所又は受命裁判官若しくは受託裁判官が受けた資料の提供を含み、これが複数あるときは、その最後のもの。以下この項において同じ。）を受けた日が対象期間の末日前であつて対象期間の末日までの間が一年を超えない場合その他の財務省令で定める場合における標準報酬改定請求については、前項の規定にかかわらず、当該情報の提供を受けた按分割合の範囲を、同項の按分割合の範囲とすることができる。

（当事者等への情報の提供等）

第九十三条の七　当事者又はその一方は、組合に対し、財務省令で定めるところにより、標準報酬改定請求を行うために必要な情報であつて次項に規定するものの提供を請求することができる。ただし、当該請求が標準報酬改定請求後に行われた場合又は第九十三条の五第一項ただし書に該当する場合その他財務省令で定める場合においては、この限りでない。

2　前項の情報は、対象期間標準報酬総額、按分割合の範囲、これらの算定の基礎となる期間その他財務省令で定めるものとし、同項の請求があつた日において対象期間の末日が到来していないときは、同項の請求があつた日を対象期間の末日とみなして算定したものとする。

第九十三条の八　組合は、裁判所又は受命裁判官若しくは受託裁判官に対し、その求めに応じて、第九十三条の五第二項の規定による請求すべき按分割合に関する処分を行うために必要な資料を提供しなければならない。

（標準報酬の月額等の改定又は決定）

第九十三条の九　組合は、標準報酬改定請求があつた場合において、第一号改定者が標準報酬の月額を有する対象期間に係る組合員期間の各月ごとに、次の各号に掲げる者の区分に応じ、その者の標準報酬の月額をそれぞれ当該各号に定める額に改定し、又は決定することができる。

一　第一号改定者　第一号改定者の改定前の標準報酬の月額（第七十三条の二第一項の規定により同項に規定する従前標準報酬の月額が当該月の標準報酬の月額とみなされた月にあつては、従前標準報酬の月額。次号において同じ。）に一から改定割合（按分割合を基礎として財務省令で定めるところにより算定した率をいう。以下同じ。）を控除して得た率を乗じて得た額

二　第二号改定者　第二号改定者の改定前の標準報酬の月額（標準報酬の月額を有しない月にあつては、零）に、第一号改定者の改定前の標準報酬の月額に改定割合を乗じて得た額を加えて得た額

2　組合は、標準報酬改定請求があつた場合において、第一号改定者が標準期末手当等の額を有する対象期間に係る組合員期間

の各月ごとに、次の各号に掲げる者の区分に応じ、その者の標準期末手当等の額をそれぞれ当該各号に定める額に改定し、又は決定することができる。

一　第一号改定者　第一号改定者の改定前の標準期末手当等の額に一から改定割合を控除して得た率を乗じて得た額

二　第二号改定者　第二号改定者の改定前の標準期末手当等の額（標準期末手当等の額を有しない月にあつては、零）に、第一号改定者の改定前の標準期末手当等の額に改定割合を乗じて得た額を加えて得た額

3　前二項の場合において、対象期間のうち第一号改定者の組合員期間であつて第二号改定者の組合員期間でない期間については、第二号改定者の組合員期間であつたものとみなす。

4　第一項及び第二項の規定により改定され、又は決定された標準報酬の月額及び標準期末手当等の額は、当該標準報酬改定請求のあつた日から将来に向かつてのみその効力を有する。

（退職共済年金等の額の改定）

第九十三条の十　退職共済年金の受給権者について、前条第一項及び第二項の規定により標準報酬の月額及び標準期末手当等の額の改定又は決定が行われたときは、第七十七条第一項から第三項までの規定にかかわらず、対象期間に係る組合員期間の最後の月以前における組合員期間（対象期間の末日後に当該退職共済年金を支給すべき事由が生じた場合その他の政令で定める場合にあつては、政令で定める期間）並びに改定又は決定後の標準報酬の月額及び標準期末手当等の額を退職共済年金の額の算定の基礎とするものとし、当該標準報酬改定請求のあつた日の属する月の翌月から、当該退職共済年金の額を改定する。

2　障害共済年金の受給権者について、前条第一項及び第二項の規定により当該障害共済年金の額の算定の基礎となる組合員期間に係る標準報酬の月額及び標準期末手当等の額が改定され、又は決定されたときは、改定又は決定後の標準報酬の月額及び標準期末手当等の額を基礎として、当該標準報酬改定請求のあつた日の属する月の翌月から、当該障害共済年金の額を改定する。ただし、障害共済年金の額の算定の基礎となる組合員期間の月数が三百月未満である場合の当該障害共済年金については、同条第三項の規定により組合員期間であつたものとみなされた期間（以下「離婚時みなし組合員期間」という。）は、その算定の基礎としない。

（標準報酬の月額等が改定され、又は決定された者に対する長期給付の特例）

第九十三条の十一　第九十三条の九第一項及び第二項の規定により標準報酬の月額及び標準期末手当等の額が改定され、又は決定された者に対する長期給付についてこの法律を適用する場合においては、次の表の上欄に掲げる規定中同表の中欄に掲げる字句は、それぞれ同表の下欄に掲げる字句に読み替えるものとするほか、当該長期給付の額の算定及びその支給停止に関する規定その他政令で定める規定の適用に関し必要な読替えは、政令で定める。

第七十八条第一項	組合員期間が二十年以上で	組合員期間（第九十三条の十第二項に規定する離婚時みなし組合員期間（以下「離婚時みなし組合員期間」という。）を除く。以下この項において同じ。）が二十年以上で
第七十九条第二項第一号	標準期末手当等の額	標準期末手当等の額（第九十三条の九第二項の規定による改定前の標準期末手当等の額とし、同項の規定により決定された標準期末手当等の額を除く。）
第八十八条第一項	組合員であつた者が次の	組合員であつた者（第四号に該当する場合にあつては、離婚時みなし組合員期間を有する者を含む。）が次の

（政令への委任）

第九十三条の十二　この款に定めるもののほか、離婚等をした場合における特例に関し必要な事項は、政令で定める。

第六款　被扶養配偶者である期間についての特例

（特定組合員及び被扶養配偶者についての標準報酬の月額等の特例）

第九十三条の十三　組合員（組合員であつた者を含む。以下「特定組合員」という。）が組合員であつた期間中に被扶養配偶者（当該特定組合員の配偶者として国民年金法第七条第一項第三号に該当していたものをいう。以下同じ。）を有する場合において、当該特定組合員の被扶養配偶者は、当該特定組合員と離婚又は婚姻の取消しをしたときその他これに準ずるものとして財務省令で定めるときは、組合（組合員であつた者の被扶養配偶者にあつては、連合会。以下この款において同じ。）に対し、特定期間（当該特定組合員が組合員であつた期間であり、かつ、その被扶養配偶者が当該特定組合員の配偶者として同号に規定する第三号被保険者であつた期間をいう。以下同じ。）に係る組合員期間（次項及び第三項の規定により既に標準報酬の月額及び標準期末手当等の額が改定され、及び決定された組合員期間を除く。以下この条において同じ。）の標準報酬の月額及び標準期末手当等の額（特定組合員及び被扶養配偶者の標準報酬の月額及び標準期末手当等の額をいう。以下この款において同じ。）の改定及び決定を請求することができる。ただし、当該請求をした日において当該特定組合員が障害共済年金（当該特定期間の全部又は一部をその額の算定の基礎とするものに限る。第九十三条の十六において同じ。）の受給権者であるときその他の財務省令で定めるときは、この限りでない。

2　組合は、前項の請求があつた場合において、特定期間に係る組合員期間の各月ごとに、当該特定組合員及び被扶養配偶者の標準報酬の月額を当該特定組合員の標準報酬の月額（第七十三条の二第一項の規定により同項に規定する従前標準報酬の月額が当該月の標準報酬の月額とみなされた月にあつては、従前標準報酬の月額）に二分の一を乗じて得た額にそれぞれ改定し、及び決定することができる。

3　組合は、第一項の請求があつた場合において、当該特定組合員が標準期末手当等の額を有する特定期間に係る組合員期間の各月ごとに、当該特定組合員及び被扶養配偶者の標準期末手当等の額を当該特定組合員の標準期末手当等の額に二分の一を乗

じて得た額にそれぞれ改定し、及び決定することができる。

4　前二項の場合において、特定期間に係る組合員期間については、被扶養配偶者の組合員期間であつたものとみなす。

5　第二項及び第三項の規定により改定され、及び決定された標準報酬の月額及び標準期末手当等の額は、第一項の請求のあつた日から将来に向かつてのみその効力を有する。

（退職共済年金等の額の改定の特例）

第九十三条の十四　退職共済年金の受給権者について、前条第二項及び第三項の規定により標準報酬の月額及び標準期末手当等の額の改定又は決定が行われたときは、第七十七条第一項及び第二項の規定にかかわらず、改定又は決定後の標準報酬の月額及び標準期末手当等の額を退職共済年金の額の算定の基礎とするものとし、前条第一項の請求のあつた日の属する月の翌月から、当該退職共済年金の額を改定する。

2　第九十三条の十第二項の規定は、障害共済年金の受給権者である被扶養配偶者について前条第二項及び第三項の規定により標準報酬の月額及び標準期末手当等の額の決定が行われた場合に準用する。この場合において、必要な事項は、政令で定める。

（標準報酬の月額等が改定され、及び決定された者に対する長期給付の特例）

第九十三条の十五　第九十三条の十三第二項及び第三項の規定により標準報酬の月額及び標準期末手当等の額が改定され、及び決定された者に対する長期給付についてこの法律を適用する場合においては、次の表の上欄に掲げる規定中同表の中欄に掲げる字句は、それぞれ同表の下欄に掲げる字句に読み替えるものとするほか、当該長期給付の額の算定及びその支給停止に関する規定その他政令で定める規定の適用に関し必要な読替えは、政令で定める。

第七十八条第一項	組合員期間が二十年以上で	組合員期間（第九十三条の十三第四項の規定により組合員期間であつたものとみなされた期間（以下「被扶養配偶者みなし組合員期間」という。）を除く。以下この項において同じ。）が二十年以上で
第七十九条第二項第一号	標準期末手当等の額	標準期末手当等の額（第九十三条の十三第三項の規定による改定前の標準期末手当等の額とし、同項の規定により決定された標準期末手当等の額を除く。）
第八十八条第一項	組合員であつた者が次の	組合員であつた者（第四号に該当する場合にあつては、被扶養配偶者みなし組合員期間を有する者を含む。）が次の

（標準報酬改定請求を行う場合の特例）

第九十三条の十六　特定組合員又は被扶養配偶者が、離婚等（第九十三条の五第一項に規定する離婚等をいう。）をした場合において、第九十三条の十三第二項及び第三項の規定による標準報酬の月額及び標準期末手当等の額の改定及び決定が行われていない特定期間の全部又は一部を対象期間として第九十三条の五第一項の規定による標準報酬の月額及び標準期末手当等の額の改定又は決定の請求をしたときは、当該請求をしたときに、第九十三条の十三第一項の請求があつたものとみなす。ただし、当該請求をした日において当該特定組合員が障害共済年金の受給権者であるときは、この限りでない。

2　前項の場合において、第九十三条の六第一項の対象期間標準報酬総額の基礎となる当該特定期間に係る組合員期間の標準報酬の月額（第七十三条の二第一項の規定により同項に規定する従前標準報酬の月額が当該月の標準報酬の月額とみなされた月にあつては、従前標準報酬の月額）及び標準期末手当等の額並びに第九十三条の九第一項及び第二項の当該特定期間に係る組合員期間の改定前の標準報酬の月額（第七十三条の二第一項の規定により同項に規定する従前標準報酬の月額が当該月の標準報酬の月額とみなされた月にあつては、従前標準報酬の月額）及び標準期末手当等の額については、第九十三条の十三第二項及び第三項の規定による改定及び決定後の標準報酬の月額及び標準期末手当等の額とする。

3　第九十三条の十三第二項及び第三項の規定による標準報酬の月額及び標準期末手当等の額の改定及び決定が行われていない特定期間の全部又は一部を対象期間として第九十三条の七第一項の請求があつた場合において、同項の請求があつた日に特定組合員が障害共済年金の受給権を有しないときは、同条第二項に規定する情報は、第九十三条の十三第二項及び第三項の規定により当該対象期間中の特定期間に係る組合員期間の標準報酬の月額及び標準期末手当等の額の改定及び決定が行われたとみなして算定したものとする。

4　前項の規定は、第九十三条の八の求めがあつた場合に準用する。

5　第七十三条の二第一項の規定により同項に規定する従前標準報酬の月額が当該月の標準報酬の月額とみなされた月の標準報酬の月額について第九十三条の十三第二項の規定により改定された場合における第九十三条の六第一項及び第九十三条の九第一項の規定の適用については、第九十三条の六第一項中「標準報酬の月額（第七十三条の二第一項の規定により同項に規定する従前標準報酬の月額が当該月の標準報酬の月額とみなされた月にあつては、従前標準報酬の月額）」とあるのは「標準報酬の月額」と、第九十三条の九第一項第一号中「標準報酬の月額（第七十三条の二第一項の規定により同項に規定する従前標準報酬の月額が当該月の標準報酬の月額とみなされた月にあつては、従前標準報酬の月額。次号において同じ。）」とあるのは「標準報酬の月額」とする。

（政令への委任）

第九十三条の十七　この款に定めるもののほか、被扶養配偶者である期間についての特例に関し必要な事項は、政令で定める。

第六章　費用の負担

（費用負担の原則）

第九十九条　組合の給付に要する費用（前期高齢者納付金等及び後期高齢者支援金等、介護納付金並びに基礎年金拠出金の納付に要する費用並びに組合の事務に要する費用を含む。第三項において同じ。）のうち次の各号に規定する費用は、当該各号に定めるところにより、政令で定める職員を単位として、算定するものとする。この場合において、第三号に規定する費用については、少なくとも五年ごとに再計算を行うものとする。

一　短期給付に要する費用（前期高齢者納付金等及び後期高齢者支援金等の納付に要する費用並びに長期給付（基礎年金拠出金を含む。）及び福祉事業に係る事務以外の事務に要する費用（第四項の規定による国の負担に係るもの並びに第六項及び第七項において読み替えて適用する第四項の規定による行政執行法人の負担に係るものを除く。）を含み、第三項（第二号を除く。）の規定による同項に規定する国等の負担に係るものを除く。次項第一号において同じ。）については、当該事業年度におけるその費用の予想額と当該事業年度における同号の掛金及び負担金の額とが等しくなるようにすること。

二　介護納付金の納付に要する費用については、当該事業年度におけるその費用の額と当該事業年度における次項第一号の二の掛金及び負担金の額とが等しくなるようにすること。

三　長期給付に要する費用（基礎年金拠出金の納付に要する費用（第三項（第一号を除く。）の規定による同項に規定する国等の負担に係るものを除く。）及び長期給付（基礎年金拠出金を含む。）に係る事務に要する費用（第四項の規定による国の負担に係るもの並びに第六項及び第七項において読み替えて適用する第四項の規定による行政執行法人の負担に係るものを除く。）を含み、次項第三号に掲げるものを除く。同項第二号において同じ。）については、その費用の予想額及び地方の組合の地方公務員等共済組合法第百十三条第一項第三号に規定する長期給付に要する費用の予想額の合計額と、次項第二号の掛金及び負担金の額、第三十五条の二第一項の長期給付に充てるべき積立金（以下この号において「国の積立金」という。）の額並びにそれらの予定運用収入の額の合計額並びに同法第百十三条第二項第二号の掛金及び負担金の額、同法第二十四条（同法第三十八条第一項において準用する場合を含む。）の長期給付に充てるべき積立金及び同法第三十八条の八第一項に規定する長期給付積立金（以下この号において「地方の積立金」と総称する。）の額並びにそれらの予定運用収入の額の合計額の合算額とが、再計算を行う年以降おおむね百年間に相当する期間の終了時に組合及び地方の組合に係る長期給付の支給に支障が生じないようにするために必要な額の積立金（国の積立金及び地方の積立金をいう。）を保有しつつ、当該期間にわたつて財政の均衡を保つことができるようにすること。

2　組合の事業に要する費用で次の各号に掲げるものは、当該各号に掲げる割合により、組合員の掛金及び国の負担金をもつて充てる。

一　短期給付に要する費用　掛金百分の五十、国の負担金百分の五十

一の二　介護納付金の納付に要する費用　掛金百分の五十、国の負担金百分の五

二　長期給付に要する費用　掛金百分の五十、国の負担金百分の五十

三　公務等による障害共済年金（第八十五条第二項（同条第三項において準用する場合を含む。）の規定の適用によりその額が算定される障害共済年金を含む。）又は公務等による遺族共済年金に要する費用　国の負担金百分の百

四　福祉事業に要する費用　掛金百分の五十、国の負担金百分の五十

3　国又は独立行政法人造幣局若しくは独立行政法人国立印刷局（第百二条第三項において「国等」という。）は、政令で定めるところにより、組合の給付に要する費用のうち次の各号に規定する費用については、当該各号に定める額を負担する。

一　育児休業手当金及び介護休業手当金の支給に要する費用　当該事業年度において支給される育児休業手当金及び介護休業手当金の額に雇用保険法の規定による育児休業給付及び介護休業給付に係る国庫の負担の割合を参酌して政令で定める割合を乗じて得た額

二　基礎年金拠出金の納付に要する費用　当該事業年度において納付される基礎年金拠出金の額の二分の一に相当する額

4　組合の事務（福祉事業に係る事務を除く。）に要する費用については、国は毎年度の予算で定める金額を負担する。

5　専従職員（国家公務員法第百八条の二の職員団体又は行政執行法人の労働関係に関する法律（昭和二十三年法律第二百五十七号）第四条第二項若しくは労働組合法（昭和二十四年法律第百七十四号）第二条の労働組合（以下「職員団体」と総称する。）の事務に専ら従事する職員をいう。以下この条において同じ。）である組合員（行政執行法人の職員である組合員を除く。）に係る第二項に規定する費用については、同項中「及び国の負担金」とあるのは「、職員団体の負担金及び国の負担金」と、同項第一号から第二号まで及び第四号中「国の負担金」とあるのは「職員団体の負担金」として、同項の規定を適用する。

6　行政執行法人の職員（専従職員を除く。）である組合員に係る第二項及び第四項に規定する費用については、第二項中「国の負担金」とあるのは「行政執行法人の負担金」と、第四項中「国は毎年度の予算で定める」とあるのは「行政執行法人は政令で定めるところにより行政執行法人が負担することとなる」として、これらの規定を適用する。

7　行政執行法人の職員であつて専従職員である組合員に係る第二項及び第四項に規定する費用については、第二項中「及び国の負担金」とあるのは「、職員団体の負担金及び行政執行法人の負担金」と、同項第一号から第二号までの規定中「国の負担金」とあるのは「職員団体の負担金」と、同項第三号中「国の負担金」とあるのは「行政執行法人の負担金」と、同項第四号中「国の負担金」とあるのは「職員団体の負担金」と、第四項中「国は毎年度の予算で定める」とあるのは「行政執行法人は政令で定めるところにより行政執行法人が負担することとなる」として、これらの規定を適用する。

第六章の二　地方公務員共済組合連合会に対する財政調整拠出金

（地方公務員共済組合連合会に対する長期給付に係る財政調整拠出金の拠出）

第百二条の二　連合会は、組合の長期給付に要する費用の負担の水準と地方の組合の地方公務員等共済組合法第七十四条に規定する長期給付（以下この条において「地方の組合の長期給付」

という。）に要する費用の負担の水準との均衡及び組合の長期給付と地方の組合の長期給付の円滑な実施を図るため、次条第一項各号に掲げる場合に該当するときは、その事業年度において、地方公務員共済組合連合会（同法第三十八条の二第一項に規定する地方公務員共済組合連合会をいう。以下同じ。）への拠出金（以下「財政調整拠出金」という。）の拠出を行うものとする。

第百二条の三　財政調整拠出金の額は、次の各号に掲げる場合の区分に応じ、当該各号に定める額（当該各号に掲げる場合のいずれにも該当するときは、当該各号に定める額の合計額）とする。

一　当該事業年度における組合の長期給付に要する費用のうち政令で定めるものの額（以下この号において「国の独自給付費用の額」という。）を当該事業年度におけるすべての組合員（長期給付に関する規定の適用を受ける組合員に限る。以下この号において同じ。）の標準報酬の月額の合計額及び当該組合員の標準期末手当等の額の合計額の合算額（以下この号において「標準報酬等総額」という。）で除して得た率が、当該事業年度における地方公務員等共済組合法第百十六条の三第一項第一号に規定する独自給付費用の額（以下この号において「地方の独自給付費用の額」という。）を当該事業年度における同項第一号に規定する標準給与総額（以下この号において「地方の標準給与総額」という。）で除して得た率を下回る場合　当該事業年度における国の独自給付費用の額に一定額を加算して得た額を当該事業年度における標準報酬等総額で除して得た率と当該事業年度における地方の独自給付費用の額から当該一定額を控除して得た額を当該事業年度における地方の標準給与総額で除して得た率とが等しくなる場合における当該一定額に相当する額

二　当該事業年度における国の長期給付等に係る収入の額が当該事業年度における国の長期給付に係る支出の額を上回り、かつ、当該事業年度における地方の長期給付等に係る収入の額（地方公務員等共済組合法第百十六条の三第二項に規定する長期給付等に係る収入の額をいう。以下この号において同じ。）が当該事業年度における地方の長期給付に係る支出の額（同条第三項に規定する長期給付に係る支出の額をいう。以下この号において同じ。）を下回る場合　当該事業年度における地方の長期給付に係る支出の額から当該事業年度における地方の長期給付等に係る収入の額を控除して得た額（当該控除して得た額が、限度額（当該事業年度における国の長期給付等に係る収入の額から当該事業年度における国の長期給付に係る支出の額に前号に掲げる場合における同号に定める額を加算した額を控除して得た額をいう。）を超える場合にあつては、当該限度額）

2　前項第二号に規定する「国の長期給付等に係る収入の額」とは、長期給付（基礎年金拠出金を含む。次項において同じ。）に係る連合会の収入として政令で定めるものの額の合計額に、地方公務員等共済組合法第百十六条の三第一項第一号に掲げる場合における同号に定める額を加算した額をいう。

3　第一項第二号に規定する「国の長期給付に係る支出の額」とは、長期給付に係る連合会の支出として政令で定めるものの額の合計額をいう。

（組合員期間以外の期間の確認）

第百十三条　退職共済年金又は遺族共済年金を支給すべき場合には、組合員期間等のうち組合員期間以外の期間については、厚生労働大臣（当該組合員期間以外の期間が私学共済制度の加入者であつた期間であるときは、日本私立学校振興・共済事業団）の確認を受けたところによる。

2　前項の規定による厚生労働大臣の確認の権限に係る事務は、日本年金機構に行わせるものとする。

3　厚生年金保険法第百条の四第三項、第四項、第六項及び第七項の規定は、前項の確認の権限について準用する。この場合において、必要な技術的読替えは、政令で定める。

4　第一項の規定による確認に関する処分に不服がある者は、国民年金法又は私立学校教職員共済法の定めるところにより、国民年金法又は私立学校教職員共済法に定める審査機関に対して審査請求をすることができる。

5　第一項の場合において、組合員期間以外の期間に係る同項の規定による確認の処分についての不服を、当該期間に基づく退職共済年金又は遺族共済年金に関する処分についての不服の理由とすることができない。

（資料の提供）

第百十四条の二　連合会は、第九十三条の四に定めるもののほか、年金である給付に関する処分に関し必要があると認めるときは、受給権者に対する厚生年金保険法による年金である保険給付、国民年金法による年金である給付、地方公務員等共済組合法による年金である給付若しくは私立学校教職員共済法による年金である給付又はその配偶者に対する第七十九条第六項（第八十七条第三項において準用する場合を含む。以下この条において同じ。）に規定する政令で定める給付の支給状況につき、厚生労働大臣、地方の組合若しくは日本私立学校振興・共済事業団又は第七十九条第六項に規定する政令で定める給付に係る制度の管掌機関に対し、必要な資料の提供を求めることができる。

（端数の処理）

第百十五条　長期給付を受ける権利を決定し又は長期給付の額を改定する場合において、その長期給付の額（第七十八条第一項、第八十三条第一項又は第九十条の規定により加算する金額を除く。）又は当該加算する金額に五十円未満の端数があるときは、これを切り捨て、五十円以上百円未満の端数があるときは、これを百円に切り上げるものとする。

2　前項に定めるもののほか、この法律による給付及び掛金に係る端数計算については、別段の定めがあるものを除き、国等の債権債務等の金額の端数計算に関する法律（昭和二十五年法律第六十一号）第二条の規定を準用する。

附　則（抄）

（退職共済年金の支給の繰上げ）

第十二条の二の二　当分の間、組合員期間等が二十五年以上であり、かつ、一年以上の組合員期間を有する六十歳以上の者（昭和三十六年四月二日以後に生まれた者であつて、国民年金法附則第五条第一項の規定による国民年金の被保険者でないものに限る。）は、六十五歳に達する前に退職共済年金の支給を連合会に請求することができる。

2　前項の請求は、国民年金法附則第九条の二第一項又は第九条の二の二第一項に規定する支給繰上げの請求を行うことができ

る者にあつては、これらの請求と同時に行わなければならない。

3　第一項の請求があつたときは、その請求をした者に退職共済年金を支給する。この場合においては、第七十六条の規定は、適用しない。

4　前項の規定による退職共済年金の額は、第七十七条第一項及び第二項の規定にかかわらず、これらの規定により算定した金額から政令で定める金額を減じた金額とする。

5　第三項の規定による退職共済年金の受給権者（六十五歳未満の者に限る。）については、第七十七条第四項の規定は、適用しない。

6　第三項の規定による退職共済年金の受給権者であつて、第一項の請求があつた日以後の組合員期間を有するものが六十五歳に達したときは、第七十七条第三項の規定にかかわらず、六十五歳に達した日の翌日の属する月の前月までの組合員期間を算定の基礎として、当該退職共済年金の額を改定する。

7　第三項の規定による退職共済年金に係る第七十四条、第七十八条及び第八十九条の二の規定の適用については、第七十四条第二項中「第七十七条第二項の規定により加算する金額」とあるのは「第七十七条第二項の規定により加算する金額から政令で定める金額を減じた金額」と、第七十八条第一項中「その権利を取得した当時（退職共済年金を受ける権利を取得した当時」とあるのは「六十五歳に達した当時（六十五歳に達した当時」と、「前条の規定にかかわらず、同条の規定により算定した金額に加給年金額を加算した金額とする」とあるのは「附則第十二条の二の二第四項及び第六項並びに前条第三項及び第四項の規定にかかわらず、これらの規定により算定した金額に加給年金額を加算した金額とするものとし、六十五歳に達したとき又は当該組合員期間が二十年以上となるに至つたときから、当該退職共済年金の額を改定する」と、同条第三項中「その権利を取得した当時」とあり、及び「退職共済年金を受ける権利を取得した当時」とあるのは「六十五歳に達した当時」と、第八十九条の二第一項中「六十五歳に達した日以後に退職共済年金等のいずれかの受給権を取得した日において、同項第二号イ」とあるのは「附則第十二条の二の二第三項の規定による退職共済年金の受給権者である場合にあつては、当該受給権者が六十五歳に達した日において、前条第一項第二号イ」と、同条第三項中「「同項第二号イ」とあるのは「同条第三項」」とあるのは「「六十五歳に達した日以後に退職共済年金等のいずれかの受給権を取得した場合において、同項第二号イ」」とあるのは「附則第十二条の二の二第三項の規定による退職共済年金の受給権者である場合にあつては、当該受給権者が六十五歳に達した日において、前条第三項」」と、「「金額に」」とあるのは「「それぞれ同条第一項第二号イ」」とあるのは「それぞれ同条第三項の規定の適用後の同条第一項第二号イ」」と、「金額に」」とする。

（退職共済年金の特例）

第十二条の三　当分の間、六十五歳未満の者（昭和三十六年四月二日以後に生まれた者を除く。）が、次の各号のいずれにも該当するに至つたときは、その者に退職共済年金を支給する。

一　六十歳以上であること。

二　一年以上の組合員期間を有すること。

三　組合員期間等が二十五年以上であること。

第十二条の三の二　次の表の上欄に掲げる者について前条の規定を適用する場合においては、同条第一号中「六十歳」とあるのは、それぞれ同表の下欄に掲げる字句に読み替えるものとする。

昭和二十八年四月二日から昭和三十年四月一日までの間に生まれた者	六十一歳
昭和三十年四月二日から昭和三十二年四月一日までの間に生まれた者	六十二歳
昭和三十二年四月二日から昭和三十四年四月一日までの間に生まれた者	六十三歳
昭和三十四年四月二日から昭和三十六年四月一日までの間に生まれた者	六十四歳

第十二条の四　第七十八条の規定は、次条第一項から第四項まで、附則第十二条の四の三、第十二条の七の二、第十二条の七の三及び第十二条の七の五の規定によりその額が算定される場合を除き、附則第十二条の三の規定による退職共済年金については、適用しない。

第十二条の四の二　附則第十二条の三の規定による退職共済年金（第七十七条の規定によりその額が算定されているものに限る。）の受給権者（第六項において「退職共済年金の受給権者」という。）が、組合員でなく、かつ、傷病により障害等級に該当する程度の障害の状態（以下この項、第五項、第六項、附則第十二条の六の三第一項及び第五項並びに附則第十二条の七の三第七項において「障害状態」という。）にあるとき（その傷病が治らない場合（その症状が固定し治療の効果が期待できない状態にある場合を除く。）にあつては、その傷病に係る初診日から起算して一年六月を経過した日以後においてその傷病により障害状態にあるとき。第六項及び附則第十二条の六の三第一項において同じ。）は、その者は、退職共済年金の額の算定に係る特例の適用を請求することができる。

2　前項の請求があつたときは、退職共済年金の額を改定するものとし、当該請求に係る退職共済年金の額は、第七十七条第一項及び第二項の規定にかかわらず、次の各号に掲げる金額の合算額とする。

一　千六百二十八円に改定率を乗じて得た金額（その金額に五十銭未満の端数があるときは、これを切り捨て、五十銭以上一円未満の端数があるときは、これを一円に切り上げるものとする。）に組合員期間の月数（当該月数が四百八十月を超えるときは、四百八十月）を乗じて得た金額

二　平均標準報酬額の千分の五・四八一に相当する金額に組合員期間の月数を乗じて得た金額

3　一年以上の引き続く組合員期間を有する者に支給する第一項の請求に係る退職共済年金の額は、前項の規定にかかわらず、同項の規定により算定した金額に次の各号に掲げる者の区分に応じ、それぞれ当該各号に定める金額を加算した金額とする。

一　組合員期間が二十年以上である者　平均標準報酬額の千分の一・〇九六に相当する金額に組合員期間の月数を乗じて得た金額

二　組合員期間が二十年未満である者　平均標準報酬額の千分の〇・五四八に相当する金額に組合員期間の月数を乗じて得

た金額

4　第一項の請求があつた退職共済年金に係る第七十四条、第七十八条及び第七十九条の規定の適用については、第七十四条第二項中「第七十七条第二項」とあるのは「附則第十二条の四の二第三項」と、第七十八条第一項中「当該退職共済年金の受給権者がその権利を取得した当時（退職共済年金を受ける権利を取得した当時」とあるのは「附則第十二条の四の二第一項の請求があつた当時（当該請求があつた当時」と、「前条の」とあるのは「附則第十二条の四の二第二項及び第三項並びに前条第三項及び第四項の」と、「同条の規定」とあるのは「これらの規定」と、同条第三項中「退職共済年金の受給権者がその権利を取得した当時」とあるのは「附則第十二条の四の二第一項の請求があつた当時」と、「当該受給権者が退職共済年金を受ける権利を取得した当時」とあるのは「当該請求があつた当時」と、第七十九条第二項中「相当する部分、第七十八条第一項に規定する加給年金額に相当する部分及び前条第四項の規定により加算される金額に相当する部分」とあるのは「相当する部分」と、「第七十八条第一項に規定する加給年金額及び前条第四項の規定により加算される金額を」とあるのは「附則第十二条の四の二第二項第一号に掲げる金額及び同条第四項において読み替えられた第七十八条第一項に規定する加給年金額を」とする。

5　前各項の規定によりその額が算定されている附則第十二条の三の規定による退職共済年金の受給権者が、障害状態に該当しなくなつたときは、前各項の規定にかかわらず、当該退職共済年金の額を、第七十七条第一項又は第二項の規定により算定した金額に改定する。ただし、障害状態に該当しなくなつた当時、当該退職共済年金の額の算定の基礎となる組合員期間が四十四年以上である場合には、この限りでない。

6　退職共済年金の受給権者又は退職共済年金の受給権者であつた者が、次の各号のいずれかに該当するときは、第一項の規定にかかわらず、同項の規定による請求をすることができる。この場合において、当該各号に規定する日に同項の規定による請求があつたものとみなす。

一　退職共済年金の受給権者となつた日において、組合員でなく、かつ、障害状態にあるとき（障害共済年金その他の障害を支給事由とする年金である給付であつて政令で定めるもの（次号及び第三号において「障害共済年金等」という。）を受けることができるときに限る。）。

二　障害共済年金等を受けることができることとなつた日において、退職共済年金の受給権者であつて、かつ、組合員でないとき。

三　組合員の資格を喪失した日（引き続き組合員であつた場合には、引き続く組合員の資格を喪失した日）において、退職共済年金の受給権者であつて、かつ、障害状態にあるとき（障害共済年金等を受けることができるときに限る。）。

第十二条の四の三　附則第十二条の三の規定による退職共済年金の受給権者が、その権利を取得した当時、組合員でなく、かつ、その者の組合員期間が四十四年以上であるときは、退職共済年金の額は、第七十七条第一項及び第二項の規定にかかわらず、前条第二項又は第三項の規定の例により算定した金額とする。

2　前項の規定が適用される退職共済年金に係る第七十四条、第七十八条及び第七十九条の規定の適用については、第七十四条第二項中「第七十七条第二項」とあるのは「附則第十二条の四の三第一項においてその例によるものとされた附則第十二条の四の二第三項」と、第七十八条第一項中「前条の」とあるのは「附則第十二条の四の三第一項においてその例によるものとされた附則第十二条の四の二第二項及び第三項並びに前条第三項及び第四項の」と、「同条の規定」とあるのは「これらの規定」と、第七十九条第二項中「相当する部分、第七十八条第一項に規定する加給年金額に相当する部分及び前条第四項の規定により加算される金額に相当する部分」とあるのは「相当する部分」と、「第七十八条第一項に規定する加給年金額及び前条第四項の規定により加算される金額を」とあるのは「附則第十二条の四の三第一項においてその例によるものとされた附則第十二条の四の二第二項第一号に掲げる金額及び附則第十二条の四の三第二項において読み替えられた第七十八条第一項に規定する加給年金額を」とする。

3　組合員である附則第十二条の三の規定による退職共済年金（第七十七条の規定によりその額が算定されているものに限る。）の受給権者（組合員期間が四十四年以上である者に限る。）が退職したときは、第七十七条第四項の規定によりその額を改定するものとし、当該退職共済年金の額は、同条第一項及び第二項の規定にかかわらず、前条第二項又は第三項の規定の例により算定した金額とする。

4　前項の規定が適用される退職共済年金に係る第七十四条、第七十八条及び第七十九条の規定の適用については、第七十四条第二項中「第七十七条第二項」とあるのは「附則第十二条の四の三第三項においてその例によるものとされた附則第十二条の四の二第三項」と、第七十八条第一項中「当該退職共済年金の受給権者がその権利を取得した当時（退職共済年金を受ける権利を取得した当時、当該退職共済年金の額の算定の基礎となる組合員期間が二十年未満であつたときは、前条第四項の規定により当該退職共済年金の額が改定された場合において当該組合員期間が二十年以上となるに至つた当時。第三項において同じ。）」とあるのは「附則第十二条の四の三第三項の規定による退職共済年金の額の改定に係る退職があつた当時」と、「前条の」とあるのは「附則第十二条の四の三第三項においてその例によるものとされた附則第十二条の四の二第二項及び第三項並びに前条第三項及び第四項の」と、「同条の規定」とあるのは「これらの規定」と、同条第三項中「退職共済年金の受給権者がその権利を取得した当時」とあるのは「附則第十二条の四の三第三項の規定による退職共済年金の額の改定に係る退職があつた当時」と、「当該受給権者が退職共済年金を受ける権利を取得した当時」とあるのは「当該退職があつた当時」と、第七十九条第二項中「相当する部分、第七十八条第一項に規定する加給年金額に相当する部分及び前条第四項の規定により加算される金額に相当する部分」とあるのは「相当する部分」と、「第七十八条第一項に規定する加給年金額及び前条第四項の規定により加算される金額を」とあるのは「附則第十二条の四の三第三項においてその例によるものとされた附則第十二条の四の二第二項第一号に掲げる金額及び附則第十二条の四の三第四項において読み替えられた第七十八条第一項に規定する加給年金額を」とする。

第十二条の四の四　附則第十二条の四の二第一項から第四項まで

又は前条の規定によりその額が算定されている退職共済年金（その受給権者が組合員であるものを除く。）は、その受給権者が国民年金法による老齢基礎年金の支給を受けることができるときは、その間、当該退職共済年金に係る附則第十二条の四の二第二項第一号に規定する金額に相当する部分の支給を停止する。

第十二条の五　附則第十二条の三の規定による退職共済年金を受ける権利は、第八十条の二の規定により消滅するほか、当該退職共済年金の受給権者が六十五歳に達したときに消滅する。

第十二条の六　附則第十二条の三の規定による退職共済年金（附則第十二条の四の二第一項から第四項までの規定によりその額が算定されているものであつて、かつ、その年金額の算定の基礎となる組合員期間が二十年以上であるものに限る。）の受給権者であつた者が六十五歳に達したときに支給する退職共済年金については、第七十八条第一項中「当該退職共済年金の受給権者がその権利を取得した当時（退職共済年金を受ける権利を取得した当時」とあるのは「附則第十二条の三の規定による退職共済年金に係る附則第十二条の四の二第一項の請求があつた当時（当該請求があつた当時」と、「その者によつて」とあるのは「から引き続きその者によつて」と、同条第三項中「退職共済年金の受給権者がその権利を取得した当時」とあるのは「附則第十二条の三の規定による退職共済年金に係る附則第十二条の四の二第一項の請求があつた当時」と、「当該受給権者が退職共済年金を受ける権利を取得した当時」とあるのは「当該請求があつた当時から引き続き」とする。

2　附則第十二条の三の規定による退職共済年金（附則第十二条の四の三第一項及び第二項の規定によりその額が算定されているものに限る。）の受給権者であつた者が六十五歳に達したときに支給する退職共済年金については、第七十八条第一項中「当該退職共済年金の受給権者がその権利を取得した当時（退職共済年金を受ける権利を取得した当時、当該退職共済年金の額の算定の基礎となる組合員期間が二十年未満であつたときは、前条第四項の規定により当該退職共済年金の額が改定された場合において当該組合員期間が二十年以上となるに至つた当時。第三項において同じ。）」とあるのは「附則第十二条の三の規定による退職共済年金を受ける権利を取得した当時から引き続き」と、同条第三項中「退職共済年金の受給権者がその権利を取得した当時」とあるのは「附則第十二条の三の規定による退職共済年金を受ける権利を取得した当時」と、「当該受給権者が退職共済年金を受ける権利を取得した当時」とあるのは「当該退職共済年金を受ける権利を取得した当時から引き続き」とする。

3　附則第十二条の三の規定による退職共済年金（附則第十二条の四の三第三項及び第四項の規定によりその額が算定されているものに限る。）の受給権者であつた者が六十五歳に達したときに支給する退職共済年金については、第七十八条第一項中「当該退職共済年金の受給権者がその権利を取得した当時（退職共済年金を受ける権利を取得した当時、当該退職共済年金の額の算定の基礎となる組合員期間が二十年未満であつたときは、前条第四項の規定により当該退職共済年金の額が改定された場合において当該組合員期間が二十年以上となるに至つた当時。第三項において同じ。）」とあるのは「附則第十二条の三の規定による退職共済年金の額の附則第十二条の四の三第三項の規定による改定に係る退職があつた当時から引き続き」と、同条第三項中「退職共済年金の受給権者がその権利を取得した当時」とあるのは「附則第十二条の三の規定による退職共済年金の額の附則第十二条の四の三第三項の規定による改定に係る退職があつた当時」と、「当該受給権者が退職共済年金を受ける権利を取得した当時」とあるのは「当該退職があつた当時から引き続き」とする。

（特例による退職共済年金の支給の繰上げの特例）

第十二条の六の二　附則第十二条の三の二に規定する者（附則第十二条の七第二項の規定の適用を受ける者を除く。）であつて、附則第十二条の三各号のいずれにも該当するもの（国民年金法附則第五条第一項の規定による国民年金の被保険者でないものに限る。）は、それぞれ附則第十二条の三の二の表の下欄に掲げる年齢に達する前に退職共済年金の支給を連合会に請求することができる。

2　前項の請求は、国民年金法附則第九条の二第一項又は第九条の二の二第一項に規定する支給繰上げの請求を行うことができる者にあつては、これらの請求と同時に行わなければならない。

3　第一項の請求があつたときは、その請求をした者に退職共済年金を支給する。この場合においては、第七十六条及び附則第十二条の三の規定は、適用しない。

4　前項の規定による退職共済年金の額は、第七十七条第一項及び第二項の規定にかかわらず、これらの規定により算定した金額から政令で定める金額を減じた金額とする。

5　第三項の規定による退職共済年金の受給権者（附則第十二条の三の二の表の下欄に掲げる年齢に達していない者に限る。）については、第七十七条第四項の規定は、適用しない。

6　第三項の規定による退職共済年金の受給権者であつて、第一項の請求があつた日以後の組合員期間を有するものが附則第十二条の三の二の表の下欄に掲げる年齢に達したときは、第七十七条第三項の規定にかかわらず、当該年齢に達した日の翌日の属する月の前月までの組合員期間を算定の基礎として、当該退職共済年金の額を改定する。

7　第三項の規定による退職共済年金の受給権者であつて、附則第十二条の三の二の表の下欄に掲げる年齢に達した日以後の組合員期間を有するものが六十五歳に達したときは、第七十七条第三項の規定にかかわらず、六十五歳に達した日の翌日の属する月の前月までの組合員期間を算定の基礎として、当該退職共済年金の額を改定する。

8　第三項の規定による退職共済年金に係る第七十四条、第七十八条及び第八十九条の二の規定の適用については、第七十四条第二項中「第七十七条第二項の規定により加算する金額」とあるのは「第七十七条第二項の規定により加算する金額から政令で定める金額を減じた金額」と、第七十八条第一項中「その権利を取得した当時（退職共済年金を受ける権利を取得した当時」とあるのは「六十五歳（その者が附則第十二条の六の三第一項に規定する繰上げ調整額（以下この項において「繰上げ調整額」という。）が加算された退職共済年金の受給権者であるときは、附則第十二条の三の二の表の下欄に掲げる年齢（以下この項において「特例支給開始年齢」という。）とする。第三項において同じ。）に達した当時（六十五歳（その者が繰上げ調整額が加算された退職共済年金の受給権者であるときは、特例支給開始年齢）に達した当時」と、「前条の規定にかかわらず、同条の規定により算定した金額に加給年金額を加算した金額とする」とあるのは「附則第十二条の六の二第四項、第六項及び第七項並びに前条第三項及び第四項の規定にかかわらず、これらの規定により算定した金額に加給年金額を加算した金額とし、六十五歳（その者が繰上げ調整額が加算された退職共済年金の受給権者であるときは、特例支給開始年齢）に達したとき又は当該組合員期間が二十年以上となるに至つたときから、当該退職共済年金の額を改定する」と、同条第三項中「その権利を取得した当時」とあり、及び「退職共済年金を受ける権利を取得した当時」とあるのは「六十五歳に達した当時」と、第八十九条の二第一項中「六十五歳に達した日以後に退職共済年金等のいずれかの受給権を取得した日において、同項第二号イ」とあるのは「附則第十二条の六の二第三項の規定による退職共済年金の受給権者である場合にあつては、当該受給権者が六十五歳に達した日において、前条第一項第二号イ」と、同条第三項中「同項第二号イ」とあるのは「同条第三項」とあるのは「「六十五歳に達した日以後に退職共済年金等のいずれかの受給権を取得した場合において、同項第二号イ」とあるのは「附則第十二条の六の二第三項の規定による退職共済年金の受給権者である場合にあつては、当該受給権者が六十五歳に達した日において、前条第三項」と、「「金額に」」とあるのは「「それぞれ同条第一項第二号イ」とあるのは「それぞれ同条第三項の規定の適用後の同条第一項第二号イ」と、「金額に」」とする。

9　前項の規定により読み替えられた第七十八条第一項の規定によりその額が加算された第三項の規定による退職共済年金の受給権者（六十五歳未満の者に限る。）が次条第五項又は第六項の規定の適用を受ける間は、前項の規定により読み替えられた第七十八条第一項に規定する加給年金額に相当する部分の支給を停止する。

第十二条の六の三　附則第十二条の三の二に規定する者が前条第三項の規定による退職共済年金の受給権を取得したとき（同条第一項の請求があつた当時、組合員でなく、かつ、障害状態にあるとき又はその者の組合員期間が四十四年以上であるときに限る。）は、六十五歳に達するまでの間、当該退職共済年金の額に、当該退職共済年金の額の算定の基礎となる組合員期間を基礎として算定した附則第十二条の四の二第二項第一号の規定により算定した金額から政令で定める金額を減じた金額（以下この条において「繰上げ調整額」という。）を加算する。

2　繰上げ調整額については、第七十七条第四項の規定は、適用しない。

3　繰上げ調整額（その算定の基礎となる組合員期間の月数が四百八十月に満たないものに限る。次項において同じ。）が加算された退職共済年金の受給権者が附則第十二条の三の二の表の下欄に掲げる年齢に達した日の翌日の属する月において、当該年齢に達した日の翌日の属する月前の組合員期間の月数（当該月数が四百八十月を超えるときは、四百八十月）が当該繰上げ調整額の算定の基礎となる組合員期間の月数を超えるときは、退職共済年金の額を改定するものとし、当該退職共済年金の額は、第一項の規定にかかわらず、当該退職共済年金の額（繰上げ調整額を除く。）に、当該繰上げ調整額と繰上げ調整追加額（当該超える月数の組合員期間を基礎として算定した附則第十二条の四の二第二項第一号に規定する金額をいう。）とを合算した金額を加算した金額とする。

4　繰上げ調整額が加算された退職共済年金の受給権者が附則第十二条の三の二の表の下欄に掲げる年齢に達した日の翌日の属する月の翌月以後において、第七十七条第四項の規定により退職共済年金の額を改定するときは、当該退職共済年金の額は、第一項及び前項の規定にかかわらず、当該改定に係る退職共済年金の額（繰上げ調整額を除く。以下この項において同じ。）に、当該繰上げ調整額と繰上げ調整追加額（当該退職共済年金の額の算定の基礎となる組合員期間の月数（当該月数が四百八十月を超えるときは、四百八十月）から当該繰上げ調整額の算定の基礎となる組合員期間の月数を控除して得た月数の組合員期間を基礎として算定した附則第十二条の四の二第二項第一号に規定する金額をいう。）とを合算した金額を加算した金額とする。

5　障害状態にあることにより繰上げ調整額が加算された退職共済年金については、その受給権者が障害状態に該当しなくなつたときは、その障害状態に該当しない間、当該繰上げ調整額（第三項又は前項の規定により繰上げ調整追加額が加算された退職共済年金にあつては、当該繰上げ調整追加額を含む。次項において同じ。）に相当する部分の支給を停止する。ただし、障害状態に該当しなくなつた当時、当該退職共済年金の額の算定の基礎となる組合員期間が四十四年以上である場合には、この限りでない。

6　繰上げ調整額が加算された退職共済年金の受給権者が組合員である間は、当該繰上げ調整額に相当する部分の支給を停止する。

（特例による退職共済年金の支給開始年齢の特例）

第十二条の七　組合員期間が二十年以上である者のうち附則別表第一の上欄に掲げる者に対する附則第十二条の三の規定の適用については、次項の規定の適用がある場合を除き、同表の上欄に掲げる者の区分に応じ、同条第一号中「六十歳」とあるのは、それぞれ同表の中欄に掲げる字句に読み替えるものとする。

2　組合員期間が二十年以上である者のうち附則別表第二の上欄に掲げる者が、その者の事情によらないで引き続いて勤務することを困難とする理由により退職した者で政令で定めるものに該当する場合におけるこれらの者に対する附則第十二条の三の規定の適用については、同表の上欄に掲げる者の区分に応じ、同条第一号中「六十歳」とあるのは、それぞれ同表の中欄に掲げる字句に読み替えるものとする。

3　前二項の規定の適用を受ける者に対する第七十九条第二項の規定の適用については、同項中「受給権者」とあるのは、「受給権者（六十歳以上である者に限る。）」とする。

（昭和二十四年四月一日以前に生まれた者等に支給する特例による退職共済年金の額の特例）

第十二条の七の二　附則第十二条の三の規定による退職共済年金の受給権者が、昭和十六年四月一日以前に生まれた者であるとき、又は同月二日以後に生まれた者で前条第二項の規定の適用を受けるものであるときは、第七十七条第一項及び第二項、附則第十二条の四の二並びに第十二条の四の三の規定は、当該受給権者に支給する退職共済年金については、適用しない。

2　前項に規定する場合においては、当該退職共済年金の額は、附則第十二条の四の二第二項又は第三項の規定の例により算定した金額とする。

3　前項の規定が適用される退職共済年金に係る第七十四条及び第七十八条の規定の適用については、第七十四条第二項中「第七十七条第二項」とあるのは「附則第十二条の七の二第二項においてその例によるものとされた附則第十二条の四の二第三項」と、第七十八条第一項中「前条の」とあるのは「附則第十二条の七の二第二項においてその例によるものとされた附則第十二条の四の二第二項及び第三項並びに前条第三項及び第四項の」と、「同条の規定」とあるのは「これらの規定」とする。

第十二条の七の三　次の表の上欄に掲げる者（附則第十二条の七第二項の規定の適用を受ける者を除く。）が、同表の下欄に掲げる年齢以上六十五歳未満である間において、附則第十二条の三の規定による退職共済年金を受ける権利を取得した場合においては、第七十七条第一項及び第二項、附則第十二条の四の二並びに第十二条の四の三の規定は、当該受給権者に支給する退職共済年金については、適用しない。

昭和十六年四月二日から昭和十八年四月一日までの間に生まれた者	六十一歳
昭和十八年四月二日から昭和二十年四月一日までの間に生まれた者	六十二歳
昭和二十年四月二日から昭和二十二年四月一日までの間に生まれた者	六十三歳
昭和二十二年四月二日から昭和二十四年四月一日までの間に生まれた者	六十四歳

2　前項に規定する場合においては、当該退職共済年金の額は、附則第十二条の四の二第二項又は第三項の規定の例により算定した金額とする。

3　前項の規定が適用される退職共済年金に係る第七十四条及び第七十八条の規定の適用については、第七十四条第二項中「第七十七条第二項」とあるのは「附則第十二条の七の三第二項においてその例によるものとされた附則第十二条の四の二第三項」と、第七十八条第一項中「前条の」とあるのは「附則第十二条の七の三第二項においてその例によるものとされた附則第十二条の四の二第二項及び第三項並びに前条第三項及び第四項の」と、「同条の規定」とあるのは「これらの規定」とする。

4　附則第十二条の三の規定による退職共済年金（第七十七条の規定によりその額が算定されているものに限る。）の受給権者（第一項の表の上欄に掲げる者（附則第十二条の七第二項の規定の適用を受ける者を除く。）に限る。）が同表の下欄に掲げる年齢に達したときは、当該退職共済年金の額を、附則第十二条の四の二第二項又は第三項の規定の例により算定した金額に改定する。

5　前項の規定が適用される退職共済年金に係る第七十四条及び第七十八条の規定の適用については、第七十四条第二項中「第七十七条第二項」とあるのは「附則第十二条の七の三第四項においてその例によるものとされた附則第十二条の四の二第三項」と、第七十八条第一項中「その権利を取得した当時（退職共済年金を受ける権利を取得した当時」とあるのは「附則第十二条の七の三第一項の表の下欄に掲げる年齢に達した当時（その年齢に達した当時」と、「前条の」とあるのは「附則第十二条の七の三第四項においてその例によるものとされた附則第十二条の四の二第二項及び第三項並びに前条第三項及び第四項の」と、「同条の規定」とあるのは「これらの規定」と、同条第三項中「その権利を取得した当時」とあるのは「附則第十二条の七の三第一項の表の下欄に掲げる年齢に達した当時」と、「退職共済年金を受ける権利を取得した当時」とあるのは「当該年齢に達した当時」とする。

6　第四項に規定する受給権者が第一項の表の下欄に掲げる年齢に達したとき以後においては、附則第十二条の四の二第一項から第四項まで並びに第十二条の四の三第三項及び第四項の規定は、その者については、適用しない。

7　附則第十二条の三の規定による退職共済年金（附則第十二条の四の二第一項から第四項までの規定によりその額が算定されているものに限る。）の受給権者（第一項の表の上欄に掲げる者に限る。）が、同表の下欄に掲げる年齢に達した月以後において、障害状態に該当しなくなつた場合においては、附則第十二条の四の二第五項の規定による退職共済年金の額の改定は、行わない。

8　附則第十二条の三の規定による退職共済年金（附則第十二条の四の二第一項から第四項まで又は第十二条の四の三の規定によりその額が算定されているものに限る。）の受給権者で第一項の表の上欄に掲げる者が同表の下欄に掲げる年齢に達した月以後においては、附則第十二条の四の二第四項並びに第十二条の四の三第二項及び第四項の規定（これらの規定中第七十九条第二項の規定を読み替えて適用する部分に限る。）は、適用しない。

第十二条の七の四　附則第十二条の三の規定による退職共済年金（その受給権者が昭和十六年四月一日以前に生まれた者であるものに限る。）は、その受給権者が国民年金法による老齢基礎年金（その受給権者が国民年金の被保険者であることを理由としてその支給が停止されているものを除く。）の支給を受けることができるときは、その間、その支給を停止する。

2　附則第十二条の三の規定による退職共済年金（次の各号のいずれかに該当するものに限る。）は、その受給権者が、組合員でなく、かつ、国民年金法による老齢基礎年金の支給を受けることができるときは、その間、当該退職共済年金に係る附則第十二条の四の二第二項第一号に規定する金額に相当する部分の支給を停止する。

一　その額が附則第十二条の七の二の規定により算定されているものであり、かつ、その受給権者が昭和十六年四月二日以後に生まれた者であるものであること。

二　その額が附則第十二条の七の三第一項から第五項までの規定により算定されていること。

3　附則第十二条の三の規定による退職共済年金（前項各号のいずれかに該当するもの及び附則第十二条の四の二第一項から第四項まで又は第十二条の四の三の規定によりその額が算定されているもの（前条第八項に該当する者に係るものに限る。）に限る。）については、その受給権者が、組合員であり、かつ、国民年金法による老齢基礎年金の支給を受けることができるときは、その間、第七十九条第二項中「第七十八条第一項に規定する加給年金額及び前条第四項の規定により加算される金額を」とあるのは、「当該退職共済年金に係る附則第十二条の四の二第二項第一号に規定する金額に相当する部分及び第七十八条第一項に規定する加給年金額を」とする。

第十二条の七の五　附則第十二条の三の規定による退職共済年金（第七十七条の規定によりその額が算定されているものに限る。）の受給権者が国民年金法による老齢基礎年金で政令で定めるものを受ける権利を取得したときは、退職共済年金の額を改定するものとし、当該退職共済年金の額は、第七十七条第一項及び第二項の規定にかかわらず、これらの規定により算定した金額に、当該退職共済年金の額の算定の基礎となる組合員期間を基礎として算定した附則第十二条の四の二第二項第一号に規定する金額から政令で定める金額を減じた金額（以下この条において「繰上げ調整額」という。）を加算した金額とする。

2　繰上げ調整額については、第七十七条第四項の規定は、適用しない。

3　第一項に規定する退職共済年金の受給権者が同項に規定する老齢基礎年金を受ける権利を取得したときは、附則第十二条の四の二、第十二条の四の三第三項及び第四項並びに第十二条の七の三第四項及び第五項の規定は、当該受給権者に支給する退職共済年金については、適用しない。

4　繰上げ調整額（その算定の基礎となる組合員期間の月数が四百八十月に満たないものに限る。次項において同じ。）が加算された退職共済年金の受給権者が附則第十二条の七の三第一項の表の下欄に掲げる年齢に達した月において、当該受給権者が現に受けている退職共済年金の額（繰上げ調整額を除く。以下この項において同じ。）の算定の基礎となる組合員期間の月数（当該月数が四百八十月を超えるときは、四百八十月）が繰上げ調整額の算定の基礎となる組合員期間の月数を超えるときは、退職共済年金の額を改定するものとし、当該退職共済年金の額は、第一項の規定にかかわらず、当該現に受けている退職共済年金の額に、当該繰上げ調整額と当該超える月数の組合員期間を基礎として算定した附則第十二条の四の二第二項第一号に規定する金額とを合算した金額を加算した金額とする。

5　繰上げ調整額が加算された退職共済年金の受給権者が附則第十二条の七の三第一項の表の下欄に掲げる年齢に達した月の翌月以後において、第七十七条第四項の規定により退職共済年金の額を改定するときは、当該退職共済年金の額は、第一項及び前項の規定にかかわらず、当該改定に係る退職共済年金の額（繰上げ調整額を除く。以下この項において同じ。）に、当該繰上げ調整額と当該改定に係る退職共済年金の額の算定の基礎となる組合員期間の月数（当該月数が四百八十月を超えるときは、四百八十月）から当該繰上げ調整額の算定の基礎となる組合員期間の月数を控除して得た月数の組合員期間を基礎として算定した附則第十二条の四の二第二項第一号に規定する金額とを合算した金額を加算した金額とする。

6　繰上げ調整額が加算された退職共済年金に係る第七十八条の規定の適用については、同条第一項中「その権利を取得した当時、当該退職共済年金の額」とあるのは「附則第十二条の七の三第一項の表の下欄に掲げる年齢に達した当時（その年齢に達した当時、当該退職共済年金の額（附則第十二条の七の五第一項に規定する繰上げ調整額を除く。）」と、「前条の」とあるのは「前条並びに附則第十二条の七の五第一項、第四項及び第五項の」と、「同条の規定」とあるのは「これらの規定」と、「加算した金額とする」とあるのは「加算した金額とし、その年齢に達したとき又は当該組合員期間が二十年以上となるに至つたときから、年金の額を改定する」と、同条第三項中「その権利を取得した当時」とあるのは「附則第十二条の七の三第一項の表の下欄に掲げる年齢に達した当時」と、「退職共済年金を受ける権利を取得した当時」とあるのは「当該年齢に達した当時」とする。

第十二条の七の六　附則第十二条の三の規定による退職共済年金（附則第十二条の七の二第二項及び第三項又は第十二条の七の三第二項及び第三項の規定によりその額が算定されているものであつて、かつ、その年金額の算定の基礎となる組合員期間が二十年以上であるものに限る。）の受給権者であつた者が六十五歳に達したときに支給する退職共済年金については、第七十八条第一項中「当該退職共済年金の受給権者がその権利を取得した当時（退職共済年金を受ける権利を取得した当時」とあるのは「附則第十二条の三の規定による退職共済年金を受ける権利を取得した当時（当該退職共済年金を受ける権利を取得した当時」と、「その者によつて」とあるのは「から引き続きその者によつて」と、同条第三項中「退職共済年金の受給権者がその権利を取得した当時」とあるのは「附則第十二条の三の規定による退職共済年金を受ける権利を取得した当時」と、「当該受給権者が退職共済年金を受ける権利を取得した当時」とあるのは「当該退職共済年金を受ける権利を取得した当時から引き続き」とする。

2　附則第十二条の三の規定による退職共済年金（附則第十二条の七の三第四項及び第五項の規定によりその額が算定されているもの又は附則第十二条の七の五第一項に規定する繰上げ調整額が加算されたものであつて、かつ、その年金額の算定の基礎となる組合員期間が二十年以上であるものに限る。）の受給権者であつた者が六十五歳に達したときに支給する退職共済年金については、第七十八条第一項中「当該退職共済年金の受給権者がその権利を取得した当時（退職共済年金を受ける権利を取得した当時、当該退職共済年金の額」とあるのは「附則第十二条の七の三第一項の表の下欄に掲げる年齢に達した当時、附則第十二条の三の規定による退職共済年金の額（附則第十二条の七の五第一項に規定する繰上げ調整額を除く。）」と、「その者によつて」とあるのは「から引き続きその者によつて」と、同条第三項中「退職共済年金の受給権者がその権利を取得した当時」とあるのは「附則第十二条の七の三第一項の表の下欄に掲げる年齢に達した当時」と、「当該受給権者が退職共済年金を受ける権利を取得した当時」とあるのは「当該年齢に達した当時から引き続き」とする。

（特例による退職共済年金の支給の繰上げ）

第十二条の八　当分の間、組合員期間等が二十五年以上であり、かつ、組合員期間が二十年以上である者が、附則別表第一の上欄に掲げる者の区分に応じ同表の中欄に掲げる年齢に達する前に退職した場合において、当該区分に応じ同表の下欄に掲げる年齢に達した後同表の中欄に掲げる年齢に達する前に退職共済年金を受けることを希望する旨を連合会に申し出たときは、次項の規定の適用がある場合を除き、附則第十二条の三の規定にかかわらず、その者に退職共済年金を支給する。この場合においては、同条の規定による退職共済年金は、支給しない。

2　当分の間、組合員期間が二十年以上であり、かつ、組合員期間等が二十五年以上である者が、附則別表第二の上欄に掲げる者の区分に応じ同表の中欄に掲げる年齢に達する前にその者の事情によらないで引き続いて勤務することを困難とする理由により退職した者で政令で定めるものに該当する場合において、当該区分に応じ同表の下欄に掲げる年齢に達した後同表の中欄に掲げる年齢に達する前に退職共済年金を受けることを希望する旨を連合会に申し出たときは、その者に退職共済年金を支給する。この場合においては、附則第十二条の三及び第十二条の六の二の規定は、適用しない。

3　第一項又は前項の規定による退職共済年金の額は、第七十七条第一項及び第二項の規定にかかわらず、附則第十二条の四の二第二項又は第三項の規定の例により算定した金額から、その額の百分の四に相当する金額に附則別表第一又は附則別表第二の上欄に掲げる者の区分に応じこれらの表の中欄に掲げる年齢（以下「特例支給開始年齢」という。）と当該退職共済年金の支給を開始する月の前月の末日におけるその者の年齢との差に相当する年数を乗じて得た金額を減じた金額とする。

4　第一項又は第二項の規定による退職共済年金に係る第七十四条、第七十八条及び第七十九条の規定の適用については、第七十四条第二項中「第七十七条第二項の規定により加算する金額」とあるのは「附則第十二条の八第三項においてその例によるものとされた附則第十二条の四の二第三項の規定により加算する金額に係る附則第十二条の八第三項の規定による減額後の額」と、第七十八条第一項中「前条の」とあるのは「附則第十二条の八第三項並びに前条第三項及び第四項の」と、「同条の規定」とあるのは「これらの規定」と、第七十九条第二項中「受給権者」とあるのは「受給権者（六十歳以上である者に限る。）」とする。

5　第七十八条第一項の規定により加給年金額が加算された第一項又は第二項の規定による退職共済年金については、当該退職共済年金の受給権者が、その者に係る特例支給開始年齢に達するまでの間は、同条第一項の規定により加算する部分の支給を停止する。

6　附則第十二条の五、第十二条の七の四及び第十二条の七の六第一項の規定は、第一項又は第二項の規定による退職共済年金について準用する。この場合において、同条第一項中「附則第十二条の三」とあるのは、「附則第十二条の八第一項又は第二項」と読み替えるものとする。

7　第一項又は第二項の規定による退職共済年金の受給権者であつた者が六十五歳に達したときに支給する退職共済年金の額の算定については、第七十七条第一項又は第二項の金額は、これらの規定にかかわらず、これらの規定により算定した金額から、その金額に、第三項の規定により減じるべきこととされた金額をその算定の基礎となつた同項においてその例によるものとされた附則第十二条の四の二第二項第二号に掲げる金額又は当該金額と同条第三項の規定により加算する金額との合算額で除して得た割合を乗じて得た金額を減じた金額とする。

8　前各項に定めるもののほか、第一項又は第二項の規定による退職共済年金の受給権者で六十五歳に達する前に再び組合員となつた者に対してこの法律を適用する場合における必要な技術的読替え及びこれらの規定による退職共済年金の支給等に関し必要な事項は、政令で定める。

9　第一項及び第三項から前項までの規定は、組合員期間等が二十五年以上であり、かつ、組合員期間が二十年以上である者のうち昭和十五年七月一日以前に生まれたもの（第一項又は第二項の規定の適用を受ける者を除く。）について準用する。この場合において、第一項中「附則別表第一の上欄に掲げる者の区分に応じ同表の中欄に掲げる年齢」とあるのは「六十歳」と、「当該区分に応じ同表の下欄に掲げる年齢に達した後同表の中欄に掲げる年齢」とあるのは「五十五歳に達した後六十歳」と、第三項中「附則別表第一又は附則別表第二の上欄に掲げる者の区分に応じこれらの表の中欄に掲げる年齢」とあるのは「六十歳」と読み替えるものとする。

（退職共済年金と基本手当等との調整）

第十二条の八の二　附則第十二条の二の二、第十二条の三、第十二条の六の二又は前条の規定による退職共済年金は、その受給権者（雇用保険法第十四条第二項第一号に規定する受給資格を有する者であつて六十五歳未満であるものに限る。）が同法第十五条第二項の規定による求職の申込みをしたときは、次の各号のいずれかに該当するに至るまでの間、当該退職共済年金の額のうち退職共済年金の職域加算額に相当する金額を除き、その支給を停止する。

一　当該受給資格に係る雇用保険法第二十四条第二項に規定する受給期間が経過したとき。

二　当該受給権者が当該受給資格に係る雇用保険法第二十二条第一項に規定する所定給付日数に相当する日数分の基本手当（同法の規定による基本手当をいう。以下この条において同じ。）の支給を受け終わつたとき（同法第二十八条第一項に規定する延長給付を受ける者にあつては、当該延長給付が終わつたとき。）。

2　前項に規定する求職の申込みがあつた月の翌月から同項各号のいずれかに該当するに至つた月までの期間において、次の各号のいずれかに該当する月があつたときは、同項の規定は、その月の分の退職共済年金については、適用しない。

一　その月において、財務省令で定めるところにより当該退職共済年金の受給権者が基本手当の支給を受けた日とみなされる日及びこれに準ずる日として政令で定める日がないこと。

二　その月の分の退職共済年金について、第七十九条第一項及び第二項の規定により、その全部又は一部の支給が停止されていること。

3　第一項各号のいずれかに該当するに至つた場合において、同項に規定する求職の申込みがあつた月の翌月から同項各号のいずれかに該当するに至つた月までの各月のうち同項の規定により退職共済年金の支給が停止された月（以下この項において「年金停止月」という。）の数から前項第一号に規定するみなされる日の数を三十で除して得た数（一未満の端数が生じたときは、これを一に切り上げるものとする。）を控除して得た数が一以上であるときは、年金停止月のうち、当該控除して得た数に相当する月数分の直近の各月については、第一項の規定による退職共済年金の支給停止が行われなかつたものとみなす。

4　雇用保険法第十四条第二項第一号に規定する受給資格を有する者であつて、同法第十五条第二項の規定による求職の申込みをしたもの（第一項各号のいずれにも該当するに至つていない者に限る。）が、附則第十二条の二の二、第十二条の三、第十二条の六の二又は前条の規定による退職共済年金を受ける権利を取得したときは、第一項各号のいずれかに該当するに至るまでの間、当該退職共済年金（退職共済年金の職域加算額に相当する金額を除く。）の支給を停止する。

5　第二項及び第三項の規定は、前項の場合について準用する。この場合において、第二項中「前項に規定する求職の申込みがあつた月」とあるのは「第四項に規定する者が附則第十二条の二の二、第十二条の三、第十二条の六の二又は前条の規定による退職共済年金を受ける権利を取得した月」と、「同項各号」とあるのは「前項各号」と、「同項の規定」とあるのは「第四項の規定」と、第三項中「同項に規定する求職の申込みがあつた月」とあるのは「次項に規定する者が附則第十二条の二の二、第十二条の三、第十二条の六の二又は前条の規定による退職共済年金を受ける権利を取得した月」と、「同項各号」とあるのは「第一項各号」と、「同項の規定」とあるのは「次項の規定」と、「第一項の規定」とあるのは「次項の規定」と読み替えるものとする。

第十二条の八の三　附則第十二条の二の二、第十二条の三、第十二条の六の二又は第十二条の八の規定による退職共済年金の受給権者が同時に組合員である日の属する月（その者が当該組合員の資格を取得した月を除く。）について、その者が雇用保険法の規定による高年齢雇用継続基本給付金（以下この条において「高年齢雇用継続基本給付金」という。）の支給を受けることができるときは、その月の分の退職共済年金の額は、第七十九条第二項（附則第十二条の四の二第四項、第十二条の四の三第二項若しくは第四項又は第十二条の七の四第三項において読み替えて適用する場合を含む。以下この条において同じ。）の規定にかかわらず、第七十九条第二項の規定により支給の停止を行わないこととされる金額から、次の各号に掲げる区分に応じ、それぞれ当該各号に定める金額（その金額に六分の十五を乗じて得た金額に当該受給権者の標準報酬の月額を加えた金額が雇用保険法第六十一条第一項第二号に規定する支給限度額（以下この条において「支給限度額」という。）を超えるときは、支給限度額から当該標準報酬の月額を控除して得た金額に十五分の六を乗じて得た金額）に十二を乗じて得た金額（以下この条において「調整額」という。）を控除して得た金額とする。

一　当該受給権者の標準報酬の月額が、雇用保険法第六十一条第一項、第三項及び第四項の規定によるみなし賃金日額（以下この条において「みなし賃金日額」という。）に三十を乗じて得た金額の百分の六十一に相当する金額未満であるとき。　当該受給権者の標準報酬の月額に百分の六を乗じて得た金額

二　前号に該当しないとき。　当該受給権者の標準報酬の月額に、みなし賃金日額に三十を乗じて得た金額に対する当該受給権者の標準報酬の月額の割合が逓増する程度に応じ、百分の六から一定の割合で逓減するように財務省令で定める率を乗じて得た金額

2　前項の場合において、調整額が第七十九条第二項の規定により支給の停止を行わないこととされる金額（第七十八条第一項の規定により加給年金額が加算されているときは、当該加給年金額を控除して得た金額）以上であるときは、退職共済年金の全部の支給を停止する。

3　附則第十二条の二の二、第十二条の三、第十二条の六の二又は第十二条の八の規定による退職共済年金については、次の各号のいずれかに該当するときは、前二項の規定は、適用しない。

一　当該退職共済年金の受給権者の標準報酬の月額がみなし賃金日額に三十を乗じて得た金額の百分の七十五に相当する金額以上であるとき。

二　当該退職共済年金の受給権者の標準報酬の月額が支給限度額以上であるとき。

4　第一項及び第二項の規定を適用する場合においては、第七十三条第二項の規定は、適用しない。

5　前各項の規定は、附則第十二条の二の二、第十二条の三、第十二条の六の二又は第十二条の八の規定による退職共済年金の受給権者が同時に組合員である日の属する月（その者が当該組合員の資格を取得した月を除く。）について、その者が雇用保険法の規定による高年齢再就職給付金の支給を受けることができる場合について準用する。この場合において、第一項第一号中「第六十一条第一項、第三項及び第四項の規定によるみなし賃金日額（以下この条において「みなし賃金日額」という。）」とあるのは「第六十一条の二第一項の賃金日額（以下この条において「賃金日額」という。）」と、同項第二号及び第三項第一号中「みなし賃金日額」とあるのは「賃金日額」と読み替えるものとする。

（特例による退職共済年金の支給の繰下げの特例）

第十二条の八の四　第七十八条の二の規定は、附則第十二条の三の規定による退職共済年金については、適用しない。

（自衛官の退職共済年金の支給開始年齢等の特例）

第十二条の九　防衛省の職員の給与等に関する法律（昭和二十七年法律第二百六十六号）第二十七条の二に規定する若年定年退職者（同条ただし書の規定に該当する者を除く。以下この条において「若年定年退職自衛官」という。）のうち附則別表第三の上欄に掲げる者（政令で定める者を除く。）に対する附則第十二条の三の規定の適用については、同表の上欄に掲げる者の区分に応じ、同条第一号中「六十歳」とあるのは、それぞれ同表の下欄に掲げる字句に読み替えるものとする。

2　附則第十二条の七の規定は、前項の規定の適用を受ける者については、適用しない。

3　附則第十二条の八の規定は、若年定年退職自衛官については、適用しない。

（障害共済年金の特例）

第十二条の十　第八十一条第三項から第六項まで、第八十四条第二項、第八十六条第二項及び第八十七条第四項ただし書の規定は、当分の間、附則第十二条の二の二第三項若しくは第十二条の六の二第三項の規定による退職共済年金の受給権者又は国民年金法附則第九条の二第三項若しくは第九条の二の二第三項の規定による老齢基礎年金の受給権者については、適用しない。

2　第八十四条第三項の規定の適用については、当分の間、同項中「六十五歳以上の者」とあるのは、「六十五歳以上の者又は国民年金法による老齢基礎年金の受給権者」とする。

（遺族共済年金の額の改定の特例）

第十二条の十の二　第八十九条の二の規定の適用については、当分の間、同条第一項中「六十五歳に達した日以後に退職共済年

金等のいずれかの受給権を取得した日において、同項第二号イ」とあるのは「厚生年金保険法附則第七条の三第三項又は第十三条の四第三項の規定による老齢厚生年金その他これに相当する年金である給付であつて政令で定めるものの受給権者である場合にあつては、当該受給権者が六十五歳に達した日において、前条第一項第二号イ」と、同条第三項中「「同項第二号イ」とあるのは「同条第三項」とあるのは「「前条第一項第二号イ」とあるのは「前条第三項」と、「「金額に」」とあるのは「「それぞれ同条第一項第二号イ」とあるのは「それぞれ同条第三項の規定の適用後の同条第一項第二号イ」と、「金額に」」とする。

（遺族共済年金の支給開始年齢の特例）

第十二条の十一 遺族共済年金の受給権者となつた者のうち次の表の上欄に掲げる者に対する第九十一条第一項の規定の適用については、同表の上欄に掲げる者の区分に応じ、同項中「六十歳」とあるのは、それぞれ同表の下欄に掲げる字句に読み替えるものとする。

昭和六十一年四月一日から同年六月三十日までの間に遺族共済年金の受給権者となつた者	五十六歳
昭和六十一年七月一日から平成元年六月三十日までの間に遺族共済年金の受給権者となつた者	五十七歳
平成元年七月一日から平成四年六月三十日までの間に遺族共済年金の受給権者となつた者	五十八歳
平成四年七月一日から平成七年六月三十日までの間に遺族共済年金の受給権者となつた者	五十九歳

（退職一時金の返還）

第十二条の十二 次の各号に掲げる一時金である給付を受けた者が、退職共済年金又は障害共済年金（以下この条及び次条において「退職共済年金等」という。）の支給を受ける権利を有することとなつたときは、当該一時金として支給を受けた額に利子に相当する額を加えた額（以下この条において「支給額等」という。）に相当する金額を当該退職共済年金等を受ける権利を有することとなつた日の属する月の翌月から一年以内に、一時に又は分割して、連合会に返還しなければならない。

一 昭和四十二年度以後における国家公務員共済組合等からの年金の額の改定に関する法律等の一部を改正する法律（昭和五十四年法律第七十二号）第二条の規定による改正前の国家公務員共済組合法（昭和三十三年法律第百二十八号）第八十条の規定による退職一時金（当該退職一時金とみなされる給付を含む。）

二 昭和四十二年度以後における公共企業体職員等共済組合法に規定する共済組合が支給する年金の額の改定に関する法律及び公共企業体職員等共済組合法の一部を改正する法律（昭和五十四年法律第七十六号）第二条の規定による改正前の公共企業体職員等共済組合法（昭和三十一年法律第百三十四号）第五十四条の規定による退職一時金

2 前項に規定する者は、同項の規定にかかわらず、支給額等に相当する金額を当該退職共済年金等の額から控除することにより返還する旨を当該退職共済年金等を受ける権利を有することとなつた日から六十日を経過する日以前に、連合会に申し出ることができる。

3 前項の申出があつた場合における支給額等に相当する金額の返還は、当該退職共済年金等の支給に際し、この項の規定の適用がないとしたならば支給されることとなる当該退職共済年金等の支給期月ごとの支給額の二分の一に相当する金額から、支給額等に相当する金額に達するまでの金額を順次に控除することにより行うものとする。この場合においては、その控除後の金額をもつて、当該退職共済年金等の額とする。

4 第一項に規定する利子は、同項に規定する一時金の支給を受けた日の属する月の翌月から退職共済年金等を受ける権利を有することとなつた日の属する月までの期間に応じ、複利計算の方法によるものとし、その利率は、政令で定める。

第十二条の十三 前条第一項に規定する者の遺族が遺族共済年金の支給を受ける権利を有することとなつたときは、同項に規定する者が支給を受けた同項に規定する一時金の額に利子に相当する額を加えた額（同項に規定する者が退職共済年金等を受ける権利を有していた場合には、同項に規定する支給額等に相当する金額（同項又は同条第三項の規定により既に返還された金額を除く。））を当該遺族共済年金を受ける権利を有することとなつた日の属する月の翌月から一年以内に、一時に又は分割して、連合会に返還しなければならない。この場合においては、同条第二項から第四項までの規定を準用する。

（衛視等に対する退職共済年金等の特例）

第十三条 特定衛視等に対する次の表の上欄に掲げるこの法律の規定の適用については、これらの規定中同表の中欄に掲げる字句は、それぞれ同表の下欄に掲げる字句に読み替えるものとする。

第七十六条第一項第一号	組合員期間等（組合員期間、組合員期間以外の国民年金法第五条第二項に規定する保険料納付済期間、同条第三項に規定する保険料免除期間及び同法附則第七条第一項に規定する合算対象期間を合算した期間をいう。以下同じ。）が二十五年以上である者	附則第十三条第一項に規定する特定衛視等
第七十六条第二項第三号	組合員期間等が二十五年以上	附則第十三条第一項に規定する特定衛視等
第七十七条第二項	次の各号に掲げる者の区分に応じ、それぞれ	第一号

	当該各号	
	組合員期間が二十年以上である者	附則第十三条第一項に規定する特定衛視等
第七十八条第一項	退職共済年金（その年金額の算定の基礎となる組合員期間が二十年以上であるものに限る。）	退職共済年金
	その権利を取得した当時（退職共済年金を受ける権利を取得した当時、当該退職共済年金の額の算定の基礎となる組合員期間が二十年未満であつたときは、前条第四項の規定により当該退職共済年金の額が改定された場合において当該組合員期間が二十年以上となるに至つた当時。第三項において同じ。）	その権利を取得した当時
第七十九条第三項	二十年以上であるもの	二十年以上であるもの及び附則第十三条第一項に規定する特定衛視等に該当して支給されるもの
	同項	前条第一項
第八十八条第一項第四号	組合員期間等が二十五年以上である者	附則第十三条第一項に規定する特定衛視等
第八十九条第一項第一号ロ(2)	次の(i)又は(ii)に掲げる者の区分に応じ、それぞれ(i)又は(ii)に定める	(i)に定める
	組合員期間が二十年以上である者	附則第十三条第一項に規定する特定衛視等
第九十条	遺族共済年金（第八十八条第一項第四号に該当することにより支給される遺族共済年金でその額の算定の基礎となる組合員期間が二十年未満であるものを除く。）	遺族共済年金
附則第十二条の二の二第七項	第七十八条第一項	附則第十三条第一項において読み替えられた第七十八条第一項
	当時（退職共済年金を受ける権利を取得した当時	当時
	当時（六十五歳に達した当時	
附則第十二条の三第三	組合員期間等が二十五年以上	附則第十三条第一項に規定する特定衛視
号		等
附則第十二条の四の二第二項第一号	当該月数が四百八十月を超えるときは、四百八十月	当該月数が、二百四十月未満であるときは二百四十月とし、四百八十月を超えるときは四百八十月とする。
附則第十二条の四の二第三項	次の各号に掲げる者の区分に応じ、それぞれ当該各号	第一号
	組合員期間が二十年以上である者	附則第十三条第一項に規定する特定衛視等
附則第十二条の四の二第四項	第七十八条第一項	附則第十三条第一項において読み替えられた第七十八条第一項
	当時（退職共済年金を受ける権利を取得した当時	当時
	当時（当該請求があつた当時	
附則第十二条の四の三第四項	第七十八条第一項	附則第十三条第一項において読み替えられた第七十八条第一項
	当時（退職共済年金を	当時

	受ける権利を取得した当時、当該退職共済年金の額の算定の基礎となる組合員期間が二十年未満であつたときは、前条第四項の規定により当該退職共済年金の額が改定された場合において当該組合員期間が二十年以上となるに至つた当時。第三項において同じ。）	
附則第十二条の六第一項	算定されているものであつて、かつ、その年金額の算定の基礎となる組合員期間が二十年以上であるもの	算定されているもの
	第七十八条第一項	附則第十三条第一項において読み替えられた第七十八条第一項
	当時（退職共済年金を受ける権利を取得した当時	当時
	当時（当該請求があつた当時	
附則第十二条の六第二項及び第三項	第七十八条第一項	附則第十三条第一項において読み替えられた第七十八条第一項
	当時（退職共済年金を受ける権利を取得した当時、当該退職共済年金の額の算定の基礎となる組合員期間が二十年未満であつたときは、前条第四項の規定により当該退職共済年金の額が改定された場合において当該組合員期間が二十年以上となるに至つた当時。第三項において同じ。）	当時
附則第十二条の六の二第八項	第七十八条第一項	附則第十三条第一項において読み替えられた第七十八条第一項
	当時（退職共済年金を受ける権利を取得した当時	当時
	当時（六十五歳（その者が繰上げ調整額が加算された退職共済年金の受給権者であるときは、特例支給開始年齢）に達した当時	
附則第十二条の六の三第一項	組合員期間を	組合員期間（当該月数が二百四十月未満であるときは、二百四十月）を
附則第十二条の六の三第三項及び第四項	当該月数が四百八十月を超えるときは、四百八十月	当該月数が、二百四十月未満であるときは二百四十月とし、四百八十月を超えるときは四百八十月とする。
附則第十二条の七第一項及び第二項	組合員期間が二十年以上である者	附則第十三条第一項に規定する特定衛視等
附則第十二条の七の三第五項	第七十八条第一項	附則第十三条第一項において読み替えられた第七十八条第一項
	当時（退職共済年金を受ける権利を取得した当時	当時
	当時（その年齢に達した当時	
附則第十二条の七の五第一項	組合員期間	組合員期間（当該月数が二百四十月未満であるときは、二百四十月）
附則第十二条の七の五第四項及び第五項	当該月数が四百八十月を超えるときは、四百八十月	当該月数が、二百四十月未満であるときは二百四十月とし、四百八十月を超えるときは四百八十月と

する。

附則第十二条の七の五第六項	同条第一項	附則第十三条第一項において読み替えられた第七十八条第一項
	当時（退職共済年金を受ける権利を取得した当時、当該退職共済年金の額	当時
	当時（その年齢に達した当時、当該退職共済年金の額（附則第十二条の七の五第一項に規定する繰上げ調整額を除く。）	
附則第十二条の七の六第一項	算定されているものであつて、かつ、その年金額の算定の基礎となる組合員期間が二十年以上であるもの	算定されているもの
	第七十八条第一項	附則第十三条第一項において読み替えられた第七十八条第一項
	当時（退職共済年金を受ける権利を取得した当時	当時
	当時（当該退職共済年金を受ける権利を取得した当時	
附則第十二条の七の六第二項	加算されたものであつて、かつ、その年金額の算定の基礎となる組合員期間が二十年以上であるもの	加算されたもの
	第七十八条第一項	附則第十三条第一項において読み替えられた第七十八条第一項
	当時（退職共済年金を受ける権利を取得した当時、当該退職共済年金の額	当時
	当時（当該年齢に達した当時、附則第十二条の三の規定による退職共済年金の額（附則第十二条の七の五第一項に規定する繰上げ調整額を除く。）	
附則第十二条の八第一項、第二項及び第九項	組合員期間等が二十五年以上であり、かつ、組合員期間が二十年以上である者	附則第十三条第一項に規定する特定衛視等

2　前項に規定する特定衛視等とは、衛視である国会職員、副看守長、看守部長若しくは看守である法務事務官、海上保安士である海上保安官又は陸曹長、海曹長若しくは空曹長以下の自衛官である組合員（以下「衛視等」という。）のうち昭和五十五年一月一日（以下この項において「基準日」という。）前に衛視等であつた期間を有する者で次の各号のいずれかに該当するものをいう。

一　基準日前の衛視等であつた期間が十五年以上である者

二　次のイからホまでに掲げる者で、これらの者の区分に応じ基準日前の衛視等であつた期間の年月数と基準日以後の衛視等であつた期間の年月数とを合算した年月数がそれぞれイからホまでに掲げる年数以上であるもの

イ　基準日前の衛視等であつた期間が十二年以上十五年未満である者　十五年

ロ　基準日前の衛視等であつた期間が九年以上十二年未満である者　十六年

ハ　基準日前の衛視等であつた期間が六年以上九年未満である者　十七年

ニ　基準日前の衛視等であつた期間が三年以上六年未満である者　十八年

ホ　基準日前の衛視等であつた期間が三年未満である者　十九年

（警察職員であつた衛視等の取扱い）

第十三条の二　地方公務員等共済組合法附則第二十八条の四に規定する警察職員（以下この条において「警察職員」という。）であつた衛視等に対する前条の規定の適用については、警察職員であつた間衛視等であつたものとみなす。

（定年等による退職をした者に係る組合員の資格の継続に関する特例）

第十三条の三　国家公務員法の一部を改正する法律（昭和五十六年法律第七十七号。以下「昭和五十六年法律第七十七号」という。）の公布の日において現に組合員であつた者で、その者に係る国家公務員法第八十一条の二第一項に規定する定年退職日（昭和五十六年法律第七十七号附則第三条の規定の適用を受ける者にあつては、昭和五十六年法律第七十七号の施行の日。以下この項及び附則第十三条の五において「定年退職日」という。）まで引き続いて組合員であつたものが、国家公務員法第八十一条の二第一項又は昭和五十六年法律第七十七号附則第三

条の規定により当該定年退職日に退職した場合（国家公務員法第八十一条の三（昭和五十六年法律第七十七号附則第四条において準用する場合を含む。）の規定により勤務した後退職した場合及び国家公務員法第八十一条の四（昭和五十六年法律第七十七号附則第五条において準用する場合を含む。）の規定により任用された後退職した場合を含む。以下「定年等による退職をした場合」という。）において、その者の組合員期間が十年以上であり、かつ、その者が退職共済年金の受給権者でないときは、その者は、当該退職に係る組合に申し出て、引き続き当該組合のこの法律の規定（長期給付に関する規定に限る。）の適用を受ける組合員となることができる。この場合において、長期給付に関する規定の適用については、その申出をした者の退職は、なかつたものとみなす。

2　前項の規定により長期給付に関する規定の適用を受けることとなつた者で、その後、引き続き、同項の規定により長期給付に関する規定の適用を受けることとされる組合員以外の長期給付に関する規定の適用を受ける組合員若しくは地方の組合の組合員若しくは私学共済制度の加入者又は厚生年金保険の被保険者（以下この項において「被保険者等」という。）となつたものが、当該被保険者等の資格を喪失した場合において、その者が退職共済年金の受給権者でないときは、その者は、前項の規定による申出をした組合に申し出て、当該被保険者等の資格を喪失した日から当該組合のこの法律の規定（長期給付に関する規定に限る。）の適用を受ける組合員となることができる。

3　第一項又は前項の申出は、第一項の退職をした日の翌日又は前項の組合員若しくは被保険者の資格を喪失した日から起算してそれぞれ六月を経過する日までの間にしなければならない。ただし、組合は、正当な理由があると認めるときは、この期間を経過した後の申出であつても、受理することができる。

4　第一項又は第二項の規定により長期給付に関する規定の適用を受けることとされる組合員（以下「特例継続組合員」という。）となつた者は、連合会が、政令で定める基準に従い、その者の長期給付に係る掛金及び国の負担金の合算額を基礎として定款で定める金額（以下「特例継続掛金」という。）を、毎月、政令で定めるところにより、組合に払い込まなければならない。

5　特例継続組合員となつた者が特例継続組合員となつた後最初に払い込むべき特例継続掛金をその払込期日までに払い込まなかつたときは、第一項又は第二項の規定にかかわらず、その者は、特例継続組合員にならなかつたものとみなす。ただし、その払込みの遅延について正当な理由があると組合が認めたときは、この限りでない。

6　特例継続組合員となつた者が次の各号の一に該当するに至つたときは、その翌日（第三号に該当するに至つたときは最後の払込みのあつた特例継続掛金に係る月の翌月の初日、第四号に該当するに至つたときはその日）から、その資格を喪失する。

一　死亡したとき。

二　退職共済年金を受けることができる組合員期間等を有することとなつたとき。

三　特例継続掛金（特例継続組合員となつた後最初に払い込むべき特例継続掛金を除く。）をその払込期日までに払い込まなかつたとき（払込みの遅延について正当な理由があると組合が認めたときを除く。）。

四　特例継続組合員以外の長期給付に関する規定の適用を受ける組合員若しくは地方の組合の組合員若しくは私学共済制度の加入者又は厚生年金保険の被保険者となつたとき。

五　特例継続組合員でなくなることを希望する旨を組合に申し出たとき。

7　第百条の二の規定は、特例継続組合員については、適用しない。

8　第一項、第二項及び第六項第五号の申出の手続に関し必要な事項は、政令で定める。

（健康保険法等との関係）

第十三条の四　特例継続組合員（第百二十六条の五第二項に規定する任意継続組合員である者を除く。次項において同じ。）は、健康保険法第二百条の規定の適用については、同条第一項に規定する共済組合の組合員でないものとみなす。

2　特例継続組合員は、国民健康保険法第六条の規定の適用については、同条第三号に規定する国家公務員共済組合法に基づく共済組合の組合員でないものとみなす。

（定年等による退職をした者に係る退職共済年金の特例）

第十三条の五　昭和五十六年法律第七十七号の公布の日において現に組合員であつた者で、その者に係る定年退職日まで引き続いて組合員であつたものが、定年等による退職をした場合において、その者が、退職共済年金を受ける権利を有しない者であつて、その者の四十歳に達した日の属する月以後の組合員期間が十五年以上であるものであるときは、第七十六条及び附則第十二条の三の規定の適用については、その者は、組合員期間等が二十五年以上である者であるものとみなす。

（退職共済年金の受給資格の特例）

第十三条の六　次に掲げる場合は、定年等による退職をした場合に該当するものとみなして、前条の規定を適用する。ただし、その者の四十歳に達した日の属する月以後の組合員期間のうち特例継続組合員以外の長期給付に関する規定の適用を受ける組合員としての組合員期間が七年六月未満である場合は、この限りでない。

一　特例継続組合員である者の四十歳に達した日の属する月以後の組合員期間が十五年に達した場合

二　特例継続組合員であつた者で引き続き特例継続組合員以外の長期給付に関する規定の適用を受ける組合員となつたものが退職をした場合において、その者の四十歳に達した日の属する月以後の組合員期間が十五年以上であり、かつ、その者が退職共済年金の受給権者でないとき。

（自衛官以外の隊員等に関する特例）

第十三条の七　自衛隊法（昭和二十九年法律第百六十五号）第二条第五項に規定する隊員（自衛官を除く。）については、附則第十三条の三第一項中「国家公務員法の一部を改正する法律（昭和五十六年法律第七十七号。以下「昭和五十六年法律第七十七号」という。）」とあるのは「自衛隊法の一部を改正する法律（昭和五十六年法律第七十八号。以下「昭和五十六年法律第七十八号」という。）」と、「国家公務員法第八十一条の二第一項に規定する定年退職日（昭和五十六年法律第七十七号附則第三条の規定の適用を受ける者にあつては、昭和五十六年法律第七十七号」とあるのは「自衛隊法第四十四条の二第一項に規定する定年退職日（昭和五十六年法律第七十八号附則第三条の規定の適用を受ける者にあつては、昭和五十六年法律第七十八号」と、「国家公務員法第八十一条の二第一項又は昭和五十六年法律第七十七号附則第三条」とあるのは「自衛隊法第四十四条の二第一項又は昭和五十六年法律第七十八号附則第三条」と、「国家公務員法第八十一条の三（昭和五十六年法律第七十七号附則第四条において準用する場合を含む。）」とあるのは「自衛隊法第四十四条の三（昭和五十六年法律第七十八号附則第四条において準用する場合を含む。）」と、「国家公務員法第八十一条の四（昭和五十六年法律第七十七号附則第五条において準用する場合を含む。）」とあるのは「自衛隊法第四十四条の四（昭和五十六年法律第七十八号附則第五条において準用する場合を含む。）」と、附則第十三条の五中「昭和五十六年法律第七十七号」とあるのは「昭和五十六年法律第七十八号」として、これらの規定を適用する。

2　裁判所職員臨時措置法の適用を受ける裁判所職員については、附則第十三条の三第一項中「国家公務員法第八十一条の二第一項」とあるのは「裁判所職員臨時措置法において準用する国家公務員法第八十一条の二第一項」と、「国家公務員法第八十一条の三」とあるのは「裁判所職員臨時措置法において準用する国家公務員法第八十一条の三」と、「国家公務員法第八十一条の四」とあるのは「裁判所職員臨時措置法において準用する国家公務員法第八十一条の四」として、同項の規定を適用する。

3　国会職員法（昭和二十二年法律第八十五号）の適用を受ける国会職員については、附則第十三条の三第一項中「国家公務員法の一部を改正する法律（昭和五十六年法律第七十七号。以下「昭和五十六年法律第七十七号」という。）」とあるのは「国会職員法の一部を改正する法律（昭和五十九年法律第四十号。以下「昭和五十九年法律第四十号」という。）」と、「国家公務員法第八十一条の二第一項に規定する定年退職日（昭和五十六年法律第七十七号附則第三条の規定の適用を受ける者にあつては、昭和五十六年法律第七十七号」とあるのは「国会職員法（昭和二十二年法律第八十五号）第十五条の二第一項に規定する定年退職日（昭和五十九年法律第四十号附則第二項の規定の適用を受ける者にあつては、昭和五十九年法律第四十号」と、「国家公務員法第八十一条の二第一項又は昭和五十六年法律第七十七号附則第三条」とあるのは「国会職員法第十五条の二第一項又は昭和五十九年法律第四十号附則第二項」と、「国家公務員法第八十一条の三（昭和五十六年法律第七十七号附則第四条において準用する場合を含む。）」とあるのは「国会職員法第十五条の三（昭和五十九年法律第四十号附則第七項において準用する場合を含む。）」と、「国家公務員法第八十一条の四（昭和五十六年法律第七十七号附則第五条において準用する場合を含む。）」とあるのは「国会職員法第十五条の四（昭和五十九年法律第四十号附則第八項において準用する場合を含む。）」と、附則第十三条の五中「昭和五十六年法律第七十七号」とあるのは「昭和五十九年法律第四十号」として、これらの規定を適用する。

（政令への委任）

第十三条の八　附則第十三条の三から前条までに定めるもののほか、特例継続組合員に係る長期給付及び長期給付に要する費用の負担についてこの法律又は国家公務員共済組合法の長期給付に関する施行法（昭和三十三年法律第百二十九号）の規定を適用する場合における必要な技術的読替えその他特例継続組合員に対するこの法律又は国家公務員共済組合法の長期給付に関する施行法の適用に関し必要な事項は、政令で定める。

（年金である給付の額の改定の特例）

第十三条の九　当該年度の前年度に属する三月三十一日において年金である給付（第七十七条第一項及び第二項、第八十二条第一項及び第二項、第八十九条第一項から第三項まで並びに附則第十二条の四の二第二項第二号及び第三項の規定（附則第十二条の四の三第一項及び第三項、第十二条の七の二第二項、第十二条の七の三第二項及び第四項並びに第十二条の八第三項においてその例による場合を含む。以下この項において同じ。）によりその金額が算定されたものに限る。）の受給権を有する者について、第七十二条の三から第七十二条の六までの規定による再評価率の改定により、当該年度において第七十七条第一項及び第二項、第八十二条第一項及び第二項、第八十九条第一項から第三項まで並びに附則第十二条の四の二第二項第二号及び第三項の規定により算定した金額（以下この条において「当該年度額」という。）が、当該年度の前年度に属する三月三十一日においてこれらの規定により算定した金額（以下この条において「前年度額」という。）に満たないこととなるときは、これらの規定にかかわらず、前年度額を当該年度額とする。

2　前項の規定にかかわらず、次の各号に掲げる場合において、第七十二条の三（第七十二条の四から第七十二条の六までにおいて適用される場合を除く。）の規定による再評価率の改定により、当該年度額が、前年度額に当該各号に定める率を乗じて得た金額に満たないこととなるときは、当該金額を当該年度額とする。

一　名目手取り賃金変動率が一を下回り、かつ、物価変動率が名目手取り賃金変動率を下回る場合　名目手取り賃金変動率

二　物価変動率が一を下回り、かつ、物価変動率が名目手取り賃金変動率を上回る場合　物価変動率

3　第一項の規定にかかわらず、物価変動率が一を下回る場合において、第七十二条の四（第七十二条の六において適用される場合を除く。）の規定による再評価率の改定により、当該年度額が、前年度額に物価変動率を乗じて得た金額に満たないこととなるときは、当該金額を当該年度額とする。

4　第一項の規定にかかわらず、次の各号に掲げる場合において、第七十二条の五（第七十二条の六において適用される場合を除く。）の規定による再評価率の改定により、当該年度額が前年度額に当該各号に定める率を乗じて得た金額に満たないこととなるときは、当該金額を当該年度額とする。

一　名目手取り賃金変動率が一を下回り、かつ、物価変動率が名目手取り賃金変動率以下となる場合　名目手取り賃金変動率

二　名目手取り賃金変動率が一を下回り、かつ、物価変動率が名目手取り賃金変動率を上回る場合（物価変動率が一を上回る場合を除く。）　物価変動率

5　第一項の規定にかかわらず、物価変動率が一を下回る場合において、第七十二条の六の規定による再評価率の改定により、当該年度額が、前年度額に物価変動率を乗じて得た金額に満たないこととなるときは、当該金額を当該年度額とする。

（標準報酬の月額等が改定され、又は決定された者に対する長期給付の支給要件等の特例）

第十三条の九の二　第九十三条の九第一項及び第二項の規定により標準報酬の月額及び標準期末手当等の額が改定され、又は決定された者に対する長期給付について、附則第十二条の三第二号、第十二条の四の二第二項第一号、第十二条の四の三第一項及び第十三条の十第一項の規定を適用する場合においては、「組合員期間」とあるのは、「組合員期間（離婚時みなし組合員期間を除く。）」とする。

（被扶養配偶者である期間についての特例の規定の適用）

第十三条の九の三　第九十三条の十四第一項の規定の適用については、当分の間、「第七十七条第一項及び第二項」とあるのは「第七十七条第一項から第三項まで」と、「、改定又は」とあるのは「、特定期間に係る組合員期間の最後の月以前における組合員期間（特定期間の末日後に当該退職共済年金を支給すべき事由が生じた場合その他の政令で定める場合にあつては、政令で定める期間）及び改定又は」とする。

第十三条の九の四　第九十三条の十三第二項及び第三項の規定により標準報酬の月額及び標準期末手当等の額が改定され、及び決定された者に対する長期給付について、附則第十二条の三第二号、第十二条の四の二第二項第一号、第十二条の四の三第一項及び第十三条の十第一項の規定を適用する場合においては、「組合員期間」とあるのは、「組合員期間（被扶養配偶者みなし組合員期間を除く。）」とする。

第十三条の九の五　国民年金法附則第七条の三第一項の規定により保険料納付済期間に算入される特定期間に係る組合員期間についての第九十三条の十三第二項及び第三項の規定による標準報酬の月額及び標準期末手当等の額の改定及び決定並びに長期給付の額の算定及び改定に関し必要な事項は、政令で定める。

（日本国籍を有しない者に対する脱退一時金の支給）

第十三条の十　当分の間、組合員期間が六月以上である日本国籍を有しない者（国民年金の被保険者でないものに限る。）であつて、組合員期間等が二十五年未満である者は、脱退一時金の請求をすることができる。ただし、その者が次の各号のいずれかに該当するときは、この限りでない。

一　日本国内に住所を有するとき。

二　障害共済年金その他政令で定める給付を受ける権利を有したことがあるとき。

三　最後に国民年金の被保険者の資格を喪失した日（同日において日本国内に住所を有していた者にあつては、同日後初めて、日本国内に住所を有しなくなつた日）から起算して二年を経過しているとき。

2　前項の請求があつたときは、その請求をした者に脱退一時金を支給する。

3　脱退一時金の額は、その者の組合員期間の計算の基礎となる各月の掛金の標準となつた標準報酬の月額と標準期末手当等の額の総額を、当該組合員期間の月数で除して得た金額に支給率を乗じて得た金額とする。

4　前項の支給率は、最終月（最後に組合員の資格を喪失した日の属する月の前月をいう。以下この項において同じ。）の属する年の前年十月における、標準報酬の月額及び標準期末手当等の額の合計額に対する掛金の割合（長期給付に係るものに限り、最終月が一月から八月までに属する場合は前々年十月における当該割合とする。）に次の表の上欄に定める組合員期間の区分に応じ同表の下欄に定める数を乗じて得た率とし、その率に少数点以下一位未満の端数があるときは、これを四捨五入する。

組合員期間	数
六月以上一二月未満	六
一二月以上一八月未満	一二
一八月以上二四月未満	一八
二四月以上三〇月未満	二四
三〇月以上三六月未満	三〇
三六月以上	三六

5　脱退一時金の支給を受けたときは、その額の算定の基礎となつた組合員期間は、長期給付に関する規定の適用については、組合員期間でなかつたものとみなす。

6　脱退一時金について第四十九条及び第五十条の規定を適用する場合には、第四十九条中「退職共済年金」とあるのは「退職共済年金若しくは脱退一時金」と、第五十条中「退職共済年金及び」とあるのは「退職共済年金及び脱退一時金並びに」と読み替えるものとする。

7　脱退一時金は、第四十一条、第四十七条第一項、第百六条、第百十五条第一項及び第百十八条の規定の適用については、長期給付とみなす。

（長期給付に関する経過措置）

第十四条　附則第十二条の二から前条までその他この附則に定めるもののほか、第四章第三節その他の長期給付に関する規定の施行に関して必要な事項は、別に法律で定める。

（日本鉄道共済組合又は日本たばこ産業共済組合に係る組合員期間を有する者に支給する長期給付の特例）

第二十条　当分の間、組合員期間の一部が厚生年金保険法等の一部を改正する法律（平成八年法律第八十二号）第二条の規定による改正前の国家公務員等共済組合法（昭和三十三年法律第百二十八号）第八条第二項に規定する日本鉄道共済組合又は日本たばこ産業共済組合の組合員であつた期間である者に支給する長期給付に対する第七十七条第二項第一号の規定の適用については、同号中「組合員期間の」とあるのは「組合員期間（厚生年金保険法等の一部を改正する法律（平成八年法律第八十二号）第二条の規定による改正前の国家公務員等共済組合法（昭和三十三年法律第百二十八号。以下「平成八年改正前共済法」という。）第八条第二項に規定する日本鉄道共済組合又は日本たばこ産業共済組合の組合員であつた期間を除算した期間）の」と、同項第二号、第八十二条第一項第二号及び第二項、第八十七条の七第二号、第八十九条第一項第一号イ(2)及びロ(2)並びに附則第十二条の四の二第三項の規定の適用については、これらの規定中「組合員期間の」とあるのは「組合員期間（平成八年改正前共済法第八条第二項に規定する日本鉄道共済組合又は日本たばこ産業共済組合の組合員であつた期間を除算した期間）の」とする。

2　平成二年四月一日前に退職した者に退職共済年金を支給する

場合における前項の規定の適用については、同項中「日本鉄道共済組合又は日本たばこ産業共済組合」とあるのは、「日本鉄道共済組合」とする。

（年金保険者たる共済組合等に係る拠出金の納付が行われる場合における組合及び連合会の業務等の特例）

第二十条の二　厚生年金保険法附則第十八条第一項に規定する拠出金の納付が同項の規定により行われる場合における第三条第四項、第二十一条第二項第一号、第二十四条第一項第七号、第三十五条の二第一項及び第九十九条第一項の規定の適用については、第三条第四項中「並びに国民年金法（昭和三十四年法律第百四十一号）第九十四条の二第二項に規定する基礎年金拠出金（以下「基礎年金拠出金」という。）」とあるのは「、国民年金法（昭和三十四年法律第百四十一号）第九十四条の二第二項に規定する基礎年金拠出金（以下「基礎年金拠出金」という。）並びに厚生年金保険法（昭和二十九年法律第百十五号）附則第十八条第一項に規定する拠出金（以下「年金保険者拠出金」という。）」と、第二十一条第二項第一号中「の納付並びに」とあるのは「及び年金保険者拠出金の納付並びに」と、「の納付及び」とあるのは「及び年金保険者拠出金の納付並びに」と、第二十四条第一項第七号中「基礎年金拠出金」とあるのは「基礎年金拠出金及び年金保険者拠出金」と、第三十五条の二第一項中「及び」とあるのは「及び年金保険者拠出金並びに」と、第九十九条第一項中「並びに基礎年金拠出金」とあるのは「、基礎年金拠出金並びに年金保険者拠出金」と、同項第一号中「基礎年金拠出金」とあるのは「基礎年金拠出金及び年金保険者拠出金」と、同項第三号中「及び長期給付（基礎年金拠出金」とあるのは「及び年金保険者拠出金の納付に要する費用並びに長期給付（基礎年金拠出金及び年金保険者拠出金」と、第百二条の三第二項中「基礎年金拠出金」とあるのは「基礎年金拠出金及び年金保険者拠出金」とする。

附則別表第一（附則第十二条の七、附則第十二条の八関係）

昭和五年七月一日以前に生まれた者	五十六歳	五十一歳
昭和五年七月二日から昭和七年七月一日までの間に生まれた者	五十七歳	五十二歳
昭和七年七月二日から昭和九年七月一日までの間に生まれた者	五十八歳	五十三歳
昭和九年七月二日から昭和十一年七月一日までの間に生まれた者	五十九歳	五十四歳

附則別表第二（附則第十二条の七、附則第十二条の八関係）

昭和六十一年四月一日から同年六月三十日までの間に退職した者又は昭和五年七月一日以前に生まれた者	五十六歳	四十六歳
昭和六十一年七月一日から平成元年六月三十日までの間に退職した者又は昭和五年七月二日から昭和七年七月一日までの間に生まれた者	五十七歳	四十七歳
平成元年七月一日から平成四年六月三十日までの間に退職した者又は昭和七年七月二日から昭和九年七月一日までの間に生まれた者	五十八歳	四十八歳
平成四年七月一日から平成七年六月三十日までの間に退職した者又は昭和九年七月二日から昭和十一年七月一日までの間に生まれた者	五十九歳	四十九歳

附則別表第三（附則第十二条の九関係）

平成三年六月三十日以前に退職した者	五十五歳
平成三年七月一日から平成四年六月三十日までの間に退職した者	五十六歳
平成四年七月一日から平成五年六月三十日までの間に退職した者	五十七歳
平成五年七月一日から平成六年六月三十日までの間に退職した者	五十八歳

別表第二（第七十二条の二関係）

一　昭和五年四月一日以前に生まれた者　組合員であつた月が属する次の表の上欄に掲げる期間の区分に応じて、それぞれ同表の下欄に掲げる率

昭和六十二年三月以前	一・二三二
昭和六十二年四月から昭和六十三年三月まで	一・一九一
昭和六十三年四月から平成元年十一月まで	一・一六一
平成元年十二月から平成三年三月まで	一・〇九一
平成三年四月から平成四年三月まで	一・〇四一
平成四年四月から平成五年三月まで	一・〇一一
平成五年四月から平成六年三月まで	〇・九九一
平成六年四月から平成七年三月まで	〇・九八三
平成七年四月から平成八年三月まで	〇・九八二
平成八年四月から平成九年三月まで	〇・九七九
平成九年四月から平成十年三月まで	〇・九五九
平成十年四月から平成十一年三月まで	〇・九五二
平成十一年四月から平成十二年三月まで	〇・九五五
平成十二年四月から平成十三年三月まで	〇・九六一
平成十三年四月から平成十四年三月まで	〇・九六八
平成十四年四月から平成十五年三月まで	〇・九七七
平成十五年四月から平成十六年三月まで	〇・九八〇
平成十六年四月から平成十七年三月まで	〇・九八〇

二　昭和五年四月二日から昭和六年四月一日までの間に生まれた者　組合員であつた月が属する次の表の上欄に掲げる期間の区分に応じて、それぞれ同表の下欄に掲げる率

昭和六十二年三月以前	一・二三三
昭和六十二年四月から昭和六十三年三月まで	一・二〇三
昭和六十三年四月から平成元年十一月まで	一・一七三
平成元年十二月から平成三年三月まで	一・一〇二
平成三年四月から平成四年三月まで	一・〇五二
平成四年四月から平成五年三月まで	一・〇二二
平成五年四月から平成六年三月まで	一・〇〇一
平成六年四月から平成七年三月まで	〇・九八三
平成七年四月から平成八年三月まで	〇・九八二
平成八年四月から平成九年三月まで	〇・九七九
平成九年四月から平成十年三月まで	〇・九五九
平成十年四月から平成十一年三月まで	〇・九五二
平成十一年四月から平成十二年三月まで	〇・九五五

平成十二年四月から平成十三年三月まで	〇・九六一
平成十三年四月から平成十四年三月まで	〇・九六八
平成十四年四月から平成十五年三月まで	〇・九七七
平成十五年四月から平成十六年三月まで	〇・九八〇
平成十六年四月から平成十七年三月まで	〇・九八〇

三　昭和六年四月二日から昭和七年四月一日までの間に生まれた者　組合員であつた月が属する次の表の上欄に掲げる期間の区分に応じて、それぞれ同表の下欄に掲げる率

昭和六十二年三月以前	一・二六〇
昭和六十二年四月から昭和六十三年三月まで	一・二二九
昭和六十三年四月から平成元年十一月まで	一・一九八
平成元年十二月から平成三年三月まで	一・一二六
平成三年四月から平成四年三月まで	一・〇七四
平成四年四月から平成五年三月まで	一・〇四三
平成五年四月から平成六年三月まで	一・〇二二
平成六年四月から平成七年三月まで	一・〇〇三
平成七年四月から平成八年三月まで	〇・九八二
平成八年四月から平成九年三月まで	〇・九七九
平成九年四月から平成十年三月まで	〇・九五九
平成十年四月から平成十一年三月まで	〇・九五二
平成十一年四月から平成十二年三月まで	〇・九五五
平成十二年四月から平成十三年三月まで	〇・九六一
平成十三年四月から平成十四年三月まで	〇・九六八
平成十四年四月から平成十五年三月まで	〇・九七七
平成十五年四月から平成十六年三月まで	〇・九八〇
平成十六年四月から平成十七年三月まで	〇・九八〇

四　昭和七年四月二日から昭和八年四月一日までの間に生まれた者　組合員であつた月が属する次の表の上欄に掲げる期間の区分に応じて、それぞれ同表の下欄に掲げる率

昭和六十二年三月以前	一・二六六
昭和六十二年四月から昭和六十三年三月まで	一・二三五
昭和六十三年四月から平成元年十一月まで	一・二〇四
平成元年十二月から平成三年三月まで	一・一三一
平成三年四月から平成四年三月まで	一・〇八〇
平成四年四月から平成五年三月まで	一・〇四九
平成五年四月から平成六年三月まで	一・〇二八
平成六年四月から平成七年三月まで	一・〇〇八
平成七年四月から平成八年三月まで	〇・九八七
平成八年四月から平成九年三月まで	〇・九七五
平成九年四月から平成十年三月まで	〇・九五九
平成十年四月から平成十一年三月まで	〇・九五二
平成十一年四月から平成十二年三月まで	〇・九五五
平成十二年四月から平成十三年三月まで	〇・九六一
平成十三年四月から平成十四年三月まで	〇・九六八
平成十四年四月から平成十五年三月まで	〇・九七七
平成十五年四月から平成十六年三月まで	〇・九八〇
平成十六年四月から平成十七年三月まで	〇・九八〇

五　昭和八年四月二日から昭和十年四月一日までの間に生まれた者　組合員であつた月が属する次の表の上欄に掲げる期間の区分に応じて、それぞれ同表の下欄に掲げる率

昭和六十二年三月以前	一・二六六
昭和六十二年四月から昭和六十三年三月まで	一・二三五
昭和六十三年四月から平成元年十一月まで	一・二〇四
平成元年十二月から平成三年三月まで	一・一三一
平成三年四月から平成四年三月まで	一・〇八〇

平成四年四月から平成五年三月まで	一・〇四九
平成五年四月から平成六年三月まで	一・〇二八
平成六年四月から平成七年三月まで	一・〇〇八
平成七年四月から平成八年三月まで	〇・九八七
平成八年四月から平成九年三月まで	〇・九七五
平成九年四月から平成十年三月まで	〇・九六二
平成十年四月から平成十一年三月まで	〇・九五二
平成十一年四月から平成十二年三月まで	〇・九五五
平成十二年四月から平成十三年三月まで	〇・九六一
平成十三年四月から平成十四年三月まで	〇・九六八
平成十四年四月から平成十五年三月まで	〇・九七七
平成十五年四月から平成十六年三月まで	〇・九八〇
平成十六年四月から平成十七年三月まで	〇・九八〇

六　昭和十年四月二日から昭和十一年四月一日までの間に生まれた者　組合員であつた月が属する次の表の上欄に掲げる期間の区分に応じて、それぞれ同表の下欄に掲げる率

昭和六十二年三月以前	一・二七一
昭和六十二年四月から昭和六十三年三月まで	一・二四〇
昭和六十三年四月から平成元年十一月まで	一・二〇九
平成元年十二月から平成三年三月まで	一・一三六
平成三年四月から平成四年三月まで	一・〇八四
平成四年四月から平成五年三月まで	一・〇五三
平成五年四月から平成六年三月まで	一・〇三三
平成六年四月から平成七年三月まで	一・〇一二
平成七年四月から平成八年三月まで	〇・九九一
平成八年四月から平成九年三月まで	〇・九七九
平成九年四月から平成十年三月まで	〇・九六六
平成十年四月から平成十一年三月まで	〇・九五六
平成十一年四月から平成十二年三月まで	〇・九五五
平成十二年四月から平成十三年三月まで	〇・九六一
平成十三年四月から平成十四年三月まで	〇・九六八
平成十四年四月から平成十五年三月まで	〇・九七七
平成十五年四月から平成十六年三月まで	〇・九八〇
平成十六年四月から平成十七年三月まで	〇・九八〇

七　昭和十一年四月二日から昭和十二年四月一日までの間に生まれた者　組合員であつた月が属する次の表の上欄に掲げる期間の区分に応じて、それぞれ同表の下欄に掲げる率

昭和六十二年三月以前	一・二八一
昭和六十二年四月から昭和六十三年三月まで	一・二四九
昭和六十三年四月から平成元年十一月まで	一・二一八
平成元年十二月から平成三年三月まで	一・一四四
平成三年四月から平成四年三月まで	一・〇九二
平成四年四月から平成五年三月まで	一・〇六一
平成五年四月から平成六年三月まで	一・〇四〇
平成六年四月から平成七年三月まで	一・〇一九
平成七年四月から平成八年三月まで	〇・九九八
平成八年四月から平成九年三月まで	〇・九八六
平成九年四月から平成十年三月まで	〇・九七三
平成十年四月から平成十一年三月まで	〇・九六二
平成十一年四月から平成十二年三月まで	〇・九六一
平成十二年四月から平成十三年三月まで	〇・九六一
平成十三年四月から平成十四年三月まで	〇・九六八
平成十四年四月から平成十五年三月まで	〇・九七七
平成十五年四月から平成十六年三月まで	〇・九八〇

平成十六年四月から平成十七年三月まで	〇・九八〇

八　昭和十二年四月二日以後に生まれた者　組合員であつた月が属する次の表の上欄に掲げる期間の区分に応じて、それぞれ同表の下欄に掲げる率

昭和六十二年三月以前	一・二九一
昭和六十二年四月から昭和六十三年三月まで	一・二五九
昭和六十三年四月から平成元年十一月まで	一・二二八
平成元年十二月から平成三年三月まで	一・一五三
平成三年四月から平成四年三月まで	一・一〇一
平成四年四月から平成五年三月まで	一・〇六九
平成五年四月から平成六年三月まで	一・〇四八
平成六年四月から平成七年三月まで	一・〇二八
平成七年四月から平成八年三月まで	一・〇〇六
平成八年四月から平成九年三月まで	〇・九九四
平成九年四月から平成十年三月まで	〇・九八一
平成十年四月から平成十一年三月まで	〇・九七〇
平成十一年四月から平成十二年三月まで	〇・九六九
平成十二年四月から平成十三年三月まで	〇・九六九
平成十三年四月から平成十四年三月まで	〇・九六八
平成十四年四月から平成十五年三月まで	〇・九七七
平成十五年四月から平成十六年三月まで	〇・九八〇
平成十六年四月から平成十七年三月まで	〇・九八〇

○〔旧〕公共企業体職員等共済組合法

昭三一・六・六
法　一　三　四

注　この法律は、昭和五八年法律八二号において廃止されたが、利用の便宜を図るため、本年版ではその全文を収録した。

目次〔略〕

第一章　総則

（目的）

第一条　この法律は、公共企業体の職員等の福利厚生を図るため、公共企業体の職員等の共済組合の組織及び業務に関する事項を定め、もつて公共企業体の円滑な企業経営に資することを目的とする。

（年金額の改定）

第一条の二　この法律による年金たる給付の額については、国民の生活水準、公共企業体の職員の給与、物価その他の諸事情に著しい変動が生じた場合には、変動後の諸事情を総合勘案して、すみやかに改定の措置を講ずるものとする。

（定義）

第二条　この法律において「公共企業体」とは、次に掲げるものをいう。

一　日本専売公社
二　日本国有鉄道
三　日本電信電話公社

2　この法律において「総裁」、「副総裁」、「理事」、「役員」及び「職員」とは、それぞれ日本専売公社法（昭和二十三年法律第二百五十五号）、日本国有鉄道法（昭和二十三年法律第二百五十六号）又は日本電信電話公社法（昭和二十七年法律第二百五十号）に規定する総裁、副総裁、理事、役員及び職員をいう。

（組合の設置、名称等）

第三条　各公共企業体ごとに、それぞれ共済組合（以下「組合」

という。）を設け、日本専売公社に設けられるものを専売共済組合、日本国有鉄道に設けられるものを国鉄共済組合、日本電信電話公社に設けられるものを日本電信電話公社共済組合と称する。

2 組合は、法人とする。

（組合の管理）

第四条 総裁は、組合を代表し、組合の業務を執行する。

2 副総裁は、総裁を補佐して組合の業務を執行し、総裁に事故があるときはその職務を代理し、総裁が欠員のときはその職務を行う。

3 理事は、総裁及び副総裁を補佐して組合の業務を執行し、総裁及び副総裁に事故があるときはその職務を代理し、総裁及び副総裁が欠員のときはその職務を行う。

第五条 総裁は、組合員のうちから、組合の業務の一部に関し一切の裁判上又は裁判外の行為をする権限を有する代理人を選任することができる。

第六条 総裁は、組合の業務を執行するに必要な運営規則を定めるものとする。

2 前項の運営規則は、主務大臣の認可を受けなければその効力を生じない。

3 運営規則には、別に定めるもののほか、次に掲げる事項を規定するものとする。

一 組合員に関する事項

二 掛金に関する事項

三 資産の管理その他財務に関する事項

四 運営審議会及び審査会に関する事項

五 組合の業務を執行する権限の一部を委任する場合においては、その委任に関する事項

六 その他組合の業務執行に関して必要な事項

（組合の住所）

第七条 組合は、主たる事務所を東京都に置く。

2 組合は、必要な地に従たる事務所を置くことができる。

（非課税）

第八条 組合の給付として支給を受ける金品のうち、退職年金、減額退職年金、通算退職年金、脱退一時金及び休業手当金以外の給付については、これを標準として、租税その他の公課を課さない。

（無料証明）

第九条 組合又はこの法律に基いて給付を受けるべき者は、その行う給付又はその受ける給付に関し必要な範囲内において、国、市町村長（地方自治法（昭和二十二年法律第六十七号）第二百五十二条の十九第一項の指定都市及び同法第二百八十一条第一項の特別区にあつては、区長）又はその代理者に対し、無料で証明を求めることができる。

第二章 運営審議会

（運営審議会）

第十条 組合の業務の適正な運営を図るため、組合に運営審議会を置く。

2 運営審議会は、十人以内の委員をもつて組織する。

3 委員は、組合員のうちから、総裁が任命する。

4 総裁は、前項の規定により委員を任命する場合においては、一部の者の利益に偏することのないように、相当の注意を払わなければならない。

第十一条 次に掲げる事項は、運営審議会の議を経なければならない。

一 運営規則のうち第六条第三項第一号から第四号までに掲げる事項に関する部分の制定及び改廃

二 組合の毎事業年度の予算及び決算

三 重要な財産の処分又は重大な義務の負担

2 前項に定める事項のほか、運営審議会は、総裁の諮問に応じて組合の業務に関する重要事項を調査審議し、又は必要と認める事項につき総裁に建議することができる。

第三章 組合員

（役職員）

第十二条 役員及び職員（臨時に使用される者を除く。以下同じ。）（以下「役職員」という。）は、すべて組合員とする。

2 役職員となつた者は、役職員となつた日から組合員の資格を取得する。

（役職員以外の者）

第十三条 役職員以外の公共企業体に使用される者及び組合に使用される者で運営規則の定めるものは、運営規則の定めるところにより、組合員となる。

（組合員の資格の喪失）

第十四条 組合員は、次の各号の一に該当するに至つたときは、その翌日から組合員の資格を喪失する。

一 死亡したとき。

二 役職員及び前条の規定による運営規則の定める者でなくなつたとき。

（組合員期間）

第十五条 組合員である期間（以下「組合員期間」という。）は、組合員の資格を取得した日の属する月から起算し、その資格を喪失した日の前日の属する月をもつて終るものとする。

2 組合員がその資格を喪失した後再び元の組合の組合員の資格を取得したときは、前後の組合員期間を合算する。ただし、その合算した期間が二十年未満であるときは、通算退職年金又は脱退一時金の基礎となるべき組合員期間の計算については、この限りでない。

3 前項の場合において、同じ月が前後の組合員期間に属するときは、その月は、後の組合員期間には算入しない。

第四章 給付

第一節 通則

（組合の給付）

第十六条 組合は、この法律の定めるところにより、組合員の病気、負傷、出産、死亡、災害若しくは休業又は被扶養者の病気、負傷、出産若しくは死亡に関し第二節に規定する短期給付を、組合員の退職（第十四条第二号に規定する事由をいう。以下同じ。）、障害又は死亡に関し第三節に規定する長期給付を行う。

（通勤災害に関する特例）

第十六条の二 第三十二条、第三十九条、第四十四条、第四十六条、第五十五条又は第五十七条の規定による給付は、その給付事由となる事故が通勤（国家公務員災害補償法（昭和二十六年

法律第百九十一号）第一条の二に規定する通勤をいう。以下同じ。）によるものであるときは、これを行わない。

（給付額の算定方法）

第十七条 給付額の算定の基準となるべき俸給は、給付事由が発生した日（給付事由が退職後に発生したものにあつては、退職した日）の属する月の掛金の標準となつた俸給、俸給に準ずるもの又は仮定俸給とし、その十二倍に相当する金額をもつて俸給年額、その三十分の一（第三十一条第十一号から第十三号までに掲げる給付にあつては、二十五分の一）に相当する金額をもつて俸給日額とする。

2 短期給付の額について、一円未満の端数があるときはこれを一円に切り上げ、長期給付の額について、五十円未満の端数があるとき又はその全額が五十円未満であるときはこれを切り捨て、五十円以上百円未満の端数があるとき又はその全額が五十円以上百円未満であるときはこれを百円に切り上げるものとする。

（支払未済の給付の受給者の特例）

第十八条 組合員又は組合員であつた者が死亡した場合において、その者が支給を受けるべき給付でその支払を受けなかつたものがあるときは、第二十五条から第二十七条までの規定に準じて、これをその者の遺族に支給し、支給すべき遺族がないときは、当該死亡した者の相続人に支給する。

2 遺族年金又は通算遺族年金を受ける権利を有する組合員であつた者の遺族が死亡した場合において、当該遺族が支給を受けることができた給付で当該遺族が支払を受けなかつたものがあるときは、第二十五条から第二十七条までの規定に準じて、これを当該遺族以外の当該組合員であつた者の遺族に支給し、支給すべき遺族がないときは、当該死亡した者の相続人に支給する。

（給付金からの控除）

第十九条 組合員が組合員の資格を喪失した場合において、その者に支給すべき給付金（家族埋葬料に係るものを除く。）又はその者の遺族に支給すべき給付金（埋葬料に係るものを除く。）があり、かつ、その者が組合に対して支払うべき金額があるときは、給付金からこれを控除する。

（給付の制限）

第二十条 この法律に基く給付を受けるべき者が故意に給付事由を発生させたときは、当該給付事由に係る給付は、その全部又は一部を行わないことができる。その者が懲戒処分を受け、又は禁錮以上の刑に処せられたときも、また、同様とする。

第二十一条 組合員若しくは組合員であつた者又はその被扶養者が正当な理由がなくて療養に関する指揮に従わなかつたことにより、又は重大な過失により事故を発生させたときは、その者に係る短期給付又は障害年金若しくは障害一時金である長期給付は、その全部又は一部を行わないことができる。

第二十二条 組合は、この法律に基く給付の支給に関し必要があると認めるときは、その支給に係る者につき診断を行うことができる。

2 正当な理由がなくて前項の診断を拒否したときは、その者に係るこの法律に基く給付は、その全部又は一部を行わないことができる。

第二十三条 遺族年金又は通算遺族年金の支給を受けるべき者が組合員、組合員であつた者又は遺族年金若しくは通算遺族年金の支給を受ける者を故意に死に至らせたときは、その者については、その受けるべき給付を支給しない。この場合において、遺族年金を受けるべき同順位者がなくて後順位者があるときは、その者にこれを支給する。

（他の法令による療養との調整）

第二十三条の二 他の法令の規定により国又は地方公共団体の負担において療養又は療養費の支給を受けたときは、その受けた限度において、療養又は療養費若しくは家族療養費の支給は、行わない。

（被扶養者）

第二十四条 この法律において「被扶養者」とは、次に掲げる者で主として組合員の収入により生計を維持するものとする。

一 組合員の配偶者（届出をしていないが、事実上婚姻関係と同様の事情にある者を含む。以下同じ。）、子、父母、孫、祖父母及び弟妹

二 組合員と同一の世帯に属する三親等内の親族で前号に掲げる者以外のもの

三 組合員の配偶者で届出をしていないが事実上婚姻関係と同様の事情にあるものの父母及び子並びに当該配偶者の死亡後におけるその父母及び子であつて、組合員と同一の世帯に属するもの

（遺族）

第二十五条 この法律において「遺族」とは、次に掲げる者で組合員又は組合員であつた者の死亡当時主としてその収入により生計を維持していたもの（第六十一条の四の場合にあつては、組合員又は組合員であつた者の親族で厚生年金保険法（昭和二十九年法律第百十五号）第五十九条の規定により同法の遺族年金を受けることができる者に相当するもの）とする。

一 組合員又は組合員であつた者の配偶者、父母及び祖父母

二 組合員又は組合員であつた者の子又は孫（十八歳未満で配偶者のいない者又は組合員若しくは組合員であつた者の死亡当時から引き続き別表第四に掲げる程度の障害の状態にある者に限る。）

2 組合員又は組合員であつた者の死亡当時胎児であつた子が出生したときは、前項第二号の規定の適用については、組合員又は組合員であつた者の死亡当時主としてその収入によつて生計を維持していた者とみなす。

（遺族の順位）

第二十六条 給付（通算遺族年金を除く。次条において同じ。）を受けるべき遺族の順位は、配偶者、子、父母、孫及び祖父母の順序とする。

2 前項の場合において、父母については養父母を先にして実父母を後にし、祖父母については養父母の父母を先にして実父母の父母を後にし、父母の養父母を先にし父母の実父母を後にする。

3 先順位者となることができる者が後順位者より、又は同順位者となることができる者がその他の同順位者である者より後に生ずるに至つたときは、前二項の規定はその時から適用する。

（同順位者が二人以上ある場合の給付）

第二十七条 前条の規定により給付を受けるべき遺族に同順位者が二人以上あるときは、その給付は、その人数によつて等分して支給する。

2 前項の規定により年金である給付を等分して受ける同順位者のうち、その権利を失つた者があるときは、残りの同順位者の人数によつてその年金を等分して支給する。

（時効）

第二十八条 この法律に基く給付を受ける権利は、その給付事由が発生した日から年金である給付については五年間、その他の給付については二年間行わないときは、時効により消滅する。

2 前項の時効は、この法律の規定により給付の支給を停止する期間は、進行しない。

（給付を受ける権利の保護）

第二十九条 この法律に基づく給付を受ける権利は、譲り渡し、担保に供し、又は差し押さえることができない。ただし、国民金融公庫又は沖縄振興開発金融公庫に担保に供する場合及び退職年金、減額退職年金、通算退職年金、脱退一時金又は休業手当金を受ける権利を国税滞納処分（その例による処分を含む。）により差し押さえる場合は、この限りでない。

（損害賠償の請求権）

第三十条 組合は、給付事由が第三者の行為によつて発生したときは、当該給付事由に対して行つた給付の価額の限度で、給付を受ける権利を有する者（給付事由が組合員の被扶養者について発生した場合にあつては、当該被扶養者を含む。以下次項において同じ。）が第三者に対して有する損害賠償の請求権を取得する。

2 前項の場合において、給付を受ける権利を有する者が当該第三者から同一の事由について損害賠償を受けたときは、組合は、その価額の限度で、給付を行う責を免かれる。

（不正受給者からの費用の徴収等）

第三十条の二 偽りその他不正の行為により組合から給付を受けた者があるときは、組合は、その者から、その給付に要した費用に相当する金額（その給付が療養であるときは、第三十三条第一項第三号又は第四号の規定により支払つた一部負担金に相当する額を控除した金額）の全部又は一部を徴収することができる。

2 前項の場合において、第三十三条第一項第四号に規定する保険医療機関において診療に従事する保険医（健康保険法（大正十一年法律第七十号）第四十三条ノ二に規定する保険医をいう。以下同じ。）が組合に提出されるべき診断書に虚偽の記載をしたため、その給付が行われたものであるときは、組合は、その保険医に対し、給付を受けた者と連帯して前項の徴収金を納付させることができる。

3 組合は、第三十三条第一項第四号に規定する保険医療機関又は保険薬局が偽りその他不正の行為により組合員又はその被扶養者の療養に関する費用の支払を受けたときは、当該保険医療機関又は保険薬局に対し、その支払つた額につき返還させるほか、その返還させる額に百分の十を乗じて得た額を納付させることができる。

第二節 短期給付

（短期給付の種類）

第三十一条 この法律による短期給付は、次のとおりとする。

一 療養及び療養費
一の二 高額療養費
二 家族療養費
二の二 家族高額療養費
三 出産費
四 配偶者出産費
五 育児手当金
六 埋葬料
七 家族埋葬料
八 弔慰金
九 家族弔慰金
十 災害見舞金
十一 傷病手当金
十二 出産手当金
十三 休業手当金

第三十一条の二 組合は、運営規則の定めるところにより、前条各号に掲げる給付にあわせて、これに準ずる短期給付を行うことができる。

（療養）

第三十二条 組合員（老人保健法（昭和五十七年法律第八十号）の規定による医療を受けることができる者を除く。次条、第三十三条の二第一項及び第三十四条第二項において同じ。）が業務によらないで病気にかかり、又は負傷したときは、組合は、次に掲げる療養を行う。

一 診察
二 薬剤又は治療材料の支給
三 処置、手術その他の治療
四 病院又は診療所への収容
五 看護
六 移送

2 前項第五号及び第六号の療養は、組合が必要と認めた場合に限り、行うものとする。

（療養及び療養費）

第三十三条 組合員が前条第一項第一号から第四号までの療養を受けようとするときは、次の各号に定めるところによる。

一 組合の経営する医療機関又は薬局からこれを受けることができる。この場合において、組合は、その費用を負担する。

二 公共企業体の経営する医療機関又は薬局からこれを受けることができる。この場合において、組合は、当該医療機関又は薬局にその費用を支払う。

三 組合員（他の法律に基く共済組合で療養に相当する給付を行うものの組合員を含む。）のための療養を行うことを目的とする医療機関又は薬局で組合員の療養について組合が契約しているものからこれを受けることができる。この場合において、組合は、健康保険法第四十三条ノ九第二項の規定に基き厚生大臣の定める基準（以下この条において「厚生大臣の定める基準」という。）を参酌して運営規則で定める基準の範囲内で当該医療機関又は薬局にその費用を支払う。ただし、組合は、運営規則の定めるところにより、同法第四十三条ノ八の規定の例により算定する一部負担金（以下「一部負担金」という。）に相当する金額の全部又は一部を組合員に支払わせることができる。

四 保険医療機関又は保険薬局（健康保険法第四十三条ノ三の規定によつて指定された保険医療機関又は保険薬局をいう。以下同じ。）からこれを受けることができる。この場合において、組合は、厚生大臣の定める基準（当該基準の範囲内において組合と当該保険医療機関又は保険薬局との契約により別段の定をした場合にあつては、その契約により定めた基準）によつて、当該保険医療機関又は保険薬局にその費用を支払う。ただし、組合員は、一部負担金に相当する金額を支払わなければならない。

２　保険医療機関は、一部負担金の支払を受領しなければならないものとし、保険医療機関が善良な管理者の注意と同一の注意をもつてその支払を受領すべく努めたにもかかわらず、組合員が当該一部負担金の全部又は一部を支払わないときは、組合は、当該保険医療機関の請求により、一部負担金の全部又は一部を支払わなかつた組合員から、これを徴収することができる。

３　組合は、療養を行うことが困難であると認めたとき、又は組合員が第一項各号に規定する医療機関及び薬局以外の病院、診療所、薬局その他の療養機関から診療、薬剤の支給若しくは手当を受けた場合において、組合がやむを得ないと認めたときは、療養の給付に代えて、療養費として、厚生大臣の定める基準の範囲内で、その費用を組合員に支給することができる。ただし、組合員は、一部負担金に相当する金額については、その支給を受けることができない。

（高額療養費）

第三十三条の二　療養の給付を受けた組合員の支払つた一部負担金の額（療養費の支給を受ける組合員が支払う一部負担金に相当する金額を含む。）が著しく高額であるときは、高額療養費を支給する。

２　高額療養費の支給要件、支給額その他高額療養費の支給に関し必要な事項は、政令で定める。

（家族療養費）

第三十四条　被扶養者（老人保健法の規定による医療を受けることができる者を除く。次項及び第三十四条の二において同じ。）は、第三十三条の規定に準じ、第三十二条第一項第一号から第四号までの療養を受けることができる。この場合において、組合は、第三十三条（同条第一項第三号ただし書及び第四号ただし書並びに同条第三項ただし書を除く。）の規定に従つて負担し、支払い、又は支給しなければならない費用の十分の七（第三十二条第一項第四号の療養及び同号の療養に伴う同項第一号から第三号までの療養については、十分の八）に相当する金額を負担し、支払い、又は支給しなければならない。

２　第三十二条第二項の規定は、被扶養者が同条第一項第五号及び第六号の療養を受けようとする場合に準用する。この場合において、組合は、組合員がその療養を受ける場合において組合が負担し、支払い、又は支給すべき費用の十分の七（同項第四号の療養に伴うものについては、十分の八）に相当する金額を負担し、支払い、又は支給しなければならない。

（保険医療機関等の療養費及び家族療養費）

第三十四条の二　組合員（老人保健法の規定による医療を受けることができる者を除く。）又は被扶養者が第三十三条第一項第三号又は第四号の医療機関又は薬局から第三十二条第一項第一号から第四号までの療養を受け、緊急その他やむを得ない事情によりその費用を直接当該医療機関又は薬局に支払つた場合において、組合が必要と認めたときは、組合は、第三十三条第一項第三号若しくは第四号又は前条第一項の規定に従つて計算した費用を、当該医療機関又は薬局に対する支払に代えて、療養費又は家族療養費として、組合員に支給することができる。

（保険医療機関等の療養担当）

第三十五条　保険医療機関若しくは保険薬局又はこれらにおいて診療若しくは調剤に従事する保険医若しくは保険薬剤師（健康保険法第四十三条ノ二に規定する保険薬剤師をいう。以下同じ。）は、健康保険法及びこれに基く命令の規定の例により、組合員及び被扶養者の療養並びにこれに係る事務を担当し、又は診療若しくは調剤に当らなければならない。

（療養に関する退職又は死亡後の給付）

第三十六条　組合員の資格を喪失した日の前日まで引き続き一年以上組合員であつた者（以下「一年以上組合員であつた者」という。）が退職した際、その者が療養、療養費若しくは家族療養費を受けているとき、又はその者若しくはその被扶養者が老人保健法の規定による医療若しくは医療費を受けているときは、当該病気（その原因となつた病気又は負傷を含む。）又は負傷についてこれらの給付（他の法律に基づく共済組合の給付でこれらの給付に相当するものを含む。）の支給開始後五年を経過するまでの間、当該病気又は負傷及びこれらにより生じた病気について療養を行い、又は療養費若しくは家族療養費を支給する。ただし、その期間内に他の組合の組合員（他の法律に基づく共済組合の組合員及び健康保険法の規定による健康保険又は船員保険法（昭和十四年法律第七十三号）の規定による船員保険（以下「船員保険」という。）の被保険者で組合員でないものを含む。以下この節において同じ。）の資格を取得したとき（家族療養費については、その被扶養者がその期間内に当該組合若しくは他の組合の組合員又はその被扶養者となつたときを含む。）は、その日以後は、この限りでない。

２　一年以上組合員であつた者が死亡した際、その者が家族療養費を受けているとき、又はその被扶養者が老人保健法の規定による医療若しくは医療費を受けているときは、その死亡を退職とみなして前項の規定を適用するとしたならば同項の規定により家族療養費を受けることができる期間、当該組合員の死亡当時の被扶養者であつた者で現に療養を受けている者に家族療養費を支給する。

３　前二項の規定による給付は、同一の病気又は負傷及びこれらにより生じた病気（以下「傷病」という。）について、老人保健法の規定による医療又は医療費を受けることができるときは、その期間、支給しない。

（家族高額療養費）

第三十六条の二　療養に要した費用の額からその療養に要した費用につき家族療養費として支給される金額に相当する金額を控除した金額が著しく高額であるときは、その家族療養費の支給を受けた者に対し、家族高額療養費を支給する。

２　第三十三条の二第二項の規定は、家族高額療養費について準用する。

（出産費及び配偶者出産費）

第三十七条　組合員が出産したときは、出産費として俸給の一月分に相当する金額を支給する。ただし、その金額が政令で定める金額に満たないときは、当該政令で定める金額とする。

２　一年以上組合員であつた者がその資格喪失後六月以内に出産したときも、また、前項と同様とする。ただし、資格喪失後出産するまでの間に他の組合の組合員の資格を取得したときは、もとの組合は、出産費を支給しない。

3 被扶養者である配偶者（前項本文の規定の適用を受ける者を除く。）が出産したときは、配偶者出産費として第一項本文の規定による出産費の金額の十分の七に相当する金額を支給する。ただし、その金額が政令で定める金額に満たないときは、当該政令で定める金額とする。

（育児手当金）

第三十八条 組合員又は被扶養者である配偶者（前条第二項の規定の適用を受ける者を除く。）が出産したときは、育児手当金として政令で定める金額を支給する。ただし、その生まれた子を引き続き育てない場合は、この限りでない。

2 前条第二項の規定は、育児手当金の支給に関して準用する。

（埋葬料及び家族埋葬料）

第三十九条 組合員が業務によらないで死亡したときは、死亡当時の被扶養者であつた者で埋葬を行うものに対し、埋葬料として俸給の一月分に相当する金額を支給する。ただし、その金額が政令で定める金額に満たないときは、当該政令で定める金額とする。

2 前項の規定により埋葬料の支給を受けるべき者がないときは、埋葬を行つた者に対し、同項に規定する金額の範囲内で、埋葬に要した費用に相当する金額を支給する。

3 被扶養者（次条第一項の規定の適用を受ける者を除く。）が死亡したときは、家族埋葬料として第一項に規定する金額の十分の七に相当する金額を支給する。ただし、その金額が政令で定める金額に満たないときは、当該政令で定める金額とする。

第四十条 第三十六条第一項又は第四十五条第三項の規定により給付を受ける者（当該給付が家族療養費であるときは、療養を受けている被扶養者。以下この項において「継続受給者」という。）が死亡したとき、継続受給者であつた者がその給付を受けなくなつた日後三月以内に死亡したとき、又は組合員であつた者がその資格を喪失した日後三月以内に死亡したときは、前条の規定に準じて埋葬料又は家族埋葬料を支給する。

2 第三十六条第一項ただし書の規定は、前項の場合に準用する。

3 第三十六条第三項の規定の適用がある場合には、老人保健法の規定による医療又は医療費を同条第一項の規定による療養、療養費又は家族療養費とみなして第一項の規定を適用する。

（日雇労働者健康保険法による給付との調整）

第四十一条 家族療養費、配偶者出産費又は家族埋葬料は、同一の病気、負傷、出産又は死亡に関し、日雇労働者健康保険法（昭和二十八年法律第二百七号）の規定により療養の給付又は分べん費若しくは埋葬料の支給があつたときは、その限度において、支給しない。

（弔慰金及び家族弔慰金）

第四十二条 組合員又はその被扶養者が水震火災その他の非常災害により死亡したときは、組合員については俸給の一月分に相当する金額の弔慰金をその遺族に、被扶養者については当該金額の十分の七に相当する金額の家族弔慰金を支給する。

（災害見舞金）

第四十三条 組合員が前条に規定する非常災害によりその住居又は家財に損害を受けたときは、別表第一に掲げる損害の程度に応じて、俸給に、同表に定める月数を乗じて得た金額を災害見舞金として支給する。

（傷病手当金）

第四十四条 組合員が業務によらないで病気にかかり、又は負傷し、療養のため引き続き勤務に服することができないときは、傷病手当金として、勤務に服することができなくなつた日から、その後における勤務に服することができない期間一日につき俸給日額の十分の八に相当する金額を支給する。

2 組合員で被扶養者のないものが病院又は診療所に収容されている場合（老人保健法の規定によりこれに相当する給付を受ける場合を含む。）において支給すべき傷病手当金は、前項の規定にかかわらず、俸給日額の十分の六に相当する金額とする。

3 傷病手当金の支給期間は、同一の傷病に関しては、その支給を始めた日から起算し一年六月間とする。

4 結核性の病気に関しては、前項の期間をこえ通じて三年に至るまでの療養のため勤務に服することができなかつた期間について、継続して傷病手当金を支給する。

5 一年以上組合員であつた者が退職した際、傷病手当金を受けているときは、その者が退職しなかつたとしたならば前二項の規定により受けることができる期間、継続してこれを支給する。この場合においては、第三十六条第一項ただし書の規定を準用する。

6 傷病手当金は、同一の傷病について障害年金又は障害一時金の支給を受けることとなつたとき以後は、支給しない。

（出産手当金）

第四十五条 組合員が出産したときは、出産手当金として、出産の日前四十二日、出産の日以後四十二日以内において勤務に服することができなかつた期間一日につき俸給日額の十分の八に相当する金額を支給する。一年以上組合員であつた者が組合員の資格喪失後六月以内に出産したときも、また、同様とする。

2 前条第二項の規定は、出産手当金の支給に関して準用する。

3 一年以上組合員であつた者がその資格を喪失した際、出産手当金を受けているときは、その給付は、第一項の規定による期間内は、引き続き支給する。ただし、その期間内に他の組合の組合員の資格を取得したときは、その日以後は、この限りでない。

4 出産手当金を支給するときは、その期間、傷病手当金は支給しない。

（休業手当金）

第四十六条 組合員が次の各号の一の事由により欠勤したときは、休業手当金としてその期間（第二号から第四号までの各号については、当該各号に掲げる期間内においてその欠勤した期間）一日につき俸給日額の十分の六に相当する金額を支給する。ただし、傷病手当金又は出産手当金を支給するときは、その期間、休業手当金は支給しない。

一 被扶養者の病気又は負傷

二 組合員の配偶者の出産 十四日

三 組合員の業務によらない不慮の災害又は被扶養者に係る不慮の災害 五日

四 組合員の婚姻、配偶者の死亡又は二親等内の血族若しくは一親等の姻族で主として組合員の収入により生計を維持するもの若しくはその他の被扶養者の婚姻若しくは葬祭 七日

五 前各号に掲げるもののほか、運営規則で定める事由

（俸給等との調整）

第四十七条　傷病手当金、出産手当金又は休業手当金は、その支給期間に係る俸給又は俸給に準ずるものの全部又は一部を受けるときは、その受ける金額を基準として運営規則で定める金額の限度において、その全部又は一部を支給しない。

第三節　長期給付

（**長期給付の種類**）

第四十八条　この法律による長期給付は、次のとおりとする。

一　退職年金
二　減額退職年金
三　障害年金
四　障害一時金
五　遺族年金
六　通算退職年金
七　脱退一時金
八　通算遺族年金

（**年金の支給期間及び支給期月**）

第四十九条　年金である給付は、その給付事由が発生した日の属する月の翌月からその事由がなくなつた日の属する月までの分を支給する。

2　年金である給付は、その支給を停止すべき事由が発生したときは、その事由が発生した日の属する月の翌月からその事由がなくなつた日の属する月までの分の支給を停止する。ただし、これらの日が同じ月に属する場合には、支給を停止しない。

3　年金である給付の額を改定する事由が発生したときは、その事由が発生した日の属する月の翌月分からその改定した金額を支給する。

4　年金の支給については、月割計算とし、毎年三月、六月、九月及び十二月において、その前月分までを支給する。ただし、年金の給付事由がなくなつたとき、又はその支給を停止したとき、若しくはこれを受ける権利が消滅したときは、支給期月にかかわらず、その月までの分を支給する。

（**年金受給者の書類の提出等**）

第四十九条の二　組合は、運営規則で定めるところにより、年金である給付の支給に関し必要な範囲内において、その支給を受ける者に対して、身分関係の移動、支給の停止及び障害の状態に関する書類その他の物件の提出を求めることができる。

2　組合は、前項の要求をした場合において、正当な理由がなくてこれに応じない者があるときは、その者に対しては、これに応ずるまでの間、年金である給付の支払を差し止めることができる。

（**退職年金**）

第五十条　組合員期間二十年以上の者が退職したときは、その者の死亡に至るまで退職年金を支給する。ただし、六十歳に達するまではその支給を停止する。

2　退職年金の年額は、組合員期間二十年以上二十一年未満に対し、俸給年額の百分の四十に相当する金額とし、組合員期間二十年以上一年を増すごとにその一年につき俸給年額の百分の一・五に相当する金額を加算する。ただし、その年額が六十八万四千円に満たないときは、六十八万四千円とする。

3　前項の規定により算定した退職年金の額が次の各号に掲げる金額の合算額（その額が俸給年額の百分の七十に相当する金額を超えるときは、その金額）に満たないときは、その額を退職年金の年額とする。

一　四十九万二千円（組合員期間が二十年を超えるときは、四十九万二千円にその超える年数（当該年数が十五年を超えるときは、十五年）一年につき二万四千六百円を加えた金額）

二　組合員期間の年数一年につき俸給年額の百分の一に相当する金額

第五十条の二　退職年金を受ける権利を有する者が再びもとの組合の組合員となつたときは、組合員である間、退職年金の支給を停止する。

2　前項の規定により退職年金の支給を停止されている者が退職したときは、第十五条第二項の規定により合算した組合員期間を基礎として退職年金の年額を改定する。

3　前項の場合において、その改定額が、改定前の退職年金の年額（その額が、前条第三項の規定により算定した退職年金の年額であるときは、同条第二項本文の規定により算定するものとした場合の退職年金の年額とし、改定前の退職年金の年額について、同項ただし書の規定の適用があつたときは、その適用がないものとした場合の退職年金の年額とする。）に、第十五条第二項の規定により合算した組合員期間の年数から改定前の退職年金の年額の算定の基礎となつた組合員期間の年数を控除した年数一年につき再退職に係る俸給年額の百分の一・五に相当する額を加算して得た額に満たないときは、その加算して得た額を改定後の退職年金の年額とする。

4　前二項の場合において、その改定額が、改定前の退職年金の年額（その額が、前条第二項の規定により算定した退職年金の年額であるときは、同条第三項の規定により算定するものとした場合の退職年金の年額）に、次の各号に掲げる金額の合算額を加えて得た額（その額が改定前の退職年金の算定の基礎となつた俸給年額の百分の七十に相当する金額を超えるときは、その金額）に満たないときは、その額を改定後の退職年金の年額とする。

一　第十五条第二項の規定により合算した組合員期間の年数（当該年数が三十五年を超えるときは、三十五年）から改定前の退職年金の年額の算定の基礎となつた組合員期間の年数を控除した年数一年につき、二万四千六百円

二　第十五条第二項の規定により合算した組合員期間の年数から改定前の退職年金の年額の算定の基礎となつた組合員期間の年数を控除した年数一年につき、再退職に係る俸給年額の百分の一に相当する金額

第五十一条　退職年金を受ける権利を有する者が別表第四に掲げる程度の障害の状態になつたときは、その者には第五十条第一項ただし書の規定を適用しない。ただし、その者が別表第四に掲げる程度の障害の状態に該当しなくなつたときは、この限りでない。

2　前項本文の場合において、障害の状態になつたことにつき第二十一条に該当する事由があるときは、その者が六十歳に達するまでは、当該退職年金の年額を減じ、又はこれを支給しないことができる。

第五十二条　退職年金を受ける権利を有する者が公共企業体の経営上やむを得ない事由により退職し、次の各号の一に該当する者であるときは、第五十条第一項ただし書の規定の適用については、同ただし書中「六十歳」とあるのは、「五十五歳」と読み替えるものとする。ただし、前条の規定の適用を受ける者に

ついては、この限りでない。
一　別表第二に掲げる職に二十年以上従事した者
二　退職の時まで引き続き十年以上別表第二に掲げる職に従事した者

2　前項の規定により、六十歳未満で退職年金を受けることができる者に対する退職年金の年額は、その者が六十歳に達するまでは、その額からその額の十分の三に相当する金額を減じた額とする。

第五十二条の二　退職年金で百二十万円を超える金額のものについては、当該退職年金を受ける権利を有する者の各年（その者が退職した日の属する年を除く。）における所得金額が六百万円を超えるときは、その者が七十歳に達するまで、その超える年の翌年六月から翌々年五月までの分としてその者に支給されるべき退職年金の年額のうち百二十万円を超える部分の金額の百分の五十に相当する金額の支給を停止する。

2　前項に規定する所得金額とは、所得税法（昭和四十年法律第三十三号）第二十八条第二項に規定する給与所得の金額（退職年金に係る所得の金額を除く。）から同法第二編第二章第四節の規定による所得控除の金額を控除した金額をいう。

3　前項に定めるもののほか、第一項に規定する所得金額の計算方法その他同項の規定による退職年金の支給の停止に関し必要な事項は、政令で定める。

（減額退職年金）

第五十三条　退職年金を受ける権利を有する者が五十五歳に達した後六十歳に達する前に年金である給付を受けることを希望するときは、その者の死亡に至るまで減額退職年金を支給する。この場合においては、当該退職年金は支給しない。

2　減額退職年金の年額は、退職年金の年額から、その額に、六十歳と当該減額退職年金の支給を開始する時のその者の年齢との差年数に応じ保険数理を基礎として政令で定める率を乗じて得た額を減じた額とする。

第五十三条の二　第五十条の二第一項及び第二項の規定は、減額退職年金について準用する。

2　前項において準用する第五十条の二第二項の規定による改定後の減額退職年金の年額は、その者が前に減額退職年金を受けていなかつたとしたならば同項の規定により受けるべきこととなる改定後の退職年金の年額（その額が第五十条第三項の規定により算定した退職年金の年額であるときは、同条第二項本文の規定により算定するものとした場合の退職年金の年額とし、改定後の退職年金の年額について、同項ただし書の規定の適用があつたときは、その適用がないものとした場合の退職年金の年額とする。）又は第五十条の二第三項の規定により受けるべきこととなる改定後の退職年金の年額から、前に受けていた減額退職年金の年額とその算定の基礎となつた退職年金の年額との差額（その退職年金の年額が第五十条第三項の規定により算定した退職年金の年額であるときは、同条第二項本文の規定により算定するものとした場合の退職年金の年額を基礎として算定した減額退職年金の年額とその退職年金の年額との差額とし、その退職年金の年額について、同項ただし書の規定の適用があつたときは、その適用がないものとした場合の退職年金の年額を基礎として算定した減額退職年金の年額とその退職年金の年額との差額とする。）を控除した額とする。

3　前項の場合において、その改定額が、その者が前に減額退職年金を受けていなかつたとしたならば第五十条の二第二項の規定により受けるべきこととなる改定後の退職年金の年額（その額が第五十条第二項の規定により算定した退職年金の年額であるときは、同条第三項の規定により算定するものとした場合の退職年金の年額）又は第五十条の二第四項の規定により受けるべきこととなる改定後の退職年金の年額から、前に受けていた減額退職年金の年額とその算定の基礎となつた退職年金の年額との差額（その退職年金の年額が第五十条第二項の規定により算定した退職年金の年額であるときは、同条第三項の規定により算定するものとした場合の退職年金の年額を基礎として算定した減額退職年金の年額とその退職年金の年額との差額）を控除した額に満たないときは、その額を改定後の減額退職年金の年額とする。

4　第一項において準用する第五十条の二第一項の規定により減額退職年金の支給を停止されている者が六十歳に達する前に退職した場合における改定後の減額退職年金の年額の算定について必要な事項は、政令で定める。

第五十四条　第五十二条の二の規定は、減額退職年金について準用する。この場合において、同条第一項中「退職年金で百二十万円」とあるのは「減額退職年金で当該減額退職年金の年額の算定の基礎となつた退職年金の年額が百二十万円」と、「退職年金の年額のうち」とあるのは「減額退職年金の年額の算定の基礎となつた退職年金の年額のうち」と、「金額の百分の五十」とあるのは「金額に当該減額退職年金の年額のその算定の基礎となつた退職年金の年額に対する割合を乗じて得た金額の百分の五十」と読み替えるものとする。

（障害年金）

第五十五条　組合員期間（通算年金通則法（昭和三十六年法律第百八十一号）第四条第一項各号に掲げる期間（組合員期間以外の期間で政令で定めるものに限る。以下「公的年金期間」という。）を有する組合員で組合員期間が二年未満であるものにあつては、当該公的年金期間と組合員期間とを合算した期間（以下「公的年金合算期間」という。））が二年となつた後に業務によらないで病気にかかり、又は負傷した者がその傷病のため退職した場合において、その退職の時（療養若しくは療養費の支給又は老人保健法の規定による医療若しくは医療費の支給の開始後一年六月を経過しない組合員がその資格を喪失した後第三十六条第一項又は同法の規定によりこれらの給付を受けている場合においては、これらの給付の支給開始後一年六月を経過するまでの間に治つた時又は治らないがその期間を経過した時。以下この条及び次条において同じ。）に別表第四に掲げる程度の障害の状態にあるとき、又はその退職の時から五年以内に同表に掲げる程度の障害の状態になつた場合において、その期間内にその者の請求があつたときは、その者の死亡に至るまで障害年金を支給する。

2　障害年金の年額は、次に掲げる金額とする。ただし、当該金額が、第一号の場合にあつては八十三万四千円、第二号の場合にあつては六十八万四千円、第三号の場合にあつては五十万千六百円に満たないときは、それぞれその金額を障害年金の年額とする。

一　障害の程度が別表第四に定める一級に該当する場合にあつては、俸給年額の百分の六十に相当する金額

二　障害の程度が別表第四に定める二級に該当する場合にあつては、俸給年額の百分の四十五に相当する金額
三　障害の程度が別表第四に定める三級に該当する場合にあつては、俸給年額の百分の三十五に相当する金額

3　前項の規定により算定した障害年金の年額が、次の各号に掲げる場合に応じ、当該各号に掲げる金額の百分の七十五（別表第四に定める一級に該当する者にあつては百分の百二十五とし、同表に定める二級に該当する者にあつては、百分の百とする。）に相当する額に満たないときは、その額を障害年金の年額とする。ただし、その額が俸給年額に相当する金額を超えるときは、当該金額とする。
一　組合員期間の年数が二年以上十年以下である場合及び組合員期間が二年未満であり、かつ、公的年金合算期間が二年以上である場合　四十九万二千円に俸給年額の百分の二十に相当する額を加算して得た額（次号及び第三号において「障害年金基礎額」という。）
二　組合員期間の年数が十年を超え二十年以下である場合　障害年金基礎額に組合員期間十年を超える年数一年につき障害年金基礎額の百分の二・五に相当する額を加算して得た額
三　組合員期間の年数が二十年を超え三十五年以下である場合　組合員期間の年数が二十年であるものとして前号の規定により求めた額に、二十年を超える年数一年につき障害年金基礎額の百分の五に相当する額を加算して得た額
四　組合員期間の年数が三十五年を超える場合　組合員期間の年数が三十五年であるものとして前号の規定により求めた額に、三十五年を超える年数（当該年数が五年を超えるときは、五年）一年につき俸給年額の百分の一に相当する額を加算して得た額

4　一の組合員期間につき障害年金と退職年金、減額退職年金又は通算退職年金とを併給すべきときは、当該給付を受ける者に有利ないずれか一の給付を行うものとする。

5　前項の場合において、同項の規定により支給する障害年金が次条第一項の規定による年額の改定のあつたため前項の規定により支給しなくなつていた退職年金、減額退職年金若しくは通算退職年金より不利となつたとき、同項の規定により障害年金の支給を受ける者が同条第二項の規定によりその年金を受ける権利を失つたとき、又は前項の規定による障害年金の支給が同条第三項の規定により停止されたときは、前項の規定により支給しなくなつていた退職年金、減額退職年金又は通算退職年金を支給するものとする。ただし、第五十条第一項ただし書又は第六十一条の二第二項ただし書の規定の適用を妨げない。

6　障害年金を受ける権利を有する者が再び元の組合の組合員となつたときは、組合員である間、障害年金の支給を停止する。

7　前項の規定により障害年金の支給を停止されている者が退職した場合において、その退職の時に別表第四に掲げる程度の障害の状態にあるときは、その障害の程度に応じて、又は第十五条第二項の規定により合算した組合員期間を基礎として障害年金の年額を改定する。

8　前項の規定により障害年金の年額を改定した場合において、その改定額が、政令で定めるところにより算定した額に満たないときは、当該算定した額を改定後の障害年金の年額とする。

（障害年金の年額の改定等）
第五十六条　障害年金を受ける権利を有する者の障害の程度が軽減したとき、又は退職の時から五年以内に増進した場合において、その期間内にその者の請求があつたときは、別表第四に定める障害の程度に応じて、その障害年金の年額を改定する。

2　障害年金を受ける権利を有する者が別表第四に掲げる程度の障害の状態に該当しなくなつた場合において、その該当しなくなつた日から同表に掲げる程度の障害の状態に該当することなく三年を経過したときは、その年金を受ける権利を失う。

3　障害年金を受ける権利を有する者が別表第四に掲げる程度の障害の状態に該当しなくなつたときは、当該障害の状態に該当しない間、その支給を停止する。

（障害一時金）
第五十七条　組合員期間二十年未満の者で業務によらないで病気にかかり、又は負傷したものがその傷病のため退職した場合において、その退職の時（療養若しくは療養費の支給又は老人保健法の規定による医療若しくは医療費の支給の開始後三年を経過しない組合員がその資格を喪失した後第三十六条第一項又は同法の規定によりこれらの給付を受けている場合においては、これらの給付の支給開始後三年を経過するまでの間に治つた時又は治らないがその期間を経過した時。次項において同じ。）に別表第五に掲げる程度の障害の状態にあるときは、その者に障害一時金を支給する。

2　組合員期間二十年未満の者で組合員期間（公的年金期間を有する組合員で組合員期間が二年未満であるものにあつては、公的年金合算期間）が二年となる前に業務によらないで病気にかかり、又は負傷したものがその傷病のため退職した場合において、その退職の時に別表第四に掲げる程度の障害の状態にあるときも、また、前項と同様とする。

3　障害一時金の額は、俸給の十二月分とする。

（公的年金合算期間を有する組合員に係る障害年金等）
第五十七条の二　組合員期間が二年未満であり、かつ、公的年金合算期間が二年以上である組合員であつた者に係る障害年金又は障害一時金については、前三条に定めるもののほか、政令で定めるところによる。

（遺族年金）
第五十八条　次に掲げる者が死亡したときは、その者の遺族に遺族年金を支給する。ただし、第三号に掲げる者の遺族が同一の事由により一の公的年金制度から遺族年金（政令で定めるものに限る。）又はその遺族年金に相当する年金として政令で定める年金を受ける権利を有するときは、この限りでない。
一　組合員期間二十年以上の者
二　組合員又は障害年金を受ける権利を有する者（組合員を除く。以下この条において同じ。）であつて、組合員期間が一年以上二十年未満のもの
三　組合員又は障害年金を受ける権利を有する者であつて、組合員期間が一年未満であり、かつ、公的年金合算期間が一年以上のもの

2　遺族年金の年額は、次に掲げる金額とする。
一　組合員期間二十年以上の組合員が死亡した場合にあつては、当該死亡を退職とみなした場合に受けるべきこととなる退職年金（減額退職年金を受ける権利を有する者については、第五十三条第一項の規定による希望を申し出なかつたとしたならば受けるべきであつた退職年金）の年額の二分の一

に相当する金額

二　組合員又は障害年金を受ける権利を有する者であつて、組合員期間が二十年未満のものが死亡した場合（次号及び第四号に規定する場合を除く。）にあつては、組合員期間十一年未満に対し、俸給年額の百分の十に相当する金額とし、組合員期間十年以上一年を増すごとにその一年につき俸給年額の百分の一に相当する額を加算した金額

三　退職年金を受ける権利を有する者が死亡した場合（第一号に規定する場合を除く。）にあつては、当該退職年金の年額の二分の一に相当する金額

四　減額退職年金を受ける権利を有する者が死亡した場合（第一号に規定する場合を除く。）にあつては、当該減額退職年金の年額の算定の基礎となつた退職年金の年額の二分の一に相当する金額

3　前項第二号の規定により算定した遺族年金の年額が、二万四千六百円と俸給年額の百分の一に相当する額の合算額に組合員期間の年数（当該年数が十年未満のときは、十年）を乗じて得た額の二分の一に相当する金額に満たないときは、その金額を遺族年金の年額とする。

第五十九条　遺族年金を受ける者が次の各号の一に該当する場合には、前条第二項又は第三項の規定により算定した金額に、当該各号に掲げる額を加えた額を当該遺族年金の年額とする。

一　当該遺族年金を受ける者が妻であり、かつ、遺族である子がいる場合　その子一人につき四千八百円（そのうち二人までは、一人につき二万四千円）

二　当該遺族年金を受ける者が子であり、かつ、二人以上いる場合　その子のうち一人を除いた子一人につき四千八百円（そのうち二人までは、一人につき二万四千円）

2　前項の場合において、同項各号に規定する子が第六十条第一項各号の一に該当するに至つたときは、その子は、前項各号に規定する子に該当しないものとみなし、当該遺族年金の年額を改定する。

3　第一項第一号の場合において、同号の妻が遺族年金を受ける権利を取得した当時胎児であつた子が出生したときは、その出生した子は、同号に規定する子に該当するものとみなし、当該遺族年金の年額を改定する。

第五十九条の二　前二条の規定により算定した遺族年金の年額が、五十三万七千六百円に満たないときは、その金額を遺族年金の年額とする。

第五十九条の三　遺族年金を受ける妻が次の各号の一に該当する場合には、前三条の規定により算定した金額に当該各号に掲げる額を加えた額を当該遺族年金の年額とする。ただし、その者が当該遺族年金に係る組合員又は組合員であつた者の死亡について、恩給法（大正十二年法律第四十八号）の規定による扶助料、旧国家公務員共済組合法（昭和二十三年法律第六十九号。この法律による改正前の日本専売公社法第五十一条第一項、日本国有鉄道法第五十七条第一項及び日本電信電話公社法第八十条第一項において準用する場合を含む。以下「旧法」という。）の規定による遺族年金その他の年金の支給を受ける場合であつて政令で定める場合に該当するときは、その該当する間は、この限りでない。

一　遺族である子が一人いる場合　十二万円

二　遺族である子が二人以上いる場合　二十一万円

三　六十歳以上である場合（前二号に該当する場合を除く。）　十二万円

2　遺族年金を受ける者が六十歳未満の妻であり、かつ、遺族である子がいない者である場合において、その者が六十歳に達したときは、その者を前項第三号の規定に該当する者とみなして、同項の規定を適用する。

第五十九条の四　遺族年金を受ける者が、前条第一項各号の一に該当する場合の妻又は同条第二項の規定により同条第一項第三号の規定に該当するものとみなされる妻（同項ただし書に該当する者を除く。）であつて、通算年金通則法第三条に規定する公的年金各法に基づく年金たる給付その他の年金たる給付のうち、老齢、退職又は障害を支給事由とする給付であつて政令で定めるもの（その全額の支給を停止されている給付を除く。）の支給を受けることができる者であるときは、その支給を受けることができる間は、同項の規定による加算は行わない。

（遺族年金の額の調整）

第五十九条の五　組合員期間一年以上十年未満の組合員（障害年金を受ける権利を有する者を除く。）が死亡した場合において、その者の遺族が同一の事由により一の公的年金制度から遺族年金（政令で定めるものに限る。）又はその遺族年金に相当する年金として政令で定める年金の支給を受けるときは、遺族年金の年額は、第五十八条第二項第二号及び第三項並びに第五十九条から第五十九条の三までの規定にかかわらず、当該支給を受けることができる間、その死亡した者の俸給年額の百分の一に相当する額に組合員期間の年数を乗じて得た金額とする。

2　組合員又は障害年金を受ける権利を有する者であつて、組合員期間一年以上十年未満のものが死亡した場合において、その者の遺族で同一の事由により一の公的年金制度から通算遺族年金又は通算遺族年金に相当する年金の支給を受ける権利を有するものが、遺族年金と併せて当該通算遺族年金又は当該通算遺族年金に相当する年金の支給を受けることを希望する旨を、政令で定めるところにより、組合に申し出たときは、遺族年金の年額は、第五十八条第二項第二号及び第三項並びに第五十九条から第五十九条の三までの規定にかかわらず、当該通算遺族年金又は当該通算遺族年金に相当する年金の支給を受けることができる間、その死亡した者の俸給年額の百分の一に相当する額に組合員期間の年数を乗じて得た金額とする。

3　前二項の規定により算定した遺族年金の年額が、二万四千六百円と俸給年額の百分の一に相当する額の合算額に組合員期間の年数を乗じて得た額の二分の一に相当する金額に満たないときは、その金額を遺族年金の年額とする。

（遺族年金の失権）

第六十条　遺族年金を受ける権利を有する者が次の各号の一に該当するに至つたときは、その年金を受ける権利を失う。

一　死亡したとき。

二　婚姻をしたとき（届出をしていないが、事実上婚姻関係と同様の事情にある者となつたときを含む。）。

三　三親等内の親族以外の者の養子となつたとき。

四　子又は孫で別表第四に掲げる程度の障害の状態にある者以外の者が十八歳に達したとき。

五　子又は孫で別表第四に掲げる程度の障害の状態にあるため遺族年金を受けていた者につき、その事情がなくなつたと

き。

2　前項の場合において、遺族年金を受けるべき同順位者がなくて後順位者があるときは、その者にこれを支給する。

（遺族年金の停止）

第六十一条　夫、父母又は祖父母に対する遺族年金は、その者が六十歳に達するまでは、その支給を停止する。ただし、別表第四に掲げる程度の障害の状態にある場合には、その状態にある間は、この限りでない。

2　遺族年金を受ける権利を有する者が一年以上所在不明である場合において、同順位者があるときは同順位者の、同順位者がないときは次順位者の申請により、所在不明中その者の受けるべき遺族年金の支給を停止することができる。

3　前二項の規定により年金の支給を停止した場合においては、その停止期間中、その年金は、同順位者があるときは同順位者に、同順位者がないときは次順位者に支給する。

（通算退職年金）

第六十一条の二　通算退職年金に関しては、この法律によるほか、通算年金通則法の定めるところによる。

2　組合員期間一年以上二十年未満の者が退職した場合において、当該退職の際次の各号の一に該当するとき又は退職後に次の各号の一に該当するに至つたときは、その者の死亡に至るまで、通算退職年金を支給する。ただし、六十歳に達するまでは、その支給を停止する。

一　通算対象期間を合算した期間が二十五年以上であるとき。

二　国民年金以外の公的年金制度に係る通算対象期間を合算した期間が二十年以上であるとき。

三　一の公的年金制度に係る通算対象期間が、当該制度において定める老齢・退職年金給付の受給資格要件たる期間に相当する期間以上であるとき。

四　老齢・退職年金給付を受けることができるとき。

3　通算退職年金の年額は、二千五十円と俸給の千分の十に相当する額の合算額に組合員期間の月数を乗じて得た金額とする。

4　前項の規定にかかわらず、通算退職年金の年額は、通算退職年金の支給を受ける者についてその退職時にその給付事由が生じていたとした場合においてその年額がその時以後の法令の改正により改定されているならば、その改定された年額と同一の額とする。

5　組合員期間一年以上二十年未満の者が退職した後再び元の組合の組合員となり、再び退職した場合（第十五条第二項の規定により合算した組合員期間が二十年未満である場合に限る。）については、前後の退職のそれぞれについて前二項の規定により算定した額の合算額を通算退職年金の年額とする。

6　通算退職年金を受ける権利を有する組合員であつた者が再びもとの組合の組合員となつたときは、組合員である間、当該通算退職年金の支給を停止する。

（脱退一時金）

第六十一条の三　組合員期間（第五十六条第二項の規定により障害年金を受ける権利を失つた者の当該障害年金の年額の算定の基礎となつた組合員期間（当該障害年金の年額が第五十五条第二項の規定により算定されたものである場合にあつては、その年額を同条第三項の規定により算定するものとした場合においてその年額の算定の基礎となるべき組合員期間）を除く。）一年以上二十年未満の者が、退職した後に六十歳に達した場合又は六十歳に達した後に退職した場合において、その者の請求があつたときは、脱退一時金を支給する。ただし、退職年金、減額退職年金、障害年金又は通算退職年金を受ける権利を有する者については、この限りでない。

2　脱退一時金の額は、次の各号に掲げる場合に応じ当該各号に定める金額とする。

一　退職した後に六十歳に達した場合　次のイ及びロに掲げる金額の合算額

イ　俸給日額に、前項の組合員期間に応じ別表第三に定める日数を乗じて得た金額

ロ　退職した日の属する月の翌月から六十歳に達した日の属する月の前月までの期間に応ずる利子に相当する金額

二　六十歳に達した後に退職した場合　前号イに掲げる金額

3　前項第一号ロに規定する利子は、複利計算の方法によるものとし、その利率は、政令で定める。

4　前二項の場合において、第一項の規定に該当する退職（当該退職につき脱退一時金が支給されているものを除く。）が二回以上あるときは、脱退一時金の額は、その退職のそれぞれについて前二項の規定により算定した額の合算額とする。

5　第一項に規定する者が同項の規定による請求を行うことなく死亡した場合には、当該請求は、その者の遺族（その死亡した者に係る遺族年金又は通算遺族年金を受ける権利を有する者を除く。）が行うことができる。

6　脱退一時金の額の算定の基礎となつた組合員期間は、長期給付に関する規定の適用については、組合員期間でなかつたものとみなす。

（通算遺族年金）

第六十一条の四　第六十一条の二第二項の規定により通算退職年金を受ける権利を有する者（障害年金を受ける権利を有する者を除く。）であつて組合員であつたものが死亡したときは、政令で定めるところにより、その者の遺族に通算遺族年金を支給する。ただし、その遺族が、同一の事由により一の公的年金制度から遺族年金（政令で定めるものに限る。）又はその遺族年金に相当する年金として政令で定める年金を受ける権利を有する者（厚生年金保険法第三十八条第一項その他政令で定める法令の規定により当該年金の全部の支給が停止されている場合における当該年金を受ける権利を有する者を除く。）であるときは、この限りでない。

2　通算遺族年金の年額は、その死亡した者に係る第六十一条の二第三項から第五項までの規定による通算退職年金の年額の百分の五十に相当する金額とする。

3　厚生年金保険法第五十九条、第五十九条の二、第六十条第三項、第六十一条、第六十三条、第六十四条及び第六十六条から第六十八条まで並びに通算年金通則法第四条から第十条までの規定は、通算遺族年金について準用する。

（公的年金期間を有していた組合員等に係る遺族年金等）

第六十一条の五　公的年金期間を有していた組合員又は組合員であつた者に係る遺族年金又は通算遺族年金については、第五十八条から第六十一条まで及び前条に定めるもののほか、政令で定めるところによる。

（役員に関する特例）

第六十二条　長期給付に関する規定は、役員については適用しな

い。

2　役員でない組合員が役員となつたときは、長期給付に関する規定の適用については、退職とみなす。ただし、役員である間は、年金である給付は支給しない。

第五章　福祉事業

（福祉事業）

第六十三条　組合は、前章に規定する給付を行うほか、組合員の福祉を増進するため、次に掲げる福利及び厚生に関する事業を行うことができる。

一　組合員の保健、保養又は教養に資する施設の経営

二　組合員の利用に供する財産の取得、管理又は貸付

三　組合員の貯金の受入又はその運用

四　組合員の臨時の支出に対する貸付

五　組合員の需要する生活必需物資の買入又は売却

六　その他組合員の福祉を増進するために必要な事業で運営規則で定めるもの

第六章　掛金及び負担金

（掛金）

第六十四条　組合員は、組合の給付及び福祉事業に要する費用並びに老人保健法の規定による拠出金（以下「老人保健拠出金」という。）に充てるため、掛金を負担する。

2　前項の掛金は、組合員の俸給（第十三条の規定による組合員については俸給に準ずるもの、運営規則で定める組合員については運営規則で定める仮定俸給）を標準として算定するものとし、その俸給と掛金との割合は、運営規則で定める。

3　掛金額に円位未満の端数を生じたときは、五十銭未満は切り捨て、五十銭以上は円位に切り上げる。

（掛金等の給与からの控除）

第六十五条　組合員の給与支給機関は、毎月俸給（第十三条の規定による組合員については俸給に準ずるもの。以下この条において同じ。）を支給する際、組合員（前条第二項の運営規則で定める組合員を除く。以下この項において同じ。）の俸給から掛金に相当する金額を控除して、これを組合員に代つて組合に払い込まなければならない。

2　組合員の給与支給機関は、組合員が組合に対して支払うべき掛金以外の金額があるときは、俸給その他の給与を支給する際、組合員の俸給その他の給与から当該金額に相当する金額を控除して、これを組合員に代つて組合に払い込まなければならない。前条第二項の運営規則で定める組合員の掛金についても、また、同様とする。

（負担金）

第六十六条　公共企業体は、次に掲げる金額を負担し、その金額を毎月末日までに組合に払い込まなければならない。

一　短期給付に要する費用及び老人保健拠出金（公共企業体等労働関係法（昭和二十三年法律第二百五十七号）第七条に規定する専従職員である組合員（以下この条において「専従職員」という。）及び組合に使用される組合員に係るものを除く。）の百分の五十に相当する金額

二　長期給付に要する費用の百分の五十七・五（専従職員及び組合に使用される組合員に係る長期給付に要する費用については、百分の十五）に相当する金額

三　福祉事業に要する費用（専従職員及び組合に使用される組合員に係るものを除く。）に充てる額の百分の五十に相当する金額

四　組合の事務（老人保健拠出金の納付に関する事務を含み、福祉事業に係る事務を除く。）に要する費用の全額

2　前項第四号の規定により公共企業体の負担する金額は、公共企業体の予算をもつて定める。

3　公共企業体等労働関係法に規定する労働組合で職員が組織するものは、次に掲げる金額を負担し、その金額を毎月末日までに組合に払い込まなければならない。

一　専従職員に係る短期給付に要する費用及び老人保健拠出金の百分の五十に相当する金額

二　専従職員に係る長期給付に要する費用の百分の四十二・五に相当する金額

三　専従職員に係る福祉事業に要する費用に充てる額の百分の五十に相当する金額

4　公共企業体又は前項に規定する労働組合は、第一項又は前項の規定により組合に負担金を支払う場合においては、概算払をすることができる。この場合においては、当該事業年度末において精算するものとする。

第七章　審査会

（審査会）

第六十七条　給付に関する決定、通算年金通則法第七条第一項の規定による確認その他の組合員期間の確認又は掛金その他組合員が組合に対して支払うべき金額の徴収に対する不服を審査するため、組合に審査会を置く。

2　審査会は、委員九人をもつて組織する。

3　委員は、組合員を代表する者、公共企業体を代表する者及び公益を代表する者それぞれ三人とし、総裁が委嘱する。

4　委員の任期は、三年とする。ただし、補欠委員の任期は、前任者の残任期間とする。

第六十八条　審査会に会長を置く。会長は、審査会において、公益を代表する委員のうちから選挙する。

2　会長は、会務を総理する。会長に事故があるとき、又は会長が欠けたときは、審査会において、公益を代表する委員のうちから会長の職務を代理する者を選挙する。

第六十九条　審査会は、会長が招集し、その議事は、会長以外の出席委員の過半数で決する。可否同数のときは、会長の決するところによる。

2　審査会は、組合員を代表する委員、公共企業体を代表する委員及び公益を代表する委員がそれぞれ少くとも一人以上出席しなければ会議を開き、及び議決することができない。

（審査請求）

第七十条　給付に関する決定、通算年金通則法第七条第一項の規定による確認その他の組合員期間の確認又は掛金その他組合員が組合に対して支払うべき金額の徴収に対し不服がある者は、文書又は口頭で、審査会に対して行政不服審査法（昭和三十七年法律第百六十号）による審査請求をすることができる。

2　前項の審査請求は、同項に規定する決定、確認又は徴収があつたことを知つた日から六十日以内にしなければならない。ただし、正当な理由によりこの期間内に審査請求をすることがで

きなかつたことを疎明したときは、この限りでない。

3　第一項の審査請求があつたときは、会長は、遅滞なく、審査会を招集しなければならない。

4　審査会は、審査のため必要があると認めるときは、審査請求人若しくは関係人に対して報告若しくは意見を求め、その出頭を命じ、又は医師に診断若しくは検案をさせることができる。

5　関係人及び証人は、審査会の会議に出席して意見を述べることができる。

6　審査会は、審査請求を受けた日から起算して六十日以内にこれに対する裁決をしなければならない。

7　第一項の審査請求は、時効の中断に関しては、裁判上の請求とみなす。

（審査会及び審査請求の手続に関する事項の政令への委任）

第七十一条　この章及び行政不服審査法に定めるもののほか、審査会の委員並びに前条第四項の規定により出頭を命じた関係人及び同項の規定により診断又は検案をさせた医師の報酬及び旅費その他審査会及び審査請求の手続に関し必要な事項は、政令で定める。

第八章　会計

（事業年度）

第七十二条　組合の事業年度は、毎年四月一日に始まり、翌年三月三十一日に終る。

（経理）

第七十三条　組合の会計に関しては、財産の増減及び異動をその発生の事実に基いて経理するものとする。

2　組合は、責任準備金のうち、厚生年金保険法による保険給付を行うとしたならば必要であるべき責任準備金の額に相当する部分を他の部分と区分して経理するものとし、その運用については、主務大臣が大蔵大臣と協議して定めるところによらなければならない。

（予算）

第七十四条　組合は、毎事業年度、予算を作成し、事業年度開始前に主務大臣に提出して、その認可を受けなければならない。

2　組合は、予算に重要な変更を加えようとするときは、そのつど主務大臣の認可を受けなければならない。

（決算）

第七十五条　組合は、毎事業年度の決算を翌年度の五月三十一日までに完結しなければならない。

2　組合は、毎事業年度、財産目録、貸借対照表及び損益計算書（以下「財務諸表」という。）を作成し、決算完結後一月以内に主務大臣に提出して、その承認を受けなければならない。

3　組合は、前項の規定により主務大臣の承認を受けたときは、その財務諸表の写を組合員の閲覧に供しなければならない。

（会計等に関する事項の省令への委任）

第七十六条　この章に規定するもののほか、組合の会計及び資産の運用その他財務に関して必要な事項は、主務省令で定める。

第九章　雑則

（船員である組合員に関する特例）

第七十七条　船員保険の被保険者（以下「船員」という。）である組合員の船員であつた期間（船員である組合員であつた期間を含む。以下同じ。）の計算については、船員保険法の定めるところによる。

2　船員である組合員若しくは船員である組合員であつた者又はこれらの者の遺族に対する長期給付の支給については、船員であつた期間は、その期間に三分の四を乗じて得た期間を組合員であつた期間とみなす。ただし、当該三分の四を乗じて得た期間（船員でない組合員であつた期間があるときは、その期間を合算した期間）が二十年未満である者（船員保険法第三十四条第一項第二号又は第三号に該当する者を除く。）については、船員である組合員であつた期間（組合員でない船員であつた期間があるときはその期間に二分の一を乗じて得た期間を、船員でない組合員であつた期間があるときはその期間をそれぞれ合算した期間）を組合員であつた期間とする。

3　前項の規定は、第五十条第三項、第五十条の二第四項、第五十三条の二第三項、第五十五条第三項及び第五十八条第三項の規定の適用については、適用しない。

4　船員である組合員若しくは船員である組合員であつた者又はこれらの者の遺族が第七十九条の規定により、船員保険法第三章第五節から第八節までに規定する給付又は同章第九節に規定する遺族年金を選択した場合において、当該船員である組合員又は船員である組合員であつた者に船員でない組合員であつた期間があるときは、これらの者に支給すべき長期給付の基礎となるべき組合員期間の計算については、第二項の規定にかかわらず、組合員であつた期間から船員である組合員であつた期間を控除した期間を組合員であつた期間とみなす。

（漁船乗組員等に関する特例）

第七十八条　船員である組合員又は船員である組合員であつた者で船員保険法第三十四条第一項第二号又は第三号に該当するものに対する長期給付に関する規定の適用については、第十五条第二項ただし書、第五十条第一項、第五十七条第一項及び第二項、第五十八条第一項及び第二項、第六十一条の二第二項及び第五項並びに第六十一条の三第一項中「二十年」とあるのは「十五年」と、第五十条第二項中「百分の四十」とあるのは「百分の三十」と、「二十年以上一年を増すごとにその一年につき俸給年額の百分の一・五に相当する金額を」とあるのは「十五年を超え二十年に達するまでは十五年以上一年を増すごとにその一年につき俸給年額の百分の二に相当する金額を、二十年以上については二十年以上一年を増すごとにその一年につき俸給年額の百分の一・五に相当する金額をそれぞれ」と読み替えるものとする。

（船員保険法による給付の選択）

第七十九条　船員である組合員又は船員である組合員であつた者の船員である期間又は船員である組合員であつた期間に係る給付は、第四章、第七十七条第二項及び前条の規定にかかわらず、これを受ける権利を有する者の選択により、当該船員である組合員又は船員である組合員であつた者が組合員とならなかつたものとした場合に受けるべき船員保険法の規定による給付（失業に関する給付を除く。）とすることができる。

第八十条　厚生年金保険及び船員保険交渉法（昭和二十九年法律第百十七号）第二条から第四条までの規定により厚生年金保険又は船員保険の老齢年金の受給資格期間を満たした者が船員である組合員となつたときは、組合員でない船員であつた期間は、船員でなかつたものとみなして、前三条の規定を適用する。

第八十一条　公共企業体は、船員である組合員若しくは船員である組合員であつた者又はこれらの者の遺族に対する船員保険法の規定による給付に相当する給付に要する費用については、同法に規定する国庫の負担及び船舶所有者の負担と同一割合によつて算定した金額を負担し、これを毎月末日までに組合に払い込むものとする。

第八十二条　船員である組合員が組合員の資格を喪失した場合において、なお船員保険法の適用を受けるときは、その者につき同法第十五条ノ四の規定により計算した積立金に相当する金額を船員保険特別会計に移換しなければならない。

（継続長期組合員についての特例）

第八十二条の二　組合員（長期給付に関する規定の適用を受けない者を除く。）が任命権者又はその委任を受けた者の要請に応じ、引き続いて国家公務員（国家公務員共済組合法（昭和三十三年法律第百二十八号）第二条第一項第一号に規定する職員である国家公務員をいう。以下この条において同じ。）、地方公務員（地方公務員等共済組合法（昭和三十七年法律第百五十二号）第二条第一項第一号に規定する職員である地方公務員をいう。以下この条において同じ。）又は特別の法律により設立された法人でその業務が公共企業体の事務若しくは事業と密接な関連を有するもののうち政令で定めるもの（以下「公団等」という。）に使用される者（役員及び常時勤務に服することを要しない者を除く。以下「公団等職員」という。）となるため退職した場合（政令で定める場合を除く。）には、長期給付に関する規定の適用については、別段の定めがあるものを除き、その者の退職はなかつたものとみなし、その者は、当該国家公務員、地方公務員又は公団等職員である期間引き続き組合員であるものとする。この場合においては、第六十六条第一項中「公共企業体は、次に掲げる金額を」とあるのは「国、地方公共団体又は公団等は第二号に掲げる金額を、公共企業体は第四号に掲げる金額をそれぞれ」と、同条第四項中「公共企業体」とあるのは「国、地方公共団体、公団等若しくは公共企業体」とする。

2　前項前段の規定により引き続き組合員であるとされる者（以下「継続長期組合員」という。）が次の各号の一に該当するに至つたときは、その翌日から、継続長期組合員の資格を喪失する。

一　国家公務員、地方公務員又は公団等職員となるため退職した日から起算して五年を経過したとき。

二　引き続き国家公務員、地方公務員又は公団等職員として在職しなくなつたとき。

三　死亡したとき。

3　継続長期組合員が国家公務員、地方公務員又は公団等職員として在職し、引き続き国家公務員、地方公務員又は公団等職員となつた場合（その者が更に引き続き国家公務員、地方公務員又は公団等職員となつた場合を含む。）における前二項の規定の適用については、その者は、これらの国家公務員、地方公務員又は公団等職員として引き続き在職する間、継続長期組合員であるものとみなす。

4　第一項の規定は、継続長期組合員が国家公務員、地方公務員又は公団等職員として在職し、引き続き再び元の組合の組合員の資格を取得した後主務省令で定める期間内に引き続き再び国家公務員、地方公務員又は同一の公団等の公団等職員となるため退職した場合については、適用しない。

5　国家公務員又は地方公務員である継続長期組合員は、国家公務員共済組合法第三十七条第一項又は地方公務員等共済組合法第三十九条第一項の規定にかかわらず、これらの法律の長期給付に関する規定の適用を受ける組合員としない。

6　前各項に定めるもののほか、継続長期組合員に対する長期給付に関する規定の適用に関し必要な事項は、政令で定める。

（任意継続組合員に対する短期給付等）

第八十二条の三　退職の日の前日まで引き続き一年以上組合員であつた者は、その退職の日から起算して二十日を経過する日（正当な理由があると組合が認めた場合には、その認めた日）までに、運営規則で定めるところにより、引き続き短期給付を受け、及び福祉事業を利用することを希望する旨を組合に申し出ることができる。この場合において、その申出をした者は、この法律の規定中短期給付及び福祉事業に係る部分（政令で定めるものを除く。）の適用については、引き続き当該組合の組合員であるものとみなす。

2　前項後段の規定により組合員であるものとみなされた者（以下この条において「任意継続組合員」という。）は、組合が、政令で定める基準に従い、その者の短期給付、老人保健拠出金及び福祉事業に係る掛金及び公共企業体の負担金の合算額を基礎として運営規則で定める金額（以下この条において「任意継続掛金」という。）を、毎月、運営規則で定めるところにより、組合に払い込まなければならない。

3　任意継続組合員が初めて払い込むべき任意継続掛金を運営規則で定める期日までに払い込まなかつたときは、第一項の規定にかかわらず、その者は、任意継続組合員にならなかつたものとみなす。ただし、その払込みの遅延について正当な理由があると組合が認めたときは、この限りでない。

4　任意継続組合員が次の各号の一に該当するに至つたときは、その翌日（第四号に該当するに至つたときは、その日）から、その資格を喪失する。

一　任意継続組合員となつた日から起算して二年を経過したとき。

二　死亡したとき。

三　任意継続掛金（初めて払い込むべき任意継続掛金を除く。）を運営規則で定める期日までに払い込まなかつたとき（払込みの遅延について正当な理由があると組合が認めたときを除く。）。

四　組合員（他の法律に基づく共済組合の組合員及び健康保険法の規定による健康保険又は船員保険の被保険者で組合員でないものを含む。）となつたとき。

五　任意継続組合員でなくなることを希望する旨を運営規則で定めるところにより組合に申し出た場合において、その申出が受理された日の属する月の末日が到来したとき。

5　任意継続組合員に対する短期給付の支給の特例その他任意継続組合員に関し必要な事項は、政令で定める。

（監督）

第八十三条　組合の業務の執行は、主務大臣が監督する。

2　主務大臣は、第六条第二項若しくは第七十四条の規定による認可をし、第七十五条第二項の規定による承認をし、又は第七十六条の規定により主務省令を定めるときは、あらかじめ、大蔵大臣と協議しなければならない。

3　主務大臣は、必要があると認めるときは、その必要な限度において、組合に対して、業務及び資産の状況に関し報告をさせ、又は当該職員をして実地について業務の状況若しくは書類帳簿その他必要な物件を検査させることができる。

4　主務大臣は、この法律の適正な実施を確保するため必要があると認めるときは、組合に対して、その業務に関し、監督上必要な命令をすることができる。

5　主務大臣は、組合の療養に関する短期給付についての費用の負担又は支払の適正化を図るため必要があると認めるときは、医師、歯科医師、薬剤師若しくは手当を行つた者若しくはこれらの者を使用する者に対し、その行つた診療、薬剤の支給若しくは手当に関し、報告若しくは診療録、書類帳簿その他の物件の提示を求め、若しくは当該職員をして質問させ、又は当該給付に係る療養を行つた保険医療機関若しくは保険薬局から報告若しくは資料の提出を求め、当該保険医療機関若しくは保険薬局の開設者若しくは管理者、保険医、保険薬剤師その他の従業者に対し出頭を求め、若しくは当該職員をして関係者に対し質問し、若しくは当該保険医療機関若しくは保険薬局につき設備若しくは診療録その他その業務に関する書類帳簿を検査させることができる。

6　当該職員は、前項の規定により質問又は検査をする場合においては、その身分を示す証明書を携帯し、関係人にこれを提示しなければならない。

7　第五項の規定による質問又は検査の権限は、犯罪捜査のために認められたものと解してはならない。

（主務大臣及び主務省令）

第八十四条　この法律における主務大臣及び主務省令は、専売共済組合については大蔵大臣及び大蔵省令、国鉄共済組合については運輸大臣及び運輸省令、日本電信電話公社共済組合については郵政大臣及び郵政省令とする。

（事務職員及び公共企業体の施設の利用）

第八十五条　総裁は、組合の業務の運営に必要な範囲内において、主務大臣の承認を受けて、公共企業体の職員を組合の事務に従事させ、又は公共企業体の施設（土地を含む。）を無償で組合の利用に供することができる。

（医療に関する事項）

第八十六条　組合は、この法律で定める医療に関する事項については、随時、厚生大臣に連絡しなければならない。

（支払事務の委託）

第八十六条の二　組合は、政令で定めるところにより、長期給付の支払に関する事務を郵政大臣に委託することができる。

（政令への委任）

第八十七条　この法律に定めるもののほか、この法律の施行に関し必要な事項は、政令で定める。

第十章　罰則

（罰則）

第八十八条　第八十三条第三項の規定に違反して、報告をせず、若しくは虚偽の報告をし、又は検査を拒み、妨げ、若しくは忌避した者は、二十万円以下の罰金に処する。

第八十九条　次の各号の一に該当する場合には、その違反行為をした役員、組合の事務に従事する公共企業体の職員又は組合に使用される者は、十万円以下の過料に処する。

一　この法律により、主務大臣の認可又は承認を受けなければならない場合において、その認可又は承認を受けなかつたとき。

二　第八十三条第四項の規定による主務大臣の命令に違反したとき。

三　この法律に規定する業務又は他の法律の規定により組合が行うものとされた業務以外の業務を行つたとき。

第九十条　医師、歯科医師、薬剤師若しくは手当を行つた者又はこれらの者を使用する者が第八十三条第五項の規定による報告若しくは診療録、書類帳簿その他の物件の提示を命ぜられて正当な理由がなくこれに従わず、又は同項の規定による質問に対して正当な理由がなく答弁せず、若しくは虚偽の答弁したときは、十万円以下の過料に処する。

附　則（抄）

（施行期日）

第一条　この法律は、昭和三十一年七月一日から施行する。ただし、附則第三条及び第十九条第三項の規定は、公布の日から施行する。

（組合の成立）

第二条　旧法第二条第一項の規定により公共企業体に設けられた共済組合（以下「旧組合」という。）は、この法律（前条ただし書に係る部分を除く。以下同じ。）の施行の日（以下「施行日」という。）に組合となり、同一性をもつて存続するものとする。

（最初の事業年度、運営規則及び予算）

第三条　組合の最初の事業年度は、第七十二条の規定にかかわらず、昭和三十一年七月一日に始まり、昭和三十二年三月三十一日に終るものとする。

2　総裁は、この法律の施行前に、旧組合の共済組合運営審議会の議を経て、第六条、第七十四条第一項、第八十三条第二項及び第八十四条の規定の例により、運営規則を定め、最初の事業年度の予算を作成し、及び主務大臣の認可を受けることができる。

3　前項の運営規則及び予算は、本則の規定により定め、作成し、及び認可を受けたものとみなす。

（運営審議会の委員の任命の特例）

第三条の二　運営審議会の委員の任命については、昭和四十二年度以後における公共企業体職員等共済組合法に規定する共済組合が支給する年金の額の改定に関する法律及び公共企業体職員等共済組合法の一部を改正する法律（昭和四十九年法律第九十七号）の公布の日から運営審議会の運営状況を勘案して政令で定める日までの間、第十条第三項中「組合員」とあるのは、「組合員又は組合員であつた者（運営審議会の委員であつた者に限る。）」として、同項の規定を適用する。

（施行日前の事由に基く権利の取扱）

第四条　施行日前に給与事由の生じた恩給に関する法令の規定による恩給（以下「恩給」という。）については、第三項に規定する場合を除くほか、なお、従前の例による。

2　施行日の前日に恩給公務員（恩給法に規定する公務員及び他の法令（この法律による改正前の日本専売公社法第五十条第一

項、日本国有鉄道法第五十六条第一項又は日本電信電話公社法第七十九条第一項を含む。以下この項及び次項において同じ。）により恩給法に規定する公務員とみなされるものをいう。以下同じ。）であつた更新組合員（施行日に組合員となつた者（同日に新たに役職員となつた者を除く。）で以後退職することなく引き続き当該組合の組合員であるものをいう。以下同じ。）は、同法（他の法令において準用する場合を含む。次条を除き、以下同じ。）の規定の適用については、施行日の前日において同法に規定する退職をしたものとみなす。

3 更新組合員に係る恩給（その者が恩給に関する法令の規定により遺族として受けるものを除く。）を受ける権利は、施行日の前日において消滅するものとする。ただし、恩給法の一部を改正する法律（昭和二十八年法律第百五十五号。以下「法律第百五十五号」という。）附則第十条又は第十一条の規定による旧軍人又は旧準軍人の恩給（恩給に関する法令の規定による増加恩給（以下「増加恩給」という。）及びこれと併給される普通恩給（以下「増加恩給等」という。）を除く。）及び同法附則第十七条において準用する同法附則第十条の規定による旧軍属の恩給（増加恩給等を除く。）（以下「軍人恩給」という。）、増加恩給又は恩給に関する法令の規定による傷病年金若しくは傷病賜金を受ける権利は、この限りでない。

4 施行日の前日に恩給公務員であつた更新組合員（更新組合員から引き続き附則第二十三条第一項に規定する転出組合員となつた者及び更に引き続き附則第二十四条第一項に規定する復帰組合員となつた者を含む。以下附則第二十三条までにおいて同じ。）に係る恩給（増加恩給並びに恩給に関する法令の規定による傷病年金及び傷病賜金を除く。）並びに更新組合員に係る旧法又は国家公務員共済組合法の規定による退職年金及び減額退職年金は、その者が更新組合員である間、その支給を停止する。

（恩給に関する法令の改正により新たに普通恩給等の受給権を有すべきこととなる者の取扱い）

第四条の二 恩給に関する法令の改正により、更新組合員若しくは更新組合員であつた者又はこれらの者の遺族が新たに普通恩給である軍人恩給以外の普通恩給又はこれに係る扶助料を受ける権利を有することとなる場合には、当該更新組合員又は更新組合員であつた者は施行日の前日において当該普通恩給を受ける権利を有していたものとみなして、当該普通恩給又は扶助料を受ける権利について前条第三項本文の規定を適用する。

（組合員期間の計算の特例）

第五条 更新組合員の施行日前の次の期間は、組合員期間に算入する。

一 恩給公務員期間（恩給公務員、従前の宮内官の恩給規程による宮内職員、恩給法第八十四条に掲げる法令の規定により恩給、退隠料その他これに準ずるものを給すべきものとされていた公務員その他法令の規定により恩給を給すべきものとされた公務員として在職した期間（法令の規定により恩給を給すべきものとされた公務員として在職するものとみなされる期間及び恩給につき在職年数に通算される期間を含む。）をいう。以下同じ。）のうち次の期間を除いた期間。ただし、次の期間を除いた期間のうちに恩給に関する法令にいう在職年（以下「在職年」という。）の計算において加算されることとなつている年月数（法律第百五十五号附則第二十四条第二項から第四項まで、第九項、第十項、第十二項及び第十四項並びに第十一項において準用する第五項の規定により恩給の基礎在職年に加算されることとなつている年月数（同条第八項又は同法附則第二十四条の三第三項の規定により同法附則第二十四条第四項第一号又は第三号に規定する加算年の年月数とみなされる年月数を含む。附則第六条の二において「戦務加算等の期間」という。）を除く。）があるときはその年月数を加算し、半減されることとなつている年月数があるときはその年月数の二分の一を減じた後の期間とする。

イ 削除

ロ 在職年の計算において除算されることとなつている恩給公務員期間（法律第百五十五号附則第四十六条から第四十八条までの規定の適用を受ける者（この法律の規定による年金たる給付を法律第百五十五号附則第四十六条から第四十八条までに規定する年金たる恩給とみなしたならばこれらの規定の適用を受けることとなるべき者を含む。）のその適用に係る期間を除く。）

ハ 普通恩給である軍人恩給を受ける権利の基礎となつている恩給公務員期間

二 旧法の規定による退職年金を受ける権利を有する更新組合員の当該退職年金の基礎となつている共済組合の組合員であつた期間のうち前号本文の期間を除いた期間

三 旧法又はその施行前の政府職員の共済組合に関する法令の退職給付、障害給付及び遺族給付に関する規定の適用を受ける共済組合の組合員（以下「長期組合員」という。）であつた期間のうち第一号本文及び前号の期間を除いた期間

四 職員であつた期間で施行日まで引き続いているもの又は政令で定める要件に該当するもののうち、恩給公務員期間及び前二号の期間を除いた期間

五 法律第百五十五号附則第四十二条第一項に規定する外国政府又は同法附則第四十三条に規定する法人の職員（臨時に使用された者及び常時勤務に服しなかつた者を除く。附則第二十六条の四において同じ。）として在職していた者でその後他に就職することなく政令で定める期間内に職員となつたもの（昭和二十年八月八日後引き続き海外にあつた未帰還者（未帰還者留守家族等援護法（昭和二十八年法律第百六十一号）第二条に規定する未帰還者をいう。以下この号、附則第十一条第一項第六号及び第七号並びに第二十六条の四において同じ。）にあつては、その帰国後他に就職することなく政令で定める期間内に職員となつたもの）で、かつ、施行日の前日まで引き続き職員であつたものの当該外国政府又は法人の職員としての在職期間で職員となつた日の前日まで引き続いているもの（当該未帰還者については、昭和二十年九月から帰国した日の属する月までの期間でその者の未帰還者であると認められる期間（附則第十一条第一項第六号及び第七号において「未帰還者期間」という。）を含む。）並びに当該外国政府又は法人の職員として在職していた者で、任命権者又はその委任を受けた者の要請に応じ当該外国政府若しくは法人又は日本政府がその運営に関与していた法人その他の団体の職員（以下この号において「関与法人等の職員」という。）となるため退職し、当該関与法人等の職員として昭和

二十年八月八日まで引き続き在職し、その後他に就職することなく政令で定める期間内に職員となつたもの（同日後引き続き海外にあつた未帰還者にあつては、その帰国後他に就職することなく政令で定める期間内に職員となつたもの）で、かつ、施行日の前日まで引き続き職員であつたもの及び当該外国政府又は法人の職員として在職していた者で政令で定めるものの当該外国政府又は法人の職員としての在職期間で職員となつた日の前日まで引き続いているもののうち、恩給公務員期間及び前三号の期間を除いた期間

2　前項第四号及び第五号並びに附則第十一条第一項の職員には、次の各号に掲げる者を含むものとする。

一　日本専売公社法、日本国有鉄道法又は日本電信電話公社法施行前において従前の専売局特別会計、国有鉄道事業特別会計、帝国鉄道会計、電気通信事業特別会計又は通信事業特別会計の支弁で俸給又は俸給に準ずる給与を受けた者（臨時に使用された者を除く。）

二　前号に掲げる者以外の国家公務員（国家公務員法（昭和二十二年法律第百二十号）の施行前における国家公務員に相当するものを含む。次号及び附則第十一条第一項において同じ。）で、当該国家公務員であつた期間の前及び後に引き続く期間が職員又は前号に掲げる者であつた期間であるもの又は政令で定める要件に該当するもの（臨時に使用された者及び常時勤務に服しなかつた者を除く。）

三　その他の国家公務員及び地方公務員（地方公務員法（昭和二十五年法律第二百六十一号）の施行前における地方公務員に相当するものを含む。）並びにこれらに準ずる者であつて、運営規則で定めるもの

（年金の年額の特例）

第六条　更新組合員に対する退職年金の年額は、第五十条第二項の規定にかかわらず、同項本文の規定により算定した退職年金の年額に相当する金額から、その者の組合員期間（前条の規定により算入される期間を含む。以下同じ。）のうち同条第一項各号の期間（同項第二号及び第三号の期間については、職員であつた期間を除く。）に該当する期間（一年未満の端数は切り捨てる。）の一年につきそれぞれ次の金額を減じた金額とする。

一　前条第一項第一号の期間に該当する期間のうち、十七年までの部分については俸給年額の百分の四十に相当する金額を二十で除して得た金額から俸給年額の百五十分の五十に相当する金額を十七で除して得た金額を減じた金額、十七年をこえる部分については俸給年額の百分の一・五に相当する金額から俸給年額の百五十分の一に相当する金額を減じた金額

二　前条第一項第二号及び第三号の期間（控除期間（旧法第九十五条に規定する控除期間及び旧法又は旧法の施行前の政府職員の共済組合に関する法令の規定による退職一時金の基礎となつた期間をいう。以下同じ。）及び職員であつた期間を除く。）に該当する期間のうち、二十年までの部分については俸給年額の百分の四十に相当する金額から俸給年額の百五十分の五十に相当する金額を減じた金額を二十で除して得た金額、二十年を超える部分については俸給年額の百分の一・五に相当する金額から俸給年額の九十分の一に相当する金額を減じた金額

三　控除期間並びに前条第一項第四号及び第五号の期間に該当する期間については俸給年額の百分の〇・九に相当する金額

2　施行日の前日に長期組合員であつた更新組合員が同日又は同日まで引き続く長期組合員であつた期間に業務によらないで病気にかかり、又は負傷し、その傷病のため退職し、第五十五条第一項の規定の適用を受ける者である場合において、障害年金の年額が、その者が退職の時まで引き続き長期組合員であり、かつ、その退職が旧法に規定する退職であるとみなして同法を適用するとしたならば受けることができる同法の規定による障害年金の年額に相当する金額に満たないときは、同条第二項又は第三項の規定にかかわらず、その金額を障害年金の年額とする。

3　施行日の前日まで引き続き十年以上長期組合員であつた更新組合員が施行日以後に業務によらないで病気にかかり、又は負傷し、その傷病のため退職し、第五十五条第一項の規定の適用を受ける者である場合においても、また、前項と同様とする。

4　第五十八条第一項の場合において、その死亡した者が更新組合員又は更新組合員であつた障害年金を受ける権利を有する者であつて、組合員期間二十年未満のものであるときにおけるその者の遺族に対する遺族年金の年額は、同条第二項第二号の規定にかかわらず、同号の規定により算定した遺族年金の年額に相当する金額から、その死亡した者に係る前条第一項各号に掲げる期間につき、第一項の規定の例により算定した減算すべき金額の二分の一に相当する金額を減じた金額とする。

5　更新組合員に係る遺族年金の支給を受ける者が妻、子若しくは孫又は五十五歳以上の者である場合（妻若しくは子又は五十五歳以上の者のうちに当該更新組合員に係る恩給法第七十五条第一項第一号の規定による扶助料を受ける権利を有する者がある場合を除く。）における当該遺族年金の年額については、第五十八条第二項、第五十九条（附則第六条の七において準用する場合を含む。）、第五十九条の二（附則第六条の七において準用する場合を含む。）、前項、次条第五項若しくは第六項又は附則第六条の三第二項の規定により算定した金額が附則第四条第三項本文の規定を適用しないものとして法律第百五十五号附則第十四条の規定の例により算定した金額に満たないときは、第五十八条第二項、第五十九条（附則第六条の七において準用する場合を含む。）、第五十九条の二（附則第六条の七において準用する場合を含む。）、前項、次条第五項若しくは第六項又は附則第六条の三第二項の規定にかかわらず、その金額を遺族年金の年額とする。

6　更新組合員に対する退職年金の年額は、前条第一項第一号の期間に該当する期間のうち、元南西諸島官公署職員等の身分、恩給等の特別措置に関する法律（昭和二十八年法律第百五十六号）第十条の二第一項又は第十条の三第一項の規定により同号の期間に該当することとなる期間中に普通恩給が支給されていた場合においては、第一項、次条第一項若しくは第二項又は附則第六条の三第一項、第十四条第一項若しくは第十四条の二第一項の規定により退職年金の年額として算定した金額から、その支給された普通恩給の額の十五分の一に相当する金額を減じた金額とする。

第六条の二　七十歳以上の更新組合員が退職した場合において、その者の組合員期間のうちに次の各号に掲げる期間があるときは、その者に対する退職年金の年額は、前条第一項又は附則第

十四条第一項の規定により算定した金額に、それぞれ次の各号に掲げる期間に応じ当該各号に掲げる金額を加えた金額とする。

一　附則第五条第一項第一号の期間で十七年を超えるもののその超える期間　その年数一年につき俸給年額の三百分の二（当該更新組合員が八十歳未満の者であるときは、その超える期間の年数が十三年を超える場合におけるその超える部分の年数については、三百分の一）に相当する金額

二　附則第五条第一項第二号から第五号までの期間で同項第一号の期間と合算して二十年を超えるもののその超える期間　その年数一年につき俸給年額の三百分の二（当該更新組合員が八十歳未満の者であるときは、その超える期間の年数と前号の超える期間の年数とを合算した年数が十三年を超える場合におけるその超える部分の年数については、三百分の一）に相当する金額

2　退職年金を受ける更新組合員であつた者が七十歳又は八十歳に達した場合において、その者が前項各号に掲げる期間を有するときは、その者を同項の規定に該当する者とみなして、当該退職年金の年額を改定する。

3　退職年金を受ける権利を有する六十歳以上の更新組合員が退職した場合において、その者が戦務加算等の期間を有するときは、第一項の規定により同項各号に掲げる金額を算定する場合を除き、当該期間の年数（当該期間の年数と組合員期間の年数とを合算した年数が四十年を超えることとなる場合には、その超える部分の年数に達するまでの戦務加算等の期間の年数を除く。）を附則第五条第一項第一号の期間に加えるものとする。

4　退職年金を受ける更新組合員であつた者が六十歳に達した場合において、その者が戦務加算等の期間を有するときは、その者を前項の規定に該当する者とみなして、当該退職年金の年額を改定する。

5　更新組合員又は更新組合員であつた者が死亡した場合において、その者の組合員期間のうちに次の各号に掲げる期間があるときは、その者に係る遺族年金を受ける者が七十歳以上の者又は七十歳未満の妻、子若しくは孫である場合における遺族年金の年額は、第五十八条第二項の規定により算定した金額に、それぞれ次の各号に掲げる期間に応じ当該各号に掲げる金額を加えた金額とする。

一　附則第五条第一項第一号の期間で十七年を超えるもののその超える期間　その年数一年につき俸給年額の六百分の二（当該遺族年金を受ける者が八十歳未満の者であるときは、その超える期間の年数が十三年を超える場合におけるその超える部分の年数については、六百分の一）に相当する金額

二　附則第五条第一項第二号から第五号までの期間で同項第一号の期間と合算して二十年を超えるもののその超える期間　その年数一年につき俸給年額の六百分の二（当該遺族年金を受ける者が八十歳未満の者であるときは、その超える期間の年数と前号の超える期間の年数とを合算した年数が十三年を超える場合におけるその超える部分の年数については、六百分の一）に相当する金額

6　前項各号に掲げる期間を有していた更新組合員又は更新組合員であつた者に係る遺族年金を受ける者が七十歳に達したとき（妻、子及び孫が七十歳に達したときを除く。）、又は八十歳に達したときは、その者を同項の規定に該当する者とみなして、当該遺族年金の年額を改定する。

7　更新組合員又は更新組合員であつた者が死亡した場合において、その者が戦務加算等の期間を有しており、かつ、その者に係る遺族年金を受ける者が六十歳以上であるとき又は六十歳未満の妻、子若しくは孫であるときは、第五項の規定により同項各号に掲げる金額を算定する場合を除き、当該期間の年数（当該期間の年数と組合員期間の年数とを合算した年数が四十年を超えることとなる場合には、その超える部分の年数に達するまでの戦務加算等の期間の年数を除く。）を当該遺族年金の年額の計算の基礎となる附則第五条第一項第一号の期間に加えるものとする。

8　戦務加算等の期間を有していた更新組合員又は更新組合員であつた者に係る遺族年金を受ける者（妻、子及び孫を除く。）が六十歳に達したときは、その者を前項の規定に該当する者とみなして、当該遺族年金の年額を改定する。

9　第五項から前項までの場合において、これらの規定の適用を受ける遺族年金を受ける者が二人以上あるときは、そのうちの年長者の年齢に応じ、これらの規定を適用するものとする。

第六条の三　附則第六条第一項、前条第一項若しくは第二項又は附則第十四条第一項の規定により算定した金額が、次の各号に掲げる退職年金の区分に応じ当該各号の規定により算定した金額（組合員期間のうち控除期間並びに附則第五条第一項第四号及び第五号の期間（以下この条において「控除期間等の期間」という。）を有する者に対する退職年金にあつては、その金額から、その金額を組合員期間の年数で除して得た額の百分の四十五に相当する額に控除期間等の期間の年数を乗じて得た額を控除した金額）（その金額が俸給年額の百分の七十に相当する金額を超えるときは、その金額）に満たないときは、第五十条第三項の規定にかかわらず、その金額を退職年金の年額とする。

一　組合員期間が二十年以下である更新組合員に対する退職年金　組合員期間が二十年であるものとして算定した第五十条第三項各号に掲げる金額の合算額の二十分の一に相当する額に組合員期間の年数を乗じて得た金額

二　組合員期間が二十年を超える更新組合員に対する退職年金　第五十条第三項各号に掲げる金額の合算額

2　附則第六条第四項の規定により算定した金額が、第五十八条第三項の規定により算定した金額（組合員期間のうち控除期間等の期間を有する者（十年を超える組合員期間を有する者に限る。）に係る遺族年金にあつては、その金額から、その金額を組合員期間の年数で除して得た額の百分の四十五に相当する額に控除期間等の期間の年数（その年数が組合員期間の年数から十年を控除した年数を超えるときは、その控除した年数）を乗じて得た額を控除した額）に満たないときは、同項の規定にかかわらず、その額を遺族年金の年額とする。

3　第七十七条第二項並びに前条第三項、第四項、第七項及び第八項の規定は、前二項の規定の適用については、適用しない。

4　控除期間等の期間を有する更新組合員に対する第五十五条第三項の規定の適用については、同項各号列記以外の部分中「相当する額」とあるのは、「相当する額から政令で定める額を控除した額」と読み替えるものとする。

第六条の四　退職一時金の支給を受けた者（昭和四十二年度以後

における公共企業体職員等共済組合法に規定する共済組合が支給する年金の額の改定に関する法律及び公共企業体職員等共済組合法の一部を改正する法律（昭和五十四年法律第七十六号）第二条の規定による改正前の公共企業体職員等共済組合法（以下「昭和五十四年改正前の法」という。）第五十四条の規定による退職一時金（当該退職一時金とみなされる給付を含む。以下単に「昭和五十四年改正前の法の規定による退職一時金」という。）の支給を受けた者（同条第一項ただし書の規定の適用を受けた者を含む。）をいう。以下同じ。）であつて、退職年金又は減額退職年金を受ける権利を有するものに支給する退職年金の年額（第五十三条第二項の規定による減額退職年金の年額の算定の基礎となるものを含む。）は、第五十条第二項又は第三項の規定にかかわらず、これらの規定により算定した退職年金の年額（その年額が同項の規定により俸給年額の百分の七十に相当する金額とされたものであるときは、同項各号に掲げる金額の合算額）から当該昭和五十四年改正前の法の規定による退職一時金の基礎となつた組合員期間の年数一年につき俸給年額の百分の〇・九に相当する額を控除した金額とする。ただし、当該年金の年額が同項の規定により算定したものである場合において、その金額が俸給年額の百分の七十に相当する金額を超えるときは、その金額とする。

2　退職一時金の支給を受けた者が死亡した場合において、その者の遺族に支給する遺族年金の年額は、第五十八条第二項又は第三項の規定にかかわらず、これらの規定により算定した遺族年金の年額から当該昭和五十四年改正前の法の規定による退職一時金の基礎となつた組合員期間の年数一年につき俸給年額の百分の〇・四五に相当する額を控除した金額とする。

3　通算退職年金を受ける権利を有する者で昭和五十四年改正前の法第五十四条第一項ただし書の規定の適用を受けたものに支給する通算退職年金の年額は、第六十一条の二第三項の規定にかかわらず、同項の規定により算定した金額に、第一号に掲げる金額を第二号に掲げる金額で除して得た割合（その割合が百分の八十に満たないときは、百分の八十）を乗じて得た金額とする。

一　俸給日額に、組合員期間に応じ別表第三に定める日数を乗じて得た金額

二　二千五十円と俸給の千分の十に相当する額の合算額に、組合員期間の月数及び退職時の年齢に応じ別表第三の二に定める率を乗じて得た金額

4　前項の規定の適用を受ける者に対する第六十一条の二第五項の規定の適用については、同項中「前二項」とあるのは、「前二項及び附則第六条の四第三項」とする。

5　第三項の規定の適用を受ける者が死亡した場合における通算遺族年金の年額については、第六十一条の四第二項中「第六十一条の二第三項から第五項まで」とあるのは、「第六十一条の二第三項から第五項まで並びに附則第六条の四第三項及び第四項」とする。

第六条の五　退職一時金の支給を受けた者が更新組合員であつた者である場合における前条第一項又は第二項の規定の適用については、同条第一項中「第五十条第二項又は第三項」とあるのは「附則第十七条の二において準用する附則第六条第一項、第六条の三第一項又は第十四条第一項」と、同条第二項中「第五十八条第二項又は第三項」とあるのは「第五十八条第二項若しくは第三項又は附則第十七条の二において準用する附則第六条第四項若しくは第五項若しくは第六条の三第二項」とする。

2　更新組合員が退職した後に通算退職年金を受ける権利を有することとなつた場合における当該退職に係る通算退職年金の年額は、第六十一条の二第三項又は前条第三項の規定にかかわらず、二千五十円と俸給の千分の十に相当する額の合算額に附則第五条第一項第一号の期間で施行日の前日まで引き続いているもの（同日前に給与事由の生じた恩給に関する法令の規定による一時恩給（以下「一時恩給」という。）の基礎となつた在職年に係るものを除く。）、同項第三号の期間（控除期間を除く。）及び施行日以後の組合員期間を合算した期間（以下この条において「更新組合員の通算退職年金基礎期間」という。）の月数を乗じて得た金額とする。ただし、その者が当該退職のときに昭和五十四年改正前の法第五十四条第一項ただし書の規定の適用を受けた者であるときは、その更新組合員の通算退職年金基礎期間の月数を乗じて得た金額に、第一号に掲げる金額を第二号に掲げる金額で除して得た割合（その割合が百分の八十に満たないときは、百分の八十）を乗じて得た金額とする。

一　俸給日額に、更新組合員の通算退職年金基礎期間に応じ別表第三に定める日数を乗じて得た金額

二　二千五十円と俸給の千分の十に相当する額の合算額に、更新組合員の通算退職年金基礎期間の月数及び当該退職時の年齢に応じ別表第三の二に定める率を乗じて得た金額

3　前項の場合において、同項第一号に掲げる金額が、次の各号に掲げる更新組合員であつた者の区分に応じ当該各号に定める金額に満たないときは、その金額を同項第一号に掲げる金額とみなして、同項の規定を適用する。

一　施行日の前日に恩給公務員であつた更新組合員　俸給に、附則第五条第一項第一号の期間で同日まで引き続いているもの（同日前に給与事由の生じた一時恩給の基礎となつた在職年に係るものを除く。）と施行日以後の組合員期間とを合算した期間の年数を乗じて得た金額

二　施行日の前日に長期組合員であつた更新組合員（同日に恩給公務員であつた更新組合員を除く。）　俸給日額に、附則第五条第一項第三号の期間（旧法又は旧法の施行前の政府職員の共済組合に関する法令の規定による退職一時金の基礎となつた期間を除く。）と施行日以後の組合員期間とを合算した期間に応じ別表第六に定める日数を乗じて得た金額（同号の期間のうちに控除期間（旧法第九十五条に規定する控除期間に限る。）を有する者については、その金額から俸給日額にその期間に応じ同表に定める日数を乗じて得た金額の百分の四十五に相当する金額を控除した金額）

4　更新組合員であつた者に対する第六十一条の二第五項の規定の適用については、同項中「前二項」とあるのは、「前二項並びに附則第六条の四第三項並びに第六条の五第二項及び第三項」とする。

5　更新組合員であつた者が死亡した場合における通算遺族年金の年額については、第六十一条の四第二項中「第六十一条の二第三項から第五項まで」とあるのは、「第六十一条の二第三項から第五項まで並びに附則第六条の四第三項及び第四項並びに第六条の五第二項及び第三項」とする。

6　更新組合員であつた者に係る通算退職年金又は通算遺族年金

の年額の計算については、第二項に規定する更新組合員の通算退職年金基礎期間以外の期間は、組合員期間から除算する。

第六条の六 附則第六条第一項若しくは第六項、第六条の二第一項若しくは第二項、第六条の三第一項、第六条の四第一項又は第十四条第一項の規定により算定した退職年金の年額が、六十八万四千円に満たないときは、その金額を退職年金の年額とする。

第六条の七 第五十九条及び第五十九条の二の規定は、附則第六条第四項、第六条の二第五項若しくは第六項、第六条の三第二項又は第六条の四第二項の規定により算定した遺族年金の年額について、第五十九条の三及び第五十九条の四の規定は、附則第六条第四項若しくは第五項、第六条の二第五項若しくは第六項、第六条の三第二項、第六条の四第二項又は第十四条の五の規定により算定した遺族年金の年額について準用する。

第六条の八 退職年金又は減額退職年金を受ける者が六十五歳以上の者であり、かつ、その者の組合員期間のうち実在職した期間（船員である組合員であつた期間については、第七十七条第二項の規定により計算した期間。以下この条において同じ。）が最短年金年限（退職年金を受ける最短年金年限をいう。以下この条において同じ。）以上である場合における当該退職年金の年額（当該減額退職年金の年額の算定の基礎となるものを含む。）については、第五十条第二項若しくは第三項若しくは第五十条の二第二項から第四項まで又は附則第六条第一項若しくは第六項、第六条の二第一項若しくは第二項、第六条の三第一項、第六条の四第一項若しくは第六条の六の規定により算定した額が、七十九万二百円に満たないときは、当分の間、その金額を当該退職年金の年額とする。

2 障害年金を受ける者が次の各号の一に該当する場合における当該障害年金の年額については、第五十五条第二項、第三項、第七項若しくは第八項、第五十六条第一項又は附則第六条第二項若しくは第三項の規定により算定した額が、当該各号に掲げる金額に満たないときは、当分の間、それぞれその金額を当該障害年金の年額とする。

一 当該障害年金を受ける者が六十五歳以上の者であり、かつ、その者の組合員期間のうち実在職した期間が最短年金年限以上である場合 七十九万二百円

二 当該障害年金を受ける者が六十五歳以上の者であり、かつ、その者の組合員期間のうち実在職した期間が九年以上最短年金年限未満である場合又は当該障害年金を受ける者が六十五歳未満の者であり、かつ、その者の組合員期間のうち実在職した期間が最短年金年限以上である場合 五十九万二千七百円

3 退職年金、減額退職年金又は障害年金を受ける者が六十五歳未満の者であり、かつ、その者の組合員期間のうち実在職した期間が最短年金年限以上（障害年金を受ける者にあつては、九年以上）である場合において、その者が六十五歳に達したときは、前二項の規定に準じてその額を改定する。

第七条 組合員期間二十年以上である者の組合員期間（附則第五条の規定により組合員期間に算入されるものを除く。）のうちに、次に掲げる業務に引き続き一年以上従事した期間があるときは、第五十条第二項の規定により退職年金の年額を算定するについては、当分の間、当該業務に従事した期間の一月を一・二月として計算するものとする。

一 日本国有鉄道における蒸気機関車乗員としての現業勤務

二 炭坑内切羽における連続的現業勤務

三 肺結核又は喉頭結核の患者を収容する病室において直接看護に従事する勤務

（遺族一時金）

第七条の二 昭和四十二年度以後における公共企業体職員等共済組合法に規定する共済組合が支給する年金の額の改定に関する法律等の一部を改正する法律（昭和四十八年法律第六十三号）の施行の際に組合員の資格を有していた組合員期間一年以上十年未満の組合員が死亡したときは、その者の配偶者（当該組合員の死亡当時主としてその収入により生計を維持していた者を除く。）に遺族一時金を支給する。

2 遺族一時金の額は、俸給日額に、組合員期間に応じて別表第三に定める日数を乗じて得た金額とする。

3 第十五条第二項、第十八条第二項及び第二十三条の規定は、遺族一時金の支給について準用する。

4 第一項の規定により遺族一時金を支給すべき場合において、第五十八条第一項の規定により遺族年金の支給を受けるべき者があるときは、当該遺族一時金の支給と当該遺族年金の支給との調整に関し必要な事項は、政令で定める。

（特例死亡一時金）

第八条 組合員期間（第五十六条第二項の規定により障害年金を受ける権利を失つた者の当該障害年金の年額の算定の基礎となつた組合員期間（当該障害年金の年額が第五十五条第二項の規定により算定されたものである場合においてその年額を同条第三項の規定により算定するものとした場合においてその年額の算定の基礎となるべき組合員期間）を除く。）一年以上二十年未満の者（昭和五十四年十二月三十一日において組合員の資格を有していた者に限る。）が、退職した後六十歳に達するまでの間に死亡したときは、その者の遺族に一時金（以下「特例死亡一時金」という。）を支給する。ただし、その死亡した者の遺族がその死亡した者に係る遺族年金又は通算遺族年金を受ける権利を有する者であるときは、この限りでない。

2 特例死亡一時金の額は、俸給日額に前項の組合員期間に応じ別表第三に定める日数を乗じて得た金額に、退職した日の属する月の翌月から死亡した日の属する月の前月までの期間に応ずる利子に相当する金額を加算した金額とする。

3 前項に規定する利子は、複利計算の方法によるものとし、その利率は、政令で定める。

4 前二項の場合において、第一項の規定に該当する退職が二回以上あるときは、特例死亡一時金の額は、その退職のそれぞれについて前二項の規定により算定した額の合算額とする。

5 特例死亡一時金は、脱退一時金とみなして、長期給付に関する規定（第六十一条の三の規定を除く。）を適用する。

6 前各項に定めるもののほか、特例死亡一時金に関し必要な事項は、政令で定める。

（年金受給資格に関する特例）

第九条 組合員期間二十年未満の更新組合員で施行日の前日に恩給公務員であつたものが退職した場合において、その者の施行日前の在職年の年月数と施行日以後の組合員期間の年月数とを合算した年月数が十七年以上であるときは、第五十条第一項本文及び第五十七条第一項若しくは第二項又は第六十一条の二第

二項の規定にかかわらず、その者に退職年金を支給し、障害一時金又は通算退職年金は支給しない。

第十条　組合員期間二十年未満の更新組合員（前条の規定の適用を受ける者を除く。）が退職した場合において、附則第四条第三項本文の規定を適用しないとしたならば恩給に関する法令の規定による普通恩給（軍人恩給を除く。以下「普通恩給」という。）を受ける権利を有することとなるときは、第五十条第一項本文及び第五十七条第一項若しくは第二項又は第六十一条の二第二項の規定にかかわらず、その者に退職年金を支給し、障害一時金又は通算退職年金は支給しない。

第十一条　組合員期間二十年未満の更新組合員（前二条の適用を受ける者を除く。）が退職した場合において、次の期間を組合員期間に算入するとすれば組合員期間が二十年以上となるときは、第五十条第一項本文及び第五十七条第一項若しくは第二項又は第六十一条の二第二項の規定にかかわらず、その者に退職年金を支給し、障害一時金又は通算退職年金は支給しない。

一　施行日前の職員であつた期間及びその前又は後に引き続く職員以外の国家公務員（臨時に使用された者及び常時勤務に服しなかつた者を除く。）であつた期間のうち、恩給公務員期間及び附則第五条第一項第二号から第四号までの期間を除いた期間

二　地方鉄道会社に勤務していた者で当該地方鉄道会社所属の鉄道の買収に際して国に引き継がれ、以後施行日まで引き続き職員であるものの当該地方鉄道会社に勤務していた期間で買収の時まで引き続いているもののうち恩給公務員期間を除いた期間

三　国際電気通信株式会社、日本電信電話工事株式会社又は日本電話設備株式会社に勤務していた者でこれらの会社の買収に際して国に引き継がれ、以後施行日まで引き続き職員であるもののこれらの会社に勤務していた期間で買収の時まで引き続いているもの（昭和十九年四月三十日において旧南洋庁に勤務していた者で旧南洋庁の電気通信業務が国際電気通信株式会社に引き継がれたことに伴い引き続き当該会社に勤務した後職員となつたものの当該会社に勤務していた期間及びこれらの会社に勤務していた者でその後これらの会社の買収までの間に職員となつたもののこれらの会社に勤務していた期間（昭和二十年八月十五日前の期間で同日まで引き続いていないものを除く。）を含む。）のうち恩給公務員期間を除いた期間

四　旧組合に使用された者（運営規則で定める者に限る。）であつた期間（その前又は後に引き続く職員であつた期間を含む。）で施行日まで引き続いているもののうち、職員であつた期間及び恩給公務員期間を除いた期間

五　旧国民医療法（昭和十七年法律第七十号）に規定する日本医療団に勤務していた者（臨時に使用された者及び常時勤務に服しなかつた者を除く。）で、その業務の政府への引継ぎに伴い引き続いて職員又は職員以外の国家公務員となつたものの日本医療団に勤務していた期間のうち、恩給公務員期間を除いた期間

六　旧日本赤十字社令（明治四十三年勅令第二百二十八号）の規定に基づき戦地勤務（法律第百五十五号附則第四十一条の二第一項に規定する戦地勤務をいう。以下この号において同じ。）に服した日本赤十字社の救護員としての期間（当該日本赤十字社の救護員として昭和二十年八月八日後戦地勤務に服していた者で当該戦地勤務に引き続き海外にあつた未帰還者については、その者の未帰還者期間を含む。）のうち、恩給公務員期間を除いた期間

七　外国政府等（法律第百五十五号附則第四十三条第一項に規定する外国政府職員に係る外国政府、同法附則第四十三条に規定する外国特殊法人職員に係る法人及び同法附則第四十三条の二第一項に規定する外国特殊機関職員に係る特殊機関をいう。以下この号において同じ。）の職員として昭和二十年八月八日まで引き続き在職したことのある者の当該在職期間（同日後引き続き海外にあつた未帰還者については、その者の未帰還者期間を含む。）並びに当該外国政府等の職員として在職した後引き続き職員となり同日まで引き続き職員として在職したことのある者、当該外国政府等の職員として在職していた者で任命権者又はその委任を受けた者の要請に応じ当該外国政府等又は日本政府がその運営に関与していた法人その他の団体の職員（以下この号において「政府関与法人等の職員」という。）となるため退職し、当該政府関与法人等の職員として同日まで引き続き在職したことのある者及び当該外国政府等の職員として在職していた者で政令で定めるものの当該外国政府等の職員としての在職期間のうち、恩給公務員期間、附則第五条第一項第五号の期間その他政令で定める期間を除いた期間

２　前項第二号において「地方鉄道会社」とは、信濃鉄道株式会社、芸備鉄道株式会社、横荘鉄道株式会社、北九州鉄道株式会社、富士身延鉄道株式会社、白棚鉄道株式会社、新潟臨港開発鉄道株式会社、留萠鉄道株式会社、北海道鉄道株式会社、鶴見鉄道株式会社、富山地方鉄道株式会社、伊那電気鉄道株式会社、三信鉄道株式会社、鳳来寺鉄道株式会社、豊川鉄道株式会社、播丹鉄道株式会社、宇部鉄道株式会社、小野田鉄道株式会社、小倉鉄道株式会社、産業セメント株式会社、胆振縦貫鉄道株式会社、宮城電気鉄道株式会社、南武鉄道株式会社、青梅電気鉄道株式会社、奥多摩電気鉄道株式会社、相模鉄道株式会社、飯山鉄道株式会社、中国鉄道株式会社、西日本鉄道株式会社及び南海鉄道株式会社をいう。

第十二条　施行日の前日に長期組合員であつた更新組合員が同日又は同日まで引き続く長期組合員であつた期間に業務によらないで病気にかかり、又は負傷し、その傷病のため退職し、第五十七条第二項の規定の適用を受ける者である場合において、その者が退職の時まで引き続き長期組合員であり、かつ、その退職が旧法に規定する退職であるとみなして同法を適用するとしたならば同法の規定による障害年金を受ける権利を有する者であるときは、第五十五条第一項及び第五十七条第一項又は第二項の規定にかかわらず、その者に障害年金を支給し、障害一時金は支給しない。

第十三条　附則第九条から第十一条までの規定による退職年金又はこれに基く減額退職年金を受ける権利を有する者が死亡したときは、第五十八条第一項の規定にかかわらず、その者の遺族に遺族年金を支給する。

２　組合員期間二十年未満の更新組合員であつた者（前項の規定の適用を受ける者を除く。）が死亡した場合において、附則第四条第三項本文の規定を適用しないとしたならば、その者の遺

族が恩給法第七十五条第一項第二号の規定による扶助料を受ける権利を有することとなるときは、第五十八条第一項の規定にかかわらず、当該遺族に遺族年金を支給する。

（前五条の規定による年金の年額）

第十四条　附則第九条から第十一条までの規定の適用を受ける者に対する退職年金の年額は、附則第六条第一項の規定にかかわらず、俸給年額の百分の四十に相当する金額から、同項各号の期間（一年未満の端数は切り捨てる。）についてはその一年につきそれぞれ当該各号の金額を、二十年とその者の組合員期間（一年未満の端数は切り捨てる。）との差年数についてはその一年につき俸給年額の百分の二に相当する金額をそれぞれ減じた金額とする。

2　附則第十二条の規定による障害年金の年額は、第五十五条第二項の規定にかかわらず、附則第十二条に該当する者が退職の時まで引き続き長期組合員であり、かつ、その退職が旧法に規定する退職であるとみなして同法を適用するとしたならば受けることができる同法の規定による障害年金の年額に相当する金額とする。

（退職年金の年額の特例）

第十四条の二　附則第六条第一項、第六条の二第一項若しくは第二項、第六条の三第一項、第六条の六、第六条の八第一項若しくは第三項又は前条第一項の規定により算定した退職年金の年額が施行日の前日においてその更新組合員が受ける権利を有していた普通恩給の年額（同項に規定する者が五十五歳以上の者又は恩給に関する法令の規定による傷病年金を受けている者である場合（その者が普通恩給である軍人恩給を受ける権利を有する場合を除く。）にあつては、附則第四条第三項本文の規定を適用しないものとして法律第百五十五号附則第十四条の規定により算定した金額）に施行日以後の組合員期間の年数一年につき俸給年額の百分の一・五に相当する額を加えた額より少ないときは、その金額を退職年金の年額とする。

2　前項に規定する普通恩給には、附則第四条第二項の規定により更新組合員が施行日の前日において恩給法に規定する退職をしたものとみなされることにより受ける権利を有することとなる普通恩給を含むものとする。

3　恩給の年額が改定された場合における第一項に規定する普通恩給の年額は、当該普通恩給につき、当該改定に関する法令の規定の例により改定した額とする。

（退職年金及び減額退職年金の停止に関する特例）

第十四条の三　次の各号に掲げる退職年金で当該各号に定める金額が百二十万円を超えるものについては、当該退職年金を受ける権利を有する者の各年（その者が退職した日の属する年を除く。）における所得金額が六百万円を超えるときは、その者が七十歳に達するまで、その超える年の翌年六月から翌々年五月までの分としてその者に支給されるべき退職年金に係る当該各号に定める金額のうち百二十万円を超える部分の金額の百分の五十に相当する金額の支給を停止する。

一　附則第六条第一項又は第十四条第一項の規定によりその額が算定された退職年金　当該退職年金の年額の算定の基礎となつた組合員期間のうち次のイ又はロに掲げる施行日前の期間（附則第五条第一項各号の期間を合算した期間をいう。以下この条において同じ。）の区分に応じそれぞれイ又はロに定める金額

イ　施行日前の期間が二十年以上であるもの　当該退職年金の年額から施行日前の期間を組合員期間とみなして附則第六条第一項の規定により算定した額を控除した金額

ロ　施行日前の期間が二十年未満であるもの　当該退職年金の年額から施行日前の期間を組合員期間とみなして附則第十四条第一項の規定により算定した額を控除した金額

二　附則第六条の三第一項の規定によりその額が算定された退職年金　当該退職年金の年額から同項の規定により算定した退職年金の年額に施行日前の期間の年数を組合員期間の年数で除して得た割合を乗じて得た額を控除した金額

三　前条第一項の規定によりその額が算定された退職年金　当該退職年金の年額から同項に規定する普通恩給の年額に相当する額を控除した金額

2　前項各号に掲げる退職年金に基づく減額退職年金でその年額の算定の基礎となつた退職年金の年額のうち同項各号に定める金額が百二十万円を超えるものについては、当該減額退職年金を受ける権利を有する者の各年（その者が退職した日の属する年を除く。）における所得金額が六百万円を超えるときは、その者が七十歳に達するまで、その超える年の翌年六月から翌々年五月までの分としてその者に支給されるべき減額退職年金の年額の算定の基礎となつた退職年金に係る同項各号に定める金額のうち百二十万円を超える部分の金額に当該減額退職年金の年額のその算定の基礎となつた退職年金の年額に対する割合を乗じて得た金額の百分の五十に相当する金額の支給を停止する。

3　第五十二条の二第二項及び第三項の規定は、前二項の規定による退職年金又は減額退職年金の支給の停止について準用する。

4　更新組合員については、第五十二条の二第一項（第五十四条において準用する場合を含む。）の規定は、適用しない。

第十四条の四　附則第五条第一項第一号の期間を有する更新組合員に対する退職年金で次の各号に掲げるものについては、当該各号に掲げる年金の区分に応じ当該各号に定める金額を普通恩給の年額とみなし、これを受ける権利を有する者の各年（その者が退職した日の属する年を除く。）における当該退職年金以外の課税総所得金額（所得税法その他の所得税に関する法令の規定により計算した課税総所得金額をいう。）を恩給外の所得の年額とみなしたならば恩給法第五十八条ノ四第一項の規定により支給を停止すべきこととなる金額に相当する金額の支給を停止する。

一　附則第六条第一項、第六条の二第一項若しくは第二項又は第十四条第一項の規定によりその額が算定された退職年金　当該退職年金の年額の算定の基礎となつた組合員期間のうち次のイ又はロに掲げる期間の区分に応じそれぞれイ又はロに定める金額

イ　附則第五条第一項第一号の期間（一年未満の端数は切り捨てる。以下この号において同じ。）が二十年以上であるもの　同号の期間を組合員期間とみなして第五十条第二項本文の規定により算定した額から同号の期間一年につき附則第六条第一項第一号に規定する金額を控除した金額（附則第六条の二第一項又は第二項の規定によりその額が算定された退職年金にあつては、その控除後の金額に同条第一

項第一号に掲げる金額を加えた金額。ロにおいて同じ。）

ロ　附則第五条第一項第一号の期間が二十年未満であるもの　同号の期間の年数に俸給年額の百分の二に相当する額を乗じて得た額から同号の期間一年につき附則第六条第一項第一号に規定する金額を控除した金額

二　附則第六条の三第一項の規定によりその額が算定された退職年金　当該退職年金の年額に附則第五条第一項第一号の期間の年数を組合員期間の年数で除して得た割合を乗じて得た金額

三　附則第十四条の二第一項の規定によりその額が算定された退職年金　同項に規定する普通恩給の年額に相当する金額

2　前項に規定する課税総所得金額は、政令で定めるところにより、毎年、税務署長の調査したところによるものとし、同項の規定による支給の停止は、その年の翌年六月から翌々年五月までの分として支給されるものについて行う。

（増加恩給の受給権者等に係る遺族年金の年額の特例）

第十四条の五　次の各号の一に該当する場合における遺族年金の年額は、第五十八条第二項及び第五十九条から第五十九条の三まで（附則第六条の七において準用する場合を含む。）並びに附則第六条第四項、第六条の二第五項及び第六項並びに第六条の三第二項の規定にかかわらず、これらの規定による額及び扶助料（恩給法第七十五条第一項第二号又は第三号の規定による扶助料をいう。以下この条において同じ。）の額の算定方法を参酌して政令で定める額とする。

一　更新組合員又は更新組合員であつた者で増加恩給を受ける権利を有するものが死亡したとき。

二　更新組合員又は更新組合員であつた者が死亡した場合において、附則第四条第三項本文の規定を適用しないとしたならば、その者の遺族が扶助料を受ける権利を有することとなるとき。

（増加恩給を受けなくなつた者に関する特例）

第十五条　増加恩給を受ける権利を有する更新組合員又は更新組合員であつた者が増加恩給を受ける権利を有しない者となつたときは、当該更新組合員又は更新組合員であつた者は、長期給付に関する規定の適用については、施行日の前日においてすでに増加恩給及びこれと併給される普通恩給（施行日前の在職年が普通恩給についての最短恩給年限に達していた者に係る普通恩給を除く。）を受ける権利を有しない者であつたものとみなす。

2　前項の規定の適用により同項に規定する更新組合員であつた者がその時までに支給を受けていた退職年金又は減額退職年金の支給を受けるべきでないこととなる場合においても、これらは返還することを要しないものとし、また、同項の規定の適用によりその者が支給を受けるべきこととなる退職年金、減額退職年金、障害年金若しくは通算退職年金でその時までに支給すべきもの又は障害一時金及び昭和五十四年改正前の法の規定による退職一時金若しくは返還一時金（昭和五十四年改正前の法第六十一条の三の規定による返還一時金をいう。附則第二十四条第十項において同じ。）並びにその者の遺族が受けるべきこととなる死亡一時金（昭和五十四年改正前の法第六十一条の五の規定による死亡一時金をいう。附則第二十四条第十項において同じ。）は支給しないものとする。

（増加恩給の受給者となる者に関する特例）

第十六条　更新組合員又は更新組合員であつた者が増加恩給を受ける権利を有する者となつたときは、当該更新組合員又は更新組合員であつた者は、長期給付に関する規定の適用については、施行日の前日においてすでに増加恩給等を受ける権利を有する者であつたものとみなす。

2　前項の規定の適用により同項に規定する更新組合員であつた者がその時までに支給を受けていた退職年金、減額退職年金、障害年金若しくは通算退職年金又は障害一時金若しくは昭和五十四年改正前の法の規定による退職一時金の支給を受けるべきでないこととなる場合においても、これらは返還することを要しないものとし、また、同項の規定の適用によりその者が支給を受けるべきこととなる退職年金又は減額退職年金でその時までに支給すべきものは、支給しないものとする。

3　障害一時金又は昭和五十四年改正前の法の規定による退職一時金の支給を受けた更新組合員であつた者が第一項の規定の適用により退職年金又は減額退職年金を受けるべきこととなつたときは、その者に当該年金を支給する際に、その支給期月に支給すべき当該年金の額から当該障害一時金及び昭和五十四年改正前の法の規定による退職一時金に相当する金額を控除し、その金額がその支給期月に支給すべき当該年金の額を超えるときは、その残額を順次次の支給期月に支給すべき当該年金の額から控除するものとする。

（減額退職年金の支給開始年齢等の特例）

第十六条の二　退職年金を受ける権利を有する者がその者の事情によらないで引き続いて勤務することを困難とする理由により退職した者で政令で定めるものに該当するときは、第五十三条第一項及び第二項の規定の適用については、次条の規定の適用がある場合を除き、当分の間、第五十三条第一項中「五十五歳」とあるのは「五十歳」と、同条第二項中「保険数理を基礎として」とあるのは「保険数理を基礎とするほか附則第十六条の二に定める理由を勘案して」とする。

（退職年金の支給開始年齢等の特例）

第十六条の三　退職年金を受ける権利を有する者のうち次の表の上欄に掲げる者に対する第五十条第一項ただし書、第五十一条第二項、第五十二条、第五十三条及び第五十三条の二第四項の規定の適用については、次項の規定の適用がある場合を除き、同表の上欄に掲げる者の区分に応じ、これらの規定中「六十歳」とあるのはそれぞれ同表の中欄に掲げる字句に、第五十二条第一項及び第五十三条第一項中「五十五歳」とあるのはそれぞれ同表の下欄に掲げる字句に読み替えるものとする。

上欄	中欄	下欄
昭和三年七月一日以前に生まれた者	五十五歳	五十歳
昭和三年七月二日から昭和六年七月一日までの間に生まれた者	五十六歳	五十一歳
昭和六年七月二日から昭和九年七月一日までの間に生まれた者	五十七歳	五十二歳
昭和九年七月二日から昭和十二年七月一日までの間に生まれた者	五十八歳	五十三歳

昭和十二年七月二日から昭和十五年七月一日までの間に生まれた者	五十九歳	五十四歳

2　退職年金を受ける権利を有することとなつた者のうち次の表の第一欄に掲げる者が、その者の事情によらないで引き続いて勤務することを困難とする理由により退職した者で政令で定めるものに該当する場合におけるこれらの者に対する第五十条第一項ただし書、第五十一条第二項、第五十二条、第五十三条及び第五十三条の二第四項の規定の適用については、同欄に掲げる者の区分に応じ、これらの規定中「六十歳」とあるのはそれぞれ同表の第二欄に掲げる字句に、第五十二条第一項中「五十五歳」とあるのはそれぞれ同表の第三欄に掲げる字句に、第五十三条第一項中「五十五歳」とあるのはそれぞれ同表の第四欄に掲げる字句に読み替えるものとする。

第一欄	第二欄	第三欄	第四欄
昭和五十五年七月一日から昭和五十八年六月三十日までの間に退職年金を受ける権利を有することとなつた者又は昭和三年七月一日以前に生まれた者	五十五歳	五十歳	四十五歳
昭和五十八年七月一日から昭和六十一年六月三十日までの間に退職年金を受ける権利を有することとなつた者又は昭和三年七月二日から昭和六年七月一日までの間に生まれた者	五十六歳	五十一歳	四十六歳
昭和六十一年七月一日から昭和六十四年六月三十日までの間に退職年金を受ける権利を有することとなつた者又は昭和六年七月二日から昭和九年七月一日までの間に生まれた者	五十七歳	五十二歳	四十七歳
昭和六十四年七月一日から昭和六十七年六月三十日までの間に退職年金を受ける権利を有することとなつた者又は昭和九年七月二日から昭和十二年七月一日までの間に生まれた者	五十八歳	五十三歳	四十八歳
昭和六十七年七月一日から昭和七十年六月三十日までの間に退職年金を受ける権利を有することとなつた者又は昭和十二年七月二日から昭和十五年七月一日までの間に生まれた者	五十九歳	五十四歳	四十九歳

3　前二項の規定の適用を受ける者については、これらの規定により読み替えられた第五十三条第二項中「その額に」とあるのは「その額の百分の四に相当する金額に」と、「に応じ保険数理を基礎として政令で定める率を乗じて」とあるのは「を乗じて」として、同項の規定を適用する。

（遺族年金の支給開始年齢の特例）

第十六条の四　遺族年金を受ける権利を有することとなつた者のうち次の表の上欄に掲げる者に対する第六十一条第一項の規定の適用については、同表の上欄に掲げる者の区分に応じ、同項中「六十歳」とあるのは、それぞれ同表の下欄に掲げる字句に読み替えるものとする。

昭和五十五年七月一日から昭和五十八年六月三十日までの間に遺族年金を受ける権利を有することとなつた者	五十五歳
昭和五十八年七月一日から昭和六十一年六月三十日までの間に遺族年金を受ける権利を有することとなつた者	五十六歳
昭和六十一年七月一日から昭和六十四年六月三十日までの間に遺族年金を受ける権利を有することとなつた者	五十七歳
昭和六十四年七月一日から昭和六十七年六月三十日までの間に遺族年金を受ける権利を有することとなつた者	五十八歳
昭和六十七年七月一日から昭和七十年六月三十日までの間に遺族年金を受ける権利を有することとなつた者	五十九歳

（更新組合員に係る支給開始年齢の特例）

第十七条　附則第五条第一項第一号の期間が十一年以上である更新組合員に対する退職年金については、第五十条第一項ただし書の規定を適用せず、四十五歳に達するまではその全額、五十歳に達するまではその十分の五に相当する金額、五十五歳に達するまではその十分の三に相当する金額の支給を停止する。

2　施行日前にすでに旧法の規定により退職年金を受ける権利を有する更新組合員及び施行日の前日まで引き続き十三年以上長期組合員であつたその他の更新組合員に対する退職年金については、第五十条第一項ただし書の規定を適用せず、五十歳に達するまでその支給を停止する。

3　第一項及び前項の規定の適用を受ける者については、その者の選択によりそのいずれか一の規定を適用するものとする。

4　第五十一条の規定は、第一項及び第二項の場合について準用する。この場合において、同条第二項中「六十歳に達するまでは」とあるのは、第一項の場合については「五十五歳に達するまでは、附則第十七条第一項の規定により支給を停止される金額の範囲内において」と、第二項の場合については「五十歳に達するまでは」と読み替えるものとする。

（更新組合員の再就職）

第十七条の二　附則第四条第四項、第四条の二から第六条の三まで、第六条の六から第六条の八まで、第九条から第十一条まで、第十三条から第十六条まで及び前条の規定は、更新組合員であつた者で再び、元の組合の組合員となつたものについて準用する。

（再就職者に係る遺族年金の年額の特例）

第十七条の三　更新組合員であつた者で再び元の組合の組合員となつたものに対する第五十九条の五の規定の適用については、同条第一項及び第二項中「その者の遺族」とあるのは「その者（附則第十七条の二において準用する附則第九条から第十一条までの規定による退職年金若しくはこれに基づく減額退職年金を受ける権利を有していた者又はその者の死亡を退職とみなしたならばこれらの規定による退職年金を受ける権利を有することとなる者を除く。）の遺族」と、「第五十八条第二項第二号及び第三項並びに第五十九条から第五十九条の三まで」とあるのは「附則第十七条の二において準用する附則第六条第四項及び第五項、附則第六条の三第二項、附則第六条の七において準用する第五十九条から第五十九条の三まで並びに附則第十四条の五」と、「組合員期間の年数を乗じて得た金額」とあるのは「組合員期間の年数を乗じて得た金額から、その者に係る附則第五条第一項各号に掲げる期間につき、附則第六条第一項の規定の例により算定した減算すべき金額の二分の一に相当する額を減じて得た金額」と、同条第三項中「前二項」とあるのは「附則第十七条の三において読み替えられた前二項」と読み替えるものとする。

（重複期間に対する一時金）

第十八条　施行日前にすでに旧法の規定による退職年金を受ける権利を有する更新組合員の当該退職年金の基礎となつている共済組合の組合員であつた期間又は施行日の前日まで引き続き長期組合員であつたその他の更新組合員の当該長期組合員であつた期間のうちに同時に附則第五条第一項第一号本文の期間に該当する期間（以下「重複期間」という。）があるときは、当該重複期間につきその者又はその遺族に一時金を支給する。

2　前項の規定による一時金は、施行日前にすでに旧法の規定による退職年金を受ける権利を有する更新組合員についてはその者が退職し、又は死亡した日にその者又はその遺族に、その他の更新組合員については施行日にその者に支給するものとする。

3　第一項の規定による一時金の額は、施行日前にすでに旧法の規定による退職年金を受ける権利を有する更新組合員については当該退職年金の年額の算定の基準となつている俸給又は仮定俸給の三十分の一に相当する金額に、その他の更新組合員については施行日の前日の俸給日額にそれぞれ重複期間に応じ別表第六に定める日数を乗じて得た金額とする。

4　前項の一時金の額が旧法の規定による退職給付、障害給付及び遺族給付に要する費用に充てるものとして重複期間内に当該更新組合員が負担した各年度（四月一日から翌年三月三十一日までとする。）ごとの掛金額にこれに対するそれぞれ翌年度の四月一日から当該一時金を支給する日の属する月の前月末日までの利子（利子の計算は複利計算の方法によるものとし、利率は年四分五厘とする。）を加えた額の合算額に満たないときは、同項の規定にかかわらず、その合算額を当該一時金の額とする。

5　第一項の規定による遺族に対する一時金については、前三項に規定するもののほか、遺族一時金の例によるものとする。

（長期給付に関する規定の適用に関する特例）

第十九条　施行日前にすでに旧法の規定による退職年金を受ける権利を有する更新組合員で附則第四条第三項本文の規定を適用しないとしたならば普通恩給を受ける権利を有するもの及び施行日の前日に長期組合員であつた更新組合員で同日に普通恩給を受ける権利を有するものは、施行日以後長期給付に関する規定の適用を受けない組合員となることができる。この場合において、附則第四条第三項本文の規定は、適用しない。

2　施行日の前日に長期組合員であつた更新組合員で前項の規定により施行日以後長期給付に関する規定の適用を受けない組合員となるもの又はその遺族に対しては、当該更新組合員が施行日の前日に旧法に規定する退職をしたとしたならば同法の規定により支給されるべき退職給付、障害給付又は遺族給付に相当する給付を同法の規定の例により支給するものとする。ただし、同法の規定による退職年金に相当する給付は、当該更新組合員が更新組合員である間、その支給を停止する。

3　第一項の規定により長期給付に関する規定の適用を受けない組合員となろうとする者は、施行日の前日までにその旨を申し出なければならない。

（旧法の規定による退職年金等の取扱）

第二十条　施行日前にすでに旧法の規定による退職年金を受ける権利を有する更新組合員の当該退職年金は、その者が退職した場合において、その者が特にこれを受けることを希望する旨を申し出たときのほかは、給しないものとする。施行日前にすでに同法の規定による退職年金を受ける権利を有する更新組合員が死亡した場合において、当該退職年金に基く同法の規定による遺族年金又は年金者遺族一時金も、また、同様とする。

2　前項の申出があつた場合においては、その者又はその遺族に対して支給する長期給付については、附則第五条第一項第二号の期間は、組合員期間に算入しないものとする。

3　前項の場合においては、附則第十七条第二項及び附則第十八条の規定は適用しない。

（役員に関する特例）

第二十一条　施行日に役員である更新組合員については、附則第四条第三項本文の規定は適用しない。

2　施行日に役員である者で施行日の前日に長期組合員であつたもの又はその遺族に対しては、当該役員である者が同日に旧法に規定する退職をしたとしたならば同法の規定により支給される退職給付、障害給付又は遺族給付に相当する給付を同法の規定の例により支給する。ただし、同法の規定による退職年金に相当する給付は、当該役員である者が更新組合員である間、その支給を停止する。

（未帰還更新組合員に関する特例）

第二十二条　未帰還者留守家族等援護法第二条第一項に規定する未帰還者である更新組合員（以下「未帰還更新組合員」という。）に対する第六十四条の規定の適用については、同条第一項中「給付」とあるのは「短期給付」と、同条第二項中「組合員の俸給」とあるのは「組合員の昭和二十八年七月三十一日における俸給」と読み替えるものとする。

2　未帰還更新組合員が施行日前に法律第百五十五号附則第三十条第一項第一号又は第二号の規定により退職したものとみなされ、普通恩給を給された者であるときは、その者の祖父母、父母、妻又は未成年の子で内地に居住しているものに対し、これらの者の申請により、施行日の属する月から当該未帰還更新組合員が帰国した日（海外にある間に死亡した場合にあつては、死亡の判明した日。以下同じ。）の属する月までの当該未帰還更新組合員が同項の規定により受けることができた普通恩給の年額に相当する金額の年金を支給する。

3　施行日に法律第百五十五号附則第三十条第一項に規定する未帰還公務員（以下この項において「未帰還公務員」という。）である更新組合員（前項の規定の適用を受ける未帰還更新組合員を除く。）が同日以後も未帰還公務員であるとしたならば同条同項第二号の規定により退職したものとみなされ、普通恩給を給されるべき者であるときは、その者の祖父母、父母、妻又は未成年の子で内地に居住しているものに対し、これらの者の申請により、その退職とみなされる日の属する月の翌月から当該未帰還更新組合員が帰国した日の属する月まで当該普通恩給の年額に相当する金額の年金を支給する。

4　前二項の規定による年金を受ける者の順位は、妻、未成年の子、父母（養父母を先にして実父母を後にする。）、祖父母（養父母の父母を先にして実父母の父母を後にし、父母の養父母を先にして実父母を後にする。）の順序とする。

5　未帰還更新組合員が施行日前にすでに旧法の規定による退職年金を受ける権利を有する者又はその施行日の前日まで引き続く長期組合員であつた期間が二十年以上であるその他の者であるときは、その者の未帰還者留守家族等援護法第四条に規定する留守家族（以下この条において「留守家族」という。）で同法の規定による留守家族手当（以下この条において「留守家族手当」という。）を受けることができるものに対し、その者の申請により、施行日の属する月から当該未帰還更新組合員が帰国した日の属する月まで年金を支給する。

6　前項の規定による年金の年額は、同項の未帰還更新組合員につき総裁が定める仮定俸給の四月分に相当する金額とする。この場合において、その仮定俸給は、当該未帰還更新組合員が施行日の前日まで引き続き職務に従事していたならば受けるべき俸給を下つてはならない。

7　未帰還更新組合員（施行日前にすでに旧法の規定による退職年金を受ける権利を有する者を除く。）の施行日の前日まで引き続く長期組合員であつた期間が二十年未満である場合において、当該期間と施行日以後の組合員期間とを合算した期間が二十年に達したときは、その者の留守家族で留守家族手当の支給を受けることができるものに対し、その者の申請により、その二十年に達した日の属する月の翌月から当該未帰還更新組合員が帰国した日の属する月まで年金を支給する。

8　第六項の規定は、前項の規定による年金の年額について準用する。この場合において、第六項中「施行日の前日」とあるのは、「第七項の二十年に達した日」と読み替えるものとする。

9　第二項又は第三項の規定による年金は、未帰還更新組合員が四十五歳に達するまではその全額、五十歳に達するまではその十分の五に相当する金額、五十五歳に達するまではその十分の三に相当する金額の支給を停止し、第五項又は第七項の規定による年金は、未帰還更新組合員が五十歳に達するまではその支給を停止する。ただし、第二項の規定による年金については、附則第四条第三項本文の規定を適用しないとしたならば、その受けるべき普通恩給の額に相当する金額は、支給する。

10　同一未帰還更新組合員について第二項又は第三項の規定による年金及び第五項又は第七項の規定による年金の支給を受けることとなつた者に対しては、その時から第二項又は第三項の規定による年金は支給しない。この場合において、第五項又は第七項の規定により支給すべき年金の年額が第二項又は第三項及び前項の規定によりその年において支給すべき年金の額に満たないときは、第六項又は第八項の規定にかかわらず、その金額を第五項又は第七項の規定による年金の年額とする。

11　第二項、第三項、第五項又は第七項の規定による年金の支給は、遺族年金の支給に関する規定に準じて行うものとする。

（国家公務員との交流措置等）

第二十三条　更新組合員が退職し、その当日又は翌日に恩給公務員、長期組合員又は国家公務員共済組合法の組合員である国家公務員となつた場合において、その者が運営規則の定めるものに該当する者（以下「転出組合員」という。）であるときは、その者に対する長期給付に関する規定の適用については、この条から附則第二十五条までに規定するところによる。この場合においては、第八十二条の二及び附則第二十六条の十の規定は、適用しない。

2　転出組合員の前項に規定する退職（以下「転出」という。）に関しては、第十六条の規定にかかわらず、長期給付は行わない。

3　更新組合員に係る附則第五条第一項の期間は、国家公務員共済組合法の長期給付に関する施行法（昭和三十三年法律第百二十九号）の規定の適用については、同法第七条第一項の期間に該当しないものとみなす。

第二十四条　転出組合員が引き続き前条第一項の国家公務員（同項の国家公務員として在職した後、引き続いて恩給公務員、長期組合員若しくは国家公務員共済組合法の組合員である地方公務員又は同法第百二十四条の二第一項に規定する公庫等職員（同条第二項に規定する継続長期組合員であるものに限る。以下この条及び次条において「公庫等職員」という。）となり、更に引き続いて前条第一項の国家公務員となつた場合におけるこれらの地方公務員又は公庫等職員を含む。以下この条から附則第二十六条まで及び附則第二十七条において同じ。）として在職した後当該国家公務員の職を退き、その当日又は翌日に再び元の公共企業体の職員となり組合員の資格を取得（以下「復帰」という。）したときは、長期給付に関する規定（第六章の規定を除く。）の適用については、その者（以下「復帰組合員」という。）は、当該国家公務員であつた期間引き続き組合員であつたものとみなす。

2　前項の場合において、当該国家公務員であつた期間の全部又は一部が恩給法にいう公務員であつた期間であつてその期間のうちに同法第四十条ノ二又は第四十一条の規定により半減又は除算すべき期間があるときは、これらの規定によりすべき半減又は除算をした後の期間をもつて同項の当該国家公務員であつた期間とする。

3　復帰組合員が第一項の規定により組合員であつたものとみなされる国家公務員であつた期間につき一時恩給又は旧法若しくは昭和四十二年度以後における国家公務員共済組合等からの年金の額の改定に関する法律等の一部を改正する法律（昭和五十四年法律第七十二号）第二条の規定による改正前の国家公務員共済組合法（以下「昭和五十四年改正前の国の共済法」という。）の規定による退職一時金（以下「一時恩給等」という。）を受けた者（昭和五十四年改正前の国の共済法第八十条第一項ただし書の規定の適用を受けた者を含む。以下この条及び次条において同じ。）であるときは、その者又はその遺族に支給すべき退職年金、減額退職年金、障害年金又は遺族年金については、その者に当該年金を支給する際に、その支給期月に支給すべき当該年金の額から当該一時恩給等の額（旧法又は昭和五十四年改正前の国の共済法の規定による給付の制限を受ける者にあつてはその制限を受けないとした場合において受けることができる額、昭和五十四年改正前の国の共済法の規定による退職一時金にあつては昭和五十四年改正前の国の共済法第八十条第二項第一号に掲げる額）に相当する金額を控除し、これらの金額がその支給期月に支給すべき当該年金の額を超えるときは、その残額を順次次の支給期月に支給すべき当該年金の額から控除するものとする。

4　復帰組合員又はその遺族が、その復帰組合員が第一項の規定により組合員であつたものとみなされる国家公務員であつた期間につき普通恩給若しくは恩給に関する法令の規定による扶助料（恩給法第七十五条第一項第二号及び第三号の規定による扶助料を除く。以下「扶助料」という。）又は旧法若しくは国家公務員共済組合法の規定による退職年金、減額退職年金、遺族年金若しくは通算退職年金を受けるべき者である場合においては、その者又はその遺族に支給すべき退職年金、減額退職年金、障害年金又は遺族年金については、その年額（給付の制限又は支給の停止を受けているときは、その年額からその制限又は停止を受けている金額を控除した後の金額とする。）から当該普通恩給若しくは扶助料又は旧法若しくは国家公務員共済組合法の規定による当該退職年金、減額退職年金、遺族年金若しくは通算退職年金の年額（恩給法第五十八条ノ三の規定による恩給の停止又は旧法第三十九条第一項ただし書、国家公務員共済組合法第七十七条第二項（同法第七十九条の二第六項において準用する場合を含む。）若しくは国家公務員共済組合法の長期給付に関する施行法第十五条第一項若しくは第十六条の規定による支給の停止を受けているときは、その年額からその停止を受けている金額を控除した後の金額とし、恩給法（第五十八条ノ三を除く。）の規定による恩給の停止又は旧法（第三十九条第一項ただし書を除く。）、国家公務員共済組合法（第七十七条第二項（同法第七十九条の二第六項において準用する場合を含む。）を除く。）若しくは国家公務員共済組合法の長期給付に関する施行法（第十五条第一項及び第十六条を除く。）の規定による支給の停止若しくは給付の制限を受けているときは、その停止又は制限を受けないとした場合において受けることができる金額とする。）に相当する金額を控除するものとする。

5　復帰組合員が退職又は死亡した場合において、その者が第一項の規定により組合員であつたものとみなされる国家公務員であつた期間につき国家公務員共済組合法第八十一条第一項第一号の規定による障害年金（以下「公務障害年金」という。）を受ける権利を有する者であるときは、組合員期間の計算については、当該期間のうち当該公務障害年金に係る期間は組合員期間から除算するものとする。

6　前項の規定は、復帰組合員が死亡した場合において、その遺族が国家公務員共済組合法第八十八条第一号の規定による遺族年金（以下「公務遺族年金」という。）を受けるべき者であるときに準用する。

7　普通恩給を受ける権利及び旧法又は国家公務員共済組合法の規定による退職年金又は減額退職年金を受ける権利の双方を有する復帰組合員は、その申出により、復帰した日以後長期給付に関する規定の適用を受けない組合員となることができる。

8　前項の申出は、復帰の際に行わなければならない。

9　復帰組合員又はその遺族が、その復帰組合員が第一項の規定により組合員であつたものとみなされる国家公務員であつた期間につき、国家公務員共済組合法の規定による通算退職年金又は通算遺族年金を受ける権利を有する者であるときは、その者又はその遺族に支給すべき通算退職年金又は通算遺族年金については、これらに相当する同法の規定による給付が同時に行われるものとみなして、これらのこの法律の規定による給付の額から当該国家公務員共済組合法の規定による給付の額を控除するものとする。

10　復帰組合員が、第一項の規定により組合員であつたものとみなされる国家公務員であつた期間につき、普通恩給、旧法若しくは国家公務員共済組合法の規定による退職年金、減額退職年金又は一時恩給等（昭和五十四年改正前の国の共済法の規定による退職一時金にあつては、昭和五十四年改正前の国の共済法第八十条第三項の規定による退職一時金に限る。）若しくは国家公務員共済組合法の規定による脱退一時金若しくは特例死亡一時金を受けるべき者であるときは、その者又はその遺族に支給すべき通算退職年金、通算遺族年金、脱退一時金若しくは特例死亡一時金又は返還一時金若しくは死亡一時金の額の計算については、当該期間は、組合員期間から除算するものとする。

第二十五条　転出組合員が転出した日（転出が二回以上にわたるときは、最後に転出した日）以後再び組合員となることなくして国家公務員の職を退き、若しくは国家公務員の職を退くことなくして死亡し、又は国家公務員として在職した後公庫等職員となり、国家公務員共済組合法第百二十四条の二第二項各号の一に該当するに至つたとき（引き続いて再び国家公務員となつたときを除く。）は、長期給付に関する規定（第六章の規定を除く。）の適用については、その者は、転出した日の翌日からその時まで引き続き組合員であつて、かつ、その時において退職し、又は死亡したものとみなす。この場合において、第十七条の規定の適用については、同条中「給付事由が発生した日（給付事由が退職後に発生したものにあつては、退職した日）の属する月の掛金の標準となつた俸給、俸給に準ずるもの又は仮定俸給」とあるのは、「転出組合員が国家公務員の職を退き、又は死亡した日の属する月において支給を受けた俸給（当該俸給の額が転出した日の属する月において負担した掛金の標準となつた俸給、俸給に準ずるもの又は仮定俸給の額に満たないときは、その俸給、俸給に準ずるもの又は仮定俸給）」と読み替えるものとする。

2　前条第二項、第五項、第六項、第九項及び第十項の規定は、前項の場合について準用する。

3　転出組合員であつた者又はその遺族が、その転出組合員であつた者が第一項の規定により組合員であつたものとみなされる国家公務員又は公庫等職員であつた期間につき国家公務員共済組合法の規定による障害一時金又は遺族一時金を受けるべき者であるときは、その者又はその遺族に支給すべき障害一時金又は遺族一時金については、その者に当該一時金を支給する際に、その額から同法の規定による当該障害一時金又は遺族一時金の額（同法の規定による給付の制限を受けた者にあつては、その制限を受けないとした場合において受けることができる額。以下この項において同じ。）に相当する金額を控除するものとし、これらの者に支給すべき退職年金、減額退職年金、障害年金又は遺族年金については、その者に当該年金を支給する際に、その支給期月に支給すべき当該年金の額から同法の規定による当該障害一時金又は遺族一時金の額に相当する金額を控除し、これらの金額がその支給期月に支給すべき当該年金の額を超えるときは、その残額を順次の支給期月に支給すべき当該年金の額から控除するものとする。

4　転出組合員であつた者又はその遺族が、その転出組合員であつた者が第一項の規定により組合員であつたものとみなされる国家公務員又は公庫等職員であつた期間につき普通恩給若しくは扶助料又は旧法若しくは国家公務員共済組合法の規定による退職年金、減額退職年金、障害年金（公務障害年金を除く。以下この条において同じ。）、遺族年金（公務遺族年金を除く。以下この条において同じ。）若しくは通算退職年金を受けるべき者である場合においては、その者又はその遺族に支給すべき退職年金、減額退職年金、障害年金又は遺族年金については、その年額（給付の制限又は支給の停止を受けているときは、その年額からその制限又は停止を受けている金額を控除した後の金額とする。）から当該普通恩給若しくは扶助料又は旧法若しくは国家公務員共済組合法の規定による当該退職年金、減額退職年金、障害年金、遺族年金若しくは通算退職年金の年額（恩給法第五十八条ノ三の規定による恩給の停止又は旧法第三十九条第一項ただし書、国家公務員共済組合法第七十七条第二項（同法第七十九条の二第六項において準用する場合を含む。）若しくは国家公務員共済組合法の長期給付に関する施行法第十五条第一項若しくは第十六条の規定による支給の停止を受けているときは、その年額からその停止を受けている金額を控除した後の金額とし、恩給法（第五十八条ノ三を除く。）の規定による恩給の停止又は旧法（第三十九条第一項ただし書を除く。）、国家公務員共済組合法（第七十七条第二項（同法第七十九条の二第六項において準用する場合を含む。）を除く。）若しくは国家公務員共済組合法の長期給付に関する施行法（第十五条第一項及び第十六条を除く。）の規定による支給の停止若しくは給付の制限を受けているときは、その停止又は制限を受けないとした場合において受けることができる金額とする。）に相当する金額を控除するものとする。

5　第一項の場合において、転出組合員が旧法又は国家公務員共済組合法の規定による障害年金を受ける権利を有する者であるときは、その者に対しては、障害一時金は支給しない。

第二十六条　附則第五条から第六条の八まで、第九条、第十一条から第十六条まで、第十七条、第十八条及び第二十四条（第一項及び第二項を除く。）の規定は、この法律施行の際現に国家公務員である者が以後引き続き国家公務員として在職した後当該国家公務員の職を退き、その当日又は翌日に職員となり組合員の資格を取得（以下「転入」という。）した場合において、その者が運営規則の定めるものに該当する者（以下「転入組合員」という。）であるときに準用する。この場合において、これらの規定中「施行日」とあるのは「転入した日」と、附則第五条第一項第四号及び第五号並びに第十一条第一項第二号から第五号までの規定中「職員」並びに同項第一号中「職員であつた期間及びその前又は後に引き続く職員以外の国家公務員」とあるのはそれぞれ「職員又は国家公務員」と読み替えるものとする。

2　転入組合員が退職し、その当日又は翌日に国家公務員となつた場合において、その者が運営規則の定めるものに該当する者であるときは、その者を更新組合員とみなして附則第二十三条の規定を適用する。

（公務障害年金受給者となる転出組合員等であつた者に関する特例）

第二十六条の二　転出組合員、復帰組合員又は転入組合員（以下「転出組合員等」という。）であつた者が退職した後に公務障害年金を受ける権利を有する者となつたときは、当該転出組合員等であつた者は、長期給付に関する規定の適用については、退職の時においてすでに公務障害年金を受ける権利を有する者であつたものとみなす。

2　転出組合員等であつた者が退職した後に死亡した場合において、その者の遺族が公務遺族年金を受ける権利を有する者となつたときは、当該転出組合員等であつた者は、長期給付に関する規定の適用については、前項に規定する者となつたものとみなす。

3　附則第十五条第二項の規定は、前二項に規定する転出組合員等であつた者がその時までに支給を受けていた長期給付とこれらの規定の適用により支給を受けるべきこととなる長期給付との調整について準用する。

（公務障害年金を受けなくなつた転出組合員等であつた者に関する特例）

第二十六条の三　公務障害年金を受ける権利を有する転出組合員等であつた者が退職した後に公務障害年金を受ける権利を有しない者となつたときは、当該転出組合員等であつた者は、長期給付に関する規定の適用については、退職の時においてすでに公務障害年金を受ける権利を有しない者であつたものとみなす。

2　附則第十六条第二項の規定は、前項に規定する転出組合員等であつた者がその時までに支給を受けていた長期給付と同項の規定の適用により支給を受けるべきこととなる長期給付との調整について準用する。

3　附則第十六条第三項の規定は、第一項の規定の適用により退職年金又は減額退職年金を支給すべきこととなる場合について準用する。

（外国政府等の職員であつた者で施行日以後に組合員となつたものの取扱い）

第二十六条の四　法律第百五十五号附則第四十二条第一項に規定する外国政府又は同法附則第四十三条に規定する法人の職員として昭和二十年八月八日に在職していた者で、同日後引き続き未帰還者として海外にあり、施行日以後帰国し、その後引き続き職員となつたものに対する長期給付に関しては、附則の規定のうち更新組合員に適用されるものの例による。

（沖縄の復帰に伴う特別措置に関する法律の施行の日前に給付事由等が生じた給付の取扱い）

第二十六条の五　沖縄の共済法（公務員等共済組合法（千九百六十九年立法第百五十四号。以下「公務員等共済法」という。）及び公務員等共済組合法の長期給付に関する施行法（千九百六十九年立法第百五十五号。以下「公務員等施行法」という。）をいう。以下同じ。）の規定の適用を受ける者であつたもののうち職員に相当する者として主務大臣が定めるものに係る沖縄の共済法の規定による長期給付であつて、沖縄の復帰に伴う特別措置に関する法律（昭和四十六年法律第百二十九号。以下「特別措置法」という。）の施行の日（以下「特別措置法の施行日」という。）前に給付事由が生じたもの及び同日前に給付の原因である事故が発生し、同日以後にその給付事由が生じたものについては、附則第二十六条の八に規定する場合及び政令で定める場合を除き、なお従前の例により組合が支給する。

（復帰更新組合員に係る恩給等の受給権の取扱い）

第二十六条の六　復帰更新組合員（特別措置法の施行日の前日に公務員等共済法の規定に基づく公務員等共済組合の組合員（政令で定める者に限る。）であつた者で、沖縄の復帰に伴い特別措置法の施行日に組合員となり、以後退職することなく引き続き組合員であるものをいう。以下同じ。）で特別措置法の施行日の前日に恩給公務員であつたものは、恩給に関する法令の規定の適用については、同日において退職したものとみなす。

2　復帰更新組合員に係る恩給（その者が恩給に関する法令の規定により遺族として受ける恩給及びその者が特別措置法の施行日前に支払を受けるべきであつた恩給で同日前にその支払を受けなかつたものを除く。）又は沖縄の退職年金条例（公務員等施行法第二条第一項第四号に規定する退職年金条例（恩給に相当する給付に関する本土の地方公共団体の条例を除く。）をいう。以下同じ。）の規定による恩給に相当する給付（その者が沖縄の退職年金条例の規定により遺族として受ける恩給に相当する給付及びその者が特別措置法の施行日前に支払を受けるべきであつた恩給に相当する給付で同日前にその支払を受けなかつたものを除く。）を受ける権利は、特別措置法の施行日の前日において消滅するものとする。ただし、次に掲げる権利は、この限りでない。

一　増加恩給若しくは恩給に関する法令の規定による傷病年金若しくは傷病賜金又はこれらの給付に相当する沖縄の退職年金条例の規定による給付を受ける権利

二　普通恩給である軍人恩給以外の普通恩給を受ける権利（これを有する者が特別措置法の施行日から起算して六十日を経過する日以前に裁定庁に対してこれを消滅させないことを希望する旨を申し出たものに限るものとし、前項の規定によりみなされた退職に係るものを除く。）

三　普通恩給である軍人恩給を受ける権利（これを有する者が特別措置法の施行日から起算して六十日を経過する日以前に裁定庁に対してこれを消滅させることを希望する旨を申し出なかつたものに限る。）

四　普通恩給に相当する沖縄の退職年金条例の規定による給付を受ける権利（これを有する者が特別措置法の施行日から起算して六十日を経過する日以前に当該権利の裁定を行なう者に対してこれを消滅させないことを希望する旨を申し出たものに限る。）

3　前項各号に掲げる権利に係る恩給その他の給付は、その者が復帰更新組合員である間も、支給する。

4　第二項第二号から第四号までに掲げる権利を有する者又はその遺族に対して支給する長期給付については、これらの権利の基礎となつている期間は、附則第五条第一項第一号の期間に該当しないものとする。

第二十六条の六の二　恩給に関する法令の改正により、復帰更新組合員若しくは復帰更新組合員であつた者又はこれらの者の遺族が新たに普通恩給又はこれに係る扶助料を受ける権利を有することとなつたときは、当該復帰更新組合員又は復帰更新組合員であつた者は特別措置法の施行日の前日において当該普通恩給を受ける権利を有していたものとみなして、当該普通恩給又はこれに係る扶助料を受ける権利について前条第二項本文の規定を適用する。

（復帰更新組合員に係る旧法等の規定による退職年金等の受給権の取扱い）

第二十六条の七　復帰更新組合員に係る旧法又はその施行前の政府職員の共済組合に関する法令（以下「旧法等」という。）の規定による退職年金（その者が特別措置法の施行日前に支払を受けるべきであつた当該退職年金で同日前にその支払を受けなかつたものを除く。）を受ける権利は、特別措置法の施行日の前日において消滅するものとする。ただし、旧法等の規定による退職年金を受ける権利を有する者が特別措置法の施行日から起算して六十日を経過する日以前に当該権利の決定を行なう者に対してこれを消滅させないことを希望する旨を申し出たときは、この限りでない。

2　前項ただし書の規定による申出をした者に係る退職年金は、その者が復帰更新組合員である間も、支給する。

3　復帰更新組合員に係る旧法等の規定による障害年金は、この法律の規定による障害年金とみなして、第五十五条第三項から第六項までの規定を適用する。

4　復帰更新組合員に係る旧法等の規定による障害年金を受ける権利を有する者が特別措置法の施行日から起算して六十日を経過する日以前に当該権利の決定を行なう者に対して当該障害年金を受けることを希望する旨を申し出たときは、前項の規定にかかわらず、当該権利を有する者が復帰更新組合員である間も、当該障害年金を支給する。

5　第一項ただし書若しくは前項の規定による申出をした者又はその遺族に対して支給する長期給付については、これらの申出に係る退職年金又は障害年金を受ける権利の基礎となつている期間のうち附則第五条第一項第二号又は第三号の期間は、組合員期間に算入しないものとする。

（復帰更新組合員に対する長期給付に関する規定の適用等）

第二十六条の八　復帰更新組合員に対する長期給付については、政令で定める場合を除き、その者が沖縄の組合員（公務員等共済法の規定に基づく公務員等共済組合の組合員（同立法第百十七条第一項の規定により公務員等共済組合の組合員であつたものとみなされた者及び公務員退職年金法（千九百六十五年立法第百号。以下「年金法」という。）の規定の適用を受ける者であつたものを含む。）をいう。以下同じ。）であつた間、組合員であつたものと、沖縄の共済法及び年金法の規定による給付（同項の規定により公務員等共済法の規定による給付とみなされた給付を含む。）は、この法律中のこれらの規定に相当する規定による給付とみなして、この法律の規定を適用する。

2　復帰更新組合員に対する長期給付については、政令で定める場合を除き、その者が琉球政府等職員（公務員等共済法第二条第一項第一号に規定する職員及び公立学校職員共済組合法（千九百六十八年立法第百四十七号）第二条第一項第二号に規定する職員並びに年金法附則第三条第一項又は第四条第一項に規定する政府等の職員及びこれらの規定に規定する機関に在職していた職員をいう。以下同じ。）であつた間、職員であつたものとみなして、附則の規定を適用する。この場合において、琉球政府等職員で、沖縄の退職年金条例の規定の適用を受ける者であつたもの又は政令で定める者であつたものは、これらの者であつた間、恩給公務員として在職したものと、当該沖縄の退職年金条例の規定はこれに相当する恩給法の規定と、当該沖縄の退職年金条例の規定による給付はこれに相当する恩給とみなす。

3　復帰更新組合員に対する長期給付については、前二項に規定するもののほか、その者を更新組合員とみなして、附則の規定を適用する。

4　復帰更新組合員で第一号に掲げる給付を受けた附則第五条第一項第一号の期間若しくは年金法の施行の日以後の組合員期間（恩給公務員に該当する者であつた期間に限る。）又は第二号に掲げる給付を受けた同条第一項第一号から第三号までの期間若しくは同日以後の組合員期間を有するものに退職年金、減額退職年金又は障害年金を支給するときは、その受けたこれらの給付の額（すでに控除を受けた額があるときは、その額を控除した額とし、次項において「普通恩給等受給額」という。）に相当する額に達するまで、支給時に際し、その支給時に係る支給額の二分の一に相当する額を控除する。ただし、普通恩給若しくはこれに相当する沖縄の退職年金条例の規定による給付を受ける権利で附則第二十六条の六第二項第二号から第四号までに掲げるもの又は旧法等の規定による退職年金若しくは障害年金を受ける権利で前条第一項ただし書若しくは同条第四項の規定による申出に係るものを有する復帰更新組合員に対し退職年金、減額退職年金又は障害年金を支給する場合は、この限りでない。

一　普通恩給又はこれに相当する沖縄の退職年金条例の規定による給付

二　旧法等の規定による退職年金又は障害年金

5　前項本文に規定する復帰更新組合員又は当該復帰更新組合員であつた者が死亡したことにより遺族年金を支給するときは、普通恩給等受給額（同項の規定によりすでに控除された額があるときは、その額を控除した額）の二分の一に相当する額に達するまで、支給時に際し、その支給時に係る支給額の二分の一に相当する額を控除する。

（沖縄の復帰に伴う経過措置等の政令への委任）

第二十六条の九　附則第二十六条の五から前条までに定めるもののほか、復帰更新組合員その他政令で定める沖縄の組合員であつた者に係る退職年金の受給資格及び退職年金の額に関する経過措置その他長期給付に関する必要な経過措置等は、政令で定める。

（特例障害年金等の支給）

第二十六条の十　次の各号に掲げる者が、継続長期組合員であつた間に、国、地方公共団体若しくは公団等の業務又は通勤により病気にかかり、又は負傷し、その傷病のため、それぞれ当該各号に定める時に別表第四に掲げる程度の障害の状態にあるとき、又はその時から五年以内に同表に掲げる程度の障害の状態になつた場合においてその期間内にその者の請求があつたときは、当分の間、政令で定めるところにより、その者の死亡に至るまで特例障害年金を支給する。

一　継続長期組合員であつた者で引き続き再び元の組合の組合員の資格を取得した後退職したもの　次のイ又はロに掲げる場合に応じそれぞれイ又はロに定める時

イ　その傷病につき初めて医師又は歯科医師の診療を受けた日（以下この項において「初診日」という。）から起算して一年六月を経過した後に退職した場合　退職の時

ロ　初診日から起算して一年六月を経過するまでの間に退職した場合　その期間を経過するまでの間に治つた時又は治らないがその期間を経過した時

二　継続長期組合員であつた者で第八十二条の二第二項第一号又は第二号に該当するに至つたもの（引き続き再び元の組合の組合員の資格を取得した者を除く。）　次のイ又はロに掲げる場合に応じそれぞれイ又はロに定める時

イ　初診日から起算して一年六月を経過した後にこれらの規定に該当するに至つた場合　その該当するに至つた時

ロ　初診日から起算して一年六月を経過するまでの間にこれらの規定に該当するに至つた場合　その期間を経過するまでの間に治つた時又は治らないがその期間を経過した時

2　前項の規定にかかわらず、継続長期組合員であつた者に係る傷病が次に掲げるものであるときは、特例障害年金は支給しない。

一　国家公務員又は地方公務員である継続長期組合員であつた間の通勤によるものであり、かつ、公的年金合算期間が一年となる前のものであるとき。

二　公団等職員である継続長期組合員であつた間のものであり、かつ、公的年金合算期間が六月となる前のものであるとき。

3　障害の状態になつた時又は請求の時が第一項各号に定める時から五年を経過した後であつても、組合が審査会の議に付することを適当と認め、かつ、審査会においてその障害が継続長期組合員であつた間の業務による傷病に起因することが顕著であると議決したときは、その時から、特例障害年金を支給する。

4　特例障害年金の年額は、継続長期組合員であつた者について国家公務員共済組合法若しくは地方公務員等共済組合法の長期給付に関する規定又は厚生年金保険法の規定を適用するとしたならばその者が受けることができるこれらの法律の規定による障害年金の額の算定方法を参酌して政令で定める額とする。

5　継続長期組合員（国家公務員又は地方公務員である継続長期組合員に限る。以下この項及び次項において同じ。）又は継続長期組合員であつた者が、継続長期組合員である間に、国又は地方公共団体の業務により病気にかかり、又は負傷し、その傷病により死亡したときは、第五十八条第一項又は附則第十三条

の規定にかかわらず、当分の間、政令で定めるところにより、その者の遺族に特例遺族年金を支給し、遺族年金は支給しない。

6　特例遺族年金の年額は、継続長期組合員又は継続長期組合員であつた者について国家公務員共済組合法又は地方公務員等共済組合法の長期給付に関する規定を適用するとしたならばその者の遺族が受けることができるこれらの法律の規定による遺族年金の額の算定方法を参酌して政令で定める額とする。

7　特例障害年金又は特例遺族年金は、それぞれ障害年金又は遺族年金とみなして、長期給付に関する規定（第十六条の二、第五十五条第一項から第三項まで及び第五十八条から第五十九条の五までの規定並びに附則第六条第二項から第五項まで、第六条の二第五項及び第六項並びに第六条の三第二項から第四項までの規定（これらの規定を附則第十七条の二及び第二十六条第一項において準用する場合を含む。）、第六条の四第二項（附則第二十六条第一項において準用する場合を含む。）の規定、第六条の七並びに第六条の八第二項及び第三項の規定（これらの規定を附則第十七条の二及び第二十六条第一項において準用する場合を含む。）、第十二条（附則第二十六条第一項において準用する場合を含む。）の規定、第十三条、第十四条第二項及び第十四条の五の規定（これらの規定を附則第十七条の二及び第二十六条第一項において準用する場合を含む。）並びに第十七条の三の規定を除く。）を適用する。

8　特例障害年金のうち国家公務員共済組合法第八十一条第一項第一号又は地方公務員等共済組合法第八十六条第一項第一号の規定による障害年金に相当するもの及び特例遺族年金の給付に要する費用は、第六十四条第一項及び第八十二条の二第一項の規定により読み替えて適用する第六十六条第一項の規定にかかわらず、政令で定めるところにより、国又は地方公共団体が負担する。

9　前各項に定めるもののほか、特例障害年金及び特例遺族年金に関し必要な事項は、政令で定める。

第二十七条　公衆電気通信法（昭和二十八年法律第九十七号）第七条の規定により日本電信電話公社から郵政大臣に委託した業務を日本電信電話公社が自ら行うこととなつた場合において、当該委託業務に従事していた国家公務員がその職を退き、その当日又は翌日に日本電信電話公社の職員となつたときは、その者（転入組合員である者を除く。）に対する長期給付については、当分の間、附則第二十四条の規定を準用する。

（恩給に関する法令が改正された場合における軍人普通恩給等の取扱い）

第二十七条の二　恩給に関する法令の改正により、更新組合員等（更新組合員、転入組合員及び更新組合員又は転入組合員であつた者で再びもとの組合の組合員となつたものをいう。以下同じ。）又は更新組合員等であつた者に係る組合員期間から除算すべき恩給公務員期間が生ずることとなる場合において、当該更新組合員等若しくは更新組合員等であつた者又はこれらの者の遺族が、当該改正後の恩給に関する法令の規定が適用される日から起算して九十日以内に、当該組合員期間から除算すべき恩給公務員期間が生ずることを希望しない旨を裁定庁に申し出たときは、当該恩給公務員期間は、恩給に関する法令の適用については在職年の計算において算入しないものとし、当該組合員期間に算入するものとする。

（期間の計算の方法）

第二十八条　附則に規定する期間は、その初日の属する月から起算し、その最終日の属する月をもつて終るものとし、二以上の期間を合算する場合において、後の期間の初日が前の期間の最終日と同一の月に属するときは、後の期間は、その初日の属する月の翌月から起算するものとする。

（非課税の特例）

第二十九条　第八条の規定の適用については、附則第十九条第二項又は第二十一条第二項の規定による給付で旧法の規定による退職給付に相当するものは退職年金又は脱退一時金と、附則第二十二条の規定による給付は退職年金と、附則第十八条（附則第二十六条第一項において準用する場合を含む。）の規定によつて支給される一時金は脱退一時金とみなす。

（経過措置に伴う費用の負担）

第三十条　附則第五条から第二十八条までの規定により生ずる組合の追加費用は、公共企業体が負担する。

（長期給付に要する費用の負担の特例）

第三十条の二　公共企業体は、当分の間、長期給付に要する費用（附則第二十六条の十第八項の規定により国又は地方公共団体が負担する費用及び前条の規定により公共企業体が負担する追加費用を除く。）について、当該費用の百分の一に相当する金額の範囲内で、政令で定めるところにより、その一部を負担する。

2　公共企業体が前項の規定による負担をする場合における第六十六条第一項、第三項及び第四項の規定の適用については、同条第一項第二号及び第三項第二号中「長期給付に要する費用」とあるのは「長期給付に要する費用（附則第三十条の二第一項の規定による公共企業体の負担に係るものを除く。）」と、同条第四項中「第一項又は前項」とあるのは「第一項及び附則第三十条の二第一項又は前項」とする。

3　公共企業体が第一項の規定による負担をする場合における昭和四十二年度以後における公共企業体職員等共済組合法に規定する共済組合が支給する年金の額の改定に関する法律（昭和四十二年法律第百六号）第七条第二項の規定の適用については、同項第二号中「並びに第六十六条第一項第二号及び第三項第二号」とあるのは、「、第六十六条第一項第二号及び第三項第二号並びに附則第三十条の二第一項」とする。

4　第八十二条の二第二項に規定する継続長期組合員に係る長期給付に要する費用については、前三項の規定中「公共企業体」とあるのは、「国、地方公共団体又は第八十二条の二第一項に規定する公団等」として、これらの規定を適用する。

5　昭和五十四年改正前の法第八十二条の二第一項に規定する復帰希望職員に該当する者に係る長期給付に要する費用については、第一項から第三項までの規定中「公共企業体」とあるのは、「昭和五十四年改正前の法第八十二条の二第一項に規定する公団等」として、これらの規定を適用する。

（債務の保証）

第三十一条　更新組合員が国民金融公庫に担保に供していた恩給が附則第四条第三項本文の規定により消滅したときは、組合は、当該恩給によつて担保されている債務につき民法（明治二十九年法律第八十九号）の保証債務と同一の債務を負う。

（監督の経過措置）

第三十二条 主務大臣は、当分の間、大蔵大臣と協議して定めるところにより、この法律に基く所掌事務のうち第八十三条第三項及び第五項に係る事務を大蔵省の機関に委任することができる。この場合において、当該事務に関しては、主務大臣及び大蔵大臣が当該機関を指揮監督する。

第三十三条から第三十五条まで（他の法律の一部改正規定）〔略〕

（恩給負担金の取扱）

第三十六条 この法律施行前に給与事由の生じた恩給で役員及び職員（日本専売公社法、日本国有鉄道法又は日本電信電話公社法施行前におけるこれらの者に相当する者を含む。）であつた者に係るものの支払に充てるべき金額の負担については、なお、従前の例によることとし、その金額の計算については、政令の定めるところによる。

（組合員に係る福祉増進事業）

第三十六条の二 組合は、この法律に定める短期給付、長期給付及び福祉事業のほか、当分の間、これらの給付及び事業に支障を及ぼさない範囲内において、政令で定めるところにより、次に掲げる事業を行うことができる。

一 組合員で勤労者財産形成促進法（昭和四十六年法律第九十二号）第十五条第二項第一号に掲げる者に該当するものにその持家として分譲する住宅の建設又は購入及び当該住宅の分譲の事業

二 組合員で勤労者財産形成促進法第十五条第二項第二号に掲げる者に該当するものにその持家としての住宅の建設若しくは購入のための資金（当該住宅の用に供する宅地又はこれに係る借地権の取得のための資金を含む。）又はその持家である住宅の改良のための資金を貸し付ける事業

三 組合員で勤労者財産形成促進法第十五条第二項第三号に掲げる者に該当するものに自己又はその親族の進学（学校教育法（昭和二十二年法律第二十六号）による高等学校、高等専門学校又は大学その他これらに準ずる教育施設として政令で定めるものに進学することをいう。）のために必要な資金を貸し付ける事業

四 前三号に掲げる事業のほか、組合員の福祉の増進に資する事業として政令で定める事業

2 組合は、前項の規定により行なう事業に係る経理については、短期給付、長期給付及び福祉事業に係る経理と区分しなければならない。

3 前項に規定するもののほか、第一項の規定により行なう事業の実施に関し必要な事項は、政令で定める。

第三十七条から第六十三条まで（他の法律の一部改正規定）〔略〕

別表第一（第四十三条関係）

	損害の程度	月数
一	住居及び家財の全部が焼失又は滅失したとき。	三月
二	住居及び家財に前号と同程度の損害を受けたとき。	
一	住居及び家財の二分の一以上が焼失又は滅失したとき。	二月
二	住居及び家財に前号と同程度の損害を受けたとき。	
三	住居又は家財の全部が焼失又は滅失したとき。	
四	住居又は家財に前号と同程度の損害を受けたとき。	
一	住居及び家財の三分の一以上が焼失又は滅失したとき。	一月
二	住居及び家財に前号と同程度の損害を受けたとき。	
三	住居又は家財の二分の一以上が焼失又は滅失したとき。	
四	住居又は家財に前号と同程度の損害を受けたとき。	
一	住居又は家財の三分の一以上が焼失又は滅失したとき。	〇・五月
二	住居又は家財に前号と同程度の損害を受けたとき。	

別表第二（第五十二条関係）

	日本国有鉄道における次に掲げる職
一	連結手
二	機関助士
三	副機関助士
四	線路工手
五	隧道手
六	志免鉱業所における坑内作業従事員

別表第三（第六十一条の三、附則第六条の四、附則第六条の五、附則第七条の二、附則第八条関係）

組合員期間	日数
一年以上二年未満	二〇日
二年以上三年未満	四〇日
三年以上四年未満	六〇日
四年以上五年未満	八〇日
五年以上六年未満	一〇五日
六年以上七年未満	一三〇日
七年以上八年未満	一五五日
八年以上九年未満	一八〇日
九年以上十年未満	二〇五日
十年以上十一年未満	二三〇日
十一年以上十二年未満	二五五日
十二年以上十三年未満	二八〇日
十三年以上十四年未満	三〇五日
十四年以上十五年未満	三三〇日
十五年以上十六年未満	三六〇日
十六年以上十七年未満	三九〇日
十七年以上十八年未満	四二〇日
十八年以上十九年未満	四五〇日
十九年以上二十年未満	四八〇日

別表第三の二（附則第六条の四、附則第六条の五関係）

退職時の年齢	率
十八歳未満	一・〇九
十八歳以上二十三歳未満	一・三五
二十三歳以上二十八歳未満	一・七七
二十八歳以上三十三歳未満	二・三一
三十三歳以上三十八歳未満	三・〇二
三十八歳以上四十三歳未満	三・九四
四十三歳以上四十八歳未満	五・一二
四十八歳以上五十三歳未満	六・六七
五十三歳以上五十八歳未満	八・八一
五十八歳以上六十三歳未満	一〇・九六
六十三歳以上六十八歳未満	九・九〇
六十八歳以上七十三歳未満	八・三三
七十三歳以上	六・二四

別表第四（第二十五条、第五十一条、第五十五条―第五十七条、第六十条、第六十一条、附則第二十六条の十関係）

障害の程度	番号	障害の状態

一級	一	両眼の視力が〇・〇二以下に減じたもの
	二	両腕の用を全く廃したもの
	三	両足の用を全く廃したもの
	四	両腕を腕関節以上で失つたもの
	五	両足を足関節以上で失つたもの
	六	前各号に掲げるもののほか、身体の機能に、労働することを不能ならしめ、かつ、常時の介護を必要とする程度の障害を残すもの
	七	精神に、労働することを不能ならしめ、かつ、常時の監視又は介護を必要とする程度の障害を残すもの
	八	傷病がなおらないで、身体の機能又は精神に労働することを不能ならしめ、かつ、長期にわたる高度の安静と常時の監視又は介護とを必要とする程度の障害を有するもの
二級	一	両眼の視力が〇・〇四以下に減じたもの
	二	一眼の視力が〇・〇二以下に減じ、かつ、他眼の視力が〇・〇六以下に減じたもの
	三	両耳の聴力が、耳殻に接して大声による話をしてもこれを解することができない程度に減じたもの
	四	咀嚼又は言語の機能を廃したもの
	五	脊柱の機能に高度の障害を残すもの
	六	一腕を腕関節以上で失つたもの
	七	一足を足関節以上で失つたもの
	八	一腕の用を全く廃したもの
	九	一足の用を全く廃したもの
	十	両腕のすべての指の用を廃したもの
	十一	両足をリスフラン関節以上で失つたもの
	十二	両足のすべてのあしゆびを失つたもの
	十三	前各号に掲げるもののほか、身体の機能に、労働が高度の制限を受けるか、又は労働に高度の制限を加えることを必要とする程度の障害を残すもの
	十四	精神に、労働することを不能ならしめる程度の障害を残すもの
	十五	傷病がなおらないで、身体の機能又は精神に、労働が高度の制限を受けるか、又は労働に高度の制限を加えることを必要とする程度の障害を有するもの
三級	一	両眼の視力が〇・一以下に減じたもの
	二	両耳の聴力が、四〇センチメートル以上では通常の話声を解することができない程度に減じたもの
	三	咀嚼又は言語の機能に著しい障害を残すもの
	四	脊柱の機能に著しい障害を残すもの
	五	一腕の三大関節のうち、二関節の用を廃したもの
	六	一足の三大関節のうち、二関節の用を廃したもの
	七	長管状骨に仮関節を残し、運動機能に著しい障害を残すもの
	八	一腕のおや指及びひとさし指を失つたもの又はおや指若しくはひとさし指をあわせ一腕の三指以上を失つたもの
	九	おや指及びひとさし指をあわせ一腕の四指の用を廃したもの
	十	一足をリスフラン関節以上で失つたもの
	十一	両足のすべてのあしゆびの用を廃したもの
	十二	前各号に掲げるもののほか、身体の機能に、労働が著しい制限を受けるか、又は労働に著しい制限を加えることを必要とする程度の障害を残すもの
	十三	精神又は神経系統に、労働に著しい制限を受けるか、又は労働に著しい制限を加えることを必要とする程度の障害を残すもの
	十四	傷病がなおらないで、身体の機能又は精神若しくは神経系統に、労働が制限を受けるか、又は労働に制限を加えることを必要とする程度の障害を有するもの

備考

一 視力の測定は、万国式試視力表によるものとし、屈折異常があるものについては、矯正視力によつて測定する。

二 指を失つたものとは、おや指は指関節、その他の指は第一指関節以上を失つたものをいう。

三 指の用を廃したものとは、指の末節の半分以上を失い、又は掌指関節若しくは第一指関節（おや指にあつては指関節）に著しい運動障害を残すものをいう。

四 あしゆびを失つたものとは、その全部を失つたものをいう。

五 あしゆびの用を廃したものとは、第一趾は末節の半分以上、その他のゆびは末関節以上を失つたもの又は蹠趾関節若しくは第一趾関節（第一趾にあつては足趾関節）に著しい運動障害を残すものをいう。

別表第五（第五十七条関係）

番号	障害の状態
一	両眼の視力が〇・六以下に減じたもの
二	一眼の視力が〇・一以下に減じたもの
三	両眼のまぶたに著しい欠損を残すもの
四	両眼による視野が二分の一以上欠損したもの又は両眼の視野が一〇度以内のもの
五	両眼の調節機能及び輻輳機能に著しい障害を残すもの
六	一耳の聴力が、耳殻に接しなければ大声による話を解することができない程度に減じたもの
七	咀嚼又は言語の機能に障害を残すもの

八	鼻を欠損し、その機能に著しい障害を残すもの
九	脊柱の機能に障害を残すもの
十	一腕の三大関節のうち、一関節に著しい機能障害を残すもの
十一	一足の三大関節のうち、一関節に著しい機能障害を残すもの
十二	一足を三センチメートル以上短縮したもの
十三	長管状骨に著しい転位変形を残すもの
十四	一腕の二指以上を失つたもの
十五	一腕のひとさし指を失つたもの
十六	一腕の三指以上の用を廃したもの
十七	ひとさし指をあわせ一腕の二指の用を廃したもの
十八	一腕のおや指の用を廃したもの
十九	一足の第一趾又は他の四趾以上を失つたもの
二十	一足の五趾の用を廃したもの
二十一	前各号に掲げるもののほか、身体の機能に、労働が制限を受けるか、又は労働に制限を加えることを必要とする程度の障害を残すもの
二十二	精神又は神経系統に、労働が制限を受けるか、又は労働に制限を加えることを必要とする程度の障害を残すもの

備考　別表第四の備考と同じ。

別表第六（附則第六条の五、附則第十八条関係）

組合員期間	日数
六月以上一年未満	一〇日
一年以上一年六月未満	二〇日
一年六月以上二年未満	三〇日
二年以上二年六月未満	四〇日
二年六月以上三年未満	五〇日
三年以上三年六月未満	六〇日
三年六月以上四年未満	七〇日
四年以上四年六月未満	八〇日
四年六月以上五年未満	九〇日
五年以上五年六月未満	一〇〇日
五年六月以上六年未満	一一〇日
六年以上六年六月未満	一二〇日
六年六月以上七年未満	一三〇日
七年以上七年六月未満	一四〇日
七年六月以上八年未満	一五〇日
八年以上八年六月未満	一六〇日
八年六月以上九年未満	一七〇日
九年以上九年六月未満	一八〇日
九年六月以上十年未満	一九〇日
十年以上十年六月未満	二〇〇日
十年六月以上十一年未満	二一五日
十一年以上十一年六月未満	二三〇日
十一年六月以上十二年未満	二四五日
十二年以上十二年六月未満	二六〇日
十二年六月以上十三年未満	二七五日

十三年以上十三年六月未満	二九〇日
十三年六月以上十四年未満	三〇五日
十四年以上十四年六月未満	三二〇日
十四年六月以上十五年未満	三三五日
十五年以上十五年六月未満	三五〇日
十五年六月以上十六年未満	三六五日
十六年以上十六年六月未満	三八〇日
十六年六月以上十七年未満	三九五日
十七年以上十七年六月未満	四一〇日
十七年六月以上十八年未満	四二五日
十八年以上十八年六月未満	四四〇日
十八年六月以上十九年未満	四五五日
十九年以上十九年六月未満	四七〇日
十九年六月以上二十年未満	四八五日
二十年以上	四八五日に十九年六月以上六月を増すごとにその六月につき十五日を加えた日数

附　則（昭三六・四・二五法七一）（抄）

（施行期日）

第一条　この法律は、公布の日から施行する。

（軍人普通恩給等の受給権の放棄）

第八条　軍人普通恩給を受ける権利を有する更新組合員等若しくは更新組合員等であつた者又は更新組合員等であつた者の遺族で当該軍人普通恩給に係る軍人扶助料を受ける権利を有するものが、総理府令で定めるところにより、昭和三十六年六月三十日までに当該軍人普通恩給又は軍人扶助料を受けることを希望しない旨を裁定庁に申し出たときは、当該軍人普通恩給又は軍人扶助料を受ける権利は、昭和三十五年六月三十日において消滅したものとみなす。

2　前項の申出をした更新組合員等であつた者及び同項の申出をした遺族に係る更新組合員等であつた者は、旧法の長期給付に関する規定の適用については、その退職又は死亡の時においてすでに当該軍人普通恩給を受ける権利を有しなかつたものとみなす。

3　新法附則第十六条第二項及び第三項の規定は、前項の場合について準用する。この場合において、新法附則第十六条第二項及び第三項中「更新組合員であつた者」とあるのは「更新組合員等であつた者又は更新組合員等であつた者の遺族」と、「その時まで」とあるのは「昭和三十五年六月三十日まで」と、「退職年金、減額退職年金」、「退職年金若しくは減額退職年金」及び「退職年金又は減額退職年金」とあるのは「年金である給付」と、「退職一時金」とあるのは「一時金である給付」と読み替えるものとする。

4　第一項の申出をした者の当該軍人普通恩給又は軍人扶助料を受ける権利の基礎となつていた期間については、新法附則第十八条第一項（新法附則第二十六条第一項において準用する場合を含む。）並びに前条第一項及び第二項の規定は、適用しない。

〇〔旧〕公共企業体職員等共済組合法施行令

昭四五・三・三〇
政令　三一

注　この政令は、昭和五九年政令三五号において廃止されたが、利用の便宜を図るため、本年版ではその全文を収録した。

（高額療養費）

第一条　高額療養費は、組合員が療養を受けた月の属する年度（療養を受けた月が四月又は五月の場合にあつては、前年度）分の地方税法（昭和二十五年法律第二百二十六号）の規定による市町村民税（同法の規定による特別区民税を含むものとし、同法第三百二十八条の規定によつて課する所得割を除く。以下この条において同じ。）が課されない者（市町村（特別区を含む。）の条例の定めるところにより当該市町村民税を免除された者を含むものとし、当該市町村民税の賦課期日において同法の施行地に住所を有しない者を除く。次条第二項において「市町村民税非課税者」という。）その他主務省令で定める者に該当し、かつ、その者が同一の月に同一の病院又は診療所から療養を受けた際に支払つた一部負担金（公共企業体職員等共済組合法（以下「法」という。）第三十三条第一項第三号ただし書に規定する一部負担金をいう。以下この条において同じ。）に相当する金額（法第三十三条第三項ただし書の規定によりその支給を受けることができない一部負担金に相当する金額を含む。以下この条において同じ。）が一万五千円を超える場合（当該療養について主務省令で定める医療に関する給付が行われる場合を除く。）に支給するものとし、その額は、当該一部負担金に相当する金額から一万五千円を控除した金額とする。この場合においては、健康保険法（大正十一年法律第七十号）第四十三条ノ八第四項の規定を準用する。

（家族高額療養費）

第一条の二　家族高額療養費は、被扶養者（法第三十六条の規定により支給される家族療養費に係る療養を受ける者を含む。以下この条において同じ。）が、同一の月に同一の病院、診療所、薬局その他の療養機関から受けた療養に要した費用の額から当該療養に要した費用について家族療養費として支給される金額に相当する金額を控除した金額が五万千円を超える場合に支給するものとし、その額は、当該被扶養者につき、当該控除した金額から五万千円を控除した金額とする。この場合においては、健康保険法第四十三条ノ八第四項の規定を準用する。

2　前項の場合において、家族療養費の支給を受ける者が市町村民税非課税者その他主務省令で定める者に該当し、かつ、被扶養者が受けた当該療養について原子爆弾被爆者の医療等に関する法律（昭和三十二年法律第四十一号）による一般疾病医療費の支給その他主務省令で定める医療に関する給付が行われないときは、同項中「五万千円」とあるのは、「一万五千円」とする。

3　被扶養者が法第三十三条第一項第一号の医療機関又は薬局から療養を受けた場合において、組合がその費用のうち家族高額療養費として支給すべき金額に相当する金額を負担したときは、当該被扶養者に係る家族高額療養費を支給したものとみなす。

4　被扶養者が法第三十三条第一項第二号から第四号までの医療機関又は薬局から健康保険法施行令（大正十五年勅令第二百四十三号）第七十八条第三項において読み替えて準用する健康保険法第五十九条ノ二第四項に規定する療養を受けた場合において、組合がその費用のうち家族高額療養費として支給すべき金額に相当する金額を当該医療機関又は薬局に支払つたときは、その限度において当該被扶養者に係る家族高額療養費を支給したものとみなす。

（出産費及び配偶者出産費の最低保障額）

第一条の二の二　法第三十七条第一項ただし書及び第三項ただし書の政令で定める金額は、十五万円とする。

（育児手当金の金額）

第一条の二の三　法第三十八条第一項の政令で定める金額は、二千四百円とする。

（埋葬料及び家族埋葬料の最低保障額）

第一条の二の四　法第三十九条第一項ただし書及び第三項ただし書の政令で定める金額は、七万円とする。

（退職年金等受給者の所得金額の計算方法）

第一条の二の五　法第五十二条の二第一項（法第五十四条において準用する場合を含む。）並びに附則第十四条の三第一項及び第二項（これらの規定を法附則第十七条の二及び附則第二十六条第一項において準用する場合を含む。）に規定する所得金額は、第一号に掲げる金額から第二号に掲げる金額を控除した金額とする。

一　その者のその年分の所得税法（昭和四十年法律第三十三号）第二十八条第二項に規定する給与所得の金額の計算の基礎となつた同項に規定する給与等の収入金額に含まれる退職年金又は減額退職年金がないものとした場合の当該収入金額を同項に規定するその年中の給与等の収入金額とみなして、同項から同条第四項までの規定の例により計算した給与所得の金額に相当する金額

二　その者のその年分の所得税に係る所得税法第二編第二章第四節の規定による雑損控除その他の同節の規定による控除の額の合計額

（法第五十三条第二項の政令で定める率）

第一条の二の六　法第五十三条第二項の政令で定める率は、六十歳と減額退職年金の支給を開始する時のその者の年齢との差年数の次の表の上欄に掲げる区分に応じ同表の下欄に定める率とする。

年数	率
一年	〇・〇八五
二年	〇・一六〇
三年	〇・二三〇
四年	〇・二九〇
五年	〇・三五〇

（六十歳未満で再退職した場合の減額退職年金の年額の改定）

第一条の二の七　法第五十三条の二第四項に規定する場合における改定後の減額退職年金の年額は、同条第二項及び第三項の規

定にかかわらず、同条第二項の規定により算定した減額退職年金の年額と改定前の減額退職年金の年額（その額の算定の基礎となつた退職年金の年額が、法第五十条第三項の規定により算定した退職年金の年額であるときは、同条第二項本文の規定により算定するものとした場合の退職年金の年額を基礎として算定した額とし、改定前の減額退職年金の年額の算定の基礎となつた退職年金の年額について、同項ただし書の規定の適用があつたときは、その適用がないものとした場合の退職年金の年額を基礎として算定した額とする。以下この項において同じ。）との差額から、その差額に六十歳と再び退職した日の属する月の末日におけるその者の年齢との差年数の前条の表の上欄に掲げる区分に応じ同表の下欄に定める率を乗じた額を控除して得た額を、改定前の減額退職年金の年額に加算した額とする。

2　前項の場合において、その改定額が、法第五十三条の二第三項の規定により算定した減額退職年金の年額と改定前の減額退職年金の年額（その額の算定の基礎となつた退職年金の年額が、法第五十条第二項の規定により算定した退職年金の年額であるときは、同条第三項の規定により算定するものとした場合の退職年金の年額を基礎として算定した額。以下この項において同じ。）との差額から、その差額に六十歳と再び退職した日の属する月の末日におけるその者の年齢との差年数の前条の表の上欄に掲げる区分に応じ同表の下欄に定める率を乗じた額を控除して得た額を、改定前の減額退職年金の年額に加算した額に満たないときは、その額を改定後の減額退職年金の年額とする。

3　法附則第十六条の三第一項又は第二項の規定により読み替えられた法第五十三条の二第四項の年齢に達する前に退職した場合における改定後の減額退職年金の年額の算定に関する前二項の規定の適用については、これらの規定中「その差額に六十歳と再び退職した日の属する月の末日におけるその者の年齢との差年数の前条の表の上欄に掲げる区分に応じ同表の下欄に定める率を乗じた額」とあるのは、「その差額の百分の四に相当する金額に法附則第十六条の三第一項又は第二項の規定により読み替えられた法第五十三条第二項の年齢と再び退職した日の属する月の末日におけるその者の年齢との差年数を乗じた額」とする。

（公的年金期間の対象期間等）

第一条の二の八　法第五十五条第一項の政令で定める期間は、通算年金通則法（昭和三十六年法律第百八十一号。以下「通則法」という。）第四条第一項各号に掲げる期間（組合員期間以外の期間に限る。）のうち、組合員期間と重複する期間を除いた期間（以下「公的年金期間」という。）とする。

2　法第五十五条第一項に規定する公的年金合算期間（以下「公的年金合算期間」という。）を計算する場合における公的年金期間の計算については、通則法第六条第一項及び第三項の規定の例による。

（障害年金に係る公的年金期間の確認等）

第一条の二の九　組合員期間が二年未満であり、かつ、公的年金合算期間が二年以上である組合員（以下「公的年金合算期間保有組合員」という。）であつた者に対し法の規定による障害年金を支給すべき場合には、当該公的年金合算期間保有組合員であつた者に係る公的年金期間については、一の公的年金制度における政府その他の管掌機関（以下「管掌機関」という。）の確認したところによる。

2　管掌機関は、前項の規定による確認を行つたときは、これを当該公的年金合算期間保有組合員であつた者に通知しなければならない。

3　公的年金合算期間保有組合員であつた者は、公的年金合算期間に係る第一項の障害年金を請求するため必要があるときは、当該管掌機関に対し、同項の規定による確認を請求することができる。

（障害年金と退職年金等との間の給付の変更）

第一条の三　法第五十五条第四項の規定は、同項の規定の適用により障害年金又は退職年金、減額退職年金若しくは通算退職年金の支給を受けている者について、同項の規定により支給しなくなつていた他の給付を受けることが有利となる事由が生じたときは、同条第五項に規定する場合を除き、その適用があるものとする。

（再退職した場合の障害年金の年額の改定）

第一条の四　法第五十五条第八項の規定により算定される額は、次の各号に掲げる場合に応じ、当該各号に掲げる額とする。

一　法第十五条第二項本文の規定により合算した組合員期間（以下「合算期間」という。）の年数が二年以上十年以下である場合及び合算期間が二年未満であり、かつ、公的年金合算期間が二年以上である場合　改定前の障害年金の年額

二　合算期間の年数が十年を超える場合　次のイ又はロに掲げる額のうちいずれか多い額

イ　改定前の障害年金の年額（その額が、法第五十五条第三項の規定により算定した障害年金の年額であるときは、同条第二項の規定により算定するものとした場合の障害年金の年額）

ロ　改定前の障害年金の年額（その額が、法第五十五条第二項の規定により算定した障害年金の年額であるときは、同条第三項の規定により算定するものとした場合の障害年金の年額）に、合算期間を基礎として同項の規定により算定した額から、再退職に係る俸給年額を改定前の障害年金の年額の算定の基礎となつた俸給年額とみなして同項の規定により算定した改定前の障害年金の年額に相当する額を控除して得た額を加算した額

2　前項の場合における改定前の障害年金の年額は、法第五十五条第七項の規定により改定した額（以下この項において「改定額」という。）の算定の基礎となる障害の程度が改定前の障害年金の年額の算定の基礎となつた障害の程度より低い場合には、改定前の障害年金の年額の算定の基礎となつた障害の程度が改定額の算定の基礎となる障害の程度に相当する程度であつたものとみなして算定した額とする。

第一条の四の二　削除

（法第五十八条の政令で定める遺族年金等）

第一条の四の三　法第五十八条第一項ただし書の政令で定める遺族年金は、次の各号に掲げる場合に応じ、当該各号に定める組合以外の組合から支給される法の規定による遺族年金とする。

一　組合員であつて、組合員期間が一年未満であり、かつ、公的年金合算期間が一年以上のものが死亡した場合　その者が死亡したときに所属していた組合

二　障害年金を受ける権利を有する者（組合員を除く。）であ

つて、組合員期間が一年未満であり、かつ、公的年金合算期間が一年以上のものが死亡した場合　当該障害年金を支給することとされていた組合

2　法第五十八条第一項ただし書の遺族年金に相当する年金として政令で定める年金は、法の規定による特例遺族年金（以下「特例遺族年金」という。）及び次に掲げる年金とする。

一　厚生年金保険法（昭和二十九年法律第百十五号）の規定による遺族年金

二　船員保険法（昭和十四年法律第七十三号）の規定による遺族年金

三　国家公務員共済組合法（昭和三十三年法律第百二十八号）又は国家公務員共済組合法の長期給付に関する施行法（昭和三十三年法律第百二十九号。以下「国の施行法」という。）の規定による遺族年金

四　地方公務員等共済組合法（昭和三十七年法律第百五十二号。第十一章を除く。）又は地方公務員等共済組合法の長期給付等に関する施行法（昭和三十七年法律第百五十三号。第十三章を除く。）の規定による遺族年金

五　私立学校教職員共済組合法（昭和二十八年法律第二百四十五号。以下「私学共済法」という。）又は私立学校教職員共済組合法等の一部を改正する法律（昭和三十六年法律第百四十号。以下「昭和三十六年法律第百四十号」という。）附則の規定による遺族年金

六　農林漁業団体職員共済組合法（昭和三十三年法律第九十九号）の規定による遺族年金（沖縄の復帰に伴う特別措置に関する法律（昭和四十六年法律第百二十九号）第百六条第三項の規定により農林漁業団体職員共済組合法の相当規定により取得した年金たる給付を受ける権利とみなされた権利を有する者に係るものを除く。

（遺族年金に係る公的年金期間の確認等）

第一条の四の四　第一条の二の九の規定は、組合員期間が一年未満であり、かつ、公的年金合算期間が一年以上である組合員であつた者の遺族に対し法の規定による遺族年金を支給すべき場合について準用する。この場合において、同条第二項及び第三項中「公的年金合算期間保有組合員であつた者」とあるのは、「組合員期間が一年未満であり、かつ、公的年金合算期間が一年以上である組合員であつた者の遺族」と読み替えるものとする。

（遺族年金の加算の特例に関する調整）

第一条の四の五　法第五十九条の三第一項ただし書（法附則第六条の七（法附則第十七条の二及び附則第二十六条第一項において準用する場合を含む。）において準用する場合を含む。）の政令で定める場合は、次に掲げる場合とする。

一　恩給法（大正十二年法律第四十八号）の規定による扶助料又は国の施行法第五十一条の二第一項に規定する退職年金条例の規定による遺族年金の支給を受ける場合であつて、恩給法等の一部を改正する法律（昭和五十一年法律第五十一号）附則第十四条第一項若しくは第二項（地方公務員等共済組合法の長期給付等に関する施行法（以下「地方の施行法」という。）第三条の三第四項の規定によりその例によることとされる場合を含む。）の規定又はこれらの規定に相当する当該退職年金条例の規定により当該年金たる給付に加えることとされている額が加えられる場合

二　旧令による共済組合等からの年金受給者のための特別措置法（昭和二十五年法律第二百五十六号）の規定により国家公務員共済組合連合会が支給する年金（以下「旧令特別措置法の年金」という。）のうち、国の施行法第二条第一項第二号に規定する旧法の規定による遺族年金に相当する年金又は昭和四十二年度以後における国家公務員共済組合等からの年金の額の改定に関する法律（昭和四十二年法律第百四号。以下「国の年金額改定法」という。）第二条第一項に規定する殉職年金若しくは公務傷病遺族年金（以下「殉職年金等」という。）の支給を受ける場合

三　前号に規定する旧法の規定による遺族年金又は殉職年金等の支給を受ける場合

四　国の施行法第五十一条の二第一項に規定する旧市町村職員共済組合法又は共済条例の規定による遺族年金の支給を受ける場合であつて、地方の施行法第三条の四の規定によりその例によることとされる国の年金額改定法第三条の九、第三条の十、第三条の十の二、第三条の十一、第三条の十一の二、第三条の十二、第三条の十二の二、第三条の十三、第三条の十四若しくは第三条の十五において準用する国の年金額改定法第一条の九第五項本文、第一条の十第五項前段、第一条の十の二第六項前段、第一条の十一第五項前段、第一条の十一の二第三項前段、第一条の十二第四項前段、第一条の十二の二第三項前段、第一条の十三第五項前段（同条第七項において準用する場合を含む。）若しくは第八項前段、第一条の十四第五項前段（同条第八項において準用する場合を含む。）若しくは第一条の十五第五項前段（同条第八項において準用する場合を含む。）の規定又はこれらの規定に相当する当該共済条例の規定により当該年金に加えることとされている額が加えられる場合

五　国家公務員共済組合法、国の施行法、地方公務員等共済組合法（第九章の二及び第十一章を除く。）、地方の施行法（第十一章の三及び第十三章を除く。）又は国の施行法第五十一条の四第二号に規定する沖縄の共済法の規定による遺族年金（その額が国家公務員共済組合法第九十二条の二又は地方公務員等共済組合法第九十七条の二の規定により算定されるものを除く。）の支給を受ける場合

六　他の法の規定による遺族年金で主務省令で定めるもの又は特例遺族年金の支給を受ける場合

第一条の四の六　法第五十九条の四（法附則第六条の七（法附則第十七条の二及び附則第二十六条第一項において準用する場合を含む。）において準用する場合を含む。）の政令で定める給付は、次に掲げる給付とする。ただし、その額（支給開始時期の繰上げ又は繰下げにより減額され又は増額されている給付については、減額され又は増額されなかつたものとして算定した額）が法第五十九条の三第一項の規定により加算されるべき額に満たない給付を除く。

一　国民年金法（昭和三十四年法律第百四十一号）に基づく老齢年金（保険料納付済期間、保険料納付済期間と保険料免除期間とを合算した期間又は保険料免除期間が二十五年以上である者に支給する老齢年金に限る。）及び障害年金（障害福祉年金を除く。）

二　厚生年金保険法に基づく老齢年金及び障害年金

三　船員保険法に基づく老齢年金及び障害年金
四　国家公務員共済組合法に基づく退職年金、減額退職年金及び障害年金並びに国の施行法に基づく年金たる給付であつて退職又は障害を支給事由とするもの
五　地方公務員等共済組合法（第十一章を除く。）に基づく退職年金、減額退職年金及び障害年金並びに地方の施行法（第十三章を除く。）に基づく年金たる給付であつて退職又は障害を支給事由とするもの（通算退職年金を除く。）
六　私学共済法に基づく退職年金、減額退職年金及び障害年金
七　法に基づく年金たる給付であつて退職又は障害を支給事由とするもの（通算退職年金を除く。）
八　農林漁業団体職員共済組合法に基づく退職年金、減額退職年金及び障害年金
九　恩給法（他の法律において準用する場合を含む。）に基づく年金たる給付であつて退職又は障害を支給事由とするもの
十　地方公務員の退職年金に関する条例に基づく年金たる給付であつて退職又は障害を支給事由とするもの（通算退職年金を除く。）
十一　厚生年金保険法附則第二十八条に規定する共済組合が支給する年金たる給付であつて退職又は障害を支給事由とするもの
十二　執行官法（昭和四十一年法律第百十一号）附則第十三条の規定に基づく年金たる給付
十三　旧令特別措置法の年金であつて退職又は障害を支給事由とするもの
十四　戦傷病者戦没者遺族等援護法（昭和二十七年法律第百二十七号）に基づく障害年金

（遺族年金の額が調整される場合の一の公的年金の範囲等）

第一条の四の七　法第五十九条の五第一項の政令で定める遺族年金は、同項の組合員が死亡したときに所属していた組合以外の組合から支給される法の規定による遺族年金（障害年金を受ける権利を有する者に係るもの及びその額が法附則第十四条の五（法附則第十七条の二及び附則第二十六条第一項において準用する場合を含む。）の規定により算定されるものを除く。）とする。

2　法第五十九条の五第一項の遺族年金に相当する年金として政令で定める年金は、次に掲げる年金とする。
一　厚生年金保険法第五十八条第一項第一号の規定による遺族年金（同法の規定による障害年金を受ける権利を有する者に係るものを除く。）
二　船員保険法第五十条第一項第一号の規定による遺族年金（同法の規定による障害年金を受ける権利を有する者に係るものを除く。）
三　国家公務員共済組合法第八十八条第二号の規定による遺族年金（同法の規定による障害年金を受ける権利を有する者に係るものを除く。）又は国の施行法第二十九条（国の施行法第四十一条第一項及び第四十二条第一項において準用する場合を含む。）若しくは第四十七条（国の施行法第四十八条の四において準用する場合を含む。）の規定による遺族年金（これらの遺族年金のうち、その額が国の施行法第三十二条の二（国の施行法第四十一条第一項及び第四十二条第一項において準用する場合を含む。）又は第四十七条の三（国の施行法第四十八条の四において準用する場合を含む。）の規定により算定されるものを除く。）
四　地方公務員等共済組合法第九十三条第二号の規定による遺族年金（同法第百四十四条の三第二項の規定により読み替えられた同号の規定によるもの及び同法（第九章の二を除く。）の規定による障害年金を受ける権利を有する者に係るものを除く。）若しくは同項の規定により読み替えられた同号の規定による遺族年金（同法第九章の二の規定による障害年金を受ける権利を有する者に係るものを除く。）又は地方の施行法第三十六条（地方の施行法第五十五条第一項において準用する場合を含む。）、第八十一条（地方の施行法第八十六条において準用する場合を含む。）、第百二条（地方の施行法第百六条において準用する場合を含む。）若しくは第百十八条（地方の施行法第百二十一条において準用する場合を含む。）の規定による遺族年金（これらの遺族年金のうち、その額が地方の施行法第四十条の二（地方の施行法第五十五条第一項において準用する場合を含む。）、第八十二条の二（地方の施行法第八十六条において準用する場合を含む。）、第百三条の二（地方の施行法第百六条において準用する場合を含む。）又は第百十九条の三（地方の施行法第百二十一条において準用する場合を含む。）の規定により算定されるものを除く。）
五　私学共済法第二十五条第一項において準用する国家公務員共済組合法第八十八条第二号の規定による遺族年金（私学共済法の規定による障害年金を受ける権利を有する者に係るものを除く。）又は昭和三十六年法律第百四十号附則第十四項（昭和三十六年法律第百四十号附則第十五項において準用する場合を含む。）において準用する国の施行法第二十九条の規定による遺族年金
六　農林漁業団体職員共済組合法第四十六条第一項第二号の規定による遺族年金（同法の規定による障害年金を受ける権利を有する者に係るものを除く。）

3　法第五十九条の五第二項の規定による申出は、次に掲げる事項を記載した書面に一の公的年金制度から法の規定による通算遺族年金又は当該通算遺族年金に相当する年金の支給を受ける権利を有することを証する当該管掌機関の証明書を添えて、これを組合に提出してするものとする。
一　申出をする者の氏名
二　組合員であつた者の氏名
三　法の規定による遺族年金と併せて法の規定による通算遺族年金又は当該通算遺族年金に相当する年金の支給を受けることを希望する旨

（脱退一時金に係る利子の利率）

第一条の四の八　法第六十一条の三第三項の利率は、年五・五パーセントとする。

（通算遺族年金の取扱い）

第一条の四の九　法の規定による通算遺族年金は、その支給を受けようとする遺族が同一の事由により一の公的年金制度から次項の遺族年金若しくは特例遺族年金又は第三項各号に掲げる年金の支給を受けない旨を明らかにしたときに限り、支給するものとする。

2　法第六十一条の四第一項ただし書の政令で定める遺族年金は、法第五十八条第一項の規定による遺族年金（組合員期間が

十年以上である者に係るもの及びその額が法第五十九条の五の規定により算定されるものを除く。）及び特例遺族年金とする。

3　法第六十一条の四第一項ただし書の遺族年金に相当する年金として政令で定める年金は、次に掲げる年金とする。

一　厚生年金保険法第五十八条第一項の規定による遺族年金（同項第一号に該当することにより支給されるものを除く。）

二　船員保険法第五十条第一項の規定による遺族年金（同項第一号に該当することにより支給されるものを除く。）

三　国家公務員共済組合法第八十八条第一号の規定による遺族年金、同条第三号の規定による遺族年金（同法の組合員期間が十年以上である者に係るもの及びその額が同法第九十二条の二の規定により算定されるものを除く。）及び同法第八十八条第四号の規定による遺族年金

四　地方公務員等共済組合法第九十三条第一号（同法第百四十四条の三第二項の規定により読み替えて適用する場合を含む。）の規定による遺族年金、同法第九十三条第三号の規定による遺族年金（同項の規定により読み替えられた同号の規定によるもの並びに同法の組合員期間が十年以上である者に係るもの及びその額が同法第九十七条の二の規定により算定されるものを除く。）、同項の規定により読み替えられた同号の規定による遺族年金（同法第百四十四条の三第四項に規定する団体組合員期間が十年以上である者に係るもの及びその額が同条第二項の規定により読み替えられた同法第九十七条の二の規定により算定されるものを除く。）及び同法第九十三条第四号（同項の規定により読み替えて適用する場合を含む。）の規定による遺族年金

五　私学共済法第二十五条第一項において準用する国家公務員共済組合法第八十八条第一号の規定による遺族年金、私学共済法第二十五条第一項において準用する国家公務員共済組合法第八十八条第三号の規定による遺族年金（私学共済法の組合員であつた期間が十年以上である者に係るもの及びその額が私学共済法第二十五条第一項において準用する国家公務員共済組合法第九十二条の二の規定により算定されるものを除く。）及び私学共済法第二十五条第一項において準用する国家公務員共済組合法第八十八条第四号の規定による遺族年金

六　農林漁業団体職員共済組合法第四十六条第一項第一号の規定による遺族年金、同項第三号の規定による遺族年金（同法の組合員期間が十年以上である者に係るもの及びその額が同法第四十六条の六の規定により算定されるものを除く。）及び同法第四十六条第一項第四号の規定による遺族年金

4　法第六十一条の四第一項ただし書の政令で定める法令の規定は、厚生年金保険法第六十四条並びに船員保険法第二十三条ノ七第一項及び第五十条ノ七の規定とする。

（継続長期組合員制度の対象とする公団等の範囲等）

第一条の五　法第八十二条の二第一項の政令で定める法人は、次の各号に掲げる公共企業体ごとに当該各号に定める法人とする。

一　日本国有鉄道　国際観光振興会、日本鉄道建設公団、新東京国際空港公団、本州四国連絡橋公団及び住宅・都市整備公団（住宅・都市整備公団法（昭和五十六年法律第四十八号）附則第七条第一項の規定により解散した旧宅地開発公団を含む。）

二　日本電信電話公社　宇宙開発事業団及び通信・放送衛星機構

2　法第八十二条の二第一項の政令で定める場合は、国家公務員共済組合法第七十二条第二項の規定の適用を受ける国家公務員となるため退職した場合及び公団等職員（法第八十二条の二第一項に規定する公団等職員をいう。以下同じ。）が公団等（同項に規定する公団等をいう。以下同じ。）の要請に応じてその職を退き、引き続いて職員である組合員となつた後退職し、引き続いて再び元の公団等の公団等職員となつた場合その他これに準ずる場合として運営規則で定める場合とする。

3　継続長期組合員（法第八十二条の二第二項に規定する継続長期組合員をいう。以下同じ。）が国家公務員、地方公務員又は公団等職員となるため退職した日以後再び元の組合の組合員となることなく同項第一号又は第二号に該当するに至つたときは、長期給付に関する規定の適用については、その該当するに至つた日に退職したものとみなす。

（任意継続組合員に対する短期給付の特例）

第一条の六　法第八十二条の三第一項の政令で定める規定は、法第四十六条の規定とする。

2　任意継続組合員（法第八十二条の三第二項に規定する任意継続組合員をいう。以下同じ。）に係る法第十七条第一項、第三十二条、第三十三条、第三十四条の二、第三十六条、第三十七条第二項（法第三十八条第二項において準用する場合を含む。）、第三十九条第一項若しくは第二項、第四十条第一項、第四十四条第一項、第四項若しくは第五項又は第四十五条第一項若しくは第三項の規定の適用については、法第十七条第一項中「給付事由が退職後に発生したものにあつては、退職した日）の属する月の掛金の標準となつた俸給、俸給に準ずるもの又は仮定俸給」とあるのは「（給付事由が任意継続組合員の資格を喪失した後に発生したものにあつては、任意継続組合員の資格を喪失した日の前日）の属する月につき払い込むべき任意継続掛金の標準となつた額（公共企業体職員等共済組合法施行令（昭和四十五年政令第三十一号）第一条の七第一項の規定により任意継続掛金の標準となつた額をいう。）に相当するもの」と、法第三十二条第一項中「業務によらないで病気にかかり、又は負傷した」とあるのは「業務によらない病気又は負傷（任意継続組合員となつた後における病気及び負傷を含む。）をした」と、法第三十六条第一項中「退職した」とあるのは「任意継続組合員の資格を喪失した」と、同条第二項中「退職」とあるのは「任意継続組合員の資格の喪失」と、法第三十七条第二項（法第三十八条第二項において準用する場合を含む。）中「その資格」とあるのは「任意継続組合員の資格」と、法第三十九条第一項中「業務によらないで死亡した」とあるのは「業務によらない死亡（任意継続組合員となつた後における死亡を含む。）をした」と、法第四十四条第一項中「業務によらないで病気にかかり、又は負傷し」とあるのは「業務によらない病気又は負傷（任意継続組合員となつた後における病気及び負傷を含む。）をし」と、「勤務」とあるのは「労務」と、同条第四項中「勤務」とあるのは「労務」と、同条第五項中「退職した」とあるのは「任意継続組合員の資格を喪失した」と、「退職しなかつた」とあるのは「任意継続組合員の資格を喪失しなかつた」と、法第四十五条第一項中「勤務」とあるのは「労

務」と、同条第三項中「その資格」とあるのは「任意継続組合員の資格」とする。この場合において、法第三十二条第一項、第三十三条第二項、第三十四条の二、第三十九条第一項若しくは第二項、第四十条第一項又は第四十四条第一項の規定による給付は、同一の病気、負傷又は死亡に関し、労働基準法（昭和二十二年法律第四十九号）、労働者災害補償保険法（昭和二十二年法律第五十号）その他これらに類する法令の規定によりこれらの給付に相当する補償又は給付が行われるときは、行わない。

（任意継続掛金）

第一条の七　任意継続掛金（法第八十二条の三第二項に規定する任意継続掛金をいう。以下同じ。）は、次の各号に掲げる額のうちいずれか少ない額を標準として算定するものとする。ただし、組合員期間、退職時の年齢その他これらに準ずる事項につき主務大臣が定める要件を備える任意継続組合員については、第一号に掲げる額からその額に主務大臣の定める割合の範囲内において運営規則で定める割合を乗じて得た額を控除した額をもつて、同号の額とすることができる。

一　任意継続組合員の退職時の俸給の額

二　任意継続組合員につき任意継続掛金を払い込むべき月の属する年（当該月が一月から三月までの場合には、前年）の一月一日における当該任意継続組合員の属する組合の全組合員の掛金の標準となつた俸給の合計額を当該組合の組合員の総数で除して得た額

2　法第六十四条第三項の規定は、任意継続掛金について準用する。

（任意継続組合員に係る費用負担の特例）

第一条の八　任意継続組合員に係る法第六十六条第一項第一号及び第三号に規定する費用については、同条の規定は適用しないものとする。

（運営審議会の委員の任命の特例を適用する期間）

第一条の八の二　法附則第三条の二の政令で定める日は、昭和五十九年六月三十日とする。

（外地官署所属職員であつた者の組合員期間の計算の特例）

第一条の九　法附則第五条第一項第四号の政令で定める要件は、次項に規定する外地官署所属職員（外地官署所属職員の身分に関する件（昭和二十一年勅令第二百八十七号）第一項に規定する外地にある官署所属の職員をいう。以下この条において同じ。）として在職していた者で法の施行の日（以下「施行日」という。）の前日まで引き続き職員であつたものの当該外地官署所属職員としての在職期間及びその在職期間の前に引き続く期間であることその他これに準ずる特別の事情があるものとして運営規則で定める期間であることとする。

2　法附則第五条第二項第二号の政令で定める要件は、外地官署所属職員で第一号及び第二号に該当するものであることとする。

一　当該外地官署所属職員としての在職期間の前に引き続く期間において、法附則第五条第二項第一号に掲げる者（同号に掲げる者以外の国家公務員（国家公務員法（昭和二十二年法律第百二十号）の施行前における国家公務員に相当するものを含む。以下この項において同じ。）で当該国家公務員であつた期間の前に引き続く期間において同号に掲げる者であつたものを含む。）であつた者

二　当該外地官署所属職員として昭和二十年八月十四日まで引き続き在職し、その後他に就職することなく三年を経過する日の前日までの間に職員（法附則第五条第二項第一号に掲げる者以外の国家公務員で当該国家公務員であつた期間の後に引き続く期間において職員であつた者を含む。）となつた者

（外国政府職員等であつた者の組合員期間の計算の特例）

第一条の十　法附則第五条第一項第五号の政令で定める期間は、三年とする。

2　法附則第五条第一項第五号の政令で定める者は、次の各号に掲げる者とする。

一　恩給法の一部を改正する法律（昭和二十八年法律第百五十五号）附則第四十二条第一項に規定する外国政府又は同法附則第四十三条に規定する法人の職員（臨時に使用された者及び常時勤務に服しなかつた者を除く。以下この項において「外国政府又は法人の職員」という。）として在職していた者で、その職務に起因する負傷又は疾病のため退職し、その後他に就職することなく昭和二十三年八月七日（昭和二十年八月八日後引き続き海外にあつた未帰還者（未帰還者留守家族等援護法（昭和二十八年法律第百六十一号）第二条に規定する未帰還者をいう。次号において同じ。）にあつては、その帰国後他に就職することなく三年を経過する日の前日）までの間に職員となり、かつ、施行日の前日まで引き続き職員であつたもの

二　外国政府又は法人の職員として在職していた者で、その後引き続き職員となり、更に引き続いて外国政府又は法人の職員となつたものでその後他に就職することなく三年を経過する日の前日（昭和二十年八月八日後引き続き海外にあつた未帰還者にあつては、その帰国後他に就職することなく三年を経過する日の前日。次号において同じ。）までの間に職員となり、かつ、施行日の前日まで引き続き職員であつたもの

三　外国政府又は法人の職員として在職していた者で、その後引き続き職員となり、更に引き続いて外国政府又は法人の職員となつたもので、任命権者又はその委任を受けた者の要請に応じ法附則第五条第一項第五号に規定する関与法人等の職員となるため退職し、当該関与法人等の職員として昭和二十年八月八日まで引き続き在職し、その後他に就職することなく三年を経過する日の前日までの間に職員となり、かつ、施行日の前日まで引き続き職員であつたもの

（控除期間等の期間を有する更新組合員に係る障害年金の年額から控除する額）

第一条の十一　法附則第六条の三第四項の政令で定める額は、十年を超える組合員期間を有する者については、法第五十五条第三項の規定により算定した障害年金の年額を組合員期間の年数で除して得た額の百分の四十五に相当する額に法附則第六条の三第一項に規定する控除期間等の期間の年数（その年数が組合員期間の年数から十年を控除した年数を超えるときは、その控除した年数）を乗じて得た額とする。

（特例死亡一時金に係る利子の利率）

第一条の十一の二　法附則第八条第三項の利率は、年五・五パーセントとする。

（外国政府等の職員であつた者の年金受給資格に関する特例）

第一条の十二　法附則第十一条第一項第七号の政令で定める者

は、同号に規定する外国政府等の職員としての職務に起因する負傷又は疾病のため、当該外国政府等の職員として昭和二十年八月八日まで引き続き在職することができなかつた者とする。

2　法附則第十一条第一項第七号の政令で定める期間は、同号に規定する者（前項の規定に該当する者を除く。）の昭和二十年八月八日まで、職員となつた日まで又は同号に規定する政府関与法人等の職員となつた日まで引き続いていない外国政府等の職員としての在職期間及び前項の規定に該当する者の外国政府等の職員としての職務に起因する負傷又は疾病以外の理由により当該外国政府等を退職した場合のその退職に係る外国政府等の職員としての在職期間とする。

（法附則第十四条の二第一項の普通恩給の受給者の範囲等）

第二条　法附則第四条第二項に規定する更新組合員（法附則第二十六条第一項に規定する転入組合員及び更新組合員又は転入組合員であつた者で再び元の共済組合の組合員となつたものを含む。以下「更新組合員等」という。）が退職した場合において、法附則第四条第三項本文（転入組合員又は転入組合員であつた者で再び元の共済組合の組合員となつたものにあつては、国の施行法第五条第二項本文。以下同じ。）の規定を適用しないとしたならば普通恩給（法附則第十条に規定する普通恩給をいう。以下同じ。）を受ける権利を有することとなるときは、当該更新組合員等は、法附則第十四条の二（法附則第十七条の二及び附則第二十六条第一項において準用する場合を含む。）の規定の適用については、施行日（転入組合員又は転入組合員であつた者で再び元の共済組合の組合員となつたものにあつては、法附則第二十六条第一項の転入の日）の前日において既に普通恩給を受ける権利を有する者であつたものとみなす。

2　法附則第十四条の二第一項（法附則第十七条の二及び附則第二十六条第一項において準用する場合を含む。）に規定する普通恩給の年額は、法附則第十四条の二第三項（法附則第十七条の二及び附則第二十六条第一項において準用する場合を含む。）の規定によるほか、当該更新組合員等が退職した時における恩給に関する法令の規定の例により算定するものとする。

（更新組合員等に係る遺族年金の支給を受ける者等が五十五歳に達した場合の年金額の改定）

第三条　更新組合員等又は更新組合員等であつた者に係る遺族年金の支給を受ける者等が五十五歳に達した場合において、法附則第六条第五項（法附則第十七条の二及び附則第二十六条第一項において準用する場合を含む。）の規定を適用したならばその者が受ける当該年金の年額が増加することとなるときは、その達した日の属する月の翌月分から当該年金の年額をその額に改定する。

2　前項の規定は、更新組合員等であつた者が五十五歳に達した場合における法附則第十四条の二（法附則第十七条の二及び附則第二十六条第一項において準用する場合を含む。）の規定の適用に係る退職年金又は減額退職年金の年額の改定について準用する。

（遺族一時金の支給と遺族年金の支給との調整）

第三条の二　法附則第七条の二第四項に規定する場合においては、法第五十八条第一項の規定による遺族年金を支給する際に、その支給期月に支給すべき当該遺族年金の額から法附則第七条の二第一項の規定により支給される遺族一時金に相当する金額を控除し、その金額がその支給期月に支給すべき当該遺族年金の額をこえるときは、その残額を順次次の支給期月に支給すべき当該遺族年金の額から控除することにより、当該遺族一時金の支給と当該遺族年金の支給とを調整する。

（退職年金受給者の課税総所得金額の調査）

第三条の三　組合は、毎年、法附則第五条第一項第一号の期間を基礎とする退職年金で法附則第十四条の四第一項各号に掲げる金額を基礎として同項の規定を適用するとしたならばその支給を停止すべきこととなると認められるものを受ける権利を有する者（その前年に退職した者を除く。）について、その氏名及び住所その他必要な事項を記載した書面により、その者の納税地の所轄税務署長に対し、その前年分の同項に規定する課税総所得金額の調査を依頼するものとする。

2　税務署長は、前項の依頼に基づき、その依頼に係る者の同項に規定する課税総所得金額を調査し、これを組合に通知するものとする。

（増加恩給の受給権者等に係る遺族年金の年額）

第四条　法附則第十四条の五（法附則第十七条の二及び附則第二十六条第一項において準用する場合を含む。）の政令で定める年額は、次の各号に掲げる額のうちいずれか多い額とする。

一　法附則第十三条第二項（法附則第十七条の二及び附則第二十六条第一項において準用する場合を含む。）の規定による遺族年金にあつてはイに掲げる額、その他の遺族年金にあつてはロに掲げる額

イ　法附則第十四条の二第一項の規定の例により算定した額の二分の一に相当する額（遺族年金を受ける者が法第五十九条第一項各号の一に該当する場合にあつては、その額に同条の規定の例により同項各号に掲げる額を加算した額）又は五十三万七千六百円のうちいずれか多い額

ロ　法第五十八条第二項の規定又は法附則第六条第四項、附則第六条の二第五項若しくは第六項若しくは附則第六条の三第二項の規定（これらの規定を法附則第十七条の二及び附則第二十六条第一項において準用する場合を含む。）、法附則第六条の四第二項（法附則第二十六条第一項において準用する場合を含む。）の規定若しくは法附則第六条の七（法附則第十七条の二及び附則第二十六条第一項において準用する場合を含む。）において準用する法第五十九条及び第五十九条の二の規定により算定した額

二　次に掲げる額の合算額

イ　当該遺族年金に係る更新組合員等又は更新組合員等であつた者の組合員期間のうち、法附則第五条第一項第一号の期間を除いた期間を当該遺族年金に係る更新組合員等又は更新組合員等であつた者の組合員期間とみなして法（第五十九条の三、附則第十条及び附則第十四条の二の規定を除く。）の規定を適用したならば当該遺族が受けることとなる遺族年金の年額（当該遺族が遺族年金を受けることとならないときは、法附則第十四条第一項の規定の例により算定した額の二分の一に相当する額（遺族年金を受ける者が法第五十九条第一項各号の一に該当する場合にあつては、その額に同条の規定の例により同項各号に掲げる額を加算した額）又は五十三万七千六百円のうちいずれか多い額）

ロ　法附則第四条第三項本文の規定を適用しないとしたならば当該遺族が受ける権利を有することとなる恩給法第七十

五条第一項第二号又は第三号の規定による扶助料の額（その額について恩給法等の一部を改正する法律附則第十四条第二項の規定の適用がある場合には、その額から同項の規定により加算されることとなる額に相当する額を控除した額）

（減額退職年金の支給開始年齢等の特例の適用を受ける者の範囲）

第四条の二　法附則第十六条の二の政令で定める者は、次に掲げる者とする。

一　その者の非違によることなく勧奨を受けて退職した者

二　定員の減少若しくは組織の改廃又は勤務公署の移転により退職した者

2　法附則第十六条の三第二項の政令で定める者は、前項各号に掲げる者とする。

（特例障害年金の取扱い）

第四条の二の二　法の規定による特例障害年金（以下「特例障害年金」という。）は、継続長期組合員であつた者が、継続長期組合員であつた間に、国、地方公共団体若しくは公団等の業務又は通勤（法第十六条の二に規定する通勤をいう。以下同じ。）により病気にかかり、又は負傷し、その病気又は負傷及びこれらにより生じた病気（以下「傷病」という。）のため、法別表第四に掲げる程度の障害の状態になつたものであることを組合が認定したときに限り、支給するものとする。

2　組合は、前項の認定を行うに当たつては、国家公務員災害補償法（昭和二十六年法律第百九十一号）に規定する実施機関その他の業務上の災害に対する補償の実施機関の意見を聴かなければならない。

（特例障害年金の年額）

第四条の三　国家公務員又は地方公務員である継続長期組合員であつた間の傷病に係る特例障害年金の年額は、国又は地方公共団体の業務による傷病に係る特例障害年金を国家公務員共済組合法又は地方公務員等共済組合法（以下「国家公務員共済組合法等」という。）の規定による公務による障害年金と、通勤による傷病に係る特例障害年金を国家公務員共済組合法等の規定による公務によらない障害年金と、組合員期間を国家公務員共済組合法等の規定による組合員期間と、俸給年額を国家公務員共済組合法等の規定による俸給年額又は給料年額とみなし、国家公務員共済組合法第八十二条、第八十二条の二、第八十四条及び第八十六条の二第二項の規定並びに国の施行法第二十四条及び別表第一の規定又は地方公務員等共済組合法第八十七条、第八十七条の二、第八十九条及び第九十一条の二第二項の規定並びに地方の施行法第二十九条及び別表第二の規定の例により算定した額とする。

2　公団等職員である継続長期組合員であつた間の傷病に係る特例障害年金の年額は、特例障害年金を厚生年金保険法の規定による障害年金と、組合員期間を同法の規定による被保険者期間と、俸給を同法の規定による平均標準報酬月額とみなし、同法第三十四条第一項から第三項まで及び第五項並びに第五十条第一項の規定並びに同法第五十一条第二項において準用する同法第四十四条の規定の例により算定した額とする。

（特例遺族年金の取扱い）

第四条の四　特例遺族年金は、継続長期組合員又は継続長期組合員であつた者が、継続長期組合員である間に、国又は地方公共団体の業務により病気にかかり、又は負傷し、その傷病により死亡したものであることを組合が認定したときに限り、支給するものとする。

2　第四条の二の二第二項の規定は、前項の認定について準用する。

（特例遺族年金の年額）

第四条の五　特例遺族年金の年額は、特例遺族年金を国家公務員共済組合法第八十八条第一号又は地方公務員等共済組合法第九十三条第一号の規定による遺族年金と、組合員期間を国家公務員共済組合法等の規定による組合員期間と、俸給年額を国家公務員共済組合法等の規定による俸給年額又は給料年額とみなし、国家公務員共済組合法第八十八条第一号、第八十八条の二第一号及び第八十八条の三から第八十八条の六までの規定並びに国の施行法第三十三条の規定又は地方公務員等共済組合法第九十三条第一号、第九十三条の二第一号及び第九十三条の三から第九十三条の六までの規定並びに地方の施行法第四十一条の規定の例により算定した額とする。

（特例障害年金及び特例遺族年金の費用の負担）

第四条の六　特例障害年金のうち国家公務員共済組合法第八十一条第一項第一号又は地方公務員等共済組合法第八十六条第一項第一号の規定による障害年金に相当するもの及び特例遺族年金の給付に要する費用については、国家公務員共済組合法第九十九条第二項第三号並びに第百二条第一項本文及び第二項又は地方公務員等共済組合法第百十三条第二項第三号及び第百十六条の規定の例による。

（特例障害年金及び特例遺族年金の支給の停止）

第四条の七　特例障害年金で、国又は地方公共団体の業務による傷病に係るものについては、当該特例障害年金を国家公務員共済組合法等の規定による公務による障害年金と、俸給年額を国家公務員共済組合法等の規定による俸給年額又は給料年額とみなし、国家公務員共済組合法第八十六条第一項又は地方公務員等共済組合法第九十一条第一項の規定を適用するとしたならば、当該特例障害年金の一部の支給が停止されることとなるときは、その支給が停止される間、その額に相当する額の支給を停止する。

2　特例障害年金で、国家公務員又は地方公務員である間の通勤による傷病に係るものについては、当該特例障害年金を国家公務員共済組合法等の規定による公務によらない障害年金と、組合員期間を国家公務員共済組合法等の規定による組合員期間と、俸給年額を国家公務員共済組合法等の規定による俸給年額又は給料年額とみなし、国家公務員共済組合法第八十六条の二第一項又は地方公務員等共済組合法第九十一条の二第一項の規定を適用するとしたならば、当該特例障害年金の一部の支給が停止されることとなるときは、その支給が停止される間、その額に相当する額の支給を停止する。

3　特例障害年金で、公団等職員である継続長期組合員であつた間の傷病に係るものについては、当該特例障害年金を厚生年金保険法の規定による障害年金とみなし、同法第五十四条第一項の規定を適用するとしたならば、当該特例障害年金の支給が停止されることとなるときは、その支給が停止される間、その支給を停止する。

4　特例遺族年金は、特例遺族年金を国家公務員共済組合法第八

十八条第一号又は地方公務員等共済組合法第九十三条第一号の規定による遺族年金と、俸給年額を国家公務員共済組合法等の規定による俸給年額又は給料年額とみなし、国家公務員共済組合法第九十二条第一項又は地方公務員等共済組合法第九十七条第一項の規定を適用するとしたならば、特例遺族年金の一部の支給が停止されることとなるときは、その支給が停止される間、その額に相当する額の支給を停止する。

（他の法令の規定の適用）

第四条の八　特例障害年金のうち第四条の三第二項の規定によりその額が算定されるものは、労働者災害補償保険法第十四条第三項（同法第二十二条の二第二項において準用する場合を含む。）及び別表第一第一号（同法第二十二条の三第三項及び第二十二条の六第二項において準用する場合を含む。）の規定並びに労働者災害補償保険法施行令（昭和五十二年政令第三十三号）第一条から第三条までの規定の適用については厚生年金保険法の規定による障害年金と、同法第五十四条の二の規定及び船員保険法第四十四条ノ二の規定の適用については法の規定による障害年金とみなす。

2　特例遺族年金は、厚生年金保険法第六十五条、第六十八条の二及び第六十八条の五の規定、厚生年金保険法施行令（昭和二十九年政令第百十号）第三条の三、第三条の四及び第三条の六の規定、船員保険法第五十条ノ六、第五十条ノ七ノ二及び第五十条ノ八ノ四の規定、船員保険法施行令（昭和二十八年政令第二百四十号）第四条の三、第四条の四及び第四条の六の規定、地方公務員等共済組合法施行令（昭和三十七年政令第三百五十二号）第五十四条及び第五十五条の規定、私立学校教職員共済組合法施行令（昭和二十八年政令第四百二十五号）第十条の十五の規定及び同令第十条の十七において準用する国家公務員共済組合法施行令（昭和三十三年政令第二百七号）第十一条の七の四の規定並びに農林漁業団体職員等共済組合法施行令（昭和三十三年政令第二百二十八号）第二条の三及び第二条の五の規定の適用については国家公務員共済組合法第八十八条第一号の規定による遺族年金と、国家公務員共済組合法施行令第十一条の七の四の規定及び地方公務員等共済組合法施行令第二十六条の二の規定の適用については法の規定による遺族年金とみなす。

（法又は恩給に関する法令が改正された場合における退職年金等の支給等）

第五条　法又は恩給に関する法令が改正された場合において、法の規定による退職年金、障害年金又は遺族年金の支給の基礎となる期間について、改正後の法又は恩給に関する法令の規定を適用したならば、その期間に算入すべき期間が生ずることにより新たに退職年金又は遺族年金を支給すべきこととなるときは、当該改正後の法又は恩給に関する法令が適用されることとなる日の属する月の分（当該恩給に関する法令の改正に係る規定による恩給の支給が他の月の分以後開始されるときは、当該他の月の分）から法の規定によりこれらの年金を支給し、その期間に算入すべき期間が生ずることにより退職年金、減額退職年金、障害年金又は遺族年金の年額が増加することとなるときは、同月分以後当該年金の年額をその額に改定する。

2　法附則第十六条第三項の規定は、前項に規定する退職年金又は遺族年金を支給すべきこととなる場合について準用する。

3　第一項の場合における共済組合の追加費用については、法の規定による退職年金、減額退職年金、障害年金又は遺族年金の支給の基礎となる期間に算入される期間が法の施行日前であるときは、法附則第三十条の規定の適用があるものとする。

第六条　恩給に関する法令が改正された場合において、法の規定による退職年金、障害年金又は遺族年金の支給の基礎となる期間について、改正後の恩給に関する法令の規定を適用したならば、その期間から除算すべき期間が生ずることにより退職年金、減額退職年金、障害年金又は遺族年金の年額が減少することとなるときは、当該改正後の恩給に関する法令が適用されることとなる日（以下「適用日」という。）の属する月の分（当該恩給に関する法令の改正に係る規定による恩給の支給が他の月の分以後開始されるときは、当該他の月の分）から当該年金の年額をその額に改定し、その期間から除算した残りの期間が当該年金たる給付の基礎となるべき期間に満たないこととなるときは、適用日以後当該年金を受ける権利は消滅するものとする。ただし、法附則第二十七条の二の規定による申出があったときは、当該年金の額を改定せず、又は当該年金を受ける権利は消滅しないものとする。

第七条　恩給に関する法令が改正された場合において、法附則第二十七条の二の規定による申出をした者について、当該申出により新たに退職年金又は遺族年金を支給すべきこととなるときは、改正後の恩給に関する法令が適用されることとなる日の属する月の分（当該恩給に関する法令の改正に係る規定による恩給の支給が他の月の分以後開始されるときは、当該他の月の分）から法の規定によりこれらの年金を支給し、当該申出により退職年金、減額退職年金、障害年金又は遺族年金の年額が増加することとなるときは、同月分以後当該年金の年額をその額に改定する。

2　法附則第十六条第三項の規定は、前項に規定する退職年金又は遺族年金を支給すべきこととなる場合について準用する。

3　第五条第三項の規定は、第一項の場合における共済組合の追加費用について準用する。

（恩給公務員期間の取扱いに関する裁定庁への申出の手続）

第八条　法附則第二十七条の二の規定による申出の手続に関し必要な事項は、総理府令で定める。

（長期給付に要する費用の負担の特例）

第九条　法附則第三十条の二第一項の規定により公共企業体が負担する金額は、同項に規定する長期給付に要する費用の百分の一に相当する金額とする。

2　公共企業体は、法附則第三十条の二第一項の規定により負担すべき金額を、毎月末日までに組合に払い込まなければならない。

附　則

この政令は、昭和四十五年四月一日から施行する。

○〔旧〕通算年金通則法

昭三六・一一・一
法 一八一

注 この法律は、昭和六〇年法律第三四号において廃止されたが、利用の便宜を図るため、本年版ではその全文を収録した。

（この法律の趣旨）

第一条 この法律は、各公的年金制度が支給する通算老齢年金又は通算退職年金に関して通則的事項を定めるものとする。

（通算老齢年金及び通算退職年金）

第二条 この法律において、「通算老齢年金」又は「通算退職年金」とは、各公的年金制度が、当該制度の被保険者又は組合員であつた者で、当該制度において定める老齢年金又は退職年金の支給要件を満たしていないが、各公的年金制度に係る通算対象期間を合算して一定の要件に該当するか、他の公的年金制度に係る通算対象期間が、当該制度において定める老齢・退職年金給付を受けるに必要な資格期間に相当する期間以上であるか、又は他の制度における老齢・退職年金給付を受けることができるものに対して、老齢又は退職を支給事由として行なう年金たる給付をいう。

（公的年金各法又は公的年金制度）

第三条 この法律において、「公的年金各法」とは、次の各号に掲げる法律をいい、「公的年金制度」とは、これらの法律に定める年金制度をいう。これらの法律において「公的年金各法」又は「公的年金制度」というときも、同様とする。

一 国民年金法（昭和三十四年法律第百四十一号）（第十章を除く。）
二 厚生年金保険法（昭和二十九年法律第百十五号）（第九章を除く。）
三 船員保険法（昭和十四年法律第七十三号）
四 国家公務員等共済組合法（昭和三十三年法律第百二十八号）
五 地方公務員等共済組合法（昭和三十七年法律第百五十二号）（第十一章を除く。）
六 私立学校教職員共済組合法（昭和二十八年法律第二百四十五号）
七 農林漁業団体職員共済組合法（昭和三十三年法律第九十九号）

（通算対象期間）

第四条 この法律及び公的年金各法において、「通算対象期間」とは、次の各号に掲げる期間（法令の規定により当該公的年金制度の被保険者又は組合員であつた期間とみなされる期間に係るもの及び法令の規定により当該各号に掲げる期間に算入される期間を含む。）で、当該公的年金制度において定める老齢又は退職を支給事由とする給付の支給要件たる期間の計算の基礎となるものをいう。ただし、第四号から第七号までに掲げる期間については、組合員又は農林漁業団体職員共済組合の任意継続組合員が退職し又はその資格を喪失した場合におけるその退職又は資格喪失の日まで引き続く組合員期間又は組合員若しくは農林漁業団体職員共済組合の任意継続組合員であつた期間で、一年に達しないものを除く。

一 国民年金の保険料納付済期間又は保険料免除期間
二 厚生年金保険の被保険者期間
三 船員保険の被保険者であつた期間
四 国家公務員等共済組合の組合員期間
五 地方公務員共済組合の組合員期間
六 私立学校教職員共済組合の組合員であつた期間
七 農林漁業団体職員共済組合の組合員又は任意継続組合員であつた期間

2 次の各号のいずれかに該当したため国民年金法第七条第二項の規定により国民年金の被保険者とされなかつた期間（同法附則第六条の規定により国民年金の被保険者となつた期間を除く。）がある者については、前項の規定にかかわらず、その被保険者とされなかつた期間もまた、通算対象期間とする。

一 国民年金以外の公的年金制度の被保険者又は組合員（農林漁業団体職員共済組合の任意継続組合員及び厚生年金保険法附則第二十八条に規定する共済組合の組合員を含む。）の配偶者（婚姻の届出をしていないが、事実上婚姻関係と同様の事情にある者を含む。以下同じ。）
二 次に掲げる年金たる給付のうち老齢又は退職を支給事由とする給付を受けることができる者の配偶者
イ 国民年金法以外の公的年金各法（国家公務員等共済組合法の長期給付に関する施行法（昭和三十三年法律第百二十九号）及び地方公務員等共済組合法の長期給付等に関する施行法（昭和三十七年法律第百五十三号）を含む。以下同じ。）に基づく年金たる給付。ただし、通算老齢年金及び通算退職年金を除く。
ロ 恩給法（大正十二年法律第四十八号。他の法律において準用する場合を含む。）に基づく年金たる給付
ハ 地方公務員の退職年金に関する条例に基づく年金たる給付。ただし、通算退職年金を除く。
ニ 厚生年金保険法附則第二十八条に規定する共済組合が支給する年金たる給付
ホ 執行官法（昭和四十一年法律第百十一号）附則第十三条の規定に基づく年金たる給付
ヘ 旧令による共済組合等からの年金受給者のための特別措置法（昭和二十五年法律第二百五十六号）に基づいて国家公務員等共済組合連合会が支給する年金たる給付
三 前号に規定する給付の受給資格要件たる期間を満たしている者の配偶者
四 第二号イからヘまでに掲げる年金たる給付のうち障害を支給事由とする給付又は戦傷病者戦没者遺族等援護法（昭和二十七年法律第百二十七号）に基づく障害年金を受けることができる者及びその配偶者
五 第二号イからヘまでに掲げる年金たる給付のうち死亡を支給事由とする給付（通算遺族年金を除く。）又は戦傷病者戦没者遺族等援護法に基づく遺族年金（遺族給与金を含む。）を受けることができる者
六 未帰還者留守家族等援護法（昭和二十八年法律第百六十一号）に基づく留守家族手当又は特別手当（同法附則第四十五項に規定する手当を含む。）を受けることができる者

（老齢・退職年金給付）

第五条 この法律及び公的年金各法において、「老齢・退職年金給付」とは、次に掲げる年金たる給付のうち、老齢又は退職を

支給事由とする給付をいう。
一　公的年金各法に基づく年金たる給付。ただし、通算老齢年金及び通算退職年金並びに国民年金法第七十八条第一項の規定によつて支給される老齢年金及び同法による老齢福祉年金を除く。
二　前条第二項第二号ロからヘまでに掲げる年金たる給付

（期間の計算）
第六条　通算老齢年金又は通算退職年金の支給に関し、第四条第一項第三号の通算対象期間を計算する場合には、船員保険法の規定によつて計算した期間に三分の四を乗じて得た期間によるものとし、同条第二項の通算対象期間を計算する場合には、その計算は、国民年金の被保険者期間の計算の例によるものとする。
2　通算老齢年金又は通算退職年金の支給に関し、二以上の通算対象期間を合算する場合には、一年に満たない期間（船員保険の被保険者であつた期間にあつては、前項の規定による乗算を行なわないで計算して一年に満たない期間とする。）は、算入しない。ただし、国民年金の保険料納付済期間と保険料免除期間とを合算する場合において、合算して一年以上となるときは、そのいずれか一方又は双方が一年に満たない場合においても、その一年に満たない保険料納付済期間又は保険料免除期間については、この限りでない。
3　通算老齢年金又は通算退職年金の支給に関し、二以上の通算対象期間を合算する場合において、同一の月が同時に二以上の通算対象期間の計算の基礎となつているときは、その月は、当該通算老齢年金又は通算退職年金の支給に関し最も有利となる一の期間についてのみ、その計算の基礎とする。

（通算対象期間の確認等）
第七条　一の公的年金制度において他の公的年金制度に係る通算対象期間に基づいて通算老齢年金又は通算退職年金を支給すべき場合には、当該通算対象期間については、当該他の公的年金制度における政府、組合その他の管掌機関（第四条第二項の通算対象期間については、国民年金の管掌者たる政府とし、以下単に「管掌機関」という。）の確認したところによる。
2　管掌機関は、前項の規定による確認を行なつたときは、これを当該被保険者若しくは組合員又は被保険者若しくは組合員であつた者に通知しなければならない。
3　被保険者若しくは組合員又は被保険者若しくは組合員であつた者は、通算老齢年金又は通算退職年金を請求するため必要があるときは、当該管掌機関に対し、第一項の規定による確認を請求することができる。
4　第一項の規定による確認に関する処分に不服がある者は、公的年金各法の定めるところにより、当該公的年金各法に定める審査機関に審査を請求することができるものとする。

第八条　一の公的年金制度において他の制度から老齢・退職年金給付を受けることができることを要件として通算老齢年金又は通算退職年金を支給すべき場合には、その支給は、当該老齢・退職年金給付を受ける権利についての裁定又は支給決定をまつて行なう。

（通算老齢年金又は通算退職年金に関する処分についての不服の理由の制限）
第九条　一の公的年金制度において他の公的年金制度に係る通算対象期間に基づいて通算老齢年金又は通算退職年金を支給すべき場合には、当該通算対象期間に係る第七条第一項の規定による確認に関する処分についての不服を、当該通算老齢年金又は通算退職年金に関する処分についての不服の理由とすることができない。
2　前項の規定は、一の公的年金制度において他の制度から老齢・退職年金給付を受けることができることを要件として通算老齢年金又は通算退職年金を支給すべき場合に準用する。この場合において、同項中「当該通算対象期間に係る第七条第一項の規定による確認に関する処分」とあるのは、「当該老齢・退職年金給付に関する処分」と読み替えるものとする。

（通算老齢年金又は通算退職年金の支払期月）
第十条　通算老齢年金又は通算退職年金は、公的年金各法の規定にかかわらず、毎年六月及び十二月の二期に、それぞれ前月までの分を支払う。ただし、前支払期月に支払うべきであつた年金又は権利が消滅した場合若しくは年金の支給を停止した場合におけるその期の年金は、その支払期月でない月においても、支払うものとする。

（未支給の通算老齢年金又は通算退職年金）
第十一条　通算老齢年金又は通算退職年金の受給権者が死亡した場合において、その死亡した者に支給すべき年金でまだその者に支給しなかつたものがあるときは、公的年金各法の規定にかかわらず、その者の配偶者、子、父母、孫、祖父母又は兄弟姉妹であつて、その者の死亡の当時その者と生計を同じくしていたものは、自己の名で、その未支給の年金の支給を請求することができる。
2　前項の場合において、死亡した受給権者が死亡前にその年金を請求していなかつたときは、同項に規定する者は、自己の名で、その年金を請求することができる。
3　未支給の通算老齢年金又は通算退職年金を受けるべき者の順位は、第一項に規定する順序による。
4　未支給の通算老齢年金又は通算退職年金を受けるべき同順位者が二人以上あるときは、その一人のした請求は、全員のためその全額につきしたものとみなし、その一人に対してした支給は、全員に対してしたものとみなす。

（時効）
第十二条　通算老齢年金又は通算退職年金を受ける権利の消滅時効は、公的年金各法の規定にかかわらず、受給権者が公的年金制度の被保険者又は組合員若しくは農林漁業団体職員共済組合の任意継続組合員である期間は、進行しない。

（支払）
第十三条　通算老齢年金又は通算退職年金の支払に関する事務は、公的年金各法の規定にかかわらず、政令の定めるところにより、政令で定める者に行なわせることができる。

附　則

（施行期日）
第一条　この法律は、公布の日から施行し、昭和三十六年四月一日から適用する。

（通算対象期間に関する経過措置）
第二条　昭和三十六年四月一日において現に国民年金以外の公的年金制度の被保険者又は組合員若しくは農林漁業団体職員共済組合の任意継続組合員でなかつた者については、その者の同日前の厚生年金保険の被保険者期間（法令の規定により厚生年金保険の被保険者であつた期間とみなされる期間に係るものを含む。）又は船員保険の被保険者であつた期間は、第四条第一項の規定にかかわらず、通算対象期間としない。ただし、その者が同日以後国民年金以外の公的年金制度の被保険者若しくは組合員となり、又は国民年金の保険料納付済期間若しくは保険料免除期間を有するに至つたときは、この限りでない。

２　昭和三十六年四月一日前の第四条第一項第四号及び第六号から第八号までに掲げる期間（法令の規定により当該組合の組合員であつた期間とみなされる期間に係るもの及び法令の規定により当該各号に掲げる期間に算入される期間を含む。）のうち、同日において同項第四号及び第六号から第八号までに規定する組合の組合員又は農林漁業団体職員共済組合の任意継続組合員であつた者の同日まで引き続く当該組合の組合員期間又は組合員若しくは農林漁業団体職員共済組合の任意継続組合員であつた期間（法令の規定により当該組合の組合員であつた期間とみなされる期間に係るもの及び法令の規定によりこの期間に算入される期間を含む。）以外のものは、同項の規定にかかわらず、通算対象期間としない。

３　昭和三十六年四月一日前の第四条第二項に規定する期間及び明治四十四年四月一日以前に生まれた者（昭和三十六年四月一日において五十歳をこえる者）の同項に規定する期間は、同項の規定にかかわらず、通算対象期間としない。

４　地方公務員等共済組合法の長期給付等に関する施行法第七条の規定により第四条第一項第五号に掲げる期間に算入された期間のうち、昭和三十六年四月一日前の期間は、同項の規定にかかわらず、通算対象期間としない。

５　地方公務員等共済組合法の長期給付等に関する施行法第百三十二条の十二の規定により第四条第一項第五号に掲げる期間に算入された期間のうち、昭和三十六年四月一日前の期間は、同項の規定にかかわらず、通算対象期間としない。

（未支給年金に関する経過措置）

第三条　この法律の施行前にさかのぼつて通算老齢年金又は通算退職年金の受給権を取得したこととなる者でこの法律の施行前に死亡したものに係る未支給の年金につき第十一条第三項の規定によりその年金を受けるべき遺族の順位を定める場合において、先順位者たるべき者（先順位者たるべき者が二人以上あるときは、そのすべての者）がこの法律の施行前に死亡しているときは、この法律の施行の際におけるその次順位者を当該未支給の年金を受けるべき遺族とする。

（地方公務員等の取扱い）

第四条　昭和三十六年四月一日から昭和三十七年十一月三十日までの間に、廃止前の市町村職員共済組合法の適用を受けた者については、同法及び同法に定める年金制度は、第三条の規定にかかわらず、同条に定める公的年金各法及び公的年金制度とし、通算対象期間その他この法律の適用については、なお従前の例による。

第五条　地方公務員共済組合法等の一部を改正する法律（昭和三十九年法律第百五十二号）による改正前の地方公務員共済組合法附則第七十一条の規定による改正前の附則第五条第二項又は附則第六条第一項の規定により公的年金各法及び公的年金制度とみなされた退職年金条例及び当該条例に定める年金制度又は恩給法及び同法に定める年金制度は、第三条の規定にかかわらず、それぞれ同条に定める公的年金各法及び公的年金制度とし、通算対象期間その他この法律の適用については、なお従前の例による。

第六条　削除

第七条　退職年金条例の適用を受ける地方公務員又は法令の規定により恩給法に定める公務員とみなされる地方公務員の配偶者であるため国民年金法第七条第二項の規定により国民年金の被保険者とされなかつた期間（同法附則第六条の規定により国民年金の被保険者となつた期間を除く。）がある者については、第四条第一項の規定にかかわらず、その被保険者とされなかつた期間もまた、通算対象期間とする。

２　前項の通算対象期間に係る第七条第一項の規定による確認は、国民年金の管掌者たる政府が行なう。

３　附則第二条第三項の規定は、第一項の期間について準用する。

第八条　昭和三十七年十一月三十日において地方公務員共済組合法等の一部を改正する法律による改正前の地方公務員共済組合法附則第七十一条の規定による改正前の附則第五条第二項の規定により公的年金各法とみなされた地方公共団体の退職年金条例以外の退職年金条例の適用を受ける地方公務員であつた者で同年十二月一日に地方公務員共済組合の組合員となつたものの昭和三十六年四月一日前の当該退職年金条例に係る在職期間で地方公務員等共済組合法の長期給付等に関する施行法第七条第二項各号に掲げる期間に該当するものは、附則第二条第四項の規定にかかわらず、この法律及び公的年金各法において通算対象期間とする。

２　昭和三十七年十一月三十日において地方公務員であつた者で同年十二月一日に地方公務員共済組合の組合員となつたものの昭和三十六年四月一日前の厚生年金保険の被保険者期間で地方公務員等共済組合法の長期給付等に関する施行法第六十四条第一項（同条第三項において準用する場合を含む。）の規定により同法第七条第二項第三号又は第四号の期間に該当するものであつたものとみなされたものに該当するものは、附則第二条第四項の規定にかかわらず、この法律及び公的年金各法において通算対象期間とする。

第九条　昭和三十七年十一月三十日において地方公務員であつた者で同年十二月一日に地方公務員共済組合の組合員となつたものの同日前の通算対象期間のうち、地方公務員等共済組合法の長期給付等に関する施行法第七条第二項各号に掲げる期間に該当する期間及び同法第六十四条第一項（同条第三項において準用する場合を含む。）の規定により同法第七条第二項第三号又は第四号の期間に該当するものであつたものとみなされたものに該当する期間に係る第七条第一項の規定による確認は、附則第四条及び附則第五条の規定による場合を除き、地方公務員共済組合が行なう。

（地方職員共済組合の団体組合員に関する経過措置）

第十条　昭和三十九年九月三十日において厚生年金保険の被保険者又は地方公務員共済組合法等の一部を改正する法律による改正前の地方公務員共済組合法附則第三十一条の規定による地方公務員共済組合の組合員である団体（昭和四十二年度以後における地方公務員等共済組合法の年金の額の改定等に関する法律等の一部を改正する法律（昭和五十六年法律第七十三号。附則第十二条の三第二項において「昭和五十六年法律第七十三号」

という。）による改正前の地方公務員等共済組合法（以下附則第十二条の三までにおいて「昭和五十六年改正前の法」という。）第百七十四条第一項に規定する団体をいう。以下同じ。）の職員であつた者で同年十月一日に昭和五十六年改正前の法第百七十四条第一項の規定に基づく地方団体関係団体職員共済組合（以下「旧地方団体関係団体職員共済組合」という。）の組合員となり、引き続き昭和五十七年四月一日に地方公務員等共済組合法第百四十四条の四第一項に規定する団体組合員となつたものの昭和三十六年四月一日前の厚生年金保険の被保険者期間、廃止前の市町村職員共済組合法に基づく市町村職員共済組合の組合員であつた期間又は地方公務員共済組合の組合員期間で、地方公務員等共済組合法の長期給付等に関する施行法第百三十二条の十二第一項第一号又は第二号イ若しくはロに掲げる期間（同条第二項の規定により同号イの期間とみなされた期間を含む。）に該当するものは、附則第二条第五項の規定にかかわらず、この法律及び公的年金各法において通算対象期間とする。

第十一条　昭和三十九年九月三十日において団体の職員であつた者で同年十月一日に旧地方団体関係団体職員共済組合の組合員となり、引き続き昭和五十七年四月一日に地方公務員等共済組合法第百四十四条の四第一項に規定する団体組合員となつたものの同日前の通算対象期間のうち、地方公務員等共済組合法の長期給付等に関する施行法第百三十二条の十二第一項第一号又は第二号イ若しくはロに掲げる期間（同条第二項の規定により同号イの期間とみなされた期間を含む。）に該当する期間に係る第七条第一項の規定による確認は、地方職員共済組合（地方公務員等共済組合法第三条第一項第一号に規定する地方職員共済組合をいう。附則第十二条の三第二項において同じ。）が行う。

第十二条　前二条の規定は、昭和四十六年十月三十一日において団体（昭和五十六年改正前の法第百七十四条第一項第八号又は第九号に掲げるものに限る。）の職員であつた者で同年十一月一日に旧地方団体関係団体職員共済組合の組合員となり、引き続き昭和五十七年四月一日に地方公務員等共済組合法第百四十四条の四第一項に規定する団体組合員となつたものについて準用する。

第十二条の二　附則第十条及び附則第十一条の規定は、昭和四十九年九月三十日において団体（昭和五十六年改正前の法第百七十四条第一項第十号に掲げるものに限る。）の職員であつた者で同年十月一日に旧地方団体関係団体職員共済組合の組合員となり、引き続き昭和五十七年四月一日に地方公務員等共済組合法第百四十四条の四第一項に規定する団体組合員となつたものについて準用する。

第十二条の三　昭和三十九年十月一日から昭和五十七年三月三十一日までの間に昭和五十六年改正前の法第十二章の規定の適用を受けた者については、昭和五十六年改正前の法（第十二章に限る。）及び昭和五十六年改正前の法第十二章に定める年金制度は、第三条の規定にかかわらず、同条に定める公的年金各法及び公的年金制度とし、通算対象期間その他この法律の適用については、なお従前の例による。

2　前項の規定によりその例によることとされる昭和五十六年法律第七十三号による改正前の附則第十一条に規定する期間に係る第七条第一項の規定による確認は、地方職員共済組合が行う。

（私立学校教職員共済組合の組合員に関する経過措置）

第十三条　昭和四十九年三月三十一日において厚生年金保険の被保険者であつた者で同年四月一日に私立学校教職員共済組合の組合員となつたものの昭和三十六年四月一日前の厚生年金保険の被保険者期間で、昭和四十四年度以後における私立学校教職員共済組合からの年金の額の改定に関する法律等の一部を改正する法律（昭和四十八年法律第百四号）附則第四項の規定により私立学校教職員共済組合の組合員であつた期間とみなされたものは、附則第二条第二項の規定にかかわらず、この法律及び公的年金各法において通算対象期間とする。

（農林漁業団体職員共済組合の組合員に関する経過措置）

第十四条　農林漁業団体職員共済組合法第一条第二項に規定する法人の職員で同法附則第六条の二第一項に規定する適用日に農林漁業団体職員共済組合の組合員となつたもの及び同法附則第六条の四第一項に規定する農林中央金庫等の職員で昭和四十九年十月一日に当該組合員となつたものの昭和三十六年四月一日前の厚生年金保険の被保険者期間で、同法附則第六条の二第一項又は第六条の四第一項の規定により当該組合員であつた期間とみなされたものは、附則第二条第二項の規定にかかわらず、この法律及び公的年金各法において通算対象期間とする。

（旧公共企業体職員等共済組合の組合員に関する経過措置）

第十五条　昭和三十一年七月一日から昭和五十九年三月三十一日までの間に、国家公務員及び公共企業体職員に係る共済組合制度の統合等を図るための国家公務員共済組合法等の一部を改正する法律（昭和五十八年法律第八十二号）附則第二条の規定による廃止前の公共企業体職員等共済組合法（昭和三十一年法律第百三十四号）の適用を受けた者については、同法及び同法に定める年金制度は、第三条の規定にかかわらず、同条に定める公的年金各法及び公的年金制度とし、通算対象期間その他この法律の適用については、なお従前の例による。

附　則（昭三六・六・一六法一四〇）（抄）

最終改正　昭五五・五・三一法七五

（施行期日）

1　この法律は、昭和三十七年一月一日から施行する。

附　則（昭三七・九・八法一五二）（抄）

（施行期日）

第一条　この法律は、昭和三十七年十二月一日〔中略〕から施行する。〔ただし書略〕

附　則（昭三七・九・八法一五三）（抄）

1　この法律は、昭和三十七年十二月一日から施行する。

附　則（昭三九・六・二三法一一二）（抄）

（施行期日）

第一条　この法律は、公布の日から起算して六月をこえない範囲内において政令で定める日〔昭三九・一〇・一〕〔中略〕から施行する。〔ただし書略〕

（通算年金通則法の一部改正に関する経過措置）

第二十四条　旧法組合員期間が六月以上一年未満の者又は旧法組合員期間が六月以上であり、かつ、当該期間とこれに引き続く新法組合員期間とを合算した期間が一年未満である更新組合員の通算対象期間を合算する場合には、前条の規定による改正後の通算年金通則法第六条第二項の規定にかかわらず、当該旧法組合員期間又は合算した期間は、通算対象期間に算入する。

附 則（昭三九・七・六法一五二）（抄）

（施行期日）

第一条 この法律は、昭和三十九年十月一日〔中略〕から施行する。〔ただし書略〕

附 則（昭四〇・六・一法一〇四）（抄）

（施行期日等）

第一条 この法律は、〔中略〕政令で定める日〔昭四一・一〇・一〕から施行する。

附 則（昭四一・七・一法一一一）（抄）

（施行期日）

第一条 この法律は、公布の日から起算して六月をこえない範囲内において政令で定める日〔昭四一・一二・三一〕から施行する。

附 則（昭四二・七・三一法一〇五）（抄）

（施行期日）

第一条 この法律〔中略〕は、公布の日から施行する。

附 則（昭四四・一二・一〇法八六）（抄）

（施行期日等）

第一条 この法律は、〔中略〕当該各号に掲げる日から施行する。

一～三 〔略〕

四 〔前略〕附則第十九条から附則第二十三条まで〔中略〕の規定 昭和四十五年十月一日

附 則（昭四六・五・二九法八三）（抄）

（施行期日）

第一条 この法律は、昭和四十六年十月一日から施行する。〔ただし書略〕

附 則（昭四八・九・二九法一〇四）（抄）

1 この法律は、〔中略〕昭和四十九年四月一日〔中略〕から施行する。

附 則（昭四九・六・二五法九五）（抄）

（施行期日等）

第一条 この法律は、昭和四十九年九月一日から施行する。〔ただし書略〕

附 則（昭五〇・一一・二〇法八一）（抄）

（施行期日等）

第一条 この法律は、公布の日から施行する。

2 〔前略〕第四条の規定による改正後の通算年金通則法附則第十四条の規定は、昭和五十年八月一日から適用する。

附 則（昭五一・六・五法六三）（抄）

（施行期日）

第一条 この法律の規定は、次の各号に掲げる区分に従い、それぞれ当該各号に定める日から施行する。

一～三 〔略〕

四 〔前略〕附則第三十三条までの規定 公布の日から起算して一年を超えない範囲内において政令で定める日〔昭五一・一〇・一〕

五～七 〔略〕

附 則（昭五四・一二・二八法七二）（抄）

（施行期日等）

第一条 この法律は、昭和五十五年一月一日から施行する。〔ただし書略〕

2 〔略〕

附 則（昭五四・一二・二八法七三）（抄）

（施行期日等）

第一条 この法律は、昭和五十五年一月一日から施行する。〔ただし書略〕

2 〔略〕

（通算年金通則法の一部改正に伴う経過措置）

第二十三条 前条の規定による改正後の通算年金通則法附則第八条から第十一条までの規定は、施行日以後に退職した地方公務員共済組合又は地方団体関係団体職員共済組合の組合員であつた者に係る通算対象期間について適用し、施行日前に退職したこれらの者に係る通算対象期間については、なお従前の例による。

附 則（昭五四・一二・二八法七四）（抄）

（施行期日等）

1 この法律は、公布の日から施行する。ただし、〔中略〕附則第十二項及び附則第十三項の規定は、昭和五十五年一月一日から施行する。

（通算年金通則法の一部改正に伴う経過措置）

13 昭和五十五年一月一日前に退職した者に係る通算対象期間については、なお従前の例による。

附 則（昭五四・一二・二八法七五）（抄）

（施行期日等）

第一条 この法律は、公布の日から施行する。ただし、次の各号に掲げる規定は、当該各号に定める日から施行する。

一 〔前略〕附則〔中略〕第十七条及び第十八条の規定 昭和五十五年一月一日

二 〔略〕

2 〔略〕

（通算年金通則法の一部改正に伴う経過措置）

第十八条 前条の規定による改正後の通算年金通則法附則第十四条の規定は、一部施行日以後に退職した同条に規定する者に係る通算対象期間について適用し、一部施行日前に退職した同条に規定する者に係る通算対象期間については、なお従前の例による。

附 則（昭五六・六・九法七三）（抄）

（施行期日等）

第一条 この法律は、〔中略〕昭和五十七年四月一日から施行する。

2 〔略〕

附 則（昭五七・七・一六法六六）

この法律は、昭和五十七年十月一日から施行する。

附 則（昭五八・一二・三法八二）（抄）

（施行期日）

第一条 この法律は、昭和五十九年四月一日から施行する。〔ただし書略〕

○所得税法（抄）

昭四〇・三・三一
法　　三三

最終改正　令六・六・二一法六〇

第二編　居住者の納税義務

第二章　課税標準及びその計算並びに所得控除

第二節　各種所得の金額の計算

第一款　所得の種類及び各種所得の金額

（給与所得）

第二十八条　給与所得とは、俸給、給料、賃金、歳費及び賞与並びにこれらの性質を有する給与（以下この条において「給与等」という。）に係る所得をいう。

2　給与所得の金額は、その年中の給与等の収入金額から給与所得控除額を控除した残額とする。

3　前項に規定する給与所得控除額は、次の各号に掲げる場合の区分に応じ当該各号に定める金額とする。

一　前項に規定する収入金額が百八十万円以下である場合　当該収入金額の百分の四十に相当する金額から十万円を控除した残額（当該残額が五十五万円に満たない場合には、五十五万円）

二　前項に規定する収入金額が百八十万円を超え三百六十万円以下である場合　六十二万円と当該収入金額から百八十万円を控除した金額の百分の三十に相当する金額との合計額

三　前項に規定する収入金額が三百六十万円を超え六百六十万円以下である場合　百十六万円と当該収入金額から三百六十万円を控除した金額の百分の二十に相当する金額との合計額

四　前項に規定する収入金額が六百六十万円を超え八百五十万円以下である場合　百七十六万円と当該収入金額から六百六十万円を控除した金額の百分の十に相当する金額との合計額

五　前項に規定する収入金額が八百五十万円を超える場合　百九十五万円

4　その年中の給与等の収入金額が六百六十万円未満である場合には、当該給与等に係る給与所得の金額は、前三項の規定にかかわらず、当該収入金額を別表第五の給与等の金額として、同表により当該金額に応じて求めた同表の給与所得控除後の給与等の金額に相当する金額とする。

（雑所得）

第三十五条　雑所得とは、利子所得、配当所得、不動産所得、事業所得、給与所得、退職所得、山林所得、譲渡所得及び一時所得のいずれにも該当しない所得をいう。

2　雑所得の金額は、次の各号に掲げる金額の合計額とする。

一　その年中の公的年金等の収入金額から公的年金等控除額を控除した残額

二　その年中の雑所得（公的年金等に係るものを除く。）に係る総収入金額から必要経費を控除した金額

3　前項に規定する公的年金等とは、次に掲げる年金をいう。

一　第三十一条第一号及び第二号（退職手当等とみなす一時金）に規定する法律の規定に基づく年金その他同条第一号及び第二号に規定する制度に基づく年金（これに類する給付を含む。第三号において同じ。）で政令で定めるもの

二　恩給（一時恩給を除く。）及び過去の勤務に基づき使用者であつた者から支給される年金

三　確定給付企業年金法の規定に基づいて支給を受ける年金（第三十一条第三号に規定する規約に基づいて拠出された掛金のうちにその年金が支給される同法第二十五条第一項（加入者）に規定する加入者（同項に規定する加入者であつた者を含む。）の負担した金額がある場合には、その年金の額からその負担した金額のうちその年金の額に対応するものとして政令で定めるところにより計算した金額を控除した金額に相当する部分に限る。）その他これに類する年金として政令で定めるもの

4　第二項に規定する公的年金等控除額は、次の各号に掲げる場合の区分に応じ当該各号に定める金額とする。

一　その年中の公的年金等の収入金額がないものとして計算した場合における第二条第一項第三十号（定義）に規定する合計所得金額（次号及び第三号において「公的年金等に係る雑所得以外の合計所得金額」という。）が千万円以下である場合　次に掲げる金額の合計額（当該合計額が六十万円に満たない場合には、六十万円）

イ　四十万円

ロ　その年中の公的年金等の収入金額から五十万円を控除した残額の次に掲げる場合の区分に応じそれぞれ次に定める金額

(1)　当該残額が三百六十万円以下である場合　当該残額の百分の二十五に相当する金額

(2)　当該残額が三百六十万円を超え七百二十万円以下である場合　九十万円と当該残額から三百六十万円を控除した金額の百分の十五に相当する金額との合計額

(3)　当該残額が七百二十万円を超え九百五十万円以下である場合　百四十四万円と当該残額から七百二十万円を控除した金額の百分の五に相当する金額との合計額

(4)　当該残額が九百五十万円を超える場合　百五十五万五千円

二　その年中の公的年金等に係る雑所得以外の合計所得金額が千万円を超え二千万円以下である場合　次に掲げる金額の合計額（当該合計額が五十万円に満たない場合には、五十万円）

イ　三十万円

ロ　前号ロに掲げる金額

三　その年中の公的年金等に係る雑所得以外の合計所得金額が二千万円を超える場合　次に掲げる金額の合計額（当該合計額が四十万円に満たない場合には、四十万円）

イ　二十万円

ロ　第一号ロに掲げる金額

第四編　源泉徴収

第三章の二　公的年金等に係る源泉徴収

（源泉徴収義務）

第二百三条の二　居住者に対し国内において第三十五条第三項（公的年金等の定義）に規定する公的年金等（以下この章において「公的年金等」という。）の支払をする者は、その支払の際、その公的年金等について所得税を徴収し、その徴収の日の属する月の翌月十日までに、これを国に納付しなければならない。

（徴収税額）

第二百三条の三　前条の規定により徴収すべき所得税の額は、公的年金等の金額から、次の各号に掲げる公的年金等の区分に応じ当該各号に定める金額を控除した残額に百分の五（第三号又は第六号に掲げる公的年金等の当該残額が十六万二千五百円に当該公的年金等の金額に係る月数を乗じて計算した金額を超える場合におけるその超える部分の金額及び第七号に掲げる公的年金等の当該残額については、百分の十）の税率を乗じて計算した金額とする。

一　公的年金等の受給者の扶養親族等申告書を提出した居住者に対し、その提出の際に経由した公的年金等の支払者が支払う公的年金等（次号及び第三号に掲げるものを除く。）　次に掲げる金額の合計額に当該公的年金等の金額に係る月数を乗じて計算した金額

イ　当該公的年金等の月割額として政令で定める金額の百分の二十五に相当する金額に六万五千円を加算した金額と九万円とのいずれか多い金額

ロ　当該申告書に当該公的年金等の受給者が障害者である旨の記載がある場合には、二万二千五百円（当該公的年金等の受給者が特別障害者である旨の記載がある場合には、三万五千円）

ハ　当該申告書に当該公的年金等の受給者が寡婦である旨の記載がある場合には、二万二千五百円

ニ　当該申告書に当該公的年金等の受給者がひとり親である旨の記載がある場合には、三万円

ホ　当該申告書に源泉控除対象配偶者（当該源泉控除対象配偶者が第二百三条の六第三項（公的年金等の受給者の扶養親族等申告書）に規定する記載がされた者（ヘ及びトにおいて「国外居住親族」という。）である場合には、同項に規定する書類の提出又は提示がされた源泉控除対象配偶者に限る。）がある旨の記載がある場合には、三万二千五百円（当該源泉控除対象配偶者が老人控除対象配偶者である旨の記載がある場合には、四万円）

ヘ　当該申告書に控除対象扶養親族（当該控除対象扶養親族が国外居住親族である場合には、第二百三条の六第三項に規定する書類の提出又は提示がされた控除対象扶養親族に限る。）がある旨の記載がある場合には、三万二千五百円（当該控除対象扶養親族のうちに特定扶養親族又は老人扶養親族がある旨の記載がある場合には、その特定扶養親族については五万二千五百円とし、老人扶養親族については四万円とする。）にその控除対象扶養親族の数を乗じて計算した金額

ト　当該申告書に同一生計配偶者又は扶養親族のうちに障害者（当該障害者が国外居住親族である場合には、第二百三条の六第三項に規定する書類の提出又は提示がされた障害者に限る。）がある旨の記載がある場合には、二万二千五百円（当該同一生計配偶者又は扶養親族のうちに同居特別障害者又はその他の特別障害者（当該同居特別障害者又はその他の特別障害者が国外居住親族である場合には、同項に規定する書類の提出又は提示がされた同居特別障害者又はその他の特別障害者に限る。）がある旨の記載がある場合には、その同居特別障害者については六万二千五百円とし、その他の特別障害者については三万五千円とする。）にその障害者の数を乗じて計算した金額

二　独立行政法人農業者年金基金法第十八条第一号（給付の種類）に掲げる農業者老齢年金その他の政令で定める公的年金等（以下この号及び第五号において「農業者老齢年金等」という。）の支払を受ける居住者で当該農業者老齢年金等について公的年金等の受給者の扶養親族等申告書を提出したものに対し、その提出の際に経由した当該農業者老齢年金等の支払者が支払う当該農業者老齢年金等　当該農業者老齢年金等を前号に掲げる公的年金等とした場合における同号に定める金額から政令で定める金額を控除した金額

三　国家公務員共済組合法第七十四条第一号（退職等年金給付の種類）に掲げる退職年金その他の政令で定める公的年金等（以下この号及び第六号において「退職年金等」という。）の支払を受ける居住者で当該退職年金等について公的年金等の受給者の扶養親族等申告書を提出したものに対し、その提出の際に経由した当該退職年金等の支払者が支払う当該退職年金等　当該退職年金等を第一号に掲げる公的年金等とした場合における同号に定める金額から政令で定める金額を控除した金額

四　前三号及び次号から第七号までに掲げる公的年金等以外の公的年金等　その公的年金等の月割額として政令で定める金額の百分の二十五に相当する金額に六万五千円を加算した金額と九万円とのいずれか多い金額に、当該公的年金等の金額に係る月数を乗じて計算した金額

五　農業者老齢年金等の支払を受ける居住者で当該農業者老齢年金等について公的年金等の受給者の扶養親族等申告書を提出していないものに対し、当該農業者老齢年金等の支払者が支払う当該農業者老齢年金等　当該農業者老齢年金等を前号に掲げる公的年金等とした場合における同号に定める金額から政令で定める金額を控除した金額

六　退職年金等の支払を受ける居住者で当該退職年金等について公的年金等の受給者の扶養親族等申告書を提出していないものに対し、当該退職年金等の支払者が支払う当該退職年金等　当該退職年金等を第四号に掲げる公的年金等とした場合における同号に定める金額から政令で定める金額を控除した金額

七　第三十五条第三項第三号（雑所得）に掲げる年金その他政令で定めるもの（第二百三条の六第一項において「確定給付企業年金等」という。）　その公的年金等の金額の百分の二十五に相当する金額

（源泉控除対象配偶者に係る控除の適用）

第二百三条の四　公的年金等の受給者の扶養親族等申告書を提出した居住者（以下この条において「対象居住者」という。）の当該申告書に源泉控除対象配偶者である旨の記載がされた配偶者（以下この条において「対象配偶者」という。）が、当該対象居住者を、当該対象配偶者の提出した給与所得者の扶養控除等申告書若しくは従たる給与についての扶養控除等申告書又は

公的年金等の受給者の扶養親族等申告書に記載された源泉控除対象配偶者として第百八十五条第一項第一号若しくは第二号（賞与以外の給与等に係る徴収税額）若しくは第百八十六条第一項第一号若しくは第二項第一号（賞与に係る徴収税額）又は前条第一号から第三号までの規定の適用を受ける場合には、当該対象配偶者は当該対象居住者の提出した公的年金等の受給者の扶養親族等申告書に源泉控除対象配偶者である旨の記載がされていないものとして、同条第一号から第三号までの規定を適用する。

（公的年金等から控除される社会保険料がある場合等の徴収税額の計算）

第二百三条の五　次の各号に掲げる場合に該当するときは、第二百三条の三（徴収税額）の規定の適用については、当該各号に定めるところによる。

一　公的年金等の支払の際控除される第七十四条第二項（社会保険料控除）に規定する社会保険料がある場合　その公的年金等の金額に相当する金額から当該社会保険料の金額を控除した残額に相当する金額の公的年金等の支払があつたものとみなし、その残額がないときは、その公的年金等の支払がなかつたものとみなす。

二　確定給付企業年金法の規定に基づいて支給を受ける年金の支払をする場合において、第三十五条第三項第三号（雑所得）に規定する規約に基づいて拠出された掛金のうちに同号に規定する加入者の負担した金額があるとき　その年金の額からその負担した金額のうちその年金の額に対応するものとして政令で定めるところにより計算した金額を控除した金額に相当する公的年金等の支払があつたものとみなす。

三　第三十五条第三項第三号に規定する政令で定める年金の支払をする場合（政令で定める場合に限る。）　その年金の額から政令で定めるところにより計算した金額を控除した金額に相当する公的年金等の支払があつたものとみなす。

（公的年金等の受給者の扶養親族等申告書）

第二百三条の六　国内において公的年金等（確定給付企業年金等を除く。）の支払を受ける居住者が、第二百三条の三（第一号から第三号までに係る部分に限る。）（徴収税額）の規定による所得税の額の計算において同条第一号ロからトまでに掲げる金額のいずれかの金額の控除を受けようとする場合には、その公的年金等の支払者から毎年最初に公的年金等の支払を受ける日の前日までに、次に掲げる事項を記載した申告書を、当該公的年金等の支払者を経由して、その公的年金等に係る所得税の第十七条（源泉徴収に係る所得税の納税地）の規定による納税地（第十八条第二項（納税地の指定）の規定による指定があつた場合には、その指定をされた納税地）の所轄税務署長に提出しなければならない。

一　当該公的年金等の支払者の名称

二　その居住者が、特別障害者又はその他の障害者に該当する場合にはその旨及びその該当する事実並びに寡婦又はひとり親に該当する場合にはその旨

三　源泉控除対象配偶者の氏名及び個人番号（個人番号を有しない者にあつては、氏名）並びに源泉控除対象配偶者が老人控除対象配偶者に該当する場合には、その旨及びその該当する事実

四　控除対象扶養親族の氏名及び個人番号（個人番号を有しない者にあつては、氏名）並びに控除対象扶養親族のうちに特定扶養親族又は老人扶養親族がある場合には、その旨及びその該当する事実

五　同一生計配偶者又は扶養親族のうちに同居特別障害者若しくはその他の特別障害者又は特別障害者以外の障害者がある場合には、その旨、その者の氏名及び個人番号（個人番号を有しない者にあつては、氏名）並びにその該当する事実

六　第三号の源泉控除対象配偶者又は前号の同居特別障害者若しくはその他の特別障害者若しくは特別障害者以外の障害者が非居住者である親族である場合にはその旨並びに第四号の控除対象扶養親族が非居住者である親族である場合にはその旨及び控除対象扶養親族に該当する事実

七　その他財務省令で定める事項

2　前項の規定による申告書を同項の公的年金等の支払者を経由して提出する場合において、当該申告書に記載すべき事項がその年の前年において当該公的年金等の支払者を経由して提出した同項の規定による申告書に記載した事項と異動がないときは、居住者は、当該公的年金等の支払者が政令で定めるところにより国税庁長官の承認を受けている場合に限り、同項の規定により記載すべき事項に代えて当該異動がない旨を記載した同項の規定による申告書を提出することができる。

3　第一項の規定による申告書に同項第六号に掲げる事項の記載をした居住者（前項の規定により当該記載に代えて異動がない旨の記載をした居住者を含む。）は、政令で定めるところにより、当該記載がされた者（前項の規定により当該記載に代えて異動がない旨の記載がされた者を含む。以下この項において同じ。）が当該居住者の親族に該当する旨を証する書類（当該記載がされた者が同号の控除対象扶養親族であり、かつ、同号に掲げる控除対象扶養親族に該当する事実が第二条第一項第三十四号の二ロ⑴（定義）に掲げる者に該当することである場合には、当該書類及び同号ロ⑴に掲げる者に該当する旨を証する書類）を提出し、又は提示しなければならない。

4　第一項の場合において、同項の規定による申告書がその提出の際に経由すべき公的年金等の支払者に受理されたときは、その申告書は、その受理された日に同項に規定する税務署長に提出されたものとみなす。

5　第一項の公的年金等の支払を受ける居住者は、同項の規定による申告書の提出の際に経由すべき公的年金等の支払者が電磁的方法（第百九十八条第二項（給与所得者の源泉徴収に関する申告書の提出時期等の特例）に規定する電磁的方法をいう。以下この項において同じ。）による当該申告書に記載すべき事項（以下この項において「記載事項」という。）の提供を適正に受けることができる措置を講じていることその他の政令で定める要件を満たす場合には、当該申告書の提出に代えて、当該公的年金等の支払者に対し、当該記載事項を電磁的方法により提供することができる。この場合においては、同条第二項後段の規定を準用する。

6　前項の規定の適用がある場合における第四項の規定の適用については、同項中「申告書が」とあるのは「申告書に記載すべき事項を」と、「支払者に受理されたとき」とあるのは「支払者が提供を受けたとき」と、「受理された日」とあるのは「提供を受けた日」とする。

7　第一項の規定による申告書の提出を受ける公的年金等の支払者が、財務省令で定めるところにより、当該申告書に記載されるべき源泉控除対象配偶者、同一生計配偶者、控除対象扶養親族その他財務省令で定める者（以下この項において「源泉控除対象配偶者等」という。）の氏名及び個人番号その他の事項を記載した帳簿（当該申告書の提出の前に、当該源泉控除対象配偶者等に係る第一項の居住者から第百九十八条第四項各号に掲げる申告書の提出を受けて作成されたものに限る。）を備えているときは、その居住者は、第一項の規定にかかわらず、当該公的年金等の支払者に提出する同項の規定による申告書には、当該帳簿に記載されている個人番号の記載を要しないものとする。ただし、当該申告書に記載されるべき氏名又は個人番号が当該帳簿に記載されている源泉控除対象配偶者等の氏名又は個人番号と異なるときは、この限りでない。

8　第一項の規定による申告書は、公的年金等の受給者の扶養親族等申告書という。

（源泉徴収を要しない公的年金等）

第二百三条の七　居住者が前条第一項に規定する公的年金等の支払を受ける場合において、その年中に支払を受けるべき当該公的年金等の額がその年最初に当該公的年金等の支払を受けるべき日の前日の現況において政令で定める金額に満たないときは、当該公的年金等については、第二百三条の二（源泉徴収義務）の規定による所得税の徴収及び納付は、要しないものとする。

第五編　雑則

第一章　支払調書の提出等の義務

（源泉徴収票）

第二百二十六条　居住者に対し国内において第二十八条第一項（給与所得）に規定する給与等（第百八十四条（源泉徴収を要しない給与等の支払者）の規定によりその所得税を徴収して納付することを要しないものとされる給与等を除く。以下この章において「給与等」という。）の支払をする者は、財務省令で定めるところにより、その年において支払の確定した給与等について、その給与等の支払を受ける者の各人別に源泉徴収票二通を作成し、その年の翌年一月三十一日まで（年の中途において退職した居住者については、その退職の日以後一月以内）に、一通を税務署長に提出し、他の一通を給与等の支払を受ける者に交付しなければならない。ただし、財務省令で定めるところにより当該税務署長の承認を受けた場合は、この限りでない。

2　居住者に対し国内において第三十条第一項（退職所得）に規定する退職手当等（第二百条（源泉徴収を要しない退職手当等の支払者）の規定によりその所得税を徴収して納付することを要しないものとされる退職手当等を除く。以下この章において「退職手当等」という。）の支払をする者は、財務省令で定めるところにより、その年において支払の確定した退職手当等について、その退職手当等の支払を受ける者の各人別に源泉徴収票二通を作成し、その退職の日以後一月以内に、一通を税務署長に提出し、他の一通を退職手当等の支払を受ける者に交付しなければならない。この場合においては、前項ただし書の規定を準用する。

3　居住者に対し国内において第三十五条第三項（公的年金等の定義）に規定する公的年金等（以下この章において「公的年金等」という。）の支払をする者は、財務省令で定めるところにより、その年において支払の確定した公的年金等について、その公的年金等の支払を受ける者の各人別に源泉徴収票二通を作成し、その年の翌年一月三十一日までに、一通を税務署長に提出し、他の一通を公的年金等の支払を受ける者に交付しなければならない。この場合においては、第一項ただし書の規定を準用する。

4　第一項の給与等、第二項の退職手当等又は前項の公的年金等の支払をする者は、これらの規定による源泉徴収票の交付に代えて、政令で定めるところにより、当該給与等、退職手当等又は公的年金等の支払を受ける者の承諾を得て、当該源泉徴収票に記載すべき事項を電磁的方法により提供することができる。ただし、当該給与等、退職手当等又は公的年金等の支払を受ける者の請求があるときは、当該源泉徴収票を当該給与等の支払を受ける者に交付しなければならない。

5　前項本文の場合において、同項の給与等、退職手当等又は公的年金等の支払をする者は、第一項から第三項までの源泉徴収票を交付したものとみなす。

＊ 所得税法は、所得税法等の一部を改正する法律（令和五年法三）により一部改正されたが、このうち令和九年一月一日から施行される部分については、一部改正法の形で掲載した。

○所得税法等の一部を改正する法律（抄）

令五・三・三一
法 三

（所得税法の一部改正）

第一条 所得税法（昭和四十年法律第三十三号）の一部を次のように改正する。

第二百二十六条第三項中「公的年金等の定義」を「雑所得」に改め、同条に次の一項を加える。

6 第一項の給与等又は第三項の公的年金等の支払をする者が次の各号に掲げる報告書（第一項又は第三項の規定による源泉徴収票に記載すべきものとして財務省令で定める事項の記載のあるものに限る。）を当該各号に定める市町村の長に提出した場合には、これらの報告書に記載された給与等又は公的年金等については、当該給与等又は公的年金等の支払をする者は、第一項又は第三項の規定による源泉徴収票の提出をしたものとみなす。

一 地方税法第三百十七条の六第一項又は第三項（給与支払報告書等の提出義務）（これらの規定を同法第一条第二項（用語）において準用する場合を含む。以下この号において同じ。）の規定により提出すべき給与支払報告書 同法第三百十七条の六第一項又は第三項に規定する市町村の長

二 地方税法第三百十七条の六第四項（同法第一条第二項において準用する場合を含む。以下この号において同じ。）の規定により提出すべき公的年金等支払報告書 同法第三百十七条の六第四項に規定する市町村の長

附 則（抄）

（施行期日）

第一条 この法律は、令和六年四月一日から施行する。ただし、次の各号に掲げる規定は、当該各号に定める日から施行する。

一～七 〔略〕

八 次に掲げる規定 令和九年一月一日

イ 第一条中所得税法第二百二十六条の改正規定〔後略〕

ロ・ハ 〔略〕

九～十三 〔略〕

○所得税法施行令（抄）

昭四〇・三・三一
政令九六

最終改正 令六・六・一四政令二〇九

第二編 居住者の納税義務

第一章 課税標準の計算

第一節 各種所得の金額の計算

第七款 雑所得

（公的年金等とされる年金）

第八十二条の二 法第三十五条第三項第一号（公的年金等の定義）に規定する政令で定める年金（これに類する給付を含む。）は、次に掲げる年金とする。

一 国民年金法等の一部を改正する法律（昭和六十年法律第三十四号）第五条（船員保険法の一部改正）の規定による改正前の船員保険法の規定に基づく年金

二 厚生年金保険法附則第二十八条（指定共済組合の組合員）に規定する共済組合が支給する年金

三 被用者年金制度の一元化等を図るための厚生年金保険法等の一部を改正する法律（平成二十四年法律第六十三号。以下この項において「一元化法」という。）附則第四十一条第一項（追加費用対象期間を有する者の特例等）又は第六十五条第一項（追加費用対象期間を有する者の特例等）の規定に基づく年金

四 一元化法附則第三十六条第一項（改正前国共済法による職域加算額の経過措置）の規定によりなおその効力を有するものとされる同項の改正前国共済法の規定に基づく年金

五 一元化法附則第三十七条第一項（改正前国共済法による給付等）の規定によりなおその効力を有するものとされる同項の改正前国共済法の規定に基づく年金

六 旧令による共済組合等からの年金受給者のための特別措置法（昭和二十五年法律第二百五十六号）第三条第一項若しく

は第二項（旧陸軍共済組合及び共済協会の権利義務の承継）、第四条第一項（外地関係共済組合に係る年金の支給）又は第七条の二第一項（旧共済組合員に対する年金の支給）の規定に基づく年金
七 地方公務員等共済組合法の一部を改正する法律（平成二十三年法律第五十六号）附則の規定に基づく年金
八 一元化法附則第六十条第一項（改正前地共済法による職域加算額の経過措置）の規定によりなおその効力を有するものとされる同項の改正前地共済法の規定に基づく年金
九 一元化法附則第六十一条第一項（改正前地共済法による給付等）の規定によりなおその効力を有するものとされる同項の改正前地共済法の規定に基づく年金
十 一元化法附則第七十八条第一項（改正前私学共済法による職域加算額の経過措置）の規定によりなおその効力を有するものとされる同項の改正前私学共済法の規定に基づく年金
十一 一元化法附則第七十九条（改正前私学共済法による給付）の規定によりなおその効力を有するものとされる同条の改正前私学共済法の規定に基づく年金
十二 厚生年金保険制度及び農林漁業団体職員共済組合制度の統合を図るための農林漁業団体職員共済組合法等を廃止する等の法律第一条（農林漁業団体職員共済組合法等の廃止）の規定による廃止前の農林漁業団体職員共済組合法（昭和三十三年法律第九十九号）の規定に基づく年金
十三 旧厚生年金保険法第九章（厚生年金基金及び企業年金連合会）の規定に基づく年金

2 法第三十五条第三項第三号に規定する政令で定める年金（これに類する給付を含む。）は、次に掲げる給付とする。
一 第七十二条第三項第一号又は第九号（退職手当等とみなす一時金）に規定する制度に基づいて支給される年金（これに類する給付を含む。）
二 中小企業退職金共済法第十二条第一項（退職金の分割支給等）に規定する分割払の方法により支給される同条第五項に規定する分割退職金
三 第七十二条第三項第三号イに規定する第一種共済契約に基づいて小規模企業共済法第九条の三第一項（共済金の分割支給等）に規定する分割払の方法により支給される同条第五項に規定する分割共済金
四 法人税法附則第二十条第三項（退職年金等積立金に対する法人税の特例）に規定する適格退職年金契約に基づいて支給を受ける退職年金（当該契約に基づいて払い込まれた掛金又は保険料のうちにその退職年金が支給される基因となつた勤務をした者の負担した金額がある場合には、その年において支給される当該退職年金の額から当該退職年金の額（その年金の支給開始の日以後に当該契約に基づいて分配を受ける剰余金の額に相当する部分の金額を除く。）に当該退職年金に係る次条第一項の規定に準じて計算した割合を乗じて計算した金額を控除した金額に相当する部分に限る。）
五 第七十二条第三項第五号イからハまでに掲げる規定に基づいて支給を受ける年金（同号に規定する規約に基づいて拠出された掛金のうちにその年金が支給される確定給付企業年金法第二十五条第一項（加入者）に規定する加入者（同項に規定する加入者であつた者を含む。）の負担した金額がある場合には、その年において支給される当該年金の額から当該年金の額（その年金の支給開始の日以後に当該規約に基づいて分配を受ける剰余金の額に相当する部分の金額を除く。）に当該年金に係る次条第一項の規定に準じて計算した割合を乗じて計算した金額を控除した金額に相当する部分に限る。）
六 確定拠出年金法第四条第三項（承認の基準等）に規定する企業型年金規約又は同法第五十六条第三項（承認の基準等）に規定する個人型年金規約に基づいて同法第二十八条第一号（給付の種類）（同法第七十三条（企業型年金に係る規定の準用）において準用する場合を含む。）に掲げる老齢給付金として支給される年金

3 前項第一号に掲げる給付は、第七十六条第一項各号（退職金共済制度等に基づく一時金で退職手当等とみなさないもの）に掲げる給付（年金に該当するものに限る。）を含まないものとし、前項第四号に掲げる退職年金は、第七十六条第二項各号に掲げる給付（退職年金に該当するものに限る。）を含まないものとする。

4 前項に規定する給付として支給される金額は、法第三十五条第三項に規定する公的年金等に係る雑所得以外の雑所得に係る収入金額とする。

第四編 源泉徴収

第一章の二 退職所得に係る源泉徴収

（一般退職手当等、短期退職手当等又は特定役員退職手当等のうち二以上の退職手当等がある場合の退職所得に係る源泉徴収）

第三百十九条の三 法第二百一条第一項第二号ニ（徴収税額）に規定する政令で定めるところにより計算した金額は、次の各号に掲げる場合の区分に応じ当該各号に定める金額とする。
一 その支払う退職手当等（法第百九十九条（源泉徴収義務）に規定する退職手当等をいう。以下この条において同じ。）とその支払済みの他の退職手当等（法第二百一条第一項第一号に規定する支払済みの他の退職手当等をいう。以下この項において同じ。）が一般退職手当等（同号イに規定する一般退職手当等をいう。以下この項において同じ。）及び短期退職手当等（同号ロに規定する短期退職手当等をいう。以下この項において同じ。）に該当する場合（第四号に掲げる場合を除く。） 当該一般退職手当等及び短期退職手当等につき第七十一条の二第一項、第二項、第十項及び第十一項（一般退職手当等、短期退職手当等又は特定役員退職手当等のうち二以上の退職手当等がある場合の退職所得の金額の計算）の規定に準じて計算した金額
二 その支払う退職手当等とその支払済みの他の退職手当等が一般退職手当等及び特定役員退職手当等（法第二百一条第一項第一号ハに規定する特定役員退職手当等をいう。以下この項において同じ。）に該当する場合（第四号に掲げる場合を除く。） 当該一般退職手当等及び特定役員退職手当等につき第七十一条の二第三項、第四項、第十項及び第十二項から第十四項までの規定に準じて計算した金額
三 その支払う退職手当等とその支払済みの他の退職手当等が短期退職手当等及び特定役員退職手当等に該当する場合（次号に掲げる場合を除く。） 当該短期退職手当等及び特定役

員退職手当等につき第七十一条の二第五項、第六項、第十項及び第十二項から第十四項までの規定に準じて計算した金額

四　その支払う退職手当等とその支払済みの他の退職手当等が一般退職手当等、短期退職手当等及び特定役員退職手当等に該当する場合　当該一般退職手当等、短期退職手当等及び特定役員退職手当等につき第七十一条の二第七項から第十四項までの規定に準じて計算した金額

2　前項各号の規定により第七十一条の二の規定に準じて計算する場合には、同条第一項第一号イ、第五項第二号イ及び第七項第二号イに規定する短期退職所得控除額、同条第一項第二号、第三項第二号及び第七項第三号に規定する一般退職所得控除額並びに同条第三項第一号、第五項第一号及び第七項第一号に規定する特定役員退職所得控除額は、法第二百一条第一項の規定による所得税を徴収すべき退職手当等を支払うべきことが確定した時の状況における第七十一条の二第一項第一号イ、第五項第二号イ及び第七項第二号イに規定する短期退職所得控除額、同条第一項第二号、第三項第二号及び第七項第三号に規定する一般退職所得控除額並びに同条第三項第一号、第五項第一号及び第七項第一号に規定する特定役員退職所得控除額によるものとする。

（源泉徴収の対象となる退職所得とみなされる退職一時金の範囲等）

第三百十九条の三の二　法第二百二条（退職所得とみなされる退職一時金に係る源泉徴収）に規定する政令で定める場合は、次の各号に掲げる場合とし、同条に規定する政令で定める金額は、当該各号に掲げる場合の区分に応じ当該各号に定める金額とする。

一　第七十二条第三項第四号（退職手当等とみなす一時金）に掲げる一時金の支払をする場合において、同号に規定する適格退職年金契約に基づいて払い込まれた掛金又は保険料のうちに同号に規定する勤務をした者の負担した金額があるとき　当該勤務をした者の負担した金額

二　第七十二条第三項第五号に掲げる一時金の支払をする場合において、同号に規定する規約に基づいて拠出された掛金のうちに同号に規定する加入者の負担した金額があるとき　当該加入者の負担した金額

（退職所得の受給に関する申告書に記載すべき事項の電磁的方法による提供）

第三百十九条の四　第三百十九条の二第一項（給与所得者の源泉徴収に関する申告書に記載すべき事項等の電磁的方法による提供）の規定は、法第二百三条第四項（退職所得の受給に関する申告書）に規定する政令で定める要件について準用する。この場合において、第三百十九条の二第一項第一号中「第百九十八条第二項」とあるのは「第二百三条第四項（退職所得の受給に関する申告書）」と、「給与等の支払を受ける居住者」とあるのは「退職手当等の支払を受ける居住者」と、「同条第二項」とあるのは「同条第四項」と、同項第二号中「第百九十八条第二項」とあるのは「第二百三条第四項」と、「給与等の支払を受ける居住者」とあるのは「退職手当等の支払を受ける居住者」と、同項第三号中「第百九十八条第二項」とあるのは「第二百三条第四項」と読み替えるものとする。

第二章　公的年金等に係る源泉徴収

（公的年金等の月割額）

第三百十九条の五　法第二百三条の三第一号イ及び第四号（徴収税額）に規定する公的年金等の月割額として政令で定める金額は、同条に規定する公的年金等の金額をその公的年金等の金額に係る月数で除して計算した金額とする。

（公的年金等の金額から控除する金額の調整等）

第三百十九条の六　法第二百三条の三第二号（徴収税額）に規定する政令で定める公的年金等は、次の各号に掲げる公的年金等（法第二百三条の二（源泉徴収義務）に規定する公的年金等をいう。以下この条において同じ。）とし、法第二百三条の三第二号及び第五号に規定する政令で定める金額は、当該各号に掲げる公的年金等の区分に応じ当該各号に定める金額とする。

一　次に掲げる公的年金等　四万七千五百円に当該公的年金等の金額に係る月数を乗じて計算した金額

イ　独立行政法人農業者年金基金法（平成十四年法律第百二十七号）第十八条第一号（給付の種類）に掲げる農業者老齢年金及び同法附則第六条第一項第一号（業務の特例）の規定により支給される農業者年金基金法の一部を改正する法律（平成十三年法律第三十九号）による改正前の農業者年金基金法（昭和四十五年法律第七十八号）第三十二条第二号（給付の種類）に掲げる農業者老齢年金

ロ　国民年金法第百二十八条第一項（国民年金基金の業務）又は第百三十七条の十五第一項（国民年金基金連合会の業務）に規定する年金

ハ　被用者年金制度の一元化等を図るための厚生年金保険法等の一部を改正する法律（平成二十四年法律第六十三号。以下この号及び次項第一号において「一元化法」という。）附則第三十七条第一項（改正前国共済法による給付等）の規定によりなおその効力を有するものとされる一元化法第二条（国家公務員共済組合法の一部改正）の規定による改正前の国家公務員共済組合法（ハ及びホにおいて「旧効力国共済法」という。）第七十二条第一項第一号（長期給付の種類等）に掲げる退職共済年金（旧効力国共済法附則第十二条の三（退職共済年金の特例）の規定により支給されるものその他の財務省令で定める退職共済年金を除く。）

ニ　一元化法附則第六十一条第一項（改正前地共済法による給付等）の規定によりなおその効力を有するものとされる一元化法第三条（地方公務員等共済組合法の一部改正）の規定による改正前の地方公務員等共済組合法（ニにおいて「旧効力地共済法」という。）第七十四条第一号（長期給付の種類）に掲げる退職共済年金（旧効力地共済法附則第十九条（退職共済年金の特例）の規定により支給されるものその他の財務省令で定める退職共済年金を除く。）

ホ　一元化法附則第七十九条（改正前私学共済法による給付）の規定によりなおその効力を有するものとされる一元化法第四条（私立学校教職員共済法の一部改正）の規定による改正前の私立学校教職員共済法（ホにおいて「旧効力私学共済法」という。）第二十条第二項第一号（給付）に掲げる退職共済年金（旧効力私学共済法第二十五条（国家公務員共済組合法の準用）において準用する旧効力国共済法附則第十二条の三の規定により支給されるものその他の

財務省令で定める退職共済年金を除く。)

二 平成二十五年厚生年金等改正法附則第五条第一項(存続厚生年金基金に係る改正前厚生年金保険法等の効力等)の規定によりなおその効力を有するものとされる旧厚生年金保険法第百三十条第一項(基金の業務)又は平成二十五年厚生年金等改正法附則第四十条第三項第一号若しくは第二号(存続連合会の業務)に規定する老齢年金給付 七万二千五百円に当該老齢年金給付の金額に係る月数を乗じて計算した金額

2 法第二百三条の三第三号に規定する政令で定める公的年金等は、次の各号に掲げる公的年金等とし、同条第三号及び第六号に規定する政令で定める金額は、当該各号に掲げる公的年金等の区分に応じ当該各号に定める金額とする。

一 次に掲げる公的年金等(次号に掲げるものを除く。) 四万七千五百円に当該公的年金等の金額に係る月数を乗じて計算した金額

イ 国家公務員共済組合法第七十四条第一号(退職等年金給付の種類)に掲げる退職年金(次号イにおいて「退職年金」という。)及び一元化法附則第三十六条第一項(改正前国共済法による職域加算額の経過措置)の規定によりなおその効力を有するものとされる一元化法第二条の規定による改正前の国家公務員共済組合法(以下この項において「旧効力国共済法」という。)第七十七条第二項各号(退職共済年金の額)に定める金額に相当する給付(次号イにおいて「旧職域加算年金給付」という。)並びにこれらの公的年金等の支払者から支払われる厚生年金保険法第三十二条第一号(保険給付の種類)に掲げる老齢厚生年金(以下この号及び次号イにおいて「老齢厚生年金」という。)その他の財務省令で定める公的年金等

ロ 地方公務員等共済組合法第七十六条第一号(退職等年金給付の種類)に掲げる退職年金(次号ロにおいて「退職年金」という。)及び一元化法附則第六十条第一項(改正前地共済法による職域加算額の経過措置)の規定によりなおその効力を有するものとされる一元化法第三条の規定による改正前の地方公務員等共済組合法(次号ロにおいて「旧効力地共済法」という。)第七十九条第一項第二号(退職共済年金の額)に掲げる金額に相当する給付(次号ロにおいて「旧職域加算年金給付」という。)並びにこれらの公的年金等の支払者から支払われる老齢厚生年金その他の財務省令で定める公的年金等

ハ 私立学校教職員共済法第二十条第二項第一号(給付)に掲げる退職年金(次号ハにおいて「退職年金」という。)及び一元化法附則第七十八条第一項(改正前私学共済法による職域加算額の経過措置)の規定によりなおその効力を有するものとされる一元化法第四条の規定による改正前の私立学校教職員共済法(次号ハにおいて「旧効力私学共済法」という。)第二十五条(国家公務員共済組合法の準用)において準用する旧効力国共済法第七十七条第二項の規定により加算する同項各号に定める金額に相当する給付(次号ハにおいて「旧職域加算年金給付」という。)並びにこれらの公的年金等の支払者から支払われる老齢厚生年金その他の財務省令で定める公的年金等

二 次に掲げる公的年金等 零

イ 国家公務員共済組合法附則第十三条第二項(支給の繰上げ)の規定により支給される退職年金(国民年金法第十五条第一号(給付の種類)に掲げる老齢基礎年金(ロ及びハにおいて「老齢基礎年金」という。)の支払を受ける者に支給されるものを除く。)及び旧効力国共済法附則第十二条の三(退職共済年金の特例)の規定により支給される旧職域加算年金給付並びにこれらの公的年金等の支払者から支払われる厚生年金保険法附則第八条の規定により支給される老齢厚生年金(ロ及びハにおいて「特例老齢厚生年金」という。)

ロ 地方公務員等共済組合法附則第十九条第二項(支給の繰上げ)の規定により支給される退職年金(老齢基礎年金の支払を受ける者に支給されるものを除く。)及び旧効力地共済法附則第十九条(退職共済年金の特例)の規定により支給される旧職域加算年金給付並びにこれらの公的年金等の支払者から支払われる特例老齢厚生年金

ハ 私立学校教職員共済法第二十五条(国家公務員共済組合法の準用)において準用する国家公務員共済組合法附則第十三条第二項の規定により支給される退職年金(老齢基礎年金の支払を受ける者に支給されるものを除く。)及び旧効力私学共済法第二十五条において準用する旧効力国共済法附則第十二条の三の規定により支給される旧職域加算年金給付並びにこれらの公的年金等の支払者から支払われる特例老齢厚生年金

3 法第二百三条の三第七号に規定する政令で定める公的年金等は、石炭鉱業年金基金法(昭和四十二年法律第百三十五号)第十六条第一項(坑内員に関する給付)又は第十八条第一項(坑外員に関する給付)の規定に基づく年金及び法第三十五条第三項第二号(雑所得)に規定する過去の勤務に基づき使用者であつた者から支給される年金(国会議員互助年金法を廃止する法律(平成十八年法律第一号)附則第七条第一項(現職国会議員の普通退職年金)に規定する普通退職年金又は同法附則第二条第一項(退職者に関する経過措置)の規定によりなおその効力を有するものとされる同法による廃止前の国会議員互助年金法(昭和三十三年法律第七十号)第九条(普通退職年金及びその年額)に規定する普通退職年金及び地方公務員の退職年金に関する条例の規定による退職を給付事由とする年金である給付を除く。)とする。

(公的年金等の月割額等の端数計算)

第三百十九条の七 第三百十九条の五(公的年金等の月割額)の規定により計算した金額が四円の整数倍でないときは、当該金額を超える四円の整数倍である金額のうち最も少ない金額を当該計算した金額とする。

2 法第二百三条の三第七号(徴収税額)に定める金額に一円未満の端数があるときは、これを一円に切り上げるものとする。

(簡易な公的年金等の受給者の扶養親族等申告書の提出に係る国税庁長官の承認に関する手続)

第三百十九条の九 法第二百三条の六第二項(公的年金等の受給者の扶養親族等申告書)に規定する公的年金等の支払者は、同項の規定による国税庁長官の承認を受けようとする場合には、その旨及び当該承認を受けようとする事由その他財務省令で定める事項を記載した申請書を、財務省令で定める日までに、当該公的年金等に係る所得税の法第十七条(源泉徴収に係る所得

税の納税地）の規定による納税地（法第十八条第二項（納税地の指定）の規定による指定があつた場合には、その指定をされた納税地）の所轄税務署長を経由して、国税庁長官に提出しなければならない。

２　国税庁長官は、前項の規定による申請書の提出を受けた場合には、当該申請書を提出した同項の公的年金等の支払者が当該申請書を提出した日の属する年において受理した法第二百三条の六第一項の規定による申告書（以下この項において「公的年金等の受給者の扶養親族等申告書」という。）に記載された事項について各人別の記録があり、かつ、同条第二項の規定により提出することができる公的年金等の受給者の扶養親族等申告書（第四項において「簡易な公的年金等の受給者の扶養親族等申告書」という。）に基づき法第四編第三章の二（公的年金等に係る源泉徴収）の規定による源泉徴収を行うこととすることが適当であると認めるときは当該申請を承認し、これらの事由がないと認めるときは当該申請を却下する。

３　国税庁長官は、前項の承認又は却下の処分をするときは、第一項の申請書を提出した同項の公的年金等の支払者に対し、書面によりその旨を通知する。

４　国税庁長官は、第二項の承認をした後、その承認を受けた第一項の公的年金等の支払者について簡易な公的年金等の受給者の扶養親族等申告書に基づいて法第四編第三章の二の規定による源泉徴収を行うことが適当でなくなつたと認める場合には、その承認を取り消すことができる。この場合において、前項の規定は、当該取消しについて準用する。

（公的年金等の受給者の扶養親族等申告書に関する書類の提出又は提示）

第三百十九条の十　法第二百三条の六第一項（公的年金等の受給者の扶養親族等申告書）の規定による申告書に同項第六号に掲げる事項の記載をした居住者（同条第二項の規定により当該記載に代えて異動がない旨の記載をした居住者を含む。）は、次の各号に掲げる記載がされた者の区分に応じ当該各号に定める旨を証する書類として財務省令で定めるものを各人別に当該申告書に添付し、又は当該申告書の提出の際提示しなければならない。

一　法第二百三条の六第一項第六号の源泉控除対象配偶者で、当該申告書に非居住者である旨の記載がされた者　その者が当該居住者の配偶者に該当する旨

二　法第二百三条の六第一項第六号の控除対象扶養親族で、当該申告書に非居住者である旨の記載がされた者　その者が当該居住者の配偶者以外の親族に該当する旨（その者の同号に掲げる控除対象扶養親族に該当する事実が法第二条第一項第三十四号の二ロ(1)（定義）に掲げる者に該当することである場合には、その者が当該居住者の配偶者以外の親族に該当する旨及び同号ロ(1)に掲げる者に該当する旨）

三　法第二百三条の六第一項第六号の同居特別障害者若しくはその他の特別障害者又は特別障害者以外の障害者で、当該申告書に非居住者である旨の記載がされた者（前二号に掲げる記載がされた者を除く。）　その者が当該居住者の親族に該当する旨

（公的年金等の受給者の扶養親族等申告書に記載すべき事項の電磁的方法による提供）

第三百十九条の十一　第三百十九条の二第一項（給与所得者の源泉徴収に関する申告書に記載すべき事項等の電磁的方法による提供に係る承認等に関する手続）の規定は、法第二百三条の六第五項（公的年金等の受給者の扶養親族等申告書）に規定する政令で定める要件について準用する。この場合において、第三百十九条の二第一項第一号中「第百九十八条第二項」とあるのは「第二百三条の六第六項（公的年金等の受給者の扶養親族等申告書）」と、「給与等の支払を受ける居住者」とあるのは「公的年金等の支払を受ける居住者」と、「同条第二項」とあるのは「同条第五項」と、同項第二号中「第百九十八条第二項」とあるのは「第二百三条の六第五項」と、「給与等の支払を受ける居住者」とあるのは「公的年金等の支払を受ける居住者」と、同項第三号中「第百九十八条第二項」とあるのは「第二百三条の六第五項」と読み替えるものとする。

（源泉徴収を要しない公的年金等の額）

第三百十九条の十二　法第二百三条の七（源泉徴収を要しない公的年金等）に規定する政令で定める金額は、百八万円とする。

○所得税法施行規則（抄）

昭四〇・三・三一
大蔵令一一

最終改正　令六・六・二五財務令四六

第四編　源泉徴収

第三章　公的年金等に係る源泉徴収

（公的年金等の金額から控除する金額の調整を行わない退職共済年金）

第七十七条の二　令第三百十九条の六第一項第一号ハ（公的年金等の金額から控除する金額の調整等）に規定する財務省令で定める退職共済年金は、被用者年金制度の一元化等を図るための厚生年金保険法等の一部を改正する法律（平成二十四年法律第六十三号。以下この条及び次条において「一元化法」という。）附則第三十七条第一項（改正前国共済法による給付等）の規定によりなおその効力を有するものとされる一元化法第二条（国家公務員共済組合法の一部改正）の規定による改正前の国家公務員共済組合法（第一号及び第三項第一号において「旧効力国共済法」という。）第七十二条第一項第一号（長期給付の種類等）に掲げる退職共済年金（以下この項及び次条第一項において「旧退職共済年金」という。）で令第三百十九条の六第二項第一号イに規定する退職年金の支払を受ける者に支給されるもののほか、次に掲げる旧退職共済年金とする。

一　旧効力国共済法附則第十二条の三（退職共済年金の特例）又は第十二条の八（特例による退職共済年金の支給の繰上げ）の規定により支給される旧退職共済年金

二　国家公務員等共済組合法等の一部を改正する法律（昭和六十年法律第百五号）附則第十六条第四項（退職共済年金の額の経過的加算）の規定により加算することとされている金額を加算して支給される旧退職共済年金

２　令第三百十九条の六第一項第一号ニに規定する財務省令で定める退職共済年金は、一元化法附則第六十一条第一項（改正前

地共済法による給付等）の規定によりなおその効力を有するものとされる一元化法第三条（地方公務員等共済組合法の一部改正）の規定による改正前の地方公務員等共済組合法（第一号において「旧効力地共済法」という。）第七十四条第一号（長期給付の種類）に掲げる退職共済年金（以下この項及び次条第二項において「旧退職共済年金」という。）で令第三百十九条の六第二項第一号ロに規定する退職年金の支払を受ける者に支給されるもののほか、次に掲げる旧退職共済年金とする。

一　旧効力地共済法附則第十九条（退職共済年金の特例）又は第二十六条（特例による退職共済年金の支給の繰上げ）の規定により支給される旧退職共済年金

二　地方公務員等共済組合法等の一部を改正する法律（昭和六十年法律第百八号）附則第十六条第四項（退職共済年金の額の経過的加算）の規定により加算することとされている金額を加算して支給される旧退職共済年金

3　令第三百十九条の六第一項第一号ホに規定する財務省令で定める退職共済年金は、一元化法附則第七十九条（改正前私学共済法による給付）の規定によりなおその効力を有するものとされる一元化法第四条（私立学校教職員共済法の一部改正）の規定による改正前の私立学校教職員共済法（第一号において「旧効力私学共済法」という。）第二十条第二項第一号（給付）に掲げる退職共済年金（以下この項及び次条第三項において「旧退職共済年金」という。）で令第三百十九条の六第二項第一号ハに規定する退職年金の支払を受ける者に支給されるもののほか、次に掲げる旧退職共済年金とする。

一　旧効力私学共済法第二十五条（国家公務員共済組合法の準用）において準用する旧効力国共済法附則第十二条の三又は第十二条の八の規定により支給される旧退職共済年金

二　私立学校教職員共済法第四十八条の二（国家公務員共済組合法の改正の場合等の経過措置）の規定によりその例によることとされる国家公務員等共済組合法等の一部を改正する法律（昭和六十年法律第百五号）附則第十六条第四項の規定により加算することとされている金額を加算して支給される旧退職共済年金

（公的年金等の金額から控除する金額の調整の対象となる公的年金等）

第七十七条の三　令第三百十九条の六第二項第一号イ（公的年金等の金額から控除する金額の調整等）に規定する財務省令で定める公的年金等は、厚生年金保険法第三十二条第一号（保険給付の種類）に掲げる老齢厚生年金（以下この条において「老齢厚生年金」という。）若しくは一元化法附則第四十一条第一項（追加費用対象期間を有する者の特例等）に規定する退職共済年金又は旧退職共済年金とする。

2　令第三百十九条の六第二項第一号ロに規定する財務省令で定める公的年金等は、老齢厚生年金若しくは一元化法附則第六十五条第一項（追加費用対象期間を有する者の特例等）に規定する退職共済年金又は旧退職共済年金とする。

3　令第三百十九条の六第二項第一号ハに規定する財務省令で定める公的年金等は、老齢厚生年金又は旧退職共済年金とする。

（公的年金等の受給者の扶養親族等申告書の記載事項等）

第七十七条の四　法第二百三条の六第一項第七号（公的年金等の受給者の扶養親族等申告書）に規定する財務省令で定める事項は、次に掲げる事項とする。

一　法第二百三条の六第一項の規定による申告書を提出する者（以下この項において「申告者」という。）の氏名、生年月日、住所（国内に住所がない場合には、居所とし、国内に住所及び居所がない場合には国外における住所又は居所とする。以下この項及び第五項において同じ。）及び個人番号（個人番号を有しない者にあつては、氏名及び住所）

二　源泉控除対象配偶者の生年月日、住所及び法第二条第一項第三十号（定義）に規定する合計所得金額（以下この項において「合計所得金額」という。）の見積額

三　控除対象扶養親族の生年月日、住所及び申告者との続柄並びに合計所得金額の見積額

四　同一生計配偶者（源泉控除対象配偶者を除く。）又は扶養親族（控除対象扶養親族を除く。）のうちに障害者がある場合には、その者の住所及び申告者との続柄（同一生計配偶者にあつては、住所）並びに合計所得金額の見積額

五　法第八十五条第四項又は第五項（扶養親族等の判定の時期等）の規定により申告者以外の居住者（以下この号において「他の居住者」という。）の同一生計配偶者又は扶養親族に該当するものとみなされる者のうちに、当該他の居住者の控除対象配偶者若しくはその他の同一生計配偶者（前号の規定に該当する者に限る。以下この号において同じ。）又は控除対象扶養親族若しくはその他の扶養親族（前号の規定に該当する者に限る。以下この号において同じ。）がある場合には、その旨、他の居住者の氏名及び申告者との続柄並びに他の居住者がその控除対象配偶者若しくはその他の同一生計配偶者又は控除対象扶養親族若しくはその他の扶養親族とする者の氏名、住所及び申告者との続柄

六　その他参考となるべき事項

2　法第二百三条の六第一項の規定による申告書を受理した同項に規定する公的年金等の支払者は、当該申告書（同条第五項の規定の適用により当該公的年金等の支払者が提供を受けた当該申告書に記載すべき事項を含む。第九項において同じ。）に、当該公的年金等の支払者の法人番号を付記するものとする。

3　法第二百三条の六第七項に規定する公的年金等の支払者（次項、第六項及び第七項において「公的年金等の支払者」という。）が同条第七項の規定により帳簿を作成する場合には、その者は、当該帳簿に第七十六条の二第五項各号（給与所得者の源泉徴収に関する申告書に記載すべき事項の電磁的方法による提供等）に掲げる事項を記載しなければならない。

4　公的年金等の支払者は、前項の帳簿を、最後に法第二百三条の六第七項の規定の適用を受けて提出された同条第一項の規定による申告書に係る第九項ただし書の規定による期限まで保存しなければならない。

5　第七十六条の二第七項から第九項までの規定は、法第二百三条の六第七項の規定の適用を受けて同条第一項の規定による申告書を提出した居住者が当該申告書に記載すべき氏名、住所又は個人番号を変更した場合について準用する。

6　法第二百三条の六第七項に規定する財務省令で定める者は、公的年金等の支払者に対して同項の規定による申告書を提出する者及び当該申告書を提出する者の扶養親族のうち法第八十五条第二項に規定する同居特別障害者若しくはその他の特別障害者又は特別障害者以外の障害者である者とする。

7　公的年金等の支払者が、法第二百三条の六第一項の規定による申告書に記載されるべき第一項第一号に規定する申告者の氏名及び個人番号その他の事項を記載した帳簿であつて、当該申告書の提出の前に、行政手続における特定の個人を識別するための番号の利用等に関する法律第十四条第二項（提供の要求）の規定による求めに基づく機構保存本人確認情報（住民基本台帳法第三十条の七第四項（都道府県知事から機構への本人確認情報の通知等）に規定する機構保存本人確認情報をいう。）の提供を受けて作成されたものを備えている場合における法第二百三条の六第七項（当該申告者に係る部分に限る。）の規定の適用については、当該帳簿を同項に規定する帳簿に該当するものとして、同項の規定を適用することができる。

8　第三項から第五項までの規定は、前項の規定により帳簿を作成する場合について準用する。この場合において、第三項中「第七十六条の二第五項各号（給与所得者の源泉徴収に関する申告書に記載すべき事項の電磁的方法による提供等）に掲げる事項」とあるのは「第七項に規定する機構保存本人確認情報として提供を受けた第一項第一号に規定する申告者の氏名、住所及び個人番号並びにその提供を受けた年月その他参考となるべき事項」と、第五項中「準用する。」とあるのは「準用する。この場合において、第七十六条の二第八項中「第五項各号に掲げる事項」とあるのは、「第七十七条の四第七項（公的年金等の受給者の扶養親族等申告書の記載事項等）に規定する機構保存本人確認情報として提供を受けた同条第一項第一号に規定する申告者の氏名、住所及び個人番号並びにその提供を受けた年月その他参考となるべき事項」と読み替えるものとする。」と読み替えるものとする。

9　法第二百三条の六第一項に規定する公的年金等の支払者がその公的年金等の支払を受ける居住者から同項の規定による申告書を受理した場合には、当該申告書を、同項に規定する税務署長が当該公的年金等の支払者に対しその提出を求めるまでの間、当該公的年金等の支払者が保存するものとする。ただし、当該申告書に係る同項に規定する提出期限の属する年の翌年一月十日の翌日から七年を経過する日後においては、この限りでない。

（公的年金等の受給者の扶養親族等申告書に添付すべき書類等）

第七十七条の五　第七十三条の二第二項（給与所得者の扶養控除等申告書に添付すべき書類等）の規定は、令第三百十九条の十（公的年金等の受給者の扶養親族等申告書に関する書類の提出又は提示）に規定する財務省令で定める書類について準用する。この場合において、同項中「国外居住親族（同項に規定する国外居住親族をいう。以下この条において同じ。）」とあるのは「令第三百十九条の十（公的年金等の受給者の扶養親族等申告書に関する書類の提出又は提示）に規定する記載がされた者」と、「第三百十六条の二第二項第一号又は第二号に掲げる国外居住親族」とあるのは「第三百十九条の十第一号又は第三号に掲げる記載がされた者」と、「当該国外居住親族」とあるのは「当該記載がされた者」と、「第二号に掲げる者」とあるのは「第三号に掲げる者」と、「第二号に定める」とあるのは「第三号に定める」と、「第三百十六条の二第二項第三号に掲げる国外居住親族」とあるのは「第三百十九条の十第二号に掲げる記載がされた者」と、「同項に規定する居住者」とあるのは「同条に規定する居住者」と、「第百九十四条第一項第七号（給与所得者の扶養控除等申告書）」とあるのは「第二百三条の六第一項第六号（公的年金等の受給者の扶養親族等申告書）」と読み替えるものとする。

（簡易な公的年金等の受給者の扶養親族等申告書の承認申請書の記載事項等）

第七十七条の六　令第三百十九条の九第一項（簡易な公的年金等の受給者の扶養親族等申告書の提出に係る国税庁長官の承認に関する手続）に規定する財務省令で定める事項は、次に掲げる事項とする。

一　法第二百三条の六第二項（公的年金等の受給者の扶養親族等申告書）に規定する公的年金等の支払者の名称、当該公的年金等に係る所得税の同項に規定する納税地及び法人番号

二　法第二百三条の六第二項の規定による国税庁長官の承認を受けようとする事由の詳細

三　その受理しようとする法第二百三条の六第二項の規定による申告書の書式及びその記載の要領

四　令第三百十九条の九第一項に規定する申請書を提出する日の属する年において受理した同条第二項に規定する公的年金等の受給者の扶養親族等申告書に記載された事項の記録の方法及びその内容並びに当該記録に関する書類の保存の状況

五　当該申請書を提出する日の属する年の前年以前三年内の各年における法第二百三条の六第二項に規定する公的年金等の支払金額及び当該公的年金等に係る法第四編第三章の二（公的年金等に係る源泉徴収）の規定により徴収した所得税の額並びにその受給者の数

六　その他参考となるべき事項

2　令第三百十九条の九第一項に規定する財務省令で定める日は、同条第二項に規定する簡易な公的年金等の受給者の扶養親族等申告書を最初に受理しようとする日の属する年の前年十月三十一日とする。

第五編　雑則

第一章　支払調書の提出等の義務

（公的年金等の源泉徴収票）

第九十四条の二　居住者に対し国内において法第二百二十六条第三項（公的年金等の源泉徴収票）に規定する公的年金等（以下この条において「公的年金等」という。）の支払をする者は、同項の規定により、その公的年金等の支払を受ける者の各人別に、次に掲げる事項を記載した源泉徴収票二通を作成し、一通をその公的年金等に係る所得税の法第十七条（源泉徴収に係る所得税の納税地）の規定による納税地の所轄税務署長（第一号イ及び第七号イ(1)において「所轄税務署長」という。）に提出し、他の一通をその公的年金等の支払を受ける者に交付しなければならない。

一　次に掲げる源泉徴収票の区分に応じそれぞれ次に定める事項

イ　所轄税務署長に提出する源泉徴収票　その公的年金等の支払を受ける者の氏名、生年月日、住所又は居所及び個人番号

ロ　公的年金等の支払を受ける者に交付する源泉徴収票　そ

の公的年金等の支払を受ける者の氏名、生年月日及び住所又は居所

二　その公的年金等の支払をする者の名称、主たる事務所の所在地、法人番号及び電話番号

三　その年中に支払の確定した公的年金等につき法第二百三条の三第一号若しくは第四号、第二号若しくは第五号、第三号若しくは第六号又は第七号（徴収税額）の規定の適用を受けるものの区分

四　前号の公的年金等につき同号の区分ごとに法第四編第三章の二（公的年金等に係る源泉徴収）の規定により徴収される所得税の額

五　第三号の公的年金等の支払を受ける者が特別障害者若しくはその他の障害者、寡婦又はひとり親に該当する場合には、その旨

六　第三号の公的年金等から控除される法第二百三条の五第一号（公的年金等から控除される社会保険料がある場合等の徴収税額の計算）に規定する社会保険料の金額

七　法第二百三条の六第一項（公的年金等の受給者の扶養親族等申告書）の規定による申告書に記載されたところに応じ次に掲げる事項

イ　次に掲げる源泉徴収票の区分に応じそれぞれ次に定める事項

(1)　所轄税務署長に提出する源泉徴収票　次に掲げる事項

(i)　源泉控除対象配偶者の有無、源泉控除対象配偶者の氏名及び個人番号（個人番号を有しない者にあつては、氏名。(ii)において同じ。）並びに源泉控除対象配偶者が老人控除対象配偶者に該当する場合又は非居住者である場合には、その旨

(ii)　控除対象扶養親族の数、控除対象扶養親族の氏名及び個人番号並びに控除対象扶養親族が非居住者である場合には、その旨及び控除対象扶養親族に該当する事実

(2)　公的年金等の支払を受ける者に交付する源泉徴収票　次に掲げる事項

(i)　源泉控除対象配偶者の有無、源泉控除対象配偶者の氏名及び控除対象配偶者源泉が老人控除対象配偶者に該当する場合又は非居住者である場合には、その旨

(ii)　控除対象扶養親族の数、控除対象扶養親族の氏名並びに控除対象扶養親族が非居住者である場合には、その旨及び控除対象扶養親族に該当する事実

ロ　控除対象扶養親族のうちに特定扶養親族又は老人扶養親族がある場合には、その数

ハ　同一生計配偶者又は扶養親族のうちに法第八十五条第二項（扶養親族等の判定の時期等）に規定する同居特別障害者若しくはその他の特別障害者又は特別障害者以外の障害者がある場合には、その数

八　租税特別措置法第四十一条の三の九第一項又は第二項（令和六年六月以後に支払われる公的年金等に係る特別控除の額の控除等）の規定の適用がある場合における同条第三項に規定する年金特別控除額のうち同条第一項又は第二項の規定により控除した金額及び当該年金特別控除額のうち同条第一項又は第二項の規定による控除をしても控除しきれない金額（当該金額がない場合には、零）

九　その他参考となるべき事項

2　前項の場合において、次の各号に掲げる場合に該当するときは、当該各号の規定に該当する公的年金等に係る同項の源泉徴収票は、税務署長に提出することを要しない。

一　同一人に対しその年中に支払う法第二百三条の三第一号から第六号までに掲げる公的年金等の支払金額が六十万円以下である場合

二　同一人に対しその年中に支払う法第二百三条の三第七号に掲げる公的年金等の支払金額が三十万円以下である場合

3　法第九十三条第三項（税務署長の承認に係る手続）の規定は、法第二百二十六条第三項後段の規定を適用する場合について準用する。

4　第一項の規定は、法第二百二十六条第四項ただし書の規定により公的年金等の支払を受ける者に交付する同項の源泉徴収票について準用する。

＊　所得税法施行規則は、所得税法施行規則の一部を改正する省令（令和五年財務令一二）により一部改正されたが、このうち令和九年一月一日から施行される部分については、一部改正省令の形で掲載した。

〇所得税法施行規則の一部を改正する省令（抄）

令五・三・三一
財務令一二

所得税法施行規則（昭和四十年大蔵省令第十一号）の一部を次のように改正する。

第九十四条の二第一項中「公的年金等の源泉徴収票」を「源泉徴収票」に改め、同条第二項を削り、同条第三項中「税務署長の承認に係る手続」を「給与等の源泉徴収票」に改め、同項を同条第二項とし、同条第四項を同条第三項とする。

附　則（抄）

（施行期日）

第一条　この省令は、令和五年四月一日から施行する。ただし、次の各号に掲げる規定は、当該各号に定める日から施行する。

一～四　〔略〕

五　〔前略〕第九十四条の二の改正規定〔中略〕令和九年一月一日

六・七　〔略〕

〇出納官吏事務規程（抄）

昭二二・九・二七
大蔵令九五

最終改正　令三・六・一八財務令五一

第三章　資金前渡官吏

第四節　支払等

〔共済組合掛金の控除〕

第四十二条の三　資金前渡官吏は、国家公務員共済組合法（昭和三十三年法律第百二十八号）又は地方公務員等共済組合法（昭和三十七年法律第百五十二号）による組合の組合員（組合員であつた者を含む。）に俸給その他の給与（国家公務員等退職手当法（昭和二十八年法律第百八十二号）に基づく退職手当又はこれに相当する手当を含む。）の支払をしようとするときは、その給与の額から、国家公務員共済組合法第百一条第一項若しくは第二項又は地方公務員等共済組合法第百十五条第一項若しくは第二項の規定により控除すべき金額に相当する金額を控除した残額の支払をし、その領収証書を徴さなければならない。

② 資金前渡官吏は、前項の規定により控除した金額を共済組合に支払い、その領収証書を徴さなければならない。

〇国等の債権債務等の金額の端数計算に関する法律（抄）

昭二五・三・三一
法　　六一

最終改正　平二二・三・三一法一五

（国等の債権又は債務の金額の端数計算）

第二条　国及び公庫等の債権で金銭の給付を目的とするもの（以下「債権」という。）又は国及び公庫等の債務で金銭の給付を目的とするもの（以下「債務」という。）の確定金額に一円未満の端数があるときは、その端数金額を切り捨てるものとする。

2　国及び公庫等の債権の確定金額の全額が一円未満であるときは、その全額を切り捨てるものとし、国及び公庫等の債務の確定金額の全額が一円未満であるときは、その全額を一円として計算する。

3　国及び公庫等の相互の間における債権又は債務の確定金額の全額が一円未満であるときは、前項の規定にかかわらず、その全額を切り捨てるものとする。

〇減価償却資産の耐用年数等に関する省令（抄）

昭四〇・三・三一
大蔵令一五

最終改正　令六・三・三〇財務令三〇

別表第一　機械及び装置以外の有形減価償却資産の耐用年数表

種類	構造又は用途	細目	耐用年数（年）
建物	鉄骨鉄筋コンクリート造又は鉄筋コンクリート造のもの	事務所用又は美術館用のもの及び左記以外のもの	五〇
		住宅用、寄宿舎用、宿泊所用、学校用又は体育館用のもの	四七
		飲食店用、貸席用、劇場用、演奏場用、映画館用又は舞踏場用のもの	
		飲食店用又は貸席用のもので、延べ面積のうちに占める木造内装部分の面積が三割を超えるもの	三四
		その他のもの	四一
		旅館用又はホテル用のもの	
		延べ面積のうちに占める木造内装部分の面積が三割を超えるもの	三一
		その他のもの	三九
		店舗用のもの	三九
		病院用のもの	三九
		変電所用、発電所用、送受信所用、停車場用、車庫用、格納庫用、荷扱所用、映画製作ステージ用、屋内スケート場用、魚市場用又はと畜場用のもの	三八

構造	細目	耐用年数
	公衆浴場用のもの	三一
	工場（作業場を含む。）用又は倉庫用のもの	
	塩素、塩酸、硫酸、硝酸その他の著しい腐食性を有する液体又は気体の影響を直接全面的に受けるもの、冷蔵倉庫用のもの（倉庫事業の倉庫用のものを除く。）及び放射性同位元素の放射線を直接受けるもの	二四
	塩、チリ硝石その他の著しい潮解性を有する固体を常時蔵置するためのもの及び著しい蒸気の影響を直接全面的に受けるもの	三一
	その他のもの	
	倉庫事業の倉庫用のもの	
	冷蔵倉庫用のもの	二一
	その他のもの	三一
	その他のもの	三八
れんが造、石造又はブロック造のもの	事務所用又は美術館用のもの及び左記以外のもの	四一
	店舗用、住宅用、寄宿舎用、宿泊所用、学校用又は体育館用のもの	三八
	飲食店用、貸席用、劇場用、演奏場用、映画館用又は舞踏場用のもの	三八
	旅館用、ホテル用又は病院用のもの	三六
	変電所用、発電所用、送受信所用、停車場用、車庫用、格納庫用、荷扱所用、映画製作ステージ用、屋内スケート場用、魚市場用又はと畜場用のもの	三四
	公衆浴場用のもの	三〇
	工場（作業場を含む。）用又は倉庫用のもの	
	塩素、塩酸、硫酸、硝酸その他の著しい腐食性を有する液体又は気体の影響を直接全面的に受けるもの及び冷蔵倉庫用のもの（倉庫事業の倉庫用のものを除く。）	二二
	塩、チリ硝石その他の著しい潮解性を有する固体を常時蔵置するためのもの及び著しい蒸気の影響を直接全面的に受けるもの	二八
	その他のもの	
	倉庫事業の倉庫用のもの	
	冷蔵倉庫用のもの	二〇
	その他のもの	三〇
	その他のもの	三四
金属造のもの（骨格材の肉厚が四ミリメートルを超えるものに限る。）	事務所用又は美術館用のもの及び左記以外のもの	三八
	店舗用、住宅用、寄宿舎用、宿泊所用、学校用又は体育館用のもの	三四
	飲食店用、貸席用、劇場用、演奏場用、映画館用又は舞踏場用のもの	三一
	変電所用、発電所用、送受信所用、停車場用、車庫用、格納庫用、荷扱所用、映画製作ステージ用、屋内スケート場用、魚市場用又はと畜場用のもの	三一
	旅館用、ホテル用又は病院用のもの	二九
	公衆浴場用のもの	二七
	工場（作業場を含む。）用又は倉庫用のもの	
	塩素、塩酸、硫酸、硝酸その他の著しい腐食性を有する液体又は気体の影響を直接全面的に受けるもの、冷蔵倉庫用のもの（倉庫事業の倉庫用のものを除く。）及び放射性同位元素の放射線を直接受けるもの	二〇
	塩、チリ硝石その他の著しい潮解性を有する固体を常時蔵置するためのもの及び著しい蒸気の影響を直接全面的に受けるもの	二五
	その他のもの	
	倉庫事業の倉庫用のもの	
	冷蔵倉庫用のもの	一九
	その他のもの	二六
	その他のもの	三一
金属造のもの（骨格材の肉厚が三ミリメートルを超え四ミリメートル以下のものに限る。）	事務所用又は美術館用のもの及び左記以外のもの	三〇
	店舗用、住宅用、寄宿舎用、宿泊所用、学校用又は体育館用のもの	二七
	飲食店用、貸席用、劇場用、演奏場用、映画館用又は舞踏場用のもの	二五
	変電所用、発電所用、送受信所用、停車場用、車庫用、格納庫用、荷扱所用、映画製作ステージ用、屋内スケート場用、魚市場用又はと畜場用のもの	二五
	旅館用、ホテル用又は病院用のもの	二四
	公衆浴場用のもの	一九
	工場（作業場を含む。）用又は倉庫用のもの	
	塩素、塩酸、硫酸、硝酸その他の著しい腐食性を有する液体又は気体の影響を直接全面的に受けるもの及び冷蔵倉庫用のもの	一五
	塩、チリ硝石その他の著しい潮解性を有する固体を常時蔵置するためのもの及び著しい蒸気の影響を直接全面的に受けるもの	一九

種類	構造又は用途	細目	耐用年数
		その他のもの	二四
	金属造のもの（骨格材の肉厚が三ミリメートル以下のものに限る。）	事務所用又は美術館用のもの及び左記以外のもの	二二
		店舗用、住宅用、寄宿舎用、宿泊所用、学校用又は体育館用のもの	一九
		飲食店用、貸席用、劇場用、演奏場用、映画館用又は舞踏場用のもの	一九
		変電所用、発電所用、送受信所用、停車場用、車庫用、格納庫用、荷扱所用、映画製作ステージ用、屋内スケート場用、魚市場用又はと畜場用のもの	一九
		旅館用、ホテル用又は病院用のもの	一七
		公衆浴場用のもの	一五
		工場（作業場を含む。）用又は倉庫用のもの 塩素、塩酸、硫酸、硝酸その他の著しい腐食性を有する液体又は気体の影響を直接全面的に受けるもの及び冷蔵倉庫用のもの	一二
		塩、チリ硝石その他の著しい潮解性を有する固体を常時蔵置するためのもの及び著しい蒸気の影響を直接全面的に受けるもの	一四
		その他のもの	一七
	木造又は合成樹脂造のもの	事務所用又は美術館用のもの及び左記以外のもの	二四
		店舗用、住宅用、寄宿舎用、宿泊所用、学校用又は体育館用のもの	二二
		飲食店用、貸席用、劇場用、演奏場用、映画館用又は舞踏場用のもの	二〇
		変電所用、発電所用、送受信所用、停車場用、車庫用、格納庫用、荷扱所用、映画製作ステージ用、屋内スケート場用、魚市場用又はと畜場用のもの	一七
		旅館用、ホテル用又は病院用のもの	一七
		公衆浴場用のもの	一二
		工場（作業場を含む。）用又は倉庫用のもの 塩素、塩酸、硫酸、硝酸その他の著しい腐食性を有する液体又は気体の影響を直接全面的に受けるもの及び冷蔵倉庫用のもの	九
		塩、チリ硝石その他の著しい潮解性を有する固体を常時蔵置するためのもの及び著しい蒸気の影響を直接全面的に受けるもの	一一
		その他のもの	一五
	木骨モルタル造のもの	事務所用又は美術館用のもの及び左記以外のもの	二二
		店舗用、住宅用、寄宿舎用、宿泊所用、学校用又は体育館用のもの	二〇
		飲食店用、貸席用、劇場用、演奏場用、映画館用又は舞踏場用のもの	一九
		変電所用、発電所用、送受信所用、停車場用、車庫用、格納庫用、荷扱所用、映画製作ステージ用、屋内スケート場用、魚市場用又はと畜場用のもの	一五
		旅館用、ホテル用又は病院用のもの	一五
		公衆浴場用のもの	一一
		工場（作業場を含む。）用又は倉庫用のもの 塩素、塩酸、硫酸、硝酸その他の著しい腐食性を有する液体又は気体の影響を直接全面的に受けるもの及び冷蔵倉庫用のもの	七
		塩、チリ硝石その他の著しい潮解性を有する固体を常時蔵置するためのもの及び著しい蒸気の影響を直接全面的に受けるもの	一〇
		その他のもの	一四
	簡易建物	木製主要柱が十センチメートル角以下のもので、土居ぶき、杉皮ぶき、ルーフィングぶき又はトタンぶきのもの	一〇
		掘立造のもの及び仮設のもの	七
建物附属設備	電気設備（照明設備を含む。）	蓄電池電源設備	六
		その他のもの	一五
	給排水又は衛生設備及びガス設備		一五
	冷房、暖房、通風又はボイラー設備	冷暖房設備（冷凍機の出力が二十二キロワット以下のもの）	一三
		その他のもの	一五
	昇降機設備	エレベーター	一七
		エスカレーター	一五
	消火、排煙又は災害報知設備及び格		八

種類	構造又は用途	細目	耐用年数
構築物	納式避難設備		
	エヤーカーテン又はドアー自動開閉設備		一二
	アーケード又は日よけ設備	主として金属製のもの	一五
		その他のもの	八
	店用簡易装備		三
	可動間仕切り	簡易なもの	三
		その他のもの	一五
	前掲のもの以外のもの及び前掲の区分によらないもの	主として金属製のもの	一八
		その他のもの	一〇
	鉄道業用又は軌道業用のもの	軌条及びその附属品	二〇
		まくら木	
		木製のもの	八
		コンクリート製のもの	二〇
		金属製のもの	二〇
		分岐器	一五
		通信線、信号線及び電燈電力線	三〇
		信号機	三〇
		送配電線及びき電線	四〇
		電車線及び第三軌条	二〇
		帰線ボンド	五
		電線支持物（電柱及び腕木を除く。）	三〇
		木柱及び木塔（腕木を含む。）	
		架空索道用のもの	一五
		その他のもの	二五
		前掲以外のもの	
		線路設備	
		軌道設備	
		道床	六〇
		その他のもの	一六
		土工設備	五七
		橋りよう	
		鉄筋コンクリート造のもの	五〇
		鉄骨造のもの	四〇
		その他のもの	一五
		トンネル	
		鉄筋コンクリート造のもの	六〇
		れんが造のもの	三五
		その他のもの	三〇
		その他のもの	二一
		停車場設備	三二
		電路設備	
		鉄柱、鉄塔、コンクリート柱及びコンクリート塔	四五
		踏切保安又は自動列車停止設備	一二
		その他のもの	一九
		その他のもの	四〇
	その他の鉄道用又は軌道用のもの	軌条及びその附属品並びにまくら木	一五
		道床	六〇
		土工設備	五〇
		橋りよう	
		鉄筋コンクリート造のもの	五〇
		鉄骨造のもの	四〇
		その他のもの	一五
		トンネル	
		鉄筋コンクリート造のもの	六〇
		れんが造のもの	三五
		その他のもの	三〇
		その他のもの	三〇
	発電用又は送配電用のもの	小水力発電用のもの（農山漁村電気導入促進法（昭和二十七年法律第三百五十八号）に基づき建設したものに限る。）	三〇
		その他の水力発電用のもの（貯水池、調整池及び水路に限る。）	五七
		汽力発電用のもの（岸壁、さん橋、堤防、防波堤、煙突、その他汽力発電用のものをいう。）	四一
		送電用のもの	
		地中電線路	二五
		塔、柱、がい子、送電線、地線及び添架電話線	三六
		配電用のもの	
		鉄塔及び鉄柱	五〇
		鉄筋コンクリート柱	四二
		木柱	一五
		配電線	三〇
		引込線	二〇
		添架電話線	三〇
		地中電線路	二五
	電気通信事業用のもの	通信ケーブル	
		光ファイバー製のもの	一〇
		その他のもの	一三
		地中電線路	二七
		その他の線路設備	二一

放送用又は無線通信用のもの	鉄塔及び鉄柱	
	円筒空中線式のもの	三〇
	その他のもの	四〇
	鉄筋コンクリート柱	四二
	木塔及び木柱	一〇
	アンテナ	一〇
	接地線及び放送用配線	一〇
農林業用のもの	主としてコンクリート造、れんが造、石造又はブロック造のもの	
	果樹棚又はホップ棚	一四
	その他のもの	一七
	主として金属造のもの	一四
	主として木造のもの	五
	土管を主としたもの	一〇
	その他のもの	八
広告用のもの	金属造のもの	二〇
	その他のもの	一〇
競技場用、運動場用、遊園地用又は学校用のもの	スタンド	
	主として鉄骨鉄筋コンクリート造又は鉄筋コンクリート造のもの	四五
	主として鉄骨造のもの	三〇
	主として木造のもの	一〇
	競輪場用競走路	
	コンクリート敷のもの	一五
	その他のもの	一〇
	ネット設備	一五
	野球場、陸上競技場、ゴルフコースその他のスポーツ場の排水その他の土工施設	三〇
	水泳プール	三〇
	その他のもの	
	児童用のもの	
	すべり台、ぶらんこ、ジャングルジムその他の遊戯用のもの	一〇
	その他のもの	一五
	その他のもの	
	主として木造のもの	一五
	その他のもの	三〇
緑化施設及び庭園	工場緑化施設	七
	その他の緑化施設及び庭園（工場緑化施設に含まれるものを除く。）	二〇
舗装道路及び舗装路面	コンクリート敷、ブロック敷、れんが敷又は石敷のもの	一五
	アスファルト敷又は木れんが敷のもの	一〇
	ビチューマルス敷のもの	三
鉄骨鉄筋コンクリート造又は鉄筋コンクリート造のもの（前掲のものを除く。）	水道用ダム	八〇
	トンネル	七五
	橋	六〇
	岸壁、さん橋、防壁（爆発物用のものを除く。）、堤防、防波堤、塔、やぐら、上水道、水そう及び用水用ダム	五〇
	乾ドック	四五
	サイロ	三五
	下水道、煙突及び焼却炉	三五
	高架道路、製塩用ちんでん池、飼育場及びへい	三〇
	爆発物用防壁及び防油堤	二五
	造船台	二四
	放射性同位元素の放射線を直接受けるもの	一五
	その他のもの	六〇
コンクリート造又はコンクリートブロック造のもの（前掲のものを除く。）	やぐら及び用水池	四〇
	サイロ	三四
	岸壁、さん橋、防壁（爆発物用のものを除く。）、堤防、防波堤、トンネル、上水道及び水そう	三〇
	下水道、飼育場及びへい	一五
	爆発物用防壁	一三
	引湯管	一〇
	鉱業用廃石捨場	五
	その他のもの	四〇
れんが造のもの（前掲のものを除く。）	防壁（爆発物用のものを除く。）、堤防、防波堤及びトンネル	五〇
	煙突、煙道、焼却炉、へい及び爆発物用防壁	
	塩素、クロールスルホン酸その他の著しい腐食性を有する気体の影響を受けるもの	七
	その他のもの	二五
	その他のもの	四〇
石造のもの（前掲のものを除く。）	岸壁、さん橋、防壁（爆発物用のものを除く。）、堤防、防波堤、上水道及び用水池	五〇
	乾ドック	四五
	下水道、へい及び爆発物用防壁	三五
	その他のもの	五〇
土造のもの（前掲のものを除く。）	防壁（爆発物用のものを除く。）、堤防、防波堤及び自動車道	四〇
	上水道及び用水池	三〇
	下水道	一五
	へい	二〇
	爆発物用防壁及び防油堤	一七

		その他のもの	四〇
	金属造のもの（前掲のものを除く。）	橋（はね上げ橋を除く。）	四五
		はね上げ橋及び鋼矢板岸壁	二五
		サイロ	二二
		送配管	
		鋳鉄製のもの	三〇
		鋼鉄製のもの	一五
		ガス貯そう	
		液化ガス用のもの	一〇
		その他のもの	二〇
		薬品貯そう	
		塩酸、ふつ酸、発煙硫酸、濃硝酸その他の発煙性を有する無機酸用のもの	八
		有機酸用又は硫酸、硝酸その他前掲のもの以外の無機酸用のもの	一〇
		アルカリ類用、塩水用、アルコール用その他のもの	一五
		水そう及び油そう	
		鋳鉄製のもの	二五
		鋼鉄製のもの	一五
		浮きドック	二〇
		飼育場	一五
		つり橋、煙突、焼却炉、打込み井戸、へい、街路灯及びガードレール	一〇
		露天式立体駐車設備	一五
		その他のもの	四五
	合成樹脂造のもの（前掲のものを除く。）		一〇
	木造のもの（前掲のものを除く。）	橋、塔、やぐら及びドック	一五
		岸壁、さん橋、防壁、堤防、防波堤、トンネル、水そう、引湯管及びへい	一〇
		飼育場	七
		その他のもの	一五
	前掲のもの以外のもの及び前掲の区分によらないもの	主として木造のもの	一五
		その他のもの	五〇
船舶	船舶法（明治三十二年法律第四十六号）第四条から第十九条までの適用を受ける鋼船		
	漁船	総トン数が五百トン以上のもの	一二
		総トン数が五百トン未満のもの	九
	油そう船	総トン数が二千トン以上のもの	一三
		総トン数が二千トン未満のもの	一一
	薬品そう船		一〇
	その他のもの	総トン数が二千トン以上のもの	一五
		総トン数が二千トン未満のもの	
		しゅんせつ船及び砂利採取船	一〇
		カーフェリー	一一
		その他のもの	一四
	船舶法第四条から第十九条までの適用を受ける木船		
	漁船		六
	薬品そう船		八
	その他のもの		一〇
	船舶法第四条から第十九条までの適用を受ける軽合金船（他の項に掲げるものを除く。）		九
	船舶法第四条から第十九条までの適用を受ける強化プラスチック船		七
	船舶法第四条から		

	第十九条までの適用を受ける水中翼船及びホバークラフト			八
	その他のもの	鋼船	しゆんせつ船及び砂利採取船	七
			発電船及びとう載漁船	八
			ひき船	一〇
			その他のもの	一二
		木船	とう載漁船	四
			しゆんせつ船及び砂利採取船	五
			動力漁船及びひき船	六
			薬品そう船	七
			その他のもの	八
		その他のもの	モーターボート及びとう載漁船	四
			その他のもの	五
航空機	飛行機	主として金属製のもの	最大離陸重量が百三十トンを超えるもの	一〇
			最大離陸重量が百三十トン以下のもので、五・七トンを超えるもの	八
			最大離陸重量が五・七トン以下のもの	五
		その他のもの		五
	その他のもの	ヘリコプター及びグライダー		五
		その他のもの		五
車両及び運搬具	鉄道用又は軌道用車両（架空索道用搬器を含む。）	電気又は蒸気機関車		一八
		電車		一三
		内燃動車（制御車及び附随車を含む。）		一一
		貨車	高圧ボンベ車及び高圧タンク車	一〇
			薬品タンク車及び冷凍車	一二
			その他のタンク車及び特殊構造車	一五
			その他のもの	二〇
		線路建設保守用工作車		一〇
		鋼索鉄道用車両		一五
		架空索道用搬器	閉鎖式のもの	一〇
			その他のもの	五
		無軌条電車		八
		その他のもの		二〇
	特殊自動車（この項には、別表第二に掲げる減価償却資産に含まれるブルドーザー、パワーショベルその他の自走式作業用機械並びにトラクター及び農林業用運搬機具を含まない。）	消防車、救急車、レントゲン車、散水車、放送宣伝車、移動無線車及びチップ製造車		五
		モータースィーパー及び除雪車		四
		タンク車、じんかい車、し尿車、寝台車、霊きゆう車、トラックミキサー、レッカーその他特殊車体を架装したもの	小型車（じんかい車及びし尿車にあつては積載量が二トン以下、その他のものにあつては総排気量が二リットル以下のものをいう。）	三
			その他のもの	四
	運送事業用、貸自動車業用又は自動車教習所用の車両及び運搬具（前掲のものを除く。）	自動車（二輪又は三輪自動車を含み、乗合自動車を除く。）	小型車（貨物自動車にあつては積載量が二トン以下、その他のものにあつては総排気量が二リットル以下のものをいう。）	三
			その他のもの　大型乗用車（総排気量が三リットル以上のものをいう。）	五
			その他のもの　その他のもの	四
		乗合自動車		五
		自転車及びリヤカー		二
		被けん引車その他のもの		四
	前掲のもの以外のもの	自動車（二輪又は三輪自動車を除く。）	小型車（総排気量が〇・六六リットル以下のものをいう。）	四
			その他のもの　貨物自動車　ダンプ式のもの	四
			その他のもの　貨物自動車　その他のもの	五
			その他のもの　報道通信用のもの	五
			その他のもの　その他のもの	六
		二輪又は三輪自動車		三
		自転車		二
		鉱山用人車、炭車、鉱車及び台車	金属製のもの	七
			その他のもの	四
		フォークリフト		四
		トロッコ	金属製のもの	五

種類	構造又は用途	細目	耐用年数
		その他のもの	三
		その他のもの	
		自走能力を有するもの	七
		その他のもの	四
工具	測定工具及び検査工具（電気又は電子を利用するものを含む。）		五
	治具及び取付工具		三
	ロール	金属圧延用のもの	四
		なつ染ロール、粉砕ロール、混練ロールその他のもの	三
	型（型枠を含む。）、鍛圧工具及び打抜工具	プレスその他の金属加工用金型、合成樹脂、ゴム又はガラス成型用金型及び鋳造用型	二
		その他のもの	三
	切削工具		二
	金属製柱及びカッペ		三
	活字及び活字に常用される金属	購入活字（活字の形状のまま反復使用するものに限る。）	二
		自製活字及び活字に常用される金属	八
	前掲のもの以外のもの	白金ノズル	一三
		その他のもの	三
	前掲の区分によらないもの	白金ノズル	一三
		その他の主として金属製のもの	八
		その他のもの	四
器具及び備品	1 家具、電気機器、ガス機器及び家庭用品（他の項に掲げるものを除く。）	事務机、事務いす及びキャビネット	
		主として金属製のもの	一五
		その他のもの	八
		応接セット	
		接客業用のもの	五
		その他のもの	八
		ベッド	八
		児童用机及びいす	五
		陳列だな及び陳列ケース	
		冷凍機付又は冷蔵機付のもの	六
		その他のもの	八
		その他の家具	
		接客業用のもの	五
		その他のもの	
		主として金属製のもの	一五
		その他のもの	八
		ラジオ、テレビジョン、テープレコーダーその他の音響機器	五
		冷房用又は暖房用機器	六
		電気冷蔵庫、電気洗濯機その他これらに類する電気又はガス機器	六
		氷冷蔵庫及び冷蔵ストッカー（電気式のものを除く。）	四
		カーテン、座ぶとん、寝具、丹前その他これらに類する繊維製品	三
		じゅうたんその他の床用敷物	
		小売業用、接客業用、放送用、レコード吹込用又は劇場用のもの	三
		その他のもの	六
		室内装飾品	
		主として金属製のもの	一五
		その他のもの	八
		食事又はちゅう房用品	
		陶磁器製又はガラス製のもの	二
		その他のもの	五
		その他のもの	
		主として金属製のもの	一五
		その他のもの	八
	2 事務機器及び通信機器	謄写機器及びタイプライター	
		孔版印刷又は印書業用のもの	三
		その他のもの	五
		電子計算機	
		パーソナルコンピュータ（サーバー用のものを除く。）	四
		その他のもの	五
		複写機、計算機（電子計算機を除く。）、金銭登録機、タイムレコーダーその他これらに類するもの	五
		その他の事務機器	五
		テレタイプライター及びファクシミリ	五
		インターホーン及び放送用設備	六
		電話設備その他の通信機器	
		デジタル構内交換設備及びデジタルボタン電話設備	六
		その他のもの	一〇

種類	細目	耐用年数
3 時計、試験機器及び測定機器	時計	一〇
	度量衡器	五
	試験又は測定機器	五
4 光学機器及び写真製作機器	オペラグラス	二
	カメラ、映画撮影機、映写機及び望遠鏡	五
	引伸機、焼付機、乾燥機、顕微鏡その他の機器	八
5 看板及び広告器具	看板、ネオンサイン及び気球	三
	マネキン人形及び模型	二
	その他のもの	
	主として金属製のもの	一〇
	その他のもの	五
6 容器及び金庫	ボンベ	
	溶接製のもの	六
	鍛造製のもの	
	塩素用のもの	八
	その他のもの	一〇
	ドラムかん、コンテナーその他の容器	
	大型コンテナー（長さが六メートル以上のものに限る。）	七
	その他のもの	
	金属製のもの	三
	その他のもの	二
	金庫	
	手さげ金庫	五
	その他のもの	二〇
7 理容又は美容機器		五
8 医療機器	消毒殺菌用機器	四
	手術機器	五
	血液透析又は血しよう交換用機器	七
	ハバードタンクその他の作動部分を有する機能回復訓練機器	六
	調剤機器	六
	歯科診療用ユニット	七
	光学検査機器	
	ファイバースコープ	六
	その他のもの	八
	その他のもの	
	レントゲンその他の電子装置を使用する機器	
	移動式のもの、救急医療用のもの及び自動血液分析器	四
	その他のもの	六
	その他のもの	
	陶磁器製又はガラス製のもの	三
	主として金属製のもの	一〇
	その他のもの	五
9 娯楽又はスポーツ器具及び興行又は演劇用具	たまつき用具	八
	パチンコ器、ビンゴ器その他これらに類する球戯用具及び射的用具	二
	ご、しようぎ、まあじやん、その他の遊戯具	五
	スポーツ具	三
	劇場用観客いす	三
	どんちよう及び幕	五
	衣しよう、かつら、小道具及び大道具	二
	その他のもの	
	主として金属製のもの	一〇
	その他のもの	五
10 生物	植物	
	貸付業用のもの	二
	その他のもの	一五
	動物	
	魚類	二
	鳥類	四
	その他のもの	八
11 前掲のもの以外のもの	映画フィルム（スライドを含む。）、磁気テープ及びレコード	二
	シート及びロープ	二
	きのこ栽培用ほだ木	三
	漁具	三
	葬儀用具	三
	楽器	五
	自動販売機（手動のものを含む。）	五
	無人駐車管理装置	五
	焼却炉	五
	その他のもの	
	主として金属製のもの	一〇
	その他のもの	五
12 前掲する資産のうち、当該資産について定められている前	主として金属製のもの	一五

掲の耐用年数によるもの以外のもの及び前掲の区分によらないもの	その他のもの	八

別表第二　機械及び装置の耐用年数表

番号	設備の種類	細目	耐用年数
1	食料品製造業用設備		一〇年
2	飲料、たばこ又は飼料製造業用設備		一〇
3	繊維工業用設備	炭素繊維製造設備	
		黒鉛化炉	三
		その他の設備	七
		その他の設備	七
4	木材又は木製品（家具を除く。）製造業用設備		八
5	家具又は装備品製造業用設備		一一
6	パルプ、紙又は紙加工品製造業用設備		一二
7	印刷業又は印刷関連業用設備	デジタル印刷システム設備	四
		製本業用設備	七
		新聞業用設備	
		モノタイプ、写真又は通信設備	三
		その他の設備	一〇
		その他の設備	一〇
8	化学工業用設備	臭素、よう素又は塩素、臭素若しくはよう素化合物製造設備	五
		塩化りん製造設備	四
		活性炭製造設備	五
		ゼラチン又はにかわ製造設備	五
		半導体用フォトレジスト製造設備	五
		フラットパネル用カラーフィルター、偏光板又は偏光板用フィルム製造設備	五
		その他の設備	八
9	石油製品又は石炭製品製造業用設備		七
10	プラスチック製品製造業用設備（他の号に掲げるものを除く。）		八
11	ゴム製品製造業用設備		九
12	なめし革、なめし革製品又は毛皮製造業用設備		九
13	窯業又は土石製品製造業用設備		九
14	鉄鋼業用設備	表面処理鋼材若しくは鉄粉製造業又は鉄スクラップ加工処理業用設備	五
		純鉄、原鉄、ベースメタル、フェロアロイ、鉄素形材又は鋳鉄管製造業用設備	九
		その他の設備	一四
15	非鉄金属製造業用設備	核燃料物質加工設備	一一
		その他の設備	七
16	金属製品製造業用設備	金属被覆及び彫刻業又は打はく及び金属製ネームプレート製造業用設備	六
		その他の設備	一〇
17	はん用機械器具（はん用性を有するもので、他の器具及び備品並びに機械及び装置に組み込み、又は取り付けることによりその用に供されるものをいう。）製造業用設備（第二〇		

番号	設備の種類	細目	耐用年数
	号及び第二二号に掲げるものを除く。）		一二
18	生産用機械器具（物の生産の用に供されるものをいう。）製造業用設備（次号及び第二一号に掲げるものを除く。）	金属加工機械製造設備	九
		その他の設備	一二
19	業務用機械器具（業務用又はサービスの生産の用に供されるもの（これらのものであつて物の生産の用に供されるものを含む。）をいう。）製造業用設備（第一七号、第二一号及び第二三号に掲げるものを除く。）		七
20	電子部品、デバイス又は電子回路製造業用設備	光ディスク（追記型又は書換え型のものに限る。）製造設備	六
		プリント配線基板製造設備	六
		フラットパネルディスプレイ、半導体集積回路又は半導体素子製造設備	五
		その他の設備	八
21	電気機械器具製造業用設備		七
22	情報通信機械器具製造業用設備		八
23	輸送用機械器具製造業用設備		九
24	その他の製造業用設備		九
25	農業用設備		七
26	林業用設備		五
27	漁業用設備（次号に掲げるものを除く。）		五
28	水産養殖業用設備		五
29	鉱業、採石業又は砂利採取業用設備	石油又は天然ガス鉱業用設備	
		坑井設備	三
		掘さく設備	六
		その他の設備	一二
		その他の設備	六
30	総合工事業用設備		六
31	電気業用設備	電気業用水力発電設備	二二
		その他の水力発電設備	二〇
		汽力発電設備	一五
		内燃力又はガスタービン発電設備	一五
		送電又は電気業用変電若しくは配電設備	
		需要者用計器	一五
		柱上変圧器	一八
		その他の設備	二二
		鉄道又は軌道業用変電設備	一五
		その他の設備	
		主として金属製のもの	一七
		その他のもの	八
32	ガス業用設備	製造用設備	一〇
		供給用設備	
		鋳鉄製導管	二二
		鋳鉄製導管以外の導管	一三
		需要者用計量器	一三
		その他の設備	一五
		その他の設備	
		主として金属製のもの	一七
		その他のもの	八
33	熱供給業用設備		一七
34	水道業用設備		一八
35	通信業用設備		九
36	放送業用設備		六
37	映像、音声又は文字情報制作業用設備		八
38	鉄道業用設備	自動改札装置	五
		その他の設備	一二
39	道路貨物運送業用設備		一二

番号	設備の種類	細目	耐用年数
40	倉庫業用設備		一二
41	運輸に附帯するサービス業用設備		一〇
42	飲食料品卸売業用設備		一〇
43	建築材料、鉱物又は金属材料等卸売業用設備	石油又は液化石油ガス卸売用設備（貯そうを除く。）	一三
		その他の設備	八
44	飲食料品小売業用設備		九
45	その他の小売業用設備	ガソリン又は液化石油ガススタンド設備	八
		その他の設備　主として金属製のもの	一七
		その他のもの	八
46	技術サービス業用設備（他の号に掲げるものを除く。）	計量証明業用設備	八
		その他の設備	一四
47	宿泊業用設備		一〇
48	飲食店業用設備		八
49	洗濯業、理容業、美容業又は浴場業用設備		一三
50	その他の生活関連サービス業用設備		六
51	娯楽業用設備	映画館又は劇場用設備	一一
		遊園地用設備	七
		ボウリング場用設備	一三
		その他の設備　主として金属製のもの	一七
		その他のもの	八
52	教育業（学校教育業を除く。）又は学習支援業用設備	教習用運転シミュレータ設備	五
		その他の設備　主として金属製のもの	一七
		その他のもの	八
53	自動車整備業用設備		一五
54	その他のサービス業用設備		一二
55	前掲の機械及び装置以外のもの並びに前掲の区分によらないもの	機械式駐車設備	一〇
		ブルドーザー、パワーショベルその他の自走式作業用機械設備	八
		その他の設備　主として金属製のもの	一七
		その他のもの	八

附録４　共済組合等一覧

共済組合名	代表者	事務担当部局課	所在地	電話
衆議院共済組合	衆議院議長	管理部厚生課	千代田区永田町一の七の一	〇三（三五八一）五一一一
参議院共済組合	参議院議長	庶務部厚生課	千代田区永田町一の七の一	〇三（三五八一）三一一一
内閣共済組合	内閣総理大臣	大臣官房厚生管理官付	千代田区永田町一の六の一	〇三（五二五三）二一一一
総務省共済組合	総務大臣	大臣官房会計課厚生企画管理室	千代田区霞が関二の一の二	〇三（五二五三）五一一一
法務省共済組合	法務大臣	大臣官房厚生管理官付	千代田区霞が関一の一の一	〇三（三五八〇）四一一一
外務省共済組合	外務大臣	大臣官房会計課福利厚生室	千代田区霞が関二の二の一	〇三（三五八〇）三三一一
財務省共済組合	財務大臣	大臣官房厚生管理官付	千代田区霞が関三の一の一	〇三（三五八一）四一一一
文部科学省共済組合	文部科学大臣	大臣官房人事課福利厚生室	千代田区霞が関三の二の二	〇三（五二五三）四一一一
厚生労働省共済組合	厚生労働大臣	大臣官房会計課厚生管理室	千代田区霞が関一の二の二	〇三（五二五三）一一一一
農林水産省共済組合	農林水産大臣	大臣官房秘書課	千代田区霞が関一の二の一	〇三（三五〇二）八一一一
経済産業省共済組合	経済産業大臣	大臣官房会計課厚生企画室	千代田区霞が関一の三の一	〇三（三五〇一）一五一一
国土交通省共済組合	国土交通大臣	大臣官房福利厚生課	千代田区霞が関二の一の三	〇三（五二五三）八一一一
防衛省共済組合	防衛大臣	人事教育局厚生課	新宿区市谷本村町五番一	〇三（三二六八）三一一一
裁判所共済組合	最高裁判所長官	事務総局経理局厚生課	千代田区隼町四の二	〇三（三二六四）八一一一
会計検査院共済組合	会計検査院長	事務総長官房厚生管理官付	千代田区霞が関三の二の二	〇三（三五八一）三二五一
刑務共済組合	法務大臣	矯正局総務課	千代田区霞が関一の一の一	〇三（三五八〇）四一一一
厚生労働省第二共済組合	厚生労働大臣	医政局医療経営支援課職員厚生室	千代田区霞が関一の二の二	〇三（五二五三）一一一一
林野庁共済組合	林野庁長官	国有林野部管理課福利厚生室	千代田区霞が関一の二の一	〇三（三五〇二）八一一一
日本郵政共済組合	日本郵政株式会社代表執行役社長	日本郵政共済組合本部	千代田区大手町二の三の一	〇八〇（三二一六）五〇三八（直通）
国家公務員共済組合連合会職員共済組合	国家公務員共済組合連合会理事長	職員部	千代田区九段南一の一の一〇　九段合同庁舎	〇三（三二二二）一八四一
国家公務員共済組合連合会	国家公務員共済組合連合会理事長	総務部総務課	千代田区九段南一の一の一〇　九段合同庁舎	〇三（三二二二）一八四一

（国家公務員共済組合連合会年金部）	国家公務員共済組合連合会理事長	年金部管理課	千代田区九段南一の一の一〇 九段合同庁舎	〇三（三二六五）八一四一
日本私立学校振興・共済事業団	日本私立学校振興・共済事業団理事長	企画室（共済事業本部）	文京区湯島一の七の五	〇三（三八一三）五三二一
農林漁業団体職員共済組合	農林漁業団体職員共済組合理事長	総務部企画課	台東区秋葉原二番三号 日本農業新聞本社ビル内	〇三（六二六〇）七八〇〇
日本鉄道共済組合	独立行政法人鉄道建設・運輸施設整備支援機構理事	鉄道・運輸機構共済業務室	横浜市中区本町六の五〇の一 横浜アイランドタワー内	〇四五（二二二二）九六七三（直通）
エヌ・ティ・ティ企業年金基金	エヌ・ティ・ティ企業年金基金理事長	年金部門	千代田区内神田三の六の二 アーバンネット神田ビル内	〇三（六二〇六）四四五五（直通）
日本たばこ産業共済組合	日本たばこ産業株式会社代表取締役社長	JTビジネスコム人事グループ	港区東新橋二の一四の一 NBFコモディオ汐留ビル内	〇三（六六三四）三一二〇

（令和六年一〇月現在）

〈日本図書館協会選定図書〉

不許
複製

共済小六法

［令和７年版］

昭和34年10月30日　初　版　発　行
令和６年12月25日　令和７年版発行

編　　者　共 済 組 合 連 盟
東京都千代田区富士見１－７－５
TEL 03(3261)0073　〒102-0071

発 行 者　佐 久 間 重 嘉

学 陽 書 房

〒102-0072 東京都千代田区飯田橋1-9-3
(営業)　ＴＥＬ (03) 3261―1111(代)
　　　　ＦＡＸ (03) 5211―3300
(編集)　ＴＥＬ (03) 3261―1112(代)
　　　　ＦＡＸ (03) 5211―3302
https://www.gakuyo.co.jp

乱丁・落丁本は、送料小社負担にてお取り替えいたします。
加藤文明社・東京美術紙工
ISBN978-4-313-00507-5　C2032

俸給関係質疑応答集

―第12次全訂版―

一般財団法人　公務人材開発協会　人事行政研究所　編著

公務員の給与実務に関して生じる疑問や問題点について、正確・厳密に処理するのにすぐ役立つよう、分かり易く書き下した質疑応答集の最新版。最新の給与実務で提起された問題までを新たに加筆した改訂版。

Ａ５判並製　定価　四一八〇円（10％税込）

諸手当質疑応答集

―第14次全訂版―

一般財団法人　公務人材開発協会　人事行政研究所　編集

複雑な公務員の諸手当の支給実務に際して生ずる法規上の疑問、諸問題をＱ＆Ａでわかりやすく解説。よくある照会や身近な事例を多数新設し、制度改正や運用・解釈の変更を反映し、丁寧な解説を追加した最新全訂版。従来の縦書きを横書きとして、文章、図、計算式等をよりわかりやすく表示。便利な附録も充実。

Ａ５判並製　定価　四七三〇円（10％税込）

旅費法詳解

―第９次改訂版―

旅費法令研究会　編

国家公務員等の旅費に関する法律を、支給規定、運用方針、先例などを取り入れ逐条解説した担当者必携書の４年ぶりの最新版。「国家公務員等の旅費に関する法律」第３条（旅費の支給）の改正、「国家公務員等の旅費支給規程」各別表（旅行命令簿、旅費請求書）の諸改正等に対応した最新版。

Ａ５判並製　定価　三八五〇円（10％税込）

公務員の旅費法質疑応答集

―第７次改訂版―

旅費法令研究会　編

旅費の取り扱いについて、運用のなかで起きた２８８の事例を一問一答形式で解説。「国家公務員等の旅費支給規程」各別表（旅行命令簿、旅費請求書）の改正などに伴い新規の設問を追加し、全面的に見直しを図った最新版。

Ａ５判並製　定価　三七四〇円（10％税込）

公務員の退職手当法詳解
―第7次改訂版―

退職手当制度研究会　編著

退職手当法を条文ごとに詳細に説いた唯一の書。今改訂では国家公務員法改正①定年を段階的に65歳まで引き上げ　②管理職勤務上限年齢制による降任、転任制度の導入等の前改訂以降の法令改正を全面的に見直した最新改訂版。

A5判並製　定価　一一〇〇〇円（10％税込）

公務員の退職手当質疑応答集
―全訂第7版―

退職手当制度研究会　編著

退職手当制度の運用の中で起こった具体的な279の事例を一問一答形式で解説！　『公務員の退職手当法詳解（第7次改訂版）』の参照頁を事例ごとに記載。同書との併用で、よりスムーズな実務対応ができる！

A5判並製　定価　五五〇〇円（10％税込）

逐条 国家公務員法

―第2次全訂版―

吉田耕三・尾西雅博　編

国家公務員法の逐条解説書。国家公務員法の仕組みと変遷を示すとともに、実務者に必要な各条文の沿革、詳細な規則までを含めた解釈と運用を説く唯一の定本。令和5年から段階的に引き上げられる定年延長制度他、前版2015年以降の改正を網羅した最新改訂版。

Ａ5判上製函入　定価　二六四〇〇円（10％税込）

公務員の勤務時間・休暇法詳解

―第6次改訂版―

一般財団法人　公務人材開発協会　人事行政研究所　編著

公務員の勤務時間・休暇制度を詳述した担当者必携の書。フレックスタイム制及び休憩時間制度の柔軟化、超過勤務の上限規制に関する措置、出生サポート休暇の新設、非常勤職員の有給休暇の見直し等、前版後の改正を盛り込み発刊。

Ａ5判並製　定価　一一〇〇〇円（10％税込）